CB075903

R.N. Champlin, Ph.D.

O ANTIGO TESTAMENTO INTERPRETADO

Versículo por Versículo

VOLUME 5

Nova edição
revisada – 2018
Inclui hebraico

ISAÍAS / JEREMIAS
LAMENTAÇÕES / EZEQUIEL
DANIEL / OSEIAS / JOEL
AMÓS / OBADIAS / JONAS
MIQUEIAS / NAUM
HABACUQUE / SOFONIAS
AGEU / ZACARIAS
MALAQUIAS

hagnos

Av. Jacinto Júlio, 27 • São Paulo, SP
Cep 04815-160 • Tel: (11) 5668-5668
www.hagnos.com.br | editorial@hagnos.com.br

Copyright © 2001, 2018 por Editora Hagnos

Copyright do texto hebraico: *Biblia Hebraica Stuttgartensia*, editada por Karl Elliger e Wilhelm Rudolph, primeira edição revisada, editada por Adrian Scheker © 1977 e 1977 por Deutsche Bibelgesellschaft, Stutgard.
Usado com permissão.

2ª edição: maio de 2018
2ª reimpressão: janeiro de 2024

REVISÃO
Andrea Filatro
Ângela Maria Stanchi Sinézio
Priscila Porcher
Caio Peres

DIAGRAMAÇÃO
Sonia Peticov

CAPA
Maquinaria Studio

Editor
Aldo Menezes

COORDENADOR DE PRODUÇÃO
Mauro Terrengui

IMPRESSÃO E ACABAMENTO
Imprensa da Fé

As opiniões, as interpretações e os conceitos emitidos nesta obra são de responsabilidade do autor e não refletem necessariamente o ponto de vista da Hagnos.

Todos os direitos desta edição reservados à

EDITORA HAGNOS LTDA.
Rua Geraldo Flausino Gomes, 42, conj. 41
CEP 04575-060 — São Paulo, SP
Tel.: (11) 5990-3308

E-mail: hagnos@hagnos.com.br
Home page: www.hagnos.com.br

Editora associada à:

Dados Internacionais de Catalogação na Publicação (CIP)
(Câmara Brasileira do Livro, SP, Brasil)

Champlin, Russell Norman, 1933-2018

O Antigo Testamento interpretado versículo por versículo. Volume 5: Isaías, Jeremias, Lamentações, Ezequiel, Daniel, Oseias, Joel, Amós, Obadias, Jonas, Miqueias, Naum, Habacuque, Sofonias, Ageu, Zacarias, Malaquias / Russell Norman Champlin. 2 ed. — São Paulo: Hagnos, 2018.

Bibliografia

ISBN 85-88234-19-X

1. Bíblia AT - Crítica e interpretação
I Título.

00-2013

CDD-221.6

Índice para catálogo sistemático:
1. Antigo Testamento: Interpretação e crítica 221.6

ISAÍAS

O LIVRO DE PROFECIAS MESSIÂNICAS

> *Todos nós andávamos desgarrados como ovelhas; cada um se desviava pelo caminho, mas o Senhor fez cair sobre ele a iniquidade de nós todos.*
>
> Isaías 53.6

66	Capítulos
1.292	Versículos

INTRODUÇÃO

ESBOÇO:

I. Isaías, o Profeta
II. Pano de Fundo Histórico
III. Unidade do Livro: Isaías e os Críticos
IV. Autoria e Data
V. Cânon e Texto
VI. Isaías e seu Conceito de Deus
VII. Ideias Teológicas
VIII. Citações de Isaías no Novo Testamento
IX. Problemas Especiais do Livro
X. Esboço do Conteúdo
XI. Bibliografia

I. ISAÍAS, O PROFETA

1. *Cenário.* O versículo de introdução do livro de Isaías situa o profeta durante os reinados de Uzias, Jotão, Acaz e Ezequias, reis de Judá. O trecho de Is 6.1 refere-se, especificamente, à morte do rei Uzias, o que pode ser datado em cerca de 735 a.C. Sem importar o que pensemos sobre os problemas que envolvem a unidade do livro (ver a terceira seção), não há razão alguma para duvidarmos de que o profeta Isaías viveu nessa época. Isaías, o filho de Amós, proclamou sua mensagem à nação de Judá e em sua capital, Jerusalém, entre 742 e 687 a.C., o que foi um período crítico para o reino do norte, por causa da invasão assíria, que resultou no cativeiro assírio (ver a respeito no *Dicionário*). Partes do livro parecem refletir um tempo posterior ao cativeiro babilônico (capítulos 40—66), conforme alguns supõem, o que já teria acontecido após a época de Isaías. Discutimos sobre essa questão na terceira seção.

2. *O Nome.* No hebraico, *Yeshayahu* ou *Yeshaya*, uma combinação de duas palavras hebraicas cuja tradução seria "salvação de Yahweh". Historicamente, Isaías acompanhou Amós e Oseias, que ministraram na nação do norte, Israel. Miqueias foi contemporâneo de Isaías e também trabalhou no reino do sul, Judá.

3. *Sua Vida.* Sabemos que o nome do pai de Isaías era Amós (Is 1.1), e que sua esposa era profetisa, embora não saibamos dizer em qual capacidade (Is 8.3). Coisa alguma se sabe sobre seus primeiros anos de vida. Com base em Is 6.1-8, alguns conjecturaram que ele era um sacerdote. No entanto, outros pensam que ele pertencia à família real. Isso se alicerça sobre tradições judaicas, as quais, naturalmente, não nos podem dar certeza do que dizem. O certo é que, aos seus dois filhos, foram dados nomes que simbolizavam a iminência do juízo divino. O primeiro deles, "Um Resto Volverá" (no hebraico, *Shear-yashub*; Is 7.3), parece que já era homem feito nos dias de Acaz. O outro filho, chamado "Rápido-Despojo-Presa-Segura" (no hebraico, *Maher-shalal-hashbaz*; Is 8.3), tal como seu irmão, recebeu um nome simbólico. É possível que, nesses dois nomes, estejam em pauta tanto o cativeiro assírio quanto o cativeiro babilônico. Quando a nação do norte foi levada em cativeiro, a nação do sul só conseguiu permanecer precariamente, pagando tributo (2Cr 28.21).

Calcula-se que, durante quarenta anos, Isaías atuou ativamente como profeta do Senhor em Judá. Se, afinal de contas, Isaías não pertencia à aristocracia, pelo menos sua habilidade literária confirma sua excelente educação. Sabemos que o seu grande centro de atividades foi Jerusalém, embora não saibamos a que tribo ele pertencia. Mas ele levava a sério o seu ofício, usando roupas de linho cru e uma capa de pelos de cor escura, vestes próprias de quem lamentava, porquanto o que ele previa para o povo de Israel era extremamente desastroso.

4. *Período do Ministério de Isaías.* a. Nos tempos de Uzias (783—738 a.C.) e de Jotão (750—738 a.C., como regente, e 738—735 a.C., como governante único). Nesse primeiro período, Isaías pregava o arrependimento, mas não conseguia convencer a quem quer que fosse. Então proferiu um terrível julgamento que estava prestes a desabar sobre a nação. b. O segundo período de seu ofício profético começou no início do reinado de Acaz (735—719 a.C.), até o reinado de Ezequias.

c. O terceiro período começou com a ascensão de Ezequias ao trono (719—705 a.C.) até o décimo quinto ano do seu reinado. Depois disso Isaías não mais participou da vida pública, embora tivesse continuado a viver até o começo do reinado de Manassés. As tradições antigas dizem que ele foi martirizado sendo serrado ao meio, e é possível que o trecho de Hb 11.37 faça alusão a isso.

5. *Escritores.* Além do livro que tem seu nome (ou, pelo menos, uma porção maior do livro), Isaías escreveu uma biografia do rei Uzias (2Cr 26.22) e outra de Ezequias (2Cr 32.32). Contudo, essas biografias, com o tempo, se perderam. A obra chamada *Ascensão de Isaías* (ver a respeito no *Dicionário*), naturalmente, nada tem a ver, historicamente falando, com o profeta Isaías.

Estilo e Poder. O sexto capítulo nos deixa em um terreno eminentemente místico. Isaías era homem dotado de visões e experiências místicas (ver no *Dicionário* o artigo sobre o Misticismo). O que ele via e experimentava servia para dar grande poder ao que escrevia. Naquele sexto capítulo, ele registrou a visão que teve de Yahweh; e, apesar de todo o nosso conhecimento de Deus ser necessariamente parabólico, nessa visão a glória de Deus resplandece mediante a inspiração dada ao profeta. Alguns de seus oráculos mais candentes foram aqueles que descreveram a queda então iminente de Samaria diante dos assírios (ver Is 9.9—10.4; 5.25-30; 28.1-4). Notáveis oráculos messiânicos encontram-se nos trechos de Is 9.1-7; 11.1-9; 32.1-8. Os capítulos 40—48 encerram, virtualmente, uma teologia sobre os atributos de Deus. Apresentamos no *Dicionário* um artigo separado que considera a questão com detalhes, intitulado *Isaías, seu Conceito de Deus*. Isaías escrevia com vigor e eloquência sem iguais, entre todos os demais profetas do Antigo Testamento. Com toda a justiça, pois, ele é considerado o principal dos profetas escritores. Seus escritos antecipavam os ensinamentos bíblicos sobre a graça divina. Sua linguagem é rica e repleta de ilustrações. Seu estilo é severo, apesar de imponente. Suas aliterações e bem calculadas repetições ilustram grande habilidade literária, colocando seus escritos numa classe toda à parte. Ele jamais se precipitava em suas palavras, as quais fluíam graciosamente. A parábola da vinha (Is 5.1-7) serve de excelente exemplo do uso poderoso que ele fazia das palavras. Suas doutrinas normativas eram o reinado e a santidade de Yahweh. Com base nisso, segue-se, necessariamente, o julgamento divino contra os desobedientes. A Assíria estava aterrorizando Israel, mas como um terror enviado por Deus contra um povo desobediente. Todavia, Deus permanecia no controle das coisas. Coisa alguma acontece de surpresa para ele. O propósito de Deus terá de prevalecer, finalmente (Is 14.24-27; 28.23 ss.). Apesar de suas profecias melancólicas, Isaías previu o dia do triunfo do Bem. Chegará, afinal, o tempo em que a terra se encherá do conhecimento de Yahweh, assim como as águas cobrem o mar (ver Is 11.9).

II. PANO DE FUNDO HISTÓRICO

O próprio livro de Isaías (ver 1.1) informa-nos de que esse profeta viveu durante os reinados de Uzias, Jotão, Acaz e Ezequias, reis de Judá. O trecho de Is 6.1 menciona a morte do rei Uzias (cerca de 735 a.C.). Miqueias, outro profeta, foi seu contemporâneo que trabalhou em Judá. O período da vida de Isaías foi crítico. No tocante a Israel, é um dos períodos mais abundantemente confirmados pelo testemunho histórico e por evidências arqueológicas. Foi o tempo em que os grandes monarcas assírios, Tiglate-Pileser III, Salmaneser IV, Sargão e Senaqueribe, lançaram-se à tarefa de universalizar o império assírio. Parte desse esforço foram as campanhas militares contra o norte da Palestina, que incluía as nações de Israel e Judá. Parece que Isaías iniciou seu ministério público em cerca de 735 a.C. e continuava ativo até o décimo quinto ano do reinado de Ezequias (cerca de 713 a.C.). Talvez ele tenha vivido até bem dentro do reinado de Manassés. As tradições judaicas afiançam que no período desse rei é que Isaías foi serrado pelo meio (ver *Martírio de Isaías*, cap. 5), ao que possivelmente alude o trecho de Hb 11.37, embora referências e tradições dessa ordem não possam ser comprovadas, sendo talvez meras conjecturas. Seja como for, o trecho de Is 1.1 não menciona Manassés, e isso é uma omissão significativa, se Isaías viveu todo esse tempo. Seja como for, seu ministério público poderia ter-se ampliado por quarenta anos; e certamente não envolveu menos do que 25 anos.

Se os capítulos 40 a 66 não foram originalmente escritos por Isaías, conforme pensam alguns, então poderíamos dizer que as profecias de Isaías abordavam, essencialmente, a ameaça assíria, bem como a razão dessa ameaça, ou seja, a teimosa desobediência de Israel, a par da indiferença religiosa e da corrupção moral. Se esses capítulos, porém, pertencem genuinamente a Isaías, então devemos considerá-los profecias, e não história. Em outras palavras, dificilmente Isaías teria sobrevivido até o tempo do exílio babilônico, que é o pano de fundo desses capítulos. Porém, ele pode ter visto profeticamente aquele período histórico. Os estudiosos conservadores preferem tomar o ponto de vista profético. Mas os eruditos liberais consideram que esses capítulos são um reflexo histórico, e não declarações preditivas. Nesse caso, teriam sido escritos por outro autor. Se isso é mesmo verdade, então o livro unificado de Isaías aborda tanto o cativeiro assírio quanto o cativeiro babilônico. Ver no *Dicionário* artigos separados sobre ambos. E ver a terceira seção, que aborda a questão da unidade do livro de Isaías.

Acabe e seus aliados detiveram temporariamente o avanço assírio, por ocasião da batalha de Qarqar, em 854 a.C.; mas isso não fez com que os assírios desistissem de seus ideais de conquista territorial. Tiglate-Pileser III (745—727 a.C.) invadiu o oeste, conquistou a costa da Fenícia e forçou certos reis, como Rezim, de Damasco, e Menaém, de Samaria (além de vários outros), a pagarem tributo. O trecho de 2Reis 15.19-29 revela-nos isso. Ali esse rei é chamado Pul, que era o seu nome nativo, conforme se sabe mediante fontes informativas babilônicas. Em cerca de 722 a.C. ele conquistou grande fatia da Galileia e deportou daquela região as duas tribos e meia de Israel que ocupavam a área. E fez com que aquelas populações se misturassem a outras, conforme era seu costume (2Rs 17.6-24).

Salmaneser V (726—722 a.C.) seguiu na esteira de seu pai, quanto às conquistas militares. Peca, rei de Israel, foi assassinado. Seu sucessor, Oseias, tornou-se vassalo da Assíria. Seguiu-se um cerco de três anos da capital, Samaria, até que o reino do norte, Israel, foi destruído, em 722-721 a.C. Amós e Oseias foram os profetas do Senhor que predisseram isso. Alguns pensam que Sargão teria sido o monarca assírio que, finalmente, conquistou Samaria e completou a derrota do reino do norte. Seja como for, o trabalho de destruição se completou. Sargão continuou reinando até 705 a.C., tendo ainda feito muitas guerras contra a Ásia Menor, contra a região de Ararate e contra a Babilônia.

Senaqueribe, filho de Sargão (705—681 a.C.), invadiu Judá, nação que já se sujeitara a pagar tributo à Assíria. Acaz pagou tributo a Tiglate-Pileser III, e Ezequias foi forçado a fazer o mesmo a Senaqueribe. Foram capturadas 46 cidades de Judá, e Ezequias, em Jerusalém, ficou engaiolado como se fosse um pássaro, embora a própria cidade não tenha sido sucumbido. Então Senaqueribe foi assassinado, e seu filho, Esar-Hadom (ver Is 37.38), continuou a opressão contra Judá. Alguns pensam que foi por esse poder que Manassés ficou detido por algum tempo na Babilônia (2Cr 33.11). Judá não caiu totalmente diante da Assíria, mas ficou extremamente debilitado, tornando-se uma sombra do que havia sido antes disso.

A Babilônia veio então a substituir a Assíria como potência mundial dominante e foram os babilônios que, finalmente, derrubaram os habitantes de Judá e os levaram em cativeiro. Os capítulos 40 em diante do livro de Isaías cobrem esse período, profeticamente (conforme dizem os estudiosos conservadores) ou historicamente (conforme dizem os estudiosos liberais, que, por isso mesmo, atribuem esses capítulos finais de Isaías a outro autor, que não aquele profeta).

Conforme se pode ver, Isaías (ou o deutero-Isaías?) viveu na época em que impérios caíram e se levantaram. Em sua confiança de que nada de mal poderia acontecer a um obediente povo de Israel, ele partia da ideia de que as tribulações do povo de Deus se deviam a causas morais e espirituais, e não apenas políticas e militares. Ele pressupunha que Deus controla todas as coisas, e que todo o desastre que recaiu sobre Israel poderia ter sido impedido, se o povo de Deus se tivesse mostrado fiel ao Senhor. Porém, o que sucedeu foi precisamente o contrário. As nações de Israel e Judá haviam caído em adiantado estado de decadência moral e espiritual. Na primeira metade do século VIII a.C., tanto Israel (sob Jeroboão II, cerca de 782—753 a.C.) quanto Judá (sob Uzias) haviam desfrutado de um período de grande prosperidade material. Foi uma espécie de segunda época áurea, perdendo em resplendor somente diante da glória da época de Salomão. Os capítulos 2 a 4 de Isaías nos fornecem indicações sobre isso. Mas, ao mesmo tempo em que prevalecia a riqueza material, prevalecia a pobreza espiritual, incluindo a mais desabrida idolatria, que encheu a terra (Is 2.8). De tão próspera e elevada situação, Israel e Judá em breve cairiam. A Assíria deu início à derrubada, e a Babilônia a terminou.

"Isaías, em seu ministério, enfatizava os fatores espirituais e sociais. Ele feriu as dificuldades da nação em suas raízes — sua apostasia e idolatria — e procurou salvar Judá da corrupção moral, política e social. Porém, não conseguiu fazer com que seus compatriotas se voltassem para Deus. Sua comissão divina envolvia a advertência de que sobreviria o castigo fatal (Is 6.9-12). Dali por diante, ele declarou, ousadamente, a inevitável queda de Judá e a preservação de um pequeno remanescente fiel a Deus (Is 6.13). Todavia, alguns raios de esperança alegram as suas predições. Através desse pequeno remanescente, ocorreria uma redenção de âmbito mundial, quando viesse o Messias, em seu primeiro advento (Is 9.2,6; 53.1-12). E, por ocasião do segundo advento do Messias, haveria a salvação e a restauração da nação (Is 2.1-5; 9.7; 11.1-16; 35.1-10; 54.11-17). O tema de que Israel, um dia, será a grande nação messiânica no mundo, um meio de bênção para todos os povos (o que terá cumprimento somente no futuro), que fez parte tão constante das predições de Isaías, tem atraído para ele o título de profeta messiânico" (Unger, em seu artigo sobre Isaías).

III. UNIDADE DO LIVRO: ISAÍAS E OS CRÍTICOS

1. *Ponto de Vista Tradicional.* No século XVIII, a unidade do livro de Isaías começou a ser questionada. Até então, o livro inteiro era aceito como produção literária do profeta Isaías, e de mais ninguém. Pode-se notar por seu nome figura nos capítulos 1, 2, 7, 13, 20, 37-39. Em apoio a essa contenção, deve-se observar que todos os manuscritos do livro de Isaías o apresentam como uma unidade. Não há menção histórica de que algum outro autor esteve envolvido no preparo de qualquer porção dessa produção. Um dos mais bem preservados manuscritos dentre os manuscritos do mar Morto é um completo rolo de Isaías, com data de cerca de 150 a.C. Não há nenhuma evidência de interrupção no começo do capítulo 40, conforme alguns eruditos liberais querem dar a entender.

2. *Um Autor Distinto para os Capítulos 40—66.* O primeiro a sugerir um autor distinto de Isaías foi o erudito alemão Doderlein. Esses capítulos finais do livro de Isaías foram chamados de deutero-Isaías. Presumivelmente, um autor desconhecido, que teria escrito durante o exílio babilônico, teria produzido essa adição aos primeiros 39 capítulos.

3. *Outra Divisão: o trino-Isaías.* Eruditos posteriores pensaram ter encontrado ainda um terceiro autor, no capítulo 55 do livro de Isaías, pelo que uma terceira divisão do livro foi proposta, envolvendo os capítulos 56 a 66.

4. *Explicações das Divisões.* Os capítulos 40 a 55 consistem em uma coletânea de poemas em um novo estilo rapsódico, que alguns atribuem ao período do exílio babilônico de Judá. A crítica da forma (ver no *Dicionário* o artigo intitulado *Crítica da Bíblia*) procura separar os elementos dessa seção. Ali encontramos alusões a Ciro, como uma figura que começava a levantar-se. Seria isso uma predição, ou seria história? E também há menção à iminente queda da Babilônia dos caldeus. Se essa seção teve origem imediatamente após a queda da Babilônia, o que ocorreu a 29 de outubro de 539 a.C., então a composição dessa segunda suposta seção do livro de Isaías deve ter sido feita durante esse tempo, ou alguns anos mais tarde. Ciro é especificamente mencionado em Is 44.28 e 45.1. A menos que tenhamos aí uma afirmação profética, podemos pensar seriamente na possibilidade da existência de um deutero-Isaías, porquanto não haveria como Isaías tivesse sobrevivido desde o cativeiro assírio até o cativeiro babilônico. Pois ele teria de viver por mais de duzentos anos! Diferenças de

estilo, de terminologia e de expressões, quanto a certas ideias, são adicionadas ao argumento histórico. Muitos eruditos modernos, por isso mesmo, creem que essa porção do livro de Isaías deve ser considerada história, e não profecia.

Os capítulos 56 a 66 são uma coletânea de poemas similares aos dos capítulos 40 a 45. Muitos eruditos creem que foram escritos pelo mesmo autor daquela seção. E, nesse caso, então houve somente um deutero-Isaías, e não um trino-Isaías. Outros eruditos opinam que essa seção reflete uma escatologia mais avançada, típica de tempos posteriores. Daí supõem que esses capítulos tenham sido, realmente, produzidos mais tarde que a época de Isaías. Além disso, esses estudiosos acham que há um interesse maior pelo culto, nessa seção, que seria distinto das outras duas porções do livro. Segundo eles, o conteúdo sugere uma data entre 530 e 510 a.C., talvez da época dos contemporâneos de Ageu e Zacarias. E alguns estudiosos pensam que os capítulos 60 a 62 devem ser atribuídos a uma época ainda posterior. Outros creem que o próprio trino-Isaías consiste apenas na coletânea de poemas escritos por vários autores. Uma data tão tardia quanto 400 a.C. tem sido atribuída a essa alegada terceira seção. Dizem esses estudiosos que os vários autores envolvidos faziam todos parte da escola de Isaías, pelo que o livro de Isaías teria sido uma compilação de material recolhido no processo de muitos anos. A continuar nesse pé, vai ver que cada capítulo do livro de Isaías teve um autor diferente! Já há quem pense que essa escola de seguidores de Isaías usava seu livro original como um livro de texto, ao qual, periodicamente, foram adicionados novos capítulos!

Respostas dos Defensores da Unidade do Livro de Isaías:
1. *O ponto de vista tradicional merece consideração*. Todos os manuscritos antigos favorecem a ideia da unidade do livro de Isaías. As evidências históricas também. Não há nenhum relato sobre alguma escola de Isaías que tenha compilado gradualmente algum manual profético. Não há evidência histórica em favor de um segundo ou um terceiro Isaías.
2. *O argumento acerca do estilo* poderia ter algum peso, pois sabe-se que todo autor tem sua maneira distinta de exprimir-se, um vocabulário próprio, e ideias específicas que ele gosta de enfatizar. Todavia, as diferenças não são maiores do que aquelas encontradas, por exemplo, nas obras de Shakespeare ou nas obras mais volumosas de outro autor qualquer. Além disso, ao escrever sobre diferentes assuntos, qualquer pessoa se utiliza de uma maneira toda própria para expressar-se. Um autor que escreva prosa também pode escrever poemas; e seu estilo então varia, e bastante. A história nos dá muitos exemplos disso. Um só autor que escreva poesias fica diferente quando escreve em prosa. Além disso, um Isaías mais idoso, que tivesse escrito certas porções de seu livro mais tarde na vida, poderia ter adquirido certas ideias e certos maneirismos de estilo diferentes da época em que ainda era jovem. Para julgarmos a questão, tornar-se-ia mister, antes de tudo, que fôssemos mestres do hebraico. É quase impossível julgar questões que envolvam estilo. Julgo que poucos dos críticos e poucos dos defensores da unidade do livro de Isaías dominam o hebraico o bastante para fazerem as afirmações que fazem com grande grau de seriedade. E mesmo que tivessem tal conhecimento, ainda assim é difícil julgar questões de estilo.
3. *A crítica que afirma que os capítulos 40—66 são* históricos, e não proféticos, repousa sobre a suposição de que não há capacidade verdadeiramente profética. O fato de o nome de Ciro ser mencionado é, para os críticos, uma clara indicação de que esta porção de Isaías foi escrita depois do cativeiro babilônico. Sabemos, todavia, que o homem possui o poder de precognição, fato esse abundantemente ilustrado através dos estudos da parapsicologia. É raro, obviamente, que um místico moderno preveja nomes muito antes dos acontecimentos, mas até isto acontece. Também não devemos esquecer o poder de Deus que dá aos profetas uma capacidade extraordinária. Supomos que Isaías fosse um verdadeiro profeta capaz de prever o futuro. Os estudos mostram que todas as pessoas, nos seus sonhos, têm uma previsão do futuro. De fato, a experiência psíquica mais comum é o sonho precognitivo. (Ver no *Dicionário* o artigo sobre *Sonhos*). Sendo este o caso, não é um grande pulo de fé acreditar no profeta de Deus, com capacidades além das dos homens comuns, poderia ter verdadeiras visões do futuro remoto. Portanto, a menção de Ciro, por nome, embora incomum em profecias, não é impossível.
4. *O argumento derivado de diferenças de ideias e ênfase* é o mais fraco de todos. Nos capítulos 1—39, temos a ênfase sobre a majestade de Deus. A segunda parte do livro é, de fato, mais interessada no culto religioso, seus ritos, leis etc., mas isto dificilmente comprova um autor distinto. Qualquer livro pode ter estes tipos de variações sem indicar que outro escritor esteja envolvido. Diferenças de temas e de ênfase ocorrem em todas as peças de literatura reconhecidas como dos mesmos escritores. Autores até incorporam contradições de ideias e acontecimentos, e erros crassos. Mas tais coisas não indicam, necessariamente, uma mudança de escritor.

IV. AUTORIA E DATA

A maior parte dos eruditos acredita que o mesmo escritor produziu os capítulos 1—39. Alguns acham que esta porção sofreu algumas interpolações. O nome de Isaías aparece em 1.1; 7.3; 13.1; 20.2,3; 37.2,5,6,21; 38.1,4,21; 39.3,5,8. É curioso que não apareça depois do capítulo 39, o que é, sem dúvida, um peso em favor da suposição de que os capítulos 40—66 tenham sido escritos por outro autor. De qualquer maneira, o que cremos sobre a autoria, naturalmente, tem efeito sobre a(s) data(s) que atribuímos ao livro ou a suas partes distintas.

Na seção III, pontos um e quatro, oferecemos várias conjecturas acerca da data da composição do livro de Isaías. As ideias diferem desde cerca de 750 a.C. até cerca de 400 a.C., dependendo de quantos autores aceitarmos estar envolvidos nessa obra. Se um único autor escreveu o livro inteiro, então é possível que parte tenha sido escrita tão cedo quanto 750 a.C., embora outras porções só tenham sido escritas no tempo do reinado de Ezequias, o que seria nada menos que uma geração mais tarde. Ezequias é mencionado várias vezes nesse livro, incluindo em 1.1 (o último nome da lista de reis). Ver também Is 36.1,2,4,7,14-16,22; 37.1,3,5,9; 38.1,2,35,39; 39.1-5,8. Isaías profetizou durante os dias do reinado de Uzias (791—740 a.C.), sendo possível que uma parte do livro tenha vindo dessa época, com outras porções acrescentadas no ano 700 a.C., embora Isaías tenha sido o autor de todas essas porções.

V. CÂNON E TEXTO

Isaías é o mais longo e, em vários sentidos, o mais rico dos livros proféticos do Antigo Testamento. E a canonicidade desse livro é tão antiga quanto aquela atribuída a qualquer outro livro profético do Antigo Testamento. A experiência demonstra que os escritos e as predições de um profeta garantem sua aceitação e reconhecimento, quase imediatos, se o seu autor foi uma figura notável. Podemos supor que a preservação dos escritos de Isaías, e sua contínua aceitação durante todo o tempo, desde que ele escreveu, confirmem sua posição no cânon desde o século VIII a.C. Todavia, não dispomos de evidências literárias comprobatórias acerca do livro de Isaías. O trecho de Eclesiástico 48.22-25 (de cerca de 180 a.C.) refere-se às visões do profeta Isaías, sendo esse o primeiro informe histórico a respeito de que dispomos. A passagem de 2Crônicas 32.32 menciona as visões do profeta Isaías, correspondentes à época da morte do rei Ezequias, ou seja, cerca de 700 a.C. Esse livro vem de depois do cativeiro babilônico, pelo que foi escrito bastante tempo depois do próprio Isaías. As tradições judaicas atribuem o livro de 2Crônicas a Esdras (cerca de 538 a.C.), embora alguns estudiosos liberais pensem que ele só foi escrito no século III a.C. Seja como for, a referência é nossa mais antiga informação sobre Isaías, dentro da Bíblia, mas fora do próprio livro de Isaías. Serve de confirmação do grande poder espiritual de Isaías, como profeta. E podemos supor que reflita a posição canônica de seu livro, que, desde o começo, recebeu condição quase canônica, tornando-se plenamente canônico não muito depois de sua morte.

Texto. Antes da descoberta dos *Manuscritos (Rolos) do mar Morto* (ver a respeito no *Dicionário*), não havia rolos de Isaías de antes da época de Cristo. Os estudiosos tinham de confiar na exatidão geral do chamado texto massorético (ver também no *Dicionário*). A LXX não difere em grande coisa daquele texto. E a cópia completa do livro de Isaías, descoberta nas cavernas que margeiam o mar Morto, é bastante parecida com o texto tradicional, exceto quanto à vocalização, à soletração de palavras e a outros pequenos pontos, como um uso diferente de artigos, de certas preposições e de certas conjunções. As variações são mais numerosas do que os tradicionalistas poderiam esperar, mas não tão grandes a ponto de alterar qualquer ideia ou a substância da mensagem do livro. Há evidências de que os escribas dos séculos anteriores a Cristo se mostraram muito cuidadosos na cópia, embora não tão cuidadosos quanto os escribas judeus da época medieval. Seja como for, o texto massorético (ver no *Dicionário* o artigo intitulado *Massora*) pode ser atualmente acompanhado, em todos os seus pontos essenciais, de volta até cerca de 150 a.C., data em que foi escrito o rolo de Isaías encontrado nas cavernas de Qumran, perto do mar Morto.

VI. ISAÍAS E SEU CONCEITO DE DEUS
Os capítulos 40 a 48 apresentam um notabilíssimo estudo acerca de Deus e seus atributos. Textos de prova extraídos desses capítulos têm sido tradicionalmente usados pelos teólogos como bases de várias asserções. Apresentamos no *Dicionário* um artigo separado sobre esse assunto, com o título de *Isaías, seu Conceito de Deus*.

VII. IDEIAS TEOLÓGICAS
Quanto à doutrina de Deus no livro de Isaías, oferecemos um artigo separado. Ver sob a seção sexta. Outros notáveis ensinos e ênfases do livro de Isaías são os seguintes:
1. *Contra a Idolatria*. O lapso de Israel nesse pecado e em outros levou Isaías a escrever seu livro, porquanto viu que o desastre esperava o desobediente povo de Israel. O trecho de Is 40.12-31 é uma ótima peça literária contra os ídolos mudos, que pessoas insensatas fabricam em substituição a Deus. Outras condenações da idolatria acham-se em Is 2.7,8,18,21,22; 57.5-8. Ver também no *Dicionário* o artigo sobre a *Idolatria*.
2. *A Providência e a Soberania de Deus*. Deus governa os indivíduos e as nações. Esta é uma verdade que empresta grande peso à profecia, porquanto Deus age a fim de corrigir os pecadores em seus erros; e essa correção, às vezes, é feita de maneira desastrosa para os desobedientes. A Assíria aparece como instrumento nas mãos de Deus, em Is 10.5. A vara da ira de Deus, a Assíria, foi enviada para punir a hipócrita nação de Israel (vs. 6). Contudo, a providência divina também tem o seu lado positivo. Pode abençoar e destina-se a abençoar àqueles que se arrependem e vivem em consonância com os verdadeiros princípios espirituais. Deus exerce controle sobre a cena internacional, conforme é ilustrado em certas porções dos capítulos 10 e 37 do livro de Isaías.
3. *O Pecado do Homem*. Quanto a esta questão, há vívidas descrições no livro de Isaías. Esse pecado é escarlate (Is 1.18); por causa do pecado o coração dos homens se afasta para longe de Deus (Is 29.13), seus pés correm para praticar o mal, e eles se apressam por derramar sangue inocente (Is 59.7). Aqueles que rejeitam o pecado podem esperar pelo favor divino (Is 56.2-5). Deus ouve a causa dos oprimidos (Is 1.23). Os orgulhosos são repreendidos, mas os humildes são exaltados (Is 22.15-25).
4. *Redenção*. Esse é um dos principais temas do livro de Isaías. Por isso mesmo, este profeta tem sido chamado de "o evangelista do Antigo Testamento". Suas declarações proféticas têm um caráter nitidamente messiânico. Ele via quão inadequados eram os sacrifícios de animais e os ritos religiosos (Is 1.11-17; 40.16). Apesar disso, aconselhava a devida observância das obrigações religiosas (Is 56.2; 53.10). O capítulo 53 encerra a famosa passagem do Servo sofredor (o Messias), com tanta frequência citada pelos cristãos como texto de prova acerca de Jesus e de seu caráter messiânico, como o grande sacrifício expiatório. O capítulo 55 salienta a salvação eterna posta à nossa disposição. Is 55.5 prediz a salvação das nações gentílicas.
5. *Os Poemas do Servo*. Esses poemas talvez se refiram a Israel ou Jacó, indicando mais especificamente a nação de Judá. Porém, há ocasiões em que esses poemas que se referem claramente ao Messias, o Filho de Judá. Alguns eruditos, que não dão o devido valor à profecia e objetam à prática de alguns de torcer o texto a fim de encontrar ali menções ao Messias, afirmam que essas passagens são referências estritamente contemporâneas à nação de Israel. O exame de todas essas passagens, porém, demonstra o inegável tom messiânico de algumas delas. Ver Is 41.8-53; 42.1-9; 49.1-6; 50.4-10; 44.1,2,21,26; 45.4 e 48.20. Ezequiel mostrou-nos a dualidade de uso que se encontra no livro de Isaías. O trecho de Is 37.25 chama de servos de Deus tanto a nação de Israel quanto o Rei messiânico. Notemos como, em Is 42.1-6, o servo é ungido pelo Espírito de Deus para uma grandiosa obra de testemunho e de julgamento. Esses versículos descrevem o Messias e o trecho de Mt 12.18-21 cita a passagem de Isaías.
6. *Escatologia*. Acima de tudo, Isaías é um livro profético, e destacar todas as profecias seria apresentar, virtualmente, uma tabela do conteúdo do livro. A natureza constante desse elemento, pois, encontra-se na décima seção, intitulada Esboço do Conteúdo. Há predições sobre o reino de Deus em Is 2.1-5; 11.1-16; 25.6—26.21; 34 e 35; 52.7-12; 54; 60; 65.17-25; 66.10-24. A ressurreição de Cristo e a sua volta aparecem em Is 25.6—26.21. Isaías 34 apresenta Edom como o inimigo escatológico do povo de Deus, em um sentido simbólico. O quarto versículo desse capítulo foi citado por Jesus acerca de sua própria vinda (Mt 24.29), como também é feito em Ap 6.14. O retorno de Israel à sua terra e o reino milenar de Cristo são descritos em Is 35. Certas profecias a curto prazo dizem respeito, essencialmente, à invasão e ao cativeiro assírio (Is 10.5 ss.; 36). O trecho de Is 39, porém, olha para mais adiante no tempo, o cativeiro babilônico de Judá. Isaías 53 é a passagem messiânica mais notável de Isaías, onde são descritos os sofrimentos de Cristo.

VIII. CITAÇÕES DE ISAÍAS NO NOVO TESTAMENTO
Os escritores do Novo Testamento muito se utilizaram dos escritos de Isaías. Há pelo menos sessenta e sete citações claras desse livro, no Novo Testamento, a saber:

ISAÍAS	NOVO TESTAMENTO
1.9	Rm 9.29
6.9	Lc 8.10
6.9,10	Mt 13.14 25, Mc 4.12; At 28.26,27
6.10	Jo 12.40
7.14	Mt 1.23
8.8,10 (LXX)	Mt 1.23
8.12,13	1Pe 3.14 15
8.14	Rm 9.33; 1Pe 2.8
8.17 (LXX)	Hb 2.13
8.18	Hb 2.13
9.1,2	Mt 4.15 16
10.22	Rm 9.27,28
11.10	Rm 15.12
22.13	1Co 15.32
25.8	1Co 15.54
26.20	Hb 10.37
28.11,12	1Co 14.21
28.16	Rm 9.33; 10.11; 1Pe 2.6
29.10	Rm 11.8
29.13 (LXX)	Mt 15.8 9; Mc 7.6 7
29.14	1Co 1.19
40.3	Mt 3.3, Mc 1.3, Jo 1.23
40.6,8	1Pe 1.24 25
40.13	Rm 11.34; 1Co 2.16
42.1-44	Mt 12.18 21
43.20	1Pe 2.9
43.21	1Pe 2.9
44.28	At 13.22
45.21	Mc 12.32
45.23	Rm 14.11
49.6	At 13.47
49.8	2Co 6.2
49.18	Rm 14.11
52.5	Rm 2.24

52.7	Rm 10.15
52.11	2Co 6.17
52.15	Rm 15.21
53.1	Jo 12.38; 10.16
53.4	Mt 8.17
53.7 8 (LXX)	At 8.32 33
53.9	1Pe 2.22
53.12	Lc 22.37
54.1	Gl 4.27
54.13	Jo 6.45
55.3 (LXX)	At 13.34
56.7	Mt 21.13; Mc 11.17; Lc 19.46
59.7,8	Rm 3.15 17
59.20,21	Rm 11.26 27
61.1,2	Lc 4.18 19
61.6	1Pe 2.9
62.11	Mt 21.5
64.4	1Co 2.9
65.1	Rm 10.20
65.2	Rm 10.21
66.1,2	At 7.49 50

Que Isaías previu a vinda do Messias é fato aceito por todo o Novo Testamento. Algumas das citações anteriores são didáticas; mas a maioria delas é de natureza preditiva sobre o Cristo ou sobre as circunstâncias de seu período na terra. Algumas delas podem ser aplicadas ao novo Israel, a igreja conforme se vê em 1Pe 2.9 (Is 43.20,21). Outras situam Israel em relação à igreja, como em Rm 9.27,28 (Is 10.22 e 1.9). A natureza dessas predições tem feito o livro de Isaías ser chamado de "o evangelho do Antigo Testamento".

IX. PROBLEMAS ESPECIAIS DO LIVRO

1. *A unidade do livro de Isaías*, discutida na terceira seção, anteriormente.
2. *O nascimento virginal de Jesus* (cf. Is 7.14 e sua citação em Mt 1.22,23). Esse problema tem sido considerado suficientemente importante para merecer no *Dicionário* um artigo separado: ver *Nascimento Virginal de Jesus: História e Profecia em Is 7.14 e Mateus 1.22,23*.
3. *O problema do significado da palavra "servo".* Ver sob a oitava seção, quinto ponto.
4. *O problema da profecia preditiva.* Os eruditos liberais não se deixam impressionar pela tradição profética, supondo que os eruditos conservadores estejam sempre vendo coisas, no texto do Antigo Testamento, como se ali estivesse o Novo Testamento potencial. Segundo diz esse mesmo argumento, os conservadores estariam sempre procurando encontrar predições acerca dos últimos dias (que corresponderiam à nossa própria época), o que, para os liberais, é uma atividade sem proveito. Apesar de essa acusação ter certa dose de razão, não há como negar a existência e a exatidão da tradição profética. Esse problema destaca-se mormente na questão da unidade do livro. O próprio Isaías poderia ter previsto Ciro, chamando-o por seu nome próprio? Ou outro autor qualquer teria estado envolvido na escrita dos capítulos 40 a 66 de Isaías, tendo vivido em tempos posteriores, pelo que escreveu história, e não profecia preditiva? Ver uma discussão sobre isso em III.4, e também a subseção seguinte, Respostas do Livro de Isaías, em seu terceiro ponto.

Embora seja verdade que o Messias não é mencionado no Antigo Testamento com a extensão que alguns intérpretes supõem, é muito difícil imaginar que Isaías não escreveu sobre o Messias em muitos trechos do seu livro. A oitava seção deste artigo lista grande número de profecias de Isaías referidas no Novo Testamento, nas quais a teoria das profecias messiânicas é abundantemente comprovada. Assim, se os intérpretes modernos, que encontram alusões claras ao Messias, no livro de Isaías, estão equivocados, também o estavam os escritores sagrados do Novo Testamento, o que é um absurdo.

X. ESBOÇO DO CONTEÚDO

Em Quatro Divisões Principais:

1. *Profecias de Cumprimento a Curto Prazo* (Is 1.1—35.10)
Temos aí a condenação da nação de Israel por causa de suas corrupções, com predições de desastres produzidos pela invasão e pelo cativeiro assírio. Várias outras nações também são denunciadas, havendo predições de condenação contra elas.
2. *Capítulos Históricos* (Is 36.1—39.8)
Descrição da invasão pelas tropas de Senaqueribe. A enfermidade de Ezequias e sua recuperação. Menção à missão de Merodaque-Baladã.
3. *Profecias Preditivas sobre a Babilônia* (Is 40.1—45.25)
Antecipação da invasão e do cativeiro babilônico. Para os estudiosos conservadores, isso envolve predição, mas muitos estudiosos liberais preferem pensar que esta seção do livro de Isaías é histórica, tendo sido escrita por algum outro autor, que eles intitulam de deutero-Isaías.
4. *Várias Profecias Preditivas* (Is 46.1—66.24)
Esta seção contém muitas e diferentes profecias, sobre vários assuntos, além de diversos ensinamentos morais e espirituais. Essa quarta seção não pode ser esboçada de forma coerente, por causa da natureza miscelânea do material ali constante, reunido sem nenhuma estrutura interna.

Um Esboço Detalhado:
I. Profecias e Instruções a Curto Prazo (1.1—35.10)
  1. Judá e Jerusalém e Acontecimentos Vindouros (1.1—13.6)
    a. Introdução ao livro e ao seu assunto (1.1-31)
    b. A purificação e a esperança milenar (2.1—4.6)
    c. Punição de Israel devido ao seu pecado (5.1-30)
    d. A chamada e a missão de Isaías (6.1-13)
    e. Predição acerca do Emanuel (7.1-25)
    f. Invasão e cativeiro assírio (8.1-22)
    g. Previsão acerca do Messias (9.1-21)
    h. O látego assírio (10.1-34)
    i. A restauração e o milênio (11.1-16)
    j. O culto durante o milênio (12.1-6)
  2. Denúncias contra Várias Nações (13.1—23.18)
    a. Babilônia (13.1—14.23)
    b. Assíria (14.24-27)
    c. Filístia (14.28-32)
    d. Moabe (15.1—16.14)
    e. Damasco (17.1-14)
    f. Terras para além dos rios da Etiópia (18.1-7)
    g. Egito (19.1-25)
    h. A conquista da Assíria (20.1-6)
    i. Áreas desérticas (21.1—22.25)
    j. Tiro (23.1-18)
  3. O Estabelecimento do reino de Deus (24.1—27.13)
    a. A grande tribulação (24.1-23)
    b. A natureza do reino (25.1-12)
    c. A restauração de Israel (26.1—27.13)
  4. Judá e Assíria no Futuro Próximo (28.1—35.10)
    a. Catástrofes e livramentos (28.1—33.24)
    b. O dia do Senhor (34.1-17)
    c. O triunfo milenar (35.1-10)
II. Descrições Históricas (36.1—39.8)
  1. A invasão de Senaqueribe (36.1—37.38)
  2. Enfermidade e recuperação de Ezequias (38.1-22)
III. Profecias Concernentes à Babilônia (40.1—45.13)
  1. Consolo para os exilados: promessa de restauração (40.1-11)
  2. O caráter de Deus garante o consolo (40.12-31)
  3. Yahweh castigará a idolatria por meio de Ciro (41.1-29)
  4. O Servo de Yahweh, o Consolador (42.1-25)
  5. Restauração: a queda da Babilônia (43.1—47.15)
  6. Exortação para que sejam consolados os restaurados do cativeiro babilônico (48.1-22)
IV. O Servo e Redentor e as Coisas Finais (49—64)
  1. Livramento final do sofrimento pelo Servo de Deus (49—53)
  2. A salvação e as suas bênçãos (54 e 55)

3. Repreensão a Judá por causa de seus pecados (56—58.15)
4. O Redentor divino redimirá Sião (58.16-62)
5. A vingança do Messias e a oração de Isaías (63.7—64.12)
6. A resposta de Deus e o reino prometido (65 e 66)

XI. BIBLIOGRAFIA
AM BA BW DEL E GT I IB IOT ND UN WBC WG WES YO YO (1954) Z

Ao Leitor
Provi uma introdução detalhada que ajudará o estudante sério no estudo do livro de Isaías. Essa introdução aborda os tópicos essenciais e os problemas desse livro, que são: Isaías, o profeta; pano de fundo histórico; unidade do livro; Isaías e os críticos; autoria e data; cânon e texto; Isaías e o conceito de Deus; ideias teológicas; Isaías no Novo Testamento; problemas especiais do livro; esboço do conteúdo.

Fatos a Observar:
1. O profeta Isaías esteve ativo entre 742 e 683 a.C. Sua mensagem foi dirigida ao reino do sul, Judá. O reino do norte, Israel, foi anexado pela Assíria (2Rs 17) e essencialmente perdeu a identidade. Judá esteve em situação precária, sob tributo a essa mesma potência (2Cr 28.21). Finalmente, Judá caiu diante da Babilônia, em 597 a.C. Quanto a detalhes completos sobre o pano de fundo histórico do livro, ver a seção II da *Introdução*. Quanto ao pouco que se sabe sobre Isaías, ver a primeira seção. Ver no *Dicionário* os seguintes verbetes: *Cativeiro (Cativeiros); Cativeiro Assírio* e *Cativeiro Babilônico.*

2. Os capítulos 1-39 foram escritos nos dias de Isaías. Se os capítulos 40-66 foram escritos por ele, então trata-se de uma profecia, porque os eventos ali mencionados (e o nome de Ciro foi especificado; 539 a.C.) não pertenceram à época de Isaías. Os críticos, não acreditando na teoria da profecia, supõem que esses capítulos tenham sido escritos como história. E atribuem essa seção a um, dois ou até três autores diferentes. Dou completas informações sobre isso, na seção III da *Introdução*. Os capítulos 40-46 (comumente chamados de segundo Isaías, ou Segundo e terceiro Isaías) originaram-se pouco tempo antes da queda da Babilônia ao poder dos persas, a 29 de outubro de 539 a.C. Foi esse poder, sob Ciro, que permitiu aos judeus retornar do exílio e reconstruir Jerusalém, incluindo as muralhas da cidade e seu templo. Ver Is 44.28. A vontade de Deus estava trabalhando novamente através de poderes humanos, para que Israel vivesse de novo através de uma tribo, Judá.

3. *A Esperança Messiânica.* Isaías é o mais messiânico de todos os livros do Antigo Testamento. Depois do livro de Salmos, Isaías é o livro do Antigo Testamento mais citado no Novo Testamento. Há quase 70 citações diretas desse livro no Novo Testamento. Ofereço uma lista delas na seção VIII da *Introdução*. Ver também a seção VI. 5, *Os Poemas do Servo,* quanto à mensagem messiânica. Toda a seção VI deve ser lida para observar quais são as ideias teológicas do livro.

4. *O Conceito de Deus.* O livro de Isaías contém o mais avançado conceito de Deus de todo o Antigo Testamento, e muitas de suas ideias concernentes a Deus e a seus atributos foram transportadas para o Novo Testamento. Ver no *Dicionário* o artigo chamado *Isaías, seu Conceito de Deus.*

PROFECIA			
Ordem Cronológica e Data Aproximada	Profeta	Referências Bíblicas	Reis Envolvidos
837 a.C. — 800 a.C.	Joel	Jl 1.1; 2Rs 11	Joás?
825 — 782	Jonas	2Rs 13, 14	Anazias, Jeroboão II
810 — 785	Amós	2Rs 14, 15	Jeroboão II
782 — 725	Oseias	2Rs 15 — 18	Jeroboão II
		2Rs 15 — 20	Uzias, Jotão; Acaz
758 — 698	Isaías	2Cr 26 — 32	Ezequias
740 — 695	Miqueias	2Rs 15.8-20; Is 7,8; Jr 26.17-19	Uzias, Jotão, Acaz Ezequias
640 — 630	Naum	Jn; Is 10 Sf 2.13-15	Josias
640 — 610	Sofonias	2Rs 22, 23 2Cr 34 — 36	Josias
627 — 586	Jeremias	2Rs 22 — 25 2Cr 34 — 36	Josias; Joacaz; Jeoaquim; Joaquim; Zedequias
609 — 598	Habacuque	2Rs 23, 24 2Cr 36:1-10	Josias
606 — 534	Daniel	2Rs 23, 25 2Cr 36.5-23	Exílio; Nabucodonosor; Ciro Exílio; Nabucodonosor
592 — 572	Ezequiel	2Rs 24.17-25 2Cr 36.11-21	Exílio; Nabucodonosor Após o exílio; Dario I
586 — 583	Obadias	2Rs 25 2Cr 36.11-21	Esdras Após o exílio; Dario I
520	Ageu	Ed 5, 6	Esdras Após o exílio;
520 — 518	Zacarias	Ed 5, 6	Artaxerxes I; Neemias
433 — 425	Malaquias	Ne 12	

5. O livro de Isaías é chamado, com justiça, de *principal dos escritos proféticos.* Ver o gráfico no começo da exposição ao livro, sob o título de *A Cronologia dos Profetas.* Ver também os detalhados artigos do *Dicionário* denominados *Profecia* e *Profetas e o Dom da Profecia.*

"O livro de Isaías é um dos mais amados livros da Bíblia; talvez seja o mais conhecido dentre os livros proféticos. Contém diversas passagens bastante conhecidas pelos estudiosos da Bíblia (por exemplo, Is 1.18; 7.14; 9.6,7; 26.8; 40.3,31; 53). Tem um grande mérito literário e contém bela terminologia descritiva.

"Isaías também contém muito material a respeito de fatos da sociedade de Israel, em cerca do ano 700 a.C. Além de destacar os defeitos do povo, o profeta observou que Deus sempre tem um remanescente de crentes através do qual ele opera.

"Isaías falou mais do que qualquer outro profeta sobre o grande reino no qual a nação de Israel se transformará por ocasião do segundo advento de Cristo. Isaías discutiu sobre as profundezas do pecado de Israel e sobre as alturas da glória de Deus e seu reino vindouro" (John A. Martin, *Introduction*).

6. Em favor do livro de Isaías, temos as evidências de um grande manuscrito pertencente aos Papiros do mar Morto. Esse manuscrito reveste-se de imensa importância para os estudos textuais. Ver no *Dicionário* o verbete intitulado *mar Morto, Manuscritos (Rolos) do.* Algumas vezes esse manuscrito concorda com o texto das versões, especialmente a Septuaginta, em contraste com o texto massorético padronizado. Quanto a esse fenômeno e suas implicações, ver as notas expositivas sobre Is 26.19. Ver no *Dicionário* o artigo denominado *Massora (Massorah); Texto Massorético.*

OS PROFETAS E SUAS MISSÕES

Os Profetas	Época do Ministério	Receptores das Profecias
Joel	Pré-exílio	Judá (Sul de Israel)
Isaías	Pré-exílio	Judá (Sul de Israel)
Miqueias	Pré-exílio	Judá (Sul de Israel)
Jeremias	Pré-exílio	Judá (Sul de Israel)
Habacuque	Pré-exílio	Judá (Sul de Israel)
Sofonias	Pré-exílio	Judá (Sul de Israel)
Oseias	Pré-exílio	Israel (Norte de Israel)
Amós	Pré-exílio	Israel (Norte de Israel)
Obadias	Pré-exílio	Edom
Jonas	Pré-exílio	Assíria (Nínive)
Naum	Pré-exílio	Assíria
Ezequiel	Durante o exílio	Babilônia
Daniel	Durante o exílio	Babilônia
Ageu	Após o exílio	Jerusalém
Zacarias	Após o exílio	Jerusalém
Malaquias	Após o exílio	Jerusalém

Consulte o artigo geral sobre *Profecia* no *Dicionário.*

EXPOSIÇÃO

CAPÍTULO UM

PROFECIAS E INSTRUÇÕES A CURTO PRAZO (1.1—35.10)

JUDÁ, JERUSALÉM E ACONTECIMENTOS VINDOUROS (1.1—13.6)

INTRODUÇÃO AO LIVRO E AO SEU ASSUNTO (1.1-31)

A Rebelião Geral. A primeira grande seção do livro (Is 1.1—5.24) consiste em uma série de oráculos proféticos endereçados a Judá e Jerusalém. A maior parte desse material consiste em ameaças, mas há algumas promessas misturadas a elas. Esse material vem do período inicial da carreira de Isaías. O julgamento divino estava a caminho. Judá falhara em seguir os acordos da aliança do *pacto mosaico* (ver notas a respeito na introdução a Êx 19). Se todas as nações se mostram culpadas diante de Deus, Judá servia de exemplo grave, por terem os israelitas rejeitado a luz e a revelação divina. O cativeiro babilônico seria o látego na mão de Deus, do qual o povo de Israel precisava como lição. Algum dia, um povo de Israel mais purificado apareceria para constituir um novo Israel.

■ **1.1**

חֲזוֹן יְשַׁעְיָהוּ בֶן־אָמוֹץ אֲשֶׁר חָזָה עַל־יְהוּדָה
וִירוּשָׁלָ͏ִם בִּימֵי עֻזִּיָּהוּ יוֹתָם אָחָז יְחִזְקִיָּהוּ מַלְכֵי
יְהוּדָה׃

Visão de Isaías. *Título.* Este primeiro versículo do livro é uma espécie de sobrescrito que atua como título do livro. Um título mais breve poderia ser: "Visão de Isaías, filho de Amoz, que ele teve a respeito de Judá e Jerusalém". A isso foram acrescentadas as notas cronológicas, isto é, os nomes dos reis que governaram durante os anos em que Isaías se manteve ativo. Ver o gráfico que acompanha a lista dos profetas e dos reis na época geral de Isaías. Ver também, no *Dicionário,* o artigo intitulado *Rei, Realeza,* onde apresento um gráfico comparativo dos reis de Israel e Judá. Uzias, Jotão, Acaz e Ezequias foram o décimo, o décimo primeiro, o décimo segundo e o décimo terceiro dos reis de Judá, respectivamente. O período histórico coberto por eles foi de cerca de 768 a 696 a.C. Ver também o artigo chamado *Reino de Judá,* onde ofereço breve descrição de cada um desses reis.

Quando Isaías começou a escrever, o reino do Norte (Israel) estava nos anos finais de existência. Caiu diante da Assíria, em 722 a.C. Judá pagou tributos para permanecer livre, mas estava destinado a cair diante da Babilônia, em 586 a.C., depois da época de Isaías, embora isso tenha sido previsto por ele. Ver *Introdução,* seção I, acerca do que sabemos sobre esse homem. Apresento artigos sobre cada um dos reis acima mencionados, que adicionam detalhes sobre o pano de fundo histórico do livro. Ver a seção II da *Introdução* quanto ao pano de fundo histórico do livro de Isaías.

Visão. Encontramos neste livro uma coletânea de declarações proféticas. A palavra *visão* também introduz os livros de Obadias, Miqueias e Naum. Não há razão alguma para duvidarmos da atividade profética genuína desses homens. Sabemos que o conhecimento prévio é uma capacidade humana, e quanto mais se houver a inspiração do Espírito Santo na questão. Ver na *Enciclopédia de Bíblia, Teologia e Filosofia* o verbete *Precognição.* E ver no *Dicionário* os artigos *Profecia, Profeta e o Dom da Profecia* e *Misticismo.*

"Temos aqui uma tremenda acusação contra uma nação apóstata. A acusação envolve a cegueira, a insensibilidade e a estupidez brutal de um povo estribado sobre o pecado" (G. G. D. Kilpatrick, *in loc.*).

UM LIVRETO DE ORÁCULOS (1.2—2.5)

Um Povo Ingrato (1.2,3)

■ **1.2**

שִׁמְעוּ שָׁמַיִם וְהַאֲזִינִי אֶרֶץ כִּי יְהוָה דִּבֵּר בָּנִים גִּדַּלְתִּי
וְרוֹמַמְתִּי וְהֵם פָּשְׁעוּ בִי׃

Ouvi, ó céus, e dá ouvidos, ó terra. Yahweh fala aqui da nação de Judá como seus *filhos.* Portanto, começamos com o mais excelente de todos os conceitos, a paternidade de Deus. Cf. Os 11.1-4. O Pai, ofendido pela conduta ímpia de seus filhos, em breve começaria um severo espancamento contra eles, a fim de reconduzi-los ao estado de obediência. O orador é Yahweh, que figura como Pai. Ele invoca os altos céus como testemunha, e a terra como segunda testemunha, quanto à verdade do que ocorreria, bem como à necessidade de ouvir e obedecer, antes que o desastre sobreviesse. Coisa alguma fere tanto o coração de um pai como a rebelião de um de seus filhos, que atua contra os ensinamentos que foram dados com tanto cuidado. A pior coisa que um pai pode fazer é conhecer os ensinamentos de Deus e deixar de transmiti-los aos filhos. Os mestres de Israel e Judá se tinham mostrado negligentes. Eles eram os pais espirituais, sob o Pai celeste. Não obstante, filhos de Deus Pai, tanto Israel quanto Judá, rebelaram-se, para sua própria tristeza.

Os vss. 2-31 têm a forma de uma "ação legal contra Judá, servindo como uma espécie de microcosmo dos capítulos 1-39. Is 6.9-13 já projeta o fato de que a maioria da população de Judá não responderia favoravelmente às instruções divinas, tornando o juízo inevitável.

O Senhor é quem fala. Esta expressão, ou outra semelhante, é usada com frequência para introduzir seções nos livros do Pentateuco. Ver sobre isso em Lv 1.1 e 4.1. Temos aqui uma reivindicação de revelação divina. Isaías foi um instrumento para que a mensagem fosse entregue ao povo, e não o criador dessa mensagem. Ver no *Dicionário* o verbete chamado *Revelação*.

Eles estão revoltados contra mim. No hebraico, "revoltados" é tradução do termo *pasa*, palavra usada para indicar a rebeldia e a desobediência de nações vassalas contra potências superiores.

O universo deveria dar ouvidos, como testemunha do que estava sendo dito, prometido e ameaçado. Cf. Dt 30.19 e 32.1. Ver também Sl 50.4; Jr 6.18 e 22.29. O povo de Judá era indigno de sua eleição e, no entanto, Deus os havia escolhido (Êx 4.22; Dt 14.1; Os 11.1); talvez houvesse uma mudança de atitude, por causa da gratidão que eles deveriam apresentar ao Pai.

■ 1.3

יָדַע שׁוֹר קֹנֵהוּ וַחֲמוֹר אֵבוּס בְּעָלָיו יִשְׂרָאֵל לֹא יָדַע
עַמִּי לֹא הִתְבּוֹנָן׃

O boi conhece o seu possuidor, e o jumento, o dono da sua manjedoura. Os chamados animais mudos, como o boi e o jumento, são espertos o bastante para reconhecer seus proprietários e então obedecer-lhes. Eles *conhecem* os seus donos, que tem o sentido de "vir a conhecer por associação". Judá deveria ter reconhecido Yahweh mediante longa associação, visto que o povo israelita formava nações em pacto com Deus, presumivelmente distintas das outras nações, pois possuíam a lei de Moisés (ver Dt 4.4-8). Ver no *Dicionário* o verbete chamado *Pactos,* quanto aos vários acordos firmados entre Deus e o povo de Israel.

Manjedoura. Ou seja, o lugar onde os animais se alimentavam. Os próprios animais mudos sabiam onde obter o alimento que lhes sustentava a vida; mas Judá não sabia que a lei é que fornecia a vida (ver Dt 4.1; 5.33; 6.2; Ez 20.1). Provavelmente está em vista aqui o *solo batido* do ambiente fechado onde os animais domésticos eram guardados (cf. Jó 39.9). Ali o alimento era colocado, para benefício dos animais. O boi era um animal submisso, mas o jumento tinha reputação de ser um animal estúpido. No entanto, tornava-se obediente quando castigado e reconhecia certas coisas capazes de salvar-lhe a vida, tais como alimentar-se das provisões dadas por seu dono, submeter-se ao seu proprietário e servi-lo em funções que outros animais não eram capazes de efetuar. O jumento era seguro de passos nos montes, onde um cavalo tendia a escorregar.

Note o leitor a descida vertiginosa de *filhos* de Yahweh para *mais estúpido que animais de carga.* Judá tinha chegado a esquecer a origem das provisões básicas da vida, Deus. Cf. Êx 20.17 e 1Sm 12.3 quanto a declarações similares. Deus era o mestre de Judá, mas os animais brutos também lhe pertenciam; no entanto, todas as lições básicas eram habitualmente desconsideradas. Cf. Jr 8.7 e Os 11.4, paralelos sugestivos que ajudam a ilustrar o texto presente.

A Miserável Condição de Judá (1.4-9)

■ 1.4

הוֹי גּוֹי חֹטֵא עַם כֶּבֶד עָוֹן זֶרַע מְרֵעִים בָּנִים
מַשְׁחִיתִים עָזְבוּ אֶת־יְהוָה נִאֲצוּ אֶת־קְדוֹשׁ יִשְׂרָאֵל
נָזֹרוּ אָחוֹר׃

Ai desta nação pecaminosa, povo carregado de iniquidade. Notemos, neste versículo, as palavras que implicam pecado:
1. *Nação pecaminosa.* Toda a nação de Judá havia apodrecido em maus atos.
2. Um povo sobrecarregado de iniquidades, como quando os animais de carga se vergam diante do peso de seu fardo.
3. *Raça de malignos,* em seus planos e atos, tendo-se desviado para uma vereda contrária à lei e andando em caminhos de transgressão contra a lei.
4. Embora privilegiados acima de todas as demais nações da terra, eles se *esqueceram* de Yahweh, desconsiderando as leis que exprimiam a sua vontade.
5. Eles se tornaram *desprezadores* do próprio Deus, porquanto apequenavam seus pactos e leis, e zombavam das admoestações dos profetas.
6. O resultado é que eles se tornaram totalmente *alienados* do Pai celeste, como se Judá fosse o filho pródigo entre as nações.

Note o leitor as palavras de relacionamento: povo, raça, filhos; cada um dos quais deveria ter seu significado em relação ao Pai, embora cada qual representasse alguma forma de corrupção.

Santo de Israel. Quanto a este título divino, cf. Lv 11.44: "Sereis santos, porque eu sou santo". A teologia dos hebreus misturava o sumo bem, o sumo poder e a suma inteligência no Ser divino, em contraste com as divindades pagãs que eram francamente corruptas. O título "Santo de Israel" é usado cerca de 25 vezes no livro de Isaías. Como exemplo, ver 5.19,24; 10.17,20; 29.19 e 30.11. Esse título, em si mesmo, serve de exortação para que os homens sejam santos, por meio da lei, que é o manual da conduta humana.

"Eles tinham voltado as costas, e não o rosto, para ele" (Kimchi). Cf. Jr 2.27 e 7.24. Esquecer o Senhor é interpretado no Targum como abandonar a adoração ao Senhor no templo. Eles tinham deixado de ir à igreja e expulsaram de sua mente as coisas ensinadas pela igreja, conforme diríamos em nossos próprios tempos.

■ 1.5

עַל מֶה תֻכּוּ עוֹד תּוֹסִיפוּ סָרָה כָּל־רֹאשׁ לָחֳלִי
וְכָל־לֵבָב דַּוָּי׃

Por que haveis de ainda ser feridos, visto que continuais em rebeldia? Judá já estava sentindo a tribulação provocada pelos assírios, e em breve a nação do norte seria levada cativa pelos assírios. O profeta encarava a condição de Judá como um *corpo humano espancado* prestes a ser mais espancado ainda. Maior revolta significaria maiores espancamentos e, quando a Babilônia ferisse, seria a morte física e espiritual da nação. As chicotadas seriam administradas por potências inimigas, mas a causa disso era o próprio Yahweh, a causa celeste. O profeta então mudou a metáfora para uma enfermidade que havia atingido o corpo inteiro, da cabeça ao dedão do pé. A cabeça estava *doente*, e o coração estava *debilitado*.

"A figura simbólica é a de um servo que estava sendo cruelmente espancado por causa de sua má conduta contínua" (R. B. Y. Scott, *in loc.*). "... ferido por aflições e castigos, com os quais Deus punia o seu povo, a fim de corrigir-lhes os pecados; Is 57.17 e Os 1.6" (John Gill, *in loc.*).

■ 1.6

מִכַּף־רֶגֶל וְעַד־רֹאשׁ אֵין־בּוֹ מְתֹם פֶּצַע וְחַבּוּרָה
וּמַכָּה טְרִיָּה לֹא־זֹרוּ וְלֹא חֻבָּשׁוּ וְלֹא רֻכְּכָה בַּשָּׁמֶן׃

Desde a planta do pé até à cabeça não há nele cousa sã. Platão dizia que a alma dos tiranos é cheia de úlceras abertas (*Gorg.,* cap. 80). O profeta Isaías disse algo semelhante, mas aplicou tudo à nação de Judá, e não somente aos líderes da nação. Alguma horrenda praga tinha tomado conta do corpo inteiro (o país), de forma que coisa alguma saudável podia ser encontrada ali. Se o autor continuasse a usar a metáfora do espancamento (vs. 5), então haveria o quadro de um corpo humano tão coberto de ferimentos, roxidões e cortes profundos que não restaria lugar que não tivesse sido afetado. As feridas não estavam pensadas, e nenhum óleo fora aplicado aos ferimentos para suavizá-las. O vs. 7 ilustra a situação. Cf. a linguagem do vs. 6 a Dt 28.22-25 e Jó 2.7.

"Quando vários medicamentos são aplicados mas nenhuma cura ocorre, então a desordem deve ser vista como infligida diretamente por Deus" (Kimchi, *in loc.*). Ver Is 9.13-16. O Targum observou que em Judá não havia ninguém perfeito no temor de Deus, o que é uma frase veterotestamentária equivalente à espiritualidade. Ver no *Dicionário* o verbete chamado *Temor*.

1.7

אַרְצְכֶם שְׁמָמָה עָרֵיכֶם שְׂרֻפוֹת אֵשׁ אַדְמַתְכֶם לְנֶגְדְּכֶם זָרִים אֹכְלִים אֹתָהּ וּשְׁמָמָה כְּמַהְפֵּכַת זָרִים:

A vossa terra está assolada. O profeta Isaías poderia estar falando aqui sobre os ataques dos assírios, que assolavam Judá e, finalmente, terminariam com a nação do norte, Israel, em 722 a.C. Ou então ele olhava para além do horizonte, vendo a invasão babilônica que terminaria com a nação do sul, Judá, em 596 a.C. Ele via essa destruição *como se* já tivesse acontecido, embora ainda estivesse a longa distância na linha do tempo. Tiglate-Pileser III devastou a nação de Judá em 734-733 a.C. (ver Is 7.1,2); Senaqueribe o fez em 701 a.C. (ver Is 36.1); Jerusalém foi então isolada (ver Jr 4.29-31). Finalmente, ocorreu o cativeiro de Judá (pelos babilônios), que aconteceu quando Isaías não mais vivia. Ver a seção II da *Introdução* quanto ao pano de fundo histórico do livro. Alguns estudiosos pensam estar em vista as devastações provocadas pelos romanos, bem como a dispersão de Judá produzida por esse povo; mas isso é altamente improvável.

1.8

וְנוֹתְרָה בַת־צִיּוֹן כְּסֻכָּה בְכָרֶם כִּמְלוּנָה בְמִקְשָׁה כְּעִיר נְצוּרָה:

A filha de Sião é deixada como choça na vinha. Sião (Jerusalém) é aqui personificada como uma mulher (cf. Am 5.2). Ela foi deixada desolada; como se fosse mera choça em uma vinha, sem nenhuma permanência; como se fosse uma minúscula cabana em um campo de melões; como se fosse uma cidade sitiada que enfrentasse a destruição. A cidade das fantasias fora reduzida a um estado precário que prometia seu desaparecimento para breve. Quanto à expressão "filha de Sião", cf. Jr 4.31; Lm 1.6; 2.13; Mq 1.33; 4.8; Zc 9.9. As coisas temporárias aqui mencionadas tiveram permissão de entrar em decadência uma vez que o trabalho nos campos tinha terminado. "... como se fosse um abrigo vazio, no meio de uma vinha; como uma cabana deixada em um campo de melões; como uma cidade circundada pelos inimigos" (NCV).

1.9

לוּלֵי יְהוָה צְבָאוֹת הוֹתִיר לָנוּ שָׂרִיד כִּמְעָט כִּסְדֹם הָיִינוּ לַעֲמֹרָה דָּמִינוּ: ס

Se o Senhor dos Exércitos não nos tivesse deixado alguns sobreviventes. As cidades de Sodoma e Gomorra foram totalmente devastadas, e esse também seria o caso de Jerusalém. Somente um pequeno remanescente sobreviveria, e até mesmo esse iria para o exílio. Paulo citou esse trecho bíblico em Rm 9.29, aplicando-o à porção de Israel que se "salvaria". O restante do povo se perdeu em meio à rebelião geral. Jerusalém e Judá tornaram-se como Sodoma e Gomorra em sua vileza e teriam de sofrer a mesma sorte. A figura atinente a Sodoma e Gomorra continua no vs. 10; sobre Sodoma, somente, em Is 3.9; Ez 16.46,48,49 e 55.56. Cf. Dt 29.23. Coisa alguma poderia ser dita que fosse tão drástica como essa comparação que qualquer judeu entenderia plenamente.

Senhor dos Exércitos. Quanto a este título divino, ver o *Dicionário* e 1Rs 18.15. Antigamente, Yahweh liderava Israel como um general lidera seu exército, mas tudo isso, agora, estava perdido. O título divino havia permanecido, mas Judá tinha caído em ruínas.

A Preocupação Primária de Deus (1.10-17)

1.10

שִׁמְעוּ דְבַר־יְהוָה קְצִינֵי סְדֹם הַאֲזִינוּ תּוֹרַת אֱלֹהֵינוּ עַם עֲמֹרָה:

Ouvi a palavra do Senhor, vós príncipes de Sodoma. Agora Yahweh se dirige a Judá e a Jerusalém como governadores de Sodoma e habitantes de Gomorra, cada um deles um corrupto em rebeldia, mas que em breve seria destruído e ficaria em um estado deveras lastimável. Judá tinha escorregado tanto que se tornara como os notórios inimigos de Deus, os quais, finalmente, foram destruídos pela ira do Senhor. A "palavra de Yahweh" é a mensagem de repreensão e de profecia ameaçadora dada através de Isaías, parte de seu livro de oráculos (ver Is 1.2—2.5). (Cf. isso com o "é o Senhor quem fala" de Is 1.2.) A revelação divina estava operando. Se o povo de Judá ouvisse, haveria reversão das ameaças divinas. Mas Is 6.9-13 projeta a triste expectativa: poucos ouviriam a palavra do Senhor. Diz o Targum: "Acolhei a palavra do Senhor, vós, governadores, cujas obras são más como as dos governantes de Sodoma". A lei era a fonte dos mandamentos, os quais, presumivelmente, teriam feito de Israel uma nação *distinta* entre as nações (ver Dt 4.4-8), mas Judá havia escorregado para o lugar comum seguido pelo paganismo.

1.11

לָמָּה־לִּי רֹב־זִבְחֵיכֶם יֹאמַר יְהוָה שָׂבַעְתִּי עֹלוֹת אֵילִים וְחֵלֶב מְרִיאִים וְדַם פָּרִים וּכְבָשִׂים וְעַתּוּדִים לֹא חָפָצְתִּי:

De que me serve a mim a multidão de vossos sacrifícios? Se Judá escorregara para as corrupções de Sodoma e Gomorra, durante todo esse tempo o complexo sistema de sacrifícios foi mantido. Mas nisso não havia espiritualidade alguma. Tudo havia sido reduzido a formas e rituais. Yahweh não estava interessado em meros sacrifícios ditados pela hipocrisia. Yahweh, nesses sacrifícios de animais, ficava com o sangue e a gordura (ver Lv 3.17 quanto às leis acerca do sangue e da gordura). Além disso, oito porções dos animais ficavam com os sacerdotes (ver Lv 6.26; 7.11-24; Nm 18.8; Dt 12.17,18). Então as pessoas que tinham trazido o animal para ser sacrificado consumiam o que sobrasse. Cinco tipos de animais eram aceitáveis como sacrifícios, razão pela qual eles eram chamados de animais nobres. Ver Lv 1.14-16. Aqui encontramos a menção aos carneiros, aos bois, às ovelhas e ao bode. Somente as aves aceitáveis são deixadas de fora. Sim, a atividade em torno dos sacrifícios continuava, como usualmente se fazia, mas o povo de Judá tinha caído no paganismo. A lei não era obedecida; os pecados haviam corrompido todas as coisas. Yahweh, pois, expressou o seu desinteresse por esse tipo de fé religiosa. A forma religiosa que não se concentra no coração não tem utilidade. A religião formal do povo de Judá, que consistia em *sacrifícios* (vs. 11), *incenso* (vs. 13a); *festividades e festas* (vss. 12-14) e *orações* (vs. 15) não compensava a corrupção geral que havia-se estabelecido na nação. Todas essas formas externas da religião se tornaram *sem sentido,* pois eram as formas internas da religião que distinguiriam o povo de Judá das outras nações. Contudo, a ausência dessa realidade interior, que deveria ser a essência da conduta externa, tornava as externalidades inúteis.

Cf. este versículo a Am 5.21-24; Os 6.6; Mq 6.6-8; e ver também 1Sm 15.22; Sl 40.6; 50.7-14 e 51.16,17.

1.12

כִּי תָבֹאוּ לֵרָאוֹת פָּנָי מִי־בִקֵּשׁ זֹאת מִיֶּדְכֶם רְמֹס חֲצֵרָי:

Quando vindes para comparecer perante mim. O povo de Judá comparecia diante da face de Yahweh, porquanto o templo de Jerusalém era o lugar onde ele se manifestava especialmente na terra. Eles vinham para *ver* a face divina (versão siríaca). Traziam multidões de animais, que nada mais faziam do que pisar os recintos do templo. O Lugar Santo fora transformado em mero curral. O sistema de sacrifícios havia perdido o significado. Não podia manifestar-se a *shekinah* (o resplendor da glória de Deus) em meio a essas condições de profanidade. Os interesses da justiça não mais faziam parte da questão. As três festividades anuais continuavam a ser praticadas (ver Êx 23.14), mas tudo não passava de formalidade.

1.13

לֹא תוֹסִיפוּ הָבִיא מִנְחַת־שָׁוְא קְטֹרֶת תּוֹעֵבָה הִיא לִי חֹדֶשׁ וְשַׁבָּת קְרֹא מִקְרָא לֹא־אוּכַל אָוֶן וַעֲצָרָה:

Não continueis a trazer ofertas vãs. O profeta Isaías continuou a enumerar outros elementos do complexo sistema religioso dos judeus: além das oferendas e ofertas de cereais (ver Lv 7.9-12), havia os ritos com *incenso* (ver Êx 30.1,7,8 e Lv 2.1, e ver a questão no *Dicionário*); a observância dos dias especiais, como a lua nova; as festas observadas no primeiro dia do mês, por ocasião do aparecimento da lua (ver 2Cr 8.13; e ver no *Dicionário* o artigo chamado *Lua Nova*); o dia de sábado e os outros vários dias de sábado ou descanso (ver Lv 16.31; ver também no *Dicionário* o verbete denominado *Sábado*); e as convocações para as *assembleias*, que visavam propósitos especiais, como as festas da Páscoa, do Pentecoste, dos Tabernáculos e do dia da expiação (ver Lv 23.3; Nm 28.26; 29.1,7,12; Êx 12.16; Jl 2.15-17). Incluía todo o complexo sistema que Yahweh tinha descartado, porque o significado havia-se perdido, mediante a corrupção generalizada da moral e os atos abertos de violência e pecados de toda espécie.

■ **1.14**

חָדְשֵׁיכֶם וּמוֹעֲדֵיכֶם שָׂנְאָה נַפְשִׁי הָיוּ עָלַי לָטֹרַח
נִלְאֵיתִי נְשֹׂא׃

As vossas luas novas, e as vossas solenidades. O profeta Isaías repetiu aqui a menção ao rito da *lua nova* e, com uma referência geral, repetiu a menção às muitas festas requeridas pela lei mosaica, pronunciando seu Icabode contra eles, porquanto passara a *odiar* toda aquela triste questão. Alguns eruditos emendam a questão das luas novas (no hebraico, *hodhshekhem*) para *haggekhem*, "peregrinações", supondo que o autor não tivesse feito uma repetição infeliz, mas não há como afirmar essa conjectura. A alma de Yahweh abominava toda essa questão. Como no restante do Antigo Testamento, foram usadas fortes expressões antropomórficas. Em outras palavras, os atributos e sentimentos do homem são conferidos a Deus. Ver no *Dicionário* os verbetes chamados *Antropomorfismo* e *Antropopatismo*. Falamos a respeito de Deus dessa maneira por estarmos presos no dilema do pensamento e da linguagem humana. Quanto a maneiras de falar sobre Deus, ver *Via Negationis* e *Via Eminentiae*, no *Dicionário*. O que teria sido uma alegria para Yahweh se tornara uma sobrecarga repelente. Corações hipócritas e pecaminosos tinham furtado do sistema seu significado. Cf. o vs. 4 deste mesmo capítulo. Ver também Is 43.24.

■ **1.15**

וּבְפָרִשְׂכֶם כַּפֵּיכֶם אַעְלִים עֵינַי מִכֶּם גַּם כִּי־תַרְבּוּ
תְפִלָּה אֵינֶנִּי שֹׁמֵעַ יְדֵיכֶם דָּמִים מָלֵאוּ׃

Quando estendeis as vossas mãos. Um típico gesto de oração consistia em estender as mãos com as palmas para cima, em atitude de súplica, na esperança de *receber* algo. Os olhos estavam abertos e olhavam para o céu. Muitas orações eram feitas, bem no meio da apostasia, mas elas não seriam ouvidas; pelo contrário, seriam até *desprezadas* por Yahweh, objeto dessas súplicas. Ver no *Dicionário* o artigo chamado *Oração*. É como alguém já disse: "A oração está onde a ação está". Quando homens bons oram, começam a acontecer coisas inesperadas. Levantemo-nos pela manhã todos os dias, porquanto cada dia *pode* trazer um milagre. Israel (Judá) tinha visto muitos milagres ao longo do caminho, mas caíra na armadilha do desastre. Os dias dos milagres eram coisa do passado. Cf. este versículo com Sl 66.18. "A retidão interna deve acompanhar o ritual externo, para que esse ritual signifique alguma coisa para Deus" (John A. Martin, *in loc.*).

Pecados de Sangue. Violência e matanças eram comuns em Judá. O país estava repleto de ganância e de homens violentos, que terminavam assassinando suas vítimas. O manuscrito hebraico dos Papiros do mar Morto adiciona aqui: "e vossos dedos com iniquidade". Ver no *Dicionário* o artigo chamado *mar Morto, Manuscritos (Rolos) do*.

■ **1.16**

רַחֲצוּ הִזַּכּוּ הָסִירוּ רֹעַ מַעַלְלֵיכֶם מִנֶּגֶד עֵינָי חִדְלוּ
הָרֵעַ׃

Lavai-vos, purificai-vos, tirai a maldade de vossos atos. *Convite ao Arrependimento e à Reforma.* Isso é retratado como *lavar* a imundícia do pecado e da violência, com vistas à purificação. A santidade consiste em limpeza. Além disso, *tirar* é outra palavra-chave. As coisas más devem ser tiradas da vida e descartadas. Mediante tal remoção, os olhos de Yahweh não mais as veriam nem se irariam contra elas. Sem nenhuma metáfora: *deixai de fazer o mal*. O original hebraico diz aqui, literalmente, "crimes", e muitos dos pecados de Judá eram crimes, até mesmo crimes de sangue, conforme vemos em Is 1.15. O profeta estava dirigindo a palavra contra uma perversão extremamente radical. Judá tinha de deixar de lado os ritos e as cerimônias, e voltar aos princípios básicos da espiritualidade. Cf. Lv 14.8,9,47. Comparar este versículo com Sl 51.7, que diz:

Purifica-me com hissopo e ficarei limpo; lava-me, e ficarei mais alvo que a neve.

■ **1.17**

לִמְדוּ הֵיטֵב דִּרְשׁוּ מִשְׁפָּט אַשְּׁרוּ חָמוֹץ שִׁפְטוּ יָתוֹם
רִיבוּ אַלְמָנָה׃ ס

Aprendei a fazer o bem. Diversas boas ações foram ordenadas, em substituição a más ações: teria de haver um novo processo de aprendizado para que os judeus conhecessem e obedecessem à lei, o tipo de processo que penetra no coração. Quando as lições fossem aprendidas, seria feita a *justiça*, o abc da lei mosaica. Deveria haver a "regra do direito", a justiça social e pessoal, a reforma dos indivíduos, as instituições, os juízes e os tribunais. A *opressão* precisava ser eliminada. Os fracos e pobres não deveriam continuar sendo explorados pelos fortes e ricos. As propriedades deveriam ser devolvidas às viúvas e aos órfãos, e atos de caridade teriam de substituir os atos de opressão. Os órfãos e as viúvas teriam de ser *defendidos*, em vez de explorados. A legislação mosaica forneceria diretrizes para esses atos e teria de ser seguida. Cf. 2Sm 14.4-7; 2Rs 4.1 e Rt 4.1-4. Ver também o vs. 23 deste capítulo; 10.1,2 e Dt 24.17; 19.21; 26.12 e 27.19. Homens ímpios tinham de ser punidos pelo que estavam fazendo, tornando-se exemplos do que acontece a homens violentos.

Fazer injustiça com o malfeitor,
Até que ele se endireite.

Violação de Lucrécia

A Alternativa: Arrependei-vos, ou Sereis Destruídos (1.18-20)

■ **1.18**

לְכוּ־נָא וְנִוָּכְחָה יֹאמַר יְהוָה אִם־יִהְיוּ חֲטָאֵיכֶם כַּשָּׁנִים
כַּשֶּׁלֶג יַלְבִּינוּ אִם־יַאְדִּימוּ כַתּוֹלָע כַּצֶּמֶר יִהְיוּ׃

Vinde, pois, e arrazoemos, diz o Senhor. Este é um dos mais citados versículos de Isaías, o clamor apaixonado de reforma no qual Yahweh deixou de lado, por um minuto, suas terríveis ameaças e convidou homens humildes a *raciocinar* com ele. A ideia do versículo é a *correção* através de um discussão arrazoada na qual a verdadeira natureza das coisas é exposta, e o desejo pela mudança é instilado.

Elementos do Versículo:
1. A condescendência divina. Deus, embora poderoso para julgar, prefere elevar os homens de seus pecados e abençoar, em vez de julgar.
2. O raciocínio substitui as ameaças.
3. *Os pecados são vis,* profundos e malignos, o que é indicado pela palavra *escarlate,* uma tintura de cor vermelha usada para tingir tecidos. A cor vermelha subentende pecados de sangue (pecados verdadeiramente terríveis, vs. 15). E a ideia de tintura implica algo penetrante na própria alma dos homens iníquos, algo que não é fácil de sair. "... carmesim escuro, cor da mancha de sangue" (Ellicott, *in loc.*).
4. A *neve*, ocasionalmente, é verdadeiramente *branca*, sendo composta de cristais de água, pura e incontaminada. Os cristais de neve substituem o tecido tinto de vermelho. Está em foco uma reforma total, uma purificação completa, uma mudança radical.
5. O tecido que fora tingido de vermelho se tornaria branco como a lã, que provê uma nova veste, de cor inteiramente diferente.
6. O pecado tinha de ser reconhecido e abandonado. Sem isso, não haveria *mudança* permanente. Sem essa mudança não haveria redenção das ameaças de destruição.
7. O sangue do Cordeiro pode tingir de branco, um *paradoxo divino* (ver Ap 3.4,5; 7.14).

■ **1.19**

אִם־תֹּאבוּ וּשְׁמַעְתֶּם טוּב הָאָרֶץ תֹּאכֵלוּ׃

Se quiserdes, e me ouvirdes, comereis o melhor desta terra. O pecador precisa estar disposto a fazer o que é reto e realmente obedecer à prática do bem. Somente então Judá continuaria a desfrutar a terra na qual habitava. Habitar significa participar de todas as coisas boas, pois a Terra Prometida era a terra do leite e do mel (Êx 3.17,18; 33.3; Dt 6.3). Se não houvesse reação favorável ao chamado divino, então aquela terra seria entregue a um poder estrangeiro, a maior parte do povo de Judá seria morta, e o minúsculo remanescente seria levado para o exílio. Ver no *Dicionário* o artigo chamado *Cativeiro Babilônico*. Haveria colheitas abundantes, o coração da economia e do bem-estar pessoal. Isso foi prometido no pacto mosaico (ver Dt 28.3-6,11). Sobre esse pacto, ver a introdução a Êx 19.

■ 1.20

וְאִם־תְּמָאֲנוּ וּמְרִיתֶם חֶרֶב תְּאֻכְּלוּ כִּי פִּי יְהוָה
דִּבֵּר: ס

Mas se recusardes, e fordes rebeldes. A alternativa à mudança de mente era ser *devorado* à espada. Os rebeldes, que já estavam em profunda rebelião, podiam ou *comer* da terra, em meio à prosperidade, ou então ser *devorados* pelas armas de algum inimigo estrangeiro. Ver as notas sobre o vs. 7 quanto a uma ilustração do ato de devorar. Yahweh havia afirmado a escolha pelas palavras de sua boca, o que significa que se tratava de um destino fixado. A reação humana favorável condicionava os resultados. Se isso não fosse uma verdade, então não poderia haver responsabilidade moral. Ver no *Dicionário* o artigo intitulado *Livre-arbítrio*.

Os hebreus eram fortes em Deus como a única causa, mas essa era uma teologia deficiente que esquecia as *causas secundárias*. Isaías estavam mostrando que Judá era a *causa de sua própria miséria*. Eles estava predestinados a ser maus. Todos os apelos do evangelho estão baseados nessa mesma suposição. O homem *pode* responder ao chamado divino, se assim *quiser* fazê-lo. A promessa do vs. 19 não é incondicional. Há um "se" crucial envolvido: "Se estiverdes dispostos e fordes obedientes". Quanto à espada devoradora, ver Dt 28.45-57. As advertências dos profetas repousavam sobre a lei e suas exigências, que eram fixas e firmes. Ver Lv 26.3-33. Deus não altera a sua palavra (ver Nm 23.19).

A Lamentação sobre Jerusalém (1.21-23)

■ 1.21

אֵיכָה הָיְתָה לְזוֹנָה קִרְיָה נֶאֱמָנָה מְלֵאֲתִי מִשְׁפָּט צֶדֶק
יָלִין בָּהּ וְעַתָּה מְרַצְּחִים:

Como se fez prostituta a cidade fiel! A cidade antes fiel fora apanhada nos pecados e atitudes de uma prostituta, o que provavelmente significa uma esposa prostituída, o assunto do livro de Oseias. A esposa fiel tinha sofrido tremenda queda. A cidade de Jerusalém era um centro de santidade e justiça, e um lugar onde se adorava a Yahweh. Em vez de um povo santo e de instituições santas, tinham chegado homens ímpios, e a coisa inteira estava corrompida. O local estava pleno de pecados pesados e pecadores assassinos. A capital da adoração ao Senhor tinha-se tornado um centro de crimes. A esposa entrara em sociedade com seu marido, e o mesmo Israel fizera com Deus. Mas o pacto tinha sido quebrado, bem como seus relacionamentos e benefícios. Ora, Judá estava em liga com o diabo e seus filhos. A esposa prostituída anula o pacto, e Judá estava na mesma situação espiritualmente. Esse símbolo tornou-se ainda mais impressionante pelo fato de que muitas das formas de idolatria que tentavam os israelitas incorporavam os pecados literais da prostituição, e até a prostituição sagrada, mediante a qual as sacerdotisas obtinham lucro em seus templos ao se prostituírem. Ver Nm 25.1. Ver Ez 16.1-59, onde esse simbolismo é desenvolvido. Foi assim que Jesus falou sobre a sua geração, como pecaminosa e adúltera (ver Mt 12.39).

■ 1.22,23

כַּסְפֵּךְ הָיָה לְסִיגִים סָבְאֵךְ מָהוּל בַּמָּיִם:

שָׂרַיִךְ סוֹרְרִים וְחַבְרֵי גַּנָּבִים כֻּלּוֹ אֹהֵב שֹׁחַד וְרֹדֵף
שַׁלְמֹנִים יָתוֹם לֹא יִשְׁפֹּטוּ וְרִיב אַלְמָנָה לֹא־יָבוֹא
אֲלֵיהֶם: פ

A tua prata se tornou em escórias. A prata é um metal que se torna precioso mediante o processo do refino. Mas a prata de Judá tinha seguido outro caminho e se tornara escória através das muitas poluições em que o povo tinha-se envolvido. A prata é um metal nobre, mas pode tornar-se ignóbil através da corrupção. Judá tinha revertido o processo de refino pelo processo da poluição. A escória é um resíduo e serve somente para ser jogada fora; e, assim, Judá seria jogado fora mediante o cativeiro babilônico.

O vinho puro é melhor; mas os antigos usualmente misturavam o vinho com água. Este versículo, contudo, fala de uma *pesada* mistura de água com vinho, que o anulava completamente. Não era mais vinho, mas uma espécie de água enjoativa.

O profeta estava falando sobre "o estrago de uma valiosa substância misturando-a com elementos estranhos" (R. B. Y. Scott, *in loc.*). A escória e a água *adulteram* a prata e o vinho, e isso está em consonância com a figura do vs. 21. Adam Clarke (*in loc.*) afirmou que, se os gregos e os romanos misturavam água com o vinho, os hebreus não faziam assim. Eles misturavam especiarias ao vinho para salientar o paladar, mas isso não rebaixava a qualidade do vinho. Ver Ct 8.2 quanto ao vinho com especiarias. Ver no *Dicionário* o artigo chamado *Vinho*. O vinho era uma substância preciosa em Israel. A ideia entre os israelitas era que cada homem tivesse a própria vinha e, portanto, uma fonte abundante de vinho. Ver Is 36.16.

"A moeda do julgamento e da justiça fora aviltada. O vinho da vida espiritual (ver Pv 9.5), do entusiasmo e do zelo pelo bem foi diluído até perder todo o poder de fortalecer e refrescar. De acordo com a terminologia do Novo Testamento, o 'sal perdeu o seu sabor' (Mt 5.13)" (Ellicott, *in loc.*).

Lista de Virtudes Transformadas em Vícios:

1. Os governantes, que deveriam ser os mais nobres elementos da nação, dispensando justiça e conferindo progresso e prosperidade ao povo, chegaram a tal perversão que se tornaram ladrões e assassinos. Toda a claque governante, desde o mais poderoso deles até o oficial mais inferior, tinha-se transformado em um peso intolerável para o país, arrastando-o para a destruição. Os *líderes* rebeldes estavam *conduzindo* a nação à ruína. As virtudes tinham sido transformadas em vícios. No hebraico original há um jogo de palavras aqui: os governantes (no hebraico, *sarim*) tornaram-se rebeldes (no hebraico, *sorerim*, palavra de som semelhante).

2. O *suborno* se tornara um importante elemento no jogo, e todos andavam atrás do suborno. Ver no *Dicionário* o artigo intitulado *Suborno*, e ver outras notas a respeito em Pv 15.27. Eram necessárias somente duas ou três testemunhas para determinar em que pé ficaria um caso (ver Dt 17.6). Além disso, um juiz corrompido podia perpetrar uma injustiça. Subornos bem colocados facilmente podiam pôr em liberdade um homem culpado, ou condenar um homem inocente. Além disso, havia toda espécie de negócios particulares que poderiam levar a uma conclusão errada, por meio de suborno. Podemos ter aqui outro jogo de palavras. Em vez de "paz" (*shalom*), pelo uso errado de dinheiro, as pessoas promoviam o *shalmonim* (dádivas pacíficas), isto é, "subornos". "A corrupção de uma nação começa por seus governantes" (Fausset, *in loc.*). Cf. esta parte do versículo com Ez 22.12.

3. A defesa dos órfãos e das viúvas (o que é uma virtude) foi transformada em vício (explorá-los e persegui-los). Cf. Lc 18.2,3. Ver também a maldição daqueles que prejudicavam as crianças, em Lc 17.2. Cf. o lamento de Jesus sobre Jerusalém (Lc 13.34; ver também Jr 5.28 e Zc 7.10 quanto ao *terceiro* desses vícios).

O Julgamento de Deus (1.24-26)

■ 1.24

לָכֵן נְאֻם הָאָדוֹן יְהוָה צְבָאוֹת אֲבִיר יִשְׂרָאֵל הוֹי
אֶנָּחֵם מִצָּרַי וְאִנָּקְמָה מֵאוֹיְבָי:

Portanto diz o Senhor, o Senhor dos Exércitos, o Poderoso de Israel. O reino do sul, Judá, vinha fazendo grande semeadura de pecados e agora tinha de colher a corrupção. Ver no *Dicionário* a *Lei Moral da Colheita segundo a Semeadura*. A Assíria faria grande confusão e deixaria muitas vítimas. Em seguida, os babilônios fariam ainda pior. Ver as notas sobre o vs. 7.

O acúmulo de títulos divinos aumenta o impacto das ameaças. *Yahweh* era o *Senhor dos Exércitos* (ver a respeito no *Dicionário* e em 1Rs 18.15). Portanto, ele é o *Poderoso de Israel,* aquele que não tem limites em seus poderes e julgará o seu povo não menos do que os pagãos. Quanto a este último título de Yahweh, ver também Is 49.26; 60.16; Gn 49.24; Sl 132.2,5. Se, por um lado, esperava-se que o poder de Yahweh abençoaria a Israel, contudo, por outro lado, esse poder (residente nos nomes divinos) faz ameaça contra Israel. É evidente a *responsabilidade humana.* Existe tal coisa como uma responsabilidade moral humana. O homem pode escolher, obedecer, querer corretamente e ser obediente e, dessa maneira, prosperar.

A Ira e a Vingança Divina. Ver no *Dicionário* o verbete intitulado *Ira de Deus.* Judá se tornara *inimigo* de Yahweh! Nessa qualidade, seria tratado como os povos pagãos que estão sujeitos à ira divina, a qual opera como vingadora do mal. Deus daria vazão à sua ira. Notemos aqui outro jogo de palavras: *dar vazão* (no hebraico, *'ennahem*) e *vingar* (no hebraico, *'innaqueman*). A versão portuguesa Atualizada no Brasil diz "tomarei satisfações" e "vingar-me-ei", traduzindo essas palavras hebraicas. Ver no *Dicionário* o artigo chamado *Deus, Nomes Bíblicos de.*

"A punição seria reformadora, entretanto, e não meramente penal" (Ellicott, *in loc.*). Todos os julgamentos divinos são restauradores, e não meramente retributivos, e isso não apenas contra Israel, mas também contra os perdidos, que são espancados por serem julgados. Quanto a esse conceito, ver na *Enciclopédia de Bíblia, Teologia e Filosofia* o artigo denominado *Julgamento de Deus dos Homens Perdidos.*

■ **1.25**

וְאָשִׁיבָה יָדִי עָלַיִךְ וְאֶצְרֹף כַּבֹּר סִיגָיִךְ וְאָסִירָה כָּל־בְּדִילָיִךְ׃

Voltarei contra ti a minha mão. A *mão* de Deus volver-se-ia contra Judá. Ver sobre a *mão* de Deus em Sl 81.4, e sobre *mão direita,* em Sl 20.6. Temos aí menção ao instrumento divino de operação, e ele teria seus instrumentos nas agências humanas que usaria, as quais eram suficientemente brutais para administrar a *vingança* apropriada (vs. 24).

O Julgamento Divino como Processo de Refino. Os juízos divinos são remediadores, e não apenas retributivos, conforme observo nas notas expositivas sobre o versículo anterior. O processo de refino dos metais nobres simboliza esse tipo de julgamento. Cf. Ml 3.2. Para que a prata fosse pura, isenta de sua escória (segundo a nossa versão portuguesa, "metal impuro"), teria de passar pelas chamas de refino (julgamento). A prata se transformara em escória (vs. 22), pelo que um novo processo de refino estava na ordem do dia. Esse processo empregava não somente alta temperatura mediante a aplicação da potassa. Isso pertencia ao processo da lavagem. Ver no *Dicionário* o artigo chamado *Refinar, Refinador.*

■ **1.26**

וְאָשִׁיבָה שֹׁפְטַיִךְ כְּבָרִאשֹׁנָה וְיֹעֲצַיִךְ כְּבַתְּחִלָּה אַחֲרֵי־כֵן יִקָּרֵא לָךְ עִיר הַצֶּדֶק קִרְיָה נֶאֱמָנָה׃

Restituir-te-ei os teus juízes, como eram antigamente. *O processo de reforma* começaria pelos líderes, príncipes e juízes, conselheiros e todos os que estavam investidos de autoridade, e então atingiria o povo comum. Cf. o vs. 23. O processo corruptor começara pelos príncipes que se rebelaram contra a autoridade de Yahweh. Assim sendo, a reforma começaria com a doação das terras aos governantes apropriados, em substituição aos que haviam corrompido a terra. Judá tinha sofrido o "efeito de Jeroboão", a corrupção de toda a nação através de sua liderança. Ver como esse homem foi a causa de Israel ter caído no pecado, em 1Rs 15.26 e 16.2. Quanto ao pecado de Jeroboão, ver 1Rs 12.28 ss. Os corrompidos líderes de Judá se tinham tornado filhos espirituais de Jeroboão e estavam arruinando Judá, tal como ele tinha arruinado Israel.

Jerusalém, a capital da nação, se tornaria novamente a *cidade da justiça,* abandonando a prostituição (vs. 21). A cidade da justiça tinha-se tornado a esposa adúltera, mas essa condição seria revertida. Ver as notas expositivas sobre o vs. 21 quanto a esse simbolismo. Quando a cidade fosse restaurada, o restante de Judá necessariamente seguiria o seu bom exemplo. O culto a Yahweh seria renovado, pois estaria embasado em uma fé sincera, vinda do coração, em contraste com o que lemos nos vss. 11-14.

Cria em mim, ó Deus, um coração puro, e renova dentro em mim um espírito inabalável.

Salmo 51.10

Alguns estudiosos pensam que este versículo tem natureza messiânica e veem a reforma ocorrendo no fim de nossa era, mas a verdade é que o profeta não estava olhando tão distante no futuro. E também não parece haver aqui referência direta ao retorno de Judá do cativeiro, nem à restauração de Israel naquela tribo, Judá. A referência é a um *princípio geral,* não se tratando de uma profecia específica.

Um Adendo (1.27-31)

■ **1.27**

צִיּוֹן בְּמִשְׁפָּט תִּפָּדֶה וְשָׁבֶיהָ בִּצְדָקָה׃

Sião será redimida pelo direito. Este versículo dá prosseguimento à ideia do versículo anterior, a restauração de Judá. A *justiça* será o instrumento dessa restauração, tal como a *iniquidade* foi o instrumento mediante o qual a prata se transformou em escória (vs. 22). Sião seria *redimida,* ou seja, libertada. E os que se arrependessem seriam beneficiados por sua retidão, incluindo a boa espiritualidade e conduta daí decorrentes. "Os vss. 27-31 reiteram o juízo certo de Deus contra a apostasia. A redenção só pode ocorrer por meio da justiça" (G. G. D. Kilpatrick, *in loc.*). Alguns intérpretes veem aqui o retorno do remanescente da Babilônia para renovar Israel mediante uma tribo, Judá. A grande maioria do país, todavia, não escaparia ao severo julgamento divino por meio da invasão do exército babilônico e pelo exílio subsequente. Ver o vs. 28. Alguns críticos pensam que esse adendo é uma glosa feita por um *segundo Isaías,* que teria escrito após o retorno da Babilônia e, assim sendo, aqui e acolá comentou sobre o assunto. Em outras palavras, esse adendo seria um pouco de história, e não profecia. Ver a seção III da *Introdução,* que aborda a unidade do livro e o que os críticos pensam a respeito. Alguns eruditos pensam que um suposto terceiro Isaías (ou editores posteriores) fez (fizeram) acréscimos aos escritos do segundo Isaías, e também que algumas anotações dele(s) poderiam explicar tais adições ao primeiro Isaías. Alguns fazem esta seção ser profética e messiânica, vendo nela a redenção em Cristo e até a restauração final, mas certamente isso é um exagero.

■ **1.28**

וְשֶׁבֶר פֹּשְׁעִים וְחַטָּאִים יַחְדָּו וְעֹזְבֵי יְהוָה יִכְלוּ׃

Mas os transgressores e os pecadores serão juntamente destruídos. Este versículo quase certamente refere-se às terríveis destruições que acabaram com a maioria dos habitantes de Judá e Jerusalém, quando da invasão do exército babilônico e do cativeiro subsequente, que foi outro meio de eliminação. Assim como o versículo anterior aponta para os sobreviventes, este versículo aponta para os que não sobreviveram ao julgamento divino. Os críticos fazem este versículo ser um reflexo histórico do que aconteceu, escrito pelos supostos segundo ou terceiro Isaías; mas muitos intérpretes o consideram uma profecia genuína. Outros ainda, contudo, fazem este versículo ser uma declaração geral sobre como operam a vingança e a restauração divina, e não veem nele nenhuma menção a um acontecimento específico. Os apóstatas seriam *consumidos,* ou seja, totalmente aniquilados, e isso poria fim à transgressão e à rebelião.

■ **1.29**

כִּי יֵבֹשׁוּ מֵאֵילִים אֲשֶׁר חֲמַדְתֶּם וְתַחְפְּרוּ מֵהַגַּנּוֹת אֲשֶׁר בְּחַרְתֶּם׃

Porque vos envergonhareis dos carvalhos que cobiçastes. A idolatria é a causa do castigo divino. Os ídolos eram adorados em conjunto com o carvalho sagrado, ou nos jardins. Ver Is 57.5 e 65.3, respectivamente. Baal era a divindade favorita a ser adorada em tais ambientes, o que se pensava encarecer a adoração, como se fosse um toque estético. Ver no *Dicionário* o artigo chamado *Carvalho dos Adivinhadores,* e também as intermináveis ramificações que a idolatria assumia, no artigo geral que versa sobre *Idolatria.* Os jardins aqui mencionados provavelmente incluíam os jardins dos *Lugares Altos* (ver também no *Dicionário*). Os idólatras escolhiam esses lugares para ali adorar, abandonando o templo de Jerusalém, onde Yahweh era honrado. "Essas palavras apontam para os bosques que estavam tão intimamente vinculados à idolatria da terra de Canaã, especialmente com a adoração à *asherah,* que o povo de Israel tinha preferido ao santuário de Yahweh (ver Is 17.8; 57.5; Dt 16.21; 2Rs 16.4; Jr 3.6)" (Ellicott, *in loc.*). Ver no *Dicionário* o verbete intitulado *Deuses Falsos,* especialmente em III.4, *Aserá.*

Os que fossem castigados ficariam *envergonhados* daquilo que fora o prazer deles por tanto tempo. Eles corariam de vergonha, por causa de sua anterior estupidez, que tinha sido uma afronta para Yahweh.

■ **1.30**

כִּי תִהְיוּ כְּאֵלָה נֹבֶלֶת עָלֶהָ וּכְגַנָּה אֲשֶׁר־מַיִם אֵין לָהּ׃

Porque sereis como o carvalho. Os que se tinham envolvido com os carvalhos sagrados terminariam como folhas de carvalho mortas, ressecadas; e os que se tinham envolvido com a idolatria efetuada nos jardins terminariam como jardins sem água, mortos, figuras que expressam a *Lei Moral da Colheita segundo a Semeadura* (ver a respeito no *Dicionário*). Antes foram indivíduos fortes e prósperos, mas agora estavam reduzidos a nada pela morte. Nas partes mais tórridas dos países orientais, um suprimento *constante* de água é absolutamente necessário para que se cultive um jardim. Se houver falta de água por alguns poucos dias, o resultado será a perda total dos jardins. Portanto, só há jardins onde existe disponível água suficiente. Considere o leitor o jardim do Éden e seus *rios.* Cf. Jr 17.8:

Porque ele é como a árvore plantada junto às águas, que estende as suas raízes para o ribeiro e não receia quando vem o calor, mas a sua folha fica verde.

Ver também Sl 1.3,4 onde encontramos o mesmo simbolismo. Todavia, a boa sorte do homem reto não cabe ao pecador: "Os ímpios não são assim". E é isso que o profeta está dizendo aqui, mesmo que não tenha usado essas palavras exatas.

■ **1.31**

וְהָיָה הֶחָסֹן לִנְעֹרֶת וּפֹעֲלוֹ לְנִיצוֹץ וּבָעֲרוּ שְׁנֵיהֶם יַחְדָּו וְאֵין מְכַבֶּה׃ ס

O forte se tornará em estopa, e a sua obra em faísca. A impiedade transformará os homens em um material facilmente combustível, e suas obras em uma faísca. E, uma vez reunidos o combustível e a faísca, rebentará uma chama que continuará queimando, e ninguém será capaz de apagar o incêndio ou fazer parar a destruição. Uma das armas usadas na guerra, tanto antigamente quanto em nossos próprios dias, é o fogo, o qual destrói materiais e pessoas. Em breve, as chamas da Babilônia estariam consumindo Judá, e poucos seriam os sobreviventes. Não há aqui nenhuma referência a um julgamento eterno, o que seria totalmente anacrônico neste versículo. A estopa e a faísca foram escolhidas para representar a forma mais rápida de combustão.

CAPÍTULO DOIS

A PURIFICAÇÃO E A ESPERANÇA MILENAR (2.1—4.6)

UMA AFIRMAÇÃO DE RESTAURAÇÃO (2.1-5)

Um segundo título aqui, similar ao de Is 1.1, poderia ser aplicado aos capítulos 2—12. Uma nova seção, pois, começaria em Is 13.1, embora muito mais esteja contido aqui do que o título sugere. Ou talvez o título encabece uma parte menor da seção maior, abarcando os capítulos 2—4. Ou então o título talvez cubra somente o trecho de Is 2.2-4, um pequeno oráculo também encontrado em Mq 4.1-3. Os vss. 2-5, uma passagem que se tornou famosa com justiça, aparecem também em Mq, pelo que não há certeza de quem foi o autor, se Isaías, Miqueias ou algum outro indivíduo de quem ambos copiaram. O oráculo refere-se à restauração de Jerusalém, presumivelmente após o cativeiro babilônico; mas alguns veem também um significado a longo prazo que inclui o reino milenar de Cristo, tendo Jerusalém como centro. Note o leitor que essa esperança, sem importar qual seja o significado exato, vem imediatamente após a escaldante acusação (sob a forma de uma ação legal) proferida contra Judá e Jerusalém apóstatas. "Isaías introduziu um conceito que foi a marca d'água de sua profecia. Chegará um tempo em que Jerusalém ocupará posição primária no mundo. Mq 4.1-3 é quase idêntico a Is 2.1-4" (John A. Martin, *in loc.*).

■ **2.1**

הַדָּבָר אֲשֶׁר חָזָה יְשַׁעְיָהוּ בֶּן־אָמוֹץ עַל־יְהוּדָה וִירוּשָׁלִָם׃

Palavra que, em visão, veio a Isaías, filho de Amoz. A *palavra* veio novamente a Isaías, e agora essa palavra é um oráculo concernente a Judá e Jerusalém. A declaração é idêntica à da primeira parte de Is 1.1, mas agora *visão* aparece como *palavra,* ou seja, *oráculo* específico ou revelação profética. Diz o Targum: "palavra de profecia". Essa palavra é equivalente a *decreto divino,* porque deve ser compreendida como que proferida pela vontade divina, concernente a uma circunstância específica.

■ **2.2**

וְהָיָה בְּאַחֲרִית הַיָּמִים נָכוֹן יִהְיֶה הַר בֵּית־יְהוָה בְּרֹאשׁ הֶהָרִים וְנִשָּׂא מִגְּבָעוֹת וְנָהֲרוּ אֵלָיו כָּל־הַגּוֹיִם׃

Nos últimos dias acontecerá que o monte da casa do Senhor. Consideremos aqui os dois pontos seguintes:

1. Os dias após o cativeiro babilônico, que os profetas do Antigo Testamento compreendiam como dias que assinalavam o fim da história humana, ou uma espécie de ponto culminante nessa história.
2. Ou, segundo os termos do Novo Testamento, os dias após a segunda vinda de Cristo, o milênio e depois. Ver no *Dicionário* o artigo chamado *Milênio.* Isaías não repetiu a expressão *nos últimos dias,* embora tenha-se referido às promessas messiânicas. Alguns duvidam de que o uso que ele fez aqui da expressão seja equivalente a Dn 10.14, onde aparece como um termo técnico que se refere à era messiânica.

"A *nova era,* que envolve a elevação de Sião, o reconhecimento das nações e a era da paz. Esse *oráculo* (vss. 2-4) também se acha em Mq 4.1-4" (*Oxford Annotated Bible,* comentando sobre o vs. 2).

O monte da casa do Senhor. Jerusalém se situava em uma colina, e essa colina aparece aqui como um monte tão elevado que é exaltado sobre todos os montes da terra. Monte é um símbolo comum para indicar um *reino* (ver Dn 2.35; Ap 13.1; 17.9-11). A casa do Senhor (o templo) está no alto da montanha, tendo-se tornado o centro da adoração e da espiritualidade. Todas as nações reconhecerão a supremacia de Jerusalém e sua expressão espiritual, e verterão nela suas águas, como se ela fosse um rio. Cf. Jr 51.44.

Alguns anteveem aqui Jerusalém como a capital do mundo, e não apenas quanto às questões espirituais, mas também quanto a todas as outras questões, quando Israel assumirá a posição de nação cabeça do mundo. Seja como for, na nova era, haverá uma nova espécie de fé religiosa, talvez uma mistura do antigo judaísmo com o cristianismo, e surgirá em cena um novo movimento religioso que se tornará a melhor expressão da espiritualidade em toda a história humana, *até aquele ponto.* Talvez haja uma *terceira revelação,* um novo conjunto de Escrituras, que acompanharão a nova era. Quem sabe quantos outros grandes saltos em avanço haverá ainda no campo espiritual? Sem dúvida haverá muitos, sim, talvez até uma sucessão interminável, pois dentro do programa de Deus é ridículo falar sobre pontos finais ou estagnações, como se o homem pudesse chegar ao fim de seu desenvolvimento espiritual. Estou usando aqui a expressão nova era no sentido evangélico, e não da maneira como essa expressão está sendo atualmente empregada em alguns círculos religiosos.

A Proeminência do monte do Templo de Jerusalém. Este é um tema muito repetido em Is (ver 11.9; 25.6,7; 27.13; 30.29; 56.7; 57.13; 65.11,25; 66.20). O antigo pacto será protegido dentro do plano divino. Suas condições não falharão, e o mundo inteiro, e não somente Israel, será beneficiado. Naturalmente, quando falo de pactos antigos, estou referindo-me à essência espiritual, e não a detalhes específicos. Haverá uma espécie de pacto universal que permitirá que opere o escopo mais lato do plano redentor. Ver na *Enciclopédia de Bíblia, Teologia e Filosofia* o verbete intitulado *Mistério da Vontade de Deus*. Ver também o artigo chamado *Restauração*. Exatamente o quanto Isaías viu de tudo isso permanece aberto a indagações. Mas ele recebeu um vislumbre muito maior do que aquele que estava confinado dentro da teologia normal dos hebreus.

■ 2.3

וְהָלְכוּ עַמִּים רַבִּים וְאָמְרוּ לְכוּ וְנַעֲלֶה אֶל־הַר־יְהוָה
אֶל־בֵּית אֱלֹהֵי יַעֲקֹב וְיֹרֵנוּ מִדְּרָכָיו וְנֵלְכָה בְּאֹרְחֹתָיו
כִּי מִצִּיּוֹן תֵּצֵא תוֹרָה וּדְבַר־יְהוָה מִירוּשָׁלִָם:

Irão muitas nações, e dirão: Vinde, e subamos ao monte do Senhor. Este versículo é essencialmente uma modificação do vs. 2, exceto pelo fato de que agora a *lei mosaica* é acrescentada como base da instrução religiosa que emanará de Jerusalém para o mundo inteiro. Isso nos remete à antiga ortodoxia judaica, e assim pergunto se não terei exagerado na descrição sobre a religião ideal do futuro, que imperará em Jerusalém. Fica óbvio, pelo menos, que os profetas do Antigo Testamento, incluindo Isaías, não viram o "quadro completo" do que aconteceria no futuro, a era da igreja, ou qualquer coisa semelhante a isso. Os pensamentos daqueles profetas estavam ligados exclusivamente a Israel. Eles nem viam alguma grande expansão de tempo futuro adentro. Todos os profetas que falaram do engrandecimento de Israel viam isso como se se seguisse imediatamente ao cativeiro babilônico, ou, pelo menos, não muito distante. Se Isaías viu o cativeiro babilônico, não tinha conhecimento algum sobre a *dispersão romana*, o maior de todos os cativeiros relacionados aos judeus. Temos de concluir, portanto, que a visão profética era de fato parcial e muitas implicações não eram percebidas.

À casa do Deus de Jacó. Cf. a "a casa de Jacó", no vs. 5, onde há notas expositivas.

Os capítulos finais do livro de Isaías nos fornecem uma visão clara (embora parcial) do Messias, um quadro que ultrapassava o da ortodoxia judaica, conforme o capítulo 9 nos mostra com certeza. Assim sendo, a visão profética do Antigo Testamento variava quanto à sua qualidade de escopo, ao passar de um assunto para outro. Aprendemos aqui alguma coisa sobre as *limitações* dos instrumentos humanos para comunicar as mensagens divinas.

Pelas suas veredas. Quanto à metáfora da *vereda*, ver no *Dicionário* o artigo chamado *Caminho*, além de outras notas em Pv 4.14. Quanto às veredas boas e às veredas más que os homens seguem, ver Pv 4.13. A ortodoxia judaica fazia da lei a *diretriz* (ver Dt 6.4 ss.), e Isaías falou sobre esse caminho aqui. É um truque cristão fazer da lei aqui a revelação de Deus, como se, no futuro, as revelações pós-judaicas ainda pudessem ser chamadas de "a lei".

■ 2.4

וְשָׁפַט בֵּין הַגּוֹיִם וְהוֹכִיחַ לְעַמִּים רַבִּים וְכִתְּתוּ
חַרְבוֹתָם לְאִתִּים וַחֲנִיתוֹתֵיהֶם לְמַזְמֵרוֹת לֹא־יִשָּׂא גוֹי
אֶל־גּוֹי חֶרֶב וְלֹא־יִלְמְדוּ עוֹד מִלְחָמָה: פ

Ele julgará entre os povos, e corrigirá muitas nações. O poder e a inteligência divina farão coisas que os homens não conseguiram fazer:
1. Justiça entre as nações, trazendo soluções para os problemas nacionais e internacionais.
2. Repreensão contra o mal, produzindo correção eficaz.
3. Fim das guerras. Recursos antes investidos nos instrumentos de guerra serão usados em empreendimentos úteis, como a agricultura. Cf. Jl 3.10; Os 2.18 e Zc 9.10.
4. Embora haja intercomunicações internacionais, por meio do comércio, das artes e de outros projetos, não haverá guerras. As guerras não serão eliminadas pelo isolacionismo, mas através de uma sabedoria superior, divinamente dada na nova era. Mq 4.4 adiciona a essa lista o seguinte:

Assentar-se-á cada um debaixo de sua videira, e debaixo da sua figueira, e não haverá quem os espante, porque a boca do Senhor dos Exércitos o disse.

Será garantido o direito de possessão em meio à abundância.

"Durante esse período de paz universal, as nações subirão a Jerusalém a fim de aprender de Deus (vs. 2). A paz não será uma realização humana, mas será imposta por causa da presença de Deus e de suas operações em Jerusalém. Naquele tempo, Israel será cheio do Espírito de Deus (ver Ez 36.24-30) e seus pecados serão perdoados" (John A. Martin, *in loc.*).

■ 2.5

בֵּית יַעֲקֹב לְכוּ וְנֵלְכָה בְּאוֹר יְהוָה:

Vinde, ó casa de Jacó, e andemos na luz do Senhor. Israel, a casa de Jacó, tomará a liderança no andar justo, sob a luz do Senhor, e esse tipo de conduta será a base das novas atitudes e realizações em que todos os homens, de todos os lugares, imitarão o bom exemplo de Israel. Em outras palavras, uma espiritualidade superior será atingida por meio dos ensinamentos e dos bons exemplos, duas coisas que sempre se farão necessárias no avanço espiritual. Ver no *Dicionário* os verbetes chamados *Andar* e *Caminho*, quanto a essa metáfora. Quanto ao ato de andar, cf. 1Ts 4.13-18; 5.1-8; 2Pe 3.10-14 e 1Jo 3.2,3.

Casa de Jacó. Esta expressão é usada por oito vezes no livro de Isaías (ver 2.5,6; 8.17; 10.20; 14.1; 29.22; 46.3; 48.1). Todos os outros profetas, juntamente, têm essa expressão apenas por nove vezes. A futura realização no andar espiritual tinha sido exibida diante de Isaías, e agora mesmo, no presente, antes que o desastre desabasse, haveria um esforço por seguir esse andar. Judá, luz para todas as nações, seria, finalmente, luz para si mesmo. Cf. Rm 11.11-15. Cf. Jo 8.12; 12.35,36; 1Jo 1.7; Ap 21.23,24.

O livro de Jonas é o João 3.16 do Antigo Testamento.
O amor de Deus se estende até os animais.
Jonas 4.11

O amor de Deus é real universalmente, não meramente potencial.
O amor de Deus será, absolutamente, efetivo, afinal.
O amor de Deus é todo-poderoso e não admite obstáculos.
Amor divino, amor todo excelente,
Alegria do céu, desce à terra.

Charles Wesley

Limites de pedra não podem conter o amor.
E o que o amor pode fazer, isso o amor ousa fazer.

Shakespeare

O amor de Deus desce ao mais baixo inferno
Se pudéssemos encher de tinta os mares,
E cobrir os céus de pergaminho;
Se todos os pedúnculos fossem penas,
E todos os homens escribas profissionais —
Escrever o amor de Deus acima,
Ressecaria os oceanos;
E não haveria rolo para conter tudo,
Estendido que fosse de céu a céu.

O amor de Deus, quão rico e puro,
Quão sem medida e forte!
Perdurará para sempre...

F. M. Lehman

O DIA DO SENHOR (2.6-22)

■ 2.6

כִּי נָטַשְׁתָּה עַמְּךָ בֵּית יַעֲקֹב כִּי מָלְאוּ מִקֶּדֶם וְעֹנְנִים
כַּפְּלִשְׁתִּים וּבְיַלְדֵי נָכְרִים יַשְׂפִּיקוּ:

Pois tu, ó Senhor, desamparaste o teu povo. *Condições Presentes e Consequências Futuras.* A presente condição será revertida, em contraste com a esperança futura. Yahweh tinha rejeitado aquela geração que se encaminhava à condenação. O *paganismo* (em forte contraste com a obediência futura) controlava a nação de Israel, incluindo a prática da adivinhação, tomada por empréstimo de países do Oriente Próximo e Médio e dos filisteus que viviam dentro da Palestina. Ver no *Dicionário* o artigo intitulado *Adivinhação*. Devemos entender que a fé em Yahweh havia sido esquecida e substituída por um falso misticismo. Existem misticismo falso e verdadeiro, em que o contato com o *outro mundo* é a base de toda a aspiração espiritual. Ver na *Enciclopédia de Bíblia, Teologia e Filosofia* o artigo chamado *Misticismo.*

Falsas alianças com povos pagãos eram outra característica da nação de Judá dos dias de Isaías e outros profetas. O apertar de mãos, em alguma espécie de gesto de união, marcava as *barganhas* em que os judeus entravam. O mesmo gesto pode significar desafio (ver Jó 34.37) ou adoração (Sl 47.1). Neste trecho bíblico está em foco a associação ilegítima com povos estrangeiros, que arruinou o caráter distintivo de Judá. Contratos comerciais faziam parte dos acordos firmados.

No futuro (vs. 3), Judá receberia sua própria luz da parte do Senhor. Aqui isso é retratado como uma tentativa de obter luz da parte dos pagãos. No futuro, as nações irão a Jerusalém para se encontrar com Yahweh, mas aqui elas são consultadas para ajudar a resolver os problemas de Judá.

Agoureiros. Literalmente, temos aqui no original hebraico "adivinhos pelas nuvens", porquanto uma das muitas reivindicações dos mágicos era o suposto poder de levantar tempestades e controlar as condições atmosféricas. Judá tinha perdido sua posição *distinta* entre as nações, a qual obtivera mediante a obediência à lei mosaica (ver Dt 4.4-8). A lei era o *guia* (ver Dt 6.4 ss.).

Foi grande revelar Deus a seres angelicais;
Foi maior estimar o homem humilde.
Foi grande habitar no exaltado favor divino;
Foi maior ser Salvador do homem quebrantado.
                      Russell Norman Champlin

Cristo, Salvador de Todos os Mundos

Cristo, Salvador de todos os mundos, em todos os mundos, até a beira da condenação;

Amando, pesquisando, buscando, salvando para além do sepulcro ou túmulo.

Decretos divinos, dogmas humanos, séculos presentes ou futuros, nada pode limitar o seu poder imutável, esperança fixa e sublime.

O Cristo, imutável, Redentor eterno, na transição dos séculos sempre o mesmo, constante é o poder recuperador do teu Nome.

Ponto de tempo chamado terra, e tu, Jesus, não são tudo, não podem ser tudo;

Esferas além, mundos vindouros — o Logos Divinos deve dominar.

Ponto de tempo findo pela morte, significa para alguns o fim da própria vida, para outros, o fim da esperança — ambas visões míopes, sem dúvida.

Pois tu és o Cristo eterno, no tempo e fora dele sustentas seguramente.

Amando, pesquisando, buscando, salvando para além do sepulcro ou túmulo.

Tú és o Cristo, Salvador de todos os mundos em todos os mundos, à beira da condenação; na condenação?

— Na condenação!
                      Russell Champlin

■ **2.7**

וַתִּמָּלֵא אַרְצוֹ כֶּסֶף וְזָהָב וְאֵין קֵצֶה לְאֹצְרֹתָיו וַתִּמָּלֵא אַרְצוֹ סוּסִים וְאֵין קֵצֶה לְמַרְכְּבֹתָיו:

A sua terra está cheia de prata e de ouro. Judá tinha conseguido amealhar consideráveis riquezas materiais. Eles possuíam tesouros de prata e ouro; cavalos para formar um forte exército, ao que deveríamos adicionar carros de combate. Originalmente, o exército de Israel consistia em uma infantaria e, apesar dessa limitação, grandes vitórias foram conseguidas, para o que devemos dar a Yahweh o mais pleno crédito. Mas agora Judá estava forte em si mesmo, tendo imitado as nações pagãs ao melhorar a força de seu exército com cavalos e carros de combate. Isso não teria sido suficiente para deter os babilônios. E o poder de Yahweh se retiraria, por causa da maldade generalizada da nação de Judá.

As expressões aqui usadas para indicar riquezas materiais são expressões tradicionais (cf. Dt 17.16,17; 1Rs 10.14-19). Provavelmente, as condições aqui descritas são aquelas no fim do reinado de Uzias e em seguida (cf. 2Cr 26.6-15). Judá tinha riquezas comerciais (parte dos acordos comerciais mencionados no vs. 6). Além disso, os amonitas estavam sob a obrigação de pagar-lhes tributo (2Cr 26.8). Enquanto Senaqueribe não passou a controlar a região em torno de Judá, as riquezas materiais vinham aumentando, conforme aprendemos com base na casa de tesouros de Ezequias (ver Is 39.2).

Os reis de Israel não deveriam multiplicar cavalos (ver Dt 17.16,17), mas Salomão pôs fim a essa proibição divina. Uzias seguiu o seu exemplo (ver 1Rs 10.26-29), e as riquezas advindas do comércio só gradualmente foram diminuindo. Ver 2Cr 1.15.

■ **2.8**

וַתִּמָּלֵא אַרְצוֹ אֱלִילִים לְמַעֲשֵׂה יָדָיו יִשְׁתַּחֲווּ לַאֲשֶׁר עָשׂוּ אֶצְבְּעֹתָיו:

Também está cheia a sua terra de ídolos. Além de estar cheio de dinheiro, Judá também estava cheio de *ídolos*, sendo provável que esses deuses pagãos, que nada representavam, na realidade obtinham o crédito pelas riquezas generalizadas no país. Se o Criador é quem os tinha criado, eles fizeram aqueles deuses com as suas próprias mãos, o que serve de sinal de quanto tinham escorregado desde o alto da fé de seus pais. O fabrico de ídolos era o máximo da ignorância. Note o leitor o jogo de palavras: eles fizeram ídolos vãos (no hebraico, *elilim*), em contraste com *elim*, ou *Elohim*, o verdadeiro poder divino. Eles puseram os deuses que nada significam no lugar do Deus Todo-poderoso. Em vez de frequentar o templo de Jerusalém, os judeus andavam ocupados, cuidando de seus lugares altos idólatras (ver 2Cr 33.17). Ver sobre *Lugares Altos* no *Dicionário,* e ver o artigo geral chamado *Idolatria.* Examinar também as práticas idólatras de Jotão (2Cr 27.2) e Acaz (2Cr 28.2,3). Tendo começado como uma prática popular "exterior", a idolatria finalmente tornou-se a norma nacional oficial.

■ **2.9**

וַיִּשַּׁח אָדָם וַיִּשְׁפַּל־אִישׁ וְאַל־תִּשָּׂא לָהֶם:

Com isso a gente se abate... não lhes perdoarás. Os judeus humilharam a si mesmos com suas práticas idólatras e tornaram-se menores que os homens que foram feitos à imagem de Deus. Estando eles nessa condição, o julgamento de Deus os faria rebaixar-se ainda mais. Judá aparecia diante da humanidade como um escândalo internacional. O Deus deles os abandonara, e a Babilônia fez com eles o que bem entendeu, sem nenhuma intervenção ou livramento divino.

Não lhes perdoarás. Chegando o tempo da retribuição divina contra a idolatria, por causa de seus múltiplos pecados, os judeus soltaram gritos pedindo perdão a Deus, mas esses gritos saíram muito tarde. Nenhum perdão de último minuto salvaria o dia. Isso pode ser emendado para "os deuses serão desarraigados" (ver o vs. 18 e Mq 5.13 quanto a essa ideia, que pode ser aqui o texto verdadeiro). Os vss. 9b-10 são omitidos pelos rolos em hebraico dos Papiros do mar Morto. E também existem outros problemas textuais nesta passagem, com variações significativas na Septuaginta. Trata-se da pior passagem textualmente preservada do livro de Isaías. Ver no *Dicionário* o artigo chamado *mar Morto, Manuscritos (Rolos) do.*

■ 2.10

בּוֹא בַצּוּר וְהִטָּמֵן בֶּעָפָר מִפְּנֵי פַּחַד יְהוָה וּמֵהֲדַר גְּאֹנוֹ:

Vai, entra nas rochas e esconde-te no pó. O terror lançado por Yahweh feriria os judeus com plena força, e os israelitas tentariam ocultar-se nas colinas rochosas em redor de Jerusalém, ou em buracos feitos no chão. A proteção do escudo de Yahweh seria removida. Os babilônios fariam a obra de devastação, mas por trás deles estaria a glória da majestade de Yahweh, a causa real do desastre. As colinas em redor de Jerusalém estavam cheias de cavernas em rochas de pedra calcária, as quais foram procuradas pelos desertores judaicos em fuga. Cf. Jz 6.2; 15.8; 1Sm 13.6; 14.11; 24.3; 1Rs 18.4. Haveria pânico no exército de Judá, e todas as coisas contribuiriam juntamente para pôr fim ao poder do exército dos filhos de Israel. O que sobrasse seria levado para o exílio. É verdade que, depois de alguns anos, raiaria um novo dia, mas não enquanto a escória não fosse expurgada. A situação se tornara irremediável.

O *terror* seria a manifestação da presença divina. Em lugar de verem a glória *shekinah* no templo (que era direito dos israelitas), eles veriam a face feroz de Yahweh no campo de batalha, lutando contra eles. Em vez de contemplarem a sua majestade nos cultos, eles veriam a majestade divina a destruí-los. O hebraico literal fala sobre a "face de terror do Senhor". Isso serviria de notável exemplo da *Lei Moral da Colheita segundo a Semeadura* (ver a respeito no *Dicionário*).

■ 2.11

עֵינֵי גַּבְהוּת אָדָם שָׁפֵל וְשַׁח רוּם אֲנָשִׁים וְנִשְׂגַּב יְהוָה לְבַדּוֹ בַּיּוֹם הַהוּא: ס

Os olhos altivos dos homens serão abatidos. Compreendemos, com base neste versículo, que Judá se enchera de orgulho por causa de suas riquezas e de seu forte exército (vs. 7). Eles tinham "ultrapassado" a necessidade de depender de Deus e assim, no dia da provação, Deus não estaria disponível para evitar a catástrofe generalizada que lhes sobreviria. Ver no *Dicionário* o verbete denominado *Orgulho;* e ver orgulho e humildade contrastados em Pv 11.2; 14.3; 15.25; 16.5,18; 21.4; 30.12,32. Ver *olhos altivos* em Pv 6.17. No tempo do julgamento, as potências humanas serão humilhadas, e somente o Senhor será exaltado, tornando-se o movedor primário das questões humanas. Note o leitor o título *Senhor dos Exércitos* (vs. 12), porquanto este versículo descreve uma situação militar. Mas o Senhor dos Exércitos estaria dirigindo as forças babilônicas! Ver sobre esse título no *Dicionário* e em 1Rs 18.15. Quanto àquele *dia*, ver o vs. 12, *o Senhor tem um dia*.

■ 2.12,13

כִּי יוֹם לַיהוָה צְבָאוֹת עַל כָּל־גֵּאֶה וָרָם וְעַל כָּל־נִשָּׂא וְשָׁפֵל:

וְעַל כָּל־אַרְזֵי הַלְּבָנוֹן הָרָמִים וְהַנִּשָּׂאִים וְעַל כָּל־אַלּוֹנֵי הַבָּשָׁן:

Porque o dia do Senhor dos Exércitos será contra todo soberbo e altivo. *Toda a soberba humana será rebaixada* (vs. 17), e desde agora já temos diversas ilustrações a respeito. Os orgulhosos e altivos se elevarão por si mesmos, mas o Poder divino os rebaixará.

> Eis que toda a nossa pompa de ontem
> Será a mesma que a de Nínive e Tiro!
>
> Rudyard Kipling

Judá, antes como os *cedros* do Líbano, tão altos e nobres, seria cortado. Eles, que eram como os *carvalhos* de Basã, madeira nobre e dura, tão valorizada pelos homens, seriam decepados. As árvores são altas como os homens, que se põem de pé sobre seus dois pés, em contraste com os animais, que ficam de pé sobre suas quatro patas, e, portanto, mais próximos da superfície da terra.

O Senhor Tem um Dia. Judá teve seu dia de orgulho, o que não passava de falácia. O Senhor já tinha marcado um dia de julgamento, e as árvores nobres e autoexaltadas seriam niveladas até o chão. Ver no *Dicionário* o artigo chamado *Dia do Senhor,* quanto a amplas explicações sobre essa frase. O Senhor dos Exércitos lideraria exércitos estrangeiros para efetuar a justiça e expurgar a escória da corrupção. Uma prata pura seria assim produzida (ver Is 1.25), de tal modo que a nação de Israel, através da tribo de Judá, poderia viver novamente após o cativeiro e dar a Israel um novo começo. Este texto olha para além da Babilônia, talvez até a era do reino, quando o poder divino tomará conta do mundo inteiro.

■ 2.14

וְעַל כָּל־הֶהָרִים הָרָמִים וְעַל כָּל־הַגְּבָעוֹת הַנִּשָּׂאוֹת:

Contra todos os montes altos. Cedros, carvalhos, montes. "Características do mundo natural que, desde tempos imemoriais, têm deixado os homens admirados com suas dimensões e altura" (R. B. Y. Scott, *in loc.*). Mas essas coisas serão rebaixadas, pois todas as coisas humanas, como também as coisas naturais, terão de ceder diante do único Ser realmente exaltado, o Deus Todo-poderoso. Os montes, como é natural, são um símbolo tradicional dos governos humanos. Essas expressões dão a entender a era do reino, quando todos os poderes terrenos serão humilhados, e o governo de Deus substituirá em uma teocracia verdadeira e universal. As "coisas elevadas" serão aviltadas, a fim de que as *realidades mais altas* tomem conta de tudo.

■ 2.15

וְעַל כָּל־מִגְדָּל גָּבֹהַּ וְעַל כָּל־חוֹמָה בְצוּרָה:

Contra toda torre alta. Outras *coisas altas*, feitas pelas mãos dos homens, são as torres e as muralhas fortificadas. Essas coisas supostamente proveriam proteção; mas, quando chegar o dia da ira, elas serão inúteis. Os babilônios por certo não se deixariam impressionar por elas. Por conseguinte, coisa alguma alta na natureza, nem qualquer coisa alta feita por mãos humanas, seria capaz de impedir o avanço dos babilônios, nem a grandiosidade correspondente do poder e governo de Deus. As fortificações militares eram uma das glórias do reinado de Uzias, e essas coisas tiveram continuação nos governos reais de Judá subsequentes. Ver 2Cr 26.9,10; 27.3,4; Os 8.14; Mq 5.11; e cf. Is 22.8-11 e Sl 48.13. Ver sobre a torre de Babel, uma das mais orgulhosas obras humanas, em Gn 11.1-9.

■ 2.16

וְעַל כָּל־אֳנִיּוֹת תַּרְשִׁישׁ וְעַל כָּל־שְׂכִיּוֹת הַחֶמְדָּה:

Contra todos os navios de Társis. Os mastros dos navios mercantes de Társis eram altos, e esses navios representavam uma das origens das riquezas de Judá, de que os judeus tanto se orgulhavam (vs. 7). Os fenícios eram, então, os dominadores dos mares. Seus navios podiam percorrer 3.200 km até o centro de refino de metais em Tartesso, na Espanha. Havia viagens regulares até esse lugar, o que explica a expressão usada neste texto. Mas também sabemos que os fenícios chegaram ao novo mundo, conforme demonstram inscrições descobertas. Embora Israel fosse um povo que vivia à beira-mar, não era um povo marítimo. Contudo, Salomão e Josafá tentaram sua sorte no comércio marítimo. Salomão enriqueceu, além de outras maneiras, através do comércio marítimo; mas os esforços de Josafá nessa direção foram essencialmente frustrados. Uzias e Jotão também desenvolveram o comércio marítimo. Ver 1Rs 22.48.

A expressão "navios de Társis" tornou-se proverbial para todo comércio que usava o meio marítimo. O texto que ora consideramos está ensinando que todas as riquezas de Judá seriam diminuídas, sem importar a origem. Ver no *Dicionário* o artigo *Társis*, quinto ponto, para maiores detalhes.

Contra tudo o que é belo à vista. Literalmente, "toda imagem de deleite", expressão que faz tradutores e intérpretes debater-se quanto ao sentido. Poderiam estar em foco navios, imponentes e belos; mas alguns estudiosos pensam em *obras de arte* que faziam parte do comércio marítimo. Essas obras de arte tornaram-se uma mania entre as classes abastadas de Judá. Os ricaços tinham suas coleções de obras de arte, e disso se orgulhavam. Veja o leitor como Salomão exagerou quanto a essa questão, em 1Rs 10.22. Veja também o leitor os leitos de marfim, em Am 6.4, bem como as obras de arte em Ct 5.14,15. Mas alguns eruditos veem aqui menção a ídolos muito enfeitados, ídolos que eram obras de arte, imagens, pinturas, gravações, amuletos etc.

■ 2.17

וְשַׁח גַּבְהוּת הָאָדָם וְשָׁפֵל רוּם אֲנָשִׁים וְנִשְׂגַּב יְהוָה לְבַדּוֹ בַּיּוֹם הַהוּא׃

A arrogância do homem será abatida. Este versículo oferece um sumário das ideias dos vss. 11-16. A exaltação, sem importar de qual natureza, seria aviltada, como parte necessária do julgamento geral divino prometido pelos profetas. Os homens seriam rebaixados e rolariam pelo chão; o que era alto seria abatido, e somente Yahweh permaneceria elevado, *naquele dia* (ver o vs. 12), o dia do Senhor, no seu momento de ira, em seu dia de julgamento. Cf. o vs. 11, que é virtualmente igual ao que se vê no vs. 17. "Isso pode referir-se ao tempo em que os babilônios capturaram a nação de Judá, em 586 a.C., embora o julgamento final venha a ocorrer no futuro segundo advento de Cristo" (John A. Martin, *in loc.*).

■ 2.18

וְהָאֱלִילִים כָּלִיל יַחֲלֹף׃

Os ídolos serão de todo destruídos. Entre as coisas que seriam destruídas, estavam os ídolos, nos quais o povo de Judá tinha chegado a confiar, em lugar de Yahweh. Ver o vs. 8, onde é mencionada a idolatria de Judá. Essa falta de coragem e de espiritualidade seria, no final das contas, mortalmente destruidora. Na verdade, a idolatria consiste em *perder a fé* nas realidades espirituais e colocar a fé sobre aquilo que é falso. E assim também acontece com todas as nossas formas mais sutis de idolatria. Deus é substituído por deuses que nada são, o maior erro de todos, do qual se originam todos os tipos de erro. Os ídolos são "nada" neste mundo, conforme lemos em 1Co 8.4, e passarão para um nada bem merecido na mente e nas práticas dos homens do dia da crise. Cf. Zc 13.2.

■ 2.19

וּבָאוּ בִּמְעָרוֹת צֻרִים וּבִמְחִלּוֹת עָפָר מִפְּנֵי פַּחַד יְהוָה וּמֵהֲדַר גְּאוֹנוֹ בְּקוּמוֹ לַעֲרֹץ הָאָרֶץ׃

Então os homens se meterão nas cavernas das rochas. Este versículo expande a ideia do vs. 10, mas adiciona a noção das "cavernas", a qual, porém, é ali entendida pela menção às "rochas". Em seguida, o profeta adiciona: "quando ele (Deus) se levantar para assombrar a terra". Então haverá figuradamente terrível abalo na terra e possivelmente terremotos literais. Os abalos sísmicos são uma "figura para um julgamento severo e universal" (Fausset, *in loc.*). Ver Ap 6.15,16. Quanto ao *terror do Senhor,* ver o vs. 21.

■ 2.20

בַּיּוֹם הַהוּא יַשְׁלִיךְ הָאָדָם אֵת אֱלִילֵי כַסְפּוֹ וְאֵת אֱלִילֵי זְהָבוֹ אֲשֶׁר עָשׂוּ־לוֹ לְהִשְׁתַּחֲוֹת לַחְפֹּר פֵּרוֹת וְלָעֲטַלֵּפִים׃

Naquele dia os homens lançarão às toupeiras e aos morcegos. Tendo testemunhado o fracasso da idolatria em proteger no dia do juízo divino (ver o vs. 12), os homens jogarão fora todas as suas obras idólatras, imagens, gravações, obras fantasiosas de ouro e prata, que eles adoraram em meio a tanto ridículo. As toupeiras e os morcegos se tornarão os proprietários desses objetos. De maneira correspondente, os homens se voltarão a Yahweh como único e alto Deus, e renovarão suas formas de adoração e seus votos. Veja o leitor a ironia embutida em tal declaração: coisas antes tão valiosas e transformadas em objetos de adoração serão lançadas fora como coisas detestáveis. Isso aponta para uma revolução espiritual provocada pelo julgamento divino, e esse é precisamente o motivo pelo qual o juízo será aplicado. Há nele um aspecto restaurador, e não apenas retribuidor.

■ 2.21

לָבוֹא בְּנִקְרוֹת הַצֻּרִים וּבִסְעִפֵי הַסְּלָעִים מִפְּנֵי פַּחַד יְהוָה וּמֵהֲדַר גְּאוֹנוֹ בְּקוּמוֹ לַעֲרֹץ הָאָרֶץ׃

E meter-se-ão pelas fendas das rochas e pelas cavernas das penhas. Este versículo é uma repetição dos vss. 10 e 19, mas também adiciona palavras vívidas: "quando ele se levantar para espantar a terra". Portanto, encontramos aqui o "terror do Senhor" (vs. 19), e não um temor piedoso e reverência (o "temor do Senhor", conforme a expressão é usualmente empregada; ver no *Dicionário* o artigo chamado *Temor*), e, sim, um *terror literal,* causado pelos julgamentos divinos, que deixarão os homens apavorados e os farão ocultar-se nas cavernas das colinas. A Palestina tinha um quase ilimitado número de cavernas nas colinas de pedra calcária que, desde os tempos mais remotos, serviram de esconderijos, nos momentos de perseguição e destruição.

■ 2.22

חִדְלוּ לָכֶם מִן־הָאָדָם אֲשֶׁר נְשָׁמָה בְּאַפּוֹ כִּי־בַמֶּה נֶחְשָׁב הוּא׃ פ

Afastai-vos, pois, do homem cujo fôlego está no seu nariz. Não se pode confiar no homem em tempos de crise e destruição. Ele é apenas uma criatura que respira com o nariz. Mas, quando perde a sua respiração, ele se transforma em nada. Cf. Sl 104.29; 118.8,9. Ver também Gn 2.7. O homem é removido da terra com facilidade (ver Is 2.9,11,12,17). A tendência da nação de Judá seria voltar-se para aliados humanos que a ajudassem a livrar-se da invasão babilônica, mas essa seria outra medida inútil. A medida certa era apelar a Yahweh, o regulador e inspirador dos eventos históricos. Deus é o único que pode reverter a maré do julgamento. E ele fará isso para aqueles que realmente se arrependerem. "Confiai nem no homem e nem nos deuses inventados pelos homem. Nem ele nem eles podem salvar" (Adam Clarke, *in loc.*). Diz o Targum: "Pois o homem está vivo hoje, e amanhã não o estará; ele deve ser considerado como nada". (Ver Sl 8.1.)

CAPÍTULO TRÊS

JULGAMENTO DE JUDÁ POR CAUSA DE SUA INIQUIDADE (3.1-15)

Condenação dos Líderes (3.1-7)

As principais seções deste capítulo são: 1. Anarquia social, que segue na esteira da remoção dos governantes (vss. 1-6); 2. Colapso da sociedade (vss. 8-12); 3. Repreenda aos governantes que exploraram a sociedade (vss. 13-15).

A deportação está entre os terrores prometidos. Na época, a ameaça assíria era grande; e os assírios realmente atacaram, embora não sob a forma de deportação. Ver os comentários sobre Is 1.7, que contêm uma declaração dos desastres por vir. Talvez a previsão seja lata o suficiente para incluir tanto a invasão assíria quanto a invasão babilônica. As classes superiores, em Judá, continuavam voando alto em seu poder e em seu potencial monetário (3.2,3,14,16,24). A ameaça dos assírios podia tornar-se real a qualquer momento (3.1,25; 5.5,6,13). E isso poderia apontar para os dias de Acaz (3.4,12; cf. 2Rs 16.2). Talvez o tempo tenha sido os dias anteriores à aliança feita entre a nação do norte (Efraim) com Damasco, a saber, 734 a.C. Tiglate-Pileser tinha forçado Menaem, rei de Israel, a pagar tributos à Assíria, em 738 a.C. Ver no *Dicionário* o verbete intitulado *Rei, Realeza,* que oferece um gráfico dos reis de Israel e Judá, de onde podemos derivar dados úteis para compreender o pano de fundo histórico do livro de Isaías. Ver a seção II da *Introdução* quanto a detalhes sobre o pano de fundo histórico.

Is 2.9-21 afirma a necessidade da eclosão do julgamento divino. Agora obtemos maiores pormenores sobre a questão.

■ 3.1

כִּי הִנֵּה הָאָדוֹן יְהוָה צְבָאוֹת מֵסִיר מִירוּשָׁלִַם וּמִיהוּדָה מַשְׁעֵן וּמַשְׁעֵנָה כֹּל מִשְׁעַן־לֶחֶם וְכֹל מִשְׁעַן־מָיִם׃

Porque eis que o Senhor, o Senhor dos Exércitos, tira. *Yahweh,* o Deus Eterno, que também é o *Senhor dos Exércitos* (ver 1Rs 15.18, bem como o artigo do *Dicionário* chamado *Senhor dos*

Exércitos) estava prestes a punir Judá e Jerusalém mediante a negação dos *suprimentos de boca* necessários, como o pão e a água. A fome já vinha a caminho, embora naquele momento a prosperidade dominasse. "Que mudança diante dos luxos atuais; Is 2.7" (Fausset, *in loc.*).

Todo sustento de pão e todo sustento de água. Cf. Lv 26.26, que tem uma expressão semelhante quanto ao pão. (Ver também Sl 105.16; Ez 4.16 e 5.15.) Alguns intérpretes, considerando metaforicamente, pensam estar em pauta os governantes, os *esteios* da sociedade. Mas o vs. 7 deste capítulo mostra que está em vista, definidamente, a fome. Esta passagem fala sobre a falha completa dos recursos materiais, alimentos e homens que emprestam estabilidade à sociedade humana. No original hebraico temos a frase "bordão e cajado", em lugar de pão e água, mas a primeira é do gênero masculino, e a segunda é feminina, o que significa "toda espécie de sustento".

■ 3.2,3

גִּבּ֥וֹר וְאִ֖ישׁ מִלְחָמָ֑ה שׁוֹפֵ֧ט וְנָבִ֛יא וְקֹסֵ֖ם וְזָקֵֽן׃

שַׂר־חֲמִשִּׁ֥ים וּנְשׂ֛וּא פָנִ֖ים וְיוֹעֵ֑ץ וַחֲכַ֥ם חֲרָשִׁ֖ים וּנְב֥וֹן לָֽחַשׁ׃

O valente, o guerreiro e o juiz, o profeta, o adivinho e o ancião. *A Anarquia Estava Chegando.* Os principais líderes de toda a espécie, homens do governo, do exército, da religião, civis, juristas, e até adivinhos e anciãos seriam removidos. O vs. 3 adiciona *oficiais do exército* (cabeças de cinquenta homens), homens honrados, aqueles que davam conselho em quaisquer áreas em que fossem especialistas; mágicos e encantadores. A lista inclui classes que a Jerusalém "ortodoxa" não teria aprovado, embora essa fosse a condição reinante. Na época de Isaías, a sociedade estava estruturada em torno de maior variedade de autoridades do que nos tempos anteriores. O povo de Judá dependia dos serviços dos adivinhos, dos mágicos (que operavam com o ocultismo etc.). É provável que até os próprios profetas se tivessem tornado adivinhos profissionais, conferindo oráculos e apresentando profecias sobre os destinos dos indivíduos.

A anarquia vindoura seria tão generalizada que até os falsos profetas e as falsas autoridades de todas as espécies pereceriam juntamente com qualquer bom elemento. Esta lista de figuras da sociedade judaica não significa que o profeta Isaías endossasse algumas das classes mencionadas. Ele meramente reconheceu que o que estava acontecendo atingia as pessoas das quais o país dependia. Ver Dt 18.10-14 quanto à condenação incluída pela legislação mosaica. Isaías escreveu sobre como os babilônicos confiavam nos mesmos tipos de poderes (Is 47.12). *Oradores eloquentes,* que defendiam diferentes causas e representavam diferentes campos, tinham adquirido importância, em atitudes que imitavam o estilo de vida dos gregos. A paganização tomara conta da sociedade judaica. A pureza dos tempos antigos havia desaparecido. A *Revised Standard Version* fez dessas pessoas "especialistas em encantamentos", limitando assim a referência destes dois versículos. Nossa versão portuguesa segue essa limitação. Cf. este versículo com 2Rs 24.14, que mostra que somente os elementos mais pobres e ignorantes da sociedade judaica tiveram permissão de permanecer na Terra Prometida. Judá tornou-se a terra de alguns poucos pobres agricultores que não representavam nenhuma ameaça e podiam ser deixados em paz para trás. Os dias da rebeldia de Judá tinham terminado.

■ 3.4

וְנָתַתִּ֥י נְעָרִ֖ים שָׂרֵיהֶ֑ם וְתַעֲלוּלִ֖ים יִמְשְׁלוּ־בָֽם׃

Dar-lhes-ei meninos por príncipes. Meros garotos seriam elevados a posições de autoridade, e meros bebês seriam transformados em governantes, por causa da ausência completa de pessoas qualificadas. *Meninos* e *crianças* são palavras usadas metaforicamente para falar das classes mais humildes, menos educadas e habilitadas, o remanescente deixado para trás. Cf. Ec 10.16. Consideremos a história de Reoboão. Ele era como um menino ganancioso, e o reino se dividiu devido à sua sede por dinheiro. Acaz começou a governar quando tinha 20 anos de idade (2Cr 28.1); Manassés, quando tinha 12 anos (2Cr 33.1), e Josias, quando tinha 8 anos (2Cr 34.1), mas reis jovens, quanto à idade real, provavelmente não estão em vista neste versículo. Antes, estão em foco homens fracos e corrompidos, sem sabedoria.

Os vss. 3 e 4 falam de tempos caóticos quando o cativeiro já se aproximava, caos esse que aumentaria no tempo do exílio. "Os inexperientes e ingênuos governariam" (*Oxford Annotated Bible,* comentando sobre este versículo). O Targum diz: "Os fracos governarão sobre eles".

■ 3.5

וְנִגַּ֣שׂ הָעָ֔ם אִ֥ישׁ בְּאִ֖ישׁ וְאִ֣ישׁ בְּרֵעֵ֑הוּ יִרְהֲב֗וּ הַנַּ֙עַר֙ בַּזָּקֵ֔ן וְהַנִּקְלֶ֖ה בַּנִּכְבָּֽד׃

Entre o povo oprimem uns aos outros. As *condições caóticas* que dominariam a sociedade judaica resultariam de governantes fracos e corruptos. A opressão se generalizaria; cada indivíduo exploraria seu próximo, conforme as oportunidades surgissem. Na realidade, não haveria mais *próximos*. Meu próximo seria apenas aquele homem que vivesse perto de mim, a quem eu pudesse explorar, caso ele não me explorasse primeiro. A juventude estaria inteiramente fora de seu devido lugar, insultando as pessoas de mais idade e rejeitando sua autoridade, exibindo más ações por toda a parte. Os *tipos criminosos envilecidos* se multiplicariam e espalhariam sua variedade particular de opressão. O caos dos governantes se refletiria no caos dos governados. "O quadro não é o do estabelecimento de novos tiranos, mas enfoca a violência que resulta quando não há nem governante nem restrição". Voltariam assim a dominar os tempos dos juízes de Israel:

Naqueles dias não havia rei em Israel: cada um fazia o que achava mais reto.

Juízes 21.25

"Essas palavras retratam a pior forma de decadência de um reino oriental. Tudo era caos e anarquia, acompanhados por uma luta feroz pela mera sobrevivência" (Ellicott, *in loc.*). O desassossego civil logo transformou-se em violência aberta, crimes de sangue e impiedade sob as rédeas do governo. Essas foram as condições que antecederam o cativeiro babilônico. O julgamento divino deixaria limpa a lousa para que houvesse um novo começo, e após o exílio surgiria em cena um novo Israel, com um princípio novo.

■ 3.6

כִּֽי־יִתְפֹּ֨שׂ אִ֤ישׁ בְּאָחִיו֙ בֵּ֣ית אָבִ֔יו שִׂמְלָ֥ה לְכָ֖ה קָצִ֣ין תִּֽהְיֶה־לָּ֑נוּ וְהַמַּכְשֵׁלָ֥ה הַזֹּ֖את תַּ֥חַת יָדֶֽךָ׃

Quando alguém se chegar a seu irmão, e lhe disser. Um homem, somente por ter alguma roupa, alguma humilde peça de vestuário, seria julgado digno de governar toda uma casa, como o melhor candidato entre os não candidatos para a tarefa. O governante de uma casa, de um clã, de uma tribo, ou mesmo da nação inteira, seria instalado em postos de autoridade por qualquer razão arbitrária, ou mesmo sem razão nenhuma. E então, quando atingisse aquela posição, governaria sobre um montão de ruínas. Não haveria solução para os problemas, e as condições sociais em breve se tornariam intoleráveis. Este versículo descreve as condições horrendas que prevaleceriam em Judá e Jerusalém, imediatamente antes e depois do cativeiro. Somente quando o remanescente purificado retornasse da Babilônia haveria um novo dia, após aquela noite horrenda.

Um *irmão mais velho*, devastado e reduzido à mais abjeta pobreza, tomaria um irmão mais jovem e inexperiente e o exaltaria a uma posição de mando, meramente porque tinha roupas melhores, que pareceriam dizer que ele se saíra melhor na vida, e (segundo a esperança dos que o guindassem à posição de autoridade) ele continuaria a ter melhor sucesso na luta da vida, visando ao bem de toda a família. As roupas faziam parte das riquezas materiais nos países do Oriente, mas uma mera troca de roupa não constituía grandes riquezas. Ver 2Rs 4.5. Cf. Zc 8.23. O "irmão" aqui referido pode ser um hebreu, e não um irmão de sangue. Nesse caso, mais de uma simples casa poderia estar em pauta. Seja como for, as condições que causavam tão arbitrária seleção de governantes eram universais.

■ 3.7

יִשָּׂ֣א בַיּוֹם֩ הַה֨וּא ׀ לֵאמֹ֜ר לֹא־אֶהְיֶ֣ה חֹבֵ֗שׁ וּבְבֵיתִ֛י אֵ֥ין לֶ֖חֶם וְאֵ֣ין שִׂמְלָ֑ה לֹ֥א תְשִׂימֻ֖נִי קְצִ֥ין עָֽם׃

Naquele dia levantará este a sua voz, dizendo. O homem que não soubesse como *pensar um ferimento* (o "médico" aqui referido) não queria que alguém o chamasse para curar a comunidade. O indivíduo desqualificado não queria ser o curador da comunidade; em sentido metafórico, não queria que outros fizessem dele um solucionador dos problemas da comunidade caótica. Assim, um possível curador se tornaria *líder*, mas, se não tivesse qualificações para o cargo, não haveria de tornar-se um tolo, forçando-se a assumir uma posição para a qual não estava preparado. Pois esse suposto curador não era capaz de resolver os próprios problemas. Nem ao menos havia alimentos e vestuário adequados para ele mesmo e seus familiares. Como poderia ele, pois, pensar sobre os problemas maiores da comunidade? O vs. 7 está ligado ao versículo anterior, sendo a resposta do irmão mais jovem ao irmão mais velho, sobre o convite de assumir a liderança familiar; mas essa ilustração tem aplicação mais ampla, referindo-se a qualquer tipo de liderança.

■ 3.8

כִּי כָשְׁלָה יְרוּשָׁלַם וִיהוּדָה נָפָל כִּי־לְשׁוֹנָם
וּמַעַלְלֵיהֶם אֶל־יְהוָה לַמְרוֹת עֵנֵי כְבוֹדוֹ:

Porque Jerusalém está arruinada, e Judá caída. Tão caóticas condições se tinham abatido sobre a nação de Judá e sua capital por motivo de um decreto divino. Os judeus sofreriam por causa de suas más ações e por causa de suas más palavras. Eles tinham agido *contra* Yahweh e desafiado sua gloriosa presença. Mostraram-se desobedientes ao pacto com o Senhor e agora teriam de pagar o preço por sua ignorância e rebeldia. Os vss. 8-12 atuam como um comentário sobre os vss. 1-7. "A escaldante pecaminosidade de Judá e sua rejeição da liderança divina tinham arruinado o povo" (*Oxford Annotated Bible*, comentando sobre o vs. 8). O manual de instruções sobre a conduta era a lei. A lei era também o *guia* do povo de Israel (ver Dt 6.4 ss.). A gloriosa presença do Senhor fora desafiada, relembrando-nos de que a glória *shekinah* tinha aparecido aos judeus fiéis no templo, através da lei mosaica e do ritual recomendado. A Presença era o Deus vivo, em contraste com os não deuses, os ídolos aos quais os judeus prestavam lealdade (ver Is 2.20).

■ 3.9

הַכָּרַת פְּנֵיהֶם עָנְתָה בָּם וְחַטָּאתָם כִּסְדֹם הִגִּידוּ לֹא
כִחֵדוּ אוֹי לְנַפְשָׁם כִּי־גָמְלוּ לָהֶם רָעָה:

O aspecto do seu rosto testifica contra eles. Literalmente, temos aqui no original hebraico "o reconhecimento de faces" deles, ou "parcialidade" (*Revised Standard Version*), aquele antigo pecado de corrupção da justiça, de mostrar-se parciais para com algum partido, praticando assim a injustiça. Devemos compreender aqui "ser parcial por vantagem pessoal", como que através de peitas, na esperança de receber favores, ou simplesmente o desejo de prejudicar alguém. Contudo, alguns estudiosos veem aqui um olhar de maldade no rosto dos pecadores, e não especificamente o pecado de parcialidade em questões judiciais. Por isso, diz a NIV: "O olhar de seus rostos testifica contra eles".

Aqueles pecadores estavam cobertos de pecados, como os pecados dos sodomitas, com os quais chegavam a rivalizar. E, tal como aqueles antigos ímpios, que não se envergonhavam do que faziam, assim também esses pecadores pecavam abertamente e exibiam sua maldade diante de outras pessoas. A vergonha deles tornou-se glória (ver Fp 3.19). Eles estavam voando alto agora, mas em breve seriam cortados e sofreriam tremendas perdas. Trouxeram deliberadamente o mal contra si mesmos. Inimigos estrangeiros os reduziriam a nada. Os *atrevidos e vis* não podem continuar para sempre nesse caminho sem receber aquilo que semearam (Gl 6.7,8).

Ai da sua alma! A palavra "ai", no hebraico, *'oy*, é usada 22 vezes no livro de Isaías. Trata-se de uma palavra que reflete dor e ameaça de prejuízo. O direito haveria de prevalecer, a despeito das exibições de ostentação da imundícia. Uma justa retribuição esperava pelos culpados.

■ 3.10

אִמְרוּ צַדִּיק כִּי־טוֹב כִּי־פְרִי מַעַלְלֵיהֶם יֹאכֵלוּ:

Dizei aos justos que bem lhes irá. Os *poucos* habitantes de Judá que tinham praticado o bem receberam a certeza, dada pelo profeta (por inspiração de Yahweh), de que tudo correria bem com eles. Sem dúvida eram perseguidos por homens malignos que os tentavam a "juntar-se à multidão". Cf. o Sl 1, onde os caminhos dos bons e dos maus são contrastados, e a recompensa dos justos é comparada ao julgamento prometido aos injustos. Ver também o contraste entre os caminhos dos ímpios e os dos justos, em Pv 4.27. O profeta utilizou-se aqui de uma metáfora baseada na agricultura. Tendo colhido seus frutos, os justos comeriam aqueles frutos bons. Ver no *Dicionário* o artigo denominado *Lei Moral da Colheita segundo a Semeadura*. Isso põe em destaque a responsabilidade humana. A reação de Deus é ao bem ou ao mal, com base em como os homens agem, seguindo sua livre vontade. De outro modo, não poderia haver justiça. Ver no *Dicionário* o verbete chamado *Livre-arbítrio*.

"Tudo lhes correria bem: na prosperidade; na adversidade; nas enfermidades; na saúde; na morte; no julgamento; na eternidade" (Adam Clarke, *in loc.*).

■ 3.11

אוֹי לְרָשָׁע רָע כִּי־גְמוּל יָדָיו יֵעָשֶׂה לּוֹ:

Ai do perverso! Ver sobre a palavra "ai" no fim dos comentários sobre o vs. 9. Mais uma vez, é pronunciada aqui uma maldição sobre os ímpios. Por 22 vezes Isaías usou a palavra "ai". Os homens iníquos receberiam o que suas próprias mãos produziram, tal como os homens bons comerão do que tiverem cultivado (ver o vs. 10), sendo ambas expressões da lei da semeadura e da colheita. "O julgamento divino é sempre justo. Os ímpios com frequência pensam que o comportamento pecaminoso é a maneira de avançar na vida. Isaías, entretanto, observou que, com *esse propósito*, é melhor a pessoa viver corretamente" (John A. Martin, *in loc.*). Cf. Ec 8.12,13.

Ai dos ímpios!
O desastre caiu sobre eles!
Eles receberão de volta
O que fizeram as suas mãos.

NIV

■ 3.12

עַמִּי נֹגְשָׂיו מְעוֹלֵל וְנָשִׁים מָשְׁלוּ בוֹ עַמִּי מְאַשְּׁרֶיךָ
מַתְעִים וְדֶרֶךְ אֹרְחֹתֶיךָ בִּלֵּעוּ: ס

Os opressores do meu povo são crianças. Este versículo amplia a ideia do vs. 4. Ali (metaforicamente) meninos e crianças governam o povo de Israel; mas aqui os *opressores* da sociedade e das mulheres tomam a liderança e exercem autoridade sobre os homens. Os *líderes*, inteiramente sem qualificação, fazem errar, em vez de guiar, e criam *confusão* no seio da sociedade. Temos aqui outras descrições sobre o caos generalizado. A palavra para "crianças" pode significar "respigadores", que é como a Septuaginta a traduz. Nesse caso, os opressores são apresentados como aqueles que respigam a sociedade, obtendo lucro desonesto através da opressão. "Mulheres", mediante uma pequena emenda, poderiam significar "credores" (*noshim* foi substituída por *nashim*). Nesse caso, está em vista a exploração econômica. "... usurários os governarão" (Adam Clarke, *in loc.*). Má conduta e mau governo eram as chaves para o quebra-cabeça.

A Rapacidade dos Governantes (3.13-15)

■ 3.13

נִצָּב לָרִיב יְהוָה וְעֹמֵד לָדִין עַמִּים:

O Senhor se dispõe para pleitear. No meio da confusão e da corrupção, aparece Yahweh para endireitar a ordem das coisas. Ele viria para *contender* com os opressores e com os falsos governantes. Viria para julgar a nação inteira. Tudo estava desintegrado e sem possibilidade de redenção. Agora somente o julgamento poderia fazer algum bem, e mesmo esse bem beneficiaria apenas o remanescente judaico. Yahweh agora se fizera Juiz e levara o caso ao tribunal. As evidências eram avassaladoras. Seu caso seria comprovado contra os corruptores da nação, e os culpados seriam julgados e condenados.

3.14

יְהוָה֙ בְּמִשְׁפָּ֣ט יָב֔וֹא עִם־זִקְנֵ֥י עַמּ֖וֹ וְשָׂרָ֑יו וְאַתֶּם֙ בִּֽעַרְתֶּ֣ם הַכֶּ֔רֶם גְּזֵלַ֥ת הֶֽעָנִ֖י בְּבָתֵּיכֶֽם׃

O Senhor entra em juízo contra os anciãos do seu povo.
Yahweh Aparece como Acusador e Juiz. Os réus eram os anciãos e os príncipes, os quais, acima de todos, tinham sido corruptores e exploradores da sociedade. A iniquidade se generalizara e precisava ser tratada, mas ela começara pelos mais altos níveis e então se espalhara por toda a parte. Os líderes do povo tinham devorado a vinha de Judá, ou seja, sua fonte de riquezas e saúde. Ou então a *vinha* era o próprio povo de Judá, a "vinha de Deus", sua plantação e lugar de cultivo. Quanto a esse sentido da palavra "vinha", ver Sl 80.8-18; Jr 2.21; 12.10; Ez 15.6-8 e Os 10.1. Os líderes eram os subagricultores, os quais, em vez de cuidar da vinha, gulosamente ficavam com toda a produção de uvas. Em seguida, saqueavam os pobres, tirando o pouco que lhes restava. Eles se assenhoreavam de todos os bens dos pobres, guardando-os em suas próprias casas, que então se tornavam em tesouros adquiridos mediante crimes de sangue. "Os profetas rasgaram o véu dos costumes e das aparências para desvendar a real situação (cf. Am 2.6; 4.1 e ver os *sepulcros caiados* de Mt 23.27)" (R. B. Y. Scott, *in loc.*). Cf. Mt 21.34-41, onde Jesus disse mais ou menos a mesma coisa que Isaías diz aqui. "Os fariseus devoravam as casas das viúvas e enchiam suas próprias casas com o despojo; ver Mt 23.14" (John Gill, *in loc.*).

3.15

מַלָּכֶ֗ם תְּדַכְּא֣וּ עַמִּ֔י וּפְנֵ֥י עֲנִיִּ֖ים תִּטְחָ֑נוּ נְאֻם־אֲדֹנָ֥י יְהוִ֖ה צְבָאֽוֹת׃ ס

Que há convosco que esmagais o meu povo e moeis a face dos pobres? Os líderes dos judeus, ímpios como eram, "esmagavam" as uvas e ficavam com todo o suco para eles mesmos. Então *moíam* o povo de Judá para transformá-los em farinha de trigo, para seu próprio benefício; mas esse julgamento foi decretado pelo *Senhor dos Exércitos,* que tinha a seu comando todo o poder e em breve reverteria essa maldade. Quanto a esse título divino tão frequentemente usado no livro de Isaías, ver no *Dicionário* e em 1Rs 18.15. Agora o Juiz supremo haveria, ele mesmo, de esmagar as uvas e esfarinhar os grãos de trigo, e os opressores seriam as vítimas. Cf. Sl 72.4. Mq 3.1-3 tem uma mensagem similar, embora empregue outro simbolismo. Êx 22.25; 23.3,6,11; Lv 19.10 ss.; Dt 24.12,14,15 encarecem um justo e misericordioso tratamento dos pobres. Cf. At 9.36; 10.4,31; 24.17; Tg 1.27 e 2.1-9. Os opressores materialistas sempre pagarão segundo a enormidade de seus crimes. O *Senhor dos Exércitos* enviaria o seu exército de pragas, os soldados babilônicos, que retribuiriam conforme eles tinham tratado a seus semelhantes.

A MULHER ORGULHOSA DE JERUSALÉM (3.16—4.1)

Temos aqui uma passagem ímpar: um ataque contra toda a classe das mulheres. Usualmente, os ataques desfechados na Bíblia contra as mulheres, conforme se vê em Pv 2, abordam males morais, pelo que são repreendidas as prostitutas ou as adúlteras. Mas a sociedade de Jerusalém havia-se desintegrado a tal ponto que as mulheres, como classe, estavam corrompidas de diversas maneiras, e não somente no que se referia a questões morais. Conforme alguém já disse, a mulher da sociedade torna-se, essencialmente, aquilo que o homem faz dela. Por conseguinte, era inevitável que em uma sociedade como a de Judá, dos dias de Isaías, que tinha de enfrentar os terrores da Babilônia, houvesse uma classe feminina corrompida. Isaías (aqui e em 32.9-12); Amós (4.1-3); Jeremias (44.15-30), todos esses profetas acharam necessário condenar a classe das mulheres, particularmente as orgulhosas mulheres das famílias principais, que tinham poder próprio e dominavam os maridos, os quais ocupavam posições de autoridade. Podemos imaginar que as esposas dos agricultores, em sua maioria, não participavam desse quadro deveras lamentável. A mensagem geral de Isaías é que as mulheres, corrompidas como seus homens, sofreriam os mesmos tipos de julgamento divino que os homens. Isaías contrastou aquilo com o que elas pareciam em seu estado orgulhoso e arrogante, no que elas seriam transformadas depois que o juízo divino as atingisse.

3.16

וַיֹּ֣אמֶר יְהוָ֗ה יַ֚עַן כִּ֤י גָֽבְהוּ֙ בְּנ֣וֹת צִיּ֔וֹן וַתֵּלַ֙כְנָה֙ נְטוּוֹת גָּר֔וֹן וּֽמְשַׂקְּר֖וֹת עֵינָ֑יִם הָל֤וֹךְ וְטָפֹף֙ תֵּלַ֔כְנָה וּבְרַגְלֵיהֶ֖ם תְּעַכַּֽסְנָה׃

Neste versículo temos uma lista de descrições das mulheres da "estirpe" da sociedade. Elas eram soberbas e altivas, tal como os líderes do país. Ver no *Dicionário* o verbete intitulado *Orgulho*. Ver o orgulho e a *humildade* contrastados em Pv 11.2; 13.10; 14.3; 15.25; 16.5,18; 18.12; 21.4; 30.12,32, e ver *olhos altivos*, em Pv 6.17. Quando aquelas arrogantes mulheres caminhavam, adotavam um estilo ridículo de caminhada, com a cabeça levantada e o pescoço esticado em atitude de arrogância. E enquanto caminhavam, lançavam olhares sensuais e sedutores e, podemos estar seguros, parecidos com os das prostitutas profissionais, sempre à procura de vítimas. Além disso, andavam com passos "curtos" (ligados os tornozelos por correntinhas, o que as obrigava a dar passos curtinhos), algo totalmente artificial e louco. Elas faziam isso a fim de atrair a atenção para si mesmas. Elas viam nesse tipo de andar algo de sensual, que as ajudava a apanhar vítimas em seu deboche.

"... argolas de tornozelos em ambos os pés, unidas entre si por correntinhas, que faziam sons enquanto elas andavam; algumas vezes havia sinetas presas a esse aparato (vss. 18 e 20)" (Fausset, *in loc.*). Na verdade, as mulheres fazem muitas coisas loucas para atrair a atenção dos homens, mas esse método era o mais louco de todos. "As belas mulheres de Jerusalém carregavam consigo mesmas a sua música. Esse costume ainda existe na Síria e na Arábia, mas é proibido pelo Alcorão" (Ellicott, *in loc.*). "... o sonido que saía dos tornozelos chamava a atenção, conforme é o *intuito* de muitos dos ornamentos femininos" (R. B. Y. Scott, *in loc.*).

3.17

וְשִׂפַּ֣ח אֲדֹנָ֔י קָדְקֹ֖ד בְּנ֣וֹת צִיּ֑וֹן וַיהוָ֖ה פָּתְהֵ֥ן יְעָרֶֽה׃ ס

O Senhor fará tinhosa a cabeça das filhas de Sião. Como *retaliação,* Yahweh feriria aquelas orgulhosas cabeças femininas com doenças como a calvície, deixando as mulheres feias e envergonhadas. Então as mulheres permaneceriam no recesso do lar, porquanto não estavam publicamente apresentáveis. Além disso, o Senhor exporia as partes secretas delas (a genitália), transformando-as em desgraça pública. Isso pode indicar as doenças venéreas. Elas, como prostitutas amadoras que eram, teriam seu aparelho sexual atacado por doenças, de modo que não mais pudessem empregar seus jogos de amor doentios. Mas alguns estudiosos pensam que a expressão "suas vergonhas" deve ser interpretada como "suas *testas"*, que estavam sempre escondidas por longos cabelos. Esses longos cabelos seriam cortados, o que as tornaria prostitutas, as únicas que andavam ao redor com cabelos curtos. Ver Is 7.20. A palavra hebraica aqui traduzida por "tinhosa" (doença do couro cabeludo) também pode ser traduzida por "calva", ou seja, condição que resultaria da enfermidade do couro cabeludo. As mulheres calvas não seriam grande atração em público. "Privar uma mulher de seus cabelos é retirar a sua glória (ver 1Co 11.15)" (Fausset, *in loc.*). Portanto, aquelas mulheres, antes gloriosas, subitamente perderiam toda a sua glória. A atração delas degeneraria em *repulsa*.

3.18

בַּיּ֨וֹם הַה֜וּא יָסִ֣יר אֲדֹנָ֗י אֵ֣ת תִּפְאֶ֧רֶת הָעֲכָסִ֛ים וְהַשְּׁבִיסִ֖ים וְהַשַּׂהֲרֹנִֽים׃

Naquele dia tirará o Senhor o enfeite dos anéis dos artelhos. As coisas que aquelas mulheres judias utilizavam para atrair a atenção para si mesmas seriam tiradas quando o juízo divino as atingisse. As correntinhas seriam quebradas em seus tornozelos musicais; as *coifas* seriam derrubadas de suas cabeças. Essas coifas poderiam ser objetos circulares, semelhantes a rostos, que pousavam sobre a cabeça das mulheres como "pequenos sóis". A Mishnah faz desses objetos tipos de frontais para as testas, objetos de decoração. Outros fazem desses objetos cintos enfeitados, um item importante nos vestidos orientais. "... grinaldas ou tranças de ouro ou prata, usadas sobre a testa de orelha a orelha, mas alguns compreendem que a referência é a bolas como o sol, usadas como um colar" (Ellicott, *in loc.*). Além disso, as mulheres usavam ornamentos com a forma de *crescentes*. Alguns pensam que esses ornamentos eram broches ou pendentes. Tais ornamentos também eram pendurados ao pescoço dos camelos; e eram igualmente usados pelas mulheres, que acreditavam haver ali poder de afastar o mal, ou o mau-olhado. "O *chumarah* ou crescente até hoje é usado defronte da testa, na parte ocidental da Ásia" (Fausset, *in loc.*).

■ 3.19

הַנְּטִיפוֹת וְהַשֵּׁירוֹת וְהָרְעָלוֹת:

Os pendentes, e os braceletes, e os véus esvoaçantes. Três outros itens do vestuário feminino são atacados pelo profeta. O termo hebraico correspondente aos *pendentes* é *hannetiphoth,* que implica algo que fica *pendurado,* um pendente caía do pescoço e se aninhava entre os seios. Alguns estudiosos pensam que eram pequenos frascos de perfume pendurados ao pescoço. Alguns desses frascos eram feitos de ouro ou de outro material valioso a fim de chamar a atenção das pessoas. Além disso, elas usavam *braceletes* de vários tipos, feitos de substâncias preciosas. Os braceletes eram postos nos pulsos ou nos tornozelos. O terceiro desses itens, os *véus esvoaçantes,* eram usados para cobrir a face, mas também poderiam estar em vista *mantilhas,* um longo e esvoaçante véu que cobria a cabeça e os ombros. O termo hebraico correspondente é *harhhaloth,* palavra derivada de *rahal,* "tremer", que talvez seja uma referência ao vento que soprava sobre os véus, fazendo-os flutuar.

■ 3.20

הַפְּאֵרִים וְהַצְּעָדוֹת וְהַקִּשֻּׁרִים וּבָתֵּי הַנֶּפֶשׁ וְהַלְּחָשִׁים:

Os turbantes, as cadeiazinhas para os passos, as cintas. Temos aqui mais *cinco* itens de decoração feminina mencionados no versículo. Os *turbantes* eram uma espécie de diadema (ver Êx 39.28; Is 61.10). Poderíamos chamar os turbantes de *tiaras*. Os *ornamentos* eram para os braços ou pernas, tipos de braceletes usados nas extremidades, talvez incluindo os "ornamentos dos pés" mencionados no vs. 16. E também havia as *cintas,* feitas de material fino e algumas vezes adornadas com pedras preciosas. Alguns estudiosos pensam estar em vista aqui as faixas para a cabeça, ou outros tipos de cintas para os pulsos. No hebraico posterior, essa palavra veio a significar *cintos com contas*. Além desses itens havia as *caixinhas de perfumes,* que exalavam doces aromas e eram também usadas como encantamentos para dar boa sorte. O hebraico literal diz "casas da alma", subentendendo algum tipo de encantamento para atrair bons eflúvios e espantar maus eflúvios. Finalmente, temos os *amuletos,* objetos caídos do pescoço ou das orelhas, que continham fórmulas mágicas inscritas para atrair as bênçãos e espantar os maus poderes. O termo hebraico envolvido é *lachashim,* derivado de *lachash,* "sussurrar" ou "conjurar".

■ 3.21

הַטַּבָּעוֹת וְנִזְמֵי הָאָף:

Os sinetes e as joias pendentes do nariz. Na lista quase interminável de Isaías sobre ornamentos femininos, aos quais ele levantou objeções, este versículo adiciona outros *dois*: os sinetes e as *joias pendentes do nariz.* Os primeiros eram usados como selo ou para assinar o próprio nome, tanto por mulheres como por homens ricos (ver Êx 35.22; Nm 31.50; Et 3.12; 8.8; Jr 22.24). Quanto às joias pendentes do nariz, a cartilagem que separa as fossas nasais era furada para recebê-las. Usualmente era usada a fossa nasal esquerda com esse propósito. A mente oriental apreciava muito esse ornamento, o que, para nós, ocidentais, é bastante repelente. Cf. Ez 16.11,12 e Pv 11.22. Ver no *Dicionário* o verbete chamado *Anel,* quanto a detalhes.

■ 3.22

הַמַּחֲלָצוֹת וְהַמַּעֲטָפוֹת וְהַמִּטְפָּחוֹת וְהָחֲרִיטִים:

Os vestidos de festa, os mantos, os chales e as bolsas. Este versículo apresenta outros quatro itens. Os *vestidos de festa* eram trajes especiais para frequentar festas. A maioria das mulheres endinheiradas precisa ter um *novo* vestido de festa para cada *nova festa* que aparece. Muitos desses vestidos eram usados apenas uma vez, porquanto, tornando-se *usados* (após uma única festa), não eram mais úteis para outra ocasião. Na verdade, os homens não compreendem a mente feminina. A palavra hebraica aqui usada é *machalatzoth,* "exibir", ou seja, trajes não usados comumente, mas apenas em ocasiões especiais. Além disso, as mulheres tinham *mantos* especialmente decorados, longas e flutuantes túnicas com mangas usadas por cima de outras vestes e que desciam até o chão. Esses mantos eram ricamente bordados, algumas vezes com fios de ouro ou prata entretecidos. Ademais, as damas tinham *chales* especiais, com cachecóis ou capuzes, ou chales grandes, como aquele usado por Rute (ver Rt 4.13). As *bolsas* faziam parte da demonstração da vaidade feminina. A *Revised Standard Version* diz aqui "bolsas de mão", do tipo que as mulheres até hoje usam, algumas delas presas ao cinto. Os homens usavam um cinturão para ali pendurar uma aba da túnica, como se fosse um bolso, mas as damas tinham de usar algo separado, como sacolas bordadas, algumas delas decoradas com metais e pedras preciosas.

■ 3.23

וְהַגִּלְיֹנִים וְהַסְּדִינִים וְהַצְּנִיפוֹת וְהָרְדִידִים:

Os espelhos, as camisas finíssimas, os atavios de cabeça e os véus grandes. Finalmente, o profeta cansou-se de listar todos aqueles itens da vaidade feminina, e nos deu *quatro* itens finais. Os *espelhos* eram peças de metal polido que as damas levavam consigo para serem capazes de arrumar suas decorações, sempre que isso se tornasse necessário. As *camisas finíssimas* eram chales diáfanos, provavelmente indicando uma transparência indecente, que se permitia ver o que havia por baixo (quão moderno!). Tanto os espelhos como as camisas finíssimas aparecem no hebraico como uma única palavra. Kimchi traduziu tanto uma palavra como a outra de igual maneira, em passagens diferentes. Ver no *Dicionário* o verbete chamado *Espelhos*. Em seguida, vêm os *atavios de cabeça,* tradução do termo hebraico *hatziniphoth,* que eram capuzes enfeitados sobre o que se subentende o ato de *enrolar ao redor*. Mas alguns estudiosos preferem pensar em roupas de baixo de linho, usadas de encontro à pele. Os *véus grandes* eram peças para serem usadas na cabeça, que agiam como uma espécie de "toque coroador", para completar o luxo das vestes femininas. Esses véus desciam dos turbantes. Ver no *Dicionário* o artigo chamado *Véu,* quanto a ilustrações e informações completas. O Targum e Kimchi, entretanto, veem aqui peças íntimas usadas nos meses de verão.

"O quadro fornecido por Isaías, acerca das '*socialites*' de Jerusalém, e a sorte delas, poderia ser divertido se não fosse tão patético e realista. Anos mais tarde, Jeremias deixou registrado que as mulheres de Israel tiveram de comer os próprios filhos durante o cerco lançado pelos babilônios (ver Lm 2.20; 4.10; Lv 26.27-29; Dt 28.53.57; Jr 19.9)" (John A. Martin, *in loc.*).

■ 3.24

וְהָיָה תַחַת בֹּשֶׂם מַק יִהְיֶה וְתַחַת חֲגוֹרָה נִקְפָּה וְתַחַת מַעֲשֵׂה מִקְשֶׁה קָרְחָה וְתַחַת פְּתִיגִיל מַחֲגֹרֶת שָׂק כִּי־תַחַת יֹפִי:

Será que em lugar de perfume haverá podridão. *Desfazendo o luxo excessivo:* o julgamento vindouro. Com algumas poucas declarações gerais, o profeta diz como terminaria a vaidade feminina. Ele faz *cinco* afirmações antitéticas, repetindo o que já havia sido dito, nos vss. 16-23. Consideremos os cinco pontos seguintes:

1. Em vez de todos aqueles *perfumes* atrativos, haveria *podridão,* a saber, o mau odor da morte, quando os babilônios atacassem e matassem a maior parte dos habitantes de Jerusalém. Este versículo continua o que o vs. 17 começara a dizer, o aviso de julgamento que foi interrompido pelas descrições da vaidade feminina.

2. Em vez *de cinta* de boa qualidade, haveria uma corda crua (*Revised Standard Version*). Assim dizem a Septuaginta, a Vulgata Latina e a tradução árabe, preferidas por alguns, ao passo que o hebraico diz "rasgada". Algumas vezes, as versões preservam um texto mais antigo que o texto padronizado de hoje em dia, o texto massorético. Ver no *Dicionário* os artigos chamados *Massora (Massorah); Texto Massorético* e *Manuscritos Antigos do Antigo Testamento,* este último quanto a informações gerais que incluem como os textos corretos são escolhidos quando aparecem variantes.

3. Em vez de *encrespadura de cabelos,* haveria *calvície,* provavelmente como resultado das doenças do couro cabeludo que afetariam as mulheres (vs. 17). Cf. esta parte do versículo com 1Pe 3.3,4.
4. Em vez de *veste suntuosa,* haveria *cilício,* o que fala das vestimentas dos pobres. Cf. 2Sm 3.31, e ver no *Dicionário* o verbete denominado *Pano de Saco.*
5. Em vez de *formosura,* haveria *marcas de fogo.* Talvez tenhamos aqui um paralelo ao descobrimento das partes privadas do vs. 17. Em lugar dessa declaração, a Vulgata tem os homens caindo na matança, enquanto a Septuaginta fala em filhos caindo ou sendo mortos, o que as mulheres receberiam em lugar de toda a beleza da qual tanto se orgulhavam. Coisa alguma mais catastrófica do que isso poderia acontecer. Quanto a esse texto, examinar o vs. 25.

O texto massorético tem um hiato aqui, "em lugar de formosura". O rolo de Isaías dos Papiros do mar Morto supre a palavra "vergonha", que pode corresponder ao original hebraico.

■ 3.25

מְתַיִךְ בַּחֶרֶב יִפֹּלוּ וּגְבוּרָתֵךְ בַּמִּלְחָמָה:

Os teus homens cairão à espada. Homens, fossem eles maridos, pais ou filhos, seriam mortos pelos babilônios e, diante de tão grande matança, toda a beleza feminina seria inteiramente inútil. Ver o vs. 23, último parágrafo. As mulheres, a fim de manter-se vivas, comeriam os próprios filhos. Mas que restaria para justificar que elas permanecessem vivas?

As poucas mulheres sobreviventes seriam distribuídas entre os haréns dos conquistadores, e isso seria o golpe final no orgulho delas.

■ 3.26

וְאָנוּ וְאָבְלוּ פְּתָחֶיהָ וְנִקָּתָה לָאָרֶץ תֵּשֵׁב:

As suas portas chorarão e estarão de luto. Haveria amarga lamentação nas portas de Jerusalém. As poucas mulheres sobreviventes seriam encontradas ali, lamentando-se. As residências dos ricaços teriam sido niveladas até o chão com o ataque e saque praticado pelos babilônios. O templo de Jerusalém seria reduzido a ruínas; todos os vestígios de riquezas seriam removidos. Nada haveria a fazer, senão lamentar. Algo similar aconteceu quando Jerusalém foi destruída pelos romanos, no ano 70 d.C. Os arqueólogos têm desenterrado moedas da época que pintam mulheres sentadas sob palmeiras, em uma postura de tristeza, por causa da *Judea capta,* a inscrição que aparece nesses artefatos. Aparentemente, o imperador Vespasiano foi o responsável pela cunhagem dessas moedas.

CAPÍTULO QUATRO

Não há interrupção entre os capítulos 3 e 4, pelo que tem prosseguimento aqui o tema da má sorte das mulheres judias quando ou depois do ataque babilônico.

■ 4.1

וְהֶחֱזִיקוּ שֶׁבַע נָשִׁים בְּאִישׁ אֶחָד בַּיּוֹם הַהוּא לֵאמֹר לַחְמֵנוּ נֹאכֵל וְשִׂמְלָתֵנוּ נִלְבָּשׁ רַק יִקָּרֵא שִׁמְךָ עָלֵינוּ אֱסֹף חֶרְפָּתֵנוּ: ס

Sete mulheres naquele dia lançarão mão dum homem. Este versículo ajunta que a população masculina de Judá e Jerusalém seria reduzida quase a zero pelos babilônios. As mulheres escolhidas foram tomadas pela Babilônia a fim de engrossar os haréns já repletos ali. Jarchi e Kimchi citam um pseudodecreto de Nabucodonosor que proibia que as mulheres judias casadas fossem tomadas pelos babilônios, mas não há confirmação histórica disso. As mulheres escolhidas foram distribuídas entre os soldados, os ricaços e os dirigentes da Babilônia. As poucas mulheres deixadas na Terra Prometida ficaram procurando algum homem sob cujo guarda-chuva pudessem encontrar alguma proteção. Havendo tão grande número de mulheres excedentes, isso significava que qualquer homem poderia terminar tendo sete (um grande número) de mulheres. Mas a situação toda não passava de uma farsa, porquanto os poucos sobreviventes do sexo masculino quase nem conseguiam manter-se vivos, quanto menos sustentar todas aquelas mulheres. Portanto, houve confusão generalizada, incluindo até inanição. Foi por essa razão que as mulheres judias chegaram a comer os próprios filhos para sobreviver (Lm 2.20; 4.10; Jr 19.9). Essa última referência no livro de Jeremias diz respeito a um *canibalismo* generalizado. A situação seria aliviada pelas contribuições de algumas mulheres mais abastadas, que supririam seu próprio pão e suas próprias vestes, mas queriam somente a proteção do nome de um homem. Naqueles tempos de brutalidade, ser uma mulher casada dificilmente era proteção suficiente. Mulheres casadas facilmente caíam vítimas de estupradores e saqueadores, tal e qual se fossem solteiras.

Tira o nosso opróbrio. O mais provável é que esse "opróbrio" consistisse em as mulheres ficarem solteiras e sem filhos, calamidades na antiga nação de Israel. As viúvas que tivessem perdido marido e filhos reiniciariam a vida em uma situação polígama, na tentativa de recuperar sua família.

SIÃO EXPURGADA PELO JUÍZO: SOBREVIVENTES SANTOS (4.2-6)

■ 4.2

בַּיּוֹם הַהוּא יִהְיֶה צֶמַח יְהוָה לִצְבִי וּלְכָבוֹד וּפְרִי הָאָרֶץ לְגָאוֹן וּלְתִפְאֶרֶת לִפְלֵיטַת יִשְׂרָאֵל:

Naquele dia o Renovo do Senhor será de beleza e de glória. Uma vez expurgada a escória, haveria de novo prata pura (ver Is 1.22). A falsa beleza fora aniquilada, e então haveria uma beleza verdadeira. Uma vez desarraigada a vinha espúria, haveria uma nova vinha (o remanescente purificado), dotada de genuína beleza espiritual. Yahweh teria plantado uma nova vinha mediante o julgamento e a restauração. Essa nova vinha seria coroada de beleza e glória. Os poucos sobreviventes da matança e do exílio babilônico participariam dos frutos da nova vinha. A referência, neste caso, é ao remanescente que retornaria à Terra Prometida e reconstruiria tudo, o novo Israel que teria um novo começo na terra de Israel, que quase tinha deixado de existir. Ver Ne 1.2. Alguns pensam que o *Renovo* aqui mencionado contém uma referência messiânica, conforme se vê em Jr 23.5; 33.15 e Zc 3.8. O Messias brotou da linhagem de Davi (ver Jr 33.15). Cf. as palavras de Jesus, em Jo 15.1. Mas parece que ver isso em Is 4.2 é ver demais. Kimchi e o Targum dão uma interpretação messiânica ao presente versículo, mas isso já corresponde à voz do judaísmo posterior. O "renovo", neste caso, é o remanescente purificado.

■ 4.3

וְהָיָה הַנִּשְׁאָר בְּצִיּוֹן וְהַנּוֹתָר בִּירוּשָׁלַםִ קָדוֹשׁ יֵאָמֶר לוֹ כָּל־הַכָּתוּב לַחַיִּים בִּירוּשָׁלָםִ:

Será que os restantes de Sião e os que ficarem em Jerusalém. O que foi deixado em Sião, o que ficou em Jerusalém, seria purificado a ponto de poder ser chamado *santo.* Estão em vista pessoas santificadas. Os que restassem entre os vivos, no registro dos novos cidadãos, seriam chamados santos. Esses edificariam novamente o templo de Jerusalém, soergueriam as muralhas, reconstituiriam o culto a Yahweh e voltariam a estudar e obedecer à lei, o *guia* do povo judeu (ver Dt 4.4-8). Haveria uma fé sentida no coração (ver Pv 4.23), e não apenas uma fé formal. E, como é apenas natural, a idolatria seria totalmente aniquilada. As coisas se reiniciariam sobre bases firmes. Tudo isso só poderia ser conseguido mediante a remoção completa da antiga geração, que se tornara irremediavelmente corrompida e fora do alcance da reforma, conforme Is 3 ilustra tão graficamente. Ver sobre o povo santo em Dt 7.6; e ver o que é santo porque Deus é santo, em Lv 11.44. Aqueles que pertenciam a Yahweh teriam o nome registrado em seu livro (ver Êx 32.32; Ml 3.16). E talvez isso também esteja em pauta aqui, e não o registro escrito dos novos cidadãos de Israel. Aqueles cujos nomes estão no livro de Deus só podem ser *santos.*

... a santificação, sem a qual ninguém verá o Senhor.

Hebreus 12.14

Ver no *Dicionário* o verbete chamado *Santidade.*

4.4

אִם׀ רָחַץ אֲדֹנָי אֵת צֹאַת בְּנוֹת־צִיּוֹן וְאֶת־דְּמֵי
יְרוּשָׁלִַם יָדִיחַ מִקִּרְבָּהּ בְּרוּחַ מִשְׁפָּט וּבְרוּחַ בָּעֵר׃

Quando o Senhor lavar a imundícia das filhas de Sião. A condição restaurada, incluindo a volta à santidade fundamental, só seria instalada por intervenção divina, que significaria uma *lavagem da imundícia* do povo. As *filhas de Sião* (as poucas que sobreviveriam) são pessoas purificadas, visto que o autor sagrado continua a falar nos termos por ele iniciados, em Is 3.16. Mas devemos entender que estão em foco aqui todos os habitantes de Jerusalém. Seriam lavadas as *manchas de sangue*, os crimes de sangue cometidos antes da invasão dos babilônios e os crimes que os próprios babilônios cometeram. O julgamento divino efetuaria uma purificação total da culpa pelo sangue, mediante incêndios, símbolos do expurgo. As palavras "espírito" (vento), fogo, calor podem ser uma alusão aos ventos quentes que sopravam do deserto e eram tão destruidores durante a estação seca. Esses ventos simbolizavam os julgamentos de Deus. Ver Jr 4.11,12 e 51.1. Somente um ato soberano de Deus poderia purificar um estado tão completamente corrompido conforme vemos nos capítulos 1—3 do livro de Isaías. Cf. Is 1.25 e Zc 13.1.

Os sacrifícios de crianças a Moloque eram crimes de sangue dos quais as mulheres participavam, e elas, além disso, matavam e comiam os próprios filhos em tempos de aflição, como após o cativeiro babilônico. Tais atos deixaram profunda mancha de culpa em toda a nação de Judá. Foi preciso o sopro violento e quente do vento do julgamento de Deus para expurgar Jerusalém. Quanto a sacrifícios humanos, ver Sl 106.38; Is 57.5 e Ez 22.2,3. Ml 3.3 tem algo similar ao presente versículo. Talvez haja aqui uma alusão ao fogo usado pelo refinador, que transformaria a escória em prata novamente (ver Is 1.25). Ver no *Dicionário* o artigo intitulado *Moleque, Moloque*.

4.5

וּבָרָא יְהוָה עַל כָּל־מְכוֹן הַר־צִיּוֹן וְעַל־מִקְרָאֶהָ עָנָן׀
יוֹמָם וְעָשָׁן וְנֹגַהּ אֵשׁ לֶהָבָה לָיְלָה כִּי עַל־כָּל־כָּבוֹד
חֻפָּה׃

Criará o Senhor, sobre todo o monte de Sião. A *orientação*, *proteção* e *aprovação* das *colunas de fogo e de nuvem* (ver a respeito no *Dicionário*) seriam restauradas, embora não o fenômeno literal ocorrido no deserto. Em vez de liderar Israel no deserto, essa orientação se daria na capital, Jerusalém, Sião, o lugar da manifestação da glória *shekinah* no templo restaurado. A glória do Senhor seria como um glorioso "dossel" e um "pavilhão". Esses dois últimos termos são sinônimos. A palavra hebraica aqui traduzida por "dossel" refere-se, algures, a um aposento de noivo (ver Sl 19.5; Jl 2.16). "... o dossel abobadado do amor divino" (Ellicott, *in loc*.). Essa "tenda" era estendida sobre o casal, após o casamento. Simbolizava a presença de Deus restaurada a Jerusalém, a qual havia-se retirado da cidade por causa da total corrupção.

4.6

וְסֻכָּה תִּהְיֶה לְצֵל־יוֹמָם מֵחֹרֶב וּלְמַחְסֶה וּלְמִסְתּוֹר
מִזֶּרֶם וּמִמָּטָר׃ פ

Os quais serão para sombra contra o calor do dia. A cobertura serviria de *proteção* contra todos os perigos possíveis. Isso é asseverado pelas palavras "sombra contra o calor do dia", uma proteção contra o calor do dia, e também por "refúgio e esconderijo", para servir de abrigo aos exilados que tinham retornado, no caso de temporais. A promessa feita aos que tinham retornado do exílio, o "restante de Sião" (vs. 3), era que nenhuma outra reversão das condições de Israel estava prevista para o futuro imediato. O povo poderia descansar na Terra Prometida em paz e confiança. O temporal provocado pela Babilônia seria suficiente para um longo tempo. Vários séculos mais tarde, entretanto, haveria o temporal pior ainda de *Roma;* mas os profetas do Antigo Testamento não previram esse desastre e, mesmo que o tivessem previsto, isso não perturbaria a paz dos ex-exilados na Babilônia.

"Esse é um cântico de esperança, aquela imorredoura fé no amor restaurador de Deus, algo muito mais profundo que o inconquistável otimismo do coração humano. A furiosa tempestade do justo julgamento de Deus teria de passar algum dia, porquanto ele não mantém a sua ira para sempre (ver Sl 103.9)" (G. G. Kilpatrick, *in loc*.).

CAPÍTULO CINCO

PUNIÇÃO DE ISRAEL POR SEU PECADO (5.1-30)

A Canção da Vinha do Senhor (5.1-7)

Esta impressionante e ímpar mensagem profética é uma reprimenda e ameaça divina sob a forma de parábola. A vinha, apesar de todo o seu espetáculo e pretensão, era inútil. Segue-se o esquema da seção: vss. 1 e 2: os cuidados de Deus pela vinha; vss. 3-6: o esforço divino total em favor da vinha falhara, pelo que o julgamento divino teria de vir; vs. 7: a vinha é identificada como a casa de Israel, a nação de Judá, visto que a Assíria já tinha levado para o exílio a nação do norte, Israel. Neste caso, Israel é sinônimo da tribo de Judá, que representava toda a nação israelita. Isaías chamou a nação do norte de *Efraim* (ver Is 7.5,9).

Israel (Judá) como a Vinha: ver Is 3.14; Sl 80.8-18; Jr 2.21; 12.10; Ez 15.6-8; Os 10.1. Em Is 4.2 está em pauta o remanescente purificado.

As festas da vindima eram tempos de ingestão de vinho, danças e cânticos. Isaías desempenha o papel de um cantor de baladas, que apresentou um novo cântico em honra à ocasião. Mas esse cântico é amargo, refletindo desapontamento diante da vinha improdutiva que havia sido plantada.

5.1

אָשִׁירָה נָּא לִידִידִי שִׁירַת דּוֹדִי לְכַרְמוֹ כֶּרֶם הָיָה
לִידִידִי בְּקֶרֶן בֶּן־שָׁמֶן׃

Agora cantarei ao meu amado, o cântico do meu amado a respeito da sua vinha. No cântico de Isaías, suspeitamos que Deus seria referido pelo profeta como o *amado* de Israel, mas no livro de Isaías isso parece impróprio. Usaria ele termos tão humanos e familiares com seu augusto Deus? Além disso, esta parábola dificilmente pode ser chamada de "cântico de amor". Uma *aplicação* da parábola faria da vinha, Israel (Judá), e do proprietário da vinha, Deus; mas não devemos pressionar essas identificações sobre este versículo, embora tanto intérpretes do antigo judaísmo quanto intérpretes modernos do cristianismo assim o apliquem. Os cânticos da vindima usualmente eram dedicados aos que se amavam, e o profeta Isaías faz essa aplicação desde o primeiro versículo deste capítulo. Alguns traduzem o original hebraico de tal maneira que evitam uma linguagem muito íntima: "Agora ouvi-me cantar em favor de meu amigo, o cântico de meu amigo a respeito de sua vinha" (R. B. Y. Scott, *in loc*.).

Agora cantarei um cântico a meu amigo. Este cântico diz respeito à sua vinha.

NCV

É possível que outra interpretação seja a mais correta. Isaías teria usado esses termos íntimos acerca de Deus porque os cânticos da vindima usavam termos íntimos. Assim, ele esperava que sua excessiva familiaridade fosse desconsiderada, e os leitores não tomassem muito a sério seus símbolos.

Num outeiro fertilíssimo. O agricultor era Deus, e o lugar de sua futura vinha era muito fértil, pelo que toda a esperança de sucesso estava justificada. Somente uma grande perversidade poderia fazer falhar sua vinha. Judá era uma região montanhosa, e o profeta projeta esse lugar em nossa mente, utilizando-se dessa figura.

A vinha era Israel, conforme demonstro mediante referências no segundo parágrafo da introdução a esta seção. Mas devemos entender que Judá era Israel renovado, pois uma única tribo levaria avante a história da nação inteira. Israel tinha todas as oportunidades necessárias para ser um cultivo bem-sucedido de Deus, capaz de produzir muito fruto. Somente uma imensa perversão poderia anular esse potencial.

5.2

וַיְעַזְּקֵהוּ וַיְסַקְּלֵהוּ וַיִּטָּעֵהוּ שֹׂרֵק וַיִּבֶן מִגְדָּל בְּתוֹכוֹ
וְגַם־יֶקֶב חָצֵב בּוֹ וַיְקַו לַעֲשׂוֹת עֲנָבִים וַיַּעַשׂ בְּאֻשִׁים׃

Sachou-a, limpou-a das pedras e a plantou de vides escolhidas. Todos os passos imagináveis foram tomados para assegurar que haveria uma vinha de primeira classe, com uma produção de primeira classe de uvas da mais alta qualidade. As pedras (e o mato daninho) foram removidas a fim de preparar tudo para o plantio; somente foram plantadas parreiras da melhor qualidade. A palavra hebraica para "vides" significa "ser vermelho", e assim estão em pauta ou as uvas vermelhas ou as uvas de Sorck, um vale no sopé das montanhas de Jerusalém. A região era conhecida pelos vinhedos de excelente qualidade (cf. Jz 14.5). Muralhas de proteção ou mesmo cercas eram erguidas; uma torre de vigia era construída para adicionar certa medida de proteção contra predadores animais ou humanos. Então era preparado um lagar apropriado para processar as uvas e extrair-lhes o suco. Tendo feito todas as coisas possíveis, o vinhateiro vigiava diariamente e esperava obter uma boa safra. Cf. Jr 2.21, onde encontramos a mesma figura.

Todavia, a despeito dos esforços e das expectativas do vinhateiro, a vinha produzia somente uvas bravas, literalmente, "fruto fedorento". "Fruto fétido da vinha brava, em vez de uvas escolhidas, talvez falando da venenosa espécie acônito, que os árabes chamam de *uvas de lobo* (ver Dt 32.32,33; 1Rs 4.39-41)" (Fausset, *in loc.*). "Bagas venenosas, as *beushim*, inúteis, sem proveito, de odor repelente" (Adam Clarke, *in loc.*). O Targum explica a situação: "Recomendei que eles praticassem boas obras defronte de mim, mas eles praticaram obras más".

■ 5.3

וְעַתָּ֛ה יוֹשֵׁ֥ב יְרוּשָׁלַ֖͏ִם וְאִ֣ישׁ יְהוּדָ֑ה שִׁפְטוּ־נָ֕א בֵּינִ֖י וּבֵ֥ין כַּרְמִֽי׃

Agora, pois, ó moradores de Jerusalém e homens de Judá. *A Situação Deveria Ser Julgada.* O resultado miserável do empreendimento com as uvas era falta do Proprietário ou das uvas más? Devemos compreender, por meio desta parábola, que as *uvas personificadas* (Judá) de alguma maneira tinham conseguido corromper a si mesmas, tornando-se bravas e venenosas, a despeito dos muitos esforços do divino vinhateiro. Deus condena os pecadores com base em suas próprias palavras (ver Dt 32.6; Jó 15.6; Lc 19.22; Rm 3.4). "Aqueles a quem se aplicava a parábola foram convidados (como Davi foi convidado por Natã) a julgar a si mesmos. (Cf. Mt 21.40,41 como uma instância do mesmo método)" (Ellicott, *in loc.*).

■ 5.4

מַה־לַּעֲשׂ֥וֹת עוֹד֙ לְכַרְמִ֔י וְלֹ֥א עָשִׂ֖יתִי בּ֑וֹ מַדּ֧וּעַ קִוֵּ֛יתִי לַעֲשׂ֥וֹת עֲנָבִ֖ים וַיַּ֥עַשׂ בְּאֻשִֽׁים׃

Que mais se podia fazer ainda à minha vinha...? *Nenhum Esforço Fora Poupado.* Este versículo refere-se novamente aos elaborados preparativos do vs. 2. Alguma coisa, porventura, fora deixada por fazer? O vinhateiro divino lança uma pergunta a que os apóstatas não podiam responder com um "sim". O "não" necessário significa que aqueles pecadores estavam autocondenados. Devemos entender que a lei mosaica tinha sido habitualmente violada, porque essa era a conduta padronizada de Judá. As uvas azedaram devido à *desobediência*. Toda a nação de Judá foi sendo gradualmente *paganizada* (ver Is 2.6). Ao paganizar-se, Judá perdeu sua distinção como nação, porquanto o que a distinguia era a guarda da lei, que foi dada para ser obedecida pelo povo em aliança com Deus (ver Dt 4.4-8).

■ 5.5

וְעַתָּה֙ אוֹדִֽיעָה־נָּ֣א אֶתְכֶ֔ם אֵ֛ת אֲשֶׁר־אֲנִ֥י עֹשֶׂ֖ה לְכַרְמִ֑י הָסֵ֤ר מְשׂוּכָּתוֹ֙ וְהָיָ֣ה לְבָעֵ֔ר פָּרֹ֥ץ גְּדֵר֖וֹ וְהָיָ֥ה לְמִרְמָֽס׃

Agora, pois, vos farei saber o que pretendo fazer à minha vinha. Que faria o divino vinhateiro? A vinha de uvas azedas tinha perdido a razão de existir. Não merecia continuar ocupando a terra. Todas as obras protetoras seriam removidas: as cercas (e/ou as muralhas) seriam deitadas abaixo. Dessa maneira, qualquer saqueador animal ou humano facilmente atacaria a propriedade, e os babilônios cuidariam para que isso acontecesse. Cf. Sl 80.12,13. A justiça seria servida. Judá precisava cair. O exílio era iminente. Nenhuma força terrena poderia impedi-lo, e nenhuma força divina queria impedi-lo. O Targum interpreta como segue: "Agora declararei a vós o que farei a meu povo. Farei minha glória *shekinah* ser removida deles. Eles se tornarão um despojo. Derrubarei a casa do santuário deles. Eles serão pisados aos pés".

■ 5.6

וַאֲשִׁיתֵ֣הוּ בָתָ֗ה לֹ֤א יִזָּמֵר֙ וְלֹ֣א יֵעָדֵ֔ר וְעָלָ֥ה שָׁמִ֖יר וָשָׁ֑יִת וְעַ֤ל הֶעָבִים֙ אֲצַוֶּ֔ה מֵהַמְטִ֥יר עָלָ֖יו מָטָֽר׃

Torná-la-ei em deserto. Não será podada nem sachada. O vinhedo potencialmente excelente se tornaria um pequeno terreno devoluto. Não seria podado nem sachado. Ficaria absolutamente sem proteção, e em breve espinhos e ervas daninhas cobririam o lugar inteiro. Não haveria outro cultivo enquanto a antiga vinha não fosse inteiramente obliterada. Além disso, nenhuma chuva cairia, pois o comando divino faria parar as chuvas. A antiga vinha nunca seria restaurada. Eventualmente, uma vinha completamente nova seria plantada. Aquela vinha era obra de Deus, mas se fosse abandonada, ficaria absolutamente desolada. "Sem a proteção divina, Judá estaria arruinado" (John A. Martin, *in loc.*). Seriam removidos todos os atos e todas as influências graciosas, o que, em termos judaicos, significa a lei, o templo, o culto, os sacrifícios de animais etc. O Targum menciona especificamente a retirada do ministério dos profetas.

■ 5.7

כִּ֣י כֶ֜רֶם יְהוָ֤ה צְבָאוֹת֙ בֵּ֣ית יִשְׂרָאֵ֔ל וְאִ֣ישׁ יְהוּדָ֔ה נְטַ֖ע שַׁעֲשׁוּעָ֑יו וַיְקַ֤ו לְמִשְׁפָּט֙ וְהִנֵּ֣ה מִשְׂפָּ֔ח לִצְדָקָ֖ה וְהִנֵּ֥ה צְעָקָֽה׃ ס

Porque a vinha do Senhor dos Exércitos é a casa de Israel. *Explicações.* Considere o leitor estes três pontos:

1. O *orador* (vinhateiro) é Yahweh, aqui chamado *Senhor dos Exércitos*, título comumente usado no livro de Isaías. Ver sobre esse título divino no *Dicionário* e em 1Rs 18.15.
2. A *vinha* é Judá, cujo intuito original era ter sido um plantio agradável, ou seja, o cultivo das virtudes espirituais baseadas na lei, no templo e no culto a Yahweh.
3. Entre as *virtudes espirituais* que se esperavam, contava-se a justiça social em favor de todos; mas isso foi pervertido mediante toda a espécie de pecados e crimes, até mesmo envolvendo derramamento de sangue. Em lugar da justiça, havia tão somente o grito de angústia dos oprimidos. Era esse o símbolo das uvas venenosas, dos frutos *fétidos*.

Note o leitor os jogos de palavras. Em vez de justiça (*mishpat*), Yahweh tinha obtido derramamento de sangue (*mispah*). Além disso, em vez de retidão (*cedhaqah*), ele obtivera um grito (*ce'aqah*). "Comparar o grito da multidão mediante o qual a justiça foi negada, no caso de Jesus, em Mt 27.23,24" (Fausset, *in loc.*). Aqui "o grito é das vítimas que apelavam a Yahweh quando não encontravam ajuda no homem (Gn 4.10; Dt 24.15; Tg 5.4)" (Ellicott, *in loc.*).

Acusação contra Pecados Específicos (5.8-24)
Os Seis Ais. Esses "ais" aplicam as ideias da parábola que aparece nos vss. 1-7. O profeta mostra aqui como Judá pôde ser comparado a uvas venenosas, ou seja, frutos maus. Entre o segundo e o terceiro "ais" (vss. 13-17) é descrita a consequência desses pecados. Perversões, rebeliões, omissões, negligência em fazer o bem óbvio, violência, injustiça flagrante — essas eram as coisas das quais o povo de Judá habitualmente se ocupava. Em outras palavras, a massa inteira estava pútrida.

O Primeiro Ai (5.8-10)

■ 5.8

ה֗וֹי מַגִּיעֵ֥י בַ֙יִת֙ בְּבַ֔יִת שָׂדֶ֥ה בְשָׂדֶ֖ה יַקְרִ֑יבוּ עַ֚ד אֶ֣פֶס מָק֔וֹם וְהֽוּשַׁבְתֶּ֥ם לְבַדְּכֶ֖ם בְּקֶ֥רֶב הָאָֽרֶץ׃

Ai dos que ajuntam casa a casa. *Contra os Materialistas.* Encontramos aqui a descrição da rapacidade dos ricos. Ai daqueles que juntavam casa a casa, campo a campo, acumulando possessões incansavelmente, de forma que outros homens não tivessem um único terreno ou casa que pudessem chamar de seus. Esses insensatos não possuíam vizinhos agricultores, mas tinham feito a todos de escravos. Cf. Mq 2.1,2. A lei permitia a compra ou a venda permanente de casas, dentro de cidades muradas. Mas as casas construídas fora das cidades tinham de ser devolvidas à família original de proprietários no ano do jubileu. Ver no *Dicionário* o verbete intitulado *Jubileu, Ano do*. E, mesmo que essa lei tivesse sido obedecida, isso não alteraria grande coisa a descrição dada aqui, e podemos ter certeza de que até essa lei estava sendo ignorada. Parte do pecado condenado neste versículo provavelmente era a remoção dos marcos da terra (ver Dt 19.14; 27.17; Pv 22.28). Muitas propriedades e terras tinham sido adquiridas mediante violência e ameaças. Em vez de pequenas propriedades e heranças de famílias, grandes proprietários de terra iam engolindo todas as terras disponíveis. Ver no *Dicionário* o verbete intitulado *Cobiça*. A cobiça, pois, quebrava o mandamento básico da lei mosaica contra a ganância (ver Êx 20.17).

■ 5.9

בְּאָזְנַי יְהוָה צְבָאוֹת אִם־לֹא בָּתִּים רַבִּים לְשַׁמָּה יִהְיוּ גְּדֹלִים וְטוֹבִים מֵאֵין יוֹשֵׁב:

A meus ouvidos disse o Senhor dos Exércitos. *O Castigo.* Quando os babilônios avançassem para tomar tudo, que bem restaria aos proprietários de tantas terras e casas? A coisa inteira seria varrida em poucos dias. Por conseguinte, a perda das terras resultaria da possessão desordenada. *Observe o leitor a ironia:* Aqueles judeus gananciosos obtiveram o que desejavam — mais e mais possessões. Mas perderiam tudo, por causa da invasão de gananciosos estrangeiros. Esse foi um caso de colheita segundo a semeadura (ver Gl 6.7,8). Ver no *Dicionário* o verbete intitulado *Lei Moral da Colheita segundo a Semeadura*.

■ 5.10

כִּי עֲשֶׂרֶת צִמְדֵּי־כֶרֶם יַעֲשׂוּ בַּת אֶחָת וְזֶרַע חֹמֶר יַעֲשֶׂה אֵיפָה: פ

E dez jeiras de vinha não darão mais do que um bato. Além disso, outro julgamento divino pesaria sobre aqueles judeus gananciosos. Suas terras produziriam pouquíssimo, porquanto Yahweh não lhes permitiria um lucro decente. Um vinhedo com dez jeiras de vinhas produziria a minúscula produção de um bato (menos de 23 litros) de vinho. Ademais, um ômer de sementes produziria um *efa* de grãos, ou seja, cerca da décima parte da quantidade de sementes plantadas. O ômer tinha cerca de 370 litros, e o efa, cerca de 37 litros. A colheita das uvas e dos grãos não compensaria o trabalho investido, e isso seria uma reprimenda divina contra a maneira ilegal e gananciosa pela qual as terras tinham sido adquiridas.

O Segundo Ai (5.11,12)

■ 5.11

הוֹי מַשְׁכִּימֵי בַבֹּקֶר שֵׁכָר יִרְדֹּפוּ מְאַחֲרֵי בַנֶּשֶׁף יַיִן יַדְלִיקֵם:

Ai dos que se levantam pela manhã, e seguem a bebedice. *Contra os Bêbados.* Em meio ao luxo e à iniquidade que prevaleciam em Judá, tinha surgido uma grande classe de embriagados, a qual merecia especial reprimenda divina. Esses ingeriam diariamente bebidas alcoólicas e virtualmente nada mais faziam. Embebedar-se e festejar se tornara para eles um meio de vida. Viviam continuamente *inflamados* pelas bebidas fortes, e podemos estar certos de que todos os excessos que normalmente acompanham o abuso do álcool acompanhavam aqueles estultos. Note o leitor o verbo aqui usado: eles *corriam* atrás do vinho cedo pela manhã e continuavam a correr atrás do vinho quando anoitecia. Várias passagens do livro de Provérbios atacam esse vício. Ver a nota de sumário em Pv 20.1. Em seguida, ver no *Dicionário* os artigos chamados *Bebedice* e *Bebida, Beber*.

Atualmente, cerca da quinta parte da população mundial termina no alcoolismo. Pode haver um elo genético no caso de alguns, mas a maioria dos alcoólatras cai em excessos por perda do autocontrole próprio durante a juventude. Na média, os bêbados se embebedam à noite, mas aqueles que estão nos estágios avançados desse vício bebem o dia inteiro, o que é a condição aqui descrita.

■ 5.12

וְהָיָה כִנּוֹר וָנֶבֶל תֹּף וְחָלִיל וָיַיִן מִשְׁתֵּיהֶם וְאֵת פֹּעַל יְהוָה לֹא יַבִּיטוּ וּמַעֲשֵׂה יָדָיו לֹא רָאוּ:

Liras e harpas, tamboris e flautas, e vinho há nos seus banquetes. A menção a diversos instrumentos musicais mostra-nos que, em Judá, o alcoolismo era efetuado em meio a uma *festa contínua*. Também compreendemos que o ato de beber se tornou o centro das festividades comunais que eram contínuas e substituíram todas as demais atividades na vida. Entrementes, a obra do Senhor era esquecida, seu culto, seu templo, seus ritos; e, naturalmente, aqueles homens estavam quebrando os mandamentos e cometendo pecados grosseiros diariamente. Parte do significado do versículo provavelmente é que aqueles miseráveis faziam parte das *obras* de Yahweh (ele era seu Criador); assim sendo, eles desfiguravam essa obra divina, transformando-se em vermes beberrões e deixando de ser verdadeiros homens. Ademais, eles abusavam de outros que eram criaturas de Deus. Aqueles homens não tinham consideração nem por Deus nem pelos homens. Eram indivíduos totalmente corruptos e envilecidos. O ventre era o deus deles (Fp 3.19). Em vez de filhos de Deus, se tinham tornado filhos do deus pagão Baco.

Julgamentos dos Ímpios (5.13-17)

■ 5.13

לָכֵן גָּלָה עַמִּי מִבְּלִי־דָעַת וּכְבוֹדוֹ מְתֵי רָעָב וַהֲמוֹנוֹ צִחֵה צָמָא:

Portanto o meu povo será levado cativo. Antes de chegar ao terceiro ai, o profeta descreve o que aqueles pecadores poderiam esperar. Yahweh não permitiria que o deboche de vários tipos continuasse por muito tempo. Estava em pauta o exílio babilônico. Se a Assíria fizera grande confusão e causara a perda de muitas vidas e também muita miséria, a palavra "exílio" não se aplicava a Judá, neste caso. A nação do norte, Israel, foi exilada em 722 a.C. pela Assíria, mas o cativeiro babilônico levou embora a nação de Judá, em cerca de 586 a.C. Naturalmente, o cativeiro vinha em ondas, e essa data mostra apenas o começo do exílio. Ver no *Dicionário* o artigo chamado *Cativeiro Babilônico*. Alguns intérpretes, entretanto, pensam que um *possível* cativeiro assírio estivesse incluído no pronunciamento do profeta. Esse ponto de vista, no entanto, parece basear-se na suposição de que o profeta Isaías poderia ter antecipado, *logicamente,* o cativeiro assírio, por causa de circunstâncias existentes e do costume dos assírios de levarem de suas terras os inimigos derrotados. Mas ver o cativeiro babilônico ali teria de ser declarado mediante genuíno poder profético, visto que estava a mais de cem anos de distância. É melhor compreendermos como uma profecia genuína a interpretação deste versículo.

Fome e sede, neste caso, provavelmente são descrições metafóricas da "falta de conhecimento". Recursos espirituais tinham sido cortados pelos ímpios, e o conhecimento de Yahweh e de suas obras tinha sido abafado. Assim sendo, os poucos homens honrosos que foram deixados morriam por desnutrição. Parte da ausência de conhecimento devia-se ao fato de que o povo não interpretava os sinais dos tempos, o desastre que se aproximava. Alguns, entretanto, tomam a fome e a sede como descrições das dificuldades que sobreviriam em razão do cativeiro. O povo de Judá morreria por falta das provisões básicas. Seja como for, o julgamento divino estava em operação.

■ 5.14

לָכֵן הִרְחִיבָה שְּׁאוֹל נַפְשָׁהּ וּפָעֲרָה פִיהָ לִבְלִי־חֹק וְיָרַד הֲדָרָהּ וַהֲמוֹנָהּ וּשְׁאוֹנָהּ וְעָלֵז בָּהּ:

Por isso a cova aumentou o seu apetite. Haveria mortes em massa. A cova (o *sheol*) ficaria repleta. Provavelmente, a palavra "cova" é apenas sinônimo de *sepultura*. Não há aqui ameaça de julgamento para além do sepulcro, pois essa noção ainda não fazia parte da teologia dos hebreus. Contrastar com Dn 12.2, onde a noção aparece claramente. Ver Pv 5.5, quanto à evolução da doutrina do *sheol*, e ver sobre o *hades*, no *Dicionário*. Sl 88.10 e 139.8 poderiam representar estágios anteriores do desenvolvimento dessa doutrina. De qualquer maneira,

Judá perderia sua população, e a sepultura ficaria repleta. Isso ocorreria por causa do enorme *apetite* do sheol. A metáfora representa um monstro que *devorava* as massas populares. Esse monstro abriria sua boca como nunca antes e devoraria a maior parte da população. Nem mesmo os nobres (governantes, príncipes etc.) escapariam. Embora formassem uma população dotada de pompa e riquezas, integrariam um povo devorado. A morte não respeitaria classes sociais. "O *sheol* é aqui retratado como um monstro devorador, escancarando suas fauces imensuravelmente e engolindo o país inteiro" (Adam Clarke, *in loc.*).

■ 5.15

וַיִּשַּׁח אָדָם וַיִּשְׁפַּל־אִישׁ וְעֵינֵי גְבֹהִים תִּשְׁפַּלְנָה׃

Então a gente se abate, e o homem se avilta. O homem altivo não escaparia à boca do *sheol*. Seu dinheiro não o livraria. Todas as suas propriedades (vs. 8) não lhe fariam bem algum. Homens de baixa classe social também seriam devorados. A pobreza e falta de poder deles não serviria de virtude, quando chegasse o dia mau. O *sheol* não daria atenção ao que os homens pensam, nem ao que os homens têm feito para se exaltar. As multidões seriam mortas pelo avanço dos exércitos babilônicos, e os poucos judeus sobreviventes iriam para o exílio. Haveria terrível igualdade nas mortes em massa. A apostasia era tão generalizada que as mortes em massa também se generalizariam. Não seria apenas um desastre, seria *o desastre*. Cf. Is 2.9,11,12,17, onde os drásticos acontecimentos previstos nesta passagem já estavam sendo antecipados.

■ 5.16

וַיִּגְבַּה יְהוָה צְבָאוֹת בַּמִּשְׁפָּט וְהָאֵל הַקָּדוֹשׁ נִקְדָּשׁ בִּצְדָקָה׃

Mas o Senhor dos Exércitos é exaltado em juízo. O *Senhor dos Exércitos* (ver 1Rs 18.15 e também o *Dicionário*) seria *exaltado no juízo*, quando fizesse justiça em Judá, corrigindo e retificando os muitos abusos e pecados, incluindo os crimes de sangue que ímpios perpetraram. Ele é o Deus Santo, e isso se tornaria mais evidente quando ele atacasse e julgasse a iniquidade da maneira devida. Mas o Senhor seria ainda mais exaltado na restauração que se seguiria, quando o remanescente voltasse da Babilônia, e Israel (na pessoa da tribo de Judá) começasse a viver o seu novo dia. Ademais, o julgamento divino visava especificamente o propósito de restauração, conforme são todos os julgamentos divinos. Não existe algo como uma justiça nua, uma retribuição divorciada de alguma medida remediadora. Ver Is 4.2. A nação de Judá foi julgada a fim de que pudesse haver uma nova vinha, um povo novo, cultivado pelo amor de Deus. A justiça, temperada com o amor, daria a Yahweh uma digna reputação no mundo, e os homens louvariam a um Deus honrado.

■ 5.17

וְרָעוּ כְבָשִׂים כְּדָבְרָם וְחָרְבוֹת מֵחִים גָּרִים יֹאכֵלוּ׃

Então os cordeiros pastarão lá como se no seu pasto. Onde antes havia grande multidão de cidadãos, abençoados pelas riquezas materiais, haveria então somente ovelhas e cabras pastando. A Septuaginta diz "estrangeiros" aqui, onde nossa versão portuguesa cita "nômades", mas essa é uma alteração proposital do texto original a fim de lembrar que homens ímpios reduziriam a nação a uma terra de meras pastagens. Mas alguns pensam que isso representa o original hebraico. Haveria alguns poucos hebreus sobreviventes na Terra Prometida, mas eles seriam reduzidos a meros pastores a cuidar de seus animais domesticados. Toda a rica sofisticação da Terra Prometida seria obliterada. Habitações luxuosas seriam reduzidas a pastagens dos pobres.

O Terceiro Ai (5.18,19)

■ 5.18,19

הוֹי מֹשְׁכֵי הֶעָוֹן בְּחַבְלֵי הַשָּׁוְא וְכַעֲבוֹת הָעֲגָלָה חַטָּאָה׃

הָאֹמְרִים יְמַהֵר יָחִישָׁה מַעֲשֵׂהוּ לְמַעַן נִרְאֶה וְתִקְרַב וְתָבוֹאָה עֲצַת קְדוֹשׁ יִשְׂרָאֵל וְנֵדָעָה׃ ס

Ai dos que puxam para si a iniquidade com cordas de injustiça. Os que duvidassem das advertências de Yahweh quanto ao futuro julgamento divino teriam de sofrer por causa disso. Seu ceticismo não os salvaria quando o dia mau viesse. A declaração do vs. 19 pode ser interpretada de duas maneiras diferentes, a saber:

1. Os *zombadores* escarneceriam das profecias, como as de Isaías, que previam a condenação. Conforme cada dia se passasse, e nada acontecesse, o povo incrédulo diria: "Que sucedeu a todas aquelas profecias de condenação? As coisas continuam como sempre foram" (cf. isso com 2Pe 3.4).
2. Ou então os incrédulos seriam *duvidosos honestos*, que esperavam que essas profecias não tivessem cumprimento, que Judá se arrependesse e pusesse fim à sua tendência para a ruína.

Suponho termos aqui a linguagem atrevida do ceticismo. Não é provável que um "ai" fosse pronunciado contra duvidadores honestos. A declaração do vs. 19 deve ser interpretada à luz dos pecadores obstinados de Judá. Foi empregada uma metáfora agrícola para demonstrar uma teimosia pecaminosa. Os pecadores vivem tão presos a seus pecados como um boi amarrado a uma corda é forçado a obedecer à vontade do homem que o puxa. Ou então podemos imaginar uma carroça à qual um animal de carga está atrelado, sem poder escapar de sua tarefa cansativa. Também podemos imaginar pessoas puxando uma carruagem por uma corda. Talvez a carruagem estivesse sendo puxada em alguma procissão idólatra, e são idólatras aqueles que faziam esse serviço. Seja como for, a mensagem é clara: algumas pessoas vivem tão envolvidas em seus pecados que não conseguem libertar-se facilmente, especialmente se se deixaram prender a esses pecados voluntariamente. Os rabinos afirmam que as *más inclinações* começam tão finas quanto um *fio de cabelo*, mas terminam tão grossas quanto uma *corda de carruagem*.

Esses pecadores tinham de ver o juízo divino com os próprios olhos, pois, do contrário, não acreditariam. Cf. o pedido de certos homens ímpios que requereram um *sinal*, em Jo 6.30.

O Quarto Ai (5.20)

■ 5.20

הוֹי הָאֹמְרִים לָרַע טוֹב וְלַטּוֹב רָע שָׂמִים חֹשֶׁךְ לְאוֹר וְאוֹר לְחֹשֶׁךְ שָׂמִים מַר לְמָתוֹק וּמָתוֹק לְמָר׃ ס

Ai dos que ao mal chamam bem, e ao bem, mal. *Os que chamavam ao mal bem, e ao bem mal*, não poderiam escapar à retribuição divina por estarem andando no teto, de cabeça para baixo. Eles chamavam a luz de trevas, e as trevas, de luz. Também pensavam que o doce é amargo, e que o amargo é doce. Eram esses que removiam os marcos da terra e mudavam os sinais de beira de estrada para que apontassem na direção errada, a fim de confundir os viajantes e assim fazê-los viajar por longo tempo na direção errada. Este versículo aborda a depravação de homens que perderam sua compreensão moral, tornando-se especialistas em perverter as coisas. Naturalmente, a legislação mosaica era o guia dos homens (ver Dt 6.4 ss.), mas aqueles homens há muito tinham abandonado a lei.

Existem indivíduos tão saturados pelo mal que são apenas isso, perversos. São cínicos acerca de qualquer coisa realmente boa. Para eles, o que funciona é que é bom. São ateus práticos ou, talvez, ateus tanto práticos quanto teóricos. Na vida deles não há lugar para Deus. E por certo Deus nunca os orienta. A consciência deles está fora das "influências divinas". As dez tribos do norte chegaram a preferir a adoração aos ídolos no território de Dã, ao culto a Yahweh em Jerusalém. Judá, bem na cidade de Jerusalém, à sombra do templo de Salomão, seguira curso semelhante.

O Quinto Ai (5.21)

■ 5.21

הוֹי חֲכָמִים בְּעֵינֵיהֶם וְנֶגֶד פְּנֵיהֶם נְבֹנִים׃

Ai dos que são sábios a seus próprios olhos. Os *insensatos presunçosos* precisam ser repreendidos, pois, em suas pretensões, semearam confusão. "Considerando-se sábias e espertas, algumas pessoas não estavam dependendo do poder de Deus para livrar a nação. Pensavam poder proteger a si mesmas" (John A. Martin, *in loc.*). "O orgulho da razão autossuficiente, que nega toda necessidade de compreensão dada por Deus, é um tema repetido na Bíblia (cf. Is 28.9-13; 29.14; 31.1,2; Jr 9.23; Pv 1.7; 1Co 1.18-25)" (R. B. Y. Scott, *in loc.*). Os governantes que eram sábios aos próprios olhos governavam por mudanças pragmáticas, e não em consonância com os ditames da lei de Moisés. Ver Jo 9.34-40.

O Sexto Ai (5.22,23)

■ **5.22,23**

הֹ֣וי גִּבּוֹרִ֔ים לִשְׁתּ֖וֹת יָ֑יִן וְאַנְשֵׁי־חַ֖יִל לִמְסֹ֥ךְ שֵׁכָֽר׃

מַצְדִּיקֵ֥י רָשָׁ֖ע עֵ֣קֶב שֹׁ֑חַד וְצִדְקַ֥ת צַדִּיקִ֖ים יָסִ֥ירוּ מִמֶּֽנּוּ׃ ס

Ai dos que são heróis para beber vinho. O profeta deu uma lista representativa dos tipos de pecadores que controlavam as coisas em Judá e em Jerusalém. Ele proferiu seis "ais" contra os beberrões, que aceitavam suborno. Já vimos como ele repreendeu os beberrões nos vss. 11 e 12. Esses, em sua maioria, faziam parte da classe dos alcoólatras, que viviam festejando. Mas aqui temos governantes, juízes e príncipes bêbados, que se envolviam em suborno e traição. O profeta, usando de forte ironia, chamou-os de "heróis da garrafa", conforme se diria hodiernamente. Eram homens fortes, bem entendido, fortes na *bebedeira,* e não em atos heroicos de qualquer sorte. Não eram heróis de um bom governo nem homens valentes nos campos de batalha, que estivessem combatendo pela pátria. No entanto, ocupavam posições de mando que usavam para tornar-se cada vez mais ricos. Receber suborno era o principal meio de iludir seus semelhantes. Ver no *Dicionário* e em Pv 15.27 o artigo chamado *Suborno*. Isso posto, os inocentes eram condenados e executados, e os culpados eram libertados. Bastavam apenas duas ou três testemunhas para decidir um caso em tribunal (ver Dt 17.6), pelo que um suborno bem colocado podia obter qualquer resultado mau desejado.

Mais Ameaças contra os Desobedientes (5.24-30)

■ **5.24**

לָכֵ֡ן כֶּאֱכֹ֣ל קַשׁ֩ לְשׁ֨וֹן אֵ֜שׁ וַחֲשַׁ֧שׁ לֶהָבָ֣ה יִרְפֶּ֗ה שָׁרְשָׁם֙ כַּמָּ֣ק יִֽהְיֶ֔ה וּפִרְחָ֖ם כָּאָבָ֣ק יַעֲלֶ֑ה כִּ֣י מָאֲס֗וּ אֵ֚ת תּוֹרַ֣ת יְהוָ֣ה צְבָא֔וֹת וְאֵ֛ת אִמְרַ֥ת קְדֽוֹשׁ־יִשְׂרָאֵ֖ל נִאֵֽצוּ׃

Pelo que, como a língua de fogo consome o restolho. Os vss. 13-17 listam certo número de juízos divinos que em breve cairiam sobre o povo de Judá. Outras consequências da rebelião são dadas agora, por causa da desobediência às estipulações do pacto com Deus. Várias metáforas foram empregadas, muitas delas extraídas da natureza. Elaboradamente, o profeta ilustrou seu tema de julgamento com metáforas mistas. O *fogo* que devora o *restolho* (material sem valor); a *erva seca* é consumida nas chamas; *raízes,* que poderiam ter suprido nutrição e ser plantas úteis, capazes de sustentar a vida, apodreciam e nada produziam; e as *flores* do campo morriam e transformavam-se em poeira. Judá era semelhante a essas coisas, que pereciam tão fácil e absolutamente.

O Reforço dos Nomes Divinos. O Poder que efetuaria o julgamento era o Senhor dos Exércitos, o qual atingiria duramente a Judá com um exército e, de fato, o exército da Babilônia. Ver no *Dicionário* sobre esse título em 1Rs 18.15. O *Santo de Israel* não permitiria que sua lei fosse desprezada e em meio à libertinagem. Ver sobre esse outro título divino no *Dicionário* e em Is 1.4; 5.19; 10.20; 30.11,12; 31.1 etc. Ver também sobre *Deus, Nomes Bíblicos de,* no *Dicionário*.

O texto de conduta dos judeus era a lei mosaica. A lei, porém, havia sido violada. O pacto mosaico tinha sido desprezado. Ver sobre isso na introdução a Êx 19. O povo que tinha ignorado o pacto divino terminaria sem nenhum pacto no qual se estribar. O regozijo confuso daqueles ímpios terminaria na poeira da morte. A lei tornava Israel uma nação distinta (ver Dt 4.4-8). A violação da lei, entretanto, tornava o povo merecedor do julgamento divino, visto que eles tinham perdido a razão de sua existência.

■ **5.25**

עַל־כֵּ֡ן חָרָה֩ אַף־יְהוָ֨ה בְּעַמּ֜וֹ וַיֵּ֣ט יָד֧וֹ עָלָ֛יו וַיַּכֵּ֖הוּ וַֽיִּרְגְּזוּ֙ הֶֽהָרִ֔ים וַתְּהִ֧י נִבְלָתָ֛ם כַּסּוּחָ֖ה בְּקֶ֣רֶב חוּצ֑וֹת בְּכָל־זֹאת֙ לֹא־שָׁ֣ב אַפּ֔וֹ וְע֖וֹד יָד֥וֹ נְטוּיָֽה׃

Por isso se acende a ira do Senhor contra o seu povo. Após as metáforas, aparece uma *declaração direta:* o julgamento era inevitável; a ira de Yahweh estava prestes a explodir (ver no *Dicionário* o artigo chamado *Ira de Deus*). E agora há outra metáfora: a poderosa *mão de Deus* estava estendida para ferir aqueles pecadores. Ver sobre mão em Sl 81.14 e no *Dicionário*. E ver sobre *mão direita* em Sl 20.6. O poder de Deus manifesta-se em seu *braço* (ver Sl 77.15; 89.10 e 98.1), bem como em sua *mão,* que feria extraordinariamente. A nação de Judá estava prestes a receber uma golpe fatal. O golpe aplicado por Deus causaria um terremoto na Terra Prometida, e haveria cadáveres por toda a parte, espalhados pelas ruas. E a despeito do julgamento terrível, a ira divina apenas aumentaria ainda mais, e a mão de Deus só continuaria a golpear, pois estaria *estendida* por muito tempo. O cativeiro babilônico ocorreria em ondas. Não seria um golpe único. "As montanhas a tremer falam de sua espantosa presença (ver Êx 19.18; 1Rs 19.11; Jr 4.24; Hc 3.10)" (John A. Martin, *in loc.*). O *terremoto* literal (ver a respeito no *Dicionário*) era uma das armas do arsenal de Deus, com a qual o Senhor atingiria os ímpios. O terremoto é termo também usado metaforicamente para indicar o julgamento divino. Pode haver aqui uma alusão a um grande terremoto ocorrido na época de Uzias (Am 1.1).

Após cada golpe haveria outro golpe, até que nada mais restasse para ser golpeado. Ver no *Dicionário* o artigo chamado *Cativeiro Babilônico*, que ilustra os muitos e esmagadores golpes que Deus administrou através daqueles soldados estrangeiros.

■ **5.26**

וְנָֽשָׂא־נֵ֤ס לַגּוֹיִם֙ מֵרָח֔וֹק וְשָׁ֥רַק ל֖וֹ מִקְצֵ֣ה הָאָ֑רֶץ וְהִנֵּ֥ה מְהֵרָ֖ה קַ֥ל יָבֽוֹא׃

Ele arvorará o estandarte para as nações distantes. Yahweh é retratado primeiramente a convocar a Babilônia, mediante alguma espécie de sinal e então com um assobio fortíssimo que poderia ser ouvido de uma extremidade da terra à outra. Vendo a bandeira de guerra desfraldada e o som da trombeta para marchar, a Babilônia teria seus exércitos a caminho imediatamente. Naturalmente, os assírios já estavam presentes e tinham provocado danos imensos. De fato, alguns eruditos veem aqui menção ao poder assírio. Mas o ataque dos assírios fora apenas um símbolo temido da pior situação que seria imposta por ocasião do cativeiro babilônico. A declaração "das extremidades da terra" poderia significar *povos de todos os lugares,* de vários pontos do mundo então conhecido. Isaías usou a expressão para indicar "povos de todos os lugares" (ver Is 5.26; 24.26; 40.28; 41.5,9; 42.10; 43.6; 45.22; 48.20; 49.6; 52.10 e 62.11).

E lhes assobiará para que venham. Possivelmente a metáfora pretende apontar para o assobio usado para atrair as *abelhas* de sua colmeia para os campos; e o mesmo assobio era usado para chamar de volta as abelhas. Cf. Is 7.18, onde a metáfora torna-se ainda mais evidente. Os exércitos inimigos viriam como um grande enxame de abelhas. Cf. esta metáfora com os gafanhotos, que representam numeroso exército, em Joel 2.25.

■ **5.27**

אֵין־עָיֵ֤ף וְאֵין־כּוֹשֵׁל֙ בּ֔וֹ לֹ֥א יָנ֖וּם וְלֹ֣א יִישָׁ֑ן וְלֹ֤א נִפְתַּח֙ אֵז֣וֹר חֲלָצָ֔יו וְלֹ֥א נִתַּ֖ק שְׂר֥וֹךְ נְעָלָֽיו׃

Não há entre eles cansado, nem quem tropece. O exército babilônico seria todo composto de homens valentes, que receberiam poder da parte de Yahweh, pois eram seus servos pelo momento. Eles teriam toda a provisão divina para que pudessem cumprir seu papel. Sairiam correndo na direção de Jerusalém, e nenhum se cansaria do esforço, tal como a águia alça voo em sua força. Nenhum soldado babilônio tropeçaria. Nenhum seria ferido ou ficaria adoentado ao longo do caminho. Nenhum se mostraria preguiçoso acerca de sua tarefa, nenhum dormiria ou ficaria sonolento. Seus cintos permaneceriam firmes em torno deles. Roupas frouxas não permitiam liberdade de movimentos. E, uma vez terminada uma tarefa, o cinto era retirado. "Um cinto, por conseguinte, denotava força e atividade, e afrouxar um cinto significava privar de forças ou tornar despreparado para a ação" (Adam Clarke, *in loc.*). Cf. 1Rs 20.11: "Não se gabe quem se cinge como aquele que vitorioso se descinge". Esta citação significa: "Não ajas como se já tivesses triunfado (afrouxando o cinto) antes que a batalha termine". Então nem um fio da sandália se quebraria, impedindo a marcha.

"Todas essas expressões mostram como os babilônios seriam incansáveis, diligentes, intensos e resolutos, e como se caracterizariam pela boa ordem em suas fileiras. Ver Joel 2.7,8" (John Gill, *in loc.*).

■ 5.28

אֲשֶׁר חִצָּיו שְׁנוּנִים וְכָל־קַשְּׁתֹתָיו דְּרֻכוֹת פַּרְסוֹת
סוּסָיו כַּצַּר נֶחְשָׁבוּ וְגַלְגִּלָּיו כַּסּוּפָה׃

As suas flechas são agudas, e todos os seus arcos retesados. *Três declarações* são dadas para reforçar a tese da invencibilidade do exército inimigo que se aproximava. 1. Suas flechas estavam prontas para matar, sendo agudas. 2. Seus cavalos tinham cascos de pederneira. Os cavalos, na antiguidade, não usavam ferraduras, pelo que cavalos com pés feridos eram sempre um problema. Mas isso não se daria com os cavalos dos babilônios, porque seus pés eram como rocha que não se quebra. O mesmo foi dito sobre os cavalos de Homero, que tinham patas de bronze (*Ilíada*, vs. 329, por exemplo). 3. E as rodas dos carros de combate dos babilônios eram rápidas como um redemoinho, sendo puxadas pelo cavalos mais rápidos e de maior qualidade. Tanto os assírios quanto os babilônios dispunham de exércitos com os melhores equipamentos e com os melhores cavalos (ver Is 22.6,7; 36.8).

■ 5.29

שְׁאָגָה לוֹ כַּלָּבִיא וְשָׁאַג כַּכְּפִירִים וְיִנְהֹם וְיֹאחֵז טֶרֶף
וְיַפְלִיט וְאֵין מַצִּיל׃

O seu rugido é como o do leão. *O exército babilônico que avançava* vinha gritando e ameaçando para intimidar os adversários, e isso parecia tão aterrorizante quanto um ataque de leões. As vítimas eram apanhadas e despedaçadas. Nenhum poder sobre a terra poderia livrar Judá, e nenhum poder no céu haveria de querer livrar essa nação.

Arrebatam a presa, e a levam. Assim como os leões tomam suas presas de volta à cova deles, para compartilhá-las com os filhotes, os babilônios levariam os sobreviventes de Judá à Babilônia, e ali seriam efetuados festejos. Judias escolhidas terminariam em haréns; as virgens seriam defloradas e os homens seriam postos a trabalhar como escravos.

■ 5.30

וְיִנְהֹם עָלָיו בַּיּוֹם הַהוּא כְּנַהֲמַת־יָם וְנִבַּט לָאָרֶץ
וְהִנֵּה־חֹשֶׁךְ צַר וָאוֹר חָשַׁךְ בַּעֲרִיפֶיהָ׃ פ

Bramam contra eles naquele dia, como o bramido do mar. Os assírios e babilônios (ver as notas em Is 1.7), tendo rugido como um leão, agora rugiriam como o mar. Ameaças e destruição havia naquele rugido, como se fora a destruição de navios no mar ou a inundação da terra. Se alguém contemplasse o mar, teria uma visão terrível, uma grande tempestade que podia destruir tudo. E se alguém olhasse novamente para a terra, também teria uma visão terrível: ali tudo eram trevas, e no meio de um temporal que apagara o brilho do sol. Sem importar para onde um homem olhasse, ele veria coisas espantosas e temíveis. Essas eram as condições que esperavam pela nação de Judá.

CAPÍTULO SEIS

O CHAMADO E A MISSÃO DE ISAÍAS (6.1-13)

Esta é uma das mais bem conhecidas e usadas declarações proféticas da Bíblia. A passagem tem sido usada como base de muitos sermões e lições. E merece nossa cuidadosa consideração.

Observações:

1. *Notas autobiográficas.* Sabemos bem pouco sobre o profeta Isaías, mas há alguns poucos detalhes que ele mesmo nos oferece. Os capítulos 6 e 8.1-8,11-18 são memórias pessoais do profeta. E Is 7.1-17, ao que tudo indica, é fragmento de uma biografia provida por alguma outra pessoa.

2. Uma autêntica e pessoal *experiência mística,* uma visão de Deus, em termos que poderiam ser recebidos e compreendidos pelo profeta, aparece neste capítulo. Em tempos posteriores, essas (alegadas) experiências tornaram-se comuns na literatura apocalíptica, pelo que o pseudo-Enoque fez viagens tanto no céu quanto no hades, e teve toda a espécie de visões, mas quase certamente essas observações são apenas mecanismos literários para servir de pano de fundo das mensagens, e não experiências genuínas. Não há razão, contudo, para duvidarmos de que o material que se segue representa uma experiência autêntica. Ver no *Dicionário* o verbete intitulado *Misticismo.*

3. *Cronologia.* Se as datas podem variar conforme variam os intérpretes, o vs. 1 fornece a data de cerca de 740 a.C., o fim do reinado de Uzias. Ver sobre o *Reino de Judá* no *Dicionário,* onde apresento uma lista dos reis de Judá, com uma breve descrição sobre cada um deles. Então chegamos ao ano de cerca de 734 a.C., quando Acaz repeliu as exortações de Isaías para que não apelasse ao rei assírio (ver Is 8.6 e 2Rs 16.7), mas confiasse em Yahweh. Conforme é fácil de averiguar, as profecias iniciais (se não mesmo as finais) foram proferidas antes das principais tribulações pelas quais Judá passou com a Assíria, e é muito provável que as advertências sobre julgamentos apontem para tribulações causadas pelos assírios. Mas isso não significa que a Babilônia, que invadiria Judá mais de cem anos depois, também não esteja em vista.

4. *A Realidade.* Um dos significados do capítulo 6 é aquele para o qual apontavam os ritos e as cerimônias, nos cultos do templo de Jerusalém, a saber, o poder de Yahweh. É uma grande coisa quando avançamos para além da forma e encontramos a essência da fé.

5. *O início das atividades proféticas de Isaías.* Não há maneira de determinar se esta visão ocorreu no começo do ministério profético de Isaías, ou se foi uma espécie de confirmação de um comissionamento anterior. Por semelhante modo, Pedro foi chamado e depois (por assim dizer) recomissionado por ocasião da ressurreição de Cristo (Jo 21). Em seguida, foi cheio de maior poder, no dia de Pentecoste (At 2). Se examinarmos a questão por esse ângulo, não há nenhum grande problema, exceto a possibilidade de que este capítulo esteja fora da ordem cronológica.

6. *A natureza da visão divina.* Jo 1.18 diz que nenhum homem jamais viu ou poderá ver a Deus. A face de Deus é vista em Cristo, e, por isso, alguns intérpretes supõem que este capítulo do livro de Isaías deva ser uma manifestação, dada no Antigo Testamento, sobre o Logos (Cristo) preexistente. Mas isso é uma cristianização desnecessária do texto. As visões de Deus eram dadas de forma que os homens pudessem recebê-las e compreendê-las, e usualmente eram apresentadas em termos antropomórficos, o que, como sabemos, fica aquém de qualquer representação sã de Deus. Ver no *Dicionário* os verbetes denominados *Antropomorfismo; Antropopatismo* e *Teofania.*

7. *A necessidade de algo mais do que livros, conhecimento e orações.* Também precisamos do toque do Espírito para o nosso próprio bem e para o bem daqueles que podem ser beneficiados por nossa espiritualidade. Ver no *Dicionário* o artigo chamado *Desenvolvimento Espiritual, Meios do.*

■ 6.1

בִּשְׁנַת־מוֹת הַמֶּלֶךְ עֻזִּיָּהוּ וָאֶרְאֶה אֶת־אֲדֹנָי יֹשֵׁב עַל־
כִּסֵּא רָם וְנִשָּׂא וְשׁוּלָיו מְלֵאִים אֶת־הַהֵיכָל׃

No ano da morte do rei Uzias, eu vi o Senhor. *Uzias* (ver a respeito dele no *Dicionário* e o ponto dez do artigo chamado *Reino de Judá*) reinou por 52 anos e morreu em 740 a.C. Grosso modo, ele foi um bom rei, mas degenerou já perto do fim de seu reinado e foi julgado por meio da *lepra* ou de alguma outra enfermidade, visto que o significado da palavra hebraica *sara'at* é bastante lato. Quanto a essa palavra, ver a introdução a Lv 13. A observação, feita aqui no livro de Isaías, pode ser apenas cronológica, mas alguns a veem como um possível fator causal da visão. Nesse caso, isso permanece indefinido. Uzias, insensível diante do pecado, foi julgado. Em contraste, Isaías, o profeta do momento, era extremamente sensível diante do pecado, e a visão que ele recebeu tinha por objetivo equipá-lo para a sua tarefa naquela hora crítica.

Vi o Senhor. Ou seja, conforme a um homem é permitido ver a Deus, de alguma maneira compreensível, e não como ele realmente é, o que Jo 1.18 diz ser impossível. Moisés teve permissão de ver a Deus pelas costas (ver Êx 33.23). A visão de Isaías seguiu linhas antropomórficas (ver no *Dicionário* o verbete chamado *Antropomorfismo*), com sua cena da corte celestial: Deus estava sentado em um alto trono, como se fosse um monarca oriental. As orlas do seu manto enchiam o templo. O manto fala da realeza, majestade e autoridade real de Deus. Quanto à deidade entronizada, cf. 1Rs 22.19-23 e Ez 1.4—2.1. O *trono*, neste caso, pode referir-se à arca da aliança, onde se manifestava a glória *shekinah*.

A Septuaginta, a Vulgata e o Targum omitem o manto, provavelmente porque pensaram ser isso por demais antropomórfico. O Targum substitui pelas palavras: "O templo foi cheio de seu esplendor".

Fazer esta visão referir-se a uma aparição pré-messiânica do Logos é uma cristianização exagerada do texto sagrado. Ver a *introdução* ao capítulo, sexto ponto.

■ 6.2

שְׂרָפִים עֹמְדִים מִמַּעַל לוֹ שֵׁשׁ כְּנָפַיִם שֵׁשׁ כְּנָפַיִם לְאֶחָד בִּשְׁתַּיִם יְכַסֶּה פָנָיו וּבִשְׁתַּיִם יְכַסֶּה רַגְלָיו וּבִשְׁתַּיִם יְעוֹפֵף׃

Serafins estavam por cima dele. A visão segue as ideias da ortodoxia judaica. O céu é um lugar de anjos, pelo que temos aqui a menção aos *serafins* (ver no *Dicionário*), uma das espécies de anjos. A base dessa palavra é o termo hebraico *sarap*, "queimar". O zelo dos serafins era ardente, mas a visão provavelmente se refere ao aspecto visual brilhante dos serafins. Aqui os serafins são os principais atendentes de Deus, em seu trono, bem como seus primeiros-ministros. Cf. com as "quatro criaturas vivas" de Ez 1.5-25 e Ap 4.6-8, bem como com as *hostes celestiais* de Dn 7.10. Ver também Nm 21.6,8; Dt 8.15; Is 14.29 e 30.6.

Seis asas. Com duas asas, os serafins cobriam o rosto (visto ser Deus elevado e santo demais para ser contemplado diretamente, enquanto eles estavam em uma posição humilde); com duas asas, eles cobriam os pés (com os quais serviam humildemente a Deus); e com duas asas, voavam (sendo capazes de realizar tarefas impossíveis para o homem). Foram dados outros significados dessa ordem, mas nada foi definido pelo profeta. A palavra "pés" pode representar toda a parte inferior do corpo, e, nesse caso, aqueles seres eram essencialmente cobertos pelas quatro asas, ocultos, misteriosos, gloriosos, e, no entanto, humildes diante de Deus. Os anjos de Ezequiel são equipados com *quatro* asas (Ez 1.5,11). Os monumentos de Persépolis representam os *Amshashpands* (ministros de Deus) dotados de seis asas, duas das quais cobriam os pés. "Era grande sinal de respeito, no Oriente, cobrir os pés, bem como prostrar-se na presença do Rei" (Sir John Chardin).

■ 6.3

וְקָרָא זֶה אֶל־זֶה וְאָמַר קָדוֹשׁ קָדוֹשׁ קָדוֹשׁ יְהוָה צְבָאוֹת מְלֹא כָל־הָאָרֶץ כְּבוֹדוֹ׃

E clamavam uns para os outros, dizendo. Esses seres clamavam uns aos outros com o *triságio*, o tríplice "santo, santo, santo", que enfatizava, com sua repetição, a elevada santidade de Deus, um de seus maiores atributos. Isso contrastava Yahweh com as divindades pagãs, que eram representadas como seres parecidos com os homens, embora em maior escala, bons e maus, mas de forma alguma ligados à santidade. No judaísmo, o poder mais alto é também o supremo bem, sendo igualmente a mais elevada manifestação da santidade, após a qual todos os outros seres se esforçam em vã imitação. Ver no *Dicionário* o verbete intitulado *Santidade*, que encarece a necessidade de sermos santos, porque Deus é santo (ver Lv 20.7).

Clamavam. Provavelmente devemos pensar aqui em um *cântico antifonal*, pois formavam um coro celestial de grande número e exaltação. Eles cantavam a santidade de Deus mediante a tríplice repetição de "santo, santo, santo". No idioma hebraico não havia o grau superlativo, e a repetição de uma palavra é um dos mecanismos para obter a noção do grau superlativo.

> Santo, santo, santo
> Senhor Deus Todo-poderoso;
> Todos os santos te adoram,
> Lançando suas coroas de ouro no mar de vidro.
> Querubins e serafins caindo ao redor de ti
> Que eram, são e sempre serão.
>
> Reginald Heber

Ver o detalhado artigo chamado *Triságio*, na *Enciclopédia de Bíblia, Teologia e Filosofia*, que dá uma nota de sumário sobre a "santidade de Deus", entre outras coisas. Cf. Ap 4.8.

Glória. A glória de Deus foi vista a encher os céus, e assim também deverá encher a terra. Ver no *Dicionário* o artigo chamado *Glória*. Ver também Nm 14.21 e Ap 4.8. O Criador é exaltado em sua criação, e sua glória resplende a seu redor.

> O anjo do Senhor desceu,
> E a glória resplandeceu em redor,
> E a glória resplandeceu em redor.
>
> Nahum Tate

■ 6.4

וַיָּנֻעוּ אַמּוֹת הַסִּפִּים מִקּוֹל הַקּוֹרֵא וְהַבַּיִת יִמָּלֵא עָשָׁן׃

As bases do limiar se moveram à voz do que clamava. Os alicerces do limiar tremeram diante da presença do Senhor, como se tivessem sido movidos por um terremoto. Mas o poder por trás desse movimento era o coro antifonal que entoava o *Triságio*. No meio do estremecimento, subitamente a casa, o templo de Deus, encheu-se de fumaça, relembrando uma das manifestações de Deus no Sinai (ver Êx 19). A fumaça simbolizava a presença de Deus que era vista (conforme foi permitido) e sentida. Cf. Sl 18.7,8; 97.2-5. A *fumaça* era a mesma coisa que a *nuvem*, que encheu o tabernáculo (ver Êx 40 e 34). Essa nuvem tanto revelava quanto ocultava a presença de Deus (ver Lv 16.13). Era representada pela fumaça do incenso que sempre esteve no santuário de Jerusalém.

Bases do limiar. "Os pivôs da porta vibraram na soleira, em reação ao ruído do grande grito" (R. B. Y. Scott, *in loc.*). Cf. Am 9.1. Ver 1Rs 8.10-13 quanto à nuvem de glória vista pelos sacerdotes nos dias de Salomão, por ocasião da dedicação do templo de Jerusalém. Cf. Ap 5.8 e 8.4.

■ 6.5

וָאֹמַר אוֹי־לִי כִי־נִדְמֵיתִי כִּי אִישׁ טְמֵא־שְׂפָתַיִם אָנֹכִי וּבְתוֹךְ עַם־טְמֵא שְׂפָתַיִם אָנֹכִי יוֹשֵׁב כִּי אֶת־הַמֶּלֶךְ יְהוָה צְבָאוֹת רָאוּ עֵינָי׃

Então disse eu: Ai de mim! Estou perdido! Isaías, comovido diante da cena, foi avassalado por suas emoções, o que o levou a pronunciar o seu "ai!" contra si mesmo, pois, sendo ele apenas um mortal, não estava equipado nem era digno de tal visão. Ele tomou consciência de que os mortais não têm permissão para tais experiências e que elas são verdadeiramente raras. Cf. Êx 33.20. Se ele era um homem santo, contudo era *impuro*, em comparação com a santidade de Deus. Os lábios humanos eram indignos de proferir a mensagem de Deus ou de unir-se àquele cântico celestial, o Triságio. Dessa forma, foi enfatizado o grande golfo existente entre Deus e os homens, mesmo quando se trata de um homem como Isaías, um dos grandes profetas. Ademais, ele era membro daquela raça imunda, a nação de Judá, e habitava entre eles, tão plenos de pecados e corrupções. Naquela visão, Isaías tinha visto o Rei de toda a terra, e não meramente um monarca oriental. Até os monarcas terrenos viviam distantes da presença popular, e somente alguns tinham permissão de dirigir-lhes a palavra. Contudo, o profeta Isaías entrara na presença do Rei celestial. "Diante de um Deus Santo, um homem pecaminoso não pode manter-se de pé (Êx 33.18-20)" (*Oxford Annotated Bible*, comentando sobre este versículo). Nenhuma boca humana pode anunciar a sua glória, por causa de sua corrupção. Os "lábios" representam aqui a pessoa inteira.

Lábios foi palavra apropriada para a declaração de Isaías, porquanto eram os *lábios* dos serafins que entoavam o cântico da santidade de Deus. Além disso, seriam os *lábios purificados de* Isaías que levariam a mensagem divina a Judá. "Ele era indigno tanto de aliar-se aos serafins e cantar louvores a Deus, como de ser o mensageiro de Deus ao povo. Cf. Êx 4.10; 6.12 e Jr 1.6" (Adam Clarke, *in loc.*).

■ 6.6,7

וַיָּעָף אֵלַי אֶחָד מִן־הַשְּׂרָפִים וּבְיָדוֹ רִצְפָּה בְּמֶלְקַחַיִם לָקַח מֵעַל הַמִּזְבֵּחַ׃

וַיַּגַּע עַל־פִּי וַיֹּאמֶר הִנֵּה נָגַע זֶה עַל־שְׂפָתֶיךָ וְסָר עֲוֺנֶךָ וְחַטָּאתְךָ תְּכֻפָּר׃

Então um dos serafins voou para mim trazendo na mão uma brasa viva. Uma brasa acesa foi tirada do altar e encostada nos lábios de Isaías, como símbolo de sua purificação. O profeta teve uma significativa experiência de santificação, antes que pudesse dar início ao anúncio da mensagem divina. Devemos entender ou que um carvão foi tirado de dentro do altar do incenso, ou então, em vez do carvão em brasa, foi aplicada aos lábios do profeta uma pedra chata, aquecida pelo fogo do altar usado para cozer pães (1Rs 19.6). O que o serafim fez foi um ato sacerdotal. Talvez Isaías fosse um sacerdote, além de pertencer à família real, sendo essa a razão pela qual a visão incluiu o templo celeste. Naquele momento, Isaías tornou-se sacerdote em um novo sentido, alguém ungido para ser um *profeta-sacerdote*.

Alguns estudiosos pensam que o "altar" era o altar dos holocaustos, e não o altar do incenso. Nesse caso, nos lábios do profeta foi usado o material inflamável empregado para queimar holocaustos. Ali havia continuamente fogo a queimar (ver Lv 6.12). Podemos chamar o que o serafim fez de *ato simbólico*; porém, foi mais do que isso. Aplicado o poder divino purificador ao profeta naquele instante, ele nunca mais foi o mesmo homem. Ele já se distinguia entre o povo de Judá. Naquele momento, porém, recebeu *unção especial*. É verdade que grandes homens que realizam missões significativas são dotados de unção divina. Eles possuem dupla porção do Espírito. Assim como o fogo do altar jamais deveria apagar-se, a unção de Isaías serviria por toda a sua vida, e ele seria capaz de realizar sua missão. Oh, Senhor, concede-nos tal graça!

Os acadianos e os egípcios tinham ritos de purificação da boca para oficiais sacerdotes, mas não há razão para supormos haver aqui um empréstimo literário. A iniquidade tinha de ser perdoada e *removida*. Do contrário, Isaías não poderia ser o tipo de profeta de que Deus precisava para aquela hora. Assim sendo, apesar de viver augustamente nos céus lá do alto, Yahweh precisava utilizar instrumentos humanos, conforme se vê no vs. 8. Cf. Jr 1.9, onde temos algo similar. Note o leitor que era o *fogo de Deus* que purificava. Certas coisas estão acima da capacidade humana.

■ 6.8

וָאֶשְׁמַע אֶת־קוֹל אֲדֹנָי אֹמֵר אֶת־מִי אֶשְׁלַח וּמִי יֵלֶךְ־לָנוּ וָאֹמַר הִנְנִי שְׁלָחֵנִי׃

Depois disto ouvi a voz do Senhor, que dizia: A quem enviarei...? *Então o Próprio Yahweh Falou.* O Senhor estava procurando um mensageiro apropriado. Quem poderia ser esse mensageiro? O quadro, em Judá, era realmente negro. Seria necessário um grande homem, porque a tarefa era grande. Isaías, tendo sido preparado pelo fogo de Deus, foi capaz de responder: "Eis-me aqui, envia-me a mim". Antes de sua unção especial, ele não poderia ter respondido dessa maneira, pelo que temos aqui uma grande lição. A *preparação* é a chave para qualquer missão, porque combina o esforço humano com a unção divina.

> É Deus quem nos dá capacidades,
> Mas não sem as mãos humanas. Ele não poderia
> Fazer os violinos de Antônio Stradivário
> Sem o Antônio.
>
> George Elliot

Há uma grande colheita que clama por trabalhadores. Muitos são chamados, mas poucos escolhidos. Poucos são os homens dotados de verdadeira unção.

> Ouvi o Senhor da colheita
> A chamar docemente,
> Quem irá trabalhar por mim hoje?
> Quem irá avisar os perdidos e moribundos?
> Quem lhes mostrará o caminho estreito?
> Fala, meu Senhor,
> Fala, meu Senhor,
> Fala, e te responderei prontamente.

"Os grandes profetas eram homens que se postavam no conselho de Deus (cf. Am 3.7), que podiam ouvir a Palavra de Deus e se sentiam comissionados e dotados para proclamá-la" (R. B. Y. Scott, *in loc.*).

■ 6.9

וַיֹּאמֶר לֵךְ וְאָמַרְתָּ לָעָם הַזֶּה שִׁמְעוּ שָׁמוֹעַ וְאַל־תָּבִינוּ וּרְאוּ רָאוֹ וְאַל־תֵּדָעוּ׃

Então disse ele: Vai, e dize a este povo. *Vai e Dize.* O povo de Judá ouviria, mas não entenderia. Veria o que estava acontecendo, "Eis aqui um homem que diz ser um profeta do Senhor", mas não perceberia, realmente, o que se passava. Este versículo parece falar de *cegueira judicial*. O povo de Judá havia-se desviado muito de Deus e já estava sendo julgado pelo Senhor; a mensagem não seria atendida, mas fora dada para *confirmar* a rigidez daquele povo, e não para efetuar mudança. Naturalmente, haveria alguns que formariam o núcleo do remanescente judaico, o qual retornaria ao Senhor e viveria para ver um *novo dia*. Os vss. 9 e 10, portanto, são um paralelo de Mt 13.13-15. Jesus narrou suas parábolas a fim de que certas pessoas não as entendessem. Mas foi dado a poucos que as entendessem e agissem de acordo com os princípios do reino dos céus. Isaías foi informado, desde o começo, que sua mensagem não seria geralmente recebida, e também não haveria purificação nacional. Cf. Jo 12.40, que cita esta passagem de Isaías. Paulo repetiu tais palavras em At 28.26,27, da mesma maneira negativa, aplicando-as à sua própria missão, que *falhou*, se levarmos em conta as *massas populares*. A história se repetia, e com o mesmo povo rebelde. Paulo voltou-se, então, para os gentios.

■ 6.10

הַשְׁמֵן לֵב־הָעָם הַזֶּה וְאָזְנָיו הַכְבֵּד וְעֵינָיו הָשַׁע פֶּן־יִרְאֶה בְעֵינָיו וּבְאָזְנָיו יִשְׁמָע וּלְבָבוֹ יָבִין וָשָׁב וְרָפָא לוֹ׃

Torna insensível o coração deste povo, endurece-lhe os ouvidos. *Atos Bloqueadores.* Considere o leitor os seguintes três pontos:

1. A mensagem pregada por Isaías faria o *coração* de Judá tornar-se *insensível*, deixado em seus luxos e excessos. Note o leitor o tempo verbal presente, que atua como imperativo: "Torna insensível o coração deste povo". O resultado seria certo. Eles ficariam com um entendimento estúpido, como se fossem gado, insensíveis, preguiçosos (Dt 32.15).

2. Além disso, seus *olhos* ficariam pesados como um homem que tivesse tomado muito vinho e estivesse invencivelmente sonolento. E o resultado seria que eles não *veriam* nem compreenderiam o que estava acontecendo. Faltar-lhes-ia a orientação divina para aceitar as instruções dadas pelos profetas. Paulo foi enviado pelo Senhor Jesus para "lhes abrir os olhos e convertê-los das trevas para a luz" (At 26.18), e a mensagem de Isaías teria esse efeito sobre os poucos escolhidos para renovar as coisas no futuro.

3. Os *ouvidos espirituais* do rebelde povo de Judá seriam fechados ao som da mensagem profética. Essa mensagem cairia sobre *ouvidos surdos*. Não seria ouvida e certamente não seria obedecida. Os esforços de Isaías falhariam no caso da grande maioria, porquanto essa maioria já estava sendo julgada por Deus. As coisas apenas ficariam piores.

> Quando nós, em nossa ruindade, ficamos duros,
> Os deuses acham por bem selar os nossos olhos.
>
> Shakespeare

No Oriente havia dois atos terríveis que ilustram este versículo. Os olhos dos cativos eram arrancados, ou eram selados, de forma que um homem não podia mais enxergar. Os olhos de Judá seriam fechados espiritualmente, porquanto já estavam fechados. O coração ficaria mais insensível, pois já estava endurecido. Os ouvidos ficariam ainda mais surdos, porque, por vontade própria, eles já os tinham fechado para a palavra do Senhor. Tudo isso é uma maneira metafórica de expressar a lei da colheita segundo a semeadura (ver Gl 6.7,8).

■ 6.11

וָאֹמַר עַד־מָתַי אֲדֹנָי וַיֹּאמֶר עַד אֲשֶׁר אִם־שָׁאוּ
עָרִים מֵאֵין יוֹשֵׁב וּבָתִּים מֵאֵין אָדָם וְהָאֲדָמָה תִּשָּׁאֶה
שְׁמָמָה׃

Então disse eu: Até quando, Senhor? *Por Quanto Tempo?* A Isaías foi dada uma mensagem lúgubre, e seu coração ficou pesado de tristeza. Ele quis saber por quanto tempo estaria envolvido nessa missão. A resposta divina foi que isso ocorreria até que os assírios (e, posteriormente, os babilônios) tivessem completado o julgamento que havia sido proferido sobre Judá, sob o qual o povo de Israel, naquele mesmo instante, já sofria os estágios iniciais. Ver as notas em Is 1.7, e também o terceiro ponto da Introdução ao primeiro capítulo, intitulado *Cronologia*. Cf. Ez 43.3.

Olha que hoje te constituo sobre as nações, e sobre os reinos, para arrancares e derribares, para destruíres e arruinares, e também para edificares e para plantares.

Jeremias 1.10

■ 6.12

וְרִחַק יְהוָה אֶת־הָאָדָם וְרַבָּה הָעֲזוּבָה בְּקֶרֶב הָאָרֶץ׃

E o Senhor afaste dela os homens. A *remoção* é uma referência ao *cativeiro babilônico* (ver a respeito no *Dicionário*). Isaías não viveu o bastante para testemunhar o evento, visto que ainda se passariam mais de cem anos até que esse cativeiro sucedesse. Além de ser destruída, Jerusalém e boa parte da nação de Judá perderiam sua *população*. A maior parte dos poucos sobreviventes seria levada, e apenas *a décima parte* da população ficaria na Terra Prometida. Essa parte estaria constituída, essencialmente, por pobres agricultores, que não representariam ameaça à Babilônia (vs. 13). A terra jazeria abandonada. As mulheres seriam feitas cativas e distribuídas entre os haréns já repletos da Babilônia; e os homens seriam reduzidos a meros escravos. Portanto, é claro que a comissão de Isaías consistiria em proclamar uma mensagem de condenação inevitável a um povo que já estava fora do alcance da redenção.

■ 6.13

וְעוֹד בָּהּ עֲשִׂרִיָּה וְשָׁבָה וְהָיְתָה לְבָעֵר כָּאֵלָה וְכָאַלּוֹן
אֲשֶׁר בְּשַׁלֶּכֶת מַצֶּבֶת בָּם זֶרַע קֹדֶשׁ מַצַּבְתָּהּ׃ פ

Mas se ainda ficar a décima parte dela tornará a ser destruída. Somente cerca da *décima parte* de Judá escaparia ao aniquilamento e subsequente cativeiro. E seriam deixados os elementos mais pobres, as classes menos habilitadas, que não teriam inteligência, habilidade ou interesse de iniciar uma revolta contra os conquistadores. Cf. Is 5.17. Jerusalém não continuaria sendo uma grande cidade. Seria reduzida a uma terra de pastagem para fazendeiros pobres que ali fariam pastar suas ovelhas e cabras. E mesmo o pequeno remanescente sofreria ataques de soldados saqueadores e ladrões, que, gananciosamente, ficariam com o que restasse. O salário dos exércitos antigos era o saque.

A parte final do versículo é obscura e provavelmente está corrompida no texto massorético. As tentativas para traduzir essa porção do versículo têm terminado em confusão. Interpretando o texto conforme ele se encontra no texto hebraico massorético, aparentemente chegamos à ideia de que o terebinto (ou carvalho) deixava cair suas folhas no outono e, assim, parecia morto. Na primavera, porém, haveria vida nova na árvore aparentemente morta. Em outras palavras, Judá, quase destruído, teria essa condição revertida pelo retorno do remanescente, que faria a obra de reconstrução. E a *santa semente* (o remanescente purificado) se tornaria de novo uma nação. Alguns estudiosos cristianizam o versículo, vendo o Messias como a *Santa Semente*.

Os papiros do mar Morto, em seu manuscrito do livro de Isaías, fornecem outra ideia, a saber: "Como um carvalho que é derrubado, e como o terebinto perto da coluna sagrada de um lugar alto". Isso parece dar a entender que Judá era como um carvalho nos lugares altos pagãos que seria cortado, e, aparentemente, se perderia. Mas então, *do toco*, um novo carvalho surgiria. Seria o remanescente que teria voltado, reiniciando a nação de Israel, após o retorno do cativeiro. Ver os artigos do *Dicionário* chamados *Massora (Massorah); Texto Massoréticos* e *mar Morto, Manuscritos (Rolos) do*.

A Unção do Homem. Isaías era o homem da hora, mas só seria capaz de realizar sua missão se recebesse a unção apropriada. Recentemente, meu irmão, que por muitos anos foi missionário no Congo (atual Zaire) e atualmente trabalha no Suriname, fez-me uma visita. Seu ministério tem sido quase apostólico, incluindo alguns poucos mas notáveis milagres (alguns dos quais narro no artigo denominado *Milagres*, no *Dicionário*). Ele tem três filhos que trabalham no campo missionário de sua estação. Perguntei se os seus garotos poderiam continuar o trabalho que ele estava fazendo, quando ele saísse da cena terrestre. Ele replicou contando-me o que aconteceu certa ocasião em que se ausentara por alguns poucos meses: "Os líderes da aldeia vieram ao meu encontro quando voltei. Eles se alegraram muito em ver-me de volta. O porta-voz disse: 'Quando você volta, o poder volta'". Meu irmão explicou-me que existe a questão da *unção*. Muitos podem trabalhar e desenvolver uma obra respeitável, mas alguns homens, dotados da *unção* divina, podem realizar uma tarefa distintiva. O profeta Isaías era um homem dotado de unção e cumpriu uma tarefa distinta.

CAPÍTULO SETE

ISAÍAS E A GUERRA SIRO-EFRAIMITA (7.1—8.15)

SUPLEMENTO BIOGRÁFICO (7.1-17)

Estes versículos quase certamente representam uma peça de obra biográfica, escrita por alguém que não o profeta Isaías. Passamos da primeira pessoa ("eu") do capítulo 7 para a terceira pessoa ("ele") do capítulo 8. Outras porções biográficas do livro de Isaías podem ser os capítulos 20 e então 36 a 39. Esse suplemento naturalmente divide-se em duas partes: 1. O sinal de UM-RESTO-VOLVERÁ (vss. 1-9); 2. o sinal do Emanuel (vss. 10-17). Esta segunda parte é uma notável profecia messiânica. Depois do livro dos Salmos, Isaías é o livro do Antigo Testamento mais citado no Novo Testamento, e muitas dessas passagens certamente são messiânicas. Ver a seção VIII da introdução ao livro, onde ofereço uma lista das citações. Retornamos aos materiais autobiográficos em Is 8.1-8 e 8.11-18. Espalhados por toda a parte estão os oráculos de Isaías, as coisas que ele disse por força da inspiração divina. Os oráculos ocupam a maior parte da presente seção.

Pano de Fundo Histórico. Em adição ao que é dito nesta passagem do livro de Isaías, temos os relatos sobre Acaz, em 2Rs 16 e 2Cr 28. Os registros assírios acerca de Tiglate-Pileser, em seus tratos brutais com estados circunvizinhos, também acrescentam detalhes. Ver sobre *Tiglate-Pileser* no *Dicionário*. Acaz, não querendo participar de uma aliança contra esse rei assírio, tentou aplacá-lo, chegando a introduzir o paganismo do tipo assírio em Jerusalém. Ver 2Rs 16.7-16. Essa medida política deu certo por algum tempo, mas coisa alguma podia estancar a condenação eventual de Israel, administrada primeiramente pelos assírios e, mais tarde, pelos babilônios. Ver a seção II da Introdução ao livro de Isaías, quanto a ideias concernentes ao pano de fundo histórico.

O Sinal de UM-RESTO-VOLVERÁ (7.1-9)

A história da guerra siro-efraimita (734-733 a.C.) é contada em 2Rs 16.1-20.

"O reinado inteiro de Jotão aparece entre os capítulos 6 e 7 de Isaías. A obra realizada por Isaías colocou-o na corrente principal da história, como registrado em 2Rs 15 e 16; 2Cr 28 e nas inscrições assírias. Os fatos que devemos ter em mente são: 1. O reinado de Israel, sob o rei Menaém, já tinha-se tornado tributário da Assíria (2Rs 15.19,20). 2. O objetivo da aliança assinada entre Peca, usurpador atrevido e ambicioso, e Rezim, era organizar a resistência contra a Assíria, como aquela na qual Uzias tomara parte (Schrader, *Keil-Inschriften*, págs.

PROFECIAS MESSIÂNICAS EM ISAÍAS

Essências das Profecias	Isaías	Novo Testamento
O Messias, o servo de Deus	49.1	Mc 10.45; 14.24
Nasceu da virgem	7.14	Mt 1.23
Da linhagem de Davi	11.1,10	Mt 1.1
Recebeu seu poder do Espírito	11.2; 42.1	Mt 3.16
Gentil com os fracos	42.3	Mt 11.29,30
Obediência absoluta	50.4-9	Hb 12.8
Servo sofredor	50.6; 53.7,8	Rm 4.25; 1Pe 2.4
Rejeitado por Israel	49.7; 53.1,3	Jo 1.11
Carregou os pecados do mundo	53.4-6; 10-12	Jo 1.29
Triunfou sobre a morte	53.10	1Co 15.4; Ef 4.10
Será exaltado	52.13; 53.12	Fp 2.9
Confortará Israel e julgará os pagãos	61.1-3	Rm cap. 9
Manifestará a glória de Deus	49.3	Jo 17.5
Restaurará Israel	49.5,8	Rm 11.26
Reinará no trono de Davi	9.7	Lc 1.32
Trará alegria para Israel	9.2	Rm 11.26-32
Fará novo pacto com Israel	42.6; 49.8,9	Rm 11.25-29
Restaurará as nações	11.10	Hb 8.6-13; Mt 28.19,20
Uma luz para os gentios	42.6; 49.6	Mt 4.16; Jo 1.9
Adorado pelos gentios	49.7; 52.15	Ap 5.14; Hb 10.22
Governará o mundo	9.6	Ap cap. 21
Julgará com retidão, justiça e fidelidade	11.3-5; 42.1,4	Jo 16.8-11

395-421, citado por Cheyne), embora primeiramente Jotão (2Rs 15.37) e depois Acaz aparentemente tenham-se recusado a fazer parte da confederação, e o objetivo do ataque dos reis aliados fosse ou forçar Acaz a aliar-se à confederação, ou então depô-lo, levando ao fim a dinastia de Davi e colocando no trono de Judá uma figura obediente a eles, provavelmente um sírio" (Ellicott, *in loc.*).

O livro de 2Rs diz-nos que Acaz já estava sendo atacado. Tentando obter ajuda dos assírios, Acaz tolamente entregou grande parte dos tesouros do templo e até sacrificou um dos próprios filhos em um rito pagão (2Rs 16.3,7,8). Dessa maneira, ele ignorou abertamente o conselho de Isaías, no sentido que nada tivesse com os assírios.

■ 7.1

וַיְהִ֡י בִּימֵי֩ אָחָ֨ז בֶּן־יוֹתָ֥ם בֶּן־עֻזִּיָּ֖הוּ מֶ֣לֶךְ יְהוּדָ֑ה עָלָ֡ה רְצִ֣ין מֶֽלֶךְ־אֲרָ֠ם וּפֶ֨קַח בֶּן־רְמַלְיָ֤הוּ מֶֽלֶךְ־יִשְׂרָאֵל֙ יְר֣וּשָׁלִַ֔ם לַמִּלְחָמָ֖ה עָלֶ֑יהָ וְלֹ֥א יָכֹ֖ל לְהִלָּחֵ֥ם עָלֶֽיהָ׃

Sucedeu nos dias de Acaz. Os reis aliados e contra Judá eram: *Peca*, rei de Israel, e *Rezim*, da Síria, que formaram a aliança siro-efraimita. Ver sobre os nomes desses dois reis no *Dicionário*. Acima, dou o esboço do pano de fundo histórico da situação. Eles cercaram Jerusalém, mas não foram capazes de conquistá-la. Aterrorizado, o rei de Judá solicitou a ajuda dos assírios.

■ 7.2

וַיֻּגַּ֣ד לְבֵ֣ית דָּוִ֗ד לֵאמֹר֙ נָ֣חָֽה אֲרָ֔ם עַל־אֶפְרָ֑יִם וַיָּ֤נַע לְבָבוֹ֙ וּלְבַ֣ב עַמּ֔וֹ כְּנ֥וֹעַ עֲצֵי־יַ֖עַר מִפְּנֵי־רֽוּחַ׃

Deu-se aviso à casa de Davi. A expressão "casa de Davi" alude a Acaz, que pertencia à linhagem davídica de reis. Os inimigos foram identificados: Efraim (as dez tribos do norte) e a Síria. Sabendo que esses países eram mais fortes que Judá, ele não tinha esperança de derrotá-los caso permanecesse sozinho. Seu coração, bem como o coração de todo o povo de Judá, tremia como as árvores de uma floresta, sob um forte vendaval. O pânico tinha-se apossado de Jerusalém. Acaz seria provocado a praticar atos insensatos, e ele não confiaria em Yahweh para reverter a maré, conforme era a recomendação de Isaías. Ver Is 32.2 e Jr 4.11,12, bem como 2Cr 28.5-8.

■ 7.3

וַיֹּ֣אמֶר יְהוָה֮ אֶֽל־יְשַׁעְיָהוּ֒ צֵא־נָא֙ לִקְרַ֣את אָחָ֔ז אַתָּ֕ה וּשְׁאָ֖ר יָשׁ֣וּב בְּנֶ֑ךָ אֶל־קְצֵ֗ה תְּעָלַת֙ הַבְּרֵכָ֣ה הָעֶלְיוֹנָ֔ה אֶל־מְסִלַּ֖ת שְׂדֵ֥ה כוֹבֵֽס׃

Disse o Senhor a Isaías: Agora sai tu com teu filho. Isaías recebeu um oráculo especial para aquela ocasião; ele deveria dizer a Acaz que se desviasse da Assíria e enfrentasse sozinho os inimigos do norte. O rei Acaz estava fora das muralhas de Jerusalém, no fim do aqueduto do reservatório superior, verificando o suprimento de água de Judá e, sem dúvida, também suas defesas. Nos dias de Ezequias tinha sido construído um túnel para transportar água sem a necessidade de arriscar-se defronte de qualquer inimigo, mas o túnel ainda não transportava água. A exortação de Isaías de alguma maneira estava ligada à presença do filho do profeta, de nome UM-RESTO-VOLVERÁ (no hebraico, *Shear-Jasube*). Esse nome, ao que tudo indica, atuaria como *sinal* para o rei de Judá. De alguma forma, o filho do profeta deveria ser reconhecido pelo rei como um oráculo ambulante, presumivelmente devido ao significado do seu nome, que falava de esperança futura, posto que uma esperança não imediata. O local exato da entrevista foi o campo do lavandeiro que, conforme o acaso ditaria, seria o lugar exato, 33 anos mais tarde, de onde Senaqueribe lançaria o seu desafio. O significado, nesse caso, seria que Judá sobreviveria à presente invasão, mas seria severamente derrotado na segunda invasão. Foi uma escolha difícil de ser feita, porém lógica. Seja como for, haveria perda de muitas vidas, conforme as profecias já tinham projetado. Judá não escaparia à punição divina somente por ter obedecido às palavras de Isaías neste ponto.

■ 7.4

וְאָמַרְתָּ֣ אֵ֠לָיו הִשָּׁמֵ֨ר וְהַשְׁקֵ֜ט אַל־תִּירָ֗א וּלְבָֽבְךָ֙ אַל־יֵרַ֔ךְ מִשְּׁנֵ֨י זַנְב֧וֹת הָאוּדִ֛ים הָעֲשֵׁנִ֖ים הָאֵ֑לֶּה בָּחֳרִי־אַ֛ף רְצִ֥ין וַאֲרָ֖ם וּבֶן־רְמַלְיָֽהוּ׃

Acautela-te e aquieta-te; não temas, nem se desanime o teu coração. A mensagem de Isaías ao rei Acaz foi: "Ouve, aquieta-te e acalma-te. Não temas; encoraja-te". Os dois inimigos, continuou

Isaías, "são tão fracos como dois tições fumegantes que estão quase apagando" (NCV). A feroz ira deles era mais espetáculo do que substância. Quando a guerra começasse, logo se lhes apagaria o fogo. O fato foi que ambos os homens morreram em 732 a.C. A intenção dos invasores era dividir Judá em duas nações, e cada parte ficaria com um desses reis. Então, as duas "nações" se tornariam aliadas de Efraim e da Síria contra a ameaça assíria. Zombeteiramente, Peca foi chamado de filho de Remalias, que não pertencia à linhagem real. De fato, Peca era um usurpador e assassino que tinha tirado a vida de Pecaías, o rei que o antecedera (2Rs 15.25). No Oriente, chamar um homem pela frase de "filho de", e não pelo próprio nome, era considerado um insulto.

■ 7.5,6

יַעַן כִּי־יָעַץ עָלֶיךָ אֲרָם רָעָה אֶפְרַיִם וּבֶן־רְמַלְיָהוּ לֵאמֹר׃

נַעֲלֶה בִיהוּדָה וּנְקִיצֶנָּה וְנַבְקִעֶנָּה אֵלֵינוּ וְנַמְלִיךְ מֶלֶךְ בְּתוֹכָהּ אֵת בֶּן־טָבְאַל׃ ס

Porquanto a Síria resolveu fazer-te mal, bem como Efraim e o filho de Remalias. Os reis da Síria e de Israel, desprezíveis como eram, tinham entrado em aliança profana, arquitetando um plano diabólico contra Judá, para conquistar seu território e dividi-lo em duas partes, cada uma das quais se tornaria uma nação títere, manipulada pelos conquistadores. Elas teriam um rei vassalo facilmente controlado, e, presumivelmente, as duas nações resultantes se tornariam aliadas deles contra a Assíria. E naturalmente os citados reis se enriqueceriam, saqueando o tesouro do templo. Para esses dois reis, pois, o empreendimento seria positivo sob todos os aspectos. O rei vassalo seria um certo "filho de Tabeel, presumivelmente um oficial sírio de pequena patente, que seria alguém fácil de manipular. Esse nome significa "Deus é bom", mas foi vocalizado, no texto hebraico, de tal maneira que significava "não bom". Essa era uma vocalização desprezadora, em consonância com a designação insultuosa de Isaías de "filho de", conforme dito nas notas expositivas sobre o vs. 4.

■ 7.7

כֹּה אָמַר אֲדֹנָי יְהוִה לֹא תָקוּם וְלֹא תִהְיֶה׃

Assim diz o Senhor Deus: Isto não subsistirá. Pela *autoridade* de Yahweh, conforme a informação que lhe fora dada no oráculo, Isaías afirmou que essa ameaça seria reduzida a nada. Os maus propósitos daqueles dois reis desprezíveis não permaneceriam de pé; antes, fracassariam; o que eles tinham planejado não aconteceria. Haveria reversões e alguma espécie de intervenção divina. O profeta, contudo, não forneceu detalhes quanto à questão. O rei Acaz simplesmente teria de acreditar que Isaías era um profeta verdadeiro e, realmente, tinha recebido a mensagem encorajadora. Mas, se ao rei Acaz restava alguma fé, ela falhou naquele momento. Acaz prosseguiria tentando realizar seus próprios planos.

■ 7.8

כִּי רֹאשׁ אֲרָם דַּמֶּשֶׂק וְרֹאשׁ דַּמֶּשֶׂק רְצִין וּבְעוֹד שִׁשִּׁים וְחָמֵשׁ שָׁנָה יֵחַת אֶפְרַיִם מֵעָם׃

Mas a capital da Síria será Damasco. Damasco era a cabeça (capital) da Síria, e Rezim era a cabeça de Damasco, mas todas essas cabeças em breve seriam decepadas pelo poder dos assírios. Se quisessem continuar cabeças, aqueles líderes deveriam permanecer em seus lugares, sem se lançar a quaisquer aventuras militares. No entanto, espicharam para fora o pescoço, e isso apenas facilitou o trabalho da Assíria em decapitá-los. Isaías, contudo, não forneceu detalhes sobre isso. Outra interpretação diz que aquelas *cabeças* permaneceriam onde estavam. Não se tornariam cabeças sobre Judá. As quedas da Síria e de Israel diante da Assíria aconteceram com poucos anos de intervalo.

A respeito de Efraim (Israel), Isaías teve uma profecia exata: Efraim cairia 65 anos depois que seu oráculo fora revelado. Naturalmente, isso não se revestiu de interesse especial para Acaz, porquanto aconteceria depois de seu período como rei. Está em pauta o *cativeiro assírio,* que ocorreu em 722 a.C. Ver sobre esse assunto no *Dicionário.* Então Israel (o reino do norte) deixaria de ser um povo. Os habitantes de Efraim foram deportados, e gente de outras nações ao derredor foi importada. Os poucos israelitas remanescentes casaram-se com os novos povos para ali trazidos, e o resultado foram os *samaritanos* (ver a respeito no *Dicionário*). Em 668 a.C. houve uma deportação final (ver Jr 41.5; Ed 4.2), e esse pode ser o tempo exato aqui referido. Alguns intérpretes consideram este versículo uma glosa, ou seja, não faz parte do oráculo original e, portanto, não é uma profecia; antes, é uma nota de rodapé histórica, escrita após a deportação final.

■ 7.9

וְרֹאשׁ אֶפְרַיִם שֹׁמְרוֹן וְרֹאשׁ שֹׁמְרוֹן בֶּן־רְמַלְיָהוּ אִם לֹא תַאֲמִינוּ כִּי לֹא תֵאָמֵנוּ׃ ס

Entretanto a capital de Efraim será Samaria. Agora temos um par de cabeças no tocante a Efraim: sua *cabeça* era a capital, Samaria; e o *cabeça* de Samaria era o filho de Remalias (Peca, o usurpador e homicida). Estava em mira o fim próximo da nação do norte e, se Acaz acreditasse na previsão, não se envolveria com a Assíria. Ele permitiria que Yahweh tomasse conta da ameaça vinda do norte. Mas, desacreditando do oráculo divino, ele prosseguiria em seu plano de envolver-se com a Assíria. Como resultado final, ele e seu reino (Judá) não seriam estabelecidos. Não muito no futuro, a Assíria invadiria e destruiria Judá, a despeito da aliança firmada. Um jogo de palavras aqui poderia ser traduzido em português como segue: "Se quiseres ter *certeza*, não poderás ficar *seguro*". O rei Acaz precisava confiar no *oráculo* que o profeta havia dado. Nisso, pelo menos por curto prazo, o desastre poderia ser evitado. No tocante ao longo prazo, várias predições tinham confirmado a inevitabilidade da violenta punição que seria aplicada a Judá. Ver a parábola da vinha (Is 5.1-7).

É provável que Isaías tenha percebido que o rei Acaz não acreditara em sua profecia, talvez mediante algum aspecto de seu rosto ou um gesto com as mãos. Foi por isso que Isaías disse: "Se não permaneceres firme em tua fé, não permanecerás de pé de forma alguma!" (NIV)

O Sinal do Emanuel (7.10-16)

Já vimos o *sinal de* UM-RESTO-VOLVERÁ (vs. 3). Agora acompanharemos outro sinal que Isaías deu a Acaz, o rei. Foi o *sinal do Emanuel,* que também falava em *livramento.* O profeta recebeu outro oráculo, provavelmente tratando do mesmo problema ventilado nos vss. 1-9 (ver a introdução àquela seção). O rei e seus conselheiros provavelmente ainda hesitavam em seguir ou não a orientação de Isaías acerca de não obter a ajuda da Assíria para afastar o ataque que partiria do norte (a aliança de Israel com a Síria). Ver as notas na introdução ao vs. 1 quanto a detalhes sobre a situação histórica que provocou os dois sinais.

Alguns intérpretes divorciam o sinal do Emanuel do contexto, tornando-o apenas uma profecia messiânica pelas interpretações místicas ou alegóricas. Abordo essa questão nos comentários sobre o vs. 14 deste capítulo.

■ 7.10

וַיּוֹסֶף יְהוָה דַּבֵּר אֶל־אָחָז לֵאמֹר׃

E continuou o Senhor a falar com Acaz. Ou seja, o Senhor falou com o rei por meio de outro oráculo dado a Isaías. A palavra "continuou" é uma referência ao sinal anterior de "UM-RESTO-VOLVERÁ" (vss. 1-9). O segundo sinal, *o sinal do Emanuel,* reforçou o primeiro, novamente exortando o rei a não se imiscuir com a Assíria e a deixar que Yahweh providenciasse o livramento da aliança das duas nações do norte (Israel e Síria), que já tinham começado a invadir Jerusalém.

■ 7.11

שְׁאַל־לְךָ אוֹת מֵעִם יְהוָה אֱלֹהֶיךָ הַעְמֵק שְׁאָלָה אוֹ הַגְבֵּהַּ לְמָעְלָה׃

Pede ao Senhor teu Deus um sinal. A fim de reforçar o aviso anterior (ver o vs. 9), o profeta ofereceu a Acaz a oportunidade de receber *outro sinal* da parte de Yahweh, que foi descrito como o Deus do rei (Elohim). Ele poderia pedir qualquer coisa que quisesse, qualquer coisa tão elevada quanto os céus acima, ou tão baixa quanto o *sheol* abaixo. Em outras palavras, nenhuma limitação seria imposta ao pedido de Acaz. Isaías tinha tremenda confiança em seu poder de comunicar as mensagens divinas. O rei poderia requerer algum sinal fora do terreno real da experiência humana. Diz o Targum: "Solicita que um milagre seja feito por ti, na terra; ou que um sinal te possa ser mostrado no céu". Se algum sinal visível fosse concedido, então o rei Acaz demonstraria confiança nos oráculos transmitidos.

■ 7.12

וַיֹּאמֶר אָחָז לֹא־אֶשְׁאַל וְלֹא־אֲנַסֶּה אֶת־יְהוָה׃

Acaz, porém, disse: Não o pedirei. O idólatra rei Acaz *desempenhou um ato piedoso*, afirmando que não tentaria ao Senhor mediante tal pedido. Presumivelmente ele era um homem de fé que não precisava de sinais e não submeteria Yahweh a testes. Aquele pecador confirmado não tinha interesse pelas realidades divinas e resolveu "não fazer o jogo do profeta". Ele era um cético confirmado. Não acreditava que pudesse ser dado um sinal, nem que, se um sinal fosse dado, teria alguma aplicação à sua vida.

■ 7.13

וַיֹּאמֶר שִׁמְעוּ־נָא בֵּית דָּוִד הַמְעַט מִכֶּם הַלְאוֹת
אֲנָשִׁים כִּי תַלְאוּ גַּם אֶת־אֱלֹהָי׃

Então disse o profeta: Ouvi, agora, ó casa de Davi. Isaías não ficou impressionado com o ato de piedade fingida de Acaz. Por isso, em vez de dar ao homem um sinal nos céus ou na terra, repreendeu-o violentamente. Dirigiu-se à "casa de Davi" (especificamente o rei), porquanto ele representava a dinastia davídica. Por meio de sua apostasia, essa casa tinha cansado homens bons; e quanto mais Deus estava cansado de toda aquela iniquidade e hipocrisia? Ademais, o rei tinha acabado de cansar Isaías e Yahweh, ao rejeitar agir com base no sinal de UM-RESTO-VOLVERÁ (vs. 3). Deus tinha revelado o que deveria ser feito, visando o bem de Judá; porém, sábio aos próprios olhos, o rei Acaz seguiu adiante com seus próprios planos, ignorando o oráculo. "Não!", replicou o profeta. "Tu não submeterás Deus a teste, mas te mostras jactancioso e negas ao Senhor, e o cansas a ponto de a paciência divina chegar ao fim. Gostes ou não disso, eis que te dou outro sinal!" (G. G. D. Kilpatrick, *in loc.*, com alguma modificação).

Ao meu Deus? Notemos que aqui o profeta distinguiu entre o deus de Acaz e o *seu próprio* Deus. Na realidade, eles não tinham o mesmo Deus. Acaz estava envolvido em idolatria e perversões, e assim apostatara do Deus de Israel, Yahweh.

■ 7.14

לָכֵן יִתֵּן אֲדֹנָי הוּא לָכֶם אוֹת הִנֵּה הָעַלְמָה הָרָה
וְיֹלֶדֶת בֵּן וְקָרָאת שְׁמוֹ עִמָּנוּ אֵל׃

Portanto o Senhor mesmo vos dará sinal. Este versículo, altamente controvertido, pode ser mais bem explicado se considerarmos quatro interpretações possíveis:

I. *A Interpretação Histórica Somente.* Considere o leitor os seguintes cinco pontos:

1. O *sinal do Emanuel* (vss. 10-17) corresponde ao *sinal de UM- -RESTO-VOLVERÁ* (vss. 1-9). Ambos eram sinais históricos, aplicados àqueles tempos, e não a um tempo distante no futuro. Ambos diziam respeito à advertência ao rei Acaz para não envolver-se com a Assíria, porquanto Deus faria cessar a aliança nortista (Israel e Síria), em sua tentativa de apossar-se da nação do sul, Judá.
2. Sem importar se o nascimento virginal de Jesus é verdade ou não, teria de ser demonstrado com base em outros textos e através de outros argumentos. A palavra hebraica aqui, *'almah*, significa "mulher jovem" (em idade de casar-se). Não é o equivalente exato do vocábulo grego *parthenos*, que verdadeiramente significa *virgem*. Essa tradução foi introduzida na Bíblia pela Septuaginta, que traduziu erroneamente o hebraico. A palavra "virgem", no hebraico, é *bethulah*. Embora se esperasse, dentro da cultura hebraica, que uma mulher jovem e solteira fosse virgem, as duas palavras não são sinônimas e não deveriam ser tratadas como tais. A aparição da palavra *parthenos* no Novo Testamento (ver Mt 1.23) foi uma perpetuação do erro de tradução cometido na Septuaginta. E o uso pelo autor do Evangelho de Mateus foi uma *acomodação* ao seu dogma, e não uma verdadeira tradução do que Is 7.14 significa originalmente. Por "acomodação" queremos dar a entender o uso de um texto do Antigo Testamento, desconsiderando seu significado original, porque as palavras *se prestam* para o novo significado.
3. O bebê que nasceria no futuro foi chamado aqui de *Emanuel* porque o sentido de seu nome, tal como o sentido do nome *Shear-Jasube* (vs. 3) — UM-RESTO-VOLVERÁ — revela o sentido do sinal. "Emanuel" significa "Deus conosco". Isso quer dizer que, se o conselho de Isaías fosse aceito pelo rei Acaz, e este não se aliasse ao rei da Assíria, então Deus, estando com Judá, livraria a nação da ameaça que vinha do norte.
4. Notemos que o bebê Emanuel não seria pessoalmente o libertador, mas somente um sinal da libertação. De fato, se Acaz aceitasse o conselho do profeta Isaías, o livramento de Judá ocorreria muito antes do nascimento do bebê. E o vs. 16 confirma esse ponto de vista.
5. O bebê que nasceria talvez fosse outro filho de Isaías; ou talvez fosse um filho do próprio rei Acaz com uma nova esposa. Ou então alguma outra donzela, que eles conheciam, seria a mãe escolhida do bebê. O importante não era quem seria a mãe, mas o *nome* dado ao bebê é que seria o sinal de livramento. Nada há no texto que fale de um nascimento miraculoso, quanto ao segundo sinal, tal como não houve nada de miraculoso no sinal do filho de Isaías, UM-RESTO-VOLVERÁ. Os sinais estavam nos *significados* dos nomes.

II. *A Interpretação Profética Somente.* Considere o leitor estes cinco pontos:

1. A profecia é messiânica e foi dada a Isaías por causa da similaridade entre as duas situações: livramento necessário para Judá da invasão nortista; livramento providenciado para o mundo inteiro.
2. Mesmo que a palavra hebraica *'almah* não signifique, primariamente, *virgem*, Mateus corretamente lhe deu esse sentido, por inspiração divina, o que ultrapassa o mero significado da palavra. Aquilo que é dado por inspiração divina transcende a qualquer consideração de acomodação.
3. *Emanuel* seria *Deus conosco* no sentido amplo do Messias e de sua missão em favor de todos os homens. A profecia foi dada "à casa de Davi", e não a Acaz.
4. O próprio Emanuel seria o *libertador*. O vs. 16 não deve ser tomado tão literalmente.
5. O bebê nasceria da virgem Maria, pois esse é o ensinamento dos evangelhos de Mateus e Lucas. Mais do que mero nome está envolvido; uma pessoa é que faria a diferença, Jesus Cristo, aquele que livra o mundo de todos os pecados.

III. *A Interpretação Histórica e Profética.* Não há razão para uma severa dicotomia que nos force a aceitar a primeira ou a segunda interpretação. Portanto, que o leitor considere estes cinco pontos:

1. A profecia tem ampla aplicação à época de Isaías; o livramento de Judá poderia ter sido obtido se Acaz obedecesse às orientações do profeta. Mas isso simbolizava maior livramento a ser cumprido na esfera universal, e não em uma esfera local. Não precisamos supor que o próprio Isaías compreendeu as implicações a longo prazo de sua profecia, que transcendiam ao seu entendimento.
2. Quanto a uma aplicação histórica, não temos de entender o vocábulo hebraico *'almah* com o sentido de "virgem", mas quanto à aplicação profética (a parte messiânica) essa é a maneira pela qual o compreendemos.
3. Quanto à aplicação histórica, o sentido de *Emanuel* se aplicava àquela época. Mas, quanto ao tempo profético (messiânico) referido, somente pode estar em escopo o Logos encarnado.
4. Havia um livramento sugerido para os dias de Isaías; quanto ao tempo profético (messiânico), está em vista Cristo, o Libertador.
5. Quanto ao tempo histórico, o bebê teria um nascimento natural; quanto ao tempo profético (messiânico), pensamos em um nascimento sobrenatural.

IV. A Interpretação de Aplicação Espiritual. Mesmo confessando que a primeira das três interpretações é a correta, faríamos bem em não furtar a igreja da piedosa aplicação do texto ao Messias. Não precisamos supor que Isaías compreendeu a questão nesses termos. As palavras tendem a uma aplicação espiritual, e há valor naquilo que tem sido reconhecido pela igreja através dos séculos. Uma das grandes doutrinas da cristandade é que "Deus está conosco". O altar mais elevado não é aquele que foi erguido ao Deus desconhecido, mas aquele que eleva os homens a Deus, por meio da missão do Messias.

> A misericórdia tem um coração humano;
> A piedade tem uma face humana;
> O amor faz a forma humana tornar-se divina;
> E a paz usa uma vestidura humana.
>
> William Blake

O *Emanuel*, tendo assumido forma humana, eleva os homens a Deus, para que possam compartilhar da natureza divina (ver Rm 8.29; 1Jo 3.2; 2Co 3.18). Ver no *Dicionário* o verbete intitulado *Emanuel*.

Certamente ele tomou sobre si as nossas enfermidades, e as nossas dores carregou sobre si, e nós o reputávamos por aflito, ferido de Deus, e oprimido. Mas ele foi traspassado pelas nossas transgressões, e moído pelas nossas iniquidades; o castigo que nos traz a paz estava sobre ele, e pelas suas pisaduras fomos sarados.

Isaías 53.4,5

Naquele dia recorrerão as nações à raiz de Jessé que está posta por estandarte dos povos.

Isaías 11.10

De fazer convergir nele, na dispensação da plenitude dos tempos, todas as cousas...

Efésios 1.10

■ 7.15

חֶמְאָה וּדְבַשׁ יֹאכֵל לְדַעְתּוֹ מָאוֹס בָּרָע וּבָחוֹר בַּטּוֹב׃

Ele comerá manteiga e mel. Coalhada e mel sugerem alimentos simples, ingeridos em tempos relativamente difíceis. A criança amadureceria até ter noções de responsabilidade moral. Esse é o Emanuel da história que, como criança, cresceu. Ele ainda seria uma criança quando a profecia de Isaías se cumprisse. Mas o rei Acaz prosseguiu com seus próprios planos e não atendeu aos conselhos de Isaías. Depois que Tiglate-Pileser derrotou a Síria e matou a Rezim, Acaz foi a Damasco encontrar-se com o monarca assírio (ver 2Rs 16.7-10) e imiscuiu-se no paganismo e na transigência.

■ 7.16

כִּי בְּטֶרֶם יֵדַע הַנַּעַר מָאֹס בָּרָע וּבָחֹר בַּטּוֹב תֵּעָזֵב הָאֲדָמָה אֲשֶׁר אַתָּה קָץ מִפְּנֵי שְׁנֵי מְלָכֶיהָ׃

Antes que este menino saiba desprezar o mal... será desamparada a terra. Quando o menino ainda era muito pequeno, não tendo chegado à idade da responsabilidade moral, de conhecer o bem e o mal, teria cumprimento a profecia de Isaías concernente às potências do norte. Ela parecia uma tremenda ameaça, mas, na verdade, não era. Peca foi morto por Oseias, filho de Elá, que reinou em lugar daquele (ver 2Rs 15.30), e Rezim foi morto pelo rei da Assíria (2Rs 16.9). Mas Acaz deu continuidade a seus planos na tentativa de aplacar a Assíria, e caiu sob pesados tributos; e maiores terrores ainda em breve se seguiriam (ver Is 7.17-25; ver também 1.7). Os judeus marcavam a idade de distinguir o bem do mal aos 3 anos e, assim sendo, a profecia de condenação proferida por Isaías acerca da aliança nortista não demorou muito para ser cumprida. "Terra", neste caso, são as terras do norte, Efraim e Síria, e não a Palestina em geral. Como é óbvio, estamos tratando aqui do Emanuel histórico, que se tornou outro sinal de que a profecia de Isaías, contra a ameaça constituída pela aliança entre Israel e a Síria, em breve teria cumprimento.

A INVASÃO VINDOURA (7.17-25)

■ 7.17

יָבִיא יְהוָה עָלֶיךָ וְעַל־עַמְּךָ וְעַל־בֵּית אָבִיךָ יָמִים אֲשֶׁר לֹא־בָאוּ לְמִיּוֹם סוּר־אֶפְרַיִם מֵעַל יְהוּדָה אֵת מֶלֶךְ אַשּׁוּר׃ פ

Mas o Senhor fará vir sobre ti, sobre o teu povo e sobre a casa de teu pai. As insensatas tentativas do rei Acaz em conciliar a Assíria fracassariam. Os vss. 18-25 contêm *quatro ameaças*, duas das quais concernentes à invasão assíria. As outras duas descrevem a ruína resultante da Terra Prometida. Não há certeza se essas predições dizem respeito a Israel ou a Judá. Se dizem respeito a Israel, então as datas envolvidas são cerca de 740-738 a.C. Mas, se Judá está em vista, então as datas envolvidas são cerca de 734-721 a.C. Aqueles dias seriam os piores que Israel e Judá veriam, desde a divisão do reino de Israel em dois países, o que ocorreu em 931 a.C., quando Reoboão e Jeroboão foram instrumentos desse tremendo desastre. O presente versículo enfatiza que o poder divino estava por trás dos exércitos assírios, pois tanto Israel quando Judá mereciam o que receberam, e Yahweh é o verdadeiro diretor da história da humanidade.

2Cr 28.19,20 informa-nos que Yahweh humilhou Judá, apequenando-o e deixando a nação despida. Tiglate-Pileser assediou Acaz, mas isso foi apenas o ato precursor da devastação imposta por Sargão e Senaqueribe, bem como suas temíveis invasões. Durante o reinado de Ezequias, filho de Acaz, Senaqueribe, rei da Assíria, invadiu Judá e capturou todos os centros importantes de população, excetuando Jerusalém, mas chegou até ali com muitas ameaças e mortes (ver 2Rs 18.13-17). Situação muito pior ainda seria quando a Babilônia se tornasse a principal potência da terra.

■ 7.18

וְהָיָה בַּיּוֹם הַהוּא יִשְׁרֹק יְהוָה לַזְּבוּב אֲשֶׁר בִּקְצֵה יְאֹרֵי מִצְרָיִם וְלַדְּבוֹרָה אֲשֶׁר בְּאֶרֶץ אַשּׁוּר׃

Porque há de acontecer que naquele dia assobiará o Senhor às moscas... e às abelhas. Yahweh, que controla os eventos no mundo, assobiará ou "chamará com sons agudos", como fazia um pastor quando convocava suas ovelhas (ver Jz 5.16; Jo 10.3). Mas o sonido atrairia *moscas* e *abelhas*, ou seja, exércitos estrangeiros que viriam ferroar e ferir. Cf. Êx 8.16-24; Sl 118.12. Durante o reinado de Ezequias, Senaqueribe, rei da Assíria, invadiu Judá. O Egito foi convidado a ajudar contra a invasão dos assírios (ver Is 30.1-5). Jerusalém foi miraculosamente salva por um ato divino (ver Is 36 e 37). As *moscas* falam do Egito, e as *abelhas* falam da Assíria, estando em vista o grande número e a forma ameaçadora de se comportarem. O apelo feito ao Egito foi prejudicial a Judá, pois aquele povo também se tornou um inimigo para o povo de Deus. O Faraó Neco matou Josias e pôs o filho deste, Jeoacaz (que reinou após ele), sob custódia, e fez subir ao trono de Judá o irmão dele, Eliaquim. Foi assim que Judá se tornou tributário do Egito (ver 2Rs 23.29-35). Dessa maneira o Egito transformou-se numa praga de moscas para Judá (cf. Êx 8.21). Essa foi *a primeira ameaça*.

■ 7.19

וּבָאוּ וְנָחוּ כֻלָּם בְּנַחֲלֵי הַבַּתּוֹת וּבִנְקִיקֵי הַסְּלָעִים וּבְכֹל הַנַּעֲצוּצִים וּבְכֹל הַנַּהֲלֹלִים׃

Elas virão, e pousarão todas nos vales profundos. Este versículo descreve o *resultado* das ameaças do vs. 18. Os inimigos convocados por Judá acamparam-se nas ravinas profundas e nos outeiros, e até mesmo nos espinheiros e perto dos lugares onde havia água, ou seja, por *toda a parte*. Eles ocupariam as áreas inúteis, infestadas de espinhos, mas também as pastagens. Não haveria como escapar das tropas egípcias. As casas dos pobres e dos ricos estariam sujeitas ao saque. As abelhas e moscas fariam de cada centímetro de espaço em Judá seus lugares de habitação. O autor sacro estava descrevendo uma praga horrenda.

■ 7.20

בַּיּוֹם הַהוּא יְגַלַּח אֲדֹנָי בְּתַעַר הַשְּׂכִירָה בְּעֶבְרֵי נָהָר בְּמֶלֶךְ אַשּׁוּר אֶת־הָרֹאשׁ וְשַׂעַר הָרַגְלָיִם וְגַם אֶת־הַזָּקָן תִּסְפֶּה: ס

Naquele dia rapar-te-á o Senhor com uma navalha alugada doutro lado do rio. A Assíria foi aqui retratada como um homem que viesse munido de uma navalha para rapar todo o cabelo da cabeça de Judá e toda a sua barba, ou seja, sujeitá-lo e humilhá-lo, pois esse país ficaria nu, sem o cabelo e a barba tão valorizados pelos judeus. Nem mesmo os pelos dos pés (embora poucos e preciosos) seriam poupados. Estava em foco o desnudamento completo, simbolizando o saque total da Terra Prometida pelo inimigo do norte, a Assíria. O inimigo foi chamado de "cabeludo" porque Acaz tentou alugar os assírios para impedir exatamente o que acabou acontecendo. *Privação* e *humilhação* eram os nomes do jogo. Rapar a barba simbolizava esse desnudamento da população (ver Jó 1.20; Is 15.2; Jr 47.5; 48.37; Ez 7.18; Am 8.10; Mq 1.16).

"Os assírios foram instrumentos de Deus para devastar a Judeia, tal como uma navalha rapa todo o pelo à sua frente (ver Is 10.5,10); *alugada* alude ao ato de Acaz ter alugado as tropas assírias (ver 2Rs 16.7,8). Tiglate-Pileser foi alugado para fazer estacar a Síria e Israel" (Fausset, *in loc.*). Ademais, as ações de Judá foram uma espécie de compra da Assíria. Estupidamente, Acaz procurou favor da parte de um inimigo implacável, que no fim ignoraria o jogo da conciliação. Essa foi *a segunda ameaça*.

■ 7.21,22

וְהָיָה בַּיּוֹם הַהוּא יְחַיֶּה־אִישׁ עֶגְלַת בָּקָר וּשְׁתֵּי־צֹאן:

וְהָיָה מֵרֹב עֲשׂוֹת חָלָב יֹאכַל חֶמְאָה כִּי־חֶמְאָה וּדְבַשׁ יֹאכֵל כָּל־הַנּוֹתָר בְּקֶרֶב הָאָרֶץ:

Naquele dia sucederá que um homem manterá apenas uma vaca nova e duas ovelhas. Em resultado da *concretização* da segunda ameaça, os homens seriam reduzidos a relativa pobreza. Eles teriam poucos animais domésticos e sobreviveriam do leite desses animais (vs. 22), que seria transformado em coalhada. Além disso, seriam capazes de encontrar mel nas florestas, e assim a subsistência seria em parte extraída de fontes naturais. A Terra Prometida seria reduzida a termos muito humildes, de mera sobrevivência. Cf. o vs. 15, onde o Emanuel histórico também seria uma criança bastante pobre. Esses tempos de mera sobrevivência logo dariam lugar a um desastre ainda maior, quando os babilônios tomassem a Terra Prometida e exilassem o remanescente, após grande matança. Nessa oportunidade, Judá perderia a Terra Prometida, e não apenas os luxos aos quais estava acostumado.

O homem que tivesse uma vaca e duas ovelhas era um pobre aldeão, mas podia sobreviver com esse tanto de gado, se também tirasse proveito de alguma plantação e de mel que achasse nos campos e nas florestas. Cf. 2Sm 12.1-3. A alimentação dos povos nômades era assim pobre, pelo que Judá seria reduzido à condição nômade, embora não estivesse perambulando de lugar em lugar.

"Não somente cessaria a civilização, conforme a tinham conhecido, mas os rebanhos que antes eram contados aos milhares seriam então contados em dois ou três" (Ellicott, *in loc.*). Essas palavras eram um lembrete escarninho da terra proverbial onde havia leite e mel (ver Êx 3.17).

■ 7.23

וְהָיָה בַּיּוֹם הַהוּא יִהְיֶה כָל־מָקוֹם אֲשֶׁר יִהְיֶה־שָּׁם אֶלֶף גֶּפֶן בְּאֶלֶף כָּסֶף לַשָּׁמִיר וְלַשַּׁיִת יִהְיֶה:

Também naquele dia todo lugar, em que houver mil vides. Naquele dia, as coisas ficariam tão apertadas para os judeus que, onde houvera antes vides em abundância, agora eram lugares cheios de espinhos e abrolhos. Antes, havia ricas colheitas agrícolas, mas agora praticamente nada haveria. Essa *terceira ameaça* é contra a agricultura, a fonte de riquezas de Israel e de muitos outros países, bem como os meios de sobrevivência no que tange à alimentação. As vinhas, que tinham alcançado o valor de cerca de 25 libras de prata (mil siclos) de renda anual, por videira, agora eram apenas lugares onde havia ervas daninhas. Quanto ao *siclo*, ver Êx 30.13 e Lv 27.25. É impossível calcular o valor de compra de 25 libras de prata, mas o autor sacro pensava em termos de *prosperidade* provida pela agricultura, que não era fácil de conseguir. O cultivo de plantas agrícolas tinha sido substituído por alguns poucos animais domésticos que perambulavam ao redor e alguns recursos naturais que não precisavam de esforços especiais para serem produzidos.

As 25 libras de prata poderiam significar: 1. o valor pelo qual cada vinhedo era vendido; 2. ou o custo para alugar uma vinha (por parte de agricultores de aluguel); 3. a renda anual de cada vinhedo. O profeta Isaías não deixou claro o que quis dizer exatamente.

■ 7.24

בַּחִצִּים וּבַקֶּשֶׁת יָבוֹא שָׁמָּה כִּי־שָׁמִיר וָשַׁיִת תִּהְיֶה כָל־הָאָרֶץ:

Com flechas e arcos se entrará aí. Esta é a *quarta ameaça*, embora o sentido das palavras não seja claro. Várias ideias têm sido apresentadas:

1. Os invasores vindos do norte (o exército assírio) desceriam de Judá como um bando de caçadores, efetuando colossal matança.
2. O povo de Judá seria reduzido a defender sua pátria com arco e flechas, pois seus cavalos e carros de combate se tinham perdido.
3. Ou então, economicamente, Judá ficaria tão reduzido que teria de voltar a caçar animais ferozes para ter o que comer.
4. As moitas de espinhos se tornariam o esconderijo de lobos e chacais, hienas e ursos, e os homens teriam de levar consigo armas para proteger-se dos assaltos da natureza, que tinham avançado sobre a civilização. A terra se tornaria selvagem, um lugar de perigos naturais constantes, ao passo que antes era fonte de bênçãos e de abundância.
5. Jarchi faz das feras metáforas de gatunos, ladrões e assassinos, os quais se aproveitariam do caos geral para praticar seus crimes.

Concordando com a terceira dessas cinco interpretações, a NCV diz: "A terra se tornaria selvagem e útil como um terreno de caça".

Algo na ordem da criação saíra errado. Os pássaros piam contra nós. O sol nos requeima. A natureza nos derruba por terra. O temor deixa a mente desnorteada. Sim, algo na ordem da criação saíra errado. Quem é o responsável por todas essas crises, por toda essa transição, por toda essa dor?

Russell Champlin

■ 7.25

וְכֹל הֶהָרִים אֲשֶׁר בַּמַּעְדֵּר יֵעָדֵרוּן לֹא־תָבוֹא שָׁמָּה יִרְאַת שָׁמִיר וָשָׁיִת וְהָיָה לְמִשְׁלַח שׁוֹר וּלְמִרְמַס שֶׂה: פ

Quanto a todos os montes, que os homens costumam sachar. Os resultados da quarta ameaça (ou, talvez, de todas as cinco ameaças) aparecem neste versículo. A terra costumava ser cultivada mediante os ciclos de revolução da terra, plantio e finalmente colheita; e isso produzia abundância. Agora, entretanto, a terra, antes fértil, estava coberta de mato daninho e espinheiros. Naquela desolação, os pobres agricultores judeus seriam capazes de criar apenas alguns poucos animais domésticos, e deles extrair a mera sobrevivência. "Isso implica um estado de miséria quando as planícies ficariam desertas por causa do medo, e somente as colinas seriam cultivadas pelos poucos que escapassem" (Fausset, *in loc.*). As versões da Septuaginta, da Vulgata Latina, do siríaco e do árabe sugerem que as colinas desfavoráveis, tão recobertas por espinhos e mato daninho, seriam os únicos lugares restantes de pastagem. O Targum não vê ali terras de pastagens, mas um lugar onde os poucos animais domésticos podiam deitar-se. *Desolação* era o nome próprio da condição da Terra Prometida.

CAPÍTULO OITO

INVASÃO E *CATIVEIRO ASSÍRIO* (8.1-22)

Sinal de RÁPIDO-DESPOJO-PRESA-SEGURA (8.1-4)

Nos vss. 1-8 e 11-18, temos a contribuição final do livro, na forma das memórias pessoais de Isaías. Somos informados sobre o seu chamamento, quando o rei Acaz rejeitou seu ministério e convidou a Assíria para ajudar contra a invasão do norte, de Israel (Efraim) e da Síria (Arã). Ver a introdução ao capítulo 7 quanto a informações a respeito.

Estando totalmente paganizado, Acaz entregou os tesouros do templo de Jerusalém para comprar a proteção da Assíria; e instalou um altar (copiado de um altar visto por ele em Damasco) para substituir o altar de Yahweh. Portanto, os vss. 16-18 dão a impressão de que Isaías se retirou do ministério público pelo menos por algum tempo, esperando o cumprimento de suas profecias. Ele continuou a ver a queda da Síria e de Efraim como certa. Ver também Is 7.7-9,14,16. E então apresentou um terceiro sinal (além dos sinais de UM-RESTO-VOLVERÁ (7.3) e do Emanuel (7.14)), a saber, o sinal de RÁPIDO-DESPOJO-PRESA-SEGURA (8.1). Isso serviu de afirmação das outras profecias acerca da queda dos invasores vindos do norte.

■ 8.1

וַיֹּאמֶר יְהוָה אֵלַי קַח־לְךָ גִּלָּיוֹן גָּדוֹל וּכְתֹב עָלָיו בְּחֶרֶט אֱנוֹשׁ לְמַהֵר שָׁלָל חָשׁ בַּז:

Disse-me também o Senhor: Toma uma ardósia grande. Um novo *oráculo* apresentou um *novo sinal*. Isaías foi instruído a escrever o sinal sobre uma ardósia grande, para deixá-lo claro e preservado. É por isso que temos essas palavras do terceiro sinal no livro de Isaías, até hoje. O profeta precisava de encorajamento. A rejeição à sua mensagem o deixara chocado, embora ele tivesse sido avisado de que sua mensagem endureceria os corações, em vez de torná-los obedientes, e que os olhos e ouvidos dos ouvintes seriam fechados, em vez de abertos, porquanto o julgamento judicial já havia começado a atuar. Judá tinha-se afastado demais de Deus, em sua apostasia, para ser restaurado. Ver Is 6.10.

O *escrito* na ardósia proveu o novo sinal. RÁPIDO-DESPOJO-PRESA-SEGURA seria o nome de outro filho de Isaías e, como nos dois casos anteriores, o *significado* do nome era o sinal (Is 7.3 e 7.14). O nome que aparece neste versículo, no original hebraico, é o mais longo nome próprio de toda a Bíblia: Maher-shalal-hash-baz. A primeira dessas duas referências contém a predição da queda de Arã-Israel (Síria e Efraim). Portanto, temos essencialmente o mesmo tipo de fenômeno visto nos dois primeiros sinais, com a diferença de que agora a matança é vista como certa, e não como uma ameaça possível de ser evitada. Em pouco tempo, a Síria seria pisada pelas tropas assírias e deixaria de ser nação independente. Israel seria invadido, e a maior parte de seus habitantes morreria. Um pequeno remanescente seria deportado; e outros habitantes seriam enviados para ocupar a terra deserta. Os poucos sobreviventes que restassem se casariam com estrangeiros recém-chegados, do que resultariam os *samaritanos*. Esse sinal pode ser lato o suficiente para incluir a queda de Judá diante da Babilônia, mas a destruição da Síria e do reino do norte, Israel, ocupa o lugar primário aqui. Isaías seria vindicado. Suas profecias seriam provadas como verdadeiras. Acaz cometera um grande erro. Ele deveria ter buscado Yahweh, e não o rei da Assíria.

■ 8.2

וְאָעִידָה לִּי עֵדִים נֶאֱמָנִים אֵת אוּרִיָּה הַכֹּהֵן וְאֶת־זְכַרְיָהוּ בֶּן יְבֶרֶכְיָהוּ:

Tomei para isto comigo testemunhas fidedignas. O profeta Isaías havia recebido outro notável oráculo e queria confirmação de testemunhas. Ele invocou duas ou três testemunhas, conforme requeria a lei (Nm 35.30; Dt 17.6; 19.15). As palavras foram registradas, e Isaías e suas testemunhas as testificaram. Não muito depois, essas palavras de profecia seriam confirmadas pelo nascimento da criança e pelos acontecimentos preditos, e então Isaías teria provas do caráter fidedigno de sua mensagem profética, e o povo de Israel o levaria mais a sério.

Encontramos outra pequena informação sobre Urias, que mais tarde obedeceria à ordem de Acaz de alterar o templo de Jerusalém. Ver 2Cr 26.5. Quanto a "Zacarias", não temos certeza sobre quem ele era. Alguns o identificam com o profeta mencionado nos dias de Uzias (ver 2Cr 26.5), ou ele poderia ter sido um levita que ajudou a purificar o templo (2Cr 29.12,13). Sobre o que se sabe ou se conjectura sobre esses dois homens, ver os artigos no *Dicionário: Urias* (número dois da lista); *Zc* (número quinze da lista).

Urias significa "Yah é minha luz", ao passo que Zacarias significa "Yah se lembrará". Visto que Isaías estava recebendo sinais inerentes nos significados dos nomes próprios, ele pode ter sido influenciado em sua escolha de testemunhas pelos significados dos nomes daqueles dois homens. Ou a proeminência foi o critério da escolha. As pessoas dariam atenção ao testemunho deles.

■ 8.3

וָאֶקְרַב אֶל־הַנְּבִיאָה וַתַּהַר וַתֵּלֶד בֵּן וַיֹּאמֶר יְהוָה אֵלַי קְרָא שְׁמוֹ מַהֵר שָׁלָל חָשׁ בַּז:

Fui ter com a profetisa: Ela concebeu e deu à luz um filho. Assim sendo, Isaías, um instrumento para a realização da profecia, que requeria o nascimento de outro filho, uniu-se à sua esposa, e, dentro de nove meses, nasceu esse outro filho. Yahweh instruiu Isaías para dar à criança o nome de Maher-shalal-hash-baz, em português: RÁPIDO-DESPOJO-PRESA-SEGURA (comentado no vs. 1 deste capítulo). Pela primeira vez, o profeta compreendeu a aplicação do nome. O significado do nome de um filho seu já tinha atuado como sinal (Is 7.3); o significado do nome de outro filho seu foi usado como segundo sinal (Is 7.14); e assim também o significado do nome de um terceiro filho tornou-se o terceiro sinal. Essencialmente, todos esses nomes diziam a mesma coisa: a certeza da destruição da Síria e de Israel, o reino do norte, a libertação de Judá da ameaça do norte, somente para cair vítima da ameaça do nordeste, a Babilônia. Pouco tempo depois, a Assíria saqueou Damasco (capital da Síria) e também Samaria (capital do reino do norte, Israel). Isso se deu em 732 a.C., sendo possível que a profecia de Isaías tenha ocorrido em 734 a.C. A queda daqueles dois inimigos do norte, uma confirmação da exata profecia de Isaías, deveria ter levado Judá a abandonar a tentativa de aplacar a Assíria, mas as coisas não aconteceram dessa maneira. Tudo apenas foi de mal a pior, e Judá também tornou-se vítima da Assíria e, então, da Babilônia.

■ 8.4

כִּי בְּטֶרֶם יֵדַע הַנַּעַר קְרֹא אָבִי וְאִמִּי יִשָּׂא אֶת־חֵיל דַּמֶּשֶׂק וְאֵת שְׁלַל שֹׁמְרוֹן לִפְנֵי מֶלֶךְ אַשּׁוּר: ס

Porque antes que o menino saiba dizer meu pai ou minha mãe. Este versículo dá uma explicação direta do *terceiro sinal*. Antes que o bebê recém-nascido tivesse idade suficiente para aprender as primeiras palavras, "meu pai" e "minha mãe", Damasco e Samaria teriam caído. Naquela ocasião, estaria armado o palco para o *cativeiro assírio* (ver a respeito no *Dicionário*). Cf. Is 7.14-18 quanto ao elemento tempo do segundo sinal. Esse segundo sinal também ocorreria quando a criança ainda fosse bem pequena. Uma criança começa a falar com cerca de 1 ano de idade; e, assim sendo, contando os nove meses da gravidez da esposa de Isaías, a profecia seria cumprida dentro de dois anos. "Historicamente, sabemos que a região da Transjordânia e de Damasco caíram diante de Tiglate-Pileser. Mas Samaria foi assediada por Salmaneser e então por Sargão (ver 2Rs 15.29; 16.9 e 17.6)" (Ellicott, *in loc.*).

O Oráculo dos Dois Rios (8.5-8)

■ 8.5

וַיֹּסֶף יְהוָה דַּבֵּר אֵלַי עוֹד לֵאמֹר:

Falou-me ainda o Senhor, dizendo. Conforme podemos ver, as profecias de Isaías vieram em *oráculos separados,* cada um dos quais aparentemente requereu nova experiência visionária. Isso posto, conforme diz o vs. 5 e tal como se lê nos vss. 1 e 3, a palavra de Yahweh foi dada novamente a Isaías. Inspiração divina é reivindicada para esses oráculos. O oráculo dos vss. 5-8 é uma extensão do oráculo dos vss. 1-4.

8.6,7

יַ֗עַן כִּ֤י מָאַס֙ הָעָ֣ם הַזֶּ֔ה אֵ֚ת מֵ֣י הַשִּׁלֹ֔חַ הַהֹלְכִ֖ים לְאַ֑ט וּמְשׂ֥וֹשׂ אֶת־רְצִ֖ין וּבֶן־רְמַלְיָֽהוּ׃

וְלָכֵ֡ן הִנֵּ֣ה אֲדֹנָי֩ מַעֲלֶ֨ה עֲלֵיהֶ֜ם אֶת־מֵ֣י הַנָּהָ֗ר הָעֲצוּמִים֙ וְהָ֣רַבִּ֔ים אֶת־מֶ֥לֶךְ אַשּׁ֖וּר וְאֶת־כָּל־כְּבוֹד֑וֹ וְעָלָה֙ עַל־כָּל־אֲפִיקָ֔יו וְהָלַ֖ךְ עַל־כָּל־גְּדוֹתָֽיו׃

Em vista de este povo ter desprezado as águas de Siloé. Dois corpos de água foram usados para ensinar a lição sobre a qual ora comentamos. Judá tinha seu minúsculo canal (as águas de Siloé), que transportava água da fonte de Giom para o poço de Siloé, a principal fonte de água de Jerusalém. Ezequiel escavou um túnel (tempos depois) para transportar água para a capital, a fim de que invasores inimigos não pudessem barrar o suprimento da cidade (ver 2Rs 20.20). Essa minúscula corrente de água, tão benéfica quanto era, é contrastada com o poderoso Eufrates, o grande rio da Assíria. O Eufrates transformar-se-ia em uma inundação, destruindo tudo em sua passagem. Portanto, o túnel escavado por Ezequias transformou-se em uma bênção, com vistas à preservação da vida, ao passo que o Eufrates se tornou instrumento de morte. O primeiro representava o pequeno poder de Judá; e o Eufrates representava o poder esmagador da Assíria.

"As águas de Siloé, gentis e sem bulha, ao suprir de água a cidade de Jerusalém, representavam a confiança em Deus. Para o povo frustrado da cidade, porém, tão escassos recursos não eram suficientes. As águas de Siloé formavam um mero riacho, e a confiança em Yahweh parecia uma defesa muito pequena. O povo de Judá queria águas profundas e um reforço visível. Eles tinham desprezado o calmo fluxo de águas de Siloé e, assim, obteriam um dilúvio raivoso. A Terra Prometida seria inundada pelo poder dos assírios... A aliança que Judá pensou que os salvaria, acabaria por arruiná-los" (G. G. D. Kilpatrick, *in loc.*). Esse dilúvio atingiria primeiramente Damasco, mas não pararia aí. As águas que vieram destruir Judá e Jerusalém sob hipótese nenhuma seriam diminuídas.

8.8

וְחָלַ֤ף בִּֽיהוּדָה֙ שָׁטַ֣ף וְעָבַ֔ר עַד־צַוָּ֖אר יַגִּ֑יעַ וְהָיָה֙ מֻטּ֣וֹת כְּנָפָ֔יו מְלֹ֥א רֹֽחַב־אַרְצְךָ֖ עִמָּ֥נוּ אֵֽל׃ ס

Penetrarão em Judá, inundando-o. O dilúvio atingiria o objetivo demarcado por Deus, porquanto Yahweh estava por trás da inundação. As águas viriam com grande ímpeto e profundidade, chegando ao pescoço das pessoas. As águas viriam como uma grande ave de rapina que estende as asas abarcando toda a Terra Prometida e fazendo muitas vítimas. Desse modo, a destruição tomaria conta da Terra Prometida, de uma à outra fronteira. As inundações do rio Eufrates (como se fossem uma grande ave de rapina) eram uma figura simbólica muito apropriada para as hordas assírias. Em Is 30.28, o mesmo simbolismo foi usado para indicar a poderosa ira de Deus, e é isso que devemos entender aqui.

Ó Emanuel. Ao que parece, o profeta chamou aqui Judá de *Emanuel*, porquanto essa era a terra de Deus, o lugar onde o nome dele se manifestava. O uso desse nome, nesta passagem bíblica, assegura a todos os envolvidos que haveria um futuro para Judá. Historicamente falando, isso ocorreu mediante o remanescente que voltou do cativeiro babilônico e começou novamente a história da nação, tornando-se um novo Israel. Mas alguns estudiosos fazem disso a obra de restauração do Messias, no fim da era, quando todo o Israel seria salvo (ver Rm 11.26). Este é um exagero não projetado no versículo. Trata-se de uma *aplicação* legítima da ideia, entretanto. O vs. 8 deve ser interpretado à luz dos vss. 9 e 10. Todos os esforços por destruir Israel (Judá) fracassariam, pois *Deus estava com o seu povo*. Ver sobre *Emanuel* no *Dicionário*, quanto aos três usos que essa palavra recebe na Bíblia.

8.9

רֹ֤עוּ עַמִּים֙ וָחֹ֔תּוּ וְהַֽאֲזִ֕ינוּ כֹּ֖ל מֶרְחַקֵּי־אָ֑רֶץ הִתְאַזְּר֥וּ וָחֹ֖תּוּ הִתְאַזְּר֥וּ וָחֹֽתּוּ׃

Enfurecei-vos, ó povos, e sereis despedaçados. A ameaça contra as nações é que elas seriam quebradas e despedaçadas, porquanto a ira de Deus, que tinha de julgar Israel e Judá, por certo não pararia aí. Um trabalho de purificação mundial precisaria ser realizado, por causa da apostasia mundial.

Parti-vos, todas vós, nações. Sede esmagadas em pedaços. Ouvi, todos vós, países distantes, preparai-vos para a batalha e sede despedaçados.

NCV

A fé de Isaías *não se rendia*. Ele também tinha uma *fé desafiadora*. Não se sentia feliz com o que sabia que aconteceria a Israel e Judá, mas estava convencido, mediante os oráculos, de que a justiça divina seria servida no mundo inteiro, e não meramente na Palestina. De conformidade com essa justiça, ele continuava confiando que, de alguma maneira, em algum lugar, a nação de Israel seria restaurada. Ele não tinha o discernimento profético para ver que restauração era, verdadeiramente, a grande palavra para o grande quadro. Ver Ef 1.9,10 no *Novo Testamento Interpretado*, e ver o artigo chamado *Mistério da Vontade de Deus*, no *Dicionário*. Ver também na *Enciclopédia de Bíblia, Teologia e Filosofia* o verbete intitulado *Restauração*, quanto ao que penso que Deus fará, *finalmente*. E ver ainda o artigo chamado *Restauração de Israel*.

O Salmo 46 é um bom comentário sobre a presente seção. As palavras não estão limitadas à confederação nortista contra Judá, mas agora estão em pauta todos os inimigos possíveis de todos os países possíveis que tentariam causar dano a Judá.

8.10

עֻ֥צוּ עֵצָ֖ה וְתֻפָ֑ר דַּבְּר֤וּ דָבָר֙ וְלֹ֣א יָק֔וּם כִּ֥י עִמָּ֖נוּ אֵֽל׃ ס

Forjai projetos, e eles serão frustrados. A fé desafiadora de Isaías, com base em seus oráculos, convocou "todas as nações" (vs. 9) a aconselhar-se contra Judá (Israel), mas assegurou-lhes que tudo que elas fizessem seria reduzido a nada. Isaías não nos forneceu detalhes, mas tão somente considerou o *resultado* final. Aquelas nações falariam e agiriam, mas a consternação acompanharia todos os seus planos e ações. Isso seria por causa do *Deus é conosco*, o sentido da palavra *Emanuel* (Is 7.14; 8.8). "A grande verdade do Emanuel separava Judá de todas as nações do mundo. Visto que Deus tinha prometido estar com seu povo, eles precisavam ter fé nele, sem importar quão adversas fossem as circunstâncias. Ele não abandonaria o seu povo. Dessa forma, tanto Deus quanto Isaías provaram estar com a razão ao repreender Acaz por sua falta de fé (Is 7.9)" (John A. Martin, *in loc.*).

Mas *a verdade é maior do que isso* ainda. Nos Evangelhos do Novo Testamento, o Emanuel está com a humanidade inteira, e não somente com o povo de Israel. A restauração se originaria daí, em escala mundial. Ver os artigos referidos nos comentários do vs. 9.

O Temor do Homem e o Temor de Deus (8.11-15)

8.11

כִּי֩ כֹ֨ה אָמַ֧ר יְהוָ֛ה אֵלַ֖י כְּחֶזְקַ֣ת הַיָּ֑ד וְיִסְּרֵ֕נִי מִלֶּ֛כֶת בְּדֶ֥רֶךְ הָֽעַם־הַזֶּ֖ה לֵאמֹֽר׃

Porque assim o Senhor me disse, tendo forte a mão sobre mim. Ver o artigo geral sobre *Temor* no *Dicionário*. Outro oráculo levou Isaías a conformar-se à opinião popular e à visão mundial. Outrossim, ele não devia *andar* conforme eles andavam. Ver no *Dicionário* o artigo chamado *Andar* quanto a essa metáfora. Ver também Pv 4.27. A primeira coisa na lista de *conformidade* era a questão de se deveria acreditar nos oráculos de Yahweh sobre a ameaça vinda do norte (a ameaça de invasão por parte das nações Israel e Síria (Arã)). A opinião pública, seguindo as ideias do rei de Judá, era que essa nação deveria fazer um acordo com a Assíria, o que, presumivelmente, protegeria a nação contra a ameaçada invasão das duas nações do norte. Judá muito temia essas duas nações, mas lhe faltava temor do Senhor. Se os judeus tivessem temido a Yahweh, obedecendo aos oráculos de Isaías, teriam permitido que Yahweh cuidasse do perigo vindo do norte. E, presumivelmente, tendo obedecido ao Senhor, os judeus poderiam enfrentar a Assíria, quando outras orientações de Yahweh lhes fossem dadas.

Tendo forte a mão sobre mim. Em outras palavras, a admoestação foi dada de maneira extremamente severa, de modo que a mente de Isaías ficara incomumente impressionada. Yahweh, por assim dizer, agarrou o profeta com sua mão; a visão que Isaías teve foi tanto assustadora quanto jubilosa. Houve poderosa influência do Espírito, que não deixou dúvida quanto ao que o Senhor requeria.

Não vos conformeis com este mundo, mas transformai-vos pela renovação da vossa mente.
Romanos 12.2

A experiência pela qual Isaías passou foi altamente antropomórfica. Ver no *Dicionário* o artigo chamado *Antropomorfismo*.

E me advertiu que não andasse pelo caminho deste povo. "Ao que tudo indica, esta foi a primeira ordem, na história da religião bíblica, para que os homens se separassem, em espírito, de seu grupo social, em obediência a Deus. Aquele foi um momento de grande significado para a história futura tanto do judaísmo como da igreja cristã" (R. B. Y. Scott, *in loc.*).

■ **8.12**

לֹא־תֹאמְרוּן קֶשֶׁר לְכֹל אֲשֶׁר־יֹאמַר הָעָם הַזֶּה קָשֶׁר וְאֶת־מוֹרָאוֹ לֹא־תִירְאוּ וְלֹא תַעֲרִיצוּ׃

Não chameis conjuração a tudo quanto este povo chama conjuração. Considere o leitor estes três pontos:

1. Talvez Isaías estivesse sendo chamado de conspirador contra Judá por resistir à ideia de aliar-se à Assíria contra os invasores do norte.
2. Ou a conspiração talvez fosse a da Síria em aliança com Efraim (a nação do norte), sobre a qual fala o capítulo 7. Nesse caso, o sentido dessas palavras seria: "Não chameis à liga desses dois povos uma conspiração provavelmente bem-sucedida". De fato, era uma conspiração, mas Isaías não concordava com o povo de que tal aliança obteria sucesso. Isso se ajustaria bem ao restante do versículo, em que o profeta é exortado a não *temer* o que o povo judeu temia. O versículo, pois, estaria dizendo: "Não entreis em pânico por causa da pseudoconspiração, que não pode cumprir o que está planejando". Judá entrara em pânico por causa da questão, e era como as árvores de uma floresta sacudida por um vendaval (Is 7.2).
3. Ou então, finalmente, se Judá se aliasse à Assíria pagã, isso seria uma conspiração contra Deus. Isso exprime uma verdade, mas dificilmente é o significado do versículo. A ideia aqui é que Isaías não deveria *promover* essa conspiração, como se fosse algo agradável a Yahweh. A segunda das três interpretações parece ser a que exprime o que estava ocorrendo.

■ **8.13**

אֶת־יְהוָה צְבָאוֹת אֹתוֹ תַקְדִּישׁוּ וְהוּא מוֹרַאֲכֶם וְהוּא מַעֲרִצְכֶם׃

Ao Senhor dos Exércitos, a ele santificai. "Lembrai-vos, porém, que o Senhor dos Exércitos do céu é santo. Ele era aquele a quem os judeus deveriam temer" (NCV). A nação de Judá estava aterrorizada diante da possibilidade de que as dez tribos do norte, em acordo com a Síria, descessem contra eles; e, no entanto, eles não temiam a Yahweh, diante de cujos olhos promoviam seu tipo especial de paganismo. *Temor*, neste caso, equivale a *pavor*, e não meramente a temor reverente. Ver no *Dicionário* o verbete chamado *Temor*, na seção intitulada *Temor do Senhor*, como também Sl 119.38 e Pv 1.7. E ver também ali os artigos denominados *Senhor dos Exércitos* e *Santidade*. Cf. 1Rs 18.15.

Santificai. Santo é o Senhor dos Exércitos, pelo que sabeis que seus oráculos dizem a verdade — portanto, sede obedientes. Ele certamente promoverá a *justiça*, e o que é o melhor para os interesses dos homens, isso ele fará. Mas se entrardes em alianças espúrias com nações pagãs, então a justiça divina vos atingirá, e tereis razão para temerdes. *Honrai* o santo nome de Deus, fazendo o que estiver certo, mediante um *andar reto* (vs. 11). Sede *santos*, porque Deus é *santo* (ver Lv 11.44 e 20.7).

■ **8.14**

וְהָיָה לְמִקְדָּשׁ וּלְאֶבֶן נֶגֶף וּלְצוּר מִכְשׁוֹל לִשְׁנֵי בָתֵּי יִשְׂרָאֵל לְפַח וּלְמוֹקֵשׁ לְיוֹשֵׁב יְרוּשָׁלָ͏ִם׃

Ele vos será santuário; mas será pedra de tropeço e rocha de ofensa. Se temerdes ao Senhor e confiardes nele, ele vos servirá de santuário, um lugar de refúgio e segurança contra qualquer ataque, mesmo contra a invasão que virá do norte, à qual tanto temeis. Todavia, alguns estudiosos emendam aqui a palavra *santuário* pelo vocábulo *armadilha*, conforme diz o Targum. Nesse caso, temos *cinco* palavras negativas para expressar a sorte negra de Judá, que se seguiria à desobediência dos judeus. Considere o leitor estes cinco pontos: 1. Uma *cilada*. Um ardil para apanhar algum pobre animal que seria destruído. 2. Uma *pedra de ofensa*. 3. Uma *pedra de tropeço* (termo sinônimo da segunda possibilidade), uma pedra contra a qual um homem bate o pé e tropeça. Tanto a nação do norte (chamada Efraim ou Israel) quanto a nação do sul (Judá) cairiam no julgamento divino e na destruição se tropeçassem contra *aquela pedra*: Yahweh ofendido. Se Judá tropeçasse em Yahweh, eles estariam condenados ao desastre. O Novo Testamento usa essa expressão em Mt 21.44; Rm 9.33 e 1Pe 2.8. 4. Uma *armadilha*. Um dispositivo qualquer para apanhar animais, como uma rede, cova ou coisas similares que apontavam para o sofrimento e a morte do animal que fosse apanhado. 5. Um *laço*. Usado para apanhar tanto pássaros como animais. As palavras foram acumuladas a fim de impressionar o profeta e o povo de Judá com o terror, sendo possível que esse terror ocorresse súbita e inesperadamente, tal e qual se dá ao pobre animal que é apanhado e destruído pelo caçador.

Os estudiosos que traduzem por *santuário* fazem então o contraste com os outros quatro termos. Em Deus há paradoxos. Um paradoxo não é prova de *inconsistência* divina, mas somente de *limitações* humanas (conforme diz G. G. D. Kilpatrick, *in loc.*).

A NCV traduz como "santuário" a palavra usada por Isaías (e outros como ele), ao passo que as outras *quatro palavras* negativas se aplicam à rebelde nação de Judá. Ou então todos os vocábulos aplicam-se a Israel e Judá, o primeiro sendo positivo, isto é, se cressem e obedecessem; ao passo que os outros quatro serviriam para destacar o que aconteceria se eles desobedecessem e se rebelassem. Isso destaca para nós a importante questão da responsabilidade moral dos homens e seu poder de exercer livre-arbítrio. Ver no *Dicionário* o verbete chamado *Livre-arbítrio*.

■ **8.15**

וְכָשְׁלוּ בָם רַבִּים וְנָפְלוּ וְנִשְׁבָּרוּ וְנוֹקְשׁוּ וְנִלְכָּדוּ׃ ס

Muitos dentre eles tropeçarão e cairão. Este versículo é um comentário do vs. 14, dizendo a mesma coisa e repetindo a questão do tropeço na pedra de ofensa, do cair, do ficar alquebrado, do ser tomado em alguma espécie de armadilha, do ser feito prisioneiro, e do ficar esperando pela destruição. Os pensamentos-chaves são o desastre e a impotência. E não havia promessa de remédio.

Isaías Retira-se do Ministério Público (8.16-18)

■ **8.16**

צוֹר תְּעוּדָה חֲתוֹם תּוֹרָה בְּלִמֻּדָי׃

Resguarda o testemunho, sela a lei no coração dos meus discípulos. Estes versículos assinalam o fim da contribuição autobiográfica de Isaías ao livro. O rei de Judá e seus conselheiros tinham rejeitado o aviso para não se envolver com a Assíria, a fim de defender Judá da invasão das nações do norte, a Síria (Arã) e Judá (a tribo do sul). Em outras palavras, seu ministério profético foi rejeitado, conforme tinha sido predito em Is 6.9,10. Em Is 6.11, o profeta havia indagado por quanto tempo teria de ministrar àqueles que recusavam aceitar a sua mensagem, e a resposta de Deus foi que ele continuaria até que o julgamento predito se cumprisse. Ver a introdução ao capítulo 7 quanto ao pano de fundo histórico. A Isaías foram dados *três sinais* acerca da questão, os quais envolviam os significados dos nomes de seus três filhos. Ver sobre isso em Is 7.3,14 e 8.1,3.

O testemunho foi encerrado e tornou-se um "livro fechado", esperando pelo cumprimento de suas previsões. "Um rolo de pergaminho ou papiro era atado com uma cordinha e selado quando não estava sendo usado (cf. Is 29.1), mas devia ser preservado, como se fosse um documento (cf. Jr 32.10), para consultas futuras. A referência aos *discípulos* aparentemente significa que o livro de oráculos foi selado, exceto para os discípulos do profeta, que os entendiam. Ou também foi selado na "mente dos discípulos". Eles não proclamariam a mensagem ao povo, como o exemplo deixado por Isaías. A Septuaginta e outras versões omitem a referência aos discípulos, provavelmente porque esse detalhe foi considerado obscuro. Não mais haveria propagação da mensagem, até que ela se cumprisse. Então Isaías poderia dar continuidade ao seu ministério.

■ 8.17

וְחִכִּיתִי לַיהוָה הַמַּסְתִּיר פָּנָיו מִבֵּית יַעֲקֹב וְקִוֵּיתִי־לוֹ׃

Esperarei no Senhor. A mensagem foi retirada por ter sido rejeitada. Os privilégios ignorados são tirados. Isaías esperava então que Yahweh agisse e efetuasse o que havia sido dito, e, quando Yahweh agisse, isso tanto vindicaria o profeta como faria justiça. A mensagem profética só poderia ser autenticada mediante concretização; a parte da fala tinha terminado. Os homens que se recusam a obedecer eventualmente perdem a capacidade de obedecer, e então o julgamento judicial se instala. Yahweh é aqui retratado como quem escondia o rosto da casa de Jacó (Israel, em sua parte norte e em sua parte sul; vs. 14); mas Isaías continuou a esperar no Senhor no meio da cena lamentável. Isaías esperou na paciência de uma fé completa (ver Hc 2.3). O rosto do Senhor, que deveria ter sido erguido para abençoar o povo de Israel (ver Nm 6.26), estava oculto, pois uma ameaça de castigo em breve se cumpriria. Cf. Pv 16.15 e Dn 5.6.

Hb 2.13, como aplicação, atribui os vss. 17c-18a a Cristo. Duas situações análogas existiam, pelo que as palavras foram apropriadamente usadas em um contexto messiânico.

■ 8.18

הִנֵּה אָנֹכִי וְהַיְלָדִים אֲשֶׁר נָתַן־לִי יְהוָה לְאֹתוֹת וּלְמוֹפְתִים בְּיִשְׂרָאֵל מֵעִם יְהוָה צְבָאוֹת הַשֹּׁכֵן בְּהַר צִיּוֹן׃ ס

Eis-me aqui, e os filhos que o Senhor me deu. Esta é uma referência direta aos sinais de números um e três que foram dados como reforços da profecia rejeitada. Ver Is 7.3 e 8.1,3. Esses dois sinais envolviam o significado dos nomes dos filhos do profeta. O segundo sinal envolvia o nome do filho de outrem, e não de um filho de Isaías (ver Is 7.14). Esses *três sinais* ilustravam a mesma mensagem profética. Eram *portentos* concernentes a eventos que estavam destinados a ocorrer, a queda da aliança dos países do norte de Judá, ou seja, Efraim e a Síria, com a implicação de que a ameaça assíria tomaria o lugar daquela outra ameaça, a das duas nações compactuadas do norte. Yahweh, chamado de *Senhor dos Exércitos* (ver a respeito no *Dicionário* e em 1Rs 18.15), era a fonte originária e, na qualidade de Poder supremo e líder dos exércitos celestiais, determinaria os acontecimentos à face da terra. Havia um lugar onde esse *Senhor* se manifestava, Sião, onde ficava o templo. Por conseguinte, a *presença* do Senhor estava ali para garantir o cumprimento da profecia. Não há nenhuma ideia de que a presença de Deus se confinaria a Jerusalém, pois ela enche a terra inteira (ver Is 6.3), mas somente que o lugar a ser julgado era o local da manifestação do Senhor. Ver no *Dicionário* o artigo chamado Sião.

Dois Fragmentos de Oráculos de Mau Agouro (8.19-22)

■ 8.19

וְכִי־יֹאמְרוּ אֲלֵיכֶם דִּרְשׁוּ אֶל־הָאֹבוֹת וְאֶל־הַיִּדְּעֹנִים הַמְצַפְצְפִים וְהַמַּהְגִּים הֲלוֹא־עַם אֶל־אֱלֹהָיו יִדְרֹשׁ בְּעַד הַחַיִּים אֶל־הַמֵּתִים׃

Quando vos disserem: Consultai os necromantes e os adivinhos. Embora essas predições tenham sido apresentadas de forma abreviada, o significado delas é bastante claro. Os vss. 21 e 22 acham-se em forma fragmentária, mas são eles que nos transmitem os dois oráculos. E os vss. 19 e 20 introduzem a questão. A ideia geral é óbvia: tempos de tribulação esperavam os judeus mais adiante. Portanto, esses dois oráculos adicionais reforçam e suplementam o que já tinha sido dito nos capítulos 7 e 8. Contudo, esses quatro versículos assumem uma aplicação mais geral, ultrapassando o desastre potencial a ser sofrido devido à ameaça que vinha do norte (o ataque da Síria e da nação do norte, Israel; ver Is 7.1 e 8.1).

A maioria das pessoas deseja saber algo sobre o futuro. Esse desejo é inspirado pela vontade de mudar de vida. Algumas pessoas tentam descobrir os segredos do futuro, consultando leitores psíquicos e médiuns, por mera *curiosidade;* usualmente, porém, a pessoa tem algum *problema,* ou então alguma *esperança* que quer ver realizada; e, assim sendo, consulta videntes para saber o que acontecerá no futuro. Estudos têm demonstrado que há grande elemento de predições em comum, que vêm à tona nos *sonhos* das pessoas, e que, no subconsciente, todas as pessoas conhecem o futuro, algumas vezes até nos menores detalhes. Os sonhos humanos são instrumentos comuns de *ajuda,* solucionadores de problemas, predições sobre o futuro que ajudam as pessoas a conduzir melhor a própria vida. Estudos sobre sonhos efetuados na Universidade de Wyoming demonstraram que sabemos sobre o que nos acontecerá, antes mesmo que aconteça. Naturalmente, o futuro propriamente dito é plástico. Somente alguns eventos estão realmente determinados por Deus, pelo que os sonhos, ou qualquer outra forma de conhecimento prévio, abordam somente as *potencialidades.* Aqui e ali, um sonho apanha no ar algum evento adretemente determinado; mas algumas vezes a oração, que é mais forte que a profecia, pode anular até um evento determinado de antemão. Ver no *Dicionário* o artigo chamado *Sonhos;* e ver na *Enciclopédia de Bíblia, Teologia e Filosofia* o verbete denominado *Precognição.*

Além disso, há indivíduos conhecidos como *psíquicos,* que podem perceber o futuro, embora estejam bem despertos. Parte dessa atividade é natural, e também é moralmente indiferente. Algumas vezes, entretanto, tais pessoas são impulsionadas pelos demônios; e também há algumas poucas pessoas que contam com a ajuda dos anjos. Sem dúvida, os habitantes de Judá procuravam descobrir o que aconteceria a respeito das nuvens escuras que se avolumavam. Isaías tinha uma interpretação sobre os acontecimentos futuros e reivindicava que Deus o inspirava a essa interpretação. Outros tinham outras fontes de inspiração. Isaías, porém, sentia-se infeliz diante da atividade da sondagem do futuro divorciada do que já havia sido revelado na lei mosaica, e não reconhecia Yahweh como o revelador do futuro, conforme se via em certos oráculos populares. Portanto, ele condenou os médiuns e mágicos e apontou para Yahweh, o Criador, diante do povo, como aquele que pode revelar através de seus profetas quais serão os eventos futuros. Quanto a informações adicionais, ver no *Dicionário* os artigos *Adivinhação; Feitiço, Feiticeiro* e *Espírito Familiar.* Na *Enciclopédia de Bíblia, Teologia e Filosofia,* ver o verbete intitulado *Espiritismo.*

"Isaías questionava a racionalidade de consultar os mortos para descobrir o futuro, em vez de consultar o Deus vivo. A falha de uma pessoa em atender à Palavra de Deus significa que ela não tem luz espiritual (cf. Jo 3.19,20)" (John S. Martin, *in loc.*).

■ 8.20

לְתוֹרָה וְלִתְעוּדָה אִם־לֹא יֹאמְרוּ כַּדָּבָר הַזֶּה אֲשֶׁר אֵין־לוֹ שָׁחַר׃

À lei e ao testemunho! Isaías salientou a lei mosaica como o manual de nossa *orientação* (cf. Dt 6.4 ss.). Ele sentia que o povo de Judá, com suas profecias alicerçadas sobre fontes não bíblicas, não tendo Yahweh como sua origem, na verdade avançava contra o que estava escrito e tinha sido dito por profetas verdadeiros. Isso os punha em uma posição precária, porque:

1. Eles estavam apelando para fontes de informação totalmente ilegítimas, que incluíam o erro natural ou eram totalmente errôneas.
2. A própria busca delas era proibida, e isso só poderia terminar mal.
3. Eles se tinham distanciado da verdadeira Luz e, assim, tinham entrado em um estado de apostasia. Disso só poderia resultar o que era adverso.
4. Alguns intérpretes tomam os vss. 21 e 22 como predições de julgamento contra os que tratavam com espíritos familiares e médiuns,

mas outros tomam esses versículos, que contêm dois oráculos fragmentários, como dotados de aplicação muito mais ampla.

"Nenhuma alvorada matinal brilharia sobre os que rebuscavam as cavernas e os quartos escuros dos adivinhos, e as sessões dos espiritualistas de Jerusalém" (Ellicott, *in loc.*). "Temos aqui a condenação da superstição (Is 2.6). Quanto às consultas dos necromantes com os mortos, ver 1Sm 28.7" (*Oxford Annotated Bible*, comentando sobre o vs. 19).

Devíeis seguir os ensinos em concordância com o Senhor. Os médiuns e os adivinhos não falam a palavra do Senhor.
NCV

Não encontramos aqui uma condenação dos estudos psíquicos. O homem, afinal, é uma *psique*, um ser espiritual, e naturalmente tem experiências com os fenômenos psíquicos. Cada vez que um homem move um dedo, esse é um evento psíquico, porque é sua porção espiritual que controla o corpo, uma ação chamada *psicocinese*, o poder da mente sobre a matéria. Ver na *Enciclopédia de Bíblia, Teologia e Filosofia* o artigo chamado *Parapsicologia*. Existem fenômenos psíquicos naturais, nos quais todo homem, todos os dias, está envolvido, pois do contrário nem estaria vivo. Lançar a culpa de tudo sobre os demônios é uma atividade não iluminada, e a ignorância não serve para esclarecer coisa alguma. A ciência psíquica é um estudo tão legítimo como a biologia. Todo o conhecimento pertence a Deus e revela a sua mente.

■ 8.21

וְעָ֥בַר בָּ֖הּ נִקְשֶׁ֣ה וְרָעֵ֑ב וְהָיָ֨ה כִֽי־יִרְעַ֜ב וְהִתְקַצַּ֗ף וְקִלֵּ֧ל בְּמַלְכּ֛וֹ וּבֵאלֹהָ֖יו וּפָנָ֥ה לְמָֽעְלָה׃

Passarão pela terra duramente oprimidos e famintos. Encontramos aqui oráculos fragmentários. As traduções têm suavizado as arestas. As palavras de abertura dos vss. 21 e 22 não têm antecedentes. O "elas" (subentendido) do vs. 21, antes do verbo "passarão", pertence ao gênero feminino e refere-se a uma pessoa do sexo feminino que não foi mencionada antes. Talvez a referência seja à "terra" mencionada em 6.12. Alguns estudiosos supõem que as palavras deste versículo naturalmente sigam Is 7.25. O significado da frase parece ser que alguns poucos sobreviventes desesperados dos juízos de Deus amaldiçoarão o rei por havê-los traído, não tendo dado ouvidos às profecias de Isaías, o que poderia ter impedido o desastre. Por outra parte, a apostasia de Judá era tão avançada que a parábola de Is 5.1-7 não oferecia esperança alguma, excetuando o pequeno remanescente que seria trazido de volta, depois dos dias da tribulação, a fim de dar a Israel (na pessoa da tribo de Judá) um novo dia. Portanto, as profecias de Isaías foram *confirmações* de julgamentos já determinados, mais do que ofertas de esperança.

Note o leitor que a apostasia de Judá prosseguia, porquanto os poucos sobreviventes famintos amaldiçoavam tanto a Yahweh quanto ao próprio rei. Estavam desesperados, mas nem por isso se alterava o que tinha acontecido. Apóstatas e sem arrependimento, eles permaneciam iguais, em harmonia com o tom negativo dos oráculos de Isaías. Ver Is 6.9,10.

■ 8.22

וְאֶל־אֶ֖רֶץ יַבִּ֑יט וְהִנֵּ֧ה צָרָ֣ה וַחֲשֵׁכָ֗ה מְע֣וּף צוּקָ֔ה וַאֲפֵלָ֖ה מְנֻדָּֽח׃

Olharão para a terra, eis aí angústia. Os *sobreviventes* contemplariam as desastrosas condições que prevaleceriam por toda a parte e veriam apenas tribulação e trevas. Tudo se transformara em escuridão tristonha, cheia de angústia, e eles seriam tangidos em meio à espessas trevas, expulsos por forças sinistras e condições inenarráveis, tornando-se vagabundos em uma terra desolada. Traídos pelo rei e abandonados por Deus, suas condições se tornariam insuportáveis. A única questão que precisava ser resolvida era se eles deveriam cometer ou não o suicídio. Então eles desejariam ardentemente a morte e, em vez de consultar os mortos para obter alguma promessa favorável, eles se juntariam aos mortos na sepultura.

CAPÍTULO NOVE

PREVISÃO ACERCA DO MESSIAS (9.1-21)

Esta seção deve ser comparada com Hb 8.23—9.6. Ver a seção VIII da *Introdução* quanto a citações no Novo Testamento extraídas de Isaías, e ver o gráfico acompanhante de profecias messiânicas no livro de Isaías. Esta seção vem depois do desalentador e negro oráculo de Is 8.21,22, com o qual faz notável contraste, com sua explosão de luz e fé. A angústia é transformada em alegria indizível. "A passagem é famosa não somente por seus méritos intrínsecos, mas por seus versículos de abertura e o versículo precedente (vss. 1-2), com referência à Galileia, citada em Mt 4.15,16, que é compreendida por alguns como a predição sobre o ministério de Jesus na Galileia" (R. B. Y. Scott, *in loc.*). Não há que duvidar que temos aqui a esperança messiânica do judaísmo antigo. Os cristãos, como é natural, viram isso cumprido em Jesus, o Cristo. Talvez a visão dos judeus estivesse limitada pela suposição de que, terminado o cativeiro, o trono davídico seria renovado e haveria um novo dia, mediante a bênção de Yahweh. Mas não nos devemos limitar pelas arcaicas interpretações dos judeus, os quais, como é óbvio, devido a limitações históricas, tinham uma visão parcial do Messias. Além do mais, também temos uma visão parcial do Messias, porquanto as grandes obras ainda futuras do Messias-Logos por enquanto são vistas apenas obscuramente e, em minha opinião, de maneira não iluminada pela maioria dos crentes da atualidade.

Por certo, à restauração futura não é dada a interpretação merecida, por parte de pessoas que continuam presas a antigas maneiras de pensar. Como ilustração, ver no *Dicionário* o artigo denominado *Mistério da Vontade de Deus;* e, na *Enciclopédia de Bíblia, Teologia e Filosofia*, ver o verbete chamado *Restauração*. Os antigos judeus subestimavam o poder do Restaurador e da restauração em Cristo, por ocasião de seu primeiro advento, e os crentes atuais continuam a subestimar o poder de Deus através do Logos, na restauração que jaz no futuro. Os homens caem no hábito de limitar-se a uma visão defeituosa das coisas, devido à sua relutância em romper com a compreensão da *ortodoxia*, que não é sinônimo de *verdade*.

Antes, tínhamos visto *sinais* (Is 7.3,14; 8.1,3). Neste capítulo, temos algo mais. O próprio Libertador aparecerá de novo na terra a fim de reverter as lastimáveis profecias que circundam a nação de Judá, como o cativeiro babilônico e as circunstâncias que o acompanhariam. Antes, os sinais estavam embutidos no significado dos nomes de três meninos. Mas agora apareceria um *menino* que seria o longamente esperado Messias, poderoso e divino (ver Is 9.6). Nisso encontramos um paradoxo: quanta coisa já havia sido revelada, mas quão pouco entendíamos. E a plena extensão da obra do Messias-Logos até hoje não é bem compreendida. Os cristãos têm caído no mesmo buraco de paradoxo no qual os judeus caíram. Um paradoxo que, conforme já disse um pensador cristão, não é prova da inconsistência divina, mas das limitações humanas.

■ 9.1 (na Bíblia hebraica corresponde ao 8.23)

כִּ֣י לֹ֣א מוּעָף֮ לַאֲשֶׁ֣ר מוּצָ֣ק לָהּ֒ כָּעֵ֣ת הָרִאשׁ֗וֹן הֵקַ֞ל אַ֤רְצָה זְבֻלוּן֙ וְאַ֣רְצָה נַפְתָּלִ֔י וְהָאַחֲר֖וֹן הִכְבִּ֑יד דֶּ֤רֶךְ הַיָּם֙ עֵ֣בֶר הַיַּרְדֵּ֔ן גְּלִ֖יל הַגּוֹיִֽם׃

Mas para a terra que estava aflita não continuará a obscuridade. Este é um *versículo de transição*, que nos transporta das trevas de Is 8.21,22 para a luz do restante do capítulo. Essa é a transição humana, operada por intermédio do poder do Messias. Não haverá *melancolia final*. A noite sempre será seguida pelo dia. Zebulom e Naftali (lugares do norte de Israel) foram tribos humilhadas ao máximo pela Assíria, e até mesmo anuladas, pois deixaram de existir como tribos de Israel. Elas representavam todas as dez tribos de Israel. Mas, quando o Libertador viesse, ele teria um ministério na exata e antiga localização das duas antigas tribos, e então haveria tempos de restauração e glória. Essas tribos, vencidas pelo poder dos assírios e incorporadas ao império assírio, voltariam a Israel, por meio do Messias.

O caminho do mar. Ou seja, a antiga rota de caravanas que passava perto do mar Mediterrâneo, de Damasco para a Galileia. Estava em vista a "Galileia das nações", porquanto aquela parte de Israel tornou-se, essencialmente, uma terra de gentios, devido aos povos para ali importados. Foi onde Jesus conduziu seu ministério na Galileia, o que é destacado em Mt 4.15,16, que cita o texto presente. Vemos, pois, que o ministério de Jesus, na visão profética de Isaías, reverteu o cativeiro assírio! Note o leitor que o exército assírio seguiu a rota do mar Mediterrâneo, de Damasco até a Galileia, quando tomou aquelas tribos do norte e deportou a população. Assim sendo, o Messias viajaria ao longo da mesma rota, embora em uma atividade restauradora. Devemos notar, entretanto, que *mar,* neste caso, é o mar da Galileia. A rota levava àquele território, para quem vinha do norte.

■ **9.2** (na Bíblia hebraica corresponde ao 9.1)

הָעָם֙ הַהֹלְכִ֣ים בַּחֹ֔שֶׁךְ רָא֖וּ א֣וֹר גָּד֑וֹל יֹשְׁבֵי֙ בְּאֶ֣רֶץ צַלְמָ֔וֶת א֖וֹר נָגַ֥הּ עֲלֵיהֶֽם׃

O povo que andava em trevas, viu grande luz. Os vss. 2 e 3 anunciam a transformação das trevas em luz, mediante o ministério do Messias, com profunda alegria resultante. Não foi coisa pequena reverter o cativeiro assírio e trazer um novo dia. O ministério de Jesus foi mais além da Galileia, mas *começou* ali. Ver a exposição sobre Mt 4.15,16, no *Novo Testamento Interpretado.* A missão do Messias era mais lata que a própria terra de Israel, mas começou em Israel. O evangelho deveria levar a luz a todas as nações e, assim sendo, um propósito divino universal foi posto em movimento na Galileia, como os antigos judeus dificilmente compreenderiam. E o ministério de Jesus continua nas três esferas da criação: na terra, nos céus e no hades. Isso posto, esse ministério é mais largo do que muitos crentes têm antecipado. O *divino três* manifesta-se no *três ministerial.* Ver na *Enciclopédia de Bíblia, Teologia e Filosofia* o artigo chamado *Missão Universal do Logos.*

"É admirável como cada detalhe do texto se ajusta ao nosso caso e vem ao encontro de nossas necessidades. O ministério de Jesus avança pelos séculos! Isso foi dito ao coração desesperado de um punhado de judeus há mais de 2.500 anos, mas agora emprestava voz à esperança de todos os filhos dos homens que confiam no divino Salvador. Infenso à passagem do tempo e universal, esse é o Cântico do Redentor e seu reino... Dentre a noite que cobria tudo, como se fosse a negridão do abismo, agora chega, rebrilhante, um raio de luz. E ilumina a terra inteira com a luz do sol, e leva os sons de um cântico exultante até os rincões mais remotos" (G. D. D. Kilpatrick, *in loc.*, com uma anotação eloquente que abrilhanta o comentário).

■ **9.3** (na Bíblia hebraica corresponde ao 9.2)

הִרְבִּ֣יתָ הַגּ֔וֹי לֹ֖א הִגְדַּ֣לְתָּ הַשִּׂמְחָ֑ה שָׂמְח֤וּ לְפָנֶ֙יךָ֙ כְּשִׂמְחַ֣ת בַּקָּצִ֔יר כַּאֲשֶׁ֥ר יָגִ֖ילוּ בְּחַלְּקָ֥ם שָׁלָֽל׃

Tens multiplicado este povo, a alegria lhe aumentaste. Nos dias de Isaías, a colheita de grãos fracassou. Os poucos sobreviventes do ataque assírio ficaram vagueando no meio das trevas, blasfemando contra o rei e contra Deus (ver Is 8.21). Agora *multiplicação* se tornara a palavra-chave, não subtração nem divisão. Houve então a mais profunda tristeza; mas agora predominava alegria triunfante, a qual ocorria na presença do poder de Deus, que possibilitou a reversão para condições as mais jubilosas. Agora havia grande abundância para todos. O povo de Israel estava sendo alimentado de novo, e sentia-se tão jubiloso como um exército que tivesse logrado grande vitória e estivesse dividindo os despojos. Naquele tempo passado, eles eram presa e despojo de exércitos pagãos. Agora, porém, dividiam os despojos da vida eterna.

Ilustração Histórica. A cidade de Mons havia sido bombardeada pela força aérea alemã. O dia foi 11 de novembro de 1918. Foi outra destruição ocorrida durante a Primeira Grande Guerra. Durante toda a noite, o lampejo das bombas e da destruição prosseguiu. Tropas alemãs estavam nas ruas, matando o inimigo e cidadãos que atravessassem o caminho. Mas, de madrugada, os últimos bolsões do poder germânico estavam abafados. O povo da cidade correu para as ruas e o grito que se ouviu foi: "Desfraldai vossas bandeiras!" Quando se fez dia, viram-se bandeiras flutuando no ar por toda a parte. O povo entrou em delírio de alegria. Vida nova tinha retornado à cidade. A noite escura havia terminado. Assim também, Jesus foi o portador que fez desfraldar suas bandeiras na Galileia. O povo da época se juntou para contemplar o grande fenômeno. O povo tinha visto uma grande luz. Era o raiar de um novo dia. verdadeiramente, o cativeiro assírio fora revertido. A luz espalhou-se e iluminou o território de Israel, e dali espraiou-se por todas as nações do mundo. Ato contínuo, Jesus desfraldou sua bandeira no próprio hades e então nos céus. Ver na *Enciclopédia de Bíblia, Teologia e Filosofia* o verbete denominado *Descida de Cristo ao Hades.* Estamos abordando grandes fenômenos, pelos quais homens de todas as partes do mundo têm sido atraídos. Temos aqui a esperança cristã, parte da qual Isaías, há tanto tempo, foi capaz de ver.

■ **9.4** (na Bíblia hebraica corresponde ao 9.3)

כִּ֣י ׀ אֶת־עֹ֣ל סֻבֳּל֗וֹ וְאֵת֙ מַטֵּ֣ה שִׁכְמ֔וֹ שֵׁ֖בֶט הַנֹּגֵ֣שׂ בּ֑וֹ הַחִתֹּ֖תָ כְּי֥וֹם מִדְיָֽן׃

Porque tu quebraste o jugo que pesava sobre eles. A antiga canga imposta pelos assírios foi quebrada. A vara dos opressores se partiu. Deus tirou a carga dos ombros de Israel, bem como a vara que lhes vergastava as costas:

Tal como quando derrotaste Midiã, tomarás o seu pesado fardo. Tirarás das costas deles o poste pesado. E tomarás a vara usada pelo inimigo, para punir o Teu povo.

NCV

Como no dia dos midianitas. A referência é à vitória de Gideão sobre as forças invasoras de Midiã, no livro de Jz 6—8. Quanto à vara que rebaixa os ombros, ver Sl 144.5; e, quanto à vara do proprietário de escravos, ver Êx 21.20. Os judeus continuam a lembrar o incidente de Midiã e a grande vitória então obtida, tal como os americanos lembram, até hoje, o ataque dos japoneses contra Pearl Harbor. "Da mesma forma que Gideão, com um punhado de homens, conquistou as hostes midianitas, assim também o Messias, o *menino* (vs. 6), mostraria ser o vitorioso Príncipe da Paz" (Fausset, *in loc.*). Os implementos de guerra seriam destruídos (vs. 5), e se estabeleceria a paz universal. Mas isso só está disponível no Deus Todo-poderoso (vs. 6, um dos notáveis nomes do Messias, que ultrapassava todas as esperanças judaicas).

■ **9.5** (na Bíblia hebraica corresponde ao 9.4)

כִּ֤י כָל־סְאוֹן֙ סֹאֵ֣ן בְּרַ֔עַשׁ וְשִׂמְלָ֖ה מְגוֹלָלָ֣ה בְדָמִ֑ים וְהָיְתָ֥ה לִשְׂרֵפָ֖ה מַאֲכֹ֥לֶת אֵֽשׁ׃

Porque toda bota com que anda o guerreiro no tumulto da batalha. A obliteração de todos os vestígios do inimigo acompanharia a vitória, e nenhuma pegada do inimigo seria deixada. As próprias vestes manchadas com o sangue da batalha seriam queimadas como combustível nos incêndios de Israel. Seriam abolidos para todo o sempre todos os implementos e sinais de guerra. Então se seguiria verdadeira paz. Naturalmente, essas palavras parecem olhar para o segundo advento de Cristo, uma continuação do ministério do Logos. Este versículo nos remete à questão dos despojos mencionados no vs. 3. O inimigo histórico desaparecerá; os sinais de seu triunfo serão removidos; a paz será estabelecida, e o povo de Israel dividirá os despojos da vitória. Cf. Zc 9.10; Ez 39.9; Sl 46.9 e 76.3. Cf. Ez 39.8-10, onde temos algo similar, presumivelmente atinente aos últimos dias. E alguns eruditos pensam que a profecia, neste passo, é bastante lata para incluir esse aspecto.

A bota de todo guerreiro, usada na batalha, e toda a veste envolvida em sangue, serão destinadas a ser queimadas, serão combustível para o fogo.

NIV

■ **9.6** (na Bíblia hebraica corresponde ao 9.5)

כִּי־יֶ֣לֶד יֻלַּד־לָ֗נוּ בֵּ֚ן נִתַּן־לָ֔נוּ וַתְּהִ֥י הַמִּשְׂרָ֖ה עַל־שִׁכְמ֑וֹ וַיִּקְרָ֨א שְׁמ֜וֹ פֶּ֠לֶא יוֹעֵץ֙ אֵ֣ל גִּבּ֔וֹר אֲבִיעַ֖ד שַׂר־שָׁלֽוֹם׃

Porque um menino nos nasceu, um filho se nos deu. Este versículo é um dos *grandes pronunciamentos messiânicos,* e as tentativas de fazê-lo ajustar-se à época de Isaías fracassam miseravelmente. Estamos acostumados a usar esses títulos de Cristo, aqui, por causa de nosso condicionamento cristão. Para os judeus, entretanto, essas eram declarações extraordinárias e quase impronunciáveis. Jesus foi condenado exatamente por isso: as reivindicações que fez sobre si mesmo pareciam grandes demais. Por isso, julgou-se que ele blasfemava de Deus, tomando para si mesmo mais do que um homem poderia tomar.

Encontramos aqui a manifestação do *Rei*. O profeta falara sobre a *paz* que o Messias traria (vss. 3-5). O Rei é quem traria a paz universal, o fim da contenda causada pelo pecado e pela injustiça.

Descrições:
1. Um *menino* nasceria. O menino seria o Libertador, diferente dos *sinais* dados por outras crianças: Is 7.3 (UM-RESTO-VOLVERÁ); 7.14 (Emanuel) e 8.1,3 (RÁPIDO-DESPOJO-PRESA-SEGURA). Naturalmente, uma das interpretações de Is 7.14 faz Emanuel ser um dos nomes do menino referido em Is 9.6. Como cumprimento dessa tremenda profecia, temos as histórias do nascimento virginal (Mt 1 e Lc 2). Ligada ao menino, também nos cumpre entender a *encarnação* (ver a respeito no *Dicionário*), uma das grandes doutrinas cristãs. Isso armou palco para a missão do Messias, e a encarnação foi a rota escolhida para sua manifestação. Da mesma sorte que ele compartilhou nossa natureza humana, também haveremos de compartilhar sua divindade (ver 2Pe 1.4), nossa mais elevada doutrina cristã. Ver na *Enciclopédia de Bíblia, Teologia e Filosofia* o verbete *Transformação Segundo a Imagem de Cristo*.

   Esse menino nos foi "dado" como dádiva indizível (ver 2Co 9.15) e nos trouxe o dom da salvação.
2. *Governo.* A renovação do trono davídico, o qual, por sua vez, fala do reinado universal do Messias. O governo estaria sobre os seus ombros, possivelmente referindo-se às vestes que assinalavam o seu ofício. Ele possuía todas as insígnias reais: o cetro, a espada, a chave. As descrições que se seguem mostram que ele é um Rei sem rivais. Diz aqui o original hebraico, literalmente: "a carga da autoridade" (governo). A *chave* estaria em seus ombros (ver Is 22.22). Essa era a pesada chave do palácio presa a um laço pendurado no ombro, simbolizando o poder de fechar ou abrir, promover ou fazer cessar uma atividade, pois a chave abria a porta principal. Cf. Mt 16.19 e Ap 3.7.
3. *Seu nome augusto.* Na realidade, devemos pensar em uma série de títulos. Ver sobre *Nome* no *Dicionário* e em Sl 31.3. O Rei era dotado de títulos nobiliárquicos, entre os quais:
   a. *Maravilhoso Conselheiro.* Alguns estudiosos separam essas palavras, fazendo de cada uma delas um título do Messias, e, se assim devemos compreender o texto, então temos *cinco títulos*. Porém, é melhor entender as duas palavras como um único título. Nisso se demonstra a sabedoria de Cristo. Não existem problemas, nos céus ou na terra, que ele não possa resolver. "Ele é a fonte suprema da sabedoria e maravilhoso em seu propósito (14.24)" (R. B. Y. Scott, *in loc.*). Cristo é a sabedoria de Deus (ver 1Co 1.30). Ele foi dotado de uma autoridade que todo homem ouvirá e seguirá.
   b. *Deus Forte* (no hebraico, *El Gibor;* o Poder que prevalece). Reduzir isso a "divino em poder" ou "parecido com um deus" é perverter o título. A expressão ensina a deidade do Messias, que se elevava muito acima de todas as expectativas judaicas. Mediante aplicação, podemos ver no menino (filho) o Ser divino, falando então da doutrina da *Trindade;* mas isso seria ver demais no versículo. Ver na *Enciclopédia de Bíblia, Teologia e Filosofia* o verbete chamado *Divindade de Cristo*.
   c. *Pai Eterno.* Nada existe de errado em chamar o Messias de Pai, porquanto é isso o que ele é, em relação a Israel e à igreja. Existem pais da nação israelita e pais da igreja, mas ele é o Pai diante de quem todos os outros são meros filhos. Esse termo só causa perturbação aqui se insistirmos na doutrina da Trindade, com sua fórmula de Pai, Filho e Espírito Santo. A devida eternidade de Deus Pai é ensinada mediante este título, o qual não deveria ser reduzido a um "pai para sempre", ou seja, a ideia de que ele sempre cuida de seu povo, composto por seus filhos. Esse é um bom significado, naturalmente, mas fica muito aquém do sentido do título. Falar do Ser divino como algo menor do que eterno é uma contradição de termos. A Septuaginta e a Vulgata Latina dizem aqui "Pai da era vindoura", mas isso exagera um pouco. Diz o original hebraico, literalmente, "Pai da era eterna", ou seja, Pai da eternidade.
   d. *Príncipe da Paz.* Dizem aqui alguns estudiosos, "Príncipe da Prosperidade", que pode ser o significado da frase; mas a maioria prefere ficar com a ideia de Príncipe da Paz. Seja como for, os benefícios que ele dá devem incluir a paz, conforme se vê claramente nos vss. 3-5, onde ele é retratado como um guerreiro que derrota todos os inimigos e queima todos os implementos de guerra. Ver no *Dicionário* o artigo chamado *Paz*. É em Cristo que encontramos paz com Deus (ver Rm 5.1). Ele acalma o conflito universal (ver Cl 1.20). Ver também Ez 34.24; 37.25; Dn 9.25; Zc 9.9,10 e Sl 45.5.

É notável e inexplicável que este tão augusto versículo não tenha sido citado uma vez sequer em todo o Novo Testamento. Por outro lado, ele tem feito parte da cristologia desde o princípio. Ver na *Enciclopédia de Bíblia, Teologia e Filosofia* o verbete chamado *Cristologia*. Isaías, tal como os demais profetas do Antigo Testamento, não tinha consciência da distinção entre o primeiro e o segundo advento de Cristo, pelo que as descrições que se seguem não distinguem entre os dois adventos.

■ **9.7** (na Bíblia hebraica corresponde ao **9.6**)

לְמַרְבֵּה הַמִּשְׂרָה וּלְשָׁלוֹם אֵין־קֵץ עַל־כִּסֵּא דָוִד
וְעַל־מַמְלַכְתּוֹ לְהָכִין אֹתָהּ וּלְסַעֲדָהּ בְּמִשְׁפָּט
וּבִצְדָקָה מֵעַתָּה וְעַד־עוֹלָם קִנְאַת יְהוָה צְבָאוֹת
תַּעֲשֶׂה־זֹּאת: ס

Para que se aumente o seu governo e venha paz sem fim sobre o trono de Davi. Isaías descreveu o reinado do Messias como uma renovação do trono davídico e isso em *termos monistas*. Em outras palavras, ele não distinguiu entre a primeira e a segunda vinda de Cristo, o que coube ao Novo Testamento descrever. No primeiro advento, o reino foi rejeitado; assim, ao falarmos que ele "não teve fim", precisamos supor que esteja em pauta o segundo advento, embora tal explicação deva ter soado estranha aos ouvidos de Isaías. Não obstante, existiam muitos mistérios nos profetas do Antigo Testamento, e também há muitos outros mistérios sobre os quais nada sabemos. O seu trono seria estabelecido mediante a justiça, e promoveria a justiça, além de perdurar para sempre. Ver trechos paralelos em Sl 21.4; 61.6,7; 2Sm 7.12-16. O Pai eterno possui um reino eterno. Ele jamais morrerá e jamais necessitará de um sucessor.

O zelo do Senhor dos Exércitos fará isto. Tão augusta realização forçosamente terá de ser divina. E o poderoso Rei dos céus, que comanda seus exércitos, é esse Poder. Quanto ao título divino aqui usado, ver 1Rs 18.15, bem como no *Dicionário* o verbete *Senhor dos Exércitos*. Os reis davídicos tinham um governo provisório baseado no pacto entre Deus e Israel. Ver sobre *Pacto Davídico* em 2Sm 7.4. Quando, porém, o estabelecedor do pacto vier, ele mesmo será Rei permanente, cumprindo todas as expectativas do pacto.

O EXÍLIO DO REINO DO NORTE (9.8—10.4)

O Julgamento de Efraim Oferece Lições aos Judeus (9.8-21)
Após a proclamação da majestade do Messias, no alto do monte, o profeta leva-nos de volta aos primeiros temas de seu livro: a corrupção e o julgamento esperado contra Israel, especialmente aqui, as dez tribos do norte. Reunimos certo número de oráculos com significados semelhantes. Cf. Is 2.6-22 e Am 1-3.

Primeira Estrofe: Israel Julgado por sua Arrogância (9.8-12)
Nos vss. 8-21, encontramos três estrofes que nos falam de desastres sucessivos que abalaram Israel por causa do orgulho e da rebeldia do povo de Deus. Os vss. 8-12 contêm a primeira dessas estrofes. Embora tendo entrado em aliança com a Síria, não foi muito depois que esse país, aliado aos filisteus, se atirou contra Israel. A Síria, arrogantemente, acreditava em sua invencibilidade. Também pensava que um desastre inicial poderia ser revertido, fazendo as coisas voltar à normalidade. Talvez os assírios tenham ferido os judeus com uma derrota inicial. Mas agora, em vez de ter de enfrentar um único inimigo, deveriam enfrentar dois adversários, a Síria e os filisteus. O pano de fundo pode ser algo como se segue:

"Menaem pagava tributo a Tiglate-Pileser em 739 a.C. Dois anos mais tarde, o filho de Menaem, Pecaías, foi assassinado e substituído por Peca, que era figura antiassíria. Em 734 a.C., Tiglate-Pileser atacou os filisteus e, em 733-732 a.C., a Síria (Damasco) e Efraim. Parece, portanto, que os filisteus e os sírios, em cerca de 737 a.C., faziam o mesmo tipo de pressão para que Pecaías, de Israel, se aliasse a eles em um pacto antiassírio, tal como fora feito sobre Acaz, de Judá, em 734 a.C. (cf. Is 7.1), e 'devoraram Israel com a boca aberta'. O assassinato de Pecaías por Peca (ver o vs. 10) bem poderia descrever os efeitos devastadores do imenso tributo pago por Menaem (cf. 2Rs 15.19,20), que, conforme disse Isaías, falhou em quebrar a vanglória e o orgulho da nação do norte, Israel" (R. B. Y. Scott, *in loc.*).

"Alguns indagam por que Isaías colocou aqui esses versículos. É que, conforme era característica desse grande profeta escritor, ele alternou a mensagem de julgamento com alguma mensagem de bênção. Em contraste com o reinado de justiça e retidão do futuro do Messias (ver Is 9.6,7; 11.4; 16.5; 28.6,17; 32.16; 33.5; 42.1,3,4 e 51.5), a nação, nos dias de Isaías, era governada por líderes que não se incomodavam com o povo que vivia sob o seu governo (cf. Is 5.7)" (John S. Martin, *in loc.*).

■ **9.8** (na Bíblia hebraica corresponde ao **9.7**)

דָּבָר שָׁלַח אֲדֹנָי בְּיַעֲקֹב וְנָפַל בְּיִשְׂרָאֵל׃

O Senhor enviou uma palavra contra Jacó. "Jacó" pode ser aqui tanto a nação do norte quanto a nação do sul. Em seguida, a palavra "Israel" estreita a questão para a nação do norte. Ou então devemos tomar Jacó e Israel como termos paralelos que se aplicam a ambas as nações. Cf. Is 1.3 e 2.3. Os acontecimentos aqui descritos destinavam-se à nação do norte, mas a nação do sul também deveria receber uma lição. Outros eruditos, entretanto, pensam que ambos os termos — Israel e Judá — aplicam-se ao norte; e, nesse caso, devemos compreender que o profeta estava advertindo Judá através do desastre que tinha sobrevindo ao norte. Yahweh enviou outra palavra (oráculo) a Isaías, e ele foi fiel na comunicação da mensagem. A inspiração divina, pois, teve continuação.

■ **9.9** (na Bíblia hebraica corresponde ao **9.8**)

וְיָדְעוּ הָעָם כֻּלּוֹ אֶפְרַיִם וְיוֹשֵׁב שֹׁמְרוֹן בְּגַאֲוָה וּבְגֹדֶל לֵבָב לֵאמֹר׃

Todo o povo o saberá, Efraim e os moradores de Samaria. Agora a questão é estreitada para Efraim (a nação do norte) e sua capital, Samaria. O povo de Efraim era tão arrogante que pensava que os recuos preliminares causados pela Assíria permaneceriam somente isso: alguns poucos e fracos golpes. Eles acreditavam que o nocaute jamais aconteceria, e eles sempre poderiam reedificar as fortificações de tijolos derrubadas. Ver no *Dicionário* o artigo chamado *Orgulho*. A nação de Israel não sabia que estava em um conflito pela própria existência, e que em futuro não muito distante seria levada para o exílio, para nunca mais retornar. Efraim era a maior tribo da nação do norte, Israel, e por todo o livro de Isaías Efraim representou todo o reino do norte.

■ **9.10** (na Bíblia hebraica corresponde ao **9.9**)

לְבֵנִים נָפָלוּ וְגָזִית נִבְנֶה שִׁקְמִים גֻּדָּעוּ וַאֲרָזִים נַחֲלִיף׃

Os tijolos ruíram por terra, mas tornaremos a edificar com pedras lavradas. Note o leitor a arrogância refletida neste versículo. A nação do norte estava tão enganada sobre o que ocorria no mundo que pensava poder resistir os ataques de qualquer inimigo, e até estar em melhor condição terminado o ataque. Assim sendo, se *tijolos* fossem derrubados por terra, eles reconstruiriam suas edificações com pedras lavradas; e, se os sicômoros fossem derrubados, eles reconstruiriam com cedros do Líbano. Tijolos e sicômoros eram materiais baratos de edificação, ao passo que pedras lavradas e cedros eram materiais nobres, que os ricos usavam em seus palácios. Ver Jr 22.7,23. Tijolos feitos de barro e secos ao sol ficavam duros, mas não resistiam a muitos golpes de aríete. Ver no *Dicionário* o verbete intitulado *Tijolos*. E os sicômoros eram bastante abundantes em Israel.

■ **9.11** (na Bíblia hebraica corresponde ao **9.10**)

וַיְשַׂגֵּב יְהוָה אֶת־צָרֵי רְצִין עָלָיו וְאֶת־אֹיְבָיו יְסַכְסֵךְ׃

Portanto o Senhor suscita contra ele os adversários de Rezim. Embora Rezim (rei da Assíria) tivesse feito um acordo com o reino do norte para invadir Judá (ver Is 7.1), em breve mudaria de atitude e decidiria que era melhor saquear a nação de Israel do que lutar ombro a ombro com ela. Por volta de 738 a.C., parece que os filisteus e os sírios estavam pressionando Peca, rei de Israel, para forçá-lo a entrar em uma aliança com esses dois povos com vistas a enfrentar a Assíria, pelo que temos aqui uma espécie de reversão do que se vê no capítulo 7. Agora Israel era objeto dos ataques sírios e filisteus, em vez de Judá sofrer os ataques da Síria e de Israel, o reino do norte. Quanto a detalhes, ver as notas de introdução ao vs. 8. Como sempre, Yahweh é visto como o principal impulsionador dos atos dos reis pagãos, por estar punindo seu povo por intermédio deles. O vs. 12 fornece detalhes sobre a situação.

■ **9.12** (na Bíblia hebraica corresponde ao **9.11**)

אֲרָם מִקֶּדֶם וּפְלִשְׁתִּים מֵאָחוֹר וַיֹּאכְלוּ אֶת־יִשְׂרָאֵל בְּכָל־פֶּה בְּכָל־זֹאת לֹא־שָׁב אַפּוֹ וְעוֹד יָדוֹ נְטוּיָה׃

Do oriente vêm os siros, do ocidente os filisteus, e devoram a Israel. Israel seria apanhado em um movimento de pinça, da parte nordeste pelos sírios, e da parte oeste pelos filisteus. Entrementes, os habitantes de Israel recusavam-se a cuidar de seus pecados, pelo que teriam de defrontar-se com tiranos humanos e exércitos assassinos. Esses inimigos foram retratados como animais ferozes, que viriam rugindo contra Israel com boca escancarada, prontos para *devorar*, ou seja, dispostos a efetuar grande destruição. E o que restasse, eles aliariam a si mesmos, para fazer frente unida contra a poderosa Assíria.

Com tudo isto não se aparta a sua ira, e a mão dele continua ainda estendida. A seção termina com esse refrão, repetido por outras duas vezes neste capítulo (vss. 17 e 21), e uma vez mais no capítulo 10 (versículo 4). Essas repetições são comentários amargos de Deus sobre a teimosia e a rebeldia da nação do norte e sobre como julgamentos reiterados não puderam fazê-los mudar de atitude. Eles tinham avançado na maldade além da possibilidade de mudança. Fixaram-se em seus pecados e tornaram-se totalmente depravados, de modo que coisa alguma poderia levá-los ao arrependimento. A *mão de Deus*, ou seja, o poder de Deus, estava contra eles. Sua ira manifestava-se por sua mão. Ver sobre *mão* em Sl 81.14, sobre *mão direita* em Sl 20.6 e no *Dicionário*. Ver sobre *braço* em Sl 77.15; 89.10 e 98.1. E no *Dicionário* consultar o verbete chamado *Ira de Deus*.

Segunda Estrofe: A Nação Inteira É Julgada (9.13-17)

■ **9.13** (na Bíblia hebraica corresponde ao **9.12**)

וְהָעָם לֹא־שָׁב עַד־הַמַּכֵּהוּ וְאֶת־יְהוָה צְבָאוֹת לֹא דָרָשׁוּ׃ ס

Todavia este povo não se voltou para quem o fere. Israel estava fora de alcance, pelo que os golpes divinos não deixavam nenhuma impressão, a despeito do sofrimento que causassem. A ira de Deus continuava, e seu braço permanecia golpeando, mas inutilmente. Talvez Israel soubesse *por que* as coisas estavam piorando cada vez mais, mas o coração endurecido tem uma maneira de tornar-se inflexível diante de qualquer mudança. Ver 2Cr 28.22, uma declaração acerca do rei Acaz: "No tempo de sua angústia, cometeu ainda maiores transgressões contra o Senhor".

■ **9.14,15** (na Bíblia hebraica corresponde ao **9.13,14**)

וַיַּכְרֵת יְהוָה מִיִּשְׂרָאֵל רֹאשׁ וְזָנָב כִּפָּה וְאַגְמוֹן יוֹם אֶחָד׃

זָקֵן וּנְשׂוּא־פָנִים הוּא הָרֹאשׁ וְנָבִיא מוֹרֶה־שֶּׁקֶר הוּא הַזָּנָב׃

Pelo que o Senhor corta de Israel a cabeça e a cauda. O decepamento de Israel (pondo um ponto final em toda a confusão) foi ilustrado pelo corte de várias partes. Os pontos extremos — a cabeça e a cauda — seriam decepados, como se Israel fosse um animal. Aqueles que eram dotados de autoridade, representados pela cabeça, bem como aqueles que não tinham autoridade, sofreriam igualmente, porque todas as partes estavam podres. A cabeça representa os anciãos e homens honrados, no vs. 15, e também os sábios e aqueles que ocupavam posições de autoridade. Além disso, a *cauda* eram os profetas mentirosos, que tinham esquecido seu chamado e visavam ganhar algum coisa mediante suas manipulações. Por sua vez, a "palma" da altiva palmeira seria cortada fora, mas outro tanto aconteceria ao humilde "junco". Isso significa que indivíduos investidos de importância e posição social, bem como pessoas humildes das massas populares, que não chamavam a atenção de ninguém, seriam igualmente atingidos. O ponto é que a corrupção tinha afetado a massa toda, e não havia mais inocentes. O espectro inteiro da nação estava corrompido.

■ **9.16** (na Bíblia hebraica corresponde ao **9.15**)

וַיִּהְיוּ מְאַשְּׁרֵי הָעָם־הַזֶּה מַתְעִים וּמְאֻשָּׁרָיו מְבֻלָּעִים׃

Porque os guias deste povo são enganadores. Outro ponto de dois opostos ilustra a tese: os *líderes* e os *liderados*. Os líderes eram os piores, porquanto arrebanhavam outros para o jogo do pecado. Em breve a nação inteira estava presa a toda a espécie de vícios, e a idolatria encabeçava a lista de pecados. O monstro do pecado, que eles tinham criado, finalmente os engolira. Cf. Is 3.12b, que diz mais ou menos a mesma coisa. "Irreparavelmente perdidos, enganadores e enganados caminhavam juntos. E o mesmo acontece aos mestres e líderes do povo que lhes ensinavam coisas falsas e os guiavam por caminhos errados" (John Gill, *in loc.*).

■ **9.17** (na Bíblia hebraica corresponde ao **9.16**)

עַל־כֵּן עַל־בַּחוּרָיו לֹא־יִשְׂמַח אֲדֹנָי וְאֶת־יְתֹמָיו וְאֶת־אַלְמְנֹתָיו לֹא יְרַחֵם כִּי כֻלּוֹ חָנֵף וּמֵרַע וְכָל־פֶּה דֹּבֵר נְבָלָה בְּכָל־זֹאת לֹא־שָׁב אַפּוֹ וְעוֹד יָדוֹ נְטוּיָה׃

Pelo que o Senhor não se regozija com os jovens dele. Os jovens, no viço da juventude, tão plenos de energia e zelo, são motivo de alegria quando isso é canalizado para causas nobres. Mas a juventude de Judá usava essa energia e zelo para semear más ações a fim de corromper e ser corrompida desde cedo na vida. Naqueles jovens, o Senhor não encontrava prazer. Além disso, normalmente os órfãos e as viúvas excitam compaixão, mas aquela sociedade vivia tão corrompida, de alto a baixo, que nem os mais humildes escapavam à poluição. Portanto, nem mesmo a classe de órfãos e viúvas provocava compaixão no Senhor. Todos eles se tinham tornado hipócritas, ímpios e malfeitores, elementos falsos que proferiam falsidades.

Para alguns, a referência à juventude faz lembrar as atividades da guerra. Os jovens são soldados que guerreiam em causas alheias, não em suas próprias causas, e terminam sacrificados. Yahweh, como a causa por trás da guerra, não os pouparia. O país deleitava-se nos guerreiros jovens, mas Yahweh os desprezava.

> Assim, o Senhor não poupa os soldados,
> mostrando-se sem pena até para órfãos e viúvas.
> São todos profanos e ímpios;
> a impiedade acha-se em todos os lábios.
>
> Moffatt

O Refrão. A parte final do versículo é uma reiteração extraída do refrão final do vs. 12, que aparece por um total de quatro vezes nesta passagem. Ver as notas sobre isso no vs. 12. A mão de Deus pesa contra todos aqueles pecadores.

A Terceira Estrofe (9.18-21)

■ **9.18** (na Bíblia hebraica corresponde ao **9.17**)

כִּי־בָעֲרָה כָאֵשׁ רִשְׁעָה שָׁמִיר וָשַׁיִת תֹּאכֵל וַתִּצַּת בְּסִבְכֵי הַיַּעַר וַיִּתְאַבְּכוּ גֵּאוּת עָשָׁן׃

Porque a maldade lavra como um fogo. A iniquidade é aqui retratada como um incêndio todo-consumidor que devorava a terra inteira, sem respeitar coisa alguma. Esse incêndio devorava espinheiros e abrolhos, mas também florestas e campos cultivados, e todas essas coisas, devido ao incêndio, produziam horrenda coluna de fumaça. O poder destruidor do mal, que permeava toda a sociedade, parecia um incêndio florestal que se espalhava por toda a parte, até o colapso total da sociedade. Judá haveria de destruir-se com os seus próprios feitos. "Como fogo em espinhos foram queimadas" (Sl 118.12). Cf. Ez 20.47.

> *O mal é como um pequeno incêndio; primeiro, queima mato daninho e espinhos. Em seguida, queima os arbustos maiores da floresta. E tudo se evapora em uma coluna de fumaça.*
>
> NCV

Essa foi igualmente a interpretação de Kimchi: o fogo queima primeiro as coisas pequenas e então atinge as coisas de maior vulto, que ele aplicou a *gradações* da sociedade, desde as classes mais humildes até as mais importantes. Há certa *ironia* no fato de que as florestas, antes tão altas em seu orgulho, transformaram-se agora em meras colunas de fumaça que sobem para os céus.

■ **9.19** (na Bíblia hebraica corresponde ao **9.18**)

בְּעֶבְרַת יְהוָה צְבָאוֹת נֶעְתַּם אָרֶץ וַיְהִי הָעָם כְּמַאֲכֹלֶת אֵשׁ אִישׁ אֶל־אָחִיו לֹא יַחְמֹלוּ׃

Por causa da ira do Senhor dos Exércitos a terra está abrasada. O fogo do incêndio é agora chamado de *ira de Yahweh*, o Senhor *dos Exércitos*. Quanto a este último título, ver o *Dicionário* e 1Reis 18.15. Deus brande todo o poder em suas mãos, pelo que é o Juiz que envia seu incêndio destruidor, de forma que a terra inteira de Judá seja devastada sem misericórdia. O Poder que controla os exércitos celestiais é o destruidor da terra, incansável, todo-consumidor. Enquanto o fogo divino devorava todas as coisas, cada indivíduo fazia a mesma coisa com seu vizinho e seu amigo. Portanto, a terra de Israel seria destruída pelo lado de fora (por meio de exércitos estrangeiros e desastres naturais), e também pelo lado de dentro, mediante crimes intermináveis, incluindo assassínios, latrocínios e violência desenfreada. Foi assim que o país inteiro tornou-se combustível para alimentar a conflagração generalizada que destruiria o povo, fazendo-o desaparecer da face da terra.

■ **9.20** (na Bíblia hebraica corresponde ao **9.19**)

וַיִּגְזֹר עַל־יָמִין וְרָעֵב וַיֹּאכַל עַל־שְׂמֹאול וְלֹא שָׂבֵעוּ אִישׁ בְּשַׂר־זְרֹעוֹ יֹאכֵלוּ׃

Abocanha à direita, e ainda tem fome. Agora a nação de Judá é retratada como um monstro que devorava a si mesmo. Os seus cidadãos se devoravam entre si, à direita e à esquerda, ou seja, por toda a parte e em todas as direções. Os *abusos mútuos* foram um dos maiores fatores que desolaram a terra. Os judeus chegaram a devorar a carne dos próprios braços (*King James Version*), ou então "cada um devora a carne do próximo" (*Revised Standard Version*). O Targum também tem esta segunda compreensão do original hebraico envolvido. Mas a NIV diz como segue:

> *Cada qual se alimentará da carne*
> *De sua própria prole.*

Isso é uma referência ao *canibalismo* figurado, e talvez até a um canibalismo literal, quando chegasse o tempo dos ataques assírios. "... fome devoradora, desconsideração pelos laços de parentesco, insaciável miséria e morte que atingiria a todos, por todos os lados (ver Jr 19.9)" (Fausset, *in loc.*). A referência poderia ser à destruição mútua das várias tribos da nação do norte, que não mais eram consideradas "irmãs de raça". Ver o vs. 21. Diz o Targum: "Eles despojam o sul e continuam com fome; eles despojam o norte e não ficam satisfeitos".

■ **9.21** (na Bíblia hebraica corresponde ao **9.20**)

מְנַשֶּׁה אֶת־אֶפְרַיִם וְאֶפְרַיִם אֶת־מְנַשֶּׁה יַחְדָּו הֵמָּה עַל־יְהוּדָה בְּכָל־זֹאת לֹא־שָׁב אַפּוֹ וְעוֹד יָדוֹ נְטוּיָה׃ ס

Manassés a Efraim, e Efraim a Manassés. Além disso, praticavam-se abusos entre o norte e o sul, e então entre as tribos. Manassés feria a Efraim, e Efraim feria a Manassés, e então ambos se voltavam contra Judá. Eram como cães selvagens que se deleitam em brigar entre si, e não meramente contra um inimigo ou presa comum. "Ao que tudo indica, a referência é à derrubada e ao assassinato de Pecaías, por parte de Peca, um gileadita do território de Manassés, a leste do rio Jordão, e ao ataque subsequente de Peca, em companhia de Rezim, de Damasco, contra Acaz, de Judá" (R. B. Y. Scott, *in loc.*). O quadro pintado é um retrato de total iniquidade, que não se satisfazia com nenhum tipo de expressão, mas se mantinha ocupado tentando todas as maneiras de ferir o próximo. Israel inteiro se tornara insano. Não admirava que Yahweh precisou intervir, pondo fim a toda aquela triste massa pútrida, mediante a agência do exército assírio. Israel, desunido em todas as coisas, e já mutuamente destrutivo, teve de unir-se (e até alugar a ajuda de um estrangeiro) para atacar os "irmãos" do sul, que não mais significavam nada para eles, embora fossem irmãos hebreus.

O Refrão. Pela terceira vez (vss. 12, 17 e 21) foi repetido o refrão do *poder destruidor de Deus.* Deus precisou estender sua mão (que usualmente era empregada para ajudar seu povo) a fim de pôr fim àquele triste estado de coisas, de modo que houvesse um novo começo. Ver as notas sobre o vs. 12 quanto a essa declaração.

CAPÍTULO DEZ

O LÁTEGO ASSÍRIO (10.1-34)

Ai de um Povo Injusto (10.1-4)

O capítulo anterior apresentou três estrofes com respeito ao julgamento que haveria de sobrevir à nação do norte, por causa de sua profunda iniquidade (vss. 8-12; vss. 13-17; vss. 18-21). E Is 10.1-4, a *quarta estrofe,* assinala a transição de volta a Judá, seus pecados e sua punição antecipada. Alguns eruditos pensam que esta estrofe também fala com a nação de Israel, mas a expressão "meu povo", que figura no vs. 2 deste capítulo, quase certamente designa Judá. Note igualmente que a terceira estrofe do capítulo 9 menciona *Judá,* aparentemente como antecipação para a transição da quarta estrofe. Os líderes da nação do sul eram culpados de *seis* pecados distintivos contra o seu próprio povo. É provável que esta seção represente um oráculo independente, outra mensagem de Yahweh dirigida ao profeta Isaías. Cf. Jr 3.6-10 e Ez 16.44-58.

■ **10.1**

הוֹי הַחֹקְקִים חִקְקֵי־אָוֶן וּמְכַתְּבִים עָמָל כִּתֵּבוּ׃

Ai dos que decretam leis injustas. Temos aqui o início dos seis pecados cometidos na nação do sul, Judá:

1. Os *horríveis líderes* de Judá *decretavam* leis injustas que serviam a si mesmos, mas prejudicavam o povo comum. Juízes injustos faziam parte do plano, promovendo os orgulhosos e ricos, e explorando os humildes e os que não sabiam defender-se. Quão frequentemente os governantes de uma nação na realidade são os seus opressores! Cf. Is 3.13-15 e Jr 8.8. Eles decretavam leis irracionais e opressivas, contrárias aos ditames da legislação mosaica. Os interesses dos fortes e dos ímpios eram protegidos, e os ricaços da terra apelavam para essas leis e seus legisladores. Os que agiam assim eram objeto dos julgamentos divinos, e em breve os *opressores* tornaram-se *oprimidos,* uma vez que houve o ataque da potência estrangeira, a Assíria.
2. Os legisladores continuavam a compor *medidas opressivas* para transformar o povo em presa. Não estão em pauta escribas, mas, sim, magistrados, que tomavam decisões aberrantes sobre as leis e as usavam como instrumentos de exploração. Leis gravosas e intolerantes eram baixadas por eles. Eles as redigiam ou mandavam que fossem redigidas, e então as promulgavam e publicavam. Assim o povo era forçado a viver sob uma legislação intolerável, um código de opressão e sofrimento. Cargas pesadas demais para serem suportadas eram levadas pelo povo. Cf. Mt 15.3,6,9 e 23.4,14,23,25.

■ **10.2**

לְהַטּוֹת מִדִּין דַּלִּים וְלִגְזֹל מִשְׁפַּט עֲנִיֵּי עַמִּי לִהְיוֹת אַלְמָנוֹת שְׁלָלָם וְאֶת־יְתוֹמִים יָבֹזּוּ׃

Para negarem justiça aos pobres. Continuam aqui os seis pecados da liderança de Judá:
3. Os *pobres,* os elementos mais fracos da sociedade que não sabiam defender-se, eram objeto especial de leis injustas e atos opressivos dos líderes corruptos. Na política, qualquer medida opressiva servia.
4. A *justiça era anulada,* e isso às expensas dos que mais precisavam dela. Os membros humildes da sociedade não podiam apelar à lei, porquanto ela se tornara uma medida de *perseguição.* Os líderes eram "ladrões dos direitos naturais".
5. As *viúvas,* tão facilmente exploradas, perdiam suas terras e o pouco meio de vida que tinham a fim de aumentar as contas bancárias dos ricaços e poderosos. Isso posto, elas se tornavam presas daqueles animais selvagens, ou um despojo de exércitos legais iníquos.
6. Os *órfãos,* que já tinham perdido seus pais devido às condições caóticas da sociedade ou aos desastres naturais, eram vítimas dos furtos das autoridades humanas, que assestavam contra eles leis injustas. Pessoas que não sabiam defender-se tornavam-se despojos do exército de pervertidos. A legislação mosaica procurava proteger as classes mais humildes. Ver Êx 22.22; 23.6; Dt 15.7,8; 24.17,18; e cf. Is 1.17.

■ **10.3**

וּמַה־תַּעֲשׂוּ לְיוֹם פְּקֻדָּה וּלְשׁוֹאָה מִמֶּרְחָק תָּבוֹא עַל־מִי תָּנוּסוּ לְעֶזְרָה וְאָנָה תַעַזְבוּ כְּבוֹדְכֶם׃

Mas que fareis vós outros no dia do castigo...? Os opressores em breve começariam a ser oprimidos. A maré do pecado tinha de ser revertida de alguma maneira, em algum lugar. O *dia da visitação* já raiava no horizonte. Um dia de punição e tristeza haveria de apanhar aqueles ímpios judeus que exploravam o próprio povo. Os exploradores seriam explorados. Os destruidores seriam destruídos. Ver no *Dicionário* o verbete chamado *Lei Moral da Colheita segundo a Semeadura.* O "dia do Senhor" (2.12) estava chegando. Agora a *desolação* não estava mais distante. E, quando chegasse, não haveria para onde fugir, e todas as riquezas amealhadas mediante medidas legais e opressivas cairiam nas mãos das hordas assírias e, mais tarde, nas mãos dos babilônios. Os poucos sobreviventes judeus ficariam perambulando ao redor, amaldiçoando o rei e a Deus (ver Is 8.21). "Pela imutável lei de Deus, o mal seria julgado" (G. G. D. Kilpatrick, *in loc.*).

■ **10.4**

בִּלְתִּי כָרַע תַּחַת אַסִּיר וְתַחַת הֲרוּגִים יִפֹּלוּ בְּכָל־זֹאת לֹא־שָׁב אַפּוֹ וְעוֹד יָדוֹ נְטוּיָה׃ ס

Nada mais vos resta a fazer senão dobrar-vos entre os prisioneiros e cair entre os mortos. Nada mais restaria aos iníquos judeus da classe liderante senão encolher-se entre os prisioneiros, juntamente com aqueles a quem oprimiram. Todos seriam nivelados pelos conquistadores assírios e babilônios. Os estudiosos que veem Israel nos vss. 1-3 falam aqui do cativeiro assírio. Mas quase certamente é a nação de Judá que figura aqui, e o estágio final do castigo para o povo de Judá seria o cativeiro babilônico, embora os assírios também viessem a prejudicar seriamente a nação de Judá. Ver Is 1.7.

O Refrão. Encontramos aqui a *quarta repetição* do refrão que apareceu inicialmente em Is 9.12, onde apresentamos comentários a respeito. A poderosa mão do julgamento divino haveria de continuar golpeando, tanto Israel quanto Judá, até que ambas as nações fossem reduzidas a pó. Então um novo começo poderia ter lugar com o pequeno remanescente que retornaria da Babilônia. Um remanescente da nação de Judá se tornaria o novo Israel, mas somente quando a antiga nação de Israel e a antiga nação de Judá tivessem sido virtualmente aniquiladas. Alguns estudiosos pensam estar em pauta aqui a dispersão provocada pelos romanos, mas não há referência a isso nos profetas do Antigo Testamento. Outros eruditos acreditam que Is 5.24-30 deveria ser colocado aqui como, conforme eles supõem, o final de um complexo oráculo que foi interrompido por outros materiais.

A ASSÍRIA, O CHICOTE NAS MÃOS DE DEUS, TAMBÉM SERIA JULGADA (10.5—12.6)

A Jactância dos Assírios (10.5-16)

"Inconsciente de que servia de instrumento de Deus, a poderosa Assíria estava condenada, por seu orgulho, à destruição (cf. Jr 25.8-14; 50.23)" (*Oxford Annotated Bible,* comentando sobre o vs. 5). Ver a *Introdução* ao livro, seção II, que fornece o pano de fundo histórico. É claro que a Assíria foi o látego tanto de Israel (o norte) quanto de Judá (o sul), embora para Judá o látego maior fosse a Babilônia. Yahweh é pintado a usar uma vara e um cacete para punir o seu povo, e esses instrumentos eram uma potência militar pagã. No vs. 15, a Assíria também aparece como um *machado* e uma *serra,* mas este versículo deixa claro que não havia poder naqueles instrumentos sem a mão divina que os empregasse.

■ 10.5

הוֹי אַשּׁוּר שֵׁבֶט אַפִּי וּמַטֶּה־הוּא בְיָדָם זַעְמִי׃

Ai da Assíria, cetro da minha ira! Embora a *Assíria* tenha sido o instrumento para castigar tanto a nação de Israel quanto a nação de Judá, dificilmente era inocente. Uma potência superior, a Babilônia, poria fim ao poder assírio. A seção à nossa frente prediz esse fato e então nos dá discernimento do que se seguiria, o que tem sido interpretado como o reino do milênio de Deus. Mas os profetas do Antigo Testamento não viam com clareza bastante para entender o que seria separado do tempo da restauração de Israel, por meio do retorno do remanescente dos judeus, terminado o exílio babilônico. De fato, os profetas pintavam o reino como algo que viria logo depois do retorno da Babilônia, ou seja, eles erraram quanto ao elemento tempo. Os críticos, naturalmente, não veem nisso um equívoco que tenha envolvido somente o elemento tempo, mas um erro maior: o fracasso por parte do próprio reino, que os judeus e os cristãos transferiram para mais adiante, em algum futuro remoto, a fim de evitar que a profecia fosse chamada de falsa. O Apocalipse, no Novo Testamento, certamente antecipa o segundo advento de Cristo como acontecimento bem próximo, e isso concorda com a expectativa dos primeiros cristãos. Gradualmente, porém, foi-se percebendo que essa expectativa não teria cumprimento muito em breve. Em seguida desenvolveu-se uma escatologia que transferiu o evento para um futuro remoto, e os cristãos começaram a falar sobre a passagem de 2.000 anos. A fé retém a ideia do reino, enquanto a incredulidade rejeita a questão inteira.

■ 10.6

בְּגוֹי חָנֵף אֲשַׁלְּחֶנּוּ וְעַל־עַם עֶבְרָתִי אֲצַוֶּנּוּ לִשְׁלֹל שָׁלָל וְלָבֹז בַּז וּלְשׂוּמוֹ מִרְמָס כְּחֹמֶר חוּצוֹת׃

Envio-a contra uma nação ímpia, e contra o povo da minha indignação. *A Assíria Foi o Látego Usado por Deus.* O povo de Deus se tornara ímpio. Deus é o Senhor da história e o Impulsionador primário dos acontecimentos humanos. Isso reflete a ideia do *Teísmo,* que afirma que Deus não somente criou todas as coisas, mas também está presente no mundo para recompensar os bons e castigar os maus. Isso faz parte de sua providência contínua, em seus aspectos positivo e negativo. Ver no *Dicionário* os artigos chamados *Teísmo* e *Providência de Deus.* Em contraste com esse conceito, temos a noção do *Deísmo,* que assevera que o poder criador abandonou o universo, deixando-o ao controle de leis naturais. Em outras palavras, Deus divorciou-se de sua criação. Ver também o *Dicionário* quanto ao *Deísmo.*

Uma ideia comum entre os hebreus é que Deus era a *causa única.* A teologia dos hebreus era fraca quanto a causas secundárias. Naturalmente, essa era uma posição exagerada. O livro de Isaías, do começo ao fim, apela para os homens como causas secundárias, para fazerem o que é certo e assim evitarem o juízo divino. Sem causas secundárias não haveria coisas certas nem responsabilidade moral. No livro de Isaías, por exemplo na parábola da vinha, em Is 5.1-7, o julgamento é visto como inevitável, mas isso se devia ao fato de que os homens se corromperam de tal modo que se tornaram incapazes de reformar-se moralmente. O calvinismo radical também caiu na armadilha fatal de ter Deus como a *causa única,* com uma resultante má teologia no tocante ao destino humano.

As temíveis descrições contidas neste versículo provavelmente têm por intuito incluir o que a Assíria fez tanto contra Israel como contra Judá. Israel naturalmente foi mais pesadamente atingido pela Assíria do que Judá. O artigo sobre o *Cativeiro Assírio* fornece vívidas descrições daquele horrendo acontecimento. Na verdade, Israel foi abatido como um animal herbívoro por um carnívoro feroz. Ato contínuo, o monstro do nordeste pisoteou Israel aos pés, na lama das ruas. Habacuque (1.16,17) indagou por que Deus usou poderes pagãos para punir seu próprio povo, e podemos estar seguros de que Israel também ficou surpreso diante desse fato. Is 9.10 mostra-nos que o povo de Israel pensava ser capaz de desviar os ataques e sobreviver outro dia para tornar-se maior e melhor do que nunca. Quem teria podido antecipar o fim absoluto da nação de Israel? Não obstante, o Senhor Jesus reverteu os efeitos do cativeiro assírio (ver Is 9.1,2).

■ 10.7

וְהוּא לֹא־כֵן יְדַמֶּה וּלְבָבוֹ לֹא־כֵן יַחְשֹׁב כִּי לְהַשְׁמִיד בִּלְבָבוֹ וּלְהַכְרִית גּוֹיִם לֹא מְעָט׃

Ela, porém, assim não pensa. Estava na mente da Assíria destruir muitos povos, mas nunca se evidenciou diante dos olhos dos assírios que sua pátria era um instrumento nas mãos do Deus de Israel! Cf. a admiração de Habacuque (1.16,17) sobre como tal coisa poderia estar moralmente correta. Este versículo indica que a Assíria nada tinha do que vangloriar-se. Era um povo brutal e ímpio, e sua condição em nada foi aprimorada quando eles se tornaram um instrumento nas mãos de Deus. Eles eram conduzidos pela concupiscência pelo sangue e pelas riquezas materiais e, além disso, apreciavam toda aquela matança.

"Sua concupiscência desenfreada pela conquista foi usada e limitada por Yahweh, mas mesmo assim eles acabaram sendo julgados por Yahweh" (R. B. Y. Scott, *in loc.*). "Isaías não reivindicava que a Assíria era ímpia, ou que aquele império sabia que Deus o estava usando para cumprir suas ordens. Em sua soberania, ele orientou a Assíria para que fosse seu instrumento de vingança" (John S. Martin, *in loc.*). Há uma inscrição de Sargão que diz: "Conquistei; assolei; incendiei; matei; destruí", e todas essas coisas foram ditas jactanciosamente, como se fossem coisas capazes de tornar um homem grande. Outrossim, ele se considerava o campeão de divindades pagãs como Istar e Nebo, mas jamais imaginou ser uma vara nas mãos de Yahweh contra o seu próprio povo! Quanto ao tremendo e temido poder da Assíria, e sua longa história de destruição, ver o artigo sobre esse povo, no *Dicionário*.

■ 10.8

כִּי יֹאמַר הֲלֹא שָׂרַי יַחְדָּו מְלָכִים׃

Porque diz: Não são meus príncipes todos eles reis? A Assíria fazia com que *reis* vassalos se tornassem comandantes de exército. Os reis antigos conquistavam posição de realeza por serem soldados de valor superlativo, porquanto, naquele tempo, a capacidade de matar significava a sobrevivência e a conquista de governos estrangeiros. Os vss. 9 ss. mencionam algumas das mais significativas vitórias dos assírios. Samaria não resistiu aos ataques dos assírios, e Jerusalém também não poderia oferecer resistência, sendo eles tão grandiosa potência.

Alguns estudiosos pensam que este versículo significa que todos os comandantes são "como reis", e não que o rei da Assíria se valesse de reis vencidos como comandantes de exército. Há inscrições que exibem os nomes de 23 reis (entre os quais estão Acaz e Peca), que tinham sido trazidos para a órbita do controle assírio. Um possível significado deste versículo é que o rei da Assíria era tão grande que até mesmo aqueles que o serviam, como seus nobres e comandantes militares, eram tão grandes quanto ou mesmo maiores do que os *reis* de outras nações. Isso fazia parte da vanglória do rei assírio sobre quão grande era ele mesmo e o seu povo.

■ 10.9

הֲלֹא כְּכַרְכְּמִישׁ כַּלְנוֹ אִם־לֹא כְאַרְפַּד חֲמָת אִם־לֹא כְדַמֶּשֶׂק שֹׁמְרוֹן׃

Não é Calno como Carquemis? As *vitórias passadas* serviam de garantia de sucesso contra Jerusalém. Cinco cidades famosas e bem fortificadas da anteriormente orgulhosa Síria são nomeadas aqui, começando pelas mais distantes de Jerusalém. Todos esses lugares haviam caído diante do poder assírio. Tiglate-Pileser conquistou Calno em 742 a.C.; Carquemis e Hamate em 738 a.C.; Arpade em 741 a.C.; e Damasco em 732 a.C. Ver no *Dicionário* artigos sobre todos esses lugares. Menaem, rei de Israel, pagava tributos, à espera do golpe final aplicado pelos assírios. Os incansáveis assírios se espalhavam, qual maré inundante, por todas as terras; e, em 701 a.C., estavam aos pés das muralhas de Jerusalém.

■ 10.10

כַּאֲשֶׁר מָצְאָה יָדִי לְמַמְלְכֹת הָאֱלִיל וּפְסִילֵיהֶם
מִירוּשָׁלַ͏ִם וּמִשֹּׁמְרוֹן׃

O meu poder atingiu os reinos dos ídolos. Os povos antigos levavam muito a sério a ajuda prestada pelos ídolos. É provável que a maioria desses povos acreditasse que os ídolos representavam poderes espirituais invisíveis mas reais, interessados nos homens, para ajudá-los ou prejudicá-los. Quanto maiores e mais vistosos fossem esses ídolos, segundo se concebia na época, mais era possível invocar sua ajuda e proteção. Além disso, havia aqueles templos magníficos, complexos sistemas rituais e sacrificiais. Todo esse aparato idolátrico servia para impressionar os poderes espirituais invisíveis, o que garantiria ajuda em tempos de necessidade. Mas o poderoso Tiglate-Pileser tinha sido capaz de vencer todos os poderes, humanos e divinos; e, por essa razão, postava-se, arrogante, em suas realizações. Além disso, nem em Samaria nem em Jerusalém havia ídolos tão augustos como aqueles que já haviam sido subjugados. Sem dúvida, Yahweh era classificado como deus de Israel e Judá, como em nada superior a outros, embora não fosse representado por ídolo. Tanto Israel quanto Judá se tinham tornado aberta e francamente idólatras, antes do golpe da mão de Deus. Portanto, havia grande abundância de ídolos que o rei da Assíria poderia mencionar. Ver no *Dicionário* o artigo chamado *Idolatria*. Cf. a vanglória do rei da Assíria com Is 39.19,20; 37.12. Deus usaria o jactancioso rei da Assíria, mas esperava por ele um dia de prestação de contas.

■ 10.11

הֲלֹא כַּאֲשֶׁר עָשִׂיתִי לְשֹׁמְרוֹן וְלֶאֱלִילֶיהָ כֵּן אֶעֱשֶׂה
לִירוּשָׁלַ͏ִם וְלַעֲצַבֶּיהָ׃ ס

Porventura como fiz a Samaria e aos seus ídolos...? *As cidades da Síria,* enumeradas no vs. 10, caíram e tornaram-se parte do império assírio. Samaria estava agora sob tributo; dentro de poucos anos seria completamente demolida, e os poucos sobreviventes seriam transportados para a Assíria. Em seguida, outras pessoas seriam enviadas para ocupar o lugar dos primitivos habitantes da nação do norte, Israel. Os casamentos mistos entre os sobreviventes de Israel e os recém-chegados produziriam os samaritanos. Depois de tudo isso, o reino do norte, Israel, teria um fim definido. Portanto, que chances Jerusalém (embora alegadamente protegida por seus ídolos) teria de resistir à maré das tropas assírias?

■ 10.12

וְהָיָה כִּי־יְבַצַּע אֲדֹנָי אֶת־כָּל־מַעֲשֵׂהוּ בְּהַר צִיּוֹן
וּבִירוּשָׁלָ͏ִם אֶפְקֹד עַל־פְּרִי־גֹדֶל לְבַב מֶלֶךְ־אַשּׁוּר
וְעַל־תִּפְאֶרֶת רוּם עֵינָיו׃

Por isso acontecerá que, havendo o Senhor acabado toda a sua obra. Este versículo é uma anotação em forma prosaica que sumaria Is 10.5-11 e 13-16, e ficaria mais bem colocado depois do vs. 16. O chicote assírio perduraria somente enquanto Yahweh assim o quisesse. Uma vez que a Assíria tivesse servido a seu propósito nas mãos de Deus, então que recebesse o castigo que tanto merecia. Este versículo apresenta uma esperança que se tornou comum nos profetas posteriores e apocalípticos, em suas formulações escatológicas: Deus haveria de julgar os opressores, mesmo que tivesse determinado que eles oprimissem a outros. Ver Ez 38.17 ss.; Zc 14.1 ss.; Jl 3.9-16. O monarca assírio era homem orgulhoso e altivo, atitude abominada pela mente divina. Ver Sl 18.27; 101.5; Pv 6.1 e 30.13. Ver no *Dicionário* o verbete chamado *Orgulho*. A Babilônia em breve poria fim ao império assírio.

Com grande indignação estou irado contra as nações que vivem confiantes.

Zacarias 1.15

■ 10.13,14

כִּי אָמַר בְּכֹחַ יָדִי עָשִׂיתִי וּבְחָכְמָתִי כִּי נְבֻנוֹתִי וְאָסִיר
גְּבוּלֹת עַמִּים וַעֲתוּדוֹתֵיהֶם שׁוֹשֵׂתִי וְאוֹרִיד כַּאבִּיר
יוֹשְׁבִים׃

וַתִּמְצָא כַקֵּן יָדִי לְחֵיל הָעַמִּים וְכֶאֱסֹף בֵּיצִים עֲזֻבוֹת
כָּל־הָאָרֶץ אֲנִי אָסָפְתִּי וְלֹא הָיָה נֹדֵד כָּנָף וּפֹצֶה פֶה
וּמְצַפְצֵף׃

Porquanto este disse: Com o poder da minha mão fiz isto. A arrogância do rei da Assíria continua a ser descrita, resumindo o vs. 11. Ele pensava que todas aquelas vitórias haviam sido obtidas pelo poder de suas mãos, e não pelo poder das mãos do Senhor Deus. Assim sendo, jactava-se. O rei pensava que *seu* poder e *sua* sabedoria o tinham levado a modificar as fronteiras dos países, reunindo todas as nações conquistadas sob seu domínio. Ele pensava que, por *seu* poder, tinha saqueado todos aqueles povos e enriquecido fantasticamente. Por conseguinte, vangloriava-se. Ele pensava ser um forte touro que conseguiria derrubar tronos e aqueles que neles se assentavam. Portanto, orgulhava-se. Ele pensava que, por *seu* próprio poder e gênio, tinha reunido toda a *riqueza* dos países em derredor, como se fossem ovos que ele simplesmente tinha encontrado em um ninho. Diante da sua aproximação, os reis de outras nações, quais aves, abandonaram seus ninhos e ovos, pelo que o rei da Assíria ficou com todos eles para si mesmo. E, assim sendo, vangloriava-se. Aquelas aves (os reis) ficaram tão assustadas que nem ao menos mexeram as asas nem abriram o bico para piar. Elas sabiam que estavam impotentes diante do rei da Assíria. E, isso posto, ele se jactava. O homem não sabia que Yahweh era a fonte de todo aquele poder e de todas aquelas vitórias. Ele não era um homem moldado por si mesmo, mas fora moldado por Deus, para *aquela hora* exata. Terminado o seu tempo de agir, ele acabaria esmagado, tal e qual havia feito a outros.

■ 10.15

הֲיִתְפָּאֵר הַגַּרְזֶן עַל הַחֹצֵב בּוֹ אִם־יִתְגַּדֵּל הַמַּשּׂוֹר
עַל־מְנִיפוֹ כְּהָנִיף שֵׁבֶט וְאֶת־מְרִימָיו כְּהָרִים מַטֶּה
לֹא־עֵץ׃

Porventura gloriar-se-á o machado contra o que corta com ele? *A Resposta à Loucura do Rei Assírio.* Somos aqui remetidos ao vs. 5: o rei assírio era apenas um instrumento na mão de Deus. Antes ele aparece como uma vara e um bastão, mas agora é pintado como um *machado* e uma *serra*. O machado é um instrumento que só pode cortar se um homem o maneja. Dessa forma, o rei assírio só poderia fazer alguma coisa se Yahweh decidisse usá-lo com algum propósito. Uma serra não tem o poder de levantar-se e serrar uma tora de madeira. Esse trabalho só pode ser feito se alguém resolver cortar alguma coisa com a serra. Mero instrumento! Essa é a mensagem do versículo, e aquele que era apenas um instrumento não tinha razão alguma para gloriar-se. O homem é quem brande os vários instrumentos, não são os instrumentos que brandem o homem; portanto, é um absurdo um instrumento tomar para si o crédito que pertence ao homem. Este versículo personaliza os instrumentos como se tivessem inteligência própria, além da inteligência do indivíduo que os utiliza. A Assíria nem traçou nem alterou os planos divinos. Foi apenas um instrumento para realizar o que estava determinado, segundo os *propósitos divinos.*

■ 10.16

לָכֵן יְשַׁלַּח הָאָדוֹן יְהוָה צְבָאוֹת בְּמִשְׁמַנָּיו רָזוֹן וְתַחַת
כְּבֹדוֹ יֵקַד יְקֹד כִּיקוֹד אֵשׁ׃

Pelo que o Senhor, o Senhor dos Exércitos, enviará a tísica contra os seus homens. O julgamento que alcançaria a Assíria tomaria diversas formas. Algumas delas seriam enfermidades, pragas, desastres naturais, coisas que estão fora do controle humano. Os exércitos assírios seriam grandemente reduzidos por meio de pragas. Nem mesmo guerreiros fortes ofereceriam resistência. Antes, morreriam como moscas. E então, "de baixo da sua glória", talvez apontando para suas partes interiores, queimaria um fogo. Talvez estejam em pauta infecções internas que matam pelo lado de dentro. O versículo seguinte define o fogo como a "labareda" do Santo de Israel, embora não revele de que maneira esse julgamento operaria ou exatamente no que esse fogo consistiria. Poderia estar em mira o exército babilônico, que viria queimando e saqueando, e esse seria outro instrumento usado por Deus. Ao que parece, a Assíria foi pintada como uma floresta que em breve seria reduzida a cinzas por um incêndio. Ver o vs. 18 quanto a esse simbolismo. A destruição atingiria tanto a alma quanto o corpo, conforme explico naquele versículo.

De baixo da sua glória. Devemos considerar aqui três pontos: 1. Os órgãos internos do corpo, queimados por alguma infecção. 2. A glória do reino assírio, queimada pelo julgamento vindouro, através dos babilônios. 3. O exército assírio, que era a glória da nação, consumido pelas chamas da batalha.

O Incêndio da Floresta (10.17-19)

■ 10.17

וְהָיָה אוֹר־יִשְׂרָאֵל לְאֵשׁ וּקְדוֹשׁוֹ לְלֶהָבָה וּבָעֲרָה
וְאָכְלָה שִׁיתוֹ וּשְׁמִירוֹ בְּיוֹם אֶחָד׃

Porque a Luz de Israel virá a ser como fogo. No vs. 16, Yahweh acende as chamas do julgamento; aqui, o próprio Yahweh é o fogo, e a luz é a glória de sua majestade (ver Sl 27.1). Ver no *Dicionário* os artigos chamados *Luz, Deus como* e *Glória*. Ver também o verbete chamado *Santo de Israel*, o nome divino aqui usado. A santidade de Yahweh requeria que a Assíria fosse julgada por meio do fogo, e o próprio Yahweh seria o agente nessa deflagração. O fogo divino destruiria *os espinheiros e as sarças*, ou seja, o exército assírio. Isso ocorreria em um "só dia", ou seja, em pouco tempo, ou então está em pauta aqui o Dia do Senhor (Is 2.12). "Em 701 a.C., foram mortos 185 mil soldados assírios que cercavam Jerusalém (2Rs 19.35; Is 37.36,37). Então, em 609 a.C., o império assírio caiu diante da Babilônia. Essa queda foi um protótipo da queda de todos quantos se opõem a Deus e a seus planos para o povo que firmou pacto com ele" (John S. Martin, *in loc.*).

"A luz de Israel é a glória majestática de Deus (ver Is 2.10; 29.6; Ez 1.26-28). Deus tomaria vingança da Assíria como se fosse um incêndio na floresta" (*Oxford Annotated Bible*, comentando sobre este versículo).

■ 10.18

וּכְבוֹד יַעְרוֹ וְכַרְמִלּוֹ מִנֶּפֶשׁ וְעַד־בָּשָׂר יְכַלֶּה וְהָיָה
כִּמְסֹס נֹסֵס׃

Também consumirá a glória da sua floresta e do seu campo fértil. O fogo de Deus consumiria a *floresta gloriosa*, ou seja, os nobres da Assíria, bem como todas as coisas boas daquela nação. Talvez estejam em pauta homens selecionados, e não meros objetos físicos inanimados.

Desde a alma até ao corpo. Considere o leitor estes dois pontos: 1. Não alma e corpo no sentido do corpo físico e da alma imaterial, no *sheol*, e na Geena, após o julgamento final. 2. Antes, *completamente*. "... proverbial para a ideia de *totalmente*" (Fausset, *in loc.*). A teologia posterior dos hebreus contemplaria um julgamento no pós-vida (Dn 12.2).

Como quando um doente se definha. O profeta Isaías volta aqui ao tema da *enfermidade*, tal como se viu no vs. 16. Eles *definhariam*. Alguns estudiosos compreendem o original hebraico como se falasse do portador da bandeira, que desmaiava, lançando o exército em pânico e debandada. Esta linha obscura é um tanto obscura. Uma pequena emenda a faria dizer: "E será como a dissolução do dissolvido".

■ 10.19

וּשְׁאָר עֵץ יַעְרוֹ מִסְפָּר יִהְיוּ וְנַעַר יִכְתְּבֵם׃ פ

O resto das árvores da sua floresta será tão pouco que um menino... Os sobreviventes da nação (as árvores deixadas na floresta) serão tão poucos que até uma criança saberá registrar-lhes o número. Antes uma densa floresta, os assírios seriam reduzidos a algumas poucas árvores dispersas.

Somente algumas poucas árvores ficarão de pé. Haverá tão poucos que até uma criança saberá contá-los.

NCV

Contar o número dos sobreviventes de um exército, terminada uma batalha, era tarefa de um escriba real assírio, o que aparece com frequência nas esculturas assírias. Nessa ocasião, entretanto, seus serviços não seriam requeridos.

O Remanescente que Retornará (10.20-23)

■ 10.20

וְהָיָה בַּיּוֹם הַהוּא לֹא־יוֹסִיף עוֹד שְׁאָר יִשְׂרָאֵל
וּפְלֵיטַת בֵּית־יַעֲקֹב לְהִשָּׁעֵן עַל־מַכֵּהוּ וְנִשְׁעַן עַל־
יְהוָה קְדוֹשׁ יִשְׂרָאֵל בֶּאֱמֶת׃

Acontecerá naquele dia que os restantes de Israel, e os da casa de Jacó. Vimos sobre o remanescente que sobreviveria, mas ficaria vagabundeando a amaldiçoar o rei e Deus (Is 8.21). Trata-se do remanescente incrédulo que continuaria incrédulo. Considere o leitor estes três pontos:

1. Aqui, porém, encontramos um remanescente arrependido. Alguns estudiosos pensam que o povo "salvo" é a "volta dos arrependidos", e o tempo diz respeito à Assíria, em relação com Israel.
2. Outros eruditos veem aqui a volta do remanescente da Babilônia, aquele punhado de gente que seria o novo Israel, para recomeçar a história de Israel, depois da perda total da nação israelita, bem como da maior parte da nação judaica. Judá tinha insistido em confiar na Assíria para proteger-se dos ataques do norte (Is 7). Agora, porém, Judá confiaria no Senhor, o Santo de Israel. verdadeiramente, *dependeria* dele, com fé sincera e de todo o coração. A referência é ao tempo do retorno moral e espiritual nos dias da Assíria, o que, cronologicamente, concorda com o contexto. No vs. 19 encontramos um remanescente do exército assírio que sobrevivera, mas, sem dúvida, fora deixado no paganismo e na idolatria. Aqui, porém, temos o remanescente de Judá, que teria abandonado o paganismo e agora confiava em Yahweh, e não na Assíria.
3. Alguns eruditos veem aqui a volta de um remanescente da nação do norte, Israel, que teria retornado do cativeiro assírio, mas isso não fica subentendido em parte alguma.

O Targum diz aqui: "Não mais se escorarão no povo a quem serviram, mas, na verdade, se escorarão na Palavra do Senhor".

■ 10.21

שְׁאָר יָשׁוּב שְׁאָר יַעֲקֹב אֶל־אֵל גִּבּוֹר׃

Os restantes se converterão ao Deus forte. Este versículo repete a essência do vs. 10 e define a *conversão* ali referida. O retorno será ao Deus Poderoso, *El* (o Poder). Ver no *Dicionário* o verbete intitulado *Deus, Nomes Bíblicos de*. É o retorno do arrependimento, o primeiro significado que devemos ver no vs. 20. Alguns não veem esse retorno da Babilônia para a Terra Prometida, como excluído do sentido geral, mas é melhor compreender a passagem como se tratasse da situação com a Assíria, quando Judá não estava exilado. "Deus Forte" é um dos títulos do Messias, em Is 9.6.

O povo que for deixado vivo na família de Jacó novamente seguirá o Deus poderoso.

NCV

Cf. o nome de um dos filhos de Isaías, Sear-Jasube (Is 7.3 — UM-RESTO-VOLVERÁ). Ver as notas expositivas ali. Essas palavras se repetem uma vez mais no vs. 22.

10.22,23

כִּי אִם־יִהְיֶ֨ה עַמְּךָ֤ יִשְׂרָאֵל֙ כְּח֣וֹל הַיָּ֔ם שְׁאָ֖ר יָשׁ֣וּב בּ֑וֹ
כִּלָּי֥וֹן חָר֖וּץ שׁוֹטֵ֥ף צְדָקָֽה׃

כִּ֣י כָלָ֣ה וְנֶחֱרָצָ֑ה אֲדֹנָ֤י יְהוִֹה֙ צְבָא֔וֹת עֹשֶׂ֖ה בְּקֶ֥רֶב כָּל־הָאָֽרֶץ׃ ס

Porque ainda que o teu povo, ó Israel, seja como a areia do mar. Israel tinha sido como a areia do mar, quanto ao número (cf. Gn 22.17; 32.12; 2Sm 17.11), mas pelos julgamentos da ira de Deus, fora reduzido a um pequeno remanescente. Esse remanescente, uma vez purificado, entretanto, confiaria em Yahweh e, arrependido, voltar-se-ia para ele. A destruição havia sido decretada pelo Senhor, que estava inundando tudo com justiça e retidão, isto é, em sentido absoluto embora terrível. A figura é de um grande acúmulo de água, como um rio, ou como as ondas do mar que não podem ser detidas nem controladas pelos homens. A justiça seria como uma grande maré que inundaria os ímpios.

"Literalmente, uma obra final ou terminada, decisiva, transbordante de retidão. Frase semelhante aparece novamente em Is 28.33 e Dn 9.27. A *obra terminada* é a do julgamento de Deus, e ela transbordará com retidão, tanto punitiva quanto corretiva" (Ellicott, *in loc.*).

O vs. 23 reitera a ideia do vs. 22, e também o reforça pela adição do título divino Yahweh, Senhor dos Exércitos, mostrando que nele há poder suficiente para o cumprimento do oráculo. Ver sobre esse título no *Dicionário* e em 1Rs 18.15.

Sião É Encorajada (10.24-27)

10.24

לָכֵ֗ן כֹּֽה־אָמַ֞ר אֲדֹנָ֤י יְהוִֹה֙ צְבָא֔וֹת אַל־תִּירָ֥א עַמִּ֛י יֹשֵׁ֥ב צִיּ֖וֹן מֵֽאַשּׁ֑וּר בַּשֵּׁ֣בֶט יַכֶּ֔כָּה וּמַטֵּ֥הוּ יִשָּֽׂא־עָלֶ֖יךָ בְּדֶ֥רֶךְ מִצְרָֽיִם׃

Pelo que assim diz o Senhor, o Senhor dos Exércitos. "Este breve oráculo de exortação e promessa provê uma apta conclusão para a reprimenda e a ameaça dirigida ao rei assírio, nos vss. 5-16,18b, mas não foi inteiramente preservado em sua forma métrica original. Assemelha-se à breve palavra de encorajamento em Is 37.6,7, que foi dirigida a Ezequias em circunstâncias similares, se não mesmo idênticas, e preservada sob forma prosaica. Se temos ou não de inferir que Is 10.24-27c também pertencia uma vez a uma narrativa biográfica, é certo que a substância dos oráculos proféticos com suficiente frequência era proferida em forma de prosa (cf. Jr 22.10, que tem forma de verso, com os vss. 11 e 12, que têm forma de prosa)" (R. B. Y. Scott, *in loc.*).

O título divino do vs. 23 se repete (ver as notas ali) para garantir que há poder suficiente para o cumprimento do oráculo ora proferido. Embora a *destruição* imposta pelos assírios fosse grande, não haveria finalidade em seus resultados. O castigo foi sofrido não para esmagar, mas para purificar e restaurar, tal como, no Egito, os antepassados dos judeus foram afligidos, mas o poder de Deus finalmente os levou a um novo dia, na Terra Prometida. É conforme diz um antigo hino evangélico: "Certamente ele vos tirará para fora, pelo que tomai vossas cargas ao Senhor e deixai-as ali". O povo castigado continuava sendo o povo de Deus. O povo disciplinado não fora abandonado. Havia razão, por conseguinte, para não *temer*.

10.25

כִּי־ע֖וֹד מְעַ֣ט מִזְעָ֑ר וְכָ֣לָה זַ֔עַם וְאַפִּ֖י עַל־תַּבְלִיתָֽם׃

Porque daqui a bem pouco se cumprirá a minha indignação. A ira que tinha castigado e purificado Israel, a fim de que se pudesse efetuar o livramento, finalmente se voltaria contra os brutais assírios, pondo fim à ameaça. Uma vez transferida para os opressores, a ira de Deus se afastaria dos oprimidos. Cf. Is 37.36,37. Há propósito no sofrimento e na punição. Essas coisas não são arbitrárias nem finais. Elas passam quando o propósito tiver sido cumprido. O Targum diz: "Ainda por um pouco mais de tempo, as maldições cessarão e sereis livres, ó casa de Jacó, e minha ira os destruirá". O texto

exorta contra o conceito voluntarista de Deus. Existem *propósitos* nas aflições divinas. Ver na *Enciclopédia de Bíblia, Teologia e Filosofia* o artigo chamado *Voluntarismo*.

10.26

וְעוֹרֵ֨ר עָלָ֜יו יְהוָ֤ה צְבָאוֹת֙ שׁ֔וֹט כְּמַכַּ֥ת מִדְיָ֖ן בְּצ֣וּר עוֹרֵ֑ב וּמַטֵּ֨הוּ֙ עַל־הַיָּ֔ם וּנְשָׂא֖וֹ בְּדֶ֥רֶךְ מִצְרָֽיִם׃

Porque o Senhor dos Exércitos suscitará contra ela um flagelo. Gideão teve de enfrentar grandes adversidades quando lutava contra os midianitas, na rocha de Orebe. Ali foi efetuada grande matança que livrou Israel da opressão. Ver Jz 7.25. Essa vitória deveu-se à intervenção divina, e outro tanto se daria no caso das perseguições movidas pelos assírios. Então lembre o leitor que, embora os israelitas tenham sido espancados com varas pelos egípcios, houve outra *vara*, a de Moisés, a qual, uma vez erguida, abriu um caminho de escape através do mar. Mas esse mesmo ato significou a destruição dos soldados egípcios, quando eles tentaram seguir os israelitas. Ver Êx 14.16,26. Portanto, que o leitor lembre essas duas varas. A vara de Yahweh se voltaria contra os assírios, que seriam destruídos súbita e completamente, e isso libertaria o povo de Israel.

10.27

וְהָיָ֣ה ׀ בַּיּ֣וֹם הַה֗וּא יָס֤וּר סֻבֳּלוֹ֙ מֵעַ֣ל שִׁכְמֶ֔ךָ וְעֻלּ֖וֹ מֵעַ֣ל צַוָּארֶ֑ךָ וְחֻבַּ֥ל עֹ֖ל מִפְּנֵי־שָֽׁמֶן׃

Acontecerá naquele dia, que o peso será tirado do teu ombro. Quando a vara de Deus começasse a agir, a *carga imposta* a Israel pela Assíria de súbito seria erguida, e o jugo dos assírios, mediante o qual eles escravizavam, de súbito se transformaria em nada. Literalmente, o jugo seria "destruído desde o pescoço", ou seja, inutilizado para sempre. A Septuaginta diz aqui "cessará". Cf. Is 9.4, que diz algo similar. Alguns estudiosos pensam que o jugo significa o pesado tributo imposto a Ezequias (ver 2Rs 18.14). O Targum aplica o texto ao Messias e ao livramento futuro e final de Israel.

A Aproximação do Invasor (10.28-32)

10.28

בָּ֣א עַל־עַיַּ֗ת עָבַ֤ר בְּמִגְרוֹן֙ לְמִכְמָ֔שׂ יַפְקִ֖יד כֵּלָֽיו׃

A Assíria vem a Aiate, passa por Migrom. Esta passagem é uma notável peça poética que assume a forma de balada de guerra (cf. Jz 5). Os vss. 28,29 registram a rápida aproximação do inimigo em uma série de mensagens emocionantes, mencionando cada lugar que a Assíria esmagou a caminho de Jerusalém. Os vss. 29-31 falam sobre o pânico do povo, que esperava pela matança. O vs. 32 leva-nos aos portões de Jerusalém; e então é cortada a floresta do exército assírio (vss. 33,34). Yahweh tinha uma grande surpresa à espera do adversário assírio.

"O *lugar mencionado* jazia ao longo da rota pela qual o exército assírio enveredou em 701 a.C. Começava na fronteira norte de Judá em Aiate (Ai), que ficava somente a cerca de 13 km de Jerusalém. O exército assírio avançou então para Migrom, depois para Micmás, onde guardou temporariamente seu material de guerra, que ficava a pequena distância de Jerusalém, de onde poderia atacar a capital. Para detalhes sobre todos os lugares aqui mencionados, ver os artigos no *Dicionário*. Das doze cidades mencionadas, não se conhecem as localizações de apenas quatro dessas cidades, a saber, Galim e Laís (perto de Jerusalém; vs. 30) e Madmena e Gebim (vs. 31). O contexto situa todas essas localidades próximas de Jerusalém. Temos aqui uma descrição da marcha do exército de Senaqueribe aproximando-se de Jerusalém a fim de atacá-la, bem como do terror e da confusão que se espalhavam e aumentavam, conforme os diversos lugares eram alcançados pelo inimigo" (Adam Clarke, *in loc.*).

10.29

עָבְר֣וּ מַעְבָּרָ֗ה גֶּ֛בַע מָל֥וֹן לָ֖נוּ חָרְדָ֣ה הָרָמָ֑ה גִּבְעַ֥ת שָׁא֖וּל נָֽסָה׃

Passa o desfiladeiro, aloja-se em Geba. Três outros lugares mencionados recebem artigos no *Dicionário*. O terror dominou

Ramá, quando ela foi esmagada e saqueada, e o povo de Gibeá fugiu para evitar o pior. O rápido avanço do exército assírio subentende que ele encontrou pouca ou mesmo nenhuma resistência. Ocorriam saques e matanças; o saque para os soldados assírios terem os seus "salários", e as matanças como meios de violação e diversão.

■ **10.30**

צָהֲלִי קוֹלֵךְ בַּת־גַּלִּים הַקְשִׁיבִי לַיְשָׁה עֲנִיָּה עֲנָתוֹת׃

Ergue com estrídulo a tua voz, ó filha de Galim! Os gritos de agonia que se elevaram de Galim foram ouvidos por todo o caminho até Laís (um lugar próximo de Jerusalém; 1Macabeus 9.9, e não o lugar de mesmo nome na tribo de Dã, Jz 18.7). Esses gritos alertaram os habitantes de Laís da condenação iminente, mas gritar de nada adiantava, pois nada seria capaz de reverter o curso do rio que avançava desde a Assíria a fim de destruir. *Anatote* em vão foi convocada para responder àqueles gritos, como se tivesse poder para socorrer e ajudar Galim. Eles teriam seu próprio conjunto de agonias para sofrer. Anatote ficava a apenas cerca de 5 km de distância de Jerusalém. Foi ali que Jeremias nasceu. Os artigos do *Dicionário* sobre cada uma dessas localidades proveem detalhes e compreensão.

■ **10.31**

נָדְדָה מַדְמֵנָה יֹשְׁבֵי הַגֵּבִים הֵעִיזוּ׃

Madmena se dispersa; os moradores de Gebim fogem. Madmena foi totalmente aniquilada; Gebim, a exemplo de Gibeá, fugiu, buscando algum refúgio longe da cidade. Houve completo caos e profundo desespero. O temível julgamento de Yahweh espalhava-se por toda a parte. Somente um pequeno remanescente seria deixado a vaguear ao redor, amaldiçoando ao rei e a Deus (ver Is 8.21).

> *O povo de Madmena está fugindo. O povo de Gebim está se escondendo.*
>
> NCV

■ **10.32**

עוֹד הַיּוֹם בְּנֹב לַעֲמֹד יְנֹפֵף יָדוֹ הַר בֵּית־צִיּוֹן גִּבְעַת יְרוּשָׁלִָם׃ ס

Nesse mesmo dia a Assíria parará em Nobe. O exército assírio estacou por um dia em Nobe, cerca de apenas 3 km ao norte de Jerusalém. Naquela localidade, o rei assírio ergueu e sacudiu o punho na direção de Jerusalém, proferindo maldições e blasfêmias e provocando pânico generalizado. Sião, a colina de Jerusalém, seria a próxima vítima, e ali haveria deliciosa matança, mais saques que serviriam de salário para as tropas, e muito mais violações de mulheres e matanças.

A Humilhação da Floresta (10.33,34)

■ **10.33**

הִנֵּה הָאָדוֹן יְהוָה צְבָאוֹת מְסָעֵף פֻּארָה בְּמַעֲרָצָה וְרָמֵי הַקּוֹמָה גְּדוּעִים וְהַגְּבֹהִים יִשְׁפָּלוּ׃

Mas eis que o Senhor... cortará os ramos com violência. O *Senhor dos Exércitos* (ver 1Rs 18.15 e o *Dicionário*) seria um mateiro e cortaria a floresta assíria, isto é, seu vasto exército. "O mateiro divino humilharia o orgulho da floresta assíria. Quanto a um antecedente da metáfora (visto que os vss. 18 e 19 usaram uma figura diferente, de um *incêndio na floresta*), devemos recuar até 2.12,13, 'contra tudo o que se exalta... contra todos os cedros do Líbano, altos mui elevados; e contra todos os carvalhos de Basã'" (R. B. Y. Scott, *in loc.*). Quanto à jactância orgulhosa dos assírios, que seria silenciada, ver Is 10.5-16. Quanto à destruição do exército assírio, ver 2Rs 19.35-37; 2Cr 32.21-23 e Is 37.36-38. Ver os comentários sobre essas passagens. O anjo do Senhor interveio, e 185 mil soldados assírios foram mortos. Corria o ano de 701 a.C. Senaqueribe foi forçado a retroceder para Nínive. Foi em 609 a.C. que a Babilônia pôs fim à ameaça que a cidade de Nínive representava. E assim o mundo inteiro respirou livremente, até que a Babilônia começou a lançar guerras, matanças e conquistas ainda piores que as da Assíria.

■ **10.34**

וְנִקַּף סִבְכֵי הַיַּעַר בַּבַּרְזֶל וְהַלְּבָנוֹן בְּאַדִּיר יִפּוֹל׃ ס

Cortará com o ferro as brenhas da floresta. Yahweh, o divino mateiro, encostaria o machado à raiz de todas as árvores da floresta, e as árvores majestosas, como se fossem os cedros do Líbano, seriam derrubadas. Cf. Is 2.12,13, onde temos os *cedros do Líbano* e os *carvalhos de Basã* derrubados por causa de seu orgulho e autoexaltação. Ver Ez 31.3-14, onde encontramos as mesmas figuras de linguagem. O golpe do machado de Yahweh mataria 185 mil soldados inimigos! O Poderoso Deus, que brandiria um machado tão devastador, era Yahweh, o Senhor dos Exércitos (vs. 33). Mas alguns estudiosos ligam esse acontecimento às árvores do exército que seriam destruídas. Diz aqui o hebraico original, literalmente, "com um majestoso", numa frase que poderia falar do tremendo machado que seria usado, ou seja, um "julgamento majestático (aterrorizante)". A maioria das versões faz essas palavras referir-se às orgulhosas árvores derrubadas. Alguns estudiosos pensam que esse machado seria *Nabucodonosor*, o instrumento que Deus usou para pôr fim ao império assírio.

CAPÍTULO ONZE

A RESTAURAÇÃO E O MILÊNIO (11.1-16)

O Levantamento do Glorioso Império de Deus. Este oráculo é paralelo a Is 9.2-7. O Rei, neste caso, é o Messias. Se estão em vista aqui a dinastia davídica e seus reis sucessivos, como reis do pacto, sobretudo no caso de Ezequias, rei ideal daquele período, as descrições por certo ultrapassam qualquer coisa que poderíamos esperar de meros seres humanos. Ver sobre *Pacto Davídico* em 2Sm 7.4. O oráculo pode ter sido originalmente composto por Isaías, quando da unção de Ezequias ao trono de Judá, mas o oráculo tem um escopo que excede aquele homem e seus dias.

Os profetas da época do cativeiro babilônico viam uma restauração, na qual o reino de Deus substituiria os reinos terrestres e Israel se acharia como a cabeça das nações. Mas eles não viam que o primeiro advento do Messias seria separado por um grande período de tempo do segundo advento. Esse grande período é ocupado na íntegra pela igreja cristã. E aqueles profetas também não viam o maior exílio de todos, aquele provocado pelos romanos e iniciado no ano 70 d.C., e que só foi revertido (em parte) em nossos próprios dias, com a fundação do Estado de Israel, em 1948. Portanto, eles antecipavam o estabelecimento do reino de Deus quando o remanescente judeu voltasse da Babilônia. E assim erraram quanto ao elemento tempo envolvido. O Novo Testamento veio ampliar esse período, dando margem a um tempo para a evangelização de todas as nações gentílicas, enquanto Israel se mantivesse com os olhos vendados, até que a venda lhe fosse tirada, já nos últimos dias, pouco antes da volta de Cristo.

Os críticos, entretanto, pensam que o erro cometido pelos profetas do Antigo Testamento foi ainda mais grave: o reino de Deus teria falhado em materializar-se. Por essa razão alguns intérpretes judeus posteriores, e também intérpretes cristãos, transferiram a materialização do reino para uma data remota no futuro. Portanto, continuamos esperando o cumprimento daquelas profecias. Por outro lado, não há razão para duvidarmos de que Deus ainda reserva coisas maravilhosas àqueles que confiam no Senhor Jesus Cristo. O Novo Testamento continuou com a esperança do reino. Ver no *Dicionário* o artigo intitulado *reino de Deus*.

"O império assírio se esfacelaria (ver Is 10.5-34), mas outro império se levantaria em seu lugar. Esta seção sobre o império de Deus (ver Is 11.1–12.6) inclui uma descrição sobre o Messias, sobre o próprio reino e o remanescente, que será composto pelos habitantes do reino" (John S. Martin, *in loc.*).

"Este capítulo é um quadro profético sobre a *glória do reino futuro*, que João Batista anunciou estar *próximo*. Esse reino foi rejeitado pela esmagadora maioria dos judeus, mas será estabelecido quando do retorno glorioso do Filho de Davi (Lc 1.31,32; At 15.15,16)" (*Scofield Reference Bible*, introdução ao presente capítulo).

■ **11.1**

וְיָצָא חֹטֶר מִגֵּזַע יִשָׁי וְנֵצֶר מִשָּׁרָשָׁיו יִפְרֶה׃

Do tronco de Jessé sairá um rebento, e das suas raízes um renovo. O mesmo Senhor que derrubou as florestas do poder pagão (ver Is 10.33,34) realizará outra obra notável. O reino de Deus se levantaria de um rebento saído do toco de Jessé, ou seja, o Messias, que procederia da linhagem de Davi e seria a culminação dos reis da dinastia davídica. Isso aponta para o cumprimento maior do *pacto davídico*, que comento em 2Sm 7.4. Cf. Ap 22.16. Ver também as notas expositivas em Is 9.7. O rebento sairia do toco de Jessé, porquanto a árvore fora decepada e estava aparentemente morta. E isso ficou mais aparente ainda durante os tempos do exílio romano. Toda a conversa sobre reino de Deus tornou-se insensatez, mas a fé reteve o ideal do futuro, e essa esperança foi transferida para um segundo advento de Cristo, o que nem Is nem os demais profetas do Antigo Testamento anteciparam. Esse *rebento*, pois, estava destinado a produzir muito fruto na *redenção* e *restauração* da humanidade. Ver sobre ambos os termos na *Enciclopédia de Bíblia, Teologia e Filosofia*. Quanto a outras passagens que falam sobre o Messias como o Renovo, ver Jr 23.5 e Zc 3.8. Ver também Ap 5.5 e 22.16. A árvore fora cortada até quase as raízes, mas tinha algo de maravilhoso para mostrar, a partir daquilo que aparentemente estava morto.

■ 11.2

וְנָחָה עָלָיו רוּחַ יְהוָה רוּחַ חָכְמָה וּבִינָה רוּחַ עֵצָה וּגְבוּרָה רוּחַ דַּעַת וְיִרְאַת יְהוָה:

Repousará sobre ele o Espírito do Senhor. O Espírito Santo estaria com esse "rebento", porquanto o Messias teria uma missão especial para cumprir. Os atributos do Espírito de Deus, aqui listados, se tornariam atributos do Messias, porquanto haveria total comunicação e unção entre o Espírito Santo e o Messias. Se fizermos a comunicação entre o próprio Espírito e o Messias, e contarmos isso como *um* atributo, teremos *sete* atributos ou dotações do Espírito. Há aqui três jogos de dois atributos. Talvez o profeta tivesse em mente somente seis atributos e não se preocupasse em atingir o sete simbólico, isto é, a perfeição.

Os Atributos:
1. *Sabedoria*. No caso de Cristo, devemos pensar na concretização da sabedoria de Deus (ver 1Co 1.30). Em Cristo estão ocultos todos os tesouros da sabedoria divina (ver Cl 2.3). Ver no *Dicionário* o artigo chamado *Sabedoria*.
2. *Entendimento*. A manipulação prática da sabedoria para ajustar-se a todas as ocasiões e problemas. Especialmente em vista está a realização da missão messiânica.
3. *Conselho*. A capacidade de saber resolver problemas e dar conselhos. Cristo é o Maravilhoso Conselheiro (ver Is 9.6, cujas notas ampliam o tema).
4. *Fortaleza*. Cristo é o *Deus poderoso* (ver Is 9.6, cujas notas expositivas dão amplas informações).
5. *Conhecimento*. Este é um atributo que se reveste de grande poder, provendo meios para avaliar o estado das coisas, bem como o que se requer para a ação. Junto com o amor, o conhecimento é uma das grandes colunas da espiritualidade.
6. *Temor do Senhor*. A descrição padronizada do Antigo Testamento sobre a espiritualidade. Ver no *Dicionário* o artigo chamado *Temor*, bem como outras notas de sumário em Sl 119.38 e Pv 1.7.

Dentre todos os profetas do Antigo Testamento, Isaías foi o que mais falou sobre o Espírito Santo. Ver Is 11.2; 30.1; 32.15; 34.16; 40.13; 42.1; 44.3; 48.16; 59.21; 61.1 e 63.10,11,14. Essa unção (ver a respeito no *Dicionário*) era absolutamente necessária para a preparação do Messias e a realização de sua obra. As qualidades aqui enumeradas ultrapassam certamente as de qualquer monarca terreno, inclusive Ezequias, embora alguns estudiosos pensem que Ezequias esteja no centro das atenções desta passagem.

■ 11.3

וַהֲרִיחוֹ בְּיִרְאַת יְהוָה וְלֹא־לְמַרְאֵה עֵינָיו יִשְׁפּוֹט וְלֹא־לְמִשְׁמַע אָזְנָיו יוֹכִיחַ:

Deleitar-se-á no temor do Senhor. *O Messias ungido*, em contraste com tantos outros reis, teria seu deleite no temor ao Senhor, pois seria uma pessoa espiritual elevada e completa. Ele não julgaria por meio de padrões humanos que levam em conta os sentidos de ver e ouvir, mas usaria o discernimento divino, por intermédio do Espírito.

Esse rei se alegrará em obedecer ao Senhor. Ele não julgará pela aparência das coisas. Ele não julgará pelo que o povo disser.
NCV

"Temer a Deus é corresponder a ele mediante profundo respeito, confiança, obediência e adoração... O Messias procurava fazer constantemente o que Deus Pai queria que ele fizesse. Isso é contrastado com os líderes religiosos dos dias de Isaías, que não se preocupavam em seguir a palavra de Deus" (John S. Martin, *in loc.*). O conhecimento especial do Messias está envolvido neste versículo. Ele conhecia e, por isso mesmo, agia de acordo com as informações divinas. Ele não estava limitado pelo método empírico de tentativa e erro, conforme acontece a todos os outros homens. Contudo, ele "aprendeu a obediência pelas coisas que sofreu" (Hb 5.8, que contém o lado humano da moeda).

■ 11.4

וְשָׁפַט בְּצֶדֶק דַּלִּים וְהוֹכִיחַ בְּמִישׁוֹר לְעַנְוֵי־אָרֶץ וְהִכָּה־אֶרֶץ בְּשֵׁבֶט פִּיו וּבְרוּחַ שְׂפָתָיו יָמִית רָשָׁע:

Mas julgará com justiça os pobres. Temos aqui a perfeita justiça do Messias.

Ele agirá com justiça em favor dos impotentes, e decidira com retidão em favor dos humildes. Ele atingirá os violentos com os seus veredictos, e matará os injustos com as suas sentenças.
Tradução de Moffat

Temos aqui o quadro de um Rei-Juiz, o homem que não somente tem o conhecimento que garante justiça social, mas também o poder de colocar em vigor o que ele sabe estar certo. Nenhum juiz ou julgamento falso poderá frustrar sua capacidade de discernimento; nenhum tirano será capaz de fazer-lhe oposição ou de corromper as coisas. Ele possuirá a unção do Espírito (vs. 2), e não meramente a sabedoria humana acumulada pela experiência. Ele terá uma sabedoria que *ultrapassará* seus anos e sua experiência como homem.

"A sabedoria e a justiça (ver Is 5.7) estavam tradicionalmente associadas ao rei ideal (1Rs 3; Sl 72)" (*Oxford Annotated Bible*, comentando sobre o vs. 3). O que era ideal nunca teve cumprimento até que chegou o verdadeiro *Rei Ideal*.

Paulo aludiu ao anticristo ao usar parte deste versículo em 2Ts 2.8. Cristo matará o Iníquo, a epítome da iniquidade, com o sopro de sua boca, como fogo que consome. Então sua vara castigadora não permitirá que um único homem maligno escape com os seus crimes. Naqueles dias, as cidades não serão centros de crimes, e os governantes não serão exploradores do povo, criminosos de colarinho-branco nos ofícios públicos. Os homens maus não serão libertados porque seus advogados apresentam discursos eloquentes (mas baseados em dados falsos). Não será necessário que os homens se submetam a testes com o detector de mentiras. A sabedoria divina decidirá as coisas, e o poder divino dará respaldo a decretos justos.

■ 11.5

וְהָיָה צֶדֶק אֵזוֹר מָתְנָיו וְהָאֱמוּנָה אֵזוֹר חֲלָצָיו:

A justiça será o cinto dos seus lombos. A *justiça* (ver Is 11.5 e cf. 9.7 e 16.5) seria tão inseparável dele como o seu cinto; a integridade seria a sua armadura (ver Ef 6.14). A justiça e a fidelidade seriam como que partes integrantes de suas *vestes* (expressão). O cinto de seus lombos e de sua cintura é o mesmo, um paralelismo poético. Se o versículo tivesse sido redigido em forma de prosa, teríamos uma tautologia. A NCV condensou o versículo a fim de eliminar a referência dupla:

Bondade e justiça lhe darão forças.
Serão como um cinto em torno de sua cintura.

O cinturão segurava todas as peças do vestuário, tornando-as uma unidade funcional. Ver 1Pe 1.13. "Assim sendo, a *verdade* empresta firme coerência ao caráter inteiro (ver Ef 5.14). Em Is 59.17 encontramos a retidão como seu peitoral" (Fausset, *in loc.*).

11.6

וְגָר זְאֵב עִם־כֶּבֶשׂ וְנָמֵר עִם־גְּדִי יִרְבָּץ וְעֵגֶל וּכְפִיר
וּמְרִיא יַחְדָּו וְנַעַר קָטֹן נֹהֵג בָּם:

O lobo habitará com o cordeiro, e o leopardo se deitará junto ao cabrito. Este famoso versículo descreve as *condições ideais sobre a terra*, que muitos intérpretes supõem só poderem caracterizar o milênio. Ver sobre esse assunto no *Dicionário*. Vemos atuando aqui o Príncipe da Paz (ver Is 9.6). Ele acalmará o conflito universal. Polos opostos, que se digladiam, serão reunidos em paz e acordo mútuo. O lobo e o cordeiro não mais serão inimigos naturais, e nem um deles jamais explorará o outro. O leopardo carnívoro será completamente transformado, e dormirá juntamente com o cabrito, sem lançar ataques contra ele. Uma pequena criança, uma das criaturas mais inofensivas de toda a natureza, liderará todos os animais em uma brincadeira. Em Is 65.25 vemos que uma pequena criança estará em segurança no meio dos leões, dos ursos, das serpentes e das víboras, e esses serão seus companheiros de folguedos. Ver no *Dicionário* o verbete chamado *Paz*. Em vez de contendas, haverá harmonioso companheirismo ilustrado por animais atualmente ferozes amigos dos animais domésticos, e por uma criança em companhia de animais que antes eram seus inimigos. O reino dos animais viverá harmoniosamente, e esse é um quadro de verdadeira paz e harmonia entre os povos e nações. Compreendemos, naturalmente, que isso resultará de uma obra divina, porquanto a *utopia* sempre esteve fora de alcance dos homens.

> Por meio da influência da justiça, o faminto lobo ficará manso, embora na presença de um cabrito.
>
> Ibn Onein

A característica mais importante, porém, é que os homens viverão em paz e harmonia com o próprio Deus, que é o sentido mais elevado do texto. Ver Rm 5.1: "Temos paz com Deus por meio de nosso Senhor Jesus Cristo".

11.7

וּפָרָה וָדֹב תִּרְעֶינָה יַחְדָּו יִרְבְּצוּ יַלְדֵיהֶן וְאַרְיֵה
כַּבָּקָר יֹאכַל־תֶּבֶן:

A vaca e a ursa pastarão juntas. Continuando a formar sua lista dos animais ferozes e hostis que se tornarão amigos, o profeta viu a ursa pastando lado a lado com a vaca, e o leão (não mais um animal carnívoro) pastando com o boi. Assim sendo, no reino de Deus, acontecerá toda a espécie de coisa inesperada. Outras maravilhas têm prosseguimento no versículo seguinte.

11.8

וְשִׁעֲשַׁע יוֹנֵק עַל־חֻר פָּתֶן וְעַל מְאוּרַת צִפְעוֹנִי גָּמוּל
יָדוֹ הָדָה:

A criança de peito brincará sobre a toca da áspide. Uma *criança pequena*, que ainda mamasse, poderia brincar sobre a toca de uma áspide, que seria ignorada; além disso, uma criança pequena porá a mão na cova de um basilisco, sem sofrer nenhum dano. Os intérpretes tentam em vão identificar essas duas espécies de serpentes. À menção das serpentes, lembramos a história da serpente enganadora que provocou a queda do primeiro casal no jardim do Éden. Provavelmente devemos compreender que os resultados da queda no pecado serão revertidos no novo paraíso, o reino de Deus. Ver Gn 3.15. Alguns intérpretes, no entanto, duvidam que possam ocorrer tão grandes transformações na natureza, pelo que pensam que essas passagens bíblicas nas quais figuram animais perigosos são apenas simbólicas. Todavia, não parece ter sido esse o intuito do autor sacro.

"O reino do Messias será o *paraíso reconquistado*. A desordem da natureza será revertida, e ela recuperará a sua harmonia prístina (ver Ez 47.1-12)" (*Oxford Annotated Bible*, comentando sobre o vs. 6).

11.9

לֹא־יָרֵעוּ וְלֹא־יַשְׁחִיתוּ בְּכָל־הַר קָדְשִׁי כִּי־מָלְאָה
הָאָרֶץ דֵּעָה אֶת־יְהוָה כַּמַּיִם לַיָּם מְכַסִּים: פ

Não se fará mal nem dano algum em todo o meu santo monte. Este versículo revisa a seção composta pelos vss. 1-9. A entrada da justiça no mundo é que efetuará as maravilhas da paz e da harmonia, e rearranjará a mente dos homens e dos animais. A justiça reverterá as condições para o paraíso original, cujo desequilíbrio causou a contenda universal. As duas partes do versículo se encontram em Is 65.25 e Hc 2.14. Certos eruditos creem que algum editor posterior tomou por empréstimo o material desses dois lugares para formar um comentário de sumário sobre esta seção. O mais provável, porém, é que o empréstimo foi feito *daqui*.

O meu santo monte. Ou seja, Sião, a colina de Jerusalém. O trecho paralelo de Is 65.25 adiciona: "assim diz o Senhor", o que identifica a afirmativa como um oráculo divino. Este versículo talvez esteja predizendo um templo dos últimos dias que servirá às necessidades espirituais do povo; ou então a questão pode ser simbólica: "Nela não vi santuário, porque o seu santuário é o Senhor, o Deus Todo-poderoso e o Cordeiro" (Ap 21.22).

O *conhecimento do Senhor* trará uma justiça transformadora, e isso reverterá a maldição divina. Esse conhecimento será absolutamente universal, da mesma maneira que os leitos dos oceanos estão completamente recobertos pela água.

> *A terra estará cheia do conhecimento do Senhor, da mesma maneira que o mar está cheio de água.*
>
> NCV

Cf. esta parte do versículo com Jr 31.34. Não será mister que alguém diga a outrem: "Conhece o Senhor", porquanto todos o conhecerão.

Alguns estudiosos supõem que a era da igreja seja o milênio, mas coisa alguma do que conhecemos atualmente satisfaz o que lemos nestes vss. 1-9.

O Messias e a Futura Restauração de Israel (11.10-16)

11.10

וְהָיָה בַּיּוֹם הַהוּא שֹׁרֶשׁ יִשַׁי אֲשֶׁר עֹמֵד לְנֵס עַמִּים
אֵלָיו גּוֹיִם יִדְרֹשׁוּ וְהָיְתָה מְנֻחָתוֹ כָּבוֹד: פ

Naquele dia recorrerão as nações à raiz de Jessé. Alguns eruditos veem nesta seção adições suplementares feitas por diversos editores, conforme se vê em Is 19.16-25 e 27.12,13, trechos que presumivelmente representam a fé requeimada do judaísmo dos séculos VI e V a.C. acerca da derrubada dos inimigos e da restauração de Israel. Outros eruditos veem aqui profecias a longo prazo, feitas pelo próprio profeta Isaías, que descrevem o Messias e o futuro reino de Deus. Seja como for, encontramos alguns temas repetidos aqui, que também são vistos em outra literatura profética. As referências históricas aqui existentes não são fáceis de localizar dentro do quadro profético a longo prazo: "O domínio mundial do Messias davídico (cf. Mq 5.4; Zc 9.9,10); a restauração dos judeus após a dispersão (Jr 31.8,9; Os 11.11; Zc 10.10); a reconciliação entre Efraim e Judá (Jr 3.18; Os 3.5; Zc 10.6,7); a vingança contra os vizinhos de Judá, especialmente Edom (Is 34.1-17; 63.1-6; Ob 1-21; Am 9.12; Sf 2.4-11; Zc 9.1-7); a condenação do Egito (Is 19.16,17; 27.12; Zc 10.11); as estradas que ligarão a Assíria ao Egito (Is 19.23; 35.8-10; Zc 10.10; Mq 7.12)" (R. B. Y. Kilpatrick, *in loc.*).

"Israel ocupará posição especial dentro do reino de Deus por causa do pacto abraâmico (Gn 15.18-21; 17.7,8; 22.17,18), do pacto davídico (2Sm 7.16) e do novo pacto (Jr 31.33,34). Mas os habitantes de outras nações também se beneficiarão com o reino de Deus. O Messias, a raiz de Jessé (cf. comentários sobre o 'toco de Jessé' — Is 11.1), será o meio para recolher e juntar todas as nações (cf. o vs. 12; Zc 14.9,16). O próprio Jesus deixou claro o ponto de que muita gente de fora de Israel fará parte do reino de Deus (ver Lc 13.29). Deus prometeu a Abraão que, através de sua linhagem, todos os povos da terra seriam abençoados (Gn 12.3). O ensino dispensacional de que Israel tem um lugar especial dentro do programa de Deus, por causa das promessas divinas feitas a Abraão, não exclui os gentios de também terem um lugar especial" (John S. Martin, *in loc.*).

A nota acima provavelmente está correta, pois não poderíamos esperar ver o profeta prever a igreja, embora ele fosse capaz de prever a conversão dos gentios. Coisa alguma como o que diz este versículo aconteceu após o cativeiro babilônico. O Messias é o *estandarte* ao qual as nações recorrerão. Cf. o vs. 12.

■ 11.11

וְהָיָה ׀ בַּיּוֹם הַהוּא יוֹסִיף אֲדֹנָי ׀ שֵׁנִית יָדוֹ לִקְנוֹת אֶת־שְׁאָר עַמּוֹ אֲשֶׁר יִשָּׁאֵר מֵאַשּׁוּר וּמִמִּצְרַיִם וּמִפַּתְרוֹס וּמִכּוּשׁ וּמֵעֵילָם וּמִשִּׁנְעָר וּמֵחֲמָת וּמֵאִיֵּי הַיָּם׃

Naquele dia o Senhor tornará a estender a mão para resgatar o restante do seu povo. Os vss. 11-16 oferecem um segundo oráculo que foi parcialmente escrito como prosa. Os intérpretes fazem este versículo ser um recolhimento geral de Israel, não meramente da Babilônia. Considere o leitor estes quatro pontos:

1. A volta da Babilônia, pois, seria o retorno do primeiro remanescente. Então haveria um grande e universal recolhimento, provavelmente a volta dos judeus à sua terra de origem e, presumivelmente, o que temos visto acontecer em nossos próprios dias.
2. Mas alguns estudiosos objetam a essa interpretação e fazem o primeiro recolhimento dos israelitas ser o Egito, e o segundo, o da Babilônia. Esse segundo retorno seria uma espécie de segundo êxodo dos judeus. Mas o retorno da Babilônia realmente não se ajusta a este texto, pois dificilmente esse recolhimento foi dos quatro cantos da terra (vs. 12), nem todos aqueles países, mencionados neste versículo, estiveram envolvidos.
3. Ou então o profeta Isaías ainda tinha esperanças de que o cativeiro assírio seria revertido, e esse seria o segundo retorno, ao passo que a volta da Babilônia seria o primeiro, visto que a expectativa da volta das dez tribos do norte seria a tarefa mais difícil. Essa interpretação, entretanto, não leva em conta a palavra *Judá*, usada no vs. 12, que é aqui referida, ou seja, um remanescente espalhado entre as nações. Todos os lugares mencionados naturalmente ocupavam a região em torno do mar Mediterrâneo, e dou a cada um desses países um verbete no *Dicionário*.
4. Ou então o primeiro remanescente foi aquele que saiu do Egito, enquanto o segundo será o retorno dos judeus antes do início da era do reino de Deus. Nesse caso, teremos de explicar por que a saída da Babilônia foi deixada de lado. Aben Ezra explicou que a omissão se devia ao fato de que aquela redenção foi incompleta. Todas essas quatro interpretações são acompanhadas por problemas, mas é possível que a de número um seja aquela que é acompanhada pelo menor número deles.

■ 11.12

וְנָשָׂא נֵס לַגּוֹיִם וְאָסַף נִדְחֵי יִשְׂרָאֵל וּנְפֻצוֹת יְהוּדָה יְקַבֵּץ מֵאַרְבַּע כַּנְפוֹת הָאָרֶץ׃

Levantará um estandarte para as nações, ajuntará os desterrados de Israel. Retornamos aqui ao *estandarte*. No vs. 10, contudo, o Messias é a bandeira em torno da qual todas as nações se ajuntarão. Mas o símbolo aqui aponta para um *sinal* que será dado, uma chamada para os confins da terra, para que haja o recolhimento dos judeus. Alguns intérpretes, entretanto, fazem essa chamada ser a mesma que a mencionada no vs. 10. Seria a chamada para o reino de Deus? Essa parece ser a ideia mais provável. Note-se que temos os expulsos de Israel sendo chamados, e "dispersos de Judá" pode significar que todo o Israel será chamado de todos os lugares.

Alguns espiritualizam o versículo e fazem Israel aqui ser a igreja (o Israel espiritual). Mas isso parece errar o alvo.

Desde os quatro confins da terra. Ver no *Dicionário* quanto a essa expressão. Naturalmente, isso significa "de todos os lugares", mas também repousa sobre uma antiga noção hebreia da terra como chata, com a forma quadrada. O artigo referido dá detalhes e referências.

■ 11.13

וְסָרָה קִנְאַת אֶפְרַיִם וְצֹרְרֵי יְהוּדָה יִכָּרֵתוּ אֶפְרַיִם לֹא־יְקַנֵּא אֶת־יְהוּדָה וִיהוּדָה לֹא־יָצֹר אֶת־אֶפְרָיִם׃

Afastar-se-á a inveja de Efraim, e os adversários de Judá serão eliminados. De Reoboão e Jeroboão surgiu a "inimizade" entre as dez tribos do norte e as tribos do sul (Judá e Benjamim), que causou conflitos periódicos, hostilidade e ódio. Houve ciúmes e contendas que, algumas vezes, se incendiaram sob a forma de guerra real. Vitória sobre inimigos estrangeiros e paz entre os irmãos haverão de unir todos os filhos de Israel durante a era do reino de Deus. "Reunidos, eles ocuparão a terra e derrotarão os inimigos" (John S. Martin, *in loc.*). Embora século após século o abismo da separação tenha-se aprofundado, nos últimos dias tudo será revertido. E o abismo será fechado. "No tempo de Cristo, o senso de unidade seria mais forte do que as antigas hostilidades. As esperanças do profeta estão ligadas aos esforços de Ezequias em busca de uma unidade restaurada (2Cr 30.1-12)" (Ellicott, *in loc.*).

Alguns intérpretes veem essa unidade de Israel como se indicasse a igreja cristã e seu alcance evangelístico mundial. Mas isso está fora de lugar neste ponto.

■ 11.14

וְעָפוּ בְכָתֵף פְּלִשְׁתִּים יָמָּה יַחְדָּו יָבֹזּוּ אֶת־בְּנֵי־קֶדֶם אֱדוֹם וּמוֹאָב מִשְׁלוֹח יָדָם וּבְנֵי עַמּוֹן מִשְׁמַעְתָּם׃

Antes voarão para sobre os ombros dos filisteus ao Ocidente. Este versículo menciona vários antigos inimigos de Israel-Judá, como derrotados pela nova nação unida de Israel. Nações vizinhas, em todas as direções, serão sujeitadas. A *Filístia* refere-se às fronteiras sudoestes de Israel, ao longo do mar Mediterrâneo. Os povos para o leste poderão ser aqueles da Arábia do norte; e então encontramos os nomes familiares de Edom, Moabe e Amom, para o sul e para leste de Israel. O ponto da informação é que, durante a era do reino de Deus, Israel não mais será oprimido nem temerá a hostilidade de seus vizinhos, e, de fato (se tomarmos literalmente o versículo), derrotará esses países vizinhos em operações militares. Cf. Ob 19.

"Com forças unidas eles subjugarão seus adversários (ver Am 9.12), voarão como uma ave de rapina (ver Hc 1.8) e ferirão a Filístia nos ombros, ou seja, atacarão por trás e inesperadamente... A palavra hebraica aqui traduzida por 'ombros' é usada para indicar as costas marítimas, em Nm 34.11" (Fausset, *in loc.*).

Alguns pensam estar em foco aqui a igreja cristã, avançando e conquistando almas, por meio do evangelho. Mas certamente essa é uma interpretação fora de lugar.

■ 11.15

וְהֶחֱרִים יְהוָה אֵת לְשׁוֹן יָם־מִצְרַיִם וְהֵנִיף יָדוֹ עַל־הַנָּהָר בַּעְיָם רוּחוֹ וְהִכָּהוּ לְשִׁבְעָה נְחָלִים וְהִדְרִיךְ בַּנְּעָלִים׃

O Senhor destruirá totalmente o braço do mar do Egito. O "braço do mar" do Egito é o golfo de Suez, o *mar Vermelho* que figura no livro de Êxodo. O *rio* é o Eufrates. Ficou predito que, pela ação do poderoso vento de Deus, esse rio se dividiria em sete canais, que seriam atravessados com facilidade. Mas alguns estudiosos pensam estar em foco aqui o rio Nilo. Cf. o vento de Deus que empurrou para trás as águas do mar, de forma que Israel pôde atravessar por terra seca e assim cruzar o mar Vermelho (ver Êx 14.21). Embora alguns detalhes da profecia sejam um tanto obscuros, essa frase parece afirmar que o povo de Israel poderá retornar à sua terra sem encontrar barreiras, vindo do Oriente, como se tivesse saído do cativeiro. Então, como é óbvio, temos aqui um quadro de Israel sendo plenamente restaurado à Terra Prometida. Haverá novo êxodo e nova conquista da Terra Prometida. Uma ilustração histórica disso foi o caso de Ciro, que dividiu o rio Gindes em vários canais rasos, de forma que seu exército pudesse avançar contra a Babilônia (ver Heródoto i.189). O rio, pois, quase certamente é o Eufrates, que bloqueava o retorno de Israel vindo do nordeste, conforme a referência à Assíria, no vs. 16, quase certamente indica.

Este versículo tem sido interpretado como se fosse a propagação da igreja cristã, mediante várias manipulações e ajudas divinas, para alcançar expressão universal, mas essa interpretação quase certamente perde de vista o ponto principal da profecia.

11.16

וְהָיְתָה מְסִלָּה לִשְׁאָר עַמּוֹ אֲשֶׁר יִשָּׁאֵר מֵאַשּׁוּר כַּאֲשֶׁר הָיְתָה לְיִשְׂרָאֵל בְּיוֹם עֲלֹתוֹ מֵאֶרֶץ מִצְרָיִם׃

Haverá caminho plano para o restante do seu povo, que for deixado da Assíria. Não sendo mais o rio Eufrates um obstáculo, uma poderosa estrada seria aberta para Israel retornar da Assíria. Dessa maneira será revertido o cativeiro assírio. O *remanescente* (em seu contexto dos últimos dias) refere-se à dispersão geral dos judeus, e o cativeiro assírio representa "todos os lugares" por onde Israel fora espalhado. Portanto, temos aí o novo êxodo dos últimos dias, uma grande restauração. Na antiguidade, as estradas com frequência eram caminhos elevados, estradas com terraplanagens, e algumas dessas estradas foram construídas por reis orientais para facilitar a marcha de seus exércitos. Isso posto, o Rei *preparará* o caminho para a marcha de seu exército, o seu povo *conquistador*, de modo que eles possam retornar à sua Terra Prometida. Dessa maneira, será revertido o grande exílio (provocado pelos romanos). Isso é comparado ao êxodo do Egito, que resultou na conquista da Terra Prometida.

Este versículo tem sido interpretado como a marcha universal da igreja, mas certamente esse aspecto da história não está em mira aqui.

CAPÍTULO DOZE

O CULTO DURANTE O MILÊNIO (12.1-6)

Salmo de Ações de Graças. Este capítulo retrata vividamente o jubileu do remanescente, que será recolhido à sua Terra Prometida. Temos duas estrofes de salmos que são introduzidas pelas palavras: "Naquele dia direis" (vss. 1 e 4). São salmos de agradecimento que fornecem uma conclusão apropriada à mensagem de restauração do capítulo 11. No segundo capítulo do livro de Jonas foram inseridos salmos; e o capítulo 3 de Habacuque contém alguns trechos que são salmos inseridos. Cf. o Sl de Jr 20.13; 31.7. Em seguida, ver Is 25.9a e 26.a.

12.1

וְאָמַרְתָּ בַּיּוֹם הַהוּא אוֹדְךָ יְהוָה כִּי אָנַפְתָּ בִּי יָשֹׁב אַפְּךָ וּתְנַחֲמֵנִי׃

Orarás naquele dia: Graças te dou, ó Senhor. Os vss. 1-3 apresentam um excelente *salmo de ação de graças*, um tipo comum de salmo. No livro dos Salmos, existem cerca de trinta desses salmos, entre as dezoito diferentes classes. Quanto à classificação dos salmos, ver o gráfico no início do comentário sobre o livro, que atua como uma espécie de frontispício. Dou ali dezoito classes de salmos e listo aqueles que pertencem a cada classe.

Louvores são prestados a Yahweh por suas maravilhosas obras de restauração, quando a ira do Senhor é revertida e, em lugar de maldições, bênçãos são distribuídas. A ira tornou-se o consolo da época áurea de Israel, que alguns estudiosos supõem ser o *milênio* (ver a respeito no *Dicionário*). Este pequeno salmo é similar ao Salmo 116.

Naquele dia. O dia da restauração (cf. Is 10.20; 11.10). Os capítulos 11 e 12 fornecem detalhes sobre aquele dia e seus resultados jubilosos. O Messias estará reinando, e a ira que causou o exílio de Israel por todo o mundo será revertida.

> Cânticos de louvor, cânticos de louvor,
> Sempre darei a ti.
>
> William Williams

Cânticos de livramento e restauração farão o coração dos israelitas regozijar-se, pois o grande dia prometido finalmente chegou.

> *Graças a Deus porque, outrora escravos do pecado, contudo viestes a obedecer de coração à forma de doutrina a que fostes entregues.*
>
> Romanos 6.17

12.2

הִנֵּה אֵל יְשׁוּעָתִי אֶבְטַח וְלֹא אֶפְחָד כִּי־עָזִּי וְזִמְרָת יָהּ יְהוָה וַיְהִי־לִי לִישׁוּעָה׃

Eis que Deus é a minha salvação. *El* (o Poder) efetuara *salvação* e livramento; e aqui, em contraste com grande parte do Antigo Testamento, temos de compreender a *regeneração* de uma raça, e não apenas de alguns indivíduos. Isso tem um conteúdo espiritual, e talvez até possamos falar na salvação evangélica. Ver Rm 11.26. Ver no *Dicionário* o verbete chamado *Restauração de Israel*, quanto a detalhes. Os manuscritos hebraicos do mar Morto trazem aqui duplo *El*: "Eis, o Poder é o Poder de minha salvação", sendo apropriado ter aqui esse nome divino. Pois, se já houve alguma coisa que requeresse intervenção direta do poder de Deus, essa coisa é a recondução de Israel à Terra Prometida e a conversão desse povo a Cristo, o qual se tornará seu Rei na Terra Prometida. Ver no *Dicionário* o verbete intitulado *mar Morto, Manuscritos (Rolos) do*. Quanto ao *Deus da Salvação*, ver também Êx 15.2 e Sl 118.14.

"Foi por meio de um verdadeiro instinto que os editores se sentiram impulsionados a inserir um cântico de ação de graças, após a profecia do retorno dos exilados, com a qual o capítulo 11 se encerra. Qualquer grande livramento é ocasião para agradecimentos, e o Antigo Testamento está pleno de cânticos de livramento. Este capítulo 12 forma um epílogo lírico para a primeira divisão principal do livro (capítulos 1—12)... Os dois hinos que compõem este capítulo reverberam a atitude e, na verdade, algumas das próprias frases do Cântico de Moisés (ver Êx 15.1-18). Sem importar o motivo que tenha inspirado esses salmos, eles são composições atemporais e universais, expressando a gratidão do coração humano por causa de cada experiência da misericórdia de Deus" (G. G. D. Kilpatrick, *in loc.*).

Agora encontramos também os nomes divinos *Yah* e *Yahweh* combinados, para enfatizar a eternidade do Poder que realizou a obra. Ver no *Dicionário* o verbete intitulado *Deus, Nomes Bíblicos de*, onde explico o significado desses nomes. El-Yah-Yahweh será a força do Israel restaurado, o Poder que efetuou o milagre que propiciou a *salvação*. A segunda parte deste versículo também aparece em Êx 15.2 e Sl 118.14, o que mostra que essa era uma declaração favorita da antiga nação de *Israel*, e ela se tornará a declaração de *Israel restaurado*. Ver também Is 26.4 quanto a *Yah Yahweh*, uma excepcional combinação de nomes divinos.

12.3

וּשְׁאַבְתֶּם־מַיִם בְּשָׂשׂוֹן מִמַּעַיְנֵי הַיְשׁוּעָה׃

Vós com alegria tirareis águas das fontes da salvação. A *salvação* é agora retratada, bem como aquilo de onde a água (símbolo da vida) pode ser extraída. Ver no *Dicionário* o artigo chamado *Alegria*. O quadro sobre a *salvação*, aqui pintado, ultrapassa o conceito normal dos judeus de "livramento com bênçãos acompanhantes". "Durante os ritos da festa dos Tabernáculos, os sacerdotes seguiam em cortejo solene até o poço de Siloé, enchiam um vaso de ouro com água, levavam-no de volta ao templo e derramavam a água no lado ocidental do altar dos holocaustos, enquanto o povo entoava o Hallel (hinos de louvor), composto pelos Salmos 113 a 118. O Talmude vincula expressamente o ato com o simbolismo das palavras de Isaías (ver Jr Succa, vs. 1), e a referência feita pelo profeta às 'águas de Siloé' (Is 8.6) confirma essa inferência" (Ellicott, *in loc.*). Ver no *Dicionário* o verbete denominado *Água*, quanto a significados simbólicos que podem ser usados para fomentar a interpretação deste versículo. Cristo e o Espírito Santo, como é natural, são assim simbolizados, e essa ideia acompanha a salvação evangélica que esta passagem por certo ensina.

12.4

וַאֲמַרְתֶּם בַּיּוֹם הַהוּא הוֹדוּ לַיהוָה קִרְאוּ בִשְׁמוֹ הוֹדִיעוּ בָעַמִּים עֲלִילֹתָיו הַזְכִּירוּ כִּי נִשְׂגָּב שְׁמוֹ׃

Direis naquele dia: Dai graças ao Senhor. O outro salmo começa com as palavras: "Direis naquele dia" (ver as notas introdutórias ao capítulo). O novo hino também é cheio de louvores a Yahweh. Ver no *Dicionário* o artigo chamado *Louvor*. As obras do Senhor são magnificadas, pois não eram pequenas realizações a restauração e salvação que as acompanhavam. O louvor é dado mediante orações e cânticos, invocando o *nome* do Senhor. Ver Sl 31.3 quanto ao verbete denominado *nome*, e ver Sl 30.4 e 33.21 quanto ao verbete chamado *nome santo*. Além disso, ver no *Dicionário* o artigo intitulado *nome*, quanto a detalhes. Tudo quanto Yahweh é, seus atributos e as glórias de sua Pessoa, são referidos pelo título *Nome*. Este salmo exalta o nome de Deus, por causa do que Deus é e do que ele tem feito. As pessoas de todos os lugares perceberão que Deus honrou suas promessas, quando as profecias se cumprirem. E as pessoas cantarão e se regozijarão por causa dos feitos gloriosos de Deus, que tanto terão beneficiado os homens, acima de tudo o que poderia ser imaginado ou requerido. "O profeta cita o hino entoado quando a arca foi transportada para Sião (ver 1Cr 16.8) e, em parte, extraído de Sl 105.1" (Ellicott, *in loc.*). O Nome que está acima de todo outro nome será louvado porque somente esse Poder, e essa Pessoa assim representada, poderia ter realizado a obra da restauração ao estabelecer o reino de Deus e trazer para ele toda a nação de Israel, já *regenerada*.

■ 12.5

זַמְּרוּ יְהוָה כִּי גֵאוּת עָשָׂה מְיֻדַּעַת זֹאת בְּכָל־הָאָרֶץ׃

Cantai louvores ao Senhor, porque fez cousas grandiosas. Este versículo reitera o versículo anterior, mas agora o louvor é musicado, o que geralmente acontecia com os salmos. Os hinos devem celebrar o Senhor e suas obras poderosas. O fato de que havia uma guilda especial de cantores levíticos, um clã entre eles, e que esse ofício passava de geração em geração, mostra a importância da música para os antigos hebreus. Ver 1Cr 25. O presente versículo é eco de Êx 15.1,21. O *glorioso triunfo* do cântico de Moisés, entretanto, não é repetido aqui, embora seja parte inerente do contexto.

■ 12.6

צַהֲלִי וָרֹנִּי יוֹשֶׁבֶת צִיּוֹן כִּי־גָדוֹל בְּקִרְבֵּךְ קְדוֹשׁ יִשְׂרָאֵל׃ פ

Exulta e jubila, ó habitante de Sião. Os habitantes de Sião são assim convocados a cantar uma antífona, fazendo grande ruído e gritando, exalçando o *Santo de Israel*, porque Deus é grande e trouxe ao povo a sua presença. Ver no *Dicionário* sobre esse mui repetido título no livro de Isaías (aparece por cerca de 25 vezes). Ver Is 1.4. Ambos os hinos começam e terminam com o nome divino, mas agora temos a presença de Deus junto ao Israel restaurado. Cf. a esperança cristã sobre a presença permanente de Deus, em Cl 1.27,28.

> *O Santo de Israel tem feito grandes coisas defronte dos nossos olhos.*
>
> NCV

CAPÍTULO TREZE

DENÚNCIAS CONTRA VÁRIAS NAÇÕES (13.1—23.18)

DENÚNCIA CONTRA A BABILÔNIA (13.1—14.23)

Nesta seção, que inicia um segundo livro dentro do livro de Isaías, temos uma série de oráculos dirigidos a povos estrangeiros. Cf. Jr 46—51, onde encontramos fenômeno semelhante. Ez 25—32 é outro exemplo desse fenômeno. Neste grupo de oráculos, por dez vezes há a expressão "sentença". São oráculos de condenação. Ver sobre essas *sentenças* em Is 13.1; 14.28; 15.1; 17.1; 19.1; 21.1,11,13; 22.1 e 23.1. As versões portuguesas traduzem a palavra hebraica correspondente por "sentença" ou "oráculo". São *sentenças* divinas sob a forma de oráculos de condenação. Quanto a explicações completas sobre a palavra "sentença", ver Is 13.1.

Alguns eruditos pensam que este oráculo contra a Babilônia é uma profecia, ao passo que outros creem que o mesmo é história. Se, de fato, se trata de história, temos uma edição feita por outra pessoa, e não pelo profeta, talvez o segundo Isaías, a quem a totalidade ou partes dos capítulos 40—66 também são atribuídas. Quanto ao problema da unidade do livro de Isaías, ver a seção III da *Introdução*.

A Babilônia já tinha sido ameaçada pelo poder da próxima potência mundial, os medos (vss. 17-22), que, se este escrito consiste em história, ocupariam o primeiro plano do palco da história mundial em 562 a.C., ou seja, pouco após a morte de Nabucodonosor. Mas, se esta porção do livro de Isaías consiste em profecia, então a visão desse profeta foi capaz não somente de ver a grande distância, mas também com detalhes. Ver no *Dicionário* o artigo chamado *Precognição*. De modo geral, esta seção corresponde às expectativas do julgamento universal e da catástrofe que se tornaram tão destacados no judaísmo posterior. Cf. Is 24.10-12,17-23; 34.1—4,10-15; Jl 2.1-11; 30.32; Sf 1.14-18; Zc 14.2,6. Ver outros *oráculos de condenação* sobre a Babilônia, em Is 21.1-9 e Jr 50.1-51.58.

Alguns fazem este capítulo referir-se a ataques dos assírios contra a Babilônia, em 689 a.C., e isso nos levaria ao contexto de Is 7.17—8.10. Mas é difícil ver como essa ideia se ajustaria à menção específica dos medos, no vs. 17.

■ 13.1

מַשָּׂא בָּבֶל אֲשֶׁר חָזָה יְשַׁעְיָהוּ בֶּן־אָמוֹץ׃

Sentença, que, numa visão, recebeu Isaías. Temos aqui um oráculo de condenação contra a Babilônia. A palavra hebraica indica "aquilo que é levantado", uma carga. Talvez a referência seja à mão erguida de quem proferia o oráculo; mas também poderia estar em pauta algo *pesado*, predizendo tristezas. A palavra "sentença" é usada para indicar a mensagem que uma declaração, oral ou escrita, quer transmitir, ou seja, o que houver de mais importante nessa mensagem, sua essência. De qualquer forma, o que foi proclamado em relação à Babilônia era algo pesado, um oráculo de condenação. Isaías *viu* o que estava prestes a acontecer e registrou a visão; e, novamente, como sempre se dá com os oráculos, devemos compreender que o fenômeno da inspiração divina estava por trás dessas afirmações. Temos aqui a primeira ocorrência da palavra, que será repetida por mais nove vezes, perfazendo um total de *dez* ocorrências. Ver a introdução ao capítulo, primeiro parágrafo. Cf. este versículo com Is 1.1.

Ver a sentença dos oráculos de condenação (a mesma palavra hebraica é também usada) em Jr 23.33,34,36,38; Ez 12.10; Na 1.1; Hc 1.1; Zc 9.1; 12.1 e Ml 1.1. Aprendemos assim que essa palavra era usada comumente pelos profetas, e não foi mera invenção de Isaías.

"A sentença do cálice das maldições que seria oferecido à Babilônia para beber" (assim diz o Targum).

■ 13.2

עַל הַר־נִשְׁפֶּה שְׂאוּ־נֵס הָרִימוּ קוֹל לָהֶם הָנִיפוּ יָד וְיָבֹאוּ פִּתְחֵי נְדִיבִים׃

Alçai um estandarte sobre o monte escalvado. Yahweh convocou seu exército vingador, porquanto havia um julgamento a ser efetuado. Ele clamou em alta voz, soando o grito de batalha. Os invasores acenaram com a mão para os babilônios, dizendo-lhes que se refugiassem em sua cidade. Era na cidade que eles seriam destruídos. Mas uma vocalização diferente da palavra poderia fazê-la significar "puxar". Nesse caso, os invasores estariam dizendo aos *nobres* da Babilônia que puxassem a espada e se preparassem para lutar. Ou então os líderes dos exércitos acenavam com as mãos para seus próprios soldados, orientando-os a entrar na Babilônia, residência de muitos nobres e ricos, para ali fazer um grande saque. Cf. Is 10.32. O ajuntamento de tropas deu-se numa elevada colina, um lugar notável. Ver sobre o vs. 4.

■ 13.3

אֲנִי צִוֵּיתִי לִמְקֻדָּשָׁי גַּם קָרָאתִי גִבּוֹרַי לְאַפִּי עַלִּיזֵי גַּאֲוָתִי׃

Eu dei ordens aos meus consagrados. Yahweh continuou a ditar ordens, orientando os consagrados a cumprir sua vontade. "Os soldados separados para uma batalha ou campanha, que estavam sob certos tabus relacionados a sacrifícios e votos feitos na esperança da vitória. Cf. Jl 4.9; Dt 23.9-14 e 2Sm 11.11" (R. B. Y. Scott, *in loc.*). Ciro, embora monarca pagão, foi chamado de *ungido de Yahweh* (ver Is 45.1). Neste caso, os soldados medos e persas eram os escolhidos do Senhor para colocar um ponto final no terror que era a Babilônia. A *ira* de Yahweh tinha de manifestar-se (vs. 13), e os orgulhosos pagãos tinham de descer para onde mereciam ficar, ou seja, no nada do pó. Este versículo, entretanto, faz daqueles altivos indivíduos instrumentos do Senhor. Um indivíduo orgulhoso substituiria outro. Ou então está em vista a grandeza de Yahweh, e *nisso* seus instrumentos se regozijariam. "... os invasores tinham a orgulhosa consciência de que estavam fazendo a obra de Deus" (Ellicott, *in loc.*).

■ 13.4

קוֹל הָמוֹן בֶּהָרִים דְּמוּת עַם־רָב קוֹל שְׁאוֹן מַמְלְכוֹת
גּוֹיִם נֶאֱסָפִים יְהוָה צְבָאוֹת מְפַקֵּד צְבָא מִלְחָמָה׃

Já se ouve sobre os montes o rumor como o de muito povo. Continua a descrição do ajuntamento do vasto exército do Senhor. Havia tumulto nas montanhas, e a reunião dos medos era o principal ajuntamento nos montes próximos da *Babilônia,* que era objeto do ataque. O ajuntamento de tropas era conspícuo ali naquelas altas colinas. Não havia segredo algum a respeito. O tempo de prestação de conta tinha chegado. Havia grande *tumulto* de reinos, grande ruído das nações que se reuniam para a matança. O general das tropas e líder do ataque era Yahweh, o *Senhor dos Exércitos.* Ver sobre este termo em 1Rs 18.5, bem como no *Dicionário* o verbete com esse título. O Poder celestial estava atrás dos exércitos terrenos, o que significa que o sucesso era garantido. A Babilônia teria de ser refreada em algum lugar e em algum tempo. Esse *lugar* seria a capital da Babilônia, e o *tempo* seria imediatamente. A bulha era tão grande que podemos imaginar os babilônios ouvindo o barulho à distância, cientes de que contra eles se aproximava grande tribulação.

■ 13.5

בָּאִים מֵאֶרֶץ מֶרְחָק מִקְצֵה הַשָּׁמָיִם יְהוָה וּכְלֵי זַעְמוֹ
לְחַבֵּל כָּל־הָאָרֶץ׃

Já vem dum país remoto, desde a extremidade do céu. O exército dos medos e dos persas era vastíssimo, e o ajuntamento das tropas tinha sido bem-sucedido; e agora eles vinham daquela terra distante, da extremidade do horizonte (céu). Yahweh os liderou, e as armas demonstravam sua indignação. O propósito era destruir todo o território da Babilônia. O autor exagerou em um estilo tipicamente oriental, chamando o objeto da destruição de "toda a terra". Assim Ciro foi declarado como quem vinha de uma "terra longínqua" (ver Is 46.11).

A expressão "extremidade do céu" reflete o ponto de vista mundial da época, como se a terra fosse uma extensa planície, quase infinda, cujas beiradas se estendiam ao distante horizonte. Os hebreus não tinham noção de que a terra é redonda, nem sabiam o que havia no fim da planície. O império babilônico tinha tomado tanto da terra conhecida que podia ser chamado, com um pouco de exagero, de "toda a terra".

■ 13.6

הֵילִילוּ כִּי קָרוֹב יוֹם יְהוָה כְּשֹׁד מִשַּׁדַּי יָבוֹא׃

Uivai, pois está perto o dia do Senhor. Chegara o tempo da Babilônia uivar, porquanto o temível *dia do Senhor* tinha chegado, e terrível seria a destruição. Ver no *Dicionário* o artigo chamado *Dia do Senhor.* "Dia do Senhor" pode significar aqui o *dia escatológico,* embora também possa representar o dia em que o julgamento do Senhor cai sobre um homem ou povo. É o dia em que o Senhor intervém na história humana. Trata-se daquele tempo *teísta* em que o que foi semeado deve ser colhido. O teísmo ensina que o Criador está continuamente junto à sua criação, intervindo, recompensando e punindo, agindo com base em sua providência, em seus aspectos positivo e negativo. O deísmo, por sua vez, ensina que a força criadora abandonou a criação e a deixou entregue às leis naturais. Ver no *Dicionário* os artigos chamados *Teísmo* e *Deísmo; Providência de Deus* e *Lei Moral da Colheita segundo a Semeadura.*

O "dia do Senhor" aqui referido visava especificamente o império babilônico. Esse império seria atingido em suas próprias raízes, ali mesmo, na cidade de Babilônia. Seria um tempo de destruição e sofrimento sem precedente, causado pelo Deus Todo-poderoso, o divino executor. O autor sagrado, pois, continuou o tema comum do poder e da inteligência divina por trás dos negócios humanos, mas não fez de Deus a causa única, que era uma noção comum entre os hebreus e predominante no livro de Eclesiastes. Existem *causas secundárias,* incluindo homens pecaminosos. A Babilônia era um grande império pecaminoso que tinha semeado aquilo que agora estava prestes a colher. O livro de Isaías ensina a responsabilidade e o livre-arbítrio humano, sem os quais não poderia haver responsabilidade moral, nem convite legítimo à mudança de mente.

Todo-poderoso. No hebraico, *Shaddai,* que pode vir do termo hebraico *shadad,* "destruir". Ser forte é destruir, uma suposição comum e natural nos violentos tempos bíblicos. O vs. 8 compara os sofrimentos que viriam com as dores de uma mulher em trabalho de parto. Mas aqui uma *tempestade devastadora* parece ser a figura.

■ 13.7

עַל־כֵּן כָּל־יָדַיִם תִּרְפֶּינָה וְכָל־לְבַב אֱנוֹשׁ יִמָּס׃

Pelo que todos os braços se tornarão frouxos. As mãos dos babilônios ficariam paralisadas, e o coração deles se confrangeria quando medos e persas atingissem a Babilônia com um golpe esmagador. A mão é o símbolo do poder e o instrumento da ação. A mão da Babilônia seria neutralizada, deixando os babilônios abertos aos golpes de seus adversários. O coração, ou seja, a *mente* dos babilônios, perderia a viço e desmaiaria. Portanto, não haveria poder mental para resistir, e o pânico geral se estabeleceria. Cf. Jr 50.43 e Js 7.5. "A Babilônia foi apanhada de surpresa na noite da festa ímpia de Belsazar (Dn 5.30). Isso explica o desmaio súbito e o coração confrangido" (Fausset, *in loc.*). "... dissolver-se-iam como cera perante o fogo; ficariam desencorajados e perderiam todo o seu valor e coragem, destituídos de poder e coragem para resistir a seus inimigos e salvar-se" (John Gill, *in loc.*).

■ 13.8

וְנִבְהָלוּ צִירִים וַחֲבָלִים יֹאחֵזוּן כַּיּוֹלֵדָה יְחִילוּן אִישׁ
אֶל־רֵעֵהוּ יִתְמָהוּ פְּנֵי לְהָבִים פְּנֵיהֶם׃

Assombrar-se-ão, e apoderar-se-ão deles dores e ais. O *ataque súbito* tomaria os babilônios de surpresa, tal como as dores do parto se apossam da pobre mulher prestes a dar à luz, e ela não pode escapar. Haveria temor em meio à dor e à impotência. Mas aquela mulher daria à luz a morte, e não a vida. Os babilônios olhariam uns para os outros, consternados, porquanto estaria acontecendo algo que os líderes da Babilônia pensavam que jamais aconteceria. E eles ficariam *atônitos* diante dos acontecimentos, como os passageiros do transatlântico Titanic quando o grande navio se chocou com um *iceberg.* O rosto deles ficou pálido de terror. Ou, com uma leve emenda, o sentido poderia ser: "com agonia em sua face".

Quanto à figura de um *repentino desastre* ser como as dores de uma mulher em trabalho de parto, ver também Is 21.3; 26.17; Jr 4.31; 6.24; 13.21; 22.23; 30.6; 48.41; 49.22; 50.43 e Mq 4.9,10.

Olharão um para o outro aterrorizados. Seus rostos se tornarão vermelhos como fogo.

NCV

■ 13.9

הִנֵּה יוֹם־יְהוָה בָּא אַכְזָרִי וְעֶבְרָה וַחֲרוֹן אָף לָשׂוּם
הָאָרֶץ לְשַׁמָּה וְחַטָּאֶיהָ יַשְׁמִיד מִמֶּנָּה׃

Eis que vem o dia do Senhor, dia cruel, com ira e ardente furor. O *dia do Senhor* (ver o vs. 6) chegará, e ninguém poderá resistir a ele. Será um dia cruel, o dia da ira de Deus, o dia de sua cólera feroz; será a desolação, quando os ímpios serão destruídos. A matança será efetuada pelos exércitos de pagãos que não terão misericórdia, saquearão, estuprarão e matarão; queimarão tudo e atuarão como um bando de jovens leões, a estripar suas vítimas. A misericórdia terá de ser demonstrada algum outro dia, pois não será demonstrada naquele dia. Homens, mulheres e crianças, fracos e fortes, nobres e humildes, serão as vítimas. E haverá poucos sobreviventes.

■ 13.10

כִּי־כוֹכְבֵי הַשָּׁמַיִם וּכְסִילֵיהֶם לֹא יָהֵלּוּ אוֹרָם חָשַׁךְ
הַשֶּׁמֶשׁ בְּצֵאתוֹ וְיָרֵחַ לֹא־יַגִּיהַּ אוֹרוֹ׃

Porque as estrelas e constelações dos céus não darão a sua luz. É típico das descrições acerca do terrível *dia do Senhor* retratar os céus em agonia juntamente com a terra. Cf. Jl 2.30,31; Lc 21.25 e Ap 6.2. Cataclismos na terra serão acompanhados por cataclismos nos céus. As estrelas mover-se-ão de seus lugares e deixarão de dar a sua luz; outro tanto acontecerá às constelações, literalmente, no hebraico, "seus Órions". Esse é um dos mais notáveis grupos estelares e, algumas vezes, representa todas as constelações que os homens podem ver. Não é provável que o profeta tenha antecipado algo assim quando a Babilônia caiu, mas ele usou de linguagem poética para aumentar o simbolismo. Alguns fazem essas mudanças celestiais representar o aparecimento ou desaparecimento de potências mundiais. Na verdade, as luzes de algumas potências são apagadas, enquanto as luzes de outras começam a brilhar, ou brilham mais esplendorosamente. Ver no *Dicionário* o artigo chamado *Constelações*. A lua não escapará ao látego de suas mudanças, mas também deixará de dar a sua luz. Isso significa que as mudanças serão imensas; e o sol será similarmente afetado, tão grandes serão a destruição e as transformações no mundo daquele tempo. Antigas luzes se apagarão; novas luzes brilharão. Quanto à cessação do brilho das grandes luminárias, ver Is 34.4; Ez 32.7; Jl 2.10,30,31; Zc 14.6,7; Mt 4.29. Quanto a outras perturbações cósmicas, ver Is 24.18; Ag 2.6,7,21,22.

■ 13.11

וּפָקַדְתִּי עַל־תֵּבֵל רָעָה וְעַל־רְשָׁעִים עֲוֹנָם וְהִשְׁבַּתִּי
גְּאוֹן זֵדִים וְגַאֲוַת עָרִיצִים אַשְׁפִּיל׃

Castigarei o mundo por causa da sua maldade. Uma *linguagem metafórica* não deixou de provar suas próprias impressões. Agora temos declarações diretas e sem complicações sobre o que está em pauta. A maldade será punida; a iniquidade será anulada; o mundo (ver o vs. 5) sofrerá. Os orgulhosos e arrogantes serão rebaixados. A altivez de homens terríveis, que praticam matanças internacionais, será humilhada. Da mesma maneira que eles foram *violentos*, assim será o seu castigo.

Quanto à punição dos arrogantes, cf. Is 5.19; 10.6,12,13. Quanto à jactância arrogante dos assírios, ver Is 10.5-16; e podemos ter certeza de que a jactância altiva dos babilônios não era menor. Ver no *Dicionário* o verbete chamado *Orgulho*. Ver o contraste entre o orgulho e a humildade em Pv 11.2; 13.10; 14.3; 15.25; 16.5,18; 18.12; 21.4; 30.12,32. Quanto a *olhos altivos*, ver Pv 6.17.

■ 13.12

אוֹקִיר אֱנוֹשׁ מִפָּז וְאָדָם מִכֶּתֶם אוֹפִיר׃

Farei que os homens sejam mais escassos do que o ouro puro. A população do mundo será tão dramaticamente reduzida que os homens serão escassos como o ouro puro, o ouro puro extraído em *Ofir* (ver a respeito no *Dicionário*), lugar lendário por causa de seu ouro fino. Ofir era uma cidade ou região localizada na costa sudoeste da *Arábia.* Cf. Jó 22.24 e 28.16. Ver também 1Cr 29.4; 1Rs 9.28 e 22.48.

Alguns interpretam este versículo como se ele dissesse que os *homens bons* se tornarão mais escassos que o ouro puro, naqueles tempos. Assim diz o Targum e diversos intérpretes antigos, mas isso está fora de lugar aqui. O quadro enfatizado é a destruição: matanças incansáveis praticamente deixarão a Babilônia desabitada. Então os medos enviarão à região uma nova população, e o palco será armado para o novo ato dos insensatos.

■ 13.13

עַל־כֵּן שָׁמַיִם אַרְגִּיז וְתִרְעַשׁ הָאָרֶץ מִמְּקוֹמָהּ בְּעֶבְרַת
יְהוָה צְבָאוֹת וּבְיוֹם חֲרוֹן אַפּוֹ׃

Portanto, farei estremecer os céus. Cf. as notas expositivas do vs. 10, onde faço referência aos *acontecimentos cósmicos* que acompanharão o dia do Senhor. Aqui os céus tremem, mas ali suas luzes se apagam. Aqui a terra estremece, o que não é dito ali. Se tornamos este versículo paralelo a 2Pe 3.10, devemos considerar literalmente essas descrições, mas o versículo de Pedro aponta para o futuro distante e o fim aparente da criação, conforme a conhecemos agora. Pedro fala de uma espécie de *dia final do Senhor*. Mas o dia do Senhor, neste ponto, é apenas a queda do império babilônico, pelo que devemos considerar figuradas estas descrições. Seja como for, o Poder por trás dos acontecimentos será o *Senhor dos Exércitos*. Quanto a esse nome divino, ver 1Rs 18.15, bem como o *Dicionário*. O profeta Isaías continuou aqui com a sua teologia de que a vida humana é controlada pelo poder e pela inteligência de Deus. Ver as notas expositivas sobre o vs. 6 deste capítulo quanto a essa ideia. A *Ira de Deus* (ver a respeito no *Dicionário*) será a força destruidora que sobrevirá contra os impenitentes assassinos internacionais. Naquele dia, eles experimentarão a ira feroz de Yahweh e assim pagarão por seus muitos crimes desgraçados.

"... figuras de linguagem que sugerem uma destruição toda abrangente" (John S. Martin, *in loc.*). Cf. Hc 3.6 e Hb 12.26. Esse tipo de linguagem "é levada para além da derrubada da Babilônia e de qualquer reino particular com potência mundial que resista à retidão de Deus" (Ellicott, *in loc.*). Ver também Is 24.19; Ag 2.6,7 e Ap 20.11.

■ 13.14,15

וְהָיָה כִּצְבִי מֻדָּח וּכְצֹאן וְאֵין מְקַבֵּץ אִישׁ אֶל־עַמּוֹ
יִפְנוּ וְאִישׁ אֶל־אַרְצוֹ יָנוּסוּ׃

כָּל־הַנִּמְצָא יִדָּקֵר וְכָל־הַנִּסְפֶּה יִפּוֹל בֶּחָרֶב׃

Cada um será como a gazela que foge. O exército dos medos atacaria incansavelmente. Suas vítimas em breve seriam incapazes de detê-los e se tornariam como um antílope ou uma ovelha, criaturas incapazes de defender-se, ou seja, presas fáceis para os animais caçadores. Os estrangeiros que viviam dentro do império babilônico, vendo a grande aflição que se abatera sobre eles, tentariam voltar a seus países nativos, fugindo do perigo. Presumivelmente, alguns desses estrangeiros poderiam escapar da ameaça, mas outros não. Eles, como quaisquer outros que fossem apanhados, seriam mortos à espada (vs. 15), sofrendo alguma morte miserável. O autor conta a história sem ornamentações; mas, conforme disse Homero, "É terrível, só de contar", para nada dizermos sobre passar pela experiência.

Cada um voltará para o seu povo. Considere o leitor estes dois pontos: 1. A Babilônia se tornara um cadinho internacional de povos. As pessoas iam à Babilônia voluntariamente, em busca de fortuna. 2. Outros estrangeiros eram levados à Babilônia, cativos, tais como os judeus e outros. Portanto, havia ali grande número de estrangeiros. Quando o ataque dos medos e dos persas ocorreu, esses estrangeiros fizeram grande esforço para escapar. Provavelmente bem poucos lograram êxito nessa tentativa.

■ 13.16

וְעֹלְלֵיהֶם יְרֻטְּשׁוּ לְעֵינֵיהֶם יִשַּׁסּוּ בָּתֵּיהֶם וּנְשֵׁיהֶם
תִּשָּׁגַלְנָה

Suas crianças serão esmagadas perante eles. Os crimes usuais cometidos nas guerras completam a lista de desgraças: as crianças seriam mortas perante os olhos dos pais. Casas foram saqueadas e esposas foram violadas sexualmente. As guerras têm dado origem a sofrimentos inimagináveis. E, no entanto, os homens nunca deixaram de guerrear. Assim ocorre porque o homem é o pior *predador* dentre todas as criaturas terrenas. Nenhum animal das florestas pode comparar-se ao homem em sua crueldade.

A palavra aqui traduzida por "crianças" indica "crianças de peito". Nem mesmo elas escapam à barbaridade humana. "Ultrajes como esses eram então, como sempre foram, o inevitável acompanhamento da guerra e das cidades cercadas que fossem capturadas" (Ellicott, *in loc.*). Naturalmente, tudo isso faz parte da lei da colheita segundo a semeadura, conforme indica 2Cr 36.17. Os babilônios vinham fazendo isso em muitos lugares do mundo, e os judeus foram uma de suas vítimas.

■ 13.17

הִנְנִי מֵעִיר עֲלֵיהֶם אֶת־מָדָי אֲשֶׁר־כֶּסֶף לֹא יַחְשֹׁבוּ
וְזָהָב לֹא יַחְפְּצוּ־בוֹ׃

Eis que eu despertarei contra eles os medos. Os medos eram inimigos implacáveis que não aceitavam suborno. Prata e ouro não lhes interessavam. Eles queriam obter controle mundial, e então todas as riquezas da terra lhes pertenceriam. Ver no *Dicionário* o artigo chamado *Média (Medos)*, quanto à história desse povo. "Os medos tinham a reputação de estar interessados somente na guerra, e não na construção de impérios ou no comércio" (R. B. Y. Scott, *in loc.*). Sabemos que havia uma aliança entre os medos e os persas, que eram os dois povos conquistadores da época; mas Isaías menciona apenas os primeiros, por serem os mais proeminentes dos dois. Os gregos falavam sobre essa combinação de povos como *medismo*. Ésquilo (Pers. 760) fazia de *medo* o primeiro governante dos persas. Eram um povo feroz demais para preocupar-se com dinheiro. As matanças eram seu esporte, bem como sua principal diversão na vida. Xenofonte (*Cyropaedia*, v. 1.10) fala da desconsideração pelo dinheiro como uma das características dos medos. "Os *medos,* povo que vivia a noroeste da Pérsia, que anteriormente eram aliados da Babilônia contra a Assíria" (*Oxford Annotated Bible,* comentando sobre o presente versículo).

■ 13.18

וּקְשָׁתוֹת נְעָרִים תְּרַטַּשְׁנָה וּפְרִי־בֶטֶן לֹא יְרַחֵמוּ עַל־בָּנִים לֹא־תָחוּס עֵינָם׃

Os seus arcos matarão os jovens. *A lista de ultrajes continua aqui,* após as notas explicativas sobre os medos. Estes, especialistas no uso do arco, empregariam essa arma de guerra para matar a flor da juventude da Babilônia, todos os que fossem capazes de guerrear. O potencial guerreiro dos babilônios seria assim destruído. Os medos não teriam piedade de nenhum ser humano (o fruto do ventre), e suas matanças não pouparíam nem as crianças. "A destruição seria incansável, e os invasores não se deixariam dissuadir pelo dinheiro. Eles não tinham misericórdia, nem mesmo de bebês ou crianças" (John S. Martin, *in loc.*). Cf. Is 22.6 e Jr 50.10-14. Heródoto (*Hist.* i.61) e Xenofonte (*Anab.* iii) mencionaram quão habilidosos eram os persas no uso do arco. Alguns arcos eram gigantescos, com três côvados de comprimento, e fortes o bastante para lançar flechas à longa distância. Cf. Jr 49.35. Os medos eram notórios por sua crueldade (Ammian. *Marcellino* 1.23. cap. 6; Diodor. *Sicul.* 1.13, parte 342).

■ 13.19

וְהָיְתָה בָבֶל צְבִי מַמְלָכוֹת תִּפְאֶרֶת גְּאוֹן כַּשְׂדִּים כְּמַהְפֵּכַת אֱלֹהִים אֶת־סְדֹם וְאֶת־עֲמֹרָה׃

Babilônia, a joia dos reinos, glória e orgulho dos caldeus. Tão grande seria a matança e tão absoluta a vitória, que o profeta Isaías comparou o triunfo com o que Deus fez contra Sodoma e Gomorra (ver Gn 19.24,25). A destruição seria devastadora, o que é ilustrado nos vss. 20-22. A Babilônia se tornaria habitação para as bestas do campo. A região ficaria inteiramente destituída de população. Toda a glória e toda a pompa existiriam somente na memória. Uma política de terra devastada consumiria a Babilônia, tal como o fogo de Deus consumiu as cidades da planície.

Heródoto (*Hist.* i.178) descreveu as belezas e glórias da cidade de Babilônia, e chamou-a de a mais famosa e poderosa de todas as cidades daquela parte do mundo. Era adornada muito mais que qualquer outra cidade conhecida, e era a coisa mais magnificente que já se vira. Cf. Jr 51.41. A cidade de Babilônia estava interessada em mais do que matanças ou em dinheiro, e os medos, em comparação, eram apenas tribos selvagens e bárbaras. A Babilônia era o "louvor de toda a terra", mas caiu diante dos mais brutais matadores da face da terra, os medos. O artigo do *Dicionário,* intitulado de *Babilônia,* ilustra as glórias da cidade, e, quando foi obliterada da face da terra, a Babilônia estava no auge de sua glória. Plínio (Hist. Natural 1.6, cap. 26) observou, admirado, as excelências do lugar, e essa era a reputação que a cidade tinha pelo mundo inteiro. Babilônia era a cidade *número um* no mundo, mas *em pouco tempo* foi reduzida a nada.

■ 13.20

לֹא־תֵשֵׁב לָנֶצַח וְלֹא תִשְׁכֹּן עַד־דּוֹר וָדוֹר וְלֹא־יַהֵל שָׁם עֲרָבִי וְרֹעִים לֹא־יַרְבִּצוּ שָׁם׃

Nunca jamais será habitada; ninguém morará nela de geração em geração. A finalidade da humilhação da Babilônia foi descrita aqui. A cidade deixaria de ser habitada. De geração em geração permaneceria desolada, triste lembrete do devastador julgamento sofrido. Um dos sonhos do ditador iraquiano, Saddam Hussein era renovar e reconstruir a cidade da Babilônia no país atualmente chamado Iraque; mas ele não logrou sucesso. Os árabes, que perambulam e armam suas tendas em vastas áreas, evitam o lugar como se fosse amaldiçoado. E nem os pastores dão pasto a seus rebanhos naquela área. A glória da Babilônia desapareceu para sempre. A completa desolação da Babilônia é assunto de um oráculo similar no livro de Jr 50.35-40. Cf. a condenação de Edom, em Is 34.1-15. Pausânio (*Arcádica* l.8 parte 509), que viveu nos dias de Adriano, passou pelo lugar e encontrou apenas um pedaço de uma antiga muralha. Plínio (*Hist. Natural* 1.6, cap. 26) descreve o lugar como um *deserto.*

"A região antigamente era fértil, mas, visto que o rio Eufrates não é mais conservado dentro de seus antigos canais, transformou-se em um atoleiro estagnado, impróprio para a criação de rebanhos. Consiste somente em ruínas" (Fausset, *in loc.*). Alguns estudiosos tomam Ap 18 como se falasse sobre a cidade literal de Babilônia, supondo que ela será, eventualmente, reconstruída, mas ali está em pauta a cidade de Roma. Seja como for, não é necessário supor que essa profecia signifique que a cidade de Babilônia *nunca* será reconstruída.

A propósito, este versículo mostra-nos que está em mira a destruição da cidade de Babilônia por parte dos medos, e não uma destruição preliminar por Senaqueribe. Ver a introdução a este capítulo.

■ 13.21

וְרָבְצוּ־שָׁם צִיִּים וּמָלְאוּ בָתֵּיהֶם אֹחִים וְשָׁכְנוּ שָׁם בְּנוֹת יַעֲנָה וּשְׂעִירִים יְרַקְּדוּ־שָׁם׃

Porém nela as feras do deserto repousarão. Feras do deserto vaguearão pela área, que se tornará moradia de criaturas uivantes, avestruzes e *sátiros.* Ver esta última palavra no *Dicionário,* quanto a completas descrições. Alguns pensam em *cabras selvagens* (literalmente, "felpudos"), mas, para outros, *cabras demônios* parece ser a melhor tradução da palavra. Tanto bodes quanto vitelos eram adorados como deuses até a época das reformas de Josias (2Rs 23.8; 2Cr 11.5; Lv 17.7). O bode foi posteriormente degradado de sua "divindade" até ser reduzido a um *demônio popular,* que preferia habitar em lugares desolados. O profeta talvez quisesse apenas dizer que a adoração aos demônios era efetuada naquele lugar, ou talvez pensasse que os demônios (seres espirituais malignos) tinham, de fato, conquistado aquela região.

Vários antigos intérpretes judeus, como Kimchi e Jarchi, preferem a interpretação demoníaca. As versões da Septuaginta, do siríaco e do árabe concordam com esse parecer. A malignidade espiritual tomou conta da área.

■ 13.22

וְעָנָה אִיִּים בְּאַלְמְנוֹתָיו וְתַנִּים בְּהֵיכְלֵי עֹנֶג וְקָרוֹב לָבוֹא עִתָּהּ וְיָמֶיהָ לֹא יִמָּשֵׁכוּ׃

As hienas uivarão nos seus castelos. O profeta Isaías terminou sua temível profecia de condenação mencionando outros animais "nativos" da desolada cidade da Babilônia, os nojentos hiena e chacal, predadores e animais que as pessoas preferem evitar. Ver os artigos sobre essas duas bestas. O que fora o orgulho do mundo, tão altivo, tão poderoso e tão rico e glorioso, transformou-se em pasto de animais ferozes do campo, do tipo que somente os jardins zoológicos estariam interessados em preservar.

O *oráculo de condenação* termina com uma predição de que o fim da Babilônia estava realmente próximo. Esse fim estava *perto;* não seria prolongado. A paciência de Deus estava esgotada. Alguns estudiosos, entretanto, pensam que esse fim ainda demorou dezessete anos, mas no relógio de Deus isso é apenas um segundo. Quanto ao tempo determinado para a visitação divina, cf. Jr 41.21 e 50.27. Deus tem o seu horário, que não pode ser quebrado. Certos eventos são inevitáveis, ou porque ele os determinou, ou porque os homens, em sua iniquidade, os forçam. O fato é que o julgamento eventualmente ferirá os ímpios e, embora, segundo a estimativa humana, muito tempo ainda se passará, o Deus eterno vê o tempo de maneira diferente, e ele vê que, "em breve", o mal perecerá.

CAPÍTULO QUATORZE

O oráculo geral de condenação (a sentença de Is 13.1) contra a Babilônia continua neste capítulo (13.1—14.23); a única diferença é que agora o assunto é o rei da Babilônia. Provavelmente temos aqui um oráculo separado, que foi posto lado a lado com o oráculo contra o império da Babilônia. Seja como for, é um dos mais notáveis poemas de todo o Antigo Testamento. Celebra, mediante zombeteiro canto fúnebre, a derrubada e a morte do poderoso monarca que aterrorizara o mundo.

"O próprio poema — vss. 4b-21 — é chamado de *mashal,* palavra que significa primariamente 'uma comparação', então uma comparação zombeteira e, eventualmente, um provérbio ou parábola. Há certa correspondência entre o objeto do *mashal,* conforme visto superficialmente, e seu sentido oculto ou mais profundo. Aqui, tal como em Nm 23.7, é uma espécie de encantamento ou invocação de sorte. O tempo dos verbos é o perfeito profético; na mente do orador, isso aconteceu em um futuro já cumprido. O anúncio feito pelo profeta, da derrubada do tirano, como fato consumado é, para ele, uma misteriosa força eficaz para a concretização do fato... A mensagem deste vívido e poderoso oráculo poético, com seu movimento dramático e em toda a sua plenitude, é primariamente a mensagem da derrubada certa da *vontade orgulhosa,* que procura dominar o mundo, o que é, ao mesmo tempo, um assalto contra o trono de Deus. Israel, que não possuía força material e política por si mesmo, teve de viver na fé de que todos os reis e impérios opressores haveriam de despedaçar-se na tentativa de escalar as alturas das quais nenhum homem pode aproximar-se" (R. B. Y. Scott, *in loc.*). A queda do tirano seria, ao mesmo tempo, uma medida de misericórdia para com Israel, e isso é salientado nos vss. 1 e 2, que proveem apta introdução para ainda outro oráculo de condenação.

■ 14.1

כִּי יְרַחֵם יְהוָה אֶת־יַעֲקֹב וּבָחַר עוֹד בְּיִשְׂרָאֵל
וְהִנִּיחָם עַל־אַדְמָתָם וְנִלְוָה הַגֵּר עֲלֵיהֶם וְנִסְפְּחוּ
עַל־בֵּית יַעֲקֹב׃

Porque o Senhor se compadecerá de Jacó. Yahweh não tinha esquecido seu povo, embora esse povo estivesse sendo castigado por causa de sua apostasia. A Babilônia foi usada como o chicote de Deus; mas, sendo uma força maligna, não escaparia a seu próprio desastre, que ultrapassaria a qualquer coisa que atingira Judá. A misericórdia divina reverteria a maré e faria o remanescente voltar à Terra Prometida. Outros povos reconheceriam a bênção renovada de Judá e correriam para a Terra Prometida, como um bom lugar onde viver. As provisões do pacto davídico (anotados em 2Sm 7.4) entrariam de novo em ação. A linhagem davídica prosseguiria, terminado o cativeiro. Em Is 9.17 lemos que a compaixão divina foi removida, pelo que a condenação certamente sobreviria contra o povo de Judá. Mas aqui volta o famoso amor de Deus, porquanto Judá era o remanescente penitente e restaurado. Prosélitos (ver Et 8.17; At 2.10; 17.4,17) se juntarão aos judeus. Uma comunidade internacional estará em formação. Cf. essa ideia com Is 44.5; 55.5; 56.3-6. Ver também Is 2.2. Sob a forma de *símbolo,* temos a admissão dos gentios no reino de Cristo.

■ 14.2

וּלְקָחוּם עַמִּים וֶהֱבִיאוּם אֶל־מְקוֹמָם וְהִתְנַחֲלוּם
בֵּית־יִשְׂרָאֵל עַל אַדְמַת יְהוָה לַעֲבָדִים וְלִשְׁפָחוֹת
וְהָיוּ שֹׁבִים לְשֹׁבֵיהֶם וְרָדוּ בְּנֹגְשֵׂיהֶם׃ ס

Os povos os tomarão e os levarão aos lugares deles. Nossa mente cristã não aprecia esse aspecto da promessa. Israel, a nação oprimida, agora se tornará a nação opressora, de volta à Terra Prometida e sendo servida por escravos, tanto homens quanto mulheres. Antes os judeus eram os cativos, agora eles farão cativos. Haverá uma transmutação nos papéis a serem desempenhados. Devemos compreender que muitos, se não todos esses prosélitos, se tornarão escravos de Israel, o que dificilmente corresponde ao ideal cristão. O texto sagrado talvez esteja ensinando que, entre os cativos, haverá alguns babilônios.

■ 14.3

וְהָיָה בְּיוֹם הָנִיחַ יְהוָה לְךָ מֵעָצְבְּךָ וּמֵרָגְזֶךָ
וּמִן־הָעֲבֹדָה הַקָּשָׁה אֲשֶׁר עֻבַּד־בָּךְ׃

No dia em que Deus vier a dar-te descanso do teu trabalho. Este versículo atua como uma transição para o *mashal* (zombaria) que se seguirá. Israel obterá descanso do opressor. Seus dias de dor e turbulência terminarão. Tribulações se esboçavam no futuro distante, mas isso, por enquanto, não constituía preocupação. A Babilônia seria eliminada, e os dias de *serviço duro* também. Reconstruir a Terra Prometida envolveria muito trabalho árduo, mas agradável, pois significaria a restauração de Israel mediante a tribo de Judá, a tribo que levou avante as coisas novamente. Comparar este versículo com Dt 28.65-67; 28.12; Ez 28.25,26 e Hc 2.13. Todas as condições perniciosas impostas pelo cativeiro babilônico seriam removidas quando viesse o novo dia.

ZOMBARIA CONTRA O TIRANO BABILÔNICO (14.4-21)

■ 14.4

וְנָשָׂאתָ הַמָּשָׁל הַזֶּה עַל־מֶלֶךְ בָּבֶל וְאָמָרְתָּ אֵיךְ שָׁבַת
נֹגֵשׂ שָׁבְתָה מַדְהֵבָה׃

Então proferirás este motejo contra o rei da Babilônia, e dirás. Quanto ao *mashal* ou "zombaria", ver a introdução ao capítulo, segundo parágrafo. Quão tranquilas se tinham tornado as coisas na visão do profeta sobre a queda do tirano que, em sua mente, já tinha acontecido. Toda essa jactância orgulhosa tinha acabado. A Babilônia era agora um montão de ruínas (ver Is 13.20-22). Nenhum rei reinava ali, e não mais existia uma gloriosa cidade repleta de pessoas. Grande silêncio tinha tomado conta de tudo, excetuando o uivo ocasional de algum animal selvagem, que tinha vindo residir onde antes existiam grandes e orgulhosos palácios. Toda a bulha que tinha sido a cidade de Babilônia fora silenciada sem misericórdia pelos medos (ver Is 13.17). O trabalho de julgamento de Deus tinha sido completo. Israel estava de volta à Terra Prometida, para surpresa de todos.

A *dourada Babilônia* era agora um montão de cinzas, moradia de serpentes e morcegos, de cabras monteses e chacais, de hienas e sátiros (ver Is 13.21,22). "Cidade dourada, cheia de ouro, levado para ali de todas as partes do mundo, principalmente através do saque, o *cálice de ouro* (Jr 51.7), onde a monarquia da Babilônia era simbolizada pela cabeça de ouro (ver Dn 2.32,38)" (John Gill, *in loc.*).

■ 14.5

שָׁבַר יְהוָה מַטֵּה רְשָׁעִים שֵׁבֶט מֹשְׁלִים׃

Quebrou o Senhor a vara dos perversos. Na última parte do vs. 4, e agora até o fim, é apresentada a *zombaria* (no hebraico, *mashal*). Is 14.3,4a dá um prólogo prosaico, enquanto o restante foi vazado em linguagem poética. A identificação do tirano em vista tem atraído muito trabalho de adivinhação: Nabucodonosor, Belsazar, Senaqueribe (que fez de Babilônia um estado vassalo, enquanto ele mesmo era assírio). Além disso, há adivinhações de natureza simbólica: Satanás, o anticristo etc. Ou então devemos compreender o tirano como a personificação do *reinado* da Babilônia (ver sobre os *dominadores,* no fim do versículo), que levara Judá para o cativeiro e ali oprimira os judeus. A Babilônia mística (Roma) certamente não está em vista aqui.

Yahweh, na mente do profeta, já havia quebrado os símbolos da autoridade real do tirano, sua vara e seu cetro. Em outras palavras, o poder dele havia desaparecido, e Yahweh é pintado como o Poder por trás das cenas que causaram essa perda. Ele apresentara os medos (ver Is 13.17) como seus instrumentos. Ver as notas expositivas sobre Is 13.6 quanto ao conceito do Governo divino no mundo, a operação por trás do cenário.

Dominadores. Esta palavra pode referir-se às autoridades babilônicas em geral, e não a diversos governantes ou *reis.* Se estão em foco reis, então o tirano é o *reinado,* personalizado. Visto que o cetro está relacionado aos governantes, provavelmente estão em foco os *reis.* Foi assim que Kimchi interpretou a questão. A Babilônia teve muitos reis; mas, quando o julgamento de Deus atingiu esse império, tudo isso cessou.

14.6

מַכֶּה עַמִּים֙ בְּעֶבְרָה֙ מַכַּת בִּלְתִּ֣י סָרָ֔ה רֹדֶ֥ה בְאַ֖ף גּוֹיִ֑ם מֻרְדָּ֖ף בְּלִ֥י חָשָֽׂךְ׃

Que feriam os povos com furor, com golpes incessantes. Este versículo descreve o *governo maldoso* que a Babilônia exercia sobre os povos por ela conquistados. Aos povos conquistados foram aplicados golpes brutais; uma vez conquistados, os povos eram governados com ira, como que por um insano; eles eram perseguidos, tratados como escravos e animais inferiores. Uma autoridade absoluta os forçava a fazer o trabalho, e essa mesma autoridade os injuriava diariamente. Agressão e opressão eram os nomes do jogo. Ninguém se erguia para defender os oprimidos. Nenhum homem ousava fazer um julgamento moral em favor da justiça.

> *Ele bateu neles por várias vezes. Ele governava o povo em meio à ira. Ele continuou a fazer coisas terríveis contra o povo.*
> NCV

14.7

נָ֥חָה שָׁקְטָ֖ה כָּל־הָאָ֑רֶץ פָּצְח֖וּ רִנָּֽה׃

Já agora descansa e está sossegada toda a terra! *O Tirano Estava Morto.* A paz foi estabelecida no mundo inteiro. Tudo estava quieto. Mas eis que, de repente, o silêncio foi interrompido por cânticos. Os povos levantavam a voz em alegres canções. Um novo dia havia raiado. Um propósito divino benevolente, uma vez mais, operava em Jerusalém. As coisas estavam sendo reconstruídas. "Todos exultam de júbilo" é uma expressão peculiar a Isaías. Cf. Is 44.23; 49.13; 52.9; 54.1 e 55.12. As nações emancipadas celebravam sua liberdade em meio a cânticos jubilosos. Cf. Ap 15.2,3 e 19.1,2.

14.8

גַּם־בְּרוֹשִׁ֛ים שָׂמְח֥וּ לְךָ֖ אַרְזֵ֣י לְבָנ֑וֹן מֵאָ֣ז שָׁכַ֔בְתָּ לֹֽא־יַעֲלֶ֥ה הַכֹּרֵ֖ת עָלֵֽינוּ׃

Até os ciprestes se alegram sobre ti. *A alegria era universal,* tanto entre os povos como na natureza. Algumas pessoas ganham a vida derrubando árvores em busca de suas partes úteis. A Babilônia era o derrubador de árvores universal que fazia o mundo inteiro sentir-se miserável. Agora, o cortador de árvores estava morto, pelo que as árvores se regozijavam e cantavam sua liberdade. Assurbanipal e outros monarcas assírios realmente usaram a metáfora de derrubar árvores para indicar a destruição de nações. No livro de Isaías vemos o uso da palavra "floresta" significando exército. Ver Is 9.18; 10.18,19,34. Mas agora essa figura representa todos aqueles povos a quem o tirano tinha oprimido e que tinham sido "cortados" por ele. O tirano, porém, agora estava morto; o machado fora posto de lado e quebrado em pedaços; nunca mais seria usado de novo; as nações, sossegadas e seguras, entoavam canções (vs. 7).

> *Até os pinheiros estão alegres. E os cedros do Líbano se regozijam. Dizem eles: "O rei caiu. Ninguém jamais nos cortará de novo".*
> NCV

14.9

שְׁא֗וֹל מִתַּ֛חַת רָגְזָ֥ה לְךָ֖ לִקְרַ֣את בּוֹאֶ֑ךָ עוֹרֵ֨ר לְךָ֤ רְפָאִים֙ כָּל־עַתּ֣וּדֵי אָ֔רֶץ הֵקִים֙ מִכִּסְאוֹתָ֔ם כֹּ֖ל מַלְכֵ֥י גוֹיִֽם׃

O além desde o profundo se turba por ti. O próprio *sheol* faz parte da cena. O *sheol* agita-se porque se espalhou a palavra de que o tirano está prestes a ingressar naquele lugar, fazendo dali sua residência eterna. O *sheol*, personificado como um deus que governa, chama seus súditos, as *sombras*, para que se reúnam e formem uma comissão de boas-vindas a fim de receber a nova adição ao lugar. A palavra hebraica aqui usada é *refaim* (ver no *Dicionário* um artigo detalhado sobre esse termo, que fala sobre os mortos, especialmente no primeiro ponto). A raiz dessa palavra parece significar "afundar" (destituído de poder), ou seja, por extensão, os espíritos ou sombras que *descem*, impotentes, para o *sheol*. Essa poderia ser simplesmente a forma poética para exprimir os mortos que não têm sobrevivência no *sheol*. A doutrina do *sheol* tem uma longa história de desenvolvimento que acompanho nas notas sobre Pv 5.5. Ver também sobre o *hades,* quanto a informações similares.

A maior parte das referências ao *sheol,* no Antigo Testamento, significa "sepulcro". Somente nos Salmos e nos Profetas a doutrina da sobrevivência da alma começou a aparecer, e só mais tarde surgiu a ideia de que, no pós-vida, há recompensa e castigo das almas, dependendo do que cada um merecer. Ver Dn 12.2. Talvez Sl 88.10 e 139.8 avancem para além da ideia do *sepulcro,* no tocante ao *sheol.* É possível que este versículo também contemple *fantasmas destituídos* de mente, flutuando em um submundo literal. Cf. Is 26.14. Contrastar com o vs. 19 daquele mesmo capítulo. Através de Dn 12.2 mais ainda se desenvolveu no tocante a essa doutrina, quando o *sheol* foi retratado como lugar de punição para os ímpios.

Seja como for, o tirano babilônico veio ocupar o seu lugar entre os espíritos destituídos de mente. Ele se assenta em seu trono de nada, tal como sucede a seus fantasmas companheiros, os quais, durante a vida, eram poderes que tinham de ser considerados, mas agora estavam reduzidos a nada. Se o vs. 10 não é poético, contempla alguma forma de inteligência quanto a esses fantasmas. Como é óbvio, por enquanto não há nenhuma doutrina formal do inferno, embora o lugar descrito seja bastante entristecedor. Aqueles espíritos destituídos de mente, entretanto, não sabem muita coisa, visto serem retratados como sentados em seus tronos de nada, imitando o que sabiam na terra.

Aben Ezra informa-nos que era costume, na Babilônia, levantar tronos sobre os sepulcros dos reis. Por isso, agora, vemos ex-reis na terra sentados em seus tronos diáfanos, no *sheol*. Detalhes como esse nos fazem pensar que a composição inteira é uma poesia dramática, que, na realidade, não diz muita coisa, se é que diz alguma, sobre o que Isaías ensinou acerca do pós-vida.

14.10

כֻּלָּ֥ם יַעֲנ֖וּ וְיֹאמְר֣וּ אֵלֶ֑יךָ גַּם־אַתָּ֛ה חֻלֵּ֥יתָ כָמ֖וֹנוּ אֵלֵ֥ינוּ נִמְשָֽׁלְתָּ׃

Todos estes respondem e te dizem. Agora os reis fantasmagóricos dirigem-se ao grande rei fantasma, o rei da Babilônia, que está prestes a sentar-se em algum trono de névoas, sem ter súdito algum para assustar. O grande rei fantasmagórico está agora tão *fraco* quanto eles, tendo-se transformado em um dos *refains* (ver no *Dicionário* o artigo chamado *Refaim*), alguém vergado debaixo de sua fraqueza, que afundou no *sheol*. No vs. 9, esses reis são pintados como quem dorme em seus tronos, tendo de ser despertados pelo rei *sheol,* a fim de saudar o recém-chegado. Mesmo que aceitemos essas descrições como dotadas de algum valor doutrinário sobre o submundo, certamente elas não são seguidas quando os espíritos aparecem dotados de plena consciência, capazes de refletir e sofrer, conforme vemos em Lc 16. E não há no inferno nenhum fogo, conforme vemos que se desenvolveu nos livros pseudepígrafos. As chamas do inferno foram acesas no livro de 1Enoque, e daí a ideia de fogo no *hades* entrou no Novo Testamento.

"De súbito, houve uma agitação naquela companhia sem substância, e reis espectrais se levantaram de tronos espectrais para contemplar a figura que chegou flutuando entre eles. Assim sendo, entrou outro monarca, despido de esplendor terreno e desacompanhado por uma chamada de trombeta. A saudação deles foi um sussurro sem paixão: 'Tu também, com tua glória desaparecida, vieste até o pó!' E então, uma vez mais, estabelece-se o silêncio nos salões dos mortos" (G. G. D. Kilpatrick, *in loc.*).

14.11

הוּרַ֥ד שְׁא֛וֹל גְּאוֹנֶ֖ךָ הֶמְיַ֣ת נְבָלֶ֑יךָ תַּחְתֶּ֙יךָ֙ יֻצַּ֣ע רִמָּ֔ה וּמְכַסֶּ֖יךָ תּוֹלֵעָֽה׃

Derribada está na cova a tua soberba. O grande rei da Babilônia estava coberto de pompa, muito mais do que outros reis que tinham sido projetados ao *sheol*. Músicos habilidosos mantinham essa corte feliz. Mas, quando o tirano morreu, a música parou e os gusanos da morte tomaram conta de tudo. Antes ele tinha uma cama excelente, feita sob medida, mas agora jaz em meio aos gusanos, enquanto os vermes são a sua coberta! Há menção aqui ao sepulcro literal, mas o novo leito de gusanos do tirano desce até o *sheol*, acompanhando o monarca babilônico. Ele não tinha mais um trono, e os espíritos nem se dão ao trabalho de colocá-lo em um trono de névoas no submundo. Tão somente ele ficará ali deitado, em seu leito de vermes da morte. "Aquele que costumava contar com ricos tapetes para neles pisar, e também com principescos pavilhões sob os quais se assentava, leitos de plumas sobre os quais se deitava, com os mais ricos baldaquinos sobre ele; agora nada lhe resta senão vermes que rastejam sobre ele e debaixo de seu corpo" (John Gill, *in loc.*).

■ 14.12

אֵיךְ נָפַלְתָּ מִשָּׁמַיִם הֵילֵל בֶּן־שָׁחַר נִגְדַּעְתָּ לָאָרֶץ חוֹלֵשׁ עַל־גּוֹיִם:

Como caíste do céu, ó estrela da manhã. *A queda de Satanás?* Ver a exposição sobre a unidade literária que consiste nos vss. 13-15.

Agora o rei caído é comparado a uma estrela que antes brilhava no céu, a saber, a "estrela da manhã" ou doador da luz, traduzido por "Lúcifer" na Vulgata Latina. Dentro da mitologia cananeia (ugarítica) havia uma divindade que era o *deus do alvorecer,* ou seja, a estrela da manhã, de nome Shahar, correspondente a Vênus, na astronomia moderna. Mas o mais provável é que o profeta não estava procurando nenhum tipo de identificação astronômica. Ele falava sobre uma luz brilhante no céu, tão poderosa que era capaz de anunciar o alvorecer. Entretanto, os babilônios deleitavam-se na astrologia, e talvez haja aqui uma *alusão* a Vênus. O autor sacro misturou as metáforas, pois diz que a estrela foi *cortada,* em vez de *derrubada.* Seja como for, a estrela estava tão baixa que primeiramente se apagou e, em seguida, caiu no *sheol.* A referência a *Lúcifer,* na Vulgata, não deveria fazer-nos enganosamente pensar que esta passagem trata de Satanás, o que foi um desenvolvimento posterior e dificilmente está em pauta aqui. Pelo contrário, está em vista um homem diabólico. Ele era importante e elevado, uma espécie de deus-estrela, mas agora tinha sido deitado tão abaixo que o seu leito era uma cama de gusanos, no *sheol.* Aquele homem, estando ainda na terra, derrubara nações (pintadas como *florestas,* vs. 8). Mas agora ele mesmo estava cortado, em solene demonstração da justiça divina. Ver no *Dicionário* o verbete intitulado *Lei Moral da Colheita segundo a Semeadura.* Aquele homem, sedento de sangue, culpado de tantos e tantos crimes, foi lançado para fora do céu como objeto imundo e agora jazia em seu humilde leito no *sheol.* No mundo ele fora *a árvore mais elevada,* mas isso não o deixara imune ao machado divino.

■ 14.13-15

וְאַתָּה אָמַרְתָּ בִלְבָבְךָ הַשָּׁמַיִם אֶעֱלֶה מִמַּעַל לְכוֹכְבֵי־אֵל אָרִים כִּסְאִי וְאֵשֵׁב בְּהַר־מוֹעֵד בְּיַרְכְּתֵי צָפוֹן:

אֶעֱלֶה עַל־בָּמֳתֵי עָב אֶדַּמֶּה לְעֶלְיוֹן:

אַךְ אֶל־שְׁאוֹל תּוּרָד אֶל־יַרְכְּתֵי־בוֹר:

Tu dizias no coração: Eu subirei ao céu. *A Queda de Satanás?* O tirano se jactava doentiamente de que subiria ao céu, rivalizando com os deuses, postando-se mais alto que as estrelas de Elohim. Lá em cima ele colocaria o seu trono. A expressão "no monte da congregação" é uma referência pagã ao deuses que habitariam as regiões celestes no norte, em torno das quais girariam as constelações. No cume desse monte, estava o trono do Deus Altíssimo (vs. 14). Cf. Ez 28.14 e Sl 48.2. "A passagem diante de nós preserva a forma cananeia do mito da natureza, que fala na tentativa de a estrela da manhã escalar as alturas celestes, ultrapassando em altura a todas as outras estrelas, somente para ser lançada de volta à terra pelo sol vitorioso" (R. B. Y. Scott, *in loc.*).

Essa história ilustra, pois, como as divindades secundárias tentam melhorar a sua posição, chegando a atingir o céu dos mais elevados deuses (vs. 14). Em algum ponto lá em cima, havia o mais elevado deus habitando em esplendor singular, presumivelmente desfrutando de sua companhia. Mas o tirano não foi capaz de concretizar suas aspirações. Algo tão simples como a morte física fê-lo tombar às partes mais inferiores do abismo (*sheol*). Era isso o que ele merecia em sua arrogância. Essa história assemelha-se à história de *Lúcifer* nas lendas judaicas, as quais, como é claro, baseavam-se neste texto. Mas, conforme se pode ver, originalmente não havia uma referência ao principal anjo caído, a quem chamamos Satanás ou diabo. A história judaica posterior passou para a interpretação cristã, como se aqui tivéssemos uma descrição da queda de Satanás. O quadro de Satanás preso no *sheol* é diferente do que sabemos acerca dele. Ele está "lá fora", causando todo o dano que puder. Ver sobre o *sheol,* no vs. 9.

Naturalmente, podemos ver aqui uma referência primária a Satanás, de quem o tirano da Babilônia era imitador. Mas isso não concordaria com o contexto; antes, é uma *aplicação* interpretativa da história. "A verdade é que este texto nada diz acerca de Satanás, nem a respeito de sua queda, nem sobre a ocasião de sua queda, conforme muitos intérpretes deduzem com tanta confiança" (Adam Clarke, *in loc.*).

■ 14.16

רֹאֶיךָ אֵלֶיךָ יַשְׁגִּיחוּ אֵלֶיךָ יִתְבּוֹנָנוּ הֲזֶה הָאִישׁ מַרְגִּיז הָאָרֶץ מַרְעִישׁ מַמְלָכוֹת:

Os que te virem te contemplarão. Este versículo comenta sobre o que os fantasmas quase inteiramente destituídos de mente dirão quando virem tamanha queda. Eles contemplarão e indagarão entre si como tão grande desastre teria ocorrido. "Será, realmente, esse o homem que fazia a terra tremer e reinos inteiros estremecer?"

> *É esse o mesmo homem que causou tão grande terror sobre a terra? É esse aquele que sacudiu reinos?*
>
> NCV

Ou poderíamos interpretar aqui os oradores como aqueles que viram o corpo do tirano estendido no campo de batalha; ou então aqueles que viram, mais tarde, o seu sepulcro, quer na época de sua morte, quer posteriormente. Se um homem visse o cadáver todo arroxeado e sangrento, seria levado a falar nesses termos. Ou talvez um homem, vendo o sepulcro inglório, soubesse que ele fora reduzido à carne pútrida em contraste com o que tinha feito antes de o desastre subitamente atingi-lo. Ou ainda algum historiador que lesse sobre o citado rei quando vivo, e como ele tinha morrido, dificilmente seria capaz de acreditar nos detalhes de sua pesquisa.

"Com uma vasta incredulidade, os espectadores contemplariam a imagem distorcida do homem que ousara rivalizar com Deus... Nenhum túmulo de mármore, esplendoroso, nenhuma multidão de lamentadores a chorar por ele! Seu corpo, como lixo jogado em um monturo, emitia o mau cheiro de carne apodrecida" (G. G. D. Kilpatrick, *in loc.*).

■ 14.17

שָׂם תֵּבֵל כַּמִּדְבָּר וְעָרָיו הָרָס אֲסִירָיו לֹא־פָתַח בָּיְתָה:

Que punha o mundo como um deserto, e assolava as suas cidades? Os exércitos, com suas normas de terra arrasada, transformaram todo o mundo conhecido na época em um deserto; insensatamente arrasaram as cidades, por sua ordem; tomaram prisioneiros e então transformaram-nos em escravos, sem permitir-lhes voltar para casa, embora seus países se tivessem rendido e estivessem arruinados. "Essa era uma característica notável da crueldade dos reis assírios. Assim sendo, Senaqueribe e Assurbanipal jactaram-se de ter levado reis cativos em 'cadeias de ferro', guardando-os algemados como cães no pátio de seu palácio. Jeoaquim foi deixado a mofar na prisão por 37 anos (Jr 52.31)" (Ellicott, *in loc.*).

■ 14.18,19

כָּל־מַלְכֵי גוֹיִם כֻּלָּם שָׁכְבוּ בְכָבוֹד אִישׁ בְּבֵיתוֹ:

וְאַתָּה הָשְׁלַכְתָּ מִקִּבְרְךָ כְּנֵצֶר נִתְעָב לְבוּשׁ הֲרֻגִים מְטֹעֲנֵי חָרֶב יוֹרְדֵי אֶל־אַבְנֵי־בוֹר כְּפֶגֶר מוּבָס:

Todos os reis das nações, sim todos eles, jazem com honra. A maioria dos reis recebe sepultamentos esplendorosos e memoriais, de modo que os homens não se esquecem deles em pouco tempo. Mas *aquele homem*, embora o mais poderoso dos reis, uma vez morto, não foi honrado. De fato, seu corpo, se sepultado, foi arrancado do túmulo como se fosse um feto nojento e de tremendo mau cheiro. Diz literalmente o hebraico aqui: "um ramo abominável". Isso foi emendado para produzir a figura de um aborto. Há um Targum sobre este versículo. Se *ramo* corresponde ao texto real, então a palavra *abominável* (vs. 19) provavelmente significa inútil, um insulto ao agricultor que tão duramente trabalhara para que sua árvore produzisse fruto.

Durante a vida terrena, esse rei abominável tinha matado pessoalmente a muitos e ordenado que outros matassem milhares de pessoas. A visão das vestes manchadas de sangue dos que tinham sido cortados à espada era muito comum, e os soldados ficaram calejados diante dessa visão. Nenhum homem estaria interessado em juntar tais vestes para usá-las. Esse rei tornou-se tão nojento e, finalmente, tão inútil como essas vestes manchadas de sangue. Os corpos de incontáveis soldados foram simplesmente lançados nas fendas das rochas, porquanto não havia nem interesse nem tempo para dar-lhes sepultamentos decentes. Por semelhante modo, aquele horrendo rei foi simplesmente *jogado fora*. Havia tantas *carcaças* jazendo nos campos de batalha, que homens, cavalos e carros de combate se amontoavam sobre elas, e ninguém se importava. O tirano não era mais respeitado do que um cadáver sangrento e despedaçado em campo de batalha. Se, finalmente, alguém, por motivo de misericórdia, sepultou o corpo do rei, e se alguém soubesse onde ficava seu sepulcro, os homens que o vissem sacudiriam tristemente a cabeça, incrédulos. "Um *rei* foi posto a descansar em um lugar como este?" Muitas histórias foram criadas sobre Nabucodonosor para que sua morte e os eventos subsequentes se ajustassem a estes dois versículos, mas nada disso tem sido historicamente confirmado.

Ninguém pode ler esta passagem de Isaías sem pensar na morte ignominiosa de Hitler e de Mussolini.

14.20

לֹא־תֵחַד אִתָּם בִּקְבוּרָה כִּי־אַרְצְךָ שִׁחֵתָּ עַמְּךָ הָרָגְתָּ
לֹא־יִקָּרֵא לְעוֹלָם זֶרַע מְרֵעִים׃

Com eles não te reunirás na sepultura. O tirano produziu ruína universal e, por esse motivo, seria privado de um sepultamento decente. Ele não se reuniria a outros reis (vs. 18) em seus túmulos suntuosos, nem seria honrado por um memorial. Os invencíveis são vencidos pela morte. Talvez seja pequeno o consolo de que eles serão honrados por ocasião de sua morte, mas àquele homem horrendo nem isso seria outorgado.

"Oh, eloquente, justa e poderosa Morte!, a quem ninguém pode aconselhar... Tu és aquela que persuades. Aquilo que outros não ousam fazer, tu fizeste. Aqueles a quem o mundo lisonjeia, tu tens lançado fora e desprezado. Tens reunido toda a falsa grandeza, orgulho, crueldade e ambição dos homens e cobriste a todos com as palavras breves: *Hic jacet*" (Sir Walter Raleigh).

"Cf. com as predições de Jeremias acerca de Jeoaquim (ver Jr 22.19), e ver 2Cr 21.20; 24.25 e Ez 29.5" (Ellicott, *in loc.*).

14.21

הָכִינוּ לְבָנָיו מַטְבֵּחַ בַּעֲוֹן אֲבוֹתָם בַּל־יָקֻמוּ וְיָרְשׁוּ
אָרֶץ וּמָלְאוּ פְנֵי־תֵבֵל עָרִים׃

Preparai a matança para os filhos por causa da maldade de seus pais. Quanto ao sofrer e morrer pelos pecados dos pais, ver Êx 20.5. Quanto a sofrer e morrer pelos próprios pecados, ver Dt 24.16; Ez 18.20. Um rei brutal pode ter filhos brutais que anelem por seguir o mau exemplo paterno. Esses filhos também acabarão removidos. No Oriente antigo, tornou-se quase costume eliminar a família de um rei que tivesse falecido, para que os descendentes não interferissem no governo do sucessor do novo rei, *se*, porventura, ele não pertencesse à família do antecessor. A morte removia eficazmente as intrigas. Os filhos de um tirano, se tivessem a mesma visão e energia que ele, poderiam até levantar novas cidades e renovar o império. Mas o tempo final *daquele* império tinha chegado e, por isso, não seria reconstruído. Jeremias tinha preparado um "matadouro" (ver Jr 51.40) para os filhos do homem, que seriam tratados como animais. A ordem foi expedida por Yahweh, que queria ver a palavra "fim" escrita sobre os babilônios e seu terror. A matança seria efetuada por meio de *guerras*, conforme vemos na Septuaginta e em outras versões. Os novos instrumentos internacionais da destruição seriam os medos e os persas, pelo que a cena se alteraria. Mas o enredo continuaria o mesmo: matanças e mais matanças, queda de matadores e soerguimento de outros matadores.

A CONCLUSÃO EM PROSA (14.22,23)

14.22

וְקַמְתִּי עֲלֵיהֶם נְאֻם יְהוָה צְבָאוֹת וְהִכְרַתִּי לְבָבֶל שֵׁם
וּשְׁאָר וְנִין וָנֶכֶד נְאֻם־יְהוָה׃

Levantar-me-ei contra eles, diz o Senhor dos Exércitos. Yahweh, o *Senhor dos Exércitos* (ver 1Rs 18.15 e também no *Dicionário*), seria o comandante em chefe dos medos, que garantiria o cumprimento da missão. Os estratagemas da batalha pertenciam a Yahweh, e o Poder por trás do palco era o seu poder. Portanto, seria decepado *tudo* quanto pertencesse à Babilônia, seu nome e seu remanescente, a posteridade real e até a posteridade do povo comum. Foi um *oráculo* do Senhor que afirmou isso, porquanto foi isso o que o Senhor *disse*. "A linhagem real será decepada, raiz e ramos, e a própria cidade orgulhosa será reduzida a total desolação. Terminada a temível obra de Deus, nada restará senão ruínas, poças estagnadas e criaturas selvagens a percorrer o lugar" (G. G. D. Kilpatrick, *in loc.*).

14.23

וְשַׂמְתִּיהָ לְמוֹרַשׁ קִפֹּד וְאַגְמֵי־מָיִם וְטֵאטֵאתִיהָ
בְּמַטְאֲטֵא הַשְׁמֵד נְאֻם יְהוָה צְבָאוֹת׃

Reduzi-la-ei a possessão de ouriços e a lagoas de águas. Este versículo deve ser comparado a algo similar dito em Is 13.20-22. Os babilônios foram expulsos de sua terra natal. Os medos não estavam interessados em fazer da cidade, ou do que dela restasse, um centro, nem mesmo um satélite de seu império. Eles deixariam a cidade inteiramente desolada, e animais selvagens habitariam a área. Adicionados aos animais especificamente mencionados no capítulo 13, é citado aqui o *ouriço* (ver sobre esse animal no *Dicionário)*. Alguns intérpretes pensam tratar-se da *coruja;* mas existem outras opiniões. A palavra hebraica assim traduzida só é encontrada em conexão com lugares desolados (ver Is 34.11; Sf 2.14). A antiga e orgulhosa cidade de Babilônia tornou-se uma terra arrasada pantanosa. As *lagoas de água estagnada* eram o resultado natural de os medos terem rompido os canais e reservatórios que mantinham sob controle as águas inundantes do rio Eufrates.

A vassoura da destruição. No hebraico temos a palavra *besom*, vocábulo que aparentemente caiu em desuso e cujo significado se perdeu para os intérpretes judaicos. Mas um dia (conforme a história continua) uma jovem árabe recebeu ordens de sua patroa: "Toma esta *besom* e varre a casa". E assim os rabinos, ao ouvir essa conversa, descobriram o significado da palavra. No presente texto, os instrumentos de destruição usados por Yahweh foram assim simbolizados. Ele varreu completamente a Babilônia, por meio dos medos, a *vassoura* do Senhor.

O PROPÓSITO DIVINO NA DERRUBADA DA ASSÍRIA (14.24-27)

14.24

נִשְׁבַּע יְהוָה צְבָאוֹת לֵאמֹר אִם־לֹא כַּאֲשֶׁר דִּמִּיתִי כֵּן
הָיָתָה וְכַאֲשֶׁר יָעַצְתִּי הִיא תָקוּם׃

Jurou o Senhor dos Exércitos, dizendo. Este oráculo nos remete ao tempo e às circunstâncias do ataque assírio, registrados em Is 10.5-16,24-27. De fato, a presente seção é uma apta conclusão para aquelas passagens. Yahweh é aqui retratado como o Senhor da história. Quanto a esse conceito, ver as notas expositivas em Is 13.6, que têm aplicação direta a esta passagem. Os conquistadores não podem escravizar permanentemente os homens, porquanto o poder divino faz-se presente para garantir o fluxo dos eventos históricos, com seu contínuo soerguimento e queda de tiranos. Os homens continuam a cumprir sua própria vontade, mas os grandes eventos são determinados pelo poder do alto. Yahweh *jurou* a fim de que as coisas sempre acontecessem assim. Seu juramento introduziu um *oráculo de ameaça* contra a Assíria. Yahweh *planejou* e *tomou o propósito*, e esses atos significarão a destruição dos ímpios. "Nenhum poder na terra pode impedir Deus de concretizar seus propósitos" (*Oxford Annotated Bible*, comentando sobre este versículo).

■ 14.25

לִשְׁבֹּ֤ר אַשּׁוּר֙ בְּאַרְצִ֔י וְעַל־הָרַ֖י אֲבוּסֶ֑נּוּ וְסָ֤ר מֵֽעֲלֵיהֶם֙ עֻלּ֔וֹ וְסֻ֨בֳּל֔וֹ מֵעַ֥ל שִׁכְמ֖וֹ יָסֽוּר׃

Quebrantarei a Assíria na minha terra. Os temíveis babilônios tornaram-se o látego universal ou a *vassoura* de destruição de Yahweh (vs. 2), e os assírios foram as suas vítimas. No fluxo da história, sempre houve as vítimas e os instrumentos de Deus, pois o poder divino estava por trás, efetuando a *justiça*. Devemos compreender, necessariamente, que os homens ímpios são *causas secundárias*, e que Deus não é a única causa, pois, de outra maneira, teríamos de confessar que Deus é a causa do mal. A matança dos soldados assírios, neste caso, foi provocada pelo Anjo do Senhor (ver Is 37.36,37), quando morreram 185 mil soldados no espaço de uma única noite. A *terra* é Israel (Judá), e os *montes* são as colinas de Jerusalém. Essa foi uma vitória preliminar sobre os opressores assírios. Os babilônios foram a vassoura maior. A queda do exército assírio, em Jerusalém, ocorreu em 701 a.C. Então, no ano de 609 a.C., o império assírio foi anulado pelos babilônios, os atores seguintes no palco da violência humana. Cf. Is 10.15-19, cujas notas expositivas devem ser consultadas. O jogo que tinha sido imposto pelos assírios fora quebrado, e os cativos foram livrados da opressão. A *carga* que tinha sido posta sobre os ombros de Judá de súbito seria levantada. Mas imediatamente em seguida surgiria o novo terror, a Babilônia, e as coisas ficariam muito piores. Isso sucedeu porque Judá não se transformou moral e espiritualmente. Antes, permaneceu em sua apostasia e apenas piorou e, por isso, os acontecimentos também pioraram.

■ 14.26

זֹ֛את הָעֵצָ֥ה הַיְּעוּצָ֖ה עַל־כָּל־הָאָ֑רֶץ וְזֹ֛את הַיָּ֥ד הַנְּטוּיָ֖ה עַל־כָּל־הַגּוֹיִֽם׃

Este é o desígnio que se formou concernente a toda a terra. Este versículo reitera a mensagem essencial dos vss. 24 e 25, exceto pelo fato de que agora é mencionado o instrumento da reversão, a *mão* de Yahweh, o Poder por trás de todos os poderes. Ver sobre *mão*, em Sl 84.14, e sobre *mão direita*, em Sl 20.6. Ver o artigo chamado *Mão*, no *Dicionário*. Quanto à expressão sinônima, *braço*, ver Sl 77.15; 89.10; 98.1. O conceito de Yahweh ser o grande impulsionador da história humana é aqui repetido. Ver as notas sobre o vs. 24. "O plano de Yahweh não era apenas que a Assíria fosse punida, mas que os povos da terra encontrassem liberdade. Nem os sonhos imperialistas nem o poder físico de qualquer potência mundial podem, finalmente, subjugar a humanidade, porquanto essas coisas se quebrarão contra o propósito divino. Essa é uma mensagem relevante para qualquer época" (R. B. Y. Scott, *in loc.*). Portanto, nosso texto fala sobre *todas as nações* e, necessariamente, sobre *todos os tempos*.

■ 14.27

כִּֽי־יְהוָ֧ה צְבָא֛וֹת יָעָ֖ץ וּמִ֣י יָפֵ֑ר וְיָד֥וֹ הַנְּטוּיָ֖ה וּמִ֥י יְשִׁיבֶֽנָּה׃ פ

Porque o Senhor dos Exércitos o determinou. Novamente, é repetida a doutrina do *propósito* controlador de Yahweh, e a nós é dado compreender que esse propósito promove os *eventos necessários*. Nenhum homem pode promulgar um decreto ou realizar um ato que anule o decreto divino. A *mão* de Deus (ver sobre o vs. 26) está estendida, ou seja, ativa, a fim de cumprir o seu propósito, e nenhuma outra mão é capaz de restringi-la. Portanto, com esses comentários antropomórficos, o profeta nos permitiu conhecer o determinismo de Deus. Ver no *Dicionário* o verbete intitulado *Antropomorfismo*; e na *Enciclopédia de Bíblia, Teologia e Filosofia* ver o artigo chamado *Determinismo*. Cf. Dn 4.35.

O REGOZIJO PREMATURO DA FILÍSTIA (14.28-32)

■ 14.28

בִּשְׁנַת־מ֖וֹת הַמֶּ֣לֶךְ אָחָ֑ז הָיָ֖ה הַמַּשָּׂ֥א הַזֶּֽה׃

No ano em que morreu o rei Acaz. "Este é um oráculo incomum e extremamente difícil. É incomum porque é um dos três únicos oráculos a ser precisamente datado (cf. Is 6.1 e 20.1); e conclui-se, aparentemente, com um sumário dependente a ser dado aos 'mensageiros da nação', em resultado do oráculo anterior. A dificuldade jaz na determinação do relacionamento do título e da conclusão do corpo principal, ao identificar as circunstâncias históricas e ao interpretar o simbolismo, e no trato com uma possível corrupção crucial do texto" (R. B. Y. Scott, *in loc.*).

Tento explicar esses problemas, bem como as soluções possíveis dadas, enquanto avançamos na exposição.

Sentença. Temos aqui o pesado *oráculo de condenação*. Ver as completas notas expositivas sobre essa palavra na introdução ao capítulo 13, bem como em Is 13.1. Este é um dos dez pronunciamentos semelhantes, nos capítulos 13—23.

■ 14.29

אַֽל־תִּשְׂמְחִ֤י פְלֶ֙שֶׁת֙ כֻּלֵּ֔ךְ כִּ֥י נִשְׁבַּ֖ר שֵׁ֣בֶט מַכֵּ֑ךְ כִּֽי־מִשֹּׁ֤רֶשׁ נָחָשׁ֙ יֵ֣צֵא צֶ֔פַע וּפִרְי֖וֹ שָׂרָ֥ף מְעוֹפֵֽף׃

Não te alegres, tu, toda a Filístia, por estar quebrada a vara que te feria. "Este oráculo, embora escrito acerca da Filístia, foi redigido para benefício de Judá (cf. o vs. 32). Isaías recebeu este oráculo (cf. comentários sobre Is 13.1; Zc 9.1) da parte de Deus, no ano em que morreu o rei Acaz (cf. Is 6.1, 'no ano da morte do rei Uzias'), em 715 a.C. Deus condenou as cidades da Filístia por pensarem que estavam a salvo da destruição. Elas se alegravam porque a vara que as espancava estava quebrada. Provavelmente isso não se refere à nação de Israel nem ao rei de Judá, Acaz, mas à Assíria. Asdode, a cidade filisteia, bem como a nação de Judá, se tinham revoltado contra a Assíria. Mas em 711 a.C., apenas quatro anos após este oráculo, a Assíria derrotou a cidade de Asdode e fez da Filístia uma província assíria. Isso aconteceu durante o governo do rei assírio Sargão II (722-705 a.C.; cf. Is 20.1). Por conseguinte, a Filístia agora sentia-se segura (Is 14.30), mas sofreria derrota mediante fome e espada. A Filístia sofreria derrota porque a Assíria vinha como incontrolável nuvem de fumaça. Entretanto, Sião (Jerusalém) não precisava temer, pois só cairia muito mais tarde (para a Babilônia, em 586 a.C.)" (John S. Martin, com um bom sumário, alguns pontos dos quais reexaminaremos ao longo do caminho).

Sim, para a Filístia, o regozijo era prematuro. Note o leitor o uso do nome do país para indicar o povo. Ver no *Dicionário* o verbete intitulado *Filisteus, Filístia*. A "vara" era o poder de Tiglate-Pileser III. Cf. Is 10.24. Os filisteus, no tempo de Acaz, tinham invadido o Negueb, a parte sul do território de Judá. Aquela área esteve em turbulência contínua. Sargão, sucessor de Tiglate-Pileser (cerca de 723 a.C.), invadiu Asdode em cerca de 710 a.C. Os filisteus regozijaram-se diante da *morte* do tirano anterior. Tiglate-Pileser (a vara que fora quebrada) tinha morrido, mas o novo tirano seria tão mau quanto ele, e os filisteus teriam de enfrentar novo látego.

Seu fruto será uma serpente voadora. Mencionamos três espécies de serpentes (e é inútil tentar identificá-las), que talvez representem três ataques distintos de três reis assírios. Devemos entender, mediante uma mistura de metáforas (plantas com serpentes), que de uma serpente venenosa saiu outra, como se fosse um ramo que brotou de uma raiz. O fruto da árvore seria a terrível "serpente voadora", talvez a pior das três serpentes. Quanto a essa serpente cf. Is 30.6; Nm 21.6. As serpentes não voam, mas essa terrível serpente voaria. Pode o leitor imaginar uma serpente venenosa alada, capaz de atacar pelo ar? Mas alguns intérpretes retiram a parte divertida da metáfora ao usar a palavra "voadora" com o sentido de "veloz", "veloz como um dardo".

■ 14.30

וְרָעוּ֙ בְּכוֹרֵ֣י דַלִּ֔ים וְאֶבְיוֹנִ֖ים לָבֶ֣טַח יִרְבָּ֑צוּ וְהֵמַתִּ֤י בָֽרָעָב֙ שָׁרְשֵׁ֔ךְ וּשְׁאֵרִיתֵ֖ךְ יַהֲרֹֽג׃

Os primogênitos dos pobres serão apascentados. A expressão "primogênitos dos pobres" aponta para Judá. Eles tinham sido pobres, oprimidos e humilhados. Visto serem o primogênito de Deus, por isso mesmo o Senhor cuidaria deles. Ele os alimentaria como um pastor faz com suas ovelhas e, pelo menos no que se relaciona à Assíria, eles se sairiam bem e habitariam seguros na Terra Prometida. Ver em Is 14.25 como o exército de Senaqueribe (185 mil homens) pereceu diante das muralhas de Jerusalém. Os filisteus, entretanto, não teriam nenhum pastor que os alimentasse, antes, padeceriam fome, o que fala de todos os tipos de desastres provocados pelo ataque assírio. O resultado seria imensa matança e a sujeição da Filístia, que se tornaria mera província do império assírio. Cf. o vs. 32 e Zc 34.11-16 para a figura de um "pastor".

A expressão "primogênitos dos pobres" fala de pobreza abjeta, porquanto os pobres procriam outros pobres, e o problema se prolonga. Yahweh seria o Pastor de Judá e cuidaria para que tivessem o bastante, *além da segurança*. Para a Filístia, todavia, as coisas não seriam tão favoráveis. O Targum faz a promessa sobre o Pastor ser uma promessa messiânica.

■ 14.31

הֵילִילִי שַׁעַר זַעֲקִי־עִיר נָמוֹג פְּלֶשֶׁת כֻּלֵּךְ כִּי מִצָּפוֹן עָשָׁן בָּא וְאֵין בּוֹדֵד בְּמוֹעָדָיו:

Uiva, ó porta; grita, ó cidade; tu, Filístia toda, treme. O regozijo diante da morte de Tiglate-Pileser III (vs. 29) se transformaria em amarga lamentação, porquanto Senaqueribe estava bem vivo e desolava a Filístia, tornando-a mera província da Assíria, em meio a grande derramamento de sangue e às misérias usuais da guerra. A guerra ficaria tão acesa que a Filístia se *derreteria*. O que provocaria tudo isso seria aquela nuvem de fumaça que se levantava no norte, a qual toda a Filístia podia ver e temer. A *tempestade* era o exército assírio que se aproximava a fim de atacar. Cf. essa figura com Jr 1.13-15; Ez 28.16 ss. e Sl 18.8

Ninguém há que se afaste das fileiras. Esta é a tradução de uma passagem hebraica um tanto obscura, mas várias traduções consultadas abrigam a mesma ideia. Diz a NCV: *cheia de homens, prontos para lutar*.

■ 14.32

וּמַה־יַּעֲנֶה מַלְאֲכֵי־גוֹי כִּי יְהוָה יִסַּד צִיּוֹן וּבָהּ יֶחֱסוּ עֲנִיֵּי עַמּוֹ: ס

Que se responderá, pois, aos mensageiros dos gentios? Em primeiro lugar, o termo *mensageiros* tem sido emendado, em algumas versões, para "reis". *Gentios*, no plural, é a forma que aparece na Septuaginta, no siríaco e no Targum. Se as traduções *mensageiros* e *gentios* estão corretas, então obteremos a ideia de que a nação que enviou a consultar o profeta Isaías foi a Filístia. Provavelmente, eles teriam perguntado o que fazer e o que esperar da invasão assíria, e também se sobreviveriam ao ataque. Ou então a nação poderia ser Judá, pelo que os enviados queriam saber como poderiam resistir a toda aquela miséria. Se a Filístia representa os "gentios", então a resposta (segunda parte do versículo) seria que somente Judá tinha Deus como refúgio, e a Filístia se daria muito mal no incidente com a Assíria. Mas, se Judá fosse a nação em foco, então aos judeus foi dada a certeza de que Deus, como *pastor* (vs. 30) e *fundador* (vs. 32), cuidaria de seu povo, enquanto, fora das fronteiras de Israel, a destruição tomaria conta de tudo. E se *reis* é uma emenda correta, então a pergunta partiu de todos os países em derredor, que desejavam saber qual seria o resultado daquela intervenção militar da Assíria. Nesse caso, seria proclamado que somente Judá (naquela oportunidade) se sairia bem. Judá seria aniquilado como nação organizada quando a Babilônia o atacasse.

Alguns intérpretes, entretanto, veem esses mensageiros como *delegações* enviadas pelas nações circunvizinhas, a *congratular* Judá por sua vitória contra Senaqueribe. Nesse caso, o profeta Isaías exaltou Yahweh por ser o refúgio dos filhos de Israel, permitindo tornar-se conhecido que o segredo da vitória estava na intervenção divina.

CAPÍTULO QUINZE

DENÚNCIA CONTRA MOABE (15.1—16.14)

Encontramos agora um novo *oráculo de condenação*, uma *sentença* (ver a introdução ao capítulo 13 e as notas em Is 13.1, quanto a explicações completas). Este oráculo dirige-se contra Moabe, tradicional inimigo de Israel. Grande parte de Is 16.6-11 e 15.2-7 aparece em Jr 48.29-38, e isso tem levado alguns eruditos a supor que a presente seção do livro de Isaías sofreu certos desarranjos ou interpolações. Is 15.6—16.5 não tem paralelo no livro de Jeremias. Talvez 16.1-5 seja uma interpolação que contenha um apelo, feito por refugiados moabitas, que buscavam santuário em Judá.

É difícil determinar a data do presente oráculo. Temos, porém, a declaração de que esse julgamento divino sobreviria dentro de "três anos", em Is 16.14. Ver as notas expositivas ali, que tentam alguma espécie de identificação cronológica.

Durante séculos, o relacionamento entre Israel e Moabe foi conflitante, uma espécie de triste comédia de erros. Ver o artigo do *Dicionário* chamado *Moabe*, cujos comentários não repito aqui. Ele nos fornece uma boa ideia sobre as muitas vicissitudes, a maioria delas ruim, que caracterizaram as relações entre os dois países. Toda a espécie de males foi semeada ao longo dos séculos, e em algum momento precisa haver uma prestação de conta. São os capítulos 15 a 16 de Isaías que nos relatam essa prestação de conta.

■ 15.1

מַשָּׂא מוֹאָב כִּי בְּלֵיל שֻׁדַּד עָר מוֹאָב נִדְמָה כִּי בְּלֵיל שֻׁדַּד קִיר־מוֹאָב נִדְמָה:

Sentença contra Moabe. Quanto ao *oráculo de condenação*, a *sentença* (expressão que aparece por *dez vezes* nos capítulos 13—23 de Isaías), ver a exposição na introdução ao capítulo 13, bem como Is 13.1. Agora era Moabe que estava condenada a um fim inglório, por causa de seus pecados. Ver no *Dicionário* o artigo denominado *Lei Moral da Colheita Segundo a Semeadura*. O reino de Moabe foi derrubado mediante uma série de ataques destrutivos. Cf. Is 10.28-32, onde o inimigo atacou Moabe de cidade em cidade, em uma grande rota de destruição. Mas ali o exército assírio estava atacando Judá. Esses desastres podem ter ocorrido dentro de um extenso período de tempo, em vez de em um único ataque sustentado. Este oráculo, pois, tem sido datado em todo o período que vai do século IX a.C. ao século II a.C. Talvez tenhamos aqui um oráculo panorâmico, e não um oráculo específico. As melhores opiniões são as que pensam que estes capítulos retratam a invasão encabeçada por Tiglate-Pileser III, que ocorreu algum tempo depois de 732 a.C. Mas alguns intérpretes colocam o ataque um pouco mais tarde, em 701 a.C., e fazem Senaqueribe ser o comandante dos exércitos assírios. Ver Is 16.14.

Ar de Moabe... Quir. A localização dessas cidades é desconhecida para nós, hoje em dia; mas pode ter sido perto da extremidade sul do mar Morto. Ver sobre os nomes locativos no *Dicionário*, quanto ao que pode ser dito sobre essas cidades. O ataque dos assírios inclui incursões *noturnas*, o que aumenta o terror das descrições. Os ataques iniciais já haviam demonstrado que a nação de Moabe estava *destruída*. Tinha chegado o fim para os moabitas.

■ 15.2

עָלָה הַבַּיִת וְדִיבֹן הַבָּמוֹת לְבֶכִי עַל־נְבוֹ וְעַל מֵידְבָא מוֹאָב יְיֵלִיל בְּכָל־רָאשָׁיו קָרְחָה כָּל־זָקָן גְּרוּעָה:

Sobe-se ao templo e a Dibom, aos altos, para chorar. Três outros lugares são mencionados como localidades que sofreram ataques fatais que fizeram Moabe ficar de joelhos. Ver no *Dicionário* os artigos chamados *Dibom, Nebo* e *Medeba*. Dibom é a moderna cidade de Dhiban, e foi uma das principais cidades de Moabe. Nebo (não o monte Nebo) é ou a atual Khirbet Ayn Musa, ou talvez Khirbet el Mukkayet. E Medeba é a atual Madaba. Os sinais de lamentação e aflição eram produzidos pelas mulheres de Dibom que subiam para os *lugares altos* (ver no *Dicionário*) para chorar e, provavelmente, clamar a seus deuses, em busca de ajuda. Moabe *lamentava* de uma ponta à outra. Nada permaneceria inteiro, e grande era a miséria dos moabitas. Os cabelos daquele povo miserável foram rapados, sinal de profunda lamentação e consternação. Rapar a cabeça e aparar a barba eram sinais de humilhação profunda. Cf. Jó 1.20; Jr 47.5; 48.37; Ez 7.18; Am 8.10; Mq 1.16 e Is 7.20.

Ao templo. Compreendendo a palavra *bajith* como "casa de", e não como um nome próprio. É uma referência ao templo principal do lugar, um santuário pagão que recebia lamentadores, que também se dirigiam aos lugares altos. Talvez o deus adorado nesse templo fosse Camos.

■ **15.3**

בְּחוּצֹתָיו חָגְרוּ שָׂק עַל גַּגּוֹתֶיהָ וּבִרְחֹבֹתֶיהָ כֻּלֹּה
יְיֵלִיל יֹרֵד בַּבֶּכִי׃

Cingem-se de sacos nas suas ruas. *Outros sinais de lamentação,* que faziam o quadro tornar-se mais lamentável ainda, eram as roupas de *pano de saco* (ver a respeito no *Dicionário*), tecido grosseiro usado para fazer vestes que simbolizavam lamentação e tristeza. E os gemidos constantes dos sobreviventes, nos eirados planos das casas, bem como nas praças públicas, eram inquietantes. Todos estavam dominados pela tristeza, a ponto de se *dissolverem* em lágrimas. A lamentação era desesperadora, porquanto as defesas de Moabe tinham sido completamente destroçadas, deixando todos os cidadãos sujeitos ao usual deboche e à matança característicos das guerras antigas.

■ **15.4**

וַתִּזְעַק חֶשְׁבּוֹן וְאֶלְעָלֵה עַד־יַהַץ נִשְׁמַע קוֹלָם עַל־כֵּן
חֲלֻצֵי מוֹאָב יָרִיעוּ נַפְשׁוֹ יָרְעָה לּוֹ׃

Assim Hesbom como Eleale, andam gritando. Mais duas cidades dos moabitas são mencionadas como condenadas: Hesbom e Eleale, que contam com artigos no *Dicionário*. Hesbom e Eleale ficavam no norte de Moabe. Jaaz, por sua vez, ficava a leste do rio Jordão, perto do território israelita de Rúben, nas fronteiras de Moabe. Os gritos de dor eram ouvidos por todo o caminho até Jaaz, e talvez alguns poucos cidadãos moabitas tenham conseguido escapar para aquele lugar. Os poucos soldados moabitas sobreviventes juntaram-se à lamentação geral, pois o exército moabita tinha sido essencialmente destruído.

■ **15.5**

לִבִּי לְמוֹאָב יִזְעָק בְּרִיחֶהָ עַד־צֹעַר עֶגְלַת שְׁלִשִׁיָּה
כִּי מַעֲלֵה הַלּוּחִית בִּבְכִי יַעֲלֶה־בּוֹ כִּי דֶּרֶךְ חוֹרֹנַיִם
זַעֲקַת־שֶׁבֶר יְעֹעֵרוּ׃

O meu coração clama por causa de Moabe. Este versículo indica que os moabitas se espalharam por toda a parte, fugindo para escapar com vida. Alguns conseguiram chegar à cidade de *Zoar* (ver a respeito no *Dicionário*). Zoar ficava no extremo norte de Moabe, exatamente ao sul do mar Morto, um lugar onde o exército assírio ainda não havia chegado. Não sabemos a localização moderna de Eglate-Selisias, porém o mais provável é que ficasse perto de Zoar. Luíte também é desconhecida quanto à sua moderna localização, mas em Jr 48.34 (a passagem paralela) está ligada a Horonaim, ao sul do território de Moabe. Houve ali altos gritos de dor e ruidosa lamentação, e as pessoas eram tomadas por um tremor incontrolável. Tudo conforme Homero disse: "Terrível só de contar", quanto mais nos sofrimentos reais pelos quais os moabitas passaram. O coração do profeta chorava por Moabe, enquanto assistia a todos aqueles terrores acontecendo aos moabitas em sua visão. O povo corria e gritava enquanto fugia, deixando os lares e o corpo de seus seres amados. De que adiantava sobreviver?

■ **15.6**

כִּי־מֵי נִמְרִים מְשַׁמּוֹת יִהְיוּ כִּי־יָבֵשׁ חָצִיר כָּלָה דֶשֶׁא
יֶרֶק לֹא הָיָה׃

Porque as águas de Ninrim desapareceram. Os moabitas que buscavam refúgio correram para as águas de *Ninrim* (ver a respeito no *Dicionário*). Pode estar em vista o wadi en-Numeirah, na parte sul de Moabe. Mas aquelas águas tinham secado, e o lugar estava desolado. Por falta de água, a grama havia ressecado, e não tinha crescido relva nova. Tudo quando era verdura tinha morrido, e isso era um símbolo bem apropriado do próprio país. *Ninrim* quer dizer *águas límpidas,* mas essa promessa de águas cristalinas falhou a Moabe naquele tempo de crise. Os fugitivos esperavam encontrar ali um oásis, mas ficaram amargamente desapontados.

■ **15.7**

עַל־כֵּן יִתְרָה עָשָׂה וּפְקֻדָּתָם עַל נַחַל הָעֲרָבִים
יִשָּׂאוּם׃

Pelo que o que pouparam, o que ganharam e depositaram. Os refugiados continuavam avançando na direção sul, até que chegaram para além das torrentes dos salgueiros, o que poderíamos compreender como um nome próprio para a região próxima à extremidade sul do mar Morto. Eles tomaram tudo quanto puderam carregar, esperando que algum dia pudessem reiniciar a vida. O povo procurou lugares mais bem servidos por água, porque sem água não havia como escapar. Alguns pensam que essas torrentes dos salgueiros sejam uma referência à Babilônia, mas é difícil de imaginar que aquela pobre gente tenha conseguido fugir para tão longe a nordeste. Antes, poderia estar em mira o wady el Achsar. Era um riacho entre o território de Moabe e o de Edom, o riacho Zerede ou o riacho Njm. Ver Is 21.12 e Dt 2.13. Naquele ponto, os fugitivos poderiam abandonar completamente o próprio território e, daí, escapar incólumes. Teria havido muitas mortes ao longo do caminho, uma característica típica das fugas forçadas, e apenas alguns atingiriam um destino seguro. Em Sl 137.2 temos os *salgueiros* representando a Babilônia, mas não é isso o que está em destaque neste ponto.

■ **15.8**

כִּי־הִקִּיפָה הַזְּעָקָה אֶת־גְּבוּל מוֹאָב עַד־אֶגְלַיִם
יִלְלָתָהּ וּבְאֵר אֵילִים יִלְלָתָהּ׃

Porque o pranto rodeia os limites de Moabe. Novamente, o profeta fala sobre o choro desesperado do povo moabita, do qual ele participou quando viu a má sorte deles em sua visão (vs. 5). Esse lamento foi ouvido por todo o território de Moabe, conforme fica demonstrado pelas descrições anteriores. As lamentações chegaram até *Eglaim* e *Beer-Elim,* localidades que ainda não foram identificadas, mas parece que ficavam próximas da fronteira sul de Moabe. Ver no *Dicionário* quanto a esses lugares, sobre o pouco que se sabe ou se conjectura a respeito. O significado do texto é que um *país inteiro* foi lançado em morte súbita. Um país inteiro pereceu.

■ **15.9**

כִּי מֵי דִימוֹן מָלְאוּ דָם כִּי־אָשִׁית עַל־דִּימוֹן נוֹסָפוֹת
לִפְלֵיטַת מוֹאָב אַרְיֵה וְלִשְׁאֵרִית אֲדָמָה׃

Porque as águas de Dimom estão cheias de sangue. As *águas de Dimom* estavam cheias com o sangue dos mortos. A Vulgata Latina e um manuscrito hebraico dizem aqui *Dibom,* remetendo-nos ao vs. 2 deste versículo. Dibom não ficava perto de nenhum riacho maior, mas o profeta talvez quisesse dizer apenas os filetes de águas, ou suprimentos de água de qualquer espécie, que ficaram poluídos com sangue. Jerônimo, porém, ajunta que a cidade tinha esses dois nomes — Dimom e Dibom. Embora os refugiados moabitas já tivessem atravessado um terror inenarrável, mais ainda os esperava, representado por um *leão* que os atacaria. Haveria mais derramamento de sangue, provavelmente por parte dos soldados assírios que vinham em perseguição dos fugitivos, ou por saqueadores que tomariam vantagem do caos para divertir-se e obter qualquer vantagem que pudessem. Talvez os leões fossem literais.

Dimom. Uma cidade cujo paradeiro desconhecemos hoje em dia. Ou então era a mesma cidade de Dibom (vs. 2), conforme testificou Jerônimo (ver no parágrafo anterior). A cidade, pois, teria dois nomes. E as versões siríaca e árabe dizem "Ribon" e "Remmon", respectivamente. Bem poderíamos chamá-la de "cidade do sangue", porquanto foi nisso que ela se transformou. O Targum diz que o rei da Assíria perseguiu os pobres refugiados, a fim de poder terminar sua matança generalizada; pelo menos é assim que alguns rabinos interpretam a vaga referência a "um rei". O manuscrito hebraico do mar Morto diz Dibom, o que também fazem alguns manuscritos da Septuaginta e da Vulgata, contra o texto massorético, que concorda com as versões, mormente com a Septuaginta. Ver também Is 11.6 e 26.19 quanto a outros exemplos desse fenômeno linguístico. Quanto às implicações desse fenômeno, ver as notas sobre Is 26.19.

CAPÍTULO DEZESSEIS

Não há interrupção entre os capítulos 15 e 16. A seção começa em Is 15.1, onde apresento uma introdução. Entretanto, temos um assunto diferente, adicionado às descrições anteriores: *a proteção divina em Israel* (Is 16.1-5).

■ 16.1

שִׁלְחוּ־כַר מֹשֵׁל־אֶרֶץ מִסֶּלַע מִדְבָּרָה אֶל־הַר בַּת־צִיּוֹן׃

Enviai cordeiros ao dominador da terra. Os *refugiados moabitas,* querendo encontrar um refúgio em território de Judá, enviaram um presente de cordeiros. Esse animal era o principal produto de Moabe, e com cordeiros Moabe pagara tributo a Judá, fazia muito tempo. Ver 2Rs 3.4. Os cordeiros foram enviados de Sela, um lugar temporariamente seguro no território de Edom, que ficava cerca de 80 km ao sul da fronteira sul com Moabe. Ver sobre esse lugar no *Dicionário.* Alguns estudiosos veem aqui o antigo tributo renovado ou, pelo menos, potencialmente renovado, mas os poucos moabitas sobreviventes dificilmente poderiam estar pensando nesses termos. Moabe tinha dado cem mil ovelhas e cem mil carneiros como tributo a Israel (ver 2Rs 3.4,5). Mas isso tinha sido no passado. Havia pouca coisa que Moabe poderia pagar agora, e nenhum futuro por um longo tempo.

Filha de Sião. Ou seja, Jerusalém, personificada como mulher. Ver Is 1.8.

■ 16.2

וְהָיָה כְעוֹף־נוֹדֵד קֵן מְשֻׁלָּח תִּהְיֶינָה בְּנוֹת מוֹאָב מַעְבָּרֹת לְאַרְנוֹן׃

Como pássaro espantado, lançado fora do ninho. As *mulheres* (filhas) de Moabe, os *pássaros* que se tinham assentado em seus ninhos a fim de chocar seus ovos e criar filhotes, tinham sido expulsas de seus ninhos confortáveis e forçadas a fugir para algum lugar estrangeiro. Naquele momento estavam nos vaus do rio Arnom, na esperança de cruzá-lo em segurança. Na fronteira, ansiavam receber admissão favorável. Ver Nm 21.13,14. Alguns eruditos dão aqui o sentido de "habitantes do Arnom", que seria então outro nome para as filhas de Moabe, identificando-as tão somente com base do lugar de onde tinham vindo. Nesse caso, ambos os termos poderiam significar "habitantes de Moabe", sem destacar, especificamente, as mulheres. Ou então as mulheres foram referidas por serem as mães de todos os habitantes. Na linguagem moderna, as mulheres que permanecem em seus lares para cuidar das crianças são chamadas de *pássaros,* em contraste com jovens mulheres que seguem carreiras, saindo de casa para trabalhar.

■ 16.3

הָבִיאוּ עֵצָה עֲשׂוּ פְלִילָה שִׁיתִי כַלַּיִל צִלֵּךְ בְּתוֹךְ צָהֳרָיִם סַתְּרִי נִדָּחִים נֹדֵד אַל־תְּגַלִּי׃

Dá conselhos, executa o juízo, e faze a tua sombra no pino do meio-dia. Os governantes são aqui convidados a:
1. *Receber conselhos,* para logo decidir a questão, porque as soluções se faziam urgentes.
2. *Executar a justiça,* isto é, favorecer os moabitas, que por certo estavam mais aparentados de Judá do que os assírios pagãos; e, além disso, os assírios tinham feito contra os moabitas grande injustiça, que Judá poderia parcialmente reverter, aceitando os refugiados em seu território.
3. *Proteger.* "Protege-nos de nossos inimigos e nos dá sombra do sol ao meio-dia" (NCV). Quando o sol está estorricando o solo e as pessoas, mais densa e escura é a sombra que algum corpo projeta, e mais essa sombra é apreciada. "Faz a tua sombra ser como a noite ao meio-dia" (NIV).
4. *Ocultar os expulsos de sua terra,* as aves que tinham sido expulsas de seus ninhos (vs. 2). Era necessário *escondê-los,* porque, se apanhados, seriam mortos brutalmente, como tinham sido mortos os seus irmãos. "Ocultai-nos, porque estamos fugindo para a segurança" (NCV).
5. *Não trair.* Embora houvesse longa história de traições entre Judá e Moabe, contudo, naquele momento de crise, essas traições deveriam ser agora esquecidas, e poderia ser lembrado que os moabitas descendiam de Ló, pelo que havia radical conexão entre judeus e moabitas. E mesmo sem levar isso em consideração, eles eram "irmãos da raça humana", e um pouco de misericórdia, naquele momento, não era pedir demais. Cf. a expressão que diz: "sombra de grande rocha em terra sedenta" (Is 32.2). Ver também Is 4.6 e 25.4.

■ 16.4

יָגוּרוּ בָךְ נִדָּחַי מוֹאָב הֱוִי־סֵתֶר לָמוֹ מִפְּנֵי שׁוֹדֵד כִּי־אָפֵס הַמֵּץ כָּלָה שֹׁד תַּמּוּ רֹמֵס מִן־הָאָרֶץ׃

Habitem entre ti os desterrados de Moabe. A última coisa que os moabitas gostariam de fazer era implorar alguma coisa da parte de Judá, mas, tendo sido expulsos de seu território mediante violência, e tendo ainda de enfrentar o *destruidor,* foram obrigados a pedir *refúgio.* Obtendo refúgio em Judá, pelo menos por algum tempo a *opressão* finalmente cessaria; a destruição passaria ao largo e o tirano que pisara aos pés os inocentes deixaria de perseguir suas vítimas. Raiaria um novo dia, e os moabitas até poderiam voltar às suas residências. Quanto aos agressores sendo mortos, cf. Is 14.4,5. Não muito longe dali, o exército assírio teria de enfrentar uma contundente derrota, defronte das muralhas de Jerusalém, quando o Anjo do Senhor destruísse a 185 mil assírios (ver 2Rs 19.35). Isso ocorreu tarde demais para ajudar os moabitas, mas ajudaria os refugiados a viver por mais alguns anos, em paz e segurança.

Os furtos em Moabe cessarão. O inimigo será derrotado. Os homens que ferem a outros desaparecerão da terra.

NCV

■ 16.5

וְהוּכַן בַּחֶסֶד כִּסֵּא וְיָשַׁב עָלָיו בֶּאֱמֶת בְּאֹהֶל דָּוִד שֹׁפֵט וְדֹרֵשׁ מִשְׁפָּט וּמְהִר צֶדֶק׃

Então um trono se firmará em benignidade. *A Conclusão do Apelo.* A misericórdia demonstrada por Judá renderia bons dividendos. Se eles exercitassem *o constante amor divino,* Deus responderia com grandes bênçãos. O trono de Davi seria estabelecido, e a glória rebrilharia ao redor dele. A linguagem aqui usada é messiânica, e talvez o oráculo olhe para além da linha do horizonte, para o reino de Deus. Cf. Is 9.7; Sl 89.19-27. A lei da colheita segundo a semeadura também se aplica às nações, e não apenas os indivíduos. *A justiça e a retidão* serão características do trono de Deus. Esse é um tópico frequente no livro de Isaías. Ver Is 9.7; 11.4; 28.6; 32.16; 33.5; 42.1,3,4 e 51.5. O trono do rei de Judá, Ezequias, pode estar em pauta aqui, mas, nesse caso, temos um tipo de um cumprimento maior, posteriormente.

O ORGULHO DE MOABE (16.6-12)

■ 16.6

שָׁמַעְנוּ גְאוֹן־מוֹאָב גֵּא מְאֹד גַּאֲוָתוֹ וּגְאוֹנוֹ וְעֶבְרָתוֹ לֹא־כֵן בַּדָּיו׃ ס

Temos ouvido da soberba de Moabe, soberbo em extremo. O profeta Isaías viu claramente a razão pela qual Moabe tinha sido julgado. Havia orgulho e presunção, conforme foi demonstrado no caso da Assíria (Is 13.11). Em sua empáfia, pensaram que poderiam derrotar até a Assíria, e não apelaram para a ajuda divina, mas contaram apenas consigo mesmos. Assim sendo, ao replicar ao apelo de Moabe, o profeta teve de destacar os erros dos moabitas, para dar a entender as razões pelas quais as coisas tinham acontecido daquela maneira. Cf. Jr 48.29,30. Mentiras e jactâncias tinham provocado a ira, e não houve como deter o julgamento divino. Ver no *Dicionário* o artigo chamado *Orgulho;* quanto ao orgulho e à humildade contrastados, ver Pv 11.2; 13.10; 14.3; 15.25; 16.5,8; 21.4 e 30.12; e, quanto a *olhos altivos*, ver Pv 6.17.

■ 16.7

לָכֵן יְיֵלִיל מוֹאָב לְמוֹאָב כֻּלֹּה יְיֵלִיל לַאֲשִׁישֵׁי קִיר־חֲרֶשֶׂת תֶּהְגּוּ אַךְ־נְכָאִים׃

Portanto uivará Moabe, cada um por Moabe. O resultado do pecado de orgulho, e o fracasso de não ver Yahweh, fizeram Moabe uivar diante da chegada do julgamento divino, e outros lamentaram-se juntamente com Moabe, tal como fez Isaías, quando assistiu à tristeza deles, em sua visão (ver Is 15.5; ver também 16.11). A esperança de obter refúgio em Judá se esmaeceu, e brilhou quase total destruição, até mesmo no caso dos refugiados que tinham escapado e fugido (ver os vss. 2 ss., onde Moabe foi obrigado a lamentar-se, totalmente abatido, pelos bolos de passas de Quir-Haresete). Ver no *Dicionário* o verbete denominado *Quir de Moabe*. O nome dessa localidade significa "cidade da cerâmica". Os bolos de passas eram considerados um acepipe (ver 1Cr 12.40 e Os 3.1). Moabe perdeu todos os prazeres da vida. Aqueles bolos representavam todas as coisas boas que os moabitas possuíram, mas que foram perdidas. A palavra para *uvas passas* pode significar "garrafas de vinho". Nesse caso, os moabitas seriam traspassados. E alguns eruditos compreendem que isso significa *alicerces*. Nesse caso, a frase significaria que a cidade seria destruída desde os alicerces, isto é, *totalmente*.

■ 16.8

כִּי שַׁדְמוֹת חֶשְׁבּוֹן אֻמְלָל גֶּפֶן שִׂבְמָה בַּעֲלֵי גוֹיִם הָלְמוּ שְׂרוּקֶּיהָ עַד־יַעְזֵר נָגָעוּ תָּעוּ מִדְבָּר שְׁלֻחוֹתֶיהָ נִטְּשׁוּ עָבְרוּ יָם׃

Porque os campos de Hesbom estão murchos. *Um Quadro de Destruição*. Os campos de Hesbom seriam destruídos, e outro tanto aconteceria às vinhas de Sibma. A produção agrícola pararia. Exércitos estrangeiros passariam pelos campos plantados e pelos vinhedos com sua política de terra arrasada, acabando com toda a produção da terra e com tudo o que fosse útil. Os vinhedos antes espalhavam-se até a cidade de Jazer, até a beira do deserto, o que falava de uma superprodução; mas agora tudo isso havia-se perdido. As vinhas se espalhavam por todo o caminho até a beira do mar Morto. Ver no *Dicionário* o artigo chamado *Jazer*. A menção a Jazer significa *direção norte*, à fronteira com Gileade (ver Nm 32.1,3; 1Cr 26.31). O deserto fala na direção *norte*, e o mar Morto fala na direção *oeste*. Cf. Jr 48.32, o "mar de Jazer". O versículo refere-se à extraordinária produção agrícola de Moabe, que os assírios reduziram a nada. O vs. 9 deste capítulo também dá a entender que uma seca complicou a situação.

■ 16.9

עַל־כֵּן אֶבְכֶּה בִּבְכִי יַעְזֵר גֶּפֶן שִׂבְמָה אֲרַיָּוֵךְ דִּמְעָתִי חֶשְׁבּוֹן וְאֶלְעָלֵה כִּי עַל־קֵיצֵךְ וְעַל־קְצִירֵךְ הֵידָד נָפָל׃

Pelo que prantearei, com o pranto de Jazer, a vinha de Sibma. Isaías parou, diante da visão da vasta destruição, para chorar e lamentar por Moabe, que teria um fim tão ruim (cf. Is 15.5). A vivacidade de sua visão abalou o profeta até os alicerces de sua própria alma. O profeta, pois, juntou sua lamentação à lamentação de outros sobre Jazer e sua anterior boa produção agrícola, e também sobre Sibma. O vinho ali eram lágrimas de tristeza, e o profeta chorou tão profusamente que conseguiu regar toda a terra de Moabe. Isso pode subentender que a seca destruiu o pouco que os assírios haviam deixado intacto. Também foram lamentadas as cidades de Hesbom e Eleale, que eram lugares de larga produção agrícola. Ver Is 15.4 quanto a esses dois lugares, e ver o vs. 8 do mesmo capítulo, que pranteia somente por Hesbom. Em vez de *jubileu*, em celebração a uma boa safra, haveria *pranto*, lamentando pelo fim de toda a produção agrícola. Em vez do *verão* cheio de abundância, haveria um *inverno* permanente de nada e de morte. O exército da Assíria tinha devastado os *pisadores* de uvas, o que pôs fim à esperança de pisar as uvas no lagar, onde o vinho era produzido. Em vez de *pisar* os grãos para servir de alimento, houve o pisar dos campos com a finalidade de arruiná-los. Em vez de *gritos* de alegria por parte daqueles que colhiam muito grão e uvas, haveria os gritos desvairados dos exércitos estrangeiros que destruíam tudo.

■ 16.10

וְנֶאֱסַף שִׂמְחָה וָגִיל מִן־הַכַּרְמֶל וּבַכְּרָמִים לֹא־יְרֻנָּן לֹא יִדְרֹךְ יַיִן בַּיְקָבִים לֹא־יִדְרֹךְ הַדֹּרֵךְ הֵידָד הִשְׁבַּתִּי׃

Fugiu a alegria e o regozijo do pomar. A *colheita* era uma época de regozijo, pois o trabalho árduo produzia fruto que daria ao povo alimento, proveito e prazer. Mas o silêncio se abateu sobre os campos de plantio, excetuando os gritos dos estrangeiros, invasores que se deleitavam em seu trabalho destrutivo. Os cânticos de regozijo que acompanhavam a produção de suco de uva (para ser transformado em vinho) cederam lugar ao silêncio. Os pisadores das uvas foram substituídos por plantas desarraigadas e pelos guinchos dos soldados destruidores. "Yahweh fala aqui como que a declarar que a obra de desolação, embora operada por mãos humanas, na verdade pertence a ele. E o profeta, apesar de chorar por autêntica piedade humana, recebeu a lição para não esquecer que a desolação era uma punição merecida" (Ellicott, *in loc.*). Cf. Is 13.6, onde comento sobre a ideia de que "Deus controla todas as coisas". Diz aqui, no vs. 10, o original hebraico: "Fiz cessar seus gritos da vindima"; "Pus fim aos gritos de alegria" (NCV). É aqui destacado o divino "eu", a *agência divina*.

■ 16.11

עַל־כֵּן מֵעַי לְמוֹאָב כַּכִּנּוֹר יֶהֱמוּ וְקִרְבִּי לְקִיר חָרֶשׂ׃

Pelo que por Moabe vibra como harpa o meu íntimo. Pela *terceira vez* o profeta chorou por Moabe (ver Is 15.5; 16.9,11). O coração do profeta reagia em simpatia por aquelas calamidades. No entanto, hoje em dia, nos púlpitos, ouvimos pregadores falar com feroz alegria sobre o julgamento dos perdidos, enquanto friamente pintam horrendos quadros de quem "queimará para sempre". Eles nada conhecem da suavidade do coração de Isaías. Nem recebem visão sobre aquilo que Deus, *finalmente*, fará por todos os homens, de todos os lugares, mediante a expansiva missão de Cristo. Ver na *Enciclopédia de Bíblia, Teologia e Filosofia* o verbete intitulado *Missão Universal do Logos*. As lamentações do profeta eram como sons de um cântico fúnebre que estivesse sendo acompanhado pela lira. Seu coração doía por Quir-Heres, outro nome para Quir ou Quir-Haresete, mencionada no vs. 7. Na qualidade de uma das principais cidades fortificadas de Moabe, ela representava a nação inteira.

■ 16.12

וְהָיָה כִי־נִרְאָה כִּי־נִלְאָה מוֹאָב עַל־הַבָּמָה וּבָא אֶל־מִקְדָּשׁוֹ לְהִתְפַּלֵּל וְלֹא יוּכָל׃

Ver-se-á como Moabe se cansa nos altos. *Embora ferido* como um país idólatra, Moabe, no tempo da aflição, voltar-se-ia novamente para seus ídolos, em busca de socorro, subindo aos lugares altos dedicados ao paganismo. Aqueles que choravam e se lamentavam haveriam de exaurir-se em sua devoção e em suas orações solicitando ajuda, mas todo aquele esforço seria reduzido a nada. A campanha para conseguir a ajuda divina falharia. Mesmo que realmente buscassem a Yahweh naqueles momentos de crise, isso não lhes faria bem algum, porque o tempo de julgamento tinha chegado e precisava cumprir-se. O *cálice da iniquidade estava repleto* e já começava a transbordar. A principal divindade dos moabitas, *Camos* (equivalente a Yahweh), não poderia ajudá-los naquela hora. Ver no *Dicionário* o artigo chamado *Deuses Falsos* (III.14) e também o verbete intitulado *Lugares Altos*. Consultar 1Rs 11.7 sobre *Camos*. E ver no *Dicionário* o artigo chamado *Camos*.

A DESTRUIÇÃO FINAL DE MOABE (16.13,14)

■ 16.13,14

זֶה הַדָּבָר אֲשֶׁר דִּבֶּר יְהוָה אֶל־מוֹאָב מֵאָז׃
וְעַתָּה דִּבֶּר יְהוָה לֵאמֹר בְּשָׁלֹשׁ שָׁנִים כִּשְׁנֵי שָׂכִיר
וְנִקְלָה כְּבוֹד מוֹאָב בְּכֹל הֶהָמוֹן הָרָב וּשְׁאָר מְעַט
מִזְעָר לוֹא כַבִּיר׃ ס

Esta é a palavra que o Senhor há muito pronunciou contra Moabe. O *oráculo de condenação,* a sentença acerca de Moabe, chega agora à conclusão. Foi Yahweh quem proferiu essa sentença, e quem garantiria o seu cumprimento. "Palavra" (vs. 13) refere-se à parte do oráculo que já tinha sido dada antes, começando em Is 15.1. Agora, um final é adicionado à mensagem divina. Talvez este versículo subentenda que um *novo oráculo* foi dado para completar a mensagem inicial. Aparentemente, desde que houvera a marcha do exército assírio através do território de Moabe, ocorrera alguma recuperação, olhando para alguma futura forma de restauração. Tal esperança, entretanto, logo seria esmagada. Haveria um intervalo de três anos de calmaria, mas outra tempestade estava prestes a abater-se contra Moabe. Moabe começara a prosperar de novo, mas em breve essa prosperidade teria fim. O tempo de trégua era como se dá com um *jornaleiro,* um diarista, que é alugado para trabalhar por um tempo para fazer um trabalho específico. Mas, uma vez terminada a tarefa, o trabalho acaba. O diarista tem de ir embora, e buscar trabalho em outro lugar. Cf. Is 21.16.

Dentro em três anos. "E seria precisamente esse o período de tempo, tal como um servo... contaria os anos, até que sua servidão terminasse. Isso se parece com o que lemos no capítulo 7 do livro de Isaías, onde Isaías disse a Acaz que a aliança entre a Síria e Israel se romperia dentro de poucos anos. É possível que este oráculo contra Moabe tenha sido escrito mais ou menos na mesma época, retratando a vindoura invasão de Moabe por Tiglate-Pileser, em 732 a.C. (depois que ele invadira a Síria). Ou talvez Isaías estivesse dizendo que Moabe seria atacado dentro de três anos (701 a.C.) por parte de Senaqueribe, no ano em que ele invadira Judá. Os contemporâneos de Isaías teriam acompanhado os acontecimentos para verificar se o Senhor realmente estava profetizando por intermédio dele. Quando viram que as palavras dele haviam-se cumprido, sentiram-se seguros de que a sua mensagem de salvação para Judá (ver Is 16.5) também era autêntica" (John S. Martin, *in loc.*).

"Em pouco tempo, a despeito da prosperidade nesse entretempo, Moabe seria novamente devastado" (*Oxford Annotated Bible,* comentando sobre o vs. 14).

CAPÍTULO DEZESSETE

DENÚNCIA CONTRA DAMASCO (17.1-14)

Continuam aqui os *dez oráculos de condenação,* ou "sentenças" (ver Is 13.1—23.18). Ver a introdução ao capítulo 13 e Is 13.1, quanto a uma nota de sumário e referência. Agora estava em mira a Síria (Damasco, sua capital). O oráculo é contra a aliança siro-efraimita, assinada em cerca de 734 a.C. Ver Is 7.1—8.4 e 2Rs 16.1-20). A data do oráculo foi cerca de 734 a.C. Duas estrofes reafirmam a derrota de Damasco e Efraim (vss. 1-3 e vss. 4-6). O profeta afirmou que aqueles que se aliassem contra Judá seriam reduzidos a nada. Ver a aliança mencionada em Is 7.2. Os assírios poriam fim à aliança (ver Is 8.4).

■ 17.1

מַשָּׂא דַּמָּשֶׂק הִנֵּה דַמֶּשֶׂק מוּסָר מֵעִיר וְהָיְתָה מְעִי
מַפָּלָה׃

Sentença contra Damasco. Eis que Damasco deixará de ser cidade. *Um Oráculo de Condenação.* Ver a introdução ao capítulo 13 e os comentários sobre Is 13.1 quanto às *dez sentenças* (oráculos) desta seção. O profeta Isaías tinha ainda outra "mensagem pesada" para entregar, a qual lhe foi transmitida através da inspiração de Yahweh. Ele era o instrumento da transmissão das mensagens, e não o criador das temíveis predições. A essência desta mensagem era que a cidade de *Damasco* (ver a respeito no *Dicionário*) terminaria num montão de ruínas.

"Tiglate-Pileser III já tinha transportado os habitantes de Damasco para Quir, no quarto ano do reinado do rei Acaz, de Judá (2Rs 16.9). Mas agora, durante o reinado de Ezequias, foi predito outro ataque assírio (cf. Jr 49.23 e Zc 9.1). Ademais, Salmaneser tinha levado Israel de Samaria para a Assíria (2Rs 17.6; 18.10,11), durante o sexto ano de Ezequias, de Judá (o nono ano de governo de Oseias, em Israel). A presente profecia, sem dúvida, foi dada nos primeiros anos do reinado de Ezequias, quando as nações estrangeiras entraram em colisão com Judá" (Fausset, *in loc.*).

■ 17.2

עֲזֻבוֹת עָרֵי עֲרֹעֵר לַעֲדָרִים תִּהְיֶינָה וְרָבְצוּ וְאֵין
מַחֲרִיד׃

As cidades de Aroer serão abandonadas. As cidades da Síria ficariam desertas para sempre (*Revised Standard Version*), que substitui assim o nome próprio *Aroer* (ver no *Dicionário*), considerado uma corrupção. A *Revised Standard Version* segue a Septuaginta. Aroer era uma cidade de Moabe, e não da Síria; e, assim sendo, muitos eruditos pensam que houve ou um erro primitivo no texto original do livro de Isaías, ou um equívoco de escrita. Afirmar também que havia uma cidade chamada Aroer na Síria é dar um tiro no escuro. Seja como for, houve, na antiguidade, uma orgulhosa cidade-estado, mas a qual foi transformada em uma terra de pastagens para animais domesticados. A agricultura seria a principal atividade do lugar; pobres agricultores substituiriam orgulhosos habitantes citadinos. Encontramos a mesma figura simbólica em Is 5.17, que fala da condenação de Judá. As ovelhas, pois, pastariam em perfeita paz. Nenhum exército marcharia por aquele lugar. A destruição seria tão completa que nada restaria para ser conquistado, nada ficaria para ser saqueado. As ovelhas são animais cheios de temor, e quase qualquer coisa pode perturbá-las. O total desaparecimento da população do lugar não deixaria nenhuma causa de perturbação.

■ 17.3

וְנִשְׁבַּת מִבְצָר מֵאֶפְרַיִם וּמַמְלָכָה מִדַּמֶּשֶׂק וּשְׁאָר אֲרָם
כִּכְבוֹד בְּנֵי־יִשְׂרָאֵל יִהְיוּ נְאֻם יְהוָה צְבָאוֹת׃ ס

A fortaleza de Efraim desaparecerá, como também o reino de Damasco. O profeta volta agora a atenção para o segundo membro da aliança firmada contra Judá, *Efraim,* as dez tribos do reino do norte. As fortalezas que protegiam aquele lugar desapareceriam diante dos atacantes, os assírios. As defesas seriam eliminadas, e o país inteiro perderia a população. Ao mesmo tempo, outro tanto aconteceria a Damasco — e toda a resistência seria anulada. A *glória de Israel* é um dos nomes da tribo de Efraim, que representa aqui a nação do norte, Israel. Essa glória não somente seria maculada, mas totalmente aniquilada. Os assírios transportariam outras populações para vir habitar no antigo reino do norte, Israel, e os poucos hebreus sobreviventes dali se casariam com os povos pagãos, do que resultariam os *samaritanos*.

O que antes fora glorioso seria transformado em desolação. As destruições foram afirmadas pela palavra direta de Yahweh, o *Senhor dos Exércitos,* o General dos exércitos, aquele que trabalha por trás do palco. Esse título aparece por cerca de vinte vezes no livro de Isaías. Ver sobre o mesmo título no *Dicionário* e em 1Rs 18.15.

■ 17.4

וְהָיָה בַּיּוֹם הַהוּא יִדַּל כְּבוֹד יַעֲקֹב וּמִשְׁמַן בְּשָׂרוֹ
יֵרָזֶה׃

Naquele dia a glória de Jacó será apoucada. Começamos outra estrofe do oráculo. Agora Efraim é chamado de "a glória de Jacó", paralelo da "glória dos filhos de Israel", no vs. 3. As fortalezas desapareceriam, e isso significa que o país todo seria apequenado, humilhado, alquebrado, subjugado e finalmente deportado. Onde havia *gordura* (prosperidade) haveria extrema *pobreza* (magreza). Primeiro, haveria a *emaciação,* e depois nada haveria senão os ossos da morte.

17.5

וְהָיָ֗ה כֶּֽאֱסֹף֙ קָצִ֣יר קָמָ֔ה וּזְרֹע֖וֹ שִׁבֳּלִ֣ים יִקְצ֑וֹר וְהָיָ֛ה כִּמְלַקֵּ֥ט שִׁבֳּלִ֖ים בְּעֵ֥מֶק רְפָאִֽים׃

Será, quando o segador ajunta a cana do trigo. A *destruição* seria como uma *triste colheita*. Os homens saem aos campos para *remover* o grão, e o resto da planta é totalmente destruído. O campo fica *devastado*. A nação do norte, Israel, seria de tal modo devastada pelos assírios que se pareceria com um campo desolado. Nada restaria a não ser, aqui e acolá, alguns poucos grãos que não tinham sido atingidos. O vale de Refaim pertencera antes a uma raça de gigantes (ver Js 15.8; 18.16). Mas se tornou possessão de Israel por meio da conquista. Esse vale era dotado de terras férteis que produziam em abundância no tempo da colheita. Os filisteus gostavam de atacar esse vale, porque sempre podiam levar dali muitos produtos agrícolas, e assim evitar o labor do plantio. Ver 2Sm 23.13. Mas quando os colhedores *atacavam* os campos daquele próspero lugar, ficavam desolados. Isso perfazia uma apta figura dos assírios como colhedores terríveis, ao passo que Israel aparece como nada. O exército assírio levou dali tudo quanto tinha valor, deixando apenas devastação.

17.6

וְנִשְׁאַר־בּ֤וֹ עֽוֹלֵלֹת֙ כְּנֹ֣קֶף זַ֔יִת שְׁנַ֧יִם שְׁלֹשָׁ֛ה גַּרְגְּרִ֖ים בְּרֹ֣אשׁ אָמִ֑יר אַרְבָּעָ֣ה חֲמִשָּׁ֗ה בִּסְעִפֶ֙יהָ֙ פֹּֽרִיָּ֔ה נְאֻם־יְהוָ֖ה אֱלֹהֵ֥י יִשְׂרָאֵֽל׃ ס

Mas ainda ficarão alguns rabiscos, como no sacudir da oliveira. A *colheita das oliveiras* prové outra figura de quase total destruição. Algumas traduções dizem aqui a *colheita da uva*. Ou melhor, temos ambas as coisas: *respigar* subentende as uvas; mas *sacudir* dá a entender o método de colher as azeitonas. A maioria das oliveiras podia ser sacudida pelos ramos. Cf. Dt 24.2. Os poucos frutos restantes (uvas ou azeitonas) representam os poucos e miseráveis que restariam na nação do norte, que teria perdido quase toda a população. "Alguns poucos habitantes restariam em Israel, como se fossem as duas ou três azeitonas que sobrassem no alto dos ramos das oliveiras. Não valeria a pena o esforço de subir até ali para colher as poucas azeitonas que restassem" (Fausset, *in loc.*). "Essas comparações foram usadas de modo muito apropriado, visto que o povo de Israel foi frequentemente comparado a uvas e azeitonas (ver Is 5.1,7; Jr 11.16; Os 9.10)" (John Gill, *in loc.*).

A Adoração Idólatra (17.7-11)

Abandonando os Ídolos (17.7,8)

17.7,8

בַּיּ֣וֹם הַה֔וּא יִשְׁעֶ֥ה הָאָדָ֖ם עַל־עֹשֵׂ֑הוּ וְעֵינָ֛יו אֶל־קְד֥וֹשׁ יִשְׂרָאֵ֖ל תִּרְאֶֽינָה׃

וְלֹ֣א יִשְׁעֶ֔ה אֶל־הַֽמִּזְבְּח֖וֹת מַעֲשֵׂ֣ה יָדָ֑יו וַאֲשֶׁ֨ר עָשׂ֤וּ אֶצְבְּעֹתָיו֙ לֹ֣א יִרְאֶ֔ה וְהָאֲשֵׁרִ֖ים וְהָחַמָּנִֽים׃

E não olhará para os altares, obra das suas mãos. Alguns eruditos pensam que temos aqui o fragmento de um oráculo que, originalmente, era um oráculo separado, introduzido neste ponto por causa da frouxa conexão de ideias com o que fora dito antes. Seja como for, Deus é o Criador, e a humanidade é sua criação. Os homens haviam corrompido a si mesmos, correndo após os ídolos, obras de *suas próprias mãos*, e assim convidaram o julgamento divino. Este oráculo foi usado para salientar uma das razões pelas quais o reino do norte, Israel, foi devastado pela Assíria. No meio de tanta destruição, alguns poucos homens se sentiriam inspirados a buscar ajuda no Deus de Israel. Alguns abandonariam os altares pagãos que suas mãos tinham erguido (vs. 8), e também os *aserins* ou bosques pagãos, que eram símbolos da deusa Aserá. Essa adoração era representada por postes apropriadamente escavados, ou ídolos. Ver as notas de sumário sobre a questão, em 1Rs 14.15. "Os postes da deusa Aserá eram símbolos de madeira de Aserá, a deusa cananeia da fertilidade e consorte de Baal" (John S. Martin, *in loc.*). O povo de Israel sempre se deixou influenciar pelos diversos cultos a Baal, mas nos dias de crise alguns poucos se voltavam para Yahweh, e não para Baal.

O Culto a Adônis; Falsa Segurança (17.9-11)

17.9

בַּיּ֣וֹם הַה֗וּא יִהְי֣וּ ׀ עָרֵ֣י מָעֻזּ֗וֹ כַּעֲזוּבַ֤ת הַחֹ֙רֶשׁ֙ וְהָ֣אָמִ֔יר אֲשֶׁ֣ר עָזְב֔וּ מִפְּנֵ֖י בְּנֵ֣י יִשְׂרָאֵ֑ל וְהָיְתָ֖ה שְׁמָמָֽה׃

O culto a Adônis era, essencialmente, um culto de fertilidade. Adônis era o deus da *vegetação* e contava com santuários espalhados por toda a Palestina. Ver no *Dicionário* o artigo denominado *Tamuz*. Essa era outra adoração falsa que facilmente reunia adeptos em Israel. Esse deus era retratado como quem tinha morrido no inverno, somente para voltar à vida na primavera. Mudas eram plantadas em vasos e cestos, que teriam então o suposto poder mágico de estimular o crescimento da vegetação. O homem, incuravelmente supersticioso como é, corre o risco de cair em falsos cultos, quando não tem o cuidado de cultivar sua fé. Em Israel, essa fé era a legislação mosaica e suas muitas provisões que cobriam praticamente todos os aspectos da vida. Ver o vs. 11 quanto à superstição que acaba de ser descrita. Israel buscava colheitas através da honra dada a esse culto, mas o que eles colheram, realmente, foi a amarga destruição imposta pelo exército assírio.

Naquele dia serão as suas cidades fortes como os lugares abandonados. O texto massorético nos remete à ideia do vs. 6. As cidades fortes de Israel se tornariam como os ramos quebrados de uma árvore, e os ramos mais altos teriam apenas algumas poucas azeitonas, porquanto a desolação atingira o país. O hebraico é obscuro e tem sido variegadamente traduzido. Nossa versão portuguesa diz: "... lugares abandonados no bosque ou sobre o cume das montanhas". A Septuaginta tem um texto diferente: "... como os lugares desertados dos heveus e dos amorreus, que desertaram por causa dos filhos de Israel". Isso nos remete ao tempo da conquista da Terra Prometida por parte de Israel. Quanto a uma lista dos povos expulsos dali por Israel, ver Êx 33.2 e Dt 7.1. Da mesma forma que os filhos de Israel tinham aniquilado os povos que habitavam primitivamente a Terra Prometida, assim os assírios os aniquilariam. Idólatras pagãos foram destruídos; e assim, quando os israelitas se tornaram idólatras pagãos, receberam idêntico tratamento.

Outra tentativa de conjectura sobre o que o texto massorético poderia significar é dada pela NIV:

Naquele dia, suas cidades fortes que eles abandonaram por causa dos israelitas, serão como lugares abandonados às ervas daninhas e à vegetação rasteira.

Mas isso é apenas conjectura, e certamente Adam Clarke (*in loc.*) está correto, ao dizer: "Até hoje ninguém conseguiu tirar um sentido tolerável dessas palavras". Abandonando a tentativa, ele se voltou para a Septuaginta como o provável sentido original. Talvez seja assim, mas também é provável que o texto hebraico original seja aquele preservado pelo texto massorético, o qual, na transmissão de cópias sucessivas, ficou tão corrupto que os tradutores da Septuaginta simplesmente o substituíram. Ver no *Dicionário* o verbete chamado *Massora (Massorah); Texto Massorético*. Era comum aos escribas substituir trechos difíceis ou obscuros por um texto fácil (inteligível).

17.10

כִּ֤י שָׁכַ֙חַתְּ֙ אֱלֹהֵ֣י יִשְׁעֵ֔ךְ וְצ֥וּר מָעֻזֵּ֖ךְ לֹ֣א זָכָ֑רְתְּ עַל־כֵּ֗ן תִּטְּעִי֙ נִטְעֵ֣י נַעֲמָנִ֔ים וּזְמֹ֥רַת זָ֖ר תִּזְרָעֶֽנּוּ׃

Porquanto te esqueceste do Deus da tua salvação. Yahweh foi abandonado em meio à desenfreada corrida idolátrica de Israel. Nesse ato, Israel esqueceu sua própria *salvação*. Quanto à salvação e ao Deus da salvação, ver Sl 3.8; 9.14; 18.46; 38.22 e, especialmente, 62.1,2,7. Ver o termo no *Dicionário*. Além disso, Deus é a *Rocha de Israel*, um lugar de defesa e força (ver sobre o termo no *Dicionário*). Ver também Dt 32.31. Quanto a Deus como *Refúgio*, ver o artigo com esse nome e também Sl 46.1. O acúmulo de termos aplicados a Yahweh deve ser compreendido em relação à ajuda que a nação de Israel poderia ter obtido contra a Assíria, mas que ela perdeu por motivo de *apostasia*.

A menção a "plantações formosas" é uma referência ao culto ao deus Adônis, que comento na introdução a esta seção, no vs. 9. O ponto desta referência foi fazer com que Israel soubesse por que Yahweh não era sua salvação, nem rocha (fortaleza), nem refúgio. Cf. Ez 8.14-18. Ver no *Dicionário* o artigo sobre *Tamuz*. Essa era a divindade síria e fenícia equivalente ao grego Adônis.

■ 17.11

בְּי֤וֹם נִטְעֵךְ֙ תְּשַׂגְשֵׂ֔גִי וּבַבֹּ֖קֶר זַרְעֵ֣ךְ תַּפְרִ֑יחִי נֵ֥ד קָצִ֛יר
בְּי֥וֹם נַחֲלָ֖ה וּכְאֵ֥ב אָנֽוּשׁ׃ ס

E no dia em que as plantares, as fizeres crescer. O profeta nos dá a conhecer algo do *modus operandi* do culto a Tamuz (Adônis), atos realizados para promover a fertilidade das plantações, atos supersticiosos, crassos, impensados, cuja essência aparece nas observações de introdução ao vs. 9. Os intérpretes que não têm consciência da natureza daquele culto de fertilidade muito se desviam em suas explicações sobre os vss. 10 e 11. Plantas e mudas eram dedicadas a Tamuz, na esperança de que ele encorajasse boas colheitas. Tão supersticiosa atividade, entretanto, não produziria nenhum resultado frutífero. Nos tempos de aflição, a agricultura falharia em alcançar seus objetivos. Dias de dor e tristeza estavam a caminho, e a colheita falharia, tal como os homens fugiriam da nação do norte, Israel.

■ 17.12

ה֗וֹי הֲמוֹן֙ עַמִּ֣ים רַבִּ֔ים כַּהֲמ֥וֹת יַמִּ֖ים יֶהֱמָי֑וּן וּשְׁא֣וֹן
לְאֻמִּ֔ים כִּשְׁא֛וֹן מַ֥יִם כַּבִּירִ֖ים יִשָּׁאֽוּן׃

Ai do bramido dos grandes povos que bramam como bramam os mares. Os vss. 12-14 descrevem as ordens recebidas pelas tropas assírias para descer contra a nação do norte, Israel. Eles pareciam com o *trovão* de uma tempestade distante, que fica cada vez mais forte, à medida que se aproxima. Esse ruído relembrou ao profeta o "rugido das águas", do baque constante das ondas na praia. A Assíria se aproximava como uma grande onda de maré. Era o rugido das nações, um rugido como as poderosas águas do mar, quando alguma tempestade as deixa furiosas.

> *Escutai o povo! Estão clamando alto como o barulho do mar.*
> *Escutai aquele barulho! O clamor é como ondas que baqueiam nas praias.*
>
> NCV

A marcha de um exército, como *águas que se precipitam*, encontra paralelo em Is 8.7,8. Uma grande tempestade destruidora estava a caminho.

■ 17.13

לְאֻמִּ֗ים כִּשְׁא֞וֹן מַ֤יִם רַבִּים֙ יִשָּׁא֔וּן וְגָ֥עַר בּ֖וֹ וְנָ֣ס
מִמֶּרְחָ֑ק וְרֻדַּ֗ף כְּמֹ֤ץ הָרִים֙ לִפְנֵי־ר֔וּחַ וּכְגַלְגַּ֖ל לִפְנֵ֥י
סוּפָֽה׃

Rugirão as nações, como rugem as muitas águas. Entrariam como um leão, sairiam como um cordeiro. Assim seria a chegada e a saída dos assírios. Continua aqui a ilustração das águas revoltas, que aparece no versículo anterior. Talvez agora devamos pensar em um rio poderoso que inunda e atravessa o território. As águas são repreendidas pelo poder divino e fogem, errando o alvo, que era Jerusalém. E então quando, em uma única noite, o Anjo do Senhor executou a 185 mil soldados assírios, os sobreviventes foram caçados para fora de Judá como uma grande tempestade que os estivesse tangendo em meio à poeira de um poderoso redemoinho. Talvez a figura simbólica fale na *palha*, a parte leve e inútil do cereal que é tangida pelo vento. Cf. Is 29.5. Ver também Sl 1.4 e 83.13.

■ 17.14

לְעֵ֥ת עֶ֙רֶב֙ וְהִנֵּ֣ה בַלָּהָ֔ה בְּטֶ֥רֶם בֹּ֖קֶר אֵינֶ֑נּוּ זֶ֚ה חֵ֣לֶק
שׁוֹסֵ֔ינוּ וְגוֹרָ֖ל לְבֹזְזֵֽינוּ׃ ס

Ao anoitecer eis que há pavor, e antes que amanheça o dia, já não existem. À noite houve terror; o exército assírio estava defronte dos portões de Jerusalém, ameaçando degolar os habitantes. Pela manhã, porém, o perigo tinha passado, pois 185 mil soldados assírios tinham sido mortos pelo Anjo do Senhor. Ver a história em 2Rs 19.35. Cf. Is 37.36,37. Os assírios já tinham saqueado a muitas cidades de Judá. Agora, porém, precisavam ser refreados de alguma maneira. Essa foi a sorte (porção) da Assíria por causa do que os assírios tinham semeado. A lei da colheita segundo a semeadura venceu, no fim. A maré de terror fora estancada, mas a Babilônia era o próximo ator a exibir-se no palco da história, e as coisas, dessa vez, não correriam tão bem para Judá. O Deus soberano continua governando o mundo. "É bom relembrar, em qualquer dia de confusão, que, em meio ao entrechoque das forças humanas, continua de pé a Rocha dos Séculos, o Deus soberano" (G. G. D. Kilpatrick, *in loc.*).

"As coisas não acontecem por acaso, mas pela nomeação e disposição de Deus, que aloca e determina ruína aos homens, como justa recompensa por suas obras. Ver Jó 20.29 e Sl 11.6" (John Gill, *in loc.*). Ver as notas expositivas sobre Is 13.6.

CAPÍTULO DEZOITO

TERRAS PARA ALÉM DOS RIOS DA ETIÓPIA (18.1-7)

Réplica aos Enviados Cuxitas. A seção geral de Is 18.1—20.6 trata do Egito. Várias perplexidades circundam a interpretação desta seção, mas todos os eruditos admiram a magnificência de sua linguagem e as imagens simbólicas tão vívidas, bem como a profundeza de percepção e a forte fé. Trata-se de um dos mais nobres pronunciamentos de Isaías.

Aparentemente, enviados cuxitas, isto é, etíopes, chegaram a Judá procurando a ajuda dos judeus contra os assírios. Mas o profeta insistiu em esperar algum tipo de sinal da parte de Yahweh. Quando ele estivesse pronto, promoveria a colheita destrutiva necessária. O *novo oráculo de condenação*, ou sentença, só aparece novamente em Is 19.1.

"A razão do oráculo pode ser inferida de duas circunstâncias: uma nova dinastia etíope (a de número XXV) fora estabelecida no Egito, em cerca de 714 a.C., e, pouco depois, as intrigas encabeçadas pelo Egito levaram a uma revolta contra a Assíria por parte da Filístia, Judá, Moabe e Edom. A revolta entrou em colapso quando Sargão, em 711 a.C., tomou medidas severas contra as cidades filisteias, notavelmente Asdode (cf. Is 20.1). Parece que Judá não foi tocado" (R. B. Y. Scott, *in loc.*).

■ 18.1

ה֗וֹי אֶ֥רֶץ צִלְצַ֖ל כְּנָפָ֑יִם אֲשֶׁ֥ר מֵעֵ֖בֶר לְנַהֲרֵי־כֽוּשׁ׃

Ai da terra onde há o roçar de muitas asas de insetos. Provavelmente temos aqui menção ao delta do rio Nilo, região infestada por insetos, e, mais especificamente ainda, à Etiópia. O roçar das asas pode referir-se aos exércitos da Etiópia. O hebraico poderia significar *barco*. Nesse caso, talvez estejam em vista os barcos feitos de papiro do Egito. Desde os tempos mais remotos, os barcos de água doce do Egito empregavam tanto velas quanto remos, e isso poderia ter sugerido a figura simbólica das asas. Ver o vs. 2, onde encontramos informações sobre os barcos de papiro.

Ai da terra. O futuro do Egito não era muito brilhante. O profeta não enganou os enviados etíopes. Mas há quem traduza o trecho por "Escutai!", o que só pode querer dizer "Prestai atenção ao que digo neste oráculo".

Além dos rios da Etiópia. Ou seja, subindo até acima das fontes originárias do rio Nilo. Pode estar em vista o Nilo Branco ou o Nilo Azul, ao sul de Meroe ou *Sennar*, não muito longe do lago Nyanza.

■ 18.2

הַשֹּׁלֵ֨חַ בַּיָּ֜ם צִירִ֗ים וּבִכְלֵי־גֹמֶא֮ עַל־פְּנֵי־מַיִם֒ לְכ֣וּ
מַלְאָכִ֣ים קַלִּ֗ים אֶל־גּ֞וֹי מְמֻשָּׁ֣ךְ וּמוֹרָ֔ט אֶל־עַ֥ם נוֹרָ֖א
מִן־ה֣וּא וָהָ֑לְאָה גּ֚וֹי קַו־קָ֣ו וּמְבוּסָ֔ה אֲשֶׁר־בָּזְא֥וּ נְהָרִ֖ים
אַרְצֽוֹ׃

Que envia embaixadores por mar em navios de papiro. Os *enviados* chegaram em seus barcos velozes, e o profeta os *enviou* de volta àqueles que os enviaram. São descritos os barcos dos embaixadores, que possivelmente usavam velas, conforme comento no vs. 1. Esses barcos eram feitos de juncos de papiro. Uma espécie de trabalho de cesto era feito e coberto com piche. Canoas de papiro eram o veículo popular usado no rio Nilo, e eram necessárias devido à escassez de madeira.

A *descrição do povo* a quem o oráculo deveria ser enviado: os termos aqui usados não são todos claros e têm sido variegadamente interpretados. O povo descrito tinha *elevada estatura* e pele *brunida,* o que talvez indique que eles brilhavam com a aplicação de óleo. Mas alguns estudiosos referem-se ao costume de os egípcios raparem todo o pelo do corpo. A estatura e a atenção especial que davam ao corpo inspirou Heródoto a chamá-los de "os mais altos e mais simpáticos entre os homens" (*Hist.* III.20). Visto que eram guerreiros poderosos, eram temidos desde longe, ou "desde o princípio até agora". Eram homens poderosos e usavam sua grande força física para conquistar. Mas não seriam capazes de enfrentar os assírios, a despeito de toda aquela bravura.

Cuja terra os rios dividem. Este é um plural poético para alguém referir-se ao rio Nilo. Por onde passasse o rio, era por ali que aquele povo vivia. Alguns estudiosos imaginam que os *braços* do Nilo fizeram com que ele fosse chamado de *rios.* A terra de Cuxe incluía o que é atualmente o sul do Egito, o Sudão e o norte da Etiópia. Ver no *Dicionário* o verbete chamado *Cuxe,* ponto terceiro, quanto a detalhes.

"Coisa alguma se sabe, em outros trechos da Bíblia, ou de fontes históricas extrabíblicas, sobre quaisquer contatos dessa nação com Israel, em uma aventura conjunta contra a Assíria" (John S. Martin, *in loc.*).

As interpretações deste versículo são desconcertantes. Apresento o que parece ser o sentido, com alguma variação de ideias. Algumas vezes, a linguagem poética de Isaías precisa ser decifrada, e não meramente traduzida, porque o significado dos termos nem sempre é claro.

■ **18.3**

כָּל־יֹשְׁבֵי תֵבֵל וְשֹׁכְנֵי אָרֶץ כִּנְשֹׂא־נֵס הָרִים תִּרְאוּ
וְכִתְקֹעַ שׁוֹפָר תִּשְׁמָעוּ: ס

Vós, todos os habitantes do mundo, e vós os moradores da terra. Os aliados propostos — Filístia, Judá, Moabe, Edom, Egito e quem quer que se tivesse aliado para enfrentar a Assíria — a todos esses *povos,* "os habitantes do mundo", o profeta convidou a escutar atentamente o conselho que ele daria. Eles nada deveriam fazer enquanto não lhes fosse dado um *sinal,* ou ordens de marcha da parte de Yahweh, que controla os eventos do mundo. Ele tocaria "a trombeta" para ordenar que os exércitos se pusessem em marcha. Essa trombeta soaria através de um oráculo dado por intermédio do profeta. Entrementes, os membros da aliança deveriam permanecer em casa, sem fazer coisa alguma radical. O sinal seria claro porque (figuradamente) seria visto das mais altas montanhas. Não haveria dúvida a respeito. Homero, em sua composição poética, a *Ilíada* (xxi.388), tem algo similar, os deuses lá no alto ordenando o começo da batalha: "O céu, em meio a altos trovões, ordena que soe a trombeta".

■ **18.4**

כִּי כֹה אָמַר יְהוָה אֵלַי אֶשְׁקוֹטָה וְאַבִּיטָה בִמְכוֹנִי
כְּחֹם צַח עֲלֵי־אוֹר כְּעָב טַל בְּחֹם קָצִיר:

Porque assim me disse o Senhor. Yahweh, em seu elevado céu, estaria vigiando. Coisa alguma escaparia à sua atenção. Mas ele se manteria tranquilo até que soasse a hora certa. Seu plano se demoraria como o calor do verão, e se estenderia até a *colheita.* Chegaria o tempo da colheita (ou seja, derrubar a floresta assíria, ou colher as uvas ou as azeitonas. Cf. Is 17.5,6; ver também Is 10.12,25,32). O calor e o orvalho do verão fariam ocorrer a colheita, e então o Poder celeste entraria em ação, mas não antes que a colheita estivesse pronta. O calor viria durante o dia, e o orvalho cairia à noite, e ambos operariam conjuntamente para produzir a colheita no tempo certo.

■ **18.5**

כִּי־לִפְנֵי קָצִיר כְּתָם־פֶּרַח וּבֹסֶר גֹּמֵל יִהְיֶה נִצָּה
וְכָרַת הַזַּלְזַלִּים בַּמַּזְמֵרוֹת וְאֶת־הַנְּטִישׁוֹת הֵסִיר הֵתַז:

Porque antes da vindima, caída já a flor, e quando as uvas amadurecem. O tempo de colheita dos assírios haveria de chegar. Os assírios certamente seriam derrubados. Antes, porém, aquela potência deveria fazer a própria colheita. Deveria terminar as tarefas atribuídas por Deus. As dez tribos do norte, a nação de Israel, teriam de ir para o cativeiro. E outras potências estrangeiras teriam de ser derrubadas, incluindo aquelas da aliança proposta. Essa força não seria a que colheria a Assíria. A Babilônia seria o *colhedor escolhido* para tanto. Os países em aliança tentavam usurpar a tarefa que Yahweh designara a outrem. Mas o real colhedor é Yahweh, e ele usa instrumentos humanos. Uma vez que a tarefa dos assírios fosse concluída, então Yahweh, o divino colhedor, entraria em ação, cortando as uvas da Assíria e pondo fim àquela vinha.

■ **18.6**

יֵעָזְבוּ יַחְדָּו לְעֵיט הָרִים וּלְבֶהֱמַת הָאָרֶץ וְקָץ עָלָיו
הָעַיִט וְכָל־בֶּהֱמַת הָאָרֶץ עָלָיו תֶּחֱרָף:

Serão deixados juntos às aves dos montes e aos animais da terra. Justamente quando as uvas assírias começavam a amadurecer, e eles estavam prontos para estender um pouco mais o seu império, a triste colheita ocorreria. "Eles seriam mortos e deixados nas montanhas como alimento para as aves no verão, e para os animais selvagens no inverno" (John S. Martin, *in loc.*). Tendo feito sua colheita, a própria Assíria seria colhida; mas por trás das cenas está o grande colhedor, o controlador de todos os eventos. Cf. Is 13.6, onde falo sobre a soberania de Yahweh, o controlador dos eventos.

■ **18.7**

בָּעֵת הַהִיא יוּבַל־שַׁי לַיהוָה צְבָאוֹת עַם מְמֻשָּׁךְ
וּמוֹרָט וּמֵעַם נוֹרָא מִן־הוּא וָהָלְאָה גּוֹי קַו־קָו
וּמְבוּסָה אֲשֶׁר בָּזְאוּ נְהָרִים אַרְצוֹ אֶל־מְקוֹם שֵׁם־יְהוָה
צְבָאוֹת הַר־צִיּוֹן: ס

Naquele tempo será levado um presente ao Senhor dos Exércitos. Este versículo é, essencialmente, uma repetição baseada no vs. 2. O povo que enviou os portadores ficariam consternados ao saber que, embora fortes e orgulhosos, acabariam subservientes a Judá, o centro do culto a Yahweh. "Os orgulhosos etíopes, tal como toda a humanidade, trariam presentes ou *tributos* a Yahweh e também a seu templo, em Jerusalém (cf. Sl 68.29,31)" (R. B. Y. Scott, *in loc.*). Não temos nenhum registro de algo parecido com esse acontecimento depois da queda da Assíria, nem depois que a Babilônia levou a nação de Judá para o exílio. Portanto, muitos intérpretes veem isso como profecia para a era do reino, quando todas as tempestades da vida tiverem terminado, durante o *milênio* (ver a respeito no *Dicionário*). Cf. Zc 14.16. Alguns estudiosos veem a admissão de todas as nações mediante a igreja, mas, quando muito, temos aqui uma aplicação do texto, e não uma interpretação. Este versículo pode ter paralelo em Is 11.9:

A terra se encherá do conhecimento do Senhor, como as águas cobrem o mar.

CAPÍTULO DEZENOVE

DENÚNCIA CONTRA O EGITO (19.1-25)

A seção geral de Is 13.1—23.18 apresenta *dez* oráculos de condenação ou *sentenças* contra várias potências mundiais que teriam de sofrer julgamentos divinos por causa de sua maldade. Ver a exposição na introdução ao capítulo 13, bem como em Is 13.1, quanto à explanação desses *oráculos de condenação.* Ali faço referência aos versículos que contêm essa palavra. Agora, no capítulo 19, encontramos a condenação do Egito. Este oráculo pode ser naturalmente dividido em *três partes:* 1. Vss. 1-4, que retratam a descida de Yahweh contra o Egito, trazendo os terrores da guerra civil, de mistura com a tirania; 2. Vss. 5-10, que falam da seca do rio Nilo, com drásticas consequências (o que alguns intérpretes veem como uma interpolação, posta neste ponto); e 3. Vss. 11-15, que são uma zombaria contra o Egito, por ter este falhado ao ver que Yahweh opera entre os homens, com propósitos e atos hostis.

Nos vss. 16,17 encontramos outra ameaça contra o Egito; e, finalmente, os vss. 18-25 descrevem a adoração futura a Yahweh no Egito e na Assíria.

"Algumas pessoas queriam olhar para o Egito como proteção contra a ameaça assíria. Mas Isaías salientou que o Egito não serviria de ajuda, porquanto essa nação seria igualmente avassalada pelo juízo de Deus" (John S. Martin, *in loc.*).

"O Egito e a Etiópia, na época, eram governados pelo mesmo governante, Tiraca, tal como estiveram sob o governo de um mesmo Faraó, Painkhi-Mer-Amon. Esta profecia tem praticamente as mesmas características da anterior. Sua principal característica é apresentar a condição imposta à nação conquistada como distinta da condição imposta ao conquistador. As palavras de abertura declaram que o julgamento divino, adiado desde longa dada, finalmente estava chegando, como uma nuvem tangida rapidamente pelo vento de um temporal, contra os ídolos do Egito. Os homens sentiriam que a presença do Poderoso estava entre eles" (Ellicott, *in loc.*).

A Condenação do Egito (19.1-15)

Primeira Parte (19.1-4)

■ **19.1**

מַשָּׂא מִצְרָיִם הִנֵּה יְהוָה רֹכֵב עַל־עָב קַל וּבָא מִצְרַיִם וְנָעוּ אֱלִילֵי מִצְרַיִם מִפָּנָיו וּלְבַב מִצְרַיִם יִמַּס בְּקִרְבּוֹ׃

Sentença contra o Egito. Quanto ao oráculo de condenação, isto é, a sentença, ver a introdução ao capítulo 13 e Is 13.1. O profeta reivindica falar por inspiração divina, porquanto Yahweh é quem realmente se dirigia à profana nação do Egito e proferia julgamento. Aquele que ameaçava também agiria, e ele vinha contra o Egito como uma nuvem veloz, tangida pelos ventos divinos, e a coisa toda se tornaria uma tempestade temível que feriria a nação idólatra do Egito. O Egito, totalmente corrompido em sua idolatria, não escaparia para sempre ao chicote divino. Seus deuses (ídolos), longe de ajudar os egípcios, tremeriam quando a tempestade os atingisse. Quanto ao poder de Deus retratado como uma tempestade, cf. Sl 18.10; 68.4,33; 104.3. Ver também Na 1.3 e Dn 7.13. A tempestade seria tão violenta que faria o espírito (coração) dos egípcios *derreter-se*.

"Eis o julgamento do Egito, executado pelo próprio Deus, o qual, cavalgando em uma nuvem veloz, atacaria subitamente. A natureza do julgamento divino não foi descrita, mas seus efeitos foram tidos como devastadores. O nervo da vida dos egípcios seria cortado, quando entrasse em colapso a religião nacional. Enquanto os ídolos estivessem tremendo, haveria queda na fé, do que resultariam a anarquia e a guerra civil" (G. G. D. Kilpatrick, *in loc.*).

■ **19.2**

וְסִכְסַכְתִּי מִצְרַיִם בְּמִצְרַיִם וְנִלְחֲמוּ אִישׁ־בְּאָחִיו וְאִישׁ בְּרֵעֵהוּ עִיר בְּעִיר מַמְלָכָה בְּמַמְלָכָה׃

Porque farei com que os egípcios se levantem contra os egípcios. *Egípcios contra egípcios* é aqui pintado como a primeira chicotada, ou seja, a *guerra civil*. Provavelmente, essa discórdia foi provocada, pelo menos em parte, pela derrubada do poder etíope por Sargão, rei da Assíria em 720 a.C. Heródoto (*Hist.* ii.147) diz-nos que, por ocasião da queda de Sabaco, o último Faraó da dinastia etíope, foi quebrada a unidade do Egito. A interpretação do livro de Isaías é com frequência prejudicada por palavras usadas cujo significado, na realidade, não conhecemos; por expressões poéticas algumas vezes difíceis de decifrar; e por referências históricas obscuras. Portanto, em muitos lugares, somos forçados a apelar para as conjecturas quanto ao sentido de certos trechos, dando algumas poucas ideias alternativas, na esperança de acertar no alvo. Os próprios antigos intérpretes judeus ficavam a adivinhar, e, algumas vezes, essas conjecturas não são tão boas quanto as modernas. Assim sendo, se a guerra civil é, definidamente, o sentido deste vs. 2, os intérpretes a identificam em diferentes períodos históricos, alguns falando nos tempos assírios, e outros nos tempos babilônicos. Na época dos babilônios, o Egito estava dividido em 42 *nomes* (distritos). Perturbações externas, invasões por parte de estrangeiros e o caos geral foram elementos provocadores que produziram essa fragmentação.

"... a turbulência civil, talvez decorrente da transição da XXV[a] dinastia etíope, que começou em cerca de 714 a.C., por Piankhi (o *senhor duro* mencionado no vs. 4 deste capítulo). Mas esses termos também podem aplicar-se à Assíria" (*Oxford Annotated Bible*, comentando sobre o vs. 2). Ver o vs. 4, bem como as notas expositivas ali.

■ **19.3**

וְנָבְקָה רוּחַ־מִצְרַיִם בְּקִרְבּוֹ וַעֲצָתוֹ אֲבַלֵּעַ וְדָרְשׁוּ אֶל־הָאֱלִילִים וְאֶל־הָאִטִּים וְאֶל־הָאֹבוֹת וְאֶל־הַיִּדְּעֹנִים׃

O espírito dos egípcios se esvaecerá dentro neles. O espírito corajoso dos egípcios seria anulado pelo caos e pela dor, e todos os seus planos cairiam em confusão e impotência. Isso não significa que eles deixariam de confiar em seu paganismo. Eles consultariam os deuses de seus ídolos e adivinhos, e empregariam muitos métodos de adivinhação para tentar descobrir o que fazer para corrigir seus muitos ais. Os médiuns espíritas e os sábios se tornariam pessoas importantes, enquanto o povo tateava nas trevas. Ver no *Dicionário* os seguintes artigos: *Adivinhação*; *Espírito Familiar* e *Bruxaria e Magia*. "O Egito era a terra clássica da mágica e da bruxaria" (Procksch, *Jesaia*, I, pág. 245). Cf. Is 8.19, onde encontramos declaração similar, mas a respeito de Judá.

■ **19.4**

וְסִכַּרְתִּי אֶת־מִצְרַיִם בְּיַד אֲדֹנִים קָשֶׁה וּמֶלֶךְ עַז יִמְשָׁל־בָּם נְאֻם הָאָדוֹן יְהוָה צְבָאוֹת׃

Entregarei os egípcios nas mãos de um senhor duro. Está em pauta Piankhi (um governante do Egito; ver o vs. 2, último parágrafo); ou então um governante assírio como Esar-Hadom, que conquistou o Egito em 671 a.C., ou mesmo Nabucodonosor, como pensam alguns estudiosos. Seja como for, o Egito seria sujeitado por potências estrangeiras e sofreria perseguições e durezas. Mas o poder por trás de tudo isso seria Yahweh, o *Senhor dos Exércitos*, que controlava os eventos da história da humanidade. Ver sobre esse título em 1Rs 18.15, bem como no *Dicionário*. Ver Is 13.6 quanto a ideias adicionais e ilustrações sobre esse princípio.

A palavra aqui traduzida por "senhor" está no plural, "senhores", pelo que pode estar em vista uma sucessão de governantes estrangeiros, e então um homem só, especificamente duro.

"Piankhi, ou seu sucessor, Sabaca, que voltou para fundar a XXV[a] dinastia de Faraós do Egito" (R. B. Y. Scott, *in loc.*, apresentando-nos outra conjectura).

Segunda Parte (19.5-10)

■ **19.5**

וְנִשְּׁתוּ־מַיִם מֵהַיָּם וְנָהָר יֶחֱרַב וְיָבֵשׁ׃

Secarão as águas do Nilo, e o rio se tornará seco e árido. Ver a introdução a este capítulo quanto às três porções do oráculo contido nos vss. 1-15. O rio Nilo secará, causando toda a espécie de caos social. Alguns estudiosos não conseguem perceber como esta segunda parte se ajusta ao resto, e supõem tratar-se de um pequeno oráculo distinto, inserido neste ponto de modo um tanto desajeitado. Outros procuram ajustá-lo dentro do arcabouço da passagem. Os julgamentos de Deus afetarão a natureza, e não apenas a marcha dos exércitos. A seca trará ruína econômica. As enchentes anuais do Nilo, que espalhavam fertilidade, falharão. O Nilo era e continua sendo o sangue da vida do Egito. Uma represa construída pelos russos tornou o rio Nilo mais limpo do que deveria, removendo a lama e, consequentemente, parte do poder fertilizador do rio. Sem o Nilo, como é natural, o Egito não poderá sobreviver. Desconhecemos qualquer incidente histórico que ilustre estes versículos; portanto, alguns intérpretes pensam que a passagem é metafórica, apontando para a destruição da agricultura em tempos agitados, ao passo que outros transferem a questão para o fim dos tempos, quando tal calamidade poderá ocorrer. Mas os que insistem em entender literalmente esta profecia, como fazem em relação a muitas outras, ficam desapontados.

O rio. Ou seja, o Nilo. Algumas versões dizem aqui "o mar", mas referindo-se ao Nilo, como se ele fosse um grande mar interior. Homero chamava os grandes rios de *oceanus*. O fraseado literal do versículo fala do ressecamento virtual do Nilo, e não meramente uma pequena inundação capaz de prejudicar a agricultura. Kimchi via aqui a destruição do Egito pelos assírios, que perturbariam todos os aspectos da vida e aumentariam o caos geral da época.

■ **19.6**

וְהֶאֶזְנִיחוּ נְהָרוֹת דָּלֲלוּ וְחָרְבוּ יְאֹרֵי מָצוֹר קָנֶה וָסוּף קָמֵלוּ׃

Os canais exalarão mau cheiro, e os braços do Nilo diminuirão e se esgotarão. Os *canais* do rio Nilo, não dispondo mais de fontes formativas, terão apodrecidas as suas águas; os braços do Nilo primeiramente diminuirão de volume e então secarão inteiramente; a vida vegetal, ao longo das margens do rio, bem como os juncos e a vegetação de beira de rio, apodrecerão, tal como os produtos agrícolas se estragarão, sem irrigação. "O homem não exerce controle sobre as catástrofes naturais" (*Oxford Annotated Bible*, comentando sobre o vs. 5). As famosas plantas do Egito, o papiro, desaparecerão. O comércio por via fluvial cessará, e não haverá produtos agrícolas a transportar por terra ou por água. A fome será o resultado natural da condição. Assim sendo, foi predito que Yahweh renovaria as *pragas do Egito*, embora usando métodos diferentes.

■ **19.7**

עָרוֹת עַל־יְאוֹר עַל־פִּי יְאוֹר וְכֹל מִזְרַע יְאוֹר יִיבַשׁ נִדַּף וְאֵינֶנּוּ׃

A relva que está junto ao Nilo, junto às suas ribanceiras. Onde antes havia safras abundantes, agora não há mais nada, a não ser terra seca e deserto de solo fendido. A vegetação secará e o vento virá e soprará para longe todas as coisas, como se fossem mera palha. Ou um país conta com sua própria agricultura, ou terá de comerciar com outros para comprar alimentos. Mas o Egito não terá dinheiro para comprar, nem terra fértil para arar. Fome generalizada será o resultado disso. O antes fértil vale do Nilo se tornará um deserto, incapaz de sustentar a vida.

■ **19.8**

וְאָנוּ הַדַּיָּגִים וְאָבְלוּ כָּל־מַשְׁלִיכֵי בַיְאוֹר חַכָּה וּפֹרְשֵׂי מִכְמֹרֶת עַל־פְּנֵי־מַיִם אֻמְלָלוּ׃

Os pescadores gemerão, suspirarão todos os que lançam anzol ao rio. O Nilo produziu e produz grande variedade de peixes, mas onde não há água os peixes morrem. Não haverá mais água onde lançar o anzol. Uma indústria inteira será assim destruída, e o povo morrerá como moscas, por falta de alimentos. "O peixe, durante todos os séculos, formou parte da dieta das classes trabalhadoras do Egito" (Heródoto, *Hist.* ii.94); Nm 11.5. "Quadros sobre a vida do Egito mostram-nos que os pescadores sempre usaram dois métodos para apanhar os peixes, pelo anzol e pela rede de pesca" (Ellicott, *in loc.*). O Nilo sempre foi um rio famoso por seus peixes (ver Nm 11.5), tal como são os rios Amazonas e seus tributários hoje em dia.

■ **19.9**

וּבֹשׁוּ עֹבְדֵי פִשְׁתִּים שְׂרִיקוֹת וְאֹרְגִים חוֹרָי׃

Consternar-se-ão os que trabalham em linho fino... algodão. No Egito, visto que o linho estará morto, e o algodão não poderá medrar, o povo que trabalha nas indústrias têxteis morrerá de inanição, pois não terá matéria-prima com que trabalhar. Ver no *Dicionário* o artigo chamado *Linho*. A economia inteira do Egito dependia da agricultura. O linho era o material fino de que se faziam as vestes dos sacerdotes e das classes mais abastadas, e o algodão era o material popular para as massas. Ver no *Dicionário* o artigo chamado *Linho*. Algumas traduções pensam que temos aqui um paralelismo, e fazem do linho o único material em vista. A palavra hebraica traduzida aqui por *algodão*, conforme certas traduções, é *obras brancas*, e poderia ser apenas outra referência ao linho e seu fabrico. Mas a *Revised Standard Version* diz "tecelões de algodão branco".

■ **19.10**

וְהָיוּ שָׁתֹתֶיהָ מְדֻכָּאִים כָּל־עֹשֵׂי שֶׂכֶר אַגְמֵי־נָפֶשׁ׃

Os seus grandes serão esmagados. Considere o leitor estes quatro pontos:

1. A seca do Nilo afetará todas as classes, desde os *pilares* (governantes, príncipes, sacerdotes e pessoas importantes, conforme lemos na *Revised Standard Version* e em algumas versões portuguesas), até os que têm de trabalhar dia após dia para ganhar a vida. Tudo será reduzido ao nada da fome. O original hebraico é obscuro aqui, pelo que também as traduções e os intérpretes apresentam várias ideias.
2. Alguns estudiosos continuam a pensar aqui na ideia dos tecelões mencionados no versículo anterior, e dizem que eles estão *quebrados*; os trabalhadores que ganham um pouco de dinheiro a cada dia *entristecer-se-ão*, porque seu meio de vida desapareceu (conforme diz a NCV). A NIV tem, essencialmente, ideia idêntica:

   Os trabalhadores em tecidos estarão desanimados,
   E os assalariados estarão doentes no coração.

3. Ainda outros eruditos pensam que as represas se romperão, perdendo a capacidade de produzir peixes (*King James Version*).
4. A Septuaginta fala sobre como a *bebida forte* terminará e, juntamente com ela, a alegria de muita gente: "E todos aqueles que fazem vinho de cevada se lamentarão e se entristecerão na alma".

Terceira Parte (19.11,15)

■ **19.11**

אַךְ־אֱוִלִים שָׂרֵי צֹעַן חַכְמֵי יֹעֲצֵי פַרְעֹה עֵצָה נִבְעָרָה אֵיךְ תֹּאמְרוּ אֶל־פַּרְעֹה בֶּן־חֲכָמִים אָנִי בֶּן־מַלְכֵי־קֶדֶם׃

Na verdade são néscios os príncipes de Zoã. Estes versículos zombam dos egípcios por não perceberem que o caos que se abaterá sobre o Egito ocorrerá pela agência de Yahweh, o Deus Altíssimo, aquele que controla, dos céus, todos os acontecimentos na terra e emprega instrumentos humanos para realizar seus propósitos. Cf. Is 13.6 e ver no *Dicionário* o artigo chamado *Soberania*. Os sábios do Egito tinham uma filosofia e uma teologia deficiente.

"Isaías escarnece aqui do Egito. Se essa nação, com toda a sua sabedoria jactada, podia traçar esquemas que afetavam os destinos nacionais, como poderia o seu povo ter-se esquecido do plano de Deus para si mesmo? Quanto a *Zoã* e *Mênfis*, ver Ez 30.13-19" (*Oxford Annotated Bible*, comentando sobre o presente versículo).

Zoã. Chamada *Tânis*, no período helenista, perto da Palestina, foi, mais de uma vez, a capital do Egito. *Mênfis*, chamada *Moph* ou *Noph*, nas páginas do Antigo Testamento, era a antiga capital do Baixo Egito, situada no ápice do delta do Nilo. Quanto a notas expositivas completas, ver os artigos do *Dicionário* sobre esses lugares. Ver também o vs. 13 a seguir. De acordo com a estimativa do profeta Isaías, os príncipes dessas duas mais importantes cidades egípcias eram uns *insensatos*. E os sábios conselheiros do Faraó não eram muito melhores que eles. Na verdade, não eram melhores do que feras brutas. O lugar inteiro estava repleto de idolatria e múltiplas formas de corrupção religiosa, e eles nada faziam para impedir isso. A teologia deles não incluía a visão profunda que era necessária para reconhecer que Yahweh é o cabeça de todas as coisas e manipula a história da humanidade.

Além disso, o próprio Faraó era o maior tolo de todos, embora se jactasse de ser filho de um homem sábio, filho de antigos reis, os quais, no Egito, eram *deificados*. Os sábios egípcios, naturalmente, eram influenciados por muitas formas de adivinhação (ver o vs. 3) e julgavam-se dotados de uma *sabedoria* própria do "outro mundo". No entanto, falharam completamente em ver o futuro e as calamidades que se aproximavam, além de não reconhecerem que o controlador dos eventos estava próximo.

■ 19.12

אֵיָּם אֵפוֹא חֲכָמֶיךָ וְיַגִּידוּ נָא לָךְ וְיֵדְעוּ מַה־יָּעַץ יְהוָה צְבָאוֹת עַל־מִצְרָיִם׃

Onde estão agora os teus sábios? Yahweh, o *verdadeiro Conselheiro*, o verdadeiro Sábio, tinha planejado coisas para o Egito que os sábios egípcios não conseguiram prever; mas mesmo que tivessem sabedoria para prever aqueles drásticos acontecimentos, não teriam sabedoria para evitá-los. Eles tinham excluído de seu sistema religioso o Deus Altíssimo e assim continuaram a tratar com as vicissitudes da vida sem reconhecer o poder controlador desses eventos. Em suas adivinhações, eles se voltaram para o "outro mundo", mas não descobriram ali nenhuma fonte de informação segura na qual se estribassem. Eram um bando de sábios loucos, do tipo que há muitos neste mundo. Jactavam-se de "conhecer o futuro", o que sempre fará parte das práticas do ocultismo, e presumivelmente obtinham ajuda "do outro lado das coisas", mas, embora adquirissem algum conhecimento verdadeiro, também obtinham, por esse intermédio, muita confusão e erro. Ver na *Enciclopédia de Bíblia, Teologia e Filosofia* o artigo chamado *Precognição*. Presumivelmente eram sábios por seus próprios direitos, inteiramente à parte das práticas do ocultismo, e com base em suas própria experiência e conhecimento poderiam dar bons conselhos. No entanto, falharam no momento mais crítico, porquanto negligenciaram a fonte de todo o conhecimento e sabedoria.

■ 19.13

נוֹאֲלוּ שָׂרֵי צֹעַן נִשְּׁאוּ שָׂרֵי נֹף הִתְעוּ אֶת־מִצְרַיִם פִּנַּת שְׁבָטֶיהָ׃

Loucos se tornaram os príncipes de Zoã. Agora *Zoã* e *Mênfis* aparecem juntas. Ver o vs. 11 quanto ao significado dos nomes dessas duas localidades. Os lugares onde os sábios costumavam reunir-se e onde príncipes governavam em suas sedes de governo eram, na realidade, cidades de tolos e lugares onde certos homens enganavam e eram enganados. Esses lugares seduziram o país inteiro do Egito, por serem considerados cidades onde os problemas eram resolvidos. Tais cidades eram a *pedra de esquina* do país, o seu alicerce. Estão em vista, metaforicamente, os *líderes*, que comparavam o país a um edifício. Cf. o vs. 10. E estão em pauta, especialmente, os líderes políticos e sacerdotes. Cf. Jz 20.2 e 1Sm 13.38. A expressão hebraica literal aqui é "pedras de esquina das castas". A maioria das sociedades existe sob a forma de castas, reconhecidas ou não. Quanto aos magistrados comparados com pedras de esquina, ver também Sl 118.22 e Zc 10.4.

■ 19.14

יְהוָה מָסַךְ בְּקִרְבָּהּ רוּחַ עִוְעִים וְהִתְעוּ אֶת־מִצְרַיִם בְּכָל־מַעֲשֵׂהוּ כְּהִתָּעוֹת שִׁכּוֹר בְּקִיאוֹ׃

O Senhor derramou no coração deles um espírito estonteante. Yahweh derramou uma droga no vinho bebido pelos sábios, confundindo assim sua mente e fazendo-os cambalear como bêbados. Como os indivíduos embriagados aliviam seu pobre estômago vomitando, assim também o vômito daqueles homens era sua falsa sabedoria e seus conselhos. Assim como os bêbados, descontrolados, cambaleiam em torno do próprio vômito, aqueles homens chapinhavam em redor de seu "vômito mental". O Egito foi entregue por Deus à sua própria falsa sabedoria, o que os fez tropeçar no julgamento. Deus preparou para eles uma bebida estupefaciente (cf. Is 5.22), mas eles vinham buscando por essa bebida o tempo todo, embora, como indivíduos autoenganados, não tivessem consciência disso. A bebida que eles beberam era o espírito do erro (Targum e Septuaginta) ou uma *vertigem* (de acordo com a Vulgata Latina).

■ 19.15

וְלֹא־יִהְיֶה לְמִצְרַיִם מַעֲשֶׂה אֲשֶׁר יַעֲשֶׂה רֹאשׁ וְזָנָב כִּפָּה וְאַגְמוֹן׃ ס

Não aproveitará ao Egito obra alguma que possa ser feita pela cabeça ou cauda. A cabeça e a cauda, a palma e o junco, referem-se a gradações existentes na sociedade, algo parecido com os grandes e os jornaleiros do vs. 10. Nada haveria de bom para o Egito, nem para as classes altas nem para as classes baixas; nem para os ricos nem para os pobres; nem para os governantes nem para os governados. Quando o julgamento de Deus chegasse, todos seriam atingidos. Não haveria respeito humano algum. Quanto à mesma figura simbólica, ver Is 9.14, onde ofereço notas expositivas. E nenhuma classe social seria capaz de ajudar o Egito. Quando o julgamento divino desabasse, todos se mostrariam impotentes.

Nada existe que o Egito possa fazer. Ninguém no Egito poderá ajudar.

NCV

"*A palma* e o *junco* representam os governantes e os governados" (Is 9.14)" (*Oxford Annotated Bible*, comentando sobre o vs. 15).

Outra Ameaça contra o Egito (19.16,17)

■ 19.16

בַּיּוֹם הַהוּא יִהְיֶה מִצְרַיִם כַּנָּשִׁים וְחָרַד וּפָחַד מִפְּנֵי תְּנוּפַת יַד־יְהוָה צְבָאוֹת אֲשֶׁר־הוּא מֵנִיף עָלָיו׃

Naquele dia os egípcios serão como mulheres. Temos aqui a *primeira* das cinco peças escatológicas, sob forma prosaica, que servem para completar o capítulo. Todas essas peças literárias refletem a crença, do judaísmo posterior, de que Judá algum dia viria a dominar o mundo, e de que sua fé religiosa seria universalizada, tornando-se assim a fé religiosa do mundo inteiro. Cf. essa maneira de pensar com Is 11.10-16 e Mq 7.16,17. Os vss. 16 e 17 apresentam essa crença de maneira um tanto negativa, ao passo que os vss. 18-25 dão o lado positivo da questão. A expressão "naquele dia" introduz cada uma das cinco peças escatológicas: vss. 16, 18, 19, 23 e 24. Todos esses são *dias do Senhor*, embora não sejam *o dia do Senhor*. Os julgamentos divinos são seguidos por bênçãos divinas, se realizarem algum bem ou concretizarem seus propósitos. Cf. Is 17.4,7,9. "Em Is 19.16-25, o profeta enfatiza o resultado do julgamento divino contra o Egito. Eventualmente, essa nação temerá a Yahweh, reconhecendo ser ele o verdadeiro Deus" (John S. Martin, *in loc.*).

Consideremos os pontos seguintes:
1. *Naquele dia*. A primeira peça escatológica declara a fraqueza do Egito, onde se vê que o país inteiro se tornará como um bando de mulheres assustadas, tremendo de medo, quando a mão de Yahweh, o *Senhor dos Exércitos*, sacudir a terra. Quanto a esse título divino, que aparece por cerca de vinte vezes no livro de Isaías, ver 1Rs 18.15, bem como o artigo com esse nome no *Dicionário*. Quanto à *mão* (instrumento de poder e ação), ver Sl 81.14; e quanto à *mão direita*, ver Sl 20.6. Ver sobre *braço*, uma expressão similar, em Sl 77.15; 89.10 e 98.1. Cf. este versículo com a expressão usada por Homero: "Mulheres aqueanas, e não homens aqueus". Ver também Jr 48.41, onde encontramos a frase "coração dos valentes", contrastada com "coração da mulher". Cf. esse tipo de conversa com o tipo de conversa expressa através da palavra "histeria", derivada diretamente do termo grego *hustera*, "útero".

■ 19.17

וְהָיְתָה אַדְמַת יְהוּדָה לְמִצְרַיִם לְחָגָּא כֹּל אֲשֶׁר יַזְכִּיר אֹתָהּ אֵלָיו יִפְחָד מִפְּנֵי עֲצַת יְהוָה צְבָאוֹת אֲשֶׁר־הוּא יוֹעֵץ עָלָיו׃ ס

A terra de Judá será espanto para o Egito. A segunda peça escatológica prossegue e exprime a esperança de que algum dia o Egito será aterrorizado por Judá, porquanto aquele país está destinado a arruinar o Egito de alguma maneira, sendo o instrumento usado por Yahweh para um *propósito* definido — o de ferir o Egito. O propósito divino usa instrumentos humanos, um tema constante do livro de Isaías. Ver Is 13.6 e, no *Dicionário*, o artigo chamado *Soberania de Deus*.

"O propósito hostil de Deus será expresso na agressividade de Judá. No oráculo anterior, os sábios do Egito não eram capazes de discernir esse propósito. Neste passo, vemos que todo egípcio reconhecerá isso e temerá. A diferença quanto à atitude e ao tom nacionalista desta última peça escatológica é evidente" (R. B. Y. Scott, *in loc.*). Os intérpretes procuram em vão por eventos históricos que correspondam a essa primeira declaração. Na verdade, trata-se de uma declaração escatológica, apontando para o futuro, talvez no tempo em que o reino de Deus se tornar uma realidade palpável no mundo.

Futura Adoração a Yahweh no Egito e na Assíria (19.18-25)

■ **19.18**

בַּיּוֹם הַהוּא יִהְיוּ חָמֵשׁ עָרִים בְּאֶרֶץ מִצְרַיִם מְדַבְּרוֹת שְׂפַת כְּנַעַן וְנִשְׁבָּעוֹת לַיהוָה צְבָאוֹת עִיר הַהֶרֶס יֵאָמֵר לְאֶחָת׃ ס

Naquele dia haverá cinco cidades na terra do Egito que falarão a língua de Canaã.

2. *Naquele dia.* Encontramos aqui a *segunda* peça escatológica ou declaração da seção geral (vss. 16-25). Ver as notas expositivas na introdução ao vs. 16, onde dou a ideia geral dessas declarações. Esta segunda declaração ocupa um único versículo. Finalmente, o Egito se mostrará leal a Yahweh. Cinco cidades importantes do Egito serão centros do yahwismo, e isso nos permite compreender que o culto a Yahweh será universal naquele país. Nessas cidades será falado o hebraico (uma das línguas faladas na terra de Canaã). Isso não significa que os egípcios abandonarão seu próprio idioma, mas somente que a fé dos hebreus será ali tão poderosa, que os egípcios adotarão uma segunda língua, pelo menos quanto ao uso religioso, algo que se deu com o latim, usado por séculos na liturgia da Igreja Católica Romana. Entretanto, pode haver aqui uma referência a colônias judaicas no Egito, que se tornarão influentes e criarão bolsões de pessoas que falam o hebraico, atraindo prosélitos egípcios. "Pelo menos até o começo do século VI a.C., havia colônias judaicas no Egito (cf. Jr 43.7 e 44.1); e, nos tempos de Cristo, de acordo com Filo, pensador e escritor judeu, havia cerca de um milhão de judeus no Egito. Conforme sabemos não apenas com base em Jr 44.15-19, mas também com base nos papiros Elefantinos, muitos judeus combinavam a adoração a Yahweh com a adoração a outros deuses. Como é claro, nem mesmo o yahwismo mais puro do período ptolemaico posterior se conformava à versão mais estrita do judaísmo predominante na Palestina. Considere o leitor a versão da Septuaginta do Antigo Testamento, a versão grega do Antigo Testamento, usada pelos judeus que residiam no Egito, e seu *conteúdo mais amplo*" (R. B. Y. Scott, *in loc.*).

A Septuaginta naturalmente contém os livros que muitos chamam de apócrifos, a maioria dos quais a Igreja Católica Romana tem retido em suas versões da Bíblia. Ver no *Dicionário* o verbete intitulado *Septuaginta*. Talvez o profeta Isaías tenha previsto essa colonização no Egito, ou talvez sua profecia diga respeito ao futuro período do reino de Deus e não esteja vinculada a um cumprimento de curto prazo.

A lealdade será prestada ao *Senhor dos Exércitos*, o Poder capaz de trazer muitas coisas surpreendentes. Ver sobre esse título divino em 1Rs 18.15 e no *Dicionário*.

Uma delas se chamará: Cidade do Sol. O texto massorético padronizado diz aqui "Cidade da Destruição". Ver no *Dicionário* o verbete intitulado *Massora (Massorah); Texto Massorético*. Mas o texto dos mais antigos manuscritos, encontrados entre os Papiros do mar Morto, é "Cidade do Sol", conforme diz a nossa versão portuguesa. Em grego, essa cidade se chamaria *Heliópolis*. É possível que a palavra "destruição" (no hebraico, *heres*) seja um jogo de palavras, por ser quase idêntica à palavra hebraica para *sol*, pelo que a mesma cidade é destacada por qualquer dessas versões. A Vulgata Latina (e alguns poucos manuscritos massoréticos) concordam com os manuscritos hebraicos dos Papiros do mar Morto. É verdade que esse manuscrito às vezes concorda com as versões, sobretudo a Septuaginta, contra o texto massorético padronizado. Quanto ao que fica implícito nisso, ver as notas expositivas em Is 26.19. Se *destruição* é o texto correto aqui, então podemos supor que está em pauta o aniquilamento dos ídolos, pois isso terá de acontecer quando a cidade substituir a religião egípcia normal pelo yahwismo. Ou talvez devamos entender que, para acontecer algo tão revolucionário, terá de haver uma fé religiosa *forçada*, por meio de alguma derrota do Egito perante Judá.

■ **19.19**

בַּיּוֹם הַהוּא יִהְיֶה מִזְבֵּחַ לַיהוָה בְּתוֹךְ אֶרֶץ מִצְרָיִם וּמַצֵּבָה אֵצֶל־גְּבוּלָהּ לַיהוָה׃

Naquele dia o Senhor terá um altar no meio da terra do Egito.

3. *Naquele dia:* Encontramos agora a *terceira* peça escatológica da seção geral de Is 19.16-25. Essa terceira declaração ocupa os vss. 19-22. Ver as notas na introdução ao vs. 16. Esta afirmação diz, elaboradamente, como o altar de Yahweh será estabelecido no Egito (possivelmente envolvendo um templo). O yahwismo prosperaria tanto no Egito que não é provável que esta declaração se refira apenas às colônias judaicas que seriam estabelecidas ali, conforme descrevo nos comentários sobre o vs. 18. Quase certamente devemos compreender isso dentro de um contexto da futura era do reino de Deus, e, nesse caso, trata-se de um trecho paralelo à predição de Is 11.9:

A terra se encherá do conhecimento do Senhor, como as águas cobrem o mar.

Além do altar, haverá um monumento (uma coluna) na fronteira com o Egito (presumivelmente na fronteira com Judá). Será uma espécie de inscrição, talvez para assegurar a todos quantos por ali passarem que "a terra do Egito pertencerá a Yahweh". Será um sinal e um testemunho em favor de Yahweh, conforme o vs. 20 continua a dizer. "A coluna era o obelisco familiar dos egípcios, comumente associado à adoração ao sol. O ponto da predição de Isaías é que esse monumento seria desvinculado da adoração ao sol e ficaria na fronteira entre o Egito e Judá, como testemunha de que Yahweh, o Senhor dos Exércitos, era adorado em *ambos* os países" (Ellicott, *in loc.*, com uma excelente nota de esclarecimento). "Isaías estava acima do nacionalismo de mente estreita" (Fausset, *in loc.*). Não deveríamos relacionar este versículo, nem as *cinco declarações*, ao avanço da igreja cristã.

■ **19.20**

וְהָיָה לְאוֹת וּלְעֵד לַיהוָה צְבָאוֹת בְּאֶרֶץ מִצְרָיִם כִּי־יִצְעֲקוּ אֶל־יְהוָה מִפְּנֵי לֹחֲצִים וְיִשְׁלַח לָהֶם מוֹשִׁיעַ וָרָב וְהִצִּילָם׃

Servirá de sinal e de testemunho ao Senhor dos Exércitos. Aquele monumento de fronteira, posto entre os territórios de Judá e do Egito, falaria a todos quantos passassem por ali. Testificaria acerca de Yahweh, que é o *Senhor dos Exércitos* (ver 1Rs 18.5, bem como o artigo a respeito, no *Dicionário*). A proteção divina, pois, será simbolizada tanto no Egito como em Judá. Yahweh será o Salvador do Egito, e o defenderá e o livrará de qualquer dano. Ver sobre a salvação do Antigo Testamento, e ver sobre Deus como a Salvação, em Sl 3.8; 9.14; 18.46; 38.22; 50.23, e, especialmente, 62.2, onde apresento uma nota de sumário. Ver também Sl 79.9; 85.4; 119.74; 140.7 e 149.4. O Egito, pois, se tornará uma nação em pacto com Deus. Eles abandonarão a idolatria do passado, que atraíra contra eles uma maldição. O espírito do versículo é como o do evangelho que foi enviado a todas as nações, sem importar o pano de fundo e as localizações geográficas. "O evangelho trouxe paz e alegria aos que estavam cansados e sobrecarregados no Egito, tanto quanto na Galileia; aos que esperavam a redenção em Alexandria, não menos do que àqueles que residiam em Jerusalém" (Ellicott, *in loc.*). Mas isso já é uma aplicação do versículo, e não uma interpretação.

■ **19.21**

וְנוֹדַע יְהוָה לְמִצְרַיִם וְיָדְעוּ מִצְרַיִם אֶת־יְהוָה בַּיּוֹם הַהוּא וְעָבְדוּ זֶבַח וּמִנְחָה וְנָדְרוּ־נֶדֶר לַיהוָה וְשִׁלֵּמוּ׃

O Senhor se dará a conhecer ao Egito. Este versículo é uma espécie de sumário de coisas que já tinham sido ditas. Também repete a expressão "naquele dia", embora não como palavras introdutórias. E também provê uma declaração enfática acerca de como Yahweh *será conhecido* no Egito, e isso implica a observação das coisas que Israel fazia, porquanto a lei seria o seu guia (ver Dt 6.4 ss.). Dessa maneira, o Egito se tornará uma nação distinta, e pelas mesmas razões que Israel era uma nação distinta (ver Dt 4.4-8).

Este versículo é paralelo direto de Is 11.9, o que nos assegura que os egípcios conhecerão o Senhor, fora de Israel, e, de fato, universalmente, da mesma forma que as águas do mar cobrem o seu leito. Tendo-se convertido a Yahweh, o Egito cultuará a Yahweh, incluindo os sacrifícios, os ritos, as cerimônias e os votos típicos da fé dos hebreus. Alguns estudiosos aceitam isso literalmente, supondo que no reino do milênio será restaurada uma espécie de judaísmo antigo. Mas sem dúvida essa posição envolve certo exagero. Isaías não viu a fé refinada do futuro. Todas as profecias são limitadas por seus instrumentos.

> *Eles dirão, ele é o Senhor. Eles servirão a Deus e oferecerão muitos sacrifícios.*
>
> NCV

Ver no *Dicionário* o artigo chamado *Quiliasmo*. Esse é o termo usado para falar das interpretações acerca do milênio que insistem em uma interpretação estritamente literal dos versículos do Antigo Testamento que se referem à futura dispensação. Depois da época da igreja e das operações do evangelho, não veremos a restauração do antigo judaísmo. Quanto ao sistema de adoração por sacrifícios, nas profecias sobre o reino, cf. Zc 14.16-19 e Ml 1.11. Novamente, não é muito boa a interpretação que vê as colônias judaicas no Egito e seus prosélitos como se isso cumprisse as predições destes versículos. Ver as notas expositivas sobre o vs. 18.

■ 19.22

וְנָגַף יְהוָה אֶת־מִצְרַיִם נָגֹף וְרָפוֹא וְשָׁבוּ עַד־יְהוָה וְנֶעְתַּר לָהֶם וּרְפָאָם׃

Ferirá o Senhor os egípcios, ferirá, mas os curará. Yahweh ferirá o Egito convertido, e então o curará, tal como fez com a errante nação de Judá. As mesmas condições que foram impostas à comunidade fiel não isentarão ninguém das operações normais da *Lei Moral da Colheita segundo a Semeadura* (ver a respeito no *Dicionário*) nem da providência negativa e positiva de Deus. Ver no *Dicionário* o artigo chamado *Providência*. "Essas condições existirão depois que o Messias tiver estabelecido seu reino do milênio" (John S. Martin, *in loc.*). "A espada do Senhor feriu para curar, e a cura não poderia ter ocorrido sem o ferimento" (Ellicott, *in loc.*). Todos os juízos de Deus são remediadores, e não meramente retributivos, incluindo o caso dos perdidos. Ver na *Enciclopédia de Bíblia, Teologia e Filosofia* o artigo chamado *Julgamento de Deus dos Homens Perdidos*.

■ 19.23

בַּיּוֹם הַהוּא תִּהְיֶה מְסִלָּה מִמִּצְרַיִם אַשּׁוּרָה וּבָא־אַשּׁוּר בְּמִצְרַיִם וּמִצְרַיִם בְּאַשּׁוּר וְעָבְדוּ מִצְרַיִם אֶת־אַשּׁוּר׃ ס

Naquele dia haverá estrada do Egito até à Assíria.
4. *Naquele dia:* Temos agora a *quarta* peça escatológica ou declaração da seção geral dos vss. 16-25. Ver as notas expositivas na introdução ao vs. 16. Esta *quarta declaração*, que ocupa apenas um versículo, diz agora, incrivelmente, que a Assíria se juntará à comunidade dos remidos. As pessoas, na era do reino de Deus, viajarão através de uma estrada que irá do Egito à Assíria, e essa estrada será caracterizada pela paz e pela intercomunicação espiritual, e não servirá de comunicação para os ataques dos exércitos. "Tal como outros excelentes ideais do futuro, essa afirmação continua esperando cumprimento" (Ellicott, *in loc.*). É inútil buscar cumprimento desse ideal em algum evento passado. Isso simplesmente nunca aconteceu. Alguns estudiosos veem o cumprimento da passagem na propagação mundial do evangelho e na união das pessoas na igreja cristã, mas não é isso o que está em pauta aqui.

Adorarão. Juntos, os tradicionais inimigos de Israel se juntarão no culto a Yahweh. Isso os unirá como irmãos.

■ 19.24

בַּיּוֹם הַהוּא יִהְיֶה יִשְׂרָאֵל שְׁלִישִׁיָּה לְמִצְרַיִם וּלְאַשּׁוּר בְּרָכָה בְּקֶרֶב הָאָרֶץ׃

Naquele dia Israel será o terceiro com os egípcios e os assírios.
5. *Naquele dia:* Encontramos agora a *quinta* e última declaração escatológica da seção geral de Is 19.16-25. Ver as notas expositivas de introdução ao vs. 16. Essa *quinta declaração*, que ocupa dois versículos, é uma continuação da quarta, conferindo-nos mais alguma informação surpreendente. A Assíria, o Egito e Israel estarão unidos na adoração espiritual, todos envolvidos no culto a Yahweh. E, nessa união, Israel será o *terceiro*. Haverá uma corda de três dobras, que não pode ser quebrada. Nenhum acontecimento histórico corresponde a isso, pelo que devemos esperar pelos acontecimentos futuros como cumprimento dessa predição, na era do reino de Deus, o que é verdadeiro quanto às cinco declarações escatológicas. Todos os povos são participantes ativos no pacto abraâmico (ver Gn 15.18), porquanto "todos os povos" são abençoados em Abraão (ver Gn 12.3). Ver no *Dicionário* o artigo chamado *Milênio*. "Judá será designado o grande centro da terra inteira (Jr 3.17)" (Fausset, *in loc.*).

■ 19.25

אֲשֶׁר בֵּרֲכוֹ יְהוָה צְבָאוֹת לֵאמֹר בָּרוּךְ עַמִּי מִצְרַיִם וּמַעֲשֵׂה יָדַי אַשּׁוּר וְנַחֲלָתִי יִשְׂרָאֵל׃ ס

Porque o Senhor dos Exércitos os abençoará. Continua neste versículo a *quinta* declaração escatológica. Yahweh será a fonte de bênçãos para as nações da terra, durante a era do reino de Deus. O Egito será *abençoado* e chamado de povo de Yahweh, um acontecimento completamente revolucionário. Além disso, a Assíria será a *obra espiritual* das mãos de Yahweh, e Israel será chamado de sua *herança*. Todos esses termos aplicam-se às três nações: abençoada; obra espiritual e herança. Essas nações tipificam todas as nações unidas no culto a Yahweh, no qual Israel será a cabeça das nações. "Israel se tornará o mediador e o agente de bênçãos para as *nações;* Gn 12.3" (*Oxford Annotated Bible*, comentando sobre os vss. 23-25). Alguns eruditos veem a supremacia de Israel no termo *herança*. Ver Dt 4.20 sobre esse assunto. Ver também Êx 19.5. Cf. Rm 9.24,25.

CAPÍTULO VINTE

A CONQUISTA DA ASSÍRIA (20.1-6)

Este pequeno capítulo pertence, em espírito, aos *oráculos de condenação,* ou sentenças (ver a introdução ao capítulo 13 e Is 13.1), embora essa palavra não tenha sido usada. Este capítulo prossegue a mensagem do capítulo 18, ou seja, o oráculo contra a Etiópia e contra o Egito (19.1-17). Alguns judeus ansiavam formar um pacto militar com esses dois povos, na tentativa de deter a Assíria. O presente capítulo revela quão tola seria essa tentativa, pois ficamos sabendo que o Egito, no momento de crise, negou-se a defender um co-conspirador. "Os egípcios deixaram de enviar ajuda, e Sargão contentou-se em deixar um exemplo para seus vassalos de Asdode e de outras cidades filisteias. Aparentemente, Judá submeteu-se apressadamente, e assim foi vindicada a convicção de Isaías de que ainda não era chegado o tempo para a derrubada da Assíria (cap. 18)" (R. B. Y. Scott, *in loc.*).

■ 20.1

בִּשְׁנַת בֹּא תַרְתָּן אַשְׁדּוֹדָה בִּשְׁלֹחַ אֹתוֹ סַרְגוֹן מֶלֶךְ אַשּׁוּר וַיִּלָּחֶם בְּאַשְׁדּוֹד וַיִּלְכְּדָהּ׃

No ano em que Tartã, enviado por Sargom, rei da Assíria. Este capítulo do livro de Isaías mostra a insensatez da proposta aliança de Judá com a Assíria. "Em 711 a.C., Asdode, uma cidade da Filístia, foi capturada pelo comandante em chefe do rei assírio Sargão II (722-705 a.C.). A captura de Asdode foi o sinal, aos judeus, de que eles não podiam contar com alianças estrangeiras para sua proteção, pois os assírios acreditavam que seu avanço não podia ser refreado" (John S. Martin, *in loc.*).

Tartã. Esta palavra é compreendida pelos intérpretes como o nome pessoal do comandante em chefe das tropas assírias; mas provavelmente devemos compreendê-las apenas como "o comandante", conforme o significado da palavra. "Tartã era um título oficial usado pelo generalíssimo do exército assírio, cuja autoridade ficava imediatamente abaixo da do rei. Ele pode ter sido ou não o mesmo oficial, com a mesma patente militar, que aparece em 2Rs 18.17, enviado por Senaqueribe a Jerusalém" (Ellicott, *in loc.*).

■ 20.2,3

בָּעֵ֣ת הַהִ֗יא דִּבֶּ֣ר יְהוָה֮ בְּיַ֣ד יְשַׁעְיָ֣הוּ בֶן־אָמוֹץ֮ לֵאמֹר֒ לֵ֗ךְ וּפִתַּחְתָּ֤ הַשַּׂק֙ מֵעַ֣ל מָתְנֶ֔יךָ וְנַֽעַלְךָ֥ תַחֲלֹ֖ץ מֵעַ֣ל רַגְלֶ֑ךָ וַיַּ֣עַשׂ כֵּ֔ן הָלֹ֖ךְ עָר֥וֹם וְיָחֵֽף׃ ס

וַיֹּ֣אמֶר יְהוָ֔ה כַּאֲשֶׁ֥ר הָלַ֛ךְ עַבְדִּ֥י יְשַׁעְיָ֖הוּ עָר֣וֹם וְיָחֵ֑ף שָׁלֹ֤שׁ שָׁנִים֙ א֣וֹת וּמוֹפֵ֔ת עַל־מִצְרַ֖יִם וְעַל־כּֽוּשׁ׃

Nesse mesmo tempo falou o Senhor por intermédio de Isaías. *Isaías deveria desnudar-se,* mas provavelmente não de maneira completa. É difícil imaginar o profeta andando em público, durante *três anos,* completamente despido! Antes, durante esse período, ele não usou a túnica externa de pano de saco (que também foi a veste usada por Elias; Ver 2Rs 1.8). E o profeta também andava descalço. Essa era uma lição objetiva sobre como os assírios tratariam os egípcios e os cuxitas. Eles seriam despidos e exibidos como insensatos perante todo o mundo. O próprio Yahweh deu e confirmou o sinal, que também foi descrito como "maravilha" e "portento" (*Revised Standard Version*) *contra* o Egito e a Etiópia. Cada vez que alguém visse o profeta caminhar sem sandálias e meio despido, suas profecias seriam relembradas: era inútil uma aliança contra a Assíria, e certamente Judá deveria evitá-la. O tempo determinado por Deus para a *colheita* chegaria e deveria ser esperado sem atos preliminares insensatos. Essa era a resposta ao problema, já transmitida aos enviados etíopes, conforme descrito no capítulo 18. Isso não significava que o Egito e a Etiópia não seriam severamente castigados pelos assírios, mas somente que o fim da ameaça assíria estava destinado aos babilônios, e não às nações vassalas que já pagavam tributo à Assíria.

"A *nudez* se confinava ao desuso da túnica externa, em que a pessoa aparecia na túnica curta, usada perto da pele (ver 1Sm 19.24; 2Sm 6.14-20; Jo 21.7). Instâncias semelhantes de simbolismos proféticos foram os chifres usados por Jeremias (Jr 27.2), o ficar deitado de lado por parte de Ezequias (Ez 4.4), e o cinto com o qual Ágabo se amarrou (At 21.11)" (Ellicott, *in loc.*).

■ 20.4

כֵּ֣ן יִנְהַ֣ג מֶֽלֶךְ־אַ֠שּׁוּר אֶת־שְׁבִ֨י מִצְרַ֜יִם וְאֶת־גָּל֥וּת כּ֛וּשׁ נְעָרִ֥ים וּזְקֵנִ֖ים עָר֣וֹם וְיָחֵ֑ף וַחֲשׂוּפַ֥י שֵׁ֖ת עֶרְוַ֥ת מִצְרָֽיִם׃

Assim o rei da Assíria levará os presos do Egito, e os exilados da Etiópia. *Aplicação do simbolismo* do profeta despido. A Assíria desnudaria o Egito, tomando prisioneiros de guerra e envergonhando os egípcios. Além disso, os etíopes, jovens e velhos (soldados e outros), seriam levados despidos e descalços, com as nádegas descobertas. Assim ambos os povos seriam envergonhados e sujeitados à zombaria pública. Essas descrições são, ao mesmo tempo, literais e figuradas. Os cativos seriam envergonhados pela nudez imposta e, despidos de todo o poder, também estariam figuradamente nus. Essa predição não foi cumprida imediatamente por Sargão ou Senaqueribe. Mas foi obra de Esar-Hadom, que subjugou o Egito e dali levou cativos. Além disso, o Egito foi saqueado, e sátrapas substituíram os Faraós. Embora de cumprimento tardio, as profecias de Isaías se realizaram à risca. Os monumentos egípcios mostram esse tipo de tratamento de prisioneiros, no qual eles eram "desnudados". Cf. Is 47.2,3 e Na 3.5,8,9.

■ 20.5

וְחַתּ֖וּ וָבֹ֑שׁוּ מִכּוּשׁ֙ מַבָּטָ֔ם וּמִן־מִצְרַ֖יִם תִּפְאַרְתָּֽם׃

Então se assombrarão os israelitas e se envergonharão por causa dos etíopes. O povo de Judá, e todos os outros povos, que podem ter sido tentados a envolver-se em conspiração contra a Assíria, desanimariam e abandonariam a ideia. A lição objetiva produziria resultados, e todos lembrariam que Isaías descreveu essa espécie de coisa o tempo todo.

> *O povo que tinha olhado para Cuxe como ajuda, temeria. As pessoas que estavam admiradas diante da glória do Egito, se envergonhariam.*
>
> NCV

A ajuda e a glória residiam em Yahweh, algo que Judá teve de aprender da maneira mais difícil. Os aliados pareciam extremamente fortes e gloriosos, mas os assírios os reduziram facilmente a nada, tal como havia sido projetado nos capítulos 18 e 19. A Assíria era a vassoura e o látego que limpou vários países vencidos pelo mais crasso paganismo. Assim sendo, a vassoura (*besom*; ver Is 14.23) seria quebrada pelo novo instrumento usado por Deus, a Babilônia. Essa referência naturalmente aponta para o tirano da Babilônia, mas o termo aplica-se a qualquer dos instrumentos empregados por Deus.

■ 20.6

וְ֠אָמַר יֹשֵׁ֨ב הָאִ֣י הַזֶּה֮ בַּיּ֣וֹם הַהוּא֒ הִנֵּה־כֹ֣ה מַבָּטֵ֗נוּ אֲשֶׁר־נַ֤סְנוּ שָׁם֙ לְעֶזְרָ֔ה לְהִ֨נָּצֵ֔ל מִפְּנֵ֖י מֶ֣לֶךְ אַשּׁ֑וּר וְאֵ֖יךְ נִמָּלֵ֥ט אֲנָֽחְנוּ׃ ס

Os moradores desta região dirão naquele dia. Este versículo amplia o que fora dito no vs. 5. Neste caso, "região" significa a planície dos filisteus e as cidades costeiras, contíguas ao mar Mediterrâneo (cf. Jr 47.4). Esses povos foram abandonados no dia da crise, para serem aniquilados pelos assírios. A Filístia e a Fenícia (representada por Tiro) caíram diante do exército assírio, conforme somos informados pelos *Anais de Sargão*. Foi assim que os povos que viviam às margens do Mediterrâneo aprenderam, embora tarde demais, que era inútil qualquer resistência, mesmo com a ajuda do Egito, que falhou na hora crítica. O Egito era o elemento mais forte da aliança, ao passo que a Filístia e a Fenícia eram os elementos mais fracos, mas nem o mais forte nem os mais fracos fizeram diferença para *o mais forte de todos,* a Assíria. Judá deveria prestar atenção a essa lição objetiva, com o máximo de cuidado, e manter-se distante de qualquer aliança militar contra a Assíria.

CAPÍTULO VINTE E UM

A QUEDA DA BABILÔNIA (21.1-10)

Chegamos agora ao *sexto* dos dez oráculos de condenação, ou sentenças, pronunciados por Isaías contra os impérios pagãos. Ver a introdução ao capítulo 13, bem como as notas sobre Is 13.1. Esses oráculos ocupam a grande seção de Is 13.1—23.18. Agora encontramos uma descrição da espantosa queda da Babilônia (vss. 1-10). Outras profecias de condenação seguem-se, neste mesmo capítulo.

O que é descrito aqui não ocorreu nos dias de Isaías. A associação de Elão com a Média resultou na queda da Babilônia, em cerca de 539 a.C. Alguns estudiosos pensam que esta profecia se refere à queda de territórios em redor do golfo Pérsico próximos à Babilônia, mas não à queda da Babilônia propriamente dita, mas isso não parece ajustar-se à natureza drástica das descrições dadas aqui.

"A passagem divide-se em duas partes, que diferem quanto à métrica e à atitude e apresentam duas cenas distintas da mesma visão. Os vss. 1-5 descrevem a intensa emoção com a qual o profeta obteve um relance do cerco da Babilônia, ao passo que os vss. 6-10 retratam como ele esperou pela palavra definitiva dos mensageiros de que tudo estava terminado. O texto é difícil nos vss. 1, 2 e 10, e isso tem contribuído para a aparente obscuridade do oráculo como um todo. Leves restaurações do texto removem essa obscuridade quase inteiramente" (R. B. Y. Scott, *in loc.*).

■ 21.1

מַשָּׂ֖א מִדְבַּר־יָ֑ם כְּסוּפ֤וֹת בַּנֶּ֙גֶב֙ לַחֲלֹ֔ף מִמִּדְבָּ֣ר בָּ֔א מֵאֶ֖רֶץ נוֹרָאָֽה׃

Sentença contra o deserto do mar. Estas palavras têm ocasionado diversas interpretações e emendas, conforme se vê nos quatro pontos a seguir:
1. Essas palavras não podem significar terras contíguas ao mar, o golfo Pérsico, porquanto a Babilônia era um lugar de pântanos, e não um deserto.
2. A Septuaginta diz simplesmente: "Oráculo do deserto", deixando de fora qualquer menção ao *mar*.
3. Os manuscritos do mar Morto omitem a palavra "deserto", deixando-nos com um oráculo sobre o mar. Provavelmente o texto massorético resultou de uma *haplografia*.
4. Talvez o texto original dissesse: "Palavras como vento tempestuoso que varriam o Neguebe, vindas do deserto, de uma terra terrível". O invasor seria como uma tempestade de deserto que se aproximava. Ferozes tempestades que sopravam do sul (o Neguebe) eram proverbiais (ver Zc 9.14; Jr 4.11; 13.24; Os 13.15).

■ 21.2

חָז֥וּת קָשָׁ֖ה הֻגַּד־לִ֑י הַבּוֹגֵ֤ד ׀ בּוֹגֵד֙ וְהַשּׁוֹדֵ֣ד ׀ שׁוֹדֵ֔ד עֲלִ֤י עֵילָם֙ צוּרִ֣י מָדַ֔י כָּל־אַנְחָתָ֖הּ הִשְׁבַּֽתִּי׃

Dura visão me foi anunciada. Esta sentença é uma "dura visão" porque fala em terror e destruição. O saqueador saquearia; o destruidor destruiria; haveria matanças em massa, violações sexuais e assassinatos, ingredientes usuais das guerras antigas e das guerras em qualquer época da história humana. Dessa vez, a Babilônia seria a vítima, em vez de ser o algoz.

"Saqueai, saqueai; destruí, destruí." Esse seria o grito de batalha do Elão e da Média, os novos atores do palco da história humana, prontos a atacar a Babilônia. Cf. este versículo com Is 33.1 e Jr 51.11,25. Os gritos de batalha "reverberavam na consciência do profeta. Os vss. 3 e 4 descrevem a aflição mental da experiência" (R. B. Y. Scott, *in loc.*). Ver no *Dicionário* os artigos chamados *Elão* e *Média (Medos)*. Em Is 13.17, a Média aparece como a destruidora única da Babilônia. Ez 32.24 lista o Elão entre as nações extintas, mas o nome reaparece com o sentido de Pérsia, e talvez seja isso que se pretenda aqui. Naturalmente, medos e elamitas eram raças distintas, e não há razão para duvidar que o Elão tinha sido um aliado da Média. O território chamado Elão ficava do outro lado do rio Tigre, a leste da Babilônia, limitado ao norte pela Assíria e pela Média, e tendo ao sul o golfo Pérsico. Nos tempos modernos, o território fica ao sul do Irã, um platô nas montanhas dos Zagros, mais ou menos o equivalente à província do Cuzistão.

Já fiz cessar todo o gemer. Provavelmente, isso significa os gemidos, suspiros e choros que a Babilônia tinha causado pelo mundo inteiro com suas conquistas e matanças. Agora era a vez da Babilônia começar a chorar, ao ser destruída pela nova potência mundial. Isso ela receberia como retribuição, em resultado da lei da colheita segundo a semeadura (ver Gl 6.7,8).

Levarei ao fim a dor que a cidade causara.

NCV

■ 21.3

עַל־כֵּ֗ן מָלְא֤וּ מָתְנַי֙ חַלְחָלָ֔ה צִירִ֣ים אֲחָז֔וּנִי כְּצִירֵ֖י יֽוֹלֵדָ֑ה נַעֲוֵ֣יתִי מִשְּׁמֹ֔עַ נִבְהַ֖לְתִּי מֵרְאֽוֹת׃

Pelo que os meus lombos estão cheios de angústias. O profeta, só de ver o que viu, foi envolvido pela agonia e sentiu-se como uma mulher em trabalho de parto, quando fortes dores atravessam o seu corpo. Ele se inclinou por motivo de terror; desmaiou ao ter a visão (*King James Version*), ou então o que viu era tão terrível que ele perdeu temporariamente o sentido da visão (*Revised Standard Version* e Atualizada). Mas a NIV diz "Sinto-me assustado pelo que vejo", uma interpretação das palavras, e não uma tradução direta. Quanto à figura simbólica das "dores de parto", cf. Is 13.8 e 26.17; Jr 30.6 e 1Ts 5.3. Alguns aplicam o vs. 3 às dores e ao terror que os babilônios experimentaram, quando, de súbito, foram atacados pelos medos, mas isso está fora de lugar aqui.

■ 21.4

תָּעָ֣ה לְבָבִ֔י פַּלָּצ֖וּת בִּֽעֲתָ֑תְנִי אֵ֚ת נֶ֣שֶׁף חִשְׁקִ֔י שָׂ֥ם לִ֖י לַחֲרָדָֽה׃

O meu coração cambaleia, o horror me apavora. Este versículo continua a descrição da aflição do profeta diante da visão da queda da Babilônia. Ele não simpatizava com a Babilônia (e quem o fazia?), mas a visão era tão repleta de agonia e sofrimento, que o profeta foi vencido por ela. Seu coração disparou, sua mente girava, o horror o apavorou. A noite de descanso que ele tanto desfrutava em dias normais tornou-se um pesadelo. Um homem que trabalha arduamente desfruta a noite que traz livramento e descanso, e isso era verdade no caso do profeta. Mas aquela noite particular transformou-se em uma experiência de horror. Talvez o devoto profeta usasse as horas da noite (antes de cair no sono) para meditar, estudar e orar; e ele gostava muito dessas atividades. Mas naquela noite sua tranquilidade foi rudemente interrompida pela visão que teve.

■ 21.5

עָרֹ֧ךְ הַשֻּׁלְחָ֛ן צָפֹ֥ה הַצָּפִ֖ית אָכ֣וֹל שָׁתֹ֑ה ק֥וּמוּ הַשָּׂרִ֖ים מִשְׁח֥וּ מָגֵֽן׃ פ

Põe-se a mesa, estendem-se tapetes, come-se e bebe-se. O profeta descreve agora o que os babilônios faziam na hora do ataque. Ver a história de Belsazar, em Dn 5. Aqueles homens crus estavam em uma festança do vinho, uma noite plena de glutonaria e excessos, quando um repentino desastre os atingiu. Eles deveriam estar preparados para a batalha, azeitando seus escudos. Alguns escudos antigos, de tipo inferior, eram feitos de peles de animais, e não de metal. Esses escudos inferiores precisavam ser azeitados periodicamente, a fim de não ressecar e não ficar inúteis. Temos aqui "uma referência ao mal sem freios que foi o precursor imediato da captura da Babilônia" (Ellicott, *in loc.*). Os babilônios tornaram-se excessivamente confiantes; habitavam em uma falsa segurança, que os medos tão cruel e rudemente interromperam. Eles tomaram a inadequada providência de deixar vigias em seus postos de vigia (*King James Version*), mas outros traduzem as palavras "estendem-se os tapetes" como parte dos preparativos para o grande banquete. "Eles estenderam a colcha para os divãs dos banqueteadores" (Ellicott, *in loc.*).

Isaías, observando a cena do banquete e sabendo o que aconteceria, gritou para que os babilônios "preparassem" seus escudos, em vez de se banquetearem. Mas esse grito soou somente na mente do profeta. Não foi ouvido pelos babilônios, e o festim continuou.

■ 21.6

כִּ֣י כֹ֥ה אָמַ֛ר אֵלַ֖י אֲדֹנָ֑י לֵ֚ךְ הַעֲמֵ֣ד הַֽמְצַפֶּ֔ה אֲשֶׁ֥ר יִרְאֶ֖ה יַגִּֽיד׃

Pois assim me disse o Senhor: Vai, põe o atalaia. *A Segunda Cena*. Foi Yahweh quem levou o profeta a dar um grito de advertência para os babilônios, porquanto era ele quem estava por trás do ataque, o General dos novos exércitos que atuavam como seu instrumento. Atalaias tinham de ser postados; a Babilônia em breve seria destruída. Yahweh clamou, mas seu clamor não foi ouvido acima dos pecados cometidos durante o banquete, que continuou sem uma pausa sequer. Quem se importaria com o que os vigias vissem, em meio ao vinho, às mulheres e à música? O vs. 8 e Hc 2.1 fazem o atalaia ser o próprio *profeta*. Ele teve essa visão, e sua responsabilidade era proclamá-la. Cf. Ez 33.7 e ver o notável paralelo em Hc 2.1,2. Mas, sendo apenas um atalaia, ele não foi capaz de interromper coisa alguma, pois a vontade de Yahweh seria feita apesar de tudo. Ele meramente ficaria esperando para ser informado de que se tinha cumprido o feito terrível. Ele anunciaria o que tinha visto e então, mais tarde, receberia um relato de que estava com a razão.

■ 21.7

וְרָ֣אָה רֶ֗כֶב צֶ֚מֶד פָּ֣רָשִׁ֔ים רֶ֥כֶב חֲמ֖וֹר רֶ֣כֶב גָּמָ֑ל וְהִקְשִׁ֥יב קֶ֖שֶׁב רַב־קָֽשֶׁב׃

Quando vir uma tropa de cavaleiros de dois a dois. Um atalaia tinha a responsabilidade de notar a aproximação de tropas inimigas. Ele veria cavaleiros sobre cavalos, chegando aos pares, ou seja, carros de combate. Esses eram os principais guerreiros, os líderes do exército. Em seguida, ele veria guerreiros de patente inferior montando jumentos; e, em seguida, cavaleiros montando camelos. Heródoto (*Hist.*

1.80; iv.120) informa-nos que o exército persa empregava na guerra todos esses animais, os quais tinham sido tomados como despojo, para serem usados tanto na paz como na guerra. Em vista havia um poderoso exército, bem equipado, de acordo com os padrões antigos.

■ 21.8

וַיִּקְרָ֖א אַרְיֵ֑ה עַל־מִצְפֶּ֣ה ׀ אֲדֹנָ֗י אָנֹכִ֞י עֹמֵ֤ד תָּמִיד֙ יוֹמָ֔ם וְעַ֨ל־מִשְׁמַרְתִּ֔י אָנֹכִ֥י נִצָּ֖ב כָּל־הַלֵּילֽוֹת׃

Então gritou como um leão: Senhor. O atalaia estava em sua torre de vigia, fiel à sua incumbência. Ele permanecia na torre, vigiando se não viria alguma tribulação. Ele não abandonava o posto nem de dia nem de noite.

Ele gritou: um leão!, assim diz o texto hebraico. Estaria o vigia dizendo algo como: "Até agora, vejo somente um leão"? Ou teria ele gritado como um leão, conforme diz nossa versão portuguesa? A palavra "leão", neste caso, parece ser um erro primitivo, pelo que alguns a emendam para "aquele que gritou", que tem o apoio de um manuscrito hebraico. Ou então os exércitos dos medos foram comparados à aproximação de um leão feroz. Isso faz sentido, mas note o leitor que essa palavra está separada da visão sobre o exército que se aproximava, sendo colocada juntamente com o atalaia que cumpria o seu dever. A versão siríaca e o manuscrito hebraico dos papiros do mar Morto dizem aqui: *de vigia, gritou*, ignorando a referência ao leão. Isso também faz sentido, mas pode ser a substituição de um texto difícil por um mais fácil, um fenômeno comum nos textos escritos. Algumas vezes os manuscritos dos papiros do mar Morto concordam com as versões contra o texto massorético padronizado. Quanto a esse fenômeno, ver as notas em Is 26.19. Ver no *Dicionário* os artigos chamados *mar Morto, Manuscritos (Rolos) do* e também *Massora (Massorah); Texto Massorético*.

■ 21.9

וְהִנֵּה־זֶ֞ה בָ֣א רֶ֗כֶב אִ֚ישׁ צֶ֣מֶד פָּרָשִׁ֔ים וַיַּ֣עַן וַיֹּ֔אמֶר נָפְלָ֥ה נָפְלָ֖ה בָּבֶ֑ל וְכָל־פְּסִילֵ֥י אֱלֹהֶ֖יהָ שִׁבַּ֥ר לָאָֽרֶץ׃

Eis agora vem uma tropa de homens, cavaleiros de dois a dois. Agora o atalaia *via a aproximação* do exército dos medos, que tinha sido descrita por antecipação no vs. 7. Temos aqui mencionados somente os carros de combate que seguiam à testa do exército, cada qual pilotado por um cavaleiro e puxado por cavalos. Essa era a vanguarda do exército que foi visto pelo profeta-atalaia. Por conseguinte, quando o atalaia anunciou a aproximação do exército dos medos, Yahweh respondeu: "Caiu, caiu Babilônia". Quanto a *Yahweh*, voltamos ao título divino que foi mencionado no versículo anterior. As versões siríaca e árabe, entretanto, fazem daquele que respondeu, que proclamou a queda da Babilônia, um dos cavaleiros dos carros de combate. Essas mesmas palavras foram aplicadas à queda da Babilônia mística, Roma, em Ap 14.8 e 18.2.

Note o leitor que foi a *Babilônia idólatra* que caiu, o império que confiava nos falsos deuses que nada representavam. Todos os ídolos foram quebrados quando a Babilônia foi esmagada.

■ 21.10

מְדֻשָׁתִ֖י וּבֶן־גָּרְנִ֑י אֲשֶׁ֣ר שָׁמַ֗עְתִּי מֵאֵ֨ת יְהוָ֧ה צְבָא֛וֹת אֱלֹהֵ֥י יִשְׂרָאֵ֖ל הִגַּ֥דְתִּי לָכֶֽם׃ ס

Oh! Povo meu! Debulhado e batido como o grão da minha eira! Este versículo, no original hebraico, é muito obscuro, obrigando os tradutores e intérpretes a conjecturar quanto ao significado pretendido. Possivelmente está em pauta aqui Judá, um povo que muito já havia sofrido. A figura escolhida para isso é a da debulha e do peneiramento do grão, e haveria boas-novas para os que tinham sido pisados, agora que a Babilônia estava derrubada. Ou então a Babilônia é que tinha sido pisada pelos medos. Cf. Jr 51.33. Ver também Is 41.15; Mq 4.1 e Hc 3.12. Diz o original hebraico, literalmente: "Minha debulha e meu filho de uma eira", onde os termos "minha" e "filho" naturalmente apontam para Judá. Por outra parte, "filho de uma eira" significa apenas "aquele a quem pertence a eira", e não chama os aflitos de filhos de Yahweh. Contudo, tanto a NCV quanto a NIV veem aqui uma menção a Judá:

Meu povo é esmagado como o grão na eira.

NCV

Seja como for, o profeta publicou o que tinha visto, a fim de que o povo soubesse que o Poder divino estava por trás do que aconteceria à Babilônia. O povo se beneficiaria com esse anúncio. Yahweh tinha provocado a queda de Babilônia, e fora ele quem ordenara ao profeta que anunciasse a queda, depois do que tinha visto em sua visão.

ORÁCULO CONTRA EDOM (21.11,12)

■ 21.11

מַשָּׂ֖א דּוּמָ֑ה אֵלַי֙ קֹרֵ֣א מִשֵּׂעִ֔יר שֹׁמֵר֙ מַה־מִלַּ֔יְלָה שֹׁמֵ֖ר מַה־מִלֵּֽיל׃

Sentença contra Dumá. Gritam-me de Seir: Guarda, a que horas estamos da noite? Chegamos agora ao *sétimo* oráculo de condenação ou sentença. Ver as notas expositivas na introdução ao capítulo 13, bem como em Is 13.1. O profeta não recebeu uma visão muito clara do que estaria ocorrendo, mas os termos *sentença* e *noite* não o encorajaram no sentido de que algo bom aconteceria a Edom.

Dumá. Esta palavra quer dizer "silêncio" ou "quietude", e pode ser um jogo de palavras para *Edom,* termo de som semelhante. Ou pode ser uma transliteração de *Udumu* ou *Udumai*, a designação acádica para Edom. Além disso, *Seir* é um nome alternativo para Edom. Alguém chamou o profeta daquele lugar e quis saber "o que aconteceria ali". Já que o profeta tinha visto o que aconteceria à Babilônia, também deveria saber o que sucederia a Edom. Ele é o vigia da *noite*, o que subentende que coisas terríveis aconteceriam.

■ 21.12

אָמַ֣ר שֹׁמֵ֔ר אָתָ֥ה בֹ֖קֶר וְגַם־לָ֑יְלָה אִם־תִּבְעָי֥וּן בְּעָ֖יוּ שֻׁ֥בוּ אֵתָֽיוּ׃ ס

Respondeu o guarda: Vem a manhã, e também a noite. A resposta ao pedido de informação foi bastante geral e obscura, provavelmente porque o profeta não recebera uma visão clara sobre a questão. Haveria sucessão de noites e dias, tempos de melhoria e de desastre. As palavras sumariam vagamente os altos e baixos experimentados naquele lugar, ora bons, ora maus, erguendo-se por algum tempo na prosperidade, somente para cair de volta ao desespero. O profeta, pois, convidava a uma inquirição mais profunda. Talvez mais adiante ele pudesse ver algo mais, com maior clareza.

ORÁCULO CONTRA A ARÁBIA (21.13-17)

■ 21.13

מַשָּׂ֖א בַּעְרָ֑ב בַּיַּ֤עַר בַּעְרַב֙ תָּלִ֔ינוּ אֹרְח֖וֹת דְּדָנִֽים׃

Nos bosques da Arábia passareis a noite. Encontramos agora o *oitavo* oráculo de condenação ou *sentença*. Ver as notas de introdução ao capítulo 13, bem como as notas expositivas em Is 13.1. "O obscuro e talvez fragmentário oráculo dos vss. 13-15 pinta a tribo árabe de Dedã (Gn 10.7) fugindo de um inimigo não identificado para a terra de Tema, um oásis do deserto da Arábia, a sudeste da Palestina. O oráculo de conclusão (vss. 16,17) sugere que Quedar, poderosa tribo do norte da Arábia, nos dias de Jeremias (2.10), era o inimigo" (R. B. Y. Scott, *in loc.*).

Que o leitor examine todos os nomes próprios que figuram nesses versículos, em artigos a eles dedicados, no *Dicionário*. As caravanas de Dedã são retratadas a abrigar-se nos bosques da Arábia, tendo fugido diante de um inimigo não identificado, Quedar (vs. 16), ou a Assíria, conforme sugerem alguns estudiosos. Este oráculo fala das perturbações na vida do povo de Dedã, o qual seria forçado a abandonar suas rotas comerciais regulares pela presença dos exércitos assírios. Rotas comerciais levavam a Tiro, e entre os produtos comerciados estavam o ébano e o marfim. Em vez de chegar às cidades onde usualmente comerciavam, eles se viram forçados a ir a Tema.

■ 21.14

לִקְרַ֥את צָמֵ֖א הֵתָ֣יוּ מָ֑יִם יֹשְׁבֵי֙ אֶ֣רֶץ תֵּימָ֔א בְּלַחְמ֖וֹ קִדְּמ֥וּ נֹדֵֽד׃

Traga-se água ao encontro dos sedentos. As caravanas paravam em Tema por algum tempo. Seus suprimentos tinham quase acabado, e eles agora enfrentavam fome e sede. Os habitantes de Tema vieram em socorro dos árabes, suprindo-lhes as provisões básicas necessárias. Deram-lhes água em um notável ato de hospitalidade (o que não lhes foi solicitado), se levarmos em conta a escassez de água no deserto e o fato de que os fugitivos, provavelmente, formavam um largo contingente.

21.15

כִּי־מִפְּנֵי חֲרָבוֹת נָדָדוּ מִפְּנֵי חֶרֶב נְטוּשָׁה וּמִפְּנֵי קֶשֶׁת
דְּרוּכָה וּמִפְּנֵי כֹּבֶד מִלְחָמָה: ס

Porque fogem de diante das espadas, de diante da espada nua. Eles fugiram diante do inimigo que estava bem equipado com armas de guerra, inclinados a matar e saquear somente por diversão. Diz o hebraico original, literalmente: eles fugiram da feia "face da batalha". A tradução da NCV é bastante vívida aqui:

> Estavam correndo de espadas. As espadas estavam prontas para matar. Estavam correndo de arcos prontos a atirar. Estavam fugindo de uma batalha terrível.

21.16

כִּי־כֹה אָמַר אֲדֹנָי אֵלָי בְּעוֹד שָׁנָה כִּשְׁנֵי שָׂכִיר וְכָלָה
כָּל־כְּבוֹד קֵדָר:

Porque assim me disse o Senhor:... toda a glória de Quedar desaparecerá. Quanto à designação cronológica — um ano —, comparar com Is 16.14, trecho que diz algo bastante parecido. Havia um tempo específico marcado, tal como um *diarista* é contratado para um trabalho por um tempo determinado. O texto massorético diz apenas um ano, mas os papiros do mar Morto falam em *três anos* (tal como em Is 16.14). A total falta de apoio para isso, nas versões, provavelmente mostra que o texto massorético está correto.

Se o povo de Quedar fosse o opressor de Dedã, então aprendemos que, dentro de bem pouco tempo, eles pagariam por essa violência, pois seriam humilhados por algum outro inimigo (não identificado). Ou então os habitantes de Quedar, juntamente com os habitantes de Dedã, seriam humilhados pelos atacantes assírios no deserto. Este versículo, pois, ensina que a queda do povo de Quedar estava garantida e sobreviria pouco tempo depois da queda do povo de Dedã. O texto deixa claro que Quedar contava com um exército de algum poder, e, naturalmente, perduraria por mais tempo que uma caravana de um povo cujo negócio era ganhar dinheiro, e não fazer guerras. Quanto à *glória* de Quedar, ver as notas sobre o versículo seguinte.

21.17

וּשְׁאָר מִסְפַּר־קֶשֶׁת גִּבּוֹרֵי בְנֵי־קֵדָר יִמְעָטוּ כִּי יְהוָה
אֱלֹהֵי־יִשְׂרָאֵל דִּבֵּר: ס

E o restante do número dos flecheiros, os valentes dos filhos de Quedar. É de presumir-se que o exército assírio quase extinguiria o exército inferior de Quedar, pelo que a glória deste último seria reduzida a nada. Cf. Is 60.7 e Ez 27.21. "As palavras apontam primariamente para a subjugação da Arábia por Sargão e Senaqueribe... Em Jr 49.28,29 encontramos um eco da predição que, naquele caso, apontava para a conquista de Nabucodonosor" (Ellicott, *in loc.*). Aquela gente tinha acumulado riquezas, poder e população, considerando-se as condições do deserto, e era conhecida por seu heroísmo no arco. Eles tinham numerosos animais domesticados. Mas toda essa "glória" foi reduzida a nada pelos invasores, que arruinaram o negócio dos habitantes de Quedar e praticamente acabaram com toda a população.

Como é comum, a Yahweh foi dado o crédito de ser o General do exército destruidor, e devemos compreender que eles pagaram por seus pecados mediante os acontecimentos. Aqui Yahweh é chamado de *Elohim* (o Poder), e não Senhor dos Exércitos. Ver no *Dicionário* o artigo chamado *Deus, Nomes Bíblicos de*. A esses dois títulos divinos também dou artigos separados, e ambos falam do Poder que dirige os eventos da vida humana. Isso reflete o *Teísmo*: Deus criou, mas também intervém na história humana, recompensando ou punindo (mediante sua providência negativa e positiva). Isso contrasta com o *Deísmo*, que diz que o Poder divino (seja ele pessoal ou impessoal) abandonou a sua criação às leis naturais. Ver no *Dicionário* os verbetes chamados *Teísmo; Deísmo* e *Providência de Deus*.

CAPÍTULO VINTE E DOIS

O *pano de fundo histórico essencial* dos capítulos 13—23 é como vários povos confrontaram e sofreram devido aos ataques dos assírios. Também nos é fornecida a reação desses povos à ameaça assíria. Esses capítulos registram *dez oráculos de condenação,* ou sentenças, aos povos em pauta. Yahweh foi o doador desses *oráculos*, bem como o agente por trás dos julgamentos que usavam instrumentos humanos. Ver as notas expositivas em Is 13.6, quanto a Yahweh como o controlador dos eventos humanos. A lei da colheita segundo a semeadura está envolvida em toda essa questão, porque a causa é justa.

Apesar de ficar claro, no capítulo 22, que certo oráculo de condenação foi proferido contra Jerusalém, e que a Assíria era o instrumento desse ataque, não há evidência de qual ataque assírio seria esse. Alguns pensam que se trata da destruição de 185 mil soldados assírios que morreram em uma única noite, em 701 a.C. Ver Is 36 e 37; 2Rs 19.35-37 e 2Cr 32.21-23. Os vss. 1 e 2, que falam sobre a exultação que ocorreu diante do evento, poderia apontar para essa vitória singular, mas esse tempo não se ajusta ao ataque efetuado pelas forças de Elão e Quir (vs. 6). Talvez a ocasião tenha sido quando Sargão destruiu Asdode (capítulo 20) e, embora fizesse parte de um acordo antiassírio, Jerusalém escapou ao castigo. Isso ocorreu em 711 a.C. Quando da retirada do exército assírio, naquela ocasião, sem dúvida houve grande regozijo em Jerusalém. Judá havia-se preparado desesperadamente para um possível ataque (vss. 8-11), e talvez o ataque assírio potencial tenha sido a causa desses preparativos. Quaisquer que tenham sido as circunstâncias históricas exatas, Judá não passou por uma mudança de coração; não houve arrependimento, e a estrada da apostasia não foi abandonada.

ORÁCULO DE CONDENAÇÃO CONTRA JERUSALÉM (22.1-14)

22.1

מַשָּׂא גֵּיא חִזָּיוֹן מַה־לָּךְ אֵפוֹא כִּי־עָלִית כֻּלָּךְ לַגַּגּוֹת:

Sentença contra o Vale da Visão. Encontramos agora o *nono* oráculo de condenação ou sentença pesada da seção geral dos capítulos 25—32. Ver detalhes na introdução ao capítulo 13 e em Is 13.1. Ver Is 13.6 quanto a Yahweh como o Poder divino por trás dos eventos humanos. Os vss. 1-8 contêm uma reprimenda indignada contra Jerusalém, por causa de seus banquetes às vésperas do desastre. Houve ruidosa celebração acerca de alguma vitória, a qual, entretanto, não demoraria a ser transformada em amarga derrota, embora por meio de outro agente de morte, enviado por Yahweh. Ver a introdução a este capítulo quanto a especulações sobre os panos de fundo históricos do oráculo.

Vale da Visão. A referência é à cidade de Jerusalém, edificada sobre colinas, com um vale no meio, um lugar de visões ou revelações. Ou então "a referência provável é a alguma adivinhação no altar existente no vale de Hinom, em Jerusalém (cf. Jr 7.31-34)" (R. B. Y. Scott, *in loc.*). Nesse caso, temos uma referência à paganização da cidade de Jerusalém e seu envolvimento em formas de adoração pagã, incluindo as adivinhações.

O que tinha acontecido de errado aos habitantes de Jerusalém que eles tinham subido, em massa, aos *eirados planos* das casas? Esses eirados eram usados para ressecar produtos como o linho e as frutas; como um ambiente extra, quando necessário; como lugar de dormir, nos meses quentes de verão; ou como lugar de oração e meditação. Eles subiam ali festejando, ou em alegria, como quando Senaqueribe fora forçado a recuar de seu ataque à cidade pelo Anjo do Senhor, ou em total abandono e desespero, porquanto podiam ver as forças inimigas daquele ponto vantajoso. Além disso, flechas podiam ser atiradas dali para baixo, havendo alguma espécie de defesa contra ataques efetuados. Sem importar o motivo exato, era um espetáculo ver tanta gente nos eirados, ao mesmo tempo; e foi isso que provocou a pergunta deste versículo.

■ **22.2**

תְּשֻׁאוֹת מְלֵאָה עִיר הוֹמִיָּה קִרְיָה עַלִּיזָה חֲלָלַיִךְ לֹא חַלְלֵי־חֶרֶב וְלֹא מֵתֵי מִלְחָמָה׃

Tu, cidade que estavas cheia de aclamações, cidade estrepitosa, cidade alegre! "Estas palavras subentendem algo como uma reprimenda pela covardia. Aqueles que pereceram não tinham morrido lutando bravamente em alguma batalha, mas pela pestilência que então, como em todos os tempos, prevalecia nas ruas apinhadas de uma cidade assediada" (Ellicott, *in loc.*). Ou a destruição ainda não tinha ocorrido, mas seria uma realidade em algum outro dia, *se* o ataque de Senaqueribe estivesse em mira, quando Jerusalém foi livrada pelo Anjo do Senhor, que executou, em uma única noite, 185 mil soldados assírios. Ver a introdução ao capítulo. Quanto à ideia de pestilência, cf. Lm 4.10. Alguns estudiosos pensam que uma praga destruiu o exército assírio e também afetou Jerusalém, mas, nesse caso, este é o único lugar onde encontramos tal ideia.

■ **22.3**

כָּל־קְצִינַיִךְ נָדְדוּ־יַחַד מִקֶּשֶׁת אֻסָּרוּ כָּל־נִמְצָאַיִךְ אֻסְּרוּ יַחְדָּו מֵרָחוֹק בָּרָחוּ׃

Todos os teus príncipes fogem à uma, e são presos sem que se use o arco. É provável que "príncipes", neste caso, sejam principalmente os generais, aqueles que estavam encarregados da defesa da cidade; mas não há razão para limitarmos os príncipes a esses. Cf. Js 10.24; Jz 11.6,11. Os fugitivos foram feitos prisioneiros, até mesmo os que conseguiram atingir razoável distância. Foram capturados antes mesmo que tivessem a oportunidade de combater, usando seus arcos. Mas a NIV dá a impressão de que falava sobre inimigos que ainda "estavam distantes". Nesse caso, a ideia é que os judeus, acovardados, fugiram quando o inimigo ainda estava a respeitável distância, pois nem ao menos pretendiam defender a cidade com seus arcos e com outras armas. Ou o significado da frase pode ter sido que aqueles homens fracos se aventuraram a um ataque, mas se mostraram tão desorganizados e covardes que foram capturados antes mesmo de engajar-se na batalha. Ben Meleque supõe que, por "temor ao arco", eles simplesmente se renderam.

■ **22.4**

עַל־כֵּן אָמַרְתִּי שְׁעוּ מִנִּי אֲמָרֵר בַּבֶּכִי אַל־תָּאִיצוּ לְנַחֲמֵנִי עַל־שֹׁד בַּת־עַמִּי׃

Portanto digo: Desviai de mim a vista, e chorarei amargamente. Jerusalém, "a filha do meu povo", estava destinada à destruição, e o profeta recusava-se a ser consolado. Cf. Is 15.5-7 e 21.3,4. "Uma profunda tristeza procura isolar-se, enquanto outros festejam alegremente; assim também Isaías lamentou-se, antecipando o desastre que se abateria sobre Jerusalém (Mq 1.8,9)" (Fausset, *in loc.*). Cf. este versículo com Lm 3.48. "Seus compatriotas, que para ele eram tão queridos como a filha de um terno parente, agora estavam despojados, saqueados e desolados pelos ataques selvagens do inimigo, em muitas das cidades da Judeia" (John Gill, *in loc.*).

■ **22.5**

כִּי יוֹם מְהוּמָה וּמְבוּסָה וּמְבוּכָה לַאדֹנָי יְהוִה צְבָאוֹת בְּגֵיא חִזָּיוֹן מְקַרְקַר קִר וְשׁוֹעַ אֶל־הָהָר׃

Porque dia de alvoroço, de atropelamento e confusão é este. O *dia* (do Senhor) foi descrito como um dia de invasão e matança, e a referência específica pode ser ao vale de Hinom (cf. Jr 7.30-34; 32.35). Encontramos aqui o pisotear de Jerusalém por parte dos pagãos (cf. o fraseado em Lc 21.22-24).

Vale da Visão. Quanto a possíveis significados desta expressão, ver o vs. 1 deste capítulo, onde ela aparece pela primeira vez. As fortificações foram demolidas, e os gritos de temor e angústia do povo reboavam pelas colinas. Josefo, ao descrever o ataque de Tito contra Jerusalém, usa mais ou menos a mesma linguagem, mas esta profecia não se estende até os tempos dos romanos. Cf. Mc 13.14 e Mt 24.16. "Os gritos de um povo apavorado elevar-se-iam até os montes circundantes, talvez as colinas de onde eles esperavam auxílio, ou como verdadeiros adoradores, olhando para o monte Sião (ver Sl 121.1), ou olhando para os lugares altos, onde por tanto tempo tinham adorado a objetos de culto pagão, o que levou os inimigos dos judeus a dizer que os deuses deles eram 'deuses das colinas', não dos vales (1Rs 20.23)" (Ellicott, *in loc.*).

■ **22.6**

וְעֵילָם נָשָׂא אַשְׁפָּה בְּרֶכֶב אָדָם פָּרָשִׁים וְקִיר עֵרָה מָגֵן׃

Porque Elão tomou a aljava. Não é necessário supor que esses povos, Elão e Quir, que foram aliados de Judá, tivessem debandado, em massa, para o lado dos assírios. Ver Is 21.2. Talvez estejam em vista somente combatentes mercenários. Por outra parte, ex-aliados podem ter sido forçados a combater contra Jerusalém. Ver os povos em questão no *Dicionário*. Quir tinha sido sujeitada pela Assíria, 2Rs 16.9. Os soldados tiraram o couro protetor que encobria seus escudos e atiraram-se à batalha. Há inscrições que mostram que o Elão se tornara vassalo da Assíria e, naturalmente, os melhores soldados elamitas foram postos a trabalhar no exército assírio. Quanto ao descobrimento dos escudos, com a retirada de sua capa de couro, ver Caes. *Bell Gall.* ii.21.

■ **22.7**

וַיְהִי מִבְחַר־עֲמָקַיִךְ מָלְאוּ רָכֶב וְהַפָּרָשִׁים שֹׁת שָׁתוּ הַשָּׁעְרָה׃

Os teus mais formosos vales se enchem de carros. Os *assírios* chegariam com gigantesco poder, liderados por seus famosos carros de combate. Ver Is 21.7 e 9. Os vales em redor de Jerusalém ficariam repletos de assírios, e o exército do inimigo se aproximaria dos portões da cidade. As defesas seriam destruídas e haveria grande matança. Os vales de Gibeom, Refaim, Hinom e Josafá cercavam a cidade pelos lados oeste e sul, e se encheriam do temível exército assírio.

■ **22.8**

וַיְגַל אֵת מָסַךְ יְהוּדָה וַתַּבֵּט בַּיּוֹם הַהוּא אֶל־נֶשֶׁק בֵּית הַיָּעַר׃

Tira-se a proteção de Judá. Um possível significado aqui é que havia um *véu* que ocultava o perigo iminente, um véu de ignorância e desinformação que não permitia aos habitantes de Jerusalém reconhecer os perigos que eles enfrentavam. Yahweh, porém, tirou o véu, e eles viram, aterrorizados, o exército assírio que avançava. Eles contemplaram, com profundo horror, toda a armadura e força das armas que representam a condenação. Ou então essa "proteção" poderia significar as defesas de Jerusalém e de outras cidades de Judá.

As armas da Casa do Bosque. A referência, neste caso, é ao arsenal feito em madeira de cedro, extraída na floresta do Líbano, por Salomão, em uma das ladeiras de Sião chamada Ofel (ver 1Rs 7.2; 10.17; Ne 3.19). O significado é que alguns dos judeus dependiam das armas ali estocadas para defender-se, enquanto outros, já de coração vencido, tentavam evitar o terror por algum tempo, em meio a festanças e deboche; mas os habitantes de Jerusalém, como comunidade, esqueceram de olhar para Yahweh.

■ **22.9**

וְאֵת בְּקִיעֵי עִיר־דָּוִד רְאִיתֶם כִּי־רָבּוּ וַתְּקַבְּצוּ אֶת־מֵי הַבְּרֵכָה הַתַּחְתּוֹנָה׃

Notareis as brechas da cidade de Davi, por serem muitas. Apesar da tentativa de combater, logo se tornou evidente que Jerusalém não estava devidamente preparada para enfrentar um inimigo como os assírios. As defesas da cidade tinham sido negligenciadas. As muralhas careciam de reparos. As fortificações eram fracas. Talvez até o arsenal construído por Salomão não contivesse muitas armas guardadas. Havia poucos cavalos, em comparação com os assírios; os carros de combate eram em pequeno número e de qualidade inferior. Cf. 2Cr 37.4. Ezequias, por sua vez, entregou-se a um grande trabalho de restauração das defesas de Jerusalém, ante a ameaça babilônica.

As águas do açude inferior. Esta era a Giom Inferior, atualmente chamada de Kirket-es-Sultan. A operação aqui mencionada é descrita em 2Cr 32.3,4. O objetivo era fazer cessar o vazamento dos riachos e reunir as águas em um reservatório que, presumivelmente, garantiria o suprimento de água para a cidade durante o tempo do cerco. Além disso, os assírios contariam com bem menos água para o seu vasto exército. Ezequias construiu uma muralha em torno das águas, mas talvez nos seja permitido indagar que vantagem teria isso. Ele também construiu um túnel subterrâneo para trazer águas de uma fonte externa para Jerusalém. Seu famoso túnel é conhecido atualmente. Estende-se por 542 metros de comprimento e foi escavado na rocha sólida. De fato um maravilhoso feito de engenharia, que logrou êxito, mas não sabemos se, antes de seu tempo, preparativos realmente adequados tinham sido tomados para proteger o suprimento de água da cidade. Provavelmente os habitantes de Jerusalém dependiam de uma muralha protetora levantada em torno de um cru reservatório. Ver o vs. 11, que repete o assunto. Ver sobre o *Túnel de Siloé*, em 2Rs 20.20. Ver no *Dicionário* o artigo denominado *Ezequias, 5. Obras de Ezequias*.

■ 22.10

וְאֶת־בָּתֵּ֥י יְרוּשָׁלִַ֖ם סְפַרְתֶּ֑ם וַתִּתְצוּ֙ הַבָּ֣תִּ֔ים לְבַצֵּ֖ר הַחוֹמָֽה׃

Também contareis as casas de Jerusalém. As casas de Jerusalém foram fortificadas para tornar-se pequenas fortalezas, a fim de compensar a falta de fortificações formais. As casas assim usadas foram contadas, para que se tivesse uma ideia de quanto os judeus poderiam depender delas. Outras casas foram derrubadas para que, com seus tijolos, se fizessem reparos aligeirados nas muralhas da cidade. Alguns desses tijolos provavelmente foram usados para construir torres de onde pudessem ser atirados mísseis contra os invasores.

■ 22.11

וּמִקְוָ֣ה ׀ עֲשִׂיתֶ֗ם בֵּ֚ין הַחֹ֣מֹתַ֔יִם לְמֵ֖י הַבְּרֵכָ֣ה הַיְשָׁנָ֑ה וְלֹ֤א הִבַּטְתֶּם֙ אֶל־עֹשֶׂ֔יהָ וְיֹצְרָ֥הּ מֵֽרָח֖וֹק לֹ֥א רְאִיתֶֽם׃

Fareis também um reservatório entre os dois muros. Este versículo fornece mais detalhes sobre o reservatório construído e mencionado no vs. 9, onde comento a questão. Duas muralhas foram construídas para represar as águas que seriam usadas na cidade durante o cerco e para dificultar a entrada dos assírios na cidade, pois duas muralhas que represavam águas seriam um empecilho aos esforços inimigos. Porém, nenhuma atenção foi dada a Yahweh, que tinha concedido as águas, a vida e todas as coisas necessárias para o bem-estar das pessoas. Em outras palavras, a apostasia tinha-se instalado e era a causa de tanta tribulação. Desde tempos imemoriais, Deus tinha posto uma fonte de águas naquele lugar e tomara outras providências em favor do povo, que os judeus agora ignoravam. O povo *ingrato* tinha, finalmente, apostatado. Yahweh era o verdadeiro edificador e sustentador da cidade, mas aqueles tolos apelavam para que suas apressadas obras de fortificação e provisão os salvassem naqueles dias de crise. Jerusalém, de acordo com a doutrina dos rabinos, era uma das *sete coisas* mais importantes que Yahweh planejara criar, antes mesmo que ocorresse a criação do mundo.

■ 22.12,13

וַיִּקְרָ֗א אֲדֹנָ֧י יְהוִ֛ה צְבָא֖וֹת בַּיּ֣וֹם הַה֑וּא לִבְכִ֣י וּלְמִסְפֵּ֔ד וּלְקָרְחָ֖ה וְלַחֲגֹ֥ר שָֽׂק׃

וְהִנֵּ֣ה ׀ שָׂשׂ֣וֹן וְשִׂמְחָ֗ה הָרֹ֤ג ׀ בָּקָר֙ וְשָׁחֹ֣ט צֹ֔אן אָכֹ֥ל בָּשָׂ֖ר וְשָׁת֣וֹת יָ֑יִן אָכ֣וֹל וְשָׁת֔וֹ כִּ֥י מָחָ֖ר נָמֽוּת׃

O Senhor, o Senhor dos Exércitos, vos convida, naquele dia. Da mesma maneira que Yahweh, o *Senhor dos Exércitos*, convocou as hordas assírias a atacar Judá, assim também ordenou a Judá que caísse em lamentações, porquanto haveria muito do que chorar. Haveria choro e uivos; haveria cabeças rapadas e o uso de pano de saco, ou seja, todos os sinais comuns da tristeza que eram praticados pelos povos antigos, naquela região do mundo. Cf. Ed 9.3; Ne 13.25 e Is 3.24. Porém, em vez de começarem a lamentar, o que seria apropriado para a ocasião, os judeus fizeram justamente o contrário, em total estupidez no tocante ao perigo que estavam enfrentando, ou em desespero, entregando-se a uma última demonstração de deboche, antes que o teto desabasse sobre suas cabeças. "Eles não creram que Deus era poderoso o bastante para salvá-los e assim cumprir suas promessas" (John S. Martin, *in loc.*).

"Os vss. 12-14 contêm as palavras precipitadas dos que celebravam sua dedicação à revolta contra a Assíria" (R. B. Y. Scott, *in loc.*).

Quanto ao título divino usado neste versículo, ver 1Rs 18.15, bem como o *Dicionário*. O Poder dos céus, o General dos Exércitos, é aquele que controla os acontecimentos na terra. Ver sobre Is 13.6 quanto a isso, e ver no *Dicionário* o verbete intitulado *Soberania*.

O perigo em que se achava a nação de Judá deveria ter evocado arrependimento nacional. Em vez disso, o povo de Jerusalém agiu como um bando de idiotas, com suas festanças e bebedeiras. Cf. Jl 2; Jó 1.20 e Mq 1.16. Arrancar os cabelos da cabeça e da barba eram sinais da lamentação que deveria ser efetuada, mas não foi.

Comamos e bebamos, que amanhã morreremos. Estas são palavras famosas, com frequência citadas através dos séculos, refletindo falso júbilo em horas desesperadas, que inspiram o oposto.

> Bebei, dançai, ride e deitai-vos,
> Amai a meia-noite girando ao redor,
> Pois amanhã morreremos!
>
> Dorothy Parker

■ 22.14

וְנִגְלָ֥ה בְאָזְנָ֖י יְהוָ֣ה צְבָא֑וֹת אִם־יְכֻפַּ֞ר הֶעָוֺ֤ן הַזֶּה֙ לָכֶ֔ם עַד־תְּמֻת֔וּן אָמַ֛ר אֲדֹנָ֥י יְהוִ֖ה צְבָאֽוֹת׃ פ

Mas o Senhor dos Exércitos se declara aos meus ouvidos. O oráculo continuava chegando da parte de Yahweh, e Isaías continuava ouvindo, e nos ouvidos dele Yahweh se revelava e então falava mais ainda: A iniquidade dos banquetes naquelas horas solenes, prosseguindo na atitude de rebeldia, mesmo quando convidado a lamentar-se e a arrepender-se, eram coisas que não seriam esquecidas pela mente divina. Um julgamento divino apropriado poria ponto final às manifestações de júbilo. A morte escreveria *fim* àquela falta de bom senso. As palavras dos que se banqueteavam se voltariam contra eles, que certamente morreriam. Cf. Is 5.11,12. "Aquela descontração sensual só poderia ter um fim em todos os países e em todas as épocas, e esse fim seria a morte. Nenhuma religião formal, nem mesmo algum castigo, poderia ter o efeito de expurgar uma iniquidade que se negava a arrepender-se verdadeiramente" (Ellicott, *in loc.*). Novamente, o título *Senhor dos Exércitos* escuda o oráculo. Ver sobre esse título, que aparece por cerca de vinte vezes no livro de Isaías, no *Dicionário* e em 1Rs 18.15. Ver também as notas expositivas sobre o vs. 13.

A QUEDA DE SEBNA, O MORDOMO DO REI (22.15-25)

■ 22.15

כֹּ֥ה אָמַ֛ר אֲדֹנָ֥י יְהוִ֖ה צְבָא֑וֹת לֶךְ־בֹּא֙ אֶל־הַסֹּכֵ֣ן הַזֶּ֔ה עַל־שֶׁבְנָ֖א אֲשֶׁ֥ר עַל־הַבָּֽיִת׃

Assim diz o Senhor, o Senhor dos Exércitos: Anda, vai ter com esse administrador. Temos aqui um oráculo de condenação contra um indivíduo, o que, algumas vezes, acontece. Cf. Am 7.16,17; Jr 20.1-6; 28.15-17. Pessoas especialmente ímpias, que encabeçam rebeliões, são destacadas para tratamento especial. Provavelmente Sebna se opunha a Isaías, tendo influenciado o rei na política de revolta contra a Assíria, para que a nação de Judá se juntasse à aliança profana, com o propósito de enfrentar o inimigo comum. Ver o capítulo 18 do livro de Isaías. Em Is 36.3 e 37.2 encontramos Sebna em posição subordinada, e Eliaquim como o líder. Talvez se Sebna fosse repelido, a política de Judá se revertesse, e isso teria livrado a nação de ataques, quando a Assíria derrubou Asdode (ver Is 20.1). Mas essa é apenas uma conjectura. Esta passagem do livro não especifica uma razão para a queda de Sebna.

Este oráculo também tinha sido dado pelo Senhor, pelo que a inspiração divina é que explica a questão. Isaías foi o instrumento humano para tão grande número de pronunciamentos proféticos e, verdadeiramente, na época dos grandes profetas, entrara em eclipse o ofício do sumo sacerdote. A Isaías foi ordenado que apresentasse o oráculo diretamente a Sebna. Seu dia de prestação de contas tinha chegado. Ele não iria além em sua rebeldia.

O mordomo. Sebna ocupava posição extremamente alta na nação de Judá, sendo o principal ministro de Estado, a mão direita do rei, o mordomo-mor (cf. 1Rs 4.6). Ele estava envolvido em negociações com Senaqueribe, quando este cercou Jerusalém, conforme aprendemos em 2Rs 18.18,26,37; 19.2; Is 36.3,11,22; 37.2. Ver no *Dicionário* o artigo sobre *Sebna*, quanto a ideias e referências que não reitero aqui. O Targum faz dele o *tesoureiro principal*. Se assim realmente era, então ele tinha duplo ofício na nação.

■ 22.16,17

מַה־לְּךָ פֹה וּמִי לְךָ פֹה כִּי־חָצַבְתָּ לְּךָ פֹּה קָבֶר
חֹצְבִי מָרוֹם קִבְרוֹ חֹקְקִי בַסֶּלַע מִשְׁכָּן לוֹ:
הִנֵּה יְהוָה מְטַלְטֶלְךָ טַלְטֵלָה גָּבֶר וְעֹטְךָ עָטֹה:

Que é que tens aqui? Ou a quem tens tu aqui...? Sebna, egomaníaco que era, não aspirava a ser rei, mas era insensato o bastante para pensar que merecia um túmulo especial, possivelmente entre os túmulos dos reis, o que declararia ao mundo o grande homem que ele tinha sido. Ou talvez ele somente quisesse ser honrado entre os *nobres*, que tinham gozado de alta posição social e servido bem a seus reis. Ele queria fazer um nome para si mesmo mediante um memorial. Em vez disso, o homem seria removido de sua posição e seria enviado a um país estrangeiro (vs. 17). Portanto, seu plano vão fracassaria, mas imagino que, quando ele morreu, não poderia importar-se menos com toda essa questão. Ele tinha sido um homem poderoso, mas seria reduzido a uma posição de fraqueza, estando ainda vivo, e não receberia nenhuma honra especial quando morresse. Não há registro sobre o que finalmente aconteceu, pelo que não temos confirmação histórica do acerto do oráculo, e nem precisamos mesmo dessa confirmação. Mediante o vss. 20 ss. deste capítulo, bem como através de Is 36.3 e 37.2, somos informados de que ele foi debilitado de sua posição de mando.

Lavrando em lugar alto a tua sepultura. No alto das colinas foi escavada a sepultura de Sebna, entre as rochas, onde podia ser vista com facilidade. Então o povo (presumivelmente) poderia admirar-se e comentar: "Estás vendo aquela sepultura lá no alto? Ali foram depositados os ossos do grande Sebna". E então, na imaginação vã da mente daquele homem, ele ouviria as palavras de louvor da parte do povo. Isso faria seus ossos felizes, sem dúvida.

■ 22.18

צָנוֹף יִצְנָפְךָ צְנֵפָה כַּדּוּר אֶל־אֶרֶץ רַחֲבַת יָדָיִם שָׁמָּה
תָמוּת וְשָׁמָּה מַרְכְּבוֹת כְּבוֹדֶךָ קְלוֹן בֵּית אֲדֹנֶיךָ:

Enrolar-te-á num invólucro e te fará rolar como uma bola. Sebna cairia da graça, sob o desprazer do rei de Judá, e seria exilado por ordem real. Seria agarrado violentamente e posto a girar e girar, depois seria solto em um país estrangeiro, onde rolaria para um lugar espaçoso suficientemente grande para que ali se perdesse, e onde nada teria que o distinguisse. Ali ele morreria. Seu exílio seria permanente, e ele perderia seu enfeitado túmulo! Ele teria permissão de ficar com algumas de suas carruagens enfeitadas (o que o faria lembrar seus antigos dias de glória), mas, quando morresse, essas carruagens se tornariam veículos de outros. Tudo isso aconteceria porque ele era uma desgraça à casa do rei. Não somos informados sobre o que ele fez que foi considerado tão grande desgraça, mas deve ter sido algo muito sério. Kimchi diz que o homem morreu atado à cauda de um cavalo que o arrastou ao redor. Mas raramente são corretas as tradições que preenchem os hiatos de nosso conhecimento sobre algum relato. Seja como for, o homem que viajava em carruagens ornamentadas, exibindo-se diante do povo, sofreria uma morte vergonhosa.

■ 22.19

וַהֲדַפְתִּיךָ מִמַּצָּבֶךָ וּמִמַּעֲמָדְךָ יֶהֶרְסֶךָ:

Eu te lançarei fora do teu posto. O homem, em total desgraça, foi lançado fora de seu alto ofício. O rei de Judá o despediu, mas Yahweh foi o inspirador do ato. Seu governo prevalece quanto a nações e quanto a indivíduos. Cf. este versículo com Is 34.16. Na verdade, quando nosso dia está terminado, está tudo terminado, e ninguém pode pôr as coisas no lugar novamente. Um homem perde favor e logo é dispensado, porquanto se tornou dispensável. O povo fica cansado das mesmas antigas figuras em posições de autoridade, ainda que elas não cometam alguma infração especial. Mas um idoso governante, que se torne culpado de infrações, será irreparavelmente dispensado.

■ 22.20

וְהָיָה בַּיּוֹם הַהוּא וְקָרָאתִי לְעַבְדִּי לְאֶלְיָקִים בֶּן־
חִלְקִיָּהוּ:

Naquele dia chamarei a meu servo Eliaquim. No dia em que Sebna fosse despedido, *Eliaquim* seria nomeado em lugar dele. Quanto ao que se sabe ou se conjectura a respeito desse homem, ver o artigo sobre ele no *Dicionário*, primeiro ponto, cujos detalhes não repito aqui. Ele seria o novo homem de alta autoridade; mas o vs. 25 mostra-nos que ele também acabou fracassando. Ele não preencheu as expectativas, conforme fazem quase todos os políticos. Talvez esse versículo seja uma predição do fracasso de todos os governos, como fracassou a própria cidade de Jerusalém, levada pelo cativeiro babilônico.

Meu servo. Servo de Yahweh, fique bem entendido. Dessa designação podemos inferir que ele era homem bom e piedoso, digno substituto do orgulhoso Sebna.

■ 22.21

וְהִלְבַּשְׁתִּיו כֻּתָּנְתֶּךָ וְאַבְנֵטְךָ אֲחַזְּקֶנּוּ וּמֶמְשַׁלְתְּךָ אֶתֵּן
בְּיָדוֹ וְהָיָה לְאָב לְיוֹשֵׁב יְרוּשָׁלִַם וּלְבֵית יְהוּדָה:

Vesti-lo-ei da tua túnica, cingi-lo-ei com a tua faixa. O novo oficial passaria pelas cerimônias próprias de investidura no novo ofício. Seria coberto das roupas certas, com o cinto que as acompanhava. E uma posição de governo seria posta sobre seus ombros, o segundo abaixo da autoridade do rei. Na qualidade de homem bom, ele seria como um pai para Judá, buscando os melhores interesses de seus *filhos*, tanto em Judá quanto em Jerusalém. Essas palavras provavelmente apontam para a transferência real de vestes do antigo para o novo homem. Alguma espécie de veste oficial assinalava o ofício, tal como um rei era conhecido pela coroa que usava. É exagero ver esse homem como um tipo de Cristo.

■ 22.22

וְנָתַתִּי מַפְתֵּחַ בֵּית־דָּוִד עַל־שִׁכְמוֹ וּפָתַח וְאֵין סֹגֵר
וְסָגַר וְאֵין פֹּתֵחַ:

Porei sobre o seu ombro a chave da casa de Davi. Outro sinal de seu ofício era a *chave* do palácio. Era uma chave pesada, carregada mediante uma cadeia posta sobre o ombro. Com ela, o homem podia abrir ou fechar a porta principal. Além de ter essa *função*, também era um *símbolo* da autoridade de quem a brandia. Ele abria, e ninguém ousava fechar; ele fechava, e ninguém ousava abrir. As palavras virtualmente descrevem as chaves do reino dos céus dadas a Pedro (ver Mt 16.19 e as chaves do Cristo ressurrecto, em Ap 3.7).

Há referências similares entre os pagãos. As sacerdotisas da deusa Juno chamavam-na de portadora das chaves (*Ésquilo*, Supple. 299).

■ 22.23

וּתְקַעְתִּיו יָתֵד בְּמָקוֹם נֶאֱמָן וְהָיָה לְכִסֵּא כָבוֹד לְבֵית
אָבִיו:

Fincá-lo-ei como estaca em lugar firme. Eliaquim seria como uma estaca, ou como um prego de madeira, do tipo enfiado em uma parede, e onde eram pendurados utensílios domésticos. A palavra também era usada para indicar uma estaca de tenda. O homem seria como uma estaca bem fincada, um ponto de referência digno de confiança, algo *estável* em favor do bem de Judá. As pessoas podiam razoavelmente "pendurar nele as suas esperanças", conforme diz uma moderna expressão. Cf. Is 33.20; 44.2; Jz 4.21 e Ez 15.3.

Ele será como um trono de honra. Esta expressão é figurada, símbolo de autoridade, um subtrono imaginário em relação ao trono do rei, embora o homem não ocupasse um trono material. Quanto à mais elevada aplicação do termo, ver 1Sm 2.8; Jr 14.21 e 17.12.

"O caráter que não se firma sobre o que é eterno e imutável sempre cede caminho às tensões e aos desastres" (G. G. D. Kilpatrick, *in loc.*). Mas nenhuma estaca humana perdura para sempre, conforme relembra o vs. 25. Quanto à "casa de seu pai", ver a exposição sobre o versículo seguinte.

■ 22.24

וְתָל֨וּ עָלָ֜יו כֹּ֣ל ׀ כְּב֣וֹד בֵּית־אָבִ֗יו הַצֶּאֱצָאִים֙ וְהַצְּפִע֔וֹת כֹּ֚ל כְּלֵ֣י הַקָּטָ֔ן מִכְּלֵ֥י הָאַגָּנ֖וֹת וְעַ֥ד כָּל־כְּלֵ֥י הַנְּבָלִֽים׃

nele pendurarão toda responsabilidade da casa de seu pai. Eliaquim seria uma *superestaca*, de tal modo que todo o peso da "casa de seu pai" poderia ser pendurado nele. Ele seria um filho honrado na casa de Judá, a casa do seu pai. Alguns veem aqui um sinal de nepotismo. Ele traria membros da família para posições do governo, que se tornaria como a casa de seu próprio pai. Essa poderia ser a razão para que ela fosse arrancada da parede (vs. 25). Mas talvez isso seja explorar demais o termo "casa de seu pai". Seja como for, aquela estaca receberia toda a espécie de cargas, simbolizadas pelos vários utensílios domésticos e instrumentos mencionados que seriam pendurados da estaca. A menção a "prole e descendentes" pode referir-se literalmente aos parentes do homem que ele trouxe para posições do governo, ou pode indicar várias pessoas, de todas as famílias, que dependeriam de seu serviço fiel. "... Aqueles pertencentes à sua família que eram de menor ou de maior capacidade, para quem ele proveria lugares e postos debaixo dele" (John Gill, *in loc.*). Diz a tradução da NCV: "Todos os adultos e crianças pequenas dependerão dele. Esses serão como vasos e jarras penduradas nele". Não podemos ter certeza do que isso significa. O que é claro é que Eliaquim seria forte e teria de sustentar obras e pessoas em sua administração. Muitas pessoas e muitas coisas dependeriam dele.

■ 22.25

בַּיּ֣וֹם הַה֗וּא נְאֻם֙ יְהוָ֣ה צְבָא֔וֹת תָּמוּשׁ֙ הַיָּתֵ֔ד הַתְּקוּעָ֖ה בְּמָק֣וֹם נֶאֱמָ֑ן וְנִגְדְּעָ֣ה וְנָפְלָ֗ה וְנִכְרַת֙ הַמַּשָּׂ֣א אֲשֶׁר־עָלֶ֔יהָ כִּ֥י יְהוָ֖ה דִּבֵּֽר׃ ס

Naquele dia, diz o Senhor dos Exércitos, a estaca... será tirada. Mas chegaria o dia em que a forte estaca enfraqueceria, quebraria e cairia. E tudo quanto estivesse pendurado nela viria abaixo juntamente. E então se daria completa *destruição*. A linguagem aqui usada é bastante forte e parece ultrapassar o que poderíamos esperar ser dito acerca de um indivíduo que caísse, juntamente com seus dependentes. Tudo soa como o *cativeiro babilônico* (ver sobre isso no *Dicionário*). Este versículo ensina-nos o "triste" fato de que todas as missões, quer de um homem, quer de uma nação, chegam ao fim, e alguns fins são deveras lamentáveis. Portanto, tudo se parece com o que disse um famoso ator e comediante (nacionalmente aclamado nos Estados Unidos da América), quando ele descobriu que tinha câncer: "Estou com medo. Vamos somente relembrar os bons dias". Talvez seja demais supor que Eliaquim havia traído a confiança nele depositada. O que sabemos é que Judá traiu sua confiança como um povo em pacto com o Senhor. Por isso a destruição tinha de sobrevir. Seja como for, não há nenhum registro histórico que mostre como aconteceram as coisas para Eliaquim, embora saibamos muito sobre como as coisas aconteceram em relação a Judá.

CAPÍTULO VINTE E TRÊS

DENÚNCIA CONTRA TIRO (23.1-18)

Topamos agora com o *décimo* e último *oráculo de condenação* ou sentença, que ocupa esta seção geral dos capítulos 25—32. Ver a introdução ao capítulo 13, bem como Is 13.1, quanto a maiores detalhes.

Observações:

1. Este oráculo foi endereçado aos fenícios: o título e o epílogo (vss. 15-18) referem-se somente a Tiro. Mas os vss. 2, 4 e 12 referem-se a Sidom. E então Tiro aparece somente nos vss. 7-9. O oráculo, pois, chama os fenícios por diferentes nomes e os ameaça com a ira de Yahweh.
2. Tiro e Sidom eram as duas principais cidades da Fenícia. A Fenícia foi o grande poder marítimo da região do mar Mediterrâneo, e evidências atuais mostram que seus navios chegaram até a América do Norte. Ver no *Dicionário* o verbete chamado *Fenícia*, bem como as duas cidades mencionadas aqui.
3. A Fenícia possuía colônias comerciais em Társis e em Chipre, que são mencionadas neste oráculo, no vs. 1. Essa potência marítima tinha seus dias numerados pelo poder divino, e muitos chorariam e lamentariam a destruição da Fenícia, porque seu comércio havia enriquecido muitos povos. Cf. Ez 26—28, os vss. 5-7 deste capítulo e Ap 18.9-19.
4. O vs. 13 parece ser uma nota editorial que informa ao leitor que o oráculo não atingiu o período dos assírios. Muitos intérpretes ignoram essa informação, ensinando que esse foi, precisamente, o tempo abordado no oráculo. "Essa profecia sobre Tiro também pertence à época da agressão assíria, no fim do século VIII a.C. Embora Tiro só tenha sido destruída cerca de 3.200 anos depois, o comércio daquela grande cidade foi prejudicado em algum tempo entre 700 e 630 a.C." (John S. Martin, *in loc.*).

■ 23.1

מַשָּׂ֖א צֹ֑ר הֵילִ֣ילוּ ׀ אֳנִיּ֣וֹת תַּרְשִׁ֗ישׁ כִּֽי־שֻׁדַּ֤ד מִבַּ֨יִת֙ מִבּ֔וֹא מֵאֶ֥רֶץ כִּתִּ֖ים נִגְלָה־לָֽמוֹ׃

Sentença contra Tiro. Ou seja, o oráculo de condenação, a palavra de Yahweh acerca do julgamento dos lugares mencionados. Ver a introdução ao capítulo 13 e Is 13.1. Os fenícios contavam com colônias comerciais em Társis, na Espanha. Quanto a detalhes, ver *Társis*, quinto ponto, no *Dicionário*. Tiro, a cidade-mãe, ficara desolada, e as terríveis notícias viajaram o mundo. A caminho de casa, chegando a Chipre, os marinheiros dos navios mercantes receberam a notícia espantosa e foram convocados a lamentar em seu desespero, antes que pudessem voltar para Tiro. Eles tinham fundeado seus navios em Chipre, cerca de 240 km a noroeste de Tiro, quando as notícias chegaram ao seu conhecimento.

"O rei da Assíria atacou a Fenícia inteira com a ajuda de sessenta navios e oitocentos remadores de Sidom e Aco (Acre), e os fenícios que se tinham submetido a ele atacaram Tiro. Os arquivos tírios se apresentam como vitoriosos, e conseguiram barrar os assírios por mais cinco anos, apesar de o rei assírio ter posto guardas em seus rios e aquedutos. Tiro continuou sendo um poderoso Estado, com seu próprio rei (ver Jr 25.22; 27.3 e Ez 28.2-12), depois de sua humilhação temporária, até o cerco lançado por Nabucodonosor, rei da Babilônia" (Fausset, *in loc.*).

"Esse grande oráculo da queda de Tiro contém mais lamentação do que julgamento. É como um cantor popular das terras altas que celebrasse as glórias idas. Há nesse cântico o som do mar e o uivo do vento. Somente o vs. 9 da primeira seção (vss. 1-18) contém alguma nota de julgamento " (G. G. D. Kilpatrick, *in loc.*).

Essas notícias chegaram aos navios da terra de Chipre.

NCV

■ 23.2

דֹּ֛מּוּ יֹ֥שְׁבֵי אִ֖י סֹחֵ֣ר צִיד֑וֹן עֹבֵ֥ר יָ֖ם מִלְאֽוּךְ׃

Calai-vos, moradores do litoral. "Esta palavra é especialmente apropriada à estreita faixa de terra ocupada pelas cidades fenícias de Sidom, a cidade mais antiga, a grande Sidom de Js 11.8 e 19.28, aparecendo aqui como representante geral da Fenícia. O seu comércio é que tinha enchido Tiro e outras cidades-filhas. A *mudez* que o profeta invocou sobre o povo é a mudez de um terror estupefacto" (Ellicott, *in loc.*). Ver sobre *Tiro* no *Dicionário*, quanto a detalhes. Cf. este versículo com Lm 2.10 e Jr 47.5. Originalmente, Tiro era uma colônia de Sidom, e progrediu mediante o comércio. Ver Ez 27.8.

23.3

וּבְמַ֤יִם רַבִּים֙ זֶ֣רַע שִׁחֹ֔ר קְצִ֥יר יְא֖וֹר תְּבוּאָתָ֑הּ וַתְּהִ֖י סְחַ֥ר גּוֹיִֽם:

Através das vastas águas vinha o cereal dos canais do Egito. O *cereal*, importado do Egito, era o principal produto do comércio tírio. Esse produto era transportado por via marítima pelos fenícios a várias partes das margens do mar Mediterrâneo.

Sior (que não aparece em nossa versão portuguesa; mas ver no *Dicionário* e em Js 13.3; 1Cr 13.5 e Jr 2.18) ficava na parte oriental do Egito e talvez fosse um dos braços do rio Nilo. Nossa versão portuguesa traduz Sior por "canais". O cereal mencionado medrava na terra fértil, regada por aquela porção do rio Nilo. O Egito foi o maior armazém de comestíveis do mundo antigo (ver Gn 41—43). Visto que o Egito não dispunha de madeira, não podia construir navios mercantes, pelo que tinha de empregar os navios fenícios. Foi um arranjo mutuamente proveitoso. O Egito produzia o cereal, os fenícios o transportavam por toda a área costeira do mar Mediterrâneo, e ambos enriqueciam. Tudo isso dependia da fertilidade provida pelo rio Nilo. Ver Ez 27 quanto a um comentário sobre esse comércio.

23.4

בּ֣וֹשִׁי צִיד֗וֹן כִּֽי־אָמַ֥ר יָם֙ מָע֣וֹז הַיָּ֣ם לֵאמֹ֔ר לֹֽא־חַ֣לְתִּי וְלֹֽא־יָלַ֗דְתִּי וְלֹ֥א גִדַּ֛לְתִּי בַּחוּרִ֖ים רוֹמַ֥מְתִּי בְתוּלֽוֹת:

Envergonha-te, ó Sidom, porque o mar, a fortaleza do mar, fala, dizendo. O *orgulho de Sidom* foi repreendido. O mar aparece aqui personificado, zombando da reivindicação absurda dos fenícios de que o próprio mar os dera à luz, e por isso eles tinham aptidão para a navegação. Havia uma mitologia que fazia tais reivindicações, e encontramos, aqui e acolá, expressões poéticas a respeito. O julgamento dos fenícios inspirou o mar a negar que fosse a mãe daquele povo, cujas reivindicações eram fruto de irracional jactância. Agora Sidom era vista como uma cidade estéril, depois de haver perdido seus jovens marinheiros, os alegados filhos do mar. E o mar não quereria cooperar, dando à luz mais filhos que levassem avante o comércio marítimo. Contudo, alguns eruditos pensam que Tiro é quem estaria falando aqui. Essa cidade era a mãe de muitas colônias, como Lepti, Útica, Cartago e Gades (Cales), mas certamente não de Sidom. Além disso, o assunto é o mar, e não Tiro. O vs. 12 mostra que Tiro era filha de Sidom, e não vice-versa.

23.5

כַּאֲשֶׁר־שֵׁ֖מַע לְמִצְרָ֑יִם יָחִ֖ילוּ כְּשֵׁ֥מַע צֹֽר:

Quando a notícia a respeito de Tiro chegar ao Egito. A notícia sobre a agonia de Tiro (Fenícia) espalhou-se rapidamente de porto em porto, até chegar ao Egito, que ganhava seu dinheiro através do comércio fenício. Ao receber a notícia, os egípcios se angustiaram, pois o que fariam agora com o cereal produzido, que lhes tinha trazido tantas riquezas e conforto? "A consternação do Egito arrancou o clamor que aparece nos vss. 6-8" (R. B. Y. Scott, *in loc.*). Não somente o comércio egípcio foi subitamente reduzido, mas seu prestígio e poder em lugares estrangeiros, e esse foi um fator que fortaleceu a Assíria em sua conquista mundial. "Quando os egípcios ouviram dizer que uma nação vizinha tão poderosa havia sido destruída, deviam saber que seu próprio fim estava próximo" (Jerônimo). Ver o capítulo 19 quanto ao oráculo contra o Egito.

23.6

עִבְר֖וּ תַּרְשִׁ֑ישָׁה הֵילִ֖ילוּ יֹ֥שְׁבֵי אִֽי:

Passai a Társis, uivai, moradores do litoral. O texto massorético tem aqui o verbo no imperativo, "passai", mas os manuscritos hebraicos dos papiros do mar Morto têm o verbo no indicativo: "Vós, que passais" ou seja, "Vós, que fugis". Não podendo aportar em Tiro, os navios tinham de fugir de volta para Társis, e isso criava uma confusão geral. O povo dali uivaria, pois o comércio marítimo havia sido rudemente interrompido e, dessa maneira, a perda financeira seria grande. "Os tírios fugiram para Cartago e para outros lugares, tanto durante o cerco lançado por Nabucodonosor quanto durante o assédio de Alexandre" (Fausset). E podemos pensar o mesmo com respeito ao assédio lançado pelos assírios. Isso significa que toda a vida da Fenícia e do Egito foi perturbada. Os tírios, longe de trazer riquezas de Társis, foram obrigados a fugir para ali, para salvar a vida. Eles buscam a mera sobrevivência. Os bons dias do passado tinham terminado. *Diod. Sic.* xviii.41 deixou registrada a fuga dos tírios para Cartago, quando Alexandre começou a saquear e a assassinar. Ao menos eles tinham os navios para encetar a jornada, ao passo que outras nações se viram totalmente incapacitadas de escapar dos invasores. Naturalmente, o escape foi parcial. A Septuaginta dá a entender que a fuga se deu para Cartago, neste versículo, mas isso parece ser o reflexo do que aconteceu em ocasiões posteriores.

23.7

הֲזֹ֥את לָכֶ֖ם עַלִּיזָ֑ה מִֽימֵי־קֶ֤דֶם קַדְמָתָהּ֙ יֹבִל֣וּהָ רַגְלֶ֔יהָ מֵרָח֖וֹק לָגֽוּר:

É esta acaso a vossa cidade que andava exultante…? Tiro era uma cidade cheia de orgulho, riqueza e também muita orgia (ver Is 23.12). Era uma cidade muito antiga, tendo sido fundada em cerca de 2700 a.C., de acordo com a informação dada por Heródoto. Sua queda foi uma tremenda calamidade não somente para os próprios tírios, mas para toda a região do mar Mediterrâneo. Cf. Ez 26—28. Tiro, cidade antiga, rica e ambiciosa, por toda a parte aumentava seu poder e riquezas. "Seus próprios pés" (esforços) a tinham feito ser o que era. Um produto de suas muitas viagens marítimas e expansão foi a criação de colônias que aumentavam suas riquezas e influência sobre o mundo. Ver os comentários sobre o vs. 4, onde listo os nomes de algumas de suas colônias. Estrabão (*Geograph.* 1.16, par. 520) diz que Tiro era a mais antiga das cidades da Fenícia, com exceção única de Sidom.

23.8,9

מִ֣י יָעַ֣ץ זֹ֔את עַל־צֹ֖ר הַמַּֽעֲטִירָ֑ה אֲשֶׁ֤ר סֹחֲרֶ֙יהָ֙ שָׂרִ֔ים כִּנְעָנֶ֖יהָ נִכְבַּדֵּי־אָֽרֶץ:

יְהוָ֥ה צְבָא֖וֹת יְעָצָ֑הּ לְחַלֵּל֙ גְּא֣וֹן כָּל־צְבִ֔י לְהָקֵ֖ל כָּל־נִכְבַּדֵּי־אָֽרֶץ:

Quem formou este desígnio contra Tiro…? *Quem produziu toda esta miséria*, derrubando tão miseravelmente a benfeitora da área do Mediterrâneo, a cidade que produzia coroas de riquezas e bem-estar material para tantos? Seus comerciantes eram como príncipes que comandavam os mares e governavam os portos; seus negociantes eram homens honrados que beneficiavam muitos. Quem produziu tamanha calamidade à cidade grande, juntamente com seus nobres e ricaços? A resposta é: *Yahweh!* (vs. 9). Era ele quem estava por trás do poder da Assíria, usando-a para punir os ímpios, entre os quais se encontrava a iníqua cidade de Tiro, embora, universalmente, ela fosse considerada uma benfeitora. Ver as notas expositivas em Is 13.6 quanto a detalhes sobre a ideia de que Yahweh é o controlador dos acontecimentos humanos. O título divino aqui é bem apropriado, *o Senhor dos Exércitos* (ver 1Rs 18.15 e o artigo com esse nome no *Dicionário*). Foi necessário muito poder para nivelar os fenícios. Tiro usava a coroa de rei do mar Mediterrâneo e distribuía coroas a outros. Era uma princesa e tratava os outros como príncipes, mas Yahweh não tardou a pôr fim a toda aquela "realeza". Para Yahweh, entretanto, Tiro consistia apenas em um bando de pecadores altivos, cujo dia de calamidade havia chegado. O propósito de Yahweh *contaminou* o orgulho dos assírios, tornando imundos os seus príncipes. A *glória* deles foi transformada em vergonha. Os altamente honrados caíram em desonra. Deus e os homens consideram as coisas de modo bastante diferente. A possessão de muito dinheiro e poder não tornava os fenícios homens justos. Onde o dinheiro flui em abundância, sempre há corrupção, embora, para os homens, onde o dinheiro impera levantar-se-ão homens de poder que serão louvados pelas massas populares insensatas.

23.10

עִבְרִ֥י אַרְצֵ֖ךְ כַּיְאֹ֑ר בַּת־תַּרְשִׁ֖ישׁ אֵ֥ין מֵ֥זַח עֽוֹד:

Percorre livremente como o Nilo a tua terra, ó filha de Társis. No hebraico, este versículo é obscuro e talvez corrupto. Com uma emenda, podemos ler aqui: "Velejai e ide embora (literalmente, *atravessa*) de vossa terra, ó navios de Társis. Aqui não há mais porto" (R. B. Y. Scott, *in loc.*). "Atravessa a tua terra, ó Társis, como o Nilo atravessa o Egito. Agora não há mais porto para ti!" (NCV). Outra conjectura, bastante diferente, é a da NIV: "Até que a tua terra seja como o Nilo, ó filha de Társis, para ti não haverá mais porto". Isso significa "Volta à agricultura e abandona o comércio marítimo". Pelas interpretações largamente diferentes dadas a este versículo, os intérpretes e os tradutores não têm sido capazes de tirar bom sentido do original hebraico, conforme ele se encontra. Adam Clarke chamou este versículo de "extremamente obscuro" e não encontrou nenhuma interpretação adequada para ele.

■ 23.11

יָדוֹ נָטָה עַל־הַיָּם הִרְגִּיז מַמְלָכוֹת יְהוָה צִוָּה אֶל־כְּנַעַן לַשְׁמִד מָעֻזְנֶיהָ׃

O Senhor estendeu a sua mão sobre o mar, e turbou os reinos. *Foi Yahweh* quem sacudiu aquela área do mundo inteiro, estendendo sua mão de julgamento. Ver sobre *mão* em Sl 81.14 (e também no *Dicionário*), símbolo de poder e ação, para o bem e para o mal. Ver sobre *mão direita* em Sl 20.6, e sobre a expressão similar, *braço*, em Sl 77.15; 89.10; 98.1. Fortalezas foram derrubadas pelas palavras (decretos) de Deus, toda aquela área foi sacudida por um terremoto divino. Cidades comerciantes tinham sido estabelecidas na terra de *Canaã* e em vários portos do mar Mediterrâneo. O mundo mediterrâneo inteiro seria abalado quando a mão de Yahweh ferisse os fenícios. Tiro e Sidom eram as principais fortificações a serem derrubadas, mas a destruição não se limitaria a essas duas cidades. O poder dos assírios, em sua ganância, moveu-se tão veloz como os navios fenícios e atacou muitos lugares.

> Para rebaixar o orgulho do homem,
> Para humilhar o esplendor humano.
>
> Moffatt

■ 23.12

וַיֹּאמֶר לֹא־תוֹסִיפִי עוֹד לַעְלוֹז הַמְעֻשָּׁקָה בְּתוּלַת בַּת־צִידוֹן כִּתִּיִּים קוּמִי עֲבֹרִי גַּם־שָׁם לֹא־יָנוּחַ לָךְ׃

E disse: Nunca mais exultará, ó oprimida virgem filha de Sidom. A antiga cidade de Tiro, a ex-filha virgem de Sidom, teria de fugir para Chipre, mas nem ali encontraria descanso, porquanto o inimigo já havia conquistado aquele lugar. Aquela virgem não era mais virgem, porquanto tinha sido "deflorada" (oprimida). Essa expressão existe entre os árabes, que chamam de "virgem" uma cidade que nunca foi capturada pelo inimigo. O versículo significa que Tiro era uma virgem violada pelos assírios. "Até ali, Tiro ainda não havia sido derrotada. Sua fortaleza era uma cidadela virgem. Agora o conquistador bárbaro lhe tinha roubado a virgindade" (Ellicott, *in loc.*). A rainha dos mares foi reduzida à condição de fugitiva de um lugar para outro, nos quais antes havia comerciado e obtido grandes vantagens econômicas e prestígio. Mas, por onde quer que fosse, encontrava os assírios violadores e, assim, tinha de continuar fugindo.

■ 23.13

הֵן אֶרֶץ כַּשְׂדִּים זֶה הָעָם לֹא הָיָה אַשּׁוּר יְסָדָהּ לְצִיִּים הֵקִימוּ בְחִינָיו עֹרְרוּ אַרְמְנוֹתֶיהָ שָׂמָהּ לְמַפֵּלָה׃

Eis a terra dos caldeus, povo que até há pouco não era povo. Ao que tudo indica, este versículo é uma adição feita por um editor posterior. Talvez tenha começado como uma anotação feita à margem, que acabou sendo copiada no texto. Seu propósito é o de informar que os babilônios, e não os assírios, foram os causadores dos problemas mencionados no contexto. Naturalmente, a verdade é que ambos os povos — assírios e babilônios — fizeram as mesmas coisas no mundo mediterrâneo. Os intérpretes estão divididos quanto à questão, alguns vendo os assírios, e outros vendo os babilônios no contexto. Talvez a nota adicional tenha entrado no texto depois que os babilônios criaram sua própria confusão, e então o editor (ou anotador da margem) pensou que seria útil fazer uma adição que se ajustasse melhor à profecia de Isaías. Nesse caso, a nota "depois do fato" tinha por finalidade levar os leitores a ver que a profecia foi mais bem cumprida pelos babilônios. Mas a despeito dessa nota, a maioria dos intérpretes fica com a Assíria como o poder por trás dos acontecimentos descritos na passagem. Para complicar as coisas, o texto hebraico do vs. 13 não é claro, pelo que os intérpretes o têm distorcido como querem. A NCV até diz que a Assíria destruiu a Babilônia, o que de fato aconteceu, antes que a Babilônia tivesse subido à posição de potência dominadora, embora dificilmente seja o que está em pauta aqui. Não obstante, a NIV também nos transmite esse significado. Se, realmente, um ataque da Assíria contra a Babilônia está em vista, então tudo quanto temos é outro exemplo de como a Assíria, naquela época, era invencível, pelo que se poderia com razão esperar dela ataques contínuos, com contínuas vitórias. Em outras palavras, "maiores vitórias assírias estavam a caminho".

■ 23.14

הֵילִילוּ אֳנִיּוֹת תַּרְשִׁישׁ כִּי שֻׁדַּד מָעֻזְּכֶן׃ ס

Uivai, navios de Társis, porque é destruída a que era a vossa fortaleza! Este versículo é um minúsculo sumário da passagem anterior. A conclusão de tudo é que os fenícios sofreriam horrenda perda com o fim de seu comércio. Társis não receberia embarcações por um longo tempo, e o mundo mediterrâneo inteiro sofreria imensa perda. Portanto, estava na ordem do dia a lamentação, e não o orgulho nas riquezas materiais e no poder.

Restauração de Tiro Após Setenta Anos (23.15-18)

■ 23.15

וְהָיָה בַּיּוֹם הַהוּא וְנִשְׁכַּחַת צֹר שִׁבְעִים שָׁנָה כִּימֵי מֶלֶךְ אֶחָד מִקֵּץ שִׁבְעִים שָׁנָה יִהְיֶה לְצֹר כְּשִׁירַת הַזּוֹנָה׃

Naquele dia Tiro será posta em esquecimento por setenta anos. Alguns aceitam estes versículos como parte do oráculo original de Isaías, que ficou olhando pelos corredores do tempo por muitos anos. Mas outros estudiosos pensam que estes versículos são um suplemento bastante tardio do texto, uma espécie de nota histórica de rodapé. "Um dos editores posteriores dos livros proféticos adicionou este pós-escrito, provavelmente ao tempo dos reis selêucidas (século III a.C.). Trata-se de um comentário escarninho feito algum tempo depois que Tiro foi destruída por Alexandre, o Grande, em 332 a.C... Tiro recuperaria algo de sua antiga posição, comprando atenção como uma antiga prostituta que tivesse retornado às suas atividades. A figura não é, conforme se vê em Oseias, Miqueias e Ezequiel, uma figura de infidelidade ou imundícia, mas o de prostituir todas as coisas em troca do lucro comercial (cf. Ap 17.5; 18.3,11-13)" (R. B. Y. Scott, *in loc.*).

Consideremos aqui três pontos:

1. Tiro, removida do poder comercial devido ao ataque dos assírios, seria, essencialmente, um lugar esquecido pelo espaço de setenta anos, como um rei que, tendo reinado por longo período de tempo, foi esquecido depois que caiu. Mas, depois desse período, Tiro voltaria entoando seu cântico de prostituição, como uma idosa prostituta que abandonou suas atividades por algum tempo, mas voltou à procura de novas vítimas.

2. Alguns eruditos pensam que os *setenta anos* são paralelos ao que se lê em Jr 25.11, que menciona o tempo que duraria o cativeiro babilônico. O sentido, pois, seria que, "após o cativeiro babilônico", mas sem designar o tempo exato, Tiro voltaria às suas atividades comerciais e recuperaria sua antiga posição, pelo menos em parte.

3. Mas há também estudiosos que pensam que essa designação cronológica de setenta anos significa apenas *um longo tempo* de duração não especificada. Essa terceira ideia é acompanhada pelo menor número de dificuldades.

Os intérpretes observam a dificuldade de fazer essas palavras ajustar-se ao que se sabe por meio da história. Continuaram as atividades comerciais de Tiro, as quais foram restringidas somente por treze anos, período em que Nabucodonosor cercou a cidade, entre os anos de 587-574 a.C. Os intérpretes inutilmente põem-se a calcular os tempos da história que expliquem os setenta anos. A Septuaginta refere-se ao número de anos em que um homem espera viver (ver Sl 90.10), mas nem por isso a interpretação do versículo fica mais clara.

■ 23.16

קְחִי כִנּוֹר סֹבִּי עִיר זוֹנָה נִשְׁכָּחָה הֵיטִיבִי נַגֵּן הַרְבִּי־
שִׁיר לְמַעַן תִּזָּכֵרִי׃

Toma a harpa, rodeia a cidade, ó meretriz, entregue ao esquecimento. Este versículo contém uma declaração extremamente escarninha, na qual Tiro é referida como uma antiga prostituta que seria forçada a fazer uma propaganda de si mesma para conseguir novos clientes. Ela teria de conseguir uma harpa e cantar cânticos de amor para atrair novos clientes. Aqueles que a tivessem esquecido lembrariam os "bons e antigos dias", quando Tiro era *a rainha das águas* e enriquecia a si mesma e a outros com seu comércio. "... em um tom meio de ironia, meio de pena", o profeta falou com Tiro (Ellicott, *in loc.*).

■ 23.17

וְהָיָה מִקֵּץ שִׁבְעִים שָׁנָה יִפְקֹד יְהוָה אֶת־צֹר וְשָׁבָה
לְאֶתְנַנָּה וְזָנְתָה אֶת־כָּל־מַמְלְכוֹת הָאָרֶץ עַל־פְּנֵי
הָאֲדָמָה׃

Findos os setenta anos, o Senhor atentará para Tiro. Este versículo sumaria e explica o que fora dito nos vss. 15 e 16. Os misteriosos setenta anos (ver as explicações sobre o vs. 15) reaparecem, ao mesmo tempo que é reiterada a figura da prostituta. Mas aqui vemos novamente Yahweh como o *agente* por trás da cena. Ele tinha derrubado Tiro, mas agora a soerguia de novo para que brilhasse outro dia no palco da vida. Ver Is 13.6 quanto ao conceito de o *Poder dos Céus* ser o controlador dos acontecimentos na terra. Talvez esteja em foco o reavivamento dos feitos comerciais fenícios durante o período persa. Os navios da Fenícia uma vez mais encheram os portos do mar Mediterrâneo. Cf. Ap 18.3, que aplica as palavras à Babilônia mística do futuro (Roma).

■ 23.18

וְהָיָה סַחְרָהּ וְאֶתְנַנָּהּ קֹדֶשׁ לַיהוָה לֹא יֵאָצֵר וְלֹא
יֵחָסֵן כִּי לַיֹּשְׁבִים לִפְנֵי יְהוָה יִהְיֶה סַחְרָהּ לֶאֱכֹל
לְשָׂבְעָה וְלִמְכַסֶּה עָתִיק׃ פ

O ganho e o salário de sua impureza serão dedicados ao Senhor. Este versículo nos choca ao dizer que, no dia do futuro domínio de Judá — que profeticamente fala da era do reino de Deus —, até as riquezas ganhas por essa prostituta, Tiro, aumentarão o bem-estar de Jerusalém. Cf. Is 45.14; 60.4-14 e Zc 14.14. Em primeiro lugar, o profeta refere-se a Tiro com desprezo e então ajunta que Jerusalém aproveitaria do dinheiro de Tiro! A predição é que Judá terá tal domínio (presumivelmente durante a era do reino) que se tornará não somente o centro religioso, mas também o centro comercial do mundo. Dt 23.18 não permitia que o ganho ilícito das prostitutas entrasse no tesouro, mas as regras foram mudando com a passagem do tempo. As autoridades não terão permissão de ajuntar bens, mas esses bens rolarão livremente para Jerusalém, como alimentos importados e roupas finas, além de inúmeros outros itens.

Assim termina a questão dos oráculos de condenação ou sentenças contra a Fenícia. Haveria restauração na Fenícia, a qual seria para o bem de Jerusalém, no tempo em que Israel viesse a tornar-se a cabeça das nações; ou, pelo menos, essa é uma das explicações desta seção.

CAPÍTULO VINTE E QUATRO

O ESTABELECIMENTO DO REINO DE DEUS: O PEQUENO APOCALIPSE DE ISAÍAS (24.1—27.13)

Como Deus usou a Assíria para julgar o mundo da época (ver os capítulos 13—23) e terminou com uma menção à *restauração* (23.17,18) forma o pano de fundo do julgamento eventual do Senhor contra o mundo inteiro, quando ele tomar as rédeas do reino de Deus em suas mãos. Os intérpretes dispensacionalistas veem aqui uma descrição da Grande Tribulação vindoura, seguida pelo reino milenar de Cristo. Outros intérpretes mostram-se menos específicos ao tentar explicar estes capítulos.

"O Apocalipse de Isaías. Estes capítulos, sem relação com o contexto, são frequentemente chamados o 'Apocalipse de Isaías' porquanto usam temas escatológicos encontrados em escritos apocalípticos posteriores (julgamento universal, banquete escatológico, sinais celestiais e coisas semelhantes). Uma pessoa poderia considerar esta seção como uma forma transicional entre os materiais proféticos tradicionais e os materiais apocalípticos, datados entre 540 e 425 a.C. Estes capítulos contêm certa variedade de materiais, por exemplo, profecia escatológica em quatro seções (Is 24.1-6,16b-23; 25.6-10a; 26.20-27), quatro poemas apocalípticos de livramento (24.7-16a; 25.1-5; 26.1-6; 27.2-11); oráculos de condenação e triunfo (26.20—27.1; 27.12,13; cf. 25.10b-12); um salmo processional e um salmo apocalíptico (26.1-6; 27.2-11)" (*Oxford Annotated Bible*, introdução ao capítulo 24).

Por curiosa coincidência, o *Pequeno Apocalipse* do Evangelho de Mateus, que tem algum material similar e também aborda os sofrimentos do tempo do fim, é o capítulo 24. Ver no *Dicionário* o artigo chamado *Apocalípticos, Livros*.

Alguns intérpretes veem este material como uma coletânea de profecias escatológicas, salmos e orações reunidos por editores posteriores. Outros apêndices similares são vistos em Is 33, 34, 63 a 66 (do chamado segundo Isaías), bem como nos finais dos livros de Amós, Miqueias, Sofonias, Zacarias e Joel. Esta porção escatológica de Isaías deixa de lado os estranhos simbolismos comuns aos capítulos 7 a 12 do livro de Daniel e a todo o livro de Apocalipse do Novo Testamento. Alguns eruditos veem esta seção como uma espécie de pré-apocalipse, um passo na direção da literatura apocalíptica. Ver na *Enciclopédia de Bíblia, Teologia e Filosofia* os artigos chamados *Apocalipse*, seção I, e *Apocalípticos, Livros*.

GRANDE TRIBULAÇÃO (24.1-23)

Retenho aqui meu esboço de títulos, em consonância com a interpretação comum ao dispensacionalismo. Como é óbvio, muitos intérpretes bíblicos duvidam da exatidão de chamar de Grande Tribulação os sete anos ou os três anos e meio finais do futuro. Talvez tenhamos aqui um quadro de julgamento universal que deverá anteceder a restauração, sem nos envolvermos em coisas tão específicas. Ver na *Enciclopédia de Bíblia, Teologia e Filosofia* o artigo chamado *Tribulação, a Grande*.

■ 24.1

הִנֵּה יְהוָה בּוֹקֵק הָאָרֶץ וּבוֹלְקָהּ וְעִוָּה פָנֶיהָ וְהֵפִיץ
יֹשְׁבֶיהָ׃

Eis que o Senhor devasta e desola a terra. Por dezesseis vezes em seu livro, o profeta Isaías menciona a vindoura desolação da terra. Devemos compreender que haverá uma intervenção divina direta, um tempo de julgamento sem precedente. O julgamento divino apanhará os homens em termos iguais. Serão afetados os grandes e os pequenos, e a justiça será a grande palavra a ser usada, e não por mero expediente. A figura que nos convém entender é a de ataque de exércitos que deixam a terra saqueada e coberta de sangue. As vítimas serão inúmeras. A terra será transformada, pelo menos durante algum tempo, em deserto, em terra devastada, desolada. A superfície da terra será "distorcida" com grandes agitações, e os habitantes da terra serão espalhados, como fugitivos que se retiram dos terrores do exército atacante. O ataque será como um terremoto que distorcerá até o chão que os homens pisam. É limitador demais interpretar aqui "terra" como a terra de Judá, ou qualquer outra nação, ou parte do mundo. Nem as desolações causadas pelos babilônios ou outros povos correspondem à terrível cena que aparece diante de nós. E nem Is estava vendo por trás do seu horizonte e pensando nos romanos. Antes, temos aqui uma destruição geral, como sucedeu por ocasião do dilúvio de Noé.

■ 24.2

וְהָיָה כָעָם כַּכֹּהֵן כַּעֶבֶד כַּאדֹנָיו כַּשִּׁפְחָה כַּגְּבִרְתָּהּ
כַּקּוֹנֶה כַּמּוֹכֵר כַּמַּלְוֶה כַּלֹּוֶה כַּנֹּשֶׁה כַּאֲשֶׁר נֹשֵׁא בוֹ׃

O que suceder ao povo, sucederá ao sacerdote. *A humanidade inteira seria atingida,* sem importar sua posição na vida: sacerdote e povo; escravo e senhor; senhora e escrava; comprador e vendedor; emprestador e tomador de empréstimo; credor e devedor. Devemos compreender que a corrupção tinha percorrido todas as camadas da sociedade. E outro tanto se deu com o julgamento. Havia um novo dia esperando mais adiante, mas isso não poderia ocorrer enquanto o velho dia não passasse. Nenhum tempo do passado pode ser salientado para explicar a universalidade dessa devastação. Cf. Os 4.9.

24.3

הִבּוֹק תִּבּוֹק הָאָרֶץ וְהִבּוֹז תִּבּוֹז כִּי יְהוָה דִּבֶּר אֶת־הַדָּבָר הַזֶּה׃

A terra será de todo devastada e totalmente saqueada. A terra, o globo terráqueo inteiro, conforme o contexto nos mostra, seria totalmente devastada (*Revised Standard Version*), literalmente *esvaziada* e saqueada, como se um grande exército a tivesse atingido e virtualmente a tornado um deserto. Seria como um campo de batalha, depois que dois grandes exércitos se tivessem entrechocado, deixando incontáveis cadáveres e a terra devastada. A descrição ultrapassa a qualquer coisa que jamais aconteceu, e aponta para o temível futuro do mundo, antes que o reino de Deus seja estabelecido palpavelmente. É inútil tentar ajustar este texto a qualquer situação histórica. O que está aqui em vista é o *futuro apocalíptico*.

24.4

אָבְלָה נָבְלָה הָאָרֶץ אֻמְלְלָה נָבְלָה תֵּבֵל אֻמְלָלוּ מְרוֹם עַם־הָאָרֶץ׃

A terra pranteia e se murcha; o mundo enfraquece e se murcha. *A terra é o mundo,* conforme o presente versículo deixa claro. Os sobreviventes são os *lamentadores* e, de fato, muito haverá para lamentar. A terra se enfraquecerá e murchará, como uma fruta sobre a qual incide o sol do deserto, até que ela murcha inteira e fica inútil. Cf. o vs. 7.

"Que pode fazer o homem moderno com uma profecia escatológica como essa, com sua linguagem misteriosa e simbólica? O quadro aqui traçado é estranho para o pensamento moderno. O conceito do julgamento que tão profundamente afetou nossos pais quase desapareceu completamente do pensamento contemporâneo... Contudo, não se pode ter amor sem julgamento, como também não se pode ter julgamento sem amor. Ninguém pode inculcar moralidade enquanto estiver silente sobre a prestação de contas, ou colher aquilo que tiver semeado" (G. G. D. Kilpatrick, *in loc.*, com alguma adaptação).

Enlanguescem os mais altos do povo da terra. Os mais altivos da terra, que não esperavam ter de prestar contas de seus atos, serão debilitados e cairão na nulidade. Mas a *Revised Standard Version* diz aqui: "Os céus enlanguescem juntamente com a terra". Essa expressão poética subentende que o julgamento será tão terrível que atrairá a piedade e o sofrimento dos céus. Diz o hebraico literal aqui: "as alturas", o que tem atraído diversas interpretações. Seja como for, ninguém será poupado do juízo escatológico, conforme vemos detalhadamente no vs. 2.

A terra secar-se-á e morrerá. O mundo enfraquecerá e morrerá. Os grandes líderes desta terra debilitar-se-ão.

NCV

Devemos pensar em um julgamento da ordem do *dilúvio de Noé*, que atingiu a tudo e a todos. Assírios, babilônios e romanos (aos quais alguns eruditos têm reduzido esta passagem) dificilmente estão em mira aqui.

24.5

וְהָאָרֶץ חָנְפָה תַּחַת יֹשְׁבֶיהָ כִּי־עָבְרוּ תוֹרֹת חָלְפוּ חֹק הֵפֵרוּ בְּרִית עוֹלָם׃

Na verdade, a terra está contaminada por causa dos seus moradores. *A razão* para tão severos juízos divinos é agora declarada. O povo contaminara a terra com intermináveis *poluições*. A terra está debaixo das poluições como se estivesse em um imenso monturo. As leis têm sido transgredidas, e o *pacto eterno* tem sido violado. O nome dado ao pacto eterno provavelmente nos afasta do pacto abraâmico e do pacto mosaico, e nos aproxima do pacto firmado no princípio, com a humanidade em geral, e não com Israel em particular. Ver Gn 2.16,17; 3.1-6, e cf. Os 6.7. Ou então devemos pensar aqui na aliança entre *Deus e Noé* (ver Gn 9.1 ss.). Ver no *Dicionário* o artigo chamado *Pactos*. Cf. este versículo com Gn 7.12, as condições morais que causaram o dilúvio: "Viu Deus a terra, e eis que estava corrompida; porque todo ser vivente havia corrompido o seu caminho na terra".

Cf. Is 42.22-25. Este versículo é uma vívida demonstração da *Lei Moral da Colheita segundo a Semeadura* (ver a respeito no *Dicionário*).

24.6

עַל־כֵּן אָלָה אָכְלָה אֶרֶץ וַיֶּאְשְׁמוּ יֹשְׁבֵי בָהּ עַל־כֵּן חָרוּ יֹשְׁבֵי אֶרֶץ וְנִשְׁאַר אֱנוֹשׁ מִזְעָר׃

Por isso a maldição consome a terra. Continua aqui a descrição sobre a lei da colheita segundo a semeadura. Uma maldição caiu sobre os transgressores. A maldição os *devorará* como um monstro enviado para terminar com eles. Eles pecaram monstruosamente, e terão de sofrer com o monstro que eles mesmos criaram. Uma antiga lenda escocesa conta a história de um agricultor perseguido por um monstro. O monstro destruía suas plantações e seus animais domésticos. Um dia, o monstro apanhou seu filho nos campos e o matou. O homem, enraivecido, enviou homens que armassem uma emboscada para apanhar o monstro. Finalmente, o monstro apareceu durante a noite para fazer mais danos. Fortalecido pelo ódio que sentia após a morte do filho, o agricultor conseguiu dominar o monstro. Quando o agricultor aplicava um golpe mortal no inimigo, a luz da lua iluminou o rosto do monstro: era o rosto do próprio agricultor.

A questão foi primeiro ilustrada pelo animal feroz e devorador. Agora temos outra figura, dessa vez nas proximidades de um fogaréu. Para conservar o espírito da passagem, compreendemos que esse fogo foi aceso pelo homem e, subsequentemente, queimou os homens. A ira de Yahweh foi acesa pelos pecados humanos.

Eles serão queimados; e somente alguns escaparão.

NCV

24.7

אָבַל תִּירוֹשׁ אֻמְלְלָה־גָפֶן נֶאֶנְחוּ כָּל־שִׂמְחֵי־לֵב׃

Pranteia o vinho, enlanguesce a vide. *O vinho novo perderá o bom gosto;* a vide azedará; os vinhedos fenecerão. O vinho se ressecará e as vinhas murcharão. "Cada característica tem seu papel no quadro de uma terra da qual todas as fontes de alegria foram arrebatadas" (Ellicott, *in loc.*). Seriam silenciados os cânticos felizes dos colhedores de uvas, bem como os cânticos jubilosos daqueles que bebem vinho nas festas. Não mais haverá festivais da vindima, porquanto tudo jazerá por terra, destruído. Diz o Targum: "Todos quantos bebem vinho se lamentarão, porquanto as vinhas estão quebradas".

24.8

שָׁבַת מְשׂוֹשׂ תֻּפִּים חָדַל שְׁאוֹן עַלִּיזִים שָׁבַת מְשׂוֹשׂ כִּנּוֹר׃

Cessou o folguedo dos tamboris, acabou o ruído dos que exultam. *A música cessaria;* as festividades parariam; os homens que sobrevivessem aos terrores e à mortandade lamentariam. Nada haveria para celebrar.

E voz de harpistas, de músicos, de tocadores de flautas e de clarins jamais em ti se ouvirá...

Apocalipse 18.22

24.9

בַּשִּׁיר לֹא יִשְׁתּוּ־יָיִן יֵמַר שֵׁכָר לְשֹׁתָיו׃

Já não se bebe vinho entre canções. Este versículo repete a ideia do vs. 8, sob forma levemente diferente. Bebidas fortes que levam um homem a viver um tanto no mundo das fantasias, aliviando-o de seu tédio diário, de nada adiantarão naquele dia. Não haveria ingestão de vinho nem cânticos, e as bebidas alcoólicas pareceriam amargas. A tribulação seria por demais radical para admitir maneiras fáceis de aliviar as tensões da vida. Calamidades pessoais e mundiais ocupariam a mente de toda a humanidade e deixariam as pessoas em estado de miséria. "A música das festas cessará (ver Am 6.5), e, se houver algum cântico, será o cântico das lamentações (ver Am 8.10). Perder-se-á até o apetite pelas bebidas alcoólicas" (Ellicott, *in loc.*).

■ 24.10

נִשְׁבְּרָה קִרְיַת־תֹּהוּ סֻגַּר כָּל־בַּיִת מִבּוֹא׃

Demolida está a cidade caótica, todas as casas estão fechadas. As cidades se tornarão cenas de *caos extremo;* todas as casas serão fechadas e não haverá lugar para entrar em paz. As ruínas tornarão as residências inúteis, pois serão apenas montões de tijolos deslocados. A ruínas será reduzida a cidade, ou seja, qualquer cidade, e não meramente Jerusalém, ou Babilônia ou Roma, conforme os intérpretes limitam a questão. As coisas terão retornado ao caos primevo. Ver sobre *cidade,* em Is 25.2.

■ 24.11

צְוָחָה עַל־הַיַּיִן בַּחוּצוֹת עָרְבָה כָּל־שִׂמְחָה גָּלָה מְשׂוֹשׂ הָאָרֶץ׃

Gritam por vinho nas ruas, fez-se noite para toda alegria. O vinho reaparece na descrição como símbolo de alegria. Toda alegria desapareceu; a tristeza tornou-se pungente; há choro nas ruas; todo júbilo atingiu seu ocaso; a alegria é banida da terra. As pessoas clamam por bebidas alcoólicas para embotar-lhes a mente, mas não há nenhuma bebida. O pôr do sol, tão buscado em tempos de paz, agora é pura escuridão. A alegria é uma espécie de luz da alma, mas ela passa para dentro das sombras e não emerge.

■ 24.12

נִשְׁאַר בָּעִיר שַׁמָּה וּשְׁאִיָּה יֻכַּת־שָׁעַר׃

Na cidade reina a desolação, e a porta está reduzida a ruínas. As cidades são cenas de desolação e abandono. Suas portas estão estragadas e reduzidas a ruínas. Não haverá proteção nem alívio. Coisa alguma resta, exceto as ruínas dos edifícios. A porta da cidade, orgulho e proteção das cidades orientais, foi pulverizada até o pó. Antes, era o lugar feliz de ajuntamento do povo e de negociações. Todas as atividades próprias de uma cidade pararam. Ver sobre *cidade,* em Is 25.2.

Inesperado Grito de Triunfo (24.13-16a)

■ 24.13

כִּי כֹה יִהְיֶה בְּקֶרֶב הָאָרֶץ בְּתוֹךְ הָעַמִּים כְּנֹקֶף זַיִת כְּעוֹלֵלֹת אִם־כָּלָה בָצִיר׃

Porque será na terra, no meio destes povos. A *cidade* referida nos vss. 10 e 12 é agora *universalizada,* como se houvesse uma grande cidade apenas em todo o mundo e em todas as nações. A terra será como um ramo de oliveira que foi sacudido e batido com uma vara, para fazer cair suas azeitonas. Então a árvore foi deixada desnuda de frutos. O mundo inteiro será como uma árvore sem frutos, que perdeu seu valor e utilidade. O mundo sofreu devastadora colheita. Mas o vs. 14 reverte a figura para um quadro de alegria, porquanto no futuro haverá boa colheita para a terra, a renovação de seu valor. Mas a ideia é restrita ao remanescente que escapará, tal como algumas azeitonas escapam do sacolejar dos ramos da oliveira e permanecem em algum ramo alto. Ver Is 17.5,6 e Jz 8.2. Ver também Is 19.24 e Ez 38.12.

■ 24.14

הֵמָּה יִשְׂאוּ קוֹלָם יָרֹנּוּ בִּגְאוֹן יְהוָה צָהֲלוּ מִיָּם׃

Eles levantam a voz e cantam com alegria. "Adicionada à descrição da desolação, temos esta promessa de uma colheita de regozijo, como o regozijo que há por ocasião da colheita das oliveiras e das parreiras. A linguagem assemelha-se à do segundo Isaías (49.12,13; 51.3). O poeta ouve os cânticos daqueles cujo tristeza foi transformada em alegria" (R. B. Y. Scott, *in loc.*). "O remanescente espalhado dos judeus (Is 19.24; Ez 38.12) louva a Deus por ter salvado e vindicado a Israel, 'o justo' (vs. 16)" (*Oxford Annotated Bible,* comentando sobre os vss. 13-16). Os que tiverem sido misericordiosa e miraculosamente preservados descobrirão uma nova aurora, pois os raios de esperança se estenderão de leste a oeste, e assim trarão nova e universal esperança na era do reino de Deus. A majestade do Senhor será vista nos raios do sol. As boas-novas serão espalhadas universalmente. Um novo dia chegará. "Para o remanescente aparecerá, no meio da desolação, a visão da glória do Senhor, e, a distância, desde o mar (o Mediterrâneo como o grande mar do mundo antigo), eles entoam seu cântico de louvor" (Ellicott, *in loc.*).

■ 24.15

עַל־כֵּן בָּאֻרִים כַּבְּדוּ יְהוָה בְּאִיֵּי הַיָּם שֵׁם יְהוָה אֱלֹהֵי יִשְׂרָאֵל׃ ס

Por isso glorificai ao Senhor no Oriente. Haverá gritos de triunfo no Ocidente, e vozes se levantarão no Oriente, como uma reverberação, e louvores e glórias serão dados a Yahweh, quanto ao seu trabalho de julgamento que limpou a terra e a tornou um lugar decente para viver. Os que habitarem ilhas e regiões costeiras, bem como muitos outros lugares da terra, cantarão o mesmo cântico de redenção e nova esperança. O denominador comum universal será a fé em Yahweh.

No Oriente. Literalmente, "nas chamas", excelente figura poética, aquelas fogueiras que iluminarão o firmamento quando o sol surgir no horizonte. Haverá um novo dia, e os raios do sol se espalharão universalmente e alegrarão o coração dos sobreviventes. O julgamento divino expurgará a escória. Desse fogo sairá uma prata purificada.

■ 24.16a

מִכְּנַף הָאָרֶץ זְמִרֹת שָׁמַעְנוּ צְבִי לַצַּדִּיק וָאֹמַר רָזִי־לִי רָזִי־לִי אוֹי לִי בֹּגְדִים בָּגָדוּ וּבֶגֶד בּוֹגְדִים בָּגָדוּ׃

Dos confins da terra ouvimos cantar: Glória ao Justo. Os *poucos sobreviventes* representarão pessoas de uma a outra extremidade da terra, e será dessas extremidades que virá um novo cântico de louvor e ação de graças. Yahweh, o Justo de Israel, será o objeto desses louvores. Alguns fazem o Justo ser aqui a nação de Israel, que será vindicada quando as chamas dos juízos de Deus tiverem trazido à superfície aquele povo restaurado. Cf. Lc 21.28: "Ao começarem estas coisas a suceder, exultai e erguei as vossas cabeças porque a vossa redenção se aproxima".

O Terror do Senhor (24.16b-18a)

■ 24.16b

Mas eu digo: Definho, definho, ai de mim! Do vislumbrar momentâneo da esperança de um novo dia, voltamos a mergulhar na noite do terror. O porta-voz está morrendo, ele está morrendo (NCV), e quão terrível é a sorte dele. Traidores voltam-se contra o povo; a ilegalidade é generalizada; pecados vis corrompem tudo; há traição por todos os lados; o mundo está além do alcance da redenção; as traições são nacionais e individuais; em toda parte não há a sanidade da retidão e da fidelidade. "O profeta foi chamado do ideal para o real, da glória do futuro para a vergonha e a miséria do presente. A 'magreza' (definho!), tal como em Sl 22.17 e 109.24, era o símbolo natural de extrema tristeza. Negociantes traiçoeiros, literalmente, *ladrões* ou *bárbaros,* tomaram conta da terra" (Ellicott, *in loc.*).

■ 24.17

פַּחַד וָפַחַת וָפָח עָלֶיךָ יוֹשֵׁב הָאָרֶץ׃

Terror, cova e laço vêm sobre ti. Quando o julgamento de Deus varre a face da terra, como se fosse um temporal feroz e universal, o terror lança todos os homens em confusão e fuga. Deus espalhou suas armadilhas e suas redes de destruição como o grande caçador que prende sua presa. Há abismos onde os homens se precipitam, e a morte engolfa a maioria da população do mundo. Os vss. 17,18b também podem ser encontrados em Jr 48.43,44. Essas palavras provavelmente eram usadas proverbialmente para apontar para as grandes calamidades. Nenhum ser humano, em nenhum lugar do mundo, estará em segurança, pois, se um dos julgamentos não o aniquilar, outro acabará com ele. "Essas palavras apontam para uma rápida sucessão de calamidades inevitáveis, um quadro extraído das diversas formas do trabalho de um caçador. Primeiramente há o terror da fera assustada, que foge somente para cair em uma cova; ou ela corre mas é apanhada em uma rede ou armadilha de alguma espécie, da qual não há como escapar (ver Is 8.15)" (Ellicott, *in loc.*).

■ 24.18a

וְהָיָה הַנָּס מִקּוֹל הַפַּחַד יִפֹּל אֶל־הַפַּחַת וְהָעוֹלֶה
מִתּוֹךְ הַפַּחַת יִלָּכֵד בַּפָּח כִּי־אֲרֻבּוֹת מִמָּרוֹם נִפְתָּחוּ
וַיִּרְעֲשׁוּ מוֹסְדֵי אָרֶץ:

E será que aquele que fugir da voz do terror cairá na cova. Este versículo amplia a figura do caçador, que aparece no vs. 17. O pobre animal ouve os gritos dos caçadores e os uivos dos cães. Tentando escapar, cai em uma cova. Seu dia tinha terminado. O animal enfrentaria uma morte agoniada. Os caçadores se mostrarão cruéis, e os cães encherão seu corpo de mordidas e golpes. Se, por algum milagre, ele conseguir sair da cova, encetará nova fuga, somente para ser apanhado por outra armadilha. Ele não escapará à calamidade final.

O Cataclismo Final; o Julgamento; a nova era (24.18b-23)

■ 24.18b
As represas do alto se abrem, e tremem os fundamentos da terra. *As janelas do céu* se abrem e derramam as chuvas do julgamento divino, tal como aconteceu no dilúvio de Noé. Portanto, temos aqui outra calamidade universal, como aquela dos tempos do patriarca Noé. Além das chuvaradas que cairão do céu (símbolo dos julgamentos divinos), haverá também terremotos na terra (outro símbolo dos julgamentos divinos). A terra será sacudida até os fundamentos. Haverá ruína total. "A manifestação do poder de Yahweh nos temporais e terremotos é um elemento familiar no Antigo Testamento (cf. Jz 5.4,5; Sl 18.7-15). Os mesmos tipos de referências se encontram na literatura pagã, como aquele incidente do combate de um deus com poderes rebeldes, subjugando-os, com a subsequente entronização do rei universal (cf. Marduque em *Enuma elis,* tabletes IV, VI; e Baal no poema de Baal, III.AB). Ver também no Antigo Testamento: Is 14.12-15; Sl 29. 82; 89.2-19; Ez 28.12-17" (R. B. Y. Scott, *in loc.*, com alguma adaptação). Ver Gn 7.11 e 8.2 quanto à figura do dilúvio.

■ 24.19

רֹעָה הִתְרֹעֲעָה הָאָרֶץ פּוֹר הִתְפּוֹרְרָה אָרֶץ מוֹט
הִתְמוֹטְטָה אָרֶץ:

A terra está de todo quebrantada. As calamidades serão tão severas que *a própria terra* ficará inteiramente destroçada; como antes, as casas das cidades e seus portões foram descritos como destruídos (vss. 10 e 12). Nem mesmo o apelo às hipérboles orientais pode fazer essas descrições aplicar-se a alguma situação histórica, como os ataques militares dos assírios, dos babilônios ou dos romanos. A imagem aqui usada é a de um terremoto que porá fim a todos os outros terremotos. Ver o trecho paralelo de Ap 6.12 ss. "O ritmo da poesia desta passagem é quase um eco das explosões de destruições: os três estágios, a rachadura da terra; as aberturas que aparecerão no solo; a despedaçadora convulsão final" (Ellicott, *in loc.*). Diz o Targum: "... movendo-se, a terra se moverá; agitando-se, a terra será agitada; partindo-se, a terra será dissolvida".

■ 24.20

נוֹעַ תָּנוּעַ אֶרֶץ כַּשִּׁכּוֹר וְהִתְנוֹדְדָה כַּמְּלוּנָה וְכָבַד
עָלֶיהָ פִּשְׁעָהּ וְנָפְלָה וְלֹא־תֹסִיף קוּם: ס

A terra cambaleia como um bêbado, e balanceia como rede de dormir. A terra é aqui descrita como se fosse uma casa isolada apanhada por um terremoto devastador; ela tremerá e cambaleará; desintegrar-se-á e cairá em pedaços; cairá por terra e chegará ao fim.

Observar a terra é como observar um bêbado que tentava avançar pelo caminho, mas tropeça e cai. A casa e seu morador vergam-se sob as transgressões, e juntos tropeçam e caem, fincando-se no chão. A queda é final. Não há nenhuma tentativa de levantar-se de novo. "Nessas convulsões, o mundo não poderá erguer-se e, mesmo que o fizesse, cairia de novo" (Fausset, *in loc.*). Cf. essas descrições com 2Pe 3.11,12.

Se aceitarmos literalmente essas descrições, teremos de levar em conta a possibilidade de uma *mudança dos polos,* o que acontece periodicamente, talvez a cada 10 mil anos. Talvez a última mudança de polos tenha ocorrido na época de Noé, e talvez o mundo se esteja encaminhando para outro desses *cataclismos inenarráveis.* Ver no *Dicionário* o artigo chamado *Dilúvio de Noé,* especialmente a segunda seção, onde ofereço informações sobre as mudanças dos polos.

"A terra balanceará sob o peso de suas próprias iniquidades e cairá. Devemos lembrar a ideia dos hebreus de que o mundo repousa sobre colunas (ver 1Sm 2.18)" (Ellicott, *in loc.*). "O julgamento divino ocorrerá por motivo de culpa (Is 24.6), a culpa do mundo inteiro em rebeldia contra Deus" (John S. Martin, *in loc.*). Será uma operação universal da *Lei Moral da Colheita segundo a Semeadura* (ver a respeito no *Dicionário*).

■ 24.21

וְהָיָה בַּיּוֹם הַהוּא יִפְקֹד יְהוָה עַל־צְבָא הַמָּרוֹם
בַּמָּרוֹם וְעַל־מַלְכֵי הָאֲדָמָה עַל־הָאֲדָמָה:

Naquele dia o Senhor castigará, no céu, as hostes celestes. Naquele dia (escatológico) Yahweh punirá "o poder do céu" (NCV). Poderíamos ter aqui uma referência às forças espirituais que se opuseram a Deus e despertaram o caos na terra (ver Ap 19.20; 20.2). No hebraico encontramos a expressão "no alto" (conforme diz, literalmente, o original hebraico), onde nossa versão portuguesa diz "as hostes celestes". Provavelmente essa expressão, "no alto", significa "no norte", o local tradicional da habitação dos deuses. Cf. a destruição das três serpentes, em Is 27.1. *Poderes sobrenaturais,* e não somente terrestres, receberão assim um golpe divino, nesse julgamento antes da era do reino. A *aliança do mal* inteira terá de ser derrotada. Cf. Cl 2.15, que diz algo similar. Ver também Sf 1.5; Jr 19.3; Ef 3.10; 6.12 e 1Co 15.25.

Os reis da terra. Tendo tratado com os poderes superiores nas hostes celestiais, o julgamento também atingirá e aniquilará os poderes menores à face da terra. Com enorme frequência, esses poderes estão em liga com os poderes sobrenaturais da maldade. Essa aliança profana precisa ser quebrada e então destruída. "Anjos, bons e maus, presidem, por assim dizer, os reinos do mundo (ver Dn 10.13,20,21)" (Fausset, *in loc.*). Cf. Ap 16.14; 17.12-14; 19.19. "Deus nunca destrói uma nação sem, primeiramente, destruir seu príncipe" (Delitzsch, *in loc.*).

■ 24.22

וְאֻסְּפוּ אֲסֵפָה אַסִּיר עַל־בּוֹר וְסֻגְּרוּ עַל־מַסְגֵּר וּמֵרֹב
יָמִים יִפָּקֵדוּ:

Serão ajuntados como presos em masmorra, e encarcerados num cárcere. Os poderes, altos e baixos (ver o vs. 21), serão aprisionados e confinados ao *abismo,* onde não mais serão capazes de realizar seus atos debochados e crimes. Alguns veem nesse cárcere uma menção ao *sheol,* com frequência chamado de "abismo". A ideia pode ser que, durante o período do milênio, esses poderes serão mantidos prisioneiros. Nesse caso, esta parte do versículo tem paralelo em Ap 20.1-3, onde lemos que Satanás ficará amarrado no hades. Durante a época áurea do milênio, a terra será protegida contra as forças do mal. Outros julgamentos se seguirão, mas naquele período de mil anos haverá paz e retidão universal. Normalmente, no Antigo Testamento, o *sheol* aparece como o sepulcro; mas houve um desenvolvimento dessa doutrina, que pode refletir-se em passagens como Sl 88.10 e 139.8. Ofereço um sumário de ideias concernentes ao *sheol,* em Pv 5.5. Ver no *Dicionário* o verbete chamado *Hades,* que expande o tema. Isaías, contudo, não fala em punições no outro mundo, o que somente apareceu nos tempos de Daniel (ver Dn 12.2).

"O simbolismo deriva-se das profundas masmorras subterrâneas das prisões orientais (ver Jr 38.6), que são símbolos do hades, onde os poderes rebeldes da terra e do céu esperarão pelo julgamento final (ver 2Pe 2.4; Jd 6).

Depois de muitos dias. Seguir-se-á um tempo durante o qual as forças rebeldes permanecerão confinadas. Essa é uma referência ao período milenar. Os "muitos dias" são determinados com exatidão como mil anos, em Ap 20.3,7. No livro de 1Enoque, esse período é determinado como trezentos anos. Portanto, vemos que a ideia sofreu um desenvolvimento.

■ 24.23

וְחָפְרָה הַלְּבָנָה וּבוֹשָׁה הַחַמָּה כִּי־מָלַךְ יְהוָה צְבָאוֹת בְּהַר צִיּוֹן וּבִירוּשָׁלַםִ וְנֶגֶד זְקֵנָיו כָּבוֹד׃ פ

A luz se envergonhará, e o sol se confundirá. Os julgamentos apocalípticos incluem grande confusão e acontecimentos cósmicos que afetarão o sol, a lua e as estrelas. Alguns eruditos pensam que esses acontecimentos devem ser aceitos literalmente. Mas aqui a lua e o sol quase certamente se referem aos *poderes celestiais* mencionados nos vss. 21 e 22. Uma vez que os poderes rebelados nos céus tiverem sido humilhados e envergonhados, então o Senhor reinará sobre a terra.

O paralelismo de Ap 20 dificilmente pode ter ocorrido por acidente. É provável que o vidente João tenha dependido de Isaías quanto a este ponto particular, embora tenham sido acrescentados muitos detalhes ao que disse Isaías. O livro de Apocalipse, no Novo Testamento, tem muita dependência da literatura apocalíptica judaica, tanto canônica como não canônica. Ver na *Enciclopédia de Bíblia, Teologia e Filosofia* o verbete chamado *Apocalípticos, Livros,* em sua seção III. Cf. Is 60.20,21 e Ap 21.23. O Cordeiro será a Luz que iluminará a nova terra e os novos céus.

Sião, em Jerusalém, será o centro da nova terra, o que, no Apocalipse do Novo Testamento, é a nova Jerusalém. Assim sendo, se o vidente João dependeu de Isaías, ele adicionou seus próprios detalhes e fez seus próprios avanços. Então Yahweh manifestar-se-á de maneira gloriosa na terra, e especialmente na pessoa de seus subordinados, que compartilharão de seu governo. Este versículo nos ensina que Israel se tornará a cabeça das nações, porquanto os "seus anciãos", neste versículo, quase certamente significam os remidos de Israel. Ver Rm 11.26, que é paralelo direto ao versículo presente. Cf. com Êx 24.9, onde se lê sobre os setenta anciãos de Israel. Cf. também Ap 4.4,10,11.

Note o leitor o título divino que aparece neste versículo: o *Senhor dos Exércitos* (ver 1Rs 18.15, e o artigo do *Dicionário* com esse título). Somente o *Poder Celeste,* formado pelos líderes das hostes espirituais, poderia realizar o que foi dito aqui.

CAPÍTULO VINTE E CINCO

Os capítulos 24—27 deste livro constituem o *Pequeno Apocalipse* de Isaías. Ver a detalhada nota de introdução ao capítulo 24 de Isaías. Tendo descrito a *Grande Tribulação* (capítulo 24), o profeta avança para falar sobre o triunfo que se seguirá: ação de graças pela vitória (vss. 1-5); e a festa do triunfo e do fim das tristezas (vss. 6-9). Em seguida temos a condenação de Moabe (vss. 10-12), um único inimigo selecionado para ser vituperado, representando todos os inimigos de Israel.

Os capítulos 25—27 do livro de Isaías contêm essencialmente uma descrição das bênçãos do reino. Assim sendo, temos, em primeiro lugar, um salmo de louvor que exalta Yahweh pelo livramento do seu povo do julgamento que virtualmente aniquilou o mundo inteiro. Usando linguagem poética, Isaías descreveu os louvores que serão atribuídos ao Senhor, durante o milênio, por suas obras maravilhosas. Ver no *Dicionário* o verbete chamado *Milênio,* para detalhes.

AGRADECIMENTOS PELA VITÓRIA (25.1-5)

"Este salmo mostra que o aprofundamento da fé em que a preservação dos judeus, politicamente impotentes, se explica pelo persistente *propósito de Deus,* a fim de que, através de Israel, todas as nações viessem a servi-lo" (R. B. Y. Scott, *in loc.*).

Ver as notas em Is 13.6 quanto ao desenvolvimento do tema de que Yahweh é o governante universal, o Poder por trás dos eventos da terra.

■ 25.1

יְהוָה אֱלֹהַי אַתָּה אֲרוֹמִמְךָ אוֹדֶה שִׁמְךָ כִּי עָשִׂיתָ פֶּלֶא עֵצוֹת מֵרָחוֹק אֱמוּנָה אֹמֶן׃

Ó Senhor, tu és o meu Deus. Os vss. 1-5 deste capítulo formam um salmo bastante similar àqueles do saltério. É um cântico de ação de graças e louvor, uma das grandes classificações dos salmos. Tal e qual se vê em muitos dos salmos, o louvor é dado a Deus por causa do aniquilamento dos inimigos. Cf. estes versículos com Sl 145.

Yahweh é também *Elohim,* ou seja, ele é o *Deus Eterno* e também o *Poder Final.* No *Dicionário* apresento artigos sobre esses dois títulos divinos. Ver também o verbete chamado *Deus, Nomes Bíblicos de.* O nome de Deus é louvado por causa de suas obras maravilhosas. Ver no *Dicionário* o artigo denominado *Louvor.* O louvor será prestado especificamente por causa do triunfo de Deus sobre os seus inimigos, terrenos e celestiais (24.21), no tempo da Grande Tribulação que preparará a terra para o milênio, a época áurea. Ver no *Dicionário* o artigo chamado *Milênio.*

Tens feito maravilhas. Especialmente endireitando as coisas; subjugando todos os inimigos; preparando o caminho para o reino milenar do Messias; e trazendo ao mundo a era do reino de Deus em seu aspecto palpável. Ver sobre *reino de Deus,* no *Dicionário.* A ideia do versículo é: "Cumpriste planos admiráveis", e o que foi descrito no capítulo 24 de Isaías faz parte (mas, como é óbvio, não é a totalidade) do desdobramento do plano divino para a humanidade.

Os teus conselhos antigos. O Deus que a tudo vê e prevê no princípio planejou a sua era do reino de Deus, e fez os acontecimentos mundiais escoar-se de maneira que esses seus conselhos se concretizassem no tempo certo. O reino milenar de Cristo só será possível por causa do pensamento e dos atos divinos. Os *decretos divinos* garantem a concretização desse plano. Ver no *Dicionário* o artigo intitulado *Decretos Divinos.* Os propósitos de Deus tornam possíveis as profecias, porquanto se coisa alguma tivesse sido determinada seria muito difícil prever alguma coisa.

■ 25.2

כִּי שַׂמְתָּ מֵעִיר לַגָּל קִרְיָה בְצוּרָה לְמַפֵּלָה אַרְמוֹן זָרִים מֵעִיר לְעוֹלָם לֹא יִבָּנֶה׃

Porque da cidade fizeste um montão de pedras, e da cidade forte uma ruína. Provavelmente não devemos tentar identificar meramente uma cidade aqui. Note o leitor como Is 24.13 envolve o mundo inteiro, após a seção sobre a cidade. Assim sendo, a cidade aponta para cidades, que significam toda a humanidade. Identificar a "cidade" aqui mencionada com Roma e apontar para Ap 18 dificilmente faz justiça a esta profecia. Este versículo nos remete à mensagem geral do capítulo 24 de Isaías, a Grande Tribulação, e não à destruição de uma cidade isolada. A cidade, que representa aqui o mundo inteiro, foi transformada em um *montão de ruínas.* Ver as notas expositivas sobre Is 24.20. O mundo foi feito como uma cabana derrubada por um terremoto.

Alguns eruditos pensam aqui na Babilônia, a Babilônia mística; e isso seria verdade se a Babilônia mística fosse transformada, por sua vez, em símbolo da destruição do mundo inteiro. O mais provável é que, se o profeta tinha em mira uma cidade específica, que essa fosse a antiga cidade de Babilônia, simbolizando o mundo inteiro. É provável que o vidente João tivesse este versículo defronte dos olhos, quando escreveu Ap 18. A declaração de que a cidade jamais seria reconstruída quase certamente nos remete a Is 13.19,20. Tal como a antiga cidade de Babilônia se tornou inabitável, assim acontecerá aos reinos desta terra, que serão substituídos pelo reino de Deus.

■ 25.3

עַל־כֵּן יְכַבְּדוּךָ עַם־עָז קִרְיַת גּוֹיִם עָרִיצִים יִירָאוּךָ׃

Pelo que povos fortes te glorificarão. Este versículo reitera o tema de que Israel se tornará a cabeça das nações durante o período do reino de Deus. Aqueles a quem Israel temia, esses temerão a Israel. Haverá grande reversão nas potências mundiais. Além disso, contudo, todas as nações serão abençoadas por meio de Israel, o que será o cumprimento de uma das grandes provisões do pacto abraâmico (ver Gn 15.18). Yahweh será glorificado e louvado por aqueles que estavam vencidos pelo paganismo, quando Sião, uma vez mais, tornar-se a capital do mundo religioso. Ver Is 24.23. Yahweh manifestará sua glória a Israel, e Israel manifestará essa glória divina a todas as nações da terra. Quanto ao tema de os gentios virem a conhecer Deus e adorá-lo, assunto comum nos livros dos profetas, ver Is 2.3; 11.9; 49.7; 56.6; 66.20,21; Zc 14.16-19 e Ml 1.11.

> *A terra se encherá do conhecimento do Senhor, como as águas cobrem o mar.*
>
> Isaías 11.9

■ 25.4

כִּי־הָיִיתָ מָעוֹז לַדָּל מָעוֹז לָאֶבְיוֹן בַּצַּר־לוֹ מַחְסֶה מִזֶּרֶם צֵל מֵחֹרֶב כִּי רוּחַ עָרִיצִים כְּזֶרֶם קִיר׃

Porque foste a fortaleza do pobre, e a fortaleza do necessitado na sua angústia. A drástica descrição da *Grande Tribulação*, no capítulo 24 de Isaías, faz-nos lembrar o quanto o homem carece da *fortaleza* do amor de Deus, de sua proteção. A imagem é um quadro de guerra, no qual os homens fogem para suas fortalezas em busca de proteção. Ali eles encontrarão refúgio. Ver Deus como nosso *refúgio*, em Sl 41.1, bem como o artigo com esse nome, no *Dicionário*. Quanto a Deus como *escudo*, ver Sl 3.3; 7.9,10; 84.8, e o artigo sobre esse objeto. Deus serve de *torre* e *fortaleza* para o seu povo (ver Jr 6.27; Sl 91.1,2). Além disso, temos as figuras do abrigo que nos protege do *calor* do sol e das *tempestades*, descritas no capítulo 24 do livro de Isaías. Deus é o abrigo daqueles que o buscam em arrependimento e fé.

> Nosso Deus, nossa ajuda em séculos passados,
> Nossa esperança nos anos vindouros.
> Nosso abrigo durante os açoites da tempestade,
> E nosso lar eterno.
>
> Isaac Watts, meditando sobre o Salmo 90

Como a tempestade contra o muro. Presumivelmente, temos aqui uma cena particularmente violenta, na qual um muro recebe a força total de uma tempestade. Porém, mediante leve emenda, que alguns intérpretes preferem, obtemos "tempestade de inferno".

■ 25.5

כְּחֹרֶב בְּצָיוֹן שְׁאוֹן זָרִים תַּכְנִיעַ חֹרֶב בְּצֵל עָב זְמִיר עָרִיצִים יַעֲנֶה׃ פ

Como o calor em lugar seco. Os *inimigos barulhentos* de Deus serão silenciados, tal como o calor, em um lugar seco, é opressivo e destrói toda a vegetação e toda a vida. O calor divino ressecará todos os ímpios e cessará sua orgulhosa jactância. Quanto ao contraste entre orgulho e humildade, ver Pv 6.17; 11.2; 13.10; 14.3; 15.25; 16.5,8; 18.12 e 21.4. Essa é uma verdade que pode estar subentendida aqui; mas pela palavra "calor" devemos entender o calor dos ímpios, um calor que destrói. "Pessoas cruéis queimam como o calor do deserto" (NCV). Mas Deus fará parar seus ataques de calor contra outras pessoas, servindo de nuvem que bloqueará os raios de calor e dará sombra aos oprimidos:

> *Mas tu, Deus, porás fim a seus ataques violentos. Como uma nuvem arrefece o dia, Senhor, tu silenciarás os cânticos daqueles que não têm misericórdia.*
>
> NCV

Nós cantamos em triunfo e júbilo, e os ímpios têm cânticos mediante os quais celebram suas horrendas vitórias. Seus cânticos serão silenciados nos julgamentos da Grande Tribulação, quando as coisas serão retificadas, e os ímpios forem varridos da face da terra; quando os poderes da impiedade forem amarrados, sejam eles sobrenaturais ou humanos (ver Is 24.21). Cf. Ap 18.9,11,18,22 e 23. O cântico de triunfo dos opressores tem encarquilhado o mundo. Isso não poderá continuar para sempre. Será necessária uma intervenção divina para estancar o dilúvio da impiedade que contemplamos hoje no mundo.

A FESTA DE TRIUNFO E O FIM DA TRISTEZA. CÂNTICO DE VITÓRIA (25.6-9)

■ 25.6

וְעָשָׂה יְהוָה צְבָאוֹת לְכָל־הָעַמִּים בָּהָר הַזֶּה מִשְׁתֵּה שְׁמָנִים מִשְׁתֵּה שְׁמָרִים שְׁמָנִים מְמֻחָיִם שְׁמָרִים מְזֻקָּקִים׃

O Senhor dos Exércitos dará neste monte a todos os povos um banquete. "Logicamente, esta seção deveria ter-se seguido imediatamente ao capítulo 24 de Isaías. O *reino de Deus* sobre o seu mundo recriado deverá ser inaugurado com uma festividade de coroação. Incluirá todos os homens, porquanto o pacto de sua misericórdia será todo inclusivo. Mediante admirável salto de fé, o poeta sagrado transcende a todos os limites nacionais e vê as nações da terra 'ligadas por correntes de ouro em torno dos pés de Deus' (conforme disse Tennyson)" (G. G. D. Kilpatrick, *in loc.*). "Efeitos do reino vindouro (vss. 1-6). O livramento que o Senhor trará incluirá a eliminação da morte (vss. 6-8); o regozijo de seu povo (vs. 9); e o julgamento de seus inimigos (vss. 10-12)" (John S. Martin, *in loc.*).

Neste monte. Temos aqui uma referência ao monte Sião, outra prova de que Jerusalém será a capital religiosa do mundo durante o período do milênio. Ver Is 24.23 que situa isso no fim da Grande Tribulação. O poder por trás disso será o *Senhor dos Exércitos* (ver 1Rs 18.16 e o artigo do *Dicionário)*. Esse título é usado por cerca de vinte vezes no livro de Isaías, sempre vinculado a algum grande feito divino descrito. Ver em Is 13.6 como o Poder do Alto determina os eventos na terra.

Uma festa de fina qualidade será organizada em honra aos convidados para a era do reino: uma festa de coisas gordurosas, de novilhos engordados, das melhores carnes; com vinhos da melhor qualidade, a saber, *vinhos velhos clarificados*. Esses vinhos foram deixados a envelhecer e a aclarar-se nos tonéis.

A todos os povos. Todos os povos serão convidados a participar do banquete do reino de Deus, visto que um remanescente de todas as nações foi purificado pela Grande Tribulação.

Pratos gordurosos com tutanos. Estes pratos eram considerados acepipes nos países do Oriente.

A Festa. Temos aqui um símbolo de suprimento que ultrapassará as meras necessidades, envolvendo festividade e felicidade e, neste caso, prazeres espirituais, e não carnais. Cf. Sl 22.26,27; Mt 8.11; Lc 14.5; Ap 19.9. Cf. também Sl 36.8.

■ 25.7

וּבִלַּע בָּהָר הַזֶּה פְּנֵי־הַלּוֹט הַלּוֹט עַל־כָּל־הָעַמִּים וְהַמַּסֵּכָה הַנְּסוּכָה עַל־כָּל־הַגּוֹיִם׃

Destruirá neste monte a coberta que envolve todos os povos. *A Destruição da Morte*. A morte é aqui pintada como a mortalha posta sobre os cadáveres, a *coberta mórbida*. O milênio promete vida longa, mas não o aniquilamento total da morte. Ver Is 65.20. A morte era a coberta temível que envolvia todas as nações, porquanto nenhum homem ou povo estava isento de morrer. Os homens viviam em escravidão toda a vida, por causa do temor da morte (ver Hb 2.15).

Ellicott (*in loc.*) vê duplo significado neste "véu": "A face da coberta lançada sobre todos os povos... Cobrir o rosto era, nos países do Oriente, sinal de lamentação pelos mortos (ver 2Sm 19.4); e destruir essa coberta era vencer a morte, da qual a coberta era um símbolo. A esse pensamento provavelmente estava misturado outro, talvez parecido. O homem cuja face era coberta não podia ver a luz, e a 'coberta' representa o véu (ver 2Co 3.15) que impedia os homens de conhecer a Deus. O triunfo final de Deus inclui a vitória sobre a ignorância e a tristeza, bem como sobre o pecado e a morte".

■ 25.8

בִּלַּע הַמָּוֶת לָנֶצַח וּמָחָה אֲדֹנָי יְהוִה דִּמְעָה מֵעַל כָּל־פָּנִים וְחֶרְפַּת עַמּוֹ יָסִיר מֵעַל כָּל־הָאָרֶץ כִּי יְהוָה דִּבֵּר׃ פ

Tragará a morte para sempre. A morte será *tragada,* visto que, como se fosse um monstro, tinha engolido a muitos. Ver como o sepulcro traga os homens (Sl 142.3; Pv 1.12). Paulo incorporou essa metáfora em 1Co 15.54, onde alude ao versículo que temos à frente. Conforme demonstro no versículo anterior, o milênio prolongará grandemente a vida, mas não eliminará a morte de modo absoluto. Estas palavras, entretanto, foram usadas para falar da eliminação final da morte, e também do fim de todo o choro e tristeza; Ap 21.4 tem essa "aplicação eterna" das presentes palavras, e não aquilo que pertencerá ao milênio (isto é, um cumprimento parcial). Podemos afirmar que o milênio será um passo significativo para o pleno cumprimento do que é dito aqui. Outra realização do milênio será esta: "Tirará de toda a terra o opróbrio do seu povo". Israel era desprezado entre as nações e constantemente atacado. Por causa da apostasia, o povo israelita sofria continuamente a desaprovação do próprio Deus. Ambas as espécies de opróbrio serão removidas, e isso significará bênção e paz, pelo menos. Esses benefícios virão em decorrência do decreto divino, a palavra de Yahweh falada e cumprida. Ver no *Dicionário* o artigo chamado *Decretos Divinos.*

■ 25.9

וְאָמַר בַּיּוֹם הַהוּא הִנֵּה אֱלֹהֵינוּ זֶה קִוִּינוּ לוֹ וְיוֹשִׁיעֵנוּ
זֶה יְהוָה קִוִּינוּ לוֹ נָגִילָה וְנִשְׂמְחָה בִּישׁוּעָתוֹ׃

Naquele dia se dirá: Eis que este é o nosso Deus. *O Cumprimento de Expectações Milenares.* Os muitos benefícios que haverá durante a era do milênio farão os homens louvar o divino Benfeitor, Elohim (o Poder Todo-poderoso) e Yahweh (o Deus Eterno). Durante tantos milênios os homens esperaram ser salvos e, finalmente, através da Grande Tribulação e de outros atos divinos, a salvação de Deus se tornará uma realidade. Se essa não é a salvação evangélica ensinada no Novo Testamento, chegará bem perto, conforme diz esta passagem. Ver sobre Deus como *nossa salvação* e como o despenseiro da salvação, em Sl 62.2, onde ofereço uma nota de sumário. Ver também Sl 3.8,9; 9.14; 50.23; 79.9; 85.4; 119.74; 140.7 e 149.4. Ver no *Dicionário* o artigo chamado *Salvação*. As antigas súplicas serão trocadas por gritos de louvor, por causa da grandiosa *concretização* das esperanças milenares.

"*Bom demais para ser verdade,* poderíamos dizer — mas temos Jesus Cristo, a sua vida, a sua morte, a sua vitória para transmutar a esperança em uma promessa, a promessa de sua vida. Por conseguinte, *bendize o Senhor, ó minha alma*" (G. G. D. Kilpatrick, *in loc.*).

A CONDENAÇÃO DE MOABE (25.10-12)

■ 25.10

כִּי־תָנוּחַ יַד־יְהוָה בָּהָר הַזֶּה וְנָדוֹשׁ מוֹאָב תַּחְתָּיו
כְּהִדּוּשׁ מַתְבֵּן בְּמֵי מַדְמֵנָה׃

Moabe será trilhado no seu lugar. A inserção deste oráculo de condenação endereçado especificamente ao povo de Moabe, bem no meio das bênçãos do reino de Deus, tem deixado os intérpretes perplexos. Mas, ainda que disséssemos que Moabe representa todas as nações ímpias, essa inserção, no lugar onde está, parece estranha. Enquanto a *mão* do Senhor estiver abençoando o monte (Sião, ver o vs. 6), ela estará tirando vingança contra Moabe. O poder de Deus opera providências tanto negativas quanto positivas, conforme Yahweh intervém na história da humanidade. Ver Is 13.6 quanto a notas sobre o conceito que dita: "O céu controla tudo". A figura da força divina é crua e vívida. Moabe era como um pedaço de palha (algo sem valor) pisada em um monte de estrume, algo altamente degradante. Devemos compreender algum horror indizível feito por Moabe, para esse povo merecer tão horrendo tratamento. Moabe, localizada a leste de Israel, do outro lado do mar Morto, por toda a história tinha atribulado o povo de Israel, mas deve ter havido alguma ofensa especial que provocou os versículos à nossa frente. Ou então Moabe representa todos os que ofenderam a Israel.

■ 25.11

וּפֵרַשׂ יָדָיו בְּקִרְבּוֹ כַּאֲשֶׁר יְפָרֵשׂ הַשֹּׂחֶה לִשְׂחוֹת
וְהִשְׁפִּיל גַּאֲוָתוֹ עִם אָרְבּוֹת יָדָיו׃

No meio disto estenderá ele as mãos, como as estende o nadador. Moabe é agora pintado como um homem que estivesse nadando em um monte de estrume, um quadro de total humilhação e novamente declarado como algo proveniente da *mão de Yahweh*. Ver sobre *mão,* em Sl 81.14 e no *Dicionário*. Ver também sobre *mão direita,* em Sl 20.6, e sobre *braço,* em Sl 77.15; 89.10 e 98.1. Moabe se tornara culpado de algum pecado gravíssimo e tinha de ser humilhado, e esse é o lado oposto da moeda da glorificação do santo remanescente de todas as nações que participarão nas bênçãos do reino de Deus (vs. 6). Algumas estarão no banquete do reino de Deus, ao passo que outras nadarão na colina de estrume, tudo dependendo dos ditames da lei da colheita segundo a semeadura. Ver o contraste entre orgulho e humildade, em Pv 6.17; 11.2; 13.10; 14.3; 15.25; 16.5; 21.4; 30.12. Obtemos a ideia de um nadador que se afoga em sua calamidade, incapaz de nadar para um lugar seguro (ver Sl 69.1,2,14). A mão, neste caso, não é a mão de Yahweh, e as mãos espalmadas nada têm a ver com a cruz de Jesus, pois ambas são interpretações insensatas deste versículo.

■ 25.12

וּמִבְצַר מִשְׂגַּב חוֹמֹתֶיךָ הֵשַׁח הִשְׁפִּיל הִגִּיעַ לָאָרֶץ
עַד־עָפָר׃ ס

E abaixará as altas fortalezas dos seus muros. A humilhação de Moabe, por parte de Yahweh, será como um exército que destrói as fortificações de um inimigo, derrubando as muralhas e saqueando tudo. Assim como os poderosos são humilhados em batalha, também Yahweh humilhará a Moabe, por causa de suas ofensas. Cf. Is 26.5 quanto aos mesmos sentimentos. Quir de Moabe era a grande fortaleza da nação moabita (15.1), e a ideia é que, onde estava o maior poder de Moabe, ali mesmo a mão de Yahweh o humilhou, pelo que a nação inteira foi castigada. O Targum universaliza estes versículos ao falar da humilhação da "poderosa cidade, as cidades das nações".

CAPÍTULO VINTE E SEIS

O *Pequeno Apocalipse* de Isaías, que ocupa os capítulos 24–27 do seu livro, continua aqui. O tema geral do capítulo 26 é o louvor prestado ao Senhor por seus remidos, no reino de Deus. Porém, podemos dividir isso em três subseções: 1. hino de gratidão pela vitória (vss. 1-6); 2. oração de petição e fé (vss. 7-19); 3. morte de Leviatã (26.20—27.1).

HINO DE GRATIDÃO PELA VITÓRIA (26.1-6)

Encontramos aqui um cântico de vitória (cf. Is 24.7-16a e 25.1-5). O oráculo foi apresentado como salmo processional, cantado quando o povo entrava em Jerusalém, a *cidade forte* (vs. 1; cf. Sl 24.7-10). Dessa maneira, a vitória de Deus seria celebrada em meio a ações de graças, pois no reino de Deus a salvação de Deus tinha sido alcançada. A vitória fora obtida pela derrota de adversários fortes. Os orgulhosos tinham sido humilhados, e os humildes tinham sido exaltados (ver Sl 147.6 e Lc 1.52). Assim a nação de Israel entrará nas bênçãos da era do reino de Deus, e isso atingirá o remanescente das nações purificadas (ver Is 24.9,10; 25.1 ss., especialmente os vss. 6 e 7).

■ 26.1

בַּיּוֹם הַהוּא יוּשַׁר הַשִּׁיר־הַזֶּה בְּאֶרֶץ יְהוּדָה עִיר עָז
לָנוּ יְשׁוּעָה יָשִׁית חוֹמוֹת וָחֵל׃

Naquele dia se entoará este cântico na terra de Judá. Durante a era do reino (o período do milênio), Judá se tornará cabeça das nações, e Jerusalém será sua capital religiosa do mundo. Aqui essa cidade é chamada de "cidade forte", porquanto a vitória de Yahweh a terá feito assim. Ali predominará a salvação, porquanto Deus é a salvação de Israel, e também é o despenseiro do bem-estar e da segurança, de ordem tanto material quanto espiritual. Ver esse tema em Sl 62.2 (nota de sumário) e também Sl 3.8; 9.14; 18.46; 38.22; 50.23; 62.1,2,7; 79.9; 85.4; 119.74; 140.7 e 149.4. Ver no *Dicionário* o artigo chamado *Salvação*.

Haverá grande reversão da fortuna na elevação de Judá e no rebaixamento de outras nações que antes assediavam Israel (ver Is 25.1-5).

Os humildes serão exaltados, e os orgulhosos serão rebaixados (ver Is 24.12,13; 25.2). Ver as notas expositivas em Is 25.11, onde apresento uma lista de referências sobre esse tema. Ver Is 5.1 e 12.4, onde Isaías falou como salmista. Os *muros e baluartes* de Jerusalém, naquele dia de triunfo, não serão tijolos e massa de pedreiro, mas qualidades espirituais, os elementos da salvação de Deus, suas operações em favor de seu povo. Cf. Is 60.18.

■ 26.2

פִּתְחוּ שְׁעָרִים וְיָבֹא גוֹי־צַדִּיק שֹׁמֵר אֱמֻנִים׃

Abri vós as portas, para que entre a nação justa. Os portões da capital santa deverão ser abertos para a nação justa (Judá), que ocupará seu devido lugar como cabeça das nações, despenseira das bênçãos do reino para o resto do povo remido. Aqui temos uma "entrada triunfal" que nos faz lembrar de passagens como Sl 24.7,8 e Mt 21. Cf. Hb 12.22; Sl 118.19. "O clamor sai dos arautos do rei da Cidade Celestial, proclamando que os portões estão abertos para aqueles que eram dignos de entrar nela, ou seja, o povo justo é o único que poderá habitar na cidade de Deus (ver Sl 15.1,2; 24.3,4; 118.19,20; Ap 21.27)" (Ellicott, *in loc.*).

Que guarda a fidelidade. Ou seja, princípios justos como aqueles da lei, que servia de *guia* para Israel (ver Dt 6.4 ss.) e tornava Israel uma *nação distinta* (ver Dt 4.4-8). Alguns eruditos veem aqui a "verdade do evangelho", a revelação mais alta, em Cristo Jesus.

■ 26.3

יֵצֶר סָמוּךְ תִּצֹּר שָׁלוֹם שָׁלוֹם כִּי בְךָ בָּטוּחַ׃

Tu, Senhor, conservarás em perfeita paz. Yahweh conferirá a paz à mente daqueles que passaram pela Grande Tribulação (capítulo 24) e então entraram nas glórias do reino de Deus. De fato, eles desfrutarão aquela paz perfeita que ultrapassa todo o entendimento (ver Fp 4.7). Essa paz vem juntamente com o triunfo sobre o erro, na liberdade de todo assédio. Ela será outorgada aos que tiverem mantido a mente fixada no Senhor, possuírem qualidades espirituais e compartilharem *sua salvação* (vs. 1). Será dada àqueles que já tiverem aprendido a *confiar*. Sobre como esse termo é usado no Antigo Testamento, ver Sl 2.12, onde apresento uma nota de sumário. Ver no *Dicionário* o artigo chamado *Paz* e a nota detalhada sobre o verbete intitulado *Fé*.

> Temos ganhado uma paz não abalada pela dor para sempre.
> Agora a guerra não terá nenhum poder. Seguro é o nosso avanço. Seguro, embora toda a segurança tenha-se perdido. Seguro, onde os homens caíram.
>
> Rupert Brooke

Paz por estar firme na *Rocha* (ver Is 17.10; 44.8). Paz por estar seguro no *Refúgio*, que se encontra em nosso Deus (Sl 46.1). Seguro, por estar *oculto* nele (Sl 69.17). Paz de quem está *escudado* no Ser divino (Sl 3.3; 7.9,10; 84.8). Paz por estar protegido na *Torre* forte de Deus (Sl 61.3) e devido às ministrações do Espírito, cujo *fruto* inclui a própria paz (ver Gl 5.22).

■ 26.4

בִּטְחוּ בַיהוָה עֲדֵי־עַד כִּי בְּיָהּ יְהוָה צוּר עוֹלָמִים׃

Confiai no Senhor perpetuamente. Devemos confiar em Yahweh-Elohim (o Deus Eterno e Todo-poderoso), o qual é a *Rocha* (ver no *Dicionário* quanto a amplos detalhes). Nele encontramos poderosa fortaleza, um lugar de refúgio e proteção. Ele é a *Rocha eterna*, e devemos confiar nele *para sempre*. Cf. Is 26.4; 17.10; 44.8, e Sl 18.2.

> Rocha eterna, foi na cruz
> Que morreste tu, Jesus;
> Vem de ti um sangue tal
> Que me limpa todo mal;
> Traz as bênçãos do perdão;
> Gozo, paz e salvação.
>
> Augustus M. Toplady

"Que tremenda comunhão, que alegria divina, apoiado nos braços eternos", conforme diz um antigo hino evangélico. Estamos tratando aqui das maravilhosas obras de Deus, universalizadas na era do reino (ver Is 25.1).

■ 26.5

כִּי הֵשַׁח יֹשְׁבֵי מָרוֹם קִרְיָה נִשְׂגָּבָה יַשְׁפִּילֶנָּה יַשְׁפִּילָהּ
עַד־אֶרֶץ יַגִּיעֶנָּה עַד־עָפָר׃

Porque ele abate os que habitam no alto, na cidade elevada. Cf. este versículo com Is 25.12. Os humildes serão exaltados, e os orgulhosos serão abatidos. Em Is 24.21 encontramos o rebaixamento de elevados poderes espirituais e seus títeres, os reis terrenos. A cidade alta nos relembra Edom (Ob 3) e Moabe (que acaba de ser ilustrada em Is 25.10-12). A Babilônia era uma fortaleza de iniquidade, mas finalmente foi humilhada. Ver Is 25.2,12 e os capítulos 13 e 14. Elevados poderes humanos serão humilhados em contraste com a exaltação de Jerusalém (Is 26.1). O autor sagrado tornou a referência geral, a fim de poder preenchê-la com qualquer poder mundano que imaginemos. Os exaltados serão rebaixados ao pó e então serão pulverizados. Ver as notas sobre o vs. 1, cujas referências contrastam os humildes e os orgulhosos.

■ 26.6

תִּרְמְסֶנָּה רָגֶל רַגְלֵי עָנִי פַּעֲמֵי דַלִּים׃

O pé a pisará; os pés dos aflitos. Os necessitados e oprimidos se tornarão os opressores do mal e pisarão a cidade sob os pés, porquanto Yahweh-Elohim (o Deus Eterno e Todo-poderoso) é quem lhes dará o poder para tanto.

> *Então aqueles que foram feridos pela cidade caminharão por suas ruínas. Aqueles que foram empobrecidos pela cidade a pisarão sob os seus pés.*
>
> NCV

Cf. este versículo com Ap 18.20 e Is 25.4. Ver também Ml 4.3; Dn 7.27 e Zc 9.9.

ORAÇÃO DE PETIÇÃO E FÉ. SALMO APOCALÍPTICO (26.7-9)

■ 26.7

אֹרַח לַצַּדִּיק מֵישָׁרִים יָשָׁר מַעְגַּל צַדִּיק תְּפַלֵּס׃

A vereda do justo é plana. Temos aqui um salmo por seus próprios direitos; uma petição similar aos Salmos 44, 60 e 74, que eram usados em tempos de calamidade. Cf. Jl 2.15-17 e 1Rs 8.33,34. Nos vss. 8 e 9, bem como nos vss. 12-15, a comunidade santa proclama sua lealdade a Deus (cf. Sl 44.17-22), porque ele dá vitória sobre os opressores (Sl 44.9-16,25). "A característica distintiva deste salmo é que o apelo não é apenas para a derrota do inimigo, mas para a ajuda de Yahweh, a fim de ser demonstrada de maneira espantosamente nova a ressurreição daqueles que tiverem morrido às mãos do inimigo (vs. 19). Isso indica a data para este salmo não muito distanciada de Dn 12.2,3, no segundo século" (R. B. Y. Scott, *in loc.*; ou podemos considerá-lo uma profecia que ultrapassava a teologia ordinária da época em que foi escrita).

Quanto à metáfora sobre *Caminho*, ver no *Dicionário*. Ver também o artigo chamado *Andar*. Quanto aos caminhos contrastados dos bons e dos maus, ver Pv 4.27, onde apresento uma nota de sumário. Quanto à *metáfora da vereda*, ver Pv 4.11, onde há outra nota de sumário. Yahweh é o *nivelador dos caminhos*. Ele faz o caminho dos justos ser plano e nivelado. É ele quem prepara o caminho para o seu povo. O remanescente andará de acordo com as leis de Deus (vs. 8), e o coração deles se fixará sobre o Ser divino (vss. 8,9), o que será o sucesso de seu andar, porque a vereda estará muito bem preparada para eles. "... removei dela todos os impedimentos e obstruções; dirigi o avanço de seu povo; ordenai seus passos e fazei que eles trilhem pelo caminho reto, onde nunca tropeçarão (Jr 31.9); e essa é uma das razões oferecidas pelas quais o caminho dos justos é plano, pois foi o Senhor mesmo que assim o tornou" (John Gill, *in loc.*). Portanto, este versículo descreve belamente o andar dos justos durante a era do reino de Deus. O vs. 7 é um salmo de confiança em Deus. Cf. Sl 9.19; 18.25-27.

26.8

אַף אֹרַח מִשְׁפָּטֶיךָ יְהוָה קִוִּינוּךָ לְשִׁמְךָ וּלְזִכְרְךָ תַּאֲוַת־נָפֶשׁ:

Também através dos teus juízos, Senhor, te esperamos. Cf. este versículo a algo similar dito em Ap 22.20. "Os castigos têm por desígnio beneficiar os castigados" (*Oxford Annotated Bible*, comentando sobre este versículo). Isso ilustra a natureza do julgamento divino. Os juízos divinos são remediadores, e não apenas retributivos, incluindo o julgamento dos perdidos. Ver na *Enciclopédia de Bíblia, Teologia e Filosofia* o verbete intitulado *Julgamento de Deus dos Homens Perdidos*. No meio dos julgamentos de outras nações, e deles mesmos, o povo de Israel continuou confiando no *Nome* (ver no *Dicionário* e Sl 31.3; e ver sobre *Nome Santo*, em Sl 30.4 e 33.21). O nome representa a pessoa, seus atributos e qualidades. Os antigos pensavam que havia poder em um nome, e apenas pronunciá-lo podia efetuar alguma coisa.

"te esperamos" é como diz o texto massorético. Os papiros do mar Morto (manuscritos hebraicos) omitem a palavra "te", que, entretanto, pode ser compreendida. Então esse manuscrito também diz: "teu nome e tua lei", que talvez corresponda ao original hebraico. Normalmente, entretanto, os textos mais breves correspondem ao original, pois era apenas natural que os escribas adicionassem comentários. Ver no vs. 19 do presente capítulo sobre como os manuscritos hebraicos dos papiros do mar Morto algumas vezes concordam com as versões, sobretudo com a Septuaginta, contra o texto massorético padronizado, compilado de manuscritos de uma época muito posterior. Ver no *Dicionário* o verbete denominado *mar Morto, Manuscritos (Rolos) do*.

A memória de Yahweh, bem como a expectativa da presença divina, são o desejo da alma do homem justo que verdadeiramente confia no Senhor (vs. 4). Isso fala de uma fé sentida no coração, e não de uma fé formal de leis e ritos. Ver Pv 4.23 quanto à "fé de todo o coração". Seu nome revela seu caráter e sua vontade, e os homens se deleitam nisso, contanto que sejam justos.

26.9

נַפְשִׁי אִוִּיתִךָ בַּלַּיְלָה אַף־רוּחִי בְקִרְבִּי אֲשַׁחֲרֶךָּ כִּי כַּאֲשֶׁר מִשְׁפָּטֶיךָ לָאָרֶץ צֶדֶק לָמְדוּ יֹשְׁבֵי תֵבֵל:

Com minha alma suspiro de noite por ti. O *período noturno* é deleitoso para o homem bom. É um tempo de paz e expectativa, um tempo de oração, reflexão e meditação. É separado da pressa e do calor do dia. Assim sendo, durante a noite, o homem bom *deseja* ter uma comunhão mais íntima com Deus. Conheço um pastor que, sempre que não está dormindo à noite, usa o tempo para orar e meditar. Os prazeres do espírito são mais doces que os prazeres da carne. O homem bom deste versículo quer que ele "buscava o Senhor, suspirando por ele". Era um homem que tinha visto a tribulação, e assim aprendeu com os julgamentos do Senhor na terra. Portanto, esta parte do versículo reitera a ideia do vs. 8: um benefício deve derivar dos sofrimentos. Os juízos divinos são remediadores, e não meramente retributivos.

> *Quando a justiça vier à terra, os habitantes do mundo aprenderão a maneira certa de viver.*
>
> NCV

"A retribuição que sobrevém ao pecado humano tem deixado progressivamente claro como Deus olha para a vida e o que ele requer dos homens. Isso é muito mais eficaz do que a palavra falada. O julgamento divino revela a mente e a vontade de Deus. Quem pode negar que este século XX tem sido um tempo de julgamento do mundo?" (G. G. D. Kilpatrick, *in loc.*). "Os homens raramente buscam a Deus quando desfrutam de prosperidade" (Adam Clarke, *in loc.*). Cf. este versículo com Sl 58.10,11 e Zc 14.16.

26.10

יֻחַן רָשָׁע בַּל־לָמַד צֶדֶק בְּאֶרֶץ נְכֹחוֹת יְעַוֵּל וּבַל־יִרְאֶה גֵּאוּת יְהוָה: ס

Ainda que se mostre favor ao perverso, nem por isso aprende a justiça. O poeta prossegue aqui com o tema dos vss. 8 e 9. *Favorecer* o homem ímpio não o alerta para a pecaminosidade de suas ações e para a necessidade de mudança. Antes, o ímpio pensa que é invencível e, assim, continua a praticar suas formas especiais de iniquidade. Mas um bom e bem colocado julgamento pode abrir imediatamente seus olhos. Embora a terra esteja vivendo em justiça, o homem perverso (que ainda não foi castigado) não aprenderá disso. Deus pode ensinar, através do julgamento, de maneira melhor do que se usasse outros meios. Mas Deus nunca fere senão para curar. Isso, todavia, não anula a noção da retribuição, que faz parte integral da *Lei Moral da Colheita segundo a Semeadura* (ver a respeito no *Dicionário*). Se Deus pode revelar sua *majestade* por meio de favores e de sua presença, que produz benefícios, ele também revela isso em seu julgamento. Deus está acima e além de tudo, e tem vários métodos para ensinar isso aos homens. O amor e a tolerância são fatores benditos, mas devemos lembrar que o julgamento é apenas um dedo da mão amorosa de Deus. Quando as pessoas desfrutam de conforto, raramente pensam muito em Deus. Instala-se então um estupor da complacência, que faz dormitar os ímpios e também os sentidos espirituais do homem bom.

26.11

יְהוָה רָמָה יָדְךָ בַּל־יֶחֱזָיוּן יֶחֱזוּ וְיֵבֹשׁוּ קִנְאַת־עָם אַף־אֵשׁ צָרֶיךָ תֹאכְלֵם: ס

Senhor, a tua mão está levantada, mas nem por isso a veem. A *mão de Yahweh* ergue-se para abençoar ou julgar. A mão de Deus é símbolo de seu poder. Os malfeitores nunca notam quando a mão de Deus se levanta, por qualquer propósito que seja. Não obstante, o poder de Deus não está limitado. Os benefícios são dados aos bons, e os julgamentos são impostos aos maus. Os bons regozijam-se nos atos divinos, mas os ímpios são *envergonhados* por eles. A mão de Yahweh determina que o lugar dos ímpios é no fogo, e os ímpios são assim consumidos, quando poderiam prosperar. Existe um zelo divino pela justiça. Aquilo que Deus faz em favor de seu povo deixa os ímpios confundidos e consternados. Ver sobre *mão* em Sl 81.4; e ver sobre *mão direita* em Sl 20.6. Ver também sobre *braço* em Sl 77.15; 89.13 e 98.1. O fogo, neste caso, pertence aos adversários de Israel. "Que o fogo consuma os teus adversários" (Septuaginta). Cf. Sl 79.5. Ver também Is 9.18. Versículos como este, que retratam o julgamento em termos de fogo, levaram a mente hebraica a pensar sobre o fogo eterno no julgamento, para além do sepulcro. As chamas do inferno foram acesas no livro de 1Enoque (um dos livros pseudepígrafos). Fazer o julgamento divino dar-se por meio de chamas literais foi um fenômeno crasso na teologia. Pois tentar fazer sofrer uma alma imaterial pelo fogo literal seria semelhante a jogar uma pedra no sol.

26.12

יְהוָה תִּשְׁפֹּת שָׁלוֹם לָנוּ כִּי גַּם כָּל־מַעֲשֵׂינוּ פָּעַלְתָּ לָּנוּ:

Senhor, concede-nos a paz. *Yahweh, o Deus Eterno*, ao tratar com o seu próprio povo justo, em contraste com as chamas que castigam os ímpios, confere a *paz* (ver o vs. 3). Além disso, o homem bom estará fazendo a vontade de Deus e cumprindo suas obras, porquanto é Deus quem opera nele o querer e o realizar. Assim, coincidem as obras humanas e as obras de Deus. Poderíamos dizer, pois, que essas obras pertencem à mesma equipe.

> *Porque Deus é quem efetua em vós tanto o querer como o realizar, segundo a sua boa vontade.*
>
> Filipenses 2.13

No contexto deste versículo, devemos pensar na obra da salvação, no livramento de todos os adversários e também na restauração, bênçãos próprias da era do reino de Deus. Mas isso não deixa de fora as bênçãos temporais com as quais somos abençoados.

> *Tudo quanto temos realizado, tu as tens feito por nós.*
>
> NIV

26.13

יְהוָה אֱלֹהֵינוּ בְּעָלוּנוּ אֲדֹנִים זוּלָתֶךָ לְבַד־בְּךָ נַזְכִּיר שְׁמֶךָ:

Ó Senhor Deus nosso, outros senhores têm tido domínio sobre nós. Israel estava sujeito a seus próprios reis, alguns bons e outros maus, e também a reis de nações pagãs. Mas para eles só havia um *Soberano* digno de ser mencionado, a saber, *Yahweh*. Os opressores podiam incluir falsos deuses pagãos, que Israel adorava, quer voluntariamente, quer forçados a fazê-lo em tempos de cativeiro. Mas, depois que tudo tinha sido dito e feito, quando as experiências da vida já haviam ensinado tudo quanto precisavam saber, eles terminavam celebrando somente o *nome* de Yahweh. Ver no vs. 8 sobre *Nome*.

Outros senhores, além de ti, nos têm governado, mas honramos somente a ti.

NCV

"... mediante a assistência do teu Espírito, celebraremos o teu nome, e te agradeceremos pelo nosso livramento da servidão, da escravidão e da opressão de outros senhores" (John Gill, *in loc.*).

26.14

מֵתִים בַּל־יִחְיוּ רְפָאִים בַּל־יָקֻמוּ לָכֵן פָּקַדְתָּ וַתַּשְׁמִידֵם וַתְּאַבֵּד כָּל־זֵכֶר לָמוֹ:

Mortos não tornarão a viver, sombras não ressuscitam. Os senhores anteriores e todos os homens ímpios estavam *mortos*. Esses não compartilharão a ressurreição (vs. 19). A palavra hebraica aqui traduzida por "mortos" é *refaim*. Poderia referir-se a *sombras*, no *sheol*, fantasmas que ficam rondando, mas sem real inteligência ou consciência. Ver sobre essa palavra no *Dicionário*, primeiro ponto. Cf. Is 14.9 ss., onde discuto o assunto longamente.

A doutrina do *sheol* passou por longo desenvolvimento. Usualmente, essa palavra significava apenas o sepulcro, mas talvez em lugares como Sl 88.10 e 139.8 alguma espécie de vida inferior fosse retratada como existente no *sheol*, fantasmas que ficavam vagueando ao redor, mas privados de mentalidade, não sendo verdadeiras personalidades humanas. Ver Pv 5.5 quanto a um sumário de como essa doutrina se desenvolveu. Ver também sobre o *hades*. Se o autor sagrado pensava aqui nos mortos como tendo algum tipo de vida, certamente não pensava que eles poderiam ressuscitar, o que lhes devolveria algum tipo de vida significativa. Ver as notas expositivas sobre o vs. 19. Cf. Dn 12.2,3. Nesse ponto do livro de Daniel aparece a ressurreição tanto para os bons quanto para os maus, como também as noções de retribuição e recompensa, doutrina que surgiu no judaísmo posterior e foi mais desenvolvida ainda nos livros apócrifos e pseudepígrafos, até atingir o máximo de desenvolvimento nas páginas do Novo Testamento.

De acordo com a teologia deste versículo de Isaías (que foi ultrapassada, finalmente), os ímpios, quando muito, são fantasmas destituídos de mente no *sheol*, e não estão esperando pela ressurreição. Portanto, eles serão verdadeiramente destruídos. Contraste o leitor essa ideia com a esperança neotestamentária da salvação, sendo oferecida até no hades, pela descida de Cristo àquele lugar. Ver 1Pe 4.6 bem como o artigo *Descida de Cristo ao Hades*, na *Enciclopédia de Bíblia, Teologia e Filosofia*. Quanto mais a teologia se desenvolver, maiores razões teremos para ser otimistas sobre o futuro de toda a humanidade. A teologia continua crescendo, pois em Deus não há estagnação. E, juntamente com o crescimento das ideias, temos paralelo crescimento do otimismo. Ver na *Enciclopédia de Bíblia, Teologia e Filosofia* o verbete denominado *Restauração*.

26.15

יָסַפְתָּ לַגּוֹי יְהוָה יָסַפְתָּ לַגּוֹי נִכְבָּדְתָּ רִחַקְתָּ כָּל־קַצְוֵי־אָרֶץ:

Tu, Senhor, aumentaste o povo, aumentaste o povo. Em contraste com a destruição dos ímpios, os quais, quando muito (neste texto de Isaías), são pintados como fantasmas privados de mente no hades (vs. 14), temos o *crescimento* dos justos, pelo poder de Yahweh. Por duas vezes disse o autor sagrado: "aumentaste o povo". Está em vista a ampliação de Israel durante a era do reino de Deus. Ver no *Dicionário* os artigos chamados *reino de Deus* e *Milênio*. Em razão da glória e dos benefícios crescentes dados pelo Senhor à *nação* de Israel, esse povo glorificará Yahweh, o Benfeitor deles. Suas fronteiras serão ampliadas, metafórica e espiritualmente. Talvez a plena dimensão da Terra Prometida seja então atingida, conforme prometido no *pacto abraâmico* (ver Gn 15.18). Mas a ampliação espiritual é o elemento principal em vista aqui. A nação de Israel perdeu-se na Assíria; Judá quase se perdeu na Babilônia. E então, durante a dispersão romana, Israel se perdeu "no mundo inteiro". Mas já em tempos modernos o poder de Deus começou a operar, e, atualmente, uma nação de dimensões respeitáveis foi restaurada à Terra Prometida. Suas fronteiras, entretanto, continuam pequenas, em comparação à extensão territorial prometida a Abraão. Além disso, as fronteiras espirituais continuam muito pequenas. Obras divinas maravilhosas ainda serão realizadas. O cumprimento desta profecia, que diz respeito ao povo de Israel, ocorrerá no milênio. Quanto à igreja, já se trata de um assunto diferente, até certo ponto, pois, no fim, a igreja e Israel terão destinos iguais, quando o povo de Israel converter-se ao Senhor, pois quem se converte a Cristo passa a fazer parte da igreja, em seu sentido espiritual.

Tu alargaste as fronteiras de nossa terra.

NCV

26.16

יְהוָה בַּצַּר פְּקָדוּךָ צָקוּן לַחַשׁ מוּסָרְךָ לָמוֹ:

Senhor, na angústia te buscaram. "Sem Deus, o povo de Israel estava em agonia, impotente diante de seus opressores. Embora como mortos, eles serão ressuscitados por Deus, cuja *luz* iluminará a melancolia do desespero" (*Oxford Annotated Bible*, comentando sobre este versículo).

O versículo não salienta um tempo específico de aflição pelo qual o povo de Israel passou, por isso devemos compreender genericamente a questão: em tempos passados, antes da *época áurea*, Israel passou por várias provações. Muitas orações foram enviadas ao céu, quando o castigo caiu sobre eles, e agora, essas orações foram respondidas, conforme se evidencia pela redenção nacional. Ver Rm 11.12. Ver no *Dicionário* o artigo chamado *Oração*. É aí que se concentram as ações. Portanto, continue o crente a orar. "Oração" é uma palavra peculiar no original hebraico, em Is 3.3 e 8.19, pois fala de um *encantamento sussurrado*, dito em voz baixa, o tom dos aflitos. Por conseguinte, estão em vista as orações dos aflitos, ou seja, *orações de desespero*. Essas orações foram ouvidas, e Israel foi levado à espaçosa terra do reino de Deus, rejubilando-se. "Literalmente, uma oração sussurrada, uma fala secreta, suspiros secretos dirigidos a Deus, solicitando ajuda (ver Jr 13.17; Dt 8.16)" (Fausset, *in loc.*).

26.17

כְּמוֹ הָרָה תַּקְרִיב לָלֶדֶת תָּחִיל תִּזְעַק בַּחֲבָלֶיהָ כֵּן הָיִינוּ מִפָּנֶיךָ יְהוָה:

Como a mulher grávida, quando se lhe aproxima a hora de dar à luz. A *aflição* (vs. 16) pela qual Israel passou é agora comparada às *dores de parto* que as mulheres dizem ser terríveis e, portanto, apropriadas para representar sofrimentos profundos. Essa é uma figura bíblica comum. Em Is 13.8 apresento notas expositivas sobre a questão e dou uma lista de referências que falam a respeito. Essa imagem, "tal como em Mt 24.8 e Jo 16.21, aparece como uma imagem mais natural de uma expectativa anelante e dolorosa, seguida por profunda alegria" (Ellicott, *in loc.*, que nos apresentou assim uma nota muito perceptiva). Ver também Mq 4.9,10-13; 5.1-3; Jo 16.21,22.

26.18

הָרִינוּ חַלְנוּ כְּמוֹ יָלַדְנוּ רוּחַ יְשׁוּעֹת בַּל־נַעֲשֶׂה אֶרֶץ וּבַל־יִפְּלוּ יֹשְׁבֵי תֵבֵל:

Concebemos nós, e nos contorcemos em dores de parto. Em tempos de aflição para Israel, esse povo sofria dores do parto. Houve muitas dores, mas nenhum resultado. Em vez da *alegria do* *nascimento da criança,* houve somente *vento,* isto é, *nada* se produziu. Também não houve livramento das dores. Os opressores deveriam ter caído por causa de sua iniquidade, mas não caíram. As dores do parto apenas apertaram cada vez mais. Levando avante a figura, o parto, finalmente, foi concretizado. Israel entrará como uma *nova nação* na *nova era,* a época áurea. Mas enquanto não houver *intervenção divina,* as expectativas serão frustradas. Trata-se de uma obra maior do que a que pode ser realizada pelo desejo e labor humano. Enquanto Deus não pisar na cena, haverá somente reversões.

O que demos à luz foi vento. Alguns antigos acreditavam que o útero de uma mulher podia ser submetido a uma inflação de vento, que produzia uma falsa gravidez. Existe esse tipo de gravidez falsa, que dá todo o sinal de ser uma gestação, mas é apenas um processo psicossomático. Algumas mulheres ficam grávidas somente de esperança. O útero também pode ficar inchado por causa de tumores e infecções, bem como por excrescências gigantescas. A observação de tais fenômenos (que não resultam em nascimento) provavelmente está por trás da "figura sobre o vento", que aparece neste versículo. Os antigos pensavam que o inchaço devido ao vento era responsável pelo fenômeno da falsa gravidez.

■ 26.19

יִחְיוּ מֵתֶיךָ נְבֵלָתִי יְקוּמוּן הָקִיצוּ וְרַנְּנוּ שֹׁכְנֵי עָפָר כִּי
טַל אוֹרֹת טַלֶּךָ וָאָרֶץ רְפָאִים תַּפִּיל: ס

Os vossos mortos e também o meu cadáver viverão e ressuscitarão. O autor não se mostra claro sobre o que pensar quanto a algum tipo de sobrevivência da alma. O vs. 14, ao falar dos mortos ímpios, talvez tenha retratado alguma espécie de sobrevivência de fantasmas sem mente, que sobrevivem diante da morte biológica, a vaguear pelo *sheol.* Ver as notas expositivas ali, bem como nos textos mencionados que podem falar sobre a mesma coisa. Quanto aos justos que morrem, podemos presumir que a mesma ideia de fantasmas destituídos de mente se aplicaria a eles. A diferença seria que o *corpo* (segundo dizem a versão siríaca e o Targum) dos justos seria ressuscitado, ao passo que o corpo dos ímpios não ressuscitaria (vs. 14, "Mortos não tornarão a viver"). O original hebraico tem aqui a palavra "corpo" no singular, mas os mortos são os *refaim* (ver o vs. 14 e também o *Dicionário*), postos no plural. Portanto, um singular, *corpo,* lado a lado com um plural, *refaim* (fantasmas destituídos de mente), é uma incongruência, e essa é a razão pela qual as versões mudaram corpo por "corpos".

Despertai e exultai, os que habitais no pó. É isto o que aparece no texto massorético, o texto hebraico padronizado usado na maioria das traduções. Mas o manuscrito hebraico dos papiros do mar Morto diz: "Aqueles que habitam no pó despertarão e cantarão de alegria". A Septuaginta também contém essas palavras.

O Texto Massorético; Os Manuscritos Hebraicos dos Papiros do mar Morto e as Versões. Existem dois manuscritos hebraicos incompletos que fazem parte da coletânea dos Papiros do mar Morto. Ver no *Dicionário* os artigos chamados *mar Morto, Manuscritos (Rolos) do* e *Massora (Massorah); Texto Massorético.* O Texto Massorético é o texto hebraico padronizado que serviu de base para a maioria das traduções modernas. Todavia, trata-se de um texto muito recente. Os mais antigos manuscritos do texto massorético datam do século IX d.C. Ofereço uma lista dos mais proeminentes manuscritos desse texto no artigo intitulado *Manuscritos Antigos do Antigo Testamento,* no *Dicionário.* Por outra parte, os manuscritos hebraicos dos Papiros do mar Morto relativos ao livro de Isaías são mais antigos que o texto massorético em cerca de mil anos! Se confirmam a exatidão geral daquele texto, esses manuscritos algumas vezes concordam com as versões e discordam do texto padronizado. O presente versículo é um daqueles casos nos quais a Septuaginta e o manuscrito hebraico dos Papiros do mar Morto concordam contra o texto massorético. Isso significa que, pelo menos em alguns casos, o texto padronizado não concorda com os manuscritos hebraicos originais. Talvez tanto quanto 5% do texto massorético tenham-se desviado dos manuscritos originais, e as versões podem ser usadas para restaurar esses 5%, embora não sejam o único agente de restauração do texto hebraico.

Mas o fato de que a Septuaginta e certos manuscritos hebraicos concordam contra o texto massorético não prova que o texto massorético sempre labore em erro. Considerações como data e duplo testemunho, supomos, *usualmente,* quando esses dois testemunhos concordam contra o texto massorético, que eles representem o original hebraico que o texto padronizado perdeu.

Alguns exemplos de quando as versões e os manuscritos hebraicos dos Papiros do mar Morto concordam contra o texto massorético:

Por amor a um tratamento mais completo, apresento um gráfico acompanhante com mais de vinte exemplos desse fenômeno. Deve-se notar que geralmente é a Septuaginta que se alia aos manuscritos hebraicos dos Papiros do mar Morto, e isso resulta em *duplo testemunho.* Mas outras versões também estão envolvidas e, de modo não infrequente, várias se reúnem e fornecem *múltiplo testemunho.*

Ressurreição. O autor sacro fala dos *refaim* dos justos, e usa a mesma palavra empregada para apontar os espíritos fantasmagóricos no vs. 14; portanto, presumimos que ele não fez distinção entre os espíritos dos mortos perdidos e os espíritos dos mortos salvos. Quando os homens bons morrem, seus fantasmas destituídos de mente vão para o *sheol.* Mas haverá de chegar o dia em que o *sheol,* "a terra dos refaim", expulsará seus fantasmas, e então haverá ressurreição. Essa é a ideia da KJV, mas outras traduções não transmitem a ideia do *sheol* ou da terra expulsando os seus mortos. Por outro lado, a figura do trabalho de parto pode ser levada adiante aqui, pelo que ou o *sheol* ou a terra podem ser pintados como dando à luz a homens ressuscitados.

O solo dará nascimento aos mortos nele sepultados.

NCV

O teu orvalho, ó Deus, será como o orvalho de vida, e a terra dará à luz os seus mortos. Considere o leitor os cinco pontos seguintes:

1. O orvalho dá vida à terra, mas esse orvalho é *luz;* a luz incide sobre o escuro submundo e, ao iluminá-lo, libera os espíritos fantasmagóricos que estavam ali cativos.
2. Ou então, conforme outros compreendem a questão, o orvalho dá vida à terra, e é o orvalho da manhã que refrigera a terra e assim dá nascimento a novos corpos, por meio da ressurreição.
3. Alguns estudiosos veem aqui a ressurreição como algo nacional, o reavivamento de Israel como nação, e não uma ressurreição individual. Nesse caso, o versículo seria paralelo a Ez 37, a visão do vale dos ossos secos. Mas, comparando este versículo com o vs. 14, somos forçados a ver aqui a ressurreição dos mortos, embora isso não elimine a ideia da ressurreição nacional.
4. Deve ser rejeitada a interpretação que faz este versículo falar sobre os mortos ímpios. O vs. 14 já tinha dito que os mortos ímpios não ressuscitarão. Esse foi um estágio da doutrina da ressurreição ultrapassado conforme a ideia foi crescendo. Ver Dn 12.2. Ap 20.5, pois, separa as duas ressurreições — a dos salvos e a dos perdidos — por um espaço de mil anos, que corresponde ao período do milênio. Esse foi outro estágio da doutrina.
5. Mediante certa manipulação do versículo, podemos combinar as interpretações de números um e dois. A primeira parte do versículo, que fala sobre "corpos", pode referir-se à ressurreição. E a segunda parte do versículo pode referir-se ao *sheol,* que dará nascimento aos fantasmas que ali estão presos. Então, presume-se, as duas coisas correm juntas. Se esse for o caso, temos uma forma inicial da doutrina da sobrevivência da alma, com a subsequente reunião a algum tipo de corpo.

Na verdade, não há como saber, com certeza, o que o autor sacro quis dizer. Mas creio que a posição de número dois, anteriormente, é a que nos dá o sentido da passagem, e o restante podemos compreender poeticamente. Seja como for, este versículo não é uma declaração cristã sobre a vida após a morte física, porquanto muitas informações que vieram à luz (através da revelação divina, da razão e da ciência) modificam ou aumentam as ideias deste versículo. Ver no *Dicionário* o artigo chamado *Ressurreição.* Ver também, na *Enciclopédia de Bíblia, Teologia e Filosofia,* os verbetes intitulados *Alma* e *Imortalidade.* Naquele lugar dou vários artigos sobre o assunto, incluindo dois que falam do ponto de vista científico. Ver também na *Enciclopédia* o artigo chamado *Experiências Perto da Morte,* que nos dá evidências em prol da existência da alma e sua sobrevivência diante da morte física.

Depois de analisar todas essas dificuldades de interpretação, não deveríamos perder uma das principais mensagens do presente versículo: haverá *alegria pela manhã.* A morte não mata. Os que se levantarem do pó sairão entoando cânticos de triunfo.

OS ROLOS DO MAR MORTO EM ISAÍAS

RMM = Rolo do Mar Morto

Referência	Texto Massorético	Acordo das Versões com os Rolos do Mar Morto contra o Texto Massorético
7.14	lhe **chamará** Emanuel	Ele ou eles chamarão Emanuel. Não tem paralelo nas versões.
14.3	"angústias" (Atualizada). A palavra hebraica tem significado incerto.	O RMM tem "fúria" (fúria tem terminado). A Septuaginta e Vulgata concordam.
15.9	**Dimom**	O RMM tem Dibom, apoiado pela Septuaginta e Vulgata.
19.18	**destruição** (cidade de destruição): a maioria dos manuscritos massoréticos	**Cidade do sol** é a leitura do RMM, apoiada por alguns manuscritos massoréticos e pela Septuaginta e Vulgata.
21.8	ele gritou "Leão"	O RMM tem o vigia gritou, apoiado pelo Siríaco. Não há nenhuma referêcia a um leão.
23.3	a ceifa do **Nilo**	Um dos dois Rolos do Mar Morto tem Sidrom no lugar de Nilo, mas isto não tem o apoio de nenhuma versão.
23.10	**percorre... tua terra**	**cultiva... tua terra** é a leitura do RMM, que tem o apoio da Septuaginta.
33.8	as **cidades** são desprezadas	O RMM diz que suas **testemunhas** são desprezadas. Esta leitura, todavia, não tem o apoio de nenhuma das versões.
37.20	tu somente, Senhor, é o Senhor	O RMM tem "tu somente, o Senhor, é **Deus**". Esta leitura não é apoiada por nenhuma versão.
37.25	O texto massorético aqui é mais curto. Não tem as palavras "em terras estrangeiras".	A adição daquelas palavras se encontra no rmm, apoiada pela Septuaginta. A leitura completa é "Cavei poços em terras estrangeiras".
37.27	"telhados" sem adição é o texto massorético.	O RMM refere-se ao telhado como "queimado". Alguns dos manuscritos massoréticos e da Septuaginta têm esta leitura. Há outras variantes no texto massorético neste versículo, que tem sido mal preservado na tradição de textos.
40.6	e ele disse	e **eu** disse, é a leitura do RMM, apoiada pela Septuaginta e a Vulgata.
40.7,8	seca-se a erva, e caem as flores porque o Espírito do Senhor sopra sobre elas. Na verdade, o povo é erva; seca-se a erva, e cai a sua flor, mas a palavra de nosso Deus permanece eternamente.	O RMM, apoiado pela Septuaginta, tem um texto mais curto aqui: seca-se a erva, e caem as flores, mas a palavra de nosso Deus permanece eternamente. Normalmente, o texto mais curto é o original porque era mais natural para um escriba aumentar um texto do que diminuí-lo. Mas o caso aqui parece diferente. O texto mais curto eliminou o que parecia supérfluo.
45.2	Uma palavra hebraica de significado incerto é traduzida como "caminhos tortuosos", produzindo "endireitai os caminhos tortuosos".	O RMM, apoiado pela Septuaginta, tem: "vou nivelar as montanhas". Esta leitura poderia ser uma tentativa de fazer senso de um texto obscuro, ou representa o texto original que foi modificado (misteriosamente) no texto massorético.
49.12	da terra de **Sinim** é o texto massorético	No lugar de **Sinim**, o RMM tem **Aswan**. Todavia, esta leitura não recebe o apoio de nenhuma versão. Mesmo assim, alguns eruditos acham esta palavra original.
49.24	o justo (dado como cativo legítimo no KJV). "Possa a presa ser retirada do poderо?" (RSV)	O RMM, apoiado pela Vulgata e Siríaco, tem "Possa o justo ser libertado dos furiosos", que representa um texto bastante diferente.

OS ROLOS DO MAR MORTO EM ISAÍAS

RMM = Rolo do Mar Morto

Referência	Texto Massorético	Acordo das Versões com os Rolos do Mar Morto contra o Texto Massorético
50.2	**seus peixes fedem**, a leitura do texto padronizado que chamamos de massorético.	O RMM e a Septuaginta têm: "seus peixes serão secados".
50.6	"Ofereci...as faces aos que me arrancavam os cabelos"	"Ofereci... as faces a varas feitas de ferro" é a leitura do RMM. A Septuaginta diz: "Ofereci... as faces aos açoites". Nenhuma versão tem a mesma leitura do RMM.
51.19	"Por quem posso eu te consolar?"	"Quem possa te consolar?", é a leitura do RMM apoiada pela Septuaginta, Vulgata e Siríaco.
52.5	os tiranos... **dão uivos**...	O RMM e a Vulgata têm: os tiranos **escarnecem**, que alguns eruditos aceitam como a leitura original.
52.6	**Por isso** o meu povo saberá o meu nome, **por isso**...	O RMM, apoiado pela Septuaginta e pela Vulgata, omite o segundo por isso que, provavelmente, foi uma mudança para melhorar o estilo literário.
53.11	ele verá o fruto do penoso trabalho de sua alma...	O RMM e a Septuaginta acrescentam a esta frase, "ele verá a luz da vida", que parece ser um pequeno embelezamento do texto.
60.19	nem com o seu resplendor a lua te alumiará...	O RMM, Antigo Latim e o Targum acrescentam a esta frase "por noite". Estas palavras são exigidas por razões métricas, mas mentes prosaicas, ignorando a forma poética do texto, eliminaram-nas como supérfluas.
61.6	na sua glória vos gloriareis (Atualizada), interpretando um hebraico difícil. Alguns dão "agem orgulhosamente".	O RMM, a Vulgata, o Siríaco e o Targum interpretam "gloriará", possivelmente significando, "se embelezar", mas para obter esse significado precisamos de ajuda de uma emenda das palavras.
62.10	Passai, passai...	O RMM e a Septuaginta omitem o segundo imperativo como supérfluo, mas o texto original provavelmente tinha o duplo imperativo para efatizar a ideia.
63.11	Onde está aquele que os fez subir do mar com o pastor...	O RMM, alguns manuscritos da tradição da Septuaginta e o Siríaco omitem os.

Observações:

1. Existem dois rolos da coleção dos Rolos do Mar Morto que representavam Isaías. Estes manuscritos predatam os mais antigos representantes do texto massorético por 1.000 anos! Obviamente, têm um número de leituras que representam o texto original, que o texto padronizado (massorético) perdeu.
2. Os Rolos do Mar Morto são manuscritos **hebraicos**, não versões do hebraico. Mas são manuscritos hebraicos muito mais antigos do que o texto padronizado de eras posteriores.
3. O texto massorético, sem dúvida, às vezes, é correto contra os Rolos do Mar Morto. O gráfico apresentado aqui ilustra este fato. Data não é o único instrumento da crítica textual.
4. O fato mais significante do gráfico é a demonstração que, frequentemente, quando os Rolos do Mar Morto diferem do texto massorético, eles têm apoio de uma ou mais versões. Devemos nos lembrar que as versões foram traduzidas de manuscritos hebraicos muito mais antigos do que o texto massorético. Os Rolos do Mar Morto nos ensinaram que devemos respeitar as versões mais do que costumeiro.
5. Antigamente, muitos eruditos pensaram que o texto hebraico do Antigo Testamento tinha somente uma linha de descida, isto é, aquela representada pelo texto massorético. Mas os Rolos do Mar Morto demonstraram que aquele texto é uma padronização de linhas de descida, não representante de uma única família de manuscritos.
6. Fatos para observar: 1. Existiam diversas linhas de descida de manuscritos na tradição do Antigo Testamento. 2. As versões às vezes concordam com uma linha ou família de manuscritos que difere do texto massorético. 3. Obviamente, às vezes, retêm leituras originais que o texto massorético perdeu.
7. O gráfico apresenta somente 26 variantes. Elas representam um número muito maior. Talvez os Rolos do Mar Morto difiram do texto massorético em 5% do texto do total.
8. Em Isaías, os Rolos do Mar Morto não representam nenhuma diferença "terremoto", quando comparados ao texto massorético. Em outros livros do Antigo Testamento, as diferenças são mais radicais. Mesmo assim, a história e o ensino do Antigo Testamento não são afetados seriamente.
9. Ver os seguintes artigos no Dicionário para maiores detalhes: *Mar Morto, Manuscritos (Rolos) do*; *Manuscritos Antigos do Antigo Testamento*; e *Massora (Massorah)*; *Texto Massorético*.

A MORTE DO LEVIATÃ (26.20—27.1)

■ 26.20

לֵ֣ךְ עַמִּ֗י בֹּ֤א בַחֲדָרֶ֙יךָ֙ וּֽסְגֹ֣ר דְּלָתְךָ֣ בַּעֲדֶ֔ךָ חֲבִ֥י כִמְעַט־רֶ֖גַע עַד־יַעֲבָר־זָֽעַם׃

Vai, pois, povo meu, entra nos teus quartos, e fecha as tuas portas sobre ti. Esta breve seção informa-nos que finalmente haverá grande triunfo sobre os inimigos de Deus, e os fiéis devem esperar por esse final com confiança. *Leviatã*, o monstro mitológico, entra em cena, e isso mostra que o profeta não hesitou em tomar por empréstimo alguns elementos da mitologia para ilustrar sua mensagem. Dou no *Dicionário* um artigo sobre *Leviatã*, que nos fornece todos os dados sobre esse conceito, os quais não repito aqui. Esse animal mitológico era visto, dentro da literatura ugarítica, como um inimigo da ordem da criação. Yahweh, porém, tem o poder para fazer parar o *caos* e impor a harmonia de uma nova criação, isto é, a era do reino de Deus. Is 27.1 tem detalhes bastante similares aos da versão cananeia do mito, pelo que, de forma bem definida, há aqui um empréstimo literário feito pelo profeta.

O *caos generalizado*, especialmente aquele exemplificado na *Grande Tribulação* (capítulo 24), é algo temível, pelo que o oráculo recomendou que Israel fugisse para as câmaras interiores de suas casas e fechasse as portas atrás de si. Eles deveriam ficar ali ocultos até que "passe a ira" (o que, quase certamente, é uma referência ao capítulo 24 de Isaías). A harmonia do *novo dia* só poderia aparecer quando os opressores de Israel fossem abatidos, quando o caos fosse derrotado (vs. 21 e 27.1). Isso nos faz lembrar da história de Noé e da arca. As chuvas da tribulação forçaram as pessoas e os animais a recolher-se na arca, até que um novo dia raiou. "Assim como os homens buscam o recesso mais interior de seus lares, enquanto a tempestade varre a cidade, deveriam buscar Deus naquela solidão, até haver passado a grande tempestade de sua indignação" (Ellicott, *in loc.*).

■ 26.21

כִּֽי־הִנֵּ֤ה יְהוָה֙ יֹצֵ֣א מִמְּקוֹמ֔וֹ לִפְקֹ֛ד עֲוֺ֥ן יֹשֵֽׁב־הָאָ֖רֶץ עָלָ֑יו וְגִלְּתָ֤ה הָאָ֙רֶץ֙ אֶת־דָּמֶ֔יהָ וְלֹֽא־תְכַסֶּ֥ה ע֖וֹד עַל־הֲרוּגֶֽיהָ׃ ס

Pois eis que o Senhor sai do seu lugar, para castigar a iniquidade dos moradores da terra. *Todos os pecados virão à luz;* as iniquidades ocultas e os crimes de sangue, todas as opressões das nações contra Israel, todos os pecados individuais e nacionais serão conhecidos e julgados. A terra dará testemunho contra os homens! "O dia está às portas! À luz da longa história de opressão de Israel, a humanidade será julgada pelo pecado de Caim (ver Gn 4.9-12; Lc 11.51)" (R. B. Y. Scott, *in loc.*). Diz o Targum: "A terra revelará o sangue inocente que é derramado sobre ela, e não mais cobrirá os seus mortos".

CAPÍTULO VINTE E SETE

■ 27.1

בַּיּ֣וֹם הַה֡וּא יִפְקֹ֣ד יְהוָה֩ בְּחַרְב֙וֹ הַקָּשָׁ֜ה וְהַגְּדוֹלָ֣ה וְהַחֲזָקָ֗ה עַ֤ל לִוְיָתָן֙ נָחָ֣שׁ בָּרִ֔חַ וְעַל֙ לִוְיָתָ֔ן נָחָ֖שׁ עֲקַלָּת֑וֹן וְהָרַ֥ג אֶת־הַתַּנִּ֖ין אֲשֶׁ֥ר בַּיָּֽם׃ ס

Naquele dia o Senhor castigará com a sua dura espada... o dragão. Este versículo pertence ao parágrafo iniciado em Is 26.20. O *caos* também terá de ser derrotado. Para ilustrar o fato, o profeta usa uma referência mitológica, o temível monstro *Leviatã* (ver a respeito no *Dicionário*, bem como as notas adicionais de Jó 41.1). Há cinco referências a esse monstro marinho nas páginas do Antigo Testamento. Além destas três referências (este versículo, duas vezes; e então em Jó), temos Sl 74.14 e 104.24. O nome cananeu desse monstro mitológico é *Lotan*. De acordo com a versão cananeia, o monstro é morto com um cacete, mas aqui é morto com a espada de Yahweh, o qual, pessoalmente, extinguirá a desarmonia e o caos, antes que chegue o novo dia. Sl 74.13,14 pode refletir a versão cananeia, com a qual a versão babilônica é muito parecida.

No tablete I AB de Ras Shamra, encontramos as seguintes palavras:

> Quando tiveres ferido a L-t-n, a serpente que foge, (e) tiveres dado fim à serpente que se retorce, a poderosa com sete cabeças...

Note o leitor os paralelos verbais, *que foge* e *que se retorce*. A versão hebraica não menciona as sete cabeças, mas Sl 74.13 tem algo similar. Ali o monstro, nas diversas versões, é um monstro marinho, ou, algumas vezes, personificado pelo mar. Ver Am 9.3.

As palavras "que foge" significam "rápida". Portanto, a imagem é de um monstro muito veloz, que se contorce como uma serpente. Os intérpretes tentam identificar esse monstro com um império específico, tal qual a Babilônia ou o Egito, mas isso é limitar demais a questão a coisas terrenas, pois está em foco o caos sobrenatural.

A morte desse monstro, além de simbolizar o ato de livrar o mundo do *caos cósmico*, também fala da derrota de todos os inimigos de Deus, que são os agentes do caos e da iniquidade neste mundo. Com a morte do monstro leviatã, será firmada a soberania de Deus, sem nenhuma oposição neste mundo, o que é necessário para que a era do reino de Deus seja trazida, bem como as eras eternas que se seguirão.

Vários Nomes do Monstro. Leviatã (ver Jó 41.1; Sl 74.14 e 104.24; Is 27.1); *Raabe* (ver Jó 9.13; 26.12,13; Is 30.7; 51.9; Sl 89.10); *Tanim*, usualmente traduzido por "dragão" ou monstro (ver Is 51.9; Ez 29.3; 32.2; Sl 74.13; Jó 7.12). Além disso, o mar é personificado como monstro (ver Is 51.10; Hc 3.8; Sl 74.13; Jó 7.12; 26.12; 38.8. Cf. Ap 21.1).

Continua aqui o Pequeno Apocalipse de Isaías. Essa seção ocupa os capítulos 24—27. Ver a introdução à seção na introdução ao capítulo 24.

A VINHA DO SENHOR (27.2-6)

■ 27.2

בַּיּ֖וֹם הַה֑וּא כֶּ֥רֶם חֶ֖מֶד עַנּוּ־לָֽהּ׃

Naquele dia dirá o Senhor: Cantai a vinha deliciosa! Já vimos sobre essa figura, em Is 5.1-7, mas ali é dada a ideia oposta. A rebelde e apóstata nação de Israel é retratada como uma vinha que azeda e nada produz, a despeito de todas as provisões divinas. Mas aqui temos uma boa vinha, que Yahweh protege de espinhos, ou seja, de inimigos. O texto hebraico é problemático, tendo sofrido, como é patente, alguns antigos erros de escrita, ou então, desde o princípio, erros primitivos. A Septuaginta tem variantes significativas, algumas das quais poderiam representar o texto original.

A vinha é saudável e produtiva, um deleite para o vinhateiro; portanto, que seja levantado um cântico de louvor em sua honra. Isso deve ser contrastado com o quadro entristecedor de Is 5.1-7. Os tempos provocaram uma mudança; o terror chegou; o remanescente de Israel foi purificado (capítulo 24). Agora estamos em um novo *dia*, um dia escatológico, pelo que seja entoado um cântico de louvor. "O profeta aparece novamente (tal como em Is 26.1) como o compositor do hino do dia futuro de triunfo dos remidos. Ele tinha entoado um cântico fúnebre sobre a vinha infrutífera e entregue à desolação. Mas agora ele transforma o lamento em um poema" (Ellicott, *in loc.*).

■ 27.3

אֲנִ֤י יְהוָה֙ נֹֽצְרָ֔הּ לִרְגָעִ֖ים אַשְׁקֶ֑נָּה פֶּ֚ן יִפְקֹ֣ד עָלֶ֔יהָ לַ֥יְלָה וָי֖וֹם אֶצֳּרֶֽנָּה׃

Eu, o Senhor, a vigio e a cada momento a regarei. Yahweh é o plantador e o vigia da vinha; ele a rega continuamente, garantindo-lhe cuidado e atenção, em uma base diária. Ele estabelece um posto de vigia, a fim de que nenhum destruidor se aproxime para praticar alguma coisa atrevida, montando vigilância dia e noite. As chuvas são abundantes, e há um sol adequado, mas sem excessos. Foram providas todas as condições apropriadas ao desenvolvimento e à frutificação.

Que mais se podia fazer ainda à minha vinha, que eu lhe não tenha feito?

Isaías 5.4

Cf. Ct 8.12 e Os 14.5-7. "Que privilégio é estar em uma plantação como essa, regada e defendida pelo próprio Senhor!" (John Gill, *in loc.*).

27.4

חֵמָ֖ה אֵ֣ין לִ֑י מִֽי־יִתְּנֵ֜נִי שָׁמִ֤יר שַׁ֙יִת֙ בַּמִּלְחָמָ֔ה אֶפְשְׂעָ֥ה בָ֖הּ אֲצִיתֶ֥נָּה יָּֽחַד׃

Não há indignação em mim. Yahweh se sentia feliz com a sua vinha; ele não guardava nenhuma ira contra ela, conforme se vê em Is 5.1-7. "Se alguém fizer uma muralha de espinhos na guerra, eu marcharei para ela e a queimarei" (NCV). Se qualquer inimigo vier em movimento para danificar a vinha, isso será considerado um ato hostil de guerra, e o Senhor dos Exércitos aniquilará o inimigo que ousou planejar contra a vinha.

Quem me dera espinheiros e abrolhos. Ou seja, os inimigos de Israel que procurassem fazer o mal, o adversário ímpio: Is 9.18; 10.17; 2Sm 23.6. O ataque não mais seria contra a vinha infrutífera, mas contra qualquer fator perturbador que atacasse do lado de fora. O inimigo é pintado como plantas daninhas que prejudicassem a vinha, mas também fossem altamente inflamáveis, ou seja, de fácil eliminação.

27.5

א֚וֹ יַחֲזֵ֣ק בְּמָעוּזִּ֔י יַעֲשֶׂ֥ה שָׁל֖וֹם לִ֑י שָׁל֖וֹם יַֽעֲשֶׂה־לִּֽי׃

Ou que homens se apoderem da minha força, e façam paz comigo. Uma palavra *graciosa* é aqui dirigida aos inimigos potenciais de Israel. Se eles, como a vinha, fizessem de Yahweh seu refúgio e fortaleza, sua proteção, conforme Israel tinha feito, então a paz poderia ser estabelecida. Yahweh convidou-os aqui a estabelecer com ele paz, e não guerra. Então as bênçãos se multiplicariam e, presumivelmente, haveria nova vinha de produtividade, ou os inimigos se tornariam parte da bendita vinha de Israel, visto que de Israel fluiriam benefícios espirituais, quando Jerusalém, uma vez mais, se tornasse o centro espiritual do mundo. Ver Is 26.9. O vs. 6, em seguida, subentende a mesma coisa. Ver no *Dicionário* o artigo chamado *Paz*, e cf. 9.6 e 26.3,12.

27.6

הַבָּאִים֙ יַשְׁרֵ֣שׁ יַֽעֲקֹ֔ב יָצִ֥יץ וּפָרַ֖ח יִשְׂרָאֵ֑ל וּמָלְא֥וּ פְנֵי־תֵבֵ֖ל תְּנוּבָֽה׃ ס

Dias virão em que Jacó lançará raízes. A vinha agradável e produtiva (Israel) lançará raízes, pelo que terá todas as condições necessárias para o crescimento e a produtividade. Surgirão a inflorescência e o botão, e a frutificação será grande. O mundo inteiro ficará cheio desse fruto, pelo que haverá universalização que beneficiará todos os povos. "Quando chegar a era do reino, então Jacó (sinônimo de Israel) será produtivo de novo (cf. Is 35.1-3,6,7; Am 9.13,14; Zc 14.8), a nação por meio da qual Deus abençoará o mundo (cf. Gn 12.3)" (John S. Martin, *in loc.*, que se refere a uma das provisões do pacto abraâmico; ver sobre isso em Gn 15.18).

> Ora, se a transgressão deles redundou em riqueza para o mundo, e o seu abatimento em riqueza para os gentios, quanto mais a sua plenitude!
>
> Romanos 11.12

"A restauração deles será como as 'riquezas dos gentios' (Rm 11.12; Os 14.6)" (Ellicott, *in loc.*).

SIGNIFICADO DOS SOFRIMENTOS DE ISRAEL (27.7-11)

27.7

הַכְּמַכַּ֥ת מַכֵּ֖הוּ הִכָּ֑הוּ אִם־כְּהֶ֥רֶג הֲרֻגָ֖יו הֹרָֽג׃

Porventura feriu o Senhor a Israel como àqueles que o feriram? Provavelmente não devemos entender aqui que a vinha agradável e produtiva, mencionada nos vss. 1-6, agora estivesse ameaçada de julgamento. Esta breve seção é um oráculo separado que explica por que Israel tinha de sofrer. Yahweh cuida de seu povo, e parte desses cuidados consiste em aplicar disciplina, sob forma de castigo, sempre que necessário. Isso posto, os julgamentos divinos são os dedos da amorosa mão de Deus, e não medidas destruidoras sem possibilidade de redenção. Israel, pois, seria ferido, tal como seus inimigos seriam feridos. É preciso que haja justiça. Este versículo, apresentado como indagação, tem por intuito fazer distinção entre os tipos de punição que atingiam Israel e seus adversários. A restauração segue-se à punição que atinge Israel, o que, presumivelmente, não se segue à punição que atinge seus inimigos. Mas o Novo Testamento reverte até mesmo esse quadro lamentável, porquanto o Novo Testamento prevê que o amor universal (ver Jo 3.16) apagará tais distinções. Ver na *Enciclopédia de Bíblia, Teologia e Filosofia* o artigo chamado *Restauração*. Todos os julgamentos divinos são remediadores, e não apenas retributivos, e é precisamente isso que poderíamos esperar de Deus, pois Deus *é* amor (ver 1Jo 4.8).

27.8

בְּסַאסְּאָ֖ה בְּשַׁלְחָ֣הּ תְּרִיבֶ֑נָּה הָגָ֛ה בְּרוּח֥וֹ הַקָּשָׁ֖ה בְּי֥וֹם קָדִֽים׃

Com xô! xô! e exílio o trataste. Deus sempre julgará Israel de acordo com a medida correta, tendo em vista o benefício desse povo, e não a sua destruição. "Medida por medida" é como dizem as traduções do siríaco, da Vulgata Latina e do Targum, para explicar uma palavra hebraica de significado incerto. A Septuaginta diz aqui "com guerra", o que concorda com o que se segue. Dois *exílios* foram sofridos depois dos ataques de inimigos estrangeiros. A nação do norte, Israel, foi atacada e levada para o exílio pela Assíria (722 a.C.). Então Judá sofreu o mesmo tipo de tratamento por parte da Babilônia (596 a.C.). Ver no *Dicionário* os verbetes intitulados *Cativeiro Assírio* e *Cativeiro Babilônico*. Foi a apostasia que causou essas medidas drásticas, mas elas não assinalaram o fim da história. Jesus reverteu o cativeiro assírio (ver Mt 4.15,16), e ainda haverá outros atos restauradores para possibilitar a era do reino. Os julgamentos atingiram Israel como o sopro violento do vento que vem do deserto. O vento oriental, tão forte e quente no Oriente Próximo, fala, no Antigo Testamento, de testes e julgamentos. Mas aquele vento foi um *sopro* que visava o "bem" de Israel. O vento de Deus só soprou tão forte e por tanto tempo quanto redundasse para o bem final de Israel. Aqui o vento é a agência dos cativeiros. Os captores vieram do *leste* (estritamente falando, do nordeste).

27.9

לָכֵ֗ן בְּזֹאת֙ יְכֻפַּ֣ר עֲוֹֽן־יַעֲקֹ֔ב וְזֶ֕ה כָּל־פְּרִ֖י הָסִ֣ר חַטָּאת֑וֹ בְּשׂוּמ֣וֹ ׀ כָּל־אַבְנֵ֣י מִזְבֵּ֗חַ כְּאַבְנֵי־גִר֙ מְנֻפָּצ֔וֹת לֹֽא־יָקֻ֥מוּ אֲשֵׁרִ֖ים וְחַמָּנִֽים׃

Portanto, com isto será expiada a culpa de Jacó. O propósito do vento hostil não era operar uma hostilidade final contra Israel, mas soprar para longe a palha e assim restaurar o grão. Jacó tornou-se profundamente culpado em sua apostasia, e isso provocou o sopro de Yahweh contra ele. Mas esse sopro foi curador e removeu a culpa. O incidente todo envolveu *expiação* (ver sobre essa palavra no *Dicionário*). Com a remoção do pecado, haveria *fruto pleno* na vinha. O pecado principal era a idolatria, conforme o presente versículo deixa claro. O julgamento divino esmagaria todos aqueles ídolos e os transformaria em pedaços. Apesar de ser uma situação extremamente complexa (pois havia muitos deuses envolvidos na adoração idólatra em que Israel caiu), as *Aserás* são destacadas para falar da situação toda. Ver no *Dicionário* o artigo chamado *Deuses Falsos*, III.4. Quanto a notas adicionais a respeito, ver 1Rs 14.15. Ofereço notas expositivas abundantes naquelas referências, e não repito o material aqui. Havia muitos altares dedicados a muitos deuses, e as colunas de Aserá, símbolos de madeira da deusa cananeia da fertilidade, estavam entre os mais crassos tipos de idolatria que enganaram o povo de Israel.

27.10

כִּ֣י עִ֤יר בְּצוּרָה֙ בָּדָ֔ד נָוֶ֕ה מְשֻׁלָּ֥ח וְנֶעֱזָ֖ב כַּמִּדְבָּ֑ר שָׁ֣ם יִרְעֶ֥ה עֵ֛גֶל וְשָׁ֥ם יִרְבָּ֖ץ וְכִלָּ֥ה סְעִפֶֽיהָ׃

Porque a cidade fortificada está solitária. *Jerusalém*, a alegada capital do culto a Yahweh, tinha caído em vergonhoso paganismo, fazendo com que Judá se tornasse apenas outra nação pagã, perdida estava sua distinção como nação de Deus. Ver quanto a essa distinção em Dt 4.4-8, com base na possessão e na prática da legislação mosaica. Jerusalém tinha sido fortificada para resistir a invasões dos inimigos, mas sem a proteção de Yahweh, como sua "possessão distintiva", foi facilmente invadida, saqueada e levada cativa para a Babilônia. Assim sendo, a cidade que tinha sido agradável habitação para o povo foi transformada em deserto, que só tinha préstimo para servir de campo de pasto aos animais domesticados. E o pouco de erva verde que restou tornou-se alimento para os animais. Cf. esse simbolismo com Is 13.21,22, condição na qual a gloriosa Babilônia foi deixada, finalmente. Ver Is 25.2 quanto a uma predição de condenação semelhante para o povo de Deus. "O quadro da *desolação* — os animais agora se alimentavam onde tinham sido as ruas agitadas de uma cidade populosa" (Ellicott, *in loc.*).

■ 27.11

בִּיבֹשׁ קְצִירָהּ תִּשָּׁבַרְנָה נָשִׁים בָּאוֹת מְאִירוֹת אוֹתָהּ
כִּי לֹא עַם־בִּינוֹת הוּא עַל־כֵּן לֹא־יְרַחֲמֶנּוּ עֹשֵׂהוּ
וְיֹצְרוֹ לֹא יְחֻנֶּנּוּ: ס

Quando os seus ramos se secam, são quebrados. A relva verde do lugar tinha sido destruída. Os ramos das árvores se ressecaram e estavam mortos. As mulheres (as poucas que sobreviveram e permaneceram na área) vinham e faziam fogueiras dos galhos e dos ramos secos das árvores. Aquele povo adquirira uma mente crassa e teimosa, pelo que Yahweh os julgou incansavelmente, sem compaixão, porquanto uma operação radical era a única coisa que poderia curá-los. Foi necessário que Deus suspendesse temporariamente sua compaixão, porque a ira foi o ápice da operação. No entanto, foi também uma faca misericordiosa, pois o julgamento não era uma finalidade, mas um meio de promover um novo dia.

O DIA DA COLHEITA E A ÚLTIMA TROMBETA (27.12,13)

■ 27.12,13

וְהָיָה בַּיּוֹם הַהוּא יַחְבֹּט יְהוָה מִשִּׁבֹּלֶת הַנָּהָר
עַד־נַחַל מִצְרָיִם וְאַתֶּם תְּלֻקְּטוּ לְאַחַד אֶחָד
בְּנֵי יִשְׂרָאֵל: ס

וְהָיָה בַּיּוֹם הַהוּא יִתָּקַע בְּשׁוֹפָר גָּדוֹל וּבָאוּ הָאֹבְדִים
בְּאֶרֶץ אַשּׁוּר וְהַנִּדָּחִים בְּאֶרֶץ מִצְרָיִם וְהִשְׁתַּחֲווּ
לַיהוָה בְּהַר הַקֹּדֶשׁ בִּירוּשָׁלָםִ:

Naquele dia em que o Senhor debulhará o seu cereal. O Pequeno Apocalipse de Isaías (capítulos 24—27) termina com esta nota. Trata-se de uma promessa escatológica de livramento. Dois versículos retratam a questão. "No vs. 12, a figura de um dia final de colheita (cf. Jl 3.13; Mt 13.39; Ap 14.15) proclama a separação, não entre justos e ímpios, entre judeus e seu meio ambiente pagão, e a reunião deles como *filhos de Israel*. No vs. 13, a *grande trombeta* conclama os filhos de Israel à adoração (cf. Jl 2.15 e Sl 81.3). Essa convocação é à paz e à adoração, e não à guerra (cf. 1Sm 13.3), chamando-os do exílio para fora das fronteiras ideais das terras de Israel, que eram: o rio Eufrates (cf. Gn 15.18) e o ribeiro do Egito, o wadi-el-'Arish, 80 km a sudoeste de Gaza" (R. B. Y. Scott, *in loc.*). Entretanto, o rio do Egito, o *Nilo,* era a fronteira ideal com Israel. Ver sobre as provisões do *pacto abraâmico* nas notas de Gn 15.18. De fato, as fronteiras de Israel chegaram ao wadi-el-'Arish, mas não às fronteiras ideais, o rio Nilo. É curioso que o profeta reduziu a visão das fronteiras ideais (vs. 12) do Nilo (conforme fora prometido), ao wadi. Ver no *Dicionário* sobre o *Ribeiro do Egito* (bem como o artigo chamado *Egito, Ribeiro*), quanto a detalhes.

No monte santo em Jerusalém. Esta cidade se tornará a capital do mundo religioso na era do reino, ou milênio. Ver no *Dicionário* o verbete chamado *Milênio*. Ver as notas expositivas sobre Is 24.23, onde desenvolvo o tema.

CAPÍTULO VINTE E OITO

JUDÁ E EFRAIM NO FUTURO PRÓXIMO (28.1—35.10)

CATÁSTROFES E LIVRAMENTOS (28.1—33.24)

A seção de Is 28.1—35.10 contém uma série de *oráculos* acerca de Judá e Efraim. Is 28.1-13 manifesta-se contra os líderes religiosos. Começamos com um oráculo sobre Efraim (Samaria), proferido antes do assalto dos assírios (2Rs 17.5). Então encontramos um oráculo mais longo contra Judá. Quanto a isso, ver Is 22.1-14. Os vss. 1-13 fornecem a lição que os dissolutos devem aprender. Os vss. 1-4 tratam de Samaria; e então os vss. 5-10 falam dos líderes dissolutos e desafiadores de Judá. Os vss. 11-13, por sua vez, oferecem severa ameaça de invasões estrangeiras. "Nada há de obscuro sobre a mensagem do profeta. Tal como os orgulhosos e dissolutos líderes de Efraim tinham sido derrubados como que por uma tempestade enviada por Yahweh (vss. 1-4), assim também as rebeldes autoridades de Judá, que se recusavam a ouvir (vss. 7-10), aprenderiam a lição à força, devido ao linguajar bárbaro de um invasor. Alguns veem os vss. 1-13 como se tratassem da nação do norte, Israel, ao passo que os vss. 14-19 tratariam da nação do sul, Judá. Os julgamentos divinos tinham por propósito encorajar o arrependimento (vss. 23-29) e então vingar-se de seus opressores.

■ 28.1

הוֹי עֲטֶרֶת גֵּאוּת שִׁכֹּרֵי אֶפְרַיִם וְצִיץ נֹבֵל צְבִי
תִפְאַרְתּוֹ אֲשֶׁר עַל־רֹאשׁ גֵּיא־שְׁמָנִים הֲלוּמֵי יָיִן:

Ai da soberba coroa dos bêbados de Efraim. Uma interjeição, de condenação e de dor. Ver Is 5.8.

Símbolos. Que o leitor examine estes quatro pontos:

1. Efraim é comparado a um *bêbado*. O *reino do Norte* tinha-se envolvido em toda espécie de excessos, que o haviam intoxicado; assim sendo, estava insensível para com a antiga fé.
2. Eles usavam uma *coroa orgulhosa* de fingimento e hipocrisia. Talvez seus líderes sejam especialmente destacados por essa palavra. Ou então a coroa é uma referência direta a Samaria, a capital, cidade governante do norte. A corrupção do país era pior na capital, embora o país inteiro (representado por Efraim, a tribo mais poderosa) se tivesse transformado em um bando de bêbados.
3. A coroa era feita de *flores que murchavam*. Era uma coroa transformada em dissolução, e seu fim se aproximava, pois a questão estava morta. "As muralhas que cercavam a colina de Samaria se assemelhavam à coroa que rapidamente se estragava na cabeça de um libertino" (R. B. Y. Scott, *in loc.*). Cf. isso com Am 3.9,15. O que tinha sido beleza em Samaria caía na morte.
4. A coroa estava na cabeça dos vales ricos que produziam vinho em abundância. O vinho tinha vencido os habitantes, transformando-os em um bando de bêbados. Aqueles iníquos tinham jogado fora sua substância, material e espiritual, trocando-a por dissolução e apostasia. Apesar de termos nesta passagem uma figura simbólica, compreendemos que o alcoolismo excessivo se tornara uma característica comum dos habitantes do reino do norte, Israel.

Vamos afogar-nos com vinho e unguentos caros;
E que nenhuma flor da primavera passe por nós:
Vamos coroar-nos com os botões de rosa,
Antes que eles se ressequem.

Sabedoria 2.7,8

"Samaria situava-se em uma colina rodeada por ricos vales que formavam uma coroa (1Rs 16.24); mas uma coroa de flores estava murchando, conforme sempre acontece, porquanto Efraim estava bem perto da completa ruína (cf. Is 16.8)" (Fausset, *in loc.*).

■ 28.2

הִנֵּה חָזָק וְאַמִּץ לַאדֹנָי כְּזֶרֶם בָּרָד שַׂעַר קָטֶב כְּזֶרֶם
מַיִם כַּבִּירִים שֹׁטְפִים הִנִּיחַ לָאָרֶץ בְּיָד:

Eis que o Senhor tem certo homem valente e poderoso. Agora Yahweh aproximava-se como se fosse uma *grande tempestade*, e assim como ele é poderoso, outro tanto seria a tempestade; era uma tempestade de saraiva que destruiria rapidamente tudo quanto estivesse em sua vereda; era uma tempestade forte que fazia os rios inundar as margens e derrubaria Efraim irreparavelmente. Dessa maneira, ficou simbolizado o exército assírio. Quanto ao exército assírio como agente da retribuição divina, ver Is 8.7,8 e 25.4. Diz o Targum: "Assim certo povo viria contra eles e os removeria de sua própria terra para outra, por causa dos pecados que estavam em suas mãos".

■ 28.3

בְּרַגְלַיִם תֵּרָמַסְנָה עֲטֶרֶת גֵּאוּת שִׁכּוֹרֵי אֶפְרָיִם׃

A soberba coroa dos bêbados de Efraim será pisada aos pés. Este versículo interpreta a mensagem do vs. 1. "A soberba coroa" (Samaria) seria pisada, como um bando de bêbados insensatos, pelo exército assírio. Se essa coroa tivesse algum valor, seria desconsiderado, e a destruição seria completa.

Aquela cidade, o orgulho do povo bêbado de Israel, seria pisada aos pés.

NCV

■ 28.4

וְהָיְתָה צִיצַת נֹבֵל צְבִי תִפְאַרְתּוֹ אֲשֶׁר עַל־רֹאשׁ גֵּיא שְׁמָנִים כְּבִכּוּרָהּ בְּטֶרֶם קַיִץ אֲשֶׁר יִרְאֶה הָרֹאֶה אוֹתָהּ בְּעוֹדָהּ בְּכַפּוֹ יִבְלָעֶנָּה׃ ס

A flor caduca da sua gloriosa formosura. Este versículo reitera a essência do vs. 1 (a flor que murchava, o vale rico) e usa outra figura simbólica para descrever a queda de Samaria. Um homem vem chegando e vê os primeiros figos maduros, antes do começo do verão, e os devora. Tais figos eram considerados deliciosos. Portanto, temos aqui o quadro de um estranho a andar entre as árvores frutíferas. Ele não é o proprietário nem tem coisa alguma que fazer ali, mas viola a plantação e devora alguns dos frutos escolhidos, antes que o proprietário tenha a oportunidade de fazer a colheita. Quanto aos primeiros figos como uma delícia, ver Os 9.10; Jr 24.2 e Mq 7.1. O exército assírio chegaria de repente sobre a plantação de figueiras (o norte) e a saquearia, e qualquer coisa de valor seria levada para a Assíria. Ver no *Dicionário* o verbete intitulado *Cativeiro Assírio*.

■ 28.5

בַּיּוֹם הַהוּא יִהְיֶה יְהוָה צְבָאוֹת לַעֲטֶרֶת צְבִי וְלִצְפִירַת תִּפְאָרָה לִשְׁאָר עַמּוֹ׃

Naquele dia o Senhor dos Exércitos será a coroa de glória. A *falsa coroa* e a beleza, mencionadas no vs. 1 deste capítulo, são agora contrastadas com o *Senhor dos Exércitos* (ver 1Rs 18.15 e o artigo com esse nome, no *Dicionário*), o qual é a verdadeira coroa da glória; ele é o verdadeiro diadema de beleza que a massa do povo israelita rejeitara. Mas o Senhor será acolhido pelo pequeno remanescente de Israel. Os vss. 5 e 6 podem ter sido adições de algum editor, e a referência pode ser a Judá, conforme sugere a menção ao remanescente. Alguns estudiosos, porém, fazem com que o remanescente seja ao tempo da restauração vinculado ao reino de Deus. Kimchi pensava que este versículo falava dos tempos do Messias. Portanto, "naquele dia" significaria "naquele dia escatológico", no fim de nossa era. Diz o Targum: "Naquele dia o Messias do Senhor dos Exércitos será uma coroa de alegria". Isso só poderia ocorrer se realizado pelo poder do General dos Exércitos dos céus.

■ 28.6

וּלְרוּחַ מִשְׁפָּט לַיּוֹשֵׁב עַל־הַמִּשְׁפָּט וְלִגְבוּרָה מְשִׁיבֵי מִלְחָמָה שָׁעְרָה׃ ס

Será o espírito de justiça para o que se assenta a julgar. A promessa ao remanescente (vss. 5,6) parece estranha entre as ameaças contra as nações do Norte, Israel, e do Sul, Judá. Além de ser uma coroa de beleza para o remanescente, o *Senhor dos Exércitos* também será o *espírito de justiça* que garantirá um governo reto durante a era do reino. Ele será o poder por trás de um trono justo e também o *protetor* fazendo os inimigos retroceder dos portões da cidade. Justiça e paz são os caros desejos do coração de homens bons, bem como das massas populares que não controlam armas de guerra. A concretização desse ideal é uma das esperanças da era messiânica (ver Is 2.4; 9.7; 11.1-9; 32.16-18). "Yahweh inspirará seus magistrados com justiça, e seus soldados com força de espírito" (Fausset, *in loc.*). Cf. 2Sm 11.23 e 2Rs 18.8.

A DENÚNCIA CONTRA JUDÁ (28.7-10)

■ 28.7

וְגַם־אֵלֶּה בַּיַּיִן שָׁגוּ וּבַשֵּׁכָר תָּעוּ כֹּהֵן וְנָבִיא שָׁגוּ בַשֵּׁכָר נִבְלְעוּ מִן־הַיַּיִן תָּעוּ מִן־הַשֵּׁכָר שָׁגוּ בָּרֹאֶה פָּקוּ פְּלִילִיָּה׃

Mas também estes cambaleiam por causa do vinho. Este versículo resume a mensagem de repreensão do vs. 4; mas agora a mensagem divina dirige-se contra Judá. Alguns intérpretes, entretanto, pensam que ela se dirige à nação do norte, Israel. "Esta seção dá continuação aos vss. 1-4, mas é um recado contra Judá. O hedonismo desenfreado de Samaria tinha paralelo na nação de Judá, cujos destemperados líderes religiosos eram incapazes de fornecer orientação responsável (cf. os vss. 9 e 10). Sacerdotes e profetas, presumivelmente *oponentes* de Isaías (ver Jr 26.7-9), ressentiam-se da atitude condescendente do profeta" (*Oxford Annotated Bible*, comentando sobre este versículo).

Efraim tinha sido apodado de um bando de bêbados, e agora aprendemos que a nação de Judá não era em nada melhor que isso. Até os sacerdotes e profetas ocupavam-se dos excessos e do deboche, encorajados pela exagerada ingestão de bebidas alcoólicas. Vinho demais deixara a mente deles confusa, levando-os a cambalear vergonhosamente defronte de outras pessoas. Os profetas começaram a transmitir profecias falsas, pois estavam confusos e não mais podiam falar em nome do Ser divino. Os juízes tinham perdido a capacidade de julgar, dando falsas sentenças e encorajando a iniquidade. A casta sacerdotal, por sua vez, caíra no deboche e se tornara inútil para as necessidades espirituais do povo.

Os profetas estão bêbados quando têm suas visões. Os juízes tropeçam quando decretam suas decisões.

NCV

"Isaías irrompeu em uma daquelas orgias periódicas que assinalavam a vida da corte. Estavam todos embriagados, sacerdotes e políticos igualmente. O salão estava enevoado com os vapores das bebidas alcoólicas, ruidoso com as bravatas e a profanidade de homens bêbados. O servo de Deus entrou na corte e ficou ali, contemplando com desprezo e ira os chamados líderes da nação" (G. G. D. Kilpatrick, *in loc.*).

■ 28.8

כִּי כָּל־שֻׁלְחָנוֹת מָלְאוּ קִיא צֹאָה בְּלִי מָקוֹם׃ ס

Porque todas as mesas estão cheias de vômitos. Desgostoso, o profeta descreve o que viu quando entrou no salão de festas e de deboches. As mesas estavam cobertas com o vômito daqueles beberrões. O lugar inteiro estava coberto com a imundícia dos insensatos bêbados. Essa ridícula "cena da corte" mostra-nos, vividamente, por que Judá estava pronto para o julgamento, que em breve sobreviria. Seus vícios se tornaram epidêmicos, e o país inteiro imitava as festanças debochadas de seus líderes.

■ 28.9

אֶת־מִי יוֹרֶה דֵעָה וְאֶת־מִי יָבִין שְׁמוּעָה גְּמוּלֵי מֵחָלָב עַתִּיקֵי מִשָּׁדָיִם׃

A quem, pois, se ensinaria o conhecimento? Os indivíduos embriagados olham para cima, e lá está Isaías, o grande profeta. E todos perguntam, zombeteiramente: "O que esse tolo nos quer ensinar agora? Somos homens, mas ele é mestre de infantes e crianças, daqueles que há pouco foram desmamados. Que tipo de falta de bom senso, próprio para crianças, ele nos dirá agora?"

■ 28.10

כִּ֣י צַ֤ו לָצָו֙ צַ֣ו לָצָ֔ו קַ֥ו לָקָ֖ו קַ֣ו לָקָ֑ו זְעֵ֥יר שָׁ֖ם זְעֵ֥יר שָֽׁם׃

Porque é preceito sobre preceito, preceito e mais preceito. Os festejadores bêbados continuavam a zombar do profeta. Provavelmente, as palavras que aparecem neste texto pretendiam reproduzir as palavras e os métodos de ensino de Isaías, com muita repetição, o que é essencial para todo o bom ensino. O hebraico é muito vívido, repetindo monossílabos: çaw e qaw são mencionadas por quatro vezes cada, neste versículo. Os mofadores diziam que o profeta apenas balbuciava, procurando aplicar a eles um método que só servia para crianças. As crianças, quando estão aprendendo o alfabeto, precisam de muita repetição, mas *homens sábios* como eles não precisavam de nenhum professor primário. "Tu e tuas eternas repetições das mesmas lições infantis. Tu e tuas repetições gaguejadas: çaw laqaw, çaw laqaw!" E então, em meio a gargalhadas, a companhia inteira dos bêbados mofou do profeta: çaw laqaw, çaw laqaw. Sem deixar-se abalar... Isaías ouviu-os zombando, e então replicou, com uma ameaça em seu tom de voz: 'Vós me ouvireis novamente'" (G. G. D. Kilpatrick, *in loc.*). E assim tiveram de ouvir novamente as ameaças do profeta, no vs. 13, ficando claro que eles tinham feito uma aliança com a morte (vss. 14,15).

Um mandamento aqui, um mandamento ali; uma regra aqui, uma regra ali. Uma lição aqui, uma lição ali.

NCV

■ 28.11

כִּ֚י בְּלַעֲגֵ֣י שָׂפָ֔ה וּבְלָשׁ֖וֹן אַחֶ֑רֶת יְדַבֵּ֖ר אֶל־הָעָ֥ם הַזֶּֽה׃

Pelo que por lábios gaguejantes e por língua estranha. *A Réplica do Profeta.* Visto que os habitantes de Judá se recusavam a ouvir aquelas instruções infantis, que tinham por intuito fazer-lhes o bem, seriam forçados a ouvir os sons bárbaros dos invasores estrangeiros, os quais lhes ensinariam uma ou duas lições. Yahweh haveria de falar a seu povo por meio dos babilônios, tal como tinha falado à nação do norte, Israel, por meio dos assírios. Isso poria fim definitivo às festanças e à zombaria contra a mensagem de Deus. "Lábios estrangeiros entregariam a eles a mensagem de julgamento" (John S. Martin, *in loc.*).

Este versículo foi citado por Paulo em 1Co 14.21, referindo-se ao dom de línguas, mas a aplicação é completamente diferente do que temos aqui. As palavras foram usadas como uma *acomodação*, e não como uma interpretação. Ver no *Dicionário* o artigo chamado *Acomodação*.

■ 28.12

אֲשֶׁ֣ר ׀ אָמַ֣ר אֲלֵיהֶ֗ם זֹ֤את הַמְּנוּחָה֙ הָנִ֣יחוּ לֶֽעָיֵ֔ף וְזֹ֖את הַמַּרְגֵּעָ֑ה וְלֹ֥א אָב֖וּא שְׁמֽוֹעַ׃

Ao qual disse: Este é o descanso, dai descanso ao cansado. Se a mensagem do profeta fosse recebida, isso significaria *paz* para as almas, descanso do conflito do pecado; repouso para os cansados. Provavelmente a promessa dizia respeito à liberdade da invasão das tropas estrangeiras, que perturbavam a paz nacional e pessoal; liberdade do temor da guerra, do saque e das matanças. "... descanso dos preparativos para a guerra, pois os judeus estavam, na época, *cansados* das diversas providências acerca da guerra e de calamidades, como a invasão siro-israelita (ver Is 7.8; cf. 30.15; 36.1; 2Rs 18.8). Espiritualmente, porém, o *descanso* só poderia ser encontrado na obediência aos preceitos de Deus (vs. 10)" (Fausset, *in loc.*).

Vinde a mim todos os que estais cansados e sobrecarregados, e eu vos aliviarei. Tomai sobre vós o meu jugo, e aprendei de mim, porque sou manso e humilde de coração; e achareis descanso para as vossas almas.

Mateus 11.28,29

■ 28.13

וְהָיָ֨ה לָהֶ֜ם דְּבַר־יְהוָ֗ה צַ֣ו לָצָ֞ו צַ֣ו לָצָ֗ו קַ֤ו לָקָו֙ קַ֣ו לָקָ֔ו זְעֵ֥יר שָׁ֖ם זְעֵ֣יר שָׁ֑ם לְמַ֨עַן יֵלְכ֜וּ וְכָשְׁל֤וּ אָחוֹר֙ וְנִשְׁבָּ֔רוּ וְנוֹקְשׁ֖וּ וְנִלְכָּֽדוּ׃ פ

Assim, pois, a palavra do Senhor lhes será preceito sobre preceito. *A mensagem da qual tinham escarnecido,* como se ela fosse apropriada somente a crianças pequenas e não a eles, seria *repetida,* pelo que temos neste versículo uma reprodução essencial do vs. 10. Antes, se essa mensagem fosse acolhida, haveria de livrá-los de profunda tristeza. No entanto, eles perderam a oportunidade, e agora teriam de enfrentar um pronunciamento que envolvia julgamento e terror. Eles seriam injuriados, caçados e capturados pelos babilônios, os quais os tirariam de sua Terra Prometida, como se fossem um bando de animais selvagens. E falariam com eles na língua estrangeira, que os judeus não compreenderiam, palavras de crueldade e de opressão. Cf. Is 8.14,15. Eles acabariam *caindo* (ver o vs. 7), o que, afinal, seria apropriado para homens embriagados.

A ALIANÇA COM A MORTE (28.14-22)

■ 28.14

לָכֵ֛ן שִׁמְע֥וּ דְבַר־יְהוָ֖ה אַנְשֵׁ֣י לָצ֑וֹן מֹֽשְׁלֵי֙ הָעָ֣ם הַזֶּ֔ה אֲשֶׁ֖ר בִּירוּשָׁלָֽ͏ִם׃

Ouvi, pois, a palavra do Senhor, homens escarnecedores. Este oráculo foi transmitido sob circunstâncias similares às do oráculo anterior. O profeta novamente confrontou os líderes de Judá por causa de suas sérias infrações. A conduta deles certamente os levaria à ruína. Deliberadamente, eles abandonaram o culto e o pacto com Yahweh, envolvendo-se com deuses pagãos. Eles concordaram em servir a esses deuses, em troca de proteção contra os inimigos. Firmaram uma aliança com a morte e o *sheol,* talvez jurando lealdade ao deus cananeu do submundo *Mote,* ou talvez com o deus egípcio *Osíris.*

Os escarnecedores (ver o vs. 9) agora recebiam o oráculo de condenação, entregue pelo instrumento de Yahweh, o profeta Isaías! Infelizmente, aqueles ímpios tornaram-se líderes de Judá e influenciaram toda a nação a atirar-se à apostasia. "Os homens que tinham escarnecido do profeta, em sua sabedoria mundana, estavam entre os principais príncipes e conselheiros de Ezequias" (Ellicott, *in loc.*). Eles assinaram acordos com homens e com deuses, com qualquer coisa, mas não consideraram a fé de seus pais, para se fortalecerem naquela hora crítica.

■ 28.15

כִּ֣י אֲמַרְתֶּ֗ם כָּרַ֤תְנֽוּ בְרִית֙ אֶת־מָ֔וֶת וְעִם־שְׁא֖וֹל עָשִׂ֣ינוּ חֹזֶ֑ה שׁ֣וֹט שׁוֹטֵ֤ף כִּֽי־עָבַר֙ לֹ֣א יְבוֹאֵ֔נוּ כִּ֣י שַׂ֧מְנוּ כָזָ֛ב מַחְסֵ֖נוּ וּבַשֶּׁ֥קֶר נִסְתָּֽרְנוּ׃ ס

Porquanto dizeis: Fizemos aliança com a morte, e com o além fizemos acordo. *Aliança com a Morte e com o Sheol.* Ver as notas expositivas na introdução ao vs. 14. Para tentar estancar o *flagelo,* a ameaça assíria ou a babilônica, os líderes de Judá tinham estabelecido uma espécie de pacto com deuses pagãos, especificamente com aqueles considerados controladores das questões de vida e morte, que supostamente tinham autoridade sobre o *sheol.* "No panteão ugarítico, a morte era personificada como o deus do submundo" (John S. Martin, *in loc.*). Provavelmente invocaram a um ou mais deuses, e lhes prometeram lealdade, *caso* fossem libertados do perigo representado pelas potências estrangeiras. O *sheol* e a morte, naturalmente, são reunidos aqui, por serem elementos de um mesmo pacote (cf. Os 13.14; Ap 20.13,14). Ver Pv 5.5 quanto a um sumário de como a doutrina do *sheol* se desenvolveu na cultura dos hebreus; e ver no *Dicionário* o artigo chamado *Hades.*

Mentiras e Falsidades. Isto é, de acordo com a avaliação do profeta Isaías. Assim ele apodou as divindades pagãs, e, naturalmente, a esperança que essas divindades davam também era fraudulenta.

28.16

לָכֵן כֹּה אָמַר אֲדֹנָי יְהוִה הִנְנִי יִסַּד בְּצִיּוֹן אָבֶן אֶבֶן
בֹּחַן פִּנַּת יִקְרַת מוּסָד מוּסָּד הַמַּאֲמִין לֹא יָחִישׁ׃

Portanto assim diz o Senhor Deus: Eis que eu assentei em Sião uma pedra. Em contraste com as divindades pagãs, que eram apenas mentiras e falsidades, e, na qualidade de deuses de nada, não tinham poder para proteger a Judá, Yahweh era a verdadeira pedra fundamental de Judá, em quem todos os judeus deveriam confiar. Ele era a única base para a esperança deles, a *salvação* material e espiritual de um homem. Alguns veem nisso uma profecia messiânica. Em outras passagens, a ideia messiânica é clara. Ver Zc 10.4; Ef 2.20 e 1Pe 2.6.

Este versículo, naturalmente, uma vez citado no Novo Testamento, torna-se uma referência a Jesus Cristo. Os que nele confiarem não ficarão envergonhados; mas os que depositarem sua confiança em divindades pagãs por certo cairão na ruína e na vergonha. Ver Mt 21.42; Rm 10.11. A pedra fundamental tinha sido *provada*, e tinha sido encontrada forte e digna de confiança. Ela era *firme* (ver Mt 7.24,25) e *preciosa*, dotada de grande valor, cumprindo sua função necessária. Cf. 1Pe 2.7 e 1.18,19.

"A pedra angular, a *lapis angularis* da Vulgata, é uma pedra sobre a qual repousam duas paredes postas em esquina de ângulo reto. Trata-se daquela *pedra testada* que resiste a toda prova; mas torna-se uma pedra de tropeço para os incrédulos (ver Lc 2.34,35; 20.17,18). Os crentes, entretanto, não serão envergonhados" (Ellicott, *in loc.*).

Kimchi pensa que Ezequias era essa pedra angular, mas o Targum e Jarchi falavam sobre o Rei Messias. "... Cristo é, com frequência, referido sob a símile de uma pedra (ver Gn 49.24; Sl 118.22; Dn 2.45; Zc 3.9" (John Gill, *in loc.*).

28.17

וְשַׂמְתִּי מִשְׁפָּט לְקָו וּצְדָקָה לְמִשְׁקָלֶת וְיָעָה בָרָד
מַחְסֵה כָזָב וְסֵתֶר מַיִם יִשְׁטֹפוּ׃

Farei juízo a regra, e justiça o prumo. Os zombadores judeus tinham duas ideias falsas: 1. que o látego pouparia a nação de Judá; 2. que, se o látego passasse pela Terra Prometida, não causaria dano grande e duradouro. Mas as afirmações de Isaías negavam ambas as ideias. Os açoites seriam radicais. Durariam muitos dias, estando presentes pela manhã e a noite inteira. Seriam como um dilúvio, levando tudo à sua frente, de roldão; seriam *puro terror*, e, quando o juízo divino chegasse, todos fariam nítida ideia do que se tratava. Por conseguinte, estava sendo comunicada uma mensagem calamitosa. Diz o Targum: "Quando vier a maldição, compreendereis as palavras dos profetas", e eles reconheceriam, por experiência direta, que os oráculos de condenação estavam corretos.

28.18

וְכֻפַּר בְּרִיתְכֶם אֶת־מָוֶת וְחָזוּתְכֶם אֶת־שְׁאוֹל לֹא
תָקוּם שׁוֹט שׁוֹטֵף כִּי יַעֲבֹר וִהְיִיתֶם לוֹ לְמִרְמָס׃

A vossa aliança com a morte será anulada. Todas as esperanças que os judeus depositavam em seu acordo com o *sheol* e com a morte de nada lhes adiantariam na ocasião da crise. Todas as ideias do povo de Deus, de que eles seriam levemente atingidos por qualquer calamidade, estavam equivocadas. Seria a segunda vez que Deus castigava o seu povo daquela maneira — pois ele já mostrara que falava sério, conforme acontecera à nação do norte, Israel, quando a Assíria os exilou para a Assíria. Mas os judeus simplesmente preferiram esquecer isso, acreditando inutilmente em que Yahweh não haveria de castigá-los de maneira tão drástica como dava a entender sua mensagem profética por meio de Isaías.

Quando o dilúvio do açoite passar, sereis esmagados por ele. Os judeus não tinham desculpa para sua obstinada desobediência. Mas, de fato, a rebeldia e dureza de coração deles era demonstração de que Deus já tinha resolvido castigá-los. Aquela era a dureza de coração decretada pelo próprio Deus. Já que eles endureceram o próprio coração, Deus também lhes endureceu o coração. Foi o que sucedeu ao Faraó, no caso das dez pragas do Egito (ver Êx 7.3,14, onde se lê: "Eu, porém, endurecerei o coração de Faraó... O coração de Faraó está obstinado"). A pior coisa que pode acontecer a um homem é esse castigo divino judicial, pois isso significa que tal indivíduo está apanhado nas malhas do Senhor, com o intuito de ser inexoravelmente punido. Portanto, os habitantes de Judá seriam engolfados no castigo divino como um "dilúvio" que arrastaria a todos à sua frente.

28.19

מִדֵּי עָבְרוֹ יִקַּח אֶתְכֶם כִּי־בַבֹּקֶר בַּבֹּקֶר יַעֲבֹר בַּיּוֹם
וּבַלָּיְלָה וְהָיָה רַק־זְוָעָה הָבִין שְׁמוּעָה׃

Todas as vezes que passar vos arrebatará. Vimos nas notas expositivas sobre o vs. 18 que os judeus não criam que Deus realmente trataria a sério com eles, conforme os advertia insistentemente através do profeta Isaías, ou criam que, se fossem castigados, pelo menos o castigo não seria tão aterrorizante. Mas este versículo não deixa dúvidas quanto à medida drástica que Deus tomaria: o povo de Judá seria exilado de sua terra e levado para a Babilônia, e ali ficaria pelo espaço de setenta anos. Na verdade, houve três exílios como esse: o assírio, que levou Israel, a nação do norte (722 a.C.); o babilônico, que levou Judá, a nação do sul (586 a.C.); e a dispersão romana (iniciada no ano 70 d.C.), o exílio mais prolongado dos judeus de que se tem notícia, pois essa condição só começou a reverter-se no ano de 1948, quando da formação do Estado de Israel. E mesmo assim, até hoje, a maioria do povo judeu permanece em outros países, o que significa que essa reversão ainda está no começo.

Um Acontecimento Cheio de Esperança. Deus tem tremendas promessas para seu povo antigo, o povo de Israel. O começo da reversão da dispersão romana (que começou em 1948) mostra que as predições relativas a Israel já começaram a cumprir-se. O cumprimento maior será a conversão de Israel ao Messias e Salvador, do que Paulo deu testemunho em Rm 11.26,27: "E assim todo o Israel será salvo, como está escrito: Virá de Sião o Libertador, ele apartará de Jacó as impiedades. Esta é a minha aliança com eles, quando eu tirar os seus pecados".

Se as coisas já se estão encaminhando nessa direção, urge que os crentes gentios orem pela salvação de Israel. Quando Israel se converter, fará parte integrante da igreja cristã, e a igreja estará completa. Foi o que Paulo quis dizer quando escreveu: "Ora, se a transgressão deles redundou em riqueza para o mundo, e o seu abatimento em riqueza para os gentios, quanto mais a sua plenitude!" (Rm 11.12; ver também 11.30-32).

A igreja foi fundada por um judeu, Jesus Cristo, começou entre os judeus (ver At 1-8.40) e depois o evangelho da salvação foi anunciado entre os gentios. Mas o ciclo será fechado quando Israel se converter a Cristo! Depois disso, só restará a volta gloriosa do Filho de Deus para buscar a sua igreja.

Os comentários sobre os vss. 18,19 deste capítulo foram preparados pelo tradutor, o pastor João M. Bentes, pois o autor do comentário, o doutor Russell N. Champlin, por esquecimento, após ter comentado sobre o vs. 17, só voltou a comentar sobre o vs. 20. Tomei isso como uma oportunidade, aberta pelo Senhor Jesus, de dar minha modesta contribuição a esta obra monumental, como redator. Sou judeu de raça e muito me orgulho disso. Creio na palavra que Deus disse acerca do povo de Israel: "Benditos os que te abençoarem; e malditos os que te amaldiçoarem" (Nm 24.9).

28.20

כִּי־קָצַר הַמַּצָּע מֵהִשְׂתָּרֵעַ וְהַמַּסֵּכָה צָרָה כְּהִתְכַּנֵּס׃

Porque a cama será tão curta que ninguém se poderá estender nela. Este versículo contém uma declaração proverbial que descreve uma "situação para a qual não há remédio" (Kissane, *in loc.*). Para os terrores que viriam, primeiro aquele dos assírios e, depois, o dos babilônios, nenhuma modificação seria possível, porquanto o curso dos acontecimentos estava fixo, e não podia ser remediado. Alguns estudiosos veem esta profecia estendida até o desastre imposto pelos romanos, mas isso já é um exagero. Os conselheiros de Ezequias armaram seu leito na futilidade, pois era impossível deitar-se alguém nela. "As camas e os cobertores seriam tão insuficientes que os deixariam exaustos" (Ellicott, *in loc.*). "Eles descobririam que todas as suas fontes, nas quais confiavam, os estavam decepcionando, e todos viveriam em uma perplexidade desesperançada" (Fausset, *in* *loc.*). Aqui temos "um *mashal*, declaração proverbial cujo significado é que todos os meios de defesa e proteção seriam insuficientes para garantir-lhes a defesa dos males vindouros" (Adam Clarke, *in loc.*).

■ 28.21

כִּי כְהַר־פְּרָצִים יָקוּם יְהוָה כְּעֵמֶק בְּגִבְעוֹן יִרְגָּז לַעֲשׂוֹת מַעֲשֵׂהוּ זָר מַעֲשֵׂהוּ וְלַעֲבֹד עֲבֹדָתוֹ נָכְרִיָּה עֲבֹדָתוֹ׃

Porque o Senhor se levantará como no monte Perazim, e se irará. "A destruição varreria Judá, até o monte Perazim e até o vale de Gibeom (ver 1Cr 14.11,16), perto de Jerusalém, onde Davi derrotara os filisteus. Assim sendo, eles deixariam de zombar da mensagem de Isaías, a qual, na realidade, fora dada pelo próprio Senhor Todo-poderoso" (John S. Martin, *in loc.*). Ver sobre os nomes próprios no *Dicionário,* quanto a detalhes.

O monte Perazim ficava no vale de Refaim (ver 2Sm 5.18,20; 1Cr 14.11). A palavra significa "derrota súbita". Em Gibeom, igualmente, Davi triunfara (1Cr 14.16), e Yahweh fora a causa de sua vitória. Mas aqueles homens infiéis seriam destruídos, nos mesmos lugares onde Israel lograra antigas vitórias.

A sua obra estranha. Onde Yahweh dera vitórias, na antiguidade, agora ele se levantaria *contra o seu próprio povo,* garantindo assim a *derrota* deles. Esse era o grande *paradoxo* da profecia de Isaías. "Os infiéis seriam destruídos pela tempestade da ira de Deus" (*Oxford Annotated Bible,* comentando sobre os vss. 17-22). O Targum faz da *obra estranha* as várias formas de idolatria às quais Judá se engajou e que provocaram a sua derrota.

■ 28.22

וְעַתָּה אַל־תִּתְלוֹצָצוּ פֶּן־יֶחְזְקוּ מוֹסְרֵיכֶם כִּי־כָלָה וְנֶחֱרָצָה שָׁמַעְתִּי מֵאֵת אֲדֹנָי יְהוִה צְבָאוֹת עַל־כָּל־הָאָרֶץ׃

Agora, pois, não mais escarneçais, para que os vossos grilhões não se façam mais fortes. As zombarias dos judeus contra as profecias de Isaías só fortaleceriam ainda mais as cordas atadas em redor deles, fazendo a derrota mais certa. Judá estava amarrado nos laços de sua própria ignorância e rebeldia, e esses laços se tornariam mais firmes ainda por sua insensatez, até que chegasse o desastre, depois do qual não mais haveria remédio.

Parai vosso escárnio, ou vossas correntes se tornarão ainda mais pesadas.

NIV

O poder por trás da maldição contra Judá era divino, a saber, o poder de *Adonai-Elohim, o Senhor dos Exércitos.* Esse título (ver no *Dicionário*) foi usado por cerca de vinte vezes no livro de Isaías, sempre em contextos em que é enfatizada a ideia de *poder para realizar alguma coisa.* Note o leitor que o título usual de Yahweh ou Adonai *dos Exércitos* é aqui reforçado pelo título divino Elohim, Todo-poderoso, que tem base no nome próprio El (o Poder). Ver no *Dicionário* o artigo chamado *Deus, Nomes Bíblicos* bem como cada nome divino em separado. Esse poder está por trás do *decreto da destruição.* Adonai substitui Yahweh algumas vezes, dentro da expressão *Senhor dos Exércitos.* O sentido básico da palavra hebraica *Adonai* é "senhor" ou "dono de escravos". Cf. este versículo com Is 10.23.

UMA PARÁBOLA SOBRE O AGRICULTOR (28.23-29)

■ 28.23

הַאֲזִינוּ וְשִׁמְעוּ קוֹלִי הַקְשִׁיבוּ וְשִׁמְעוּ אִמְרָתִי׃

Inclinai os ouvidos, e ouvi a minha voz. Comparar com uma parábola de natureza semelhante, em Is 5.1-7, a parábola da vinha. A diferença essencial aqui é que não há afirmação direta sobre o que a parábola quer dizer, em contraste com a aplicação dada em Is 5.7. Os ouvintes teriam de julgar a si mesmos, depois de terem ouvido essas palavras. Essa parábola assemelha-se às proverbiais *declarações obscuras* ou enigmas de significados ocultos, que os homens têm de aguçar a mente para compreender. Ademais, a presente parábola é similar aos ensinos dos rabinos a respeito da sabedoria (cf. Jr 18.18). Ver outros enigmas em Jz 14.12-18 e cf. Pv 1.6; 7.1-23 e 30.11-31. Os métodos utilizados por um agricultor não são usados de maneira descuidada. Ele planeja suas ações. O trabalho não será em vão. Os *julgamentos divinos* são como o desterroar do terreno. Ali há levantes de terras, mas há um propósito na ação. Na colheita há o ato de *pisar o grão,* outra violência aparente, mas necessária para que se obtenham os grãos que o labor do agricultor se esforçou por obter. Há também a *peneiração* do grão, que separa os maus elementos dos bons, outro ato violento que se faz necessário para o sucesso do trabalho.

O profeta apresentou uma parábola ou enigma, e convocou os ouvintes a ouvir e compreender, embora não estivesse dando uma interpretação da parábola. Se eles se esforçassem por *saber,* seriam inspirados a mudar seus caminhos e evitar o desastre. Eles *poderiam* fazer isso, mas Isaías já tinha compreendido que a tempestade estava fixada nos decretos de Deus (vs. 22). Ver no *Dicionário* o artigo chamado *Decretos de Deus.*

Inclinai os ouvidos. Expressão introdutória comum na literatura de sabedoria. Cf. Pv 2.1; 4.1; 5.1 e Sl 34.11. Comparar o espírito da mensagem (embora não os seus detalhes) com Mt 16.2-4: os homens fracassam em compreender os sinais dos tempos, bem como o julgamento inevitável que se aproxima.

■ 28.24

הֲכֹל הַיּוֹם יַחֲרֹשׁ הַחֹרֵשׁ לִזְרֹעַ יְפַתַּח וִישַׂדֵּד אַדְמָתוֹ׃

Porventura lavra todo dia o lavrador, para semear? *O Trabalho do Agricultor É Laborioso.* Um agricultor deve manter por longo tempo seu trabalho de lavrar o terreno. Ele está ali o dia inteiro, provavelmente por muitos dias. Somente depois do trabalho de preparação, ele pode plantar a semente, garantindo assim a colheita futura. O homem continuamente quebra os torrões de terra. Assim sendo, quando Deus ara um terreno espiritual, pode parecer que ele está engajado em um trabalho violento, mas isso é necessário para o sucesso do cultivo. Ver no *Dicionário* o artigo chamado *Agricultura,* onde apresento uma aplicação metafórica dessas atividades. O labor do agricultor se desenvolve segundo um plano que funciona. O agricultor sabe o que está fazendo. E outro tanto se dá com Deus em seus esforços por conseguir o fruto espiritual na vida dos homens. Mas se o terreno se revoltasse contra o agricultor (algo por demais horrendo para se imaginar), então o trabalho dele se perderia "no tocante àquele terreno em particular". Assim é que o trabalho de Deus se perdera em relação a Judá. A dor já se aproximava dos judeus, e não haveria remédio (vs. 20).

O ato de arar resume "as úteis ministrações do Espírito, a convicção da mente, o coração e a consciência devidamente compungidos, o desterroar do terreno (ver Jr 4.3; 23.29)" (John Gill, *in loc.*).

■ 28.25

הֲלוֹא אִם־שִׁוָּה פָנֶיהָ וְהֵפִיץ קֶצַח וְכַמֹּן יִזְרֹק וְשָׂם חִטָּה שׂוֹרָה וּשְׂעֹרָה נִסְמָן וְכֻסֶּמֶת גְּבֻלָתוֹ׃

Porventura, quando já tem nivelado a superfície, não lhe espalha o endro...? O trabalho feito por um agricultor é cuidadosamente planejado e realizado segundo o conhecimento que ele adquiriu com a experiência. Uma vez realizados os devidos preparativos da terra, ele planta cada tipo de semente da maneira apropriada e no lugar certo. Ele sabe o que fazer para obter bons resultados. Quanto a detalhes, ver as notas expositivas sobre cada espécie de planta no *Dicionário*. "Parece haver um contraste intencional entre o ato de espalhar o endro e o cominho, que são menos valiosos, e o plantio do trigo e da cevada, com a espelta plantada à margem. Assim decretava a prática, conforme R. H. Kennett (*in loc.*), diz: 'A fim de que o trigo e a cevada, quando maduros, fossem protegidos dos passantes, que poderiam arrancá-los e fossem convenientemente plantados para isso'" (R. B. Y Scott, *in loc.*). As plantas menores atuariam como uma "cerca herbácea em redor dos campos de grãos" (Ellicott, *in loc.*). Cada espécie de planta era plantada no seu lugar mais apropriado, de acordo com a sabedoria do agricultor. E outro tanto se verifica nas operações de Deus entre os homens, incluindo a questão dos seus julgamentos.

28.26

וְיִסְּרוֹ לַמִּשְׁפָּט אֱלֹהָיו יוֹרֶנּוּ׃

Pois o seu Deus assim o instrui. A sabedoria do agricultor, como qualquer sabedoria benéfica para o homem, é "dada por Deus". Se isso é verdade, quanto mais deve a sabedoria de um verdadeiro profeta provir de Deus, portanto o que ele disser demanda a nossa atenção. Várias mitologias existentes entre os pagãos, sobre os deuses e deusas da fertilidade, ensinavam idêntica mensagem: os seres divinos estavam por trás das atividades que visavam produzir boas colheitas. O profeta Isaías, pois, ensinou a mesma lição sem apelar para crenças pagãs.

> Ceres tinha ensinado aos mortais como produzir frutos. E Baco os ensinara a cultivar a vinha.
>
> Lucrécio, v.14

Arato, em sua obra, *Phoenom*, v., disse algo similar sobre a provisão de Júpiter. Ele estabeleceu as *estações do ano* e ensinou os homens a usar o arado e a plantar as sementes.

28.27

כִּי לֹא בֶחָרוּץ יוּדַשׁ קֶצַח וְאוֹפַן עֲגָלָה עַל־כַּמֹּן יוּסָּב
כִּי בַמַּטֶּה יֵחָבֶט קֶצַח וְכַמֹּן בַּשָּׁבֶט׃

Porque o endro não se trilha com instrumento de trilhar. As plantas mais delicadas não são tratadas como as mais robustas. Os grãos mais suaves não podem ser sujeitados ao trilho (como o trigo e a cevada), fazendo a carroça passar por cima deles. Para tratar o coentro usa-se uma pequena vara, e não uma tábua pesada ou outro método violento. Assim sendo, essa parte do processo também é dirigida pelo Senhor Deus. Fica entendido que aqueles que merecessem julgamento mais pesado, receberiam tal julgamento. E aqueles que requeressem menor julgamento, porquanto seus pecados não tinham tão pesada natureza, receberiam um julgamento mais leve, temperado com a misericórdia. Mas Judá por certo convidava a um julgamento pesado. A carroça teria de passar por todo aquele país. Cf. Mq 4.14 e Hc 3.12. A carroça de trilhar era dotada de duas rodas equipadas com projeções como se fossem pinos. Ou então uma pesada tábua de madeira era puxada por uma carroça, efetuando o mesmo tipo de trabalho. O corpo da carroça era carregado com pedras, para aumentar a sua eficácia.

28.28

לֶחֶם יוּדָק כִּי לֹא לָנֶצַח אָדוֹשׁ יְדוּשֶׁנּוּ וְהָמַם גִּלְגַּל
עֶגְלָתוֹ וּפָרָשָׁיו לֹא־יְדֻקֶּנּוּ׃

Acaso é esmiuçado o cereal? Não. Ver as notas sobre o versículo anterior, onde as carroças de trilhar são descritas. Elas tinham seu uso, mas este era limitado pela resistência das espécies vegetais. E, mesmo quando usadas, as carroças não eram passadas repetidamente sobre os grãos cortados, para que eles fossem esmagados e inutilizados. O grão precisava ser recolhido e levado ao moinho, onde havia instrumentos apropriados para o processo. Era preciso aplicar a sabedoria a cada processo diferente, de acordo com a natureza e necessidades de cada espécie vegetal. Por semelhante modo, a sabedoria de Deus lida com os homens; julgar ou não julgar, quanto e de que maneira. A decisão repousa no próprio indivíduo, conforme ele quiser ser tratado, em consonância com a *Lei Moral da Colheita segundo a Semeadura* (ver a respeito no *Dicionário*).

28.29

גַּם־זֹאת מֵעִם יְהוָה צְבָאוֹת יָצָאָה הִפְלִיא עֵצָה
הִגְדִּיל תּוּשִׁיָּה׃ ס

Também isto procede do Senhor dos Exércitos. Tal sabedoria é atributo do *Senhor dos Exércitos* (ver 1Rs 18.15 e o *Dicionário*), que tem o poder que a sabedoria sempre aplica com admirável habilidade a cada caso. Deus é maravilhoso em conselho, jamais comete um equívoco ou deixa uma tarefa pela metade. A sabedoria de Deus é tão excelente que é sempre apropriada e eficaz. É excelente em sua natureza e operações. A sabedoria divina jamais se engana pelas aparências ou pelos truques dos homens. O governo e a *Providência de Deus*, em seus aspectos positivo e negativo, sempre são efetuados em harmonia com a perfeita sabedoria. Ver no *Dicionário* o verbete intitulado *Providência de Deus*.

CAPÍTULO VINTE E NOVE

Ver a *introdução geral* a esta seção (Is 28.1—33.24), precisamente antes de Is 28.1.

AS MARAVILHOSAS OBRAS DE DEUS (29.1-14)

A Aflição e o Livramento de Ariel (29.1-8)

Os vss. 1-8 falam da restauração eventual de Judá, a saber, *Ariel,* o "monte de Deus", uma alusão a Jerusalém. O julgamento efetuará seu papel necessário (ver Is 28.24-29), pois Deus é um sábio Agricultor que sabe exatamente o que fazer para que sua plantação produza fruto. Mas a restauração virá através do julgamento, que é o instrumento do amor de Deus, ainda que severo. Todos os julgamentos de Deus são restauradores, e não apenas retributivos, e é precisamente isso o que devemos esperar do Deus de amor (ver 1Jo 4.8).

"Tal como se vê em Is 28.1-13, um oráculo de um período anterior foi repetido por Isaías, que suplementa material apropriado para uma situação posterior, também aqui, uma ameaça anterior, de que *Ariel* (Jerusalém) seria assediado, foi empregada para aplicar-se aos eventos de 701 a.C... Revertendo a figura da seção prévia, trilhar o grão faz parte do processo da colheita. Yahweh é quem estava castigando, mas os inimigos de Jerusalém não teriam permissão de obliterá-la. Embora a nação do norte, Israel, tivesse sido aniquilada, e os poucos sobreviventes tivessem sido transportados para a Assíria, os assírios não teriam permissão de tratar Judá com tanta severidade. Judá sobreviveria para ver um dia pior, o dia do cativeiro babilônico; mas os judeus finalmente voltariam da Babilônia, passados setenta anos.

29.1

הוֹי אֲרִיאֵל אֲרִיאֵל קִרְיַת חָנָה דָוִד סְפוּ שָׁנָה עַל־
שָׁנָה חַגִּים יִנְקֹפוּ׃

Ai da Lareira de Deus! cidade Lareira de Deus. No original hebraico, no lugar de "Lareira", encontramos a palavra *Ariel,* que significa "leão de Deus". Ver no *Dicionário* quanto a essa palavra hebraica, no tocante a detalhes, incluindo os possíveis significados do termo. Os vss. 7 e 8 mostram que Jerusalém está em vista. O leão era o símbolo tradicional de Judá (ver Ap 5.5). Homens dotados de atitudes especialmente heroicas eram chamados de "leões". Portanto, o termo foi aplicado à dinastia davídica, à qual o Messias pertence. Cf. 2Sm 5.7,9,13. *Ariel* também pode aludir ao *altar,* conforme se vê em Is 29.2 e Ez 43.15,16. Jerusalém era o local onde estava o *altar* de Deus, o centro da adoração do povo israelita. O Targum dá o sentido de *altar,* o que também fazem vários antigos intérpretes judeus.

Acrescentai ano a ano. Festividades regulares eram celebradas em Jerusalém. Os anos chegavam e passavam, mas essas festividades eram sempre as mesmas, embora fossem acrescentadas corrupções, formando um sincretismo nojento.

> *Tu és a cidade onde Davi acampou.*
> *suas festas têm continuado ano após ano.*
>
> NCV

Isso não significa que Jerusalém fosse fiel a Yahweh, embora promovesse o seu culto. O culto a Yahweh naquela cidade não impedia que inimigos estrangeiros atacassem o lugar. Havia toda a espécie de idolatria e pecados crassos, que tinham de ser resolvidos.

29.2

וַהֲצִיקוֹתִי לַאֲרִיאֵל וְהָיְתָה תַאֲנִיָּה וַאֲנִיָּה וְהָיְתָה לִּי
כַּאֲרִיאֵל׃

Então porei a Lareira de Deus em aperto. O *Leão de Deus* seria vergastado por Yahweh; o altar de Jerusalém seria contaminado. O profeta ironicamente menciona como os ritos e cerimônias seriam observados ano após ano. Mas não havia real fidelidade nessas coisas. Deus fez de Jerusalém um *altar* onde seu fogo queimaria. Jerusalém seria um lugar onde as chamas do julgamento permaneceriam acesas (vs. 6), e onde haveria sangue e morte (vs. 5). Talvez haja aqui um jogo de palavras intencional. A palavra babilônica *arallu* quer dizer *submundo* ou *sombra*. Jerusalém seria transformada em um lugar como esse, um lugar de lamentáveis sombras e morte. Note o leitor as palavras "verdadeira Lareira de Deus". Era nisso que Jerusalém seria transformada: um lugar de morte e destruição, e não o *sheol*. O exército assírio, sob o comando de Senaqueribe, cercaria Jerusalém em 701 a.C., depois de já ter demolido certo número de cidades judaicas. A morte chegara às portas da cidade. Alguns intérpretes veem aqui a ameaça tanto da *Babilônia* quanto de *Roma* (mas isso já importa em um exagero).

■ 29.3

וְחָנִיתִי כַדּוּר עָלָיִךְ וְצַרְתִּי עָלַיִךְ מֻצָּב וַהֲקִימֹתִי
עָלַיִךְ מְצֻרֹת׃

Acamparei ao derredor de ti, cercar-te-ei com baluartes. A referência parece ser ao cerco de Jerusalém pelo exército assírio, sob as ordens de Senaqueribe. A ameaça era fatal, não fosse a intervenção divina que realmente se fez presente (ver Is 37; 2Rs 18 e 19). Os registros assírios ajuntam que Senaqueribe já havia conquistado 46 cidades muradas de Judá. Agora era a vez de Jerusalém, e todas as providências para conquistá-la tinham sido tomadas. As torres ficariam imprestáveis; obras de certo seriam preparadas, como aríetes e torres móveis de ataque. Cômoros seriam levantados ao lado das muralhas, para dar aos soldados acesso à cidade, sem ter de cavar buracos na muralha, o que seria mais laborioso. Ver no *Dicionário* o verbete denominado *Guerra*, quanto a detalhes de como eram efetuadas as guerras antigas.

■ 29.4

וְשָׁפַלְתְּ מֵאֶרֶץ תְּדַבֵּרִי וּמֵעָפָר תִּשַּׁח אִמְרָתֵךְ וְהָיָה
כְּאוֹב מֵאֶרֶץ קוֹלֵךְ וּמֵעָפָר אִמְרָתֵךְ תְּצַפְצֵף׃

Então, lançada por terra, do chão falarás. "A cidade seria como um homem prostrado no pó, sussurrando por socorro com a voz fraca de um fantasma" (R. B. Y. Scott, *in loc.*). Cf. esta menção aos *fantasmas* com o simbolismo de Is 14.9. Mas alguns estudiosos preferem compreender aqui *necromante*, aquele que murmura encantamentos, na esperança de que algum espírito apareça. Este versículo aparentemente fala da angústia de Jerusalém ao enfrentar a ameaça assíria.

"Jerusalém seria como uma pessoa cativa, humilhada no pó. Sua voz sairia da terra, como a voz dos encantadores de espíritos ou necromantes (8.19), fraca e aguda, conforme se supunha que seria a voz dos mortos. Sem dúvida, o ventriloquismo era o truque usado para fazer com que essas vozes parecessem elevar-se do chão, do *sheol*, da câmara subterrânea (19.3). Isso seria uma retribuição apropriada, visto que Jerusalém tinha consultado os necromantes, em lugar de Yahweh" (Fausset, *in loc.*, com algumas adaptações). Ver no *Dicionário* o artigo chamado *Necromancia*.

Este versículo subentende pelo menos uma crença popular em alguma forma de vida no *sheol*. Ver Pv 5.5 quanto ao desenvolvimento dessa doutrina. Is 14.9 também representa certo estágio dessa doutrina que tinha avançado para além da ideia de que o *sheol* era apenas a sepultura. Mas não fazemos uma ideia clara de sobrevivência da alma e, menos ainda, de punição ou recompensa para além do sepulcro. Contrastar isso com Dn 12.2, onde essa ideia entrou na teologia dos hebreus por meio da ressurreição, e não da sobrevivência da alma. A noção da sobrevivência da alma aparece em algumas poucas referências espalhadas no Antigo Testamento. Ver no *Dicionário* o verbete de nome *Alma*. Mas essa doutrina foi desenvolvida nos livros do período intertestamentário, nos livros apócrifos e pseudepígrafos, e mais ainda no Novo Testamento. Ver sobre a seção IV.7, quanto a alguns versículos bíblicos que dizem respeito ao assunto.

■ 29.5

וְהָיָה כְּאָבָק דַּק הֲמוֹן זָרָיִךְ וּכְמֹץ עֹבֵר הֲמוֹן
עָרִיצִים וְהָיָה לְפֶתַע פִּתְאֹם׃

Mas a multidão dos teus inimigos será como o pó miúdo. Temos aqui uma referência ao que sucedeu ao exército assírio, conforme ficou registrado em 2Rs 19.35; 2Cr 32.21-23 e Is 47.36-38. Corria o ano de 701 a.C. O Anjo do Senhor tirou a vida de 185 mil soldados assírios em uma única noite, e libertou Jerusalém da ameaça assíria. Quanto a *como* isso foi feito, ver as especulações na exposição oferecida em 2Rs 19.35. Foi assim que o exército assírio se transformou em "pó", ou seja, tornou-se inútil, aniquilado. Aqueles homens violentos subitamente foram transformados em palha, na eira de Yahweh. Então veio o vento e os soprou para longe, instantaneamente. Eles se tinham encontrado com o feroz colhedor. Cf. este versículo com Jó 21.18.

■ 29.6

מֵעִם יְהוָה צְבָאוֹת תִּפָּקֵד בְּרַעַם וּבְרַעַשׁ וְקוֹל גָּדוֹל
סוּפָה וּסְעָרָה וְלַהַב אֵשׁ אוֹכֵלָה׃

Do Senhor dos Exércitos vem o castigo com trovões. Jerusalém sucumbiria sob a tempestade da ira de Deus. Mas tal como aconteceu quando Israel estava no Egito, a cidade seria poupada, enquanto o exército invasor seria ferido sem misericórdia. Este versículo provê uma segunda metáfora; primeiro houve o trilhar do grão, agora haveria a tempestade. Cf. Is 37.36; Sl 104.4. A mesma tempestade divina que levou os soldados assírios à destruição, essa levou Jerusalém à segurança, tal como as águas do dilúvio salvaram Noé e os outros que estavam na arca, ao passo que os demais homens e animais morreram.

Alguns eruditos veem aqui uma interpretação escatológica, ou *aplicação,* à promessa da vitória final de Israel sobre seus inimigos dos últimos dias, antes da inauguração do *milênio* (ver a respeito no *Dicionário*). Cf. Zc 14.1-3. Alguns aplicam este versículo à destruição de *Jerusalém* (pelos babilônios ou romanos), mas essa opinião parece menos provável do que a ideia do vs. 5, que é transmitida por meio de outra metáfora.

■ 29.7

וְהָיָה כַּחֲלוֹם חֲזוֹן לַיְלָה הֲמוֹן כָּל־הַגּוֹיִם
הַצֹּבְאִים עַל־אֲרִיאֵל וְכָל־צֹבֶיהָ וּמְצֹדָתָהּ
וְהַמְּצִיקִים לָהּ׃

Como sonho e visão noturna será a multidão de todas as nações. Aqui o profeta Isaías introduz mais uma metáfora, a metáfora de um *sonho*. Além disso, agora Assíria foi *generalizada* para representar todas as nações que, porventura, quisessem lutar contra Israel. Todas essas nações eventualmente sofrerão a mesma sorte que atingiu a Assíria. A generalização quase com certeza torna a profecia escatológica, isto é, com uma aplicação aos últimos dias antes da inauguração da era do reino de Deus. Cf. Zc 14.1-3.

Visão noturna. Ou seja, um *sonho*. Muitos sonhos (embora não todos) são meros sopros da imaginação, que desaparecem quando o sol despede seus raios sobre a terra. Ataques contra Jerusalém viriam e desapareceriam, mas serão efêmeros e destituídos de substância, em última análise. A história os reduzirá a nada. O propósito de Deus para Israel anulará os sonhos adversos dos homens, que logo desaparecerão. "Seus sonhos serão dissipados na manhã fatal (Is 37.36)" (Fausset, *in loc.*). Os sonhos são, essencialmente, cumprimento de desejos (conforme ilustra o vs. 8). O exército assírio teve o sonho de que dominaria o mundo e quase o concretizou. Mas eles foram detidos em sua tentativa em redor de Jerusalém e finalmente refreados pelos babilônios. E assim aquele sonho se dissipou no raiar de um novo dia, pois seria dado não aos assírios, mas aos babilônios, concretizá-lo. Ver no *Dicionário* o verbete intitulado *Sonhos*.

A Lareira de Deus. Agora não pode haver dúvidas de que Jerusalém está em pauta. Ver o vs. 1 para notas expositivas sobre *Ariel*, que é a palavra hebraica correspondente a "Lareira de Deus".

29.8

וְהָיָ֡ה כַּאֲשֶׁר֩ יַחֲלֹ֨ם הָרָעֵ֜ב וְהִנֵּ֣ה אוֹכֵ֗ל וְהֵקִיץ֮ וְרֵיקָ֣ה נַפְשׁוֹ֒ וְכַאֲשֶׁ֨ר יַחֲלֹ֤ם הַצָּמֵא֙ וְהִנֵּ֣ה שֹׁתֶ֔ה וְהֵקִיץ֙ וְהִנֵּ֣ה עָיֵ֔ף וְנַפְשׁ֖וֹ שׁוֹקֵקָ֑ה כֵּ֣ן יִֽהְיֶ֗ה הֲמוֹן֙ כָּל־הַגּוֹיִ֔ם הַצֹּבְאִ֖ים עַל־הַ֥ר צִיּֽוֹן׃ ס

Será também como o faminto que sonha que está a comer. Este versículo amplia o anterior. Agora sonhar é apenas o cumprimento de um desejo, conforme são a *maioria* dos sonhos. Um homem faminto imagina que está em um grande banquete, com excelentes alimentos e vinhos mais excelentes ainda. Quando, porém, ele acorda, a fome continua sendo realidade em sua vida. O sedento sonha que está bebendo até encher o estômago, mas, ao despertar, continua fraco de tanta sede. Assim também as "nações" terão sonhos em que destroem Jerusalém, porquanto esses são sonhos de cumprimento de desejo, mas a intervenção divina sempre os despertará desses vãos pensamentos.

"A símile do sonho sugere uma ou ambas as coisas, ou seja, o súbito despertamento de Jerusalém do pesadelo e a igualmente súbita desilusão dos assírios" (R. B. Y. Scott, *in loc.*).

> Doentes, fantasia selvagem labora na noite.
> Algum inimigo visionário temível repelimos,
> Com passos largos, mas não podemos correr.
> Em vão nossos membros perplexos testam sua força.
> Desmaiamos, lutamos, afundamos e caímos.
> Drenados de forças, nem lutamos nem fugimos.
> — Virgílio, *Eneida* xii.908

Por que os Homens Não Podem Perceber a Obra de Deus (29.9-12)

29.9

הִתְמַהְמְה֣וּ וּתְמָ֔הוּ הִשְׁתַּֽעַשְׁע֖וּ וָשֹׁ֑עוּ שָׁכְר֣וּ וְלֹא־יַ֔יִן נָע֖וּ וְלֹ֥א שֵׁכָֽר׃

Estatelai-vos, e ficai estatelados, cegai-vos e permanecei cegos. "Este periscópio pode estar relacionado ao oráculo anterior ou ao seguinte, mas essencialmente é uma *peça independente*. Ele resume o pensamento da passagem na visão inaugural (Is 6.9,10). Isaías recebeu ordens para falar, embora seus ouvintes fossem incapazes de entender a sua mensagem. Aqui, novamente, aquela verdade solene foi proclamada: a desobediência às reivindicações morais e espirituais sobre a sua vida finalmente destrói a capacidade humana de ouvir e responder" (R. B. Y. Scott, *in loc.*). Os teólogos chamam isso de *cegueira judicial*. Os desobedientes, que persistem em seus caminhos, são julgados por Deus, tornando-se incapazes de "ver" o reto caminho ou mesmo desejá-lo. Uma vez que esse tipo de julgamento for decretado, os que são afetados só podem esperar um julgamento retributivo. Em última análise, não há casos impossíveis, mas, para reverter tudo isso, temos de olhar para o fim da estrada, para a restauração efetuada pela missão de Cristo. Cf. este versículo com Mt 13.13, onde Jesus tratou do tema da cegueira judicial.

Os Pecadores Resistentes que Continuem a Fazer o que Fazem:

1. *Que se estupeficassem* e permanecessem em seu estupor. O simbolismo é de alguma bebida alcoólica que entorpece a mente e tira dela a capacidade de pensar, decidir ou agir. Os homens estuporados mostram-se insensíveis para com tudo. Assim sendo, os pecadores endurecidos têm uma consciência inútil, e seus pés estão atolados no cimento da rebelião. "Ficai estupefactos e admirados" (NCV). "Eles estavam perplexos, atônitos e incrédulos, enquanto o profeta explodia sobre eles uma repreensão veemente" (Ellicott, *in loc.*).

2. *Que se cegassem e permanecessem cegos*. A vontade cegou o homem e continuou a cegá-lo, até que se tornou inútil para abrir-lhe os olhos. O Espírito encoraja a visão espiritual, mas, uma vez rejeitada continuamente essa visão espiritual, o homem fica cego. Então os homens só podem esperar que lhes sobrevenha algum julgamento retributivo.

3. *Que bebessem, ficassem bêbados e cambaleassem,* mas não com bebidas alcoólicas. Antes, suas perversidades, em meio a múltiplos pecados, tornaram-nos beberrões morais e espirituais. A maioria deles consistia em bêbados literais, em Is 28.7-9. Os bêbados espirituais tornam-se insensíveis para com as advertências. Na verdade, já estão caídos. Coisa alguma será capaz de soerguê-los. Eles cambalearam pela última vez. Isso ilustra a sensibilidade espiritual. Eles perderam a discriminação moral e espiritual, perderam o poder da vontade.

"Eles são como homens bêbados, mostrando-se estúpidos, insensatos e em plena segurança, embora estejam no pior perigo" (John Gill, *in loc.*).

Seguem-se mais metáforas que ilustram a situação.

29.10

כִּֽי־נָסַ֨ךְ עֲלֵיכֶ֤ם יְהוָה֙ ר֣וּחַ תַּרְדֵּמָ֔ה וַיְעַצֵּ֖ם אֶת־עֵֽינֵיכֶ֑ם אֶת־הַנְּבִיאִ֛ים וְאֶת־רָאשֵׁיכֶ֥ם הַחֹזִ֖ים כִּסָּֽה׃

Porque o Senhor derramou sobre vós o espírito de profundo sono. Aqui Yahweh é descrito como a *causa* da bebedeira e da sonolência deles, embora, antes que isso tivesse lugar, causas secundárias estivessem provocando a cegueira judicial divina. Ver a introdução ao vs. 9. Em adição às bebidas alcoólicas e à bebedeira, Yahweh lançou outro julgamento divino, o espírito de um *sono profundo*. Espiritualmente falando, os que são fatalmente rebeldes andarão ao redor como um bando de zumbis. Eles terão olhos permanentemente fechados. Além disso, haverá uma coberta de cabeça posta sobre eles, de modo que, mesmo que tivessem olhos, esses não teriam utilidade. Mediante o acúmulo de termos e metáforas, o profeta diz que aqueles que estão judicialmente cegos não têm o equipamento moral, mental ou espiritual para responder às instruções espirituais. Profetas enviados por Deus seriam perfeitamente inúteis para eles. Os profetas eram *seus olhos,* mas Yahweh os tinha fechado. E os videntes eram a *cabeça deles,* mas Yahweh lhes tinha coberto a cabeça. Isso significa que ambas as coisas se tornaram *ineficazes* quanto à visão e ao pensamento, até onde diz respeito aos habitualmente rebeldes. Esta última parte do versículo pode significar que os próprios profetas e videntes estavam impedidos por decreto divino de saber como e o que ensinar àqueles iníquos, o que significa que não conseguiam estabelecer diferença na maneira de pensar e conduzir-se daqueles rebeldes. Talvez a *metáfora total* seja que aqueles homens rebeldes tinham sido postos a dormir, e seus olhos e sua cabeça tinham sido cobertos, de modo que não pudessem ver, ouvir ou entender. E eles permaneceriam nesse triste estado até que algum julgamento retributivo de grande importância os atingisse. "Eles eram como aqueles que dormem de cabeça coberta; seus mantos estão enrolados em torno da cabeça, como quando os homens se ajeitam para dormir" (Ellicott, *in loc.*).

29.11

וַתְּהִ֨י לָכֶ֜ם חָז֣וּת הַכֹּ֗ל כְּדִבְרֵי֙ הַסֵּ֣פֶר הֶֽחָת֔וּם אֲשֶֽׁר־יִתְּנ֣וּ אֹת֗וֹ אֶל־יוֹדֵ֥עַ סֵ֛פֶר לֵאמֹ֖ר קְרָ֣א נָא־זֶ֑ה וְאָמַר֙ לֹ֣א אוּכַ֔ל כִּ֥י חָת֖וּם הֽוּא׃

Toda a visão já se vos tornou como as palavras dum livro selado. *Outra Metáfora.* O oráculo contra aqueles homens iníquos nem ao menos lhes seria entregue, porquanto a palavra de Deus se tornara, para eles, um livro (rolo) fechado e selado. Naquela época, poucas pessoas sabiam ler, pelo que, se alguém quisesse que um livro fosse lido, teria de achar primeiro quem pudesse lê-lo. Tendo feito isso, o livro seria entregue a tal pessoa; mas ela não poderia lê-lo, por estar o rolo selado e faltar-lhe autoridade para quebrar o selo. Em consequência, o oráculo continuaria precisando ser lido e, como é óbvio, continuaria sem ser ouvido. Talvez haja aqui alusão aos *sábios,* os escribas que estavam entre os rebeldes. Esperava-se que ajudassem, mas eles não poderiam fazê-lo por serem incapazes de abrir o livro selado e tornar seu conteúdo conhecido. A própria precipitação tinha anulado seu ofício de medianeiros. E, por isso, mostravam-se tão impotentes quanto o resto dos pecadores arrogantes. Cf. Ap 5.2. Ver no *Dicionário* o verbete intitulado *Selo*.

29.12

וְנִתַּן הַסֵּפֶר עַל אֲשֶׁר לֹא־יָדַע סֵפֶר לֵאמֹר קְרָא
נָא־זֶה וְאָמַר לֹא יָדַעְתִּי סֵפֶר׃ ס

E dá-se o livro ao que não sabe ler. Este versículo dá continuidade à metáfora do *rolo selado* que aparece no versículo anterior. O escriba recusou-se a ler o livro por não ter autoridade para quebrar o selo. Assim sendo, em desespero, o rolo foi entregue a algum homem justo; mas o homem era um analfabeto, e assim sendo, como é óbvio, não podia ler, mesmo que tivesse coragem de quebrar o selo. O resultado final é que o oráculo de advertência a Judá permaneceu desconhecido. O julgamento se tornava inevitável. Yahweh selara o rolo, porquanto os homens tinham selado seu coração, e assim cumpriu-se a *Lei Moral da Colheita segundo a Semeadura* (ver a respeito no *Dicionário*). Cf. esta metáfora com Jr 32.9-15.

A Derrubada da Religião Convencional (29.13,14)

29.13

וַיֹּאמֶר אֲדֹנָי יַעַן כִּי נִגַּשׁ הָעָם הַזֶּה בְּפִיו וּבִשְׂפָתָיו
כִּבְּדוּנִי וְלִבּוֹ רִחַק מִמֶּנִּי וַתְּהִי יִרְאָתָם אֹתִי מִצְוַת
אֲנָשִׁים מְלֻמָּדָה׃

O Senhor disse: Visto que este povo se aproxima de mim. A mensagem dos vss. 13,14 é parecida com a que vemos nos vss. 11,12. Agora temos comentários sobre uma religião inadequada e destituída de coração. Ver Pv 4.23 quanto à necessidade de uma fé sentida no coração. O nojento sincretismo de Jerusalém retinha o culto de lábios a Yahweh. Continuavam os ritos e as cerimônias do templo que, presumivelmente, honravam ao Senhor; mas também toda a forma de honrarias era prestada a outros deuses. Além disso, havia profunda corrupção moral e espiritual, conforme mostra Is 28.7-13 e 29.9. A palavra "sabedoria", que aparece no versículo seguinte, refere-se à sabedoria humana, e não divina, e, por isso mesmo, estava condenada a perecer.

As palavras-chaves aqui são "inadequação", "reprimenda" e "ameaça". O apóstolo Paulo, em seus dias (ver 1Co 1.17-24), usou essas palavras exatamente da mesma maneira e contra o mesmo tipo de pessoas rebeldes e autossuficientes, que confiavam na própria sabedoria, em vez de buscar a sabedoria dada através da doutrina de Cristo. Um tradicionalismo superficial substituía a verdadeira sabedoria.

Eles tinham conseguido um substituto para o "temor ao Senhor", a verdadeira espiritualidade. Ver sobre esse assunto no *Dicionário*, sob o título de *Temor*, e também Sl 119.38 e Pv 1.7. Aqueles indivíduos rebeldes tinham substituído a verdadeira espiritualidade de uma fé de coração por seus próprios preceitos e sua própria sabedoria. A lei de Moisés era o guia de Israel (ver Dt 6.4 ss.) e também tornava Israel uma nação distinta (ver Dt 4.4-8). O sincretismo e o colapso moral eram a base de sua nova fé.

29.14

לָכֵן הִנְנִי יוֹסִף לְהַפְלִיא אֶת־הָעָם־הַזֶּה הַפְלֵא וָפֶלֶא
וְאָבְדָה חָכְמַת חֲכָמָיו וּבִינַת נְבֹנָיו תִּסְתַּתָּר׃ ס

Continuarei a fazer obra maravilhosa no meio deste povo. A *obra maravilhosa* seria reduzir a sabedoria humana a nada, diante dos olhos de todos. A hipocrisia seria desmascarada. A invasão de exércitos estrangeiros seria a lição objetiva para a fé inadequada deles, que nada fizera por eles na hora mais crítica. Aqueles ímpios, juntamente com sua sabedoria humana, pereceriam totalmente. Ademais, a verdadeira compreensão lhes estava oculta. O profeta chamou o tradicionalismo superficial deles, mesclado a formas de adoração pagã, de "sabedoria" e "discernimento"; mas isso foi dito por pura ironia. A *condenação decidida* daqueles hipócritas já fora pronunciada. Não tendo amor pela luz, eles perderiam a pouca luz que tinham, da qual haviam abusado. A obra maravilhosa era uma "vingança sem paralelo" (Fausset, *in loc.*). Uma de minhas melhores fontes informativas aplica este versículo à restauração, e faz dela a maravilhosa e poderosa obra da graça que, eventualmente, venceria os fracassos passados. Mas, embora essa seja uma bendita doutrina, o versículo não a ensina.

OS CONSPIRADORES REPREENDIDOS (29.15,16)

29.15

הוֹי הַמַּעֲמִיקִים מֵיהוָה לַסְתִּר עֵצָה וְהָיָה בְמַחְשָׁךְ
מַעֲשֵׂיהֶם וַיֹּאמְרוּ מִי רֹאֵנוּ וּמִי יוֹדְעֵנוּ׃

Ai dos que escondem profundamente o seu propósito do Senhor. A interjeição "ai" prevê dor e destruição, em consonância com a lei da colheita segundo a semeadura. Isto é, um *julgamento merecido*.

> *Quão terrível será para aqueles que tentarem ocultar coisas do Senhor. Quão terrível será para aqueles que fizerem seu trabalho nas trevas. Eles pensam que ninguém os verá e nem saberá o que eles farão.*
>
> NCV

Este versículo é uma reprimenda contra os planos dos líderes judeus que formavam uma aliança com o Egito, com vistas a revoltar-se contra a Assíria, tema que é o pano de fundo de Is 28.7-22; 30.1-5; 31.1-3. Eles tinham escondido seus esquemas do Senhor e de seu profeta, que já havia condenado tal ação como falta de fé na provisão de Yahweh em favor dos fiéis. A autoridade de Elohim (o Poder) tinha estabelecido as diretrizes da ação certa, mas eles ignoraram essa autoridade.

29.16

הַפְכְּכֶם אִם־כְּחֹמֶר הַיֹּצֵר יֵחָשֵׁב כִּי־יֹאמַר מַעֲשֶׂה
לְעֹשֵׂהוּ לֹא עָשָׂנִי וְיֵצֶר אָמַר לְיוֹצְרוֹ לֹא הֵבִין׃

Que perversidade a vossa! Os líderes judeus tinham transtornado e revertido a ordem natural das coisas. O Poder divino é que determina os acontecimentos e sua retidão quanto aos planos e atos. Mas eles, o *barro*, tinham revertido os planos do Oleiro, tomando sobre si a posição de *causas* dos eventos, e não de partícipes de seus efeitos. "Eles tinham usurpado as prerrogativas de Deus ao conspirar contra a Assíria (ver Is 45.9; Jr 18.1-6; Rm 9.20,21; Mt 10.24)" (*Oxford Annotated Bible*, comentando sobre os vss. 15 e 16). Paulo coloca estas palavras no contexto da eleição do remanescente, com a chamada dos gentios, e a correspondente rejeição de Israel como um todo, por motivo de apostasia. A soberania de Deus também é demonstrada, tanto em Is como em Paulo, mas o uso que Paulo fez foi essencialmente uma acomodação, e não uma interpretação do texto do Antigo Testamento. Ver no *Dicionário* o verbete chamado *Acomodação*.

Os manuscritos hebraicos dos Papiros do mar Morto dizem aqui: "As coisas estão de cabeça para baixo por vossa causa". Ver as notas expositivas sobre como os dois manuscritos de Isaías daquela coletânea algumas vezes concordam com a Septuaginta e, outras, concordam com as versões, contra o texto massorético, em Is 26.19. O Targum declara aqui a ignorância daqueles homens, tanto a respeito de Deus quanto de seus planos.

DOIS SUPLEMENTOS ESCATOLÓGICOS (29.17-24)

29.17

הֲלוֹא־עוֹד מְעַט מִזְעָר וְשָׁב לְבָנוֹן לַכַּרְמֶל וְהַכַּרְמֶל
לַיַּעַר יֵחָשֵׁב׃

Porventura dentro em pouco não se converterá o Líbano em pomar...? Temos aqui uma súbita mudança para melhores condições. O profeta vê ao longo dos corredores dos séculos um tempo em que seriam revertidas as lamentáveis condições descritas na seção anterior. Há dois suplementos que apontam para uma reversão: os vss. 17-21 e os vss. 22-24. Os críticos veem aqui a obra de autores ou editores subsequentes, e tentam identificar um segundo ou mesmo um terceiro Isaías envolvido. Ver a *introdução* a este livro, seção III, chamada *Unidade do Livro*.

"No futuro as coisas seriam diferentes. A frase 'dentro em pouco' refere-se ao vindouro reino do milênio. Para alguns estudiosos, entretanto, essa seria a época em que o exército assírio morreria (Is 37.36), mas as condições descritas em Is 29.20,21 parecem anular essa interpretação" (John S. Martin, *in loc.*). "A segunda seção do capítulo é uma predição messiânica" (G. G. D. Kilpatrick, *in loc.*).

"O tremendo poder de Yahweh, em *muito pouco tempo* (empregando uma linguagem comum à literatura apocalíptica posterior), transfigurará a terra e libertará os surdos e os cegos, os mansos e os pobres (vs. 18), ou seja, o remanescente do povo israelita" (R. B. Y. Scott, *in loc.*). Encontramos aqui uma típica ideia do milênio para a renovação da fertilidade da terra, revertendo a maldição contra o solo, em razão da queda no pecado (ver Gn 3.17). O *Líbano* é usado como exemplo do que acontecerá universalmente. O Líbano e, na verdade, o mundo inteiro, se tornarão um grande *campo fértil*. Quando essas palavras foram escritas, o Líbano estava ocupado pelas tropas assírias, mas isso se esvaneceria quando a página do livro da história fosse virada e uma nova página estivesse sendo contemplada. O campo fértil pode aludir ao monte Carmelo, visto ser esse o significado de seu nome. O mundo se tornará então como o *Carmelo, o campo frutífero*" (Ellicott, *in loc.*).

■ **29.18**

וְשָׁמְע֧וּ בַיּוֹם־הַה֛וּא הַחֵרְשִׁ֖ים דִּבְרֵי־סֵ֑פֶר וּמֵאֹ֣פֶל וּמֵחֹ֔שֶׁךְ עֵינֵ֥י עִוְרִ֖ים תִּרְאֶֽינָה׃

Naquele dia os surdos ouvirão as palavras do livro. Este versículo é uma referência óbvia aos vss. 9-12. O povo de Israel ficou estupefato, bêbado, cego e sonolento, com a cabeça coberta pelo véu da ignorância. Assim sendo, os oráculos de Yahweh tornaram-se para eles como um rolo selado, visto estarem sob a cegueira judicial. Ver as notas dos vss. 9 e 11, que versam sobre o tema. O oráculo escatológico promete que toda essa situação será revertida. Os que estavam surdos ouvirão a leitura do oráculo escatológico e o entenderão, pois suas deficiências naturais serão vencidas por decreto divino. Os cegos, em suas espessas trevas, de súbito receberão luz, o que lhes dará verdadeira compreensão e sabedoria. Haverá as preparações espirituais necessárias para que seja trazida a *época áurea* de Israel, que também será a época áurea do mundo inteiro. Os selos dos oráculos de Deus serão quebrados. Não haverá mais livros selados que mantenham o povo na ignorância, por motivo de cegueira judicial. Cf. o versículo com Mt 11.5 e Is 32.3 e 35.5.

■ **29.19**

וְיָסְפ֧וּ עֲנָוִ֛ים בַּיהוָ֖ה שִׂמְחָ֑ה וְאֶבְיוֹנֵ֣י אָדָ֔ם בִּקְד֥וֹשׁ יִשְׂרָאֵ֖ל יָגִֽילוּ׃

Os mansos terão regozijo sobre regozijo no Senhor. *As Maravilhas Prosseguem.* Os mansos e humildes, o remanescente judaico, obterão novas alegrias no Senhor; os pobres exultarão no Santo de Israel, porquanto ele fará coisas maravilhosas quando restaurar Israel e torná-lo a cabeça das nações. Ver no *Dicionário* o título divino, *Santo de Israel.* O Poder (Elohim) agirá com retidão; ele imporá a justiça; ele cumprirá as profecias antigas; ele restaurará o pacto. Com uma série de metáforas, o profeta descreve a cena da restauração: os surdos ouvirão; os cegos verão; o livro selado será aberto; os mansos serão elevados ao topo; os necessitados ficarão ricos; a santidade e a justiça serão *restauradas*, primeiramente em Israel e depois pelo mundo todo. Cf. Mt 11.4 e 1Co 1.26,27.

■ **29.20**

כִּֽי־אָפֵ֥ס עָרִ֖יץ וְכָ֣לָה לֵ֑ץ וְנִכְרְת֖וּ כָּל־שֹׁ֥קְדֵי אָֽוֶן׃

Pois o tirano é reduzido a nada. Os *zombadores violentos* são os malfeitores de Judá e das potências estrangeiras. Ver Is 28.14 quanto aos líderes escarninhos de Jerusalém. Chegará ao fim aquela classe de líderes que só transtorna a sociedade e faz os homens cair na apostasia. Os que ansiavam por praticar o mal serão simplesmente eliminados da face da terra. E então haverá paz, harmonia e retidão, em vez das lutas contínuas, matanças e iniquidades. Haverá mais do que uma reforma moral e espiritual: haverá total reversão e completa renovação, em parte conseguida pela remoção dos maus elementos corruptores. Essa obra nunca foi realizada na história. Estamos tratando com um oráculo escatológico, que retrata condições que deverão ser criadas para o sucesso da era do reino de Deus.

■ **29.21**

מַחֲטִיאֵ֤י אָדָם֙ בְּדָבָ֔ר וְלַמּוֹכִ֥יחַ בַּשַּׁ֖עַר יְקֹשׁ֑וּן וַיַּטּ֥וּ בַתֹּ֖הוּ צַדִּֽיק׃ ס

Os quais por causa de uma palavra condenam um homem. Os violentos e zombadores perverteram a sociedade, e este versículo os descreve com maiores detalhes.

Aqueles que mentem sobre outras pessoas em tribunal desaparecerão. Aqueles que mentem e fazem injustiças contra pessoas inocentes, em tribunal, desaparecerão.

NCV

A lei mosaica requeria o testemunho de apenas uma ou duas pessoas para que um caso de litígio legal fosse decidido (ver Dt 17.6). Era fácil corromper um ou dois com ameaças ou subornos. E existe grande abundância de juízes que se deixam corromper e esquecem a justiça por pequena vantagem. Coisas como essas não mais existirão na era do reino. Haverá limpeza completa no sistema judicial; completa renovação; nova moralidade. Quanto à perversão deliberada da justiça, cf. Êx 23.6; Am 5.12; Ml 3.5. O próprio Isaías sofrera acusações injustas dos líderes de Judá, por causa de sua oposição à aliança com o Egito contra a Assíria, o que significa que ele chegou a conhecer, em primeira mão, o que era a justiça pervertida.

Ao que repreende na porta. A porta de uma cidade era o lugar de comércio e justiça (ver Rt 4.11; Pv 31.33; Am 5.12); e era, igualmente, onde os profetas se faziam ouvir, porquanto ali se juntavam muitas pessoas. Ver Jr 7.2; 17.19. Cf. o hábito de Sócrates ir discursar no mercado de Atenas.

O Segundo Oráculo Escatológico (29.22-24)

■ **29.22**

לָכֵ֗ן כֹּֽה־אָמַ֤ר יְהוָה֙ אֶל־בֵּ֣ית יַעֲקֹ֔ב אֲשֶׁ֥ר פָּדָ֖ה אֶת־אַבְרָהָ֑ם לֹא־עַתָּ֤ה יֵבוֹשׁ֙ יַעֲקֹ֔ב וְלֹ֥א עַתָּ֖ה פָּנָ֥יו יֶחֱוָֽרוּ׃

Portanto, acerca da casa de Jacó, assim diz o Senhor. Yahweh era o Redentor e começou sua obra nacional com Abraão. Ver sobre o pacto abraâmico em Gn 15.18. A Jacó (Israel) foi dado um território pátrio como uma das provisões da aliança com Deus. Jacó passou por muitas situações que lhe ameaçaram a vida e ficou *pálido* de temor. Ele foi frequentemente *envergonhado* por seus próprios pecados e por inimigos estrangeiros. Mas a era do reino de Deus haverá de reverter todas essas coisas. "aquele patriarca, a exemplo de Raquel (ver Jr 31.15), aparece como quem vigia sobre as fortunas de seus descendentes com emoções variegadas. Essas emoções tinham envolvido vergonha e terror, mas agora haverá o raiar de um dia mais brilhante" (Ellicott, *in loc.*). "O Deus de Abraão restaurará um Israel arrependido, o qual aceitará as instruções de Deus (Ez 36.22-32). Cf. as referências a Abraão, em Is 41.8 e 51.2" (*Oxford Annotated Bible*, comentando sobre os vss. 22-24). "Da mesma maneira que Deus redimiu Abraão dentre os idólatras e os que operam a iniquidade, também redimirá os que ouvem as palavras do Livro e se humilham diante dele (vss. 18,19)" (Adam Clarke, *in loc.*).

■ **29.23**

כִּ֣י בִרְאֹת֣וֹ יְלָדָ֗יו מַעֲשֵׂ֥ה יָדַ֛י בְּקִרְבּ֖וֹ יַקְדִּ֣ישׁוּ שְׁמִ֑י וְהִקְדִּ֙ישׁוּ֙ אֶת־קְד֣וֹשׁ יַעֲקֹ֔ב וְאֶת־אֱלֹהֵ֥י יִשְׂרָאֵ֖ל יַעֲרִֽיצוּ׃

Mas quando ele e seus filhos virem as obras das minhas mãos. Jacó, embora envergonhado e aterrorizado por causa de tudo quanto aconteceria a seus descendentes (Israel), ficará satisfeito ao ver as obras maravilhosas de Yahweh que beneficiarão seus filhos. Ele verá a era do reino e sua restauração, tão rica de bênçãos e benefícios. Verá *seu povo* tornar-se cabeça das nações (ver Is 24.23). Então louvará o *Nome, o Santo de Israel* (ver a respeito no *Dicionário*), porquanto a sua justiça e a sua retidão prevaleceram. O medo de Jacó com respeito a seus inimigos e aos desastres naturais de súbito se transformará no "temor do Senhor", que fez tantas coisas maravilhosas. Ver o artigo intitulado *Temor,* no *Dicionário,* e também em Sl 119.38, e ver sobre o *Temor do Senhor,* em Pv 1.7, sendo que essa expressão aponta para a espiritualidade, nas páginas do Antigo Testamento. Ao ver essa visão, Jacó se encherá de alegria e se prostrará diante de Yahweh, que preparou tais maravilhas para os fins de nossa era. O nome de Yahweh será santificado pelo povo, separado como o único digno de ser adorado pelos homens, que, por sua vez, serão santificados pelo poder do Senhor. Eles "reverenciarão o seu nome e o seu santuário, a sua palavra e as suas ordenanças. Eles o adorarão interna e externamente, temendo-o e regozijando-se em sua bondade" (John Gill, *in loc.*).

■ 29.24

וְיָדְעוּ תֹעֵי־רוּחַ בִּינָה וְרוֹגְנִים יִלְמְדוּ־לֶקַח:

E os que erram de espírito virão a ter entendimento. Os *errados* serão restaurados, arrependendo-se e confessando seus pecados; e isso os espiritualizará. Os que murmuraram contra Yahweh (ver notas completas na introdução a Nm 11 e em Is 14.22) haverão de irromper em louvores, reconhecendo sua grande dívida material e espiritual. Ver também a questão da murmuração em Dt 1.27 e Sl 106.25. Essas murmurações significam que eles estavam em estado de rebeldia, e por isso murmuravam. Ver Êx 16.8 e Sl 106.25. Tais condições não mais existirão. Eles aprenderão, aceitarão e aplicarão os ensinamentos de Yahweh, e por eles serão transformados.

CAPÍTULO TRINTA

AI DOS FILHOS OBSTINADOS (30.1-33)

Embaixada de Mau Presságio ao Egito (30.1-7)

Esta seção diz respeito à embaixada enviada ao Egito, em cerca de 703 a.C., "solicitando apoio contra a Assíria, um plano que Isaías considerou rebelião contra Deus (28.14-44; 29.15,16). Visto ser um pacto contra os desejos de Deus, falharia" (*Oxford Annotated Bible,* comentando sobre os vss. 1-7). O plano era *insensato,* porquanto o poder de Yahweh derrotaria a Assíria nos portões de Jerusalém (2Rs 19). Naturalmente, antes disso, mais de quarenta cidades muradas de Judá seriam destruídas. Isso nos permite ver o estado de desespero em que Judá tinha caído, e por que eles procuraram a ajuda do Egito. (São os registros históricos assírios que nos dão essa informação, e não o Antigo Testamento.)

■ 30.1

הוֹי בָּנִים סוֹרְרִים נְאֻם־יְהוָה לַעֲשׂוֹת עֵצָה
וְלֹא מִנִּי וְלִנְסֹךְ מַסֵּכָה וְלֹא רוּחִי לְמַעַן סְפוֹת
חַטָּאת עַל־חַטָּאת:

Ai dos filhos rebeldes, diz o Senhor. No começo deste versículo temos uma interjeição de dor, *ai,* por causa da tristeza que sobreviria a Judá, em razão de sua persistência naquela aliança diabólica. Cf. Is 3.9,11; 5.8,11,18,20-22; 18.1; 24.16; 28.1; 29.1,15; 30.1; 33.1; 45.9,10.

Este oráculo profere *vergonha* contra filhos rebeldes. O povo de Judá agia como um bando de garotos rebeldes e tolos, que insistiam em jogar à sua maneira, esquecidos dos conselhos de seu pai. Eles insistiam em seus planos; insistiam em sua liga com os pagãos; o plano deles era humano, e não divino; seria desastroso e não lograria sucesso; vinha do espírito deles, e não do Espírito de Deus; tão somente serviria para aumentar o grande estoque de pecados de Judá. Eles *derramariam uma libação* (expressão hebraica literal para fazer uma liga), na presença de oficiais egípcios pagãos, e não na presença de Yahweh. Eles reverteriam a posição dos marcos da terra.

"Isaías ouviu que as intrigas palacianas tinham, finalmente, pendido em favor de uma aliança com o Egito. 'Cobrir com uma cobertura', ou seja, *tecer uma teia,* o que descreve as sutis e intrincadas negociações duplas da diplomacia" (Ellicott, *in loc.*). Em vez de buscar a vontade de Yahweh, em seu templo, por meio do Urim e do Tumim, ou mediante algum profeta verdadeiro, eles formaram em segredo sua decisão, por trás de portas fechadas, e mediante sabedoria humana.

■ 30.2

הַהֹלְכִים לָרֶדֶת מִצְרַיִם וּפִי לֹא שָׁאָלוּ לָעוֹז בְּמָעוֹז
פַּרְעֹה וְלַחְסוֹת בְּצֵל מִצְרָיִם:

Que descem ao Egito sem me consultar. "Em resultado da 'aliança com a morte' (Is 28.14-22), quando os dados foram lançados em favor da rebelião contra a Assíria, depois da morte de Sargão, cerca de 705 a.C., e do esquema secreto subsequente, do qual o profeta fala em Is 29.15,16, foi enviada uma embaixada judaica para obter apoio dos egípcios. Isaías denunciou isso como uma rebelião não contra a Assíria, mas contra Yahweh. Visto que esse esquema não se ajustava ao propósito contínuo e abrangente de Yahweh em relação à história, só poderia terminar em fracasso e desgraça" (R. B. Y. Scott, *in loc.*). O envio da embaixada foi um ato de desafio contra a vontade revelada de Deus, uma *transgressão* singular. Um *ai* foi pronunciado contra eles, uma palavra que aparece por 22 vezes no livro de Isaías. Haveria *aflições.* Ver a lista de referências no vs. 1.

Em vez de dirigir-se a Yahweh, o *Refúgio* de Israel (ver no *Dicionário* e em Sl 46.1), os judeus buscarão a sombra que seria lançada pelo abrigo do Egito, uma maneira poética de dizer que Judá dependeria do Egito como sua proteção. Cf. Is 18.1. A imagem é a de uma sombra lançada por uma rocha, no deserto, que abriga dos rigores dos raios solares.

■ 30.3

וְהָיָה לָכֶם מָעוֹז פַּרְעֹה לְבֹשֶׁת וְהֶחָסוּת בְּצֵל־מִצְרַיִם
לִכְלִמָּה:

Mas o refúgio de Faraó se vos tornará em vergonha. O que os judeus esperavam que os salvasse se tornaria razão de *vergonha* para Judá. Os assírios poriam *fim* imediato àquela aliança. Is 19 mostra-nos que o Egito era fraco demais para fazer qualquer coisa acerca da ameaça assíria e falharia na hora crítica, não cumprindo o acordo firmado. Ver também Is 20.5. A história inteira foi um fiasco de confiança mal colocada.

■ 30.4

כִּי־הָיוּ בְצֹעַן שָׂרָיו וּמַלְאָכָיו חָנֵס יַגִּיעוּ:

Porque os príncipes de Judá já estão em Zoã. O ponto destacado por este versículo é que o poder da dinastia do Egito parecia grande devido à extensão de seu território. Mas o simples fato de que os egípcios possuíam muitas terras não significa que tivessem poderoso exército. A dinastia egípcia ampliava o seu poder até Zoã (Tânis), quase na fronteira com a Palestina, e até Hanes (Anusis), no médio Egito. Os enviados de Judá podiam ir a esses lugares encontrar-se com os oficiais egípcios, e podiam admirar o império egípcio, mas não perceberiam o quanto ele realmente era *fraco* e *distante* para escudar Judá da ameaça que vinha do nordeste, a Assíria. A sede do governo egípcio, naquele tempo, ficava em Zoã. Comentadores judeus observam sobre as excelências de Zoã (Talmude Bab. Metzia. fol. 38.1; *Sabbat* fol. 154.2), o que significa que os embaixadores judeus ficaram bem impressionados. Mas impressionar os embaixadores judeus e impressionar os assírios eram coisas muito diferentes.

■ 30.5

כֹּל הֹבִאישׁ עַל־עַם לֹא־יוֹעִילוּ לָמוֹ לֹא לְעֵזֶר וְלֹא
לְהוֹעִיל כִּי לְבֹשֶׁת וְגַם־לְחֶרְפָּה: ס

Todos serão envergonhados dum povo que de nada lhes valerá. A ideia de escudar-se no Egito foi um fiasco que resultou em vergonha. A aliança com o Egito não traria benefício aos judeus. De fato, os egípcios foram rápida e facilmente derrotados por Senaqueribe, e qualquer um que tivesse confiado no Egito se sentiria naturalmente confundido e envergonhado. O poder do Egito era apenas uma cana podre que cederia sob a menor pressão (metáfora do *Cânon Assírio,* par. 133). Cf. Jr 2.36. Portanto, Judá estava fazendo uma política estúpida e uma religião ainda pior, já que punha sua confiança em uma *sombra,* e não no *Refúgio* que era Yahweh (ver Sl 46.1). Os egípcios sabiam conversar, mas não tinham a força de vontade nem a força das armas para concretizar seus acordos. Nesse caso, *a conversa era mercadoria barata,* conforme diz certo ditado popular.

■ 30.6

מַשָּׂא בַּהֲמוֹת נֶגֶב בְּאֶרֶץ צָרָה וְצוּקָה לָבִיא וָלַיִשׁ
מֵהֶם אֶפְעֶה וְשָׂרָף מְעוֹפֵף יִשְׂאוּ עַל־כֶּתֶף עֲיָרִים
חֵילֵהֶם וְעַל־דַּבֶּשֶׁת גְּמַלִּים אוֹצְרֹתָם עַל־עַם לֹא
יוֹעִילוּ׃

Sentença contra a Besta do Sul. Este versículo descreve as condições segundo as quais os enviados judeus ao Egito (vs. 4) fizeram a sua viagem. Eles tiveram de atravessar o Neguebe, uma área desolada cheia de animais selvagens, como leões e serpentes. Levaram consigo animais de carga cheios com presentes para impressionar os egípcios. Jumentos e camelos foram usados como animais de carga, e obtemos a ideia de que consideráveis riquezas foram assim transportadas. Os judeus levaram essas riquezas a um povo que não tinha vontade nem potência para realmente protegê-los dos assírios. O *investimento* feito pelos judeus se perderia totalmente. A descrição é um *oráculo das bestas,* uma vez que o profeta viu as bestas de carga carregando todo aquele tesouro de Judá para o Egito. Os animais de carga levaram todas aquelas riquezas, mas voltaram sem trazer coisa alguma. O profeta Isaías previu a futilidade da missão dos embaixadores judeus, mas os líderes da nação não o escutaram. Portanto, tais líderes promoveram a futilidade.

■ 30.7

וּמִצְרַיִם הֶבֶל וָרִיק יַעְזֹרוּ לָכֵן קָרָאתִי לָזֹאת רַהַב
הֵם שָׁבֶת׃

Pois quanto ao Egito, vão e inútil é o seu auxílio. Os judeus nada ganhariam no Egito. Eles tinham inventado esperanças vãs. O Egito só proveria desapontamento, pois a ajuda deles seria "inútil e vazia" (*Revised Standard Version*). O profeta, pois, aplicou ao Egito um nome depreciador: "Gabarola" (no original hebraico, "Raabe que não se move"). Raabe era o nome da serpente mitológica ou dragão que Yahweh teria destruído em combate, por ocasião da criação (ver Is 26.20—27.1). Ver as notas expositivas na introdução a Is 26.20 e 27.1. Raabe era um dos nomes do monstro também conhecido como Leviatã. Ver no *Dicionário* o verbete chamado *Raabe,* segundo ponto, *Um Monstro.* O grande e temível monstro ficaria somente sentado ali, sem nada fazer, e seria um alvo fácil para o exército assírio. Conforme diz certa expressão popular moderna, o Egito era um "tigre de papel". A tradução da NCV diz aqui "os Nada Fazem". O nome *Raabe* aparece na literatura ugarítica associado a Leviatã, e era um monstro feminino do mar que simbolizava o *caos.* Esse nome passou a ser um sinônimo poético para o Egito. Mas tal como os temíveis hipopótamos ou crocodilos apenas se assentam nas margens do rio Nilo, sem nada fazer, assim também aconteceria com Raabe. Cf. Is 51.9; Jó 26.12; Sl 87.4 e 89.10.

Sumário e Testamento (30.8-17)

■ 30.8

עַתָּה בּוֹא כָתְבָהּ עַל־לוּחַ אִתָּם וְעַל־סֵפֶר חֻקָּהּ וּתְהִי
לְיוֹם אַחֲרוֹן לָעַד עַד־עוֹלָם׃

Vai, pois, escreve isso numa tabuinha perante eles. Em Is 8.16-18, o profeta deixara registrada a sua mensagem como um *testemunho* para o futuro. Uma vez mais, o profeta deixou registrado o seu oráculo como um testamento. Tal como afirmara a Acaz, em um escrito anterior, o profeta agora reiterava que a segurança de Judá não poderia ser garantida por ações militares, nem por acordos políticos com potências pagãs. O livramento só poderia ser obtido mediante humilde confiança em Yahweh (vss. 15,16*).* Cf. Is 7.4,9. A aliança entre Judá e o Egito entrara em curso de colisão com a vontade e o plano divino, pelo que estava fadada ao fracasso, e grande seria o prejuízo. Quando Judá se lançasse a aventuras militares, entraria em colapso.

Os vss. 8-11 são uma espécie de "Dia da Condenação que Isaías foi instruído a publicar, um sumário do juízo de Deus contra a política de Judá em relação ao Egito. A questão foi retida por escrito para que houvesse um registro permanente e um testemunho contra os líderes e o povo de Judá, igualmente" (G. G. D. Kilpatrick, *in loc.*).

Fique registrado... para sempre, perpetuamente. A mensagem do profeta deveria ficar inscrita em um tablete e em um rolo, o "papel" dos antigos. Os tabletes eram feitos de argila ou madeira, mas no Egito os tabletes eram feitos de madeira, mais ou menos do tamanho de uma lousa de criança. O rolo, por sua vez, era feito de papiro ou pele de animal (vellum). Isaías recebeu ordens para fazer duas cópias, uma em tablete de madeira e outra em rolo. Dessa maneira, o testemunho ficou preservado para servir de oráculo perpétuo contra Judá. Tramitaria entre eles por longo tempo, depois que a aliança com o Egito azedasse. O Targum retrata esse testemunho escrito sendo produzido no dia do julgamento contra os ofensores.

■ 30.9

כִּי עַם מְרִי הוּא בָּנִים כֶּחָשִׁים בָּנִים לֹא־אָבוּ שְׁמוֹעַ
תּוֹרַת יְהוָה׃

Porque povo rebelde é este, filhos mentirosos. O testemunho seria contra os rebeldes que eram *filhos mentirosos,* ou seja, filhos que negavam a paternidade de Yahweh e se tinham desfeito dos laços familiares com ele. Cf. Êx 4.22, onde Israel é chamado de *filho* de Yahweh. Aqueles pseudofilhos não queriam obedecer às instruções do Pai, Yahweh, o Deus Eterno. Os oráculos do profeta tinham condenado claramente a aliança entre Judá e o Egito. O erro dos judeus não fora cometido com base em ignorância ou inocência. Era uma clara violação da relação de pacto, uma transgressão que requeria agora pesada retribuição divina.

■ 30.10

אֲשֶׁר אָמְרוּ לָרֹאִים לֹא תִרְאוּ וְלַחֹזִים לֹא תֶחֱזוּ־לָנוּ
נְכֹחוֹת דַּבְּרוּ־לָנוּ חֲלָקוֹת חֲזוּ מַהֲתַלּוֹת׃

Eles dizem aos videntes: Não tenhais visões. *Os falsos profetas* falavam sobre como os assírios eram indiferentes em relação a Judá, ou como fugiam dos judeus; ou quão prósperas as coisas haveriam de ser. Ademais, promoviam um culto pagão ou um falso sincretismo do paganismo com o yahwismo. O povo, por sua vez, queria que Isaías falasse como aqueles enganadores. As pessoas procuram os videntes para serem encorajadas, e não para ficarem assustadas, e, assim sendo, os judeus se tornavam muito infelizes quando tinham de afastar-se de Isaías tristes e com medo. Preferiam alimentar-se de ilusões a ter seu cérebro afetado. Por outra parte, existe a verdade; e era nisso que Isaías estava interessado. A verdade particular, "Mantenham-se afastados da aliança com o Egito", poderia ter livrado Judá de muita dor de cabeça, mas o que os teria consolado acerca da Babilônia? Cf. este versículo com 1Rs 22.5-28; Jr 28.8,9. Diz o Targum: "Quem está dizendo aos profetas: Não profetizeis; e aos mestres: Não nos ensineis a lei?"

■ 30.11

סוּרוּ מִנֵּי־דֶרֶךְ הַטּוּ מִנֵּי־אֹרַח הַשְׁבִּיתוּ מִפָּנֵינוּ
אֶת־קְדוֹשׁ יִשְׂרָאֵל׃ ס

Desviai-vos do caminho, apartai-vos da vereda. Os líderes de Judá estavam tornando-se amargos e radicais, e diziam ao profeta: "Vá passear", conforme diz certa moderna expressão de desdém. Eles estavam ficando hostis, recomendando que Isaías saísse do caminho deles. Ordenaram que parasse de falar acerca de Yahweh, o *Santo de Israel* (ver a respeito no *Dicionário*). Eles estavam cansados e enojados de suas profecias condenatórias e pessimistas. Além disso, gostavam do tipo de vida que estavam levando, que era o caminho do *ateísmo prático.* Nem por um momento consideraram o arrependimento, o que teria sarado as coisas e evitado acontecimentos drásticos. Eles esqueceram aquele tipo de oração reta que é mais poderosa do que a profecia e até pode cancelar acontecimentos que já haviam sido fixados. Na verdade, a oração é mais forte que a profecia, e isso é algo que jamais devemos esquecer.

"A santidade de Deus é o que mais perturba os pecadores" (Fausset, relembrando-nos do nome divino aqui usado, "o Santo de Israel"). Diz o Targum: "Remove para longe de nós a palavra do Santo de Israel".

■ 30.12

לָכֵ֗ן כֹּ֤ה אָמַר֙ קְד֣וֹשׁ יִשְׂרָאֵ֔ל יַ֥עַן מָֽאָסְכֶ֖ם בַּדָּבָ֣ר הַזֶּ֑ה וַֽתִּבְטְחוּ֙ בְּעֹ֣שֶׁק וְנָל֔וֹז וַתִּשָּׁעֲנ֖וּ עָלָֽיו׃

Assim diz o Santo de Israel: Visto que rejeitais esta palavra. A insistência no caminho errado, a rejeição à mensagem do oráculo, resultou em Judá ter ficado preso à sua escolha. Isso resultaria em um desastre autoinfligido. O oráculo divino foi repelido, e o caminho da perversão mereceu a confiança dos judeus. Assim sendo, o *Santo de Israel* (ver a respeito no *Dicionário*) não teve alternativa senão aplicar o apropriado julgamento retributivo. O oráculo transmite a promessa do vs. 15, que a grande maioria dos judeus perderia. Eles seriam enganados por aqueles de quem dependiam, o Egito.

■ 30.13

לָכֵ֗ן יִֽהְיֶ֤ה לָכֶם֙ הֶעָוֹ֣ן הַזֶּ֔ה כְּפֶ֣רֶץ נֹפֵ֔ל נִבְעֶ֖ה בְּחוֹמָ֣ה נִשְׂגָּבָ֑ה אֲשֶׁר־פִּתְאֹ֥ם לְפֶ֖תַע יָב֥וֹא שִׁבְרָֽהּ׃

Portanto esta maldade vos será como a brecha de um muro alto. A muralha defensiva acabaria mostrando-se defeituosa; ela estufaria para fora e entraria em colapso, e isso aconteceria em bem pouco tempo. A muralha que foi procurada como defesa tinha um ponto fraco fatal. O Egito não tinha nem vontade nem força para cumprir as condições do tratado. Cf. Sl 62.3,4. A muralha parecia boa, mas de repente caiu sem aviso, visto que lhe faltava força interior. "As casas de Jerusalém, mal construídas e meio decadentes, podem ter fornecido o simbolismo da símile. Primeiramente apareceu a "barriga" ameaçadora na muralha, então houve a rachadura, e finalmente a muralha ruiu. Esse seria o resultado dos planos mal arquitetados sobre o alicerce doentio das intrigas corrompidas" (Ellicott, *in loc.*). Ez 13.10 adiciona a massa caiada usada para segurar os tijolos. A muralha cairia sob o próprio peso.

■ 30.14

וּ֠שְׁבָרָהּ כְּשֵׁ֨בֶר נֵ֧בֶל יוֹצְרִ֛ים כָּת֖וּת לֹ֣א יַחְמֹ֑ל וְלֹֽא־יִמָּצֵ֤א בִמְכִתָּתוֹ֙ חֶ֔רֶשׂ לַחְתּ֥וֹת אֵשׁ֙ מִיָּק֔וּד וְלַחְשֹׂ֥ף מַ֖יִם מִגֶּֽבֶא׃ פ

O Senhor o quebrará como se quebra o vaso do oleiro. Neste versículo, o profeta Isaías proveu *outra metáfora*. A aliança fracassaria (seria fatalmente quebrada), como o oleiro que, ao fazer um vaso, vê que ele tem um defeito, e não quer dar-se ao trabalho de refazê-lo. Simplesmente o quebra em pedaços e inicia a formação de outro vaso, com outro barro. Seu ato é rude. Ele não pensa duas vezes. Rejeita o vaso que estava em formação, e quebra-o em um instante, quando percebe a falha.

Com vara de ferro as regerás, e as despedaçarás como um vaso de oleiro.

Salmo 2.9

A símile, naturalmente, inclui também outra ideia: Yahweh é o Oleiro; ele é o poder que quebrará o vaso por causa de sua falha fatal. Cf. Jr 18.4 e 19.10. A destruição viria irreparavelmente, pois ninguém sairia ao redor tentando juntar as peças do vaso rejeitado.

■ 30.15

כִּ֣י כֹֽה־אָמַר֩ אֲדֹנָ֨י יְהוִ֜ה קְד֣וֹשׁ יִשְׂרָאֵ֗ל בְּשׁוּבָ֤ה וָנַ֙חַת֙ תִּוָּ֣שֵׁע֔וּן בְּהַשְׁקֵט֙ וּבְבִטְחָ֔ה תִּהְיֶ֖ה גְּבֽוּרַתְכֶ֑ם וְלֹ֖א אֲבִיתֶֽם׃

Em vos converterdes e em sossegardes, está a vossa salvação. Agora os títulos divinos são multiplicados para fortalecer e enfatizar a mensagem. Yahweh (o Deus Eterno) era o mesmo Elohim (o Poder Todo-poderoso); e ele é, igualmente, o Santo de Israel (o que já fora dito nos vss. 11 e 12). Seus julgamentos são baseados na retidão e produzem a justiça. Ver no *Dicionário* o artigo chamado *Deus, Nomes Bíblicos de*, bem como cada título com seu artigo separado. Temos aqui uma declaração que provavelmente já fora usada antes.

É semelhante aos pensamentos de Is 7.3-9 e 10.20,21. Judá ainda tinha chance de arrepender-se, isto é, de *voltar-se a Yahweh*. Disso resultaria o *descanso* diante do julgamento retributivo. Os judeus deveriam deixar de lado sua confiança no homem (que fracassaria como a muralha que entrara em colapso ou como o vaso que fora despedaçado), para confiar em Yahweh, o qual proveria *refúgio* seguro. Ver Sl 46.1. Então Judá recuperaria as forças e desfrutaria disso na quietude, longe dos ruídos da guerra destrutiva. O Faraó não podia cumprir o que havia prometido aos judeus. Antes, seria causa de desassossego e temor. Uma aliança firmada com o Faraó do Egito terminaria em caos e destruição. Judá precisava apelar para outra fonte, a fim de obter segurança e paz. Essa declaração (vs. 15) é a *palavra* do vs. 12, o gracioso *oráculo da promessa*.

Se vos acalmardes e confiardes em mim, sereis fortes.

NCV

■ 30.16

וַתֹּ֣אמְר֔וּ לֹא־כִ֗י עַל־ס֛וּס נָנ֖וּס עַל־כֵּ֣ן תְּנוּס֑וּן וְעַל־קַ֣ל נִרְכָּ֔ב עַל־כֵּ֖ן יִקַּ֥לּוּ רֹדְפֵיכֶֽם׃

Antes dizeis: Não, sobre cavalos fugiremos; portanto fugireis. Em vez de confiar em Yahweh, os judeus confiavam na velocidade dos cavalos, não para fugir, no princípio, conforme alguns entendem, mas para correr na batalha contra os assírios, a fim de que a ameaça passasse. Mas confiar nos excelentes cavalos do Egito, os melhores do mundo, resultaria em fugir diante dos assírios. Contra todas as expectativas, outros, que perseguiriam os judeus, viriam montados em cavalos ainda melhores, os alcançariam e os destruiriam. Em primeiro lugar, eles *se apressariam* a montar naqueles cavalos, na expectativa da vitória, mas em breve *fugiriam*, apavorados. Portanto, a única utilidade dos excelentes cavalos egípcios seria para fugir dos assírios, fortes demais para os judeus. O contraste foi feito propositadamente: ou Judá confiaria nos cavalos velozes, ou confiaria em Yahweh, com resultados correspondentes, em consonância com a lei da colheita segundo a semeadura. Cf. Is 7.3-9 e 10.20,21.

■ 30.17

אֶ֣לֶף אֶחָ֗ד מִפְּנֵי֙ גַּעֲרַ֣ת אֶחָ֔ד מִפְּנֵ֛י גַּעֲרַ֥ת חֲמִשָּׁ֖ה תָּנֻ֑סוּ עַ֣ד אִם־נוֹתַרְתֶּ֗ם כַּתֹּ֙רֶן֙ עַל־רֹ֣אשׁ הָהָ֔ר וְכַנֵּ֖ס עַל־הַגִּבְעָֽה׃

Mil homens fugirão pela ameaça de apenas um. Este versículo é uma espécie de reversão de Sl 91.7. Em vez de caírem mil ao seu lado, e dez mil à sua direita, a ameaça dos assírios enviaria mil judeus fugindo de um único assírio; e, se cinco assírios ameaçassem, *todos* os judeus, todo o exército judeu, além de seus aliados, correriam para salvar a própria vida. Os egípcios os abandonariam e os deixariam como se fossem um pau de bandeira no alto de uma colina, isto é, totalmente sozinhos. O profeta falava do pendão abandonado de um exército em fuga. Os soldados judeus se tinham ido; somente o pendão permanecia. Talvez essa metáfora dê a entender que "somente um remanescente restará", tal como se vê em Is 7.3,4 e 10.20-23. Cf. também este versículo com Dt 32.30; Js 23.10 e Lv 26.8. "O remanescente dos judeus seria como pontos luminosos postos em uma colina para advertir os homens sobre a justiça de Deus e a veracidade de suas ameaças" (Fausset, *in loc.*).

O PODER DO DEUS INVISÍVEL (30.18—31.9)

Promessa aos que Estivessem na Adversidade (30.18-26)

■ 30.18

וְלָכֵ֞ן יְחַכֶּ֤ה יְהוָה֙ לַֽחֲנַנְכֶ֔ם וְלָכֵ֥ן יָר֖וּם לְרַֽחֶמְכֶ֑ם כִּֽי־אֱלֹהֵ֤י מִשְׁפָּט֙ יְהוָ֔ה אַשְׁרֵ֖י כָּל־ח֥וֹכֵי לֽוֹ׃ ס

Por isso o Senhor espera, para ter misericórdia de vós. O texto bíblico adquire aqui uma torção radical, afastando-se de um quadro de desespero, Judá em fuga diante de um inimigo forte, para um quadro de encorajamento de um povo aflito. A passagem que se segue é *escatológica*, chegando até a era do reino de Deus, bem como às promessas a ela pertencentes, e isso explica a súbita mudança de tom. Cf. Is 65.17-25; Am 9.13-15; Jl 3.18.

Yahweh esperava a oportunidade de mostrar-se gracioso com Judá; esperava que eles mudassem. Deus exalta a si mesmo para mostrar sua misericórdia, e não sua ira. Ele é Elohim, o Poder, aquele que fará a justiça neste mundo, na era do reino, sendo Israel a cabeça das nações que entrarão no milênio, pois esse é o plano divino que inexoravelmente será executado. Os que esperarem pelo Senhor e pela fruição desse plano divino serão *abençoados*. Visto que Yahweh é o Deus (o Poder) da justiça, ele fará justiça em prol dos que por ele esperarem, cujo coração estiver preparado pelo arrependimento e pela santidade. Cf. Sl 33.20. Yahweh será *exaltado*. Ele subirá a seu trono de justiça e cumprirá sua promessa.

■ 30.19

כִּי־עַם בְּצִיּוֹן יֵשֵׁב בִּירוּשָׁלָ͏ִם בָּכוֹ לֹא־תִבְכֶּה חָנוֹן יָחְנְךָ לְקוֹל זַעֲקֶךָ כְּשָׁמְעָתוֹ עָנָךְ׃

Porque o povo habitará em Sião, em Jerusalém. Os vss. 19-26 atuam como comentário do vs. 18, dando detalhes sobre esse conceito. Cf. Is 65.24. Há em Deus graça e perdão. Os fracassos passados serão revertidos. O choro estacará em Sião, e haverá alegria no novo dia. As lágrimas atrairão misericórdia, e a misericórdia atrairá grandes bênçãos durante a era do reino. As calamidades terão chegado ao fim. O Deus exaltado fará poderosa intervenção na história da humanidade. Sem isso, as coisas jamais se alterariam. Ver Is 13.6 quanto à ideia do controle divino sobre as atividades humanas, a soberania de Deus em operação, sua providência, negativa e positiva, a orientação divina nos eventos da vida humana. Israel se tornará cabeça das nações e, acima de tudo, abençoadíssimo. Cf. Is 24.23. As orações milenares pedindo restauração para Israel finalmente serão respondidas: a era do reino e a nação de Israel restaurada e exaltada. Essa será uma obra divina que deixará todos os demais povos da terra profundamente admirados.

■ 30.20

וְנָתַן לָכֶם אֲדֹנָי לֶחֶם צָר וּמַיִם לָחַץ וְלֹא־יִכָּנֵף עוֹד מוֹרֶיךָ וְהָיוּ עֵינֶיךָ רֹאוֹת אֶת־מוֹרֶיךָ׃

Embora o Senhor vos dê pão de angústia e água de aflição. Yahweh é quem tinha dado o pão da adversidade para que os judeus se alimentassem diariamente, bem como as águas da aflição para que matassem a sede. E será o Senhor, igualmente, quem produzirá a grande reversão. Ele é o mestre que se ocultou por algum tempo, porquanto eles rejeitaram suas instruções e não mereceram sua orientação; mas tudo isso será finalmente revertido. O Mestre divino retornará com sua doutrina graciosa, e os judeus ouvirão, aprenderão e serão transformados pela instrução divina. Então se tornarão dignos de receber as bênçãos divinas da nova era. Os "mestres" aqui referidos são os subordinados divinamente nomeados por Yahweh, porquanto a autoridade que têm não é deles mesmos. A mensagem deles é a *palavra* mencionada no vs. 21. Há uma alusão à rejeição dos *muitos profetas* que Deus enviara a Judá. Mas no fim dos tempos essa rejeição será recebida e obedecida. Este versículo não fala do trabalho desempenhado pelos ministros cristãos, na era do evangelho. Está em vista a era do milênio futuro, e Israel ocupa ali o centro do palco.

■ 30.21

וְאָזְנֶיךָ תִּשְׁמַעְנָה דָבָר מֵאַחֲרֶיךָ לֵאמֹר זֶה הַדֶּרֶךְ לְכוּ בוֹ כִּי תַאֲמִינוּ וְכִי תַשְׂמְאִילוּ׃

Quando te desviares para a direita e quando te desviares para a esquerda. As instruções divinas serão explícitas. O homem que seguir por esse caminho ouvirá uma voz que dirá: "Este é o caminho; andai por ele". Quando ele se desviar para a direita ou para a esquerda, isso será feito por orientação divina. Talvez a ideia seja que um homem terá de começar a caminhar dessa maneira, que ele sentir que está mais correta, para então, enquanto estiver avançando, buscando fazer o melhor possível, a voz de Deus lhe dar instruções.

Se fordes pelo caminho errado, para a direita ou para a esquerda, ouvireis uma voz atrás de vós. E essa voz dirá: 'Este é o caminho certo. Deveis avançar por este caminho'.

NCV

Mas o hebraico original não justifica a presença da palavra "errado" que aparece nessa citação. O versículo tão somente garante uma direção certa. O homem que estiver avançando da melhor maneira possível será orientado. A *voz* de Deus não o decepcionará. Os escritores hebraicos relacionam essa "voz" ao *Bath Kol,* a misteriosa voz de Yahweh que ocasionalmente rompia na experiência humana para dar mensagem e orientação especial. Ver sobre *Bath Kol* no *Dicionário*, onde listo oito incidências possíveis. Ou então devemos pensar aqui na voz do Espírito, falando através de seus mestres.

Ilustração Pessoal. Quando eu hesitava em escrever ou não um comentário versículo por versículo do Antigo Testamento, fui encorajado por Bill Barkley, de São Paulo, ex-diretor da Biblioteca Evangélica, a tocar avante o projeto. Eu vinha buscando luz, pois, afinal de contas, o Antigo Testamento tem 23.148 versículos, e isso significa três vezes o volume do Novo Testamento. Poderia eu, em minha idade relativamente avançada, completar com sucesso um projeto desse porte? O Rev. Barkley encorajou-me a mergulhar no projeto e citou este versículo que ora comentamos. Sua interpretação era que, uma vez iniciado o projeto, com boas intenções, eu receberia luz quanto a se deveria ou não continuá-lo. O fato é que, tendo buscado luz, tomei essa sugestão como o encorajamento que estava procurando. Hoje, 10 de março de 1997, completei 80% desse projeto. A marca é Is 43.9. Portanto, atualmente, tenho razões para dar graças a Deus, por ter recebido forças para cada passo do caminho. Atualmente, o fim desse projeto já está à vista. Esse incidente também serve como instrução geral quanto à luz e à orientação. O futuro sempre reserva incertezas. Mas sempre haverá orientação para aqueles que a buscarem. Sempre haverá aquele cicio suave que fala conosco (ver 1Rs 19.12).

■ 30.22

וְטִמֵּאתֶם אֶת־צִפּוּי פְּסִילֵי כַסְפֶּךָ וְאֶת־אֲפֻדַּת מַסֵּכַת זְהָבֶךָ תִּזְרֵם כְּמוֹ דָוָה צֵא תֹּאמַר לוֹ׃

E terás por contaminados a prata... e o ouro. A era futura do *reino de Deus* marcará o fim da idolatria de Judá. Seus ídolos muito favorecidos, recobertos de prata e ouro, serão totalmente desdenhados e lançados no lixo como se fossem feitos de escória, porquanto o *nada* deles finalmente será reconhecido.

Lançá-las-ás fora como cousa imunda. Quebrando-as, jogando-as por terra, jogando-as no monturo. Ou então, queimando-as (ver Dt 7.25). Ver no *Dicionário* o artigo denominado *Idolatria*. Os ídolos seriam lançados fora como se fossem panos monstruosamente imundos e repelentes. A menstruação de uma mulher era uma das coisas que tornava a mulher, e qualquer coisa que nela tocasse, imundas, de acordo com a legislação mosaica. Ver Lv 15.19. Ver no *Dicionário* o verbete chamado *Limpo e Imundo*. Kimchi usou o simbolismo do lixo e do monturo. Os ídolos nada eram senão lixo, e tinham de ser jogados ali, que era o lugar deles. Os israelitas, durante a era do reino, haverão de abominar os ídolos.

■ 30.23

וְנָתַן מְטַר זַרְעֲךָ אֲשֶׁר־תִּזְרַע אֶת־הָאֲדָמָה וְלֶחֶם תְּבוּאַת הָאֲדָמָה וְהָיָה דָשֵׁן וְשָׁמֵן יִרְעֶה מִקְנֶיךָ בַּיּוֹם הַהוּא כַּר נִרְחָב׃

Então o Senhor te dará chuva sobre a tua semente. A era do reino será um tempo de fertilidade sem precedentes. Tarefas como arar, semear e colher serão abundantemente recompensadas. A maldição da terra (ver Gn 3.17) será revertida e, juntamente com ela, todas as demais maldições. Sempre haverá abundância de chuvas e a quantidade certa de luz solar. A agricultura será abençoada com provisões totalmente favoráveis. Haverá pastos ricos o ano inteiro, sem nenhum período de seca e necessidade. Cf. este versículo com Dt 28.1-14.

"A prosperidade física acompanhará a piedade nacional... As primeiras chuvas caíam depois do plantio da semente, em outubro ou novembro. As últimas chuvas caíam na primavera, antes que o grão amadurecesse. Ambos os períodos de chuva eram necessários para que houvesse boa colheita" (Fausset, *in loc.*). Ver no *Dicionário* o artigo chamado *Chuvas Anteriores e Posteriores*. Mas, quanto ao período do reino de Deus, total providência divina é prometida. Ninguém sofrerá fome, nem homem nem animal. E isso também se aplica à fome e à sede espiritual (Mt 5.6).

■ 30.24

וְהָאֲלָפִ֣ים וְהָעֲיָרִ֗ים עֹֽבְדֵי֙ הָ֣אֲדָמָ֔ה בְּלִ֥יל חָמִ֖יץ יֹאכֵ֑לוּ אֲשֶׁר־זֹרֶ֥ה בָרַ֖חַת וּבַמִּזְרֶֽה׃

Os bois e os jumentos que lavram a terra. A agricultura provê o necessário para os animais, e os animais proveem o necessário para o homem. E tudo depende da bondade de Deus, que provê condições próprias na natureza. Deus cuida dos animais por aquilo que eles valem (ver Jn 4.11), e não meramente porque eles servem ao homem. Certos animais eram usados para ajudar no trabalho agrícola. E, por isso, mereciam todas as provisões que lhes eram dadas. Ademais, essas provisões deveriam ser de primeira classe, limpas e copiosas.

> Doce provisão é um pão para os camelos; uma provisão salgada como uma confecção.
>
> Provérbio árabe

Somos informados, por pessoas que devem saber o que estão dizendo, que os animais de fazenda realmente gostam desse tipo de alimento. A *King James Version* diz provisão *limpa*; mas a nossa versão portuguesa mostra-se correta na tradução: *com sal*. Ervas alcalinas serviam de alimentos para os animais e eram misturadas com um pouco de sal, para adquirir um pouco mais de gosto. Note o leitor que não estamos falando sobre algum tipo de planta que os animais poderiam encontrar nos campos, mas sobre o mais excelente grão padejado, próprio para ser consumido por um rei. Até o humilde *jumento*, durante a era do reino, será servido por esse tipo de alimento, o que nos fala da *plenitude* que haverá naquela época futura.

■ 30.25

וְהָיָ֣ה ׀ עַל־כָּל־הַ֣ר גָּבֹ֗הַּ וְעַל֙ כָּל־גִּבְעָ֣ה נִשָּׂאָ֔ה פְּלָגִ֖ים יִבְלֵי־מָ֑יִם בְּיוֹם֙ הֶ֣רֶג רָ֔ב בִּנְפֹ֖ל מִגְדָּלִֽים׃

Em todo monte alto... haverá ribeiros e correntes de águas. Terminadas as batalhas finais, que darão adeus à era antiga do mundo, com o resultante advento da nova era, então a água (e tudo quanto ela simboliza) será abundante, correndo das colinas para os vales, em benefício de todos. Ver Ap 16.16 e 19.17-21, vinculados aos capítulos 21 e 22 desse livro. "Tem prosseguimento aqui o quadro da época áurea. Os montes e as colinas, tão frequentemente secos e estéreis, fluirão como rios de águas grandes, que proverão a irrigação dos vales. Isso se seguirá à grande matança dos ímpios... O extremo do homem é a oportunidade de Deus" (Ellicott, *in loc.*).

Quando caírem as torres. Ou seja, as fortificações e as máquinas de guerra dos ímpios. Talvez tenhamos aqui uma profecia sobre o Armagedom (ver Ap 16.16). A era antiga terá de ser destruída, antes que a nova era possa chegar.

■ 30.26

וְהָיָ֤ה אֽוֹר־הַלְּבָנָה֙ כְּא֣וֹר הַֽחַמָּ֔ה וְא֤וֹר הַֽחַמָּה֙ יִהְיֶ֣ה שִׁבְעָתַ֔יִם כְּא֖וֹר שִׁבְעַ֣ת הַיָּמִ֑ים בְּי֗וֹם חֲבֹ֤שׁ יְהוָה֙ אֶת־שֶׁ֣בֶר עַמּ֔וֹ וּמַ֥חַץ מַכָּת֖וֹ יִרְפָּֽא׃ ס

A luz da lua será como a do sol. A iluminação conferida pelos corpos luminosos *aumentará* tanto que a luz emitida pela lua será como a do sol, ao passo que o sol produzirá *sete vezes* mais luz do que a sua iluminação normal, tanto quanto eram necessários sete dias para a terra produzir. Isso deve ser entendido metaforicamente, com respeito à iluminação que banhará a terra inteira. Na luz há alegria, pois ela simboliza glória divina. Isaías previu um mundo brilhantemente iluminado, e essa visão, sem dúvida, foi como ver a luz como extremamente brilhante, e a luz do sol tão brilhante que cada porção da terra será ofuscante.

Sete vezes mais fala da perfeição da felicidade. Banhados por essa luz, será efetuada cura para todos os males morais e espirituais, pois a luz cura. Yahweh é tanto luz como cura. Os ofícios divinos estarão funcionando durante o milênio inteiro. Alguns pensam estar em pauta as ministrações do evangelho por meio da igreja, mas isso só pode ser uma aplicação, e não a interpretação da passagem, pois o tema é Israel na época áurea do reino de Deus.

A Tempestade da Ira de Yahweh Livrará Judá (30.27-33)

■ 30.27

הִנֵּ֤ה שֵׁם־יְהוָה֙ בָּ֣א מִמֶּרְחָ֔ק בֹּעֵ֥ר אַפּ֖וֹ וְכֹ֣בֶד מַשָּׂאָ֑ה שְׂפָתָיו֙ מָ֣לְאוּ זַ֔עַם וּלְשׁוֹנ֖וֹ כְּאֵ֥שׁ אֹכָֽלֶת׃

Eis que o nome do Senhor vem de longe, ardendo na sua ira. O vs. 25 diz que a inauguração da nova era só poderá ocorrer depois da obliteração da antiga. Será mister a *ira de Yahweh* para que essa tarefa se complete. Ver no *Dicionário* o verbete chamado *Ira de Deus*. O autor sagrado pode ter escrito da perspectiva histórica da destruição do exército assírio, mas a aplicação parece ser escatológica. Ver o vs. 31 quanto aos assírios. O oráculo original pode ter sido, simplesmente, uma profecia contra a Assíria e os acontecimentos de 701 a.C., quando os 185 mil soldados do exército inimigo foram destruídos em uma única noite pelo Anjo do Senhor. Ver 2Rs 19.35-37. Alguns intérpretes limitam o oráculo a esse acontecimento, não vendo aqui nenhum significado escatológico.

O nome do Senhor. Ver a respeito no *Dicionário* e em Sl 31.3. O nome do Senhor representa os atributos e atos divinos, dependentes da natureza divina. Yahweh, o Deus Eterno, é o significado do nome de Deus neste trecho bíblico. Ele virá como uma tremenda tempestade, mostrando seu desprezer em relação aos assírios. Ele incendeia as florestas e faz levantar uma fumaça espessa. Seus lábios proferem julgamento e palavras plenas de chamas da indignação. Cf. com a tempestade da ira de Deus, em Sl 18.7-15. A língua de Yahweh (os julgamentos que ele proferirá) será como uma chama imensa e devoradora. Yahweh preparou para os assírios um inferno requeimante (vs. 33).

"Há uma flamejante magnificência na descrição do ataque de Deus contra a Assíria. O oráculo termina com um quadro lúgubre do inferno de fogo preparado para o rei da Assíria, onde Deus espera para soprar os carvões que se transformam em chamas cauterizadoras" (G. G. D. Kilpatrick, *in loc.*). Cf. Jz 5.4,5 e Êx 24.17.

■ 30.28

וְרוּח֞וֹ כְּנַ֤חַל שׁוֹטֵף֙ עַד־צַוָּ֣אר יֶחֱצֶ֔ה לַהֲנָפָ֥ה גוֹיִ֖ם בְּנָ֣פַת שָׁ֑וְא וְרֶ֣סֶן מַתְעֶ֔ה עַ֖ל לְחָיֵ֥י עַמִּֽים׃

A sua respiração é como a torrente que transborda e chega até ao pescoço. Há *outras metáforas* que falam sobre o terror dos dias finais de nossa era, a fim de inaugurar a nova era, conforme se vê nos três pontos seguintes:

1. Agora temos um dilúvio causado por um rio transbordante, que engolfa o inimigo com pesadas chuvas ou neves que se dissolvem, e os vales ficam cheios porque os rios não podem ser contidos em seus leitos. A Assíria atirou-se contra Judá como se fosse um dilúvio, somente para encontrar o dilúvio de Yahweh.
2. Então a Assíria será coada na peneira de Deus, tal como faz um agricultor para separar do cereal objetos inúteis. Cf. Am 9.9 e Is 41.16.

> *Ele julgará as nações como se as estivesse peneirando através da tela da destruição.*
>
> NCV

3. E então, da mesma maneira que um homem põe um freio na boca de um cavalo para mantê-lo sob controle, assim Yahweh porá um freio na boca da Assíria a fim de guiá-la por um caminho diferente, ou seja, afastá-la de Judá para que não o destrua. Os poucos sobreviventes da matança provocada pelo Anjo do Senhor correriam de volta à Assíria, em busca de segurança. Cf. Is 37.29. Os inimigos de Judá recuariam sob o divino poder restritivo, e seus planos cairiam em desgraça e destruição.

O freio de Zeus o obrigaria violentamente a fazer essas coisas.
Ésquilo, Vinct. 691

■ 30.29

הַשִּׁיר֙ יִֽהְיֶ֣ה לָכֶ֔ם כְּלֵ֖יל הִתְקַדֶּשׁ־חָ֑ג וְשִׂמְחַ֣ת לֵבָ֗ב כַּהוֹלֵךְ֙ בֶּֽחָלִ֔יל לָב֥וֹא בְהַר־יְהוָ֖ה אֶל־צ֥וּר יִשְׂרָאֵֽל׃

Um cântico haverá entre vós. Quando o exército assírio fosse forçado a retirar-se, seria imensa a *alegria dos* israelitas, o que é comparado ao júbilo das grandes festividades anuais judaicas: a Páscoa, o Pentecoste e a festa dos Tabernáculos. Haveria regozijo e grandes celebrações. Provavelmente está em vista aqui a celebração da Páscoa quando a intervenção divina livrasse Israel. O povo judeu subiria ao monte do Senhor, Sião, onde se localizava o templo, levando em sua companhia os instrumentos de música, para ajudar nas celebrações jubilosas. Ali chegando, eles louvariam a *Rocha* de Israel (ver a respeito no *Dicionário*). Yahweh era a fortaleza e a defesa dos judeus. Cf. 2Sm 23.3 e Ap 14.1-4; 16.1-4. Quanto à *Rocha*, ver também Is 17.10 e Dt 32.4.

■ 30.30

וְהִשְׁמִ֨יעַ יְהוָ֜ה אֶת־ה֣וֹד קוֹל֗וֹ וְנַ֤חַת זְרוֹעוֹ֙ יַרְאֶ֔ה בְּזַ֣עַף אַ֔ף וְלַ֖הַב אֵ֣שׁ אוֹכֵלָ֑ה נֶ֥פֶץ וָזֶ֖רֶם וְאֶ֥בֶן בָּרָֽד׃

O Senhor fará ouvir a sua voz majestosa. *Outras Descrições do Julgamento Divino.* Consideremos três pontos a respeito dessas descrições:

1. Será ouvida a *voz iracunda de Yahweh*, como se fosse um grande grito de batalha, que encheria de terror o coração dos soldados assírios. Seria uma voz majestosa como a do trovão. Cf. Is 30.30,31. O Targum fala sobre a voz divina que ordenou ao Anjo destruir o exército assírio (ver 2Rs 19.35-37).
2. Então o *braço de Yahweh* desferiria um golpe fatal, ferindo os assírios com uma vara (vs. 31). Ver acerca do *braço* em Sl 77.15; 89.10 e 98.1. Cf. *mão* (Sl 81.14) e *mão direita* (Sl 20.60). Essas figuras simbólicas falam dos instrumentos divinos de julgamento e do poder e da autoridade do Senhor para julgar.
3. A tempestade de *fogo* seria um dos instrumentos usados por Deus, incluindo os relâmpagos, a saraiva, as chuvas tempestuosas — que destruiriam e aniquilariam o inimigo. "A saraiva e as brasas de fogo eram símbolos naturais da ira do Senhor" (Ellicott, *in loc.*). A figura pode ser a de uma floresta incendiada com o relâmpago de Deus. Ele então sopraria sobre as chamas e os carvões acesos, para que o incêndio se tornasse ainda mais intenso, tal como se fosse um forte vento que acompanha os incêndios das florestas, criados pelos jatos de ar quente. Ver a metáfora do *incêndio de florestas*, em Is 9.18; 10.18 ss. Cf. Ap 16.18-21.

■ 30.31

כִּֽי־מִקּ֥וֹל יְהוָ֖ה יֵחַ֣ת אַשּׁ֑וּר בַּשֵּׁ֖בֶט יַכֶּֽה׃

Porque com a voz do Senhor será apavorada a Assíria. A voz do Senhor esbravejaria, conclamando à destruição da Assíria. Esse era o grito de batalha de Yahweh. Ver o vs. 30, onde esse simbolismo é encontrado. Então temos o ferir com a vara, que fica subentendido no vs. 30 com a metáfora do *braço* de Deus. O exército assírio seria derrotado de forma fulminante, por muitos golpes por todo o seu corpo. Está em vista o que o Anjo do Senhor fez ao exército assírio (ver 2Rs 19.35-37). A Assíria recebeu mais do que as 39 chicotadas tradicionais. Ver no *Dicionário* o artigo chamado *Açoite*.

■ 30.32

וְהָיָ֣ה כֹּ֣ל מַֽעֲבַ֣ר מַטֵּ֣ה מֽוּסָדָ֗ה אֲשֶׁ֨ר יָנִ֤יחַ יְהוָה֙ עָלָ֔יו בְּתֻפִּ֖ים וּבְכִנֹּר֑וֹת וּבְמִלְחֲמ֥וֹת תְּנוּפָ֖ה נִלְחַם־בָּֽהּ׃

Cada pancada castigadora, com a vara, que o Senhor lhe der. Cada vez que a vara de Deus espancasse os assírios, os habitantes de Jerusalém se regozijariam sob o som de tamboris e harpas. O que era *dor* para os assírios seria *alegria* para os judeus. Cf. Is 24.8. O dia do julgamento das tropas assírias seria um feriado de regozijo para Judá. Cf. o vs. 29, onde a felicidade dos festejos é usada como símbolo da alegria que haveria naquele dia. Haveria um cântico de triunfo, tal como ocorreu após as vitórias de Jefté e Davi (Jz 11.34 e 1Sm 18.6). Judá haveria de entoar o seu *te Deum* diante da queda das tropas assírias. As longas muralhas que ligavam Atenas ao Pireu foram derrubadas pelos espartanos ao som da música" (Ellicott, *in loc.*). Cf. o cântico de Moisés (Êx 15), bem como o cântico de Débora (Jz 5).

■ 30.33

כִּֽי־עָר֤וּךְ מֵֽאֶתְמוּל֙ תָּפְתֶּ֔ה גַּם־ה֖וּא לַמֶּ֣לֶךְ הוּכָ֑ן הֶעְמִ֤יק הִרְחִב֙ מְדֻרָתָ֔הּ אֵ֥שׁ וְעֵצִ֖ים הַרְבֵּ֑ה נִשְׁמַ֤ת יְהוָה֙ כְּנַ֣חַל גָּפְרִ֔ית בֹּעֲרָ֖ה בָּֽהּ׃ ס

Porque há muito está preparada a fogueira, preparada para o rei. Algumas traduções e intérpretes retêm aqui a palavra traduzida por "fogueira", isto é, *Tofete*. Ver no *Dicionário* sobre esse título, nos dois últimos parágrafos. A alusão pode ser: 1. ao vale de Hinom ou *Geena* (ver a respeito no *Dicionário*), onde sempre havia chamas queimando para consumir o lixo de Jerusalém, além dos corpos mortos de animais ali lançados, em um ato de contaminação; 2. aos sacrifícios humanos em honra a *Meleque* (*Moloque*) (ver a respeito no *Dicionário*).

Para esses horrendos sacrifícios (em que até crianças eram oferecidas) havia muitos infames altares pagãos. Portanto, temos aqui um quadro profético no qual Yahweh faria a mesma coisa com os assírios. Essa figura simbólica nos deve fazer pensar no absurdo de um inferno com chamas literais, ao que alguns intérpretes reduzem o texto (além de outras passagens bíblicas). No livro de 1Enoque encontramos o *rio de fogo* referindo-se ao *sheol*, e então retratado como um lugar de chamas literais e tormentos para as almas perdidas. As chamas do hades foram acesas pela primeira vez no livro de 1Enoque, conforme sabem os eruditos, mas versículos como o presente eram facilmente interpretados dessa maneira. Além disso, no livro de Apocalipse temos o *lago de fogo*, que toma o lugar do rio de fogo do livro de 1Enoque. Ver Ap 19.20; 20.10,14,15 e 21.8.

Tomar tais simbolismos como passagens literais no caso do julgamento dos perdidos é uma loucura de interpretação. Ademais, reduzir o julgamento apenas ao aspecto de retribuição, sem nenhuma medida restauradora, também é inclinar-se diante de uma teologia inferior. Quanto a minhas ideias sobre esse assunto, ver na *Enciclopédia de Bíblia, Teologia e Filosofia* o verbete intitulado *Julgamento de Deus dos Homens Perdidos*. O indiscutível é que o presente versículo nada tem a ver com o julgamento dos perdidos, para além do sepulcro. Mas também não podemos duvidar de que versículos como este influenciaram o desenvolvimento posterior dessa doutrina. Note aqui o leitor a frase "como torrente de enxofre a acenderá", que Yahweh fará soprar sobre a fogueira, mantendo-a acesa! Provavelmente essa "torrente de fogo" foi tomada por empréstimo diretamente deste versículo.

Lenha em abundância. Os sacrifícios humanos eram feitos em meio a chamas cujo combustível era a madeira. Por conseguinte, alguns intérpretes fazem a *madeira* aqui simbolizar os assírios que foram mortos. Mas outros estudiosos fazem as almas dos perdidos ser representadas pela madeira sobre a qual Deus continuou a enviar seu sopro de fogo e enxofre. Deus nunca se cansa nessa atividade. Ele simplesmente continuará a soprar por toda a eternidade. Caros leitores, lamento dizer, mas esse não é o Deus a quem adoro. Esse quadro é uma perversão da imaginação humana.

CAPÍTULO TRINTA E UM

AI DA ALIANÇA COM O EGITO (31.1—32.20)

NA FORÇA DO EXÉRCITO OU NO PODER DO ESPÍRITO (31.1-3)

Este oráculo é companheiro do trecho de Is 30.1-7. "Tal como o 'ai' anterior (capítulo 30), este 'ai' foi dirigido contra a aliança com o Egito que alguns dentre o povo de Judá queriam firmar. Mas este oráculo também fala sobre o Rei messiânico que, algum dia, virá libertar o seu povo" (John S. Martin, *in loc.*). A força dos egípcios não passava de ilusão; a sabedoria procede do Espírito de Deus, e não das intrigas dos raciocínios e tratados humanos. Judá muito anelava por ajuda material, mas o tempo todo negligenciava as forças divinas e espirituais.

"Os sonhos grandiosos dos líderes judeus resultariam em nada. Pelo contrário, provocariam o castigo mais merecido da história. Quanto a isso, o profeta ofereceu *duas razões*: a. A política dos líderes judeus insurgia-se contra o sábio propósito de Yahweh, o único propósito que governa o curso dos acontecimentos; e b. Eles depositavam sua confiança em algo tão fraco e transitório quanto eles mesmos, que pereceria juntamente com eles" (R. B. Y. Scott, *in loc.*).

■ 31.1

הוֹי הַיֹּרְדִים מִצְרַיִם לְעֶזְרָה עַל־סוּסִים יִשָּׁעֵנוּ
וַיִּבְטְחוּ עַל־רֶכֶב כִּי רָב וְעַל פָּרָשִׁים כִּי־עָצְמוּ מְאֹד
וְלֹא שָׁעוּ עַל־קְדוֹשׁ יִשְׂרָאֵל וְאֶת־יְהוָה לֹא דָרָשׁוּ:

Ai dos que descem ao Egito em busca de socorro. "Ai" é uma interjeição que indica *dor,* antecipando a *angústia* vindoura. Ver Is 3.9,11; 5.8,11,18,20-22; 6.5; 10.1; 17.12; 18.1; 29.1,15; 30.1; 31.1; 33.1; 45.9,10.

A Confiança Mundana. Judá depositara sua confiança no que o Egito tinha para oferecer: cavalos, carros de combate e cavaleiros (tudo isso em grande quantidade e poder). Mas os egípcios também eram temporais e vãos. Essas coisas não fariam a Assíria estacar. Além disso, os egípcios se mostrariam "fracos por dentro", destituídos da força de vontade e coragem necessárias para enfrentar os assírios, quando a ação militar se iniciasse. As instruções divinas originais para Israel não permitiam carros de combate e cavalos (ver Dt 17.16), o que reduzia Israel a uma *infantaria*. Isso significava que, se eles obtivessem a vitória em alguma batalha, o crédito seria dado a Yahweh. Os judeus estavam sempre enfrentando inimigos melhor equipados que eles e, assim, se contassem somente consigo mesmos, geralmente perderiam as batalhas. Por isso, a proibição bíblica foi ignorada. Ademais, alianças com potências estrangeiras tinham sido proibidas, mas sempre havia exceções, especialmente quando grandes exércitos, como os da Assíria e da Babilônia, começavam a marchar.

A Confiança no Céu. Em contraste, precisamos confiar em Yahweh, em sua sabedoria e em suas forças. Ele é o *Santo de Israel* e também o *Deus Eterno,* Yahweh. Ver sobre esses títulos no *Dicionário*. Este oráculo ilustra o "fracasso da força". A força pertence ao Senhor. O Poder é o de Deus. Esse era o motivo do profeta.

Judá queria colocar cavalos e carros de combate egípcios contra a famosa cavalaria assíria. Os monumentos assírios retratam carros de combate puxados por três cavalos e conduzidos por três homens. Cf. Is 36.9 e Sl 20.7. Mas até mesmo esse poder era o braço da carne. O profeta Isaías, pois, convidou Judá a confiar nos braços eternos de Deus.

Um cavalo é algo inútil quando se trata de segurança (ver Sl 33.17).

> *Uns confiam em carros, outros em cavalos. Nós, porém, nos gloriaremos em o nome do Senhor, nosso Deus.*
>
> Salmo 20.7

■ 31.2

וְגַם־הוּא חָכָם וַיָּבֵא רָע וְאֶת־דְּבָרָיו לֹא הֵסִיר וְקָם
עַל־בֵּית מְרֵעִים וְעַל־עֶזְרַת פֹּעֲלֵי אָוֶן:

Todavia este é sábio, e faz vir o mal. Essas são palavras sarcásticas proferidas como zombaria contra os políticos que se jactaram de sua sabedoria, ao fazer um acordo de defesa militar com o Egito. Eles pensaram ter realizado um grande feito de sabedoria. "Mas Deus também tem um pouco de sabedoria", disse o profeta sarcasticamente, e, "se vocês derem prosseguimento a esse plano, verão quão insensatos foram". Yahweh tinha proferido suas palavras e não as lançaria fora. Uma condenação fatal estava a caminho, e os que estivessem envolvidos no fiasco egípcio sofreriam. "Ele não somente traçou mas também executou o que tinha traçado, sem chamar suas palavras de volta (ver Nm 23.19)" (Fausset, *in loc.*). Quanto a essas *palavras,* ver Is 30.12,13,16,17.

A casa dos malfeitores. Isto é, os políticos de Judá.

Contra a ajuda. Ou seja, contra os egípcios, que tinham sido convocados a ajudar os judeus. O julgamento divino sobreviria contra a *aliança inteira.*

■ 31.3

וּמִצְרַיִם אָדָם וְלֹא־אֵל וְסוּסֵיהֶם בָּשָׂר וְלֹא־רוּחַ
וַיהוָה יַטֶּה יָדוֹ וְכָשַׁל עוֹזֵר וְנָפַל עָזֻר וְיַחְדָּו כֻּלָּם יִכְלָיוּן: ס

Pois os egípcios são homens, e não Deus. Os egípcios, como débeis mortais, fracassariam, em contraste com Deus, o Ser Imortal. Seus "melhores cavalos do mundo" eram apenas carne, e não corcéis imortais do espírito. Nenhum deus estava descendo do céu, montado em cavalos imortais, para liderar Judá à batalha. A aliança inteira entre Judá e o Egito era assinalada pela fraqueza e em breve seria demolida pelos assírios. Mas o poder real por trás dessa fragorosa derrota seria Yahweh, o Poder que é a causa dos acontecimentos humanos. Ver Is 13.6 quanto a esse conceito. Yahweh estenderia a sua mão para realizar sua obra. A alusão pode ser à travessia do mar Vermelho, quando a mão de Yahweh foi estendida para dar passagem a Israel. Ver sobre *mão* em Sl 81.14, sobre *mão direita* em Sl 20.6; e sobre *braço* em Sl 77.15; 89.10 e 98.1. Está em mira a *instrumentalidade* do poder divino, no caso presente a operação através do exército assírio, e essa seria a destruição da aliança entre Judá e o Egito.

A Nota-chave da Passagem. "A verdadeira força de uma nação jaz não em sua grandeza material, mas em sua grandeza espiritual; na busca pelo Santo de Israel, na prática da santidade. Sem essa condição, a aliança com o Egito seria fatal tanto para os que buscavam ajuda como para os que se comprometeram a dá-la.

■ 31.4

כִּי כֹה אָמַר־יְהוָה אֵלַי כַּאֲשֶׁר יֶהְגֶּה הָאַרְיֵה וְהַכְּפִיר
עַל־טַרְפּוֹ אֲשֶׁר יִקָּרֵא עָלָיו מְלֹא רֹעִים מִקּוֹלָם לֹא
יֵחָת וּמֵהֲמוֹנָם לֹא יַעֲנֶה כֵּן יֵרֵד יְהוָה צְבָאוֹת לִצְבֹּא
עַל־הַר־צִיּוֹן וְעַל־גִּבְעָתָהּ:

Porque assim me disse o Senhor: Como o leão e o cachorro do leão rugem. Um leão ignora um bando de pastores que tentam proteger a ovelha que o animal escolheu matar. Os gritos, os movimentos com os braços e as maldições que eles soltam não exercem efeito sobre o grande felino. Assim também o Senhor, defendendo o monte Sião, não podia ser barrado. Ele não temia o barulho e a exibição de desprazer e força dos assírios. Ele poderia fazer o que os egípcios não poderiam. Está especificamente em mira, aqui, a defesa contra as tropas de Senaqueribe. Ver Is 29.1-8; 37.21-26; 2Rs 19.35-37. Esta metáfora é diferente porque usualmente o *leão* é usado para simbolizar a temível destruição de alguma coisa, mas aqui ele aparece como o defensor. Cf. Is 42.13 e Os 11.10.

■ 31.5

כְּצִפֳּרִים עָפוֹת כֵּן יָגֵן יְהוָה צְבָאוֹת עַל־יְרוּשָׁלִָם גָּנוֹן
וְהִצִּיל פָּסֹחַ וְהִמְלִיט:

Como pairam as aves assim o Senhor dos Exércitos amparará a Jerusalém. Da mesma forma que aves de presa circulam sobre nossa cabeça, assim o Senhor protegeria Jerusalém de todo dano. Novamente poderíamos esperar o contrário. As aves de presa circulam lá no alto para dardejar sobre uma vítima, mas aqui está em pauta um escudo de proteção. Há um afeto solícito nesse simbolismo. Ver Dt 32.11; Sl 91.4 e Mt 23.37. "Aqui Yahweh engaja-se na defesa de Jerusalém como se fosse uma ave-mãe" (Fausset, *in loc.*). "As águias circulam por cima de seus ninhos, espantando para longe os homens e os animais" (Ellicott, *in loc.*).

> Oh, espalha tuas asas que nos protegem,
> Até cessarem nossas perambulações,
> E na residência de nosso Pai amado
> Nossa alma chegue em paz.
>
> Phillip Doddridge

Cf. o simbolismo deste versículo com algo similar que Jesus provê em Mt 23.37.

31.6

שׁוּבוּ לַאֲשֶׁר הֶעְמִיקוּ סָרָה בְּנֵי יִשְׂרָאֵל׃

Convertei-vos, pois, ó filhos de Israel. A defesa de Jerusalém estava garantida, mas por parte do Senhor, e não dos egípcios. Portanto, que os filhos de Israel, o *povo de Israel,* se voltassem para o Senhor em arrependimento, anulando assim sua revolta, que era tão profunda. Deus tem poder e amor e, diferentemente dos egípcios, estava *disposto* a salvar os filhos de Israel e não falharia na empreitada. Cf. Ez 16.62,63 e Os 6.1. O profeta esperava que houvesse *conversão* do povo para que a situação fosse curada. Cf. 2Cr 30.6. Ver no *Dicionário* o verbete chamado *Rebelião,* que ilustra o texto.

Confiando na Grandeza de Deus

Tal como a galinhola faz seu ninho secreto no pântano,
Eis que edificarei para mim um ninho na grandeza de Deus;
Voarei na grandeza de Deus, quando a galinhola voar,
Na liberdade que enche o espaço entre o pântano e os céus;
Pelo mesmo número de raízes enviadas pela galinhola no pântano,
De todo o coração me deixarei ficar na grandeza de Deus.

Sidney Lanier

31.7

כִּי בַּיּוֹם הַהוּא יִמְאָסוּן אִישׁ אֱלִילֵי כַסְפּוֹ וֶאֱלִילֵי זְהָבוֹ אֲשֶׁר עָשׂוּ לָכֶם יְדֵיכֶם חֵטְא׃

Pois naquele dia cada um lançará fora os seus ídolos de prata. Este versículo olha para as condições da era do reino de Deus, quando a idolatria for completamente eliminada, levando-nos de volta ao pensamento de Is 30.22. Fazia parte da esperança de Isaías que Judá exibisse esse tipo de sabedoria na crise que estava sendo vivida. Cf. Zc 12.9-14; 13.1,2. Ver também Is 2.20. Ali, o lançamento dos ídolos era inspirado por um abjeto desespero, mas aqui, potencialmente, mediante verdadeira conversão e arrependimento. Mãos pecaminosas fabricam ídolos, deuses falsos, contaminando assim um indivíduo, e então uma nação inteira. Prata e ouro materiais, metais preciosos conforme a mente dos homens, são dilapidados no empreendimento. Os verdadeiros valores, em contraste, estão na fé em Yahweh. Ver no *Dicionário* o artigo chamado *Idolatria.*

31.8

וְנָפַל אַשּׁוּר בְּחֶרֶב לֹא־אִישׁ וְחֶרֶב לֹא־אָדָם תֹּאכֲלֶנּוּ וְנָס לוֹ מִפְּנֵי־חֶרֶב וּבַחוּרָיו לָמַס יִהְיוּ׃

Então a Assíria cairá pela espada, não de homem. O *exército assírio* estava condenado a cair, mas não pelo poder militar fraco do Egito e/ou de Judá. O Anjo do Senhor interviria (ver 2Rs 19.35-37). Os poucos sobreviventes fugiriam para a Assíria, e alguns deles seriam tomados cativos e escravizados, e então sofreriam trabalho forçado sob duros capatazes. Cf. Is 37.36. Os manuscritos hebraicos dos Papiros do mar Morto dizem aqui: "Fugi, mas não da espada (do homem)". Algumas vezes as versões concordam com um dos dois manuscritos hebraicos desses rolos que contêm um bom pedaço de Isaías — contra o texto massorético padronizado segundo o qual a maioria das traduções do Antigo Testamento está alicerçada. Ver sobre essa circunstância e seu significado em Is 26.19, onde apresento exemplos. Ver no *Dicionário* os artigos chamados *mar Morto, Manuscritos (Rolos) do* e *Massora (Massorah); Texto Massorético.*

O poder dos gentios, não ferido pela espada,
Dissolveu-se como neve, pelo olhar do Senhor.

Byron

31.9

וְסַלְעוֹ מִמָּגוֹר יַעֲבוֹר וְחַתּוּ מִנֵּס שָׂרָיו נְאֻם־יְהוָה אֲשֶׁר־אוּר לוֹ בְּצִיּוֹן וְתַנּוּר לוֹ בִּירוּשָׁלִָם׃ ס

De medo não atinará com a sua rocha de refúgio. A rocha assíria desapareceria perante o terror do Senhor. Consideremos estes três pontos:

1. Talvez o profeta fale aqui de uma rocha que ameaçava esmagar Jerusalém. A referência é difícil, o que lança os intérpretes a conjecturas.
2. Alguns supõem que esteja em mira a Assíria, como uma fortaleza. Nesse caso, os poucos assírios que sobreviverem do seu exército *fugirão* e atravessarão as fronteiras de sua pátria natal, onde se refugiarão.
3. Ou então a *rocha* significa a *força* da Assíria, e isso passará no meio do terror, e assim se tornará inteiramente inútil.

Yahweh predisse isso através do seu profeta, e isso teve cumprimento. Seu fogo estava em Sião. "O fogo, que aqui é símbolo da glória divina, dando luz e calor aos fiéis, mas queimando o mal (cf. Is 10.16,17)" (Ellicott, *in loc.*). A *fornalha,* em Jerusalém, é paralelo poético do *fogo*. Ambos "representam a santidade e a destrutibilidade do altar de Sião" (R. B. Y. Scott, *in loc.*). A fornalha aqui é o forno de cozer pão, um lugar fechado onde o trabalho do fogo é realizado. Foi coisa terrível para os assírios terminar no forno de Yahweh. Pode haver uma alusão às chamas eternas mantidas no altar de Yahweh. Os assírios aproximaram-se demais, e não sobreviveram ao encontro com o altar de Deus.

Horrível cousa é cair nas mãos do Deus vivo.

Hebreus 10.31

CAPÍTULO TRINTA E DOIS

TEMPO DE JUSTIÇA E RETIDÃO (32.1-8)

O tema geral deste capítulo é o de Pv 16.10-15; 20.8,26,28; e 25.5. Mas ver especialmente Pv 8.15-21.

"32.1,2. No milênio, o Rei (cf. comentários sobre 33.17), ou seja, o Messias, reinará em retidão (ver Is 11.1,5; cf. Jr 23.5), com governantes dirigidos por ele (cf. 2Tm 2.2; Ap 5.10; 20.6; 22.5), os quais governarão com justiça. De fato, cada pessoa que entrar no milênio será um crente. Cada qual protegerá a seu irmão, como um abrigo do vento, e refrigerará outros como... água no deserto e rocha que dá sombra protetora do calor do deserto" (John S. Martin, *in loc.*).

"*Uma Sociedade Transformada.* Estes versículos contêm a visão de Isaías sobre uma sociedade reformada. Ele não aborda aqui (conforme fez nos vss. 15-19) os efeitos físicos e materiais de um novo espírito no homem, mas exclusivamente as qualidades morais que transformam a vida humana. A fonte da mudança estará no caráter da classe governante. Quando a retidão e a justiça assinalarem suas vidas, a sociedade inteira sentirá a influência purificadora dessas coisas" (G. G. D. Kilpatrick, *in loc.*).

32.1

הֵן לְצֶדֶק יִמְלָךְ־מֶלֶךְ וּלְשָׂרִים לְמִשְׁפָּט יָשֹׂרוּ׃

Eis aí está que reinará um rei com justiça, e em retidão governarão príncipes. O Rei (com inicial maiúscula na *King James Version*) é o Rei Messias, e os príncipes serão seus subordinados. Mas alguns estudiosos pensam estar em vista o reinado ideal (tal como em Dt 17.14 ss.) e não veem aqui nenhuma referência messiânica. Entretanto, é melhor ver a era vindoura de justiça padronizada segundo os ditames da Literatura de Sabedoria. Os insensatos não mais receberão atenção. O dia deles terá terminado. Alguns pensam estar em pauta aqui Ezequias, rei de Judá, ou mesmo algum rei ainda futuro. Ainda que isso fosse verdade, eles tão somente seriam tipos do que o Messias será e fará. Cf. Os 3.5; Zc 9.9 e Is 11.3-5. Os que tiverem autoridade durante o milênio, sob o Messias, seguirão à risca o exemplo deixado por ele, imitando-o em seu ofício de Rei. Ver Lc 22.30; 1Co 6.2; 2Tm 2.12; Ap 2.26,27 e 3.21, quanto a versículos aplicáveis que falam sobre o mesmo tema. Cf. Pv 8.15,16. O versículo presente reverbera essas palavras.

32.2

וְהָיָה־אִישׁ כְּמַחֲבֵא־רוּחַ וְסֵתֶר זָרֶם כְּפַלְגֵי־מַיִם בְּצָיוֹן כְּצֵל סֶלַע־כָּבֵד בְּאֶרֶץ עֲיֵפָה׃

Cada um servirá de esconderijo contra o vento. Várias imagens falam da bem-aventurança do povo junto ao Messias, como Rei. Consideremos estes quatro pontos:

1. Um *abrigo* contra o vento, a sombra projetada por uma grande rocha, sob a qual os homens se escondem para obter proteção do calor do sol e das tempestades no deserto.

> Que a caverna fresca e a rocha que dá sombra os protejam.
> Virgílio, Georg. iii.145

2. Um *lugar de esconderijo* onde um homem pode esperar que passe uma tempestade, e ele possa sair dali. A tempestade cairá sob a forma de chuva torrencial, um grande evento para um homem apanhado ao ar livre. Essa tempestade causa súbita *inundação*, pelo que temos mencionadas torrentes de água onde usualmente é um lugar seco. Quando as águas do dilúvio sobem, um homem precisa desesperadamente de algum lugar para esconder-se, pois, do contrário, será levado de roldão.

3. Mas provavelmente é melhor compreender aqui as correntezas como *beneficentes*. As neves que se dissolvem enviam riachos ao deserto para pessoas sedentas e animais domesticados, ou para os camelos usados para cruzar o deserto. Possivelmente esses riachos são valetas de irrigação, vitais para a agricultura em lugares secos, pois a agricultura é a base da vida.

4. A *grande rocha* em uma terra cansada, o lugar seco onde o sol bate sem cansar, era um grande benefício. Os viajantes que poderiam perecer no calor acolhiam a visão da grande rocha de descanso onde a sombra protegia sua cabeça, e debaixo da qual talvez pudessem encontrar alguma água. Essa rocha simboliza a Rocha de Israel. Ver o artigo do *Dicionário* chamado *Rocha*. Ver também Sl 18.2,31; 28.1; 42.9; 89.26 e 94.22.

Tomadas juntamente, as figuras apresentam a ideia de plena proteção e completo suprimento, ou seja, total provisão. As metáforas, como é óbvio, vão adiante de qualquer coisa que se poderia esperar da parte de Ezequias, ou da parte do mero poder real terreno.

■ **32.3**

וְלֹא תִשְׁעֶינָה עֵינֵי רֹאִים וְאָזְנֵי שֹׁמְעִים תִּקְשַׁבְנָה:

Os olhos dos que veem não se ofuscarão. Olhos e ouvidos estariam abertos para o Mestre e suas lições, em contraste com Is 29.9 ss., onde há várias metáforas que falam da cegueira judicial e da surdez das pessoas que sofrem. Quanto à reversão de condições anteriores, ver também Is 29.18; 35.5 e 42.7. Essas pessoas receberiam, aceitariam e aplicariam as instruções divinas. Está em vista a era do reino de Deus, e não o sucesso do evangelho no mundo.

O conhecimento do Senhor será universal, e não meramente obterá sucesso em Israel. Ver Is 11.9. Jerusalém será a capital religiosa do mundo, e dali emanará o conhecimento de Deus (ver Is 24.23).

■ **32.4**

וּלְבַב נִמְהָרִים יָבִין לָדָעַת וּלְשׁוֹן עִלְּגִים תְּמַהֵר לְדַבֵּר צָחוֹת:

O coração dos temerários saberá compreender. Até os *insensatos* terão bom juízo. E os deficientes, que tinham impedimentos na fala, sairão ao redor falando sobre a glória do Rei com toda a eloquência, e ensinando a outras pessoas. A sabedoria deixará de ser a possessão de alguns. Expressões eloquentes deixarão de ser a habilidade de poucos. Em comparação aos habitantes da nova era, os sábios de eras anteriores serão uns tolos; e os eloquentes como gagos, em comparação aos mestres da era futura do reino de Deus. O versículo fala do elevado nível, espiritual e intelectual dos homens na era do reino. Será um tempo em que a sabedoria e a erudição avançarão tremendamente.

■ **32.5**

לֹא־יִקָּרֵא עוֹד לְנָבָל נָדִיב וּלְכִילַי לֹא יֵאָמֵר שׁוֹעַ:

Ao louco nunca mais se chamará nobre. De fato, haverá pessoas tolas e perversas na era do reino, mas elas não terão honras, estarão em minoria e viverão sob estrito controle. O pecador morrerá aos 100 anos de idade (ver Is 65.20), ou seja, *por causa* de seus pecados, seja por acidente, seja por enfermidade. Mas isso será uma exceção do que acontecerá normalmente. Esse tempo será revertido quando o bem for chamado de mal, e o mal for chamado de bem. Ver Is 5.20. Os homens não mais andarão de cabeça para baixo. Diz o Targum: "Os ímpios não mais serão chamados justos, e os que transgredirem não mais serão chamados poderosos", porquanto essas são *avaliações falsas e perversas* que glorificam o pecado e degradam a retidão.

■ **32.6**

כִּי נָבָל נְבָלָה יְדַבֵּר וְלִבּוֹ יַעֲשֶׂה־אָוֶן לַעֲשׂוֹת חֹנֶף וּלְדַבֵּר אֶל־יְהוָה תּוֹעָה לְהָרִיק נֶפֶשׁ רָעֵב וּמַשְׁקֶה צָמֵא יַחְסִיר:

Porque o louco fala loucamente. A mente do profeta retorna ao seu próprio tempo e contrasta isso com o ideal da era do reino de Deus. Agora mesmo os tolos dizem tolices e são louvados por isso; agora mesmo homens maus cozem pratos intragáveis para que comam a sua sopa envenenada; agora mesmo os ímpios, homens malignos de todas as sortes, praticam abertamente os seus crimes sem vergonha alguma, até mesmo crimes de sangue; agora mesmo falsos mestres proferem doutrinas falsas contrárias à hígida doutrina de Yahweh. Alguns deles até fazem de Deus o inspirador de sua iniquidade; agora mesmo homens iníquos deixam os famintos com fome, e os sedentos com sede. Em outras palavras, as coisas estão erradas e provocam desastres, enquanto os bons sentam-se timidamente por ali e permitem que sejam feitas coisas ousadas, com pouco ou nenhum protesto. Os ímpios estão cheios de zelo, mas os retos estão cheios de temores. Cf. Pv 15.2,7,14.

■ **32.7**

וְכֵלַי כֵּלָיו רָעִים הוּא זִמּוֹת יָעָץ לְחַבֵּל עֲנָוִים בְּאִמְרֵי־שֶׁקֶר וּבְדַבֵּר אֶבְיוֹן מִשְׁפָּט:

Também as armas do fraudulento são más. Prossegue o catálogo de pecados dos perversos. Os indivíduos malignos são cheios de maquinações para criar confusão e obter vantagens para si mesmos. Apreciam ferir o próximo, mesmo quando isso não resulta em benefício próprio. Arruínam os pobres e tomam o pouco de dinheiro e as poucas propriedades que eles possuem. Não hesitam em faltar com a verdade para obter o que querem. Apresentam casos fraudulentos em tribunal e dão falso testemunho. Subornam juízes e testemunhas para obter vantagens através dos meios legais. E mesmo quando o pleito de um homem necessitado é obviamente justo, as autoridades preferem receber dinheiro da parte dos maus e julgar com perversidade. Ver no *Dicionário* e em Pv 15.27 o verbete denominado *Suborno*.

■ **32.8**

וְנָדִיב נְדִיבוֹת יָעָץ וְהוּא עַל־נְדִיבוֹת יָקוּם: פ

Mas o nobre projeta cousas nobres. Em contraste com os perversos e insensatos dos vss. 6 e 7, temos o homem nobre, que *projeta* coisas nobres. Agindo assim, ele continuará vivendo. A ele será dada vida longa, a fim de que possa continuar a praticar o bem, servir ao próximo e cumprir a lei do amor. Ver no *Dicionário* o verbete chamado *Amor*. Em contraste, até mesmo na futura era do reino de Deus, o homem mau terá morte prematura. Diz o Targum: "Os justos consultam a verdade e nela permanecem ", fazendo deste versículo uma referência ao ensino e à prática da justiça.

MULHERES FRÍVOLAS ADVERTIDAS SOBRE O DESASTRE (32.9-14)

■ **32.9**

נָשִׁים שַׁאֲנַנּוֹת קֹמְנָה שְׁמַעְנָה קוֹלִי בָּנוֹת בֹּטְחוֹת הַאְזֵנָּה אִמְרָתִי:

Levantai-vos, mulheres que viveis despreocupadamente. É difícil associar estes versículos à era do reino, e é melhor não tentar encontrar uma maneira de fazer essa ligação. No vs. 15 voltaremos à "era vindoura", com suas bênçãos e vantagens. Antes, em Is 36.16—4.1, o profeta apresentou uma diatribe contra os seguidores da última moda em Jerusalém, denunciando a arrogância, a luxúria insensata e o mundanismo de tais pessoas. Aqui, estão em mira as mulheres que dançavam na festa da colheita, pois realizavam sua "arte" em meio a lascívia e gaiatice. Este oráculo parece ter pertencido ao início do ministério de Isaías, quando ele proclamava desastre incondicional. Cf. Is 5.5,6 e 6.11-13. O ponto desta seção é que seria melhor que se lamentassem aqueles que celebravam festividades com tanto entusiasmo, por causa dos desastres que sobreviriam a Israel e a Judá com os ataques dos assírios e dos babilônios.

Vós, filhas, que estais confiantes. As descuidadas mulheres de Israel (Judá) são chamadas para *ouvir* e obedecer à palavra do profeta. Ali elas se entregavam ao lazer e, quando estavam ativas, dançavam nas festividades; mas logo chegaria o tempo de fugir. Este versículo tem um tom da literatura de sabedoria. Ver Pv 4.20 e 19.20. Cf. Sl 64.1, onde há uma nota de sumário sobre a questão do ouvir e do obedecer espiritual. Aqui temos um "discurso dirigido às mulheres de Jerusalém, que pouco se importavam em dar atenção aos sinais políticos daqueles tempos perturbados, mas viviam uma vida de autoindulgência (3.16-23)" (Fausset, *in loc.*).

32.10

יָמִים֙ עַל־שָׁנָ֔ה תִּרְגַּ֖זְנָה בֹּֽטְח֑וֹת כִּ֚י כָּלָ֣ה בָצִ֔יר אֹ֖סֶף בְּלִ֥י יָבֽוֹא׃

Porque daqui a um ano e dias vireis a tremer, ó mulheres. Aquelas mulheres se alegravam por avivar o tempo da colheita com suas canções e danças, pois, quando não estavam ativas, era isso o que faziam. Pouco sabiam que, dentro de breve tempo, a colheita falharia, e então haveria lamentos, e não regozijo.

> *Vós, mulheres, senti-vos seguras agora, mas dentro de um ano estareis com medo. Não haverá a vindima. E nem haverá fruto do verão para ser colhido.*
>
> NCV

A referência a *um ano e dias* é vaga, e nenhum período histórico exato pode ser determinado com certeza. Se está em pauta um *breve tempo*, podemos ver tanto o ataque dos assírios quanto o dos babilônios. A tradução de algumas versões, como a da *King James Version*, "muitos dias e anos", não está correta. O original hebraico quer dizer "em pouco mais de um ano". Talvez esteja em foco o ataque assírio de 701 a.C. (ver 2Rs 19). Mas Kimchi diz aqui: "dias sobre um ano, ano após ano", que denota longo tempo, talvez uma referência aos setenta anos do cativeiro babilônico. Mas não parece ser esse o sentido aqui e, como é óbvio, o texto nada tem a ver com os romanos.

32.11

חִרְד֣וּ שַֽׁאֲנַנּ֔וֹת רְגָ֖זָה בֹּֽטְח֑וֹת פְּשֹׁ֣טָֽה וְעֹ֔רָה וַחֲג֖וֹרָה עַל־חֲלָצָֽיִם׃

Tremei, mulheres que viveis despreocupadamente. Aquelas mulheres despreocupadas são aqui convidadas a *tremer*, em vez de *dançar* ou de estar à vontade; elas são chamadas a deixar sua complacência, o que não era *congruente* com a crise que se aproximava. Elas são convocadas a parar as danças que excitavam a concupiscência masculina, mas que se desnudassem e vestissem apenas uma peça de pano de saco amarrada à cintura. Isso porque a nudez da lamentação era mais apropriada às circunstâncias do que a nudez da concupiscência. Ver no *Dicionário* e em Is 3.24 o artigo chamado *Pano de Saco*. Aquelas mulheres deveriam ter-se despido de suas vestes alegres e luxuosas com as quais dançavam, a fim de cobrir-se com o pano de saco da lamentação.

> *Tirai vossas belas vestes e vesti pano de cilício sobre a cintura.*
>
> NCV

32.12

עַל־שָׁדַ֖יִם סֹֽפְדִ֑ים עַל־שְׂדֵי־חֶ֔מֶד עַל־גֶּ֖פֶן פֹּרִיָּֽה׃

Baterão no peito por causa dos campos aprazíveis. Outros *sinais de lamento* eram próprios para a ocasião, como bater no peito, em consternação, por causa do fracasso da colheita. Em vez de dançar com os seios meio descobertos, para atrair a atenção de qualquer cão que passasse, elas deveriam bater no peito para mostrar que o desastre as havia atingido. Há um habilidoso jogo de palavras aqui, entre *shadaim* (peitos) e *sedeey* (campos). As pancadas no peito seriam a lamentação por causa dos *campos,* que nada haviam produzido. O peito é para a nutrição dos infantes; os campos eram para a nutrição de todos, e aí está o paralelismo do jogo de palavras. Quanto a pancadas no peito como sinal de consternação e lamentação, ver Na 2.7; Lc 18.13 e 23.48.

32.13

עַ֚ל אַדְמַ֣ת עַמִּ֔י ק֥וֹץ שָׁמִ֖יר תַּֽעֲלֶ֑ה כִּ֚י עַל־כָּל־בָּתֵּ֣י מָשׂ֔וֹשׂ קִרְיָ֖ה עַלִּיזָֽה׃

Sobre a terra do meu povo virão espinheiros e abrolhos. Os campos férteis e as vinhas produtivas em breve se transformariam em desolação. E onde antes havia cereais de boa qualidade e uvas suculentas, nada existiria além de espinheiros e abrolhos. Nem homens nem animais seriam capazes de alimentar-se de espinheiros e sarças, pelo que fome generalizada resultaria.

As casas onde há alegria. Esta pode ser uma referência aos *bordéis*, que mulheres descuidadas faziam funcionar em busca de lucro e diversão. A aproximação dos invasores estrangeiros poria fim a tal coisa. Então Jerusalém, também apresentada aqui como uma cidade que "exultava", lugar de descuidos e prazeres libidinosos, seria pisada aos pés. Os julgamentos divinos arrancariam da cidade toda a sua vivacidade. Alguns estudiosos, porém, fazem as "casas de alegria" referirem-se às mais de *quarenta cidades* de Judá que Senaqueribe tinha destruído antes de chegar à "cidade que exulta", Jerusalém. John Gill (*in loc.*) entendia essas casas como as residências dos ricos, dos nobres, dos abastados. O país inteiro se entregara abertamente ao hedonismo, e as moradias se tornaram centros de prazeres, como o alcoolismo, as festas e a moral baixa. Ver Is 24.7-12 e 28.7 ss.

32.14

כִּֽי־אַרְמ֣וֹן נֻטָּ֔שׁ הֲמ֥וֹן עִ֖יר עֻזָּ֑ב עֹ֣פֶל וָבַ֗חַן הָיָ֤ה בְעַד֙ מְעָר֔וֹת עַד־עוֹלָ֖ם מְשׂ֣וֹשׂ פְּרָאִ֑ים מִרְעֵ֥ה עֲדָרִֽים׃

O palácio será abandonado, a cidade populosa ficará deserta. *Desolação* é a palavra-chave deste versículo. Também poderia estar em pauta a cidade de Samaria, quando os assírios mataram e saquearam, e levaram para a Assíria os poucos sobreviventes da matança. Ou poderia haver aqui alusão à destruição de Jerusalém, pelos babilônios, com a subsequente deportação dos habitantes. Mas as palavras são por demais radicais para descrever o que aconteceu quando Senaqueribe assediou o lugar, mas foi obrigado a retirar-se pela ação do Anjo do Senhor. Alguns estudiosos declaram que este versículo é escatológico, introduzindo ali os romanos ou mesmo a batalha de Armagedom, mas não é esse o significado em pauta aqui. As descrições são radicais: o lugar de governo será demolido; a cidade ficará deserta; onde antes existiam fortificações, haverá cavernas para os animais selvagens, que tomarão conta da área. Quase certamente Jerusalém está em vista aqui, com suas colinas e fortificações.

Para sempre. Não no sentido absoluto, mas com o sentido de "por longo tempo". Nem Samaria nem Jerusalém foram abandonadas permanentemente.

O DOM TRANSFORMADOR DO ESPÍRITO NO PORVIR (32.15-20)

32.15

עַד־יֵעָרֶ֨ה עָלֵ֥ינוּ ר֖וּחַ מִמָּר֑וֹם וְהָיָ֤ה מִדְבָּר֙ לַכַּרְמֶ֔ל וְכַרְמֶ֖ל לַיַּ֥עַר יֵחָשֵֽׁב׃

Até que se derrame sobre nós o Espírito lá do alto. Agora, de súbito, somos novamente transportados à futura era do reino, e é provável ser este um oráculo dado muito mais tardiamente do que aquilo que acabamos de considerar (vss. 9-14), que nada tinha a ver com o milênio. Tal como o Pentecoste do início do cristianismo, a época áurea será caracterizada pelo derramamento especial do Espírito Santo, que transformará todas as coisas. "Tal como na promessa do novo pacto (ver Jr 31.31-34), o novo ato gracioso de Deus, nos últimos dias, abrirá o caminho para o povo de Deus satisfazer as demandas morais indispensáveis para que se cumpra a verdadeira felicidade" (R. B. Y. Scott, *in loc.*).

"Depois de haver falado sobre as desolações de Judá (vss. 9-14), Isaías descreveu o tempo da bênção futura sobre a terra e sobre o povo de Israel (vss. 15-20). Aquele grandioso período, o milênio, virá depois que o Espírito Santo for derramado (cf. Is 44.3)" (John S. Martin, *in loc.*).

Haverá Outro Pentecoste. A repetição do batismo no Espírito Santo assinalará a vinda da era do reino de Deus, que será a principal explicação dos acontecimentos e das condições revolucionárias. Encontramos o mesmo tipo de predição em outros profetas. Ver Ez 36.26,27; 37.14; Jl 2.28,29; Zc 12.10. O resultado será uma *compulsão interior* para fazer a vontade de Deus (ver Ez 36.27). O Espírito Santo será derramado sobre Israel e, através desse povo, aos gentios (ver Mq 5.7), seguindo o padrão da era da igreja primitiva.

O Poder Atingirá a Natureza. O deserto florescerá como a rosa (ver Is 35.1). A esterilidade de Israel será revertida, material e espiritualmente. Haverá campos férteis onde antes havia grandes extensões de terra estéril; e os campos frutíferos se tornarão como densas florestas, tão abundantes de árvores ficarão. Os comentaristas dão interpretações tanto materiais quando espirituais a este versículo. A abundância da natureza será equiparada à abundante vida espiritual da qual os habitantes da terra (como se fossem uma densa floresta) participarão.

■ 32.16-18

וְשָׁכַן בַּמִּדְבָּר מִשְׁפָּט וּצְדָקָה בַּכַּרְמֶל תֵּשֵׁב:

וְהָיָה מַעֲשֵׂה הַצְּדָקָה שָׁלוֹם וַעֲבֹדַת הַצְּדָקָה הַשְׁקֵט וָבֶטַח עַד־עוֹלָם:

וְיָשַׁב עַמִּי בִּנְוֵה שָׁלוֹם וּבְמִשְׁכְּנוֹת מִבְטַחִים וּבִמְנוּחֹת שַׁאֲנַנּוֹת:

O juízo habitará no deserto, e a justiça morará no pomar. O *juízo* será o fator controlador; a *justiça* será a causa da fertilidade e da plenitude material e espiritual referida no vs. 15. Cf. Is 9.7; 11.4; 16.6 e 33.5. Então a *paz* e o *repouso* (vs. 17) acompanharão toda a vida e existência. Em outras palavras, será atingida, pelo mundo inteiro, uma utopia, ou seja, *condições ideais*. Assim sendo, a segurança reinará depois de tão longo período de paz e temor, criado pelos crimes ultrajantes que havia então, depois de pecados e violência intermináveis. Então a salvação temporal e espiritual de Deus acompanhará as nações. Ver Am 9.15; Mq 4.4; Zc 3.10 e 14.11. Ver no *Dicionário* o artigo chamado *Milênio*.

"A retidão, cultivada pela paz, produzirá tranquilidade mental e segurança permanente" (Adam Clarke, *in loc.*). Cf. Pv 14.34 e Tg 3.18. "O quadro descrito é o de uma terra sorridente, de um povo temente a Deus e feliz, tudo em notável contraste com o pânico e o desassossego com os quais o povo estivera tão familiarizado" (Ellicott, *in loc.*).

O governo do reino de Deus será caracterizado pela *paz* e pela *segurança*. Israel ("o meu povo") estará seguro e gozará paz, finalmente. Pense só no que serão as coisas quando Israel não mais tiver temor de ser invadido ou atacado por alguma nação vizinha! Judeus e gentios, juntamente com todos os santos, viverão em paz e amor uns pelos outros. Não haverá mais ultrajes e perseguições" (John Gill, *in loc.*).

> O amor concede em um momento o que o trabalho não daria em uma era.
>
> Goethe

■ 32.19

וּבָרַד בְּרֶדֶת הַיָּעַר וּבַשִּׁפְלָה תִּשְׁפַּל הָעִיר:

Ainda que haja saraivada, caia o bosque. Este versículo, tão fora de harmonia com o contexto, tem deixado os intérpretes perplexos, pelo que chegamos a várias conjecturas sobre por que ele foi posto aqui, e o que significa. Consideremos estes pontos:

1. Frequentemente os oráculos eram compilações de materiais e, ocasionalmente, os compiladores simplesmente deslocavam alguma coisa de lugar. Esse é o caso aqui. "O vs. 19 está corrompido... e claramente fora de lugar" (R. B. Y. Scott, *in loc.*).
2. Ou então Isaías, descrevendo a utopia da época áurea, de súbito se distraiu por algum pensamento que contrastava com a sua descrição. Portanto, ele retratou, uma vez mais, os terrores que Jerusalém estava enfrentando quando ele escreveu esta passagem. Sob o poder da saraiva (a saraivada), a *floresta* dos habitantes de Jerusalém seria derrubada. Isso concorda com a seção dos vss. 9-14. Mas a *cidade,* neste caso, quase certamente é Jerusalém, e não Nínive. Alguns veem a Babilônia, ou *escatologicamente* a *cidade mundial* que se opunha a Israel, que teria de ser derrubada antes do estabelecimento da nova era. A Babilônia mística, Roma, é vista aqui por alguns intérpretes.
3. Somos relembrados da praga de chuva de pedras que foi enviada contra os egípcios (ver Êx 9.23-26). Essa saraivada derrubou tanto homens quanto animais. Toda a vegetação foi quebrada, incluindo as árvores. "Quando o inimigo for ferido com tribulações variegadas, então o povo de Deus habitará em quietude (vs. 18)" (Fausset, *in loc.*). Se essa é a intenção do versículo, ele faz parte integral do contexto, e não é um pensamento fugidio de Isaías. Cf. este versículo com Ap 8.7.

■ 32.20

אַשְׁרֵיכֶם זֹרְעֵי עַל־כָּל־מָיִם מְשַׁלְּחֵי רֶגֶל־הַשּׁוֹר וְהַחֲמוֹר: ס

Bem-aventurados vós os que semeais junto a todas as águas. *A Bem-aventurança da Era do Reino.* O profeta, deixando para trás a tempestade do vs. 19, por meio da qual tinha sido temporariamente distraído, retornou à utopia que ele vinha retratando. Haverá, durante o milênio, grande fertilidade e abundância (vs. 15). A desgraça dos desertos ressecados e das terras estéreis será revertida. O agricultor, em seu ambiente idílico, calmamente plantará suas plantações perto de águas abundantes, e não se preocupará com secas e falta de chuvas... Haverá abundância de paz. Cada indivíduo terá terras em abundância, e todas as terras serão férteis e boas tanto como pastos como para ali se fazerem plantações. Animais domesticados serão libertados para vaguear por onde quiserem, pois por onde quer que vaguearem encontrarão bom pasto. "O quadro de uma boa era para a agricultura recebe aqui seu toque final. A terra toda será irrigada por riachos que fluirão calmamente, e os homens lançarão sua semente por ali, e os bois e os jumentos puxarão os arados em uma terra rica e fértil. A terra inteira será arada, e não haverá nem espinhos e nem abrolhos" (Ellicott, *in loc.*).

CAPÍTULO TRINTA E TRÊS

A RECOMPENSA DE DEUS (33.1—35.10)

Os capítulos 33—35 do livro de Isaías são bastante diferentes dos capítulos 28—32, quanto ao estilo e ao conteúdo. Em vez dos usuais oráculos relativamente breves, temos longas composições, e os críticos supõem que um autor diferente tenha escrito esse trecho, talvez o segundo ou o terceiro Isaías (alegados autores dos capítulos 40—66 do livro de Isaías). Quanto à unidade do livro, ver a seção III, onde discuto esses tipos de problemas.

Um "ai" é proferido contra inimigos não identificados, e várias conjecturas são feitas pelos intérpretes que menciono ao longo da exposição. O capítulo 33 aparece na forma de uma liturgia que pode ter sido usada nos cultos do templo, liderados por algum profeta. Cf. Jr 14.2; 18.20. Temos aqui, combinados, petições e oráculos. Cf. Sl 46 e 85.

LITURGIA PROFÉTICA DE PETIÇÃO (33.1-24)

Isso resulta em dois movimentos (vss. 1-6; vss. 7-16) e uma conclusão (vss. 17-24). O primeiro movimento contém uma declaração do tema, na forma de reprimenda profética (vs. 1), e é seguido pela oração de petição, feita pela congregação (vs. 2). Em seguida, há um oráculo de promessa que foi dado em resposta à oração (vss. 3-6).

O profeta atuou como porta-voz do povo. Cf. Is 37.4; Am 7.2,5 e Jr 18.20; 27.18.

O Primeiro Movimento (33.1-6)

■ **33.1**

הוֹי שׁוֹדֵד וְאַתָּה לֹא שָׁדוּד וּבוֹגֵד וְלֹא־בָגְדוּ בוֹ
כַּהֲתִמְךָ שׁוֹדֵד תּוּשַּׁד כַּנְּלֹתְךָ לִבְגֹּד יִבְגְּדוּ־בָךְ: ס

Ai de ti destruidor, que não foste destruído. Considere o leitor estes três pontos:

1. Foi repreendido o *destruidor*, termo usado para indicar a Babilônia, em Is 21.2, mas que aqui não é identificado. O destruidor também é um *traidor*. Contudo, ele não foi destruído imediatamente e continuou seus atos de traição. Ele agiu *perfidamente*, mas não agiram perfidamente com ele. O dia da prestação contudo chegaria: ele seria destruído, traído e agiriam de forma desleal com ele.
2. Talvez o destruidor aqui seja o império assírio, enquanto Judá representaria os traidores, que queriam formar aliança com o Egito contra os assírios, violando assim o mandamento de Deus. O destruidor seria destruído em Jerusalém (ver 2Rs 19.35-37); e os traidores seriam traídos pelos egípcios, que não cumpririam as suas promessas. "Deus permitiu que vocês fizessem o pior, executando os *seus planos*. A vez de vocês chegará. Cf. Is 10.12; 14.2; Hb 2.8 e Ap 13.10. Ver Is 13.6 quanto ao ensino de que é Deus quem está por trás dos acontecimentos do mundo.
3. A interpretação escatológica que faz a cidade ser a Babilônia mística (Roma) está fora do lugar.

■ **33.2**

יְהוָה חָנֵּנוּ לְךָ קִוִּינוּ הֱיֵה זְרֹעָם לַבְּקָרִים אַף־יְשׁוּעָתֵנוּ
בְּעֵת צָרָה:

Senhor, tem misericórdia de nós. A reação da congregação foi uma oração. O pedido foi que o Deus Eterno (Yahweh) se mostrasse gracioso para com eles, em face de inimigos que queriam destruí-los. Eles estavam esperando a *intervenção divina* de que tanto precisavam. Yahweh seria o *braço* deles, o instrumento de defesa e o poder de ataque, pois, do contrário, eles estariam perdidos. E ele precisava estar ali todos os dias, *todas as manhãs*. Ver sobre *braço*, em Sl 77.15; 89.10; 98.1. A fé se transformou em oração, e a oração evocou uma espera anelante pela fonte de poder.

A nossa salvação no tempo da angústia. Temos aqui as ideias de livramento das mãos do inimigo; de segurança da terra; de prosperidade sob a relação do pacto. Ver sobre a salvação e sobre o Deus da salvação, em Sl 3.3,8; 9.14; 18.46; 38.22; 50.23; 62.1,2,7; 79.9; 85.4; 119.74; 140.7; 149.4. As notas de sumário são dadas em Is 62.2. Ver também no *Dicionário* o artigo chamado *Salvação*.

■ **33.3**

מִקּוֹל הָמוֹן נָדְדוּ עַמִּים מֵרוֹמְמֻתֶךָ נָפְצוּ גּוֹיִם:

Ao ruído do tumulto fogem os povos. Agora temos um *oráculo profético que contém uma promessa* e corresponde à oração feita pela congregação (vss. 3-6). O porta-voz era o profeta. O oráculo declara a condenação iminente do inimigo. Yahweh os atacará como uma tempestade e fará um barulho horrendo que os deixará trêmulos. A voz poderosa de Deus fará o povo correr de medo. Eles perceberão a grandeza de Deus e fugirão tão rápido quanto for possível. A menção às *nações* pode significar que a profecia, pelo menos em parte, é escatológica, a ser cumprida antes da inauguração da era do reino. Sião será restaurada (vs. 5), e isso pode significar a mesma coisa. Ou então estão em vista a Assíria e a Babilônia, e a restauração seria aquela que houve depois do cativeiro babilônico.

■ **33.4**

וְאֻסַּף שְׁלַלְכֶם אֹסֶף הֶחָסִיל כְּמַשַּׁק גֵּבִים שׁוֹקֵק בּוֹ:

Então ajuntar-se-á o vosso despojo como se ajuntam as lagartas. Yahweh atacaria os inimigos de Israel (Judá) como as lagartas e os gafanhotos destroem as plantações, chegando aos milhões e consumindo tudo quanto estiver no caminho. Essas pragas aterrorizavam os homens. Não havia defesa contra elas. Ver no *Dicionário* o verbete intitulado *Praga de Gafanhotos*, quanto a uma vívida ilustração sobre a questão. O Targum retrata o povo de Judá a ir ao acampamento dos assírios obter despojos, depois que o Anjo do Senhor matou aqueles 185 mil homens, vendo-os como uma massa de gafanhotos. Cf. Êx 10.1-20, a praga dos gafanhotos no Egito. Ver no *Dicionário* o artigo chamado *Pragas do Egito*. Os gafanhotos foram a oitava praga que atingiu o Egito.

■ **33.5**

נִשְׂגָּב יְהוָה כִּי שֹׁכֵן מָרוֹם מִלֵּא צִיּוֹן מִשְׁפָּט וּצְדָקָה:

O Senhor é sublime, pois habita nas alturas. Yahweh é o Poder exaltado nas alturas e está por trás dos eventos da história (ver Is 13.6 quanto a notas expositivas). Deus livra Israel de seus inimigos e enche Sião de justiça. Jerusalém se tornará a capital política e espiritual do mundo, durante a era do reino de Deus (ver Is 24.23). Portanto, há muitos poderosos acontecimentos mundiais predestinados para o futuro. Cf. este versículo com Is 9.7; 11.4; 16.5 e 32.16. "A visão do vidente incluía a Cidade Ideal de Deus, Yahweh habitando no alto, em seu santo templo, e a cidade, pelo menos, foi cheia de juízo e retidão" (Ellicott, *in loc.*). Cf. também Ap 11.5; 15.1,2 e 19.1,2.

■ **33.6**

וְהָיָה אֱמוּנַת עִתֶּיךָ חֹסֶן יְשׁוּעֹת חָכְמַת וָדָעַת יִרְאַת
יְהוָה הִיא אוֹצָרוֹ: ס

Haverá, ó Sião, estabilidade nos teus tempos. Israel será estabilizado, e outro tanto sucederá ao mundo inteiro, e os poderes que realizarão isso são a abundância de salvação (material e espiritual, proteção e espiritualidade), sabedoria e conhecimento. E o *temor do Senhor* (a expressão do Antigo Testamento que indica *espiritualidade*) governará todas as coisas. Quanto a isso, ver no *Dicionário* o artigo denominado *Temor* e também as notas expositivas de sumário em Sl 119.38 e Pv 1.7. Cf. também Pv 15.33. Esse temor é o *tesouro* de Israel, o que empresta *valor* à nação. As riquezas materiais serão grandes, mas o profeta encontra verdadeiro valor no caráter espiritual do povo. Cf. Mt 6.33: "Buscai, pois, em primeiro lugar, o seu reino e a sua justiça, e todas estas coisas vos serão acrescentadas". Ver também Pv 1.1-4.

O Segundo Movimento (33.7-16)

■ **33.7**

הֵן אֶרְאֶלָּם צָעֲקוּ חֻצָה מַלְאֲכֵי שָׁלוֹם מַר יִבְכָּיוּן:

Eis que os seus heróis pranteiam de fora. "Os habitantes de Judá que pensavam poder obter a *paz* através de uma aliança (ver sobre os embaixadores em Is 30.4,6) chorariam amargamente. O terror dos assírios estaria por toda a parte e os judeus seriam incapazes de viajar pelas estradas por causa do perigo constante" (John S. Martin, *in loc.*). "O clamor era um pedido de *auxílio*, conforme se vê em Is 5.7. Solicitações acompanhavam o choro cerimonial dos sacerdotes entre o altar e o pórtico, fora do santuário" (R. B. Y. Scott, *in loc.*). Da esplendorosa visão sobre o futuro, o profeta retorna agora ao desespero do presente. Homens de autoridade e posição choravam, atrás de ajuda, contra os invasores.

Os seus heróis. "Heróis" significa literalmente "como leões". Cf. 2Sm 23.20. Os melhores homens de Judá tremeram e choraram pedindo ajuda, quando a invasão dos assírios tomou forma.

■ **33.8**

נָשַׁמּוּ מְסִלּוֹת שָׁבַת עֹבֵר אֹרַח הֵפֵר בְּרִית מָאַס עָרִים
לֹא חָשַׁב אֱנוֹשׁ:

As estradas estão desoladas, cessam os que passam por elas. Não havia segurança em lugar algum. As grandes estradas tinham sido destruídas; o perigo ocultava-se por toda a parte na Terra Prometida. Senaqueribe já havia saqueado mais de quarenta cidades de Judá, conforme informam os registros assírios. Ele aceitou o suborno oferecido por Ezequias, e então, logo em seguida, invadiu

Judá, quebrando sua aliança com um ato de traição. Ele tinha desprezado as *cidades* da Judeia (a *King James Version* segue a maior parte dos manuscritos do texto massorético), ou o *testemunho* (*Revised Standard Version*, seguindo um manuscrito). O manuscrito hebraico dos Papiros do mar Morto diz *testemunho*. Existem dois manuscritos hebraicos dos Papiros do mar Morto que dizem *testemunhos*. Há dois manuscritos hebraicos (ambos parciais) e, algumas vezes, eles concordam com as versões (especialmente a Septuaginta), contra o texto massorético padronizado. Ver Is 26.19, onde dou dois exemplos para discutir o significado desse fenômeno. O rei da Assíria não tinha respeito pelos homens em geral, nem pelos testemunhos que validaram o pacto com Ezequias, nem pela própria aliança.

■ **33.9**

אָבַל אֻמְלְלָה אָרֶץ הֶחְפִּיר לְבָנוֹן קָמַל הָיָה הַשָּׁרוֹן
כָּעֲרָבָה וְנֹעֵר בָּשָׁן וְכַרְמֶל׃

A terra geme e desfalece. Este versículo acompanha a rota de destruição do exército assírio. "Lugares nobres" foram nivelados, em total desconsideração pela Terra Prometida e pelo povo de Judá. A terra toda lamentava e definhava. O *Líbano,* local das grandes florestas de cedro, desfalecia; Sarom, a fértil faixa de terra costeira ao sul do monte Carmelo e que se estendia para o interior, chegando às colinas do território da tribo de Efraim, tornou-se um deserto; Basã, outra fértil planície (conforme seu nome significa) a leste do mar da Galileia, lugar de grande produção agrícola e florestas de carvalho (ver Jr 50.19; Is 2.13; Ez 27.6; Mq 7.14; Zc 11.2), perderia suas folhas. Outro tanto se daria à região do monte Carmelo. A produção agrícola cessaria, incluindo a produção de árvores, frutos e azeitonas. O exército assírio transformava a região inteira em uma desolação. Quanto a detalhes, ver sobre cada um desses lugares nos artigos convenientes do *Dicionário*. O *Carmelo,* a "terra frutífera", uma serra conhecida por suas espessas florestas, era bem regado. Mas se tornaria árido, um deserto imenso, típico do que estava acontecendo à área inteira. A fertilidade e a beleza foram obliteradas pelos assírios, fabricantes de desertos.

■ **33.10**

עַתָּה אָקוּם יֹאמַר יְהוָה עַתָּה אֵרוֹמָם עַתָּה אֶנָּשֵׂא׃

Agora me levantarei, diz o Senhor. *Yahweh respondeu ao grito apaixonado* e levantou-se para fazer algo acerca da ameaça assíria. Ver Sl 12.5 e cf. também Sl 3.7. É retratada aqui a *intervenção divina,* sem a qual Judá teria permanecido um deserto perpétuo. Ver nas notas sobre Is 13.6 como o Poder dos céus controla os acontecimentos na terra, sendo ele a causa real das coisas. "A visão da miséria de seu povo despertou Yahweh. Ele tinha permitido que o adversário avançasse o bastante. Temos aqui, no original hebraico, um 'eu' enfático: 'Agora Eu me levantarei'. O próprio Deus faria o que o homem não poderia fazer" (Fausset, *in loc.*). "A necessidade humana, como sempre, foi a oportunidade de Deus" (Ellicott, *in loc.*).

■ **33.11**

תַּהֲרוּ חֲשַׁשׁ תֵּלְדוּ קַשׁ רוּחֲכֶם אֵשׁ תֹּאכַלְכֶם׃

Concebestes palha, dareis à luz restolho. Consideremos aqui estes dois pontos:
1. Judá foi objetivado (conforme alguns supõem) mediante o uso de estranha mistura de metáforas. Os líderes dos judeus que queriam estabelecer aliança com o Egito contra a Assíria tinham "concebido palha" e produzido "restolho", ou seja, tinham dado à luz ao que era inteiramente inútil e desprezível. Coisas assim inúteis serviam somente para o fogo, que limpa e purifica a terra.
2. Mas outros veem aqui um discurso destinado aos assírios. Eles produziriam o que é perfeitamente inútil, reduzindo a terra a um deserto, queimando tudo com seu hálito fervente. Finalmente, porém, eles seriam consumidos pela ira de Yahweh. Essa segunda ideia parece ajustar-se melhor ao contexto, onde Yahweh é apresentado como quem se levantava para intervir nos planos ousados dos invasores. O Targum diz aqui: "Tendes pensado para vós mesmos, ó povo, pensamentos de iniquidade. Tendes praticado más obras, e por esse motivo minha palavra vos destruirá, como um redemoinho faz ao restolho".

■ **33.12**

וְהָיוּ עַמִּים מִשְׂרְפוֹת שִׂיד קוֹצִים כְּסוּחִים בָּאֵשׁ
יִצַּתּוּ׃ ס

Os povos serão queimados como se queima a cal. A ira de Yahweh consumiria a fogo os povos em pauta. Duas imagens de destruição são aqui empregadas. Diz a NCV: "As pessoas serão queimadas até que seus ossos se tornem óxido de cálcio". E então as pessoas se tornariam como espinhos inúteis que para nada servem, exceto para serem queimados como combustível, ou para preparar a terra para o cultivo. Quanto aos ímpios como *espinhos,* ver 2Sm 23.6,7.

■ **33.13**

שִׁמְעוּ רְחוֹקִים אֲשֶׁר עָשִׂיתִי וּדְעוּ קְרוֹבִים גְּבֻרָתִי׃

Ouvi, vós os que estais longe, o que tenho feito. Todas as nações ouviriam o que Yahweh fez aos assírios, e os povos teriam de reconhecer que essa era uma obra poderosa e que a intervenção divina foi muito além do que Judá esperava. Ver 2Rs 19.35-37. A sorte da Assíria serviria de lição internacional sobre como os homens deveriam respeitar Yahweh e temer os seus juízos. As pessoas perguntariam a si mesmas como poderiam resistir àquelas chamas eternas, o fogo que devora (vs. 14). Os povos teriam de reconhecer Elohim, o Poder, como força ativa por toda a parte, recompensando a justiça e punindo o mal. Aleluia, pois Yahweh-Elohim reina (ver Ap 19.9)! Cf. este versículo com Is 34.1. O oráculo foi proferido, e seu cumprimento era certo.

■ **33.14**

פָּחֲדוּ בְצִיּוֹן חַטָּאִים אָחֲזָה רְעָדָה חֲנֵפִים מִי יָגוּר
לָנוּ אֵשׁ אוֹכֵלָה מִי־יָגוּר לָנוּ מוֹקְדֵי עוֹלָם׃

Os pecadores em Sião se assombram, o tremor se apodera dos ímpios. *Chamas Eternas e Devoradoras.* Cf. Is 30.27-33. O conceito do fogo eterno no hades (inferno) atormentando para sempre as almas sem dúvida desenvolveu-se por reflexão de passagens como estas, embora na época ainda não houvesse desenvolvimento de uma doutrina de recompensa ou castigo no além-túmulo. Ver Dn 12.2, onde essa doutrina entra na teologia hebraica em forma de semente. As notas em Is 30, especialmente nos vss. 28 e 33, dão panos de fundo e comentários detalhados sobre a questão. O rio de fogo mencionado em 1Enoque tornou-se o lago de fogo do livro de Apocalipse. As chamas do inferno foram acesas pela primeira vez no livro de 1Enoque. Essa ideia dos livros pseudepígrafos foi então incorporada à teologia do Novo Testamento, em alguns de seus versículos.

O ensino desta passagem é a ira inexorável de Deus contra os assírios, que queimaria como um fogo que não poderia ser apagado e contra o qual não haveria como resistir. Mas essa ira também se estenderia aos pecadores em Sião que ansiavam por firmar aliança com o Egito, em lugar de ceder à mensagem do profeta de que se deveria confiar exclusivamente em Yahweh. "O terror do Senhor consumiria não somente o inimigo externo, mas também os infiéis e desleais dentre o seu próprio povo" (R. B. Y. Scott, *in loc.*).

"Um inferno literal de fogo é um horrível conceito que se adapta mal à revelação dada por Cristo sobre a natureza de Deus. Não obstante, a *metáfora* de fogo tem uma força inescapável" (G. G. D. Kilpatrick, *in loc.*).

■ **33.15,16**

הֹלֵךְ צְדָקוֹת וְדֹבֵר מֵישָׁרִים מֹאֵס בְּבֶצַע מַעֲשַׁקּוֹת
נֹעֵר כַּפָּיו מִתְּמֹךְ בַּשֹּׁחַד אֹטֵם אָזְנוֹ מִשְּׁמֹעַ דָּמִים
וְעֹצֵם עֵינָיו מֵרְאוֹת בְּרָע׃

הוּא מְרוֹמִים יִשְׁכֹּן מְצָדוֹת סְלָעִים מִשְׂגַּבּוֹ לַחְמוֹ נִתָּן
מֵימָיו נֶאֱמָנִים׃

O que anda em justiça, e fala o que é reto. Em contraste com pecadores estrangeiros e domésticos, está o homem que caminha retamente, em conformidade com a lei mosaica, que era o guia dos judeus em questões morais e espirituais (ver Dt 6.4 ss.). Tal homem despreza todas as formas de opressão e injustiça; ele nada tem a ver com subornos, seja para dar, seja para receber. Além disso, tal homem promove a paz e odeia qualquer tipo de violência, seja da guerra seja dos crimes pessoais que os homens cometem uns contra os outros. E ele também não contempla o mal. Esse homem habitará seguramente com Yahweh em sua moradia celeste (vs. 16) e receberá sua orientação, ajuda e benefício. Ele se torna distinto entre os homens (ver Dt 4.4-6). Não é como os que atraem as chamas dos julgamentos de Deus como retribuição pelos males que praticam. Ele viverá em segurança e desfrutará das bênçãos divinas (ver Is 33.16).

Ademais, Yahweh será o seu alimento (*pão*, fonte de benefícios materiais e espirituais). O Senhor também será o seu *Refúgio* (ver no *Dicionário* e em Sl 46.1). Yahweh será sua *Rocha* (ver a respeito no *Dicionário*), sua fortaleza de segurança e proteção. "aquele que quiser ser o convidado de Yahweh e desfrutar a segurança de sua casa, deve aceitar as regras da família" (G. G. D. Kilpatrick, *in loc.*). A aplicação primária daquele versículo é àqueles que obedecessem aos mandamentos do profeta e não se envolvessem na aliança com o Egito contra a Assíria. Mas esses versículos se aplicam a todas as situações.

"Esse quadro sobre o homem reto é como um eco dos Salmos 16 e 24" (Ellicott, *in loc.*). Ver no *Dicionário* o artigo chamado *Andar*, quanto a essa metáfora espiritual.

Este habitará nas alturas. Está em foco a habitação de Yahweh, a qual ele convida os homens a compartilhar com ele. Mas isso é uma metáfora. A doutrina dos hebreus ainda não tinha desenvolvido o conceito de um "céu" para os justos, depois da morte biológica.

Conclusão (Promessas) (33.17-24)

■ **33.17**

מֶ֤לֶךְ בְּיָפְיֹו֙ תֶּחֱזֶ֣ינָה עֵינֶ֔יךָ תִּרְאֶ֖ינָה אֶ֥רֶץ מַרְחַקִּֽים׃

Os teus olhos verão o rei na sua formosura. O homem convidado a habitar com Yahweh nas *alturas* veria o Rei em sua beleza. De seu lugar elevado, ele seria capaz de ver aquela terra que estava distante, a Terra Prometida da era do reino de Deus, tal como Moisés tinha dado uma boa espiada na Terra Prometida, estando no monte *Pisga*. Ver sobre esse monte no *Dicionário* e em Nm 21.20; 23.14; Dt 3.27; 34.1. Cf. também Sl 2.1-8. Tal homem teria uma espécie de *visão beatífica* (ver na *Enciclopédia de Bíblia, Teologia e Filosofia*), não aquela dada no nível da alma, mas dada durante o milênio, a época áurea. Quanto ao Rei Messias, ver Is 32.1; 33.22, 43.15; Mq 2.13; Sf 3.15; Zc 14.9. Alguns estudiosos supõem que o Messias será fisicamente visível durante o milênio e reinará literalmente em Sião. Mas outros pensam que temos aqui uma linguagem figurada. Sua presença espiritual estará ali. Ele exercerá o controle das coisas. Ver Is 13.6, quanto ao princípio da Regra divina que controlará os eventos deste mundo. O Targum diz: "Teus olhos verão a glória shekinah do Rei dos Séculos". Ezequias, o tipo de rei messiânico, pode ser a referência história, mas a descrição ultrapassa o rei messiânico.

■ **33.18**

לִבְּךָ֖ יֶהְגֶּ֣ה אֵימָ֑ה אַיֵּ֤ה סֹפֵר֙ אַיֵּ֣ה שֹׁקֵ֔ל אַיֵּ֖ה סֹפֵ֥ר אֶת־הַמִּגְדָּלִֽים׃

O exército estrangeiro *será vencido*. Aquele que cobrava tributos desaparecerá. Aquele que construiu fortificações e destruiu as fortificações de outros; aquele que contava as torres do inimigo para ver quanta força seria necessária para capturar, matar os seus habitantes e saquear, não mais aparecerá em sua missão dilapidadora. O *terror* porá fim a todos esses opressores. Em vez de "torres", alguns estudiosos, mediante leve emenda, dão "coisas preciosas", ou seja, aqueles que estariam sujeitos ao saque; mas "torres" faz bom sentido e tem o apoio do texto massorético e das versões. Por meio de *acomod*ação (ver a respeito no *Dicionário*), e não de interpretação, Paulo pode ter aludido a este versículo em 1Co 1.20. Escribas foram empregados em missões militares ao fazer as tarefas de contagem, fortificações, saques potenciais ou de mercadorias. Metais preciosos foram pesados. Baixos-relevos assírios demonstram que tanto os escribas quanto os que pesavam os metais julgavam o valor dos despojos tomados.

■ **33.19**

אֶת־עַ֤ם נֹועָז֙ לֹ֣א תִרְאֶ֔ה עַ֚ם עִמְקֵ֣י שָׂפָ֔ה מִשְּׁמֹ֖ועַ נִלְעַ֣ג לָשֹׁ֑ון אֵ֥ין בִּינָֽה׃

Já não verás aquele povo atrevido, povo de fala obscura. Os assírios desapareceriam de cena para sempre. Aquele povo altivo, de fala obscura que os judeus não entendiam, jamais surgiria novamente defronte de Jerusalém a fim de lançar medo em seus habitantes e causar dano. O idioma dos assírios era primo da língua dos hebreus, mas era diferente o bastante para não ser bem entendido. Além disso, os assírios trouxeram como aliados povos cujos idiomas eram totalmente estrangeiros para os judeus. Este versículo talvez olhe através dos corredores da história até que seja imposta a paz, antes da era do reino de Deus, com a derrota de todos os inimigos de Israel.

■ **33.20**

חֲזֵ֣ה צִיֹּ֔ון קִרְיַ֖ת מֹֽועֲדֵ֑נוּ עֵינֶיךָ֩ תִרְאֶ֨ינָה יְרוּשָׁלִַ֜ם נָוֶ֣ה שַׁאֲנָ֗ן אֹ֤הֶל בַּל־יִצְעָן֙ בַּל־יִסַּ֤ע יְתֵדֹתָיו֙ לָנֶ֔צַח וְכָל־חֲבָלָ֖יו בַּל־יִנָּתֵֽקוּ׃

Olha para Sião, a cidade das nossas solenidades. A *promessa* que se faz neste versículo ultrapassa qualquer coisa que possa ser dita sobre as condições após o ataque dos assírios, ou sobre as condições após o cativeiro babilônico. As estacas da tenda de Judá foram novamente arrancadas pelos romanos, de maneira mais terrível e duradoura do que qualquer coisa que tenha acontecido anteriormente. Por conseguinte, o profeta Isaías descreve aqui a Sião da era do reino. Estamos contemplando as glórias da Jerusalém que se terá tornado a capital religiosa do mundo (ver Is 24.23). Vemos que isso se dará em paz e segurança. A tenda de Jerusalém será firmemente segura ao chão por meio de estacas e cordas que seguravam a tenda às estacas. Essa é uma maneira figurada de dizer que a tenda tinha um *firme alicerce* em Yahweh, não podendo ser movida de seu lugar. Uma tenda era um objeto móvel, transportável, mas a tenda do futuro, *Sião*, não seria móvel nem transportável. O templo de Jerusalém substituiu a antiga tenda móvel (2Sm 6.17; 7.2). Mas a nova tenda será a habitação permanente do povo de Deus. Cf. Ap 21.3, o tabernáculo de Deus. Ver também Ap 3.12.

■ **33.21**

כִּ֣י אִם־שָׁ֞ם אַדִּ֤יר יְהוָה֙ לָ֔נוּ מְקֹום־נְהָרִ֥ים יְאֹרִ֖ים רַחֲבֵ֣י יָדָ֑יִם בַּל־תֵּ֤לֶךְ בֹּו֙ אֳנִי־שַׁ֔יִט וְצִ֥י אַדִּ֖יר לֹ֥א יַעַבְרֶֽנּוּ׃

Mas o Senhor nos será grandioso, fará as vezes de rios e correntes largas. A nova Sião contará com abundância de suprimento de água dos rios e riachos (Sl 1.3; 46.4), mas não poderão navegar por ali navios transatlânticos do inimigo. Nenhuma frota hostil poderá chegar até ali, por ser aquela uma terra de paz e abundância, que viverá sob os benefícios de Yahweh.

Há um rio cujas correntes alegram a cidade de Deus.
Salmo 46.4

Quanto a um serviço de irrigação, cf. Ez 47.1-12. Yahweh é aqui chamado de rios e correntes largas, porquanto ele é a origem de toda a vida e de toda a existência, representadas pela água. Ver no *Dicionário* o verbete chamado *Água*, em seus usos metafóricos. O Egito contava com o poderoso Nilo; a Assíria e a Babilônia dispunham dos rios Tigre e Eufrates, mas esses rios nada são em comparação a Yahweh, o supridor de água para Jerusalém. Cf. Zc 2.5, onde Yahweh aparece como um *muro* de Jerusalém. Portanto, Deus é tanto um rio como um muro, tanto benfeitor quanto protetor.

■ **33.22**

כִּ֤י יְהוָה֙ שֹׁפְטֵ֔נוּ יְהוָ֖ה מְחֹקְקֵ֑נוּ יְהוָ֥ה מַלְכֵּ֖נוּ ה֥וּא יֹושִׁיעֵֽנוּ׃

Porque o Senhor é o nosso juiz; o Senhor é o nosso legislador. Além de ser o *rio* e o *muro* de Jerusalém, o Senhor é igualmente o Juiz que garantirá que justiça e retidão imperem na Terra Prometida e no mundo inteiro. Yahweh é também *Rei, Benfeitor* e *Salvador*. Ver Sl 3.8; 9.14; 18.46; 38.22; 50.3; 62.1,2,7; 79.9; 85.4; 119.74; 140.7 e 149.4 quanto a Yahweh como Salvador e quanto à salvação que ele provê. Ver no *Dicionário* o artigo chamado *Salvação*, para detalhes. O conceito do Antigo Testamento usualmente é que haveria bênção temporal e segurança para o povo em aliança com Deus; porém, quando fala da era do milênio, o termo "salvação" aproxima-se da salvação evangélica que aparece nas páginas do Novo Testamento. As descrições são de uma "teocracia perfeita, ideal, a ter cumprimento somente no Messias" (Fausset, *in loc.*). Cf. Is 11.4; 32.1 e Tg 4.12.

■ 33.23

נִטְּשׁוּ חֲבָלָיִךְ בַּל־יְחַזְּקוּ כֵן־תָּרְנָם בַּל־פָּרְשׂוּ נֵס אָז
חֻלַּק עַד־שָׁלָל מַרְבֶּה פִּסְחִים בָּזְזוּ בַז׃

Agora as tuas enxárcias estão frouxas. Este versículo nos remete aos navios invasores citados no vs. 21, que não poderão chegar a Jerusalém. Os navios aludem a potências estrangeiras que gostariam de invadir a Terra Prometida. Tais navios (nações), entretanto, serão desmanchados, não podendo cumprir seus propósitos iníquos. O resultado será que aquele que queria saquear, será saqueado, e isso de maneira tão completa e fácil que até um homem aleijado, que quisesse sair ao acampamento do inimigo, poderia chegar ali e recolher todo o despojo que desejasse. Essa é uma referência à completa e decisiva vitória de Jerusalém sobre todos os seus adversários, durante a era do reino. Assim sendo, a paz reinará em Israel, e essa nação se tornará cabeça de todas as nações (ver Is 24.23). Os bons só ficarão seguros diante da derrota dos maus.

As cordas em vossos barcos penduram-se frouxas. O mastro não está firme. As velas não estão enfunadas. O Senhor nos dará as vossas riquezas. Haverá tantas riquezas que até os aleijados carregarão uma parte das mesmas.

NCV

Alguns intérpretes judeus aplicavam a declaração aos assírios; outros a aplicavam aos babilônios, e outros ainda, aos tempos do Messias.

■ 33.24

וּבַל־יֹאמַר שָׁכֵן חָלִיתִי הָעָם הַיֹּשֵׁב בָּהּ נְשֻׂא עָוֹן׃

Nenhum morador de Jerusalém dirá: Estou doente. As *enfermidades*, no tempo do milênio, praticamente desaparecerão, e longevidade acompanhará esse fenômeno. Se um homem morrer com 100 anos de idade, isso será considerado a morte de uma criança (ver Is 65.20). Bactérias e vírus não mais farão grandes colheitas de vidas e, para alguém morrer, será quase necessário sofrer um acidente realmente severo. Estamos falando em termos de *utopia*. Cf. esta parte do versículo com Is 57.18,19; 58.8; e Jr 33.6.

Pelo lado espiritual, haverá perdão universal dos pecados (ver Is 33.24; Jr 31.34; 33.8; 36.3 e 50.20), que removerá a maldição sobre a terra e sobre o povo. "Paz, prosperidade e salvação virão pela obra soberana de Deus, e não por alianças com estrangeiros ou por esperteza humana" (John S. Martin, *in loc.*). "Saudável, por ser santa, é o relatório que o profeta deu acerca de Jerusalém (cf. Mt 9.2)" (Ellicott, *in loc.*).

Ele é quem perdoa todas as tuas iniquidades, quem sara todas as tuas enfermidades.

Salmo 103.3

CAPÍTULO TRINTA E QUATRO

O DIA DO SENHOR (34.1-17)

O Temível Fim dos Inimigos de Deus. Os capítulos 34,35 de Isaías falam de vingança e bênçãos e formam um clímax apropriado para os motivos do julgamento e da salvação que vemos continuamente até este ponto. "Os capítulos 36—39 registram o cumprimento histórico de muitas das profecias da primeira metade do livro. A discussão sobre o julgamento contra a Assíria (ver Is 30.27-33; 31.8,9,18,19) naturalmente levou à discussão sobre os julgamentos de Deus contra o mundo inteiro, durante o período da Grande Tribulação. Essa vingança será seguida pelas bênçãos milenares sobre seu povo em aliança com ele, Israel" (John S. Martin, *in loc.*).

Cf. esta seção com Ez 38 e 39. Há entrechoque perpétuo entre as forças do bem e as forças do mal; finalmente, porém, esse conflito será resolvido. Haverá julgamento em escala cósmica. Os vss. 5,6 especificam Edom como o objeto imediato da ira, mas isso deve ser compreendido como somente uma manifestação particular do Dia de Yahweh, que pesará sobre todas as nações. "Aqui, tal como em outras passagens, como os capítulos 13; 24; 63.1-6 de Isaías e o primeiro capítulo de Zacarias, são vistas as terríveis consequências da intervenção final de Deus, o qual tratará com os oponentes implacáveis de seu justo propósito" (R. B. Y. Scott, *in loc.*). Alguns eruditos chamam este capítulo, simplesmente, de *Armagedom*. Cf. o capítulo 24, outra peça literária apocalíptica. Ver na *Enciclopédia de Bíblia, Teologia e Filosofia* o artigo chamado *Apocalípticos, Livros (Literatura Apocalíptica)*.

■ 34.1

קִרְבוּ גוֹיִם לִשְׁמֹעַ וּלְאֻמִּים הַקְשִׁיבוּ תִּשְׁמַע הָאָרֶץ
וּמְלֹאָהּ תֵּבֵל וְכָל־צֶאֱצָאֶיהָ׃

Chegai-vos, nações, para ouvir, e vós, povos, escutai. *O convite de Yahweh* para que os povos ouvissem o temível oráculo é universal, dirigido a todas as nações, a todos os povos, ao mundo inteiro e a tudo quanto nele existe. Mediante acúmulo de termos, o profeta buscou uma expressão universal para que nenhum homem ficasse na dúvida. As nações não foram convocadas para ser testemunhas (conforme se vê em Am 3.9), mas para perceber o pronunciamento da condenação, como em Mq 1.2. Cf. também Ez 6.3; Dt 32.1 e Sl 1.4.

"Os capítulos 34 e 35 de Isaías têm caráter distinto e todo próprio. Por assim dizer, formam o epílogo de encerramento da primeira grande coletânea das profecias de Isaías. A seção histórica que se segue (capítulos 36—39) serve de elo entre as duas seções principais" (Ellicott, *in loc.*, com algumas adaptações).

■ 34.2

כִּי קֶצֶף לַיהוָה עַל־כָּל־הַגּוֹיִם וְחֵמָה עַל־כָּל־צְבָאָם
הֶחֱרִימָם נְתָנָם לַטָּבַח׃

Porque a indignação do Senhor está contra todas as nações. *Yahweh estava indignado* com todas as nações, por causa de seus muitos pecados e crimes horrendos. De fato, Deus estava furioso contra todos os povos e suas grandes populações; ele os condenou a severo julgamento, e esse juízo tomará a forma de *imensa matança*. Cf. essa declaração com a que precedeu ao dilúvio, em Gn 6.11,12. Yahweh fará do mundo inteiro um *holocausto* (ver a respeito no *Dicionário*), sobre o altar de sua ira. Cf. Js 6.17,21. Alguns vinculam essa questão a Is 30.28-33, o julgamento definitivo da Assíria, mas o vs. 1 mostra-nos que esse holocausto será universal.

■ 34.3

וְחַלְלֵיהֶם יֻשְׁלָכוּ וּפִגְרֵיהֶם יַעֲלֶה בָאְשָׁם וְנָמַסּוּ הָרִים
מִדָּמָם׃

Os seus mortos serão lançados fora, dos seus cadáveres subirá o mau cheiro. Haverá inúmeras mortes violentas; não haverá nem tempo nem lugar para sepultar todos os mortos; os cadáveres serão simplesmente lançados fora e deixados a apodrecer, pelo que haverá mau cheiro horrível que subirá até os céus. O derramamento de sangue será tão grande que fluirá pelas montanhas como um rio. Alguns intérpretes veem aqui descrições sobre a batalha do Armagedom e comparam esse versículo a Ap 14.20. Cf. Ez 39.11-16. Este versículo fala de uma matança sem precedentes, tal como o mundo nunca viu nem conheceu. Ver no *Dicionário* o artigo chamado *Armagedom*. As interpretações históricas fracassam completamente, a menos que suponhamos que o profeta se deixou arrastar totalmente pelas hipérboles orientais.

34.4

וְנָמַקּוּ כָּל־צְבָא הַשָּׁמַיִם וְנָגֹלּוּ כַסֵּפֶר הַשָּׁמָיִם
וְכָל־צְבָאָם יִבּוֹל כִּנְבֹל עָלֶה מִגֶּפֶן וּכְנֹבֶלֶת
מִתְּאֵנָה׃

Todo o exército dos céus se dissolverá, e os céus se enrolarão como um pergaminho. Além de horríveis acontecimentos sobre a terra, haverá terríveis eventos nos céus. Consideremos os quatro pontos seguintes a esse respeito:

1. Talvez se espere que tomemos metaforicamente essas descrições, e façamos das estrelas, por exemplo, os governantes da terra. E as "hostes dos céus" ou "exércitos do céu" talvez sejam os inimigos terrenos de Deus, conforme se vê em Is 24.21.
2. Se insistirmos em acontecimentos nos céus literais, teremos de supor que as estrelas são meteoritos. Os antigos desconheciam as imensas distâncias existentes entre nós e as estrelas, e as tremendas dimensões das estrelas. Que os próprios céus venham a dissolver-se soa como se fosse 2Pe 3.10, o fim autêntico da antiga criação, e não coisas associadas ao milênio.
3. Talvez as *estrelas* sejam os *deuses* pagãos que serão quebrados quando se der o fim da idolatria.
4. O *céu* é aqui concebido como um rolo misteriosamente inscrito, que será súbita e completamente anulado, chegando assim ao seu fim. Um tremendo abalo fará cair as estrelas, como se fossem frutas de uma árvore cósmica.

Em vez da primeira linha, o manuscrito hebraico dos Papiros do mar Morto diz: "e os vales serão abertos" (algo similar à declaração de Zc 14.4). Existem dois manuscritos (parciais) em hebraico pertencentes àquela coletânea. Algumas vezes esses manuscritos concordam com as versões (especialmente com a Septuaginta), contra o texto hebraico padronizado, o texto massorético. Quanto aos significados desse fenômeno, ver as notas em Is 26.19, onde dou exemplos. Ver no *Dicionário* o verbete intitulado *mar Morto, Manuscritos (Rolos) do*, e também *Massora (Massorah); Texto Massorético*.

Cf. este versículo a algo similar em Ap 6.12,13. "Convulsões violentas na natureza aparecem, nas Escrituras, como as imagens de grandes mudanças no mundo (ver Is 29.19-21)" (Fausset, *in loc.*). Ver Is 13.10, onde imagens similares já tinham ocorrido no livro.

> A vida da geração de homens é como a vida das folhas de uma árvore.
>
> Homero, *Ilíada*, vi.146

"Isaías contrastou a transitoriedade do sol, da lua e das estrelas com a eternidade de Yahweh" (Ellicott, *in loc.*).

Julgamento de Edom (34.5-17)

34.5,6

כִּי־רִוְּתָה בַשָּׁמַיִם חַרְבִּי הִנֵּה עַל־אֱדוֹם תֵּרֵד
וְעַל־עַם חֶרְמִי לְמִשְׁפָּט׃

חֶרֶב לַיהוָה מָלְאָה דָם הֻדַּשְׁנָה מֵחֵלֶב מִדַּם כָּרִים
וְעַתּוּדִים מֵחֵלֶב כִּלְיוֹת אֵילִים כִּי זֶבַח לַיהוָה
בְּבָצְרָה וְטֶבַח גָּדוֹל בְּאֶרֶץ אֱדוֹם׃

Porque a minha espada se embriagou nos céus. Edom era inimigo tradicional de Israel. Ver no *Dicionário* o verbete chamado *Edom*, quanto a detalhes. Os edomitas procuravam tirar proveito da destruição de Judá por parte da Babilônia, sendo esse o último dos insultos. Ver Ob 10-12. Nos vss. 15,16 do mesmo livro, Edom é também um alvo especial no dia do Senhor. Edom era *representante* da inimizade das nações contra Israel, pelo que devemos ter em mente a universalidade do vs. 1, onde todas as nações são convidadas a ouvir a profecia de condenação apresentada neste capítulo.

A espada de Yahweh se embriagou de sangue nos céus (os grandes poderes — as estrelas — ou esse banho de sangue é comparado a uma unção divina para o trabalho de destruição que será efetuado). No vs. 6, essa matança é retratada como um *sacrifício*. A unção divina ocorrerá *nos céus*, e então a espada será o instrumento apropriado para realizar esse sacrifício sobre a terra. Isso termina sendo a vítima sacrificial (Edom), em Bozra. Esta última cidade ficava cerca de 40 km a sudeste do mar Morto. Aparentemente Edom estendeu até ali o seu poder e assim tornou-se uma espécie de cidade fronteiriça. Ver no *Dicionário* o artigo chamado *Bozra*, quanto a detalhes. Essa era uma cidade muito fortificada, mas que jamais poderia impedir que a espada do Senhor administrasse ali grande matança. Talvez tenha sido a capital de Edom por algum tempo.

Note o leitor que os animais mencionados são os comumente sacrificados, de acordo com a legislação mosaica. Ver em Lv 1.14-16 os cinco tipos de animais que podiam ser sacrificados. Edom será morto como se fosse um *holocausto* (ver a respeito no *Dicionário*). O sangue e a gordura iriam para Yahweh. Ver em Lv 3.17 as leis sobre o sangue e a gordura.

> A espada do Senhor, no céu, está coberta de sangue. Ela cortará Edom. Ele destruirá esse povo como uma oferenda ao Senhor. Sua espada se cobrirá de sangue. E também se cobrirá de gordura. É o sangue de cordeiros e bodes. É a gordura dos rins dos carneiros. Isso será assim porque o Senhor decidiu que haverá sacrifício em Bozra.
>
> NCV

Quanto à imagem da espada e dos sacrifícios, ver Jr 46.10. Cf. Ez 39.16,17. Quanto à "espada do Senhor", ver Ez 21.

34.7

וְיָרְדוּ רְאֵמִים עִמָּם וּפָרִים עִם־אַבִּירִים וְרִוְּתָה
אַרְצָם מִדָּם וַעֲפָרָם מֵחֵלֶב יְדֻשָּׁן׃

Os bois selvagens cairão com eles. Animais fortes e selvagens, não pertencentes à variedade que podia ser sacrificada, também cairão — os bois selvagens, novilhos com touros, símbolos de fortes e selvagens edomitas, os líderes, os generais e os soldados. Cf. Sl 22.12,21. Eles cairiam como que nos açougues. Todas as classes de pessoas, jovens e idosas, fracos e fortes, participarão da matança geral. Diz aqui o Targum: "Os governantes com os príncipes". Ver Ap 19.18: "carnes de reis, carnes de comandantes, carnes de poderosos". "A terra ficará coberta de sangue. A poeira será coberta de gordura" (BCV), conforme é dito, com palavras diferentes, acerca dos sacrifícios, no vs. 6.

34.8

כִּי יוֹם נָקָם לַיהוָה שְׁנַת שִׁלּוּמִים לְרִיב צִיּוֹן׃

Porque será o dia da vingança do Senhor. Esse será o dia do Senhor, um dia de vingança; é um ano de recompensa, de pagamento de dívidas e de colheita da semeadura. Sião será vingada pelo poder de Yahweh, que deteve e puniu os inimigos de Judá. "Deus retaliará aqueles que contenderam com Sião. A controvérsia de Sião é a controvérsia dele. O *dia* assinalará o breve espaço de tempo que a vingança contra os inimigos ocupará. *Ano* aponta para a duração da recompensa de Sião pelos seus sofrimentos passados" (Fausset, *in loc.*), ou então pode apontar para o tempo em que o castigo perdurar, além de mostrar que esse castigo será completo. Quanto ao *dia*, cf. Is 13.6 e 27.2; e ver no *Dicionário* o artigo chamado *Dia do Senhor*.

34.9

וְנֶהֶפְכוּ נְחָלֶיהָ לְזֶפֶת וַעֲפָרָהּ לְגָפְרִית וְהָיְתָה אַרְצָהּ
לְזֶפֶת בֹּעֵרָה׃

Os ribeiros de Edom se transformarão em piche. A terra de Edom será transformada em um inferno, pois seus riachos se tornarão piche por causa do calor intenso, o solo será como enxofre, e o território inteiro parecerá com *piche ardente*. Cf. o que aconteceu a Sodoma e Gomorra (ver Gn 19.24-28; e ver também Dt 29.23; Jr 49.17,18; Is 13.19). Edom ficava perto da área em que houve a conflagração, e era uma região de vulcões, embora extintos. Esses fatos podem ter influenciado a escolha das metáforas. Cf. Ap 17.16 e 18.8.

■ **34.10**

לַ֤יְלָה וְיוֹמָם֙ לֹ֣א תִכְבֶּ֔ה לְעוֹלָ֖ם יַעֲלֶ֣ה עֲשָׁנָ֑הּ מִדּ֤וֹר לָדוֹר֙ תֶּחֱרָ֔ב לְנֵ֣צַח נְצָחִ֔ים אֵ֥ין עֹבֵ֖ר בָּֽהּ׃

Nem de noite nem de dia se apagará. O território jazerá ali, desolado e fumacento por muitos anos. A fumaça que subirá para sempre é ecoada em Ap 14.11; 18.18 e 19.3. Ver também Ml 1.4. Violenta atividade cederá lugar à relativa calma da desolação prolongada. Edom se tornará uma terra arrasada, fumarenta, uma lição objetiva do que acontece aos povos que promovem a injustiça e o caos, até receber, finalmente, a devida condenação. E a cidade ficará desabitada por *longo tempo,* a ponto de perecer *para sempre.*

■ **34.11**

וִירֵשׁ֨וּהָ֙ קָאַ֣ת וְקִפּ֔וֹד וְיַנְשׁ֥וֹף וְעֹרֵ֖ב יִשְׁכְּנוּ־בָ֑הּ וְנָטָ֥ה עָלֶ֛יהָ קַו־תֹ֖הוּ וְאַבְנֵי־בֹֽהוּ׃

Mas o pelicano e o ouriço a possuirão. Animais selvagens de diversas espécies habitarão ali, como o pelicano e o ouriço, o bufo e o corvo. Yahweh tirará as medidas do lugar, em suas pesquisas divinas, e pronunciará que aquele é um lugar de confusão comprovada. Nem mesmo os nobres escaparão à desolação, mas suas residências enfeitadas ficarão sob a supervisão austera do Senhor, que transformará o território em deserto. "O cordel e o prumo são instrumentos usados pelos construtores, conforme se vê em 2Rs 21.13; Am 7.7-9; Lm 2.8, que, entretanto, não falam sobre a edificação, mas sobre a destruição do lugar com uma exatidão científica. As palavras *destruição* e *ruína* são traduções das palavras hebraicas *tohu u'bohu,* "sem forma e vazia", referindo-se ao caos primevo que houve em certa fase da criação (ver Gn 1.2)" (Ellicott, *in loc.*). Ver Is 34.11-15.

■ **34.12**

חֹרֶ֥יהָ וְאֵֽין־שָׁ֖ם מְלוּכָ֣ה יִקְרָ֑אוּ וְכָל־שָׂרֶ֖יהָ יִ֥הְיוּ אָֽפֶס׃

Já não haverá nobres para proclamarem um rei. O novo nome do lugar será *Não Há Reino Ali (Revised Standard Version).* Já não haverá príncipes ali para governar, pois eles terão sido reduzidos a nada. A profecia prevê colapso total. Não haveria mais reis ou súditos. "Não Há Reino Ali", um nome zombeteiro que sugere o fim de todos quantos se opunham a Deus" (*Oxford Annotated Bible,* comentando sobre este versículo). Cf. Ap 18.3,11 e Is 23.8.

■ **34.13,14**

וְעָלְתָ֤ה אַרְמְנֹתֶ֙יהָ֙ סִירִ֔ים קִמּ֥וֹשׂ וָח֖וֹחַ בְּמִבְצָרֶ֑יהָ וְהָיְתָה֙ נְוֵ֣ה תַנִּ֔ים חָצִ֖יר לִבְנ֥וֹת יַעֲנָֽה׃

וּפָגְשׁ֤וּ צִיִּים֙ אֶת־אִיִּ֔ים וְשָׂעִ֖יר עַל־רֵעֵ֣הוּ יִקְרָ֑א אַךְ־שָׁם֙ הִרְגִּ֣יעָה לִּילִ֔ית וּמָצְאָ֥ה לָ֖הּ מָנֽוֹחַ׃

Nos seus palácios crescerão espinhos, urtigas e cardos. Plantas selvagens tomarão conta da área, como espinhos em abundância e outras plantas repelentes e inúteis, cobrindo o que antes tinham sido fortalezas altivas. Hienas e sátiros virão para assombrar o lugar, procurando pequenos animais com que se alimentarem. Os chacais e as avestruzes, que temem o mundo civilizado, encontrarão lugar apropriado para morar, em seu estilo de vida solitário e selvagem. Os fantasmas noturnos (o *lilite* ou demônio da tempestade) reinarão naquele lugar abandonado por Deus. Ver no *Dicionário* o verbete denominado *Lilite (Fantasmas),* quanto a detalhes. Esse demônio era retratado como se habitasse nos lugares arruinados, tomando possessão dos lugares onde antes tinham vivido os homens. O quadro é da mais completa desolação, o fim da vida humana e da civilização, com a volta completa à natureza. Além disso, ali haveria o *mal.* O vampiro noturno tomava conta do lugar. Cf. Is 13.19-22, que contém informações semelhantes. O demônio feminino tem asas e um rosto humano especializado em destruir crianças, assim que elas nascem. Na Alemanha, no tempo de John Gill (cerca de duzentos anos atrás), as mulheres, quando chegada a hora de dar à luz, escreviam nas quatro esquinas do leito: "Adam e Eva, fora Lilite", a fim de protegerem as crianças recém-nascidas de qualquer dano.

■ **34.15**

שָׁ֣מָּה קִנְּנָ֤ה קִפּוֹז֙ וַתְּמַלֵּ֔ט וּבָקְעָ֖ה וְדָגְרָ֣ה בְצִלָּ֑הּ אַךְ־שָׁ֛ם נִקְבְּצ֥וּ דַיּ֖וֹת אִשָּׁ֥ה רְעוּתָֽהּ׃

Aninhar-se-á ali a coruja, porá os seus ovos e os chocará. *Pássaros de lugares desolados,* a coruja e o abutre, habitariam naquele lugar, cada qual com seu próprio par e filhotes, tendo transformado a área em lugar de moradia permanente, geração após geração. Eles fazem parte dos habitantes recém-chegados ao lugar que antes era residência e domínio humano. Deus teria revertido assim a ordem natural das coisas. Edom seria reduzida à desolação, desabitada pelos homens. O lugar teria seu próprio ecossistema. Os abutres continuariam a ser os exterminadores e coletores do lixo, comendo animais mortos, bem como partes de presas que outros animais selvagens deixassem por ali.

■ **34.16**

דִּרְשׁ֨וּ מֵֽעַל־סֵ֤פֶר יְהוָה֙ וּֽקְרָ֔אוּ אַחַ֤ת מֵהֵ֙נָּה֙ לֹ֣א נֶעְדָּ֔רָה אִשָּׁ֥ה רְעוּתָ֖הּ לֹ֣א פָקָ֑דוּ כִּי־פִי֙ ה֣וּא צִוָּ֔ה וְרוּח֖וֹ ה֥וּא קִבְּצָֽן׃

Buscai no livro do Senhor, e lede; nenhuma destas criaturas falhará. Temos aqui referência não às Escrituras canônicas, mas aos *oráculos de Isaías,* especialmente a seção à nossa frente. Está em vista um rolo, primitiva forma de livro. Cf. Is 29.11 ss.; 30.8 e 34.16. Alguns pensam estar em foco o Pentateuco, os cinco livros de Moisés, e outros pensam no livro celeste dos decretos de Deus, mas essas são imaginações, e não interpretações.

A ideia que consta no versículo anterior é levada adiante. Feras tinham tomado posse da terra de Edom, e Yahweh é visto aqui como quem lhes concedeu o direito de posse permanente. Foi o Espírito de Deus que arrasou o território, aniquilando seus habitantes humanos, para então levar os animais selvagens a ali habitar. Viajantes modernos nos fornecem um quadro lamentável daquele lugar, que se tornou a residência oficial dos animais do deserto. "Há grande quantidade de serpentes e as alturas desoladas e os tabuleiros estéreis são a herança de abutres e águias selvagens, e grandes revoadas de pássaros" (Delitzsch, *in loc.*). Os animais continuariam a cruzar-se, e cada qual teria seu próprio companheiro, para assegurar que o lugar permaneceria esconderijo de animais selvagens, e não um local preparado para ser habitação humana. O Espírito Santo está por trás de sua continuidade e contra o retorno dos homens a essa área.

■ **34.17**

וְהֽוּא־הִפִּ֤יל לָהֶן֙ גּוֹרָ֔ל וְיָד֛וֹ חִלְּקַ֥תָּה לָהֶ֖ם בַּקָּ֑ו עַד־עוֹלָם֙ יִֽירָשׁ֔וּהָ לְד֥וֹר וָד֖וֹר יִשְׁכְּנוּ־בָֽהּ׃ ס

Porque ele lançou a sorte a favor delas, e a sua mão lhes repartiu a terra. Yahweh, aquele que controla os eventos de seu augusto lugar nos céus (ver Is 1.6), certamente também controlava Edom. Ele tinha dividido a terra em favor dos animais selvagens, o que é retratado mediante o lançamento de sortes, que foi a maneira de dividir a Terra Prometida entre as tribos de Israel na época da conquista. Ver Nm 26.55,56 e Js 18.4-6. Agora encontramos tribos de animais, cada qual recebendo a sua porção de Edom, por determinação divina, e de onde nenhum ser humano recebeu porção como herança. Ele mediu o território mediante suas pesquisas divinas, conforme é dito no vs. 11. Deus tomara suas decisões acerca da divisão do território, e cada espécie de animal selvagem recebeu uma parte específica. Eles seriam os possuidores do território, que lhes foi dado por decreto divino. E continuariam a possuí-lo geração após geração, tal como o povo de Israel possuía sua terra pátria, que passava de pai para filho. Cada tribo e cada família tinha sua porção do território, que era perpetuada por direito de posse, permanecendo com as famílias, geração após geração.

"O pensamento é idêntico ao de At 17.26. Deus é apresentado como o Governante Supremo, que designa a cada nação seu lugar na história mundial, suas estações de prosperidade e julgamento" (Ellicott, *in loc.*). Os animais selvagens, entretanto, seriam os possuidores daquela região do mundo, o antigo território de Edom.

CAPÍTULO TRINTA E CINCO

O TRIUNFO DO MILÊNIO (35.1-10)
Um Mundo Transformado e o Retorno a Sião. "Depois do inferno (capítulo 24), seguir-se-á o Paraíso" (Proscksch, *Jesaia*, I, pág. 434).

Encontramos aqui uma das mais excelentes seções da primeira metade do livro. É descrita a era do reino (época áurea, milênio), a solução esperada para os problemas humanos, decorrente da intervenção divina na história humana. Ver Is 13.6 sobre o conceito de a terra ser governada pelo Poder das alturas. Bênçãos divinas, em escala mundial, só ocorrerão depois de julgamento em escala mundial (capítulo 34). A ideia de uma época áurea era típica da literatura apocalíptica, e não está em consonância com o ponto de vista amilenar. Em 2Esdras, esse período de tempo aparece como de quatrocentos anos, que cresce para mil anos em Ap 20.2-7. Ver no *Dicionário* o artigo chamado *Milênio,* quanto a detalhes, e também o verbete intitulado *Amilenismo.*

■ **35.1**

יְשֻׂשׂוּם מִדְבָּר וְצִיָּה וְתָגֵל עֲרָבָה וְתִפְרַח כַּחֲבַצָּלֶת׃

O deserto e a terra se alegrarão. Terras caracterizadas pelo caos e pela esterilidade eram abundantes nos tempos bíblicos. Isso foi acentuado pela destruição referida no capítulo 35. Mas haverá completa reversão na era do reino de Deus. O deserto florescerá em fertilidade e produção. Os lugares solitários se regozijarão com uma população alegre. O deserto também se regozijará e florescerá como um narciso. As descrições ajustam-se particularmente à Palestina, em grande parte constituída por desertos e lugares ermos, mas também envolvem muitos lugares do mundo que participarão da reversão em escala mundial. "Aparentemente, Deus produzirá mudanças climáticas que resultarão em mais chuvas nas áreas atualmente desérticas" (John S. Martin, *in loc.*). Alguns intérpretes veem nessas descrições um tipo de renovação moral e espiritual, um fim do deserto da espiritualidade. Os lugares ermos e desérticos são personificados e declarados *alegres* com o que acontecerá. Haverá regozijo universal na era do reino de Deus.

Florescerá como o narciso. No original hebraico temos a palavra *chabatztzeleth*. Mas a identidade da espécie não é certa. A Septuaginta e a Vulgata dizem *lírio*. Outras versões modernas dizem *rosa*. Deve estar em pauta alguma flor do gênero *Crocus*, da família da íris, com folhas tipo erva e flores graúdas, ou como o açafrão dos prados, uma flor outonal com raízes tipo bulbo.

■ **35.2**

פָּרֹחַ תִּפְרַח וְתָגֵל אַף גִּילַת וְרַנֵּן כְּבוֹד הַלְּבָנוֹן נִתַּן־לָהּ הֲדַר הַכַּרְמֶל וְהַשָּׁרוֹן הֵמָּה יִרְאוּ כְבוֹד־יְהוָה הֲדַר אֱלֹהֵינוּ׃ ס

Florescerá abundantemente, jubilará de alegria, e exultará. O narciso *florescerá* e se regozijará. "Se mostrará feliz, como se estivesse gritando de alegria" (NCV). Essa planta é aqui personificada, sentindo alegria por estar crescendo ali, num local fértil e bem irrigado. O Líbano, famoso por suas florestas de cedro, florescerá ainda mais, e o frutífero Carmelo e a fecunda planície de Sarom serão mais gloriosos do que nunca. Eles verão a glória de Yahweh e, por sua vez, serão glorificados nela. Esses lugares serão *majestosos,* pois pediriam emprestada diretamente a majestade de Deus, o Criador. Os lugares mencionados foram famosos por sua vegetação luxuriante e sua produção de produtos úteis, e, durante aquele reino do milênio, tudo isso aumentará de esplendor cem vezes mais. Temos aqui três tipos de beleza cultivada contrastadas com as três figuras de desolação do vs. 1 (o deserto; a terra seca; e o ermo — os cedros do Líbano; a beleza e as árvores frutíferas do Carmelo; e a fertilidade e todos os tipos de produtos agrícolas da planície de Sarom). Comparar isso com a nota contrária em Is 33.9. Aqui são referidos os mesmos lugares.

■ **35.3**

חַזְּקוּ יָדַיִם רָפוֹת וּבִרְכַּיִם כֹּשְׁלוֹת אַמֵּצוּ׃

Fortalecei as mãos frouxas, e firmai os joelhos vacilantes. Os homens sairão da *Grande Tribulação* (Is 24) trêmulos, com os joelhos batendo um no outro, o espírito aterrorizado, as mãos pendentes de fraqueza. Mas logo serão consolados e fortalecidos, conforme demonstram os versículos seguintes. Essas palavras são citadas em Hb 12.12 com uma aplicação diferente. Está em vista, particularmente, o remanescente judaico. Israel se tornará cabeça das nações (Is 24.23). Mas essas palavras se aplicam, igualmente, ao remanescente do mundo inteiro, que será purificado pelo terror da Grande Tribulação. Ver na *Enciclopédia de Bíblia, Teologia e Filosofia* o verbete chamado *Tribulação, a Grande.*

■ **35.4**

אִמְרוּ לְנִמְהֲרֵי־לֵב חִזְקוּ אַל־תִּירָאוּ הִנֵּה אֱלֹהֵיכֶם נָקָם יָבוֹא גְּמוּל אֱלֹהִים הוּא יָבוֹא וְיֹשַׁעֲכֶם׃

Dizei aos desalentados de coração: Sede fortes, não temais. Este versículo põe o *remanescente aterrorizado* ainda dentro da tribulação, ainda enfrentando inimigos, ainda à beira da extinção. Mas a divina palavra de conforto chega, prometendo a intervenção de Deus para tomar *vingança* de todos os inimigos, *recompensar* os fiéis e efetuar a *salvação.* Quanto a Deus como a própria salvação e quanto à salvação nas páginas do Antigo Testamento, ver no *Dicionário* o verbete chamado *Salvação,* e o muito repetido tema em Sl 3.8; 9.14; 18.46; 38.22; 50.23; 62.1,2 (nesta referência, ver a nota de sumário a respeito); 7; 79.9; 85.4; 119.74; 140.7; 149.4. Aplicações históricas, como os sofrimentos de Judá nos dias de Ezequias e o retorno do remanescente, terminado o cativeiro babilônico, são exatamente isso, *aplicações.* A *interpretação* é *escatológica,* ou seja, pertence ao fim dos tempos, e especificamente *do milênio.*

■ **35.5,6**

אָז תִּפָּקַחְנָה עֵינֵי עִוְרִים וְאָזְנֵי חֵרְשִׁים תִּפָּתַחְנָה׃
אָז יְדַלֵּג כָּאַיָּל פִּסֵּחַ וְתָרֹן לְשׁוֹן אִלֵּם כִּי־נִבְקְעוּ בַמִּדְבָּר מַיִם וּנְחָלִים בָּעֲרָבָה׃

Então se abrirão os olhos dos cegos. Este versículo é metafórico e diz respeito à iluminação espiritual. A época áurea será áurea de todas as maneiras possíveis: material e espiritualmente. O remanescente será salvo material e espiritualmente. O elemento mais débil será fortalecido; o mais temente se tornará corajoso; o mais debilitado receberá forças da parte do Senhor. Desaparecerá a cegueira judicial que tinha cativado Israel. Haverá um novo dia de luz. Jesus, em sua primeira vinda, realizou milagres em *abundância,* e isso acontecerá de novo por ocasião da segunda vinda. Os coxos saltarão (vs. 6) como um jovem cervo; os mudos falarão em altos louvores e entoarão cânticos de júbilo; águas abundantes jorrarão de fontes secas em lugares antes estéreis e desérticos. Isso reitera as ideias do vs. 1. Cf. os milagres de Jesus: a cura dos coxos (Mt 15.30,31; 21.14; Jo 5.7-9); dos cegos (Mt 9.27; 12.22; Jo 9.1,30); dos surdos e mudos (Mt 9.32,33; 12.22; 15.30,31). Ver no *Dicionário* o verbete intitulado *Água,* que inclui as interpretações metafóricas.

Aleijados saltarão como cervos. Os mudos falarão de alegria.
Fontes de água fluirão no deserto. Fontes fluirão na terra seca.
NCV

■ **35.7**

וְהָיָה הַשָּׁרָב לַאֲגַם וְצִמָּאוֹן לְמַבּוּעֵי מָיִם בִּנְוֵה תַנִּים רִבְצָהּ חָצִיר לְקָנֶה וָגֹמֶא׃

A areia esbraseada se transformará em lagos. A areia escaldante se tornará lagos de águas refrigeradoras; a terra seca lamberá as águas até empapar-se. Onde cães selvagens e chacais antes viviam, haverá relva e água, plantas medrarão onde antes só havia espinheiros e mato baixo. Terras que só serviam para criaturas do deserto (ver Is 34.11-15) serão reclamadas e mudadas em férteis.

Este versículo tem sido espiritualizado para falar de *pessoas,* e não de plantas e animais. Uma interpretação literal é preferível aqui. Ver Dt 28.1-14 e suas promessas do pacto. Haverá curas espirituais e físicas e fecundidade agrícola. Em outras palavras, estamos falando sobre uma utopia, a época áurea, quando a maldição divina for suspensa (ver Gn 3.17).

■ 35.8

וְהָיָה־שָׁם מַסְלוּל וָדֶרֶךְ וְדֶרֶךְ הַקֹּדֶשׁ יִקָּרֵא לָהּ לֹא־יַעַבְרֶנּוּ טָמֵא וְהוּא־לָמוֹ הֹלֵךְ דֶּרֶךְ וֶאֱוִילִים לֹא יִתְעוּ׃

E ali haverá bom caminho, caminho que se chamará o Caminho Santo. Consideremos aqui estes pontos:
1. Um Caminho Santo levará ao Lugar Santo, Sião. Alguns tomam essa informação literalmente e pensam que o grande número de peregrinos que viajavam a Jerusalém teriam de enveredar por alguma superestrada para que isso pudesse acontecer. Essa estrada será chamada *Caminho Santo* porque promoverá a espiritualidade. Alguns intérpretes, entretanto, veem nesse caminho apenas um caminho metafórico.
2. Também poderíamos pensar na lei mosaica como guia.
3. Cristo, o Messias, que era e continua sendo o Caminho (Jo 14.6).
4. Yahweh, aquele que proverá aos homens um novo caminho para a espiritualidade.
5. Ou então o novo e vivo caminho aberto pelo Messias (ver Hb 10.10).

Se alguém estiver em Cristo, será nova criatura, que avança por um novo caminho de vida (2Co 5.17). Ver o contraste entre o caminho do bem e o caminho do mal, em Pv 4.27, onde ofereço notas expositivas de sumário. Ver a *metáfora do caminho* em Pv 4.11, e ver no *Dicionário* o verbete denominado *Caminho*. "Temos aqui o caminho que levava de volta a Jerusalém, tanto literal quanto celestialmente (ver Is 52.1; Jl 3.17; Ap 21.27). Cristo, quando voltar a este mundo, será o Líder do caminho, pelo que esse caminho é chamado de caminho do Senhor (ver Is 40.3; Ml 3.1)" (Fausset, *in loc.*).

■ 35.9

לֹא־יִהְיֶה שָׁם אַרְיֵה וּפְרִיץ חַיּוֹת בַּל־יַעֲלֶנָּה לֹא תִמָּצֵא שָׁם וְהָלְכוּ גְּאוּלִים׃

Ali não haverá leão, animal feroz não passará por ele. Talvez devamos considerar o "leão" e o "animal feroz" símbolos de pessoas ímpias e destruidoras, visto que as estradas antigas e os caminhos viviam cheios de homens maus e desarrazoados que saqueavam os viajantes. Ou então os animais aqui são literais. Animais ferozes constituíam um problema na Palestina, visto que existiam em grande número. Durante o milênio, não haverá animal perigoso e selvagem. Os animais figurados serão expurgados pela Grande Tribulação, e os animais literais ficarão mansos (ver Is 11.6).

Mas os remidos andarão por ele. Ver no *Dicionário* o artigo chamado *Redenção*. O remanescente de Israel é a primeira referência, mas podemos supor que os remanescentes das nações também estejam em vista aqui. Tanto a redenção física quanto a redenção espiritual estão em pauta. Os *quiliastas* (os que tomam literalmente todas as profecias atinentes ao milênio) supõem que haverá uma forma de adoração análoga aos padrões do Antigo Testamento, mas outros aceitam metaforicamente tais declarações. Cf. Zc 14.16-19 e Ez 40—44. Os antigos profetas dificilmente poderiam falar como os cristãos, ao descrever formas de adoração, para nada dizermos sobre as formas avançadas que caracterizarão o milênio. Ver no *Dicionário* o artigo chamado *Quiliasmo*.

Diz o Targum: "Não haverá um único rei praticando o mal, nem um governante opressor". Outros veem aqui Nabucodonosor, ou mesmo Satanás, leões da iniquidade.

■ 35.10

וּפְדוּיֵי יְהוָה יְשֻׁבוּן וּבָאוּ צִיּוֹן בְּרִנָּה וְשִׂמְחַת עוֹלָם עַל־רֹאשָׁם שָׂשׂוֹן וְשִׂמְחָה יַשִּׂיגוּ וְנָסוּ יָגוֹן וַאֲנָחָה׃ פ

Os resgatados do Senhor voltarão, e virão a Sião com cânticos de júbilo. *Jerusalém* haverá de tornar-se a capital espiritual do mundo (ver Is 24.23), pelo que será o destino de qualquer peregrinação, tanto daqueles que viverem em Israel como daqueles que viverem em outras nações e se dirigirem àquela cidade (ver Is 66.18). A *volta*, neste caso, não é a volta dos exilados na Babilônia, mas, sim, de todos os filhos de Israel, o remanescente da Grande Tribulação, que virá "uma vez mais" a Jerusalém como lugar de adoração. Será uma volta tanto espiritual quanto física. A Vulgata faz esse retorno ser o arrependimento, e alguns intérpretes concordam com esse ponto de vista.

Esses retornarão a Sião, cantando ao longo do caminho, uma expressão da alegria eterna que lhes será dada como povo de Deus. Essa é a alegria da salvação, bem como a alegria da restauração de Jerusalém a seu propósito original, e até além. Júbilo e alegria são as palavras do dia, porquanto a tristeza e os suspiros terão fugido da presença da multidão triunfante. Ver no *Dicionário* o artigo chamado *Alegria*.

"O primeiro volume da profecia de Isaías encerra-se às mil maravilhas com esse quadro transcendental, levando os pensamentos dos homens para além de qualquer cumprimento terrestre possível" (Ellicott, *in loc.*).

CAPÍTULO TRINTA E SEIS

DESCRIÇÕES HISTÓRICAS (36.1—39.8; 2RS 18.13—20.19)

A INVASÃO DE SENAQUERIBE (36.1—37.38)

Estes capítulos são uma espécie de apêndice histórico, quase certamente adicionados por um editor que preparou o caminho para as profecias dos capítulos 40—45. Esta seção é uma duplicação virtual de 2Rs 18.43—20.19, excetuando o trecho de Is 38.9-20. É difícil supor que o historiador que escreveu 2Reis tenha duplicado os materiais históricos de Isaías, e não vice-versa. Não duplicarei a exposição, mas pedirei que o leitor examine as referências de 2Rs. Anoto quaisquer adições ou omissões apresentadas pelo texto do livro de Isaías.

"*Narrativa em Forma de Prosa*. Estes capítulos encerram a primeira porção do livro de Isaías. Diferem dos capítulos antecedentes e apresentam uma *narrativa prosaica* de três eventos históricos. Há pouca profecia nesses capítulos, e Isaías também não foi o autor deles. Os críticos concordam que são extratos dos capítulos 18 a 20 de 2Rs; e uma comparação com aquela passagem revela que as duas porções são praticamente idênticas. A razão de sua inclusão no livro é a luz que lançam sobre o papel e a influência de Isaías na crise nacional, bem como a prova do cumprimento de suas advertências. Os editores corretamente perceberam que os incidentes descrevem que tanto Isaías como sua mensagem foram vindicados" (G. G. D. Kilpatrick, *in loc.*).

Os eventos tidos como essenciais pelo(s) editor(es) como panos de fundo históricos à seção profética a seguir são estes:
1. A demanda de Senaqueribe para que Jerusalém se rendesse (ver Is 36.1—37.4).
2. O oráculo que predizia que Senaqueribe se afastaria de Jerusalém (deixando de ameaçar as muralhas da cidade) e então seria morto (ver Is 37.4-7).
3. A carta ameaçadora e a oração de Ezequias (37.8-20).
4. O oráculo desafiador de Isaías (Is 37.22-29).
5. Um sinal para o remanescente (Is 37.30-32).
6. O afastamento de Senaqueribe (Is 37.21,33-35).
7. A destruição do exército assírio e a morte de Senaqueribe (Is 37.36-38).
8. A enfermidade e a recuperação de Ezequias (Is 38.1-22).
9. A embaixada enviada por Merodaque-Baladã (Is 39.1-8).

Is 36.1—39.8 é, essencialmente, duplicação de 2Rs 18.13—20.19 (excetuando Is 38.9-20). Portanto apresento a exposição em 2Rs e acrescento aqui notas expositivas atinentes às adições ou omissões no texto de Isaías. Algumas poucas notas expositivas extras também são dadas.

■ 36.1

וַיְהִי בְּאַרְבַּע עֶשְׂרֵה שָׁנָה לַמֶּלֶךְ חִזְקִיָּהוּ עָלָה סַנְחֵרִיב מֶלֶךְ־אַשּׁוּר עַל כָּל־עָרֵי יְהוּדָה הַבְּצֻרוֹת וַיִּתְפְּשֵׂם׃

No ano décimo quarto do rei Ezequias subiu Senaqueribe. Este primeiro versículo duplica 2Rs 18.13, onde apresento a exposição. Encontramos aqui a descrição do ataque de Senaqueribe contra Jerusalém, em 701 a.C. Há registros históricos assírios que dizem que esse rei (que reinou entre 705 e 681 a.C.) havia saqueado 46 cidades de Judá e ia terminar com o país (provavelmente com a deportação de seus cidadãos), mediante uma vitória sobre Jerusalém.

O *reinado único* de Ezequias começou em 715 a.C., o que significa que o ataque assírio deu-se em 701 a.C.

Queixas contra Ezequias nos Registros Assírios. "De acordo com as inscrições assírias, Senaqueribe foi o substituto de Sargão, assassinado no seu palácio, em 704 a.C. Depois de ter subjugado a província de Babilônia, que tinha-se rebelado sob Merodaque-Baladã, Senaqueribe voltou-se contra Ezequias, com quatro ou cinco queixas distintas, a saber: 1. Ezequias se tinha recusado a pagar tributo (2Rs 18.14). 2. Ele tinha aberto negociações com a Babilônia e o Egito (2Rs 18.24), com vistas a formar uma aliança contra a Assíria. 3. Ele havia ajudado os filisteus de Ecrom a rebelar-se contra o rei filisteu, que apoiava a Assíria, e mantinha esse rei como um prisioneiro em Jerusalém" (Ellicott, *in loc.*).

■ **36.2**

וַיִּשְׁלַח מֶלֶךְ־אַשּׁוּר אֶת־רַב־שָׁקֵה מִלָּכִישׁ יְרוּשָׁלְַמָה אֶל־הַמֶּלֶךְ חִזְקִיָּהוּ בְּחֵיל כָּבֵד וַיַּעֲמֹד בִּתְעָלַת הַבְּרֵכָה הָעֶלְיוֹנָה בִּמְסִלַּת שְׂדֵה כוֹבֵס:

O rei da Assíria enviou Rabsaqué, de Laquis a Jerusalém. Este versículo é uma versão levemente encolhida de 2Rs 18.17, onde ofereço notas expositivas. Note o leitor a omissão de 2Rs 18.1,14-16, que o editor pensou ser trecho supérfluo em seu relatório.

■ **36.3**

וַיֵּצֵא אֵלָיו אֶלְיָקִים בֶּן־חִלְקִיָּהוּ אֲשֶׁר עַל־הַבָּיִת וְשֶׁבְנָא הַסֹּפֵר וְיוֹאָח בֶּן־אָסָף הַמַּזְכִּיר:

Então saíram a encontrar-se com ele Eliaquim... Sebna... e Joá. Este versículo é uma variante levemente encolhida de 2Rs 18.18, onde apresento notas expositivas. Note o leitor que Eliaquim ficou com o cargo de Sebna, que foi reduzido à posição inferior de um escriba, conforme predito por Isaías em 22.15-25 de seu livro.

■ **36.4**

וַיֹּאמֶר אֲלֵיהֶם רַב־שָׁקֵה אִמְרוּ־נָא אֶל־חִזְקִיָּהוּ כֹּה־אָמַר הַמֶּלֶךְ הַגָּדוֹל מֶלֶךְ אַשּׁוּר מָה הַבִּטָּחוֹן הַזֶּה אֲשֶׁר בָּטָחְתָּ:

Este versículo é uma duplicação virtual de 2Rs 18.19.

■ **36.5**

אָמַרְתִּי אַךְ־דְּבַר־שְׂפָתַיִם עֵצָה וּגְבוּרָה לַמִּלְחָמָה עַתָּה עַל־מִי בָטַחְתָּ כִּי מָרַדְתָּ בִּי:

Este versículo é uma duplicação de 2Rs 18.20.

■ **36.6**

הִנֵּה בָטַחְתָּ עַל־מִשְׁעֶנֶת הַקָּנֶה הָרָצוּץ הַזֶּה עַל־מִצְרַיִם אֲשֶׁר יִסָּמֵךְ אִישׁ עָלָיו וּבָא בְכַפּוֹ וּנְקָבָהּ כֵּן פַּרְעֹה מֶלֶךְ־מִצְרַיִם לְכָל־הַבֹּטְחִים עָלָיו:

Este versículo é uma duplicação de 2Rs 18.21.

■ **36.7**

וְכִי־תֹאמַר אֵלַי אֶל־יְהוָה אֱלֹהֵינוּ בָּטָחְנוּ הֲלוֹא־הוּא אֲשֶׁר הֵסִיר חִזְקִיָּהוּ אֶת־בָּמֹתָיו וְאֶת־מִזְבְּחֹתָיו וַיֹּאמֶר לִיהוּדָה וְלִירוּשָׁלִַם לִפְנֵי הַמִּזְבֵּחַ הַזֶּה תִּשְׁתַּחֲווּ:

Este versículo é uma duplicação de 2Rs 18.22.

■ **36.8**

וְעַתָּה הִתְעָרֶב נָא אֶת־אֲדֹנִי הַמֶּלֶךְ אַשּׁוּר וְאֶתְּנָה לְךָ אַלְפַּיִם סוּסִים אִם־תּוּכַל לָתֶת לְךָ רֹכְבִים עֲלֵיהֶם:

Este versículo é uma duplicação de 2Rs 18.23.

■ **36.9**

וְאֵיךְ תָּשִׁיב אֵת פְּנֵי פַחַת אַחַד עַבְדֵי אֲדֹנִי הַקְּטַנִּים וַתִּבְטַח לְךָ עַל־מִצְרַיִם לְרֶכֶב וּלְפָרָשִׁים:

Este versículo é uma duplicação de 2Rs 18.24.

■ **36.10**

וְעַתָּה הֲמִבַּלְעֲדֵי יְהוָה עָלִיתִי עַל־הָאָרֶץ הַזֹּאת לְהַשְׁחִיתָהּ יְהוָה אָמַר אֵלַי עֲלֵה אֶל־הָאָרֶץ הַזֹּאת וְהַשְׁחִיתָהּ:

Este versículo é uma duplicação de 2Rs 18.25.

■ **36.11**

וַיֹּאמֶר אֶלְיָקִים וְשֶׁבְנָא וְיוֹאָח אֶל־רַב־שָׁקֵה דַּבֶּר־נָא אֶל־עֲבָדֶיךָ אֲרָמִית כִּי שֹׁמְעִים אֲנָחְנוּ וְאַל־תְּדַבֵּר אֵלֵינוּ יְהוּדִית בְּאָזְנֵי הָעָם אֲשֶׁר עַל־הַחוֹמָה:

Este versículo é uma duplicação de 2Rs 18.26.

■ **36.12**

וַיֹּאמֶר רַב־שָׁקֵה הַאֶל אֲדֹנֶיךָ וְאֵלֶיךָ שְׁלָחַנִי אֲדֹנִי לְדַבֵּר אֶת־הַדְּבָרִים הָאֵלֶּה הֲלֹא עַל־הָאֲנָשִׁים הַיֹּשְׁבִים עַל־הַחוֹמָה לֶאֱכֹל אֶת־חראיהם וְלִשְׁתּוֹת אֶת־שֵׁינֵיהֶם עִמָּכֶם:

Este versículo é uma duplicação de 2Rs 18.27.

■ **36.13**

וַיַּעֲמֹד רַב־שָׁקֵה וַיִּקְרָא בְקוֹל־גָּדוֹל יְהוּדִית וַיֹּאמֶר שִׁמְעוּ אֶת־דִּבְרֵי הַמֶּלֶךְ הַגָּדוֹל מֶלֶךְ אַשּׁוּר:

Este versículo é uma duplicação de 2Rs 18.28.

■ **36.14**

כֹּה אָמַר הַמֶּלֶךְ אַל־יַשִּׁיא לָכֶם חִזְקִיָּהוּ כִּי לֹא־יוּכַל לְהַצִּיל אֶתְכֶם:

Este versículo é uma duplicação de 2Rs 18.29.

■ **36.15**

וְאַל־יַבְטַח אֶתְכֶם חִזְקִיָּהוּ אֶל־יְהוָה לֵאמֹר הַצֵּל יַצִּילֵנוּ יְהוָה לֹא תִנָּתֵן הָעִיר הַזֹּאת בְּיַד מֶלֶךְ אַשּׁוּר:

Este versículo é uma duplicação de 2Rs 18.30.

■ **36.16**

אַל־תִּשְׁמְעוּ אֶל־חִזְקִיָּהוּ כִּי כֹה אָמַר הַמֶּלֶךְ אַשּׁוּר עֲשׂוּ־אִתִּי בְרָכָה וּצְאוּ אֵלַי וְאִכְלוּ אִישׁ־גַּפְנוֹ וְאִישׁ תְּאֵנָתוֹ וּשְׁתוּ אִישׁ מֵי־בוֹרוֹ:

Este versículo é uma duplicação de 2Rs 18.31.

■ **36.17,18**

עַד־בֹּאִי וְלָקַחְתִּי אֶתְכֶם אֶל־אֶרֶץ כְּאַרְצְכֶם אֶרֶץ דָּגָן וְתִירוֹשׁ אֶרֶץ לֶחֶם וּכְרָמִים:

פֶּן־יַסִּ֤ית אֶתְכֶם֙ חִזְקִיָּ֣הוּ לֵאמֹ֔ר יְהוָ֖ה יַצִּילֵ֑נוּ הַהִצִּ֜ילוּ אֱלֹהֵ֤י הַגּוֹיִם֙ אִ֣ישׁ אֶת־אַרְצ֔וֹ מִיַּ֖ד מֶ֥לֶךְ אַשּֽׁוּר׃

Até que eu venha, e vos leve para uma terra como a vossa. Estes versículos duplicam 2Reis 18.32,33, mas com leves omissões. A versão encolhida de Isaías omite as palavras "terra de cereal e de vinho, terra de pão e de vinhas, terra de oliveiras e de mel, para que vivais e não morrais". Além disso, as palavras de 2Rs "não deis ouvidos" tornam-se "não vos engane" em Is. Estamos tratando claramente com um editor que usualmente copiava diretamente de suas fontes informativas, mas, aqui e acolá, abreviava e fazia pequenas mudanças.

■ 36.19

אַיֵּ֞ה אֱלֹהֵ֤י חֲמָת֙ וְאַרְפָּ֔ד אַיֵּ֖ה אֱלֹהֵ֣י סְפַרְוָ֑יִם וְכִֽי־הִצִּ֥ילוּ אֶת־שֹׁמְר֖וֹן מִיָּדִֽי׃

Onde estão os deuses de Hamate e de Arpade? Este versículo é duplicação de 2Rs 18.34, mas o editor deixou de fora os dois nomes dos deuses: Hena e Iva.

■ 36.20

מִ֗י בְּכָל־אֱלֹהֵ֤י הָֽאֲרָצוֹת֙ הָאֵ֔לֶּה אֲשֶׁר־הִצִּ֥ילוּ אֶת־אַרְצָ֖ם מִיָּדִ֑י כִּֽי־יַצִּ֧יל יְהוָ֛ה אֶת־יְרוּשָׁלִַ֖ם מִיָּדִֽי׃

Este versículo é uma duplicação de 2Rs 18.35.

■ 36.21

וַֽיַּחֲרִ֔ישׁוּ וְלֹֽא־עָנ֥וּ אֹת֖וֹ דָּבָ֑ר כִּֽי־מִצְוַ֨ת הַמֶּ֥לֶךְ הִ֛יא לֵאמֹ֖ר לֹ֥א תַעֲנֻֽהוּ׃

Este versículo é uma duplicação de 2Rs 18.36.

■ 36.22

וַיָּבֹ֣א אֶלְיָקִ֣ים בֶּן־חִלְקִיָּ֣הוּ אֲשֶׁר־עַל־הַבַּ֡יִת וְשֶׁבְנָ֣א הַסּוֹפֵר֩ וְיוֹאָ֨ח בֶּן־אָסָ֧ף הַמַּזְכִּ֛יר אֶל־חִזְקִיָּ֖הוּ קְרוּעֵ֣י בְגָדִ֑ים וַיַּגִּ֣ידוּ ל֔וֹ אֵ֖ת דִּבְרֵ֥י רַב־שָׁקֵֽה׃ ס

Este versículo é uma duplicação de 2Rs 18.37.

CAPÍTULO TRINTA E SETE

Não há interrupção entre os capítulos 36 e 37. Ver a introdução a esta seção histórica no início da exposição sobre o capítulo 36. O presente capítulo é paralelo, com algumas poucas modificações, ao capítulo 19 de 2Rs. O editor do livro de Isaías, em sua maior parte, simplesmente copiou o texto de 2Rs, mas algumas vezes o abreviou levemente. Forneço comentários na exposição sobre 2Rs.

■ 37.1

וַיְהִ֗י כִּשְׁמֹ֨עַ֙ הַמֶּ֣לֶךְ חִזְקִיָּ֔הוּ וַיִּקְרַ֖ע אֶת־בְּגָדָ֑יו וַיִּתְכַּ֣ס בַּשָּׂ֔ק וַיָּבֹ֖א בֵּ֥ית יְהוָֽה׃

Este versículo é uma duplicação de 2Rs 19.1.

■ 37.2

וַ֠יִּשְׁלַח אֶת־אֶלְיָקִ֨ים אֲשֶׁר־עַל־הַבַּ֜יִת וְאֵ֣ת ׀ שֶׁבְנָ֣א הַסּוֹפֵ֗ר וְאֵת֙ זִקְנֵ֣י הַכֹּהֲנִ֔ים מִתְכַּסִּ֖ים בַּשַּׂקִּ֑ים אֶל־יְשַֽׁעְיָ֥הוּ בֶן־אָמ֖וֹץ הַנָּבִֽיא׃

Então enviou a Eliaquim, o mordomo. Este versículo é duplicação de 2Rs 19.2. Note o leitor como o editor do livro de Isaías se refere a esse profeta usando a terceira pessoa. Não há texto reivindicando que ele fosse o autor dos capítulos históricos que introduzem a nova seção profética iniciada no capítulo 40 de Isaías.

■ 37.3

וַיֹּאמְר֣וּ אֵלָ֗יו כֹּ֚ה אָמַ֣ר חִזְקִיָּ֔הוּ יוֹם־צָרָ֧ה וְתוֹכֵחָ֛ה וּנְאָצָ֖ה הַיּ֣וֹם הַזֶּ֑ה כִּ֣י בָ֤אוּ בָנִים֙ עַד־מַשְׁבֵּ֔ר וְכֹ֥חַ אַ֖יִן לְלֵדָֽה׃

Este versículo é uma duplicação de 2Rs 19.3.

■ 37.4

אוּלַ֡י יִשְׁמַע֩ יְהוָ֨ה אֱלֹהֶ֜יךָ אֵ֣ת ׀ דִּבְרֵ֣י רַב־שָׁקֵ֗ה אֲשֶׁר֩ שְׁלָח֨וֹ מֶֽלֶךְ־אַשּׁ֤וּר ׀ אֲדֹנָיו֙ לְחָרֵף֙ אֱלֹהִ֣ים חַ֔י וְהוֹכִ֨יחַ֙ בַּדְּבָרִ֔ים אֲשֶׁ֥ר שָׁמַ֖ע יְהוָ֣ה אֱלֹהֶ֑יךָ וְנָשָׂ֣אתָ תְפִלָּ֔ה בְּעַ֥ד הַשְּׁאֵרִ֖ית הַנִּמְצָאָֽה׃

Este versículo é uma duplicação de 2Rs 19.4.

■ 37.5

וַיָּבֹ֗אוּ עַבְדֵ֛י הַמֶּ֥לֶךְ חִזְקִיָּ֖הוּ אֶל־יְשַׁעְיָֽהוּ׃

Este versículo é uma duplicação de 2Rs 19.5.

■ 37.6

וַיֹּ֤אמֶר אֲלֵיהֶם֙ יְשַֽׁעְיָ֔הוּ כֹּ֥ה תֹאמְר֖וּן אֶל־אֲדֹֽנֵיכֶ֑ם כֹּ֣ה ׀ אָמַ֣ר יְהוָ֗ה אַל־תִּירָא֙ מִפְּנֵ֤י הַדְּבָרִים֙ אֲשֶׁ֣ר שָׁמַ֔עְתָּ אֲשֶׁ֧ר גִּדְּפ֛וּ נַעֲרֵ֥י מֶֽלֶךְ־אַשּׁ֖וּר אוֹתִֽי׃

Este versículo é uma duplicação de 2Rs 19.6.

■ 37.7

הִנְנִ֨י נוֹתֵ֥ן בּוֹ֙ ר֔וּחַ וְשָׁמַ֥ע שְׁמוּעָ֖ה וְשָׁ֣ב אֶל־אַרְצ֑וֹ וְהִפַּלְתִּ֥יו בַּחֶ֖רֶב בְּאַרְצֽוֹ׃

Este versículo é uma duplicação de 2Rs 19.7.

■ 37.8

וַיָּ֨שָׁב֙ רַב־שָׁקֵ֔ה וַיִּמְצָא֙ אֶת־מֶ֣לֶךְ אַשּׁ֔וּר נִלְחָ֖ם עַל־לִבְנָ֑ה כִּ֣י שָׁמַ֔ע כִּ֥י נָסַ֖ע מִלָּכִֽישׁ׃

Este versículo é uma duplicação de 2Rs 19.8.

■ 37.9

וַיִּשְׁמַ֗ע עַל־תִּרְהָ֤קָה מֶֽלֶךְ־כּוּשׁ֙ לֵאמֹ֔ר יָצָ֖א לְהִלָּחֵ֣ם אִתָּ֑ךְ וַיִּשְׁמַע֙ וַיִּשְׁלַ֣ח מַלְאָכִ֔ים אֶל־חִזְקִיָּ֖הוּ לֵאמֹֽר׃

Este versículo duplica 2Rs 19.9, com alguma leve modificação de palavras, mas sem mudança de sentido.

■ 37.10

כֹּ֣ה תֹאמְר֗וּן אֶל־חִזְקִיָּ֤הוּ מֶֽלֶךְ־יְהוּדָה֙ לֵאמֹ֔ר אַל־יַשִּׁאֲךָ֣ אֱלֹהֶ֔יךָ אֲשֶׁ֥ר אַתָּ֛ה בּוֹטֵ֥חַ בּ֖וֹ לֵאמֹ֑ר לֹ֤א תִנָּתֵן֙ יְר֣וּשָׁלִַ֔ם בְּיַ֖ד מֶ֥לֶךְ אַשּֽׁוּר׃

Este versículo é uma duplicação de 2Rs 19.10.

■ 37.11

הִנֵּ֣ה ׀ אַתָּ֣ה שָׁמַ֗עְתָּ אֲשֶׁ֨ר עָשׂ֜וּ מַלְכֵ֥י אַשּׁ֛וּר לְכָל־הָאֲרָצ֖וֹת לְהַחֲרִימָ֑ם וְאַתָּ֖ה תִּנָּצֵֽל׃

Este versículo é uma duplicação de 2Rs 19.11.

■ 37.12

הַהִצִּ֨ילוּ אוֹתָ֜ם אֱלֹהֵ֤י הַגּוֹיִם֙ אֲשֶׁ֣ר הִשְׁחִ֣יתוּ אֲבוֹתַ֔י אֶת־גּוֹזָ֖ן וְאֶת־חָרָ֑ן וְרֶ֥צֶף וּבְנֵי־עֶ֖דֶן אֲשֶׁ֥ר בִּתְלַשָּֽׂר׃

Este versículo é uma duplicação de 2Rs 19.12.

37.13

אַיֵּה מֶלֶךְ־חֲמָת וּמֶלֶךְ אַרְפָּד וּמֶלֶךְ לָעִיר סְפַרְוָיִם הֵנַע וְעִוָּה׃

Este versículo é uma duplicação de 2Rs 19.13.

37.14

וַיִּקַּח חִזְקִיָּהוּ אֶת־הַסְּפָרִים מִיַּד הַמַּלְאָכִים וַיִּקְרָאֵהוּ וַיַּעַל בֵּית יְהוָה וַיִּפְרְשֵׂהוּ חִזְקִיָּהוּ לִפְנֵי יְהוָה׃

Este versículo é uma duplicação de 2Rs 19.14.

37.15,16

וַיִּתְפַּלֵּל חִזְקִיָּהוּ אֶל־יְהוָה לֵאמֹר׃
יְהוָה צְבָאוֹת אֱלֹהֵי יִשְׂרָאֵל יֹשֵׁב הַכְּרֻבִים אַתָּה־הוּא הָאֱלֹהִים לְבַדְּךָ לְכֹל מַמְלְכוֹת הָאָרֶץ אַתָּה עָשִׂיתָ אֶת־הַשָּׁמַיִם וְאֶת־הָאָרֶץ׃

Este versículo é uma duplicação de 2Rs 19.15.

37.17

הַטֵּה יְהוָה אָזְנְךָ וּשְׁמָע פְּקַח יְהוָה עֵינֶךָ וּרְאֵה וּשְׁמַע אֵת כָּל־דִּבְרֵי סַנְחֵרִיב אֲשֶׁר שָׁלַח לְחָרֵף אֱלֹהִים חָי׃

Este versículo é uma duplicação de 2Rs 19.16.

37.18

אָמְנָם יְהוָה הֶחֱרִיבוּ מַלְכֵי אַשּׁוּר אֶת־כָּל־הָאֲרָצוֹת וְאֶת־אַרְצָם׃

Este versículo é uma duplicação de 2Rs 19.17.

37.19

וְנָתֹן אֶת־אֱלֹהֵיהֶם בָּאֵשׁ כִּי לֹא אֱלֹהִים הֵמָּה כִּי אִם־מַעֲשֵׂה יְדֵי־אָדָם עֵץ וָאֶבֶן וַיְאַבְּדוּם׃

Este versículo é uma duplicação de 2Rs 19.18.

37.20

וְעַתָּה יְהוָה אֱלֹהֵינוּ הוֹשִׁיעֵנוּ מִיָּדוֹ וְיֵדְעוּ כָּל־מַמְלְכוֹת הָאָרֶץ כִּי־אַתָּה יְהוָה לְבַדֶּךָ׃

Agora, pois, ó Senhor nosso Deus, livra-nos. Este versículo duplica 2Rs 19.19, exceto pelo fato de que o editor de Isaías omitiu a petição: "eu te peço", depois das palavras "livra-nos". Nossa versão portuguesa, entretanto, não apresenta essas palavras adicionais em 2Rs.

37.21

וַיִּשְׁלַח יְשַׁעְיָהוּ בֶן־אָמוֹץ אֶל־חִזְקִיָּהוּ לֵאמֹר כֹּה־אָמַר יְהוָה אֱלֹהֵי יִשְׂרָאֵל אֲשֶׁר הִתְפַּלַּלְתָּ אֵלַי אֶל־סַנְחֵרִיב מֶלֶךְ אַשּׁוּר׃

Este versículo duplica 2Rs 19.20, com alguma modificação. Em lugar de "Visto que me pediste acerca de Senaqueribe, rei da Assíria", o versículo de 2Rs diz "Quanto ao que me pediste acerca de Senaqueribe, Rei da Assíria, eu te ouvi".

37.22

זֶה הַדָּבָר אֲשֶׁר־דִּבֶּר יְהוָה עָלָיו בָּזָה לְךָ לָעֲגָה לְךָ בְּתוּלַת בַּת־צִיּוֹן אַחֲרֶיךָ רֹאשׁ הֵנִיעָה בַּת יְרוּשָׁלִָם׃

Este versículo é uma duplicação de 2Rs 19.21.

37.23

אֶת־מִי חֵרַפְתָּ וְגִדַּפְתָּ וְעַל־מִי הֲרִימוֹתָה קּוֹל וַתִּשָּׂא מָרוֹם עֵינֶיךָ אֶל־קְדוֹשׁ יִשְׂרָאֵל׃

Este versículo é uma duplicação de 2Rs 19.22.

37.24

בְּיַד עֲבָדֶיךָ חֵרַפְתָּ אֲדֹנָי וַתֹּאמֶר בְּרֹב רִכְבִּי אֲנִי עָלִיתִי מְרוֹם הָרִים יַרְכְּתֵי לְבָנוֹן וְאֶכְרֹת קוֹמַת אֲרָזָיו מִבְחַר בְּרֹשָׁיו וְאָבוֹא מְרוֹם קִצּוֹ יַעַר כַּרְמִלּוֹ׃

Este versículo é uma duplicação de 2Rs 19.23.

37.25

אֲנִי קַרְתִּי וְשָׁתִיתִי מָיִם וְאַחְרִב בְּכַף־פְּעָמַי כֹּל יְאֹרֵי מָצוֹר׃

Cavei e bebi as águas. Este versículo duplica 2Rs 19.24, exceto pelo fato de que a palavra "águas", em Is, é substituída pelas palavras "as águas de estrangeiros", em 2Rs.

37.26

הֲלוֹא־שָׁמַעְתָּ לְמֵרָחוֹק אוֹתָהּ עָשִׂיתִי מִימֵי קֶדֶם וִיצַרְתִּיהָ עַתָּה הֲבֵאתִיהָ וּתְהִי לְהַשְׁאוֹת גַּלִּים נִצִּים עָרִים בְּצֻרוֹת׃

Este versículo é uma duplicação de 2Rs 19.25.

37.27

וְיֹשְׁבֵיהֶן קִצְרֵי־יָד חַתּוּ וָבֹשׁוּ הָיוּ עֵשֶׂב שָׂדֶה וִירַק דֶּשֶׁא חֲצִיר גַּגּוֹת וּשְׁדֵמָה לִפְנֵי קָמָה׃

Este versículo é uma duplicação de 2Rs 19.26.

37.28

וְשִׁבְתְּךָ וְצֵאתְךָ וּבוֹאֲךָ יָדָעְתִּי וְאֵת הִתְרַגֶּזְךָ אֵלָי׃

Este versículo é uma duplicação de 2Rs 19.27.

37.29

יַעַן הִתְרַגֶּזְךָ אֵלַי וְשַׁאֲנַנְךָ עָלָה בְאָזְנָי וְשַׂמְתִּי חַחִי בְּאַפֶּךָ וּמִתְגִּי בִּשְׂפָתֶיךָ וַהֲשִׁיבֹתִיךָ בַּדֶּרֶךְ אֲשֶׁר־בָּאתָ בָּהּ׃

Este versículo é uma duplicação de 2Rs 19.28.

37.30

וְזֶה־לְּךָ הָאוֹת אָכוֹל הַשָּׁנָה סָפִיחַ וּבַשָּׁנָה הַשֵּׁנִית שָׁחִיס וּבַשָּׁנָה הַשְּׁלִישִׁית זִרְעוּ וְקִצְרוּ וְנִטְעוּ כְרָמִים וְאָכוֹל פִּרְיָם׃

Este versículo é uma duplicação de 2Rs 19.29.

37.31

וְיָסְפָה פְּלֵיטַת בֵּית־יְהוּדָה הַנִּשְׁאָרָה שֹׁרֶשׁ לְמָטָּה וְעָשָׂה פְרִי לְמָעְלָה׃

Este versículo é uma duplicação de 2Rs 19.30.

37.32

כִּי מִירוּשָׁלִַם תֵּצֵא שְׁאֵרִית וּפְלֵיטָה מֵהַר צִיּוֹן קִנְאַת יְהוָה צְבָאוֹת תַּעֲשֶׂה־זֹּאת׃ ס

Este versículo é uma duplicação de 2Rs 19.31.

37.33

לָכֵ֗ן כֹּֽה־אָמַ֤ר יְהוָה֙ אֶל־מֶ֣לֶךְ אַשּׁ֔וּר לֹ֣א יָבוֹא֙ אֶל־הָעִ֣יר הַזֹּ֔את וְלֹֽא־יוֹרֶ֥ה שָׁ֖ם חֵ֑ץ וְלֹֽא־יְקַדְּמֶ֣נָּה מָגֵ֔ן וְלֹֽא־יִשְׁפֹּ֥ךְ עָלֶ֖יהָ סֹלְלָֽה׃

Este versículo é uma duplicação de 2Rs 19.32.

37.34

בַּדֶּ֥רֶךְ אֲשֶׁר־בָּ֖א בָּ֣הּ יָשׁ֑וּב וְאֶל־הָעִ֥יר הַזֹּ֛את לֹ֥א יָב֖וֹא נְאֻם־יְהוָֽה׃

Este versículo é uma duplicação de 2Rs 19.33.

37.35

וְגַנּוֹתִ֛י עַל־הָעִ֥יר הַזֹּ֖את לְהוֹשִׁיעָ֑הּ לְמַעֲנִ֕י וּלְמַ֖עַן דָּוִ֥ד עַבְדִּֽי׃ ס

Este versículo é uma duplicação de 2Rs 19.34.

37.36

וַיֵּצֵ֣א ׀ מַלְאַ֣ךְ יְהוָ֗ה וַיַּכֶּה֙ בְּמַחֲנֵ֣ה אַשּׁ֔וּר מֵאָ֛ה וּשְׁמֹנִ֥ים וַחֲמִשָּׁ֖ה אָ֑לֶף וַיַּשְׁכִּ֣ימוּ בַבֹּ֔קֶר וְהִנֵּ֥ה כֻלָּ֖ם פְּגָרִ֥ים מֵתִֽים׃

Este versículo é uma duplicação de 2Rs 19.35.

37.37

וַיִּסַּ֣ע וַיֵּ֔לֶךְ וַיָּ֖שָׁב סַנְחֵרִ֣יב מֶֽלֶךְ־אַשּׁ֑וּר וַיֵּ֖שֶׁב בְּנִֽינְוֵֽה׃

Este versículo é uma duplicação de 2Rs 19.36.

37.38

וַיְהִי֩ ה֨וּא מִֽשְׁתַּחֲוֶ֜ה בֵּ֣ית ׀ נִסְרֹ֣ךְ אֱלֹהָ֗יו וְֽאַדְרַמֶּ֨לֶךְ וְשַׂרְאֶ֤צֶר בָּנָיו֙ הִכֻּ֣הוּ בַחֶ֔רֶב וְהֵ֥מָּה נִמְלְט֖וּ אֶ֣רֶץ אֲרָרָ֑ט וַיִּמְלֹ֛ךְ אֵֽסַר־חַדֹּ֥ן בְּנ֖וֹ תַּחְתָּֽיו׃ ס

Este versículo é uma duplicação de 2Rs 19.37.

CAPÍTULO TRINTA E OITO

Não há interrupção entre os capítulos 37 e 38. O editor de Isaías, quanto a esta seção histórica (capítulos 36—39), copiou 2Rs 18.13—20.19. Mas os vss. 9-20 encontram-se somente no livro de Isaías. Ver a introdução à seção no início da exposição sobre o capítulo 36.

38.1

בַּיָּמִ֣ים הָהֵ֔ם חָלָ֥ה חִזְקִיָּ֖הוּ לָמ֑וּת וַיָּב֣וֹא אֵ֠לָיו יְשַֽׁעְיָ֨הוּ בֶן־אָמ֜וֹץ הַנָּבִ֗יא וַיֹּ֨אמֶר אֵלָ֜יו כֹּֽה־אָמַ֤ר יְהוָה֙ צַ֣ו לְבֵיתֶ֔ךָ כִּ֛י מֵ֥ת אַתָּ֖ה וְלֹ֥א תִֽחְיֶֽה׃

Este versículo é uma duplicação de 2Rs 20.1.

> *O Senhor sustém os que vacilam, e apruma todos os prostrados.*
>
> Salmo 145.14

38.2

וַיַּסֵּ֧ב חִזְקִיָּ֛הוּ פָּנָ֖יו אֶל־הַקִּ֑יר וַיִּתְפַּלֵּ֖ל אֶל־יְהוָֽה׃

Este versículo é uma duplicação de 2Rs 20.2.

38.3

וַיֹּאמַ֗ר אָנָּ֤ה יְהוָה֙ זְכָר־נָ֞א אֵ֣ת אֲשֶׁ֧ר הִתְהַלַּ֣כְתִּי לְפָנֶ֗יךָ בֶּֽאֱמֶת֙ וּבְלֵ֣ב שָׁלֵ֔ם וְהַטּ֥וֹב בְּעֵינֶ֖יךָ עָשִׂ֑יתִי וַיֵּ֥בְךְּ חִזְקִיָּ֖הוּ בְּכִ֥י גָדֽוֹל׃ ס

Este versículo é uma duplicação de 2Rs 20.3.

38.4

וַֽיְהִי֙ דְּבַר־יְהוָ֔ה אֶל־יְשַׁעְיָ֖הוּ לֵאמֹֽר׃

Este versículo duplica 2Rs 20.4, exceto pelo fato de que o editor de Isaías deixou de lado as palavras que se encontram em 2Rs: "Antes que Isaías tivesse saído da parte central da cidade", o que a *Revised Standard Version* coloca como: "do átrio do meio". A resposta veio quase imediatamente, a maneira como queremos que nossas orações sejam respondidas.

38.5

הָל֞וֹךְ וְאָמַרְתָּ֣ אֶל־חִזְקִיָּ֗הוּ כֹּֽה־אָמַ֤ר יְהוָה֙ אֱלֹהֵי֙ דָּוִ֣ד אָבִ֔יךָ שָׁמַ֖עְתִּי אֶת־תְּפִלָּתֶ֑ךָ רָאִ֣יתִי אֶת־דִּמְעָתֶ֔ךָ הִנְנִ֨י יוֹסִ֤ף עַל־יָמֶ֙יךָ֙ חֲמֵ֥שׁ עֶשְׂרֵ֖ה שָׁנָֽה׃

Vai, e dize a Ezequias... Acrescentarei, pois, aos teus dias quinze anos. Este versículo duplica 2Rs 20.5,6. O profeta que trouxe a mensagem de morte iminente também trouxe, quase imediatamente, a palavra de que "quinze anos extras" seriam acrescentados à vida de Ezequias. A oração, acompanhada pelas lágrimas do rei, mostrou-se poderosa, e assim o presente de quinze anos extras foi dado a Ezequias. Oh, Senhor, concede-nos tal graça!

38.6

וּמִכַּ֤ף מֶֽלֶךְ־אַשּׁוּר֙ אַצִּ֣ילְךָ֔ וְאֵ֖ת הָעִ֣יר הַזֹּ֑את וְגַנּוֹתִ֖י עַל־הָעִ֥יר הַזֹּֽאת׃

Este versículo duplica 2Rs 20.6b, mas o editor de Isaías omitiu as palavras: "e defenderei esta cidade por amor de mim, e por amor de Davi, meu servo".

38.7

וְזֶה־לְּךָ֥ הָא֖וֹת מֵאֵ֣ת יְהוָ֑ה אֲשֶׁר֙ יַעֲשֶׂ֣ה יְהוָ֔ה אֶת־הַדָּבָ֥ר הַזֶּ֖ה אֲשֶׁ֥ר דִּבֵּֽר׃

Ser-te-á isto da parte do Senhor como sinal. Este versículo duplica 2Rs 20.9a. Note o leitor que o editor omitiu o vs. 7 de 2Rs 20, e então modificou um pouco o vs. 8. Em 2Rs, Ezequias pediu de Isaías um sinal do Senhor para reforçar a promessa de vida mais longa. O editor do livro de Isaías (neste ponto) simplesmente dá o sinal, sem que Ezequias o peça. Os vss. 7 e 8a (de 2Rs 20) aparecem em Is 38.21,22.

38.8

הִנְנִ֣י מֵשִׁ֣יב אֶת־צֵ֣ל הַֽמַּעֲל֡וֹת אֲשֶׁ֣ר יָרְדָה֩ בְמַעֲל֨וֹת אָחָ֤ז בַּשֶּׁ֙מֶשׁ֙ אֲחֹרַנִּ֔ית עֶ֖שֶׂר מַעֲל֑וֹת וַתָּ֤שָׁב הַשֶּׁ֙מֶשׁ֙ עֶ֣שֶׂר מַעֲל֔וֹת בַּֽמַּעֲל֖וֹת אֲשֶׁ֥ר יָרָֽדָה׃ ס

Eis que farei retroceder dez graus a sombra lançada pelo sol. Este versículo duplica 2Rs 20.9b-11, mas o editor de Isaías condensou muito material na simples apresentação do sinal, o que servia perfeitamente a seus propósitos. Neste ponto, o editor de Isaías parou de copiar de sua fonte informativa e nos deu doze versículos, o *Salmo de Agradecimento* de Ezequias. Terminado o salmo, ele voltou à cópia, pelo que Is 39.1 é duplicação 2Reis 20.12.

SALMO DE AÇÃO DE GRAÇAS DE EZEQUIAS (38.9-20)

Este salmo é um escrito (no hebraico, *miktab*, interpretado aqui como *cântico* ou *salmo*). É semelhante ao "cântico de Ana" (1Sm 2.1-10) e à "oração de Jonas" (Jn 2.2-9), um escrito composto para ser usado nos cultos do templo, pelo que, de fato, consistia em uma composição litúrgica. Era apropriado para ser usado nos ritos sacrificiais a fim de expressar agradecimentos por alguma bênção especial recebida. O vs. 9 serve como título do salmo e, tal como se dá com os salmos do saltério, foi adicionado posteriormente. Em vez de *miktab*, alguns estudiosos preferem o termo *mikta*m, que se encontra nos títulos dos Salmos 56 a 60. Ali, a tradução apropriada parece ser "oração". Esse salmo encontra-se somente aqui, não tendo paralelo nem em 2Rs nem nos livros de Crônicas.

■ 38.9

מִכְתָּב לְחִזְקִיָּהוּ מֶלֶךְ־יְהוּדָה בַּחֲלֹתוֹ וַיְחִי מֵחָלְיוֹ׃

Cântico de Ezequias, rei de Judá. O *miktab* ou *miktam* (ver a introdução a esta seção, anteriormente) tem sido atribuído a Ezequias, o qual se mostrou cuidadoso em louvar a Deus e agradecer-lhe por sua vida, que fora poupada — quinze anos lhe foram acrescentados (ver Is 38.5). Além desse benefício, Yahweh prometeu que também livraria Jerusalém das mãos dos assírios (vs. 6), pelo que o rei tinha duas boas razões para prestar ações de graças. Uma divina intervenção tinha livrado da morte o rei, mostrando que a oração é mais forte do que a profecia, porquanto Isaías já havia revelado a Ezequias que era tempo de ele morrer (vs. 1). Incidentalmente, aprendemos que o dia da morte de uma pessoa talvez não seja uma data fixa. Parece que, em alguns casos, a data da morte já foi fixada; mas, em outros, ainda não. Parece haver certa flexibilidade na questão. Portanto, sempre será legítimo pedir alguns anos extras. É conforme dizia minha mãe: "Algumas vezes podemos barganhar com Deus e, de outras vezes, não podemos".

■ 38.10

אֲנִי אָמַרְתִּי בִּדְמִי יָמַי אֵלֵכָה בְּשַׁעֲרֵי שְׁאוֹל פֻּקַּדְתִּי יֶתֶר שְׁנוֹתָי׃

Eu disse: Em pleno vigor de meus dias. Ezequias considerou estar em *pleno vigor* (conforme diz a nossa tradução portuguesa), ou *meio dia* (*Revised Standard Version*), ou *tranquilidade* (tradução da Imprensa Bíblica Brasileira). Naquele momento o anjo da morte descia sobre o palácio em busca de Ezequias para levá-lo deste mundo. O profeta Isaías acabara de dizer a Ezequias que era seu tempo de partir, mas o rei voltou-se para uma parede e fez uma oração que se mostrou mais forte do que a profecia.

O rei tinha sido consignado ao *sheol*, o que, nesta passagem, dificilmente pode significar algo mais do que o *sepulcro*. Quanto a versículos nos quais essa palavra hebraica pode significar mais do que isso, ver Sl 88.10 e 139.8. Ver também Is 14.9; 29.4; e Pv 5.5, onde apresento um sumário de como essa doutrina tem-se desenvolvido. O *sheol* poderia esperar. Ezequias ainda tinha algumas coisas que precisava fazer para cumprir a sua missão.

Roubado estou do resto dos meus anos. Ezequias não concordou com a agenda do anjo da morte. Ele entendeu que seria útil viver mais alguns anos. O anjo estava com pressa. Mas imagino que há algumas coisas de que os mortais sabem, e das quais os seres imortais não sabem, e uma delas é "quando é apropriado morrer", levando-se em conta todos os fatores.

Note o leitor que Ezequias não falou em uma existência pós-vida. Ao que tudo indica, ele não acreditava nisso, o que era típico do judaísmo antigo. Somente nos livros de Salmos e dos Profetas esse conceito começou a vir à tona, embora na filosofia ocidental e nas religiões orientais esse fosse um pensamento constante. A doutrina do pós-vida é vista claramente em porções finais do Antigo Testamento, como em Dn 12.3. Mas foi nos livros pseudepígrafos e apócrifos que essas ideias se desenvolveram; e, então, o Novo Testamento deu a sua própria contribuição para a doutrina. Ver na *Enciclopédia de Bíblia, Teologia e Filosofia* o verbete denominado *Imortalidade*, composto de vários artigos, incluindo dois que veem a questão do ponto de vista científico. Ver também ali o verbete chamado *Experiências Perto da Morte*.

■ 38.11

אָמַרְתִּי לֹא־אֶרְאֶה יָהּ יָהּ בְּאֶרֶץ הַחַיִּים לֹא־אַבִּיט אָדָם עוֹד עִם־יוֹשְׁבֵי חָדֶל׃

Eu disse: Já não verei o Senhor na terra dos viventes. A morte era vista como uma perda crítica. Em *primeiro lugar*, o homem seria cortado da adoração a Deus, no templo de Jerusalém (ver o vs. 18 e Sl 27.13 e 115.7). Em seguida, ele perderia a *própria vida,* não mais podendo ver homens vivos, tendo de abandonar seus próprios interesses e prazeres. Em outras palavras, estaria verdadeiramente *morto*.

Ver as notas expositivas no vs. 10 quanto ao quadro lamentável que é não esperar nenhum tipo de existência no além. Os hebreus não possuíam ciência com a qual pudessem investigar as questões da vida e da morte, e nenhum cristão espera que isso resolva para nós a questão:

> *Porque eu estou bem certo de que nem morte, nem vida, nem anjos, nem principados, nem cousas do presente, nem do porvir, nem poderes, nem altura, nem profundidade, nem qualquer outra criatura poderá separar-nos do amor de Deus, que está em Cristo Jesus nosso Senhor.*
> Romanos 8.38,39

Sejam contrastadas as palavras de Ezequias com as palavras de Paulo: "Porquanto, para mim o viver é Cristo, e o morrer é lucro... tenho o desejo de partir e estar com Cristo, o que é incomparavelmente melhor" (Fp 1.21,23).

■ 38.12

דּוֹרִי נִסַּע וְנִגְלָה מִנִּי כְּאֹהֶל רֹעִי קִפַּדְתִּי כָאֹרֵג חַיַּי מִדַּלָּה יְבַצְּעֵנִי מִיּוֹם עַד־לַיְלָה תַּשְׁלִימֵנִי׃

A minha habitação foi arrancada. *Com duas metáforas,* o rei Ezequias lamentou a sua sorte, que lhe sobrevinha de forma súbita e final, tal como um pastor dobra sua minúscula tenda, a fim de mudar-se para outro lugar e acompanhar seu rebanho. Cf. essa metáfora da tenda com 2Co 5.1,2. Mas, em contraste com Paulo, que via um templo permanente a substituir a tenda temporária, Ezequias via somente o desmantelo de sua tenda, e nenhuma edificação nova. Cf. também Sl 42.5 e Jó 21.28. A tenda é o corpo humano, um lar transitório, sujeito ao desmantelo, visto que não tem por objetivo ser uma residência permanente.

Além disso, temos a *metáfora do tecelão*. O tecelão trabalha alegremente em um projeto. Sabendo o que está fazendo, e feliz com isso, ele continua; mas então, alguma pessoa ou circunstância aparece e interrompe seu trabalho. Com relutância ele tem de dobrar o trabalho, deixando-o por terminar. Yahweh vem e corta a veste não terminada do tear, a fim de que algum outro trabalho seja feito ali. Ele estava vivo pela manhã, mas à noite sua vida foi cortada. O original hebraico, aqui, é um tanto incerto. Poderia estar em vista certo número de dias de uma vida, conforme se vê em Sl 31.15; 37.18 e 90.12. Os gregos costumavam falar nos deuses da sorte a tecer os dias da vida dos homens, para cortar o tecido quando bem o entendessem.

> *Estou terminado como o tecido que um tecelão enrola e corta do tear. Em um dia me levaste a este fim.*
> NCV

■ 38.13

שִׁוִּיתִי עַד־בֹּקֶר כָּאֲרִי כֵּן יְשַׁבֵּר כָּל־עַצְמוֹתָי מִיּוֹם עַד־לַיְלָה תַּשְׁלִימֵנִי׃

Espero com paciência até à madrugada. É provável que este versículo se refira a qualquer enfermidade que afligia Ezequias e o ameaçava com a morte. Ele atribuiu essa enfermidade a Yahweh, talvez por causa de pecados que sabia ter cometido e mereciam castigo. Assim sendo, Yahweh se aproximara dele qual leão, e o esmagava, sem alívio algum, todo o dia e toda a noite, com o intuito de tirar-lhe a vida. Mediante essa figura simbólica, os sofrimentos de Ezequias foram vividamente pintados.

> *Que posso dizer Àquele que faz isto comigo? Agito-me nas horas da noite, com amargura de alma.*
> Moffatt

■ 38.14

כְּסוּס עָגוּר כֵּן אֲצַפְצֵף אֶהְגֶּה כַּיּוֹנָה דַּלּוּ עֵינַי לַמָּרוֹם אֲדֹנָי עָשְׁקָה־לִּי עָרְבֵנִי׃

Como a andorinha, ou o grou, assim eu chilreava. Ezequias compara os gemidos contínuos de sua agonia aos tipos de sons que os pássaros fazem quando sofrem. Ele nomeou três pássaros — a andorinha, o grou e a pomba — cada qual com seu som distintivo de tristeza: "O choro de dor e lamentação reprimida dos sofredores" (Ellicott, *in loc.*). Ele tinha olhado tanto para Yahweh, em oração, que dificilmente poderia continuar levantando a cabeça. Era terrível a opressão que ele estava suportando, pelo que implorou que Yahweh interviesse em seu favor. Diz aqui o hebraico original, literalmente: "Sê minha segurança". Ele tinha alguma espécie de dívida a pagar e precisava de alguém que garantisse o pagamento. Se ninguém saísse em seu favor, para livrá-lo do credor da morte, ele seria conduzido para a execução.

■ 38.15

מַה־אֲדַבֵּר וְאָמַר־לִי וְהוּא עָשָׂה אֶדַּדֶּה כָל־שְׁנוֹתַי
עַל־מַר נַפְשִׁי:

Que direi? Como prometeu, assim me fez. *Yahweh*, em última análise, era a *causa* de sua enfermidade, e Ezequias tinha razões para reclamar. A resposta padronizada dos hebreus era que toda a enfermidade continha algum pecado, mas o livro de Jó demonstra que essa posição importa em exagero. Existem enfermidades e calamidades que atingem os homens, com as quais Deus nada tem a ver. Ver no *Dicionário* o artigo chamado *Problema do Mal*. Os homens sofrem por causa do mal moral, a dor causada pela vontade perversa de outros homens. E também sofrem em vista do mal natural, ou seja, os abusos da natureza, como incêndios, inundações, terremotos, enfermidades e morte. O *porquê* dos sofrimentos é um dos problemas filosóficos e teológicos mais agudos e perturbadores que existe, e sobre ele trato nos artigos mencionados.

Ezequias não podia dormir. A dor era tão grande que ele não conseguia dormir; o sono tinha fugido dele. Tanto sofrimento amargurara sua alma, tal e qual acontecera com Jó.

Passarei tranquilamente. Provavelmente, está em foco um espírito humilde e quebrantado. A enfermidade tinha feito o rei Ezequias tornar-se um desastre, e ele não podia levantar a cabeça. Ele perdeu o ânimo de viver. O Targum, entretanto, aplica essa declaração ao resto da vida de Ezequias, mesmo *depois* de seu livramento. Ele jamais esqueceria o que Yahweh tinha feito, e sempre se mostraria humilde quando lembrasse o presente daqueles quinze anos extras!

Tenho tido essas tribulações, pelo que agora serei humilde toda a minha vida.

NCV

■ 38.16

אֲדֹנָי עֲלֵיהֶם יִחְיוּ וּלְכָל־בָּהֶן חַיֵּי רוּחִי וְתַחֲלִימֵנִי
וְהַחֲיֵנִי:

Senhor, por estas disposições tuas vivem os homens. Estas palavras iniciais do versículo são obscuras no original hebraico, o que faz os tradutores conjecturarem sobre o seu significado. Uma dessas conjecturas diz o seguinte: "Senhor, por causa de ti, vivem os homens" (NCV). Ou então: "contigo estão os dias de minha vida" (Kissane, *Isaías* I. 416,419). O rei reconheceu que a vida dele estava em Yahweh, como um dom; portanto, Deus era poderoso para dar-lhe uma vida mais longa, libertando-o de sua enfermidade. Todas as coisas vivem em Yahweh, e o rei não era exceção. Cf. Dt 8.6. Os homens vivem mediante o pão, mas não somente pelo pão.

Restaura-me a saúde e faz-me viver.

RSV

Essa é a nota-chave deste salmo de Ezequias. Em certo número de salmos de lamentação, o inimigo é a enfermidade física. Ver os Salmos 6; 22; 28; 30; 31.9-12.

O meu espírito. Não está em mira aqui a "alma imortal", conforme dizem algumas versões, pois a alma ainda não havia entrado na teologia hebraica do período, mas o *hálito* de Deus em um homem, que lhe dá a vida física. O rei Ezequias não falava sobre a alma, sobre a vida, sobre a vida no além, sobre a salvação que leva à vida eterna. Ele meramente queria ver curado o seu pobre corpo físico, para que continuasse vivendo e assim cumprisse sua missão na terra.

■ 38.17

הִנֵּה לְשָׁלוֹם מַר־לִי מָר וְאַתָּה חָשַׁקְתָּ נַפְשִׁי מִשַּׁחַת
בְּלִי כִּי הִשְׁלַכְתָּ אַחֲרֵי גֵוְךָ כָּל־חֲטָאָי:

Eis que foi para minha paz que tive eu grande amargura. O rei Ezequias reconheceu que tinha aprendido algumas valiosas lições quando adoeceu, mas agora sentia-se extremamente grato de que isso era tudo quanto estava envolvido na questão, visto que Yahweh fez sua vida recuar dos portões do *sheol,* a sepultura, o abismo da destruição do corpo. "O salmista percebeu que os seus sofrimentos tinham redundado em seu próprio bem; perdão de pecados e recuperação após uma doença mortífera tinham sido dois lados da mesma experiência do poder salvador de Deus" (R. B. Y. Scott, *in loc.*).

Ele é quem perdoa todas as tuas iniquidades; quem sara todas as tuas enfermidades.

Salmo 103.3

E a livraste da cova da corrupção. Temos aqui uma referência ao *sheol* como a *sepultura.* Ver as notas acerca do vs. 10. O livramento se deu através do famoso *amor de Deus,* do qual todos somos inteiramente dependentes. Ver no *Dicionário* o artigo chamado *Amor*. O hebraico literal é vívido: "Tens amado a minha alma e a tens tirado da cova da destruição". Quando Yahweh fez isso, simplesmente lançou os pecados de Ezequias para trás de si, pois eram causas, e foram anulados tanto as causas quanto os efeitos. O amor de Deus é, *ipso facto*, um livramento, porquanto é um poder inesgotável. Quando Deus opera sua obra de livramento, ele lança os pecados no esquecimento. Cf. Mt 9.2-5.

■ 38.18

כִּי לֹא שְׁאוֹל תּוֹדֶךָּ מָוֶת יְהַלְלֶךָּ לֹא־יְשַׂבְּרוּ יוֹרְדֵי־
בוֹר אֶל־אֲמִתֶּךָ:

A sepultura não te pode louvar. É descrito aqui o *nada do seol,* tema comum no livro dos Salmos. Daquele lugar de desgraças não sobem agradecimentos a Yahweh, porquanto ali não há vida para dar louvores. Os que desceram ao abismo não têm esperança. A fidelidade de Deus não se aplica a eles, porquanto eles são como o nada. O rei Ezequias concordou com a teologia de seus dias, de que nada sobrevive à morte biológica, nem mesmo a alma. É inútil distorcer este versículo e confiar na esperança cristã que se poderia acrescentar a ele. Seria um anacronismo. Cf. este versículo com ideias similares em Sl 6.5; 30.9; 88.11; 115.17; Ec 9.10. Ver as notas expositivas sobre o vs. 10 do presente capítulo, que também se aplicam aqui. A teologia dos hebreus era deficiente em muitos pontos, e não meramente na questão da sobrevivência da alma. Se isso não fosse verdade, então não teríamos necessidade do Novo Testamento. Cf. Is 38.18, que dá o ponto de vista lamentável sobre o sepulcro.

■ 38.19

חַי חַי הוּא יוֹדֶךָ כָּמוֹנִי הַיּוֹם אָב לְבָנִים יוֹדִיעַ אֶל־
אֲמִתֶּךָ:

Os vivos, somente os vivos, esses te louvam. Ezequias clamou como segue: "São os vivos! São os vivos que te agradecem!" Ele queria estar entre os vivos, para que pudesse louvar a Deus acerca de sua vida. Um pai comunica a verdade de Deus a seus filhos. Entre essas verdades está a necessidade de prestar agradecimentos a Deus. A verdade, neste caso, é a lei mosaica. A lei é o *guia* da vida (ver Dt 6.4 ss.); ela dá ao homem uma vida útil (ver Dt 4.1; 5.33; 6.2; Ez 20.1). A lei é que torna os homens bons indivíduos distintos (ver Dt 4.4-8).

A tua fidelidade. Está incluído aqui o fato de que os homens podem orar e obter ajuda em tempos de necessidade, sem importar qual seja essa necessidade. A lei prometia a intervenção de Yahweh para aqueles que a cumprissem, em suas obrigações morais e rituais. Um pai dirá a seus filhos que "tu provês ajuda", conforme diz a NCV.

38.20

יְהוָה לְהוֹשִׁיעֵנִי וּנְגִנוֹתַי נְנַגֵּן כָּל־יְמֵי חַיֵּינוּ עַל־בֵּית יְהוָה׃

O Senhor veio salvar-me. Ezequias confiava em que Yahweh o salvaria de sua temível enfermidade, e, quando isso acontecesse, ele iria ao templo e ofereceria sacrifícios de ação de graças, tomaria votos e cantaria louvores, com o acompanhamento de instrumentos de cordas. Portanto, vemos aqui como esse salmo foi adaptado para o ritual do templo e poderia ser entoado por qualquer um que tivesse recebido alguma grande resposta à oração, como boa saúde e vida longa. A experiência de Ezequias fazia soar uma nota perpétua de louvor, que continuava retinindo por parte daqueles que obtinham curas ou outros triunfos por meio da oração.

Nós o louvaremos. Quem faria isso? Ezequias, seus familiares e seus amigos; aqueles que ouvissem essa história e continuassem a confiar no mesmo Deus. Ezequias identificava-se com a família inteira de Judá, bem como com os levitas músicos (ver 1Cr 25), os quais se dedicavam a musicar os salmos, inspirando o povo a agradecer ao Senhor mais ainda.

38.21,22

וַיֹּאמֶר יְשַׁעְיָהוּ יִשְׂאוּ דְּבֶלֶת תְּאֵנִים וְיִמְרְחוּ עַל־הַשְּׁחִין וְיֶחִי׃

וַיֹּאמֶר חִזְקִיָּהוּ מָה אוֹת כִּי אֶעֱלֶה בֵּית יְהוָה׃ ס

Retornamos agora aos paralelos no capítulo 20 de 2Rs. Os vss. 21,22 foram omitidos entre os vss. 6,7. O vs. 21 duplica 2Rs 20.7 e o vs. 22 duplica 2Rs 20.8, mas deixa de fora as palavras "ao terceiro dia".

CAPÍTULO TRINTA E NOVE

Não há interrupção entre os capítulos 38 e 39. Ver comentários sobre a seção histórica que algum editor tomou por empréstimo de 2Rs, na introdução ao capítulo 36 de Isaías. Os capítulos 36—39 foram copiados diretamente de 2Rs 18.13—20.19, com leves modificações. Somente o trecho de Is 38.9-20 foi adicionado com base em outra fonte informativa. Dou as exposições nos paralelos que aparecem no livro de 2Rs.

39.1

בָּעֵת הַהִוא שָׁלַח מְרֹדַךְ בַּלְאֲדָן בֶּן־בַּלְאֲדָן מֶלֶךְ־בָּבֶל סְפָרִים וּמִנְחָה אֶל־חִזְקִיָּהוּ וַיִּשְׁמַע כִּי חָלָה וַיֶּחֱזָק׃

Este versículo é uma duplicação de 2Rs 20.12.

39.2

וַיִּשְׂמַח עֲלֵיהֶם חִזְקִיָּהוּ וַיַּרְאֵם אֶת־בֵּית נְכֹתֹה אֶת־הַכֶּסֶף וְאֶת־הַזָּהָב וְאֶת־הַבְּשָׂמִים וְאֵת הַשֶּׁמֶן הַטּוֹב וְאֵת כָּל־בֵּית כֵּלָיו וְאֵת כָּל־אֲשֶׁר נִמְצָא בְּאֹצְרֹתָיו לֹא־הָיָה דָבָר אֲשֶׁר לֹא־הֶרְאָם חִזְקִיָּהוּ בְּבֵיתוֹ וּבְכָל־מֶמְשַׁלְתּוֹ׃

Este versículo é uma duplicação de 2Rs 20.13.

39.3

וַיָּבֹא יְשַׁעְיָהוּ הַנָּבִיא אֶל־הַמֶּלֶךְ חִזְקִיָּהוּ וַיֹּאמֶר אֵלָיו מָה אָמְרוּ הָאֲנָשִׁים הָאֵלֶּה וּמֵאַיִן יָבֹאוּ אֵלֶיךָ וַיֹּאמֶר חִזְקִיָּהוּ מֵאֶרֶץ רְחוֹקָה בָּאוּ אֵלַי מִבָּבֶל׃

Este versículo é uma duplicação de 2Rs 20.14.

39.4

וַיֹּאמֶר מָה רָאוּ בְּבֵיתֶךָ וַיֹּאמֶר חִזְקִיָּהוּ אֵת כָּל־אֲשֶׁר בְּבֵיתִי רָאוּ לֹא־הָיָה דָבָר אֲשֶׁר לֹא־הִרְאִיתִים בְּאוֹצְרֹתָי׃

Este versículo é uma duplicação de 2Rs 20.15.

39.5

וַיֹּאמֶר יְשַׁעְיָהוּ אֶל־חִזְקִיָּהוּ שְׁמַע דְּבַר־יְהוָה צְבָאוֹת׃

Ouve a palavra do Senhor dos Exércitos. Este versículo duplica 2Rs 20.16, exceto pelo título divino, que no livro de Isaías com frequência é *Senhor dos Exércitos,* ao passo que no livro de 2Rs é o simples *Yahweh* (em nossa versão portuguesa, "Senhor").

39.6

הִנֵּה יָמִים בָּאִים וְנִשָּׂא כָּל־אֲשֶׁר בְּבֵיתֶךָ וַאֲשֶׁר אָצְרוּ אֲבֹתֶיךָ עַד־הַיּוֹם הַזֶּה בָּבֶלָה לֹא־יִוָּתֵר דָּבָר אָמַר יְהוָה׃

Este versículo é uma duplicação de 2Rs 20.17.

39.7

וּמִבָּנֶיךָ אֲשֶׁר יֵצְאוּ מִמְּךָ אֲשֶׁר תּוֹלִיד יִקָּחוּ וְהָיוּ סָרִיסִים בְּהֵיכַל מֶלֶךְ בָּבֶל׃

Este versículo é uma duplicação de 2Rs 18.22.

39.8

וַיֹּאמֶר חִזְקִיָּהוּ אֶל־יְשַׁעְיָהוּ טוֹב דְּבַר־יְהוָה אֲשֶׁר דִּבַּרְתָּ וַיֹּאמֶר כִּי יִהְיֶה שָׁלוֹם וֶאֱמֶת בְּיָמָי׃ פ

Este versículo duplica 2Rs 20.19. Neste ponto, o editor do livro de Isaías interrompe a cópia de 2Rs, não dando a nota de obituário de Ezequias que aparece em 2Rs 20.20. Tendo copiado o trecho de 2Rs 18.13–20.19, ele proveu a seus leitores o pano de fundo histórico essencial para as profecias com que inicia o capítulo 40. Quanto ao adiamento da punição, cf. 1Rs 21.27-29. O castigo deve adaptar-se ao crime, conforme encontramos em Is 3.16,17,24, de acordo com a *Lex Talionis* (cobrança em consonância com a gravidade do crime; ver a respeito no *Dicionário*).

CAPÍTULO QUARENTA

PROFECIAS CONCERNENTES À BABILÔNIA (40.1—45.13)

CONSOLO PARA OS EXILADOS: PROMESSA DE RESTAURAÇÃO (40.1-11)

Os capítulos 40—55 são uma espécie de *Livro das Consolações de Israel.* "O profeta foi convocado para anunciar a vinda de Deus. A cena de pano de fundo é o conselho celestial, de onde chegavam vozes ao profeta. Os vss. 1,2 são a introdução; *consolo,* visto que o exílio estava quase terminando... meu povo... vosso Deus, *palavras de aliança* (cf. Êx 19.4-6; Jr 11.5)" (*Oxford Annotated Bible,* introdução ao presente capítulo).

segundo Isaías. Os críticos supõem que tenhamos aqui o início dos escritos do chamado segundo Isaías, um autor diferente daquele que proveu os capítulos 1—35. De conformidade com esse ponto de vista, os materiais que se seguem foram escritos como história, após os dias de Isaías, e não como profecia. Tratei do problema da *unidade do livro,* na seção III da *Introdução,* pelo que não reitero aqui o material. Ver também a seção IV, sobre autoria e data. Se existem vários níveis de escrita e diferentes autores, então obviamente temos diferentes datas para partes distintas.

"Nesses capítulos, o profeta relembrou o povo de seu livramento vindouro, por causa da grandeza do Senhor e de seu relacionamento ímpar com ele. Deus é majestático (capítulo 40) e protege Israel, e não as nações pagãs do mundo (capítulo 41). Embora Israel, na maior parte de sua história, tenha-se mostrado uma nação indigna (capítulo 42), o Senhor prometeu reuni-la de novo (ver Is 43.1-44.5). Visto que ele, o único Deus (ver Is 44.6—45.25), era superior à Babilônia, faria a Babilônia cair (capítulos 46,47). Por conseguinte, Isaías exortou os israelitas a viver na retidão e a fugir da Babilônia (capítulo 48). O povo de Judá é visto aqui como quem estava exilado na Babilônia (ver Is 43.14; 47.1; 48.20), enquanto Jerusalém jazia em ruínas (44.26)" (John S. Martin, *in loc.*).

■ 40.1

נַחֲמ֥וּ נַחֲמ֖וּ עַמִּ֑י יֹאמַ֖ר אֱלֹהֵיכֶֽם׃

Consolai, consolai o meu povo. "Consolai, consolai: os imperativos repetidos (cf. Is 51.9,17; 52.1; 57.14; 62.10; 65.1) enfatizam a nota de compaixão e urgência características desta seção. A ênfase sobre o consolo permeia muitos dos poemas (ver Is 40.13; 51.6,12,19; 52.9; 54.11), e isso é apenas coerente com a mensagem do poeta sobre uma redenção iminente... *Meu povo... o vosso Deus...* são palavras próprias da aliança que expressam a realidade básica da fé do Antigo Testamento" (James Muilenburg, *in loc.*).

O vosso Deus. Essas palavras chegaram a nós dentro do oráculo, por meio da inspiração divina. Ver no *Dicionário* os artigos chamados *Revelação* e *Iluminação*. O nome de Isaías não aparece aqui, nem ocorre em todos os capítulos 40–66. Mas aparece por quatorze vezes na seção dos capítulos 1–39. Se Isaías é o autor desta segunda seção do livro de Isaías, então temos, diante de nós, profecia, porquanto ele não viveu o suficiente para ver o exílio e o retorno dos judeus da Babilônia. Mas se Isaías não é o autor desta segunda seção do livro, isso não significa que a inspiração divina tenha cessado; apenas o que temos aqui é um registro histórico. Ver a introdução ao presente capítulo e a seção III da *Introdução* quanto à unidade do livro de Isaías, e a seção IV quanto à questão da autoria e da data. Alguns intérpretes veem um *intuito a longo prazo* nestas profecias, o que nos conduz à era do reino, embora a profecia (ou história) a curto prazo diga respeito à Babilônia.

■ 40.2

דַּבְּר֞וּ עַל־לֵ֤ב יְרֽוּשָׁלִַ֙ם֙ וְקִרְא֣וּ אֵלֶ֔יהָ כִּ֤י מָֽלְאָה֙ צְבָאָ֔הּ כִּ֥י נִרְצָ֖ה עֲוֺנָ֑הּ כִּ֤י לָקְחָה֙ מִיַּ֣ד יְהוָ֔ה כִּפְלַ֖יִם בְּכָל־חַטֹּאתֶֽיהָ׃ ס

Falai ao coração de Jerusalém. Continua aqui a *fala de consolo*, porquanto um profundo sofrimento agora seria revertido pela volta do remanescente de Judá do *cativeiro babilônico*. Ver no *Dicionário* o verbete com esse nome. Agora o profeta Isaías falava *ternamente* a Jerusalém. Literalmente, diz aqui o hebraico original: "falai ao coração de". Cf. isso com Gn 34.31; Os 2.14. Mas ver especialmente Gn 50.21 e Rt 2.13. Yahweh estava prestes a derramar o óleo da cura na ferida do exílio. "A guerra tinha terminado", e havia *perdão de pecados*. De fato, Yahweh estava sempre pronto a perdoar. A punição era terrível porque Israel (Judá) era punido *por duas vezes* diante de cada pecado cometido. Mas agora, Jerusalém seria abençoada por duas vezes, quanto a cada bênção recebida. A *dupla punição* não significa "além do merecido", pois o amor de Deus jamais permitiria tal coisa. Antes, a dupla punição significa "pagamento pleno". Coisa alguma era negligenciada. A apostasia precisava ser curada, e somente um julgamento de natureza mais severa poderia ter realizado isso. A Babilônia foi o instrumento de castigo usado por Deus, mas agora medos e persas eram os novos atores do palco, colocando a Babilônia à beira da derrota; além disso, o decreto favorável de Ciro permitiria o retorno dos judeus à sua terra pátria. Isso serviria de tipo ou retorno, no fim dos tempos, do remanescente santo, purificado pela Grande Tribulação (ver Is 24–34). Uma vez mais, Israel será restaurado porque o amor de Deus jamais desiste.

"O perdão é sempre um ato da graça divina. Tanto a disciplina quanto o sofrimento vicário dos justos são determinados pelo Senhor. O seu coração paterno se estende aos pecadores. Seus braços estão abertos para acolher os penitentes. Sua disciplina tem por propósito produzir a penitência e fazer os rebeldes voltar-se para ele. Seu perdão não deve ser contrastado com sua retidão. Antes, faz parte dela. Pois ele é o Deus justo e o Salvador (ver Is 45.21)" (Henry Sloane Coffin, *in loc.*).

Primeira Estrofe: O Caminho do Senhor (40.3-5)

■ 40.3

ק֣וֹל קוֹרֵ֔א בַּמִּדְבָּ֕ר פַּנּ֖וּ דֶּ֣רֶךְ יְהוָ֑ה יַשְּׁרוּ֙ בָּעֲרָבָ֔ה מְסִלָּ֖ה לֵאלֹהֵֽינוּ׃

Consideremos aqui os três pontos seguintes:
1. Este versículo é citado em Mt 3.3; Mc 1.3 e Lc 3.4 e é aplicado nessas três passagens ao ministério de João Batista, o arauto da missão messiânica de Jesus.
2. Muitos pensam que essa profecia também se refere ao anúncio que proclamará a *era do reino de Deus*.
3. Mas a interpretação primária, neste caso, é o anúncio do breve fim do cativeiro babilônico, bem como a restauração de Jerusalém por parte do remanescente judeu.

Voz que clama no deserto. Trata-se da voz de Deus, que operaria através do ministério do profeta João. É a voz do decreto divino que altera as coisas. A *mensagem* de Deus é o agente divino da mudança que haverá.

Vereda a nosso Deus. Uma figura comum do chamado segundo Isaías (ver também Is 42.16; 43.16,19; 48.17). Cf. Ez 1.28; 10.18,19; 43.1-5. Está em pauta o aparecimento da presença do poder de Deus, a fim de fazer intervenção. Ver em Is 13.6 sobre como o Poder do alto é a causa dos acontecimentos à face da terra. Será construída uma estrada para tornar a aproximação do Senhor mais fácil e segura.

"A imagem simbólica é extraída da marcha dos monarcas orientais que por muitas vezes se jactavam, conforme se vê nas inscrições assírias de Senaqueribe e Assurbanipal quanto a estradas feitas através de desertos destituídos de caminhos. Aqui o deserto ficava entre o rio Eufrates e o território de Judá, a estrada pela qual os exilados caminhariam" (Ellicott, *in loc.*).

■ 40.4

כָּל־גֶּיא֙ יִנָּשֵׂ֔א וְכָל־הַ֥ר וְגִבְעָ֖ה יִשְׁפָּ֑לוּ וְהָיָ֤ה הֶֽעָקֹב֙ לְמִישׁ֔וֹר וְהָרְכָסִ֖ים לְבִקְעָֽה׃

Todo vale será aterrado, e nivelados todos os montes e outeiros. Os exilados não seguiriam por um terreno desigual e íngreme, porquanto seriam conduzidos por Deus, o líder deles. Não seria uma estrada serpenteante, que cruzaria ravinas de montanhas. O engenheiro divino já terá preparado uma grande estrada para a marcha que conduzirá à restauração. Os reis orientais confiavam a seus melhores engenheiros essas operações. "Aterrar os vales e nivelar os montes fala dos operários que nivelavam ou tiravam os desníveis de uma estrada por onde passaria um dignitário em visita a alguma área" (John S. Martin, *in loc.*). Novamente, são preservados os *três aspectos proféticos*, conforme dado nas notas sobre o versículo anterior. A vinda da presença divina significará grande iluminação; espiritualmente falando, grande avanço no conhecimento e na prática sábia de princípios espirituais, conforme aconteceu quando da restauração do território de Judá a Jerusalém, quando a apostasia foi revertida; ou conforme sucedeu durante o ministério messiânico de Jesus Cristo; ou como sucederá durante a era do reino de Deus, quando o conhecimento do Senhor se tornará universal (ver Is 11.9).

A estrada é o caminho do Senhor; e, quando ele voltar ao mundo, haverá benefício universal, sem importar o pano de fundo histórico.

■ 40.5

וְנִגְלָ֖ה כְּב֣וֹד יְהוָ֑ה וְרָא֤וּ כָל־בָּשָׂר֙ יַחְדָּ֔ו כִּ֛י פִּ֥י יְהוָ֖ה דִּבֵּֽר׃ ס

A glória do Senhor se manifestará. "A glória do Senhor retornará (Ez 1.28; 10.18,19; 43.1-5)" (*Oxford Annotated Bible*, comentando sobre este versículo). Suas aparições anunciadas trarão avanços e revelações sem paralelo, tanto no que diz respeito aos acontecimentos mundiais quanto a significativos avanços espirituais. Cf. a história das *teofanias* (ver a respeito no *Dicionário*), como a aparição de Deus a

Abraão (Gn 12.7,8), a Jacó (Gn 28.10-19), a Moisés (Êx 3.2-6), a Gideão (Jz 6.11-24), aos profetas (Am 7.1-9; Is 6; Ez 1). Yahweh foi altamente exaltado quando os exilados voltaram da Babilônia, e essa foi uma poderosa intervenção da presença e da glória de Deus. Então, o ministério de Jesus reverteu o cativeiro assírio no caso de Israel (ver Mt 4.16), bem como a iluminação de todos os homens do mundo (Jo 1.9). Além disso, haverá outra demonstração da glória do Senhor durante a era do milênio. Ver no *Dicionário* sobre a glória *Shekinah*.

Toda a carne. A glória do Senhor dificilmente poderia ficar confinada somente à nação de Israel, razão pela qual o profeta fez soar aqui a trombeta universal. *Todos os homens* participarão dessa nova manifestação de Yahweh no mundo, e todos se beneficiarão. "Deus amou o mundo de tal maneira..." (Jo 3.16). Durante a futura era do reino, Israel será o cabeça das nações e o instrumento das bênçãos divinas para outros povos (ver Is 24.23). O conhecimento do Senhor se tornará universal, e outro tanto sucederá à salvação dada pelo Senhor (ver Is 11.9). Ver o artigo da *Enciclopédia de Bíblia, Teologia e Filosofia* denominado *Restauração*.

Segunda Estrofe: A Palavra de Deus (40.6-8)

■ **40.6**

קוֹל אֹמֵר קְרָא וְאָמַר מָה אֶקְרָא כָּל־הַבָּשָׂר חָצִיר
וְכָל־חַסְדּוֹ כְּצִיץ הַשָּׂדֶה:

Uma voz diz: Clama. Nessa estrofe é proclamada a *imutabilidade da Palavra de Deus* (cf. Is 9.8; 55.8-11), em contraste com a mudança contínua e a decadência de todos os seres vivos. Temos aqui uma *voz* respondendo a outra que clamava, um *questionador*, talvez indicando o próprio profeta, ansioso por conhecimento. Ele perguntou qual deveria ser a sua mensagem: Que deveria ele clamar? O questionador respondeu à voz divina que foi ouvida. Disse a voz: Clama! Mas ele precisou pedir instruções sobre o que clamar.

Que hei de clamar? O profeta respondeu ao clamor divino e perguntou o que deveria dizer. Temos dois manuscritos hebraicos parciais entre a coletânea dos Papiros do mar Morto. Algumas vezes, um ou outro concorda com os manuscritos dos Papiros do mar Morto e discorda do texto massorético padronizado. Quanto à importância desse fenômeno diante dos estudos textuais, ver as notas expositivas em Is 26.19, onde ilustro e comento. Ver no *Dicionário* os artigos chamados *mar Morto, Manuscritos (Rolos) do* e *Massora (Massorah); Texto Massorético*.

O que se segue agora, no texto deste versículo, e por todo o vs. 8, é a mensagem que se esperava que o profeta clamasse. Começamos por uma declaração clássica da fragilidade e temporalidade das coisas vivas, em contraste com a imutabilidade da palavra de Deus. Toda a carne é como a "erva" (ver Jó 14.2; Sl 90.5; 102.11; 103.15; Tg 1.10; 1Pe 1.24). A carne tem uma beleza que se assemelha à da flor dos campos, que logo murcha quando o sol a deixa estorricada. As referências que ofereço cobrem essa metáfora. Ver também Is 28.4; 1Pe 1.24,25, que cita diretamente este texto de Isaías.

■ **40.7**

יָבֵשׁ חָצִיר נָבֵל צִיץ כִּי רוּחַ יְהוָה נָשְׁבָה בּוֹ אָכֵן
חָצִיר הָעָם:

Seca-se a erva, e caem as flores. Continua aqui a metáfora da erva e da flor. O tórrido vento oriental secava a erva e as flores, e esse vento quente é comparado ao hálito do Senhor. O sopro de Deus dá vida às coisas vivas (ver Gn 2.7) e também retira a vida desses mesmos seres. As pessoas *são* a erva que aparece na metáfora, e os indivíduos não são mais fortes do que a erva. Cf. Sl 103.15,16.

Tal como são as gerações das flores,
Assim são as gerações dos homens.

Uma símile homérica frequente

"O vento oriental ressecador daqueles países era enviado por Yahweh (ver Jn 4.8). Mas o Espírito de Yahweh é que envia seu sopro sobre o homem orgulhoso mas frágil, conforme ele fez com Senaqueribe (ver Is 37.7)" (Fausset, *in loc.*). João 3.8 compara as operações do Espírito Santo ao vento. "As excelências externas dos homens, suas vantagens externas, perecem defronte o hálito de Deus" (John Gill, *in loc.*).

■ **40.8**

יָבֵשׁ חָצִיר נָבֵל צִיץ וּדְבַר־אֱלֹהֵינוּ יָקוּם לְעוֹלָם: ס

Seca-se a erva, e cai a sua flor. A Septuaginta e os manuscritos hebraicos dos Papiros do mar Morto têm uma versão mais curta dos vss. 7,8. "Seca-se a erva, e cai a sua flor, mas a palavra de nosso Deus permanece eternamente". Entretanto, foi feita uma correção para que este versículo entrasse em harmonia com o texto massorético. Algumas vezes, a Septuaginta concorda com os manuscritos hebraicos dos Papiros do mar Morto, contra o texto massorético padronizado; e, em menor escala, o mesmo acontece com outras versões. Ver os comentários sobre o vs. 6 deste capítulo, segundo parágrafo, quanto a esse fenômeno e seu significado para a crítica textual. Ver também Is 26.19, onde abordo detalhes sobre a questão.

A erva e a flor se ressecam juntamente (tal como acontece aos homens, a quem tipificam), mas o que é firme e imutável é a *palavra de Deus*. A palavra de Deus permanecerá para sempre. Consideremos os pontos seguintes:

1. Está em vista a *palavra profética* que seria cumprida.
2. O profeta não estava oferecendo uma declaração geral acerca do cânon das Escrituras, o que estaria fora de propósito neste ponto.
3. A palavra que revela a vontade de Deus é apresentada sob a forma de profecia e sob outras formas: Primariamente, a palavra profética que revela a vontade de Deus, mas inclui todas as manifestações de seu ser (ver Sl 119.41,65,89; Jo 1.1).
4. A Palavra de Deus, o Cristo encarnado, não está em vista nesta simples declaração.
5. Não está em vista o evangelho cristão.

Terceira Estrofe: Eis o Vosso Deus (40.9,10)

■ **40.9**

עַל הַר־גָּבֹהַּ עֲלִי־לָךְ מְבַשֶּׂרֶת צִיּוֹן הָרִימִי בַכֹּחַ
קוֹלֵךְ מְבַשֶּׂרֶת יְרוּשָׁלָםִ הָרִימִי אַל־תִּירָאִי אִמְרִי
לְעָרֵי יְהוּדָה הִנֵּה אֱלֹהֵיכֶם:

Tu, ó Sião, que anuncias boas-novas, sobe a um monte alto! Jerusalém atua agora como porta-voz da restauração, proclamando a mensagem a toda a nação de Judá, o novo Israel que seria estabelecido após o retorno do exílio. Esta afirmativa provavelmente tem por intuito incluir a restauração dos fins dos tempos, para Israel. Elohim, o Poder, chegou ao seu templo, em Jerusalém. Ele veio para governar e abençoar. Todo o Israel "verá" o Senhor e se beneficiará de sua presença. A mensagem seria proclamada das colinas altas de Jerusalém, para que todo o povo de Judá a pudesse ouvir e compreender. Os vss. 10 ss. dão detalhes específicos sobre a mensagem proferida do alto lugar.

Boas-novas. Na Septuaginta (Antigo Testamento vertido para o grego), temos a expressão "boas-novas" usando a mesma palavra grega consagrada nas páginas do Novo Testamento para falar da proclamação do evangelho (*euangelidzesthai*), bem como do próprio evangelho (*euangelion*). Esta é a primeira ocorrência do vocábulo no Antigo Testamento. Ellicott (*in loc.*) nota esse fato com emoção, e a sua emoção mostra-se contagiosa. "Eis que teu Deus, especialmente em sua segunda vinda (ver Zc 12.10; 14.5)" (Fausset, *in loc.*). "... o qual virá em grandeza celestial, contudo com uma atitude compassiva (Ez 34). Ver também At 10.36; Rm 10.15; Ap 10.7,12. Jerusalém é usada em lugar de Judá mais de trinta vezes nos capítulos 40—45" (*Oxford Annotated Bible*, comentando sobre o vs. 9).

■ **40.10**

הִנֵּה אֲדֹנָי יְהוִה בְּחָזָק יָבוֹא וּזְרֹעוֹ מֹשְׁלָה לוֹ הִנֵּה
שְׂכָרוֹ אִתּוֹ וּפְעֻלָּתוֹ לְפָנָיו:

Eis que o Senhor Deus virá com poder. Consideremos aqui os três pontos seguintes:

1. *Elohim* virá com poder, a fim de julgar e abençoar. Deus não fará coisa alguma frouxamente, nem irá só até metade do caminho. Seu nome significa Poder. Note o leitor que temos o nome

composto Yahweh-Elohim, o Deus Eterno e Todo-poderoso. Por meio de seu poder, ele eternizará o que é temporal.
2. O *braço* de Deus será estendido tanto para julgar como para abençoar. Ver Sl 77.15; 89.10 e 98.1, quanto a essa metáfora, e também Is 32.2; 48.14; 51.5,9; 52.10 e 53.1. Ver sobre *mão* (Sl 81.14) e *mão direita* (Sl 20.6). Portanto, em linguagem antropomórfica, temos símbolos do poder de Deus para realizar os seus desejos.
3. Sua recompensa estará com ele, e ele realmente galardoará todos aqueles que nele confiam.

> *Eis que venho sem demora e comigo está o galardão que tenho para retribuir a cada um segundo as suas obras.*
> Apocalipse 22.12

Os obreiros fiéis não perderão o seu salário (ver Lv 19.13; Dt 24.15). Cf. Is 62.11. Houve grandes benefícios na volta da Babilônia. Haverá grandes bênçãos próprias do reino de Deus.

> *Ele trará recompensas para o seu povo; ele trará o pagamento deles com ele.*
> NCV

O CONQUISTADOR TAMBÉM É PASTOR (40.11)

■ **40.11**

כְּרֹעֶה עֶדְרוֹ יִרְעֶה בִּזְרֹעוֹ יְקַבֵּץ טְלָאִים וּבְחֵיקוֹ יִשָּׂא עָלוֹת יְנַהֵל׃ ס

Como pastor apascentará o seu rebanho. *Yahweh-Elohim é Pastor.* O bem que ele traz para galardoar os seus servos (vs. 10) é agora descrito como o cuidado de um pastor por suas ovelhas. Considere o leitor estes pontos:
1. Eles serão *alimentados*, isto é, terão todas as coisas necessárias para a vida material e espiritual.
2. Eles serão recolhidos da Babilônia e restituídos à própria terra; também serão recolhidos das nações do mundo e estabelecidos na era do reino como cabeça das nações da terra (ver Is 24.23).
3. Eles serão ternamente carregados como pessoas preciosas, no seio do Pastor, *protegidos* de todo o dano, e *liderados* em todas as coisas. Ele os acompanhará.
4. Eles serão conduzidos como ovelhas, as quais sempre seguem o pastor. Cf. Mq 2.12; Jr 31.10; Ez 34.11 ss.; Sl 23; 78.52 e 80.1. "Yahweh levará seus exilados de volta à pátria deles, tal como um pastor conduz suas ovelhas" (James Muilenburg, *in loc.*).

> Ele é o pastor de todos os homens. Não há mal em seu coração. Embora seus rebanhos sejam pequenos, ele passa o dia cuidando deles.
> Admoestação de Ipu-wer

A *interpretação messiânica* deste versículo nos relembra de Jo 10. Mas está em foco a era do reino, para além da aplicação histórica aos exilados que retornariam da Babilônia.

O CARÁTER DE DEUS GARANTE O CONSOLO (40.12-31)

Primeira Estrofe: Quem Criou o Universo (40.12)

■ **40.12**

מִי־מָדַד בְּשָׁעֳלוֹ מַיִם וְשָׁמַיִם בַּזֶּרֶת תִּכֵּן וְכָל בַּשָּׁלִשׁ עֲפַר הָאָרֶץ וְשָׁקַל בַּפֶּלֶס הָרִים וּגְבָעוֹת בְּמֹאזְנָיִם׃

Quem na concha de sua mão, mediu as águas...? *O Criador dos Confins da Terra.* São apresentadas cinco questões relativas a atos da criação, e todas elas serão respondidas em relação a Elohim, o Poder Criativo. O profeta aponta para um evento real do passado, para o qual só Elohim era idôneo. Por trás das perguntas, temos o típico ponto de vista hebraico sobre a criação, o que naturalmente também aparece na mitologia babilônica. O mar, a terra e os céus são os três pisos do cosmo. As montanhas e as colinas servem de apoio ao firmamento, a taça invertida que está por cima da terra, feita de material sólido. Ilustro a "visão mundial" dos hebreus no artigo chamado *Astronomia,* no *Dicionário,* onde também apresento um diagrama ilustrativo. Consideremos os pontos seguintes:
1. Elohim mediu as águas: as que estão acima do firmamento, aquelas sobre as quais a terra repousa (as águas do abismo lá embaixo), e as que cobrem a terra, os oceanos.
2. Ele também mediu a expansão dos céus, que são a criação divina do andar superior, o piso de cima do cosmo.
3. Então a terra foi estabelecida em suas fronteiras, conforme suas medidas. Essa é a segunda divisão da criação, a começar dos céus.
4. Então devemos considerar as *montanhas* sobre as quais o firmamento se apoia, nos confins do mundo; elas atuam como fundamentos e colunas do firmamento. As montanhas são uma característica distinta da terra, dotadas de importância cósmica por causa de sua função. Os oceanos já foram mencionados, mas devemos compreender que a terra repousava sobre um grande abismo de águas, tal como, acima do firmamento, pensava-se haver outro grande oceano. Sobre essa antiga cosmologia, que não corresponde ao conhecimento moderno, costumava-se dizer que "onde quer que esteja isso, Elohim foi aquele que fez essas coisas".

Esta seção ilustra o grande Poder e suas obras; e então aprendemos que o Poder também opera em favor dos homens, pelo que há valor e estabilidade na vida humana:

> *Os que esperam no Senhor renovarão as suas forças; subirão com asas como águias; correrão e não se cansarão; andarão e não se fatigarão.*
> Isaías 40.31

Segunda Estrofe: Quem Ajudou Deus na Criação? (40.13-14)

■ **40.13**

מִי־תִכֵּן אֶת־רוּחַ יְהוָה וְאִישׁ עֲצָתוֹ יוֹדִיעֶנּוּ׃

Quem guiou o Espírito do Senhor? *O Grande Deus* não necessita de conselheiros, porquanto sua própria sabedoria infinita o orienta. Sua sabedoria e poder foram empregados na obra da criação, e ser de nenhuma espécie lhe prestou conselhos, e nem mesmo poderia tê-lo feito, porquanto ainda nem existia. Cf. este versículo com Rm 11.34 e 1Co 2.16, que fazem empréstimos deste versículo. Ver também Jó 38.2—39.30, que ilustra longamente o tema. "Deus é a fonte originária de todo o conhecimento e sabedoria (Pv 8.22-31)" (*Oxford Annotated Bible,* comentando sobre o versículo). "As cosmologias orientais apresentavam Bel ou Ormuzde chamando divindades inferiores para com elas se aconselharem. Mas o profeta não encontrou outro conselheiro além daquele que é o Deus eterno" (Ellicott, *in loc.*).

■ **40.14**

אֶת־מִי נוֹעָץ וַיְבִינֵהוּ וַיְלַמְּדֵהוּ בְּאֹרַח מִשְׁפָּט וַיְלַמְּדֵהוּ דַעַת וְדֶרֶךְ תְּבוּנוֹת יוֹדִיעֶנּוּ׃

Com quem tomou ele conselho, para que lhe desse compreensão? Este versículo dá prosseguimento às ideias do vs. 13. Como seu próprio conselheiro, independentemente de qualquer outro ser, no tocante à criação, Yahweh-Elohim não precisou consultar outro ser a fim de receber iluminação quanto a planos e ideias; todos eles procederam do interior de seu Ser divino. Ninguém poderia ensinar-lhe "o caminho certo de fazer as coisas" (justiça). Provavelmente está em vista um procedimento ordeiro, mas talvez o profeta pensasse que a natureza contém *injustiças* inexplicadas, como as que nos levam a pensar no *Problema do Mal* (ver no *Dicionário*). Por que existem enfermidades, acidentes, terremotos, inundações etc., e por que existe a morte? Essas parecem ser injustiças que se derivam da natureza, e não da vontade maligna dos homens. Talvez o profeta Isaías tivesse algo como isso em mente (como tinha o autor do livro de Jó). Nesse caso, pois, ele declarou que Deus não construiu a sua criação com injustiças, e que aquilo que assim nos parece tem razões de ser. Ademais, a epítome de todo *conhecimento* e *compreensão* (itens que aparecem com frequência na literatura de sabedoria) é o próprio Deus. Ele é a fonte originária dessas coisas, pelo que não teve necessidade de que ninguém lhe desse ideias quando realizou seu ato de criação. "Yahweh tem sua própria orientação inerente; ele não precisa de outrem para coisa alguma; ele não precisa de orientação, conselho ou instrução. Toda a compreensão e iluminação que a criação revela tem seu *fons e origo* exclusivamente nele" (James Muilenburg, *in loc.*). Cf. Pv 11.23 e 33.15.

Terceira Estrofe: As Nações São Nada Diante Dele (40.15-17)

■ 40.15

הֵן גּוֹיִם כְּמַר מִדְּלִי וּכְשַׁחַק מֹאזְנַיִם נֶחְשָׁבוּ הֵן אִיִּים כַּדַּק יִטּוֹל׃

Eis que as nações são consideradas por ele como um pingo que cai dum balde. O profeta fez um breve esboço da grandeza de Deus. Isso ele contrastou com o nada do homem, individual e coletivamente. Naturalmente, o homem não vale grande coisa, a menos que Deus lhe dê valor. Na verdade, Deus valorizou o homem, pelo que este muito vale. Mas o autor sacro deixa de lado tais considerações aqui. Seja como for, as nações, tão pequenas e insignificantes como são, naturalmente terão de inclinar-se perante a grandeza celestial, para que adquiram algum sentido.

> Sentimos que nada somos, pois tudo és tu e em ti:
> Sentimos que algo somos, isso também vem de ti;
> Sabemos que nada somos — mas tu nos ajudas a ser algo.
> Bendito seja o teu nome — Aleluia!
>
> Alfred Lord Tennyson

Metáforas do Nada. Um balde de água realmente já é uma pequena quantidade, mas se alguém dali tira uma gota, essa gota então nada será. Qualquer coisa que um homem ponha em uma balança já será coisa pequena, pois o homem está limitado ao que pode carregar. Mas, se na balança não há nenhum peso, somente alguma poeira, isso na verdade nada será. Todas as ilhas onde os homens habitam não são mais que a poeira fina que se junta no prato de uma balança. Essa poeira não tem peso, segundo o parecer de Deus. Consideremos estes cinco pontos:

1. Nada sendo, as nações não ameaçam a Deus. Ele faz o que lhe agrada ao dirigir a história humana (ver as notas em Is 13.6).
2. Então, excetuando sua graça, Deus não presta atenção aos povos, que não merecem essa atenção.
3. Tolas são as pretensões dos homens, os quais se levam muito a sério.
4. A *soberania* de Deus é enfatizada pelo uso dessa linguagem. Ver o verbete chamado *Soberania*, no *Dicionário*.
5. A história humana tem valor por causa do que Deus faz com os homens. Em Deus os *homens* têm valor, embora nada valham em si mesmos.

■ 40.16

וּלְבָנוֹן אֵין דֵּי בָּעֵר וְחַיָּתוֹ אֵין דֵּי עוֹלָה׃ ס

Nem todo o Líbano basta para queimar. Se todas as soberbas florestas de cedros do Líbano fossem queimadas juntas, nem seriam uma fagulha nos céus criados por Deus. Todas elas juntas também não formariam um altar de fogo suficiente para agradar a Deus. Em outras palavras, todo esse incêndio seria menos do que nada para Deus, se julgarmos as coisas de acordo com seus verdadeiros valores. E então, se juntássemos em um único lugar todos os animais que fossem considerados bons para sacrifícios, fazendo deles um gigantesco holocausto, Deus não veria a fumaça nem aspiraria o aroma suave. As religiões da época (incluindo o judaísmo) atribuíam excessivo valor aos sacrifícios e julgavam estar atraindo a atenção e a bênção de Deus. Mas, em última análise, tais coisas não se revestiam de grande valor para o Altíssimo. O judaísmo posterior, aproximando-se das ideias que figuram no Novo Testamento, começou a perder interesse pelos sacrifícios de animais. Alguma coisa, no coração dos judeus, começou a dizer que eles não estavam tratando com um valor permanente.

> Todo o sacrifício é pouco demais para um aroma suave para ti.
> Toda a gordura não é suficiente para os teus holocaustos.
>
> Judite 16.16

Juntar lenha para fazer fogo, dos recursos em redor de Jerusalém, não era tarefa fácil; aos levitas era dada essa tarefa. Em contraste, o Líbano tinha muitas florestas, e de árvores nobres; mas isso não seria o suficiente para impressionar o Todo-poderoso, mesmo que essas florestas fossem incendiadas, todas juntas, para formar um único holocausto. Cf. este versículo com Is 66.1; 1Rs 8.27 e Sl 1.8-13.

> *Eis que o obedecer é melhor do que sacrificar, e o atender melhor do que a gordura de carneiros.*
>
> 1Samuel 15.22

■ 40.17

כָּל־הַגּוֹיִם כְּאַיִן נֶגְדּוֹ מֵאֶפֶס וָתֹהוּ נֶחְשְׁבוּ־לוֹ׃

Todas as nações são perante ele como cousa que não é de nada. Este versículo repete o que já vimos no vs. 15, de forma mais abreviada. Serve de sumário da estrofe que diz:

> Oh! Tremendo, tremendo nome de Deus! Luz insuportável!
> Mistério insondável! Vastidão incomensurável!
> Quem são esses que avançam para explicar
> O mistério, e olham sem piscar para a luz?
>
> Jeremy Thackeray

Andrômeda, imenso cacho de galáxias, quase sem fim, tão grande como a nossa própria Via Láctea, consiste em algo como cem milhões de galáxias. Fica a 750 mil anos-luz de distância da Terra e tem em torno de cem bilhões de sóis, cada qual maior do que o nosso próprio sol. O que são as nações da terra em comparação a ela, e quanto menos em comparação ao próprio Criador? "É salutar reduzir os homens às suas próprias dimensões humanas na presença de Deus" (Henry Sloane Coffin, *in loc.*). Cf. Sl 62.9 e Dn 4.35.

Cousa que não é nada. No hebraico, *tohu*, "caos", a matéria primitiva que foi posta em boa ordem e recebeu significado pelo ato criativo de Deus. Ver Gn 1.2. Esta palavra também é usada em Is 24.10; 29.2 e 34.11, além do versículo presente. Só podemos encontrar significado em Deus.

Quarta Estrofe: A Vaidade dos Ídolos (40.18-20)

■ 40.18

וְאֶל־מִי תְּדַמְּיוּן אֵל וּמַה־דְּמוּת תַּעַרְכוּ לוֹ׃

Com quem comparareis a Deus? Ensinando o profeta a lição de que Yahweh está acima de todas as coisas e orienta os acontecimentos mundiais, sendo aquele perante quem todos os homens devem prostrar-se, e de fato se prostrarão, era mister que ele atacasse os ídolos pagãos, os deuses falsos nos quais os homens confiavam. O texto à nossa frente é uma polêmica contra os ídolos, mas é, por igual modo, um reflexo da verdadeira natureza do que poderíamos chamar de divino. Só Deus é Deus, e só Deus demanda a lealdade dos homens. Não pode haver ídolo que o represente ou por meio do qual os homens possam adorá-lo. Deus é ímpar. "O pensamento da infinitude de Deus leva-nos (conforme o raciocínio de Paulo em At 17.24-29) ao argumento primário contra a insensatez da idolatria" (Ellicott, *in loc.*). Deus é *incomparável*, ao passo que os ídolos são meras representações de coisas que os homens sabem e veem todos os dias, de maneira comum e *comparável* a coisas tolas. Ver no *Dicionário* os artigos chamados *Idolatria* e *Deuses Falsos*. Cf. este versículo com Is 42.7.

■ 40.19

הַפֶּסֶל נָסַךְ חָרָשׁ וְצֹרֵף בַּזָּהָב יְרַקְּעֶנּוּ וּרְתֻקוֹת כֶּסֶף צוֹרֵף׃

O artífice funde a imagem, e o ourives a cobre de ouro. De acordo com a teologia dos hebreus, o Deus incomparável foi quem criou os homens; no paganismo, entretanto, os homens fazem seus deuses mediante comparação com objetos comuns. Eles fabricam figuras de homens e animais e cobrem-nos com metais preciosos para dar-lhes uma aparência de valor e de caráter diferente. Mas isso não transformava a madeira, a pedra ou o metal em algo que é "outro".

A idolatria assumia formas intermináveis, mas nenhuma delas era análoga a Deus, e nem poderia sê-lo. Os homens chegavam a prender seus ídolos nas paredes, com *correntes de prata,* a fim de dar-lhes uma impressão de elevação e exaltá-los. Os homens teriam de olhar para cima a fim de contemplá-los, mas essa *elevação* nada tem a ver com a exaltação de Deus nos céus. As inscrições egípcias retratam deuses pendurados das paredes por meio de correntes. Havia deuses suspensos nos templos e nas casas. Essa era apenas mais uma prática insensata. Os ourives tinham muito trabalho extra para manufaturar correntes de prata, mas essa era a única vantagem adquirida na prática.

■ 40.20

הַמְסֻכָּן תְּרוּמָה עֵץ לֹא־יִרְקַב יִבְחָר חָרָשׁ חָכָם יְבַקֶּשׁ־לוֹ לְהָכִין פֶּסֶל לֹא יִמּוֹט׃

O sacerdote idólatra escolhe madeira que não se corrompe. Os homens que não possuíam dinheiro para fabricar ídolos de metal, como aqueles recobertos de ouro ou de prata, tinham de apelar para a madeira, mais humilde. Como é evidente, os homens escolhem uma boa madeira, que não se corrompe com facilidade, mas nem por isso o material deixa de ser madeira. O pobre homem não é um artífice, pelo que tem de procurar alguém que saiba trabalhar bem com madeira. E assim, esses dois cooperam para fabricar uma divindade para o pobre homem.

> *Um homem pobre não pode comprar estátuas caras, pelo que encontra uma árvore cuja madeira não se estrague. E encontra um artífice habilidoso para transformar aquela madeira em um ídolo que não tombe.*
>
> NCV

Cf. os versículos seguintes com esta quarta estrofe: Is 42.17; 45.16,20; Jr 10.1-16. O artigo intitulado *Idolatria,* no *Dicionário,* dá referências bíblicas e informações detalhadas.

Quinta Estrofe: Yahweh é o Senhor da Natureza e da História (40.21-24)

■ 40.21

הֲלוֹא תֵדְעוּ הֲלוֹא תִשְׁמָעוּ הֲלוֹא הֻגַּד מֵרֹאשׁ לָכֶם הֲלוֹא הֲבִינֹתֶם מוֹסְדוֹת הָאָרֶץ׃

Acaso não sabeis? Porventura não ouvis? Continua aqui a exaltação de Yahweh, com referência ao conceito de que todos os homens devem curvar-se na presença dele. Deus controla tanto a natureza como a história e obviamente os homens, que fazem parte tanto de uma quanto de outra coisa. Temos aqui uma *tríada* que descreve Deus e suas obras; duas afirmativas falam do controle de Deus sobre a natureza, e uma terceira fala do controle divino sobre a história humana.

O vs. 22 fornece as duas "declarações sobre a natureza", e o vs. 23 oferece a "declaração sobre a história". Esses versículos são introduzidos por meio de perguntas a respeito do conhecimento. Porventura os homens não *ouviram* nem *conheceram* a Deus e à sua natureza? Algum homem jamais comunicou a mensagem concernente à verdadeira natureza da deidade? Desde o princípio tem havido esse ensino, tanto através da natureza como através da revelação. A história é antiga; as descrições sobre o Deus transcendental estão firmadas há muito. Desde que Deus fundou a terra, o conhecimento sobre ele tem chegado aos confins. Há o testemunho da natureza (conforme se vê no primeiro capítulo da epístola aos Romanos); existe o testemunho da revelação, por meio das Escrituras hebraicas e gregas; e também há o testemunho do coração de cada ser humano, o testemunho intuitivo da consciência humana.

"O profeta apela para a revelação primária, para as intuições da humanidade, e não para o decálogo (cf. Rm 1.20 e Sl 19.4)" (Ellicott, *in loc.*). A natureza ensina acerca de Deus, da necessidade de explicar a causa das coisas que existem (dentro do *argumento cosmológico*) e de explicar seu complicado *desígnio* (o *argumento teológico*). Ver esses dois argumentos na *Enciclopédia de Bíblia, Teologia e Filosofia.*

■ 40.22

הַיֹּשֵׁב עַל־חוּג הָאָרֶץ וְיֹשְׁבֶיהָ כַּחֲגָבִים הַנּוֹטֶה כַדֹּק שָׁמַיִם וַיִּמְתָּחֵם כָּאֹהֶל לָשָׁבֶת׃

Ele é o que está assentado sobre a redondeza da terra. O *verdadeiro Deus* é altamente exaltado, sentado lá em cima, sobre a *redondeza* da terra. Considere o leitor estes pontos:

1. Não há aqui referência à natureza esférica do globo terrestre. Os hebreus nunca tiveram esse conhecimento, embora alguns poucos gregos tenham especulado sobre o assunto.
2. Talvez esteja em pauta o *horizonte,* que os homens poderiam imaginar ser circular.
3. Mas o que realmente está em mira é a *taça* invertida, o *firmamento,* feito de matéria solida, que repousa sobre as montanhas, nas extremidades da terra. Essas montanhas serviriam de fundamento e apoio da taça. Cf. Pv 8.27 e Jó 22.14. "... aquela cúpula do céu, que se estende por sobre a terra" (Ellicott, *in loc.*). Essa taça (cúpula), e não a terra propriamente dita, é que foi imaginada como um semicírculo. Ver o artigo do *Dicionário* intitulado *Astronomia,* onde apresento um diagrama do que os hebreus pensavam sobre a terra e seu meio ambiente no cosmo.

Em comparação à magnificente obra dos céus e da terra, os homens são como uns gafanhotos. Cf. a descrição que temos aqui com Is 40.15,17, onde os homens são comparados a uma gota de água em um balde, bem como mera poeira em uma das bandejas de uma balança. A comparação com os gafanhotos pode ter sido sugerida por Nm 13.33.

Para Deus, a criação dos céus foi como estender uma grande *cortina,* ou como armar uma *tenda.* Cf. Is 42.5 e 44.24. Essas figuras simbólicas talvez repousem sobre Sl 14.2. Na criação, Deus armou sua tenda e espalhou sua cortina, uma figura de construção. Os homens sabem como espalhar cortinas e armar tendas, e, nessas ações, compreendemos uma fração de como se deu a criação do cosmo.

■ 40.23

הַנּוֹתֵן רוֹזְנִים לְאָיִן שֹׁפְטֵי אֶרֶץ כַּתֹּהוּ עָשָׂה׃

É ele quem reduz a nada os príncipes. Agora encontramos a declaração simples acerca do governo de Deus no mundo, que completa a *tríada* (ver o vs. 18 quanto a notas expositivas). Yahweh é o criador soberano dos céus e igualmente quem governa a terra. Deus é a causa dos céus; e também é a causa dos eventos à face do globo terrestre. Quanto a esses conceitos, ver as notas expositivas sobre Is 13.6. Ver no *Dicionário* o artigo chamado *Soberania,* quanto a detalhes. Poderes humanos, bem como reis e príncipes, são reduzidos a nada pelo Senhor: são cativados e controlados por sua vontade; e, por isso mesmo, não são uma ameaça à supremacia de Deus. Pelo contrário, são forçados a encurvar-se defronte dele e fazer sua vontade. Os homens não passam de vaidade, como se fossem gafanhotos, quer estejamos falando sobre príncipes quer sobre juízes, que outros homens temem porque eles têm nas mãos questões da vida e da morte. Abraão foi capaz de derrotar os reis de seus dias (ver Gn 14); Moisés derrotou Faraó (livro de Êxodo); Js derrotou inúmeros reis na luta pela possessão da Terra Prometida (livro de Josué). Yahweh, pois, foi o poder por trás de Abraão, Moisés e Josué. Potências temíveis como a Assíria e a Babilônia não eram diferentes. A Babilônia derrotou a Assíria, e os medos e persas derrotaram a Babilônia, mas Yahweh foi o poder por trás das forças conquistadoras.

■ 40.24

אַף בַּל־נִטָּעוּ אַף בַּל־זֹרָעוּ אַף בַּל־שֹׁרֵשׁ בָּאָרֶץ גִּזְעָם וְגַם־נָשַׁף בָּהֶם וַיִּבָשׁוּ וּסְעָרָה כַּקַּשׁ תִּשָּׂאֵם׃ ס

Mal foram plantados e semeados. Os príncipes e suas respectivas nações são comparados ao ato de plantar sementes na terra. Esses príncipes medram em suas estações apropriadas, mas essas estações são breves, porque em breve os poderes da natureza chegam e os varrem da cena, reduzindo a terra a um deserto. Yahweh é o poder por trás do aparecimento e desaparecimento dos reinos e seus reis. Cf. At 17.26. O quentíssimo vento oriental os resseca; então o redemoinho sopra para longe a palha; e é com essa facilidade que homens e nações inteiras são reduzidos a nada. Cf. Sl 83.13 e 129.6. Diz o Targum: "... Ele enviará sua fúria contra eles, e sua palavra os arrebatará, tal como o redemoinho remove a palha".

Sexta Estrofe: Yahweh é Incomparável (40.25-27)

■ **40.25**

וְאֶל־מִי תְדַמְּיוּנִי וְאֶשְׁוֶה יֹאמַר קָדוֹשׁ׃

A quem, pois, me comparareis para que eu lhe seja igual? Yahweh combina o poder máximo com a bondade máxima, e é precisamente nisso que ele é diferente de qualquer conceito pagão da divindade. Platão, entretanto, dizia a mesma espécie de coisa em sua filosofia metafísica. Ver no *Dicionário* o verbete chamado *Santo de Israel*, quanto a plenas explicações sobre esse nome divino. Além disso, ver o verbete *Deus, Nomes Bíblicos de*. A teofania que apareceu a Moisés foi uma revelação de santidade, e não meramente de poder (ver Êx 3.5). Os serafins na presença de Deus exprimiam a santidade de Deus, proferindo o *triságio* (ver detalhes a respeito no *Dicionário*). Ver o vs. 18 e Is 46.5 para declarações similares sobre a natureza *incomparável* de Deus.

■ **40.26**

שְׂאוּ־מָרוֹם עֵינֵיכֶם וּרְאוּ מִי־בָרָא אֵלֶּה הַמּוֹצִיא בְמִסְפָּר צְבָאָם לְכֻלָּם בְּשֵׁם יִקְרָא מֵרֹב אוֹנִים וְאַמִּיץ כֹּחַ אִישׁ לֹא נֶעְדָּר׃ ס

Levantai ao alto os vossos olhos. O *ato criador* de Deus e seu perfeito *conhecimento* de todas as coisas (sua onisciência) são usados como lições objetivas de sua natureza incomparável. Ele criou um cosmo fantástico e, quanto mais sabemos a respeito dessa questão, mais espantados ficamos. As investigações servem somente para aprofundar os mistérios e a maravilha envolvida em toda a questão. As estrelas inumeráveis dos céus, as *hostes cósmicas*, deixam atônita a mente humana; mas Deus conhece a plena extensão de todas essas coisas, chamando cada estrela por seu nome. Ele é tão poderoso que não deixou fora de cômputo nenhuma única estrela, quando as enumerou. Excetuando uma mancha (isto é, alguma galáxia distante), os homens estão reduzidos a contar (com olhos desarmados) apenas uns poucos milhares de estrelas; porém, os antigos não dispunham de meios para contar as estrelas, pelo que imaginavam que o número delas era ilimitado. Ver Gn 22.17 e 26.4 quanto ao uso das estrelas para falar na infinitude. Atualmente, a ciência humana mostra que há bilhões de galáxias, cada qual com bilhões de estrelas, pelo que isso ilustra a impossibilidade de qualquer homem enumerá-las. Ver no *Dicionário* o artigo chamado *Astronomia*, onde ilustro a imensidão dos céus estelados. Mas o que é ilimitado para o homem, por causa de sua falta de conhecimento, é uma questão simples para o Deus que tem todo o conhecimento. "Ele põe em ordem toda aquela hoste inumerável de estrelas, como o General Supremo conhece de vista e de nome cada um de seus soldados, em seu vasto exército. Ele conhece cada estrela como um pastor conhece suas ovelhas (ver Jo 10.3)" (Ellicott, *in loc.*). Deus é forte, e as estrelas são fortes. Coisa alguma pode tirá-las de seus cursos, porquanto foi assim que Deus as criou. Olhemos para cima, estando nós na terra, para contemplar as maravilhas lá do alto, e assim teremos interpretado algo da grandeza de Deus.

■ **40.27**

לָמָּה תֹאמַר יַעֲקֹב וּתְדַבֵּר יִשְׂרָאֵל נִסְתְּרָה דַרְכִּי מֵיהוָה וּמֵאֱלֹהַי מִשְׁפָּטִי יַעֲבוֹר׃

Por que, pois, dizes, ó Jacó, e falas, ó Israel. Se Deus tem todo esse poder e todo esse conhecimento, como poderia Jacó (Israel-Judá) dizer que ele não tinha conhecimento nem se preocupava com eles? Como poderia um homem dizer: "Deus não se importa com o que acontece comigo?" O poder e o conhecimento de Deus controlam o universo, e certamente o homem não está fora de seu poder e de seus cuidados. A ênfase desta declaração é *consolação*. Ver o vs. 1. "O olho dele está fixo no pardal, e sei que ele cuida de mim", conforme diz certo hino evangélico.

No segredo de sua presença como minha alma deleita-se em esconder-se!
Oh, quão preciosas são as lições que aprendo ao lado de Jesus!
Os cuidados terrenos jamais poderão vexar-me, nem testes podem derrubar-me.

Ellen Lakshmi Goreh

Ver no *Dicionário* o artigo chamado *Providência de Deus*. Ver Rm 11.29-36.

Jacó... Israel. Nomes usados como sinônimos para indicar a nação. Essa combinação foi usada por dezesseis vezes desse o começo do segundo Isaías (capítulo 40), mas não nos primeiros 39 capítulos. Ver Is 40.27; 41.8,14; 42.24; 43.1,22,28; 44.1,5,21,23; 45.5; 46.3; 48.1 e 49.5,6. As dez tribos do reino do norte já tinham sido levadas em exílio para a Assíria, mas Judá continuava, e haveria novos capítulos em sua história.

Sétima Estrofe: Deus Eterno (40.28-31)

■ **40.28**

הֲלוֹא יָדַעְתָּ אִם־לֹא שָׁמַעְתָּ אֱלֹהֵי עוֹלָם יְהוָה בּוֹרֵא קְצוֹת הָאָרֶץ לֹא יִיעַף וְלֹא יִיגָע אֵין חֵקֶר לִתְבוּנָתוֹ׃

Não sabes, não ouviste que o eterno Deus... nem se cansa nem se fatiga? Somente Deus é independente; somente Deus é eterno. Os homens, por sua vez, são dependentes e continuam somente porque Deus lhes dá o dom da vida. Deus é incomparável, conforme indica sua natureza eterna. A eternidade é um atributo essencial e exclusivo de Deus. Ver no *Dicionário* o artigo chamado *Atributos de Deus*. O Criador é o Deus eterno; na qualidade de Deus Eterno, ele nunca se cansa nem exaure suas energias. A compreensão dele tanto é ilimitada quanto insondável. Ver o artigo detalhado chamado *Isaías, seu Conceito de Deus*, no *Dicionário*. Foi Isaías quem lançou os fundamentos da teologia essencial da natureza e dos atributos de Deus, cujo volume principal foi incorporado no Novo Testamento. Embora onipotente, Deus se preocupa com o homem, e essa é outra maneira de falar do seu famoso *Amor* (ver no *Dicionário*).

Guia-me, ó tu, grande Yahweh,
Sou peregrino nesta terra estéril.
Sou fraco, mas tu és poderoso.
Segura-me com tua poderosa mão.

William Williams

O DEUS INESCRUTÁVEL

Grande é o Senhor e mui digno de ser louvado; a sua grandeza é insondável.

Salmo 145.3

Não sabes, não ouviste que o eterno Deus, o Senhor, o Criador dos fins da terra, não se cansa nem se fatiga? Não se pode esquadrinhar o seu entendimento.

Isaías 40.28

Não o encontrei no mundo ou no sol,
Nas asas da águia ou nos olhos do inseto;
Nem através de indagações feitas pelos homens,
As tolas teias que eles têm tecido.

Se, tendo a fé caído no sono,
Eu ouvisse uma voz: "Não creias mais",
E ouvisse uma praia que retumbasse
Como ondas no abismo da impiedade,

Um calor dentro do peito dissolveria
A parte mais gélida da razão,
E, como homem iracundo, o coração
Erguer-se-ia e diria: "MAS EU SINTO!"

Alfred Lord Tennyson

40.29

נֹתֵן לַיָּעֵף כֹּחַ וּלְאֵין אוֹנִים עָצְמָה יַרְבֶּה׃

Faz forte ao cansado. Os homens, tão fracos e débeis, recebem poder para viver e ser alguma coisa, mediante o amor de Deus. Deus dá poder aos *débeis*, o que, em última análise, engloba cada indivíduo. Ele consola os humildes. "Ele nos concede mais forças enquanto a carga vai se tornando mais leve", conforme diz certo hino evangélico.

> Imutável é seu amor, e forte é seu braço;
> Sem limites a graça que acompanha meu caminho.
> Por que eu teria medo, cheio de alarma?
> Sua graça é suficiente e me acompanha por todo o caminho.
> William M. Runyan

"O Deus onipotente está preocupado com o homem" (*Oxford Annotated Bible*, comentando sobre os vss. 28-31). A consciência de ser fraco é o primeiro passo para a obtenção do poder que vem do alto. Ver Mt 5.6; Lc 1.52,53 e 6.21.

> *Quando sou fraco, então é que sou forte.*
> 2Coríntios 12.10

"Quanto mais se trabalha, tanto mais forte se fica" (Adam Clarke). "Porque o poder se aperfeiçoa na fraqueza (2Co 12.9)" (Fausset, *in loc.*).

40.30

וְיִעֲפוּ נְעָרִים וְיִגָעוּ וּבַחוּרִים כָּשׁוֹל יִכָּשֵׁלוּ׃

Os jovens se cansam e se fatigam, e os moços de exaustos caem. Os jovens parecem ser modelos de energia ilimitada, mas até eles, quando exageram, ficam cansados e exaustos. Sim, alguns deles caem de exaustão. John Wesley era homem de energia ilimitada, mesmo em sua idade avançada (ele viveu até os 88 anos de idade!). Oh, Senhor, concede-nos tal graça! Aos 82 anos, ele citou a outrem, dizendo: 'Bendigo a Deus que nunca me canso *de* meu trabalho, mas me canso *em* meu trabalho". Contudo, ficar cansado nunca o deixou cansado e, de fato, ele usualmente vivia borbulhando de energia. Disse certa vez: "Nunca me canso de escrever, de pregar ou de viajar. Assim acontece comigo hoje em dia, e não penso no dia de amanhã" (*Cartas*, VII. 254, datado de fevereiro de 1785).

40.31

וְקוֹיֵ יְהוָה יַחֲלִיפוּ כֹחַ יַעֲלוּ אֵבֶר כַּנְּשָׁרִים יָרוּצוּ וְלֹא יִיגָעוּ יֵלְכוּ וְלֹא יִיעָפוּ׃ פ

Mas os que esperam no Senhor renovam as suas forças. Todos os homens são inerentemente fracos, incluindo os jovens, a quem atribuímos energia ilimitada. Mas os que esperam em Yahweh, e estão em *comunhão* com ele, a despeito de todas as dificuldades, obterão algo da força divina. Em primeiro lugar, temos uma aplicação nacional das palavras. Israel, tão esbofeteado e cansado, tão abusado pelas nações, finalmente, após a volta do cativeiro babilônico, durante a era do reino de Deus, obterá forças da parte de Yahweh, pois ele é o Pai que dá o necessário a seus filhos. Esses *renovarão* suas forças, e outro tanto se aplica aos indivíduos que dependem do Senhor. Com forças renovadas, eles subirão com o que com asas de águia, como a águia proverbial renova suas forças, e isso até idade avançada. As águias são voadores fortes, eternos. Além disso, há os atletas treinados, que nos espantam acerca de quão longe e quão ligeiro podem *correr*, e que aguentam correr num mesmo ritmo por longo tempo. A maioria das pessoas, entretanto, são meras *andarilhas*. Mas devemos ficar felizes, porque a promessa é que, se eles continuarem a caminhar, não desmaiarão.

João Wesley (ver o vs. 30) foi um homem que voava fortemente. Mas os que somente andam também cumprem sua missão, tendo força suficiente para avançar caminho. "A principal companhia do povo de Deus nem voa nem corre. Ela *caminha*. Contudo, a maior parte do trabalho útil efetuado no mundo é realizado pelos mourejadores... Portanto, temos a inspiração de efetuar um esforço sem descanso, esperando no Senhor" (Henry Sloane Coffin, *in loc.*).

> Por mais que vivas, ó rei,
> Contudo como a águia,
> Renova as tuas forças,
> E retém o teu vigor.
> Phile, De Animalibus

"Alguns, na realidade, voam alto e habitam nas alturas. Outros, embora não possam elevar-se nem voar tão rapidamente, são fortes o suficiente para correr sem se cansar. Outros ainda, embora não possam voar nem correr, podem andar sem se cansar; pelo que há provisão para todo homem" (John Gill, *in loc.*, com algumas adaptações).

CAPÍTULO QUARENTA E UM

YAHWEH CASTIGARIA A IDOLATRIA POR MEIO DE CIRO (41.1-29)

A seção de Is 41.1—42.4 fala do teste a que serão submetidas as nações. Este primeiro capítulo é um desafio às nações. Homens ímpios estão sujeitos a apanhar com a vara de Deus, a mesma vara que dará descanso e restauração a Israel. Jacó, o verme, não deveria temer, porquanto manifestações do Poder divino ajudarão esse verme (vs. 14).

"A cena de pano de fundo (a figura empregada) é o tribunal legal (tema reiterado nos capítulos 41 a 46 e 48). O pano de fundo histórico são as vitórias de Ciro, da Pérsia" (*Oxford Annotated Bible*, comentando sobre o vs. 1). A Babilônia tinha sujeitado Judá ao cativeiro, depois de haver demolido muitas cidades de Judá e ter destruído a capital, Jerusalém. Mas Deus surpreendeu os babilônios com Ciro, o novo ator que desempenharia seu papel no palco da vida e terminaria com a Babilônia. Em seguida, Ciro seria inspirado a assinar o famoso decreto que permitiria ao remanescente de Judá voltar a Jerusalém e reconstruir a cidade. Isso serviu de tipo de retorno maior dos judeus e da reconstrução que se dará durante a era do reino de Deus. Ver Is 44.28 e 45.1, onde Ciro é citado nominalmente, o que tem levado os críticos a supor que estes capítulos foram escritos como história, e não como profecia. Ver a seção III da *Introdução* ao livro quanto ao problema de unidade do livro, e ver a seção IV sobre a questão de data e autoria.

"As nações foram convocadas perante o tribunal do Senhor da história para responder à grande crise evocada pelas vitórias sem precedentes de Ciro. Foi o fim da era semítica e o levantamento da era persa. Deve ser observada a clara relação entre o começo (Is 41.1) e o fim (Is 42.1-4)" (James Muilenburg, *in loc.*).

41.1

הַחֲרִישׁוּ אֵלַי אִיִּים וּלְאֻמִּים יַחֲלִיפוּ כֹחַ יִגְּשׁוּ אָז יְדַבֵּרוּ יַחְדָּו לַמִּשְׁפָּט נִקְרָבָה׃

Calai-vos perante mim, ó ilhas, e os povos renovem as suas forças. Yahweh convocava as nações a comparecer perante o tribunal de juízo. Temos nisso uma vívida representação do controle de Yahweh sobre as nações, bem como sobre os eventos que assinalam mudança na história da humanidade. Uma grande turbulência foi precipitada pelas vitórias sem precedentes de Ciro, um monarca não semita (ver o *Dicionário* quanto à sua história inteira). O mundo inteiro havia sido transformado em um tribunal legal, que Yahweh presidia como Juiz, a fim de julgar as nações da terra. Potências antigas cairiam, e novas potências, bem diferentes daquelas, seriam levantadas. Os semitas caíam; os persas se levantavam; as línguas semíticas caíam; as línguas indo-europeias se levantavam. Yahweh, como Juiz que era (ver Is 40.10), poria as coisas em boa ordem. Às nações foi recomendado que se mantivessem quietas. Elas estavam indefesas. A Mente divina já havia examinado o caso e agora proferiria o veredicto. Uma vez que as nações prestassem o devido respeito a Yahweh, poderiam falar, mas isso não alteraria em coisa alguma o divino veredicto. Quanto ao mandamento para que as nações silenciassem, cf. Sf 1.7, Hc 2.20 e, especialmente, Zc 2.13.

É dito, no livro de Isaías, que as nações tinham forças, mas isso significa somente que elas compareceriam diante do tribunal de Deus. Seu domínio mundial tinha terminado. Elas precisavam ser fortes o suficiente para enfrentar o julgamento. "Deus não pediu que as nações negociassem. Pelo contrário, solicitava que as nações viessem juntas e percebessem a veracidade das palavras que o Senhor estava prestes a dizer" (John S. Martin, *in loc.*).

Primeira Estrofe: Apelo à História (41.2-4)

■ **41.2**

מִי הֵעִיר מִמִּזְרָח צֶדֶק יִקְרָאֵהוּ לְרַגְלוֹ יִתֵּן לְפָנָיו
גּוֹיִם וּמְלָכִים יַרְדְּ יִתֵּן כֶּעָפָר חַרְבּוֹ כְּקַשׁ נִדָּף קַשְׁתּוֹ:

Quem suscitou do oriente aquele a cujos passos segue a vitória? Quem levantou o novo látego, Ciro, o homem que invadiu a Babilônia, vindo do Oriente, tal como um novo sol que se levantasse no horizonte da terra? Yahweh é o Poder que dá poder aos homens, conforme comento longamente em Is 13.6. Nações caíam perante o novo homem louco, e ele não podia ser detido, porquanto tinha um propósito divino a cumprir. O poder militar estava mudando das mãos dos povos semíticos para os que pertenciam ao tronco europeu e falavam idiomas indo-europeus: primeiramente os medo-persas; então os gregos; e, finalmente, os romanos.

Aquele. Algumas traduções mais antigas chamam esse homem de *justo*, e isso poderia ser dito se o propósito divino estivesse trabalhando nele, cumprindo a justa vontade de Deus. Sabemos que ele foi outro matador em massa, sempre sedento de sangue. Mas as traduções modernas chamam Ciro de *vitorioso*, em vez de justo. Suas vitórias lhe foram dadas por decreto divino, o que significa que, pelo menos no momento, ele era invencível. Continuaria a pisotear as nações, transformando-as em poeira sob seus pés. Essas nações eram como poeira debaixo de sua poderosa espada, como restolho diante de seu arco e suas flechas. Suas flechas voavam como o vento e sopravam a palha para longe.

■ **41.3**

יִרְדְּפֵם יַעֲבוֹר שָׁלוֹם אֹרַח בְּרַגְלָיו לֹא יָבוֹא:

Persegue-os e passa adiante em segurança. Coisa alguma era capaz de deter o novo chicote. Ele contava com o poder de Deus a impulsioná-lo. Operava "em justiça", porque sua causa era justa e divinamente determinada. Quem era esse novo conquistador? Ele seguiria uma vereda nunca antes palmilhada. Ele não era um assírio que invadiria do leste, sobre veredas conhecidas. Sairia conquistando, partindo de um novo lugar. Seria um viajante diferente do mundo. Enveredaria por novos caminhos que nem as potências antes dele, nem ele mesmo, tinham percorrido antes. Ele trazia tribulações de novas direções e novas maneiras. "Ele iria a lugares onde nunca antes estivera" (NCV). E seguiria seu caminho como um voador cujos pés nem tocavam as estradas feitas pelos homens.

Quanto a Ciro operar com *justiça*, ver Is 44.28; 45.1-4,13; 46.11. Heródoto (*História* iii.89) falou mui favoravelmente sobre ele, como homem, embora o profeta Isaías não concordasse com isso. Ciro era apenas um instrumento da mão divina.

■ **41.4**

מִי־פָעַל וְעָשָׂה קֹרֵא הַדֹּרוֹת מֵרֹאשׁ אֲנִי יְהוָה רִאשׁוֹן
וְאֶת־אַחֲרֹנִים אֲנִי־הוּא:

Quem fez e executou tudo isso? Quem era a causa por trás do novo látego? Yahweh, o controlador da história da humanidade, o divino "eu", Yahweh. Essa era a causa. Ver Is 13.6 quanto a uma detalhada explicação sobre Deus como a causa dos acontecimentos entre os homens, aquele que determina o curso da história humana. Ver At 17.26. Ver no *Dicionário* o artigo chamado *Soberania*. A Septuaginta tem aqui o simples título divino "Eu sou". Ver no *Dicionário* o artigo chamado *Eu Sou de Deus*, quanto a amplas explanações. Estava ocorrendo na história humana uma nova intervenção divina, como a que operou através do êxodo de Israel e da conquista da Terra Prometida. Ver as notas em Êx 3.14.

O Senhor, o primeiro, e com os últimos eu mesmo. Cf. 43.10; 44.6; 48.12; Ap 22.13. Está em pauta a eternidade de Deus, bem como a ideia de que, ao longo do caminho, ele é a causa da progressão e dos eventos da história humana. O versículo se refere à prioridade de Deus tanto no tempo quanto na posição em relação às suas criaturas. "A origem e a posição de todas as nações estão com ele" (Fausset, *in loc.*). A eternidade está em Deus, e assim também estão todas as *vicissitudes* do tempo. Ele veio antes de todas essas coisas, está com elas e continuará existindo depois delas. Ver Is 48.12, quanto a ideias adicionais sobre o *primeiro* e o *último*.

Eu estava aqui no começo, e também estarei aqui quando todas as coisas terminarem.

NCV

Segunda Estrofe: As Nações Apelam aos Ídolos (41.5-7)

■ **41.5**

רָאוּ אִיִּים וְיִירָאוּ קְצוֹת הָאָרֶץ יֶחֱרָדוּ קָרְבוּ וַיֶּאֱתָיוּן:

Os países do mar viram isto e temeram. Esta estrofe apresenta a reação da nação à convocação de Yahweh. Os judeus não podiam permanecer de pé perante Deus. Eles caíram trêmulos. Em seu temor, apelaram para o fabrico de ídolos (vss. 6 ss.), na desesperada tentativa de obter ajuda acerca da ameaça persa. Os vss. 5-7 descrevem o efeito sobre as nações do soerguimento do poder persa. Elas se encorajaram mutuamente e fizeram novos ídolos. No vs. 8, o profeta dirigiu-se a Israel. "Visto que foi o Deus dos judeus que levantou Ciro, eles deveriam esperar o bem, e não o mal, da parte desse rei (vss. 8-20). Os vss. 21-24 formam um desafio desprezador aos ídolos, em quem as nações confiavam" (*Scofield Reference Bible*, comentando sobre este versículo).

■ **41.6,7**

אִישׁ אֶת־רֵעֵהוּ יַעְזֹרוּ וּלְאָחִיו יֹאמַר חֲזָק:

וַיְחַזֵּק חָרָשׁ אֶת־צֹרֵף מַחֲלִיק פַּטִּישׁ אֶת־הוֹלֶם פָּעַם
אֹמֵר לַדֶּבֶק טוֹב הוּא וַיְחַזְּקֵהוּ בְמַסְמְרִים לֹא יִמּוֹט: ס

Um ao outro ajudou, e ao seu próximo disse: Sê forte". Em vez de voltar-se para o verdadeiro Deus, aquela gente insensata, na hora da crise, voltou-se mais do que nunca para seus falsos deuses, ídolos inúteis, e começou um esforço frenético à procura de mais e melhores ídolos. "Da mesma maneira que os marinheiros do navio de Társis chamaram cada homem a seu deus (ver Jn 1.5), assim também cada nação voltou-se a seus oráculos e santuários. Os deuses tiveram de ser propiciados por novas estátuas, e um novo ímpeto foi emprestado à manufatura dos ídolos, provavelmente com o propósito de serem levados à batalha como proteção (cf. 1Sm 4.5,7 e Heródoto, *História* 1.26)" (Ellicott, *in loc.*). Por meio dessa ridícula atividade, eles se encorajaram mutuamente, pensando que isso teria algum efeito sobre o que Ciro poderia fazer. Os artífices puseram em ação suas habilidades. Ver um trecho paralelo em Is 40.19. Imagens de chumbo ou cobre foram cobertas com metais preciosos, como prata ou ouro. Os moldes, tendo recebido seu chapeamento, foram entregues aos soldados, que acrescentaram enfeites, embelezaram-nos com pedras preciosas e fizeram cadeias de prata para pendurá-los nas paredes. Outros ídolos requeriam bases para poderem ficar de pé sem tombar.

Este último trabalhador diz: Este trabalho de metal é bom. Ele prega a estátua a uma base para que o mesmo não possa cair.

NCV

Com sorriso escarninho no rosto e tom de desprezo na voz, o profeta falou sobre a insensatez dos ídolos. Todo aquele trabalho só os expunha ao ridículo, da parte de qualquer homem capaz de pensar. Sem dúvida, Ciro não ficaria bem impressionado com tanta falta de bom senso.

Terceira Estrofe: Israel, Meu Servo (41.8-10)

■ **41.8**

וְאַתָּה יִשְׂרָאֵל עַבְדִּי יַעֲקֹב אֲשֶׁר בְּחַרְתִּיךָ זֶרַע
אַבְרָהָם אֹהֲבִי:

Mas tu, ó Israel, servo meu, tu Jacó, a quem elegi. Israel tinha sofrido muitas ameaças e por muitas vezes mereceu tal tratamento, quando se identificava com o paganismo e se envolvia na absurda idolatria do paganismo. Ciro, porém, seria um poder libertador para os israelitas, instrumento nas mãos de Yahweh.

"*Três servos* de Yahweh são mencionados no livro de Isaías: 1. *Davi* (Is 37.35); 2. *Israel*, a nação (Is 41.8-16; 43.1-10; 44.1-8,21; 45.4; 48.20); 3. *o Messias* (42.1-12; 49; mas ver especialmente os vss. 5-7, onde o Servo restaura a nação serva; 50.4-6; 52.13-15; 53.1-12. A nação de Israel era um servo infiel, mas seria restaurada e convertida e ainda trilharia montanhas. Contra o Servo, Cristo, nenhuma acusação de infidelidade ou fracasso seria feita. Ver Is 42.1" (*Scofield Reference Bible*, comentando sobre o vs. 8).

Israel, o servo, embora punido (ver Jr 30.10; 46.27,28), certamente seria restaurado (ver Is 44.1-5; 4.4; 48.10). Israel, a descendência de Abraão, relembraria a Yahweh as promessas da aliança. Ver Gn 15.18, quanto ao Pacto Abraâmico. Da mesma maneira que Abraão era *amigo* de Deus (ver 2Cr 20.7; Tg 2.23), também acontecerá à restaurada nação de Israel. Por conseguinte, as bênçãos divinas fluiriam. A *eleição* de Israel era o fator que garantia a ação divina positiva em favor deles. Ver Dt 4.37; 7.7,8; 10.15 e 14.2. O povo separado seria beneficiado (ver Dt 7.6; 14.21; Êx 19.6), tal como aconteceria ao povo em relação de pacto com Deus (ver Dt 4.13,23,31; 5.2 e 8.18).

41.9

אֲשֶׁר הֶחֱזַקְתִּיךָ מִקְצוֹת הָאָרֶץ וּמֵאֲצִילֶיהָ קְרָאתִיךָ
וָאֹמַר לְךָ עַבְדִּי־אַתָּה בְּחַרְתִּיךָ וְלֹא מְאַסְתִּיךָ׃

Tu a quem tomei das extremidades da terra. Israel era o povo eleito de Deus, e foi chamado da Babilônia, porquanto a sua história precisava continuar, a despeito de recuos temporários. Este versículo se amplia até a chamada nacional de Israel dos confins da terra, para a era do reino de Deus, quando Israel se tornar a cabeça das nações (ver Is 24.23). O servo escolhido por Deus tinha de retornar da Babilônia. A eleição de Israel garante isso. Israel foi temporariamente *rejeitado* por ocasião do cativeiro babilônico e, depois, mais rejeitado ainda, por ocasião da dispersão romana, que se prolonga até nossos próprios tempos (o Estado de Israel foi formado em 1948, e esse foi o começo da volta de Israel à sua terra); agora virão os grandes lances da "angústia de Jacó" (ver Jr 30.7) e de sua conversão ao Senhor Jesus (ver Rm 11.26 ss.). E o fator que reverterá esses exílios temporários será a eleição divina. E então será inaugurada a nova era, em que Israel será a principal das nações da terra, e Jerusalém será a capital religiosa do mundo.

> Um espírito gracioso preside esta terra,
> Sim, a tendência divina, que dirigirá aqueles
> Que não se importavam, e que não sabiam,
> Nem consideravam o que estavam fazendo.
>
> Wordsworth

41.10

אַל־תִּירָא כִּי עִמְּךָ־אָנִי אַל־תִּשְׁתָּע כִּי־אֲנִי
אֱלֹהֶיךָ אִמַּצְתִּיךָ אַף־עֲזַרְתִּיךָ אַף־תְּמַכְתִּיךָ
בִּימִין צִדְקִי׃

Não temas, porque eu sou contigo; não te assombres, porque eu sou o teu Deus. Uma palavra de encorajamento direta e forte agora entra no quadro. Não havia necessidade de *temor* nem de *desmaio*, pois o Deus de Abraão continuava sendo o Deus de Israel; Israel continuava sendo o povo em pacto com Deus; e continuava havendo *propósito* e *poder divino*. Continuava o *amor de Deus*, bem como as operações da *mão direita* de Deus. Quanto à figura da poderosa mão de Deus, seu instrumento de operações, ver Sl 81.4, bem como o *Dicionário*. Mediante tais figuras antropomórficas (ver no *Dicionário* o artigo chamado *Antropomorfismo*), o profeta consolou a Israel, transmitindo-lhe a certeza de uma vitória inevitável. A luz do romper do dia ainda brilhará sobre Israel, em algum lugar, em algum tempo. Ver os vss. 13,14. Quanto a forças para aqueles que esperam no Senhor, ver as notas em Is 40.30,31.

RESTAURANDO O REBELDE

Tu a quem tomei das extremidades da terra e chamei dos seus cantos mais remotos, a quem disse: Tu és o meu servo, eu te escolhi e não te rejeitei, não temas, porque eu sou contigo; não te assombres, porque eu sou teu Deus; eu te fortaleço, e te ajudo, e te sustento com a minha destra fiel.

Isaías 41.9,10

GRAÇA ABUNDANTE

> Ó Salvador, nada tenho para pleitear,
> Na terra abaixo ou nos céus acima,
> A não ser minha grande necessidade,
> E o teu amor sem igual.
>
> Jane Crewdson

Quarta Estrofe: Julgamento das Nações (41.11-13)

41.11

הֵן יֵבֹשׁוּ וְיִכָּלְמוּ כֹּל הַנֶּחֱרִים בָּךְ יִהְיוּ כְאַיִן וְיֹאבְדוּ
אַנְשֵׁי רִיבֶךָ׃

Eis que envergonhados e confundidos serão todos os que estão indignados contra ti. Tendo completado as declarações preliminares, o profeta agora se lança sobre o seu tema principal: o *julgamento das nações*, a quem Yahweh tinha convocado perante o seu tribunal, na corte divina (ver Is 41.1). Se Deus protegerá Israel, o povo a quem escolheu, não concederá nenhum favor às nações ímpias da terra. De fato, Israel se tornará o instrumento de Yahweh para punir as nações. Os que tiverem maltratado Israel serão envergonhados e confundidos. Essas nações serão pulverizadas e perecerão totalmente. A Babilônia pode ser evocada aqui; mas a Média-Pérsia também terá seu dia de ruína, tal como a Grécia e Roma. E haverá grande ruína, mas isso conduzirá Israel à era do reino de Deus.

41.12

תְּבַקְשֵׁם וְלֹא תִמְצָאֵם אַנְשֵׁי מַצֻּתֶךָ יִהְיוּ כְאַיִן וּכְאֶפֶס
אַנְשֵׁי מִלְחַמְתֶּךָ׃

Aos que pelejam contra ti, buscá-los-ás, porém não os acharás. Este versículo promete o total aniquilamento dos inimigos de Israel. E, se procurarem algum adversário a quem possam combater, não encontrarão nenhum. A menos que esta seja uma hipérbole oriental, é difícil imaginar como algo como isso poderia acontecer, exceto imediatamente antes da era do reino. Este versículo aplica-se à Babilônia, pois quando Ciro destruiu essa cidade ela se tornou impossível de ser habitada. Ver o oráculo contra a Babilônia, em Is 13.1-22, especialmente os vss. 20-22. Mas o tema são as *nações* (vs. 1), e não meramente um inimigo antigo.

41.13

כִּי אֲנִי יְהוָה אֱלֹהֶיךָ מַחֲזִיק יְמִינֶךָ הָאֹמֵר לְךָ אַל־
תִּירָא אֲנִי עֲזַרְתִּיךָ׃ ס

Porque eu, o Senhor teu Deus, te tomo pela tua mão direita. Esta é uma leve modificação com base no vs. 10, exceto pelo fato de que agora a *mão direita* de Israel era segura pela mão de Deus, embora o sentido seja o mesmo. O temor poderia ser aplacado, porque o poder da proteção divina estará presente, em todas as suas potencialidades. Ademais, a declaração é reforçada pelo nome divino, Yahweh-Elohim. Cf. este versículo com Dt 33.26,29.

Quinta Estrofe: Israel, um Trilho Cortante (41.14-16)

41.14

אַל־תִּירְאִי תּוֹלַעַת יַעֲקֹב מְתֵי יִשְׂרָאֵל אֲנִי עֲזַרְתִּיךְ
נְאֻם־יְהוָה וְגֹאֲלֵךְ קְדוֹשׁ יִשְׂרָאֵל׃

Não temas, ó vermezinho de Jacó, povozinho de Israel. Novamente veio a Jacó (Israel-Judá) a chamada para que não temesse, pois embora Judá fosse um *verme* sobre o qual todas as nações pisavam, que andava de moral tão baixo que merecia ser pisado, as coisas mudarão, e o Redentor os consolará. Os padrões não tinham sido rebaixados, pois o Redentor é, igualmente, o Santo de Israel. As dívidas de Israel tinham sido pagas, e a palavra-chave agora era "restauração", e não "julgamento".

O termo "vermezinho" pode ser aqui um vocábulo afetivo, e não de reprimenda, revestindo-se da ideia de poucos ou pequenos, provocadores de piedade e amor especial. O ente amado está agora sujeito ao ato remidor do *goel* (ver a respeito no *Dicionário*).

■ 41.15

הִנֵּה שַׂמְתִּיךְ לְמוֹרַג חָרוּץ חָדָשׁ בַּעַל פִּיפִיּוֹת תָּדוּשׁ הָרִים וְתָדֹק וּגְבָעוֹת כַּמֹּץ תָּשִׂים׃

Eis que farei de ti um trilho cortante e novo, armado de lâminas duplas. Agora o vermezinho torna-se o atacante, tal como um verme é uma criatura que dá dó, mas pode derrubar plantas relativamente grandes. Naturalmente, a figura simbólica modifica-se aqui, e Israel, antes oprimido e esmagado, é agora o elemento esmagador, transformando-se no *trilho cortante* (no hebraico, *moragh*), uma tábua pesada ou draga, munida por baixo com pedras cortantes ou pontas de ferro. Esse trilho em particular tinha dentes novos e cortantes, em preparação para realizar bem o seu ofício. Era um trilho tão poderoso que esmagava montes (uma figura de nações poderosas) e reduzia colinas a palha, a qual era então levada por qualquer vento que soprasse naquela direção. Com tais figuras, voltamos à ideia do total aniquilamento vista no vs. 12. Mas agora Israel, e não alguma nação pagã, será o aniquilador. Israel obterá vitórias contra todos os seus adversários. O versículo seguinte dá continuidade à metáfora. A menos que haja neste versículo uma hipérbole oriental, que fale de vitórias secundárias, o texto só pode referir-se ao triunfo que será obtido durante a era do reino, quando Israel se tornar a cabeça das nações.

■ 41.16

תִּזְרֵם וְרוּחַ תִּשָּׂאֵם וּסְעָרָה תָּפִיץ אוֹתָם וְאַתָּה תָּגִיל בַּיהוָה בִּקְדוֹשׁ יִשְׂרָאֵל תִּתְהַלָּל׃ פ

Tu os padejarás e o vento os levará. *Após ser aplicado o trilho,* o grão é separado da palha quando tanto o grão quanto a palha são lançados no ar. A palha, por ser leve, é levada pelo vento. E o grão, de densidade e peso superior, cai na eira. Em seguida, o grão pode ser juntado e posto em sacas. Uma grande tempestade é então descrita como a força que levará embora a palha, *completamente*. Então haverá intenso regozijo em Yahweh (por causa dele, o agente do ato). Israel se regozijará no Santo de Israel, que é a *glória* do povo remido. A *justiça* terá sido feita, conforme o título divino (anotado no *Dicionário*) demonstra. A santidade de Deus finalmente terá apanhado as nações idólatras, corruptas e perseguidoras. Cf. Jó 27.21 e 30.22.

Sexta Estrofe: Interlúdio Lírico (41.17-20)

■ 41.17

הָעֲנִיִּים וְהָאֶבְיוֹנִים מְבַקְשִׁים מַיִם וָאַיִן לְשׁוֹנָם בַּצָּמָא נָשָׁתָּה אֲנִי יְהוָה אֶעֱנֵם אֱלֹהֵי יִשְׂרָאֵל לֹא אֶעֶזְבֵם׃

Os aflitos e necessitados buscam águas, e não as há. O triunfal povo de Israel vê, jubiloso, todas as suas necessidades satisfeitas. Os inimigos foram derrotados. Yahweh-Elohim avançou para trazer prosperidade sem paralelo. É um novo dia. A alusão, naturalmente, é ao povo necessitado que estava no cativeiro babilônico; ao retornar, eles entraram nas bênçãos de Deus que reverteram todas as angústias. Mas as descrições são tão elevadas que, a menos que estejamos tratando com uma hipérbole oriental, para descrever eventos secundários, temos de reconhecer o cumprimento maior destas predições na era do reino de Deus. Um *povo sedento,* sem nenhum suprimento de água, estava morrendo de sede. Eles buscaram água, mas nenhuma água foi encontrada. A língua deles estava gretada, e não havia alívio à vista. Parecia que eles haviam sido *abandonados* por Deus. Então levantam orações a Yahweh, porque somente nele há esperança. Ele responde às orações, e prova que não os tinha abandonado. Yahweh abre os rios, e assim as necessidades do povo são mais do que satisfeitas, sim, são abundantemente satisfeitas. Ellicott, *in loc.*, pensa que estamos tratando aqui com uma poesia superior, para a qual não precisamos buscar cumprimento literal nos acontecimentos terrenos. As palavras, mediante aplicação, podem apontar para qualquer acontecimento revolucionário que transporta as pessoas de uma grande necessidade para um profundo regozijo.

■ 41.18

אֶפְתַּח עַל־שְׁפָיִים נְהָרוֹת וּבְתוֹךְ בְּקָעוֹת מַעְיָנוֹת אָשִׂים מִדְבָּר לַאֲגַם־מַיִם וְאֶרֶץ צִיָּה לְמוֹצָאֵי מָיִם׃

Abrirei rios nos altos desnudos. Os montes estavam estéreis e sem água, e os vales tornaram-se desertos ressecados. Mas subitamente apareceram águas de rios divinos que banharam os vales e levaram-nos a florescer como a rosa (ver Is 35.1). Ver também Is 43.19,20 e 44.3,4. Onde havia um deserto, há agora uma lagoa, e onde havia apenas terra seca, agora há uma terra cheia de fontes de água. Quanto a passagens similares, ver Is 35.1,2,6,7; 43.19,20; 44.3,4. "Todo o formato do contorno físico da nação, como colinas estéreis, estepes áridas, vales secos, será transformado em uma nova paisagem de beleza, por meio da água, como riachos, rios, lagos e fontes de água" (Ellicott, *in loc.*). Ver no *Dicionário* o artigo chamado *Água*, que inclui seus usos metafóricos.

■ 41.19

אֶתֵּן בַּמִּדְבָּר אֶרֶז שִׁטָּה וַהֲדַס וְעֵץ שָׁמֶן אָשִׂים בָּעֲרָבָה בְּרוֹשׁ תִּדְהָר וּתְאַשּׁוּר יַחְדָּו׃

Plantarei no deserto o cedro, a acácia, a murta e a oliveira. A *fertilidade* da terra abençoada com toda aquela água produzirá uma vegetação útil, pelo que o profeta Isaías mencionou sete árvores úteis, quanto à madeira e quanto às frutas. O uso do número sete, sem dúvida, foi intencional, falando da perfeição da utopia. Trata-se do novo jardim do Éden, a reversão da maldição divina (ver Gn 3.17). Quanto a detalhes, ver os artigos sobre cada uma dessas árvores, no *Dicionário*. O que temos aqui é um *milagre físico* que tipifica o milagre espiritual que acompanhará a era áurea do futuro.

"O que é físico e o que é espiritual misturam-se neste versículo. Ele descreve a *provisão* divina que opera milagres em favor de seus fiéis, em situações improváveis. Tais experiências com os cuidados divinos, século após século, deixam o seu povo admirado diante de seu poder e graça" (Henry Sloane Coffin, *in loc.*). "Durante o milênio, o clima e a terra de Israel serão modificados de tal modo que a terra se tornará bem irrigada e fértil" (John S. Martin, *in loc.*).

Até mesmo os bosques e as árvores fragrantes darão sombra a Israel, por mandato de Deus.

Baruque 5.8

■ 41.20

לְמַעַן יִרְאוּ וְיֵדְעוּ וְיָשִׂימוּ וְיַשְׂכִּילוּ יַחְדָּו כִּי יַד־יְהוָה עָשְׂתָה זֹּאת וּקְדוֹשׁ יִשְׂרָאֵל בְּרָאָהּ׃ פ

Para que todos vejam e saibam, considerem e juntamente entendam. Somente a *intervenção* direta de Yahweh, chamado de o Santo de Israel, poderia efetuar o milagre aqui descrito, que combinará elementos físicos e espirituais em tão bendita harmonia. O que sucederá será um testemunho aos homens sobre a bondade e o poder de Deus. Observando o que foi feito, os homens receberão maior compreensão, o que os beneficiará. Dessa maneira, verão e entenderão o que acontece quando a *mão* de Deus intervém. Ver no *Dicionário* o verbete intitulado *Mão*, bem como em Sl 81.14; e ver sobre *Mão Direita*, em Sl 20.6; e sobre o seu braço, em Sl 77.14; 89.10 e 98.1. Os gentios, vendo o que aconteceu a Israel, buscarão o Deus de Israel (ver Is 2.2; Zc 8.21-23).

Sétima Estrofe: O Apelo Renovado da História (41.21-24)

■ **41.21**

קָרְבוּ רִיבְכֶם יֹאמַר יְהוָה הַגִּישׁוּ עֲצֻמוֹתֵיכֶם יֹאמַר מֶלֶךְ יַעֲקֹב׃

Apresentai a vossa demanda, diz o Senhor. "As nações pagãs são desafiadas a provar a validade das reivindicações atinentes a seus deuses. Coisas antigas (Is 46.9) têm significação presente. As nações não terão defesa" (*Oxford Annotated Bible*, comentando sobre este versículo). É retomada aqui a cena do tribunal divino, que apareceu no vs. 1 deste capítulo. As nações serão julgadas. Yahweh, o Rei de Jacó (Israel-Judá), continuará a ser o Juiz. Por que essas nações são adoradoras de ídolos? Que bem isso fez por elas? As nações terão sido capazes de deter Ciro, que as destruirá (vs. 2)?

■ **41.22**

יַגִּישׁוּ וְיַגִּידוּ לָנוּ אֵת אֲשֶׁר תִּקְרֶינָה הָרִאשֹׁנוֹת מָה הֵנָּה הַגִּידוּ וְנָשִׂימָה לִבֵּנוּ וְנֵדְעָה אַחֲרִיתָן אוֹ הַבָּאוֹת הַשְׁמִיעֻנוּ׃

Trazei e anunciai-nos as cousas que hão de acontecer. Se os ídolos das nações são verdadeiras deidades, possuindo algum tipo de poder, então entre tais poderes deveria haver o dom da profecia. Esses deuses têm-se mostrado absolutamente incapazes de predizer o futuro de antemão, e podem fazer isso agora? Nesse caso, que dizer sobre Ciro? O que ele fará? Podem eles prever as ruínas que Ciro trará e, depois de prever isso, podem detê-lo? "A incapacidade de predizer o futuro mostra que os seus deuses eram ineficazes e inúteis" (John S. Martin, *in loc.*). Os oráculos pagãos falharam na hora da crise, revelando seu verdadeiro caráter. Para os hebreus, a história é cheia de significado, sendo dirigida pela sabedoria de Deus, que é a causa dos acontecimentos entre os homens. Ver Is 13.6 quanto a esse conceito. O determinador dos eventos, como é natural, pode inspirar seus profetas a predizer os acontecimentos futuros. Mas os deuses de nada são impotentes para determinar ou predizer os acontecimentos entre os homens. Portanto, por que os homens deveriam confiar neles? Só há um Deus Soberano.

■ **41.23**

הַגִּידוּ הָאֹתִיּוֹת לְאָחוֹר וְנֵדְעָה כִּי אֱלֹהִים אַתֶּם אַף־תֵּיטִיבוּ וְתָרֵעוּ וְנִשְׁתָּעָה וְנֵרֶא יַחְדָּו׃

Anunciai-nos as cousas que ainda hão de vir. Os deuses de nada também são deuses que nada podem fazer. Eles não podem predizer os acontecimentos humanos porque não são eles quem os determinam; eles não podem impedi-los; e não podem fazer coisa alguma, nem de bem nem de mal. Sarcasticamente, o profeta desafiou esses deuses a fazer algo que o deixasse com medo, angústia ou terror. Em outras palavras, eles tinham de apresentar evidências concretas de sua existência e poder. Os homens acabam deixando de crer em deuses que nada podem fazer. As orações feitas a eles não são respondidas. Nos momentos de crise não vem nenhuma ajuda da parte deles. Cf. Sl 115.2-8. Esse desafio nos lembra de Elias, no monte Carmelo (ver 1Rs 18.27).

■ **41.24**

הֵן־אַתֶּם מֵאַיִן וּפָעָלְכֶם מֵאָפַע תּוֹעֵבָה יִבְחַר בָּכֶם׃

Eis que sois menos do que nada e menos do que nada é o que fazeis. Os vss. 23,24 são a primeira negação direta da existência de qualquer deus além de Yahweh, no livro de Isaías. Esses deuses não existem, e eis por que eles são ineficazes. Os ídolos que os representam são criações de mãos humanas (ver Is 41.6,7), e não criadores que fizeram os homens. Ver no *Dicionário* o artigo chamado *Monoteísmo*. Parece que o *henoteísmo* era a mais antiga posição dessa questão na cultura dos hebreus (ver, igualmente, no *Dicionário*): se existem outros deuses (que exercem poder sobre outros povos), para nós há somente um Deus, diante de quem somos responsáveis. Essa ideia foi eventualmente abandonada, em favor do simples *monoteísmo*. Cf. Is 43.8-13, que contém uma firme declaração monoteísta. O monoteísmo não consiste meramente na crença em um único Deus, mas também na lealdade a esse Deus, a qual, no caso de Israel, envolvia uma relação de pacto. Essa é a ideia orientadora da vida, na qual o divino é sempre visto no humano, e o humano é transformado pelo divino.

Os *deuses falsos*, bem como aqueles que preferem adorá-los, são classificados juntamente, pelo profeta, como *abominação*, uma palavra comum vinculada à idolatria. Esses deuses são nada, e suas obras são nada, pelo que a reivindicação de divindade é manifestamente absurda e degradante, algo a ser repelido pelos homens. Ver no *Dicionário* o artigo detalhado sobre *Deuses Falsos*. Diz aqui o Targum: "Vós vos deleitais em uma abominação".

Oitava Estrofe: Julgamento Renovado contra as Nações (41.25-29)

■ **41.25**

הַעִירוֹתִי מִצָּפוֹן וַיַּאת מִמִּזְרַח־שֶׁמֶשׁ יִקְרָא בִשְׁמִי וְיָבֹא סְגָנִים כְּמוֹ־חֹמֶר וּכְמוֹ יוֹצֵר יִרְמָס־טִיט׃

Do norte suscito a um, e ele vem. Voltamos agora ao mundo da história contemporânea, tal como nos vs. 2-4. Ciro declaradamente viria do leste, no vs. 2, mas agora lemos que ele viria do norte. Na realidade, ele veio do nordeste. Os hebreus nunca se referiam a direções intermediárias, pelo que leste ou norte, para a mente dos hebreus, eram uma orientação igualmente válida. O novo látego de nações (agindo em favor de Yahweh) era como o surgimento do sol no oriente, trazendo um novo dia que inspiraria terror, e não esperança, porquanto as nações idólatras estavam maduras para serem julgadas. O mundo semita afundava, e as pessoas de idiomas indo-europeus ascendiam: a saber, a Pérsia, a Grécia e Roma. Haveria grande transição, e ela viria, como sempre vem, através da violência, da destruição do que é antigo e da substituição pelo que é novo. Ciro prestava lealdade a Marduque, o deus da Babilônia, mas, na realidade, servia a Yahweh. É possível que Ciro tenha criado certo *sincretismo*, incorporando Yahweh em seu panteão e invocando-o, mas provavelmente não é isso o que está em mira neste versículo. Seja como for, o seu ministério seria terrível. Ele pisaria sob os seus pés as nações, quebrando-as como se fossem meros vasos de barro perante a ira do oleiro que os fizera com defeito e agora queria livrar-se deles. Cf. as metáforas do vs. 2, que são diferentes, mas dizem a mesma coisa: Ciro seria um destruidor incansável. Mas a imagem simbólica aqui é de chutes aplicados ao barro que seria transformado em cacos, a preparação da argila para a moldagem. Cf. Jr 18.6 e 19.10.

Ele caminha sobre os reis como se fossem lodo. Ele anda sobre os mesmos como um oleiro anda sobre o barro.

NCV

■ **41.26**

מִי־הִגִּיד מֵרֹאשׁ וְנֵדָעָה וּמִלְּפָנִים וְנֹאמַר צַדִּיק אַף אֵין־מַגִּיד אַף אֵין מַשְׁמִיעַ אַף אֵין־שֹׁמֵעַ אִמְרֵיכֶם׃

Quem anunciou isto desde o princípio, para que o possamos saber...? Nenhum único ídolo ou deus pagão predisse o terror que era Ciro, e isso provou que eles eram deuses de nada. Por três vezes foi dito que nenhum dos tinha feito tal revelação. O panteão inteiro desses deuses era apenas uma farsa. "Nenhum de todos os oráculos, na Assíria e na Babilônia (dos quais havia muitos), e também nas costas marítimas, às quais os fenícios enviavam seus navios, tinha antecipado Ciro" (Ellicott, *in loc.*).

■ **41.27**

רִאשׁוֹן לְצִיּוֹן הִנֵּה הִנָּם וְלִירוּשָׁלִַם מְבַשֵּׂר אֶתֵּן׃

Eu sou o que primeiro disse a Sião. Este texto é obscuro, fazendo tradutores e intérpretes tentar adivinhar o que o versículo poderia significar. Consideremos os três pontos seguintes:

1. O que os deuses das nações não sabiam, Yahweh sabia, e ele declarou o que Ciro faria. Para Sião, isso eram boas-novas, porquanto operaria em favor deles, e os cativos na Babilônia seriam liberados. Portanto, foram anunciadas *boas-novas*.

2. Diz a Septuaginta: "Darei a Sião um começo, e consolarei Jerusalém na estrada", o que também é obscuro.
3. "Eu, o Senhor, fui o primeiro a dizer a Jerusalém que seus habitantes estavam voltando para casa. Enviei um mensageiro a Jerusalém com as boas-novas" (NCV). Essa é uma declaração direta do retorno dos cativos judeus da Babilônia (tendo Ciro como o interventor). Cf. Is 40.1-5 e 9-11. Tal como se vê em Is 40.9, a Septuaginta, tradução do Antigo Testamento do hebraico para o grego, contém as palavras que mais tarde, no Novo Testamento, se referem às boas-novas, o evangelho. Ver as notas expositivas naquele lugar.

■ 41.28

וְאֵרֶא וְאֵין אִישׁ וּמֵאֵלֶּה וְאֵין יוֹעֵץ וְאֶשְׁאָלֵם וְיָשִׁיבוּ דָבָר׃

Quando eu olho, não há ninguém. O profeta olhou ao redor em vão, procurando um homem ou deus que fosse capaz de prever o surgimento de Ciro. Nessa questão de profecias, Yahweh estava sozinho, pelo que somente ele é Deus. Os videntes idólatras haviam fracassado, e seus deuses sob a forma de ídolos também. Naturalmente, sabemos atualmente que o conhecimento prévio faz parte natural dos poderes da psique humana, e o futuro, incluindo acontecimentos mundiais, pode ser previsto sem a ajuda do diabo ou de Deus. Ver no *Dicionário* o artigo chamado *Precognição*. Além disso, há uma profecia demoníaca que funciona. Tais fatos, entretanto, não debilitam o caso do profeta Isaías. No tocante a Ciro, somente Yahweh, através de seu profeta, mostrou-se bem-sucedido com a profecia.

■ 41.29

הֵן כֻּלָּם אָוֶן אֶפֶס מַעֲשֵׂיהֶם רוּחַ וָתֹהוּ נִסְכֵּיהֶם׃ פ

Eis que todos são nada; as suas obras são cousa nenhuma. *Conclusão*. Os deuses, que nada eram, tinham falhado. Eram ilusões promovidas pelos iludidos. Eles nada produziam. Eram deuses de nada. As imagens fundidas (vs. 7) têm algum valor pecuniário no mercado, por serem feitas de metais preciosos, como a prata ou o ouro. Mas esse é o único valor que possuem. No que toca a valores espirituais, são apenas vento, vazias e vãs. "Nada podem fazer. Nada valem" (NCV). "O Juiz lança fora as divindades com desgosto (vs. 29). Podemos colocar ao lado desses deuses desacreditados as divindades do homem moderno — ciência, educação, tecnologia, comércio, racismo, nacionalismo etc., coisas que os homens exaltam até os céus, mas que são inúteis no que diz respeito a satisfazer os anelos espirituais" (Henry Sloane Coffin, *in loc.*). Os "ídolos de vento não sopram o bem em favor dos homens. Sopram somente o caos (no hebraico, *tohu*, ver Is 34.11). Essa é a palavra que descreve o caos e a confusão das cousas, antes que Yahweh pusesse em ordem os elementos da criação (ver Gn 1.2). A idolatria tem falhado na solução do caos primitivo, e também não tem infundido a boa ordem ou a harmonia no mundo das ideias e dos atos.

CAPÍTULO QUARENTA E DOIS

O SERVO DE YAHWEH, O CONSOLADOR (42.1-25)
Os Cânticos do Servo. "Os vss. 1-17, neste capítulo, são o primeiro dos cânticos do Servo, de Isaías, referindo-se ao Messias. A nação de Israel foi chamada de Servo do Senhor (ver Is 41.8; 42.19; 43.10; 44.1,2,21; 45.4; 48.20). E o Messias, sobre quem Deus Pai pôs o seu Espírito (42.1, cf. Is 11.2), também é chamado de Servo (ver Is 49.3,5-7; 50.10; 52.13 e 53.11). A qual servo Isaías se referia em cada passagem deve ser determinado pelo contexto e também pelas características atribuídas àquele servo. Israel, na qualidade de Servo do Senhor, supostamente traria ao mundo o conhecimento de Deus, mas Israel fracassou. Assim sendo, o Messias, o Servo do Senhor, que é a epítome da nação de Israel, cumpriria a vontade de Deus" (John S. Martin, *in loc.*).

OS CÂNTICOS DO SERVO
(42.1-17; 49.1-6; 50.4-11; 52.13—53.12)

"Há duplo relato sobre o Servo vindouro: 1. Ele é apresentado como alguém fraco, desprezado, rejeitado e morto. 2. Mas também aparece como poderoso conquistador, tomando vingança das nações e restaurando Israel (por exemplo, Is 40.10; 63.1-4). A classe anterior de passagens diz respeito ao primeiro advento de Cristo, e já foi cumprida; a última classe diz respeito ao segundo advento de Cristo, e ainda não teve cumprimento" (*Scofield Reference Bible*).

Nona Estrofe: A Missão do Servo (42.1-4)

■ 42.1

הֵן עַבְדִּי אֶתְמָךְ־בּוֹ בְּחִירִי רָצְתָה נַפְשִׁי נָתַתִּי רוּחִי עָלָיו מִשְׁפָּט לַגּוֹיִם יוֹצִיא׃

Eis aqui o meu servo, a quem sustenho; o meu escolhido. O Servo escolhido, tão favorecido por Deus Pai, tem unção especial do Espírito, de modo que pode cumprir a sua missão com o máximo de suas potencialidades. Ver no *Dicionário* os artigos chamados *Unção* e *Espírito de Deus*. Quando viesse, o Servo do Senhor traria *justiça* às nações (ver Is 9.7; 11.3,4; 16.5). O primeiro e o segundo advento de Cristo não são aqui distinguidos. Essas palavras se aplicam à sua missão completa entre os homens. Ciro tinha uma missão dada por Yahweh (ver Is 41), mas nenhuma missão pode comparar-se à missão messiânica. Ver no *Dicionário* os artigos chamados *Servo do Senhor* e *Missão Universal do Logos (Cristo)*. Na *Enciclopédia de Bíblia, Teologia e Filosofia* ver o artigo *Missão Tridimensional do Logos (Cristo)*, dentro do verbete *Mistério da Vontade de Deus*; e ver também o artigo chamado *Restauração*, XIII. Cf. as descrições deste versículo com Sl 40.6; Jo 6.38; Fp 2.7. Sobre o Messias como o *eleito* de Deus, ver 1Pe 1.20 e Ap 13.8. Quanto à *unção* do Messias, cf. Is 11.2; 61.1; Lc 4.18; Jo 3.34. Quanto ao Messias como o *Despenseiro da Justiça*, ver Is 2.3; 5.4; 49.6 e 51.4. Ver também At 17.31.

■ 42.2

לֹא יִצְעַק וְלֹא יִשָּׂא וְלֹא־יַשְׁמִיעַ בַּחוּץ קוֹלוֹ׃

Não clamará nem gritará, nem fará ouvir a sua voz na praça. O *Servo Real* trabalharia silenciosa, reservada e gentilmente. Os falsos mestres trabalham com um frenesi orgiástico, pensando que falar em alta voz transforma em verdade qualquer coisa dita. O Messias, entretanto, não ergueria a voz; pois jamais apelaria para a ostentação ou para espetáculos, a fim de impressionar os homens. Suas palavras eram poderosas. Ele não precisava elevá-la. O famoso pregador Henry Ward Beecher disse que, quando tinha menos para dizer, era quando mais gritava. Os filósofos e fanáticos religiosos iam a ruas e mercados para ferir os ouvidos dos ouvintes e espalhar suas doutrinas. A voz de Jesus foi ouvida nas ruas, mas não em meio a gritos e exclamações típicos dos que estão empenhados em alguma luta. "Ele se comportava com grande humildade e mansidão. Seu reino não era acompanhado pela pompa e pelo ruído" (John Gill, *in loc.*). Ver Mt 12.18-21, onde esta passagem do livro de Isaías foi citada.

Não contenderá, nem gritará, nem alguém ouvirá nas praças a sua voz.

Mateus 12.19

■ 42.3

קָנֶה רָצוּץ לֹא יִשְׁבּוֹר וּפִשְׁתָּה כֵהָה לֹא יְכַבֶּנָּה לֶאֱמֶת יוֹצִיא מִשְׁפָּט׃

Não esmagará a cana quebrada, nem apagará a torcida que fumega. Este versículo foi citado em Mt 12.20. O Messias seria um homem gentil. Ele não acabaria de quebrar uma cana que tivesse sido ferida; nem acabaria de apagar uma chama que já estivesse fraca e pronta para apagar-se por si mesma; e, igualmente, traria verdade e julgamento, com um propósito remidor em sua mente. O Messias traria justiça às nações (ver Is 9.7; 11.3,4; 16.5). Ele seria gentil (em contraste com os ditadores, que servem a si mesmos). Suas atividades girariam em torno da redenção, e não da condenação (ver Jo 3.17). Sua missão seria restaurar, e não alienar. E essa é a razão pela qual o chamamos de Salvador e Libertador. Cf. Jo 1.9 e 15.1.

Diz o Targum: "Aos mansos, que são como canas machucadas, ele não quebrará; os pobres, que são tão obscuros como o linho, uma lâmpada que está a apagar-se, ele não extinguirá". Pelo contrário, ele avivará a chama com a unção do seu Espírito, porque ele é a Luz do mundo e ilumina os homens (ver Jo 1.9).

"Em sua maneira quieta e sem ostentação, ele efetuará a vontade do Senhor e Rei" (James Muilenburg, *in loc.*).

■ 42.4

לֹא יִכְהֶה וְלֹא יָרוּץ עַד־יָשִׂים בָּאָרֶץ מִשְׁפָּט וּלְתוֹרָתוֹ אִיִּים יְיַחֵילוּ׃ פ

Não desanimará nem se quebrará até que ponha na terra o direito. *O Servo do Senhor, apesar de gentil, seria poderoso.* Ele jamais falharia ou desanimaria. O seu propósito era estabelecer a justiça na terra, e ele não ficaria aquém de seu alvo, porquanto receberia unção especial para cumprir sua missão (vs. 1). Ele chegaria às extremidades da terra espalhando suas boas-novas: o fim do domínio do pecado e da injustiça; levando a mensagem salvadora; reconciliando os alienados. "... no seu nome esperarão os gentios" (Mt 12.21), o que dá essa nota final à profecia, mudando-a levemente. Ele levará a sua *lei* (doutrina) até os confins da terra, convencendo os gentios a esperar nele. "Na qualidade de Servo de Deus, Jesus fez o que Israel nunca pôde fazer. Ele cumpriu de modo perfeito a vontade do Pai, a fim de que pessoas de todos os lugares da terra pudessem confiar no Santo de Israel" (John S. Martin, *in loc.*). As *ilhas*, ou seja, os lugares distantes da terra, os quais os homens tinham ignorado e esquecido, receberiam a sua mensagem. Ver Mt 28.19,20. Foi dessa maneira que Jesus reverteu o cativeiro babilônico (Mt 4.16) e também incluiu os assírios em seu aprisco! É isso o que devemos esperar de um evangelho poderoso, sob a orientação do Ungido de Deus. A missão messiânica não ignora as injustiças, mas as transforma. Isso posto, o Juiz é, igualmente, o Salvador.

Nova Intervenção Divina (42.5-17)

■ 42.5

כֹּה־אָמַר הָאֵל ׀ יְהוָה בּוֹרֵא הַשָּׁמַיִם וְנוֹטֵיהֶם רֹקַע הָאָרֶץ וְצֶאֱצָאֶיהָ נֹתֵן נְשָׁמָה לָעָם עָלֶיהָ וְרוּחַ לַהֹלְכִים בָּהּ׃

Assim diz Deus, o Senhor, que criou os céus. A criação original foi uma intervenção divina que produziu a existência e a vida. O sopro de Deus fez do homem alma vivente (ver Gn 2.7). Da criação física emergirá uma criação espiritual, e isso requererá outra intervenção divina. *Yahweh-El*, ou seja, o Deus Eterno e Todo-poderoso, é o único que tem poder para realizar esses dois grandes feitos. O homem é o ser criado que receberá os maiores benefícios.

> Da harmonia, da harmonia celestial,
> Esse arcabouço universal teve início:
> De harmonia para harmonia,
> Através de toda a gama das notas que percorre,
> O diapasão fecha-se inteiro sobre o Homem.

"A gloriosa vitória de Deus: ele é Criador de todas as coisas (ver Is 40.21,22), bem como a fonte originária da vida (ver Gn 2.7; At 17.24,25)" (*Oxford Annotated Bible*, comentando sobre este versículo).

Primeira Estrofe: Luz para as Nações (42.6-9)

■ 42.6

אֲנִי יְהוָה קְרָאתִיךָ בְצֶדֶק וְאַחְזֵק בְּיָדֶךָ וְאֶצָּרְךָ וְאֶתֶּנְךָ לִבְרִית עָם לְאוֹר גּוֹיִם׃

Eu, o Senhor, te chamei em justiça. O Messias foi chamado pelo Pai e enviado em sua missão. O propósito dele era justo, e o chamamento foi feito em consonância com esse propósito. Foi um propósito santo e bom em si mesmo, de tornar os homens santos e bons. O Pai conduziu o Filho, tomando-o pela mão. Ele o protegeu da violência de homens ímpios e desarrazoados, bem como de qualquer evento indevido, a fim de que ele pudesse cumprir a sua missão, sem falhar em uma única coisa sequer. Um novo pacto foi estabelecido, que uniu o Pai, o Filho e todos os homens, e o Filho se tornou grande luz para todos os homens (Jo 1.9). Dessa forma Isaías foi capaz de ver vários elementos centrais na missão do Messias. Ele foi enviado *por Deus*, tema muito reiterado no Evangelho de João (ver exemplos em Jo 3.17; 4.34; 5.23,30,35,37; 6.29; 7.16; 8.16 etc.). Quanto a Cristo como a luz dos gentios, ver Mt 4.16 e Jo 1.9. Cf. com a nova aliança, em Jr 31.31. Ver também Lc 2.32, quanto à luz de Cristo, o que, naquele texto, faz parte do *Nunc Dimitiis* de Simeão. Ver no *Dicionário* o artigo intitulado *Luz, a Metáfora da*, seção V, *Cristo Como Luz*.

"Os profetas vincularam os gentios a Cristo de maneira tríplice: 1. Na qualidade de *Luz*, ele traria salvação aos gentios (ver Lc 2.32; At 13.47,48). 2. Na qualidade de *Raiz de Jessé*, ele reinará sobre os gentios em seu reino (ver Is 11.10; Rm 15.12). Ele salvará os gentios, uma característica distintiva da era presente (ver Rm 11.17-24; Ef 2.11,12). Sim, Cristo reinará sobre os gentios durante a era do reino, que se seguirá à atual era da pregação do evangelho. Ver Gn 1.27,28 e Zc 12.8. 3. Os crentes gentios da era presente, junto com os judeus crentes, constituem 'a igreja, que é o seu corpo' (Ef 1.23)" (*Scofield Reference Bible*).

> O Ser intelectual!
> Velado pelo teu próprio esplendor!
> És aquele oculto pelos seus esplendores.
>
> Sinésio

■ 42.7

לִפְקֹחַ עֵינַיִם עִוְרוֹת לְהוֹצִיא מִמַּסְגֵּר אַסִּיר מִבֵּית כֶּלֶא יֹשְׁבֵי חֹשֶׁךְ׃

Para abrires os olhos aos cegos. Cf. Is 35.5 e também Is 60.1-3; Lc 1.79; 2.30-32; At 13.47 e 26.23. Vários aspectos da missão messiânica são aqui destacados. Ele iluminaria os gentios; libertaria os cativos do pecado e do caos (ver Is 61.1; Lc 4.18; 2Tm 2.14,15); tiraria os prisioneiros da masmorra escura, onde estavam detidos (Is 9.2). Ciro teve a missão de pôr fim ao cativeiro babilônico. Mas Cristo põe fim a *toda a espécie* de cativeiro, incluindo o hades (1Pe 3.19 ss.). Ver na *Enciclopédia de Bíblia, Teologia e Filosofia* o verbete denominado *Descida de Cristo ao Hades*.

■ 42.8

אֲנִי יְהוָה הוּא שְׁמִי וּכְבוֹדִי לְאַחֵר לֹא־אֶתֵּן וּתְהִלָּתִי לַפְּסִילִים׃

Eu sou o Senhor, este é o meu nome. Yahweh é o obreiro desses milagres. Seu *nome* é o Poder e a Glória, que ele não compartilha com quem quer que seja. O nome de Deus representa todos os atributos inerentes de Deus, baseados em sua natureza. Ver no *Dicionário* o verbete chamado *Nome*, como também Sl 31.3, onde apresento uma nota de sumário. Por certo nenhuma imagem pagã, que simboliza um deus que nada representa, pode apresentar a reivindicação de compartilhar da glória de Yahweh. Cf. Is 41.28,29 quanto à vaidade dos homens e seus ídolos. A intervenção divina que produziu a criação física, e então a criação espiritual alicerçada sobre a criação física, só poderia mesmo ser efetuada pelo verdadeiro Deus, a deidade viva. "Nomes e pessoas são a mesma coisa." Nomes significam identidade. Israel estava familiarizado com o Nome; outras nações, porém, estavam muito menos familiarizadas com o Nome. Mas através da missão messiânica haverá um conhecimento universal do Nome (ver Is 11.9).

"Devemos *louvar* somente o Senhor, e a mais ninguém; e certamente não devemos louvar os ídolos (ver Is 41.6,7,29; cf. Sl 29.1,2; 65.1). Note o leitor a ênfase sobre a primeira pessoa do singular: Eu sou o Senhor... meu nome... minha glória... minha honra (cf. Is 43.11-13)" (James Muilenburg, *in loc.*).

■ 42.9

הָרִאשֹׁנוֹת הִנֵּה־בָאוּ וַחֲדָשׁוֹת אֲנִי מַגִּיד בְּטֶרֶם תִּצְמַחְנָה אַשְׁמִיעַ אֶתְכֶם׃ פ

Eis que as primeiras predições já se cumpriram e novas cousas eu vos anuncio. Diz aqui o hebraico, literalmente: "As coisas antigas! Eis que elas já se cumpriram". Em outras palavras, os eventos que tinham sido preditos já se haviam cumprido (cf. Is 41.27). As *novas coisas* que o profeta anunciava vieram esclarecer as profecias mais antigas, de modo que aquilo que ainda estava oculto, agora ficava claro. A filosofia hebraica da história via as coisas como iniciadas na criação; então a vontade de Deus (a *força ativa;* ver Is 13.6) as fez mover-se ao longo de uma linha; e haveria o cumprimento e a realização do que começara a ocorrer na *conclusão divina* das coisas, na eternidade. *Se* as coisas começassem de novo, e uma nova linha tivesse de ocorrer, é algo sobre o que não somos informados. Isso, entretanto, não nos dará os ciclos da história sugeridos pelos filósofos estoicos. Na história há um *desígnio*. E no fim da história também há o *triunfo* de Deus e dos que lhe obedecem, garantido pela missão do Messias, Jesus Cristo. Portanto, a história é otimista. Note-se que após este versículo segue-se o novo cântico da *redenção* (vss. 10-13).

> *As coisas que eu disse que aconteceriam, aconteceram. E agora vos falo sobre coisas novas. Antes que essas coisas ocorram, eu vos falo sobre elas.*
>
> NCV

Is 21.26-29 disse que somente Deus é capaz de predizer o futuro, e isso ele fizera através do seu profeta, Isaías. E o presente versículo toca novamente no assunto, embora em fazer uma declaração aberta. Ver as notas sobre esse tema, em Is 41.28. As predições sobre o futuro são sinal indiscutível da deidade.

Segunda Estrofe: O novo cântico da Redenção (42.10-13)

■ **42.10**

שִׁירוּ לַיהוָה שִׁיר חָדָשׁ תְּהִלָּתוֹ מִקְצֵה הָאָרֶץ יוֹרְדֵי
הַיָּם וּמְלֹאוֹ אִיִּים וְיֹשְׁבֵיהֶם׃

Cantai ao Senhor um cântico novo. O versículo anterior forneceu um rápido vislumbre da filosofia hebraica da história. E agora temos uma nota otimista a respeito, a *conclusão divina* que é boa, na direção da qual a história se precipita velozmente. Esse hino escatológico (vss. 10-13) segue de perto o anúncio sobre novos eventos. O estilo deste hino é o dos hinos de entronização (Sl 47; 93; 96,97).

"Pessoas de todos os lugares, até das extremidades do mundo (ver Is 41.5 e 5.26), deveriam cantar esse novo cântico de louvor ao Senhor. Essas pessoas incluem: (a) pessoas que vivem do comércio marítimo; (b) pessoas que vivem nas regiões e cidades do deserto (como Quedar — cf. Is 21.16,17 — área ao norte da Arábia, ou como Selá, cidade de Edom); (c) pessoas de todos os lugares deveriam cantar e gritar, por causa da vitória do Messias sobre os seus inimigos, por ocasião de sua segunda vinda" (John S. Martin, *in loc.*).

A manifestação da glória de Deus desperta para os cânticos, a língua dos mortais. Cânticos de entronização, como os do Ano Novo, eram semelhantes ao cântico presente, sempre apontando para o Rei, que terá reinado universal. Ele fez uma coisa nova, a redenção universal, pelo que um novo cântico estava em ordem para louvar essa realização. "O mundo inteiro louva a Yahweh, o guerreiro vitorioso (Êx 15.1-18; Jz 5.2-5)" (*Oxford Annotated Bible*, comentando sobre este versículo).

"Esse cântico novo será entoado quando o Senhor estiver reinando em Jerusalém, quando todas as nações fluírem para a cidade (ver Is 2.2; 26.1; Ap 5.9 e 14.3)" (Fausset, *in loc.*). Quanto a *novos cânticos,* cf. Sl 33.3; 40.3 e 89.1. Ideias podem ter sido tomadas de empréstimo dali.

Este versículo tem sido interpretado para indicar o avanço universal do evangelho, mas é a era do reino de Deus que está particularmente em vista.

■ **42.11**

יִשְׂאוּ מִדְבָּר וְעָרָיו חֲצֵרִים תֵּשֵׁב קֵדָר יָרֹנּוּ יֹשְׁבֵי
סֶלַע מֵרֹאשׁ הָרִים יִצְוָחוּ׃

Alcem a voz o deserto, as suas cidades, e as aldeias habitadas por Quedar. O *deserto* fica de fora no cântico universal. As aldeias e colônias das áreas áridas terão razões para entoar o novo cântico. Ver no *Dicionário* os verbetes chamados Quedar e Selá (Petra), quanto a detalhes. Tanto os habitantes radicados quanto os perambuladores estão aqui incluídos. O ponto deste versículo é a *universalidade* da redenção, o que arrancará dos povos louvor universal. A *profunda alegria* de participar da redenção levará os homens a subir às colinas para proclamá-la. A mensagem atingirá "os países mais destituídos de civilização, bem como aos povos mais rudes e menos civilizados, que confessarão e celebrarão com ações de graças a bênção do conhecimento de Deus que lhes foi conferida graciosamente" (Adam Clarke, *in loc.*).

■ **42.12**

יָשִׂימוּ לַיהוָה כָּבוֹד וּתְהִלָּתוֹ בָּאִיִּים יַגִּידוּ׃

Deem honra ao Senhor. Todos os confins da terra (vs. 10) cantarão o novo cântico, incluindo as regiões desérticas (vs. 11), e todos os que habitam em lugares distantes, as ilhas, o que já foi dito no vs. 10. Eles também cantarão louvores e glorificarão ao Senhor (declarado no vs. 8), em louvor à missão messiânica. Sua *luz* se espalhará entre todos os gentios (vs. 6). Cf. este versículo com Is 24.15, que é bastante similar.

> *Eles deveriam dar glória ao Senhor. Pessoas de terras distantes deveriam louvá-lo.*
>
> NCV

■ **42.13**

יְהוָה כַּגִּבּוֹר יֵצֵא כְּאִישׁ מִלְחָמוֹת יָעִיר קִנְאָה יָרִיעַ
אַף־יַצְרִיחַ עַל־אֹיְבָיו יִתְגַּבָּר׃ ס

O Senhor sairá como valente, despertará o seu zelo como homem de guerra. *O Guerreiro Divino.* O simbolismo, aqui, combina a metáfora militar com uma teofania. Deus sairá e arrebatará o campo das mãos do inimigo. Deus já havia derrotado o caos e o terrível abismo. Nenhum adversário pode manter-se de pé em sua presença quando ele ruge, um rugido que abala a terra inteira. "Essa ousada imagem antropomórfica prepara o caminho para o quadro ainda mais espantoso de Is 63.1" (Ellicott, *in loc.*). Cf. este versículo com Êx 15.1-18 e Jz 5.2-5.

> *Ele bradará o grito de batalha. E derrotará os seus inimigos.*
>
> NCV

Cf. Ap 19.11. "Ele os conquistará e os subjugará por seu Espírito e por sua graça, e os tornará seu povo voluntário, no dia de seu poder... Ele os governará com vara de ferro" (John Gill, *in loc.*, em alusão a Ap 19.15).

> Quando a batalha termina,
> E a vitória está ganha,
> Que usemos uma coroa
> Perante a tua face.
>
> William F. Sherwin

Terceira Estrofe: Intervenção de Yahweh (42.14-17)

■ **42.14**

הֶחֱשֵׁיתִי מֵעוֹלָם אַחֲרִישׁ אֶתְאַפָּק כַּיּוֹלֵדָה אֶפְעֶה
אֶשֹּׁם וְאֶשְׁאַף יָחַד׃

Por muito tempo me calei, estive em silêncio. Continua aqui o espírito do vs. 13. Novamente temos a combinação de linguagem militar e teofania. Cf. Êx 15; Jz 5; Sl 18; Hc 3 e Zc 14.3. Esta passagem contém quinze versículos, todos vazados na primeira pessoa e onde Yahweh é o orador. Sua autorrestrição cessa; seu silêncio milenar é interrompido, e então temos uma terrível linguagem escatológica oriental. "Os sofrimentos divinos, bem como pessoas perplexas, haviam tido motivo de admiração diante do silêncio, e o tinham acusado de indiferença. Quão pouco eles suspeitaram de que a dor pela qual ele passou não interferia com a insensatez deles! Haverá algo mais difícil do que manter as mãos afastadas, quando aqueles a quem amamos cometem terríveis erros e devem receber as devastadoras consequências desses erros?" (Henry Sloane Coffin, *in loc.*).

"A intervenção de Deus na história. Passou-se *muito tempo* entre a criação (vs. 5) e a redenção (vss. 14-16)" (*Oxford Annotated Bible*, vs. 14). A intervenção divina veio com um grito de dor, tal como quando uma mulher tem as dores de parto, que, segundo se presume, devemos entender como as dores sofridas pelo Destruidor. Nesse caso, temos um notável exemplo tanto de *antropomorfismo* (conferir a Deus atributos humanos) como de *antropopatismo* (atribuir a Deus emoções humanas). Ver sobre ambos os termos no *Dicionário*. Quando falamos sobre Deus, somos forçados a empregar termos humanos, e não sabemos dizer quão perto (ou distante) chegamos de dizer coisas significativas sobre ele, com o uso de tal linguagem. Ver nos artigos chamados *Via Negationis* e *Via Eminentiae* modos opostos de falar sobre Deus. Quanto à *dificuldade* do assunto, ver os verbetes denominados *Mysterium Fascinosum* e *Mysterium Tremendum*.

■ 42.15

אַחֲרִיב הָרִים וּגְבָעוֹת וְכָל־עֶשְׂבָּם אוֹבִישׁ וְשַׂמְתִּי
נְהָרוֹת לָאִיִּים וַאֲגַמִּים אוֹבִישׁ׃

Os montes e outeiros devastarei. Cf. Jr 4.23-28. "O simbolismo é, caracteristicamente, escatológico. Primeiramente, montes e colinas, os baluartes que Deus usa para manter a terra segura, se desgastam. Quando os montes caem, o fim está às portas (Sl 46.3)" (James Muilenburg, *in loc.*).

Onde os rios corriam caudalosamente, vemos agora apenas ilhas, com pequenos riachos rolando entre elas. Onde havia lagoas doadoras de vida, agora só existe terra seca e estéril. Mediante tais símbolos, ficamos sabendo que as coisas saíram erradas, porquanto Yahweh estava desagradado. "Deus destruiria seus adversários, os pagãos e seus ídolos, ressecando as fontes de seus oráculos, doutrinas e instituições, cujo símbolo é a água, bem como suas escolas promotoras da idolatria" (Vitringa). "A descrição toda é simbólica e aponta para a subjugação das nações pagãs, em que 'rios' e 'lagoas' provavelmente representam os reinos postados às margens dos rios Tigre e Eufrates (ver Is 8.7). Tudo isso parece ser um trabalho puramente destrutivo, mas em todas essas coisas a misericórdia e a verdade operavam, e um caminho estava sendo aberto para que Israel voltasse... *Essas coisas* incluem a obra inteira do julgamento e da misericórdia" (Ellicott, *in loc.*).

■ 42.16

וְהוֹלַכְתִּי עִוְרִים בְּדֶרֶךְ לֹא יָדָעוּ בִּנְתִיבוֹת לֹא־יָדְעוּ
אַדְרִיכֵם אָשִׂים מַחְשָׁךְ לִפְנֵיהֶם לָאוֹר וּמַעֲקַשִּׁים
לְמִישׁוֹר אֵלֶּה הַדְּבָרִים עֲשִׂיתִם וְלֹא עֲזַבְתִּים׃

Guiarei os cegos por um caminho que não conhecem. Juntamente com a obra destrutiva (vs. 15), operava a obra da misericórdia. Os *cegos* obterão ajuda especial. Isso nos relembra de Deus a guiar Israel em segurança, através do deserto (ver Is 41.17-20 e Êx 13.21,22). O caminho deles não estava mapeado, pelo que era necessário um *Guia* para que a jornada fosse bem-sucedida. Eles precisavam de luz porque aquele era um lugar tenebroso. Havia muitos obstáculos e perigos, pelo que careciam que os lugares tortuosos fossem retificados. As trevas foram transformadas em luz. Os lugares escabrosos foram nivelados. Havia providência divina especial a cada passo. Ver no *Dicionário* o verbete intitulado *Providência de Deus*. O povo de Deus jamais foi esquecido, mas foi conduzido até a Terra Prometida e recebeu poder de conquistá-la e dela tomar posse. Para que entremos na era do reino de Deus, será mister o êxodo da antiga situação e a conquista da nova situação. Para tanto, será necessária nova *intervenção divina;* e o profeta Isaías disse que Yahweh havia feito tal promessa. Haverá nova orientação do Egito para o Sinai, e do Sinai para a terra de Canaã. Cf. este versículo com Hb 13.5.

■ 42.17

נָסֹגוּ אָחוֹר יֵבֹשׁוּ בֹשֶׁת הַבֹּטְחִים בַּפָּסֶל הָאֹמְרִים
לְמַסֵּכָה אַתֶּם אֱלֹהֵינוּ׃ ס

Tornarão atrás e confundir-se-ão de vergonha os que confiam em imagens de escultura. Israel, confiando em Yahweh no deserto, fará uma viagem segura até a nova Terra Prometida da era do reino de Deus, mas os povos pagãos, que insistem em receber orientação da parte de não deuses, serão "rejeitados em desgraça" (NCV). Cf. Is 44.9,11; 45.16. "Não somente a casa edificada sobre uma rocha se mantém firme sob uma tempestade despedaçadora, mas *também* a casa erigida descuidadamente, sem alicerces, desaba, 'e a ruína daquela casa é grande' (Lc 6.49)" (Henry Sloane Coffin, *in loc.*). A metáfora do versículo é um "recuo" não no arrependimento, mas para longe da estrada provida para o sucesso. Os pagãos não entrarão em sua terra de descanso. Naturalmente, estamos falando da massa das nações, e não do remanescente de todas as nações, que ingressarão, juntamente com Israel, na nova era. Ver os vss. 1 e 6.

ISRAEL, O SERVO CEGO E SURDO, É REMIDO (42.18—43.7)

A Condição Atual de Israel (42.18-25)

■ 42.18

הַחֵרְשִׁים שְׁמָעוּ וְהַעִוְרִים הַבִּיטוּ לִרְאוֹת׃

Surdos, ouvi, e vós, cegos, olhai. A principal interpretação dos versículos que nos levam ao fim do capítulo diz respeito aos sofrimentos dos exilados na Babilônia. Esses sofrimentos foram autoinfligidos e exatamente à base da *Lei Moral da Colheita segundo a Semeadura* (ver no *Dicionário*). Por outra parte, aprendemos que os sofrimentos eram remidores, e não apenas retributivos. Mas quer retributivos quer remidores, Yahweh é a causa, mas o propósito é nobre, pois está em pauta uma punição severa, a fim de trazer a glória de um novo dia. Isso era uma verdade concernente ao cativeiro babilônico e à restauração. Também será verdade com respeito ao castigo que levará à redenção de Israel e a um alto lugar na era do reino de Deus.

Israel é retratado como *surdo e cego,* isto é, totalmente insensível à chamada e orientação que Deus lhe dava. Daí o sofrimento enfrentado deveria ter o propósito de abrir os ouvidos e de fazer os olhos ver. Embora Israel devesse ser luz para os gentios (vs. 6), eles mesmos estavam em trevas, e dificilmente poderiam brilhar sobre outros e mostrar-lhes o caminho. Aconteceram certas coisas que deveriam alertá-los para sua real condição, mas eles as ignoraram (ver Is 43.8 e 48.8).

Nem sabes que tu és infeliz, sim, miserável, pobre, cego e nu.
Apocalipse 3.17

Primeira Estrofe: O Servo Cego (42.19-21)

■ 42.19

מִי עִוֵּר כִּי אִם־עַבְדִּי וְחֵרֵשׁ כְּמַלְאָכִי אֶשְׁלָח מִי עִוֵּר
כִּמְשֻׁלָּם וְעִוֵּר כְּעֶבֶד יְהוָה׃

Quem é cego, como o meu servo, ou surdo como o meu mensageiro... O servo de Yahweh era cego, e esse servo cego era o mensageiro que havia sido enviado a outros para levar luz. Portanto, temos aqui a absurda situação em que um cego é enviado para guiar outros cegos.

Ninguém é mais cego do que meu servo, Israel. E o mensageiro que envio é o mais surdo.

NCV

Tendo caído na apostasia, ao aceitar as formas idólatras dos povos pagãos, Judá era o cego e surdo por excelência. Cf. Is 6.9,10. O coração de Israel era *insensível* à vontade e aos mandamentos divinos. O "dedicado" havia abandonado sua dedicação. O escolhido tinha abandonado sua eleição. O que tinha a lei mosaica como *guia* (ver Dt 6.4 ss.) tinha abandonado o guia. O povo que deveria ser *distinto* (Dt 4.4-8) tinha-se tornado mais um povo idólatra. O que supostamente deveria ser o *mestre* tinha-se tornado um dos piores alunos.

■ 42.20

רָאִיתָ רַבּוֹת וְלֹא תִשְׁמֹר פָּקוֹחַ אָזְנַיִם וְלֹא יִשְׁמָע׃

Tu vês muitas cousas, mas não as observas. As oportunidades de Israel eram amplas. Ele vira *muitas coisas* (potencialmente), providas na sua instrução superior, dada por Yahweh. Mas Israel via tudo superficialmente, sem observar coisa alguma, ou seja, sem aplicar e praticar o que lhe era mostrado. Yahweh era seu único Deus, mas tornou-se idólatra. A mensagem divina lhe era dada repetidamente, mas seus ouvidos estavam ensurdecidos por uma confusão de vozes pagãs que atraíam a sua atenção. "Qual nação tinha tal história? Qual povo podia jactar-se de uma sucessão de homens de Deus como Abraão, Moisés e Davi, e então todos os profetas? Que nação já havia experimentado tão poderosos acontecimentos, como os ocorridos no Sinai, durante a conquista da Terra Prometida, e o ministério dos profetas, para nada dizer sobre o templo e seu culto? Era uma história de revelação que se tornou conhecida por aquilo que foi visto e apreendido pelo ouvir da fé (cf. Dt 4.7,8,32; 5.26; 20.3,4; Sl 78; 105.5 e 136)" (James Muilenburg, *in loc.*, com algumas adaptações).

■ 42.21

יְהוָה חָפֵץ לְמַעַן צִדְקוֹ יַגְדִּיל תּוֹרָה וְיַאְדִּיר:

Foi do agrado do Senhor, por amor da sua própria justiça, engrandecer a lei. *A vontade de Yahweh* garantiu que o ensino da lei, o guia (ver Dt 6.4 ss.), fosse amplo. Em sua bondade e retidão, Deus promovia uma causa justa. A sua lei foi magnificada, e não minimizada; e era gloriosa. Mas o povo reduziu-a aos ídolos inglórios, e apagou a luz. A lei de Moisés tinha por intuito preparar um povo distinto, dando vida ao povo em relação de pacto com Deus (ver Dt 4.1). Mas eles abandonaram seus privilégios. Diga-me o leitor, que mais poderia ter sido feito? Yahweh foi fiel à sua promessa, mas o povo das promessas divinas mostrou-se fiel somente às suas corrupções e desvios.

Segunda Estrofe: Um Povo Saqueado e Feito Presa (42.22)

■ 42.22

וְהוּא עַם־בָּזוּז וְשָׁסוּי הָפֵחַ בַּחוּרִים כֻּלָּם וּבְבָתֵּי כְלָאִים הָחְבָּאוּ הָיוּ לָבַז וְאֵין מַצִּיל מְשִׁסָּה וְאֵין־אֹמֵר הָשַׁב:

Não obstante é um povo roubado e saqueado. Somos aqui lembrados sobre a apostasia desesperadora em que Judá caiu, antes do cativeiro babilônico. E assim veio o julgamento divino, sob a forma do avanço do exército babilônico através do território de Judá, com a matança e o saque final de Jerusalém. Em seguida, os poucos sobreviventes foram levados cativos para a cidade de Babilônia. Eles foram roubados, saqueados e lançados em masmorras do cativeiro; tornaram-se presas de vorazes pássaros de rapina. Não havia quem pudesse livrar Israel, e também ninguém dizia "Restaura!", porque a punição era merecida, e tinha de correr o seu devido curso. Condições similares existiram na dispersão romana, com mais adiamento da restauração. As cidades de Judá foram pilhadas; a maioria dos judeus morreu; alguns poucos foram para o exílio; dentre esses, muitos foram presos; outros foram escravizados; mulheres judias tornaram-se membros de haréns estrangeiros. E não houve escapatória. O comentário do Novo Testamento fica em Rm 9—11.

Todos estão enlaçados em cavernas. Provavelmente, temos aqui uma referência às cavernas das rochas, que não serviam de lugares de refúgio, pois eram usadas como masmorras naturais. Ou então a ideia é que o exército babilônico que avançava encontrou aquelas pobres almas escondidas em cavernas, e dali as tirou, fazendo-as marchar na direção da Babilônia.

Terceira Estrofe: Israel Enviado ao Exílio (42.23,24)

■ 42.23

מִי בָכֶם יַאֲזִין זֹאת יַקְשִׁב וְיִשְׁמַע לְאָחוֹר:

Quem há entre vós que ouça isto? A palavra de advertência tinha sido gritada, mas caiu em ouvidos surdos (vs. 20). Agora nova convocação era feita. Ouviria Judá, no cativeiro, a voz divina que dizia: "Sofrerás justa punição. Queres retornar agora? Tendo visto o que acontece aos rebeldes, queres agora abrir teus ouvidos?"

Algum de vós ouvirá a isso? Ouvireis cuidadosamente no futuro?

NCV

Foi uma convocação que apontava o que eles deveriam ter aprendido mediante os julgamentos passados e assim obedecer à voz de Deus, para impedir tais tragédias no futuro. O que a história nos ensina é que os homens não aprendem com a história. Assim sendo, os equívocos continuam e continuarão no futuro, esperando a divina intervenção do Messias. Judá acabou voltando da Babilônia, somente para, séculos mais tarde, cair na mais drástica dispersão romana. Os judeus, no exílio, percorreram um curso de cegueira judicial, por não terem dado ouvidos ao chamamento do evangelho. Somente Deus podia modificar eficazmente a situação.

■ 42.24

מִי־נָתַן לִמְשִׁסָּה יַעֲקֹב וְיִשְׂרָאֵל לְבֹזְזִים הֲלוֹא יְהוָה זוּ חָטָאנוּ לוֹ וְלֹא־אָבוּ בִדְרָכָיו הָלוֹךְ וְלֹא שָׁמְעוּ בְּתוֹרָתוֹ:

Quem entregou Jacó por despojo, e Israel aos roubadores? Quem tinha causado tais dores? Quem deu à Babilônia o seu poder e as suas ordens de marcha? Foi *Yahweh*. Ele entregou Israel aos saqueadores e ladrões. Os judeus, com sua apostasia, pecaram contra o Senhor. Andaram pelos caminhos dos deuses dos pagãos e negligenciaram o caminho de Deus. Obedeceram à voz de estranhos, o que os impedia de ouvir a Yahweh. Eis por que a calamidade caiu sobre eles. Ver Is 13.6 quanto a Yahweh como a causa por trás dos eventos humanos.

O Senhor permitiu que isso acontecesse porque pecamos contra ele. Não vivemos no caminho que o Senhor queria que vivêssemos. Não obedecemos ao seu ensino.

NCV

Quarta Estrofe: As Chamas do Julgamento (42.25)

■ 42.25

וַיִּשְׁפֹּךְ עָלָיו חֵמָה אַפּוֹ וֶעֱזוּז מִלְחָמָה וַתְּלַהֲטֵהוּ מִסָּבִיב וְלֹא יָדָע וַתִּבְעַר־בּוֹ וְלֹא־יָשִׂים עַל־לֵב: פ

Pelo que derramou sobre eles o furor da sua ira. O julgamento é agora retratado como calor e fogo, uma figura comum no livro de Isaías. O fogo queimou tudo ao redor, mas os que estavam sendo queimados não tinham entendimento. Judá foi queimado e sofria, mas era por demais embotado para compreender o que se passava. O coração deles perdeu de vista a lição que estava sendo ensinada; e, por isso, a calamidade prosseguia. Yahweh era o educador não reconhecido, o mestre que falava a ouvidos surdos. "Essa estrofe de conclusão do primeiro poema descreve Israel em meio a coisas pertinentes a uma *chama viva,* mas eles continuavam obtusos e sem compreensão" (Henry Sloane Coffin, *in loc.*). Quanto ao julgamento divino retratado como fogo, ver Is 29.6 e 30.33. "... Eles aparecem como que em uma casa de fogo, e até mesmo queimados pelas chamas, sem perceber o perigo em que se achavam, sem sentir que estavam sendo feridos, e sem fugir da cena" (Adam Clarke, *in loc.*).

CAPÍTULO QUARENTA E TRÊS

RESTAURAÇÃO: A QUEDA DA BABILÔNIA (43.1—47.15)

O exílio de Judá aproximava-se do final (ver Is 40.2). Yahweh estava levantando o instrumento necessário para libertá-los (41.2-4,25). Paralelamente, ele levantaria o Messias, o qual lhes proporcionaria a libertação espiritual (42.1-17). Mas Judá permaneceria, pelo menos no momento, no cativeiro espiritual (42.18-25). Haveria livramento do temor (43.1-7). Deus mostraria seu poder e produziria mudanças drásticas (43.8-13). Haveria um novo êxodo. Por conseguinte, ele os convidou novamente a não temer (44.1-5).

Quinta Estrofe: Graça para Além do Julgamento (43.1,2)

■ 43.1

וְעַתָּ֞ה כֹּֽה־אָמַ֤ר יְהוָה֙ בֹּרַאֲךָ֣ יַעֲקֹ֔ב וְיֹצֶרְךָ֖ יִשְׂרָאֵ֑ל אַל־תִּירָא֙ כִּ֣י גְאַלְתִּ֔יךָ קָרָ֥אתִי בְשִׁמְךָ֖ לִי־אָֽתָּה׃

Mas agora, assim diz o Senhor, que te criou, ó Jacó. O Criador, o Formador, o Sustentador, é também o Redentor, e ele continuava a falar a Israel (Jacó). Ele disse palavras consoladoras (Is 40.1). Em breve chegaria o temor ao fim. Haveria graça divina suficiente para o caso. Havia um pacto a ser guardado; e Yahweh o guardaria, uma vez que Israel fosse purificado. Quanto a Deus como o *Formador*, cf. Is 44.2,21,24; 45.11 e 49.1. A alusão pode ser à formação de um feto no útero feminino, com o subsequente nascimento. Israel deveria nascer de novo. Entretanto, alguns estudiosos veem na palavra *formar* um paralelo à noção de *criação*. Seja como for, há *regeneração* no contexto, uma nova criação equivalente à antiga, que até mesmo a ultrapassaria!

Eu te remi. A nação criada agora estava remida, primeiramente através do livramento das mãos da Babilônia, que permitia à tribo de Judá levar adiante a história de Israel; e então, em um sentido espiritual, haveria uma conversão e um refazer espiritual. Ver no *Dicionário* o artigo chamado *Redenção*.

Chamei-te pelo teu nome. Fica subentendido um pai que dá nome a seu filho amado, o que mostra a relação familiar, bem como a íntima relação entre Pai e filho. Israel era o filho de Yahweh (Êx 4.22). Devemos entender essa redenção e essa filiação não meramente aplicadas aos que voltaram da Babilônia, mas em sentido universal e escatológico, chegando à era do reino. O *nome* dava a Israel a marca da *individualização* e do caráter ímpar (ver Dt 4.4-8). Isso apontava para o cuidado e o amor especial de Deus por Israel.

■ 43.2

כִּֽי־תַעֲבֹ֤ר בַּמַּ֙יִם֙ אִתְּךָ֣־אָ֔נִי וּבַנְּהָר֖וֹת לֹ֣א יִשְׁטְפ֑וּךָ כִּֽי־תֵלֵ֤ךְ בְּמוֹ־אֵשׁ֙ לֹ֣א תִכָּוֶ֔ה וְלֶהָבָ֖ה לֹ֥א תִבְעַר־בָּֽךְ׃

Quando passares pelas águas eu serei contigo. Os *sofrimentos* do cativeiro babilônico (e os sofrimentos que antecederão a era do reino) são aqui reiterados. Em Is 42.24 esses sofrimentos são comparados a ser despojado por um exército. Em Is 42.25, são comparados ao fogo. E assim também, agora, são comparados às águas do mar, a rios descontrolados, a um dilúvio avassalador. Então volta o fogo ao primeiro plano: Israel terá de caminhar através do fogo. Todas as metáforas implicam aniquilamento, porquanto grandes forças foram desfechadas contra Israel. Yahweh, entretanto, estaria tanto nas inundações quanto nos incêndios, acompanhando Israel, para salvá-lo da fatalidade. Os dilúvios não afogarão, e os incêndios não consumirão — essa é a promessa de Deus. Quanto a esses símbolos, ver Is 3.6; 42.7 e 66.12. Talvez o autor sagrado tivesse o êxodo em vista. Haverá um novo êxodo, que seguramente livrará Israel dos dilúvios e incêndios. Isso será especialmente verdadeiro no fim de nossa era, quando Israel for livrado de todas as tribulações e temores e tornar-se cabeça das nações (ver Is 24.23). Cf. Js 3.15 e Jr 12.5. Ver também Sl 66.12.

Sexta Estrofe: O Resgate de Israel por Yahweh (43.3,4)

■ 43.3

כִּ֗י אֲנִי֙ יְהוָ֣ה אֱלֹהֶ֔יךָ קְד֥וֹשׁ יִשְׂרָאֵ֖ל מוֹשִׁיעֶ֑ךָ נָתַ֤תִּי כָפְרְךָ֙ מִצְרַ֔יִם כּ֥וּשׁ וּסְבָ֖א תַּחְתֶּֽיךָ׃

Porque eu sou o Senhor teu Deus, o Santo de Israel, o teu salvador. O acúmulo de títulos divinos, Yahweh-Elohim, Santo de Israel, Salvador, dá o tom enfático à estrofe do resgate. Ciro foi orientado pelo Poder do Alto para libertar Judá. Em troca, como resgate, outras nações foram dadas por Israel, para permanecerem cativas, pagando assim pela perda. Israel é tão precioso que vale essas três nações, ou qualquer número de outras nações, mas as três — o Egito, a Etiópia e Seba (ver a respeito no *Dicionário*) — seriam um preço justo para trocar por Israel, em favor de Ciro. "A imagem é extraída da libertação de pessoas escravizadas. Aqui, povos abastados são dados em troca do amado povo de Israel. Foi um preço alto, mas comprou os tesouros de Israel. As interpretações literais fazem violência ao significado" (James Muilenburg, *in loc.*). É desnecessário tentar encontrar paralelos históricos para essa transação metafórica.

■ 43.4

מֵאֲשֶׁ֨ר יָקַ֧רְתָּ בְעֵינַ֛י נִכְבַּ֖דְתָּ וַאֲנִ֣י אֲהַבְתִּ֑יךָ וְאֶתֵּ֤ן אָדָם֙ תַּחְתֶּ֔יךָ וּלְאֻמִּ֖ים תַּ֥חַת נַפְשֶֽׁךָ׃

Visto que foste precioso aos meus olhos, digno de honra, e eu te amei. Este versículo refaz, mediante outras palavras, as ideias do vs. 3. O povo precioso, tanto honrado quanto amado, requeria elevado resgate, pelo que nações africanas (Egito e Etiópia) bem como árabes (Seba) tiveram de contribuir para o preço do resgate. Esperava-se que Ciro invadiria aqueles lugares, os quais se tornariam sua possessão. Yahweh estava cooperando com Ciro e certificou-se de que ele lograria bom êxito, mas não obteria sucesso se retivesse Judá sob o seu poder.

Sétima Estrofe: A Volta da Diáspora (43.5-7)

■ 43.5,6

אַל־תִּירָ֖א כִּ֣י אִתְּךָ־אָ֑נִי מִמִּזְרָח֙ אָבִ֣יא זַרְעֶ֔ךָ וּמִֽמַּעֲרָ֖ב אֲקַבְּצֶֽךָּ׃

אֹמַ֤ר לַצָּפוֹן֙ תֵּ֔נִי וּלְתֵימָ֖ן אַל־תִּכְלָ֑אִי הָבִ֤יאִי בָנַי֙ מֵרָח֔וֹק וּבְנוֹתַ֖י מִקְצֵ֥ה הָאָֽרֶץ׃

Não temas, pois, porque sou contigo. Agora Yahweh exerce seus poderes controladores dos acontecimentos, para emitir ordens em todas as *direções da terra*, a fim de que seus cativos fossem libertados. Eles viriam das "extremidades da terra", talvez uma hipérbole oriental para falar da Babilônia e suas províncias. Ou então temos aqui uma profecia escatológica a longo prazo, que previa a volta de Israel da dispersão romana. Mt 14.16 prevê uma reversão do cativeiro assírio na ministração do evangelho; mas a predição aqui é sobre o recolhimento de Israel antes do estabelecimento da era do reino. Cf. Mt 24.31. Provavelmente, a compreensão correta da profecia deve ver o retorno tanto a prazo curto (Babilônia) como a prazo longo (toda a terra). Não deveria haver temor, pois nenhum lugar da terra pode recusar obedecer ao mandamento divino. Toda a descendência de Jacó seria recolhida (das direções oriente e ocidente, vs. 5; e das direções norte e sul, vs. 6). A redenção, pois, será assim completa e toda-inclusiva. *Filhos e filhas* deverão ser chamados de volta, porquanto vaguearam longe do lar do Pai. Agora, porém, haveria alegre reunião no lar, Jerusalém. *Todo o Israel será salvo* (ver Rm 11.26), e considero essa passagem literal, não envolvendo apenas a salvação do minúsculo remanescente do início do milênio. Quanto a Deus como Pai de Israel, ver Êx 4.22,23; Os 11.1; Is 1.2; Jr 3.4,19; Is 63.16; 64.8 e Ml 1.6. Ver no *Dicionário* o verbete intitulado *Paternidade de Deus*, quanto a detalhes.

Os intérpretes, procurando explicar esse imenso retorno de todos os lugares, dentro do contexto histórico, mencionam as dez tribos da Assíria; Judá, da Babilônia; aqueles que não voltaram e foram levados a vários pontos do império persa; o comércio escravocrata que levou hebreus a todos os lugares dos portos da Fenícia em torno do mundo Mediterrâneo. Mas essa limitação envolve uma atividade desnecessária.

■ 43.7

כֹּ֚ל הַנִּקְרָ֣א בִשְׁמִ֔י וְלִכְבוֹדִ֖י בְּרָאתִ֑יו יְצַרְתִּ֖יו אַף־עֲשִׂיתִֽיו׃

A todos os que são chamados pelo meu nome. Este versículo nos remete ao vs. 1 deste capítulo, às ideias da *criação* e da *formação*; aqueles chamados pelo nome divino, que foram criados para a glória divina. *Todos esses* serão levados de volta, e nenhum deles se perderá, quando Deus tiver completado a pilha. O amor de Deus escreverá o último capítulo da história humana. Amor divino, todo excelente, alegria do céu, descerá à terra.

O amor de Deus, quão rico e puro,
Quão sem medida e forte!
Perdurará para sempre.

F. M. Lehman

Israel Será Testemunha para o Mundo (43.8-13)

■ 43.8

הוֹצִיא עַם־עִוֵּר וְעֵינַיִם יֵשׁ וְחֵרְשִׁים וְאָזְנַיִם לָמוֹ׃

Traze o povo que, ainda que tem olhos, é cego. "Deus convidou Israel, ainda espiritualmente *cego* e *surdo* (cf. Is 42.20; 48.8), a apresentar perante as nações um testemunho na tentativa de provar que eles podiam predizer o futuro (cf. Is 41.21-23). Então Deus disse que os israelitas, como *suas* testemunhas (Cf. Is 41.8,9), demonstrariam que *ele* é o único Deus (Is 43.10). Ele já existia antes que os homens concebessem algum deus, e continuará a existir muito depois que o último ídolo venha a perecer" (John S. Martin, *in loc*.).

A *convocação,* neste ponto, não é do exílio, mas ao tribunal de justiça, tal como se vê em Is 41.1,21. O povo de Deus "tinha testificado seus atos poderosos, realizados em favor deles, no passado; e testificarão seus atos poderosos no presente, embora não tenham apanhado a significação nem reconhecido a sua presença. Não será essa a verdadeira descrição da igreja contemporânea?... Temos olhos mas somos cegos, ouvimos mas somos surdos. Precisamos desse mandamento direto para enfrentarmos Deus e o nosso mundo, e para as coisas ficarem claras quanto ao nosso dever" (Henry Sloane Coffin, *in loc*.).

Primeira Estrofe: A Questão Histórica (43.9)

■ 43.9

כָּל־הַגּוֹיִם נִקְבְּצוּ יַחְדָּו וְיֵאָסְפוּ לְאֻמִּים מִי בָהֶם יַגִּיד זֹאת וְרִאשֹׁנוֹת יַשְׁמִיעֻנוּ יִתְּנוּ עֵדֵיהֶם וְיִצְדָּקוּ וְיִשְׁמְעוּ וְיֹאמְרוּ אֱמֶת׃

Todas as nações se congreguem, e os povos se reúnam. Temos aqui algumas linhas devotadas às nações da terra. Todas as nações serão convocadas perante o tribunal divino. Revelações divinas também se aplicam a elas, que deverão estar presentes para ouvir. A situação é similar à do julgamento das nações que aparece em Is 41.1 ss., 21 ss. A mesma questão se repete aqui. Os deuses deles tinham sido capazes de predizer os eventos ocorridos? Porventura, eles previram o soerguimento e a marcha de Ciro? Que deus pagão tem um registro de predições bem-sucedidas, dando a entender que tal divindade exerce controle sobre a história e assim pode predizer o que acontecerá? Se existisse tal deus, dotado desse tipo de poder, que agora ele apresentasse evidências que afirmassem a tese. Foi assim que Yahweh convidou ao encontro com os deuses das nações, para que as "divindades" fossem testadas quanto aos poderes de predição; mas houve apenas silêncio. Nenhum deus se adiantou, e nenhum sacerdote ou vidente das nações defendeu seus deuses com base nesse critério.

Provavelmente, entre as profecias dadas por Yahweh que foram cumpridas, tenhamos de incluir a que fala sobre a liberação outorgada por Ciro, permitindo que o remanescente voltasse a Jerusalém, enquanto ele conservava outras nações debaixo de seu poder. Ver em Is 13.6 Yahweh como o controlador dos eventos da história humana. Atualmente, sabemos que a profecia é uma capacidade natural da psique humana. Pode acontecer sem a ajuda dos poderes divinos ou demoníacos; e também existem profecias demoníacas que se cumprem. Isso não anula as profecias divinas como algo distintivo, embora se trate de algo que o profeta Isaías não antecipou aqui. Ver na *Enciclopédia de Bíblia, Teologia e Filosofia* o artigo intitulado *Precognição*.

O fenômeno psíquico mais comum é o do sonho preditivo, e esse é um acontecimento constante e comum entre os sonhadores, isto é, entre todas as pessoas. Ver no *Dicionário* o verbete denominado *Sonhos*. Naturalmente, há grande diferença entre a profecia de um profeta, e os sonhos preditivos de uma pessoa comum, embora eles compartilhem algo comum: *a predição sobre o futuro,* que não precisa ser divinamente inspirada para acontecer. Sabemos hoje que os *milagres* não podem ser usados como provas da validade das doutrinas ou sistemas, porquanto eles não respeitam as linhas dogmáticas.

Outro tanto pode ser dito em relação à predição do futuro. Nossas provas precisam ser mais profundas do que isso.

Oitenta por Cento do Antigo Testamento. Is 43.9 assinala a marca dos 80% do Antigo Testamento. O Antigo Testamento consiste em 23.148 versículos e, tendo produzido a exposição do presente versículo, completei 80% do *Antigo Testamento Interpretado, versículo por Versículo*. Portanto, hoje, 18 de março de 1997, tenho razões para mostrar-me grato ao Senhor por ter-me conduzido até este ponto do trabalho. A marca dos 90% será atingida em Ez 17.4 e, buscando forças contínuas para atingir esse versículo e, daí o fim da empreitada, faço uma petição especial a Deus, neste dia. O *Novo Testamento Interpretado,* publicado pela primeira vez em 1980, está agora na nona edição. A *Enciclopédia de Bíblia, Teologia e Filosofia* está na quinta edição. Hoje agradeço ao Senhor pelas vitórias e expresso boa esperança quanto ao futuro, de que conseguirei publicar muitas outras obras. Oh, Senhor, concede-nos tal graça!

Segunda Estrofe: Testemunha e Servo de Yahweh (43.10)

■ 43.10

אַתֶּם עֵדַי נְאֻם־יְהוָה וְעַבְדִּי אֲשֶׁר בָּחָרְתִּי לְמַעַן תֵּדְעוּ וְתַאֲמִינוּ לִי וְתָבִינוּ כִּי־אֲנִי הוּא לְפָנַי לֹא־נוֹצַר אֵל וְאַחֲרַי לֹא יִהְיֶה׃ ס

Vós sois as minhas testemunhas, diz o Senhor. O único Deus fala aqui, dirigindo a palavra à sua testemunha, Israel, que é também seu servo. Os israelitas formam os *eleitos* de Deus e exercem fé em seu Deus. Uma testemunha tem importante missão no mundo, e ela repousa em Deus como a única doutrina de Deus. Somente ele é Deus; nunca houve tal coisa como um deus formado antes dele, porque ele é *eterno,* e os deuses que foram formados (pelas mãos humanas ou por qualquer outro agente) são deuses de nada. Nem houve deuses formados depois dele (pelas mãos humanas ou por outra agência qualquer). A essência divina é eterna. Não pode ser criada para vir à existência. Este versículo é uma declaração enfática do *Monoteísmo* (ver a respeito no *Dicionário*). O monoteísmo judaico é mais do que a crença em um único Deus; é também o compromisso de alma com o único Deus. Existem monoteístas teóricos que são *ateus práticos,* ou seja, dizem: "Não quero nenhum Deus em minha vida", embora possa haver alguma divindade em suas proposições teóricas.

O único Deus é um poder salvador, que se manifesta ao servo de Deus e opera através dele. Não existem tais funções para os deuses de nada. Cf. este versículo com Is 41.23,24 e 48.5.

Terceira Estrofe: O único Deus e suas Testemunhas (43.11-13)

■ 43.11

אָנֹכִי אָנֹכִי יְהוָה וְאֵין מִבַּלְעָדַי מוֹשִׁיעַ׃

Eu, eu sou o Senhor, e fora de mim não há salvador. Yahweh, o Deus eterno, está agora vinculado à sua obra divina, porquanto é o *Salvador*. Ver sobre esse termo no *Dicionário*, e ver também Sl 62.2 quanto a uma nota de sumário sobre Deus como Salvador, e esse a divina salvação do ponto de vista do Antigo Testamento. Ver Sl 3.8,9; 9.14; 18.46; 38.22; 50.23; 79.9; 85.4; 119.74; 140.7 e 149.4. O título *Salvador* nos relembra das relações do pacto, e nos remete à elaborada declaração dos vss. 1-3 deste capítulo. Ver no *Dicionário* o artigo *Redenção*. "A vontade e o poder de salvar são a função distintiva e o predicado da verdadeira deidade" (Skinner, *in loc.*).

■ 43.12

אָנֹכִי הִגַּדְתִּי וְהוֹשַׁעְתִּי וְהִשְׁמַעְתִּי וְאֵין בָּכֶם זָר וְאַתֶּם עֵדַי נְאֻם־יְהוָה וַאֲנִי־אֵל׃

Eu anunciei salvação, realizei-a e a fiz ouvir. Israel, ao longo da vereda de sua história, caiu na idolatria várias vezes e seguiu a outros deuses. Mas nenhum deles jamais realizou a obra salvadora que pertencia a Yahweh, nem salvou os judeus de alguma calamidade física, quando chegaram tempos de aflição. Os próprios judeus confirmavam esse fato, pelo que se tornaram testemunhas de Yahweh, embora com relutância. O livramento dos judeus da

Babilônia, que tinha sido predito nas Escrituras e abertamente proclamada através dos profetas, era a mensagem de Yahweh que deveria ser proclamada. Quando as coisas aconteciam conforme tinha sido predito, isso testemunhava que Israel seguia o verdadeiro Deus e o divino benfeitor. Portanto, toda a lealdade deles pertencia ao Senhor Deus. Quanto a Deus como Salvador, ver também Is 17.10; 43.3; 45.15,21; 49.26; 60.16; 62.11 e 63.8. Nenhum deus falso jamais predisse algum ato divino e salvador. Somente Yahweh tinha feito isso, e então avançou para cumprir sua predição. "Não foi um oráculo pagão ou adivinho que predisse a restauração" (Ellicott, *in loc.*).

■ 43.13

גַּם־מִיּוֹם אֲנִי הוּא וְאֵין מִיָּדִי מַצִּיל אֶפְעַל וּמִי יְשִׁיבֶנָּה׃ ס

Ainda antes que houvesse dia, eu era. O Deus único, que sempre foi e sempre será deidade exclusiva, é aquele que determina os acontecimentos humanos, incluindo a providência negativa, quando uma pessoa ou nação sofre eventos desastrosos. Quando Deus faz isso, não há poder, no céu ou na terra, que possa desfazer o que Deus tiver feito. E nenhum poder, de nenhum tipo, pode impedir tal coisa. Ver Is 13.6 quanto a notas expositivas sobre a soberania de Deus e como ela opera na terra.

Quando eu faço alguma coisa, ninguém pode alterá-la.
NCV

Quando Deus põe em movimento algum curso de eventos, nada pode alterar seus planos. Cf. Jó 9.12; 11.10 e 42.2. Ver no *Dicionário* os artigos chamados *Soberania de Deus* e *Providência*.

REDENÇÃO PELA GRAÇA (43.14—44.5)

Primeira Estrofe (43.14,15)

■ 43.14

כֹּה־אָמַר יְהוָה גֹּאַלְכֶם קְדוֹשׁ יִשְׂרָאֵל לְמַעַנְכֶם שִׁלַּחְתִּי בָבֶלָה וְהוֹרַדְתִּי בָרִיחִים כֻּלָּם וְכַשְׂדִּים בָּאֳנִיּוֹת רִנָּתָם׃

Assim diz o Senhor, o que vos redime, o Santo de Israel. Através do acúmulo de títulos divinos, a mensagem de Deus foi enfatizada. Portanto, temos aqui Yahweh, Redentor e Santo de Israel, que agora revertia o cativeiro babilônico, usando seu novo instrumento, Ciro, rei dos medo-persas. A Babilônia seria totalmente alquebrada e ficaria virtualmente impossibilitada de manter uma população. Os caldeus, que anteriormente gritavam de triunfo, conforme derrotavam outros povos, agora gritariam de lamentação em seu próprio desastre. Quanto ao aniquilamento da Babilônia, ver Is 13.19-22, onde encontramos o oráculo de condenação contra aquele lugar. Quanto aos nomes divinos acumulados neste versículo, ver Is 41.14; 47.4; 48.17; 49.7 e 54.5. Deus como Redentor é uma característica especial do livro de Isaías.

Os caldeus, nos navios com os quais se vangloriavam. O original hebraico aqui é um tanto obscuro, e a *Revised Standard Version* diz: "Voltaram-se para as lamentações". Em outras palavras, os anteriores gritos de triunfo na vitória transformaram-se em gritos de dor na derrota. Alguns especulam que os navios significam (se é que essa é a ideia correta) navios que navegavam nos rios, e que alguns babilônios podem ter tentado escapar por meio deles, mas inutilmente. Portanto, haveria clamores angustiados na Babilônia. Outros eruditos pensam que os babilônios foram *levados* para o cativeiro por meio de navios. Seja como for, o rio Eufrates era navegável.

■ 43.15

אֲנִי יְהוָה קְדוֹשְׁכֶם בּוֹרֵא יִשְׂרָאֵל מַלְכְּכֶם׃ ס

Eu sou o Senhor, vosso Santo, o Criador de Israel, vosso Rei. Outro acúmulo de títulos divinos enfatiza a mensagem: Yahweh, Santo de Israel, Criador-Rei; e esse é o Deus de Israel, que manipula como quer os eventos humanos, como o soerguimento e a derrubada de reinos, e a redenção de seu povo. Essa declaração encerra solenemente a primeira estrofe da seção que trata da libertação da escravidão na Babilônia. "A redenção, a criação e a soberania de Deus são a sequência que o profeta pretendia enfatizar. O título, 'vosso Rei', continua um dos principais motivos dos poemas (Is 40.10; 41.21 e 43.15) e enfoca a necessidade que Israel tinha de proteção no mundo daquele tempo. As nações têm seus reis, que são os responsáveis pelo bem-estar e pela proteção do povo de Deus, e assim Yahweh os protege" (James Muilenburg, *in loc.*). A liberação da Babilônia, um ato de redenção, tipifica a maior redenção de Israel antes e durante a era do reino de Deus.

Segunda Estrofe: Livramento do Mar (43.16,17)

■ 43.16

כֹּה אָמַר יְהוָה הַנּוֹתֵן בַּיָּם דָּרֶךְ וּבְמַיִם עַזִּים נְתִיבָה׃

Assim diz o Senhor, o que outrora preparou um caminho no mar. A alusão aqui é à travessia do mar Vermelho, depois de os israelitas terem escapado do Egito. Yahweh tinha o poder de preparar um caminho através das águas, e isso insuflou confiança em Israel para as crises presentes e futuras. Ver Êx 14. Esse acontecimento sempre foi destacado pelos autores hebreus como um poderoso milagre; e assim as operações de Yahweh com o seu povo incluem milagres, sempre que eles se fazem necessários. Para Deus não há limitação de poder. "A volta da Babilônia seria como um *segundo êxodo* de uma casa de servidão diferente. Nessa volta, tal como na outra, o cavaleiro e seu cavalo devem ser lançados no mar" (Ellicott, *in loc.*).

■ 43.17

הַמּוֹצִיא רֶכֶב־וָסוּס חַיִל וְעִזּוּז יַחְדָּו יִשְׁכְּבוּ בַּל־יָקוּמוּ דָּעֲכוּ כַּפִּשְׁתָּה כָבוּ׃

O que fez sair o carro e o cavalo, o exército e a força. Israel atravessou o mar Vermelho caminhando por terra seca; mas, quando o exército do Faraó tentou fazer o mesmo, pereceu afogado, pois as águas do mar se fecharam. Os egípcios se extinguiram como o pavio de uma lamparina que passa pela água. Cf. Is 43.17: "... jamais se levantarão...". Essas palavras falam da total impotência dos egípcios em sua derrota, que agora era transferida para uma nova derrota, diante de um poder diferente. Eles não se reergueriam. O poder dos egípcios estava acabado, ao passo que a força de Israel continuaria. Essa era a maneira de Deus tratar com seu povo e com as nações que se opunham a Israel.

Terceira Estrofe: Eis que Faço uma Coisa Nova (43.18,19)

■ 43.18

אַל־תִּזְכְּרוּ רִאשֹׁנוֹת וְקַדְמֹנִיּוֹת אַל־תִּתְבֹּנָנוּ׃

Não vos lembreis das cousas passadas. As *cousas passadas* eram os eventos do êxodo do Egito, o antigo triunfo de Israel. Essa foi uma grandiosa obra de Deus, e os autores do Antigo Testamento nunca se cansaram de recontá-la. Porém, o que Deus estava prestes a fazer era muito maior, a tal ponto que o antigo se perderá de vista por causa do *novo*. Temos aqui uma chamada para fora das *memórias* das glórias passadas, para a *esperança* de vitórias ainda maiores. O novo triunfo será ainda mais decisivo e maior demonstração de redenção do que houve na antiguidade. O poder antigo foi grande; o poder presente será ainda maior.

■ 43.19

הִנְנִי עֹשֶׂה חֲדָשָׁה עַתָּה תִצְמָח הֲלוֹא תֵדָעוּהָ אַף אָשִׂים בַּמִּדְבָּר דֶּרֶךְ בִּישִׁמֹן נְהָרוֹת׃

Eis que faço cousa nova, que está saindo à luz. Essa *cousa nova* seria a libertação *de Israel* da servidão infligida pela Babilônia. E isso tipifica a servidão de Israel e os temores de potências estrangeiras antes da fundação da época áurea. Será aberta uma estrada no deserto, e Israel escapará por meio dela. Então fluirão rios nas terras secas. Israel prosperará por meio da graça divina e sua nova habitação. Haverá tanto livramento quanto provisão subsequente para toda a necessidade, material e espiritual. Quando Israel foi capacitado a atravessar o mar, então precisou enfrentar o deserto, o que o forçou a abrir caminho. Em seguida, o povo de Israel chegou à Terra Prometida, que manava leite e mel. E houve as lutas da conquista. A antiga experiência será repetida, porém de maneira mais gloriosa e com consequências a longo prazo para Israel, como nação. De fato, durante o milênio, Israel será cabeça das nações, em vez de ser apenas libertado do poder delas (ver Is 24.23). Até mesmo no deserto, Deus providenciou adequado suprimento de água. O povo de Israel bebeu da rocha (ver Êx 17.6). Na era do reino, entretanto, o deserto florescerá como a rosa (ver Is 35.1). Ver Is 41.18 quanto a uma declaração paralela sobre o grande suprimento de águas, tanto potáveis quanto espirituais.

Quarta Estrofe: Riachos no Deserto (43.20,21)

■ **43.20**

תְּכַבְּדֵ֙נִי֙ חַיַּ֣ת הַשָּׂדֶ֔ה תַּנִּ֖ים וּבְנ֣וֹת יַֽעֲנָ֑ה כִּֽי־נָתַ֨תִּי בַמִּדְבָּ֜ר מַ֗יִם נְהָרוֹת֙ בִּישִׁימֹ֔ן לְהַשְׁק֖וֹת עַמִּ֥י בְחִירִֽי׃

Os animais do campo me glorificarão. A ideia constante no vs. 19, acerca de águas no deserto, é agora desenvolvida e elaborada. Os *animais do campo* agradecerão a Yahweh pelas suas provisões, e quão mais grata será a nação de Israel. A abundância de águas fala de prosperidade e bem-estar, em sentido tanto material quanto espiritual. Além das referências dadas na exposição do vs. 19, ver também Is 48.21 e Sl 148.10. Os animais mencionados abrigavam-se em lugares secos e ainda assim conseguiam sobreviver. De súbito, uma provisão lhes dará abundância, em vez de luta pela sobrevivência. E se essa será a verdade acerca dos animais, quanto mais será em favor do povo de Deus!

■ **43.21**

עַם־ז֖וּ יָצַ֣רְתִּי לִ֑י תְּהִלָּתִ֖י יְסַפֵּֽרוּ׃ ס

Ao povo que formei para mim. O povo bendito é constituído por aqueles que Yahweh *formou* para si mesmo, o que reitera Is 43.1, onde o tema é desenvolvido. O povo de Israel, em meio a abundância de bênçãos materiais e espirituais, com as águas da graça fluindo, terá muitas razões para louvar. Ver no *Dicionário* o artigo chamado *Louvor*. As palavras dos vss. 20,21 certamente ultrapassam qualquer coisa que poderia ser dita acerca do retorno do exílio babilônico e da reconstrução de Jerusalém. Temos aqui uma profecia de longo prazo a respeito da era do reino de Deus, bem como uma profecia de curto prazo sobre a restauração de Judá após o cativeiro babilônico. A feitura do povo de Israel, por parte de Yahweh, para *si mesmo*, consiste na eleição deles e no relacionamento de pacto criado com o Ser divino. Ver sobre Pacto Abraâmico em Gn 15.18, onde dou uma nota expositiva de sumário.

Quinta Estrofe: A Acusação de Yahweh (43.22-24)

■ **43.22**

וְלֹא־אֹתִ֥י קָרָ֖אתָ יַֽעֲקֹ֑ב כִּֽי־יָגַ֥עְתָּ בִּ֖י יִשְׂרָאֵֽל׃

Contudo não me tens invocado, ó Jacó. Deixando de lado as glórias e bênçãos dos triunfos futuros, o profeta Isaías repentinamente voltou às condições que Israel enfrentava na ocasião. Vemos Israel (Judá) ainda em apostasia, idolatria e indiferença. Eles nem ao menos se importavam em invocar a ajuda de Yahweh, tão atarefados estavam com seus próprios recursos e com os recursos que buscavam nos seus ídolos. Novamente, parece que temos aqui uma *cena de tribunal*, que o profeta Isaías empregou ocasionalmente. Cf. Is 41.1—42.4; os vss. 8-13 do presente capítulo e 44.6-8. Yahweh é, ao mesmo tempo, Acusador e Juiz. A Israel foi dada elevada missão, mas eles precisaram de longo tempo para reconhecê-la e cumpri-la. Cf. as denúncias proféticas de Am 5.22-25 e Jr 7.21,22. Ver também Mq 6.1-8. O povo de Israel cansou-se das antigas formas religiosas, bem como de Yahweh, seu Deus, e quis experimentar novos caminhos. Suas práticas formalizadas podem ter continuado a incluir Yahweh como Deus ou um deus, mas Yahweh deixou de ser distinguido na Terra Prometida.

■ **43.23**

לֹֽא־הֵבֵ֤יאתָ לִּי֙ שֵׂ֣ה עֹלֹתֶ֔יךָ וּזְבָחֶ֖יךָ לֹ֣א כִבַּדְתָּ֑נִי לֹ֤א הֶעֱבַדְתִּ֙יךָ֙ בְּמִנְחָ֔ה וְלֹ֥א הוֹגַעְתִּ֖יךָ בִּלְבוֹנָֽה׃

Não me trouxestes o gado miúdo dos teus holocaustos. Este versículo reflete o completo colapso do culto a Yahweh, substituído como foi pelo culto aos ídolos. Aqui não encontramos mais mera indiferença e um yahwismo formalizado, destituído de sinceridade do coração, mas, antes, a total substituição desse sistema. Alguns eruditos pensam que essa completa negligência ao yahwismo ocorreu na Babilônia, o que, mesmo naquele país, teria sido visto como algo obrigatório para Israel (Judá). Mas essa é uma ideia duvidosa. Provavelmente, estamos vendo condições que antecederam o cativeiro babilônico. Mesmo nessa época, os judeus já tinham desistido de manter o yahwismo, e essa foi a *causa espiritual* do cativeiro. O sistema de sacrifícios de animais tinha cansado os judeus, e outro tanto sucedeu à "guarda da lei" que acompanhava a fé dos hebreus. E, assim sendo, Yahweh, por sua vez cansado dos pecados deles, puniu-os por meio do exército babilônico. Cf. Ml 2.17. A parte final do presente versículo levanta dúvidas porque, como é óbvio, o sistema sacrificial era algo forçado. Parte desse sistema, entretanto, era espontâneo, como a tomada e o cumprimento de votos, bem como certas oferendas, como as ofertas pacíficas e voluntárias; e a referência aqui pode ser ao aspecto *voluntário* do culto dos hebreus. Esse pode ter sido o aspecto abandonado pelos judeus, se é que a carga do sistema foi considerada demasiada por eles.

■ **43.24**

לֹא־קָנִ֨יתָ לִּ֤י בַכֶּ֙סֶף֙ קָנֶ֔ה וְחֵ֥לֶב זְבָחֶ֖יךָ לֹ֣א הִרְוִיתָ֑נִי אַ֗ךְ הֶעֱבַדְתַּ֙נִי֙ בְּחַטֹּאותֶ֔יךָ הוֹגַעְתַּ֖נִי בַּעֲוֹנֹתֶֽיךָ׃ ס

Não me compraste por dinheiro cana aromática. Êx 30.23 menciona essa substância como um dos ingredientes do sagrado óleo de unção. Cf. Ct 4.14; Jr 6.20 e Ez 27.19. Isso fala de outro aspecto do sistema ritualista que tinha caído na negligência. Além da negligência no culto, Israel também era culpado de muitos pecados que premiam para baixo o país inteiro, e também se tornara um peso intolerável sobre as costas do próprio Yahweh. O relacionamento inteiro do pacto tinha azedado.

Sexta Estrofe: Graça e Julgamento (43.25-28)

■ **43.25**

אָנֹכִ֨י אָנֹכִ֥י ה֛וּא מֹחֶ֥ה פְשָׁעֶ֖יךָ לְמַעֲנִ֑י וְחַטֹּאתֶ֖יךָ לֹ֥א אֶזְכֹּֽר׃

Eu, eu mesmo, sou o que apago as tuas transgressões. Conceder perdão é uma qualidade permanente e constante da mente divina, com base no eterno amor de Deus. Assim também aqui, após tão drásticas declarações, temos os grandes pronunciamentos do *Grande Eu Sou*, anunciando o perdão. *Eu, eu mesmo,* conforme encontramos em nossa versão portuguesa, traduz a divina declaração de "Eu, eu sou ele", se suprimirmos o verbo "ser", que não se acha no hebraico literal, que diz somente: "Eu, eu, ele". Seja como for, a declaração é enfática. Yahweh limpa completamente a lousa; os pecados de Israel desapareceriam da mente divina; não haveria mais memória deles. "Os pecados se tinham empilhado, mas Deus estava disposto a perdoá-los, por causa de sua graça e por causa dele mesmo" (John S. Martin, *in loc.*).

Não somos informados, entretanto, por quanto tempo ainda prosseguiria essa condição pecaminosa, nem por quanto tempo mais os benefícios do perdão se fariam sentir. Mas sabemos que esse é um perdão escatológico que trabalha com condições que antecedem a era do reino de Deus. Quanto ao *apagar dos pecados,* cf. Êx 32.32; Nm 5.23; Dt 9.14; Is 44.22; 48.9; Sl 50.20 e At 3.19.

Por amor de mim. Por ser ele o Pai que queria ver o filho agir bem; porquanto seu plano tinha de ser cumprido, e esse plano incluía um Israel perdoado durante a era do reino, um instrumento que levaria a mensagem espiritual ao resto do mundo. Cf. Is 48.9,11.

■ **43.26**

הַזְכִּירֵ֕נִי נִשָּׁפְטָ֖ה יָ֑חַד סַפֵּ֥ר אַתָּ֖ה לְמַ֥עַן תִּצְדָּֽק׃

Desperta-me a memória; entremos juntos em juízo. O caso reverte ao *tribunal*, figura simbólica usada por várias vezes pelo profeta. Ver Is 41.1—42.4; 43.8-13,22-24; 44.6-8. Se Israel tinha alguma defesa quanto à sua conduta, deveriam ser apresentados evidências e testemunhos. Naturalmente, quando o profeta disse: "Desperta-me a memória", nisso temos um antropomorfismo irônico. Talvez Deus tivesse esquecido alguma coisa! Ver no *Dicionário* o artigo chamado *Antropomorfismo*. O desafio estava lançado, mas seguiu-se prolongado silêncio. Nenhuma testemunha se apresentou; nenhuma evidência foi dada. Então *Yahweh falou de novo*, ampliando em sua queixa as acusações contra Israel que aparecem nos versículos que se seguem.

■ 43.27

אָבִ֥יךָ הָרִאשׁ֖וֹן חָטָ֑א וּמְלִיצֶ֖יךָ פָּ֥שְׁעוּ בִֽי׃

Teu primeiro pai pecou. A acusação divina faz-nos recuar ao começo da rebelião de Israel. O *primeiro pai* que pecou provavelmente não foi Abraão, mas sim, Jacó, que não serviu de exemplo de uma vida estritamente correta. Cf. Os 12.3. Posteriormente, o pecado retrocede até Adão, conforme se vê em Rm 5.12. "Guias", neste versículo, provavelmente aponta para Moisés, os sacerdotes e os profetas. Nem mesmo eles escaparam de pecar contra Yahweh. Mas com o passar dos anos as coisas pioravam cada vez mais, até que a nação de Israel entrou em completa apostasia e foi levada para a Assíria; então foi a vez de Judá desviar-se de vez e ser levado para o cativeiro babilônico.

■ 43.28

וַאֲחַלֵּ֖ל שָׂ֣רֵי קֹ֑דֶשׁ וְאֶתְּנָ֤ה לַחֵ֙רֶם֙ יַעֲקֹ֔ב וְיִשְׂרָאֵ֖ל לְגִדּוּפִֽים׃ ס

Pelo que profanarei os príncipes do santuário. A reação de Yahweh foi condenar e sentenciar Israel por seus crimes. Seus governantes profanaram o santuário de Yahweh, pelo que ele os profanou, entregando-os nas mãos dos pagãos para serem maltratados e desgraçados. Os governantes são chamados aqui de "príncipes", título dado aos principais sacerdotes de 1Cr 24.5. Se está em mira a classe sacerdotal, então aprendemos que aqueles que profanaram o templo e o culto de Deus, pois tinham abandonado o culto a Yahweh, foram, eles mesmos, profanados. "... Eles foram sujeitados, com justiça, à maldição de Deus e dos homens, para servirem de zombaria, de provérbio e de máxima por todo o mundo; ver Jr 24.9" (John Gill, *in loc.*).

CAPÍTULO QUARENTA E QUATRO

Embora entremos aqui em um novo assunto, não há interrupção entre os capítulos 43 e 44.

Sétima Estrofe: Israel Não Devia Temer (44.1,2)

■ 44.1

וְעַתָּ֥ה שְׁמַ֖ע יַעֲקֹ֣ב עַבְדִּ֑י וְיִשְׂרָאֵ֖ל בָּחַ֥רְתִּי בֽוֹ׃

Agora, pois, ouve, ó Jacó, servo meu. Continuam aqui as estrofes do capítulo 43. "Que o poeta sacro estava a pique de anunciar uma revelação nova e sem precedentes, é demonstrado pela forte transição, "agora, pois", as mesmas palavras que figuram em Is 43.1-3, às quais esta estrofe está intimamente relacionada" (James Muilenburg, *in loc.*).

"Uma vez mais, o profeta enfatiza a divina *escolha* (ver Is 41.8,9) e *formação* (cf. Is 43.1,7,21) de Israel. Quanto à palavra "ouve", ver os comentários sobre Is 46.3. Visto que Deus prometeu *ajudar* a nação, ela não precisava ficar *com medo* (cf. Is 41.10,14; 43.5; 44.8). Quanto a Jacó como servo de Deus, ver Is 41.8. As palavras 'ó amado' (vs. 2; no hebraico 'Jesurum') significam 'ó reto'. Esse é um sinônimo poético para Israel, usado somente em Dt 32.15; 33.15; 33.5,26" (John S. Martin, *in loc.*). O servo de Deus tinha sido escolhido, o que significa que ocupava elevada prioridade no programa de Deus. Remido e abençoado, o servo de Deus seria o instrumento que levaria redenção e bênção ao resto das nações. Cf. Is 41.8 e 42.1. "Os pensamentos de Israel voltaram-se de seus pecados para o amor imutável de Deus, e *essa* era a base da sua esperança" (Ellicott, *in loc.*).

■ 44.2

כֹּה־אָמַ֨ר יְהוָ֜ה עֹשֶׂ֤ךָ וְיֹצֶרְךָ֙ מִבֶּ֣טֶן יַעְזְרֶ֔ךָּ אַל־תִּירָ֖א עַבְדִּ֣י יַעֲקֹ֑ב וִישֻׁר֖וּן בָּחַ֥רְתִּי בֽוֹ׃

Assim diz o Senhor que te criou e te formou desde o ventre. Incluí no vs. 1 notas que pertencem a este versículo. Note o leitor as referências paralelas, onde já tinham sido introduzidas ideias do versículo em outros textos. O servo Jacó, também chamado em nossa versão portuguesa de "ó amado" (na *Oxford Annotated Bible*, 'querido reto'), não deveria temer, porque o amor de Deus operará as coisas para o melhor, a despeito de anteriores fracassos e retrocessos. O propósito divino na eleição não pode ser frustrado, e o eleito continua sendo amado. Quanto à ajuda de Yahweh, cf. Gn 49.25; Êx 18.4; Dt 33.26; 1Sm 7.12 e Sl 33.20.

Oitava Estrofe: A Água e o Espírito (44.3,4)

■ 44.3

כִּ֤י אֶצָּק־מַ֙יִם֙ עַל־צָמֵ֔א וְנֹזְלִ֖ים עַל־יַבָּשָׁ֑ה אֶצֹּ֤ק רוּחִי֙ עַל־זַרְעֶ֔ךָ וּבִרְכָתִ֖י עַל־צֶאֱצָאֶֽיךָ׃

Porque derramarei água sobre o sedento, e torrentes sobre a terra seca. *A terra estéril*, o deserto, obterá pleno e constante suprimento de água, de modo que florescerá como o deserto (ver Is 40.1). Cf. Is 43.19-21 (a terceira estrofe), que contém ideias paralelas. Quanto à água abundante, ver também Is 35.7; Jl 2.28; Jo 7.38 e At 2.13. Significados metafóricos estão em vista ali, tal como aqui. Ver também, no *Dicionário*, o artigo chamado *Água*.

O meu Espírito. O Espírito, a água celestial, dará nova vida e vitalidade. Cf. Nm 11.29 e Jl 2.28. Quanto à relação entre a água e o Espírito, ver Mc 1.8-10. Encontramos um paralelo em Ez 36.24,27. O Espírito Santo inaugurará a época áurea, pois um instrumento menor não seria capaz de realizar tal feito. Ver também Is 11.2 e 35.12. As passagens de Jo 4.14; 7.37,38; Rm 5.20 e 1Tm 1.14 dão aplicações dessa ideia. Diz o Targum: "Pois assim como são dadas águas sobre a terra sedenta, e assim como fluem sobre a terra seca, também darei meu Santo Espírito aos teus filhos, e as minhas bênçãos aos filhos de teus filhos".

■ 44.4

וְצָמְח֖וּ בְּבֵ֣ין חָצִ֑יר כַּעֲרָבִ֖ים עַל־יִבְלֵי־מָֽיִם׃

E brotarão como a erva. *A irrigada terra de Israel*, tão abençoada que será pelo Espírito Santo, reagirá mediante *crescimento saudável*, como a erva reage diante de água abundante, espalhando suas raízes fundo e por toda a parte. Além disso, devemos pensar nos salgueiros que medram ao longo do rio, que se tornam abundantes e espessos e ocupam as margens dos ribeiros. É assim que pessoas não auspiciosas tornam-se frutíferas acima de todas as expectativas. Crescimento é evidência de vida. "Odeio encontrar alguém que conheço faz dez anos, precisamente no mesmo ponto de antes, nem moderado, nem avivado, mas simplesmente obstinado no mesmo ponto de antes. Tal homem deveria ser espancado!" (Turner Palgrave). Caros leitores, se todos os membros de nossas igrejas evangélicas, que em nada mudaram nos últimos dez anos, fossem surrados, nossas igrejas se tornariam "casas de espancamentos".

Nona Estrofe: Novos Aderentes ao Povo em Relação de Pacto com Deus (44.5)

■ 44.5

זֶ֤ה יֹאמַר֙ לַֽיהוָ֣ה אָ֔נִי וְזֶ֖ה יִקְרָ֣א בְשֵֽׁם־יַעֲקֹ֑ב וְזֶ֗ה יִכְתֹּ֤ב יָדוֹ֙ לַֽיהוָ֔ה וּבְשֵׁ֥ם יִשְׂרָאֵ֖ל יְכַנֶּֽה׃ פ

Um dirá: Eu sou do Senhor; outro se chamará do nome de Jacó. As pessoas correrão para a fonte da bênção, para as águas, o lugar de crescimento e bênçãos. As palavras poderiam referir-se à rápida propagação dos judeus, que retornavam à antiga fé. Ou então temos aqui uma alusão às nações, na era do reino, que se reunirão em torno da fé, até que todas as nações, de todos os lugares, tiverem sido recolhidas ao aprisco. Quanto a essa ideia, ver Is 11.9. "... o anelo dos prosélitos pagãos em se reunir a Israel

Descrições do Processo. Considere o leitor estes quatro pontos:
1. Eles farão confissões verbais e declararão que pertencem a Yahweh, em contraste a antes pertencerem aos deuses pagãos.
2. Alguns se identificarão com Israel, adotando o nome de Jacó e abandonando assim todas as identidades e fronteiras nacionais.
3. Outros irão a extremos, como inscrever o nome de Yahweh nas mãos, ao passo que antes tinham marcas de identificação que os vinculavam a ídolos. Talvez esteja em pauta uma marca de fogo, o que era uma prática do paganismo. Havia uma proibição contra essas marcas idólatras (Lv 19.28).
4. As pessoas começarão a tomar várias formas de nomes divinos de Yahweh nos seus nomes pessoais, como nas combinações Daniel (El é o meu Juiz); ou Emanu*el* (Yahweh está conosco); ou Samu*el* (seu nome é El). Ou então os nomes de Israel, o povo de Deus, serão incorporados aos nomes de família. Diz o Targum: "No nome de Israel, ele se aproximará", a fim de adorar com eles no mesmo culto.

Cf. este versículo às provisões do pacto abraâmico (ver Gn 15.18). Desde o princípio, a bênção de Israel sobre as nações foi antecipada. Ver também Is 2.2,4. Ver Is 24.23 quanto a Israel como cabeça das nações durante a era do reino. Ver também Is 55 e 66.18.

YAHWEH GLORIFICAR-SE-Á EM ISRAEL (44.6-8)

■ 44.6

כֹּה־אָמַר יְהוָה מֶלֶךְ־יִשְׂרָאֵל וְגֹאֲלוֹ יְהוָה צְבָאוֹת אֲנִי רִאשׁוֹן וַאֲנִי אַחֲרוֹן וּמִבַּלְעָדַי אֵין אֱלֹהִים:

Assim diz o Senhor, Rei de Israel, seu Redentor. Este versículo salienta a soberania de Deus sobre os não deuses. Yahweh assume aqui seu lugar certo na mente dos homens. O caráter *ímpar* de Deus é assim enfatizado. Vários títulos destacam a soberania de Deus. Esta nova seção repete, essencialmente, os argumentos contra a idolatria vistos nos capítulos 31 e 43.

Note o leitor o acúmulo de títulos divinos: Yahweh; Rei; Redentor; Senhor dos Exércitos; Primeiro e Último. Todos esses títulos fornecem-nos ideias da prioridade do Deus de Israel sobre os deuses falsos das outras nações, aqueles ídolos inúteis que são divinos quanto ao nome, mas não possuem a essência da deidade.

Referências. Ver no *Dicionário* o artigo chamado *Yahweh;* ver também sobre *Rei* em Is 43.15. Quanto a *Redentor,* ver no *Dicionário* e em Is 41.14; 43.14; 47.4; 48.17; 49.26; 59.20; 60.16 e 63.16. Ver também, na *Enciclopédia de Bíblia, Teologia e Filosofia,* o verbete intitulado *Primeiro e Último.* Ideias adicionais são encontradas em Is 48.12.

Além de mim não há Deus. Uma declaração enfática em defesa do monoteísmo. Cf. Is 43.11; 44.8; 47.8-10. Ver Is 43.10 e as notas expositivas ali.

■ 44.7

וּמִי־כָמוֹנִי יִקְרָא וְיַגִּידֶהָ וְיַעְרְכֶהָ לִי מִשּׂוּמִי עַם־עוֹלָם וְאֹתִיּוֹת וַאֲשֶׁר תָּבֹאנָה יַגִּידוּ לָמוֹ:

Quem há, como eu, feito predições desde que estabeleci o mais antigo povo? Se houver algum deus que possa reivindicar a verdadeira divindade, que avance, pois então será visto que outros poderes merecem lealdade da parte dos homens. Um deus deve defender seu respectivo território. Mesmo nessa chamada *irônica* a "outros deuses possíveis", Yahweh diz que qualquer reivindicação dessa ordem seria testada. Essa era a posição henoteísta: se existem muitos deuses, e vários deuses se aplicam a vários povos, contudo "para nós" há um só Deus. Mas não há aqui nenhuma real contemplação do *henoteísmo* (ver a respeito no *Dicionário*). Talvez algum sacerdote idólatra desse um passo à frente para defender o seu deus.

A segunda parte deste versículo é uma repetição de Is 41.22,26-39, a *prova da profecia*. Para Isaías, somente Yahweh poderia predizer o futuro e inspirar o profeta a anunciar eventos futuros. Para ele, essa era a função divina. Naturalmente, sabemos atualmente que a psique humana (à parte de ajuda divina ou demoníaca) pode predizer o futuro. Ademais, existem profecias demoníacas que se cumprem. O fenômeno psíquico mais comum é o sonho de precognição, e todas as pessoas têm capacidade de prever o próprio futuro. Ver no *Dicionário* os artigos chamados *Sonhos* e *Precognição.* Como é claro, as profecias dos verdadeiros profetas de Deus são algo muito mais elevado que a simples precognição, pois nesses casos temos a inspiração divina. Yahweh é a causa Ativa dos eventos da história da humanidade (ver as notas expositivas em Is 13.6). Portanto, ele sabe o que acontecerá no futuro.

O mais antigo povo. O original hebraico diz aqui, literalmente: "O povo do século", provavelmente uma referência aos patriarcas de Israel que se tornaram o alicerce da nação eleita. Mas alguns estudiosos fazem o hebraico falar impessoalmente: "coisas antigas do porvir" (*Revised Standard Version*). A mesma expressão é usada para indicar o pacto eterno (ver Êx 31.16. Cf. Êx 40.15 e 2Sm 7.13,16). Certamente, nenhum ídolo, nem poder alegado representado por um ídolo, predissera alguma coisa assim.

■ 44.8

אַל־תִּפְחֲדוּ וְאַל־תִּרְהוּ הֲלֹא מֵאָז הִשְׁמַעְתִּיךָ וְהִגַּדְתִּי וְאַתֶּם עֵדָי הֲיֵשׁ אֱלוֹהַּ מִבַּלְעָדַי וְאֵין צוּר בַּל־יָדָעְתִּי:

Não vos assombreis, nem temais; acaso desde aquele tempo não vo-lo fiz ouvir...? O *Deus da Profecia,* que previu todas as coisas relativas às questões humanas, bem como o papel que seria desempenhado por Israel nessas questões, assegurou a Israel que não havia razão para temer o futuro. Grandes e boas coisas estavam resguardadas para o povo em aliança com o Senhor. Isso também foi predito e deveria ter cumprimento. O pacto abraâmico não poderia fracassar. Eles tinham-se tornado testemunhas da tradição profética. Não há outros deuses que pudessem prever algo diferente, ou influenciar os eventos para que ocorressem de modo diverso. Só há um refúgio para uma alma ou nação, a *Rocha* de Israel, outro nome de Deus. Ver sobre *Rocha* no *Dicionário*. Quanto a esse título no livro de Isaías, ver Is 17.10; 26.4 e 30.29. O título também aparece em Dt 32.4,18,30,31. Quanto a Cristo como *Rocha,* ver 1Co 10.4. Quanto a *Refúgio,* ver Sl 46.1. Quanto à chamada para os israelitas "não temerem", ver Is 8.12; 35.4; 41.10,13,14; 43.1,5; 44.2,8,11 e 51.7. Quanto à declaração monoteísta deste versículo, ver a mesma coisa dita e comentada no vs. 6 deste capítulo.

CONTRA A IDOLATRIA (44.9-20)

Primeira Estrofe: A Futilidade de Fabricar Ídolos (44.9)

■ 44.9

יֹצְרֵי־פֶסֶל כֻּלָּם תֹּהוּ וַחֲמוּדֵיהֶם בַּל־יוֹעִילוּ וְעֵדֵיהֶם הֵמָּה בַּל־יִרְאוּ וּבַל־יֵדְעוּ לְמַעַן יֵבֹשׁוּ:

Todos os artífices de imagens de escultura são nada. Fabricar *ídolos* é o mais fútil de todos os empreendimentos humanos, porquanto a "promessa" que essa atividade apresenta é totalmente falsa, e o seu resultado é prejudicial ao fabricante. Os vss. 9-19 deste capítulo apresentam uma sátira contra a idolatria. Os que insistem em engajar-se nessa "arte" nada obtêm e se mostram espiritualmente cegos e ignorantes. Presumivelmente, eles promovem uma atividade espiritual, mas é tudo uma farsa. Os fabricantes de ídolos são testemunhas dos ídolos, fazendo a propaganda de seus potenciais. Mas são propagandistas de um produto fraudulento.

Alguns estudiosos emendam aqui o texto, trocando a palavra "testemunhas" pelo vocábulo "servos" ou "adoradores", o que perfaz um sentido mais fácil, embora "testemunhas" não seja impossível. "Os ídolos vazios, destituídos de vida, não transmitem nem visão nem conhecimento" (James Muilenburg, *in loc.*). Os fabricantes de ídolos parecem propositadamente reter fechados olhos e ouvidos, para não reconhecer que o que estão fazendo é perfeitamente inútil. As coisas que eles fabricam finalmente só produzem *vergonha.* Ver o vs. 11 deste capítulo, bem como Is 42.17 e 45.16. Dizemos *vergonha* porque tudo quanto está envolvido na idolatria fracassa, exceto no sentido em que produz julgamento.

Segunda Estrofe: Aqueles que Fabricam Ídolos Serão Julgados (44.10,11)

■ 44.10,11

מִי־יָצַר אֵל וּפֶסֶל נָסָךְ לְבִלְתִּי הוֹעִיל:

הֵן כָּל־חֲבֵרָיו יֵבֹשׁוּ וְחָרָשִׁים הֵמָּה מֵאָדָם יִתְקַבְּצוּ כֻלָּם יַעֲמֹדוּ יִפְחֲדוּ יֵבֹשׁוּ יָחַד׃

Quem formaria um deus... que é de nenhum préstimo?
Quem é tolo o bastante para fabricar ídolos? Quem fabricaria ídolos inúteis e os apresentaria como divindades? Yahweh queria saber: "Quem fez esses deuses falsos? Quem fabricou esses ídolos inúteis?" (NCV). Todos os que se envolvessem em tão ridícula enfermidade seriam envergonhados. Os fabricantes de ídolos podiam ser homens habilidosos, cada qual em sua linha dessa "arte". Mas não passavam de seres humanos — e pode um mero mortal fazer algo *divino*, muito superior a ele mesmo? O pensamento é tão ridículo que nenhum homem mentalmente são levaria a ideia a sério; no entanto, os fabricantes de ídolos, em sua *insanidade espiritual*, levam a empreitada a sério. Portanto, disse Yahweh: "Reuni todos esses artífices, e eles serão envergonhados e amedrontados juntamente". Yahweh faz esses tolos comparecer em seu tribunal, onde terão de confessar a estupidez na qual se envolveram. Todos os que estiverem no tribunal ouvirão as evidências e a vergonha daqueles insensatos, por causa daquilo que estiveram fazendo. A guilda dos fabricantes de ídolos jamais deveria ter entrado naquele negócio.

Terceira Estrofe: O Ferreiro (44.12)

■ **44.12**

חָרַשׁ בַּרְזֶל מַעֲצָד וּפָעַל בַּפֶּחָם וּבַמַּקָּבוֹת יִצְּרֵהוּ וַיִּפְעָלֵהוּ בִּזְרוֹעַ כֹּחוֹ גַּם־רָעֵב וְאֵין כֹּחַ לֹא־שָׁתָה מַיִם וַיִּיעָף׃

O ferreiro faz o machado, trabalha nas brasas e forma um ídolo. Yahweh denunciou a *equipe de fabricantes de ídolos* (vss. 12-20). Ver algo similar em Is 41.6,7, onde os artífices se encorajam mutuamente em seus labores nefandos, esperando fabricar alguns bons deuses que os ajudem a escapar do látego dos assírios. Alguns ídolos eram de madeira ou pedra cruamente moldados, mas outros eram trabalhos fantásticos. Quando os ídolos eram feitos de metal, como o chumbo, eram cobertos com os metais nobres, como ouro ou prata. Esse processo requeria técnica. Portanto, temos aqui um ferreiro fazendo a sua parte. Ele usa instrumentos especiais para bater o metal quente a fim de obter o formato desejado. Ele precisa ter braço forte para o trabalho. Embora estivesse fazendo um *deus*, fica faminto, e assim perde as energias para trabalhar. Ele fica com sede e cansado, apesar de sua "obra divina". O texto pode dar a entender que o homem é diligente, mas pobre, ao passo que o "deus" não dá a seu fabricante nem mesmo o suficiente para ele comer e beber, embora seja um servo especial do ídolo e, de fato, o fabricante do deus. Temos nisso um grande absurdo: o fabricante de um deus ficando com fome! Isso demonstra a impotência das divindades fabricadas pelos homens. Talvez tenhamos aqui um comentário sobre o *zelo* do fabricante de ídolos, e não sobre a sua pobreza. Enquanto ele fabrica o ídolo, fica tão entretido que não para nem para comer nem para beber, pelo que se exaure. Mas que é isso para um esforço que resulta no nada?

Quarta Estrofe: O Carpinteiro (44.13)

■ **44.13**

חָרַשׁ עֵצִים נָטָה קָו יְתָאֲרֵהוּ בַשֶּׂרֶד יַעֲשֵׂהוּ בַּמַּקְצֻעוֹת וּבִמְחוּגָה יְתָאֳרֵהוּ וַיַּעֲשֵׂהוּ כְּתַבְנִית אִישׁ כְּתִפְאֶרֶת אָדָם לָשֶׁבֶת בָּיִת׃

O artífice em madeira estende o cordel e, com o lápis, esboça uma imagem. Agora temos um ídolo de madeira que requer as habilidades de um especialista em xilogravura. O homem tem um plano e instrumentos de medição e corte. Ele seleciona cuidadosamente a madeira que empregará na tarefa. Assim, fabricará um excelente *ídolo doméstico,* uma imagem para ser admirada por muitos, diante da qual as pessoas se prostrem, adorem e profiram orações tolas. Um artífice em madeira faz muitos objetos e, ocasionalmente, faz um deus para ser vendido. Ele pode fazer qualquer tipo de coisa a partir da mesma peça de madeira. Não existe madeira profana nem madeira divina, mas o material usado torna-se profano ou divino, de acordo com a vontade do carpinteiro. Portanto, que grande poder ele tem! Cf. Horácio, *Satyr,* lib. l. viii:

> Antigamente, eu era o tronco de uma figueira, um tronco inútil de madeira; quando o carpinteiro, depois de alguma hesitação entre fazer um deus ou uma banqueta, finalmente resolveu fazer para mim um deus. E assim tornei-me um deus!

Horácio, tal como o profeta, falou em *cortante ironia,* conforme a natureza dos vss. 10-17. A mesma peça tornou-se ainda combustível para uma fogueira, para cozinhar o almoço de um homem, ou para fazer para ele um deus, tudo dependendo da vontade do carpinteiro!

Quinta Estrofe: Madeira como Combustível ou para Fabricar um Deus (44.14,15)

■ **44.14,15**

לִכְרָת־לוֹ אֲרָזִים וַיִּקַּח תִּרְזָה וְאַלּוֹן וַיְאַמֶּץ־לוֹ בַּעֲצֵי־יָעַר נָטַע אֹרֶן וְגֶשֶׁם יְגַדֵּל׃

וְהָיָה לְאָדָם לְבָעֵר וַיִּקַּח מֵהֶם וַיָּחָם אַף־יַשִּׂיק וְאָפָה לָחֶם אַף־יִפְעַל־אֵל וַיִּשְׁתָּחוּ עָשָׂהוּ פֶסֶל וַיִּסְגָּד־לָמוֹ׃

Um homem corta para si cedros, toma um cipreste ou um carvalho. Embora seja apenas um ser humano, o carpinteiro tem uma decisão momentosa a tomar. Da mesma peça de madeira (seja cedro, cipreste ou carvalho, todas as três madeiras de grande duração), ele pode fabricar um deus ou fazer uma fogueira. Sendo plantador de florestas, ele plantou pessoalmente as árvores, ou escolheu certas árvores na floresta, a fim de usar a madeira. Uma vez que as chuvas tenham levado uma árvore a certo tamanho, ele corta as que mais lhe convierem. Ele pode precisar fazer uma fogueira para aquecer-se na estação do inverno. Também pode querer cozinhar seu almoço. Ou então pode usar parte da madeira para esses propósitos profanos, e outra parte para fabricar seu deus (vs. 15). O que acontece à madeira depende da vontade todo-poderosa do carpinteiro, o qual tem nas mãos as questões de vida e morte!

Essa é outra forma de ironia cortante, cujo fim é fazer os homens despertar de tal ilusão; mas o negócio de fabricação de ídolos produzia um bom dinheiro. É um negócio irracional, apreciado entre os pagãos, pelo que os homens continuam insensíveis para com o absurdo. Esse "sábio" carpinteiro não meramente vende os ídolos a outras pessoas, mas prepara um ídolo para si mesmo, e acaba prostrando-se e adorando o tronco de madeira que ele mesmo transformou em um deus doméstico qualquer! Sabemos quão absurdo é isso tudo, mas fazemos o mesmo com nossos ídolos: dinheiro, poder, fama e prazeres. Até mesmo o trabalho de um homem pode tornar-se seu ídolo, quando ele negligencia outros valores e torna-se um viciado no trabalho.

Sexta Estrofe: Do Resto Sai um Deus (44.16,17)

■ **44.16,17**

חֶצְיוֹ שָׂרַף בְּמוֹ־אֵשׁ עַל־חֶצְיוֹ בָּשָׂר יֹאכֵל יִצְלֶה צָלִי וְיִשְׂבָּע אַף־יָחֹם וְיֹאמַר הֶאָח חַמּוֹתִי רָאִיתִי אוּר׃

וּשְׁאֵרִיתוֹ לְאֵל עָשָׂה לְפִסְלוֹ יִסְגָּד־לוֹ וְיִשְׁתַּחוּ וְיִתְפַּלֵּל אֵלָיו וְיֹאמַר הַצִּילֵנִי כִּי אֵלִי אָתָּה׃

Metade queima no fogo, e com ela coze a carne para comer. Continua aqui a descrição do trabalho efetuado por um carpinteiro. A diatribe irônica adiciona absurdo ao absurdo na tentativa de levar os homens a perceber a total insensatez dos ídolos e seus fabricantes. A ideia do vs. 15 é apresentada de forma mais elaborada. Neste versículo, entretanto, vemos o homem queimando metade de seu pedaço de madeira para aquecer água ou para cozinhar. No vs. 17, ele usa o resto da madeira para fabricar um ídolo.

Note o leitor como a *mera chance* termina trazendo um *deus* à existência. Conta-se a história de como Diágoras de Melo, um bem conhecido ateu, lançou um Hércules de madeira em sua lareira para queimá-lo, ordenando que aquele deus-herói realizasse um décimo terceiro trabalho, *ou,* simplesmente, se assim preferisse, cozinhasse o seu jantar! E assim encontramos o ridículo espetáculo de um ateu sabendo mais do que teístas mal orientados. John Gill (*in loc.*) chamou essa "arte" do fabrico de ídolos de "estupidez monstruosa".

Sétima Estrofe: A Cegueira da Adoração aos Ídolos (44.18-20)

■ **44.18**

לֹא יָדְעוּ וְלֹא יָבִינוּ כִּי טַח מֵרְאוֹת עֵינֵיהֶם מֵהַשְׂכִּיל לִבֹּתָם׃

Nada sabem, nem entendem. Os olhos e a mente dos fabricantes de ídolos e adoradores de ídolos estão fechados. Eles são afetados por uma espécie de cegueira que prejudica a alma, marcando-a para julgamento. Diz o hebraico, literalmente: "Seus olhos estão lambuzados" com alguma espécie de material que lhes impede a visão. Havia um rito judicial no qual os olhos de um criminoso eram lambuzados com lama para que o homem ficasse cego. Assim também, Yahweh subentende aqui que essa gente (os fabricantes e adoradores de ídolos) sofreu uma cegueira judicial devido a seus atos criminosos. Ver Rm 1.20-28. Os intérpretes usam a expressão *cegueira judicial* para indicar a cegueira infligida por Deus, pelo que os homens que se recusam a ver acabam impedidos de ver.

■ **44.19**

וְלֹא־יָשִׁיב אֶל־לִבּוֹ וְלֹא דַעַת וְלֹא־תְבוּנָה לֵאמֹר חֶצְיוֹ שָׂרַפְתִּי בְמוֹ־אֵשׁ וְאַף אָפִיתִי עַל־גֶּחָלָיו לֶחֶם אֶצְלֶה בָשָׂר וְאֹכֵל וְיִתְרוֹ לְתוֹעֵבָה אֶעֱשֶׂה לְבוּל עֵץ אֶסְגּוֹד׃

Nenhum deles cai em si, já não há conhecimento. Os cegos, que também são homens de mente bitolada, fazem todo o trabalho de cultivar árvores para sua "arte" e então usam a mesma madeira para cozinhar uma refeição e para fabricar um "deus", mas não percebem o absurdo do que estão fazendo. Eles têm uma cegueira e uma insanidade especializada. Em lugar de fabricar algo realmente divino, eles fazem uma *abominação.* O próprio Yahweh assim caracteriza as cogitações dos fabricantes de ídolos. Eles fazem algo *detestável,* algo a ser *desprezado e odiado,* em vez de adorado. O profeta Isaías, com sua fé invencível no único verdadeiro Deus, tão diferente que é ele dos homens, e que habita nos céus, não conseguia compreender a mentalidade dos fabricantes de ídolos, e assim produziu uma elaborada e cortante sátira sobre a questão da idolatria. Adorar a madeira é sujeitar a mente ao empreendimento mais vil de que um homem é capaz.

■ **44.20**

רֹעֶה אֵפֶר לֵב הוּתַל הִטָּהוּ וְלֹא־יַצִּיל אֶת־נַפְשׁוֹ וְלֹא יֹאמַר הֲלוֹא שֶׁקֶר בִּימִינִי׃ ס

Tal homem se apascenta de cinza; o seu coração enganado o iludiu. Tanto o fabricante quanto o adorador de ídolos é homem de *mente iludida.* Ele se alimenta de cinzas. Sendo cego, fica permanentemente cego pelo julgamento judicial divino. Não consegue mais perceber que sua mão direita *produz mentiras,* ou seja, ídolos, que enganam a ele mesmo, como fabricante, bem como àqueles a quem ele vende os seus produtos. "Para Jeremias, os deuses eram mero vapor e vaidade (ver Jr 2.5; 10.8; 14.22), não eram verdadeiros *deuses* (2.11 e 5.7), mas *coisas detestáveis* (4.1; 7.30; 13.28; 16.18. Cf. Dt 29.16). Eram blocos deformados de ídolos de estrumo" (James Muilenburg, *in loc.*).

"O coração e a vontade desviam-se primeiro, depois seguem-se o intelecto e a vida (Rm 1.28; Ef 4.18). O produto da mão do homem consiste em autoengano!" (Fausset, *in loc.*). Cf. Is 12.1: "Efraim alimenta-se do vento". Ele se alimenta de *palha* (Jr 23.28) e se apascenta de cinza (versículo presente), e assim morre espiritualmente, por falta da nutrição apropriada. Os ídolos de um homem matam sua alma de inanição. Os ídolos trazem morte, ao invés da vida. Morrendo de fome, o homem perde sua capacidade de mudar. Ele morrerá em sua miséria autocultivada.

ISRAEL É ADVERTIDO (44.21-23)

■ **44.21**

זְכָר־אֵלֶּה יַעֲקֹב וְיִשְׂרָאֵל כִּי עַבְדִּי־אָתָּה יְצַרְתִּיךָ עֶבֶד־לִי אַתָּה יִשְׂרָאֵל לֹא תִנָּשֵׁנִי׃

Lembra-te destas cousas, ó Jacó, ó Israel, porquanto és meu servo. Yahweh, tendo terminado sua diatribe contra os fabricantes e adoradores de ídolos, agora a aplica a Israel. Ele esperava mais deles, que deveriam evitar o absurdo da "arte" dos ídolos. Seu povo foi chamado para ter em mente o que ele havia dito. Os israelitas deviam ser distintos dos pagãos, pois eram o povo de Deus e os servos de Deus. Foi ele quem os fez (Is 43.1,7; 44.2). Eles eram seu produto ímpar e distintivo por meio da lei (ver Dt 4.4-8). O Senhor nunca os esqueceria, por causa do pacto entre eles. Ver sobre o pacto abraâmico em Gn 15.18.

Estes versículos continuam as ideias dos vss. 6-8. É notável o contraste entre Israel e os povos iludidos, fabricantes e adoradores de ídolos (vss. 9-20, contrastados com os vss. 21 ss.). Israel fora *remido,* em contraste com os povos autoiludidos, que acabaram apanhados em sua estupidez. Yahweh não é o tronco de uma árvore moldado por mãos humanas. É o Deus do alto, que pode satisfazer toda necessidade humana. As pessoas iludidas eram servas das vaidades e abominações, que as contrastavam com os servos do Deus vivo, o qual, ocasionalmente, revelava seu poder e presença por meio da glória *shekinah* no templo, dando evidências de sua proteção, orientação e cuidado.

■ **44.22**

מָחִיתִי כָעָב פְּשָׁעֶיךָ וְכֶעָנָן חַטֹּאותֶיךָ שׁוּבָה אֵלַי כִּי גְאַלְתִּיךָ׃

Desfaço as tuas transgressões como a névoa. Yahweh tinha tratado com o problema do pecado dos filhos de Israel. Eles não tinham sido cegados judicialmente, como era o caso dos pagãos. Deus tomou sua grande vassoura celestial e varreu para longe os pecados deles. Portanto, esses pecados caíram no esquecimento, ao passo que as próprias pessoas passavam para a glória celestial. Cf. a metáfora do "apagar os pecados" em Is 43.25. O vento levou as nuvens, e assim Yahweh, com seu vento celeste, varreu para longe as nuvens negras das transgressões humanas. Névoas espessas cobrem o solo e encobrem as montanhas e os vales, mas o sol divino se levanta e logo as névoas são retiradas pelas correntes de ar resultantes do calor. "Tal como o sol matinal, Deus, o Redentor (ver Is 41.14; 63.9) remove o pecado que escurece o céu de Israel" (*Oxford Annotated Bible,* comentando sobre o vs. 22). Tal como o sol e o vento expelem a névoa e a neblina (Jó 30.15), assim Yahweh age em favor de seu povo, no tocante a seus pecados escurecedores.

Porque eu te remi. Cf. Is 1.27; 29.22; 35.9; 43.1; 44.22,23; 48.20; 51.11; 52.3,9; 62.2; 63.4,9. Ver no *Dicionário* o artigo chamado *Redenção (Redentor).*

O CÂNTICO UNIVERSAL DE LOUVOR: DO CÉU, DA TERRA E DO SHEOL (44.23)

■ **44.23**

רָנּוּ שָׁמַיִם כִּי־עָשָׂה יְהוָה הָרִיעוּ תַּחְתִּיּוֹת אָרֶץ פִּצְחוּ הָרִים רִנָּה יַעַר וְכָל־עֵץ בּוֹ כִּי־גָאַל יְהוָה יַעֲקֹב וּבְיִשְׂרָאֵל יִתְפָּאָר׃ פ

Regozijai-vos, ó céus, porque o Senhor fez isto. Os céus e a terra foram convidados a celebrar a redenção de Yahweh. Grandes boas-novas tinham chegado. Os céus cantam acerca da questão. A redenção foi conseguida. A terra transformou o tema em canção. "O profeta estava acostumado com a crença popular dos céus, das estrelas e dos luminares maiores cantando (ver Is 40.26). A expansão inteira do firmamento deve ressoar com a alegria causada por esse feito de Deus... até os mais profundos *abismos* e as cavernas ocultas despertarão ao sonido do coro universal e juntarão a isso suas vozes. As *montanhas,* com sua antiga segurança e força, darão jubiloso testemunho (cf. Is 41.19,20). As *florestas* também interromperão o seu silêncio (ver Is 55.12,13). A *natureza* entrega suas grandes boas-novas que vinham sendo proclamadas o tempo todo:

> Yahweh redimiu a Jacó, e glorificar-se-á em Israel!
> James Muilenburg, *in loc.*

Cf. este versículo com Jr 51.48 e Ap 1.12 e 18.20.

Ó profundezas da terra. Essas profundezas, tal como em Ef 4.9, equivalem ao sheol ou hades. Até mesmo eles, que geralmente são concebidos como lugares que não ecoam nenhum cântico ou louvor (ver Sl 46.5; 88.12; Is 38.18), são aqui convidados a juntar-se à grande doxologia. Assim sendo, temos o tríplice testemunho do louvor: os céus, a terra e o sheol. Jesus, o Cristo, teve uma missão tridimensional que incluiu todas as regiões da criação na esfera da redenção. Ver na *Enciclopédia de Bíblia, Teologia e Filosofia* o artigo chamado *Descida de Cristo ao Hades*.

A UNÇÃO E A MISSÃO DE CIRO (44.24—45.13)

Primeira Estrofe (44.24-28)

■ 44.24

כֹּה־אָמַר יְהוָה גֹּאֲלֶךָ וְיֹצֶרְךָ מִבָּטֶן אָנֹכִי יְהוָה עֹשֶׂה כֹּל נֹטֶה שָׁמַיִם לְבַדִּי רֹקַע הָאָרֶץ מִי אִתִּי

Assim diz o Senhor, que te redime, o mesmo que te formou desde o ventre materno. O *Redentor* é o *Criador* que exerce autoridade sobre todas as coisas, tanto mediante a criação como mediante seu ato remidor. "Vss. 24-29: Um prólogo histórico-profético, que sumaria os poemas anteriores, e chega ao clímax, quando Deus designa Ciro como seu pastor (termo sinônimo de rei; ver Jr 23.4)" (*Oxford Annotated Bible*, comentando sobre o vs. 24). Este poema compõe-se de três longas estrofes: vss. 24-28; vss. 45.1-7; vss. 9-13. Esta seção, que menciona nominalmente Ciro, tem levado muitos eruditos a considerá-la histórica, e não profética, em atribuição a um autor diferente, ou seja, o segundo Isaías, ou outro qualquer. Ver a seção IV da *Introdução* que trata das questões de autoria e data.

A introdução (primeira estrofe) contém todos os elementos distintivos sobre o autor; a redenção; a criação; a história teísta da terra; o monoteísmo; a profecia sobre a soberania de Deus; e o propósito divino que permeia todas as coisas. A criação e a história estão intimamente ligadas, formando uma unidade que não pode ser separada (ver Is 40.12-31). E a história está intrinsecamente ligada ao propósito redentor de Deus. A soberania de Deus sobre Israel é inerente ao fato de ser ele o Criador. Cf. o vs. 2 do presente capítulo, bem como Is 43.1,7,21. Foi Yahweh quem *estendeu os céus* e formou a terra (cf. Is 40.22 e 42.5), pelo que ele exerce autoridade sobre todas as coisas. Cf. Am 4.13; 5.8,9 e 9.5,6.

E sozinho espraiei a terra. *Quem Estava Comigo?* é uma adição do manuscrito hebraico dos Papiros do mar Morto, com os quais concordam as versões da Septuaginta e da Vulgata Latina. Temos aqui outro incidente em que os manuscritos hebraicos da coletânea dos Papiros do mar Morto concordam com as versões, em contraposição ao texto massorético. Dou outros exemplos e discuto esse fenômeno e seu significado para a crítica textual do Antigo Testamento, em Is 26.19. Esta parte do versículo deve ser comparada a Is 40.13; 63.3 e Jó 9.8.

■ 44.25

מֵפֵר אֹתוֹת בַּדִּים וְקֹסְמִים יְהוֹלֵל מֵשִׁיב חֲכָמִים אָחוֹר וְדַעְתָּם יְשַׂכֵּל׃

Que desfaço os sinais dos profetizadores de mentiras. Em Yahweh está a própria fonte de todo o conhecimento, pelo que todos os *imitadores* serão confundidos. Essas palavras recuam às obras nefandas dos fabricantes e adoradores de ídolos (vss. 9-20), mas a ideia é expandida para incluir várias formas da religião pagã. Os ídolos são mentiras, e aqueles que os fabricam são criadores de mentiras, enganadores do próximo (vs. 20; as mentiras são o produto de suas mãos). Além desses, há *profetas mentirosos* (NCV), que entregam falsos oráculos e dão falsos sinais. Além disso, os operadores de mágica misturam-se aos atos pagãos e produzem os seus disparates. São meros insensatos que brincam de *adivinhar* (ver no *Dicionário* o verbete chamado *Adivinhação*). Yahweh lançará todos esses na mais completa confusão.

Os *sábios*, de acordo com os padrões humanos, que se distinguem entre os homens, não passam de toleirões aos olhos de Yahweh. Isso inclui os praticantes de magia negra e branca, mas também os mestres. Em contraste, aparecem as profecias de Yahweh (incluindo aquela sobre Ciro), que produzirão coisas novas e surpreendentes: a volta de Israel do cativeiro babilônico e, eventualmente, Israel como cabeça das nações durante a era do reino de Deus (ver Is 24.23). A diatribe é geral, mas com aplicação especial aos oráculos, profetas e sábios da Babilônia que tinham levado Judá para o cativeiro. Todos os propósitos dos povos pagãos serão frustrados, e eles mesmos serão lançados na confusão, pois não perceberam o próprio fim nem a reversão da boa sorte de Judá.

■ 44.26

מֵקִים דְּבַר עַבְדּוֹ וַעֲצַת מַלְאָכָיו יַשְׁלִים הָאֹמֵר לִירוּשָׁלִַם תּוּשָׁב וּלְעָרֵי יְהוּדָה תִּבָּנֶינָה וְחָרְבוֹתֶיהָ אֲקוֹמֵם׃

Que confirmo a palavra do meu servo, e cumpro o conselho dos meus mensageiros. Em contraste com os profetas pagãos, mágicos e sábios que não previram a própria condenação nem a reversão da sorte de Judá, estavam os profetas de Judá, como Isaías e Jeremias, os quais previram claramente a restauração, a reconstrução de Jerusalém, as cidades de Judá, o templo de Jerusalém e um novo dia para a nação. O *servo do Senhor* provavelmente era Isaías e outros como ele, por implicação. Alguns estudiosos emendam essa palavra para sua forma no plural, *servos*, mas isso é desnecessário. Veremos Ciro como servo de Deus e pastor (outro nome para rei); mas ele não está em vista aqui, pois não era uma figura profética.

■ 44.27

הָאֹמֵר לַצּוּלָה חֳרָבִי וְנַהֲרֹתַיִךְ אוֹבִישׁ׃

Que digo à profundeza das águas: Seca-te. Considere o leitor estes três pontos:

1. Pode haver aqui uma alusão ao controle sobre o *caos* primitivo, por parte de Yahweh, na ocasião da criação, o *tehom rabbah* de Is 51.10. Mediante essa referência, devemos entender que o poder capaz de fazer isso pode fazer qualquer coisa, incluindo a reintegração de Judá à sua terra natal (vs. 26).
2. Ou a alusão é ao mar Vermelho, que foi aberto e controlado para permitir que Israel atravessasse a pé enxuto (ao passo que seus inimigos, os egípcios, foram destruídos) e daí partisse para a conquista da Terra Prometida. Nesse caso, devemos pensar em uma nova conquista (livramento da Babilônia e reconstrução de Jerusalém), o início de uma nova nação, por meio da tribo de Judá.
3. Ou então a alusão é ao desvio do rio Eufrates de seu leito (o qual assim secará), o que permitiu a Ciro e seus exércitos a conquista da Babilônia e, subsequentemente, a libertação de Judá do cativeiro. O rio Eufrates foi desviado para o canal de Sefarvaim, e o caminho foi aberto para os exércitos invasores. Ver Heródoto, *História* i.181. Aquele rio era um emblema do poder da Babilônia, pelo que ambos caíram juntos diante de um poder superior, e o reino de terror da Babilônia, naquela parte do mundo, chegou ao fim. Cf. Jr 50.38 e 51.36.

■ 44.28

הָאֹמֵר לְכוֹרֶשׁ רֹעִי וְכָל־חֶפְצִי יַשְׁלִם וְלֵאמֹר לִירוּשָׁלִַם תִּבָּנֶה וְהֵיכָל תִּוָּסֵד׃ ס

Que digo de Ciro: Ele é meu pastor, e cumprirá tudo o que me apraz. Este versículo atua como clímax da estrofe de introdução. Chegamos assim a *Ciro*, o qual é tanto servo como pastor de Yahweh, enviado para cuidar de Judá em um momento crítico de sua história. O servo-pastor cumpriria o propósito de Yahweh naquele estágio da história. Um novo período foi iniciado. Foi o fim da era dos semitas. Agora o poder passava para povos de línguas indo-europeias. A marcha da história se movia para o ocidente. De Ciro, da Média-Pérsia, passaria para os gregos; destes para os romanos; para os países europeus; para a Inglaterra; e para os Estados Unidos da América. E o que restará mais ainda? A China. Por quanto tempo mais o *movimento ocidental* dominará a história mundial? Teremos de esperar para descobrir. Seja como for, ver Is 13.6 quanto ao controle divino dos acontecimentos humanos, as operações da soberania e *Providência de Deus*.

Esta profecia tem seu escopo na fuga de Judá da Babilônia e na reconstrução do seu templo. Mediante *aplicação*, ainda que não através de interpretação, podemos falar sobre a restauração da era do reino.

Os medos e os persas capturaram a Babilônia em 539 a.C. (ver Dn 5.30). No ano seguinte foi expedido o decreto de Ciro, libertando os judeus do exílio babilônico. Ver 2Cr 36.22,23 e Ed 1.1-4. O segundo templo de Jerusalém foi terminado em 515 a.C. Então, em 444 a.C., Neemias foi a Jerusalém reconstruir as muralhas da cidade (ver Ne 1-2 e Dn 9.25).

"Cada página da história pode começar e terminar com a exclamação: Deus é grande, e maravilhosos são os seus feitos entre os filhos dos homens; e desafio qualquer homem a penetrar os segredos e as leis dos eventos sem algum vislumbre de fé. Ele poderá contemplar e ver como que o piscar das estrelas e dos planetas, e medir suas distâncias e movimentos; mas a vida da história escapará da atenção dele. Ele poderá empilhar um montão de pedras, mas não chegará à própria alma das coisas" (George Bancroft).

CAPÍTULO QUARENTA E CINCO

Não há interrupção entre os capítulos 44 e 45 do livro de Isaías. Estamos seguindo um poema dotado de três estrofes: Is 44.24-28 (a declaração introdutória); 45.1-7; e 45.9-13. O grande assunto é como Ciro e seus exércitos fizeram a história da humanidade mudar para outro plano. Ver as notas sobre Is 44.28 e quanto a ideias concernentes.

Segunda Estrofe: A Comissão de Ciro (45.1-7)

■ **45.1**

כֹּה־אָמַר יְהוָה לִמְשִׁיחוֹ לְכוֹרֶשׁ אֲשֶׁר־הֶחֱזַקְתִּי בִימִינוֹ לְרַד־לְפָנָיו גּוֹיִם וּמָתְנֵי מְלָכִים אֲפַתֵּחַ לִפְתֹּחַ לְפָנָיו דְּלָתַיִם וּשְׁעָרִים לֹא יִסָּגֵרוּ׃

Assim diz o Senhor ao seu ungido, a Ciro, a quem tomo pela mão direita. Ciro tinha uma missão a cumprir. Que o leitor considere estes cinco pontos:
1. Liberar o mundo do domínio babilônico, para pôr fim ao pesadelo babilônico.
2. Vingar contra aquela potência todas as barbaridades que os babilônios tinham infligido a outros povos.
3. Liberar Judá do cativeiro e tornar possível a restauração de Jerusalém e Judá. Isso significava a continuação do povo de Israel, através de uma tribo, Judá, e armou o palco para toda a história que se seguiria, incluindo a era do reino, quando Israel se tornar cabeça das nações (Is 24.23).
4. Como é óbvio, a restauração de Israel possibilitou a vinda do Messias para ser o Salvador do mundo inteiro. Portanto, o edito de Ciro tornou-se possível até a existência da igreja cristã.
5. Com Ciro, terminou a época dos povos semitas, e o poder da civilização passou para nações de língua indo-europeia, caminhando na direção do ocidente. Comento sobre isso em Is 44.28. Ciro foi a *mão* de Deus quanto a todos esses propósitos. Ver sobre *mão* no *Dicionário* e também Sl 81.14, onde apresento uma nota de sumário, sobre *mão direita* em Sl 20.6 e sobre *braço* em Sl 77.15; 89.10 e 98.1.

Ao seu ungido. Descrição incomum para indicar um pagão. O título foi dado depois que Ciro foi chamado de "pastor". A combinação fornece licença para que alguns intérpretes chamem Ciro de tipo de Cristo.

"Esta é a única instância onde a palavra 'ungido' é aplicada a um gentio. Nabucodonosor foi chamado de 'servo' de Yahweh (ver Jr 25.9; 27.6 e 43.10). Isso, juntamente com a designação 'meu pastor' (Is 44.28), também um título messiânico, assinalou Ciro como notável exceção, um tipo gentílico de Cristo. Os pontos são: 1. ambos são irresistíveis conquistadores dos inimigos de Israel (Is 45.1; Ap 19.19-21); 2. ambos são restauradores da cidade santa (Is 44.28; Zc 14.1-11); 3. por meio de ambos, o nome do verdadeiro Deus é glorificado (Is 45.6; 1Co 15.28)" (*Scofield Reference Bible*).

E descingir os lombos dos reis. Ou seja, debilitá-los; levá-los à queda e à sujeição; desarmá-los, visto que a espada ficava pendurada do cinto.

Para abrir diante dele as portas. As portas de todas as cidades que Ciro conquistou, incluindo as famosas cem portas da Babilônia (Heródoto, *História* i.179). "As portas do palácio foram abertas, imprudentemente, por ordem do rei, para ver o que seria todo aquele tumulto. Dois grupos de soldados, guiados por Gobrias e Gadatis, se precipitaram. E tomaram possessão do palácio, e o rei da Babilônia foi executado" (Adam Clarke, *in loc.*, dando informações que foram fornecidas por Xenofonte, *Cyrop*. vii. par. 528).

Ver no *Dicionário* o detalhado artigo sobre *Ciro*, que conta a história toda, preenchendo panos de fundo históricos e detalhes interessantes. Estão incluídas fontes de informação, entre as quais evidências arqueológicas.

■ **45.2**

אֲנִי לְפָנֶיךָ אֵלֵךְ וַהֲדוּרִים אושר דַּלְתוֹת נְחוּשָׁה אֲשַׁבֵּר וּבְרִיחֵי בַרְזֶל אֲגַדֵּעַ׃

Eu irei adiante de ti, endireitarei os caminhos tortuosos. Este versículo amplia o que é dito no vs. 1, onde forneço amplas notas expositivas. Yahweh, falando aqui na primeira pessoa do singular, declarou enfaticamente sua orientação e poder dados a Ciro. Isso posto, somos remetidos à tese discutida em Is 13.6, o controle divino da vida humana. Ciro e seus exércitos marchariam por um terreno fácil e nivelado, porquanto todos os obstáculos e lugares altos seriam nivelados. Ver um fraseado similar em Is 40.3,4, a preparação para a vinda do Messias. As fortificações das nações, seus portões e suas barras seriam cortados em pedaços. Nenhum poder na terra seria capaz de deter Ciro. Ele era o homem da hora e desempenharia a contento seu papel, a fim de cumprir sua missão, o que comento no vs. 1. Cf. Sl 107.16. Heródoto (*História* i.179) fala sobre a questão: "Ao redor das muralhas da Babilônia havia cem portões, todos de bronze, com vergas e batentes de bronze". Quanto à destruição da Babilônia, que foi tão grande que a tornou desabitada e impossível de ser ocupada, ver Is 13.19-22. Estritamente falando, foi Dario (rei depois de Ciro) quem demoliu os famosos portões da Babilônia.

■ **45.3**

וְנָתַתִּי לְךָ אוֹצְרוֹת חֹשֶׁךְ וּמַטְמֻנֵי מִסְתָּרִים לְמַעַן תֵּדַע כִּי־אֲנִי יְהוָה הַקּוֹרֵא בְשִׁמְךָ אֱלֹהֵי יִשְׂרָאֵל׃

Dar-te-ei os tesouros escondidos, e as riquezas encobertas. *Xenofonte* disse-nos que fora informado por Gobrias que a Babilônia tinha enormes riquezas materiais (*Cryop*. V. 2.8). Grande parte dessas riquezas tinham sido obtidas mediante saque. Tudo isso se tornou de Ciro, quando ele derrotou a potência semita. Babilônia era a mais rica cidade do mundo naquela época (Plínio, *História Natural*, xxxiii.15). Todos aqueles tesouros secretos e estoques de riquezas seriam descobertos e possuídos por Ciro. Cf. Jó 3.21 e Pv 2.4. Plínio diz que ele descobriu 34 mil libras de ouro, vasos de ouro de peso desconhecido, além de 15 mil libras de prata e outros tesouros de valor indeterminado.

A expressão "tesouros escondidos" alude ao antigo costume de sepultar ou esconder tesouros no chão e em outros lugares secretos, por temor dos ladrões e a fim de manter a privacidade. Yahweh deu todas essas riquezas a Ciro, como salário por ter feito bem o seu trabalho. Yahweh chamou Ciro por seu nome e estabeleceu-o no mundo como a maior potência da sua época. O cilindro de Ciro dá a *Marduque* o crédito pelo sucesso de Ciro, conferindo-nos uma afirmativa muito parecida com a do presente versículo, que o chamava pelo nome etc. Cf. Is 43.1. Para os antigos, o poder de um homem jazia em seu nome, e muito mais quando a divindade lhe era atribuída.

■ **45.4**

לְמַעַן עַבְדִּי יַעֲקֹב וְיִשְׂרָאֵל בְּחִירִי וָאֶקְרָא לְךָ בִּשְׁמֶךָ אֲכַנְּךָ וְלֹא יְדַעְתָּנִי׃

Por amor do meu servo Jacó, e de Israel, meu escolhido, eu te chamei pelo teu nome. Ciro era altamente favorecido por Yahweh, não por causa do que era em si mesmo, mas por ser um bom instrumento para abençoar a Israel, o *eleito* de Deus. Assim, Ciro teve uma eleição secundária, a fim de ser capaz de servir ao *eleito primário*. Yahweh deu-lhe um título honorário. Ele era servo, pastor e escolhido, e seu nome deve ter indicado esses elementos. Ele era "messias" e "pastor", embora, como é óbvio, não fosse "o Messias" e "o Pastor". O próprio Ciro não tinha consciência de que era um vaso escolhido daquela maneira por Yahweh, mas sua ignorância em nada alterou o fato. Ele foi chamado e equipado para ser um vaso especial e cumprir sua missão. Certamente foi uma missão histórica, conforme demonstro no vs. 1 deste capítulo. "Quão espantado teria ficado Ciro (e também todos os seus contemporâneos) se fosse informado de que as conquistas mundiais esmagadoras dos persas visavam o benefício de alguns poucos milhares de cativos judeus na Babilônia" (Henry Sloane Coffin, *in loc.*). Naturalmente, nada disso aconteceu por causa deles somente. Havia outros fatores envolvidos, mas esse era o mais importante item envolvido.

■ **45.5**

אֲנִ֤י יְהוָה֙ וְאֵ֣ין ע֔וֹד זוּלָתִ֖י אֵ֣ין אֱלֹהִ֑ים אֲאַזֶּרְךָ֖ וְלֹ֥א יְדַעְתָּֽנִי׃

Eu sou o Senhor, e não há outro. *O único Deus*, o único Senhor, *Yahweh*, era o poder por trás de Ciro, porquanto não havia outro poder divino. Não há outro Deus além dele. Portanto, visando o benefício de Ciro, são repetidas essas declarações monoteístas enfáticas, as quais já haviam sido atribuídas a Judá. Cf. Is 43.11; 44.6,8. Equivocadamente, Ciro tinha dado crédito ao deus pagão Marduque, mas, na realidade, ele chegara a ocupar a posição que ocupava mediante o poder de Yahweh. Era um instrumento inconsciente. Ciro foi cingido com seu cinto de guerreiro pelo próprio Yahweh, e a espada que estava ali pendurada era a espada do Senhor.

■ **45.6**

לְמַ֣עַן יֵדְע֗וּ מִמִּזְרַח־שֶׁ֙מֶשׁ֙ וּמִמַּ֣עֲרָבָ֔הּ כִּי־אֶ֖פֶס בִּלְעָדָ֑י אֲנִ֥י יְהוָ֖ה וְאֵ֥ין עֽוֹד׃

Para que se saiba até ao nascente do sol e até ao poente, que além de mim não há outro. *Israel* recebeu o testemunho de que Yahweh era o único Deus, o único poder celestial e ativo; *Ciro* recebeu a mesma mensagem; e daí essa mensagem foi transmitida a todas as nações, sem importar onde estivessem, tanto no leste, onde o sol nasce pela manhã, quanto no oeste, onde o sol se põe à noite.

A terra se encherá do conhecimento do Senhor, como as águas cobrem o mar.

Isaías 11.9

"De leste para oeste: o mundo habitado inteiro" (Fausset, *in loc.*). Como é natural, o cumprimento maior disso espera pelo tempo de estabelecimento da era do reino de Deus. Assim sendo, embora a profecia diga respeito a Ciro, deverá ultrapassar em muito sua época, para atingir a concretização total.

■ **45.7**

יוֹצֵ֥ר אוֹר֙ וּבוֹרֵ֣א חֹ֔שֶׁךְ עֹשֶׂ֥ה שָׁל֖וֹם וּב֣וֹרֵא רָ֑ע אֲנִ֥י יְהוָ֖ה עֹשֶׂ֥ה כָל־אֵֽלֶּה׃ ס

Eu formo a luz, e crio as trevas. *Deus É a causa única?* Era uma doutrina hebraica comum que Deus é a causa única de tudo; e isso fazia dele a causa do mal, por igual modo. Vemo-lo aqui a criar o mal e, dependendo de nossa interpretação, podemos atribuir ou não todas as coisas, em sentido absoluto, a Deus. Devemos relembrar que a teologia dos hebreus era fraca quanto a *causas secundárias*, pelo que, equivocadamente, atribuía tudo à agência divina, até mesmo as coisas más. Nossa teologia cristã ultrapassa essa limitação. Além disso, os capítulos anteriores certamente atribuem o mal a causas secundárias, e é somente com base em causas justas que pode haver algum julgamento justo.

Yahweh cria a *luz e as trevas*, literal e figuradamente (moralmente). Ele estabelece a paz e provoca a guerra. Cria o que é bom e o que é terrível. É ele quem faz "todas essas coisas". Essas palavras por certo soam como se Deus fosse a causa única. O livro de Eclesiastes, do começo ao fim, mantém bem alto essa doutrina. Assim também faz o capítulo 9 da epístola aos Romanos. E devo dizer que outras Escrituras, aqui e acolá, veem toda essa doutrina de Deus como a causa única de todas as coisas; mas no todo, a Bíblia e nossa teologia avançaram para além dessa marca, ao reconhecer a existência de *causas secundárias*. Não pode haver responsabilidade moral sem a existência de causas secundárias.

Erskine of Linlathen debateu-se com esse problema: "Não é um mistério que Deus deve ser o *amor onipotente*, e, no entanto, por que o mundo é um vasto caldeirão, fervendo de violência, poluição e miséria?" Caros leitores, não há mistério algum nisso, embora existam muitos mistérios. Solucionamos esse mistério dizendo simplesmente: "Essa ideia é reflexo de uma teologia má". Há o difícil *Problema do Mal* (ver no *Dicionário*): o *mal moral* (coisas terríveis que os homens praticam contra os semelhantes); e o *mal natural*, os abusos da natureza, incêndios, terremotos, inundações, acidentes, enfermidades e morte. Mas esse problema não será resolvido, se lançarmos tudo na conta de Deus.

Platão certamente tinha razão quando disse: "Deus, se ele é bom, não é o autor de todas as coisas, conforme muitos asseveram, mas é a causa somente de algumas coisas, e não da maior parte das coisas que acontecem aos homens. Pois poucos são os pontos bons da vida humana, e muitos são os males; e somente o que é bom deve ser atribuído a ele. Quanto ao que é mal, outras causas têm que ser descobertas" (A *República*, II, 379). Ver no *Dicionário* os verbetes chamados *Determinismo* e *Predestinação*.

James Muilenburg tentou aliviar o presente versículo, que parece atribuir a Deus a ideia de ser ele a causa única de todas as coisas, ao destacar somente os desastres físicos, sem tocar nas coisas do espírito; isso não soluciona a questão, mas a atenua um pouco.

HINO À SALVAÇÃO UNIVERSAL (45.8)

■ **45.8**

הַרְעִ֤יפוּ שָׁמַ֙יִם֙ מִמַּ֔עַל וּשְׁחָקִ֖ים יִזְּלוּ־צֶ֑דֶק תִּפְתַּח־אֶ֣רֶץ וְיִפְרוּ־יֶ֗שַׁע וּצְדָקָ֤ה תַצְמִ֙יחַ֙ יַ֔חַד אֲנִ֥י יְהוָ֖ה בְּרָאתִֽיו׃ ס

Destilai, ó céus, dessas alturas, e as nuvens chovam justiça. Antes de entrar na terceira estrofe, o profeta parou para entoar os louvores da provisão universal de Deus. E usou uma metáfora baseada na vida agrícola. Os céus derramam a justiça sobre a terra, como uma chuva agradável, transmissora de vida. A terra sedenta bebe a chuva e corresponde produzindo a verdura saudável da salvação. Ver no *Dicionário* o artigo denominado *Salvação*. Quanto ao Deus da salvação, ver a nota de sumário em Sl 62.2. Ver também Sl 3.8; 9.14; 18.46; 38.22; 50.23; 79.9; 85.4; 119.74; 140.7 e 149.4. Este versículo é uma promessa relativa ao reino de Deus, mas devemos lembrar que a própria era do Reino é um passo na direção da concretização maior das esperanças da salvação, nas eras eternas que se seguirão. "Os dons da salvação são universais (cf. os vss. 6,7); e os céus e a terra corresponderão com júbilo e alegria à redenção universal" (James Muilenburg, *in loc.*). "A salvação, como uma grande colheita, far-se-á sentir. Pessoas de todos os lugares da terra conhecerão o Senhor (vs. 6; 11.9; 2.14)" (John S. Martin, *in loc.*). Ver na *Enciclopédia de Bíblia, Teologia e Filosofia* o artigo chamado *Restauração*.

Terceira Estrofe: A Soberania Divina sobre a Natureza e a História (45.9-13)

■ **45.9**

ה֗וֹי רָ֚ב אֶת־יֹ֣צְר֔וֹ חֶ֖רֶשׂ אֶת־חַרְשֵׂ֣י אֲדָמָ֑ה הֲיֹאמַ֙ר חֹ֤מֶר לְיֹֽצְרוֹ֙ מַֽה־תַּעֲשֶׂ֔ה וּפָעָלְךָ֖ אֵין־יָדַ֥יִם לֽוֹ׃ ס

Ai daquele que contende com o seu Criador! A metáfora do oleiro adverte os homens de rebelar-se contra a soberania divina. Ver no *Dicionário* o artigo chamado *Soberania*. Ciro era o instrumento divino que não podia ser detido. Era como se fosse um segundo Moisés, uma figura do Messias (vs. 1). O livramento divino e a eventual exaltação de Israel sem dúvida ofenderam seus vizinhos, mas isso de ser ofendido não impede as operações de Yahweh no mundo (ver 13.6 quanto a um desenvolvimento do tema). Pedaços quebrados de barro cozido dificilmente podem dizer algo contra o oleiro. O vaso escolhido era Israel, em contraste com os pedaços quebrados de barro queimado. Os pedaços quebrados dificilmente poderiam dizer ao oleiro que ele não tinha mãos, e por isso não podia realizar o que queria. A esses pedaços faltam habilidades criativas. Cf. Gn 2.7; Jr 18.1-10 e Rm 9.20,21.

Essa vontade divina que parecia tão severa, dando a Ciro suas vitórias fáceis, também operaria salvação universal, conforme descobrimos nas estrofes que se seguem. Deus poria a sua soberania por trás do plano de salvação, e não meramente das marchas destrutivas. Mas até mesmo as marchas contribuiriam para o bem de Israel. Divorciar a bondade e a misericórdia da soberania é refletir menos do que Deus é.

■ 45.10

הֹוי אֹמֵר לְאָב מַה־תּוֹלִיד וּלְאִשָּׁה מַה־תְּחִילִין׃ ס

Ai daquele que diz ao pai: Por que geras? O profeta Isaías usa agora uma metáfora diferente. Uma criança ainda não nascida não pode ordenar a seu futuro pai e à sua futura mãe se eles devem ou não iniciar o embrião. O embrião desenvolve-se sob a forma de feto, o feto cresce, e chega o momento do nascimento. Imaginemos que, quando a mãe vai dar à luz, o bebê decida que houve um erro e comece a gritar: "Não sou a favor de meu nascimento!" A metáfora é ridícula, tão ridícula quanto dizer que Deus não podia fazer a Ciro o que quisesse. A metáfora repousa sobre o aparente *acidente* do nascimento e daí passa para a *vontade determinada* de Deus no decurso da história humana. Trata-se de um argumento do menor para o maior.

■ 45.11

כֹּה־אָמַר יְהוָה קְדוֹשׁ יִשְׂרָאֵל וְיֹצְרוֹ הָאֹתִיּוֹת שְׁאָלוּנִי עַל־בָּנַי וְעַל־פֹּעַל יָדַי תְּצַוֻּנִי׃

Assim diz o Senhor, o Santo de Israel, aquele que o formou. Yahweh, o Santo de Israel, trata com os seus filhos (Israel) da maneira que mais lhe agrada, e as nações não podem chamar Deus para prestar contas. Israel tem um relacionamento ímpar com ele e, assim sendo, ele tem uma provisão ímpar para eles. "As obras das minhas mãos" são palavras que generalizam a ideia para incluir os gentios, que também são sua criação e seguem o destino que ele planejou para eles. Yahweh é o Criador de todas as coisas, bem como quem determina a história da humanidade, e não pode ser questionado. Existem *filhos* (Israel) e existem *obras de suas mãos* (os gentios), e ambos seguem os ditames de sua vontade. Os homens são convidados a *questionar Yahweh*, ou seja, consultar os seus oráculos e ouvir as palavras de seus profetas. Dessa maneira, aprenderão o que sua vontade soberana pretende deles. Ou então, na opinião de alguns intérpretes, o *questionamento* não é legítimo, mas vemos aqui as perguntas rebeldes e mal recebidas de homens sobre o que Deus fará com os povos deste mundo.

■ 45.12

אָנֹכִי עָשִׂיתִי אֶרֶץ וְאָדָם עָלֶיהָ בָרָאתִי אֲנִי יָדַי נָטוּ שָׁמַיִם וְכָל־צְבָאָם צִוֵּיתִי׃

Eu fiz a terra, e criei nela o homem. O Criador segue sua própria vontade soberana. Ele formou a terra e estendeu os céus, pelo que é supremo e soberano. Ele ordenou que os exércitos do céu se pusessem em ordem, em suas próprias posições e funções, e também determinou a existência e o destino das nações. Cf. este versículo com Is 40.12-31 e 44.24. "O Criador é, igualmente, o Governante supremo da história, tal como o é da natureza" (Ellicott, *in loc.*). Por conseguinte, o que Deus faria com Ciro era uma questão que só a ele dizia respeito. Cf. Sl 33.9 e 148.5.

■ 45.13

אָנֹכִי הַעִירֹתִהוּ בְצֶדֶק וְכָל־דְּרָכָיו אֲיַשֵּׁר הוּא־יִבְנֶה עִירִי וְגָלוּתִי יְשַׁלֵּחַ לֹא בִמְחִיר וְלֹא בְשֹׁחַד אָמַר יְהוָה צְבָאוֹת׃ פ

Eu na minha justiça suscitei a Ciro, e todos os seus caminhos endireitarei. Como Deus trabalhou na criação, assim ele opera na história contemporânea, ordenando os eventos que ocorrem na existência humana, seja individual, nacional ou internacional. Ciro foi um dos principais elementos da presente ordenação das coisas, o que liberaria Israel e poria outros povos em servidão. Esta passagem repete o divino "eu", o que mostra que a causa real das coisas é divina. Ver Is 13.6 quanto a notas expositivas sobre o conceito. "Deus iria à frente de Ciro, para mostrar-lhe o caminho; ele nivela ou retifica a estrada (cf. o vs. 2). Ele lhe daria sucesso. Ciro não agia por *preço ou recompensa*, ou seja, de acordo com algum expediente humano; e nem agia pelo mundano quiproquó da política ou do poder, ou da diplomacia internacional. Ele obtinha suas conquistas mundiais sob as ordens e liderança do Senhor Deus de Israel, o Senhor da criação e o Senhor da história" (James Muilenburg, *in loc.*). A soberania de Deus operava de acordo com o poder, mas também de acordo com uma causa justa, então temos a comum combinação de *poder e bondade* que caracteriza as declarações concernentes a Yahweh como Deus.

Quarta Estrofe: A Confissão das Nações (45.14,15)

■ 45.14

כֹּה אָמַר יְהוָה יְגִיעַ מִצְרַיִם וּסְחַר־כּוּשׁ וּסְבָאִים אַנְשֵׁי מִדָּה עָלַיִךְ יַעֲבֹרוּ וְלָךְ יִהְיוּ אַחֲרַיִךְ יֵלֵכוּ בַּזִּקִּים יַעֲבֹרוּ וְאֵלַיִךְ יִשְׁתַּחֲוּוּ אֵלַיִךְ יִתְפַּלָּלוּ אַךְ בָּךְ אֵל וְאֵין עוֹד אֶפֶס אֱלֹהִים׃

Assim diz o Senhor: A riqueza do Egito e as mercadorias da Etiópia. Os vss. 14-25 deste capítulo tratam da conversão das nações (cf. Is 2.2-4; 42.1-4; 55.3-5; Jr 16.19-21). E os vss. 14,15 mostram que as riquezas das nações se derramarão sobre Israel, pelo que essa nação assumirá seu lugar como cabeça das nações (cf. Is 24.23). Os gentios reconhecerão o Deus de Israel e se tornarão subservientes a Israel. Antes, as nações aqui listadas serviram de resgate em lugar de Israel (ver Is 43.3). Agora, contudo, seriam beneficiadas, juntamente com Israel. Cf. o vs. 14 com algo similar, que é dito em 1Co 14.25. "Durante o milênio, os gentios perceberão que o Deus de Israel é o único Deus. Pessoas do Egito a Cuxe, e também os sabeus (ver Is 43.3), se mostrarão subservientes a Israel e admitirão que não existe outro Deus (ver Is 45.6,18,21,22. Ver também Zc 14.16-19 e Ml 1.11)" (John S. Martin, *in loc.*). Cf. Is 44.6,8 e 47.8,10, que contêm fortes declarações monoteístas. O monoteísmo consiste em mais do que a crença teórica em um único Deus. Antes, trata da lealdade da alma a esse Deus. Este versículo fala sobre a conversão dos gentios quando o conhecimento de Deus está em todos os lugares e é eficaz para a salvação. Ver Is 11.9. O povo que virá a servir a Israel será alto e forte, mas a vontade de Deus os tornará subservientes a Israel, a fonte das bênçãos para todas as nações, conforme dito no pacto abraâmico (ver Gn 15.18).

■ 45.15

אָכֵן אַתָּה אֵל מִסְתַּתֵּר אֱלֹהֵי יִשְׂרָאֵל מוֹשִׁיעַ׃

verdadeiramente, tu és Deus misterioso, ó Deus de Israel. Talvez Isaías tenha feito essa afirmação, porém o mais provável é que as nações gentílicas tenham-se dirigido a Elohim, o Salvador. Ver no *Dicionário* os artigos denominados *Salvação* e *Salvador, Deus como* e também as notas de sumário em Sl 62.2; 3.8,9; 9.14; 18.46; 38.22; 50.23; 79.9; 85.4; 119.74; 140.7 e 149.4. Quando as nações gentílicas eram cativas à idolatria, Deus se ocultava delas. Muitos deuses interferiam no caminho do entendimento. A percepção de Yahweh como o único Deus (vs. 14) abriu caminho para a revelação e para a subsequente salvação. As palavras deste versículo provavelmente também falam na *transcendência de Deus*, bem como no fato de que ele é *invisível*, em contraste com os ídolos dos gentios. Além disso, os conselhos de Deus estão acima da compreensão humana (ver Rm 11.33-36).

Quinta Estrofe: A Confusão sobre os Fabricantes de Ídolos e a Salvação em Israel (45.16,17)

■ 45.16

בּוֹשׁוּ וְגַם־נִכְלְמוּ כֻּלָּם יַחְדָּו הָלְכוּ בַכְּלִמָּה חָרָשֵׁי צִירִים׃

Envergonhar-se-ão e serão confundidos todos eles. Quando as nações se volverem para o único Deus, o julgamento divino paralelamente sobrevirá aos fabricantes de ídolos. Aqueles que não seguirem a Yahweh nem se submeterem a Israel, enfrentarão severo julgamento. A era do Reino será assinalada pelo colapso da idolatria. As conquistas militares de Ciro foram como que um prelúdio de coisas maiores ainda no futuro. "As ambiguidades da história serão resolvidas no alvorecer da nova era" (James Muilenburg, *in loc.*). "Os fabricantes de ídolos serão condenados (ver Is 44.9-20), mas Israel será salvo" (*Oxford Annotated Bible*, comentando sobre o este versículo). E os que persistirem na idolatria serão envergonhados (ver Is 42.7; 44.9,11; 45.24). Mas Israel jamais se envergonhará (ver Is 54.4; Rm 9.33; 10.11; 1Pe 2.6). Eles serão os beneficiários da salvação divina.

■ **45.17**

יִשְׂרָאֵל֙ נוֹשַׁ֣ע בַּֽיהוָ֔ה תְּשׁוּעַ֖ת עוֹלָמִ֑ים לֹא־תֵבֹ֥שׁוּ וְלֹא־תִכָּלְמ֖וּ עַד־ע֥וֹלְמֵי עַֽד׃ פ

Israel, porém, será salvo pelo Senhor com salvação eterna. Israel faz violento contraste com os fabricantes de ídolos. Os filhos de Israel serão salvos com salvação eterna, em contraste com os povos idólatras, que serão julgados como rebeldes. A referência histórica é aos deuses e ídolos da Babilônia, que sofreriam severo golpe através de Ciro. Mas a profecia aqui também é escatológica, combinando os elementos de julgamento e salvação, algo comum nos escritos de Isaías. A era do Reino terá eventos decisivos. O milênio será um passo na direção do estado eterno, e grande e generalizada salvação será efetuada, tendo Israel como instrumento da graça, tal como a igreja tem agido através dos séculos. Cf. Rm 11.26.

Israel será salvo pelo Senhor. Essa salvação continuará para sempre. E nunca mais Israel será envergonhado.
NCV

A *salvação*, nas páginas do Antigo Testamento, usualmente é o livramento temporal de algum perigo, bem como segurança, prosperidade e participação nas bênçãos do pacto. Porém, quando falamos da salvação escatológica de Israel, temos de falar em termos da salvação evangélica da alma, e não meramente em termos do bem-estar material de uma nação. Ver as notas expositivas em Sl 62.2. Ver no *Dicionário* o artigo chamado *Redenção*.

Sexta Estrofe: Revelação de Yahweh a Israel (45.18,19)

■ **45.18**

כִּ֣י כֹ֣ה אָֽמַר־יְ֠הוָה בּוֹרֵ֨א הַשָּׁמַ֜יִם ה֣וּא הָאֱלֹהִ֗ים יֹצֵ֨ר הָאָ֤רֶץ וְעֹשָׂהּ֙ ה֣וּא כֽוֹנְנָ֔הּ לֹא־תֹ֥הוּ בְרָאָ֖הּ לָשֶׁ֣בֶת יְצָרָ֑הּ אֲנִ֥י יְהוָ֖ה וְאֵ֥ין עֽוֹד׃

Porque assim diz o Senhor que criou os céus, o único Deus. O Criador é o único Deus. Ele formou a terra e tudo quanto há nela: ele estabeleceu a terra por meio de seus decretos, em obediência à sua soberana vontade; ele não deixou o *caos primevo* (Gn 1.2; no hebraico, *tohu*), conforme era. Ele instituiu a boa ordem e a harmonia. Criou a terra para que fosse habitada. Aos habitantes da terra ele revelou sua vontade e sua salvação. Este versículo é acompanhado por outra forte declaração monoteísta, conforme se vê em Is 44.6,8; 45.6,21,22; 46.9 e 47.8,10. O único Deus demanda uma dedicação singular de alma tanto da parte de Israel como da parte das nações gentílicas. Nessa dedicação inclui-se o abandono aos ídolos e aos não deuses (vs. 16), bem como a salvação eterna no verdadeiro Deus. As promessas do pacto, combinadas à assertiva monoteísta, constituem a base da esperança sobre o estado eterno.

■ **45.19**

לֹ֣א בַסֵּ֜תֶר דִּבַּ֗רְתִּי בִּמְקוֹם֙ אֶ֣רֶץ חֹ֔שֶׁךְ לֹ֥א אָמַ֛רְתִּי לְזֶ֥רַע יַעֲקֹ֖ב תֹּ֣הוּ בַקְּשׁ֑וּנִי אֲנִ֤י יְהוָה֙ דֹּבֵ֣ר צֶ֔דֶק מַגִּ֖יד מֵישָׁרִֽים׃

Não falei em segredo, nem em lugar algum de trevas. Embora Deus seja transcendental e misterioso (vs. 15), deixou certas coisas abundantemente claras; elas não são referidas nem em segredo nem nas trevas. Ele retirou o caos que impedia a compreensão das coisas. Produziu harmonia, boa ordem e razão. Ele instruiu o povo de Israel, os descendentes de Jacó, para que o busquem em meio ao caos deste mundo; pois, se assim fizerem, encontrarão bênçãos em sua revelação harmoniosa e também descobrirão o que é moralmente *correto*. Alguns estudiosos ligam isso às promessas relativas ao livramento do cativeiro e à restauração na terra, mas o versículo é mais amplo que isso. Cf. este versículo com Dt 30.11-14. Havia alguns que buscavam revelações. Israel não ficou sem um testemunho adequado. O mundo não foi criado em meio ao caos. De fato, Yahweh interveio no caos primitivo (ver Gn 1.2). Portanto, Deus não se acha nas doutrinas caóticas dos pagãos (o vento dos ídolos; ver Is 41.29). As palavras de Yahweh são práticas, tratando do que é reto, da justiça e da salvação, com benefícios para os homens.

Em lugar algum de trevas da terra. Não está em pauta o hades, conforme alguns supõem, mas qualquer lugar oculto e obscuro que os homens busquem, a fim de encontrar Deus. Estrabão (lib. ix) diz-nos que o oráculo de Delfos ficava em uma caverna de considerável profundidade, cuja abertura não era muito grande. E Diodoro ajuntou que ficava em um dos grandes abismos da terra. Ninguém precisa buscar o verdadeiro Deus em tais lugares. A revelação de Deus é franqueada a todos, está disponível para todos, é eficaz para todos.

Sétima Estrofe: Os Deuses Não Podem Salvar (45.20,21)

■ **45.20**

הִקָּבְצ֥וּ וָבֹ֛אוּ הִֽתְנַגְּשׁ֥וּ יַחְדָּ֖ו פְּלִיטֵ֣י הַגּוֹיִ֑ם לֹ֣א יָדְע֗וּ הַנֹּֽשְׂאִים֙ אֶת־עֵ֣ץ פִּסְלָ֔ם וּמִתְפַּלְלִ֖ים אֶל־אֵ֥ל לֹ֥א יוֹשִֽׁיעַ׃

Congregai-vos, e vinde; chegai-vos todos juntos. O profeta Isaías retorna aqui à impotência dos deuses de nada. "O movimento da escatologia do profeta é perfeitamente claro: o ajuntamento das nações (vs. 20); a derrota dos ídolos e a vitória do monoteísmo (vs. 21); o convite de Yahweh ao mundo inteiro (vs. 22); a confissão das nações (vss. 24,25). O tema dominante da salvação controla o pensamento do profeta" (James Muilenburg, *in loc.*). Cf. este versículo com Is 44.8 e At 15.18 e o vs. 16 deste capítulo.

Os *sobreviventes* das nações (*historicamente,* os que resistiram aos ataques de Ciro; e *profeticamente,* os remanescentes das nações que entraram na era do Reino) são convidados a abandonar, de uma vez por todas, as práticas idólatras e voltar-se para Yahweh, o único verdadeiro Deus, aquele que é capaz de salvar e, realmente, salvará todos os que se achegarem a ele. Esses devem abandonar o caminho do "nenhum conhecimento" e adotar o "conhecimento do Senhor" (Is 11.9). Cf. o vs. 14 e também Ml 1.1; Rm 14.11 e Fp 2.10,11. Os adoradores de ídolos são pessoas ignorantes. Não sabem o que estão fazendo. Seus deuses de nada salvam, mas precisam do Salvador. Ver no *Dicionário* o artigo chamado *Salvador, Deus como*.

■ **45.21**

הַגִּ֧ידוּ וְהַגִּ֛ישׁוּ אַ֖ף יִוָּעֲצ֣וּ יַחְדָּ֑ו מִ֣י הִשְׁמִ֣יעַ זֹאת֩ מִקֶּ֨דֶם מֵאָ֜ז הִגִּידָ֗הּ הֲל֨וֹא אֲנִ֤י יְהוָה֙ וְאֵֽין־ע֤וֹד אֱלֹהִים֙ מִבַּלְעָדַ֔י אֵֽל־צַדִּ֣יק וּמוֹשִׁ֔יעַ אַ֖יִן זוּלָתִֽי׃

Declarai e apresentai as vossas razões. O *monoteísmo* é um assunto antiquíssimo, mas as nações precisaram de longo tempo para aprender essa lição. Ver as notas expositivas sobre o vs. 18, quanto a uma lista de declarações monoteístas enfáticas a respeito. Estamos de volta a essa questão. O único verdadeiro Deus é o Salvador; e, se os homens querem a salvação, devem voltar-se para ele. Por essa razão, Yahweh os convida a aconselhar-se com ele; reunir-se de forma razoável, buscando verdadeiramente a verdade; ouvir as verdades antigas sobre as quais Israel falava o tempo todo, visto que esse povo tinha revelações e verdadeiros profetas. Tal assembleia seria boa para todos, pois os benefícios de que Israel desfrutava em breve também pertenceriam às nações gentílicas. Portanto, Yahweh combina singularidade-retidão-salvação. Coisa alguma parecida com isso poderia ser dita acerca de um ídolo. Ver no *Dicionário* o verbete intitulado *Isaías, seu Conceito de Deus*. Cf. este versículo com Is 42.6,21; Sl 85.10,11 e Rm 3.26.

Quem fez ouvir isto desde a antiguidade? A referência parece ser à *profecia bem-sucedida* que distingue Yahweh dos deuses falsos, tema de Is 41.22; 43.9; 44.7; 46.10; 48.14. Mas as distinções de Yahweh são aquelas do contexto, e não meramente aquelas de um futuro previsor.

Oitava Estrofe: Yahweh é Senhor e Salvador (45.22,23)

■ **45.22**

פְּנוּ־אֵלַי וְהִוָּשְׁעוּ כָּל־אַפְסֵי־אָרֶץ כִּי אֲנִי־אֵל וְאֵין עוֹד׃

Olhai para mim, e sede salvos, vós, todos os termos da terra. Yahweh convidou as nações a aconselhar-se com ele (vs. 21); e agora ele as chama para voltar-se a ele em arrependimento, buscando a salvação no único que pode concedê-la, porquanto não existe outro Deus nem outro Salvador. Novamente, repete-se aqui o forte tema monoteísta, agora vinculado a enfáticas declarações monoteístas. Cf. os vss. 14-17, cujos temas este versículo reitera. "O convite universal está arraigado na realidade e na soberania do único Deus" (James Muilenburg, *in loc.*). Essas palavras antecipam o tipo de evangelho que Jesus anunciava. Ver no *Dicionário* o artigo intitulado *Mistério da Vontade de Deus*; e, na Enciclopédia de Bíblia, Teologia e Filosofia, o artigo chamado *Restauração*.

■ **45.23**

בִּי נִשְׁבַּעְתִּי יָצָא מִפִּי צְדָקָה דָּבָר וְלֹא יָשׁוּב כִּי־לִי תִּכְרַע כָּל־בֶּרֶךְ תִּשָּׁבַע כָּל־לָשׁוֹן׃

Por mim mesmo tenho jurado; da minha boca saiu o que é justo. Haverá sujeição universal a Yahweh. Todos os joelhos se dobrarão diante dele. Note o leitor como os vss. 22,23 unem a *salvação universal à sujeição universal;* e devemos aceitar o mesmo sentido em Fp 2.10, que diz: "Ao nome de Jesus se dobre todo joelho, nos céus, na terra e debaixo da terra". A missão de Cristo é *tridimensional,* tocando em cada esfera da existência: os céus, a terra e o hades. Ver na *Enciclopédia* o artigo chamado *Descida de Cristo ao Hades.* Onde quer que esteja a alma humana, Cristo pode atingi-la com a salvação evangélica, e é isso o que deveríamos esperar do famoso amor de Deus, que alcança a mais elevada estrela e se aprofunda até o mais baixo inferno.

Note o leitor que este versículo assume a forma de um *juramento divino* que não pode ser jamais anulado. A Palavra de Deus é segura; é beneficente; é graciosa; que ela permaneça de pé. "Esta é a mais elevada forma concebível de asserção (cf. Gn 22.16; Jr 22.5; Hb 6.13)" (Ellicott, *in loc.*). Ver também Rm 14.11. As citações do Novo Testamento são similares ao presente versículo e, provavelmente, repousam sobre ele.

Nona Estrofe: A Confissão Universal (45.24,25)

■ **45.24**

אַךְ בַּיהוָה לִי אָמַר צְדָקוֹת וָעֹז עָדָיו יָבוֹא וְיֵבֹשׁוּ כֹּל הַנֶּחֱרִים בּוֹ׃

De mim se dirá: Tão somente no Senhor há justiça e força. Note como a salvação aparece no vs. 22; a sujeição universal está no vs. 23; então a salvação universal volta ao vs. 24, de modo que fica claro que o assunto é a *salvação,* e não a servidão de algum tipo. Os homens chegarão a confessar que sua força e retidão estão em Yahweh.

As pessoas dirão: 'Bondade e poder vêm do Senhor'. Todos os que se têm irado com o Senhor virão a ele e se envergonharão.
NCV

Os que se tiverem rebelado e irado mudarão de ideia. Eles se submeterão e serão salvos. Quanto à *vergonha,* ver a vergonha de adorar ídolos, no vs. 16). Os idólatras não têm vergonha e são rebeldes. Chegarão envergonhados diante de Yahweh; eles se arrependerão e serão salvos. Não há um único caso sem esperança, e a graça divina é persistente.

■ **45.25**

בַּיהוָה יִצְדְּקוּ וְיִתְהַלְלוּ כָּל־זֶרַע יִשְׂרָאֵל׃

Mas no Senhor será justificada toda a descendência de Israel. Este versículo é endereçado a Israel, a principal nação beneficiada, cabeça das nações, e também o instrumento da graça de Deus durante a era do reino de Deus, tal como a igreja gentílica tem sido na era presente. Todos os descendentes de Israel no passado, no presente e no futuro serão reunidos (ver Rm 11.26), e isso será para a "salvação" deles. Israel se tornará a cabeça das nações (ver Is 24.23), bem como a fonte do benefício espiritual para todos os povos. Nenhuma graça divina é estendida *sem* a visão de que ela será compartilhada. Todas as graças são comunais, pois na partilha o indivíduo cumpre os ditames da lei do amor. Na possessão e partilha da salvação de Deus há triunfo e glória. O triunfo de Deus escreverá o último capítulo da história da humanidade. "O clímax do profeta concorda com a expectativa final do apóstolo Paulo: 'para que Deus seja tudo em todos' (1Co 15.28)" (Henry Sloane Coffin, *in loc.*, mostrando maior discernimento que muitos outros). A sujeição de todas as coisas a Deus fará com que Deus se torne tudo para todos, porquanto a Deus convém "preencher todas as coisas". Isso só poderá ser benéfico para todas as coisas. Portanto, permaneço firme nas conclusões a que cheguei no artigo chamado *Restauração*, que apresento na *Enciclopédia de Bíblia, Teologia e Filosofia*.

CAPÍTULO QUARENTA E SEIS

Temos aqui outro poema que ataca os ídolos e os contrasta com a salvação de Yahweh. Este poema tem cinco estrofes: vss. 1,2; vss. 3,4; vss. 5-7; vss. 8-11 e vss. 12,13. Temos aqui uma excelente combinação de coisas que já tinham sido ditas e alguns novos elementos. Um tema que se repete é o de Ciro e seu livramento de Judá. Está em mira a iminente queda da Babilônia, e esse tema domina todo o caminho até o fim do capítulo 48.

"A superioridade do Senhor sobre a Babilônia (capítulos 46 e 47). A Babilônia seria usada por Deus para julgar Judá; mas a Babilônia, por sua vez, seria destruída por Deus, por intermédio de Ciro. Os deuses babilônicos, meros ídolos, não poderiam salvá-la da derrota (capítulo 46); e a Babilônia cairia a despeito de suas feitiçarias e de sua sabedoria (capítulo 47)" (John S. Martin, *in loc.*).

O COLAPSO DOS DEUSES E A SALVAÇÃO DE YAHWEH (46.1-13)

Os deuses dos pagãos têm de ser carregados pelos homens, pois não têm nem vida nem forças. Mas o verdadeiro Deus é quem carrega todos os homens, pois ele é vida e poder.

Primeira Estrofe (46.1,2)

■ **46.1**

כָּרַע בֵּל קֹרֵס נְבוֹ הָיוּ עֲצַבֵּיהֶם לַחַיָּה וְלַבְּהֵמָה נְשֻׂאֹתֵיכֶם עֲמוּסוֹת מַשָּׂא לַעֲיֵפָה׃

Bel se encurva, Nebo se abaixa; os ídolos são postos sobre os animais. *Bel* é outro nome para *Marduque,* a principal divindade babilônica; e Nebo era originalmente uma divindade local, adorada em Borsipa, mas acabou sendo conhecido como filho de Bel. Quanto ao seu prestígio, eram equivalentes a Júpiter e Mercúrio dos romanos. Ver no *Dicionário* os artigos sobre esses nomes próprios. Dou alguns outros detalhes no artigo chamado *Deuses Falsos.*

Bel se inclinou diante de Yahweh, o qual enviou Ciro para limpar a confusão na Babilônia; e Nebo se curvou, também em atitude de sujeição. Os babilônios, povo grande, poderoso e sábio a seus próprios olhos, transportavam seus ídolos em carroças. Esses ídolos nem ao menos tinham poder de locomover-se e dependiam de humildes animais para fazer o serviço. O profeta Isaías mencionou esse item para mostrar quão ridícula é a idolatria. Os ídolos eram cargas mortas para os seres humanos, que se cansavam deles, tanto física quanto espiritualmente.

Os ídolos só cansam as pessoas.

NCV

Os textos ugaríticos têm paralelos do presente versículo:

> Ele cai no chão;
> suas juntas se entortam;
> seu arcabouço se quebra.
> ...
>
> Os deuses pendem suas cabeças
> e escondem-nas entre os joelhos,
> e nos tronos dos príncipes.

O vs. 2 deste capítulo indica, provavelmente, que a ideia do vs. 1 é que Ciro levou da Babilônia todos esses deuses e ídolos quando derrotou a Babilônia. Os deuses nem ao menos puderam defender-se; e muito menos defender a Babilônia.

■ **46.2**

קָרְס֤וּ כָרְעוּ֙ יַחְדָּ֔ו לֹ֥א יָכְל֖וּ מַלֵּ֣ט מַשָּׂ֑א וְנַפְשָׁ֖ם בַּשְּׁבִ֥י הָלָֽכָה׃ ס

Esses deuses juntamente se abaixam e se encurvam. Diante do ataque de Ciro, os ídolos da Babilônia se encurvaram, humilhados. Não puderam defender a si mesmos e, muito menos, aos babilônios. Foram levados por Ciro como prisioneiros. Ridiculamente, Ciro e os medo-persas provavelmente terminaram por adorar àqueles ídolos, a despeito de eles mesmos terem humilhado aquelas falsas divindades. Ciro reconhecia o senhorio de Bel-Marduque, conforme demonstram suas inscrições.

Não podem salvar a carga. Esta declaração é obscura. Considere o leitor estes cinco pontos:

1. Talvez a carga fossem os habitantes da Babilônia. Embora fossem chamados deuses, não puderam salvar a seus adoradores.
2. Ou talvez sejam os *próprios ídolos*, que pesavam sobre as carroças nas quais foram colocados. Nesse caso, os deuses da Babilônia não foram capazes de salvar a si mesmos.
3. Ou a referência pode ser geral: os ídolos não podiam aliviar as cargas e as dores dos que estavam sendo atacados.
4. A mitologia acádica representava os deuses como fazendo os homens trabalhar para eles, isto é, levar suas cargas para que pudessem ficar à vontade (*Enuma elis*, vi.1-40). No entanto, nos momentos de crise, os deuses os deixavam a ver navios. Os próprios deuses, pois, tornaram-se pesados e cansativos para os homens, pois tinham de ser carregados.
5. Ou então, pelo momento, as divindades eram distinguidas dos ídolos que as representavam. Eles olhavam para baixo, para o que acontecia às suas imagens (eram transportadas como *cargas*, nas carroças de Ciro), mas não tinham poder para deter o processo.

Segunda Estrofe: Yahweh Sustenta seu Povo (46.3,4)

■ **46.3**

שִׁמְע֤וּ אֵלַי֙ בֵּ֣ית יַעֲקֹ֔ב וְכָל־שְׁאֵרִ֖ית בֵּ֣ית יִשְׂרָאֵ֑ל הַֽעֲמֻסִים֙ מִנִּי־בֶ֔טֶן הַנְּשֻׂאִ֖ים מִנִּי־רָֽחַם׃

Ouvi-me, ó casa de Jacó, e todo o restante da casa de Israel. Em contraste com os ídolos inertes, que precisam ser transportados em carroças pelos homens, Yahweh, desde o princípio, sustentava o povo de Israel. Ele carregava aos filhos de Israel e às suas cargas, por amor a eles; cuidava de suas necessidades e lhes dava tudo o que precisavam.

> *Eu vos tenho carregado desde que nascestes. Tenho cuidado de vós desde o vosso nascimento.*
>
> NCV

"Deus sustenta os filhos de Israel por todo o curso de sua vida, desde que são concebidos até a idade avançada (vs. 4). O Senhor os vigia e os livra das tribulações" (John S. Martin, *in loc.*). Portanto, contamos com um Deus vivo, que cuida e ajuda àqueles que o adoram.

Tomai vossas cargas ao Senhor, e deixai-as com ele.

Temos aqui o *Teísmo*, em lugar do *Deísmo*. Ver sobre ambos os termos no *Dicionário*. O teísmo ensina que o Criador não abandonou sua criação, mas, antes, intervém, recompensando e punindo, e opera providencialmente em favor de seu povo. O deísmo, por sua vez, supõe que a força criativa (pessoal ou impessoal) abandonou a criação à mercê das leis naturais.

■ **46.4**

וְעַד־זִקְנָה֙ אֲנִ֣י ה֔וּא וְעַד־שֵׂיבָ֖ה אֲנִ֣י אֶסְבֹּ֑ל אֲנִ֤י עָשִׂ֙יתִי֙ וַאֲנִ֣י אֶשָּׂ֔א וַאֲנִ֥י אֶסְבֹּ֖ל וַאֲמַלֵּֽט׃ ס

Até à vossa velhice eu serei o mesmo, e ainda até às cãs eu vos carregarei. *Os cuidados de Deus nos acompanham* até a idade avançada, mesmo que fiquemos idosos demais para trabalhar, que o dinheiro se torne escasso e que não tenhamos seguro de saúde. Deus continua o mesmo e tem um plano para essa parte de nossa vida. Senhor, concede-nos tal graça! Aquele que nos fez continuará a nos sustentar; ele nos salva e nos carrega. Cf. Sl 71.9,18.

> *Não me rejeites na minha velhice; quando me faltarem as forças, não me desampares.*

Temos de lembrar de vez em quando que "por baixo de ti estende os braços eternos" (Dt 33.27). Mesmo quando nossos cabelos ficam brancos, quando os hormônios cessam de fluir, quando o sistema de imunização se enfraquece e toda a espécie de males nos ataca, Deus está presente, sustentando-nos em seus braços. Ronald Reagan, ex-presidente dos Estados Unidos da América, está sofrendo do mal de *Alzheimer,* uma doença degenerativa do cérebro que se apossa lentamente do doente e o transforma em um vegetal antes da morte. Sua esposa disse recentemente: "Atualmente estou envolvida em uma longa despedida". Por igual modo, muita gente é obrigada a entregar-se a essa "longa despedida".

Donald Hankey era um jovem soldado inglês que foi ferido e deixado no campo de batalha para morrer. Ele nunca havia tido grande fé religiosa. Naquela crise, entretanto, vieram a ele as palavras "Deus está em todos os lugares", e ele sentiu sua presença ali, e os braços eternos o abraçaram. Ele começou a cantar: "Por baixo estão os braços eternos; por baixo estão os braços eternos". Ele foi vencido pela euforia e sentiu a presença de Deus naquele lugar miserável. Existem tantos lugares miseráveis. Seremos capazes de sentir a presença de Deus em nosso próprio lugar de desespero? O profeta Isaías garantiu que seremos, porquanto aquele que nos amparou desde o nosso nascimento até o presente não nos abandonará em nossa idade avançada.

> Sou fraco, mas não deixo de ser abençoado,
> Visto que em mim, ao redor de mim, em toda parte,
> Estão a Força Eterna e a sabedoria sterna.
>
> Samuel Taylor Coleridge

Terceira Estrofe: O Caráter Único de Yahweh (46.5-7)

■ **46.5**

לְמִ֥י תְדַמְי֖וּנִי וְתַשְׁו֑וּ וְתַמְשִׁל֖וּנִי וְנִדְמֶֽה׃

A quem me comparareis para que eu lhe seja igual? É impossível comparar Yahweh com os *deuses*. Ele está bem alto em seus céus, transcendental e ao mesmo tempo imanente. Ele é o Criador dos homens e da matéria, e até daquilo que não é material.

"Em Is 40.18,19,25, o caráter ímpar de Yahweh destaca-se em um contexto de sua *atividade criadora*. Nisso estão sua providência e sua ajuda sustentadora por toda a história de Israel" (James Muilenburg, *in loc.*). Deus é o único que pode ser chamado de "deidade". Ver o vs. 9 deste capítulo e as notas expositivas ali. O profeta já havia mostrado isso ao discutir a sorte de Bel e Nebo (vss. 1,2), ou seja, que Yahweh não se assemelha às divindades pagãs.

■ **46.6**

הַזָּלִ֤ים זָהָב֙ מִכִּ֔יס וְכֶ֖סֶף בַּקָּנֶ֣ה יִשְׁקֹ֑לוּ יִשְׂכְּר֤וּ צוֹרֵף֙ וְיַעֲשֵׂ֣הוּ אֵ֔ל יִסְגְּד֖וּ אַף־יִֽשְׁתַּחֲוּֽוּ׃

Os que gastam o ouro da bolsa, e pesam a prata nas balanças. Muito dinheiro é gasto na "fabricação" dos ídolos, os quais são então declarados deuses. Cf. Is 40.18-20 e 41.7. Alguns ídolos eram feitos de madeira, e um mesmo tronco podia servir para fazer uma fogueira ou um ídolo (ver Is 44.15). Outros ídolos, entretanto, eram fabricados à base de algum metal sem grande valor, mas recobertos por ouro ou prata. Um homem rico, porém, podia mandar fazer para si mesmo uma imagem de ouro puro ou de prata pura. Os ídolos consumiam muito trabalho, tempo e dinheiro; mas, uma vez terminados, continuavam sendo material inerte, sem nenhum poder ou direito legítimo de ser chamados divinos. No entanto, muitos homens se prostravam diante deles e os adoravam, mediante algum truque mental, sabe lá qual! É um trabalho inútil fabricar um ídolo, bem como um tremendo desperdício de tempo. E é igualmente fútil adorar a um ídolo.

Depreciando os Ídolos. Ver Is 40.18-20; 41.7; 44.9-20; 46.1,2. Algum tipo de insanidade tinha-se apossado da mente dos pagãos. Nada existe de são na *idolatria* (ver a respeito no *Dicionário*).

46.7

יִשָּׂאֻ֨הוּ עַל־כָּתֵ֜ף יִסְבְּלֻ֗הוּ וְיַנִּיחֻ֤הוּ תַחְתָּיו֙ וְיַֽעֲמֹ֔ד מִמְּקוֹמ֖וֹ לֹ֣א יָמִ֑ישׁ אַף־יִצְעַ֤ק אֵלָיו֙ וְלֹ֣א יַעֲנֶ֔ה מִצָּרָת֖וֹ לֹ֥א יוֹשִׁיעֶֽנּוּ׃ ס

Sobre os ombros o tomam, levam-no e o põem no seu lugar. *Absurdo Adicionado a Absurdo.* O absurdo fabricante de ídolos começa gastando o seu dinheiro nos materiais necessários; então desperdiça seu tempo fabricando a imagem; e aí se prostra e adora algo que suas próprias mãos fabricaram; depois, se quiser colocar o ídolo em alguma prateleira, ou movê-lo para outra sala, ou exibir o ídolo em alguma procissão, ele mesmo precisa prover o transporte. De outra maneira, aquela "coisa" fica ali parada, aparentemente olhando para o espaço, sem nada ver, ouvir ou ser. Então o fabricante ou o adorador da imagem clamará àquela "coisa" em oração, mas a "coisa" não piscará, não ouvirá nem responderá a uma única oração sequer. E se o fabricante do ídolo estiver em alguma espécie de tribulação, a "coisa" não será capaz de ajudar, pois a imagem nada é nem pode fazer coisa alguma. Cf. Is 45.20.

Este versículo alude, provavelmente, à "procissão da festividade do Ano Novo na cidade de Babilônia" (*Oxford Annotated Bible*).

> As pessoas podem gritar para o ídolo. Mas o ídolo não poderá ouvir.
>
> NCV

Quarta Estrofe: O Único Senhor da História (46.8-11)

46.8

זִכְרוּ־זֹ֖את וְהִתְאֹשָׁ֑שׁוּ הָשִׁ֥יבוּ פוֹשְׁעִ֖ים עַל־לֵֽב׃

Lembrai-vos disto, e tende ânimo; tomai-o a sério, ó prevaricadores. Os rebeldes idólatras da Babilônia, e outros como eles, são chamados a relembrar certos fatos fundamentais: 1. Deus é o único Deus verdadeiro. Ele é ímpar (vs. 9; ver também Is 43.11; 44.6; 45.5,6,14,18,21,22). Esse caráter ímpar de Deus reside (entre outras coisas) em seu conhecimento e controle do futuro (Cf. Is 45.21); em sua habilidade de trazer Ciro do Oriente para cumprir a missão que abalaria a terra inteira e libertaria a nação de Israel (ver Is 41.2). Deus executará prontamente seu plano, tal como uma ave de rapina se precipita para apanhar sua vítima. Os *transgressores* (os idólatras) fariam bem em relembrar essas coisas, antes de atingir o estágio da cegueira judicial, do qual não podem mais voltar.

E tende ânimo. A *King James Version* traduz estas palavras por "mostrai-vos homens", refletindo uma passagem hebraica duvidosa. A *Revised Standard Version* diz aqui: "Considerai", seguindo a versão siríaca. A Septuaginta convida os transgressores a "grunhir". A Vulgata Latina convida-os a "ser confundidos". Uma palavra árabe cognata significa "estar bem fundamentado", e o siríaco palestino, seguindo essa ideia, diz: "assegurai-vos".

46.9

זִכְר֥וּ רִאשֹׁנ֖וֹת מֵעוֹלָ֑ם כִּ֣י אָנֹכִ֥י אֵל֙ וְאֵ֣ין ע֔וֹד אֱלֹהִ֖ים וְאֶ֥פֶס כָּמֽוֹנִי׃

Lembrai-vos das cousas passadas da antiguidade. Considere o leitor estes três pontos:

1. O caráter ímpar de Yahweh é um tema antigo, tendo sido ensinado pelos profetas e pelas Escrituras hebraicas, desde muito tempo no passado.
2. Yahweh controla a história; ele criou e profetizou o que aconteceria à sua criação; faz intervenções contínuas, deixando claro que suas profecias terão cumprimento. Entre essas profecias está a marcha vitoriosa de Ciro.
3. *Monoteísmo.* Há somente um Deus verdadeiro e um único ator e *causa* divina por trás dos eventos humanos (ver Is 13.6). Cf. este versículo com Is 41.4,22-29; 42.8,9; 44.7,8 e 48.3,5,14. "A unidade da história jaz sob a soberania de Deus, que opera na história" (James Muilenburg, *in loc.*).

Eu sou Deus... eu sou Deus, e não há outro semelhante a mim. O hebraico literal diz aqui: "Eu sou El... eu sou Elohim". Está em pauta a ideia cêntrica de "poder", primeiramente no singular e, em seguida, no plural, um toque fino que não pode ser traduzido. Ver no *Dicionário* os artigos chamados *El; Elohim* e *Deus, Nomes Bíblicos de*.

Afirmações Monoteístas. Uma vez mais, o profeta Isaías nos deu essa ênfase. Ver as notas expositivas sobre Is 45.18, onde ofereço uma lista de afirmações monoteístas.

46.10

מַגִּ֤יד מֵֽרֵאשִׁית֙ אַחֲרִ֔ית וּמִקֶּ֖דֶם אֲשֶׁ֣ר לֹא־נַעֲשׂ֑וּ אֹמֵר֙ עֲצָתִ֣י תָק֔וּם וְכָל־חֶפְצִ֖י אֶעֱשֶֽׂה׃

Que desde o princípio anunciou o que há de acontecer. Uma das provas da deidade de Yahweh é sua habilidade em predizer o futuro; e ele prediz o futuro do mundo por ser o Criador (ver Is 13.16). Nas notas sobre o vs. 9, primeiro parágrafo, dou uma lista de versículos que abordam o tema, mas não a repito aqui. O conselho de Deus permanece de pé; ele cumpre seus propósitos, incluindo o de usar Ciro para devastar o mundo de então e livrar Judá para voltar à Terra Prometida e reconstruir Jerusalém, escapando do cativeiro babilônico. Todo o curso da história humana está na mente e nos propósitos de Deus; e esses propósitos se realizarão através do uso divino de instrumentos humanos e, ocasionalmente, por uma intervenção divina fora de série. Ver no *Dicionário* os artigos chamados *Soberania de Deus* e *Predestinação*. E, na Enciclopédia de Bíblia, Teologia e Filosofia, o verbete denominado *Determinismo*. Os atos e o controle de Deus sobre a história emprestam-lhe significação e unidade. Ver Is 41.21; 44.26 e 48.14.

46.11

קֹרֵ֤א מִמִּזְרָח֙ עַ֔יִט מֵאֶ֥רֶץ מֶרְחָ֖ק אִ֣ישׁ עֲצָת֑וֹ אַף־דִּבַּ֙רְתִּי֙ אַף־אֲבִיאֶ֔נָּה יָצַ֖רְתִּי אַף־אֶעֱשֶֽׂנָּה׃ ס

Que chamo a ave de rapina desde o oriente, e de uma terra longínqua o homem do meu conselho. *O Chamado e a Missão de Ciro.* Cf. Is 45.1, onde Ciro aparece como o *messias* de Yahweh; e ver Is 44.28, onde ele é o *pastor* de Yahweh. Aqui, Ciro é retratado como uma ave de rapina pronta a devorar sua vítima. Ele virá do *oriente* ou do *norte* (ver Is 41.25), estritamente falando, do nordeste, pois os hebreus não usavam direções mistas. Ele viria do sol nascente (Pérsia) e de um país distante (provavelmente a Média). Em seu padrão estava a figura da águia dourada (Xenofonte, *Cryop.* vii.1.4; *Anab.* 1.10,12), uma poderosa ave de rapina. Cf. Mt 24.28 e Lc 17.37.

Yahweh *fala* da missão do gênero humano em notáveis profecias sobre o futuro (tema do vs. 10); ele fará essas coisas acontecer; foi ele quem as propôs; e ele as *realizará*. A mensagem foi enfatizada mediante o acúmulo de descrições. Yahweh criou; guiou o passado; e fará o futuro realizar-se. Deus tem seus instrumentos para o trabalho, mas não podemos acusá-lo de inspirador do mal. Quanto a notas sobre isso, ver a exposição em Is 45.7. É um paradoxo histórico o fato de que Deus use agentes para realizar coisas, os quais lhe são abomináveis e contrários a toda retidão. Ou haverá alguma coisa errada com a nossa compreensão?

Quinta Estrofe: A Salvação Está Próxima (46.12,13)

■ **46.12,13**

שִׁמְעוּ אֵלַי אַבִּירֵי לֵב הָרְחוֹקִים מִצְּדָקָה׃
קֵרַבְתִּי צִדְקָתִי לֹא תִרְחָק וּתְשׁוּעָתִי לֹא תְאַחֵר וְנָתַתִּי
בְצִיּוֹן תְּשׁוּעָה לְיִשְׂרָאֵל תִּפְאַרְתִּי׃ ס

Ouvi-me, vós os que sois de obstinado coração. O motivo da salvação percorreu todo o seu caminho, através do poema que há no capítulo 46. Chegamos agora a um ponto culminante. São enfocados aqui os que têm um coração obstinado, bem como os mais rebeldes. Yahweh falava diretamente aos babilônios, dizendo-lhes que, a despeito de seus esforços ingentes, o povo de Israel estava prestes a ser salvo de suas garras (ver o vs. 13). Aos perseguidores não foi prometida salvação. De fato, Ciro acabaria com eles, e esse seria o fim da história. "Salvação", neste caso, de acordo com a interpretação histórica, não é a salvação da alma, mas o livramento e a restauração temporal de Jerusalém, ou seja, *vida nova* para a nação. Israel viverá de novo através da tribo de Judá. A glória de Deus, em seu templo, seria renovada. A glória Shekinah retornaria.

Longe da justiça. Em vez da palavra "justiça", a *Revised Standard Version* diz "livramento"; mas o manuscrito hebraico dos Papiros do mar Morto diz "vitória". Essa variante tem o apoio do Targum, embora não das versões. A lição final do capítulo é que os *ídolos* não traziam nem retidão nem salvação. Na verdade, bloqueavam o caminho para essas coisas. Mas isso não impedia que a salvação fosse concedida àqueles que estivessem preparados para recebê-la.

CAPÍTULO QUARENTA E SETE

CÂNTICO DE ZOMBARIA CONTRA A VIRGEM DA BABILÔNIA (47.1-15)

Este capítulo é uma espécie de irmão do capítulo 46. O capítulo anterior descreve a queda dos deuses da Babilônia, e este capítulo descreve a queda da própria cidade. Ambos os poemas são preparatórios para os gritos de triunfo dos capítulos 49, 50 e 54. Este poema é considerado uma excelente peça de literatura e introduz quarenta palavras hebraicas que não ocorrem em nenhum outro lugar da Bíblia. Este poema está dividido em seis estrofes: vss. 1-4; vss. 5-7; vss. 8,9; vss. 10,11; vss. 12,13 e vss. 14,15.

A cidade de *Babilônia*, entronizada em seu alto trono, tão orgulhosa e soberba, recebeu ordens de descer do trono e espojar-se no pó. Ela foi chamada de *virgem filha,* visto que nunca fora conquistada. Seria despojada de sua realeza e reduzida ao trabalho de uma escrava. Seria desgraçada, perderia a virgindade e seria sujeitada a olhares vulgares. A queda da Babilônia não poderia ser justificada quanto aos ciclos da história que se move célere. Antes, a mensagem é que a intervenção divina está por trás do que acontece às nações. Yahweh é aquele que intervém e muda as coisas. Os captores se tornariam cativos.

Primeira Estrofe: Sem Trono, Escravizada e Julgada (47.1-4)

■ **47.1**

רְדִי וּשְׁבִי עַל־עָפָר בְּתוּלַת בַּת־בָּבֶל שְׁבִי־לָאָרֶץ
אֵין־כִּסֵּא בַּת־כַּשְׂדִּים כִּי לֹא תוֹסִיפִי יִקְרְאוּ־לָךְ רַכָּה
וַעֲנֻגָּה׃

Desce, e assenta-te no pó, ó virgem filha de Babilônia. A cidade de Babilônia era como uma *filha virgem,* como uma princesa sentada em seu trono de glória. No entanto, foi-lhe dito, neste versículo, que descesse do trono e se assentasse no pó, e assim perdesse a sua majestade. Ela era virgem porque nunca havia sido conquistada, e nunca fora desolada por alguma potência estrangeira. Era delicada e doce, uma beleza cobiçada por todos, mas nunca tocada por ninguém. "As palavras *virgem filha* personificam o povo da cidade como uma moça jovem e inocente (cf. Is 23.12; 37.22), o que provavelmente significa que as muralhas da cidade nunca tinham sofrido brecha.

Mas os seus habitantes não mais continuariam ternos e delicados como uma virgem, porquanto ela seria reduzida a dificuldades" (John S. Martin, *in loc.*). O termo *virgem* também foi aplicado a Jerusalém (ver Jr 31.4,21) e ao Egito (Jr 46.11), com o mesmo tipo de conotação. Para a Babilônia, estavam terminados os anos de exploração de outros. Não haveria mais luxo, lazer e poder. De fato, Ciro reduziria a Babilônia ao pó. Ver Is 13.20-22.

A literatura ugarítica, falando de um dos deuses, tem um paralelo:

Litpn, Deus da Misericórdia,
Desce de seu trono;
ele se assenta no escabelo,
E dali se assenta sobre a terra.

■ **47.2**

קְחִי רֵחַיִם וְטַחֲנִי קָמַח גַּלִּי צַמָּתֵךְ חֶשְׂפִּי־שֹׁבֶל גַּלִּי־שׁוֹק עִבְרִי נְהָרוֹת׃

Toma a mó, e mói a farinha. Tendo descido do seu trono, a Babilônia seria forçada a girar a mó para moer farinha de trigo, trabalho típico de uma escrava. Ela mesma tirou o seu véu; a sua vestidura lhe foi tirada; suas pernas ficaram desnudas; ela foi sujeitada ao olhar vulgar dos homens; e foi forçada a suspender a saia tão alto que até parecia que ela atravessaria uma torrente, os rios que ficavam entre a Babilônia e a Média-Pérsia. A escrava ficaria sujeita a diversos abusos, incluindo o estupro, pois era apenas uma peça de propriedade. As portas de bronze de Balawat, descobertas pelos arqueólogos, mostram mulheres em Dabigi cativadas por Salmanezer III, que lhes levantava as roupas para mostrar suas coxas. Os manuscritos hebraicos dos Papiros do mar Morto dizem: "despi vossas saias" (cf. Jr 13.26). Ver no *Dicionário* o verbete intitulado *mar Morto, Manuscritos (Rolos) do.* O quadro representa sujeição total, abuso e humilhação, exatamente o tipo de coisa que a Babilônia fazia a outras nações. Ver no *Dicionário* o artigo chamado *Lei Moral da Colheita segundo a Semeadura.*

■ **47.3**

תִּגָּל עֶרְוָתֵךְ גַּם תֵּרָאֶה חֶרְפָּתֵךְ נָקָם אֶקָּח וְלֹא אֶפְגַּע
אָדָם׃ ס

As tuas vergonhas serão descobertas e se verá o teu opróbrio. Agora, em vez da bela virgem que está no trono, Babilônia era a mulher adúltera que exibia sua nudez aos homens que passavam por ela. Cf. Jr 13.26; Os 2.12; Ez 16.37. *Eu* (Yahweh) estava tirando vingança, e nenhum habitante da Babilônia seria poupado. Haveria sofrimento coletivo e desgraça geral, tal como a Babilônia fizera um povo — Israel — sofrer coletivamente, cada homem, mulher e criança. Cf. Ap 18.20 e 19.2.

Não pouparei a homem algum. Esta é uma linha difícil, também traduzida por "não me encontrarei com homem algum", talvez com a ideia de recebê-lo como um intermediário que pediria misericórdia pelo povo. Yahweh não aceitará intervenção nem petição implorando misericórdia.

■ **47.4**

גֹּאֲלֵנוּ יְהוָה צְבָאוֹת שְׁמוֹ קְדוֹשׁ יִשְׂרָאֵל׃

Quanto ao nosso Redentor, o Senhor dos Exércitos é seu nome. Tratando a Babilônia dessa maneira cruel, através de Ciro, Yahweh estava redimindo seu povo do cativeiro. Note o leitor o acúmulo de nomes divinos para aumentar o efeito: *Redentor, Senhor dos Exércitos, Santo de Israel,* sobre os quais dou artigos no *Dicionário.* O comandante dos exércitos celestiais, que controla os acontecimentos humanos, é um Redentor santo naquilo que faz, pois a destruição da cidade de Babilônia foi um julgamento divino justo e ao mesmo tempo um ato de redenção. "A santidade de Deus inclui tanto juízo quanto redenção" (James Muilenburg, *in loc.*). Ver Ap 18.20, quanto a algo similar. Ver também Jr 50.34.

Judá foi retratado a irromper em um cântico de vitória, dando a Yahweh o crédito pelo que tinha ocorrido. Temos aqui um breve cântico de livramento.

Segunda Estrofe: O Juízo Divino contra o Orgulho da Babilônia (47.5-7)

■ **47.5**

שְׁבִ֥י דוּמָ֛ם וּבֹ֥אִי בַחֹ֖שֶׁךְ בַּת־כַּשְׂדִּ֑ים כִּ֣י לֹ֤א תוֹסִ֙יפִי֙ יִקְרְאוּ־לָ֔ךְ גְּבֶ֖רֶת מַמְלָכֽוֹת׃

Assenta-te calada, e entra nas trevas, ó filha dos caldeus. No seu orgulho, a Babilônia tinha sido a senhora das nações, a primeira dama dos reinos, conservada em alta estima, honrada e enriquecida. Mas agora, como mulher cativa, ela se assentava na masmorra escura da desgraça. Note o leitor como babilônios e caldeus são o mesmo povo. Ofereço artigos sobre ambos os nomes no *Dicionário*. A dama, cativa e desgraçada, assentava-se em silêncio, onde antes tinha-se exibido em danças e canções, mostrando sua glória e atraindo atenção para si mesma. A dama imperial tinha caído e nunca mais se soergueria. Cf. Am 5.2. "As nações não são punidas por se tornarem poderosas, mas porque abusam do poder" (Henry Sloane Coffin, *in loc.*). Quanto ao orgulho e à humildade contrastados, ver Pv 6.17 (olhos altivos); 11.2; 13.10; 14.3; 15.25; 16.5,18; 18.12; 21.4; 30.12,32. A primeira dama estava agora reduzida a solitária viuvez. Cf. este versículo com Lm 3.2 e Mq 7.8. Uma nova era tinha sido iniciada, deixando a cidade de Babilônia arruinada (ver Is 13.20-22). A cidade se tornou deserta e impossível de ser habitada de novo. Cf. Ap 17.15,18; 18.22,23; 16.10.

■ **47.6**

קָצַ֣פְתִּי עַל־עַמִּ֗י חִלַּ֙לְתִּי֙ נַחֲלָתִ֔י וָאֶתְּנֵ֖ם בְּיָדֵ֑ךְ לֹא־שַׂ֤מְתְּ לָהֶם֙ רַחֲמִ֔ים עַל־זָקֵ֕ן הִכְבַּ֥דְתְּ עֻלֵּ֖ךְ מְאֹֽד׃

Muito me agastei contra o meu povo, profanei a minha herança. Judá foi entregue nas mãos cruéis da Babilônia, a fim de sofrer coletivamente, em vingança divina contra a apostasia. A nação de Judá foi assim profanada, apesar de ser a herança do Senhor. Cf. Dt 4.20; Zc 1.15 e Is 43.28. O amor do pacto transformou-se em ódio. O povo de Israel abandonou o pacto abraâmico (ver Gn 15.18) e, assim, incorreu na indignação daquele que tinha entrado em relação de pacto com eles. A Babilônia não demonstrou misericórdia, nem mesmo para com os idosos, e fez o jugo da escravidão ser muito pesado. Cada ato de barbaridade criou mais dívidas morais que tiveram de ser punidas pelo mesmo Deus que entregou Judá nas mãos dos babilônios.

"Até mesmo a idade provecta foi desconsiderada pelos caldeus, que trataram a todos com idêntica crueldade (ver Lm 4.16; 5.12)" (Fausset, *in loc.*). Agora, para vingar-se, Yahweh trataria a todos os babilônios com dureza idêntica, em um julgamento coletivo.

■ **47.7**

וַתֹּ֣אמְרִ֔י לְעוֹלָ֖ם אֶהְיֶ֣ה גְבָ֑רֶת עַ֣ד לֹא־שַׂ֥מְתְּ אֵ֙לֶּה֙ עַל־לִבֵּ֔ךְ לֹ֥א זָכַ֖רְתְּ אַחֲרִיתָֽהּ׃ ס

E disseste: Eu serei senhora para sempre! Em seu orgulho, a primeira dama das nações pensou que sua posição privilegiada no mundo nunca terminaria. Disse ela: "Sempre serei rainha" (NCV). Ela jamais havia pensado que um poder como Ciro poria fim à sua ilusão. Seus videntes fracassaram completamente, pintando quadros róseos de glória contínua. "A Babilônia não levou em conta a precariedade do poder e da história. Nunca aceitou no coração a verdade de que era apenas agente e instrumento de Deus por algum tempo, e que sua missão era restrita pela vontade e pelo poder de Deus" (James Muilenburg, *in loc.*). Quando Yahweh começasse a empregar outro instrumento, a Babilônia seria descartada em desgraça. "Erroneamente, ela atribuiu o poder a si mesma. Mas esse poder originava-se em Deus (Jr 27.6,7; 25.12-14)" (*Oxford Annotated Bible*, comentando sobre este versículo).

Terceira Estrofe: Colapso da Segurança da Babilônia (47.8,9)

■ **47.8**

וְעַתָּ֞ה שִׁמְעִי־זֹ֤את עֲדִינָה֙ הַיּוֹשֶׁ֣בֶת לָבֶ֔טַח הָאֹֽמְרָה֙ בִּלְבָבָ֔הּ אֲנִ֖י וְאַפְסִ֣י ע֑וֹד לֹ֤א אֵשֵׁב֙ אַלְמָנָ֔ה וְלֹ֥א אֵדַ֖ע שְׁכֽוֹל׃

Ouve isto, tu que és dada a prazeres, que habitas segura. Como estava caída a antes poderosa cidade! Babilônia tornou-se como qualquer outra potência mundial: fora temporária e facilmente substituída. Babilônia tinha-se viciado em prazeres excessivos, o que é comum entre as potências que atingem o seu ponto culminante, mas então caem na decadência. Ela havia *endeusado* a si mesma, o que se demonstra mediante a linguagem que ela usou, empregada somente para indicar Yahweh: "Eu sou, e fora de mim não há outra". Cf. essas palavras com Is 44.6,8; 45.5,6,21; 47.8. Era uma autodeificação arrogante, que em pouco tempo se revelaria fraudulenta. A Babilônia é pintada como uma rainha orgulhosa que cuidava de sua família real, pavoneava-se de seu poder, glória e eternidade; e supunha jamais ficar viúva, ser destituída das vantagens da vida ou privada de seus filhos. *Viuvez* era uma palavra que nenhum homem associaria à Babilônia, mas em breve era isso o que ela receberia, sendo privada de sua realeza, de suas riquezas materiais, de sua glória e de seus habitantes. Cf. Lm 1.1, onde Jerusalém é retratada como viúva.

■ **47.9**

וְתָבֹאנָה֩ לָּ֨ךְ שְׁתֵּי־אֵ֥לֶּה רֶ֛גַע בְּי֥וֹם אֶחָ֖ד שְׁכ֣וֹל וְאַלְמֹ֑ן כְּתֻמָּם֙ בָּ֣אוּ עָלַ֔יִךְ בְּרֹ֣ב כְּשָׁפַ֔יִךְ בְּעָצְמַ֥ת חֲבָרַ֖יִךְ מְאֹֽד׃

Mas ambas estas cousas virão sobre ti num momento. Em um único dia, veio a viuvez da Babilônia. A referência é aqui à incrível queda da Babilônia, dentro de prazo tão breve. Seus filhos foram aniquilados, e ela foi aprisionada. A viuvez, em plena medida, era seu novo e miserável estado. Seus videntes e profetas não tinham jamais previsto tal coisa, mas continuavam a falar sobre o futuro brilhante. Seus encantadores, que supostamente eram homens muito poderosos, não salvaram a cidade no dia de crise. A prática de magia, feitiçaria, adivinhação e coisas afins era generalizada na Babilônia e bem conhecida na cultura babilônica. Todavia, a segurança nacional não foi fomentada nem um pouco por meio dessas práticas. Ver no *Dicionário* os artigos chamados *Adivinhação*, *Magia* e *Necromancia*, quanto a detalhes. Ver o artigo chamado *Babilônia*, que inclui informações sobre a sua queda. Dario salvou mulheres escolhidas dos babilônios, retirando-as do seio de suas famílias. Em seguida, sufocou o resto e empalou três mil homens entre os rebelados.

Quarta Estrofe: Da Segurança ao Desastre (47.10,11)

■ **47.10**

וַתִּבְטְחִ֣י בְרָעָתֵ֗ךְ אָמַרְתְּ֙ אֵ֣ין רֹאָ֔נִי חָכְמָתֵ֥ךְ וְדַעְתֵּ֖ךְ הִ֣יא שׁוֹבְבָ֑תֶךְ וַתֹּאמְרִ֣י בְלִבֵּ֔ךְ אֲנִ֖י וְאַפְסִ֥י עֽוֹד׃

Porque confiaste na tua maldade e disseste: Não há quem me veja. A cidade de Babilônia sentia-se segura em seu poder e exaltava-se em suas ciências e artes; era um local de profundos conhecimentos e, embora fosse cidade cruel, era o maior centro de cultura na face da terra na época. Ela se endeusava, dizendo: "Eu sou, e além de mim não há outra", ideia que aparece no vs. 8, onde há notas e comentários.

Cultura, conhecimento, ciências, artes mágicas, poder e fama tornaram-se vantagens inúteis, quando chegou o tempo de Yahweh substituir seus instrumentos. O instrumento antigo foi deixado envergonhado. E o novo instrumento produziu novas barbaridades e uma mudança no rumo dos acontecimentos mundiais. O poder foi mudado para as nações de fala indo-europeia, para a Média-Pérsia, para a Grécia e para Roma. O centro da civilização abandonou os povos de idiomas semíticos e dirigiu-se mais para o ocidente. Ver as notas expositivas sobre Is 44.28. O *poder* não se tornou o *direito*, que é a filosofia dos poderosos. Antes, o que é direito tomou conta das coisas, vingou os males cometidos e fez virar a página da história sobre a Babilônia. Isso posto, o senso de segurança da Babilônia tinha sido apenas uma ilusão.

■ **47.11**

וּבָ֧א עָלַ֣יִךְ רָעָ֗ה לֹ֤א תֵדְעִי֙ שַׁחְרָ֔הּ וְתִפֹּ֤ל עָלַ֙יִךְ֙ הֹוָ֔ה לֹ֥א תוּכְלִ֖י כַּפְּרָ֑הּ וְתָבֹ֨א עָלַ֧יִךְ פִּתְאֹ֛ם שׁוֹאָ֖ה לֹ֥א תֵדָֽעִי׃

Pelo que sobre ti virá o mal que por encantamentos não saberás conjurar. A Babilônia, com todas as barbaridades que praticou, perdeu qualquer oportunidade de expiar os erros que cometeu. Seja como for, a última coisa que a cidade buscaria seria fazer expiação por qualquer coisa. Mas a lei divina opera à base de expiação, vinculada ao arrependimento e à mudança de comportamento. Isso posto, houve um desastre que não poderia ser expiado. A ruína ocorreu repentina e completamente. Ver Is 13.19-22. A cidade de Babilônia tornou-se outra Sodoma, outra Gomorra e, por isso, um lugar impossível de ser habitado. Atualmente ela continua jazendo em ruínas e, embora Saddam Hussein tenha desejado reconstruí-la, não logrou sucesso.

Por expiação não te poderás livrar. A *Revised Standard Version* diz aqui "expiar". O original hebraico pode significar "afastar por encantamento" (como que através do uso da magia), sentido preferido por alguns eruditos. A palavra árabe cognata, *sahara,* tem o sentido de "encantamento", mas mediante leve emenda obtemos o vocábulo *shahdah*, "afastar por meio de subornos", encantamentos mágicos, talvez porque a Babilônia não estava em posição de oferecer peitas a Ciro, conforme Judá tinha feito anteriormente aos babilônios, para mantê-los afastados. Fosse como fosse, a Babilônia estava impotente para impedir o dia divino de prestação de contas.

Quinta Estrofe: Salvação por Meios Mágicos (47.12,13)

■ **47.12**

עִמְדִי־נָא בַחֲבָרַיִךְ וּבְרֹב כְּשָׁפַיִךְ בַּאֲשֶׁר יָגַעַתְּ מִנְּעוּרָיִךְ אוּלַי תּוּכְלִי הוֹעִיל אוּלַי תַּעֲרוֹצִי׃

Deixa-te estar com os teus encantamentos, e com a multidão das tuas feitiçarias. *Ironia e piedade* acham-se misturadas na chamada à Babilônia para permanecer com seus encantamentos, a fim de deter Ciro. Os habitantes da Babilônia eram especialistas em astrologia, feitiçaria e magia, desde que era nação jovem até sua maturidade. Nada havia que eles desconhecessem sobre essas coisas. Uma aplicação desesperada dessas artes, no dia de crise, poderia produzir bom resultado, levando a Babilônia a *inspirar terror* em seus inimigos, os quais poderiam entrar em pânico e suspender o ataque. "O serviço ao diabo é laborioso, mas inútil" (Fausset, *in loc.*). A Babilônia não foi capaz de conjurar Ciro para longe de suas muralhas.

■ **47.13**

נִלְאֵית בְּרֹב עֲצָתָיִךְ יַעַמְדוּ־נָא וְיוֹשִׁיעֻךְ הֹבְרֵי שָׁמַיִם הַחֹזִים בַּכּוֹכָבִים מוֹדִיעִם לֶחֳדָשִׁים מֵאֲשֶׁר יָבֹאוּ עָלָיִךְ׃

Já estás cansada com a multidão das tuas consultas. Os conselheiros aqui subentendidos são os feiticeiros, mágicos, leitores psíquicos e adivinhos. Havia muitos deles, que apenas cansavam o povo babilônico, em vez de ajudá-los. Eles se levantavam para salvar, mas retrocediam, confusos. Os astrólogos continuavam falando da posição favorável das estrelas, mas Ciro não sabia que os astros estavam contra ele, pelo que continuava avançando. A resposta para o mistério das nações, seus altos e baixos, seus poderes e suas derrotas, não dependia das estrelas, mas daquele que as criou (ver Is 13.6, notas expositivas).

Em cada lua nova te predizem. Cálculos mensais eram feitos pelos babilônios para verificar como as estrelas influenciariam a terra nas semanas vindouras. A astrologia era praticada de modo *geral* (eram esboçadas as grandes tendências das ocorrências vindouras), bem como de modo *específico* (acontecimentos que poderiam ocorrer em breve eram preditos). Dias de sorte e má sorte eram marcados. A arqueologia moderna tem descoberto "tabletes de presságios" que são admiravelmente detalhados no que predizem. Ver Dn 2.2-4 quanto à astrologia na Babilônia. Ver também, no *Dicionário,* o artigo sobre esse assunto. Porém, nos tempos de crise, os *almanaques* da Babilônia (calendários com dados astrológicos) fracassaram redondamente.

Sexta Estrofe: Julgamento pelo Fogo (47.14,15)

■ **47.14**

הִנֵּה הָיוּ כְקַשׁ אֵשׁ שְׂרָפָתַם לֹא־יַצִּילוּ אֶת־נַפְשָׁם מִיַּד לֶהָבָה אֵין־גַּחֶלֶת לַחְמָם אוּר לָשֶׁבֶת נֶגְדּוֹ׃

Eis que serão como restolho, o fogo os queimará. No livro de Isaías, o fogo é um símbolo comum para o julgamento. Cf. Is 30.30; 33.11 ss.; 37.19; 42.25. Ver especialmente as notas expositivas em Is 30.30. Na teologia do judaísmo posterior, a figura do fogo foi transferida para o julgamento das almas ímpias no *sheol,* e as chamas do inferno foram acesas no livro de 1Enoque. Mas a figura do fogo empregada por Israel sempre se refere a julgamentos temporais contra as nações de seus dias. Portanto, temos aqui o fim da Babilônia, pelo fogo divino, em que Ciro foi o instrumento usado por Deus. Esse homem usou fogo irresistível, e a Babilônia foi consumida. A Babilônia, antes tão orgulhosa, fizera-se como restolho, ou como combustível fácil para o fogo. Nenhum poder à face da terra poderia pôr fim à dor. O fogo era tão escandalosamente quente que ninguém se atreveria a sentar-se diante dele para aquecer-se. Se pudesse, um homem abandonaria o território. "Tanto vassalos quanto aliados a desertaram; ver Jr 2.33-37; 4.29-31" (*Oxford Annotated Bible,* comentando sobre o presente versículo).

■ **47.15**

כֵּן הָיוּ־לָךְ אֲשֶׁר יָגָעַתְּ סֹחֲרַיִךְ מִנְּעוּרַיִךְ אִישׁ לְעֶבְרוֹ תָּעוּ אֵין מוֹשִׁיעֵךְ׃ ס

Assim serão para contigo aqueles com quem te fatigaste. Os aliados e sócios comerciais da Babilônia não teriam utilidade para ela no dia do julgamento. A Babilônia tinha aliados de longe, unidos a ela por laços militares e acordos comerciais. O sistema inteiro cairia, e não haveria algo como ajuda mútua. Cada membro da aliança seria paralisado por causa de sua própria confusão, como um boxeador que recebe um soco capaz de pô-lo a nocaute. Nenhum poder poderia avançar para ser um salvador de último minuto (cf. Is 46.2,4,7,13). Haveria calamidade coletiva, em que cada homem tentaria salvar a si mesmo, abandonando qualquer outra coisa, até os seus entes mais queridos. Os que pudessem, fugiriam da Babilônia (ver Jr 50.16), mas a maioria foi apanhada em terrível sorte comum. Ver Jr 2.33-37 e 4.29-31.

CAPÍTULO QUARENTA E OITO

EXORTAÇÃO PARA QUE FOSSEM CONSOLADOS OS RESTAURADOS DO *CATIVEIRO BABILÔNICO* (48.1-22)

História e Profecia. Muitos vieram a gozar conforto na Babilônia, especialmente depois que a Babilônia caiu e os medos e persas tomaram conta da nação. Era como se um novo dia tivesse raiado. A maioria dos cativos judeus pensou ser algo sem importância, além de um grande incômodo, voltar a Jerusalém somente para reiniciar a nação de Israel. Muitos traziam consigo as antigas formas religiosas, mas seu coração não estava naquelas formas; pois não havia verdadeira retidão envolvida. Ver Pv 4.23 quanto à *fé de todo o coração.* Para alguns intérpretes, as circunstâncias históricas do capítulo estão em dúvida. Talvez Isaías estivesse falando somente dos acontecimentos gerais, e de como Judá sempre reagia com embotamento de mente. A *significação teológica,* em contraste, é fácil de discernir. Profecia e história estão misturadas no trecho, porque Yahweh prediz os acontecimentos e então os faz acontecer. Ele é quem controla a história, conforme afirmo em Is 13.6.

Primeira Estrofe: Apelo (48.1,2)

■ **48.1**

שִׁמְעוּ־זֹאת בֵּית־יַעֲקֹב הַנִּקְרָאִים בְּשֵׁם יִשְׂרָאֵל וּמִמֵּי יְהוּדָה יָצָאוּ הַנִּשְׁבָּעִים בְּשֵׁם יְהוָה וּבֵאלֹהֵי יִשְׂרָאֵל יַזְכִּירוּ לֹא בֶאֱמֶת וְלֹא בִצְדָקָה׃

Ouvi isto, casa de Jacó, que vos chamais do nome de Israel. Israel tinha um relacionamento distinto com Yahweh, bem como uma posição distinta entre as nações da terra (ver Dt 4.4-8), exatamente por causa da relação com o Ser divino. *Israel* era nome distinto, divinamente dado ao povo judeu. Judá era a fonte do povo, e eles chegaram a jurar pelo nome divino, Yahweh, confessando Elohim como o Poder que os criara e os guardava. Eles continuavam falando sobre a relação de pacto com Yahweh, mas a conversa foi ficando paulatinamente mais superficial, porquanto tinham abandonado a essência da fé, preservando apenas o vocabulário. Em outras palavras, eles prestavam culto somente de lábios, e não de todo o coração.

Saístes da linhagem de Judá. Estas palavras identificam *Judá* como a nação que recebeu o convite urgente para *ouvir*. Israel tinha sido estreitado para a tribo de Judá, depois que os assírios levaram Israel, a nação do norte, para o cativeiro, em 722 a.C. O original hebraico diz aqui, literalmente, "águas de Judá", ou seja, a fonte de onde o povo de Judá saiu. Cf. Nm 24.7; Dt 33.28; Sl 68.26. Eles continuavam confessando e jurando, em palavras que nos lembravam o culto de Yahweh (ver Is 65.16; Jr 4.2; 12.16; Dt 6.13; 10.20; Êx 23.13; Sl 20.7), mas esse culto tinha perdido a vitalidade.

■ 48.2

כִּי־מֵעִיר הַקֹּדֶשׁ נִקְרָאוּ וְעַל־אֱלֹהֵי יִשְׂרָאֵל נִסְמָכוּ יְהוָה צְבָאוֹת שְׁמוֹ: ס

Da santa cidade tomam o nome, e se firmam sobre o Deus de Israel. O culto deles ainda era o de Yahweh; e esse continuava sendo o culto da cidade santa; também era o culto a Elohim, o Deus de Israel; o Senhor dos Exércitos continuava sendo o seu capitão. Eles se identificavam com as reivindicações de Yahweh, mas a *essência* da fé havia sido perdida, embora a *forma* tivesse sido preservada. "Os que se jactavam não eram cidadãos autênticos de Sião (ver Sl 15.1; Mt 3.9). Não entravam em tudo quanto estava implícito em sua confissão de Yahweh-Sabaoth" (Ellicott, *in loc.*). Ver Jr 5.2 e Jo 4.24.

Segunda Estrofe: O Passado (48.3-5)

■ 48.3

הָרִאשֹׁנוֹת מֵאָז הִגַּדְתִּי וּמִפִּי יָצְאוּ וְאַשְׁמִיעֵם פִּתְאֹם עָשִׂיתִי וַתָּבֹאנָה:

As primeiras cousas desde a antiguidade as anunciei. Cf. Sl 41.22,23; 42.9; 43.9; 44.6-8; 45.21. O que Yahweh predisse por meio de seus profetas acaba sendo cumprido, e isso é usado em outros lugares como prova de sua deidade, enquanto os deuses das nações falharam no "teste da profecia". Aqui as profecias são ressaltadas para destacar o caráter fidedigno de Yahweh. As pessoas podem confiar nele. A ideia é que Yahweh controla todos os eventos da história da humanidade. Ele faz esses eventos cambar em favor de Israel, como no surgimento e nos triunfos de Ciro (capítulos 46 e 47). Encontramos aqui a *confirmação histórica* do poder e da fidelidade de Yahweh. Nenhum mero ídolo (vs. 5) poderia ter feito o que Yahweh fez em benefício da nação de Israel. O próprio cativeiro babilônico foi instrumento de graça para curar a apostasia do povo de Israel e então impor a *restauração*. Todos os julgamentos de Deus são restauradores (remediadores), e não apenas retributivos!

■ 48.4

מִדַּעְתִּי כִּי קָשֶׁה אָתָּה וְגִיד בַּרְזֶל עָרְפֶּךָ וּמִצְחֲךָ נְחוּשָׁה:

Porque eu sabia que eras obstinado, e a tua cerviz é um tendão de ferro. Há grande labor divino nas profecias e no cumprimento das profecias, que atuam como *sinais divinos,* mas Israel (Judá) era obstinado e conseguiu nada aprender através da "lição das profecias". O pescoço deles se endureceu, como se seus tenros tendões se tivessem tornado tendões de ferro. A testa deles (que contém o cérebro) tinha-se tornado testa de bronze. Uma *teimosia* extremada os fizera perder de vista as lições da história, contada de antemão pelas profecias divinas. Cf. este versículo com Êx 32.9 e Dt 9.6,13.

"A atual situação de Israel (talvez cativo na Babilônia) foi autocriada. No Egito (Jr 44) e na Babilônia, tal como na antiguidade, os filhos de Israel continuavam sendo um povo de dura cerviz, inclinados (vs. 5) a atribuir seu livramento a outro deus e a adorar esse deus sob a forma de imagens esculpidas" (Ellicott, *in loc.*). "A figura, naturalmente, é a do boi que repele o jugo ou que luta contra ele com os músculos poderosos de seu pescoço, balançando a cabeça para um lado e para outro, em atitude de rebeldia. Eles se mostravam 'inflexíveis' (ver At 7.51) e tinham a testa de bronze, sendo *desavergonhados* como uma prostituta (ver Jr 6.28; Ez 3.7)" (Fausset, *in loc.*).

■ 48.5

וָאַגִּיד לְךָ מֵאָז בְּטֶרֶם תָּבוֹא הִשְׁמַעְתִּיךָ פֶּן־תֹּאמַר עָצְבִּי עָשָׂם וּפִסְלִי וְנִסְכִּי צִוָּם:

Por isso to anunciei desde aquele tempo, e to dei a conhecer antes que acontecesse. Apesar das lições da *profecia-história,* que mostravam a autoridade de Yahweh e seu controle sobre as coisas, os israelitas voltaram-se para os ídolos, dando-lhes crédito por qualquer sucesso que tivessem logrado. Eles tinham entrado no negócio dos ídolos, moldando e desbastando o metal para produzir deuses de nada. Esse é o último estágio da *apostasia*. Ver no *Dicionário* os artigos chamados *Idolatria* e *Deuses Falsos*. Mesmo no exílio, sofrendo sob o julgamento de Deus, muitos voltaram-se para os ídolos babilônicos, em busca de favor. A *obstinação* (vs. 4) resultou na *apostasia* (vs. 5).

Terceira Estrofe: Coisas Novas (48.6-8)

■ 48.6

שָׁמַעְתָּ חֲזֵה כֻּלָּהּ וְאַתֶּם הֲלוֹא תַגִּידוּ הִשְׁמַעְתִּיךָ חֲדָשׁוֹת מֵעַתָּה וּנְצֻרוֹת וְלֹא יְדַעְתָּם:

Já o tens ouvido; olha para tudo isto; porventura não o admites? "*Coisas novas:* O livramento de Israel por Ciro (ver Is 43.18,19); a bondade de Deus é renovada diariamente, mas a infidelidade de Israel tornou-se axiomática (ver Ez 2.6-8; Dt 32.5)" (*Oxford Annotated Bible,* comentando sobre este versículo). Note o leitor a renovada chamada para que o povo prestasse atenção. Algo de novo e importante estava sendo declarado. "Israel tinha desconsiderado as profecias anteriores, pelo que Deus daria *novas* profecias (vs. 6), predições de que a ira de Deus seria adiada (vs. 9) e de que Israel seria livrado do cativeiro. Esses planos tinham sido *criados agora;* não que Deus nunca tivesse pensado neles antes, mas que seriam postos em execução somente no presente. Com base em Dt 30.1-5, Israel sabia que seria levado de volta à Terra Prometida, terminado o cativeiro, pois sua habitação na Terra Prometida estava garantida pelas provisões do pacto abraâmico (ver Gn 15.18-21)" (John S. Martin, *in loc.*). Os capítulos 40,47 fornecem um esboço desses novos acontecimentos, que estavam "ocultos", ou seja, guardados dentro do conhecimento e do propósito de Deus, mas ainda não revelados. A mera sagacidade política não poderia ter desvendado o que aconteceu em torno de Ciro. Ver Dn 2.22,29; 1Co 2.9,10.

■ 48.7

עַתָּה נִבְרְאוּ וְלֹא מֵאָז וְלִפְנֵי־יוֹם וְלֹא שְׁמַעְתָּם פֶּן־תֹּאמַר הִנֵּה יְדַעְתִּין:

Apareceram agora, e não de há muito. Todas essas coisas já tinham sido planejadas na mente divina, mas agora, devido à marcha de Ciro, foram postas em efeito, porquanto é Yahweh quem controla os eventos da história humana (ver Is 13.6 e notas).

Deus criou o mundo físico e *também* os eventos que ocorrem nesse mundo. Deus é Criador e Senhor da história, e coisas novas continuam a acontecer, pois estamos tratando com um contínuo e interminável processo, tanto na criação física (conforme a ciência nos diz) quanto no mundo dos eventos humanos (conforme o profeta Isaías nos diz). Todas essas coisas demonstram o senhorio e a autoridade de Deus. Israel não tinha conhecimento prévio dessas coisas, mas Israel também pode ter-se mostrado orgulhoso e independente de Deus. Mas, quando Deus revelou certas coisas, Israel não foi capaz de ler os sinais dos tempos, nem de aprender a depender de Deus, conforme diz o vs. 8. "O povo, até então, estivera despreparado para receber a verdade e, no estado em que se encontrava, isso apenas aumentaria sua condenação (ver Jo 16.12; Mc 4.33)" (Ellicott, *in loc.*).

■ 48.8

גַּם לֹא־שָׁמַעְתָּ גַּם לֹא יָדַעְתָּ גַּם מֵאָז לֹא־פִתְּחָה אָזְנֶךָ כִּי יָדַעְתִּי בָּגוֹד תִּבְגּוֹד וּפֹשֵׁעַ מִבֶּטֶן קֹרָא לָךְ:

Tu nem as ouviste nem as conheceste. Cf. a abertura desta declaração com Is 40.21,24,28. O castigo de Israel aqui é especialmente forte. As revelações e profecias de Yahweh tinham sido sistematicamente ignoradas por um povo espiritualmente cego e surdo. A oportunidade era ampla, como era a rejeição. Israel tinha uma longa história de infidelidade e apostasia habitual. O país mostrou-se rebelde desde o nascimento (ver Is 1.2,3), como um filho *geneticamente deficiente* que nada dá aos pais senão tribulação. Ver Ez 2.6-8; 3.9,26; 12.2,3; 16.3,45. "A falta de atenção de seu povo servia de prova para Deus. Ele fala conosco constantemente — nas necessidades dos homens, através de ocorrências alarmantes, dentro das portas da igreja. Mas ele nos encontra apáticos. Não somos servos do relógio, mas ociosos" (Henry Sloane Coffin, *in loc.*).

Tendes lutado contra mim desde que nascestes.
NCV

Diz o Targum: "Sim, não ouvistes as palavras dos profetas. Sim, não recebestes a doutrina da lei. Sim, não tendes inclinado vossos ouvidos às palavras das bênçãos e das maldições do pacto que fiz convosco em Horebe".

Quarta Estrofe: Por Minha Própria causa (48.9-11)

■ **48.9**

לְמַ֤עַן שְׁמִי֙ אַאֲרִ֣יךְ אַפִּ֔י וּתְהִלָּתִ֖י אֶחֱטָם־לָ֑ךְ לְבִלְתִּ֖י הַכְרִיתֶֽךָ׃

Por amor do meu nome retardarei a minha ira. Israel ainda irromperia em cânticos e louvores (importantes elementos do culto a Yahweh). Portanto, Yahweh continuaria a mostrar-se paciente para com as suas venetas. Este versículo destaca a ideia fantástica de que Deus depende do homem quanto aos seus louvores e quanto à sua adoração, como se isso lhe acrescentasse algo! Contraste-se isso com o *Movimentador Inabalável* de Aristóteles, isto é, "o pensamento puro pensando sobre si mesmo", porquanto nada existe de valor para pensarmos a respeito. "A glória de Deus é o propósito da salvação de Israel (ver Ez 20.22)" (*Oxford Annotated Bible,* comentando sobre o vs. 9). A longanimidade do Senhor é salvação (ver 2Pe 3.15). Quando Deus corta a sua ira, exibe uma paciência que é, realmente, parecida com Deus, porquanto os *homens* raramente agem dessa maneira.

Cf. este versículo com o vs. 11, a seguir, e com Is 43.25, onde encontramos a mesma asserção.

■ **48.10**

הִנֵּ֥ה צְרַפְתִּ֖יךָ וְלֹ֣א בְכָ֑סֶף בְּחַרְתִּ֖יךָ בְּכ֥וּר עֹֽנִי׃

Eis que te acrisolei, mas disso não resultou prata. *Em diversos lugares* temos a metáfora da prata refinada, mas a razão pela qual se diz aqui que o refino, feito por Yahweh, não resultou em prata, deixa os intérpretes perplexos. Várias são as ideias dadas: 1. O trabalho de refino foi diferente, porquanto não produziu o efeito desejado, como acontece quando se refina a prata. 2. Israel resistiu ao refino por ser refratário à prata, e desapontou o refinador. 3. O que resultou da atividade de refino divino foi apenas escória (cf. Is 1.22,25; Ez 22.18-22; Ml 3.3). 4. Se a prata é refinada por sete vezes na fornalha, para que fique pura, Yahweh não afligiu seu povo com tantos testes, embora o cativeiro babilônico, segundo se admite, tenha sido a fornalha do refinador. Contudo, a disciplina foi muito menos severa do que poderia ter sido, pelo que foi diferente do refino da prata. A *fornalha da aflição* é uma metáfora comum para indicar a servidão dos israelitas no Egito. Ver Dt 4.20; 1Rs 8.51; Jr 11.4.

■ **48.11**

לְמַעֲנִ֧י לְמַעֲנִ֛י אֶעֱשֶׂ֖ה כִּ֣י אֵ֣יךְ יֵחָ֑ל וּכְבוֹדִ֖י לְאַחֵ֥ר לֹֽא־אֶתֵּֽן׃ ס

Por amor de mim, por amor de mim é que faço isto. *O trabalho de refino logrou sucesso,* e isso redundou na glória de Yahweh, que como resultado recebeu um filho obediente, em vez do filho rebelde que tivera de refinar. Ver no vs. 9 a expressão "por amor do meu nome". O Pai é beneficiado quando os filhos se comportam bem; assim o benefício torna-se duplo. Mas os vss. 9 e 11 enfatizam a parte divina. Pelo lado divino, o nome de Deus estava sendo profanado tanto pelo que Israel fazia quanto pelo que outras nações diziam sobre o relacionamento entre Israel e Yahweh, zombando do nome divino. Portanto, Yahweh obtinha glória quando seus filhos eram refinados. O termo "nome", neste caso, representa a pessoa, os atributos e a natureza de Yahweh. Ver no *Dicionário* o verbete chamado *Nome,* bem como Sl 31.3; e ver sobre *Nome Santo* em Sl 30.4 e 33.21. As palavras são aqui antropomórficas: Yahweh estava cuidando de *sua reputação* entre os homens. Ver no *Dicionário* o artigo chamado *Antropomorfismo.* Considerando-se as promessas do pacto abraâmico (comentado em Gn 15.18), era impossível deixar Israel sem remissão. Para que as promessas se tornassem válidas, o processo de redenção requeria cumprimento. Yahweh não podia violar suas próprias promessas nem podia tolerar que sua reputação sofresse entre os homens, fosse por parte de Israel, fosse por parte das nações gentílicas.

Quinta Estrofe: O Primeiro e o Último (48.12,13)

■ **48.12**

שְׁמַ֤ע אֵלַי֙ יַֽעֲקֹ֔ב וְיִשְׂרָאֵ֖ל מְקֹרָאִ֑י אֲנִי־הוּא֙ אֲנִ֣י רִאשׁ֔וֹן אַ֖ף אֲנִ֥י אַחֲרֽוֹן׃

Dá-me ouvidos, ó Jacó, e tu, ó Israel, a quem chamei. Esta estrofe começa com outro chamado para Israel *ouvir.* O chamado foi dirigido a Jacó, também nomeado Israel. Os céus e a terra responderam ao chamamento divino (vs. 13), e seria ridículo que Israel não respondesse. A criação (na natureza) e a história (em Israel) estão sujeitas à mesma autoridade divina. Só existe um Deus sobre elas. Cf. Is 46.3.

Sou o primeiro, e também o último. Em Deus encontram-se todos os começos, embora para ele nunca tenha havido princípio de existência. Nele encontram-se também todos os fins, embora ele nunca venha a ter fim. Deus é aquele Ser independente, que não pode deixar de existir, pois é o que os teólogos e filósofos chamam de "Ser necessário". Todos os demais seres são dependentes e contingentes.

Porque assim como o Pai tem vida em si mesmo, também concedeu ao Filho ter vida em si mesmo.
João 5.26

Quanto a Deus como o primeiro e o último, ver Is 41.4 e 44.6. A expressão "o primeiro e o último" fala em unidade, caráter ímpar, eternidade e autoridade. Esse Deus único é soberano na natureza e na história. Era ele quem estabelecia as regras e ocupava lugar de proeminência sobre um povo que trazia o seu nome (ver Is 43.1; Dt 28.10; Jr 14.9; Dn 9.19 e 2Cr 7.14). O Antigo Testamento nada sabe sobre um homem autônomo. Ver no *Dicionário* o artigo intitulado *Soberania de Deus.*

■ **48.13**

אַף־יָדִ֞י יָ֣סְדָה אֶ֗רֶץ וִֽימִינִ֖י טִפְּחָ֣ה שָׁמָ֑יִם קֹרֵ֥א אֲנִ֛י אֲלֵיהֶ֖ם יַעַמְד֥וּ יַחְדָּֽו׃

Também a minha mão fundou a terra. Quanto à *mão* de Deus, ver Sl 81.15; quanto à *mão direita* de Deus, ver Sl 20.6; e, quanto ao *braço* de Deus, ver Sl 77.15; 89.10 e 98.1. Essas são imagens antropomórficas de seu poder, manipulando a natureza dos eventos humanos. Ver Is 13.6 quanto a esse tema anotado. Ele é Eterno, mas, dentro do tempo, ele se abaixou para tornar-se o Criador, e a ele todas as coisas e todos os seres devem a existência, pelo que os seres inteligentes são *moralmente responsáveis* diante dele. Cf. Is 40.12-31; 42.5; 44.24; 45.11,12,17,18. "A criação não foi um ato único, mas uma atividade divina que continua até o presente. O mundo criado da natureza tem sua *história* sob a soberania divina" (James Muilenburg, *in loc.*). Os rabinos divertiam-se aqui, atribuindo a criação da terra à *mão esquerda* de Deus, enquanto a criação dos céus era atribuída à sua *mão direita;* e eles especulavam sobre qual mão Deus teria usado primeiro, a direita ou esquerda. Mas isso já é tornar-se por demais antropomórfico. Ver no *Dicionário* o artigo chamado *Antropomorfismo.*

Sexta Estrofe: A Missão de Ciro (48.14,15)

■ 48.14

הִקָּבְצוּ כֻלְּכֶם וּשֲׁמָעוּ מִי בָהֶם הִגִּיד אֶת־אֵלֶּה יְהוָה
אֲהֵבוֹ יַעֲשֶׂה חֶפְצוֹ בְּבָבֶל וּזְרֹעוֹ כַּשְׂדִּים׃

Ajuntai-vos, todos vós, e ouvi! Quem, dentre eles, tem anunciado estas cousas? Ciro, pastor (ver Is 44.28) e messias (ver Is 45.1), era amado por Yahweh por ser um instrumento eficaz do propósito divino, a personalidade profetizada que derrubaria a Babilônia e libertaria a nação de Israel. Ciro tinha-se tornado o *braço do Senhor* (ver Sl 77.15; 89.10 e 98.1). *Títulos compostos* eram uma maneira tipicamente oriental de expressar coisas, especialmente no caso de figuras reais. Cf. Is 62.2,4,12; 65.15; Ap 2.17; 3.12 e 19.12. E o profeta Isaías imitou o estilo.

Ajuntai-vos. Esta ordem foi baixada aos adoradores de ídolos (as nações que Ciro tomaria). Eles receberiam o castigo das mãos do instrumento de Deus, Ciro. Cf. Is 43.9. Somente Yahweh tinha predito com sucesso a carreira de Ciro, pelo que somente Yahweh é deidade, um tema muito repetido no livro de Isaías. Ver Is 42.22,23; 43.9 e 44.7.

■ 48.15

אֲנִי אֲנִי דִּבַּרְתִּי אַף־קְרָאתִיו הֲבִיאֹתִיו וְהִצְלִיחַ דַּרְכּוֹ׃

Eu, eu tenho falado; também já o chamei. Yahweh tinha *falado* (por meio de profecias e decretos). Ele chamou Ciro para ser seu instrumento e, por isso, Ciro certamente seria um instrumento na mão de Deus; Deus havia *guiado* Ciro *ao longo do caminho*, *preparando-o* e equipando-o para aquela missão; Deus também o havia feito prosperar para fazer tudo quanto era necessário. A teologia concernente a Ciro é declarada por meio das quatro expressões grafadas em itálico. A *vontade divina* fê-lo ser o que ele foi. Quanto a esse tema, ver as notas expositivas sobre Is 13.6. Cf. Is 45.1,3,5 e 13.

Sétima Estrofe: O Líder no Caminho (48.16,17)

■ 48.16

קִרְבוּ אֵלַי שִׁמְעוּ־זֹאת לֹא מֵרֹאשׁ בַּסֵּתֶר
דִּבַּרְתִּי מֵעֵת הֱיוֹתָהּ שָׁם אָנִי וְעַתָּה אֲדֹנָי יְהוִה
שְׁלָחַנִי וְרוּחוֹ׃ פ

Chegai-vos a mim, ouvi isto: Não falei em segredo desde o princípio. A convocação foi renovada a fim de que uma importante mensagem pudesse ser comunicada. As nações deveriam aproximar-se para ouvir. Exatamente qual foi a mensagem, é algo que ficou claramente exposto, e desde longo tempo (desde o começo). Provavelmente está em foco a missão de Ciro, com tudo quanto estava envolvido nisso: a derrota da Babilônia; a conquista das nações; a libertação de Israel. *Isso* tinha sido predito desde longo tempo. A última linha do versículo é difícil. Yahweh-Elohim enviou a "mim", e o seu Espírito *me* ajudou. É provável que esteja em foco Ciro, como "messias" de Yahweh, (cf. Is 45.1), mas Ciro não era "o Messias", conforme alguns comentadores defendem. "O profeta chama atenção para seu anúncio referente a Ciro, com base na missão dada por Deus e pelo seu Espírito Santo. Mas ele fala aqui não tanto dessa pessoa como seu Messias, a quem somente, no sentido mais pleno, essas palavras se aplicam (cf. Is 66.1 e Jo 10.36)" (Fausset, *in loc.*). Mas é difícil explicar por que o profeta saltou de Ciro, que foi apenas "um messias", para o *Messias*, neste versículo. Naturalmente, há a profecia de dupla operação, a de curto prazo e a de longo prazo; e isso poderia estar funcionando aqui. Seja como for, alguns pensam que Ciro serviu de tipo de Cristo. Ver as notas sobre Is 45.1, onde comento a respeito.

■ 48.17

כֹּה־אָמַר יְהוָה גֹּאַלְךָ קְדוֹשׁ יִשְׂרָאֵל אֲנִי יְהוָה
אֱלֹהֶיךָ מְלַמֶּדְךָ לְהוֹעִיל מַדְרִיכֲךָ בְּדֶרֶךְ
תֵּלֵךְ׃

Assim diz o Senhor, o teu Redentor, o Santo de Israel. Novamente, temos um *acúmulo* de títulos divinos que enfatizam a noção de autoridade: Yahweh, Redentor Santo de Israel, Yahweh-Elohim. Todos esses títulos receberam artigos no *Dicionário*. Ver também no *Dicionário* o verbete intitulado *Deus, Nomes Bíblicos de*. O Poder divino, que foi chamado por todos esses nomes, é também o Mestre internacional que quer que seus estudantes *tirem proveito* daquilo que ele diz. E ele é igualmente o líder do caminho, e o caminho que ele provê é o caminho certo. Quanto a caminhos bons e maus contrastados, ver a nota de sumário em Pv 4.27; e então ver no *Dicionário* o verbete chamado *Caminho*. "Desde o começo, e em todos os tempos, Yahweh tinha oferecido o seu ensino (no hebraico, *torah*) ao povo, guiando-os no caminho pelo qual deveriam andar. Aqui, novamente, temos o uso familiar do termo *caminho*, como o modo de conduta e de comportamento. O destino de Israel foi descrito classicamente como a guarda dos mandamentos para prática de vida. O fato de que Yahweh lidera Israel é um dos principais elementos de sua história e piedade (ver Êx 13.18,21; 15.13; Dt 4.27; 29.5; Sl 5.8; 23.2; 27.11; 43.4; 139.10,24; e ver também Is 40.11; 55.12 e 63.13)" (James Muilenburg, *in loc.*). Quanto à lei como *guia*, ver Dt 6.4 ss. Se Israel se tivesse submetido à orientação imprimida por Yahweh, não teria terminado cativo na Babilônia. Ver no *Dicionário* o artigo chamado *Andar*.

Oitava Estrofe: As Recompensas e a Obediência (48.18,19)

■ 48.18

לוּא הִקְשַׁבְתָּ לְמִצְוֹתָי וַיְהִי כַנָּהָר שְׁלוֹמֶךָ וְצִדְקָתְךָ
כְּגַלֵּי הַיָּם׃

Ah! Se tivesses dado ouvidos aos meus mandamentos! Ver Sl 81.13-16, um bom paralelo deste versículo. Este é um anelo divino para que as coisas fossem diferentes; Israel (Judá) poderia ter evitado a dor pela qual passou, caso tivesse obedecido aos mandamentos (dados por Moisés e pela palavra profética). Assim os israelitas poderiam ter escapado ao cativeiro babilônico; Jerusalém poderia ter prosperado com suas multidões, em vez de um pequeno remanescente, depois que Ciro os libertou com um decreto. Poderia ter havido paz, em lugar de guerra; bênçãos divinas, e não destruição. Note o leitor aqui as *causas secundárias*. Israel (Judá), mediante o exercício de sua livre escolha, poderia ter anulado as temíveis profecias (e sua concretização) acerca da Babilônia. A história poderia ter sido diferente, *se* os homens tivessem sido diferentes. Portanto, o profeta negou que Deus é a causa única. A paz poderia ter fluído como um *rio*, ou seja, em grande poder e abundância. Pelo contrário, o exército babilônico chegou como um rio, disposto a destruir. Ver no *Dicionário* o artigo chamado *Paz*. Cf. Is 66.12 e Am 5.24.

De todas as palavras tristes da língua ou da pena, as mais tristes de todas são estas: "Poderia ter sido".

Walt Whitman

A alusão mais provável aqui é ao rio Eufrates, que indica tristeza para Judá; mas o rio da paz de Deus teria significado a alegria.

■ 48.19

וַיְהִי כַחוֹל זַרְעֶךָ וְצֶאֱצָאֵי מֵעֶיךָ כִּמְעֹתָיו לֹא־יִכָּרֵת
וְלֹא־יִשָּׁמֵד שְׁמוֹ מִלְּפָנָי׃

Também a tua posteridade seria como a areia. Em vez de serem liquidados e reduzidos a um minúsculo remanescente, os descendentes de Judá poderiam ter sido superabundantes como as areias das praias do mar (ver Gn 22.17; Os 1.10). Todos os descendentes de Jacó poderiam ter sido abundantes e saudáveis como um campo plantado de cereais cuidado por um agricultor habilidoso. O nome de Judá não teria sido cortado nem teria sofrido atos de destruição. Em vez de "grãos", a Septuaginta diz "pó" da terra, ou seja, inúmeros como partículas de poeira. "Esses dois versículos proferem o suspiro que sai do coração de todos os verdadeiros mestres, ao contemplar o estado real dos homens, em comparação com o que poderia ter sido. Cf. Dt 32.29,30; Lc 19.42" (Ellicott, *in loc.*).

Nona Estrofe: Cântico Lírico (48.20-22)

■ 48.20

צְא֣וּ מִבָּבֶ֗ל בִּרְח֣וּ מִכַּשְׂדִּים֮ בְּק֣וֹל רִנָּה֒ הַגִּ֣ידוּ
הַשְׁמִ֙יעוּ֙ זֹ֔את הוֹצִיא֖וּהָ עַד־קְצֵ֣ה הָאָ֑רֶץ אִמְר֕וּ גָּאַ֥ל
יְהוָ֖ה עַבְדּ֥וֹ יַעֲקֹֽב׃

Saí de Babilônia, fugi de entre os caldeus, e anunciai isto com voz de júbilo. Está em pauta um *novo êxodo*, uma fuga para longe da Babilônia, tal como antigamente Israel fugira do Egito. Tal como se deu no primeiro caso, outro tanto sucedeu no segundo, em que a vontade e o poder de Yahweh estavam com o seu povo quando uma necessidade histórica estava tendo cumprimento. Chegara o momento de Ciro aplicar o seu golpe, tornando a cidade de Babilônia um lugar ermo e impossível de ser habitado (ver Is 13.19-22). Cf. Jr 50.8 e 51.6. Os que fugiam da Babilônia sairiam entoando um cântico de redenção. Algo impossível tinha acontecido: após setenta anos, a nação de Judá tinha sido libertada da servidão babilônica, mediante o decreto de um monarca pagão! A mão divina se fazia sentir em toda aquela magna ocorrência. Ver Is 13.6 quanto a notas sobre esse tema. Isso foi realizado através do edito de 'Ciro' (ver 2Cr 36.22,23; Ed 1.1-4), que permitiu aos judeus retornar para casa. Deus exortou que o seu povo abandonasse imediatamente a Babilônia, que *fugisse*, porque essa volta seria como estar sendo remido, estar sendo comprado da escravidão; cf. Is 43.1" (John S. Martin, *in loc.*).

■ 48.21

וְלֹ֣א צָמְא֗וּ בָּחֳרָבוֹת֙ הֽוֹלִיכָ֔ם מַ֥יִם מִצּ֖וּר הִזִּ֣יל לָ֑מוֹ
וַיִּ֨בְקַע־צ֔וּר וַיָּזֻ֖בוּ מָֽיִם׃

Não padeceram sede, quando ele os levava pelos desertos. Depois que Israel saiu do Egito, no êxodo, embora esse povo tivesse passado por uma terra ressecada, onde facilmente poderia ter morrido de sede, não sofreu dessa maneira, porquanto sempre houve provisão divina de água potável. Em consequência, eles passaram incólumes pelos desertos. A água fluía das rochas, quando Moisés falou com elas ou as feriu com vara (ver Êx 17.6; 20.11; Sl 105.41). Cf. Is 41.17-20; 43.19-21; 44.3). Foi um significativo milagre que seis milhões de pessoas pudessem passar pela terra seca, tendo o suficiente para comer e beber. Por semelhante modo, o *novo êxodo* seria acompanhado por provisões divinas necessárias, de tal modo que Jerusalém e o seu templo seriam reconstruídos, e Israel, através da tribo de Judá, poderia renascer como nação. Isso proveu outro poderoso exemplo da *Providência de Deus* (ver a respeito no *Dicionário*). Alguns intérpretes veem subentendido, embora não profetizado, o *terceiro êxodo* de Israel de entre os gentios, para formar a era do reino de Deus, durante a qual Israel se tornará cabeça das nações (Is 24.23).

■ 48.22

אֵ֣ין שָׁל֔וֹם אָמַ֥ר יְהוָ֖ה לָרְשָׁעִֽים׃ ס

Para os perversos, todavia, não há paz, diz o Senhor. Cf. Is 57.21, onde encontramos idêntica declaração. Aplicando este versículo, as nações que perturbaram Israel, especificamente a Babilônia, não verão a paz, tal como aconteceu a Israel quando andou desobediente e precisou ser castigado por intermédio da Babilônia (vs. 18). A paz é obtida mediante obediência ao Ser divino e seguindo-se o caminho providenciado por Yahweh (vs. 17). Os que viverem fora dessa linha experimentarão o caos e a tristeza.

"A doença de nossa civilização tem sido a centralização em torno do homem... poucos... insistiriam em guardar em mente a glória de Deus. A maioria dos homens modernos riria desse princípio como antiprático... essa centralização em torno do homem é a causa do clamor infernal dos acontecimentos correntes... Mas honrar a Deus é a principal finalidade do ser humano. Isso eleva toda a vida ao seu ponto máximo e lhe empresta qualidades divinas" (Henry Sloane Coffin, *in loc.*). "Todas as bênçãos que acabam de ser mencionadas pertencem aos piedosos, e não aos ímpios" (Fausset, *in loc.*).

CAPÍTULO QUARENTA E NOVE

O SERVO E REDENTOR E AS COISAS FINAIS (49.1—64.12)

RESTAURAÇÃO DO SERVO SOFREDOR (49.1—57.21)

LIVRAMENTO FINAL DO SOFRIMENTO PELO SERVO DE DEUS (49.1—53.12)

O SERVO DO SENHOR CHAMADO, COMISSIONADO E CONSOLADO (49.1-25)

"A seção anterior de nove capítulos (capítulos 40—48) tratou principalmente de Ciro e sua missão, dentro da restauração do povo judeu. Estes nove capítulos (49—57) tratam primariamente do Messias-Servo ao cumprir o seu ministério de reintegrar à Terra Prometida o povo em relação de pacto com Yahweh, pouco antes do início do milênio. Nenhuma das personagens envolvidas falhará em sua missão, e várias das mesmas expressões e figuras de linguagem são usadas em ambas as seções de nove capítulos cada.

Os capítulos 49—57 podem ser divididos em quatro partes: 1. O Servo de Deus, uma vez rejeitado por seu povo, ofereceria salvação aos povos gentílicos (capítulos 49,50). 2. O remanescente crente do povo de Israel seria exaltado (51.1—52.12). 3. O Servo, entretanto, seria humilhado e só depois exaltado (52.13—53.12). 4. A salvação, através do Servo de Deus, será oferecida aos judeus e aos gentios pouco antes do milênio (capítulos 54—57)" (John S. Martin, *in loc.*).

O Segundo Cântico do Servo. Quanto aos *cânticos do Servo*, ver Is 42.1-17; 49.1-6; 50.4-11; 52.13—53.12. Se o Servo se refere a Israel ou ao Messias, depende inteiramente do contexto. Ver as notas de introdução ao capítulo 42.

Os capítulos 49,50 pintam o Servo rejeitado. O capítulo 49, que é um poema grandioso, está dividido em *treze estrofes*, que serão tratadas separadamente na exposição a seguir.

Primeira Estrofe: Chamada, Missão e Destino do Servo (49.1-3)

■ 49.1

שִׁמְע֤וּ אִיִּים֙ אֵלַ֔י וְהַקְשִׁ֥יבוּ לְאֻמִּ֖ים מֵרָח֑וֹק יְהוָה֙
מִבֶּ֣טֶן קְרָאָ֔נִי מִמְּעֵ֥י אִמִּ֖י הִזְכִּ֥יר שְׁמִֽי׃

Ouvi-me, terras do mar, e vós povos de longe, escutai. Tal como em Is 41.1—42.4, temos aqui uma chamada endereçada às nações. Israel (o Messias) fala para esclarecer que Yahweh o tinha chamado, desde o ventre materno; ele nasceu por determinação divina e para cumprir uma elevada missão que todas as nações deveriam ouvir.

"Seguindo a maneira dos grandes profetas, o servo introduziu a história de seu começo como profeta com uma descrição profundamente interna de sua chamada. Cf. Os 1.1-11; Jr 1.4-10; Ez 1.1—3.27 e Is 6.1-13. Essas palavras nos fazem lembrar da chamada e das confissões de Jeremias. À semelhança de Jeremias, o servo foi moldado e *conhecido* no ventre de sua mãe; sua esfera incluía o povo de todo o mundo (ver Jr 1.10; 25.15 ss.); sua mensagem era de condenação e de felicidade (ver Jr 16.19-21; Is 49.6); ele foi submetido a teste (ver Jr 26.1-24; cf. Is 50.4 ss.); ambos foram levados como cordeiro ao matadouro (ver Jr 11.19; Is 53.7); e foram arrebatados da terra dos viventes (ver Jr 11.1-23; cf. Is 53.8)" (James Muilenburg, *in loc.*).

"A palavra indica uma missão predestinada. Cf. Jr 1.5; Lc 1.15,41; Gl 1.15" (Ellicott, *in loc.*). As operações divinas na história humana têm sido um tema constante do livro de Isaías. Ver isso comentado em Is 13.6. Por extensão, essas operações se aplicam especificamente a homens dotados de elevada missão. Ver no *Dicionário* o artigo denominado *Providência de Deus*.

■ 49.2

וַיָּ֤שֶׂם פִּי֙ כְּחֶ֣רֶב חַדָּ֔ה בְּצֵ֥ל יָד֖וֹ הֶחְבִּיאָ֑נִי וַיְשִׂימֵ֙נִי֙
לְחֵ֣ץ בָּר֔וּר בְּאַשְׁפָּת֖וֹ הִסְתִּירָֽנִי׃

Fez a minha boca como uma espada aguda. A *iniquidade* terá de enfrentar os julgamentos do Servo. Sua ira endireitará as coisas, ao passo que os bons receberão sua benéfica missão de salvação. A boca do Messias será como uma espada aguda que destruirá os desobedientes (ver Is 1.20; Hb 4.12; Ef 6.17; Ap 1.16 e 19.5). Ele também foi comparado a alguém cuja língua é como uma seta aguda, outro agente de destruição. Estava na aljava de Yahweh, pronto para ser usado no momento aprazado.

Não se vê nenhuma distinção entre o primeiro e o segundo advento do Messias, porquanto a visão do profeta não era assim tão clara para mostrar a diferença. O Servo estava guardado na aljava até o tempo apropriado para ser usado na batalha em favor do bem. Chegando o tempo apropriado, porém, o Servo estava na frente da batalha. Ele entrou em ação quando sua hora chegou. Ver Jo 2.4; 7.6 e Gl 4.4. Note o leitor a dupla figura de esconderijo: a espada estava na mão de Yahweh; e a seta estava na aljava de Yahweh. Isso enfatiza o fato de que o Servo de Deus tinha sido escolhido; a proteção ao Servo; sua missão orientada; o fato de que somente no tempo certo ele seria usado. Suas palavras seriam cortantes e eficazes, quer para julgar, quer para remir. Cf. Is 51.16, onde ter sido escondido (protegido, preservado para o bem) foi dito acerca de Israel em geral.

■ 49.3

וַיֹּאמֶר לִי עַבְדִּי־אָתָּה יִשְׂרָאֵל אֲשֶׁר־בְּךָ אֶתְפָּאָר׃

E me disse: Tu és o meu servo. O Servo é aqui chamado *Israel*, e minha interpretação simplesmente vê a carreira daquela nação no mundo, e não a carreira do Messias. Isso significaria remover muitas preciosas profecias messiânicas, afastando-as de Jesus, o Cristo, e pondo-as sobre Israel, servo de Deus entre as nações. Alguns veem aqui *dupla referência*, Israel e o Messias, visto que ambos fazem parte da mesma equipe. Alguns intérpretes veem aqui Israel como uma glosa, mas somente um manuscrito (Kennicott, 96) não tem a referência a Israel. Os manuscritos hebraicos dos Papiros do mar Morto contêm a palavra, como o fazem as versões em geral. Não obstante, os comentadores hebreus Aben Ezra, Rashi e Kimchi aceitam a referência a um indivíduo, e esse indivíduo seria, logicamente, o Messias.

Segunda Estrofe: O Servo Recompensado e Honrado (49.4,5ef)

■ 49.4

וַאֲנִי אָמַרְתִּי לְרִיק יָגַעְתִּי לְתֹהוּ וְהֶבֶל כֹּחִי כִלֵּיתִי
אָכֵן מִשְׁפָּטִי אֶת־יְהוָה וּפְעֻלָּתִי אֶת־אֱלֹהָי׃

Eu mesmo disse: Debalde tenho trabalhado. *O Servo*, tendo recebido elevada missão, estava cônscio do fracasso que deve tê-la acompanhado. Isso, se aplicado messianicamente, refere-se ao primeiro advento quando o Messias foi rejeitado (ver Jo 1.11). A despeito do fracasso, a mão direita do Servo (seu poder e eficácia) continuava segura a Elohim, o qual faria as coisas tornar-se um sucesso algum outro dia. Suas palavras agudas, tão poderosas e eficazes, caíram em ouvidos surdos (ver Is 6.9-11; Mc 4.12; Mt 11.15-17). Contudo, o Messias recebeu seu devido galardão. Essa parte do versículo antecipa os trechos de Is 52.12-15 e 53.10-12. Ver também 1Rs 19.4-18 e Jr 15.15-21.

Se o povo de Israel é o servo de Deus, então temos de supor que algum esforço verdadeiramente digno foi feito por aquela nação para ser a luz de Deus no mundo, o seu poder de julgamento e restauração, mas não há muita coisa na história da nação que justifique esse ponto de vista. Pelo contrário, essa nação estava sempre sendo rejeitada por Yahweh por motivo de apostasia, em vez de ser rejeitada pelas nações.

O Galardão Apropriado do Messias. Embora tivesse sido rejeitado por Israel, o Messias conquistou os gentios, e a igreja veio à existência, o que, pelo menos por algum tempo, o tempo da graça divina, fez parar o relógio de Israel. O propósito divino voltará a ter Israel como centro, quando chegar o tempo certo de fazer a era do reino de Deus.

■ 49.5

וְעַתָּה אָמַר יְהוָה יֹצְרִי מִבֶּטֶן לְעֶבֶד לוֹ לְשׁוֹבֵב
יַעֲקֹב אֵלָיו וְיִשְׂרָאֵל לֹא יֵאָסֵף וְאֶכָּבֵד בְּעֵינֵי יְהוָה
וֵאלֹהַי הָיָה עֻזִּי׃

Eu sou glorificado perante o Senhor, e o meu Deus é a minha força. Esta porção do versículo deveria estar unida ao final do vs. 4. O galardão foi afirmado com ainda maior força: o Messias seria glorificado, a despeito da rejeição de Israel; Elohim permaneceu sendo o seu poder para sua missão messiânica, tanto no primeiro século de nossa era quanto no futuro. "O Servo voltou a escudar-se na grandeza da obra que lhe foi entregue, a missão de restaurar Israel, e ficou certo que mais cedo ou mais tarde essa missão seria concretizada. Cf. esta declaração com Rm 9—11" (Ellicott, *in loc.*). Não foi fácil explicar a rejeição de Israel quanto ao próprio Messias. Temos de supor aqui um mistério de Deus que opere nisso tudo. Seja como for, o relógio de Israel começará a tiquetaquear de novo. Então a missão original será gloriosamente cumprida.

Terceira Estrofe: A Luz das Nações (49.6)

■ 49.6

וַיֹּאמֶר נָקֵל מִהְיוֹתְךָ לִי עֶבֶד לְהָקִים
אֶת־שִׁבְטֵי יַעֲקֹב וּנְצוּרֵי יִשְׂרָאֵל לְהָשִׁיב
וּנְתַתִּיךָ לְאוֹר גּוֹיִם לִהְיוֹת יְשׁוּעָתִי עַד־
קְצֵה הָאָרֶץ׃ ס

Mas agora diz o Senhor, que me formou desde o ventre para ser seu servo. O Servo restaurará o servo. A apostasia de Israel chegará ao fim, e todo o Israel será restaurado (Rm 11.26). O Messias foi escolhido desde o ventre, conforme a declaração do vs. 1, onde comento a questão com detalhes. O fracasso temporário será vencido. O *recolhimento* é uma metáfora que aponta para a *salvação* e também prediz a restauração de Israel à sua própria terra, com a subsequente exaltação de tornar-se cabeça das nações (ver Is 24.23). Haverá então retorno e restauração, o cumprimento de grande número de profecias do Antigo Testamento. Os capítulos 9—11 da epístola aos Romanos deixam claro que Israel foi *posto de lado* por algum tempo, mas será *trazido de volta*.

Então uma Maravilha Terá Lugar. O Servo de Deus trabalhará através de sua própria missão gentílica, e, através de seu servo, Israel, como seu agente, levará a luz aos povos gentílicos. O profeta Isaías combinou o primeiro e o segundo advento de Cristo em seu escopo, mas sem distinguir um do outro. Ver Mt 4.15,16, sobre como o cativeiro assírio foi revertido na missão de Cristo. O que há de mais admirável nessa profecia é que os "assírios" também serão restaurados, ou seja, todas as nações gentílicas que haviam maltratado Israel. Então o alcance da mensagem será absolutamente universalizado, começando pelo primeiro advento e terminando no segundo. Essa provisão já existia desde o pacto abraâmico (ver as notas em Gn 15.18). Ver também Gn 18.18; 22.18; 28.14; At 3.25,26; Rm 4.13; Gl 3.8,16. Quanto ao escopo universal da missão salvadora, ver também Is 44.5; 45.6,14 ss. E o vs. 8 deste capítulo. Há também outras ovelhas que deverão ser recolhidas (ver Jo 10.16).

Não era coisa pequena estar envolvido em tão pesada responsabilidade.

Quarta Estrofe: A Homenagem das Nações (49.7)

■ 49.7

כֹּה אָמַר־יְהוָה גֹּאֵל יִשְׂרָאֵל קְדוֹשׁוֹ לִבְזֹה־נֶפֶשׁ
לִמְתָעֵב גּוֹי לְעֶבֶד מֹשְׁלִים מְלָכִים יִרְאוּ וָקָמוּ
שָׂרִים וְיִשְׁתַּחֲווּ לְמַעַן יְהוָה אֲשֶׁר נֶאֱמָן קְדֹשׁ יִשְׂרָאֵל
וַיִּבְחָרֶךָ׃

Assim diz o Senhor, o Redentor e Santo de Israel. *Yahweh*, o *Redentor* de Israel, o *Santo* de Israel, fala diretamente a seu Servo rejeitado, e ao seu servo rejeitador. O Servo Sofredor foi desprezado, tal como, através dos séculos, também tem sido rejeitado pelas nações gentílicas. Porém, parte da missão messiânica será a sujeição a Deus por parte de todos os poderes e, secundariamente, a Israel, quando essa nação tornar-se a cabeça das nações durante o reino do milênio (ver Is 24.23). Um bom trecho paralelo é Is 45.22-24. Haverá sujeição universal ao Ser divino, que será uma sujeição remidora. Ver as notas expositivas ali existentes. As passagens de Rm 14.11 e Fp 2.10,11 devem ser interpretadas à luz de Is 45.22-24, porquanto repousam sobre este último trecho. Note o leitor que Fp 2.10 nos envolve na missão tridimensional de Cristo, que atinge os homens em todos os lugares onde eles se encontrem: nos céus; na terra; no hades. Quando isso acontecer, a missão do Messias, como Servo Sofredor, estará completa; e antes mesmo da inauguração da era do reino, Israel, como servo de Yahweh, fará parte dessa atividade. Algum dia, Israel se tornará o agente que apresentará a luz ao mundo inteiro (ver Is 11.9). Portanto, todas essas coisas representam grandes e poderosas promessas que, algum dia, serão aplicadas universalmente.

"O ponto central dessas palavras jaz no fato de que aquele que *fará* a *grande obra* será desprezado, segundo o julgamento do mundo, e até por seu próprio povo, bem como pelos orgulhosos governantes (cf. 1Co 1.27). No entanto, *ele*, e não outro qualquer, realizará esse feito" (Ellicott, *in loc.*).

Quinta Estrofe: Restauração da Terra e do Povo (49.8,9ab)

■ **49.8**

כֹּה אָמַר יְהוָה בְּעֵת רָצוֹן עֲנִיתִיךָ וּבְיוֹם יְשׁוּעָה עֲזַרְתִּיךָ וְאֶצָּרְךָ וְאֶתֶּנְךָ לִבְרִית עָם לְהָקִים אֶרֶץ לְהַנְחִיל נְחָלוֹת שֹׁמֵמוֹת׃

Diz ainda o Senhor: No tempo aceitável eu te ouvi e te socorri no dia da salvação. Em um *dia de favor*, a promessa das Escrituras se cumprirá. No dia da salvação Yahweh estenderá sua mão e cumprirá todas as profecias antigas, dando a Israel a ajuda de que esse povo precisará para restaurar-se. Na verdade, Israel nunca se perdeu nos planos de Deus. Haverá um novo pacto e a renovação do pacto abraâmico; e o Messias operará visando o benefício de Israel. A Terra Prometida foi dada a Israel como herança (ver Êx 6.8). Mas Israel seria removido da Terra Prometida por causa da ira de Yahweh. Todavia, esse não era o propósito de Deus nem o fim de suas operações. A Terra Prometida, que foi deixada desolada, ainda haverá de florescer como a rosa (ver Is 40.1). O retorno do cativeiro babilônico foi o cumprimento histórico da promessa divina. Mas também haverá o cumprimento escatológico, muito mais glorioso. 2Co 6.2 cita este versículo, mas empresta-lhe um tom universalista.

■ **49.9**

לֵאמֹר לַאֲסוּרִים צֵאוּ לַאֲשֶׁר בַּחֹשֶׁךְ הִגָּלוּ עַל־דְּרָכִים יִרְעוּ וּבְכָל־שְׁפָיִים מַרְעִיתָם׃

Para dizeres aos presos: Saí, e aos que estão em trevas: Aparecei. Na Babilônia, os cativos judeus ouviriam as palavras graciosas de Deus: "Saí; voltai; possuí de novo a Terra Prometida". O dia do aprisionamento teria terminado. Isso se aplicaria, em primeiro lugar, ao retorno do cativeiro babilônico, mas, secundariamente, ao retorno da dispersão romana, em preparação para a inauguração da época áurea do futuro. Tal como aconteceu no tocante à experiência egípcia, "eles serão soltos e restaurados" (*Oxford Annotated Bible*, comentando sobre este versículo).

O Servo foi retratado como um Pastor que guia suas ovelhas a ricas pastagens, embora aqui ele não seja especificamente chamado de Pastor. Pastagens abundantes são o equivalente a bênçãos e provisões abundantes em prol do remanescente que voltará. Esta parte do versículo, segundo alguns intérpretes, pertence ao vs. 10, onde encontramos as metáforas de provisão.

Aos que estão em trevas. Na terra estrangeira, espiritualmente tenebrosa; em masmorras literalmente escuras; em suas próprias trevas espirituais. Contudo, para todos os que estão nessas condições, há livramento da parte do Senhor.

"A restauração de Israel (ver Is 49.8-12). Durante o milênio, aqui chamado de tempo do favor de Deus no dia da salvação, o Senhor capacitará o seu Servo a ser uma aliança para o seu povo (cf. Is 42.6; isto é, para que ele cumpra as promessas do pacto que Deus estabeleceu com Israel; ver comentários sobre Jr 31.31-34, sobre o novo pacto)" (John S. Martin, *in loc.*).

Sexta Estrofe: O novo êxodo e a Volta da Diáspora (49.9c-13)

■ **49.10**

לֹא יִרְעָבוּ וְלֹא יִצְמָאוּ וְלֹא־יַכֵּם שָׁרָב וָשָׁמֶשׁ כִּי־מְרַחֲמָם יְנַהֲגֵם וְעַל־מַבּוּעֵי מַיִם יְנַהֲלֵם׃

Em todos os altos desnudos terão o seu pasto. *Haverá ampla provisão* para o remanescente israelita que voltará: O Servo, na qualidade de Pastor, proverá abundantes terras de pastagens; fartura de alimento e bebida; o fim das terras desérticas, onde o vento oriental sobra e o sol tosta. O Pastor os guiará para as margens de águas tranquilas e cuidará da alma deles. Fontes esguicharão água onde antes havia somente uma terra seca e sedenta. Haverá mudança radical nas pessoas, equivalente às mudanças que se darão na Terra Prometida. Cf. Is 40.3,4. "Os vss. 9b-11 repetem a certeza dos cuidados providenciais de Deus quanto aos cativos que retornavam [da Babilônia], aos quais tinha sido transmitida a mensagem inicial de consolação (ver Is 40.1-11), com o uso da mesma metáfora do Pastor que guiava o seu rebanho" (Henry Sloane Coffin, *in loc.*).

■ **49.11**

וְשַׂמְתִּי כָל־הָרַי לַדָּרֶךְ וּמְסִלֹּתַי יְרֻמוּן׃

Transformarei todos os meus montes em caminhos. Onde antes havia barreiras naturais, haverá caminhos abertos para os judeus que retornarem.

Farei os montes se transformarem em estradas para o meu povo, e estradas serão construídas.

NCV

Os caminhos serão *exaltados* e se tornarão caminhos apropriados a reis e príncipes. Elohim levará seu povo de volta à Terra Prometida, sobre estradas reais. Talvez exista um significado metafórico subjacente: "Cristo é o maior de todos os caminhos, e então virão os caminhos de sua palavra e de sua santidade. Esses, declaradamente, serão exaltados" (John Gill, *in loc.*).

Voz do que clama no deserto: Preparai o caminho do Senhor; endireitai no ermo vereda a nosso Deus.

Isaías 40.3

Cf. também este versículo com Sl 18.33 e Hc 3.17-19.

■ **49.12**

הִנֵּה־אֵלֶּה מֵרָחוֹק יָבֹאוּ וְהִנֵּה־אֵלֶּה מִצָּפוֹן וּמִיָּם וְאֵלֶּה מֵאֶרֶץ סִינִים׃

Eis que estes virão de longe, e eis que aqueles do norte e do ocidente. O povo se reunirá vindo de todas as direções; esse ajuntamento será completo, pois a hora final definitivamente soou. "Do ocidente" é, literalmente, "do mar"; mas, em Sl 107.3, o significado é "do sul". Provavelmente, "de longe" quer dizer da distante Etiópia, para onde tinham ido exilados judeus. "Terra Sinim" (Siene) refere-se a *Sevene*, nome sobre o qual apresento o artigo no *Dicionário* e que é a área da moderna represa de Aswan. Fica no rio Nilo, cerca de 885 km ao sul da cidade do Cairo. O autor não tentou abarcar muitos lugares, nem mesmo todas as direções da bússola. Ele simplesmente nos deu uma lista representativa, que fala sobre lugares distantes.

HINO DE AGRADECIMENTO: YAHWEH CONSOLOU O SEU POVO (49.13)

■ **49.13**

רָנּוּ שָׁמַיִם וְגִילִי אָרֶץ יִפְצְחוּ הָרִים רִנָּה כִּי־נִחַם יְהוָה עַמּוֹ וַעֲנִיָּו יְרַחֵם׃ ס

Cantai, ó céus, alegra-te, ó terra, e vós, montes, rompei em cânticos. A fim de celebrar o grande ajuntamento do povo de Deus, o profeta invocou a natureza, os céus e a terra, os lugares mais altos da criação, bem como os mais baixos, e também os montes da terra, os lugares exaltados e os povos da terra. A razão desse hino é o fato de que o dia da restauração e da consolação chegara (cf. Is 40.1). O dia da compaixão tomou o lugar do dia do julgamento. Um dia de reunião tomou lugar do dia da dispersão. Cf. este versículo com Is 44.23; 52.9 e 55.12,13. Yahweh consola a todos que precisam de consolação, sejam eles judeus ou gentios. A aplicação histórica pode ser a volta dos judeus da Babilônia, mas as palavras parecem apontar mais para o *dia escatológico,* para a era do reino de Deus. Esse dia futuro se reveste de tal importância que toda a natureza foi convocada a participar dessa alegria. E isso é apropriado, porquanto o Deus da natureza é também o Deus das coisas que acontecem na terra. "A criação e a história estão sob uma soberania divina comum. A criação se regozijará na obra remidora de Deus" (James Muilenburg, *in loc.*).

Sétima Estrofe: O Senhor Não Esqueceu seu Povo (49.14-16)

■ **49.14**

וַתֹּאמֶר צִיּוֹן עֲזָבַנִי יְהוָה וַאדֹנָי שְׁכֵחָנִי׃

Mas Sião diz: O Senhor me desamparou. Sião, em estado de depressão, pensava que Yahweh a tinha abandonado e esquecido. O assunto é o cativeiro babilônico, bem como os sentimentos subjetivos de Israel (Judá), em meio à calamidade. O desânimo provocou imediata reação de segurança. A misericórdia de Deus estava presente, pronta a curar (ver Is 63.15-19; Sl 77.9,10 e 102.17).

■ **49.15**

הֲתִשְׁכַּח אִשָּׁה עוּלָהּ מֵרַחֵם בֶּן־בִּטְנָהּ גַּם־אֵלֶּה תִשְׁכַּחְנָה וְאָנֹכִי לֹא אֶשְׁכָּחֵךְ׃

Acaso pode uma mulher esquecer-se do filho que ainda mama...? O poderoso instinto maternal não permitirá que uma mãe se esqueça de seu filhinho que ainda mama; sim, talvez uma mãe possa fazer isso, pois podemos mencionar alguns poucos casos de tão terrível negligência maternal. Mas os desejos de Yahweh para com Israel (Judá) eram mais fortes que os de uma mãe por seu bebê, de modo que o "filho", Judá, podia ser punido pelo mal praticado, mas jamais abandonado. O amor divino é mais profundo do que qualquer forma de amor humano. O amor de Yahweh é a própria fonte da vida e da consolação de Judá. Cf. Is 43.4; 44.21; 46.3,4. Cf. especialmente Jr 31.20. Ver também Mt 23.37. Quanto ao exemplo contrário, ver Lm 4.3,4,10; Dt 28.57.

■ **49.16**

הֵן עַל־כַּפַּיִם חַקֹּתִיךְ חוֹמֹתַיִךְ נֶגְדִּי תָּמִיד׃

Eis que nas palmas das minhas mãos te gravei. Na proclamação de seu amor por Judá (ver Os 2.14-23; Jr 31.20), foi usado como exemplo uma marca de amante, uma espécie de tatuagem. Alguém pode estar apaixonado o bastante para gravar o nome do ente amado nas palmas das mãos; e foi isso que Yahweh fez no tocante a Judá. Essa figura, naturalmente, é um extremo antropomorfismo, atribuindo a Deus o que dizemos sobre os homens. Ver no *Dicionário* o verbete intitulado *Antropomorfismo*. Além disso, temos outra figura que reflete o *antropopatismo* (que atribui a Deus sentimentos humanos). Ele está sempre olhando para as muralhas de Jerusalém, com emoção em seu coração. Nesse caso, provavelmente devemos compreender as futuras muralhas de Jerusalém, que já existiam na mente divina, servindo de símbolo da restauração futura, quando as coisas, uma vez mais, retornariam ao normal, após a volta dos exilados da Babilônia. Cf. este versículo com Is 25.1; Zc 2.5 e Ap 21.14.

Oitava Estrofe: Gloriosa Volta para Casa (49.18,12)

■ **49.18**

שְׂאִי־סָבִיב עֵינַיִךְ וּרְאִי כֻּלָּם נִקְבְּצוּ בָאוּ־לָךְ חַי־אָנִי נְאֻם־יְהוָה כִּי כֻלָּם כָּעֲדִי תִלְבָּשִׁי וּתְקַשְּׁרִים כַּכַּלָּה׃

Levanta os teus olhos ao redor, e olha. Note que estou dando uma ordem diferente para os versículos, vinculando o vs. 18 ao vs. 12. Esses dois versículos compõem a oitava estrofe. Então o vs. 17 vinculado ao vs. 19 compõem a nona estrofe. Mediante esse rearranjo, conseguimos *unir pensamentos parecidos.* Ver as notas no vs. 12, que também se aplicam aqui. Aquele versículo mostra alguns lugares representativos de onde os exilados retornarão, retratando historicamente a volta do remanescente de Judá, da Babilônia para a Terra Prometida; escatologicamente, porém, fala da distante restauração do remanescente de Israel da dispersão romana, pouco antes da inauguração da era do reino de Deus. Yahweh e sua vida divina (a coisa mais necessária dentre todas) garantirão o retorno dos israelitas. Os filhos de Yahweh são como joias. Ele se adornará deles como uma noiva faz com suas joias. Cf. Is 3.16 ss. A metáfora naturalmente subentende que Judá é a noiva de Yahweh. A figura, um tanto desajeitada porque é Yahweh quem é retratado aqui a colocar a joias e, portanto, a fazer o papel de uma mulher, fala de uma jubilosa restauração, porque somos levados a pensar em um casamento. Ou então, conforme sugerem alguns estudiosos, Sião é objetivada aqui, e ela recebe seus filhos vindos do exílio; ela é a mulher que se adorna com joias. O original hebraico é difícil e incompleto.

Alguns intérpretes cristianizam o versículo e veem aqui o casamento do Cordeiro. Mas o assunto é Israel, e não a igreja.

Nona Estrofe: Sião Reconstruída e Reocupada (49.17,19)

■ **49.17,19**

17 מִהֲרוּ בָּנָיִךְ מְהָרְסַיִךְ וּמַחֲרִבַיִךְ מִמֵּךְ יֵצֵאוּ׃

19 כִּי חָרְבֹתַיִךְ וְשֹׁמְמֹתַיִךְ וְאֶרֶץ הֲרִסֻתֵיךְ כִּי עַתָּה תֵּצְרִי מִיּוֹשֵׁב וְרָחֲקוּ מְבַלְּעָיִךְ׃

Os teus filhos virão apressadamente. Tal como a oitava estrofe vincula os vss. 18 e 12, a nona estrofe liga os vss. 17 e 19; e, mediante esse arranjo, conseguimos unir pensamentos parecidos. O programa de construção ultrapassará em alcance o programa de destruição. Novamente, o original hebraico é desarranjado e difícil, pelo que os tradutores se esforçam para fazer o melhor que podem, arrancando do trecho algum sentido. A NCV simplifica o vs. 17, dando-nos: "Teus filhos logo retornarão a ti (Sião), e o povo que te derrotou e te destruiu partirá" (referindo-se aos conquistadores babilônicos). E então a descrição continua no vs. 19: "Fostes destruídos e derrotados. Vossa terra tornou-se inútil. Mas agora terás mais pessoas do que a terra é capaz de conter. E aqueles que te destruíram estarão distantes". Em outras palavras, aqueles que retornarem prosperarão e repovoarão a Terra Prometida, e logo serão removidos os efeitos da deportação para a Babilônia.

Os teus filhos. Assim diz o texto massorético; porém, mediante uma vocalização diferente, obtemos "vós, construtores", que é como se lê nos manuscritos hebraicos dos Papiros do mar Morto, com o apoio da Septuaginta e do Targum. Algumas traduções consideram isso como o texto original mais provável. Os manuscritos pré-BC de Isaías (dois manuscritos hebraicos da coletânea dos Papiros do mar Morto) são mais antigos do que o texto massorético padronizado por mais de um milênio e, por certo, quanto a alguns lugares, superiores a ele. Talvez essa superioridade atinja algo como 5% do texto. Algumas vezes, as versões, sobretudo a Septuaginta, concordam com aqueles antiquíssimos manuscritos hebraicos, contra o texto massorético, que é posterior. Quanto à importância desse fenômeno dentro da crítica textual, ver as notas sobre Is 26.19, bem como o gráfico acompanhante. Ver *Massora (Massorah): Texto Massorético,* no *Dicionário,* como também o verbete chamado *mar Morto, Manuscritos (Rolos) do;* e ver também o artigo denominado *Manuscritos Antigos do Antigo Testamento,* que inclui informações sobre como são escolhidos os textos bíblicos quando aparecem variantes.

Décima Estrofe: De Onde Vieram Estes? (49.20,21)

■ **49.20**

עוֹד יֹאמְרוּ בְאָזְנַיִךְ בְּנֵי שִׁכֻּלָיִךְ צַר־לִי הַמָּקוֹם גְּשָׁה־לִּי וְאֵשֵׁבָה׃

Até mesmo os teus filhos, que de ti foram tirados. Considere o leitor os quatro pontos discriminados a seguir:

1. Naturalmente, deveríamos pensar nesta "explosão populacional" e superpopulação de Jerusalém como uma referência à rápida ocupação humana ocorrida após o cativeiro; mas o versículo parece retratar uma grande explosão populacional que se deu enquanto os cativos ainda estavam na *Babilônia*, mais ou menos da ordem do que aconteceu no Egito, na terra de Gósen. Porém, se lermos as narrativas de Esdras e Neemias, ficamos admirados de quão poucos judeus voltaram à Terra Prometida.
2. Talvez o autor sagrado estivesse falando em termos comparativos; somente alguns retornaram, porém muito mais do que se esperava. Mas então as condições não eram favoráveis, e os recursos eram escassos. Portanto, a reconstrução de Jerusalém tornou-se mais difícil devido ao comparativo excesso de habitantes.
3. Para escapar ao *problema histórico* envolvido nessa declaração, alguns intérpretes transferem a coisa toda à restauração de Israel, antes da era do reino, e veem ali um maciço retorno da dispersão romana, o que criará problemas de superpopulação.
4. Alguns cristianizam o versículo, fazendo-o referir-se aos muitíssimos convertidos à igreja cristã, como se isso fosse uma superpopulação. Nenhuma dessas quatro interpretações é inteiramente satisfatória; mas a de número um é a que tem maior possibilidade de ser a verdadeira interpretação, embora seja historicamente inexata. A superpopulação é um motivo comum dentro da literatura apocalíptica: a promessa feita a Abraão se cumpriria mediante grande número de descendentes. Mas isso está ligado ao futuro de Israel, e não à época do exílio da Babilônia.

■ 49.21

וְאָמַרְתְּ בִּלְבָבֵךְ מִי יָלַד־לִי אֶת־אֵלֶּה וַאֲנִי שְׁכוּלָה וְגַלְמוּדָה גֹּלָה וְסוּרָה וְאֵלֶּה מִי גִדֵּל הֵן אֲנִי נִשְׁאַרְתִּי לְבַדִּי אֵלֶּה אֵיפֹה הֵם׃ פ

E dirás contigo mesmo: Quem me gerou estes? Este versículo dá prosseguimento à ideia do vs. 20, pelo que se aplicam as mesmas interpretações, conforme foi destacado aqui. Sião olhará admirada diante de tanta gente que voltará do exílio e perguntará: "De onde vieram todas essas pessoas? Eu lamentava, destituída. Como tanta gente (filhos) poderia estar voltando para mim?" Essas perguntas manifestarão o espanto de Sião: 1. Quem poderia ter dado à luz a tantos filhos que retornavam? O remanescente que partira era muito pequeno. Poderia aquele grupo de pessoas ter produzido todos esses descendentes? 2. Quem, pois, os criou? Qual é o segredo dessa inesperada multidão? 3. Toda essa gente está retornando da Babilônia, ou haverá outra(s) fonte(s) que a explique(m)? O efeito do vs. 21, pois, é enfatizar a ideia da presumível "grande multidão" do vs. 20. Mas permanece de pé o mesmo problema histórico. Devemos transferir toda essa gente para a era do reino de Deus? "A viúva filha de Sião não poderá acreditar que aqueles filhos inúmeros eram seus" (Ellicott, *in loc.*).

Décima Primeira Estrofe: A Bandeira às Nações (49.22,23)

■ 49.22

כֹּה־אָמַר אֲדֹנָי יְהוִה הִנֵּה אֶשָּׂא אֶל־גּוֹיִם יָדִי וְאֶל־עַמִּים אָרִים נִסִּי וְהֵבִיאוּ בָנַיִךְ בְּחֹצֶן וּבְנֹתַיִךְ עַל־כָּתֵף תִּנָּשֶׂאנָה׃

Assim diz o Senhor: Eis que levantarei a minha mão para as nações. *Adonai-Elohim* deu um sinal às nações, erguendo sua mão de comando e dizendo às nações que entregassem os filhos de Israel que elas continham, enviando-os de volta a Jerusalém. Ora, por certo isso é *escatológico*. Será a reversão da dispersão romana, e não a reversão do exílio babilônico, embora este último tenha predito a futura e maior restauração. A figura das nações a carregar os filhos e as filhas de Israel nos ombros, a fim de conduzi-los a Jerusalém, subentende que haverá ampla ajuda para o retorno, tal como os egípcios equiparam os israelitas com tudo o de que precisavam para sair do Egito e iniciar sua viagem através do deserto. *Adonai-Elohim*, o Senhor e o Poder, é quem dará tal impulso às nações. Ver no *Dicionário* o verbete chamado *Deus, Nomes Bíblicos de*.

Este versículo anula a quarta interpretação do vs. 20 e reforça a terceira dessas interpretações; ou então o autor sacro passou do retorno da Babilônia para o retorno dos israelitas de *todas as nações*, possibilidade mais provável. O segundo Isaías tem sido chamado de "o primeiro sionista". Seja como for, os sionistas judeus têm empregado versículos como este para conferir autoridade bíblica e inspiração ao seu movimento.

A minha bandeira. Provavelmente temos aqui uma alusão à "fogueira da batalha", a qual era usad*a* para dar ordens a um exército em marcha. Ver Is 30.17 e Jr 6.1. Aqui, porém, não temos uma invasão (ver Is 5.26; 13.2; 18.3), mas o começo da restauração de Judá (ver Is 11.10,12 e 62.10).

Os povos gentílicos ajudarão a reintegrar Israel ao seu próprio território pátrio (ver Is 60.4; 66.20). Nos países do Oriente, as crianças eram transportadas nos ombros de seus pais, mas os infantes eram transportados nos braços (ver Is 66.12), e esses costumes parecem estar por trás da declaração.

■ 49.23

וְהָיוּ מְלָכִים אֹמְנַיִךְ וְשָׂרוֹתֵיהֶם מֵינִיקֹתַיִךְ אַפַּיִם אֶרֶץ יִשְׁתַּחֲווּ לָךְ וַעֲפַר רַגְלַיִךְ יְלַחֵכוּ וְיָדַעַתְּ כִּי־אֲנִי יְהוָה אֲשֶׁר לֹא־יֵבֹשׁוּ קוָֹי׃ ס

Reis serão os teus aios, e rainhas as tuas amas. A ajuda dos gentios é ainda enfatizada. Israel será promovido até por reis, que atuarão como pais de criação: e rainhas suprirão as necessidades deles como se fossem amas de mamadeira. Até mesmo altos oficiais como eles se prostrarão diante de Israel, porquanto Yahweh estará com eles e os tornará altamente respeitados, o que será uma novidade no mundo. A sujeição será tão grande que eles lamberão o pó de seus pés. Isso ocorrerá porque Yahweh estará favorecendo os filhos de Israel e manipulando os acontecimentos humanos. Ver Is 13.6 quanto ao controle divino da história da humanidade. Israel se tornará então cabeça das nações (ver Is 24.23, e o presente versículo é outra afirmação dessa doutrina). Se o povo esperar em Yahweh quanto a esse acontecimento, confiando no poder dele, não ficará envergonhado, pois os acontecimentos se movem nessa direção. "Aqueles que os haviam oprimido se tornarão seus servos" (*Oxford Annotated Bible*, comentando sobre o vs. 22).

Décima Segunda Estrofe: Salvador, Redentor e Poderoso de Israel (49.24-26)

■ 49.24

הֲיֻקַּח מִגִּבּוֹר מַלְקוֹחַ וְאִם־שְׁבִי צַדִּיק יִמָּלֵט׃

Tirar-se-ia a presa ao valente? Uma calamidade tão grande como a do cativeiro babilônico poderia ser revertida? A dispersão romana poderia ser revertida? Cativos impotentes poderiam ser trazidos de volta, arrancados das mãos dos tiranos? Eles poderiam ser liberados de tão desesperadoras condições? Essas perguntas são paralelas do vs. 14: Yahweh não abandonou seu povo; não se esqueceu deles. Por isso mesmo, *ele* os arrebatou de seus opressores e os levou de volta à Terra Prometida. Devemos compreender que somente o poder divino pode fazer o que se lê neste versículo. As coisas não correrão por um curso que algum homem pudesse antecipar. E as coisas serão assim porque a história seguirá os ditames da manipulação divina, o que significa que muitas surpresas devem ser esperadas.

Fugir ao tirano? Assim diz o texto do manuscrito hebraico dos Papiros do mar Morto, com o qual concordam a Vulgata e a versão siríaca. Todos os manuscritos têm esse texto no vs. 25. Mas aqui, no vs. 24, o texto massorético diz "justo". O texto da Septuaginta talvez também tenha o texto dos manuscritos hebraicos dos Papiros do mar Morto, mas isso é duvidoso. Uma vez mais, as versões concordam com os manuscritos hebraicos dos Papiros do mar Morto e discordam do texto massorético. Ver as notas sobre o vs. 17, e também Is 21.19, onde dou um sumário dos incidentes deste fenômeno, acompanhado por um gráfico ilustrativo.

■ 49.25

כִּי־כֹה אָמַר יְהוָה גַּם־שְׁבִי גִבּוֹר יֻקָּח וּמַלְקוֹחַ עָרִיץ יִמָּלֵט וְאֶת־יְרִיבֵךְ אָנֹכִי אָרִיב וְאֶת־בָּנַיִךְ אָנֹכִי אוֹשִׁיעַ׃

Mas assim diz o Senhor: Por certo que os presos se tirarão ao valente. Este versículo refaz e enfatiza a ideia dada no vs. 24. Será *Yahweh* (e não algum acaso dos acontecimentos humanos) que arrancará as vítimas das mãos dos tiranos. Haverá significativa *intervenção divina*. Yahweh contenderá (fará guerra) com as nações pagãs, a fim de livrar seus filhos do cativeiro babilônico e da dispersão romana. Ele fará o que é inesperado porque o pacto abraâmico não permite que as coisas continuem em um estado lamentável. Um salvamento estava em acordo com as antigas promessas, feitas por Yahweh, ao seu povo, às quais tantas Escrituras se referem. Portanto, um livramento será *inevitável*. Ver Is 13.6 sobre como o poder divino manipula os eventos humanos. Israel será *salvo* de seu triste estado e se movimentará para tornar-se cabeça das nações durante a era do reino de Deus. Ver no *Dicionário* o artigo chamado *Milênio*. Note o leitor, no vs. 25, os enfáticos pronomes na primeira pessoa do singular, e cf. isso com Is 41.12 e Jr 2.9. Note também a ternura do texto: os filhos é que serão libertados dos opressores. "O interesse do profeta pelas crianças pode ser discernido a cada passo (ver Is 47.8,9)" (James Muilenburg, *in loc.*).

Tirano. Historicamente, trata-se do rei da Babilônia, ou seus poderes personalizados; mas o termo é generalizado para indicar qualquer poder tirânico que tenha abusado de Israel e cativado esse povo.

49.26

וְהַאֲכַלְתִּ֤י אֶת־מוֹנַ֙יִךְ֙ אֶת־בְּשָׂרָ֔ם וְכֶעָסִ֖יס דָּמָ֣ם יִשְׁכָּר֑וּן וְיָדְע֣וּ כָל־בָּשָׂ֗ר כִּ֣י אֲנִ֤י יְהוָה֙ מֽוֹשִׁיעֵ֔ךְ וְגֹאֲלֵ֖ךְ אֲבִ֥יר יַעֲקֹֽב׃ ס

Sustentarei os teus opressores com a sua própria carne. Os opressores de Israel se tornarão autocanibais, se é que o leitor pode imaginar tal coisa! Essa é uma figura corajosa que fala em autodestruição. Is 9.20 retrata o canibalismo normal, onde seres humanos consomem a carne de seus semelhantes, o que aponta para uma feroz destruição. Ver também Zc 11.9. Os canibais geralmente eram também bebedores de sangue, o que, para a mente dos judeus, adicionava horror a horror, visto que a legislação mosaica proibia os israelitas de ingerir sangue animal, quanto mais de seres humanos. Ademais, quão terrível é que uma pessoa beba o próprio sangue, ao mesmo tempo que destrói a si mesma. Ver no *Dicionário* o verbete chamado *Sangue*, ponto dois, quanto ao sangue como item da alimentação, e ponto três, quanto às ideias que os judeus formavam sobre isso. Os hebreus não deviam beber sangue nem usar sangue em seus alimentos preparados. Ver Gn 9.4; Lv 3.8 e 7.26. De alguma maneira misteriosa, eles acreditavam que a vida do ser está no sangue, e esse era um dos motivos da proibição. Nos sacrifícios de animais, a gordura e o sangue eram queimados sobre o altar, tornando-se assim a parte que cabia a Yahweh. Quanto às leis sobre o sangue e a gordura, ver Lv 3.17.

O Libertador. Note o leitor o acúmulo de títulos divinos para enfatizar a certeza com que Israel seria libertado dos tiranos da história, pouco antes de sua restauração: Yahweh, Salvador, Redentor, Poderoso. E tudo isso é dito de Deus a respeito de "Jacó", ou seja, visando o benefício de Israel. O poder de Deus é realmente grande; seu amor é imenso; e isso garante que a obra prometida seja realizada. Cf. Is 1.25; 41.14; 42.11 e 60.16, que contêm os elementos (separadamente) do presente versículo. Ver esses termos, no *Dicionário*, para maiores detalhes.

CAPÍTULO CINQUENTA

Este capítulo continua com a seção iniciada no capítulo 49 e que se estende até o capítulo 65. Haverá livramento final do sofrimento por intermédio do Servo de Deus (Is 49—53).

ISRAEL É EXORTADO A ANDAR PELA FÉ (50.1-11)

Teria de haver reações éticas diante da promessa de livramento (capítulo 49). O profeta Isaías retrocedeu à questão da rebeldia de Israel e renovou o apelo para que ele abandonasse seus próprios esquemas, voltando-se de todo o coração a Yahweh.

Este poema (capítulo 50) consiste em *quatro estrofes*. A segunda delas (vss. 4-6) oferece-nos outra declaração do *Servo*.

Primeira Estrofe: O Juízo de Deus e a Fidelidade ao Pacto (50.1-3)

50.1

כֹּ֣ה ׀ אָמַ֣ר יְהוָ֗ה אֵ֣י זֶ֠ה סֵ֣פֶר כְּרִית֤וּת אִמְּכֶם֙ אֲשֶׁ֣ר שִׁלַּחְתִּ֔יהָ א֚וֹ מִ֣י מִנּוֹשַׁ֔י אֲשֶׁר־מָכַ֥רְתִּי אֶתְכֶ֖ם ל֑וֹ הֵ֤ן בַּעֲוֺנֹֽתֵיכֶם֙ נִמְכַּרְתֶּ֔ם וּבְפִשְׁעֵיכֶ֖ם שֻׁלְּחָ֥ה אִמְּכֶֽם׃

Assim diz o Senhor: Onde está a carta de divórcio de vossa mãe...? "À semelhança de Oseias, Jeremias e Ezequiel, o segundo Isaías descreve o relacionamento de pacto entre Yahweh e o seu povo como se fosse um *casamento* e, tal como esses profetas, ele se preocupa com o rompimento do pacto e suas consequências. As duas perguntas contêm duas figuras para a presente situação de Israel: o *divórcio* da esposa e a *venda* dos filhos como escravos. Israel queixa-se de que o exílio mostrava que ele estava divorciado, e que o povo tinha sido vendido. As perguntas subentendem suas próprias respostas: Yahweh nunca expediu uma carta de divórcio; ele não tem nenhuma obrigação de dívidas a qualquer pessoa para vender os seus filhos. O exílio devia-se às iniquidades de Israel. A passagem está intimamente relacionada quanto à forma a Is 42.18-25" (James Muilenburg, *in loc.*).

Esse raciocínio prova que Israel (Judá) não estava irremediavelmente perdido. Seria devidamente punido, mas levado de volta ao seu território pátrio. Yahweh, e não as nações captoras, determinaria o resultado da questão.

Quanto à "carta de divórcio", ver Dt 24.1-4. Ver o *Dicionário* quanto a *Carta (Termo) de Divórcio*, para detalhes completos. O judaísmo mais liberal tornou-se bastante livre quanto aos motivos para o divórcio. Nosso texto presume *amplos motivos* para Yahweh divorciar-se de Israel (Judá), mas nega que algum divórcio tenha ocorrido. Uma mulher divorciada podia casar-se de novo, mas não podia casar-se novamente com o primeiro marido. Assim sendo, seguindo essa provisão da metáfora, *se* Yahweh se tivesse divorciado de sua esposa, Israel, a separação seria definitiva.

E que dizer sobre os filhos? Um pai em duras circunstâncias podia vender seus filhos à servidão, a fim de pagar suas dívidas (ver Is 52.3; Êx 21.7; 2Rs 4.1; Ne 5.5). Mas Yahweh não tinha credores e nada devia a ninguém. Eram as iniquidades deles que os tinham posto onde atualmente estavam (ver Is 54.1; Os 2.4; Ez 5.12). A causa de tudo era a própria nação de Judá. Ela poderia ser trazida de volta a qualquer momento que parecesse apropriado à vontade divina e às suas operações. Cf. Is 42.24,25. Ver Êx 21.7; 2Rs 4.1; Ne 5.5 quanto às leis relativas à escravidão. Ver também, no *Dicionário*, o artigo chamado *Escravidão*.

50.2

מַדּ֨וּעַ בָּ֜אתִי וְאֵ֣ין אִ֗ישׁ קָרָ֙אתִי֙ וְאֵ֣ין עוֹנֶ֔ה הֲקָצ֨וֹר קָצְרָ֤ה יָדִי֙ מִפְּד֔וּת וְאִם־אֵֽין־בִּ֥י כֹ֖חַ לְהַצִּ֑יל הֵ֣ן בְּגַעֲרָתִ֞י אַחֲרִ֥יב יָ֗ם אָשִׂ֤ים נְהָרוֹת֙ מִדְבָּ֔ר תִּבְאַ֤שׁ דְּגָתָם֙ מֵאֵ֣ין מַ֔יִם וְתָמֹ֖ת בַּצָּמָֽא׃

Por que razão, quando eu vim, ninguém apareceu? Yahweh tinha vindo para redimir o seu povo e trazer a era do reino de Deus (ver Is 40.8-10), mas não encontrou um sequer que pudesse redimir. Ele proclamou sua palavra de esperança (ver Is 40.1-11), mas ninguém respondeu (ver Is 59.16; 63.5). Por isso, diz o Targum: "Por conseguinte, quando enviei os meus profetas, por que não se arrependeram? Eles profetizaram, mas ninguém os ouviu".

A mão divina não estava defeituosa que não pudesse redimir. O defeito estava nos que deveriam ser remidos. Cf. Is 61.1 e Nm 11.23. Yahweh *tinha poder* para libertar, mas seus atos foram anulados pela apostasia. Ele poderia ter secado as águas que bloqueavam o escape de Israel, tal como fizera no mar Vermelho (mar de Juncos), mas as iniquidades do povo o tinham tornado cativo no "Egito", e ali o mantinham. Subsequentemente, ele poderia tê-los guiado pelo deserto, suprindo cada uma de suas necessidades, formando rios no deserto. Mas os peixes nas lagoas tinham morrido e estavam em adiantado estado de putrefação, "cheirando mau até os altos céus", conforme dizemos em uma moderna expressão idiomática. Faltou água a esses peixes, e foi assim que Judá acabou encontrando-se no seu deserto da Babilônia. Cf. Êx 7.18,21. Uma das pragas do Egito também é aqui aludida. Porém, em vez de terem escapado do Egito, Judá veio a participar de uma das pragas representadas pela Babilônia.

Até que cheirem mal os seus peixes. Assim diz o texto massorético, mas o manuscrito hebraico de Isaías, na coletânea dos Papiros do mar Morto, bem como a Septuaginta, dizem "até que se ressequem". Assim temos aqui outro caso em que as versões (sobretudo a Septuaginta) concordam com os manuscritos hebraicos dos Papiros do mar Morto. Ver as notas sobre esse fenômeno em Is 21.19, quanto à sua importância para a crítica textual do Antigo Testamento. Apresento ali um gráfico que ilustra a questão.

■ **50.3**

אַלְבִּישׁ שָׁמַיִם קַדְרוּת וְשַׂק אָשִׂים כְּסוּתָם׃ ס

Eu visto os céus de negridão. Contra o apostatado povo de Israel foi imposto severo *julgamento*. O próprio firmamento revestiu-se de uma veste divina escura. O sol não brilhava através da escuridão. Na Babilônia houve uma luz desnatural. Essa cobertura era negra como o cilício, emblema das lamentações. A figura pretendida pode ser um *eclipse total;* mas alguns estudiosos veem uma feroz tempestade de poeira que ocultou o sol. Cf. Ml 3.14. Os exilados hebreus estavam engolfados no negro paganismo, e o sol não podia atravessar a espessa camada de escuridão. Este versículo naturalmente alude a outro julgamento do Egito, a praga das trevas. Ver Êx 10.21. Quanto à metáfora do cilício, ver Ap 6.12, e, no *Dicionário*, ver o artigo chamado *Pano de Saco*. Isso posto, Israel sofria seu exílio no *Egito-Babilônia*, em meio a densas trevas, por haver repelido a luz de Deus.

Segunda Estrofe: Sofrimentos do Discípulo de Yahweh (50.4-6)

■ **50.4**

אֲדֹנָי יְהוִֹה נָתַן לִי לְשׁוֹן לִמּוּדִים לָדַעַת לָעוּת אֶת־יָעֵף דָּבָר יָעִיר׀ בַּבֹּקֶר בַּבֹּקֶר יָעִיר לִי אֹזֶן לִשְׁמֹעַ כַּלִּמּוּדִים׃

O Senhor Deus me deu língua de eruditos. Temos aqui outra declaração do Servo. As declarações encontram-se em Is 42.1-4; 49.1-6; 50.4-11 e 52.13—53.12. Esta é a *terceira* delas. Se o Servo aqui referido é Israel ou o Messias, é algo que deve ser determinado pelo contexto. Neste caso, *Adonai-Yahweh* traz a mensagem. Ver no *Dicionário* o artigo chamado *Deus, Nomes Bíblicos de*. O *Servo* (o Messias), ensinado pelo *Senhor-Elohim,* consola seus compatriotas israelitas que estavam *exaustos* em seus testes e tribulações. Todavia, o Messias foi tratado com desprezo (ver Is 52.13—53.12). Ver o vs. 6 deste capítulo, que nos diz a mesma coisa. Talvez devamos compreender que o Servo Sofredor fala até o vs. 9, inclusive, embora esteja envolvida uma estrofe diferente. Ao Servo, Yahweh deu a sua língua (mensagem e o poder de transmitir a mensagem), e essa língua tinha por propósito consolar e ajudar os cansados. Mas eles, em sua iniquidade e rebeldia, rejeitaram a sua boa missão. A cada dia o Servo era inspirado por Yahweh a cumprir a sua tarefa, e foi precisamente isso que ele procurou fazer. Ele ouvia a mensagem "manhã após manhã", continuamente, a cada dia, como é o caso de bons ouvintes que se tornam, por sua vez, bons mestres. Mas coisa alguma adiantou. Ele era despertado cedo pela manhã e ansiosamente ouvia as instruções que deveria passar a outrem. Mas a sua diligência não logrou resultados práticos. Cf. Mc 1.35 e Lc 4.42. O Messias foi um erudito bem treinado e, assim sendo, um Mestre qualificado, mas seus alunos não estavam interessados em aprender.

O Senhor me deu a capacidade de ensinar. Ele me ensinou o que devo dizer para tornar fortes os fracos.

NCV

■ **50.5**

אֲדֹנָי יְהוִֹה פָּתַח־לִי אֹזֶן וְאָנֹכִי לֹא מָרִיתִי אָחוֹר לֹא נְסוּגֹתִי׃

O Senhor Deus me abriu os ouvidos. *Adonai-Yahweh* deu a seu Servo *ouvidos abertos,* e em sentido algum ele se mostrou rebelde. Portanto, ele cumpriu o papel que lhe cabia. Cf. Is 48.8 e Sl 40.6. Contrastar com Lm 1.18. Ver a expressão "destapar os ouvidos", que indica o recebimento de alguma revelação divina (Jó 36.10,15; 1Sm 9.15; 2Sm 7.27). "O Servo foi obediente e submisso (cf. 1Pe 2.22,23)" (John S. Martin, *in loc.*). Ver Fp 2.7 e Mt 20.28.

"O Messias não declinou o trabalho que lhe foi proposto, mas prontamente engajou-se; ele nunca parou na realização nem desistiu, até que o terminou. Ele não hesitou a respeito, conforme Moisés fizera, nem fugiu de sua obrigação, como Jonas" (John Gill, *in loc.*).

■ **50.6**

גֵּוִי נָתַתִּי לְמַכִּים וּלְחָיַי לְמֹרְטִים פָּנַי לֹא הִסְתַּרְתִּי מִכְּלִמּוֹת וָרֹק׃

Ofereci as costas aos que me feriam. O Servo de Yahweh seguiu seu chamado, a despeito da mais severa oposição e do mais malicioso tratamento. O Messias sofreu dura perseguição física e muitos insultos. Ocupou-se fielmente de seu ensino, mas foi tudo como lançar pérolas diante dos porcos. Foi-lhe assegurado que ele era um herege e um blasfemo, um visionário fanático que tinha perdido o contato com a realidade. Ver Mc 14.65; 15.16-20 e 1Pe 2.22,23. "O desfiguramento causado pelo arrancar dos cabelos, tanto quanto pelo puxar da barba, era o pior dos insultos (cf. Is 7.20; 15.2; 2Sm 10.4 e Jr 7.29)" (James Muilenburg, *in loc.*).

Ofereci as costas. O manuscrito hebraico da coletânea dos Papiros do mar Morto diz: "varas de ferro forjado", e a Septuaginta diz "açoites".

Não escondi o meu rosto. Os manuscritos hebraicos da coletânea dos Papiros do mar Morto dizem aqui: "Não me desviei", e isso concorda com a Vulgata. Algumas vezes as versões (especialmente a Septuaginta) concordam com os manuscritos hebraicos dos Papiros do mar Morto contra o texto massorético padronizado, muito mais tardio. Quanto a como esse fenômeno é importante para a crítica textual do Antigo Testamento, ver as notas sobre Is 26.19, com o gráfico acompanhante que oferece exemplos e comentários.

Terceira Estrofe: Meu Ajudador e Vindicador (50.7-9)

■ **50.7**

וַאדֹנָי יְהוִֹה יַעֲזָר־לִי עַל־כֵּן לֹא נִכְלָמְתִּי עַל־כֵּן שַׂמְתִּי פָנַי כַּחַלָּמִישׁ וָאֵדַע כִּי־לֹא אֵבוֹשׁ׃

Porque o Senhor Deus me ajudou, pelo que não me senti envergonhado. O Servo (Messias) não foi derrotado pelos maus-tratos de homens ímpios e desarrazoados, porquanto Adonai-Elohim o ajudou. E ele nem se sentiu confundido por seus inimigos, a ponto de ter caído em desencorajamento e derrota. Antes, ele fez seu rosto ser como um seixo, que não podia ser desviado de sua tarefa. Fez parte de sua missão ser envergonhado por homens menores do que ele, os quais tomaram sobre si mesmos a tarefa de praticar toda forma de feitos atrevidos.

"Usando terminologia própria de tribunal, o Servo exprimiu a inabalável confiança de que Deus o vindicaria (ver Jr 1.18,19; 17.17,18; Ez 3.7-11; Rm 8.33). Quanto a Yahweh como *Ajudador,* ver Is 41.10,13,14; 44.2; 49.8. Por ter deixado o rosto duro como uma pederneira, ver Jr 1.8,18; 15.20; 20.11; Ez 3.8,9; Lc 9.51. Cristo tinha uma força indômita. "... endurecido contra toda a oposição; resoluto e destemido; constante e inabalado pelas palavras e pelos golpes dos homens" (John Gill, *in loc.*).

■ **50.8**

קָרוֹב מַצְדִּיקִי מִי־יָרִיב אִתִּי נַעַמְדָה יָּחַד מִי־בַעַל מִשְׁפָּטִי יִגַּשׁ אֵלָי׃

Perto está o que me justifica; quem contenderá comigo? O vocabulário próprio de um tribunal, usado no vs. 7, continua aqui. O Servo Sofredor estava absolutamente certo da vindicação de Deus, a despeito do que os homens pensassem e fizessem. Ninguém seria capaz de contender com ele. Que homem poderia levantar-se no tribunal contra ele, quando Deus se levantasse para vindicá-lo? Se houvesse alguém corajoso, que se aproximasse e dissesse a sua palavra contrária a ele. Tal homem ficaria confundido e envergonhado. Para Deus como o defensor das boas causas, ver Is 52.2 e 53.11. Quanto a Deus como Juiz e protagonista, ver Is 41.1—42.4 e especialmente Jr 17.17,18; 20.7 ss.; Sl 22 e Lm 3.58 ss. Cf. a linguagem aqui usada com Sl 138.8 e Rm 8.32-34.

■ 50.9

הֵן אֲדֹנָי יְהוִה יַעֲזָר־לִי מִי־הוּא יַרְשִׁיעֵנִי הֵן כֻּלָּם כַּבֶּגֶד יִבְלוּ עָשׁ יֹאכְלֵם׃

Eis que o Senhor Deus me ajuda; quem há que me condene? *Adonai-Elohim* faria a avaliação e o pronunciamento final, e o Servo se sentia feliz diante da ajuda divina que já estava a caminho. Sua inocência ficaria provada, e aqueles que o tinham condenado se desgastariam como um roupa que as traças roem. Cf. Is 51.8. Ver também Jó 13.28; Sl 102.26 e Rm 8.33,34.

Quarta Estrofe: A Luz da Fé e o Fogo do Julgamento (50.10,11)

■ 50.10

מִי בָכֶם יְרֵא יְהוָה שֹׁמֵעַ בְּקוֹל עַבְדּוֹ אֲשֶׁר הָלַךְ חֲשֵׁכִים וְאֵין נֹגַהּ לוֹ יִבְטַח בְּשֵׁם יְהוָה וְיִשָּׁעֵן בֵּאלֹהָיו׃

Quem há entre vós que tema ao Senhor, e ouça a voz do seu Servo...? Aquele que obedecesse à voz do Servo, embora fosse perseguido como foi o seu Mestre, e embora andasse pelo vale da sombra da morte, não teria razão para temer, porquanto o Senhor estava com ele. Ver no *Dicionário* o artigo chamado *Temor*, quanto ao desenvolvimento dessa ideia. Ver também a expressão explicada em Sl 119.38 e Pv 1.7, onde são apresentadas notas expositivas de sumário. Usualmente, a ideia de "temor" aponta para a espiritualidade, nas páginas do Antigo Testamento, embora algumas vezes seja evidente o elemento literal de temor ao Ser divino.

O indivíduo que encontra forças nas horas de debilidade, e luz em momentos de trevas, é aquele que deposita sua *confiança* no Senhor. Sobre como essa palavra é usada no Antigo Testamento, ver a nota de sumário em Sl 2.12. "O Messias exorta aqui os piedosos a seguir seu exemplo (cf. Is 42.4 e 49.4,5), quando em circunstâncias de teste (*trevas*, ver Is 47.5)... Deus nunca teve algum filho que não estivesse nas trevas por algum tempo, mas o fim dele será paz e luz. O ímpio, pelo contrário, poderá brilhar durante algum tempo, mas seu fim serão trevas espessas (Sl 37.24; 97.11; 112.4)" (Fausset, *in loc*.). "Confiança, a despeito das trevas. Por isso o grito do Servo abandonado foi seguido pela palavra: 'Pai, em tuas mãos entrego o meu espírito' (Lc 23.46)" (Ellicott, *in loc*.).

■ 50.11

הֵן כֻּלְּכֶם קֹדְחֵי אֵשׁ מְאַזְּרֵי זִיקוֹת לְכוּ בְּאוּר אֶשְׁכֶם וּבְזִיקוֹת בִּעַרְתֶּם מִיָּדִי הָיְתָה־זֹּאת לָכֶם לְמַעֲצֵבָה תִּשְׁכָּבוּן׃ פ

Eia! Todos vós, que acendeis fogo, e vos armais de setas incendiárias. O indivíduo que se recusa a andar à luz da tocha do Servo de Deus, o Messias, mas que acende a própria tocha para passar pelas trevas da noite, levará uma vida que será dirigida pela luz que o homem pode acender. Mas não andará na luz do Senhor. Ver no *Dicionário* os artigos chamados *Andar* e *Luz, Metáfora da*.

Em tormentos vos deitareis. Não há aqui nenhuma alusão à Geena, doutrina que ainda não havia sido trazida a lume. Nem há referência a um julgamento pós-túmulo. Em Dn 12.2, entretanto, há tal referência, um pós-vida de recompensa ou de punição mediado pela ressurreição. Somente nos livros apócrifos e pseudepígrafos há referências claras (como o céu e o *sheol*) a lugares de recompensas e de punições. As chamas do hades foram acesas no livro de 1Enoque. Era expectativa comum dos hebreus que uma vida de iniquidade terminaria em morte prematura e/ou violenta. E esse é o tipo de ideia que encontramos no presente versículo.

Uma curiosidade de interpretação deste versículo é que os judeus supunham que, quando a companhia dos anjos encontrava um homem ímpio, por ocasião de sua morte, esta era uma das passagens que eles citavam para anunciar a sua condenação. Ver *Talmude Bab. Cetubot*, fol. 104.1.

CAPÍTULO CINQUENTA E UM

A SALVAÇÃO VINDOURA (51.1-23)

O remanescente que será exaltado é o tema da seção maior de Is 51.1—52.12. Este capítulo consola o remanescente israelita. Os vss. 1-8 constituem um oráculo escatológico, pelo que devemos olhar aqui para a era do reino de Deus. A revelação histórica sobre o passado está vinculada à promessa da salvação futura. Este capítulo (e parte do capítulo seguinte) está dividido em duas seções gerais: vss. 1-16 (a vindoura salvação); e vss. 51.17—52.12 (Yahweh se tornou Rei). A primeira seção tem *cinco* estrofes; e a segunda, *seis* (havendo também algumas seções de conexão que não pertencem às estrofes). Identificarei esses elementos conforme a exposição progredir. Há forte ênfase sobre a primeira pessoa divina, que assinala o poema como um oráculo ou uma combinação de oráculos. Ao longo da seção, temos um caráter escatológico, pelo que é inútil tentar identificar eventos históricos.

Primeira Estrofe: Consolação para Sião (51.1-3)

■ 51.1

שִׁמְעוּ אֵלַי רֹדְפֵי צֶדֶק מְבַקְשֵׁי יְהוָה הַבִּיטוּ אֶל־צוּר חֻצַּבְתֶּם וְאֶל־מַקֶּבֶת בּוֹר נֻקַּרְתֶּם׃

Ouvi-me vós, os que procurais a justiça, os que buscais o Senhor. "A primeira metade da estrofe é um reflexo histórico, e a segunda metade é uma promessa escatológica. Ambas têm por desígnio encorajar e consolar Sião (ver Is 40.1,27; 41.10; etc.). Os repetidos golpes aplicados pelo conquistador estrangeiro, a dizimação da população, as pequenas dimensões da comunidade de Jerusalém e as condições dos exilados naturalmente deram origem ao desespero e à impotência. O profeta apelou para a história de Abraão (ver Gn 12.1-3; 13.14,15; 15.5 e 22.17). Assim como Yahweh chamou Abraão e o abençoou e o multiplicou em consonância com sua promessa, também Israel, em sua atual terrível condição, podia esperar miraculosa multiplicação de sua população. Essa era uma das principais características da escatologia clássica dos hebreus (cf. Os 1.10; Jr 3.16; 30.19; Ez 36.10,11; Zc 8.5; 10.8)" (James Muilenburg, *in loc*.).

O povo escolhido que busca a Yahweh deve ouvir suas instruções; o povo que busca a retidão e o livramento deve olhar para a *rocha* da qual foi escavado. Temos aqui a noção de *pedreira*, símbolos da solidariedade de Israel com o Ser divino. Todos os israelitas foram escavados da mesma *Rocha* (ver a respeito no *Dicionário*). A referência é ao Ser divino, mas, em segundo lugar, a Abraão e Sara, conforme demonstra o vs. 2. Assim como a origem de Israel estava no Ser divino (através de instrumentos humanos), com a mesma certeza haverá a *restauração* de Israel.

■ 51.2

הַבִּיטוּ אֶל־אַבְרָהָם אֲבִיכֶם וְאֶל־שָׂרָה תְּחוֹלֶלְכֶם כִּי־אֶחָד קְרָאתִיו וַאֲבָרְכֵהוּ וְאַרְבֵּהוּ׃ ס

Olhai para Abraão, vosso pai, e para Sara, que vos deu à luz. Assim como Sara era uma mulher estéril, tendo sido necessária uma intervenção divina para dar a Israel o seu começo, também será necessária uma intervenção divina para dar à nação sua continuação na restauração. Cf. Is 41.8 e 63.16 com Gn 12.2; 15.5; 17.6 e 22.17 quanto aos muitos descendentes prometidos a Abraão. Essa era das grandes provisões do pacto abraâmico (comentado em Gn 15.18). Gn 15.6 mostra a intervenção de Deus na questão dos descendentes. Sara tornou-se a mãe da nação. Esta é a única menção a Sara fora do relato de Gênesis. Cf. Hb 11.12. "Tal como se dera com sua promessa a Abraão (ver Gn 12.1-3), assim também Deus cumpriria a *salvação* prometida a Sião (ver Is 49.20,21)" (*Oxford Annotated Bible*, comentando sobre o vs. 1 deste capítulo). Cf. Ez 33.24. Diz o Targum: "Abraão era um só no mundo, solitário, mas eu o trouxe para o meu serviço e o abençoei e multipliquei".

■ **51.3**

כִּי־נִחַ֨ם יְהוָ֜ה צִיּ֗וֹן נִחַם֙ כָּל־חָרְבֹתֶ֔יהָ וַיָּ֤שֶׂם מִדְבָּרָהּ֙ כְּעֵ֔דֶן וְעַרְבָתָ֖הּ כְּגַן־יְהוָ֑ה שָׂשׂ֤וֹן וְשִׂמְחָה֙ יִמָּ֣צֵא בָ֔הּ תּוֹדָ֖ה וְק֥וֹל זִמְרָֽה׃ ס

Porque o Senhor tem piedade de Sião. Yahweh consolaria Israel, revertendo a sorte dessa nação; faria seus lugares desolados tornar-se férteis e produtivos, restaurando o jardim do Éden, símbolo escatológico da futura era do reino de Deus. O deserto então florescerá como a rosa (ver Is 35.1). Ver no *Dicionário* o verbete intitulado *Éden, Jardim do*. "O fim será como o princípio. O tempo escatológico retornará ao tempo primordial. Em Gn 2.8, vemos que *o Senhor* plantou o jardim do Éden; aqui e em Ez 28.13 (cf. Gn 13.10), o Éden é o jardim de Deus (cf. Ez 31.8,9). *Alegria e júbilo* acham-se ali. Ver Is 35.1,2; 61.7; 66.14; Jr 30.19 e Zc 10.7. Os manuscritos hebraicos adicionam: 'a tristeza e os suspiros fugirão' (vs. 11; 35.10)" (James Muilenburg, *in loc.*). O lugar é um dos cânticos de agradecimento e louvor, por ser a obra de restauração efetuada pelo Ser divino. O Éden, símbolo de uma criação abençoada e primordial, torna-se agora símbolo da restauração da era do reino. Estamos falando sobre a utopia do futuro (ver Ez 36.35; 47.1-12). "O paraíso entra na ideia da restauração futura (Ap 2.7)" (Ellicott, *in loc.*).

Segunda Estrofe: O Tempo da Salvação Está Próximo (51.4-6)

■ **51.4**

הַקְשִׁ֤יבוּ אֵלַי֙ עַמִּ֔י וּלְאוּמִּ֖י אֵלַ֣י הַאֲזִ֑ינוּ כִּ֤י תוֹרָה֙ מֵאִתִּ֣י תֵצֵ֔א וּמִשְׁפָּטִ֔י לְא֥וֹר עַמִּ֖ים אַרְגִּֽיעַ׃

Atendei-me, povo meu, e escutai-me, nação minha. Israel (Judá) foi novamente chamado para ouvir a palavra de Yahweh, que restauraria a nação. Haverá nova lei, tal como haverá novo Éden (vs. 3). Isso procederá de Yahweh, tal como a primeira lei e o antigo Éden procediam, e o Senhor será o *guia* de Israel, tal como foi o guia de Israel (Dt 6.4 ss.). Israel *receberá vida*, tal como aconteceu na antiguidade (ver Dt 4.4-6). Isso fará de Israel uma nação distinta, tal como se deu no caso antigo (Dt 4.1; 5.33; 6.2; Ez 20.1). Haverá justiça e luz na nova era do reino de Deus, quando Israel se tornar cabeça das nações (ver Is 24.23). "Lei", aqui, é a palavra revelatória geral, primeiramente dada como profecia e depois como princípio norteador que afeta tudo na vida. A lei servirá de *luz* para o povo de Israel, um guia supremo. Cf. Is 42.6 e 49.6, e ver no *Dicionário* o artigo intitulado *Luz, Metáfora da*. Disse Kimchi: "... o Rei Messias ensinará o povo a andar nos caminhos do Senhor".

■ **51.5**

קָר֤וֹב צִדְקִי֙ יָצָ֣א יִשְׁעִ֔י וּזְרֹעַ֖י עַמִּ֣ים יִשְׁפֹּ֑טוּ אֵלַי֙ אִיִּ֣ים יְקַוּ֔וּ וְאֶל־זְרֹעִ֖י יְיַחֵלֽוּן׃

Perto está a minha justiça, aparece a minha salvação. Vemos aqui a mesma cena que se vê em Is 11.9, onde todas as nações aparecem como quem conhece o Senhor; todas as nações andam na sua luz; todas as nações participam de sua *salvação*, visto que Israel foi *libertado de* escravidão milenar. O poder de Deus, o seu *braço*, governa todos os povos. Ver sobre o *braço* de Deus em Sl 77.15; 89.10 e 98.1. Cf. a *mão divina* (Sl 81.4) com a *mão direita* de Deus (Sl 20.6). No braço de Deus há *esperança*, pois seu governo promove a salvação. Ver Is 45.20-25.

> Eis que o Senhor Deus virá com poder, e o seu braço dominará: eis que o seu galardão está com ele, e diante dele a sua recompensa.
>
> Isaías 40.10

Ver no *Dicionário* os verbetes chamados *Milênio* e *Salvação*. *As ilhas* (lugares distantes) esperam no Senhor quanto à sua salvação e às bênçãos da nova era. "Esta é uma profecia sobre a conversão dos gentios" (John Gill, *in loc.*).

■ **51.6**

שְׂא֨וּ לַשָּׁמַ֜יִם עֵֽינֵיכֶ֗ם וְֽהַבִּ֣יטוּ אֶל־הָאָ֘רֶץ֮ מִתַּחַת֒ כִּֽי־שָׁמַ֜יִם כֶּעָשָׁ֤ן נִמְלָ֙חוּ֙ וְהָאָ֙רֶץ֙ כַּבֶּ֣גֶד תִּבְלֶ֔ה וְיֹשְׁבֶ֖יהָ כְּמוֹ־כֵ֣ן יְמוּת֑וּן וִישֽׁוּעָתִי֙ לְעוֹלָ֣ם תִּֽהְיֶ֔ה וְצִדְקָתִ֖י לֹ֥א תֵחָֽת׃ ס

Levantai os vossos olhos para os céus, e olhai para a terra em baixo. Céus e terra passarão, mas a palavra da salvação de Deus permanecerá e continuará a realizar sua obra. A *transitoriedade* de todas as coisas é retratada aqui com linguagem apocalíptica. O apocalipse atingirá todas as coisas, exceto o que estiver protegido pela palavra do Senhor. Os céus se dissiparão como fumaça (cf. Os 13.3; Sl 68.2; 102.3). Então até a terra se desgastará e cairá em desintegração, tal como acontece a uma antiga peça de roupa (cf. Is 50.9; Sl 102.25). Os habitantes da terra morrerão *em massa*, como se fossem enxames de mosquitos que se encontrassem com uma nuvem de condensação fatal. Cf. Is 40.22, onde gafanhotos proveem a figura da destruição em massa. Os intérpretes dispensacionalistas pensam que este versículo fala da Grande Tribulação e suas palavras seriam metafóricas. Está fora de lugar aqui transferir a cena para a destruição final do cosmo (ver 2Pe 3.10,11). Ver no *Dicionário* o artigo chamado *Tribulação, a Grande*. A destruição chegará a fim de promover a salvação, porquanto não poderá haver nova era enquanto a antiga era, na qual estamos vivendo, não for abolida de modo absoluto. Será necessário um *novo começo*, e não mera reforma do que é antigo. Comparar este versículo com Mt 24.35.

Terceira Estrofe: Não Temais, Não Desanimeis (51.7,8)

■ **51.7**

שִׁמְע֤וּ אֵלַי֙ יֹ֣דְעֵי צֶ֔דֶק עַ֖ם תּוֹרָתִ֣י בְלִבָּ֑ם אַל־תִּֽירְאוּ֙ חֶרְפַּ֣ת אֱנ֔וֹשׁ וּמִגִּדֻּפֹתָ֖ם אַל־תֵּחָֽתּוּ׃

Ouvi-me, vós que conheceis a justiça. Novamente, Israel é chamado a ouvir com cuidado o oráculo divino. O povo de Israel, embora por tantas vezes apóstata, finalmente se tornará verdadeiramente reto, instruído na nova lei (vs. 4). A lei estará no coração deles. Eles terão fé de todo o coração (ver Pv 4.23). O novo pacto está em vista aqui, com sua *torah* de revelações avançadas, que serão grafadas no coração das pessoas (ver Jr 31.33; Is 29.1; Sl 40.8; Ez 36.28). Haverá transitoriedade física (vs. 6), mas permanência na Palavra do Senhor que converte a alma. Portanto, não há razão para *temer* o que os homens agora dizem e fazem, nem desanimar diante dos levantes, porquanto pertencem à atual ordem das coisas, que em breve será abolida. "Os que precisam de apoio contra as zombarias e repreensões dos homens haverão de encontrar esse apoio no pensamento de que os zombadores perecerão e Yahweh e suas obras são eternas" (Ellicott, *in loc.*, com adaptações).

■ **51.8**

כִּ֤י כַבֶּ֙גֶד֙ יֹאכְלֵ֣ם עָ֔שׁ וְכַצֶּ֖מֶר יֹאכְלֵ֣ם סָ֑ס וְצִדְקָתִי֙ לְעוֹלָ֣ם תִּֽהְיֶ֔ה וִישׁוּעָתִ֖י לְד֥וֹר דּוֹרִֽים׃ ס

Porque a traça os roerá como a um vestido. O autor sagrado volta aqui à sua descrição do vs. 6, dando-nos mais declarações sobre o caráter *transitório* das coisas, antes que Deus imponha seu milênio equilibrador, com todas as condições de paz e boa ordem. Agora as vestes da era presente são roídas pelas traças, ao passo que no vs. 6 essas vestes ficaram velhas e desintegraram-se. Agora os vermes comerão a lã, reduzindo as peças de lã a tecidos cheios de buracos, inúteis. Em contraste, temos o *livramento* dado por Yahweh ao remanescente, o qual habitará seguro em algo que é permanente, o novo dia de Deus. E então a *salvação* será o poder orientador de todas as gerações vindouras. "A transitoriedade referida no vs. 6 é da natureza, ao passo que nos vss. 7,8 será dos grandes poderes opressores que escarneciam do povo de Deus. Em contraste com a decadência e corrupção do poder, a salvação de Deus será eterna" (James Muilenburg, *in loc.*). Note o leitor o jogo de palavras que aqui existe: traça (no hebraico, *ash*) e bicho (no hebraico, *sash*). O *ash* e o *sash* farão ruir em pedaços o mundo antigo. "Perecerão aqueles inimigos como uma roupa comida pelas traças, uma metáfora que o Servo usou anteriormente (ver Is 50.9)" (John S. Martin, *in loc.*). Ver também Jó 4.18-20.

Interlúdio Escatológico: Oração Fervorosa pela Intervenção de Deus (51.9-11)

■ **51.9**

עוּרִ֥י עוּרִ֛י לִבְשִׁי־עֹ֖ז זְר֣וֹעַ יְהוָ֑ה ע֚וּרִי כִּ֣ימֵי קֶ֔דֶם דֹּר֖וֹת עוֹלָמִ֑ים הֲל֥וֹא אַתְּ־הִ֛יא הַמַּחְצֶ֥בֶת רַ֖הַב מְחוֹלֶ֥לֶת תַּנִּֽין׃

Desperta, desperta, arma-te de força, braço do Senhor. Yahweh continuava insistindo na iminente salvação que ele trará, e assim as estrofes são interrompidas para abrir caminho a outra afirmação sobre o tema. O braço do Senhor é convocado a *despertar*, mostrando-se ativo e poderoso, tal como acontecia nos dias antigos, quando tantos milagres pavimentaram a trilha da história de Israel. Para reforçar a figura, o autor empregou a *Raabe* mitológica (ver a respeito no *Dicionário*, segundo ponto), o caos-dragão primevo contra o qual Yahweh teria lutado para estabelecer a ordem e a harmonia na criação. Essa "besta" era uma figura comum na literatura acádica, vista de modo especialmente claro no documento de *Enuma Elish* (*IV, 35 ss.*), no qual Marduque matou *Tiamate*, o grande dragão, e das duas metades desse animal criou os céus e a terra. Isso se desenvolveu no combate posterior de Baal e o Mar (*yam*), outra versão do mesmo mito. Em seguida, temos a versão hebraica dessa história em *Raabe*. Cf. Ez 29.3; Jó 38.8 e Ez 26.19; Jó 38.16 quanto a elementos desse mito, empregados de diferentes maneiras. Os atores do drama são o dragão (*Raabe*), o mar (*yam*) e no abismo (*theom*). Ver no *Dicionário* o artigo chamado *Tiamate*.

O ponto central do versículo é que foi preciso o poder de Deus para derrotar o caos primevo, como será necessário esse poder para trazer a era do reino, dentre o presente caos, pois isso também exigirá intervenção divina. A primeira vitória foi na primeira criação, e a segunda será na criação da nova era. Profundo interesse teológico naturalmente inspirou o uso da metáfora mitológica. Ver Ez 29.3-5; 36.2-6; Sl 74.13,14; 89.9,10; 93.1-5; Jó 7.12. Uma das versões do mito era o monstro marinho que representava o Egito, onde se vê alguma alusão ao êxodo, bem como ao poder de Deus, que pôs fim ao monstro que tornou isso possível.

■ **51.10**

הֲל֥וֹא אַתְּ־הִ֛יא הַמַּחֲרֶ֥בֶת יָ֖ם מֵ֣י תְּה֣וֹם רַבָּ֑ה הַשָּׂ֧מָה מַֽעֲמַקֵּי־יָ֛ם דֶּ֖רֶךְ לַעֲבֹ֥ר גְּאוּלִֽים׃

Não és tu aquele que secou o mar, as águas do grande abismo? Yahweh derrotou o monstro marinho (o Egito), e parte dessa vitória foi o "ressecamento" do mar (o mar de Juncos), que permitiu a Israel cruzá-lo e escapar do exército egípcio. Naturalmente, isso foi uma *redenção*, tal como será uma redenção a entrada na era do reino. Seguiu-se um êxodo com a possessão da Terra Prometida, e a história sagrada se repetirá.

> Oh, Deus, por baixo de tua mão orientadora,
> Nossos pais exilados atravessaram o mar.
>
> Lord Bacon

> Dentre a manhã infinita
> Tu nos ouves, em um grito destemido —
> Apesar de nossas zombarias humanas,
> Uma vez mais o poder de Deus se achega.
>
> Arthur O'Shaughnessy

"O combate cósmico é agora transformado na história do êxodo e na travessia do mar dos Juncos" (James Muilenburg, *in loc.*). Ver Êx 14.21 e, no *Dicionário*, o verbete denominado *Êxodo (o Evento)*.

■ **51.11**

וּפְדוּיֵ֨י יְהוָ֜ה יְשׁוּב֗וּן וּבָ֤אוּ צִיּוֹן֙ בְּרִנָּ֔ה וְשִׂמְחַ֥ת עוֹלָ֖ם עַל־רֹאשָׁ֑ם שָׂשׂ֤וֹן וְשִׂמְחָה֙ יַשִּׂיג֔וּן נָ֖סוּ יָג֥וֹן וַאֲנָחָֽה׃ ס

Assim voltarão os resgatados do Senhor. Quando ocorrer o *novo êxodo* e a *nova possessão* da Terra Prometida, haverá em Sião o novo cântico de louvor; haverá alegria singular no novo triunfo do poder de Deus. Haverá alegria para o novo dia que não terá fim. Haverá cânticos de alegria e júbilo, ao passo que a tristeza e os suspiros fugirão. Cf. Is 51.3. Haverá nova alegria no novo Éden, a utopia esperada desde tanto tempo. Ver Ap 21.4.

> Ora, àquele que é poderoso para vos guardar de tropeçar e para vos apresentar com exultação, imaculados diante de sua glória...
>
> Judas 24

Cf. este versículo com Is 35.10, trecho praticamente idêntico onde ofereço outras notas.

Quarta Estrofe: A Consolação de Israel (51.12-14)

■ **51.12**

אָנֹכִ֧י אָנֹכִ֛י ה֖וּא מְנַחֶמְכֶ֑ם מִי־אַ֤תְּ וַתִּֽירְאִי֙ מֵאֱנ֣וֹשׁ יָמ֔וּת וּמִבֶּן־אָדָ֖ם חָצִ֥יר יִנָּתֵֽן׃

Eu, eu sou aquele que vos consola. Na utopia do futuro haverá alegria eterna, e esse pensamento provoca a esperança do versículo, o atual consolo, e então haverá o consolo escatológico do povo de Deus. O homem fica com medo por ser um perseguidor e um assassino, mas ele também é mortal. Contudo, sua agência maligna não pode impedir os propósitos de Deus. O homem é apenas como a erva que floresce por algum tempo, mas em breve se resseca e se reduz a nada pelos fortes raios solares. Quanto a essa figura, ver Is 40.6 e 1Pe 1.24. Ver também Sl 90.5. Em contraste, Yahweh é eterno, e assim também são os seus propósitos e labores, os quais estão ao lado de Israel. O tempo da opressão, embora duro, será breve e fugidio, mas o tempo de Deus será para sempre. Em breve os tempos serão gloriosos. "Somente a glória, para já; somente a glória, para já. Haverá somente a glória, para já", conforme diz um hino evangélico.

> Novo a cada manhã em seu amor.
> Nosso despertar e nosso levantar provam isso;
> Levados em segurança no sono e nas trevas,
> Restituídos à vida; reconduzidos ao poder.
>
> John Keble

Cf. Is 40.1: "Consolai, consolai o meu povo, diz o vosso Deus".
Este versículo contrasta o fraco e o mortal com o Forte e o Eterno, e nisso o consolo é projetado a Israel. A alegria perdurará mais do que a tristeza; a restauração perdurará mais do que a opressão.

■ **51.13**

וַתִּשְׁכַּ֞ח יְהוָ֣ה עֹשֶׂ֗ךָ נוֹטֶ֣ה שָׁמַיִם֮ וְיֹסֵ֣ד אָרֶץ֒ וַתְּפַחֵ֨ד תָּמִ֜יד כָּל־הַיּ֗וֹם מִפְּנֵי֙ חֲמַ֣ת הַמֵּצִ֔יק כַּאֲשֶׁ֥ר כּוֹנֵ֖ן לְהַשְׁחִ֑ית וְאַיֵּ֖ה חֲמַ֥ת הַמֵּצִֽיק׃

Quem és tu que te esqueces do Senhor que te criou...? Os *filhos dos homens*, que são mortais, esquecem Yahweh, o Criador de todas as coisas, o qual exibiu seu poder quando estendeu os céus como se fossem um gigantesco rolo no firmamento (ver Jó 9.8; Sl 104.2; Is 40.22; 42.5; 44.24). Ele também lançou os fundamentos da terra, as grandes colunas sobre as quais a terra se apoia, as quais entram no abismo de águas lá embaixo. Ele fez os céus com a sua mão direita, e a terra com a sua mão esquerda, conforme os rabinos costumam dizer, brincando. Portanto, por que temer o opressor que perdura apenas por um período de tempo, e então se perde nos anais da história? O opressor tem uma fúria breve, mas a glória de Yahweh é perene, eterna. Onde está a fúria do Faraó, o grande opressor do povo de Deus? Onde está a fúria de Senaqueribe, rei da Assíria, que perdeu seu exército em uma única noite? Onde está a fúria da Babilônia, que Ciro tão prontamente aniquilou? As fúrias anteriores são passadas e impotentes. Deus, e não os grandes opressores, é quem escreverá o capítulo derradeiro da história humana.

■ 51.14

מְהַ֣ר צֹעֶ֔ה לְהִפָּתֵ֑חַ וְלֹא־יָמ֣וּת לַשַּׁ֔חַת וְלֹ֥א יֶחְסַ֖ר לַחְמֽוֹ׃

O exilado cativo depressa será libertado. O homem de Deus, agora tão humilhado, em breve será libertado. Ele não morrerá; nem descerá ao abismo para ser esquecido; nem sofrerá necessidades. Essas palavras tinham boas aplicações aos cativos da Babilônia, mas também encerram uma promessa escatológica. O remanescente aprisionado em breve seria libertado para retornar à Terra Prometida em outro êxodo e em outra possessão da terra. "Literalmente, aquele que está *humilhado* está preso por algemas. A *sepultura*, tal como no caso de Jeremias (Jr 38.6), é a masmorra subterrânea na qual um prisioneiro qualquer geralmente era deixado para morrer de fome" (Ellicott, *in loc.*).

■ 51.15

וְאָנֹכִי֙ יְהוָ֣ה אֱלֹהֶ֔יךָ רֹגַ֣ע הַיָּ֔ם וַיֶּהֱמ֖וּ גַּלָּ֑יו יְהוָ֥ה צְבָא֖וֹת שְׁמֽוֹ׃

Pois eu sou o Senhor teu Deus, que agito o mar. Os homens são dotados de um poder efêmero, que perdura por apenas um dia; mas Yahweh tem poder para agitar o mar; ele faz as ondas rugir, e ele mesmo rugirá contra os inimigos de Israel e lhes dará a vitória. Seu nome é *Senhor dos Exércitos* (ver no *Dicionário*). Ele comanda os exércitos dos céus e em pouco tempo dará fim às coisas da terra, quando seu propósito der o sinal para desfechar um golpe nela. Portanto, os exilados não precisavam temer, pois o dia da grande reversão em breve virá. Os mares rugidores retratam o soerguimento e a queda dos impérios, mas Yahweh controla as ondas e determina os acontecimentos humanos (ver Is 13.6).

■ 51.16

וָאָשִׂ֤ים דְּבָרַי֙ בְּפִ֔יךָ וּבְצֵ֥ל יָדִ֖י כִּסִּיתִ֑יךָ לִנְטֹ֤עַ שָׁמַ֙יִם֙ וְלִיסֹ֣ד אָ֔רֶץ וְלֵאמֹ֥ר לְצִיּ֖וֹן עַמִּי־אָֽתָּה׃ ס

Ponho as minhas palavras na tua boca, e te protejo com a sombra da minha mão. *O Poder de Yahweh é Multifacetado.* Considere o leitor estes pontos:
1. As palavras de Yahweh foram postas nos lábios de Isaías. Eram palavras de comissão e poder. Israel se erguerá para ser cabeça das nações da terra (ver Is 24.23). Cf. a comissão do Servo (ver Is 49.2; 50.4; Jr 1.10). As palavras de Israel seriam aguçadas e liquidariam os inimigos. Israel também será o agente da *revelação de Yahweh,* cujo poder tanto julga quanto salva. Cf. a *palavra* criativa de Deus, capaz de trazer todas as coisas à existência e, com grande facilidade, enviá-las para fora da existência.
2. Em seguida, Israel estava *escondido* na sombra da mão divina, isto é, protegido de todos os seus adversários e, assim sendo, preservado para uma glória a concretizar-se no futuro. Cf. Is 49.2, onde o mesmo é dito sobre o Servo e onde comento sobre o conceito.
3. O poder de Deus na criação, ao estender os céus e ao lançar os fundamentos da terra, é repetido com base no vs. 13, onde comento sobre a questão.
4. Esse mesmo Deus de poder diz a Sião que eles são o seu povo, ou seja, podem esperar sua proteção e seu cuidado. Ele criou todas as coisas e, portanto, não terá falta de poder quando restaurar a Israel. "Sua restauração é um aspecto liderante da *nova criação* vindoura" (ver Is 65.17-19).

O SENHOR TER-SE-Á TORNADO REI (51.17—52.12)

Primeira Estrofe (51.17,18)

■ 51.17

הִתְעוֹרְרִ֣י הִתְעוֹרְרִ֗י ק֚וּמִי יְרוּשָׁלִַ֔ם אֲשֶׁ֥ר שָׁתִ֛ית מִיַּ֥ד יְהוָ֖ה אֶת־כּ֣וֹס חֲמָת֑וֹ אֶת־קֻבַּ֜עַת כּ֧וֹס הַתַּרְעֵלָ֛ה שָׁתִ֖ית מָצִֽית׃

Desperta, desperta, levanta-te, ó Jerusalém. Agora damos início à segunda parte do poema, que penetra no capítulo 52 e tem seis estrofes. Jerusalém será libertada (ver Is 51.17—52.6); o remanescente será sujeito a atos poderosos de Yahweh, quando ele despertar para realizar essa tarefa, o que acontecerá quanto tiver de acontecer. O Rei virá em breve. Suas flechas estão prontas; seu braço santo está desnudo para entrar em ação; ele traz consigo o seu cálice de ira, e aqueles que o merecerem (tanto Israel quanto as nações gentílicas) o sorverão até as suas fezes. A calamidade de Israel terá chegado ao fim, e as nações que se opuseram a Israel experimentarão a calamidade divina. Haverá grande reversão. Haverá ruína, destruição, fome e espada, mas também renovação, que conduzirá a um novo dia. A primeira referência é à queda da Babilônia. Mas a seção também é um poema escatológico, o qual prevê a vinda da era do reino. "Assim como o primeiro êxodo foi celebrado pelo apaixonado hino de redenção de Miriã, a nova era será anunciada por meio de um novo cântico de redenção, no qual a história e a natureza se aliam em júbilo estático. O conceito do novo êxodo é o mais profundo e proeminente dos motivos na tradição que o segundo Isaías empregou para retratar esse quadro escatológico final. Esse poema ocupa uma posição ímpar na coletânea. É a coroa da mensagem do profeta" (James Muilenburg, *in loc.*).

Que da mão do Senhor bebeste o cálice da sua ira. O profeta Isaías convidou Jerusalém a despertar, levantar-se e agir, saindo de seu estupor embriagado. Esse povo tinha bebido do vinho da ira de Deus, tal como as nações terão de fazê-lo, dentro em breve. Jerusalém teve de cambalear por causa da bebida forte, mas agora era chegado o tempo de sair de sua embriaguez temível. Ruínas como as infligidas contra a Babilônia (como agente do Senhor) não são irreversíveis. E agora chegou o tempo da reversão.

O cálice da sua ira. Esta é uma comum figura escatológica para falar do julgamento. Cf. Jr 25.15-31; Hc 2.16; Ez 23.31-34; Lm 4.21; Ob 16; Zc 12.2; Sl 60.3; 75.8; Ap 14.10 e 16.19. A mão do Senhor trouxera o cálice cujo conteúdo deveria ser bebido e, assim sendo, foi o *poder* de Deus quem obrigou Israel a beber. Foi muito poderosa a bebida que fez o povo de Israel cambalear sob a ira de Deus, sob a operação de agentes humanos e através dos abusos da natureza. Jerusalém passou para um estupor embriagado, mas essa condição não era *irremediável*.

■ 51.18

אֵין־מְנַהֵ֣ל לָ֔הּ מִכָּל־בָּנִ֖ים יָלָ֑דָה וְאֵ֤ין מַחֲזִיק֙ בְּיָדָ֔הּ מִכָּל־בָּנִ֖ים גִּדֵּֽלָה׃

De todos os filhos que ela teve, nenhum a guiou. Israel (Judá), em sua apostasia, embora contasse com numerosa população, ficou sem nenhum guia. Ninguém podia tomar o povo pela mão para orientá-lo. Eles haviam repelido a orientação da lei mosaica (ver Dt 6.4 ss.), pelo que permaneceram sem direção. A nação ficou exausta, vazia de população, destruída e sem orientação, mas essa situação não era irreversível. A misericórdia, o amor e o poder de Deus proveriam outra chance. Certo pastor pregou, de certa feita, um sermão emocionante, intitulado "O Deus da Segunda Chance". E esse é o tema de nosso cântico, porquanto que homem ou nação tem sido tão bom ou tão digno de confiança que não precise de uma segunda chance? Assim também Jesus, em sua misericórdia e amor, desceu ao hades para redimir as almas perdidas (ver na *Enciclopédia de Bíblia, Teologia e Filosofia* o artigo chamado *Descida de Cristo ao Hades*). No caso dos perdidos, eu, autor desta obra, não gosto da expressão *segunda chance,* porque isso reduz a estatura da missão remidora de Cristo, como se Deus tivesse um pensamento posterior, ao dar uma segunda chance de salvação. A realidade da missão remidora é que a sepultura não é o fim da oportunidade. As Escrituras estabelecem esse fim na segunda vinda de Cristo, e pode-se questionar se até mesmo isso será, realmente, um fim. Há *inúmeras chances,* que se estendem desde a criação da alma até Deus decidir, coletivamente, fechar a porta, sua porta escatológica ainda distante. A descida de Cristo ao hades foi um aspecto da *contínua chance e oportunidade,* e não uma chance segunda e final. O cativeiro babilônico chegou ao fim através da agência de Ciro. Haverá a segunda chance escatológica para Israel, naquela oportunidade, e então todo o Israel será salvo (ver Rm 11.26). Nenhum pecador tem condições irreparáveis, pelo que a missão remidora de Cristo continua a manifestar-se, aqui ou onde os pecadores se encontrarem, em corpo ou em alma. Onde estiverem os homens, ali Jesus poderá alcançá-los.

Segunda Estrofe (51.19,20)

■ 51.19

שְׁתַּיִם הֵנָּה קֹרְאֹתַיִךְ מִי יָנוּד לָךְ הַשֹּׁד וְהַשֶּׁבֶר וְהָרָעָב וְהַחֶרֶב מִי אֲנַחֲמֵךְ׃

Estas duas cousas te aconteceram. *Duas* grandes calamidades tinham ferido Israel: 1. a devastação da terra; e 2. a destruição do povo. A devastação viria por causa das assolações da natureza e da marcha dos exércitos. A destruição do povo viria através da fome e da espada. Além disso, não haveria consolador para acalmar as coisas, e o povo israelita entraria em puro desespero. Historicamente falando, o cativeiro babilônico é a principal coisa em vista, mas haverá muitos tempos menores de desolação.

Quem teve compaixão de ti? Diz o trecho hebraico, literalmente: "sacudir a cabeça, para lá e para cá, por motivo de tristeza". Ver Jr 16.45; Na 3.7 e Jó 2.11.

Quem foi o teu consolador? Assim dizem a Septuaginta, as versões siríaca e a Vulgata Latina, o Targum e o manuscrito hebraico da coletânea dos Papiros do mar Morto. A versão portuguesa Atualizada retém a terceira pessoa do singular. Mas o texto massorético tem a primeira pessoa do singular: "Como poderei consolar-te?"

Algumas vezes (como aqui) as versões (usualmente a Septuaginta) concordam com os manuscritos hebraicos dos Papiros do mar Morto e discordam do texto massorético, o texto hebraico padronizado. Quanto a esse fenômeno e seu significado para a crítica textual do Antigo Testamento, ver as notas textuais em Is 21.19 e também o gráfico que acompanha e ilustra a questão. Ver no *Dicionário* os artigos denominados *mar Morto, Manuscritos (Rolos) do*; *Massora (Massorah)*; *Texto Massorético* e *Manuscritos Antigos do Antigo Testamento*. Este último artigo presta informações sobre como são escolhidos os textos corretos quando aparecem variantes.

■ 51.20

בָּנַיִךְ עֻלְּפוּ שָׁכְבוּ בְּרֹאשׁ כָּל־חוּצוֹת כְּתוֹא מִכְמָר הַמְלֵאִים חֲמַת־יְהוָה גַּעֲרַת אֱלֹהָיִךְ׃

Os teus filhos já desmaiaram, jazem nas estradas de todos os caminhos. Aqueles filhos que deveriam ser vigorosos jaziam nas ruas, desmaiados. Literalmente "eles jazem deitados desmaiados". Eram como antílopes impotentes, apanhados em uma rede. Mostravam-se impotentes diante dos assaltos do conquistador enviado por Yahweh para julgá-los. Este versículo apresenta outra metáfora para os temíveis efeitos da ira de Deus contra o povo de Israel. A ira de Deus assemelha-se ao vinho intoxicador; eles foram retratados como homens desmaiados nas ruas; e, como um animal sem defesa, apanhado em uma rede. "Morte" é a palavra-chave do texto. Yahweh era quem repreendia Israel de maneira tão drástica, por causa da apostasia dos descendentes de Abraão em pacto com Deus. Somente na quarta estrofe (ver Is 52.1,2) seremos informados como haverá total reversão da fortuna, embora, antes disso, as nações gentílicas tenham de sorver o vinho da ira de Deus.

Terceira Estrofe: O Cálice da Ira (51.21-23)

■ 51.21

לָכֵן שִׁמְעִי־נָא זֹאת עֲנִיָּה וּשְׁכֻרַת וְלֹא מִיָּיִן׃ ס

Pelo que agora ouve isto, ó tu que estás aflita e embriagada, mas não de vinho. Somos agora levados de volta à imagem do vinho intoxicador de Yahweh que o povo de Israel foi forçado a sorver (vs. 17). Isso serve de símbolo da ira divina, e devemos compreender que aqueles que desmaiaram assim terão de morrer. Houve uma palavra de consolação acerca do cálice temível. Israel estava sendo afligido e embriagado a fim de ser destruído; mas em breve tempo essa condenação passaria para as nações pagãs que tinham afligido a Israel, como agente divino do julgamento. Os povos gentílicos não eram modelos de moralidade e comportamento correto. Mereciam que receberiam em breve, da mesma maneira que Israel havia sido castigado. Yahweh é quem controla os destinos dos povos; ele controla os acontecimentos humanos; e as operações divinas são controladas por princípios retos, e não por caprichos humanos ou divinos. Ver Is 13.6 quanto a esse princípio.

Mas não de vinho. Ou seja, não de vinho literal, mas da ira de Deus, apresentada aqui como uma bebida forte e intoxicadora. Cf. Is 29.9, onde encontramos a mesma frase. Essa intoxicação poderia referir-se ao fato de que eles estavam embriagados com os seus pecados e perversões, mas o Targum fala sobre suas aflições como as coisas que os fizeram ficar bêbados.

■ 51.22

כֹּה־אָמַר אֲדֹנַיִךְ יְהוָה וֵאלֹהַיִךְ יָרִיב עַמּוֹ הִנֵּה לָקַחְתִּי מִיָּדֵךְ אֶת־כּוֹס הַתַּרְעֵלָה אֶת־קֻבַּעַת כּוֹס חֲמָתִי לֹא־תוֹסִיפִי לִשְׁתּוֹתָהּ עוֹד׃

Assim diz o Senhor, o Senhor teu Deus, que pleiteará a causa do seu povo. A bebida nojenta e intoxicadora foi tirada de Israel, que foi assim libertado por Yahweh. Essa bebida foi dada aos povos pagãos. As mesmas descrições aparecem no vs. 17. O julgamento de Israel tinha sido suficiente. Israel não mais beberia do horrível vinho da ira de Deus. O propósito divino tinha sido realizado. O julgamento tinha purificado a nação. O julgamento divino cessará quando a razão pela qual foi aplicado tiver sido satisfeita, um princípio geral, e não apenas um caso. E todos os julgamentos operam de acordo com esse bendito princípio. Os julgamentos de Deus são remediadores, e não meramente retributivos.

■ 51.23

וְשַׂמְתִּיהָ בְּיַד־מוֹגַיִךְ אֲשֶׁר־אָמְרוּ לְנַפְשֵׁךְ שְׁחִי וְנַעֲבֹרָה וַתָּשִׂימִי כָאָרֶץ גֵּוֵךְ וְכַחוּץ לַעֹבְרִים׃ ס

Pô-lo-ei nas mãos dos que te atormentaram, que disseram à tua alma: Abaixa-te. Os *povos opressores de Israel,* que tinham sido como um chicote nas mãos de Adonai-Elohim, a fim de punir o povo de Israel, agora receberão o cálice de embebedar e pagarão por seus pecados. Eles tinham dito à pobre e minúscula nação de Israel:

Abaixa-te, para que caminhemos por cima de ti.

NCV

As costas de Israel foram feitas estrada poeirenta, para seus inimigos passarem por cima. Israel tornou-se como uma rua bem palmilhada, bem pisada, bem abusada. Portanto, os povos brutais que abusaram de Israel tinham muito que pagar. Essas nações serão pisadas pelos pés de Deus, cumprindo assim a *Lex Talionis* (punição conforme o crime cometido). Ver no *Dicionário* os artigos intitulado *Lex Talionis* e *Lei Moral da Colheita segundo a Semeadura.* Cf. Js 10.24. Sapor, rei da Pérsia, aprisionou o imperador Valernianus e tratou-o da maneira mais vil. Cada vez que o monarca persa queria montar o seu cavalo, ele fazia o infeliz romano ficar de quatro no chão, para que pudesse apoiar-se em suas costas e assim montar o cavalo com mais facilidade. Ver Sl 18.40 e 66.11,12.

CAPÍTULO CINQUENTA E DOIS

Não há interrupção entre os capítulos 51 e 52. Simplesmente passamos para outra estrofe da segunda parte do poema que aparece, em seu começo, no capítulo 51.

Quarta Estrofe: Desperta, ó Jerusalém (52.1,2)

■ 52.1

עוּרִי עוּרִי לִבְשִׁי עֻזֵּךְ צִיּוֹן לִבְשִׁי בִּגְדֵי תִפְאַרְתֵּךְ יְרוּשָׁלִַם עִיר הַקֹּדֶשׁ כִּי לֹא יוֹסִיף יָבֹא־בָךְ עוֹד עָרֵל וְטָמֵא׃

Desperta, desperta, reveste-te da tua fortaleza, ó Sião. Temos um agudo e súbito contraste com o aviltamento que aparece no capítulo 51. O autor continuou a ideia em Is 51.17. A Jerusalém foi ordenado que despertasse e se levantasse, e se fortalecesse, estando ainda tão recentemente em estado de fraqueza. O cativeiro babilônico tinha terminado, e era chegado o tempo da restauração de Judá. Essa é a referência histórica, mas o poema tem sido aceito como uma composição escatológica. Em um sentido pleno, somente na era do reino de Deus poder-se-ia dizer que os pagãos nunca mais pisarão a cidade santa. Os incircuncisos e os imundos não serão apenas os pagãos, mas os judeus que se tiverem misturado com o sincretismo, comprometendo assim sua fé. Cf. este versículo com Na 1.15; Ap 21.27 e 22.14,15. Ver no *Dicionário* o artigo chamado *Limpo e Imundo*. Jerusalém tinha atingido a *pureza cultual* que por longo tempo tinha sido ignorada. Ver no *Dicionário* o verbete denominado *Circuncisão*. A circuncisão era o *sinal* do pacto abraâmico (comentado em Gn 15.18). Portanto, este versículo fala sobre a concretização das promessas do pacto.

Em vez dos trapos próprios do exílio, os filhos de Israel vestirão de belas e limpas roupagens da restauração. Será o novo vestuário do novo dia. "O estrangeiro e o impuro não mais cavalgarão vitoriosos pelas ruas de Jerusalém, conforme se vê em Is 51.23. Cf. Ez 44.9 e o quadro ilustrativo sobre a Jerusalém celeste, em Ap 21.2" (Ellicott, *in loc.*). Quanto aos *imundos*, ver Is 35.8; 60.21; Jl 3.17 e Pv 21.27.

■ **52.2**

הִתְנַעֲרִ֤י מֵֽעָפָר֙ ק֔וּמִי שְּׁבִ֖י יְרֽוּשָׁלִָ֑ם הִתְפַּתְּחוּ֙ מוֹסְרֵ֣י צַוָּארֵ֔ךְ שְׁבִיָּ֖ה בַּת־צִיּֽוֹן׃ ס

Sacode-te do pó, levanta-te, e toma assento, ó Jerusalém. *Jerusalém, a cidade cativa,* ao erguer-se e sacudir de si mesma o pó da humilhação, deixando cair o jugo do pescoço, levantar-se-á tão alta que se assentará em um trono. A cativa escravizada, pela graça de Deus, sentará em um trono em Jerusalém. A restauração de Jerusalém foi retratada por meio dessas figuras simbólicas. Contraste-se esse quadro com o seu oposto, o destronamento da Babilônia (ver Is 47.1). Cf. este versículo com Sl 29.10; 99.1 e 102.12. Monumentos descobertos por arqueólogos mostram cativos amarrados por cordas de pescoço a pescoço. Essa maneira de amarrar os prisioneiros desencorajava qualquer tentativa de fuga.

SOLILÓQUIO DIVINO SOBRE A HISTÓRIA DE ISRAEL (52.3-6)

■ **52.3**

כִּי־כֹה֙ אָמַ֣ר יְהוָ֔ה חִנָּ֖ם נִמְכַּרְתֶּ֑ם וְלֹ֥א בְכֶ֖סֶף תִּגָּאֵֽלוּ׃

Porque assim diz o Senhor: Por nada fostes vendidos. Antes de entrar na quinta estrofe do poema, temos de enfrentar uma reflexão divina sobre a história de Israel. Acabamos de ver como Israel *escapou* do cativeiro e da servidão, coroado ao levantar-se, a fim de assentar-se em seu trono. O passado representava mais a cena da opressão e da escravidão. Mas Yahweh é soberano, e a sua palavra pode decretar a libertação em qualquer momento que quiser (vs. 6).

O retrospecto mostra um registro de sofrimentos: Israel foi vendido no começo de sua história para a servidão ao Egito, e mais tarde foi invadido pelos assírios, que não tinham direito algum em assim proceder. Agora, pois, o que o Senhor faria? Algo mais desastroso tinha acontecido do que a perda de Israel, a saber, a perda de *Yahweh*. Seu nome fora lançado no opróbrio. Que bem resultou de todo aquele sofrimento?

E sem dinheiro sereis resgatados. Israel foi vendido em troca de *nada* (Revised Standard Version), e também será remido pela chamada divina, sem ter de pagar aos pagãos um centavo sequer.

Não fostes vendidos por preço.
Assim, sereis salvos sem custo.

NCV

A ideia aqui é que a soberania divina enviou Israel ao cativeiro, e a qualquer momento pode chamá-lo de lá. Coisa alguma Yahweh deve às nações pagãs. "Yahweh tinha punido o seu povo por seus pecados, mas a Babilônia não tinha o direito de tomar posse de Israel. Por conseguinte, o Redentor não está na obrigação de pagar o dinheiro do resgate pelo seu povo escravizado. O Senhor remirá o seu povo por sua própria razão" (James Muilenburg, *in loc.*).

■ **52.4**

כִּ֣י כֹ֤ה אָמַר֙ אֲדֹנָ֣י יְהוִ֔ה מִצְרַ֛יִם יָֽרַד־עַמִּ֥י בָרִֽאשֹׁנָ֖ה לָג֣וּר שָׁ֑ם וְאַשּׁ֖וּר בְּאֶ֥פֶס עֲשָׁקֽוֹ׃

Porque assim diz o Senhor Deus: O meu povo no princípio desceu ao Egito. A história da opressão de Israel foi longa, começando no princípio mesmo da nação, no Egito. Uma jornada transformou-se em cativeiro. Foram feitos escravos no Egito, sem nenhum motivo aparente, exceto as vicissitudes de uma história perversa. Além disso, as dez tribos (a nação do norte, Israel) sofreram uma invasão com o subsequente cativeiro na Assíria (desta vez como juízo divino contra a apostasia; ver Is 10.5,6). Os assírios estavam interessados em seus próprios desígnios imperialistas (ver Is 10.7-11), e assim, até onde estavam envolvidos, não havia *motivo* para o que fizeram, senão sua brutalidade e seus interesses nacionalistas. Há uma saliência dada à natureza *não provocada* da opressão de Israel pelas potências estrangeiras. Pelo momento, Yahweh está esquecido como causa da opressão, devido à apostasia de Israel.

■ **52.5**

וְעַתָּ֚ה מי־לי פֹה֙ נְאֻם־יְהוָ֔ה כִּֽי־לֻקַּ֥ח עַמִּ֖י חִנָּ֑ם מֹֽשְׁלָ֤ו יְהֵילִ֨ילוּ֙ נְאֻם־יְהוָ֔ה וְתָמִ֥יד כָּל־הַיּ֖וֹם שְׁמִ֥י מִנֹּאָֽץ׃

Agora, que farei eu aqui, diz o Senhor, visto ter sido o meu povo levado sem preço? As palavras "que farei eu aqui" representam um original hebraico obscuro, o que explica a variegada interpretação, conforme se vê nos três pontos abaixo:

1. Que foi que eu ganhei (diz Yahweh), por ter permitido (ou causado) esse sofrimento? O próprio versículo responde: uma má reputação por não ter cuidado de seu próprio povo e ter permitido (causado) a estrangeiros oprimir Israel.
2. Yahweh estava examinando os resultados do cativeiro babilônico, verificando qualquer vantagem que tivesse sido obtida. Ele estava fazendo, por assim dizer, uma avaliação. "... vede o que aconteceu" (NCV). Que bem resultou dessa nova opressão? "Outra nação (a Babilônia) ficou com meu povo em troca de nada" (continua a NCV). Este versículo também ignora o ensino anterior de que Yahweh era a causa real da sorte triste de Israel, mas retrata a questão como se tivesse acontecido pela perversidade de potências estrangeiras, sem nenhuma orientação divina.
3. "Que foi que obtive com isso, que meu povo foi tomado e mantido no cativeiro, sem nenhuma causa? Não obtive nenhuma vantagem com isso, mas somente desvantagens" (John Gill, *in loc.*).

Sobre ele dão uivos. Sobre ele (Judá), ao mesmo tempo que blasfemam do meu nome. Alguns estudiosos interpretam esses uivos como uivos dos babilônios sobre suas vítimas; e outros eruditos pensam que eram uivos de sofrimento dos judeus. O texto massorético diz "uivos", mas o manuscrito hebraico dos Papiros do mar Morto e a Vulgata dizem *zombam*. Os cativos judeus eram escarnecidos por seus opressores. Temos aqui, uma vez mais, um caso em que os manuscritos hebraicos dos Papiros do mar Morto concordam com as versões (que aqui é a Vulgata, porém mais frequentemente ainda com a Septuaginta) contra o texto massorético posterior, padronizado. Quanto a esse fenômeno e o que ele significa para a crítica textual do Antigo Testamento, ver as notas em Is 26.19, bem como o gráfico que as acompanha, com exemplos a respeito da questão.

Além disso, o nome de Yahweh era blasfemado, porquanto os povos opressores dos filhos de Israel costumavam dizer: "Este é o povo de Yahweh, mas ele não foi capaz nem estava disposto a protegê-los na hora da crise!" Por isso, o nome de Yahweh era *desprezado* pelos povos pagãos. A profanação do nome divino foi a principal razão pela qual Yahweh se sentiu impulsionado a reverter o cativeiro de Israel. Desse modo, os povos pagãos aprenderiam, em primeira mão, quem ele era e que poder tinha. E, dessa forma, a sua honra seria vindicada.

■ **52.6**

לָכֵ֛ן יֵדַ֥ע עַמִּ֖י שְׁמִ֑י לָכֵן֙ בַּיּ֣וֹם הַה֔וּא כִּֽי־אֲנִי־ה֥וּא הַֽמְדַבֵּ֖ר הִנֵּֽנִי׃

Por isso o meu povo saberá o meu nome. *A divina intervenção* viria, portanto, com o propósito de vindicar o nome de Yahweh, aliviando assim os sofrimentos de Judá. Todos os povos temerão o seu *nome*. Ver no *Dicionário* o artigo chamado *Nome*, bem como Sl 31.3; e ver sobre *Nome Santo*, em Sl 30.4 e 33.21. O nome representa os atributos, a pessoa e os poderes essenciais daquele que tem tal nome. Os antigos acreditavam no poder mágico dos nomes, por meio de um tipo de manipulação numerológica. O simples ato de proferir o nome de Deus seria capaz de realizar qualquer tipo de milagre. Cf. Is 11.9 quanto ao fato de que todas as nações virão a conhecer o nome de Yahweh, de maneira positiva e salvadora. Mas o nome de Yahweh também seria conhecido por meio do julgamento, conforme se vê neste versículo. O favor de Deus para com Judá também seria conhecido, e Yahweh recuperaria sua reputação como "Deus e benfeitor deles".

Portanto, a repetição dessa palavra aparece no texto massorético, mas não se acha no manuscrito hebraico da coletânea dos Papiros do mar Morto, com o qual concordam a Septuaginta, a Vulgata e as versões árabes. Uma vez mais encontramos as versões concordando com os manuscritos hebraicos dos Papiros do mar Morto, mas contradizendo o texto massorético padronizado posterior. Ver a importância textual desse fenômeno em Is 26.19. Isso é ilustrado pelo gráfico que acompanha o comentário. A intervenção divina ensinaria aos homens algo daquilo que era Yahweh, aquele que tinha previsto a condenação. Os homens haverão de respeitá-lo e temê-lo, em vez de blasfemarem (lançar na desgraça) o seu nome (vs. 5). Assim a história toda de Israel culminará na salvação concedida por Deus, com o paralelo castigo dos inimigos de Israel, repetindo o tema muito reiterado de Isaías: salvação-julgamento, com frequência apresentado como julgamento-salvação.

Quinta Estrofe: Deus Se tornará o Rei (52.7,8)

■ 52.7

מַה־נָּאווּ עַל־הֶהָרִים רַגְלֵי מְבַשֵּׂר מַשְׁמִיעַ שָׁלוֹם
מְבַשֵּׂר טוֹב מַשְׁמִיעַ יְשׁוּעָה אֹמֵר לְצִיּוֹן מָלַךְ אֱלֹהָיִךְ:

Que formosos são sobre os montes os pés do que anuncia as boas-novas. *Yahweh-Rei* trará a salvação a Israel, e quão belos serão os pés dos que anunciarem essa mensagem. A imagem é reproduzida em Is 40.9, onde é a própria Sião que anuncia as boas-novas; mas aqui chegam arautos a Sião para anunciá-las. Eles vêm saltando por cima dos montes, quais graciosos antílopes, e todos admiram sua corrida e seus saltos. Cf. Ct 2.8,9 e Na 1.15. Paulo, em Rm 10.15, atribuiu essas palavras aos ministros cristãos que propalam o evangelho, uma aplicação legítima, embora não seja uma interpretação direta. Aqui, está em mira a era do reino, quando Yahweh for o Rei do mundo e Israel for a cabeça das nações (ver Is 24.23). Estão em pauta as bênçãos próprias do milênio, pois, quando Deus assumir o governo do mundo, haverá uma utopia. A criação inteira está esperando por essa vitória decisiva. Cf. Sl 125.2; 2Sm 18.25-27; Na 1.15. Os vigias verão a vitória retornar a Israel (ver Is 40.5), quando então o júbilo será intenso.

Os pés. Os membros do corpo usados por aqueles que anunciarão as boas-novas a Israel; o poder para agir; os instrumentos do ato de *andar* (ver a respeito no *Dicionário*). Cf. Sl 125.2. Pode haver aqui uma alusão aos arautos da vitória que virão da batalha trazendo as boas-novas. Naqueles dias sem serviço postal, os mensageiros, geralmente corredores velozes, eram os portadores das notícias, tanto boas quanto más.

■ 52.8

קוֹל צֹפַיִךְ נָשְׂאוּ קוֹל יַחְדָּו יְרַנֵּנוּ כִּי עַיִן בְּעַיִן יִרְאוּ
בְּשׁוּב יְהוָה צִיּוֹן:

Eis o grito dos teus atalaias! Eles erguem a voz, juntamente exultam. Os vigias da cidade esperavam anelantemente a chegada dos mensageiros. Eles os viam e se regozijavam. Mais ainda, viam a chegada do próprio Rei. Ele é o maior mensageiro das boas-novas que existe. Ele retornou a Sião, que tinha sido abandonada aos pagãos, mas agora fora recuperada. Eles viam essa grande visão "de perto", uma conjectura quanto ao significado da expressão hebraica "olho a olho", mas aqui traduzido por "com seus próprios olhos". O que está em pauta, ao que tudo indica, é "a visão clara" que eles obtiveram do Rei que se aproximava. Alguns dizem que há um encontro "face a face" implícito (ver Êx 33.11). Quando Jerusalém for restaurada pelo poder de Yahweh, então ele habitará ali novamente, como fizera antes, revelando a sua presença em glória Shekinah. "O Senhor virá para habitar em sua moradia, gloriosamente (cf. Ez 43.1-5)" (James Muilenburg, *in loc.*).

Sexta Estrofe: Consolo, Redenção e Vitória (52.9,10)

■ 52.9

פִּצְחוּ רַנְּנוּ יַחְדָּו חָרְבוֹת יְרוּשָׁלָ͏ִם כִּי־נִחַם יְהוָה עַמּוֹ
גָּאַל יְרוּשָׁלָ͏ִם:

Rompei em júbilo, exultai à uma, ó ruínas de Jerusalém. A vinda do Rei para governar em Jerusalém significará consolação para o seu povo (ver Is 40.1). O grande dia da restauração de Israel terá chegado, prefiguradamente, a bem da verdade, no retorno dos judeus da Babilônia, mas realmente cumprido durante o reino do milênio de Cristo. O lugares arruinados foram restaurados. As marcas da presença dos pagãos terão sido removidas. O lugar é santo de novo e será rededicado ao Ser divino, depois que todos os vestígios do que é profano forem removidos. Jerusalém será *redimida* no sentido mais prenhe da palavra. Um novo cântico de redenção será composto para celebrar a vitória. O culto a Yahweh será restaurado; o paganismo será derrotado; um governo justo começará; a utopia será atingida; Israel será feito cabeça das nações; as coisas serão postas em ordem. Mas, então, algo de admirável acontecerá: a salvação se estenderá a todas as nações da terra (vs. 10)! O julgamento divino realizará sua obra redentora. Cf. Is 48.20. O Senhor consolará a Israel (ver Is 40.1; 49.13 e 51.3,12) e redimirá a Israel (ver Is 43.1; 44.22,23; ver também 41.14; 43.14; 44.6,24 e Lc 2.30). Por esses motivos todos será ouvido o ruído jubiloso do louvor e das ações de graça.

> Temos ouvido sobre o som jubiloso:
> Jesus salva! Jesus salva!
> Espalhai as notícias por toda parte:
> Jesus salva! Jesus salva!
>
> Priscilla J. Owens

■ 52.10

חָשַׂף יְהוָה אֶת־זְרוֹעַ קָדְשׁוֹ לְעֵינֵי כָּל־הַגּוֹיִם וְרָאוּ
כָּל־אַפְסֵי־אָרֶץ אֵת יְשׁוּעַת אֱלֹהֵינוּ: ס

O Senhor desnudou o seu santo braço à vista de todas as nações. Yahweh-Salvador-Rei-Redentor desnudou o seu braço, o agente de seu poder, na presença de todos os povos, pelo que a salvação dada a Jerusalém agora propaga-se a todo ser humano, de todos os lugares. Portanto, Israel cumprirá sua antiga missão, que nunca fora realizada. Ver Is 11.9, sobre como o conhecimento do Senhor cobrirá a terra inteira, tal como as águas cobrem os leitos dos mares. Yahweh sairá como "quem vai à guerra", mas logo se vê que essa guerra será feita para "salvar", pelo que prevaleçam os cantos de agradecimento; que a alegria suba; que a tristeza desapareça.

"O seu braço é *santo*, pois ele está engajado em um santo empreendimento (cf. Is 40.10; 42.13; Sl 98.1). Quanto à expressão 'todos os confins da terra', ver Is 40.5; 45.22,23; 48.20; Lc 2.30,31. Nas páginas do Antigo Testamento há tanta guerra e destruição inspiradas pelo ódio, pelo que quão refrigerante é aqui ver Yahweh, o Senhor dos Exércitos, avançar em sua missão salvadora, guerreando contra a tristeza e a dor, revertendo o sofrimento humano e trazendo salvação universal. Isso ocorrerá na utopia do *milênio* (ver a respeito no *Dicionário*). Cf. Is 5.26. Quanto à metáfora do *braço desnudo*, ver Ez 4.7. "O guerreiro divino prepara-se para a ação, despe-se de seu manto, prende a manga de sua túnica e deixa livre o seu braço estendido" (Ellicott, *in loc.*).

> Gritai a salvação plena e livre,
> Nas colinas mais altas e nas cavernas mais profundas.
> Esse é o nosso cântico de vitória:
> Jesus salva! Jesus salva!
>
> Priscilla J. Owens

O NOVO ÊXODO (52.11,12)

■ 52.11

סוּרוּ סוּרוּ צְאוּ מִשָּׁם טָמֵא אַל־תִּגָּעוּ צְאוּ מִתּוֹכָהּ
הִבָּרוּ נֹשְׂאֵי כְּלֵי יְהוָה:

Retirai-vos, retirai-vos, saí de lá, não toqueis cousa imunda. Levando o poema a uma conclusão, antes do início da parte mais conhecida do livro (ver Is 52.13—53.12), o autor sagrado fala sobre o novo êxodo. Ele conclama os cativos a fugir imediatamente do lugar pagão do cativeiro; a não tocar nas coisas imundas para que não tragam poluição para o novo *hábitat*; a purificar a si mesmos e poder manusear os vasos santos de Jerusalém, e a apropriar-se do lugar para si mesmos. O novo êxodo levará Israel à nova era. Pressa é requerida, pois o tempo é curto. Cf. esses dois versículos com Êx 13.21,22. Historicamente, temos em vista aqui a Babilônia. Mas essa conclusão é vinculada aos versículos anteriores, onde vemos a salvação de Yahweh conferida primeiramente a Israel, e só depois a todas as nações. Portanto, haverá um voo para a salvação, bem como um abandono do passado desanimador do cativeiro. No êxodo original, os sacerdotes israelitas encabeçavam o cortejo levando nos ombros os instrumentos de culto; portanto, esse é o simbolismo aqui tomado por empréstimo para representar o novo êxodo. O povo de Israel devia esquecer de saquear e de trazer da Babilônia tudo quanto pudesse olvidar. Eles deveriam levar a si mesmos purificados, bem como os instrumentos do culto. Na Terra Prometida, todas as coisas necessárias para a vida e a existência seriam supridas por Yahweh.

■ 52.12

כִּי לֹא בְחִפָּזוֹן תֵּצֵאוּ וּבִמְנוּסָה לֹא תֵלֵכוּן כִּי־הֹלֵךְ
לִפְנֵיכֶם יְהוָה וּמְאַסִּפְכֶם אֱלֹהֵי יִשְׂרָאֵל: ס

Porquanto não saireis apressadamente, nem vos ireis fugindo. Em contraste com o êxodo do Egito (ver Êx 12.11 e Dt 16.3), os exilados não estariam fugindo de diante de um exército hostil. Pelo contrário, sairiam em paz, pela provisão do decreto de Ciro. Seriam até mesmo ajudados pelos pagãos ao longo do caminho. Yahweh seria o Consolador que os lideraria, e Elohim, Deus forte de Israel, seria a guarda que montaria vigilância sobre a retaguarda. Por conseguinte, Yahweh iria à frente deles, e Elohim viria atrás. E esse é um quadro de perfeita orientação e proteção de todos os temores e alarmas. Essas palavras, como é óbvio, aplicam-se escatologicamente à fuga do povo de Deus das nações pagãs para Jerusalém, para o estabelecimento da era do reino de Deus. Ora, somente a orientação e a ajuda do Ser divino poderiam tornar essa realização uma possibilidade. As razões para o medo terão cessado então. A alusão pode ser à coluna de fogo durante a noite, e à coluna de nuvem durante o dia, que guiaram Israel pelo deserto. Tal como havia miraculosa orientação divina e proteção para o antigo povo de Israel, assim haverá para o avanço dos filhos de Deus durante a era do reino.

SOFRIMENTOS DO SERVO DO SENHOR (52.13—53.12)

O Servo Será Exaltado. Temos aqui o *quarto* cântico do Servo. Ver esses cânticos em Is 42.1-4; 49.1-6; 50.4-11 e 52.13-53.12. O termo "Servo", algumas vezes, refere-se a Israel e, de outras vezes, ao Messias; precisamos descobrir no contexto qual dos dois está em vista. Tentar aplicar o que se segue aqui a Israel e apagar as referências messiânicas é um suicídio interpretativo. Nada existirá de messiânico, em todo o Antigo Testamento, se esta passagem não for messiânica. "Deus haverá de exaltar seu Servo brutalmente desfigurado para o espanto paralisado dos governantes do mundo (Is 49.7,23)" (*Oxford Annotated Bible*, comentando sobre o vs. 13, cuja obra, contudo, aplica essas palavras ao povo de Israel). A passagem é distintiva, contendo 46 palavras peculiares ao segundo Isaías. Esta seção tem afinidades com os salmos de entronização nos quais Yahweh é reconhecido como Rei de Israel. "O poder dramático do poema é quase avassalador" (James Muilenburg, em sua introdução a esta seção).

"O poema como um todo é uma composição triunfal, conforme mostram claramente as estrofes de abertura e encerramento. Assim, ajustam-se perfeitamente ao contexto. De fato, o principal motivo da grande reversão, em Is 49.1—52.12 e 52.13—53.1, é o mesmo, e continua pelo capítulo 54 adentro. Um estudo detalhado confirmará a conexão de nosso poema tanto com o que antecede quanto com o que se segue. A ênfase recai sobre o braço de Yahweh, sobre o propósito de Yahweh, sobre o paralelismo das nações e seus reis, sobre as palavras *desnudar* e *guiados*, e também sobre a aflição (ver Is 50.5,6; 51.17-23; 54.11; 52.2-6) e muitos outros fenômenos similares, os quais argumentam fortemente pela autoria do poema por parte do segundo Isaías, e sua atual posição dento da coletânea de escritos sagrados" (James Muilenburg, *in loc.*).

"Esta é, talvez, a mais bem conhecida seção do livro de Isaías. Coisa alguma opera por mero acaso. Ver Cl 3.1; Hb 1.3; 8.1; 10.12; 12.2 e 1Pe 2.2. Cf. os atos prudentes do "renovo justo de Jr 23.5". Alguns estudiosos veem aqui a crucificação (como um levantar), enquanto outros veem a ascensão de Jesus, vista profeticamente (ver Is 6.1; 47.15; Sl 89.27). O Targum tem aqui uma interpretação messiânica, tal como faziam os antigos rabinos como Aben Ezra e Alshech. Diz o Targum: "Eis que meu Servo, o Messias, aparecerá". Banchama afirma que o Messias seria exaltado acima de Abraão e Moisés, e seria superior aos anjos ministrantes (assim diz Pesika, no Targum sobre Nm 27.2).

Primeira Estrofe (52.13-15)

■ 52.13,14

הִנֵּה יַשְׂכִּיל עַבְדִּי יָרוּם וְנִשָּׂא וְגָבַהּ מְאֹד:
כַּאֲשֶׁר שָׁמְמוּ עָלֶיךָ רַבִּים כֵּן־מִשְׁחַת מֵאִישׁ מַרְאֵהוּ
וְתֹאֲרוֹ מִבְּנֵי אָדָם:

Como pasmaram muitos à vista dele. *Em seus sofrimentos,* o Messias causou espanto a todos quantos o viram. Suas feições ficaram tão deformadas que ele quase não podia ser reconhecido como um ser humano. Sua forma espancada não podia ser comparada às feições de um ser humano. Cf. Is 49.7 e 50.6. Os que pensam que Israel é o "servo" aqui referido veem sua longa história de abusos pelas nações envolvidas em seus sofrimentos; mas outros veem os sofrimentos de Jesus Cristo relacionados à crucificação. Jesus tornou-se "o sofrimento personalizado" (Volz, *in loc.*, que corretamente salientou a natureza vicária dos sofrimentos de Jesus, conforme o poema dirá mais adiante). Seus sofrimentos foram algo *espantoso*. O Servo de Deus, que foi brutalmente espancado, será exaltado, e essa será outra visão que espantará os que o virem.

Sua forma foi tão mudada que quase não podiam dizer que ele era um ser humano.

NCV

Suportando vergonha e rudes zombarias,
Em meu lugar, condenado, ele esteve.
Ele selou meu perdão com o seu sangue.
Aleluia! Que tremendo Salvador!

Philip P. Bliss

■ 52.15

כֵּן יַזֶּה גּוֹיִם רַבִּים עָלָיו יִקְפְּצוּ מְלָכִים פִּיהֶם כִּי
אֲשֶׁר לֹא־סֻפַּר לָהֶם רָאוּ וַאֲשֶׁר לֹא־שָׁמְעוּ הִתְבּוֹנָנוּ:

Assim causará admiração às nações, e os reis fecharão as suas bocas por causa dele. O Messias deixará as nações *boquiabertas*, uma das maneiras de traduzir o hebraico dúbio da primeira linha do versículo. Ele fechará a boca deles; revelará coisas que eles nunca tinham imaginado, e eles ficarão atônitos diante dele. Ele os fará compreender coisas sobre as quais nunca tinham ouvido. Talvez *aspergir* seja a tradução correta na primeira linha e, nesse caso, devemos pensar na purificação dos sacerdotes (ver Lv 4.6; 8.11; 14.7). Se esse é o caso, então temos a missão messiânica da expiação, seguida pela missão do ensino, porquanto ninguém falou jamais como ele (ver Jo 7.46). As nações são vistas como subservientes a ele, mas essa subserviência lhes é benéfica. Cristo é exaltado, mas para abençoar, não para prejudicar (vs. 13). A grandeza de Deus é ilustrada pelo fato de que até reis se prostrarão diante dele (ver Is 49.23; Sl 76.12; 102.15; 107.40; 138.4; 148.11; Jó 12.21). Cf. também Is 41.2; 45.1; 49.7,22,23;

60.3,16. "As maravilhas da redenção, que nunca lhes haviam sido narradas, lhes serão anunciadas, maravilhas como eles nunca tinham ouvido ou visto. Rm 15.21 refere-se a esta passagem. Cf. também Rm 16.25,26. Embora tivesse sido rejeitado por sua própria nação, ele será confessado por muitos gentios que nunca tinham ouvido falar sobre ele" (Fausset, *in loc.*). Paulo deu às palavras um tom evangélico.

Fecharão as suas bocas. Cf. Is 39.7 e ver também Jó 29.9; 40.4. Haverá admiração geral acerca de tudo quanto Cristo fez e é, incluindo a luz trazida aos gentios e sua iluminação por ela.

CAPÍTULO CINQUENTA E TRÊS

Não há interrupção entre os capítulos 52 e 53. Simplesmente avançamos para a segunda estrofe do poema. Ver a introdução à seção (ver Is 52.13—53.12), em Is 52.13. A primeira estrofe (Is 52.13-15) contrasta os brutais sofrimentos do Messias com sua surpreendente exaltação, finalmente. Agora se verá algo sobre a sua vida de sofrimentos.

Segunda Estrofe: A Vida de Sofrimentos do Servo (53.1-3)

■ **53.1**

מִי הֶאֱמִין לִשְׁמֻעָתֵנוּ וּזְרוֹעַ יְהוָה עַל־מִי נִגְלָתָה׃

Quem creu em nossa pregação? A notícia foi propalada; profetas e homens santos a anunciaram; ela estava contida nas Escrituras proféticas; a apresentação da mensagem foi clara; mas caiu em ouvidos surdos. O povo mostrou-se rebelde e duro. Foi o poder de Yahweh (o seu *braço*; ver Sl 77.15; 89.10 e 98.1) que levou a mensagem e a revelou, embora ele tivesse seus instrumentos. Mas nem mesmo esse fato emprestou aceitação a ela. O que foi revelado era verdadeiro, mas foi tido como incrível. O remanescente judaico lamentará o fato de que tão poucas pessoas creram na *mensagem* deles sobre o Servo, e tão poucos reconhecerão a mensagem deles como vinda de Deus e de sua força (o seu *braço*). Ver os comentários sobre Is 40.10" (John S. Martin, *in loc.*). "O pano de fundo e a aparência do Servo não se podiam distinguir um do outro; sua pessoa foi rejeitada" (*Oxford Annotated Bible*, comentando sobre este versículo).

Veio para o que era seu, e os seus não o receberam.

João 1.11

Havendo Deus, outrora, falado muitas vezes, e de muitas maneiras, aos pais, pelos profetas, nestes últimos dias nos falou pelo Filho, a quem constituiu herdeiro de todas as coisas, pelo qual também fez o universo.

Hebreus 1.1,2

■ **53.2**

וַיַּעַל כַּיּוֹנֵק לְפָנָיו וְכַשֹּׁרֶשׁ מֵאֶרֶץ צִיָּה לֹא־תֹאַר לוֹ וְלֹא הָדָר וְנִרְאֵהוּ וְלֹא־מַרְאֶה וְנֶחְמְדֵהוּ׃

Porque foi subindo como renovo perante ele. Aqui começa a história dos sofrimentos de Cristo. Cristo teve um pano de fundo muito humilde. Aparentemente, faltavam-lhe forças. Ele apareceu em um deserto seco, como se fosse uma planta jovem. Ele não era impressionante como o filho de um rei, por exemplo, que tivesse sido criado em meio à pompa. Ele teve um nascimento e uma criação humildes, no lar de um carpinteiro. Não havia nele nenhuma beleza que atraísse as pessoas, nenhuma glória admirável, nenhum sinal que excitasse a mente dos homens. Ele foi apenas outro jovem "lá fora", longe da capital, onde residia toda a pompa. Cf. Jr 23.5. Era o renovo de Davi, um rei que veio para reinar, mas Isaías não destacou essas ideias no texto. Ele queria que víssemos o menino humilde que estava destinado a sofrer. Cf. Is 11.1,10.

Ocultos estão os santos de Deus,
Sem a garantia de sinais angelicais.
Nem tiveram eles suaves roupagens,
nem o cetro de ouro do Império.
Coisa alguma os assinalava como divinos.

J. H. Newman

■ **53.3**

נִבְזֶה וַחֲדַל אִישִׁים אִישׁ מַכְאֹבוֹת וִידוּעַ חֹלִי וּכְמַסְתֵּר פָּנִים מִמֶּנּוּ נִבְזֶה וְלֹא חֲשַׁבְנֻהוּ׃

Era desprezado, e o mais rejeitado entre os homens. O menino cresceu e se tornou homem, mas mesmo assim poucos se impressionaram com ele. Ele foi desprezado e rejeitado pelos próprios irmãos. Foi um homem de tristezas, antes mesmo de sua crucificação. Estava acostumado à tristeza e à dor. Os homens escondiam dele o rosto, e não o reconheciam. Quem se importava com ele? Não viam nele valor algum. "A solidão e o abandono eram amargas aflições para os orientais. Caim, o assassino de seu irmão, foi exilado da comunidade; e Cristo, o Justo, também sofreu esse tipo de tratamento. O clamor da solidão é o clamor mais amargo. Ver Lm 1.3; 3.7,14,17; Jó 19.13-19; Sl 22.31; 38; 69; 88 e 102. O profeta Isaías estava empregando uma linguagem que cabia aos leprosos, que eram cortados do convívio com a comunidade. Os homens voltavam o rosto para o outro lado daquela gente infeliz, sentindo temor e nojo. O Servo de Deus foi o Sofredor por excelência, não havendo nenhuma razão para a rejeição que sofria.

Ele foi odiado e rejeitado pelas pessoas.
Ele enfrentou muita dor e sofrimento.
As pessoas nem ao menos queriam olhar para ele.
Ele foi odiado, e nem ao menos O notamos.

NCV

Homem de Tristezas, que nome,
Para o Filho de Deus que veio
Reclamar a pecadores arruinados.
Aleluia! Que tremendo Salvador!

Philip P. Bliss

Terceira Estrofe: Ele Sofreu por Nós (53.4-6)

■ **53.4**

אָכֵן חֳלָיֵנוּ הוּא נָשָׂא וּמַכְאֹבֵינוּ סְבָלָם וַאֲנַחְנוּ חֲשַׁבְנֻהוּ נָגוּעַ מֻכֵּה אֱלֹהִים וּמְעֻנֶּה׃

Certamente ele tomou sobre si as nossas enfermidades. *Sofrimentos vicários* são o tema deste versículo, um dos grandes temas messiânicos. Ver no *Dicionário* os verbetes chamados *Sofrimento Vicário* e *Expiação* II.7.

Culpados, vis e impotentes éramos,
Cordeiro de Deus sem mácula era ele;
Ele selou o meu perdão com o seu sangue!
Aleluia! Que tremendo Salvador!

Philip P. Bliss

Os sofrimentos do Messias deviam-se ao pecado, mas não a seu próprio pecado. Nesses sofrimentos havia *retribuição*, administrada pela mão divina, mas contra os nossos pecados. Ele foi ferido de Deus e afligido, e carregou nossas tristezas, e assim fez expiação universal. Mesmo assim, quão poucos souberam disso e quão poucos se importaram com isso. Cf. o vs. 7, a seguir, que amplia o tema. Cf. também Mt 8.17, que aplica essas palavras ao ministério misericordioso de Jesus.

Eis o Cordeiro de Deus que tira o pecado do mundo.

João 1.29

A Vulgata Latina diz aqui: "Nós o reputávamos um leproso", trazendo a implicação das palavras do vs. 3, onde os leprosos eram desprezados pelos homens, por lhes serem motivo de repulsa.

Algumas mortes provocadas por câncer são muito dolorosas. Certa mulher, que muito tinha sofrido por causa dessa enfermidade, queria que houvesse, em sua doença, algum benefício, e assim disse: "Eu gostaria de reunir em minhas próprias dores tudo quanto a humanidade deve sofrer por causa do câncer e pagar a totalidade desses sofrimentos". Esse foi um sentimento nobre e altruísta (embora impossível). Porém, nos sofrimentos vicários de Cristo, o impossível se

CITAÇÕES DE ISAÍAS 53 NO NOVO TESTAMENTO		
Essência da Citação	Isaías	Novo Testamento
A incredulidade daqueles que recebem a mensagem	53.1	João 12.38; Romanos 10.16
Sofrimento vicário	53.4	Mateus 8.17
Sofrimento vicário traz perdão e restauração	53.5,6	1Pedro 2.24,25
As ovelhas rebeldes ganham perdão e se restaurarão nos sofrimentos vicários do Messias.	53.7,8	Atos 8.32,33; Apocalipse 5.6,12; 13.8
O homem inocente, cuja linguagem era impecável, morreu em meio a homens injustos e foi enterrado com os ímpios	53.9	Mateus 27.57-60; Marcos 15.2; Lucas 22.37; 23.33;
Sofrimento vicário do Messias e sua intercessão em favor dos pecadores conquistaram uma herança para ele e para eles	53.12	Romanos 4.25; Hebreus 9.28; 1Pedro 2.24

Observações:
- O livro do Antigo Testamento mais citado no Novo Testamento é Salmos.
- O livro mais messiânico e apocalíptico do Antigo Testamento é Zacarias.
- Isaías tem aproximadamente setenta citações no Novo Testamento.

Ver lista na Introdução ao livro, seção VIII.

MESSIANISMO

Esse é o nome da crença no poder de um indivíduo (ou de um grupo, de uma nação etc.), para transformar ou revolucionar a ordem social ou religiosa existente. No campo religioso, essa palavra aponta especificamente para o aparecimento de um messias pessoal que haveria de tornar-se veículo especial e entregaria uma mensagem divina capaz de modificar a ordem de coisas vigentes. Quase todas as religiões têm alguma figura messiânica, já vinda ou prevista.

Ver no *Dicionário* os artigos chamados *Messias e Profecias Messiânicas Cumpridas em Jesus*.

concretizou, e em escala universal. "Mediante os sofrimentos vicários do Servo, ele reconduziu todas as pessoas a Deus (ver Mt 8.17; 1Pe 2.24,25)" (*Oxford Annotated Bible*, comentando sobre este versículo).

53.5

וְהוּא מְחֹלָל מִפְּשָׁעֵנוּ מְדֻכָּא מֵעֲוֺנֹתֵינוּ מוּסַר שְׁלוֹמֵנוּ עָלָיו וּבַחֲבֻרָתוֹ נִרְפָּא־לָנוּ׃

Mas ele foi traspassado pelas nossas transgressões. O poeta continua aqui seu tema de sofrimentos vicários. A vara divina o feriu em nosso lugar. Ele foi ferido por nossas iniquidades; foi castigado a fim de que fôssemos curados; foi espancado, para que, por suas feridas, recebêssemos a cura. "A punição foi suportada vicariamente, e esse tipo de sofrimento foi eficaz aos olhos de Deus. O castigo que deixou o corpo do Messias alquebrado nos curou. Nele, obtivemos a paz, no hebraico, *shalom*, palavra inclusiva que denota tanto o bem-estar físico quanto o bem-estar espiritual" (James Muilenburg, *in loc.*).

"Shamil, um líder religioso e militar do Cáucaso, em meados do século XIX, lutou por trinta anos para manter a independência das tribos do Dagestan da Rússia. Houve ocasiões em que o derrotismo se generalizou entre seus seguidores. Ele anunciou que qualquer um que pleiteasse negociações com o inimigo receberia cem chibatadas. Um culpado foi apanhado, e, ao ser identificado, era a própria mãe de Shamil. Shamil fechou-se na mesquita, recusando-se a comer e beber, e entregou-se à oração. No terceiro dia, reuniu o povo e, pálido como a morte, ordenou que o executor infligisse o castigo. Na quinta chicotada ele gritou: "Alto!" E mandou que a mãe fosse removida, desnudou as próprias costas e ordenou que o oficial lhe aplicasse as 95 chibatadas que faltavam ainda, com severas ameaças se deixasse de aplicar toda a força do braço a cada chicotada. O povo, espantado de surpresa, ficou profundamente comovido, e toda conversa de pedir condições de paz com os russos cessou" (Henry Sloane Coffin, *in loc.*, referindo-se à obra de J. F. Baddeley, *The Russian Conquest of the Caucasus*).

53.6

כֻּלָּנוּ כַּצֹּאן תָּעִינוּ אִישׁ לְדַרְכּוֹ פָּנִינוּ וַיהוָה הִפְגִּיעַ בּוֹ אֵת עֲוֺן כֻּלָּנוּ׃

Todos nós andávamos desgarrados como ovelhas. O tema dos *sofrimentos vicários* continua aqui. Os israelitas são aqui descritos como ovelhas desgarradas, enquanto o Servo aparece como Pastor. O ato supremo de Deus foi pôr sobre o Servo-Pastor os pecados das ovelhas, levando-o a dar sua vida pelas ovelhas. Foi assim que o Pastor se tornou o Cordeiro de Deus (ver Jo 1.29). Ele morreu *voluntariamente*, em concordância com o plano de Deus que foi melhor para a comunidade dos amados, embora eles tivessem sido rebeldes. Cf. Sl 119.176 e 1Pe 2.25. "Em nós mesmos, estávamos espalhados; em Cristo, estamos reunidos; por natureza estamos desgarrados, impelidos para a destruição; em Cristo, encontramos o caminho para o portão da vida" (Calvino). Cf. Mt 9.36 e Jo 10.11.

As palavras de R. Cahana são prenhes de instrução: "Tal como em um jumento é posta uma carga, e ele a transporta, assim também o Rei Messias suportará sobre si mesmo os pecados do mundo inteiro, porquanto lemos: 'mas o Senhor fez cair sobre ele a iniquidade de nós todos'".

Ele é a propiciação pelos nossos pecados, e não somente pelos nossos próprios, mas ainda pelos do mundo inteiro.

1João 2.2

53.7

נִגַּשׂ וְהוּא נַעֲנֶה וְלֹא יִפְתַּח־פִּיו כַּשֶּׂה לַטֶּבַח יוּבָל וּכְרָחֵל לִפְנֵי גֹזְזֶיהָ נֶאֱלָמָה וְלֹא יִפְתַּח פִּיו׃

Ele foi oprimido e humilhado, mas não abriu a boca. Como se fosse uma ovelha que está sendo levada para a tosquia, ou mesmo para o matadouro, Cristo não proferiu um único som nem ofereceu resistência. Sofreu suas imensas aflições em silêncio e em obediência àquele que tinha traçado o plano de redenção. Cristo é o Cordeiro de Deus que foi levado para a matança (ver Jo 1.29). "Contudo, ele não clamou em protesto ou vingança contra seus inimigos, ou contra Deus, por causa da cruel injustiça de suas aflições. Tal paciência e resistência não caracterizavam os sofredores do Antigo Testamento. Habacuque, Jeremias e Jó não se mostraram muito pacientes. Eles ergueram a voz em altos protestos contra o mistério e a evidente injustiça de que foram vítimas" (James Muilenburg, in loc.). Consideremos os salmos de lamentação em seus incessantes queixumes e pedidos de vingança. De fato, essa é a mais numerosa categoria dos salmos, ocupando mais de 50% da coletânea de 150 salmos. Apresento um gráfico no início da exposição, onde dou as categorias em que se dividem os salmos e listo os salmos pertencentes a cada uma delas. Cf. Mt 26.63; 27.14 e 1Pe 2.23.

> Oh, Jesus, ficará alguém jamais
> Envergonhado de ti?
> Envergonhado de ti, a quem os anjos louvam,
> Cujas glórias rebrilham por intermináveis dias?
>
> Joseph Grigg

■ 53.8

מֵעֹ֤צֶר וּמִמִּשְׁפָּט֙ לֻקָּ֔ח וְאֶת־דּוֹר֖וֹ מִ֣י יְשׂוֹחֵ֑חַ כִּ֤י נִגְזַר֙ מֵאֶ֣רֶץ חַיִּ֔ים מִפֶּ֥שַׁע עַמִּ֖י נֶ֥גַע לָֽמוֹ׃

Por juízo opressor foi arrebatado, e de sua linhagem quem dela cogitou? "Após sua *opressão* (tendo sido detido e amarrado; Jo 18.12,24) e seu julgamento (sentenciado a morrer; Jo 19.16), Jesus foi levado para a execução. Ele morreu não por causa de algum pecado que houvesse cometido (porquanto ele, o Filho de Deus, era impecável; ver 2Co 5.21; Hb 4.15; 1Jo 3.5), mas por causa dos pecados e das *transgressões* de outras pessoas (ver Is 53.5). 'Foi arrebatado' significa foi levado para morrer. Essa expressão é paralela a 'ser cortado da terra dos viventes'" (John S. Martin, *in loc.*). Tendo sido cortado pela morte em sua juventude, ele não tinha descendentes naturais, mas, visto que levou os pecados de seu povo, ele lhes trouxe eterno benefício. Assim sendo, enquanto "a terra está enferma, e o céu está cansado de palavras ocas que os homens proferem quando falam da verdade e da justiça" (Wordsworth), em contraste, essas palavras importantes chegaram até nós atravessando os séculos para aliviar nossas cargas e levar-nos à terra da vida. "Tanto seu traidor quanto seu juiz declararam sua inocência" (Fausset, *in loc.*), mas isso não fez parar o processo ousado nem impediu seus temíveis resultados.

■ 53.9

וַיִּתֵּ֤ן אֶת־רְשָׁעִים֙ קִבְר֔וֹ וְאֶת־עָשִׁ֖יר בְּמֹתָ֑יו עַ֚ל לֹא־חָמָ֣ס עָשָׂ֔ה וְלֹ֥א מִרְמָ֖ה בְּפִֽיו׃

Designaram-lhe a sepultura com os perversos, mas com o rico esteve na sua morte. Depois dos maus-tratos sofridos, da vergonha e da morte dolorosa por crucificação, a intenção era sepultá-lo juntamente com os *perversos* (os criminosos que foram crucificados com ele). Em vez disso, porém, um homem rico, José, adiantou-se e providenciou o sepultamento em seu próprio túmulo (ver Mt 27.57-60). A emenda de *rico* para *malfeitores*, de modo que haja um paralelo com *perversos*, é insensata. Jesus Cristo morreu como homem jovem, embora sem causa alguma para sua execução. Ele não cometeu nenhuma violência nem usou a sua linguagem para prejudicar a homem algum. Contudo, foi arranjado pela providência divina que dois homens ricos o honrassem em sua morte, José de Arimateia e Nicodemos (ver Mt 27.57; Mc 15.43-46; Jo 19.39,40). Isso demonstrava a aprovação divina, em contraste com os atos malignos dos homens.

■ 53.10

וַיהוָ֞ה חָפֵ֤ץ דַּכְּאוֹ֙ הֶֽחֱלִ֔י אִם־תָּשִׂ֤ים אָשָׁם֙ נַפְשׁ֔וֹ יִרְאֶ֥ה זֶ֖רַע יַאֲרִ֣יךְ יָמִ֑ים וְחֵ֥פֶץ יְהוָ֖ה בְּיָד֥וֹ יִצְלָֽח׃

Todavia, ao Senhor agradou moê-lo, fazendo-o enfermar. Yahweh aparece aqui como a *causa* do terror que atingiu o Servo; ele foi entristecido e ferido pela vontade de Deus, porquanto grande era o propósito divino que estava sendo operado em seu sofrimento. Sua *alma,* isto é, sua *vida* tornou-se uma oferenda pelo pecado. Diz aqui a Vulgata Latina: "Ele fez de si mesmo uma oferta pelo pecado", salientando o caráter voluntário do Servo ao fazer sua expiação. Este versículo salienta claramente uma morte vicária como expiação, em concordância com os sofrimentos vicários (vs. 5). Embora ele não tivesse recebido a permissão para ver seus descendentes naturais (físicos) (vs. 8), foi recompensado por ver abundante *posteridade espiritual.* Seus dias espirituais são prolongados, transformando-se na eternidade. A *mão* de Yahweh o tinha ferido (vs. 10), mas terminou por abençoá-lo; e assim levantou-se a igreja, repleta de seus irmãos, que eram ao mesmo tempo seus filhos espirituais, porquanto assim Deus quis. Quanto à *mão* divina, que opera prodígios, ver o *Dicionário* e também Sl 81.14. Ver sobre *mão direita* em Sl 20.6; e sobre *braço* em Sl 77.15; 89.10 e 98.1. Todas essas expressões são antropomórficas e revelam o poder divino de realizar o que precisava ser feito para satisfazer a vontade divina. Ver no *Dicionário* o artigo chamado *Antropomorfismo.*

A sua posteridade. "Aqueles que, por confiarem nele, tornam-se filhos de Deus (ver Jo 1.12) e *prolongam os seus dias,* isto é, vivem para sempre na companhia do Filho de Deus. Ele *prosperará* por motivo de sua obediência" (John S. Martin, *in loc.*). Este versículo aponta para "o caráter de sacrifício da morte do Servo. Trata-se de uma oferenda pela culpa (ver Lv 6.6,17; 14.12), uma expiação pelos pecados do povo" (Ellicott, *in loc.*). Ver no *Dicionário* o artigo chamado *Expiação,* para detalhes.

AS DORES E O TRIUNFO

Era desprezado, e o mais rejeitado entre os homens; homem de dores e que sabe o que é padecer; e como um de quem os homens escondem o rosto, era desprezado, e dele não fizemos caso...

Ele verá o fruto do penoso trabalho de sua alma, e ficará satisfeito, o meu servo, o justo, com o seu conhecimento, justificará a muitos, porque as iniquidades deles levará sobre si.

Isaías 53.3,11

HINOS DE VITÓRIA

A luta terminou, a batalha é finda,
A vitória da vida foi ganha;
O cântico de triunfo começou.
    Aleluia!
Os poderes da morte fizeram o que podiam,
Mas Cristo dispersou suas legiões;
Que a alegria santa irrompa.
    Aleluia!
Os três dias logo se passaram,
ele ressuscitou em glória dentre os mortos;
Toda a glória para nossa cabeça ressurrecto!
    Aleluia!

(Antigo Hino Latino)

■ 53.11

מֵעֲמַ֤ל נַפְשׁוֹ֙ יִרְאֶ֣ה יִשְׂבָּ֔ע בְּדַעְתּ֗וֹ יַצְדִּ֥יק צַדִּ֛יק עַבְדִּ֖י לָֽרַבִּ֑ים וַעֲוֺנֹתָ֖ם ה֥וּא יִסְבֹּֽל׃

Ele verá o fruto do penoso trabalho de sua alma. O fruto do trabalho do Messias é que Yahweh ficou satisfeito com a oferenda feita por seu Filho, aceitou-a e tornou-a eficaz em seu ofício expiatório. Através disso ele trouxe *justificação* a muitos. "Após o sofrimento de sua alma, ele veria a luz da vida", como diz o significativo texto da Septuaginta e do manuscrito hebraico dos Papiros do mar Morto. Portanto, temos outro caso de esse manuscrito concordar com as versões (sobretudo com a Septuaginta), contra o texto massorético posterior e padronizado. Quanto a esse fenômeno, que tem grande importância para a crítica textual do Antigo Testamento, ver as notas em Is 26.19, bem como o gráfico ilustrativo que as acompanha. Ver também os artigos chamados *mar Morto, Manuscritos do; Massora (Massorah); Texto Massorético e Manuscritos Antigos do Antigo Testamento.*

Por meio de seu conhecimento, ou seja, ao fazer o que ele sabia que deveria ser feito, o Servo Sofredor justifica a muitos. Mas alguns estudiosos traduzem essa frase por "pelo conhecimento dele" (NIV, margem). Aqueles que o conhecerem como Salvador e Senhor serão justificados por ele. Seus pecados lhes são perdoados e eles entram em sua vida. Ver no *Dicionário* o artigo chamado *Justificação*.

Porque, assim como os céus são mais altos do que a terra, assim são os meus caminhos mais altos do que os vossos caminhos, e os meus pensamentos mais altos do que os vossos pensamentos.

Isaías 53.9

Nossos pequenos sistemas têm seu dia,
Eles têm seu dia, mas logo passam.
São somente lâmpadas bruxuleantes.
Ao lado da tua luz, ó Senhor.

Russell Norman Champlin

Ó Deus... que carne e sangue fossem tão baratos!
Que os homens viessem a odiar e matar,
Que os homens viessem a silvar e decepar a outros
com línguas de vileza
... por causa de... "Teologia".

Russell Norman Champlin

Da covardia que teme novas verdades,
Da preguiça que aceita meias-verdades,
Da arrogância que pensa saber toda a verdade,
Ó Senhor, livra-nos!

Arthur Ford

■ **53.12**

לָכֵ֞ן אֲחַלֶּק־ל֣וֹ בָרַבִּ֗ים וְאֶת־עֲצוּמִים֮ יְחַלֵּ֣ק שָׁלָל֒
תַּ֗חַת אֲשֶׁ֨ר הֶעֱרָ֤ה לַמָּ֙וֶת֙ נַפְשׁ֔וֹ וְאֶת־פֹּשְׁעִ֖ים נִמְנָ֑ה
וְהוּא֙ חֵטְא־רַבִּ֣ים נָשָׂ֔א וְלַפֹּשְׁעִ֖ים יַפְגִּֽיעַ׃ ס

Por isso eu lhe darei muitos como a sua parte e com os poderosos repartirá ele o despojo. Temos aqui a *abundante bênção divina* do Servo Sofredor, que viu sua missão ser terminada. Ele é retratado como um guerreiro que vendeu, isto é, obteve seu salário de despojos. Ele obteve abundante galardão, como sucede aos guerreiros fortes. Seu trabalho consistia em derramar sua alma na morte (vs. 10), o que resultou que muitos receberam a vida eterna (vs. 11), e isso não poderia deixar de ser recompensado. Da mesma forma que Yahweh foi a causa de sua morte, bem como aquele que aprovou o que ele fez (ver o vs. 11), também é aquele que dá ao rico a recompensa por ter cumprido a sua missão.

Derramou a sua alma na morte. "O caráter voluntário absoluto do sacrifício do Messias é novamente enfatizado... O Servo ideal, odiado, condenado, fracassado, é visto finalmente idêntico ao Rei Ideal" (Ellicott, *in loc.*).

Ele levou os pecados de muita gente. Ele pediu o perdão para aqueles que tinham pecado.

NCV

"Esta grande passagem nos fornece um quadro tremendamente completo do que a morte de Jesus Cristo realizou em favor de Israel (ver Jo 11.49-51), bem como em favor do mundo inteiro (ver 1Jo 2.2). A morte de Cristo satisfez as justas demandas de Deus por julgamento contra o pecado, abrindo assim o caminho para todos virem a Deus por meio da fé, para serem salvos do pecado" (John S. Martin, *in loc.*).

CAPÍTULO CINQUENTA E QUATRO

A SALVAÇÃO E SUAS BÊNÇÃOS (54.1—55.13)

A CONSOLAÇÃO DE ISRAEL (54.1-17)

Os capítulos 54—57 do livro de Isaías falam da salvação que seria concedida a Israel, das suas glórias, e da causa e operação divina. Haveria muitos prosélitos (ver Is 55.1—56.8), mas também haveria a condenação dos ímpios (ver Is 56.9—57.21). Finalmente, porém, seria estabelecida a era do reino de Deus (com a inauguração do milênio). Diferentemente do que aconteceu no antigo Israel, o Messias, em seu segundo advento, não falharia em sua missão.

Portanto, a paixão do capítulo 53 será substituída pelo grito de alegria. Haverá consolação, tema que também aparece em Is 40.1—51.3,19. Haverá tremenda explosão de alegria e triunfo (capítulo 55). Vemos aqui um quadro de Israel como a esposa restaurada de Yahweh, e a passagem pode ser comparada a Os 2.1-23.

Sião terá muitos filhos e habitará em um lugar espaçoso, repleto de bênçãos e benefícios. Ela não podia ter filhos, porquanto seu marido a havia deixado. Ela estava solitária, desolada e desamada, mas agora um novo dia raiaria. O pacto venceu o pecado e a degradação. "Israel haverá de experimentar uma vida nova e uma devoção do novo pacto, no qual o Senhor toma a iniciativa" (James Muilenburg, *in loc.*).

Primeira Estrofe: Os Muitos Filhos de Sião e suas Moradias Espaçosas (54.1-3)

■ **54.1**

רָנִּ֥י עֲקָרָ֖ה לֹ֣א יָלָ֑דָה פִּצְחִ֨י רִנָּ֤ה וְצַהֲלִי֙ לֹא־חָ֔לָה
כִּֽי־רַבִּ֧ים בְּנֵֽי־שׁוֹמֵמָ֛ה מִבְּנֵ֥י בְעוּלָ֖ה אָמַ֥ר יְהוָֽה׃

Canta alegremente, ó estéril, que não deste à luz. Por causa de seus pecados, Israel, a esposa de Yahweh, tinha sido abandonada. Era como uma mãe que perdeu os filhos e o marido (cf. Is 49.14-21; 50.3). Jerusalém havia sido destruída pelos babilônios, em 586 a.C., e toda a Judeia jazia em ruínas. Portanto, ela estava *estéril*, isto é, não havia filhos em seu lar. O nascimento era uma maravilha da vida, mas Judá tinha morrido por causa de suas iniquidades. A destruição de Jerusalém e o cativeiro foram o *divórcio* de Yahweh de sua esposa. A dispersão romana acrescentou outra dimensão a isso. Cf. Gl 4.27 quanto à aflição da esterilidade e à importância de uma mulher casada ter filhos, sinal da bênção divina. Mas aqui uma mulher estéril foi convidada a cantar de alegria porque haveria um casamento renovado, muitos filhos e um lugar espaçoso para habitar. A *restauração* de Israel estava a caminho.

"Os filhos da desolação eram, primariamente, os exilados que retornavam e, finalmente, todos os cidadãos da Jerusalém celestial" (Ellicott, *in loc.*).

Começa a cantar e canta de alegria. Nunca sentiste a dor de dar à luz, mas terás mais filhos do que a mulher que tem marido.

NCV

"*Estéril:* o exílio de Sião, abandonada por Deus, seu marido (Ez 16); *casada:* a Sião pré-exílica (ver Is 62.4; Gl 4.27)" (*Oxford Annotated Bible*, comentando sobre o vs. 1). A esposa desolada, uma vez restaurada, terá mais filhos do que tinha a mulher casada.

■ **54.2**

הַרְחִ֣יבִי ׀ מְק֣וֹם אָהֳלֵ֗ךְ וִירִיע֧וֹת מִשְׁכְּנוֹתַ֛יִךְ יַטּ֖וּ אַל־
תַּחְשֹׂ֑כִי הַאֲרִ֙יכִי֙ מֵיתָרַ֔יִךְ וִיתֵדֹתַ֖יִךְ חַזֵּֽקִי׃

Alarga o espaço da tua tenda; estenda-se o toldo da tua habitação. A *tenda* é uma figura do lugar de habitação da ex-esposa desolada. Em sua restauração, ela terá tantos filhos que sua casa não será suficiente para abrigar a todos. Portanto, a tenda terá de ser aumentada; as cortinas (coberturas de peles de animais) terão de ser ampliadas; as estacas terão de ser arrancadas e fincadas mais longe. As próprias estacas terão de ser fortalecidas para suportar o peso maior dos lados da tenda. A figura do nomadismo certamente é apropriada. Poderíamos esperar a figura de um palácio. Mas o fato de que Judá foi levado para o cativeiro e depois voltou a para viver em Sião, dando a ideia de um nômade que mudou o local de sua tenda, é a circunstância sugerida pela figura. O nômade, ao voltar, precisará de uma tenda maior que a anterior, por causa do aumento do número de filhos a serem abrigados. Naturalmente, estamos considerando a era do reino de Deus, porquanto a volta dos judeus da Babilônia trouxe uma bem pequena companhia de exilados retornados para reconstruir a cidade de Jerusalém. Cf. Is 33.20 e Jr 10.20.

■ 54.3

כִּֽי־יָמִ֤ין וּשְׂמֹאול֙ תִּפְרֹ֔צִי וְזַרְעֵ֖ךְ גּוֹיִ֣ם יִירָ֑שׁ וְעָרִ֥ים נְשַׁמּ֖וֹת יוֹשִֽׁיבוּ׃

Porque transbordarás para a direita e para a esquerda. Ora, a ideia de muitos descendentes é expandida para além da ideia da tenda. Haverá muito grande população, pelo que nem o próprio Israel poderá conter todo o povo. O povo de Israel tomará possessão de territórios pagãos e habitará em cidades antes desertas. O pacto abraâmico será cumprido: muitos descendentes e a possessão de um extenso território (ver esse pacto em Gn 15.18). Essa linguagem é escatológica, porquanto nada disso aconteceu após o retorno da Babilônia. "Isaías não falava em *conquista* de seus vizinhos, mas em uma expansão pacífica para fora de suas fronteiras normais" (Henry Sloane Coffin, *in loc.*). Espalhando-se para o sul e para o norte, conforme diz o Targum, eles serão como uma *inundação* da terra, que fala não da propagação da igreja por todas as terras, mas da abundante restauração de Israel no tempo do reino de Deus.

Segunda Estrofe: O Senhor é o marido de Israel (54.4,5)

■ 54.4

אַל־תִּֽירְאִי֙ כִּי־לֹ֣א תֵב֔וֹשִׁי וְאַל־תִּכָּלְמִ֖י כִּ֣י לֹ֣א תַחְפִּ֑ירִי כִּ֣י בֹ֤שֶׁת עֲלוּמַ֙יִךְ֙ תִּשְׁכָּ֔חִי וְחֶרְפַּ֥ת אַלְמְנוּתַ֖יִךְ לֹ֥א תִזְכְּרִי־עֽוֹד׃

Não temas, porque não serás envergonhada. Aquela que fora abandonada em sua pecaminosidade ficou envergonhada e confundida, mas em sua restauração será restabelecida como uma esposa amada que é devolvida à bênção de Yahweh, seu marido. O tempo vergonhoso de sua juventude será esquecido, porquanto será completamente revertido. A mulher estivera perto da *viuvez*, embora, estritamente falando, tivesse sido abandonada pelo marido. Os dias antigos tinham passado, e um novo dia apagará a vergonha e as provações dos dias antigos. O povo em relação de pacto com Deus não precisará temer a repetição dos dias de vergonha e aflição. A vergonha da juventude fala da apostasia de Judá, antes do exílio babilônico que trouxe tal evento. Também devemos pensar na *dispersão romana* por causa do pecado de Israel ao rejeitar o Messias, outro "divórcio" de Judá. Cf. Os 2.17 e Jr 2.2. O período de viuvez foi o exílio babilônico e a dispersão romana. O profeta, assim sendo, foi capaz de abarcar grande período de tempo em sua visão profética.

■ 54.5

כִּ֤י בֹעֲלַ֙יִךְ֙ עֹשַׂ֔יִךְ יְהוָ֥ה צְבָא֖וֹת שְׁמ֑וֹ וְגֹֽאֲלֵךְ֙ קְד֣וֹשׁ יִשְׂרָאֵ֔ל אֱלֹהֵ֥י כָל־הָאָ֖רֶץ יִקָּרֵֽא׃

Porque o teu Criador é o teu marido. O Criador é o marido, uma figura simbólica ousada, para dizermos o mínimo. O seu nome é *Senhor dos Exércitos* (ver 1Rs 18.15 e examinar também o *Dicionário*). O Criador tem poder ilimitado, sendo o comandante dos exércitos celestiais, saindo a campo para conquistar e restaurar. Ele é também o *Santo de Israel* (ver a respeito no *Dicionário*), pelo que o seu labor é justo e fará de Israel uma nação justa. Ele também é o Redentor (ver no *Dicionário* o verbete intitulado *Redenção (Redentor))*. Yahweh assumiu a responsabilidade da restauração e redenção de Israel. Na qualidade de Deus da terra inteira, não lhe faltará poder para isso. Seus propósitos soberanos serão inevitavelmente cumpridos. "O começo de Israel (na criação) e seu fim (na redenção) dão-se sob a soberania divina; sua existência, debaixo do pacto, é com o Deus Santo" (James Muilenburg, *in loc.*). "Este quinto versículo sumaria a teologia do profeta: Deus é o Senhor do universo lá em cima e, diferentemente dos homens, ele entra graciosamente em comunhão com o seu povo escolhido para a redenção de toda a humanidade" (Henry Sloane Coffin, *in loc.*). Este comentário está correto quanto a seu aspecto universal, pois note o leitor como o mesmo Deus faz grandes promessas a Israel, sendo ele, igualmente, soberano sobre a *terra inteira*. Ele é o Criador, o Sustentador e o Redentor de toda a terra.

Terceira Estrofe: Compaixão e Devoção Eternas (54.6-8)

■ 54.6

כִּֽי־כְאִשָּׁ֧ה עֲזוּבָ֛ה וַעֲצ֥וּבַת ר֖וּחַ קְרָאָ֣ךְ יְהוָ֑ה וְאֵ֧שֶׁת נְעוּרִ֛ים כִּ֥י תִמָּאֵ֖ס אָמַ֥ר אֱלֹהָֽיִךְ׃

Porque o Senhor te chamou como a mulher desamparada e de espírito abatido. A esposa *rejeitada e entristecida* é chamada de volta por seu marido, que a havia abandonado por causa dos pecados dela. E então houve grande reconciliação e restauração. Houve tristeza quando ela foi abandonada, mas agora isso pertencia aos dias passados. Ela foi uma viúva no exílio e na dispersão, mas agora estava sendo restaurada. Ela teria um lugar novo e espaçoso para viver (vs. 2). Sua descendência seria grande, espalhada por um largo território. As glórias do pacto abraâmico finalmente terão cumprimento. Portanto, Yahweh não rejeitou irrevogavelmente sua *esposa* (Os 2.19; 11.8,9). "O marido tinha punido a esposa infiel pelo que parecia ser um divórcio, mas o coração do marido anelava por ela, e agora ele a tomava de volta" (Ellicott, *in loc.*).

Como a mulher da mocidade. Cf. Pv 5.18. A jovem esposa é *favorecida,* pois, afinal de contas, é uma *jovem mulher,* no máximo de suas energias físicas, na flor da idade, em sua beleza e graça. Portanto, foi extremamente doloroso quando ela caiu em pecado e se corrompeu moralmente. Porém, uma vez restaurada, ela foi chamada de volta a uma condição superior àquela que tivera antes da queda.

■ 54.7

בְּרֶ֥גַע קָטֹ֖ן עֲזַבְתִּ֑יךְ וּבְרַחֲמִ֥ים גְּדֹלִ֖ים אֲקַבְּצֵֽךְ׃

Por breve momento te deixei, mas com grandes misericórdias torno a acolher-te. Há um profundo amor envolvido no relacionamento entre Yahweh e Israel. O Senhor Deus chamará Israel de volta com seu amor irresistível. A reconciliação agora é iminente (ver Sl 27.10; 2Co 4.17,18). A esposa foi abandonada por breve momento, por ocasião do exílio babilônico e da dispersão romana, um período tão breve pela estimativa divina. Mas, por causa de sua compaixão e de seu amor constante (no hebraico, *hesed*), ele a chama de volta. No vs. 10, essas qualidades não podem *fracassar.* Haverá uma *reunião de Israel,* visto que a restauração da esposa requer a chamada de Israel tanto do exílio babilônico quanto da dispersão romana. Há uma aflição temporal, mas logo em seguida haverá eterno peso de glória (ver 2Co 4.17,18). Esse é um *contraste divino.* As aflições dos homens deixam-nos aflitos, como é claro. Mas as aflições de Deus são remediadoras.

As tragédias gregas retratavam um homem esmagado, então esmagado de novo, e depois novamente, até ser reduzido a nada. A tragédia divina, porém, lembra o caso de Jó, a sua aflição. Caros leitores, estou convencido de que até o julgamento dos perdidos opera dessa maneira, pois o julgamento é um dedo da amorosa mão de Deus, que acaba restaurando aquele que é julgado. Ver 1Pe 4.6 no *Novo Testamento Interpretado.* Ver também, na *Enciclopédia de Bíblia, Teologia e Filosofia,* o artigo chamado *Restauração.* Até onde estou envolvido, este versículo ilustra como Deus opera com os homens, e não meramente como ele agiu no caso do povo de Israel. A ira é contrastada com o amor eterno. Apesar de tudo, a *ira é amor,* porque é restauradora.

■ 54.8

בְּשֶׁ֣צֶף קֶ֗צֶף הִסְתַּ֨רְתִּי פָנַ֥י רֶ֙גַע֙ מִמֵּ֔ךְ וּבְחֶ֥סֶד עוֹלָ֖ם רִֽחַמְתִּ֑יךְ אָמַ֥ר גֹּאֲלֵ֖ךְ יְהוָֽה׃ ס

Num ímpeto de indignação escondi de ti a minha face por um momento. A *espumante ira de Deus* durou apenas um momento. Mas até mesmo esse *momento* foi um tempo de operação do amor, a ser cumprido por amor a um bom propósito. Essa ira foi uma obra beneficente e, sem ela, não poderia ter fluído o propósito divino.

Estritamente falando, entretanto, a ira divina foi um momento preliminar de restauração. Assim sendo, somos tentados a contrastar os dois momentos; mas eles estão, de fato, em harmonia. Os teólogos gostam de quebrar a unidade de Deus, separando a justiça, o julgamento e o amor. Na verdade, porém, essas coisas são meros *sinônimos,* porquanto falam todos de aspectos variegados do amor de Deus. A ira extravasa, a fim de curar. Então o amoroso cuidado de Deus superinunda, a fim de glorificar a pessoa restaurada. Pode o leitor perceber que estamos falando sobre diferentes aspectos de uma única operação de Deus? E outro tanto sucederá com os perdidos, igualmente. Ver na *Enciclopédia de Bíblia, Teologia e Filosofia* o artigo chamado *Julgamento de Deus dos Homens Perdidos.*

A cruz foi um julgamento, mas, ao mesmo tempo, o instrumento divino da redenção. O julgamento e o amor de Deus (ao que tudo indica) são polos opostos do mesmo mundo da graça de Deus. Separar as duas coisas, como se fossem eternamente distintas, é promover uma teologia unilateral. Orígenes estava certo quando disse que ver no julgamento apenas o elemento da *retribuição,* e ignorar o fato de que esse julgamento também é *restaurador,* é inclinar-se a uma teologia inferior. Deus oculta seu rosto quando julga, e o faz brilhar sobre os homens quando eles já aprenderam suas lições por meio da dor. A *dor* é uma função do corpo humano que nos avisa de que algum dano físico deve ser evitado. Não existe algo como dor somente por amor à dor. Yahweh, o Deus eterno, é igualmente o Redentor. O *motivo da redenção,* portanto, encerra a estrofe, e assim a redenção divina escreverá o capítulo final da história da humanidade.

Quarta Estrofe: O Pacto Eterno (54.9,10)

■ **54.9**

כִּי־מֵי נֹחַ זֹאת לִי אֲשֶׁר נִשְׁבַּעְתִּי מֵעֲבֹר מֵי־נֹחַ עוֹד עַל־הָאָרֶץ כֵּן נִשְׁבַּעְתִּי מִקְּצֹף עָלַיִךְ וּמִגְּעָר־בָּךְ:

Porque isto é para mim como as águas de Noé. As boas-novas continuam aqui. O dilúvio de Noé foi um tempo de vasta destruição, mas o resultado final foi remidor. Sim, muita gente pereceu, mas Jesus apresentou a eles seu evangelho, entre a sua morte e a sua ressurreição (ver 1Pe 3.19—4.6), conforme a igreja histórica interpreta a passagem. Ver na *Enciclopédia de Bíblia, Teologia e Filosofia* o artigo chamado *Descida de Cristo ao Hades.* Além disso, o propósito remidor continuou também porque os poucos sobreviventes do dilúvio receberam um mundo novo. Por toda a parte e em todas as ocasiões, os propósitos de Deus continuam a surpreender-nos, por causa de suas aplicações benéficas e multifacetadas. O dilúvio veio e se foi. Em seguida, Deus prometeu que nunca mais agiria daquela maneira novamente. Sua ira *abateu-se* então, tal como aconteceu mais tarde, no caso de Israel, e se abate de novo e de novo, ao realizar seus propósitos, a despeito das almas que são feridas por esses propósitos. Note o leitor que um *juramento divino* garante esse abatimento. "Conforme Deus jurou a Noé e cumpriu a sua promessa, assim também agora ele jura que desviará sua ira de seu povo para sempre" (James Muilenburg, *in loc.*). A lição clara é que o amor, a longo prazo, tem fácil vitória sobre a ira, pelo que dizemos: "Deus é amor" (ver 1Jo 4.8). Ver Gn 9.11, quanto à promessa de amor feita por Deus. Deus estabeleceu um pacto de paz, e todos os homens são beneficiários desse pacto.

■ **54.10**

כִּי הֶהָרִים יָמוּשׁוּ וְהַגְּבָעוֹת תְּמוּטֶנָה וְחַסְדִּי מֵאִתֵּךְ לֹא־יָמוּשׁ וּבְרִית שְׁלוֹמִי לֹא תָמוּט אָמַר מְרַחֲמֵךְ יְהוָה: ס

Porque os montes se retirarão, e os outeiros serão removidos. Algum cataclismo gigantesco poderá nivelar as montanhas (que consideramos símbolos de estabilidade); as colinas poderão desintegrar-se diante de algum terremoto devastador, mas o *amor constante* de Deus não será revertido por nenhum tipo de acontecimento. O *pacto de paz,* que promete um amor sem diminuição e grande bênção para o reino de Deus, não poderá ser abalado por nenhum poder nos céus ou na terra. E isso será assim porque foi o Deus eterno quem jurou, por si mesmo, e nele não há sombra de variação. Ver Tg 1.17:

Toda boa dádiva e todo dom perfeito é lá do alto, descendo do Pai das Luzes, em quem não pode existir variação ou sombra de mudança.

"As montanhas são as mais poderosas e estáveis coisas criadas (cf. Sl 46.2,3; 114.4; Hc 3.6). A eternidade da salvação foi expressa pelos profetas mediante comparações cósmicas (cf. Is 51.5; Jr 31.35,36; 33.20,21). O amor de pacto de Deus, contudo, é mais forte que as montanhas" (James Muilenburg, *in loc.*, com algumas adaptações).

De seu amor preso a um compromisso
Todos os acontecimentos dependem;
O próprio ocultamento de seu rosto
Treinará você para a alegria dele.
                                                    Toplady

Os dons e a vocação de Deus são irrevogáveis.
                                                    Romanos 11.29

Quinta Estrofe: A nova Jerusalém (54.11-14)

■ **54.11**

עֲנִיָּה סֹעֲרָה לֹא נֻחָמָה הִנֵּה אָנֹכִי מַרְבִּיץ בַּפּוּךְ אֲבָנַיִךְ וִיסַדְתִּיךְ בַּסַּפִּירִים:

Ó tu, aflita, arrojada com a tormenta e desconsolada! Começa aqui uma nova parte do poema de Isaías, que dá continuidade aos pensamentos expressos na estrofe anterior. A linguagem do pacto prossegue aqui (vss. 10 e 13). O motivo da reversão da sorte de Israel continua (vss. 1 e 11). Um novo dia inicia uma nova edificação. A antiga Jerusalém estava perdida; uma nova Jerusalém estava a caminho.

Eis que eu assentarei as tuas pedras com argamassa colorida. "Temos aqui o futuro pacífico de Israel (ver Is 54.11-17). Jerusalém, a *cidade aflita,* já havia passado por muitas tribulações, chamadas *tempestades;* e ninguém a havia *consolado* (ver Lm 1.2,9,15-17,21). Entretanto, o Senhor *edificará* a cidade com *pedras* feitas de gemas preciosas, que simbolizam seu cuidado e estima, e dão tão grande valor à cidade" (John S. Martin, *in loc.*). Cf. as elaboradas descrições da nova Jerusalém, em Ap 21 e 22. Quanto ao motivo da nova cidade, ver Is 26.1 ss.; Tobias 13.16,17.

Argamassa colorida. No hebraico temos a palavra *kohl,* pó negro, ou manganês, usado pelas mulheres do Oriente para colorir as pálpebras e as sobrancelhas com propósitos de decoração, aumentando o brilho dos olhos. Ver 2Rs 9.30; 1Cr 29.2; Jr 4.30. Talvez a figura seja que a argamassa segura no lugar as pedras de safira, destacando a beleza das pedras com seu colorido negro.

E te fundarei sobre safiras. Pedras brilhantes e levemente coloridas de azul, colocadas no fundo escuro, o que torna o seu colorido mais brilhante ainda. Está em vista o lápis-lazúli, que tem um azul vívido, uma pedra altamente avaliada no Oriente. A nossa *safira* era quase desconhecida até o tempo dos romanos. Ver no *Dicionário* sobre esses termos, quanto a maiores detalhes.

Como é natural, está em vista um povo, e não uma cidade literal, embora sem dúvida deva haver uma cidade ou habitação gloriosa como o povo que nela habitará. Os intérpretes, antigos e modernos, variam de opinião entre uma cidade e um povo, e alguns pensam estar em foco a igreja, mas isso já é um exagero.

■ **54.12**

וְשַׂמְתִּי כַּדְכֹד שִׁמְשֹׁתַיִךְ וּשְׁעָרַיִךְ לְאַבְנֵי אֶקְדָּח וְכָל־גְּבוּלֵךְ לְאַבְנֵי־חֵפֶץ:

Farei os teus baluartes de rubis, as tuas portas de carbúnculos. Os *baluartes* da cidade serão feitos de *rubis,* e os seus *portões,* de *carbúnculos,* enquanto as *muralhas* serão feitas de *pedras preciosas.* Muitas cores, portanto, serão providas para embelezar o povo-cidade, ao mesmo tempo que somos informados sobre o imenso valor dado divinamente ao povo-cidade.

As descrições do livro de Apocalipse foram, como é óbvio, tomadas por empréstimo deste trecho de Is, embora apareçam mais extensas e adornadas. *Baluartes* deriva-se de uma palavra hebraica que tem sido traduzida como *sol,* sendo possível que a ideia inerente seja a do brilho de beleza que esses baluartes possuirão. E *carbúnculos* é aqui tradução de uma palavra hebraica que indica "requeimar" ou "queimar", pelo que devemos pensar em pedras dotadas de um brilho de fogo. O amor de Deus será a luz da nova Jerusalém e brilhará por toda a parte, refletido por todo aquele *paraíso restaurado* (ver Ez 28.13-19; Jo 6.45; Ap 21.19).

■ 54.13

וְכָל־בָּנַיִךְ לִמּוּדֵי יְהוָה וְרַב שְׁלוֹם בָּנָיִךְ׃

Todos os teus filhos serão ensinados do Senhor. Haverá a *glória externa*, da cidade (vss. 12,13), mas também haverá a *glória interna*, as qualidades espirituais dos filhos de Deus na vida restaurada da nova Jerusalém. Esse tipo de beleza decorrerá do fato de que os habitantes da cidade serão ensinados por Yahweh em sua lei, o *guia* de Israel (ver Dt 6.4 ss.). Esse novo ensino será feito no contexto do novo pacto, que levará os ensinos para além da antiga lei. Haverá imensa paz e prosperidade, que sempre foram prometidas para aqueles que buscassem, em primeiro lugar, o reino de Deus (ver Mt 6.33). Este versículo foi citado pelo Senhor Jesus em Jo 6.45, aplicado aos discípulos, o que demonstra a qualidade espiritual da declaração. Isso também mostra que o versículo olha para além da lei mosaica como mestra. Cf. Is 8.16 e 50.4, onde temos algo similar. Ver também Jr 31.34. O Targum naturalmente relaciona o ensino aqui referido à lei; porém, na realidade, mais que isso está envolvido.

■ 54.14

בִּצְדָקָה תִּכּוֹנָנִי רַחֲקִי מֵעֹשֶׁק כִּי־לֹא תִירָאִי וּמִמְּחִתָּה כִּי לֹא־תִקְרַב אֵלָיִךְ׃

Serás estabelecida em justiça, longe da opressão. Uma vez estabelecido na retidão da era do reino, Israel não mais precisará temer os opressores, quer invasores estrangeiros, quer apóstatas interiores, os quais poderiam manifestar-se vindos dos dias antigos da síndrome do pecado-julgamento-restauração.

> Fundada sobre a Rocha dos Séculos,
> Que poderá abalar teu firme repouso?
> Circundado pelas muralhas da salvação,
> Poderás rir diante de todos os teus inimigos.
>
> John Newton

Essas palavras olham para a futura *era ideal,* pois nunca tiveram aplicação no passado, em nenhum período de tempo. "Esta passagem apresenta não uma nação agressiva, com alvos imperialistas, mas uma nação obediente a Deus e, assim, imune a qualquer ataque" (Henry Sloane Coffin, *in loc.*).

■ 54.15

הֵן גּוֹר יָגוּר אֶפֶס מֵאוֹתִי מִי־גָר אִתָּךְ עָלַיִךְ יִפּוֹל׃

Eis que poderão suscitar contendas, mas não procederá de mim. Este versículo contém um breve comentário sobre o versículo anterior. Se houver algum adversário que desperte contendas, Israel poderá saber que a *causa* disso não será Yahweh, visto que, na era ideal, não haverá razão para enviar um inimigo estrangeiro contra Jerusalém, conforme acontecia com frequência no passado, quando Israel estava envolvido em corrupção e apostasia. Yahweh é quem faz os exércitos marchar, o Poder que controla os eventos humanos (ver Is 13.6 e as notas expositivas). Mas se porventura houver alguma contenda, a mão divina prontamente a abafará, em defesa de uma justa nação de Israel. Cf. Is 10.15 e Is 37.26, onde se atribui a Deus a marcha de exércitos.

Sexta Estrofe: A Onipotência do Senhor (54.16,17)

■ 54.16

הֵן אָנֹכִי בָּרָאתִי חָרָשׁ נֹפֵחַ בְּאֵשׁ פֶּחָם וּמוֹצִיא כְלִי לְמַעֲשֵׂהוּ וְאָנֹכִי בָּרָאתִי מַשְׁחִית לְחַבֵּל׃

Eis que eu criei o ferreiro, que assopra as brasas no fogo. Este versículo comenta o versículo anterior. Yahweh estava por trás da tecnologia dos que produziam armas de guerra. Estava por trás dos que destruíam a outros, quando eles é que mereciam tal sorte. Yahweh, conforme o versículo assevera, como tantos outros versículos desse livro, é quem usa uma nação para punir a outra. Sua providência, tanto negativa quanto positiva, é suprema. Deus tem um poder soberano que é o determinador dos eventos. Ver no *Dicionário* os artigos denominados *Providência de Deus* e *Soberania de Deus*. E ver também o verbete chamado *Atributos de Deus,* entre os quais queremos destacar sua "onipotência". Se Deus controla todos os poderes e todas as causas secundárias, então ele também pode produzir a paz, tanto quanto a guerra. *Esse* é o fenômeno que controlará a era do reino de Deus, durante o milênio.

"O machado, o malho e a espada (os grandes destruidores da terra) são formados pelo grande Mestre-artífice, e ele jamais formará tais armas contra a nova Jerusalém" (Ellicott, *in loc.*).

■ 54.17

כָּל־כְּלִי יוּצַר עָלַיִךְ לֹא יִצְלָח וְכָל־לָשׁוֹן תָּקוּם־אִתָּךְ לַמִּשְׁפָּט תַּרְשִׁיעִי זֹאת נַחֲלַת עַבְדֵי יְהוָה וְצִדְקָתָם מֵאִתִּי נְאֻם־יְהוָה׃ ס

Toda arma forjada contra ti, não prosperará. Se, porventura, alguma arma for forjada, não o será por ordem de Yahweh, nem será usada contra o seu povo justo. Ataques verbais, que poderiam armar confusão, tanto vindos do lado de fora da comunidade de Israel, como de dentro dela, não prosperarão; antes, estarão condenados ao fracasso. O poder divino por trás de Israel se manifestará, mesmo nos casos de disputas verbais, pelo que nada mais sério resultará dessas disputas. A *paz*, sustentada dessa maneira, fará parte da herança de Israel durante a época áurea. Quando houver necessidade de vindicação, isso virá da parte de Yahweh, por sua própria intervenção, sem a necessidade de Israel entrar em conflito. "Paz e segurança serão a herança daqueles que confiarem no Senhor" (John S. Martin, *in loc.*).

"Ninguém poderá atacar os *servos* de Deus com impunidade (ver Is 65.13-15)" (*Oxford Annotated Bible,* comentando sobre este versículo). Quanto aos *servos* do Senhor, ver também Is 63.17; 65.8,13-15; 66.14. A era do reino de Deus, entre outras coisas, será o fim da vulnerabilidade de Israel. Ver Rm 8.33,34.

> Vede as correntes de águas vivas,
> Que manam do amor eterno,
> Teus filhos e filhas bem supridos,
> E todo temor e necessidade removidos.
>
> John Newton

CAPÍTULO CINQUENTA E CINCO

GRAÇA ABUNDANTE (55.1-13)

Salvação para os Gentios. Alguns eruditos acreditam que este capítulo triunfante é um encerramento condigno do segundo Isaías, ao qual um ou mais autores são adicionados para completar a figura que, atualmente, chamamos de *Isaías*. "Um hino de alegria e triunfo que celebra a consumação que já se aproxima da restauração de Israel. Isso conclui a primeira seção do segundo Isaías" (*Oxford Annotated Bible,* comentando sobre o vs. 1). Quanto à unidade do livro de Isaías, argumentos a favor e contra, ver a *Introdução* ao livro, seção III. Este poema de cinco estrofes continua o tema principal do capítulo 54. O pacto com Yahweh garante a paz e o triunfo de Israel durante a época áurea.

"O poema foi composto visando a consolação de Israel. O tempo do perdão tinha chegado (cf. Is 40.2). Os exilados deveriam retornar a Sião (cf. Is 40.4). A palavra de Deus efetuará seu propósito no mundo (cf. Is 40.8). O pacto eterno, que fora firmado com Davi, será cumprido, e o novo êxodo, que nos faz lembrar do evento com o qual a história de Israel se iniciou, terá lugar. O profeta se coloca em uma relação viva e interior com essas coisas. Isaías proclamou a iminência delas, expediu um convite urgente a todos quantos têm fome e sede de aceitar as bênçãos oferecidas, e convidou o seu povo ao arrependimento" (James Muilenburg, *in loc.*).

Primeira Estrofe: Convite aos Famintos e Sedentos (55.1,2)

■ **55.1**

הוֹי כָּל־צָמֵא לְכוּ לַמַּיִם וַאֲשֶׁר אֵין־לוֹ כָּסֶף לְכוּ שִׁבְרוּ וֶאֱכֹלוּ וּלְכוּ שִׁבְרוּ בְּלוֹא־כֶסֶף וּבְלוֹא מְחִיר יַיִן וְחָלָב׃

Ah! Todos vós os que tendes sede, vinde às águas. Esse convite convocou os homens ao banquete de Deus (ver Pv 9.5,6; Eclesiástico 24.19-21; cf. Mt 11.28,29). Que aqueles que padeciam necessidade recebessem o convite gracioso, porquanto havia águas abundantes a serem participadas sem nenhuma restrição, e para os famintos havia muitos alimentos excelentes que nada custavam. O convite foi lançado a todos, e nenhum indivíduo foi eliminado: "Tal como sou, sem fazer nenhum apelo..." — era o requisito. Deveria haver aquele coração disposto a aceitar.

Esse é um convite de pacto para Israel, mas logo adiante o profeta Isaías estendeu as bênçãos a todas as nações (vs. 6). E Israel torna-se a fonte dessas bênçãos, cumprindo assim sua antiga missão, por tanto tempo ignorada. A provisão será de água, vinho e leite, havendo também grande abundância de alimentos. A provisão será rica e ampla, e assim também será o convite. "Água, pão, vinho e leite são símbolos da vida com Deus. Essas coisas inferem a sua necessidade. Comodidades como água, vinho e pão tinham de ser compradas. A água era vendida pelos transportadores, cujos gritos eram ecoados nas palavras: 'Ó vós, todos os que tendes sede...'. Em cada geração a vida à parte de Deus mostra-se insatisfatória... George John Romanes, um brilhante estudante de Darwin, (falou) sobre o confeccionador de coisas (profanas) oferecidas ao homem faminto... E H. B. Wells falou sobre o espaço em branco que há no coração dos homens" (Henry Sloane Coffin, *in loc.*). "A salvação é um dom gratuito de Deus, quer se refira à redenção espiritual, quer ao livramento físico" (John S. Martin, *in loc.*). Diz um antigo hino: "Nem prata e nem ouro podem adquirir a minha redenção". E o Targum diz: "Aquele que não tem prata venha, ouça e aprenda; ouça e aprenda sem preço e sem dinheiro, uma doutrina melhor do que o vinho e o leite".

■ **55.2**

לָמָּה תִשְׁקְלוּ־כֶסֶף בְּלוֹא־לֶחֶם וִיגִיעֲכֶם בְּלוֹא לְשָׂבְעָה שִׁמְעוּ שָׁמוֹעַ אֵלַי וְאִכְלוּ־טוֹב וְתִתְעַנַּג בַּדֶּשֶׁן נַפְשְׁכֶם׃

Por que gastais o dinheiro naquilo que não é pão; e o vosso suor naquilo que não satisfaz? O *dinheiro* e o *labor* são aqui metafóricos, e assim também as coisas que eles podem comprar. Estão em mira as bênçãos próprias do pacto, a concretização do reino de Deus, a salvação dada por Deus e as graças acompanhantes. As coisas que *não podem satisfazer* são as mesmas em qualquer época: riquezas, fama, poder, consolo e prazeres. É em troca dessas coisas, meras bolhas de ar, que os homens gastam tudo quanto ganham na vida. Em contraste, há coisas dignas de ser consumidas, a gordura da graça de Deus. A referência é aos sacrifícios e às festividades realizadas mais tarde por aqueles que participaram desses sacrifícios. O sangue e a gordura eram queimados sobre o altar de Yahweh (ver Lv 3.17); então, oito porções diferentes pertenciam aos sacerdotes (ver Lv 6.16; 7.11-24; Nm 18.8; Dt 12.17,18). O que sobrasse era consumido por aqueles que tinham trazido os sacrifícios, pois a eles pertenciam, a suas famílias e aos seus amigos. Dessa maneira, havia uma refeição comunal que tinha Yahweh como convidado especial (invisível). O povo em pacto com Deus era chamado à festa sacrificial. Havia alimentos em abundância para todos, e ninguém era despedido de mãos vazias por não ter dinheiro. Tudo o que alguém precisava ter era fome e sede, bem como um coração obediente no tocante às provisões do pacto. Os povos orientais apreciavam muito os alimentos gordurosos, grandes quantidades de vinho e diferentes tipos de carne, e talvez isso seja aludido neste passo bíblico. Mas quase certamente está em mira aqui a refeição comunal de sacrifício, que supostamente satisfaria à alma, e não meramente ao corpo. Ver Lc 15.2 quanto ao novilho cevado.

Alegria sólida e tesouro duradouro,
Somente essas coisas conhecem os filhos de Sião.

John Newton

Escutai com diligência! O ouvido disposto a ouvir é o requisito que se faz necessário para que alguém entre na vida com Deus, algo que o homem espiritual conhece, mesmo que apenas por instinto, mas que as pessoas profanas jamais aprendem.

Segunda Estrofe: A Aliança Perpétua de Davi (55.3-5)

■ **55.3**

הַטּוּ אָזְנְכֶם וּלְכוּ אֵלַי שִׁמְעוּ וּתְחִי נַפְשְׁכֶם וְאֶכְרְתָה לָכֶם בְּרִית עוֹלָם חַסְדֵי דָוִד הַנֶּאֱמָנִים׃

Inclinai os vossos ouvidos e vinde a mim. Agora fica claro que as coisas nobres a serem obtidas por um coração bem disposto, embora não pela dignidade humana, são as que pertencem ao pacto com Deus. A aliança firmada por Deus com Davi está particularmente em mira aqui, mas agora ela se aplica à futura era do reino de Deus. Ver sobre a aliança firmada com Davi em 2Sm 7.4. As promessas de Deus feitas a Davi têm continuidade no pacto eterno. Cf. Is 54.9,10 e Jr 33.10-26. Ver também Jr 31.31-34.

"Essas palavras encontram sua explicação no *novo pacto* de Jr 31.31 e Lc 22.20; mas as palavras que se seguem mostram que o novo pacto é a expansão e a complementação do pacto que foi feito com Davi (ver 2Sm 7.12-17; Sl 89.34,35), como o representante do verdadeiro Rei, que Isaías agora contemplava como idêntico ao Servo do Senhor" (Ellicott, *in loc.*). O amor de Deus constante e firme por Davi e Israel seria a fonte originária das bênçãos remidoras, pois todas as bênçãos procedem do amor divino. Ver no *Dicionário* o artigo chamado *Amor*.

Amor divino, que ultrapassa a todos os amores,
Alegria do céu,
Desviado à terra.
Arma entre nós tua humilde habitação.
E coroa tuas fiéis misericórdias.

Charles Wesley

■ **55.4**

הֵן עֵד לְאוּמִּים נְתַתִּיו נָגִיד וּמְצַוֵּה לְאֻמִּים׃

Eis que eu o dei por testemunho aos povos. As provisões do pacto com Davi abrangem aqui os povos gentílicos, de acordo com a milenar promessa do pacto abraâmico (comentado em Gn 15.18). Israel tomou a liderança na instrução divina e tornou-se o instrumento do aprendizado espiritual. Jerusalém haverá de tornar-se o centro da atividade espiritual. A referência literal é a *Davi;* ele é o mestre e o líder, o qual, para muitos, significa ou o Messias ou o povo judaico. O *quiliasmo* (ver a respeito no *Dicionário*) vê aqui Davi como líder e comandante literal, e não figurado. Ver sobre esse termo no *Dicionário*.

■ **55.5**

הֵן גּוֹי לֹא־תֵדַע תִּקְרָא וְגוֹי לֹא־יְדָעוּךָ אֵלֶיךָ יָרוּצוּ לְמַעַן יְהוָה אֱלֹהֶיךָ וְלִקְדוֹשׁ יִשְׂרָאֵל כִּי פֵאֲרָךְ׃ ס

Eis que chamarás a uma nação que não conheces. As mesmas interpretações persistem aqui. As nações da terra doravante haveriam de correr para Israel como seu líder espiritual; ou correrão para o Messias ou para Davi, que voltará a ser o rei ideal, e que se tornou o rei universal. Mas os termos são elevados demais para apontar, literalmente, a Davi. Temos aqui a missão messiânica operando em Israel. "Será missão de Israel reunir as nações do mundo. Nações sobre as quais Israel nunca tinha ouvido falar serão atraídas pela nação israelita, para ouvir seu testemunho quanto ao Santo de Israel (cf. Is 44.5; 45.14; 49.7). *Ele te glorificou* (cf. Is 44.23)" (James Muilenburg, *in loc.*). Quanto à *glória*, ver 35.2; 46.13; 49.3; 60.9,21; 61.3 e 62.3. Cf. este versículo com Sl 18.43.

Terceira Estrofe: Arrependei-vos, que o Tempo é Chegado (55.6-9)

■ **55.6**

דִּרְשׁוּ יְהוָה בְּהִמָּצְאוֹ קְרָאֻהוּ בִּהְיוֹתוֹ קָרוֹב׃

Buscai o Senhor enquanto se pode achar, invocai-o enquanto está perto. Há grande provisão para Israel e para o mundo, uma nova missão messiânica, e os homens precisam ter coração acolhedor para dela beneficiar-se; os homens terão de *buscar* a Yahweh, enquanto ele estiver presente para distribuir suas bênçãos graciosas. Será preciso *invocar o Senhor* em fé e sinceridade. Sempre haverá a necessidade da *reação humana favorável*, mesmo quando os próprios eventos estão predestinados como está predestinado o Reino do milênio de Cristo. Quanto à busca de Israel por ele, ver Am 5.4; Jr 29.12-14. Está em mira a salvação escatológica, e não a mera participação nas glórias próprias da era do reino. A *salvação* está às portas (ver Is 49.8). Ver no *Dicionário* o verbete chamado *Salvação*. O arrependimento é o requisito para que essa glória seja recebida. Ver Mt 3.2 e Mc 1.15. Ver Jr 29.12-14.

Aben Ezra interpretou este versículo como a restauração do culto e a busca da glória Shekinah no santuário de Jerusalém; mas essa interpretação é estreita demais, embora provavelmente faça parte do sentido pretendido.

55.7

יַעֲזֹב רָשָׁע דַּרְכּוֹ וְאִישׁ אָוֶן מַחְשְׁבֹתָיו וְיָשֹׁב אֶל־יְהוָה וִירַחֲמֵהוּ וְאֶל־אֱלֹהֵינוּ כִּי־יַרְבֶּה לִסְלוֹחַ׃

Deixe o perverso o seu caminho, o iníquo os seus pensamentos. O convite ao arrependimento é feito até mesmo aos que tinham a reputação de ser ímpios e perversos. A chamada é universal e genuína. Deus não zomba de quem quer que seja. O homem maligno que tinha pensamentos perversos, para em seguida sair e cumprir tudo quanto havia planejado, é convidado a mudar sua maneira de pensar e agir. Se tal homem voltar-se a Yahweh, receberá o poder de exercer *arrependimento* genuíno (ver a respeito no *Dicionário*). E quando tal homem retornar ao Senhor, encontrará misericórdia diante de Deus. Encontrará perdão abundante, e essa é a promessa do evangelho que terá poder universal no tempo da época áurea.

> Vinde cada alma oprimida pelo pecado,
> No Senhor há misericórdia.
> E por certo ele vos dará descanso,
> Se confiardes em sua Palavra.
>
> Charlotte Elliott

O ministério do Espírito está aqui sendo contemplado. Deve haver um poder divino para que essa operação se torne realidade. Nenhuma pessoa é capaz de soerguer-se espiritualmente. Ver no *Dicionário* o detalhado artigo denominado *Perdão*. O Targum fala sobre o *curso da vida* que os ímpios precisam abandonar. Deve haver um novo curso de vida no Espírito, que se origine do arrependimento, mediante o poder transformador do Espírito Santo.

55.8

כִּי לֹא מַחְשְׁבוֹתַי מַחְשְׁבוֹתֵיכֶם וְלֹא דַרְכֵיכֶם דְּרָכָי נְאֻם יְהוָה׃

Porque os meus pensamentos não são os vossos pensamentos. Cf. os vss. 8,9 com Rm 11.33-36. Ver também Is 40.13. As operações da salvação de Deus tomam os homens em sua inescrutável graça (ver Sl 103.11). Estamos aqui abordando uma operação espiritual que envolve muitos mistérios, visto ser uma operação *divina*. Não é esse o caminho do mérito humano, que de nada vale quanto ao arrependimento genuíno e quanto à salvação. "O plano de Deus é algo que os homens jamais teriam sonhado" (John S. Martin, *in loc.*).

Os caminhos dos homens são perversos, pois eles têm coração perverso, e torna-se mister o poder divino para endireitar-lhes o coração. Ver no *Dicionário* o artigo chamado *Caminho*, bem como os caminhos dos bons e dos maus contrastados, na nota de sumário em Pv 4.27. Quanto ao *caminho de todo o coração*, ver Pv 4.23. Para os homens, as maravilhas da graça divina podem parecer impossíveis e talvez até mesmo irracionais. A universalidade da salvação era um conceito que a mentalidade judaica tinha extrema dificuldade em aceitar. Os caminhos de Deus são, verdadeiramente, diferentes dos caminhos humanos (ver Is 45.9-13). O alcance da visão de Deus é universal e inclui todos os homens. Ver Jo 3.16 e 1Jo 2.2.

55.9

כִּי־גָבְהוּ שָׁמַיִם מֵאָרֶץ כֵּן גָּבְהוּ דְרָכַי מִדַּרְכֵיכֶם וּמַחְשְׁבֹתַי מִמַּחְשְׁבֹתֵיכֶם׃

Assim como os céus são mais altos do que a terra, assim são os meus caminhos mais altos do que os vossos caminhos. Os caminhos e pensamentos de Deus, seus desígnios e suas operações são celestiais e estão muito acima dos desígnios e operações dos homens, que são apenas terrenos. Existem muitos *pequenos evangelhos* correndo pelo mundo, os quais, na realidade, não conseguem fazer muita coisa. Os homens cercam Deus e tentam ditar o que ele pode ou não pode fazer. E chegam a citar textos bíblicos para apoiar essas suas cercas delimitadoras. Tais homens não reconhecem que os caminhos de Deus já ultrapassaram as declarações dos primeiros profetas. Eles não percebem que Paulo realmente trouxe *novas ideias*, e também que existem *mistérios* nas operações da salvação da alma. Ef 1.9,10 não pode ser explicado mediante o apelo a versículos do Antigo Testamento que, se forem empregados, só servirão para limitar a declaração paulina, reduzindo-a à antiga compreensão dos judeus do passado. Ver na *Enciclopédia de Bíblia, Teologia e Filosofia* o artigo intitulado *Mistério da Vontade de Deus*. Esse mistério diz-nos o que Deus, finalmente, fará, e, para compreender isso, *finalmente*, é preciso compreender a *novidade* e o *escopo mais amplo* do que foi revelado a Paulo. Isaías realizou o serviço de dizer-nos que, quando falamos sobre a salvação, temos de levar em conta o escopo mais alto da mente divina, de onde o plano de salvação se originou.

> Neste mundo de pessoas mundanas onde
> Repousam almas apáticas, e nunca
> Agitam o ar com qualquer grande emoção,
> A vida permanece humanamente mansa,
> E raro é um nobre impulso,
> Raro é o alvo apaixonado.
>
> William Watson

Neste mundo meramente humano, mesmo onde os pequenos evangelhos são pregados, rara é a ocasião em que os homens abalam o ar com alguma grande emoção ou ideia, pois eles continuam confiando conforme as antigas e simplistas maneiras dos Evangelhos sinópticos. Quantos chegam a pensar que os homens podem vir a participar da natureza divina (ver 2Pe 1.4)? Quantos creem que o evangelho de Cristo deverá tocar em todos os homens, em todos os lugares, para o bem deles? Quantos avançam além das potencialidades e chegam a ver as operações das *realizações inevitáveis*?

Quarta Estrofe: A Atividade e a Missão da Palavra de Deus (55.10,11)

55.10

כִּי כַּאֲשֶׁר יֵרֵד הַגֶּשֶׁם וְהַשֶּׁלֶג מִן־הַשָּׁמַיִם וְשָׁמָּה לֹא יָשׁוּב כִּי אִם־הִרְוָה אֶת־הָאָרֶץ וְהוֹלִידָהּ וְהִצְמִיחָהּ וְנָתַן זֶרַע לַזֹּרֵעַ וְלֶחֶם לָאֹכֵל׃

Porque, assim como descem a chuva e a neve dos céus, e para lá não tornam. A *Palavra salvadora* de Deus é como a chuva que cai universalmente sobre a terra e faz crescer as plantas por toda a parte. Existe a chuva divina que produz o crescimento divino de vidas transformadas. No Oriente Próximo, com sua sequidão notória, a chuva é algo miraculoso, pois da terra seca medra rapidamente a vegetação, quando chove. Então começa o ciclo agrícola; há chuva, as sementes germinam; a vida vegetal produz as sementes; há alimentos para todos; aparece vida abundante. Nas religiões da natureza, nos países do Oriente, a chuva era considerada o principal dom dos deuses. Não precisamos compreender grande coisa sobre os processos da natureza para saber que algo maravilhoso acontece com o início das chuvas. Ver no *Dicionário* o verbete denominado *Agricultura, Metáfora da*. Os homens e os animais recebem o suficiente quando as chuvas chegam. Então as sementes começam a crescer novamente, e o ciclo prossegue no ano seguinte.

55.11

כִּי כַּאֲשֶׁר יֵרֵד הַגֶּשֶׁם וְהַשֶּׁלֶג מִן־הַשָּׁמַיִם
רֵיקָם כִּי אִם־עָשָׂה אֶת־אֲשֶׁר חָפַצְתִּי וְהִצְלִיחַ אֲשֶׁר
שְׁלַחְתִּיו׃

Assim será a palavra que sair da minha boca. A *palavra* de Yahweh agora é a chuva, a semente, os processos agrícolas, tudo de que os homens precisam para a vida e o crescimento espiritual. A palavra não retorna, mas realiza seu ofício, tal como as chuvas continuam a regar a terra e não voltam ao céu. Há propósito naquilo que acontece, e há propósito e provisão divina nas chuvas materiais, bem como nas chuvas celestiais. A palavra de Deus garante a prosperidade, material e espiritual, bem como a concretização do propósito divino.

"Assim como a *chuva* causa a germinação e, finalmente, provê o sustento, assim acontece à palavra de Deus (ver Is 9.8)" (*Oxford Annotated Bible*, comentando sobre o vs. 9 deste capítulo). "Em última análise, os propósitos de Deus que visam o bem dos homens vencem a resistência humana" (Ellicott, *in loc.*). A chuva divina suaviza o coração dos homens, tal como a chuva natural faz ao solo. O alvo da chuva é a produção de frutos da terra. Quanto aos propósitos de Deus, cf. Is 44.28; 48.14; 53.10. "O propósito de Deus está em sua palavra, e isso será concretizado em benditos eventos no mundo, pois o propósito divino e os eventos causados estão indissoluvelmente relacionados" (James Muilenburg, *in loc.*).

Quinta Estrofe: O novo êxodo (55.12,13)

55.12

כִּי־בְשִׂמְחָה תֵצֵאוּ וּבְשָׁלוֹם תּוּבָלוּן הֶהָרִים וְהַגְּבָעוֹת
יִפְצְחוּ לִפְנֵיכֶם רִנָּה וְכָל־עֲצֵי הַשָּׂדֶה יִמְחֲאוּ־כָף׃

Saireis com alegria, e em paz sereis guiados. Quanto ao novo êxodo, ver Is 43.16-21 e 49.8-11. O novo êxodo conduzirá a uma terra parecida com o jardim do Éden, a concretização da época áurea (a era do Reino). Ver Is 51.3; 41.18,19; 44.3,4. No novo Éden, haverá alegria e paz constante; a própria natureza adquirirá vozes e cantará o triunfo do bem. As árvores do campo acompanharão esse cântico, batendo palmas. Conforme o profeta contempla o reino do milênio, seus sentimentos são expressos por meio de cânticos; cf. Is 40.3-5; 41.17-20; 43.19-31; 49.9-13; 51.9,10 e 52.11,12. Os anos de aflição terminaram. A opressão acabou. Houve um retorno ao território pátrio, e agora esse será o lar da alma. Há nova vida. Os exilados do mundo sentirão e expressarão grande júbilo; e viverão em paz, alegria e segurança. Os abusos da natureza também terminarão, e a própria natureza se unirá ao cântico universal.

As colinas, não mais despojadas de árvores,
Irromperão em cânticos às estrelas.

Virg. *Aeclog.*

"As maravilhas do antigo êxodo serão ultrapassadas pelas maravilhas do novo êxodo. A natureza inteira se unirá ao júbilo dos exilados que estarão retornando (cf. Is 44.23; 49.13 e Sl 96.11-13)... As montanhas não somente reverberarão os cânticos e os louvores de Israel, mas elas mesmas se aliarão ao coro triunfal, com voz própria. O ponto de vista hebreu da vida adquirida pela natureza empresta poder ao simbolismo" (James Muilenburg, *in loc.*). O Targum fornece-nos o quadro em que os topos das árvores balançam para frente e para trás, como se fossem pessoas a cantar com ritmo, inclinando-se, batendo palmas e misturando-se, como se fossem pessoas a dançar.

55.13

תַּחַת הַנַּעֲצוּץ יַעֲלֶה בְרוֹשׁ תַּחַת הַסִּרְפַּד יַעֲלֶה הֲדַס
וְהָיָה לַיהוָה לְשֵׁם לְאוֹת עוֹלָם לֹא יִכָּרֵת׃ ס

Em lugar do espinheiro crescerá o cipreste, e em lugar da sarça crescerá a murta. Onde antes só havia espinheiros, medrarão grandes ciprestes nos bosques. Onde havia apenas mato daninho, haverá bosques de murta. A provisão de Yahweh na época áurea será simbolizada por atos de fertilidade. E essa nova fertilidade jamais será destruída. A terra nunca mais voltará a ser improdutiva. Cf. Is 35.1; 41.18-20; 43.19,20 e 49.9,10. O milênio, portanto, trará salvação para o gênero humano, bem como a reversão da maldição divina contra a natureza (ver Gn 3.17). "A terra e o céu parecerão ter-se juntado um ao outro" (George Elliot). "O poeta sacro acredita que toda a natureza será renovada e redimida, quando Israel for libertado" (Henry Sloane Coffin, *in loc.*). O Targum vê os espinhos e as sarças como representações simbólicas de homens iníquos. Nesse caso, a renovação da natureza simboliza como os bons finalmente tomarão posse da terra inteira. Yahweh deixou registrados os seus feitos de renovação e restauração como um *memorial* de suas promessas fiéis, as quais, finalmente, se cumprirão. Dessa vez, os homens não distorcerão nem a natureza nem a natureza humana. Terá sido realizada uma obra permanente digna de comemoração.

CAPÍTULO CINQUENTA E SEIS

REPREENSÃO CONTRA JUDÁ POR CAUSA DE SEUS PECADOS (56.1—58.14)

Admoestações e Promessas. Os capítulos 56—66 do livro de Isaías são uma coletânea de poemas similares aos dos capítulos 40—55. Muitos eruditos acreditam que esses capítulos foram escritos pelo mesmo autor daquela seção, e não por um *terceiro Isaías*. Outros estudiosos, porém, opinam que essa seção reflete uma escatologia mais avançada, típica de tempos posteriores. Nesse último caso, a produção pode ter sido da pena de um terceiro Isaías. Quanto a especulações sobre a *unidade* do livro, ver a Introdução, seção III, onde apresento um sumário de ideias. Muitos estudiosos, pois, sentem que os poemas e oráculos são pós-exílicos, embora permaneça sem resposta a pergunta de como tantos autores se viram envolvidos na obra total que tem sido, tradicionalmente, atribuída a Isaías. Seja como for, esta seção tem muitos temas comuns com a seção anterior. O universalismo de ambas as seções é refrigerador, pois fica rejeitado o exclusivismo judaico.

A divisão final do livro de Isaías abre-se com um oráculo profético de instruções ou *torah*. Embora no antigo Israel fossem os sacerdotes que 'davam *torah*' (ver Jr 2.8; 18.18; Ml 2.7; Joachim Begrich, 'Die priesterliche Torá', em Volz, Werden und Wesen des Alten Testaments, págs. 63-88; note também as leis de Ez 40—48), essa função de forma alguma era restrita a eles. Os profetas não somente se preocupavam com a observância do ensino divino da 'lei' (Is 1.10; 2.3; 5.24; 8.16; Jr 5.4), mas compartilhavam com os sacerdotes a tarefa de comunicar esse ensino (ver Ag 2.14 ss.; Zc 7.2 ss.; quanto a possíveis *toroth* proféticos, ver Is 1.10-17; Am 5.21-24; Jr 7.21 ss.). De fato, estavam unidos os sacerdotes, os profetas, os salmistas, os sábios e os apocalipticistas em sua devoção à lei. Ademais, os profetas estavam associados aos sacerdotes na vida do culto israelita. Neste breve poema, por conseguinte, encontramos não um rompimento radical com o passado, mas um desenvolvimento que tinha sua origem tão encravada no passado quanto a religião ensinada por Moisés. A estrutura do poema é clara. Ele começa com um oráculo divino (vs. 1), sendo seguido por uma estrofe que contém uma bênção (vs. 2) e também uma exortação (vs. 3) dirigidas aos estrangeiros e aos eunucos. A segunda e a terceira estrofe foram devotadas (quiliasticamente) a esses dois grupos (vss. 4-7). A conclusão acha-se na forma oracular da introdução.

INSTRUÇÕES PROFÉTICAS (56.1-8)

Obedecer à Lei (56.1)

56.1

כֹּה אָמַר יְהוָה שִׁמְרוּ מִשְׁפָּט וַעֲשׂוּ צְדָקָה כִּי־קְרוֹבָה
יְשׁוּעָתִי לָבוֹא וְצִדְקָתִי לְהִגָּלוֹת׃

Assim diz o Senhor: Mantende o juízo, e fazei justiça. Yahweh havia dado o seu oráculo. Aos homens cabe *manter* e *praticar a justiça*, mediante a observância da lei, conforme fomentadas pelas maiores revelações que haverá durante a era do reino de Deus. Cf. Is 58.2; Ez 15.5,19,21,27; 33.14,15,19 e Sl 106.3. A retidão é a conformidade, nas atitudes mentais e na conduta, com a lei mosaica. Ver a lei como guia (Dt 6.4 ss.); como a transmissora de vida (Dt 4.1; 5.33; 6.2; Ez 20.1). A lei tornou o povo de Israel uma *nação distinta* (ver Dt 4.4-8). Não se cumpriram as expectações de que tais condições seguiriam o cativeiro babilônico, pelo que temos de supor que esse ideal só será cumprido durante a era do reino de Deus, no milênio futuro. E também devemos entender que a linguagem legalista aqui usada não significa que haverá outra manifestação da espiritualidade que busca guardar a lei. O milênio deverá produzir algo superior a isso.

A *salvação* manifestar-se-á em breve; o *livramento* logo haverá de aparecer. Os exilados já estavam em Jerusalém, mas essas palavras podem ter sido escritas *como se* fossem uma antecipação da volta dos exilados. Seja como for, o exílio da dispersão romana deverá ter cumprimento antes que a era do Reino se estabeleça, quando então haverá livramento das mãos de todos os adversários, e haverá também a *salvação* evangélica (ver a respeito no *Dicionário*). Esses fatos nos ensinam a esperar mais do que a espiritualidade que consista em uma nova observância da lei mosaica.

Primeira Estrofe: Bênção e Exortação (56.2,3)

■ 56.2

אַשְׁרֵי אֱנוֹשׁ יַעֲשֶׂה־זֹּאת וּבֶן־אָדָם יַחֲזִיק בָּהּ שֹׁמֵר שַׁבָּת מֵחַלְּלוֹ וְשֹׁמֵר יָדוֹ מֵעֲשׂוֹת כָּל־רָע: ס

Bem-aventurado o homem que faz isto, e o filho do homem que nisto se firma. O homem que obedece à lei, fomentada pela luz mais brilhante da era do reino, será uma pessoa feliz, abençoada material e espiritualmente. O *filho do homem,* ou seja, o ser humano (incluindo os prosélitos), deverá ser treinado na lei e obedecer às suas diversas provisões. Entre os mandamentos da lei que devem ser obedecidos está o que ordena a guarda do sábado. Essa lei sobre o sábado era o sinal do pacto mosaico. Ver sobre esse pacto na introdução Êx 19. Essa ênfase sobre o sábado, que não se encontra nos escritos do chamado segundo Isaías, tem levado alguns eruditos a duvidar da autenticidade desta seção. Mas devemos relembrar que o *sábado* foi o ponto culminante da atividade criativa de Deus, pelo que um sábado futuro é visto como a culminar a inauguração da época áurea, uma nova criação. Dessa forma, o autor sagrado empresta à questão um sentido cósmico, e não apenas histórico. Cf. Êx 20.8-11. A forte ênfase sobre o sábado, como aqui se vê, dá novo impulso ao *quiliasmo* (ver a respeito no *Dicionário*). Essa palavra, derivada do vocábulo grego que significa "mil", aponta para a interpretação literal de todos os versículos relativos ao milênio, a renovação dos sacrifícios de animais, Davi como o primeiro-ministro, a guarda da lei etc. Isso deve ser contrastado com o *milenarismo* (ver a respeito no *Dicionário*), que não requer que compreendamos tais ensinamentos de modo literal. Pessoalmente, acredito que o *quiliasmo* é um manifesto exagero. Os antigos profetas de Israel falaram em termos literais, porquanto isso concordava com a experiência deles. Mas a experiência *deles* não reflete necessariamente nem de modo perfeito a experiência dos homens no *futuro*.

E guarda a sua mão de cometer algum mal. Esta parte do versículo é uma declaração generalizada dos tipos de coisas que a lei mosaica requer: não cometer o mal de nenhuma espécie, e praticar o bem positivo, coisas que estão em consonância com o espírito da lei mosaica. A circuncisão, sinal do pacto abraâmico (comentado em Gn 15.18), é deixada, igualmente, de fora. Contudo, não podemos esperar que o autor tenha incluído tudo em sua breve declaração sobre a espiritualidade do Antigo Testamento.

■ 56.3

וְאַל־יֹאמַר בֶּן־הַנֵּכָר הַנִּלְוָה אֶל־יְהוָה לֵאמֹר הַבְדֵּל יַבְדִּילַנִי יְהוָה מֵעַל עַמּוֹ וְאַל־יֹאמַר הַסָּרִיס הֵן אֲנִי עֵץ יָבֵשׁ: ס

Não fale o estrangeiro que se houver chegado ao Senhor, dizendo. A comunidade de Israel considera *todos os homens,* tanto os gentios que se converteram ao yahwismo como os eunucos que foram amaldiçoados e separados da comunidade de Israel, pessoas "desnaturais". Quanto à exclusão dos gentios do culto a Yahweh, ver Lv 20.24; Nm 16.9; Ed 6.21; Ne 13.3, e comparar 1Rs 8.53. Os *eunucos* também eram excluídos, embora fossem hebreus (ver Dt 23.1). O eunuco era uma "árvore seca", ou seja, improdutiva, sem folhas e sem frutos, o que significa que não podia gerar filhos nem ter herança na terra. O profeta ensinou que todas essas antigas restrições, no tempo muito mais espiritualizado da época áurea do futuro, não mais estarão em vigor. Alguns eunucos eram feitos tais por inimigos estrangeiros. Outros se automutilavam, o que era estritamente proibido pela lei de Moisés. Ver no *Dicionário* o artigo chamado *Mutilação.* Assim é que o universalismo desta passagem até ultrapassa a outras, mencionando especificamente o tipo de pessoas tradicionalmente excluídas do culto a Yahweh. Ver Is 55.5,6. Cf. Is 2.2,4; 52.10 e 66.18.

Segunda Estrofe: Os Eunucos (56.4,5)

■ 56.4

כִּי־כֹה אָמַר יְהוָה לַסָּרִיסִים אֲשֶׁר יִשְׁמְרוּ אֶת־שַׁבְּתוֹתַי וּבָחֲרוּ בַּאֲשֶׁר חָפָצְתִּי וּמַחֲזִיקִים בִּבְרִיתִי:

Porque assim diz o Senhor: Aos eunucos que guardam os meus sábados. Ver no *Dicionário* o artigo chamado *Eunuco,* quanto a informações gerais. O próprio Senhor trouxe uma palavra de conforto e promessa aos eunucos, antes excluídos. Eles estavam agora em pé de igualdade com todos os outros que participavam do culto, *já que* obedeciam às mesmas leis e praticavam os mesmos ritos que os demais cidadãos. Eles tinham que observar o sábado, em harmonia com a lei de Moisés (como todos os outros, vs. 2). Eles se tornavam iguais, na participação do *pacto abraâmico* (ver Gn 15.18) e do *pacto mosaico* (ver a introdução a Êx 19). Entretanto, como partícipes, também deveriam obedecer às provisões da lei e ser verdadeiros israelitas. O pacto mosaico conferia privilégios, mas também impunha deveres. Os eunucos pertenciam à variedade natural (dotados de alguma espécie de defeito nos órgãos reprodutores); ou se tinham tornado tais por motivo de algum acidente. Mas a maior parte tinha sido feita tal pela barbaridade do homem. Os haréns eram guardados por eunucos, e a maioria deles tinha sido violada por operações cruas de extração do sexo. Muitos israelitas, no cativeiro, eram feitos eunucos por seus dominadores. Dn 1.3 quase certamente dá a entender que Daniel e seus companheiros tinham sido brutalizados dessa maneira. Os reis israelitas não estavam livres de sofrer essa barbaridade, mas faziam o mesmo com estrangeiros que prendessem como cativos de guerra.

■ 56.5

וְנָתַתִּי לָהֶם בְּבֵיתִי וּבְחוֹמֹתַי יָד וָשֵׁם טוֹב מִבָּנִים וּמִבָּנוֹת שֵׁם עוֹלָם אֶתֶּן־לוֹ אֲשֶׁר לֹא יִכָּרֵת: ס

Darei na minha casa e dentro dos meus muros um memorial e um nome melhor do que filhos e filhas. Devemos entender aqui as casas de adoração. A referência específica é à Casa do Senhor, o templo de Jerusalém. Os eunucos não mais seriam barrados daquele lugar santo, mas, antes, teriam plena participação no culto. Embora não possuíssem um nome contínuo, mediante descendentes físicos, receberiam um nome espiritual que os faria pertencer à família divina; esse seria um nome eterno, jamais cortado. O nome adquirido pelos eunucos e a participação na família espiritual redundaria, para eles, em ter mais do que uma família biológica e obter uma herança na Terra Prometida a ser passada de geração para geração. Se os homens não honram os eunucos, Deus mesmo o faria, na era do reino de Deus. Se o profeta Isaías provavelmente pensava em termos literais, é legítimo pensar que os eunucos representam aqui todas as pessoas rejeitadas, bem como todas as formas de barreiras. Esses impedimentos serão eliminados durante a época áurea. O nacionalismo, o racismo e o radicalismo serão arredados em troca de uma expressão de fé mais espiritual. Que dizer sobre nossas atitudes esnobes? O *nome* de um homem sobrevivia em seus filhos. Quanto aos eunucos, porém, isso era simplesmente impossível. Isso posto, Yahweh tinha de dar-lhes um *nome espiritual* que sobrevivesse. Talvez Isaías quisesse dizer que os eunucos futuros, tendo os mesmos privilégios que os antigos, seriam como *filhos* daqueles eunucos mais antigos. Ou então talvez houvesse um indício da vida da alma, da sobrevivência da alma diante da morte física. Os nomes de todas as pessoas salvas sobreviveriam e continuariam a existir espiritualmente para sempre.

Terceira Estrofe: Estrangeiros Serão Incluídos (56.6,7)

■ 56.6

וּבְנֵי הַנֵּכָר הַנִּלְוִים עַל־יְהוָה לְשָׁרְתוֹ וּלְאַהֲבָה אֶת־שֵׁם יְהוָה לִהְיוֹת לוֹ לַעֲבָדִים כָּל־שֹׁמֵר שַׁבָּת מֵחַלְּלוֹ וּמַחֲזִיקִים בִּבְרִיתִי׃

Aos estrangeiros, que se chegam ao Senhor para o servirem. Essencialmente as mesmas coisas são ditas sobre esse outro grupo antes excluído, conforme acabara de ser dito sobre os eunucos. O autor sacro nos remete ao vs. 3 deste capítulo, que fala da anterior exclusão de quem não era israelita. Durante a era do reino de Deus, as nações serão reunidas e conhecerão o Senhor, tal como Israel conhecia o Senhor (ver Is 11.9). Ver as notas e referências sobre o vs. 3. O profeta refere-se, com exemplos específicos, a todas as barreiras que tinham impedido a expressão universalista do yahwismo. Os estrangeiros não mais serão excluídos da congregação de Israel; pelo contrário, eles também participarão da piedade da fé de Israel. O sábado certamente será observado; a retidão geral deverá ser praticada; as provisões do pacto serão observadas, tal como foi declarado no que diz respeito aos eunucos, no vs. 4.

"Os prosélitos, que oferecem toda a sua vida na adoração e no serviço de Deus, pertencem a Israel (ver Is 54.17; Lv 25.42,55). Quanto aos profetas como servos de Deus, ver Jr 7.25; Ez 38.17; Ed 9.11)" (James Muilenburg, *in loc.*). Um estrangeiro poderá até mesmo ocupar ofícios e serviços antes reservados aos líderes hebreus. "... honrosas funções. O germe do pensamento de Isaías aparece na oração de dedicação de Salomão (1Rs 8.41-43). Mas atinge seu maior desenvolvimento em Jo 4.23" (Ellicott, *in loc.*).

■ 56.7

וַהֲבִיאוֹתִים אֶל־הַר קָדְשִׁי וְשִׂמַּחְתִּים בְּבֵית תְּפִלָּתִי עוֹלֹתֵיהֶם וְזִבְחֵיהֶם לְרָצוֹן עַל־מִזְבְּחִי כִּי בֵיתִי בֵּית־תְּפִלָּה יִקָּרֵא לְכָל־הָעַמִּים׃

Também os levarei ao meu santo monte, e os alegrarei na minha casa de oração. O *monte santo* é Jerusalém; a *casa de oração* é o templo de Jerusalém; os diferentes tipos de *sacrifícios e oferendas* falam das complexidades do culto; o *altar* era o lugar onde eram oferecidos os sacrifícios, determinado por Yahweh, em contraste com os lugares usados pelas religiões pagãs. O templo era uma *casa de oração* (ver Mc 11.17), o lugar onde as bênçãos e os benefícios de Yahweh podiam ser buscados e obtidos. E todas essas coisas pertencerão às nações, e não meramente aos judeus. Assim é que cânticos de alegria estão em ordem, e os gentios se aliarão aos cânticos da redenção.

Para todos os povos. Ver Is 2.2-4; 60.1-14; 66.18,19. A exclusividade de nossas denominações é apenas outra forma de esnobismo que afasta os homens das igrejas. Ver Is 11.9. Passagens como esta antecipam Escrituras do Novo Testamento como Ef 2.14; Rm 2.26-39 e Gl 3.28.

> Temos um cântico a ser cantado às nações,
> Que elevarão seus corações ao Senhor.
> Um cântico que conquistará o mal,
> Despedaçando a lança e a espada.
>
> Colin Sterne

Conclusão: A Comunidade de Deus Reunida (56.8)

■ 56.8

נְאֻם אֲדֹנָי יְהוִה מְקַבֵּץ נִדְחֵי יִשְׂרָאֵל עוֹד אֲקַבֵּץ עָלָיו לְנִקְבָּצָיו׃

Assim diz o Senhor Deus que congrega os dispersos de Israel. A reunião dos *excluídos* é o assunto desta referência, por meio de mais uma declaração enfática a respeito. Os prosélitos e eunucos os tinham representado, e agora a palavra indefinida "outros" é acrescentada, de forma que haverá "um Deus; um povo; uma adoração e um templo para todo o povo". Portanto, temos aqui um João 3.16 do Antigo Testamento. Cf. Ef 1.9,10 e Fp 2.9-11. A *unidade* é uma ideia central da missão restauradora/redentora do Messias. Cf. Is 45.21-24. Este versículo fala sobre Israel, e não sobre a igreja, mas os princípios da salvação são idênticos em ambos os casos, quando abordamos o estado eterno.

LÍDERES CEGOS E ADORAÇÃO CORROMPIDA (56.9—57.13)

Primeira Estrofe: Decadência e Corrupção dos Líderes (56.9,10)

■ 56.9

כֹּל חַיְתוֹ שָׂדָי אֵתָיוּ לֶאֱכֹל כָּל־חַיְתוֹ בַּיָּעַר׃ ס

Vós, todos os animais do campo..., vinde comer. "*Condenação dos Ímpios*. Por quase todo este segundo divisor de nove capítulos de Isaías (capítulos 49—57) a ênfase tinha recaído sobre o futuro glorioso estado dos remidos no reino a ser estabelecido pelo Messias. Agora, em Is 56.9—57.21, que conclui esses nove capítulos, Isaías refletiu sobre a situação espiritual de sua época. Em vista do glorioso futuro que teriam, suporíamos que o povo de Deus desejaria obedecer ao Senhor, em antecipação àquele reino. Mas isso não era verdadeiro nos tempos de Isaías" (John S. Martin, *in loc.*).

As nações gentílicas são os animais do campo que Yahweh chamará para devorar (punir) Israel, sendo provável que a Babilônia esteja em mira. Quanto às nações como feras, cf. Jr 12.8,9 e Ez 39.17. Israel era o rebanho de Yahweh, mas, em vez de protegê-lo como o Pastor, o Senhor convocou as feras a acabar com ele. Alguns estudiosos veem aqui um tempo escatológico, que ocorrerá a Israel antes da era do reino, ou seja, imensos sofrimentos futuros.

> *Desamparei a minha casa, abandonei a minha herança; a que mais eu amava entreguei na mão de seus inimigos.*
> Jeremias 12.7

■ 56.10

צֹפָו עִוְרִים כֻּלָּם לֹא יָדָעוּ כֻּלָּם כְּלָבִים אִלְּמִים לֹא יוּכְלוּ לִנְבֹּחַ הֹזִים שֹׁכְבִים אֹהֲבֵי לָנוּם׃

Os seus atalaias são cegos, nada sabem. Israel, espiritualmente insensível e carregado de pecados e de apostasia, recebe aqui uma avaliação extremamente negativa da parte de Yahweh. Este versículo oferece as *razões* pelas quais as feras do campo foram convidadas a destruir o rebanho de Deus. Considere o leitor estes pontos:

1. Estavam cegos os *atalaias*, ou seja, os *profetas* e aqueles que deveriam ter orientado corretamente a nação de Israel. Cf. Jr 6.17 e Ez 33.7. Incluímos entre eles os líderes religiosos, os sacerdotes e os líderes espirituais. Aqueles que supostamente eram homens de Deus, responsáveis pela qualidade espiritual do povo de Israel, estavam cegos por seus pecados, descuido e apostasia.
2. Os atalaias também eram *ignorantes*, pois, embora reivindicassem saber das coisas, nada sabiam. A descrição pertence aos atalaias. Eles não eram eruditos na lei nem se deixavam impressionar pelas mensagens dos profetas. Ignoravam a condenação que pairava por cima deles.
3. A *virtude* de um cão é que ele defende o seu território com latidos e mordidas, se isso for necessário. O cão-pastor domesticado defendia o rebanho de seu dono. O pastor dependia do cão para dar-lhe aviso acerca da aproximação de predadores ou de ladrões que quisessem roubar as ovelhas. Mas os atalaias (pastores) de Israel eram cães mudos, que não soavam o alarma no caso de aproximação de algum perigo. Pelo contrário, diziam coisas errôneas sobre a iminente condenação de Judá.
4. *Dorminhocos*. A queixa aqui não é que os profetas do povo de Israel e os chamados homens santos dessem falsas profecias, mas se mostravam insensíveis e preguiçosos, dormindo o tempo todo; ocupados no estupor do alcoolismo. Eles só se preocupavam com seus pequenos prazeres, e não com o bem-estar do povo de Israel.
5. *Sonhavam e gostavam de dormir*. Esses sonhos não são considerados aqui proféticos, mas apenas sonhos ordinários que acompanham o sono.

Segunda Estrofe: Cães Gulosos (56.11,12)

■ **56.11**

וְהַכְּלָבִים עַזֵּי־נֶפֶשׁ לֹא יָדְעוּ שָׂבְעָה וְהֵמָּה רֹעִים לֹא יָדְעוּ הָבִין כֻּלָּם לְדַרְכָּם פָּנוּ אִישׁ לְבִצְעוֹ מִקָּצֵהוּ׃

Tais cães são gulosos, nunca se fartam. Este versículo dá prosseguimento às descrições sobre a falsa liderança espiritual de Israel.

6. *Cães gulosos.* Se eles se mostravam indolentes acerca das necessidades da nação, anelavam por cumprir seus próprios desejos e ter muitos prazeres na vida. Eram gananciosos em questões de dinheiro, insaciáveis (cf. Mq 3.5 ss.; ver também Am 7.12). Em vez de cuidar do bem-estar das ovelhas, inclinavam-se por servir a si mesmos.

7. Eles eram *pastores,* mas pastores falsos. Não tinham compreensão alguma quanto às necessidades do rebanho, mas se mostravam astutos somente no serviço que prestavam a si mesmos. Nunca obtinham o bastante, mas cada qual tentava obter mais e mais, visando somente seus propósitos egoístas. Cf. Is 53.6. Eles não eram exceção quanto à regra da ganância: "... *para a sua ganância, todos sem exceção".*

Cada um deles se desviou por seu próprio caminho.
Tudo quanto querem é satisfazer a si mesmos.

NCV

Ver sobre *Cão* no *Dicionário.* "Nos tempos bíblicos, as pessoas não criavam cães como animais de estimação. Os cães viviam nas ruas e comiam o lixo que as pessoas jogavam fora. As pessoas pensavam que os cães eram preguiçosos, barulhentos e ruins. Em Is 56.10,11, o Senhor comparou os profetas de Israel (os atalaias) a cães" (NCV, notas sobre o vs. 11 deste capítulo). O cão que guardava ovelhas era uma exceção a essa regra.

■ **56.12**

אֵתָיוּ אֶקְחָה־יַיִן וְנִסְבְּאָה שֵׁכָר וְהָיָה כָזֶה יוֹם מָחָר גָּדוֹל יֶתֶר מְאֹד׃

Vinde, dizem eles, trazei vinho, e nos encharcaremos de bebida forte.

8. *Bêbados.* Servindo a seus propósitos egoístas, eles não largavam a bebida. Tinham canções próprias para as bebedeiras, sendo provável que este versículo represente parte de uma dessas canções. Hoje é um bom dia para ficar bêbado, e o dia de amanhã, igualmente. As festas de vinho pareciam agradáveis a esses homens, que viviam sempre procurando homens de igual mentalidade para beber juntos. Cf. este versículo com Is 22.13; 1Co 15.32; Lc 12.19; Sabedoria 2.1. Ver no *Dicionário* o verbete chamado *Bebida, Beber.*

Contando os longos anos de prazeres aqui, estavam bastante despreparados para o mundo por vir.

Adam Clarke, *in loc.*

O Targum diz aqui: "Vinde, bebamos vinho e fiquemos embriagados com vinho velho. Nosso almoço amanhã será melhor que o de hoje, abundante, muito abundante".

CAPÍTULO CINQUENTA E SETE

Não há interrupção entre os capítulos 56 e 57. Passamos agora à terceira estrofe do poema, iniciado em Is 56.9.

Terceira Estrofe: A Sorte dos Justos (57.1,2)

■ **57.1**

הַצַּדִּיק אָבָד וְאֵין אִישׁ שָׂם עַל־לֵב וְאַנְשֵׁי־חֶסֶד נֶאֱסָפִים בְּאֵין מֵבִין כִּי־מִפְּנֵי הָרָעָה נֶאֱסַף הַצַּדִּיק׃

Perece o justo, e não há quem se impressione com isso. Acabamos de ver os ímpios, e até os líderes espirituais de Israel, dormindo propositadamente por longas horas diárias; eles buscavam seus interesses de maneira impressionante; enchiam-se de alimentos e bebida alcoólica e geralmente viviam como vagabundos inúteis. E agora encontramos uma estrofe que nos informa que homens bons estavam morrendo, mas quem se importava com isso? O *homem justo* morre, mas ninguém se importa se ele morreu ou se está vivo. De fato, alegram-se porque ele se foi, porquanto agora a boca dele se calará quanto ao que está errado na sociedade. Os líderes religiosos hedonistas sentiam-se melhores quando a boca dos críticos era silenciada pela morte. Dias maus se aproximavam; o sofrimento seria realmente pesado, pelo que era vantajoso que o homem bom morresse em paz em seu leito. Os iníquos não compreendiam essa vantagem, nem acreditavam que tribulações os atingiriam.

■ **57.2**

יָבוֹא שָׁלוֹם יָנוּחוּ עַל־מִשְׁכְּבוֹתָם הֹלֵךְ נְכֹחוֹ׃

E entra na paz; descansam nos seus leitos os que andam em retidão. A morte do homem bom ocorre na paz. Ele se deita em sua cama e morre. Ou então o "leito", nesse caso, significa seu caixão mortuário ou túmulo. Seja como for, ele escapou do julgamento que sobreviria a Judá, provavelmente o cativeiro babilônico. O homem reto andava em sua retidão e estava preparado para morrer. Ele não temia a morte nem o que ela poderia trazer-lhe "posteriormente". Alguns eruditos veem aqui uma alusão ao período pós-exílico. As coisas não tinham acontecido conforme o esperado. Judá caiu novamente na apostasia. Quando homens bons morriam, deixavam um vácuo; mas os hedonistas não sentiam falta deles.

"Para os retos havia paz na morte, tal como havia paz na vida. Quanto aos ímpios, não havia paz nem na morte nem na vida (vs. 21)" (Ellicott, *in loc.*).

As pessoas que vivem da maneira que Deus quer encontram descanso na morte.

NCV

Quarta Estrofe: Reprimenda aos Apóstatas (57.3,4)

■ **57.3**

וְאַתֶּם קִרְבוּ־הֵנָּה בְּנֵי עֹנְנָה זֶרַע מְנָאֵף וַתִּזְנֶה׃

Mas chegai-vos para aqui, vós os filhos da agoureira. Os repreendidos eram israelitas que tinham cedido diante da atração dos cultos cananeus. Literal e figuradamente eram filhos de uma mulher agoureira, e filhos de adúlteros espirituais, isto é, idólatras. O profeta insultou a mãe deles, provavelmente de maneira literal e espiritual, uma grave ofensa no Oriente. Cf. o livro de Ezequias. Quanto à idolatria e ao adultério espiritual, ver Os 1.3—3.5; Jr 3.1-20 e Ez 16.1-63. Ver no *Dicionário* o artigo chamado *Idolatria.* No Novo Testamento, ver Mt 12.39; 16.4 e Tg 4.4

■ **57.4**

עַל־מִי תִּתְעַנָּגוּ עַל־מִי תַּרְחִיבוּ פֶה תַּאֲרִיכוּ לָשׁוֹן הֲלוֹא־אַתֶּם יִלְדֵי־פֶשַׁע זֶרַע שָׁקֶר׃

De quem chasqueais? Contra quem escancarais a boca, e deitais para fora a língua? Os infiéis são pessoas caracterizadas pela derrisão e zombaria, para quem coisa alguma é sagrada. Ver Is 28.9,10.

Filhos da transgressão. Sua conduta essencial consistia em uma série de infrações da lei mosaica. Cf. Is 1.2; 46.8; 48.8; Os 14.19; Am 4.4; Mq 1.5,13; Ez 18.22,28. Eram uma descendência infiel, um ninho de mentirosos. "A pergunta, conforme também se vê em Is 37.23, é de zombaria indignada, e a resposta implícita é que os zombadores estavam escarnecendo dos servos de Yahweh" (Ellicott, *in loc.*). Ao mesmo tempo que exibiam uma conduta vergonhosa, zombavam dos que não tinham caído em extremos.

Quinta Estrofe: Devotados ao Culto da Natureza (57.5,6)

■ 57.5

הַנֵּחָמִים֙ בָּאֵלִ֔ים תַּ֖חַת כָּל־עֵ֣ץ רַעֲנָ֑ן שֹׁחֲטֵ֤י הַיְלָדִים֙ בַּנְּחָלִ֔ים תַּ֖חַת סְעִפֵ֥י הַסְּלָעִֽים׃

Que vos abrasais na concupiscência junto aos terebintos. Conforme se vê nos dois pontos seguintes, os pecados mais graves deles eram:

1. A participação nos cultos de fertilidade dos cananeus, nos quais os homens faziam sexo com as sacerdotisas/prostitutas que trabalhavam em benefício dos templos e cultos pagãos. A *prostituição sagrada* era prática generalizada no Oriente, e não meramente entre os cultos cananeus. Aprendemos aqui que esse culto era efetuado nos bosques de carvalhos, locais dedicados a certas divindades. Ver Dt 12.2; 3.; 17.1; Ez 6.13; 2Rs 17.10 e, no *Dicionário*, o artigo chamado *Lugares Altos*.
2. Além disso, eles se envolviam na prática também generalizada de sacrifícios de crianças, que ocorria em Tofete, no vale de Hinom, ao sul de Jerusalém. Os profetas condenaram essa prática atrevida (ver Jr 7.31; 19.5; Ez 20.28,31; 23.39; Mq 6.7; 2Cr e 2Rs 23.10). Ver no *Dicionário* o verbete intitulado *Moleque (Moloque)* quanto a detalhes.

■ 57.6

בְּחַלְּקֵי־נַ֣חַל חֶלְקֵ֔ךְ הֵ֥ם הֵ֖ם גּוֹרָלֵ֑ךְ גַּם־לָהֶ֞ם שָׁפַ֣כְתְּ נֶ֗סֶךְ הֶעֱלִית֙ מִנְחָ֔ה הַ֥עַל אֵ֖לֶּה אֶנָּחֵֽם׃

Por entre as pedras lisas dos ribeiros está a tua parte. O original hebraico não contém a palavra aqui traduzida por "pedras", mas é provável que essa seja uma interpretação correta. É incrível que a idolatria se tenha rebaixado à adoração a meras *pedras*. Mas alguns eruditos entendem que estão em mira *serpentes*. Talvez a referência seja a vários tipos de fetiches, feitos de madeira, pedra, metal etc. Talvez essa prática se tenha originado em *altares* feitos de pedras. Disse Kimchi: "Quando encontravam alguma bela pedra polida em um ribeiro ou rio, eles a adoravam". Elementos do culto a Yahweh foram transferidos para as suas muitas formas de idolatria, como as ofertas de cereal e libação.

O texto talvez sugira um *sincretismo*. Yahweh era uma das divindades honradas, mas como poderia ele ficar satisfeito com tal adoração que não reconhecia seu caráter distinto? Essa variedade de idolatria nos traz à mente o trecho do capítulo 17 do livro de Atos. "Deuses dos vales (vs. 6); deuses dos montes (vs. 7); deuses da casa (vs. 8); deuses dos santuários estrangeiros (vss. 9,10). Yahweh tinha sido a *porção* deles. Ver Dt 4.19,20; 9.26; Jr 10.16; 51.9; Sl 16.5; 73.26; 142.5. Mas agora os deuses da fertilidade tinham assumido o lugar deles" (James Muilenburg, *in loc.*).

Sexta Estrofe: A Adoração dos Adultérios da Natureza (57.7,8)

■ 57.7

עַ֤ל הַר־גָּבֹ֙הַּ֙ וְנִשָּׂ֔א שַׂ֖מְתְּ מִשְׁכָּבֵ֑ךְ גַּם־שָׁ֥ם עָלִ֖ית לִזְבֹּ֥חַ זָֽבַח׃

Sobre monte alto e elevado pões o teu leito. Chegamos agora às divindades das montanhas. Em praticamente cada colina e montanha eles punham seus ídolos. Ali eles tinham *leitos*, provavelmente uma referência às perversões sexuais desses cultos. Portanto, o lugar dos ídolos era também o lugar dos leitos. "A imoralidade sexual era característica desses cultos" (*Oxford Annotated Bible*, comentando sobre o versículo).

■ 57.8

וְאַחַ֤ר הַדֶּ֙לֶת֙ וְהַמְּזוּזָ֔ה שַׂ֖מְתְּ זִכְרוֹנֵ֑ךְ כִּ֣י מֵאִתִּ֞י גִּלִּ֣ית וַֽתַּעֲלִ֗י הִרְחַ֤בְתְּ מִשְׁכָּבֵךְ֙ וַתִּכְרָת־לָ֣ךְ מֵהֶ֔ם אָהַ֥בְתְּ מִשְׁכָּבָ֖ם יָ֥ד חָזִֽית׃

Detrás das portas e das umbreiras pões os teus símbolos eróticos. Os *deuses das casas* também eram um aspecto central da idolatria dos israelitas. Eles espalhavam suas imagens nos lugares onde viviam. Notemos aqui as referências aos *leitos* e à *nudez*, o que significa que nem mesmo os lares eram poupados da desgraça das imoralidades associadas ao culto de fertilidade. Esses idólatras faziam alianças com seus ídolos, em substituição à aliança firmada com Yahweh. Está implícito o pacto de casamento que Israel fizera com Yahweh, o qual foi abandonado em troca de novos amantes. Ver Os 2.5; Jr 2.20-23.

Sétima Estrofe: Intermináveis Atividades Cultuais (57.9,10)

■ 57.9

וַתָּשֻׁ֤רִי לַמֶּ֙לֶךְ֙ בַּשֶּׁ֔מֶן וַתַּרְבִּ֖י רִקֻּחָ֑יִךְ וַתְּשַׁלְּחִ֤י צִירַ֙יךְ֙ עַד־מֵ֣רָחֹ֔ק וַתַּשְׁפִּ֖ילִי עַד־שְׁאֽוֹל׃

Vais ao rei com óleo, e multiplicas os teus perfumes. Os israelitas idólatras eram enérgicos nas atividades próprias de sua idolatria, viajando a lugares distantes para realizar seus cultos. Entre as práticas idólatras estava o culto a *Moleque (Moloque)*, ver o *Dicionário*. A adoração a Moloque envolvia sacrifício de crianças (vs. 5). A menção ao *sepulcro* (no original hebraico, *sheol*) que se vê aqui pode significar que tais peregrinações eram, algumas vezes, perigosas, resultando na morte dos peregrinos (o que continua acontecendo até nossos dias). O perigo, porém, não os detinha em sua devoção. Ou talvez "sepulcro" aqui seja figurado, e a declaração signifique que suas viagens para realizar ritos idólatras eram como ir ao sepulcro, um lugar horrendo de ser visitado pelos peregrinos. Espiritualmente falando, eles eram "homens do *sheol*", e não homens celestes, que iam até onde Yahweh habitava. "Sheol, o mundo dos mortos, o símbolo das profundezas abismais da degradação" (Ellicott, *in loc.*). Eles iam a esses lugares equipados com óleos e perfumes caros, que faziam parte do ritual. Ou então essas substâncias eram presentes a serem dados às diretoras (sacerdotisas) dos cultos idólatras.

■ 57.10

בְּרֹ֤ב דַּרְכֵּךְ֙ יָגַ֔עַתְּ לֹ֥א אָמַ֖רְתְּ נוֹאָ֑שׁ חַיַּ֤ת יָדֵךְ֙ מָצָ֔את עַל־כֵּ֖ן לֹ֥א חָלִֽית׃

Na tua longa viagem te cansas, mas não dizes: É em vão. Os israelitas idólatras mostravam-se enérgicos em seu culto; eles se cansavam em suas viagens, mas isso não impedia que continuassem. Eles nunca desistiam, dizendo: "É em vão". Prosseguiam, a despeito dos perigos e do cansaço. E encontravam sempre novas forças para o que faziam. Elevavam-se como que com asas de águias; corriam e não se exauriam; andavam mas não desmaiavam (ver Is 40.31). Mas tudo era investido em uma causa má. Eles eram devotados e religiosos, mas para o mal, e não pelo bem. Esse versículo ensina, incidentalmente, que o zelo pela fé religiosa não é prova de retidão.

Oitava Estrofe: A Acusação do Senhor (57.11)

■ 57.11

וְאֶת־מִ֞י דָּאַ֤גְתְּ וַתִּֽירְאִי֙ כִּ֣י תְכַזֵּ֔בִי וְאוֹתִ֖י לֹ֣א זָכַ֑רְתְּ לֹא־שַׂ֣מְתְּ עַל־לִבֵּ֗ךְ הֲלֹ֨א אֲנִ֤י מַחְשֶׁה֙ וּמֵ֣עֹלָ֔ם וְאוֹתִ֖י לֹ֥א תִירָֽאִי׃

Mas de quem tiveste receio ou temor, para que mentisses...? Aquela gente tinha grande reverência e até mesmo *temor* por seus deuses, tendo abandonado o "temor do Senhor" (ver o artigo chamado *Temor* no *Dicionário* e também Sl 119.38 e Pv 1.7). Eles tinham feito uma reviravolta nas coisas, de tal modo que esqueceram Yahweh e suas reivindicações. Assim, tornaram-se totalmente *apóstatas*. Diante disso, Yahweh exerceu sua famosa paciência e continuou a dar-lhes oportunidade de voltar a ele. Cf. Lm 3.22: "As misericórdias do Senhor são a causa de não sermos consumidos, porque as suas misericórdias não têm fim".

A longanimidade de Deus supostamente leva os homens ao arrependimento (ver Rm 2.4), mas, quanto àqueles réprobos, eles confundiam a paciência divina com a aprovação do que faziam ou, pelo menos, com a não condenação.

Nona Estrofe: A Sorte dos Deuses e a Graça de Deus (57.12,13)

■ 57.12

אֲנִי אַגִּיד צִדְקָתֵךְ וְאֶת־מַעֲשָׂיִךְ וְלֹא יוֹעִילוּךְ׃

Eu publicarei essa justiça tua. Isaías falava com ironia sobre a alegada retidão e as supostas boas obras deles, tão diligentemente realizadas. Eles tinham juntado para si mesmos um grande panteão de deuses e caído nas formas mais degradantes de idolatria, completas com a prostituição sagrada e com os sacrifícios de crianças (vss. 4,5). O zelo deles não conhecia limites. Eram como bons corredores; mas estavam correndo na pista errada. Tinham um apego fanático a seus deuses de nada. Mas no dia da crise, não seriam ajudados. Yahweh haveria de *desmascarar* a natureza ridícula do que estavam fazendo, tudo revestido de grande devoção e fingimento, mas sem substância espiritual. O que faziam não trazia *proveito algum*.

■ 57.13

בְּזַעֲקֵךְ יַצִּילֻךְ קִבּוּצַיִךְ וְאֶת־כֻּלָּם יִשָּׂא־רוּחַ יִקַּח־הָבֶל וְהַחוֹסֶה בִי יִנְחַל־אֶרֶץ וְיִירַשׁ הַר־קָדְשִׁי׃

Quando clamares, a tua coleção de ídolos que te livre. O *Julgamento Divino Estava Próximo*. Haveria um *golpe divino*, e assim seria testada a divindade daqueles ídolos. Poderiam eles deter a mão de Deus? Poderiam salvar seus devotos? Eles possuíam toda uma coleção de ídolos, e assim, mediante esforço grupal, talvez eles pudessem fazer alguma coisa. O profeta falava com ironia. A ira de Deus viria como um *vento*, que sopraria para longe toda aquela fingida idolatria.

Os israelitas que continuassem rejeitando a idolatria ou se voltassem para Yahweh seriam recompensados. Eles possuiriam a Terra Prometida e herdariam o *monte santo*, onde o templo se achava, o lugar apropriado para o culto prestado a Yahweh. Receberiam os benefícios do povo em relação de aliança com Yahweh, em contraste com os idólatras, que estabeleciam alianças com os ídolos (vs. 8). Aquela gente já se achava na Terra Prometida, mas isso não queria dizer que participasse dos benefícios espirituais dados aos habitantes.

GRAÇA PERSISTENTE (57.14-21)

■ 57.14

וְאָמַר סֹלּוּ־סֹלּוּ פַּנּוּ־דָרֶךְ הָרִימוּ מִכְשׁוֹל מִדֶּרֶךְ עַמִּי׃ ס

Dir-se-á: Aterrai, aterrai, preparai o caminho. Temos aqui um novo poema que se apega naturalmente ao trecho de Is 56.9—57.13. Trata-se de um poema de consolação. Cf. Is 40.1-4. Suas palavras-chave são: edificai a paz; santo, contrito, espírito humilde, reviver e ira divina. O tema da passagem é como Deus, durante a era vindoura (a era do reino de Deus), efetuará grande transformação. Tudo isso se reveste de grande importância teológica por causa dos avançados conceitos sobre santidade divina, misericórdia, transcendência e imanência de Deus, eternidade, universalismo, julgamento e graça divina. Ver no *Dicionário* o artigo intitulado *Isaías, seu Conceito de Deus*.

Tirai os tropeços do caminho do meu povo. Será construída uma estrada para o povo de Israel. Será removida toda a pedra de tropeço; o caminho será plano e liso. Diz o manuscrito hebraico dos Papiros do mar Morto: "Levantai, levantai a estrada". A Septuaginta diz: "Purgai os caminhos à frente dele". A Vulgata Latina diz: *viam facite*. Está em mente uma autopreparação interior. As palavras são idênticas às de Mc 1.3; Mt 3.3; Lc 3.4 e Jo 1.23. Cf. também Is 40.3-5. Está em pauta a restauração final de Israel, tipificada pela volta dos exilados da Babilônia.

Primeira Estrofe: A Divina Habitação (57.15)

■ 57.15

כִּי כֹה אָמַר רָם וְנִשָּׂא שֹׁכֵן עַד וְקָדוֹשׁ שְׁמוֹ מָרוֹם וְקָדוֹשׁ אֶשְׁכּוֹן וְאֶת־דַּכָּא וּשְׁפַל־רוּחַ לְהַחֲיוֹת רוּחַ שְׁפָלִים וּלְהַחֲיוֹת לֵב נִדְכָּאִים׃

Porque assim diz o Alto, o Sublime, que habita a eternidade. Yahweh acha-se em seu alto lugar. Ele é *transcendental*. Por outra parte, embora habite na eternidade e seu nome seja Santo, ele condescende em manifestar-se a homens de coração humilde e contrito, mostrando-se imanente. Ver no *Dicionário* os verbetes denominados *Transcendente, Transcendência; Imanência (Imanente)* e também *Atributos de Deus*.

Cf. Is 6.1 e 2.12-19, quanto a Deus como *alto e sublime*. O Poder supremo é também a *bondade* máxima, combinação nunca vista nas divindades pagãs. Deus está entronizado em seus céus, mas isso não o impede de ajudar a homens humildes à face da terra. Ele habita na *eternidade* e é o Deus autoexistente. Mas isso não significa que ele nada tenha a ver com os mortais. Ele tem vida em si mesmo (ver Jo 5.26) e é capaz de dar aos homens esse tipo de vida em si mesma. Deus tem uma existência *necessária*. Deus não pode não existir. E ele tem essa vida em parceria com o Filho, e, através do Filho, dá dessa vida aos seus filhos, que nele confiam, sendo esse um de nossos mais elevados conceitos espirituais. Ver 2Pe 1.4 quanto à participação dos crentes regenerados na natureza divina.

"É um dos paradoxos da religião o fato de que a santidade de Yahweh, que o coloca em uma distância infinita do orgulho e da grandiosidade dos homens, também o aproxima dos humildes de espírito" (Henry Sloane Coffin, *in loc.*). Quanto ao orgulho e à humildade contrastados, ver Pv 11.2; 13.10; 14.3; 15.25; 16.5,18; 18.12; 21.4; 30.12; 32.

Segunda Estrofe (57.16,17)

■ 57.16

כִּי לֹא לְעוֹלָם אָרִיב וְלֹא לָנֶצַח אֶקְּצוֹף כִּי־רוּחַ מִלְּפָנַי יַעֲטוֹף וּנְשָׁמוֹת אֲנִי עָשִׂיתִי׃

Pois não contenderei para sempre, nem me indignarei continuamente. A ira de Deus, embora feroz e parecida com o fogo do refinador de prata, e a despeito de sua *justiça*, não dura para sempre. Essa ira divina tem uma tarefa a cumprir, que é, ao mesmo tempo, retributiva e remediador, mas, depois de realizar a sua tarefa, cede espaço à ministração misericordiosa do Espírito. A ira de Deus não tem por propósito aniquilar, pois o mesmo sopro que transmitiu vida (ver Gn 3.7) continua a dar vida.

> *Se eu continuasse irado, a vida humana se debilitaria. O homem, a quem criei, morreria.*
>
> NCV

O *fôlego* é a vida animada (ver Dt 20.6; Sl 150.6). Quanto a Deus não contender para sempre, ver Is 54.7-9; Gn 6.3; Jr 3.5,12; Sl 103.9.

> *Ele, porém, que é misericordioso, perdoa a iniquidade, e não destrói. Antes, muitas vezes desvia a sua ira.*
>
> Salmo 78.38

A ira divina, sem ser sopitada, estragaria o propósito da criação, que é a vida e a continuação da vida. Alguns veem aqui uma menção à imortalidade (o que provavelmente não está em vista). O Targum faz este versículo aplicar-se à ressurreição.

■ 57.17

בַּעֲוֹן בִּצְעוֹ קָצַפְתִּי וְאַכֵּהוּ הַסְתֵּר וְאֶקְצֹף וַיֵּלֶךְ שׁוֹבָב בְּדֶרֶךְ לִבּוֹ׃

Por causa da indignidade da sua cobiça eu me indignei e feri o povo. Grave entre os pecados de Israel estava a avareza, que corrompia a vida inteira e tornava os homens interesseiros em si mesmos, e não buscadores de Deus. Mediante leve emenda, o texto pode dizer: "Por causa de sua culpa, fiquei irado por um momento", "Escondi dele o meu rosto". As palavras "o meu rosto" não estão no original hebraico, e o manuscrito hebraico dos Papiros do mar Morto diz: "Eu me escondi". O rosto divino oculta-se dos homens quando estes estão muito distantes dele para beneficiar-se de sua graça. Deus quis dizer aqui que está irado com eles. Cf. Is 54.8 e Sl 22.24; 27.9; 88.14; 104.29. Embora a ira divina fosse aplicada, o povo nem por isso se sentia impedido de agir. Continuava em seus desvios e em sua perversidade. Nem mesmo repetida punição dava resultado.

Terceira Estrofe: Cura, Conforto e o Dom do Louvor (57.18,19)

■ 57.18

דְּרָכָיו רָאִיתִי וְאֶרְפָּאֵהוּ וְאַנְחֵהוּ וַאֲשַׁלֵּם נִחֻמִים לוֹ וְלַאֲבֵלָיו׃

Tenho visto os seus caminhos e o sararei. Esta estrofe fala da *restauração*. Deus persiste em amor e misericórdia. Yahweh contempla os caminhos miseráveis dos homens e percebe que o homem é apenas uma partícula de poeira. Portanto, ele tem misericórdia. Ele cura o homem desviado, removendo-o de seu caminho desviado e consolando-o. "Aqueles que estavam tristes me louvarão" (NCV). A Septuaginta diz aqui: "Tenho visto os seus caminhos e o curei e consolei, e lhe dei verdadeiro consolo". "Os que choram são os que foram tocados pela tristeza segundo a piedade (ver 2Co 7.10,11)" (Ellicott, *in loc.*). Os que choram são aqueles que se *arrependem*, recebendo assim as graças divinas. Alguns comentadores veem aqui a restauração de Israel após o cativeiro babilônico, e outros pensam tratar-se da restauração desse povo da dispersão romana, o que inaugurará a época áurea. E ainda outros pensam que o princípio é geral, podendo adaptar-se a qualquer circunstância.

■ 57.19

בּוֹרֵא נוב שְׂפָתָיִם שָׁלוֹם שָׁלוֹם לָרָחוֹק וְלַקָּרוֹב אָמַר יְהוָה וּרְפָאתִיו׃

Como fruto dos seus lábios criei a paz. O fruto dos lábios é o louvor devido à divina restauração de Israel. Os que *choram* (vs. 18) são levantados da lamentação para o louvor. Temos aqui o agradecimento e o louvor do pecador perdoado que recebeu uma vida nova e muito melhor (cf. Os 14.2 e Hb 13.15). O coração sábio também louva a Deus (ver Pv 10.31). Ver no *Dicionário* o verbete chamado *Louvor*.

Paz para os que estão longe e para os que estão perto. Paz com Deus e os homens; liberdade da opressão efetuada por homens ímpios e desarrazoados — a paz da salvação. "Para os que estão longe" são palavras que apontam para os penitentes; e "para os que estão perto" são palavras que apontam para os justos (Kimchi, *in loc.*). Cf. Ef 2.13,17 e At 2.39, onde as palavras são aplicadas aos efeitos do evangelho cristão, especialmente no que diz respeito aos povos gentílicos. Ver no *Dicionário* o artigo chamado *Paz*. Alguns estudiosos pensam que "os que estão longe" eram os que continuavam no exílio babilônico, e que "os que estão perto" representavam os que já tinham voltado para a Terra Prometida. Mas a referência não parece ser geográfica.

CONCLUSÃO: O JULGAMENTO DOS ÍMPIOS (57.20,21)

■ 57.20

וְהָרְשָׁעִים כַּיָּם נִגְרָשׁ כִּי הַשְׁקֵט לֹא יוּכָל וַיִּגְרְשׁוּ מֵימָיו רֶפֶשׁ וָטִיט׃

Mas os perversos são como o mar agitado, que não se pode aquietar. Em contraste com os justos, os ímpios não recebem misericórdia, consolo e restauração, mas continuam recebendo o peso da mão de Deus. Cf. Is 48.18 e Ef 2.17. Esses não se arrependem, antes rejeitam as graças divinas e continuam convidando a punição divina. Essa minúscula conclusão começa e termina com as palavras "os perversos". Os perversos, pois, são como o mar empolado que continua lançando lama e lodo. As ondas do mar nunca deixam de bater na praia, e as coisas ficam piores quando um vento forte sopra, ou quando a maré vai alta. Cf. Sl 34.4,5; Jó 15.21-27 e Dt 28.66,67.

Lama e lodo. Temos aqui uma menção acerca dos pecados e às degradações dos ímpios que os fazem jamais ter descanso. "Esses são perturbados por ventos, tempestades e tufões, enquanto suas ondas se levantam e rugem e, batendo nas areias das praias, ameaçam ultrapassar seus limites" (John Gill, *in loc.*).

■ 57.21

אֵין שָׁלוֹם אָמַר אֱלֹהַי לָרְשָׁעִים׃ ס

Para os perversos, diz o meu Deus, não há paz. Se há *paz, paz* para os penitentes (vs. 19), os ímpios não têm paz. Foi Elohim, o *Poder,* quem decretou assim. Ele governa este mundo com sua providência negativa e com sua providência positiva. Ver no *Dicionário* o artigo chamado *Providência*. Sua vontade soberana produz os acontecimentos entre os homens (ver em Is 13.6 e no artigo chamado *Soberania de Deus*). Cf. Is 48.22, que é, para todos os efeitos práticos, uma duplicação deste versículo, onde ofereço outras notas expositivas.

CAPÍTULO CINQUENTA E OITO

RESTAURAÇÃO REALIZADA E COMPLETADA (58.1—66.24)

"Nesta seção final de nove capítulos do livro de Isaías, o profeta olhou para o presente e para o futuro. Em seus dias, a maior parte dos israelitas não era formada de pessoas retas (capítulo 58). Por causa da depravação, a restauração da nação de Israel tinha de ser iniciativa de Deus (capítulo 59). Eventualmente, paz e prosperidade terão de ser dadas a Israel e ao mundo inteiro (capítulo 60). Isaías escreveu sobre a vinda do Messias e do Pai (ver Is 61.1—63.6) e também sobre a oração da nação e a resposta do Senhor (ver Is 63.7—65.25). Em conclusão, o profeta escreveu que Deus cumprirá suas promessas a Israel bem como ao mundo inteiro (capítulo 66)" (John A. Martin, *in loc.*).

"A maior tragédia da vida nacional de Israel foi a queda de Jerusalém e a destruição do templo, em 586 a.C. Esse evento invocou o dia da lamentação, mas o período evocou muitos dias similares, conforme vemos em uma forma desenvolvida em Zc 7.4 ss. e 8.19, onde quatro dias festivos são descritos no quarto, quinto, sétimo e décimo mês. Em tais dias, a comunidade refletia profundamente sobre o julgamento que lhe tinha sobrevindo. Era um tempo de contrição, arrependimento e oração. Se a passagem do livro de Zacarias representa um estágio um tanto tardio do desenvolvimento do poema presente, ela é iluminadora para informar tanto sobre as próprias festas quanto sobre a reação profética (ver Zc 7.8 ss.). Ambas as passagens mostram a relação íntima entre o profetas Isaías e o culto dos israelitas. Fica claro que o profeta havia sido consultado acerca de uma questão puramente cultual: 'Por que Deus não nota nossos jejuns? Observamos os ritos apropriados, mas não há resposta' (vs. 3)... Ele falou diretamente sobre a situação, e a urgência e paixão de sua mensagem provinham dele mesmo. De fato, a intimidade da mente profética raramente é ultrapassada (cf. Is 1.10-20; Am 5.1-27; Mq 6.1-8; cf. também Jó 31.1-40), e as palavras não são um paralelo indigno das palavras de Jesus, em Mt 25.31 ss. Este capítulo é corretamente compreendido quando posto dentro do contexto desse motivo do jejum por todas as Escrituras e no cristianismo primitivo (ver o uso desse capítulo em Barn. 3; Mt 6.16-18; 9.14,15; Lc 5.33-35; 18.11,12; e ver também Mt 4.2)".

O CULTO AGRADÁVEL A DEUS (58.1-14)

Primeira Estrofe (58.1-3)

■ 58.1

קְרָא בְגָרוֹן אַל־תַּחְשֹׂךְ כַּשּׁוֹפָר הָרֵם קוֹלֶךָ וְהַגֵּד לְעַמִּי פִּשְׁעָם וּלְבֵית יַעֲקֹב חַטֹּאתָם׃

Clama a plenos pulmões, não te detenhas, ergue a tua voz como a trombeta. Essas exclamações enfatizam a necessidade de Israel abandonar suas transgressões. Considere o leitor estes pontos:

1. O profeta Isaías deveria fazer uma proclamação pública em altos brados.
2. Ele não deveria poupar nenhuma denúncia. Os que estivessem vivendo em transgressões seriam destacados.
3. A voz da repreensão deveria ser como uma trombeta, uma chamada à ação e à mudança.
4. Era Judá, o povo de Deus, quem precisava do ministério da repreensão. Ao que tudo indica, devemos entender que o clamor era um grito contra a hipocrisia, conforme o vs. 2 quase certamente dá a entender. Cf. Ez 13.10-15. A trombeta deveria anunciar um dia de *jejum*, e eles mexeram com os queixos, mas o coração deles não foi modificado pelos exercícios espirituais.

58.2

וְאוֹתִ֣י י֥וֹם יוֹם֙ יִדְרֹשׁ֔וּן וְדַ֥עַת דְּרָכַ֖י יֶחְפָּצ֑וּן כְּג֗וֹי
אֲשֶׁר־צְדָקָ֤ה עָשָׂה֙ וּמִשְׁפַּ֣ט אֱלֹהָ֔יו לֹ֣א עָזָ֔ב יִשְׁאָל֙וּנִי֙
מִשְׁפְּטֵי־צֶ֔דֶק קִרְבַ֥ת אֱלֹהִ֖ים יֶחְפָּצֽוּן׃

Mesmo nesse estado ainda me procuram dia a dia. A formalidade da fé religiosa estava presente, até nas obrigações diárias, como os sacrifícios matutinos e vespertinos. Eles agiam *como se* fossem uma nação que praticava a fé de todo o coração (ver as notas em Pv 4.23). Eles não tinham esquecido as ordenanças, o sistema de sacrifícios. Parecia que estavam praticando a justiça social e se deleitavam em avizinhar-se de Elohim. Aparentemente, eram pessoas devotas. Mas os vss. 4 ss. mostram que tudo era pura hipocrisia. Ver no *Dicionário* o artigo denominado *Hipocrisia*. Eles faziam os movimentos próprios da espiritualidade, e pensavam que isso atrairia para eles todas as formas de bênçãos divinas. As palavras do profeta eram *irônicas*. Ele não estava impressionado com aqueles atos de aparente piedade. Eles acreditavam que sua vida hipócrita, visto que continha as formas externas da religião, lhes daria impunidade diante do julgamento de Deus. Muitos hipócritas não sabem que são hipócritas, e as descrições aqui quase certamente falam de pessoas que, sinceramente, pensavam ser pessoas espirituais excelentes. Cf. Mt 7.15 ss. A opinião que um homem faz de si mesmo é sempre exagerada. Outras pessoas também tendem por exagerar no valor de seus companheiros. Naturalmente, todas as pessoas religiosas são hipócritas até certa extensão, porquanto, na verdade, nunca cumprem os padrões que estabelecem para si mesmas e certamente não cumprem os padrões estabelecidos por outros.

58.3

לָ֤מָּה צַּ֙מְנוּ֙ וְלֹ֣א רָאִ֔יתָ עִנִּ֥ינוּ נַפְשֵׁ֖נוּ וְלֹ֣א תֵדָ֑ע הֵ֣ן בְּי֤וֹם
צֹֽמְכֶם֙ תִּמְצְאוּ־חֵ֔פֶץ וְכָל־עַצְּבֵיכֶ֖ם תִּנְגֹּֽשׂוּ׃

Dizendo: Por que jejuamos nós, e tu não atentas para isso? Aquelas pessoas tão cuidadosas quanto aos movimentos da fé seguiam obedientemente a lei do jejum e, sem dúvida, jejuavam além do que era exigido pela lei mosaica, na tentativa de adquirir o favor divino. No artigo do *Dicionário* denominado *Jejum*, ofereço completa discussão, pelo que não repito aqui o material. O profeta Isaías destacou que eles jejuavam não movidos pelo arrependimento, ou para observar festas religiosas importantes, mas apenas por *prazer* próprio (*Revised Standard Version*). E o que lhes parecia prazeroso visava obter as bênçãos divinas (e escapar da punição). O hebraico diz aqui, literalmente: "Segui os vossos próprios negócios". Eles tinham motivos pessoais para jejuar. Esse exercício nada alterava seus pobres relacionamentos com as outras pessoas. Não havia *amor* naquilo. Se estavam envolvidos em todo aquele "espetáculo", secretamente oprimiam seus operários, os pobres e outras pessoas de menos poder que eles. Cf. Dt 24.14,15 e Tg 5.1-6. Este versículo pode dar a entender que aqueles homens iníquos, ao mesmo tempo que suspendiam o trabalho por um dia para jejuar, forçavam seus trabalhadores a trabalhar normalmente. O dia de jejum era um dia de descanso.

Segunda Estrofe: Chamais a Isso de Jejum? (58.4,5)

58.4

הֵ֣ן לְרִ֤יב וּמַצָּה֙ תָּצ֔וּמוּ וּלְהַכּ֖וֹת בְּאֶגְרֹ֣ף רֶ֑שַׁע לֹא־
תָצ֣וּמוּ כַיּ֔וֹם לְהַשְׁמִ֥יעַ בַּמָּר֖וֹם קוֹלְכֶֽם׃

Eis que jejuais para contendas e rixas. "Suas intimidades celestiais não melhoraram suas maneiras domésticas" (George Elliot). Muitos são cordeiros em público, mas ursos em casa. O autoaviltamento (nos jejuns ou em qualquer outro exercício espiritual) de nada vale se for realizado por um homem brutal e sem amor. Yahweh não faria favor algum a um homem que andasse espancando a outros, sem importar por qual razão fizesse isso. E podemos ter certeza de que aqueles que eram espancados eram inferiores sociais em relação a quem os espancava. Naturalmente, há os que desfrutam de uma boa briga, e essa briga provavelmente era feita contra *qualquer* homem. Aqueles ímpios profanavam as observâncias religiosas por meio de brigas e contendas. Por isso mesmo, muitas orações acompanhavam os dias de jejum, mas essas orações não seriam ouvidas. Cf. Am 5.23,24; Os 6.4-6; Is 1.15-17 e Zc 7.8 ss.

58.5

הֲכָזֶ֗ה יִֽהְיֶה֙ צ֣וֹם אֶבְחָרֵ֔הוּ י֛וֹם עַנּ֥וֹת אָדָ֖ם נַפְשׁ֑וֹ
הֲלָכֹ֨ף כְּאַגְמֹ֜ן רֹאשׁ֗וֹ וְשַׂ֤ק וָאֵ֙פֶר֙ יַצִּ֔יעַ הֲלָזֶה֙
תִּקְרָא־צ֔וֹם וְי֥וֹם רָצ֖וֹן לַיהוָֽה׃

Seria este o jejum que escolhi, que o homem um dia aflija a sua alma...? Passar pelos movimentos do jejum era algo inútil. O homem aparentemente se humilhava, mas logo em seguida estaria brigando por alguma questão de negócio. Ele inclinava a cabeça como se feito de junco, mas seu coração era contencioso. Chegava a vestir-se de cilício, aparentemente arrependido, mas, em vez de livrar-se de seus pecados, adicionava mais pecados à sua lista. Cf. Lv 16.29 e Mt 5.16. O que eles estavam fazendo não merecia o nome de "jejum". O dia do jejum deles não era um *dia aceitável* para Yahweh. Passar-se-ia aquele jejum sem atrair a bênção divina. O propósito de tal jejum tinha fracassado.

Terceira Estrofe: As Ricas Recompensas do verdadeiro Jejum (58.6-9)

58.6

הֲל֣וֹא זֶה֮ צ֣וֹם אֶבְחָרֵהוּ֒ פַּתֵּ֙חַ֙ חַרְצֻבּ֣וֹת רֶ֔שַׁע הַתֵּ֖ר
אֲגֻדּ֣וֹת מוֹטָ֑ה וְשַׁלַּ֤ח רְצוּצִים֙ חָפְשִׁ֔ים וְכָל־מוֹטָ֖ה
תְּנַתֵּֽקוּ׃

Porventura não é este o jejum que escolhi, que soltes as ligaduras da impiedade...? Há um jejum autêntico, que vale a pena pôr em prática. É um ato social que busca fazer o bem aos outros e melhora o relacionamento com todos os homens. "A relação de alguém com seus semelhantes revela sua relação com Deus (ver Lc 10.25-37). Quando os *frutos* apropriados estão presentes (justiça social, misericórdia, compartilhar; ver Lc 3.8), Deus ouvirá (ver Is 1.10-20; Mt 25.34-40)" (*Oxford Annotated Bible,* comentando sobre este versículo). O jejum era mais que a autonegação, porquanto incluía também o serviço ao próximo e viver a lei do amor, o maior de todos os mandamentos (ver Dt 6.5).

Libertai as pessoas que pusestes injustamente na prisão. Desatai as algemas. Libertai aqueles com quem estais sendo injustos. Livrai-vos do trabalho forçado.

NCV

Alguns estudiosos veem aqui uma repreensão contra o *trabalho escravo*. Infelizmente, porém, não é esse o sentido provável da passagem. A justiça social, nas páginas do Antigo Testamento, nunca subiu à consciência dessa imensa injustiça social. Ver no *Dicionário* o verbete chamado *Escravidão*.

58.7

הֲל֨וֹא פָרֹ֤ס לָֽרָעֵב֙ לַחְמֶ֔ךָ וַעֲנִיִּ֥ים מְרוּדִ֖ים תָּ֣בִיא בָ֑יִת
כִּֽי־תִרְאֶ֤ה עָרֹם֙ וְכִסִּית֔וֹ וּמִבְּשָׂרְךָ֖ לֹ֥א תִתְעַלָּֽם׃

Porventura não é também que repartas o teu pão com o faminto...? *Obras gerais de amor e caridade* tinham de estar envolvidas no dia do jejum, bem como em todos os outros dias. Repartir o alimento com os famintos; dar abrigo aos destituídos; prover roupas; ajudar os parentes necessitados, o que poderia apontar para parentes literais ou "irmãos" israelitas, ou, idealmente, para ambas as classes. Na igreja primitiva, os dias de jejum eram tempos de caridade especial. Cf. Mt 6.1,16. Ver também Mt 25.36. Naturalmente, não há sugestão de limites para as boas obras. Todos os dias devem ser dias de liberalidade. Ver no *Dicionário* o artigo intitulado *Liberalidade (Generosidade)*.

58.8

אָ֣ז יִבָּקַ֤ע כַּשַּׁ֙חַר֙ אוֹרֶ֔ךָ וַאֲרֻכָתְךָ֖ מְהֵרָ֣ה תִצְמָ֑ח וְהָלַ֤ךְ
לְפָנֶ֙יךָ֙ צִדְקֶ֔ךָ כְּב֥וֹד יְהוָ֖ה יַאַסְפֶֽךָ׃

Então romperá a tua luz como a alva, a tua cura brotará sem detença. Grandes promessas são feitas aos *generosos*, os quais usam os dias de autonegação para servir ao próximo; ou melhor, usam *todos os dias* como oportunidades para fazer o bem ao próximo. Um *novo dia* raiará para o homem generoso; ele terá luz e será uma fonte luminosa para outras pessoas. Então desfrutará boa saúde mediante a intervenção divina. Diz aqui o hebraico, literalmente, que uma nova pele crescerá sobre a ferida aberta, sendo assim efetuada a cura (ver Jr 8.22; 30.17). Nesse caso, o homem também terá genuína retidão, em vez de retidão fingida, hipócrita (vss. 1-3). E também será uma fonte de ensino da retidão para outros, mediante palavras e ações. A cura será literal, mas também espiritual e comunal. As contendas terminarão. A sociedade será curada pela justiça social e pela gentileza pessoal.

Uma proteção especial foi prometida mediante o uso de uma *metáfora militar*. Deus iria adiante, liderando o caminho, e também viria por trás, oferecendo proteção. As pessoas boas terão um *inseparável acompanhamento*, conforme Jesus disse: "E eis que estou convosco..." (Mt 28.19,20).

■ **58.9**

אָז תִּקְרָא וַיהוָה יַעֲנֶה תְּשַׁוַּע וְיֹאמַר הִנֵּנִי אִם־תָּסִיר
מִתּוֹכְךָ מוֹטָה שְׁלַח אֶצְבַּע וְדַבֶּר־אָוֶן:

Então clamarás, e o Senhor te responderá. Sob tais condições, as orações serão ouvidas e favoravelmente respondidas. *Yahweh* não negligenciará as orações de tais pessoas. Quando clamarem por ele, ele dirá: "Eis-me aqui". Sua presença e atenção providenciarão para eles tudo o de que precisarem. Eles não sofrerão necessidade. E assim obterão grandes vitórias em sua vida e em suas atividades. Porém, conforme o profeta nos relembrou, tais coisas só poderão acontecer se os jugos (as cargas) que as pessoas impõem aos outros forem retirados; seria preciso que a gentileza e o amor governassem as coisas, pois, do contrário, as orações cairiam por terra. Acusações, calúnias e incriminações precisavam ser descontinuadas. Ver no *Dicionário* o artigo chamado *Linguagem, Uso Apropriado da*, e cf. Sl 5.9; 12.2; 15.3; 17.3; 34.12; 35.28; 36.3; 39.9; 94.4; 101.5 e 120.3,4.

"O dedo apontado em riste, um gesto de desprezo e zombaria (Pv 6.13). Entre os árabes o sinal era usado como *meio de atrair infortúnio contra as pessoas*" (James Muilenburg, *in loc.*). Cf. isso com a *vara de apontar* dos africanos, os quais amaldiçoam a outras pessoas por esse intermédio.

Quarta Estrofe: Promessas Resplendentes (58.10-12)

■ **58.10**

וְתָפֵק לָרָעֵב נַפְשֶׁךָ וְנֶפֶשׁ נַעֲנָה תַּשְׂבִּיעַ וְזָרַח בַּחֹשֶׁךְ
אוֹרֶךָ וַאֲפֵלָתְךָ כַּצָּהֳרָיִם:

Se abrires a tua alma ao faminto, e fartares a alma aflita. "Deus daria ao seu povo forças (Is 66.4); abundância (Jr 31.12) e circunstâncias auspiciosas para eles reconstruírem o país (Is 44.26 e 61.4)" (*Oxford Annotated Bible*, comentando sobre o presente versículo).

Este versículo continua o apelo em prol da vida caridosa, mas agora reforçado pela metáfora do "derramamento" do indivíduo em favor de seus semelhantes necessitados: ou seja, fazer algum *sacrifício* significativo em benefício do próximo. Se um homem assim agir em favor de outros, haverá a luz de um novo dia para ele. Isso dissipará suas trevas, e a melancolia será expulsa de sua vida. Será como a luz do meio-dia. E Yahweh fará a mesma coisa por ele. Ver no *Dicionário* o verbete chamado *Lei Moral da Colheita segundo a Semeadura*. Cf. Is 9.2 e o vs. 8 deste mesmo capítulo.

"Acender-se-á a luz da prosperidade e da alegria, e uma noite escura de tristeza e aflições se tornará um dia claro de paz e conforto. Ver Sl 112.4; Is 42.16 e Zc 14.7" (John Gill, *in loc.*).

■ **58.11**

וְנָחֲךָ יְהוָה תָּמִיד וְהִשְׂבִּיעַ בְּצַחְצָחוֹת נַפְשֶׁךָ
וְעַצְמֹתֶיךָ יַחֲלִיץ וְהָיִיתָ כְּגַן רָוֶה וּכְמוֹצָא מַיִם אֲשֶׁר
לֹא־יְכַזְּבוּ מֵימָיו:

O Senhor te guiará continuamente, fartará a tua alma até em lugares áridos. *Uma orientação divina constante* será a porção do homem generoso. Isso incluirá a satisfação a cada necessidade com coisas boas. O homem será forte e gozará saúde. Seus *ossos* (o arcabouço dentro do qual se sustenta todo o seu corpo) e, portanto, seu corpo inteiro, serão fortes. Ele viverá por muito tempo e bem. Oh, Senhor, concede-nos tal graça! Tal homem gozará de contínuos e abundantes benefícios, pois será como um jardim bem regado. Será como um manancial constante de água e continuará a servir o próximo com suas águas, enviadas continuamente aos desertos dos povos. Onde ele estiver, não haverá desertos. O versículo fala sobre a restauração geral do povo, em termos simples e gerais, sem nenhum evento histórico em mente. Mas o vs. 12 parece referir-se à reconstrução, após o exílio babilônico. E talvez se refira, *profeticamente*, à volta da dispersão romana, quando então será inaugurada a era do reino de Deus.

Quanto ao *jardim bem regado*, cf. Sl 1.3; Is 44.3,4 e Jr 31.12. Quanto a *ossos*, ver as notas em Sl 102.3 e, no *Dicionário*, o artigo chamado *Osso*.

■ **58.12**

וּבָנוּ מִמְּךָ חָרְבוֹת עוֹלָם מוֹסְדֵי דוֹר־וָדוֹר תְּקוֹמֵם
וְקֹרָא לְךָ גֹּדֵר פֶּרֶץ מְשֹׁבֵב נְתִיבוֹת לָשָׁבֶת:

Os teus filhos edificarão as antigas ruínas. Este versículo parece referir-se aos destroços em que Jerusalém se transformou depois do cativeiro babilônico, em uma época em que nem o templo nem as muralhas de Jerusalém tinham sido reconstruídos. A reconstrução significaria que um serviço seria efetuado por muitas gerações sucessivas. Os reconstrutores serviriam o novo Israel por um longo tempo futuro. Alguns supõem que essas *gerações* fossem as dos setenta anos do exílio babilônico, e a reconstrução que haveria durante esse tempo anularia as ruínas do período. Jerusalém e as cidades de Judá seriam reconstruídas. Os que estivessem engajados nesse trabalho seriam chamados "reparadores das brechas" e considerados benditos por muitas gerações futuras. E também seriam chamados "restauradores das veredas", para que o país se tornasse novamente habitável. As ruas estavam em ruína completa. Os futuros habitantes as tornariam novamente utilizáveis. Esses seriam os *fundamentos* do futuro Israel, representado por uma única tribo, Judá.

Quinta Estrofe: A Guarda do Sábado (58.13,14)

■ **58.13**

אִם־תָּשִׁיב מִשַּׁבָּת רַגְלֶךָ עֲשׂוֹת חֲפָצֶיךָ בְּיוֹם קָדְשִׁי
וְקָרָאתָ לַשַּׁבָּת עֹנֶג לִקְדוֹשׁ יְהוָה מְכֻבָּד וְכִבַּדְתּוֹ
מֵעֲשׂוֹת דְּרָכֶיךָ מִמְּצוֹא חֶפְצְךָ וְדַבֵּר דָּבָר:

Se desviares o pé de profanar o sábado. A observância do sábado era o sinal do pacto mosaico. Ver sobre *Sábado*, no *Dicionário*, e sobre *Pacto Mosaico* na introdução a Êx 19. Após o retorno do exílio babilônico, a guarda de um dos originais Dez Mandamentos (ver Êx 20.11) tornou-se o barômetro da fidelidade do indivíduo ao pacto mosaico. Ver Is 56.4-6. A *obediência* a esse mandamento mostrava a intenção de um homem em envolver-se ativamente na restauração de Israel à sua antiga posição entre as nações. A tendência do povo israelita era cada qual buscar seus prazeres e labores, naqueles dias. Ou então eles poderiam gastar seu tempo em conversações banais. Eles tinham perdido o caráter sagrado da lei, substituindo-a pelo que era profano. O sábado não fora instituído para dar a um homem tempo livre para suas atividades cotidianas, e menos ainda como um dia de recreação. Um homem não trabalhava para que pudesse ocupar-se em questões espirituais. O sábado deveria ser um *dia de alegria*, a guarda do qual deveria ser reputada como um elevado privilégio, e não um dia de deveres pesados. As observâncias religiosas daquele dia deveriam trazer satisfação à alma.

■ **58.14**

אָז תִּתְעַנַּג עַל־יְהוָה וְהִרְכַּבְתִּיךָ עַל־בָּמֳתֵי אָרֶץ
וְהַאֲכַלְתִּיךָ נַחֲלַת יַעֲקֹב אָבִיךָ כִּי פִּי יְהוָה דִּבֵּר: ס

Então te deleitarás no Senhor. O homem que abandonasse suas banalidades, observasse o sábado conforme era seu dever e praticasse o bem a cada dia de sua vida (vs. 10), isto é, o homem que se *deleitasse* em Yahweh e no tipo de vida que ele instrui os homens a viver, estaria "cavalgando alto", conforme dizemos em uma moderna expressão idiomática. Yahweh faria tal indivíduo "andar nas alturas". "Ele te elevará aos lugares altos acima da terra" (NCV). Por assim dizer, tal homem teria uma vida *celestial*, acima das banalidades desta existência. Cf. Dt 32.13; 33.29; Sl 18.33; Hc 3.19. Alguns estudiosos fazem com que o cavalgar por lugares altos seja uma metáfora militar que fale da conquista de todos os lugares altos de Judá, durante a restauração do país. Haveria vitórias abundantes em todos os setores da vida.

> Quero viver acima do mundo,
> Ainda que os dardos de Satanás sejam lançados contra mim.
> Pois a fé apanhou o som jubiloso
> Do cântico dos santos em terreno mais alto.
>
> Johnson Oatman, Jr.

E te sustentarei. Com todas as provisões físicas. Ninguém sofreria fome; ninguém padeceria necessidade. Mas a abundância agrícola fala da prosperidade espiritual.

> *Buscai, pois, em primeiro lugar, o seu reino e a sua justiça, e todas estas cousas vos serão acrescentadas.*
>
> Mateus 6.33

Eles "festejariam baseados na herança de seu pai, Jacó. A boca do Senhor assim o disse" (NIV). O oráculo do Senhor garante que os israelitas obedientes serão participantes plenos das promessas do pacto.

CAPÍTULO CINQUENTA E NOVE

A INTERVENÇÃO DIVINA (59.1-21)

A Salvação É Iniciativa de Deus. Os capítulos 58—59 são muito similares tanto em estilo quanto em conteúdo. E talvez o autor sagrado os tenha escrito como um único poema. Ou então podemos considerar esses dois capítulos como dois poemas dedicados aos mesmos temas. Seja como for, apresento *seis estrofes* neste capítulo, e o trato como se fora um poema separado. Há neste poema uma chamada ao arrependimento nacional, pois o povo de Israel vivia totalmente entregue à iniquidade, à injustiça e à desonestidade. Judá estava enveredando por um beco sem saída que ele próprio havia criado. Somente a intervenção divina poderia estabelecer alguma diferença.

"*Pecado e Confissão: Julgamento e Redenção.* Este poema-sermão tem o mesmo pano de fundo dos que o antecedem de imediato. Havia tristeza por causa das condições nacionais, e havia berrantes pecados sociais diante dos quais as pessoas estavam cegas. Torrey chamava isso de *De Profundis*. Isso certamente é a atitude com que começa. A comunidade sentia-se abandonada por Deus" (Henry Sloane Coffin, *in loc.*).

"Visto que a depravação era da nação, a salvação nacional e a prosperidade teriam de vir através da iniciativa divina. Neste capítulo 59, o Senhor falou novamente sobre os pecados do povo e sua provisão de salvação por causa do pacto abraâmico" (John S. Martin, *in loc.*). A apostasia tinha levado o povo de Israel ao cativeiro babilônico; e, após o retorno, as condições novamente foram piorando.

Primeira Estrofe: Deus Está Separado da Comunidade (59.1-4)

■ 59.1

הֵן לֹא־קָצְרָה יַד־יְהוָה מֵהוֹשִׁיעַ וְלֹא־כָבְדָה אָזְנוֹ
מִשְּׁמוֹעַ׃

Eis que a mão do Senhor não está encolhida, para que não possa salvar. *O Poder Está com Yahweh.* Sua mão é *salvadora*. Quanto à *mão* (o instrumento de poder e ação), ver Sl 81.14. Ver sobre *mão direita* em Sl 20.6, e sobre *braço* em Sl 77.15; 89.10 e 98.1. Além disso, Deus tinha o coração aberto ao clamor dos desolados. Deus esperou por orações de arrependimento em vão. O povo de Israel que estava na Terra Prometida logo caiu novamente em seus antigos pecados e tornou-se "cativo do pecado" na Terra Prometida. No entanto, eles não tinham sabedoria suficiente para ao menos reconhecer sua necessidade. As coisas não tinham evoluído conforme se esperava, após o retorno da Babilônia. E o profeta Isaías os informou de que as razões para isso estavam do *lado deles*, e não do lado de Deus.

■ 59.2

כִּי אִם־עֲוֺנֹתֵיכֶם הָיוּ מַבְדִּלִים בֵּינֵכֶם לְבֵין אֱלֹהֵיכֶם
וְחַטֹּאותֵיכֶם הִסְתִּירוּ פָנִים מִכֶּם מִשְּׁמוֹעַ׃

Mas as vossas iniquidades fazem separação entre vós e o vosso Deus. As iniquidades do povo de Israel eram, um vez mais, a raiz dos problemas. Eles desconsideraram a lei e suas demandas. E afundaram-se em apostasia, levantando uma barreira de *separação* entre eles e Yahweh. Fizeram o Senhor ocultar o seu rosto por trás daquele véu de pecados. Eles o tornaram surdo para com tantas iniquidades. Por isso eles agora o achavam indisposto a responder a seus apelos e às suas orações. Os homens entraram no santuário para buscar a face de Deus, mas para eles não houve a glória *shekinah*, nem a grande nem a pequena. A adoração era uma espécie de busca do rosto de Yahweh. A presença divina poderia curar, mas a barreira de pecados não permitia uma operação graciosa. Os pecados incluíam transgressões pesadas como crimes de sangue (vs. 3) e, conforme podemos estar certos, a idolatria.

■ 59.3

כִּי כַפֵּיכֶם נְגֹאֲלוּ בַדָּם וְאֶצְבְּעוֹתֵיכֶם בֶּעָוֺן
שִׂפְתוֹתֵיכֶם דִּבְּרוּ־שֶׁקֶר לְשׁוֹנְכֶם עַוְלָה תֶהְגֶּה׃

Porque as vossas mãos estão contaminadas de sangue. Eles eram assassinos da Terra Prometida, e suas mãos estavam contaminadas de sangue. Eram homens cujos dedos tinham feito coisas violentas e opressivas. Talvez "mãos" implique os pecados *mais graves*, ao passo que dedos implique os pecados *menos graves*. Cf. Is 1.15. Ademais, os *lábios* deles eram usados para dizer mentiras, e sua língua proferia iniquidades. Ver no *Dicionário* o artigo denominado *Linguagem, Uso Apropriado da*, e também Sl 5.9; 12.2; 15.3; 17.3; 34.12, 13; 36.3. A menção dessas quatro partes do corpo — mãos, dedos, lábios e língua, todas elas envolvidas em pecado — ilustra a *total depravação* daquela gente.

■ 59.4

אֵין־קֹרֵא בְצֶדֶק וְאֵין נִשְׁפָּט בֶּאֱמוּנָה בָּטוֹחַ עַל־תֹּהוּ
וְדַבֶּר־שָׁוְא הָרוֹ עָמָל וְהוֹלִיד אָוֶן׃

Ninguém há que clame pela justiça, ninguém que compareça em juízo pela verdade. Os próprios tribunais de justiça, onde presumia-se que um homem podia buscar e obter justiça, estavam corrompidos. Homens inocentes estavam condenados à morte e à prisão, ao passo que pecadores notórios, que atuavam como se fossem aves de rapina em público, eram inocentes. "Os direitos" eram reconhecidos somente naqueles que ofendiam, enquanto aos opressores nunca era dado um julgamento justo. Os pecadores confiavam no *caos* para continuar avançando, porquanto não havia reformadores que corrigissem a comunidade.

> *Pessoas levavam outros a tribunal de modo injusto.*
> *Ninguém dizia a verdade ao expor o seu caso.*
> *Eles se acusavam falsamente e diziam mentiras.*
> *Causavam dificuldades e criavam maior mal.*
>
> NCV

Segunda Estrofe: Os Caminhos Tortuosos do Mal (59.5-8)

■ 59.5

בֵּיצֵי צִפְעוֹנִי בִּקֵּעוּ וְקוּרֵי עַכָּבִישׁ יֶאֱרֹגוּ הָאֹכֵל
מִבֵּיצֵיהֶם יָמוּת וְהַזּוּרֶה תִּבָּקַע אֶפְעֶה׃

Chocam ovos de áspide e tecem teias de aranha. Usando de outras vívidas descrições, o profeta continuava sua diatribe. Aqueles ímpios eram como homens que chocassem ovos de serpentes venenosas. Se um homem comesse um dos ovos de áspides, morreria por causa do veneno. Isso não é cientificamente verdadeiro, mas é melhor não submeter à prova a teoria. Metaforicamente, a declaração é verdadeira: os ímpios são assassinos, físicos e espirituais, e nenhum homem de mente sã comeria dos ovos de áspide que estivesse chocando. É melhor ficar distante de tais ovos, porque, se alguém se envolver (chocando um dos ovos), uma pequena áspide sairá dali, e isso representará perigo, mais cedo ou mais tarde. Além do mais, temos a *metáfora da aranha*. A aranha faz de sua teia a agência da morte de sua vítima. O vs. 6 adiciona o elemento da *futilidade* à metáfora. As teias do homem maligno são perigosas e fúteis. O homem bom se manterá distante dos esquemas dos iníquos.

■ 59.6

קוּרֵיהֶם לֹא־יִהְיוּ לְבֶגֶד וְלֹא יִתְכַּסּוּ בְּמַעֲשֵׂיהֶם
מַעֲשֵׂיהֶם מַעֲשֵׂי־אָוֶן וּפֹעַל חָמָס בְּכַפֵּיהֶם:

As suas teias não se prestam para vestes. *As propriedades das teias dos iníquos* aparecem nestes três pontos:
1. São agentes da morte (vs. 5).
2. São esquemas inúteis para os homens (vs. 6). Ninguém pode tecer uma veste com as teias de uma aranha. Em seu pior aspecto, são destruidoras.
3. Elas operam toda a espécie de iniquidade, incluindo atos de violência e crimes de sangue (segunda parte do vs. 6). Ninguém pode vestir-se desses maus esquemas como se fosse uma roupa. Se alguém assim fizer, logo descobrirá que está em grave dificuldade. As mãos malignas que teceram as teias prejudicarão o próximo. Cf. Rm 3.12,14.

■ 59.7

רַגְלֵיהֶם לָרַע יָרֻצוּ וִימַהֲרוּ לִשְׁפֹּךְ דָּם נָקִי
מַחְשְׁבוֹתֵיהֶם מַחְשְׁבוֹת אָוֶן שֹׁד וָשֶׁבֶר בִּמְסִלּוֹתָם:

Os seus pés correm para o mal, são velozes para derramar o sangue inocente. Os ímpios mostram-se *zelosos* em sua iniquidade. Eles correm para executar crimes de sangue. Seus pensamentos são radicais e estão sempre envolvidos no planejamento do que é pior para o próximo. Cf. Rm 3.15,16. Onde quer que aqueles homens vão, propagam destruição e miséria. Tais homens começaram a agir no tempo pós-exílico da Babilônia.

O Mal Foge ao Controle dos Homens. Os primeiros atos malignos de um ser humano são feitos de vontade livre, mas logo essa pessoa se torna prisioneira de suas próprias corrupções e más escolhas.

> Quase não temo ter desferido esse primeiro golpe
> De vontade livre, mas, mediante esse ato,
> Me comprometi a desferir um segundo golpe
> Contra a minha vontade...
> O primeiro passo depende de nós; e então por todo
> o resto da estrada,
> Aquela longa estrada, depende da Sorte.
>
> Stephen Philips

Esse poeta exagerou um pouco, mas é verdade que, se os homens se recusarem a praticar o bem, se persistirem nessa atitude, logo perderão o poder de agir corretamente.

■ 59.8

דֶּרֶךְ שָׁלוֹם לֹא יָדָעוּ וְאֵין מִשְׁפָּט בְּמַעְגְּלוֹתָם
נְתִיבוֹתֵיהֶם עִקְּשׁוּ לָהֶם כֹּל דֹּרֵךְ בָּהּ לֹא יָדַע שָׁלוֹם:

Desconhecem o caminho da paz, nem há justiça nos seus passos. Os passos dos ímpios nunca os conduzem à *paz* (ver Is 57.19); eles vivem para causar *contendas;* suas passadas são sempre tortuosas; eles nunca *praticam a justiça* em seus caminhos; aqueles que os seguem só podem perder através dessa *associação*. Cf. Rm 3.16,17. Cf. Is 48.22 e 57.20,21. Quanto aos caminhos dos bons e dos maus contrastados, ver a nota de sumário sobre Pv 4.27. Ver também Pv 2.15 e 27.18. Ver no *Dicionário* o verbete chamado *Andar*. "Andou Enoque com Deus" (Gn 5.22,24). Mas aqueles homens ímpios andaram no pior que sua mente pervertida poderia ter inventado.

Terceira Estrofe (59.9-11)

■ 59.9

עַל־כֵּן רָחַק מִשְׁפָּט מִמֶּנּוּ וְלֹא תַשִּׂיגֵנוּ צְדָקָה נְקַוֶּה
לָאוֹר וְהִנֵּה־חֹשֶׁךְ לִנְגֹהוֹת בָּאֲפֵלוֹת נְהַלֵּךְ:

Por isso está longe de nós o juízo, e a justiça não nos alcança. A justiça tinha fugido, e não mais tinha voltado; a retidão não conseguia alcançar aqueles pecadores; densas trevas tinham tapado completamente a luz; em vez do brilhante meio-dia (ver Is 58.10) havia apenas a melancolia da perversidade. Mediante esse acúmulo de termos, o profeta conseguiu pintar um quadro sombrio da baixa espiritualidade e apostasia de Judá. Cf. Zc 14.6,7. Quanto ao contraste entre a luz e as trevas, cf. Is 13.10; 50.3; Jr 4.23,28; Jl 32.31. Ver no *Dicionário* o artigo chamado *Luz, Metáfora da*. Esse artigo inclui a metáfora das trevas.

■ 59.10

נְגַשְׁשָׁה כַעִוְרִים קִיר וּכְאֵין עֵינַיִם נְגַשֵּׁשָׁה כָּשַׁלְנוּ
בַצָּהֳרַיִם כַּנֶּשֶׁף בָּאַשְׁמַנִּים כַּמֵּתִים:

Apalpamos as paredes como cegos, sim, como os que não têm olhos. *Aturdimento* resulta de uma corrupção extrema. Judá apalpava tal coisa como se fora uma muralha, mas não era capaz ao menos de encontrar uma parede. Andar nas trevas resultara na perda dos olhos. Eles se tinham recusado por tanto tempo a fazer o que deveriam, que perderam a capacidade de fazer o que era direito. Em pleno meio-dia tropeçavam como se estivessem no escuro. Tornaram-se como homens mortos, que já estivessem no *sheol*, aquela caverna subterrânea mergulhada nas trevas. Naturalmente, todos conhecemos as espécies de peixes que vivem no fundo do mar, onde há tão pouca luz. Esses peixes acabam perdendo os olhos, tendo apenas pequenas protrusões indicando onde aquela espécie possuíra olhos. O mesmo fenômeno aparece nas águas potáveis de lagos subterrâneos. Aquilo que não é usado, a natureza toma, e o mesmo princípio aplica-se à natureza moral e espiritual dos homens. Cf. Dt 37.29. O Targum diz: "A luz é apagada para nós todos, tal como acontece àqueles que estão nos seus sepulcros".

> ... vós mortos nos vossos delitos e pecados.
>
> Efésios 2.1

■ 59.11

נֶהֱמֶה כַדֻּבִּים כֻּלָּנוּ וְכַיּוֹנִים הָגֹה נֶהְגֶּה נְקַוֶּה לַמִּשְׁפָּט
וָאַיִן לִישׁוּעָה רָחֲקָה מִמֶּנּוּ:

Todos nós bramamos como ursos, e gememos como pombas. "Os ursos rugidores e as pombas gemedoras (vs. 11) são metáforas que apontam para pessoas de espírito abatido. Elas começaram lamentando sobre as condições miseráveis da nação de Israel. Agora lamentavam por seus pecados. Nos tempos modernos, entristecer-se por causa do pecado, tanto o pecado pessoal quanto o coletivo, é considerado doentio" (Henry Sloane Coffin, *in loc.*). Esse autor prossegue a fim de citar alguns psicólogos modernos sobre o assunto, a fim de provar o seu ponto. Mas sabemos que há uma tristeza piedosa que conduz ao arrependimento (ver 2Co 7.10), e o arrependimento cura. As pessoas mais iluminadas de Judá buscavam a justiça. Inúmeros membros da sociedade tinham experimentado a opressão por parte daqueles que buscavam seus próprios interesses, corrompendo os casos apresentados em tribunal, de modo que culpados eram soltos e os inocentes eram aprisionados. A justiça não era encontrada por mais que se procurasse, e não havia salvação nem livramento das forças malignas.

Não existem outros paralelos bíblicos para rugidos como o dos ursos, indicando o espírito desanimado e aflito. Quanto ao significado das pombas, ver Is 38.14; Na 2.7; Ez 7.16. Horácio escreveu algo parecido com isso em *Ep.* xvi.51, no tocante aos ursos: "circumgemit ursus ovile". Um urso faminto fica a rugir quando busca inutilmente por alimentos.

Quarta Estrofe: A Confissão da Comunidade (59.12-15a)

■ **59.12**

כִּי־רַבּוּ פְשָׁעֵינוּ נֶגְדֶּךָ וְחַטֹּאותֵינוּ עָנְתָה בָּנוּ כִּי־
פְשָׁעֵינוּ אִתָּנוּ וַעֲוֹנֹתֵינוּ יְדַעֲנוּם׃

Porque as nossas transgressões se multiplicam perante ti.
A aflição levou os israelitas a confessar toda espécie de pecado hediondo, e isso, por sua vez, mostrou claramente *por que* Judá teve de sofrer toda espécie de castigo por parte do exílio babilônico. "O vs. 12 é geral como os vss. 2,3, enquanto o vs. 13 é específico como os vss. 3-18. Os vss. 14,15 descrevem a consequência, como fazem os vss. 19-21. Esta estrofe é um autêntico léxico de termos éticos na língua dos hebreus (cf. Sl 51)" (James Muilenburg, *in loc.*).

E os nossos pecados testificam contra nós. "A comunidade [de Israel] confessou a magnitude de suas ofensivas *rebeldias* (transgressões); infidelidades (negações); desobediências (desvios); sua integridade estava totalmente corrompida" (*Oxford Annotated Bible*, comentando sobre este versículo). Cf. Dn 9.5-15; Jó 12.3; 15.9. Ver também Ed 9.6-15, que é bastante similar ao texto presente.

■ **59.13**

פָּשֹׁעַ וְכַחֵשׁ בַּיהוָה וְנָסוֹג מֵאַחַר אֱלֹהֵינוּ דַּבֶּר־עֹשֶׁק
וְסָרָה הֹרוֹ וְהֹגוֹ מִלֵּב דִּבְרֵי־שָׁקֶר׃

Como o prevaricar, o mentir contra o Senhor, o retirarmo-nos do nosso Deus. *Apostasia* era o nome do jogo: negavam a Yahweh, afastavam-se dele, caíam na idolatria; tornavam-se opressores dos fracos; revoltavam-se contra toda lei e sanidade; possuidores de coração corrompido, dali brotavam o ódio e o engano, corrompendo cada aspecto da sociedade. Ver no *Dicionário* os verbetes intitulados *Mentira* e *Linguagem, Uso Apropriado da*. Ver o uso próprio e impróprio da língua, em Sl 5.9; 12.2; 15.3; 17.3; 32.12; 35.28; 36.3; 64.4; 66.17; 119.172 e 120.3 e 4. A NCV dá estes pecados específicos ou refere-se a eles de forma geral: pecados; voltavam-se contra o Senhor; desviavam-se; malignidades.

Sumário de Ellicott. 1. Adoração falsa e hipócrita; 2. apostasia aberta; 3. pecados contra o homem, subdivididos em: a. pecados contra a verdade; b. pecados contra a justiça.

O Targum fala em falsidade e apostasia.

■ **59.14**

וְהֻסַּג אָחוֹר מִשְׁפָּט וּצְדָקָה מֵרָחוֹק תַּעֲמֹד כִּי־כָשְׁלָה
בָרְחוֹב אֱמֶת וּנְכֹחָה לֹא־תוּכַל לָבוֹא׃

Pelo que o direito se retirou e a justiça se pôs de longe. A sociedade estava corrompida e em processo de desintegração; os tribunais de justiça se tinham tornado câmaras de terror para prejudicar os inocentes e casas para recompensar os perversos da sociedade. Toda a estrutura da comunidade tinha sido solapada. Não havia integridade, nem no nível pessoal nem no nível comunitário. Os homens caminhavam no teto, de cabeça para baixo. Os procedimentos judiciais eram espetáculos públicos de teatro que serviam aos interesses próprios dos atores. Podemos falar sobre o *dever* como uma das principais virtudes sociais, mas, quando a integridade da sociedade já foi corrompida, poucos sentirão senso de dever em fazer ou não fazer alguma coisa. Tudo cairá na mesma confusão pragmática.

A verdade anda tropeçando pelas praças. Provavelmente isso aponta para lugares de negócios ou onde os casos eram julgados. "... o lugar largo, ou *agorá* da cidade" (Ellicott, *in loc.*). Cf. Zc 8.16.

Não havia integridade pessoal, e assim tanto o mundo dos negócios como a lei perdiam o seu propósito, se um homem julgasse pelo que "deveria ser". Os marcos tinham sido revertidos. O *nihilismo* moral tinha tomado o lugar da lei. Ver na *Enciclopédia de Bíblia, Teologia e Filosofia* o artigo chamado *Nihilismo*.

■ **59.15a**

וַתְּהִי הָאֱמֶת נֶעְדֶּרֶת וְסָר מֵרָע מִשְׁתּוֹלֵל וַיַּרְא יְהוָה
וַיֵּרַע בְּעֵינָיו כִּי־אֵין מִשְׁפָּט׃

Sim, a verdade sumiu, e quem se desvia do mal é tratado como presa. A *verdade*, que é o *guia* ideal da sociedade, tinha caído em desuso. Se alguém resolvesse agir corretamente, estava oferecendo-se ao ataque da parte de outros. Iria tornar-se *presa* de homens iníquos que estivessem no controle das coisas. "A verdade estava em falta" (Torrey, *in loc.*). A verdade tornou-se o elo ausente da sociedade. Cf. a ausência da verdade em Os 4.1. "aquele que não cede diante dos vícios prevalentes da época em que vive... torna-se vítima de outros; opróbrio e alvo de zombaria para eles" (John Gill, *in loc.*). Logo são encontrados mecanismos pelos quais tal indivíduo pode ser vitimado: encontrando falsas testemunhas contra ele; apresentando-o em tribunal; tomando sua propriedade e até arrebatando-lhe a vida.

Quinta Estrofe: A Divina Intervenção no Futuro (59.15b-17)

■ **59.15b,16**

וַיַּרְא כִּי־אֵין אִישׁ וַיִּשְׁתּוֹמֵם כִּי אֵין מַפְגִּיעַ וַתּוֹשַׁע לוֹ
זְרֹעוֹ וְצִדְקָתוֹ הִיא סְמָכָתְהוּ׃

O Senhor viu isso, e desaprovou o não haver justiça. A *apostasia geral* e a corrupção se tinham tornado tão entranhadas na sociedade que a afastavam de qualquer forma de movimento reformador. A situação tornara-se sem esperança. Não havia agentes humanos capazes de produzir mudanças. Teria de haver intervenção divina. Yahweh examinara a situação e ficara *desagradado*, porquanto não havia *justiça*. Deus ficara *espantado* (um forte *antropopatismo*: atribuir a Deus emoções humanas; ver a respeito no *Dicionário*). O seu espanto devia-se ao fato de que ele não encontrou um único mediador ou instrumento humano que pudesse usar para corrigir as coisas. Ele precisou fazer a obra de julgamento por si mesmo, estendendo seu próprio *braço* (ver Sl 77.15; 89.10; 98.1 quanto à metáfora). O que endireitaria as coisas seria o próprio poder divino, o próprio ato de Deus. Em outras palavras, Deus curaria através do julgamento severo e eficaz; mas no final venceria o bem.

Historicamente, é provável que tenhamos em vista aqui o cativeiro babilônico; talvez, como supõem alguns estudiosos, o texto contemple a cura de Israel, através do julgamento divino, antes da era do reino de Deus.

> Dá-me a tua indignação — que é amor.
> tua ira fere, porque tem de abençoar.
> Reunindo em união calma e forte,
> Todas as coisas na terra, acima e abaixo.
>
> George McDonald

Note o leitor a série de excelentes percepções: a *ira é amor* em operação, porquanto produz o bem, a intenção mesma do amor. A ira é feroz, mas é *bênção* disfarçada. A ira produz bendita *união* na terra, sob a terra e acima da terra, as três esferas da existência humana.

■ **59.17**

וַיִּלְבַּשׁ צְדָקָה כַּשִּׁרְיָן וְכוֹבַע יְשׁוּעָה בְּרֹאשׁוֹ וַיִּלְבַּשׁ
בִּגְדֵי נָקָם תִּלְבֹּשֶׁת וַיַּעַט כַּמְעִיל קִנְאָה׃

Vestiu-se de justiça, como de uma couraça. Yahweh se vestiu e se armou como se fosse um guerreiro, porquanto iria passar julgamento. Não havia outra solução. Ele só podia curar através de dores severas, pois essa seria a única coisa que Judá compreenderia. Cf. essa figura do guerreiro divino com Is 42.13; 49.25; 52.10; Êx 15.3. A armadura de Deus é simbólica, e nela cada peça tem seu próprio significado. A cota de armas significa a *retidão*. Ver como Paulo empregou esse texto, tomando por empréstimo partes dele para seu "simbolismo da armadura" (Ef 6.13-18). Ali e em Is 6.14 a couraça significa *retidão*. Então o capacete, em ambos os textos, aponta para *salvação*. Ver Ef 6.17 quanto a isso. As *vestes* indefinidas nos escritos de Isaías apontam para *vingança*; e então uma grande peça de tecido, enrolada em torno do corpo, significa *fúria*. Note o leitor como as peças da armadura, consideradas no conjunto, representam o *julgamento* e seus resultados; a *salvação* operava através da ira. Tudo se baseava na *santidade*, o atributo de Deus que precisava ser satisfeito nos julgamentos divinos. Cf. Is 42.13; Êx 20.5; 34.13; Dt 5.9 e Zc 8.2.

A passagem influenciou escritores posteriores, como os autores de Sabedoria de Salomão 5.17-23; Ef 6.14-16 e 1Ts 5.8.

"A vestidura representa a *túnica curta,* que ficava por sobre o peitoral; o *manto,* escarlata em sua cor (a *chalmys* dos soldados romanos); sua cor era um símbolo apropriado para representar o zelo de Yahweh" (Ellicott, *in loc.*).

Sexta Estrofe: Deus como o Redentor (59.18-21)

■ 59.18

כְּעַ֤ל גְּמֻלוֹת֙ כְּעַ֣ל יְשַׁלֵּ֔ם חֵמָ֥ה לְצָרָ֖יו גְּמ֣וּל לְאֹיְבָ֑יו לָאִיִּ֖ים גְּמ֥וּל יְשַׁלֵּֽם׃

Segundo as obras deles, assim retribuirá. Seguindo a ordem típica das ideias, o julgamento de Judá seria seguido pela ideia da redenção; e, conforme por tantas vezes ocorre, isso acontece, pelo menos na prática, através do julgamento dos inimigos. Não há identificação específica dos inimigos aqui. O vs. 21 quase certamente tem sentido *escatológico,* mas também existem intérpretes que o consideram um comentário editorial posterior.

Os inimigos identificados aparentemente estavam espalhados pelas costas marítimas referidas, embora não identificadas. Encontramos aqui uma situação de semeadura e colheita. Os inimigos de Israel foram *castigados* pelas maldades que haviam praticado. Está em mira a defesa do *povo de Deus.* Esta referência parece justificar a visão escatológica da estrofe, inteiramente à parte do vs. 21. Cf. Ap 16.20 e o trecho paralelo de Rm 11.26.

■ 59.19

וְיִֽירְא֤וּ מִֽמַּעֲרָב֙ אֶת־שֵׁ֣ם יְהוָ֔ה וּמִמִּזְרַח־שֶׁ֖מֶשׁ אֶת־כְּבוֹד֑וֹ כִּֽי־יָב֤וֹא כַנָּהָר֙ צָ֔ר ר֥וּחַ יְהוָ֖ה נֹ֥סְסָה בֽוֹ׃

Temerão, pois, o nome do Senhor desde o poente. Por motivo de julgamentos não especificados, haverá temor generalizado de Yahweh, desde as extremidades do Oriente até onde o sol se põe no Ocidente. A glória de Yahweh se estenderá de uma até a outra extremidade do céu, por sobre toda a terra. A ira de Yahweh fará estacar todos os adversários de Israel, sendo como um rio poderoso impulsionado pelo sopro do Senhor. O rio irromperá através de todas as barreiras naturais que o continham, sendo impelido o tempo todo pelo vento divino. Cf. Is 30.27,28. Quanto à poderosa e universal teofania, cf. Is 40.5; 60.1,2 e 66.18,19. Alguns intérpretes veem aqui o julgamento poderoso da segunda vinda de Cristo, o instrumento que trará a era do reino de Deus.

O original hebraico da segunda parte do versículo é obscuro, e alguns pensam que o inimigo de Israel virá como um dilúvio somente para ser detido pelo *Espírito* (e não pelo vento) do Senhor. Mas Yahweh quase certamente é o tema aqui, e o vento, o sopro divino que derrota os inimigos de Israel, é como um grande dilúvio.

O Senhor virá rapidamente como um rio veloz, impulsionado pelo sopro do Senhor.

NCV

■ 59.20

וּבָ֤א לְצִיּוֹן֙ גּוֹאֵ֔ל וּלְשָׁבֵ֥י פֶ֖שַׁע בְּיַעֲקֹ֑ב נְאֻ֖ם יְהוָֽה׃

Virá o Redentor a Sião e aos de Jacó que se converterem. Yahweh manifesta-se como Juiz e Redentor. Com algumas modificações (a maior parte derivada da Septuaginta), Paulo citou este versículo em Rm 11.26, conferindo-lhe um significado escatológico, pois seu verdadeiro cumprimento trará a introdução da era do reino. Cf. Is 41.14. A vinda de Yahweh a Sião tem um aspecto remidor, especificamente aos que olharem para ele arrependidos. "Todo o Israel será salvo." Ver minha interpretação sobre isso no *Novo Testamento Interpretado.* "O julgamento, embora aterrorizante para todos quantos forem confrontados pelo Espírito de Deus, torna-se a bendita purificação de seu povo fiel. É essa segurança da purificação de todos os males que faz um crente cantar: 'tua justiça é a coisa mais alegre que a criação pode contemplar' (Frederick Faber)" (Henry Sloane Coffin, *in loc.*).

Diz o Targum: "... o Redentor virá a Sião e entregará à lei os transgressores da casa de Jacó".

■ 59.21

וַאֲנִ֗י זֹ֣את בְּרִיתִ֤י אוֹתָם֙ אָמַ֣ר יְהוָ֔ה רוּחִי֙ אֲשֶׁ֣ר עָלֶ֔יךָ וּדְבָרַ֖י אֲשֶׁר־שַׂ֣מְתִּי בְּפִ֑יךָ לֹֽא־יָמ֡וּשׁוּ מִפִּיךָ֩ וּמִפִּ֨י זַרְעֲךָ֜ וּמִפִּ֨י זֶ֤רַע זַרְעֲךָ֙ אָמַ֣ר יְהוָ֔ה מֵעַתָּ֖ה וְעַד־עוֹלָֽם׃ ס

Quanto a mim, esta é a minha aliança com eles. *O Pacto Eterno.* Este pacto com Israel absorve todos os demais, como o abraâmico, o mosaico, o davídico etc. Ver o artigo denominado *Pactos,* no *Dicionário,* para detalhes sobre a ideia do pacto e, para breves descrições desses pactos, ver a Bíblia propriamente dita. O versículo seria um bom ponto de conclusão do livro e, na realidade, é uma marca de conclusão, mesmo que não tenha sido posta fisicamente no fim do livro de Isaías. O pacto foi firmado com o testemunho e a agência do Espírito. Outrossim, esse mesmo Espírito será o contínuo aplicador dos termos e do poder do pacto, e jamais permitirá que o pacto caia em desuso. As palavras do pacto serão postas na boca e no coração das pessoas com quem a aliança foi feita, e elas, inspiradas pelo Espírito, nunca deixarão de falar no pacto, professando-o e consentindo com ele de todo o coração. Essa condição passaria de geração a geração, *para sempre.* Portanto, temos as palavras de Yahweh no coração, bem como a presença interior do Espírito, que nos concede verdadeira regeneração. "Este é um dos versículos que sumariam a vida religiosa de um povo e de uma era" (James Muilenburg, *in loc.*). Do ponto de vista judaico, a essência do pacto é uma vida piedosa que vive em concordância com o espírito e a essência da lei. Mas, colocando tudo isso na era do reino de Deus, o Espírito Santo adicionou nova dimensão, a que chegou até nós através da missão do Messias, incluindo as suas boas-novas a todos os homens, bem como os poderes transformadores superiores da época áurea do milênio.

"Quando o Messias retornar em julgamento (vs. 18), ele inaugurará o seu *pacto* (em outros lugares chamado de novo pacto; ver Jr 31.31), derramando seu Espírito sobre os israelitas crentes (ver Ez 36.27; Jl 2.29) e instilando neles suas palavras (ver Jr 31.33,34 e Ez 36.27)" (John S. Martin, *in loc.*).

CAPÍTULO SESSENTA

A GLÓRIA VINDOURA DO SENHOR (60.1-22)

Paz e Prosperidade. O tema essencial deste poema é o que foi expresso no trecho de Is 40.5: "A glória do Senhor se manifestará e toda carne a verá, pois a boca do Senhor o disse".

Ocorrerá a vinda espetacular do dia futuro, quando resplandecer a glória do sol oriental, onde o sol costuma saltar acima do horizonte, com seus raios de extremo brilho iluminando a terra toda, de leste a oeste. A melancolia da maior parte do capítulo 59 de Isaías será assim de súbito revertida pelo novo dia, a época áurea. A Luz, naturalmente, será universal, porquanto destina-se a todos os povos, e não somente ao povo de Israel (vss. 2,3). A palavra-chave que rebrilha ao longo de todo o poema é *glória.* Ver no *Dicionário* o artigo chamado *Glória.* Cf. Êx 19.16 ss.; 24.16 ss.; Dt 5.22-27. O Antigo Testamento, em suas revelações teofânicas, foi dado por Yahweh e usualmente manifesta o próprio Yahweh ou suas obras significativas. São questões de fogo e de luz resplendente. Ver Is 6.1-30; Sl 18.8 ss.; Hc 3.1-17; Ez 1.1-28.

"Essa mescla das manifestações externas e físicas com a revelação espiritual é uma das características centrais da apresentação escatológica do poeta. Vemos o sol elevando-se sobre Jerusalém, iluminando a cidade inteira em uma chama luminosa; a cidade se tornará a nova Jerusalém, onde a glória de Deus habita. As nações trarão seus presentes de ouro, prata e pedras preciosas, e os dons são designados para a adoração de Deus, em seu santo templo. Os hebreus nunca se cansaram do que é detalhe concreto, físico, e talvez a distinção entre o que é *físico* e o que é *espiritual* nunca lhes tenha ocorrido... Por conseguinte, é um erro divorciar o que é literal e material do que é simbólico e espiritual" (James Muilenburg, *na introdução* ao capítulo 60 de Isaías).

A passagem de 60.1–62.2 do livro de Isaías contém diversos poemas sobre a glória de Jerusalém e sobre o povo de Deus, que nos fazem lembrar Is 40—55. O poema do capítulo 60 é uma composição elaborada, dotada de *dez estrofes.*

Primeira Estrofe: O Alvorecer da Glória (60.1-3)

Alvorecer, pois a nova era terá chegado. Alvorecer, pois o mundo inteiro alvorecia em Sião. Assim, o profeta dirigiu-se a Sião (a cidade de Deus, a cidade de Davi, onde ficava o templo), ordenando-lhe que se levantasse para a ocasião e refletisse o resplendor do brilho do novo dia em um mundo ainda mergulhado nas trevas das eras anteriores. A luz de Jerusalém seria tão brilhante que Sião serviria como a alvorada do mundo inteiro. A Luz é a *glória* de Yahweh, a sua *salvação* no mundo; a regeneração dos povos e tudo quanto isso significa. A Luz de Yahweh será a nova vida da era do reino de Deus.

■ **60.1**

קוּמִי אוֹרִי כִּי בָא אוֹרֵךְ וּכְבוֹד יְהוָה עָלַיִךְ זָרָח׃

Dispõe-te, resplandece, porque vem a tua luz. Na língua inglesa, as duas primeiras palavras da frase tornaram-se tradicionais para alertar uma pessoa que dorme, mostrando-lhe que é tempo de ficar ativa. Chegaram a ser usadas nas missões espaciais pelos controladores de terra, a fim de despertar os astronautas pela manhã. Sião foi retratada como uma mulher caída de costas, derrubada pelas vicissitudes da vida, mas que agora recebia ordens para aceitar a luz do Senhor. A alvorada da era do Reino tinha chegado. A glória do Senhor agora traria um novo dia. Sião haveria de tornar-se um grande refletor da Luz por amor a todas as nações que entrarão na época áurea. Ver no *Dicionário* o artigo chamado *Luz, Metáfora da*.

A *Luz* é a automanifestação de Yahweh, que transforma todas as coisas. Cf. Is 6.3; Sl 57.5,11; 72.10. "Ela jazia prostrada, como que nas trevas do *sheol* (ver Is 51.23 e 57.9). Chegou, porém, a palavra que lhe ordenava entrar em uma vida nova, radiante com a glória do Senhor. Talvez tenhamos em Ef 5.14 um eco, embora não uma citação destas palavras do profeta" (Ellicott, *in loc.*).

■ **60.2**

כִּי־הִנֵּה הַחֹשֶׁךְ יְכַסֶּה־אֶרֶץ וַעֲרָפֶל לְאֻמִּים וְעָלַיִךְ יִזְרַח יְהוָה וּכְבוֹדוֹ עָלַיִךְ יֵרָאֶה׃

Porque eis que as trevas cobrem a terra, e a escuridão os povos. O contraste entre *a luz e as trevas* compõe a metáfora, conforme também trato a questão no artigo chamado *Luz, Metáfora da*, no *Dicionário*. As trevas controlam o desespero do pecado-melancolia de condições e entidades sinistras. Sião sairá da melancolia em primeiro lugar, e então terá o dever e o privilégio de trazer a luz que dispersará as trevas pelo mundo inteiro. O Senhor (Yahweh) é agora a Luz, e também o Sol que se levanta para dispersar as trevas mundiais. A Luz de Yahweh redundará na sua glória, na sua presença e na sua salvação. Ver no *Dicionário* o artigo chamado *Glória*. Os homens estavam tateando na anarquia moral, controlados pela anarquia moral e por forças sinistras, naturais e sobrenaturais. Cf. Ml 4.2 e Sl 84.11. Ver também Ez 1.4-28 e 10.4.

■ **60.3**

וְהָלְכוּ גוֹיִם לְאוֹרֵךְ וּמְלָכִים לְנֹגַהּ זַרְחֵךְ׃

As nações se encaminham para a tua luz. Israel reflete e torna-se a luz do Senhor, a fonte luminosa. Isso atrairá os gentios que estarão fugindo de suas trevas para o *brilho* da luz. A luz tem uma atração magnética para os olhos daqueles que estão em trevas. Ela destaca a possibilidade de uma nova esperança. A vida está na Luz, e os que estão no vale e na sombra da morte fogem de seu estado mórbido, buscando nova vida e novos propósitos na vida. As nações se dirigirão para a cidade santa (ver Is 2.2-4; Mq 4.1-5). A era messiânica terá alvorecido. Será o dia da salvação para todos. Haverá o resplendor da nova alvorada. Cf. Is 10.17; Sl 104.2; Mq 7.8. Ver também Mt 4.16, que tem palavras bastante parecidas com as do presente texto.

Segunda Estrofe: As Riquezas das Nações (60.4,5)

■ **60.4**

שְׂאִי־סָבִיב עֵינַיִךְ וּרְאִי כֻּלָּם נִקְבְּצוּ בָאוּ־לָךְ בָּנַיִךְ מֵרָחוֹק יָבֹאוּ וּבְנֹתַיִךְ עַל־צַד תֵּאָמַנָה׃

Levanta em redor os teus olhos, e vê. Agora Sião será a mãe Universal, chamada a contemplar e observar a beleza de seus filhos (todas as raças) que correrão a ela, *voltando para casa*. Todas as ovelhas desviadas são recolhidas, as que pertencem ao rebanho de Israel e as que pertencem a outros rebanhos (ver Jo 10.16). Todos os rebanhos terão o mesmo pastor e participarão da mesma salvação.

Tuas filhas são trazidas nos braços. Esta é uma alusão ao costume oriental de a mãe carregar sua criança sobre os lombos, enquanto caminha, prática que ainda prevalece nos países do Oriente. Assim sendo, filhos e filhas, pequenos e grandes, chegam correndo, e até crianças pequenas (que ainda mamam) são transportadas nos quadris maternos. Alguns filhos chegarão caminhando, outros chegarão correndo, outros chegarão carregados — mas todos chegarão. Será uma cena jubilosa.

■ **60.5**

אָז תִּרְאִי וְנָהַרְתְּ וּפָחַד וְרָחַב לְבָבֵךְ כִּי־יֵהָפֵךְ עָלַיִךְ הֲמוֹן יָם חֵיל גּוֹיִם יָבֹאוּ לָךְ׃

Então o verás, e serás radiante de alegria. Os povos chegarão por via marítima. Será uma reunião universal. Olham para cima e veem Jerusalém, a cidade dourada, brilhando tanto à distância, que seus olhos se iluminarão de júbilo. Os olhos da mãe Jerusalém também se iluminarão, ao ver ela o maravilhoso ajuntamento. Todos eles são pessoas remidas (ver Is 11.9), e algo totalmente extraordinário terá acontecido. Isso tudo porque Yahweh é a alvorada, e ele se ergueu sobre o mundo. As nações trarão suas riquezas a Jerusalém, que se tornará a cidade mais rica e poderosa do mundo. Ela se tornará a capital e a cabeça das nações. As maiores riquezas são de natureza espiritual, pois haverá salvação universal. "Glória é uma palavra que algumas vezes significa riquezas (ver Gn 13.2; 45.13; Sl 49.17; Na 2.9) e, conforme informo ao leitor na introdução a estes capítulos, o material e o espiritual mesclam-se aqui, em um simbolismo que a concreta mente dos hebreus inventou. "A pobreza da cidade terá sido substituída pelas riquezas (45.14; 61.6)" (*Oxford Annotated Bible*, comentando sobre este versículo). Ver também Is 60.11; Hc 2.7,8; Zc 14.14.

Terceira Estrofe: A Homenagem e o Tributo do Oriente (60.6,7)

■ **60.6**

שִׁפְעַת גְּמַלִּים תְּכַסֵּךְ בִּכְרֵי מִדְיָן וְעֵיפָה כֻּלָּם מִשְּׁבָא יָבֹאוּ זָהָב וּלְבוֹנָה יִשָּׂאוּ וּתְהִלֹּת יְהוָה יְבַשֵּׂרוּ׃

A multidão de camelos te cobrirá, os dromedários de Midiã e de Efá. No vs. 5, vimos as riquezas dos povos marítimos, que traziam suas riquezas a Jerusalém. Agora o povo que vivia no interior dos países empregava veículos terrestres, como o camelo, para trazer a Jerusalém as riquezas das nações circundantes. *Três nações* são mencionadas neste versículo: *Midiã*, ao sul do mar Morto; *Efá*, um ramo dos midianitas, visto que Midiã era pai de Efá (ver Gn 25.4; 1Cr 1.33); e *Sabá*, provavelmente os sabeus do sudoeste da Arábia. Ver sobre todos esses nomes próprios no *Dicionário*, quanto a detalhes. Todos os habitantes desses países trarão seus produtos, entre os quais ouro e incenso e, juntamente, riquezas espirituais, porquanto também publicarão os louvores de Yahweh. Novamente, o material e o espiritual se mesclarão em uma única riqueza da alma.

■ **60.7**

כָּל־צֹאן קֵדָר יִקָּבְצוּ לָךְ אֵילֵי נְבָיוֹת יְשָׁרְתוּנֶךְ יַעֲלוּ עַל־רָצוֹן מִזְבְּחִי וּבֵית תִּפְאַרְתִּי אֲפָאֵר׃

Todas as ovelhas de Quedar se reunirão junto de ti... Nebaiote. Ver no *Dicionário* os artigos chamados *Quedar* e *Nebaiote*. Quedar ficava no norte da Arábia, e Nebaiote, ao que tudo indica, era uma tribo árabe, pois esse nome designa o filho mais velho de Ismael (ver Gn 25.13). Esses trarão seus produtos e ministrarão a Jerusalém. A especialidade deles eram animais domesticados em grandes números. Eles trarão animais para serem sacrificados, e estes serão aceitos por Yahweh, em seu culto. Nesses povos, Yahweh glorificará sua casa e exaltará o culto a si prestado, e as nações se tornarão uma só em sua fé religiosa. "O pensamento primário é que o templo será suprido de sacrifícios com base nos rebanhos inexauríveis daquelas regiões" (Ellicott, *in loc.*). "Durante a nova era, o templo será restaurado como a habitação da glória de Deus (ver Is 63.15; 64.11)" (James Muilenburg, *in loc.*), e talvez novamente devamos compreender aqui a mescla do material com o espiritual, que a concreta mente dos hebreus não separava em suas descrições).

Quarta Estrofe: Flotilhas de Exilados Vindos do Ocidente (60.8,9)

■ 60.8

מִי־אֵלֶּה כָּעָב תְּעוּפֶינָה וְכַיּוֹנִים אֶל־אֲרֻבֹּתֵיהֶם׃

Quem são estes que vêm voando como nuvens...? Os vss. 5-7 falam de povos distintos que se precipitarão sobre Jerusalém, vindos de diferentes direções e chegando em diferentes veículos. Agora o profeta volve os olhos para o Ocidente e vê os navios do Mediterrâneo trazendo suas cargas a Jerusalém. Mas a carga principal são os próprios filhos de Israel que estarão voltando à sua mãe.

Quem são estes? Cf. Is 63.1; Ct 3.6 e 8.5. À distância, os olhos do profeta viram os mastros brancos de velas enfunadas aproximando-se rapidamente de seu alvo, a cidade santa. Milhares e milhares de exilados estarão voltando para casa, e a população de Jerusalém aumentará incrivelmente. Estamos vendo aqui a reunião de exilados vindos da dispersão romana, uma grande reversão histórica que significará a total restauração de Jerusalém para que ela entre na época áurea. Os filhos que assim retornarão não chegarão de mãos vazias, mas, antes, como aqueles que fugiram do Egito, virão carregados de bens preciosos e muito caros.

> *O povo está retornando a ti, como nuvens. Eles são como pombas voando para os seus ninhos.*
>
> NCV

■ 60.9

כִּי־לִי ׀ אִיִּים יְקַוּוּ וָאֳנִיּוֹת תַּרְשִׁישׁ בָּרִאשֹׁנָה לְהָבִיא בָנַיִךְ מֵרָחוֹק כַּסְפָּם וּזְהָבָם אִתָּם לְשֵׁם יְהוָה אֱלֹהַיִךְ וְלִקְדוֹשׁ יִשְׂרָאֵל כִּי פֵאֲרָךְ׃

Certamente as terras do mar me aguardarão. Entre os muitos navios que se parecerão como pombas voando para seus ninhos, estarão os navios de Társis. Eles estarão sobrecarregados com a preciosa carga de milhares de filhos de Israel que retornam à Terra Prometida. E com eles também vem muita riqueza sob a forma de ouro e prata. Eles não chegarão de mãos vazias, mas trarão riquezas a Jerusalém. Tudo isso acontecerá para honrar a Yahweh, o Deus deles, que é a causa dos acontecimentos mundiais. Ele é quem trará de volta os filhos de Israel, e será louvado por isso. Ele é o *Santo de Israel* (ver no *Dicionário*) e operará essas coisas maravilhosas. Jerusalém tinha sido glorificada por Yahweh, e a volta de seus filhos é parte dessa glorificação. Jerusalém, uma vez glorificada, glorificará a Yahweh, aquele que opera maravilhas. Os filhos de Israel trarão riquezas para honrar a Yahweh, e o honrarão com a própria vida. Uma vez mais, o espiritual e o material mesclam-se na mesma declaração. Ver no *Dicionário* o artigo chamado *Társis*. Isso representa lugares distantes, na extremidade do mundo então conhecido pelos judeus.

Quinta Estrofe: A Restauração das Muralhas e a Riqueza das Nações (60.10-12)

■ 60.10

וּבָנוּ בְנֵי־נֵכָר חֹמֹתַיִךְ וּמַלְכֵיהֶם יְשָׁרְתוּנֶךְ כִּי בְקִצְפִּי הִכִּיתִיךְ וּבִרְצוֹנִי רִחַמְתִּיךְ׃

Estrangeiros edificarão os teus muros, e os seus reis te servirão. Continua aqui o tema da glória vindoura do Senhor. Na história passada, poderes estrangeiros invadiram Judá para destruí-lo, especialmente a capital, Jerusalém. Isso será anulado e revertido, pois agora veremos nações "invadindo" Jerusalém para reconstruí-la! Nações chegarão com tributo e devoção, e não com exércitos destruidores. Virão para fazer o bem, não para praticar o mal. Virão como filhos, não como inimigos.

Não nos convém pressionar atrás de detalhes, conforme faz a posição do *quiliasmo*. Ver sobre esse termo no *Dicionário*. Não sabemos dizer se a Jerusalém do milênio terá muralhas literais ou não, nem se povos estrangeiros tomarão sobre si o dever de construir tais muralhas. Pressionando no que é figurado, talvez percamos de vista o sentido espiritual. A honra, a força e a proteção de Jerusalém são dadas pelos "filhos vindos de longe". Eles virão como *edificadores*, material e espiritualmente falando. As nações enviarão seus elementos de escol para ajudar, e não meramente indivíduos subordinados. Aquela gente tinha sido ferida por Yahweh, conforme sucedeu também ao povo de Israel, mas o dia de ferimentos estava esquecido no passado, e o amor, a misericórdia e a graça tinham tomado o lugar desses castigos. Não admira, portanto, que a reconstrução seja tão grande e tão eficaz! O objeto específico dos antigos castigos enviados era Jerusalém, e assim também agora esse lugar e esse povo são os objetos específicos da reconstrução por parte de estrangeiros, que tinham sido antigamente os instrumentos dos castigos. O pecado causara os castigos. O arrependimento e a salvação serão a causa da reconstrução.

■ 60.11

וּפִתְּחוּ שְׁעָרַיִךְ תָּמִיד יוֹמָם וָלַיְלָה לֹא יִסָּגֵרוּ לְהָבִיא אֵלַיִךְ חֵיל גּוֹיִם וּמַלְכֵיהֶם נְהוּגִים׃

As tuas portas estarão abertas de contínuo. Não haverá perigos escondidos "lá fora". Antes, haverá paz e harmonia. Atos militares e criminosos terão terminado. Por isso, as portas da cidade poderão ficar abertas tanto de dia quanto de noite, e Jerusalém será uma cidade que nunca dorme. As riquezas continuarão a derramar-se sobre ela continuamente, vindas de toda parte. E o bem-estar espiritual fluirá sobre a cidade como se fossem as águas do rio Amazonas. Reis dirigirão cortejos em redor da cidade em honra a Yahweh. Ap 21.24-27 depende deste poema, provendo um comentário divino sobre o seu significado. Cf. Zc 14.14. Desde o mais ínfimo até o mais importante, todos os homens serão servos tanto de Jerusalém quanto de Yahweh. Isso será assim porque o grande dia da salvação de Deus terá chegado, a grande utopia espiritual. Ver no *Dicionário* o verbete chamado *Milênio*, quanto a maiores detalhes.

■ 60.12

כִּי־הַגּוֹי וְהַמַּמְלָכָה אֲשֶׁר לֹא־יַעַבְדוּךְ יֹאבֵדוּ וְהַגּוֹיִם חָרֹב יֶחֱרָבוּ׃

Porque a nação e o reino que não te servirem, perecerão. Quase certamente, este versículo é uma glosa feita por um editor posterior que compreendeu mal a elevada natureza espiritual do poema, injetando-a em uma antiga advertência que dizia: "se vos desviardes do caminho". Alguns intérpretes dispensacionalistas fazem esse belicoso sentimento aplicar-se ao fim do milênio, vendo aí um paralelo de Ap 20.7-10, a revolta final de Satanás e a confusão que se espera que ele causará na terra. Cf. Zc 14.17,18, trecho similar ao presente, mostrando uma série de ameaças a povos desobedientes durante a era do reino. Mas parece melhor ficarmos com a teoria da "adição" ao versículo, porquanto essa parte foi escrita em forma de prosa, enquanto o resto é poesia.

Sexta Estrofe: O Templo Será Reconstruído (60.13,14)

■ 60.13

כְּבוֹד הַלְּבָנוֹן אֵלַיִךְ יָבוֹא בְּרוֹשׁ תִּדְהָר וּתְאַשּׁוּר יַחְדָּו לְפָאֵר מְקוֹם מִקְדָּשִׁי וּמְקוֹם רַגְלַי אֲכַבֵּד׃

A glória do Líbano virá a ti; o cipreste, o olmeiro e o buxo conjuntamente. A nova Jerusalém não seria adequada sem um novo templo. Mas note o leitor que não temos aqui menção ao templo espiritual de Ap 21.22, onde o Senhor e o Cordeiro são o templo. Uma linha de raciocínio é que a Jerusalém literal, terrena, uma vez restaurada, terá o seu templo, enquanto a Jerusalém celestial não terá templo algum. O fato é que o Líbano, que antigamente forneceu madeira para a construção do templo (ver 1Rs 5.8-10), novamente contribuirá. O novo templo, portanto, apropriadamente embelezado, se tornará o escabelo do Deus Todo-poderoso e será um lugar de suas manifestações especiais. Ver no *Dicionário* o artigo chamado *glória Shekinah*. Quanto ao escabelo de Yahweh, ver Sl 99.5; 132.7 e 1Cr 28.2. Quanto à ornamentação do santuário, ver Jr 17.12.

60.14

וְהָלְכוּ אֵלַיִךְ שְׁחוֹחַ בְּנֵי מְעַנַּיִךְ וְהִשְׁתַּחֲווּ עַל־כַּפּוֹת
רַגְלַיִךְ כָּל־מְנַאֲצָיִךְ וְקָרְאוּ לָךְ עִיר יְהוָה צִיּוֹן קְדוֹשׁ
יִשְׂרָאֵל׃

Também virão a ti, inclinando-se, os filhos dos que te oprimiram. *Antigas hostilidades milenares* serão eliminadas em meio à harmonia universal. Os salvos dentre as nações serão irmãos dos salvos de Israel. Os opressores se tornarão amigos; os que antes queriam governar Israel serão subservientes. Jerusalém será conhecida como a Cidade do Senhor, Sião, a cidade do *Santo de Israel* (ver a respeito no *Dicionário*). Jerusalém se tornará a capital religiosa do mundo, mas a antiga fé de Israel, de forma nova e elevada, terá a ascendência.

Sétima Estrofe: A Cidade Eterna (60.15,16)

60.15

תַּחַת הֱיוֹתֵךְ עֲזוּבָה וּשְׂנוּאָה וְאֵין עוֹבֵר וְשַׂמְתִּיךְ
לִגְאוֹן עוֹלָם מְשׂוֹשׂ דּוֹר וָדוֹר׃

De abandonada e odiada que eras, de modo que ninguém passava por ti. Encontramos aqui uma Jerusalém completamente diferente, tanto em beleza quanto em glória. Em certos períodos de sua história, Jerusalém podia ser tudo, menos gloriosa, e certamente não era exaltada por outras nações. Antes, era o objeto de ódio e campanhas de destruição. Mas Jerusalém está destinada a tornar-se uma das cidades verdadeiramente grandes em todo o mundo. Antes era um lugar *abandonado* (ver Is 54.6,7), mas será altamente exaltada (ver Is 1.24 e Ez 16.1-63). Tendo atingido sua glória e posição, a cidade reterá essa condição por longo tempo, de era para era, e será a *alegria* de todas as nações, um lugar proveitoso de ser visitado quanto ao comércio, à erudição, ao estudo e à prática da religião. "... abandonada, a figura da filha de Sião, que tinha sido uma esposa abandonada e desprezada (cf. Is 62.4), mistura-se com o quadro literal de uma cidade arruinada, abandonada e sem visitantes" (Ellicott, *in loc.*). Esse passado lamentável será obliterado na elevação de Jerusalém como a principal das cidades do mundo.

60.16

וְיָנַקְתְּ חֲלֵב גּוֹיִם וְשֹׁד מְלָכִים תִּינָקִי וְיָדַעַתְּ כִּי אֲנִי
יְהוָה מוֹשִׁיעֵךְ וְגֹאֲלֵךְ אֲבִיר יַעֲקֹב׃

Mamarás o leite das nações, e te alimentarás ao peito dos reis. Jerusalém, como uma criança faminta, mamará o leite das nações e sugará o peito dos reis, metáfora estranha mas compreensível. Haverá ali grandes riquezas e suprimento para as nações gentílicas, e Jerusalém absorverá tudo isso e será supernutrida. Cf. Is 49.23 e Ez 16.1-63. As últimas duas linhas do versículo repetem Is 49.26. Yahweh será a causa de toda essa prosperidade. E será reconhecido como Salvador e Redentor, o Poderoso de Israel, o mesmo acúmulo de nomes divinos que se vê no versículo que acabamos de mencionar. Esse acúmulo de nomes permite-nos compreender que foi necessária uma *intervenção divina* para conseguir o que foi dito. Yahweh controla os eventos da existência humana, tanto pessoal quanto nacional. Ver Is 13.6, onde desenvolvo o tema. Note-se, novamente, que o material se mescla com o espiritual, em uma mistura que nossa interpretação não deve tentar separar. Os mercados e distritos comerciais de Jerusalém estão ocupados e cheios de produtos que demonstram suas riquezas, mas também há uma igreja em quase cada esquina.

Oitava Estrofe: Prosperidade e Paz da nova Jerusalém (60.17,18)

60.17

תַּחַת הַנְּחֹשֶׁת אָבִיא זָהָב וְתַחַת הַבַּרְזֶל אָבִיא כֶסֶף
וְתַחַת הָעֵצִים נְחֹשֶׁת וְתַחַת הָאֲבָנִים בַּרְזֶל וְשַׂמְתִּי
פְקֻדָּתֵךְ שָׁלוֹם וְנֹגְשַׂיִךְ צְדָקָה׃

Por bronze trarei ouro, por ferro trarei prata, por madeira bronze, e por pedras ferro. Sião será transformada externa (materialmente) e internamente (espiritualmente) no milênio. O poeta parece relembrar a idade de Salomão, tão grande para seu tempo, e, de fato, a época áurea da história de Israel (ver 1Rs 10.14,17,22), mas pequena quando comparada à Jerusalém da época áurea futura. Todas as coisas básicas relativas serão transformadas em coisas nobres: o bronze será substituído pelo ouro; o ferro será substituído pela prata; a madeira será substituída pelo bronze. Dons e tesouros fluirão para a Jerusalém restaurada, o que fará o período da Jerusalém da época de Salomão ser comparada a um pardieiro. A *paz* (personificada) seria o superintendente nacional. O novo capataz será a *retidão*. Novamente, as figuras materiais mesclam-se com as figuras espirituais. Yahweh é Paz; Yahweh é Retidão. Na época de Salomão, havia superintendentes e capatazes duros. O povo foi "impulsionado a ser grande", e pesados impostos foram cobrados para sustentar o estilo de vida de Salomão. Reoboão aumentou a carga e logo o Reino se dividiu em dois, o reino do norte e o reino do sul, por causa da revolta de Jeroboão contra os abusos. Ver 1Rs 12 quanto à história. Em vez de tais abusos, paz e retidão controlarão as coisas.

60.18

לֹא־יִשָּׁמַע עוֹד חָמָס בְּאַרְצֵךְ שֹׁד וָשֶׁבֶר בִּגְבוּלָיִךְ
וְקָרָאת יְשׁוּעָה חוֹמֹתַיִךְ וּשְׁעָרַיִךְ תְּהִלָּה׃

Nunca mais se ouvirá de violência na tua terra. No passado, a *violência* era uma palavra diariamente usada; a *devastação* atuava dentro das fronteiras de Israel. A sobrevivência dependia de a pessoa ser mais eficazmente violenta do que os opressores. Agora, porém, o nome das muralhas é *salvação*, isto é, intervenção divina e proteção. Os portões serão agora chamados *Louvor* (ver Is 60.6), porquanto nunca se deixam esmagar por homens violentos, e os portões guardam um povo próspero, feliz e espiritualmente poderoso. Grande prosperidade entrará através dos portões, em vez de inimigos invasores. Ver Is 60.6, e cf. Is 9.1-17 e 11.1-9. Jerusalém foi louvada pelo lado de dentro e pelo lado de fora. Quanto às *muralhas da salvação*, cf. Is 26.1.

Nona Estrofe: Deus é a Luz Eterna e a Glória de Sião (60.19,20)

60.19

לֹא־יִהְיֶה־לָּךְ עוֹד הַשֶּׁמֶשׁ לְאוֹר יוֹמָם וּלְנֹגַהּ הַיָּרֵחַ
לֹא־יָאִיר לָךְ וְהָיָה־לָךְ יְהוָה לְאוֹר עוֹלָם וֵאלֹהַיִךְ
לְתִפְאַרְתֵּךְ׃

Nunca mais te servirá o sol para luz do dia, nem com o seu resplendor a lua te alumiará. Esta estrofe retorna aos símbolos dos vss. 1-3, que iniciam o poema. A *glória*, que figura no começo do poema, é vista a espalhar sua luz sobrenatural em redor do mundo. Temos aqui a glória da luz eterna. Não há mais necessidade para sol e lua literais, porquanto Yahweh é a Luz. Portanto, temos aqui uma nova espécie de ato criado. Cf. Gn 1.3-5 quanto à luz original, e ver Gn 1.14-19 quanto ao sol e à lua. Estamos tratando de qualidades materiais e espirituais mescladas. Quanto à versão paralela sofisticada, ver Ap 21.23-25. Todas as coisas são espiritualizadas de tal modo que sol e lua não somente não serão mais necessários, nem ao menos existirão. Para compreender isso, temos de pensar nos mundos celestiais. A presença de Deus torna-se permanente, e não apenas um fenômeno ocasional.

Nem com o seu resplendor a lua te alumiará. O Sol do manuscrito hebraico dos Papiros do mar Morto, com base da Septuaginta, das antigas versões latinas e do Targum, diz: "dará a sua luz à noite". O texto massorético, porém, omite as palavras "à noite". Ocasionalmente, os manuscritos hebraicos de Isaías dos Papiros do mar Morto concordam com as versões e discordam do texto massorético. Quanto à importância desse fenômeno para a crítica textual do Antigo Testamento, ver as notas sobre Is 26.19, com gráficos ilustrativos acompanhantes.

A Luz Eterna. Pelo momento, qualquer necessidade de luz terrena deve ser esquecida. Nossa mente é elevada até a Jerusalém lá do alto, e ali encontramos uma poderosa luz, que é o Sol-Yahweh. Ali vemos Elohim, que é glorioso. As duas coisas são uma só, apenas nomes diferentes para a mesma pessoa. Assim obtemos o

Sol-Yahweh-Glória-Elohim, e essa é a Luz eterna que substituirá todas as outras formas de luz. Não se espera que indaguemos do poeta se ainda existirá a Jerusalém terrestre, uma cidade física e literal, e também uma Jerusalém celestial. Antes, devemos simplesmente compreender um grande acontecimento e estado espiritual em que os homens que estão na Luz receberão a vida eterna. Compreendemos, com base no Novo Testamento, que os homens compartilharão a natureza divina, pelo que se tornarão luzes divinas, como filhos que são do Pai celestial (2Pe 1.4; 1Jo 3.2). Mas as descrições do Antigo Testamento nunca atingem o topo da montanha. As descrições do poeta tornam-se cada vez mais ousadas e transcendentais, até não nos encontrarmos mais na esfera terrena, embora, quando começamos, ainda tivesse sentido falar na Jerusalém terrena.

■ 60.20

לֹא־יָבוֹא עוֹד שִׁמְשֵׁךְ וִירֵחֵךְ לֹא יֵאָסֵף כִּי יְהוָה יִהְיֶה־לָּךְ לְאוֹר עוֹלָם וְשָׁלְמוּ יְמֵי אֶבְלֵךְ׃

Nunca mais se porá o teu sol, nem a tua lua minguará. *O sol percorre o seu ciclo* e deixa o homem em trevas por metade do tempo. A lua também torna-se cada vez mais fraca em seu resplendor, por um período a cada mês. Os antigos não sabiam como explicar esses ciclos. Por outro lado, a Luz eterna não passará por ciclos de enfraquecimento. Por isso, o tempo da vida eterna será também de alegria perpétua. Cf. Is 35.10; 51.11; 65.18,19; 66.10; Ap 21.4. O claro dia de Deus está chegando, e o dia de tribulações e testes está quase passando. A época em que o sol se põe no horizonte e em que acontecem eclipses está quase terminada.

> Quando eu chegar ao fim do meu caminho,
> Quando eu descansar no final do dia de vida,
> Quando, recebido no lar, eu ouvir o Rei,
> Oh, isso será o nascer do sol para mim!
>
> Nascer do sol amanhã, nascer do sol amanhã,
> O nascer glorioso do sol espera por mim.
> Nascer do sol com Jesus, por toda a eternidade.
>
> William C. Poole

Décima Estrofe: O novo povo para o Novo Tempo (60.21,22)

■ 60.21

וְעַמֵּךְ כֻּלָּם צַדִּיקִים לְעוֹלָם יִירְשׁוּ אָרֶץ נֵצֶר מַטָּעוֹ מַעֲשֵׂה יָדַי לְהִתְפָּאֵר׃

Todos os do teu povo serão justos, para sempre herdarão a terra. "E assim todo o Israel será salvo" (Rm 11.26). A chamada evangélica tem sido 100% eficaz. Todo o povo será justo, e podemos supor que o mesmo será verdadeiro para todas as nações, pelo menos no começo do milênio. Esse será o mais surpreendente aspecto da utopia geral. Isso, porventura, significa que o Israel terreno continuará a existir juntamente com outros reinos, em tão fantástico estado espiritual, mas aqui na terra? Significará que haverá imortalidade mediante algum meio misterioso, sem o processo da vida-morte-vida? Ou será que essa "herança da terra" significa a terra celestial? Haverá alguma distinção entre Israel e a igreja; e, em caso positivo, qual distinção? Os intérpretes debatem-se com essas questões e dizem mais do que realmente sabem. Alguns supõem que tenhamos aqui *ideais escatológicos* que não devem ser pressionados quanto aos detalhes.

Seja como for, mediante duas metáforas, uma *agrícola* (o plantio) e a outra *criacional* (a nova criação), foi-nos dado entender que a questão toda será uma obra miraculosa de Deus. E assim como o poder de Deus dirige todos os acontecimentos humanos (ver as notas expositivas em Is 13.6), o seu poder também dirigirá todas as questões escatológicas. Todas as obras demonstrarão a grandeza de Deus.

Para Israel, a *salvação futura* aponta para a *possessão eterna da Terra Prometida*. Cf. Is 49.8; 57.13; 58.14; 61.7; 65.9; Am 9.15; Sl 25.13; 37.9,11. Quanto ao fato de que Yahweh *plantará* o seu povo, ver Is 5.1-17 e 61.3. Quanto a Israel *formado* por Yahweh, ver Is 37.26; 43.1 e 44.21,24.

■ 60.22

הַקָּטֹן יִהְיֶה לָאֶלֶף וְהַצָּעִיר לְגוֹי עָצוּם אֲנִי יְהוָה בְּעִתָּהּ אֲחִישֶׁנָּה׃ ס

O mais pequeno virá a ser mil, e o mínimo uma nação forte. Na futura economia de Deus para Israel está o ideal da *grande multiplicação* (um ideal do pacto abraâmico, comentado em Gn 15.18). Assim sendo, uma única pessoa se tornará um clã, e um clã se tornará uma poderosa nação. Dessa forma, bem em meio a todas as declarações e metáforas sobrenaturais e transcendentais, somos mergulhados na questão da procriação e multiplicação de pessoas terrenas, a menos naturalmente que essas afirmações sejam consideradas figuradamente. Yahweh, o grande Eu Sou, apressará o processo e a realização do grande ideal da multiplicação.

A obra *República* (VI.492), de Platão, tem um ideal similar: "Não quero que sejais ignorantes de que, no estado mal presente dos governos, qualquer coisa que seja salva e se torne boa, é salva pelo poder de Deus, conforme poderíamos dizer na verdade".

CAPÍTULO SESSENTA E UM

ALEGRES NOVAS DE SALVAÇÃO PARA SIÃO (61.1-11)

A Vinda do Messias. "A Missão a Sião. Este poema nos faz lembrar dos Cânticos do Servo, nos capítulos 42—53 do livro de Isaías, especialmente a porção de Is 50.4-11" (*Oxford Annotated Bible*, comentando sobre primeiro versículo deste capítulo). Este é um excelente poema que ilustra as operações da mente Oriental, com seu resplendente simbolismo e seus sentimentos profundos. Certamente este poema aplica-se à era do reino de Deus, mas reveste-se de caráter universal que pode falar de qualquer época. Jesus começou seu ministério na sinagoga de Nazaré citando essas palavras (ver Lc 4.16-20) e assim imortalizou-as para sempre como divinas e messiânicas. O poema destaca o mais elevado dos temas escatológicos: salvação, louvor, alegria, glorificação de Deus, o povo reto, os atos de semear e plantar, as nações estrangeiras e a proeminência de Sião entre os povos. "A sequência dos pensamentos nos capítulos 60—62 nos faz lembrar da sequência em Is 52.13—53.12. Primeiramente foi retratada a futura exaltação do Servo, em seguida, sua missão dolorosa e, finalmente, a recompensa de Deus no sucesso de sua missão" (Henry Sloane Coffin, *in loc.*).

Primeira Estrofe: O Evangelho Profético do Arauto (61.1-3)

■ 61.1

רוּחַ אֲדֹנָי יְהוִה עָלָי יַעַן מָשַׁח יְהוָה אֹתִי לְבַשֵּׂר עֲנָוִים שְׁלָחַנִי לַחֲבֹשׁ לְנִשְׁבְּרֵי־לֵב לִקְרֹא לִשְׁבוּיִם דְּרוֹר וְלַאֲסוּרִים פְּקַח־קוֹחַ׃

O Espírito do Senhor Deus está sobre mim, porque o Senhor me ungiu. Jesus, o Cristo, é o Servo aqui, e não a nação de Israel. Jesus aplicou essas palavras a seu próprio ministério, em Lc 4.16-20. Ele iniciou sua missão em Nazaré com essas palavras. A missão também não é a missão do profeta que deu o oráculo. Antes, está em vista o *Profeta Escatológico,* o Messias. Foi sobre ele que o Espírito Santo repousou de maneira toda especial, garantindo-lhe o sucesso. Cf. Is 42.1; 59.21; Nm 24.2; Mq 3.8; Zc 7.12. O Servo Especial foi ungido. Ver no *Dicionário* o artigo chamado *Unção.* Ele foi *nomeado* por decreto divino para realizar sua tarefa. Foi designado para pregar as *boas-novas,* e a Septuaginta tem a palavra familiar *euaggelion,* para indicar os evangelhos. Ver as notas expositivas em Is 40.9 quanto ao primeiro uso do termo no Antigo Testamento. Ver também Is 41.27 e 52.7. Sua missão foi ajudar os aflitos e pensar as feridas dos que tinham o coração ferido. "O Servo é o grande médico, e não meramente o evangelista" (Ellicott, *in loc.*). Ele é, igualmente, o grande Libertador que conduziu o mundo inteiro ao Ano de Jubileu (Lv 25.10; Ez 46.17 e Jr 34.8). Ele também abrirá todas as prisões e libertará os prisioneiros. A Septuaginta adiciona aqui: "Para recuperar a visão dos cegos", que faz parte da citação no Novo Testamento,

61.2

לִקְרֹא שְׁנַת־רָצוֹן לַיהוָה וְיוֹם נָקָם לֵאלֹהֵינוּ לְנַחֵם כָּל־אֲבֵלִים׃

A apregoar o ano aceitável do Senhor. No quarto capítulo de Lucas, essa é a linha que termina a citação da passagem feita pelo Senhor Jesus. Cf. Is 49.8. Talvez o Ano do Jubileu ainda estivesse na mente do profeta, o ano especial de libertação de todas as dívidas. Na aplicação do Novo Testamento, está em vista um tempo especial e oportuno para a missão messiânica, que foi cumprido pelo próprio Messias, em concordância com o cronograma de Deus. Está em pauta o tempo do ministério público do Messias. Alguns eruditos pensam estar em foco a *dispensação do evangelho;* mas essa ideia é menos provável.

O dia da vingança do nosso Deus. Alguns preferem a palavra *salvamento* a *vingança*, que está mais em consonância com a primeira cláusula. Mas o julgamento do mal necessariamente acompanha e contrasta o tempo da oportunidade, pois nem todos os homens aproveitam suas oportunidades. Os usos na língua ugarítica proveem certo número de instâncias em que *salvamento* é o significado da palavra cognata. Se vingança é a palavra realmente em foco, então talvez esteja em pauta o instrumento que a realizará antes da era do reino. Cf. Is 34.8; 35.4 e 63.4. "A vingança é um julgamento ocasional necessário para remover obstáculos pela graça de Deus... A igreja do Novo Testamento, olhando de volta para a vinda de Cristo... via tanto salvação quanto julgamento (ver Lc 2.34; 2Co 2.15,16; Jo 9.39)" (Henry Sloane Coffin, *in loc.*).

A consolar todos os que choram. A graciosa obra do evangelho inclui a consolação daqueles que estão tristes em suas tragédias pessoais, daqueles sobrecarregados pelo pecado, bem como das reversões gerais que a vida humana traz.

Alguns intérpretes veem especificamente o consolo de Israel após a Grande Tribulação como algo em pauta aqui (cf. Dn 7.21,24,25 e Ap 12.13-17), mas isso parece ser específico demais. Diz a NIV: "Para consolar todos os que choram". Essa é a generalização provavelmente tencionada.

61.3

לָשׂוּם לַאֲבֵלֵי צִיּוֹן לָתֵת לָהֶם פְּאֵר תַּחַת אֵפֶר שֶׁמֶן שָׂשׂוֹן תַּחַת אֵבֶל מַעֲטֵה תְהִלָּה תַּחַת רוּחַ כֵּהָה וְקֹרָא לָהֶם אֵילֵי הַצֶּדֶק מַטַּע יְהוָה לְהִתְפָּאֵר׃

E a pôr sobre os que em Sião estão de luto uma coroa em vez de cinzas. Continua aqui a lista das obras da missão do Messias. Acompanhe o leitor estes seis pontos:

1. A ideia do consolo aos que choram continua aqui. O Messias dará bênçãos e graças especiais para aliviar-lhes a tristeza.
2. Em vez das cinzas da lamentação, ele lhes dará a coroa dos vitoriosos. Aquele que chorava punha cinzas sobre a cabeça em sinal de tristeza; mas o Messias, em lugar disso, colocará uma coroa. O profeta Isaías não entrou em detalhes, mas todos sabemos no que consiste a tristeza humana e de quantas maneiras ela se manifesta.
3. O azeite de oliveira, quando aplicado ao rosto e aos cabelos das pessoas, soergue-lhes o espírito (ver Sl 23.5; 45.7; 104.15; Ec 9.8; Mt 6.17 e Hb 1.9); também era um ato especial de hospitalidade a um amigo. Essa seria outra reversão do estado humilde dos que choravam.
4. Também havia o manto de louvor mediante o qual uma pessoa se vestia para demonstrar a honra que havia recebido da parte do doador. Uma veste brilhante era outro sinal de alegria e podia aludir às vestes de *justiça* dadas pelo Salvador (cf. Is 54.14; 58.8; 60.21; 62.1,2). Os que tinham o espírito desmaiado ganhariam assim coragem, a despeito dos inevitáveis desencorajamentos da vida.
5. Pessoas assim tão favorecidas pelo Messias tornam-se *carvalhos de retidão* que crescem na floresta de Deus. Cf. Is 60.21.
6. Esses crentes serão plantados pelo próprio Yahweh e, nesse trabalho, ele será glorificado e os crentes serão beneficiados. "Como excelentes carvalhos, eles exibem o esplendor de Deus (cf. Is 35.2; 46.13; 55.5; 60.9,21; 62.3). Ver também Jo 15.8. Eles se revestem de força, durabilidade e beleza, qualidades que tornavam os carvalhos árvores distintas. O *carvalho,* como é lógico, é uma das madeiras *nobres* prezadas pelos edificadores. O Messias será glorificado pela graciosidade e qualidade de suas obras em favor dos necessitados. Cf. o versículo com Sl 1.3; 52.8 e Jr 17.8.

Segunda Estrofe: Restauração e Prosperidade (61.4,5)

61.4

וּבָנוּ חָרְבוֹת עוֹלָם שֹׁמְמוֹת רִאשֹׁנִים יְקוֹמֵמוּ וְחִדְּשׁוּ עָרֵי חֹרֶב שֹׁמְמוֹת דּוֹר וָדוֹר׃

Edificarão os lugares antigamente assolados. Cf. os vss. 4 e 5 com Is 60.10,11. A essência da declaração é: "Será desmanchada toda a história passada das desolações de Israel". E isso pela restauração que ocorreria. A inauguração da época áurea seria uma providência divina que reverteria todas as derrotas passadas. Alguns estudiosos encontram aqui a ideia do vs. 5, supondo que os "estrangeiros", que foram instrumentos das devastações passadas, também seriam instrumentos na reconstrução, ou melhor, *ajudariam* no empreendimento da restauração.

61.5

וְעָמְדוּ זָרִים וְרָעוּ צֹאנְכֶם וּבְנֵי נֵכָר אִכָּרֵיכֶם וְכֹרְמֵיכֶם׃

Estranhos se apresentarão e apascentarão os vossos rebanhos. A criação de animais domesticados e o cultivo agrícola serão atividades de que os estrangeiros se ocuparão; e eles ajudarão a fazer o deserto medrar como uma rosa (ver Is 35.1). Cf. Is 14.1 e 60.10. O profeta Isaías misturou o material com o espiritual, e viu uma participação comum na agricultura literal e nos frutos da justiça, mas o ponto central da afirmação é que estrangeiros seriam sujeitados e fariam coisas em Israel, incluindo o trabalho árduo, que antes tinham sido feitas somente por Israel, em seu próprio favor. Mediante tais descrições, o profeta exaltou Israel como cabeça das nações. Ver Is 24.23. Os capítulos 60—62 de Isaías formam uma espécie de trilogia do reino, contando-nos a mesma história.

Terceira Estrofe: Preeminência da Prosperidade Espiritual e Material de Sião (61.6,7)

61.6

וְאַתֶּם כֹּהֲנֵי יְהוָה תִּקָּרֵאוּ מְשָׁרְתֵי אֱלֹהֵינוּ יֵאָמֵר לָכֶם חֵיל גּוֹיִם תֹּאכֵלוּ וּבִכְבוֹדָם תִּתְיַמָּרוּ׃

Mas vós sereis chamados sacerdotes do Senhor, e vos chamarão ministros de nosso Deus. Durante a época áurea, Israel se elevará espiritual de tal maneira que os estrangeiros respeitarão os israelitas como ministros de Yahweh, ao passo que antes os desprezavam. Esse fator se revestirá de importância para que Jerusalém se torne a capital espiritual do mundo. "Ser um judeu é ser um sacerdote" representará a atitude dos que estiverem fora de Israel. A prosperidade e o prestígio espiritual terão como paralelo a prosperidade material. Esse era o antigo *ideal* dos hebreus que se tornará realidade durante a era do reino de Deus. Cf. este versículo com Êx 19.6 e 1Pe 2.9 – o ideal de "todos os crentes como sacerdotes". Israel terá funções sacerdotais, como a instrução e a intercessão (ver Is 45.14,15; 60.14; 66.21). Note a expressão "nosso Deus", que parece incluir os estrangeiros sob a mesma orientação espiritual.

Na sua glória vos gloriareis. Diz a Septuaginta: "Sede glorificados". Mas o manuscrito hebraico dos Papiros do mar Morto, juntamente com as versões da Vulgata Latina e do siríaco, além do Targum, diz: "vos jactareis" ou "agireis orgulhosamente". Algumas vezes, os manuscritos hebraicos (existem dois deles) de Isaías, da coletânea dos Papiros do mar Morto, concordam com as versões (usualmente a Septuaginta) e discordam do texto massorético padronizado, com base no qual nossas traduções têm sido feitas. Ver a importância desse fenômeno para a crítica textual do Antigo Testamento nas notas sobre Is 26.19, onde apresento um gráfico ilustrativo. Alguns estudiosos traduzem a palavra dos Papiros do mar Morto como "glória", e isso a torna mais moralmente aceitável para a espiritualidade do texto.

▪ 61.7

תַּ֤חַת בָּשְׁתְּכֶם֙ מִשְׁנֶ֔ה וּכְלִמָּ֖ה יָרֹ֣נּוּ חֶלְקָ֑ם לָכֵ֤ן בְּאַרְצָם֙ מִשְׁנֶ֣ה יִירָ֔שׁוּ שִׂמְחַ֥ת עוֹלָ֖ם תִּֽהְיֶ֥ה לָהֶֽם׃

Em lugar da vossa vergonha tereis dupla honra. Israel, na qualidade de cabeça das nações, material e espiritualmente falando, terá *dupla porção*, própria de um filho primogênito, durante a era do milênio, sendo exaltado acima dos demais "filhos". Ver Dt 21.17 quanto à lei da herança. Haverá grande regozijo entre os filhos de Israel, porque será revertida a antiga vergonha perante as nações, tornando-se glória e prestígio especial. A glória e a prosperidade aumentarão em uma alegria eterna. Cf. Is 60.20. A Luz eterna jamais deixará de resplandecer e redundar em glória para Israel. Isso posto, haverá dupla compensação pelos anos de tristeza que Israel teve de enfrentar. Ver Zc 9.12 e Is 35.10. A vergonha fora dupla; o sofrimento fora duplo; a recompensa e a glória também serão duplas. Quanto à alegria eterna, ver Is 61.3,10.

Quarta Estrofe: O Povo Bendito do Pacto Eterno (61.8,9)

▪ 61.8

כִּ֣י אֲנִ֤י יְהוָה֙ אֹהֵ֣ב מִשְׁפָּ֔ט שֹׂנֵ֥א גָזֵ֖ל בְּעוֹלָ֑ה וְנָתַתִּ֤י פְעֻלָּתָם֙ בֶּאֱמֶ֔ת וּבְרִ֥ית עוֹלָ֖ם אֶכְר֥וֹת לָהֶֽם׃

Porque eu, o Senhor, amo o juízo, e odeio a iniquidade do roubo. Os pecados que degradam uma nação e causam opressão interna e externa serão totalmente eliminados na era do reino, provendo assim a "atmosfera moral" que tornará possíveis as bênçãos da época áurea. Yahweh estabelecerá os padrões morais e espirituais, punirá o mal e recompensará o bem. Visto que as condições morais de Israel terão sido revertidas, assim também o amor e a justiça de Yahweh o compelirão a abençoar e estabelecer o pacto eterno com seu povo. Quanto a esse pacto, cf. Is 54.10; 55.3 e 59.21. Ver também Gn 9.9-17; Jr 32.40 e Ez 16.60. O Senhor é o grande galardoador. Ver no *Dicionário* o verbete *Lei Moral da Colheita segundo a Semeadura*.

▪ 61.9

וְנוֹדַ֤ע בַּגּוֹיִם֙ זַרְעָ֔ם וְצֶאֱצָאֵיהֶ֖ם בְּת֣וֹךְ הָעַמִּ֑ים כָּל־רֹֽאֵיהֶם֙ יַכִּיר֔וּם כִּ֛י הֵ֥ם זֶ֖רַע בֵּרַ֥ךְ יְהוָֽה׃ ס

A sua posteridade será conhecida entre as nações. Israel elevar-se-á até tornar-se cabeça espiritual das nações; sua superioridade será alegre e livremente reconhecida, e nesse poder espiritual haverá bênçãos abundantes para todas as nações. "Em Judá, todas as nações verão a fidelidade e a bênção de Deus" (*Oxford Annotated Bible*, comentando sobre os vss. 8,9). Haverá tanto reconhecimento quanto participação nas provisões de Deus para a época áurea, material e espiritualmente falando. O mundo, e não apenas Israel, atingirá o estado de utopia. Cf. Is 65.23. Este versículo indica uma mescla de povos. Os judeus, como sempre, estarão "ali", em muitos empreendimentos entre as nações, e cada qual será reconhecido como *especial* em seu próprio lugar, um exemplo de como Yahweh terá abençoado o seu povo em todos os lugares.

Quinta Estrofe: Hino de Ação de Graças e Louvor (61.10,11)

▪ 61.10

שׂ֧וֹשׂ אָשִׂ֣ישׂ בַּֽיהוָ֗ה תָּגֵ֤ל נַפְשִׁי֙ בֵּֽאלֹהַ֔י כִּ֤י הִלְבִּישַׁ֙נִי֙ בִּגְדֵי־יֶ֔שַׁע מְעִ֥יל צְדָקָ֖ה יְעָטָ֑נִי כֶּֽחָתָן֙ יְכַהֵ֣ן פְּאֵ֔ר וְכַכַּלָּ֖ה תַּעְדֶּ֥ה כֵלֶֽיהָ׃

Regozijar-me-ei muito no Senhor, a minha alma se alegra no meu Deus. Um hino do Reino segue-se à excelente descrição do que acontecerá no reino. Cf. Is 42.10-13 e 45.8. Os olhos do profeta viram o cumprimento do ideal, e seus ouvidos ouviram o hino de louvor, por causa do grande feito realizado. Portanto, temos aqui uma apta conclusão para as *boas-novas* iniciadas em Is 61.1-3.

O profeta Isaías, em favor de Israel, entoou o cântico de agradecimento por Israel. Ele se *regozijou muito* (cf. Is 61.1-3,7; 12.1,2; 25.1,9; 41.16; 51.3; Lc 1.46-55,68-79. O Targum faz Jerusalém ser a cantora do alegre hino. Israel será revestida com as vestes da salvação e, em seu vestuário de retidão, estará enfeitada com muitos excelentes ornamentos e pedras preciosas, tal como uma noiva se prepara para sua noite de triunfo, o seu casamento. Assim sendo, o hino jubiloso é um hino de celebração do casamento, a mais feliz de todas as ocasiões. O simbolismo das núpcias é comum para indicar as bênçãos e o regozijo escatológico. Ver também Jr 33.11; Mt 22.2 e Ap 21.2.

Tempos de realizações especiais naturalmente trazem tempos de regozijo especial. Todos nós já tivemos em algum lugar onde eram oferecidas canções. Coventry Patmore, quando era apenas um menino com 11 anos de idade, que não estava acostumado a ter pensamentos profundos sobre Deus e a vida, foi, de súbito, iluminado pela maravilha do conceito de Deus e exclamou: "Raiou-me de repente que coisa excelente seria se, realmente, Deus existisse" (Edmund Gosse, *Coventry Patmore*). A era do reino de Deus será o tempo em que ficará universalmente demonstrado, na presença de todos os homens, que existe um Deus que age e abençoa, e cânticos de louvor a ele serão elevados.

▪ 61.11

כִּ֤י כָאָ֙רֶץ֙ תּוֹצִ֣יא צִמְחָ֔הּ וּכְגַנָּ֖ה זֵרוּעֶ֣יהָ תַצְמִ֑יחַ כֵּ֣ן ׀ אֲדֹנָ֣י יְהוִ֗ה יַצְמִ֤יחַ צְדָקָה֙ וּתְהִלָּ֔ה נֶ֖גֶד כָּל־הַגּוֹיִֽם׃

Como a terra produz os seus renovos. A terra, durante o milênio, estará na primavera dos seus anos; haverá abundante produção na natureza; a antiga maldição terá sido levantada (ver Gn 3.17). Um poeta romano do segundo século de nossa era celebrou a vida como a primavera eterna: "Nova primavera, cânticos, cânticos, o mundo renascido". A terra produzirá vegetação abundante, e sua prosperidade será típica da primavera da vida e da alegria no coração dos homens. Deus é a fonte das bênçãos da natureza e da novidade espiritual na era do reino. "Tão certamente como a terra produz seu crescimento vegetal com infalível certeza, assim o Senhor causará sua salvação para medrar perante todas as nações (cf. Is 42.10; 43.19 e 45.8). Esse final nos faz lembrar de Is 55.10 ss. Até o fim, o que é material e o que é espiritual se mesclam no simbolismo" (James Muilenburg, *in loc.*).

CAPÍTULO SESSENTA E DOIS

O POVO MESSIÂNICO (62.1-12)

A Preparação para a Vinda do Senhor. O *poder de Deus* está presente, preparando o caminho do Senhor. Ver Is 13.6, quanto ao poder de Deus por trás dos acontecimentos terrenos. O Senhor virá, e seu povo será restaurado. Cf. Is 40.3,5,9.

O poema final da trilogia (Is 60—62) tem como centro o povo messiânico. Seu tema foi antecipado nos poemas anteriores. Os títulos distintivos de Sião (cf. Is 60.14 ss.; 61.3,6,9) expressam o novo relacionamento entre Yahweh e o seu povo. No tempo do retorno do Senhor à terra, a sorte do povo será revertida, e todas as nações verão a vindicação divina de Sião.

Tal como os outros poemas do grupo, este foi padronizado, tanto com respeito ao pensamento como em relação ao estilo, conforme o segundo Isaías. No entanto, há também grandes diferenças. O poeta moveu seus materiais com base nas criações supremas de seu Senhor (ver Is 40.1-11; 52.1-12; 54.1-17). As estrofes de abertura e encerramento (vss. 1-3 e 10-12) servem de moldura a três estrofes aproximadamente do mesmo tamanho (vss. 4-5, 6-7 e 8-9). É possível dividir o poema em três estrofes (vss. 1-5, 6-9 e 10-12), mas um exame cuidadoso mostra que a análise anterior é mais provável. A unidade de cada estrofe e as linhas finais de cada estrofe revelam uma cuidadosa arte literária" (James Muilenburg, *in loc.*).

Primeira Estrofe: Uma Coroa de Beleza (62.1-3)

▪ 62.1

לְמַ֤עַן צִיּוֹן֙ לֹ֣א אֶחֱשֶׁ֔ה וּלְמַ֥עַן יְרוּשָׁלִַ֖ם לֹ֣א אֶשְׁק֑וֹט עַד־יֵצֵ֤א כַנֹּ֙גַהּ֙ צִדְקָ֔הּ וִישׁוּעָתָ֖הּ כְּלַפִּ֥יד יִבְעָֽר׃

Por amor de Sião me não calarei e por amor de Jerusalém não me aquietarei. "*A Glória do Povo de Deus* (vss. 1-3): O profeta continua a proclamar a vindicação de Sião, que já se aproxima.

novo nome: Isso denota a mudança de condição (1.26; Jr 33.16; Ez 48.35). Cf. a mudança de Abrão para Abraão, em Gn 17.5. Quanto à *coroa de beleza,* ver Is 28.1-6" (*Oxford Annotated Bible,* comentando sobre este vs. 1).

O profeta falou como porta-voz de Israel, trazendo a mensagem alegre da parte de Deus. Ele não podia manter-se quieto por ser divinamente inspirado, estando entusiasmado pela ação do Espírito Santo. Ele tinha de anunciar a Jerusalém a palavra concernente à sua eventual *vindicação.* Um novo dia haveria de alvorecer; seria um dia de alegria e resplendor, um dia de vida nova: seria o dia da *salvação* escatológica de Israel, que queimará como uma tocha, para que todos a vejam e se admirem. Isaías ficou absorvido pela intensidade da situação, quando viu as maravilhas desdobrando-se à sua frente. São continuava nas trevas (cf. Is 50.10; 59.9,10), mas tudo isso estava quase no fim. A luz divina estava próxima de alvorecer (ver Is 58.8).

Falarei até que sua bondade brilhe como uma luz brilhante.
Falarei até que sua salvação resplandeça como uma chama.
NCV

O comentário do Targum é significativo aqui: "Trabalharei a salvação por Jerusalém; não darei descanso ao povo até que chegue a consolação; não permitirei que os reinos repousem enquanto sua luz não for revelada como a manhã, e sua salvação brilhe intensamente como a lâmpada".

62.2

וְרָאוּ גוֹיִם צִדְקֵךְ וְכָל־מְלָכִים כְּבוֹדֵךְ וְקֹרָא לָךְ שֵׁם חָדָשׁ אֲשֶׁר פִּי יְהוָה יִקֳּבֶנּוּ׃

As nações verão a tua justiça, e todos os reis a tua glória. Israel, desprezado e repreendido durante os séculos, será redimido. E essa redenção será, ao mesmo tempo, uma vindicação, porquanto a retidão e a justiça de Yahweh demonstrarão ter sido eficazes nessa nação. Além disso, o erro do que as nações fizeram contra Israel ficará demonstrado como a iniquidade que realmente foi. Então cumprir-se-á a glória de Israel, e todas as nações serão testemunhas. Isso fará parte do mesmo programa divino em favor de Israel. A nação de Israel ganhará um *novo nome*. Ver sobre *novo nome* na *Enciclopédia de Bíblia, Teologia e Filosofia*. O nome novo subentenderá o caráter ímpar daquele que o recebeu. O profeta não nos informou sobre qual será esse novo nome, mas espera que compreendamos o princípio envolvido: as coisas antigas ficaram no passado, e eis que tudo se tornou novo (ver Ap 21.5). Portanto, haverá um novo povo que viverá em uma nova era. Quanto ao princípio do novo nome, ver Gn 17.5; Os 2.22,23; At 11.26; Ap 2.17 e 3.12. Novos nomes dados a Israel, em textos posteriores, aparecem em Is 62.4,12. Um nome novo aponta para um novo caráter e para uma nova manifestação do ser; uma nova expressão. Ver também Is 65.15.

62.3

וְהָיִית עֲטֶרֶת תִּפְאֶרֶת בְּיַד־יְהוָה וּצְנוֹף מְלוּכָה בְּכַף־אֱלֹהָיִךְ׃

Serás uma coroa de glória na mão do Senhor. *Yahweh é Rei,* e sua coroa, que ele segura na mão, é Israel. Outrossim, trata-se de uma *coroa de glória* e de um *diadema real* na mão de Elohim. Esses símbolos falam de elevação e poder, de glorificação e honra. Israel exibirá o esplendor de Yahweh (ver Is 35.2; 46.13; 49.3; 55.5; 60.9,21; 61.3). Quanto a uma *coroa de beleza*, cf. Is 28.1-6. Ver também Ap 6.2 e 19.12 quanto à *coroa de glória*. Nova glória e novas honrarias caberão a Yahweh ante a restauração de Israel. A coroa será exibida na mão de Deus, para que todos a vejam.

Segunda Estrofe: O Novo Casamento do Pacto (62.4,5)

62.4

לֹא־יֵאָמֵר לָךְ עוֹד עֲזוּבָה וּלְאַרְצֵךְ לֹא־יֵאָמֵר עוֹד שְׁמָמָה כִּי לָךְ יִקָּרֵא חֶפְצִי־בָהּ וּלְאַרְצֵךְ בְּעוּלָה כִּי־חָפֵץ יְהוָה בָּךְ וְאַרְצֵךְ תִּבָּעֵל׃

Nunca mais te chamarão Desamparada... Desolada. Os antigos apelidos de Israel eram *Desamparada* e *Desolada*. Esses nomes cederão lugar a outros: Minha Delícia e Desposada (cf. Is 54.6). Os termos hebraicos por trás desses novos nomes são *Hefziba* e *Beulá*. Yahweh *deleita-se* em sua nova noiva, e haverá união em casamento celestial, por meio do qual fluirão bênçãos, poderes e glória. Ver Is 61.10 (e as referências dadas) quanto à metáfora do casamento. Deus, o marido, tinha *deixado de lado* sua esposa, quando ela ficara coberta de pecados e precisava da dor da separação. Ela precisava ser perdoada para que tivesse um novo começo em um tempo diferente. Mas ela foi trazida de volta a seu marido, e o casamento foi reiniciado.

A tua terra se desposará. A metáfora do casamento é ampliada para que pareça que a Terra Prometida é que se casou. A figura segue no vs. 5.

62.5

כִּי־יִבְעַל בָּחוּר בְּתוּלָה יִבְעָלוּךְ בָּנָיִךְ וּמְשׂוֹשׂ חָתָן עַל־כַּלָּה יָשִׂישׂ עָלַיִךְ אֱלֹהָיִךְ׃

Porque, como o jovem esposa a donzela, assim teus filhos te esposarão a ti. Vemos agora os filhos da Terra Prometida casando-se com a Terra mãe, uma figura simbólica extremamente estranha, para dizer o mínimo. Por isso alguns eruditos emendam as palavras "teus filhos" para "teu construtor", para preservar a metáfora do casamento divino. Os *filhos* (se é que esse é o texto correto) são como os jovens que se casam com uma *virgem* (o novo Israel, todo renovado e honrado). Seja como for, o homem se sentirá felicíssimo com a sua esposa, porquanto ela viverá à altura de todas as expectativas e ideais dele. E o sentido é: "Deus (o marido) está muito feliz com Israel (sua esposa, a Terra Prometida)".

"Os habitantes de um país, em sua unidade coletiva, são como o noivo; e o território é como a noiva. Eles estão unidos um ao outro, como o marido está unido à sua mulher" (Ellicott, *in loc.*, o qual, ao fazer a terra ser a esposa, dá à metáfora algum sentido, sem apelar para emendas). Cf. Is 49.14 ss.; 54.1 ss. Quanto ao regozijo do Senhor sobre Sião, cf. Is 61.3,7,10.

Terceira Estrofe: Os Guardas nas Muralhas de Sião (62.6,7)

62.6

עַל־חוֹמֹתַיִךְ יְרוּשָׁלַםִ הִפְקַדְתִּי שֹׁמְרִים כָּל־הַיּוֹם וְכָל־הַלַּיְלָה תָּמִיד לֹא יֶחֱשׁוּ הַמַּזְכִּרִים אֶת־יְהוָה אַל־דֳּמִי לָכֶם׃

Sobre os teus muros, ó Jerusalém, pus guardas. Cf. uma passagem similar em Is 21.12,13. Fica claro que Yahweh é quem colocará guardas sobre as muralhas da cidade. Mas a identidade desses guardas tem sido variegadamente compreendida: 1. Guardiães angelicais. 2. Vários profetas que teriam missões em favor de Jerusalém, especialmente no tempo do cativeiro babilônico: Isaías; Jr; Ez e Daniel. 3. Ou então, mais geralmente, os grandes líderes da nação, alguns que foram especificamente profetas, mas outros não: Moisés, certos reis bons, e os profetas, tanto do reino do norte (Israel) quanto do reino do sul (Judá). Todos eles trabalharam na mesma equipe, com o mesmo propósito. Todos conservaram perante o povo o nome de Yahweh, sua lei e suas instruções, e cumpriram seu dever, não guardando silêncio.

Note o leitor o toque *teísta* aqui. O Criador intervém na criação, tanto mediante a providência negativa quanto mediante a providência positiva. Deus conta com instrumentos humanos. Isso pode ser contrastado com o *deísmo*, o qual postula alguma espécie de poder divino (pessoal ou impessoal) que criou, mas abandonou a sua criação, deixando-a entregue ao governo das leis naturais. Ver na *Enciclopédia de Bíblia, Teologia e Filosofia* os artigos chamados *Teísmo* e *Deísmo*.

62.7

וְאַל־תִּתְּנוּ דֳמִי לוֹ עַד־יְכוֹנֵן וְעַד־יָשִׂים אֶת־יְרוּשָׁלַםִ תְּהִלָּה בָּאָרֶץ׃

Nem deis a ele descanso até que restabeleça Jerusalém. Os profetas e outros poderes em Israel, que falaram em favor de Yahweh, não deram descanso a Israel, e eles não terão descanso enquanto ele (Yahweh) não restaurar e glorificar a cidade de Jerusalém, tornando-a um louvor na terra, de quem ele receberá o próprio louvor e a glória, através da vida piedosa de seus habitantes. Cf. Is 61.1 e Sf 3.20. Outro ponto de vista sobre o versículo é que os guardas não darão descanso a *Yahweh*, mas continuarão a orar, incessantemente, para que ele não esqueça Jerusalém, até que a restauração se complete. Esta interpretação provavelmente está correta:

Não deveríeis parar de orar ao Senhor enquanto ele edifica Jerusalém. Não pareis enquanto ele faz de Jerusalém uma cidade que todos os povos louvarão.

NCV

Quarta Estrofe: A Felicidade de Sião (62.8,9)

■ **62.8**

נִשְׁבַּ֧ע יְהוָ֛ה בִּֽימִינ֖וֹ וּבִזְר֣וֹעַ עֻזּ֑וֹ אִם־אֶתֵּן֩ אֶת־דְּגָנֵ֨ךְ
ע֤וֹד מַֽאֲכָל֙ לְאֹ֣יְבַ֔יִךְ וְאִם־יִשְׁתּ֤וּ בְנֵֽי־נֵכָר֙ תִּֽירוֹשֵׁ֔ךְ
אֲשֶׁ֖ר יָגַ֥עַתְּ בּֽוֹ׃

Jurou o Senhor pela sua mão direita e pelo seu braço poderoso. Em tempos de opressão, os inimigos invadiam e saqueavam Israel, e parte desse saque consistia em levar os produtos agrícolas, deixando Israel sem alimentos adequados. Yahweh usou esses invasores para castigar o seu povo. Mas agora Yahweh jura que tudo isso tinha de parar. Tendo feito esse juramento, Yahweh ergueu sua poderosa *mão direita* e seu *braço poderoso*, os agentes de seu poder. Cf. Is 40.10; 41.10; 51.9; 52.10 e 53.1. Quanto a *mão* de Deus, ver Sl 81.4; quanto à *mão direita* de Deus, ver Sl 20.6; e quanto ao *braço* de Deus, ver Sl 77.15—89.10 e 98.1. Ver no *Dicionário* o artigo chamado *Mão*, quanto a detalhes sobre a metáfora. Ver também sobre *Braço*. E ver também Êx 6.6; Dt 4.4; 5.15; 7.19. A época áurea trará muitas mudanças, entre elas o fim do perigo econômico. Não haverá mais privações econômicas (ver Is 65.21,22). A abundância de coisas materiais será igualada à abundância da espiritualidade, com seus produtos abençoados. Quanto ao furto de colheitas, ver o que fizeram os midianitas (ver Jz 6.4,11); os assírios (ver Is 16.9); os filisteus (ver 2Cr 28,.18). "A nova bênção faz notável contraste com a maldição divina de Dt 28.33,51" (Ellicott, *in loc.*).

■ **62.9**

כִּ֤י מְאַסְפָיו֙ יֹאכְלֻ֔הוּ וְהִֽלְל֖וּ אֶת־יְהוָ֑ה וּֽמְקַבְּצָ֥יו
יִשְׁתֻּ֖הוּ בְּחַצְר֥וֹת קָדְשִֽׁי׃ ס

Mas os que o ajuntarem o comerão, e louvarão ao Senhor. Os que se tiverem entregue ao trabalho de semear, colher e armazenar obterão os benefícios na forma de alimentação. Então, podemos ter certeza de que a *abundância* estará presente ao longo de todo o processo. Os tempos de necessidade terminarão. Os tempos de abundância chegarão. Yahweh decretou a necessidade de combater o pecado. E também decretou a abundância para abençoar um povo restaurado. Portanto, o Ser divino estará controlando as coisas. Ver sobre esse princípio em Is 13.6.

Haverá muita coisa para comer e para beber, e esses atos serão misturados às festividades anuais, que conhecemos pela menção do *santuário* aqui. Yahweh ficará com o sangue e a gordura (ver Lv 3.17); os sacerdotes obterão suas *oito* porções determinadas (ver Lv 6.26; 7.11-24; Nm 18.8; Dt 12.17,18). O resto dos animais para os sacrifícios será usado na festividade em geral. Então o vinho será dizimado, mas haverá abundância que será consagrada para a celebração de uma colheita abundante.

Quinta Estrofe: O Povo Messiânico (62.10-12)

■ **62.10**

עִבְר֤וּ עִבְרוּ֙ בַּשְּׁעָרִ֔ים פַּנּ֖וּ דֶּ֣רֶךְ הָעָ֑ם סֹ֣לּוּ סֹ֤לּוּ
הַֽמְסִלָּה֙ סַקְּל֣וּ מֵאֶ֔בֶן הָרִ֥ימוּ נֵ֖ס עַל־הָעַמִּֽים׃

Passai, passai pelas portas; preparai o caminho ao povo. *A Aproximação do Messias.* Talvez tenhamos aqui a menção da volta dos judeus da Babilônia (como figura ilustrativa), ou o retorno da dispersão romana (necessária para que seja inaugurada a era do reino de Deus). O caminho precisa estar preparado para a aproximação dos exilados, a fim de que eles entrem na Terra Prometida. Mas a referência aqui à salvação é pessoal ao Messias. O povo de Israel será chamado a retornar. Mas a chamada é também ao Messias, para que avance. O caminho precisará ser preparado para o povo de Israel e para o seu Messias, e temos mais ou menos os mesmos símbolos em Is 40.3,4 e 57.14. Ver também Mt 3.3.

Passai, passai. O texto massorético contém este duplo imperativo (cf. Is 40.1; 51.9,17; 52.1; 57.14 e 65.11). Mas o manuscrito hebraico dos Papiros do mar Morto, em concordância com a Septuaginta, tem apenas um único imperativo, *passai*. Algumas vezes, os manuscritos hebraicos dos Papiros do mar Morto concordam com as versões (sobretudo a Septuaginta) e discordam do texto massorético, a Bíblia hebraica padronizada a partir da qual a maior parte de nossas traduções tem sido feita. Quanto à importância desse fenômeno para a crítica textual do Antigo Testamento, ver as notas expositivas em Is 26.19, bem como as ilustrações do gráfico acompanhante. Yahweh ordenará às nações que conduzam seu povo de volta a Jerusalém.

Arvorai bandeira aos povos. Cf. Is 49.22. Terá chegado o tempo de as nações entregarem todos os israelitas e os enviarem de volta a Jerusalém. Elas verão flutuando sobre Jerusalém a bandeira, o sinal para que façam isso, porquanto Yahweh a terá levantado como aviso para as nações gentílicas.

A Ordem Divina. Essa ordem será determinada por Yahweh às nações, para que conduzam seu povo de volta a Jerusalém (vs. 11). Ou a ordem será dada aos arautos de Israel (vs. 6); ou então diretamente ao povo em exílio (vs. 11).

■ **62.11**

הִנֵּ֣ה יְהוָ֗ה הִשְׁמִ֙יעַ֙ אֶל־קְצֵ֣ה הָאָ֔רֶץ אִמְר֖וּ לְבַת־צִיּ֑וֹן
הִנֵּ֤ה יִשְׁעֵךְ֙ בָּ֔א הִנֵּ֤ה שְׂכָרוֹ֙ אִתּ֔וֹ וּפְעֻלָּת֖וֹ לְפָנָֽיו׃

Eis que o Senhor fez ouvir até às extremidades da terra estas palavras: Dizei à filha de Sião. *Yahweh fará essa proclamação até os confins da terra,* ordenando aos líderes das nações pagãs que enviem o seu povo de volta a Jerusalém, tal como ao Faraó foi ordenado, tantos séculos atrás. Ou então a ordem deve ser vista como um mandamento endereçado diretamente aos exilados, que devem retornar, da mesma forma que Moisés levou a mensagem ao povo de Israel escravizado no Egito para que deixasse o Egito. A "filha de Sião" teve de ser nomeada e ordenada diretamente. O profeta Isaías, pois, anunciou sua mensagem. Foi dito ao povo de Israel que a salvação estava próxima. Em seguida, essa salvação é imediatamente personificada no Salvador, o Messias. Ele trará consigo o seu galardão, que incluirá as glórias, a salvação e as honras da era do reino de Deus, o milênio. Dessa maneira, Isaías sumariou as esperanças escatológicas de Israel, as quais foram apresentadas com tanto cuidado nos capítulos 60-62 do livro de Isaías. Será obra de Deus; ele é quem fará isso; ele tem poder e vontade para fazer tal coisa. Quanto à recompensa que está "com ele", cf. Is 40.10. Ver as notas expositivas ali quanto a detalhes. Ver também 2Ts 2.8; Ap 11.15-18 e 22.12.

■ **62.12**

וְקָרְא֥וּ לָהֶ֛ם עַם־הַקֹּ֖דֶשׁ גְּאוּלֵ֣י יְהוָ֑ה וְלָךְ֙ יִקָּרֵ֣א
דְּרוּשָׁ֔ה עִ֖יר לֹ֥א נֶעֱזָֽבָה׃ ס

Chamar-vos-ão: Povo santo, remidos do Senhor. O profeta termina a estrofe com um comentário pessoal. Esse povo chamado receberá um *novo nome* (ver os vss. 2 e 4). *"Povo santo".* Cf. Is 61.6, "sacerdotes de Yahweh" (Is 63.18; Êx 19.6). E também serão chamados de *"os remidos"* (cf. Is 35.10; 48.20; 51.10). Eles serão um povo *"procurado"*, em contraste com a esposa abandonada referida no vs. 4 deste capítulo. Eles formam uma *cidade não deserta*, em contraste com a Jerusalém saqueada e abandonada dos séculos anteriores. Com tais descrições, o profeta fala da Jerusalém e da nação de Israel na era da restauração, a nova era, a era do reino de Deus, a época áurea.

Deus edifica Jerusalém,
Pois foi somente ele
Quem dispersou Israel,
E agora a recolhe de novo.

Extraído do Salmo 147, adaptação escocesa

CAPÍTULO SESSENTA E TRÊS

Este capítulo começa com o pequeno poema do *ano da redenção* (vss. 1-6), também chamado de poema da "Vinda do Senhor". Então, no vs. 7, temos uma das grandes divisões do livro de Isaías: A oração intercessória de Isaías: Is 63.7—64.12. Ver a introdução a essa seção, no vs. 7.

O ANO DA REDENÇÃO (63.1-6)

Este breve poema une eficazmente os conceitos de julgamento e restauração, pelo que não está fora de lugar ao seguir a trilogia do reino (capítulos 60—62). É difícil encontrar no livro de Isaías um lugar onde a redenção é referida sem o outro lado da moeda, a necessidade do julgamento. O ato de julgamento, entretanto, é remediador, e não meramente retributivo. Há o ano aceitável do Senhor (Is 59.15-20), vinculado ao dia da vingança (Is 61.2). Note o leitor que ambas as passagens fazem a conexão. E esses dois conceitos também não são polos opostos. São ambos atos graciosos do amor para realizar o mesmo propósito remidor. Ver as notas sobre Is 59.16. Israel sempre teve de prestar contas a Deus (ver Êx 19.3-8), e o julgamento divino fazia parte indissolúvel de sua compreensão sobre o Ser divino. Não é de admirar, pois, que o Redentor fosse retratado como o conquistador que chegara da batalha com as vestes manchadas de sangue. A *perversidade* do homem e a grande *necessidade* de ajuda, e suas elevadas *aspirações espirituais*, a despeito de suas condições miseráveis, tornavam necessário para ele contemplar a Pessoa divina como quem incorporava os ofícios de julgamento e misericórdia em uma só Pessoa, pois o homem tinha necessidade de ambos. Por isso é que o Vindicador é, igualmente, o Salvador (ver o vs. 1).

"Para compreender a relação com a mente do profeta, devemos lembrar que parte do que Isaías já sabia, talvez também aquilo que previa, eles aceitariam no período seguinte. Essa parte tinha sido de hostilidade persistente. Eles se tinham aliado com os tírios contra Judá, e haviam sido culpados de atrocidades brutais (ver Am 1.9-11). Tinham levado cativos a prisioneiros judeus (Ob 10 e 11). Tinham sido aliados dos invasores assírios (Sl 83.6) e ferido Judá nos dias de Acaz (ver 2Cr 28.17). Se pensarmos que o profeta Isaías viu, em espírito, as operações de uma antiga inimizade em um período posterior, podemos estender a indução à exultação deles diante da captura de Jerusalém (ver Sl 137.7; Lm 4.21).

A memória sobre essas coisas ficou profundamente gravada na mente da nação de Israel, e as primeiras palavras do último dos profeta reverbera o antigo ódio (Ml 1.2-4). Nos dias finais do judaísmo, quando os rabinos proferiram maldições contra seus opressores, Edom foi substituída por Roma, tal como o apóstolo João substituiu Edom pela Babilônia (Ap 18.2). Isaías, talvez começando pela memória de algum ultraje recente durante o reinado de Ezequias, e tomando Edom como o representante de todos os inimigos hereditários mais próximos de Israel, passou a um êxtase de júbilo e viu o retorno do Rei conquistador para iniciar sua obra de vingança. A forma é a de um guerreiro que vinha da Bozra dos idumeus (em distinção à de Haurã, Jr 48.24), em brilhantes *vestes vermelhas*. E a cor (tal como em Ap 19.13) não é a mesma das vestes escarlatas, usadas pelos soldados (Na 2.3), mas a cor do sangue que acabara de ser derramado" (Ellicott, *in loc.*).

Primeira Estrofe: O conquistador que Veio de Edom (63.1)

■ **63.1**

מִי־זֶה ׀ בָּא מֵאֱדוֹם חֲמוּץ בְּגָדִים מִבָּצְרָה זֶה הָדוּר בִּלְבוּשׁוֹ צֹעֶה בְּרֹב כֹּחוֹ אֲנִי מְדַבֵּר בִּצְדָקָה רַב לְהוֹשִׁיעַ:

Quem é este, que vem de Edom, de Bozra, com vestes de vivas cores...? *Edom* representa a incorporação das hostilidades contra o povo de Deus. Considere o leitor estes pontos: 1. Estaria em foco o incidente *histórico* que provocou a tirada. 2. Outros pensam que o poema é apenas uma *expressão poética* de uma oposição secular contra Israel, sem levar em conta um evento histórico específico. 3. Ainda outros veem aqui uma *declaração ideal* de como todos os inimigos de Israel deveriam ser, os quais serão derrotados definitivamente pela ira divina. 4. Finalmente, outros comentadores veem aqui uma *promessa escatológica* feita a Israel: "Eis o que acontecerá, finalmente, aos inimigos de Israel, antes da inauguração da era do reino. E alguns intérpretes chegam a ver aqui uma menção rápida à *Grande Tribulação*.

Bozra, nos tempos modernos, Buzeirah, em território do antigo Edom. As vestes de Yahweh ficarão avermelhadas com o sangue dos opressores, devido à matança dos inimigos de Israel. Isso será uma glória para o Senhor e mostrará sua força e seu poder de conquistar.

Perguntou o profeta: "Quem é este?" Ato contínuo, Yahweh responde que é ele mesmo quem vem, tão gloriosa e triunfalmente. Ele virá como o *Vingador,* depois de ter acabado de aniquilar os inimigos de Israel. E, nessa vitória, ele também será o *Salvador*. Assim é que "todo o Israel será salvo" (Rm 11.26), no sentido de livramento, como também no sentido da salvação evangélica, considerando-se que é a era do reino de Deus que pode estar em pauta. Se isso não está em vista, então o livramento é a única ideia aqui. Quanto a Deus como salvação e o Deus que traz a salvação, ver Sl 3.8; 9.14; 18.46; 38.22; 50.23 e, especialmente, 62.2, onde apresento uma nota de sumário. Ver também, no *Dicionário*, os artigos chamados *Salvação* e *Salvador*. Cf. o poema com a sentença contra Edom, em Is 21.11,12.

Segunda Estrofe: Aquele que Pisa o Lagar (63.2,3)

■ **63.2**

מַדּוּעַ אָדֹם לִלְבוּשֶׁךָ וּבְגָדֶיךָ כְּדֹרֵךְ בְּגַת:

Por que está vermelho o traje e as tuas vestes...? As vestes do Messias estarão tintas de *vermelho vivo*, e o observador se sentirá compelido a indagar *por quê*. Aprendemos aqui que o pisador divino do lagar estará tinto do sangue dos homens, o sangue dos que acabaram de ser executados por terem tratado duramente a Israel. Cf. Jl 3.13 e Ap 14.19,20, sendo que esta última passagem sem dúvida depende da presente. "No lagar as uvas eram pisadas aos pés, dali o suco fluía para dentro de receptáculos do vinho. O suco da videira manchava as vestes daquele que pisava o lagar (ver Ap 14.19 e 19.15). O simbolismo é apropriado, visto que o território em redor de Bozra abundava em videiras" (Fausset, *in loc.*). A maioria dos lagares consistia em escavações rasas com uma perfuração em um dos lados, a qual levava a um receptáculo. Certa inclinação do lagar permitia que o fluxo do suco das uvas escorresse até aquela perfuração.

■ **63.3**

פּוּרָה ׀ דָּרַכְתִּי לְבַדִּי וּמֵעַמִּים אֵין־אִישׁ אִתִּי וְאֶדְרְכֵם בְּאַפִּי וְאֶרְמְסֵם בַּחֲמָתִי וְיֵז נִצְחָם עַל־בְּגָדַי וְכָל־מַלְבּוּשַׁי אֶגְאָלְתִּי:

O lagar eu o pisei sozinho, e dos povos nenhum homem se achava comigo. O pisador do lagar fez o seu trabalho sozinho, pois o poder divino é que controla as atividades dos homens. Além disso, Israel estava sozinho e nada podia fazer ou acrescentar ao processo. Ademais, nenhum povo (nação) estava em liga com Yahweh, como seu instrumento. Não se está falando aqui de alguma guerra internacional, mas dos golpes aplicados pela natureza e pelos desastres ou julgamentos naturais, como os que destruíram Sodoma e Gomorra. Ou então a linguagem é poética para indicar Deus como a *causa única* (embora ele tivesse seus instrumentos, que não são significativos o bastante para serem mencionados). As coisas foram feitas com *ira*, ou seja, houve um *julgamento divino* corretivo, e não uma vicissitude do capricho divino. Homens ímpios sofriam o que mereciam, de acordo com a *Lei Moral da Colheita segundo a Semeadura* (ver a respeito no *Dicionário*). Ver também o verbete denominado *Ira de Deus*. Alguns estudiosos pensam que o simbolismo aqui fala em *expiação,* mas, como é óbvio, somente o Messias poderia ocupar-se da expiação. Tal interpretação, por essa razão, está longe da marca certa.

Terceira Estrofe: O dia da vingança (63.4-6)

■ 63.4

כִּי יוֹם נָקָם בְּלִבִּי וּשְׁנַת גְּאוּלַי בָּאָה:

Porque o dia da vingança me estava no coração. O dia da vingança contra os inimigos de Deus será, ao mesmo tempo, o ano da redenção de Israel. De modo constante, os temas do julgamento e da redenção andam de mãos dadas, conforme ilustro na introdução a este capítulo. Cf. Is 49.8,9; 59.17 ss. Quanto aos termos envolvidos, ver Is 34.8; 35.4 e 61.2. Talvez haja uma alusão ao Ano do Jubileu, quando os escravos hebreus eram libertados (ver Lv 25.39,40; Êx 25.39-44 e Dt 15.12 ss.). Ver no *Dicionário* o artigo chamado *Jubileu, Ano de*. Note o leitor que a vingança é referida como um *dia,* ao passo que a redenção é referida como um *ano,* e isso sem dúvida é significativo, pois a misericórdia e o amor são fatores supremos na mente divina. Além disso, sabemos que o julgamento tem por propósito remediar o mal, e não meramente punir os homens pelo mal praticado. Ver as notas expositivas em Is 59.16.

■ 63.5

וְאַבִּיט וְאֵין עֹזֵר וְאֶשְׁתּוֹמֵם וְאֵין סוֹמֵךְ וַתּוֹשַׁע לִי זְרֹעִי וַחֲמָתִי הִיא סְמָכָתְנִי:

Olhei, e não havia quem me ajudasse, e admirei-me de não haver quem me sustivesse. *Com ironia,* Yahweh é retratado como se um guerreiro tivesse sido derrotado em batalha, porquanto combatera sozinho; parecia alguém que precisava de um aliado, mas não viu a nenhum aliado e ficou "boquiaberto" diante de seu estado precário. Vendo que não podia contar com ajuda alguma, ele pôde contar somente com seus próprios recursos, e assim o seu *braço* e a sua *ira* o sustiveram, e ele obteve vitória esmagadora. Yahweh usa uma descrição zombeteira e irônica ao enfatizar que a vitória foi dele somente. Ver Is 13.6 quanto a como a vontade divina controla os acontecimentos humanos.

■ 63.6

וְאָבוּס עַמִּים בְּאַפִּי וַאֲשַׁכְּרֵם בַּחֲמָתִי וְאוֹרִיד לָאָרֶץ נִצְחָם: ס

Pisei os povos na minha ira, embriaguei-os no meu furor. As duas primeiras linhas deste versículo repetem o que já tínhamos visto em Is 63.3cd. A terrível imagem do pisar as uvas é repetida. Agora, entretanto, adiciona-se que eles se *embriagarão* com o próprio sangue, e a imagem do vinho/sangue prevê o pensamento extra. A linha final, entretanto, é nova, falando do derramamento, por parte de Yahweh, do *sangue,* que é a vida dos pagãos da terra, como se fosse uma *libação.* O Messias fará dos povos pagãos um sacrifício oferecido à justiça divina. Algumas vezes, as batalhas eram retratadas como se fossem *holocaustos,* nos quais os povos derrotados eram oferecidos aos deuses do povo que tinha ganhado a batalha. Conferir o vs. 18 deste capítulo.

O vs. 6 tem sido cristianizado para referir-se à expiação pelo pecado, realizada exclusivamente por Cristo; mas essa é uma acomodação ao texto, e não uma interpretação. Ver no *Dicionário* o verbete denominado *Acomodação*.

A ORAÇÃO DA NAÇÃO E A RESPOSTA DO SENHOR
(63.7—65.25)

A ORAÇÃO INTERCESSÓRIA DO PROFETA
(63.7—64.12)

"Esta seção registra uma oração patética do remanescente judaico e a resposta apropriada da parte do Senhor. Isaías escrevia aos exilados na Babilônia, os quais veriam a sua própria situação como algo sem esperança. Eles não eram capazes de perceber como Deus poderia ajudá-los em suas aflições. Entretanto, eles lembrariam a maneira como o Senhor os tinha livrado da escravidão no Egito. Isso os encorajaria a orar em busca de libertação. Ao responder às suas orações, o Senhor explicou que o pecado deles é que causara as aflições, e prometeu que os livraria e lhes traria o reino prometido" (John S. Martin, *in loc.*).

O papel de *intercessor* era importante. Como exemplos basta-nos lembrar os casos de *Abraão* (Gn 18.22-32); *Moisés* (Nm 14.13-19); *Am* (7.1-6); Jr 14.1-9); *Ed* (9.6-15); e o exemplo supremo, *Jesus* (Jo 17). Um homem santo, esperava-se, teria orações poderosas, especialmente quando intercedia por outros que estivessem padecendo alguma necessidade. O caso presente (ver Is 63.7-14) provê um retrospecto histórico, seguido pela oração propriamente dita. Paralelos literários encontram-se em Is 26.7-21,33; Lm 1.1—5.22 e Sl 36, 74, 77 e 79, passagens que se revestem de elementos similares. Alguns eruditos pensam que a oração à nossa frente veio a ser usada liturgicamente, em dias especiais de oração. Expressava bem a culpa nacional, um tema que se repete com frequência nas páginas do Antigo Testamento. Os vss. 7-10 descrevem a reação ingrata de Israel aos atos de bondade de Deus, e isso era algo que só aumentava a culpa nacional de Israel.

Primeira Estrofe: A Eleição e o Julgamento de Israel (63.7-10)

■ 63.7

חַסְדֵי יְהוָה אַזְכִּיר תְּהִלֹּת יְהוָה כְּעַל כֹּל אֲשֶׁר־גְּמָלָנוּ יְהוָה וְרַב־טוּב לְבֵית יִשְׂרָאֵל אֲשֶׁר־גְּמָלָם כְּרַחֲמָיו וּכְרֹב חֲסָדָיו:

Celebrarei as benignidades do Senhor e os seus atos gloriosos. "Vss. 7-14. Um prólogo histórico, que relembra o livramento de Israel do Egito; Israel foi *chamado* (vs. 8; Êx 4.22,23; 19.3-6); *protegido* (vs. 9a; Êx 12.1-32); *exaltado* (vs. 9b; Ez 16); *livrado* (vss. 11,12; Êx 14.9-15; Jr 15.1); e *guiado em segurança* através do Sinai até entrar na terra de Canaã (vss. 13,14). A *rebeldia* de Israel requereu que Deus fizesse oposição ao seu próprio povo (ver Jr 5.20-29)" (*Oxford Annotated Bible,* comentando sobre este versículo).

O profeta Isaías estava prestes a apresentar sua perspectiva histórica (conforme esboçado anteriormente), e nisso ele ilustra *o amor constante* que Yahweh tão abundantemente exibiu para com seu povo. Ele louvaria a Yahweh por tudo quanto ele fez.

Um Tributo de Gratidão. "A religião da gratidão não nos pode enganar. A gratidão é a serva da esperança; é o arauto da fé; a melhor parte de nossos credos; faz nossos credos elevar-se por si mesmos" (William Wordsworth, com adaptações).

Quanto à *contagem* de coisas pelas quais devemos ser agradecidos, cf. Sl 51.1; 89.1 e 145.7. Há muitas coisas *dignas* de ser contadas e pelas quais devemos ser agradecidos, e isso tem de ser a verdade na vida de todo indivíduo espiritual. Tudo são feitos do Senhor, intervenção do Ser divino nas atividades humanas.

Cantarei para sempre as tuas misericórdias, ó Senhor; os meus lábios proclamarão a todas as gerações a tua fidelidade.

Salmo 89.1

■ 63.8

וַיֹּאמֶר אַךְ־עַמִּי הֵמָּה בָּנִים לֹא יְשַׁקֵּרוּ וַיְהִי לָהֶם לְמוֹשִׁיעַ:

Porque ele dizia: Certamente eles são meu povo. *Yahweh* relembrou *aos israelitas* que ele os elegera, o que os tornava *filhos,* em contraste com outras nações. Como escolhidos e como filhos, esperava-se que Israel se erguesse à altura de seus privilégios, mostrando-se um povo obediente e espiritualmente responsável. Supunha o Senhor que os filhos não *tratariam com falsidade* o Pai; mas foi precisamente o que eles fizeram. Quanto a Israel como filhos de Deus, cf. Êx 4.22; Dt 14.1; 32.6,19; Os 1.10; 11.1; Ml 1.6; 2.10; Is 43.6 e 45.11. As palavras deste texto nos relembram a relação de pacto que havia entre os israelitas e Deus. Ver sobre *pacto abraâmico* em Gn 15.18; ver também sobre *pacto mosaico* na introdução à Êx 19. Ver o artigo geral do *Dicionário* chamado *Pactos.* O Pai foi *Salvador* em inúmeras ocasiões; mas isso não impediu que o espírito do povo se rebelasse. Porém, o amor de Deus era tão grande que ele esperava muito daqueles entes queridos, que deveriam ter reagido com coração grato. Ver no *Dicionário* o verbete chamado *Amor*.

63.9

בְּכָל־צָרָתָ֣ם ׀ לֹ֣א צָ֗ר וּמַלְאַ֤ךְ פָּנָיו֙ הֽוֹשִׁיעָ֔ם בְּאַהֲבָת֥וֹ וּבְחֶמְלָת֖וֹ ה֣וּא גְאָלָ֑ם וַֽיְנַטְּלֵ֥ם וַֽיְנַשְּׂאֵ֖ם כָּל־יְמֵ֥י עוֹלָֽם׃

Em toda a angústia deles foi ele angustiado, e o Anjo da sua presença os salvou. Yahweh sentia a dor de seus filhos e enviou constantemente seu *anjo* para livrá-los e consolá-los. O anjo é chamado aqui "da sua presença", pelo que deve estar em foco o ministério angelical. Ver no *Dicionário* o verbete chamado *Anjos,* onde abordo a questão. Ver a exposição de Hb 1.14 no *Novo Testamento Interpretado.* Quanto ao Ser divino como se ele fosse dotado de sentimentos e emoções humanos, ver o verbete chamado *Antropopatismo.* Note o leitor a declaração enfática aqui existente: Deus é amor; ele tem misericórdia dos homens, pelo que redime os sofredores; ele os carrega em seus ombros; ele carregou a nação de Israel como se fosse um cordeiro sobre os seus ombros durante todos aqueles dias da antiguidade e, de fato, por toda a história deles.

Existe um ensaio, usualmente acompanhado de uma pintura, que ilustra bem este texto. Mostra-nos *dois conjuntos* de pegadas ao longo de uma praia. Ocasionalmente, porém, podemos perceber apenas *um conjunto* de pegadas. Sei que essas pegadas são do Senhor e de uma pessoa que ele está acompanhado. Por isso nos admiramos por que, ocasionalmente, o Senhor parece ter abandonado aquela pessoa, deixando na areia apenas um conjunto de pegadas. Mas, quando aprendemos que há somente um conjunto, isso representa as ocasiões em que o Senhor *carregava* aquela pessoa, que passava por alguma grande provação, e as pegadas que ficaram na praia pertencem ao Senhor. Cf. Is 46.3,4 e Dt 32.7,11,12.

Quanto ao *anjo da presença de Deus,* ver Gn 16.10 e Êx 33.14. O original hebraico diz "anjo de sua face". As tentativas de identificar esse anjo têm sido baldadas; o certo é que o Messias não está em pauta.

63.10

וְהֵ֛מָּה מָר֥וּ וְעִצְּב֖וּ אֶת־ר֣וּחַ קָדְשׁ֑וֹ וַיֵּהָפֵ֥ךְ לָהֶ֛ם לְאוֹיֵ֖ב ה֥וּא נִלְחַם־בָּֽם׃

Mas eles foram rebeldes, e contristaram o seu Espírito Santo. Existem muitos incidentes históricos que apresentam essa rebeldia dos israelitas. O autor apontaria, especificamente, a rebeldia relacionada à experiência no Egito (vss. 12 ss.). Os filhos mostraram-se ingratos; eles se rebelaram; contristaram o Espírito Santo; forçaram o Pai a feri-los em sua ira e a *combater contra eles* pela sua providência negativa. Quanto ao ato de entristecer o Espírito, cf. At 7.51 e Ef 4.30. "Entristecer o Espírito de Yahweh é entristecer Yahweh. A personificação não vai tão longe quanto a personificação da sabedoria no livro Sabedoria de Salomão. Visto que Israel se rebelou contra ele, que tinha feito deles um povo escolhido, depois que os chamou de filhos, ele se tornou inimigo deles" (James Muilenburg, *in loc.*). O fato incrível que aprendemos neste versículo foi que "a reação de Israel à graça de Deus foi a rebelião" (Henry Sloane Coffin, *in loc.*).

Este versículo é a única referência, no Antigo Testamento, ao ato de "entristecer" o Espírito Santo. Não sabemos dizer até que ponto havia progredido a doutrina do Espírito Santo, mas tentar ver aqui a Trindade é um exagero.

Segunda Estrofe: As Maravilhas dos Dias Antigos (63.11-14)

63.11

וַיִּזְכֹּ֥ר יְמֵֽי־עוֹלָ֖ם מֹשֶׁ֣ה עַמּ֑וֹ אַיֵּ֣ה ׀ הַֽמַּעֲלֵ֣ם מִיָּ֗ם אֵ֚ת רֹעֵ֣י צֹאנ֔וֹ אַיֵּ֛ה הַשָּׂ֥ם בְּקִרְבּ֖וֹ אֶת־ר֥וּחַ קָדְשֽׁוֹ׃

Então o povo se lembrou dos dias antigos, de Moisés, e disse. Esta passagem reflete tanto o retrospecto dos dias heroicos quanto as lamentações, misturando os dois elementos. A própria grandiosidade dos acontecimentos tornou ainda mais lamentável que aquilo que fora realizado não tenha produzido as vitórias tencionadas em favor de Israel. Além disso, não houve aquela esperada *mudança interior.* Os eventos tiveram por propósito ser *instrumentos* para efetuar uma transformação moral e espiritual. Mas esse propósito fracassou de modo consistente.

Este versículo apresenta as palavras de Israel. Moisés era servo de Yahweh e coisas admiráveis aconteceram, intermediadas por ele, algumas das quais serão enumeradas. Mas a *grande questão* que Israel levantará será: "Onde está aquele famoso Yahweh que fez todas essas coisas? Por que ele não nos ajuda hoje, em meio às nossas aflições?" Por que teria havido um poder divino para derrotar o Faraó, mas não para derrotar Nabucodonosor? Por que os exilados foram abandonados na Babilônia? Por que o presente não se mostrava à altura do passado? Yahweh era o Pastor, e o povo de Israel eram as suas ovelhas. Onde está agora o Pastor? Ele pôs o seu Espírito Santo no meio deles. Que aconteceu ao Espírito? Existem muitos relatos sobre o ministério do Espírito Santo — desde Bezalel (ver Êx 35.31) até os 70 anciãos (ver Nm 11.25); desde Josué (ver Dt 34.10) e presumivelmente por ocasião do êxodo dos israelitas do Egito. Tudo isso, entretanto, agora se parecia apenas uma questão de dogmas históricos, e não a realidade presente.

Que fez subir do mar. Assim dizem vários manuscritos da Septuaginta, do siríaco e dos manuscritos hebraicos dos Papiros do mar Morto. O texto massorético diz: "fez eles subirem". Ocasionalmente, os manuscritos hebraicos de Isaías (existem dois deles) da coletânea dos Papiros do mar Morto concordam com as versões (usualmente com a Septuaginta) e discordam do texto massorético padronizado. Quanto à importância desse fenômeno para a crítica textual do Antigo Testamento, ver as notas em Is 26.19, onde também apresento um gráfico ilustrativo.

63.12

מוֹלִ֨יךְ֙ לִימִ֣ין מֹשֶׁ֔ה זְר֖וֹעַ תִּפְאַרְתּ֑וֹ בּ֤וֹקֵֽעַ מַ֨יִם֙ מִפְּנֵיהֶ֔ם לַעֲשׂ֥וֹת ל֖וֹ שֵׁ֥ם עוֹלָֽם׃

Aquele cujo braço glorioso ele fez andar à mão direita de Moisés. O *braço* glorioso de Yahweh empregou a *mão direita* de Moisés como seu instrumento, porquanto Deus é quem dera a Moisés o poder que ele tinha. Isso substituiu a declaração usualmente direta, a mão direita de *Yahweh.* Ver no *Dicionário* os artigos chamados *Braço* e *Mão.* Ver sobre *mão* em Sl 81.14; sobre *mão direita* em Sl 20.6; e sobre *braço* em Sl 77.15; 89.10 e 98.1. O versículo presente modifica a metáfora, mas o significado permanece o mesmo: o poder divino realizou coisas admiráveis. Entre elas ocorreu a divisão das águas do mar Vermelho, que salvou o povo de Israel, mas matou afogados os soldados egípcios. Foi então que o *Nome Eterno* de Deus se tornou mais universalmente conhecido, devido ao fato de que o maior poder da época foi derrotado inesperadamente, mediante a intervenção divina.

"O braço do guia invisível é aqui concebido a acompanhar o grande líder de Israel, pronto a segurá-lo pela mão e suportá-lo em tempos de necessidade" (Ellicott, *in loc.*). Ver no *Dicionário* o verbete chamado *Nome,* e ver sobre o nome divino em Sl 31.3; e sobre *Nome Santo,* em Sl 30.4 e 33.21.

63.13

מוֹלִיכָ֖ם בַּתְּהֹמ֑וֹת כַּסּ֥וּס בַּמִּדְבָּ֖ר לֹ֥א יִכָּשֵֽׁלוּ׃

Aquele que os guiou pelos abismos, como o cavalo no deserto. Depois de ter guiado os israelitas pelas profundezas do mar, Yahweh, em seguida, guiou-os pelo deserto perigoso; e eles, como se fossem um forte cavalo, não tropeçaram. Alguns pensariam que o *camelo* seria uma figura mais realista, mas temos aqui um *cavalo do deserto* especial, que é superior ao camelo. Alguns intérpretes, no entanto, arruínam a figura, fazendo o cavalo não tropeçar no *pasto.* Mas a ideia é que Israel, como se fosse um cavalo, pôde atravessar os rigores do deserto sem dar um único passo em falso. Mas agora, em vez de ser aquele cavalo forte e miraculoso, Israel era como um montão de vermes sob as rodas dominadoras dos babilônios.

63.14

כַּבְּהֵמָה֙ בַּבִּקְעָ֣ה תֵרֵ֔ד ר֥וּחַ יְהוָ֖ה תְּנִיחֶ֑נּוּ כֵּ֚ן נִהַ֣גְתָּ עַמְּךָ֔ לַעֲשׂ֥וֹת לְךָ֖ שֵׁ֥ם תִּפְאָֽרֶת׃

Como o animal que desce aos vales, o Espírito do Senhor lhes deu descanso. Agora, finalmente, chegamos ao campo de pasto. Tendo atravessado o mar miraculosamente e passado pelos rigores e perigos do deserto, eles, como gado, chegaram a campos de pastagem de descanso e abundância. Aqui, sob forma poética, a entrada na Terra Prometida é retratada. Cada passo que eles deram foi guiado por Deus, e por seu poder tornado possível, e esses passos os levaram do perigo para a abundância. No entanto, Israel queixava-se de que "o poder dos tempos antigos" os havia abandonado no presente, mas os israelitas, nem por uma vez sequer, pensaram que as condições atuais eram causadas por sua própria culpa. Eles simplesmente pensavam que Deus tinha abandonado o seu povo. Yahweh fizera um "nome glorioso" para si mesmo, mediante aqueles feitos de poder, e esse nome ficou registrado na história de Israel. Mas o Israel do presente se admira com o que aconteceu àquele Nome e seu alegado poder. Ver no *Dicionário*, e em Sl 31.3, o artigo chamado *Nome*. Ver sobre *Nome Santo*, em Is 30.4 e 33.21.

Terceira Estrofe: O Pai e o Redentor (63.15,16)

■ 63.15

הַבֵּט מִשָּׁמַיִם וּרְאֵה מִזְּבֻל קָדְשְׁךָ וְתִפְאַרְתֶּךָ אַיֵּה
קִנְאָתְךָ וּגְבוּרֹתֶךָ הֲמוֹן מֵעֶיךָ וְרַחֲמֶיךָ אֵלַי הִתְאַפָּקוּ׃

Atenta do céu, e olha da tua santa e gloriosa habitação. Isaías havia descrito o passado glorioso de Israel, quando o poder de Yahweh estava em tão grande evidência, ao guiar Israel de vitória em vitória. Agora, em contraste, ele descreve o trágico presente de Israel, quando parecia não haver nenhum poder elevador em operação. Ele apresentou um poema com três estrofes, no qual apelou a Deus que ajudasse e renovasse o poder manifestado antes.

Yahweh, tão exaltado em seu céu, parecia indiferente ao que acontecia à moderna nação de Israel. Momentaneamente, Isaías caiu no *deísmo*, que ensina que o poder criador abandonou sua criação aos cuidados das leis naturais. A doutrina normal é a do *teísmo*, que ensina que Deus continua ativo em sua criação e intervém mediante sua providência negativa e positiva. Ele é o guia da história humana, bem como a causa de seus eventos. Ver no *Dicionário* os artigos chamados *Teísmo* e *Deísmo*. Pelo momento, entretanto, o profeta assumiu a posição *deísta*. Ele não via evidências da intervenção divina no presente. Por isso invocou a Yahweh que abandonasse sua indiferença e voltasse a intervir nas atividades humanas. O profeta empregou fortes termos antropomórficos ao descrever o Deus dos dias passados. Suas entranhas "se agitaram" em ternas emoções por seu povo, ou seja, sentindo por eles misericórdia e amor. Seu coração "saltava" quando ele pensava em seu povo. Mas agora coisa alguma acontecia. Ver no *Dicionário* os artigos chamados *Antropomorfismo* e *Antropopatismo*. A habitação de Deus é elevada e gloriosa, mas ele se faz urgentemente necessário *na terra*, que é baixa, profana e inglória.

■ 63.16

כִּי־אַתָּה אָבִינוּ כִּי אַבְרָהָם לֹא יְדָעָנוּ וְיִשְׂרָאֵל לֹא
יַכִּירָנוּ אַתָּה יְהוָה אָבִינוּ גֹּאֲלֵנוּ מֵעוֹלָם שְׁמֶךָ׃

Mas tu és nosso Pai, ainda que Abraão não nos conhece, e Israel não nos reconhece. Assim como Yahweh foi o *Pai* e *Redentor* de Abraão e da antiga nação de Israel, assim deve ser agora para a moderna nação de Israel. Abraão, de acordo com o profeta Isaías, não pensava mais em Israel; nem o fazia assim a antiga nação de Israel, que viu tanta glória, a qual nada sabia sobre a moderna e deplorável nação de Israel. Mas isso não significa que o Deus dos antigos patriarcas e do antigo Israel não seja o mesmo Deus dos israelitas modernos. Os antigos eram seres *mortais*, e assim passaram para além de onde existem as memórias; em outras palavras (provavelmente, na visão do autor), passaram para o nada. Mas Yahweh, sendo *imortal*, continuava consciente da moderna nação de Israel e intervinha em seu favor, não menos do que interviera em favor dos patriarcas e da antiga nação de Israel. O nome de Yahweh é aqui "Redentor desde a antiguidade"; mas o próprio Yahweh nunca envelhece, pelo que deve continuar a ser o "Redentor dos dias modernos". Este versículo tem sido usado por alguns eruditos como uma declaração contra a imortalidade pessoal, e, se tomarmos essas palavras exatamente conforme elas são, podemos fazê-las significar isso. Porém, é precário edificar doutrinas sobre tais afirmações, que realmente não se reportam ao caso em foco.

Quarta Estrofe: Voltai! (63.17-19)

■ 63.17

לָמָּה תַתְעֵנוּ יְהוָה מִדְּרָכֶיךָ תַּקְשִׁיחַ לִבֵּנוּ מִיִּרְאָתֶךָ
שׁוּב לְמַעַן עֲבָדֶיךָ שִׁבְטֵי נַחֲלָתֶךָ׃

Ó Senhor, por que nos fazes desviar dos teus caminhos? "A pecaminosidade de Israel gerou a pecaminosidade. O profeta implora aqui a Deus que livre seu povo esquecido dos pecados, restaurando o santuário arruinado deles" (*Oxford Annotated Bible*, comentando sobre este versículo). O profeta lamentou-se e orou, e orou e lamentou-se. A perda do santuário era um terrível sinal de como Israel havia sido abandonado.

Deus, na qualidade de *causa única*, é visto aqui como a causa dos pecados de Israel, de sua voluntariedade, de sua rebelião e apostasia. Foi Deus quem endureceu o coração de Israel; foi Deus quem retirou deles o temor por *Yahweh*. Quanto ao *Temor do Senhor*, ver as notas expositivas em Sl 119.38 e Pv 1.7. Ver também, no *Dicionário*, o verbete chamado *Temor*. Essa expressão é um sinônimo cru da espiritualidade, nas páginas do Antigo Testamento, a qual estava fundamentada sobre a lei; algumas vezes, porém, era palavra usada para incluir o real terror diante do Ser divino. Talvez o profeta acreditasse em *segundas causas* (Israel era a causa de suas próprias misérias, e foi endurecido por suas próprias decisões, devido ao decreto divino que disse: "Eles permanecerão sendo o que determinaram que serão"). Mas o texto emprega a linguagem de Deus como a causa única. A teologia dos hebreus era fraca quanto a causas secundárias, e assim fazia de Deus a causa do mal, e não meramente do bem, exatamente a mesma posição do calvinismo radical de hoje. As Escrituras estão repletas de convites lançados aos pecadores para que se arrependam, presumindo que eles sejam moral e espiritualmente capazes de fazê-lo. Ver Jr 31.18; Is 44.22. Cf. o texto quanto ao endurecimento do coração do Faraó, em Êx 7.3. Ver também a passagem bastante radical do nono capítulo da epístola aos Romanos, que está fundamentada sobre a doutrina de Deus como a causa única. Mas o resto da epístola aos Romanos se manifesta contra essa posição.

Volta. Ou seja, faz o teu amor voltar-se de novo para nós! Relembra-te dos teus *servos*, que em ti confiam. Faz a tua soberania operar em nosso favor, e não em favor de nossa ruína. Somos a tua *herança* (Sl 28.9; 78.62; 106.40). O profeta apela para o interesse próprio de Deus!

■ 63.18

לַמִּצְעָר יָרְשׁוּ עַם־קָדְשֶׁךָ צָרֵינוּ בּוֹסְסוּ מִקְדָּשֶׁךָ׃

Só por breve tempo foi o país possuído pelo teu santo povo. O templo e seu culto foram, por vários séculos, o centro de toda a fé e adoração dos hebreus. O *povo santo* possuiu aquele território para seu uso particular. Séculos são aqui chamados de "breve tempo". Então vieram os babilônios, e não somente profanaram o lugar, mas também o obliteraram. O mesmo aconteceu à maioria das cidades de Judá e até à capital, Jerusalém; mas o profeta limitou sua declaração a esta coisa temível: "O *santuário* foi destruído por homens ímpios!" Essa afirmação torna-se tanto mais enfática se observarmos que não foi o santuário de Israel que foi assim tratado, mas o santuário de *Yahweh*. Este versículo consiste em uma nota histórica, e não em uma profecia; e devemos lembrar que Isaías morreu muito antes que ocorresse o cativeiro babilônico. Eis a razão pela qual muitos eruditos falam no segundo Isaías. Quanto a uma discussão do problema, ver a seção III da Introdução sobre a *Unidade* do livro de Isaías.

A herança teria um caráter perpétuo, como pacto que era. Mas quando o autor sagrado escreveu, o santuário estava em completa ruína. Portanto, o que sucedeu à promessa divina? O profeta Isaías invocou a Yahweh para *retornar* e repor as coisas em boa ordem.

■ 63.19

הָיִינוּ מֵעוֹלָם לֹא־מָשַׁלְתָּ בָּם לֹא־נִקְרָא שִׁמְךָ עֲלֵיהֶם
לוּא־

Tornamo-nos como aqueles sobre quem tu nunca dominaste. Israel havia sido reduzido a um estado pagão. Eles não tinham mais capital, nem lei que fosse lida e interpretada por homens santos; não tinham santuário nem culto; de fato, nem mais possuíam um país. O paganismo tinha dominado tudo, e eles tinham tornado Israel uma nação pagã. Contudo, Yahweh, em seu céu santo, elevado e remoto, parecia não notar coisa alguma nem se incomodar com o povo de Israel (vs. 15). Enquanto ele habitava em sua moradia gloriosa e elevada, o escabelo de seus pés jazia em ruínas. E o pior de tudo é que ele parecia ser a causa de toda aquela miséria (vs. 17)! Era como se nunca tivesse havido uma história: Yahweh-Deus de Israel. Até parecia que Yahweh nunca havia chamado Israel por seu Nome e nunca tinha feito de si mesmo um nome famoso agindo em favor de Israel (vss. 12 e 14). O passado estava morto, e parecia não haver presente para Israel. Israel não era mais um povo distinto. De fato, nem ao menos tinha um território pátrio. No passado, Yahweh tinha *governado* Israel (ver Is 6.5; 33.22; 41.21; 43.15; 44.6). Mas o povo de Israel havia perdido seu reino. Os babilônios o haviam tomado. "Ainda havia evidências e vestígios da antiga soberania de Deus. Ele tinha um nome, o seu nome sobre Israel (ver Dt 28.10; Jr 14.9), mas era como se o seu nome se tivesse perdido de seu reino" (James Muilenburg, *in loc.*).

CAPÍTULO SESSENTA E QUATRO

Não há interrupção entre os capítulos 63 e 64. Continuamos estudando as estrofes do poema iniciado em Is 63.7.

"Saindo do *de profundis* do lamento, esta oração irrompe em sua petição mais apaixonada e anelante. A natureza remota de Deus, sua aparente indiferença e seu silêncio devem terminar. O profeta orou com intenso anelo, desejando uma teofania maior ainda que aquela que houve no Sinai (ver Êx 19) ou nas águas de Megido (Jz 5). Ele implorou a Deus que ele não somente 'olhasse do céu e visse' (ver Is 63.15), mas também rasgasse os céus adamantinos e se revelasse ao seu povo, a fim de que os adversários dos judeus (cf. Is 63.18) soubessem que somente ele é Deus, que opera grandes e terríveis maravilhas, responde ativamente àqueles que esperam por ele, e vem ao encontro dos que se arrependem e se lembram dos seus caminhos. Observe o leitor a ênfase teofânica que permeia a tríplice frase 'a tua presença' (vss. 1b, 2d e 3c), o duplo 'descesses' (vss. 1a e 3a), e o duplo ato de 'tremer', elemento característico das teofanias clássicas mediante o qual os poderosos baluartes do mundo, os montes, são abalados e ameaçados (vss. 2b e 3c)" (James Muilenburg, *in loc.*).

Quinta Estrofe: Oração por uma Teofania Universal (64.1-5b)

■ **64.1**

קָרַעְתָּ שָׁמַיִם יָרַדְתָּ מִפָּנֶיךָ הָרִים נָזֹלּוּ׃

Oh! Se fendesses os céus, e descesses! *Busca pela Presença do Senhor.* O profeta tenta agora anular o espírito da estrofe pessimista que ele acabara de escrever. Para tanto, precisa de nova manifestação da presença de Deus. A oração era que Yahweh se revelasse como fizera nos tempos antigos (ver Êx 19.16-18; Jz 5.4,5; Hc 3.3-15). Israel achava-se impotente quando se tratava de aproximar-se de Deus (ver Gn 11.1-9; Êx 33.17-23). Mas Deus não conhecia limites e podia aproximar-se dos israelitas, salvando assim o dia (ver Êx 19,20) e repetindo a história antiga. Este primeiro versículo naturalmente é uma alusão à história da doação da lei, uma das ocasiões em que o Ser divino desceu até os homens e realizou um serviço notável (conferindo-lhes a lei, o guia de Israel; ver Dt 6.4 ss.).

"Este é um apelo para uma aparição dramática, conforme se vê em Jz 5.5. Tal teofania, que abalou montanhas e fez a água ferver, deixaria confusos os inimigos de Israel. Eles anelavam pela repetição das maravilhas do êxodo" (Henry Sloane Coffin, *in loc.*). Cf. Sl 68.8; Êx 19.18; Ap 16.20.

■ **64.2** (na Bíblia hebraica corresponde ao **64.1**)

כִּקְדֹחַ אֵשׁ הֲמָסִים מַיִם תִּבְעֶה־אֵשׁ לְהוֹדִיעַ שִׁמְךָ לְצָרֶיךָ מִפָּנֶיךָ גּוֹיִם יִרְגָּזוּ׃

Como quando o fogo inflama os gravetos, como quando faz ferver as águas. *O fogo enviado do céu* incendeia os campos e faz ferver as lagoas. E isso, sem dúvida, chamaria a atenção dos povos pagãos que perseguiam a Israel, especificamente os babilônios, que os mantinham cativos. O nome de Yahweh haveria de recuperar a antiga fama (ver Is 63.12,13). O *fogo* é símbolo característico (ou realidade) nas manifestações teofânicas (ver a respeito no *Dicionário*). Cf. Êx 19.18; Dt 5.4; Hb 12.18. Quase sempre tem o sentido simbólico de *julgamento* (ver Hb 12.29), e o profeta olhava para benefícios em favor de Israel, através da presença do Senhor e do juízo que ele efetuaria contra os perseguidores de Israel. A forma plural, *nações,* aqui usada, levou alguns intérpretes a pensar que está em foco a derrota dos inimigos de Israel, antes da inauguração da época áurea.

■ **64.3** (na Bíblia hebraica corresponde ao **64.2**)

בַּעֲשׂוֹתְךָ נוֹרָאוֹת לֹא נְקַוֶּה יָרַדְתָּ מִפָּנֶיךָ הָרִים נָזֹלּוּ׃

Quando fizeste cousas terríveis, que não esperávamos. A alusão, aqui, é à *doação da lei,* no Sinai. Cf. Dt 10.21; 2Sm 7.13; Sl 106.22. Os acontecimentos do Sinai tomaram Israel de surpresa, primeiramente devido ao próprio acontecimento; depois pela maneira notável como tudo sucedeu; então por causa do sentido a longo prazo do acontecido; e, finalmente, por sua avassaladora importância para Israel como uma nação. Isso pavimentou o caminho para o pacto mosaico (comentado na introdução a Êx 19). Ali havia poder e significado que o profeta queria ver repetidos em seus próprios dias. Cf. este versículo com Sl 65.5; 68.8 e Êx 34.10.

■ **64.4** (na Bíblia hebraica corresponde ao **64.3**)

וּמֵעוֹלָם לֹא־שָׁמְעוּ לֹא הֶאֱזִינוּ עַיִן לֹא־רָאָתָה אֱלֹהִים זוּלָתְךָ יַעֲשֶׂה לִמְחַכֵּה־לוֹ׃

Porque desde a antiguidade não se viu, nem com ouvidos se percebeu. Este versículo generaliza o anterior. A obra no Sinai foi grande e visivelmente chocante, mas deve ter havido muitas outras obras divinas semelhantes. Ninguém jamais tinha visto os deuses pagãos fazer os tipos de maravilhas sobre as quais se lê na história de Israel. Há certa *singularidade* inerente nesses relatos, mas não foi por essa razão que o profeta pensava que eles não poderiam repetir-se. Os ouvidos humanos, ao menos teoricamente, poderiam ouvir novamente as histórias; os olhos humanos, teoricamente, poderiam ver essas coisas novamente. Paulo citou este versículo em 1Co 2.9, para encorajar os crentes a pensar sobre o potencial espiritual. Os que esperam em Deus podem aguardar grandes coisas, ainda que não tão dramáticas como aquelas sobre as quais lemos nas Escrituras. As palavras "que nele espera" significam "que nele confiam", que dele dependem, aguardando grandes coisas mediante o poder de Deus. "Tu ajudas as pessoas que em ti confiam" (NCV). Quanto ao caráter *singular* de Yahweh, ver Is 44.6,8; 45.5,6,21; 47.8,10.

■ **64.5ab** (na Bíblia hebraica corresponde ao **64.4ab**)

פָּגַעְתָּ אֶת־שָׂשׂ וְעֹשֵׂה צֶדֶק בִּדְרָכֶיךָ יִזְכְּרוּךָ הֵן־אַתָּה קָצַפְתָּ וַנֶּחֱטָא בָּהֶם עוֹלָם וְנִוָּשֵׁעַ׃

Sais ao encontro daquele que com alegria pratica justiça. Yahweh vem correndo ao encontro do homem bem-intencionado, que se alegra no que é direito e cuja vida está edificada sobre princípios espirituais continuamente aplicados na prática. Esse é o homem que "espera no Senhor" (vs. 4). Ele se *lembra* do Senhor e dos seus caminhos em todos os seus atos e tenta imitá-lo. Está em pauta o homem dotado de fé de todo o coração. Ver as notas em Pv 4.23. Yahweh vem ao encontro desse homem para mostrar-lhe favor. Há um *encontro* do Ser divino com o melhor do que os homens podem ser, e o resultado só poderá ser bom.

Sexta Estrofe: Uma Confissão de Culpa (64.5c-7)

■ **64.5c** (na Bíblia hebraica corresponde ao **64.4c**)

וַנֶּחֱטָא בָּהֶם ע וְלָם וְנִוָּשֵׁעַ
הֵן־אַתָּה קָצַפְתָּ

Por muito tempo temos pecado, e havemos de ser salvos? Depois de sua fervorosa esperança pela presença e pelo favor divino, a atitude do profeta Isaías voltou-se ao que era desanimador. Ele se voltou para a penitência e a confissão de pecados e esperou que Israel fizesse o mesmo, a fim de que o favor divino, pelo momento presente de aflição, pudesse ser obtido.

A ira de Yahweh estava por trás das tristes condições da nação de Israel. Eles não eram cativos dos babilônicos em troca de nada. O pecado tinha-se endurecido sob a forma de apostasia. O pecado os controlava fazia agora muito tempo. Poderia haver alguma salvação no meio daquilo? Poderia haver algum livramento para um pobre remanescente, pisado aos pés pelos babilônios?

64.6 (na Bíblia hebraica corresponde ao 64.5)

וַנְּהִי כַטָּמֵא כֻּלָּנוּ וּכְבֶגֶד עִדִּים כָּל־צִדְקֹתֵינוּ וַנָּבֶל כֶּעָלֶה כֻּלָּנוּ וַעֲוֹנֵנוּ כָּרוּחַ יִשָּׂאֻנוּ:

Mas todos nós somos como o imundo, e todas as nossas justiças como trapo da imundícia. "O profeta, falando em favor de seu povo, confessou os pecados e a impotência espiritual deles" (*Oxford Annotated Bible,* comentando sobre os vss. 5c-7).

Este versículo é um dos mais conhecidos de Isaías, largamente citado para mostrar que até a *justiça do pecador* é apenas outra forma de pecado aos olhos do Deus santo; os feitos retos de um homem, por estarem maculados pelo pecado (com erros de motivação e inadequação de propósito), são como trapos de imundícia. Este versículo tem sido corretamente usado para falar da "iniquidade do pecado" e do caráter geralmente poluído do homem não regenerado.

Ilustrações:
1. Os homens são *imundos* aos olhos de Deus, tal e qual um daqueles animais imundos que a lei proibia que fosse tocado ou usado como artigo de alimentação. Ver no *Dicionário* o artigo chamado *Limpo e Imundo,* quanto a abundantes detalhes. O homem, na presença de Deus, é como um porco notoriamente imundo. Cf. Ag 2.13,14. Todos os homens são imundos por causa de sua própria natureza e por causa das coisas em que "tocam". De fato, os homens são modelos de imundícia, se julgarmos de acordo com os padrões divinos, e não com os padrões humanos. Todos os homens são *leprosos* espirituais (ver Lv 13.45).
2. Então, até mesmo a retidão de um homem, os seus feitos bons, são corruptos como os panos cheios de *sangue menstrual* de uma mulher, que era uma das coisas imundas, de acordo com a lei cerimonial dos israelitas. Ver Lv 15.19-24. A maioria das traduções e dos comentadores evita a tradução literal aqui, ou por motivos pudicos ou por temor de ofender às pessoas. Cf. este versículo com Ez 36.17, um paralelo direto a esta parte do versículo, e onde apresento um gráfico. Naquele versículo, menor número de traduções e intérpretes recorre a eufemismos.
3. Por causa de suas iniquidades, os homens são levados a "murchar como uma folha", isto é, *morrem*. O pecado arrebata primeiramente a vitalidade espiritual de um homem e então sua vida espiritual, bem como sua vida física. Ver a epístola de Romanos. O pecado é um assassino.
4. A folha murcha, mais tarde transformada em poeira, é *varrida embora* pelo vento, isto é, transmuta-se em nada. Talvez a figura pretendida seja que as folhas de outono caem das árvores por causa do frio do inverno, que as mata. Em seguida, os ventos do outono e do inverno sopram e as levam embora. Cf. Is 40.24; 41.16; 57.13; Jó 27.21 e Sl 1.3. Essa parte do versículo serve de excelente ilustração dos cativos levados para a Babilônia. Os ventos adversos da Babilônia os tangeram da terra nativa. Os que nunca viveram em países frios não podem compreender a metáfora das folhas de outono. Excetuando as espécies vegetais perenemente verdes, as folhas das árvores começam a morrer e cair. Elas não podem resistir ao frio. Quando a neve começa a cair, as árvores já estão essencialmente desprovidas de folhas e parecem mortas. No entanto, nos galhos aparentemente mortos e no tronco das árvores continua a palpitar a vida, preparada para explodir novamente, mas as *folhas* estão mortas e são tangidas pelo vento. Quando chega a primavera, *folhas novas* aparecem nas plantas e nas árvores, e as flores começam a abrir-se de novo. É o milagre da primavera; é o milagre de uma nova vida. A palavra inglesa para outono, *fall* (queda), deriva-se dessa perda anual das folhas, por parte das árvores.

64.7 (na Bíblia hebraica corresponde ao 64.6)

וְאֵין־קוֹרֵא בְשִׁמְךָ מִתְעוֹרֵר לְהַחֲזִיק בָּךְ כִּי־הִסְתַּרְתָּ פָנֶיךָ מִמֶּנּוּ וַתְּמוּגֵנוּ בְּיַד־עֲוֹנֵנוּ:

Já ninguém há que invoque o teu nome. Além de mergulhados no pecado, o povo de Israel havia caído em total *apatia* espiritual, ou pior, em total *rebelião* espiritual. Nenhum israelita invocava a Yahweh; ninguém sentia compulsão interior para promover seu culto ou mesmo para orar. O *nome* de Deus tinha caído em completa negligência, mas podemos estar certos de que outros nomes estavam sendo adorados e invocados. Yahweh ocultou deles o *seu rosto,* e Isaías lançou a culpa disso sobre a indiferença do povo de Israel. Contudo, compete-nos compreender, por meio deste versículo, que foram eles que levaram Yahweh a abandoná-los. Como castigo, foram entregues ao cativeiro babilônico. Cf. Rm 11.21-24, um paralelo espiritual desta estrofe.

"Em todo o Antigo Testamento, não há outro discernimento mais profundo acerca do pecado. O poeta viu seu povo conquistado não pelos babilônios ou por outros inimigos, mas por suas próprias iniquidades. Esta oração, que pede outro êxodo, é, primariamente, uma petição para que Deus os livrasse deles mesmos" (Henry Sloane Coffin, *in loc.*).

Eu sou meu próprio principal traidor.
Meu amigo mais afagado é meu mortal inimigo.
Christina Rossetti

Sétima Estrofe: Súplica Final (64.8-12)

64.8 (na Bíblia hebraica corresponde ao 64.7)

וְעַתָּה יְהוָה אָבִינוּ אָתָּה אֲנַחְנוּ הַחֹמֶר וְאַתָּה יֹצְרֵנוּ וּמַעֲשֵׂה יָדְךָ כֻּלָּנוּ:

Mas agora, ó Senhor, tu és nosso Pai, nós somos o barro, e tu o nosso oleiro. O profeta continua seu apelo para que Yahweh ajudasse seu povo, que tinha caído sob severa condenação por causa do pecado. Ele fez o apelo final, relembrando que Yahweh tinha uma relação de Pai para com eles. Eles eram seus filhos desesperados na Babilônia, sofrendo um inimaginável tratamento da parte dos pagãos.

Os Três Apelos do Vs. 8:
1. O Deus Eterno (Yahweh) era o *Pai* de Israel. Ver no *Dicionário* o verbete chamado *Paternidade de Deus.* Este é um dos nossos mais elevados conceitos espirituais, que o Novo Testamento eleva ainda mais, até contemplar, finalmente, a real participação dos filhos na natureza do Pai, o mais exaltado conceito da salvação (ver 2Pe 1.4). Os exilados, em sua miséria na Babilônia, não pareciam ser um povo especial, mas o profeta insistiu na natureza ímpar deles como filhos. Ver Êx 4.22.
2. Israel era o *barro* especial que a mão divina estava moldando para tornar-se um vaso especial. Mas parecia que o Senhor havia rejeitado o vaso, por causa de suas falhas. E o profeta Isaías convidou o Oleiro a terminar o trabalho que tinha planejado, não permitindo que seu esforço passado se reduzisse a nada. Quanto ao simbolismo do barro-oleiro, ver Is 45.9. Cf. Jó 10.9; Jr 18.4 ss.; Rm 9.19 ss.
3. A terceira linha poderia ser uma adição à segunda, continuando o simbolismo do barro-oleiro, ou, mais provavelmente ainda, contendo um terceiro simbolismo, o do Criador-ser criado. A criação foi uma grande realização e requereu muito poder. Israel recebeu uma posição *distinta* diante de Yahweh, como filho (primeira linha); mas também compartilhava o *relacionamento comum* com ele, como ser criado. Admite-se que as criaturas são entidades muito inferiores quando comparadas ao Criador; mas, nelas mesmas, são seres exaltados, um pouco inferiores aos anjos (ver Sl 8.5). Cf. esta parte do versículo com Is 60.21 e Jr 18.5,6.

64.9 (na Bíblia hebraica corresponde ao 64.10)

אַל־תִּקְצֹף יְהוָה עַד־מְאֹד וְאַל־לָעַד תִּזְכֹּר עָוֹן הֵן הַבֶּט־נָא עַמְּךָ כֻלָּנוּ:

Não te enfureças tanto, ó Senhor, nem perpetuamente te lembres da nossa iniquidade. Seguindo três argumentos convincentes lançados a Yahweh para que abrandasse a punição contra o pecado (vs. 8), Isaías simplesmente fez um apelo geral e incluiu, uma vez mais, a ideia de que Israel é o povo de Deus (o argumento do *filho,* primeiro ponto do vs. 8). Quanto à ideia de Deus não se *lembrar* da culpa passada de Israel, cf. Sl 79.8. Deus "se lembra" e age em consonância com essa lembrança; mas finalmente chega o tempo em que a mente divina pode esquecer-se, a fim de exercer misericórdia, em vez de ira. Quanto a Israel como o povo distinto de Deus, ver Is 63.8 e Dt 4.4-8. Foi feita uma distinção — a de possuir e obedecer à lei — pelo que ficou pressuposto que a ira seria esquecida, tendo de haver renovação da correta relação entre Israel e a lei mosaica.

■ **64.10** (na Bíblia hebraica corresponde ao **64.9**)

עָרֵי קָדְשְׁךָ הָיוּ מִדְבָּר צִיּוֹן מִדְבָּר הָיָתָה יְרוּשָׁלַ͏ִם שְׁמָמָה׃

As tuas santas cidades tornaram-se em deserto, Sião em ermo. Cf. Is 63.18, cujas notas expositivas também se aplicam aqui. Encontramos agora outra referência histórica às devastações causadas pelo ataque dos babilônios e pelo subsequente exílio dos poucos sobreviventes de Judá. Ver no *Dicionário* sobre *Cativeiro Babilônico,* quanto a detalhes. A maioria das cidades de Judá foi destruída e saqueada, e Jerusalém foi alvo especial de brutalidades. O templo foi destruído, e a cidade foi assolada. A maioria dos habitantes foi executada, e os poucos sobreviventes foram levados para a Babilônia. O termo *santa* aplica-se à Terra Prometida, às cidades de Judá e, especialmente, a Jerusalém, por ser essa a nação separada por Yahweh para o culto à sua pessoa e para sua manifestação. Tudo pertencia ao Deus Santo e tinha por intuito exprimir sua santidade. Esse é o único exemplo bíblico das palavras "santas cidades" (no plural), mas a Septuaginta e a Vulgata não puderam deixá-las como elas são, porém as usaram na forma singular.

■ **64.11** (na Bíblia hebraica corresponde ao **64.10**)

בֵּית קָדְשֵׁנוּ וְתִפְאַרְתֵּנוּ אֲשֶׁר הִלְלוּךָ אֲבֹתֵינוּ הָיָה לִשְׂרֵפַת אֵשׁ וְכָל־מַחֲמַדֵּינוּ הָיָה לְחָרְבָּה׃

O nosso templo santo e glorioso, em que nossos pais te louvavam. O templo merecia especial menção entre as coisas arruinadas. Era uma *belíssima construção* e tornou-se o melhor símbolo do culto a Yahweh na Terra Prometida. Era o antigo local de adoração e uma belíssima peça de arquitetura. Mas os bárbaros babilônios não pouparam nem mesmo o templo. Ver no *Dicionário* o artigo chamado *Templo de Salomão,* quanto a descrições completas desse impressionante edifício.

Todas as nossas cousas preciosas se tornaram em ruínas. Esta referência pode ser uma expressão nostálgica que fala de todas as coisas e locais da cidade santa, que agora estavam em ruínas. Ou então a referência pode ser a itens preciosos do próprio templo, como compartimentos, átrios e objetos sagrados, por cerca de quatrocentos anos considerados preciosíssimos aos olhos dos habitantes de Jerusalém, mas que as invasões bárbaras dos babilônios não tardaram em transformar em pó, sem nenhuma sensibilidade estética ou espiritual.

■ **64.12** (na Bíblia hebraica corresponde ao **64.11**)

הַעַל־אֵלֶּה תִתְאַפַּק יְהוָה תֶּחֱשֶׁה וּתְעַנֵּנוּ עַד־מְאֹד׃ ס

Conter-te-ias tu ainda, ó Senhor, sobre estas calamidades? Porventura Yahweh, vendo tudo quanto tinha acontecido à "sua" terra, ao "seu" povo e ao "seu" lugar de adoração, continuaria mostrando-se passivo e não destruiria os destruidores, e não restauraria a destruição provocada por eles? Este versículo nos remete ao apelo do profeta para que Deus entrasse em ação. Permaneceria Yahweh passivo e indiferente? Cf. Is 63.15. Por quanto tempo ainda perduraria o silêncio divino? Ver Is 62.1 e 65.6 quanto ao silêncio divino que o profeta esperava em breve ser quebrado. Ver também Sl 79.5 e 85.5-7, onde encontramos algo similar.

"O apelo final à compaixão paternal de Yahweh relembra-nos a cena em que José não podia *refrear-se* (ver Gn 45.1) e sua ternura natural se manifestou. Poderia o Deus de Israel olhar para a cena de desolação e não se comover à piedade e à ação?" (Ellicott, *in loc.*). Ver Is 42.14. As palavras deste versículo revestem-se de especial significação histórica. Elas têm sido repetidas por muitas vezes nas sinagogas, evocando um apelo contínuo à intervenção divina em favor da triste sorte dos judeus.

CAPÍTULO SESSENTA E CINCO

A RESPOSTA DE DEUS E O REINO PROMETIDO (65.1—66.24)

Este capítulo, que fala do julgamento e da salvação, é uma resposta de Deus ao prolongado apelo por misericórdia de Is 63.7-64.12. É igualmente uma espécie de companhia do capítulo 66. Os dois capítulos, pois, formam um par natural. Yahweh é o orador do começo ao fim. E a resposta de Yahweh também provê uma espécie de sumário das principais ideias do profeta Isaías. O amor divino sempre esteve ali, mas quase sempre repelido. No entanto, os propósitos de Deus persistiram e prometeram, escatologicamente, um bom resultado final dos tratos divinos com Israel e com as nações da terra. Um remanescente será preservado e os desígnios de Deus serão cumpridos. A vontade do Senhor governa as atividades dos homens (ver as notas sobre Is 13.6). O Reino glorioso de Deus será estabelecido, e a paz e a retidão florescerão (vss. 17-25).

"Este capítulo contém uma defesa dos procedimentos divinos em relação aos judeus, com referência à queixa do capítulo anterior. Deus é apresentado a declarar que ele havia chamado os gentios, embora eles não o tivessem buscado; e que havia rejeitado o seu próprio povo por ter-se recusado a atender aos seus convites repetidos, e isso por causa de sua desobediência obstinada, suas práticas idólatras e sua detestável hipocrisia. Não obstante, ele não os destruiria, antes preservaria um remanescente com quem cumpriria suas antigas promessas. Severas punições ameaçam os apóstatas; e grandes recompensas são prometidas aos obedientes, em um futuro estado florescente da igreja" (Adam Clarke, *in loc.*).

Primeira Estrofe: O Senhor é Acessível (65.1,2)

■ **65.1**

נִדְרַשְׁתִּי לְלוֹא שָׁאָלוּ נִמְצֵאתִי לְלֹא בִקְשֻׁנִי אָמַרְתִּי הִנֵּנִי הִנֵּנִי אֶל־גּוֹי לֹא־קֹרָא בִשְׁמִי׃

Fui buscado dos que não perguntavam por mim; fui achado daqueles que não me buscavam. O amargo apelo e petição de Is 63.7–64.12 foi repreendido inicialmente por mostrar que, enquanto Yahweh era acusado de *indiferença* pelo seu povo (ver Is 62.1; 64.12 e 65.6), a verdade da questão era que o povo, em sua rebelião e apostasia, é que tinha cortado comunicações com o Ser divino. Havia uma *busca,* é verdade, mas não em arrependimento, pelo que era como se eles não buscassem a Deus. Yahweh estava sempre *bem disposto* a receber todo aquele que o buscasse com sinceridade. Estava sempre "preparado para ser achado". Não sentia prazer algum no desastre do cativeiro babilônico. Ver sobre esse assunto no *Dicionário*. E o mesmo tanto pode ser dito com relação à dispersão romana que finalmente será revertida. Cf. a prontidão de Yahweh em se deixar *achar* com Is 55.6 e Dt 4.7.

Não perguntavam por mim. Ao texto massorético falta a palavra "mim", mas ela se encontra nos manuscritos hebraicos dos Papiros do mar Morto e também nas versões da Septuaginta e da Vulgata Latina. Ocasionalmente, as versões (especialmente a Septuaginta) concordam com os manuscritos hebraicos, e não com o texto massorético padronizado. Quanto à importância desse fenômeno para a crítica textual do Antigo Testamento, ver as notas expositivas sobre Is 26.19 e o gráfico que ilustra a questão.

Eis-me aqui, eis-me aqui. Estas palavras enfatizam a *disponibilidade* divina, a qual foi anulada por um povo rebelde que buscava, invocava, orava e vivia incorretamente. O *nome* de Yahweh não era buscado em verdade pelos filhos de Israel. O *nome* aponta para a pessoa, com qualidades e atributos essenciais, e o nome divino era considerado poderoso para fazer qualquer coisa, para o que bastava pronunciá-lo. Ver sobre *Nome* no *Dicionário* e em Sl 31.3 e ver sobre *Nome Santo* em Sl 30.4 e 33.21.

Citação no Novo Testamento. Paulo citou os vss. 1,2 deste capítulo em Rm 10.20,21 e fez Yahweh ser achado pelas *nações* que não o buscavam, a saber, os gentios. Portanto, os versículos são aplicados à bem-sucedida missão gentílica da igreja, por meio de uma *acomodação* (ver a respeito no *Dicionário*).

■ 65.2

פֵּרַ֧שְׂתִּי יָדַ֛י כָּל־הַיּ֖וֹם אֶל־עַ֣ם סוֹרֵ֑ר הַהֹלְכִים֙ הַדֶּ֣רֶךְ לֹא־ט֔וֹב אַחַ֖ר מַחְשְׁבֹתֵיהֶֽם׃

Estendi as minhas mãos todo dia a um povo rebelde. A disponibilidade de Yahweh é demonstrada pelo fato de que ele tinha estendido as mãos, mostrando-se assim pronto a receber de volta o apóstata povo de Israel. As mãos estendidas demonstram um gesto de *convite*. Cf. Pv 1.24. Em Is 1.15, é o povo de Israel que estende as mãos, em atitude de súplica. O convite divino foi longo e persistente, a saber "todo dia", a fim de que pudesse ser entendido pelo povo de Israel. Mas o *andar* dos israelitas apenas os afastava mais e mais de Yahweh, em vez de aproximá-los, ficando assim anulado o convite. Ver no *Dicionário* o artigo chamado *Andar*. O andar deles era corrupto, apóstata, iníquo, pecaminoso e perverso. Eles seguiam seus próprios *esquemas,* isto é, seus pensamentos e planos pervertidos, que terminavam na corrupção total de uma nação inteira. O convite de Yahweh, através de sua lei mosaica e dos profetas, não impressionou o corrupto povo de Israel e, no entanto, eles se queixavam de que Deus se tornara indiferente.

O uso dessas palavras por parte de Paulo, em Rm 10.20,21, faz este versículo aplicar-se aos gentios, e o vs. 2 aos judeus, mas Isaías usou ambos os versículos para referir-se aos judeus.

Segunda Estrofe: O Culto Corrupto e Supersticioso (65.3-5)

■ 65.3

הָעָ֗ם הַמַּכְעִיסִ֥ים אוֹתִ֛י עַל־פָּנַ֖י תָּמִ֑יד זֹֽבְחִים֙ בַּגַּנּ֔וֹת וּֽמְקַטְּרִ֖ים עַל־הַלְּבֵנִֽים׃

Povo que de contínuo me irrita abertamente, sacrificando em jardins. Entre os pecados do povo de Israel estavam seus cultos apóstatas, que imitavam as formas religiosas do paganismo. Essa era a principal *provocação* contra Yahweh, porquanto seu próprio Nome era posto em dúvida. Ele tinha ou não um Nome acima de todo o nome? Os lapsos frequentes de Israel no paganismo respondiam com um "não". A apostasia de Israel era franca, aberta, efetuada bem no "rosto" de Yahweh, chegando mesmo a invadir o templo ou então a substituí-lo por outras coisas.

Era natural (embora errado) que o povo de Israel poluísse belos locais da natureza, como os *lugares altos* (ver a respeito no *Dicionário*), nos bosques e nos jardins, tornando-os locais de práticas idólatras. Era nos *jardins* que os judeus efetuavam cultos em honra à natureza. Cf. Is 1.29; 57.5 e 66.17. Além disso, havia os *tijolos* sobre os quais eles queimavam incenso a outros deuses. Talvez estejam em vista as jarras de incenso feitas de argila cozida. A arqueologia tem descoberto tais objetos em Bete-Seã e Taanaque. Visto que a referência não é clara, alguns estudiosos emendam para *telhados* como lugares onde o incenso era queimado. Ver Jr 1.16. Ver no *Dicionário* o verbete chamado *Incenso*. O incenso tinha um papel legítimo no culto a Yahweh, mas era usado de muitas maneiras duvidosas. Ver 2Rs 23.12 e Jr 19.13 quanto às práticas pagãs efetuadas nos telhados ou eirados das casas. Também podiam estar em vista *altares de tijolos*, embora isso pareça menos provável.

■ 65.4

הַיֹּֽשְׁבִים֙ בַּקְּבָרִ֔ים וּבַנְּצוּרִ֖ים יָלִ֑ינוּ הָאֹֽכְלִים֙ בְּשַׂ֣ר הַחֲזִ֔יר וּפְרַ֥ק פִּגֻּלִ֖ים כְּלֵיהֶֽם׃

Que mora entre as sepulturas e passa as noites em lugares misteriosos. Cf. Is 65.4 e 66.17. O propósito disso era consultar os mortos, isto é, os espíritos dos mortos, que ficariam a rondar em torno dos sepulcros, ou entrar em contato com pessoas que frequentassem tais lugares, embora não se pensasse que elas vivessem ali. Ver Is 8.19 e 29.4. Ver no *Dicionário* o artigo chamado *Necromancia*. Esta referência, como é natural, diz-nos que o povo de Israel acreditava na sobrevivência da alma, embora essa ideia, como doutrina, tivesse surgido tardiamente no sistema dos hebreus.

Passa as noites em lugares misteriosos. Os israelitas passavam as noites à beira dos sepulcros e túmulos, na esperança de receber alguma espécie de revelação que resolvesse problemas pessoais ou coletivos. Ver Is 29.4. Esperava-se que lhes fossem concedidos *sonhos sagrados,* incomuns, inspirados por deuses ou espíritos. Essa prática era chamada "incubação", modo de agir mediante o qual os homens tentavam cultivar e provocar sonhos ou visões. Essa prática era popular no culto de Asclépio, em Epidaurus, conforme nos informa Virgílio, em *Aeneida* VIII.88-91, e também Horácio, em *Sátiras* I.8. De acordo com as leis cerimoniais dos hebreus, os sepulcros eram lugares imundos, mas, querendo os israelitas imitar os pagãos, isso era convenientemente esquecido.

Como carne de porco. A lei mosaica proibia enfaticamente essa prática (ver Lv 11.7; Dt 14.4; Is 66.17). Mas o porco era considerado animal sagrado em certos cultos pagãos. Na Babilônia era um animal sagrado para o deus *Ninurta*. Ingerir a carne desse animal era considerado, sem dúvida, um sacrifício; e havia, tal como no culto celebrado pelos hebreus (com os animais aceitáveis, como o touro, o carneiro, o bode e algumas aves), uma refeição festiva associada ao culto. O porco era a grande atração dessa festividade. Quanto aos *cinco* animais aceitáveis pelos hebreus como próprios para os sacrifícios e para a festividade que se seguia, ver Lv 1.14-16.

Ensopado de carne abominável. Uma referência geral é aqui feita aos sacrifícios e às festividades com animais proibidos pela legislação mosaica. Refeições sacrificais eram feitas com deliciosas preparações de carne. Os pagãos não se limitavam aos cinco animais usados pelos hebreus. Compreende-se que o porco não era o único animal *imundo* empregado pelos povos pagãos. Refeições sacrificais se faziam acompanhar por todas as espécies de ritos, como adivinhações, mágica, encantamentos etc., que não eram aceitáveis pela ortodoxia dos hebreus.

■ 65.5

הָאֹֽמְרִים֙ קְרַ֣ב אֵלֶ֔יךָ אַל־תִּגַּשׁ־בִּ֖י כִּ֣י קְדַשְׁתִּ֑יךָ אֵ֚לֶּה עָשָׁ֣ן בְּאַפִּ֔י אֵ֥שׁ יֹקֶ֖דֶת כָּל־הַיּֽוֹם׃

Povo que diz: Fica onde estás, não te chegues a mim. Os *adoradores pagãos* (incluindo os judeus renegados) pensavam santificar-se mediante o que faziam e, por isso mesmo, pediam que as pessoas se mantivessem afastadas e não tocassem neles enquanto ainda brilhavam com "o fogo e o favor divino". Mas se eles se consideravam dignos de alguma coisa, para Yahweh eles eram como fumaça que irritava o nariz. Eles eram como brasas que continuavam a queimar até se consumirem e se tornarem nada. O contínuo *fogo pagão* deles provocava a ira de Yahweh. "Os ritos dos cultos pagãos eram como fumaça que apenas despertava a ira de Deus (Sl 18.8), como fogo que queimasse um dia inteiro (cf. Dt 32.22; Jr 17.4; 64.5). De acordo com a antropologia psicológica dos hebreus, o *nariz* era a sede da ira. No hebraico, as palavras para *ira, nariz* e *ventas* são um só vocábulo" (James Muilenburg, *in loc.*). O sabor disso era de morte, e não de vida. Alguns eruditos comparam o queimar contínuo com o hades; mas isso é anacrônico aqui.

Terceira Estrofe: O Custo do Julgamento Divino (65.6,7)

■ 65.6

הִנֵּ֥ה כְתוּבָ֖ה לְפָנָ֑י לֹ֤א אֶחֱשֶׂה֙ כִּ֣י אִם־שִׁלַּ֔מְתִּי וְשִׁלַּמְתִּ֖י עַל־חֵיקָֽם׃

Eis que está escrito diante de mim, e não me calarei. Yahweh, em vez de conservar o silêncio, de repente irromperia em ira e julgamento de fogo. E, quando Deus assim irrompesse, isso teria por finalidade ferir, e não curar, conforme esperava o povo apóstata de Israel. Ver as notas expositivas em Is 64.12 e 65.1. O povo de Israel ainda não estava preparado para um ato favorável de Yahweh. Eles teriam de ser purificados antes de mais nada, e essa purificação assumiria a forma de um severo julgamento contra o pecado, visando especialmente anular a idolatria deles, conforme descrito no vs. 4. Este versículo, portanto, é *irônico*. Yahweh deixaria sua aparente indiferença e quebraria seu silêncio, mas para julgar, e não restaurar. Por outro lado, seu julgamento seria o primeiro passo na restauração, porquanto todos os juízos divinos são restauradores, e não apenas retributivos.

Está escrito. O decreto divino do julgamento já fora registrado no livro de Deus, pelo que era inevitável. O destino de Israel já estava determinado. Cf. Êx 32.32; Ml 3.16; Sl 69.28; Dn 7.10; Ap 20.12; Dt 32.34; Sl 130.3 e 139.16. Vários povos pagãos também acreditavam que seus deuses guardavam livros onde era registrado o destino de indivíduos e povos. A ideia persistiu no período judaico posterior e se encontra na literatura apocalíptica dos judeus. Ver Enoque 81.4. Encontramos algo similar na escatologia de Zaratustra. Ver Is 13.6, acerca como Deus controla as supostas vicissitudes da vida humana.

Eu pagarei, vingar-me-ei, totalmente. O julgamento divino seria severo, como um golpe diretamente aplicado na vida do povo de Israel. Seria "completa e justa retribuição de castigo por todas as transgressões deles" (John Gill, *in loc.*).

■ 65.7

עֲוֺנֺתֵיכֶם וַעֲוֺנֺת אֲבוֺתֵיכֶם יַחְדָּו אָמַר יְהוָה אֲשֶׁר
קִטְּרוּ עַל־הֶהָרִים וְעַל־הַגְּבָעוֹת חֵרְפוּנִי וּמַדֹּתִי
פְעֻלָּתָם רִאשֹׁנָה עַל חֵיקָם׃ ס

Das vossas iniquidades, e juntamente das iniquidades de vossos pais. As iniquidades dos pais e dos filhos, especialmente as *idolatrias* que eles promoviam, só podiam redundar no severíssimo golpe divino contra eles. Eles estavam acostumados a queimar incenso nas colinas, nos *lugares altos* (ver a respeito no *Dicionário*), imitando os atos dos pagãos, esquecidos da lei e das alianças. Dessa maneira, zombavam do nome de Yahweh. Não nos admiremos, pois, que o golpe divino os atingisse em pleno peito (vs. 6, agora repetido aqui). A queima de incenso às divindades pagãs foi sempre objeto constante do ataque dos profetas. Ver Is 57.5,7; Os 4.13; Ez 6.13. Havia grande *acúmulo* de pecados, como houve nos tempos anteriores ao dilúvio; e isso *requeria* a retaliação divina.

"A perversão da mente humana por meio do secularismo, nos tempos modernos, é uma influência correspondente. Essa perversão invade as crenças religiosas e as insensibiliza. Os mestres e os pregadores continuam a dizer às pessoas o quão *pouco* elas podem acreditar e continuar a ser crentes" (Henry Sloane Coffin, *in loc.*).

Quarta Estrofe: Deus Não Destruiria Todo o Povo (65.8-10)

■ 65.8

כֹּה אָמַר יְהוָה כַּאֲשֶׁר יִמָּצֵא הַתִּירוֹשׁ בָּאֶשְׁכּוֹל וְאָמַר
אַל־תַּשְׁחִיתֵהוּ כִּי בְרָכָה בּוֹ כֵּן אֶעֱשֶׂה לְמַעַן עֲבָדַי
לְבִלְתִּי הַשְׁחִית הַכֹּל׃

Assim diz o Senhor: Como quando se acha vinho num cacho de uvas. Os julgamentos de Deus podem ser assustadores, mas não têm por finalidade destruir totalmente. Um remanescente seria preservado, a fim de que os propósitos de Deus pudessem prosseguir com o "seu povo". "Como um bom cacho de uvas é separado das uvas más, assim também Deus separará os retos dos injustos (ver Mt 25.32,33)" (*Oxford Annotated Bible*, comentando sobre este versículo).

Um bom vinho pode ser feito de um cacho de uvas, e assim também um vinho azedo pode proceder de outros cachos, mas isso não deve anular o vinho bom que pode ser produzido. Enquanto se admite que a maior parte do povo de Israel estava podre, poder-se-ia encontrar um bom cacho, o remanescente da promessa. "Is 64.6 salienta o pecado de todos. Mas a resposta divina (Is 65) é de que um remanescente seria achado digno de ser preservado... O Antigo Testamento inteiro dá grande valor a um remanescente salvo. Deus teria poupado a cidade de Sodoma se ali encontrasse ao menos dez homens justos (ver Gn 18.32). Ele reduziu as forças de Gideão a trezentos homens resolutos (ver Jz 7.1-7)" (Henry Sloane Coffin, *in loc.*). Havia uma comunidade eleita dentro da comunidade maior de Israel, e isso seria suficiente para a sobrevivência e o futuro da nação. Lembremo-nos da história do dilúvio. As coisas foram reduzidas a alguns preciosos poucos indivíduos, mas isso foi suficiente para o propósito divino.

■ 65.9

וְהוֹצֵאתִי מִיַּעֲקֹב זֶרַע וּמִיהוּדָה יוֹרֵשׁ הָרָי וִירֵשׁוּהָ
בְחִירַי וַעֲבָדַי יִשְׁכְּנוּ־שָׁמָּה׃

Farei sair de Jacó descendência, e de Judá um herdeiro. Havia o povo escolhido de Israel, a nação eleita, o bom cacho de uvas, em uma vinha de outro modo pútrida. Os fiéis continuariam e reteriam a Terra Prometida (ver Is 57.13; 60.21). O *solo sagrado* tinha de ser possuído, mas somente o remanescente santo é digno. Eles herdariam os montes, provavelmente uma referência à Palestina em geral e a Jerusalém em particular. Ver Is 57.13 e Ez 38.21. Cf. o espírito do capítulo 9 da epístola aos Romanos. A referência história mais provável é ao retorno do minúsculo remanescente do cativeiro babilônico para reiniciar a nação de Israel, com alguns poucos sobreviventes de uma única tribo, Judá. Mas talvez este versículo também tenha um aspecto escatológico, referindo-se ao novo começo da nação, antes da era do reino de Deus.

■ 65.10

וְהָיָה הַשָּׁרוֹן לִנְוֵה־צֹאן וְעֵמֶק עָכוֹר לְרֵבֶץ בָּקָר
לְעַמִּי אֲשֶׁר דְּרָשׁוּנִי׃

Sarom servirá de campo de pasto de ovelhas. O remanescente dos judeus possuirá a Terra Prometida inteira, incluindo Sarom, a região da planície marítima, desde o monte Carmelo até Jope. Ver sobre *Jope* no *Dicionário*, quanto a detalhes. O vale de Acor provavelmente é o moderno wadi Kelt, perto de Jericó (ver Js 7.24; 15.7; Os 2.15). Todos os lugares aqui mencionados são bons para servir de pasto e para efeitos agrícolas, pelo que o remanescente terá provisão adequada para sua renovação. O versículo é escatológico. "Esta passagem descreve o estado idílico de paz e contentamento que predominará durante a nova era" (James Muilenburg, *in loc.*).

Quinta Estrofe: A Destruição dos Apóstatas (65.11,12)

■ 65.11

וְאַתֶּם עֹזְבֵי יְהוָה הַשְּׁכֵחִים אֶת־הַר קָדְשִׁי הַעֹרְכִים
לַגַּד שֻׁלְחָן וְהַמְמַלְאִים לַמְנִי מִמְסָךְ׃

Mas a vós outros, os que vos apartais do Senhor, os que vos esqueceis do meu santo monte. Em contraste com as bênçãos recebidas pelo remanescente, as coisas não correrão bem com aqueles (a maioria) que nunca foram capazes de sair da apostasia. Esses se esqueceram de Yahweh; olvidaram seu santo monte, o templo e o culto, e correram para os lugares altos dos montes santos. Refugiaram-se em *Gade* (Fortuna) e *Meni* (Destino), ambos deuses falsos. Gade era uma divindade síria. Seu nome foi preservado em lugares como Baal-Gade (ver Js 11.17; 12.7; 13.5). Ver também Migdal-Gade, em Js 15.37. Ver no *Dicionário* os verbetes chamados *Gade* e *Meni*, quanto ao que se sabe sobre eles. Ver também *Deuses Falsos*. Foi encontrada uma inscrição latina que continha esses mesmos nomes, juntos. Nas inscrições egípcias, o nome Meni aparece como o apelativo de uma divindade feminina. Mas esses nomes não se encontram entre as divindades do panteão babilônico. Seja como for, os homens buscavam boa sorte e bom destino da parte dos deuses falsos, que não tinham poder de ajudar, e por isso abandonavam Yahweh, que tinha um brilhante futuro para eles. Agindo assim, chegaram a um resultado muito ruim, embora não haja aqui indício de julgamento para além do sepulcro.

Essas divindades eram adoradas por meio dos ornamentos usuais das festas e libações, das quais os adoradores participavam, tal como era feito no caso do culto a Yahweh. Mas tudo não passava de exercícios tolos e inúteis.

■ 65.12

וּמָנִיתִי אֶתְכֶם לַחֶרֶב וְכֻלְּכֶם לַטֶּבַח תִּכְרָעוּ יַעַן
קָרָאתִי וְלֹא עֲנִיתֶם דִּבַּרְתִּי וְלֹא שְׁמַעְתֶּם וַתַּעֲשׂוּ הָרַע
בְּעֵינַי וּבַאֲשֶׁר לֹא־חָפַצְתִּי בְּחַרְתֶּם׃ פ

Também vos destinarei à espada, e todos vos encurvareis à matança. Visto que eles procuravam um deus falso, o *Destino*, por isso mesmo Yahweh os tinha destinado à espada, uma declaração altamente sarcástica. Yahweh os havia chamado, mas eles o ignoraram. Contudo, eles não seriam capazes de ignorar a espada que ele lhes enviaria. Entrementes, os gritos deles, dirigidos a Gade e Meni, não fariam bem algum. Eles tinham praticado o mal à vista de Yahweh, e agora teriam de sofrer um *mal retaliador*. Trata-se daquela mesma história antiga, a síndrome perpétua do pecado-julgamento-restauração, mas aqui somente o remanescente recebe a promessa de escapar das más consequências de seus atos. "Tais pessoas, diz Deus, estão condenadas a morrer à espada, pois se recusaram a ouvir o Senhor e deliberadamente preferiram continuar pecando (ver Is 66.4)" (John S. Martin, *in loc.*).

Vos destinarei. Temos aqui um jogo de palavras com o vocábulo Meni, empregando o termo hebraico *manah,* palavra de som semelhante. "Pode haver nestas linhas uma *resposta implícita* às queixas e lamentações concernentes ao silêncio do Senhor, que aparecem em Is 63.7—64.12. O povo de Israel não respondeu ao *convite divino* para voltar arrependido, mas, antes, preferiu o mal. As últimas quatro linhas do versículo são praticamente repetidas em Is 66.4" (James Muilenburg, *in loc.*). Cf. o vs. 24 deste capítulo. Quanto ao remanescente reto, a resposta de Yahweh ao seu povo escolhido, que por ele tinha clamado, foi dada imediatamente, trazendo alegria e bênçãos.

Sexta Estrofe: Os Servos do Senhor e os Apóstatas (65.13,14)

■ **65.13,14**

לָכֵן כֹּה־אָמַר אֲדֹנָי יְהוִה הִנֵּה עֲבָדַי יֹאכֵלוּ וְאַתֶּם תִּרְעָבוּ הִנֵּה עֲבָדַי יִשְׁתּוּ וְאַתֶּם תִּצְמָאוּ הִנֵּה עֲבָדַי יִשְׂמָחוּ וְאַתֶּם תֵּבֹשׁוּ׃

הִנֵּה עֲבָדַי יָרֹנּוּ מִטּוּב לֵב וְאַתֶּם תִּצְעֲקוּ מִכְּאֵב לֵב וּמִשֵּׁבֶר רוּחַ תְּיֵלִילוּ׃

Pelo que assim diz o Senhor Deus: Eis que os meus servos comerão. Temos aqui os quatro *eis!* que enfatizam o julgamento desta estrofe escatológica. Esse é o clímax de duas estrofes anteriores. *Yahweh-Elohim* foi o autor do oráculo, e ele se dirigiu às qualidades morais e espirituais dos bons e dos maus, dos benditos e dos amaldiçoados. Temos aqui diversos contrastes radicais entre os *servos* e os *apóstatas*.

Consideremos estes quatro pontos, que incluem o versículo seguinte:

1. *Eis!* Os servos de Yahweh-Elohim (o Deus eterno e Todo-poderoso) *comerão,* dotados de abundância tanto da alimentação material quanto da alimentação espiritual, e gozarão de prosperidade geral na vida. Mas os israelitas ímpios, que tinham apostatado (vs. 11), além de serem atacados por inimigos estrangeiros (vs. 12), padecerão carência das provisões básicas para suas necessidades comuns. Em outras palavras, ficarão *desolados*. Eles tinham abundância do que comer quando adoravam seus ídolos e participavam de suas festas (vs. 11), mas tudo isso tinha chegado agora ao fim.

2. *Eis!* Os servos de Deus terão *bebidas* em abundância, acompanhantes do alimento sólido. As duas coisas, juntas, podem apontar para as refeições sacrificais em favor de Yahweh, em contraste com os sacrifícios oferecidos a ídolos (vs. 11). Haverá abundância material e espiritual, mas aos ímpios faltará a satisfação até das necessidades básicas.

3. *Eis!* Os servos do Senhor serão cheios de alegria e se regozijarão por causa de todos os benefícios que receberão; mas os apóstatas, faltando-lhes até o alimento físico e as provisões espirituais, serão envergonhados, pois todos os homens dirão: "Eis o que Deus fez a esses réprobos!" Ver um bom paralelo neotestamentário deste versículo em Lc 6.20-26.

   Os meus servos cantarão por terem o coração alegre, mas vós gritareis.

4. *Eis!* Os servos de Yahweh cantarão de alegria; o coração deles estará tomado pelo regozijo. Mas os apóstatas terão carradas de razão por sua tristeza, pois julgamentos divinos severos lhes terão sobrevindo. Eles uivarão como se fossem animais ferozes, diante do profundo vexame de seus espíritos. Eles "gritarão em altas vozes, porque seus espíritos estarão alquebrados" (NCV). "Esta parábola é muito parecida com a parábola das virgens prudentes e das virgens insensatas (Mt 25), bem como similar à parábola do casamento do filho do rei (Mt 22)" (Adam Clarke, *in loc.*).

Se esta estrofe for escatológica, então nos cumpre antecipar que tais condições prevalecerão quando o remanescente de Israel estiver preparado para ingressar na era do reino.

Sétima Estrofe: novo nome e Nova Bênção (65.15,16)

■ **65.15**

וְהִנַּחְתֶּם שִׁמְכֶם לִשְׁבוּעָה לִבְחִירַי וֶהֱמִיתְךָ אֲדֹנָי יְהוִה וְלַעֲבָדָיו יִקְרָא שֵׁם אַחֵר׃

Deixareis o vosso nome aos meus eleitos por maldição. Tendo feito o contraste entre os eleitos-remanescentes e os apóstatas (vss. 12,13), o autor sagrado, falando em nome de Yahweh e conferindo-lhes o seu oráculo, descreveu o estado abençoado do novo Israel, com seu novo nome na nova era. O contraste com os ímpios, entretanto, é mantido.

Os novos nomes incluem os nomes dos apóstatas, a saber, uma *Maldição*; e o nome dos servos de Deus, ou seja, *Abençoados,* embora este último não seja especificamente declarado. Os apóstatas são afligidos, mas os bons ultrapassaram todas essas misérias. Ver Is 62.2 quanto ao motivo do *novo nome,* onde ofereço referências em relação ao conceito, conforme ele aparece em outros lugares na Bíblia. O novo nome significa um novo caráter; uma nova manifestação do ser; uma nova vida; uma nova expressão da existência humana, cheia de bênçãos e vantagens. Quanto à maldição dos apóstatas, cf. Jr 24.9. Ver no *Dicionário* o artigo chamado *Maldição*.

■ **65.16**

אֲשֶׁר הַמִּתְבָּרֵךְ בָּאָרֶץ יִתְבָּרֵךְ בֵּאלֹהֵי אָמֵן וְהַנִּשְׁבָּע בָּאָרֶץ יִשָּׁבַע בֵּאלֹהֵי אָמֵן כִּי נִשְׁכְּחוּ הַצָּרוֹת הָרִאשֹׁנוֹת וְכִי נִסְתְּרוּ מֵעֵינָי׃

De sorte que aquele que se abençoar na terra, por Deus, que dirá amém, é que se abençoará. Os servos de Deus, chamados *Abençoados* (vs. 15), obterão todos os benefícios da Terra Prometida, e a fonte originária dessas bênçãos será Deus. O Deus da verdade, que fez as promessas, cumprirá sua palavra. Se alguém fizer um juramento, não o fará por nenhum deus falso, mas pelo Deus da verdade. Ele cumprirá todos os seus votos, porquanto isso estará em seu coração, em contraste com os apóstatas, que juravam e serviam a deuses que eram nada. Para os bons, as tribulações terão chegado ao fim, porque a história de Israel terá progredido para além da antiga síndrome do pecado-julgamento-restauração. O ciclo cessará e parará na restauração. Os pecados serão esquecidos por Deus, e as vantagens e os resultados da santidade tomarão conta de tudo durante a nova era. As *tribulações anteriores,* neste versículo e em Is 63.9 (descritas na grande seção de Is 63.7—64.12), terão cessado.

Deus, que dirá amém. Literalmente, o original hebraico diz: "Deus do amém", o que tem reflexo em Ap 3.14. Esse uso foi transferido para a literatura litúrgica. Cf. 2Co 1.20; Jo 1.17; 6.32 e 1Jo 5.20.

Oitava Estrofe: nova criação e nova era (65.17-19)

■ **65.17**

כִּי־הִנְנִי בוֹרֵא שָׁמַיִם חֲדָשִׁים וָאָרֶץ חֲדָשָׁה וְלֹא תִזָּכַרְנָה הָרִאשֹׁנוֹת וְלֹא תַעֲלֶינָה עַל־לֵב׃

Pois eis que eu crio novos céus e nova terra. O profeta Isaías não distinguiu aqui entre o milênio e a era eterna. No Apocalipse, os novos céus e a nova terra aparecem depois do *milênio* (ver a respeito no *Dicionário*). Ver Ap 20.4 e 21.1. Estamos abordando aqui uma nova criação, e os intérpretes não concordam se haverá então uma renovação do que era antigo, ou se haverá algo totalmente novo, nem temos o conhecimento, com ou sem profecia, para dizer muita coisa inteligente sobre esse particular. Tudo será novo, de qualquer modo, incluindo o tipo de ser humano, pois haverá grande *espiritualização*. Todas as forças, naturais ou espirituais, estarão sujeitas à vontade e ao mandato divino. Ver Is 1.2; 11.6-9; 13.6; 34.1—35.10; Jr 4.23,28. A soberania de Deus sobre a natureza aparece pela primeira vez no primeiro capítulo de Gênesis, e então fica subentendida por toda a Bíblia. Outro tanto se dá no caso da criação espiritual. Movendo-nos para o que será inteiramente novo, as coisas antigas serão esquecidas. Cf. o vs. 16 e Is 42.9; 43.18,19; 2Co 5.17; Ap 21.4. Ver também 2Pe 3.13.

■ 65.18

כִּי־אִם־שִׂישׂוּ וְגִילוּ עֲדֵי־עַד אֲשֶׁר אֲנִי בוֹרֵא כִּי הִנְנִי בוֹרֵא אֶת־יְרוּשָׁלַם גִּילָה וְעַמָּהּ מָשׂוֹשׂ:

Mas vós folgareis e exultareis perpetuamente no que eu crio. Além do que já foi destacado, teremos também a nova Jerusalém (ver Ap 21.2), que é vista alternativamente como uma cidade literal ou como um povo, ou ambas as coisas. Durante o milênio, a antiga Jerusalém, já renovada, será a capital espiritual do mundo. O profeta não distinguiu entre a Jerusalém antiga e renovada, e a Jerusalém inteiramente nova, que descerá do céu. Seja como for, estamos tratando de coisas jubilosas, a Cidade Dourada da alegria e seus novos habitantes, remidos, renovados. "Alegria" (ver a respeito no *Dicionário*) é a palavra-chave. Isso contrasta com a tristeza da era anterior (ver Is 64.10; cf. Is 51.3; 60.15 e 61.2,3). "No Novo Testamento, notamos a transferência da promessa para a cidade invisível, eterna, a Jerusalém que é lá de cima (ver Gl 4.26; Ap 21.10)" (Ellicott, *in loc.*).

■ 65.19

וְגַלְתִּי בִירוּשָׁלַם וְשַׂשְׂתִּי בְעַמִּי וְלֹא־יִשָּׁמַע בָּהּ עוֹד קוֹל בְּכִי וְקוֹל זְעָקָה:

E exultarei por causa de Jerusalém, e folgarei do meu povo. Continua aqui o tema da alegria, e agora é Yahweh quem se regozija na novidade e na qualidade de Jerusalém e seus habitantes. Não mais se ouvirão ali gritos e choro de aflição, porquanto tudo isso pertencia aos tempos antigos (vs. 17). A nova criação unirá o Criador e os seres criados em alegria comum. "Deus se regozijará" diante da comunidade de seus eleitos (ver Is 62.5; Dt 30.9; Sf 3.17). O tempo das lamentações terá ficado no passado (ver Is 25.8; 30.19; 35.10; Ap 21.4)" (James Muilenburg, *in loc.*). "... nem a voz de choro, nem por causa das trevas externas, deserções e tentações, nem a prevalência da corrupção (ver Ap 21.4)" (John Gill, *in loc.*).

Nona Estrofe: A Vida na Comunidade Messiânica (65.20-23)

■ 65.20

לֹא־יִהְיֶה מִשָּׁם עוֹד עוּל יָמִים וְזָקֵן אֲשֶׁר לֹא־יְמַלֵּא אֶת־יָמָיו כִּי הַנַּעַר בֶּן־מֵאָה שָׁנָה יָמוּת וְהַחוֹטֶא בֶּן־מֵאָה שָׁנָה יְקֻלָּל:

Não haverá mais nela criança para viver poucos dias. Durante a era milenar, haverá *condições de utopia*. A duração da vida humana ao estilo patriarcal retornará, de tal modo que um homem que morra aos 100 anos será considerado uma criança. Não haverá mortes de infantes nem ciclos de vida incompletos. Os próprios pecadores, que eram notoriamente cortados pela morte prematura, não morrerão precocemente, segundo nossos padrões atuais. Tal pessoa poderá morrer quando estiver com 100 anos de idade, tendo sido amaldiçoada por seu pecado e sofrendo morte prematura, de acordo com os padrões próprios *daquela* época futura. Para que tais coisas aconteçam, será preciso haver curas para todas as enfermidades e também maneiras de estacar o processo de envelhecimento. Presume-se que poucas pessoas morrerão por motivo de acidentes, porquanto as habilidades de reparação do corpo serão tão grandes que quase toda a injúria será recuperada, e até mesmo pessoas gravemente feridas poderão recuperar-se fisicamente. A era do milênio não será perfeita nem isenta do problema do pecado, embora venha a possuir um grau de perfeição que quase nem podemos imaginar atualmente; e o pecado não será o problema vexatório que é atualmente. Presumimos que a salvação espiritual será a regra, e não a exceção.

■ 65.21

וּבָנוּ בָתִּים וְיָשָׁבוּ וְנָטְעוּ כְרָמִים וְאָכְלוּ פִּרְיָם:

Eles edificarão casas, e nelas habitarão. Em nossa época, poucas pessoas possuem casa própria. A promessa relativa ao milênio é que cada indivíduo possuirá sua própria residência. E ninguém construirá uma casa para outrem viver nela, ao mesmo tempo que não possua recursos para ter sua própria residência. Contraste-se isso com os oráculos de julgamento: Am 5.11; Mq 6.15; Sf 1.13; Is 62.8,9 e Dt 32.39 ss.

■ 65.22

לֹא יִבְנוּ וְאַחֵר יֵשֵׁב לֹא יִטְּעוּ וְאַחֵר יֹאכֵל כִּי־כִימֵי הָעֵץ יְמֵי עַמִּי וּמַעֲשֵׂה יְדֵיהֶם יְבַלּוּ בְחִירָי:

Não edificarão para que outros habitem; não plantarão para que outros comam. Cada homem terá seu próprio projeto agrícola, visando suas próprias necessidades, e não será forçado a plantar para outrem, recebendo apenas uma pequena porcentagem, condição que continua perseguindo a muitos agricultores pobres de nossos dias. As árvores de muitas espécies sobrevivem durante séculos e, no milênio, os homens serão como as árvores da floresta, e não como as flores do campo, que perecem em tão pouco tempo. Cf. Jó 14.7 ss.; Sl 1.3; 92.12,13; Jr 17.8; Ez 19.10. A Septuaginta e o Targum dizem aqui "árvore de vida", uma bela glosa. Os *escolhidos* do Senhor viverão por longuíssimos anos e prosperarão, dotados de independência financeira. Serão como os cedros do Líbano e como os carvalhos de Basã, as mais nobres árvores da floresta do Oriente Próximo.

■ 65.23

לֹא יִיגְעוּ לָרִיק וְלֹא יֵלְדוּ לַבֶּהָלָה כִּי זֶרַע בְּרוּכֵי יְהוָה הֵמָּה וְצֶאֱצָאֵיהֶם אִתָּם:

Não trabalharão debalde, nem terão filhos para a calamidade. O trabalho de um homem sempre será produtivo para si mesmo e para a sua família. Nenhum homem ficará desempregado, e ninguém trabalhará por um pequeno salário em favor de outrem. Os filhos de um homem serão protegidos das enfermidades e dos acidentes. A mortalidade infantil será inteiramente desconhecida. Cf. Lv 26.16; Jr 15.8; Sl 78.33. Cada geração sucessiva terá a bênção do Senhor. As linhagens familiares continuarão sem interrupção, com as pessoas mais idosas em boa saúde testemunhando muitas gerações de descendentes.

■ 65.24

וְהָיָה טֶרֶם־יִקְרָאוּ וַאֲנִי אֶעֱנֶה עוֹד הֵם מְדַבְּרִים וַאֲנִי אֶשְׁמָע:

E será que antes que clamem, eu responderei. A oração será tão eficaz que Deus a responderá por *antecipação*, sabedor das necessidades de um ser humano, antes mesmo que ele formule pensamentos.

Proverei para as necessidades deles antes que me peçam. Eu os ajudarei quando ainda estiverem me pedindo ajuda.

NCV

Isso deve ser contrastado com a aparente indiferença e silêncio de Yahweh, na longa seção de Is 63.7—64.12. Isso era causado pelo pecado e pela apostasia. Na ausência de tão deprimentes condições, a oração será um maravilhoso instrumento para o bem do povo. As orações serão respondidas como gostaríamos que fossem respondidas hoje em dia. "As bênçãos do Senhor se estenderão até a consciência interior do homem (cf. Is 58.9; Jr 29.12)" (James Muilenburg, *in loc.*). No milênio, haverá orações e respostas simultâneas, e também respostas antecipadas. Tais coisas podem acontecer somente quando há maior espiritualidade e também nova ordem de coisas. Encontramos aqui "uma importante contribuição para o conceito da oração. Deus conhece nossos pensamentos secretos, ao passo que nossas orações geralmente são desajeitadas. Deus responde aos anelos não expressos das almas" (Henry Sloane Coffin, *in loc.*). Mas a mensagem ultrapassa até mesmo isso. Ele sabe o que pensaremos amanhã, que poderá vir a ser expresso através de orações francas. Deus pode responder até por antecipação, antes que nossos pensamentos sejam formados.

■ 65.25

זְאֵב וְטָלֶה יִרְעוּ כְאֶחָד וְאַרְיֵה כַּבָּקָר יֹאכַל־תֶּבֶן וְנָחָשׁ עָפָר לַחְמוֹ לֹא־יָרֵעוּ וְלֹא־יַשְׁחִיתוּ בְּכָל־הַר קָדְשִׁי אָמַר יְהוָה׃ ס

O lobo e o cordeiro pastarão juntos. Os animais ferozes experimentarão mudança de natureza. Os lobos, que usualmente se alimentam de cordeiros, ficarão lado a lado com eles e não sofrerão tentação para atacá-los. Os leões, que antes viviam caçando e matando a outros animais, comerão capim como o boi e não sentirão tentação para atacar criaturas indefesas. A serpente não matará nem comerá pequenos animais, mas terá uma fonte de alimentos que não exigirá o uso de violência. Os homens não perseguirão a outros homens. Nenhum exército marchará contra a nova Jerusalém. Todas essas coisas existirão por causa do decreto de Yahweh, que mudará radicalmente as coisas, incluindo a natureza básica do povo e dos animais. Quanto ao "santo monte", ver Is 11.9. Ver também Is 27.13; 56.7; Jl 3.17. O versículo presente pretende dizer-nos que haverá "reversão da queda", quando a natureza caiu no caos e na hostilidade de espécie contra espécie, e quando a cadeia de alimentos requeria a violência. Sem dúvida, devemos compreender que os homens não mais matarão animais para se alimentarem, o que é outra forma de violência. E quem pode negar isso? Muitos intérpretes presumem que a ordem original, no jardim do Éden, não incluía a necessidade de "matar para alimentar-se", e que então o ideal era o vegetarianismo. Mas no milênio os animais, e não somente os homens, viverão em paz.

CAPÍTULO SESSENTA E SEIS

Os capítulos 65 e 66 formam uma unidade. Ver a introdução ao capítulo 65.

O NOVO NASCIMENTO DE SIÃO E O FOGO DO JULGAMENTO (66.1-16)

Esta seção tem sete estrofes, e isso nos leva ao sumário escatológico do livro (vss. 17-24).

O tema do *milênio* apropriadamente continua até a conclusão do livro, embora sejamos novamente lembrados da necessidade de julgamento para que as coisas sejam corrigidas. Todos os ideais do pacto abraâmico serão cumpridos e de uma maneira que ultrapassa todas as antecipações. Os críticos veem uma representação dos escritos de um terceiro Isaías neste ponto. Ver a seção III da *Introdução* ao livro como um sumário dos problemas relacionados à unidade do livro. Os dois temas escatológicos principais do julgamento e da felicidade na restauração continuam avançando de mãos dadas até o fim do livro. O verdadeiro e o falso continuam formando um par difícil de separar, e isso se torna concreto nos dois grupos opostos da comunidade judaica. Ainda não chegamos ao estado eterno. Mas, conforme nos aproximarmos da era eterna, teremos a espiritualização gradual de todas as coisas, de modo que até mesmo o templo não mais será necessário, mais ou menos conforme encontramos em Ap 21.22. Portanto, avançaremos na espiritualização, e o milênio será uma *época preparatória*, e não final.

Primeira Estrofe: Adoração em Espírito e em verdade (66.1,2)

■ 66.1

כֹּה אָמַר יְהוָה הַשָּׁמַיִם כִּסְאִי וְהָאָרֶץ הֲדֹם רַגְלָי אֵי־זֶה בַיִת אֲשֶׁר תִּבְנוּ־לִי וְאֵי־זֶה מָקוֹם מְנוּחָתִי׃

O céu é o meu trono, a terra o estrado dos meus pés. Visto que Deus é *imenso* e preenche os céus e a terra, sendo os primeiros o seu trono e a segunda o escabelo de seus pés (ver Is 60.13; Sl 132.7; Ez 43.7; Lm 2.1), por isso mesmo chegará a hora em que o templo e outras questões visíveis da religião não serão mais necessárias para o culto a Yahweh. Temos aqui uma significativa *espiritualização* do culto, com base na ideia da transcendência de Deus. Esta é uma avançada teologia judaica que o Novo Testamento tomou e desenvolveu.

A fé dos hebreus sempre esteve muito ligada às formas externas, e seus ritos e cerimônias eram intermináveis. Aqui, porém, o profeta descreve, com muita ousadia, uma nova filosofia de culto, algo mais ou menos como se vê na epístola aos Hebreus, que escreveu *uma palavra* sobre todas as complexidades do culto dos judeus, *Cristo*. Ficam assim substituídas todas as leis e todos os ritos, tendo seu cumprimento espiritual. Jesus aludiu a este versículo em Mt 5.34,35, mas com uma aplicação diferente. Deveríamos aceitar este oráculo como verdadeiramente escatológico. O profeta não condenou a reedificação do templo, terminado o cativeiro babilônico. O hino egípcio do Nilo, do século XIV a.C., tem algo similar, uma visão superior de Deus: "Sua moradia é desconhecida. Não há edifício que consiga contê-lo". Cf. Ap 21.22.

■ 66.2

וְאֶת־כָּל־אֵלֶּה יָדִי עָשָׂתָה וַיִּהְיוּ כָל־אֵלֶּה נְאֻם־יְהוָה וְאֶל־זֶה אַבִּיט אֶל־עָנִי וּנְכֵה־רוּחַ וְחָרֵד עַל־דְּבָרִי׃

Porque a minha mão fez todas estas cousas. Yahweh é o Criador; todas as coisas foram feitas por suas mãos; todas as coisas pertencem a ele. Ver Sl 50.9-12. "Deus, o Criador do universo, não pode precisar de nada que pertença ao universo. O templo mais importante é, para ele, infinitamente pequeno. O que *deleita* ao Senhor é algo genericamente *diferente*, a vida espiritual correspondente à sua própria vida, que começa com um *coração contrito* e correlato à sua santidade. O que oferece a Deus essa atitude é um adorador autêntico, e não o homem que edifica um templo magnificente. Tal homem será um adorador verdadeiro, com ou sem o ritual da adoração. Sem o elemento essencial do coração, toda adoração será abominação para o Deus eterno. Cf. Is 1.11-18 e 57.15" (Ellicott, *in loc.*, com alguma adaptação).

O homem bom é aquele que "teme o Senhor", que é o padrão da expressão da espiritualidade no Antigo Testamento. Ver sobre *Temor*, no *Dicionário* e em Sl 119.38 e Pv 1.7. "Um verdadeiro servo de Deus, reconhecendo sua indignidade na presença do Deus reto e santo, não obstante, espera com expectativa e temor a revelação da vontade divina (cf. Ed 9.4 e 10.30)" (James Muilenburg, *in loc.*).

Segunda Estrofe: A Corrupção do Culto por Sacrifícios (66.3,4)

■ 66.3

שׁוֹחֵט הַשּׁוֹר מַכֵּה־אִישׁ זוֹבֵחַ הַשֶּׂה עֹרֵף כֶּלֶב מַעֲלֵה מִנְחָה דַּם־חֲזִיר מַזְכִּיר לְבֹנָה מְבָרֵךְ אָוֶן גַּם־הֵמָּה בָּחֲרוּ בְּדַרְכֵיהֶם וּבְשִׁקּוּצֵיהֶם נַפְשָׁם חָפֵצָה׃

O que imola um boi é como o que comete homicídio. "A primeira metade da estrofe descreve as práticas sincretistas dos que escolheram seus próprios caminhos; e a segunda metade fornece-nos as razões para o julgamento divino. As últimas quatro linhas foram retiradas de Is 65.12. É possível que essa estrofe tenha sido inserida por algum redator. Pelo menos essas palavras não têm exatamente o mesmo caráter que o restante da estrofe, e os vss. 3e-4b formam um encerramento excelente. Se a primeira estrofe é um protesto contra a confiança depositada na estrutura material do templo, a segunda foi dirigida contra um culto sacrificial aviltado e corrupto" (James Muilenburg, *in loc.*).

Este versículo apresenta *quatro pares* que descrevem as práticas de sacrifício dos que se mostravam hostis aos verdadeiros adoradores. O ponto central dessas comparações é que as mesmas pessoas que tão escrupulosamente se faziam presentes aos ritos efetuados no templo, paralelamente também se davam licença para praticar as formas religiosas pagãs mais horrendas. Isso pode ser visto nos quatro pontos seguintes:

1. O homem que sacrificava um boi (conforme requerido pela legislação mosaica) também realizava sacrifícios humanos. Ver no *Dicionário* o artigo chamado *Moleque (Moloque)*.
2. O homem que sacrificava um cordeiro (segundo exigido pela lei mosaica) quebrava o pescoço de um cão, ou seja, sacrificava um

cão e comia sua carne como parte da festa de sacrifício. Dario proibiu os cartagineses de oferecer sacrifícios humanos ou comer a carne de um cão (Justino, *História do Mundo*, XIX.1.10).

3. O homem que apresentava uma oferenda de cereais (em consonância com a lei mosaica) paralelamente oferecia sangue de porco sobre o altar, conforme faziam os pagãos que pensavam que esse animal era sagrado. Ver Is 65.4 quanto a notas expositivas sobre essa questão.

4. O homem prestava uma oferenda memorial de incenso (de acordo com os requisitos da legislação mosaica; ver Lv 2.2; 24.7), mas também abençoava a um ídolo com suas fórmulas mágicas e encantamentos. Eles inventaram um horrendo *sincretismo*. Os israelitas paganizados se apaixonavam por suas misturas religiosas e pensavam ter melhorado as regras baixadas por Moisés. Isso posto, preferiam seu próprio modo de expressão religiosa e abandonavam as fórmulas prescritas por Moisés. Mas os caminhos do sincretismo são os caminhos de indivíduos apóstatas, e não de pioneiros que exploram terrenos novos.

■ 66.4

גַּם־אֲנִ֞י אֶבְחַ֣ר בְּתַעֲלֻלֵיהֶ֗ם וּמְגֽוּרֹתָם֙ אָבִ֣יא לָהֶ֔ם יַ֤עַן
קָרָ֙אתִי֙ וְאֵ֣ין עוֹנֶ֔ה דִּבַּ֖רְתִּי וְלֹ֣א שָׁמֵ֑עוּ וַיַּעֲשׂ֤וּ הָרַע֙
בְּעֵינַ֔י וּבַאֲשֶׁ֥ר לֹֽא־חָפַ֖צְתִּי בָּחָֽרוּ׃ ס

Assim eu lhes escolherei o infortúnio e farei vir sobre eles o que eles temem. Em vista de aqueles israelitas rebeldes terem preferido seu sincretismo corrupto, por isso Yahweh escolheu para eles a *aflição*. Eles não poderiam mesmo passar longo tempo naquela vereda. Aquela apostasia precisava ser refreada. Eles haveriam de temer, quando chegasse o julgamento divino. Já tinham recebido o *chamado divino* ao arrependimento, mas não tinham dado a mínima atenção. Pelo contrário, o que era repelente a Yahweh, era isso que eles *preferiam* e *amavam*, e continuavam a *praticar*. Em outras palavras, eles eram apóstatas voluntários. As quatro linhas finais são idênticas a Is 65.12. Eles preferiam o que Yahweh odiava; o que Yahweh tinha escolhido para eles, entretanto, causaria temor e aflição. Está em mira a perversidade da vontade humana. Ver Mt 7.15 ss.

"O auto-abandono à vontade de Deus é a essência da verdadeira fé. *Querer* fazer a vontade de Deus é mais sublime do que fazê-la, pois tal boa disposição aceita a *vontade do Senhor* quando nada há para ser feito. A fé sempre envolve uma escolha" (Henry Sloane Coffin, *in loc.*).

Terceira Estrofe: A Voz de Julgamento Vinda da Cidade (66.5,6)

■ 66.5

שִׁמְעוּ֙ דְּבַר־יְהוָ֔ה הַחֲרֵדִ֖ים אֶל־דְּבָר֑וֹ אָמְרוּ֩ אֲחֵיכֶ֨ם
שֹׂנְאֵיכֶ֜ם מְנַדֵּיכֶ֗ם לְמַ֤עַן שְׁמִי֙ יִכְבַּ֣ד יְהוָ֔ה וְנִרְאֶ֥ה
בְשִׂמְחַתְכֶ֖ם וְהֵ֥ם יֵבֹֽשׁוּ׃

Ouvi a palavra do Senhor, vós os que a temeis. Aos fiéis é endereçado aqui um breve oráculo. Há um conflito entre esse remanescente fiel e os infiéis, que formavam uma maioria apóstata (vss. 3,4). Os que estavam sendo oprimidos, pois, foram encorajados. As contas seriam devidamente equilibradas algum dia. Os que "temiam" ao Senhor (que tremiam diante de sua palavra, ver o vs. 2 deste capítulo) eram amados por Yahweh e haveriam de receber de seus benefícios, embora, por enquanto, fossem odiados por adversários e opressores. Eles tinham sido *expulsos* por amor ao Senhor. Talvez a palavra aqui signifique *exclusão*, acompanhando o uso do Talmude posterior; mas também pode significar simplesmente que eles tinham sido excluídos da comunidade de Israel. No entanto, Yahweh ainda seria glorificado, e o remanescente, vítima de abusos, ainda se alegraria. E os que tinham praticado atos atrevidos e apostatado da fé antiga seriam envergonhados. Também é possível que esta declaração tenha um sentido escatológico, referindo-se ao que aconteceria antes da inauguração do reino messiânico. Seja como for, os dois grupos foram agudamente distinguidos pelo discurso divino. Quanto à alegria dos fiéis, ver Is 56.7; 60.15; 61.3,7,10; 65.13,14,18,19. Talvez Mt 27.42 reverbere o presente versículo. Cf. também Hb 9.28; Cl 3.4; 1Jo 3.2 e Ap 1.7.

■ 66.6

ק֤וֹל שָׁאוֹן֙ מֵעִ֔יר ק֖וֹל מֵֽהֵיכָ֑ל ק֣וֹל יְהוָ֔ה מְשַׁלֵּ֥ם גְּמ֖וּל
לְאֹיְבָֽיו׃

Voz de grande tumulto virá da cidade, voz do templo, voz do Senhor. Havia um tumulto de vozes na cidade! O ruído era a voz do Senhor, que falava. Essa voz vinha do templo, o lugar autorizado para sua adoração e culto. Anunciava vingança contra a facção apóstata. O julgamento estava chegando e foi solenemente anunciado.

Ouçam o grande ruído que vem da cidade. Ouçam o ruído que vem do templo. É o Senhor a punir os seus inimigos.

NCV

Há vindicação em favor do verdadeiro crente, pois o Senhor retornou ao seu templo e está pondo as coisas em boa ordem. Cf. Ez 43.1-5. Yahweh, aparecendo no seu templo, a fim de governar gloriosamente e impor a sua vontade aos homens, um tema escatológico comum. Cf. Mq 1.2; Ap 11.19; 16.1,17 e Jl 3.16.

Quarta Estrofe: novo nascimento e novo povo (66.7-9)

■ 66.7

בְּטֶ֥רֶם תָּחִ֖יל יָלָ֑דָה בְּטֶ֨רֶם יָב֥וֹא חֵ֛בֶל לָ֖הּ וְהִמְלִ֥יטָה
זָכָֽר׃

Antes que estivesse de parto, deu à luz. Neste versículo encontramos um tipo diferente de parto. A mulher deu à luz a um filho antes que lhe viessem as dores de parto. Antes mesmo que as dores da contração a atingissem, eis que ela teve um filho. No vs. 8, aprendemos que a mãe era Sião e também que os fiéis (provavelmente aqueles dos últimos dias) nasceram com tanta facilidade a ponto de o nascimento deles constituir um tipo diferente de nascimento. A salvação lhes ocorreu como um nascimento *miraculoso* e *admirável*, por ser uma obra do Senhor que é maravilhosa aos nossos olhos (Sl 118.23). "A restauração de Jerusalém será um milagre operado por Deus" (*Oxford Annotated Bible*, comentando sobre este versículo). O decreto de Ciro, publicado somente setenta anos após o cativeiro babilônico, ocorreu súbita e inesperadamente. Isso não está em pauta aqui, mas serve de ilustração do que será o decreto de Deus sobre um "novo povo" durante a era do reino de Deus.

■ 66.8

מִֽי־שָׁמַ֣ע כָּזֹ֗את מִ֤י רָאָה֙ כָּאֵ֔לֶּה הֲי֤וּחַל אֶ֙רֶץ֙ בְּי֣וֹם
אֶחָ֔ד אִם־יִוָּ֥לֵֽד גּ֖וֹי פַּ֣עַם אֶחָ֑ת כִּֽי־חָ֛לָה גַּם־יָלְדָ֥ה צִיּ֖וֹן
אֶת־בָּנֶֽיהָ׃

Quem jamais ouviu tal cousa? Quem viu cousa semelhante? A atitude por trás dessas palavras não é de derrisão e, sim, de *espanto*. O nascimento do filho aponta para o nascimento de uma nação em um único dia. Sião estava em trabalho de parto e deu à luz filhos, por assim dizer, filhos instantâneos. A dispersão romana será revertida de maneira súbita e completa. Cf. Is 49.17,21; 54.1-8 e 60.1-22. "Assim, todo o Israel será salvo" (Rm 11.26), e repentinamente. Ver também Os 1.10,11. "Os usuais lentos processos de desenvolvimento nacional são contrastados com a rapidez sobrenatural do nascimento e crescimento do novo Israel" (Ellicott, *in loc.*).

■ 66.9

הַאֲנִ֥י אַשְׁבִּ֛יר וְלֹ֥א אוֹלִ֖יד יֹאמַ֣ר יְהוָ֑ה אִם־אֲנִ֧י
הַמּוֹלִ֛יד וְעָצַ֖רְתִּי אָמַ֥ר אֱלֹהָֽיִךְ׃ ס

Acaso farei eu abrir a madre, e não farei nascer? O processo miraculoso se desencadearia, mas os filhos não nasceriam? Pelo contrário, haverá uma obra completa, e em brevíssimo tempo. Yahweh dará início ao processo e o levará a bom termo. Cf. Is 37.3, onde temos um processo de nascimento que não se completou, por falta de forças por parte da mãe. Aqui, entretanto, temos um processo divino fadado a não falhar. Pois haverá tanto o poder como a vontade de realizá-lo. Note o leitor os dois "eus" do versículo, que são pronomes enfáticos. Esse divino "eu" foi proferido por Yahweh (o Deus eterno) e por Elohim (o Poder). A esperança dos crentes não será frustrada, pois a restauração nacional de Israel é o propósito histórico e profético de Deus. Ver em Is 13.6 como a vontade divina controla todos os acontecimentos humanos.

> Estou plenamente certo de que aquele que começou boa obra em vós há de completá-la até ao dia de Cristo Jesus.
> Filipenses 1.6

Quinta Estrofe: A Alegria e a Abundância da nova era (66.10,11)

■ 66.10

שִׂמְחוּ אֶת־יְרוּשָׁלַ͏ִם וְגִילוּ בָהּ כָּל־אֹהֲבֶיהָ שִׂישׂוּ אִתָּהּ
מָשׂוֹשׂ כָּל־הַמִּתְאַבְּלִים עָלֶיהָ:

Regozijai-vos juntamente com Jerusalém, e alegrai-vos por ela. No hebraico há três vocábulos com o sentido de *regozijar-se* que a maioria das traduções modernas não reproduz. A tradução inglesa NCV quase consegue esse feito, traduzindo essas três palavras por "regozijar-se", "estar feliz" e "sentir-se feliz". Nossa versão portuguesa traduz os termos por "regozijai-vos", "alegrai-vos" e "exultai". A alegria é a nota-chave da restauração na era do reino de Deus. Ver no *Dicionário* o artigo chamado *Alegria*. As lamentações do presente serão descontinuadas. O profeta Isaías estava exultante quando previu o que aconteceria na nova era. Cf. Is 57.18; 60.20 e 61.2,3. "Explosões de regozijo caracterizam os poemas dos capítulos 40—66 do livro de Isaías... A situação atual era deprimente, mas Deus estava prestes a trazer a lume um novo povo. A alegria do profeta era contagiante, e seus ouvintes devem ter ganhado com isso nova confiança e novo entusiasmo" (Henry Sloane Coffin, *in loc.*, com algumas adaptações). A alusão pretendida é a de uma nova mãe que convidou amigos e vizinhos a regozijar-se com ela pelo nascimento de um filho saudável.

> Oh, que alegria! A língua mortal não pode contar,
> Visto que a eternidade apenas começou.
> Reunirem-se um com o outro,
> Para habitarem com o Salvador.
> A terra onde o sol não se põe.
> W. C. Martin

■ 66.11

לְמַעַן תִּינְקוּ וּשְׂבַעְתֶּם מִשֹּׁד תַּנְחֻמֶיהָ לְמַעַן תָּמֹצּוּ
וְהִתְעַנַּגְתֶּם מִזִּיז כְּבוֹדָהּ: ס

Para que mameis, e vos farteis dos peitos das suas consolações. O simbolismo torna-se agora muito ousado. Os amigos da mãe (que provavelmente representam as nações que compartilharão do Reino) são agora convidados a sugar os seios dela, juntamente com os filhos de Sião, ou seja, Israel. E isso, por sua vez, significa que Sião é a mãe de todas as nações. (Cf. Is 49.17-21; 54.1-6). Sião será extremamente próspera, material e espiritualmente, e haverá "leite" suficiente para todos os povos. Os seios da mulher serão, ao mesmo tempo, consoladores e fontes de prazer. A glória dessa mulher será abundante, e os que se alimentarem dela compartilharão dessa glória. Os infantes não falam e, assim, não podem dizer-nos, mas é justo imaginar que eles se deleitam no seio e no leite materno. Parte do simbolismo deste versículo está alicerçado sobre essa suposição lógica.

> Desejai ardentemente, como crianças recém-nascidas, o genuíno leite espiritual, para que por ele vos seja dado crescimento para salvação.
> 1Pedro 2.2

Sexta Estrofe: Prosperidade e Consolação (66.12-14)

■ 66.12

כִּי־כֹה אָמַר יְהוָה הִנְנִי נֹטֶה־אֵלֶיהָ כְּנָהָר שָׁלוֹם
וּכְנַחַל שׁוֹטֵף כְּבוֹד גּוֹיִם וִינַקְתֶּם עַל־צַד תִּנָּשֵׂאוּ
וְעַל־בִּרְכַּיִם תְּשָׁעֳשָׁעוּ:

Porque assim diz o Senhor: Eis que estenderei sobre ela a paz como um rio. Esta sexta estrofe provê outros símbolos que descrevem a prosperidade de Jerusalém durante a era do reino. Yahweh promete aqui que fará fluir por Jerusalém um rio de bênçãos. Quanto à prosperidade comparada a um *rio*, ver Is 48.18. As riquezas das nações fluirão para Jerusalém como uma poderosa torrente que inundará suas margens e não poderá ser contida. Cf. Is 48.18; 55.12; 60.5,11 e 61.6. A primeira dessas promessas é a *paz (shalom)*, que também pode dar a ideia de prosperidade. A segunda promessa é a *glória* ou *riqueza* (no hebraico, *kabhodh*), que inundará Jerusalém como um rio.

Ademais, o autor sagrado retornou à *metáfora da alimentação à criança*, conforme visto no versículo anterior. As mulheres têm protrusões convenientes (os quadris) em seu corpo, que podem ajudá-las a carregar os infantes, uma prática comum nos países do Oriente Próximo. Esses infantes eram pequenos e ainda mamavam quando isso acontecia. As crianças pequenas também eram postas sentadas sobre os joelhos de suas mães, quando elas estavam descansando. A criança estava sempre na companhia da mãe; sempre bem cuidada; sempre bem alimentada; e, por isso, não nos devemos admirar que fosse uma criança feliz! Alguns estudiosos veem aqui Sião como a mãe que dava de mamar a seus filhinhos, em consonância com o vs. 11, mas outros intérpretes fazem das nações gentílicas a mãe de Sião, de modo que esta linha concorde com a primeira parte do presente versículo. Esse é o sentido de Is 60.16. Então, no vs. 13, o próprio Yahweh é que aparece como mãe.

■ 66.13

כְּאִישׁ אֲשֶׁר אִמּוֹ תְּנַחֲמֶנּוּ כֵּן אָנֹכִי אֲנַחֶמְכֶם
וּבִירוּשָׁלַ͏ִם תְּנֻחָמוּ:

Como alguém a quem sua mãe consola, assim eu vos consolarei. Neste versículo, Yahweh é a mãe consoladora. As consolações de Israel formam um dos principais temas proféticos sobre o reino de Deus. Ver Is 40.1. Ver no *Dicionário* o artigo chamado *Consolação*. Temos um amor maternal-paternal que é suficiente para a tarefa. As antigas tribulações estarão terminadas. E serão esquecidas (ver Is 65.16).

> Nascerá o sol da justiça, trazendo salvação nas suas asas.
> Malaquias 4.2

Cf. este versículo com Is 49.15.

■ 66.14

וּרְאִיתֶם וְשָׂשׂ לִבְּכֶם וְעַצְמוֹתֵיכֶם כַּדֶּשֶׁא תִפְרַחְנָה
וְנוֹדְעָה יַד־יְהוָה אֶת־עֲבָדָיו וְזָעַם אֶת־אֹיְבָיו:

Vós o vereis e o vosso coração se regozijará. Quando chegarem as consolações de Sião, então o coração de seus habitantes se *regozijará*. Ver o tríplice *regozijo* do vs. 10: regozijai-vos; alegrai-vos; exultai (conforme diz nossa versão portuguesa). Os *ossos* deles florescerão como a erva. Os ossos representam o ser inteiro, pois é do arcabouço dos ossos que o corpo inteiro depende. Ver no *Dicionário* e em Sl 102.3 o verbete intitulado *Osso(s)*. A causa eficaz disso será a *mão* do Senhor, que pode ser extremamente destruidora, mas, neste caso, curará e consolará. Ver no *Dicionário* e em Sl 81.14 o verbete chamado *Mão*. Ver sobre *mão direita* em Sl 20.6; e sobre *braço* em Sl 77.15; 89.10 e 98.1. O profeta Isaías misturou à vontade seu material e as metáforas psíquicas, o que, afinal de contas, é uma das características da poesia dos hebreus. O estado feliz de Sião insuflará nova vida e vigor em seus muitos cidadãos (cf. Sl 32.3; 42.10; 102.3; Jó 21.24; Pv 15.30). "Coração e ossos representam, respectivamente, a vida interior e a vida exterior" (Ellicott, *in loc.*). "Vossos ossos, que antes foram ressecados pelo fogo da ira de Deus (ver Lm 1.13), reviverão (Pv 3.8; 15.30; Ez 37.1)" (Fausset, *in loc.*).

Sétima Estrofe: O Juiz que Vem (66.15,16)

■ 66.15

כִּי־הִנֵּה יְהוָה בָּאֵשׁ יָבוֹא וְכַסּוּפָה מַרְכְּבֹתָיו לְהָשִׁיב
בְּחֵמָה אַפּוֹ וְגַעֲרָתוֹ בְּלַהֲבֵי־אֵשׁ:

Porque, eis que o Senhor virá em fogo, e os seus carros como um torvelinho. Cf. os vss. 2-5. As facções em luta da sociedade judaica são novamente apresentadas. Enquanto um dos lados será consolado e se tornará próspero, o outro lado cairá, sujeito à ira de Deus; e podemos presumir que essa será uma purificação necessária antes da inauguração da era do milênio. Yahweh é aqui retratado como o cocheiro divino, montado sobre um torvelinho e chegando como se fosse um fogo consumidor. O fogo é o símbolo de julgamento e purificação e, na teologia judaica posterior, era referido como existente no *sheol,* atormentando as almas que ali estivessem. Mas não há aqui nenhum desses pensamentos. A purificação mencionada se processará sobre a terra. No livro de 1Enoque, foram acesas, pela primeira vez, as chamas do inferno, e no Novo Testamento, em alguns poucos lugares, essas chamas permanecem acesas.

A presente estrofe representa a resposta para a oração fervorosa de Is 64.1-3. Quanto a outras teofanias de fogo, ver Is 10.17,18; 29.6; 30.27,28; 64.1-3; Sl 50.3,4; 97.1-15. A cena do monte Sinai é a principal inspiradora do símbolo aqui usado. Quanto a outras passagens que retratam Yahweh a cavalgar as nuvens, ver Sl 18.10; 68.33; 104.3; Dt 33.26. Quanto ao fato de que Deus cavalga sobre ventos tempestuosos, ver Is 27.1; 31.8; 34.5; Dt 32.41,42; Jr 46.10; Ez 21.3-5. Descrições similares têm sido encontradas para descrever divindades ugaríticas.

■ **66.16**

כִּי בָאֵשׁ יְהוָה נִשְׁפָּט וּבְחַרְבּוֹ אֶת־כָּל־בָּשָׂר וְרַבּוּ חַלְלֵי יְהוָה:

Porque com fogo e com a sua espada entrará o Senhor em juízo com toda a carne. Ao símbolo do fogo, é adicionado agora outro símbolo extremamente comum, a *espada* divina. Cf. Is 27.1; 42.13; 52.10; 59.17; Êx 15.3. Aqui Yahweh aparece como o Senhor dos Exércitos, guerreiro destruidor. Nessa qualidade, Yahweh executa um juízo necessário e justo. Ver Is 27.1; 31.8; 34.5; Dt 32.41,42; Jr 46.10; Ez 21.3-5; 38.21. O julgamento divino será universal porque a rebeldia e a apostasia são universais. Ver Is 40.5; 60.12; 63.6. Uma grande purificação ocorrerá antes da inauguração da época áurea. Cf. Ap 19.17-21.

SUMÁRIO ESCATOLÓGICO (66.17-24)

■ **66.17**

הַמִּתְקַדְּשִׁים וְהַמִּטַּהֲרִים אֶל־הַגַּנּוֹת אַחַר אֶחָד בַּתָּוֶךְ אֹכְלֵי בְּשַׂר הַחֲזִיר וְהַשֶּׁקֶץ וְהָעַכְבָּר יַחְדָּו יָסֻפוּ נְאֻם־יְהוָה:

Os que se santificam e se purificam para entrarem nos jardins... serão consumidos. Isso pode ser a declaração de conclusão de um redator que assim provê apta conclusão para os capítulos 56—66. Novamente encontramos aqui os *jardins* idólatras mencionados. Ver Is 1.29 e 65.3. Os idólatras passam por várias cerimônias de purificação e então dirigem-se em procissão aos lugares de seus cultos falsos. Os pagãos sacrificam o porco e então se banqueteiam com a carne do animal, da mesma maneira que os judeus faziam com a carne de touros e carneiros. E os pagãos também comiam outras coisas *abomináveis,* como insetos que se arrastam pelo chão e até pequenos animais, como aqueles pertencentes à família do rato. Tais animais, como é natural, eram imundos. Ver Lv 7.21 e 11.29, e também o artigo detalhado chamado *Limpo e Imundo.* As descrições mostram total desconsideração às regras mosaicas e plena participação nos cultos dos povos vizinhos de Israel. Os que agirem dessa maneira inevitavelmente enfrentarão o julgamento divino; e chegarão assim ao seu fim; serão aniquilados, porquanto Yahweh deu sua promessa e seu juramento de que isso terá a retaliação apropriada.

■ **66.18**

וְאָנֹכִי מַעֲשֵׂיהֶם וּמַחְשְׁבֹתֵיהֶם בָּאָה לְקַבֵּץ אֶת־כָּל־הַגּוֹיִם וְהַלְּשֹׁנוֹת וּבָאוּ וְרָאוּ אֶת־כְּבוֹדִי:

Porque conheço as suas obras e os seus pensamentos. *Pelo lado positivo,* a nova era não fracassará por causa dos apóstatas.

Todas as nações se reunirão, e algumas delas serão aprovadas diante do escrutínio do Senhor. Todas as nações verão a glória de Yahweh. Israel se tornará a cabeça das nações, e os gentios que passarem pela Grande Tribulação e forem purificados aumentarão a glória de Israel e participarão dos benefícios. Por meio do julgamento, e à parte dele, o mundo inteiro verá a glória de Deus. Cf. Zc 14.3; Ap 19.17,18. A glória de Yahweh será visível em Jerusalém, a capital espiritual do novo mundo. Cf. Is 60.1 ss. Ver também Dn 3.4,7,29; 4.1; Zc 8.23. A *presença* do Senhor se manifestará para que todas as nações a vejam, e a glória do Senhor brilhará ao redor.

O Anjo do Senhor desceu,
E a glória brilhou em redor,
E a glória brilhou em redor.

Nahum Tate

■ **66.19**

וְשַׂמְתִּי בָהֶם אוֹת וְשִׁלַּחְתִּי מֵהֶם פְּלֵיטִים אֶל־הַגּוֹיִם תַּרְשִׁישׁ פּוּל וְלוּד מֹשְׁכֵי קֶשֶׁת תֻּבַל וְיָוָן הָאִיִּים הָרְחֹקִים אֲשֶׁר לֹא־שָׁמְעוּ אֶת־שִׁמְעִי וְלֹא־רָאוּ אֶת־כְּבוֹדִי וְהִגִּידוּ אֶת־כְּבוֹדִי בַּגּוֹיִם:

Porei entre elas um sinal, e alguns dos que foram salvos enviarei às nações. Que o leitor dê atenção a estes quatro pontos, acerca do "sinal": 1. A própria *presença* do Senhor. 2. Um terror sobrenatural que efetuará o julgamento divino. 3. Um livramento melhor, sobrenatural. 4. Ou então *pessoas salvas* que trarão sobre si a marca de Yahweh e serão enviadas a diversas nações para espalhar as boas-novas sobre Yahweh e sua glória. Através desses missionários, o mundo inteiro compreenderá qual é a glória do Senhor. O remanescente das nações e de Israel se tornará arauto das boas-novas do milênio. Dessa forma serão cumpridas as expectativas dos capítulos 40—66 do livro de Isaías.

São mencionados *cinco* lugares ou povos específicos que receberão os missionários, e existe as costas marítimas indefinidas, distantes. O vocábulo "nações" sumaria a questão. Ver os nomes geográficos no *Dicionário.* Essas nações são: Társis (Espanha); Pul (na Septuaginta, uma cidade mercantil fenícia da Espanha); Lude (povos africanos); Tubal (Ásia Menor do noroeste); Javã (os jônios da Ásia Menor, da Grécia e da Magna Grécia, no sul da Itália). Esses são lugares do mundo mediterrâneo conhecido na época. "A missão dos sobreviventes às regiões mais remotas é uma característica notável da escatologia dos profetas. Cf. Is 42.1-7; 49.1-6; 51.4" (James Muilenburg, *in loc.*).

■ **66.20**

וְהֵבִיאוּ אֶת־כָּל־אֲחֵיכֶם מִכָּל־הַגּוֹיִם מִנְחָה לַיהוָה בַּסּוּסִים וּבָרֶכֶב וּבַצַּבִּים וּבַפְּרָדִים וּבַכִּרְכָּרוֹת עַל הַר קָדְשִׁי יְרוּשָׁלִַם אָמַר יְהוָה כַּאֲשֶׁר יָבִיאוּ בְנֵי יִשְׂרָאֵל אֶת־הַמִּנְחָה בִּכְלִי טָהוֹר בֵּית יְהוָה:

Trarão todos os vossos irmãos, dentre todas as nações. As atividades missionárias do remanescente salvo terão sucesso retumbante, e os convertidos serão trazidos como sacrifício vivo a Yahweh (ver Rm 12.1). Podemos presumir que *irmãos* fala dos judeus da diáspora romana, que serão levados de volta para o seu lar, e isso significará total reversão da dispersão romana. Eles voltarão em vários veículos animais e serão apresentados a Yahweh como oferenda, tal como os adoradores traziam ofertas de cereais em vasos limpos, para que não houvesse poluição contra as leis do limpo e do imundo.

"A oferenda era a *minchah,* a oferta sem sangue recomendada pela lei levítica (ver Lv 2.1,2). Fica entendido, entretanto, que os exilados que retornarão serão a oferenda mais aceitável que poderia ser levada à presença de Yahweh. A mesma ideia aparece em Sf 3.10, e uma ideia similar, transferida para os gentios, encontra-se em Rm 15.16" (Ellicott, *in loc.*). Mas este versículo não deixa claro se alguns dos irmãos serão ou não gentios. O vs. 18, contudo, informa-nos que todas as nações estarão representadas, mas isso não significa, que, neste versículo, elas são chamadas de "irmãos".

■ 66.21

וְגַם־מֵהֶ֥ם אֶקַּ֛ח לַכֹּהֲנִ֥ים לַלְוִיִּ֖ם אָמַ֥ר יְהוָֽה׃

Também deles tomarei a alguns para sacerdotes e para levitas. Visto que a palavra "irmãos", do vs. 20, pode referir-se a pessoas salvas dentre os gentios, assim também os sacerdotes e levitas do presente versículo talvez signifiquem que, durante o reino do milênio de Cristo, algumas figuras eclesiásticas poderiam ser escolhidas dentre os gentios. Diversos intérpretes entendem a questão por esse prisma. Outros estudiosos, porém, estão certos de que os irmãos do vs. 20 são todos judeus. E, assim sendo, todos os sacerdotes e levitas mencionados no versículo também são judeus. Mas talvez o profeta Isaías estivesse desfazendo a diferenciação entre judeus e gentios no tocante ao ministério. Nesse caso, este versículo assume a compreensão de 1Pe 2.5,9, o sacerdócio universal dos crentes, sem distinções de raça. Ver também Ap 1.6. Essa é uma excelente ideia, mas parece que ambos os versículos, 20 e 21, neste trecho, estão limitados aos judeus. Já Is 56.6,7 e 61.6 argumentam em favor somente de judeus nesses ofícios ministeriais futuros. Naturalmente, estamos falando de Israel e do milênio, e não da igreja. Não há como determinar a questão com algum grau de certeza.

■ 66.22

כִּ֣י כַאֲשֶׁ֣ר הַשָּׁמַ֣יִם הַחֳדָשִׁ֗ים וְהָאָ֨רֶץ֙ הַחֲדָשָׁ֔ה אֲשֶׁ֥ר אֲנִ֛י עֹשֶׂ֖ה עֹמְדִ֣ים לְפָנַ֑י נְאֻם־יְהוָ֑ה כֵּ֛ן יַעֲמֹ֥ד זַרְעֲכֶ֖ם וְשִׁמְכֶֽם׃

Porque, como os novos céus e a nova terra, que hei de fazer, estarão diante de mim. Isaías retornou ao seu motivo dos novos céus e da nova terra, já visto em Is 65.17, onde ofereço notas expositivas detalhadas. Quanto a detalhes, ver no *Dicionário* o artigo denominado *novos céus e nova terra,* dentro do verbete chamado *nova criação.*

"Temos aqui um clímax magnífico: O povo de Deus, tal como a nova criação, perdurará para sempre (ver Jr 31.34-36), e um poderoso coro de louvores se elevará incessantemente até o trono de Deus" (*Oxford Annotated Bible,* comentando sobre este versículo). "A estabilidade e a permanência do novo povo da nova era são tão garantidas e firmes como o novo céu e a nova terra (ver Is 65.17). Tanto o novo céu quanto a nova terra serão criações de Deus. Eventos cosmológicos e históricos estão sob a mesma soberania cheia de propósito. Novamente, o profeta Isaías teceu motivos familiares para formar um novo padrão (ver Is 51.8,11; 60.20,21; 62.7 e 65.18 ss.). Em Jr 31.35-36 e 33.25,26 a permanência de Israel é similarmente relacionada à ordem natural" (James Muilenburg, *in loc.*).

■ 66.23

וְהָיָ֗ה מִֽדֵּי־חֹ֨דֶשׁ֙ בְּחָדְשֹׁ֔ו וּמִדֵּ֥י שַׁבָּ֖ת בְּשַׁבַּתּ֑וֹ יָב֥וֹא כָל־בָּשָׂ֛ר לְהִשְׁתַּחֲוֺ֥ת לְפָנַ֖י אָמַ֥ר יְהוָֽה׃

E será que de uma lua nova à outra... virá toda a carne a adorar perante mim. O *quiliasmo* (ver a respeito no *Dicionário*) consola-se em versículos como este, para ensinar a doutrina de que o período do milênio será um tempo em que antigas formas judaicas de adoração serão reiniciadas. Alguns levam esse pensamento a extremos, acreditando que até sacrifícios de animais serão reiniciados. O *milenarismo* (ver a respeito no *Dicionário*), quando contrastado com o *quiliasmo,* aceita figuradamente esses versículos. Embora devamos fazer aguda distinção entre a era da igreja e o milênio, quando Israel se converter ao Senhor Jesus, não devemos ser radicais quanto a isso. Se o fizermos, anularemos grandes vantagens espirituais, favorecendo a interpretação exageradamente literal de alguns versículos.

"De acordo com a lei mosaica, os israelitas tinham obrigação, pelo menos teoricamente, de frequentar os cultos do templo durante as três grandes festividades anuais (a Páscoa, o Pentecoste e os Tabernáculos). Na nova Jerusalém, porém, os peregrinos se mostrarão mais frequentes e universais nessas observâncias. Cada sábado e cada lua nova testemunharão não somente Israel, mas também *toda carne* lotando os átrios do templo" (Ellicott, *in loc.*).

Essa ideia tem sido cristianizada por alguns que veem o real cumprimento disso em passagens como Ap 21.22-27, bem como no perpétuo sabatismo de Hb 4.9, mas não é provável que o profeta estivesse falando sobre isso. Ver no *Dicionário* os verbetes intitulados *Lua Nova* e *Sábado,* quanto a detalhes.

■ 66.24

וְיָצְא֣וּ וְרָא֔וּ בְּפִגְרֵי֙ הָאֲנָשִׁ֔ים הַפֹּשְׁעִ֖ים בִּ֑י כִּ֣י תוֹלַעְתָּ֞ם לֹ֣א תָמ֗וּת וְאִשָּׁם֙ לֹ֣א תִכְבֶּ֔ה וְהָי֥וּ דֵרָא֖וֹן לְכָל־בָּשָֽׂר׃

Eles sairão, e verão os cadáveres dos homens que prevaricaram contra mim. Partindo da harmonia e da adoração universal, o autor sagrado, uma vez mais, aproveitou a oportunidade para condenar os apóstatas e consigná-los a severo julgamento. Temos aqui o quadro de uma grande matança de povos rebeldes, e talvez devamos pensar nos acontecimentos que ocorrerão durante a Grande Tribulação. Ver no *Dicionário* o verbete chamado *Tribulação, a Grande.* Está em pauta aqui a *geena* ou lago do fogo, onde os corpos dos mortos serão entregues aos vermes que lhes comerão as carnes desde os ossos, e então o fogo consumirá o que restar. Esses simbolismos são transferidos para Judite 16.17, e então para Mc 9.47-49, para falar do julgamento para além do túmulo. Cf. essa ideia com Dn 12.2, que media tal julgamento por meio da ressurreição. A ideia original dos judeus era que somente os justos ressuscitariam, ao passo que os injustos seriam deixados no nada do sepulcro. Essa doutrina gradualmente foi mudando para a recompensa dos bons e a punição dos maus, além do sepulcro, conforme vemos no capítulo 16 do livro de Lucas. Is 66.24 não olha para um julgamento "para além do sepulcro"; mas é um versículo que pode ser assim interpretado, e não podemos duvidar de que o judaísmo posterior o tenha empregado de uma maneira que ia além do uso original das palavras.

Observamos com frequência no livro de Isaías o duplo tema da restauração para os bons e de julgamento para os maus, caminhando juntos nos mesmos textos, pelo que não nos deve surpreender que o livro de Isaías termine como termina. Por outra parte, tanto os antigos judeus quanto os intérpretes cristãos pensam que deixar essa severa nota de julgamento como a declaração final do livro é uma nota infeliz. Os eruditos massoretas orientavam que, quando o final do livro de Isaías fosse lido nas sinagogas, depois de ter sido lido o vs. 24, fosse lido novamente o vs. 23, o que fazia a leitura terminar com uma nota de esperança e consolação. Instruções semelhantes eram dadas em relação aos livros de Lamentações e Eclesiastes, e pela mesma razão. Certas passagens do Novo Testamento olham para além da melancolia de Is 66.24, passagem que, de maneira alguma, dita a última palavra sobre o julgamento divino. 1Pe 3.8—4.6 chega a retratar uma missão de misericórdia de Cristo no hades. Ver o artigo chamado *Descida de Cristo ao Hades.* Esse aspecto do ministério de Cristo por certo ultrapassa a visão de Is 66.24, sem importar como esta última seja interpretada. Em seguida, ver o artigo de sumário sobre a sorte dos perdidos na *Enciclopédia de Bíblia, Teologia e Filosofia.* O nome desse artigo é *Julgamento de Deus dos Homens Perdidos.*

"Falando estritamente, essas palavras não tratam da punição das almas humanas após a morte física, mas sobre a derrota e destruição dos inimigos de Yahweh sobre a terra" (Ellicott, *in loc.*). Ellicott está certo, naturalmente, mas isso não nos alivia de comentar uma grande esperança para os que estão sujeitos ao julgamento para além do sepulcro, que é o ensino do Novo Testamento, com alguns poucos versículos de apoio do Antigo Testamento. Seja como for, o livro de Isaías termina forçando-nos a olhar uma vez mais para o lado negativo da moeda da restauração-julgamento. Ao assim dizer, também somos forçados a considerar a *escolha* dada aos homens a respeito de seu destino. Esse é um requisito próprio da soberania de Deus, mas outra provisão dessa soberania é a ampla missão tridimensional de Cristo, ou seja, na terra, no hades e nos céus, o que por certo é algo muito mais amplo do que as igrejas evangélicas de hoje em dia supõem. Quanto a essa missão tridimensional, ver o artigo chamado *Restauração* na *Enciclopédia de Bíblia, Teologia e Filosofia,* seção XIII. Ofereço comentários adicionais sobre esse tópico no artigo chamado *Mistério da Vontade de Deus* (o que Deus fará, finalmente), seção VII. Ver também, na *Enciclopédia de Bíblia, Teologia e Filosofia,* o artigo chamado *Missão Universal do Logos (Cristo)* quanto a um sumário de ideias.

A ti, Alma Eterna, sejam dados louvores!
O qual, desde a antiguidade até os nossos dias,
Por meio da alma dos santos e dos profetas, Senhor,
Tens enviado tua luz, teu amor, tua palavra.

Richard Watson Gilder

JEREMIAS

O livro que descreve a apostasia de Judá que provocou o cativeiro babilônico

> *Ora, tu te prostituíste com muitos amantes; mas ainda assim, torna para mim, diz o Senhor.*
>
> Jeremias 3.1

52	Capítulos
1.364	Versículos

INTRODUÇÃO

ESBOÇO:

I. Jeremias, o Profeta
II. A Arqueologia, Jeremias e Nabucodonosor
III. Caracterização Geral do Livro
IV. Relações entre Jeremias e Cinco Reis de Judá
V. Autoria e Integridade do Livro
VI. A Cronologia Histórica e Jeremias
VII. Esboço do Livro
VIII. Alguns Conceitos Básicos de Jeremias — Sua Mensagem
IX. Bibliografia

No artigo do *Dicionário* intitulado *Jeremias (o Profeta)*, apresentamos muito material que se aplica, naturalmente, à sua obra, o livro profético do Antigo Testamento que leva o seu nome. Vários pontos do esboço anterior referem-se a materiais específicos dados no artigo sobre o próprio profeta Jeremias. A esse material adicionamos informações sobre o livro propriamente dito.

I. JEREMIAS, O PROFETA
Ver completas descrições no *Dicionário*, no artigo *Jeremias (o Profeta)*.

II. A ARQUEOLOGIA, JEREMIAS E NABUCODONOSOR
Examinar esse material sob a seção IV do artigo sobre *Jeremias (o Profeta)*, no *Dicionário*.

III. CARACTERIZAÇÃO GERAL DO LIVRO
As profecias de Jeremias, em forma de livro, tomaram o nome do próprio profeta, que, em hebraico, era *Yirmeyahu* ou *Yirmeyah*, "Yahweh estabelece". O seu ministério estendeu-se pelo menos durante quarenta anos da história de Judá, a qual terminou em tragédia, com o *cativeiro babilônico* (ver a respeito no *Dicionário*).

Propósito. O intuito de Jeremias era conclamar o povo de Judá ao arrependimento, visto que ele via a potência do norte, Babilônia, a erguer-se, pela providência divina, para castigar uma nação desobediente como era Judá. Ele exortou os habitantes de Jerusalém a abandonar sua apostasia e idolatria. Jeremias via um cativeiro de setenta anos delineando-se no horizonte (Jr 25.1-14) e sabia que o conflito entre três potências mundiais, a Assíria, o Egito e a Babilônia, terminaria com o triunfo desta última. O profeta advertiu os judeus acerca de pactos firmados com o Egito, que redundariam em desastre, a longo prazo. Visto que Jeremias previu um resultado desfavorável para Judá, que era um pequeno reino entalado no meio de lutas entre poderes gigantescos, esse profeta acabou merecendo a desconfiança de seu próprio povo, e foi desprezado. Suas profecias de condenação soavam estranhas, quando comparadas às palavras consoladoras dos falsos profetas. Todavia, a esperança messiânica resplandece em seus escritos, onde é prometida a restauração e a glória final, para Israel e para Judá, juntamente. Ver Jr 23.5 ss.; 30.4-11; 31.31-34; 33.15-18. Ele previu a manifestação do justo *Ramo de Davi*, *Yahweh-Tsidkenu* (ver a respeito no *Dicionário*). Ver também Jr 23.6; 30.9.

Jeremias profetizou cerca de sessenta anos após Isaías. Seus contemporâneos foram Sofonias e Habacuque (no começo), e Daniel (mais tarde). Jeremias precisou relacionar-se com cinco dos reis de Judá, o que nos fornece a porção essencialmente histórica do seu livro. Isso é comentado detalhadamente no artigo *Jeremias (o Profeta)*, seção III.3, no *Dicionário*. As predições de Jeremias incluem os grandes eventos do cativeiro babilônico; a restauração após setenta anos; a dispersão universal dos judeus; o recolhimento final de Israel; a era do reino; o dia do juízo dos poderes gentílicos.

O livro de Jeremias pode ser dividido em três seções bem gerais, a saber: 1. capítulos 1—25, profecias contra Judá; 2. capítulos 46—51, narrativa acerca de Jeremias, o profeta, e predições contra potências estrangeiras; 3. capítulo 52, um apêndice histórico extraído de 2Rs 24.18 ss. Várias fontes informativas podem estar envolvidas, algumas delas provavelmente adicionadas por autores posteriores ou editores. Uma dessas fontes diz respeito aos discursos de Jeremias, ou seja, os trechos de Jr 7.1 ss.; 11.1 ss.; 18.1 ss.; 21.1 ss.; 25.1 ss.; 32.1 ss.; 34.1 ss.; 35.1 ss.; 44.1 ss. Os eruditos liberais supõem que os capítulos 46—51 sejam, essencialmente, derivados de outras fontes, que não o profeta Jeremias. Os oráculos indubitavelmente genuínos, no parecer de alguns, seriam os capítulos 1—25, que vieram do rolo original escrito por Baruque (o que é mencionado em Jr 36.32). Os capítulos 26—44 enfocam a atenção sobre os acontecimentos externos. Os capítulos 30 e 31 formam uma coletânea especial de dizeres, que alguns supõem ter sido acrescentada ao livro em tempos posteriores. Uma característica ímpar do livro são as chamadas "confissões" de Jeremias, os trechos de Jr 11.18-23; 12.1-6; 15.10-21; 17.12-18; 18.18-23; 20.7-18. Essas confissões revelam a relação pessoal entre Jeremias e Deus.

IV. RELAÇÕES ENTRE JEREMIAS E CINCO REIS DE JUDÁ
No artigo do *Dicionário* intitulado *Jeremias (o Profeta)*, seção III.3, temos este material para o leitor. A terceira seção daquele artigo aborda a história que é contada no livro de Jeremias, e que o leitor faria bem em consultar.

V. AUTORIA E INTEGRIDADE DO LIVRO
Jeremias, filho de Hilquias, pertencia a uma família sacerdotal que vivia em Anatote, cidade de Benjamim. Ele foi o autor do livro que traz o seu nome (Jr 1.1). Há mais informações biográficas sobre ele do que sobre qualquer outra figura profética do Antigo Testamento. Não há que duvidar que o livro pertence, genuinamente, a Jeremias, embora certas porções possam ter sido adicionadas posteriormente por editores. E também é claro que Jeremias se valeu de mais de uma fonte informativa, que incorporou em sua obra.

1. *Jeremias Ditava a Baruque.* Uma boa porção do volume (os liberais concordam com os capítulos 1—25) foi ditada a Baruque, o amanuense de Jeremias. Esses capítulos formavam o rolo que foi queimado pelo rei Jeoaquim (Jr 36.23). No entanto, foi ditada uma segunda edição, que incluía material novo (Jr 36.32). Em seguida, aparecem seções que foram compostas posteriormente, embora ainda de autoria de Jeremias, conforme nos sugerem os trechos de Jr 21.1 e 24.1.
2. O capítulo 52 do livro de Jeremias é um óbvio empréstimo de 2Rs 24.18, 25 e 30, que foi adicionado por algum editor.
3. *Evidências de Autenticidade.* Além das evidências internas, no próprio livro, temos as confirmações dos relatos que demonstram a validade das predições de Jeremias, como o caso dos setenta anos de cativeiro, que se tornaram um fato histórico. Ver Dn 9.2; Jr 25.11-14; 29.10; 2Cr 36.21; Ez 1.1 e Josefo (*Anti.* 10.5,1). O livro de Jeremias é muitas vezes citado no Novo Testamento como uma profecia autêntica. Ver Mt 2.17,18 (Jr 31.15); 21.13; Mc 11.17; Lc 19.46 (Jr 7.11); Rm 11.27 (Jr 31.33 ss.); Hb 8.8-13 (Jr 31.33 ss.). A tradição talmúdica afirma detalhes sobre a vida e as predições de Jeremias.
4. *Integridade.* É patente que o volume de Jeremias foi escrito em vários estágios, acompanhando os sucessos históricos e as predições de Jeremias pertencentes àqueles acontecimentos. Os estudiosos liberais veem, nessa atividade, o trabalho de um ou mais editores. Sabemos que a primeira edição dos capítulos 1—25 do livro foi destruída e precisou ser reescrita. Não sabemos dizer quanto trabalho editorial foi feito pelo próprio Baruque. Mas sabemos que o arranjo, algumas vezes, não é cronológico. O fato de que a versão hebraica massorética difere consideravelmente da Septuaginta serve de prova absoluta de que deve ter havido mais de uma edição do livro de Jeremias. Mas aqueles que procuram identificar o trabalho dos possíveis editores diferem muito entre si, no tocante às suas reconstruções, baseadas muito mais em sentimentos subjetivos do que naquilo que, realmente, deve ter acontecido. Talvez Baruque tenha refeito alguns dos discursos de Jeremias, redigindo-os com suas próprias palavras, embora preservando-lhes a substância. Apesar de isso poder exprimir uma verdade, não há como provar

tal suposição, nem como descobrir o modo pelo qual isso foi feito. Alguns estudiosos pensam que os capítulos 46—51 não pertencem, essencialmente, a Jeremias; antes, seriam adições feitas posteriormente, embora não haja nenhuma razão compelidora que apoie tal argumento. O apêndice formado pelo capítulo 52 provavelmente foi acrescentado pelo próprio Baruque, ou por algum editor posterior. O ministério de Jeremias espraiou-se pelo governo de cinco monarcas de Judá. Se quisermos obter uma sequência cronológica dos seus escritos, teremos de dar um novo arranjo a eles. O professor C. Lattey sugeriu a seguinte disposição, que segue os reis envolvidos no relacionamento com Jeremias:

- *Josias*. Caps. 1—20 (excetuando 12.7—13.27).
- *Jeoacaz*. Nada foi escrito em seu tempo.
- *Jeoaquim*. Caps. 12.7—13.27; 21; 25; 27; 28; 33.35; 36; 45.
- *Joaquim*. Caps. 13.18 ss.; 20.24-30; 52.31-34.
- *Zedequias*. Caps. 24; 29; 37; 38; 51.59,60 (advertências); 30—33 (promessas de restauração); 21; 34; 37—39 (o cerco babilônico); 40—44 (após a queda de Jerusalém); 46—51 (profecias contra várias nações); 52 (apêndice).

O material inicial cobriu um período de 23 anos, desde o décimo terceiro ano de Josias (626 a.C.) até 604 a.C. Esse material foi destruído durante o quinto ano do reinado de Jeoaquim, mas Baruque o reescreveu. E *então adicionou* algo a esse material (Jr 36.32).

O texto da Septuaginta nos dá uma versão mais breve que o texto hebraico. Ora, usualmente é o texto mais breve que se revela o original. É muito mais natural que os escribas tenham expandido do que condensado os textos que copiavam. A diferença é cerca de uma oitava parte, pelo que não é muita coisa. Na Septuaginta, os oráculos contra as nações estrangeiras (caps. 46—51) aparecem depois de Jr 25.13, e a sequência desses oráculos também encerra algumas diferenças. Tais diferenças poderiam ser explicadas com base em duas versões do livro de Jeremias; ou, então, poderíamos supor que o trabalho de editores é que produziu isso. O texto hebraico tem sido tradicionalmente preferido; devemos relembrar que dificilmente poderia mesmo ser diferente disso, pois que estudioso hebreu teria preferido a tradução da Septuaginta à versão em seu próprio idioma? Os materiais autênticos incluídos nas propostas *adições* não servem de argumento em favor da originalidade, mas apenas mostram que um ou mais editores estiveram envolvidos, tendo adicionado material histórico genuíno, que é confirmado nos registros babilônicos. As omissões que aparecem na Septuaginta (Jr 28.1-33; 29.16-20; 33.14-26; 39.4-13; cap. 52, além de alguns outros pequenos trechos) são difíceis de explicar. Por que motivo um tradutor teria deixado essas passagens de lado, propositadamente? Não há resposta para esse problema; mas, considerando o que sucede nas atividades dos escribas, parece que os tradutores da Septuaginta preferiram representar a forma original do livro, ao passo que o texto hebraico foi por eles concebido como uma expansão dessa forma original. Nada de certo se pode dizer quanto a essa questão, contudo.

VI. A CRONOLOGIA HISTÓRICA E JEREMIAS

Os eventos principais e suas datas, no que se relacionam ao livro de Jeremias, são os seguintes:

- 686 a.C.: O reinado de Manassés.
- 648 a.C.: O nascimento de Josias.
- 642 a.C.: Amom substitui Manassés como rei.
- 633 a.C.: Josias busca renovação espiritual (2Cr 34.3). Morte de Assurbanipal, rei da Assíria. Ciaxares torna-se rei da Média.
- 628 a.C.: Reformas religiosas de Josias.
- 627 a.C.: Chamada divina de Jeremias.
- 626 a.C.: Nebopolossar torna-se rei da Babilônia.
- 621 a.C.: Acha-se o rolo da lei, depois utilizado na reforma.
- 609 a.C.: Josias é morto em Megido. Jeoacaz governa por três meses. Jeoaquim assume o poder, em Jerusalém.
- 605 a.C.: Os babilônios derrotam o Egito e a Assíria, em Carquêmis. Daniel e outros são levados à Babilônia (Dn 1.1). Nabucodonosor torna-se rei da Babilônia.
- 604 a.C.: A Palestina paga tributo a Nabucodonosor.
- 601 a.C.: Os egípcios derrotam momentaneamente os babilônios.
- 598 a.C.: Fim do reinado de Jeoaquim; os babilônios invadem Jerusalém. Joaquim torna-se rei de Judá; governa por três meses e é deportado para a Babilônia.
- 597 a.C.: Zedequias torna-se rei de Judá.
- 588 a.C.: Cerco de Jerusalém, iniciado a 15 de janeiro.
- 587 a.C.: Jeremias é encarcerado pelos judeus (Jr 32.1,2).
- 586 a.C.: Fuga de Zedequias diante dos babilônios (2Rs 25.2,3; Jr 39.4; 52.5,7). Destruição de Jerusalém (2Rs 25.8-10). Gedalias, governador temporário de Judá, é assassinado. Jeremias o apoiava. Os judeus vão para o Egito e levam Jeremias.
- ?: Morte (e martírio) de Jeremias, no Egito.

VII. ESBOÇO DO LIVRO

I. Chamada de Jeremias, Avisos e Mensagem aos Judeus (1.1—29.32)
  A. Oráculos de Condenações
   1. Contra o pecado e a ingratidão (2.1—3.5)
   2. A destruição virá do norte (3.6—6.30)
   3. Os judeus seriam exilados (7.1—10.25)
   4. O pacto rompido: sinal do cinto (11.1—13.27)
   5. A seca (14.1—15.21): sinal do profeta solteiro (16.1—17.18); avisos acerca do sábado (17.19-27)
   6. O sinal da casa do oleiro (18.1—20.18)
  B. Oposição aos Anciãos e Líderes
   1. Abusos contra Jeremias e seu encarceramento (19.21—20.18)
   2. Seu conselho a Zedequias (21.1-14)
   3. Contra os reis e os falsos profetas (22.1—24.10)
   4. Contra as nações (25.1-38)
   5. Jeremias escapa da execução (26.1-24)
   6. Oposição a Jeremias, em Jerusalém e na Babilônia (27.1—29.32)
II. Várias Profecias, da Subida ao Trono ao Cativeiro de Zedequias (30.1—39.18)
   1. Vislumbres de restauração (30.1—33.26)
   2. Uma nova aliança (30.1—31.40)
   3. Um sinal sobre a restauração (32.1-44)
   4. O pacto davídico (33.1-26)
   5. Desintegração do reino de Judá (34.1—39.18)
   6. O exemplo dos recabitas (34.1-22)
   7. Queda de Jerusalém (37.18)
III. Profecias em Judá, Após o Cativeiro (40.1—42.22)
   1. Mensagem ao remanescente, na Palestina (40.1—41.18)
   2. Aviso para os judeus não descerem ao Egito (cap. 42)
IV. Jeremias no Egito (43.1—45.5)
V. Profecias contra Nações e Cidades (46.1—51.64)
   1. Egito (46.1-28)
   2. Filístia (47.1-7)
   3. Moabe (48.1-47)
   4. Amom (49.1-6)
   5. Edom (49.7-22)
   6. Damasco, Quedar e Hazor (49.23-33)
   7. Elão (49.34-39)
   8. Babilônia (50.1—51.64)
VI. Apêndice
   1. Queda e cativeiro de Judá (52.1-30)
   2. Libertação de Joaquim (52.31-34)

VIII. ALGUNS CONCEITOS BÁSICOS DE JEREMIAS — SUA MENSAGEM

1. O *Livre-arbítrio e o Determinismo*. Jeremias viu o soerguimento inevitável da Babilônia, que subjugaria a Assíria e o Egito. Nesse jogo pelo poder, a nação de Judá seria reduzida a nada. Apesar de predizer tais eventos como inevitáveis, ainda assim Jeremias cria na genuinidade da chamada de Judá ao arrependimento (o que poderia evitar toda a tragédia. Em outras palavras, Judá poderia ter escapado ao terror. Essa circunstância levanta a antiga questão da interação entre o livre-arbítrio humano e o determinismo divino. Para tal questão, não há resposta absolutamente adequada. Deus usa o *livre-arbítrio* humano, sem destruí-lo,

embora não saibamos dizer como. Quanto a um estudo completo sobre essa questão, examinar os dois artigos intitulados *Livre-arbítrio* e *Determinismo*, no *Dicionário*. Ver também acerca da *Predestinação*. No que diz respeito a indivíduos, pelo menos no tocante à questão do desenvolvimento espiritual, uma verdade inegável parece ser que os eventos que inevitavelmente devem suceder em uma vida são auto-escolhidos. Em outras palavras, a própria pessoa seleciona os acontecimentos principais de sua vida, os quais determinarão o curso que ela seguirá. Porém, esses eventos que determinam o destino de uma pessoa não são em grande número, de tal modo que a maior parte daquilo que um homem faz, fá-lo por sua livre agência. Porém, naquilo que dirige o destino da alma, o indivíduo não o faz por meio de seu livre-arbítrio; antes, segue os ditames de sua alma, em consonância com a direção e a *Providência de Deus*, que delega tais poderes aos homens. Além disso, como é óbvio, há eventos tanto pessoais como independentes do indivíduo (mas que exercem profundo efeito sobre a sua vida), os quais são intervenções diretas ou diretivas de Deus. Depois de dizermos isso, vemos que alguma luz foi projetada sobre o problema, embora muitas perguntas continuem sem resposta.

2. *Conceitos de Deus*. Conforme fica implícito no primeiro ponto, Deus é o poder controlador das atividades humanas, embora não seja infenso, como Ser Supremo, àquilo que o homem quer e faz. Ele é o Criador e o Senhor Soberano que governa todas as coisas, nos céus e na terra: Jr 5.22,24; 10.12 ss.; 23.23 ss.; 27.5. Um completo monoteísmo era a crença de Jeremias. Não havia nenhum toque de *henoteísmo* (ver a respeito no *Dicionário*) em seu sistema doutrinário. Para ele, os deuses das nações nem eram entidades (10.14 ss.; 14.22). A vontade divina é suprema sobre todas as coisas (Jr 18.5-10; 25.15-38; 27.6-8).

3. *A presciência* de Deus é absoluta (Jr 17.5-10).

4. *O amor de Deus* desconhece limites (Jr 2.2; 31.1-3).

5. *Deus é a fonte originária da vida* de todos os seres vivos (Jr 2.13; 17.13).

6. *Deus requer* justiça e obediência (Jr 7.1-15).

7. As *abominações* a Deus incluem os sacrifícios oferecidos aos deuses pagãos (Jr 7.30 ss.; 19.5), embora também sejam abominações as oferendas de um povo rebelde e pecaminoso (Jr 6.20; 7.21 ss.; 14.12).

8. A *idolatria* (ver a respeito no *Dicionário*) é salientada como uma espécie de ofensa capital contra Deus. Baal, Moloque e a rainha do céu são especificamente condenados pelo profeta. Havia ídolos pagãos no próprio templo de Jerusalém (Jr 32.34). Em Jerusalém, crianças estavam sendo oferecidas em holocausto a Baal e a Moloque (Jr 7.31; 19.5; 32.35). Jeremias lamentava a grande apostasia que invadira Judá, mormente porque ele via a ira de Deus preparando a Babilônia para ser a vara do castigo contra o seu povo terreno.

9. A *imoralidade* foi condenada como uma forma de idolatria. As pessoas imaginam deuses de acordo com os seus próprios vícios (Jr 5.1-6; 7.3-11; 23.10-14). A corrupção moral tem uma maneira de abafar o temor a Deus no coração dos homens. Os próprios sacerdotes tinham-se deixado envolver nisso (Jr 5.30 ss.; 6.13,14; 14.14). Em meio à sua imoralidade e idolatria, Judá conseguiu manter sua religiosidade. Mas Jeremias proclamou que a lei moral é mais importante do que as práticas religiosas e cerimônias. O povo de Judá reverenciava a arca (Jr 3.16), as tábuas da lei (31.31 ss.), o templo de Jerusalém (7.4,10 ss.; 11.15), o sinal da circuncisão (4.4; 6.10; 9.26) e o sistema de sacrifícios (6.20; 7.21 ss.; 11.15; 14.2), mas estava afundado na corrupção moral. Isso também tipifica a igreja organizada conforme a vemos hoje em dia no mundo. Uma porca pode ser sacrificada sobre o altar, na forma de música irreverente e de práticas profanas, ao mesmo tempo que o pastor emprega seu sermão, presumivelmente, a fim de convocar os homens ao arrependimento.

10. *Julgamento*. O profeta pregou o julgamento divino, explicando que este haverá de descarregar-se contra os homens desobedientes. Mas também ensinou que o arrependimento pode arredar o castigo. Jeremias tinha em mente, especificamente, a invasão por parte da Babilônia (Jr 1.13-16; 4.11,12; 5.15-19; 6.1-15). A Babilônia, pois, era um látego usado por Deus como instrumento, embora também servisse de medida corretiva, porquanto todos os juízos divinos são remediadores em sua natureza, e não meramente vingativos. Ver no *Dicionário* o artigo geral sobre o *Julgamento*.

11. Nem todas as religiões são iguais, nem todas as fés religiosas são genuínas. Existem *religiões falsas*. Jeremias manifestou-se contra os falsos profetas, que tão facilmente enganavam o povo (Jr 8.10-17; 14.14-18; 23.9-40). A principal falsidade deles consistia em pregar uma mensagem otimista, ao mesmo tempo que Deus só pensava em castigar o seu povo terreno.

12. A *esperança*, em meio ao juízo divino e à condenação, era um tema constante nas predições de Jeremias. O exílio de Judá era inevitável, embora não houvesse de perdurar para sempre. Haveria de redundar em um digno propósito, visando o bem do povo judeu, em última análise (Jr 19.10; 25.11). Nisso consiste a própria natureza do julgamento. O julgamento tem um aspecto *remediador*, não sendo mera reparação e, menos ainda, vingança. Ver o trecho de 1Pe 4.6, que ensina essa verdade no tocante ao julgamento dos incrédulos. O próprio *hades* tem um aspecto remediador, conforme se vê no relato bíblico da *descida de Cristo ao hades* (ver no *Dicionário* a respeito). A esperança de Jeremias, em meio ao juízo divino iminente, deu origem a um ato de fé, quando ele comprou um terreno em Anatote (não distante de Jerusalém), pois sabia que o povo de Judá haveria de retornar à sua pátria. É lamentável que o próprio Jeremias tenha sido assassinado no exílio (no Egito), o que significa que o ato de compra do terreno era simbólico, não lhe tendo trazido nenhuma vantagem pessoal. Porém, Deus também estava controlando a situação, e podemos ter certeza de que o profeta nada perdeu, mas somente teve a ganhar.

13. *A Convocação à Religião Vital*. À semelhança de Paulo, no segundo capítulo da epístola aos Romanos, Jeremias viu que as formalidades religiosas externas são inúteis, a menos que haja uma correspondente vitalidade espiritual, na alma. A confiança de Judá no templo, nos sacrifícios animais, no sacerdócio e no sinal da circuncisão era inteiramente inútil, sem a santidade e a dedicação da alma aos princípios espirituais (Jr 2.8; 5.13; 7.4-15; 8.8; 21—26). É mister que os princípios da lei sejam inscritos no coração dos homens, e não meramente em alguma superfície de escrita (Jr 31.31-34; 32.40). Se os símbolos externos fossem destruídos, isso não seria o fim do relacionamento eficaz de Deus com os homens (Jr 33.14-26). Suas alianças continuariam, mesmo sem símbolos externos. Essa é uma verdade que os ramos sacramentalistas da igreja cristã ainda não conseguiram absorver.

14. *Contemplando a Esperança Messiânica*. Jeremias viu um brilhante e novo dia, que haveria de raiar, apesar da melancolia do momento. Em primeiro lugar, haveria uma restauração do povo de Israel à sua terra, no tempo certo (Jr 30.17-22; 32.15,44; 33.9-13). Em segundo lugar, haveria o estabelecimento do governo do Príncipe messiânico sobre Israel (Jr 23.5 ss.) e sobre todas as nações da terra (Jr 3.17; 16.19; 30.9).

15. *A Essência da Fé Religiosa*. Os homens ficam ofuscados e escravizados às formas religiosas externas, cerimônias e instituições. Porém, a fé religiosa genuína é, essencialmente, uma condição moral e espiritual, na qual a alma é unida a Deus (Jr 31.31-34). Esse foi um dos temas fundamentais da prédica do Senhor Jesus, conforme fica demonstrado pelo sermão da montanha (Mt 5—7), um tema que teve continuidade nos escritos de Paulo, do qual o segundo capítulo de Romanos é um bom exemplo.

IX. BIBLIOGRAFIA
AM ARC BRI BRIG (1966) E EIS G I IB ID ND UN WIS Z

Ao Leitor
Um estudioso sério, antes de lançar-se ao estudo desse livro, lerá a introdução, que dá informações sobre assuntos como: Jeremias, o profeta; arqueologia e o livro; caracterização geral; relacionamento entre Jeremias e os cinco reis de Judá da época; autoria e integridade do livro; cronologia; esboço de conteúdo; conceitos básicos do livro e mensagem central. A versão da Septuaginta difere muito deste livro em alguns trechos. Encontramos problemas especiais de unidade, abordados na seção V da Introdução.

"Jeremias começou seu ministério no ano décimo terceiro de Josias, cerca de sessenta anos após a morte de Isaías. Sofonias e Habacuque eram contemporâneos do início de seu ministério, e Daniel, do fim de seu ministério. Após a morte de Josias, o reino de Judá apressou-se ao fim no cativeiro babilônico. Jeremias permaneceu na terra ministrando ao pobre remanescente (ver 2Rs 24.14). Depois foi forçado a exilar-se no Egito, onde morreu, no começo do cativeiro de setenta anos. Jeremias, que profetizou antes e durante o exílio de Judá, vinculou os profetas pré-exílicos com Ezequiel e Daniel, profetas do exílio. Os assuntos das visões principais incluem: o cativeiro babilônico; a volta à Terra Prometida após os setenta anos; a dispersão mundial dos judeus; a reunião final; a era do reino; o dia do julgamento contra os poderes gentílicos; e o remanescente" (*Scofield Reference Bible,* introdução).

"Jeremias era descendente do sacerdote Abiatar, que foi banido por Salomão para Anatote (1Rs 2.26,27; 1Sm 3.10-14). Seu ministério começou em 627 a.C. e terminou em algum tempo depois de 580 a.C., provavelmente no Egito. O livro que traz seu nome consiste, essencialmente, em uma coletânea de oráculos contra Judá e contra Jerusalém, que ele ditou a Baruque, seu escriba e ajudante (ver Jr 1.4—6.30), desde a época do rei Josias (Jr 7.1—20.19), passando pelos dias de Jeoaquim (Jr 21.1-25.14) e terminando no tempo de Zedequias. Além disso, encontramos as memórias de Baruque (caps. 26—35 e 36—45). Um grupo de oráculos contra nações estrangeiras (Jr 25.15-38; 46—51)... Mais material foi acrescentado quando se editou o livro, algum tempo depois de 560 a.C. (Jr 25.14; 26—45). Por causa dessa editoração, foi alterada, cronologicamente, parte do material. O presente texto hebraico e a versão grega da Septuaginta diferem tanto quanto ao conteúdo como quanto à ordem de apresentação. A Septuaginta, por sua vez, omite várias passagens (por exemplo, Jr 33.14-26) e combina os oráculos contra potências estrangeiras em uma única seção que aparece depois de Jr 25.14, além de apresentar uma ordem diferente. Jeremias andava muito preocupado com recompensas e punições, com fidelidade e desobediência (por exemplo, Jr 35). Ele denunciou a apostasia de Judá. Julgamentos severos serão seguidos por um novo e mais duradouro relacionamento com Deus" (*Oxford Annotated Bible,* Introdução).

EXPOSIÇÃO

CAPÍTULO UM

CHAMADA DE JEREMIAS: AVISOS E MENSAGENS AOS JUDEUS (1.1—29.32)

SOBRESCRITO (1.1-3)

Jeremias, tal como outros livros dos profetas, começa com notas biográficas e cronológicas para ajudar-nos a situar o livro em relação aos acontecimentos da época. *Jeremias* era um apelativo masculino comum entre os hebreus, tanto no Antigo Testamento como posteriormente. Forneço no *Dicionário* dois artigos chamados *Jeremias (O Profeta)* e *Jeremias (Outras Pessoas, que Não o Profeta).* Acompanhando, apresento um gráfico que ilustra a data das profecias de Jeremias, em comparação com os reis e eventos de seu tempo. Ver também a seção VI da introdução, onde há um esboço cronológico do livro. Quanto a detalhes sobre os reis mencionados, ver no *Dicionário* o artigo chamado *Reino de Judá.* Ver também o verbete intitulado *Rei, Realeza,* que apresenta um gráfico comparativo entre os reis de Israel e os reis de Judá, com acontecimentos contemporâneos.

Pano de Fundo do Profeta (1.1-3)

■ 1.1

דִּבְרֵי יִרְמְיָהוּ בֶּן־חִלְקִיָּהוּ מִן־הַכֹּהֲנִים אֲשֶׁר בַּעֲנָתוֹת
בְּאֶרֶץ בִּנְיָמִן׃

Palavras de Jeremias, filho de Hilquias, um dos sacerdotes. "Jeremias fornece-nos informações sobre o pano de fundo de sua família (vs. 1), durante o tempo em que ele ministrou (vss. 2,3). Ele era um dos *sacerdotes,* descendente da linhagem sacerdotal de Arão. Seu pai, Hilquias, provavelmente não era o sumo sacerdote Hilquias, que descobriu a cópia da lei durante a época de Josias (ver 2Rs 22.2-14). 'Hilquias' evidentemente era um nome comum aplicado a vários homens dos dias do Antigo Testamento, sacerdotes ou levitas (ver 1Cr 6.45,46; 26.10,11; 2Cr 34.9-22; Ne 12.7; Jr 1.1). A cidade natal de Jeremias era Anatote, que ficava no território de Benjamim, cerca de 5,5 km a nordeste de Jerusalém. O território de Benjamim fazia fronteira com o território de Judá, e a linha divisória corria mais ou menos de leste para oeste, passando ao lado de Jerusalém (cf. Js 18.15,16). Anatote foi uma cidade alocada por Josué para os sacerdotes (ver Js 21.15-19). Salomão exilou em Anatote o sacerdote Abiatar, por ele ter dado apoio a Adonias como sucessor de Davi (ver 1Rs 1.7; 2.26,27)" (Charles H. Dyer, *in loc.*). Para mais detalhes, ver os nomes próprios no *Dicionário.*

■ 1.2,3

אֲשֶׁר הָיָה דְבַר־יְהוָה אֵלָיו בִּימֵי יֹאשִׁיָּהוּ בֶן־אָמוֹן
מֶלֶךְ יְהוּדָה בִּשְׁלֹשׁ־עֶשְׂרֵה שָׁנָה לְמָלְכוֹ׃

וַיְהִי בִּימֵי יְהוֹיָקִים בֶּן־יֹאשִׁיָּהוּ מֶלֶךְ יְהוּדָה עַד־תֹּם
עַשְׁתֵּי עֶשְׂרֵה שָׁנָה לְצִדְקִיָּהוּ בֶן־יֹאשִׁיָּהוּ מֶלֶךְ יְהוּדָה
עַד־גְּלוֹת יְרוּשָׁלִַם בַּחֹדֶשׁ הַחֲמִישִׁי׃ ס

A ele veio a palavra do Senhor, nos dias de Josias. Jeremias era um sacerdote em Israel, mas quando lhe chegaram as revelações de Yahweh, ele começou a funcionar como profeta nacional. Ver no *Dicionário* o artigo chamado *Revelação.* O ministério profético de Jeremias começou no décimo terceiro ano de Josias, ou seja, em cerca de 627 a.C. Josias começou a reinar por volta de 640 a.C. Ver sobre *Josias* no *Dicionário* e, entre os reis de Judá, no artigo intitulado *Reino de Judá.* Jeremias continuou a ser o porta-voz de Yahweh até o décimo primeiro ano de Zedequias, em julho-agosto de 586, ou seja, quando ocorreu o cativeiro babilônico. Por conseguinte, teve uma carreira profética, antes do exílio, que se estendeu por cerca de 41 anos. Jeremias, entretanto, continuou a profetizar durante o tempo do cativeiro, e assim alguns poucos anos foram adicionados a esses 41 anos. Os capítulos 40—44 relatam a continuação do ministério de Jeremias. Cf. Jr 39.1 ss.; 2Rs 25.8 ss. Para detalhes completos, ver no *Dicionário* o artigo sobre *Cativeiro Babilônico.* Ver o gráfico acompanhante quanto às datas das profecias de Jeremias. Quanto a detalhes, ver todos os nomes próprios desses versículos, no *Dicionário.*

Os reinados breves de Jeoacaz (três meses) e de Jeoaquim ou Jeconias (também três meses) são ignorados, e somente os reinados mais longos são mencionados: Jeoaquim (onze anos); Josias (31 anos) e Zedequias (onze anos).

AS PRIMEIRAS VISÕES (1.4-19)

O Chamado de Jeremias (1.4-10)

■ 1.4

וַיְהִי דְבַר־יְהוָה אֵלַי לֵאמֹר׃

A mim veio, pois, a palavra do Senhor. O profeta Jeremias reivindicou *revelação divina* para seus *oráculos,* o que, no processo de canonização, se aplicou ao livro inteiro. O primeiro oráculo por ele recebido foi o comissionamento como profeta do Senhor. Em muitos casos, a palavra inspiradora lhe chegava no estado extático ou de transe; talvez alguma palavra lhe tenha chegado em sonho ou quiçá em uma visão; e muito do que se aprende nas experiências místicas desse tipo permanece inefável, ficando sem expressão na linguagem humana. Ver no *Dicionário* os artigos chamados *Misticismo* e *Revelação.* O profeta Jeremias não prestou nenhuma informação sobre o *modus operandi* de suas experiências, em contraste com o que fez Isaías (ver Is 6).

■ 1.5

בְּטֶרֶם אֶצּוֹרְךָ בַבֶּטֶן יְדַעְתִּיךָ וּבְטֶרֶם תֵּצֵא מֵרֶחֶם
הִקְדַּשְׁתִּיךָ נָבִיא לַגּוֹיִם נְתַתִּיךָ׃

AS PROFECIAS DE JEREMIAS

Datas propostas

O ministério de Jeremias se prolongou por muito tempo. Ou Jeremias teve uma vida realmente longa ou um discípulo seu registrou algumas das suas profecias após sua morte. Este gráfico dá informações que incluem dúvidas e controvérsias, portanto não deve ser considerado de forma definitiva.

Datas	Reis envolvidos	Capítulos	Eventos paralelos
625 a.C.	Josias	1—6?	
620	Josias	11—12	Reformas instituídas por Josias
614-612	Josias		Queda da Assíria
612-539	Josias, Jeoacaz, Jeoaquim, Jeoiaquim, Zedequias, Gedalias		Período do poder da Babilônia. Resistência à mudança de comportamento em Judá
610	Jeoacaz	22, 26	Poder de Nabucodonosor
605		7—10; 14—20 25, 46	Primeira deportação. Cativeiro babilônico
600	Jeoaquim	1—6?	Segunda deportação
	Jeoiaquim	13	
595	Jeoiaquim	22, 23, 24, 49	O cativeiro continua
590	Zedequias	27, 28	
585	Gedalias	21; 32—34 37; 38—44	Trama para rebelar
580			Deportação final
560		52	Cativeiro que durará setenta anos continua

Palavras de Jeremias, filho de Hilquias, um dos sacerdotes que estavam em Anatote, na terra de Benjamim; a ele veio a palavra do Senhor, nos dias de Josias, filho de Amom, rei de Judá... também nos dias de Jeoaquim, filho de Josias.

Jeremias 1.1-3

Antes que eu te formasse no ventre materno, eu te conheci. Este versículo é comumente interpretado na literatura rabínica para indicar que a alma de Jeremias era *preexistente*. Ver no *Dicionário* o artigo chamado *Preexistência*. Na *Cabala* (ver a respeito no *Dicionário*) a preexistência anda de mãos dadas com a *reencarnação* (ver a *Enciclopédia de Bíblia, Teologia e Filosofia* quanto a um artigo detalhado sobre esse assunto). A tradição rabínica posterior identificava Jeremias com Moisés, como se fossem eles uma só pessoa, a realizar duas missões diferentes. Mas isso já é opinião do judaísmo posterior. Sabemos que, nos dias de Jesus, tanto os essênios quanto os fariseus sabiam da preexistência da alma e da reencarnação. Se provavelmente o versículo à nossa frente deve ser compreendido como afirmando a preexistência da alma (embora não se trate de uma declaração dogmática), o judaísmo dos dias de Jeremias não vinha ligado ao conceito da reencarnação. Os pais da Igreja Cristã Ortodoxa Oriental aceitavam a ideia da preexistência da alma, sem o acompanhamento da reencarnação. A veracidade ou falsidade dessas ideias não poderá ser comprovada por afirmações dogmáticas dos livros sagrados. Precisamos investigar esses assuntos empiricamente, com a ajuda do método científico. Na *Enciclopédia de Bíblia, Teologia e Filosofia,* ver o artigo chamado *Reencarnação*. Examino esse tipo de evidências, além de outras, e dou opiniões sobre o assunto.

Os intérpretes, ao tentar livrar este versículo de qualquer referência à preexistência da alma, veem Jeremias a "viver na mente divina, conhecida de antemão e eleita", mas não como uma entidade separada da mente divina. Se era isso que o profeta quis dizer, ele não fez nenhum esforço para esclarecer a questão. Jeremias era *conhecido por Deus* não meramente por conhecimento prévio intelectual, mas também foi, de antemão, honrado, louvado, comissionado e naturalmente *escolhido*. Cf. algo similar dito por Paulo em Gl 1.15, e por João Batista em Lc 1.15.

Este versículo enfatiza como a vontade divina governa a vida humana. Nada havia de acidental na chamada e missão de Jeremias. Ele foi predestinado para desempenhar esse papel. Presume-se que a mesma vontade que tornou isso verdade a respeito de Jeremias, também opera em uma base larga, se não mesmo em uma base universal. Isso explicaria a vida de muitos homens verdadeiramente grandes. Deus estava com eles desde o começo de sua vida física, e talvez tenha estado com eles *em espírito* no salão das experiências e memórias de Deus, recuando até onde a imaginação nos possa transportar.

Um Corolário Importante. Se a alma humana é preexistente, então não é igual na espiritualidade e nas realizações espirituais. Grandes almas já existiriam, e seria apenas natural que a mente divina as tivesse *escolhido* para missões especiais. Nesse caso, há *razões* para a escolha de algumas e não de outras. A vontade divina nunca opera arbitrariamente.

■ **1.6**

וָאֹמַר אֲהָהּ אֲדֹנָי יְהוִה הִנֵּה לֹא־יָדַעְתִּי דַּבֵּר כִּי־נַעַר אָנֹכִי: פ

Então lhe disse eu: Ah! Senhor Deus! Eis que não sei falar. Isaías aceitou sua missão sem fazer perguntas (ver Is 6) e estava pronto para começar. Jeremias, por outro lado, tal como Moisés, hesitou e encontrou desculpas para que alguns homens fossem chamados. Ele era apenas uma *criança*, um jovem. O hebraico *na'ar* pode significar um "infante", como foi o caso de Moisés, colocado no cesto à beira do rio (ver Êx 2.6). Mas também pode significar um *homem jovem* (ver 2Sm 18.5; cf. Gn 34.19). Não temos meios para saber qual a idade de Jeremias quando ele foi chamado, mas ele se reputava muito jovem e inexperiente para a tarefa. Cf. os casos de Moisés (ver Êx 4.10; 6.12,30) e Jonas (Jn 1.3).

■ 1.7,8

וַיֹּאמֶר יְהוָה אֵלַי אַל־תֹּאמַר נַעַר אָנֹכִי כִּי עַל־כָּל־
אֲשֶׁר אֶשְׁלָחֲךָ תֵּלֵךְ וְאֵת כָּל־אֲשֶׁר אֲצַוְּךָ תְּדַבֵּר׃

אַל־תִּירָא מִפְּנֵיהֶם כִּי־אִתְּךָ אֲנִי לְהַצִּלֶךָ נְאֻם־יְהוָה׃

Mas o Senhor me disse: Não digas: Não passo de uma criança. *Yahweh* sabia melhor que Jeremias. Ele conhecia Jeremias e suas qualificações; sabia que ele sofreria muito às mãos de homens iníquos e teria razões para temer suas cataduras. Portanto, desde o começo, Deus advertiu Jeremias a não cair na síndrome do temor. A presença divina estaria com ele, para conferir-lhe poder, para guiá-lo e, quando necessário, para livrá-lo das perturbações que o acossassem. Além disso, ser-lhe-iam dadas as palavras certas, porquanto haveria uma série de oráculos que formariam o conteúdo do que deveria ser dito pelo profeta. Cf. a Grande Comissão, que contém elementos similares (ver Mt 28.19,20). Cf. Êx 3.12 e Jn 1.5.

O Quádruplo Encorajamento. 1. Jeremias tinha autoridade para agir, a autoridade de Yahweh. 2. Embora fosse jovem, ele possuía as *habilidades inerentes* para cumprir sua missão. 3. Além disso, ele contava com a *proteção divina*. A *presença de Deus* o acompanharia. 4. A *mensagem* que seria transmitida por Jeremias viria *inspirada* por Yahweh. Jeremias não teria de rebuscar ideias e palavras certas.

É apenas natural que os homens tentem fugir de Deus, especialmente quando mais próximos se chegaram a ele, em suas experiências. Quanto maior o homem, maior a tendência para fugir, *até que*, à semelhança de Jeremias, o homem se sinta mais confortável na presença do Ser divino.

■ 1.9

וַיִּשְׁלַח יְהוָה אֶת־יָדוֹ וַיַּגַּע עַל־פִּי וַיֹּאמֶר יְהוָה אֵלַי
הִנֵּה נָתַתִּי דְבָרַי בְּפִיךָ׃

Depois estendeu o Senhor a mão, tocou-me na boca, e me disse. *O Toque Divino.* Além de encorajar o profeta, Yahweh deu-lhe *unção* divina (ver a respeito no *Dicionário*), ao tocar em sua boca. Precisamos do *toque místico!* É maravilhoso conhecer as realidades espirituais. É maravilhoso ser capaz de usar a oração e ver grandes coisas acontecerem pela intervenção divina. Mas também é maravilhoso e necessário ter contato direto com o Ser divino. É a isso que os filósofos e teólogos chamam de *Misticismo* (ver a respeito no *Dicionário*). Além de transmitir-nos poder, essa é uma das maneiras pelas quais obtemos desenvolvimento espiritual. Ver no *Dicionário* o verbete chamado *Desenvolvimento Espiritual, Meios do*. O toque divino em Jr "tornou-lhe a boca pura e poderosa". Uma *brasa viva* foi posta na boca de Isaías (Is 6.7), ideia semelhante à que temos no texto presente.

> *Achadas as tuas palavras, logo as comi; as tuas palavras me foram gozo e alegria para o coração, pois pelo teu nome sou chamado, ó Senhor, Deus dos Exércitos.*
>
> Jeremias 15.16

Cf. Ez 3.14 e 8.1. O Espírito de Deus iria com Jeremias e o inspiraria. O Ser divino se faria presente no que ele dissesse. Ver Mt 10.19,20.

■ 1.10

רְאֵה הִפְקַדְתִּיךָ הַיּוֹם הַזֶּה עַל־הַגּוֹיִם וְעַל־
הַמַּמְלָכוֹת לִנְתוֹשׁ וְלִנְתוֹץ וּלְהַאֲבִיד וְלַהֲרוֹס לִבְנוֹת
וְלִנְטוֹעַ׃ פ

Olha que hoje te constituo sobre as nações, e sobre os reinos. *Essência da Missão e da Mensagem.* Considere o leitor estes quatro pontos:
1. Jeremias tinha autoridade até sobre as nações, e não somente sobre Israel. Ele teria uma missão internacional.
2. Mediante sua mensagem, Jeremias arrancaria, derribaria, destruiria e arruinaria potências humanas.
3. Mas ele também seria capaz de construir e plantar. Em outras palavras, tanto a providência negativa quanto a providência positiva de Deus operariam por intermédio do profeta.
4. A predestinação divina estaria no que ele fizesse, pelo que o seu bom êxito estava garantido desde o começo. Ele seria uma figura poderosa com uma missão importante e eficaz.

"A sequela inteira do livro é um comentário sobre essas palavras. Passava pelo terror e pelas trevas para a glória e as bênçãos do novo pacto (Jr 31.31)" (Ellicott, *in loc.*). O profeta possuiria o fogo capaz de consumir o povo (Jr 4.14); possuiria o malho com o qual despedaçaria qualquer obstáculo, mesmo que fosse feito de rochas (Jr 23.29). Cf. Is 55.10, quanto a algo similar. Quanto à destruição eficaz dos culpados, ver Ez 43.3. Quanto ao ato de desarraigar, ver Mt 15.13. Quanto a arrancar, ver 2Co 10.4. Em seu trabalho, Jeremias seria como um *agricultor*, um *técnico em demolição* e um *construtor*.

A Visão da Amendoeira (1.11,12)

■ 1.11,12

וַיְהִי דְבַר־יְהוָה אֵלַי לֵאמֹר מָה־אַתָּה רֹאֶה יִרְמְיָהוּ
וָאֹמַר מַקֵּל שָׁקֵד אֲנִי רֹאֶה׃

וַיֹּאמֶר יְהוָה אֵלַי הֵיטַבְתָּ לִרְאוֹת כִּי־שֹׁקֵד אֲנִי עַל־
דְּבָרִי לַעֲשֹׂתוֹ׃ פ

Veio ainda a palavra do Senhor, dizendo: Que vês tu, Jeremias? *Outro oráculo* ou visão foi dado a Jeremias. Duas visões confirmaram o chamado do profeta: a *vara de amendoeira* (vss. 11,12) e a *panela ao fogo* (vss. 13-16). A amendoeira (no hebraico *saqued*) vem de uma palavra que significa *despertar*. Portanto, a amendoeira era a "árvore acordada", por ser a primeira da Palestina a florescer e produzir frutos. Essa árvore explodia em uma inflorescência gloriosa no fim do mês de janeiro, muito antes de outras árvores o fazerem. Yahweh cuidaria em ver com suas palavras florescerem em Jeremias, ou seja, para ver a real fruição de sua missão. Deus verificaria se a vara de amendoeira floresceria e produziria fruto, outra maneira de dizer que seu poder soberano se cumpriria em Jr. "A amendoeira era o *vigia*, a árvore que se apressava em despertar, antes que todas as outras árvores, de seu sono de inverno. Isso expressava a *pressa divina,* que não permitiria adiamentos no cumprimento da graciosa promessa de Deus, mas, antes, por assim dizer, faria a árvore rebentar em folhas, florescer e produzir frutos" (Ellicott, *in loc.*). "A visão de Jeremias sobre as *árvores despertas* faz-nos lembrar de que Deus estava desperto e vigiando a sua palavra, para que ela se cumprisse" (Charles H. Dyer, *in loc.*). Plínio disse-nos que a amendoeira é a primeira espécie vegetal a deitar flores, e que os frutos maduros aparecem em março (ver *História Natural,* 1.16, cap. 25).

Em outros trechos, a *vara* simboliza o julgamento divino (ver Nm 17.11; Ez 7.10; Zc 11.7,10,14). Isso pode significar que o sentido básico da parábola é que o julgamento divino contra Judá era iminente, e que o cativeiro babilônico era esse julgamento.

A Visão da Panela ao Fogo (1.13-16)

■ 1.13

וַיְהִי דְבַר־יְהוָה אֵלַי שֵׁנִית לֵאמֹר מָה אַתָּה רֹאֶה
וָאֹמַר סִיר נָפוּחַ אֲנִי רֹאֶה וּפָנָיו מִפְּנֵי צָפוֹנָה׃

Que vês? Eu respondi: Vejo uma panela ao fogo. A panela simbolizava o desastre. Havia sobre o fogo uma panela grande, quase fervendo. Dava frente para o norte, mas se inclinava na direção contrária, quase derramando seu quentíssimo conteúdo na direção sul. Ou seja, a Babilônia estava prestes a descer ao sul e destruir Judá. Os grandes inimigos de Israel vinham do norte (ver Jr 4.6; 6.1 e 10.22). Outros adversários vinham de outras direções, mas era do norte que vinha a devastação. Alguns estudiosos veem aqui tanto a Assíria (que destruiria as dez tribos do norte, Israel) quanto a Babilônia (que destruiria as duas tribos do sul, Judá). Sem a menor sombra de dúvida, a Babilônia está em foco em Jr 13.20 e 25.9. Jeremias foi o grande profeta do cativeiro babilônico, e é neste ponto que temos indicações preliminares do tema. O simbolismo, aqui, é parecido com o do simbolismo do fogo, por causa do *calor* que destruiria Judá.

A *arqueologia* descobriu grandes panelas, de boca larga, com duas asas, e provavelmente esse é o objeto que está em pauta aqui. Cf. Ez 24.3. Diz aqui o Targum: "Vejo um rei fervendo como uma panela, bem como a bandeira de seu exército que vem do norte".

■ **1.14,15**

וַיֹּאמֶר יְהוָה אֵלָי מִצָּפוֹן תִּפָּתַח הָרָעָה עַל כָּל־יֹשְׁבֵי הָאָרֶץ׃

כִּי הִנְנִי קֹרֵא לְכָל־מִשְׁפְּחוֹת מַמְלְכוֹת צָפוֹנָה נְאֻם־יְהוָה וּבָאוּ וְנָתְנוּ אִישׁ כִּסְאוֹ פֶּתַח שַׁעֲרֵי יְרוּשָׁלַם וְעַל כָּל־חוֹמֹתֶיהָ סָבִיב וְעַל כָּל־עָרֵי יְהוּדָה׃

Do norte se derramará o mal sobre todos os habitantes da terra. A *convocação* às nações veio da parte de *Yahweh*, pelo que temos aqui uma doutrina padronizada que diz que Yahweh é o controlador dos eventos da história humana. Ver sobre essa ideia anotada em Is 13.6. A panela, que fervia e estava prestes a derramar-se, representava o mal vindo do norte. Eram várias grandes potências unidas na aliança babilônica. Ver também Jr 4.5; 5.15; 6.22-26; 25.1-14. Os reis babilônicos vieram e puseram seus tronos no portão de Jerusalém, depois de fazer a mesma coisa em várias outras cidades de Judá. Foi uma invasão do país em sua inteireza. Haveria grande matança e saque, e, em seguida, a deportação da maioria dos sobreviventes de Judá. Jr 39.2,3 registra o cumprimento dessa profecia. Os inimigos abafaram todas as funções da cidade, tanto as comerciais quanto as legais (ao estabelecer seus tronos nas portas das cidades); e então deportaram qualquer um que tivesse algum poder, e confiscaram todas as riquezas. Quanto a detalhes, ver no *Dicionário* o artigo intitulado *Cativeiro Babilônico*. Cf. Jr 25.8-11. Yahweh é o controlador tanto da providência negativa quanto da providência positiva, o poder por trás de todos os acontecimentos. Ver no *Dicionário* os artigos chamados *Providência de Deus* e *Soberania de Deus*.

■ **1.16**

וְדִבַּרְתִּי מִשְׁפָּטַי אוֹתָם עַל כָּל־רָעָתָם אֲשֶׁר עֲזָבוּנִי וַיְקַטְּרוּ לֵאלֹהִים אֲחֵרִים וַיִּשְׁתַּחֲווּ לְמַעֲשֵׂי יְדֵיהֶם׃

Pronunciarei contra os moradores destas as minhas sentenças. Houve muitas causas pecaminosas do cativeiro babilônico, mas a *idolatria* (ver a respeito no *Dicionário*) estava no topo da lista. Yahweh e seu culto tinham sido abandonados; em alguns casos, os apóstatas tinham desenvolvido certo sincretismo, misturando o yahwismo com o paganismo (ver Is 66.3). Com frequência, entretanto, era praticado um paganismo puro (ver Is 65.4). Nesses atos, as provisões dos pactos tinham sido esquecidas, e todos os privilégios tinham sido perdidos. Cf. Dt 28. Ver no *Dicionário* o verbete chamado *Pactos*. Cf. este versículo com Jr 39.5.

Encorajamento Dado a Jeremias (1.17-19)

■ **1.17**

וְאַתָּה תֶּאְזֹר מָתְנֶיךָ וְקַמְתָּ וְדִבַּרְתָּ אֲלֵיהֶם אֵת כָּל־אֲשֶׁר אָנֹכִי אֲצַוֶּךָּ אַל־תֵּחַת מִפְּנֵיהֶם פֶּן־אֲחִתְּךָ לִפְנֵיהֶם׃

Tu, pois, cinge os teus lombos, dispõe-te, e dize-lhes tudo quanto eu te mandar. A comissão de Jeremias foi reiterada quase nos mesmos termos que encontramos nos vss. 4-8. Agora Jeremias deveria agir, cingindo os lombos, levantando-se e falando. Foi-lhe ordenado o que deveria dizer (vs. 7); ele não deveria temer o rosto de seus ouvintes (vs. 8). Ver as notas expositivas sobre os vss. 7,8 quanto ao *quádruplo encorajamento* dado a Jeremias. Este corria o risco de ser envergonhado perante os líderes apóstatas de Judá. Ele não deveria sentir-se desanimado diante das cataduras deles, porque, se assim fosse, Yahweh o confundiria perante eles e sua missão fracassaria. O chamado visava a *coragem* de Jeremias, porquanto o profeta teria de realizar sua tarefa sozinho. Ele não poderia amoldar-se aos apóstatas de seus dias, mas tinha de transformar-se pela coragem de sua mente (ver Rm 12.2).

■ **1.18**

וַאֲנִי הִנֵּה נְתַתִּיךָ הַיּוֹם לְעִיר מִבְצָר וּלְעַמּוּד בַּרְזֶל וּלְחֹמוֹת נְחֹשֶׁת עַל כָּל־הָאָרֶץ לְמַלְכֵי יְהוּדָה לְשָׂרֶיהָ לְכֹהֲנֶיהָ וּלְעַם הָאָרֶץ׃

Eis que hoje te ponho por cidade fortificada, por coluna de ferro, e por muros de bronze. Este versículo se assemelha ao vs. 10, mas difere no simbolismo empregado. No vs. 10, é usada uma série de metáforas, as quais o leitor poderá ver naquele ponto. Agora, entretanto, obtemos outra série, e todas essas metáforas têm por intuito mostrar que Jeremias podia obter a vitória; ele se postaria sozinho contra o povo apóstata e venceria: 1. Ele era uma cidade fortificada que não podia ser facilmente conquistada; 2. Ele era uma coluna de ferro, como as que sustentavam os portões das cidades ou serviam de instrumentos que davam força aos edifícios; 3. Ele era um muro feito de bronze, e não de tijolos, ou seja, era bastante impenetrável. Essa *pessoa altamente fortificada* poderia resistir facilmente a todos os oficiais e poderes de Judá, se não perdesse a sua fé:

Serás capaz de resistir contra todos na terra: os reis de Judá, os oficiais, os sacerdotes e o povo da terra.

NCV

■ **1.19**

וְנִלְחֲמוּ אֵלֶיךָ וְלֹא־יוּכְלוּ לָךְ כִּי־אִתְּךָ אֲנִי נְאֻם־יְהוָה לְהַצִּילֶךָ׃ פ

Pelejarão contra ti, mas não prevalecerão. A Jeremias não foi prometido um tempo fácil. Os apóstatas continuariam apóstatas, pois o julgamento divino teria de sobrevir contra eles. Haveria oposição à sua mensagem e à sua pessoa. Mas Jeremias haveria de dominar cada ataque e derrotar cada adversário. Essa era a razão pela qual Yahweh estaria a seu lado durante cada assalto sofrido. O profeta seria *livrado* de cada um desses assaltos. Jeremias não deveria ser "determinado por acidente", mas um homem da hora, cumprindo a vontade de Deus, que providenciaria para que ele atravessasse cada crise.

Se você estivesse no mar em um raminho,
Mas Deus o estivesse protegendo,
Você estaria em segurança.

Thestius, ad Autolyc. ii

CAPÍTULO DOIS

ORÁCULOS DO MINISTÉRIO INICIAL DE JEREMIAS (2.1—6.30)

A maioria dos eruditos crê que esses oráculos vieram dos primeiros tempos do ministério de Jeremias, mas datá-los com precisão é uma tarefa realmente difícil. Muitos oráculos datam da época de Josias, ou seja, cerca de 625 a.C. Mas os vss. 16, 18, 36 e 37 não se encaixam nesse período. Não havia então nenhuma destruição da Terra Prometida pelos egípcios ou alianças com o Egito ou a Assíria. Por isso, outros estudiosos situam estes versículos na época de Jeoaquim, em cerca de 600 a.C. "É melhor atribuir todo este capítulo ao reinado de Jeoaquim, no período entre sua subida ao trono (609 a.C.) e a batalha de Carquêmis (605 a.C.). Sob Jeoaquim, muitas das práticas religiosas que as reformas instituídas por Josias planejavam abolir sem dúvida alguma retornaram" (James Philip Hyatt, *in loc.*). Problemas de cronologia e ordem de materiais dos oráculos continuam por todo o livro. Ver o gráfico acompanhante, que tenta transmitir alguma espécie de ideia a esse respeito.

Desde a entrada de Israel na Terra Prometida, essa nação por muitas vezes mostrou-se infiel e apóstata. Os pecados de Israel eram de longa data, profundamente arraigados, e sempre pioravam. Isso prosseguiu até o cativeiro babilônico, e os materiais dos primeiros oráculos comentam sobre essa situação.

ORÁCULOS DE CONDENAÇÃO CONTRA O PECADO DE INGRATIDÃO (2.1—3.5)

Uma série de oráculos se estende até o fim do século sexto.

YAHWEH SUBSTITUÍDO POR FALSAS DIVINDADES (2.1-13)

■ 2.1

וַיְהִי דְבַר־יְהוָה אֵלַי לֵאמֹר׃

A mim me veio a palavra do Senhor. Os oráculos prosseguem; a inspiração divina tinha tomado conta da consciência do profeta. Ver as notas expositivas em Jr 1.4. Há treze mensagens de julgamento que incluem nove profecias gerais de julgamento (capítulos 2—20 de Jeremias). Além disso, há quatro profecias específicas de julgamento nos capítulos 21—25. A primeira mensagem de Jeremias defrontou Jerusalém com a sua tendência ao desvio. A devoção inicial do povo de Judá fora abandonada (vss. 1-3).

■ 2.2

הָלֹךְ וְקָרָאתָ בְאָזְנֵי יְרוּשָׁלִַם לֵאמֹר כֹּה אָמַר יְהוָה זָכַרְתִּי לָךְ חֶסֶד נְעוּרַיִךְ אַהֲבַת כְּלוּלֹתָיִךְ לֶכְתֵּךְ אַחֲרַי בַּמִּדְבָּר בְּאֶרֶץ לֹא זְרוּעָה׃

Vai, e clama aos ouvidos de Jerusalém: Assim diz o Senhor. *O registro espiritual de Israel* nunca foi muito bom. Mas os dias antigos, quando a nação esteve desposada com Yahweh, eram tempos para serem relembrados com alegria. A referência é às condições relativamente boas do povo de Israel durante os dias de vida de Moisés. A despeito de falhas ocasionais, aquele foi um tempo de lua de mel. A avaliação de Ezequiel, entretanto, foi menos positiva (Ez 23). Cf. também Os 2.15; 9.10 e 11.1,2.

■ 2.3

קֹדֶשׁ יִשְׂרָאֵל לַיהוָה רֵאשִׁית תְּבוּאָתֹה כָּל־אֹכְלָיו יֶאְשָׁמוּ רָעָה תָּבֹא אֲלֵיהֶם נְאֻם־יְהוָה׃ פ

Então Israel era consagrado ao Senhor. O simbolismo altera-se aqui. Israel, "dos bons tempos antigos", era como um sacrifício a Yahweh, santo e puro, um tipo das primícias da produção agrícola de Deus. Israel tinha um *caráter sacerdotal* que era simbolizado pela inscrição sobre a placa de ouro usada na testa do sumo sacerdote, a qual dizia: "Santidade ao Senhor" (Êx 28.36). As nações que tinham usurpado os direitos de Yahweh e tentavam "comer" (danificar) o seu santo sacrifício foram severamente julgadas.

■ 2.4

שִׁמְעוּ דְבַר־יְהוָה בֵּית יַעֲקֹב וְכָל־מִשְׁפְּחוֹת בֵּית יִשְׂרָאֵל׃

Ouvi a palavra do Senhor, ó casa de Jacó. Temos aqui outra chamada para que os israelitas dessem estrita atenção às palavras de Yahweh, que está ensinando uma importante lição. A casa de Israel, incluindo todos os seus clãs individuais, foi chamada a ouvir. A expressão "palavra do Senhor" é característica de Jeremias e usualmente se refere aos *oráculos* que ele dá para livrar as pessoas.

As palavras agora tornavam-se severas. Yahweh repreendia o povo por desviar-se dos primeiros dias e promover várias formas de negligência espiritual e até de apostasia aberta.

■ 2.5

כֹּה אָמַר יְהוָה מַה־מָּצְאוּ אֲבוֹתֵיכֶם בִּי עָוֶל כִּי רָחֲקוּ מֵעָלָי וַיֵּלְכוּ אַחֲרֵי הַהֶבֶל וַיֶּהְבָּלוּ׃

Assim diz o Senhor: Que injustiça acharam vossos pais em mim...? Que erro encontrou Israel em Yahweh para tratá-lo como vinha fazendo? Que *provocação* poderia ter produzido tão negativo resultado?

Nulos. No hebraico, *hebhel,* "vaidade", "nulidade", "falta de dignidade". A mesma palavra é usada nos livros de Eclesiastes e Jeremias, como uma designação para os ídolos e deuses de nada. O Criador-Benfeitor foi trocado por coisas sem o mínimo valor. Então o próprio povo de Israel tornou-se nada, exatamente como seus deuses de nada. Se devemos compreender a continuação do relacionamento marido-mulher (vs. 2), então a questão seria esta: "Que mal foi encontrado no marido para a sua mulher trocá-lo por algum outro?" "Eles seguiram a vaidade e tornaram-se vãos" (Fausset *in loc.*). "Os homens transformam-se naquilo que amam e adoram (cf. Os 9.10; 2Rs 17.15)" (James Philip Hyatt, *in loc.*). "Vossos ancestrais adoraram ídolos inúteis e tornaram-se, eles mesmos, inúteis" (NCV).

■ 2.6

וְלֹא אָמְרוּ אַיֵּה יְהוָה הַמַּעֲלֶה אֹתָנוּ מֵאֶרֶץ מִצְרָיִם הַמּוֹלִיךְ אֹתָנוּ בַּמִּדְבָּר בְּאֶרֶץ עֲרָבָה וְשׁוּחָה בְּאֶרֶץ צִיָּה וְצַלְמָוֶת בְּאֶרֶץ לֹא־עָבַר בָּהּ אִישׁ וְלֹא־יָשַׁב אָדָם שָׁם׃

E sem perguntarem: Onde está o Senhor, que nos fez subir da terra do Egito? O povo idólatra e rebelde olvidou suas raízes. Eles não procuravam o Deus que os tirara do Egito e os guiara através do deserto sem estradas. A expressão "do Egito" ocorre mais de vinte vezes no livro de Deuteronômio (ver Dt 4.20). Esse foi considerado um dos maiores milagres realizados por Yahweh. Ademais, a jornada pela Terra Prometida, durante aqueles quarenta anos, só poderia ter sido realizada por intervenção divina direta. Certo número de milagres foi necessário para que esse feito se concretizasse. Uma pessoa sensível à história teria lembrado o poder dos tempos antigos e buscaria o mesmo poder para o presente.

■ 2.7

וָאָבִיא אֶתְכֶם אֶל־אֶרֶץ הַכַּרְמֶל לֶאֱכֹל פִּרְיָהּ וְטוּבָהּ וַתָּבֹאוּ וַתְּטַמְּאוּ אֶת־אַרְצִי וְנַחֲלָתִי שַׂמְתֶּם לְתוֹעֵבָה׃

Eu vos introduzi numa terra fértil, para que comêsseis o seu fruto e o seu bem. *A possessão da Terra Prometida* foi outro ato significativo de Yahweh. Ela estava repleta de frutos e coisas boas. Porém, uma vez ali, em vez de agradecer a Deus e frequentar o culto de Yahweh, o Benfeitor, eles contaminaram a boa terra com suas corrupções morais e idolatrias. O que lhes tinha sido dado como uma herança, eles transformaram em abominação. Quanto à contaminação da Terra Prometida, ver Jz 2.10-17; Sl 106.38. Quanto à Terra Prometida como *herança* de Israel, ver Êx 6.8 ss.; Sl 135.12. Quanto a Israel como herança de Deus, ver Sl 94.5. Quanto a Yahweh como herança de Israel, ver Sl 16.5. É provável que neste versículo esteja em foco Israel como a herança de Deus.

■ 2.8

הַכֹּהֲנִים לֹא אָמְרוּ אַיֵּה יְהוָה וְתֹפְשֵׂי הַתּוֹרָה לֹא יְדָעוּנִי וְהָרֹעִים פָּשְׁעוּ בִי וְהַנְּבִיאִים נִבְּאוּ בַבַּעַל וְאַחֲרֵי לֹא־יוֹעִלוּ הָלָכוּ׃

Os sacerdotes não disseram: Onde está o Senhor? Os próprios sacerdotes de Israel deixaram de buscar o Senhor, apesar dos privilégios que tinham recebido através dos séculos. A lei de Moisés foi um dom de Deus aos israelitas, para servir-lhes de *guia* (ver Dt 6.4 ss.), para dar-lhes *vida* (ver Dt 4.1; 5.33; Ez 20.1); para torná-los *distintos* entre as nações (ver Dt 4.4-8). Mas eles não deram atenção a essas coisas e começaram a profetizar em nome de falsos deuses, como *Baal* (ver a respeito no *Dicionário*). Em total falta de imaginação, voltaram-se para os deuses do povo que tinham expelido da Terra Prometida. Abandonaram o culto a Yahweh e deixaram de ensinar a sua lei. Israel era como nada sem a lei mosaica. Eles começaram a andar na *vaidade*. Ver no *Dicionário* o artigo chamado *Andar*. Os *pastores* de Israel abandonaram o rebanho e permitiram que forças sinistras o destruíssem. Este versículo descreve o *fracasso total* da liderança de Israel. As instituições ficaram em ruínas. Os *três* grupos de líderes, cada um à própria maneira, fracassaram: os sacerdotes, os pastores (líderes) e os profetas. Baal tornou-se mais importante que Yahweh. Baal era a divindade cananeia da fertilidade, cuja adoração era uma ameaça constante para Israel. Ver 1Rs 18.18-40; 2Rs 10.18-28 e 21.3. Quanto a plenos detalhes, ver no *Dicionário* o artigo sobre *Baal*.

■ 2.9

לָכֵן עֹד אָרִיב אִתְּכֶם נְאֻם־יְהוָה וְאֶת־בְּנֵי בְנֵיכֶם אָרִיב:

Portanto ainda pleitearei convosco, diz o Senhor. Yahweh, em vista de tudo quanto havia acontecido, teve de *contender* com Israel, não meramente com palavras e ensinamentos, mas também com severos julgamentos. Israel não teria paz na Terra Prometida enquanto a estivesse poluindo. A contenção teria tanto âmbito nacional como também se estenderia por diversas gerações. Seria necessário longo tempo para limpar a confusão. Yahweh "acusaria" Israel e provaria em tribunal, por assim dizer, a culpa da nação. O julgamento seria seguido por uma sentença de condenação.

"Cf. Os 2.2. O Senhor e marido que tinha sofrido as injúrias apareceria como o acusador da esposa infiel, estabelecendo a culpa dela, pronunciando a condenação" (Ellicott, *in loc.*).

■ 2.10,11

כִּי עִבְרוּ אִיֵּי כִתִּיִּים וּרְאוּ וְקֵדָר שִׁלְחוּ וְהִתְבּוֹנְנוּ מְאֹד וּרְאוּ הֵן הָיְתָה כָּזֹאת:

הַהֵימִיר גּוֹי אֱלֹהִים וְהֵמָּה לֹא אֱלֹהִים וְעַמִּי הֵמִיר כְּבוֹדוֹ בְּלוֹא יוֹעִיל:

Passai às terras do mar de Chipre, e vede. O profeta Jeremias levou o povo em uma *viagem pelo campo*, uma excursão por países circunvizinhos, procurando encontrar um único exemplo de povo que tinha "trocado de deuses". Embora seus deuses fossem meros ídolos, deuses de nada, e obviamente não tivessem vida nem capacidade de agir em favor de seus adoradores, a despeito disso tudo, eles não correram após os deuses de outros povos. Eles eram insensatos, mas se mostravam coerentes em sua insensatez. Israel, contudo, trocou a glória de Deus vivo pela vaidade dos ídolos. A viagem foi de Quitim (Chipre), no meio do mar Mediterrâneo, até Quedar, no deserto da Arábia. Seria uma viagem longa o bastante para as pessoas observarem muitos povos e suas práticas idólatras. Mas a viagem também mostraria que cada povo permanecia com seus deuses originais, por mais "indignos" (vs. 5) que eles fossem. Portanto, o "abandono de Deus", por parte de Israel, foi uma exceção digna de nota quanto à maneira como as pessoas atuavam. A Israel faltava o conceito de *fidelidade*, que até as nações gentílicas demonstravam. Israel, pois, tornou-se culpado de uma insensatez sem precedentes.

As Três Acusações contra Israel. 1. Os filhos de Israel tinham uma história brilhante de ajuda divina, mas se esqueceram disso. 2. Eles esqueceram o Deus vivo (vs. 13). 3. Eles abandonaram a Yahweh e o substituíram por vaidades pagãs. Isso os tornou sujeitos a sermões e oráculos divinamente inspirados.

■ 2.12

שֹׁמּוּ שָׁמַיִם עַל־זֹאת וְשַׂעֲרוּ חָרְבוּ מְאֹד נְאֻם־יְהוָה:

Espantai-vos disto, ó céus, e horrorizai-vos. Yahweh conclamou os *céus* como testemunhas para observar, estupefatos, o que tinha acontecido com Israel. A cena de tribunal foi preservada. Por alguns minutos, os próprios céus ficariam *chocados, desolados* diante da impossível apostasia de Israel. Quer o julgamento fosse feito à face da terra, quer nos céus, o resultado seria o mesmo: total espanto diante das atitudes e da conduta de Israel, cuja infidelidade ultrapassou a de todas as demais nações. O povo de Israel tinha cometido uma iniquidade extremamente agravada.

■ 2.13

כִּי־שְׁתַּיִם רָעוֹת עָשָׂה עַמִּי אֹתִי עָזְבוּ מְקוֹר מַיִם חַיִּים לַחְצֹב לָהֶם בֹּארוֹת בֹּארֹת נִשְׁבָּרִים אֲשֶׁר לֹא־יָכִלוּ הַמָּיִם:

Porque dois males cometeu o meu povo: a mim me deixaram... e cavaram cisternas... rotas. A apostasia geral de Israel pode ser sumariada de dupla maneira:

1. Israel abandonou a fonte perene de águas vivas, as quais transmitem vida e toda espécie de benefícios para os que têm sede espiritual. Essa figura era de grande peso para os habitantes da Palestina, os quais tinham muita dificuldade com o suprimento básico de água para sua agricultura. O regime de chuvas não era abundante, mas no sentido espiritual havia rios de água viva disponíveis, riachos no deserto, grandes fontes de água que manavam. Cf. Jo 4.10-15 e 7.38. Ver no *Dicionário* o artigo intitulado *Água*, que cobre usos metafóricos. Cf. também Jr 17.13; Sl 36.9.
2. Em vez dos riachos de água viva, tão abundante e generalizada, Israel apelara para cisternas rotas. A cisterna era uma espécie de tanque feito de barro, para captar as águas pluviais. O sistema era uma medida extrema em uma terra seca. Na verdade, as cisternas eram minúsculos reservatórios que quase não chegavam para o consumo de uma família. Ver no *Dicionário* o verbete denominado *Cisterna*, quanto a detalhes. Note o leitor, entretanto, que essas cisternas, cavadas por Israel, eram rotas, ou seja, incapazes de conter qualquer quantidade de água. Mesmo considerando o melhor, as águas retidas eram tanto estagnadas quanto existiam em pequena quantidade. As cisternas, tais como nossas modernas caixas d'água, sem dúvida eram a causa de muitas enfermidades e morte, especialmente no caso de crianças. Este versículo, pois, ilustra a irracionalidade, a loucura e a autodestrutibilidade dos atos de Israel.

RESULTADOS DA APOSTASIA DE ISRAEL (2.14-19)

■ 2.14,15

הַעֶבֶד יִשְׂרָאֵל אִם־יְלִיד בַּיִת הוּא מַדּוּעַ הָיָה לָבַז:

עָלָיו יִשְׁאֲגוּ כְפִרִים נָתְנוּ קוֹלָם וַיָּשִׁיתוּ אַרְצוֹ לְשַׁמָּה עָרָיו נִצְּתָה מִבְּלִי יֹשֵׁב:

Acaso é Israel escravo, ou servo nascido em casa? "Israel havia esquecido seu direito de primogenitura do pacto e tornou-se escravo da Assíria (os leões) e do Egito (Mênfis, a capital do Egito do norte), trazendo desgraças (vs. 16); cf. Is 2.17 e 7.20" (*Oxford Annotated Bible*, comentando sobre o vs. 14). Os escravos poderiam ser prisioneiros de guerra, poderiam ter nascido como escravos, ou poderiam ser comprados no mercado de escravos, no qual homens (que não fossem soldados derrotados em batalha) eram forçados a tornar-se escravos. Ver no *Dicionário* o verbete chamado *Escravidão*. O pano de fundo histórico parece ser o período imediatamente após a morte de Josias, quando o rei Neco, Faraó do Egito, invadiu Judá (ver 2Rs 23.29,30). O Faraó Neco conseguiu depor Jeoacaz e colocar Eliaquim no trono de Judá, trocando seu nome para Jeoaquim (ver 2Rs 23.31-35). Judá permaneceu subserviente ao Egito, até que aquele país foi derrotado na batalha de Carquêmis (604 a.C.). Alguns pensam que os assírios foram os opressores do reino do norte, Israel, e que os babilônios foram os opressores do reino do sul, Judá; mas ambos os incidentes são anacrônicos em relação ao texto à nossa frente.

■ 2.16

גַּם־בְּנֵי־נֹף וְתַחְפַּנְחֵס יִרְעוּךְ קָדְקֹד:

Até os filhos de Mênfis e de Tafnes te pastaram o alto da cabeça. Este versículo identifica os inimigos escravizadores, a saber, Nope (Mênfis) e Tafnes, que os gregos chamavam de Dafnae e modernamente é denominada Tell Dafenneh, na fronteira oriental do delta egípcio do rio Nilo. Temporariamente, pelo menos, o Egito triunfou sobre *Judá* (pois o reino do norte, Israel, desde há muito, em 722 a.C., tinha ido para o cativeiro assírio).

... **Te pastaram o alto da cabeça.** Josias morreu em Megido (2Rs 23.29,30) e, de modo geral, a vida de Judá ficou perturbada. Alguns estudiosos traduzem aqui por "rapar a cabeça", uma metáfora de desgraça.

... Te desgraçou rapando-te o alto da cabeça.
NCV

■ 2.17

הֲלוֹא־זֹאת תַּעֲשֶׂה־לָּךְ עָזְבֵךְ אֶת־יְהוָה אֱלֹהַיִךְ בְּעֵת מוֹלִיכֵךְ בַּדָּרֶךְ׃

Acaso tudo isto não te sucedeu por haveres deixado o Senhor teu Deus...? De acordo com a *Lei Moral da Colheita segundo a Semeadura* (ver a respeito no *Dicionário*), Judá sofreu por causa das coisas que praticou. Yahweh (através de sua Lei) era o *guia* deles (Dt 6.4 ss.). Quando os israelitas o abandonaram, perderam o caminho. Cf. Dt 32.10. Ao começar a perambular, Judá mergulhou em tempos difíceis e *reversões* dolorosas.

"Um povo que se esqueça do Senhor conhecerá o mal e a amargura. Pois o bem-estar de um povo está fundamentado em seu relacionamento com o Deus vivo. Quando as alianças desse relacionamento são quebradas, o declínio torna-se inevitável" (Stanley Romaine Hopper, *in loc.*).

■ 2.18

וְעַתָּה מַה־לָּךְ לְדֶרֶךְ מִצְרַיִם לִשְׁתּוֹת מֵי שִׁחוֹר וּמַה־לָּךְ לְדֶרֶךְ אַשּׁוּר לִשְׁתּוֹת מֵי נָהָר׃

Agora, pois, que lucro terás indo ao Egito para beberes as águas do Nilo...? Capengando e tropeçando, Judá tentou estabelecer *alianças* com o estrangeiro, a fim de estabilizar-se. Jeremias opôs-se a tais alianças, conforme também tinham feito Oseias (7.11,12) e Isaías (30.1-5). Tais alianças eram, por si mesmas, um caminho mediante o qual eles estavam abandonando Yahweh, em cuja capacidade de libertação deveriam confiar. Além disso, eles trouxeram consigo influências pagãs e prejudicaram a vida espiritual do povo. O partido favorável ao Egito, nos dias de Jeoaquim, foi beber as águas do Nilo. Mas quando os egípcios caíram na batalha de Carquêmis (605 a.C.), então os assírios tornaram-se os aliados mais atrativos, visto que a Babilônia começava a levantar a cabeça para, em breve, tornar-se a maior potência mundial. Em 605 a.C., o Egito e a Assíria (em Carquêmis) caíram diante da Babilônia. A norma política de Jeremias era manter-se equidistante das alianças, submeter-se ao poder da Babilônia e aceitar o *cativeiro babilônico* (ver no *Dicionário*). A apostasia de Judá já fizera a nação desviar-se para longe demais. Não haveria livramento. Deus teria de purificar Judá *por meio do exílio*.

■ 2.19

תְּיַסְּרֵךְ רָעָתֵךְ וּמְשֻׁבוֹתַיִךְ תּוֹכִחֻךְ וּדְעִי וּרְאִי כִּי־רַע וָמָר עָזְבֵךְ אֶת־יְהוָה אֱלֹהָיִךְ וְלֹא פַחְדָּתִי אֵלַיִךְ נְאֻם־אֲדֹנָי יְהוִה צְבָאוֹת׃

A tua malícia te castigará, e as tuas infidelidades te repreenderão. Judá estava condenado a aprender pelo caminho difícil. Seus muitos males e sua apostasia atrairiam os babilônios do nordeste, e Judá e Jerusalém seriam arruinados. Haveria grande matança e saque, e os poucos sobreviventes seriam deportados. "Nenhuma aliança poderia proteger Judá de seus pecados. Somente depois de receber o julgamento é que eles perceberiam quão perverso e amargo tinha sido abandonar o Senhor" (Charles H. Dyer, *in loc.*).

A PROFUNDIDADE DO PECADO DE JUDÁ (2.20-29)

■ 2.20

כִּי מֵעוֹלָם שָׁבַרְתִּי עֻלֵּךְ נִתַּקְתִּי מוֹסְרֹתַיִךְ וַתֹּאמְרִי לֹא אֶעֱבוֹד כִּי עַל־כָּל־גִּבְעָה גְּבֹהָה וְתַחַת כָּל־עֵץ רַעֲנָן אַתְּ צֹעָה זֹנָה׃

Ainda que há muito quebrava eu o teu jugo, e rompia as tuas ataduras. Os vss. 20-28 apresentam uma série de metáforas para ilustrar a apostasia de Judá: 1. um *boi teimoso,* que não aceitava jugo (vs. 20); 2. uma *prostituta ninfomaníaca,* que buscava satisfação da parte de muitos amantes (vs. 20); 3. uma *vinha brava,* embora cultivada a partir de uma boa semente, que conseguiu corromper-se a ponto de começar a produzir vinho azedo (vs. 21); 4. uma *camela* enlouquecida pelo sexo, que, em seu período de cio, corria de camelo em camelo, o que apontava para a loucura pelos ídolos por parte de Judá; 5. uma *jumenta selvagem,* no deserto, nunca amansada, que tinha a selvageria em sua própria alma (e que ninguém tentasse controlá-la durante o seu período de cio; vs. 24); 6. um *ladrão* que não tinha remorso pelo que fizera, mas somente porque apareceram evidências de que ele haveria de sofrer (vs. 26).

O *boi selvagem* que era o povo de Judá não estava acostumado a puxar o arado. Sua vontade estava pervertida e ele usava sua força para promover a própria vontade. Coisa alguma poderia refrear o animal. O selvagem rompia todas as restrições postas sobre ele e deixava o agricultor divino desolado. Ademais, Judá também se parecia com uma *prostituta insaciável,* que ia de colina para colina buscando companheiros com os quais pudesse adulterar, o que, neste versículo, significa idolatria. Judá tinha uma concupiscência insaciável por deuses falsos. Esperava seus companheiros de sexo nos *lugares altos* (ver a respeito no *Dicionário*). Cf. Os 4.10-14. Israel, tirado do Egito pelo guia divino, foi conduzido em segurança através do deserto; então, depois de receber a melhor das terras, reduziu-se à posição de prostituta vagabunda.

■ 2.21

וְאָנֹכִי נְטַעְתִּיךְ שׂוֹרֵק כֻּלֹּה זֶרַע אֱמֶת וְאֵיךְ נֶהְפַּכְתְּ לִי סוּרֵי הַגֶּפֶן נָכְרִיָּה׃

Eu mesmo te plantei como vide excelente, da semente mais pura. Agora, Judá é comparado a uma videira nobre. O próprio Yahweh tinha plantado a vinha, começando pela melhor das sementes. Medraram plantas promissoras. Mas em breve elas começaram a degenerar, a ponto de dar apenas vinho azedo. O que tinha acontecido contrariava a natureza. Cf. Jo 15; Is 5.1-7 e Ez 15. Ver também Mt 21.33-36. Todo o cuidado divino, investido para garantir boas uvas, fora arruinado pela perversidade das vinhas, dotadas de vontade própria.

■ 2.22

כִּי אִם־תְּכַבְּסִי בַּנֶּתֶר וְתַרְבִּי־לָךְ בֹּרִית נִכְתָּם עֲוֹנֵךְ לְפָנַי נְאֻם אֲדֹנָי יְהוִה׃

Pelo que ainda que te laves com salitre... continua a mácula da tua iniquidade. O *salitre* (ver a respeito no *Dicionário*), substância alcalina usada como agente de limpeza, era encontrado, naturalmente, em lagos salinos. O azotato de potássio é o mesmo salitre. A "potassa" referida neste versículo é um forte álcali vegetal que se mostrava eficaz na remoção de manchas. Aristóteles anunciou que as roupas mergulhadas no lago Ascânia, que tinha larga porcentagem de salitre, saíam limpas, sem que para isso se tivesse feito qualquer esforço (*Opera,* vol. 1, *de Marabil.* par. 705). Se os antigos tinham fortes alvejantes naturais, coisa alguma se conhecia que pudesse retirar as máculas do pecado, exceto um ato de Deus. Cf. Jó 9.30 e Pv 25.20.

■ 2.23

אֵיךְ תֹּאמְרִי לֹא נִטְמֵאתִי אַחֲרֵי הַבְּעָלִים לֹא הָלַכְתִּי רְאִי דַרְכֵּךְ בַּגַּיְא דְּעִי מֶה עָשִׂית בִּכְרָה קַלָּה מְשָׂרֶכֶת דְּרָכֶיהָ׃

Como podes dizer: Não estou maculada, não andei após os Baalins? Algumas pessoas em Judá tentavam ocultar sua idolatria. Mas a verdade era que Judá corria atrás de ídolos, *loucamente.* Ver o vs. 8. A forma mais comum de idolatria era a de Baal (ver a respeito no *Dicionário*).

És como uma camela, no tempo do cio, que corre de lugar para lugar.
NCV

A camela é um animal totalmente promíscuo no tempo do cio, e, no que diz respeito à idolatria, Judá estava permanentemente no cio. O *vale* aqui mencionado provavelmente é o vale de Hinom, onde era comum oferecer crianças como sacrifícios. Esse e outros ritos abomináveis eram praticados por Judá. Cf. Jr 7.31,32; 19.2-6; 32.35 e 2Rs 23.10. Sabemos que a adoração a Baal envolvia a prostituição religiosa.

■ 2.24

פֶּרֶה ׀ לִמֻּד מִדְבָּר בְּאַוַּת נַפְשָׁהּ שָׁאֲפָה רוּחַ תַּאֲנָתָהּ מִי יְשִׁיבֶנָּה כָּל־מְבַקְשֶׁיהָ לֹא יִיעָפוּ בְּחָדְשָׁהּ יִמְצָאוּנְהָ׃

Jumenta selvagem, acostumada ao deserto e que, no ardor do cio, sorve o vento. Ademais, a nação de Judá era semelhante a uma jumenta selvagem no período de cio. Ela já era, por si mesma, selvagem, mas agora vemos também a jumenta a cheirar o ar, por ser o período de cio. Se houve oportunidade de controlar a fêmea em qualquer outro período do ano, não será possível fazê-lo agora. Esse animal cheira o odor do ar e nenhum poder na terra é capaz de restringir sua concupiscência. É inútil tentar apanhar a besta ou deter seus impulsos sexuais, agora que ela já sabe onde está o seu macho. Além disso, os machos são igualmente loucos por sexo, e havia boa abundância de fêmeas esperando ser "detectadas". Os jumentos perdiam o controle em certas épocas do ano, mas a nação de Judá ficava louca pelos ídolos o ano inteiro.

■ 2.25

מִנְעִי רַגְלֵךְ מִיָּחֵף וּגְרוֹנֵךְ מִצִּמְאָה וַתֹּאמְרִי נוֹאָשׁ לוֹא כִּי־אָהַבְתִּי זָרִים וְאַחֲרֵיהֶם אֵלֵךְ׃

Guarda-te de que os teus pés andem desnudos, e a tua garganta tenha sede. Os pés descalços podem significar: 1. Fazer longas jornadas para engajar-se em práticas idólatras, desgastando os calçados; 2. Ou então a referência é ao ato de tirar a roupa para ocupar-se de atos de adultério, no qual descalçar os pés é um eufemismo para desnudar-se.

Por outro lado, guardar a garganta de ter sede pode significar: 1. Parar de derramar e beber libações a deuses falsos, somente para ficar cada vez com mais sede, por causa do costume; 2. Refrear a boca de dizer palavras tolas, na promoção de cultos idólatras; 3. Ou então a segunda figura combina com a primeira: deixar de ir a países distantes, o que desgasta os sapatos e resseca a garganta de sede. O lugar da adoração é Jerusalém, que ficava bem próximo. Mas os idólatras rejeitavam essas admoestações como se fossem *inúteis*, porquanto a busca selvagem pelos ídolos tinha-se tornado uma maneira de viver. Os apóstatas amam sua apostasia.

■ 2.26

כְּבֹשֶׁת גַּנָּב כִּי יִמָּצֵא כֵּן הֹבִישׁוּ בֵּית יִשְׂרָאֵל הֵמָּה מַלְכֵיהֶם שָׂרֵיהֶם וְכֹהֲנֵיהֶם וּנְבִיאֵיהֶם׃

Como se envergonha o ladrão quando o apanham, assim se envergonham os da casa de Israel. *Um ladrão é apanhado com a mão na massa,* enquanto age furtivamente ao procurar prejudicar outras pessoas. E isso deixa o ladrão envergonhado, porquanto esclarece quem ele realmente é. Assim também Judá tinha vivido uma vida desonesta e enganadora, mas finalmente se envergonhou quando seu caráter foi revelado. Cf. Jo 10.1, onde o alegado pastor aparece como ladrão. Os sacerdotes e pastores de Judá, na realidade, eram sacerdotes e pastores de Baal.

■ 2.27

אֹמְרִים לָעֵץ אָבִי אַתָּה וְלָאֶבֶן אַתְּ יְלִדְתִּנִי כִּי־פָנוּ אֵלַי עֹרֶף וְלֹא פָנִים וּבְעֵת רָעָתָם יֹאמְרוּ קוּמָה וְהוֹשִׁיעֵנוּ׃

Que dizem ao pau: Tu és meu pai; e à pedra: Tu me geraste. Se eles se fingiam grandes personalidades espirituais, ao mesmo tempo chamavam coisas, como rochas e pedaços de madeira, de pai, que presumivelmente os tirara do Egito ou os fizera *nascer*. Ao agir dessa maneira, Israel voltou as costas para Yahweh, o verdadeiro Pai espiritual. Porém, quando chegasse a hora da crise, eles voltariam novamente para seus alicerces espirituais e buscariam a ajuda de Yahweh. "As tribulações por muitas vezes trouxeram-nos de volta ao bom senso" (Fausset, *in loc.*). Diz o Targum: "No tempo adverso em que o mal lhes sobrevier, eles negarão seus ídolos e confessarão diante de mim, dizendo: 'Tem misericórdia de nós e nos salva'".

■ 2.28

וְאַיֵּה אֱלֹהֶיךָ אֲשֶׁר עָשִׂיתָ לָּךְ יָקוּמוּ אִם־יוֹשִׁיעוּךָ בְּעֵת רָעָתֶךָ כִּי מִסְפַּר עָרֶיךָ הָיוּ אֱלֹהֶיךָ יְהוּדָה׃ ס

Onde, pois, estão os teus deuses, que para ti mesmo fizeste? Judá tinha grande abundância de ídolos, tão diversos quanto eram as suas cidades. Mas no tempo da tribulação, embora chamassem a todos os deuses coletivamente e a cada um individualmente, não seriam ajudados em nada. A multiplicação do nada continua sendo o nada. "A nação atribuía sua existência a ídolos de madeira e pedra; mas, quando viesse a tribulação, o povo de Judá teria a audácia de pedir que Deus viesse salvá-lo. Pois seus deuses falsos, embora muitos, eram impotentes" (Charles H. Dyer, *in loc.*). Cada cidade tinha inventado sua própria divindade tutelar; mas, se todos eles fossem reunidos, seriam exatamente como os deuses dos pagãos, um panteão de deuses inúteis. "Entre as nações pagãs, cada cidade tinha seu santo tutelar. Judá tinha adotado essa prática" (Adam Clarke, *in loc.*).

■ 2.29

לָמָּה תָרִיבוּ אֵלָי כֻּלְּכֶם פְּשַׁעְתֶּם בִּי נְאֻם־יְהוָה׃

Por que contendeis comigo? Todos vós transgredistes contra mim. Quando vinham os apertos e Yahweh não os livrava, eles se queixavam dele, e não das falsas divindades que eles tinham inventado no lugar do Senhor. Que aqueles *rebeldes* demonstrassem tal ignorância, estava em consonância com a ignorância espiritual geral reinante. Eles adicionavam a *irracionalidade* ao seu estoque de pecados. O desastre os cercava, e Yahweh tinha deixado de responder às orações do povo de Judá.

■ 2.30

לַשָּׁוְא הִכֵּיתִי אֶת־בְּנֵיכֶם מוּסָר לֹא לָקָחוּ אָכְלָה חַרְבְּכֶם נְבִיאֵיכֶם כְּאַרְיֵה מַשְׁחִית׃

Em vão castiguei os vossos filhos; eles não aceitaram a minha disciplina. Nem mesmo a correção de Yahweh mudou em alguma coisa aqueles apóstatas. Pelo contrário, enquanto eles estavam sendo corrigidos, sem misericórdia mataram os profetas que foram enviados para falar contra eles. Puseram-se a caçar os homens bons como se fossem um bando de leões famintos, destruindo-os sem pensar duas vezes. Cf. 1Rs 19.10; 2Rs 21.16. "Durante o longo reinado de Manassés, por exemplo, os profetas que repreendiam os judeus faziam-no sob risco de morte. Isaías, segundo dizem as tradições, esteve entre os sofredores. Muito sangue inocente já fora derramado de uma extremidade à outra de Jerusalém (ver 2Rs 21.11-16)" (Ellicott, *in loc.*).

■ 2.31

הַדּוֹר אַתֶּם רְאוּ דְבַר־יְהוָה הֲמִדְבָּר הָיִיתִי לְיִשְׂרָאֵל אִם אֶרֶץ מַאְפֵּלְיָה מַדּוּעַ אָמְרוּ עַמִּי רַדְנוּ לוֹא־נָבוֹא עוֹד אֵלֶיךָ׃

Oh! Que geração! Considerai vós a palavra do Senhor. Yahweh tinha sido para Judá como *rios de águas vivas* (vs. 13), e não como um deserto estéril que supre pouco e dificulta a vida. Fora, igualmente, como uma grande Luz, e não como as trevas que afligiam a Terra Prometida. Porém, de que maneira aquela geração reagiu ao amor e à generosidade? Afastou-se em total rebeldia e recusou-se a continuar buscando Yahweh, deixando seu lugar de culto desolado e sem frequência. Diziam eles:

Temos a liberdade de vagabundear. Não voltaremos mais a ti.

NCV

A *irracionalidade do povo judeu* ficou assim demonstrada. Eles esqueceram o passado e tudo quanto Yahweh fizera por eles. Quanto ao presente, olvidaram-se de prestar-lhe honrarias. Nem mesmo o castigo divino os impressionava mais. Mas o cativeiro babilônico separou um remanescente puro da massa corrupta. Judá tornou-se o seu próprio senhor e assim perdeu o favor do Senhor.

■ 2.32

הֲתִשְׁכַּח בְּתוּלָה עֶדְיָהּ כַּלָּה קִשֻּׁרֶיהָ וְעַמִּי שְׁכֵחוּנִי יָמִים אֵין מִסְפָּר׃

Acaso se esquece a virgem dos seus adornos, ou a noiva do seu cinto? Cf. este versículo com os vss. 2,3. Uma *jovem noiva* cuida bem de seus ornamentos. Ela também valoriza seus paramentos distintivos de noiva. Ambas as coisas são sinais de seu estado marital. Já vimos a figura de Judá como a noiva de Yahweh (vss. 2,3). A Judá dos dias presentes esqueceu todas as suas marcas distintas e olvidou totalmente seu marido. Isso não era nenhuma novidade. Ela estivera nesse tipo de condição por longo tempo. "Durante todo o reinado de Manassés, que durou 55 anos, a terra se viu inundada pela idolatria. E as reformas de Josias, seu neto, não conseguiram efetuar purificação total" (Adam Clarke, *in loc.*).

■ 2.33

מַה־תֵּיטִבִי דַּרְכֵּךְ לְבַקֵּשׁ אַהֲבָה לָכֵן גַּם אֶת־הָרָעוֹת לִמַּדְתִּי אֶת־דְּרָכָיִךְ׃

Como dispões bem os teus caminhos, para buscares o amor! *Tendo abandonado Yahweh*, a ex-esposa de Yahweh passou a procurar muitos amantes. Judá tornou-se especialista na sedução, a ponto de mulheres ímpias e mais velhas começarem a aprender dela as artes de sedução. Em outras palavras, ela se tornou a prostituta número um, a mestra dos idólatras pagãos.

Até as piores mulheres podem aprender de ti maus caminhos.
NCV

■ 2.34

גַּם בִּכְנָפַיִךְ נִמְצְאוּ דַּם נַפְשׁוֹת אֶבְיוֹנִים נְקִיִּים לֹא־בַמַּחְתֶּרֶת מְצָאתִים כִּי עַל־כָּל־אֵלֶּה׃

Nas orlas dos teus vestidos se achou também o sangue de pobres e inocentes. Judá chegou a rebaixar-se para cometer *crimes de sangue*, e muitos inocentes caíram na Terra Prometida, suas propriedades foram confiscadas, e suas heranças de família foram aniquiladas. De maneira errônea foram condenados em tribunais de justiça. Juízes e testemunhas foram corrompidos. A justiça raramente era servida. Os que foram assim castigados não eram ladrões apanhados que mereciam a punição recebida. Antes, eram vítimas dos violentos.

A segunda metade do versículo é obscura, e dou um sentido possível a ela. "Com algumas emendas, obteremos: Não foi invadindo que o descobri, pois estava aberto de todas as maneiras". Isso significa que os pecados de Judá eram bem conhecidos e evidentes, incluindo seus crimes de sangue, que lhes mancharam as vestes com o sangue de suas vítimas.

■ 2.35

וַתֹּאמְרִי כִּי נִקֵּיתִי אַךְ שָׁב אַפּוֹ מִמֶּנִּי הִנְנִי נִשְׁפָּט אוֹתָךְ עַל־אָמְרֵךְ לֹא חָטָאתִי׃

Ainda dizes: Estou inocente; certamente a sua ira se desviou de mim. Apesar da grandeza e franqueza de seus pecados, a cega nação de Judá professava ser inocente de qualquer erro, e assim esperava que Yahweh desviasse dela a sua ira, pois, segundo pensava, ela não merecia sofrer. Por muitas razões, Yahweh estava levando Judá ao seu tribunal de julgamento. Conspícuo entre os pecados deles estava a *hipocrisia*, por não reconhecerem o seu pecado. Tolamente, os hipócritas tentavam justificar-se aos olhos de Deus. Quando pecadores francos negam seus pecados, isso constitui *duplo pecado*. "A confissão pode levar ao perdão; mas a negação de culpa deles excluía a possibilidade de perdão, sendo sinal de cegueira fatal" (Ellicott, *in loc.*).

■ 2.36

מַה־תֵּזְלִי מְאֹד לְשַׁנּוֹת אֶת־דַּרְכֵּךְ גַּם מִמִּצְרַיִם תֵּבוֹשִׁי כַּאֲשֶׁר־בֹּשְׁתְּ מֵאַשּׁוּר׃

Que mudar leviano é esse dos teus caminhos? No vs. 18, vemos as alianças nas quais Judá tentou entrar para evitar o inevitável golpe divino contra a apostasia deles. Tanto o Egito quanto a Assíria decepcionaram os judaítas. Vergonha e confusão se seguiriam às alianças firmadas por eles, tal como havia acontecido no caso de Tiglate-Pileser (ver 2Rs 16.10 e 2Cr 28.20). "Ela [a nação de Judá] descobriria que qualquer nova aliança com o Egito seria tão desapontadora quanto sua aliança passada com a Assíria (ver Is 7.13-15). O Senhor tinha rejeitado essas nações, pelo que dificilmente Judá seria ajudada por elas" (Charles H. Dyer, *in loc.*). Ver Jr 37.7,8 quanto ao cumprimento dessas predições. Judá se tornara um "trocador de caminhos", ora seguindo numa direção, ora seguindo noutra, em busca de futilidades. Somente diante da punição babilônica, um remanescente judaico voltou-se de novo para Yahweh.

■ 2.37

גַּם מֵאֵת זֶה תֵּצְאִי וְיָדַיִךְ עַל־רֹאשֵׁךְ כִּי־מָאַס יְהוָה בְּמִבְטַחַיִךְ וְלֹא תַצְלִיחִי לָהֶם׃

Também daquele sairás de mãos na cabeça. O Egito só traria desapontamento e consternação a Judá. Vemos aqui que os judeus chorariam de vergonha, com as "mãos na cabeça", gesto que, por assim dizer, dizia: "Protege-me" e "Oh, quão humilhado estou". Tendo rejeitado a liderança de Yahweh, Judá ficaria amargamente desapontado com qualquer outro líder. "O simbolismo do vs. 37 é de um povo que chorava de vergonha (cf. 2Sm 13.19)" (James Philip Hyatt, *in loc.*). "Que coisa grave e amarga é pecar contra o Senhor, tendo-o como inimigo!" (Adam Clarke, *in loc.*). "Ela ficaria sozinha, condenada por Deus" (*Oxford Annotated Bible*, comentando sobre o vs. 37). Yahweh tinha rejeitado tanto o Egito quanto a Assíria, e, como é óbvio, Judá igualmente. Esses países se tornariam uma ruína só quando a Babilônia espalhasse seus tentáculos pela terra.

CAPÍTULO TRÊS

APELO PARA QUE JUDÁ SE ARREPENDA (3.1—4.4)

Os muitos pecados de Judá continuam a ser descritos aqui, e Yahweh convida o povo ao arrependimento. Os críticos pensam que os vss. 6-11 e 15-18 representam um período diferente da história, em relação ao restante da seção. Ver a seção V da introdução quanto a informações sobre a integridade do livro. As palavras-chaves da seção são "retornai" e "voltai", que apelam à mudança.

"O pecado de Judá ultrapassa qualquer coisa que a lei de Moisés tivesse previsto (ver Dt 24.1-4). Embora uma seca pesasse sobre a Terra Prometida (ver Jr 14.1-5), a nação não abandonou sua prostituição indiscriminada (2.20). Portanto, ela não podia esperar ser aceita pelo Senhor (comparar com os vss. 6-13)" (*Oxford Annotated Bible*, comentando sobre o vs. 1).

JUDÁ, A ESPOSA INFIEL (3.1-5)

■ 3.1

לֵאמֹר הֵן יְשַׁלַּח אִישׁ אֶת־אִשְׁתּוֹ וְהָלְכָה מֵאִתּוֹ וְהָיְתָה לְאִישׁ־אַחֵר הֲיָשׁוּב אֵלֶיהָ עוֹד הֲלוֹא חָנוֹף תֶּחֱנַף הָאָרֶץ הַהִיא וְאַתְּ זָנִית רֵעִים רַבִּים וְשׁוֹב אֵלַי נְאֻם־יְהוָֹה׃

Se um homem repudiar sua mulher, e ela o deixar e tomar outro marido...? Dt 24.1-4 não permitia que uma mulher retornasse ao homem de quem ela se tinha divorciado, embora ela pudesse casar-se com outro homem. Daí a pergunta deste vs. 1. Israel, a esposa desviada, não podia retornar a seu marido, Yahweh; mas a graça de Deus tornaria até isso possível. Ver Jr 2.20 quanto à promiscuidade de Judá, que fazia das divindades canaanitas seus muitos amantes. Era considerado *poluição* se uma mulher divorciada voltasse ao primeiro marido, algo não aceitável socialmente. No terreno espiritual, entretanto, as coisas poderiam ser diferentes. O intuito de Jeremias em usar Dt 24 provavelmente era fazer com que Judá se sentisse indigno de qualquer ato de perdão divino.

■ 3.2

שְׂאִי־עֵינַיִךְ עַל־שְׁפָיִם וּרְאִי אֵיפֹה לֹא שֻׁגַּלְתְּ עַל־דְּרָכִים יָשַׁבְתְּ לָהֶם כַּעֲרָבִי בַּמִּדְבָּר וַתַּחֲנִיפִי אֶרֶץ בִּזְנוּתַיִךְ וּבְרָעָתֵךְ׃

Levanta os teus olhos aos altos desnudos, e vê; onde não te prostituíste? Encontramos aqui ousada descrição dos atos selvagens da prostituição de Judá. Ela tinha possuído tantos amantes, em tantos lugares, que ninguém conseguiria contá-los. Havia os *lugares altos* (ver a respeito no *Dicionário*), com uma cama debaixo de cada árvore. Além disso, cada desvio no caminho era suficiente para que ela efetuasse seus encontros românticos, cada galho seco e cada rocha eram um deus potencial a quem Judá prestava homenagem. Além disso, como se fosse um árabe, Judá vagueava pelo deserto, à procura de companheiros de sexo. Os árabes representam aqui os predadores do deserto, que dificultavam as viagens pelos lugares desérticos. Da mesma forma que os predadores do deserto ficavam à espreita de outra vítima, assim também Judá esperava por outro amante. O Targum comenta: "Fizeste a terra tornar-se culpada com os teus ídolos e com a tua perversidade".

■ 3.3

וַיִּמָּנְעוּ רְבִבִים וּמַלְקוֹשׁ לוֹא הָיָה וּמֵצַח אִשָּׁה זוֹנָה הָיָה לָךְ מֵאַנְתְּ הִכָּלֵם׃

Pelo que foram retiradas as chuvas, e não houve chuva serôdia. A *seca* foi uma das armas que Deus sempre usou para punir um povo desviado, e essa foi a primeira medida corretiva que Yahweh aplicou ao caso de Judá. Cf. Dt 28.23,24 e Jr 14. Houve algumas secas severas durante o reinado de Josias (9.12; 25.1-6). Talvez a influência do livro de Deuteronômio, recém-encontrado (ver 2Cr 34.14 e 2Reis 22.8), tenha enfatizado o conceito de desastres naturais após certo período de corrupção moral. A despeito dos castigos recebidos, entretanto, a esposa prostituída, Judá, não se envergonhou, nem se deixou convencer de que havia feito algo de errado. A referência à ousadia da prostituta Judá significava que ela estava de coração *endurecido* (ver Am 4.6-12) e não se deixava vergar por nenhum chamado ao arrependimento. Ver no *Dicionário* o artigo chamado *Chuvas Anteriores e Posteriores*.

■ 3.4

הֲלוֹא מֵעַתָּה קָרָאתי לִי אָבִי אַלּוּף נְעֻרַי אָתָּה׃

Não é fato que agora mesmo tu me invocas, dizendo: Pai meu...? A *grande esposa-prostituta* chamou o Senhor, Deus, Pai e Amigo, e proferiu palavras doces. Visto que Deus era seu amigo desde a juventude, naturalmente (pensava a nação), ele a favoreceria. Ela "falava espertamente", conforme se diz em uma expressão moderna; mas nem por isso seus atos eram modificados. Ela se tornou, assim sendo, culpada da "crença fácil", que não tem uma fé de todo o coração correspondente. Sua conversa visava manipular Deus, de acordo com os seus próprios desígnios.

■ 3.5

הֲיִנְטֹר לְעוֹלָם אִם־יִשְׁמֹר לָנֶצַח הִנֵּה דִבַּרְתְּ וַתַּעֲשִׂי הָרָעוֹת וַתּוּכָל׃ פ

Conservarás para sempre a tua ira? Ou a reterás até ao fim? Judá continuou "sua conversa doce com Deus", pedindo-lhe que se acalmasse em sua ira. A esposa-prostituta falava como se dotada de alguma percepção espiritual, mas continuava a agir como a prostituta que realmente era. Na prática do mal, demonstrava incorrigível persistência. Cf. este versículo com Mq 7.18. A dama dependia da famosa paciência de Deus e de seu favor bondoso; mas, no coração, não tinha nenhuma intenção de mudar.

Ou desprezas a riqueza da sua bondade, e tolerância, e longanimidade, ignorando que a bondade de Deus é que te conduz ao arrependimento?

Romanos 2.4

O JULGAMENTO CONTRA ISRAEL NÃO IMPRESSIONOU JUDÁ (3.6-11)

■ 3.6

וַיֹּאמֶר יְהוָה אֵלַי בִּימֵי יֹאשִׁיָּהוּ הַמֶּלֶךְ הֲרָאִיתָ אֲשֶׁר עָשְׂתָה מְשֻׁבָה יִשְׂרָאֵל הֹלְכָה הִיא עַל־כָּל־הַר גָּבֹהַּ וְאֶל־תַּחַת כָּל־עֵץ רַעֲנָן וַתִּזְנִי־שָׁם׃

Disse mais o Senhor nos dias do rei Josias: Viste o que fez a pérfida Israel? A nação de Israel, antes de sua destruição pelos assírios, praticava as mesmas coisas que a seção anterior fala a respeito de Judá. Israel também desempenhou o papel de esposa-prostituta, frequentando os *lugares altos* e os *bosques,* onde se encontrava com seus muitos companheiros de sexo, na adoração pagã. Foi algo horrendo as duas irmãs seguirem a mesma vida dissoluta.

■ 3.7

וָאֹמַר אַחֲרֵי עֲשׂוֹתָהּ אֶת־כָּל־אֵלֶּה אֵלַי תָּשׁוּב וְלֹא־שָׁבָה וַתֵּרֶאה בָּגוֹדָה אֲחוֹתָהּ יְהוּדָה׃

E, depois de ela ter feito tudo isso, eu pensei que ela voltaria para mim, mas não voltou. Yahweh continuava esperando o melhor da parte de suas esposas, Israel e Judá. Ele "pensou" que, depois de Israel ter seu namorico com o pecado, perceberia a futilidade daquilo tudo e voltaria correndo para ele. Mas Israel continuou em seu caminho poluído, e Judá só observou a cena, juntamente com Yahweh. Judá viu a própria irmã terminar cativa, em suas próprias concupiscências, incapaz de desvencilhar-se. Judá viu Israel *escravizado* à sua maneira de viver. Israel perdera a vontade e o poder de mudar. Tornou-se irmã espiritual de Sodoma (ver Ez 16.46). Yahweh, mediante os profetas Elias, Eliseu, Oseias e Amós, continuou a chamar Israel, mas eles estavam insensíveis a qualquer palavra divina.

■ 3.8

וָאֵרֶא כִּי עַל־כָּל־אֹדוֹת אֲשֶׁר נִאֲפָה מְשֻׁבָה יִשְׂרָאֵל שִׁלַּחְתִּיהָ וָאֶתֵּן אֶת־סֵפֶר כְּרִיתֻתֶיהָ אֵלֶיהָ וְלֹא יָרְאָה בֹּגֵדָה יְהוּדָה אֲחוֹתָהּ וַתֵּלֶךְ וַתִּזֶן גַּם־הִיא׃

Quando por causa de tudo isto, por ter cometido adultério, eu despedi a pérfida Israel. O caso de Israel, a esposa-prostituta, tornou-se impossível de suportar e, assim sendo, Yahweh divorciou-se dela. Ver no *Dicionário* o verbete intitulado *Divórcio, Carta (Termo) de*. Em seguida, Yahweh entregou Israel nas mãos dos atormentadores. Em 722 a.C., os assírios devastaram as dez tribos de Israel, e os poucos sobreviventes da matança foram deportados para a Assíria. Os assírios enviaram outros povos para ocupar o antigo território de Israel, que se tornou uma terra pagã. Os poucos israelitas sobreviventes que ficaram no antigo território pátrio misturaram-se por casamento com os povos pagãos recém-chegados, e isso deu origem aos *samaritanos* (ver a respeito no *Dicionário*).

Entrementes, essa esplendorosa lição objetiva se perdeu para Judá, que se transformou na nova esposa-prostituta, e o mesmo lamentável processo teve início.

Em certo sentido, o caso de Judá foi ainda mais grave que o de Israel, porquanto Judá contava com uma poderosa lição objetiva, mais do que convincente, mas não para Judá. Assim sendo, com os olhos bem abertos, Judá seguiu os passos de sua irmã errante. Ver o vs. 11. Cf. este versículo com Os 2.2.

3.9

וְהָיָה מִקֹּל זְנוּתָהּ וַתֶּחֱנַף אֶת־הָאָרֶץ וַתִּנְאַף אֶת־הָאֶבֶן וְאֶת־הָעֵץ׃

Sucedeu que pelo ruidoso da sua prostituição poluiu ela a terra. O *adultério* (a idolatria) não pareceu ser "algo importante" para Israel. A nação tomou todo o gravíssimo incidente como coisa de somenos, porquanto seus sentidos espirituais tinham sido fatalmente embotados pela longa prática de debochos. Foi assim que Israel contaminou a terra inteira, cometendo adultério espiritual com pedras e árvores, por toda a parte, pois qualquer objeto se transformava em ídolo. Ver no *Dicionário* o artigo chamado *Idolatria*. O Targum refere-se aqui à prostituição sagrada, fazendo Israel cometer adultério não somente com pedras e árvores, mas também com os pagãos, os quais se reuniam para observar ritos pagãos, dos quais a prostituição literal fazia parte.

3.10

וְגַם־בְּכָל־זֹאת לֹא־שָׁבָה אֵלַי בָּגוֹדָה אֲחוֹתָהּ יְהוּדָה בְּכָל־לִבָּהּ כִּי אִם־בְּשֶׁקֶר נְאֻם־יְהוָה׃ פ

Apesar de tudo isso, não voltou de todo o coração para mim a sua falsa irmã, Judá. Judá, apesar de ter desfrutado o benefício de uma compelidora lição objetiva, em vez de evitar a senda pela qual se encaminhara a nação de Israel, apressou-se em seguir o mau exemplo. E naquilo em que Judá, porventura, se modificou, tudo não passava de hipocrisia. Não havia em Judá nenhuma expressão espiritual sentida de todo o coração. Ver sobre isso em Pv 4.23. "A reforma que houve no décimo oitavo ano de Josias não foi completa, pelo menos da parte do povo, pois, por ocasião da morte do rei, eles deslizaram novamente para a idolatria (Os 7.14)" (Fausset, *in loc.*).

3.11

וַיֹּאמֶר יְהוָה אֵלַי צִדְּקָה נַפְשָׁהּ מְשֻׁבָה יִשְׂרָאֵל מִבֹּגֵדָה יְהוּדָה׃

Já a pérfida Israel se mostrou mais justa do que a falsa Judá. Ser *infiel* é ligeiramente melhor do que ser *falso*, embora nenhuma dessas duas coisas seja desejável. Israel era *menos culpada* em sua posição de infiel. Quando se está em competição quanto ao último e ao penúltimo lugar, não é muito animador ficar em penúltimo. Nisso não há glória nenhuma, e nem por isso o julgamento fica mitigado.

A CHAMADA AO RETORNO (3.12-14)

3.12

הָלֹךְ וְקָרָאתָ אֶת־הַדְּבָרִים הָאֵלֶּה צָפוֹנָה וְאָמַרְתָּ שׁוּבָה מְשֻׁבָה יִשְׂרָאֵל נְאֻם־יְהוָה לוֹא־אַפִּיל פָּנַי בָּכֶם כִּי־חָסִיד אֲנִי נְאֻם־יְהוָה לֹא אֶטּוֹר לְעוֹלָם׃

Vai, pois, e apregoa estas palavras para a banda do norte. Talvez o propósito original de Jeremias aqui fosse o chamado de todos os hebreus ao arrependimento, para que retornassem espiritualmente a Yahweh. Mas o uso das palavras empregadas pelo profeta (ou talvez por um editor) era que o reino do norte retornasse do exílio assírio através do arrependimento. Ver os vss. 14 e 21-25, onde a possibilidade da volta do reino do norte, Israel, tem prosseguimento. A promessa seria reunir um *remanescente* tal como se daria no caso da volta de Judá do cativeiro babilônico. Ver o vs. 14. Mas ali encontramos a palavra *Sião*, e não o vocábulo *Samaria*. Talvez a esperança fosse ampla o bastante para incluir uma reunificação do norte e do sul, sendo Sião, uma vez mais, a capital dos dois reinos.

Eu sou compassivo. "Compassivo", neste caso, é tradução da palavra hebraica *hasid*, empregada para adjetivar Deus somente aqui e em Sl 145.17. Nos salmos, a palavra é usada para apontar para os homens e tem sido traduzida como "piedoso", "santo" e "compassivo". Yahweh manifesta seu *amor constante* para com aqueles que se arrependem. Note o leitor o jogo de palavras: "Voltai, vós, filhos que me voltam as costas". Os que retornassem escapariam da ira de Deus, que estava em ação fazia tanto tempo.

3.13

אַךְ דְּעִי עֲוֺנֵךְ כִּי בַּיהוָה אֱלֹהַיִךְ פָּשָׁעַתְּ וַתְּפַזְּרִי אֶת־דְּרָכַיִךְ לַזָּרִים תַּחַת כָּל־עֵץ רַעֲנָן וּבְקוֹלִי לֹא־שְׁמַעְתֶּם נְאֻם־יְהוָה׃

Tão somente reconhece a tua iniquidade. O primeiro passo na direção da restauração é reconhecer os males cometidos. Segue-se, então, a devida avaliação de seus efeitos prejudiciais, bem como o desejo de escapar deles e do inevitável julgamento. Ver no *Dicionário* o artigo chamado *Arrependimento*.

Reconhece que transgrediste. Está em vista a *rebelião* aberta (ver a respeito no *Dicionário*) contra as leis de Moisés. Naquele desvio, não havia ignorância.

E te prostituíste com os estranhos. Temos aqui clara referência à atividade sexual ilícita. As traduções, porém, geralmente evitam a crueza, traduzindo a frase por alguma espécie de eufemismo. O hebraico literal diz aqui: "abre os pés", conforme informa Jarchi. "Eles abriam os pés (pernas) para todo o que passava, para se deitarem com ele (ver Ez 16.25), falando das múltiplas idolatrias (adultérios) de Israel" (John Gill, *in loc.*). Os cultos de fertilidade dos cananeus eram celebrados com adultérios literais e espirituais. Judá havia mergulhado no mais vil paganismo. Nada havia de sofisticado em seus culto pagão. Sob cada árvore havia um ídolo, sob cada árvore havia pessoas praticando sexo ilícito. A voz de Yahweh se perdera completamente em meio ao debouche geral. A próxima voz que se ouviria em Judá seria o estalar do trovão do juízo divino.

3.14

שׁוּבוּ בָנִים שׁוֹבָבִים נְאֻם־יְהוָה כִּי אָנֹכִי בָּעַלְתִּי בָכֶם וְלָקַחְתִּי אֶתְכֶם אֶחָד מֵעִיר וּשְׁנַיִם מִמִּשְׁפָּחָה וְהֵבֵאתִי אֶתְכֶם צִיּוֹן׃

Convertei-vos, ó filhos rebeldes, diz o Senhor. Neste ponto, a esposa infiel é retratada como os filhos infiéis, levantados em rebeldia e atirados no mundo, servindo ao diabo e destruindo a "família".

Eu sou o vosso esposo. Algumas traduções dizem aqui "eu sou o vosso senhor", visto que um marido também era senhor de sua esposa. Nesse caso, continua aqui a imagem da esposa infiel. É prometido o retorno a Jerusalém de um pequeno remanescente, dentre o cativeiro assírio, uma pessoa para cada cidade ou, talvez, duas pessoas de cada família ou clã. Se o remanescente voltasse (arrependido), então Yahweh lhe proporcionaria a volta à santa família, à santa cidade e à restauração. Sabemos que a nação do norte nunca voltou à Terra Prometida, mas presumimos que havia uma *esperança* genuína disso. A reunificação da nação do norte, Israel, e do sul, Judá, formando novamente uma única nação, provavelmente fazia parte de uma esperança maior. Ver os vss. 21-25.

PREDIÇÃO DE RETORNO DO EXÍLIO (3.15-18)

3.15

וְנָתַתִּי לָכֶם רֹעִים כְּלִבִּי וְרָעוּ אֶתְכֶם דֵּעָה וְהַשְׂכֵּיל׃

Dar-vos-ei pastores segundo o meu coração. O *ideal do retorno* e da reunificação estava profundamente arraigado no subconsciente de Israel. Alguns estudiosos pensam que um editor tomou o tema aqui, impulsionado pelo parágrafo anterior. O remanescente teria seus líderes apropriados, que atuariam como verdadeiros *pastores*. Esses pastores seriam líderes obedientes e cheios de recursos, realmente capazes de ensinar. Ver Ez 34. Alguns eruditos chegam a limitá-los à casta sacerdotal, mas isso parece desnecessário. Dirigentes civis provavelmente estavam incluídos nesse ideal. Governantes como Zorobabel e Neemias (ver Jr 2.9 e 22.4) naturalmente participavam. Proféticamente, o Messias também não pode ser deixado de fora, porquanto ele será o Pastor da restauração geral da era do reino de Deus.

3.16,17

וְהָיָה כִּי תִרְבּוּ וּפְרִיתֶם בָּאָרֶץ בַּיָּמִים הָהֵמָּה נְאֻם־יְהוָה לֹא־יֹאמְרוּ עוֹד אֲרוֹן בְּרִית־יְהוָה וְלֹא יַעֲלֶה עַל־לֵב וְלֹא יִזְכְּרוּ־בוֹ וְלֹא יִפְקֹדוּ וְלֹא יֵעָשֶׂה עוֹד׃

בָּעֵת הַהִיא יִקְרְאוּ לִירוּשָׁלַ͏ִם כִּסֵּא יְהוָה וְנִקְווּ אֵלֶיהָ
כָל־הַגּוֹיִם לְשֵׁם יְהוָה לִירוּשָׁלָ͏ִם וְלֹא־יֵלְכוּ עוֹד
אַחֲרֵי שְׁרִרוּת לִבָּם הָרָע׃ ס

Quando vos multiplicardes e vos tornardes fecundos na terra. Sem dúvida, a *arca da aliança* (ver a respeito no *Dicionário*) estava entre as coisas que os babilônios levaram para a terra deles, na época do cativeiro de Judá. Mas não temos nenhum registro específico sobre isso e nenhuma indicação do que aconteceu a essas coisas na Babilônia. O povo de Israel sentia falta da arca unicamente por ser o lugar onde se manifestava a presença do Senhor Deus (uma espécie de trono de Deus na terra), o lugar de contato de Yahweh com seu povo em aliança com ele. O povo de Israel anelava por ver a arca da aliança de alguma maneira "recuperada". Mas esse anelo se reduziria a nada quando uma restauração todo-poderosa substituísse a antiga restauração por uma restauração *nova* e muito mais satisfatória. Outra arca não seria manufaturada; pelo contrário, a própria Jerusalém se tornaria o trono de Deus, o lugar onde se manifestariam sua presença e seu poder, e isso mais do que compensaria a perda (vs. 17). Cf. Ez 43.7. Ver também Jr 14.21; 17.12; Is 2.2-4 e Mq 4.1-4.

Quanto a outros particulares, o novo também seria superior ao antigo: *todas as nações* se concentrariam em torno de Jerusalém e seu culto, e não apenas uma minúscula nação e sua arca da aliança. Torna-se evidente aqui a promessa do reino. As nações se achegarão dotadas de elevada espiritualidade, abandonando seus antigos caminhos de idolatria e rebelião. Cf. Zc 14.16-19. Em tais circunstâncias de redenção universal, ninguém mais lembrará os "dias áureos antigos", quando a arca estava no templo, antes do cativeiro babilônico. Cf. Is 2.2,3; 60.3-5. A arca era um dos principais sinais do antigo pacto. Substituí-la por algo melhor fala do novo pacto, que lhe é superior (ver Jr 31.32). Cf. Hb 8.13.

■ **3.18**

בַּיָּמִים הָהֵמָּה יֵלְכוּ בֵית־יְהוּדָה עַל־בֵּית יִשְׂרָאֵל
וְיָבֹאוּ יַחְדָּו מֵאֶרֶץ צָפוֹן עַל־הָאָרֶץ אֲשֶׁר הִנְחַלְתִּי
אֶת־אֲבוֹתֵיכֶם׃

Naqueles dias andará a casa de Judá com a casa de Israel. Parece que temos aqui uma *promessa escatológica* da era do reino de Deus, quando Israel, tanto o norte quanto o sul, será reunido e os cativeiros assírio e babilônico estiverem anulados na consciência nacional. Não era meramente uma *esperança intensa* de que, algum dia, algo de grandioso aconteceria a Israel. Por conseguinte, o que ocorreu como *vaga esperança* (vss. 12-14) agora florescia como profecia escatológica. Essa profecia tornou-se tema comum dos apocalipsistas posteriores. Ver Ez 37.16-28 e Is 11.12-14. Haverá um *novo pacto* (Jr 23.1-8; 31.31-34). Judá e Israel foram divididos em duas nações em 931 a.C. O reino do milênio de Cristo reverterá o antigo cisma e realizará maravilhas universais em favor de toda a humanidade.

"Tal como sucedeu a Isaías (11.13), assim aconteceria a Jeremias. A esperança de reforma nacional estava vinculada à esperança de que haveria restauração da *unidade nacional*. A cura da longa brecha entre Israel e Judá... será a glória do reinado messiânico" (Ellicott, *in loc.*).

A INFIDELIDADE DE ISRAEL (3.19,20)

■ **3.19**

וְאָנֹכִי אָמַרְתִּי אֵיךְ אֲשִׁיתֵךְ בַּבָּנִים וְאֶתֶּן־לָךְ אֶרֶץ
חֶמְדָּה נַחֲלַת צְבִי צִבְאוֹת גּוֹיִם וָאֹמַר אָבִי תִּקְרְאוּ־לִי
וּמֵאַחֲרַי לֹא תָשׁוּבוּ׃

Mas eu a mim me perguntava: Como te porei entre os filhos, e te darei a terra desejável...? "O desejo de Deus era abençoar o seu povo. Ele queria tratá-los *como filhos* e restaurar-lhes a *herança*, mas essa nação era como uma *mulher* que se mostrava *infiel* a seu marido. A pedra de tropeço para a restauração residia em Israel, e não em Deus" (Charles H. Dyer, *in loc.*). "Os vss. 19,20 complementam os vss. 1-5. De modo contrário aos costumes (ver Nm 27.1-8), Deus teria feito de *sua filha* o seu herdeiro, mas a infidelidade dela tornava isso impossível" (*Oxford Annotated Bible,* comentando sobre o presente versículo).

A *terra deleitável* já havia sido dada a Israel como herança (ver Js 1.6; 11.23; 13.5; 14.1), mas aquele povo rebelde se tornou pior que os pagãos. Entretanto, a Terra Prometida "tornaria a ser dada". Uma vez mais, haveria de tornar-se a herança de Israel, reunificado. Deus, o doador de heranças, era o Pai de Israel, possuindo o direito de ser o *Doador*. A herança de Israel seria tão exaltada que brilharia como uma joia entre as nações. A terra deleitável novamente fluiria leite e mel (ver Ez 20.6; Dn 11.16 e Jr 11.5).

■ **3.20**

אָכֵן בָּגְדָה אִשָּׁה מֵרֵעָהּ כֵּן בְּגַדְתֶּם בִּי בֵּית יִשְׂרָאֵל
נְאֻם־יְהוָה׃

Deveras, como a mulher se aparta perfidamente do seu marido, assim com perfídia te houveste comigo. O tema da *esposa infiel* repete-se por diversas vezes (ver os vss. 1 e 14 deste capítulo, e cf. Os 2). Israel correu para seus adultérios com ídolos pagãos (ver o vs. 13), pelo que sob cada árvore havia um ídolo e pessoas fazendo sexo ilícito em honra às divindades cananeias da fertilidade. Esse era o tipo de "esposa" que Israel se tornara. A *paganização* de Israel estava completa. A nação se tornara ao mesmo tempo vil e traiçoeira.

CONVOCAÇÃO AO ARREPENDIMENTO GENUÍNO (3.21—4.4)

■ **3.21**

קוֹל עַל־שְׁפָיִים נִשְׁמָע בְּכִי תַחֲנוּנֵי בְּנֵי יִשְׂרָאֵל כִּי
הֶעֱווּ אֶת־דַּרְכָּם שָׁכְחוּ אֶת־יְהוָה אֱלֹהֵיהֶם׃

Nos lugares altos se ouviu uma voz, pranto e súplicas dos filhos de Israel. Encontramos aqui uma seção bastante longa, com nove versículos, que trata essencialmente do tema do arrependimento. A seção projeta o *ideal:* o povo reconhece sua deplorável condição e se lamenta; Deus oferece um lugar de arrependimento e restauração e, assim, ocorre uma transformação real; uma obra divina da graça se realiza. Esse foi o ideal que não se concretizou. Portanto, o verdadeiro arrependimento e restauração esperam pela era do milênio (ver Zc 1.10—13.1).

O chamado divino ao arrependimento foi ouvido nos *lugares altos* (ver a respeito no *Dicionário*), para os quais Israel se havia apressado a fim de realizar rituais pagãos e agir debochadamente. Algo de incomum tinha acontecido. Podia-se ouvir o choro dos judaítas lamentando por causa de sua própria traição; envergonhados de seus pecados; prontos para ouvir a chamada de Yahweh ao arrependimento. O povo de Judá orava e rogava por misericórdia e perdão. O primeiro passo na direção da restauração estava sendo dado, o passo da mudança no coração. Jr 3.21-26 exibe um "ideal"; em outras palavras, o que o profeta *esperava* que acontecesse; o que *deveria* acontecer, de acordo com a razão. Mas, no capítulo 4, vemos ser chamado um povo ainda não arrependido que vivia no meio de suas abominações.

■ **3.22**

שׁוּבוּ בָּנִים שׁוֹבָבִים אֶרְפָּה מְשׁוּבֹתֵיכֶם הִנְנוּ אָתָנוּ לָךְ
כִּי אַתָּה יְהוָה אֱלֹהֵינוּ׃

Voltai, ó filhos rebeldes, eu curarei as vossas rebeliões. O chamado divino clamou: "Voltai". E Israel respondeu: "Eis-nos aqui, vimos ter contigo". O profeta Jeremias prosseguiu em sua apresentação ideal, somente para mostrar-nos, no começo do capítulo 4, que ele estava descrevendo o seu *sonho,* a sua esperança, as suas expectativas idealistas. "Dos locais de idolatria fútil chegam até nós clamores de arrependimento profundo (cf. os vss. 12-14) e de decisão de retornar a Deus (Os 14.2,3). As condições do arrependimento são a remoção dos santuários pagãos, o reconhecimento da reivindicação exclusiva de Deus, jurando somente pelo seu nome (Jr 4.2) e a purificação dos corações" (*Oxford Annotated Bible,* comentando sobre o vs. 21).

Eu curarei. Visto que os pecados são doenças da alma, precisam do poder do grande médico para serem curados. O perdão divino cura os pecados.

3.23

אָכֵ֥ן לַשֶּׁ֛קֶר מִגְּבָע֖וֹת הָמ֣וֹן הָרִ֑ים אָכֵן֙ בַּיהֹוָ֣ה אֱלֹהֵ֔ינוּ תְּשׁוּעַ֖ת יִשְׂרָאֵֽל׃

Na verdade os outeiros não passam de ilusão, nem as orgias nas montanhas. A *Revised Standard Version* tem uma ótima frase: "outeiros de ilusão". A referência é aos *lugares altos* (vs. 21). Abandonando Yahweh, os filhos de Israel, como uma *esposa infiel* (vss. 1,13,20), correram para as colinas e os bosques de idolatria pagã, esperando receber ajuda e glória, mas foram enganados por sistemas tão fúteis. Naquelas colinas, encontraram as *orgias* dos cultos pagãos de fertilidade e juntaram-se de todo o coração àquela espécie de culto. Ver o vs. 13, onde ofereço notas que ilustram vividamente a situação. De acordo com a apresentação idealista do profeta, o povo de Judá chegou a reconhecer a futilidade dos outeiros de ilusão; e acabou sentindo-se doente diante da "auto-expressão" de fé religiosa. Eles reconheceram ter caído em um paganismo crasso que não lhes fazia bem algum. Pelo contrário, eles adoeceram, cobertos de feridas e úlceras nojentas que lhes foram trazidas por seus deboches. Eles anelavam por completo livramento, descendo às carreiras das colinas e implorando o perdão e a cura de Yahweh. Esse foi o sonho do profeta, mas o começo do capítulo 4 mostra que nada de bom aconteceu. As antigas condições continuaram e até pioraram. A promessa divina dizia: "Curarei a sua infidelidade" (Os 14.4). Porém, a esperança caiu por terra. Diz o Targum: "verdadeiramente em vão adoramos nas colinas; sem qualquer proveito nos reunimos nos montes".

3.24

וְהַבֹּ֗שֶׁת אָֽכְלָ֛ה אֶת־יְגִ֥יעַ אֲבוֹתֵ֖ינוּ מִנְּעוּרֵ֑ינוּ אֶת־צֹאנָם֙ וְאֶת־בְּקָרָ֔ם אֶת־בְּנֵיהֶ֖ם וְאֶת־בְּנוֹתֵיהֶֽם׃

Mas a cousa vergonhosa devorou o labor de nossos pais desde a nossa mocidade. Os *julgamentos de Deus,* como é natural, devoraram os ímpios que abandonaram o bem que seus pais tinham feito e construído. Eles se tornaram destruidores do bem comum de Israel. Calamidades arrebataram filhos e filhas; animais domesticados morreram; plantações fracassaram; o culto a Yahweh caiu em total abandono. O templo foi abandonado. Coisa alguma foi ganha, e muito se perdeu devido às aventuras de Israel no paganismo.

Desde que éramos jovens, deuses vergonhosos têm devorado tudo aquilo pelo que nossos pais tinham trabalhado. Os deuses vergonhosos tomaram o gado e as ovelhas de nossos pais. E também arrebataram os filhos e as filhas de nossos pais.

Sacrifícios que deveriam ter sido feitos a Yahweh foram oferecidos a ídolos vergonhosos. Além do mais, até filhos e filhas foram sacrificados aos deuses pagãos, deuses de nada. Ver no *Dicionário* o artigo chamado *Moleque (Moloque).* A excursão ao paganismo custou-lhes um preço horrendo. Todas as maçãs do diabo têm vermes.

A cousa vergonhosa. Que coisa vergonhosa era essa? 1. A conduta geral de Israel e sua experiência com a idolatria. 2. Os próprios ídolos são chamados de *coisas vergonhosas.* Ver Jr 11.13; Os 9.10. Israel agiu vergonhosamente, adorando objetos ignominiosos que arrebataram tudo quanto eles tinham de valioso.

3.25

נִשְׁכְּבָ֣ה בְּבָשְׁתֵּ֗נוּ וּֽתְכַסֵּנוּ֮ כְּלִמָּתֵנוּ֒ כִּי֩ לַיהֹוָ֨ה אֱלֹהֵ֜ינוּ חָטָ֗אנוּ אֲנַ֙חְנוּ֙ וַאֲבוֹתֵ֔ינוּ מִנְּעוּרֵ֖ינוּ וְעַד־הַיּ֣וֹם הַזֶּ֑ה וְלֹ֣א שָׁמַ֔עְנוּ בְּק֖וֹל יְהֹוָ֥ה אֱלֹהֵֽינוּ׃ ס

Deitemo-nos em nossa vergonha, e cubra-nos a nossa ignomínia. *Vergonha e pecado,* pecado e vergonha. Essa era a vida de Israel em sua idolatria-adultério. Era nisso que eles continuavam a "deitar-se", em uma referência indireta às práticas lascivas de seus cultos pagãos (ver o vs. 13). Eles tinham abandonado Yahweh-Elohim e "pecado contra" ele, que era o Deus dos seus pais. Desde a mocidade, eles trilharam seu caminho apostatado, ignorando a *voz de Yahweh,* sua *lei e guia* (ver Dt 6.4 ss.), que doava vida (Dt 4.1; 5.33; Ez 20.1). Era a lei que os tornava *distintos* entre as nações (Dt 4.4-8), mas eles deixaram tudo ser nivelado e arrasado pelo paganismo de seus vizinhos. O primeiro resultado foi a *desunião.* A antiga nação de Israel dividiu-se em duas nações, Israel e Judá. Em seguida, veio o exílio tanto para a porção norte, Israel, quanto para a porção sul, Judá. Finalmente, porém, chegou a dispersão romana, a qual só será verdadeiramente anulada pela restauração da era do reino. Ver os comentários sobre os vss. 16-18.

CAPÍTULO QUATRO

Não há interrupção entre os capítulos 3 e 4 do livro de Jeremias. Jr 4.1-4 completa o parágrafo iniciado em Jr 3.21. A seção maior começou em Jr 3.6.

4.1

אִם־תָּשׁ֨וּב יִשְׂרָאֵ֧ל ׀ נְאֻם־יְהֹוָ֛ה אֵלַ֖י תָּשׁ֑וּב וְאִם־תָּסִ֧יר שִׁקּוּצֶ֛יךָ מִפָּנַ֖י וְלֹ֥א תָנֽוּד׃

Se voltares, ó Israel, diz o Senhor, volta para mim. Deus prometeu responder positivamente a Israel e a Judá *caso* eles se *voltassem* para ele, em *arrependimento* genuíno. Isso significava repelir os *ídolos detestáveis* aos quais eles tinham prestado devoção. Eles precisavam abandonar seu *desvio* apostatado. Uma volta superficial e fácil de nada valeria (ver Jr 3.1). O verdadeiro retorno para Deus envolveria mais que o *culto de lábios* (Jr 3.4,5). Tudo tinha de proceder do coração, da mente e da alma. A tentação é parte do crime, quando os homens continuam fracassando, por muitas e muitas vezes seguidas, contudo "o grande crime de um homem é que ele pode voltar-se para o Senhor a qualquer momento, mas não o faz" (Rabbit Bunam). Ver no *Dicionário* o verbete chamado *Arrependimento.*

As tuas abominações. Isto é, a idolatria-adultério, de acordo com as definições do capítulo 3. Ver os vss. 1,2,13,14 daquele capítulo. E ver no *Dicionário* o verbete chamado *Abominação,* quanto a completos detalhes. A "volta", referida neste versículo, é a volta do arrependimento, e não do retorno físico da Babilônia nem finalmente da dispersão romana.

4.2

וְנִשְׁבַּ֙עְתָּ֙ חַי־יְהֹוָ֔ה בֶּאֱמֶ֖ת בְּמִשְׁפָּ֣ט וּבִצְדָקָ֑ה וְהִתְבָּ֥רְכוּ ב֛וֹ גּוֹיִ֖ם וּב֥וֹ יִתְהַלָּֽלוּ׃ ס

Se jurares pela vida do Senhor, em verdade, em juízo e em justiça. *Um juramento solene* de arrependimento e boas intenções de continuar no caminho da lei de Yahweh faria parte do verdadeiro *retorno.* O voto estaria assim no coração, e não somente na boca. Seria tomado pela "vida do Senhor", e seria tão firme quanto a vida. Seria "veraz", "honesto" e "certo" (NCV). Os filhos de Israel vinham jurando por divindades pagãs. Isso teria de ser revertido. As "nações", neste caso, são a nação do norte, Israel, e a nação do sul, Judá. Não há aqui nenhuma referência às nações da era do reino de Deus, mas à reunificação da nação única, sob Yahweh, o que porá fim à dispersão romana. A reunificação terminará na restauração. Ver Jr 3.8, profecia e promessa escatológica. Então haverá a completa bênção de Deus (Elohim), quando Israel assumir sua posição de cabeça das nações durante o período do milênio. Alguns eruditos, entretanto, veem aqui a conversão das nações, que acompanhará a glória de Israel e dela resultará. Ver Is 65.16; Sl 102.13,15; Rm 11.12,15. Ver no *Dicionário* o verbete denominado *Voto.*

4.3

כִּי־כֹ֣ה ׀ אָמַ֣ר יְהֹוָ֗ה לְאִ֤ישׁ יְהוּדָה֙ וְלִיר֣וּשָׁלַ֔͏ִם נִ֥ירוּ לָכֶ֖ם נִ֑יר וְאַֽל־תִּזְרְע֖וּ אֶל־קוֹצִֽים׃

Porque assim diz o Senhor aos homens de Judá e Jerusalém. "A porção final deste versículo provavelmente foi citada diretamente de Os 10.12. O arrependimento deve ser tão completo quanto o ato de arar o solo, que remove os espinhos e prepara o caminho para a nova semente" (James Philip Hyatt, *in loc.*). "A citação habilidosa de Jeremias, nesta passagem bíblica, traz consigo um contexto extremamente rico. O objetivo do ato de arar é claro. O solo, que fora deixado sem cultivo, endureceu sob a ação do calor e se solidificou por ser repetidamente pisado. Foi esse solo que precisou ser desterrado" (Stanley Romaine Hopper, *in loc.*). Que os israelitas se arrependessem e se preparassem para servir, mediante uma operação radical. Era tempo de cultivar a retidão. Ver Mt 13.7.

■ 4.4

הִמֹּלוּ לַיהוָה וְהָסִרוּ עָרְלוֹת לְבַבְכֶם אִישׁ יְהוּדָה
וְיֹשְׁבֵי יְרוּשָׁלִָם פֶּן־תֵּצֵא כָאֵשׁ חֲמָתִי וּבָעֲרָה וְאֵין
מְכַבֶּה מִפְּנֵי רֹעַ מַעַלְלֵיכֶם׃

Circuncidai-vos para o Senhor, circuncidai o vosso coração, ó homens de Judá. Este texto apresenta duas operações radicais que simbolizam o arrependimento: o ato de arar o terreno compacto para cultivar o cereal (vs. 3); e a circuncisão para renovar o pacto abraâmico, do qual a circuncisão era símbolo. Ver Gn 15.18. Ver no *Dicionário* o artigo chamado *Circuncisão*. Temos aqui menção à remoção do que é indesejável. Está em vista, porém, a circuncisão do coração, ou seja, a remoção de todo o mal do coração, deixando um instrumento limpo para Yahweh preencher e usar. Cf. Dt 10.16; 30.6; Jr 9.25,26 e Rm 2.28,29, passagens em que encontramos declarações e conceitos semelhantes aos deste trecho de Jeremias. O rito tornava a pessoa parte da comunidade dos homens, a nação, mas somente a operação no coração qualificava um homem para a verdadeira comunidade espiritual, na qual o Espírito de Deus opera. Coisa alguma transforma significativamente a vida de um homem, enquanto a espiritualidade não atingir o nível de seu espírito.

O Símbolo do Fogo. Os que não se deixarem transformar terão de enfrentar o julgamento de Deus, simbolizado pelo fogo. Não há aqui nenhum indício de um julgamento para além do sepulcro, porquanto isso ainda não fazia parte da teologia dos hebreus. Cf. Dn 12.1, onde o julgamento é mediado pela ressurreição, tal como sucede à glória dos santos. Mas mesmo ali a imortalidade da alma não aparece como mediadora das recompensas e punições. Essa doutrina começou a aparecer na teologia dos hebreus nos Salmos e Profetas, mas um verdadeiro desenvolvimento esperou pelos livros pseudepígrafos e daí passou para o Novo Testamento. Ver sobre Is 66.24, quanto a ideias que ilustram o presente versículo. As chamas do inferno foram acesas no livro de 1Enoque, conforme todos os eruditos sabem. Ver também Na 1.6; Mc 9.43,44; Mt 3.12; 25.41. E ver Is 30.33 e 34.9, onde desenvolvo o tema.

O INIMIGO VINDO DO NORTE (4.5-31)

■ 4.5

הַגִּידוּ בִיהוּדָה וּבִירוּשָׁלִַם הַשְׁמִיעוּ וְאִמְרוּ וְתִקְעוּ
שׁוֹפָר בָּאָרֶץ קִרְאוּ מַלְאוּ וְאִמְרוּ הֵאָסְפוּ וְנָבוֹאָה אֶל־
עָרֵי הַמִּבְצָר׃

Anunciai em Judá, fazei ouvir em Jerusalém, e dizei. Se Israel tinha inimigos intermináveis, os mais formidáveis entre eles chegavam da direção norte (estritamente falando, do nordeste), a saber, a Assíria, que tinha assediado tanto o norte, Israel, quanto o sul, Judá, mas havia devastado o norte e levado sobreviventes para o cativeiro, para nunca mais retornarem, até hoje. Então chegaram os babilônios, vindos ligeiramente mais do sul que a Assíria, e devastaram Judá, levando os sobreviventes para o exílio. Nenhuma profecia bíblica fala da dispersão causada pelos romanos (o inimigo que veio do ocidente), embora alguns eruditos bíblicos forcem determinadas passagens bíblicas para que se reportem à dispersão romana. Cf. Jr 1.13,14, onde vemos a advertência preliminar acerca do inimigo vindo do norte. Quanto a esse inimigo, ver também Jr 1.13-15; 5.15-17; 6.22-26 e 25.1-4.

O oráculo que temos à frente consiste em vários poemas líricos: vss. 5-8; vss. 13-17; vss. 19-21 e vss. 29-31. Talvez encontremos aqui uma seleção e compilação de poemas, reunidos por um tema comum. "Começam com o primeiro toque de advertência de uma trombeta; descrevem a precipitação do inimigo; então a reação do povo; e atingem um clímax no grito de morte da capital destruída de Jerusalém. Esses poemas foram reunidos por um editor que supriu fórmulas de introdução e advertências e reflexões intersectadas, algumas delas do próprio Jeremias, e outras de diversas fontes" (James Philip Hyatt, *in loc.*). Naturalmente, os eruditos conservadores fazem dos poemas e de sua compilação obra do próprio Jeremias. A circunstância histórica em vista, muito provavelmente, é o avanço do exército de Nabucodonosor, em 598 a.C., ou mesmo dez anos mais tarde, 588 a.C. Outros inimigos, de segunda categoria, não justificam as drásticas descrições aqui fornecidas. Alguns eruditos dão um significado escatológico à passagem e veem a Rússia como o inimigo do norte nos últimos dias, mas essa é uma maneira muito duvidosa de manusear o texto à nossa frente. Cf. Ez 38 e 39.

O Alarma (vss. 5-8). *Judá* está em vista, e basta isso para dizer-nos que o invasor é a Babilônia. Jeremias via os exércitos da Babilônia em marcha. A *trombeta de advertência e assembleia* tinha de ser soada. Arautos tinham de ser enviados para avisar a todo o povo de Israel. Os profetas precisavam lançar ao ar uma advertência final. A nação do sul (Judá) enfrentaria sua pior crise. O tempo da colheita, por causa da apostasia, estava chegando, e ninguém livraria os judeus da aflição. Cf. a trombeta de advertência com Os 5.8; Jl 2.1; Am 3.6. O povo fugiria para as cidades fortificadas, especialmente para Jerusalém, e encetaria sua longa, mas fútil defesa. Jeremias sabia que o poder do exército babilônico não podia ser detido, mas uma justa advertência foi expedida em nome de Yahweh. "Soai o alarma! Fechai as defesas! (Jr 6.1-8)! Como se fosse uma fera rapinante, o inimigo já se aproximava (Jr 5.6). Faltaria coragem aos líderes do povo de Israel, que tinham ignorado todas as advertências de condenação iminente (Jr 6.13-15; 14.13-16; 23.16-17)" (*Oxford Annotated Bible*, comentando sobre Jr 4.5).

Fica pressuposto que as exortações anteriores, que conclamavam Israel ao arrependimento (Jr 3.21—4.4), não haviam produzido nenhum efeito, pelo que o julgamento tinha de seguir.

■ 4.6

שְׂאוּ־נֵס צִיּוֹנָה הָעִיזוּ אַל־תַּעֲמֹדוּ כִּי רָעָה אָנֹכִי מֵבִיא
מִצָּפוֹן וְשֶׁבֶר גָּדוֹל׃

Arvorai a bandeira rumo a Sião, fugi, e não vos detenhais. Jerusalém, a cidade santa, mas que não era mais santa por causa da idolatria-adultério (ver Jr 2.1–2.13,14), seria a principal "cidade de refúgio", todavia sua oferta de ajuda seria fútil. A bandeira de Judá seria arvorada em Jerusalém. Seria o principal ponto de concentração, mas tudo estava inteiramente perdido.

Levantai a bandeira de sinal na direção de Jerusalém! Correi para salvar vossas vidas! Não espereis mais! Estou trazendo o desastre vindo do norte.

NCV

"A hora do mundo levou Judá à sua última hora" (Stanley Romaine Hopper, *in loc.*). Quanto à destruição *vinda do norte*, ver o vs. 5.

■ 4.7

עָלָה אַרְיֵה מִסֻּבְּכוֹ וּמַשְׁחִית גּוֹיִם נָסַע יָצָא מִמְּקֹמוֹ
לָשׂוּם אַרְצֵךְ לְשַׁמָּה עָרַיִךְ תִּצֶּינָה מֵאֵין יוֹשֵׁב׃

Já um leão subiu da sua ramada. O *alarma* (vss. 5-8) continua. Babilônia é aqui comparada a um leão faminto, que já tinha iniciado sua corrida precipitada para descobrir quais pobres animais poderia devorar, e assim satisfazer a sua fome. "A aproximação do exército babilônico, em sua ferocidade, era como um leão saído de sua cova, para atacar a terra de Judá. A invasão deixaria arruinadas as cidades de Judá, e também sem habitantes" (Charles H. Dyer, *in loc.*). "*Leão*, Nabucodonosor e os caldeus (Jr 2.15; 5.6; Dn 7.4), a primeira das quatro grandes feras era como um leão" (Fausset, *in loc.*). Cf. a linguagem drástica de Is 6.11. Haveria grandíssima (mesmo que não fosse absoluta) perda populacional em Judá (Jr 39.9), e os poucos sobreviventes seriam levados para o exílio na Babilônia. Ver no *Dicionário* o verbete intitulado *Cativeiro Babilônico*.

Um destruidor das nações. Quando a Babilônia gozava de seu grande dia, era noite para outras nações. Judá foi apenas uma dentre as muitas nações que caíram vítimas daquela potência. Ver no *Dicionário* o artigo chamado *Babilônia*, quarta seção, *História*, quanto à história toda.

4.8

עַל־זֹאת חִגְרוּ שַׂקִּים סִפְדוּ וְהֵילִילוּ כִּי לֹא־שָׁב חֲרוֹן
אַף־יְהוָֹה מִמֶּֽנּוּ׃ פ

Cingi-vos, pois, de cilício, lamentai e uivai. Para Judá não haveria chance de vitória. A vontade de Yahweh já havia garantido o drástico resultado da invasão. Judá se lamentaria, vestido de cilício. Os poucos sobreviventes soltariam triste lamento pelos mortos, pelos feridos e pelos moribundos. O templo de Jerusalém seria destruído. As instituições seriam aniquiladas. A *causa* de tantas desgraças seria a ira feroz do Senhor. Quanto a isso, ver as notas expositivas em Is 13.6, onde mostro que a vontade divina governa os negócios dos homens. A *Providência de Deus*, tanto negativa quanto positiva, determina o que acontece entre os homens. A providência negativa fustiga os pecadores. Ver no *Dicionário* o artigo chamado *Providência de Deus*. A *Lei Moral da Colheita segundo a Semeadura* (ver também no *Dicionário*) finalmente apanhou Judá. Por trás das operações da providência divina, há a lei moral que governa a vida dos seres humanos; e, por trás dessa lei, há o livre-arbítrio humano. Ver no *Dicionário* o artigo chamado *Livre-arbítrio*. Os homens colhem o que tiverem semeado (ver Gl 6.7,8).

Quanto ao *cilício*, ver no *Dicionário* o artigo com esse nome, e também Jr 6.26; 48.37; 49.3; Gn 37.34; 1Rs 21.27; Ne 9.1; Sl 30.11; 35.13; 69.11; Lm 2.10; Dn 9.3. Ver ainda Jl 1.8 e Is 22.12.

O Fracasso da Coragem (4.9,10)

4.9

וְהָיָה בַיּוֹם־הַהוּא נְאֻם־יְהוָה יֹאבַד לֵב־הַמֶּלֶךְ וְלֵב
הַשָּׂרִים וְנָשַׁמּוּ הַכֹּהֲנִים וְהַנְּבִיאִים יִתְמָֽהוּ׃

Sucederá naquele dia, diz o Senhor, que o rei e os príncipes perderão a coragem. O ataque desfechado pelos babilônios seria tão feroz, tão insistente e tão bem-sucedido que desmaiariam diante dele todos os líderes de Israel, sem importar se fossem militares, civis ou religiosos. A fúria do ataque tiraria o fôlego de todos os defensores. Faltaria *coragem* aos *líderes* do exército de Israel, incluindo o rei e os seus subordinados. Os *sacerdotes* ficariam atônitos. Os *profetas* ficariam *estupefatos*, incluindo até mesmo os que previram esses acontecimentos. Saber e participar são duas coisas inteiramente diferentes. As palavras que a tradução inglesa da NCV usa são: perderão a coragem; ficarão com terrível medo e ficarão chocados. As três expressões usadas pela nossa versão portuguesa são: *perderão a coragem; ficarão pasmados* e *estupefatos*. Ruína total traria total colapso mental.

4.10

וָאֹמַר אֲהָהּ אֲדֹנָי יְהוִֹה אָכֵן הַשֵּׁא הִשֵּׁאתָ לָעָם הַזֶּה
וְלִירוּשָׁלַםִ לֵאמֹר שָׁלוֹם יִהְיֶה לָכֶם וְנָגְעָה חֶרֶב עַד־
הַנָּֽפֶשׁ׃

Então disse eu: Ah! Senhor Deus! Verdadeiramente enganaste a este povo. *A maioria dos profetas* compunha-se de falsos profetas. Enquanto eles estavam de boca aberta, observando a destruição, Yahweh relembrou-lhes suas "predições róseas" sobre os babilônios, com as quais os israelitas foram completamente enganados. Profetas de condenação como Isaías, Jeremias, Miqueias, Habacuque e Sofonias foram desprezados, e suas "profecias contrárias" foram alegremente ignoradas, porquanto perturbavam a mente das pessoas e dos líderes da nação. Mas se os falsos profetas falavam em *paz*, isso não deteve a espada, que chegou à alma do povo e despedaçou a nação de Israel.

O Problema. Como pode ter sido dito que Yahweh-Elohim enganou o povo? Sabemos que os falsos profetas é que o fizeram. A resposta é simples: Yahweh impôs a *cegueira judicial* sobre o povo de Israel, por causa de sua rebeldia, de forma que aquilo que eles se *recusaram* a fazer (quando chamados ao arrependimento), eles se tornaram moralmente *incapazes de fazer*. Portanto, a cegueira judicial preliminar (uma espécie de julgamento) antecedeu a invasão real do exército babilônico. Deus, pois, permitiu que falsos profetas enganassem seu povo, porquanto era isso o que *eles queriam*. Talvez a palavra "permitir" seja suave demais. O fato é que Deus deixou que tal coisa acontecesse por estarem eles em um estado de apostasia do qual *não havia como voltar*. Outra parte da resposta a essa pergunta é que Deus é a *causa única* que encontramos aqui e ali nas Escrituras, representando um *determinismo absoluto*. Isso, porém, não cabe dentro da mensagem geral de Jeremias, repleta de convites genuínos ao arrependimento. Todavia, é a mensagem geral do livro de Eclesiastes.

A teologia dos hebreus era fraca quanto a causas secundárias (quanto a coisas que os homens e a natureza fazem), e isso leva à ideia de Deus como a única causa. Todavia, essa noção é de um radicalismo repugnante diante da responsabilidade moral dos homens. O mundo está cheio de "causas secundárias", que funcionam na vida diária. É ridículo lançar sobre Deus a culpa de coisas que são apenas resultado de variadas formas de corrupção.

Os Ventos do Julgamento Divino (4.11,12)

4.11

בָּעֵת הַהִיא יֵאָמֵר לָעָם־הַזֶּה וְלִירוּשָׁלַםִ רוּחַ צַח
שְׁפָיִים בַּמִּדְבָּר דֶּרֶךְ בַּת־עַמִּי לוֹא לִזְרוֹת וְלוֹא
לְהָבַֽר׃

Naquele tempo se dirá a este povo e a Jerusalém: Vento abrasador... Temos aqui menção ao vento oriental que não traz bem algum a ninguém. Esse vento somente requeima. Trata-se de uma figura apropriada para indicar o julgamento divino. O inimigo viria do nordeste, e isso está próximo o bastante para sugerir o vento que sopra do leste, o vento oriental. Esse vento era um importante ingrediente no clima da Palestina e podia ser fatal às plantações. O vento oriental era o oposto das brisas agradáveis, que traziam umidade (que vinham do oeste, do mar Mediterrâneo). O vento oriental era prejudicial aos agricultores; o vento ocidental lhes era benéfico. Yahweh estava por trás de todos os ventos, tanto os literais quanto os figurados. O feroz e quente vento oriental não se prestava para padejar o grão. Quando esse vento oriental, o siroco, soprava, o melhor a fazer era manter-se longe dele. Ver Jn 4.8. Ezequiel também fez do vento oriental uma figura da invasão babilônica (Ez 17.10; 19.12). Ver ainda Is 21.1.

"O vento quente é o siroco, um vento seco que sopra do deserto oriental e traz consigo um calor sufocante à Palestina. A *filha de meu povo* é o povo de Judá, personificado como se fosse uma mulher (cf. o vs. 31)" (James Philip Hyatt, *in loc.*).

4.12

רוּחַ מָלֵא מֵאֵלֶּה יָבוֹא לִי עַתָּה גַּם־אֲנִי אֲדַבֵּר
מִשְׁפָּטִים אוֹתָֽם׃

Vento mais forte do que este virá ainda de minha parte. O *quente vento siroco* não se parece em nada com as gentis brisas que sopram do mar Mediterrâneo. Essas brisas eram usadas pelos agricultores da Terra Prometida para separar a palha do grão de cereal. Mas somente um idiota lançaria mão do fortíssimo vento oriental com esse propósito. O siroco é um vento fortíssimo, que não traz nenhum benefício a quem quer que seja. Mas o forte vento, soprado pelo Senhor, era bom para *julgar* e expurgar. Judá seria o alvo do vento do Senhor, num ataque aniquilador, porquanto esse vento de Yahweh seria a invasão babilônica. Ver no *Dicionário* o artigo chamado *Vento Oriental*, quanto a detalhes. Ver também o verbete intitulado *Ventos*.

O Chamado ao Arrependimento (4.13-18)

4.13

הִנֵּה כַּעֲנָנִים יַעֲלֶה וְכַסּוּפָה מַרְכְּבוֹתָיו קַלּוּ מִנְּשָׁרִים
סוּסָיו אוֹי לָנוּ כִּי שֻׁדָּֽדְנוּ׃

Eis aí que sobe o destruidor como nuvens. Era tarde demais para que os israelitas se arrependessem. A cegueira judicial tinha sido proferida. A apostasia se tornara fatal, e somente o julgamento divino poderia salvar alguma coisa. Judá teria de começar de novo como nação, uma vez que a escória (que era quase tudo em Israel) fosse consumida. Ver as notas no vs. 10 sobre *cegueira judicial* e sobre como Yahweh inspirou os falsos profetas a continuar com suas mentiras, a fim de que o julgamento divino se tornasse inevitável. Não obstante, a chamada ao arrependimento soava com insistência, e o autor sagrado devotou seis versículos ao tema, que se repete tantas vezes no livro de Jeremias.

Nova Figura sobre o Avanço da Babilônia. Símbolos empregados: 1. *fogo,* metáfora padronizada para indicar o julgamento divino (vs. 4); 2. um *leão,* que devoraria todas as coisas (vs. 7); 3. o *vento oriental,* que eliminaria a vida (vs. 11); 4. a *tempestade celestial,* que seria como um redemoinho sobrenatural, a carruagem de Yahweh, o poder por trás de todos os julgamentos divinos (vs. 13).

A carruagem divina seria puxada por cavalos sobrenaturais, mais velozes que as águias. "Quanto ao voo da águia a representar a marcha rápida do invasor, cf. Lm 4.19; Os 8.1 e Hc 1.8" (Ellicott, *in loc.*).

O profeta Jeremias simplesmente deixou cair o seu simbolismo e proferiu um *ai* sobre as pobres vítimas. Haveria matança, saque e exílio. Seria inútil esperar misericórdia da parte dos brutais babilônios, que se deleitavam em ver o sofrimento humano e faziam tantas vítimas quanto fosse possível. "A destruição de Judá era *inevitável.* Não havia como escapar dessa destruição e, assim sendo, o caso deles trazia atrás de si a dor e a miséria" (John Gill, *in loc.*).

■ 4.14

כַּבְּסִי מֵרָעָה לִבֵּךְ יְרוּשָׁלִַם לְמַעַן תִּוָּשֵׁעִי עַד־מָתַי תָּלִין בְּקִרְבֵּךְ מַחְשְׁבוֹת אוֹנֵךְ:

Lava o teu coração da malícia, ó Jerusalém, para que sejas salva! Embora Jerusalém estivesse nadando em uma *apostasia irremediável,* o chamado misericordioso ao arrependimento, com sua promessa de salvação, soa novamente neste versículo. Pensamentos vãos, malignos e depravados, impediam que a mente do povo de Judá atendesse ao chamamento para a conversão. Eles nada ouviriam, senão a corrupção, antigas e novas maneiras de aumentar o peso de seus pecados. O cálice de Judá estava quase cheio. E eles não descansariam enquanto não enchessem o cálice até a boca. E, então, esse cálice transbordaria em generalizada destruição. Somente uma *lavagem* completa daria resultado. Eles tinham de ser limpos de sua idolatria-adultério (Jr 3.1,2,13,14). A lavagem tinha de limpar o próprio *coração,* mostrando-se genuína e eficaz. Uma completa volta para Yahweh precisava efetuada, mas Judá já tinha avançado demais no pecado para dar meia-volta. Eles tinham chegado ao ponto de onde ninguém retorna, conforme se diz em uma expressão idiomática popular. Ver Pv 4.23, quanto a uma fé religiosa que parte do próprio coração. Jr 2.22 tem um ponto de vista desanimador quanto à fraca possibilidade de purificação. Há esperança com Deus (ver Is 1.16), mas somente quando os homens respondem ao seu chamamento. É possível a um homem ignorar o chamado de Deus, mas ninguém está fora do alcance de seu julgamento.

■ 4.15

כִּי קוֹל מַגִּיד מִדָּן וּמַשְׁמִיעַ אָוֶן מֵהַר אֶפְרָיִם:

Uma voz se faz ouvir desde Dã, e anuncia a calamidade. "Notícias davam conta do avanço do exército babilônico desde *Dã* (Jr 8.16), atravessando o *monte Efraim* (na Palestina central), Benjamim (Jr 6.1), e então chegando no interior mesmo do território de Judá" (*Oxford Annotated Bible,* comentando sobre este vs. 15). O caminho seguido pelo invasor é acompanhado em termos bem latos, e somos convidados a imaginar como o terror e o pânico aumentavam, à proporção que as tropas inimigas se aproximavam da capital. Dã marca o ponto mais ao norte que seria de interesse para traçar a rota de ataque, e o monte Efraim ficava no local onde as tribos do norte faziam fronteira com a tribo de Judá. O relatório do avanço das tropas babilônicas produza grande aflição. Não havia boas notícias. As colinas de Efraim ficavam entre 48 e 64 km ao norte de Jerusalém, e o ataque contra a capital, Jerusalém, começaria em um ou dois dias. Arautos acompanhavam o avanço das tropas e mantinham informados os habitantes de Jerusalém, mas isso não teria nenhuma utilidade. Nada poderia deter a matança ou aliviar o sofrimento. Dã e Betel, em Efraim, eram os dois lugares onde Jeroboão estabeleceu os bezerros idólatras (ver 1Rs 12.28), havendo antigas e novas contas que tinham de ser acertadas por Yahweh com seu povo desviado.

■ 4.16

הַזְכִּירוּ לַגּוֹיִם הִנֵּה הַשְׁמִיעוּ עַל־יְרוּשָׁלִַם נֹצְרִים בָּאִים מֵאֶרֶץ הַמֶּרְחָק וַיִּתְּנוּ עַל־עָרֵי יְהוּדָה קוֹלָם:

Proclamai isto, às nações, fazei-o ouvir contra Jerusalém. As nações deveriam ser avisadas. Era a Babilônia contra o mundo. Judá foi apenas uma das vítimas. Jerusalém seria um alvo especial da brutalidade babilônica. Os atacantes eram assassinos e saqueadores e estavam aniquilando as cidades de Judá, uma por uma. Eles gritavam enquanto matavam e se regozijavam no meio do sangue. Chegariam a Jerusalém ansiosos por transformar em nada a Cidade Dourada. Os exércitos antigos viviam do saque que praticavam. Esse era o seu "salário". E a sua diversão consistia em matar e violentar mulheres. Os babilônios estavam obtendo altos salários e divertindo-se à vontade. Tudo consistia no jogo doentio da guerra, um dos mais monstruosos de todos os pecados que os homens já inventaram. Diz o Targum: "... o exército de homens rapaces, como se fossem colhedores de uvas vindos de um país distante". Seja como for, tudo aquilo era um *golpe de Deus* contra a idolatria-adultério dos judeus e os intermináveis crimes que tinham corrompido todo um povo. Era o fogo de Deus que purificaria a Terra Prometida, preparando o caminho para um novo começo.

Alguns estudiosos veem, neste versículo, um chamado às nações para observar o que Yahweh estava fazendo contra seu próprio povo (assim pensa a *King James Version).* Mas a *Revised Standard Version* dá a entender que a coisa inteira é apenas uma "advertência" a todas as nações, incluindo Israel.

■ 4.17

כְּשֹׁמְרֵי שָׂדַי הָיוּ עָלֶיהָ מִסָּבִיב כִּי־אֹתִי מָרָתָה נְאֻם־יְהוָה:

Como os guardas de um campo, eles cercam Jerusalém. As tropas babilônicas circundaram Jerusalém como quem guarda um campo, e Yahweh lhes entregou a cidade, porquanto Judá se tinha voltado contra ele. Em outras palavras, a retribuição divina operava, em consonância com a lei da colheita segundo a semeadura, que é reiterada no versículo seguinte. A imagem do campo pode envolver estes pontos: 1. A tribo nômade que se acamparia no campo aberto e tomaria possessão de certo território. 2. Ou talvez estejam em pauta homens vigiando seus rebanhos em um campo do qual se apossaram (ver Lc 2.8). 3. Ou podem estar em foco agricultores que tivessem ocupado certo território, tornando-se seus proprietários. Os homens costumam cuidar bem de seus campos plantados. Seja como for, os invasores tinham tomado conta de Jerusalém e da área circundante como se fossem deles, para fazer o que bem entendessem.

■ 4.18

דַּרְכֵּךְ וּמַעֲלָלַיִךְ עָשׂוֹ אֵלֶּה לָךְ זֹאת רָעָתֵךְ כִּי מָר כִּי נָגַע עַד־לִבֵּךְ: ס

O teu proceder e as tuas obras fizeram vir sobre ti estas cousas. Judá sofreu dura condenação por causa de sua idolatria-adultério-apostasia. O amargor do que lhes havia acontecido chegou à alma (ao coração) deles, e para isso não houve remédio. Não obstante, os judeus mereciam o que receberam; eles perderam tanto a sua terra como a si mesmos, em harmonia com a *Lei Moral da Colheita segundo a Semeadura* (ver a respeito no *Dicionário).*

Agravou-se de tal modo a loucura de Judá, em sua autodestruição, que essa nação não podia escapar, porquanto seus atos de apostasia lhe haviam roubado a vontade de fazer qualquer coisa boa. Eles não passavam de insensatos, afligidos por causa de suas transgressões. Cf. este versículo com Jr 2.17,19 e Sl 107.17.

Atinge até o próprio coração. "... chegou ao meio deles, destruindo-os totalmente... terrível aflição, completa destruição" (John Gill, *in loc.*).

Os Sofrimentos do Profeta (4.19-22)

■ 4.19

מֵעַי מֵעַי אֹחוּלָה קִירוֹת לִבִּי הֹמֶה־לִּי לִבִּי לֹא אַחֲרִישׁ כִּי קוֹל שׁוֹפָר שָׁמַעְתִּי נַפְשִׁי תְּרוּעַת מִלְחָמָה:

Ah! Meu coração! Meu coração! Eu me contorço em dores. "Aqui o profeta parece personificar a Terra Prometida, tal como o fará de novo em Jr 10.19,20, embora se tenha identificado de tal maneira com o povo que não faz nenhuma distinção clara entre os seus próprios sentimentos e os de seu povo.

Entranhas Minhas. "Os hebreus consideravam as entranhas, como os intestinos, a sede das emoções" (James Philip Hyatt, *in loc.*). Assim, uma agitação externa significava que havia turbulência dentro do corpo. Além disso, devemos considerar as *batidas fortes do coração* (*Revised Standard Version*). A tradução inglesa da NCV fala sobre a *dor que traspassa o coração* (vs. 18). E diz o vs. 19:

> Oh, quanto me dói! Quanto me dói!
> Oh, a tortura do meu coração!
> Meu coração pulsa forte dentro em mim.
> Não posso manter-me quieto. Isso é porque
> Ouvi o som da trombeta.
> Ouvi os gritos de guerra.

Cf. este versículo com Jó 30.27 e Is 16.11. Ver o vs. 29 deste capítulo. "A destruição é aqui descrita como muito próxima, certíssima e muito aflitiva" (John Gill, *in loc.*).

■ **4.20**

שֶׁבֶר עַל־שֶׁבֶר נִקְרָא כִּי שֻׁדְּדָה כָּל־הָאָרֶץ פִּתְאֹם שֻׁדְּדוּ אֹהָלַי רֶגַע יְרִיעֹתָי׃

Golpe sobre golpe se anuncia, pois a terra toda já está destruída. O golpe súbito e devastador do exército destruidor arrancou o grito de pânico e angústia. Desastre seguiu-se após desastre, aniquilando tudo em sua vereda. Em pouco tempo, jazia em ruínas toda a Terra Prometida. Todos os lares, tendas, casas, edifícios e as demais construções jaziam arruinados. Os poucos sobreviventes não tinham onde se esconder, nenhum lugar onde repousar a cabeça. Tudo aconteceu em "um momento". Até as tendas dos pastores nos campos não escaparam. O país foi reduzido a uma *terra desolada*. Cf. Jr 10.19-21:

> Ruína após ruína tudo aconteceu —
> A terra inteira ficou desolada!
> Em um momento minhas tendas foram arruinadas.
> Em um instante minhas cortinas foram rasgadas.
> Tradução de Skinner

Colapso total e ruína completa eram as palavras do dia, ao que podemos acrescentar o mais total desespero. Cf. Jr 42.7 e Ez 7.26. As aflições cobriram a Terra Prometida como se fossem ondas. Quando uma das ondas passava, logo vinha uma segunda. Qualquer coisa que ficasse imune a uma das ondas, era em seguida obliterada pela seguinte.

■ **4.21**

עַד־מָתַי אֶרְאֶה־נֵּס אֶשְׁמְעָה קוֹל שׁוֹפָר׃ ס

Até quando terei de ver a bandeira, terei de ouvir a voz da trombeta? As bandeiras e os pendões do adversário tremulavam com arrogância, os sonidos de suas trombetas de guerra troavam, pedindo que a matança não cessasse. O profeta Jeremias desistiu de ver um fim nas bandeiras de guerra ou de ouvir os gritos de zombaria das trombetas sobre o povo derrotado. Judá, em perplexidade, perguntou quanto tempo mais perduraria todo aquele terror. A calamidade continuaria até Judá ser aniquilado quase até o último homem, e até que suas cidades fossem completamente arruinadas. Daquelas cinzas (terminado o cativeiro babilônico) levantar-se-ia uma nova nação, tão humilde, tão reduzida a quase nada, mas, pelo menos, um novo começo. Usualmente, o refinador retira da prata um pouco de escória. Neste caso, entretanto, um pouquinho de prata foi extraída da escória geral, mediante o fogo do *Refinador* divino.

■ **4.22**

כִּי אֱוִיל עַמִּי אוֹתִי לֹא יָדָעוּ בָּנִים סְכָלִים הֵמָּה וְלֹא נְבוֹנִים הֵמָּה חֲכָמִים הֵמָּה לְהָרַע וּלְהֵיטִיב לֹא יָדָעוּ׃

Deveras o meu povo está louco, já não me conhece. Judá tinha-se tornado um povo totalmente *estúpido*; um povo que esquecera o seu Deus, em sua ridícula idolatria-adultério-apostasia; eles eram vis e tolos; se tinham desfeito de qualquer sabedoria e compreensão. Todavia, haviam retido uma habilidade proeminente: a capacidade de praticar o mal. Tal habilidade, contudo, não se prestava para o bem. O profeta falou com palavras amargas, sarcásticas, cortantes, ao descrever a total depravação de Judá em caráter e feitos.

"Em uma irônica reversão de Pv 1.2,3, é dito que o povo de Israel era *sábio* (no hebraico, *hakamim,* sábio) na prática do mal, mas ignorante em saber como praticar o bem" (Charles H. Dyer, *in loc.*). Eles reverteram a regra espiritual de Rm 16.19, tornando-se sábios na prática do mal, mas símplices (tolos) no tocante a praticar o bem. Cf. Rm 3.9-12. Ver no *Dicionário* o artigo chamado *Sabedoria* quanto às suas muitas aplicações. O Ser divino era a fonte de tudo, pois, quando os homens abandonam a Deus, eles terminam fazendo o jogo do diabo. Judá tinha revertido os sinais espirituais.

Visão de uma Destruição Cósmica (4.23-26)

■ **4.23**

רָאִיתִי אֶת־הָאָרֶץ וְהִנֵּה־תֹהוּ וָבֹהוּ וְאֶל־הַשָּׁמַיִם וְאֵין אוֹרָם׃

Olhei para a terra, e ei-la sem forma e vazia. Os vss. 23-26 foram compostos em uma métrica diferente dos versículos escritos antes e depois, e isso assinala uma composição e um oráculo separado. Talvez os drásticos acontecimentos do cativeiro babilônico tenham inspirado as descrições cósmicas aqui. A terra é retratada como voltando à sua condição primeva. As palavras "sem forma e vazia" são as mesmas usadas em Gn 1.2: o *tohu* e o *wabhohu* retornariam, esperando por um novo ato de criação. Temos aqui a descrição de um tremendo cataclismo cósmico, quando a criação será desfeita. Talvez o profeta Jeremias tenha usado o *símbolo* da destruição cósmica para enfatizar o total aniquilamento de Judá, às mãos dos babilônios, a fim de que, no futuro, um novo ato de criação trouxesse à existência o novo Israel. Essa visão figurada parece preferível à suposição de que temos diante de nós uma profecia escatológica da ordem de 2Pe 3.10. Judá será atingido por uma bomba nuclear, sofrendo os aterrorizantes resultados do irrevogável julgamento de Deus (cf. Jr 7.16 e 15.1-4). Outros eruditos, porém, fazem este oráculo aplicar-se aos atos destruidores de Deus que serão necessários para a inauguração de uma nova era do reino. Mas prefiro ficar com a ideia de Ellicott: "A boa terra de Israel foi lançada de volta, por assim dizer, em um caos sem forma, antes que as palavras 'haja luz' comecem a pôr as coisas novamente em boa ordem".

■ **4.24**

רָאִיתִי הֶהָרִים וְהִנֵּה רֹעֲשִׁים וְכָל־הַגְּבָעוֹת הִתְקַלְקָלוּ׃

Olhei para os montes, e eis que tremiam. Os *montes* representam força, estabilidade e eternidade; eles estremeceram e foram movidos de seus lugares. Em Judá coisa alguma resistiria diante do terror da Babilônia, que faria a terra inteira estremecer. Quando Deus pôs as coisas em ordem, ele separou os montes das águas (ver Gn 1.9,10). Os montes, pois, são aqui separados das águas, mas se recusam a parar os seus abalos. Cf. Is 5.25, onde encontramos um quadro idêntico. Alguns intérpretes veem os montes aqui como se fossem os líderes do povo, reduzidos a nada, perdendo o poder de governar ou de desviar o curso da destruição. Ver Jr 4.9 quanto a essa ideia. Cf. o presente versículo com Sl 68.8; 114.6,7 e Hc 3.6,10.

■ **4.25**

רָאִיתִי וְהִנֵּה אֵין הָאָדָם וְכָל־עוֹף הַשָּׁמַיִם נָדָדוּ׃

Olhei, e eis que não havia homem nenhum. As ondas de destruição tinham passado; o *caos primevo* havia retornado pelo poder anticriativo de Deus. Não mais havia criaturas vivas nem homens; nem mesmo havia pássaros voando no espaço. A terra retornara aos dias anteriores à criação e fora deixada no caos. Esse é o quadro do que aconteceria a Judá. Todavia, alguns eruditos preferem pensar que temos aqui uma descrição do que sucederá à terra antes que a era do Reino seja estabelecida. Parece melhor tomar esta passagem como uma imagem poética exaltada sobre o desastre total representado pelo ataque dos babilônios. Cf. o versículo a Ez 38.20 e Sf 1.3. "A terra ficou tão desolada que até as aves do céu não podiam encontrar alimento para seu sustento e, assim, tiveram de fugir para outra região" (Adam Clarke, *in loc.*).

■ **4.26**

רָאִ֕יתִי וְהִנֵּ֥ה הַכַּרְמֶ֖ל הַמִּדְבָּ֑ר וְכָל־עָרָ֗יו נִתְּצוּ֙ מִפְּנֵ֣י יְהוָ֔ה מִפְּנֵ֖י חֲר֥וֹן אַפּֽוֹ: ס

Olhei ainda, e eis que a terra fértil era um deserto. A criação original produziu terras férteis que o homem logo transformou em um paraíso (jardim). Mas o ato anticristão de Deus logo mudou tudo em deserto. Ruínas de cidades podiam ser encontradas, mas não pessoas. Foi a *feroz ira* de Deus que reverteu a criação do caos primevo. Judá se tornou uma terra deserta. O profeta olhou para as colinas aprazíveis de Judá, antes tão frutíferas e produtivas, mas só podia ver um deserto árabe que se tinha movido para o norte.

Desolação da Terra (4.27-29)

■ **4.27**

כִּי־כֹה֙ אָמַ֣ר יְהוָ֔ה שְׁמָמָ֥ה תִהְיֶ֖ה כָּל־הָאָ֑רֶץ וְכָלָ֖ה לֹ֥א אֶעֱשֶֽׂה:

Pois assim diz o Senhor: Toda a terra será assolada. O contexto à nossa frente é de *ruína total*, mas temos a promessa (ou a glosa) de que "não a consumirei de todo". Poderíamos ter nessas palavras uma glosa mitigadora para permitir que uma réstia de luz continuasse a brilhar no meio de trevas que, de outra forma, seriam totais. Ou, então, essas palavras são genuínas e representam uma leve promessa, a despeito do fato de que a seção inteira diz o contrário. Mas se é uma glosa, então é influenciada pelas declarações de Jr 5.10,18; 30.11. O deserto referido no vs. 26 aparece agora como uma *assolação*, que diz mais ou menos a mesma coisa. "O *caráter* e o *pacto* imutáveis de Deus são a base da misericórdia que deverá ser demonstrada, finalmente, para com Israel" (Fausset, *in loc.*).

> Oh, salva-me deste dia,
> Este terrível Agora
> Que é um imenso pilar de poeira
> Que suga a ruína do mundo
> Em sua coluna.
>
> Stephen Spender

■ **4.28**

עַל־זֹאת֙ תֶּאֱבַ֣ל הָאָ֔רֶץ וְקָדְר֥וּ הַשָּׁמַ֖יִם מִמָּ֑עַל עַ֣ל כִּי־דִבַּ֤רְתִּי זַמֹּ֙תִי֙ וְלֹ֣א נִחַ֔מְתִּי וְלֹא־אָשׁ֖וּב מִמֶּֽנָּה:

Por isso a terra pranteará e os céus acima se enegrecerão. O destruidor golpe divino, anticriação, fará o mundo inteiro lamentar-se, enquanto os céus escurecerão. A tristeza será universal; a dor será a vida da época. Yahweh assim *decretou*, e sua palavra não poderá ser frustrada. Nem sua vontade o fará agir de outro modo. A idolatria-adultério-apostasia de Judá tinha atraído um raio divino, e uma terra requeimada foi o resultado. "Tal como acontece com todos os poetas, a face da natureza parece simpatizar com o sofrimento humano (nas palavras de Jeremias). Cf. Am 8.9 e Mt 24.29" (Ellicott, *in loc.*). Cf. este versículo com Is 5.30 e Os 4.3. Quanto ao fato de que Deus "não se arrepende", ver Nm 23.19. As figuras da terra chorando e do céu escurecendo denotam o horroroso caos em que a natureza será lançada pelo pecado agravado, seguido por um julgamento divino agravado.

■ **4.29**

מִקּ֨וֹל פָּרָ֜שׁ וְרֹ֣מֵה קֶ֗שֶׁת בֹּרַ֙חַת֙ כָּל־הָעִ֔יר בָּ֚אוּ בֶּעָבִ֔ים וּבַכֵּפִ֖ים עָל֑וּ כָּל־הָעִ֣יר עֲזוּבָ֔ה וְאֵין־יוֹשֵׁ֥ב בָּהֵ֖ן אִֽישׁ:

Ao clamor dos cavaleiros e dos flecheiros fogem todas as cidades. Em vez de ficar nas cidades e ser morta, parte da população das cidades fugirá para os desertos, para os montes e para os bosques, onde se esconderá. A maioria será descoberta e morta; alguns morrerão de fome; alguns poucos sobreviverão e fugirão para outros lugares. Os sobreviventes que forem apanhados (a maior parte dos que fugirem) serão então deportados para a Babilônia, e o pequeno remanescente que sobreviver será escravizado e sofrerá toda a espécie de brutalidades. Ver no *Dicionário* o artigo chamado *Cativeiro Babilônico*. Ver o vs. 9 quanto ao caos total em que a liderança de Judá cairá. Alguns estudiosos pensam estar em vista aqui a destruição de Jerusalém em 70 d.C., mas isso é anacronismo.

O Assassinato da prostituta (4.30,31)

■ **4.30**

וְאַתְּ שָׁד֜וּד מַֽה־תַּעֲשִׂ֗י כִּֽי־תִלְבְּשִׁ֨י שָׁנִ֜י כִּי־תַעְדִּ֣י עֲדִי־זָהָ֗ב כִּֽי־תִקְרְעִ֤י בַפּוּךְ֙ עֵינַ֔יִךְ לַשָּׁ֖וְא תִּתְיַפִּ֑י מָאֲסוּ־בָ֥ךְ עֹגְבִ֖ים נַפְשֵׁ֥ךְ יְבַקֵּֽשׁוּ:

Agora, pois, ó assolada, por que fazes assim e te vestes de escarlate...? Judá (tal como Roma, em Ap 18) é retratado como uma prostituta vestida de escarlate e enfeitada com seus ornamentos, assentada em suas "sete colinas", como se fossem o seu trono. Você poderá contemplá-la ali, tão elevada e pretensiosa, com o rosto pintado e totalmente enfeitada! Na realidade, porém, ela é mulher desolada, a meretriz que em breve os invasores assassinarão. Está em vista a idolatria-adultério-apostasia em que a mulher caiu, juntamente com seus muitos consortes (ver as descrições nas notas expositivas de Jr 3.13). Entre seus amantes estavam os deuses da Babilônia! Mas isso não a salvaria na hora crítica. Jerusalém é aqui endereçada como se fosse uma meretriz que se tivesse enfeitado para impressionar os amantes, mas que encontrou a morte às mãos deles. Trata-se de uma figura ousada, empregada em outros lugares pelos profetas (cf. Jr 13.20-27; Is 1.21-23). Ela *alargara os olhos* com pinturas, o que fala do uso de um pó mineral negro, até hoje usado pelas mulheres árabes (cf. 2Rs 9.30; Ez 23.40).

O termo aqui traduzido por "amantes" não é a palavra hebraica comum, mas o vocábulo *'oghebhim*. A raiz desse verbo significa "concupiscência", e o termo ocorre somente aqui e em Ez 23.5,7,9,12,16,20, onde Samaria e Jerusalém são personificadas como prostitutas. Os *amantes* são as nações estrangeiras e suas idolatrias. Cf. Jr 13.21. A referência é aos caldeus. O pensamento dos vss. 30,31 é muito próximo ao de Jr 13.20-27" (James Philip Hyatt, *in loc.*). Provavelmente a ideia é que a prostituta tentaria dissuadir os babilônios de seu ataque (cf. Ez 16.26-29; 23.40,41), mas a manha não tenha funcionado. O projeto de assassinato estava no coração dos babilônios, e foi precisamente isso o que eles fizeram.

■ **4.31**

כִּ֣י ק֤וֹל כְּחוֹלָה֙ שָׁמַ֔עְתִּי צָרָ֖ה כְּמַבְכִּירָ֑ה ק֣וֹל בַּת־צִיּ֗וֹן תִּתְיַפֵּ֙חַ֙ תְּפָרֵ֣שׂ כַּפֶּ֔יהָ אֽוֹי־נָ֣א לִ֔י כִּֽי־עָיְפָ֥ה נַפְשִׁ֖י לְהֹרְגִֽים: פ

Pois ouço uma voz, como de parturiente. "Como uma prostituta rejeitada (ver Jr 3.2,3); como uma mulher na angústia das dores de parto; como uma vítima impotente diante de seus assassinos, Jerusalém, a filha de Sião, estende as mãos em um fútil apelo e sofre sozinha a sua morte" (*Oxford Annotated Bible*, comentando sobre o vs. 30).

"O profeta traçou o quadro com terrível intensidade. De um lado estava Sião, como a meretriz, enfeitada com seu ouro, seu carmesim e seus cosméticos; do outro lado vemos a desconsolada e desesperada prostituta, na hora em que uma mulher mais se vê impotente, ultrajada e abandonada, estendendo os braços e implorando misericórdia da parte dos assassinos que a atacavam, mas implorando em vão" (Ellicott, *in loc.*). A figura da "mulher em trabalho de parto" aparece em Is 13.8; 21.3; 26.17; Jr 6.24; 13.21; 22.23; 50.43; Mq 4.9-10. O absurdo: a filha de Sião, reduzida à posição de prostituta, corria o risco de ser assassinada por seus amantes pagãos, e implorava misericórdia da parte de homens brutais que tinham prazer em matar.

CAPÍTULO CINCO

A EXCESSIVA PECAMINOSIDADE DE ISRAEL (5.1-31)

A idólatra-adúltera-apóstata Jerusalém era incapaz de arrepender-se, o que também tornava impossível o perdão por parte de Deus. O expurgo do julgamento era o único remédio disponível para aquela horrenda situação. Os vss. 1-14 retratam os fúteis esforços de Jeremias por encontrar ao menos um homem justo na cidade. Os vss. 15-17 levam-nos de volta ao inimigo que vinha do norte (ver Jr 4.5,6). Os vss. 18,19 são uma adição deuteronômica para explicar o exílio na Babilônia. O restante dos versículos dá descrições da total depravação de Judá. Nenhum grupo de pessoas, dentre a população de Jerusalém, escapava à corrupção generalizada.

Jeremias Busca em Vão por um Homem Bom em Jerusalém (5.1-14)

Pensemos em *Diógenes, o Cínico,* que percorria as ruas de Atenas, lanterna na mão, procurando alguém honesto. O homem que ele procurava deveria ser prudente e sábio, moderado em sua conduta, que não caísse em excessos. O homem procurado por Jeremias seria obediente à lei de Moisés, o *guia* da vida (ver Dt 6.4 ss.). Seria um homem de fé procedente do coração (Pv 4.23), limpo da idolatria-adultério-apostasia de Judá. Se Diógenes encontrasse um homem honesto, sua tese da total corrupção dos homens seria reprovada. Se Jeremias encontrasse um homem obediente, Yahweh até poderia perdoar Judá, dando-lhe segunda oportunidade para evitar o temível julgamento do cativeiro babilônico. Mas nem Diógenes nem Jeremias encontraram tal homem. Paulo tinha certeza quanto a essas coisas (ver Rm 3.10 ss. Cf. Sf 1.12).

■ 5.1

שׁוֹטְטוּ בְּחוּצוֹת יְרוּשָׁלַם וּרְאוּ־נָא וּדְעוּ וּבַקְשׁוּ בִרְחוֹבוֹתֶיהָ אִם־תִּמְצְאוּ אִישׁ אִם־יֵשׁ עֹשֶׂה מִשְׁפָּט מְבַקֵּשׁ אֱמוּנָה וְאֶסְלַח לָהּ:

Dai voltas às ruas de Jerusalém; vede agora, procurai saber, buscai pelas suas praças. As reformas de Josias foram em parte superficiais, e, após os seus dias, as coisas muito se desintegraram em Judá (cf. 2Rs 22 e 23; 2Cr 34; 35 e 36.32). Cf. este versículo com Gn 18.25,32, que também exibe uma busca inútil de alguns homens bons, que procuravam dar a Yahweh alguma razão para cancelar o julgamento que ele tinha decretado. O homem obediente de Jeremias seria um líder que cuidasse da justiça social, certificando-se de que ela estava sendo cumprida. Então os poderosos deixariam de perseguir os fracos; os tribunais deixariam de ser corruptos; peitas não mais seriam empregadas para promover crimes, proteger os corruptos e influenciar testemunhas e juízes. Um homem bom, fosse ele de alta ou de baixa estirpe, buscaria a *verdade* de Yahweh na lei mosaica, aplicando-a, então, a si mesmo e a outros. Seria um homem que tanto repeliria como se oporia ativamente à idolatria e à apostasia na qual Judá tinha caído. Tal homem não poderia ser encontrado nos lugares altos nem nos bosques, fazendo o que está descrito em Jr 13.13. Mas Jerusalém havia-se transformado em uma Sodoma, e o resultado dessa busca seria o mesmo que houve na antiga cidade (ver Gn 18.23-33). Homens bons tinham deixado de existir. As chamas do julgamento tinham de sobrevir a Judá. A pequena quantidade de prata deixada no meio da escória generalizada tinha de ser refinada, a fim de que uma minúscula nova nação de Israel pudesse recomeçar.

Quanto à história de *Diógenes*, ver Laert. *Vit. Philosoph.* 1.6, parte 350. O pai de Kimchi supunha que os poucos homens bons deixados em Jerusalém estivessem escondidos, pelo que, nas praças e nas ruas, nenhum deles poderia ser achado. Jeremias, entretanto, não estava procurando por homens bons escondidos. Ele quis dizer tão somente que Jerusalém se tornara uma capital pagã, tão corrompida como qualquer nação pagã, e igualmente merecedora do julgamento divino.

■ 5.2

וְאִם חַי־יְהֹוָה יֹאמֵרוּ לָכֵן לַשֶּׁקֶר יִשָּׁבֵעוּ:

Embora digam: Tão certo como vive o Senhor; certamente juram falso. *Os apóstatas* continuavam a proferir juramentos em nome de Yahweh, mas faziam isso somente por convenção religiosa, e não como corações que alcançavam o Ser divino. Ver sobre *Votos* no *Dicionário*. Em outras palavras, além de serem apóstatas, eram também hipócritas que proferiam belas palavras, mas não praticavam a retidão.

Sem dúvida, os juramentos feitos também incluíam os perjúrios. Eles falavam mentiras e davam falso testemunho o tempo todo, dizendo: "Assim como Yahweh vive, isto é verdade". O vs. 7 mostra que eles também juravam por outros deuses. Portanto, um *sincretismo* pecaminoso fazia parte da cena religiosa. Ver no *Dicionário* o verbete intitulado *Falso Testemunho*.

■ 5.3

יְהֹוָה עֵינֶיךָ הֲלוֹא לֶאֱמוּנָה הִכִּיתָה אֹתָם וְלֹא־חָלוּ כִּלִּיתָם מֵאֲנוּ קַחַת מוּסָר חִזְּקוּ פְנֵיהֶם מִסֶּלַע מֵאֲנוּ לָשׁוּב:

Ah! Senhor, não é para a fidelidade que atentam os teus olhos? Yahweh, que procura a verdade no íntimo, tinha julgado preliminarmente Israel, mas isso não produziu bem algum, porque o povo apostatado tinha a face dura como pederneira. Eles estavam fora do alcance do arrependimento. Chamamentos que os convidavam a "retornar" ao culto a Yahweh, e a uma fé sentida no coração (Pv 4.23), eram regularmente repelidos, ao mesmo tempo que os judeus se complicavam cada vez mais. Eles exercitavam uma "recusa teimosa em arrepender-se" (Charles H. Dyer, *in loc.*), mesmo em meio a sofrimentos e a retrocessos. Não havia tristeza segundo a piedade (ver 2Co 7.10), mas somente contínua recusa de corrigir qualquer situação (Jr 7.28; Sf 3.2). A cegueira judicial já lhes tinha sido imposta por Deus. Recusando-se a fazer o que deviam, tornaram-se incapazes de obedecer. Perderam a capacidade de tomar resoluções morais positivas.

■ 5.4

וַאֲנִי אָמַרְתִּי אַךְ־דַּלִּים הֵם נוֹאֲלוּ כִּי לֹא יָדְעוּ דֶּרֶךְ יְהֹוָה מִשְׁפַּט אֱלֹהֵיהֶם:

Mas eu pensei: São apenas os pobres que são insensatos. Eles se tornaram *pobres* quanto à espiritualidade, *impotentes* quanto à verdade e à bondade, embora permanecessem fortes quanto ao mal. Eram especialistas nos caminhos do pecado e da destruição, mas não tinham educação divina que pudesse elevá-los acima do paganismo.

> *Deveras o meu povo está louco, já não me conhece; são filhos néscios, e não entendidos; são sábios para o mal, mas não sabem fazer o bem.*
>
> Jeremias 4.22

Comparando os vss. 4,5, vemos que o profeta salientou, no vs. 4, o povo comum, onde poderíamos esperar encontrar ignorância e debilidade espiritual. Cf. Jo 7.48,49. Os governantes eram ainda piores, porque combinavam espiritualidade vazia com rebeldia. Jeremias não pôde encontrar seu *homem bom* entre o povo comum (ver o vs. 1).

■ 5.5

אֵלֲכָה־לִּי אֶל־הַגְּדֹלִים וַאֲדַבְּרָה אוֹתָם כִּי הֵמָּה יָדְעוּ דֶּרֶךְ יְהֹוָה מִשְׁפַּט אֱלֹהֵיהֶם אַךְ הֵמָּה יַחְדָּו שָׁבְרוּ עֹל נִתְּקוּ מוֹסֵרוֹת:

Irei aos grandes, e falarei com eles; porque eles sabem o caminho do Senhor. *Desapontado* diante da natureza de baixa espiritualidade das classes populares, Jeremias passou a buscar seu homem bom entre os líderes da nação. Procurou pelos homens chamados *grandes*, e, de fato, alguns deles eram ricos e poderosos. Embora fossem intelectualmente instruídos na lei, a lei não lhes havia afetado o coração, que estava tão duro quanto a face deles (vs. 3). Os que conheciam a lei há muito tinham partido o jugo da lei, quebrando os laços que deveriam ter restringido e guiado sua conduta, pois a lei é o *guia* (Dt 6.4 ss.). Assim sendo, se Jeremias encontrou os que eram "instruídos" na lei de Moisés, não achou um único homem verdadeiramente guiado por ela. Pelo contrário, achou a comum idolatria-adultério-apostasia que caracterizava toda a nação de Judá antes do cativeiro babilônico.

Os príncipes e sacerdotes ainda eram piores que os agricultores e comerciantes. Mas a busca encetada por Jeremias não chegou a um único homem realmente bom. Jr 2.8 dá um ponto de vista pessimista da qualidade da liderança de Judá. "Os grandes, tanto quanto os pobres, e os eruditos, tanto quanto os ignorantes, eram totalmente maus, e os primeiros em cada uma dessas classes ainda eram mais desafiadores contra todas as limitações convencionais" (Ellicott, *in loc.*).

■ 5.6

עַל־כֵּן הִכָּם אַרְיֵה מִיַּעַר זְאֵב עֲרָבוֹת יְשָׁדְדֵם נָמֵר
שֹׁקֵד עַל־עָרֵיהֶם כָּל־הַיּוֹצֵא מֵהֵנָּה יִטָּרֵף כִּי רַבּוּ
פִּשְׁעֵיהֶם עָצְמוּ מְשֻׁבוֹתֵיהֶם:

Por isso um leão do bosque os matará, um lobo dos desertos os assolará, um leopardo estará à espreita... Esses *três animais,* todos matadores de homens — o *leão* (das florestas), o *lobo* (dos desertos) e o *leopardo* (dos campos) —, seriam enviados contra aqueles apóstatas. Muitos animais selvagens percorriam a Terra Prometida, e a morte pelo ataque de qualquer desses animais era um perigo constante, o que mostra a inspiração da figura simbólica. Provavelmente, há uma alusão ao ataque do inimigo vindo do *norte* (ver Jr 4.5,6), em que o leão simboliza a Babilônia (ver Dn 7.4). A pluralidade dos animais selvagens, cada qual oculto em seu *hábitat* específico, talvez fale de uma série de julgamentos, ou isso poderia resumir os detalhes de um único julgamento. Cada animal tinha seu próprio tipo de ferocidade e maneira de atacar. Todos eram eficazes matadores de homens. Temos aqui as qualidades de ferocidade, voracidade e espertza, mas provavelmente não são três opressores específicos que estão em mira. Quanto ao leopardo que vigia as cidades e espera o momento apropriado de atacar, cf. Os 13.7. Os olhos dele observavam com intento hostil e assassino. Kimchi fez a figura tornar-se demasiado exata ao interpretar o leão como o *rei* hostil; o *lobo* como seu exército; e o *leopardo* como os oficiais do mesmo exército. E então Jarchi cometeu o mesmo erro, fazendo o leão ser a *Babilônia;* o lobo, a *Média-Pérsia;* e o leopardo, a *Grécia,* seguindo as orientações de Daniel e suas quatro bestas-feras (capítulo 7). Não é provável, entretanto, que esta profecia de Jeremias vá além da Babilônia. Cf. o versículo com Jr 2.15; 4.7 e Hc 1.8.

■ 5.7

אֵי לָזֹאת אֶסְלַח־לָךְ בָּנַיִךְ עֲזָבוּנִי וַיִּשָּׁבְעוּ בְּלֹא
אֱלֹהִים וָאַשְׂבִּעַ אוֹתָם וַיִּנְאָפוּ וּבֵית זוֹנָה יִתְגֹּדָדוּ:

Como, vendo isto, te perdoaria: teus filhos me deixam a mim e juram pelos que não são deuses. Encontramos aqui uma lista simples dos tipos de corrupção nos quais Judá se envolveu. A persistência na variedade de pecados tirou deles a possibilidade do *perdão* (ver a respeito no *Dicionário*). Considere o leitor estes pontos:
1. De modo geral, o povo, ou seja, todos os filhos de Israel (Judá), havia esquecido Yahweh e seu culto, e sua lei nada mais significava para eles.
2. Eles se desviaram em uma desafiadora apostasia, jurando e fazendo promessas em nome de outros deuses, embora continuassem a dizer: "Yahweh vive, e eu juro por ele" (vs. 2). Assim sendo, eles tinham um paganismo sincretista e um paganismo puro, ambos abomináveis.
3. Embora Yahweh os tivesse feito prosperar (havia muito que comer), eles voltaram as costas para o seu Benfeitor, desenvolvendo seus sistemas de idolatria-adultério-apostasia. Quanto a uma vívida descrição a respeito, ver as notas expositivas sobre Jr 3.13.
4. Eles se tornaram membros dos cultos de fertilidade dos cananeus, com seus adultérios literais e espirituais. Voltamos assim à figura da esposa infiel, que aparece em Jr 3.1,2,13,14, onde forneço detalhes e outras referências bíblicas relacionadas.

Em casa de meretrizes. Acompanhe o leitor os seguintes pontos:
1. Talvez tenhamos aqui referência a casas de idolatria, públicas e particulares, onde eram praticados ritos de fertilidade.
2. Mas alguns eruditos veem aqui casos de simples adultério, em que mulheres usavam suas casas para receber seus amantes, sem importar se o culto de algum deus estava ou não envolvido.
3. Talvez estejam em pauta bordéis.
4. Ou a referência pode ser geral o bastante para incluir toda a variedade de adultério que estava sendo praticada. As descrições de Jeremias demonstram a total paganização da nação de Judá.

■ 5.8

סוּסִים מְיֻזָּנִים מַשְׁכִּים הָיוּ אִישׁ אֶל־אֵשֶׁת רֵעֵהוּ
יִצְהָלוּ:

Como garanhões bem fartos, correm de um lado para outro. Este versículo mostra-nos que o adultério, anotado no segundo ponto discutido no versículo anterior, era comum. Os que observarem um garanhão macho, quando ele se aproxima de uma égua no cio, compreenderão claramente a figura. O garanhão torna-se totalmente irracional e desavergonhado, e uma restrição violenta frequentemente se faz necessária para impedi-lo de achegar-se à égua, se esse for o desejo de seu proprietário. De outra forma, o cavalo não faz perguntas nem pede permissão, mas simplesmente procede com o ato procriador, completamente *louco;* e, pelo menos naquele momento, assim realmente está o garanhão. Os varões de Judá viviam assim, e as mulheres estavam permanentemente no *cio,* o que significa que não havia limites para os adultérios. Jeremias acrescentou o detalhe de que aqueles cavalos selvagens eram fortes e bem alimentados. Eram "fortes e capazes", conforme diz certa expressão idiomática. A *ansiedade* deles ao aproximar-se das fêmeas faz parte da figura, e isso descreve bem o que acontece entre os sexos. O Targum inclui no quadro os cavalos dos campos e dos bosques, que são ainda mais selvagens que os cavalos domésticos. O *relincho* era e continua sendo um sinal óbvio da *concupiscência* dos cavalos. Os varões de Judá tinham todos os sinais do desejo de satisfazer os impulsos sexuais a todo momento.

■ 5.9

הַעַל־אֵלֶּה לוֹא־אֶפְקֹד נְאֻם־יְהוָה וְאִם בְּגוֹי אֲשֶׁר־כָּזֶה
לֹא תִתְנַקֵּם נַפְשִׁי: ס

Deixaria eu de castigar estas cousas, diz o Senhor...? A variedade de pecados sumariados no vs. 7 inevitavelmente tinha de atrair a punição de acordo com a *Lei Moral da Colheita segundo a Semeadura* (ver no *Dicionário*). O povo estava fora do alcance do perdão, em um estado de cegueira judicial. Existem algumas coisas que Deus faz melhor através do julgamento, o qual é sempre remediador, e não meramente retributivo. Este versículo deixa claro que parte do julgamento divino consiste em vingança. As pessoas têm de pagar pelo mal que praticam. Mas o *pagamento,* em si mesmo, é o primeiro passo na direção do *benefício*. Um leão não ruge sobre um monte de palha, mas quando está próximo de sua presa, então ele rosna, como um sinal de sua ira, de sua natureza assassina e de seu desejo de ferir. Nada há de inocente no rugir do leão. Assim também a Babilônia em breve estaria rugindo sobre Jerusalém, pronta a cortá-la com os dentes, para feri-lo e matar seus habitantes; e isso seria a intervenção de Yahweh contra uma multidão de pecados. Cf. este versículo com as passagens de Jr 5.29; 9.9 e 44.22.

■ 5.10

עֲלוּ בְשָׁרוֹתֶיהָ וְשַׁחֵתוּ וְכָלָה אַל־תַּעֲשׂוּ הָסִירוּ
נְטִישׁוֹתֶיהָ כִּי לוֹא לַיהוָה הֵמָּה:

Subi vós aos terraços da vinha, destruí-a, porém não de todo. *Uma Figura do Julgamento Divino.* A destruição da vinha tornou-se uma figura de como os babilônios entrariam em Israel (Judá) para efetuar um aniquilamento quase completo. Os muros e as cercas de proteção se tornariam inúteis, e então os cavalos entrariam na vinha e tudo destruiriam, fileira após fileira, exterminando a plantação. Uma terra desolada seria deixada ali. Tal como em Jr 4.27, houve o mandamento para não destruir absolutamente tudo. Uma pequena parte teria de ser poupada para a futura restauração, terminado o exílio babilônico. Outro tanto se vê no vs. 18 deste capítulo, onde certa medida de misericórdia é mencionada. Alguns eruditos veem nesses limites glosas de mitigação, embora não haja maneira de provar a tese. É melhor supormos que a misericórdia tenha intervindo para salvar algo, com vistas a uma volta futura de Judá.

Quanto a Israel como uma vinha, cf. Jr 2.21 e Is 5. Algumas vezes a figura é *negativa*: a vinha é azeda e produz vinho azedo; por essa razão, precisa ser destruída. De outras vezes, a figura é *positiva*: Israel é o cultivo de Deus visando o bem. Cf. este versículo com Jr 52.7,14 e Am 3.9.

5.11

כִּי בָגוֹד בָּגְדוּ בִּי בֵּית יִשְׂרָאֵל וּבֵית יְהוּדָה נְאֻם־יְהוָה׃

Porque perfidamente se houveram contra mim. A *razão* para a destruição da vinha era a completa *infidelidade* de Judá, que, provavelmente, indica a figura da *esposa-prostituta* de Jr 3.1,2,13,14. A parada de pecados tinha de terminar em algum lugar, em algum tempo. A apostasia de Judá estava desgastando Yahweh. O toco das vinhas seria deixado no solo para que houvesse algum cultivo futuro, porquanto, no presente, a desolação substituiria a abundância, e a destruição tomaria o lugar da vinha brava, que não tinha mais uso para Deus (ver Jr 2.21). Cf. este versículo com Jr 3.20. A esposa sem préstimos e a vinha sem utilidade eram figuras apropriadas para o povo idólatra-adúltero-apóstata.

5.12

כִּחֲשׁוּ בַּיהוָה וַיֹּאמְרוּ לֹא־הוּא וְלֹא־תָבוֹא עָלֵינוּ רָעָה וְחֶרֶב וְרָעָב לוֹא נִרְאֶה׃

Negaram ao Senhor e disseram: Não é ele. Eles incorreram no erro de tornar Yahweh uma deidade *deísta*. Para os judeus, Deus nada faria, nem positivo nem de negativo, sobre a apostasia de seu povo, porquanto era *indiferente*. O *deísmo* ensina que a força criativa (pessoal ou impessoal) abandonou sua criação às leis naturais. O *teísmo*, em contraste, ensina que Deus intervém em sua criação, recompensando e punindo, aplicando assim sua providência negativa e positiva. Ver sobre ambos os termos no *Dicionário*, e ver também sobre *Providência de Deus*. Assim sendo, Judá tanto subestimou quanto julgou erroneamente a Yahweh. Eles falaram falsamente a respeito do Senhor, reduzindo-o a uma deidade deísta, um Deus que nada faz, nem está interessado nos negócios dos homens.

> *O Senhor não faz bem nem faz mal.*
> Sofonias 1.12

"Não há juiz; e, portanto, também não haverá julgamento. Eles negavam ao Senhor e eram ateus em seu coração" (Adam Clarke, *in loc.*). Mas a espada dos babilônios já estava pendurada, ameaçadoramente, sobre a cabeça deles, e a fome se seguiria a uma destruição generalizada. Eles diziam ter fé em todas as espécies de deuses, mas eram, na verdade, *ateus práticos*, porquanto agiam como se Deus não existisse. Ver Sl 14.1.

5.13

וְהַנְּבִיאִים יִהְיוּ לְרוּחַ וְהַדִּבֵּר אֵין בָּהֶם כֹּה יֵעָשֶׂה לָהֶם׃ ס

Até os profetas não passam de vento, porque a palavra não está com eles. Os falsos profetas eram "sacas de vento", conforme se diz em um idioma popular. Estavam cheios de ar quente, nada dizendo de verdade, falando mentiras sobre a segurança e sobre como os deuses de Judá tomariam conta dos judeus. "Eram como um vento vazio. A palavra de Deus não estava neles" (NCV). Mas nem isso deteve o julgamento divino. Uma conversa suave não era capaz de anular a dura realidade.

As suas ameaças se cumprirão contra eles mesmos. Considere o leitor estes pontos:

1. Provavelmente temos aqui uma referência à *espada* e à *fome* do vs. 12, ameaçada empregada por Yahweh.
2. Alguns veem uma profecia de mau agouro contra os inimigos de Judá. Tais profecias de condenação cairiam sobre Judá, e não sobre a Babilônia. A frase é vaga e deixa os intérpretes a conjecturar.
3. Ou então os falsos profetas fizeram ousadas predições contra as verdadeiras predições de Jeremias, e o que eles disseram realmente aconteceria, mas contra eles mesmos.
4. Ou o vs. 13 é uma zombaria contra Jeremias e os verdadeiros profetas. Eles foram chamados de "sacolas de vento", mas subitamente esse vento se transformaria em *fogo*. Por isso, Fausset chama o vs. 13 de "uma continuação da linguagem incrédula dos judeus". Jeremias, diziam eles, não era um profeta divinamente inspirado. Mas em breve essa tese seria comprovada como falsa, quando aconteceu aquilo que ele previu. Quanto ao jogo de palavras com o termo *ruah* (que pode significar "vento" ou "Espírito"), ver as notas sobre o vs. 14.

5.14

לָכֵן כֹּה־אָמַר יְהוָה אֱלֹהֵי צְבָאוֹת יַעַן דַּבֶּרְכֶם אֶת־הַדָּבָר הַזֶּה הִנְנִי נֹתֵן דְּבָרַי בְּפִיךָ לְאֵשׁ וְהָעָם הַזֶּה עֵצִים וַאֲכָלָתַם׃

Portanto assim diz o Senhor, o Deus dos Exércitos. Este versículo parece favorecer a última interpretação dada no versículo anterior. Note o leitor o jogo de palavras. As palavras dos profetas que predisseram o desastre para Judá foram chamadas "ruah" (vento), por parte do povo. A palavra "espírito" é outra tradução possível do mesmo termo. O povo de Judá costumava dizer: "Esses profetas de condenação nada são senão vento; não eram inspirados pelo Espírito". Mas o *vento* não tardaria a transformar-se em *fogo*, e esse fogo devoraria os pecadores que escarneciam da palavra de Deus. Cf. Jr 1.10, onde encontramos ideia similar.

"O *ruah*, o vento vazio, agora sopra as palavras do Senhor para que se transformem em fogo" (Stanley Romaine Hopper, *in loc.*). Restariam somente cinzas do que havia sido um país orgulhoso. O fogo tornou-se um simbolismo comum para o julgamento. Ver Is 30.33 e Jr 4.4. Quando a doutrina de punição no além-túmulo entrou na teologia dos hebreus, foi apenas natural empregar esse símbolo com essa significação. Porém, nada disso está em vista aqui.

A Chegada Iminente do Inimigo (5.15-17)

5.15

הִנְנִי מֵבִיא עֲלֵיכֶם גּוֹי מִמֶּרְחָק בֵּית יִשְׂרָאֵל נְאֻם־יְהוָה גּוֹי אֵיתָן הוּא גּוֹי מֵעוֹלָם הוּא גּוֹי לֹא־תֵדַע לְשֹׁנוֹ וְלֹא תִשְׁמַע מַה־יְדַבֵּר׃

Eis que trago sobre ti uma nação de longe, ó casa de Israel. O profeta Jeremias retornou ao inimigo do *norte*, embora aqui ele não nos dê orientações. Ver o capítulo 4. A descrição é muito geral e poderia adaptar-se a qualquer número de atacantes, mas considerando o pano de fundo histórico de Jeremias provavelmente está em vista a Babilônia. As descrições vão além de ameaças menores. Ver também Jr 1.1-15; 4.5-31 e 6.22-26.

A nação "de longe" — tão distante que seu idioma seria desconhecido para o povo de Judá — faria tamanha confusão que uma destruição quase total seria efetuada, o que dificilmente se ajustaria a qualquer outra nação exceto a Babilônia. Ver o vs. 18, que tem paralelos em outras passagens que descrevem aquele povo. A linguagem da Babilônia também tinha origem semita, mas os judeus só podiam entender algumas poucas palavras. As classes mais educadas de Israel provavelmente a compreendiam, de forma bastante generalizada, mas por certo o mesmo não acontecia com a massa do povo. Ver 2Rs 18.26,28, quanto a uma ilustração na qual estão em vista os assírios, que tinham um idioma parecido com o dos babilônios.

5.16

אַשְׁפָּתוֹ כְּקֶבֶר פָּתוּחַ כֻּלָּם גִּבּוֹרִים׃

A sua aljava é como uma sepultura aberta. Todos os invasores eram *guerreiros poderosos*, habilidosos com o arco e a flecha e outros armamentos, de tal modo que sua aljava era como uma sepultura aberta, tamanho seu potencial de matar. A *flecha* representava o ato de matar na guerra, em geral, e o autor enfatiza o exército babilônico como uma máquina de guerra. Que estrangeiros, vindos de uma terra distante, pudessem descer e aniquilar Jerusalém, era algo especialmente amargo. Os estrangeiros, com seu idioma desconhecido, adicionavam amargura à sorte dos israelitas. Cf. Is 28.11 e Dt 28.49.

"A aljava é toda-devoradora, tal como o sepulcro aberto recebe os cadáveres; tantas quantas forem as flechas, assim também serão as mortes" (Fausset, *in loc.*). Aqueles homens temíveis eram tão habilidosos que nunca erravam o alvo. Uma flecha atirada significava um homem morto. Uma aljava vazia apontava para muitos sepulcros cheios.

■ 5.17

וְאָכַל קְצִירְךָ וְלַחְמֶךָ יֹאכְלוּ בָּנֶיךָ וּבְנוֹתֶיךָ יֹאכַל
צֹאנְךָ וּבְקָרֶךָ יֹאכַל גַּפְנְךָ וּתְאֵנָתֶךָ יְרֹשֵׁשׁ עָרֵי
מִבְצָרֶיךָ אֲשֶׁר אַתָּה בּוֹטֵחַ בָּהֵנָּה בֶּחָרֶב:

Comerão a tua sega e o teu pão, os teus filhos e as tuas filhas. Continua aqui a ideia de *devorar* vidas, pois a Babilônia, o leão, nunca enchia seu estômago de destruição. O ato de devorar atingiria todas as coisas: as plantações seriam usadas como alimentação, e eles nada deixariam, senão devastação. Os filhos e as filhas dos judeus seriam engolidos com um sorriso nos lábios; os animais domésticos seriam transformados em alimento para as hordas invasoras; as vinhas supririam o vinho para suas orgias vitoriosas; as cidades fortificadas não demorariam a ruir diante dos monstros da destruição; a espada devoradora, contra a qual não havia defesa, mataria centenas e milhares de pessoas.

Explicação do Exílio (5.18,19)

■ 5.18

וְגַם בַּיָּמִים הָהֵמָּה נְאֻם־יְהוָה לֹא־אֶעֱשֶׂה אִתְּכֶם כָּלָה:

Contudo, ainda naqueles dias, diz o Senhor, não vos destruirei de todo. Cf. as passagens bíblicas similares de Jr 9.12-14; 16.10-13; 22.8,9; Dt 29.22-28; 1Rs 9.8,9.

A seguinte pergunta sem dúvida seria feita, com bastante frequência: "Como Yahweh permitiria que tais coisas acontecessem, e com o seu próprio povo?" A resposta é dada nestes quatro pontos:

1. A matança não seria *absoluta* e a destruição não seria total. A esperança sobrevivia. Haveria um novo começo. Já encontramos essa afirmação em Jr 4.27 e 5.10.
2. A resposta padronizada era que uma *apostasia traiçoeira* (Judá era *esposa infiel;* ver Jr 3.1,2,13,14) *requeria* severo juízo que seria, ao mesmo tempo, retributivo e curador.
3. Havia em todo o incidente um *propósito* divino. Yahweh controla as atividades humanas. Ver Is 13.6 quanto a esse aspecto.
4. Existe um *universo moral,* e Judá, quebrando todas as leis morais e manifestando-se contra a lei de Moisés, padrão e guia de conduta, não estava isento de medidas corretivas. "O julgamento tinha por intuito ser reformador, e não meramente penal" (Ellicott, *in loc.*).

■ 5.19

וְהָיָה כִּי תֹאמְרוּ תַּחַת מֶה עָשָׂה יְהוָה אֱלֹהֵינוּ לָנוּ
אֶת־כָּל־אֵלֶּה וְאָמַרְתָּ אֲלֵיהֶם כַּאֲשֶׁר עֲזַבְתֶּם אוֹתִי
וַתַּעַבְדוּ אֱלֹהֵי נֵכָר בְּאַרְצְכֶם כֵּן תַּעַבְדוּ זָרִים בְּאֶרֶץ
לֹא לָכֶם: ס

Quando disserdes: Por que nos fez o Senhor nosso Deus todas estas cousas? Este versículo apresenta a *segunda resposta* à pergunta, conforme menciono de modo abreviado nas notas sobre o vs. 18. A radical idolatria-adultério-apostasia de Judá não podia ser ignorada pela mente do Senhor. A salvação para todas as nações deveria ter a nação de Israel como mediadora, mas, se Israel era pagã, como isso poderia acontecer? Muita coisa estava em jogo. O povo em pacto com Deus tinha de ser tratado de maneira adequada, ou sua missão cairia por terra.

Este versículo mostra uma aplicação da *Lex Talionis* (ver a respeito no *Dicionário*), ou seja, *retribuição segundo a gravidade do caso*. Visto que Judá servia a "deuses estrangeiros", por isso mesmo teria de sofrer um *cativeiro no estrangeiro*. A *Lex Talionis* é uma aplicação especial da *Lei Moral da Colheita segundo a Semeadura* (ver a respeito no *Dicionário*). Essas leis fornecem a quinta resposta dada nas notas sobre o vs. 18. Vivemos em um universo moral. As leis morais haverão de vencer no fim, pois, do contrário, este universo é apenas uma forma de caos.

Cf. este versículo com Dt 28.47,48. Emanuel Kant baseou um argumento em favor da existência tanto da alma humana quanto de Deus sobre a necessidade moral. É claro que a justiça raramente é servida neste mundo. Portanto, para que isso seja realizado, deve haver um pós-vida, e os homens, em sua alma, têm de estar presentes para receber suas devidas recompensas ou punições. Além disso, forçoso é que haja um Poder e inteligência à altura da tarefa, para garantir que a justiça (no pós-vida) seja feita no caso de todos os homens. A esse Poder e inteligência chamamos Deus. Se não aceitarmos esse raciocínio, então teremos de afirmar que o verdadeiro deus deste mundo é o *caos*.

Temor e Respeito Devidos Não Eram Prestados a Yahweh (5.20-25)

■ 5.20

הַגִּידוּ זֹאת בְּבֵית יַעֲקֹב וְהַשְׁמִיעוּהָ בִיהוּדָה לֵאמֹר:

Anunciai isto na casa de Jacó. *Yahweh-Elohim* como Criador e sustentador do universo é uma antiga doutrina dos hebreus. Isso, porém, não impediu que o povo de Israel adorasse os ídolos e se paganizasse, exercendo seu ateísmo prático. "A teimosia tola de Judá fechou seus olhos e seus ouvidos para os manifestos atos de Deus (ver Pv 1.7; Is 6.9,10; Mt 13.10-15)" (*Oxford Annotated Bible*, comentando sobre este versículo).

O oráculo especial emitido através de Jeremias precisava ser publicado. A "casa de Jacó" (o antigo povo em pacto com Deus) tinha de ouvir sobre as coisas atinentes. Judá era o objeto do oráculo, pois essa tribo era tudo quanto restava do antigo povo de Israel. O que acontecera à nação do norte, Israel, não tornou Judá nem um pouco mais sábio. Por isso, tantos oráculos foram publicados com tão poucos resultados. Israel era duro como o aço.

■ 5.21

שִׁמְעוּ־נָא זֹאת עַם סָכָל וְאֵין לֵב עֵינַיִם לָהֶם וְלֹא
יִרְאוּ אָזְנַיִם לָהֶם וְלֹא יִשְׁמָעוּ:

Ouvi agora isto, ó povo insensato e sem entendimento. Quanto a versículos similares a este, o chamado para os tolos ouvirem e para os espiritualmente cegos verem, cf. Is 6.9; Ez 12.2; Mt 13.14; Jo 12.40; At 28.26; Rm 11.8; Os 7.11. "Somente o Senhor pode dar olhos e ouvidos espirituais. Quanto aos que não buscam essas coisas da parte do Senhor, ele envia cegueira e surdez judiciais. Ver Dt 29.4 e Is 6.9" (Fausset, *in loc.*). Judá se tornara cego e surdo como os ídolos aos quais servia (Sl 115.4-8).

■ 5.22

הַאוֹתִי לֹא־תִירָאוּ נְאֻם־יְהוָה אִם מִפָּנַי לֹא תָחִילוּ
אֲשֶׁר־שַׂמְתִּי חוֹל גְּבוּל לַיָּם חָק־עוֹלָם וְלֹא יַעַבְרֶנְהוּ
וַיִּתְגָּעֲשׁוּ וְלֹא יוּכָלוּ וְהָמוּ גַלָּיו וְלֹא יַעַבְרֻנְהוּ:

Não temereis a mim? diz o Senhor; não tremereis diante de mim...? Quanto ao *temor do Senhor,* expressão veterotestamentária para a espiritualidade, ver Sl 119.38 e Pv 1.7. Ver também, no *Dicionário*, o verbete chamado *Temor*. Judá recusava-se a *temer* ou reverenciar a Deus, que era a base de sua ignorância voluntária sobre Deus, bem como de sua crescente apostasia paganizadora. Essa nação não percebia que estava tratando com o Poder criativo que confinara os oceanos por seu decreto. Pois embora os seus decretos tivessem criado e governassem a natureza, sua Lei não confinava Judá nem o tornava obediente. Portanto, o que Deus fazia na natureza, não era capaz de fazer com seu próprio povo, por causa da idolatria-adultério-apostasia dos judeus. É nisso que vemos quão *desnatural* é o pecado, pois, se a natureza corresponde a Deus como a coisa mais natural a ser feita, o homem não obedece por causa de sua perversidade.

"Embora o próprio *mar* permaneça dentro dos limites impostos pela *barreira eterna* (ver Jó 38.10; Sl 104.9), o povo de Judá recusava-se a permanecer dentro dos limites do pacto de Deus. Pelo contrário, eles voluntariamente se *desviaram* e seguiram por uma vereda errada" (Charles H. Dyer, *in loc.*). As ondas, personificadas, são vistas como rugindo e esforçando-se, mas sem ultrapassar as barreiras determinadas por Deus. Mas Judá, desde há muito, expandira suas fronteiras, a fim de incorporar todas as espécies de cultos pagãos, deuses, adultérios e perversões. Ver Jr 3.13 quanto a isso. A *grandiosidade* de Deus era suficiente para fazer parar o mar, mas seria necessário o julgamento divino para fazer Judá parar. Somente dessa maneira Deus seria capaz de restringir a "força selvagem" representada por Judá.

■ 5.23

וְלָעָם הַזֶּה הָיָה לֵב סוֹרֵר וּמוֹרֶה סָרוּ וַיֵּלֵכוּ׃

Mas este povo é de coração rebelde e contumaz. O povo de Judá tinha coração teimoso, mais forte do que o poder do mar. Uma rebeldia espiritual logo tirou esse povo de suas fronteiras espirituais e lançou-o às terras da corrupção pagã. Yahweh conquistou o mar por meios naturais, mas para controlar seu povo teve de apelar para a violência. A maioria cairia morta diante dos soldados babilônios, e não haveria remédio para os desviados e rebeldes de Judá. Alguns poucos, entretanto, se deixariam corrigir, e um novo começo seria possível. "Os elementos estão sujeitos à vontade de Deus, mas a rebelde vontade humana, com seu fatal dom da liberdade, tem o poder de resistir à vontade divina" (Ellicott, *in loc.*). Tal situação só pode terminar em desastre. Cf. este versículo com Jr 6.28. Lamentava-se Dostoievski: "O homem é aquela criatura sem senso de gratidão", e isso levou Judá a resistir aos poderes superiores que, finalmente, tiveram de entregá-lo à destruição. Note o leitor o ponto de vista básico de Jeremias a respeito da justiça; a *futilidade* da rebelião de Judá contra Deus formou um ato *patético*, irônico e trágico.

■ 5.24

וְלֹא־אָמְרוּ בִלְבָבָם נִירָא נָא אֶת־יְהוָה אֱלֹהֵינוּ הַנֹּתֵן גֶּשֶׁם וְיֹרֶה וּמַלְקוֹשׁ בְּעִתּוֹ שְׁבֻעוֹת חֻקּוֹת קָצִיר יִשְׁמָר־לָנוּ׃

Não dizem consigo mesmos: Temamos agora ao Senhor nosso Deus. O *grande benfeitor* foi ignorado, suas obras misericordiosas foram desprezadas. A natureza trabalhou em favor de Judá, provendo as chuvas necessárias, tanto as primeiras como as últimas, para que houvesse boas colheitas (ver sobre *Chuvas Anteriores e Posteriores*, no *Dicionário*). Mas o rebelde povo de Judá vivia destituído do sentimento de gratidão e apelava para os deuses da fertilidade, para os deuses da natureza e para cultos perversos empregados na sua adoração. Cf. algo similar em Rm 1.28:

Por haverem desprezado o conhecimento de Deus, o próprio Deus os entregou a uma disposição mental reprovável, para praticarem cousas inconvenientes.

Rm 1.28 mostra que os pagãos haviam perdido sua capacidade de ser *agradecidos* no tocante às provisões de Deus, e outro tanto sucedeu a Judá, quando essa nação se paganizou. Eles perderam de vista as providências de Deus na natureza e, assim, em breve, também se perdeu sua providência para protegê-los de invasores estrangeiros. Cf. este versículo com Dt 11.14; Pv 16.15 e Tg 5.7.

■ 5.25

עֲוֹנוֹתֵיכֶם הִטּוּ־אֵלֶּה וְחַטֹּאותֵיכֶם מָנְעוּ הַטּוֹב מִכֶּם׃

As vossas iniquidades desviam estas cousas. A rebelião e iniquidade generalizada (cf. Rm 1.28 até o fim do capítulo) em breve fizeram a maré da bondade de Deus transformar-se em castigo. Cessaram as coisas boas que eram dadas por Deus, e as coisas ruins que eles temiam as substituíram. Cessaram as chuvas; fracassaram as plantações; a fome se generalizou; as doenças acometeram o povo; e os babilônios em breve atacariam. Cf. este versículo com Jr 3.3.

A Maldade dos Poderosos (5.26-29)

■ 5.26

כִּי־נִמְצְאוּ בְעַמִּי רְשָׁעִים יָשׁוּר כְּשַׁךְ יְקוּשִׁים הִצִּיבוּ מַשְׁחִית אֲנָשִׁים יִלְכֹּדוּ׃

Porque entre o meu povo se acham perversos; cada um anda espiando. Os que tinham mais dinheiro e poder para promover atos malignos eram, naturalmente, os maiores apóstatas. Eles perpetravam pecados de sangue, agindo como caçadores que tomavam a presa e a destruíam. Eles tiravam vantagens pecuniárias de seus crimes e apreciavam o processo. Um severo julgamento divino tornou-se inevitável, a fim de que o *caos moral* não se transformasse em um *deus*. "Judá tinha de ser punido (vs. 9), por causa de sua tolerância com os que enriqueciam defraudando os indefesos (ver Dt 24.17,18; Am 2.6,7). Como se fossem passarinheiros, eles apanhavam aves indefesas em suas redes, punham-nas em cestos e transformavam-nas em alimento. Também aprovavam, de todo o coração, sacerdotes e profetas perversos (ver Jr 6.13-15; 23.9-22; Mq 3.5-8)" (*Oxford Annotated Bible,* comentando sobre este versículo). Cf. Pv 1.11,17,18; Hc 1.15; Sl 7.15, onde vemos atos de violência, transtorno da ordem social, profundo egoísmo que desconsiderava até os direitos de vida de outras pessoas, visando o lucro individual. Estamos falando aqui da mente criminosa que desfruta o ódio ao próximo, a violência e o sofrimento alheio. Para eles, roubar e matar não passam de esportes, muito mais que um meio de obter lucro.

■ 5.27

כִּכְלוּב מָלֵא עוֹף כֵּן בָּתֵּיהֶם מְלֵאִים מִרְמָה עַל־כֵּן גָּדְלוּ וַיַּעֲשִׁירוּ׃

Como a gaiola cheia de pássaros, são as suas casas cheias de fraude. Um passarinheiro geralmente é bem-sucedido. Suas gaiolas vivem repletas de passarinhos. Ele vive apanhando e destruindo aves inocentes. Essa é sua profissão e maneira de vida. Por semelhante modo, os passarinheiros espirituais andam cheios de engano e assassinato e enchem suas casas com bens furtados. O resultado é que se tornam muito ricos, às expensas de terceiros; quando surgem as dificuldades, eles subornam as testemunhas e os juízes, em razão do que nada sofrem por suas más ações.

A gaiola. Uma cesta grande de vime que os passarinheiros usam para guardar (temporariamente) muitos pássaros, quando passam pelos campos recolhendo aves presas em suas redes. Ver Am 8.1,2. A figura usada aqui é a de um passarinheiro bem-sucedido, que nunca falha. Assim também aos ímpios e violentos de Judá nunca faltavam vítimas; esses homens continuavam juntando riquezas.

Eis que são estes os ímpios; e sempre tranquilos, aumentam suas riquezas.

Salmo 73.12

■ 5.28

שָׁמְנוּ עָשְׁתוּ גַּם עָבְרוּ דִבְרֵי־רָע דִּין לֹא־דָנוּ דִּין יָתוֹם וְיַצְלִיחוּ וּמִשְׁפַּט אֶבְיוֹנִים לֹא שָׁפָטוּ׃

Engordam, tornam-se nédios e ultrapassam até os feitos dos malignos. Tendo dinheiro e poder para escapar à punição, seus bens, sempre adquiridos mediante a violência, vão aumentando. E eles também se tornam cada vez mais ousados em seus crimes, e não hesitam em prejudicar os indefesos, como órfãos e viúvas. Nunca defendem uma boa causa, mas usam os tribunais para fomentar sua violência e perversidade. Visto que peitam testemunhas e juízes, todos os dias o tribunal tem uma causa ganha para eles. Cf. Is 1.23. Mas essa "prosperidade" em seus caminhos depravados não deterá o golpe divino do julgamento que inevitavelmente sobrevirá. A *Lei Moral da Colheita segundo a Semeadura* (ver a respeito no *Dicionário*) algum dia terá de fazer o balanço de suas contas correntes com Deus. "O profeta Jeremias não somente se demorou em relação à prosperidade dos ímpios, mas também em relação à indiferença calosa deles, quanto ao bem-estar dos pobres e dos desamparados" (Ellicott, *in loc.*). "Eles ultrapassavam até os próprios gentios em iniquidade (ver Jr 2.10,11; Ez 5.6,7). Transformavam os juízos de Deus em maldade, mais ainda do que faziam os povos gentílicos" (Fausset, *in loc.*). Ver também Zc 7.10. Quanto aos ímpios que prosperam, ver Jó 12.6; Sl 73.12 e Jr 12.1. O rosto nédio e brilhante dos ímpios, que assim se tornaram por sua prosperidade e excessos, em breve estamparia distorções e tristeza. Eles se tornaram "grandes e gordos" (NCV), mas em breve estariam reduzidos a meros esqueletos.

■ 5.29

הַעַל־אֵ֣לֶּה לֽוֹא־אֶפְקֹ֔ד נְאֻם־יְהוָ֑ה אִ֚ם בְּג֣וֹי אֲשֶׁר־כָּזֶ֔ה
לֹ֥א תִתְנַקֵּ֖ם נַפְשִֽׁי׃ ס

Não castigaria eu estas cousas? Da mesma maneira que os decretos de Yahweh controlam o mar (vs. 22), também sua providência positiva controla as chuvas e as colheitas; e assim como ele observa homens ímpios a explorar seus semelhantes, causando grande confusão na sociedade, também a *providência negativa* de Deus deve cobrar as penalidades apropriadas dos apóstatas e violentos. "A punição também fica implícita no feito. É impensável que as ordenanças de Deus fossem violadas indefinidamente" (Stanley Romaine Hopper, *in loc.*). Cf. Ml 3.5; Gl 6.7,8. Ver também o vs. 9 deste capítulo. Ver na *Enciclopédia de Bíblia, Teologia e Filosofia* vários artigos sobre *Julgamentos*. Um mundo sem julgamento contra o erro seria moralmente caótico, desalinhado com a *santidade* de Deus. Mas um mundo somente com julgamentos retributivos, sem nenhuma medida de poder remediador, seria algo contrário ao *amor* de Deus.

Pecados dos Profetas e dos Sacerdotes (5.30,31)

■ 5.30,31

שַׁמָּה֙ וְשַׁ֣עֲרוּרָ֔ה נִהְיְתָ֖ה בָּאָֽרֶץ׃

הַנְּבִיאִ֞ים נִבְּא֣וּ־בַשֶּׁ֗קֶר וְהַכֹּהֲנִים֙ יִרְדּ֣וּ
עַל־יְדֵיהֶ֔ם וְעַמִּ֖י אָ֣הֲבוּ כֵ֑ן וּמַֽה־תַּעֲשׂ֖וּ
לְאַחֲרִיתָֽהּ׃

Cousa espantosa e horrenda se anda fazendo na terra. Judá, sociedade totalmente paganizada e corrupta, naturalmente tinha profetas e sacerdotes corruptos que se tornaram líderes de cultos idólatras, abandonando o culto de Yahweh. Foi assim que algo *espantoso e horrendo* aconteceu: os profetas apresentavam profecias mentirosas; e os sacerdotes desempenhavam seu serviço de maneira voluntariosa, autodirigida, e não conforme a direção de Yahweh. Eles "tomaram o poder em suas próprias mãos" (NCV), provavelmente envolvendo toda a espécie de crimes e abusos, e não mera liderança quanto a cultos falsos. No entanto, todas aquelas aberrações não somente foram toleradas e aceitas, mas até "amadas" pelo povo, segundo diz a *Revised Standard Version*. Contudo, haveria um *fim* em todo esse caos e iniquidade, quando os babilônios varressem Judá, aniquilando as cidades, inclusive Jerusalém. "As palavras implicam mais do que a aquiescência diante do mal, pois descrevem uma condição ética parecida com a de Rm 1.32. Mas os que já se precipitavam na direção da destruição não teriam poder para evitá-la" (Ellicott, *in loc.*).

"Falsos profetas e sacerdotes mundanos têm sido, em todas as épocas, a perdição da religião e a ruína de muitas almas. Todavia, o quadro se complica quando um povo devasso se levanta para defender sacerdotes devassos. É então que a corrupção atinge seu ponto culminante" (Adam Clarke, *in loc.*). Cf. este versículo com Jr 14.14; 23.15,16; Mq 2.11 e Ez 13.6.

CAPÍTULO SEIS

Este capítulo continua a apresentar a extensa seção iniciada em Jr 3.6. Não há nenhuma interrupção entre os capítulos 5 e 6. O capítulo 5 demonstrou a total pecaminosidade de Judá. Os vss. 15-17 reiteram a ameaça dos invasores vindos do norte (embora a palavra "norte" não seja usada), conforme visto no capítulo 4 de Jeremias. Este sexto capítulo, pois, nos leva de volta à ameaça de invasão. São dados dois poemas adicionais sobre o tema: os vss. 1-8 e os vss. 22-26. O povo de Judá continuou totalmente corrompido, sem nenhuma inclinação para o arrependimento, a despeito de reiterados avisos e admoestações (vss. 9-15). As antigas veredas da fé histórica dos hebreus tinham sido abandonadas. Alguns judeus continuavam a confiar em meros rituais (vss. 16-21), sem nenhuma fé no coração.

AMEAÇAS E ADVERTÊNCIAS (6.1-30)

Jerusalém Será Atacada (6.1-8)

■ 6.1

הָעִ֣זוּ ׀ בְּנֵ֣י בִנְיָמִ֗ן מִקֶּ֙רֶב֙ יְר֣וּשָׁלִַ֔ם וּבִתְק֙וֹעַ֙ תִּקְע֣וּ שׁוֹפָ֔ר
וְעַל־בֵּ֥ית הַכֶּ֖רֶם שְׂא֣וּ מַשְׂאֵ֑ת כִּ֥י רָעָ֛ה נִשְׁקְפָ֥ה מִצָּפ֖וֹן
וְשֶׁ֥בֶר גָּדֽוֹל׃

Fugi, filhos de Benjamim, do meio de Jerusalém. Estes versículos descrevem a aproximação dos inimigos vindos do norte. O capítulo 4 diz o que iria suceder, e o tema é repetido em Jr 5.15-17. "A certeza do julgamento vindouro é anunciada neste capítulo. Nos vss. 1-3, Jeremias usa novamente o símbolo de um alarma que soou para anunciar a invasão iminente (cf. Jr 4.5,6). Esse foi um sinal acerca do ataque dos babilônios. O povo de Benjamim (cf. Jr 1.1), exatamente ao norte de Jerusalém, deveria *fugir para por-se em segurança*. Porém, em vez de parar na capital da nação, eles deveriam *fugir de Jerusalém* e continuar dirigindo-se para o sul. A *trombeta* soaria em Tecoa, cerca de 18 km a sudeste de Jerusalém (ver Am 1.1). Então, sinais de fogo seriam acesos em Bete-Haquerém, um ponto vantajoso a meio caminho entre Jerusalém e Belém. Isso avisaria os habitantes da terra para fugirem" (Charles H. Dyer, *in loc.*). Conforme a descrição bíblica, a destruição seria imensa e inevitável. Todos os convites ao arrependimento tinham sido ignorados. Dou no *Dicionário* artigos sobre os vários nomes próprios citados nestes versículos.

A *Revised Standard Version* traduz o vs. 1 com maior exatidão do que a maioria das traduções, apresentando-nos um monstro grande e personificado que olha na direção sul para ver quais vítimas poderia fazer. Deus não conseguia mais tolerar a ímpia-idólatra-adúltera-apóstata Judá. Tinha chegado o dia da prestação de contas.

■ 6.2

הַנָּוָה֙ וְהַמְּעֻנָּגָ֔ה דָּמִ֖יתִי בַּת־צִיּֽוֹן׃

A formosa e delicada, a filha de Sião, eu deixarei em ruínas. Judá, a adúltera esposa-meretriz seria destruída. Quanto à figura da esposa-prostituta, ver Jr 3.1,2,13,14. Diz aqui o Targum: "Ó bela e delicada, como corrompeste os teus caminhos? Portanto, a congregação de Sião foi confundida". A bela jovem era uma princesa, uma rainha procedente das melhores famílias, bem criada, "frágil e gentil" (NCV), "formosa e delicada" (nossa versão portuguesa), "atrativa e delicadamente criada" (RSV). Mas a jovem era totalmente corrompida, e em breve seria assassinada por seus amantes, conforme vemos em Jr 4.31. Cf. Zc 3.9.

■ 6.3

אֵלֶ֛יהָ יָבֹ֥אוּ רֹעִ֖ים וְעֶדְרֵיהֶ֑ם תָּקְע֨וּ עָלֶ֤יהָ אֹהָלִים֙
סָבִ֔יב רָע֖וּ אִ֥ישׁ אֶת־יָדֽוֹ׃

Contra ela virão pastores com os seus rebanhos. O profeta Jeremias estranhamente comparou o exército invasor com pastores que trazem seus rebanhos para certo trecho de terreno. Cf. Jr 1.15; 4.17; 49.20 e 50.45. Os generais dos exércitos eram os pastores; e os rebanhos eram seus exércitos. Eles conquistaram completamente a cidade de Jerusalém em derredor, vivendo das plantações que os agricultores judeus tinham cultivado com tanta diligência. Estando nos campos, eles contemplavam com vagar Jerusalém, a próxima vítima. Em breve avançariam na direção da capital e espalhariam seu terror.

■ 6.4,5

קַדְּשׁ֤וּ עָלֶ֙יהָ֙ מִלְחָמָ֔ה ק֖וּמוּ וְנַעֲלֶ֣ה בַֽצָּהֳרָ֑יִם א֣וֹי לָ֔נוּ
כִּֽי־פָנָ֥ה הַיּ֖וֹם כִּ֥י יִנָּט֖וּ צִלְלֵי־עָֽרֶב׃

ק֚וּמוּ וְנַעֲלֶ֣ה בַלָּ֔יְלָה וְנַשְׁחִ֖יתָה אַרְמְנוֹתֶֽיהָ׃ ס

Preparai a guerra contra ela, dispõnde-vos, e subamos ao meio-dia. Temos aqui a *descrição gráfica* da preparação para o ataque contra Jerusalém. Os pastores e seus rebanhos, nos campos que circundavam Jerusalém (vs. 3), eram os generais e seus exércitos.

Eles estavam no controle das coisas, sem pressa quanto à questão. Jerusalém era a maior e mais sumarenta uva da vinha que a Babilônia podia e realmente haveria de apanhar. A própria vinha seria devastada e transformada em terra devoluta (ver Jr 5.10). O ataque estava preparado para ser desfechado ao meio-dia, mas as coisas não se movem com tanta presteza como se espera. O dia estava declinando, e isso serviu de certa consternação para o inimigo. Porém, em vez de esperar que outro dia raiasse (conforme faria a maioria dos exércitos), eles resolveram lançar um terrível ataque *noturno* (vs. 5). Eles não descansaram ao meio-dia para alimentar-se, ansiosos que estavam para iniciar o esporte da guerra, onde ganhariam grandes salários pela matança. O saque era o salário dos antigos exércitos.

6.6

כִּי כֹה אָמַר יְהוָה צְבָאוֹת כִּרְתוּ עֵצָה וְשִׁפְכוּ עַל־יְרוּשָׁלַם סֹלְלָה הִיא הָעִיר הָפְקַד כֻּלָּהּ עֹשֶׁק בְּקִרְבָּהּ׃

Porque assim diz o Senhor dos Exércitos: Cortai árvores. Yahweh, o *Senhor dos Exércitos* (ver 1Rs 18.15, bem como no *Dicionário*, quanto a este título), é agora pintado como o comandante em chefe dos exércitos babilônios, por ser essa a sua vontade, e porque eles queriam obedecer. Ver Is 13.6 quanto à ideia de que Deus controla as atividades dos homens. Ver no *Dicionário* o artigo chamado *Soberania*. "Deus dirigiu os soldados babilônicos, enquanto eles construíam rampas de assédio para romper as defesas da cidade (cf. Ez 4.1-2)" (Charles H. Dyer, *in loc.*). Yahweh estava prestes a vingar-se de Judá por causa de sua idolatria-adultério-apostasia. Visto que nada havia senão *opressão* dentro da cidade (toda a justiça social tinha sido ignorada; ver Jr 5.26-29), haveria gigantesca opressão externa. Por conseguinte, os opressores seriam oprimidos, de acordo com a *Lex Talionis* (ver a respeito no *Dicionário*), ou seja, a retribuição segundo a gravidade da ofensa. Cf. Ez 4.2.

6.7

כְּהָקִיר בַּיִר מֵימֶיהָ כֵּן הֵקֵרָה רָעָתָהּ חָמָס וָשֹׁד יִשָּׁמַע בָּהּ עַל־פָּנַי תָּמִיד חֳלִי וּמַכָּה׃

Como o poço conserva frescas as suas águas, assim ela a sua malícia. *A Fonte Imunda*. A iniquidade de Jerusalém era tão profusa que foi comparada a um poço ou fonte que jamais deixava de expelir águas que chegavam a cobrir a terra. E nunca tinha fim o fluxo de violência e destruição. E então foi usada outra figura: o corpo *enfermo* e o corpo *ferido*. As enfermidades eram uma constante, e ferimentos estavam sempre sendo feitos na cidade. "Posso ver a enfermidade e os ferimentos de Jerusalém" (NCV), resultantes da violência e da opressão. Jerusalém era como um corpo pútrido, cheio de feridas e pústulas. "A doença era da alma, resultante de sua alienação de Deus. A violência é a indescritível sucessão de hostilidades interligadas, em que almas condicionadas pelo mal vivem perpetuamente trabalhando umas contra as outras" (Stanley Romaine Hopper, *in loc.*). Ver instâncias de violência insensata no tempo de Manassés, Amom e no intervalo antes da subida ao trono de Josias (ver 2Rs 21.16,24; Is 57.20). Todas essas coisas eram feitas "na presença de Yahweh", defronte de seus olhos que tudo veem. E o Senhor considerava os homens responsáveis por toda a depravação que demonstravam. A lei da colheita segundo a semeadura não falharia, porém.

6.8

הִוָּסְרִי יְרוּשָׁלַם פֶּן־תֵּקַע נַפְשִׁי מִמֵּךְ פֶּן־אֲשִׂימֵךְ שְׁמָמָה אֶרֶץ לוֹא נוֹשָׁבָה׃ פ

Aceita a disciplina, ó Jerusalém, para que eu não me aparte de ti. *Outro Chamado ao Arrependimento*. Durante todo o livro de Jeremias, encontramos convites regulares ao arrependimento. Mas não há nenhuma indicação de que esses convites tenham tido o menor efeito. As ameaças de julgamento vinham incansavelmente. Judá apostatara completamente e já ultrapassara os limites da recuperação. "Temos aqui um terno apelo, em meio às ameaças, a fim de que Yahweh (seu Espírito) não se apartasse deles, ou seja, literalmente *fosse rasgado* deles. O afeto do Senhor por Jerusalém era tão grande e profundo que seria necessário que ele se rasgasse deles. Cf. Ez 23.18; Os 9.12; 11.8" (Fausset, *in loc.*).

Para que eu não me aparte de ti. "A glória *shekinah* de Deus, ou Presença divina, com todos os sinais de seu amor, favor e boa vontade. Diz o Targum: 'Para que a minha palavra não te lance fora'. Cf. Rm 11.1" (John Gill, *in loc.*). Cf. este versículo com Ez 23.11. A Terra Prometida se tornaria virtualmente desabitada, até onde dizia respeito aos judeus, tal e qual sucedera a Sodoma. A Terra Prometida retornaria ao caos e ao vazio dos tempos antes da criação. Ver Jr 4.23 ss. quanto a essa figura.

Farei da tua terra um deserto vazio.
Ninguém será capaz de viver ali.

NCV

A Total Depravação do Povo (6.9-15)

6.9

כֹּה אָמַר יְהוָה צְבָאוֹת עוֹלֵל יְעוֹלְלוּ כַגֶּפֶן שְׁאֵרִית יִשְׂרָאֵל הָשֵׁב יָדְךָ כְּבוֹצֵר עַל־סַלְסִלּוֹת׃

Assim diz o Senhor de Israel: Diligentemente se rebuscarão os resíduos de Israel. Temos neste versículo o tema proeminente do capítulo 5 de Jeremias. O profeta retornou à *razão* para a condenação iminente representada pela invasão babilônica: a horrenda idolatria-adultério-apostasia de Judá, que não mais podia prosseguir. Judá escapara de todas as restrições divinas, em contraste com a natureza, que obedece a Deus (ver Jr 5.20-25). Havia grandíssima injustiça social, a perseguição dos fortes contra os fracos (ver Jr 5.26-29). Até os profetas e sacerdotes de Judá eram totalmente corrompidos (ver Jr 5.30,31). Ameaças e advertências (capítulo 6) de nada adiantavam. A invasão em breve se tornaria realidade (Jr 6.1-8). Os vss. 9-15 prosseguem com o tema de Jr 5.10: Judá, a vinha corrompida, precisava ser totalmente devastada. O exército babilônico seria o terrível colhedor. Mas alguns eruditos pensam que os versículos continuam a ideia de Jr 5.1 ss., ou seja, a busca de Jeremias por um único homem bom. Yahweh (de acordo com esse ponto de vista), é o plantador, cultivador e colhedor das uvas. Ele passava por todas as fileiras das videiras em busca de uma única uva boa. Se encontrasse ao menos uma uva boa, o avanço do exército babilônico poderia ser detido. Se essa interpretação estiver correta, então os vss. 10 e ss. mostram que Jeremias não foi capaz de encontrar uma única uva boa, pelo que a ameaça de destruição foi renovada. Mas a figura quase certamente aponta para a "colheita do julgamento". "Os judeus eram as uvas e seus inimigos eram os colhedores" (Fausset, *in loc.*). Talvez o indivíduo visado fosse Nabucodonosor, que encabeçava a equipe de terríveis colhedores.

6.10

עַל־מִי אֲדַבְּרָה וְאָעִידָה וְיִשְׁמָעוּ הִנֵּה עֲרֵלָה אָזְנָם וְלֹא יוּכְלוּ לְהַקְשִׁיב הִנֵּה דְבַר־יְהוָה הָיָה לָהֶם לְחֶרְפָּה לֹא יַחְפְּצוּ־בוֹ׃

A quem falarei e testemunharei, para que ouçam? A *circuncisão* (ver a respeito no *Dicionário*) era o sinal do *pacto abraâmico* (ver as notas espirituais em Gn 15.18). Portanto, o ouvido incircunciso é um ouvido *insensível* diante dos requisitos do pacto, incluindo o pacto mosaico (comentado na introdução a Êx 19). A lei não era ouvida nem obedecida. A palavra do Senhor (suas demandas e requisitos) também era *ofensiva* aos apóstatas, porquanto a última coisa que eles queriam era que houvesse reforma. O profeta falou a Yahweh sobre a situação e mostrou seu desapontamento. O *deleite* que os hebreus deveriam ter em seu pacto e em sua lei tinha desaparecido. Eles se deleitavam nas orgias das divindades cananeias. Ver Jr 3.13, onde ofereço notas expositivas sobre os extremos da idolatria-adultério em que Judá tinha caído. Quanto a versículos similares, ver Jr 7.26; At 7.61; Êx 6.12 e 20.7-18.

6.11,12

וְאֵת חֲמַת יְהוָה מָלֵאתִי נִלְאֵיתִי הָכִיל שְׁפֹךְ עַל־עוֹלָל בַּחוּץ וְעַל סוֹד בַּחוּרִים יַחְדָּו כִּי־גַם־אִישׁ עִם־אִשָּׁה יִלָּכֵדוּ זָקֵן עִם־מְלֵא יָמִים׃

וְנָסַבּוּ בָתֵּיהֶם לַאֲחֵרִים שָׂדוֹת וְנָשִׁים יַחְדָּו כִּי־אַטֶּה
אֶת־יָדִי עַל־יֹשְׁבֵי הָאָרֶץ נְאֻם־יְהוָה:

Pelo que estou cheio da ira do Senhor; estou cansado de a conter. As queixas do profeta tornam-se amargas. Ele queria ver a ira de Yahweh atingir aqueles apóstatas o mais breve possível. Ele estava cansado de ver as coisas piorando cada vez mais. As profecias e visões que tinham sido dadas ao profeta haviam-lhe transmitido uma boa ideia do que estava por vir. Por um lado, essa ideia era temível; por outro, parecia ser a única coisa que poderia quebrar a arrogância daqueles pecadores. Cf. Jr 20.9.

A Resposta de Yahweh: "Despeja", torna conhecidos os terrores que estão vindo. A fala divina perdura até o vs. 15. Os vss. 12-15 acham-se, sob forma levemente diferente, em Jr 8.10-12. O contexto original provavelmente era o do texto presente. O decreto da condenação (a invasão do exército babilônico) atingiria todas as classes e destruiria as mais preciosas relações. Às criancinhas que brincavam nas ruas não seria poupada a dor; nem aos adolescentes, que se encontravam nas esquinas das ruas. Em alguns casos, marido e mulher seriam mortos juntos; em outros, as pessoas seriam enviadas para o exílio, mas as esposas terminariam em haréns da Babilônia, ao passo que os homens acabariam como escravos (vs. 12). Os campos que tinham feito parte das heranças de famílias, passando de pai para filho, seriam tomados por invasores estrangeiros e dados a povos que não tinham nenhum negócio na Palestina. Yahweh é quem tinha estendido a mão em julgamento, causando grande variedade de tragédias. A idolatria-adultério-apostasia deles tinha chegado ao fim, e ninguém, importante ou desprezível, poderoso ou fraco, criança ou idoso, escaparia à agonia. Ver em Is 13.6 como Yahweh guia e intervém nas atividades humanas, exercendo sua *Soberania* (ver no *Dicionário*). "O povo perderia suas casas, seus campos e até suas esposas, para o invasor babilônico. Isso aconteceria porque todos os segmentos da sociedade de Judá se tinham corrompido" (Charles H. Dyer, *in loc.*). Quanto ao *derramamento* da ira divina, cf. Is 5.25 e Ez 6.14. Ver também Jr 9.21 e Dt 28.30. Diz o Targum: "Levantarei o golpe de meu poder". Quanto à *mão divina,* a agência de poder, ver Sl 81.14. Quanto à *mão direita,* ver Sl 20.6. Quanto a *braço,* ver Sl 77.15; 89.1 e 98.1.

■ **6.13**

כִּי מִקְּטַנָּם וְעַד־גְּדוֹלָם כֻּלּוֹ בּוֹצֵעַ בָּצַע וּמִנָּבִיא וְעַד־
כֹּהֵן כֻּלּוֹ עֹשֶׂה שָּׁקֶר:

Porque desde o menor deles até ao maior, cada um se dá à ganância. *Yahweh justifica* agora a horrenda declaração dos vss. 11,12, no sentido de que até os filhos, os idosos, os casais, todos os membros da sociedade seriam mortos pelos invasores: é porque o mal havia permeado todos os níveis sociais, tal como acontecia antes do dilúvio. Ver Gn 6.12: *toda carne,* até os animais, tinham corrompido seus caminhos. A essa lista ele adiciona novamente os profetas e sacerdotes, em Jr 5.31. Aqueles que deveriam estar ativos, tentando redimir o povo de seus erros, trabalhavam para piorar a apostasia.

Ganância. Havia um egoísmo universal que conduzia a toda espécie de pecados. *Gratificação* era o nome do jogo, e isso ocorria por todos os meios possíveis. Cf. Jr 8.10 e Mq 3.11.

Tais cães são gulosos, nunca se fartam.

Isaías 56.11

■ **6.14**

וַיְרַפְּאוּ אֶת־שֶׁבֶר עַמִּי עַל־נְקַלָּה לֵאמֹר שָׁלוֹם שָׁלוֹם
וְאֵין שָׁלוֹם:

Curam superficialmente a ferida do meu povo, dizendo: Paz, paz. As *feridas abertas* do povo recebiam um tratamento hipócrita que só piorava a condição de saúde. *Paz, paz* eram palavras proferidas sobre essas feridas, assegurando que nada havia de fatal naquelas enfermidades, mas, ao contrário, tudo ficaria bem em breve. Mas a todo o tempo o exército babilônico preparava sua marcha fatal contra um povo doente. Não havia verdadeira paz, e proferir a palavra "paz" em falsos oráculos não fabricava a paz. Quando alguma operação radical era necessária para a cura, os sacerdotes e profetas, os médicos da sociedade, continuavam dizendo que não havia feridas a serem curadas, nem enfermidade a ser tratada. "Os falsos profetas eram como médicos que diziam aos sofredores de alguma doença fatal que eles estavam com saúde perfeita" (Ellicott, *in loc.*). O termo "ferida" se refere a alguma enfermidade espiritual, como se vê em Jr 8.11,22; 10.19; 14.17; 15.18; 30.12,15. Um falso otimismo impedia que os doentes fossem medicados.

■ **6.15**

הֹבִישׁוּ כִּי תוֹעֵבָה עָשׂוּ גַּם־בּוֹשׁ לֹא־יֵבוֹשׁוּ גַּם־הַכְלִים
לֹא יָדָעוּ לָכֵן יִפְּלוּ בַנֹּפְלִים בְּעֵת־פְּקַדְתִּים יִכָּשְׁלוּ
אָמַר יְהוָה: ס

Serão envergonhados, porque cometem abominação sem sentir por isso vergonha. A total depravação de Judá atingiu sua capacidade de sentir vergonha por seus pecados. Eles tinham perdido a habilidade de perceber a natureza real do pecado, e de saber quão degradante o pecado era para eles. Os profetas de Judá eram charlatães que desavergonhadamente davam falsa segurança às pessoas, chamando-as de saudáveis, quando elas estavam terminalmente enfermas. Os líderes dos judeus cairiam juntamente com o povo (ver Jr 8.12), pois essa seria uma justa retribuição.

Abominação. Esta é uma palavra comum para descrever a idolatria, algo que deveria ser detestado ou abominado. Ver Jr 3.13 quanto à horrenda extensão a que Judá tinha levado sua idolatria-adultério-apostasia. Mas ninguém se envergonhava do que estava fazendo. Portanto, eles cairiam presas dos babilônios, e os acontecimentos preditos nos vss. 11,12 ocorreriam. Ver no *Dicionário* o artigo chamado *Abominação* para detalhes.

Eles Não Coravam de Vergonha. "Eram homens de rosto impudente; possuíam testa de meretriz; não havia o menor sinal de vergonha neles. Quando eram acusados dos piores crimes e ameaçados com as mais severas punições, não se deixavam abalar nem por uma coisa nem por outra" (John Gill, *in loc.*).

Rejeição das Antigas Veredas (6.16-21)

"Jerusalém não tinha desculpas. Deus havia dado seu pacto e suas instruções, suas veredas e sua lei para serem seguidas; e também enviara seus *profetas* (os atalaias, com suas *palavras*). Cf. Os 9.8. Mas todas essas coisas foram ignoradas. As ofertas mais finas e raras (incenso e cana aromática) não podiam substituir a *fidelidade* (Jr 7.21-23; Am 5.21-24)" (*Oxford Annotated Bible,* comentando sobre o vs. 16).

■ **6.16**

כֹּה אָמַר יְהוָה עִמְדוּ עַל־דְּרָכִים וּרְאוּ וְשַׁאֲלוּ
לִנְתִבוֹת עוֹלָם אֵי־זֶה דֶרֶךְ הַטּוֹב וּלְכוּ־בָהּ וּמִצְאוּ
מַרְגּוֹעַ לְנַפְשְׁכֶם וַיֹּאמְרוּ לֹא נֵלֵךְ:

Assim diz o Senhor: Ponde-vos à margem no caminho e vede. As Escrituras tinham caído em desuso ou eram usadas falsamente. As antigas veredas da fé dos hebreus tinham sido abandonadas, e novos cultos idólatras passaram a dominar todas as coisas em Judá. O *andar* constante (ver a respeito no *Dicionário*) era nos cultos cananeus de fertilidade, em que deuses da natureza eram adorados, com suas respectivas orgias sexuais (ver Jr 3.13). Se alguma coisa era dita acerca da lei de Moisés e do caminho que ela ensinava, o povo se ria. Quanto aos caminhos dos bons e dos maus contrastados, ver a nota de sumário sobre Pv 4.27.

Achareis descanso para as vossas almas. Nada havia de superficial sobre as instruções e os poderes dos caminhos antigos. Eles satisfaziam a alma e traziam paz espiritual à alma de um homem. Terminavam a contenda, tanto a interna quanto a externa. "Idolatria e apostasia formavam o caminho *moderno*" (Fausset, *in loc.*). Ver no *Dicionário* o artigo chamado *Paz,* quanto a detalhes.

O homem é aqui retratado como um viajante que precisa de sinais claros no caminho. Quando ele chega a uma encruzilhada, precisa saber se deve enveredar pela direita ou pela esquerda. Há um caminho que conduz à vida; e outro que leva à destruição. A paz encontra-se no primeiro deles, e a destruição, no outro. Ver Mt 7.14 e 11.29.

6.17

וַהֲקִמֹתִ֤י עֲלֵיכֶם֙ צֹפִ֔ים הַקְשִׁ֖יבוּ לְק֣וֹל שׁוֹפָ֑ר וַיֹּאמְר֖וּ לֹ֥א נַקְשִֽׁיב׃

Também pus atalaias sobre vós, dizendo: Estai atentos ao som da trombeta. Os atalaias antigos (sacerdotes, líderes do povo) eram homens fiéis e mostraram claramente o caminho pelo qual se deve andar. Eles instruíam os peregrinos e viajantes. Quando o perigo se aproximava, eles soavam o alarma. Mas o "homem moderno" (o Judá do tempo de Jeremias) rejeitou os antigos atalaias, que ensinavam a lei de Moisés, que servia antes de *guia* para o povo judeu (ver Dt 6.4 ss.) e transmitia a vida aos que eram obedientes (ver Dt 4.1; 5.33; Ez 20.1). Eles se recusaram a permanecer como povo distinto, que se tornava tal por meio do yahwismo (ver Dt 4.4-8), e passaram a seguir os caminhos dos povos pagãos, adorando falsos deuses. Foi assim que caíram na idolatria-adultério-apostasia, com olhos bem abertos, seguindo guias falsos.

> Chegou-se a mim, certa feita, um homem erudito.
> Ele disse: "Conheço o caminho — vem!"
> Eu estava tão feliz, e assim nos apressamos.
> Em breve, muito em breve, estávamos em um lugar
> Onde meus olhos se tornaram inúteis.
> Meus pés tropeçaram no caminho.
> Agarrei-me à mão de meu amigo,
> Mas finalmente ele gritou: "Estou perdido".
>
> Stephen Crane

Quanto ao profeta como um *atalaia*, cf. Ez 3.17; 33.2; Hc 2.1; Mq 7.4. O dever principal de um atalaia era advertir sobre perigos. A tarefa dele era vigiar e advertir. Mas Judá preferiu dar ouvidos a vozes estrangeiras, o novo conjunto de falsos profetas que continuava a falar sobre uma falsa paz, bem no meio de um desastre iminente.

6.18

לָכֵ֖ן שִׁמְע֣וּ הַגּוֹיִ֑ם וּדְעִ֥י עֵדָ֖ה אֶת־אֲשֶׁר־בָּֽם׃

Portanto ouvi, ó nações, e informa-te, ó congregação. Tanto a congregação de Israel como as nações circunvizinhas foram chamadas por Yahweh para serem suas testemunhas. O Senhor revelou aqui o que deveria acontecer a um povo desviado. Ele já dera *muitos* avisos. A *orientação* era clara. Judá, entretanto, tinha feito uma série de más escolhas, a ponto de a vereda por eles escolhida tê-los levado a um destino sem retorno. As testemunhas veriam a justiça do que estava próximo a ser realizado. "O povo reunido é convidado a ser testemunha da grande perversidade dos israelitas e de como eles mereciam o severo castigo que estava prestes a ser administrado" (Fausset, *in loc.*). Cf. algo similar em At 13.45,46. Jeremias admirava-se do mistério do estranho esquecimento e negligência de Israel, justamente no tempo em que já estavam na boca do leão devorador.

6.19

שִׁמְעִ֣י הָאָ֔רֶץ הִנֵּ֨ה אָנֹכִ֜י מֵבִ֥יא רָעָ֛ה אֶל־הָעָ֥ם הַזֶּ֖ה פְּרִ֣י מַחְשְׁבוֹתָ֑ם כִּ֤י עַל־דְּבָרַי֙ לֹ֣א הִקְשִׁ֔יבוּ וְתוֹרָתִ֖י וַיִּמְאֲסוּ־בָֽהּ׃

Ouve tu, ó terra! Eis que eu trarei mal sobre este povo. Agora Yahweh expandia o convite para a *toda a terra habitada*, e talvez poeticamente tenha conclamado a própria natureza a juntar-se como testemunha ocular. O látego divino viria sob a forma de um exército hostil e assassino, que desceria sobre a Terra Prometida. Era um exército cheio de artifícios espertos, usado para punir o povo cujos artifícios o tinham feito desviar dos antigos caminhos da retidão para seguir as novas sendas da corrupção. Isso aconteceu por causa das palavras de Yahweh, dadas por seus fiéis atalaias-profetas (vs. 17), as quais tinham sido abertamente repelidas, ao mesmo tempo que as palavras mentirosas dos falsos profetas tinham sido anelantemente aceitas e seguidas. Eles haviam rejeitado a lei de Moisés, o guia da vida (ver Dt 6.4 ss.), e igualmente o pacto mosaico (ver a introdução a Êx 19). Eles se haviam afastado do pacto abraâmico (ver as notas a respeito em Gn 15.18). Cf. o apelo deste versículo à terra como uma testemunha, em Is 1.2.

O próprio fruto dos seus pensamentos. Isto é, os frutos amargos que o processo de seus pensamentos e artifícios havia produzido. O mal começara na mente, e logo corrompera todo o caminho deles, pois, conforme um homem pensa, assim ele o é, segundo se lê em Pv 23.7. Cf. Fp 4.8, onde aprendemos sobre as coisas que controlam os nossos pensamentos. O que eles haviam semeado em seus pensamentos, colheram em feitos e acontecimentos. Ver Gl 6.7,8.

6.20

לָמָּה־זֶּ֨ה לִ֤י לְבוֹנָה֙ מִשְּׁבָ֣א תָב֔וֹא וְקָנֶ֥ה הַטּ֖וֹב מֵאֶ֣רֶץ מֶרְחָ֑ק עֹלוֹתֵיכֶם֙ לֹ֣א לְרָצ֔וֹן וְזִבְחֵיכֶ֖ם לֹא־עָ֥רְבוּ לִֽי׃ ס

Para que, pois, me vem o incenso de Sabá e a melhor cana aromática de terras longínquas? Não devemos compreender este versículo como se ele dissesse que o yahwismo tinha continuado, embora somente de maneira formal. Devemos entender que Judá tinha inventado (pelo menos no tocante a *algumas pessoas*) um abominável *sincretismo*, no qual Yahweh se tornou um dos deuses do panteão. De acordo com esse tipo de vida religiosa, continuavam os sacrifícios e os ritos religiosos no templo, mas desacompanhados de qualquer fé sentida no coração. A adoração dos judeus, pelo contrário, tinha-se transformado em um sincretismo ritualista e formal, e não possuía nenhum valor diante de Deus. Em outros casos, Yahweh nem ao menos era um dos deuses do panteão, sendo substituído, de modo absoluto, por muitas outras divindades, de várias culturas, mas especialmente os deuses da fertilidade e da natureza da terra de Canaã. Ver as notas expositivas sobre Jr 3.13 quanto a uma ilustração a respeito dessa abominação.

O *incenso*, da melhor qualidade, era importado de *Sabá* (ver a respeito no *Dicionário*), mas não tinha o mínimo valor em meio à farsa a que o judaísmo fora reduzido. Sabá ficava no sudoeste da Arábia e era conhecida por suas excelentes especiarias e por seu incenso. Nessa época também era empregada a melhor cana aromática, o cálamo doce, chamado cientificamente de *calamus aromaticus*. Esse produto vegetal era seco e pulverizado em um pó que exalava agradável aroma. Era usado como ingrediente no óleo santo da unção. Ver Êx 30.23. Cf. Is 43.24. Por conseguinte, no culto dos judeus, *excelentes produtos* continuavam sendo usados, mas isso não acrescentava nenhum valor real ao horrendo sincretismo que estava sendo praticado. Nem teria adicionado valor algum ao yahwismo puro, a menos que também estivessem envolvidas ótimas qualidades correspondentes de alma. A cana aromática que os judeus usavam não apresentava nada de aromático para Yahweh. De fato, às suas narinas chegava terrível mau cheiro. Além disso, os sacrifícios regulares de animais continuavam a se processar, de acordo com os requisitos da lei, mas isso também não agradava a Yahweh. Deus estava atrás do sacrifício do coração e da mente (ver Rm 12.1,2). Ver no *Dicionário* o artigo intitulado *Sacrifícios e Ofertas*.

6.21

לָכֵ֗ן כֹּ֚ה אָמַ֣ר יְהוָ֔ה הִנְנִ֥י נֹתֵ֛ן אֶל־הָעָ֥ם הַזֶּ֖ה מִכְשֹׁלִ֑ים וְכָ֥שְׁלוּ בָ֛ם אָב֥וֹת וּבָנִ֖ים יַחְדָּ֑ו שָׁכֵ֥ן וְרֵע֖וֹ יֹאבֵֽדוּ׃ פ

Portanto assim diz o Senhor: Eis que ponho tropeços a este povo. A *pedra de tropeço* posta à frente de Judá faria essa nação sofrer uma queda quase fatal. Tratava-se de uma grande rocha: a invasão do exército babilônico. Talvez alguns julgamentos secundários a antecedessem como sinais de advertência. Mas o que faria pais e filhos, vizinhos e amigos (ou seja, todo o povo de Judá) "perecer" era a horda babilônica. O parágrafo seguinte, vss. 22-26, dá detalhes sobre o inimigo que chegaria do norte, tema constante do profeta Jeremias. Cf. Is 8.14; Mt 21.44 e 1Pe 2.8 quanto a ideias similares. "O próprio Deus, em desprazer judicial, pôs pedras de tropeço perante os réprobos, da mesma forma que eles não tinham desejado reter Deus em seu conhecimento (Sl 69.22; Rm 1.28 e 11.9)" (Fausset, *in loc.*).

O Terror Que Viria do Norte (6.22-26)

6.22

כֹּ֚ה אָמַ֣ר יְהוָ֔ה הִנֵּ֛ה עַ֥ם בָּ֖א מֵאֶ֣רֶץ צָפ֑וֹן וְג֣וֹי גָּד֔וֹל יֵע֖וֹר מִיַּרְכְּתֵי־אָֽרֶץ׃

Assim diz o Senhor: Eis que um povo vem da terra do Norte. Uma vez mais, temos a repetição da advertência sobre o povo *vindo do norte* que seria o instrumento do julgamento de Yahweh. Cf. Jr 1.13-15; 4.5-31 e 5.15-17. "Este poema, sobre o inimigo procedente do norte, retrata vividamente o terror despertado em Judá pela aproximação das tropas inimigas" (James Philip Hyatt, *in loc.*). Além dos babilônios, os citas têm sido identificados como possíveis inimigos. Mas a maneira completa das várias passagens que abordam a questão só pode apontar para a Babilônia. Ver também Jr 25.1-14. O invasor era o chicote disciplinador de Yahweh que quase destruiu completamente Judá, mas houve certa medida de misericórdia que garantiu a sobrevivência de alguns, para que dali surgisse eventualmente o novo Israel. Quanto a isso, ver as notas em Jr 5.18. Cf. Jr 4.27 e 5.10, onde há declarações semelhantes. Haveria um quase fim, mas não o fim total de Judá. Quanto à ideia de que Yahweh controla as atividades humanas, ver Is 13.6. O Senhor é quem levantara os invasores para cumprir sua vontade, isto é, punir e disciplinar o povo de Judá. Esse castigo seria uma vingança contra a idolatria-apostasia deles, mas também uma medida restauradora, conforme acontece com todos os juízos divinos. Judá tinha-se reduzido à *escória*. A pouca prata que restara precisava ser refinada dentre a massa inútil.

6.23

קֶשֶׁת וְכִידוֹן יַחֲזִיקוּ אַכְזָרִי הוּא וְלֹא יְרַחֵמוּ קוֹלָם
כַּיָּם יֶהֱמֶה וְעַל־סוּסִים יִרְכָּבוּ עָרוּךְ כְּאִישׁ לַמִּלְחָמָה
עָלַיִךְ בַּת־צִיּוֹן׃

Trazem arco e dardo; eles são cruéis, e não usam de misericórdia. A habilidade dos babilônios na guerra era uma realidade temível naquela época. A *crueldade* deles era notória. Eles não se contentavam meramente em matar *limpo*, se é que existe algo como matar limpo. Eles matavam e torturavam por diversão, como crianças pequenas que torturam insetos e aves impotentes por brincadeira. A ferocidade dos babilônios era proverbial. A empalação era usada por eles para livrar-se dos prisioneiros de uma maneira que satisfizesse sua mente doentia. As pessoas eram esfoladas vivas ou queimadas em fornalhas (ver Jr 29.22; Dn 3.11). Eles contavam com ótimos cavalos e excelentes cavaleiros, e também inventavam novas maneiras de derrubar muralhas e de eliminar fortificações. O ataque de qualquer inimigo era algo temível, mas o ataque dos babilônios provocava medo que as palavras não podem expressar. "A aproximação de um exército invasor tem sido, em todos os séculos, algo a aterrorizar o coração das terras invadidas (ver Am 8.10; Zc 12.10)" (*Oxford Annotated Bible*, comentando sobre o vs. 22). Enquanto os falsos profetas de Judá clamavam "Paz, paz" (ver Jr 6.14), a fera que vinha do norte olhava, faminta, para Jerusalém, como a próxima vítima. O leão tinha rugido com a voz do mar. Judá estava prestes a ser devorada. Cada flecha atirada seria um homem, uma mulher ou uma criança a menos, em Jerusalém. Cada golpe da espada aumentaria a carnificina, até que toda a população de Judá quase deixasse de existir.

6.24

שָׁמַעְנוּ אֶת־שָׁמְעוֹ רָפוּ יָדֵינוּ צָרָה הֶחֱזִיקַתְנוּ חִיל
כַּיּוֹלֵדָה׃

Ao ouvir a sua fama afrouxam-se as nossas mãos. Tão *temível* era o exército babilônico que até o mero ouvir a respeito fazia os braços dos homens pender inermes ao lado do corpo. O coração de todos os habitantes de Judá fora lançado na angústia. Não havia defesa contra os babilônios. Judá começou a sofrer dores como as de uma mulher em trabalho de parto. Tanto a mulher como a criança morreriam. Quanto à metáfora da mulher em *trabalho de parto,* ver as notas expositivas sobre Jr 4.31, onde ofereço outras referências. Um dos grandes terrores da existência humana tem sido as matanças contínuas das guerras, que representam parte, mas não a totalidade, das barbaridades dos homens uns contra os outros. A desumanidade do homem contra o homem faz parte do *Problema do Mal* (ver a respeito no *Dicionário*). Há o *mal natural*, como os abusos da natureza, os incêndios, as inundações, os terremotos, as enfermidades e a morte. E há também o *mal moral*, que consiste no sofrimento causado pela *perversa vontade* humana. A Babilônia era uma expressão mobilizada do mal moral e, no entanto, serviu de instrumento na mão de Yahweh para refinar Judá, a fim de que pudesse raiar um novo dia, mediante a destruição do que era antigo e irremediável.

6.25

אַל־תֵּצְאִי הַשָּׂדֶה וּבַדֶּרֶךְ אַל־תֵּלֵכִי כִּי חֶרֶב לְאֹיֵב
מָגוֹר מִסָּבִיב׃

Não saias ao campo, nem andes pelo caminho. Não haveria lugar seguro. As pessoas permaneceriam em seus lares, esperando que nenhum soldado viesse bater à porta. Mas a história conta que houve buscas de porta em porta, a fim de que os poucos sobreviventes fossem deportados. Algumas poucas pessoas conseguiram escapar, fugindo para países estrangeiros. Mas o que ocorreu foi, essencialmente, um genocídio. Ver as notas sobre os vss. 11,12 deste capítulo. Ver também, no *Dicionário,* o verbete chamado *Cativeiro Babilônico,* para maiores detalhes.

O exército da Babilônia estava ocupado em missão de matança, pelo que havia pânico por todos os lados. Cada habitante de Jerusalém era uma vítima potencial.

6.26

בַּת־עַמִּי חִגְרִי־שָׂק וְהִתְפַּלְּשִׁי בָאֵפֶר אֵבֶל יָחִיד עֲשִׂי
לָךְ מִסְפַּד תַּמְרוּרִים כִּי פִתְאֹם יָבֹא הַשֹּׁדֵד עָלֵינוּ׃

Ó filha do meu povo, cinge-te de cilício, e revolve-te na cinza. A morte de um filho único é um evento que todos os pais temem com extraordinária angústia. E, quando isso acontece, muitos homens abandonam tanto a fé quanto Deus. Eles geralmente perguntam: "Se Deus existe, por que agiu com tanta pressa? Não havia na terra espaço bastante para o meu filho?" Esse é um aspecto do problema do mal: por que os homens sofrem e por que sofrem da maneira como sofrem? O *mal natural* consiste nos abusos da natureza; e o *mal moral* consiste nos sofrimentos causados pela maldade de uns homens contra os outros, mediante uma vontade perversa. Ver as notas sobre o vs. 24. A morte de um filho único pode ocorrer mediante o mal natural ou o mal moral. O aniquilamento da nação de Judá seria algo temível, comparado a esse tipo de morte. Os habitantes (as filhas do povo de Deus) chorariam, vestindo-se de cilício e revolvendo-se nas cinzas; eles se lamentariam amargamente pela morte do filho (Jerusalém), e ninguém seria capaz de consolá-los. O *destruidor* realizaria sua missão de matança com o máximo de habilidade. Não obstante, o mais ridículo em tudo isso era que Judá se engajara na *autodestruição,* por causa de sua idolatria-adultério-apostasia. Judá matara seu próprio filho único.

Uma lenda escocesa diz o seguinte: Um homem sofria com os ataques de um monstro. A fera estava atacando sua fazenda e destruindo suas plantações e seu gado. Finalmente, acabou matando o filho do proprietário. Irado, certa noite o homem esperou pelo monstro, para matá-lo ou ser morto. Quando o monstro apareceu, o fazendeiro correu contra ele, e, em sua ira, obteve vantagem. Quando levantou a sua lança para terminar com a fera, a luz da lua incidiu sobre o rosto da fera: o rosto era o do próprio homem.

O Profeta como o Testador (6.27-30)

6.27

בָּחוֹן נְתַתִּיךָ בְעַמִּי מִבְצָר וְתֵדַע וּבָחַנְתָּ אֶת־דַּרְכָּם׃

Qual acrisolador te estabeleci entre o meu povo. Neste versículo, algumas traduções apresentam Jeremias como uma torre e uma fortaleza entre o povo de Israel. Mas é melhor traduzir isso como *ensaiador* e *testador* de metais.

> *Tenho feito de ti um operário que testa os metais.*
> *Meu povo é como o minério do metal.*
>
> NCV

A Jeremias caberia testar o minério para verificar se havia ali algum metal precioso. Ou então ele devia verificar se o metal era mesmo ouro ou prata genuínos, ou seja, um metal nobre e precioso.

Judá era o minério. Jeremias realizou seus testes e não encontrou ali nenhum metal precioso. Tudo era apenas escória. E isto se devia ao modo de vida continuamente corrupto do povo de Judá. Neles nada havia de verdadeiro e fiel, mas somente os metais vis dos pagãos.

> Pesado sobre o coração é o grande erro deste mundo.
> A bota que pisa como ganso mói dia e noite.
> Começamos a cantar com a boca, mas o cântico é amargo
> E adoecem a nossa língua como o fruto do mar Morto.
>
> Joseph Auslander

■ **6.28**

כֻּלָּ֤ם סָרֵ֣י סֽוֹרְרִ֔ים הֹלְכֵ֥י רָכִ֖יל נְחֹ֣שֶׁת וּבַרְזֶ֑ל כֻּלָּ֖ם
מַשְׁחִיתִ֥ים הֵֽמָּה׃

Todos eles são os mais rebeldes, e andam espalhando calúnias. Tudo quanto o ensaiador, Jeremias, descobriu em Judá foram metais vis, como bronze e ferro. Ele não encontrou metais nobres, como ouro ou prata. A escória deles devia-se à rebeldia e às calúnias, que poderiam ser comparadas a metais vis. De modo geral, eles agiam "corruptamente", e isso demonstrava sua vileza. "Bronze e ferro. Os metais vis serviam a usos vis, não havendo neles ouro nem prata. O simbolismo leva avante o pensamento do versículo anterior (cf. Is 1.1,22,25; Ez 22.18-22; Ml 3.3)" (Ellicott, *in loc.*). "Todos eles eram vis e maus como os metais inferiores, e não como o ouro ou a prata, e eram tão inflexíveis como são esses metais... corruptores como são aqueles que misturam metais, corruptores de si mesmos e de outros" (John Gill, *in loc.*). Ver Is 48.4.

■ **6.29**

נָחַ֣ר מַפֻּ֔חַ מֵאֵ֖שׁ תַּ֣ם עֹפָ֑רֶת לַשָּׁוְא֙ צָרַ֣ף צָר֔וֹף וְרָעִ֖ים
לֹ֥א נִתָּֽקוּ׃

O fole bufa, só chumbo resulta do seu fogo. "Na prática antiga, o *chumbo* era posto com o minério de prata em um cadinho. Quando aquecido, o chumbo se oxidava e levava os álcalis, deixando a prata pura. Mas supõe-se aqui que o minério fosse tão impuro que o chumbo não conseguia retirar as ligas. Visto que o chumbo realmente não podia ser *consumido* pelo fogo, por não ser volátil, deveríamos traduzir a segunda linha por: 'Do fogo, o chumbo sai inteiro', ou seja, não foi tocado pelas ligas" (James Philip Hyatt, *in loc.*). O significado da passagem é que nenhum acúmulo de refino foi capaz de tirar prata de Judá. Tudo continuava como escória e metal vil, ou seja, um alvo apropriado no julgamento. Por mais que tentasse, Jeremias, o ensaiador, não foi capaz de encontrar valor espiritual em Judá que impedisse seu julgamento. O hálito do profeta era como um fole que aumentava a intensidade do fogo. Nenhuma quantidade de profecia, ensino e crítica fazia bem algum.

■ **6.30**

כֶּ֤סֶף נִמְאָס֙ קָרְא֣וּ לָהֶ֔ם כִּֽי־מָאַ֥ס יְהוָ֖ה
בָּהֶֽם׃ פ

Prata de refugo lhes chamarão, porque o Senhor os refugou. Judá era uma *praga refugada*, ou seja, tão cheia de escória e de metais vis que nem podia ser classificada como prata nobre e boa, dotada de algum valor espiritual.

> *A tua prata se tornou em escórias...*
>
> Isaías 1.22

Yahweh rejeitou, de forma absoluta, aquele tipo de pseudoprata. "As tentativas de reformar a nação fracassaram, pelo que o julgamento era inevitável" (Charles H. Dyer, *in loc.*). Eles foram rejeitados, repelidos, atacados e aniquilados; os sobreviventes foram levados para o exílio da Babilônia; ali foram maltratados, e o número deles foi ainda mais reduzido. Contudo, a destruição não foi realmente absoluta, a fim de que alguns poucos sobreviventes formassem o núcleo de uma nova nação em um novo dia. Ver Jr 4.47; 5.10,18 quanto às promessas esperançosas acerca de um novo dia, em vista de alguns judeus terem sido poupados.

CAPÍTULO SETE

OS JUDEUS SERIAM EXILADOS (7.1—10.25)

A FALSA RELIGIÃO E SUA PUNIÇÃO. A VAIDADE DOS CULTOS (7.1—8.3)

Os críticos supõem que a seção de Jr 7.1-8.3 seja produto do editor deuteronômico, segundo se diz, a primeira grande contribuição dele ao livro de Jeremias. Presumivelmente, ele atuou como comentador e mestre, anotando o livro aqui e acolá, e conferindo-nos algumas grandes seções. Um argumento em favor dessa teoria é que aquilo que ele nos brindou foi escrito sob a forma de *prosa,* não como expressão *poética* do profeta Jeremias. Outro argumento é que essas adições ao livro estão cheias de alusões ao livro de Deuteronômio, sendo essa naturalmente a razão pela qual ele é chamado de "editor deuteronômico". Isso não significa que suas adições não contenham referências genuínas a Jeremias, à sua vida e às suas palavras. Por outro lado, pode-se argumentar que Jeremias incluiu algumas seleções prosaicas em seu livro, da mesma forma que era perfeitamente capaz de aludir ao livro de Deuteronômio.

"Esses capítulos, frequentemente conhecidos como discursos de Jeremias no templo, enfocam a punição divina do povo, em face de sua religião falsa. O povo acreditava que a punição divina jamais alcançaria Jerusalém ou eles mesmos (cf. Jr 5.12,13), e isso por causa da presença do templo e da exibição religiosa deles (cf. Jr 6.20). Mas o discurso de Jeremias no templo destruiu essa esperança e desmascarou a ferida brava da idolatria, que produzia gangrena espiritual no povo de Judá. Os acontecimentos descritos no capítulo 26 provavelmente indicam a reação do povo de Judá a essa mensagem.

"*O Sermão do Templo e a Falsa Adoração de Judá* (Jr 7.1-8.3). Ver Jr 7.1-8. Deus convocou Jeremias para que se pusesse na entrada do templo de Jerusalém e anunciasse sua mensagem aos que ali viessem para adorar. A mensagem foi similar à que ficou registrada: o povo tinha de reformar seus caminhos (cf. Jr 3.12 e 26.13), se quisesse continuar vivo ali" (Charles H. Dyer, *in loc.*).

Alguns eruditos limitam o "discurso do templo" a Jr 7.1-15, mas outros o estendem até o fim do capítulo 10. Seja como for, não há razão para supormos que Jeremias não fez uma ou mais aparições no templo para entregar suas denúncias e instruções. Jeremias era filho de um sacerdote, mas não sabemos dizer se ele chegou a atuar como sacerdote. De qualquer modo, ele sabia que tinha autoridade para levar sua mensagem diretamente ao templo, porquanto tinha a unção de Yahweh.

O SERMÃO DO TEMPLO (7.1-15)

■ **7.1,2**

הַדָּבָר֙ אֲשֶׁ֣ר הָיָ֣ה אֶֽל־יִרְמְיָ֔הוּ מֵאֵ֥ת יְהוָ֖ה לֵאמֹֽר׃

עֲמֹ֗ד בְּשַׁ֙עַר֙ בֵּ֣ית יְהוָ֔ה וְקָרָ֣אתָ שָּׁ֔ם אֶת־הַדָּבָ֖ר
הַזֶּ֑ה וְאָמַרְתָּ֞ שִׁמְע֣וּ דְבַר־יְהוָ֗ה כָּל־יְהוּדָה֙ הַבָּאִים֙
בַּשְּׁעָרִ֣ים הָאֵ֔לֶּה לְהִֽשְׁתַּחֲוֺ֖ת לַיהוָֽה׃ ס

Palavra que da parte do Senhor foi dita a Jeremias. Sem importar se Jeremias escreveu ou não este sermão (pois pode ter sido obra do editor que escreveu em forma prosaica), não há razão alguma para duvidar que o sermão fosse de sua autoria e tivesse sido entregue no templo, conforme lemos. Assim essa *palavra* é um *oráculo* que foi dado ao profeta por Yahweh para denunciar a apostasia do povo de Judá. "Em seu primeiro ano, Jeoiaquim, filho de Josias, não seguiu o exemplo piedoso de seu pai. Ele restaurou a idolatria e manteve maus sacerdotes e ainda piores profetas, e assim encheu Jerusalém com abominações de todos os tipos" (Adam Clarke, *in loc.*). Isso posto, foi estabelecido o palco para abrigar a idolatria agravada que Jeremias, eventualmente, denunciou, por muitas vezes, em seu livro. Cf. o templo de Salomão com Jr 26.4-6, que é similar e talvez tenha sido tomado por empréstimo daqui. Pode ter havido vários sermões do templo com conteúdo similar.

Põe-te à porta da casa do Senhor, e proclama ali esta palavra. O meio ambiente do sermão neste capítulo é a porta, apontando para o portão que separava os átrios. Jr 26.10 tem o sermão entregue na nova porta (ver notas sobre esse versículo). Não há como identificar os dois sermões como se fossem um único, nem como afirmar que não são um só sermão, e em nada nos ajuda a vaga referência à "porta".

Jeremias demonstrou sua coragem entregando o sermão "na boca do leão", por assim dizer, e podemos ter certeza de que a forte oposição que se levantou contra ele foi parcialmente provocada por um desses atos ousados. O profeta atacou a falácia de que Jerusalém estava segura por causa da presença do templo, o que, alegadamente, garantia tanto a presença de Yahweh como sua proteção. Por outro lado, a glória do Senhor desde há muito havia abandonado aquele lugar, por causa da idolatria-adultério-apostasia de Judá.

7.3

כֹּה־אָמַר יְהוָה צְבָאוֹת אֱלֹהֵי יִשְׂרָאֵל הֵיטִיבוּ דַרְכֵיכֶם וּמַעַלְלֵיכֶם וַאֲשַׁכְּנָה אֶתְכֶם בַּמָּקוֹם הַזֶּה׃

Assim diz o Senhor dos Exércitos, o Deus de Israel. Jerusalém não estava *imune* aos ataques do exército babilônico somente porque o templo ficava ali. O povo de Judá já havia rejeitado tudo quanto o templo representava, em sua franca idolatria pagã e em seu sincretismo que combinava yahwismo e culto pagão. Até os profetas e os sacerdotes tinham desertado os antigos caminhos da lei (ver Jr 5.31). O culto do templo havia sido corrompido (ver Jr 6.19,20). Portanto, Elohim, o *Senhor dos Exércitos* (ver 1Rs 18.15, e ver sobre esse título no *Dicionário*) naquele momento estava reunindo seus instrumentos de terror (o exército da Babilônia) para que marchassem ao sul e nivelassem aquele lugar apóstata. Elohim era o Deus de Israel, mas era, igualmente, o Senhor universal que controla as atividades humanas (ver Is 13.6). Sua lei moral havia sido frontalmente violada. A única coisa que poderia deter a marcha das tropas que desciam do norte era um autêntico arrependimento. Nesse caso, a vida prosseguiria normalmente em Jerusalém. Do contrário, a vida ali seria aniquilada. A questão era tão simples quanto isso. Cf. este versículo com Jr 18.11 e 26.13.

O arrependimento requerido seguiria os mandamentos dados nos vss. 4-6, que cobrem extenso território moral.

"Lugares sagrados e símbolos sagrados nada são à vista de Deus, quando o coração não é reto por dentro" (Adam Clarke, *in loc.*).

7.4

אַל־תִּבְטְחוּ לָכֶם אֶל־דִּבְרֵי הַשֶּׁקֶר לֵאמֹר הֵיכַל יְהוָה הֵיכַל יְהוָה הֵיכַל יְהוָה הֵמָּה׃

Não confieis em palavras falsas, dizendo: Templo do Senhor... *O Mau Caráter de Judá.* Considere o leitor estes cinco pontos, que aparecem em diversos versículos:

1. Confiar nas palavras mentirosas dos falsos profetas. Ver o vs. 8 deste capítulo; 5.31 e Mq 3.11. Eles tinham chegado a confiar nas observâncias cerimoniais do templo como garantia de sua segurança (ver Jr 6.19,20 e 7.3). A fé ritualista era uma mentira quando separada da fé sentida no coração (ver Pv 4.23). O "templo, templo, templo" haveria de salvá-los, conforme eles pensavam. Acontece, porém, que eles tinham abandonado o significado do templo, sua verdadeira adoração, conforme demonstro nas notas sobre o versículo anterior. Cf. 1Co 3.16 e 1Pe 2.5, quanto ao sentido mais elevado do templo, que agora é o próprio crente, onde o Espírito veio residir. As palavras mentirosas dos falsos profetas tinham tornado mentiroso o coração deles, e assim eles se enganaram. A Septuaginta adverte aqui os homens a não confiar em *si mesmos*.

7.5

כִּי אִם־הֵיטֵיב תֵּיטִיבוּ אֶת־דַּרְכֵיכֶם וְאֶת־מַעַלְלֵיכֶם אִם־עָשׂוֹ תַעֲשׂוּ מִשְׁפָּט בֵּין אִישׁ וּבֵין רֵעֵהוּ׃

Mas, se deveras emendardes os vossos caminhos e as vossas obras. Continuam aqui os cinco pontos referidos nos inícios das notas expositivas sobre o vs. 4:

2. O segundo aspecto da emenda dos caminhos do povo judeu seria a *justiça social:* o fim da exploração dos pobres pelos ricos, conforme visto em Jr 5.26-29 com detalhes. Isso incluía a corrupção, mediante o suborno, tanto dos juízes quanto das testemunhas, estando envolvidos até crimes de sangue. Ver também Jr 22.3. "Justiça feita sem acepção, sem subornos e sem corrupção, passando sentenças justas e tomando decisões equitativas, em concordância com a lei de Deus" (John Gill, *in loc.*). Ver Êx 20.16, um dos Dez Mandamentos.

7.6

גֵּר יָתוֹם וְאַלְמָנָה לֹא תַעֲשֹׁקוּ וְדָם נָקִי אַל־תִּשְׁפְּכוּ בַּמָּקוֹם הַזֶּה וְאַחֲרֵי אֱלֹהִים אֲחֵרִים לֹא תֵלְכוּ לְרַע לָכֶם׃

Se não oprimirdes o estrangeiro e o órfão e a viúva. Continuam aqui os cinco pontos para o leitor considerar:

3. O fim da *opressão social* de qualquer tipo, que, naturalmente, significava a exploração dos fracos, incapazes de defender-se contra os fortes. A opressão exercida contra estrangeiros que estivessem passando pela Terra Prometida ou ali residissem; os maus-tratos contra as viúvas e os órfãos, em que fossem roubados o pouco dinheiro ou as propriedades que pertenciam a heranças familiares. Cf. Dt 14.29; 16.11; 24.19 e Sl 94.6.
4. O fim dos *crimes de sangue*, o assassinato dos inocentes e dos fracos, ou a execução de rivais, ou o ato de matar por diversão e esporte. Ver Dt 19.10-13; 21.1-9. Ver Êx 20.13, que tem um dos Dez Mandamentos.
5. O fim da *idolatria*, a nojenta combinação que Judá tinha inventado: a idolatria-adultério-apostasia. A versão árabe diz que a prática da idolatria era "perniciosa" para eles. "Eles (os ídolos) arruinarão as vossas vidas" (NCV).

7.7

וְשִׁכַּנְתִּי אֶתְכֶם בַּמָּקוֹם הַזֶּה בָּאָרֶץ אֲשֶׁר נָתַתִּי לַאֲבוֹתֵיכֶם לְמִן־עוֹלָם וְעַד־עוֹלָם׃

Eu vos farei habitar neste lugar, na terra que dei a vossos pais. *Se* fosse efetuada a reforma, nos moldes descritos anteriormente, o que era claramente uma volta às observâncias fundamentais da lei de Moisés, então Judá continuaria a residir e a prosperar na Terra Prometida, confirmando o ato de Deus, que havia dado aquele território como herança aos pais da nação de Judá. *Isso* era o que daria segurança aos judeus, e não meramente viver perto da porta do templo (vss. 3,4). Cf. Jr 3.18 e Dt 4.40. O poder que trabalhara em favor de Josué retornaria a eles, garantindo-lhes a permanência na Terra Prometida. Essa era uma das grandes provisões do pacto abraâmico. Ver sobre isso em Gn 15.18.

7.8

הִנֵּה אַתֶּם בֹּטְחִים לָכֶם עַל־דִּבְרֵי הַשָּׁקֶר לְבִלְתִּי הוֹעִיל׃

Eis que vós confiais em palavras falsas, que para nada vos aproveitam. A declaração deste versículo *reitera* a ideia dos vss. 3,4, onde há notas expositivas completas. Era necessária a *reforma*, e não a fé em meras fantasias sobre o quanto os lugares ou objetos sagrados podiam proteger pessoas ímpias. Cf. Jr 5.31. Eles tinham de parar de confiar nos *enganadores* e correr para longe da *autodecepção*. Não havia *proveito* em confiar em fantasias, enquanto o exército babilônico já havia recebido da parte de Yahweh ordens de marcha para descer na direção sul e punir um povo desviado, idólatra, adúltero e apóstata.

7.9

הֲגָנֹב רָצֹחַ וְנָאֹף וְהִשָּׁבֵעַ לַשֶּׁקֶר וְקַטֵּר לַבָּעַל וְהָלֹךְ אַחֲרֵי אֱלֹהִים אֲחֵרִים אֲשֶׁר לֹא־יְדַעְתֶּם׃

Que é isso? Furtais e matais, cometeis adultério e jurais falsamente... O profeta (ou o editor deuteronômico) volta aos conceitos básicos da lei, dando-nos declarações paralelas aos Dez Mandamentos (ver Êx 20; Dt 5). Temos aqui proibições contra os pecados de *furto* (Êx 20.15; Dt 5.19); contra o *assassinato* (ver Êx 20.13; Dt 5.17); contra o *falso testemunho* (ver Êx 20.16; Dt 5.20); contra todas as formas de *idolatria* (Êx 20.4,5; Dt 5.7,8). O que teria salvado Judá seria um movimento de "volta à Bíblia", uma restauração dos antigos caminhos vinculados à lei mosaica. Ver no *Dicionário* os *Dez Mandamentos* quanto a detalhes. Note o leitor que o mandamento divino contra a idolatria é apresentado mediante *dois* mandamentos nos livros de Êxodo e de Deuteronômio. Cf. Jz 5.8. "Eles escolheram novos deuses".

Queimais incenso a Baal. Ver no *Dicionário* o artigo chamado *Baal*, que é especificamente mencionado como a principal divindade para a qual os judeus se voltaram quando começaram a participar do culto de fertilidade dos cananeus e dos deuses da natureza (ver Jr 3.13 quanto a maiores detalhes).

■ 7.10

וּבָאתֶם וַעֲמַדְתֶּם לְפָנַי בַּבַּיִת הַזֶּה אֲשֶׁר נִקְרָא־שְׁמִי עָלָיו וַאֲמַרְתֶּם נִצַּלְנוּ לְמַעַן עֲשׂוֹת אֵת כָּל־הַתּוֹעֵבוֹת הָאֵלֶּה:

E depois vindes e vos pondes diante de mim nesta casa. Bem no meio da promoção daqueles pesados pecados, destacando-se entre eles o pecado da idolatria, Judá ainda tinha coragem de subir ao templo, à presença de Yahweh, esperando ser abençoado e continuar a viver em paz na Terra Prometida.

Pensais que podeis dizer: "Estamos em segurança!"?.
Estais seguros quando fazeis todas essas coisas odiosas?
NCV

A *vileza* tinha transformado o templo em uma cova de ladrões (ver Mt 21.12,13). Yahweh observava todas as perversões, e o que ele estava *garantindo* era uma invasão por parte de um exército estrangeiro que desceria do norte, e não a paz contínua. Cada declaração do profeta caía como uma martelada, mas o povo de Judá permanecia insensível, autoenganado. Judá acreditava na *impunidade,* a despeito de sua completa paganização. A versão siríaca diz: "Livra-nos enquanto cometemos todos esses pecados!" Um dia o povo estava no templo, invocando a Yahweh. No dia seguinte, estava em lugares altos e bosques de Baal, praticando flagrante idolatria, mesclada com adultérios cultuais. A contínua iniquidade rouba de um homem seu bom senso e lhe confere falsas expectativas. Os homens ficam a andar de cabeça para baixo, no teto, e pensam que sua maneira de andar é exemplar.

■ 7.11

הַמְעָרַת פָּרִצִים הָיָה הַבַּיִת הַזֶּה אֲשֶׁר־נִקְרָא־שְׁמִי עָלָיו בְּעֵינֵיכֶם גַּם אָנֹכִי הִנֵּה רָאִיתִי נְאֻם־יְהוָה: ס

Será esta casa que se chama pelo meu nome, um covil de salteadores aos vossos olhos? O Senhor Jesus citou parcialmente este versículo em Mt 21.13, mas acrescentou parte de Is 56.7 em sua declaração. O covil de salteadores era uma caverna crua, na qual, após cometerem seus crimes, eles se refugiavam e se escondiam das autoridades. Aquele era seu lugar de segurança. E o povo de Judá, tal como os salteadores, embora carregados de pecados, iam refugiar-se no templo. Contudo, Yahweh observava a cena inteira, desgostoso, e já estava convocando a Babilônia a pôr fim a toda aquela tristeza. Essas palavras revestem-se aqui de especial força, para um povo que vivia em uma região como a Palestina, cujas colinas de pedra calcária proviam muitas cavernas naturais para os criminosos se ocultarem. Ver 1Sm 22.1. Aqueles homens perversos eram assassinos, assaltantes dos pobres, dos necessitados, dos fracos (vs. 6), e transformaram o templo em seu covil. Esse era um *insulto* que Yahweh jamais ignoraria. Ele tinha "visto" todos aqueles absurdos e todas aquelas abominações (vs. 10). A *retribuição* em breve se tornaria o nome do jogo.

■ 7.12

כִּי לְכוּ־נָא אֶל־מְקוֹמִי אֲשֶׁר בְּשִׁילוֹ אֲשֶׁר שִׁכַּנְתִּי שְׁמִי שָׁם בָּרִאשׁוֹנָה וּרְאוּ אֵת אֲשֶׁר־עָשִׂיתִי לוֹ מִפְּנֵי רָעַת עַמִּי יִשְׂרָאֵל:

Mas ide agora ao meu lugar, que estava em Silo. O tabernáculo antes estivera localizado em *Silo* (ver a respeito no *Dicionário*). A cidade ficava quase 29 km ao norte de Jerusalém, tendo sido um santuário de grande importância para Israel, durante longo tempo. A casa de Elias servira ali como no sacerdócio, e Samuel crescera em Silo (ver Js 18.1; 1Sm 1.1—4.22). Mas aquele santuário foi destruído por causa das corrupções do sacerdócio. Isso fica implícito *aqui,* embora em outros trechos bíblicos não sejamos informados sobre essa destruição. Entretanto, escavações feitas no local, a moderna *Seilun* (localização da antiga Silo), descobriram que o lugar foi nivelado em cerca de 1050 a.C., provavelmente por parte dos filisteus. As ruínas sem dúvida ainda eram visíveis nos dias de Jeremias. Somente no período helenista (cerca de 300 a.C.) o local foi habitado novamente. O *nome* de Yahweh foi colocado naquela localidade, tal como foi posto mais tarde em Jerusalém, mas esse fato não impediu que Deus julgasse o lugar. Ver sobre *nome,* em Sl 31.3, e ver sobre *nome santo,* em Sl 30.4 e 33.21. Yahweh identificou-se com aquele lugar, mas isso não o tornou um refúgio eterno, especialmente no caso de homens ímpios. Outro tanto pode ser dito no tocante ao templo de Jerusalém.

"A Bíblia faz silêncio quanto à sorte de Silo (excetuando o presente texto). Mas depois que os filisteus capturaram a arca da aliança (ver 1Sm 4.10,11), os sacerdotes de Israel evidentemente fugiram para Nobe (ver 1Sm 22.11), e Silo foi abandonada como lugar central de adoração (cf. Sl 78.56-61)" (Charles H. Dyer, *in loc.*).

■ 7.13

וְעַתָּה יַעַן עֲשׂוֹתְכֶם אֶת־כָּל־הַמַּעֲשִׂים הָאֵלֶּה נְאֻם־יְהוָה וָאֲדַבֵּר אֲלֵיכֶם הַשְׁכֵּם וְדַבֵּר וְלֹא שְׁמַעְתֶּם וָאֶקְרָא אֶתְכֶם וְלֹא עֲנִיתֶם:

Agora, pois, visto que fazeis todas estas obras, diz o Senhor, e eu vos falei. *Pecados contínuos e grosseiros* fariam Jerusalém tornar-se outra Silo, e a glória do Senhor se afastaria daquele lugar, que seria deixado em ruínas completas. As fantasias humanas não podem deter a justiça de Deus. Algumas vezes a "fé" consiste em crer naquilo que não é verdadeiro. A mensagem transmitida por Jeremias era tanto clara como persistente, mas não era ouvida. A chamada divina foi ignorada, mas nenhum homem ignoraria o exército babilônico quando aparecesse defronte das muralhas da cidade. Cf. este versículo com Pv 1.24; Is 65.12 e 66.4. Judá brincou com a palavra de Deus, o que foi fatal, no final das contas. Todo pecado é uma brincadeira com a palavra de Deus.

■ 7.14

וְעָשִׂיתִי לַבַּיִת אֲשֶׁר נִקְרָא־שְׁמִי עָלָיו אֲשֶׁר אַתֶּם בֹּטְחִים בּוֹ וְלַמָּקוֹם אֲשֶׁר־נָתַתִּי לָכֶם וְלַאֲבוֹתֵיכֶם כַּאֲשֶׁר עָשִׂיתִי לְשִׁלוֹ:

Farei também a esta casa, que se chama pelo meu nome. Silo foi transformada em uma terra desolada pelos filisteus. E Jerusalém seria reduzida a uma terra desolada pelos babilônios. A causa seria divina, embora os instrumentos fossem humanos. Ver Is 13.6 sobre como a vontade divina controla o destino dos homens e das nações. Ver no *Dicionário* os artigos chamados *Soberania* e *Providência de Deus*. O *Nome* e a *presença* de Deus desapareceriam de Jerusalém, tal como aconteceu a Silo. O templo exibia o nome de Deus (ver Jr 7.10,12,13; cf. o vs. 30) e era o símbolo da presença do Senhor. Seu *Nome* significa a sua pessoa e os seus atributos revelados. Ver no *Dicionário* o artigo chamado *Nome*, e ver também Sl 31.3. Ver sobre *Nome Santo*, em Sl 30.4 e 33.21.

■ 7.15

וְהִשְׁלַכְתִּי אֶתְכֶם מֵעַל פָּנָי כַּאֲשֶׁר הִשְׁלַכְתִּי אֶת־כָּל־אֲחֵיכֶם אֵת כָּל־זֶרַע אֶפְרָיִם: ס

Lançar-vos-ei da minha presença, como arrojei a todos os vossos irmãos. Tal como a nação do norte, Israel, foi lançada da presença do Senhor e levada para o cativeiro assírio, o sul (Judá) sofreria a mesma sorte, mas seria levado para a Babilônia. Ver no *Dicionário* os artigos chamados *Cativeiro Assírio* e *Cativeiro Babilônico*.

A nação do sul observou o que aconteceu à nação do norte, mas nada aprendeu daí.

Efraim. Esta tribo tornou-se a maior e mais influente das dez tribos do norte, e seu nome representa, algumas vezes, as dez tribos do norte.

Intercessão Proibida (7.16-20)

■ 7.16

וְאַתָּה אַל־תִּתְפַּלֵּל בְּעַד־הָעָם הַזֶּה וְאַל־תִּשָּׂא בַעֲדָם רִנָּה וּתְפִלָּה וְאַל־תִּפְגַּע־בִּי כִּי־אֵינֶנִּי שֹׁמֵעַ אֹתָךְ:

Tu, pois, não intercedas por este povo, nem levantes por ele clamor ou oração. Jeremias não deveria agir conforme tinha feito Moisés, que intercedeu e salvou Israel da calamidade. Ver Êx 32.11-14 e Dt 9.25-29. O Judá dos dias de Jeremias já estava sob cegueira judicial, um julgamento preliminar que culminaria no terror da matança e do exílio provocados pelos babilônios. Agora já não havia como chamar Judá ao arrependimento. Eles não queriam ouvir e, por isso mesmo, tornaram-se *incapazes* de ouvir a palavra divina. Yahweh não ouviria as orações de Jeremias em favor de Judá, pelo que ele não deveria gastar seu tempo em exercícios espirituais. Cf. os que Yahweh recomendou a Jeremias, em 11.14 e 14.11,12 de seu livro: "Uma das funções do profeta era interceder diante de Deus em favor do povo. Um excelente exemplo é provido por Am 7.2,5. Mas Jeremias foi proibido de interceder, porquanto o povo era tão pecaminoso que Deus não o ouviria" (James Philip Hyatt, *in loc.*). Deus pode fazer melhor certas coisas, através do julgamento, do que por qualquer outra maneira, e isso era verdade no caso da nação de Judá, na época de Jeremias. "Quão terrível deve ser quando Deus se recusa a derramar seu Espírito de súplica sobre seus ministros e sobre o povo! (Adam Clarke, *in loc.*). Ver 1Sm 7.51; Sl 99.6.

■ 7.17

הַאֵינְךָ רֹאֶה מָה הֵמָּה עֹשִׂים בְּעָרֵי יְהוּדָה וּבְחֻצוֹת יְרוּשָׁלִָם:

Acaso não vês tu o que andam fazendo nas cidades de Judá...? Yahweh oferece aqui suas razões para não permitir que Jerusalém recebesse o benefício da intercessão de Jeremias. A qualquer dia da semana, o profeta poderia (e provavelmente estava a) observar o que acontecia na cidade, nas ruas e nos lares. Toda a população estava envolvida em alguma forma de idolatria, incluindo as crianças. Não sobrara vergonha entre os filhos de Judá. Cultos idólatras eram promovidos em Jerusalém, e os judeus se mostravam zelosos nesse tipo de cultos, tendo abandonado completamente a Yahweh.

■ 7.18

הַבָּנִים מְלַקְּטִים עֵצִים וְהָאָבוֹת מְבַעֲרִים אֶת־הָאֵשׁ וְהַנָּשִׁים לָשׁוֹת בָּצֵק לַעֲשׂוֹת כַּוָּנִים לִמְלֶכֶת הַשָּׁמַיִם וְהַסֵּךְ נְסָכִים לֵאלֹהִים אֲחֵרִים לְמַעַן הַכְעִסֵנִי:

Os filhos apanham a lenha, os pais acendem o fogo, e as mulheres amassam a farinha. *Famílias inteiras* uniam-se doentiamente em torno dos cultos idólatras. As *crianças* recolhiam a lenha para fazer bolos em honra aos ídolos. A tarefa dos pais era acender o fogo. As mães e filhas preparavam os bolos em honra a deuses e deusas dos cultos. Uma das principais divindades que merecia toda essa atenção da parte dos judeus era a *Rainha do Céu*. É provável que estivesse em vista a deusa assírio-babilônia *Istar*, a deusa do planeta Vênus. Ver Jr 44.17-25 quanto a uma descrição da adoração a essa deusa. É provável que esse culto em Israel (Judá) tenha atingido o ponto culminante no tempo do rei Manassés, que promoveu certa variedade de idolatrias pagãs. Josias conseguiu fazer estancar, temporariamente, a maré idólatra, embora após sua morte tudo tenha voltado. Ver no *Dicionário* o verbete chamado *Istar*, quanto a detalhes.

Bolos. Bolos doces feitos de mel e farinha de trigo. Esses bolos podiam ser preparados no formato de ídolos em miniatura, redondos como a lua, ou em alguma forma que representasse estrelas. Em Jr 44.19 lemos acerca de bolos que tinham a imagem da deusa, estando em pauta algum formato especial, embora seja impossível ter certeza do formato. A *estrela* era o símbolo da deusa, sendo essa a conjectura mais provável. Cf. Am 5.26. *Apuleius* (Metáforas 1.11 começo) fazia da lua a rainha do céu, e os intérpretes, antigos e modernos, seguem esse parecer. Seja como for, Istar era a deusa do amor e da fertilidade, e o culto a ela incluía a prostituição sagrada e particular. Ver sobre Jr 3.13. Istar era um dos principais pontos de atração, mas muitos outros deuses eram honrados mediante sacrifícios, libações e cultos. Os *lugares altos* eram cheios dos ídolos populares, e geralmente se encontrava um casal fazendo sexo debaixo de cada árvore, "honrando" algum deus da fertilidade com seus ritos pútridos. Ver Jr 3.13 para uma ilustração.

■ 7.19

הַאֹתִי הֵם מַכְעִסִים נְאֻם־יְהוָה הֲלוֹא אֹתָם לְמַעַן בֹּשֶׁת פְּנֵיהֶם: ס

Acaso é a mim que eles provocam à ira, diz o Senhor...? Yahweh e seu profeta, Jeremias, estavam sendo desonrados. Jeremias vivia consternado diante de toda aquela situação, mas quem, realmente, estava sendo *prejudicado* era o próprio povo de Judá. Eles estavam em um processo de *autodestruição*. Os falsos profetas clamavam "paz, paz", mas em pouco tempo os soldados babilônios bateriam às portas da cidade de Jerusalém. O povo estava envergonhado e confuso e destruía-se por si mesmo. Cf. Dt 32.16,21 e Jó 35.6,8.

Quem peca contra mim violenta a sua própria alma.
Todos os que me aborrecem amam a morte.
Provérbios 8.36

■ 7.20

לָכֵן כֹּה־אָמַר אֲדֹנָי יְהוִה הִנֵּה אַפִּי וַחֲמָתִי נִתֶּכֶת אֶל־הַמָּקוֹם הַזֶּה עַל־הָאָדָם וְעַל־הַבְּהֵמָה וְעַל־עֵץ הַשָּׂדֶה וְעַל־פְּרִי הָאֲדָמָה וּבָעֲרָה וְלֹא תִכְבֶּה: ס

Portanto assim diz o Senhor Deus: Eis que a minha ira e o meu furor se derramarão sobre este lugar. O julgamento de Yahweh-Elohim é simbolizado pelo *fogo*. Outrossim, haveria um verdadeiro incêndio quando os babilônios fizessem uma vereda através de Judá e chegassem a Jerusalém para terminar sua tarefa inaudita. O fogo representava a *fúria* de Deus, que era uma política de terra arrasada. Isso seria *derramado* com abundância sobre os objetos físicos de Judá, como as cidades, as fortificações, o templo e todas as coisas que compunham a cidade de Jerusalém. O fogo cairia sobre os animais, que seriam cozidos e devorados pelo exército babilônico. As árvores seriam queimadas como combustível, ou meramente por motivo de ódio. As árvores frutíferas produziriam frutas para os invasores. Os frutos produzidos pelo solo, as várias formas de plantação, serviriam somente para alimentar os assassinos, que avançariam formando hordas intermináveis. Em Judá nada restaria inteiro. Os poucos judeus que sobrevivessem seriam transportados para a Babilônia. Mulheres escolhidas seriam enviadas para os haréns dos ricos e poderosos babilônios; as que não fossem, terminariam como escravas; os homens acabariam sujeitos a trabalho escravo; os que representassem ameaça seriam confinados em masmorras. Ver Jr 6.11,12, quanto aos efeitos universais da invasão. Nenhuma família permaneceria unida; nenhuma pessoa ficaria intocada. Até as crianças seriam brutalmente maltratadas e mortas.

Obediência Moral Requerida, e Não Sacrifícios (7.21-28)

■ 7.21

כֹּה אָמַר יְהוָה צְבָאוֹת אֱלֹהֵי יִשְׂרָאֵל עֹלוֹתֵיכֶם סְפוּ עַל־זִבְחֵיכֶם וְאִכְלוּ בָשָׂר:

Assim diz o Senhor dos Exércitos, o Deus de Israel: Ajuntai os vossos holocaustos. A passagem à nossa frente expressa a ideia de Jeremias sobre a verdadeira fé espiritual. Alguns dizem que Jeremias não eliminou o que era sacrificial, ritual e cerimonial, mas percebeu que essas coisas eram inteiramente inúteis; e, na nação de Judá de seu tempo, eram realmente fúteis. A *obediência* às implicações morais da lei de Moisés era o principal. Naturalmente, deveria ser uma obediência prestada de coração, e não mero cuidado em cumprir os deveres determinados. Ver as notas expositivas sobre Pv 4.23 quanto à fé de todo o coração. Alguns estudiosos têm um ponto de vista radical a respeito desta passagem, supondo que Jeremias tenha chegado ao extremo de negar qualquer valor, histórico ou presente, aos sacrifícios de animais, supondo que o intuito original de Yahweh não fosse esse. Ver as notas sobre os vss. 22 e ss. Cf. Am 5.21-25; Os 6.6; Is 1.10-17; Mq 6.6-8. Podemos dizer, pelo menos, que os últimos profetas estavam movendo-se "na direção" da compreensão do Novo Testamento sobre a fé e a prática religiosa, e começavam a perceber que havia algo melhor que os sacrifícios animais, bem como melhor que as formas primitivas do yahwismo que dominava desde os dias de Moisés.

E comei carne. Os sacrifícios chamados *holocaustos* (ver a respeito no *Dicionário*) eram dirigidos somente a Yahweh. A carne dos animais era queimada no fogo, sobre o altar. Outros sacrifícios de animais eram diferentes. O indivíduo que quisesse fazer um sacrifício trazia seu animal. O *sangue e a gordura* (considerados porções escolhidas) eram queimados sobre o altar, como partes pertencentes a Yahweh. Ver as leis sobre o sangue e a gordura, em Lv 3.17 e suas notas expositivas. Além disso, aos sacerdotes eram dadas *oito porções* diferentes do animal, para serem servidas nas refeições. Ver as notas expositivas sobre Lv 6.26; 7.11-24; 7.28-38; Nm 18.8; Dt 12.17,28. O que *sobrasse* era propriedade do homem que trouxera o sacrifício, e ele poderia comer essas porções com seus familiares e até convidar outras pessoas para participar. Jeremias fez aqui a notável declaração de que o povo poderia também comer a carne dos *holocaustos*, e não meramente de outros tipos de sacrifícios. E também reivindicou que Yahweh-Elohim o inspirou a dizer essas palavras. A implicação é que todas as regras sobre os animais sacrificados tinham sido feitas pelos homens desde o princípio, e nunca houve significado espiritual real nos sacrifícios animais. Se essa foi realmente a posição de Jeremias sobre os sacrifícios, então ela só pode ser considerada blasfema e herege pelos "fundamentalistas". Para escapar dessa posição tão radical, muitos intérpretes supõem que Jeremias estivesse falando em *termos comparativos*, ou então que estivesse meramente declarando que os sacrifícios de *seus dias*, quando Judá estava mergulhado na apostasia, nada significavam nem eram ordenados por Yahweh, não que, historicamente, essa fosse a verdade dos fatos. Mas isso contradiz o fraseado literal do vs. 22.

■ 7.22

כִּי לֹא־דִבַּרְתִּי אֶת־אֲבוֹתֵיכֶם וְלֹא צִוִּיתִים בְּיוֹם הוֹצִיאִי אוֹתָם מֵאֶרֶץ מִצְרָיִם עַל־דִּבְרֵי עוֹלָה וָזָבַח׃

Porque nada falei a vossos pais, no dia em que os tirei da terra do Egito. Se tomarmos essas palavras literalmente e nada adicionarmos ao texto, nem mental nem verbalmente, então devemos compreender a afirmação de Jeremias de que Yahweh jamais ordenou o sacrifício de animais, dando a entender que todo o sistema havia sido criado pelos homens e estava equivocado. Nesse caso, teríamos aqui uma seca negação de que todo o material do Pentateuco concernente aos holocaustos e a outras formas de sacrifícios de animais tinha sido determinados por Deus. Se essa era a posição de Jeremias, então somos obrigados a concluir que ele foi ainda mais radical do que o Novo Testamento, que admite as ordenanças divinas sobre sacrifícios, mas os vê como uma fé primitiva que *prefigurava* a substância da verdadeira espiritualidade em Cristo. "Jeremias disse claramente que, nos dias de Moisés, Deus não estabeleceu nenhum requisito atinente aos sacrifícios, mas somente a obediência moral... Deliberadamente ele se manifestou contra o ponto de vista *prevalecente* de que Moisés ordenou sacrifícios de animais (cf. Am 5.25)" (James Philip Hyatt, *in loc.*, que entende essas palavras da maneira mais literal possível).

Como é óbvio, muitos intérpretes correm em ajuda de Jeremias para salvá-lo da acusação de blasfêmia e heresias. Considere o leitor estes quatro pontos:

1. Uma maneira de *salvar Jeremias* da acusação de blasfêmia é dizer que os sacrifícios não eram a "principal" questão em vista.
2. Outra forma é dizer que os "sacrifícios de seus dias" eram fúteis, e que ele não estava atacando sacrifícios históricos.
3. Ainda outro modo de *salvar* o profeta consiste em dizer que ele falou em termos absolutos, mas deveria ser entendido relativamente: os sacrifícios apenas apontavam para algo melhor, não eram a essência da fé.
4. Ou então os sacrifícios de animais só são aceitáveis quando acompanhados por uma fé de todo o coração, vinculada à obediência moral à lei mosaica. Isso equivale a dizer que Jeremias tinha uma compreensão cristã sobre a lei. Os hebreus pensavam que todos os aspectos da lei, seus mandamentos, seus sacrifícios, seus ritos etc. eram *questões morais*. Os hebreus não dividiam a lei mosaica numa parte moral e noutra cerimonial, conforme fazemos.

Talvez Jeremias fosse mesmo um hebreu tão radical a ponto de devermos tomar este versículo em um sentido absolutamente literal. Talvez todas as nossas tentativas de *salvá-lo* nos afastem do que ele ensinava, em vez de aproximar-nos dele. Talvez todas as nossas tentativas de salvar Jeremias sejam meras *harmonias* com outros textos do Antigo Testamento, enquanto Jeremias não estava interessado em harmonias. Talvez ele pensasse ter recebido uma revelação superior que superava os textos antigos. Talvez o que ele estivesse dizendo fosse: "Esta é a *verdade* da questão. Esqueçam aquilo em que vocês têm crido". Talvez a declaração de 1Sm 15.22 de que "obedecer é *melhor* do que o sacrificar" esteja fora de lugar aqui. Em outras palavras, se Jeremias tivesse acreditado que os sacrifícios de animais não tinham nenhuma utilidade e eram uma invenção humana, ele não falaria em termos de algo *melhor*, como se tivesse *algum* valor. Pessoalmente, tenho-me metido em muitas dessas controvérsias, e sinto-me inclinado a aceitar o ponto de vista radical desta passagem. O leitor deve sentir-se livre para adicionar *medidas salvadoras* a fim de evitar que Jeremias seja considerado um herege. Se o ponto de vista radical é o correto, então, podemos estar certos de que o profeta já tinha perdido todos os seus amigos. Os apóstatas o odiavam. E agora os poucos fundamentalistas que ainda restavam em Judá sem dúvida também o detestavam, acusando-o de blasfêmia. Por outro lado, a maioria dos verdadeiramente *grandes pioneiros espirituais* foram considerados blasfemos e hereges em seus próprios dias, incluindo Jesus e Paulo, que foram tão ou mais radicais ainda do que Jeremias.

■ 7.23

כִּי אִם־אֶת־הַדָּבָר הַזֶּה צִוִּיתִי אוֹתָם לֵאמֹר שִׁמְעוּ בְקוֹלִי וְהָיִיתִי לָכֶם לֵאלֹהִים וְאַתֶּם תִּהְיוּ־לִי לְעָם וַהֲלַכְתֶּם בְּכָל־הַדֶּרֶךְ אֲשֶׁר אֲצַוֶּה אֶתְכֶם לְמַעַן יִיטַב לָכֶם׃

Mas isto lhes ordenei, dizendo: Dai ouvidos à minha voz. *A Lei Moral*. Para Jeremias, a essência da lei eram as implicações morais, e não o sistema de sacrifícios de animais. Ver os vss. 4-6, onde o profeta nos dá um sumário do que ele considerava importante na lei. Os sacrifícios e ritos são conspícuos por sua ausência. Jeremias estava dizendo que a fé de um homem tem de chegar a seu coração e *transformá-lo* moralmente. Sabemos que, na doutrina cristã, a transformação moral produz a transformação metafísica, mediante a qual compartilhamos da natureza divina (ver 2Pe 1.4), adotando a imagem do Filho (ver Rm 8.29; 2Co 3.18 e 1Jo 3.2). Talvez a fé de Jeremias estivesse estendendo-se para essas doutrinas elevadas. Ele sabia que a chave era a transformação moral, e não os ritos ou as preocupações cerimoniais. Um homem deve *andar* na fé, obedecendo aos preceitos da lei, e não meramente "frequentando o templo" para realizar seus ritos. Ver sobre o verbete chamado *Andar*, no *Dicionário*. Cf. este versículo com Êx 19.5 e Dt 6.3. A lei superior, naturalmente, é a lei do *amor*, demonstrada em Dt 6.5. Ver Rm 13.8-10. Qualquer comentário sobre o significado da lei será incompleto sem essa observação. Ver no *Dicionário* o verbete chamado *Amor*, quanto a detalhes. Ser um *filho* do Pai celestial significa andar de uma maneira que lhe é agradável, que duplica, em alguma medida, a sua santidade. Israel, como filho obediente, teria de retornar aos requisitos morais da lei, colocando-os em prática.

■ 7.24

וְלֹא שָׁמְעוּ וְלֹא־הִטּוּ אֶת־אָזְנָם וַיֵּלְכוּ בְּמֹעֵצוֹת בִּשְׁרִרוּת לִבָּם הָרָע וַיִּהְיוּ לְאָחוֹר וְלֹא לְפָנִים׃

Mas não deram ouvido nem atenderam, porém andaram nos seus próprios conselhos. Enquanto Jr 2.2-3 fornece boa reportagem sobre o "jovem Israel", Jr 7.24,25 não se importa em fazer isso. A situação era desanimadora desde o começo, pois seus ouvidos estavam cerrados para qualquer instrução, o coração estava duro, a mente era obtusa; Israel andava em seus vãos conselhos, cumprindo todas as imaginações de seu coração mau, sempre recuando na escala moral e espiritual, nunca avançando. Cf. o Sl 81.11; Jr 2.27; 11.8; Dt 29.29 e Os 4.16. Diz o Targum: "Eles voltaram as costas à minha adoração e não puseram o meu temor defronte dos olhos". "Eles não prosperavam, mas sofriam a adversidade; eram uma maldição, e não uma bênção. A calamidade acompanhava as obras de suas mãos" (John Gill, *in loc.*).

■ **7.25**

לְמִן־הַיּוֹם אֲשֶׁר יָצְאוּ אֲבוֹתֵיכֶם מֵאֶרֶץ מִצְרַיִם עַד הַיּוֹם הַזֶּה וָאֶשְׁלַח אֲלֵיכֶם אֶת־כָּל־עֲבָדַי הַנְּבִיאִים יוֹם הַשְׁכֵּם וְשָׁלֹחַ׃

Desde o dia em que vossos pais saíram da terra do Egito, até hoje. O poder de Yahweh é que tirou os israelitas do Egito, da servidão para a liberdade (o que é dito por mais de vinte vezes no livro de Deuteronômio; ver Dt 4.20), mas nem isso os tornou agradecidos. Então servos, líderes, profetas e sacerdotes divinamente nomeados acompanharam seus caminhos, dando-lhes orientações que eles se recusavam a seguir. A situação era como a da esposa infiel, que, embora altamente privilegiada, continua procurando amantes que satisfaçam seus desejos vis (ver Jr 3.1,2,13,14). Cf. este versículo com 2Cr 36.15; Jr 25.4; 24.19. Ver também no vs. 13 deste capítulo uma ideia similar. Yahweh agiu, "levantando-se cedo" (ou seja, mostrando-se diligente acerca de sua dispensação misericordiosa), ou, conforme dizem outras traduções, "dia após dia" (*Revised Standard Version*, Atualizada). "Era um agravo de seus pecados, que eles deveriam continuar em sua desobediência, a despeito do fato de que o Senhor lhes deu muitos servos" (John Gill, *in loc.*).

■ **7.26**

וְלוֹא שָׁמְעוּ אֵלַי וְלֹא הִטּוּ אֶת־אָזְנָם וַיַּקְשׁוּ אֶת־עָרְפָּם הֵרֵעוּ מֵאֲבוֹתָם׃

Mas não me destes ouvidos nem me atendestes. A despeito da diligência do *Enviador* e dos *enviados,* Israel continuou a fechar os ouvidos (vs. 24), a endurecer o coração e a fechar os olhos a todas as suas vantagens, bem como a toda a bondade divina que lhe havia sido dispensada. Pelo contrário, eles se mostraram rebeldes como bois que endurecem o coração contra o jugo e se recusam a puxar o arado em uma fileira reta. Cf. Ne 9.17,29 e Jr 19.15. Ver no *Dicionário* o artigo chamado *Dura Cerviz.* As coisas pioraram conforme o avanço deles, pelo que os filhos faziam pior do que seus pais tinham feito. "O pensamento geral dos vss. 25,26 é que a história toda da nação de Israel tinha demonstrado progressiva *deterioração,* atingindo o clímax na geração em que Jeremias viveu" (Ellicott, *in loc.*).

■ **7.27**

וְדִבַּרְתָּ אֲלֵיהֶם אֶת־כָּל־הַדְּבָרִים הָאֵלֶּה וְלֹא יִשְׁמְעוּ אֵלֶיךָ וְקָרָאתָ אֲלֵיהֶם וְלֹא יַעֲנוּכָה׃

Dir-lhes-ás, pois, todas estas palavras, mas não te darão ouvidos. Sermões e instruções contínuas, constantes convites ao arrependimento — tudo seria inútil e estúpido. O profeta já havia sido proibido de interceder pelos rebeldes (vs. 16). O caso não tinha solução. Algumas vezes, a melhor coisa a fazer é simplesmente deixar de insistir e abandonar um *caso sem solução,* a fim de que a tristeza não se multiplique. "Jeremias não deveria esperar que a reação do povo de Judá, em seus dias, fosse diferente da reação do mesmo povo no passado. De fato, Deus havia dito a Jeremias que a nação não lhe daria ouvidos" (Charles H. Dyer, *in loc.*). Ezequiel recebeu a instrução divina de que deveria continuar falando, embora o povo não lhe desse ouvidos (Ez 2.7), mas isso foi antes da longa provação que nada produziu senão desapontamento.

■ **7.28**

וְאָמַרְתָּ אֲלֵיהֶם זֶה הַגּוֹי אֲשֶׁר לוֹא־שָׁמְעוּ בְּקוֹל יְהוָה אֱלֹהָיו וְלֹא לָקְחוּ מוּסָר אָבְדָה הָאֱמוּנָה וְנִכְרְתָה מִפִּיהֶם׃ ס

Dir-lhes-ás: Esta é a nação que não atende à voz do Senhor seu Deus. A nação que *habitualmente* se recusava a ouvir e a obedecer tornou-se a nação que *perdeu a verdade,* pois a verdade *pereceu* e foi cortada dos lábios dos homens. Judá não ouvia a verdade, nem dizia a verdade. Para esse povo, a verdade tornou-se uma *questão morta.*

Curvam a língua, como se fosse o seu arco, para mentira; fortalecem-se na terra, mas não para a verdade.

Jeremias 9.3

"Neles não havia nem fé nem fidelidade; coisa alguma senão a mentira, a hipocrisia e a falta de sinceridade" (John Gill, *in loc.*).

RITOS PECAMINOSOS NO VALE DE HINOM (7.29—8.3)

■ **7.29**

גָּזִּי נִזְרֵךְ וְהַשְׁלִיכִי וּשְׂאִי עַל־שְׁפָיִם קִינָה כִּי מָאַס יְהוָה וַיִּטֹּשׁ אֶת־דּוֹר עֶבְרָתוֹ׃

Corta os teus cabelos consagrados, ó Jerusalém, e põe-te a prantear. Cortar os cabelos era um ato de profunda lamentação e também um quadro da morte. O oráculo tem implicações a longo prazo que ultrapassam o cativeiro babilônico, mas certamente incluiu este evento tipicamente como um dos mais ferozes julgamentos vindos de Deus. "A predição inteira é uma predição dos males que deveriam vir, principalmente por causa das práticas abomináveis que incluíam o sacrifício de crianças no vale de Hinom. Ela contém mais detalhes escatológicos do que usualmente se encontram no livro de Jeremias. Há diversos paralelos no livro de Deuteronômio, sugerindo a autoria do editor deuteronômico (ver Jr 19.6,7; 32.34,35; 25.10 e 16.9). O trecho de Jr 8.3 pressupõe o exílio babilônico. Mas, apesar de haver muitos traços de uma edição deuteronômica, a passagem, na sua totalidade, não é infiel ao estilo de Jeremias" (James Philip Hyatt, *in loc.*). Embora a passagem seja essencialmente prosaica, pode-se notar algumas peças de poesia.

Quanto ao *cortar os cabelos* como sinal de profunda lamentação, ver Jó 1.20; Is 15.2,3; Jr 48.37 e Ez 7.18. A lamentação aqui é uma *lamentação fúnebre* por toda a nação de Judá. O dia do arrependimento e da restauração se perdera. Tal oportunidade não voltaria mais. Aquela geração fora irreparavelmente abandonada. Talvez Jeremias estivesse sob um juramento de nazireado (ver Nm 6.2). Agora ele tinha terminado seu juramento. Um ciclo de seu ministério havia terminado. A lamentação seria profundíssima e muito alta, chegando ao topo das colinas de Jerusalém.

■ **7.30**

כִּי־עָשׂוּ בְנֵי־יְהוּדָה הָרַע בְּעֵינַי נְאֻם־יְהוָה שָׂמוּ שִׁקּוּצֵיהֶם בַּבַּיִת אֲשֶׁר־נִקְרָא־שְׁמִי עָלָיו לְטַמְּאוֹ׃

Porque os filhos de Judá fizeram o que era mau perante mim. A idolatria-adultério-apostasia de Judá permeou toda a Terra Prometida, não poupando nem mesmo o templo, que se tornou um centro de sincretismo religioso, mesclando o yahwismo com os cultos pagãos. Agora, não havia mais remédio, e o julgamento era a única resposta. O *nome* de Yahweh era desonrado até mesmo no templo, por causa das *abominações,* termo comum para referir-se à idolatria. Ver no *Dicionário* o artigo chamado *Abominação.* Este versículo descreve "o que tinha sido feito por Acaz" (2Cr 28.2); e, depois de purificado por Ezequias (2Cr 29.5), o templo foi novamente poluído por Manassés (2Rs 21.4-7; 2Cr 33.3-7). A reforma de Josias entravou a tendência à idolatria (2Rs 23.4; 2Cr 34.3), mas o pêndulo se inclinou novamente na direção da idolatria, após sua morte " (Ellicott, *in loc.*).

7.31

וּבָנוּ בָּמוֹת הַתֹּפֶת אֲשֶׁר בְּגֵיא בֶן־הִנֹּם לִשְׂרֹף אֶת־
בְּנֵיהֶם וְאֶת־בְּנֹתֵיהֶם בָּאֵשׁ אֲשֶׁר לֹא צִוִּיתִי וְלֹא
עָלְתָה עַל־לִבִּי: ס

Edificaram os altos de Tofete, que está no vale do filho de Hinom. Os *lugares altos* (ver no *Dicionário*) dos pagãos nunca foram completamente abandonados. Persistiram até o fim e foram uma praga por muitas gerações. Lugares altos especiais foram implantados em *Tofete* (ver a respeito no *Dicionário*), e havia ídolos sob cada árvore frondosa, onde um casal praticava sexo ilícito em honra a algum deus da fertilidade (ver Jr 3.13). Tofete ficava localizado no vale de *Hinom* (ver a respeito no *Dicionário*) (cf. Jr 19.2 e 32.35). Ali eram praticados sacrifícios de crianças, um dos mais horrendos pecados de Judá, perpetrado em imitação ao pior do que havia no paganismo, diante do que Judá se tinha prostrado, *entusiasmando-se* em favor dessa forma pútrida de idolatria. Cf. 2Rs 21.6; 2Cr 33.6; Jr 19.5. O vale de Hinom ficava bem próximo de Jerusalém, ao sul e a oeste da cidade. Nos tempos helênicos, o vale de Hinom tornou-se conhecido pelo nome de *Geena,* servindo de símbolo da temível punição do pós-túmulo. Ver Mt 5.22,29,30 e 2Pe 2.4. Com o toque de paganismo franco, foi totalmente obliterado o yahwismo, que proibia estritamente os sacrifícios de infantes. Sacrifícios infantis eram parte comum da adoração cananeia e fenícia de Moloque (ver Lv 18.21; 20.2-5; 2Rs 16.3 e 2Cr 28.3, que mostram que Acaz se envolveu nessa prática pecaminosa, tal e qual também fez Manassés, 2Rs 21.6; 2Cr 33.6. Quanto a plenos detalhes sobre essa prática, ver no *Dicionário* o artigo chamado *Moleque, Moloque.* Lv 18.21 e 20.23 proíbem expressamente essa prática, mas Judá há muito tinha cessado de incomodar-se com as demandas da lei de Moisés).

7.32

לָכֵן הִנֵּה־יָמִים בָּאִים נְאֻם־יְהוָה וְלֹא־יֵאָמֵר עוֹד
הַתֹּפֶת וְגֵיא בֶן־הִנֹּם כִּי אִם־גֵּיא הַהֲרֵגָה וְקָבְרוּ
בְתֹפֶת מֵאֵין מָקוֹם:

Portanto, eis que virão dias, diz o Senhor, em que já não se chamará Tofete... mas o Vale da Matança. O local onde Israel (Judá) assassinava os próprios filhos e filhas, e honrava divindades pagãs, em breve se tornaria um lugar da matança do povo judaico em geral, pelo que se tornaria conhecido pelo nome de *Vale da Matança.* Tantas pessoas morreriam ali que seria difícil encontrar um pedaço de terreno para ser *queimado* outro corpo. A referência é à invasão e à matança causada pelo exército babilônico, embora este versículo pareça ter tons escatológicos secundários, referindo-se à destruição que ocorrerá antes da inauguração da era do reino de Deus. Haveria *justa retribuição* no mesmo lugar onde aqueles costumes idólatras horrendos estavam sendo praticados. Isso daria cumprimento à *Lex Talionis* (ver no *Dicionário* sobre essa lei de retribuição de acordo com a gravidade das ofensas), um aspecto da *Lei Moral da Colheita segundo a Semeadura* (ver também no *Dicionário*). Jr 19.6-15 confere uma descrição mais detalhada do que é mencionado no presente versículo.

7.33

וְהָיְתָה נִבְלַת הָעָם הַזֶּה לְמַאֲכָל לְעוֹף הַשָּׁמַיִם
וּלְבֶהֱמַת הָאָרֶץ וְאֵין מַחֲרִיד:

Os cadáveres deste povo servirão de pasto às aves dos céus. Haveria tantos cadáveres no *Vale da Matança* que nem mesmo o fogo constante que havia no lugar consumiria a todos. Seria necessário que os abutres e as águias, aves de rapina, voassem ali aos milhares, para almoçar os cadáveres. Até animais ferozes dos campos existiriam naquele lugar, por causa da abundância de carne humana. E haveria tão grande número de animais que nenhum esforço conseguiria espantá-los. Seria uma visão dantesca, o castigo divino contra um povo pervertido. "A predição sobre as feras a comer as carcaças confirma o pacto mosaico, por causa da desobediência do povo" (Dt 28.26)" (Charles H. Dyer, *in loc.*). Aqueles apóstatas de Judá tornaram-se destituídos de humanidade, sendo-lhes negado até um sepultamento decente, e eles sofreram o insulto final de ser devorados pelas feras, algo totalmente intolerável para a mente dos hebreus. Mas o que eles tinham praticado também era totalmente intolerável para a mente divina. Jr 8.1,2 mostra-nos que até o corpo dos líderes do povo seria desonrado.

7.34

וְהִשְׁבַּתִּי מֵעָרֵי יְהוּדָה וּמֵחֻצוֹת יְרוּשָׁלִַם קוֹל שָׂשׂוֹן
וְקוֹל שִׂמְחָה קוֹל חָתָן וְקוֹל כַּלָּה כִּי לְחָרְבָּה תִּהְיֶה
הָאָרֶץ:

Farei cessar nas cidades de Judá e nas ruas de Jerusalém, a voz de folguedo e a de alegria. A alegria desapareceria. Os julgamentos de Yahweh espantariam toda a felicidade de Judá e, especialmente, de Jerusalém. As ruas soariam de lamentações, proferidas pelos poucos sobreviventes. Não haveria mais casamentos felizes, com as jubilosas exclamações da noiva ou do noivo. A Terra Prometida se tornaria desolada. Os poucos sobreviventes seriam levados para o exílio na Babilônia. As mulheres mais bonitas inchariam os haréns dos chefes babilônicos, e as não tão belas se tornariam escravas. Os melhores varões seriam presos em masmorras, para assegurar que não haveria nenhuma revolta, enquanto os demais seriam transformados em escravos. As crianças seriam mortas, e as poucas que sobrevivessem seriam reduzidas à servidão. Nenhuma família permaneceria unida. A barbaridade dos babilônios era notória. Muitos judeus seriam empalados ou esfolados vivos. Ver Jr 6.11-12 quanto à aplicação universal de punições inenarráveis e de calamidades que o povo de Judá estava prestes a sofrer.

Por dores próprias do purgatório nos foi determinado passar. Em primeiro lugar, a letra morta da religião devia possuir a sua própria morte, caindo em pedaços no pó, enquanto o Espírito da verdadeira Fé, libertada de sua prisão, se erguerá acima de nós. Então seremos os recém-nascidos do Céu. Haverá cura em suas asas.

Sartor Resartus, *livro II, capítulo 3*

CAPÍTULO OITO

Não há interrupção entre os capítulos 7 e 8 de Jeremias. Jr 8.1-3 continua o parágrafo iniciado em Jr 7.29, onde dou notas de introdução.

8.1

בָּעֵת הַהִיא נְאֻם־יְהוָה וְיֹצִיאוּ אֶת־עַצְמוֹת מַלְכֵי־
יְהוּדָה וְאֶת־עַצְמוֹת־שָׂרָיו וְאֶת־עַצְמוֹת הַכֹּהֲנִים
וְאֵת עַצְמוֹת הַנְּבִיאִים וְאֵת עַצְמוֹת יוֹשְׁבֵי־יְרוּשָׁלִָם
מִקִּבְרֵיהֶם:

Naquele tempo, diz o Senhor, lançarão para fora das suas sepulturas os ossos dos reis... Até mesmo os cadáveres (ossos) dos líderes judeus seriam desonrados. Depois de sepultados, esses corpos seriam desenterrados e os ossos seriam espalhados para que o povo comum visse o que sucedia a apóstatas e pecadores pervertidos que permitiram que o mal ficasse descontrolado. Haveria um julgamento de Deus, através de seu látego, a Babilônia, contra os que tinham falhado em liderar Judá corretamente na hora da crise. Os ossos daqueles líderes ficariam ali, expostos (Jr 25.33), uma desgraça singular para a mentalidade dos hebreus. "Os vitoriosos babilônios haveriam de violar os santuários dos mortos, atrás de saque, na esperança de encontrar ornamentos, tesouros e insígnias da realeza que usualmente eram sepultados juntamente com os reis. Ou antes o propósito deles era praticar a maior *desonra* possível contra os mortos (ver Is 14.19)" (Fausset, *in loc.*).

É provável que tanto sepulturas recentes quanto antigas tivessem sido violadas. Os pagãos dificilmente se mostrariam seletivos em seu feito atrevido. "Hircano, para grande escândalo dos judeus, deixou aberto o sepulcro de Davi (Josefo, *Antiq.* 7.15)" (Ellicott, *in loc.*).

8.2

וּשְׁטָחוּם לַשֶּׁמֶשׁ וְלַיָּרֵחַ וּלְכֹל צְבָא הַשָּׁמַיִם אֲשֶׁר
אֲהֵבוּם וַאֲשֶׁר עֲבָדוּם וַאֲשֶׁר הָלְכוּ אַחֲרֵיהֶם וַאֲשֶׁר
דְּרָשׁוּם וַאֲשֶׁר הִשְׁתַּחֲווּ לָהֶם לֹא יֵאָסְפוּ וְלֹא יִקָּבֵרוּ
לְדֹמֶן עַל־פְּנֵי הָאֲדָמָה יִהְיוּ׃

Espalhá-los-ão ao sol, e à lua, e a todo o exército do céu. Os ossos dos falecidos líderes de Judá seriam expostos ao dia (ao sol), à noite (à luz da lua), em horrenda exibição de desonra e desprezo, enquanto os poucos judeus que sobrevivessem e permanecessem na região agonizariam diante da cena. E saber dessas coisas, no exílio da Babilônia, seria "terrível apenas de ouvir", conforme Homero dizia. A punição e a desgraça tinham sido desferidas bem a propósito, porquanto aqueles homens ímpios, dos dias de Jeremias, adoraram o sol, a lua e os corpos celestes, na presença dos quais agora eram expostos em meio a tantas desgraças.

Este versículo, naturalmente, inclui corpos mortos que nunca tinham sido sepultados e agora serviriam ao "elevado" propósito de fertilizar o solo. Assim sendo, os babilônios infligiram sucessivas desgraças não somente contra os vivos, mas também contra os mortos. Isso estava em harmonia com a maneira insana pela qual os babilônios guerreavam e puniam seus adversários. Horácio (*Epod.* xvi.11) fala sobre outras pessoas que praticavam tais atos de contaminação contra os mortos dos povos conquistados.

> Através das ruas, em triunfo vingativo, eles avançavam,
> Exibindo as cinzas sagradas do grande fundador
> Que tinha dormido sem nenhuma injúria, em sua urna, por tanto tempo.

Quanto à adoração aos corpos celestes como parte da corrupção geral da adoração a muitas divindades pagãs, ver 2Rs 21.3-5; 23.5; Jr 7.18; Êx 8.16. Ver no *Dicionário* o artigo intitulado *Idolatria*, que ilustra esse aspecto, juntamente com muitas outras questões.

8.3

וְנִבְחַר מָוֶת מֵחַיִּים לְכֹל הַשְּׁאֵרִית הַנִּשְׁאָרִים מִן־
הַמִּשְׁפָּחָה הָרָעָה הַזֹּאת בְּכָל־הַמְּקֹמוֹת הַנִּשְׁאָרִים
אֲשֶׁר הִדַּחְתִּים שָׁם נְאֻם יְהוָה צְבָאוֹת׃ ס

Escolherão antes a morte do que a vida todos os que restarem desta raça malvada. Há um tipo de vida que não vale a pena viver, e impotentes seres humanos, quando mergulham nesse tipo de vida, anelam pela morte, como preferível a viver em meio à vergonha e à agonia. Para Judá, viver no exílio era uma morte em vida, e muitos exilados prefeririam ter morrido na matança de Jerusalém. Nenhuma família ficou unida. As mulheres se prostituíram; até mesmo crianças foram reduzidas à escravidão, para nada dizermos quanto aos homens. Fora Yahweh, o *Senhor dos Exércitos* (ver no *Dicionário* esse título, e também 1Rs 18.15), quem liderou os exércitos pagãos e bárbaros a Jerusalém, e quem também levou os exilados para o seu cativeiro. Isso posto, o incidente inteiro, do começo ao fim, foi um castigo contra a idolatria-adultério-apostasia de Judá. Ver como o Ser divino controla a vida e os eventos humanos, em Is 13.6. Ver no *Dicionário* os artigos intitulados *Soberania* e *Providência de Deus*. Há uma providência divina positiva, mas também existe uma providência divina negativa, que serve de vingança e retribuição. Jamais devemos esquecer, entretanto, que essa providência negativa é um dedo da amorosa mão de Deus, visto que todos os juízos divinos também são *remediadores*.

O DESVIO DESNATURAL DE ISRAEL (JUDÁ) (8.4-7)

8.4

וְאָמַרְתָּ אֲלֵיהֶם כֹּה אָמַר יְהוָה הֲיִפְּלוּ וְלֹא יָקוּמוּ
אִם־יָשׁוּב וְלֹא יָשׁוּב׃

Dize-lhes mais: Assim diz o Senhor: Quando caem os homens, não se tornam a levantar? Encontramos aqui um grupo de oráculos proféticos que cobrem diversos temas. "A seção de Jr 8.4—9.1 provavelmente esteve no rolo de Baruque. Se esse rolo era lido em um dia de jejum, proclamando lamentação por uma seca prolongada, conforme é sugerido em Jr 36.6, então o oráculo final (ver Jr 8.18—18.10) formava um fim apropriado para o rolo de Baruque" (James Philip Hyatt, *in loc.*).

Materiais Miscelâneos: Jr 8.4—10.25. Nenhum tema comum percorre esse material, pelo que cada oráculo precisa ser explicado separadamente, sem se buscar fios comuns que sustentem a seção em seu conjunto. Os vss. 4-7 fazem uma série de indagações que desmascaram a horrenda obstinação e rebeldia de Judá. Até as aves migratórias, que estão hoje aqui e amanhã em outro lugar, seguem algum tipo de esquema e desígnio misterioso. Mas Judá não seguia coisa alguma, a não ser seus impulsos interiores, sem nenhuma razão ou desígnio.

Este versículo apresenta uma verdade banal: certos acontecimentos são naturalmente seguidos por outros, como é lógico. Quando um homem cai, ele se levanta logo que lhe for possível. Ele não fica caído ali, como se fosse um insensato. Quando um homem sai de casa, naturalmente volta. Ou então, quando um homem se desvia do caminho certo, ao descobrir seu equívoco, ele volta, porque essa é a coisa lógica a ser feita. Mas Judá não seguia nenhuma lógica, nenhuma razão clara e nenhum padrão previsível de vida, exceto ir de mal a pior. Todas as expressões usadas nessa figura simbólica falam em *arrependimento*. O homem caído, pois, "levanta-se", anulando assim sua *queda*. Um homem que se *desvie* da vereda certa a ela *retorna*. Mas os instintos espirituais naturais tinham sido aniquilados em Judá já fazia muitos anos, ou tinham declinado e caído no pântano do pecado. Judá mergulhara em um abismo que não lhe permitia escapar; depois de ter-se desviado do caminho certo, Judá se *perdera* em um profundo buraco.

8.5

מַדּוּעַ שׁוֹבְבָה הָעָם הַזֶּה יְרוּשָׁלִַם מְשֻׁבָה נִצַּחַת
הֶחֱזִיקוּ בַּתַּרְמִית מֵאֲנוּ לָשׁוּב׃

Por que, pois, este povo de Jerusalém se desvia...? Judá tinha caído em um desvio perpétuo e irresistível; tinha sido avassalado por um engano sem descanso, incluindo os líderes da nação e até o coração de cada indivíduo. Os judeus tinham chegado a amar o engano em que haviam caído, apegando-se a ele como se fosse uma questão de verdade e vida. E quando foram convidados a retornar, descobriram que eles tinham perdido a habilidade de fazê-lo, razão pela qual repeliam toda a advertência nesse sentido. Sócrates ensinava a teoria ingênua de que um homem que realmente *saiba* o que é melhor para ele, fará precisamente essa coisa. Mas a experiência humana mostra que há um *instinto suicida* em muitas pessoas, as quais propositadamente fazem coisas que sabem ser-lhes prejudiciais e não prestam atenção aos protestos dos outros. O ato de *fumar* é uma ilustração disso, mas há muitos outros casos.

O pecado engana e, ainda que um homem possa racionalmente dizer que um vício ou coisa semelhante o prejudicará, ele se sente tão excitado por sua perversão, que não desistirá facilmente. Na realidade, o homem caído no pecado é uma criatura que busca a autodestruição, e vemos isso ilustrado diariamente quando observamos o estilo de vida de muitos. A idolatria-adultério-apostasia de Judá se tornara uma maneira desejada de viver, e nem mesmo a ameaça da invasão babilônica teve efeito sobre o povo judeu. Eles tinham sintonizado seus ouvidos para ouvir os clamores falsos de "paz, paz" dos falsos profetas (ver Jr 6.14).

8.6

הִקְשַׁבְתִּי וָאֶשְׁמָע לוֹא־כֵן יְדַבֵּרוּ אֵין אִישׁ נִחָם
עַל־רָעָתוֹ לֵאמֹר מֶה עָשִׂיתִי כֻּלֹּה שָׁב בִּמְרוּצוֹתָם
כְּסוּס שׁוֹטֵף בַּמִּלְחָמָה׃

Eu escutei e ouvi; não falam o que é reto, ninguém há que se arrependa da sua maldade. *Uma estupidez implacável* tomou conta da Terra Prometida. Yahweh e seus profetas ouviam atentamente o que o povo judeu andava dizendo, mas o que diziam não fazia sentido e também não refletia nenhuma atitude reta. Eles chegaram a acreditar em suas próprias mentiras (vs. 5), e o engano embotou a inteligência de um povo inteiro.

Eles não sentiam tristeza por causa de seus maus caminhos. O povo não pensava sobre as coisas más que eles tinham praticado.

NCV

O povo de Judá tinha-se tornado como um *cavalo irracional* que se precipita para a batalha, treinado para assim fazer e incapaz de qualquer ação alternativa. Eles se tinham reduzido à condição de feras brutas, tanto em suas atitudes quanto em seus atos. Cf. Jó 39.19-25.

■ 8.7

גַּם־חֲסִידָ֞ה בַשָּׁמַ֗יִם יָֽדְעָה֙ מֽוֹעֲדֶ֔יהָ וְתֹ֤ר וְס֣וּס וְעָג֔וּר שָֽׁמְר֖וּ אֶת־עֵ֣ת בֹּאָ֑נָה וְעַמִּ֕י לֹ֣א יָֽדְע֔וּ אֵ֖ת מִשְׁפַּ֥ט יְהוָֽה׃

Até a cegonha no céu conhece as suas estações. *Diversas aves migratórias* possuem uma espécie de lógica e instinto misterioso quanto ao que fazem, embora os homens continuem a tentar descobrir como isso acontece. Algum tipo de lei natural governa o voo dos pássaros pelos céus, com suas paradas em lares temporários. Mas nenhuma lógica ou lei exercia efeito sobre Judá. A lei, os julgamentos e as ordenanças do Senhor foram dados como *guias* do povo de Israel (ver Dt 6.4 ss.), contudo não havia poder que controlasse aquele povo réprobo.

> *O boi conhece o seu possuidor, e o jumento o dono da sua manjedoura; mas Israel não tem conhecimento, o meu povo não entende.*
>
> Isaías 1.3

Os animais são governados pelas leis naturais, mas Judá se deixava guiar por seus impulsos desnaturais e caóticos.

> Preferimos arruinar-nos a ser mudados;
> Preferimos morrer em nossos temores
> Do que sair de nossos próprios caminhos
> E permitir que nossas ilusões morram.
>
> W. H. Auden, *The Age of Anxiety*

"As aves do céu obedecem a seus instintos como a lei de sua natureza. Israel, com seu fatal *dom da liberdade*, resistiu à lei da vida" (Ellicott, *in loc.*).

FALSA REIVINDICAÇÃO À SABEDORIA (8.8-13)

■ 8.8

אֵיכָ֤ה תֹֽאמְרוּ֙ חֲכָמִ֣ים אֲנַ֔חְנוּ וְתוֹרַ֥ת יְהוָ֖ה אִתָּ֑נוּ אָכֵן֙ הִנֵּ֣ה לַשֶּׁ֣קֶר עָשָׂ֔ה עֵ֖ט שֶׁ֥קֶר סֹפְרִֽים׃

Como, pois, dizeis: Somos sábios, e a lei do Senhor está conosco? Conforme mencionado nas notas de introdução ao vs. 4, a seção perante nós (ver Jr 8.4—10.25) contém certo número de oráculos não relacionados. Ver as notas expositivas ali. Mas os oráculos atacam diferentes aspectos do caráter do apóstata Judá. Aquele povo tinha uma sabedoria falsa. A pergunta deste vs. 8 foi dirigida aos sacerdotes e profetas que se tornaram arrogantes em sua ridícula liderança do povo de Judá. Jeremias repreendeu a todos os fingimentos. Os sofismas deles haviam transformado a verdade de Deus em mentira. As manipulações errôneas da lei, por parte deles, mediante negligência, falsas interpretações e mistura com o paganismo, formando um sincretismo nojento, anularam os pactos com Yahweh. Ver sobre o pacto abraâmico em Gn 14.18, e ver o pacto mosaico nas notas de introdução a Êx 19.

A falsa pena dos escribas. Ou seja, um *estilo de ferro* que era usado para gravar pedras ou metais, a ser contrastado aqui com o dedo de Yahweh que escreveu sobre a pedra quando deu os Dez Mandamentos. Os falsos ministros de Judá substituíram a pedra, o estilo e a mensagem. Eles transformaram a Lei do Senhor em um documento mentiroso, repleto de paganismo e idolatria arrogante. Os *escribas* não somente eram copistas da lei, mas também mestres e intérpretes. Aqueles homens ímpios falsificaram a lei e compuseram seu próprio sistema pútrido, que incorporava algum yahwismo.

■ 8.9

הֹבִ֣ישׁוּ חֲכָמִ֔ים חַ֖תּוּ וַיִּלָּכֵ֑דוּ הִנֵּ֤ה בִדְבַר־יְהוָה֙ מָאָ֔סוּ וְחָכְמַ֥ת מֶ֖ה לָהֶֽם׃ ס

Os sábios serão envergonhados, aterrorizados e presos. Aqueles homens, pseudossábios que eram, seriam envergonhados e punidos por aquilo que tinham feito. Eles rejeitaram a fonte originária da sabedoria, a lei. A *Literatura de Sabedoria,* incluindo o livro canônico de Provérbios (e alguns Salmos), estava quadradamente alicerçada sobre a lei, que foi fortalecida e explicada pelas declarações de sabedoria. Mas os pervertedores da retidão, da época de Jeremias, não fomentavam a lei por suas interpretações e ensinos. Eles degradavam a lei, transformando-a em algo que ela não era. Além disso, adições intermináveis e repelentes foram aproveitadas diretamente dos cultos pagãos. Quando essas adições foram feitas, tornou-se claro que aqueles homens não tinham nenhuma sabedoria autêntica. "A Palavra do Senhor é a única verdadeira fonte de sabedoria (ver Sl 119.98-100; Pv 1.7; 9.10), pois o temor do Senhor é o princípio da sabedoria" (Fausset, *in loc.*). Ver no *Dicionário* o verbete intitulado *Temor,* e ver sobre o temor do Senhor em Sl 119.38 e Pv 1.7. Ver também o artigo chamado *Sabedoria*.

■ 8.10

לָכֵן֩ אֶתֵּ֨ן אֶת־נְשֵׁיהֶ֜ם לַאֲחֵרִ֗ים שְׂדוֹתֵיהֶם֙ לְי֣וֹרְשִׁ֔ים כִּ֤י מִקָּטֹן֙ וְעַד־גָּד֔וֹל כֻּלֹּ֖ה בֹּצֵ֣עַ בָּ֑צַע מִנָּבִיא֙ וְעַד־כֹּהֵ֔ן כֻּלֹּ֖ה עֹ֥שֶׂה שָּֽׁקֶר׃

Portanto darei suas mulheres a outros, e os seus campos a novos possuidores. Este versículo é similar a Jr 6.11,12, referindo-se aos temíveis efeitos do cativeiro babilônico, bem como da matança que o precederia. Nenhuma classe, nenhum indivíduo seria poupado. Todas as famílias dentre os judeus seriam divididas pela morte e pelo exílio. Mulheres escolhidas se tornariam membros dos haréns babilônicos. E mulheres de qualidade secundária se tornariam escravas de proprietários brutais. A maioria dos homens judeus seria morta, e os poucos sobreviventes iriam para o exílio. Haveria casos generalizados de empalação e esfolamento, bem como aprisionamentos e torturas. Todos, desde o menor até o maior, sofreriam o terror, porque todos se haviam envolvido em um grande *jogo de ganância* e de prejudicar o próximo, por puro esporte. Cf. isso com Jr 6.13, passagem essencialmente idêntica a este versículo. Ver as notas expositivas ali. De fato, os vss. 10-12 repetem a essência de Jr 6.12-15.

■ 8.11

וַיְרַפּ֞וּ אֶת־שֶׁ֤בֶר בַּת־עַמִּי֙ עַל־נְקַלָּ֔ה לֵאמֹ֖ר שָׁל֣וֹם ׀ שָׁל֑וֹם וְאֵ֖ין שָׁלֽוֹם׃

Curam superficialmente a ferida do meu povo. Este versículo é uma duplicação de Jr 6.14, onde são oferecidas notas expositivas. Ver também Ez 13.10.

■ 8.12

הֹבִ֕שׁוּ כִּ֥י תוֹעֵבָ֖ה עָשׂ֑וּ גַּם־בּ֣וֹשׁ לֹֽא־יֵבֹ֗שׁוּ וְהִכָּלֵם֙ לֹ֣א יָדָ֔עוּ לָכֵ֞ן יִפְּל֣וּ בַנֹּפְלִ֗ים בְּעֵ֧ת פְּקֻדָּתָ֛ם יִכָּשְׁל֖וּ אָמַ֥ר יְהוָֽה׃ ס

Serão envergonhados porque cometem abominação. Este versículo é uma leve modificação de Jr 6.15, onde são dadas notas expositivas.

■ 8.13

אָסֹ֥ף אֲסִיפֵ֖ם נְאֻם־יְהוָ֑ה אֵין֩ עֲנָבִ֨ים בַּגֶּ֜פֶן וְאֵ֧ין תְּאֵנִ֣ים בַּתְּאֵנָ֗ה וְהֶֽעָלֶה֙ נָבֵ֔ל וָאֶתֵּ֥ן לָהֶ֖ם יַעַבְרֽוּם׃

Eu os consumirei de todo, diz o Senhor. Este versículo deve ser ligado ao vs. 9. Os *pseudossábios* não produziam fruto. Antes, eram estéreis, a despeito de toda a sua jactância e autoglorificação. Assemelhavam-se a vinhas sem uvas e a figueiras sem figos. Devido à sua falta de fruto, eram conhecidos como réprobos (ver Mt 7.16).

Eram pessoas cheias de *folhas,* isto é, *exibidas,* mas desprovidas da essência da espiritualidade. Eram folhas que em breve *murchariam.* O dia delas estava quase terminando.

A última linha deste versículo é obscura e tem atraído as tentativas de adivinhação dos tradutores e intérpretes. Considere o leitor estes quatro pontos:

1. Qualquer coisa que Yahweh tivesse conferido para distingui-los em seu ofício seria retirada. Finalmente eles perderiam os privilégios e até a própria vida.
2. Deus já tinha determinado quem os avassalaria. Ou seja, Yahweh enviaria o inimigo babilônico contra eles.
3. Ou os frutos da terra, as boas colheitas, coisas que os faziam prosperar, seriam tirados.
4. Ou a lei, que lhes fora dada como um fideicomisso divino especial, seria tirada de suas mãos. Eles pereceriam e não mais exerceriam ofícios espirituais.

DESESPERO DEVIDO À INVASÃO ESTRANGEIRA (8.14-17)

8.14

עַל־מָה אֲנַחְנוּ יֹשְׁבִים הֵאָסְפוּ וְנָבוֹא אֶל־עָרֵי הַמִּבְצָר וְנִדְּמָה־שָּׁם כִּי יְהוָה אֱלֹהֵינוּ הֲדִמָּנוּ וַיַּשְׁקֵנוּ מֵי־רֹאשׁ כִּי חָטָאנוּ לַיהוָה׃

Por que estamos ainda assentados aqui? Reuni-vos, e entremos nas cidades fortificadas. Temos aqui ainda outro oráculo, dentre o grupo de oráculos contidos na seção de Jr 8.4—10.25. Ver as notas introdutórias em Jr 8.4. É outra predição concernente ao inimigo vindo do norte. Cf. Jr 1.13-15; 4.5-21; 5.15-17 e 6.22-26. A ênfase deste oráculo denota desespero, até mais do que os outros que tratam do mesmo assunto. Também foi reiterado que a causa era Yahweh, que usava os babilônios como instrumento para expurgar a nação de Judá. Naturalmente, as *causas secundárias* eram os habitantes de Judá que estavam promovendo uma forma repelente de idolatria-adultério-apostasia.

O nome do jogo era *perecer.* Nenhuma esperança continuou a ser embalada, nem houve mais convites vãos ao arrependimento. Judá avançara demais em seu caminho de desobediência para ser capaz de reverter a maré do julgamento de Yahweh-Elohim, que já perdera a paciência. Haveria grande ajuntamento popular para enfrentar a horrenda condenação. A população correria inutilmente para as cidades fortificadas, já sabendo que a causa estava perdida e que o futuro imediato só traria agonias. Não haveria vitórias de surpresa, como algumas vezes aconteceu no passado de Israel, quando Yahweh os defendia. Dessa vez, eles teriam de sorver a bebida venenosa, amarga e fatal que Yahweh havia misturado. Todos os acontecimentos preditos aconteceriam por causa de seus pecados, dos quais nem ao menos eles fingiram arrepender-se. Quanto à água envenenada, o cálice da ira de Deus, ver Jr 9.15; Sl 75.8; Nm 5. Ver também Jr 23.15. Diz o Targum: "E nos fez beber o cálice de uma maldição, como a cabeça das serpentes". Os invasores são comparados a víboras venenosas que virtualmente eliminariam a população inteira, no vs. 17.

8.15

קַוֵּה לְשָׁלוֹם וְאֵין טוֹב לְעֵת מַרְפֵּה וְהִנֵּה בְעָתָה׃

Espera-se a paz, e nada há de bom; o tempo da cura, e eis o terror. Os *falsos profetas* tinham prometido vãmente a "paz"; e era precisamente a paz que aqueles apóstatas estavam querendo, pelo que se enganavam a si mesmos, acreditando nessa palavra mentirosa. Ver Jr 6.14. Mas, quando chegou o temido dia do ataque babilônio, tornou-se evidente que não haveria paz, nem bem, nem cura, mas somente *terror. Cura,* neste caso, significa perdão dos pecados, fechamento dos ferimentos espirituais (ver Sl 51.4; 103.3). Cf. este versículo com Jr 14.19. Ver também Jr 6.7. Eles tinham perdido seu dia de arrependimento, saúde e restauração. E foram tropeçando para sua condenação, desconsiderando todas as advertências de Jeremias.

8.16

מִדָּן נִשְׁמַע נַחְרַת סוּסָיו מִקּוֹל מִצְהֲלוֹת אַבִּירָיו רָעֲשָׁה כָּל־הָאָרֶץ וַיָּבוֹאוּ וַיֹּאכְלוּ אֶרֶץ וּמְלוֹאָהּ עִיר וְיֹשְׁבֵי בָהּ׃ ס

Desde Dã se ouve o resfolegar dos seus cavalos; toda a terra treme. Os *cavalos de guerra,* símbolos do ataque babilônio e da destruição iminente, foram ouvidos a relinchar em Dã, a extremidade norte da Terra Prometida. O som do resfolegar dos garanhões anunciou a matança iminente. Aquilo que a nação de Judá tanto havia temido estava por acontecer. Conforme o exército babilônico avançava, a terra estremecia. O exército babilônico era imenso e terrível. Avançava como um leão que devoraria tudo o que estivesse em seu trajeto. As cidades fortificadas seriam sua presa, e nenhuma delas poderia esboçar resistência séria. Os habitantes dessas cidades seriam esmagados pela fera. "A invasão de um exército no qual cavalaria e carros de combate formavam o mais terrível contingente era um terror especial para os israelitas" (Ellicott, *in loc.*). Cf. Jr 4.13,15,29 e 6.23.

8.17

כִּי הִנְנִי מְשַׁלֵּחַ בָּכֶם נְחָשִׁים צִפְעֹנִים אֲשֶׁר אֵין־לָהֶם לָחַשׁ וְנִשְּׁכוּ אֶתְכֶם נְאֻם־יְהוָה׃ ס

Porque eis que envio para entre vós serpentes... e vos morderão. Os invasores já tinham aparecido como cavalos que relinchavam como uma fera terrível (vs. 16). Agora apareciam como serpentes que não cederiam diante de encantadores, chegando em massa para morder e matar, e era Yahweh quem dizia que eles fariam isso, porquanto cumpririam sua vontade para castigar o povo de Judá. "O encantamento de serpentes não era uma prática incomum em Israel (ver Ec 10.11; Sl 58.4,5). Algumas serpentes eram susceptíveis aos encantamentos, mas outras não. Até esse ponto, a norma política seguida por Judá era encantar as diversas serpentes que contendiam pela supremacia mundial. Através dessas práticas cheias de truques, o povo de Judá tinha sido enganado para sentir falsa segurança. Isso, entretanto, era coisa do passado. As serpentes que estavam chegando pertenciam a uma espécie mais mortífera. Não podiam ser encantadas" (Stanley Romaine Hopper, *in loc.*). "Eram inimigos cujo poder de destruição nenhuma força, por meio algum, fosse persuasão ou o que fosse, poderia contrabalançar" (Fausset, *in loc.*). Talvez a imagem de terror que encontramos aqui se deva às serpentes de fogo, sugeridas por Nm 21.6, e pela conexão de Dã com a serpente e com a víbora de Gn 49.17. O trecho de Is 14.29 emprega o símbolo de uma serpente venenosa, que silvava com os poderes dos assírios e babilônios.

SIMPATIA PARA COM O POVO FERIDO (8.18—9.1)

8.18

מַבְלִיגִיתִי עֲלֵי יָגוֹן עָלַי לִבִּי דַוָּי׃

Oh! Se eu pudesse consolar-me na minha tristeza! O profeta Jeremias não se mostrava indiferente para com os sofrimentos do povo, embora tais sofrimentos fossem autoimpostos e muito merecidos. Este poema talvez dê prosseguimento às ideias do poema anterior, em vista do tremendo ataque dos babilônios — tudo predestinado por Yahweh — ao mesmo tempo, entretanto, que expressa a mais profunda tristeza pelo que estava sucedendo. Alguns estudiosos pensam que a ocasião descrita envolvia uma grande seca (conforme talvez sugira o vs. 20), espalhando fome generalizada. O poema não contém nenhuma declaração direta de que o que estava acontecendo era um castigo contra o pecado; mas não há que duvidar que isso deve ser compreendido. Ver o vs. 19. Coisa alguma acontecia por mera chance; e algo tão terrível como isto que está escrito aqui tinha de ser um golpe aplicado por Deus.

O profeta se debatia em meio a uma tristeza imensa, provocada pela calamidade nacional em Judá. Quando ele tentava consolar-se ou encontrar algo que o consolasse, seu coração, em vez de reagir favoravelmente, meramente desmaiava dentro dele. Cf. Is 22.4. Sua tristeza não lhe permitia curar-se, e seu coração estava enfermo.

8.19

הִנֵּה־קוֹל שַׁוְעַת בַּת־עַמִּי מֵאֶרֶץ מַרְחַקִּים הַיהוָה אֵין
בְּצִיּוֹן אִם־מַלְכָּהּ אֵין בָּהּ מַדּוּעַ הִכְעִסוּנִי בִּפְסִלֵיהֶם
בְּהַבְלֵי נֵכָר׃

Eis a voz do clamor da filha do meu povo de terra mui remota. O choro do povo de Judá era ouvido por toda a Terra Prometida, em toda a sua extensão e largura. Nenhuma porção da terra, por pequena que fosse, estava isenta da calamidade que se tinha abatido; mas todos, a uma só voz, clamavam em vão a Yahweh, a presença de Deus em Sião, o qual era o seu Rei, mas que agora aparentemente estava *indiferente* aos seus clamores. Quanto à aparente indiferença de Deus, cf. Sl 10.1; 28.1; 59.4; 82.1 e 143.7. Estamos aqui tratando de um julgamento do pecado, no qual o povo endurecido colhia o que havia semeado (ver sobre a *Lei Moral da Colheita segundo a Semeadura,* no *Dicionário*), embora o presente poema não contenha nenhuma referência direta a isso.

A história de Jó prova que o sofrimento nem sempre vem como resultado da lei da colheita segundo a semeadura. E é então que entramos nos mistérios do *problema do mal* (ver a respeito no *Dicionário*): Por que os homens sofrem e por que sofrem como sofrem? O artigo procura dar alguma resposta a esse mais difícil dos problemas.

Filha do meu povo. Cf. Jr 4.11. Esse era um modo comum de referir-se ao povo, talvez para destacar que os judeus estavam envolvidos em um *terno relacionamento,* visto que a filha de um homem é favorita aos seus olhos e seus sofrimentos são profundamente sentidos. Cf. o versículo com Mq 3.11, onde temos algo similar.

Com as suas imagens de escultura, com os ídolos dos estrangeiros? Temos aqui a *causa* da calamidade que tinha ferido universalmente a nação de Judá: sua idolatria-adultério-apostasia. Alguns eruditos, entretanto, pensam que esta parte do versículo é uma *glosa editorial* que produzia uma *razão* para os sofrimentos, aliviando assim Deus da aparente indiferença ao sofrimento sem motivo, que não teria causa real (algo parecido com o que aconteceu a Jó). Talvez (conforme sugeriu James Philip Hyatt, *in loc.*) a glosa seja o trabalho do editor deuteronômico que produziu algumas passagens prosaicas no complexo que é o livro de Jeremias. Sem se importar qual fosse a verdade da questão, a palavra sobre a idolatria sem dúvida era a verdadeira razão para a calamidade. Essa ideia domina o livro, e seria surpreendente se estivesse ausente neste trecho particular, produzindo assim uma passagem como se vê no livro de Jó, sobre um *sofrimento aparentemente insensato.*

8.20

עָבַר קָצִיר כָּלָה קָיִץ וַאֲנַחְנוּ לוֹא נוֹשָׁעְנוּ׃

Passou a sega, findou o verão, e nós não estamos salvos. Este versículo talvez sugira que a seca tinha feito falhar as plantações, e que a nação foi deixada a morrer de inanição. O elegante fraseado do versículo tem feito com que ele seja empregado *evangelicamente*; a colheita é a salvação, e o verão é o tempo oportuno para aquilo que o povo de Judá sentia falta. No entanto, a *salvação* neste caso é física, e não espiritual. Não obstante, alguns intérpretes veem aqui o *verão* como o período de tempo que Yahweh dera a Judá para *arrepender-se* e assim evitar a invasão babilônica, ou a falha nas plantações, com a subsequente fome. Nesse caso, temos um significado espiritual, mas a salvação da alma não está em vista. "Fazemos bem em relembrar que a safra da *cevada* tenha coincidido com a Páscoa; a safra do *trigo* com o Pentecoste; e a colheita das *frutas* com a Festa dos Tabernáculos do outono" (Ellicott, *in loc.*), cada qual com alguma associação religiosa. *Tudo isso,* porém, tinha passado, e não havia alimentos salvadores na Terra Prometida. O povo de Judá estava morrendo de fome. Esse simbolismo adapta-se menos à invasão babilônica, pois, para todos os efeitos práticos, quase não restavam habitantes judeus na Terra Prometida para se queixarem da situação ali. Também poderia ser um clamor dos exilados que tinham sido deixados em "condições de penúria" alimentar na Babilônia. Seja como for, o poema não é escatológico nem considera as condições que precederão a era do reino de Deus.

8.21

עַל־שֶׁבֶר בַּת־עַמִּי הָשְׁבָּרְתִּי קָדַרְתִּי שַׁמָּה הֶחֱזִקָתְנִי׃

Estou quebrantado pela ferida da filha do meu povo. A "ferida" do povo de Judá era uma chaga no coração, algo que pode ser muito severo e potencialmente fatal e que salienta a natureza drástica da calamidade que ameaçava a vida de toda a nação. A *lamentação* de Judá pode ser literalmente descrita através das palavras "estou negra". Diz aqui o Targum: "Meu rosto está coberto de fuligem negra, negra como um vaso". O coração estava *partido,* e o rosto estava *enegrecido* pela tristeza.

Filha do meu povo. Ver sobre a expressão no vs. 19. E ela reaparece no vs. 22.

8.22

הַצֳרִי אֵין בְּגִלְעָד אִם־רֹפֵא אֵין שָׁם כִּי מַדּוּעַ לֹא
עָלְתָה אֲרֻכַת בַּת־עַמִּי׃

Acaso não há bálsamo em Gileade? Ou não há lá médico? Ver no *Dicionário* o artigo chamado *Bálsamo*. O bálsamo era uma resina da árvore Styrax, que tornava Gileade, na Transjordânia, famosa. Usada com fins medicinais, era exportada. Ver Jr 46.11; 51.8; Ez 22.17; Gn 37.35. Sem dúvida havia alguma genuína propriedade curativa na substância, pois, de outra maneira, não seria tão largamente procurada e aplicada. Judá, em seu tempo de grave aflição, não tinha bálsamo nem da parte dos homens nem da parte de Deus. Seus sofrimentos não tinham alívio algum e resultariam na morte. Essa resina, que era a base do bálsamo, também era empregada como um dos elementos do embalsamamento (ver Gn 37.25; 43.11; Jr 46.11 e 51.8). Um emplastro preparado com tais gomas era usado para curar ferimentos. Judá estava destituído de curadores e de medidas curativas. A Lei e os Profetas eram bálsamos espirituais que o povo tinha rejeitado, não havendo cura na hora da crise. De modo geral, os hebreus rejeitavam os médicos como curadores legítimos, visto que acreditavam que toda enfermidade resultava do pecado. Por conseguinte, somente Yahweh era o curador legítimo. Ver Sl 103.3:

Ele é quem perdoa todas as tuas iniquidades;
quem sara todas as tuas enfermidades.

Além do mais, os médicos antigos misturavam em sua prática médica os encantamentos, a mágica, e, algumas vezes, chegavam a invocar os mortos em suas curas. Mas não parece que a regra da "cura exclusivamente divina" era aplicada à medicina herbal, que o povo de Israel aparentemente usava, provavelmente raciocinando que o Ser divino poderia *usar* as ervas, caso pensasse que esse uso fosse correto, e não as usaria, caso pensasse que fosse errado.

Seja como for, a *filha do povo de Deus* (ver os comentários a respeito no vs. 19 deste capítulo) não recebia alívio de parte alguma, fosse ele divino ou natural, o que significa que permanecia espiritualmente doente e em aflição. Ou então a enfermidade consistia na fome que estava provocando mortes em massa.

CAPÍTULO NOVE

Não há interrupção entre os capítulos 8 e 9 de Jeremias, e assim o vs. 1 deste capítulo completa o poema iniciado em Jr 8.18. Ademais, a grande seção de *materiais miscelâneos* (que incorpora vários poemas, em sua maior parte desconectados uns dos outros, sem nenhum tema unificador) corre entre Jr 8.4 e 10.25. Ver as notas de introdução, em Jr 8.4.

9.1 (na Bíblia hebraica corresponde ao 8.23)

מִי־יִתֵּן רֹאשִׁי מַיִם וְעֵינִי מְקוֹר דִּמְעָה וְאֶבְכֶּה יוֹמָם
וָלַיְלָה אֵת חַלְלֵי בַת־עַמִּי׃

Oxalá a minha cabeça se tornasse em águas, e os meus olhos em fonte de lágrimas! Este versículo move-se mais para perto da lamentação iniciada em Jr 8.18, que o profeta Jeremias pronunciou contra Judá, o qual passava por uma aflição que lhe ameaçava a vida. Ver as notas sobre Jr 18.18 quanto a uma tentativa de definir exatamente o tipo de calamidade em mira. A tristeza era tão profunda que Jeremias desejava que seus olhos se transformassem em fontes de água, a fim de que suas lágrimas fossem copiosas e sem limites, para que ele pudesse continuar chorando dia e noite. Embora tenhamos aqui uma hipérbole tipicamente oriental, não há razão para duvidarmos da profunda angústia que o profeta sentia ao ver cair sobre Judá tão grande calamidade. "Essa empatia sentida no coração, devido aos sofrimentos de seu povo, deu ao profeta Jeremias a alcunha de 'profeta chorão' (cf. Jr 13.17; 14.17). Contudo, a empatia do profeta pelos sofrimentos do povo era contrabalançada pela sua repulsa aos seus pecados " (Charles H. Dyer, *in loc.*).

Filha do meu povo. Um modo padronizado de referir-se aos habitantes de Judá. Ver as notas expositivas sobre Jr 8.19. Cf. este versículo com Lm 2.11 e 3.48: "... dos meus olhos se derramam correntes de águas, por causa da destruição da filha do meu povo".

LAMENTO POR CAUSA DA TRAIÇÃO DO POVO DE JUDÁ (9.2-9)

■ **9.2** (na Bíblia hebraica corresponde ao **9.1**)

מִי־יִתְּנֵנִי בַמִּדְבָּר מְלוֹן אֹרְחִים וְאֶעֶזְבָה אֶת־עַמִּי וְאֵלְכָה מֵאִתָּם כִּי כֻלָּם מְנָאֲפִים עֲצֶרֶת בֹּגְדִים׃

Oxalá tivesse no deserto uma estalagem de caminhantes! "A completa corrupção do povo de Judá é a base deste lamento, o qual, assim sendo, difere do anterior. Aqui, em vez de *simpatia*, Jeremias nada mais sentia a não ser *desprezo* pela nação mentirosa, enganadora e indigna de confiança (ver Jr 11.19-23; 12.6; e 20.10). Um lugar remoto, no deserto, seria preferível como local onde o profeta permaneceria, e não entre os réprobos (ver 1Rs 19.3-4)" (*Oxford Annotated Bible*, comentando sobre este versículo).

Jerusalém era um lugar abastado e desejável para se viver. No entanto, tinha-se tornado tão corrompido e violento que Jeremias sentia que seria melhor fugir dali e alojar-se em algum lugar no deserto, onde os viajantes poderiam parar para passar a noite. Cf. isso com o desejo que muita gente sente de fugir da cidade de São Paulo para viver no interior. As condições de vida nessa segunda maior cidade do mundo a transformaram um lugar quase insuportável: poluição; crimes; ruas e bairros apinhados que não oferecem paz. Acresça-se a isso o fato de que, para muitas pessoas, há fome e condição constantemente doentia, por não terem condições para vencer a sua miséria.

> Oh! quem me dera um lugar em algum vasto deserto,
> Alguma condição sem limites de sombras,
> Onde o rumor da opressão e do engano,
> De guerras bem-sucedidas ou malsucedidas,
> Nunca chegaria até mim.
>
> William Cowper

"Nenhuma pessoa prefere deixar seu país, seu próprio povo e a casa de seu pai e ir para terras distantes e países estrangeiros, e, especialmente, para algum deserto, onde não houvesse nem alimento apropriado nem companhia agradável, a menos que as condições em seu lar sejam realmente muito más" (John Gill, *in loc.*). Ou, então, a menos que essa pessoa seja um missionário evangélico, algo não considerado neste texto.

■ **9.3** (na Bíblia hebraica corresponde ao **9.2**)

וַיַּדְרְכוּ אֶת־לְשׁוֹנָם קַשְׁתָּם שֶׁקֶר וְלֹא לֶאֱמוּנָה גָּבְרוּ בָאָרֶץ כִּי מֵרָעָה אֶל־רָעָה יָצָאוּ וְאֹתִי לֹא־יָדָעוּ נְאֻם־יְהוָה׃ ס

Curvam a língua, como se fosse o seu arco, para a mentira. A língua deles era usada como instrumento para ferir e para matar, como se fosse um arco que despede fatais flechas de mentiras contra outras pessoas. Ver Sl 64.3-4. E então a metáfora é radicalmente modificada. Em parte alguma da Terra Prometida a *verdade* havia achado lugar para crescer. A verdade é como uma plantinha tenra que foi expulsa pelas plantas daninhas que tomaram conta de tudo. Em seguida, o profeta deixa de lado as metáforas e meramente assevera que o povo de Judá passava de um mal para outro, continuamente, e isso sem descanso, corrompendo pela iniquidade toda a massa. Como resultado, eles perderam o conhecimento de Yahweh, de sua lei, que era o *guia* do povo (ver Dt 6.4 ss.). Eles se tornaram uma nação pagã cujo Deus não era Yahweh. Abandonaram seus antigos caminhos e entraram na idolatria-adultério-apostasia que distorceu o que tinha sido a nação de Judá.

> *O Senhor tem uma contenda com os habitantes da terra; porque nela não há verdade, nem amor, nem conhecimento de Deus.*
> Oseias 4.1

"Enquanto se desdobrava a própria fábrica da sociedade, ninguém dizia a verdade. Jeremias vivia em meio a um povo que era cheio de enganos e se recusava a reconhecer a Deus" (Charles H. Dyer, *in loc.*). O Targum menciona que os judeus tinham perdido o *temor do Senhor* (ver Sl 119.38 e Pv 1.7. Ver também, no *Dicionário*, o artigo chamado *Temor*).

■ **9.4** (na Bíblia hebraica corresponde ao **9.3**)

אִישׁ מֵרֵעֵהוּ הִשָּׁמֵרוּ וְעַל־כָּל־אָח אַל־תִּבְטָחוּ כִּי כָל־אָח עָקוֹב יַעְקֹב וְכָל־רֵעַ רָכִיל יַהֲלֹךְ׃

Guardai-vos cada um do seu amigo, e de irmão nenhum vos fieis. A *corrupção de Jerusalém* era tamanha que todo o habitante da cidade era um criminoso em quem os vizinhos não podiam confiar. Ninguém podia acreditar em seu irmão literal e racial. Nenhum homem era um verdadeiro vizinho, no sentido tradicional da palavra. Cada indivíduo era uma ameaça ao próximo. Em outras palavras, Jerusalém se transformara em uma selva moral e espiritual, um lugar de ferir ou ser ferido, de matar ou ser morto. Cada pessoa esperava sua *chance* de ferir a outrem. Não havia espírito de camaradagem, amor fraternal ou temor a Deus. Judá tinha sido paganizado e endemoninhado. O povo tinha-se tornado um bando de selvagens idólatras. Aquela gente não podia mais ser vista como exemplo de retidão, produzida pela lei de Moisés e pelo yahwismo. Pelo contrário, eles se transformaram em grandes modelos de iniquidade.

Enganar. Diz literalmente o original hebraico "passar rasteira no calcanhar" (Os 12.3, como Jacó que, em seu nascimento, segurou no calcanhar do irmão, uma indicação de como ele enganaria e feriria em sua vida de adulto; ver Gn 25.26).

"A extrema amargura das palavras do profeta é aqui explicada, pelo menos em parte, por aquilo que lemos depois de sua história pessoal (ver Jr 12.6; 18.18). Os inimigos de um homem são aqueles de sua própria casa (ver Mt 10.36)" (Ellicott, *in loc.*).

■ **9.5** (na Bíblia hebraica corresponde ao **9.4**)

וְאִישׁ בְּרֵעֵהוּ יְהָתֵלּוּ וֶאֱמֶת לֹא יְדַבֵּרוּ לִמְּדוּ לְשׁוֹנָם דַּבֶּר־שֶׁקֶר הַעֲוֵה נִלְאוּ׃

Cada um zomba do seu próximo, e não falam a verdade. Este versículo nos leva de volta ao vs. 3, sem a metáfora da flecha sem misericórdia. Quanto ao uso infiel da língua, ver Sl 5.9; 12.2; 15.3; 17.3; 34.12; 35.28 e 36.3. Ver no *Dicionário* o verbete denominado *Linguagem, Uso Apropriado da,* onde ofereço detalhes e poesia ilustrativa. Resisti à tentação de reproduzir essa poesia aqui. Ver também o artigo chamado *Mentira (Mentiroso).* A maneira como os homens *falam* naturalmente é uma indicação do que eles são, pois as palavras se derivam dos pensamentos, e aquilo que um homem pensa, assim ele é, Pv 23.7. Cf. o presente versículo com Jr 6.28.

■ **9.6** (na Bíblia hebraica corresponde ao **9.5**)

שִׁבְתְּךָ בְּתוֹךְ מִרְמָה בְּמִרְמָה מֵאֲנוּ דַעַת־אוֹתִי נְאֻם־יְהוָה׃ ס

Vivem no meio da falsidade; pela falsidade recusam conhecer-me. Eles "amontoavam opressão sobre opressão" (*Revised Standard Version*) e "engano sobre engano", pois essas coisas se tornaram a lei da vida do país. Eles se recusavam a conhecer o Senhor. Quanto a isso, ver o vs. 3. Eles tiveram todas as oportunidades, e não lhes faltaram instruções espirituais. Mas, se eles honravam deuses que nada representavam, e até sacrificavam os próprios filhos a divindades falsas (ver Jr 7.31), nada queriam com a lei de Moisés, o guia do yahwismo (ver Dt 6.4 ss.). Além disso, eles enchiam os bosques dos lugares altos com ídolos e, sob cada árvore, sempre havia um casal a praticar sexo ilícito (ver Jr 3.13), mas a adoração a Yahweh se desintegrara em um sincretismo doentio. Quanto às *opressões* que se tinham generalizado em Judá, ver Jr 7.6. Eles se tornaram *pobres e insensatos,* desconhecendo o caminho do Senhor (ver Jr 5.4). Mas se apropriaram dos caminhos corruptos dos cultos pagãos. Foi assim que se tornaram pseudossábios (ver Jr 8.8,9). Eles chegaram a dominar as ideias das práticas dos cultos de fertilidade e dos cultos da natureza, mas se olvidaram do Deus do céu. Diz o Targum: "Eles se assentam na casa de sua congregação, conversando sobre as suas iniquidades". E Jarchi disse: "Enquanto estão sentados, pensam em artifícios enganadores". Nos momentos de lazer, estão constantemente planejando a execução de mais atos atrevidos.

■ **9.7** (na Bíblia hebraica corresponde ao **9.6**)

לָכֵן כֹּה אָמַר יְהוָה צְבָאוֹת הִנְנִי צוֹרְפָם וּבְחַנְתִּים
כִּי־אֵיךְ אֶעֱשֶׂה מִפְּנֵי בַּת־עַמִּי׃

Portanto assim diz o Senhor dos Exércitos: Eis que eu os acrisolarei e os provarei. O *fogo do refinador* era a única medida a ser tomada. Judá se transformou em escória, com talvez alguma prata genuína restante. A escória tinha de ser queimada para que o pouco de prata aparecesse e fosse o instrumento do novo dia, após o cativeiro babilônico. Quanto à figura, cf. Jr 6.27-30 e Ez 22.18-22. "Deus colocaria Judá no cadinho do julgamento" (Charles H. Dyer, *in loc.*). Ver no *Dicionário* o artigo chamado *Refinar, Refinador.* E ver também Is 1.25 e Ml 3.3.

■ **9.8** (na Bíblia hebraica corresponde ao **9.7**)

חֵץ שָׁחוּט לְשׁוֹנָם מִרְמָה דִבֵּר בְּפִיו שָׁלוֹם אֶת־רֵעֵהוּ
יְדַבֵּר וּבְקִרְבּוֹ יָשִׂים אָרְבּוֹ׃

Flecha mortífera é a língua deles; falam engano. Jeremias volta aqui às *línguas de flecha* que ferem e matam, o abuso da linguagem. Ver os vss. 3 e 5 deste mesmo capítulo. A isso, ele adicionou a ideia da *hipocrisia* na linguagem deles, pois, enquanto planejavam ataques malignos no coração, eles falavam palavras doces com os lábios. A "paz" estava na boca, mas a "morte" residia no coração. Para facilitar seus crimes, eles apelavam para emboscadas, enganos e ataques de surpresa. Se tinham tornado uma nação de mentes criminosas.

> *A sua boca era mais macia que a manteiga, porém no coração havia guerra; as suas palavras eram mais brandas que o azeite, contudo eram espadas desembainhadas.*
>
> Salmo 55.21

■ **9.9** (na Bíblia hebraica corresponde ao **9.8**)

הַעַל־אֵלֶּה לֹא־אֶפְקָד־בָּם נְאֻם־יְהוָה אִם בְּגוֹי אֲשֶׁר־
כָּזֶה לֹא תִתְנַקֵּם נַפְשִׁי׃ ס

Acaso por estas cousas não os castigaria? diz o Senhor. Uma *visitação divina* aterrorizante se tornou inevitável. A alma de Yahweh se vingaria daqueles réprobos. Cf. este versículo com Jr 5.9,29. Conforme diz o Targum, a visita "traria o mal"; e, quanto ao intuito divino, diz a mesma fonte: "Não me vingarei de acordo com meu bel-prazer, de um povo que produz essas coisas?" Assim sendo, Jeremias apoiou o conceito de um mundo moral, onde haverá prestação de contas, em contraste com o conceito de um mundo caótico, onde o bem não é recompensado nem o mal é punido. Emanuel Kant via, na necessidade da devida retribuição e recompensa, a prova racional da existência de Deus, como também da existência e da sobrevivência da alma diante da morte física. Pois é óbvio que a *justiça* não é servida neste mundo. Muitas coisas boas passam sem recompensa, e muitas formas de maldade jamais são punidas. Portanto, a alma deve sobreviver para além desta vida física, onde o bem será recompensado e o mal será punido. Além disso, deve haver um Poder e inteligência capaz de recompensar e punir, e a esse Poder e inteligência chamamos de Deus. Ver na *Enciclopédia de Bíblia, Teologia e Filosofia* o artigo chamado *Argumento Moral.*

CHORANDO ANTE A DESTRUIÇÃO DE JUDÁ (9.10-22)

■ **9.10** (na Bíblia hebraica corresponde ao **9.9**)

עַל־הֶהָרִים אֶשָּׂא בְכִי וָנֶהִי וְעַל־נְאוֹת מִדְבָּר קִינָה כִּי
נִצְּתוּ מִבְּלִי־אִישׁ עֹבֵר וְלֹא שָׁמְעוּ קוֹל מִקְנֶה מֵעוֹף
הַשָּׁמַיִם וְעַד־בְּהֵמָה נָדְדוּ הָלָכוּ׃

Pelos montes levantarei choro e pranto, e pelas pastagens do deserto lamentação. A extensa seção de Jr 8.4–10.25 apresenta certo número de oráculos ou poemas independentes. Ver a introdução a Jr 8.4. Não há nenhum fio comum de pensamento que percorra esses oráculos, embora eles estejam entrelaçados por pensamentos de corrupção, julgamento, convites ao arrependimento e temas dessa ordem. O oráculo à nossa frente (vs. 10-22) trata da destruição de Jerusalém e de Judá em geral, mas especialmente da destruição de Jerusalém, como a capital da confusão e da apostasia.

"No vs. 10, Yahweh convida o povo a lamentar-se por causa das desolações, e, no vs. 11, ele declara sua intenção de destruir Jerusalém e as cidades de Judá. Então, os vss. 17-22 preocupam-se essencialmente com um apelo às carpideiras profissionais para chorarem sobre a cidade. A data da passagem provavelmente coincide com a invasão de Judá pelos caldeus, em 602 a.C., descrita em 2Rs 24.1,2" (James Philip Hyatt, *in loc.*).

Neste vs. 10 o hebraico diz: "Tomarei choro e lamentação". Jeremias interrompeu as ameaças de que Yahweh tomaria vingança contra Judá, e apresentou uma lamentação. Mas a Septuaginta, e as versões do latim antigo e do siríaco têm um imperativo plural aqui: "Tomai vingança...", que alguns estudiosos supõem ser o texto original. Algumas vezes, as versões preservam um texto que se perdeu para o texto massorético. Ver no *Dicionário* os artigos chamados *Massora (Massorah); Texto Massorético* e *Manuscritos Antigos do Antigo Testamento.* Nesse último artigo, ofereço diretrizes sobre como são escolhidos os textos corretos quando aparecem variantes.

"Esse breve lamento não deixa de ter especial poder. Parece incluir mais do que uma visão de desolação. Presta testemunho sobre as depredações cometidas pelos invasores. Cf. Jr 4.23-26... Tão destruídos estavam os pastos que ninguém os atravessava. O som produzido pelo gado não era mais ouvido, e as aves do céu e as feras do campo tinham fugido" (Stanley Romaine Hopper, *in loc.*).

> Não há pássaros.
> As geleiras predatórias
> Resplandecem nas noites frígidas.
>
> W. H. Auden

As colinas agradáveis ao redor de Jerusalém, que sempre contavam com rebanhos de animais domésticos a pastar, agora estavam nuas. Judá fora reduzido a um deserto. Tudo tinha sido incendiado e arrasado. A terra se tornara improdutiva, como se o homem nunca tivesse trabalhado o solo ali. Depois que os babilônios acabaram de destruir o lugar, este se parecia com o deserto da Arábia.

■ **9.11** (na Bíblia hebraica corresponde ao **9.10**)

וְנָתַתִּי אֶת־יְרוּשָׁלַםִ לְגַלִּים מְעוֹן תַּנִּים וְאֶת־עָרֵי
יְהוּדָה אֶתֵּן שְׁמָמָה מִבְּלִי יוֹשֵׁב׃ ס

Farei de Jerusalém montões de ruínas, morada de chacais. A cidade de Jerusalém fora reduzida a um montão de ruínas. A capital da nação de Judá, que já tinha sido a capital de um país ativo, fora esvaziada de sua população. Os chacais tomaram conta do lugar, e ninguém ousava passar por ali. E o que aconteceu à capital ocorreu, igualmente, às cidades de Judá, que se tornaram essencialmente desabitadas. Cf. Jr 10.22; 49.33 e 51.37. Ver também Is 25.2, que tem algo similar. Is 13.22 e 34.12 também falam sobre os animais ferozes que tomariam conta do lugar, onde antes prosperara a cidade da Babilônia.

ATI ■ Jeremias

■ **9.12** (na Bíblia hebraica corresponde ao **9.11**)

מִי־הָאִישׁ הֶחָכָם וְיָבֵן אֶת־זֹאת וַאֲשֶׁר דִּבֶּר פִּי־יְהוָה אֵלָיו וְיַגִּדָהּ עַל־מָה אָבְדָה הָאָרֶץ נִצְּתָה כַמִּדְבָּר מִבְּלִי עֹבֵר׃ ס

Quem é o homem sábio, que entenda isto, e a quem falou a boca do Senhor. Jerusalém estava repleta de *homens pseudossábios,* alguns dos quais eram falsos profetas que tinham clamado *paz, paz,* no tempo mesmo em que os exércitos babilônicos já se colocavam em marcha contra Judá. Ver Jr 6.14 e 8.11. Quanto aos homens pseudossábios, ver Jr 4.22 e 8.8,9. Eles se declaravam sábios, mas tinham abandonado a fonte originária da sabedoria, a lei de Moisés e o temor ao Senhor (ver Pv 1.7; ver também Sl 119.38; e, no *Dicionário,* o verbete intitulado *Temor*). Yahweh convidou aqueles insensatos que tinham predito a paz, a dizer *por que* Jerusalém fora arruinada e por que a Terra Prometida inteira fora reduzida a um deserto. Caravanas de camelos continuavam a passar pelo deserto, promovendo um rico comércio, mas ninguém tinha o desejo nem ao menos de atravessar o território de Judá. Ficamos à espera de uma resposta, mas resposta alguma foi dada. Nenhuma voz se levantou para responder à divina inquirição. Portanto, o vs. 13 responde à pergunta feita por Yahweh.

■ **9.13** (na Bíblia hebraica corresponde ao **9.12**)

וַיֹּאמֶר יְהוָה עַל־עָזְבָם אֶת־תּוֹרָתִי אֲשֶׁר נָתַתִּי לִפְנֵיהֶם וְלֹא־שָׁמְעוּ בְקוֹלִי וְלֹא־הָלְכוּ בָהּ׃

Respondeu o Senhor: Porque deixaram a minha lei, que pus perante eles. Os pseudossábios (e então o restante de Judá, liderado por eles) caíram no absurdo de esquecer a lei de Moisés, o *guia* do povo de Israel (ver Dt 6.44); da *vida prometida* (ver Dt 4.1; 5.33; 6.2; Ez 20.1). A lei de Moisés é que tornara Israel o povo distinguido entre as nações (ver Dt 4.4-8). A *lei moral* precisa ser *obedecida.* Jeremias não confiava nas leis cerimoniais (ver Jr 7.22). A obediência significava um *andar* correto na presença do Senhor, e não mero conhecimento das demandas divinas. Ver no *Dicionário* o verbete chamado *Andar.* Kimchi referiu-se a Dt 30.11-14 em conexão com este versículo. O caminho a ser seguido era claro. Não requeria nenhuma solução especial de problemas, mas sim coração e mente obediente.

■ **9.14** (na Bíblia hebraica corresponde ao **9.13**)

וַיֵּלְכוּ אַחֲרֵי שְׁרִרוּת לִבָּם וְאַחֲרֵי הַבְּעָלִים אֲשֶׁר לִמְּדוּם אֲבוֹתָם׃ ס

Antes andaram na dureza do seu coração, e seguiram os Baalins. Cf. este versículo com Jr 2.23 e 7.24, onde encontramos declarações similares. *Baalins* (ver a respeito no *Dicionário*), apesar de referir-se obviamente à adoração a Baal, em uma ou mais variedades de culto, também era um termo genérico para indicar os deuses falsos de todos os tipos, o que explica sua forma plural. Ver Jr 2.2 e 3.13, que mostram que Judá caiu na armadilha de honrar os deuses cananeus da fertilidade e da natureza. Jr 7.18, com sua menção à "rainha do céu" (idolatria tomada por empréstimo da Assíria e da Babilônia), mostra que Judá não se manifestou muito seletivo na escolha de deuses. Qualquer deus antigo servia. Até mesmo os pais estiveram tão envolvidos no paganismo que ensinavam outros a seguir seu mau exemplo. "Não nos convém seguir os erros dos pais, mas a autoridade das Escrituras e de Deus" (Jerônimo).

■ **9.15** (na Bíblia hebraica corresponde ao **9.14**)

לָכֵן כֹּה־אָמַר יְהוָה צְבָאוֹת אֱלֹהֵי יִשְׂרָאֵל הִנְנִי מַאֲכִילָם אֶת־הָעָם הַזֶּה לַעֲנָה וְהִשְׁקִיתִים מֵי־רֹאשׁ׃

Portanto assim diz o Senhor Deus dos Exércitos, Deus de Israel: Eis que alimentarei este povo com absinto. Yahweh, o Senhor dos Exércitos (ver 1Rs 18.15 e também no *Dicionário*) e também Elohim, o Deus de Israel, resolveu tirar vingança daqueles réprobos dando-lhes *absinto* para comer e *água de fel* para beber. Além de ser o máximo do regime repelente, a dieta seria fatal. Cf. Sl 80.5: "Dás-lhe a comer pão de lágrimas, e a beber copioso pranto".

Os títulos divinos que figuram neste versículo mostram o poder e a autoridade de Deus para cumprir o que ele declarar, ou seja, está em pauta a *inevitabilidade* da vingança divina contra aqueles ímpios desarrazoados.

"Eles teriam a mais profunda tristeza e a mais pesada aflição. Teriam *veneno* em vez de carne e líquidos para comer e beber" (Adam Clarke, *in loc.*). Kimchi fala da cicuta como o veneno aqui referido. É assim que alguns traduzem Os 10.4. Jarchi refere-se ao veneno das serpentes. Um severo castigo é assim simbolizado. A matança e o exílio tornariam Judá um território essencialmente desabitado.

■ **9.16** (na Bíblia hebraica corresponde ao **9.15**)

וַהֲפִצוֹתִים בַּגּוֹיִם אֲשֶׁר לֹא יָדְעוּ הֵמָּה וַאֲבוֹתָם וְשִׁלַּחְתִּי אַחֲרֵיהֶם אֶת־הַחֶרֶב עַד כַּלּוֹתִי אוֹתָם׃ פ

Espalhá-los-ei entre nações, que nem eles nem seus pais conheceram. O *cativeiro babilônico* (ver a respeito no *Dicionário*) levaria os poucos sobreviventes para uma terra tão remota da terra de Israel que seria essencialmente desconhecida de seus pais e deles próprios. Isso adicionava *absurdo* à situação, que um povo tão remoto como este viesse a ser o seu fim. "Isso parece sugerir o extremo isolamento de Israel, política e comercialmente, antes do tempo do exílio" (Stanley Romaine Hopper, *in loc.*). Os poucos sobreviventes não desfrutariam paz no exílio; uma espada os seguiria e os destruiria até mesmo no cativeiro. Muitos judeus seriam empalados, esfolados e mortos brutalmente na Babilônia. Os que sobrevivessem ao "segundo expurgo" seriam escravizados por mestres brutais.

■ **9.17** (na Bíblia hebraica corresponde ao **9.16**)

כֹּה אָמַר יְהוָה צְבָאוֹת הִתְבּוֹנְנוּ וְקִרְאוּ לַמְקוֹנְנוֹת וּתְבוֹאֶינָה וְאֶל־הַחֲכָמוֹת שִׁלְחוּ וְתָבוֹאנָה׃

Assim diz o Senhor dos Exércitos: Considerai, e chamai carpideiras. "Carpideiras" eram as mulheres que lamentavam profissionalmente pelos mortos. Elas tinham por tarefa provocar a atitude de lamentação nos outros, sendo assim criada a atmosfera apropriada de tristeza, levando as pessoas a chorar e lamentar. Elas cantavam cânticos fúnebres e estimulavam a tristeza. Parecer feliz demais ou não se mostrar triste o suficiente, em um funeral, era uma desgraça social. Cf. Jr 22.18; Ec 12.5; Am 5.16; Mq 5.38. Toda a nação de Judá estava morta. Agora, requeria-se a lamentação fúnebre apropriada. Além de chorar em altas vozes, as carpideiras despenteavam os cabelos, batiam no peito, descobriam os seios, rasgavam as roupas e, quando bem-sucedidas, provocavam atos similares em outras pessoas. Até os homens mais pobres de Israel, caso suas esposas morressem, não tinham menos do que uma mulher carpideira e duas que tocassem flautas (Mishnah *Cetubot.* cap. 4, sec. 4).

■ **9.18** (na Bíblia hebraica corresponde ao **9.17**)

וּתְמַהֵרְנָה וְתִשֶּׂנָה עָלֵינוּ נֶהִי וְתֵרַדְנָה עֵינֵינוּ דִּמְעָה וְעַפְעַפֵּינוּ יִזְּלוּ־מָיִם׃

Apressem-se, e levantem sobre nós o seu lamento, para que os nossos olhos se desfaçam em lágrimas. A condenação de Judá havia chegado, e assim carpideiras profissionais tinham de realizar seu papel, levando outras pessoas a cair em atitude de tristeza, fazendo seus olhos derramar copiosas lágrimas, e suas vozes levantar-se em lamentações. Cf. Jr 14.17. Ver Jr 9.1, a *fonte de lágrimas* de Jeremias, e também o vs. 10, que mostra a reação do povo de Judá. O choro seria tão violento que o globo ocular sairia juntamente com as lágrimas, conforme o Targum e Kimchi compreenderam a hipérbole do versículo. Mui apropriadamente, seria assim que eles lamentariam a enorme calamidade que não teve equiparação histórica. Uma nação inteira tinha morrido.

■ **9.19** (na Bíblia hebraica corresponde ao **9.18**)

כִּי קוֹל נְהִי נִשְׁמַע מִצִּיּוֹן אֵיךְ שֻׁדָּדְנוּ בֹּשְׁנוּ מְאֹד כִּי־עָזַבְנוּ אָרֶץ כִּי הִשְׁלִיכוּ מִשְׁכְּנוֹתֵינוּ׃ ס

Porque uma voz de pranto se ouve de Sião: Como estamos arruinados! Este versículo exemplifica os gritos do povo de Judá no meio de seu choro e clamor. "Estamos totalmente arruinados; fomos completamente envergonhados; nossa terra ficou deserta; todas as nossas residências foram derrubadas".

> Como fomos despojados!
> Fomos confundidos em extremo!
> Esquecemo-nos de nossa terra.
> Nossas habitações foram destruídas.
>
> Adam Clarke, *in loc.*

"Fomos verdadeiramente arruinados! Estamos verdadeiramente envergonhados! Tivemos de abandonar a nossa terra, pois nossas casas estão em ruínas" (NCV). O Targum menciona a destruição dos *palácios* e principais edifícios públicos de Jerusalém. Esses edifícios, juntamente com as casas comuns, foram "derrubados por terra". Isso era particularmente verdadeiro no caso do templo de Salomão, que foi arruinado. Jerusalém, a cidade dourada, terminara.

■ **9.20** (na Bíblia hebraica corresponde ao **9.19**)

כִּי־שְׁמַעְנָה נָשִׁים דְּבַר־יְהוָה וְתִקַּח אָזְנְכֶם דְּבַר־פִּיו וְלַמֵּדְנָה בְנוֹתֵיכֶם נֶהִי וְאִשָּׁה רְעוּתָהּ קִינָה׃

Ouvi, pois, vós, mulheres, a palavra do Senhor. As carpideiras foram convidadas a ouvir a voz de Yahweh, pois agora entenderiam por que aquela lamentação era tão temível. Outras mulheres, as filhas de Jerusalém, tinham de juntar-se apropriadamente à lamentação, cada uma entoando o cântico fúnebre. Foi uma destruição universal, pelo que tinha de haver um lamento universal. Talvez as filhas apareçam aqui como as carpideiras, literalmente. Nesse caso, ensinariam a todas as demais mulheres a juntar-se ao cântico fúnebre. Talvez a ideia seja que as mortes eram tantas, que não haveria carpideiras suficientes para um lamento apropriado. Por conseguinte, todos os sobreviventes teriam de cooperar. Contudo, não se tratava de uma lamentação comum, por causa de um único morto. Antes, uma *nação inteira* havia perecido. As lamentações pelos mortos eram efetuadas de *modo responsivo,* um grupo respondia a outro, ou, se o funeral era pequeno, uma carpideira respondia a outra. "Quando uma falava, todas as outras respondiam, conforme escrito em Jr 19.20" (Mishnah, *Moed. Katon,* cap. 3, sec. 9).

■ **9.21** (na Bíblia hebraica corresponde ao **9.20**)

כִּי־עָלָה מָוֶת בְּחַלּוֹנֵינוּ בָּא בְּאַרְמְנוֹתֵינוּ לְהַכְרִית עוֹלָל מִחוּץ בַּחוּרִים מֵרְחֹבוֹת׃

Porque a morte subiu pelas nossas janelas, e entrou em nossos palácios. A morte "entrar pelas janelas" seria uma declaração obscura, se não fosse um épico cananeu, encontrado em Ras Shamra. Diz-se ali que Baal ordenou que em seu palácio não houvesse janelas, porque ele temia que o deus Mote (a Morte) entrasse por elas e lhes furtasse as esposas ("Ugaritic Texts and Textual Criticism", *Journal of Biblical Literature,* LXII, 1943). Neste versículo, a morte é personificada e retratada como podendo entrar pelas janelas dos palácios para matar as crianças e todos os seus moradores, e então assassinar os jovens nas ruas. Dessa maneira, as ruas ficariam vazias. As vozes das crianças e dos jovens não mais seriam ouvidas. Os babilônios chegaram e invadiram as residências, matando todos os habitantes; e então saíram pelas ruas, matando todos quantos encontravam, sem poupar crianças, mulheres ou jovens. A matança foi generalizada, e não havia lugar onde se esconder. A matança foi geral. O propósito dos invasores era deixar bem poucos vivos.

■ **9.22** (na Bíblia hebraica corresponde ao **9.21**)

דַּבֵּר כֹּה נְאֻם־יְהוָה וְנָפְלָה נִבְלַת הָאָדָם כְּדֹמֶן עַל־פְּנֵי הַשָּׂדֶה וּכְעָמִיר מֵאַחֲרֵי הַקֹּצֵר וְאֵין מְאַסֵּף׃ ס

Fala: Assim diz o Senhor: Os cadáveres dos homens jazerão como esterco sobre o campo. O profeta Jeremias foi instado quanto ao que *dizer n*a mensagem, deixando claro que o pior evento da história de Judá estava prestes a ocorrer. Os corpos mortos dos jovens seletos cairiam nos campos e ali jazeriam como se fossem Etco, que para nada prestava senão para fertilizar o solo. Seriam em tão grande número que pareceriam um campo com as plantas já cortadas, onde cada talo representaria o que havia sido uma pessoa. Mas, diferentemente de talos cortados, eles não seriam recolhidos por um colhedor para o sepulcro, única coisa decente a ser feita. Eles ficariam jazendo ali, onde tinham caído. E as feras e as aves de rapina viriam e teriam refeições fartas. Portanto, temos aqui o quadro do terrível ceifeiro, que não ceifa como os ceifeiros comuns fazem. Ele meramente decepa os corpos pelo meio, deixando-os apodrecer.

> Os cadáveres dos homens jazem esticados
> Nos campos abertos, como feixes
> Deixados para trás pelo ceifeiro, mas
> Que ninguém ajunta.
>
> Skinner

A mentalidade dos judeus se chocava diante do ato de deixar um cadáver, mesmo que fosse de um criminoso ou de um notório homem mau, insepulto. Essa era a desgraça máxima e uma brecha intolerável nos costumes sociais. Cf. os ossos espalhados, referidos em Jr 8.1. No caso presente, não haveria número suficiente de judeus vivos que se ocupassem da imensa tarefa de sepultar o vasto número de mortos, e os invasores não se dedicariam a isso. Assim sendo, os corpos foram simplesmente deixados para as aves e as feras do campo, que em breve se apossariam do território de Judá. Ver Jr 7.33. Essas feras seriam tão numerosas que ninguém ousaria espantá-las.

A ÚNICA VERDADEIRA RAZÃO PARA A JACTÂNCIA (9.23,24)

■ **9.23,24** (na Bíblia hebraica corresponde ao **9.22,23**)

כֹּה אָמַר יְהוָה אַל־יִתְהַלֵּל חָכָם בְּחָכְמָתוֹ וְאַל־יִתְהַלֵּל הַגִּבּוֹר בִּגְבוּרָתוֹ אַל־יִתְהַלֵּל עָשִׁיר בְּעָשְׁרוֹ׃ כִּי אִם־בְּזֹאת יִתְהַלֵּל הַמִּתְהַלֵּל הַשְׂכֵּל וְיָדֹעַ אוֹתִי כִּי אֲנִי יְהוָה עֹשֶׂה חֶסֶד מִשְׁפָּט וּצְדָקָה בָּאָרֶץ כִּי־בְאֵלֶּה חָפַצְתִּי נְאֻם־יְהוָה׃ ס

Assim diz o Senhor: Não se glorie o sábio na sua sabedoria. Os pseudossábios, dos quais Jerusalém estava tão repleta (ver o vs. 12), e os verdadeiramente sábios, dos quais havia tão poucos, não podiam jactar-se em sua falsa sabedoria ou em sua sabedoria autêntica; nem os fortes podiam gloriar-se em sua força; nem os ricos podiam jactar-se em suas riquezas e no poder que esta trazia. Todos os homens, sem importar a sua classe, tinham apenas uma *razão válida* para gloriar-se: conhecer e obedecer a Yahweh (vs. 24), a fonte de toda a verdadeira sabedoria, de toda força e de autênticas riquezas, aquele que poderia ter impedido a matança provocada pelos babilônios, contando que os judeus se aproximassem dele em humildade e arrependimento. Muitos convites de Yahweh tinham exortado Judá a arrepender-se, mas foram todos inúteis. Houvera disponível muita *gentileza amorosa* (no hebraico, *hesedh,* o famoso amor de Deus). Mas o réprobo povo de Judá preferiu a ruína. Em Deus há amor, gentileza, justiça e retidão, e *nessas coisas* Yahweh se deleitava. Judá, entretanto, preferiu a horrenda combinação de idolatria-adultério-apostasia, o que significa que foram cortadas todas as graças divinas.

Cf. estes versículos com Mq 6.8 e 7.18. Deus se deleita na misericórdia, mas o povo de Judá insistia nas chamas do julgamento.

> Se a sabedoria, a força ou as riquezas são a tua parte,
> Não te glories, mas sabe que não são realmente tuas.
> Somente um Deus, de quem todos os dons procedem,
> É sábio, é poderoso e é realmente rico.
>
> Focilides, antigo poeta pagão

Cf. 1Co 1.31 e 2Co 10.17. Esses versículos ensinam que os homens colhem aquilo que semeiam, mas também que podem escolher aquilo que vão semear. Se fizerem um trabalho bom, se encontrarão com o Deus amoroso, misericordioso e beneficente que haverá de abençoá-los. O direito de escolha é *genuíno,* porquanto, de outro modo, não haveria responsabilidade moral.

A PUNIÇÃO DOS INCIRCUNCISOS (9.25,26)

■ **9.25** (na Bíblia hebraica corresponde ao **9.24**)

הִנֵּה יָמִים בָּאִים נְאֻם־יְהוָה וּפָקַדְתִּי עַל־כָּל־מוּל בְּעָרְלָה׃

Eis que vêm dias, diz o Senhor, em que castigarei a todos os circuncidados juntamente com os incircuncisos. O tom desta passagem é semelhante ao de Rm 2.26 ss. A circuncisão (o sinal do pacto abraâmico; ver Gn 15.18) só tinha valor se fosse acompanhada pela prática da lei. Em outras palavras, era preciso haver fé de todo o coração (ver as notas em Pv 4.23), sem a qual os ritos não tinham valor algum. Vemos, em Jr 7.22, que o profeta tomou a posição extremada de que os sacrifícios de animais não tinham sido ordenados por Yahweh, no princípio, e não tinham nenhum valor. Isso chega à posição do Novo Testamento de que os sacrifícios de animais eram meras sombras de realidades vindouras. Não ficaríamos surpresos, pois, se Jeremias também tivesse rejeitado a circuncisão, embora o livro de Gênesis faça da circuncisão o sinal do pacto abraâmico. Ver no *Dicionário* o verbete intitulado *Circuncisão*. Provavelmente é verdade, seja como for, que Jeremias "dava pouco valor à circuncisão, tal como dava pouco valor aos sacrifícios, ao templo e a outras formas externas da religião" (James Philip Hyatt, *in loc.*). Em certo sentido, Jeremias é o mais *perceptivo* dos profetas do Antigo Testamento, a julgar pelos pontos de vista do Novo Testamento.

Do ponto de vista do Antigo Testamento, os circuncidados eram, principalmente, os judeus. Mas, em face de sua apostasia, eles se fizeram como os pagãos incircuncisos, ou seja, não tinham "circuncisão espiritual", o despojamento da imundícia da carne. Ver 1Pe 3.21. A circuncisão era o "sinal do pacto"; no entanto, ter o sinal, mas desconsiderar os requisitos do pacto, tornava um homem *incircunciso*. "Circuncidai, pois, o vosso coração, e não mais endureçais a vossa cerviz" (Dt 10.16). Ver também Dt 30.6; Cl 2.11. Existe uma circuncisão que não é feita com mãos humanas, a qual consiste no despojamento dos pecados e dos vícios, bem como na purificação da alma de toda a iniquidade.

■ **9.26** (na Bíblia hebraica corresponde ao **9.25**)

עַל־מִצְרַיִם וְעַל־יְהוּדָה וְעַל־אֱדוֹם וְעַל־בְּנֵי עַמּוֹן וְעַל־מוֹאָב וְעַל כָּל־קְצוּצֵי פֵאָה הַיֹּשְׁבִים בַּמִּדְבָּר כִּי כָל־הַגּוֹיִם עֲרֵלִים וְכָל־בֵּית יִשְׂרָאֵל עַרְלֵי־לֵב׃ ס

Ao Egito, a Judá e a Edom, e aos filhos de Amom e a Moabe. Além de Judá, *outras nações* praticavam a circuncisão, mas isso não significa que elas tinham a circuncisão espiritual. Heródoto (*História*, ii.104) diz-nos que os egípcios praticavam a circuncisão. Isso também aparece implícito em Js 5.9. A circuncisão entre os árabes fica subentendida pela história da circuncisão de Ismael, o ancestral deles (ver Gn 17.23). Ver também Josefo, *Antiq*. I.12.2 quanto a uma palavra de confirmação. Assim sendo, embora houvesse circuncisão fora de Israel, isso não significa que houvesse circuncisão espiritual fora de Israel. Mas de igual modo, a circuncisão praticada dentro das fronteiras de Israel frequentemente era inútil, espiritualmente falando, pois não era acompanhada de nenhum tipo de espiritualidade do coração. Os que rompiam o pacto mosaico tornavam-se incircuncisos. Israel tinha-se tornado incircunciso "no coração", conforme diz este versículo.

Cortam os cabelos nas têmporas. É provável que o autor tenha salientado os árabes, que tinham esse costume. Cf. Jr 25.23 e 49.32. O costume deles de cortar os cabelos, aparentemente como rito religioso, é mencionado por Heródoto (*História* III.8). Pode estar em vista um tipo de adorno para tornar a barba mais atrativa, costume dos cananeus proibido pela lei aos filhos de Israel. Ver Lv 19.27 e 21.5. A barba sempre foi uma parte do corpo masculino que mereceu muito respeito, e talvez a mentalidade dos hebreus afirmasse que a barba não deveria tornar-se objeto de ostentação desnatural, seguindo os costumes das mulheres, que faziam todo o tipo de coisas com seus cabelos e suas faces, para chamar a atenção. Os nazireus, naturalmente, não podiam aparar os cabelos ou a barba por razões religiosas, e talvez isso estivesse relacionado ao presente versículo. Ver no *Dicionário* o verbete denominado *Nazireado (Voto do)*. A referência ao aparar da barba é bastante vaga, e os intérpretes não oferecem explicação fácil sobre a questão. Ver as notas sobre Lv 19.27.

CAPÍTULO DEZ

Continuamos aqui com a seção geral iniciada em Jr 8.4, onde dou notas de introdução. Esta seção estende-se até Jr 10.25. Trata-se de uma espécie de coletânea de oráculos miscelâneos, com frequência reunidos sem conexão clara com o que vem antes ou depois. Os vss. 1-16 são parentéticos. No vs. 17, voltamos à outra advertência concernente ao vindouro exílio babilônico. O capítulo 29 é uma carta que Jeremias escreveu aos exilados, e alguns eruditos supõem que os vss. 1-16 formem um paralelo àquele capítulo. Esses versículos presumem uma situação na qual o povo visado estava vivendo entre os pagãos, e precisava ser avisado contra a idolatria, mas a seção à nossa frente não requer a ideia de exílio. Israel estava cercado por nações pagãs que, naturalmente, cruzavam as fronteiras para perturbar a vida do povo de Deus com influências contrárias. Esta passagem é bastante parecida com o que está contido no que os eruditos chamam de "segundo Isaías". Cf. Is 40.19-22; 41.7,29; 44.9-20; 46.5-7. Ver também Dt 4.28; Sl 115.3-8 e 135.15-18.

■ **10.1**

שִׁמְעוּ אֶת־הַדָּבָר אֲשֶׁר דִּבֶּר יְהוָה עֲלֵיכֶם בֵּית יִשְׂרָאֵל׃

Ouvi a palavra que o Senhor vos fala a vós outros. Yahweh fez um *apelo urgente* a seu povo, porquanto eles estavam em perigo. Ele estava *falando*, e ao povo cabia ouvir. A idolatria sempre foi o mais destrutivo dos adversários de Israel. Talvez a expressão "casa de Israel" incluísse a nação do norte, Israel, que já se encontrava no exílio. Haveria na Assíria israelitas que tentavam manter os caminhos da fé hebraica? Há intérpretes que limitam a questão a Judá, e alguns veem Judá ali, no exílio. Ver as notas de introdução, anteriormente.

■ **10.2**

כֹּה אָמַר יְהוָה אֶל־דֶּרֶךְ הַגּוֹיִם אַל־תִּלְמָדוּ וּמֵאֹתוֹת הַשָּׁמַיִם אַל־תֵּחָתּוּ כִּי־יֵחַתּוּ הַגּוֹיִם מֵהֵמָּה׃

Assim diz o Senhor: Não aprendais o caminho dos gentios. Na idolatria pagã havia toda espécie de armadilhas, temores e superstições, corrupção moral, sacrifício de crianças e perversões sexuais. Ver Jr 3.13 e 7.21,22. A adoração aos astros incluía o temor de fenômenos como eclipses e cometas, bem como as estranhas conjunções dos planetas. Ver no *Dicionário* o artigo chamado *Astrologia*, como ilustração. "Os deméritos dos ídolos são contrastados com a glória do Deus vivo. As superstições astrológicas das nações são pronunciadas falsas, e seus ídolos são declarados nada" (Stanley Romaine Hopper, *in loc.*). Presumivelmente, os "sinais dos céus" mostravam favor ou desfavor, através dos fenômenos celestes. Ver Is 47.13.

Alguns pagãos pensavam estar lidando com divindades genuínas, existentes nos céus, crendo que ou os corpos celestes eram divindades, ou eram moradias dos deuses espaciais. A teologia dos hebreus, em contraste, adorava o Criador e ridicularizava as *coisas feitas*, incluindo os céus estelares que nunca eram *espiritualizados* para serem mais do que matéria. Ao longo do caminho, entretanto, os hebreus caíram nessa forma de idolatria. Ver sobre a *Rainha dos Céus*, em Jr 7.18.

■ **10.3,4**

כִּי־חֻקּוֹת הָעַמִּים הֶבֶל הוּא כִּי־עֵץ מִיַּעַר כְּרָתוֹ מַעֲשֵׂה יְדֵי־חָרָשׁ בַּמַּעֲצָד׃

בְּכֶסֶף וּבְזָהָב יְיַפֵּהוּ בְּמַסְמְרוֹת וּבְמַקָּבוֹת יְחַזְּקוּם וְלוֹא יָפִיק׃

Porque os costumes dos povos são vaidade. *O Fabrico de um Ídolo*. Um homem qualquer se interna em uma floresta e seleciona a árvore que, depois de derrubada, será transformada em divindade. É assim que começa o ridículo processo. A árvore é cortada em troncos e tábuas. Parte da madeira se transforma em fogueira, e a outra parte da mesma madeira tem um destino superior e torna-se um deus. O artífice decide qual pedaço de madeira tem potencial divino. E assim o processo da fabricação do ídolo continua absurdo. Então outro homem que sabe trabalhar com metais toma outra decisão momentosa. Ele pode recobrir o ídolo com uma camada de prata ou mesmo de ouro. Em breve, surpresa!, surge um deus ou uma deusa. E, assim sendo, o processo continua absurdo. Então, um terceiro homem compra o ídolo e o coloca em um templo ou em sua própria casa. Prostra-se diante do ídolo, adorando ou "venerando-o", que é um simples sinônimo de adorar. E este é o derradeiro absurdo que se comete ao longo da linha de uso de um ídolo. Naturalmente, alguns pagãos pensavam que havia deuses por trás de seus ídolos, os quais se agradavam em usá-los como símbolo de algo que estava "ali". O apóstolo Paulo admitia a teoria do "algo mais" no tocante à idolatria, ao dizer que *demônios* estão envolvidos na idolatria (ver 1Co 10.20). Assim, se o pedaço de madeira é fixado no lugar por meio de pregos, recoberto por uma camada de prata ou ouro, na verdade ele fica imóvel e inútil. Mas talvez um deus fizesse algo se uma pessoa o honrasse através do ídolo, como um símbolo. Cf. Is 40.19; 41.7 e 44.9-20. A passagem mais ampla é similar a esta à nossa frente, e dá mais detalhes sobre a loucura da fabricação de ídolos. Ver no *Dicionário* o verbete intitulado *Idolatria*, onde são oferecidos amplos detalhes.

■ 10.5

כְּתֹמֶר מִקְשָׁה הֵמָּה וְלֹא יְדַבֵּרוּ נָשׂוֹא יִנָּשׂוּא כִּי לֹא יִצְעָדוּ אַל־תִּירְאוּ מֵהֶם כִּי־לֹא יָרֵעוּ וְגַם־הֵיטֵיב אֵין אוֹתָם׃ ס

Os ídolos são como um espantalho em pepinal, e não podem falar. Os ídolos ficam parados onde estão, fixados com seu olhar parado e sua posição estática. Eles não falam nem se movimentam; são antes como espantalhos mudos em um campo de pepinos. Se os ídolos não podem falar nem mover-se, por outro lado, mediante alguma espécie de ginástica mental, seus adoradores conseguem temê-los. Os próprios israelitas foram contaminados por esse temor e sucumbiram diante do absurdo da idolatria. Se os ídolos não podem movimentar-se, muito menos ainda podem manipular os eventos da vida de um homem. Para mudar de lugar, terão de ser transportados; e, assim sendo, como poderão ajudar a um homem em necessidade? Cf. este versículo com Is 41.23 e 46.7, onde encontramos declarações similares. Há uma história sobre o uso dos ídolos, por parte dos fenícios e dos romanos, em seus campos plantados, com o propósito exato de fazer o papel de espantalhos, sendo possível que Jeremias estivesse aludindo a essa prática. Ellicott (*in loc.*) diz-nos que até os gregos foram apanhados no vórtice dessa absurda aplicação dos ídolos.

■ 10.6

מֵאֵין כָּמוֹךָ יְהוָה גָּדוֹל אַתָּה וְגָדוֹל שִׁמְךָ בִּגְבוּרָה׃

Ninguém há semelhante a ti, ó Senhor. Yahweh é agora contrastado com os ídolos sem vida, que nada fazem, pois ele é o Deus vivo, aquele que controla os destinos dos homens (ver Is 13.6). Ele é o único Deus. Ver Is 45.5,14,21; 46.9. Ver no *Dicionário* o verbete intitulado *Monoteísmo*.

Eis que todos são nada; as suas obras são cousa nenhuma; as suas imagens de fundição, vento e vácuo.

Isaías 41.29

Contrastando com essa condição dos ídolos, acha-se o Deus vivo, o Criador, cujo poder afeta a vida de todos os homens. Ele é grande e opera maravilhas. Seu nome é grande e poderoso. Ver no *Dicionário* o artigo chamado *Nome*, e ver também Sl 31.3. Esse nome fala sobre a natureza essencial de uma pessoa, incluindo seus atributos e poderes. Bastava que o nome de Deus fosse pronunciado para que fosse exercido o poder de operar milagres.

Ó Senhor, quem é como tu entre os deuses?
Quem é como tu glorificado em santidade,
terrível em feitos gloriosos, que operas maravilhas?

Êxodo 15.11

■ 10.7

מִי לֹא יִרָאֲךָ מֶלֶךְ הַגּוֹיִם כִּי לְךָ יָאָתָה כִּי בְכָל־חַכְמֵי הַגּוֹיִם וּבְכָל־מַלְכוּתָם מֵאֵין כָּמוֹךָ׃

Quem te não temeria a ti, ó Rei das nações? Pois isto é a ti devido. Apesar de ser uma estupidez temer os ídolos (vs. 5), que nada podem fazer de negativo ou de positivo em favor dos homens, Yahweh, em contraste, exige o temor e o respeito dos homens, por ser o movimentador primário de todos os acontecimentos da humanidade (ver Is 13.6). Ele é o *Rei augusto* de todas as nações, e todos os homens são seus súditos e lhe devem obediência. Na qualidade de Criador, tal temor lhe é devido, e o indivíduo que desobedece ao Senhor Deus não ficará impune. Embora haja deuses erroneamente chamados "sábios", e embora haja alguns homens que talvez mereçam esse título, em algum grau inferior, por outro lado, só existe um Ser verdadeiramente sábio, capaz de guiar a vida dos homens, visando o bem deles.

Ao Rei eterno, imortal, invisível, Deus único,
honra e glória pelos séculos dos séculos.

1Timóteo 1.17

Para os homens, o começo da sabedoria é o temor a Deus (ver Sl 119.38; Pv 1.7). Ver também no *Dicionário* o artigo chamado *Temor*. Este versículo, naturalmente, expressa enfaticamente a soberania universal de Yahweh. Cf. Rm 3.29. Ver também Ez 21.27.

■ 10.8

וּבְאַחַת יִבְעֲרוּ וְיִכְסָלוּ מוּסַר הֲבָלִים עֵץ הוּא׃

Mas eles todos se tornaram estúpidos e loucos. Os promotores da idolatria, que reivindicam sabedoria em seus sistemas, na realidade são tão estúpidos quanto insensatos. Só produzem a morte. Suas instruções se assemelham a seus ídolos — nada senão madeira, pedra ou metal sem vida.

Somos homens ocos,
Somos camisas recheadas,
Cabeças cheias de palha.
Nossas vozes secas, quando
Sussurramos juntos,
São apáticas e sem sentido.

T. S. Eliot

"A própria madeira, da qual os ídolos eram feitos, era um repreendedor de vaidades" (Blayney, *in loc.*). Cf. Jr 2.5. Ver também Is 44.9-11. "O que os ídolos ensinam é a madeira como eles mesmos!" (Moffatt, *in loc.*). A madeira não dá coisa alguma, não recebe nada e não satisfaz coisa alguma; assim são todas as formas de idolatria.

■ 10.9

כֶּסֶף מְרֻקָּע מִתַּרְשִׁישׁ יוּבָא וְזָהָב מֵאוּפָז מַעֲשֵׂה חָרָשׁ וִידֵי צוֹרֵף תְּכֵלֶת וְאַרְגָּמָן לְבוּשָׁם מַעֲשֵׂה חֲכָמִים כֻּלָּם׃

Traz-se prata batida de Társis e ouro de Ufaz. Os *homens* preparavam e adornavam elaboradamente os ídolos. Mas, mesmo depois de todo o labor gasto, que requeria esforço de equipe, os ídolos nunca se elevaram à dignidade humana, quanto menos à dignidade divina.

Társis. "Tal como em outros lugares do Antigo Testamento, está em vista a Espanha, a Tartesso dos gregos (ver Gn 10.4; Jn 1.3; Ez 27.12), de onde a Palestina (através do comércio fenício) recebia seu suprimento de prata, estanho e outros metais" (Ellicott, *in loc.*). Ver no *Dicionário* o verbete *Társis*, quinto ponto.

Ufaz. A localização deste ponto é desconhecida. Esse adjetivo local aparece somente aqui e em Dn 10.5. O Targum, o siríaco e outras versões antigas substituem Ufaz por *Ofir*, o que provavelmente é apenas a substituição de um nome desconhecido por outro conhecido. Ver no *Dicionário* o artigo chamado *Ufaz*. Onde quer que se situasse Ufaz, aqui aparece como um local que produzia ouro e, como é natural, essa foi uma das razões pelas quais o nome foi substituído por

Ofir. Além disso, os ídolos eram adornados com estofo azul e púrpura, para fomentar sua beleza e incrementar sua aparência "real". Mas nem com isso deixavam de ser um bando de tolos bonecos. Além disso, essa parte do adorno, juntamente com o resto do processo de produção, era apenas *feita pelo homem,* ou seja, o ídolo dificilmente era digno de ser classificado como divino. O *azul* era a cor dos céus, e a *púrpura* era a cor da realeza. Porém, vestir os ídolos de azul e púrpura não os tornava divinos nem lhes emprestava majestade.

■ **10.10**

וַיהוָה אֱלֹהִים אֱמֶת הוּא־אֱלֹהִים חַיִּים וּמֶלֶךְ עוֹלָם
מִקִּצְפּוֹ תִּרְעַשׁ הָאָרֶץ וְלֹא־יָכִלוּ גוֹיִם זַעְמוֹ׃ ס

Mas o Senhor é verdadeiramente Deus; ele é o Deus vivo e o rei eterno. Neste trecho bíblico, Yahweh é contrastado com os que não são deuses. Em primeiro lugar, ele é *Elohim,* o Poder, o único Poder verdadeiramente divino; além disso, ele é *vivo,* em contraste com a madeira sem vida usada na fabricação dos ídolos; ele é o Rei eterno, em contraste com o pseudorreino dos ídolos, os quais de fato nada governam, exceto na imaginação daqueles que os fabricam e adoram. Ademais, Deus intervém nos negócios humanos, castigando os que merecem castigo. Sua ira abala a terra, e nem as nações podem resistir à fúria de Deus. Ele é um Deus teísta. Em outras palavras, Deus não somente criou, mas também intervém na história humana. Ver no *Dicionário* o artigo chamado *Teísmo.* Contrastar o teísmo com o *Deísmo,* a noção de que, se houve alguma força criativa, pessoal ou impessoal, ela abandonou seu universo às leis naturais. Esse termo também é explicado no *Dicionário.* Ver o vs. 7 deste capítulo, onde vemos a essência da declaração deste e onde há notas expositivas detalhadas.

■ **10.11**

כִּדְנָה תֵּאמְרוּן לְהוֹם אֱלָהַיָּא דִּי־שְׁמַיָּא וְאַרְקָא לָא
עֲבַדוּ יֵאבַדוּ מֵאַרְעָא וּמִן־תְּחוֹת שְׁמַיָּא אֵלֶּה׃ ס

Assim lhes direis: Os deuses que não fizeram os céus e a terra desaparecerão. Os deuses que não criaram coisa alguma (em contraste com o Criador, Yahweh-Elohim) finalmente perecerão na terra (que eles não fizeram), enquanto o Criador dos céus e da terra continua eternamente. Não se encontrarão vestígios deles debaixo do céu. Eles representam credos desgastados que os homens abandonarão, conforme aumentar a percepção espiritual.

Este é um versículo curioso, porquanto foi redigido em *aramaico* (língua irmã do hebraico; ver a respeito no *Dicionário*). O autor sagrado escreveu este versículo em uma linguagem compreendida por muitos idólatras, por volta do século V a.C. Pode ter sido a adição de um editor subsequente para emprestar à passagem, contra a idolatria, um toque mais universal. O aramaico era o idioma dos inimigos de Israel, e, segundo se supõe, suficientemente conhecido pelo profeta Jeremias para permitir seu uso de maneira limitada. Cf. Is 2.18 e Zc 13.2. Isto repete a ideia do versículo anterior: só existe um Deus vivo. Os demais são deuses de nada, que perecerão conforme o tempo rolar, e os homens reconhecerem quão idiota é a idolatria. Eles já estavam *mortos.* Eventualmente seriam *sepultados.* Este é o único versículo do livro de Jeremias escrito em aramaico. É apoiado em geral pelas versões.

■ **10.12**

עֹשֵׂה אֶרֶץ בְּכֹחוֹ מֵכִין תֵּבֵל בְּחָכְמָתוֹ וּבִתְבוּנָתוֹ נָטָה
שָׁמָיִם׃

O Senhor fez a terra pelo seu poder; estabeleceu o mundo por sua sabedoria. Este versículo é uma leve ampliação da ideia do vs. 11. Em contraste com os falsos deuses, que nada criaram e deverão desaparecer da face da terra, Yahweh-Elohim é o Criador de todas as coisas. Deus é *vivo* (vs. 10) e *poderoso* (ele faz estremecer a terra; vs. 10). Ele é *sábio,* e foi através dessa sabedoria que agiu seu poder criador. Por meio de seu *entendimento* ele estendeu a terra, como um rolo, de horizonte para horizonte.

"Somente Deus tem o poder e a sabedoria para realizar tal feito. Esse poder do Senhor é refletido em sua revelação contínua, na natureza" (Charles H. Dyer, *in loc.*). Os hebreus sempre apelaram para o fato de ser Deus o Criador, como aquilo que o distingue das divindades pagãs, as quais, longe de ser criadoras, na verdade foram criadas pelas mãos dos homens (ver os vss. 3,4). Ver Gn 1.1; Sl 136.5-6; Jr 51.15. Os vss. 12-16 são repetidos, em sua essência, em Jr 51.15-19.

■ **10.13**

לְקוֹל תִּתּוֹ הֲמוֹן מַיִם בַּשָּׁמַיִם וַיַּעֲלֶה נְשִׂאִים מִקְצֵה
אָרֶץ בְּרָקִים לַמָּטָר עָשָׂה וַיּוֹצֵא רוּחַ מֵאֹצְרֹתָיו׃

Fazendo ele ribombar o trovão, logo há tumulto de águas no céu. O *Poder de Yahweh* é igualmente ilustrado pelo trato contínuo com sua criação, mediante o qual ele sustenta aquilo que criou. Todos os processos da natureza podem ser atribuídos a ele. É ele quem provoca os tumultos das tempestades e dos trovões nos céus (ver Jó 37.34; Sl 29.3-5). Ele faz as nuvens subir e descer, cumprindo sua função de regar a terra, sem o que esta não poderia sobreviver. Ele é o poder que está por trás dos raios e das chuvas. Ele controla os ventos, que envia de seus armazéns (ver Sl 135.7, bastante parecido com o presente versículo). Ver também Jó 28.26 e Pv 30.4. O trecho de Cl 1.16,17 tem o mesmo tipo de ensinamento.

■ **10.14**

נִבְעַר כָּל־אָדָם מִדַּעַת הֹבִישׁ כָּל־צוֹרֵף מִפָּסֶל כִּי
שֶׁקֶר נִסְכּוֹ וְלֹא־רוּחַ בָּם׃

Todo homem se tornou estúpido, e não tem saber. Este versículo nos remete aos vss. 3-5 deste capítulo: homens estúpidos fabricam ídolos. Suas habilidades são impressionantes — eles trabalham bem com madeira, metal e tecido. Mas esse trabalho é próprio de idiotas que acreditam poder criar a divindade, somente porque seus produtos terminados são impressionantes obras de arte. Apesar de exibirem essa forma de conhecimento, no terreno espiritual eles nada são, senão idiotas. De fato, seus ídolos, apesar de fabricados com certo pendor artístico, envergonham seus artífices por serem *falsificações.* Os ídolos não são aquilo que se declara deles; antes, resultam de um esforço ignorante. Os fabricantes de ídolos são animais irracionais destituídos de compreensão espiritual. Suas imagens fundidas são falsificações, pois embora chamadas de divinos nem ao menos conseguem respirar, conforme fazem os seres humanos e os animais irracionais. Em outras palavras, os ídolos são massas sem vida. Cf. Sl 49.20. As habilidades desses artífices tornam-se vãs e brutais, por causa das obras que produzem. Cf. Is 42.17; 45.16 e Os 4.6.

■ **10.15**

הֶבֶל הֵמָּה מַעֲשֵׂה תַּעְתֻּעִים בְּעֵת פְּקֻדָּתָם יֹאבֵדוּ׃

Vaidade são, obra ridícula; no tempo do seu castigo virão a perecer. Os deuses de nada, feitos pelos homens, são obras de *ilusão.* A palavra hebraica usada no original significa basicamente *gaguejar.* Os deuses falsos nada têm para dizer que um homem possa compreender.

Eles nada valem; as pessoas zombam deles.
Quando forem julgados serão destruídos.

NCV

O vs. 11 assegura que as obras tolas daqueles homens haveriam de *perecer.* Os ídolos desaparecerão sem deixar vestígio. Os credos dos idólatras se desgastarão, mas Yahweh prosseguirá em sua obra providencial na terra (vs. 13). Cf. Is 46.1.

■ **10.16**

לֹא־כְאֵלֶּה חֵלֶק יַעֲקֹב כִּי־יוֹצֵר הַכֹּל הוּא וְיִשְׂרָאֵל
שֵׁבֶט נַחֲלָתוֹ יְהוָה צְבָאוֹת שְׁמוֹ׃ ס

Não é semelhante a estas aquele que é a porção de Jacó. A porção de Jacó era Yahweh. Ele é a herança de Judá, seu tesouro sem preço, em contraste com as vaidades dos pagãos. Yahweh é o Criador de todas as coisas, o que o distingue de todos os deuses dos pagãos, conforme vemos no vs. 12. Ver também, nessa conexão, Jó 4.16; 32.22; 35.10; Sl 115.15; 121.2; Ec 11.5. Quanto à ideia da *porção,* ver Jr

51.19; Gn 14.24; Lv 6.17 e 1Sm 1.5. Algo foi "divinamente dado". Deus resolveu manifestar-se a Israel e através de Israel, e, em um sentido antropomórfico, ele "se tornou deles". Ver Lm 3.24; Sl 73.26; 119.57. Quanto a Israel como porção de Yahweh, ver Dt 32.9. Tais expressões falam sobre o caráter *ímpar* de Israel. Ver Dt 4.4-8. Israel tem sua herança em Yahweh, e a herança dele é seu povo. Cf. Dt 32.9; Sl 74.2; 119.19; Lm 3.24, versículos que falam sobre a "porção".

A VINDA DA DESTRUIÇÃO E DO EXÍLIO (10.17-22)

■ 10.17

אִסְפִּי מֵאֶרֶץ כִּנְעָתֵךְ יֹשַׁבְתִּי בַּמָּצוֹר׃ ס

Tira do chão a tua trouxa, ó filha de Sião, que moras em lugar sitiado. "Esta passagem continua a reprisar a ideia de Jr 9.10-22, mas deve proceder de uma época posterior, quando Jerusalém estava sendo assediada. A data provável é 598 a.C., durante o primeiro cerco a Jerusalém por parte dos caldeus.

Quanto à sua forma, esta passagem é um diálogo entre Jeremias e a personificada cidade de Jerusalém. O profeta fala nos vss. 17,18; a cidade fala nos vss. 19-21; então o profeta fala novamente, no vs. 22. De acordo com Condamin, a segunda fala do profeta está contida nos vss. 21,22, ao passo que os vss. 23,24 constituem um "discurso" final — na realidade, uma oração — por parte da cidade. "Essa é uma divisão possível das falas. Mas a palavra 'porque', no começo do vs. 21, liga-o com os vss. 19,20, e não com o vs. 22, e os vss. 23,24 são muito diferentes quanto ao tom, para fazerem parte do 'diálogo'" (James Philip Hyatt, *in loc.*).

Em breve os habitantes de Judá seriam levados ao exílio na Babilônia. O profeta disse para o povo judeu "arrumar as malas", segundo uma expressão idiomática moderna, ou seja, para que ajuntassem o pouco que restara do saque praticado pelo exército babilônico, pusessem tudo em uma sacola e se preparassem para a viagem.

Trouxa. Esta é tradução de um vocábulo hebraico que aparece somente aqui em todo o Antigo Testamento. A palavra hebraica *kin'ah,* assim traduzida, tem sentido incerto, mas a raiz hebraica *kn'* apoia a conjectura "trouxa".

Junta tudo quanto tens e prepara-te para partir. Vós, povo de Judá, estais presos na cidade, pelos vossos inimigos.

NCV

■ 10.18

כִּי־כֹה אָמַר יְהוָה הִנְנִי קוֹלֵעַ אֶת־יוֹשְׁבֵי הָאָרֶץ בַּפַּעַם הַזֹּאת וַהֲצֵרוֹתִי לָהֶם לְמַעַן יִמְצָאוּ׃ ס

Porque assim diz o Senhor: Eis que desta vez arrojarei para fora os moradores da terra. Yahweh estava "expulsando Judá de seu território", por causa de sua idolatria-adultério-apostasia. O país ficaria essencialmente desabitado. A maioria de seus habitantes seria morta; os poucos sobreviventes seriam levados para a Babilônia, mas até mesmo ali a espada os seguiria (Jr 9.16), ceifando mais e mais vidas, de tal maneira que Judá foi reduzido a quase nada. Esse foi o processo de refinamento mediante o qual a pouca prata que restara seria usada para começar um novo dia, com um novo Israel. Cf. Is 13.6, onde ofereço notas expositivas sobre Yahweh como o manipulador dos acontecimentos humanos. Ver no *Dicionário* o artigo chamado *Soberania de Deus.* Cf. este versículo com algo similar em Jr 16.13 e 1Sm 25.29. Ver no *Dicionário* o verbete *Cativeiro Babilônico.*

A figura provável é a do lançamento de uma pedra por meio de uma funda, o que diz respeito a uma expulsão abrupta e *violenta* para um lugar distante. Ver Jr 16.13.

■ 10.19

אוֹי לִי עַל־שִׁבְרִי נַחְלָה מַכָּתִי וַאֲנִי אָמַרְתִּי אַךְ זֶה חָלִי וְאֶשָּׂאֶנּוּ׃

Ai de mim, por causa da minha ruína! É mui grave a minha ferida. Jerusalém, personificada, fala nos vss. 19-21. A mãe Sião levantou seu lamento em meio a muitas lágrimas. Sua ferida era grave; suas dores eram severas; sua aflição, insuportável. "Deste versículo até o fim do capítulo, temos, juntamente com a vivacidade dramática característica do profeta, a lamentação da filha de Israel em cativeiro, chorando pelas transgressões que a tinham levado ao cativeiro" (Ellicott, *in loc.*). mãe Sião tinha de suportar as aflições que Deus lhe havia dado (vs. 18), visto que sua apostasia atingira um horrendo planalto. Ver Jr 3.13 quanto a uma ilustração desse fato.

■ 10.20

אָהֳלִי שֻׁדָּד וְכָל־מֵיתָרַי נִתָּקוּ בָּנַי יְצָאֻנִי וְאֵינָם נֹטֶה עוֹד אָהֳלִי וּמֵקִים יְרִיעוֹתָי׃

A minha tenda foi destruída, todas as cordas se romperam. A figura aqui é a da tenda dos nômades derrubada e saqueada; os filhos, que tinham a tenda como lar, foram mortos ou espalhados; e nada restou senão a desolação. mãe Sião perdeu todas as suas residências e todos os seus filhos. E não restaram poder ou recursos para ela reconstruir o destruído. Os poucos "filhos" que tinham sobrevivido foram levados para a Babilônia, mas mesmo ali a espada os seguia (ver Jr 9.16), pelo que a matança e a angústia continuariam.

■ 10.21,22

כִּי נִבְעֲרוּ הָרֹעִים וְאֶת־יְהוָה לֹא דָרָשׁוּ עַל־כֵּן לֹא הִשְׂכִּילוּ וְכָל־מַרְעִיתָם נָפוֹצָה׃ ס

קוֹל שְׁמוּעָה הִנֵּה בָאָה וְרַעַשׁ גָּדוֹל מֵאֶרֶץ צָפוֹן לָשׂוּם אֶת־עָרֵי יְהוּדָה שְׁמָמָה מְעוֹן תַּנִּים׃ ס

Porque os pastores se tornaram estúpidos e não buscaram ao Senhor. Este versículo reitera o tema do ataque inimigo *proveniente do norte.* Cf. Jr 1.13-15; 4.5-31; 5.15-17; 6.22-26; 8.14-17. Um rumor espantoso se espalhou e todo o povo de Judá o ouviu e estremeceu. Então, o som do exército babilônico, a marchar na direção sul, foi ouvido, e todos os judeus ficaram abalados. Houve *grande tumulto,* e os filhos de Israel compreenderam que isso significava angústia. O território de Judá foi transformado em deserto, no qual somente chacais queriam habitar. O povo tinha voltado um ouvido surdo para o profeta, mas não seria capaz de fingir surdez para com o exército da Babilônia. Cf. este versículo com Jr 9.11.

Os cadáveres deste povo servirão de pasto às aves dos céus e aos animais da terra; e ninguém haverá que os espante.

Jeremias 7.33

ORAÇÃO PEDINDO CORREÇÃO; CHAMADA DA RETRIBUIÇÃO CONTRA A BABILÔNIA (10.23-25)

■ 10.23

יָדַעְתִּי יְהוָה כִּי לֹא לָאָדָם דַּרְכּוֹ לֹא־לְאִישׁ הֹלֵךְ וְהָכִין אֶת־צַעֲדוֹ׃

Temos aqui uma oração que foi primeiramente proferida pelo profeta em favor de Judá e, provavelmente, também dele próprio. Ele tinha muitos erros e defeitos, e os judeus eram modelos autênticos de pecados, defeitos e perversões. Mereciam a punição que estavam recebendo, mas também cabia ao babilônios o látego que Yahweh usava para efetuar aquele castigo contra Judá. Assim sendo, haveria retribuição contra os judeus, efetuada pela vontade divina. "Quanto à sua forma e conteúdo, este parágrafo deveria ser classificado como as *confissões* de Jeremias. Quanto à ideia do vs. 23, cf. Pv 20.24; e, quanto ao vs. 24, ver Sl 6.1 e 38.1" (James Philip Hyatt, *in loc.*).

Nenhum ser humano é grande o bastante para viver independente de Deus. Nenhum homem é sábio o bastante para ser uma unidade autocontida. Um homem não pode *andar* apropriadamente se depender de sua própria erudição, experiência e sabedoria. A orientação vem de Yahweh, e a sabedoria para a conduta apropriada na vida está no Senhor. Ver no *Dicionário* o verbete chamado *Andar.* Deus está no controle de todas as coisas, e somente aqueles que permitem a Deus dirigir seus caminhos serão verdadeiramente abençoados (cf. Pv 3.5,6; 16.9 e 20.24). Ver os caminhos contrastados dos bons e dos maus nas notas expositivas sobre Pv 4.27. Os passos de um homem bom são ordenados pelo Senhor (ver Sl 37.23). As coisas que entram no coração de um homem bom, assim como a linguagem mediante a qual ele exprime seu estado interior, também são dirigidas pelo Senhor (ver Jr 20.24; Tg 4.13-14; ver também Pv 16.9 e 20.24).

> *Confia no Senhor de todo o teu coração, e não te estribes no teu próprio entendimento. Reconhece-o em todos os teus caminhos, e ele endireitará as tuas veredas.*
>
> Provérbios 3.5,6

■ 10.24

יַסְּרֵנִי יְהוָה אַךְ־בְּמִשְׁפָּט אַל־בְּאַפְּךָ פֶּן־תַּמְעִטֵנִי׃

Castiga-me, ó Senhor, mas em justa medida, não na tua ira. Jeremias precisava da intervenção direta de Yahweh em sua vida para propósitos de correção, e certamente a nação de Judá tinha a mesma necessidade. Portanto, a oração feita pelo profeta pede justamente isso, embora acrescentando que a misericórdia e o amor moderassem a correção, para que ela não fosse feita em ira, o que destruiria e reduziria o efeito do castigo a nada. Não é preciso muito para arruinar um ser humano física e espiritualmente. Jeremias, como todos nós, precisava da paciência e da leniência de Deus, porquanto um julgamento apressado e dispensado em meio à ira destruiria a tudo e a todos. "A disciplina que vem de Deus, na qualidade de Juiz justo mas misericordioso, é ao mesmo tempo retributiva e reformadora. Suas punições não são meramente vingativas" (Ellicott, *in loc.*). O julgamento divino é um dedo da amorosa mão de Deus, com a finalidade de curar, e não de destruir. Mas o processo da cura pode ser doloroso.

"Não orarei rejeitando todo castigo, mas orarei pedindo apenas moderação no castigo (ver Jr 30.11; Sl 6.1; 38.1)" (Fausset, *in loc.*).

■ 10.25

שְׁפֹךְ חֲמָתְךָ עַל־הַגּוֹיִם אֲשֶׁר לֹא־יְדָעוּךָ וְעַל מִשְׁפָּחוֹת אֲשֶׁר בְּשִׁמְךָ לֹא קָרָאוּ כִּי־אָכְלוּ אֶת־יַעֲקֹב וַאֲכָלֻהוּ וַיְכַלֻּהוּ וְאֶת־נָוֵהוּ הֵשַׁמּוּ׃ פ

Derrama a tua indignação sobre as nações que não te conhecem. Se Judá merecia a punição das mãos dos cruéis babilônios, que agiam como a vara de castigar de Yahweh, isso não quer dizer que os brutais estrangeiros escapariam ao seu devido castigo. A *fúria* de Yahweh iria contra eles, por serem cheios de violência e crimes de sangue. Eles eram pagãos que não reconheciam o nome de Yahweh e por isso *devoraram* seu povo, reduzindo-lhes a habitação a um deserto. Cf. Sl 79.6,7, que é bastante similar a este versículo. Alguns estudiosos supõem que este versículo tenha sido tomado por empréstimo daquele salmo. Cf. também Jr 11.20; 17.18; 18.23 e 20.11. Enquanto Yahweh moderava seu castigo contra o próprio povo, sua fúria atingiria os perseguidores desse povo; a maré da ira divina estava prestes a virar e avassalar os babilônios, fazendo-os sair do palco da história como os principais atores. Os medos e persas em breve substituiriam os babilônios como os próximos dançarinos loucos. Se um remanescente de Judá foi restaurado em Jerusalém, os babilônios foram obliterados. O termo "nações" pode ultrapassar a Babilônia e seus aliados, e faz-nos lembrar que a fúria de Deus deve eliminar todos os povos que promovem a idolatria e a violência, especialmente os que tiverem prejudicado o povo de Israel. Cf. Zc 1.14—15,21.

CAPÍTULO ONZE

O PACTO ROMPIDO: O SINAL DO CINTO (11.1—13.27)

EVENTOS NA VIDA DE JEREMIAS (11.1—12.6)

"*Jeremias e o Pacto.* Não há dúvidas de que Jeremias apoiou fortemente os esforços de Josias para erradicar as práticas de adoração estrangeira (ver 2Rs 22,23). Ele promovia o retorno às provisões do pacto mosaico (ver o vs. 3, "desta aliança"; e o vs. 10, "a minha aliança"). A pregação profética estava alicerçada sobre a relação de pacto com Deus. Não importando se esse discurso, um tanto reeditado, tenha sido contemporâneo das reformas de Josias (627 a.C.), ou escrito em retrospecto (depois de 609 a.C.), isso é algo que não pode ser determinado. O certo é que esse discurso é tipicamente deuteronômico. A palavra "ordenei" (vs. 4) foi usada para indicar o pacto (Dt 4.13; 6.17). Ver também frases deuteronômicas: vs. 3 (Dt 27.26); vs. 4 (Dt 4.20); vs. 5 (Dt 7.12,13); vs. 8 (Dt 29.19); fornalha de fogo (Dt 4.20; 1Rs 8.51; Is 48.10). A intercessão pelo povo apóstata é vista como inútil (Jr 14.11,12). A incineração da oliveira verde na área do templo é o símbolo da destruição de Judá (Sl 52.8)" (*Oxford Annotated Bible*, comentando sobre o vs. 1).

JEREMIAS E O PACTO (11.1-14)

A Violação do Pacto (11.1-5)

■ 11.1

הַדָּבָר אֲשֶׁר הָיָה אֶל־יִרְמְיָהוּ מֵאֵת יְהוָה לֵאמֹר׃

Palavra que veio a Jeremias, da parte do Senhor. Não há razão para duvidar que esta passagem correta e historicamente afirma o fato de que Jeremias advogava as reformas deuteronômicas patrocinadas por Josias. É provável que o profeta Jeremias tenha saído como pregador itinerante, adicionando seu peso ao projeto. Subsequentemente, entretanto, Jeremias ficou desiludido ao perceber que as reformas de Josias eram superficiais e materialistas, sem tocar nos males reais da época. E assim, mesmo que suponhamos que um editor deuteronômico tenha compilado esta seção, não há razão alguma para duvidar que isso refletisse as ideias e atividades de Jeremias.

Foi Yahweh quem deu ao profeta instruções para que ele fizesse o que fez. Ele deveria apoiar as reformas de Josias, mostrando-se um advogado ativo dos princípios envolvidos. Foi um movimento de retorno às Escrituras Sagradas, cujo intuito era contrabalançar a idolatria-adultério-apostasia de Judá, o que, se fosse conseguido, poderia até afastar o ataque da grande potência do norte, a Babilônia, interrompendo o processo que levaria na direção do temido cativeiro babilônico.

■ 11.2

שִׁמְעוּ אֶת־דִּבְרֵי הַבְּרִית הַזֹּאת וְדִבַּרְתָּם אֶל־אִישׁ יְהוּדָה וְעַל־יֹשְׁבֵי יְרוּשָׁלָם׃

Ouve as palavras desta aliança, e fala aos homens de Judá. Ver Dt 29.1,9; 2Rs 23.3,21. Quanto ao *pacto mosaico*, ver as notas de introdução a Êx 19. "... aludindo ao livro da lei (Dt 27.28), encontrado no templo pelo sumo sacerdote Hilquias, cinco anos depois da chamada de Jeremias ao ofício profético (2Rs 22.8; 23.25)" (Fausset, *in loc.*). A redescoberta do livro perdido da lei demonstrou quão poucas cópias dos antigos documentos havia. Essa descoberta estimulou as reformas encabeçadas por Josias, embora isso não tenha mudado o coração do povo. Os vss. 3 ss. dão um breve sumário da essência dos requisitos da lei.

■ 11.3

וְאָמַרְתָּ אֲלֵיהֶם כֹּה־אָמַר יְהוָה אֱלֹהֵי יִשְׂרָאֵל אָרוּר הָאִישׁ אֲשֶׁר לֹא יִשְׁמַע אֶת־דִּבְרֵי הַבְּרִית הַזֹּאת׃

Maldito o homem que não atentar para as palavras desta aliança. O livro de Deuteronômio é repleto de *bênçãos* e *maldições*, todas baseadas em como o homem ouve e obedece, ou negligencia e desobedece, às provisões da legislação mosaica. Portanto, começamos aqui com uma *maldição geral* contra todos os pecadores e desobedientes, que formavam a *vasta maioria* dos habitantes de Judá, nos dias do profeta Jeremias.

■ 11.4

אֲשֶׁר צִוִּיתִי אֶת־אֲבוֹתֵיכֶם בְּיוֹם הוֹצִיאִי־אוֹתָם מֵאֶרֶץ־מִצְרַיִם מִכּוּר הַבַּרְזֶל לֵאמֹר שִׁמְעוּ בְקוֹלִי וַעֲשִׂיתֶם אוֹתָם כְּכֹל אֲשֶׁר־אֲצַוֶּה אֶתְכֶם וִהְיִיתֶם לִי לְעָם וְאָנֹכִי אֶהְיֶה לָכֶם לֵאלֹהִים׃

Que ordenei a vossos pais no dia em que os tirei da terra do Egito. As bênçãos e as maldições (ver Dt 27.15-26) foram declaradas desde o começo, pois a lei foi dada ao povo que Yahweh tirara do Egito. Era um lugar de escravidão e de provações, aqui chamado de "fornalha de ferro". O fato de Yahweh ter tirado Israel do Egito é um tema repetido por mais de vinte vezes no livro de Deuteronômio. Ver Dt 4.20, que fala sobre uma fornalha de ferro no Egito. A libertação de Israel do Egito fez com que os israelitas se tornassem a herança de Yahweh, conforme também lemos em Dt 4.20. Aqui eles são chamados de "povo" de Deus, um equivalente. Yahweh era o Deus deles, ideia padronizada no Antigo Testamento. Cf. este versículo com 1Reis 8.51. Ver também Is 48.10.

Fornalha de ferro. Ou "fornalha da aflição". No original hebraico temos uma palavra que significa "fornalha" ou "fundidora", simbolizando a forma de escravidão pela qual o povo de Israel passou, trabalhando nas fornalhas de cozer tijolos (ver Êx 1.14). "A referência histórica tinha força especial para a mente dos hebreus" (Ellicott, *in loc.*, com algumas adaptações). "Ferro" substitui aqui tijolos, para tornar mais proeminente a ideia da servidão. Quanto a Israel como o povo de Deus, sendo ele o Deus deles, cf. Jr 32.39.

■ **11.5**

לְמַעַן הָקִים אֶת־הַשְּׁבוּעָה אֲשֶׁר־נִשְׁבַּעְתִּי לַאֲבוֹתֵיכֶם לָתֵת לָהֶם אֶרֶץ זָבַת חָלָב וּדְבַשׁ כַּיּוֹם הַזֶּה וָאַעַן וָאֹמַר אָמֵן ׀ יְהוָֽה׃ ס

Para que confirme o juramento que fiz a vossos pais de lhes dar uma terra que manasse leite e mel. Este versículo tem várias alusões ao livro de Deuteronômio. Quanto ao *juramento* que Yahweh fez aos pais, ver Dt 7.8; 8.18; e 9.5. Quanto à "terra de lei e mel" que Deus prometeu no juramento, ver Dt 6.3; 11.9; 26.9; 27.3 e 31.20. Quanto ao fato de que o cumprimento seria imediato, "neste dia", ver Dt 3.2; 4.20,38; 6.24 e 8.18. Quanto à resposta do profeta: "Amém, ó Senhor!", ver Dt 27.15-26. Mas tudo isso dependia da obediência de Israel. A Terra Prometida foi possuída, mas também se perdeu por causa da desobediência. Ver Êx 3.8, quanto ao outro paralelo parcial deste versículo. Estas declarações se tornaram proverbiais, assim como parte vital da história e consciência de Israel, conferindo-lhes especial identificação espiritual e caráter ímpar. Ver Israel como povo *distinto* entre as nações, em Dt 4.4-8. A obediência à lei de Moisés é que fazia a diferença, pois Israel nada tinha de especial sem a lei. Ver em Dt 27.15-26 as maldições impostas aos desobedientes. "Que tuas promessas sejam cumpridas e que os incorrigíveis tenham cuidado com as Tuas ameaças" (Adam Clarke, *in loc.*). Um *amém* foi proferido sobre todas as maldições, mas um *amém* foi proferido sobre as promessas positivas de benefícios da parte de Yahweh.

■ **11.6**

וַיֹּאמֶר יְהוָה אֵלַי קְרָא אֶת־כָּל־הַדְּבָרִים הָאֵלֶּה בְּעָרֵי יְהוּדָה וּבְחֻצוֹת יְרוּשָׁלַ͏ִם לֵאמֹר שִׁמְעוּ אֶת־דִּבְרֵי הַבְּרִית הַזֹּאת וַעֲשִׂיתֶם אוֹתָֽם׃

Tornou-me o Senhor: Apregoa todas estas palavras nas cidades de Judá. A *tarefa do profeta* era levar a mensagem do livro de Deuteronômio até o povo e às cidades de Judá, e então pelas ruas de Jerusalém. As palavras do pacto mosaico precisavam ser *ouvidas* e *atendidas* pela geração de Jeremias. Ninguém estava dispensado disso. A campanha de educação espiritual tocaria em todos. Nenhum homem estaria livre de culpa se desobedecesse ou negligenciasse os ensinos da lei de Moisés. Todos seriam moralmente *responsáveis*. "Jeremias deveria fazer uma *turnê profética* através de Judá, para proclamar por toda a parte as denúncias existentes no livro da lei, que tinha sido encontrado no templo" (Fausset, *in loc.*). "A história de Israel foi uma história de rebelião e correção" (Charles H. Dyer, *in loc.*). Cf. este versículo com Rm 2.13 e Tg 1.22. Ver também Êx 24.7.

■ **11.7**

כִּי הָעֵד הַעִדֹתִי בַּאֲבוֹתֵיכֶם בְּיוֹם הַעֲלוֹתִי אוֹתָם מֵאֶרֶץ מִצְרַיִם וְעַד־הַיּוֹם הַזֶּה הַשְׁכֵּם וְהָעֵד לֵאמֹר שִׁמְעוּ בְּקוֹלִֽי׃

Porque deveras adverti a vossos pais no dia em que os tirei da terra do Egito. Este versículo reitera a mensagem do vs. 4: as advertências e promessas foram feitas a Israel quando os israelitas saíram do Egito, especialmente no Sinai, quando a lei foi dada, servindo de base ao pacto mosaico (anotado na introdução a Êx 19). A palavra-chave era *obediência* (ver a respeito no *Dicionário*). Ver também o verbete chamado *Dever*.

■ **11.8**

וְלֹא שָׁמְעוּ וְלֹא־הִטּוּ אֶת־אָזְנָם וַיֵּלְכוּ אִישׁ בִּשְׁרִירוּת לִבָּם הָרָע וָאָבִיא עֲלֵיהֶם אֶת־כָּל־דִּבְרֵי הַבְּרִית־הַזֹּאת אֲשֶׁר־צִוִּיתִי לַעֲשׂוֹת וְלֹא עָשֽׂוּ׃ ס

Mas não atenderam nem inclinaram os seus ouvidos. A história espiritual de Israel era lamentável. À sombra do Sinai, os israelitas fabricaram o bezerro de ouro, e após isto seguiram-se fracassos intermináveis. Os filhos de Israel eram teimosos, e o coração deles era insubmisso. A mente vagueava por toda a espécie de culto idólatra. Eles faziam "o que seus corações maldosos queriam" (NCV). O pacto mosaico continha *maldições* embutidas (ver Dt 27.15-26), das quais Israel não demorou a tornar-se merecedora. "Fiz todas aquelas maldições caírem sobre eles" (NCV). A palavra-chave era "obediência", mas o coração deles estava fixado na atitude contrária. Havia *palavras* de bênção e *palavras* de maldição, contudo o texto presente enfatiza as palavras de maldição, harmonizando-se com o que ocorreu por toda a história de Israel. Ver Jr 3.17 e 7.24, passagens similares ao versículo presente. Diz o Targum: "Eu trouxe contra eles a vingança (a punição), visto que não receberam as palavras desta aliança".

■ **11.9**

וַיֹּאמֶר יְהוָה אֵלָי נִמְצָא־קֶשֶׁר בְּאִישׁ יְהוּדָה וּבְיֹשְׁבֵי יְרוּשָׁלָֽ͏ִם׃

Disse-me ainda o Senhor: Uma conspiração se achou entre os homens de Judá. O povo de Israel revoltou-se diante dos ensinos da lei. Eles não eram pecadores por ignorância. A revolta não era política, mas espiritual. O rei Josias forçou outras conformidades. Durante algum tempo, o povo teve de agir obedecendo aos ditames e às provisões da legislação mosaica. Mas o coração deles nem por isso foi mudado. A revolta íntima não demorou a externar-se, e Judá tornou-se pior do que nunca, caindo em total idolatria-adultério-apostasia e tornando assim inevitável o cativeiro babilônico. "A idolatria deles não resultou de algum impulso precipitado (ver Sl 83.5; Ez 22.26)" (Fausset, *in loc.*). "Eles eram todos *fratres conjurati*, 'irmãos jurados', determinados a desvencilhar-se do jugo divino e a não mais terem Deus para reinar sobre eles" (Adam Clarke, *in loc.*).

■ **11.10**

שָׁבוּ עַל־עֲוֹנֹת אֲבוֹתָם הָרִאשֹׁנִים אֲשֶׁר מֵאֲנוּ לִשְׁמוֹעַ אֶת־דְּבָרַי וְהֵמָּה הָלְכוּ אַחֲרֵי אֱלֹהִים אֲחֵרִים לְעָבְדָם הֵפֵרוּ בֵית־יִשְׂרָאֵל וּבֵית יְהוּדָה אֶת־בְּרִיתִי אֲשֶׁר כָּרַתִּי אֶת־אֲבוֹתָֽם׃ ס

Tornaram às maldades de seus primeiros pais, que recusaram ouvir as minhas palavras. A revolta dos filhos de Israel assumiu a forma de várias modalidades de *idolatria*, que representava o abandono a Yahweh, o outro assinante, por assim dizer, do pacto. Portanto, o acordo do pacto foi quebrado. Judá era como uma esposa adúltera, que se divorciou de seu marido (Jr 3.1,2,13,14). Os judeus da época de Jeremias seguiram o mau exemplo de seus pais e tornaram-se ainda piores que eles. Recusavam-se a ouvir as palavras da lei; rejeitavam e negligenciavam as revelações divinas. Tanto Israel (as dez tribos do norte) quanto Judá (as duas tribos do sul) estavam unidas em sua revolta, embora a nação do norte tenha caído primeiro. Ambas anularam o pacto com sua desobediência. Ver no *Dicionário* o artigo intitulado *Rebelião*, que serve para ilustrar o texto presente. "A decisão deliberada de Judá, de seguir seus ídolos, garantiu para ele sua condenação" (Charles H. Dyer, *in loc.*).

Na mente divina, os babilônios já estavam batendo nos portões de Jerusalém. O rei Josias forçou uma reforma externa. A idolatria tinha sido proibida por decreto divino. A maior parte dos *lugares altos* tinha sido destruída. Mas, assim que Josias saiu do palco da história (mediante sua morte), todas as antigas abominações dos israelitas logo voltaram.

■ 11.11

לָכֵ֗ן כֹּ֚ה אָמַ֣ר יְהוָ֔ה הִנְנִ֨י מֵבִ֤יא אֲלֵיהֶם֙ רָעָ֔ה אֲשֶׁ֥ר לֹֽא־יוּכְל֖וּ לָצֵ֣את מִמֶּ֑נָּה וְזָעֲק֣וּ אֵלַ֔י וְלֹ֥א אֶשְׁמַ֖ע אֲלֵיהֶֽם׃

Portanto assim diz o Senhor: Eis que trarei mal sobre eles. *Deus Impôs aos Judeus a Calamidade*. O maior desastre de toda a história da nação de Judá foi o cativeiro babilônico, que começou com matança e pilhagem generalizada, e terminou com a deportação de poucos sobreviventes para a Babilônia. Até mesmo na Babilônia, entretanto, a espada seguiria os judeus, e a matança continuaria (ver Jr 9.16). Quando o desastre desaba, corações endurecidos são quebrantados, e o povo, em uníssono, clama a Yahweh pedindo misericórdia e livramento; mas os clamores geralmente são emitidos tarde demais. Cf. Is 1.15 e Mq 3.4. A eficácia das orações é anulada pelos hipócritas e réprobos. Quando as coisas estavam em paz, eles continuaram invocando deuses pagãos, dando-lhes o crédito por seu bem-estar. Na crise, no entanto, seus deuses não os ajudavam, e a fonte da verdadeira ajuda os ignorava. Ver o vs. 1 quanto a clamores a deuses que nada representavam.

■ 11.12

וְהָלְכ֞וּ עָרֵ֣י יְהוּדָ֗ה וְיֹשְׁבֵי֙ יְר֣וּשָׁלִַ֔ם וְזָ֣עֲק֔וּ אֶל־הָ֣אֱלֹהִ֔ים אֲשֶׁ֛ר הֵ֥ם מְקַטְּרִ֖ים לָהֶ֑ם וְהוֹשֵׁ֧עַ לֹֽא־יוֹשִׁ֛יעוּ לָהֶ֖ם בְּעֵ֥ת רָעָתָֽם׃

Então as cidades de Judá e os habitantes de Jerusalém irão aos deuses. Os gritos de agonia dos judeus subiriam a qualquer divindade, ou a Deus, que quisesse ouvi-los e ajudá-los. Os deuses, que tinham sido honrados por eles, recebendo sua adoração, seu incenso queimado e suas orações, que os ouvissem em seus momentos de crise. Eles seguiriam seus absurdos até o fim, promovendo seu doentio *sincretismo* (Yahweh e os deuses pagãos eram os objetos de suas orações); ou seguiriam um *paganismo* completo, com divindades de toda a sorte, emprestadas de vários povos vizinhos. O vs. 13 deste capítulo mostra a tremenda extensão da idolatria dos judeus. Cf. este versículo com Jr 2.28 e Dt 32.37,38.

■ 11.13

כִּ֚י מִסְפַּ֣ר עָרֶ֔יךָ הָי֥וּ אֱלֹהֶ֖יךָ יְהוּדָ֑ה וּמִסְפַּ֞ר חֻצ֣וֹת יְרוּשָׁלִַ֗ם שַׂמְתֶּ֤ם מִזְבְּחוֹת֙ לַבֹּ֔שֶׁת מִזְבְּח֖וֹת לְקַטֵּ֥ר לַבָּֽעַל׃ ס

Porque, ó Judá, segundo o número das tuas cidades, são os teus deuses. Havia *tantos deuses* no panteão de Judá que seu número se podia comparar ao número de ruas em Jerusalém. Havia uma divindade sob cada árvore, nos bosques dos lugares altos, e também havia um casal praticando sexo ilícito ali, honrando algum deus cananeu da fertilidade (ver Jr 3.13). "Embora Josias tivesse procurado livrar a Terra Prometida da idolatria (ver 2Cr 34.33), o número dos altares de incenso devotados ao vergonhoso deus Baal (ver Jr 11.17) ainda era tão grande quanto o das ruas de Jerusalém" (Charles H. Dyer, *in loc.*). "Nem Baal, nem a rainha do céu, nem o sol, nem a lua, nem os planetas, nem todo o exército do céu, conforme se vê no vs. 13 e também em Jr 49.15,17; 2Rs 23.5, ouviam suas orações, pelo que não havia alívio ou consolo em suas tribulações" (John Gill, *in loc.*). Ver no *Dicionário* o artigo intitulado *Idolatria,* quanto a uma demonstração de quão fértil é a mente humana quando se trata de inventar deuses de fantasia.

■ 11.14

וְאַתָּ֗ה אַל־תִּתְפַּלֵּל֙ בְּעַד־הָעָ֣ם הַזֶּ֔ה וְאַל־תִּשָּׂ֥א בַעֲדָ֖ם רִנָּ֣ה וּתְפִלָּ֑ה כִּ֣י אֵינֶ֣נִּי שֹׁמֵ֗עַ בְּעֵ֛ת קָרְאָ֥ם אֵלַ֖י בְּעַ֥ד רָעָתָֽם׃ ס

Tu, pois, não ores por este povo, nem levantes por eles clamor nem oração. Cf. Jr 7.16. Jeremias foi proibido pelo Senhor de interceder em favor daqueles réprobos. Eles já estavam debaixo da cegueira judicial e não responderiam a nenhum convite ao arrependimento. O julgamento faria aquilo que apelos pela mudança jamais poderiam fazer. A pequena porção de prata deixada em Judá seria separada do montão de escória, e restaria um minúsculo remanescente, reservado para um novo dia e para um novo Israel. Ver também Jr 14.11. "Há um ponto culminante na culpa que não mais admite orações intercessórias (ver Êx 32.10; 1Sm 16.1; 15.35; 1Jo 5.16)" (Fausset, *in loc.*). O Targum diz: "Eles não serão aceitos diante de mim, nem me é agradável que ores por eles. Agora é chegado o tempo do mal deles".

SACRIFÍCIOS NÃO EVITARIAM O DESASTRE (11.15-17)

■ 11.15

מֶ֣ה לִֽידִידִ֞י בְּבֵיתִ֗י עֲשׂוֹתָ֤הּ הַֽמְזִמָּ֙תָה֙ הָֽרַבִּ֔ים וּבְשַׂר־קֹ֖דֶשׁ יַעַבְר֣וּ מֵעָלָ֑יִךְ כִּ֥י רָעָתֵ֖כִי אָ֥ז תַּעֲלֹֽזִי׃

Que direito tem na minha casa a minha amada, ela que cometeu vilezas? A oração em favor dos judeus de nada adiantaria; sacrifícios de animais seriam ineficazes. O julgamento divino seguiria seu curso. Os vss. 15,16 apresentam um poema que foi mal preservado no texto massorético, e as versões antigas e os intérpretes modernos tentam corrigi-lo. "Esse poema provavelmente foi falado em um dos átrios do templo, onde cresciam oliveiras (ver Sl 52.8). O tema do poema é a inadequação dos cultos no templo para desviar a condenação que estava descendo sobre Israel quanto a seus fracassos morais (cf. Jr 6.20; 7.1-15,21-23)" (James Philip Hyatt, *in loc.*). Jr 7.1-15 mostra que a presença do templo, em Jerusalém, não ofereceria nenhuma proteção àqueles idólatras que, na verdade, tinham anulado tudo o que o templo significava com sua idolatria-adultério-apostasia.

"Que está fazendo a minha amada, Judá, no meu templo? Ela tem traçado muitos planos malignos. Porventura ela pensa que os sacrifícios de animais farão cessar as suas punições? Quando fazeis o mal, então sois felizes" (NCV). Ver Jr 7.22, onde o profeta assumiu a posição radical de que não foi Yahweh quem instituiu os sacrifícios de animais. Desde o princípio tinha sido uma invenção humana, totalmente ineficaz para qualquer vantagem espiritual. "Amada", neste versículo, refere-se às ideias constantes em Jr 3.1,2,13,14, a saber, que Judá era a esposa infiel de Yahweh, o qual tinha sido rejeitado por causa da lascívia da esposa, que procurava, sem descanso, outros amantes. "Que é que faz a minha amada em minha casa, enquanto pratica a iniquidade? Votos e carne santa (sacrifícios) teriam permissão de vir dali? É somente quando sois malignos que vos sentis felizes" (Blayney, *in loc.*). Cf. Ez 16.25. Judá tinha reduzido o templo de Jerusalém a uma zombaria.

■ 11.16

זַ֤יִת רַֽעֲנָן֙ יְפֵ֣ה פְרִי־תֹ֔אַר קָרָ֥א יְהוָ֖ה שְׁמֵ֑ךְ לְק֣וֹל ׀ הֲמוּלָּ֣ה גְדֹלָ֗ה הִצִּ֥ית אֵשׁ֙ עָלֶ֔יהָ וְרָע֖וּ דָּלִיּוֹתָֽיו׃

O Senhor te chamou de oliveira verde, formosa por seus deliciosos frutos. Antes, Judá valia alguma coisa, como se fosse uma oliveira frutífera que produzisse azeitonas para serem consumidas. Mas um grande incêndio atingiria a oliveira apóstata, reduzindo-a a cinzas. O fogo viria com imensa tempestade (o exército babilônico), e grandes seriam o incêndio e a destruição. O fogo seria aceso contra a oliveira, e seus ramos seriam consumidos. A figura é a de um incêndio em uma floresta, tangido rapidamente por ventos poderosos que fariam as chamas subir ao céu e viajar com terrível velocidade ao rés do chão, consumindo tudo. "A parábola é essencialmente a mesma, embora um símbolo diferente tenha sido escolhido, como o símbolo da vinha (ver Is 5.1; Jr 2.21) ou como o símbolo da figueira (ver Lc 13.6). A oliveira era, naturalmente, um símbolo de fertilidade e bondade, conforme se vê em Sl 52.8; Os 14.6; Zc 4.3,11" (Ellicott, *in loc.*). Alguns estudiosos tomam a metáfora deste versículo como se a árvore fosse atingida por um *raio*, em vez de ser apanhada em um incêndio na floresta. Diz o Targum: "... como uma oliveira que é bela quanto à forma e formosa à vista, cujos ramos fazem sombra às árvores, pelo que o Senhor magnificou seu nome entre o povo. Mas, visto que Judá tinha transgredido a lei, os exércitos do povo, que são tão fortes como o fogo, virão contra ti".

■ 11.17

וַיהוָ֣ה צְבָא֗וֹת הַנּוֹטֵ֤עַ אוֹתָךְ֙ דִּבֶּ֤ר עָלַ֙יִךְ֙ רָעָ֔ה בִּגְלַ֗ל רָעַ֣ת בֵּֽית־יִשְׂרָאֵ֗ל וּבֵית֙ יְהוּדָ֔ה אֲשֶׁ֥ר עָשׂ֛וּ לָהֶ֖ם לְהַכְעִסֵ֑נִי לְקַטֵּ֖ר לַבָּֽעַל׃ ס

Porque o Senhor dos Exércitos, que te plantou, pronunciou contra ti o mal. Yahweh é quem tinha dado origem à boa oliveira; ele a plantou e a tornou distinta (ver Dt 4.4-8). Mas agora aquela mesma árvore havia degenerado, tornando-se alvo da ira divina. O mal pagaria pelo mal. Ver no *Dicionário* o artigo chamado *Lei Moral da Colheita segundo a Semeadura*. A idolatria-apostasia-adultério provocou Yahweh a ações dramáticas. Era absurdo que eles sacrificassem e queimassem incenso a Baal, o chefe cananeu do panteão dos deuses falsos. Cf. este versículo com Jr 2.21 e Is 5.2.

"O pecado do pecador é sua própria ruína; ver Jr 7.19" (Fausset, *in loc.*). Ver no *Dicionário* o artigo chamado *Baal*.

O CONLUIO CONTRA A VIDA DE JEREMIAS (11.18—12.6)

■ 11.18

וַֽיהוָ֥ה הֽוֹדִיעַ֖נִי וָאֵדָ֑עָה אָ֖ז הִרְאִיתַ֥נִי מַעַלְלֵיהֶֽם׃

O Senhor mo fez saber, e eu o soube; então me fizeste ver as suas maquinações. Com toda essa pregação contra o pecado e a idolatria, não é de admirar que os réprobos de Judá se tenham revoltado e planejado contra a vida de Jeremias. Outra causa foi o fato de que ele aconselhava o povo a não resistir aos babilônios, acreditando que coisa alguma podia deter a ameaça. Eles deveriam tão somente confiar em Yahweh, arrepender-se e esperar o melhor. Mas o profeta, na verdade, nada previa senão as mais horrendas dores que logo viriam. Alguns estudiosos, contudo, veem as "ofensas pessoais" como a causa principal do plano contra a vida de Jeremias. Os próprios parentes de Jeremias, em Anatote, encabeçaram a conspiração. Sem dúvida, houve muito de inveja pessoal e ciúmes profissionais envolvidos na questão.

"Eles tinham sido frustrados em sua tentativa de livrar-se dele imediatamente, depois do sermão do templo (Jr 7.1-15,26), e assim procuraram assassiná-lo por alguns de seus colegas, os sacerdotes de Anatote, que talvez servissem ao templo de Jerusalém (ver sobre Jr 1.1). Os parentes de Jeremias devem ter feito oposição a ele por seus muitos ataques contra aqueles a quem ele considerava falsos sacerdotes e falsos profetas, e contra a instituição que eles mais prezavam, mas que Jeremias chamava de inútil" (James Philip Hyatt, *in loc.*). Outra coisa que adicionou combustível ao fogo foi o apoio de Jeremias às reformas de Josias, que feriam profundamente tanto o sincretismo do culto do templo, como o puro paganismo que prevalecia na época, o regime preferido por muitos homens malignos de Jerusalém, incluindo os falsos sacerdotes e profetas.

As Lamentações de Jeremias. "Jr 11.18—12.6. O primeiro lamento pessoal de Jeremias. Uma conspiração contra a vida de Jeremias (11.18-19; 12.6; 11.20; 12.3b talvez devam ser transpostos nessa ordem). Temos aqui a primeira lamentação pessoal de Jeremias; as outras lamentações estão em 15.1-21; 17.14-18; 18.18-23; 20.7-13 e 20.14-18. Ele fica sabendo que era o objeto inconsciente (cordeiro manso; cf. Is 53.7) de uma conspiração que visava assassiná-lo, e orou ao Deus onisciente que o protegesse (Jr 17.10; Sl 26). A origem da mágoa contra Jeremias pode ligar-se ao fato de que ele identificou certos concidadãos com os falsos profetas e sacerdotes. Em sua fraseologia característica (ver Jr 5.12; 18.21; 19.15 e 23.12), o fim deles foi predito. Jr 12.1-2,4b,3a,4a,5: Contra o pano de fundo do tribunal de leis, Jeremias pôs em dúvida a então quase universal ideia de que os ímpios sempre sofrem e que os justos sempre prosperam. Os ímpios, ostensivamente fiéis, prosperam (ver Jó 21; Sl 73)" (*Oxford Annotated Bible*, introdução ao trecho de Jr 11.18—12.16).

Esta seção se inicia de maneira abrupta. O profeta agora deixa para trás a descrição dos pecados gerais de Judá e fala dos atos errados de seus concidadãos, especificamente sobre como eles estavam planejando contra a sua vida. Ver a introdução anteriormente. É provável que os conluios dos habitantes de Anatote, terra natal de Jeremias, tenham sido trazidos recentemente ao seu conhecimento. Ele declarou que fora Yahweh quem lhe dera essa informação, mediante algum tipo de oráculo. Ver no *Dicionário* o verbete chamado *Anatote*, especialmente o terceiro ponto.

Jr 12.6 indica que o profeta nada suspeitava sobre a questão, até que a revelação lhe foi dada, talvez em uma visão ou sonho. As novas o deixaram chocado e desgostoso. Esse era outro exemplo das traições daqueles que se diziam seguidores do nome do Senhor, mas que em nenhum sentido pertenciam a ele nem eram controlados por ele. Este versículo ilustra a *Providência* positiva de Deus (ver a respeito no *Dicionário*). No entanto, Jeremias ainda não havia terminado sua missão e, assim, estava sendo preservado diretamente pelo poder de Deus, até que essa missão se completasse e todos os grãos tivessem sido juntados no celeiro. Oh, Senhor, concede-nos tal graça!

Não toqueis nos meus ungidos, nem maltrateis os meus profetas.

Salmo 105.15

■ 11.19

וַאֲנִ֕י כְּכֶ֥בֶשׂ אַלּ֖וּף יוּבַ֣ל לִטְב֑וֹחַ וְלֹֽא־יָדַ֗עְתִּי כִּֽי־עָלַ֞י חָשְׁב֣וּ מַחֲשָׁב֗וֹת נַשְׁחִ֤יתָה עֵץ֙ בְּלַחְמ֔וֹ וְנִכְרְתֶ֙נּוּ֙ מֵאֶ֣רֶץ חַיִּ֔ים וּשְׁמ֖וֹ לֹֽא־יִזָּכֵ֥ר עֽוֹד׃

Eu era como manso cordeiro, que é levado ao matadouro. Jeremias era como um animalzinho mudo diante dos conspiradores. Queriam sacrificá-lo tão rapidamente como um sacerdote, nos átrios do templo, sacrificaria um cordeiro ou um touro, dizendo que estavam prestando a Deus um serviço. Eles tinham traçado cuidadosamente os esquemas, pensando que seriam eficazes. Mas Deus... O sonho ou visão deu a Jeremias o conhecimento do plano inteiro, e desta maneira sua vida foi preservada, visto que sua missão ainda não estava terminada. Seus oponentes não tinham contado com a grandeza de Deus em favor do profeta.

> Da mesma forma que a galinhola edifica no pantanal,
> Eis que edifico para mim um ninho, sobre a grandeza de Deus.
> Voarei na grandeza de Deus, como a galinhola voa.
> De todo o coração dependerei da grandeza de Deus.
>
> Sidney Lanier

Assassinar Jeremias significaria o fim de sua memória em Judá e também afastaria definitivamente o povo de Judá de Deus, de tal modo que *seu Nome* se perderia entre eles. Mas os homens que estavam servindo o próprio "eu" e tinham apostatado de Yahweh se sentiriam felizes, e não tristes, diante de ambas as circunstâncias.

"Seus próprios amigos e familiares tinham conspirado contra o profeta. A linguagem é precisamente igual à que foi aplicada ao Messias (ver Is 53.7)... Eles destruiriam tanto a árvore quanto o seu fruto, o que é proverbial para exprimir a destruição tanto da causa como do efeito" (Fausset, *in loc.*). Dessa maneira desapareceriam tanto o profeta *quanto* suas profecias. Alguns estudiosos supõem que *árvore* subentenda o *modus operandi* do assassinato, ou seja, algum produto vegetal *venenoso* seria posto no alimento do profeta. O Targum compreende a questão por esse prisma, da mesma forma que fazem a Septuaginta, a Vulgata Latina e as traduções árabes. Alguns veem aqui uma profecia messiânica sobre a cruz de Jesus, mas isso já é um exagero.

■ 11.20

וַיהוָ֤ה צְבָאוֹת֙ שֹׁפֵ֣ט צֶ֔דֶק בֹּחֵ֥ן כְּלָי֖וֹת וָלֵ֑ב אֶרְאֶ֤ה נִקְמָֽתְךָ֙ מֵהֶ֔ם כִּ֥י אֵלֶ֖יךָ גִּלִּ֥יתִי אֶת־רִיבִֽי׃ ס

Mas, ó Senhor dos Exércitos, justo Juiz, que provas o mais íntimo do coração. Tal como se vê nos salmos de lamentação, temos aqui uma imprecação sobre aqueles que planejam o mal. Esses mereciam a vara de Yahweh aplicada às suas costas. Era a Yahweh que o profeta tinha entregado sua causa. Ninguém mais defenderia Jeremias. Ele não tinha amigos em Jerusalém. Os governantes e sacerdotes exultariam em livrar-se dele, e por certo os falsos profetas não sentiriam remorso diante de sua morte. Em outros trechos do livro, Jeremias solicitou a destruição de seus inimigos. Ver Jr 17.18; 18.23 e 20.11,12. Como é óbvio, os inimigos do profeta também eram inimigos de Yahweh, e seus feitos atrevidos perturbariam a missão profética que ele havia recebido. O ensino superior de Jesus, para orarmos por nossos inimigos (ver Mt 5.44), estava acima do ensino de Jeremias, e certamente está acima de nós. Cf. este versículo com os Salmos 69 e 109, que estão entre os salmos mais vindicativos. Ver também Rm 12.19 ss. A vingança cabe ao Senhor, e o "bem" feito aos inimigos é um tipo de vingança. Ver no *Dicionário* o verbete chamado *Vingança*. Ver Jr 20.1, que é uma duplicata deste versículo. Ver também Sl 54.7 e 59.10.

■ **11.21**

לָכֵן כֹּה־אָמַר יְהוָה עַל־אַנְשֵׁי עֲנָתוֹת הַמְבַקְשִׁים
אֶת־נַפְשְׁךָ לֵאמֹר לֹא תִנָּבֵא בְּשֵׁם יְהוָה וְלֹא תָמוּת
בְּיָדֵנוּ: ס

Portanto assim diz o Senhor acerca dos homens de Anatote. Os candidatos a assassinos mudariam de ideia sobre matar a Jeremias, caso o profeta parasse de profetizar, e isso fazia parte do que Yahweh tinha revelado ao profeta. A experiência de Jeremias foi mais radical que a experiência da maioria dos homens espirituais, mas nenhum ser humano é espiritual se não receber alguma oposição nem for tentado a modificar sua mensagem para agradar aos tolos. Algumas vezes são os tolos espirituais, pessoas que exercem autoridade na igreja, que querem que o profeta mantenha a boca fechada. É conforme diz certa canção popular: "Digo as coisas que realmente sinto, e não as palavras de quem se ajoelha". Jeremias não era um *profeta que se ajoelhava* e retinha sua mensagem por causa da face espantosa de seus inimigos.

Eles dizem aos videntes: Não tenhais visões;
e aos profetas: Não profetizeis para nós o que é reto;
dizei-nos coisas aprazíveis, profetizai-nos ilusões.

Isaías 30.10

Anatote. Ver sobre este lugar no *Dicionário,* bem como em Jr 1.1. Anatote era a terra natal de Jeremias, onde se desenvolveu o plano de assassínio do profeta.

■ **11.22**

לָכֵן כֹּה אָמַר יְהוָה צְבָאוֹת הִנְנִי פֹקֵד עֲלֵיהֶם
הַבַּחוּרִים יָמֻתוּ בַחֶרֶב בְּנֵיהֶם וּבְנוֹתֵיהֶם יָמֻתוּ
בָּרָעָב:

Sim, assim diz o Senhor dos Exércitos: Eis que eu os punirei. Os vss. 22,23 fornecem detalhes sobre como Yahweh se vingaria dos inimigos de Jeremias. As orações do profeta seriam respondidas, e da maneira mais severa possível. De fato, a *Lex Talionis* (punição de acordo com o tipo e a gravidade do crime cometido) seria aplicada à situação. Ver sobre esse assunto no *Dicionário*. Essa lei é uma subcategoria da *Lei Moral da Colheita segundo a Semeadura,* que também aparece em um artigo do *Dicionário*. Os candidatos a assassinos seriam mortos, os jovens à espada, o que provavelmente aponta para uma batalha, provavelmente contra os invasores babilônios. Seus filhos e filhas morreriam na fome que se seguiria às devastações causadas pelo exército estrangeiro. Ou seja, os poucos sobreviventes morreriam de fome, porquanto a maioria dos filhos e das filhas seria morta pelo exército babilônico invasor. Cf. Sl 69.8-28.

■ **11.23**

וּשְׁאֵרִית לֹא תִהְיֶה לָהֶם כִּי־אָבִיא רָעָה אֶל־אַנְשֵׁי
עֲנָתוֹת שְׁנַת פְּקֻדָּתָם: ס

E não haverá deles resto nenhum, porque farei vir o mal sobre os homens de Anatote. A destruição de Anatote seria quase total. Ed 2.23 e Ne 7.27 mencionam 128 pessoas de Anatote que voltaram do cativeiro babilônico. Naturalmente, nem todos os habitantes de Anatote estavam envolvidos no plano de assassinato de Jeremias, razão pela qual a Lex Talionis não se aplicaria a eles. Não obstante, a indicação deste versículo é que o julgamento que Yahweh efetuaria contra Anatote, por meio do exército babilônico, seria mais severo do que nas cidades médias de Judá. "A situação de Anatote, cerca de 6 km a nordeste de Jerusalém, deixaria a cidade exposta à plena fúria da invasão" (Ellicott, *in loc.*).

CAPÍTULO DOZE

Jr 12.1-6 dá prosseguimento ao parágrafo iniciado em Jr 11.18, onde apresento a introdução ao parágrafo. Os habitantes de Anatote (terra natal de Jeremias) planejavam seu assassinato, a menos que ele concordasse em parar com suas profecias (ver 11.21). Isso naturalmente era algo que ele não faria. Jeremias orou para que Yahweh se vingasse daqueles réprobos, e o Senhor deixou claro que faria isso. Eles sofreriam a pena da *Lex Talionis,* uma punição em consonância com a *gravidade* do caso. Visto que queriam matar o profeta, seriam mortos (ver Jr 11.22,23). A *Lex Talionis* é uma subcategoria da *Lei Moral da Colheita segundo a Semeadura*. Ver sobre ambos os títulos no *Dicionário*. Assim, pelo menos quanto a esse caso particular, a *justiça* seria servida. Mas Jeremias tinha observado muitos casos de *injustiça* óbvia que nunca foram revertidos. O profeta tinha testemunhado os ímpios a prosperar, enquanto, de modo geral, os bons sempre sofriam às mãos dos réprobos. Tudo isso faz parte do *Problema do Mal* (ver a respeito no *Dicionário*). Há o *mal natural,* os abusos da natureza: inundações, incêndios, terremotos, enfermidades e morte. E há também o *mal moral,* as más obras dos homens contra os seus semelhantes, por causa de uma vontade perversa. Homens malignos avançam sem nenhum problema. Homens bons sofrem todos os tipos de males. Como pode um homem mau sentir-se feliz, enquanto um homem bom é devastado?

O livro de Jó examina esse problema, e talvez seja o primeiro livro da Bíblia a levantar tal indagação. Ou então Jeremias foi o primeiro escritor sagrado a pôr em dúvida a máxima dos judeus de que a *justiça* fará os homens maus dobrar os joelhos, ao mesmo tempo que exaltará os homens bons. Nem Jó nem Jeremias apelaram à vida pós-túmulo para resolver esse difícil problema, que é a solução comum encontrada pelos cristãos. Os judeus, entretanto, buscavam justiça *aqui mesmo na terra* e, naturalmente, ficavam desapontados.

O problema do mal é um dos mais difíceis da existência humana, e isso abrange tanto a teologia quanto a filosofia. Tanto sofrimento parece insensato e, algumas vezes, tão exageradamente feroz, que não podemos encontrar nele nenhum sentido, nem nesta vida nem em qualquer outra.

"Em Jr 12.1-5 temos a mais antiga evidência literária do Antigo Testamento acerca da pergunta: Por que os ímpios prosperam? Que Jeremias foi um dos primeiros, se é que, realmente, não foi o primeiro, a criticar a doutrina geralmente aceita da retribuição divina, chegando a questionar o próprio Deus, é um fator que surgiu de diversas origens: suas próprias experiências amargas, que fizeram a doutrina parecer-lhe falsa; sua independência mental; seu forte senso do valor do indivíduo; e seu sentimento de proximidade a Deus. Em Jr 12.1-5 foram empregadas ideias e terminologias tomadas por empréstimo dos tribunais legais: Yahweh é considerado um justo Juiz perante quem o profeta pleiteou contra seus adversários, homens ímpios e traiçoeiros. Ele recebeu o seu veredicto de Deus em Jr 12.5" (James Philip Hyatt, *in loc.*).

■ **12.1**

צַדִּיק אַתָּה יְהוָה כִּי אָרִיב אֵלֶיךָ אַךְ מִשְׁפָּטִים
אֲדַבֵּר אוֹתָךְ מַדּוּעַ דֶּרֶךְ רְשָׁעִים צָלֵחָה שָׁלוּ כָּל־
בֹּגְדֵי בָגֶד:

Justo és, ó Senhor, quando entro contigo num pleito. O profeta, em sua consternação, não ousou pôr em dúvida a retidão de Yahweh, mas corajosamente pôs em dúvida seu governo. Os ímpios prosperam — o que a doutrina ortodoxa dos hebreus declarava não poder acontecer. Devemos relembrar que os hebreus (em contraste com os cristãos) não apelavam para um pós-vida (recompensas para os bons e castigos para os maus), a fim de corrigir as injustiças da vida presente. Somente nos Salmos e nos Profetas é que esse conceito começou a fazer parte da teologia dos hebreus, mas, mesmo então, não foi usado para solucionar o problema do mal. Naturalmente, Dn 12.2 é uma exceção. Muitos casos evidentes podem ser destacados para inquirir a operação dos julgamentos de Deus. Até mesmo os *traidores*, os assassinos e os saqueadores terminam tendo uma vida boa e abastada, e morrendo felizes. Entrementes, muitos homens bons sofrem saques e abusos ou são mortos, e suas famílias ficam na miséria. E até mesmo quando se apela para a outra vida, muitas vezes é difícil perceber por que os inocentes sofrem tantos horrores. É difícil reconhecer o propósito por trás de certos casos. Isso posto, o problema do mal não é resolvido, embora possam ser ditas certas coisas remidoras, conforme mostro no artigo sobre esse assunto. Jó, homem inocente, sofreu dores indescritíveis que são relatadas no livro que leva seu nome. Na introdução ao livro de Jó, quinta seção, reviso o que esse livro diz sobre o problema.

Cf. o presente versículo com Jó 21.7 e Sl 73.3-5,12; 94.3. O vs. 2 prossegue dizendo que *Deus* é a *causa* da prosperidade do perverso, e isso complica mais ainda a questão, *como se* Deus fosse a causa única, e suas obras envolvessem coisas que não podemos atribuir à deidade.

> Se eu fosse Deus,
> Não haveria mais o adeus solene;
> A vingança, a maldade, o ódio medonho;
> E o maior mal, que a todos anteponho:
> Eu exterminaria a enfermidade,
> Todas as dores da senilidade;
> A criação inteira alteraria,
> Porém, se eu fosse Deus.
>
> Martins Fontes, de Santos

12.2

נְטַעְתָּם גַּם־שֹׁרָשׁוּ יֵלְכוּ גַּם־עָשׂוּ פֶרִי קָרוֹב אַתָּה בְּפִיהֶם וְרָחוֹק מִכִּלְיוֹתֵיהֶם׃

Plantaste-os, e eles deitaram raízes; crescem, dão fruto. Parece que aqui o profeta caiu na noção hebraica negativa de Deus como a *causa única*. Se Deus, realmente, é a causa única, então ele é a causa do mal. A teologia dos hebreus era fraca quanto a *causas secundárias*, das quais há tantas, e muitas delas apontam para seres humanos maldosos. É ridículo lançar sobre Deus a culpa de todos os absurdos que ocorrem no mundo. Neste trecho bíblico, o profeta diz que Deus é quem planta os ímpios e lhes dá raízes, o que significa que lhes dá a boa vida que eles têm, juntamente com a estabilidade. Os ímpios, pois, lançam raízes fortes e crescem, florescendo mais e mais. Produzem fruto abundante, têm tudo quanto cobiçam. Hipocritamente falam sobre Deus, mas ele está longe do coração deles. O profeta não deixa entendido que existe toda a espécie de causas secundárias que têm feito os homens ser o que são, levando-os a prosperar, embora estejam constantemente prejudicando outras pessoas e implantando confusão.

Emanuel Kant via o problema com maior clareza e precisão. Ele observou que a justiça realmente é pouco servida no mundo, mas nem por isso culpou Deus pela desordem. Pelo contrário, criou um argumento racional em favor da existência e da sobrevivência da alma, diante da morte física, bem como em favor da existência de Deus — tudo baseado na *necessidade moral* de que a justiça fosse, finalmente, feita. Para que os bons sejam devidamente recompensados, a alma deles tem de sobreviver a fim de receber a recompensa. Para que os ímpios sejam devidamente punidos, a alma deles tem de sobreviver à morte biológica a fim de receber o castigo merecido. Além disso, deve existir um Ser poderoso e inteligente o bastante para aplicar as recompensas e punições apropriadas, um Ser ao qual chamamos de *Deus*. Se não concordarmos com essa *necessidade moral*, então teremos de admitir que o deus real deste mundo é o *caos*.

Uma de minhas fontes informativas alivia a má declaração do vs. 2 deste capítulo: "Parece que o próprio Deus os plantou" (Charles H. Dyer, *in loc.*). Jeremias, entretanto, não usou a palavra "parece".

Coração. Diz aqui o hebraico, literalmente, *rins*. Os rins são órgãos essenciais, como o cérebro (mente) e o coração — ou seja, aquilo que o homem *é*. Os hebreus obtiveram a capacidade de pensar, e tinham suas emoções misturadas nos rins. Quanto a detalhes completos, ver no *Dicionário* o verbete intitulado *Rins*. Ver também o artigo chamado

Órgãos Vitais. O uso que fazemos da palavra "coração" é paralelo ao uso que os hebreus faziam do termo "rins", o que explica essa tradução para o vocábulo hebraico *kilyah*. Aqueles homens pervertidos falavam sobre Deus, mas o *coração* deles estava distante do Senhor.

12.3

וְאַתָּה יְהוָה יְדַעְתָּנִי תִּרְאֵנִי וּבָחַנְתָּ לִבִּי אִתָּךְ הַתִּקֵם כְּצֹאן לְטִבְחָה וְהַקְדִּשֵׁם לְיוֹם הֲרֵגָה׃ ס

Mas tu, ó Senhor, me conheces, tu me vês, e provas o que sente o meu coração. Este versículo é paralelo a Jr 11.18 ss. e fala sobre a conspiração contra a vida do profeta. O vs. 20 contém a oração de Jeremias para que Yahweh tirasse vingança contra os que planejavam assassiná-lo. E os vss. 22,23 contêm a resposta de Yahweh, com a promessa de que os possíveis assassinos seriam mortos. O profeta inocente, cujo coração era conhecido como reto e justo na presença do Senhor, e cuja mente tinha sido testada e estava em consonância com os ditames de Yahweh, agora solicitava que seus possíveis matadores fossem eliminados como ovelhas mortas no matadouro; ele orou para que fosse determinado um tempo em que ocorresse a morte deles. Por conseguinte, este versículo torna-se paralelo direto de Jr 11.22,23. Cf. Tg 5.6. O profeta era como um "cordeiro manso" que eles queriam matar (ver Jr 11.19), o que significa que seria *apropriado* e *justo* que aqueles réprobos se tornassem cordeiros para serem mortos. Jeremias foi *separado* para Yahweh como um homem justo (ver Jr 1.5), mas eles seriam *separados* para serem executados.

> Feliz aquele que em modesta lida,
> Isento da ambição e da miséria,
> No regaço do amor e da virtude
> A vida passa. Mais feliz ainda
> Se, das turbas ruidosas afastado,
> À sombra do carvalho, entre os que adora,
> Sente a existência deslizar tranquila,
> Como as águas serenas do ribeiro;
> Mas, que digo! Nem esse, infindos males,
> Comuns a todos, seu viver não poupam.
>
> Soares Passos, Portugal

12.4

עַד־מָתַי תֶּאֱבַל הָאָרֶץ וְעֵשֶׂב כָּל־הַשָּׂדֶה יִיבָשׁ מֵרָעַת יֹשְׁבֵי־בָהּ סָפְתָה בְהֵמוֹת וָעוֹף כִּי אָמְרוּ לֹא יִרְאֶה אֶת־אַחֲרִיתֵנוּ׃

Até quando estará de luto a terra, e se secará a erva de todo o campo? Aqueles horrendos pecadores perturbavam a terra inteira com suas injustiças, seus saques e suas mentiras. A terra estava em atitude de *lamentação*; a erva dos campos se ressecava. Até os animais do campo sofriam, e as aves tinham abandonado o espaço. Aqueles réprobos se jactavam de que Deus não prestava atenção neles. Diz aqui a Septuaginta: "Deus não verá os nossos caminhos". Mas o texto massorético fala sobre o *fim* daqueles homens, ou seja, do *mau fim* que Jeremias havia predito para eles. Eles se vangloriavam de que Jeremias não estaria por perto para ver o cumprimento de suas profecias, e nem acreditavam que eles mesmos estariam presentes. Antes, criam que Deus era indiferente para com a confusão que espalhavam na terra e contra Jeremias, em particular. Cf. Sl 73.11 e 94.7. Quanto à *aparente indiferença* de Deus, ver Sl 10.1; 28.1; 59.4; 82.1 e 143.7.

> Algo na ordem da criação tinha saído errado.
> Quem está tomando conta de todas essas crises,
> de toda essa transição e de toda essa dor?
>
> Russell Champlin

12.5

כִּי אֶת־רַגְלִים רַצְתָּה וַיַּלְאוּךָ וְאֵיךְ תְּתַחֲרֶה אֶת־הַסּוּסִים וּבְאֶרֶץ שָׁלוֹם אַתָּה בוֹטֵחַ וְאֵיךְ תַּעֲשֶׂה בִּגְאוֹן הַיַּרְדֵּן׃

Se te fatigas correndo com homens que vão a pé, como poderás competir com os que vão a cavalo? Temos, aqui e no versículo seguinte, a resposta de Yahweh ao problema da dor. Incrivelmente a resposta dele, em essência, é: "As coisas apenas ficarão piores". Nada foi prometido, exceto mais dor ainda. Duas metáforas foram usadas para ilustrar a questão:

1. *A corrida.* Se Jeremias estava perdendo feio quando corria contra os homens, quão definitiva seria a sua perda se estivesse correndo contra cavalos! Se ele se cansava correndo contra homens, quanto mais se cansaria se tivesse de competir contra cavalos. Os homens de Anatote eram terríveis, mas os de Jerusalém seriam muito piores. Jeremias seria mais odiado e maltratado por eles. Os homens de Anatote corriam a pé. Os réprobos de Jerusalém montariam em cavalos para praticar suas maldades.

2. *A enchente do rio Jordão.* Jeremias tinha caído em uma "terra relativamente segura", ou seja, em uma época na qual as tribulações eram relativamente pequenas. Como poderia ele resistir quando as águas inundantes do rio Jordão o alcançassem? A *Revised Standard Version* tenta preservar uma tradução literal do hebraico, e faz o rio Jordão criar uma floresta, o que tem pouco sentido. A tradução da NCV melhora isso, falando de *espessos arbustos* ao longo das margens do rio Jordão, onde o profeta poderia ser apanhado. A tradução da NIV, por sua vez, fala de *moitas* às margens do rio Jordão. Aquela área era minada de leões (ver Jr 49.19; 50.44; Zc 11.3). Na época da colheita, em abril-maio, o rio Jordão extravasava suas margens (Js 3.15), e isso nos dá uma compreensão fácil, mas as outras ideias parecem estar em maior concordância com o original hebraico envolvido. "Se Jeremias só podia confiar em Deus em tempos de paz, como conseguiria vencer quando as coisas ficassem mais difíceis?" (Charles H. Dyer, *in loc.*). A resposta de Yahweh a Jeremias foi "um desafio para que ele tivesse maior fé e coragem, visto que maior fé e coragem seriam necessárias no futuro, quando surgissem maiores competições com homens maus" (James Philip Hyatt, *in loc.*). Assim sendo, embora Jeremias buscasse alguma luz sobre *por que* os ímpios prosperam e os bons sofrem perseguições e tribulações, ele não recebeu nenhuma luz, mas somente encorajamento para que tivesse mais fé e forças para enfrentar as tribulações maiores que já estavam a caminho. Os *porquês* do sofrimento humano, pois, permaneceram um mistério. Pelo menos Jó obteve alguma luz sobre a questão, embora não tivesse recebido uma luz definitiva. Ver a quinta seção da introdução ao livro de Jó.

■ 12.6

כִּי גַם־אַחֶיךָ וּבֵית־אָבִיךָ גַּם־הֵמָּה בָּגְדוּ בָךְ גַּם־הֵמָּה
קָרְאוּ אַחֲרֶיךָ מָלֵא אַל־תַּאֲמֵן בָּם כִּי־יְדַבְּרוּ אֵלֶיךָ
טוֹבוֹת: ס

Porque até os teus irmãos, e a casa de teu pai, eles próprios procedem perfidamente contigo. Aqueles ímpios de Anatote, que aparentemente incluíam alguns parentes bastante próximos do profeta, viviam dizendo palavras mentirosas a fim de atraí-lo a alguma espécie de armadilha, para que pudessem matá-lo. Eles diziam palavras de louvor, mas o ódio estava no coração deles. Jeremias foi assim avisado por Yahweh a manter-se afastado e não se aproximar deles, nem crer em nada que dissessem, nem aceitar convites que lhe fizessem, para que não houvesse oportunidade de *ataque*. "O provérbio que nosso Senhor citou por mais de uma vez — 'não há profeta sem honra senão na sua terra e na sua casa' (Mt 13.57; Lc 4.24; Jo 4.44) provavelmente teve origem na triste experiência de Jeremias" (Ellicott, *in loc.*). Cf. Sl 59.8; Jó 1.11; 7.5 e Jr 9.4; 11.19 e Mt 10.36.

ISRAEL E SEUS VIZINHOS (12.7-17)

■ 12.7

עָזַבְתִּי אֶת־בֵּיתִי נָטַשְׁתִּי אֶת־נַחֲלָתִי נָתַתִּי אֶת־יְדִדוּת
נַפְשִׁי בְּכַף אֹיְבֶיהָ:

Desamparei a minha casa, abandonei a minha herança. Esta seção não tem nenhuma conexão com a seção anterior. Os vss. 7-13 dão uma lamentação divina acerca das desolações da terra de Israel, causadas por povos vizinhos. Os vss. 14-17 mostram como Yahweh exilaria aquela gente maligna, embora mais tarde a restaurasse à sua própria terra, quando tivesse aprendido apropriadamente suas lições morais e terminasse por honrá-lo. Esta seção é um poema lírico bastante incomum, que contém certo número de figuras interessantes pertencentes mais à ordem da intrincada poesia de Isaías do que à produção normal de Jeremias. Israel foi pintado como a primeira e mais importante herança de Yahweh (vs. 8); uma ave de rapina de colorido diverso (vs. 9); e uma vinha (vs. 10). "A maior parte dos comentadores supõe que esse material tenha sido composto depois da invasão descrita em 2Rs 24.2, quando Nabucodonosor enviou bandos de caldeus contra Joaquim, para puni-los por suas rebeliões. Caldeus, arameus, moabitas e amonitas eram seus aliados. A descrição dos assaltantes como *aves* e como muitos pastores se adaptaria melhor a tal invasão do que os citas ou os caldeus de tempos posteriores. A data era cerca de 502 a.C. Jeremias deixou claro que os invasores foram enviados por Yahweh para punir a nação de Israel por causa de seus pecados (vss. 8 e 13)" (James Philip Hyatt, *in loc.*).

Yahweh lamentou o fato de que teria de abandonar sua casa (o templo, ou o povo, a casa de Israel; ver Os 8.1 e 9.15), em função da idolatria-adultério-apostasia dos judeus. O povo de Judá formava a *herança* do Senhor (1Sm 10.1; 1Rs 8.53; 2Rs 21.14; Dt 4.20; Jr 10.16). Eles eram muito *amados,* mas tinham sido arredados para o lado como uma esposa adúltera (Jr 3.1,2,13,14). Os *inimigos* de Israel foram usados como chicotes para aplicar o castigo que eles mereciam. Quanto a Israel como a *amada,* ver Jr 11.15 e Is 5.1. Note o leitor a expressão "amada de minha alma", um forte *antropomorfismo* (ver a respeito no *Dicionário*).

■ 12.8

הָיְתָה־לִּי נַחֲלָתִי כְּאַרְיֵה בַיָּעַר נָתְנָה עָלַי בְּקוֹלָהּ
עַל־כֵּן שְׂנֵאתִיהָ:

A minha herança tornou-se-me como leão numa floresta. A figura da *herança é reiterada* aqui (ver o vs. 7). A *segunda figura* é a de um *leão,* uma fera que rugia em sua loucura, a ponto de levantar seu rugido contra o próprio Yahweh. Isso tinha feito Yahweh odiar a própria herança, uma expressão forte que os tradutores e intérpretes tentam suavizar. A *amada* (vs. 7) tinha-se transformado em objeto de *ódio.* Yahweh demonstrou seu ódio por aqueles apóstatas ao abandoná-los nas mãos de seus atormentadores estrangeiros. Se Yahweh havia aplicado antes sua providência positiva em favor deles, agora aplicava sua providência negativa, porquanto ele controla todos os acontecimentos humanos (ver Is 13.6). Ver, no *Dicionário,* os verbetes intitulados *Soberania* e *Providência de Deus*.

■ 12.9

הַעַיִט צָבוּעַ נַחֲלָתִי לִי הַעַיִט סָבִיב עָלֶיהָ לְכוּ אִסְפוּ
כָּל־חַיַּת הַשָּׂדֶה הֵתָיוּ לְאָכְלָה:

Acaso é para mim a minha herança ave de rapina de várias cores...? A herança de Yahweh é, agora, chamada de *ave de rapina de várias cores.* Essa *terceira figura simbólica* significa que, embora Judá fosse uma maldosa ave de rapina, seria atacada por outras aves de rapina, devido a suas brilhantes e multicoloridas penas, que atrairiam muita atenção negativa e assassina. Essa figura foi reforçada por uma subfigura. Judá é então apresentado como que atacado por feras carnívoras. Cf. essa parte do versículo com Is 56.9. Dentro das fronteiras de Judá havia saques civis. Homens iníquos saqueavam outros homens. Finalmente, desgostoso com toda aquela confusão, Yahweh enviou invasores estrangeiros para punir e saquear. Cf. Ez 34.5.

Aves de rapina! Inundai este lugar com sangue.
Aves de rapina! Vinde contra ela por todos os lados.
Vós feras selvagens! Vinde para a carnificina.

Dahler

Cf. este versículo com Ap 19.17.

■ 12.10

רֹעִים רַבִּים שִׁחֲתוּ כַרְמִי בֹּסְסוּ אֶת־חֶלְקָתִי נָתְנוּ אֶת־
חֶלְקַת חֶמְדָּתִי לְמִדְבַּר שְׁמָמָה:

Muitos pastores destruíram a minha vinha, pisaram o meu quinhão. *A Quarta Figura Simbólica.* Judá seria pisado aos pés pelos exércitos invasores, como os pastores e seus rebanhos pisam a área na qual as ovelhas pastam. E a coisa específica que eles arruinaram foi a *vinha* de Yahweh, que constitui a *quinta figura*. Quanto à metáfora da vinha de Yahweh, ver Jr 2.21; 5.10; 6.3 e Is 5.1-7. Os invasores quebrariam as cercas e muretas que protegiam a vinha, e em breve pisariam a vinha toda, deixando ali um lugar desértico, e não uma plantação. "A nação de Deus, antes produtiva, se tornaria uma desolação, quando a espada do Senhor (o exército da Babilônia; vs. 12) matasse os seus habitantes" (Charles H. Dyer, *in loc.*).

Só por breve tempo foi o país possuído pelo teu santo povo; nossos adversários pisaram o teu santuário.
Isaías 53.18

Os *muitos* pastores destruidores eram os aliados dos babilônios, isto é, os arameus, os moabitas e os amonitas, conforme se depreende de 2Rs 24.2. Quanto aos "arameus", uma leve emenda pode dar em *idumeus*, que alguns críticos preferem.

■ 12.11

שָׁמָהּ לִשְׁמָמָה אָבֵלָה עָלַי שְׁמֵמָה נָשַׁמָּה כָּל־הָאָרֶץ
כִּי אֵין אִישׁ שָׂם עַל־לֵב:

Em assolação a tornaram, e a mim clama no seu abandono. A terra inteira foi reduzida a deserto, onde antes havia vinhedo frutífero. Mas os réprobos judeus vieram lamentar-se diante de Yahweh, a causa mesma daquela calamidade (vs. 7). Isso aconteceu porque nenhum homem quis arrepender-se, o que poderia ter evitado o desastre. Os que ali viviam não se importavam com a mensagem de Jeremias, que clamava por uma mudança.

O país inteiro é um deserto vazio.
Isso é assim porque nenhum dos que ali vivem se importa.
NCV

Ninguém há que tome isso a peito. "... ninguém deu atenção à ameaça de julgamento, predito pelos profetas, nem se arrependeu de pecados pelos quais foram ameaçados com tantas desolações, nem se deixaram afetar pela própria destruição. Isso expressa a estupidez do povo" (John Gill, *in loc.*).

■ 12.12

עַל־כָּל־שְׁפָיִם בַּמִּדְבָּר בָּאוּ שֹׁדְדִים כִּי חֶרֶב לַיהוָה
אֹכְלָה מִקְצֵה־אֶרֶץ וְעַד־קְצֵה הָאָרֶץ אֵין שָׁלוֹם
לְכָל־בָּשָׂר: ס

Sobre todos os altos desnudos do deserto vieram destruidores. Nenhum trecho do território de Judá permaneceu intocado pelos invasores, nem as alturas das colinas nem as planícies do deserto. Nenhum homem ficou em paz. Nenhum único habitante de Judá escapou do chicote. Foi um acontecimento temível por completo. As terras de pastagem dos lugares altos de Judá, que tinham sido tão produtivas, foram arrasadas, e nenhum fruto voltou a ser produzido ali. O povo ficou como o território: devastado. Foi a "espada do Senhor" que efetuou toda aquela devastação, porquanto os invasores eram instrumentos seus. Ver Is 13.6 quanto ao controle que Yahweh exerce sobre os acontecimentos humanos.

Se eu afiar a minha espada reluzente, e a minha mão exercitar o juízo, tomarei vingança contra os meus adversários, e retribuirei aos que me odeiam.
Deuteronômio 32.41

■ 12.13

זָרְעוּ חִטִּים וְקֹצִים קָצָרוּ נֶחְלוּ לֹא יוֹעִלוּ וּבֹשׁוּ
מִתְּבוּאֹתֵיכֶם מֵחֲרוֹן אַף־יְהוָה: ס

Semearam trigo, e segaram espinhos; cansaram-se, mas sem proveito algum. Três declarações descrevem a queda do povo de Judá:

1. Eles fizeram uma colheita amarga. Quando esperavam colher trigo por seus muitos esforços, obtiveram espinhos, pois, quando pareciam estar semeando trigo, na realidade semeavam espinhos. Ver no *Dicionário* o artigo chamado *Lei Moral da Colheita segundo a Semeadura*.
2. Judá mostrou-se enérgico na prática do mal e se cansou em empreendimentos da maldade. O povo de Judá trabalhava contra si mesmo em seus esforços de autodestruição. Eles não tiraram proveito algum de todos os seus esforços. Pelo contrário, perderam todo o bem que tinham antes.
3. Aqueles iníquos seriam envergonhados pela sua má colheita, pois isso revelaria seu verdadeiro caráter. A feroz imagem da ira de Yahweh garantiria a calamidade da colheita perversa. Seria uma colheita vergonhosa, um castigo pelos erros cometidos. Por meio daquela colheita, ficaria claro para todos o que Judá tinha semeado. Eram atividades erradas do começo ao fim.

Exílio e Restauração dos Vizinhos de Israel (12.14-17)

Estes quatro versículos foram escritos como prosa e acrescentados como suplemento à seção anterior. Os críticos chamam essa passagem de editorial, como são com frequência as passagens prosaicas. Os fortes sentimentos provocados contra Israel pela denúncia anterior são um tanto suavizados pela ideia de que aqueles que castigariam Judá não escapariam de seu próprio castigo. A justiça seria feita no tocante a todas as nações, pois só existe um Deus sobre todos os povos. Até as nações estrangeiras terão de aprender os caminhos seguidos pelo povo de Deus (vs. 16). Mas, mesmo nesse caso, o julgamento divino será remediador, e não meramente retributivo. Portanto, a passagem à nossa frente é uma ameaça-promessa que combina os dois elementos.

■ 12.14

כֹּה אָמַר יְהוָה עַל־כָּל־שְׁכֵנַי הָרָעִים הַנֹּגְעִים בַּנַּחֲלָה
אֲשֶׁר־הִנְחַלְתִּי אֶת־עַמִּי אֶת־יִשְׂרָאֵל הִנְנִי נֹתְשָׁם מֵעַל
אַדְמָתָם וְאֶת־בֵּית יְהוּדָה אֶתּוֹשׁ מִתּוֹכָם:

Assim diz o Senhor, acerca de todos os meus maus vizinhos. "Esses são os que se regozijaram na queda de Judá e o atacaram em suas fraquezas (ver 2Rs 24.2; Sl 83.6,9; 137.7). No meio de sua indignação requeimante contra os pecados de seu próprio povo, o profeta continuava a ser um patriota e mostrava-se ainda mais indignado com os pecados dos estrangeiros que tinham atacado a nação de Judá. Para eles, da mesma forma, haveria idêntico julgamento (cf. Jr 25.18-26)" (Ellicott, *in loc.*).

O mesmo Senhor que estava castigando o próprio povo é o Senhor universal que não permitirá que escapem os gentios que tiverem "tocado" em sua herança, a nação de Israel (tanto o norte quanto o sul). Pelo contrário, haveria abundância de ira contra eles, por causa de seus pecados. E eles seriam "arrancados" de seus respectivos territórios, tal como Judá foi expelido de sua terra. Finalmente, porém, haveria outro "exílio", ou seja, a remoção de Judá da Babilônia, com a subsequente restauração da Terra Prometida. Este versículo enfatiza um dos principais temas dos profetas: Yahweh é o poder que controla o destino das nações. Cf. At 17.26 e ver as notas expositivas sobre Is 13.6. Os elementos dispersos de Judá serão restaurados (ver Jr 31.7-11; Ez 37.1-14). A figura representa uma planta ou árvore que foi desarraigada para ser transplantada em algum outro lugar. Ver Zc 2.8, quanto à ira de Deus que ferirá aqueles que prejudicarem a sua herança.

■ 12.15

וְהָיָה אַחֲרֵי נָתְשִׁי אוֹתָם אָשׁוּב וְרִחַמְתִּים וַהֲשִׁבֹתִים
אִישׁ לְנַחֲלָתוֹ וְאִישׁ לְאַרְצוֹ:

E será que, depois de os haver arrancado, tornarei a compadecer-me deles. Quanto à restauração de nações estrangeiras, cf. Jr 48.17 (Moabe) e Jr 49.6 (Amom). Em tudo isso há certa medida da graça de Deus, que opera em favor daqueles que aprenderem a lição sobre o arrependimento e se achegam a Yahweh. Temos aqui uma profecia sobre a salvação das nações, o que muito provavelmente aponta para a era do reino de Deus, quando essa ideia se tornará uma realidade. O pacto abraâmico prometia que todos os povos seriam abençoados através de Israel, pelo que nesta predição temos uma "promessa do pacto". Cf. Am 9.14.

■ 12.16

וְהָיָה אִם־לָמֹד יִלְמְדוּ אֶת־דַּרְכֵי עַמִּי לְהִשָּׁבֵעַ בִּשְׁמִי
חַי־יְהוָה כַּאֲשֶׁר לִמְּדוּ אֶת־עַמִּי לְהִשָּׁבֵעַ בַּבָּעַל וְנִבְנוּ
בְּתוֹךְ עַמִּי׃

Se diligentemente aprenderem os caminhos do meu povo, jurando pelo meu nome... A restauração de povos estrangeiros é condicionada à lealdade ao yahwismo, isto é, a aprender os caminhos do povo em aliança com Deus. As pessoas que assim fizerem haverão de jurar pelo nome de Yahweh, pronunciando as palavras "Como vive o Senhor" quando tomarem votos e realizarem cultos religiosos. Ver no *Dicionário* o artigo chamado *Nome,* e ver também Sl 31.3. Quanto a *nome santo,* ver Sl 30.4 e 33.21. O nome de Deus representa sua natureza essencial, as qualidades e os atributos da Pessoa de Deus, ao passo que jurar por Yahweh significava prestar lealdade a ele e confiar em sua graça e poder para todas as necessidades da vida. Cf. Jr 4.2; Is 19.18 e 55.16. Por meio de sua *nova fé,* os povos pagãos anulariam sua antiga lealdade a Baal e a outros deuses de nada, aos quais antes juraram e prestaram lealdade. Nos tempos antigos, esses povos ensinaram Israel a seguir a idolatria deles, mas agora aprenderão *de Israel* a seguir seu *yahwismo.* E assim terá cumprimento o que foi predito:

A terra se encherá do conhecimento do Senhor como as águas cobrem o mar.

Isaías 11.9

■ 12.17

וְאִם לֹא יִשְׁמָעוּ וְנָתַשְׁתִּי אֶת־הַגּוֹי הַהוּא נָתוֹשׁ וְאַבֵּד
נְאֻם־יְהוָה׃ ס

Mas, se não quiserem ouvir, arrancarei tal nação. A provisão seria realizada, e a promessa era firme. Mas as nações que se recusassem a ouvir o convite universal terminariam julgadas e arrancadas para nunca mais serem plantadas de novo. O arrancar da árvore teria o propósito de entregá-la às chamas. Tais nações perderiam seus territórios, que seriam dados a outros povos. Cf. Zc 14.9,16-19. Este versículo é um comentário sobre Jr 1.10, onde encontramos a mesma ideia. Ver também Is 60.12. Alguns enxergam aqui o ministério da igreja durante a atual era do evangelho, mas não é esse o assunto do texto, embora tal trabalho fosse uma preparação para esse empreendimento. Alem disso, o arrancar total significava o destino das nações da terra, e não uma punição das almas no pós-vida. Cf. Is 66.24.

CAPÍTULO TREZE

PARÁBOLAS E ADVERTÊNCIAS (13.1-27)

Encontramos aqui *cinco passagens* que são unidades separadas e autocontidas, através das quais não aparece nenhum tema comum. Essas passagens são: vss. 1-11 (a parábola do cinto de linho); vss. 12-14 (a parábola da jarra cheia); vss. 15-17 (advertência contra o orgulho); vss. 18,19 (lamento sobre o rei e a rainha-mãe); vss. 20-27 (a vergonha de Jerusalém).

"O povo não reagia favoravelmente à mensagem de Jeremias, fazendo que Deus o levasse a realizar um ato simbólico para chamar sua atenção (vss. 1-11). O profeta também começou a usar parábolas para obter o interesse do povo (vss. 12-14). Esses meios incomuns de comunicação tinham por desígnio despertar a curiosidade e o interesse de uma audiência que não dava atenção ao profeta. Mais tarde, foi ordenado a Ezequiel usar técnicas similares em seu ministério na Babilônia (cf. Ez 4.1—5.4)" (Charles H. Dyer, *in loc.*).

A Parábola do Cinto de Linho (13.1-11)

Temos aqui uma parábola, e não uma descrição dos atos físicos do profeta. Como é óbvio, Jeremias não fez duas viagens ao distante rio Eufrates. O rio Eufrates ficava a cerca de 650 km de distância. Foram necessários quatro meses para Esdras viajar da Babilônia a Jerusalém (ver Ed 7.9). Judá corrompeu-se por suas alianças políticas e religiosas com a Babilônia. Ver Jr 2.18. Menos provável é a noção de que Judá estivesse corrompido por sua permanência na Babilônia, nos setenta anos de exílio que ali passou, e essa corrupção foi ilustrada pelo profeta mediante sua parábola do cinto de linho. Judá era o cinto estragado, e seu orgulho seria reduzido à vergonha.

"Usando a figura do cinto de linho (vs. 11, cf. Êx 19.6 e Lv 16.4), que fora enterrado nas margens úmidas do rio Eufrates (vs. 7), Jeremias ilustrou o efeito corruptor das normas políticas de Jeoaquim em favor da Babilônia (ver Jr 2.18), bem como o sincretismo religioso acompanhante de Judá (2Rs 24.1-7)" (*Oxford Annotated Bible,* na introdução a este capítulo). Pode haver uma alusão ao cativeiro futuro de Judá ali, que puniria o povo judeu por causa de sua apostasia.

■ 13.1

כֹּה־אָמַר יְהוָה אֵלַי הָלוֹךְ וְקָנִיתָ לְּךָ אֵזוֹר פִּשְׁתִּים
וְשַׂמְתּוֹ עַל־מָתְנֶיךָ וּבַמַּיִם לֹא תְבִאֵהוּ׃

Assim me disse o Senhor: Vai, compra um cinto de linho. A Jeremias foi dado um oráculo, e o doador foi Yahweh. Jeremias deveria comprar um cinto de linho e usá-lo em torno da cintura. O cinto não deveria ser mergulhado na água, pois poderia estragar-se. Um cinto de linho fazia parte das vestes sacerdotais de Jeremias (ver Êx 28.40; Lv 16.4). Isso é expressivo para a interpretação da parábola. "Israel, representado como o cinto de Yahweh, fora escolhido para usos consagrados" (Ellicott, *in loc.*). A parábola, entretanto, demonstra que a confiança que o Senhor depositara em Judá fora violada, pelo que o cinto apodreceu e tornou-se inútil para o ofício sacerdotal. O cinto era uma espécie de faixa usada em torno da cintura (ver 2Rs 1.8; Is 5.27). O cinto sacerdotal era feito de tecido de linho. Cf. o cinto de couro de animal de Elias (ver 2Rs 1.8). Ver também Is 5.27 e 11.5. Ver no *Dicionário* o artigo denominado *Cinto.*

Mas não o metas na água. O procedimento normal era que o sacerdote lavasse suas vestes, incluindo o cinto, com frequência. Talvez o cinto que não fosse lavado representasse a imundícia moral do povo, que não havia sido purificado por nenhum meio espiritual, ou seja, pela água limpa do arrependimento (ver Ez 6.26). Ou, então, nenhuma água deveria ser aplicada ao cinto de Jeremias, para que não o estragasse.

■ 13.2,3

וָאֶקְנֶה אֶת־הָאֵזוֹר כִּדְבַר יְהוָה וָאָשִׂם עַל־מָתְנָי׃ ס
וַיְהִי דְבַר־יְהוָה אֵלַי שֵׁנִית לֵאמֹר׃

Comprei o cinto, segundo a palavra do Senhor. Obedecendo às ordens de Yahweh, Jeremias obteve (talvez tenha comprado) seu cinto novo. Ele colocou o cinco no lugar e, sem dúvida, o usou por algum tempo. Então, veio a palavra do Senhor pela segunda vez (vs. 3), dando ao profeta ordens para o passo seguinte. O cinto tinha-se tornado parte regular das vestes sacerdotais devido ao seu uso, por algum tempo. Assim, também Judá, por longo tempo, tinha sido o povo santo e sacerdotal de Deus, seu veículo escolhido de expressão no mundo. Jeremias cumpria cada detalhe das instruções recebidas na visão celestial.

■ 13.4

קַח אֶת־הָאֵזוֹר אֲשֶׁר קָנִיתָ אֲשֶׁר עַל־מָתְנֶיךָ וְקוּם לֵךְ
פְּרָתָה וְטָמְנֵהוּ שָׁם בִּנְקִיק הַסָּלַע׃

Toma o cinto que compraste e que tens sobre os lombos. O *cinto de linho* seria usado como lição objetiva. Colocá-lo em um buraco, às margens do rio Eufrates, sujeitaria o cinto à umidade do rio, fazendo que ele em pouco tempo se estragasse. Quanto à razão pela qual foi escolhida certa área às margens do rio Eufrates, ver a introdução à seção no vs. 1. Devemos talvez pensar que, se Jeremias foi realmente àquele lugar, a cerca de 650 km de distância, deve ter passado vários meses viajando. Na verdade, estamos defronte de uma parábola aqui.

Alguns estudiosos dizem que está em vista a vila de Pará, e não o Eufrates (pois essa vila era usualmente traduzida como "Eufrates"). Tal aldeia ficava a apenas cerca de 5 km a nordeste de Anatote. No hebraico, soletram-se da mesma maneira as palavras "Parah" e "Eufrates". Portanto, a possibilidade da identificação de Pará com o Eufrates realmente existe. Ver Js 18.23 quanto à vila em foco. Modernamente é a Khribet el-Farah. A maioria dos eruditos, entretanto, rejeita a tradução alternativa porque, em outros lugares, a palavra hebraica *perath* sempre se refere ao rio Eufrates. Judá estava apodrecido e para nada mais prestava, e o cinto de linho, tendo assumido essa condição, era uma boa lição objetiva (ver o vs. 7). "Isso significa o transporte, para a Babilônia, cidade atravessada pelo rio Eufrates, dos cativos judeus, bem como o estado de miséria em que estes se encontrariam. Todo o orgulho e a glória de Judá seriam estragados, o que é declarado ato contínuo" (John Gill, *in loc.*).

■ 13.5

וָאֵלֵ֗ךְ וָאֶטְמְנֵ֙הוּ֙ בִּפְרָ֔ת כַּאֲשֶׁ֛ר צִוָּ֥ה יְהוָ֖ה אוֹתִֽי׃

Fui, e escondi-o junto ao Eufrates, como o Senhor me havia ordenado. Jeremias, ainda em atitude e atos de obediência, fez o que lhe fora ordenado, às margens do rio Eufrates, e ocultou nas proximidades do rio o cinto de linho. Cf. o vs. 2, em seu primeiro ato de obediência. "Tudo isso parece ter sido feito não na realidade, mas apenas em visões... tal como Ezequiel fizera nas visões de Deus da Caldeia para Jerusalém, e de Jerusalém de volta à Caldeia (ver Ez 8.3 e 11.24)" (John Gill, *in loc.*). Foi assim que Maimônides (*Moreh Nevochim*, parte 2, cap. 46, parte 323) explicou a questão. Kimchi disse que isso foi feito em "uma visão de profecia".

■ 13.6

וַיְהִ֗י מִקֵּ֛ץ יָמִ֥ים רַבִּ֖ים וַיֹּ֣אמֶר יְהוָ֣ה אֵלַ֗י ק֚וּם לֵ֣ךְ פְּרָ֔תָה וְקַ֥ח מִשָּׁ֛ם אֶת־הָאֵז֖וֹר אֲשֶׁ֥ר צִוִּיתִ֖יךָ לְטָמְנוֹ־ שָֽׁם׃

Passados muitos dias, disse-me o Senhor: Dispõe-te, vai ao Eufrates. O drama do cinto de linho continuou, com a nova ordem para Jeremias ir tirá-lo do buraco, onde o havia escondido. Assim, em outra visão, Jeremias viajou até o rio Eufrates, em obediência às ordens de Yahweh. O período em que o cinto permaneceu no buraco foi suficiente para que se estragasse completamente, tal como Judá foi totalmente corrompido por seu culto idólatra aos moldes estrangeiros. Ellicott apresentou a fantasia de que o intervalo de tempo entre as duas viagens de Jeremias foi de setenta dias, para corresponder aos setenta anos em que Judá estaria em cativeiro, mas não há como confirmar tal especulação. Cf. Os 3.3. Ver Jr 25.11,12, quanto ao período que Judá passou no cativeiro babilônico.

■ 13.7

וָאֵלֵ֣ךְ פְּרָ֗תָה וָאֶחְפֹּר֙ וָֽאֶקַּח֙ אֶת־הָ֣אֵז֔וֹר מִן־הַמָּק֖וֹם אֲשֶׁר־טְמַנְתִּ֣יו שָׁ֑מָּה וְהִנֵּ֛ה נִשְׁחַ֥ת הָאֵז֖וֹר לֹ֥א יִצְלַ֥ח לַכֹּֽל׃ פ

Fui ao Eufrates, cavei, e tomei o cinto do lugar onde o escondera. Em sua mente visionária, o profeta foi novamente à beira do rio Eufrates e encontrou o cinto de linho que tinha escondido ali há tanto tempo. Jeremias retirou o cinto do buraco, e eis que estava podre, estragado! Isso simboliza o fato de que Judá já estava apodrecido devido à sua participação em todos os tipos de idolatria, e ficaria ainda mais arruinado pelos julgamentos do Senhor. O vs. 9 deste capítulo fornece a aplicação e a interpretação de Yahweh da parábola do cinto de linho. "O cinto, manchado, decadente, sem valor, serviu de parábola quanto ao estado de Judá após o exílio, desnudado de toda a sua grandeza externa, tendo perdido o lugar que antes havia ocupado entre as nações" (Ellicott, *in loc.*). "Estava podre. Não era bom para coisa alguma" (NCV).

■ 13.8

וַיְהִ֥י דְבַר־יְהוָ֖ה אֵלַ֥י לֵאמֹֽר׃

Então me veio a palavra do Senhor. Então veio a "palavra de Yahweh", para explicar a Jeremias o que significava a parábola do cinto de linho. Algumas vezes, somente as revelações divinas são suficientes para podermos compreender as questões espirituais. Outra lição que devemos aprender é que a graça divina provê os meios para alcançarmos entendimento. Os homens não permanecem sem um testemunho, conforme as Escrituras algumas vezes demonstram. E também há o testemunho da consciência, à luz da natureza. Até mesmo as ciências e a filosofia (e também as religiões não cristãs) nos dão um inesperado e valioso discernimento quanto às operações de Deus. Em outras palavras, o *Logos* dispõe de muitos meios de comunicação, e fazemos bem em prestar atenção a todos eles. Os *logoi spermatikoi*, ou seja, as "sementes do Logos", estão por toda a parte. Ver no *Dicionário* o verbete chamado *Rationes Seminales*, frase latina que corresponde àquela expressão grega.

A Interpretação (13.9-11)

■ 13.9

כֹּ֚ה אָמַ֣ר יְהוָ֔ה כָּ֠כָה אַשְׁחִ֞ית אֶת־גְּא֧וֹן יְהוּדָ֛ה וְאֶת־ גְּא֥וֹן יְרוּשָׁלַ֖͏ִם הָרָֽב׃

Deste modo farei também apodrecer a soberba de Judá. O próprio Yahweh dá a interpretação da parábola. "Era uma mensagem de julgamento do povo ímpio que se recusava a ouvir as palavras de Deus. O cinto representava Israel e Judá (vs. 11). Enquanto esteve na cintura do profeta, ocupou uma posição de renome, louvor e honra. Entretanto, quando foi removido de sua cintura e enterrado, tornou-se completamente *inútil*. Assim sendo, Israel e Judá arruinaram-se ao se afastarem de seu Deus e servirem os deuses falsos" (Charles H. Dyer, *in loc.*). O cinto desgastado e podre simbolizava a glória da comunidade de Israel. Ver Êx 28.40 e Lv 26.19.

"... glória ou *excelência*, aquilo que os judeus se gloriavam; o templo deles foi destruído pelos caldeus; o rei, os príncipes e os nobres da nação de Judá foram levados para a Babilônia, perto do rio Eufrates, e desnudados de toda a sua grandeza, honra e glória. Assim diz o Targum: 'Corromperei a força dos homens de Judá e a força dos habitantes de Jerusalém'. E assim diz a versão siríaca: 'Arruinarei os orgulhosos e altivos homens de Judá, e os muito altivos homens de Jerusalém'" (John Gill, *in loc.*).

■ 13.10

הָעָם֩ הַזֶּ֨ה הָרָ֜ע הַֽמֵּאֲנִ֣ים ׀ לִשְׁמ֣וֹעַ אֶת־דְּבָרַ֗י הַהֹֽלְכִים֙ בִּשְׁרִר֣וּת לִבָּ֔ם וַיֵּלְכ֗וּ אַחֲרֵי֙ אֱלֹהִ֣ים אֲחֵרִ֔ים לְעָבְדָ֖ם וּלְהִשְׁתַּחֲוֺ֣ת לָהֶ֑ם וִיהִי֙ כָּאֵז֣וֹר הַזֶּ֔ה אֲשֶׁ֥ר לֹא־יִצְלַ֖ח לַכֹּֽל׃

Este povo maligno, que se recusa a ouvir as minhas palavras. A principal causa da ruína de Judá foi a *idolatria-adultério-apostasia* desse povo, que teimosamente se recusava a ouvir e obedecer às palavras de Yahweh, mas com tanta sofreguidão ouvia e seguia as vozes dos deuses de nada; eles entregavam o coração ao paganismo e adoravam os deuses da fertilidade e da natureza que dominavam os povos vizinhos. Eles tinham sido moral e espiritualmente *arruinados* por essas práticas. Quanto a uma ilustração sobre isso, ver Jr 3.13. Eles eram como uma esposa infiel que se entregara ao adultério (ver Jr 3.1,2,13,14). Ver no *Dicionário* o artigo geral chamado *Idolatria*. A idolatria dos judeus os havia arruinado, e assim Yahweh completou a tarefa destruindo-os como nação, por meio do cativeiro babilônico. Eles se reduziram a uma concha vazia, com seus pecados rebeldes, pelo que também Yahweh completou a tarefa despedaçando a concha. Israel-Judá tinha sido o tesouro peculiar de Yahweh (ver Êx 19.5), mas a idolatria tornou-os indignos diante deles mesmos e de Deus. Cf. este versículo com Jr 7.4 e 9.14.

■ 13.11

כִּ֡י כַּאֲשֶׁר֩ יִדְבַּ֨ק הָאֵז֜וֹר אֶל־מָתְנֵי־אִ֗ישׁ כֵּ֣ן הִדְבַּ֣קְתִּי אֵ֠לַי אֶת־כָּל־בֵּ֨ית יִשְׂרָאֵ֜ל וְאֶת־כָּל־בֵּ֤ית יְהוּדָה֙ נְאֻם־ יְהוָ֔ה לִֽהְי֥וֹת לִי֙ לְעָ֔ם וּלְשֵׁ֥ם וְלִתְהִלָּ֖ה וּלְתִפְאָ֑רֶת וְלֹ֖א שָׁמֵֽעוּ׃

Porque, como o cinto se apega aos lombos do homem, assim eu fiz apegar-se a mim toda a casa de Israel. O cinto, enquanto esteve firmado na cintura do profeta, representou o tempo durante o qual a casa de Israel e a casa de Judá se apegaram a Yahweh, aos seus ensinos e ao seu culto. Em outras palavras, houve um *tempo de fidelidade* e prosperidade espiritual. Houve um tempo em que eles eram o povo de Deus, quando caminhavam corretamente à sombra do seu nome, pelo que também tinham um grande nome louvado e glorioso entre os homens. Mas, ao deixarem de ouvir a palavra de Deus, a lei mosaica, que era a base do pacto, a relação inteira deles com o Senhor se arruinou. Foi a ocasião em que tiraram o cinto e se vestiram do paganismo. Note o leitor como o tempo da fidelidade correspondeu ao tempo da *unidade nacional,* em que as duas casas faziam parte de uma mesma nação. As duas casas, juntas, tinham sido o cinto de Yahweh.

O Senhor hoje te fez dizer que lhe serás por povo seu próprio, como te disse, e que guardarás todos os seus mandamentos. Para assim te exaltar em louvor, renome e glória, sobre todas as nações que fez, e para que sejas povo santo ao Senhor teu Deus, como tem dito.

Deuteronômio 26.18,19

Ver sobre *Pacto Mosaico* na introdução a Êx 19.

A Parábola do Jarro (13.12-14)

■ 13.12-14

וְאָמַרְתָּ אֲלֵיהֶם אֶת־הַדָּבָר הַזֶּה ס כֹּה־אָמַר יְהוָה אֱלֹהֵי יִשְׂרָאֵל כָּל־נֵבֶל יִמָּלֵא יָיִן וְאָמְרוּ אֵלֶיךָ הֲיָדֹעַ לֹא נֵדַע כִּי כָל־נֵבֶל יִמָּלֵא יָיִן:

וְאָמַרְתָּ אֲלֵיהֶם כֹּה־אָמַר יְהוָה הִנְנִי מְמַלֵּא אֶת־כָּל־יֹשְׁבֵי הָאָרֶץ הַזֹּאת וְאֶת־הַמְּלָכִים הַיֹּשְׁבִים לְדָוִד עַל־כִּסְאוֹ וְאֶת־הַכֹּהֲנִים וְאֶת־הַנְּבִיאִים וְאֵת כָּל־יֹשְׁבֵי יְרוּשָׁלִָם שִׁכָּרוֹן:

וְנִפַּצְתִּים אִישׁ אֶל־אָחִיו וְהָאָבוֹת וְהַבָּנִים יַחְדָּו נְאֻם־יְהוָה לֹא־אֶחְמוֹל וְלֹא־אָחוּס וְלֹא אֲרַחֵם מֵהַשְׁחִיתָם: ס

Pelo que dize-lhes esta palavra: ... Todo jarro se encherá de vinho. O profeta Jeremias empregou uma circunstância bastante banal para apresentar uma parábola importante. Garrafas de vinho são o tesouro dos beberrões. E, quando uma dessas garrafas se quebra, representa uma tragédia. O deleite dos bêbados é beber até embriagar-se. Eles amam o processo de beber, beber e beber, e apreciam muito estar bêbados. O *resultado,* porém, é amargo e repelente, com toda aquela náusea e vômito, mas o beberrão suporta tudo, porque para ele vale a pena aquele aprazimento inicial. O profeta fez o *alcoolismo* simbolizar o *julgamento divino,* no qual nenhum indivíduo encontra prazer.

Uma nova parábola transmitiu a mesma mensagem. Jeremias a comunicou de bom grado. A palavra de Yahweh continuou a ser conferida ao profeta, comunicando coisas importantes a Judá. Jeremias cumpriu o seu dever, continuando a sua prédica. Ele teve uma audiência relutante, que contudo foi forçada a ouvir o que ele tinha para dizer. O julgamento divino estava chegando; e eles não tinham nenhuma desculpa, pois muitas e claras mensagens lhes haviam sido transmitidas. Note o leitor o título divino aqui: *Yahweh-Elohim,* O Deus Eterno e Todo-poderoso. Esse Deus é o Deus de Israel, por criação e aliança firmada, o que significa que Deus tinha o direito de exigir obediência da parte de seu povo. Ver no *Dicionário* o artigo chamado *Deus, Nomes Bíblicos de.*

Jarro. No hebraico, *nebhel,* um jarro grande de guardar coisas, feito de cerâmica ou pele de animais, usado para guardar azeite, grãos ou vinho. Os arqueólogos têm descoberto jarros de muitos tamanhos, os maiores com capacidade de cerca de 38 l, medindo cerca de 64 cm de altura e 40 cm de diâmetro. A mesma palavra hebraica era usada para indicar os vasilhames menores, feitos de pele de animais; quanto a esses odres, ver 1Sm 10.3 e Lc 5.37. Quanto aos jarros feitos de cerâmica, ver Jr 48.12 e Lm 4.2. Visto que nos é dito que os jarros seriam quebrados, provavelmente devemos compreender que estão em pauta aqui as jarras de cerâmica (ver o vs. 14).

A parábola em foco requer que todos os jarros estivessem cheios de vinho. O profeta disse ao povo que todos os jarros estariam cheios de vinho, uma declaração óbvia e banal; e foi por isso que eles responderam: "Não sabemos nós muito bem que todo jarro se encherá de vinho?" Mas dessa banalidade o profeta retirou importante lição.

Eis que eu encherei de embriaguez a todos os habitantes desta terra. Assim como os jarros seriam todos cheios de vinho, todos os habitantes de Jerusalém, desde o mais importante até o mais humilde, os reis, os profetas, os sacerdotes e todo o povo comum, seriam "cheios" de *embriaguez.* E essa embriaguez seria o *julgamento de Deus.* Cf. Is 49.26; 63.6; Jr 25.15-25 e 51.7,39. O vinho representava a *ira de Deus.* Além dos versículos que já foram dados, ver Sl 75.8; Is 19.14,15 e Ap 16.19.

Aos reis. O plural "reis" provavelmente indica os *quatro* reis que reinariam nos tempos da pior crise, durante o cativeiro babilônico, a saber, Jeoacaz, Jeoaquim, Joaquim e Zedequias. Todos eles estiveram envolvidos nos sofrimentos do povo de Judá, incluindo a matança efetuada pelo exército da Babilônia e o subsequente cativeiro do remanescente de Judá.

Fá-los-ei em pedaços, atirando uns contra os outros, assim os pais como os filhos. *Aqueles réprobos,* todos repletos de vinho, todos bêbados em sua idolatria, sofreriam a ira de Deus, simbolizada pela bebedeira. Os jarros seriam atirados uns contra os outros e assim se quebrariam e seriam reduzidos a nada. Assim como o enchimento dos jarros foi universal (todos eles foram cheios), também seria universal o despedaçamento dos jarros. Nenhum pai e nenhum filho seria poupado. Yahweh não teria contemplação alguma, naquela hora crítica. Deus não poupou a ninguém. Todos seriam destruídos. Cf. Jr 25.15,16 e Ez 23.31.

Com vara de ferro as regerás, e as despedaçarás como um vaso de oleiro.

Salmo 2.9

Cf. também com Ap 2.27.

Judá, que confiara em Yahweh no passado, seria destruído por ele porque essa confiança caíra em desuso. Antes poderosos e ricos, aqueles réprobos se tornariam ridículos aos olhos das nações (ver Jr 13.26). Isso concorda com uma antiga declaração latina:

Quos Deus vult perdere, prius dementat.
    Aqueles que Deus resolve destruir,
        primeiramente ele os torna tolos.

Advertência contra o Orgulho (13.15-17)

■ 13.15

שִׁמְעוּ וְהַאֲזִינוּ אַל־תִּגְבָּהוּ כִּי יְהוָה דִּבֵּר:

Ouvi, e atentai: não vos ensoberbeçais; porque o Senhor falou. Encontramos aqui um poema geral de data incerta, mas o vs. 17 quase certamente fala do cativeiro babilônico. Continuamos dentro do contexto da ameaça babilônica. O profeta exortou fortemente os judeus a anular sua arrogância, que não lhes permitia ouvir a mensagem divina e os levaria inevitavelmente à destruição.

A soberba precede a ruína, e a altivez do espírito, a queda.

Provérbios 16.18

Com relação ao contraste da humildade com o orgulho, ver as notas expositivas em Pv 11.2 e 13.10. Ver também *olhos altivos,* em Pv 14.3. Cf. Pv 14.3; 15.25; 16.5,18; 18.12; 21.4 e 30.12,32.

Estes versículos avisam sobre a ameaça do pecado e seus inevitáveis resultados. As trevas do julgamento sobreviriam a um povo arrogante. Essa palavra era certa, por ser a palavra de Yahweh. O povo de Judá deveria ouvir e obedecer à sua palavra, deixando de lado o seu orgulho, que lhes estava promovendo a autodestruição. Cf. o convite para ouvir, no vs. 17 e em Sl 10.4. Ver também Sl 64.1, onde há uma nota de sumário sobre a *audição* espiritual. "É inútil opor-se a ele, porque o seu conselho permanecerá de pé. Ele fará tudo quanto lhe aprouver. Nenhuma pessoa jamais se endureceu contra a sua Palavra e mesmo assim prosperou" (John Gill, *in loc.*).

■ **13.16**

תְּנוּ לַיהוָה אֱלֹהֵיכֶם כָּבוֹד בְּטֶרֶם יַחְשִׁךְ וּבְטֶרֶם יִתְנַגְּפוּ רַגְלֵיכֶם עַל־הָרֵי נָשֶׁף וְקִוִּיתֶם לְאוֹר וְשָׂמָהּ לְצַלְמָוֶת יָשִׁית לַעֲרָפֶל׃

Dai glória ao Senhor vosso Deus, antes que ele faça vir as trevas. Judá ainda tinha tempo para dar a glória apropriada a Yahweh-Elohim e interromper sua autoglorificação, cuja arrogância o levou a agir. Se a glória apropriada não fosse traduzida, então as *trevas* (julgamento) em breve seriam infligidas sobre o povo. Trevas e nuvens escuras com frequência pintam uma condenação iminente. Ver Ez 30.3,18; 32.7,8; 34.12; Jl 2.2; Am 5.18-20; Sf 1.15.

Tropecem vossos pés nos montes tenebrosos. A figura é a de viajantes que atravessam regiões montanhosas perigosas, e por causa disso caem no escuro inconsciente de um abismo fatal. Cf. Is 59.9,10. O viajante, que deveria ter parado antes de o sol se pôr atrás do horizonte, tentaria avançar mais um pouco. A *queda da noite* intervém em sua loucura. Ele cai no abismo e esse é o fim da história. Assim sendo, os *julgamentos* de Deus estavam prestes a intervir em Judá e a noite escura da alma seria contra aquele povo.

> *Por isso está longe de nós o juízo, e a justiça não nos alcança; esperamos pela luz, e eis que há só trevas; pelo resplendor, mas andamos na escuridão.*
>
> Isaías 59.9

■ **13.17**

וְאִם לֹא תִשְׁמָעוּהָ בְּמִסְתָּרִים תִּבְכֶּה־נַפְשִׁי מִפְּנֵי גֵוָה וְדָמֹעַ תִּדְמַע וְתֵרַד עֵינִי דִּמְעָה כִּי נִשְׁבָּה עֵדֶר יְהוָה׃ ס

Mas, se isto não ouvirdes, a minha alma chorará em segredo, por causa da vossa soberba. Jeremias antecipou que o povo de Israel continuaria rejeitando seus apelos em favor do arrependimento, pelo que caiu no choro. O caso era insolúvel. O chamado para ouvir e obedecer (vs. 15) caía sempre em ouvidos surdos e corações endurecidos. O orgulho e a arrogância ganhariam o dia. Não haveria nenhuma mudança. O povo de Judá estava prestes a cair no abismo fatal, nos montes (vs. 16). Por isso o profeta caiu em *amargo choro*, e as lágrimas lhe escorriam pelo rosto. O rebanho do Pastor divino em breve seria levado para o cativeiro, onde sofreria abusos numa terra estrangeira. Ver no *Dicionário* o verbete chamado *Cativeiro Babilônico*. Cf. a experiência de Paulo:

> *Pois muitos andam entre nós, dos quais repetidas vezes eu vos dizia e agora vos digo, até chorando, que são inimigos da cruz de Cristo.*
>
> Filipenses 3.18

"As palavras de Jeremias merecem ser notadas dentro de sua estranha ternura, como uma das características do temperamento do profeta. Cf. Lm 1.16. A passagem nos faz lembrar Lc 19.41. Coisa alguma restava para quem achava seus labores infrutíferos senão, exclusivamente, tristeza e intercessão" (Ellicott, *in loc.*). Ver também Jr 14.17.

Lamento sobre o Rei e a Rainha-mãe (13.18,19)

■ **13.18**

אֱמֹר לַמֶּלֶךְ וְלַגְּבִירָה הַשְׁפִּילוּ שֵׁבוּ כִּי יָרַד מַרְאֲשׁוֹתֵיכֶם עֲטֶרֶת תִּפְאַרְתְּכֶם׃

Dize ao rei e à rainha-mãe: Humilhai-vos, assentai-vos no chão. O *rei* aqui referido provavelmente é Joaquim, e a *rainha-mãe* é Neusta. Ele era filho de Jeoaquim, que foi morto durante o primeiro cerco de Jerusalém por parte do exército babilônico. Houve vários assédios da cidade, como se fossem as ondas de um mar agitado. Quando o rei foi morto, seu filho, Joaquim, tomou seu lugar. Ele tinha apenas 18 anos de idade, e sua mãe provavelmente era o real poder por trás do trono. Joaquim permaneceu no trono apenas por três meses. Jerusalém se renderia em 597 a.C. O rei foi levado para o exílio, juntamente com alguns poucos sobreviventes. Quanto ao registro histórico, ver 2Rs 24.6-17 e cf. Jr 22.24-30 e 29.2.

O rei e a rainha-mãe, embora tão recentemente tenham perdido o pai e o marido para os brutais invasores da Babilônia, retiveram sua tola arrogância. "Jeremias exortou que eles se humilhassem em vista do vindouro exílio. Uma vez que os judeus entraram no cativeiro em 597 a.C., após um reinado de apenas três meses (2Rs 24.8), esta profecia deve ter sido registrada durante aquele período de três meses" (Charles H. Dyer, *in loc.*). O profeta Jeremias viu a coroa cair da cabeça do rei. O original hebraico do trecho é um tanto obscuro, e é melhor ficarmos com a versão siríaca, à qual a Septuaginta e a Vulgata Latina são similares.

■ **13.19**

עָרֵי הַנֶּגֶב סֻגְּרוּ וְאֵין פֹּתֵחַ הָגְלָת יְהוּדָה כֻּלָּהּ הָגְלָת שְׁלוֹמִים׃ ס

As cidades do sul estão fechadas, e ninguém há que as abra. Devemos entender por este versículo que a primeira invasão babilônica, de 599-598 a.C., produziu a captura das cidades do Neguebe, ou seja, da parte sul de Judá. Essas cidades e aldeias tiveram de se defender, fechando seus portões na fútil tentativa de impedir a entrada do adversário. Nenhuma ajuda chegou da parte de Jerusalém. Esse lugar já tinha suas próprias dificuldades. Mas alguns estudiosos pensam que o fechamento dos portões das cidades do Neguebe foi ato dos babilônios. Eles teriam *bloqueado* aquelas cidades para impedir que enviassem ajuda a Jerusalém, que era o alvo principal de seu ataque. Ver 2Rs 18.13.

Tendo realizado seus propósitos no sul de Jerusalém, os invasores moveram-se contra Jerusalém com idêntico êxito. Houve tremenda matança, e os poucos sobreviventes foram enviados ao exílio na Babilônia. Mas até mesmo na Babilônia a espada os seguiu. E assim continuou a matança. Ver Jr 9.16. Yahweh foi o *causador* desse acontecimento, porquanto um julgamento devastador precisava ser efetuado. Aquele era o dia da ira de Deus. Judá, em sua idolatria-adultério-apostasia, estava fora do alcance da redenção. Uma minúscula quantidade de prata seria refinada dentre a escória geral, para que houvesse um novo dia para um novo Israel, começando tudo de novo.

É provável que devamos compreender que as cidades do norte de Judá já tinham sido conquistadas. A invasão, pois, dirigiu-se ao sul, e, mais tarde, à própria capital, Jerusalém. Jeremias fala aqui sobre o *sul*, como se essa região de Judá tivesse sido invadida primeiramente pelos babilônios, porque foi a área que caiu pouco antes de Jerusalém, o principal alvo das descrições do profeta.

Os habitantes de Judá sofreram várias ondas de deportações. Uma delas veio nos dias de Jeoaquim, e outra nos dias de Zedequias. Para detalhes, ver no *Dicionário* o artigo chamado *Cativeiro Babilônico*.

A Vergonha de Jerusalém (13.20-27)

■ **13.20**

שְׂאִי עֵינֵיכֶם וּרְאִי הַבָּאִים מִצָּפוֹן אַיֵּה הָעֵדֶר נִתַּן־לָךְ צֹאן תִּפְאַרְתֵּךְ׃

Levantai os olhos, e vede os que vêm do norte. Jerusalém foi personificada como uma pastora que havia abandonado seu rebanho, um ato de covardia e desvario. Ela seria desonrada por aqueles a quem conhecera previamente como amigos. Desde o tempo do reinado de Ezequias, Judá tinha tentado manter relacionamentos amigáveis com os babilônios (2Rs 20.12-19), o terror do norte, que finalmente poria fim a toda aquela farsa. Joaquim pagou tributo a Nabucodonosor (2Rs 20.1). "Usando uma símile bíblica comum para o julgamento, a exposição de uma mulher (ver Is 47.2), Jeremias descreveu a violência sexual contra Jerusalém, que já se aproximava (ver os vss. 22-26)" (*Oxford Annotated Bible,* comentando sobre este versículo).

Jerusalém, a capital da nação de Judá, era a protetora natural do resto do país. No entanto, como pastora, falhou em guardar a sua confiança. O rebanho do país, incluindo os habitantes da própria de

Jerusalém, estava destinado a ser violentado pelos babilônios, por causa de sua idolatria-adultério-apostasia.

A indefesa mulher, Jerusalém, foi convidada a erguer os olhos e ver o estuprador aproximando-se da direção *norte*. Quanto ao inimigo do norte, ver Jr 1.13-15; 4.5-31; 5.15-17; 6.22-26; 8.14-17; 10.21. O rebanho que lhe havia sido entregue, tanto do norte como do sul (vs. 19), já estava perdido. E o rebanho de Jerusalém agora seria perdido diante dos estupradores. Quanto à remoção do rebanho, ver Jr 10.21 e 13.17,19. O estuprador se tornaria um capataz cruel para os poucos sobreviventes da matança. Ver Is 39.1-7; Ez 23.14-27.

■ 13.21

מַה־תֹּאמְרִי֙ כִּֽי־יִפְקֹ֣ד עָלַ֔יִךְ וְ֠אַתְּ לִמַּ֨דְתְּ אֹתָ֥ם עָלַ֛יִךְ אַלֻּפִ֖ים לְרֹ֑אשׁ הֲל֤וֹא חֲבָלִים֙ יֹאחֱז֔וּךְ כְּמ֖וֹ אֵ֥שֶׁת לֵדָֽה׃

Que dirás quando ele puser por cabeça contra ti os a quem ensinaste a ser amigos? Os que se tinham mostrado amigáveis, a saber, a Babilônia (ver 2Rs 20.12-19), de súbito se transformariam no estuprador, cruel e bárbaro, sem demonstrar piedade para com a indefesa pastora. A experiência seria como a agonia de uma mulher em trabalho de parto, figura simbólica para indicar uma dor profunda. Quanto a esse simbolismo, ver Jr 4.31 e 6.24, onde você notas expositivas e referências. A figura retrata alguma súbita e dolorosa calamidade da qual não há como escapar, até que a questão esteja consumada.

Amigos? Talvez esta seja uma alusão à figura de Jerusalém como a esposa infiel de Yahweh (Jr 3.1,2,13,14), cujos *amantes* (amigos) finalmente se revelaram estupradores.

■ 13.22

וְכִ֤י תֹאמְרִי֙ בִּלְבָבֵ֔ךְ מַדּ֖וּעַ קְרָאֻ֣נִי אֵ֑לֶּה בְּרֹ֣ב עֲוֺנֵ֗ךְ נִגְל֣וּ שׁוּלַ֔יִךְ נֶחְמְס֖וּ עֲקֵבָֽיִךְ׃

Quando disseres contigo mesmo: Por que me sobrevieram estas cousas? Quando a pastora desviada perguntar, ao ser estuprada: "Como uma coisa dessas poderia ter acontecido comigo?", a resposta de Yahweh será: "Teus pecados fizeram isso contra ti". Por causa desses pecados, a *saia dela foi rasgada* (NCV) e seus *calcanhares* sofreram violência. Isso é uma alusão ao levantar do vestido, a começar pelos calcanhares, a fim de serem descobertas suas partes secretas. Portanto, *calcanhares,* aqui, como *pés,* em Dt 28.57 e Ez 16.25, são um eufemismo para o descobrimento do corpo de uma mulher. A Bíblia é muito ousada e vívida em suas descrições. Os hebreus não eram um povo excessivamente pudico.

Judá tinha brincado à vontade com o paganismo, no qual havia muito adultério literal no culto que honrava os deuses da fertilidade. Ver as notas sobre Jr 3.13. Aquela que tinha brincado com os agentes do diabo acabou sendo violentada por eles. E assim se cumpriu a *Lei da Colheita segundo a Semeadura* (ver a respeito no *Dicionário*).

> Que dirás quando sentires o ferrão daqueles a quem treinaste como aliados? É por causa de teus pecados infindos que foste descoberta e desnudada.
>
> Moffatt

■ 13.23

הֲיַהֲפֹ֤ךְ כּוּשִׁי֙ עוֹר֔וֹ וְנָמֵ֖ר חֲבַרְבֻּרֹתָ֑יו גַּם־אַתֶּם֙ תּוּכְל֣וּ לְהֵיטִ֔יב לִמֻּדֵ֖י הָרֵֽעַ׃

Pode acaso o etíope mudar a sua pele, ou o leopardo as suas manchas? Este é um dos versículos mais citados do livro de Jeremias. É aplicável aos pecadores em geral. A ideia é que os pecadores não podem mudar a si mesmos, precisando do poder divino para se reformar. Também é usado como texto de prova doutrinal da completa depravação do ser humano. Em seu contexto original, fala sobre Judá, que fora confirmado em sua idolatria-adultério-apostasia e tinha sofrido a pena da *cegueira judicial*. Depois disso, nenhum convite ao arrependimento haveria de mudá-lo. De fato, Judá estava tão fixado em seus pecados como um etíope está fixado na cor de sua pele.

Este versículo, contudo, não nega a existência do livre-arbítrio (necessário para que haja a responsabilidade moral), mas aponta para o fato de que o livre-arbítrio, sujeitado a abusos e mais abusos, acaba sendo *anulado* pela vontade perversa do indivíduo. Consideremos as *ideias* a seguir:

1. Aqueles que interminavelmente se recusam a mudar, acabam perdendo a capacidade de mudar. No caso de Judá, um julgamento preliminar de Deus (na cegueira judicial) tornou o povo incapaz de arrepender-se.
2. Um leopardo, por força de seus genes, tem manchas no couro. Assim também Judá, pela força de seus pecados incansáveis, foi manchado de forma permanente pelo pecado e agora não tinha forças para libertar-se.
3. Podemos ter certeza disto: o livre-arbítrio, erroneamente empregado, tinha deixado Judá em sua condição irremediável. Deus não foi a causa disso. A Jeremias fora ordenado que parasse em sua *intercessão* pelo povo de Judá. Ver Jr 7.16 ss. Eles estavam fora da ajuda da oração, o que é uma questão seríssima.
4. Coisa alguma seria capaz de transformar Judá agora, exceto as chamas refinadoras do julgamento, que tomariam a forma do cativeiro babilônico, seguindo-se à violência sexual da indefesa pastora. "Talvez o uso de peles de leopardos por príncipes e guerreiros etíopes, conforme aparecem nos monumentos egípcios e conforme a descrição de Heródoto (*História* 7.69), tenha sugerido ao profeta essa figura" (Ellicott, *in loc.*).

■ 13.24

וַאֲפִיצֵ֥ם כְּקַשׁ־עוֹבֵ֖ר לְר֥וּחַ מִדְבָּֽר׃

Pelo que os espalhou como o restolho. *Nova Figura.* Jeremias deixa para trás a figura da pastora descuidada. Para descrever vividamente o cativeiro babilônico, ele usou a representação dos ventos que sopravam no mar Mediterrâneo e atravessavam a terra, espalhando restolho em todas as direções. A separação da palha do grão era efetuada na Palestina mediante o uso desses ventos. Muita palha restava na eira, depois que os bois tinham caminhado por cima do grão, mas os ventos vindos do Ocidente sopravam essa palha. Judá havia sido reduzido à mera palha, leve e sem valor, facilmente soprada pelos exércitos da Babilônia. Mas alguns estudiosos veem aqui o quente vento oriental, que soprava do deserto da Arábia, como a figura empregada. Era um vento quente e que soprava com força excessiva, diante do qual a palha não podia resistir. Cf. Sl 1.4. Ver também Os 13.3.

■ 13.25

זֶ֣ה גוֹרָלֵ֧ךְ מְנָת־מִדַּ֛יִךְ מֵאִתִּ֖י נְאֻם־יְהוָ֑ה אֲשֶׁ֤ר שָׁכַ֙חַתְּ֙ אוֹתִ֔י וַתִּבְטְחִ֖י בַּשָּֽׁקֶר׃

Esta será a tua sorte, a porção que te será medida por mim. Yahweh, que decreta o que deve acontecer entre os homens (ver Is 13.6), não tinha alternativa senão cortar Judá, com seu decreto de condenação. Visto que aqueles réprobos rejeitaram a Yahweh, que era a porção deles, e, dessa maneira, abandonaram a aliança com ele, receberiam a calamitosa porção do julgamento que teriam de suportar, através do exército babilônico. Cf. Jó 20.29 e Sl 11.6. O Targum diz aqui: "A porção da tua herança", aludindo à herança que Israel tinha na Terra Prometida e em Yahweh, mas que agora tinha pervertido, o que lhe redundaria em desastre. Quanto a Yahweh como a porção do homem bom, ver Sl 16.5. Em vez de Yahweh, eles tinham preferido *mentiras,* uma clara referência aos deuses que nada valem. Profetas mentirosos tinham promovido grandes inverdades, e agora Judá, que havia aceitado aquelas perversões, teria de pagar por seu erro.

■ 13.26

וְגַם־אֲנִ֛י חָשַׂ֥פְתִּי שׁוּלַ֖יִךְ עַל־פָּנָ֑יִךְ וְנִרְאָ֖ה קְלוֹנֵֽךְ׃

Assim também levantarei as tuas fraldas sobre o teu rosto. Este versículo pode levar-nos de volta à violência sexual sofrida pela pastora indefesa de Jr 13.20. Ou podemos ter aqui uma simples alusão ao costume de punir mulheres lascivas desnudando-as em público. O destino de Judá seria o desmascaramento internacional por sua idolatria-adultério-apostasia. "O castigo devia ser condizente com o crime. Da mesma maneira que o pecado deles tinha sido perpetrado nos lugares mais públicos, assim Deus os desmascararia e os exporia ao desprezo de outras nações da maneira mais aberta (Lm 1.8)" (Fausset, *in loc.*). Também sabemos que mulheres cativas eram expostas nuas em público, e isso também pode ter sido aludido aqui, pois Judá em breve estaria nessa posição. Mas a ideia principal é a de que a *prostituta Judá* logo seria desmascarada, ficando demonstrado o que ela realmente era.

■ 13.27

נִאֻפַיִךְ וּמִצְהֲלוֹתַיִךְ זִמַּת זְנוּתֵךְ עַל־גְּבָעוֹת בַּשָּׂדֶה רָאִיתִי שִׁקּוּצָיִךְ אוֹי לָךְ יְרוּשָׁלַםִ לֹא תִטְהֲרִי אַחֲרֵי מָתַי עֹד: פ

Tenho visto as tuas abominações sobre os outeiros e no campo. Yahweh estivera observando tudo. Nos bosques e nos *lugares altos* (ver a respeito no *Dicionário*), Judá estivera oferecendo sacrifícios e oblações aos deuses cananeus da fertilidade, onde sempre havia um casal praticando sexo ilícito sob alguma árvore. Ver Jr 3.1. Ele também ouvira os "rinchos" dela, ou seja, seus gemidos de prazer, estando ela ocupada no ato sexual, aqui referido como o relincho dos garanhões. Cf. Jr 5.8 e 50.11. As palavras foram cuidadosamente escolhidas. Judá se reduzira à condição dos animais irracionais, em sua insensata precipitação para o paganismo.

Os teus adultérios. "Estas palavras se referem primariamente ao adultério espiritual das idolatrias de Judá. Os *relinchos* (ver Jr 2.24 e 5.8) expressam o afã da paixão animal, transferida para esta passagem que fala sobre um pecado espiritual. As *abominações nos lugares altos* referem-se aos ritos orgiásticos da adoração nos lugares altos, que também são descritos como algo que ocorria nos campos, para enfatizar a maneira pública como tais coisas eram praticadas" (Ellicott, *in loc.*). Jerusalém se tornou cidade imunda através de tais atos, e Yahweh se desesperançou com o fato de não ver o país tornar-se limpo novamente. Seriam necessários os tremendos sofrimentos do cativeiro babilônico para limpar novamente aquela massa pecaminosa. Cf. Jr 32.17 e Lc 18.27.

Uma vez mais aprendemos a lição de que os pecados profundos tornam o pecador cativo, e que o remédio é então impossível, a menos que haja uma intervenção divina que ultrapasse a capacidade dos homens. Aquilo que os homens se recusam a fazer, moral e espiritualmente, torna-se uma impossibilidade para eles. A vontade moral pervertida tem o poder de anular a liberdade da vontade. Os homens transformam-se, então, em *escravos* de suas próprias excentricidades.

CAPÍTULO QUATORZE

Este capítulo tem *seis* partes distintas que repetem temas comuns do livro de Jeremias. Alguns eruditos não veem ligação alguma entre as seções, mas parece haver uma espécie de costura lógica que unifica as partes, cada uma delas repetindo algo que já tínhamos visto antes. Temos, pois, a seca, sempre considerada um julgamento divino contra o pecado (vss. 1-6); a confissão de pecados sob a forma de lamentação, na esperança de evitar a calamidade (vss. 7-9); a resposta de Yahweh à confissão de pecados (vss. 10-12); o julgamento dos falsos profetas (vss. 13-16); outro lamento de Jeremias pelas tristezas autoprovocadas pelo povo (vss. 17,18); outro lamento da parte do povo (vss. 19-22); outra resposta de Yahweh à lamentação e à confissão (15.1-4), que liga o capítulo 15 ao capítulo 14. Essa *sétima parte* completa a seção, que vai de Jr 14.1 a Jr 15.4. Em seguida, há duas lamentações de Jeremias que formam uma nova seção (15.5-21). Como é fácil de perceber, não temos aqui, estritamente falando, nenhum material novo, mas tão somente temas que foram novamente trabalhados. O tópico que vincula todas essas porções é a vinda da calamidade, de vários tipos, por causa dos pecados do povo de Judá.

DESCRIÇÃO DA SECA (14.1-6)

Quando as chuvas paravam na Palestina, traziam desastres quase imediatos. O regime de chuvas naquela parte do mundo, quando muito, não era muito abundante, e a vida humana dependia totalmente dele. A seca sempre foi atribuída ao pecado. "Temos aqui uma descrição artística e vívida dos sofrimentos provocados pela seca: primeiramente nas cidades (vs. 2,3); então, no interior, entre os agricultores (vs. 4); e, finalmente, até mesmo entre os animais (vss. 5,6). Nos vss. 7-9, o povo de Judá clama por ajuda, confessando seus pecados, que eram a causa de toda aquela calamidade.

■ 14.1

אֲשֶׁר הָיָה דְבַר־יְהוָה אֶל־יִרְמְיָהוּ עַל־דִּבְרֵי הַבַּצָּרוֹת:

Palavra do Senhor, que veio a Jeremias, a respeito da grande seca. "A desgraça causada pela seca (ver Jr 14.1-6). Uma das maldições do pacto proferidas por Deus, a de que mandaria contra a desobediente nação de Judá a seca (cf. Lv 26.18,19; Dt 28.22-24). Jeremias já havia mencionado o uso que Deus fizera da seca (ver Jr 3.3; 12.4), embora seja incerto se ele se referia a uma grande seca ou a uma série de secas ocorrida nos anos finais de Judá, antes do exílio babilônico. A severidade da seca produziu um grito de aflição em Jerusalém. As chuvas haviam cessado e a água guardada estava se acabando" (Charles H. Dyer, *in loc.*).

Os verões eram sempre secos na Terra Prometida. Dificilmente caía alguma chuva entre o mês de abril e meados de outubro. Os rios baixavam de nível ou secavam-se completamente. A água das chuvas de inverno era conservada em tanques e reservatórios, e, no verão, quando não chovia, a seca era inevitável. Ver o relato dado em 1Rs 18.5. Pensava-se que Yahweh era quem controlava as chuvas e, se as chuvas se faziam ausentes, então, a causa era atribuída ao pecado e à falha do povo judeu em cumprir seus deveres morais e espirituais.

■ 14.2

אָבְלָה יְהוּדָה וּשְׁעָרֶיהָ אֻמְלְלוּ קָדְרוּ לָאָרֶץ וְצִוְחַת יְרוּשָׁלַםִ עָלָתָה:

Anda chorando Judá, as suas portas estão abandonadas. "Por meio de exemplos extraídos da cidade e do campo, das florestas e do deserto, Jeremias descreveu as desgraças do povo, nos vss. 2-6" (*Oxford Annotated Bible,* comentando sobre este versículo).

As portas de Judá foram personificadas, porquanto era ali que o povo de Judá costumava reunir-se para conversar sobre os problemas urgentes, comerciar e julgar casos legais. A angústia era encontrada nas portas. O povo estava de *luto,* ou seja, em profunda lamentação, e um choro desesperado se misturava às suas orações. A ideia do versículo pode ser que, de tão desesperadora a situação, o povo não mais se reunia nas portas. Cf. Is 3.26 e 24.4.

De luto. Literalmente, o hebraico original diz "de negro", talvez porque usassem vestes negras de lamentação, ou então a palavra é figurada. O Targum: "Seus rostos estavam cobertos de negridão; estavam tão escuros como um pote", talvez por causa das cinzas com que eles se cobriam, um gesto comum de lamentação e arrependimento. Seus clamores *subiam,* provavelmente indicando "a Yahweh", sob a forma de orações. "Um clamor subiu a Deus de Jerusalém" (NCV).

■ 14.3

וְאַדִּרֵיהֶם שָׁלְחוּ צְעִירֵיהֶם לַמָּיִם בָּאוּ עַל־גֵּבִים לֹא־מָצְאוּ מַיִם שָׁבוּ כְלֵיהֶם רֵיקָם בֹּשׁוּ וְהָכְלְמוּ וְחָפוּ רֹאשָׁם:

Os seus poderosos enviam os criados a buscar água. Os nobres (príncipes, governantes e ricos proprietários de terras) enviavam seus servos (muitos deles escravos) às cisternas para buscar água, mas não havia água. Ricos e pobres, fortes e fracos, eram nivelados em uma massa desesperada. Os verdadeiros nobres do dia eram a morte e a fome. Os escravos, pois, voltavam com cântaros vazios, envergonhados de seu fracasso; sentiam-se confundidos e cobriam a cabeça. Ver 2Sm 15.30, onde vemos Davi a lamentar-se, chorar e cobrir a cabeça com algum tipo de tecido ou pele de animal, em sinal de tristeza. *Cobrir a cabeça* era um gesto natural, como se dissesse: "Sobreveio a calamidade. Tentamos proteger-nos com uma cobertura. O desastre desceu dos céus. E foi Yahweh quem o mandou".

14.4

בַּעֲב֤וּר הָאֲדָמָה֙ חַ֔תָּה כִּ֛י לֹא־הָיָ֥ה גֶ֖שֶׁם בָּאָ֑רֶץ
אִכָּרִ֖ים חָפ֥וּ רֹאשָֽׁם׃

Por não ter havido chuva sobre a terra esta se acha deprimida. A terra foi personificada e declarada desmaiada juntamente com o povo de Judá. Os agricultores estavam desesperados e envergonhados, pois acreditavam que o julgamento divino os havia atingido. Não podiam mais cumprir sua função doadora de vida. Eles também cobriam a cabeça em consternação e humilhação. "As rachaduras que aparecem na terra, antes da chegada das chuvas, em alguns lugares tinham meio metro de largura e eram profundas o suficiente para receber a maior parte de um corpo humano" (Adam Clarke, *in loc.*). Diz aqui o Targum: "Por causa dos pecados, os habitantes da terra estavam quebrados", tornando as pessoas parecidas com a terra gretada.

14.5

כִּ֤י גַם־אַיֶּ֙לֶת֙ בַּשָּׂדֶ֔ה יָלְדָ֖ה וְעָז֑וֹב כִּ֛י לֹֽא־הָיָ֥ה דֶּֽשֶׁא׃

Até as cervas no campo têm as suas crias e as abandonam. Exemplos de *sofrimentos de animais* são citados aqui. A cerva, proverbialmente afetuosa e protetora dos filhotes, dá à luz, mas simplesmente abandona os filhotes, por nada haver que a alimente nos campos. A maior parte dos animais morre. "Cada região tinha seu caso representativo de miséria. A cerva dos campos, notória por sua ternura para com os seus filhotes, abandona-os e vai-se embora, em busca de pasto para si mesma, mas não encontra nenhum" (Ellicott, *in loc.*). As secas severas pervertem os caminhos da natureza.

14.6

וּפְרָאִים֙ עָמְד֣וּ עַל־שְׁפָיִ֔ם שָׁאֲפ֥וּ ר֖וּחַ כַּתַּנִּ֑ים כָּל֥וּ
עֵינֵיהֶ֖ם כִּי־אֵ֥ין עֵֽשֶׂב׃

Os jumentos selvagens se põem nos desnudos altos, e ofegantes sorvem o ar como chacais. O *jumento selvagem* é escolhido como exemplo de animal que sofria com a seca, por ser o mais resistente dos animais selvagens e também o último a sofrer em função de qualquer limitação natural. Mas nem mesmo esses animais são isentados da miséria geral provocada pela seca. Eles estavam acostumados a vaguear pelas colinas ásperas e mostravam-se fortes, caminhando e fazendo seus ruídos característicos. Agora, entretanto, eles sorviam o ar, tendo perdido as forças físicas. Já se achavam em adiantado estado de desidratação e fome, e assim seus olhos quase já não viam as coisas, porquanto não encontravam erva para comer. Os jumentos são notórios por sua visão aguçada, mas agora seus olhos falhavam e não podiam encontrar nenhuma verdura para comer, mesmo que tal verdura existisse. Eles farejam o ar como se fossem cães selvagens (ou chacais), na esperança de encontrar algum sinal de alimento ou água, mas o vento era vazio de odores e não trazia nenhuma mensagem de alimento para eles. Os versículos que se guem registram o clamor das pessoas, pedindo a ajuda de Yahweh.

CONFISSÃO DE PECADO (14.7-9)

Os homens sempre oraram pedindo chuvas em tempos de seca, e eles sempre pensaram que essa *anormalidade* seria causada pela conduta anormal e pecaminosa dos seres humanos. Portanto, vemos aqui que o povo confessou seus pecados e clamou a Yahweh, em orações urgentes, esperando chuvas que caíssem do céu. É provável que essas orações fossem tanto públicas (em reuniões efetuadas no templo, acompanhadas de sacrifícios e votos apropriados) quanto particulares, cada homem elevando o seu coração em petições individuais e confissões de pecados. Cf. Jr 3.22-25 e Os 14.2,3.

14.7

אִם־עֲוֺנֵ֙ינוּ֙ עָ֣נוּ בָ֔נוּ יְהוָ֕ה עֲשֵׂ֖ה לְמַ֣עַן שְׁמֶ֑ךָ כִּֽי־רַבּ֥וּ
מְשׁוּבֹתֵ֖ינוּ לְךָ֥ חָטָֽאנוּ׃

Posto que as nossas maldades testificam contra nós, ó Senhor, age por amor do teu nome. Yahweh, o Deus Eterno de Israel, era considerado o controlador dos homens e da natureza. Ver Is 13.6. Ver no *Dicionário* os artigos chamados *Soberania* e *Providência de Deus*. Por conseguinte, os judeus primeiramente invocaram o Senhor, em confissão de pecados (tidos como a *causa* da calamidade). O povo de Judá, pois, apelava para o "interesse próprio" de Yahweh, pois afinal de contas o povo pertencia a ele. Yahweh tinha um pacto com seu povo, o pacto firmado com Abraão, pai da nação (ver Gn 15.18). Cf. Sl 23; 25.11; 31.3; 79.9; 106.8 e Ez 20.9,14,22,44.

> *O Senhor vos tomou e vos tirou da fornalha do Egito,*
> *para que lhe sejais povo de herança.*
> Deuteronômio 4.20

As nossas rebeldias. Ocorridas nos dias de Jeremias, referindo-se à idolatria-adultério-apostasia de Judá. Ver no *Dicionário* o artigo chamado *Rebelião*, para detalhes sobre a questão. O povo de Judá vivia em meio ao pecado. Eles tinham muito para confessar. A seca (vss. 1-6) os deixara de joelhos, e foi então que eles resolveram orar, solicitando a intervenção divina, pois não tinham controle sobre as condições atmosféricas. A seca poderia reduzir a nada um povo inteiro. "Jeremias fez uma petição em nome da nação (Sl 109.21)" (Fausset, *in loc.*), mas os próprios judeus estavam confessando e orando muito, à parte do que o profeta fizesse. Note o leitor como, no vs. 22, os "ídolos" entram no quadro. Os deuses pagãos não podiam enviar chuva, e isso nos mostra o *pecado* principal em foco. Cf. os vss. 20-21, similares à passagem presente.

14.8

מִקְוֵ֙ה֙ יִשְׂרָאֵ֔ל מֽוֹשִׁיע֖וֹ בְּעֵ֣ת צָרָ֑ה לָ֤מָּה תִֽהְיֶה֙ כְּגֵ֣ר
בָּאָ֔רֶץ וּכְאֹרֵ֖חַ נָטָ֥ה לָלֽוּן׃

Ó Esperança de Israel, e Redentor seu no tempo da angústia. Yahweh era a *esperança* de Israel em qualquer situação de angústia que requeresse intervenção especial. Não obstante, por causa dos pecados do povo, Yahweh tornou-se um *estranho* para eles, ou como um viajante que estivesse passando para permanecer na terra apenas por uma ou duas noites no território. Isso fala da aparente *indiferença* de Yahweh ao seu povo. Quanto a isso, cf. Sl 10.1; 28.1; 59.4; 82.1 e 143.7. "Um viajante pouco se importa com o país por onde está passando. Ele se demorará ali apenas por uma noite. Mas Yahweh prometeu *habitar para sempre* no meio de seu povo (ver 2Cr 33.7,8; Sl 132.14)" (Fausset, *in loc.*).

Era uma doutrina padronizada que Israel poderia esperar em Yahweh o tempo todo, mas quando a idolatria entrou em cena, o povo de Judá fez Deus afastar-se deles.

> *Espere Israel no Senhor, pois no Senhor há*
> *misericórdia, nele, copiosa redenção.*
> Salmo 130.7

14.9

לָ֤מָּה תִֽהְיֶה֙ כְּאִ֣ישׁ נִדְהָ֔ם כְּגִבּ֖וֹר לֹא־יוּכַ֣ל לְהוֹשִׁ֑יעַ
וְאַתָּ֧ה בְקִרְבֵּ֣נוּ יְהוָ֗ה וְשִׁמְךָ֛ עָלֵ֥ינוּ נִקְרָ֖א אַל־תַּנִּחֵֽנוּ׃ ס

Por que serias como homem surpreendido, como valente que não pode salvar? "A falha de Deus em agir sugeriu ao profeta um homem *apanhado de surpresa*, alguém que tivesse caído em uma emboscada antes que pudesse oferecer resistência, ou um *guerreiro* que se mostrasse impotente, ao enfrentar outro, de força superior. Visto que, aparentemente, Deus não agia, o povo pleiteou com ele para que não se esquecesse deles" (Charles H. Dyer, *in loc.*). Yahweh era como um homem poderoso que, em tempos passados, fora capaz de ajudar (ver Is 69.1). Mas Deus não era como um homem *estonteado* por uma súbita calamidade e paralisado até à inércia. Contudo, os judeus tinham fé para acreditar que Deus ainda estava entre eles, e esperavam alguma reação positiva da parte dele. Cf. Êx 29.45.6; Lv 26.11,12. Assim sendo, invocaram seu nome (ver Dn 9.18,19), visto que eram seu povo peculiar (ver Dt 9.29). Quanto a *nome*, ver o *Dicionário* e ver também Sl 31.3. Ver *nome santo* em Sl 30.4 e 33.21. O nome representava a essência e os atributos da pessoa. No caso dos nomes divinos, acreditava-se que bastaria pronunciá-los para que fossem gerados poderes miraculosos. Portanto, a fé deles era que Yahweh era mais do que um mero viajante passageiro. Ele se interessava por eles e agia como um homem poderoso. Logo, Deus retornaria à ação, deixando de lado sua indiferença, perdoando os pecados e *enviando chuvas*. Outro apelo foi feito ao interesse próprio de Yahweh, pois o povo de Judá era *chamado pelo seu nome* e era seu povo, sua herança. Ver sobre o vs. 7. Mas era a guarda da lei mosaica que tornava Israel distinto entre os povos (Dt 4.4-8); e os judeus, que se tinham desviado para a idolatria (vs. 22), perderam esse caráter distinto, o que significava que estavam sob a ira de Yahweh.

A RESPOSTA DE YAHWEH (14.10-12)

■ 14.10

כֹּה־אָמַר יְהוָה לָעָם הַזֶּה כֵּן אָהֲבוּ לָנוּעַ רַגְלֵיהֶם לֹא חָשָׂכוּ וַיהוָה לֹא רָצָם עַתָּה יִזְכֹּר עֲוֹנָם וְיִפְקֹד חַטֹּאתָם: ס

Assim diz o Senhor sobre este povo: Gostam de andar errantes. Esta drástica resposta divina foi dada ao *povo* (vs. 10) e a *Jeremias* (vss. 11,12). Yahweh revisou os pecados deles e duvidou da sinceridade de seu arrependimento, que era apenas um *movimento desesperado* de réprobos. A Jeremias foi dito que não intercedesse pelos judeus, porquanto o julgamento divino tinha de seguir seu curso purificador, não sendo interrompido antes que a obra apropriada fosse realizada. Cf. os paralelos próximos em Jr 7.16 e 11.14.

A resposta divina foi realmente dura. Yahweh falou com um povo que gostava de vaguear ao redor e se apegara totalmente à súbita chamada por ajuda. Por que, agora, não clamavam a seus deuses de nada, a quem serviam e honravam, em vez de clamar a Yahweh-Elohim? Ver o vs. 22. A confissão deles era superficial e seu arrependimento era forçado pelas circunstâncias, e não por uma condição renovada do coração. Talvez este versículo queira dizer que eles já viviam sob cegueira judicial, um julgamento preliminar, não sendo mais capazes de nenhum arrependimento genuíno. Seja como for, a situação era dramática e desesperadora, e assim permaneceria. A indiferença divina (vs. 8) haveria de continuar. Em vez de prestar ajuda, Yahweh continuava a *relembrar as maldades deles* (cf. Os 8.13 e 9.9).

■ 14.11

וַיֹּאמֶר יְהוָה אֵלָי אַל־תִּתְפַּלֵּל בְּעַד־הָעָם הַזֶּה לְטוֹבָה:

Disse-me ainda o Senhor: Não rogues por este povo para o bem dele. Ao profeta Jeremias foi ordenado *não interceder* em favor do povo judeu, o que é paralelo a Jr 7.16, onde apresento as notas apropriadas. Ver também Jr 11.14. As três passagens contêm uma terminologia, assim como ideias deuteronômicas. Ver Jr 15.1. Moisés e Samuel obtiveram sucesso como intercessores, mas houve ocasiões em que a intercessão foi proibida, porque certamente falharia. Os judeus tinham ido longe demais em seus pecados, e era impossível recuperá-los. Cf. Êx 32.11-14,31-34 e Nm 14.13-15, quanto a Moisés; e ver 1Sm 7.5-11; 12.19; Sl 99.6 ss., quanto a Samuel. "A parte mais triste e dura do trabalho do profeta era sentir que até mesmo a oração — a oração pedindo que o castigo fosse suspenso — era sem efeito e não aceita" (Ellicott, *in loc.*).

■ 14.12

כִּי יָצֻמוּ אֵינֶנִּי שֹׁמֵעַ אֶל־רִנָּתָם וְכִי יַעֲלוּ עֹלָה וּמִנְחָה אֵינֶנִּי רֹצָם כִּי בַּחֶרֶב וּבָרָעָב וּבַדֶּבֶר אָנֹכִי מְכַלֶּה אוֹתָם: ס

Quando jejuarem, não ouvirei o seu clamor. Nem mesmo o *jejum* (que o povo faz em desespero para distorcer o braço de Deus) adiantaria. "Holocaustos e oblações não produziriam efeito algum. Pelo contrário, Yahweh lançaria contra eles múltiplo julgamento: a *seca* e a *fome* dali resultante, a *pestilência* e a *espada* (a invasão das hordas babilônicas). Os três golpes pesados, como o malho divino (a espada, a fome e as pragas), eram os julgamentos divinos. Cf. Lv 26.23-26; Jr 21.6,7,9; 24.10; 27.8,13; 29.17,18; 32.24,36; 34.17; Ez 5.12; 6.11; 7.15; 12.16 e Ap 6.8. Ver também Jr 42.17,22 e 44.13" (Charles H. Dyer, *in loc.*).

JULGAMENTO DOS FALSOS PROFETAS (14.13-16)

■ 14.13

וָאֹמַר אֲהָהּ אֲדֹנָי יְהוִה הִנֵּה הַנְּבִאִים אֹמְרִים לָהֶם לֹא־תִרְאוּ חֶרֶב וְרָעָב לֹא־יִהְיֶה לָכֶם כִּי־שְׁלוֹם אֱמֶת אֶתֵּן לָכֶם בַּמָּקוֹם הַזֶּה: ס

Então disse eu: Ah! Senhor Deus, eis que os profetas lhes dizem: Não vereis espada. Os falsos profetas mostravam-se ativos na promoção dos cultos dos deuses de nada e também prediziam um futuro róseo para Judá. Eles negavam enfaticamente os múltiplos julgamentos que Jeremias havia predito. A evidência é que Jeremias entrara em conflito com aqueles falsos profetas em diversas ocasiões. Ver Jr 6.13,14; 8.10,11 e 23.9-33. Ver então todo o capítulo 28 do livro de Jeremias. Os falsos profetas continuavam clamando "Paz, paz", embora não houvesse paz (ver Jr 6.14). A mesma frase repete-se em Jr 8.11. Cf. Jr 5.12-13; 27.16 e 28.2-4 quanto às falsas promessas de paz duradoura.

"O povo de Judá se equivocava pateticamente; mas os profetas e sacerdotes, os líderes espirituais do povo, também se iludiam. E esses seriam considerados responsáveis por estarem traindo o povo" (Stanley Romaine Hopper, *in loc.*).

"Em Jr 5.31 temos um vislumbre da má influência exercida pelo corpo maior da ordem profética... As escolas dos profetas tinham degenerado rapidamente de seu primeiro ideal, tornando-se corruptas e ambiciosas, e só buscavam a popularidade (Ez 13; Mq 3.8-11). Para eles havia sido reservada a justa *retribuição,* indicando que eles pereceriam nas próprias calamidades que, segundo asseveravam, nunca aconteceriam (vs. 15)" (Ellicott, *in loc.*).

■ 14.14

וַיֹּאמֶר יְהוָה אֵלַי שֶׁקֶר הַנְּבִאִים נִבְּאִים בִּשְׁמִי לֹא שְׁלַחְתִּים וְלֹא צִוִּיתִים וְלֹא דִבַּרְתִּי אֲלֵיהֶם חֲזוֹן שֶׁקֶר וְקֶסֶם וֶאֱלִיל וְתַרְמִית לִבָּם הֵמָּה מִתְנַבְּאִים לָכֶם: ס

Disse-me o Senhor: Os profetas profetizam mentiras em meu nome. Os profetas falsos de Judá criaram um sincretismo doentio, misturando o yahwismo com os cultos dos deuses pagãos (ver Jr 13.13 como ilustração). Eles continuavam dando profecias em nome de Yahweh, que se tornara apenas um dos deuses de seu panteão. Quando eles profetizavam em seu nome, primeiramente mentiam ao afirmar que ele os havia inspirado. Em seguida, proferiam toda a espécie de mentiras, dizendo: "Yahweh disse isto e aquilo". A verdade, porém, era que Yahweh não lhes tinha inspirado. E, quando diziam ter visões, eram apenas imaginações de sua cabeça. Provavelmente, eles realmente recebiam visões, pois muitos místicos podem "operar" visões mediante alguma atividade psíquica, que se assemelha a sonhos de uma pessoa acordada. De fato, algumas pessoas podem invocar visões rapidamente, sendo enganadas por seus *truques psíquicos* que nada têm a ver com profecia ou discernimento espiritual genuíno.

Sabemos que a simples *privação* da percepção dos sentidos pode causar alucinações nas pessoas comuns, e essas alucinações são tidas como visões. Ou melhor, muitas visões são alucinações. Por outro lado, a primeira coisa que um verdadeiro místico faz é duvidar da validade de suas visões, submetendo-as a teste. Entre as "visões psíquicas", que não são necessariamente espirituais (embora algumas possam sê-lo), temos as que são inspiradas por agências demoníacas, visões completamente falsas, misturadas ocasionalmente a coisas que refletem realidades presentes, ou que realmente refletem eventos futuros. Além disso, temos as manifestações psíquicas *totalmente naturais*, pois o ser humano é um ser espiritual capaz de ter visões dependentes de seu próprio poder, sem apelar nem a Deus nem a demônios. Há muitos mistérios na mente humana. Por aquilo que sabemos sobre essas coisas, é claro que uma visão jamais será prova da verdade, nem como credo nem como manifestação espiritual. Ver no *Dicionário* os artigos *Adivinhação; Visão (Visões)*. Além disso, ver na *Enciclopédia de Bíblia, Teologia e Filosofia* o verbete chamado *Parapsicologia*.

A *Revised Standard Version* diz aqui: "... o engano de suas próprias mentes". Provavelmente isso significa que os falsos profetas mesmos eram enganados por suas experiências psíquicas e místicas, considerando-as válidas e verdadeiras. Mas eles estavam apenas pondo para fora estofo extraído de sua própria psique, apresentando esse material sob a forma de visões. Além disso, em certos casos, havia a mistura da *adivinhação* e da *magia*. Cf. este versículo com Jr 23.21. Assim como os *sonhos* são essencialmente "cumprimentos de desejo", as pessoas do tipo místico podem cumprir seus desejos através das *visões*. Aquilo que temem que venha a acontecer é apresentado a elas sob a forma de visões, mas estas manifestações não são melhores do que os sonhos acordados. Algumas das coisas que elas veem nessas visões podem estar certas, mas a esmagadora maioria está errada, porquanto o Ser divino não está envolvido.

■ 14.15

לָכֵן כֹּה־אָמַר יְהוָה עַל־הַנְּבִאִים הַנִּבְּאִים בִּשְׁמִי וַאֲנִי לֹא־שְׁלַחְתִּים וְהֵמָּה אֹמְרִים חֶרֶב וְרָעָב לֹא יִהְיֶה בָּאָרֶץ הַזֹּאת בַּחֶרֶב וּבָרָעָב יִתַּמּוּ הַנְּבִאִים הָהֵמָּה׃

Assim diz o Senhor acerca dos profetas que, profetizando em meu nome, sem que eu os tenha mandado... Este versículo reitera a ideia contida no vs. 13: aqueles profetas prediziam a paz e negavam que qualquer grande calamidade estivesse a caminho. Mas este versículo acrescenta que as calamidades que eles garantiam não aconteceriam, ocorreriam a eles, e isso seria o fim da triste história. A situação seria uma grande *ironia*, fatal para os falsos profetas. A mesma mensagem é repetida no vs. 18, com alguma variação. A retribuição esperava por aqueles que traíssem o povo, embora na verdade o povo, de modo geral, estivesse tão corrompido que não precisava de grande ajuda para ser mau. Havia poucos inocentes em Judá. Eram pecadores voluntários, automotivados em sua idolatria-adultério-apostasia. Mas isso não diminuía a culpa dos profetas mentirosos. "Nabucodonosor, irado, invadiu e destruiu a terra, e os falsos profetas caíram em meio às calamidades. Ver 2Rs 25.3 e Lm 2.11-19" (Adam Clarke, *in loc.*).

■ 14.16

וְהָעָם אֲשֶׁר־הֵמָּה נִבְּאִים לָהֶם יִהְיוּ מֻשְׁלָכִים בְּחֻצוֹת יְרוּשָׁלִַם מִפְּנֵי הָרָעָב וְהַחֶרֶב וְאֵין מְקַבֵּר לָהֵמָּה הֵמָּה נְשֵׁיהֶם וּבְנֵיהֶם וּבְנֹתֵיהֶם וְשָׁפַכְתִּי עֲלֵיהֶם אֶת־רָעָתָם׃

O povo a quem eles profetizam será lançado nas ruas de Jerusalém. O *julgamento* a ser derramado sobre Jerusalém era a *própria corrupção* do povo de Judá explodindo no seu rosto. A sociedade judaica estava corrompida de alto a baixo, do mais alto ao mais humilde, de pais a filhos, conforme vemos em Jr 7.18,20. Nem mesmo as crianças eram inocentes. Por conseguinte, o julgamento seria tão universal e severo que impossibilitaria aos poucos sobreviventes sepultar os corpos dos mortos, e aos babilônios não interessaria esse trabalho. Como resultado as aves do céu e os animais do campo correriam para comer o gigantesco banquete. Ver Jr 7.33. Quanto a corpos insepultos, cf. Jr 7.33 e 15.3. Naturalmente, estão em foco a invasão babilônica e o cativeiro de Judá.

Será lançado. Estas palavras falam sobre a *abundância* dos julgamentos divinos, como se fosse o ímpeto de um poderoso rio.

> *O que é para a morte, para a morte; o que é para a espada, para a espada; o que é para a fome, para a fome; e o que é para o cativeiro, para o cativeiro. Porque os punirei com quatro sortes de castigos... espada... cães... aves... feras do campo, para os devorarem e destruírem.*
>
> Jeremias 15.2,3

JEREMIAS LAMENTA A TRIBULAÇÃO DO POVO (14.17,18)

■ 14.17

וְאָמַרְתָּ אֲלֵיהֶם אֶת־הַדָּבָר הַזֶּה תֵּרַדְנָה עֵינַי דִּמְעָה לַיְלָה וְיוֹמָם וְאַל־תִּדְמֶינָה כִּי שֶׁבֶר גָּדוֹל נִשְׁבְּרָה בְּתוּלַת בַּת־עַמִּי מַכָּה נַחְלָה מְאֹד׃

Portanto lhes dirás esta palavra: Os meus olhos derramem lágrimas de noite e de dia. Jerusalém prorrompeu em choro por causa da calamidade. Seus olhos verteram lágrimas copiosas de noite e de dia. Cf. Jr 9.1,18; 13.17 e Lm 4.48-51, onde encontramos declarações similares. O profeta pensava na cidade como uma *filha virgem* que tinha recebido um golpe mortífero. Cf. Jr 6.14. Quanto à outra figura simbólica da invasão babilônica como a *pastora violentada,* ver Jr 13.20 ss. Quanto ao *assassinato da prostituta,* ver Jr 4.30,31. "Virgem, nunca antes sob jugo estrangeiro (Is 37.2)" (Fausset, *in loc.*). Mas a figura simbólica envolve mais que isso. Que poderia ser mais agonizante do que ter uma filha virgem assassinada insensatamente? Essa figura adiciona emoções à descrição.

■ 14.18

אִם־יָצָאתִי הַשָּׂדֶה וְהִנֵּה חַלְלֵי־חֶרֶב וְאִם בָּאתִי הָעִיר וְהִנֵּה תַּחֲלוּאֵי רָעָב כִּי־גַם־נָבִיא גַם־כֹּהֵן סָחֲרוּ אֶל־אֶרֶץ וְלֹא יָדָעוּ׃ ס

Se eu saio ao campo, eis aí os mortos à espada; se entro na cidade, estão ali debilitados pela fome. Os campos ao redor de Jerusalém estavam juncados de cadáveres; e nas cidades havia mortes maciças devido à fome. A espada e a fome cooperavam para matar aos milhares. Contudo, os falsos sacerdotes e profetas (os poucos que restavam) continuavam a negociar como era usual, mesmo em tempos de grande aflição. Antes da invasão babilônica eles não tinham conhecimento, e mesmo depois de feridos não aprenderam a lição. A *King James Version* traduziu a última cláusula para fazê-la referir-se à deportação dos sacerdotes e profetas para uma terra "da qual eles não tinham conhecimento", mas a outra tradução parece ser a preferível.

As palavras "vagueiam pela terra" envolvem um verbo que usualmente significa "comerciar" ou "negociar". Ver Gn 34.10,21; 42.34. Nossa versão portuguesa, com as palavras, "vagueiam pela terra", deixa implícita a ideia de deportação. Eles vagueavam por uma terra estrangeira da qual não tinham conhecimento.

O POVO LAMENTA-SE DE NOVO (14.19-22)

■ 14.19

הֲמָאֹס מָאַסְתָּ אֶת־יְהוּדָה אִם־בְּצִיּוֹן גָּעֲלָה נַפְשֶׁךָ מַדּוּעַ הִכִּיתָנוּ וְאֵין לָנוּ מַרְפֵּא קַוֵּה לְשָׁלוֹם וְאֵין טוֹב וּלְעֵת מַרְפֵּא וְהִנֵּה בְעָתָה׃

Acaso já de todo rejeitaste a Judá? Ou aborrece a tua alma a Sião? Essa nova lamentação está carregada de maior angústia e emoção do que aquela dos vss. 7-9. O pecado é novamente confessado (vs. 20). Yahweh é relembrado de suas antigas alianças e de seu trono (o templo, ou Sião; vs. 21), como razões pelas quais deveria proteger a cidade de Jerusalém. Mas o único raciocínio correto que restava era punir Judá por causa de sua idolatria-adultério-apostasia, a fim de purificá-lo, em vez de deixá-lo em seus pecados sem a devida vingança. E, conforme mostra o vs. 22, o pano de fundo do oráculo é a seca. Cf. isso com Jr 14.1 ss.

"O coração do patriótico profeta dominou-o e, embora tivesse recebido ordens divinas para não interceder pelo povo de Judá (vs. 11), ele explodiu... com uma oração de apaixonada intercessão" (Ellicott, *in loc.*). Jeremias, pois, fez três perguntas com amargor no coração, conforme se vê nos pontos seguintes:

1. Foi Judá completa e irreparavelmente rejeitado? (Não haveria espaço para mais uma oportunidade? Os crimes de Judá seriam tão grandes que não haveria lugar para o perdão divino?)
2. Que dizer sobre o famoso amor de Deus? Teria sido substituído pelo ódio? (O profeta, pelo menos momentaneamente, perdeu de vista o fato de que o julgamento é um dedo da amorosa mão de Deus, e, algumas vezes, esse juízo divino é a única maneira eficaz de produzir mudanças nos seres humanos).
3. O ferimento deveria ser tão severo que destruísse o povo completamente? A cura não seria melhor? (A verdade era que o castigo era comensurável com os crimes cometidos e com a recusa teimosa deles em arrepender-se, apesar das muitas oportunidades concedidas).

Jeremias e o povo de Judá esperavam pela paz, mas isso teria sido um cumprimento das promessas feitas pelos falsos profetas (ver Jr 6.14). Teria sido uma paz falsa em meio à corrupção contínua. Em vez do bem, veio o *terror*, mas isso harmonizava com a *Lei Moral da Colheita segundo a Semeadura* (ver no *Dicionário*).

Alguns intérpretes fazem dos apelos do vs. 19 os mesmos feitos pelo povo de Judá, e não do profeta, que prorrompeu em intercessão.

▪ 14.20

יְדַ֨עְנוּ יְהוָ֤ה רִשְׁעֵ֙נוּ֙ עֲוֺ֣ן אֲבוֹתֵ֔ינוּ כִּ֥י חָטָ֖אנוּ לָֽךְ׃

Conhecemos, ó Senhor, a nossa maldade, e a iniquidade de nossos pais. *Uma nova confissão de pecados* (cf. os vss. 7-9) seria inútil, ainda que sincera. Era tarde demais. O julgamento divino já tinha sido enviado. Estava agora a caminho. E Yahweh não o faria retroceder. Note o leitor as *três palavras* para "pecado" que enfatizam a total depravação do povo de Judá: *maldade; iniquidade; pecado*. A comparação histórica também serve para enfatizar a declaração. Eles eram réprobos como seus pais, cujos pecados se tinham tornado *lendários*. Note igualmente o leitor como a confissão de pecados (vs. 20) está ligada a uma série de afirmações que virtualmente acusam Deus de vários erros (vs. 19). Uma confissão assim tão condicionada dificilmente teria sido totalmente sincera.

▪ 14.21

אַל־תִּנְאַץ֙ לְמַ֣עַן שִׁמְךָ֔ אַל־תְּנַבֵּ֖ל כִּסֵּ֣א כְבוֹדֶ֑ךָ זְכֹ֕ר אַל־תָּפֵ֖ר בְּרִיתְךָ֥ אִתָּֽנוּ׃

Não nos rejeites por amor do teu nome. "O glorioso *trono* de Sião ou, mais especificamente, o templo no qual, segundo se acreditava, Yahweh habitava entronizado sobre os querubins, no Santo dos Santos (cf. 1Sm 4.4; 2Sm 6.2; 2Rs 19.15; Sl 80.1; 99.1). Quanto a essa frase, cf. Jr 3.17; 17.12; Ez 43.7" (James Philip Hyatt, *in loc.*). O severo julgamento que caía sobre os judeus demonstrava que Yahweh estava "desprezando" o seu povo. Ver sobre a *ira* de Deus, em Jr 12.8. Todos esses termos são pesadamente antropomórficos e antropopatéticos. Ver no *Dicionário* os artigos chamados *Antropomorfismo* e *Antropopatismo*. Os homens conferem a Deus seus próprios atributos e emoções. Eles pensavam que Deus estava *rejeitando*, já que eles tinham desonrado o seu *trono*. O movimento mais esperto seria que ele os ajudasse por interesse próprio, isto é, *por causa de seu nome*, expressão vista no vs. 7, onde a questão é explicada. A ideia é repetida no vs. 9, e assim a encontramos por três vezes neste capítulo. Mas então, de maneira absurda, os réprobos acusaram Deus de estar pronto a romper sua aliança com eles. Essa aliança tinha sido *despedaçada* por eles, quando praticavam ansiosamente a sua idolatria-adultério-apostasia. Ver sobre *pacto abraâmico* em Gn 15.18 e *pacto mosaico*, na introdução a Êx 19. Ver, no *Dicionário*, o artigo chamado *Pactos*.

> *Lembrou-se, a favor deles, de sua aliança, e se compadeceu, segundo a multidão de suas misericórdias.*
> Salmo 106.45

Cf. este versículo com Dn 9.19.

▪ 14.22

הֲיֵ֨שׁ בְּהַבְלֵ֤י הַגּוֹיִם֙ מַגְשִׁמִ֔ים וְאִם־הַשָּׁמַ֖יִם יִתְּנ֣וּ רְבִבִ֑ים הֲלֹ֨א אַתָּה־ה֜וּא יְהוָ֤ה אֱלֹהֵ֙ינוּ֙ וּנְקַוֶּה־לָּ֔ךְ כִּֽי־אַתָּ֥ה עָשִׂ֖יתָ אֶת־כָּל־אֵֽלֶּה׃ פ

Acaso haverá entre os ídolos dos gentios algum que faça chover? A *dificuldade* abordada na seção dos vss. 19-22 foi uma seca feroz, que também é o assunto tratado em Jr 14.1-6. Provavelmente a mesma crise esteja sendo referida aqui, no fim do capítulo 14, em uma seção diferente. A seca era típica de uma série de crises dolorosas que Judá atravessava, todas as quais faziam parte do julgamento que terminaria no temível ataque desfechado pelo exército babilônico e no exílio subsequente. O povo, ou Jeremias expressando as atitudes presentes do povo de Judá, reconheceu que todos os deuses de nada que eles haviam honrado não tinham poder para fazer cessar a seca. Pelo contrário, eles foram *forçados* a apelar para que Yahweh interrompesse a seca. Nem os próprios céus, sem o decreto divino, seriam capazes de reverter a *seca* e a *fome* subsequente (ver o vs. 16). Os *deuses falsos* não passavam de *vaidades* (conforme diz literalmente o original hebraico) nem tinham poder para influenciar o curso dos acontecimentos entre os homens. Essa é uma prerrogativa de Yahweh (ver Is 13.6). Yahweh é um Deus que faz chover (ver 1Rs 17.1; 18.18-46), e o povo de Judá estava disposto a retornar a ele, pelo menos temporariamente, para evitar a morte por inanição. Cf. este versículo com Zc 10.1,2. Yahweh era visto como a primeira causa, e até mesmo os céus, efeitos do seu poder, por mais terríveis que parecessem, não poderiam produzir chuva sem o decreto divino. Os hebreus acreditavam que os fenômenos naturais, como a chuva, o vento, as tempestades etc., estavam debaixo do controle direto de Deus. Na teologia dos hebreus havia pouco espaço para as *leis naturais*. Ver Jó 38.28. Yahweh-Elohim era a única *esperança* deles. Não obstante, há tão pouco tempo, eles estavam ainda esperando por seus ídolos absurdos. O Deus *eterno e poderoso* não haveria de continuar ajudando um povo como aquele. O julgamento divino precisava percorrer todo o seu curso. Ver no *Dicionário* o artigo denominado *Deus, Nomes Bíblicos de*.

CAPÍTULO QUINZE

Não há interrupção entre os capítulos 14 e 15. Jr 15.1-4 é a *sétima* parte da seção iniciada em Jr 14.1, sendo a réplica de Yahweh às confissões de pecado e aos apelos por ajuda que aparecem na sexta seção, Jr 14.19-22.

A RESPOSTA DE YAHWEH (15.1-4)

▪ 15.1

וַיֹּ֤אמֶר יְהוָה֙ אֵלַ֔י אִם־יַעֲמֹ֨ד מֹשֶׁ֤ה וּשְׁמוּאֵל֙ לְפָנַ֔י אֵ֥ין נַפְשִׁ֖י אֶל־הָעָ֣ם הַזֶּ֑ה שַׁלַּ֥ח מֵֽעַל־פָּנַ֖י וְיֵצֵֽאוּ׃

Ainda que Moisés e Samuel se pusessem diante de mim, meu coração não se inclinaria para este povo. O arrependimento do povo de Judá, fingido ou sincero, bem como a intercessão do profeta em favor deles, falharam completamente em atrair a atenção de Yahweh. Yahweh havia proibido Jeremias de interceder pelo povo de Judá (ver Jr 7.15; 11.4 e 14.11). Judá, em sua idolatria-adultério-apostasia, tinha ido longe demais, por tempo demais, e agora não mais podia ser chamado de volta. Uma série de julgamentos divinos sobreviriam, culminando na temida invasão do exército da Babilônia e no subsequente exílio. Judá teria de enfrentar os *quatro tipos* de destruidores (vs. 3). O país seria devastado. Somente um minúsculo remanescente seria refinado da escória para que as coisas se reiniciassem em algum determinado novo dia.

Se os grandes intercessores como Moisés, Samuel e Jeremias se reunissem todos com o mesmo propósito, e todos pleiteassem diante de Yahweh em favor do livramento de Judá, Yahweh se mostraria surdo para com eles, e o julgamento divino viria conforme fora determinado pelo Senhor. Essa era uma maneira enfática de dizer que o caso não tinha solução. Quanto à intercessão de Moisés, ver Êx 32.11-14,31-34 e Nm 14.13-25. Quanto à intercessão de Samuel, ver 1Sm 7.5-11; 12.19 e Sl 99.6. Tanto Moisés quanto Samuel viveram em tempos-chaves e intercederam diante de Yahweh em favor do povo de Israel, para que o Senhor retirasse deles a suas ira, com notável sucesso; mas Jeremias falharia, porque o povo tinha falhado miseravelmente, não mais podendo ser recuperado. A *mente* de Yahweh não mais podia tolerar o pensamento de seu povo; ele não mais podia suportar a visão deles diante de seus olhos. Por isso os enviou para fora de sua visão, para a Babilônia. Foi assim, com um ousado *antropomorfismo* (ver a respeito no *Dicionário*), que a total rejeição da nação de Judá foi descrita por Jeremias.

... se pusessem diante de mim. Pôr-se de pé era uma posição comum para quem orava, e talvez seja a melhor posição, pois impede que a pessoa caia no sono.

O SUFOCO DO PECADO

Longos dias sem sol! Noites de eterno luto!
Alma cega, perdida, à toa no caminho?
Roto casco de nau, desprezado no mar!
E, árvore, acabará sem nunca dar um fruto;
E, homem, há de morrer como viveu: sozinho!
Sem ar! Sem luz! Sem Deus! Sem fé! Sem pão?
Sem lar!

Olavo Bilac

RECOLHENDO A SEMEADURA INÍQUA

O que é para a morte, para a morte;
O que é para a espada, para a espada;
O que é para a fome, para a fome;
E o que é para o cativeiro, para o cativeiro.
Porque os punirei com quatro sortes de castigos,
diz o Senhor.

Jeremias 15.2,3

■ 15.2

וְהָיָה כִּי־יֹאמְרוּ אֵלֶיךָ אָנָה נֵצֵא וְאָמַרְתָּ אֲלֵיהֶם כֹּה־
אָמַר יְהוָה אֲשֶׁר לַמָּוֶת לַמָּוֶת וַאֲשֶׁר לַחֶרֶב לַחֶרֶב
וַאֲשֶׁר לָרָעָב לָרָעָב וַאֲשֶׁר לַשְּׁבִי לַשֶּׁבִי:

Quando te perguntarem: Para onde iremos? Quando a calamidade atacasse, o povo de Judá pediria orientações. E quando fizessem a pergunta, o profeta responderia a seus clamores desesperados com ironia. Eles diriam: "Que faremos? Para onde iremos?", e o profeta responderia que eles estavam designados para serem punidos de diferentes maneiras, todas fatais, e deveriam correr para receber sua forma de punição, pois esse era seu destino: 1. Os que estivessem destinados à *morte* (mediante praga; ver Jr 14.12) deveriam resignar-se à morte e correr para ela. 2. Os que estivessem destinados a ser mortos à *espada*, como em uma batalha, deveriam correr para enfrentar os babilônios e ser mortos à espada, e assim cumprir seu destino. 3. Os que estivessem destinados a morrer de inanição deveriam parar em sua busca desesperada por alimentos, permitindo que a natureza seguisse o seu curso. 4. Os poucos sobreviventes desses modos de morte deveriam apressar-se para uma *morte em vida*, ou seja, o *cativeiro* na Babilônia, onde a espada os seguiria nos calcanhares (ver Jr 9.16). O processo inteiro, em suas quatro variações, seria a colheita daquilo que eles mesmos haviam semeado (ver Gl 6.7,8).

■ 15.3

וּפָקַדְתִּי עֲלֵיהֶם אַרְבַּע מִשְׁפָּחוֹת נְאֻם־יְהוָה אֶת־
הַחֶרֶב לַהֲרֹג וְאֶת־הַכְּלָבִים לִסְחֹב וְאֶת־עוֹף הַשָּׁמַיִם
וְאֶת־בֶּהֱמַת הָאָרֶץ לֶאֱכֹל וּלְהַשְׁחִית:

Porque os punirei com quatro sortes de castigos, diz o Senhor. Essa seria a operação da providência negativa de Yahweh. Os castigos divinos seriam grandes e operariam através de *quatro tipos de destruidores*: 1. A *espada*, as matanças causadas pelo exército da Babilônia. 2. Os *cães*, que viriam devorar os cadáveres dos mortos. Devemos relembrar que, excetuando o caso dos cães-pastores, os hebreus não criavam cães como animais de estimação. Antes, os cães percorriam ferozmente as ruas, em busca de lixo para comer. Um cadáver seria uma refeição de luxo para uma matilha de cães. 3. As *aves* de rapina não foram esquecidas; haveria grande abundância de cadáveres para aqueles predadores. 4. As *feras do campo*, como o leão, o chacal, a hiena, o lobo — todos teriam sua partilha de cadáveres. Essa festança em torno de cadáveres substituiria os sepultamentos, porquanto não haveria número suficiente de sobreviventes para sepultar os mortos em batalha e os mortos de fome, e muito menos os babilônios não estariam interessados nessa tarefa. "Mesmo depois de terem sido mortos, seus cadáveres sofreriam a humilhação extrema de servir de presa de feras devoradoras e de aves de rapina. Mas a causa dessas catástrofes estava dentro dos próprios judeus, conforme ficara claro na resposta de Yahweh à primeira oração (ver Jr 14.10)" (Stanley Romaine Hopper, *in loc.*).

■ 15.4

וּנְתַתִּים לְזַעֲוָה לְכֹל מַמְלְכוֹת הָאָרֶץ בִּגְלַל מְנַשֶּׁה
בֶן־יְחִזְקִיָּהוּ מֶלֶךְ יְהוּדָה עַל אֲשֶׁר־עָשָׂה בִּירוּשָׁלִָם:

Entregá-los-ei para que sejam um espetáculo horrendo para todos os reinos da terra. Cf. 2Rs 23.26 e 24.3 quanto à ideia de que foram os pecados de Manassés que causaram toda a confusão do julgamento divino. Naturalmente, ele foi apenas um exemplo do mal, especialmente porque tinha promovido toda espécie de iniquidades, mas especialmente os cultos idólatras que chegavam a incluir sacrifícios de crianças. Manassés agiu contra o bom exemplo deixado por Ezequias, o qual também cometeu seus equívocos (especialmente mostrar os tesouros de Jerusalém aos babilônios), mas, de modo geral, foi um rei bom e justo. E o povo de Judá preferiu acompanhar Manassés, e não Ezequias, o que estava em harmonia com sua própria natureza corrupta. "Manassés poluiu de tal maneira Jerusalém com a idolatria que sua destruição se tornou inevitável (ver 2Rs 21.10-15). As próprias reformas de Josias só puderam adiar a destruição certa (ver 2Rs 22.16-20)" (Charles H. Dyer, *in loc.*). Cf. o versículo com Dt 28.25 e Ez 23.46.

"O horror do longo e perverso reinado de Manassés continuava demorando-se na mente dos homens, e o profeta via nisso o *começo* dos males que os judeus estavam prestes a sofrer. O nome de Ezequias pode ter sido inserido como um *agravo* da culpa de seu sucessor" (Ellicott, *in loc.*). Por causa de todos esses males, o povo seria "removido" de sua terra natal e espalhado entre as nações gentílicas. Está em foco, especificamente, o cativeiro babilônico, mas foi a *dispersão romana* que realizou de modo eficaz o propósito divino relativo aos judeus por tantos séculos. Somente em nossa própria época, com a formação do Estado de Israel, em maio de 1948, é que começou a haver a reversão parcial da dispersão romana. Ver no *Dicionário* o artigo denominado *Diáspora*.

VÁRIAS LAMENTAÇÕES DE JEREMIAS (15.5-21)

Primeira Lamentação sobre a Destruição da Terra (15.5-9)

■ 15.5

כִּי מִי־יַחְמֹל עָלַיִךְ יְרוּשָׁלִַם וּמִי יָנוּד לָךְ וּמִי יָסוּר
לִשְׁאֹל לְשָׁלֹם לָךְ:

Pois quem se compadeceria de ti, ó Jerusalém? Haveria muitas calamidades a lamentar, conforme mostra o versículo anterior, descrevendo as *quatro destruições* (vs. 3). Jerusalém teria uma sorte realmente lamentável, pois seria a *colheita* de muita má semeadura. As *invasões babilônicas viriam* em ondas. E não terminariam tão cedo; seria uma invasão completa, brutal e sem misericórdia. Uma devastadora invasão ocorreu em 598 a.C., e talvez essa invasão esteja especificamente em vista aqui. Outra já a tinha antecedido, em 602 a.C. A destruição final de Jerusalém ocorreu entre 588-587 a.C. Ver no *Dicionário* o artigo chamado *Cativeiro Babilônico*.

Ninguém se importaria com o que acontecesse a Jerusalém. Os inimigos tradicionais de Judá se escarneceriam e se regozijariam. A rejeição de Yahweh (vs. 6) garantia a rejeição dos homens, de modo que a questão inteira terminou em vergonha e morte. Ninguém saudaria os réprobos quando eles estivessem de costas no chão. O fato de que Yahweh tinha ferido o povo de Judá ficaria evidente a todos.

■ 15.6

אַתְּ נָטַשְׁתְּ אֹתִי נְאֻם־יְהוָה אָחוֹר תֵּלֵכִי וָאַט אֶת־יָדִי
עָלַיִךְ וָאַשְׁחִיתֵךְ נִלְאֵיתִי הִנָּחֵם:

Tu me rejeitaste, diz o Senhor, voltaste para trás. Uma vez recusado, Yahweh repudiaria os rejeitadores. Eles continuavam a "afastar-se mais e mais dele" (NCV), caindo em maior idolatria e vergonha. Portanto, Yahweh os agarraria e os destruiria, porquanto já estava cansado de suster sua ira. Sua paciência estava desgastada por aqueles pervertidos sem vergonha.

> *Continuas a escorregar, pelo que porei as mãos sobre ti e te destruirei.*
>
> NCV

Yahweh estava cansado de arrepender-se de castigar Judá e dar-lhe novas oportunidades. Cf. Am 7.1-9. Por conseguinte, ele estendeu uma *mão* aterrorizante e administrou o golpe fatal. A mão é um instrumento de trabalho, mas é igualmente um meio de aflição. Ver no *Dicionário* o verbete chamado *Mão*, bem como Sl 81.14. Ver sobre *mão direita*, em Sl 20.6. Quanto à figura simbólica similar, *braço*, ver Sl 77.15; 89.10 e 98.1. Não haveria dó no golpe aplicado. Esse golpe destruiria a nação inteira. Quanto ao exercício divino da paciência, cf. Êx 32.14 e 1Cr 21.15. Quanto ao *arrependimento* de Yahweh, ver Êx 32.14, onde apresento uma nota de sumário.

15.7

וְאֶזְרֵם בְּמִזְרֶה בְּשַׁעֲרֵי הָאָרֶץ שִׁכַּלְתִּי אִבַּדְתִּי אֶת־עַמִּי מִדַּרְכֵיהֶם לוֹא־שָׁבוּ:

Cirandei-os com a pá nas portas da terra; desfilhei e destruí o meu povo. "Deus jurou que destruiria os judeus sem compaixão. Ele os padejaria, como um agricultor separa a palha do grão, para remover os incrédulos que eram como palha" (Charles H. Dyer, *in loc.*). Quanto a essa figura simbólica comum, ver Is 21.10; 27.12; Jr 51.2; Mt 3.12; Lc 3.17. Esse espantoso processo de padejamento seria feito *publicamente*, nas portas da cidade, pois seria ali que o exército babilônico executaria seu trabalho de matança. Judá seria submetido à desgraça internacional. Um aspecto horrendo da questão seria a morte das crianças. Nenhuma célula familiar permaneceria intacta. Os que não fossem mortos seriam deportados. Mulheres seletas seriam enviadas aos haréns dos oficiais babilônicos. As que restassem seriam transformadas em escravas. A espada seguiria os judeus até a Babilônia, e a matança continuaria (ver Jr 9.16). Eles se recusavam a arrepender-se; nunca "se volveram" para Yahweh. Portanto, o castigo a que foram submetidos foi justo.

Pá. Temos aqui um instrumento de trilhar, o *tribulum*, de onde derivamos a palavra "tribulação", pois esse termo nos chegou do latim. O instrumento separa o trigo da palha. A maior parte da população de Judá era como a palha; uma pequena parcela era trigo e resultaria do processo, a partir do qual, eventualmente, surgiria uma nova nação, em um novo dia.

15.8

עָצְמוּ־לִי אַלְמְנֹתָו מֵחוֹל יַמִּים הֵבֵאתִי לָהֶם עַל־אֵם בָּחוּר שֹׁדֵד בַּצָּהֳרָיִם הִפַּלְתִּי עָלֶיהָ פִּתְאֹם עִיר וּבֶהָלוֹת:

As suas viúvas se multiplicaram mais do que as areias dos mares. Quase toda a população masculina dos judeus seria morta, e, na verdade, a maioria das mulheres. Mas um imenso número de mulheres seria deixado na viuvez, de modo que elas seriam como a areia dos mares. Quanto a essa metáfora que indica *grande número*, ver Gn 22.17; 32.12; Jz 7.12; 1Sm 13.5. Naturalmente, o profeta Jeremias empregou aqui em termos comparativos uma hipérbole oriental. As poucas mulheres que restassem seriam numerosas em comparação com os homens. mães orgulhosas dos jovens seriam destruídas com seus filhos, pelos ataques súbitos dos babilônios, ao meio-dia. Haveria angústia e terror, pois uma *nação inteira* estaria sendo quase extinta. Mesmo nos horários de maior calor do dia, quando as operações militares usualmente eram suspensas, haveria grande matança, pois os babilônios muito se divertiam e tomavam grande despojo para ao menos parar para almoçar.

Alguns intérpretes pensam que a palavra *mãe* é usada neste versículo como metáfora para representar a própria cidade de Jerusalém. A referência, entretanto, é a mães literais que testemunhariam a morte dos filhos, para então, elas mesmas, receberem os golpes rudes da espada.

15.9

אֻמְלְלָה יֹלֶדֶת הַשִּׁבְעָה נָפְחָה נַפְשָׁהּ בָּאָה שִׁמְשָׁהּ בְּעֹד יוֹמָם בּוֹשָׁה וְחָפֵרָה וּשְׁאֵרִיתָם לַחֶרֶב אֶתֵּן לִפְנֵי אֹיְבֵיהֶם נְאֻם־יְהוָה: ס

A que tinha sete filhos desmaiou como para expirar a alma. Ter *sete filhos* era grande glória para uma mulher, sinal de força especial e favor divino. Esse era o zênite da felicidade para uma mulher, assim como uma razão de segurança, porquanto eles cuidariam dela em sua idade avançada. Mas ver com os próprios olhos os sete filhos mortos era a catástrofe final. De um golpe só, tudo o que era importante para ela lhe teria sido arrancado. "Ela choraria até tornar-se fraca e incapaz de respirar" (NCV), e em breve a espada terminaria sua agonia, ou então ela sofreria a desgraça suprema de ser posta em um harém da Babilônia. Que teria acontecido com tal mulher? O *sol* dela ia alto no firmamento. Ela estava apreciando o "seu dia", mas, de uma hora para outra, o sol se pôs, bem no meio do dia. Tal mulher teria sofrido o máximo de desgraça e angústia. A vida teria terminado para ela, sem importar se uma espada babilônica lhe decepasse ou não a cabeça. E as mulheres "restantes" seriam entregues à matança, pois o próprio Yahweh decretara tal acontecimento. Novamente, alguns intérpretes fazem a "mãe" ser uma figura simbólica da própria cidade de Jerusalém. Isso também exprime uma verdade, mas parece que o profeta descrevia os sofrimentos de certo segmento da sociedade, que não deveria ser sujeito a tais desgraças.

"Essas *trevas ao meio-dia* sobreviveram repentinamente, ferindo a mãe (Jerusalém), por meio da perda súbita de seus sete filhos (o número ideal, e a flor do orgulho da família). A figura simbólica atinge o alvo dramático do poeta. Concentrou o desastre geral em um particular concreto" (Stanley Romaine Hopper, *in loc.*). Cf. Rt 4.15; Os 9.12 e 1Sm 2.5.

Segunda Lamentação de Jeremias (15.10-21)

15.10

אוֹי־לִי אִמִּי כִּי יְלִדְתִּנִי אִישׁ רִיב וְאִישׁ מָדוֹן לְכָל־הָאָרֶץ לֹא־נָשִׁיתִי וְלֹא־נָשׁוּ־בִי כֻּלֹּה מְקַלְלַוְנִי: ס

Ai de mim, minha mãe! Pois me deste à luz homem de rixa e homem de contendas. Jeremias dirige-se aqui à própria mãe, ou a Jerusalém, mãe simbólica. Provavelmente está em vista o primeiro caso. Ele lamenta como as coisas tinham saído erradas, trazendo-lhe tristeza e dor. E desejou jamais haver nascido. Ele se tornou um homem de rixas e contendas, pois sempre despertava o ânimo contrário da parte daqueles a quem apresentava suas profecias. Ele não estava engajado em outro tipo de atividade, como o comércio, com suas compras e vendas, através do que é possível haver contendas entre os homens. Ver Ne 5.1-13 e Pv 22.7. Jeremias era unicamente um profeta, mas isso era o suficiente para causar-lhe toda a tribulação que ele já havia experimentado. À semelhança de Jó, Jeremias sofria tristezas e nunca estava muito à vontade (ver Jó 3.26), e assim se queixava amargamente no mais profundo de sua alma (ver Jó 7.11). Cf. esta lamentação com Jr 11.18-22. "Jeremias salientou aqui seu ostracismo e contínua rejeição da Palavra transmissora de vida, que ele pregava. Ver Ez 2.8-10 e Jo 4.32-34" (*Oxford Annotated Bible*, comentando sobre este vs. 10). Cf. Jr 20.14 e Jó 3.1. Ver a experiência de Paulo de idêntica natureza, em 1Co 4.12,13.

15.11

אָמַר יְהוָה אִם־לֹא שָׁרוֹתִךָ לְטוֹב אִם־לֹוא הִפְגַּעְתִּי בְךָ בְּעֵת־רָעָה וּבְעֵת צָרָה אֶת־הָאֹיֵב:

Disse o Senhor: Na verdade eu te fortalecerei para o bem. Yahweh falou ao profeta, assegurando-lhe que, embora estivesse sendo maltratado pelo povo de Judá, ele seria vindicado no fim. Quando chegasse o tempo de aflição, seus inimigos lhe pediriam ajuda. Essa promessa foi cumprida nos pedidos feitos pelo rei Zedequias, quando se chegou a ele com uma série de petições (ver Jr 21.1-17; 37.1-10,17-20 e 38.14-18). O texto massorético (ver no *Dicionário* o verbete denominado *Massora (Massorah); Texto Massorético*) tem um texto que dá o sentido ao versículo conforme sugerido anteriormente: *Yahweh falava com o profeta*. Mas o original hebraico é difícil, e a *Septuaginta* (ver a respeito no *Dicionário*) dá o profeta dirigindo-se a Yahweh. Ele queria ser amaldiçoado, mesmo que fosse por Yahweh, "se jamais deixei de suplicar pelo bem deles ou de rogar pelo inimigo no tempo da calamidade e no tempo da angústia". Isso representa um texto hebraico diferente do que é dado pelo massorético, ou então é um manuseio muito livre do texto que conhecemos em nossas Bíblias hebraicas modernas. Jeremias declarava não merecer o tratamento que vinha obtendo, visto que sempre fora fiel à sua missão. Alguns estudiosos pensam que o "inimigo" que aparece neste versículo é Nabucodonosor, que ordenara a seu comandante-chefe, Nebuzaradã, que tratasse bem de Jeremias. Ver Jr 39.11.

■ **15.12**

הֲיָרֹעַ בַּרְזֶל בַּרְזֶל מִצָּפוֹן וּנְחֹשֶׁת׃

Pode alguém quebrar o ferro, o ferro do Norte, ou o bronze? O hebraico original deste versículo é obscuro, e alguns simplesmente desistem de tentar arrancar dele algum significado. Considere o leitor estes três pontos:

1. A conjectura da NCV é a seguinte: "Ninguém pode quebrar um pedaço de ferro ou de bronze. Quero dizer, o tipo de metal que vem do norte". Quanto à invasão do norte, ver Jr 1.13-15; 4.5-31; 5.15-17; 6.22-26; 8.14-17; 10.21; 13.20-27. Essa declaração, pois, significa que o inimigo do norte era *invencível*, visto que era um instrumento na mão de Yahweh para castigar Judá.
2. Ou então o próprio profeta era como o ferro (Jr 1.8), ao passo que o povo era como o ferro e o bronze. A ideia seria então que o profeta se queixava de não ser forte o bastante para resistir à dureza e teimosia do povo de Judá. Nesse caso, a referência ao *norte* não seria à Babilônia, mas, sim, ao ferro proveniente do norte, importado, que era de qualidade superior, por ser extremamente duro.
3. Ou então o *ferro* é Judá, que não teria oportunidade de resistir ao ferro e ao bronze do norte (Babilônia) e seria esmagado por esse poder.

■ **15.13,14**

חֵילְךָ וְאוֹצְרוֹתֶיךָ לָבַז אֶתֵּן לֹא בִמְחִיר וּבְכָל־
חַטֹּאותֶיךָ וּבְכָל־גְּבוּלֶיךָ׃

וְהַעֲבַרְתִּי אֶת־אֹיְבֶיךָ בְּאֶרֶץ לֹא יָדָעְתָּ כִּי־אֵשׁ קָדְחָה
בְאַפִּי עֲלֵיכֶם תּוּקָד׃ ס

Os teus bens e os teus tesouros entregarei gratuitamente ao saque. Alguns consideram que os vss. 13,14 estão fora de ordem aqui, pois pertenceriam ao capítulo 17, onde constituem os vss. 3b e 4. Mas, se realmente pertencem a este ponto, então temos uma súbita exclamação de Yahweh dirigida a Judá, afirmando que sua riqueza e seus tesouros se tornariam presa fácil dos babilônios. Isso aconteceria porque Judá deveria pagar por seus pecados, *dessa* e de outras maneiras. Além disso, *outra maneira* pela qual o povo de Judá pagaria por sua iniquidade (vs. 14) era tornar-se escravo dos invasores do norte, exilado fora do país. A Babilônia era uma terra estranha, que eles não conheciam (ver Jr 14.18; 15.2; 16.13; 17.4) e representaria uma morte em vida. A ira escaldante de Yahweh faria acontecer essas coisas. A nação de Judá seria queimada pelo fogo do refinador, para tirar da grande massa de escória alguma prata que se tornaria o novo Israel, em um novo dia. Essa parte do versículo foi tomada por empréstimo de Dt 32.22.

O fogo se acendeu em minha ira. O "fogo" simbolizava o julgamento. Ver no *Dicionário* os artigos chamados *Fogo*, *Símbolo de* e *Fogo* (seções VII e VIII), quanto a detalhes sobre esse simbolismo.

■ **15.15**

אַתָּה יָדַעְתָּ יְהוָה זָכְרֵנִי וּפָקְדֵנִי וְהִנָּקֶם לִי מֵרֹדְפַי
אַל־לְאֶרֶךְ אַפְּךָ תִּקָּחֵנִי דַּע שְׂאֵתִי עָלֶיךָ חֶרְפָּה׃

Tu, ó Senhor, o sabes; lembra-te de mim, ampara-me e vinga-me dos meus perseguidores. Jeremias com frequência orava para que Yahweh *se vingasse* de seus inimigos; e esse é o tema nesta passagem bíblica. Cf. Jr 11.20; 12.3; 17.18; 18.23 e 20.11. Ver no *Dicionário* o verbete intitulado *Vingança*, quanto a detalhes. As palavras pacíficas de Jesus sobre orar pelo bem dos inimigos (ver Mt 5.4), passaram pela cabeça de Jeremias tal como passam por nossa cabeça, a despeito de todo o nosso fingimento de sermos pessoas espirituais. Cf Rm 12.19 ss. Contrastar este versículo com aqueles sobre Jesus em sua morte (Lc 23.34), assim como com os versículos sobre Estêvão, primeiro mártir cristão, por ocasião de sua morte (ver At 7.60).

Sabe que por tua causa eu sofro opróbrio da parte daqueles que desprezam as tuas palavras. Consome-os, e as tuas palavras serão a alegria do meu coração.

Septuaginta, unindo os vss. 15,16

Muitos eruditos consideram que a citação anterior representa o texto original, de onde supõem que o texto massorético se desviou.

Senhor, tu compreendes. Lembra-me e toma conta de mim. Pune-me pelas pessoas que me estão prejudicando. Não me destrói enquanto permaneceres paciente comigo. Pensa na dor que estou sofrendo por ti.

NCV

■ **15.16**

נִמְצְאוּ דְבָרֶיךָ וָאֹכְלֵם וַיְהִי דְבָרְךָ לִי לְשָׂשׂוֹן
וּלְשִׂמְחַת לְבָבִי כִּי־נִקְרָא שִׁמְךָ עָלַי יְהוָה אֱלֹהֵי
צְבָאוֹת׃ ס

Achadas as tuas palavras, logo as comi; as tuas palavras me foram gozo e alegria para o coração. Este é um dos versículos mais conhecidos e citados do livro de Jeremias. É usado para falar sobre a devoção à palavra de Deus por parte dos amantes da Bíblia. Essa devoção é cheia de *alegria* que chega ao coração. Trata-se da devoção da pessoa chamada pelo nome de Deus, o que significa, neste contexto generalizado, uma pessoa convertida, uma crente.

As palavras de Deus *foram comidas*, o que significa que se tornaram o alimento espiritual do devoto. No contexto original, as *palavras* são as profecias e a mensagem geral que Yahweh deu a Jeremias. Ele devorou essas palavras como fonte de sua alegria, embora, de modo geral, elas fossem amargas para aqueles a quem foram endereçadas. Nessas palavras havia poder, por terem sido dadas pelo *Senhor dos Exércitos*, o Poder do alto, o qual faria acontecer todas as coisas que tinham sido profetizadas. Seria assim vindicado o profeta que fora perseguido por causa de sua fidelidade ao entregar a mensagem contrária ao povo de Judá, embora visasse o bem superior deles. Ver no *Dicionário* o artigo chamado *Senhor dos Exércitos,* bem como 1Rs 18.15. Quanto ao comer das palavras de Deus, cf. Ez 2.8—3.3 e Ap 10.9,10. Está em pauta a total assimilação da mensagem divina, acompanhada por uma feroz dedicação a ela. A palavra de Deus tinha-se tornado a razão da vida de Jeremias. Ele conhecia a Palavra de Deus de modo absoluto e estava dedicado à sua propagação.

■ **15.17**

לֹא־יָשַׁבְתִּי בְסוֹד־מְשַׂחֲקִים וָאֶעְלֹז מִפְּנֵי יָדְךָ בָּדָד
יָשַׁבְתִּי כִּי־זַעַם מִלֵּאתָנִי׃ ס

Nunca me assentei na roda dos que se alegram, nem me regozijei. Jeremias fora separado das massas populares por ser o instrumento que entregava mensagens proféticas. Jeremias era isolado e desprezado pelos outros israelitas, porque sua mensagem era amarga aos ouvidos deles. Ele não se conformaria aos pecadores meramente para ser aceito e ganhar os frutos da amizade. De fato, ele tinha sido separado dos pecadores. Não mantinha companheirismo com os réprobos que estava denunciando. Não os queria, e eles igualmente não o queriam.

Nunca me sentei com a multidão que gargalhava e se divertia. Eu me sentava sozinho, porque tu estavas ali. Encheste-me de ira com a maldade ao meu redor.

NCV

"Jeremias recusava associar-se com a companhia dos que se divertiam (cf. Sl 1.1), preferindo antes sentar-se sozinho e ser guiado pela mão de Deus. Ele compartilhava da *indignação* de Deus contra os pecados do povo" (Charles H. Dyer, *in loc.*). O Targum refere-se aos réprobos como "aqueles que cantam", aqueles que cantavam em suas festas de vinho, dançavam e viviam com falsa alegria. Jeremias tinha sua alegria nas palavras de Yahweh (vs. 16) e não precisava dos prazeres mundanos. Ver 2Co 6.14 ss.

■ 15.18

לָמָּה הָיָה כְאֵבִי֙ נֶ֔צַח וּמַכָּתִ֖י אֲנוּשָׁ֑ה מֵאֲנָה֙ הֵרָפֵ֔א הָי֣וֹ
תִהְיֶ֥ה לִי֙ כְּמ֣וֹ אַכְזָ֔ב מַ֖יִם לֹ֥א נֶאֱמָֽנוּ׃ ס

Por que dura a minha dor continuamente, e a minha ferida me dói, e não admite cura? Como é óbvio, Jeremias tinha *intensa devoção* a Yahweh, à sua palavra e à missão que lhe havia sido dada. Mas isso não significa que o Poder divino tivesse interrompido as perseguições que Jeremias sofria. Por assim dizer, era uma *ferida incurável* que seus inimigos abriam novamente a cada sinal de cura. Em sua amargura, Jeremias "acusou Deus de decepcioná-lo. Quanto à ideia da segunda metade do versículo, cf. Jó 6.15-20. Na Palestina muitos riachos só tinham água depois de pesadas chuvas. Se um viajante fosse a um daqueles riachos, na esperança de encontrar água, poderia voltar desapontado. Contrastar Jr 2.13, onde Jeremias comparou Yahweh a uma fonte perene de águas vivas. Mas agora ele acusava Deus de tê-lo desapontado" (James Philip Hyatt, *in loc.*).

Por que escondes o teu rosto, e me tens por teu inimigo?
Jó 13.24

Alguns eruditos pensam que a ferida aqui é física, algum tipo de indisposição que não sara. "Yahweh tinha prometido proteger Jeremias de seus inimigos (Jr 1.18,19). A sua enfermidade sugere que Deus tinha deixado de agir assim" (Fausset, *in loc.*). Estava em vista uma *antiga úlcera, se* o texto é literal, mas parece melhor compreender aqui o sentido metafórico. Ver Jr 6.14.

■ 15.19

לָכֵ֞ן כֹּֽה־אָמַ֣ר יְהוָ֗ה אִם־תָּשׁ֤וּב וַאֲשִֽׁיבְךָ֙ לְפָנַ֣י תַּֽעֲמֹ֔ד
וְאִם־תּוֹצִ֥יא יָקָ֖ר מִזּוֹלֵ֑ל כְּפִ֣י תִֽהְיֶ֔ה יָשֻׁ֤בוּ הֵ֙מָּה֙ אֵלֶ֔יךָ
וְאַתָּ֖ה לֹֽא־תָשׁ֥וּב אֲלֵיהֶֽם׃

Portanto assim diz o Senhor: Se tu te arrependeres, eu te farei voltar e estarás diante de mim. O profeta Jeremias, que vivia constantemente convidando outras pessoas ao arrependimento, agora precisava ele mesmo se arrepender, por causa das palavras quase blasfemas do vs. 18. Em compreensível autopiedade, ele tinha fustigado a Deus, e a palavra de Yahweh veio para salientar a natureza imprópria de sua fala amarga. Ele teria de continuar proferindo aquilo que era precioso e verdadeiro e, dessa maneira, seria capaz de pôr-se de pé diante de Deus. Mas se ele proferisse aquilo que era *inútil* (conforme se vê no vs. 18), então Yahweh teria de revisar o seu caso para checar se ele era digno de continuar sendo um profeta. Jeremias continuaria a funcionar como a boca divina (porta-voz), caso se arrependesse. É importante "permitir que o povo de Judá se volte para o profeta. Mas não deves mudar e nem te tornares como eles" (NCV). Essa é uma declaração cortante que mostra que Jeremias tinha começado a falar como os réprobos de Judá, azedando seu relacionamento com Deus. Quanto a ser a *boca de Deus,* cf. Êx 4.16.

"Jeremias precisava, não menos do que o povo de Judá, retornar à sua verdadeira mentalidade (vs. 16), arrependendo-se de seus murmúrios e de sua desconfiança. Somente com base nesta condição ele poderia novamente pôr-se 'de pé' na presença do Senhor, no sentido estrito dessas palavras, ministrando diante dele como seu profeta e sacerdote" (Ellicott, *in loc.*).

Se apartares o precioso do vil. A figura por trás dessas palavras é a de metais vis e de metais preciosos, quando eles são testados para verificar a que tipo pertencem. Ou a figura é a do processo de refinamento que separava a escória do verdadeiro e precioso metal, como a prata ou o ouro. O que Jeremias disse no vs. 16 era puro ouro; mas o que ele disse no vs. 18 era escória ou algum metal vil como o chumbo. Ver Jr 6.27-30, onde o profeta foi comissionado para ser um *testador de metais.* O vs. 19 convida o profeta a testar o seu próprio metal!

■ 15.20

וּנְתַתִּ֜יךָ לָעָ֣ם הַזֶּ֗ה לְחוֹמַ֤ת נְחֹ֙שֶׁת֙ בְּצוּרָ֔ה וְנִלְחֲמ֥וּ
אֵלֶ֖יךָ וְלֹא־י֣וּכְלוּ לָ֑ךְ כִּֽי־אִתְּךָ֥ אֲנִ֛י לְהוֹשִֽׁיעֲךָ֥
וּלְהַצִּילֶ֖ךָ נְאֻם־יְהוָֽה׃

Eu te porei contra este povo como forte muro de bronze. Jeremias estava sentindo a sua fraqueza e não a sua fortaleza, pelo que a promessa de Yahweh foi de que ele seria *fortalecido,* como se fosse um forte *muro de bronze.* Seus inimigos bateriam a cabeça contra o muro, e isso não exerceria nenhum efeito contra o muro, embora indicasse uma grave injúria. Haveria uma luta contra o profeta. Jeremias não estava isento de tribulação, mas nenhum inimigo prevaleceria contra ele, porquanto Yahweh estaria ao lado do profeta. Eventualmente, o Senhor haveria de salvá-lo e livrá-lo de todas as dificuldades. Note o leitor que essa promessa reproduz a que o profeta recebeu por ocasião de seu comissionamento (ver Jr 1.18,19). Portanto, temos aqui uma espécie de recomissionamento, em um momento em que Jeremias realmente precisava disso, para torná-lo forte em sua debilidade.

A minha graça te basta, porque o poder se aperfeiçoa na fraqueza.
2Coríntios 12.9

A história subsequente demonstra que os adversários de Jeremias combatiam contra ele com palavras duras e ameaçadoras, com punição física e encarceramento. "Mas a presença de Deus com os seus ministros seria suficiente para salvá-lo e livrá-lo de todas as dificuldades, protegendo-o e defendendo-o de todos os seus inimigos. Ver Mt 28.20" (John Gill, *in loc.*).

■ 15.21

וְהִצַּלְתִּ֖יךָ מִיַּ֣ד רָעִ֑ים וּפְדִתִ֖יךָ מִכַּ֥ף עָרִצִֽים׃ פ

Arrebatar-te-ei das mãos dos iníquos. *Contando com a proteção de Yahweh,* Jeremias tinha sua segurança garantida. Os que quisessem matá-lo não obteriam sucesso. Os que o prendessem violentamente para pôr fim à sua vida ficariam desapontados. Alguns estudiosos pensam que o livramento, neste caso, seria do exército babilônico. Sabemos que Jeremias era favorecido por Nabucodonosor. Ver as notas sobre Jr 15.11. Ao que tudo indica, Jeremias não foi para o cativeiro junto com o restante da nação judaica. Dificuldades surgidas após o cativeiro forçaram-no a ir para o exílio no Egito. Ver Jr 43.6,7. O livro de Jeremias não nos diz quando ou como ele morreu, mas a tradição afirma que Jeremias foi apedrejado no Egito por seus próprios correligionários, em Tafnes. Mas outra tradição diz que ele escapou para a Babilônia. Ver no *Dicionário* o artigo denominado *Jeremias (o Profeta),* III.5. Seja como for, podemos estar certos de que ele foi invencível, pelo menos enquanto sua missão não terminou.

CAPÍTULO DEZESSEIS

AMEAÇAS E PROMESSAS (16.1-21)

"A primeira seção (vss. 1-13) é deuteronômica e diz como Jeremias foi proibido de casar-se e aliar-se às alegrias e tristezas de seus compatriotas, pois sua maneira de viver deveria ser uma advertência da destruição que se aproximava. Isso foi seguido por uma predição da restauração dos exilados (vss. 14,15). Então, vem uma promessa de dupla recompensa para contrabalançar a iniquidade que os israelitas haviam cometido (vss. 16-18). No fim da seção há um poema no qual as nações pagãs são chamadas a reconhecer o poder de Yahweh (vss. 19-21). Este capítulo, pois, contém duas passagens de condenação que se alternam com duas passagens que predizem um brilhante futuro" (James Philip Hyatt, *in loc.*).

A Vida de Jeremias Servia de Advertência (16.1-13)

16.1

וַיְהִי דְבַר־יְהוָה אֵלַי לֵאמֹר׃

Veio a mim a palavra do Senhor. O celibato e a austeridade de Jeremias eram sinais da chegada de tempos difíceis e, de fato, de desastre para Judá. O profeta envidou todos os seus esforços para cumprir sua missão, esquecendo os confortos e prazeres pessoais. Não lhe restaria tempo para cumprir seus deveres normais como pai. Era um tempo ruim para constituir família em Jerusalém. De fato, não haveria mais células familiares após o exército babilônico terminar a matança. Ver 15.7 e as notas expositivas ali existentes.

Os oráculos de Yahweh continuavam repetindo os mesmos temas, adicionando detalhes aqui e ali. Reiteradamente temos visto menções ao ataque dos babilônios e ao subsequente cativeiro. O presente oráculo passa a abordar novamente o tema, advertindo o profeta a esquecer seus relacionamentos familiares. Já seria difícil o bastante Jeremias enfrentar sozinho o período de tribulação para ele ainda preocupar-se com sua parentela. Seria melhor deixar fora de suas provas mulher e crianças, pelo menos até onde ele estivesse envolvido.

Primeira Restrição: Não Deveria Haver Vida Familiar (16.2-4)

16.2

לֹא־תִקַּח לְךָ אִשָּׁה וְלֹא־יִהְיוּ לְךָ בָּנִים וּבָנוֹת בַּמָּקוֹם הַזֶּה׃

Não tomarás mulher, não terás filhos nem filhas. "Em vista da condenação iminente da Terra Prometida, Jeremias teria de desistir da esperança de ter lar e família, como sinal do julgamento divino que já se aproximava (ver Ez 24.15-27 e 1Cr 7.25-40)" (*Oxford Annotated Bible*, comentando sobre este vs. 2). As experiências na vida de casado foram usadas com propósitos ilustrativos por mais de um profeta. Ver Os 1.2-9 e Is 8.3,4.

Neste lugar. O lugar estava sob a maldição de Deus, por causa da idolatria-adultério-apostasia, e se tornou impróprio para qualquer atividade normal da vida. "Embora coisa alguma seja mais desejável do que ter filhos e criar uma família, dando continuidade ao nome e à família do indivíduo, contudo, em tempos de calamidade pública, essas coisas servem somente para aumentar a aflição" (John Gill, *in loc.*).

16.3,4

כִּי־כֹה אָמַר יְהוָה עַל־הַבָּנִים וְעַל־הַבָּנוֹת הַיִּלּוֹדִים בַּמָּקוֹם הַזֶּה וְעַל־אִמֹּתָם הַיֹּלְדוֹת אוֹתָם וְעַל־אֲבוֹתָם הַמּוֹלִדִים אוֹתָם בָּאָרֶץ הַזֹּאת׃

מְמוֹתֵי תַחֲלֻאִים יָמֻתוּ לֹא יִסָּפְדוּ וְלֹא יִקָּבֵרוּ לְדֹמֶן עַל־פְּנֵי הָאֲדָמָה יִהְיוּ וּבַחֶרֶב וּבָרָעָב יִכְלוּ וְהָיְתָה נִבְלָתָם לְמַאֲכָל לְעוֹף הַשָּׁמַיִם וּלְבֶהֱמַת הָאָרֶץ׃ ס

Porque assim diz o Senhor acerca dos filhos e das filhas que nascerem neste lugar. Yahweh, conhecedor do futuro, tinha suas razões ao proferir essas proibições: as unidades familiares (filhos, filhas, mães e pais) morreriam devido a enfermidades mortíferas. O ataque desfechado pelos babilônios deixaria cadáveres aos montões, nos campos e nas ruas da cidade. Tais cadáveres não seriam sepultados, porque tão poucos sobreviveriam que a tarefa seria impossível, e os babilônios não estariam interessados nela. Tais cadáveres se tornariam fertilizantes do solo. Haveria a espada sem dó dos invasores, bem como a fome, que se seguiria à desolação. As aves do céu e os animais dos campos correriam para banquetear-se com a carniça. Todos esses detalhes são vistos em outras profecias sobre o mesmo assunto. Cf. Jr 7.33; 8.2; 14.15,16; 15.2; 16.6 e 25.33. A declaração de que não deveria haver lamentações significa que seria impossível lastimar de modo regular, porque cada indivíduo estaria preocupado com sua própria segurança, e os poucos sobreviventes seriam deportados para a Babilônia. Mas mesmo na Babilônia a matança teria continuidade, porquanto Yahweh enviaria a espada atrás deles (ver Jr 9.16). Ser atacado por estrangeiros cuja terra os hebreus desconheciam (ver Jr 14.18; 16.13) e ser morto de maneira insensata, para então ser deixado insepulto, era a vergonha máxima que qualquer hebreu poderia sofrer.

Segunda Restrição: O Profeta Não Podia Lamentar-se (16.5-7)

16.5

כִּי־כֹה אָמַר יְהוָה אַל־תָּבוֹא בֵּית מַרְזֵחַ וְאַל־תֵּלֵךְ לִסְפּוֹד וְאַל־תָּנֹד לָהֶם כִּי־אָסַפְתִּי אֶת־שְׁלוֹמִי מֵאֵת הָעָם־הַזֶּה נְאֻם־יְהוָה אֶת־הַחֶסֶד וְאֶת־הָרַחֲמִים׃

Não entres na casa do luto, não vás a lamentá-los, nem te compadeças deles. Jeremias foi proibido de lamentar-se. Uma lamentação generalizada não teria lugar, porque não haveria gente suficiente para realizar nenhum rito e cerimônia. Ver no *Dicionário* o artigo chamado *Lamentação*. Mas aqui e ali, algumas poucas pessoas se reuniriam para lamentar. Jeremias, contudo, deveria manter-se distante de tais funções. Ele não deveria oferecer qualquer simpatia. Yahweh é quem tinha enviado aquelas calamidades, retirando sua misericórdia e seu amor por causa dos horrendos pecados daquele lugar. Eles tinham perdido o direito até mesmo de serem lamentados por um profeta de Deus.

Quem se entristecerá por ti, ó Jerusalém?
Quem se lamentará e chorará por ti?
Quem sairá de seu lugar para perguntar
Como estás, Jerusalém, tu me deixaste.
    NCV, sobre Jeremias 15.5-6a

Essa foi a *segunda restrição* imposta ao profeta. A primeira foi ele esquecer de constituir família (vs. 2). O profeta também deveria aceitar a retirada do amor e da proteção de Deus em silencioso respeito. Quanto aos procedimentos usuais de lamentação, ver Ez 7.18; Am 8.10; Pv 31.6 e Os 9.4.

16.6,7

וּמֵתוּ גְדֹלִים וּקְטַנִּים בָּאָרֶץ הַזֹּאת לֹא יִקָּבֵרוּ וְלֹא־יִסְפְּדוּ לָהֶם וְלֹא יִתְגֹּדַד וְלֹא יִקָּרֵחַ לָהֶם׃

וְלֹא־יִפְרְסוּ לָהֶם עַל־אֵבֶל לְנַחֲמוֹ עַל־מֵת וְלֹא־יַשְׁקוּ אוֹתָם כּוֹס תַּנְחוּמִים עַל־אָבִיו וְעַל־אִמּוֹ׃

Nesta terra morrerão grandes e pequenos, e não serão sepultados. Estes dois versículos repetem ideias que já vimos noutros trechos. O julgamento seria universal; pequenos e grandes, pessoas de ambos os sexos, crianças, pais e mães, todos seriam vitimados. A cidade de Judá ficaria essencialmente desabitada. E os mortos não seriam nem sepultados nem lamentados. Haveria a ausência dos sinais de luto, como o golpear-se (o que, aliás, era proibido pela lei — ver Dt 14.1 — mas, mesmo assim, era praticado por alguns); as pessoas não deveriam aparar as pontas dos cabelos (ver Jó 1.20). No artigo do *Dicionário* sobre as *Lamentações,* ofereço uma narrativa detalhada sobre a questão; e então, no fim do vs. 5, dou algumas referências bíblicas atinentes. Quanto ao ato de "rapar a cabeça", ver Jr 7.29; Is 22.12. Ver os vss. 3,4 quanto à universalidade da matança. A morte bateria às portas de todos ao mesmo tempo. Foi a morte de um povo inteiro, um genocídio.

"Ao que parece, era costume um lamentador jejuar até a noite do dia do sepultamento (cf. 2Sm 1.12; 3.35). Então seus amigos o persuadiriam a comer e deixar-se consolar. O alimento dos lamentadores era considerado imundo (Os 9.4; cf. Dt 26.14). A expressão 'copo da consolação' (vs. 7) não é mencionada em nenhum outro lugar da Bíblia, mas provavelmente era um copo de vinho apresentado ao lamentador, quando seu jejum terminava" (James Philip Hyatt, *in loc.*).

O vs. 7 repete os elementos essenciais da lamentação mencionados no vs. 6, mas adiciona o *copo de lamentação.* Além disso, ilustra o caso mencionando o tipo mais comum de lamentação, a lamentação por um pai ou mãe que tivesse morrido.

Terceira Restrição: Não Haveria Nenhuma Festividade (16.8,9)

■ 16.8

וּבֵית־מִשְׁתֶּה לֹא־תָבוֹא לָשֶׁבֶת אוֹתָם לֶאֱכֹל וְלִשְׁתּוֹת: ס

Nem entres na casa do banquete, para te assentares com eles a comer e a beber. A "casa do banquete" pode ser identificada com a refeição fúnebre do vs. 5 (a casa do luto) e a casa da refeição fúnebre (vs. 7), porquanto não haveria ocasião alegre para ser celebrada. Assim sendo, o vs. 8 serve, pelo menos em parte, para reforçar a proibição acerca do luto, o que incluía frequentar qualquer reunião fúnebre e comer alimentos considerados *imundos*, porque se Jeremias participasse deles ficaria imundo. Jeremias não deveria honrar nenhuma dessas ocasiões com sua presença, porquanto Deus é quem havia efetuado toda aquela calamidade, retirando também seu amor e sua misericórdia. Portanto, o profeta deveria retirar-se de tais reuniões, em concordância com o ato divino. Alguns intérpretes pensam que este versículo proíbe quaisquer tipos de situações em que houvesse alguma festividade, fosse alegre ou triste. Essa opinião, entretanto, faria sentido se a proibição tivesse ocorrido *antes* de a calamidade ter ferido o povo, pois então ainda haveria concentrações selvagens e festas de vinho, tão comuns em Jerusalém. Seja como for, Jeremias nunca se fez presente a esse tipo de festividade. "Nada tenhas que ver com este povo, nas suas lamentações ou nas suas festas alegres" (Fausset, *in loc.*). Ao profeta não foi permitido nem ao menos ter seus amigos presentes para tomar uma refeição (se é que lhe restava algum amigo). Foi vedado a ele todo o tipo de reunião, pública ou particular, que fosse festiva. Eram tempos de tristeza, porque a calamidade seria realmente imensa.

■ 16.9

כִּי כֹה אָמַר יְהוָה צְבָאוֹת אֱלֹהֵי יִשְׂרָאֵל הִנְנִי מַשְׁבִּית מִן־הַמָּקוֹם הַזֶּה לְעֵינֵיכֶם וּבִימֵיכֶם קוֹל שָׂשׂוֹן וְקוֹל שִׂמְחָה קוֹל חָתָן וְקוֹל כַּלָּה:

Eis que farei cessar neste lugar perante vós, e em vossos dias, a voz de regozijo e a voz de alegria. Yahweh-Elohim, o Deus Eterno e Todo-poderoso, que brandia todo o poder na qualidade de *Senhor dos Exércitos* (ver as notas a respeito no *Dicionário* e em 1Rs 18.15), tinha decretado o fim de todo regozijo e celebração. A nação de Judá estava próxima do fim, e no fim também deveria estar seu regozijo. Assim, antes que tudo acontecesse, o profeta tinha de retirar-se de toda a ocasião que projetasse a ideia de felicidade. Não mais haveria o grito de alegria da noiva ou do noivo. Uma nação inteira estava moribunda. Seria impróprio agir como se nada tivesse acontecido, quando as profecias haviam sido tão numerosas e claras. "Deus tinha jurado que levaria ao fim a alegria de Judá, assim como seus atuais tempos de felicidade (cf. Jr 25.10)" (Charles H. Dyer, *in loc.*). Cf. Jr 7.34 e Ez 26.13. O profeta Jeremias veria, com os próprios olhos, a calamidade que terminaria com toda a alegria da nação. Foi uma profecia de cumprimento rápido.

A Razão para o Exílio (16.10-13)

■ 16.10

וְהָיָה כִּי תַגִּיד לָעָם הַזֶּה אֵת כָּל־הַדְּבָרִים הָאֵלֶּה וְאָמְרוּ אֵלֶיךָ עַל־מֶה דִבֶּר יְהוָה עָלֵינוּ אֵת כָּל־הָרָעָה הַגְּדוֹלָה הַזֹּאת וּמֶה עֲוֹנֵנוּ וּמֶה חַטָּאתֵנוּ אֲשֶׁר חָטָאנוּ לַיהוָה אֱלֹהֵינוּ:

Quando anunciares a este povo todas estas palavras. O povo de Judá alegaria "inocência" quando o profeta Jeremias anunciasse a mensagem de condenação, dando a entender que tinha alguma espécie de poder misterioso para fazer com que todas aquelas coisas terríveis acontecessem. Eles se recusariam a reconhecer que suas *iniquidades* é que eram a causa de tão funestos acontecimentos, e que era Yahweh quem lhes havia enviado aquela mensagem. O profeta seria perseguido como o *portador* da mensagem de condenação, uma óbvia injustiça. A passagem geral, Jr 16.10,17,18, elabora as multifacetadas iniquidades de Judá, que eram a causa de tantas dores. "Por que o Senhor fez isso conosco?" (ver Dt 29.24 e 1Rs 9.8,9). A pergunta feita pelo povo seria uma farsa, em consonância com a vida de farsa que eles estavam vivendo em sua idolatria-adultério-apostasia. É extremamente comum às pessoas que prejudicam a outras agir como se elas mesmas fossem as *vítimas*. Assim, os direitos do criminoso são respeitados, mas não os direitos da vítima.

■ 16.11

וְאָמַרְתָּ אֲלֵיהֶם עַל אֲשֶׁר־עָזְבוּ אֲבוֹתֵיכֶם אוֹתִי נְאֻם־יְהוָה וַיֵּלְכוּ אַחֲרֵי אֱלֹהִים אֲחֵרִים וַיַּעַבְדוּם וַיִּשְׁתַּחֲווּ לָהֶם וְאֹתִי עָזָבוּ וְאֶת־תּוֹרָתִי לֹא שָׁמָרוּ:

Então lhes responderás: Porque vossos pais me deixaram, diz o Senhor. Os vss. 11-13 dão a resposta à pergunta feita pelos judeus sobre que mal eles teriam feito para merecer tão severo julgamento. E também obtemos outra lista que resulta na mesma coisa tantas vezes vista neste livro: a idolatria-adultério-apostasia deles era de uma modalidade tão evidente que excluía qualquer possibilidade de escape ao julgamento divino. Yahweh fora abandonado (ver Dt 29.25; Jr 5.9; 13.22; 22.8,9) por um povo que resolveu seguir muitas formas de idolatria, tendo adotado grande panteão de divindades, algumas das quais eram servidas com sacrifícios, oblações, votos, sacrifícios de crianças e ritos imorais (ver Jr 3.13 como ilustração). Eles tinham quebrado o *pacto mosaico* (anotado na introdução a Êx 19), ignorando os mandamentos de Deus em geral e a proibição contra a idolatria em particular. Agindo assim, eles perderam sua *distinção* entre as nações (ver Dt 4.4-8) e se tornaram outra nação qualquer. Também perderam a *vida* como um povo (ver Dt 4.1; 5.33; Ez 20.1). A lei mosaica lhes tinha sido *guia* (ver Dt 6.4 ss.), mas eles também perderam esse guia e passaram a vaguear em sendas escuras.

■ 16.12

וְאַתֶּם הֲרֵעֹתֶם לַעֲשׂוֹת מֵאֲבוֹתֵיכֶם וְהִנְּכֶם הֹלְכִים אִישׁ אַחֲרֵי שְׁרִרוּת לִבּוֹ־הָרָע לְבִלְתִּי שְׁמֹעַ אֵלָי:

Vós fizestes pior do que vossos pais. Os pais daquela geração de judeus mostraram-se rebeldes, envolvendo-se em toda espécie de atos ímpios; mas o povo de Judá, na época de Jeremias, tinha-se tornado o modelo da vontade refratária que ficava cada vez pior. Eles se recusavam a ouvir a voz divina e logo perderam a capacidade de obedecer ao Senhor. Cf. Jr 7.26 e 1Rs 14.9. Os pais deixaram um *mau exemplo* que foi seguido pelos descendentes, os quais chegaram a ultrapassar tudo quanto já se vira. Ver no *Dicionário* o artigo chamado *Exemplo*. Um pai deve *três coisas* a seus filhos: exemplo, exemplo, exemplo.

O Resultado Horrendo da Revolta (16.13)

■ 16.13

וְהֵטַלְתִּי אֶתְכֶם מֵעַל הָאָרֶץ הַזֹּאת עַל־הָאָרֶץ אֲשֶׁר לֹא יְדַעְתֶּם אַתֶּם וַאֲבוֹתֵיכֶם וַעֲבַדְתֶּם־שָׁם אֶת־אֱלֹהִים אֲחֵרִים יוֹמָם וָלַיְלָה אֲשֶׁר לֹא־אֶתֵּן לָכֶם חֲנִינָה: ס

Portanto lançar-vos-ei fora desta terra, para uma terra que não conhecestes. Judá, como nação, haveria de morrer, e seu cadáver seria deixado insepulto (vs. 4). Os poucos sobreviventes seriam lançados fora da Terra Prometida, para um lugar sobre o qual nada conheciam (ver Jr 15.14), fator que adicionaria agonia à situação. Ali, naquele lugar estranho, eles nada seriam senão escravos que teriam de seguir uma idolatria forçada. O pior de tudo é que Yahweh nada faria por eles. Antes, enviaria uma espada. A matança continuaria mesmo no cativeiro (ver Jr 9.16). Eles tinham praticado voluntariamente idolatrias de vários tipos. Ao serem castigados por Yahweh, teriam de reconhecer que a idolatria fora a razão fundamental do julgamento condenatório. E desejariam modificar essa sua conduta, esperando que no futuro houvesse condições melhores. Mas aquilo que tinham praticado voluntariamente, agora seriam forçados a pôr em prática.

Promessa de Retorno do Exílio (16.14-18)

■ 16.14

לָכֵן הִנֵּה־יָמִים בָּאִים נְאֻם־יְהוָה וְלֹא־יֵאָמֵר עוֹד חַי־
יְהוָה אֲשֶׁר הֶעֱלָה אֶת־בְּנֵי יִשְׂרָאֵל מֵאֶרֶץ מִצְרָיִם׃

Portanto, eis que vêm dias, diz o Senhor, em que nunca mais se dirá. Os vss. 14,15 são virtualmente idênticos a Jr 23.7,8. É até provável que o lugar original desses dois versículos fosse ali. A mesma mensagem, então, foi inserida aqui para aliviar um quadro desanimador. O fato de que Deus tirou do Egito o povo de Israel tornou-se uma declaração proverbial para ilustrar seu poder e sua graça. Isso é repetido mais de vinte vezes no livro de Deuteronômio. Ver Dt 4.20, quanto à nota de sumário. Os israelitas costumavam fazer juramentos por esse fato, prefaciando-os com as palavras "Tão certo como vive o Senhor" (aquele que é poderoso e tem demonstrado isso por seu ato redimidor). E agora Deus podia ser invocado, na certeza de que realizaria outros feitos, incluindo um novo ato de redenção, mas dessa vez ser libertado de um inimigo nortista (a Babilônia), e não de um inimigo sulista (o Egito), conforme se lê no vs. 15.

O cativeiro egípcio fora longo e severo, mas não impossível de reversão. De fato, em harmonia com seu esquema cronológico, Yahweh o tinha revertido, porque nada há impossível para Deus. Nessa promessa temos o tempero do julgamento com a misericórdia. Os julgamentos divinos são dedos das mãos amorosas do Senhor. Esses julgamentos são remediadores, pelo que era apenas natural que um ato de redenção se seguisse a um ato de julgamento. Eles fazem parte da mesma equipe remidora-restauradora.

■ 16.15

כִּי אִם־חַי־יְהוָה אֲשֶׁר הֶעֱלָה אֶת־בְּנֵי יִשְׂרָאֵל מֵאֶרֶץ
צָפוֹן וּמִכֹּל הָאֲרָצוֹת אֲשֶׁר הִדִּיחָם שָׁמָּה וַהֲשִׁבֹתִים
עַל־אַדְמָתָם אֲשֶׁר נָתַתִּי לַאֲבוֹתָם׃ ס

E de todas as terras para onde os tinha lançado. Havia judeus espalhados por muitos lugares estrangeiros, e não exclusivamente na Babilônia. Talvez tenhamos aqui uma declaração subtendida da reversão do cativeiro assírio, assim como do cativeiro babilônico. Se esta profecia tem sentido escatológico, então também deve incluir a reversão da dispersão romana. Ver no *Dicionário* o artigo chamado *Diáspora*. Seja como for, haverá um novo êxodo, uma provisão da graça e do poder de Deus. Haverá uma volta à terra natal. Cf. este versículo com Jr 24.6; 30.3 e 32.15. Kimchi, Jarchi e Abrabanel viam aqui uma promessa messiânica.

Pois eu os farei voltar para a sua terra, que dei a seus pais. Um novo provérbio seria composto em substituição ao antigo: "Como Yahweh vive e tirou Judá da Babilônia, assim ele pode realizar aquilo que lhe tenho pedido". Quanto ao *país do norte*, que seria a fonte do ataque e do exílio subsequente, ver Jr 1.13-15; 4.5-31; 5.15-17; 6.22-26; 8.14-17; 10.21; 13.20-27; 15.12 e 16.15.

Julgamento contra as Iniquidades de Judá (16.16-18)

■ 16.16

הִנְנִי שֹׁלֵחַ לְדַוָּגִים רַבִּים נְאֻם־יְהוָה וְדִיגוּם וְאַחֲרֵי־
כֵן אֶשְׁלַח לְרַבִּים צַיָּדִים וְצָדוּם מֵעַל כָּל־הַר וּמֵעַל
כָּל־גִּבְעָה וּמִנְּקִיקֵי הַסְּלָעִים׃

Eis que mandarei muitos pescadores, diz o Senhor, os quais os pescarão. Estes três versículos continuam a explorar o tema dos vss. 11-13, ampliando questões relativas à invasão babilônica e ao exílio. Os vss. 14,15 podem ter sido inseridos por um editor posterior, tendo-os tomado por empréstimo de Jr 23.7,8. Essa inserção quebrou a sequência dos vss. 11-18. Os vss. 16-18 afirmam *como* Yahweh julgará, ao passo que os vss. 11-13 dão as *razões* para a retribuição.

Até nas fendas das rochas. A fim de ilustrar o julgamento iminente, o profeta emprega as figuras da pesca e da caça. Os pescadores são habilidosos na pesca e, uma vez que apanham o peixe, eles o matam. Por semelhante modo, os caçadores conhecem as artes de seu ofício (estender as redes e armadilhas) e, quando apanham a presa, eles a matam, a fim de usarem as partes do corpo como produtos a serem vendidos. Cf. Am 9.2-4. Os babilônios desceriam contra Judá com propósitos assassinos, e saqueariam o povo e a terra de Judá visando seu próprio benefício. Da mesma forma que os pescadores e os caçadores às vezes se atiram a seu ofício somente por diversão, e não para ganhar dinheiro, assim também os babilônios desfrutariam seu jogo de matança e saques. A pesca e a caça são chamadas de "esportes". O exército babilônico faria da invasão um esporte, matando e saqueando Judá.

■ 16.17

כִּי עֵינַי עַל־כָּל־דַּרְכֵיהֶם לֹא נִסְתְּרוּ מִלְּפָנָי וְלֹא־
נִצְפַּן עֲוֺנָם מִנֶּגֶד עֵינָי׃

Porque os meus olhos estão sobre todos os seus caminhos; ninguém se esconde diante de mim. Os *olhos de Yahweh* observavam aqueles réprobos e tudo o que eles faziam (vss. 11,12), e, em consonância com o que via, assim ele julgava. Ver sobre a *Lei Moral da Colheita segundo a Semeadura*, no *Dicionário*. Os homens não podem ocultar a iniquidade do escrutínio todo-sondador de Deus. Ele julgará cada um em termos exatos. Isso garante a *justiça*. Cf. Jr 32.19; Pv 5.21 e 15.3. Ver também Hb 4.12,13.

■ 16.18

וְשִׁלַּמְתִּי רִאשׁוֹנָה מִשְׁנֵה עֲוֺנָם וְחַטָּאתָם עַל חַלְּלָם
אֶת־אַרְצִי בְּנִבְלַת שִׁקּוּצֵיהֶם וְתוֹעֲבוֹתֵיהֶם מָלְאוּ אֶת־
נַחֲלָתִי׃ ס

Primeiramente pagarei em dobro a sua iniquidade e o seu pecado. A dupla recompensa do julgamento contra o pecado não significa punir *mais do que o merecido*, o que seria contra os conceitos divino e humano da justiça, mas tão somente de maneira *ampla*. O julgamento será pesado. A Terra Prometida, que foi dada aos judeus como herança (ver Js 1.6; Jz 2.6), lhes seria tomada. Portanto, a Terra Prometida é chamada aqui de terra de Yahweh, e não de Israel. A Terra Prometida, entretanto, foi usada por Judá para a prática da idolatria, e, por essa razão, perdeu seu caráter santo.

Em dobro. Erros econômicos que tivessem sido cometidos eram punidos por meio de uma multa que era o dobro da quantia envolvida na fraude e na injúria. Ver Êx 22.4,7. Mas aqui está em pauta uma punição completa, cobrada com o máximo rigor.

Os cadáveres dos seus ídolos detestáveis. Temos aqui uma interpretação, para que o trecho hebraico literal, *carcaças*, se refira aos muitos *ídolos* espalhados pela terra, como outras tantas estátuas sem vida. Ver Lv 26.30. Portanto, provavelmente estão em vista animais sacrificados em honra aos ídolos pagãos, se a palavra literal, *carcaças*, for retida. Além do boi, da cabra, das ovelhas e de algumas espécies de aves, os pagãos também ofereciam *porcos* (ver Is 65.4 e 66.17), *ratos* (ver Is 66.17), *animais imundos* dos campos e até *crianças* (Jr 19.5 e Ez 16.20). Considerando-se o número enorme de ídolos a quem esses sacrifícios eram feitos, a quantidade de animais sacrificados deve ter sido realmente grande. Isso deixava inúmeras carcaças espalhadas pela terra.

As suas abominações. Temos aqui uma palavra comum que aponta para os ídolos, no Antigo Testamento. Ver no *Dicionário* o verbete intitulado *Abominação*.

A Conversão das Nações a Yahweh (16.19,21)

■ 16.19

יְהוָה עֻזִּי וּמָעֻזִּי וּמְנוּסִי בְּיוֹם צָרָה אֵלֶיךָ גּוֹיִם יָבֹאוּ
מֵאַפְסֵי־אָרֶץ וְיֹאמְרוּ אַךְ־שֶׁקֶר נָחֲלוּ אֲבוֹתֵינוּ הֶבֶל
וְאֵין־בָּם מוֹעִיל׃

Ó Senhor, força minha e fortaleza minha, e refúgio meu no dia da angústia. O capítulo 16 termina em uma nota com esperança. Naturalmente, a ideia aqui é escatológica, e só pode referir-se em sentido pleno à era do reino de Deus. Embora Judá se tivesse voltado para os deuses falsos dos gentios, chegará o tempo em que os gentios se avizinharão do verdadeiro Deus de Israel. Cf. Is 2.2; 11.9;

45.20-24; Mq 4.1-4; Ez 36.23. Os gentios, através de suas horrendas experiências com a idolatria, reconhecerão que a fé de seus antepassados estava repleta de mentiras e ilusões, era pura vaidade e absolutamente sem valor.

As nações se aproximariam do Deus de Jeremias, que era sua *força*, sua *fortaleza* e seu *refúgio* (ver Sl 18.2). A ideia do versículo é que Deus é confiável. Ele tem os recursos para vencer nas batalhas, e nele os homens podem ocultar-se em tempos de aflição. Até os pagãos finalmente reconhecerão o poder de Yahweh, em contraste com a impotência dos ídolos criados e endeusados pelos homens. Quanto a Deus como *refúgio*, ver a nota de sumário em Sl 46.1, e o artigo do *Dicionário* denominado *Refúgio*. Quanto a Deus como *fortaleza*, ver Sl 91.2, e quanto a Deus como *rocha*, ver Sl 42.9.

16.20

הַיַעֲשֶׂה־לּוֹ אָדָם אֱלֹהִים וְהֵמָּה לֹא אֱלֹהִים׃

Acaso fará o homem para si deuses que de fato não são deuses? Temos aqui uma pergunta bíblica padronizada sobre a idolatria. Se um homem cria um deus, esse será um deus de nada. Foi Deus quem criou os homens. Ver Jr 2.11; Is 37.19; Gl 4.8. Quanto à sátira excelente contra a estupidez do fabrico e da adoração dos ídolos, ver Is 44.9-20. Ver no *Dicionário* o artigo geral chamado *Idolatria*. Cf. Jr 2.5.

16.21

לָכֵן הִנְנִי מוֹדִיעָם בַּפַּעַם הַזֹּאת אוֹדִיעֵם אֶת־יָדִי וְאֶת־גְּבוּרָתִי וְיָדְעוּ כִּי־שְׁמִי יְהוָה׃ ס

Portanto, eis que lhes farei conhecer, desta vez lhes farei conhecer a minha força e o meu poder. Este versículo é uma espécie de sumário que apanha no ar as principais ideias do vs. 19. O Deus Todo-poderoso substituirá os deuses de nada. Os gentios perceberão que é sua *mão* que opera maravilhas no mundo. Ver no *Dicionário* o artigo chamado *Mão*, bem como em Sl 81.14. Quanto à *mão direita*, ver Sl 20.6. Quanto a *braço*, ver Sl 77.15; 89.10 e 98.1. Os gentios conhecerão o *Nome* do Senhor, e lhe serão leais. O *Nome* representa a pessoa e seus atributos essenciais. Ver sobre isso no *Dicionário* e em Sl 33.3. Quanto a *Nome Santo*, ver Sl 30.4 e 33.21. Quando chegarem a esse conhecimento, as nações gentílicas se converterão e entrarão na era do reino. Coisa alguma parecida aconteceu após o retorno do remanescente judeu da Babilônia, embora o profeta Jeremias possa ter esperado que assim acontecesse.

Alguns estudiosos pensam que o vs. 21 se aplica a Judá, e não aos gentios. Nesse caso, podemos ter aqui uma promessa adicional de julgamento, uma revelação da mão e do braço de Deus com propósitos de destruição, e não de salvação. Ou então o propósito é salvador, paralelo ao vs. 19, onde se aplica aos gentios. Seja como for, Yahweh é o Deus que cumpre tanto suas ameaças quanto suas promessas, e para ambas se faz necessário o poder divino. Ver Êx 6.3.

Talvez o versículo seja amplo o bastante para aplicar-se tanto aos gentios como a Judá, e também seja lato o suficiente para falar do julgamento e da eventual salvação que seguirá à punição disciplinadora. "Reconhecendo a vaidade de sua adoração aos ídolos, todas as nações se unirão na adoração do Deus onipotente de Israel" (*Oxford Annotated Bible*, comentando sobre os vss. 19-21), sendo presumível que Israel estará em companhia dos idólatras convertidos.

CAPÍTULO DEZESSETE

Este capítulo apresenta uma série de poemas ou oráculos separados em que nada comum os atravessa para formar uma unidade. O melhor que podemos dizer é que o capítulo apresenta materiais mistos. Os temas são os seguintes: 1. A condição pecaminosa endurecida de Judá (vss. 1-4). 2. Um salmo de sortes contrastadas (vss. 5-8). 3. Uma declaração de sabedoria (vss. 9,10). A transitoriedade das riquezas mal obtidas (vs. 11). 5. A grandeza do templo de Jerusalém (vs. 12). 6. Esperança, vergonha e destino (vs. 13). 7. Outro lamento e oração do profeta (vss. 14-18). 8. A observância do sábado (vss. 19-27).

A CONDIÇÃO PECAMINOSA ENDURECIDA DE JUDÁ (17.1-4)

17.1

חַטַּאת יְהוּדָה כְּתוּבָה בְּעֵט בַּרְזֶל בְּצִפֹּרֶן שָׁמִיר חֲרוּשָׁה עַל־לוּחַ לִבָּם וּלְקַרְנוֹת מִזְבְּחוֹתֵיכֶם׃

O pecado de Judá está escrito com um ponteiro de ferro. O julgamento divino, na forma do ataque lançado pelo exército da Babilônia e do exílio subsequente, tornou-se seguro pela iniquidade incansável de Judá, que não foi diminuída por nenhum apelo ao arrependimento ou por nenhuma ameaça de punição. Seus pecados estavam gravados em dois lugares: no coração de Judá e no culto, simbolizado pelos chifres do altar. Talvez essas palavras tenham sido proferidas em um dia de expiação, quando o povo, de maneira leviana e frívola, fazia os movimentos dos sacrifícios, mas sem nenhum envolvimento de coração. O profeta Jeremias teve de relembrar aos judeus que os sacrifícios de animais, por si mesmos, não tinham valor, e até se tinham tornado parte de sua maneira pecaminosa de viver. Cf. Jr 6.20; 7.21-23 e 11.15. Ademais, o povo judeu havia promovido um sincretismo doentio em que Yahweh era apenas mais uma das divindades honrada pelo sistema de sacrifícios.

Diamante pontiagudo. "Uma pena de ferro, ou seja, um estilete ou instrumento de gravar (ver Jó 19.24), usado principalmente para fazer gravações sobre a pedra ou o metal. Em Sl 45.1, parece que esse era o instrumento com o qual os escribas escreviam em seus tabletes.

"Diamante. Esta palavra exprime antes a ideia de dureza do que a ideia de brilho do diamante, sendo traduzida por 'diamante' em Ez e Zc 7.12. Estritamente falando, a palavra era usada unicamente para a ponta de diamante engastada no ferro, usada pelos gravadores. Tais instrumentos eram conhecidos pelos romanos (Plínio, *História Natural* 37.15) e talvez tenham sido usados na Fenícia ou na Palestina. As palavras descrevem uma nota de infâmia que não podia ser apagada" (Ellicott, *in loc.*).

Nas pontas dos seus altares. O estilete gravara os pecados no coração de Judá, que era tão duro que somente um diamante podia deixar impressões ali. Mas era o sangue posto sobre os chifres do altar que representava certo tipo de gravação, se usarmos um pouco da imaginação. Ver Lv 4.7 e 16.18 quanto ao ato de lambuzar com sangue. O pecado de Judá era demonstrado nos chifres do altar, ou seja, até seus sacrifícios se tinham tornado atos pecaminosos. Ver a introdução ao capítulo. Quanto aos chifres (projeções de pedra) do altar, ver Êx 29.12. At 17.13 mostra que os nomes dos deuses eram gravados nos altares, porém isso não quer dizer que o nome de uma divindade estivesse gravada nos chifres do altar. Mas esse fato pode ter provocado a figura empregada.

No novo pacto, a lei seria gravada no coração dos que participassem da nova aliança. Ver Jr 31.33.

17.2

כִּזְכֹּר בְּנֵיהֶם מִזְבְּחוֹתָם וַאֲשֵׁרֵיהֶם עַל־עֵץ רַעֲנָן עַל גְּבָעוֹת הַגְּבֹהוֹת׃

Seus filhos se lembram dos seus altares. O que fica implícito no vs. 1 é que Yahweh era o objeto dos sacrifícios, mas aqui temos menção aos infames bosques dos *lugares altos* (ver a respeito no *Dicionário*), onde havia ídolos e, em muitas ocasiões, casais ocupados com sexo ilícito (honrando deuses da fertilidade) sob as árvores. Ver sobre os *Aserins*, em 1Rs 14.15, onde apresento notas de sumário. Ver as notas sobre Jr 3.13, que ilustram a desgastante idolatria-adultério-apostasia que ocorria em Judá. Aserá era a deusa cananeia da fertilidade, geralmente honrada mediante certos tipos de postes-ídolos. Ver Ez 8.5. "... árvores sagradas (símbolos de ídolos) eram postas no meio das árvores naturais, ou talvez penduradas em árvores" (Fausset, *in loc.*). Até mesmo os filhos participavam da tola idolatria, através dos ritos. Ver sobre *Aserá*, no ponto quarto da seção III do artigo chamado *Deuses Falsos* no *Dicionário*. *Astarte* era sinônimo de Aserá.

17.3

הֲרָרִי בַּשָּׂדֶה חֵילְךָ כָל־אוֹצְרוֹתֶיךָ לָבַז אֶתֵּן בָּמֹתֶיךָ בְּחַטָּאת בְּכָל־גְּבוּלֶיךָ׃

Ó monte do campo, os teus bens e todos os teus tesouros darei por presa. Os vss. 3,4 são virtualmente idênticos a Jr 15.13,14. Provavelmente o seu lugar original era no texto presente. Os altares pagãos cobriam os montes de Yahweh (Jerusalém), bem como todo o campo aberto. Todo aquele território, bem como a capital, além de toda a sua riqueza, seria entregue aos invasores babilônios como pagamento pelo pecado. A Terra Prometida seria perdida pelos judeus. Os tesouros seriam saqueados; a população seria morta, e os poucos sobreviventes seriam deportados.

"Monte do campo" é uma frase poética que aponta para Jerusalém. Talvez o templo fosse concebido como lugar central do saque. Os tesouros guardados no templo cairiam nas mãos dos invasores, e seus sacerdotes seriam mortos. O povo judeu dependia de Jerusalém como cidadela de segurança, pensando que Yahweh protegeria seu culto ali; mas eles estavam equivocados. A glória do Senhor há muito tinha-se afastado daquele lugar miserável. Ver Jr 15.13 e 20.5.

Em todos os teus termos. A destruição e o saque atingiriam todo o território de Judá.

■ 17.4

וְשָׁמַטְתָּה וּבְךָ מִנַּחֲלָתְךָ אֲשֶׁר נָתַתִּי לָךְ וְהַעֲבַדְתִּיךָ
אֶת־אֹיְבֶיךָ בָּאָרֶץ אֲשֶׁר לֹא־יָדָעְתָּ כִּי־אֵשׁ קְדַחְתֶּם
בְּאַפִּי עַד־עוֹלָם תּוּקָד: ס

Assim por ti mesmo te privarás da tua herança que te dei. A Terra Prometida fora dada ao povo de Israel como herança (ver Js 1.6; Jz 2.6), e essa era uma das grandes provisões do pacto abraâmico (ver as notas a respeito em Gn 15.18). Mas a herança seria tirada das mãos dos filhos rebeldes, os rompedores do pacto que tudo anularam com sua idolatria-adultério-apostasia. Por enquanto os judeus tinham as mãos sobre a herança divina, mas o domínio sobre a Terra Prometida seria afrouxado pela intervenção do Senhor. "Perdereis a terra que vos dei. É a vossa própria falta. Permitirei que vossos inimigos vos levem como escravos. Sereis escravos deles em uma terra que nunca conhecestes" (NCV). Quanto ao fato de que eles "desconheciam" a Babilônia, cf. Jr 14.18; 15.2,14; 16.13. Tudo o que tinham, e eles mesmos, seria levado para fora da Palestina, e a própria Terra Prometida, deixada para trás, se tornaria um deserto desabitado. As *chamas da ira de Yahweh* é que os queimavam. Ver sobre essa frase em Jr 15.14. O *fogo* veio a simbolizar o julgamento para além do sepulcro, mas essa ideia não faz parte do texto presente. Ver no *Dicionário* o artigo chamado *Fogo, Símbolo de*. E ver, também, o verbete chamado *Fogo*, seções VII e VIII.

UM SALMO DE SORTES CONTRASTADAS (17.5-8)

■ 17.5

כֹּה אָמַר יְהוָה אָרוּר הַגֶּבֶר אֲשֶׁר יִבְטַח בָּאָדָם וְשָׂם
בָּשָׂר זְרֹעוֹ וּמִן־יְהוָה יָסוּר לִבּוֹ:

Assim diz o Senhor: Maldito o homem que confia no homem. Note o leitor a similaridade entre este breve salmo e o Salmo 1. Aqui é contrastado o destino dos que acreditam no homem e o destino dos que confiam em Deus. Alguns críticos pensam que o poema de Jeremias é anterior ao Salmo 1, e que este depende de Jeremias, e não vice-versa. O primeiro salmo é bastante tardio e poderia ter sido composto para agir como uma espécie de frontispício do saltério. O poema pode ser classificado como *salmo de sabedoria,* uma das classificações dos salmos. Quanto às classes dos salmos, ver o gráfico no início do comentário sobre o livro, que atua como uma espécie de frontispício do todo. Dou ali dezoito classes e listo os salmos pertencentes a cada classe. "Este salmo provavelmente foi colocado aqui porquanto elucida o princípio sobre o qual se baseia a condenação predita no vs. 4" (James Philip Hyatt, *in loc.*).

E aparta o seu coração do Senhor! A fonte do poema era Yahweh. Foi ele quem proferiu as maldições e as bênçãos sobre os homens, dependendo de suas obras. É ele, igualmente, quem determina o destino de cada um deles. O homem que confia no homem é maldito. Ele faz do *braço fraco* do homem a base de sua fé. Seu coração se afastou de Yahweh, ou ele não teria agido como agiu. Nenhum homem é autossuficiente, mas os homens gostam de fingir que são. Talvez Zedequias esteja historicamente em vista. Ele confiava no homem, em vez de confiar em Deus, quando estabeleceu uma aliança com o Egito e, assim sendo, provocou a invasão babilônica. Mas todo o Judá tinha abandonado Yahweh e se fixado em si mesmo. Ver Is 31.1-3. Ver no *Dicionário* o artigo intitulado *Fé*. Judá, em sua idolatria-adultério-apostasia, perdeu a fé em Yahweh e voltou-se para os ídolos e para as agências humanas. Ver Jr 2.36,37; Mt 3.9; Jo 8.33,39 e Fp 3.4,5.

■ 17.6

וְהָיָה כְּעַרְעָר בָּעֲרָבָה וְלֹא יִרְאֶה כִּי־יָבוֹא טוֹב וְשָׁכַן
חֲרֵרִים בַּמִּדְבָּר אֶרֶץ מְלֵחָה וְלֹא תֵשֵׁב: ס

Porque será como o arbusto solitário no deserto. Em vez de ser como uma árvore que medra e prospera à beira do rio (ver Sl 1.3), esse homem é antes como um arbusto no deserto, que luta pela sobrevivência em meio ao calor abrasador. Nada de bom chegará até ele. Sua habitação é em um ermo gretado, a terra salgada que é tão improdutiva. Os desertos com grande frequência têm solo salgado, deixado por riachos que não mais os percorrem. O homem que depende de si mesmo é um homem do deserto. As chuvas da abundância vêm do Ser divino. "Deus quis fazer desse homem uma terra tão infrutífera como a terra salgada ao redor do mar Morto, incapaz de suportar a vida" (Charles H. Dyer, *in loc.*). Cf. Dt 29.23. "O homem ímpio é como uma planta infrutífera do deserto; o homem piedoso é como uma árvore frutífera bem regada (vs. 8). Cf. Sl 1.3 e Pv 3.18" (*Oxford Annotated Bible*, comentando sobre este versículo). "... os pastos estéreis das próprias obras de justiça de um homem, que é a esterilidade de um deserto, um lugar crestado pelo calor e onde habita o sal. Plínio (*História Natural* 1.13, cap. 21) observa que, onde o sal é encontrado, o solo é estéril e nada produz" (John Gill, *in loc.*).

■ 17.7

בָּרוּךְ הַגֶּבֶר אֲשֶׁר יִבְטַח בַּיהוָה וְהָיָה יְהוָה מִבְטַחוֹ:

Bendito o homem que confia no Senhor. Em contraste com o homem do versículo anterior, temos o homem que confia no Senhor. Ele é bem-aventurado. Ver no *Dicionário* o artigo chamado *Bem-aventuranças*. É o homem que reside nas colinas bem regadas, produtivo e feliz. Ele depende do braço do Senhor, e não do braço do homem (vs. 5). A fonte de poder envia energias que brotam por meio dele. É um homem *vitalizado pelo Espírito*. Cf. Sl 34.8; Pv 16.20 e Is 30.18. Onde ele medra não há *mato ruim* (falsas confianças). Seu campo foi limpo pelo anjo do Senhor. Ele continua *esperando* no Senhor como a origem de toda a boa vida e existência. Cf. Jr 14.8; 1Tm 1.1; Cl 1.27; Sl 146.5. Ver no *Dicionário* o artigo chamado *Esperança*.

■ 17.8

וְהָיָה כְּעֵץ שָׁתוּל עַל־מַיִם וְעַל־יוּבַל יְשַׁלַּח שָׁרָשָׁיו
וְלֹא יִרְאֶה כִּי־יָבֹא חֹם וְהָיָה עָלֵהוּ רַעֲנָן וּבִשְׁנַת בַּצֹּרֶת
לֹא יִדְאָג וְלֹא יָמִישׁ מֵעֲשׂוֹת פֶּרִי:

Porque ele é como a árvore plantada junto às águas, que estende as suas raízes para o ribeiro. Temos aqui um paralelo direto de Sl 1.3, onde dou notas expositivas detalhadas. Uma árvore estrategicamente situada perto de um rio tem o poder de espalhar suas raízes e assegurar a própria vida e produção. Quando o calor chegar, a árvore nada sentirá. Seus ramos estão cheios da seiva transmissora de vida. Suas folhas permanecem verdes, pois a fonte da vida está nelas. Até mesmo uma seca prolongada não prejudicará aquela árvore, e ela não deixará de produzir frutos, mesmo em tempos adversos. Isso representa o homem que continua a confiar em Yahweh como a fonte originária de sua vida. Esse homem é uma árvore verde, e não um arbusto ressecado do deserto (vs. 6). Ele se encontra em um solo fértil, e não em um campo salgado. Com base no Antigo Testamento, o homem que tem vida é aquele que guarda a lei de Moisés (ver Dt 4.1; 5.33; 6.2; Ez 20.1). Com base no Novo Testamento, o homem que tem vida é o aquele cheio do Espírito Santo. Esse homem, dotado de raízes profundas, conta com apoio e recursos ocultos. Ele não vive sozinho no mundo. Ao contrário, está em contato com o Ser divino.

UMA DECLARAÇÃO DE SABEDORIA (17.9,10)

■ 17.9

עָקֹב הַלֵּב מִכֹּל וְאָנֻשׁ הוּא מִי יֵדָעֶנּוּ׃

Enganoso é o coração, mais do que todas as cousas. Em harmonia com o plano geral da seção, outro oráculo distinto tem a natureza de uma declaração de sabedoria. Nenhum tema comum percorre o capítulo, que reúne uma espécie de coletânea miscelânea de oráculos.

A grande depravação para a qual Judá tinha deslizado provavelmente sugere a declaração do vs. 9, que manifesta a total depravação do ser humano. Esse é um dos mais bem conhecidos versículos do livro, exatamente porque se tornou um texto de prova da depravação humana. O "coração" é o homem interior, a pessoa essencial e, se esse coração for enganador e desesperadamente mau, então é isso que *o homem é,* e não apenas uma parte dele. Judá tinha caído em uma iniquidade impossível de reverter. Jeremias foi até instruído a não mais interceder pelo réprobo povo de Judá (ver Jr 7.16 e 11.14). Ver no *Dicionário* o detalhado artigo sobre *Depravação.* Isso entra nas questões teológicas associadas àquele problema, as quais não examino aqui. Porém, deve-se notar que Judá, mediante longo processo de declínio e abuso do livre-arbítrio, tinha chegando aonde estava. O povo de Judá tornou-se doente espiritualmente, e para onde quer que se voltasse encontraria outra ferida causada pelo pecado.

> Ele tomou o sofrimento da raça humana;
> Ele lia cada ferimento, cada fraqueza aclarava:
> E punha o seu dedo sobre o lugar,
> E dizia: Estás doente aqui! e aqui!
>
> Matthew Arnold

A natureza humana está corrompida desde o princípio, e parte dessa corrupção é o autoengano. O homem está realmente enfermo com o pecado, mas nada sabe sobre sua condição. Seu inescrutável autoengano torna ainda mais seguro o processo da degradação, pelo que os homens maus vão de mal a pior. "Somente Deus pode realmente compreender o homem (ver Rm 7.18,19). Por conseguinte, somente Deus pode julgar apropriadamente os homens (ver 1Sm 16.7; Sl 62.12)" (*Oxford Annotated Bible,* comentando sobre o vs. 9). "Confiar no próprio coração é tão insensato quanto confiar em outros homens (Pv 28.26)" (Fausset, *in loc.*).

Quem o conhecerá? "Um coração corrompido é o pior inimigo que a criatura humana decaída pode ter. Esse coração é cheio de truques, engano, tolices e abominações. E o dono desse coração não sabe o que lhe está acontecendo, até que ferve e ultrapassa, com frequência, o remédio" (Adam Clarke, *in loc.*). Cf. este versículo com Rm 3.10 ss. Essa é a condição do homem enquanto ele for um ser mortal, a despeito dos perfeccionistas (que são, na realidade, pessoas *enganadas),* bem como dos fariseus, que se mostram tão orgulhosos que não podem ver a corrupção que se oculta por baixo da pele.

■ 17.10

אֲנִי יְהוָה חֹקֵר לֵב בֹּחֵן כְּלָיוֹת וְלָתֵת לְאִישׁ כִּדְרָכוֹ כִּפְרִי מַעֲלָלָיו׃ ס

Eu, o Senhor, esquadrinho o coração, eu provo os pensamentos. Só Deus conhece o coração humano; e Deus vive sondando e testando o coração dos homens, para determinar sua natureza exata, bem como a natureza das obras que eles estiverem produzindo. Diz o hebraico, literalmente, "testo os rins", pois os hebreus atribuíam aos rins tanto as emoções como as faculdades racionais. Ver no *Dicionário* o verbete denominado *Rins,* quanto a plenas descrições. Nossa melhor tradução isolada para a palavra hebraica é "coração", a escolha da maioria dos intérpretes. Cf. este versículo com 1Cr 28.9; Sl 7.9; Pv 17.3 e Ap 2.23.

É da atividade divina que testa o coração humano e examina os frutos dos atos humanos, que se originam os galardões ou as punições. Deus intervém nas atividades humanas. Ele não abandonou sua criação, conforme postula o *deísmo.* Pelo contrário, o *teísmo* (ver ambos os termos no *Dicionário*) é que está correto, em sua suposição de que a providência divina, em seus aspectos negativo e positivo, está sempre operando neste mundo. Cf. Is 13.6. Ver no *Dicionário* os artigos chamados *Lei Moral da Colheita segundo a Semeadura* e também *Providência de Deus.* "Somente Deus conhece os pensamentos íntimos e as motivações que um indivíduo pode ocultar de todas as outras pessoas. Portanto, somente Deus pode dar a cada indivíduo aquilo que cada qual merece" (Charles H. Dyer, *in loc.*). Ver At 1.24, onde Deus é descrito como aquele que "conhece o coração de todos". A verdadeira justiça será feita, afinal, porquanto, de outro modo, o deus deste mundo é o *caos.* Emanuel Kant baseou um argumento tanto em prol da existência de Deus como da sobrevivência da alma (e sua sobrevivência diante da morte biológica) sobre a necessidade da justiça, afinal. Neste mundo podemos observar que a justiça raramente se cumpre. Os bons sofrem e os maus prosperam. Por conseguinte, devemos postular um pós-vida no qual as almas serão devidamente galardoadas ou punidas. Além disso, devemos postular que existe um poder e uma inteligência suficiente para tomar conta dessa tarefa. A esse poder e inteligência, em uma pessoa, chamamos de Deus.

A TRANSITORIEDADE DAS RIQUEZAS MAL OBTIDAS (17.11)

■ 17.11

קֹרֵא דָגַר וְלֹא יָלָד עֹשֶׂה עֹשֶׁר וְלֹא בְמִשְׁפָּט בַּחֲצִי יָמָיו יַעַזְבֶנּוּ וּבְאַחֲרִיתוֹ יִהְיֶה נָבָל׃

Como a perdiz que choca ovos que não pôs, assim é aquele que ajunta riquezas, mas não retamente. O profeta Jeremias observou algo que ocasionalmente ocorre entre as aves. A *perdiz* pode juntar uma ninhada de filhotes que não lhe pertencem. As coisas correm bem durante algum tempo, mas quando os filhotes ficam maiores eles mesmos abandonam a *falsa mãe.* As aves buscam aves da mesma espécie. Havia uma crença popular entre os hebreus: a perdiz roubaria os ovos de outras aves e os tomaria para si mesma. Isso envolveria o fato de que ela passaria a chocar os ovos, e que é seguido por algumas traduções, enquanto outros pensam que essa ave ajuntaria filhotes que já tivessem sido chocados. Seja como for, o sentido é claro: um homem que reúne riquezas não está realmente juntando o que lhe pertence. Algum dia ele será privado do que recolheu, a despeito de todo o labor que tenha investido em suas riquezas. E então ficará claro que ele é um tolo, por ter trabalhado tão duramente por aquilo que não poderia jamais reter. A verdade da questão é que qualquer pessoa só reterá aquilo que distribuiu, seguindo os ditames da lei do amor. As riquezas do tolo adquirem asas e voam para longe.

> Ó maldita concupiscência do ouro!
> Por tua causa o homem miserável
> Lança fora o seu interesse em ambos os mundos.
> Primeiro, ele passa fome neste mundo,
> E então ele é condenado no outro.
>
> Blair

Cf. o versículo com Lc 12.20 e Sl 49.13. O Targum diz aqui: "No fim ele é chamado de homem iníquo", pois é evidente que o que ele tem foi obtido através de meios iníquos, e não mediante labor árduo e honesto.

A GRANDEZA DO *TEMPLO DE JERUSALÉM* (17.12)

■ 17.12

כִּסֵּא כָבוֹד מָרוֹם מֵרִאשׁוֹן מְקוֹם מִקְדָּשֵׁנוּ׃

Trono de glória enaltecido desde o princípio, é o lugar do nosso santuário. Temos aqui outro oráculo ou declaração mista que o capítulo 17 reuniu, a despeito do fato de que nenhum tema comum os une. Jeremias tinha falado duramente acerca do templo e de seu culto (ver Jr 7.1-15 e 26.1-6). Mas temos aqui menção ao templo ideal, e não ao que existia nos dias de Jeremias. Esta afirmativa provavelmente tem por intuito contrastar o templo de Jerusalém com os falsos altares e objetos cultuais ímpios dos vss. 1,2. Idealmente, o templo era um lugar glorioso de adoração e culto a Yahweh, um tipo de trono glorioso no qual o Senhor estaria assentado. Isso fora ordenado desde o começo porque Yahweh dera instruções sobre a construção do templo, juntamente com os elaborados detalhes concernentes a cada item. Ver no *Dicionário* o artigo chamado *Templo de Salomão*. Judá, porém, em sua idolatria-adultério-apostasia, tinha feito a glória do Senhor afastar-se do templo. Portanto, o santuário, o Lugar Santo, foi perdido pelo povo de Israel (ver Is 8.14 e Ez 11.16). Os judeus da época de Jeremias passaram a acreditar, inutilmente, que Jerusalém e seu templo eram invencíveis, mesmo atacados pelos babilônios. Mas isso acabou revelado como ilusão. Ver Jr 7.3,4.

ESPERANÇA, VERGONHA E DESTINO (17.13)

■ 17.13

מִקְוֵה יִשְׂרָאֵל יְהוָה כָּל־עֹזְבֶיךָ יֵבֹשׁוּ יְסוּרַי בָּאָרֶץ יִכָּתֵבוּ כִּי עָזְבוּ מְקוֹר מַיִם־חַיִּים אֶת־יְהוָה׃ ס

Ó Senhor, esperança de Israel, todos aqueles que te deixam serão envergonhados. Outra declaração miscelânea foi adicionada aqui à coletânea do capítulo 17. Yahweh é a verdadeira esperança, mas somente os justos podem ter certeza de seu favor, que lhes garante um bom destino. Em contraste com isso estão os que se esquecem a Esperança de Israel e terminam envergonhados e julgados. Os bons terão seu nome escrito no *Livro da Vida* (ver Êx 32.32; Is 4.3; ver o artigo com esse título no *Dicionário*). Mas os que se afastam de Yahweh terão seu nome escrito no pó. Quanto à questão dos nomes escritos no pó, ver os seguintes pontos:

1. Isso aponta para um lugar que não pode reter os nomes inscritos, pois eles serão obliterados pela primeira chuva ou pelo primeiro vento que soprar sobre eles.
2. Ou a referência é à morte e ao sepultamento, que aniquilam o nome dos ímpios.
3. Os nomes não ficariam inscritos em uma rocha, mas, por assim dizer, somente sobre a areia (ver Jó 19.24). Há aqui uma alusão à escrita oriental sobre o solo. Ver Jo 8.6.

O *nome* representa a pessoa essencial e seus atributos. Também pode haver aqui uma alusão à vida além-túmulo, ou por meio da alma, que é imortal, ou mediante e ressurreição. Nesse caso, o profeta não se incomodou em buscar e ilustrar o assunto. Ver os verbetes intitulados *Imortalidade* e *Alma* no *Dicionário* e também na *Enciclopédia de Bíblia, Teologia e Filosofia*, onde os estudos são mais extensos. O Targum apela ao pós-vida para interpretar este versículo, mas esse pode ser apenas um reflexo do judaísmo posterior.

Fonte das águas vivas. Quanto à metáfora da *água* como vida, ver o *Dicionário*. Cf. Jr 2.13; Jo 4.14; 7.38. O apóstata Judá tinha abandonado a fonte da vida.

OUTRO LAMENTO E ORAÇÃO DO PROFETA (17.14-18)

■ 17.14

רְפָאֵנִי יְהוָה וְאֵרָפֵא הוֹשִׁיעֵנִי וְאִוָּשֵׁעָה כִּי תְהִלָּתִי אָתָּה׃

Cura-me, Senhor, e serei curado, salva-me, e serei salvo. Jeremias era o profeta das lamentações. Cf. a presente seção com Jr 11.18; 12.6; 15.10-21; 18.18-23; 20.7-13,14-18. Sua clara visão do que aconteceria na invasão babilônica e no subsequente exílio de Judá deu-lhe inúmeras razões para lamentar e orar. "Doente no coração por causa dos escárnios de seus oponentes, Jeremias orou por sua cura (cf. Sl 6.2,3). Ele não queria ver o dia do julgamento divino (ver Am 5.18; Is 2.11), mas, se essa fosse a única maneira possível de ser vindicado em sua missão, para que ela fosse comprovada como genuína, então ele queria que o julgamento divino descesse em toda a sua fúria" (*Oxford Annotated Bible*, comentando sobre este versículo).

Alguns estudiosos pensam que neste versículo temos uma declaração separada, posta entre o vs. 13 e a seção dos vss. 15-18. Se, porventura, esta afirmação pertence aos versículos que se seguem, então a seção consiste nos vss. 14-18. Nesse caso, o versículo provavelmente fala das feridas espirituais e morais infligidas contra Jeremias pelo povo, e não de alguma enfermidade física da qual ele pediu libertação. Sua vindicação e o julgamento divino contra Judá seriam uma cura para Jeremias, e ele se sentiria salvo da calamidade. Se isso fosse feito, então o profeta prorromperia em *louvor* (ver a respeito no *Dicionário*) apropriado, o que faz parte da adoração (ver o verbete do *Dicionário* chamado *Adoração*).

Nem Jeremias vivia nem nós vivemos à altura das declarações de Jesus sobre amar e orar pelos nossos inimigos (ver Mt 5.44). Paulo também estabeleceu um elevado padrão que fica acima de nós (ver Rm 12.19 ss.).

Alguns tomam o vs. 14 como referência aos pecados do próprio profeta, que ele precisava que fossem perdoados, antes de poder orar eficazmente contra seus inimigos, assegurando assim a vingança divina.

■ 17.15

הִנֵּה־הֵמָּה אֹמְרִים אֵלָי אַיֵּה דְבַר־יְהוָה יָבוֹא נָא׃

Eis que eles me dizem: Onde está a palavra do Senhor? Que se cumpra. Os inimigos de Jeremias zombavam dele e de sua missão, questionando abertamente se ele teria mesmo ou não alguma mensagem autêntica da parte de Yahweh. Eles zombavam de Jeremias mais ou menos como Jesus foi zombado por seus inimigos: "Fala agora alguma profecia, tu, fraudulento!" Ver Lc 22.64. Até aquele tempo, as ameaças de Jeremias sobre o julgamento divino não tinham sido cumpridas, razão pela qual eles perderam o temor de que realmente se cumprissem algum dia. Ver Dt 18.22; Is 5.19; Ml 2.17 e Am 5.18, bem como 2Pe 3.4. Assim, Jeremias começou a esperar que suas terríveis profecias em breve se cumprissem! Sua ira era maior do que sua compaixão.

■ 17.16

וַאֲנִי לֹא־אַצְתִּי מֵרֹעֶה אַחֲרֶיךָ וְיוֹם אָנוּשׁ לֹא הִתְאַוֵּיתִי אַתָּה יָדָעְתָּ מוֹצָא שְׂפָתַי נֹכַח פָּנֶיךָ הָיָה׃

Mas eu não me recusei a ser pastor, seguindo-te; nem tão pouco desejei o dia da aflição. Até esse ponto da narrativa, o profeta não havia insistido para que Yahweh cumprisse sua palavra prontamente. Pelo contrário, ele quis interceder em favor dos réprobos, embora tivesse sido proibido de fazê-lo. Ver Jr 7.16; 11.14 e 14.11. Não estava no coração de Jeremias regozijar-se diante do sofrimento humano. Ele tinha fielmente entregado a mensagem de Yahweh, e deixara a questão nesse pé. Tudo quanto Jeremias fez fora testemunhado por Yahweh (ou seja, "está no teu conhecimento"). Coisa alguma foi feita em segredo, nem a mensagem se alterou em nenhum sentido. Mas os escarnecedores tinham ferido de tal modo o profeta, com suas palavras e ameaças, que lhe faltou a paciência. Por conseguinte, ele "mudou de atitude", conforme se diz em um ditado popular, e começou a orar pela vindicação imediata, através do cumprimento de suas profecias de condenação (vs. 18).

■ 17.17

אַל־תִּהְיֵה־לִי לִמְחִתָּה מַחֲסִי־אַתָּה בְּיוֹם רָעָה׃

Não me sejas motivo de terror. Embora o profeta tivesse orado pelo imediato julgamento divino contra Judá, ele pediu que Deus o isentasse, por causa de sua retidão e fidelidade. Ele tinha esperado corretamente em Yahweh. Ver o vs. 13. E dificilmente poderia ser enumerado entre os apóstatas que mereciam o que estava prestes a acontecer.

Senhor, não me sejas motivo de terror. Corro para ti em tempos difíceis, para minha segurança.

NCV

Talvez a petição deste versículo inclua os temores que o profeta tinha de sofrer mais ainda às mãos de seus adversários, mas o tema principal parece ser o terror imposto pela invasão dos babilônios e pelo exílio subseqüente. Seja como for, Jeremias foi *poupado* e passou o resto da sua vida no Egito. Ver no *Dicionário* sobre *Jeremias (o Profeta)*, III.3,4, para maiores detalhes.

■ 17.18

יֵבֹשׁוּ רֹדְפַי וְאַל־אֵבֹשָׁה אָנִי יֵחַתּוּ הֵמָּה וְאַל־אֵחַתָּה אָנִי הָבִיא עֲלֵיהֶם יוֹם רָעָה וּמִשְׁנֶה שִׁבָּרוֹן שָׁבְרֵם׃ ס

Sejam envergonhados os que me perseguem, e não seja eu envergonhado. Este versículo não contradiz o vs. 16, mas meramente olha além. Jeremias nunca quis que as profecias de condenação viessem contra Judá, mas sendo tão amargamente perseguido e desejando *vingança,* ele começou a pedir a Yahweh que trouxesse o julgamento. Poderíamos mesmo dizer que Jeremias não se mostrou muito caridoso; por outro lado, entretanto, as coisas se tinham desintegrado de tal maneira que não havia mesmo outra solução. Judá precisava ser julgado. Através desse julgamento, um minúsculo remanescente seria purificado, de modo que uma pequena quantidade de prata seria separada da escória geral. E então haveria um novo dia para Israel. Cf. este versículo com Jr 16.18, que também menciona o *duplo* castigo, ou seja, uma punição completa.

A OBSERVÂNCIA DO SÁBADO (17.19-27)

■ 17.19

כֹּה־אָמַר יְהוָה אֵלַי הָלֹךְ וְעָמַדְתָּ בְּשַׁעַר בְּנֵי־עָם אֲשֶׁר יָבֹאוּ בוֹ מַלְכֵי יְהוּדָה וַאֲשֶׁר יֵצְאוּ בוֹ וּבְכֹל שַׁעֲרֵי יְרוּשָׁלָ͏ִם:

Vai, põe-te à porta dos filhos do povo, pela qual entram e saem os reis de Judá. Esta seção é outro item dos materiais mistos que constituem o capítulo 17. Alguns estudiosos pensam que esta seção teve origem pós-exílica, quando a observância do sábado se tornou muito importante. Afinal, o sábado era o sinal do pacto mosaico. Quanto a isso, ver a introdução a Êx 19. Terminado o exílio, houve nova ênfase sobre a legislação mosaica como o guia do novo Israel, e o sábado naturalmente era parte importante disso. Outros supõem que o próprio Jeremias tenha enfatizado esse mandamento particular da lei, exatamente por ser o sinal do pacto inteiro.

"Jeremias pode ter favorecido a guarda apropriada do sábado, mas por certo ele não teria feito tanta coisa depender disso, conforme estes versículos subentendem... Muitos comentadores datam esta seção no período pós-exílico, dentro ou próximo do tempo coberto por Ne 13.15-22, que mostra preocupação similar com a observância sabática. Não é impossível, entretanto, que tal preocupação tivesse aparecido em uma época anterior" (James Philip Hyatt, *in loc.*). Cf. a ênfase similar que se vê em Is 56.2-6 e 58.13,14.

Aquilo que mais contribui para pensarmos em uma data posterior é a promessa implícita de que o arrependimento, quanto à guarda do sábado, faria reverter o desastre. Os vss. 25,26 parecem fora de lugar como promessa pré-exílica, mas se adaptam bem à situação pós-exílica. As seções anteriores de Jeremias projetaram a ideia de que Judá se transformou em um caso irremediável, e que a punição divina era *inevitável*. Porventura a observância do sábado reverteria a situação? Poder-se-ia argumentar que esse era apenas um dos itens da lei mosaica, representando a legislação inteira. Por isso, segue este argumento: A observância da lei inteira em geral, bem como do sábado em particular, poderia salvar Judá da ameaça babilônica. Essa é uma "boa tentativa", mas que, em minha opinião, fracassa. Ver, porém, as notas relativas aos vss. 21-27.

Como também a todas as portas de Jerusalém. Jeremias deveria postar-se em um lugar em evidência, para transmitir sua mensagem o mais amplamente possível. O literal hebraico para as "portas" é "a porta do povo" ou "a porta dos filhos do povo", que alguns identificam com o portão de Benjamim. Outros supõem que esteja em pauta a porta oriental. Ezequiel mencionou essa porta como um lugar onde os líderes de Judá se congregavam (ver Ez 11.1). O portão de Benjamim ficava na extremidade norte da cidade (ver Jr 37.13). Era onde um rei poderia assentar-se em seu trono (ver Jr 38.7). Mas Jeremias também deveria passar por todas as *outras portas* da cidade, proclamando a sua mensagem.

■ 17.20

וְאָמַרְתָּ אֲלֵיהֶם שִׁמְעוּ דְבַר־יְהוָה מַלְכֵי יְהוּדָה וְכָל־יְהוּדָה וְכֹל יֹשְׁבֵי יְרוּשָׁלָ͏ִם הַבָּאִים בַּשְּׁעָרִים הָאֵלֶּה: ס

Ouvi a palavra do Senhor, vós, reis de Judá e todo o Judá. Ao seguir as orientações de Yahweh, o profeta faria sua mensagem ser ouvida por todos os líderes, e também pelo povo comum. A mensagem da guarda do sábado, como um dos *Dez Mandamentos* (ver a respeito no *Dicionário* e também em Êx 20.10) e o sinal do *pacto mosaico* (ver a introdução a Êx 19), era essencial para o bem-estar de Judá. Os portões da cidade de Jerusalém faziam o papel hoje desempenhado pelo rádio e pela televisão.

■ 17.21

כֹּה אָמַר יְהוָה הִשָּׁמְרוּ בְּנַפְשׁוֹתֵיכֶם וְאַל־תִּשְׂאוּ מַשָּׂא בְּיוֹם הַשַּׁבָּת וַהֲבֵאתֶם בְּשַׁעֲרֵי יְרוּשָׁלָ͏ִם:

Assim diz o Senhor: Guardai-vos por amor da vossa alma. A observância do sábado incluía não fazer nenhum trabalho, e é isso o que está em pauta aqui. Naturalmente, as pessoas trabalham para ganhar dinheiro, e a conotação aqui é a de que carregar fardos incluía trazer produtos aos portões para comerciar com eles. Era difícil fazer cessar o comércio. Todos estavam atrás de dinheiro; e a regra de "um dia de descanso" por semana se punha no caminho dos bons negócios. Apoiando a ideia de que este oráculo era pré-exílico, Fausset (*in loc.*) observou: "A não observância do sábado foi uma das causas principais do cativeiro — o número dos anos de cativeiro, *setenta,* corresponde ao número de anos sabáticos que não foram observados durante os 490 anos de possessão da terra de Canaã, de Saul até a remoção dos judeus da Terra Prometida (ver Lv 26.34,35), cumpridos exatamente de acordo com 2Cr 36.21". No tempo de Neemias, somos especificamente informados de que, entre os produtos comerciais vendidos nas portas da cidade, estavam o vinho, as uvas, os figos, os peixes e o trigo (Ne 13.15). Esse versículo também diz que o comércio era efetuado nos dias de sábado. Ne 13.15-22 relata a restauração do sábado. Essa ênfase, nos dias de Neemias, poderia favorecer a noção de que este oráculo é de tempos pós-exílicos.

■ 17.22

וְלֹא־תוֹצִיאוּ מַשָּׂא מִבָּתֵּיכֶם בְּיוֹם הַשַּׁבָּת וְכָל־מְלָאכָה לֹא תַעֲשׂוּ וְקִדַּשְׁתֶּם אֶת־יוֹם הַשַּׁבָּת כַּאֲשֶׁר צִוִּיתִי אֶת־אֲבוֹתֵיכֶם:

Não tireis cargas de vossas casas no dia de sábado. Nenhuma carga deveria ser transportada em dia de sábado, por razões comerciais ou particulares. O sábado deveria ser um dia santo, separado para os ritos cultuais, para ouvir a lei, para adorar e para receber instruções gerais. Os antepassados daquela geração tinham recebido essas instruções, e o profeta não estava promovendo nenhum ensino novo. Ver Êx 20.8-10 e 31.13-17. Conservar o sábado santo tinha por intuito ser um sinal de retidão geral. Ver Ez 20.12. Não guardar o sábado era algo que assinalava o ímpio, que estava mais interessado em seus próprios negócios materiais do que em sua espiritualidade. A observância do sábado, originalmente, era algo efetuado com ares festivos, mas com o passar dos séculos foram adicionadas muitas regras que tornaram opressiva essa observância. Foi por esse motivo que Jesus teve de relembrar aos fariseus que o sábado foi feito por causa do homem, e não o homem por causa do sábado (ver Mc 2.27). Em sua revolta, entretanto, muitos judeus preferiram secularizar o dia de sábado e a própria vida.

■ 17.23

וְלֹא שָׁמְעוּ וְלֹא הִטּוּ אֶת־אָזְנָם וַיַּקְשׁוּ אֶת־עָרְפָּם לְבִלְתִּי שׁוֹמֵעַ וּלְבִלְתִּי קַחַת מוּסָר:

Mas não atenderam, não inclinaram os ouvidos. Temos aqui uma típica linguagem deuteronômica, a desobediência à lei mosaica, neste caso especificamente à lei do sábado; eles tinham pescoço duro de touros que lutam contra o jugo (ver 2Cr 36.13; Sl 75.5; Dt 31.27). Eles se recusavam a ouvir a voz de Deus (ver Sl 64.1); rejeitavam as instruções da lei, que era seu *guia* (Dt 6.4 ss.). Cf. Jr 7.24,26.

"... duros de cerviz, refratários, desobedientes... sempre o caráter do povo, os pais e seus filhos (At 7.51)" (John Gill, *in loc.*). Ver no *Dicionário* o artigo denominado *Dura Cerviz*.

Eles não me deram qualquer atenção. Eram muito teimosos.
Eu os castiguei, mas não houve resultado algum.
NCV

17.24

וְהָיָה אִם־שָׁמֹעַ תִּשְׁמְעוּן אֵלַי נְאֻם־יְהוָה לְבִלְתִּי
הָבִיא מַשָּׂא בְּשַׁעֲרֵי הָעִיר הַזֹּאת בְּיוֹם הַשַּׁבָּת וּלְקַדֵּשׁ
אֶת־יוֹם הַשַּׁבָּת לְבִלְתִּי עֲשׂוֹת־בֹּה כָּל־מְלָאכָה׃

Se deveras me ouvirdes, diz o Senhor, não introduzindo cargas pelas portas. Este versículo repete o que vemos nos vss. 21,22. E essa repetição é usada para *introduzir* a promessa relativa aos que obedecessem ao mandamento. Alguns intérpretes continuam insistindo que a parte da lei (a observância do sábado) representa a lei em sua inteireza. Seja como for, sem dúvida está em pauta a fidelidade ao pacto.

A Promessa aos Obedientes (17.25,26)

17.25,26

וּבָאוּ בְשַׁעֲרֵי הָעִיר הַזֹּאת מְלָכִים וְשָׂרִים יֹשְׁבִים
עַל־כִּסֵּא דָוִד רֹכְבִים בָּרֶכֶב וּבַסּוּסִים הֵמָּה וְשָׂרֵיהֶם
אִישׁ יְהוּדָה וְיֹשְׁבֵי יְרוּשָׁלָ͏ִם וְיָשְׁבָה הָעִיר־הַזֹּאת
לְעוֹלָם׃

וּבָאוּ מֵעָרֵי־יְהוּדָה וּמִסְּבִיבוֹת יְרוּשָׁלַ͏ִם וּמֵאֶרֶץ בִּנְיָמִן
וּמִן־הַשְּׁפֵלָה וּמִן־הָהָר וּמִן־הַנֶּגֶב מְבִאִים עוֹלָה וְזֶבַח
וּמִנְחָה וּלְבוֹנָה וּמְבִאֵי תוֹדָה בֵּית יְהוָה׃

Então pelas portas desta cidade entrarão reis e príncipes. A alma de Jerusalém seria restaurada. Novamente se tornaria o centro de um yahwismo sincero. O culto seria restaurado, e toda a nação de Judá participaria dele. O profeta dá-se ao trabalho de enumerar partes representativas de Judá como participantes da devoção renovada. Considere o leitor estes pontos:

1. Os *reis* que se assentassem no trono de Davi dariam bom exemplo, chegando em seus esplêndidos cavalos ou carruagens, liderando o cortejo que se ajuntaria na cidade para celebrar o culto a Yahweh.
2. Com eles estariam os *príncipes,* os governantes menores, que seguiriam o bom exemplo dos reis. Haverá longa sucessão de *reis,* que sempre contarão com seus príncipes fiéis, e, juntos, eles garantirão o retorno à fé primitiva por muito tempo.
3. Os *homens de Judá,* os habitantes em geral, seguirão o bom exemplo dos líderes e se tornarão discípulos devotos do yahwismo.
4. Os homens de Judá se ajustarão novamente às condições do pacto divino, e Jerusalém será, uma vez mais, o verdadeiro centro da adoração a Yahweh. Os *lugares altos,* que nos dias de Jeremias estavam espalhados por toda a parte, serão abandonados, quando o yahwismo for reavivado. O paganismo, por sua vez, será abandonado com seus muitos deuses e deboches (ver isso ilustrado em Jr 3.13).
5. Homens, mulheres e crianças, o povo em geral virá de todas as cidades de Judá (vs. 26), o que mostrará uma *virtual conversão nacional* que acompanhará a nova *unidade nacional.*
6. Benjamim (outra tribo que, com Judá, constituirá as terras do sul) se mostrará ativo na renovação espiritual e religiosa (vs. 26).
7. Outro tanto sucederá à área chamada Sefelá, as colinas que formavam ondas no oeste (sopés de colinas ocidentais).
8. Também acontecerá a mesma coisa no *Neguebe,* o deserto ermo no sul de Judá.

Pessoas de todas as classes trarão os holocaustos e sacrifícios diversos somente para Yahweh, como também sacrifícios dos quais outras pessoas participarão, como as ofertas pacíficas (de cereais), a queima de incenso e as oferendas de agradecimento. Tudo isso será feito no templo de Jerusalém, em concordância com os ditames da lei mosaica. O quadro é de total restauração do yahwismo, acompanhada pela restauração nacional e pela unidade sob a bandeira de Yahweh. Todas essas coisas acontecerão em *conjunção* com a restauração da observância do sábado. Ver no *Dicionário* o artigo geral chamado *Sacrifícios e Ofertas.*

Ameaça contra os Desobedientes (17.27)

17.27

וְאִם־לֹא תִשְׁמְעוּ אֵלַי לְקַדֵּשׁ אֶת־יוֹם הַשַּׁבָּת וּלְבִלְתִּי
שְׂאֵת מַשָּׂא וּבֹא בְּשַׁעֲרֵי יְרוּשָׁלַ͏ִם בְּיוֹם הַשַּׁבָּת וְהִצַּתִּי
אֵשׁ בִּשְׁעָרֶיהָ וְאָכְלָה אַרְמְנוֹת יְרוּשָׁלַ͏ִם וְלֹא תִכְבֶּה׃ פ

Mas, se não me ouvirdes, e por isso não santificardes o dia de sábado. Este versículo faz notável contraste com os vss. 25,26. Há uma promessa aos obedientes e uma ameaça contra os desobedientes. Se a voz de Yahweh fosse ignorada e o sábado não fosse restaurado à sua importância mosaica (presumivelmente uma parte que representa a totalidade da lei), então uma calamidade certamente sobreviria. Jeremias tomou tempo suficiente para dar detalhes, repetindo de novo a essência dos vss. 21,22: os homens continuariam a fazer seu trabalho em dia de sábado, cumprindo suas tarefas pessoais e também cuidando de seus empreendimentos monetários, usando a porta da cidade como posto comercial. Se assim fizessem, teriam de enfrentar as chamas do castigo de Yahweh. Cf. o vs. 4 e ver no *Dicionário* os artigos *Fogo, Símbolo do* e *Fogo,* seções VII e VIII.

O *julgamento de fogo* seria severo, devorando os palácios de Jerusalém, as residências dos ricos e, presumivelmente, os lugares humildes do povo comum. O fogo queimaria até nada restar para ser queimado. Alguns intérpretes fazem dessas chamas as destruições causadas pelos invasores babilônicos, mas outros veem o mesmo tipo de coisas acontecendo de novo ao remanescente pós-exílico, *caso eles não preservassem* o yahwismo puro. Cf. Jr 49.27. Ver também Jr 52.13 e 2Rs 25.9. "Nebuzaradã, o capitão de Nabucodonosor, queimou a casa do rei e todas as casas dos homens importantes de Jerusalém" (Fausset, *in loc.*).

CAPÍTULO DEZOITO

O OLEIRO E O JARRO QUEBRADO (18.1—20.18)

PARÁBOLA E CONSPIRAÇÃO (18.1-23)

Este capítulo pode ser convenientemente dividido em três partes: 1. A parábola do oleiro (vss. 1-12). 2. A desnaturalidade do pecado de Israel (vss. 13-17). 3. A conspiração contra Jeremias (vss. 18-23). Esta terceira seção inclui outra oração de Jeremias pedindo vingança contra os seus adversários (cf. Jr 17.14-18).

A Parábola do Oleiro (18.1-12)

Esta parábola é uma clássica ilustração hebreia da soberania de Deus. Quanto a outras instâncias dessa parábola, ver Is 29.16; 45.9; 64.8; Sabedoria de Salomão 15.7; Eclesiástico 33.13 e Rm 9.21. Algumas dessas passagens contêm um *determinismo inflexível:* não há condições remidoras, como um possível arrependimento. Diferentemente dessas passagens, a parábola dada aqui por Jeremias apresenta *causas secundárias:* o povo era capaz de arrepender-se e isso deveria reverter o processo da destruição e terminar na restauração. Ver o vs. 8. Yahweh pode plantar ou derrubar, tudo dependendo de como os homens reagem ao seu trato. Deus haveria de reagir favoravelmente para com aqueles que se arrependessem, *plantando e edificando* (vs. 9). Os homens que se arrependem podem fazer Deus arrepender-se! (vs. 10).

A parábola do oleiro, conforme dada em Rm 9, é totalmente diferente. Encontramos ali Deus como a única causa, sem nenhuma consideração para com causas secundárias. A teologia dos hebreus tendia a ser fraca quanto a causas secundárias, o que os levava a fazer de Deus a causa do mal, e não meramente do bem. Mas a verdade é que a soberania divina é governada pelo amor divino, e as causas secundárias sempre têm vez. O calvinismo radical é culpado de preservar o erro de Deus como a única causa, sendo fruto de uma teologia unilateral e deficiente. Ver na *Enciclopédia de Bíblia, Teologia e Filosofia* o artigo *Predestinação,* quanto a uma detalhada discussão a respeito.

"É provável que, na seção sul de Jerusalém, Jeremias tenha visto um *oleiro* a moldar o barro inanimado. Assim também Deus molda as pessoas. Mas Deus não trata caprichosamente com elas. O desígnio do mal pode ser substituído pelo desígnio do bem, *caso* as pessoas se arrependeram. Mas elas se recusam a isso" (*Oxford Annotated Bible*, comentando sobre o vs. 1 deste capítulo). "O profeta pode ter usado originalmente essa figura como a *base da esperança* de que Israel finalmente se tornaria aquilo que Deus queria que ela fosse. Como George Adam Smith reconheceu, esta seção ensina a paciência divina, bem como a soberania e a liberdade divina" (James Philip Hyatt, *in loc.*).

■ 18.1

הַדָּבָר֙ אֲשֶׁ֣ר הָיָ֣ה אֶֽל־יִרְמְיָ֔הוּ מֵאֵ֥ת יְהוָ֖ה לֵאמֹֽר׃

Palavra do Senhor que veio a Jeremias. Jeremias viveu uma vida encantada. Os *oráculos* dados por Yahweh o guiavam a cada passo do caminho. Embora ele ficasse desencorajado e também tivesse sua parcela de queixumes, embora rogasse que Yahweh enviasse sua vingança de fogo contra o povo *agora* (ver Jr 17.14-18), ele nunca se desviou do propósito de sua missão, que foi cumprida à risca. Parte do segredo do profeta, naturalmente, era sua comunhão com o Ser divino e suas constantes experiências místicas. Ver na *Enciclopédia de Bíblia, Teologia e Filosofia* o artigo chamado *Misticismo* (o bom e o mau). Ver também, no *Dicionário*, o verbete intitulado *Desenvolvimento Espiritual*. Agora, porém, um novo oráculo introduz a parábola do oleiro.

■ 18.2

ק֥וּם וְיָרַדְתָּ֖ בֵּ֣ית הַיּוֹצֵ֑ר וְשָׁ֥מָּה אַשְׁמִֽיעֲךָ֖ אֶת־דְּבָרָֽי׃

Dispõe-te, e desce à casa do oleiro, e lá ouvirás as minhas palavras. Na casa do oleiro, Jeremias ouviria a voz de Yahweh e receberia outra revelação que o ajudaria a dar advertências claras ao povo que se perdia em sua idolatria-adultério-apostasia. A casa do oleiro era uma olaria onde se fabricavam vasos de barro. Provavelmente ficava localizada no vale do Hinom, ao sul de Jerusalém, e o texto à nossa frente presume que se tratava de um lugar bem conhecido. O profeta sabia aonde ir. Provavelmente, as atividades do oleiro, na olaria, tenham dado nome à Porta do Oleiro (19.2). "A olaria teria incluído as oficinas do oleiro: um campo para guardar e tratar o barro; uma fornalha para endurecer os vasos que se fizessem; e um lugar de lixo para os vasos refugados" (James Philip Hyatt, *in loc.*). Cf. Mt 27.7. O *campo do oleiro* provavelmente aponta para a mesma localização da *casa do oleiro*. Tinha-se desenvolvido ali um terreno vago, que havia exaurido sua anterior utilidade. Ver no *Dicionário* o artigo *Acéldama (Campo do Oleiro)*.

■ 18.3

וָאֵרֵ֖ד בֵּ֣ית הַיּוֹצֵ֑ר וְהִנֵּה־ה֛וּא עֹשֶׂ֥ה מְלָאכָ֖ה עַל־הָאָבְנָֽיִם׃

Desci à casa do oleiro, e eis que ele estava entregue à sua obra. Obedecendo ao mandato divino e cheio de expectativa sobre o que aconteceria dessa vez, Jeremias desceu à olaria e encontrou-o a trabalhar arduamente na roda de oleiro. "O torno horizontal do oleiro consistia em dois pratos redondos, e o inferior era maior que o superior. Originalmente, as rodas de oleiro eram feitas de pedra; mais tarde, porém, passaram a ser feitas de madeira. Na roda superior, o oleiro moldava o barro no formato que quisesse" (Fausset, *in loc.*). O nome hebraico da roda de oleiro era *'obhnayim*, que é um dual, porque usava dois elementos, o prato de baixo e o prato de cima. A parte mais pesada, de baixo, provia o eixo, e a parte mais leve, de cima, provia a função de moldar. Eclesiástico 38.29,30 descreve o trabalho de um oleiro usando um aparelho mais sofisticado que era posto a girar mediante o uso de um pedal. Ver no *Dicionário* o artigo detalhado intitulado *Oleiro (Olaria)*. Um oleiro usava as mãos para moldar o vaso, tal como Deus fez por ocasião da criação do universo e em seus subsequentes atos de soberania (ver Is 29.16; 45.9 e 64.8).

■ 18.4

וְנִשְׁחַ֣ת הַכְּלִ֗י אֲשֶׁ֨ר ה֥וּא עֹשֶׂ֛ה בַּחֹ֖מֶר בְּיַ֣ד הַיּוֹצֵ֑ר וְשָׁ֗ב וַֽיַּעֲשֵׂ֙הוּ֙ כְּלִ֣י אַחֵ֔ר כַּאֲשֶׁ֥ר יָשַׁ֛ר בְּעֵינֵ֥י הַיּוֹצֵ֖ר לַעֲשֽׂוֹת׃ פ

Como o vaso, que o oleiro fazia de barro, se lhe estragou na mão. O oleiro obtinha bons e maus resultados. Talvez ele pudesse refazer o vaso que se tinha estragado, mas algumas vezes ele lançava fora vasos em formação, no monte de refugos, porque a falha era *irremediável*. O estado presente de Judá também era lamentável, porque o povo tinha-se estragado a si mesmo. O arrependimento permitiria que o mesmo barro fosse retrabalhado, mas, se o povo de Judá não se arrependesse, então o vaso estragado seria jogado fora ao vento, no exílio babilônico. E algum dia um novo vaso (o novo Israel) seria feito. O Oleiro divino, porém, tinha diversas opções, e qual delas ele empregaria em seu trabalho dependia de *causas secundárias*, que se fazem inteiramente ausentes na severa passagem determinista de Rm 9.19 ss. Caros leitores, triste é dizer isso, mas Jeremias, nesta passagem, mostrou-se mais sábio, teologicamente falando, do que Paulo naquele trecho da epístola aos Romanos. Todavia, outras passagens de Romanos veem Deus acima da teoria da *causa única*, fazendo alusões pontuais a causas secundárias.

Aplicação da Parábola (18.5-12)

■ 18.5,6

וַיְהִ֥י דְבַר־יְהוָ֖ה אֵלַ֥י לֵאמֹֽר׃
הֲכַיּוֹצֵ֨ר הַזֶּ֜ה לֹא־אוּכַ֨ל לַעֲשׂ֥וֹת לָכֶ֛ם בֵּ֥ית יִשְׂרָאֵ֖ל נְאֻם־יְהוָ֑ה הִנֵּ֤ה כַחֹ֙מֶר֙ בְּיַ֣ד הַיּוֹצֵ֔ר כֵּן־אַתֶּ֥ם בְּיָדִ֖י בֵּ֥ית יִשְׂרָאֵֽל׃ ס

Então veio a mim a palavra do Senhor. A palavra de Yahweh continuava sendo dada ao profeta, enquanto ele construía sua lição objetiva. Jeremias observava o oleiro, em seu trabalho, quando a voz divina lhe disse como aplicar, à vida espiritual de Judá, as coisas que ele estava vendo.

Não poderei eu fazer de vós como fez este oleiro...? Yahweh é o Oleiro divino e pode fazer o mesmo tipo de coisa que o oleiro fazia em seu trabalho. Judá era o barro. Várias possibilidades se apresentam diante de nós:

1. Um bom barro, livre de rebeliões e apostasias, pode tornar-se um vaso glorioso para ser usado pelo Senhor, um povo especial preparado por Yahweh, o qual, ato contínuo, podia ser um instrumento preparado para espalhar o yahwismo a outras nações. Deus fará com todas as nações aquilo que fez com Israel (vss. 7-10).

2. O barro que se estragasse poderia ser *refeito*, se houvesse arrependimento. Se isso ocorresse, então o desastre da invasão babilônica e o exílio subsequente poderiam ser evitados. Esta parábola é um convite ao arrependimento (vs. 8), e não meramente uma descrição da soberania divina.

3. Ou então, se não houvesse arrependimento, o vaso estragado seria rejeitado e jogado fora. Em data posterior, Deus faria um novo vaso, o novo Israel, após o cativeiro. Cf. este versículo com Is 45.9; 64.8 e Rm 9.20,21.

Deus tem todo o poder, mas lhe agrada condicionar esse poder ao que o homem fizer. Esse é um fato incrível que está no centro mesmo do evangelho cristão. Um poder incondicional torna-se uma *tirania*, e é isso que caracteriza o calvinismo radical. Não existe tal coisa como o poder de Deus divorciado de seu amor. Considere o leitor isto: O amor de Deus é o *maior poder* que existe no mundo. Ver no *Dicionário* o artigo chamado *Amor*.

■ 18.7

רֶ֣גַע אֲדַבֵּ֔ר עַל־גּ֖וֹי וְעַל־מַמְלָכָ֑ה לִנְת֥וֹשׁ וְלִנְת֖וֹץ וּלְהַאֲבִֽיד׃

No momento em que eu falar acerca de uma nação. Os vss. 7-10 generalizam a mensagem, incluindo *todas as nações*. O poder e a soberania de Deus são universais, e não provinciais. Ele não é somente o Deus de Israel, mas também de todos os homens, da mesma forma que é o Criador de todos. Este versículo fala sobre a questão do ponto de vista da providência negativa. E o versículo seguinte fala da perspectiva positiva. Deus pode arrancar de seu lugar uma nação ou reino, tal como as plantas são desarraigadas por um agricultor. Ele pode derrubar uma nação ou reino, da mesma maneira que um exército derruba uma muralha defensiva, ou como os construtores podem derrubar um edifício qualquer do qual não gostaram, a fim de abrir espaço para outra construção. E o desarraigar ou derrubar, efetuados por Deus, podem ser atos de *destruição,* ou seja, um objeto é aniquilado de forma que se perca totalmente seu uso original.

"Jeremias estava aprendendo agora que a obra de Deus é *condicionada*. Em ousada linguagem antropomórfica, Yahweh apresenta-se como quem tinha mudado repentinamente seus propósitos. A nação que fosse assim afetada poderia passar do mal para o bem, ou do bem para o mal. A mudança aparente é apenas a expressão da lei eterna da retidão, que trata os homens em conformidade com suas obras. Não há aqui nenhuma vontade predestinadora irresistível" (Ellicott, *in loc.*). As obras humanas são causas secundárias que determinam os eventos.

Condicionamentos (18.8)

■ **18.8**

וְשָׁב֙ הַגּ֣וֹי הַה֔וּא מֵרָ֣עָת֔וֹ אֲשֶׁ֥ר דִּבַּ֖רְתִּי עָלָ֑יו וְנִֽחַמְתִּי֙ עַל־הָ֣רָעָ֔ה אֲשֶׁ֥ר חָשַׁ֖בְתִּי לַעֲשׂ֥וֹת לֽוֹ׃ ס

Se a tal nação se converter da maldade contra a qual eu falei, também eu me arrependerei do mal. Deus usa seu poder com o intuito de *fazer o bem* para o indivíduo ou nação quando os praticantes do mal se arrependem. Nesse caso, Deus também se arrepende. Quanto ao arrependimento divino, ver as notas expositivas sobre Êx 32.14 e também o artigo geral do *Dicionário* intitulado *Arrependimento*. Isto posto, Deus condiciona sua vontade e trabalha em harmonia com a vontade e as obras dos homens. Essa é outra maneira de dizer que um homem tem a liberdade de escolher, e que as suas escolhas são agentes determinadores. Ver no *Dicionário* o verbete intitulado *Livre-arbítrio*. A vontade de Deus é constante, como também são seus propósitos. Essa vontade e esses propósitos são sempre empregados para fazer o bem em favor dos homens; mas os homens devem corresponder com atitudes e intenções apropriadas, pois, de outro modo, o julgamento divino será descarregado sobre a cabeça deles. Mas até o julgamento é um dedo da amorosa mão de Deus, para realizar um bem positivo por meio da disciplina, refinando através do fogo e derrotando a iniquidade.

■ **18.9**

וְרֶ֣גַע אֲדַבֵּ֔ר עַל־גּ֖וֹי וְעַל־מַמְלָכָ֑ה לִבְנֹ֖ת וְלִנְטֹֽעַ׃

E no momento em que eu falar acerca de uma nação ou de um reino, para o edificar e plantar. Este versículo é uma ampliação das ideias do vs. 8. A disciplina aplicada por Deus termina em construção e plantio positivo. Assim sendo, as metáforas do vs. 7 são repetidas, mas agora de maneira positiva.

> Lembro-me de ter parado no caminho
> Para ver o oleiro batendo no barro úmido.
> (E o barro murmurava)
> Gentilmente, irmão, gentilmente...
>
> Omar Khayyam

"Se o barro mostrar-se rebelde e não corresponder ao desígnio de seu Criador, deverá ser quebrado e reformado. Mas, se o barro se mostrar maleável, arrepender-se e abandonar o mal que praticou, o Criador ainda poderá transformá-lo em vaso útil; porém, se o barro já endureceu e está fixo em sua má forma, então Judá terá de cair" (Stanley Romaine Hopper, *in loc.*).

■ **18.10**

וְעָשָׂ֥ה הָרַ֛ע בְּעֵינַ֖י לְבִלְתִּ֣י שְׁמֹ֣עַ בְּקוֹלִ֑י וְנִֽחַמְתִּי֙ עַל־הַטּוֹבָ֔ה אֲשֶׁ֥ר אָמַ֖רְתִּי לְהֵיטִ֥יב אוֹתֽוֹ׃ ס

Se ela fizer o que é mal perante mim, e não der ouvidos à minha voz... Este versículo é o contrário do anterior. Supõe que o barro em questão represente uma gente endurecida que não deseja arrepender-se e, assim sendo, mediante o próprio endurecimento, fixou seu infeliz destino. Esse povo não ouve a voz de Yahweh, não está aberto à instrução, e qualquer chamado ao arrependimento cai em ouvidos surdos. Quando tais condições imperam, o bem que Deus fez é anulado. De fato, no caso de tais pessoas, "Deus arrepende-se" do bem que porventura lhes prometera fazer: ele retém o benefício que já estava a caminho. O vaso endurecido contém uma falha, e é quebrado e lançado no monte de restos inúteis. Isso significa que a invasão babilônica e o exílio subsequente ocorreriam como fora planejado pelo Senhor.

O Apelo Final de Yahweh (18.11)

■ **18.11**

וְעַתָּ֡ה אֱמָר־נָ֣א אֶל־אִישׁ־יְהוּדָה֩ וְעַל־יוֹשְׁבֵ֨י יְרוּשָׁלִַ֜ם לֵאמֹ֗ר כֹּ֚ה אָמַ֣ר יְהוָ֔ה הִנֵּ֨ה אָנֹכִ֜י יוֹצֵ֤ר עֲלֵיכֶם֙ רָעָ֔ה וְחֹשֵׁ֥ב עֲלֵיכֶ֖ם מַֽחֲשָׁבָ֑ה שׁ֣וּבוּ נָ֗א אִ֚ישׁ מִדַּרְכּ֣וֹ הָֽרָעָ֔ה וְהֵיטִ֥יבוּ דַרְכֵיכֶ֖ם וּמַֽעַלְלֵיכֶֽם׃

Ora, pois, fala agora aos homens de Judá...: Assim diz o Senhor. *O apelo divino final* contém tanto a ameaça de julgamento quanto a promessa de restauração em vista do arrependimento, as mesmas opções dadas por meio do oráculo. Os habitantes de Judá e Jerusalém permaneciam com seu solene poder determinador do destino, que lhes permitia fazer escolhas. Mas já havia um tremendo plano formado na mente divina. O *plano divino* (pois Deus controla as atividades humanas; Is 13.6) faria com que, em breve tempo, os babilônios estivessem batendo nos portões de Jerusalém, quando então haveria poderosa matança e saque, seguidos pelo exílio dos sobreviventes. Por outro lado, ainda existia a oportunidade de os judeus afastarem a calamidade mediante o arrependimento e a mudança de conduta. Nesse caso, o vaso estragado poderia ser moldado em um novo e bom vaso. A história de Israel tomaria nova e boa torção, mediante o uso do antigo vaso, *reformado*. De outra maneira, o antigo vaso seria despedaçado em fragmentos por estar defeituoso e não mais servir aos propósitos divinos. E, nesse caso, um novo vaso seria formado de um novo barro, em substituição ao antigo.

A Autodestruição de Judá (18.12)

■ **18.12**

וְאָמְר֖וּ נוֹאָ֑שׁ כִּֽי־אַחֲרֵ֤י מַחְשְׁבוֹתֵ֙ינוּ֙ נֵלֵ֔ךְ וְאִ֛ישׁ שְׁרִר֥וּת לִבּֽוֹ־הָרָ֖ע נַעֲשֶֽׂה׃ ס

Não há esperança, porque andaremos consoante os nossos projetos. *Sócrates* pensava que o indivíduo que realmente sabe o que é melhor para si seguirá essa orientação e evitará ações autodestrutivas. Acreditando nisso, ele muito se dedicou à investigação e ao ensino (através de diálogos) para descobrir o que é realmente melhor para o homem, ou seja, qual é a melhor conduta humana. Dessa maneira, é de se presumir que o *conhecimento* seja uma garantia para a conduta construtiva. Mas Freud chegou mais perto da verdade quando falou no "instinto suicida" natural do homem. Assim sendo, enquanto apenas pequena porcentagem de pessoas comete *suicídio repentino,* largo segmento da população do mundo, mediante atitudes mentais negativas e hábitos prejudiciais, está cometendo um *lento suicídio*. Simplesmente comer demais (a gula), por exemplo, é uma maneira de suicidar-se lentamente. E, naturalmente, o cigarro é um dos maiores assassinos de todos os tempos; mas os governos, a despeito de toda a evidência científica, não impedem a matança. Pelo contrário, encorajam o vício do fumo, porquanto recebem, em impostos, muito dinheiro proveniente da venda de cigarros. O maior conhecimento que existe atualmente em nosso mundo não tem contribuído para modificar os hábitos autodestrutivos dos homens. Outro tanto se aplica ao terreno espiritual. Os hebreus foram submetidos a séculos de bom ensino bíblico, sendo-lhes assegurado que a obediência à lei concedia vida mais longa e melhor (ver Dt 4.1; 5.33; 6.2; Ez 20.1). No entanto, as nações de Israel e de Judá ignoraram essa informação e seguiram a idolatria, que é uma terrível destruidora de vida.

Não há esperança. Em outras palavras, não havia expectativa de que Judá faria o que Jeremias os aconselhava a fazer. É como se eles estivessem dizendo: "De nada adianta falares o que estás falando, pois seguiremos nossas próprias veredas e nossa própria vontade.

Continuaremos em nossos *planos*. Cada um de nós seguirá a obstinação de seu próprio coração, e arrancaremos da vida o que cada qual quiser, e não o que as antigas doutrinas dizem que devemos fazer". Cf. Jr 2.25. Essa resposta não é própria de um homem que queria fazer o que é certo, mas foi apanhado em uma armadilha. Antes, é a resposta do *desafio*. Eles *amavam* seus maus caminhos e não queriam desistir deles. Enfrentariam as ameaças que Jeremias fazia em nome de Yahweh.

Amo a esses outros deuses. Devo adorá-los.
Jeremias 2.25, NCV

A Desnaturalidade do Pecado de Judá (18.13-17)

■ 18.13

לָכֵן כֹּה אָמַר יְהוָה שַׁאֲלוּ־נָא בַגּוֹיִם מִי שָׁמַע כָּאֵלֶּה
שַׁעֲרֻרִת עָשְׂתָה מְאֹד בְּתוּלַת יִשְׂרָאֵל׃

Portanto assim diz o Senhor: Perguntai agora entre os gentios sobre quem ouviu tal cousa. Esta breve seção expande a ideia do versículo anterior, ou seja, Judá correndo atrás de seus próprios esquemas, teimoso e rebelde no coração, surdo para as admoestações divinas. A passagem é similar a Jr 2.10–11,32 e 8.7. Era desnatural para Judá esquecer o yahwismo histórico a fim de adotar os deuses de nada dos povos cananeus e dos povos vizinhos. Os pagãos inclinavam-se a ficar com os seus próprios deuses, embora, na verdade, estes nada fizessem em seu favor. Ver o vs. 1 e cf. isso com Jr 2.10,11. O que os judeus estavam fazendo era contrário às coisas naturais, que seguem sua própria ordem de expressão (vs. 14; cf. Jr 8.7). Isso deixava a nação sujeita ao castigo divino, o qual viria sob a forma da invasão babilônica, com suas matanças, saques e o exílio subsequente na Babilônia.

O apelo que aparece em Jr 2.10,11 é renovado aqui. A virgem não se tinha mantido fiel ao noivo, mas antes correu para atos vergonhosos que os pagãos nem considerariam praticar. Quanto ao título "virgem de Israel", cf. 2Rs 19.21. A virgem é a nação "noiva de Yahweh", mas de coração tão corrupto que nem ao menos teve paciência para esperar pelo casamento; antes, correu para os seus "amantes estrangeiros" (o que constituía sua idolatria-adultério-apostasia). Ela praticou uma *coisa horrível* (NCV), que fez corar os próprios pagãos, envergonhados. Ver o vs. 15 quanto ao pecado referido em termos literais.

■ 18.14

הֲיַעֲזֹב מִצּוּר שָׂדַי שֶׁלֶג לְבָנוֹן אִם־יִנָּתְשׁוּ מַיִם זָרִים
קָרִים נוֹזְלִים׃

Acaso a neve deixará o Líbano, a rocha que se ergue na planície? A natureza, em seu *modus operandi*, testemunhava contra os atos *desnaturais* da virgem. Parte da cadeia do Líbano conta com neve o ano inteiro. A cadeia do Líbano alça-se muito acima da *planície* (Atualizada) e é apenas natural que essas montanhas contenham neve durante todo o ano. Em vez de *planície* (conforme diz o texto massorético), algumas traduções emendam para *Siriom*, o nome fenício para o monte Hermom (ver Dt 3.9). O cume do monte Hermom fica a 2.775 m de altura acima do nível do mar e conta com alguma neve o ano todo. Essa é a condição que a natureza mantém. Se a neve desaparecesse dali, isso seria *desnatural*. Além disso, dos montes que têm muita neve também fluem rios vigorosos. Seria desnatural para aquelas águas parar de fluir com a dissolução da neve. A palavra "montanhas", que aparece em algumas versões, é uma emenda do texto hebraico massorético, que diz "águas que vêm de longe". A emenda para "de outro lugar" não melhora muito o sentido. Com essas últimas palavras devemos entender que os riachos seriam derivados dos depósitos de neve que estariam derretendo, ou seja, de um lugar distante de onde os encontramos fluindo. Seja como for, o profeta apresenta duas coisas naturais que são "truísmos" da natureza. Mas a virgem, Judá, fazia algo completamente desnatural ao abandonar Yahweh, a fonte de suas águas vivas. Ver Jr 17.13, onde Yahweh aparece como a "fonte das águas vivas". Ver Jr 2.13, que é uma passagem paralela. Judá apelara para suas *cisternas rotas* e abandonara as *águas vivas*. Ver no *Dicionário* o verbete denominado *Massora (Massorah); Texto Massorético*. Assim diz o texto hebraico padronizado do Antigo Testamento, empregado na maioria de traduções para outros idiomas.

■ 18.15

כִּי־שְׁכֵחֻנִי עַמִּי לַשָּׁוְא יְקַטֵּרוּ וַיַּכְשִׁלוּם בְּדַרְכֵיהֶם
שְׁבִילֵי עוֹלָם לָלֶכֶת נְתִיבוֹת דֶּרֶךְ לֹא סְלוּלָה׃

Contudo todos do meu povo se têm esquecido de mim, queimando incenso aos ídolos. Abandonando as antigas estradas do yahwismo, o povo judeu saiu tropeçando em veredas laterais tortuosas da idolatria, preferindo honrar deuses de povos que nada tinham a ver, historicamente falando, com o povo hebreu. O resultado disso foi esquecer de Yahweh, ao mesmo tempo que eles queimavam incenso e ofereciam sacrifícios a deuses que nada representavam. Os caminhos dos bons e dos maus são contrastados aqui (ver a nota de sumário sobre Pv 4.27). Ver também, no *Dicionário*, o artigo chamado *Caminho*. Quanto ao esquecerem eles Yahweh, cf. Jr 2.32; quanto aos caminhos que tinham sido trilhados pelas antigas e piedosas gerações, ver Jr 6.16. Ver no *Dicionário* o verbete intitulado *Andar*.

■ 18.16

לָשׂוּם אַרְצָם לְשַׁמָּה שְׁרוּקַת עוֹלָם כֹּל עוֹבֵר עָלֶיהָ
יִשֹּׁם וְיָנִיד בְּרֹאשׁוֹ׃

Para fazerem da sua terra um espanto e objeto de perpétuo assobio. A perversidade dos judeus, que tinham corrompido seu caminho, levou a Terra Prometida a ser motivo de escárnio por parte dos pagãos. Os judeus fizeram de sua terra um *horror*, do qual os gentios assobiariam em derrisão. As pessoas que por ali passavam sacudiam a cabeça, incrédulas, diante da prodigiosa idolatria do povo judeu, com um ídolo e um casal praticando sexo ilícito debaixo de cada árvore (ver Jr 3.13). Salomão tinha sido advertido sobre os assobios de zombaria que um povo apóstata sofreria (ver 1Rs 9.8). Quanto à zombaria, cf. 2Rs 19.21. Quanto ao ato de sacudir a cabeça, cf. Lm 2.15,16: "Todos os que passam pelo caminho batem palmas, assobiam e meneiam as cabeças sobre a filha de Jerusalém. É esta cidade que denominavam a perfeição da formosura, a alegria de toda a terra?"

■ 18.17

כְּרוּחַ־קָדִים אֲפִיצֵם לִפְנֵי אוֹיֵב עֹרֶף וְלֹא־פָנִים
אֶרְאֵם בְּיוֹם אֵידָם׃ ס

Com vento oriental os espalharei diante do inimigo. O ataque do exército babilônico seria como uma tremenda lufada do vento oriental que soprava do deserto da Arábia. E levaria tudo à sua frente, como um tufão. O povo de Judá procuraria a confortadora e protetora face de Yahweh, mas seria tarde. Eles o veriam somente de costas, e o dia da calamidade chegaria sem remédio. Cf. Jr 2.27 quanto a essa ideia. Ver sobre o feroz vento oriental em Jó 27.21; Jr 4.11-12; Sl 48.7 e Is 27.8. Ver no *Dicionário* o verbete intitulado *Vento Oriental*. Cf. este versículo com Pv 1.26-28.

A Conspiração contra Jeremias (18.18-23)

■ 18.18

וַיֹּאמְרוּ לְכוּ וְנַחְשְׁבָה עַל־יִרְמְיָהוּ מַחֲשָׁבוֹת כִּי לֹא־
תֹאבַד תּוֹרָה מִכֹּהֵן וְעֵצָה מֵחָכָם וְדָבָר מִנָּבִיא לְכוּ
וְנַכֵּהוּ בַלָּשׁוֹן וְאַל־נַקְשִׁיבָה אֶל־כָּל־דְּבָרָיו׃

Então disseram: Vinde, e forjemos projetos contra Jeremias. Já vimos uma conspiração para assassinar o profeta, instigada pelo povo de sua própria cidade natal, Anatote. Cf. Jr 15.15-21. Este versículo, porém, deixa claro que a nova conspiração foi obra dos líderes de Jerusalém, incluindo os líderes religiosos. Jeremias, o *destruidor*, segundo a estimativa deles, tinha de ser destruído. Horrorizado pelo que estava acontecendo, o profeta proferiu sua quarta lamentação pessoal. Ele defendeu sua inocência e orou para que Yahweh interviesse. O profeta buscou a vingança divina contra os líderes, visando sua destruição completa, incluindo o fim de suas famílias. Jeremias foi o profeta das lamentações. Cf. Jr 11.18; 12.6; 15.10,21; 17.14; 18.18-23; 20.7-13,14-18.

Firamo-lo com a língua, e não atendamos a nenhuma das suas palavras. Note o leitor a hierarquia religiosa através destes pontos:

1. Os *sacerdotes* que ensinavam (presumivelmente a Torá — Lei), mas que na realidade eram ministros de um sincretismo doentio segundo o qual Yahweh era um dos deuses do panteão.
2. Os sábios, que davam conselhos e provavelmente eram os homens de mais idade, possuindo a reputação de sábios.
3. Os *profetas,* aos quais Jeremias classificava como falsos, espalhavam mentiras e diziam que coisa alguma aconteceria contra Jerusalém (ver Jr 6.14; 8.11; 14.14). Jeremias já havia expressado sua opinião totalmente negativa a respeito deles. Ver Jr 2.8; 8.8,9; 14.13-16; 23.9-40 e 26.1-14.

Vemos, pois, que líderes religiosos de todas as variedades se tinham unido contra Jeremias, anelavam por vê-lo morto e até tomavam medidas para que isso se concretizasse. Eles instigaram uma campanha verbal contra o profeta. As calúnias tinham por propósito provocar o assassinato de Jeremias. Isso lhe fecharia a boca, fazendo cessar o jorro de profecias de condenação e denúncias contra a falsa liderança que dominava a nação. O vs. 23 deste capítulo mostra que o assassinato era o objeto real da conspiração, e não simplesmente a difamação. Ver no *Dicionário* o verbete intitulado *Linguagem, Uso Apropriado da.*

■ **18.19**

הַקְשִׁיבָה יְהוָה אֵלָי וּשְׁמַע לְקוֹל יְרִיבָי׃

Olha para mim, Senhor, e ouve a voz dos que contendem comigo. Jeremias, que a esta altura dos acontecimentos não possuía amigos nem quem o apoiasse, teve de invocar a ajuda divina. Yahweh teria de lhe dar ouvidos, pois, do contrário, sua causa e sua vida por certo estariam perdidas. Ele fez um apelo especial rogando por sua própria segurança, assim como pelo fim de toda a oposição. Nada houve de gentil em seu apelo: ele queria ver seus inimigos mortos, tão mortos quanto eles queriam vê-lo. Sigo aqui a versão da Septuaginta como base de interpretação. O texto massorético dá a entender que Jeremias pediu que Deus ouvisse a voz de seus inimigos a caluniá-lo e a conspirar visando sua morte, e então agisse de modo contrário a essa atividade. "... ouve suas reprimendas, suas fanfarronices, suas blasfêmias e palavras más, suas mentiras e falsidades, e então julga entre eles e eu: que apareça quem é justo; vindica a minha causa e pleiteia contra aqueles que pleiteiam contra mim" (John Gill, *in loc.,* seguindo o texto massorético). Ver no *Dicionário* o artigo chamado *Massora (Massorah); Texto Massorético.*

■ **18.20**

הַיְשֻׁלַּם תַּחַת־טוֹבָה רָעָה כִּי־כָרוּ שׁוּחָה לְנַפְשִׁי זְכֹר עָמְדִי לְפָנֶיךָ לְדַבֵּר עֲלֵיהֶם טוֹבָה לְהָשִׁיב אֶת־חֲמָתְךָ מֵהֶם׃

Acaso pagar-se-á mal por bem? Pois abriram uma cova para a minha alma. Jeremias tinha realizado a missão que Deus lhe dera para cumprir, visando o *bem* do povo judeu, porquanto eles precisavam urgentemente ouvir e atender ao convite para o arrependimento. Se eles se arrependessem, seriam certamente salvos da invasão babilônica. Porém, para o "bem" que Jeremias lhes queria fazer, eles planejavam o máximo de maldade: a execução do profeta — que é aqui assemelhada a uma cova que os caçadores escavaram para apanhar algum pobre animal e vender suas partes como produtos. A missão de Jeremias foi realizada por Yahweh, para abafar a ira do Senhor. Portanto, o que ele dizia era "bom", apesar das ameaças. No começo, o profeta rogou a Yahweh que se mostrasse misericordioso para com seus oponentes (ver Jr 15.11; 17.16), embora, posteriormente amargurado, tenha passado a solicitar a destruição deles (ver Jr 17.18). Cf. o caso de Jesus, que, até o fim, intercedeu para que os réprobos fossem perdoados, em vez de serem destruídos. Nenhum homem pôde igualar o exemplo deixado pelo Senhor Jesus, exceto em alguns casos raros, como o de Estêvão (At 7.60).

■ **18.21**

לָכֵן תֵּן אֶת־בְּנֵיהֶם לָרָעָב וְהַגִּרֵם עַל־יְדֵי־חֶרֶב וְתִהְיֶנָה נְשֵׁיהֶם שַׁכֻּלוֹת וְאַלְמָנוֹת וְאַנְשֵׁיהֶם יִהְיוּ הֲרֻגֵי מָוֶת בַּחוּרֵיהֶם מֻכֵּי־חֶרֶב בַּמִּלְחָמָה׃

Portanto entrega seus filhos à fome, e ao poder da espada. Agora o profeta Jeremias orou abertamente pela destruição de seus adversários. Ele já havia perdido a paciência com os blasfemadores assassinos. A fome antecederia a invasão babilônica (a espada) e as pragas a seguiriam. As poucas mulheres judias que sobrevivessem seriam privadas de seus maridos e de seus filhos, e, para elas, a vida não mais seria digna de ser vivida. Toda a classe dos jovens judeus, capazes de pegar em armas, seria aniquilada. E os poucos sobreviventes seriam levados para a Babilônia, mas até mesmo ali a espada os seguiria, e a matança teria continuidade (ver Jr 9.16). Cf. este versículo com Sl 109.9,10; Ez 35.5 e, especialmente, Jr 15.2,3, onde vemos a população de Judá entregue a várias formas de execução, ao passo que os pouquíssimos sobreviventes foram levados para o exílio na Babilônia. Não restou nenhuma célula familiar. A morte separou quase todas as famílias, e aquelas que a morte não tocou, o exílio afetou.

Jeremias, naturalmente, estava abaixo do padrão deixado pelo Senhor Jesus, em Mt 5.44, e pelo apóstolo Paulo, em Rm 12.19 ss. Mas essa deficiência tem sido tradicionalmente verdadeira no caso de quase todos os homens, com algumas raras exceções, como Estêvão (ver At 7.60).

■ **18.22**

תִּשָּׁמַע זְעָקָה מִבָּתֵּיהֶם כִּי־תָבִיא עֲלֵיהֶם גְּדוּד פִּתְאֹם כִּי־כָרוּ שׁוּחָה לְלָכְדֵנִי וּפַחִים טָמְנוּ לְרַגְלָי׃

Ouça-se o clamor de suas casas, quando trouxeres bandos sobre eles de repente. Jeremias, buscando *vingança* por causa dos projetos assassinos tramados contra ele, orou para que os assaltantes babilônicos fizessem com os líderes de Judá o que tinham planejado fazer contra ele. Jeremias queria ouvir os gritos de desespero e dor saindo de suas casas, quando os soldados estivessem matando e violentando! Jeremias não desejava que Yahweh interviesse no último momento, perdoando-lhes os pecados e salvando-os. Ele não queria que seus pecados fossem apagados e esquecidos. Antes, desejava que eles fossem brutalmente derrubados, pisados aos pés e aniquilados! Ele desejava que a ira divina acabasse com seus inimigos. Sim, Jeremias não viveu à altura das palavras de Jesus, nem à altura do seu exemplo. Yahweh faria todas aquelas desgraças acontecer entre o povo de Judá, pois era isso o que eles mereciam em razão de sua idolatria-adultério-apostasia, e não porque Jeremias queria uma vingança pessoal. Mas o resultado seria o mesmo.

Cova... armadilha. A cova era para apanhar algum pobre animal, que seria morto de modo que os produtos de seu corpo fossem vendidos (ver o vs. 20); as armadilhas eram as redes que prendiam o infeliz animal. Cf. Sl 109.8,10,14. Ver no *Dicionário* o artigo *Armadilha.* Ver também sobre *Rede (Armadilha, Laço).*

■ **18.23**

וְאַתָּה יְהוָה יָדַעְתָּ אֶת־כָּל־עֲצָתָם עָלַי לַמָּוֶת אַל־תְּכַפֵּר עַל־עֲוֹנָם וְחַטָּאתָם מִלְּפָנֶיךָ אַל־תֶּמְחִי וְהָיוּ מֻכְשָׁלִים לְפָנֶיךָ בְּעֵת אַפְּךָ עֲשֵׂה בָהֶם׃ ס

Mas tu, ó Senhor, sabes todo o seu conselho contra mim para matar-me. Este versículo reforça as ideias do versículo anterior. Yahweh foi invocado a consultar seu divino depósito de conhecimentos e encontrar ali informações sobre todos os males que estavam sendo planejados contra o profeta, que tinham por propósito tirar-lhe a vida. Jeremias não queria que qualquer ação divina mitigasse a punição do povo judeu: nada de perdão, nada de anulação de pecados. Antes, ele pleiteava o aniquilamento total do povo, a *derrocada* total; o completo exercício da ira divina.

"Vss. 21-23. A oração era a expressão de uma indignação, não injusta em si mesma, e, no entanto, mostrando tudo muito claramente, como a linguagem dos chamados salmos imprecatórios (Sl 35; 69; 109 etc.), o contraste entre a maneira judaica e a maneira cristã de enfrentar o erro e o ódio (ver At 7.60). As declarações neotestamentárias de Pedro (At 8.20) e Paulo (At 23.3; Gl 1.9 e 2Tm 4.14) apresentam paralelismos evidentes, embora as palavras ditas naqueles casos tenham mais o caráter de uma sentença judicial autoritativa" (Ellicott, *in loc.*).

CAPÍTULO DEZENOVE

AÇÕES SIMBÓLICAS: A PARÁBOLA DA BOTIJA QUEBRADA (19.1-15)

Este capítulo retém certos elementos do capítulo 18. A figura do oleiro é reiterada, só que desta vez com uma apresentação mais negra. Ver Jr 18.3,4. Ali o vaso ainda estava na roda do oleiro, e sua sorte ainda não tinha sido determinada. Agora, porém, o vaso já estava cozido e endurecido. Nenhuma mudança era agora possível, e a destruição do vaso certamente ocorreria. Visto que o vaso era impróprio para ser usado, terminaria na pilha de vasos estragados. Dessa forma, é o símbolo apropriado do povo endurecido que tinha desprezado suas oportunidades. O país inteiro tinha de ser quebrado pela ira divina, por meio da invasão do exército babilônico e pela deportação dos judeus.

A perseguição pública contra Jeremias só terminaria após muita adversidade contra Judá, e isso é ilustrado pela continuação da parábola do oleiro. Mas agora temos a parábola da botija quebrada, um simbolismo diferente, posto que similar. A botija, naturalmente, é um frasco de argila lindamente trabalhado, e não uma garrafa de vidro, pelo que era obra feita por um oleiro, e não por um soprador de vidro (profissão surgida séculos mais tarde).

A Botija Quebrada (19.1-6)

19.1

כֹּה אָמַר יְהוָה הָלוֹךְ וְקָנִיתָ בַקְבֻּק יוֹצֵר חָרֶשׂ וּמִזִּקְנֵי הָעָם וּמִזִּקְנֵי הַכֹּהֲנִים׃

Assim diz o Senhor: Vai, compra uma botija de oleiro. Essa botija de argila (no hebraico, *baqbuq*) era uma jarra de água. O nome hebraico da peça procura imitar o som gorgolejante da água, quando derramada da jarra. A arqueologia descobriu muitas dessas jarras, algumas com cerca de 10 cm de altura, outras com cerca de 25 cm de altura. Essas botijas eram os vasos mais artísticos e finamente trabalhados entre os feitos por um oleiro. A maioria tinha *pescoço fino* e se quebrava com facilidade. Isso se ajusta bem ao propósito da parábola: Judá seria finalmente quebrado e destruído. O pescoço de Judá estava prestes a ser partido!

Jeremias recebeu ordens, da parte de Yahweh, para levar alguns poucos líderes religiosos ao terreno de restos quebrados de vasos do oleiro, a fim de que eles pudessem ver a lição objetiva em primeira mão, em vez de simplesmente ouvir o que aconteceria ali. "Através da quebra de um jarro de oleiro, Jeremias mostrou a seus adversários que a palavra do Senhor certamente permaneceria de pé, pois Jerusalém seria atacada e saqueada, e o povo judeu seria levado para o exílio" (Adam Clarke, *in loc.*).

É possível que Jeremias tenha levado elementos das duas casas de anciãos, os que presidiam às questões religiosas e os que controlavam a vida religiosa do povo, o corpo dos 72. Ou então ele tomou representantes dos dois tipos de anciãos.

19.2

וְיָצָאתָ אֶל־גֵּיא בֶן־הִנֹּם אֲשֶׁר פֶּתַח שַׁעַר הַחַרְסוּת וְקָרָאתָ שָּׁם אֶת־הַדְּבָרִים אֲשֶׁר־אֲדַבֵּר אֵלֶיךָ׃

Sai ao vale do filho de Hinom que está à entrada da Porta do Oleiro e apregoa ali as palavras. A casa do oleiro (ver Jr 18.2) situava-se no vale do filho de Hinom. Ver as notas sobre o capítulo 18. E próximo estava o terreno onde os restos de vasos quebrados eram lançados, junto à porta do Oleiro. O nome da porta, como é óbvio, derivava do monte de vasos quebrados que havia nas proximidades. Ver no *Dicionário* o verbete chamado *Porta do Oleiro*, quanto a detalhes. O vale do filho de Hinom, isto é, *Ben-Hinnom*, ficava localizado imediatamente ao sul de Jerusalém. A localização da porta do Oleiro não é certa. O Targum diz: "Porta do Monturo". Cf. Ne 2.13; 3.13,14 e 12.31. Quanto a outros detalhes, ver no *Dicionário* o artigo com esse nome. O nome *Porta do Oleiro* aparece somente neste versículo. O vale de Hinom estava associado às práticas mais hediondas da idolatria (incluindo o sacrifício de crianças) em que o povo de Judá se metera. Portanto, era um local apropriado para a demonstração que Jeremias estava prestes a fazer. Associada a esse lugar estava a *geena*, campo onde ficava o monturo da cidade e eram queimados o lixo e as carcaças dos animais. Ver no *Dicionário* o verbete intitulado *Geena*.

19.3

וְאָמַרְתָּ שִׁמְעוּ דְבַר־יְהוָה מַלְכֵי יְהוּדָה וְיֹשְׁבֵי יְרוּשָׁלִָם כֹּה־אָמַר יְהוָה צְבָאוֹת אֱלֹהֵי יִשְׂרָאֵל הִנְנִי מֵבִיא רָעָה עַל־הַמָּקוֹם הַזֶּה אֲשֶׁר כָּל־שֹׁמְעָהּ תִּצַּלְנָה אָזְנָיו׃

Ouvi a palavra do Senhor, ó reis de Judá e moradores de Jerusalém. Imediatamente Jeremias anunciou as coisas que seriam simbolizadas, a saber, a total destruição de Judá e Jerusalém, tão iminente, pois o exército babilônico já estava quase em marcha para completar a invasão. O *oráculo do Senhor* foi pronunciado contra eles. Os reis foram chamados a ouvir. Os anciãos estavam presentes para ouvir pessoalmente as palavras do profeta e em breve veriam o gargalo da botija ser quebrado, como símbolo do que aconteceria a Judá.

Retinir-lhe-ão os ouvidos. A mensagem era tão enregeladora e terrível, que só ouvi-la já metia medo, quanto mais quando a predição se cumprisse. Cf. 1Sm 3.11, onde a frase também ocorre, referindo-se à destruição de um santuário anterior. Silo caiu para nunca mais levantar-se. "A destruição do primeiro santuário de Israel seria tipo da destruição do segundo (ver Sl 78.60; Jr 7.14). As palavras que se seguem aludem especialmente à culpa do rei Manassés (2Cr 33.4)" (Ellicott, *in loc.*). A voz de Yahweh trovejava anunciando o partir do pescoço de Judá, mas poucos judeus lhe deram ouvidos. A mensagem foi "espantosa e surpreendente para eles; deixava-lhes os sentidos estonteados. Mas aquele que lhe dava ouvidos ficava assustado como quem ouve o ribombo de um trovão que anuncia a tempestade... A frase denota a grandeza da calamidade e a surpresa que isso traria aos judeus" (John Gill, *in loc.*, com algumas adaptações).

19.4

יַעַן אֲשֶׁר עֲזָבֻנִי וַיְנַכְּרוּ אֶת־הַמָּקוֹם הַזֶּה וַיְקַטְּרוּ־בוֹ לֵאלֹהִים אֲחֵרִים אֲשֶׁר לֹא־יְדָעוּם הֵמָּה וַאֲבוֹתֵיהֶם וּמַלְכֵי יְהוּדָה וּמָלְאוּ אֶת־הַמָּקוֹם הַזֶּה דַּם נְקִיִּם׃

Porquanto me deixaram, e profanaram este lugar. Jeremias agora deixa registrada sua queixa com detalhes que vemos tantas vezes em outros lugares de seu livro. Uma vez mais, ele descreve os pecados de Judá: o povo tinha *abandonado a Yahweh* (ver Jr 2.13,17,19; 15.5; 17.13; ver também Dt 28.20 e Is 65.11). Eles *profanaram* a terra, mas sobretudo, o templo, o centro do culto a Yahweh. Fizeram isso oferecendo sacrifícios e queimando incenso em honra a outros deuses. Ver Jr 13.1-13, quanto a uma descrição detalhada e vívida desse tipo de atividade. Esse pecado foi agravado pelo fato de que os ídolos que eles adotaram não eram conhecidos nem pelos pais deles nem por eles mesmos. Antes, eram divindades totalmente estranhas à história, à cultura e à religião dos hebreus. Cf. Jr 7.9. E o pior de tudo é que eles caíram no radicalismo de oferecer sacrifícios que incluíam o oferecimento de crianças, tornando-se culpados de muitos crimes de sangue. Os inocentes assim sacrificados foram mortos no culto a Baal, em honra a Moloque. Ver os vss. 5,6, bem como no *Dicionário* o verbete chamado *Moleque (Moloque)*. O vindouro julgamento divino faria aqueles réprobos pagar o preço por tais ultrajes. As várias descrições dadas por Jeremias nos alertam quanto à total paganização de Judá, que tinha adotado as piores formas de idolatria então existentes. Eles eram radicais em suas corrupções. Ver Jr 7.31 e Sl 106.37. A passagem no livro de Salmos refere-se à ousada adoração aos demônios que havia por trás dos ídolos. A coisa toda era "inspirada pelos demônios". Paulo apresenta ideia similar em 1Co 10.20.

19.5

וּבָנוּ אֶת־בָּמוֹת הַבַּעַל לִשְׂרֹף אֶת־בְּנֵיהֶם בָּאֵשׁ
עֹלוֹת לַבָּעַל אֲשֶׁר לֹא־צִוִּיתִי וְלֹא דִבַּרְתִּי וְלֹא
עָלְתָה עַל־לִבִּי: פ

E edificaram os altos de Baal, para queimarem os seus filhos. A adoração a Baal dominava a Palestina, e o povo de Israel não escapou a essa má influência. Ver no *Dicionário* os verbetes intitulados *Baal* e *Lugares Altos*. Vemos o sacrifício de crianças nas palavras do versículo anterior. Ver Jr 7.32,33 e Lv 18.21. Em pesada declaração antropomórfica, o profeta fez Yahweh dizer que coisas ousadas, como o sacrifício de crianças, nunca tinham subido à sua mente, longe de ele ter ordenado e aprovado tal prática. "Nenhum outro, além de Satanás, poderia ter traçado tal adoração" (John Gill, *in loc.*, o que, em essência, concorda com Sl 106.37 e 1Co 10.20).

19.6

לָכֵן הִנֵּה־יָמִים בָּאִים נְאֻם־יְהוָה וְלֹא־יִקָּרֵא לַמָּקוֹם
הַזֶּה עוֹד הַתֹּפֶת וְגֵיא בֶן־הִנֹּם כִּי אִם־גֵּיא הַהֲרֵגָה:

Por isso eis que vêm os dias, diz o Senhor, em que este lugar... se chamará... Vale da Matança. Este versículo indica que muitas crianças foram sacrificadas em *Tofete* (ver a respeito no *Dicionário*). A palavra *toph* pode significar *tambor*. Durante o sacrifício de crianças, eram tocados tambores para abafar seus gritos de dor. Mas alguns estudiosos pensam que a palavra tem o sentido de *altar*, e veem nela pouca ou nenhuma evidência de que houvesse rufar de tambores. O artigo citado fornece detalhes abundantes, pelo que solicito ao leitor que o examine. Tofete foi um nome posterior para o local, enquanto Hinom era o mais antigo. Ambos os nomes, conforme Deus predisse, seriam substituídos pelo mais apropriado, de *Vale da Matança*. Em primeiro lugar, muitas crianças foram mortas ali; em segundo lugar, aquele se tornaria o local da matança de muitos apóstatas de Judá. Cf. Jr 7.32, que é similar a este versículo. As anotações ali existentes adicionam detalhes ao que é dito aqui.

Elaborações sobre a Catástrofe Vindoura (19.7-9)

19.7

וּבַקֹּתִי אֶת־עֲצַת יְהוּדָה וִירוּשָׁלַםִ בַּמָּקוֹם הַזֶּה
וְהִפַּלְתִּים בַּחֶרֶב לִפְנֵי אֹיְבֵיהֶם וּבְיַד מְבַקְשֵׁי נַפְשָׁם
וְנָתַתִּי אֶת־נִבְלָתָם לְמַאֲכָל לְעוֹף הַשָּׁמַיִם וּלְבֶהֱמַת
הָאָרֶץ:

Porque dissiparei o conselho de Judá e de Jerusalém neste lugar. "O povo de Judá cairá à espada perante a Babilônia, e suas carcaças servirão de alimento para as aves e os animais (ver Jr 7.33; 16.4; 24.20 e Dt 28.26). A própria cidade se tornaria motivo de escárnio (ver Jr 18.16) para os que observassem como ela tinha sido destruída. Os que buscassem refúgio na cidade de Jerusalém teriam de apelar para o canibalismo, comendo a carne dos próprios filhos e filhas, quando os babilônios sufocassem o suprimento de alimentos (cf. Lv 26.27-29; Dt 28.53-57; Lm 2.20 e 4.10). Todas as maldições prometidas por Deus alcançariam o povo de Judá, por causa de seus pecados (cf. Lv 26.14-39; Dt 28.15-68; Jr 11.1-8)" (Charles H. Dyer, *in loc.*).

Dessa maneira, todos os planos de Judá e de Jerusalém seriam *frustrados*. A palavra hebraica com esse sentido é *baqqothi*, termo de som similar ao da palavra *baqbuq* (frasco, que aparece no vs. 1). O jogo de palavras diz-nos que todos os *conselhos* de Judá se tornariam como *vasos quebrados*, isto é, estragados e anulados. Coisa alguma que fosse planejada pelos homens faria a invasão parar ou diminuiria a dor dos judeus. Cf. 2Cr 32.1-4; Is 19.3; 22.9,11. A forma literal para a palavra aqui traduzida por "dissiparei" é "derramarei", cuja ideia é fazer perder todas as coisas. Talvez antes de quebrar o vaso defronte dos anciãos o profeta primeiramente derramasse a água que havia dentro dele, num duplo simbolismo: Judá seria derramado de forma *irreversível* e seria quebrado de forma *irreparável* (ver o vs. 10).

19.8

וְשַׂמְתִּי אֶת־הָעִיר הַזֹּאת לְשַׁמָּה וְלִשְׁרֵקָה כֹּל עֹבֵר
עָלֶיהָ יִשֹּׁם וְיִשְׁרֹק עַל־כָּל־מַכֹּתֶהָ:

Porei esta cidade por espanto e objeto de assobios. A maioria das cidades de Judá foi aniquilada e saqueada, e restaram poucos habitantes com vida. Mas a capital, Jerusalém, era objeto especial do ódio. Ela ficou desolada e essencialmente desabitada. Os edifícios de alguma importância (ver Jr 17.27), incluindo o templo, foram arrasados até o chão. Qualquer pessoa que passasse por ali mais tarde assobiaria diante do lugar, pois todos pensariam que Deus é quem tinha feito aquele trabalho. Todos ficariam admirados, porque a antiga Jerusalém dourada fora transformada em covil de animais selvagens. Ver Is 34.13,14.

> *Para fazerem de sua terra um espanto e objeto*
> *de perpétuo assobio; todo aquele que passar*
> *por ela se espantará, e meneará a cabeça.*
>
> Jeremias 18.16

19.9

וְהַאֲכַלְתִּים אֶת־בְּשַׂר בְּנֵיהֶם וְאֵת בְּשַׂר בְּנֹתֵיהֶם וְאִישׁ
בְּשַׂר־רֵעֵהוּ יֹאכֵלוּ בְּמָצוֹר וּבְמָצוֹק אֲשֶׁר יָצִיקוּ לָהֶם
אֹיְבֵיהֶם וּמְבַקְשֵׁי נַפְשָׁם:

Fá-los-ei comer as carnes de seus filhos, e as carnes de suas filhas. O *canibalismo* seria um dos horrendos resultados do desespero que tomaria conta de Jerusalém. A história tem demonstrado, e os incidentes modernos continuam a reiterar, que as pessoas, antes de morrer de fome, voltam-se para medidas *impensáveis* — o canibalismo. Algumas vezes as pessoas matam outros seres humanos para servir de alimentos, embora o canibalismo não faça parte de sua cultura. Quase certamente, o presente versículo tenciona ensinar que aqueles réprobos matariam os próprios filhos a fim de obter alimento. Ademais, os que tinham sido mortos na invasão ou tinham morrido de inanição eram, então, usados como alimentos. E, finalmente, este versículo acrescenta o incrível detalhe de que *Yahweh os inspirara* a medidas assim desesperadas e espantosas, como parte do julgamento divino contra eles. Yahweh os transformou em animais ferozes, alguns dos quais comiam os próprios filhotes. O gato caseiro comum algumas vezes come os filhotes, e isso parece ocorrer até mesmo quando a gata mãe está bem alimentada. Ver no *Dicionário* o artigo chamado *Canibalismo*, que demonstra que essa prática até hoje é usada por certos povos primitivos, por razões religiosas e culturais, e não com o intuito de aumentar o suprimento alimentar.

Em Lm 2.20 e 4.10, descobrimos o cumprimento dessa horrenda predição. Nisso encontramos a retribuição divina. Os que tinham sacrificado filhos e filhas a Moloque (vss. 5,6) seriam reduzidos à horrível situação de ter de comê-los, com vistas a garantir a sobrevivência. Considere o leitor o seguinte: alguns dos que sacrificaram os próprios filhos terminaram devorados por seus compatriotas! Portanto, estava em ação a *Lei Moral da Colheita segundo a Semeadura*. E a história se repetiu nas invasões romanas dos anos 70 e 132 d.C. Ver Josefo, *Guerras dos Judeus* 1.6, cap. 3, sec. 4.

Um Dramático Ato Simbólico (19.10-13)

19.10

וְשָׁבַרְתָּ הַבַּקְבֻּק לְעֵינֵי הָאֲנָשִׁים הַהֹלְכִים אוֹתָךְ:

Depois de terminar sua diatribe, o profeta Jeremias pôs-se defronte do povo, que o observava. Sem dúvida, eles estavam indignados, mas o profeta quebrou o vaso defronte de seus rostos e passou a proferir ainda outro discurso mordaz, detalhando, uma vez mais, todas as coisas terríveis que aconteceriam em Jerusalém. A passagem à nossa frente não diz, especificamente, que Jeremias quebrou o vaso, mas devemos entender que isso sucedeu antes do discurso. Ao que tudo indica, Jeremias quebrou o vaso em Tofete e lançou os pedaços no monte de vasos quebrados. Em seguida, foi ao átrio do templo (vs. 14) e fez ainda outro discurso chocante. Os discursos tórridos de Jeremias haveriam de custar-lhe caro. Ele foi posto na prisão (20.2) e maltratado. Mas esse não foi o último capítulo de sua história. Quando os poucos sobreviventes de Judá foram levados para a Babilônia, a Jeremias foi permitido ir para o Egito.

19.11

וְאָמַרְתָּ אֲלֵיהֶם כֹּה־אָמַר יְהוָה צְבָאוֹת כָּכָה אֶשְׁבֹּר אֶת־הָעָם הַזֶּה וְאֶת־הָעִיר הַזֹּאת כַּאֲשֶׁר יִשְׁבֹּר אֶת־כְּלִי הַיּוֹצֵר אֲשֶׁר לֹא־יוּכַל לְהֵרָפֵה עוֹד וּבְתֹפֶת יִקְבְּרוּ מֵאֵין מָקוֹם לִקְבּוֹר׃

Deste modo quebrarei eu este povo e esta cidade, como se quebra o vaso do oleiro. Da mesma maneira que a jarra de água foi quebrada, assim a nação de Judá seria quebrada, mediante o malho do exército babilônico, brandido por Yahweh, a causa real do grande desastre. Ver Is 13.6 quanto a Yahweh como o impulsionador primário da história humana. Ver no *Dicionário* o artigo chamado *Soberania*. As coisas acontecem mediante a providência negativa e a providência positiva de Deus, segundo o merecimento humano. Ver no *Dicionário* o verbete *Providência de Deus*.

Jeremias quebrou o vaso defronte dos circunstantes e o jogou fora no montão de refugos. Então anunciou que algo semelhante aconteceria a Judá. A botija estava acabada. Não teria mais história, pois ninguém tentaria consertá-la. Esse também seria o caso de Judá. Um minúsculo remanescente reiniciaria a história de Judá, mas as massas populares tinham chegado ao fim. Por outro lado, havia o Curador e Salvador das almas, e havia graça abundante e transbordante de modo que nenhum homem poderia predizer até onde o programa da redenção avançaria. Essas ideias, entretanto, ainda seriam reveladas. Além disso, o presente versículo não fala sobre a alma, mas somente sobre o fim de Judá como nação. Haveria grande matança em Tofete, tão grande, na realidade, que os poucos sobreviventes seriam incapazes de sepultar os cadáveres atirados nos campos e nas ruas, e os babilônios absolutamente não estariam interessados na tarefa. Assim sendo, os cadáveres se tornariam uma grande festa para as aves e os animais ferozes (ver Jr 15.3). Então Jerusalém acabaria como deserto e covil de animais ferozes, morada de chacais e hienas. Ver Jr 9.6 e 10.22.

19.12

כֵּן־אֶעֱשֶׂה לַמָּקוֹם הַזֶּה נְאֻם־יְהוָה וּלְיוֹשְׁבָיו וְלָתֵת אֶת־הָעִיר הַזֹּאת כְּתֹפֶת׃

Assim farei a este lugar... E farei desta cidade um Tofete. Este versículo é uma repetição das ideias do versículo anterior, para efeito de ênfase. Jerusalém seria contaminada pelos cadáveres amontoados em Tofete. A cidade estava destinada a tornar-se um *necrotério*. O vale de Hinom era o lugar do necrotério de Jerusalém, cheio de lixo e restos e, em tempos posteriores, repleto de carcaças de animais que ali queimavam continuamente. Era um lugar de desgraças e zombarias, e assim Jerusalém haveria de tornar-se: um local repleto de cadáveres, tal como Tofete tinha sido — o local da matança de crianças inocentes, oferecidas a deuses de nada, um lugar imundo, abominável.

19.13

וְהָיוּ בָּתֵּי יְרוּשָׁלַםִ וּבָתֵּי מַלְכֵי יְהוּדָה כִּמְקוֹם הַתֹּפֶת הַטְּמֵאִים לְכֹל הַבָּתִּים אֲשֶׁר קִטְּרוּ עַל־גַּגֹּתֵיהֶם לְכֹל צְבָא הַשָּׁמַיִם וְהַסֵּךְ נְסָכִים לֵאלֹהִים אֲחֵרִים׃ פ

As casas de Jerusalém, e as casas dos reis de Judá, serão imundas como o lugar de Tofete. A idolatria contaminou a Jerusalém, fazendo dela uma Tofete. Muitas formas de idolatria eram ali praticadas. Usualmente, o profeta Jeremias se demorava sobre os deuses da fertilidade e da natureza dos cananeus, mas constantemente ele nos lembrava da adoração ao sol, à lua, aos planetas e às estrelas, que também formavam um modo generalizado de idolatria em Jerusalém. Convenientes para isso eram os eirados chatos das casas, onde os homens realizavam à noite ritos em honra aos deuses do espaço. Ali eles ofereciam incenso e derramavam libações. "Os eirados planos das casas do Oriente Próximo eram usados para ali se fazerem exercícios físicos (2Sm 11.2); para oração e meditação (2Sm 11.2); e para adoração às hostes celestiais (Sf 1.5). Cf. Estrabão, *Geografia*, 16)" (Ellicott, *in loc.*). Ver também Jr 32.29; 2Rs 23.11.

19.14

וַיָּבֹא יִרְמְיָהוּ מֵהַתֹּפֶת אֲשֶׁר שְׁלָחוֹ יְהוָה שָׁם לְהִנָּבֵא וַיַּעֲמֹד בַּחֲצַר בֵּית־יְהוָה וַיֹּאמֶר אֶל־כָּל־הָעָם׃ ס

Voltando, pois, Jeremias de Tofete. Tendo deixado o "vale da Matança", o profeta chegou a Jerusalém e anunciou outra diatribe. Ele se pôs de pé no átrio do templo e falou a todo o povo ali reunido. Jerusalém agora seria Tofete e em breve seria contaminada com os corpos dos mortos. Ele se colocou no "átrio mais espaçoso, ao ar livre, onde estava reunida a maior multidão (2Cr 20.5)" (Fausset, *in loc.*). E ali repetiu, em essência, a mensagem que entregara em Tofete (vss. 11-13).

19.15

כֹּה־אָמַר יְהוָה צְבָאוֹת אֱלֹהֵי יִשְׂרָאֵל הִנְנִי מֵבִי אֶל־הָעִיר הַזֹּאת וְעַל־כָּל־עָרֶיהָ אֵת כָּל־הָרָעָה אֲשֶׁר דִּבַּרְתִּי עָלֶיהָ כִּי הִקְשׁוּ אֶת־עָרְפָּם לְבִלְתִּי שְׁמוֹעַ אֶת־דְּבָרָי׃

Eis que trarei sobre esta cidade e sobre todas as suas vilas, todo o mal. Yahweh continuava falando através do profeta. Ele tinha o poder de fazer o que havia ameaçado fazer, pois era o *Senhor dos Exércitos* (ver no *Dicionário* e em 1Rs 18.15). Ver também o verbete chamado *Deus, Nomes Bíblicos de*. A maldição foi proferida contra Jerusalém e contra outras cidades do território de Judá. Um grande *mal* estava a caminho, a saber, o ataque do exército babilônico, uma grande matança e um grande saque, seguidos pela deportação dos poucos sobreviventes. Isso aconteceria porque os judeus eram dotados de dura cerviz, em sua recusa de levar o jugo de Yahweh e de ouvir e obedecer à sua palavra. Quanto a essa expressão, ver Jr 7.26 e 17.23, e ver no *Dicionário* o verbete chamado *Dura Cerviz*. Judá era como um boi rebelde que não conhecia o seu dono nem obedecia às suas ordens, que tinha abandonado sua lei e prestado sua lealdade a intermináveis deuses falsos (vs. 13). O pescoço duro de Judá precisava ser quebrado (vs. 10). O Targum faz o pronunciamento ser um *decreto* de Deus.

Foi assim que Jeremias, com suas pronunciações incansáveis, intermináveis e ousadas, despertou a população de Jerusalém a um frenesi de ódio. Em breve, Jeremias seria jogado em uma masmorra, mas nem por isso seria abandonado por Yahweh. Mas este ainda não era o capítulo final de sua história.

CAPÍTULO VINTE

PRISÃO DE JEREMIAS E SEU MAIS AMARGO LAMENTO (20.1-18)

Este capítulo fornece-nos a descrição do teste mais difícil que Jeremias enfrentou. O profeta não deixou em paz Judá (sobretudo Jerusalém), mas seguiu incansavelmente sua missão de denúncias. Os líderes já haviam conspirado contra sua vida, primeiramente os habitantes de sua própria cidade natal, Anatote (Jr 11.21), e posteriormente os habitantes de Jerusalém (Jr 18.18-23). É provável que o encarceramento de Jeremias fosse um prelúdio para sua execução. Antes de arredá-lo do caminho, eles queriam que primeiramente o profeta sofresse nas horrendas condições de uma prisão oriental.

O Aprisionamento de Jeremias (20.1-6)

20.1

וַיִּשְׁמַע פַּשְׁחוּר בֶּן־אִמֵּר הַכֹּהֵן וְהוּא־פָקִיד נָגִיד בְּבֵית יְהוָה אֶת־יִרְמְיָהוּ נִבָּא אֶת־הַדְּבָרִים הָאֵלֶּה׃

Pasur, filho do sacerdote Imer... ouviu a Jeremias profetizando. *Pasur* (ver a respeito no *Dicionário*) era um *importante oficial* que, aqui, provavelmente significa chefe de polícia do templo.

O dever dele era cuidar para que nenhum inconveniente ocorresse no templo, e para que qualquer um que perturbasse ou causasse perturbações fosse imediatamente aprisionado. Além disso, ele não permitia que ninguém não autorizado entrasse no recinto do templo. É provável que Amazias, em Betel, tivesse posição similar (ver Am 7.10-17). Em tempos posteriores, encontramos o título "capitão do templo" (Lc 22.52; At 4.1; 5.24). Note o leitor que esse Pasur não é o homem com o mesmo nome mencionado em Jr 21.1. Cf. o trabalho dele com o que fica implícito em Jr 29.26. O "louco" que vivia entregando profecias de condenação tinha de ser controlado mediante aprisionamento. Talvez o Pasur deste versículo fosse o pai de Gedalias, mencionado em Jr 38.1 como quem estava entre os *príncipes* (ver 1Cr 24.14). O nome reaparece após o exílio, em Ed 2.37,38. Ofereço no artigo outros detalhes que não repito aqui.

■ **20.2**

וַיַּכֶּה פַשְׁחוּר אֵת יִרְמְיָהוּ הַנָּבִיא וַיִּתֵּן אֹתוֹ עַל־הַמַּהְפֶּכֶת אֲשֶׁר בְּשַׁעַר בִּנְיָמִן הָעֶלְיוֹן אֲשֶׁר בְּבֵית יְהוָה׃

Então feriu Pasur ao profeta Jeremias, e o meteu no tronco. A primeira coisa que esse homem brutal fez foi espancar Jeremias, "para dar-lhe uma lição", fazendo-o fechar a boca. O povo de Judá estava cansado das profecias assustadoras e fastidiosas de Jeremias. Os falsos profetas, por sua vez, continuavam a dizer "Paz, paz" (ver Jr 6.14 e 8.11), e era isso o que o povo de Judá queria ouvir. Eles queriam manter a vida de deboche com sua idolatria-adultério-apostasia intacta, sem nada sofrer por isso. No entanto, eles se encaminhavam para uma grande surpresa. Em breve, o que Jeremias tinha profetizado aconteceria, e eles estariam impotentes. Depois que Jeremias sofreu seu espancamento disciplinador (quarenta açoites, Dt 25.2,3), foi posto no tronco na porta alta de Benjamim, que provavelmente ficava no lado norte da área do templo, e era assim chamada porque dava frente para o território de Benjamim. Essa porta tinha sido construída pelo rei Jotão (ver 2Rs 15.35; Ez 9.2).

De acordo com o Talmude de Jerusalém, a porta Oriental tinha sete nomes; e alguns identificam o portão deste versículo com aquele portão. Porém, se essa porta dava frente para o território de Benjamim, então ficava no lado norte da cidade. Provavelmente devemos compreender que Jeremias foi exposto ao ridículo público, pois ficou detido ao ar livre, na porta de Benjamim. Naquela posição dolorosa, ele permaneceu na porta a noite inteira (vs. 3).

Tronco. Este era um instrumento de tortura. Havia no tronco cinco buracos, onde eram metidas a cabeça, as duas mãos e os dois pés, e a pessoa ficava presa em uma posição desnatural e desconfortável. A pessoa ali confinada não demorava a sofrer agonias. Cf. Jr 29.26.

■ **20.3**

וַיְהִי מִמָּחֳרָת וַיֹּצֵא פַשְׁחוּר אֶת־יִרְמְיָהוּ מִן־הַמַּהְפָּכֶת וַיֹּאמֶר אֵלָיו יִרְמְיָהוּ לֹא פַשְׁחוּר קָרָא יְהוָה שְׁמֶךָ כִּי אִם־מָגוֹר מִסָּבִיב׃ פ

O Senhor já não te chama Pasur, e, sim, Terror-por-todos-os-lados. A experiência no tronco em nada contribuiu para apagar o zelo de Jeremias. No dia seguinte, quando Pasur o tirou do tronco para levá-lo à área do templo, o profeta imediatamente proferiu contra ele uma maldição, em nome de Yahweh. Jeremias, pois, mudou o nome de Pasur para *Magor-missabib*, no original hebraico, que significa "terror por todos os lados". Esse nome não é um jogo de palavras com o verdadeiro nome de Pasur. Podemos supor que durante a noite de dores que passou, foi mostrado a Jeremias qual era a sorte amarga de Pasur e seus familiares. E os vss. 4-6 dão a essência desse terror, para Jerusalém em geral e para Pasur em particular. Quanto a outras referências ao "terror por todos os lados", cf. Jr 20.10 ss.; 6.25; 46.5; 49.29 e Sl 31.13. Diz o Targum: "Reunir-se-ão contra ti aqueles que matam com a espada, em teu derredor!" A Septuaginta fala sobre a *remoção* do cativeiro. Isso espalharia a família de Pasur. A versão siríaca diz que Pasur se tornaria um *estrangeiro* a *vaguear*.

A Maldição (20.4-6)

■ **20.4**

כִּי כֹה אָמַר יְהוָה הִנְנִי נֹתֶנְךָ לְמָגוֹר לְךָ וּלְכָל־אֹהֲבֶיךָ וְנָפְלוּ בְּחֶרֶב אֹיְבֵיהֶם וְעֵינֶיךָ רֹאוֹת וְאֶת־כָּל־יְהוּדָה אֶתֵּן בְּיַד מֶלֶךְ־בָּבֶל וְהִגְלָם בָּבֶלָה וְהִכָּם בֶּחָרֶב׃

Eis que te farei ser terror para ti mesmo, e para todos os teus amigos. O futuro era negro para Jerusalém e para o ridículo Pasur. Os judeus estavam em um curso suicida, e ninguém queria ouvir as profecias genuínas de Jeremias, enquanto se deixavam consolar pelos falsos profetas. Yahweh continuava a falar e a entregar informações vitais, mas somente Jeremias ouvia a voz do Senhor e somente ele tiraria proveito dessas informações. O *terror* estava atravessado no caminho de Pasur, de sua família e de todos os seus amigos. Seria tudo muito pior do que uma noite passada no tronco. O castigo seria aplicado pela grande espada da Babilônia, que não ficaria satisfeita enquanto não matasse um povo inteiro. Todo o povo de Judá seria vitimado. Os poucos sobreviventes seriam levados para a Babilônia, mas até mesmo naquele país a espada sem misericórdia os seguiria e faria vítimas (ver Jr 9.16). A profecia contou a velha história que o profeta repetia sem cansar, e que o povo de Judá rejeitava sem cansar, não querendo arrepender-se por sua idolatria-adultério-apostasia, pois esperava ainda ser abençoado por Deus, apesar de sua horrenda corrupção.

■ **20.5**

וְנָתַתִּי אֶת־כָּל־חֹסֶן הָעִיר הַזֹּאת וְאֶת־כָּל־יְגִיעָהּ וְאֶת־כָּל־יְקָרָהּ וְאֵת כָּל־אוֹצְרוֹת מַלְכֵי יְהוּדָה אֶתֵּן בְּיַד אֹיְבֵיהֶם וּבְזָזוּם וּלְקָחוּם וֶהֱבִיאוּם בָּבֶלָה׃

Também entregarei toda a riqueza desta cidade... na mão de seus inimigos. Além da matança (vs. 4), haveria *saque generalizado*, a ponto de coisa alguma de valor ser deixada; e, posteriormente, o lugar seria reduzido a um deserto e um covil de animais ferozes (ver Jr 9.6 e 10.22). Tudo quanto a cidade de Jerusalém se tinha esforçado por ajuntar, cairia nas mãos dos babilônios, como se fosse o "salário pago por Yahweh" pelo serviço prestado. Ver em Is 13.6 como Yahweh controla o destino dos homens. O empreendimento da invasão enriqueceu os babilônios, ao passo que Judá foi extinto. Ademais, os poucos sobreviventes seriam levados para a Babilônia com todos os bens materiais. Mulheres escolhidas aumentariam os haréns da Babilônia, ao passo que mulheres comuns seriam sujeitadas ao trabalho escravo nos lares das "damas" babilônias, ou seriam empregadas na moagem de grãos nos moinhos. Os poucos homens judeus que sobrassem seriam postos a trabalhar forçados nos campos de escravos.

■ **20.6**

וְאַתָּה פַשְׁחוּר וְכֹל יֹשְׁבֵי בֵיתֶךָ תֵּלְכוּ בַּשֶּׁבִי וּבָבֶל תָּבוֹא וְשָׁם תָּמוּת וְשָׁם תִּקָּבֵר אַתָּה וְכָל־אֹהֲבֶיךָ אֲשֶׁר־נִבֵּאתָ לָהֶם בַּשָּׁקֶר׃ ס

E tu, Pasur, e todos os moradores da tua casa ireis para o cativeiro. Pasur e pelo menos parte de sua família e alguns de seus amigos sobreviveriam ao ataque contra Jerusalém, mas estariam entre os exilados. Mas esse não seria o fim da história. A espada incansável seguiria a ele e a seus familiares e amigos (ver Jr 9.16), e todos morreriam na Babilônia. Sofreriam a desgraça final de serem sepultados ali naquele lugar estrangeiro e destituído de misericórdia. E os que tivessem escutado as mentiras proféticas de Pasur (as inverdades dos falsos profetas que ele tinha aceitado e espalhado) seriam cortados. "Jeremias disse a Pasur que o *terror* (ver Jr 6.25 e Sl 31.13) seria seu nome e sua sorte, porquanto ele e sua família compartilhariam da sorte da cidade condenada" (Jr 25.8-11)" (*Oxford Annotated Bible*, comentando sobre o vs. 6). "É provável que Pasur estivesse entre os oficiais deportados em 598 a.C., pois sua posição foi ocupada por Sofonias, filho de Maaseias, no período imediatamente depois dessa data (ver Jr 29.25,26)" (James Philip Hyatt, *in loc.*).

Este versículo talvez dê a entender que Pasur foi um dos judeus que encorajou o povo a lutar contra os babilônios, contradizendo as advertências de Jeremias e proclamando que Judá poderia vencer os babilônios se fizesse aliança com o Egito (ver Jr 14.13 e 23.17). Isso pode significar que as "mentiras proféticas" que ele contava eram essa mensagem.

O Mais Amargo Lamento de Jeremias (20.7-18)

20.7

פִּתִּיתַ֤נִי יְהוָה֙ וָֽאֶפָּ֔ת חֲזַקְתַּ֖נִי וַתּוּכָ֑ל הָיִ֤יתִי לִשְׂחוֹק֙ כָּל־הַיּ֔וֹם כֻּלֹּ֖ה לֹעֵ֥ג לִֽי׃

Persuadiste-me, ó Senhor, e persuadido fiquei; mais forte foste do que eu. "A narrativa termina em um salmo de queixas apaixonadas. Yahweh é agora retratado pelo profeta como um duro capataz que o tinha forçado, *contra a sua vontade* (ver Jr 17.16), a entrar em um trabalho que ele procurava naturalmente evitar. Como *salário*, ele havia recebido somente escárnio e derrisão (cf. Is 8.11 e 1Co 9.16)" (Ellicott, *in loc.*). Quanto a uma lista das lamentações de Jeremias, ver as notas expositivas na introdução à seção de Jr 18.18. O lamento que temos aqui é "o último de uma série, sendo um dos aspectos mais importantes para o estudo da personalidade do profeta, especialmente quanto ao seu forte senso de *compulsão* divina à carreira do profeta" (James Philip Hyatt, *in loc.*).

Yahweh era o duro capataz que passou uma tarefa difícil, mas pagava um salário vergonhoso. Esse capataz era um *enganador*. Jeremias esperava resultados positivos, mas nenhum resultado dessa categoria apareceu. O capataz era tão forte que chegava a ser irresistível, porque, de outra maneira, o profeta teria tentado resistir às suas ordens. No entanto, o que Jeremias conseguiu com seus esforços? Somente ser escarnecido pelo povo e transformado em fonte de risos. Em outras palavras, Jeremias era uma figura parecida com Jó. Naturalmente, Jeremias fora advertido quanto aos sofrimentos que o atingiriam (ver Jr 1.19), mas ele continuava esperando que algo de bom resultasse de seus labores. Ele pelo menos foi poupado de ser morto pelos babilônios e também não foi deportado. Terminou seus dias no Egito, em paz. Ver Jr 17.17. Jeremias escaparia do *mal*. O profeta tinha buscado respostas para o *Problema do Mal* (ver a respeito no *Dicionário*), mas obteve a única resposta de que os sofrimentos apenas aumentariam. Ver Jr 12.1-5. Quando isso aconteceu, Jeremias ficou amargurado.

20.8

כִּֽי־מִדֵּ֤י אֲדַבֵּר֙ אֶזְעָ֔ק חָמָ֥ס וָשֹׁ֖ד אֶקְרָ֑א כִּֽי־הָיָ֨ה דְבַר־יְהוָ֥ה לִ֛י לְחֶרְפָּ֥ה וּלְקֶ֖לֶס כָּל־הַיּֽוֹם׃

Porque sempre que falo tenho de gritar e clamar: Violência e destruição. Jeremias não fugiu de seu ofício profético. Ele continuou a clamar sobre a violência e os despojos que havia ao longo do seu caminho. E a palavra que Yahweh lhe dava tornou-se, para ele, uma reprimenda e uma derrisão, *todos os dias*. Ele sofreu oposição e foi perseguido, e terminou preso no tronco. Para Jeremias, pessoalmente, um capítulo melhor estava a caminho, mas ele se perdeu em meio a seus sofrimentos presentes, e deixou de lado sua atitude esperançosa.

"*Vss. 7-9*. Nenhuma outra passagem, em toda a literatura profética do Antigo Testamento, exprime tão claramente como esta o senso profético de compulsão divina à tarefa que Jeremias recebeu. As passagens mais próximas e de natureza similar são Am 3.8 e 1Co 9.16. Jeremias expressou aqui a convicção de que tinha sido enganado ou iludido por algum demônio em Deus, pois tornou-se motivo de risos para todos os homens e compelido a pregar somente condenação; mas quando sua natureza rebelou-se e ele resolveu permanecer em silêncio, descobriu que não podia fazer outra coisa senão profetizar, porque a palavra do Senhor era como um fogo requeimante dentro dele" (James Philip Hyatt, *in loc.*). "Sua recompensa foram somente os insultos deles" (Charles H. Dyer, *in loc.*).

De cada vez em que falo, grito.
Vivo gritando sobre violência e destruição.
Falo ao povo a mensagem que recebi da parte do Senhor. Mas isso só me rende insultos.
O povo zomba de mim o dia inteiro.

NCV

20.9

וְאָמַרְתִּ֞י לֹֽא־אֶזְכְּרֶ֗נּוּ וְלֹֽא־אֲדַבֵּ֥ר עוֹד֙ בִּשְׁמ֔וֹ וְהָיָ֤ה בְלִבִּי֙ כְּאֵ֣שׁ בֹּעֶ֔רֶת עָצֻ֖ר בְּעַצְמֹתָ֑י וְנִלְאֵ֥יתִי כַּֽלְכֵ֖ל וְלֹ֥א אוּכָֽל׃

Quando pensei: Não me lembrarei dele e já não falarei no seu nome. Em seus momentos de desencorajamento e ira, o profeta considerava seriamente renunciar a seu ofício profético. Mas, quando ele assim fazia, a palavra de Deus era abanada e se transformava em chama. A palavra se transformava em fogo, em seus próprios ossos. Ele se cansava na tentativa de *não falar*, mas as chamas ficavam cada vez mais quentes, de modo que, finalmente, ele cedia e voltava a bradar acerca de condenação. Sentir algo nos próprios *ossos* era a maneira de os hebreus exprimirem algo que *sentiam intensamente* (ver Jó 30.17 e 33.19). Essa expressão passou para o idioma inglês, tomada por empréstimo da Bíblia, e tornou-se comum para representar o mesmo sentimento.

"Jeremias laborava por conter-se, mas não conseguia (cf. At 18.5; Jr 23.9 e 1Co 9.16,17)" (Fausset, *in loc.*). "O senso de uma tarefa sem esperança, destinada a fracassar, pesava sobre a alma do profeta; e ele se teria retirado dela, mas ela não podia ser contida. Tal como tanto da linguagem usada por Jeremias, isso também se deriva dos hinos de Israel (ver Sl 39.3)" (Ellicott, *in loc.*). Cf. Am 3.8. É perigoso recusar-se a aceitar uma tarefa, como se um homem pudesse intimidar a Deus. O Targum fala sobre o coração de Jeremias tão cheio de fogo requeimante que as chamas chegavam aos seus ossos.

20.10

כִּ֣י שָׁמַ֜עְתִּי דִּבַּ֣ת רַבִּים֮ מָג֣וֹר מִסָּבִיב֒ הַגִּ֙ידוּ֙ וְנַגִּידֶ֔נּוּ כֹּ֚ל אֱנ֣וֹשׁ שְׁלוֹמִ֔י שֹׁמְרֵ֖י צַלְעִ֑י אוּלַ֤י יְפֻתֶּה֙ וְנ֣וּכְלָה ל֔וֹ וְנִקְחָ֥ה נִקְמָתֵ֖נוּ מִמֶּֽנּוּ׃

Porque ouvi a murmuração de muitos: Há terror por todos os lados! Pessoas de todos os lugares estavam difamando o profeta, e ele sofria terrores por todos os lados. Elas clamavam contra Jeremias: "Denunciai-o! Denunciai-o!" E até seus amigos e parentes aliaram-se ao coro formado pela multidão. Eles estavam traçando planos para enganá-lo, ou para *atraí-lo*, conforme diz o original hebraico, literalmente. Por meio de seus planos, eles acabariam por apanhá-lo e matá-lo, tirando assim vingança contra ele. O povo da própria terra natal de Jeremias, Anatote (ver Jr 11.21), tinha iniciado os planos do assassinato do profeta, mas essa atitude não demorou a generalizar-se, com os líderes de Jerusalém querendo vê-lo morto, brevemente (ver Jr 18.18-23).

Terror por todos os lados. O significado destas palavras poderá ser percebido através dos pontos seguintes: 1. Jeremias sofria constante terror, devido aos planos traçados por seus adversários. 2. O profeta continuava clamando que havia terror por todos os lados, e o povo queria que ele se calasse.

Os vss. 10-13 empregam extratos de hinos litúrgicos. Cf. Sl 6.9,10; 31.13; 109.30 e 140.12,13. Jeremias tornou-se o inimigo público número um, porquanto dizia a verdade, uma verdade que o povo de Judá não queria ouvir.

20.11

וַֽיהוָ֤ה אוֹתִי֙ כְּגִבּ֣וֹר עָרִ֔יץ עַל־כֵּ֛ן רֹדְפַ֥י יִכָּשְׁל֖וּ וְלֹ֣א יֻכָ֑לוּ בֹּ֤שׁוּ מְאֹד֙ כִּֽי־לֹ֣א הִשְׂכִּ֔ילוּ כְּלִמַּ֥ת עוֹלָ֖ם לֹ֥א תִשָּׁכֵֽחַ׃

Mas o Senhor está comigo como um poderoso guerreiro. Jeremias recuperou a confiança depois de arrancar *do peito* seu amargo queixume, segundo uma moderna expressão idiomática. Se seus perseguidores eram assassinos *potenciais*, também era *certo* que Yahweh eventualmente haveria de derrubar por terra aqueles miseráveis. Jeremias seria invencível enquanto estivesse ocupado em sua missão divina. Então o Senhor lhe daria descanso no Egito, onde ele terminaria sua vida. Ver no *Dicionário* o verbete *Jeremias (o Profeta)*, seção III.5. Os inimigos do profeta certamente sairiam envergonhados daquela luta; certamente fracassariam; e a desonra deles perduraria para sempre. Os homens jamais esqueceriam quão insensatos eles se tinham mostrado, pois, embora tivessem recebido tantas advertências através de um profeta autêntico, nunca responderam positivamente a seus avisos. Nunca pararam em seu processo de suicídio, embora tivessem tido muitas oportunidades para fazê-lo. O poderoso guerreiro, Yahweh, o Senhor dos Exércitos (vs. 12) estava ao lado de Jeremias, garantindo o sucesso de sua missão e livrando-o de todos os perigos, afinal, a despeito das muitas conspirações contra a sua vida. Cf. este versículo com Jr 15.20, que encerra, essencialmente, a mesma mensagem, e cujas notas expositivas também se aplicam aqui. Ver Jr 1.18,19, que tem as *promessas* de bom êxito e proteção que Jeremias recebeu ao ser comissionado. A divina presença prometera estar com ele, fazendo-o atravessar com sucesso sua árdua e perigosa tarefa. Cf. Mt 28.20: "Eis que estou convosco todos os dias até à consumação do século".

■ 20.12

וַיהוָ֨ה צְבָא֜וֹת בֹּחֵ֣ן צַדִּ֗יק רֹאֶ֛ה כְלָי֥וֹת וָלֵ֖ב אֶרְאֶ֥ה נִקְמָתְךָ֣ מֵהֶ֔ם כִּ֥י אֵלֶ֖יךָ גִּלִּ֥יתִי אֶת־רִיבִֽי׃ ס

Tu, pois, ó Senhor dos Exércitos, que provas o justo, e esquadrinhas os afetos e o coração. Este versículo é uma duplicação de Jr 11.20, onde ofereço notas expositivas. Ver também algo similar em Jr 17.10. A causa de Jeremias era a causa divina, na qual a divina vindicação finalmente era algo inevitável. Ver também Sl 54.7 e 59.10.

■ 20.13

שִׁ֚ירוּ לַֽיהוָ֔ה הַֽלְל֖וּ אֶת־יְהוָ֑ה כִּ֥י הִצִּ֛יל אֶת־נֶ֥פֶשׁ אֶבְי֖וֹן מִיַּ֥ד מְרֵעִֽים׃ ס

Cantai ao Senhor, louvai ao Senhor. "Esse livramento ocorreu quando Zedequias sucedeu a Jeconias" (Fausset, *in loc.*). À semelhança dos salmistas, Jeremias prorrompeu em cânticos quando contemplou seu livramento de inimigos mortais. Alguns estudiosos pensam que esse regozijo se deu antes do livramento real. Nesse caso, Jeremias caiu em uma *sessão de tomada de conhecimentos*. Ele soube que Yahweh agiria em seu favor, e nisso encontrou alegria. Cf. Sl 7.17; 9.2,11; 35.9,10 e 109.30,31.

A Queixa Mais Triste (20.14-18)

■ 20.14

אָר֣וּר הַיּ֔וֹם אֲשֶׁ֥ר יֻלַּ֖דְתִּי בּ֑וֹ י֛וֹם אֲשֶׁר־יְלָדַ֥תְנִי אִמִּ֖י אַל־יְהִ֥י בָרֽוּךְ׃

Maldito o dia em que nasci. Um novo parágrafo abandonou o cântico mencionado no versículo anterior. Embora existissem, os suicídios eram bastante raros entre os semitas, mas Jeremias tinha deslizado para uma atitude mental virtualmente suicida. Tal como fizera Jó (ver Jó 3), Jeremias amaldiçoou o dia do seu nascimento. Ele queria que nenhum homem dissesse nada bom sobre o dia em que ele viu a luz neste mundo perturbado. "Ao amaldiçoar o dia do seu nascimento, ele estava desejando não haver nascido (cf. Jr 15.10; Jó 3.1-19). Tivesse ele morrido no útero materno, e não teria nascido somente para experimentar tribulações e tristezas" (Charles H. Dyer, *in loc.*).

Este versículo personaliza *o dia* do nascimento do profeta e faz dele, por assim dizer, uma entidade separada do resto dos dias. Neste momento estava em pauta sua existência objetiva, e teria sido um grande mal que dera ao profeta o começo de vida, somente para que essa vida fosse dominada pela tristeza e pelo temor. Quanto à personificação de dias e noites, ver Sl 19.2-4. O profeta caíra no *Pessimismo* (ver a *Enciclopédia de Bíblia, Teologia e Filosofia*). A definição primária desse termo é que a própria existência é um mal.

■ 20.15

אָר֣וּר הָאִ֗ישׁ אֲשֶׁ֨ר בִּשַּׂ֤ר אֶת־אָבִי֙ לֵאמֹ֔ר יֻֽלַּד־לְךָ֖ בֵּ֣ן זָכָ֑ר שַׂמֵּ֖חַ שִׂמֳּחָֽהוּ׃

Maldito o homem que deu as novas a meu pai. *Os hebreus amavam as crianças* e queriam ter tantas quantas fosse possível (ver Sl 127.5). Visto que os hebreus eram um povo agrícola, cada filho ou filha significava nova ajuda no campo. As fazendas precisavam de muitos trabalhadores, e muitos filhos eram facilmente absorvidos na sociedade, sem grandes tensões financeiras. Um filho era especialmente valioso, porque, além de trabalhar na fazenda em tempos de paz, era também um soldado potencial em tempos de guerra. Mas o amor dos hebreus pelas crianças não estava preso somente ao fato de que eles eram valiosos trabalhadores. Compreendendo tudo isso, podemos ver quão lamentável foi que o profeta Jeremias tivesse desejado nunca haver nascido, lamentando o dia, lá no distante passado, em que as "boas-novas" de seu nascimento foram anunciadas a seu pai. Foi por isso que Jeremias *amaldiçoou o homem* que levou as boas-novas a seu pai.

■ 20.16

וְהָיָה֙ הָאִ֣ישׁ הַה֔וּא כֶּֽעָרִ֛ים אֲשֶׁר־הָפַ֥ךְ יְהוָ֖ה וְלֹ֣א נִחָ֑ם וְשָׁמַ֤ע זְעָקָה֙ בַּבֹּ֔קֶר וּתְרוּעָ֖ה בְּעֵ֥ת צָהֳרָֽיִם׃

Seja esse homem como as cidades que o Senhor, sem ter compaixão, destruiu. Continua neste versículo a maldição contra o pobre homem que levou ao pai do profeta as notícias de seu nascimento. Que tal homem fosse como Sodoma e Gomorra (Gn 19), a quem Yahweh destruiu em sua indignação. Ou seja, que ele fosse morto de maneira retroativa, de modo que o nascimento de Jeremias e as notícias desse nascimento nunca tivessem ocorrido. A ideia é ridícula, porque fazer qualquer coisa contra o portador da notícia dificilmente teria efeito contra a mãe e o filho. A verdade, entretanto, é que nos países do Oriente Próximo e Médio o portador de más notícias algumas vezes era executado, como se ele fosse a causa das más notícias. Em vez de ouvir sobre as boas-novas "nasceu-te um filho", teria sido melhor para ele que tivessem sido anunciadas más notícias, como as que noticiavam a queda de cidades e a matança em massa de sua população.

■ 20.17

אֲשֶׁ֥ר לֹא־מוֹתְתַ֖נִי מֵרָ֑חֶם וַתְּהִי־לִ֤י אִמִּי֙ קִבְרִ֔י וְרַחְמָ֖הֿ הֲרַ֥ת עוֹלָֽם׃

Por que não me matou Deus no ventre materno? Por que minha mãe não foi minha sepultura? Este versículo apresenta outro absurdo, de acordo com nossa maneira de pensar. O pobre homem que levou as novas ao pai de Jeremias, as quais eram, na realidade, más notícias, deveria ter matado Jeremias assim que ele nasceu, ou, pior ainda, deveria ter matado o profeta quando ele ainda estava no ventre materno, tornando assim o útero materno o seu sepulcro. Dessa maneira, tal homem teria prestado um bom serviço, enquanto o nascimento de Jeremias foi uma afronta a todos quantos entrassem em contato com ele. Os vss. 15-17 são realmente *achadores de defeitos*. "A autocompaixão de Jeremias não poderia apagar o fato de que ele havia sido selecionado, ainda no *ventre materno,* para a tarefa que estava realizando (1.5)" (Charles H. Dyer, *in loc.*). Ou essa seleção foi da alma preexistente de Jeremias, conforme alguns interpretam este versículo?

■ 20.18

לָ֤מָּה זֶּה֙ מֵרֶ֣חֶם יָצָ֔אתִי לִרְא֥וֹת עָמָ֖ל וְיָג֑וֹן וַיִּכְל֥וּ בְּבֹ֖שֶׁת יָמָֽי׃ פ

Por que saí do ventre materno tão somente para ver trabalho e tristeza...? Novamente, mediante palavras um pouco diferentes, Jeremias lamentou seu nascimento (ver o vs. 14). Ele só sentia tristeza por seu nascimento desnecessário e fora de tempo. Este versículo não aborda o problema da preexistência de Jeremias ou de ele ter entrado na vida física naquele momento particular. Os que interpretam Jr 1.5 como se ensinasse a preexistência dos seres humanos supõem que, se Jeremias não tivesse nascido naquele tempo, isso não afetaria em nada a sua existência real. Mas os que acreditam no *criacionismo* (Deus cria uma nova alma em cada concepção física) dizem que essa suposição indica que Jeremias jamais teria existido. O mesmo pode ser dito com relação aos que acreditam no *traducionismo* (a ideia de que pai e mãe, por ocasião da procriação, também criam a alma). Ver na *Enciclopédia de Bíblia, Teologia e Filosofia* o verbete denominado *Alma,* seção I, *Origem da Alma*.

CAPÍTULO VINTE E UM

VÁRIOS ORÁCULOS ACERCA DE REIS DE JUDÁ (21.1—23.8)

Encontramos aqui uma coletânea de oráculos contra vários reis, que, segundo supõem os críticos, teriam sido coligidos por um editor (ou editores) deuteronômico(s) e reunidos nesta longa seção. Outros estudiosos supõem que Jeremias tenha reunido esses diversos oráculos; mas poucos supõem que todos tivessem sido dados ao profeta, um após outro, na ordem exata em que os achamos aqui. Alguns desses oráculos foram dirigidos a monarcas reinantes, cujos nomes nos são fornecidos: Zedequias (Jr 21.3-7), Salum (22.10-12), Jeoaquim (21.11,12; 22.1-7), Joaquim (Conias; 22.24-30). Outros foram endereçados à *casa do rei* (21.11,12; 22.1-7) ou a *dirigentes* do povo (23.1,2). E também há oráculos dirigidos a governantes ideais e/ou a determinado rei messiânico (23.4-6). Há alguma perturbação da ordem cronológica do material. Os capítulos 21 e 22 abordam reis perversos, e então, o capítulo 23 trata da realeza ideal.

RESPOSTA A EMBAIXADORES ENVIADOS POR ZEDEQUIAS (21.1-10)

A ordem cronológica deste trecho é perturbada por razões que desconhecemos, se é que houve algum motivo para isso. O primeiro rei a ser nomeado aqui foi Zedequias, embora, cronologicamente, ele tenha sido o último (Jr 21.1—22.9). Quanto aos outros reis, eles são dispostos em ordem cronológica. A menção ao nome *Pasur* (relacionado a Zedequias) pode tê-lo levado a ser citado em primeiro lugar, visto que recentemente Jeremias havia escrito sobre ele (ver Jr 20.1). Mas estão em pauta pessoas diferentes com o mesmo nome.

A EMBAIXADA ENVIADA POR ZEDEQUIAS (21.1-10)

■ 21.1

הַדָּבָר אֲשֶׁר־הָיָה אֶל־יִרְמְיָהוּ מֵאֵת יְהוָה בִּשְׁלֹחַ
אֵלָיו הַמֶּלֶךְ צִדְקִיָּהוּ אֶת־פַּשְׁחוּר בֶּן־מַלְכִּיָּה וְאֶת־
צְפַנְיָה בֶן־מַעֲשֵׂיָה הַכֹּהֵן לֵאמֹר׃

Palavra que veio a Jeremias da parte do Senhor, quando o rei Zedequias lhe enviou Pasur. A mensagem endereçada a Zedequias ocupa a passagem de Jr 21.1—22.9, sendo uma grande extensão dos oráculos. Esse oráculo foi entregue entre 588 e 586 a.C. Essencialmente, o que Zedequias queria era a aprovação do profeta para seus planos de defesa contra a Babilônia, e com isso, presumivelmente, a intervenção de Deus. Provavelmente, Zedequias esperava um milagre, como o que foi dado a Ezequias (2Rs 8.17—19.37 e Is 36.37).

Quanto a detalhes, ver todos os nomes próprios no *Dicionário*. O rei Zedequias enviou Pasur, filho de Malquias, e Sofonias, filho de Maaseias, que era sacerdote, a Jeremias, com uma petição. Pasur (não o homem desse mesmo nome, mencionado em Jr 20.1) era um dos oficiais do rei. Posteriormente, ele tentou convencer Zedequias a executar Jeremias sob a acusação de traição. Ver Jr 38.1-4. Sofonias foi o sucessor de Joiada e tornou-se sacerdote de autoridade somente inferior à do sumo sacerdote. Ver Jr 29.25,26. Por conseguinte, era homem de grande poder na casta sacerdotal. Após a queda de Jerusalém, foi executado por Nabucodonosor (Jr 52.24-27).

O rei e seus oficiais estavam dispostos a resistir contra os babilônios, caso Jeremias não fizesse nenhum milagre; mas em breve acusaram Jeremias de traição, por não haver encorajado seus planos. Ver Jr 38.1-4. O julgamento que tinha sido prometido havia vários anos agora estava bem próximo. Em desespero, percebendo que Jeremias estava correto naquilo que previra, esses dois o honraram e tentaram obter algum benefício ao consultá-lo. Mas a honra que lhe deram não demoraria a transformar-se em ódio. Eles esperavam, em vão, que Jeremias conseguisse fazer Yahweh mudar de atitude.

■ 21.2

דְּרָשׁ־נָא בַעֲדֵנוּ אֶת־יְהוָה כִּי נְבוּכַדְרֶאצַּר מֶלֶךְ־
בָּבֶל נִלְחָם עָלֵינוּ אוּלַי יַעֲשֶׂה יְהוָה אוֹתָנוּ כְּכָל־
נִפְלְאֹתָיו וְיַעֲלֶה מֵעָלֵינוּ׃ ס

Pergunta agora por nós ao Senhor, por que Nabucodonosor, rei da Babilônia, guerreia contra nós. O que Jeremias vinha dizendo o tempo todo agora começava a fazer sentido. Nabucodonosor, rei da Babilônia, estava obviamente mobilizando seu exército para o ataque contra Judá. Os falsos profetas deixaram de proclamar sua falsa mensagem de "Paz, paz" (Jr 6.14; 8.11). O rei de Judá e os seus oficiais mostraram-se espertos o suficiente para reconhecer que Jeremias estava com a razão o tempo todo. Assim sendo, em desespero, resolveram consultá-lo para ver se alguma espécie de milagre redundaria das "honrarias" prestadas a ele. Eles conheciam a história de Israel e tinham consciência dos milagres e intervenções divinas periódicas que vinham da parte de Yahweh. Por algum tempo, pelo menos, abandonaram os numerosos deuses e ídolos que infestavam o país e "puseram todos os seus ovos num único cesto", de acordo com uma moderna expressão idiomática. Eles fixaram suas esperanças em Yahweh, mas não há nenhum registro escrito de que tenham abandonado seus maus caminhos. E mesmo que assim tivessem feito, provavelmente isso não resultaria em bem algum. Era tarde demais. A sorte já tinha assumido seu curso inexorável. Provavelmente eles tinham em mente a intervenção de Yahweh em favor de Ezequias contra os assírios (ver 2Rs 18.17—19.37). O rei de Judá procurava uma resposta similar à de Is 37.5-7. Ver no *Dicionário* o artigo chamado *Nabucodonosor*.

■ 21.3,4

וַיֹּאמֶר יִרְמְיָהוּ אֲלֵיהֶם כֹּה תֹאמְרֻן אֶל־צִדְקִיָּהוּ׃

כֹּה־אָמַר יְהוָה אֱלֹהֵי יִשְׂרָאֵל הִנְנִי מֵסֵב אֶת־כְּלֵי
הַמִּלְחָמָה אֲשֶׁר בְּיֶדְכֶם אֲשֶׁר אַתֶּם נִלְחָמִים בָּם
אֶת־מֶלֶךְ בָּבֶל וְאֶת־הַכַּשְׂדִּים הַצָּרִים עֲלֵיכֶם מִחוּץ
לַחוֹמָה וְאָסַפְתִּי אוֹתָם אֶל־תּוֹךְ הָעִיר הַזֹּאת׃

Eis que farei retroceder as armas de guerra, que estão nas vossas mãos. O *fogo profético* queimava nos ossos de Jeremias (ver Jr 20.9), procurando dar uma mensagem honesta e bruta ao rei, fazendo com que o monarca ficasse indignado. Pasur teria razões para buscar a execução do profeta (ver Jr 38.1-4). Conforme seus compatriotas chegaram a pensar, Jeremias estava tomando o lado dos babilônios naquele confronto, ou seja, era culpado de traição. Segundo sempre fazia, Jeremias atribuiu a Yahweh a profecia dita ao rei. Judá tinha armas para usar contra o exército da Babilônia, mas Yahweh faria as armas dos judeus tornar-se *inúteis*. Ao mesmo tempo, Deus ajudaria os babilônios com táticas de guerra. Ele poria o terrível exército babilônico contra as muralhas de Jerusalém, dando a eles sucesso em tudo quanto tentassem fazer. Nenhum milagre que houve no tempo de Ezequias haveria de acontecer. Longe de ser o libertador de Jerusalém, Yahweh seria a garantia da derrota deles. Ver em Is 13.6 como Deus controla os negócios dos homens. Para tanto, ele usa sua providência negativa e sua providência positiva. Ver no *Dicionário* o artigo chamado *Providência de Deus*. Essa profecia foi 100% consistente com as profecias anteriores. Mas Zedequias solicitou a ajuda divina tarde demais e, quando fez seu pedido, ainda estava carregado de pecados, e o povo de Judá continuava atolado até o pescoço na idolatria-adultério-apostasia.

■ 21.5

וְנִלְחַמְתִּי אֲנִי אִתְּכֶם בְּיָד נְטוּיָה וּבִזְרוֹעַ חֲזָקָה וּבְאַף
וּבְחֵמָה וּבְקֶצֶף גָּדוֹל׃

Pelejarei eu mesmo contra vós outros com braço estendido e mão poderosa. Yahweh assumiria a temível posição de Senhor dos Exércitos contra o próprio povo, sendo ele o General do exército babilônico, ferindo o adversário com *braço estendido*. Quanto a essa figura, ver Sl 77.15; 89.10 e 98.1. Quanto à *mão* de Deus, ver Sl 81.4, e quanto à *mão direita*, ver Sl 20.6. Isso posto, da maneira mais enfática, final e fatal, a condenação foi proferida contra Judá. Tudo fazia parte do plano divino, embora fosse executado por instrumentos humanos. Tudo seria feito em meio à *ira divina acumulada*, conforme indicam as várias palavras aqui: *ira, indignação, grande furor*. A declaração não poderia ser mais enfática e drástica. A matança que se seguiu justificou todos esses termos espantosos. Não havia como suportar o peso do braço divino. Esse braço, em ocasião passada, tinha derrotado o Egito e dado a Israel a vitória, e a Moisés e a seu povo o livramento da terra do Egito (repetido mais de vinte vezes somente no livro de Deuteronômio; ver Dt 4.20). Mas agora a apostasia de Judá tinha tornado a nação o objeto de terror, e não o beneficiário da bênção do Senhor.

■ 21.6

וְהִכֵּיתִי אֶת־יוֹשְׁבֵי הָעִיר הַזֹּאת וְאֶת־הָאָדָם וְאֶת־הַבְּהֵמָה בְּדֶבֶר גָּדוֹל יָמֻתוּ׃

Ferirei os habitantes desta cidade, assim os homens como os animais. Tanto os homens como os animais seriam feridos pela mão divina. Uma vez que a matança inicial estivesse terminada, haveria destruidora pestilência, que frequentemente acontece quando a guerra deixa mortos jazendo ao ar livre, o povo morre por falta de suprimentos alimentares, a água fica poluída com bactérias, e não mais imperam condições mínimas de higiene. As *pragas* sempre são um dos piores temores de uma cidade sob cerco prolongado. Cf. Jr 14.12. Hipócrates chamava a praga que se segue à guerra de "doença divina", significando uma enfermidade incomum e severa, para a qual os povos antigos não tinham explicação, exceto que havia algo de divino envolvido.

■ 21.7

וְאַחֲרֵי־כֵן נְאֻם־יְהוָה אֶתֵּן אֶת־צִדְקִיָּהוּ מֶלֶךְ־יְהוּדָה וְאֶת־עֲבָדָיו וְאֶת־הָעָם וְאֶת־הַנִּשְׁאָרִים בָּעִיר הַזֹּאת מִן־הַדֶּבֶר מִן־הַחֶרֶב וּמִן־הָרָעָב בְּיַד נְבוּכַדְרֶאצַּר מֶלֶךְ־בָּבֶל וּבְיַד אֹיְבֵיהֶם וּבְיַד מְבַקְשֵׁי נַפְשָׁם וְהִכָּם לְפִי־חֶרֶב לֹא־יָחוּס עֲלֵיהֶם וְלֹא יַחְמֹל וְלֹא יְרַחֵם׃

Depois disto, diz o Senhor, entregarei Zedequias… na mão de Nabucodonosor. Haveria alguns poucos sobreviventes do ataque e das pragas que se seguiriam. Entre eles estariam o próprio rei e alguns de seus oficiais, além de alguns dentre a população. Na verdade, *poucos* escapariam do tríplice ataque: guerra, praga e fome. Mas até esses por pouco escapariam em meio aos terrores que se seguiriam, a deportação e a matança contínua, visto que a espada os seguiria até à Babilônia (ver Jr 9.16). O presente versículo repete essa profecia. O rei da Babilônia não os pouparia somente por terem sobrevivido aos ataques iniciais. Pelo contrário, não teria piedade alguma. Nabucodonosor era homem feroz, a quem faltava a compaixão. O rei de Judá foi cegado e acorrentado na Babilônia (39.5-7). Os poucos líderes judeus que sobreviveram foram enviados a Ribla, onde foram executados (ver Jr 52.24-27). Ver também Jr 34.4; Ez 12.13; 2Rs 25.6,7. Nenhuma compaixão foi demonstrada a mulheres, crianças e idosos. Jr 52.10,11; Lm 5.12,13 e 2Cr 36.17.

■ 21.8

וְאֶל־הָעָם הַזֶּה תֹּאמַר כֹּה אָמַר יְהוָה הִנְנִי נֹתֵן לִפְנֵיכֶם אֶת־דֶּרֶךְ הַחַיִּים וְאֶת־דֶּרֶךְ הַמָּוֶת׃

Eis que ponho diante de vós o caminho da vida e o caminho da morte. Aparentemente, este versículo oferece uma oportunidade de sobrevivência por meio do arrependimento, mas a mensagem parece ser que várias pessoas sobreviveriam se Judá simplesmente desistisse e se rendesse, antes de iniciada a matança. Dessa maneira, talvez alguma compaixão fosse obtida. Yahweh deixou na presença de Judá os caminhos *da vida e da morte*. Naturalmente, não há nenhuma ideia aqui da vida e da morte no sentido espiritual, de recompensas e punições para além-túmulo. Este versículo tem sido popularmente usado dessa maneira, mas não há base para isso. "O *caminho da morte* destinava-se aos que decidissem permanecer na cidade. Esses certamente morreriam. E o *caminho da vida* seria possível aos que se rendessem diante do inimigo que cercava Jerusalém. Essa era a única esperança que restava para aqueles que permanecessem na cidade, porquanto Deus tinha decidido ferir Jerusalém, deixando-a cair defronte da Babilônia. A resposta a essa mensagem de Jeremias acha-se em 28.1-4 de seu livro" (Charles H. Dyer, *in loc.*). Veja o leitor como as coisas se tinham reduzido: o caminho da vida não era mais o caminho do arrependimento e da retidão. Agora era tarde demais para isso. Para sobreviver, os judeus tinham de submeter-se à misericórdia dos babilônios, em abjeta rendição. E a maioria dos judeus que assim fizessem, mesmo que se rendesse, seria morta.

"*Vs. 8-10.* Embora redigidos em uma linguagem tipicamente deuteronômica, estes versículos não são incoerentes com a atitude de Jeremias durante o cerco babilônico. O profeta aconselhou ao rei que se rendesse aos babilônios como o único caminho para a segurança (ver Jr 38.17,18), mas o profeta foi aprisionado sob a acusação de deserção (ver Jr 37.13,14). Contudo, é claro que ele tomou tal posição porque acreditava que Nabucodonosor era agente da vontade de Yahweh (cf. Jr 27.6). Jeremias provou que não era um traidor de seu país ao preferir ficar na Palestina depois que os babilônios capturaram Jerusalém (ver Jr 40.6)" (James Philip Hyatt, *in loc.*). Cf. o fraseado deste versículo com Dt 30.15,19.

■ 21.9

הַיֹּשֵׁב בָּעִיר הַזֹּאת יָמוּת בַּחֶרֶב וּבָרָעָב וּבַדָּבֶר וְהַיּוֹצֵא וְנָפַל עַל־הַכַּשְׂדִּים הַצָּרִים עֲלֵיכֶם יִחְיֶה וְהָיְתָה־לּוֹ נַפְשׁוֹ לְשָׁלָל׃

O que ficar nesta cidade há de morrer à espada, ou à fome, ou de peste. Esses três assassinos, a *espada*, a *fome* e a *peste*, aniquilariam a grande maioria dos que preferissem o caminho da morte, resistindo ao exército babilônico. Mas os que simplesmente abandonassem suas posições de defesa e se rendessem teriam uma chance de viver. Por quê? Porque, quanto mais judeus se rendessem, mais fácil seria aos babilônios cumprir seu propósito, e menos soldados eles perderiam. Esses fatores gerariam pontos positivos em favor dos judeus desertores. Cf. Jr 38.18. Contudo, o que Jeremias estava propondo parecia a muitos inspirado pela tentativa de fuga de um covarde. Por outro lado, algumas vezes há causas realmente perdidas, que devemos abandonar. Algumas vezes "mordemos mais do que podemos chupar", conforme diz uma expressão idiomática moderna, e, nesses casos, simplesmente devemos cuspir fora o bocado. Nem todo o empreendimento deve ser visto com as mesmas lentes até o fim. Há ocasiões em que a sabedoria nos diz: "Fuja".

■ 21.10

כִּי שַׂמְתִּי פָנַי בָּעִיר הַזֹּאת לְרָעָה וְלֹא לְטוֹבָה נְאֻם־יְהוָה בְּיַד־מֶלֶךְ בָּבֶל תִּנָּתֵן וּשְׂרָפָהּ בָּאֵשׁ׃ ס

Pois voltei o meu rosto contra esta cidade, para mal, e não para bem. Este caso particular (defender Jerusalém) era desesperador, porquanto Yahweh estava defendendo o outro lado. A condenação já havia sido decretada. O mal chegava por determinação e pelo decreto divino, e era inútil aos judeus esperar o melhor. As chamas babilônicas transformariam Jerusalém em deserto, e animais ferozes viriam habitar naquele lugar (ver Jr 9.11 e 10.22). Cf. este versículo com Lv 17.10. Ver Jr 52.13 quanto ao cumprimento dessas profecias incandescentes.

CONTRA A CASA DO REI DE JUDÁ (21.11,12)

■ 21.11,12

וּלְבֵית מֶלֶךְ יְהוּדָה שִׁמְעוּ דְּבַר־יְהוָה׃

בֵּית דָּוִד כֹּה אָמַר יְהוָה דִּינוּ לַבֹּקֶר מִשְׁפָּט וְהַצִּילוּ גָזוּל מִיַּד עוֹשֵׁק פֶּן־תֵּצֵא כָאֵשׁ חֲמָתִי וּבָעֲרָה וְאֵין מְכַבֶּה מִפְּנֵי רֹעַ מַעַלְלֵיהֶם׃

À casa do rei de Judá dirás: Ouvi a palavra do Senhor. Este oráculo é geral e poderíamos pensar que continuou a tratar com Zedequias, mas muitos eruditos pensam que se adapta melhor a Jeoaquim, a quem Jeremias condenou por ter agido injustamente contra seus súditos (ver Jr 22.13-17). Por outro lado, alguns estudiosos tomar o vs. 11, "casa do rei de Judá", como uma espécie de subtítulo de uma coletânea de oráculos, que ficam dentro da passagem de Jr 21.11—23.8. Cf. Jr 23.9. Seja como for, a parte central da mensagem (vs. 12) é um chamado para que os judeus administrassem a *justiça*. O rei de Judá e seus oficiais precisavam cuidar para que os opressores fossem rebaixados a seus lugares certos e os oprimidos recebessem justiça em suas questões pessoais, no comércio e nos tribunais de justiça. Yahweh se levantava com ira contra os opressores, e seu fogo não se apagaria enquanto a justiça não fosse feita. Cf. Jr 4.4 e 17.4. Jeremias, pois, apontou para um dos principais deveres dos reis orientais, em cujas mãos havia poder absoluto. Se o monarca judeu assim desejasse fazer, poderia estabelecer a justiça. Ele poderia levantar-se cedo pela manhã, ir às portas da cidade, onde o comércio e a justiça eram processados, e ouvir as queixas dos oprimidos. Essa era a maneira mais segura pela qual poderia ganhar o apoio popular (ver 1Rs 3.28), assim como a aprovação divina. A corrupção da nação de Judá, através de injustiças intermináveis, era *uma das coisas* que faziam parte da idolatria-adultério-apostasia generalizada que seria julgada pela invasão babilônica.

> *Deveis julgar o povo com justiça todos os dias.*
> *Protegei dos criminosos as pessoas que têm sido roubadas. Se não fizerdes assim, ficarei muito irado.*
> *Minha ira será como um fogo.*
>
> NCV

Cf. este versículo com Jó 24.17 e Sl 101.8. Ver também Sl 90.14 e 143.8.

ORÁCULO CONTRA JERUSALÉM (21.13,14)

■ 21.13

הִנְנִי אֵלַיִךְ יֹשֶׁבֶת הָעֵמֶק צוּר הַמִּישֹׁר נְאֻם־יְהוָה הָאֹמְרִים מִי־יֵחַת עָלֵינוּ וּמִי יָבוֹא בִּמְעוֹנוֹתֵינוּ׃

Eis que eu sou contra ti. Talvez este oráculo um tanto obscuro seja um fragmento de um oráculo maior. Nem ao menos fica certo que se manifesta contra Jerusalém, mas os críticos supõem que a palavra "moradora" aponte para Jerusalém, visto que está no gênero feminino, o que seria mesmo de esperar se uma *cidade* fosse o alvo do discurso. Cf. Mq 1.11-13,15. A essência desse oráculo é uma condenação da cidade e seus habitantes, pois eles pensavam que, a despeito de sua apostasia, Jerusalém era uma cidade invencível, mesmo que ameaçada pelo exército babilônico. Ver Jr 7.14 e 49.4. "Os habitantes de Jerusalém acreditavam, tal como os jebuseus na antiguidade (ver 2Sm 5.8), no que lhes parecia ser a força inconquistável de sua posição natural" (Ellicott, *in loc.*).

Moradora do vale. A cidade de Jerusalém estava situada, em sua maior parte, sobre colinas, mas parte dela estava nos vales, no fundo das colinas. O vale entre as colinas de Sião e Moriá era chamado de Tiropoeon (isto é, o vale dos *fabricantes de queijos*). O termo *rocha* provavelmente refere-se à parte mais alta de Jerusalém, que ficava em uma colina rochosa, e talvez esteja especificamente em vista o monte Sião. Se essa descrição pode referir-se a Jerusalém, sem grande dificuldade, é possível que tais palavras se referissem originalmente a outra cidade, e posteriormente foram então aplicadas a Jerusalém.

A orgulhosa cidade das colinas, que se espalhava também por alguns vales, se julgava invencível: "Quem entrará nas nossas moradas?" Toda essa confiança mostrou ser inútil, conforme a história subsequente revelou tão vividamente. Os réprobos de Jerusalém tinham abandonado o yahwismo, e o templo havia sido poluído mediante doentio sincretismo, no qual Yahweh foi reduzido a ser apenas mais uma das divindades do panteão. Além disso, nas colinas, nos lugares altos, havia ídolos ligados à prática de sexo ilícito, sob cada árvore (ver Jr 3.13). Não havia razão alguma para esperar proteção divina em meio a uma massa ímpia tão confusa.

■ 21.14

וּפָקַדְתִּי עֲלֵיכֶם כִּפְרִי מַעַלְלֵיכֶם נְאֻם־יְהוָה וְהִצַּתִּי אֵשׁ בְּיַעְרָהּ וְאָכְלָה כָּל־סְבִיבֶיהָ׃ ס

Castigar-vos-ei segundo o fruto das vossas ações, diz o Senhor. As ações dos judeus eram injustiças dentro do território do país (vs. 12), bem como idolatria generalizada (Jr 19.4—5,13). Em retribuição divina, Jerusalém seria incendiada como uma floresta, por chamas violentas e tangidas pelo vento. O *fogo* era uma figura simbólica comum para indicar o julgamento divino. Ver no *Dicionário* o artigo chamado *Fogo, Símbolo do* e *Fogo,* seção VII. As florestas eram literalmente destruídas pelo fogo e, assim sendo, este foi um símbolo especialmente aplicável a Jerusalém e sua ruína, por parte do exército babilônico. A desolação causada por um exército invasor como o de Nabucodonosor (2Rs 19.23) foi demonstrada na destruição das florestas, efetuada de maneira insensata; e isso explica a escassez comparativa de árvores na Palestina. Em Jerusalém, as casas tinham paredes grossas como árvores, e as mais ricas dentre essas residências eram fortalecidas por tábuas feitas de cedros do Líbano.

CAPÍTULO VINTE E DOIS

Temos uma série de *oráculos* cujo tema são os reis de Judá, uma seção coberta pelo trecho de Jr 21.1—23.8. Ver as notas de introdução sobre isso no capítulo 21. Neste ponto encontramos o quarto oráculo da série, o qual encerra várias alusões ao livro de Deuteronômio e é considerado pelos críticos a obra de um editor deuteronômico, incorporando certas declarações de Jeremias. Ao longo desse oráculo tomo nota dos reflexos daquele livro. Por outro lado, Jeremias pode ter empregado livremente o livro de Deuteronômio, misturando alusões a ele em seus oráculos. A preparação final dos oráculos para publicação provavelmente aproveitou materiais que, originalmente, não faziam parte do livro de Jeremias, mas foram eram apropriados como ilustrações.

ORÁCULO DE CONDENAÇÃO CONTRA O PALÁCIO REAL E A CIDADE (22.1-9)

■ 22.1

כֹּה אָמַר יְהוָה רֵד בֵּית־מֶלֶךְ יְהוּדָה וְדִבַּרְתָּ שָׁם אֶת־הַדָּבָר הַזֶּה׃

Desce à casa do rei de Judá, e anuncia ali esta palavra. *Sumário.* "Yahweh instruiu Jeremias a descer do templo e ir ao palácio do rei. A mensagem do profeta ao rei, aos oficiais e ao povo que ali estavam era que eles agissem justa e corretamente. O conteúdo é similar ao da mensagem de Jr 21.12, mas certas consequências foram atreladas às ações. *Se* o rei fosse cuidadoso em observar os mandamentos de Deus, poderia continuar recebendo as bênçãos divinas, mas, se ele desobedecesse a esses mandamentos, Deus decretaria a ruína do palácio" (Charles H. Dyer, *in loc.*). Note o leitor o tom deuteronômico do oráculo. Cf. estas palavras com Dt 4.1; 5.33; 6.2 e 6.4 ss. A observância da legislação mosaica formava a essência mesma do yahwismo. O palácio do rei ficava contíguo à área do templo, embora em um nível inferior. Ver Jr 26.10; 36.11,12; 2Rs 19.14 e 23.2.

Rei. Algumas versões colocam essa palavra no plural, "reis". Nesse caso, possivelmente estavam em foco os *quatro reis* que governaram durante esse tempo: Salum (vs. 11), Jeoaquim (vss. 13-18), Jeconias (vs. 24) e Zedequias (21.1,11,12), dados fora da ordem cronológica. "Encontramos aqui alguns poucos e breves oráculos que descrevem as batalhas de Jeremias com esses reis" (Stanley Romaine Hopper, *in loc.*).

■ 22.2

וְאָמַרְתָּ שְׁמַע דְּבַר־יְהוָה מֶלֶךְ יְהוּדָה הַיֹּשֵׁב עַל־כִּסֵּא דָוִד אַתָּה וַעֲבָדֶיךָ וְעַמְּךָ הַבָּאִים בַּשְּׁעָרִים הָאֵלֶּה׃ ס

Ouve a palavra do Senhor, ó rei de Judá, que te assentas no trono de Davi. *Chegando ao palácio real,* Jeremias encontrou o rei que estava sendo servido por alguns de seus oficiais e por um pequeno ajuntamento de gente, que aconteceu estar ali naquele dia. Portanto, o profeta teve uma audiência seleta para seu oráculo. O fogo novamente requeimava seus ossos (ver Jr 20.9) enquanto ele discursava, embora o que ele tivesse para dizer só pudesse causar-lhe dificuldades. O Rei de Judá estava sentado no trono de Davi, uma elevada honra e algo que deveria tê-lo inspirado à retidão. Mas as coisas se tinham desintegrado de tal maneira em Jerusalém que não restava muita inspiração para que a justiça fosse servida.

■ 22.3

כֹּה אָמַר יְהוָה עֲשׂוּ מִשְׁפָּט וּצְדָקָה וְהַצִּילוּ גָזוּל מִיַּד עָשׁוֹק וְגֵר יָתוֹם וְאַלְמָנָה אַל־תֹּנוּ אַל־תַּחְמֹסוּ וְדָם נָקִי אַל־תִּשְׁפְּכוּ בַּמָּקוֹם הַזֶּה:

Executai o direito e a justiça, e livrai o oprimido da mão do opressor. Este versículo é uma versão expandida de Jr 21.12. O rei, como poder supremo que era, e com autoridade para cuidar das questões da vida e da morte, poderia ter facilmente exigido que se agisse com justiça em Judá, e teria obtido esse resultado. Antes de tudo, porém, ele mesmo precisava ser um homem justo; então teria coragem de promover a justiça em um palácio totalmente depravado e paganizado. Ele teria de purificar os tribunais de justiça e o comércio que se processava nos portões da cidade. Teria de expelir os opressores e restaurar os oprimidos a seus direitos. Teria de eliminar da cidade os criminosos, que eram como aves de rapina alimentando-se da população pobre. Teria de desfazer-se da violência nas ruas e nas residências. Teria de defender os estrangeiros que estivessem atravessando o país, ou mesmo os que tinham fixado residência em Judá. Teria de defender as viúvas e os órfãos, as camadas mais humildes e dependentes da sociedade, que eram presas dos "abutres". Teria de executar os criminosos culpados dos crimes de sangue. Em outras palavras, teria de obedecer à lei de Moisés, em todas as suas provisões. Ver Dt 6.4 ss. (a lei como *guia* do povo judaico); Dt 4.4-8 (a lei que tornava Israel povo *distinto* entre as nações); Dt 4.1; 5.33; 6.2; Ez 20.1 (a lei prometia uma boa, próspera e *longa vida* para os que lhe obedeciam). Ver sobre *Pacto Mosaico*, anotado na introdução a Êx 19.

"Jeoaquim está em foco aqui, especialmente. Por meio da opressão, ele procurou contrabalançar o tributo que lhe foi imposto pelo Faraó Neco, rei do Egito (ver 2Cr 36.3). Esse Faraó tinha mudado o nome dele de Eliaquim para Jeoacaz. Então o rei de Judá impôs pesados impostos a seu povo, fazendo-os trabalhar sem pagamento e usando o dinheiro para construir um esplêndido palácio para si mesmo (vss. 13-17); ele também se ocupou em derramar sangue inocente, a saber, o sangue do profeta Urias (ver Jr 26.20-24; 2Rs 23.35). E seguiu os passos do ímpio Manassés (ver Jr 24.4)" (Fausset, *in loc.*). Essas palavras, naturalmente, são bastante gerais e poderiam aplicar-se a todos os reis corruptos de Judá que antecederam o cativeiro babilônico.

■ 22.4

כִּי אִם־עָשֹׂה תַּעֲשׂוּ אֶת־הַדָּבָר הַזֶּה וּבָאוּ בְשַׁעֲרֵי הַבַּיִת הַזֶּה מְלָכִים יֹשְׁבִים לְדָוִד עַל־כִּסְאוֹ רֹכְבִים בָּרֶכֶב וּבַסּוּסִים הוּא וַעֲבָדָו וְעַמּוֹ:

Se deveras cumprires esta palavra, entrarão pelas portas desta casa os reis. Este versículo é uma versão abreviada de Jr 17.25, onde ofereço as notas expositivas a respeito. A promessa divina aqui é de que a guarda da lei e a promoção da justiça e da retidão significariam a renovação de Judá, um glorioso reavivamento do yahwismo, com as bênçãos divinas acompanhantes.

Este versículo ensina-nos que tal reavivamento requeria a liderança do rei, algo da ordem das reformas instituídas por Josias, embora mais profundas e de mais longa duração.

■ 22.5

וְאִם לֹא תִשְׁמְעוּ אֶת־הַדְּבָרִים הָאֵלֶּה בִּי נִשְׁבַּעְתִּי נְאֻם־יְהוָה כִּי־לְחָרְבָּה יִהְיֶה הַבַּיִת הַזֶּה: ס

Mas se não derdes ouvidos a estas palavras... esta casa se tornará em desolação. Se a ordem de Yahweh relativa à *reforma* fosse ignorada, e os reis de Judá continuassem a agir segundo sua ímpia conduta, promovendo a idolatria-adultério-apostasia de Judá, então as coisas iriam de mal a pior. O resultado final seria a invasão de Judá pelo exército babilônico, com a matança, o saque e o exílio subsequentes. Jerusalém ficaria essencialmente desabitada, com todos os edifícios destruídos, incluindo o templo. Ela se tornaria covil de animais selvagens (ver Jr 9.11). Isso seria o fim de Jerusalém, a Dourada. O Targum relembra-nos que entre as desolações estariam as ruínas do palácio real de Judá.

Note o leitor neste versículo o *juramento divino*, que é o equivalente a um *decreto divino*. Cf. Hb 6.13,17. Cf. Jr 19.7-13, uma predição mais elaborada de desastres, juntamente com as razões que os motivaram.

■ 22.6

כִּי־כֹה אָמַר יְהוָה עַל־בֵּית מֶלֶךְ יְהוּדָה גִּלְעָד אַתָּה לִי רֹאשׁ הַלְּבָנוֹן אִם־לֹא אֲשִׁיתְךָ מִדְבָּר עָרִים לֹא נוֹשָׁבָה

Certamente farei de ti um deserto e cidades desabitadas. Este versículo reforça as ideias do versículo anterior. A palavra do rei continuava no centro dos pensamentos de Yahweh. *Gileade* era um lugar coberto de florestas, o ponto culminante do Líbano. Estava longe de ser uma desolação, e Jerusalém ficava situada na "floresta do rei". Mas em pouco tempo estaria essencialmente desabitada. O original hebraico contém aqui a forma plural, "cidades", provavelmente indicando estarem em pauta Judá e suas muitas cidades. O país inteiro corria o risco de ser transformado em deserto, covil de animais ferozes, e não habitação dos homens (ver Jr 9.11; 10.22; Is 13.22 e 34.13). Jerusalém seria reduzida a um montão de ruínas (ver Jr 9.12 e Is 25.2). Jeremias já havia predito a destruição do templo (ver Jr 7.1-15) e agora mostrava que a residência ornamentada do rei de Judá não seria poupada da destruição.

Quanto a Gileade e ao Líbano como lugares cobertos por florestas, ver Jz 9.15; 1Rs 4.33; 2Cr 2.8. O complexo do templo, incluindo a Casa da Floresta do Líbano (ver 1Rs 7.2-5), empregou abundantemente cedros do Líbano em sua construção. Outro tanto se dava especialmente no caso do templo de Salomão. Ver 1Rs 5.6; 8.10 e 10.27. Assim sendo, em certo sentido, havia uma floresta do Líbano em Jerusalém. Gileade tornou-se famosa por seus *carvalhos*, outra madeira nobre usada na construção de edifícios. Ver no *Dicionário* os artigos chamados *Carvalho* e *Cedro*.

■ 22.7

וְקִדַּשְׁתִּי עָלֶיךָ מַשְׁחִתִים אִישׁ וְכֵלָיו וְכָרְתוּ מִבְחַר אֲרָזֶיךָ וְהִפִּילוּ עַל־הָאֵשׁ:

Designarei contra ti destruidores, cada um com as suas armas. "A destruição do país foi expressa sob o símbolo da destruição de uma *excelente floresta*; uma multidão de lenhadores veio contra ela, cada qual armado com o seu machado; e, porque as árvores não ofereciam resistência, em breve estavam todas derrubadas por terra. Esses destruidores, disse Deus, eu preparei, eu santifiquei. Eles tinham uma comissão da parte de Deus" (Adam Clarke, *in loc.*). Cf. Is 13.6: Yahweh é o divino determinador dos acontecimentos na humanidade. Ver no *Dicionário* o artigo chamado *Soberania*.

Os teus cedros escolhidos. Ou seja, os excelentes cedros usados no templo, no palácio do rei e em outras edificações caras da cidade. A "floresta excelente" seria cortada em pedaços. Cf. Is 37.24. O Targum faz dos cedros nobres a liderança de Jerusalém, e não seus edifícios. Ver Jr 52.13 quanto à total ruína dos edifícios nobres da cidade.

■ 22.8,9

וְעָבְרוּ גּוֹיִם רַבִּים עַל הָעִיר הַזֹּאת וְאָמְרוּ אִישׁ אֶל־רֵעֵהוּ עַל־מֶה עָשָׂה יְהוָה כָּכָה לָעִיר הַגְּדוֹלָה הַזֹּאת:

וְאָמְרוּ עַל אֲשֶׁר עָזְבוּ אֶת־בְּרִית יְהוָה אֱלֹהֵיהֶם וַיִּשְׁתַּחֲווּ לֵאלֹהִים אֲחֵרִים וַיַּעַבְדוּם: ס

Muitas nações passarão por esta cidade. Os que passassem pelo deserto que antes fora uma grande nação, saberiam que Yahweh tinha feito isso contra os judeus, e eles eram chamados de "seu povo"! Portanto, *por que* ele fizera isso? Essa seria a questão que as nações levantariam. Ver Dt 29.24,25, de onde os vss. 8,9 foram obviamente tirados, com um pouco de variação. A resposta foi a padronizada: o Deus do *pacto mosaico* (ver a anotação da introdução a Êx 19) teria de puni-los severamente por sua idolatria-adultério-apostasia. As nações pagãs se apegavam a seus deuses ancestrais, mas Israel-Judá abandonou suas tradições e se paganizou. Ver Jr 18.13-17. Cf. 2Rs 22.17: "Visto que me deixaram, e queimaram incenso a outros deuses, para me provocarem à ira com todas as obras das suas mãos, o meu furor se acendeu contra este lugar, e não se apagará".

Deus puniu seu povo com as *maldições* deuteronômicas. Ver Dt 28.15 ss. A obediência à lei transmitia *vida* (ver Dt 4.1; 5.33; 6.2; Ez 20.1), mas a desobediência significava *morte*, conforme Dt 38 demonstra com abundância.

O ORÁCULO CONTRA SALUM (22.10-12)

■ 22.10

אַל־תִּבְכּוּ לְמֵת וְאַל־תָּנֻדוּ לוֹ בְּכוּ בָכוֹ לַהֹלֵךְ כִּי לֹא־יָשׁוּב עוֹד וְרָאָה אֶת־אֶרֶץ מוֹלַדְתּוֹ: ס

Não choreis o morto, nem o lastimeis; chorai amargamente aquele que sai. Ver no *Dicionário* o detalhado artigo chamado *Reino de Judá*, especialmente seção IV, que lista os reis de Judá e descreve cada um deles de maneira breve. O "Salum" do texto presente é o "Jeoacaz" da lista, colocado como o rei de número 17. Ele era filho de Josias, o reformador. Josias foi tragicamente morto em Megido, pelo Faraó Neco. Ele é o "morto", lamentado no vs. 10. O povo lamentou amargamente esse morto, mas, de acordo com a opinião do profeta, o homem a ser lamentado era seu filho impotente, que esteve no trono apenas por três meses e então foi levado ao cativeiro no Egito, para nunca mais retornar à Terra Prometida. Ato contínuo, o Faraó fez subir ao trono outro filho de Josias, *Jeoaquim*, que lhe foi apenas um títere. Jeoacaz reinou durante o ano de 608 a.C. Ver mais detalhes sobre ele no *Dicionário*. Quanto a "Salum", ver *Jeoacaz*, segundo ponto. Salum é uma forma abreviada do nome *Selemias*. Ver 2Rs 23.29-35, quanto ao pano de fundo histórico dessa passagem.

■ 22.11

כִּי כֹה אָמַר־יְהוָה אֶל־שַׁלֻּם בֶּן־יֹאשִׁיָּהוּ מֶלֶךְ יְהוּדָה הַמֹּלֵךְ תַּחַת יֹאשִׁיָּהוּ אָבִיו אֲשֶׁר יָצָא מִן־הַמָּקוֹם הַזֶּה לֹא־יָשׁוּב שָׁם עוֹד:

Porque assim diz o Senhor acerca de Salum, filho de Josias. Este versículo repete a razão essencial para a lamentação que aparece no vs. 10: *Salum* teve o grande infortúnio de ser levado para o exílio, do qual nunca retornou. Isso foi pior do que ser morto em batalha. Em certo sentido, os santos que morrem devem ser invejados, enquanto os pecadores vivos, em meio a seus severos julgamentos, devem ser alvo de compaixão. O governo de Salum foi breve e desastroso. Josias pelo menos fez alguma coisa, antes de seu triste fim. Mas o pobre Salum perdeu sua terra natal, seus amigos e sua família, depois de nada haver feito. Salum era seu nome privado (ver 1Cr 3.5); seu nome real era Jeoacaz. Mas o infortúnio foi a parte que lhe coube por sorte.

■ 22.12

כִּי בִּמְקוֹם אֲשֶׁר־הִגְלוּ אֹתוֹ שָׁם יָמוּת וְאֶת־הָאָרֶץ הַזֹּאת לֹא־יִרְאֶה עוֹד: ס

Mas no lugar para onde o levaram cativo morrerá, e nunca mais verá esta terra. Neste versículo continua a lamentação por Salum. Ele foi exilado para um lugar onde não queria estar. Era um rei, mas foi tratado como um escravo exilado. E então morreu naquele lugar miserável, longe de sua terra natal. Sem dúvida, ele esperava retornar do Egito e reiniciar seus deveres da realeza. Certamente era o que esperavam seus familiares e amigos, mas essas esperanças foram frustradas. O destino foi cruel com Salum. Não possuímos nenhum registro específico sobre a permanência e a morte desse homem no Egito. Sabemos tão somente o que este versículo nos informa. Não há nenhuma menção a ele no relato da descida posterior de Jeremias ao Egito, no início do cativeiro babilônico de Judá. Ver Jr 43.6,7. Seu sucessor, Jeoaquim, foi homem injusto e tirânico, o que significa que muita gente teria saudado a volta de Salum ao trono de Judá.

ORÁCULO CONTRA JEOAQUIM (22.13-19)

■ 22.13

הוֹי בֹּנֶה בֵיתוֹ בְּלֹא־צֶדֶק וַעֲלִיּוֹתָיו בְּלֹא מִשְׁפָּט בְּרֵעֵהוּ יַעֲבֹד חִנָּם וּפֹעֲלוֹ לֹא יִתֶּן־לוֹ:

Ai daquele que edifica a sua casa com injustiça, e os seus aposentos sem direito. Ver no *Dicionário* o artigo sobre ele, cujo nome é grafado como *Jeoaquim*. Ver também sobre *Reino de Judá*, seção IV, ponto 18, onde apresento um breve sumário sobre o seu reinado. Ele governou Judá por onze anos. De modo geral, foi um rei mau, embora tivesse realizado muitas obras públicas; sua vida espiritual foi confusa; ele pagou tributos ao Egito; serviu a Nabucodonosor, da Babilônia; promoveu escandalosa idolatria; foi capturado e levado para a Babilônia; e foi sepultado como um jumento. Quanto a todas essas pequenas informações sobre Jeoaquim, o artigo sobre o *Reino de Judá* fornece referências bíblicas. O artigo específico sobre Jeoaquim fornece muitos detalhes. Jeremias referiu-se a ele em termos adversos, apresentando a pior condenação na seção presente. Jeoaquim ampliou e ornamentou o próprio palácio, ao mesmo tempo que oprimiu economicamente o povo de Judá. Impôs pesadas taxas ao povo, a fim de poder pagar os tributos exigidos pelo Egito (ver 2Rs 23.35).

Foram muitos os pecados, fracassos e exageros de Jeoaquim, mas este versículo demora-se sobre um dos incidentes mais graves. Ele edificou seu palácio com dinheiro público e com trabalho forçado, exibindo assim uma espécie de injustiça especial contra o próprio povo. Obrigou o povo a trabalhar forçado, sem pagar os devidos salários, e assim abusou dos judeus, que são chamados aqui de "próximo". O trabalho forçado era uma atividade reservada aos escravos. 2Reis 23.35-37 menciona as pesadas taxas que Jeoaquim impôs a seu povo, a fim de pagar o tributo que o Faraó do Egito cobrou dele. Em meio à tensão econômica, ele conseguiu servir a si mesmo da maneira mais aberta possível. Tudo era feito em nome da política. Cf. Tg 5.4. "Esse rei continuou edificando palácios quando seu reino estava à beira da ruína e seus súditos gemiam debaixo de suas cargas imensas. Provavelmente ele era impulsionado pela vanglória, querendo imitar o Faraó Neco, que o tinha feito subir ao trono" (Ellicott, *in loc.*).

■ 22.14

הָאֹמֵר אֶבְנֶה־לִּי בֵּית מִדּוֹת וַעֲלִיּוֹת מְרֻוָּחִים וְקָרַע לוֹ חַלּוֹנָי וְסָפוּן בָּאָרֶז וּמָשׁוֹחַ בַּשָּׁשַׁר:

Edificarei para mim casa espaçosa, e largos aposentos. Jeoaquim não poupava despesas para fazer de seu palácio uma edificação extremamente ornamentada, com espaçosos aposentos superiores, janelas belamente enfeitadas, painéis de cedro, tudo pintado de *vermelhão* (no hebraico, *shashar*, tinta importada da Índia). Plínio informa-nos que o povo indiano chamava essa tinta de *sasuri* (*História Natural* 1.6. cap. 9), produzida por eles. Mas alguns eruditos duvidam que era essa a tinta referida aqui. Seja como for, o profeta estava dizendo que ele não poupou esforços para edificar um magnificente palácio, com a ajuda de materiais de construção importados e talvez com o auxílio de operários estrangeiros, conforme aconteceu com Salomão. "O vermelhão antigo compunha-se de enxofre e mercúrio" (Fausset, *in loc.*). É típico dos políticos enriquecer-se em meio às crises econômicas e aos desastres de seus países. Eles sempre se certificam de que suas próprias fortunas pessoais nada sofram, em contraste com a pobreza dos povos que governam.

■ 22.15

הֲתִמְלֹךְ כִּי אַתָּה מְתַחֲרֶה בָאָרֶז אָבִיךָ הֲלוֹא אָכַל וְשָׁתָה וְעָשָׂה מִשְׁפָּט וּצְדָקָה אָז טוֹב לוֹ:

Jeoaquim, filho de Josias, contrastava com seu bom pai em todas as coisas. Seu pai não importava madeira de cedro em meio à tensão econômica. Ele não *competia* com os monarcas orientais para ver quem seria o maior e mais ridículo gastador. Josias comia e bebia com simplicidade, não promovendo festas reais escandalosas, com seus inevitáveis excessos. Além disso, Josias promoveu retidão e justiça, eliminou a idolatria e estabeleceu um exemplo espiritual firme para o povo seguir. Seu filho, Jeoaquim, entretanto, errou em todos os pontos. Jeremias nada encontrou para louvar nele ou em suas obras. Josias não era um asceta, mas sabia traçar a linha contra o luxo e a ostentação. Não era espiritualmente perfeito, mas sabia que a idolatria era um ultraje em Judá. Um homem que habita em um esplêndido palácio não se torna, nem por isso, um bom rei. Josias tinha as bênçãos de Yahweh e essa foi a sua compensação.

22.16

הֲלוֹא־הִיא הַדַּעַת אֹתִי דָּן דִּין־עָנִי וְאֶבְיוֹן אָז טוֹב
נְאֻם־יְהוָה׃

Julgou a causa do aflito e do necessitado. Em contraste com reis ímpios, Josias administrava a justiça aos pobres e aos necessitados. Ver Jr 22.3, quanto ao que se esperava de um rei naquelas questões. Tudo "corria bem com ele", por causa dessa exibição básica de espiritualidade. Ele "conhecia o Senhor" em sua vida e ações. "Ele tinha verdadeiro conhecimento de Deus, o que, para os profetas, era primariamente uma questão moral, e não intelectual" (James Philip Hyatt, *in loc.*). "Na qualidade de pastor de Deus, era esperado que ele nutrisse o rebanho, e não que o dizimasse. Jeoaquim não herdou nenhuma das boas qualidades de seu pai. Estava interessado somente em ganho desonesto, derramamento de sangue, opressão e extorsão" (Charles H. Dyer, *in loc.*).

> *Ora, se sabeis estas cousas, bem-aventurados sois se as praticardes.*
>
> João 13.17

> *No tocante a Deus professam conhecê-lo, entretanto o negam por suas obras, por isso que são abomináveis, desobedientes e reprovados para toda boa obra.*
>
> Tito 1.16

22.17

כִּי אֵין עֵינֶיךָ וְלִבְּךָ כִּי אִם־עַל־בִּצְעֶךָ וְעַל דַּם־הַנָּקִי
לִשְׁפּוֹךְ וְעַל־הָעֹשֶׁק וְעַל־הַמְּרוּצָה לַעֲשׂוֹת׃ ס

Mas os teus olhos e o teu coração não atentam senão para a tua ganância. Agora o profeta mencionou os *pecados mais pesados* de Jeoaquim, que incluíam ganhos desonestos, crimes de sangue, opressão e violência. Ver 2Rs 24.4, quanto à confirmação dessa condenação. Ele corrompeu tribunais de lei e fez que homens inocentes fossem executados, ao mesmo tempo que defendeu a causa de homens violentos e perversos, que oprimiam os pobres. Ele se mostrava extravagante em seus pecados, enchendo Jerusalém com o sangue dos inocentes. Sua avareza e seu impulso pelo poder levaram-no a ser um violento opressor. "Sua intenção era satisfazer suas concupiscências, traçando e formando esquemas, derramando sangue inocente a fim de arranjar dinheiro, bens e propriedades. Sua avareza levou-o a tornar-se um assassino" (John Gill, *in loc.*).

22.18,19

לָכֵן כֹּה־אָמַר יְהוָה אֶל־יְהוֹיָקִים בֶּן־יֹאשִׁיָּהוּ מֶלֶךְ
יְהוּדָה לֹא־יִסְפְּדוּ לוֹ הוֹי אָחִי וְהוֹי אָחוֹת לֹא־יִסְפְּדוּ
לוֹ הוֹי אָדוֹן וְהוֹי הֹדֹה׃

קְבוּרַת חֲמוֹר יִקָּבֵר סָחוֹב וְהַשְׁלֵךְ מֵהָלְאָה לְשַׁעֲרֵי
יְרוּשָׁלִָם׃ ס

Assim diz o Senhor acerca de Jeoaquim, filho de Josias, rei de Judá: Não o lamentarão. Não há razão alguma para duvidarmos das palavras de Jeremias aqui, embora não tenhamos recebido confirmação sobre elas nos relatos históricos de 2Rs. O trecho de 2Rs 24.6 diz-nos tão somente que Jeoaquim dormiu com seus pais. Com base nas palavras do profeta, compreendemos que o homem não seria lamentado como bom rei, que ele realmente não foi. As pessoas se alegraram com sua morte.

Ninguém sairia ao redor lamentando-se: "Ai, meu irmão!" ou: "Ai, sua majestade". Presumivelmente, ele foi sepultado no jardim de Uzá, onde Manassés e Amom tinham sido sepultados (conforme diz a Septuaginta de 2Cr 36.8). Se isso estiver certo, nenhuma grande multidão compareceu ao funeral. Alguns estudiosos supõem que ele tenha recebido um sepultamento apropriado, e, posteriormente, seu corpo foi exumado e desonrado pelos babilônios, o que parece ser a mensagem do vs. 19. Outros eruditos, porém, pensam que o homem não teve funeral, e seu cadáver foi atirado pelos portões de Jerusalém, como se fosse um jumento morto. Não possuímos nenhuma confirmação literária "externa" sobre tudo isso, pelo que temos de tomar a palavra de Jeremias de que o homem foi desonrado em sua morte. Ver Jr 36.30, que repete essa ousada profecia. A reprodução favorece a interpretação de que a profecia foi realmente cumprida. Ainda outros intérpretes supõem que, quando ele estava sendo transportado, acorrentado, para a Babilônia (ver 2Cr 36.6), morreu no trajeto e seu corpo simplesmente foi deixado para trás, insepulto, enquanto o exército babilônico continuou a marchar. Isso não concorda com a versão da Septuaginta de 2Cr 36.8, mas concilia-se com as profecias de Jeremias.

Ai, minha irmã! Estas palavras podem parecer fora de lugar aqui. Porém o mais provável é que esteja em pauta a rainha-mãe. Nenhum homem chegaria ao menos a dizer à esposa do rei: "Lamento dizer que seu marido, o rei, morreu". A mais comum cortesia seria omitida em seu caso.

Josefo (*Antiguidades* 1.10, cap. 6) informa-nos que esse rei não foi sepultado. Ele foi simplesmente lançado para fora dos portões da cidade, como um jumento estúpido e imundo, e então seu cadáver se tornou alimento de cães e outros animais vorazes.

LAMENTAÇÃO SOBRE JERUSALÉM (22.20-23)

22.20

עֲלִי הַלְּבָנוֹן וּצְעָקִי וּבַבָּשָׁן תְּנִי קוֹלֵךְ וְצַעֲקִי מֵעֲבָרִים
כִּי נִשְׁבְּרוּ כָּל־מְאַהֲבָיִךְ׃

Sobe ao Líbano, ó Jerusalém, e clama; ergue a tua voz em Basã. "Este poema foi dirigido contra Jerusalém, personificada como uma mulher (o gênero feminino é usado no original hebraico). Provavelmente, a data é de 598 a.C., perto dos dias da rendição de Joaquim aos babilônios e do exílio de muitos dos líderes de Jerusalém (2Rs 24.11-16). A posição deste poema, entre os oráculos sobre Jeoaquim e Joaquim, portanto, é apropriada" (James Philip Hyatt, *in loc.*).

"Por causa da insensatez de Jeoaquim, Jeremias convidou os habitantes de Jerusalém a lamentar por sua sorte. Esta passagem provavelmente deve ser datada nos fins de 598 ou começos de 597 a.C., visto enfocar a invasão vindoura dos babilônios em retaliação contra a rebeldia de Jeoaquim. O clamor de Jerusalém seria ouvido por todo o território de Judá" (Charles H. Dyer, *in loc.*).

A mulher, Jerusalém, lamenta sua horrenda sorte com altos clamores, soltos de três altas montanhas, de modo que sua voz foi ouvida por toda a Palestina. O *Líbano*, na Síria, era a estação *norte* da lamentação; Basã, na Transjordânia superior, era a estação *nordeste*; e *Abarim*, em Moabe, era a estação *sudeste*. Foi ali que Moisés morreu (ver Nm 27.12; Dt 32.48). Esse lugar é idêntico ao monte Nebo ou fazia parte dele, como um nome mais genérico. Ver sobre os nomes próprios no *Dicionário*. A lamentação foi levantada quando a Babilônia esmagou Judá.

Os teus amantes. Estas palavras serão mais bem entendidas se o leitor acompanhar os seguintes pontos:

1. "Amantes" pode apontar para os *deuses* falsos que faziam parte do sincretismo religioso de Judá. "Desde os picos mais elevados, as lamentações seriam ouvidas em face da deserção de Jerusalém por seus deuses (amantes; ver Jr 3.1)" (*Oxford Annotated Bible*, comentando sobre o vs. 20).

2. Mas alguns intérpretes pensam estar em foco os *líderes* de Jerusalém, como um paralelo dos *pastores* mencionados no vs. 22. Lm 1.19 é um trecho paralelo, o que denota que esse significado é possível. O vs. 2 diz que os *amantes* iriam para o cativeiro, mas dificilmente isso poderia relacionar-se aos deuses pagãos que Jerusalém havia adotado.

3. Ainda outros estudiosos pensam estar em foco os aliados de Judá (como o Egito). Judá não foi o único povo a ser deportado pelos babilônios.

22.21

דִּבַּ֤רְתִּי אֵלַ֙יִךְ֙ בְּשַׁלְוֺתַ֔יִךְ אָמַ֖רְתְּ לֹ֣א אֶשְׁמָ֑ע זֶ֣ה דַרְכֵּ֞ךְ
מִנְּעוּרַ֔יִךְ כִּ֥י לֹֽא־שָׁמַ֖עַתְּ בְּקוֹלִֽי׃

Falei contigo na tua prosperidade, mas tu disseste: Não ouvirei. Desde a juventude de Judá para diante, houve sempre no povo essa atitude de rebeldia. A atitude se cristalizou mais ainda quando o país prosperou, quando Yahweh parecia ter-se tornado supérfluo. O povo de Judá tornou-se *surdo* para com a voz divina. Ver sobre o ato de *ouvir* em Sl 64.1, que aponta para a capacidade de ouvir e a disposição de obedecer às ordens recebidas — dar atenção às ordens importantes e *obedecer* às normativas baixadas. Cf. Ez 16 quanto à longa história da desobediência rebelde. Cf. este versículo com Jr 7.25 e Is 47.12.

Nunca deste ouvidos à minha voz. Estas palavras, segundo bases do Antigo Testamento, significam não obedecer à lei de Moisés, que era o *guia* (ver Dt 6.4 ss.) do povo de Israel. Os desobedientes, entretanto, quebravam o *pacto mosaico* (anotado na introdução a Êx 19).

Recusastes a ouvir. Agistes assim desde que eras jovem.
Não me obedecestes.

NCV

22.22

כָּל־רֹעַ֙יִךְ֙ תִּרְעֶה־ר֔וּחַ וּֽמְאַהֲבַ֖יִךְ בַּשְּׁבִ֣י יֵלֵ֑כוּ כִּ֣י אָ֤ז
תֵּבֹ֙שִׁי֙ וְנִכְלַ֔מְתְּ מִכֹּ֖ל רָעָתֵֽךְ׃

O vento apascentará todos os teus pastores. A punição de Judá viria como vento poderoso que varreria todas as coisas que estivessem à sua frente. O vento, pois, era o exército da Babilônia, que ressecava tudo e soprava tudo para longe. Cf. Jr 4.11,12; Sl 106.16; Is 40.7. O vento é pintado como *poder devorador,* que *devoraria* os pastores (líderes) que supostamente deveriam providenciar alimentos para o povo. Os que vivem para comer seriam comidos, porquanto tinham envenenado o povo com sua idolatria-adultério-apostasia. O forte vento levaria para a Babilônia, como se fosse palha, o país inteiro, ou seja, os poucos sobreviventes da matança.

Os teus amantes irão para o cativeiro. Ver as três interpretações dos *amantes* deste texto no vs. 20. Aqui, poderiam estar em pauta os líderes, visto que eles (os falsos pastores) não escapariam à deportação juntamente com o povo comum. Ou então estão em pauta os aliados de Judá. Judá não foi o único povo a ser deportado para a Babilônia. Ver 2Rs 24.7, onde está em vista o Egito. O termo "reis", que aparece em Jr 52.32, subentende que houve vários povos cativos na Babilônia.

22.23

יֹשַׁבְתְּ֙ בַּלְּבָנ֔וֹן מְקֻנַּ֖נְתְּ בָּֽאֲרָזִ֑ים מַה־נֵּחַנְתְּ֙ בְּבֹא־לָ֣ךְ
חֲבָלִ֔ים חִ֖יל כַּיֹּלֵדָֽה׃

Ó tu, que habitas no Líbano e fazes o teu ninho nos cedros! Usando de *sarcasmo e ironia,* o profeta Jeremias chamou Jerusalém de Líbano, por causa da grande quantidade de madeira de cedro que tinha sido trazida para adornar os ricos edifícios de Jerusalém. Isso era pura ostentação e algo fora de lugar para um país que atravessava grave crise. Cf. essa figura com os vss. 6,7 do presente capítulo. Ver também Jr 4.31; 6.24 e 13.21. "Tanto cedro havia sido importado do Líbano para Jerusalém (cf. Jr 22.6,7,13-15) que habitar em Jerusalém era como viver entre os cedros do Líbano. Contudo, os que viviam em meio a tais riquezas haveriam de gemer quando as dores do julgamento de Deus viessem sobre eles (como as dores de parto de uma mulher; ver Jr 4.31)" (Charles H. Dyer, *in loc.*).

O teu ninho. Os habitantes de Jerusalém viviam tão confortáveis em seu luxo como uma ave em seu ninho, presumivelmente em segurança. Mas o vento vindo da Babilônia sopraria para longe o ninho confortável.

ORÁCULOS CONTRA JEOAQUIM (22.24-30)

22.24

חַי־אָ֣נִי נְאֻם־יְהוָ֗ה כִּ֣י אִם־יִֽהְיֶ֞ה כָּנְיָ֤הוּ בֶן־יְהֽוֹיָקִים֙
מֶ֣לֶךְ יְהוּדָ֔ה חוֹתָ֖ם עַל־יַ֣ד יְמִינִ֑י כִּ֥י מִשָּׁ֖ם אֶתְּקֶֽנְךָּ׃

Ainda que Jeconias, filho de Jeoaquim, rei de Judá, fosse o anel do selo da minha mão direita. O impotente Jeconias era filho de Jeoaquim e subiu ao trono de Judá com apenas 18 anos de idade. Ficou no trono apenas por três meses. Rendeu-se a Nabucodonosor e, levado cativo para a Babilônia, nunca retornou à Terra Prometida (ver 2Rs 24.8-17; 25.27-30). Muita gente em Judá considerava que Jeconias (embora no exílio, para dizer o mínimo) era o rei legítimo, e não Zedequias. Ver Jr 28.1-4; Ez 17.22. O profeta Jeremias se opunha a essas expectativas tolas, sabendo que não haveria retorno imediato para o povo de Judá, nem para o jovem rei. No curto espaço de três meses, porém, Jeconias mostrou ser rebelde e desobediente a Yahweh (ver 2Rs 24.9). Quanto aos acontecimentos de seus dias, ver no *Dicionário* o artigo chamado *Reino de Judá,* ponto 19.

Conias era forma abreviada do nome do rei. O *anel de selar* simbolizava o poder real; era o instrumento mediante o qual o monarca autenticava decretos e documentos, a sua "assinatura", por assim dizer. Ver Ag 2.23 e Et 3.10. O anel de selar era um item importante por causa da função que cumpria. Possessão exclusiva do rei, pertencia a ele somente. Conias por certo não era esse anel, em nenhum sentido; porém, mesmo que fosse, Yahweh o teria tirado do seu dedo e lançado fora como inútil. Embora Conias tivesse reinado somente por três meses, ele praticou muitos males e colheu todo o resultado do mal que semeou. Por esse motivo foi cortado e enviado ao cativeiro na Babilônia. Deus o removeu para que ele não continuasse a pecar. Mas Zorobabel, *neto* de Conias, foi chamado de *anel de selar* de Yahweh, e certamente essa foi uma reversão da fortuna e da posição dentro da família real. Ver Ag 2.23. Ver no *Dicionário* o verbete intitulado *Selo.*

22.25

וּנְתַתִּ֗יךָ בְּיַד֙ מְבַקְשֵׁ֣י נַפְשֶׁ֔ךָ וּבְיַ֛ד אֲשֶׁר־אַתָּ֥ה יָג֖וֹר
מִפְּנֵיהֶ֑ם וּבְיַ֛ד נְבוּכַדְרֶאצַּ֥ר מֶֽלֶךְ־בָּבֶ֖ל וּבְיַ֥ד
הַכַּשְׂדִּֽים׃

Entregar-te-ei, ó rei, na mão dos que procuram tirar-te a vida. *A triste sorte de Conias* seria ver-se entregue nas mãos de Nabucodonosor como um prisioneiro impotente, a despeito do fato de que ele carregara (por breve período de tempo) o título de rei. Assim como seu nome era uma forma abreviada de Jeoaquim, sua sorte foi diminuída pelo decreto de Yahweh. É errado dizer: "Aquele homem não tinha sorte", visto que ele mesmo escolhera sua vereda curta e errante. Esse homem temia o rosto do rei da Babilônia e de seus oficiais, pois eles dirigiam o exército babilônico esmagador, mas Conias nada fez para evitar o que tanto temia. Entre os caminhos dos bons e dos maus contrastados, ver as notas de sumário sobre Pv 4.27. A figura parece ser que Yahweh tirou de seu dedo um anel de selar fraudulento, e o entregou a Nabucodonosor para ser usado com desprezo. O registro histórico do incidente encontra-se em 2Rs 24.8,10-12.

22.26

וְהֵטַלְתִּ֣י אֹתְךָ֗ וְאֶֽת־אִמְּךָ֙ אֲשֶׁ֣ר יְלָדַ֔תְךָ עַ֚ל הָאָ֣רֶץ
אַחֶ֔רֶת אֲשֶׁ֥ר לֹֽא־יֻלַּדְתֶּ֖ם שָׁ֑ם וְשָׁ֖ם תָּמֽוּתוּ׃

Lançar-te-ei, a ti e a tua mãe que te deu à luz, para outra terra. Conias, e sua mãe, *Neusta,* viúva de Jeoaquim (ver 2Rs 24.8), sofreriam a mesma sorte. Jr 13.18,19 dá uma predição de Jeremias sobre a deportação deles. O rei (e, presumivelmente, sua mãe) morreria no exílio. Ter sua mãe a sofrer as mesmas indignidades que ele adicionava amargor à experiência. A juventude de Conias (somente 18 anos) provavelmente forçava sua mãe a assumir os deveres e a autoridade de rainha-regente. Provavelmente era ela quem dirigia as normas do breve reinado de Conias e, sem dúvida alguma, encorajava seus pecados. Por conseguinte, o castigo que ela sofreria seria justo. Conias estava destinado a sofrer longo tempo no cativeiro. Somente no ano trigésimo sétimo de seu cativeiro foi que Evil-Merodaque, rei da Babilônia, lhe mostrou favor acima de outros reis cativos. Conias foi solto da prisão e, dali por diante, teve uma vida razoavelmente boa, mas nunca mais deixou a Babilônia. Quanto tempo depois disso Conias morreu é algo que não se sabe. Ver Jr 52.31-34.

22.27

וְעַל־הָאָרֶץ אֲשֶׁר־הֵם מְנַשְּׂאִים אֶת־נַפְשָׁם לָשׁוּב שָׁם שָׁמָּה לֹא יָשׁוּבוּ׃ ס

Mas à terra, da qual eles têm saudades, a ela não tornarão. *Conias e sua mãe,* além de outros que também estavam cativos na Babilônia, ansiavam por voltar a Jerusalém, mas a maioria morreria antes que se cumprissem os setenta anos de cativeiro. Certamente esse foi o caso do rei e sua mãe. Assim sendo, para a grande maioria dos judeus o exílio foi permanente, embora tivesse sido breve da perspectiva histórica. De um modo, para a alma, não havia tal coisa como permanência na Babilônia. Do outro lado da questão, havia liberdade no paraíso de Deus. Penso que Deus fez algo maravilhoso por aqueles réprobos, de maneira geral. Essa é a promessa da *Descida de Cristo ao Hades.* Ver a *Enciclopédia de Bíblia, Teologia e Filosofia,* quanto a esse título. Cf. este versículo com Sl 137.1 ss.

22.28

הַעֶצֶב נִבְזֶה נָפוּץ הָאִישׁ הַזֶּה כָּנְיָהוּ אִם־כְּלִי אֵין חֵפֶץ בּוֹ מַדּוּעַ הוּטֲלוּ הוּא וְזַרְעוֹ וְהֻשְׁלְכוּ עַל־הָאָרֶץ אֲשֶׁר לֹא־יָדָעוּ׃

Acaso é este Jeconias homem vil, cousa quebrada? *Conias,* o anel de selar fraudulento (vs. 24), é agora chamado de *vaso* desprezado e quebrado pelo povo de Judá, lançado fora como inútil, juntamente com os seus "filhos" (os habitantes de Judá que sobreviveram à matança e foram deportados para a Babilônia). O jovem rei Conias não teve descendentes, embora a família real tivesse. Mas dificilmente ele poderia chamá-los de seus "filhos". Talvez as palavras sejam aquelas repetidas por advogados de seu retorno a Jerusalém, para ficar com o trono que estava nas mãos de Zedequias, com quem tantos estavam insatisfeitos. Mas isso, na realidade, nunca aconteceu. Ver Jr 28.1-4, quanto ao desejo de vê-lo retornar à Terra Prometida. Cf. Ez 7.27. Seja como for, Yahweh estava no controle, estabelecendo e derrubando. Ver Is 13.6, quanto à soberania divina. Ver no *Dicionário* o artigo chamado *Soberania.* Quanto à metáfora do vaso quebrado, ver também Sl 31.12 e Os 8.8. Cf. Rm 9.20-23 e contrastar com 2Tm 2.21.

Os seus filhos. Podem estar aqui em pauta os *filhos potenciais,* porquanto Conias nunca teve filhos. Nenhum descendente dele sentaria no trono de Davi (vs. 30). O fato de que ele nunca teve filhos aparentemente significa "filhos reconhecidos" como governantes potenciais, e não tanto "sem filhos" em um sentido absoluto, conforme podemos deduzir com base em 1Cr 3.17. Quanto à controvérsia sobre a questão, ver as notas no vs. 30.

A Resposta de Yahweh (22.29,30)

22.29

אֶרֶץ אֶרֶץ אָרֶץ שִׁמְעִי דְּבַר־יְהוָה׃ ס

Ó terra, terra, terra! Ouve a palavra do Senhor. Este versículo comporta o *convite dramático* de Jeremias para que a terra ouvisse o oráculo de Yahweh. O termo três vezes repetido, "Terra, terra, terra", mostra a natureza momentosa do evento a ser decretado por Yahweh e sua importância internacional. Cf. com as palavras "templo do Senhor" por três vezes repetidas em Jr 7.4. "A tríplice invocação visava emprestar *intensidade* ao chamado pedindo atenção ao anúncio sobre o fim da linhagem real, até onde diz respeito à descendência de Joaquim" (Fausset, *in loc.*). "Oh, terra! Terra infeliz! Terra desolada! Ouve o julgamento do Senhor" (Adam Clarke, *in loc.*). Quanto a tríplices menções fora do livro de Jeremias, cf. Is 6.3 e Ez 21.27.

22.30

כֹּה אָמַר יְהוָה כִּתְבוּ אֶת־הָאִישׁ הַזֶּה עֲרִירִי גֶּבֶר לֹא־יִצְלַח בְּיָמָיו כִּי לֹא יִצְלַח מִזַּרְעוֹ אִישׁ יֹשֵׁב עַל־כִּסֵּא דָוִד וּמֹשֵׁל עוֹד בִּיהוּדָה׃

Registrai este como se não tivera filhos. *Oráculo de Yahweh.* O ataque dos babilônios e o subsequente cativeiro (do qual Conias participou) realmente encerraram qualquer oportunidade de um monarca dele descendente subir ao trono de Judá. Foi Yahweh quem arranjou os acontecimentos para que saíssem daquela maneira. Conias tinha perdido quaisquer privilégios especiais (vss. 24-27). A rebeldia azedou sua vida e decepou suas potencialidades.

Os escribas que conservavam o registro das genealogias reais (ver Ez 13.9; Sl 69.27,28) foram instruídos a registrar Conias como um homem sem filhos. Assim sendo, nos anais e na mente divina, foi assim falado, como se ele estivesse esperando pela morte, para ver se as coisas realmente tomariam tal rumo.

Conias, com Filhos ou sem Filhos? Considere o leitor os três pontos seguintes:

1. Este versículo deixa claro que Conias não teve filhos. Podemos defender este versículo por causa de sua clareza, mas outras declarações, bíblicas e extrabíblicas, o contradizem. Poder-se-ia argumentar que o homem tinha apenas 18 anos de idade, pelo que ter sete filhos (ver 1Cr 3.17) seria impossível, a menos que esses filhos lhe tivessem nascido no cativeiro. Embora ele estivesse aprisionado por mais de trinta anos, é possível que o rei da Babilônia lhe tivesse permitido constituir família. "Como" isso teria acontecido, porém, é algo não revelado.

2. Em favor do fato de que Conias teve filhos, temos a afirmação igualmente clara de 1Cr 3.17. Ademais, os tabletes com escrita cuneiforme encontrados na Babilônia, que listam as rações dadas a *Yaukin* (ou seja, Joaquim), rei de Judá, mencionam cinco filhos dele.

3. Parece-nos, pois, que o fato de Conias não ter *filhos* diz respeito a qualquer filho que *governasse* após ele. Nesse sentido, ele não tinha filhos nem linhagem real nem sucessor. "A predição teve cumprimento em Conias por ser ele o *derradeiro* representante real da casa de Davi. O tio de Conias, Zedequias, que o sucedeu, pereceu antes dele (ver Jr 52.31). Ali o cetro de Judá desapareceu. Nem o próprio Zorobabel, seu neto, sentou-se no trono de Judá. Foi apenas um governador" (Ellicott, *in loc.*). O Messias, o Senhor Jesus Cristo, naturalmente veio a este mundo através dessa linhagem (ver Mt 1.11). Mas esse fato não estava dentro do escopo da visão de Jeremias. "Aqui terminou a linhagem dos reis da casa de Davi, até que veio o Rei Messias" (John Gill, *in loc.*).

CAPÍTULO VINTE E TRÊS

As seções do capítulo que temos à frente são: 1. *Vss. 1-8:* último dos oráculos que tratam dos reis de Israel (concluindo a seção de Jr 22.1-23.8). 2. *Vss. 9-12:* impiedade geral que dominava na Terra Prometida. 3. *Vss. 13-15:* más obras dos falsos profetas de Jerusalém. 4. *Vss. 16-22:* mensagem dos falsos profetas. 5. *Vss. 23-32:* sonhos mentirosos dos falsos profetas. 6. *Vss. 33-40:* discurso sobre a sentença de Yahweh.

RESTAURAÇÃO E GOVERNO IDEAL (23.1-8)

Esta seção encerra a coletânea dos oráculos que tratam dos reis de Israel, constituída pelo trecho de Jr 22.1—23.8. Aqui encontramos quatro novos oráculos: 1. ai dos falsos profetas (vss. 1,2); 2. promessa de Israel retornar à sua própria terra (vss. 3,4); 3. o renovo justo, uma profecia messiânica (vss. 5,6); 4. outra promessa do retorno de Israel à sua terra (vss. 7,8).

"*Vss. 1-8. Um Oráculo Messiânico.* Depois de haver repreendido os governantes (pastores; Jr 22.22 e Ez 34) por haverem espalhado Judá (rebanho de Deus), o Senhor prometeu estabelecer um membro justo (um renovo; Is 11.1 e Zc 3.8) da linhagem de Davi sobre um povo de Israel restaurado (Jr 30.9). Ele governaria de modo responsável perante Deus como rei (ver Is 9.2-7), e não como títere (conforme tinha feito Zedequias). Essa expectativa messiânica difere do nacionalismo militante posterior (Jr 16.14,15)" (*Oxford Annotated Bible,* comentando sobre o vs. 1).

"A mensagem concernente ao renovo justo (ver Jr 23.1-8). Jeremias sumariou os reis injustos como se eles fossem pastores que tinham destruído e espalhado as ovelhas de Deus. Os pastores mereciam punição por causa do mal que tinham praticado (cf. Ez 34.1-10). Mas, se Deus os removesse, a quem ele nomearia para reunir novamente suas ovelhas? Jeremias deu dupla resposta a essa pergunta. Em primeiro lugar, o próprio Deus reuniria o remanescente do povo que estava disperso, e o traria de volta. Ele assumiria a responsabilidade pelo ajuntamento de Israel (cf. Jr 31.10; Mq 2.12; 5.4 e 7.14). Em segundo lugar, Deus levantaria novos pastores, os quais cuidariam do povo da maneira tencionada por Deus" (Charles H. Dyer, *in loc.*).

Ai dos Pastores (23.1,2)

■ 23.1

הֹ֣וי רֹעִ֗ים מְאַבְּדִ֧ים וּמְפִצִ֛ים אֶת־צֹ֥אן מַרְעִיתִ֖י נְאֻם־יְהוָֽה׃

Ai dos pastores que destroem e dispersam as ovelhas do meu pasto! *Os pastores* (reis) se tinham mostrado desleais à sua incumbência. Em vez de recolher e proteger as ovelhas, eles as espalharam e prepararam o caminho para a destruição diante do lobo babilônico. O termo "pastor" provavelmente é amplo o bastante para incluir a *liderança*, não meramente a dos reis; e o tempo do oráculo parece ser aquele de Zedequias. Cf. Ez 34, que foi escrito mais ou menos na mesma época. Talvez estejam em foco os últimos quatro reis: Salum, Jeoaquim, Conias e Zedequias (ver Ez 34.2). Esses homens tinham promovido a idolatria-adultério-apostasia de Judá, garantindo assim a retribuição divina que acabou reduzindo a nada a nação de Judá.

■ 23.2

לָ֠כֵן כֹּֽה־אָמַ֨ר יְהוָ֜ה אֱלֹהֵ֣י יִשְׂרָאֵ֗ל עַֽל־הָרֹעִים֮ הָרֹעִ֣ים אֶת־עַמִּי֒ אַתֶּ֞ם הֲפִצֹתֶ֤ם אֶת־צֹאנִי֙ וַתַּדִּח֔וּם וְלֹ֥א פְקַדְתֶּ֖ם אֹתָ֑ם הִנְנִ֨י פֹקֵ֧ד עֲלֵיכֶ֛ם אֶת־רֹ֥עַ מַעַלְלֵיכֶ֖ם נְאֻם־יְהוָֽה׃

Vós dispersastes as minhas ovelhas, e as afugentastes. Os pastores não eram apenas indiferentes para com as ovelhas. Antes, eram ativamente prejudiciais. Eles não as alimentavam; eles as espalhavam; eles as afugentaram para terem de enfrentar os lobos; eles não as recolheram (visitaram) para cuidar de suas necessidades. Por não havê-las visitado, provocaram a *visita* da potência do norte que deixou a terra desolada. Quanto à potência vinda do norte, ver Jr 1.13-15; 4.5-31; 5.15-17; 6.22,26; 8.14-17; 10.21; 13.20-27; 15.12 e 16.15. Esse foi o mal final que significou o aniquilamento do rebanho.

A *visitação* seria divina, mas realizada através de instrumentos humanos (ver Is 13.6). Seria uma visitação caracterizada pela ira (ver Êx 32.34). Se a liderança de Judá tivesse cuidado do rebanho, este não teria mergulhado em sua degradação através da idolatria e da injustiça social, e a causa poderia ter sido salva. Mas Judá tornou-se a esposa adúltera (ver Jr 3.1—2,12), que foi rejeitada e desonrada pela concupiscência de seus amantes.

O Recolhimento de Israel (23.3,4)

■ 23.3

וַאֲנִ֗י אֲקַבֵּץ֙ אֶת־שְׁאֵרִ֣ית צֹאנִ֔י מִכֹּל֙ הָאֲרָצ֔וֹת אֲשֶׁר־הִדַּ֥חְתִּי אֹתָ֖ם שָׁ֑ם וַהֲשִׁבֹתִ֥י אֶתְהֶ֛ן עַל־נְוֵהֶ֖ן וּפָר֥וּ וְרָבֽוּ׃

Eu mesmo recolherei o restante das minhas ovelhas. Encontramos aqui o *segundo* de quatro pequenos oráculos dos vss. 1-8. Vai além do retorno dos exilados na Babilônia e parece atingir a era do reino, durante o milênio, um acontecimento necessário para que haja aquela realização. Embora os profetas do Antigo Testamento não vissem a dispersão romana, a potência ocidental, viram que antes de entrar em sua época áurea Israel deverá ser restaurado *de todas as nações* por onde tem vagueado. "Os vss. 3,4 predizem a volta do rebanho de Israel das terras para onde eles foram expulsos, com *bons pastores* para dirigi-los. Os versículos pressupõem a dispersão dos judeus" (James Philip Hyatt, *in loc.*, o qual supõe que o editor deuteronômico tenha produzido o oráculo). Por outra parte, não há razão para supor que Jeremias não fosse capaz de olhar para tão além da linha do horizonte e ver tais eventos, embora sua visão lhe tivesse sido dada em largas pinceladas, sem detalhes. Cf. Ez 34. Cf. também Is 1.9; 6.13; 54.13 e 60.21.

■ 3.4

וַהֲקִמֹתִ֧י עֲלֵיהֶ֛ם רֹעִ֖ים וְרָע֑וּם וְלֹא־יִֽירְא֨וּ ע֤וֹד וְלֹא־יֵחַ֙תּוּ֙ וְלֹ֣א יִפָּקֵ֔דוּ נְאֻם־יְהוָֽה׃ ס

Levantarei sobre elas pastores que as apascentem. *Essencial à restauração* é a provisão de pastores apropriados. Esses reverterão os males praticados pelos maus pastores (vs. 1), alimentando o rebanho através do retorno à palavra de Deus e da restauração dos valores antigos; temores do inimigo serão assim eliminados, porquanto Yahweh será novamente o protetor. O grande Pastor por trás da cena é Yahweh, e ele cuidará para que nada falte às suas ovelhas. No Messias, a linhagem davídica será reconduzida ao trono de Israel, e ele será o principal Pastor. Essa ideia é dada no vs. 5 deste capítulo. Zorobabel, Esdras, Neemias e os macabeus (pelo menos durante algum tempo) seriam pastores bons, mas apenas tipos de coisas melhores por vir. Cf. Jo 10.28.

O Renovo Justo (23.5,6)

■ 23.5

הִנֵּ֨ה יָמִ֤ים בָּאִים֙ נְאֻם־יְהוָ֔ה וַהֲקִמֹתִ֥י לְדָוִ֖ד צֶ֣מַח צַדִּ֑יק וּמָ֤לַךְ מֶ֙לֶךְ֙ וְהִשְׂכִּ֔יל וְעָשָׂ֛ה מִשְׁפָּ֥ט וּצְדָקָ֖ה בָּאָֽרֶץ׃

Eis que vêm dias, diz o Senhor, em que levantarei a Davi um Renovo justo. Temos aqui o *terceiro* de quatro pequenos oráculos, que aparecem em Jr 23.1-8. Este oráculo claro e abertamente messiânico é repetido em Jr 33.15,16. O epíteto *Renovo* é um título messiânico. Ver Zc 3.8; 6.12 e cf. Is 4.2 e 11.1. Alguns estudiosos pensam que a época de Jeremias é um período muito inicial para que houvesse uma doutrina verdadeiramente messiânica, mas isso é contradito pelas profecias de Isaías (que viveu antes de Jeremias e tinha muitas mensagens messiânicas para serem entregues). O renovo de Davi foi cortado na pessoa de Conias (ver Jr 22.30), mas dentro de sua linhagem (ver Mt 1.11) haveria total restauração. O Messias haveria de vir da linhagem de Davi e governaria em seu trono. Note o leitor a frase universalista aqui, "na terra". O governo do Messias não será provincial. Haverá de *prosperar* (ver Is 52.13; 53.10) e será um governo de retidão (ver Is 53.11; Dn 9.14 e Zc 9.9). O Messias será a própria retidão (ver 1Co 1.30). Ele *executará a justiça* (Sl 72.2; Is 9.7 e 32.1,38). Ver no *Dicionário* o detalhado artigo intitulado *Messias*. Ver também, na *Enciclopédia de Bíblia, Teologia e Filosofia*, o verbete chamado *Profecias Messiânicas Cumpridas em Jesus*.

■ 23.6

בְּיָמָיו֙ תִּוָּשַׁ֣ע יְהוּדָ֔ה וְיִשְׂרָאֵ֖ל יִשְׁכֹּ֣ן לָבֶ֑טַח וְזֶה־שְּׁמ֥וֹ אֲֽשֶׁר־יִקְרְא֖וֹ יְהוָ֥ה ׀ צִדְקֵֽנוּ׃ ס

Nos seus dias Judá será salvo, e Israel habitará seguro. A era do reino de Deus trará salvação nacional a todo o povo de Israel. Ver Rm 11.26. Através de Israel, o remanescente de outras nações também será levado à salvação, visto que o conhecimento do Senhor cobrirá a terra como os oceanos enchem o leito dos mares (ver Is 11.9). O Messias assumirá o título de O Senhor Justiça Nossa no tocante a todas as nações. Cf. 1Co 1.30. A vontade de Deus será realizada *universalmente* no Messias, que cumprirá toda a justiça (ver Mt 3.15). Ver no *Dicionário* o artigo chamado *Salvação*. Cf. Rm 4.5 e Is 45.17,24,25; 46.13; 51.1,6,8. Se, nos dias do Antigo Testamento, a retidão era buscada através da observância da lei mosaica, pois a lei era o guia de Israel (ver Dt 6.4 ss.), nos tempos neotestamentários, a retidão vem através de uma Pessoa e sua provisão por meio do Espírito Santo, que nos transforma em sua imagem (ver 2Co 3.18; Rm 8.29; 1Jo 3.2). Esse tipo de operação continuará na era do Reino e será universal, pois o Messias reinará.

Outra Promessa de Restauração a Israel (23.7,8)

■ 23.7,8

לָכֵ֛ן הִנֵּֽה־יָמִ֥ים בָּאִ֖ים נְאֻם־יְהוָ֑ה וְלֹא־יֹ֤אמְרוּ עוֹד֙ חַי־יְהוָ֔ה אֲשֶׁ֧ר הֶעֱלָ֛ה אֶת־בְּנֵ֥י יִשְׂרָאֵ֖ל מֵאֶ֥רֶץ מִצְרָֽיִם׃

כִּי אִם־חַי־יְהוָה אֲשֶׁר הֶעֱלָה וַאֲשֶׁר הֵבִיא אֶת־זֶרַע
בֵּית יִשְׂרָאֵל מֵאֶרֶץ צָפוֹנָה וּמִכֹּל הָאֲרָצוֹת אֲשֶׁר
הִדַּחְתִּים שָׁם וְיָשְׁבוּ עַל־אַדְמָתָם: ס

Tão certo como vive o Senhor, que fez subir os filhos de Israel da terra do Egito. Cf. os vss. 3,4. Os vss. 7,8 constituem o *quarto* oráculo dos vss. 1-8. Ver o mesmo oráculo em Jr 16.14,15. Provavelmente o oráculo presente foi entregue em um tempo diferente do que o oráculo dos vss. 3,4, embora fale sobre o mesmo assunto. Jeremias, ou algum editor posterior, reuniu os oráculos nesta seção. As palavras, "eis que vêm dias" acenavam com uma esperança para o futuro. Esse futuro é definido por aquilo que foi prometido. Haverá então livramento universal, um novo ato de Deus paralelo ao livramento que houve no Egito. Dou a exposição deste oráculo em Jr 16.14,15 e não repito o material aqui. O oráculo também foi posto em um lugar diferente. No capítulo 16, parece estar fora de lugar; a Septuaginta omite esse oráculo aqui, mas o coloca impropriamente depois de Jr 23.40. Na presente seção, duplica um oráculo que já havia sido dado (vss. 3,4); mas a duplicação se dá em sua *essência*, e não quanto ao fraseado. Sua posição original provavelmente é nesta presente passagem. Pode ter sido tirado de onde estava, porque a seção já continha tal profecia.

ORÁCULOS CONCERNENTES AOS PROFETAS (23.9-40)

A Impiedade Geral da Terra (23.9-12)

■ **23.9**

לַנְּבִאִים נִשְׁבַּר לִבִּי בְקִרְבִּי רָחֲפוּ כָּל־עַצְמוֹתַי הָיִיתִי
כְּאִישׁ שִׁכּוֹר וּכְגֶבֶר עֲבָרוֹ יָיִן מִפְּנֵי יְהוָה וּמִפְּנֵי
דִּבְרֵי קָדְשׁוֹ:

Acerca dos profetas. O meu coração está quebrantado. Esta seção apresenta uma coletânea de mensagens de Jeremias a respeito dos profetas. É possível que Baruque, secretário de Jeremias, as tenha compilado. Listei *cinco* oráculos distintos na introdução ao capítulo, primeiro parágrafo. A seguir, dou títulos apropriados para cada oráculo. Aqui faz-se ausente a edição deuteronômica. Note o leitor que esta coletânea foi posta imediatamente após a seção contra os governantes (ver Jr 22.10—23.2).

"Este livro de Jeremias, mais do que qualquer outro, refere-se aos profetas 'falsos' (ver Jr 2.8; 5.30,31; 6.13,14; 8.10,11; 14.13-15; 18.18-23; 26.8,11,16; 27.1-28—28.16 e a presente seção). É provável que os profetas fossem incomumente numerosos em Jerusalém, durante a época da carreira de Jeremias, visto que a reforma deuteronômica de 621 a.C. envolveu a remoção de muitos profetas cultuais e sacerdotes dos santuários locais para a capital. Um forte senso de chamamento profético tornou Jeremias sensível ao que ele considerava hipocrisias e fracassos de outros profetas" (James Philip Hyatt, *in loc.*).

Os *falsos profetas* se opunham unanimemente às profecias pessimistas e condenatórias de Jeremias, conforme demonstram as referências que acabamos de dar. Eles continuavam a falar em "paz, paz" (ver Jr 6.14 e 8.11).

Acusações Específicas aos Profetas. 1. Eles promoviam Baal, e não Yahweh (vs. 13). Provavelmente, muitos profetizavam *falsamente* em nome de Yahweh. Eles defendiam um sincretismo doentio. 2. Eles tinham baixo caráter moral, sendo incapazes de exercer verdadeira liderança (vs. 15). 3. Eles perpetravam falsas profecias, inclusive aquela que prometia "paz" (vss. 16,17). Cf. Jr 28.8,9. 4. Eles não eram inspirados por Yahweh (vs. 21). Yahweh não os enviara, como pelo menos alguns deles asseveravam. Eles imaginavam suas profecias (vs. 25 ss.). 5. Eles se transformaram em um peso prejudicial em Judá (vs. 33) e seriam devidamente eliminados. 6. Eles pervertiam as palavras de Yahweh e as substituíam por suas próprias palavras (vs. 36). 7. O julgamento deles estava assegurado (vss. 39,40).

O primeiro dos *cinco* oráculos contra os falsos profetas mostra-nos que eles, juntamente com os sacerdotes, estavam envolvidos em profunda iniquidade, e por causa disso teriam de pagar pesadamente na passagem do tempo. Eles eram culpados de cometer impiedades até mesmo dentro do templo de Jerusalém.

Os vss. 9-12 registram a profunda tristeza do profeta, enquanto ele contemplava a confusão na qual viviam os profetas e a confusão a que eles tinham reduzido a nação de Judá. Esses versículos também servem como introdução aos cinco oráculos, que incluem os profetas e sacerdotes (vs. 11). A contemplação de sua profunda depravação (descrita no restante do capítulo) quebrava o coração de Jeremias, abalava todos os seus ossos, deixava-o como um homem embriagado que girasse estonteado por causa de um golpe na cabeça. O "vinho" da iniquidade deles deixava o profeta zonzo. O profeta comparava a santidade de Yahweh com o caráter e a conduta deles, e sabia que em algum tempo, em algum lugar, o relâmpago divino haveria de feri-los. As quatro cláusulas descrevem os variegados fenômenos de horror e espanto que desciam sobre a mente do profeta quando ele contrastava a santidade de Deus com a depravação dos profetas e sacerdotes. As *palavras de santidade* de Deus eram ameaçadoras. O exército babilônico haveria de limpar a sujeira. A expressão demonstra vividamente a *sensibilidade* do profeta diante tanto do pecado como da santidade, bem como diante do horror que o pecado inevitavelmente produz.

■ **23.10**

כִּי מְנָאֲפִים מָלְאָה הָאָרֶץ כִּי־מִפְּנֵי אָלָה אָבְלָה
הָאָרֶץ יָבְשׁוּ נְאוֹת מִדְבָּר וַתְּהִי מְרוּצָתָם רָעָה
וּגְבוּרָתָם לֹא־כֵן:

A terra está cheia de adúlteros. A palavra "adúlteros" deve ser compreendida em duplo sentido: 1. A *idolatria* como um adultério espiritual, equação comum do Antigo Testamento. 2. O adultério literal (ver as notas em Jr 3.13). Isso ocorria principalmente nos *lugares altos*, onde havia ídolos e casais praticando sexo ilícito debaixo de cada árvore.

Os deuses de fertilidade dos cananeus estavam sendo "honrados" pelo deboche, o que fazia girar a cabeça de Jeremias, quando ele pensava na questão. O povo de Judá abandonara totalmente o yahwismo e a lei de Moisés, sendo que esta última, supostamente, era o *guia* do povo de Israel (ver Dt 6.4 ss.).

Por causa da maldição divina. Julgamentos preliminares antecederam a invasão das hostes babilônicas e a deportação do povo judeu. Entre esses julgamentos iniciais estavam a seca e a fome acompanhante, e a pestilência. Ver Jr 9.10; 12.4; 14.1-6,22. Cf. Dt 28.23,24. A despeito dos castigos divinos, porém, os judeus persistiram em suas veredas iníquas que contradiziam a lei, a qual, sendo eles um povo em relação de aliança de Deus, supostamente deveriam seguir. Ver sobre o *pacto mosaico* na introdução a Êx 19. Quanto ao contraste entre os caminhos dos ímpios e dos piedosos, ver a nota de sumário em Pv 4.27. Ver no *Dicionário* o artigo chamado *Caminho*.

■ **23.11**

כִּי־גַם־נָבִיא גַם־כֹּהֵן חָנֵפוּ גַּם־בְּבֵיתִי מָצָאתִי רָעָתָם
נְאֻם־יְהוָה:

Pois estão contaminados, assim o profeta como o sacerdote. A liderança espiritual inteira, constituída pelos profetas e pelos sacerdotes, era de indivíduos "profanos" (*King James Version*); "ímpios" (*Revised Standard Version*), "contaminados" (Atualizada). Eles poluíram e profanaram até o templo, com seu sincretismo doentio, o yahwismo misturado com várias formas de paganismo. Cf. Ez 23.39; Sf 3.4. Aqueles réprobos levantaram altares dedicados a vários ídolos no interior do templo (2Rs 23.12; Ez 8.3-16). Ver Jr 7.30: "Puseram os seus ídolos abomináveis na casa que se chama pelo meu nome, para a contaminarem".

■ **23.12**

לָכֵן יִהְיֶה דַרְכָּם לָהֶם כַּחֲלַקְלַקּוֹת בָּאֲפֵלָה יִדַּחוּ
וְנָפְלוּ בָהּ כִּי־אָבִיא עֲלֵיהֶם רָעָה שְׁנַת פְּקֻדָּתָם נְאֻם־
יְהוָה:

Portanto o caminho deles será como lugares escorregadios na escuridão. A vereda que eles tinham traçado era perigosa, prejudicial e, finalmente, fatal. Era um caminho escorregadio e escuro, garantindo uma queda fatal. O poder divino os seguiria, fazendo-os caminhar por aquela vereda, até que um ferimento qualquer fosse o resultado. Tudo isso equivale a dizer que Deus os *conduziria ao desastre,* como resultado final de terem escolhido a vereda errada. Ver no *Dicionário* o verbete intitulado *Caminho,* assim como a nota de sumário sobre as veredas boa e má, em Pv 4.27. Cf. este versículo com Sl 35.6 e 73.18, que têm declarações similares. Ver também Jr 13.16 e Pv 4.19. No caso de Judá, a queda *fatal* seria a invasão, o saque e a matança provocados pela invasão babilônica, bem como pelo cativeiro dos poucos sobreviventes. E até mesmo na Babilônia a espada os seguiria para dar prosseguimento à matança (ver Jr 9.16).

Caracterização da Impiedade dos Profetas (23.13-15)

■ 23.13,14

וּבִנְבִיאֵי שֹׁמְרוֹן רָאִיתִי תִפְלָה הִנַּבְּאוּ בַבַּעַל וַיַּתְעוּ אֶת־עַמִּי אֶת־יִשְׂרָאֵל׃ ס

וּבִנְבִאֵי יְרוּשָׁלִַם רָאִיתִי שַׁעֲרוּרָה נָאוֹף וְהָלֹךְ בַּשֶּׁקֶר וְחִזְּקוּ יְדֵי מְרֵעִים לְבִלְתִּי־שָׁבוּ אִישׁ מֵרָעָתוֹ הָיוּ־לִי כֻלָּם כִּסְדֹם וְיֹשְׁבֶיהָ כַּעֲמֹרָה׃ ס

Nos profetas de Samaria bem vi eu loucura. Este é o *segundo* dos oráculos contra os profetas que compõem a seção de Jr 23.9-40. "O pecado dos profetas de Jerusalém é maior que o pecado dos profetas de Samaria. Estes últimos profetizavam por um deus falso; mas os profetas de Jerusalém profetizavam por Yahweh e, no entanto, cometiam adultério e andavam mentindo, e até fortaleciam as mãos dos malfeitores por seus fracassos morais" (James Philip Hyatt, *in loc.*). *Samaria* indicava o reino do norte (as dez tribos, sendo que Samaria era a capital do país). Já fazia muitos anos agora que aquela nação havia sido dizimada, saqueada e deportada pelos assírios. E eles jamais voltaram à Terra Prometida. Os pecados deles eram grandes e muitos, mas Judá conseguiu ultrapassá-los quanto à impiedade. Samaria caiu em um paganismo simples. O pecado deles era a *loucura,* a insensatez. Judá, porém, tinha um pecado mais versátil, que o profeta chamou de *coisa horrenda*. Eles promoveram tanto o adultério espiritual quanto o adultério literal com seu culto sincretista (vs. 11). Mentiam em todos os sentidos, pervertendo a doutrina de Yahweh e substituindo-a por doutrinas pagãs. Eles tinham prazer em ser réprobos e ajudavam outros a praticar as mesmas ações. Cf. isso com Rm 12.32: "... não somente as fazem mas também aprovam os que assim procedem".

Ver também Mt 23.15 quanto a algo similar. Eles se tornaram tão maus que provocaram uma comparação com Sodoma e Gomorra, cujos habitantes, pecadores proverbiais, levaram Deus a destruí-los mediante o fogo. Ver Gn 13; Dt 32.32 e Is 1.9,10. "Quanto às *palavras,* eles eram piores do que os profetas de Baal, em Samaria. Quanto às *ações,* eram piores que os habitantes de Sodoma e Gomorra" (*Oxford Annotated Bible,* comentando sobre o vs. 13). Cf. este versículo com Ez 13.22.

■ 23.15

לָכֵן כֹּה־אָמַר יְהוָה צְבָאוֹת עַל־הַנְּבִאִים הִנְנִי מַאֲכִיל אוֹתָם לַעֲנָה וְהִשְׁקִתִים מֵי־רֹאשׁ כִּי מֵאֵת נְבִיאֵי יְרוּשָׁלִַם יָצְאָה חֲנֻפָּה לְכָל־הָאָרֶץ׃ פ

Eis que os alimentarei com absinto e lhes darei a beber água venenosa. O Poder Supremo (o *Senhor dos Exércitos*) não permitiria que aqueles profetas escapassem, depois de suas perversões. Quanto a esse título divino, ver 1Rs 15.18 e o artigo no *Dicionário.* Aqueles miseráveis seriam forçados a comer *absinto,* a substância mais amarga conhecida pelo homem. Para lavar a boca do absinto, teriam de beber *fel*. Isso se faria pagar pela *contaminação* de uma nação inteira por sua liderança espiritual pervertida Cf. Jr 9.15 e Lm 3.15,19. Ver no *Dicionário* os verbetes chamados *Absinto* e *Fel.* No texto presente, esses são símbolos de julgamentos severos, especificamente o ataque, a matança, o saque e a deportação do exército babilônico.

Essência da Mensagem dos Falsos Profetas (23.16-22)

■ 23.16

כֹּה־אָמַר יְהוָה צְבָאוֹת אַל־תִּשְׁמְעוּ עַל־דִּבְרֵי הַנְּבִאִים הַנִּבְּאִים לָכֶם מַהְבִּלִים הֵמָּה אֶתְכֶם חֲזוֹן לִבָּם יְדַבֵּרוּ לֹא מִפִּי יְהוָה׃

Não deis ouvidos às palavras dos profetas que entre vós profetizam. Este é o *terceiro* oráculo da coletânea que há na seção dos vss. 9-40. Todos esses oráculos atacam os falsos profetas de alguma maneira. Enquanto Jeremias previa a guerra, a fome, a seca e a pestilência, por causa dos pecados de Judá, os falsos profetas falavam em paz e prosperidade (ver Jr 6.14 e 8.11). Jeremias era inspirado por Yahweh, mas aqueles mentirosos tinham visões e sonhos falsos, que procediam de suas próprias psiques. Naqueles tempos horríveis, nada havia de bom para ser previsto. Não devemos compreender que os falsos profetas "criaram" ou inventaram tudo quanto diziam, enganando propositadamente o povo. Pelo contrário, devemos entender que eles tinham sonhos e visões falsas. A maior parte desses sonhos e dessas visões era criada pelos próprios profetas, pois o homem tem o poder psíquico de produzir tais coisas. O texto não fala de poderes demoníacos, que algumas vezes podem estar por trás de profecias falsas. Eles eram profetas de palha, não de trigo (vs. 29).

Note o leitor o título divino de poder e autoridade: o *Senhor dos Exércitos*. Ver sobre isso em 1Rs 15.18 e no *Dicionário*. O Poder Supremo, pois, solicitou que o povo de Judá não ouvisse as palavras dos falsos profetas, que estavam desviando as massas com suas falsas promessas de paz e segurança. Nem todo o homem que entra em transe tem algo para dizer digno de atenção. Seu transe pode ser auto-induzido, e não induzido por Deus. Sua mensagem pode originar-se em sua própria psique, e não no Espírito Santo. Estudos modernos demonstram que uma visão não é prova da verdade. As visões podem ser produções totalmente humanas, podem ser demoníacas, ou podem ser divinas, o que significa que os espíritos devem ser submetidos a teste (ver 1Jo 4.1). Os místicos verdadeiros duvidam de suas visões e as submetem a teste. Ver no *Dicionário* o artigo chamado *Misticismo*. Há um misticismo verdadeiro, e há um misticismo falso. Cf. este versículo com Jr 2.5; 14.14; 2Rs 17.15; Jn 2.8. Ver especialmente as notas expositivas em Jr 14.14, versículo diretamente paralelo.

■ 23.17

אֹמְרִים אָמוֹר לִמְנַאֲצַי דִּבֶּר יְהוָה שָׁלוֹם יִהְיֶה לָכֶם וְכֹל הֹלֵךְ בִּשְׁרִרוּת לִבּוֹ אָמְרוּ לֹא־תָבוֹא עֲלֵיכֶם רָעָה׃

Dizem continuamente aos que me desprezam: O Senhor disse: Paz tereis. Uma característica que desagradava nos falsos profetas era que eles tratavam gentilmente os pecadores, consolando-os com falsidades. Em vez de proferir maldições contra eles, prometiam aos pecadores segurança, conforto e prosperidade. *Continuamente* espalhavam suas falsidades entre as massas populares, que eram enganadas por eles. Até os que *desprezavam* a Yahweh, apostatando dele, recusando-se a obedecer à sua lei e a pôr em prática o seu culto, os falsos profetas confortavam, predizendo-lhes paz. Dessa forma, eles contradiziam a *Lei Moral da Colheita segundo a Semeadura* (ver a respeito no *Dicionário*). Ademais, eles consolavam os que andavam abertamente na iniquidade, seguindo as vãs imaginações do próprio coração (ver Gn 6.5), em vez de seguir os mandamentos da legislação mosaica. E também afirmavam que nenhum mal sobreviria aos pecadores. Cf. Jr 13.10 e Zc 10.2. Suas falsas mensagens deveriam bastar para revelar a falsidade de suas profecias. O povo de Judá, entretanto, preferia deixar-se enganar, pois não queria mudar de conduta. Os falsos profetas serviam lixo para o povo comer, mas o povo parecia gostar.

■ 23.18

כִּי מִי עָמַד בְּסוֹד יְהוָה וְיֵרֶא וְיִשְׁמַע אֶת־דְּבָרוֹ מִי־הִקְשִׁיב דְּבָרִי וַיִּשְׁמָע׃ ס

Porque, quem esteve no conselho do Senhor, e viu e ouviu a sua palavra? Aquele que está vivendo no *conselho do Senhor* ouve o que ele tem a dizer e lhe é obediente. E passa os mesmos conselhos a outras pessoas. A imagem é a de um rei oriental cujos ministros se postam em derredor, enquanto ele, sentado no trono, delibera. A tradução inglesa NCV diz aqui "anjos", em vez de "conselho", e, assim sendo, remete a questão ao conselho celestial, no qual um homem, através de uma visão, pode ouvir a palavra do Senhor. Mas os falsos profetas jamais poderiam ouvir as deliberações divinas com suas falsas visões. Por conseguinte, jamais poderiam ser instrumentos da revelação da vontade de Deus. Os verdadeiros profetas, por outro lado, têm acesso ao conselho de Deus e, de fato, são representantes terrenos escolhidos para receber comunicações divinas. Cf. este versículo com Jó 15.8; Gn 18.17; Sl 25.14; Am 3.17; Jo 15.15 e 1Co 2.16. "Quem deles jamais ouviu uma palavra da minha parte? Minha palavra não está neles" (Adam Clarke, *in loc.*).

■ 23.19

הִנֵּה ׀ סַעֲרַת יְהוָה חֵמָה יָצְאָה וְסַעַר מִתְחוֹלֵל עַל רֹאשׁ רְשָׁעִים יָחוּל׃

Eis a tempestade do Senhor! Em vez de participarem do conselho de Deus, para ouvirem e então transmitirem palavras graciosas, a tempestade do Senhor haveria de arrebatar os maus profetas; como um redemoinho que se manifestasse sobre a cabeça deles, essa tempestade lhes tiraria a vida física. A tempestade é uma figura simbólica da *ira de Deus* (vs. 20). Os vss. 19,20 são duplicações de Jr 30.23,24. Está em pauta o ataque repentino do exército babilônico, embora julgamentos preliminares tivessem atuado como tempestades secundárias. Talvez a figura simbólica em mente tenha sido o feroz vento oriental, o sopro vindo do deserto. Ver no *Dicionário* o artigo chamado *Vento Oriental*.

■ 23.20

לֹא יָשׁוּב אַף־יְהוָה עַד־עֲשֹׂתוֹ וְעַד־הֲקִימוֹ מְזִמּוֹת לִבּוֹ בְּאַחֲרִית הַיָּמִים תִּתְבּוֹנְנוּ בָהּ בִּינָה׃

Não se desviará a ira do Senhor, até que ele execute e cumpra os desígnios do seu coração. A tempestade é a ira de Deus. Essa tempestade, tal como o feroz vento oriental, não pode soprar ao contrário pela vontade do homem. Continuará soprando até o fim, e a vontade de Deus, por semelhante modo, destruirá e só parará quando tiver terminado seu curso. O curso depende da intenção da mente divina, porquanto nada existe de arbitrário nos julgamentos divinos.

Nos últimos dias. Alguns intérpretes, por causa dessas três palavras, fazem a profecia ser *escatológica,* supondo que estão em pauta os juízos divinos que ocorrerão antes da inauguração da era do reino de Deus. Mas a tradução inglesa NCV parece estar com a razão quando diz: "Quando aquele dia terminar, entendereis isso claramente". Isso faz a predição apontar para o tempo em que Jeremias ainda estaria vivo para testificar o julgamento de Deus e seu fim. Então ele compreenderia plenamente os propósitos de Deus nesse julgamento. Em outras palavras, o ataque dos babilônios está em foco aqui. Jeremias veria esse ataque acontecer e sobreviveria a ele. E então o que ele profetizara a respeito seria plenamente compreendido. Mas talvez, segundo alguns estudiosos, a compreensão seja do povo que estaria sofrendo a ira de Deus. Então Judá reconheceria, mediante pura observação, quem eram os falsos profetas, e que Jeremias estava com a razão o tempo todo. Outrossim, eles seriam capazes de perceber *por qual* razão Deus agira daquela maneira, e quais benefícios teriam derivado dos acontecimentos, mediante o refinamento de um pequeno remanescente que se tornaria o novo Israel no novo dia após o exílio.

■ 23.21

לֹא־שָׁלַחְתִּי אֶת־הַנְּבִאִים וְהֵם רָצוּ לֹא־דִבַּרְתִּי אֲלֵיהֶם וְהֵם נִבָּאוּ׃

Não mandei esses profetas, todavia eles foram correndo. Os *falsos profetas* não eram capazes de penetrar nos céus e ouvir a palavra de Yahweh sendo pronunciada diante de seus anjos, para então trazer uma mensagem de volta à terra (vs. 18); ele não lhes comissionara para cumprir na terra a sua missão; no entanto, eles corriam por toda a parte do país, falando o que tinham imaginado em sua mente e atribuindo a isso o nome de "profecia". Eles agiam como se fossem homens inspirados, mas apenas se julgavam inspirados e enviados por Yahweh. Portanto, falavam uma mensagem mentirosa que enganou um país inteiro. Antes de tudo, eles se enganaram a si mesmos e se tomaram por demais a sério, pensando ter alguma espécie de chamamento divino.

■ 23.22

וְאִם־עָמְדוּ בְּסוֹדִי וְיַשְׁמִעוּ דְבָרַי אֶת־עַמִּי וִישִׁבוּם מִדַּרְכָּם הָרָע וּמֵרֹעַ מַעַלְלֵיהֶם׃ ס

Mas se tivessem estado no meu conselho, então teriam feito ouvir as minhas palavras ao meu povo. Se tivessem participado do conselho divino (vs. 18), teriam proferido diferente mensagem: a condenação iminente que exigia arrependimento. Teriam falado como Jeremias e pronunciado a *verdade* dos fatos. E então talvez alguns dentre o povo de Judá tivessem seguido os mandamentos de Yahweh, impedindo o ataque dos babilônios, com sua matança e o cativeiro subsequente. A prova da falsidade da mensagem deles foi o falso resultado logrado. Portanto, eles se tornaram "conhecidos" por suas obras negativas, que não produziam santidade nem retorno à obediência à lei de Moisés. Cf. Mt 7.15-20. A mensagem e o ministério deles em nada contribuiu para fazer parar a idolatria-adultério-apostasia de Judá.

Os Sonhos Mentirosos dos Falsos Profetas (23.23-32)

■ 23.23

הַאֱלֹהֵי מִקָּרֹב אָנִי נְאֻם־יְהוָה וְלֹא אֱלֹהֵי מֵרָחֹק׃

Acaso sou Deus apenas de perto, diz o Senhor, e não também de longe? Este é o *quarto* oráculo da coletânea desta seção, vss. 9-44. Todos esses oráculos atacam os falsos profetas de alguma maneira. Jeremias previa condenação, ataque, matança, saque e cativeiro, tudo provocado pelos babilônios. Os falsos profetas previam paz e prosperidade (ver Jr 6.14; 8.11). Eles tinham tanto visões quanto sonhos que lhes prestavam falsas informações, mostrando que as suas experiências místicas, de qualquer tipo que fossem, eram fraudulentas. Ver a introdução ao vs. 16 quanto a outros comentários que também têm aplicação aqui. A maior parte das religiões supõe que exista tal coisa como um verdadeiro *sonho profético*, o equivalente geral das visões. Ver Jr 1.11-14. Ver no *Dicionário* o artigo detalhado chamado *Sonhos*. Estudos modernos no campo dos sonhos demonstram que os sonhos de conhecimento prévio são um acontecimento psíquico comum, e que todas as pessoas têm esse tipo de sonho, embora poucas saibam interpretá-los. As experiências místicas confirmam que alguns sonhos podem ser como as visões, válidos na previsão do futuro e transmissores de instruções espirituais.

> *E acontecerá depois que derramarei o meu Espírito sobre toda a carne: vossos filhos e vossas filhas profetizarão, vossos velhos sonharão, e vossos jovens terão visões.*
>
> Joel 2.28

Mas esses estudos modernos também demonstram que a maioria dos sonhos consiste apenas em "cumprimentos de desejos", e que muitos dos alegados sonhos precognitivos não são mais do que "sonhar com aquilo que se gostaria de ver acontecer". As experiências místicas também confirmam que um sonho pode ser o veículo de uma falsa mensagem, por mais maravilhoso, inspirador e incomum que seja. Por conseguinte, temos de tratar os sonhos da mesma maneira que tratamos as visões — devemos testá-los, e não acreditar neles sem fazer um bom exame.

Assim como as visões podem ser autoproduzidas, os sonhos também podem ser autocriados, mediante o cumprimento de desejos. Mas os falsos profetas desconheciam essas coisas e continuavam a derramar seus sonhos sobre as pessoas, como se isso exprimisse a *própria verdade*. Temos aprendido que tanto os sonhos como as visões se prestam facilmente a abusos e que as pessoas levam essas coisas a sério demais. E assim terminam enganando a si mesmas, além de enganar a outras pessoas. Uma visão e um sonho podem ser uma ilusão produzida por nossa própria mente (vs. 16).

Deus é um Deus próximo; ele é imanente. Ver no *Dicionário* o artigo chamado *Imanência de Deus*. Naturalmente, ele também está "distante", sendo "totalmente outro". Deus é transcendental. Ver no *Dicionário* o verbete denominado *Transcendente, Transcendência, Transcendentais*. Deus está em toda parte e em todas as coisas, o que significa que um homem não pode ocultar-se dele. O caráter real de Deus é conhecido da mente divina. O ponto da declaração aqui é que Deus tinha plena consciência do que eram os profetas falsos, do que diziam e de como fingiam ser o que não eram. Deus não os havia inspirado. "Yahweh não era uma deidade localizada, de quem os profetas poderiam fugir, pois ele é um Deus onipresente e transcendental que pune os falsos profetas (cf. Am 9.1-4; Sl 139.7-12). Na linguagem teológica, Deus é, ao mesmo tempo, imanente e transcendental" (James Philip Hyatt, *in loc.*). "Os falsos profetas agiam como se Deus estivesse distante e não pudesse vê-los (ver Sl 10.11; 73.11; 94.7), não sabendo nem se importando com o que os homens fizessem" (Fausset, *in loc.*). Quanto à alegada *indiferença* de Deus, ver Sl 10.1; 28.1; 59.4; 82.1 e 143.7.

■ **23.24**

אִם־יִסָּתֵר אִישׁ בַּמִּסְתָּרִים וַאֲנִי לֹא־אֶרְאֶנּוּ נְאֻם־יְהוָה הֲלוֹא אֶת־הַשָּׁמַיִם וְאֶת־הָאָרֶץ אֲנִי מָלֵא נְאֻם־יְהוָה׃

Ocultar-se-ia alguém em esconderijos, de modo que eu não o veja? A onipresença e a onisciência não dão margem para que um homem passe despercebido ou oculto do escrutínio divino. Não existe homem que possa encontrar lugar onde se *esconda* dos olhos de Deus. Ele enche tanto os céus quanto a terra, estando em todos os lugares, sondando e conhecendo os caminhos de todos os seres inteligentes. Ver no *Dicionário* os artigos chamados *Onipresença* e *Onisciência* de Deus. Ver também *Atributos de Deus*. Cf. Sl 139.7 e Am 9.2,3. Cf. igualmente 1Rs 8.27.

*Ninguém pode ocultar-se onde eu não possa vê-lo,
diz o Senhor. Encho os céus e a terra todos.*
NCV

■ **23.25**

שָׁמַעְתִּי אֵת אֲשֶׁר־אָמְרוּ הַנְּבִאִים הַנִּבְּאִים בִּשְׁמִי שֶׁקֶר לֵאמֹר חָלַמְתִּי חָלָמְתִּי׃

Tenho ouvido o que dizem aqueles profetas, proclamando mentiras em meu nome. Visto que Deus está em toda parte, conhece todas as coisas e não deixa nenhum homem sem o apropriado escrutínio divino, ele conhecia cada falso profeta individualmente, e cada mentira dita no nome de Yahweh (e no nome de incontáveis outras divindades). Aqueles homens ridículos andavam ao redor, dizendo: "Sonhei, sonhei", e também declaravam ter recebido visões (vs. 16). Mas, embora houvesse sonhos divinamente inspirados, os sonhos deles eram inventados por sua própria imaginação (vss. 16 e 26). Em outras palavras, eles se levavam demasiado a sério. A verdade é que muita gente realmente pensa ser porta-voz do Ser divino, quando, na realidade, só está externando seus próprios sentimentos e impulso psíquicos. É facílimo "falar como Deus", e algumas pessoas costumam dizer "o Senhor, o Senhor" a cada linha do que falam. Elas fazem de Deus um servo ou um animal de estimação. Em contraste, os hebreus piedosos evitavam até pronunciar os nomes divinos, por respeito e temor. Cornill mostra-se correto aqui ao salientar que esses versículos subentendem que os judeus se postavam em termos por demais familiares com Deus. Deus não é o vizinho da porta contígua, cuja casa possa ser invadida diante de qualquer impulso. Nenhum homem pode eleger-se ao ofício profético, e são bem *poucos* os, realmente, porta-vozes do Ser divino.

■ **23.26**

עַד־מָתַי הֲיֵשׁ בְּלֵב הַנְּבִאִים נִבְּאֵי הַשָּׁקֶר וּנְבִיאֵי תַּרְמִת לִבָּם׃

Até quando sucederá isso no coração dos profetas que proclamam mentiras...? Yahweh estava cansado daquela farsa. Por muito tempo, os falsos profetas continuavam fingindo falar em lugar dele, quando, na realidade, só diziam mentiras. Em vez de serem profetas autênticos, inspirados pelo céu, apenas proferiam ilusões criadas por seu próprio coração. A mensagem deles procedia de dentro deles, e não do alto.

Eles profetizam de seus próprios pensamentos de desejos.
NCV

Em outras palavras, as profecias deles eram meros frutos de "cumprimento de desejos", e eles facilmente podiam inventar um oráculo através de seus desejos automanipulados, por meio de visões ou sonhos. A inspiração vinha de sua própria psique, e não do Deus do céu. Yahweh, pois, estava cansado daquela audácia fraudulenta. Eles eram inventores de profecias, iludindo a si mesmos e enganando o próximo.

■ **23.27**

הַחֹשְׁבִים לְהַשְׁכִּיחַ אֶת־עַמִּי שְׁמִי בַּחֲלוֹמֹתָם אֲשֶׁר יְסַפְּרוּ אִישׁ לְרֵעֵהוּ כַּאֲשֶׁר שָׁכְחוּ אֲבוֹתָם אֶת־שְׁמִי בַּבָּעַל׃

Os quais cuidam em fazer que o meu povo se esqueça do meu nome. As visões e os sonhos dos falsos profetas estavam *prejudicando* o povo judeu, de modo parecido com o que fazia a idolatria de Baal, pois ambas as coisas faziam as pessoas esquecer Yahweh. Se os homens acreditassem naqueles sonhos mentirosos, então esqueceriam a mensagem de Jeremias, que falava em arrependimento e condenação. Isto posto, os judeus seriam prejudicados, pois nem se arrependeriam nem escapariam da tempestade vinda do norte, a invasão dos babilônios. Ver os vss. 19,20. Cf. este versículo com Jz 3.7 e 8.33,34. "O abuso do nome de Yahweh, por parte dos falsos profetas, era tão mau como a mais antiga adoração de Baal, e as profecias no nome desse deus pagão. Cf. os vss. 13,14" (Fausset, *in loc.*). A versão siríaca diz aqui: "... Seus pais esqueceram-se do meu nome e adoraram a Baal". Assim também aqueles falsos profetas faziam os judeus esquecer Yahweh, embora de maneira diferente. Diz o Targum: "... Seus antepassados se esqueceram de adorar o meu nome e juravam pelos ídolos". Por semelhante modo, nos dias de Jeremias, os homens tinham esquecido a lei de Moisés e juravam pelas visões e pelos sonhos de homens autoiludidos, que eram como *pequenos Moisés* de mentirinha.

■ **23.28**

הַנָּבִיא אֲשֶׁר־אִתּוֹ חֲלוֹם יְסַפֵּר חֲלוֹם וַאֲשֶׁר דְּבָרִי אִתּוֹ יְדַבֵּר דְּבָרִי אֱמֶת מַה־לַתֶּבֶן אֶת־הַבָּר נְאֻם־יְהוָה׃

O profeta que tem sonho conte-o como apenas sonho. Yahweh não proibia que as pessoas contassem seus sonhos, que *poderiam* ser veículos de conhecimento divino. Mas ele insistia que esses sonhos fossem contados *paralelamente* a declarações verdadeiramente inspiradas, para que os homens pudessem fazer comparações e o que era falso ficasse provado como tal. Há aquilo que é falso e há aquilo que é verdadeiro. Existem *profecias de palha* e *de trigo*. As primeiras não têm utilidade alguma, e não alimentam a alma humana. As segundas alimentam a alma. "Aquele que pretender ter recebido uma comunicação divina, por meio de um sonho, conte-o, para que seja comparado à palavra divina (2Co 4.2). O resultado seria que tanto os falsos profetas como suas profecias fictícias em breve seriam vistos como palha" (Fausset, *in loc.*). Diz aqui a versão siríaca: "Por que misturais a palha com o trigo?" (ver 2Co 2.17). Diz o Targum: "... como um homem separa a palha do trigo, assim separo os justos dos ímpios". Porém, o absurdo que acontecia em Jerusalém era que os judeus estavam comendo as profecias de palha e ignorando o trigo, pois, ao assim fazerem, não precisavam abandonar suas veredas ímpias e encarar com seriedade a espiritualidade genuína.

23.29

הֲלוֹא כֹה דְבָרִי כָּאֵשׁ נְאֻם־יְהוָה וּכְפַטִּישׁ יְפֹצֵץ סָלַע׃ ס

Não é a minha palavra fogo... e martelo que esmiúça a penha? A *verdadeira palavra profética* se assemelha ao *fogo*, que consome e purifica; mas as falsas profecias não têm poder nem utilidade. A verdadeira profecia também se parece com um *martelo* que pode despedaçar as rochas. Temos em vista aqui o *julgamento* divino. O exército babilônico já estava a caminho, a fim de esmagar Judá, mas os falsos profetas não viam nenhum perigo nisso (ver o vs. 17 deste capítulo). Eles deixavam os homens atolados em seus pecados e então asseguravam que as coisas estavam indo bem, e que nada de mal aconteceria a quem quer que fosse. Por outro lado, coisa alguma podia impedir que a palavra de Deus se cumprisse, porquanto tinha qualidades do fogo e do martelo, as quais fariam acontecer o que tinha sido predito. Cf. este versículo com Jr 5.14 e Is 55.11: "A palavra que sair da minha boca não voltará para mim vazia, mas fará o que me apraz e prosperará naquilo para que a designei".

A verdadeira profecia requeimava nos ossos do profeta (ver Jr 20.9) e estava no mundo. Mas a falsa profecia lança uma cortina de fumaça e oculta a verdade dos olhos dos homens. O fogo queimaria as profecias de palha, os sonhos e as visões fraudulentas. Cf. 1Co 14.24,25 e Hb 4.12. Jeremias condenou as falsas pretensões daqueles homens que, com fraude, diziam-se representantes de Yahweh. Ver Mt 21.44. A palavra do homem que tinha recebido comissão profética do céu seria como fogo e martelo. Os pecadores se converteriam e seriam convencidos da verdade de Deus. Mas as palavras dos falsos profetas teriam como único efeito confundir o povo. Cf. este versículo com pensamentos semelhantes em Ez 36.26; At 11.20,21; Rm 1.16; 1Ts 1.5 e 2Co 10.4,5.

23.30

לָכֵן הִנְנִי עַל־הַנְּבִאִים נְאֻם־יְהוָה מְגַנְּבֵי דְבָרַי אִישׁ מֵאֵת רֵעֵהוּ׃

Portanto, eis que eu sou contra esses profetas, diz o Senhor. Entre os falsos profetas há certa intercomunicação de ideias, um fundo de declarações e predições compartilhadas; mas aqueles profetas continuavam afirmando que Yahweh era sua fonte inspiradora. Tais homens eram contrários ao propósito divino, e o propósito divino era contrário a eles. Os falsos profetas "furtavam" ideias uns dos outros, e talvez até plagiassem profecias escritas ou tradições orais que serviam de fonte informativa de seus pronunciamentos. Talvez também furtassem ideias dos profetas autênticos, mas as aplicavam erroneamente. Cf. Jr 28.2; Jo 10.1 e Ap 22.19.

23.31

הִנְנִי עַל־הַנְּבִיאִם נְאֻם־יְהוָה הַלֹּקְחִים לְשׁוֹנָם וַיִּנְאֲמוּ נְאֻם׃

Eis que eu sou contra esses profetas. Este versículo possui leve modificação em relação ao versículo anterior. Yahweh declarou ser contra aqueles homens que O citavam como a fonte de suas palavras, mas que estavam tão somente espalhando as mentiras de suas próprias visões e sonhos e furtando palavras uns dos outros. Assim, Yahweh declara-se aqui "contra" eles, mostrando que alguma espécie de julgamento estava prestes a perturbá-los profundamente. "Essa frase zombeteira indica a ausência da verdadeira inspiração. Esses plagiadores (vs. 30) planejavam seus esquemas e usavam a língua como instrumento para pô-los em ação" (Ellicott, *in loc.*).

Eles falavam suas próprias palavras, fingindo ser uma mensagem de minha parte.

NCV

23.32

הִנְנִי עַל־נִבְּאֵי חֲלֹמוֹת שֶׁקֶר נְאֻם־יְהוָה וַיְסַפְּרוּם וַיַּתְעוּ אֶת־עַמִּי בְּשִׁקְרֵיהֶם וּבְפַחֲזוּתָם וְאָנֹכִי לֹא־שְׁלַחְתִּים וְלֹא צִוִּיתִים וְהוֹעֵיל לֹא־יוֹעִילוּ לָעָם־הַזֶּה נְאֻם־יְהוָה׃

Eis que eu sou contra os que profetizam sonhos mentirosos. *Yahweh era contrário* aos que usavam *sonhos mentirosos* como se fossem alguma profecia da parte do Senhor. Quanto aos *sonhos*, ver a introdução ao vs. 23, assim como os comentários sobre o vs. 25. Eles desviavam o povo crédulo que confiava em suas tolas afirmações. Aqueles homens eram temerários e cheios de jactâncias tolas. O que se importavam eles com a alma dos homens? Eles promoviam seu próprio bem-estar, obtendo dinheiro e edificando falsas reputações. Eles prejudicavam o povo, ao mesmo tempo que pretendiam ser benfeitores espirituais.

Leviandades. "Precipitações" (*Revised Standard Version*); "superficialidades" (*King James Version*); "ensinos falsos" (NCV); "mentiras precipitadas" (NIV); "leviandades" (Atualizada). Kimchi interpretou essa palavra como "conhecimento superficial". Os falsos profetas eram pessoas superficiais que agiam como se fossem profundamente espirituais.

Discurso sobre a Sentença de Yahweh (23.33-40)

23.33

וְכִי־יִשְׁאָלְךָ הָעָם הַזֶּה אוֹ־הַנָּבִיא אוֹ־כֹהֵן לֵאמֹר מַה־מַשָּׂא יְהוָה וְאָמַרְתָּ אֲלֵיהֶם אֶת־מַה־מַשָּׂא וְנָטַשְׁתִּי אֶתְכֶם נְאֻם־יְהוָה׃

Vós sois o peso, e eu vos arrojarei, diz o Senhor. Com ótima combinação de palavras sobre a ideia de *peso* (no hebraico, *massa*), o profeta apresentou importante lição. Talvez um cidadão comum, um profeta (verdadeiro ou falso) ou um sacerdote tenha perguntado a Jeremias qual era o *peso* de Yahweh, ou seja, sua mensagem ou o significado de seus oráculos, e o profeta respondeu de modo irônico ou sarcástico: "Tu, Judá, és a sentença pesada que ele está suportando!" Assim sendo, a mensagem *pesada* torna-se o peso difícil a ser sustentado, um jogo de palavras com o termo hebraico *massa*. Em vez de falar alguma mensagem pesada que daria instruções importantes ao povo, ele estava simplesmente pronto para lançar uma carga em que eles se tinham transformado. O ato de *lançá-los fora* era a *mensagem* que Yahweh tinha para eles.

A palavra hebraica *massa* usualmente era uma mensagem pesada que Yahweh impunha ao povo. Ver Na 1.1; Hc 1.1; Ml 1.1. A situação, porém, havia sido revertida. O próprio povo judeu se transformara em grande peso para Yahweh, que ele se recusava a continuar carregando. Eles tinham lançado fora sua mensagem (peso), e Deus estava prestes a lançá-los fora como um peso inútil e perturbador. A figura simbólica previa um julgamento. O povo judeu seria abandonado nas mãos dos babilônios, reduzido a nada devido ao ataque feroz. As mensagens dos profetas se tinham tornado pesos para o povo judeu. Essas mensagens eram sempre tão pesadas, tão repletas de ameaças e tão pessimistas. Por semelhante modo, o próprio povo judeu, em sua idolatria-adultério-apostasia, não podia continuar a ser carregado por Yahweh, que estava prestes a desvencilhar-se daquela carga fatigante.

23.34

וְהַנָּבִיא וְהַכֹּהֵן וְהָעָם אֲשֶׁר יֹאמַר מַשָּׂא יְהוָה וּפָקַדְתִּי עַל־הָאִישׁ הַהוּא וְעַל־בֵּיתוֹ׃

Quanto ao profeta... que disser: Sentença pesada do Senhor, a esse homem eu castigarei. Jeremias continuou a jogar com a palavra hebraica *massa*. Agora ela representa a *falsa mensagem* ou o oráculo de um profeta, sacerdote ou homem comum do povo. Se um homem (de qualquer tipo ou classe social) apresentasse sua própria *massa* para tomar o lugar de uma sentença de Yahweh, ele seria submetido a severo castigo aplicado pela mão de Deus. E não somente tal indivíduo, mas também sua família, sofreria por tão grande pretensão e insolência. Talvez a punição em foco fosse o cativeiro babilônico, que não deixaria intacta nenhuma célula familiar. Nenhum homem peca sozinho; de fato, todos eles tinham pecado juntos, incluindo as crianças (ver Jr 7.18 ss.). Ver Jr 9.19-22, quanto à destruição das unidades familiares, isto é, a ruína de todas as classes no ataque babilônico. Ver sofrer (morrer) pelos pecados dos pais, em Êx 20.5. Quanto a sofrer (morrer) pelos próprios pecados, ver Dt 24.16 e Ez 18.20. Este versículo pode ser corretamente aplicado contra a "conversa sobre Deus" que sai fácil da boca dos homens, tão comum até entre os evangélicos. As pessoas falam frivolamente sobre como "o Senhor me disse isto ou aquilo". Assim sendo, muitas mensagens são atribuídas à inspiração divina, embora não tenham nem ao menos o brilho do intelecto humano para elevá-las acima do lugar-comum.

■ 23.35

כֹּה תֹאמְרוּ אִישׁ עַל־רֵעֵהוּ וְאִישׁ אֶל־אָחִיו מֶה־עָנָה יְהוָה וּמַה־דִּבֶּר יְהוָה׃

Antes direis, cada um ao seu companheiro... Que respondeu o Senhor? Quando alguém perguntasse qual fora o *oráculo* de Yahweh, a *massa*, nenhuma resposta deveria ser dada, exceto a do vs. 33: "Vós sois o peso". O povo de Judá não mais merecia receber mensagens da parte de Deus. Eles tinham zombado e ridicularizado da mensagem de Deus, preferindo as palavras mentirosas dos profetas falsos. *Para eles*, a revelação havia terminado. A palavra final que Yahweh lhes deu foi como eles, o peso a ser descartado e abandonado, seriam deixados nas mãos dos invasores babilônios.

■ 23.36

וּמַשָּׂא יְהוָה לֹא תִזְכְּרוּ־עוֹד כִּי הַמַּשָּׂא יִהְיֶה לְאִישׁ דְּבָרוֹ וַהֲפַכְתֶּם אֶת־דִּבְרֵי אֱלֹהִים חַיִּים יְהוָה צְבָאוֹת אֱלֹהֵינוּ׃

Mas nunca mais fareis menção da sentença pesada do Senhor. As *mensagens* (*massa*, "cargas") já tinham sido dadas, e não havia mais mensagens em andamento. Para eles, as revelações haviam terminado. Jeremias tinha sido proibido de interceder por aqueles réprobos (ver Jr 11.14; 14.11). E agora ele recebeu ordens de não mais entregar-lhes oráculos. As coisas se tinham desintegrado de maneira assustadora. Não havia mais chance de arrependimento e restauração. A massa inteira tinha azedado. Ironicamente, o profeta observou que o povo já tinha recebido mensagens suficientes da parte de seus falsos profetas; além disso, cada indivíduo podia inventar suas próprias mensagens, pervertendo as palavras do Deus vivo, Yahweh, o *Senhor dos Exércitos* (ver a respeito no *Dicionário*). Com um acúmulo de títulos divinos, e ao chamar Yahweh de Deus vivo, o profeta Jeremias apresentou violento contraste com as falsas fontes de informação às quais o povo judeu estava dando atenção, em vez de receber e obedecer às palavras do Senhor.

Alguns intérpretes opinam que o povo, e não Jeremias, nunca mais deveria falar sobre a sentença pesada do Senhor, presumivelmente porque nenhuma outra mensagem seria dada. Eles já tinham recebido número suficiente de mensagens e sentenças pesadas, e essa seria a "revelação" deles. O povo, dessa maneira, perdeu aquilo de que tinha abusado, zombado e substituído: o direito de receber mensagens da parte do profeta de Deus. Eles tinham escarnecido das mensagens de Jeremias, taxando-as de pesadas e opressivas e, assim sendo, tinham-nas rejeitado.

■ 23.37,38

כֹּה תֹאמַר אֶל־הַנָּבִיא מֶה־עָנָךְ יְהוָה וּמַה־דִּבֶּר יְהוָה׃

וְאִם־מַשָּׂא יְהוָה תֹּאמֵרוּ לָכֵן כֹּה אָמַר יְהוָה יַעַן אֲמָרְכֶם אֶת־הַדָּבָר הַזֶּה מַשָּׂא יְהוָה וָאֶשְׁלַח אֲלֵיכֶם לֵאמֹר לֹא תֹאמְרוּ מַשָּׂא יְהוָה׃

Assim dirás ao profeta: Que te respondeu o Senhor...? O povo de Judá buscaria inutilmente saber o que o profeta do Senhor havia recebido da parte dele para comunicar, porquanto ele não prestaria mais nenhuma informação. Isso ocorria porque eles consideravam suas mensagens *sentenças pesadas*, e não se dispunham

a ouvir, arrepender-se e mudar. Quando o profeta abria a boca, eles diziam: "Oh, não! Lá vêm mais algumas sentenças pesadas para serem jogadas às nossas costas!" Eles nunca pararam para considerar que, embora fossem pesadas, eram sentenças verídicas, e, se tivessem sido recebidas e obedecidas, ser-lhes-ia poupada a agonia da invasão babilônica. Por isso eles falavam *zombeteiramente* das mensagens de Deus, chamando-as de *sentenças pesadas*. Por essa razão, eles mesmos se tornaram *sentenças pesadas*, que Deus tinha de carregar, mas que em breve seriam arrojadas fora. Falar com zombarias sobre os oráculos entregues através de Jeremias só *agravava* a culpa deles, que já era bastante grande.

■ 23.39

לָכֵן הִנְנִי וְנָשִׁיתִי אֶתְכֶם נָשֹׁא וְנָטַשְׁתִּי אֶתְכֶם וְאֶת־הָעִיר אֲשֶׁר נָתַתִּי לָכֶם וְלַאֲבוֹתֵיכֶם מֵעַל פָּנָי׃

Por isso levantar-vos-ei e vos arrojarei da minha presença. O povo de Judá tinha-se tornado uma *carga* insuportável para Yahweh (vss. 33-38). Yahweh estava cansado de carregá-los sobre os ombros. Com arrogância, eles tinham chamado as mensagens de Deus de "cargas", recusando-se a ouvir, arrepender-se e obedecer. Eles preferiam as "palavras leves" dos falsos profetas, embora não houvesse inspiração divina naquelas falsas predições. Portanto, Yahweh levantaria aquela carga para lançá-la bem longe de si mesmo. E isso seria o fim da "questão da carga" quanto a todos os envolvidos. O povo tinha esquecido Yahweh, e Yahweh os tinha esquecido. Os pactos foram anulados, até que um pequeno remanescente voltasse do cativeiro babilônico e assim iniciasse uma nova nação. Um novo Israel surgiria no novo dia. Jerusalém, a capital, seria abandonada, juntamente com a Terra Prometida que fora dada aos antepassados daquela geração como possessão e herança (ver Js 1.6; Jz 2.6). A Terra Prometida seria reintegrada ao povo judeu, e a capital seria reconstruída pelo remanescente que voltasse.

Com justiça Yahweh os esqueceria, porquanto injustamente foi esquecido por eles (ver Os 4.6). Mas visto que Deus não pode esquecer definitivamente seus filhos, teria de haver uma renovação do pacto de Yahweh com Israel, no tempo certo (ver Is 49.15). Não obstante, a vasta maioria do povo de Judá daquele tempo caiu no esquecimento. Coisa alguma é dita aqui sobre a alma eterna das pessoas. Esse é um assunto que esse livro não aborda.

"Eles eram a carga pesada, e o Senhor certamente os expulsaria de sua presença. Essa é a sorte eventual dos que confundem o que é superficial com o que é profundo, o falso com o verdadeiro — e, o que é mais triste, eles perderam muitas bênçãos esplendorosas" (Stanley Romaine Hopper, *in loc.*).

■ 23.40

וְנָתַתִּי עֲלֵיכֶם חֶרְפַּת עוֹלָם וּכְלִמּוּת עוֹלָם אֲשֶׁר לֹא תִשָּׁכֵחַ׃ ס

Porei sobre vós perpétuo opróbrio e eterna vergonha, que jamais será esquecida. As pessoas que vivessem no futuro leriam a história de como Judá, contra todas as advertências do Senhor, recusou tolamente a luz da revelação divina e forçou Yahweh a julgá-los por meio da invasão babilônica, com a matança e a deportação acompanhantes. Isso seria sempre uma vergonha e um opróbrio eterno contra aquela nação. As pessoas jamais esqueceriam a tristíssima história e nunca parariam de balançar a cabeça quando lessem sobre a questão. Yahweh esqueceria aquela geração, mas ninguém jamais esqueceria sua vergonha.

Perpétuo Opróbrio. "Essa foi uma justa retaliação por terem os judeus se tornado repreensíveis, vis e brincalhões com a palavra do Senhor. Os que tinham sido honrados de tal maneira e por tanto tempo como povo de Deus, e sua cidade como a glória da terra, tornaram-se objeto de desprezo geral, contados como extremamente desprezíveis" (John Gill, *in loc.*).

Coisa alguma é dita aqui, por Jeremias, acerca do pós-vida da alma. Está em pauta apenas um julgamento terreno, que seria aplicado através da Babilônia. A *Descida de Cristo ao Hades* (ver sobre esse título na *Enciclopédia de Bíblia, Teologia e Filosofia*) ensina-nos que aqueles que morrem na vergonha ainda assim podem elevar-se em glória mediante a aplicação da missão de Cristo ao "outro lado" da existência.

De fato, Jesus pode alcançar os homens onde quer que eles se encontrem. É isso o que está envolvido no amor e na graça de Deus.

CAPÍTULO VINTE E QUATRO

VISÃO DOS FIGOS BONS E DOS FIGOS RUINS (24.1-10)

Os vss. 4-10 deste capítulo fornecem clara interpretação da visão-parábola que encontramos aqui, de modo que não restam dúvidas sobre o que ela significa. Cf. esta passagem com outras visões de forma similar, em Jr 1.11-19; Am 7.7-9 e 8.1-3. Quanto ao pano de fundo histórico da parábola, ver 2Rs 24.10-17 e Jr 43.4-7. Este oráculo foi entregue algum tempo depois que *Jeconias* (Conias; ver Jr 22.24 ss.) foi exilado na Babilônia, ou seja, cerca de 598 a.C. Os "figos bons" pertenciam ao remanescente judeu que estava na Babilônia, incluindo Jeconias. Os "figos ruins" foram os que permaneceram em Jerusalém (um pequeno número, sem dúvida), assim como aqueles que fugiram para o Egito, a fim de escapar da invasão babilônica (ver Jr 43.4-7). Isso deixa entendido que o rei Jeconias era, realmente, o legítimo rei de Judá, ao passo que Zedequias (que o substituiu no trono) era um usurpador infeliz. Ver, contudo, Jr 22.24-30, que tem posição contrária a esse ponto de vista. Ver o vs. 8 quanto à discrepância: Jr 22.24,28 *versus* Jr 24.8.

Os críticos explicam que o capítulo 22 do livro de Jeremias realmente mostra o ponto de vista do profeta, ao passo que o capítulo 24 apresenta a posição de muitos que ficaram em Jerusalém. Seja como for, a discussão é bastante fútil. Visto que os babilônios estavam mandando em tudo, que diferença fazia se Jeconias ou Zedequias era o rei? O *rei* verdadeiro era Nabucodonosor.

Se os exilados na Babilônia eram melhores, espiritualmente falando, que aqueles que permaneceram em Jerusalém ou fugiram para o Egito, então a temível provação já começava a produzir fruto significativo. Os juízos de Deus são sempre restauradores, e não apenas retributivos.

24.1

הִרְאַנִי יְהוָה וְהִנֵּה שְׁנֵי דּוּדָאֵי תְאֵנִים מוּעָדִים לִפְנֵי הֵיכַל יְהוָה אַחֲרֵי הַגְלוֹת נְבוּכַדְרֶאצַּר מֶלֶךְ־בָּבֶל אֶת־יְכָנְיָהוּ בֶן־יְהוֹיָקִים מֶלֶךְ־יְהוּדָה וְאֶת־שָׂרֵי יְהוּדָה וְאֶת־הֶחָרָשׁ וְאֶת־הַמַּסְגֵּר מִירוּשָׁלִַם וַיְבִאֵם בָּבֶל׃

Fez-me ver o Senhor, e vi dois cestos de figos, postos diante do templo do Senhor. O oráculo sobre os *figos bons* e os *figos ruins* veio a Jeremias por meio de uma lição objetiva, sob a forma de uma visão dada por Yahweh. O profeta recebeu a visão depois do terrível ataque dos babilônios, com a matança, o saque e a deportação subsequente. Não parecia haver nada redimidor na situação. Mas os julgamentos de Deus não são meramente retributivos, são também restauradores. Orígenes dizia que falar sobre o julgamento como medida unicamente retributiva é condescender diante de uma teologia inferior. Esse princípio aplica-se até ao julgamento dos perdidos. Ver na *Enciclopédia de Bíblia, Teologia e Filosofia* o artigo *Julgamento de Deus dos Homens Perdidos*.

Foi apropriado que essa visão tivesse sido dada "diante do templo", em Jerusalém, visto ser aquele um lugar de divina revelação, e a visão trazia alguma esperança. Um remanescente estava sendo purificado, a fim de que um novo Israel pudesse ter novo começo. Duas cestas de figos foram vistas diante do templo, uma cheia de figos bons, e outra cheia de figos ruins.

Nabucodonosor transformou tudo em colossal confusão, pois havia cadáveres de judeus por toda a parte, e poucos eram os sobreviventes. Nabucodonosor deixou poucas pessoas talentosas em Jerusalém. Ele não queria que houvesse novas revoltas. Ele levou para a Babilônia os artífices, os bem preparados, os militares, os líderes, incluindo o rei e seus oficiais. Mas a espada seguiu os judeus até a Babilônia (ver Jr 9.16). Muitos foram mortos ali e muitos foram aprisionados. Cf. 2Rs 24.8-16. Figos eram apresentados como oferendas votivas, como primícias (ver Êx 23.19; Dt 26.2). Também eram usados como dízimos (ver Am 8.1,2). Portanto, figos eram frutos apropriados para serem vistos por Jeremias.

24.2

הַדּוּד אֶחָד תְּאֵנִים טֹבוֹת מְאֹד כִּתְאֵנֵי הַבַּכֻּרוֹת וְהַדּוּד אֶחָד תְּאֵנִים רָעוֹת מְאֹד אֲשֶׁר לֹא־תֵאָכַלְנָה מֵרֹעַ׃ ס

Tinha um cesto figos muito bons... mas o outro ruins. A lição foi apresentada de forma objetiva e muito simples, mas trazia uma mensagem muito significativa. Os figos de uma das cestas eram de excelente qualidade e próprios para serem comidos. Mas os figos da outra cesta eram de qualidade extremamente inferior, que nenhuma pessoa haveria de querer consumir. Quanto a detalhes completos sobre os *figos*, incluindo usos metafóricos da palavra na Bíblia, ver no *Dicionário* o artigo *Figueira*.

Figos temporãos. Ou seja, aqueles figos que amadureciam primeiro, chamados de *boccora*, os primeiros figos (ver Is 28.4), os quais chegam a ser perfeitos pelos meados de junho. Uma segunda leva era chamada de *kermez*, os figos de verão, produzidos no mês de agosto. A terceira leva era chamada de figos de inverno, colhida durante a primavera, mas antes disso era quase impossível consumi-los, estando então verdes e azedos. Havia três safras de figos por ano, portanto; a primeira dos figos bons, e a terceira (provavelmente) dos figos ruins.

24.3

וַיֹּאמֶר יְהוָה אֵלַי מָה־אַתָּה רֹאֶה יִרְמְיָהוּ וָאֹמַר תְּאֵנִים הַתְּאֵנִים הַטֹּבוֹת טֹבוֹת מְאֹד וְהָרָעוֹת רָעוֹת מְאֹד אֲשֶׁר לֹא־תֵאָכַלְנָה מֵרֹעַ׃ פ

Então me perguntou o Senhor: Que vês tu, Jeremias? Yahweh questionou o profeta sobre a *qualidade* dos figos, e Jeremias sabia, mesmo sem tê-los provado, quais eram *bons* e quais eram *ruins*. Cf. Is 28.4; Os 9.10 e Mq 7.1. Os figos bons deveriam ser oferecidos a Deus (ver Dt 14.22). Os figos ruins não eram aceitáveis como oferendas apresentadas a Yahweh (Mq 1.6-9). Observa o Targum: "Os figos bons são os perfeitamente retos; os figos ruins são os perfeitamente iníquos". Os figos, nessa visão, representavam qualidades morais e espirituais que tornam uma pessoa aceitável ou não defronte do Senhor. Os figos bons são úteis para propósitos espirituais, mas os figos ruins representam indivíduos apóstatas e réprobos, aqueles que são reprovados nos testes espirituais e morais.

Explicação da Parábola-visão (24.4-10)

24.4

וַיְהִי דְבַר־יְהוָה אֵלַי לֵאמֹר׃

Yahweh apresentou a parábola-visão a seu profeta (vss. 1-3), mas também deu-lhe amplas explicações a respeito. Sua *palavra* foi o veículo de ambas as coisas. Ver no *Dicionário* o artigo chamado *Revelação*. "O Senhor falou esta palavra para mim" (NCV). Algumas parábolas devem ser interpretadas pelo discernimento espiritual do ser humano. Mas outras são claramente reveladas. Esta visão, pois, contém a própria interpretação.

24.5

כֹּה־אָמַר יְהוָה אֱלֹהֵי יִשְׂרָאֵל כַּתְּאֵנִים הַטֹּבוֹת הָאֵלֶּה כֵּן־אַכִּיר אֶת־גָּלוּת יְהוּדָה אֲשֶׁר שִׁלַּחְתִּי מִן־הַמָּקוֹם הַזֶּה אֶרֶץ כַּשְׂדִּים לְטוֹבָה׃

Do modo por que vejo estes bons figos, assim favorecerei os exilados de Judá. Yahweh (o Deus Eterno), que é *Elohim* (o Todo-poderoso), é o Poder divino sobre Israel, ou seja, o intérprete certo de tudo quanto se relacionava com a nação de Judá, e foi ele quem deu o significado à parábola-visão da figueira. Ver no *Dicionário* o artigo chamado *Deus, Nomes Bíblicos de*. Os *figos bons* representavam os poucos sobreviventes de Judá que foram levados à

Babilônia depois da matança imposta ao povo de Judá. Mas o poder real de tudo quanto ali aconteceu foi Yahweh, que controla o destino dos homens (ver as notas sobre Is 13.6; e, no *Dicionário,* o verbete chamado *Soberania*). Note o leitor que todos esses acontecimentos, por horrendos que fossem, ocorreram visando "o bem deles" (*King James Version*). Além disso, tais ocorrências foram consideradas *boas,* segundo a avaliação divina.

Sabemos que o ataque e o exílio tiveram por propósito purificar o povo. Uma pequena quantidade de prata foi refinada da grande quantidade de escória, e com essa pequena quantidade de metal precioso haveria um novo dia para o novo Israel, após o cativeiro. Os propósitos de Deus relativos a Israel prosseguiriam naquele pequeno remanescente. Em consequência, torna-se evidente que os julgamentos divinos não são meramente retributivos. Também são restauradores ou remediadores. Ver as notas sobre o vs. 1 deste capítulo, e também a introdução ao capítulo. Deus aprimorou a condição do povo de Judá por meio de seus sofrimentos (ver 2Rs 25.27-30). Daniel e Ezequiel estiveram entre os cativos e se tornaram profetas no exílio. Os livros de Neemias e Esdras fornecem evidências diretas sobre o aprimoramento do povo. Em primeiro lugar, a idolatria foi completamente aniquilada; ademais, o povo de Judá assumiu um caráter mais separado, mais adequado ao povo *distinto* que guardava a legislação mosaica (ver Dt 4.4-8). Eles foram levados à Babilônia "visando um bom resultado," conforme a Septuaginta traduz aqui o original hebraico. Ver Rm 8.28.

■ 24.6

וְשַׂמְתִּ֨י עֵינִ֤י עֲלֵיהֶם֙ לְטוֹבָ֔ה וַהֲשִׁבֹתִ֖ים עַל־
הָאָ֣רֶץ הַזֹּ֑את וּבְנִיתִים֙ וְלֹ֣א אֶהֱרֹ֔ס וּנְטַעְתִּ֖ים
וְלֹ֥א אֶתּֽוֹשׁ׃

Porei sobre eles favoravelmente os meus olhos, e os farei voltar para esta terra. Yahweh ficaria vigiando os cativos judeus na Babilônia, fixando favoravelmente os olhos sobre eles, isto é, visando o bem deles. Eles seriam purificados no fogo e então trazidos de volta, preparados para a reconstrução da nação inteira, com o yahwismo restaurado como fé nacional. Ele arrancou Judá de sua terra a fim de abrir espaço para uma nova plantação. Ele havia derrubado o edifício de Judá com o propósito de abrir caminho para uma nova edificação. Por meio de duas figuras, a realização do cativeiro foi ilustrada. Ver no *Dicionário* o artigo chamado *Cativeiro Babilônico.* Cf. Jr 12.15; 32.41 e 33.7. Alguns dos cativos prosperaram financeiramente (ver Ed 2.69); outros foram capazes de cultivar a terra e edificar casas (ver Jr 29.4,28). Mas a principal mensagem gira em torno da purificação e do crescimento espiritual, fatores necessários ao novo começo da nação: a reconstrução de Jerusalém e o novo templo, além da plena restauração do culto a Yahweh, o que anulou a idolatria e o paganismo.

"Os olhos oniscientes, a providência e a graça comunicaram coisas boas, para cuidar deles na fornalha da aflição, de modo que eles não se perderam, mas foram aprimorados moral e espiritualmente" (John Gill, *in loc.*).

■ 24.7

וְנָתַתִּ֨י לָהֶ֥ם לֵב֙ לָדַ֣עַת אֹתִ֔י כִּ֛י אֲנִ֥י יְהוָ֖ה וְהָיוּ־לִ֣י
לְעָ֔ם וְאָ֣נֹכִ֔י אֶהְיֶ֥ה לָהֶ֖ם לֵֽאלֹהִ֑ים כִּֽי־יָשֻׁ֥בוּ אֵלַ֖י בְּכָל־
לִבָּֽם׃ ס

Dar-lhes-ei coração para que me conheçam. Por meio de testes e comunicação direta da graça, Yahweh deveria transformar o povo, dando-lhes um *novo coração.* Então os judeus conheceriam a Yahweh de nova maneira e se tornariam seu povo *distinto,* obedecendo à lei mosaica que se tornaria suprema como *guia* de Israel (ver Dt 6.4 ss.). Quanto ao fato de que Yahweh era o Deus deles, e eles eram o seu povo, cf. Jr 30.22; 31.33; 32.38 e Ez 11.20. O remanescente purificado retornaria a Yahweh de *todo o coração.* Quanto à fé de todo o coração, ver a nota de sumário em Pv 4.23. Haveria um movimento bem-sucedido de volta à palavra de Deus. Essa profecia entusiasmada espera cumprimento completo na era do reino, quando *todo* o Israel será salvo (ver Rm 11.26).

Os Figos Ruins (24.8-10)

■ 24.8

וְכַתְּאֵנִים֙ הָֽרָע֔וֹת אֲשֶׁ֥ר לֹא־תֵאָכַ֖לְנָה מֵרֹ֑עַ כִּי־כֹ֣ה ׀
אָמַ֣ר יְהוָ֗ה כֵּ֣ן אֶתֵּ֞ן אֶת־צִדְקִיָּ֣הוּ מֶֽלֶךְ־יְהוּדָ֣ה וְאֶת־
שָׂרָיו֙ וְאֵ֣ת ׀ שְׁאֵרִ֣ית יְרוּשָׁלִַ֗ם הַנִּשְׁאָרִים֙ בָּאָ֣רֶץ הַזֹּ֔את
וְהַיֹּשְׁבִ֖ים בְּאֶ֥רֶץ מִצְרָֽיִם׃

Como se rejeitam os figos ruins... assim tratarei a Zedequias. Em contraste com os figos bons, havia também os *figos ruins,* ou seja, os judeus que não tinham ido para o cativeiro ou tinham fugido para o Egito (ver Jr 43.4-7). Esses não haviam sido nem transformados nem purificados. Não se tornaram oferenda apropriada de primícias a Yahweh. Antes, retiveram essencialmente sua antiga natureza pagã, com a tremenda tendência para a idolatria. Entre esses estava *Zedequias,* o homem que se tornou rei quando *Jeconias* foi deportado junto com o remanescente. Ver no *Dicionário* o artigo sobre ele, e também a breve descrição sobre esse monarca no artigo chamado *Reino de Judá,* seção IV. Zedequias foi tanto mau como fraco e ineficaz. Ele reinou por onze anos, enquanto muitos judeus esperavam em vão pelo retorno de Jeconias. 2Reis 24.19 e 2Cr 36.12 dão relatórios negativos a respeito dele. Finalmente, porém, ele foi cegado e levado para o cativeiro. Algumas pessoas o favoreciam e não se importavam com o que havia acontecido ao remanescente que fora levado para o exílio. Mas ali estava ele, entre os *figos ruins,* rejeitado por Yahweh. A mensagem de Yahweh concernente a Conias (Jeconias) é que ele era um anel de selar fraudulento (ver Jr 22.24), bem como um vaso quebrado (ver Jr 22.28). Mas aqui, ao que se presume, ele estava entre os *figos bons* e, segundo se pensa, alguém que poderia voltar a reinar. Por outro lado, se não pressionarmos demais a questão, não precisamos fazer de Jeconias um bom figo. Se tomarmos essa posição, então não restará nenhuma discrepância nas descrições concernentes a esse homem. Os textos, tomados no conjunto, rejeitam tanto Conias quanto Zedequias como dignos de serem reis. Haveria, contudo, um novo começo da nação de Judá. Zorobabel, neto de Conias, se tornaria *governador* da nova nação de Judá, e não rei, porquanto a linhagem real fora cortada até a chegada do Messias (22.30; 23.5).

■ 24.9

וּנְתַתִּים֙ לְזַעֲוָ֣ה לְרָעָ֔ה לְכֹ֖ל מַמְלְכ֣וֹת הָאָ֑רֶץ לְחֶרְפָּ֤ה
וּלְמָשָׁל֙ לִשְׁנִינָ֣ה וְלִקְלָלָ֔ה בְּכָל־הַמְּקֹמ֖וֹת אֲשֶׁר־
אַדִּיחֵ֥ם שָֽׁם׃

Eu os farei objeto de espanto, calamidade, para todos os reinos da terra. Severo *julgamento* foi proferido contra os *figos ruins.* Enquanto apodreciam, emitiriam mau cheiro, internacionalmente falando. Eles se tornariam um provérbio e um opróbrio, um povo ridicularizado pelas nações. Seriam espalhados e ficariam vagueando, sujeitos a potências estrangeiras. Terminariam pior que o remanescente que fora levado à Babilônia, sofrendo perseguições e desgraças, por não terem sido purificados, mas retendo sempre seu caráter pagão, completo com sua idolatria-adultério-apostasia. Os que fugiram para o Egito formariam o núcleo da população judaica que ali estava. E esses levantaram um templo rival em Leotópolis. Ver Is 19.19. Cf. o presente versículo com Dt 28.37. Quanto ao povo de Israel sendo amaldiçoado, ridicularizado e reduzido a um opróbrio, cf. Jr 25.9; 26.6; 29.18; 42.18 e 44.8,12,22.

■ 24.10

וְשִׁלַּחְתִּ֣י בָ֔ם אֶת־הַחֶ֖רֶב אֶת־הָרָעָ֣ב וְאֶת־הַדָּ֑בֶר עַד־
תֻּמָּם֙ מֵעַ֣ל הָאֲדָמָ֔ה אֲשֶׁר־נָתַ֥תִּי לָהֶ֖ם וְלַאֲבוֹתֵיהֶֽם׃ פ

Enviarei contra eles a espada, a fome e a peste. O pequeno número de sobreviventes em Jerusalém não teria paz nem permanência. A matança de judeus prosseguiria; a espada continuaria a agir ativamente; haveria novos exílios para terras estrangeiras, incluindo o Egito. Isso porque coisa alguma mudou em Jerusalém, entre os poucos que permaneceram vivos; nenhuma lição foi aprendida; a idolatria não foi abandonada; não houve movimento algum de volta às Sagradas Escrituras. Não pode haver estabilidade nem prosperidade onde não há verdadeiro temor de Deus.

CAPÍTULO VINTE E CINCO

"Este capítulo contém uma profecia sobre a destruição da Judeia por parte do rei da Babilônia; e também a destruição da própria Babilônia, terminado o cativeiro dos judeus por setenta anos; e, igualmente, a destruição de todas as nações ao redor. A data dessa profecia aparece no vs. 1; quando o profeta relembrou os judeus sobre as profecias que lhes tinham sido entregues por ele e por outros, durante os anos passados, elas não surtiram efeito algum (vss. 2-7). Por conseguinte, eles foram ameaçados pelo rei da Babilônia, cujo exército seria enviado contra eles, despojando-os de todas as coisas desejáveis, deixando a terra deles desolada, e então levando-os cativos por setenta anos (vss. 8-11). E, ao completar-se esse período, os babilônios seriam punidos e a terra da Caldeia jazeria desolada, tornando-se sujeita a outra nações e a outros reis (vss. 12-14). O copo de vinho, que seria distribuído a todas as nações em derredor, significa a ruína total, sendo eles mencionados por nome (vss. 15-26). Isso seria confirmado, a começar pela cidade de Jerusalém, com a sua destruição (vss. 27-29). Portanto, ao profeta foi ordenado que profetizasse contra eles, declarando a controvérsia do Senhor, e que eles seriam executados de uma extremidade da terra à outra (vss. 29-33). Diante disso, seus pastores, reis e outros governantes seriam chamados a lamentar e a uivar (vss. 34-38)" (John Gill, *in loc.*).

"Jr 25.1-14. A Babilônia era o instrumento divino de punição contra Judá. Essa conclusão das memórias de Jeremias (Jr 36.1-4) foi escrita depois da vitória de Nabucodonosor sobre o Faraó Neco, do Egito, em Carquêmis, em junho de 605 a.C. As advertências de Jeremias a Judá, por essa altura dos acontecimentos, estavam quase se cumprindo. O adversário vindo do norte (ver Jr 6.1) devastaria a terra apóstata. Todas as manifestações da vida diária normal desapareceriam. Nenhum indivíduo daquela geração infiel veria a restauração 'setenta anos' mais tarde (vs. 12; cf. Nm 14.20-24). Embora a destruição de Judá fosse o castigo devido, nenhuma destruição feroz deixaria de ser punida; finalmente, a própria Babilônia sucumbiria diante de seus inimigos" (*Oxford Annotated Bible*, comentando sobre o vs. 1 deste capítulo).

SUMÁRIO DAS ADVERTÊNCIAS FEITAS A JUDÁ (25.1-14)

A Contínua Desobediência de Judá (25.1-7)

■ 25.1

הַדָּבָר אֲשֶׁר־הָיָה עַל־יִרְמְיָהוּ עַל־כָּל־עַם יְהוּדָה בַּשָּׁנָה הָרְבִעִית לִיהוֹיָקִים בֶּן־יֹאשִׁיָּהוּ מֶלֶךְ יְהוּדָה הִיא הַשָּׁנָה הָרִאשֹׁנִית לִנְבוּכַדְרֶאצַּר מֶלֶךְ בָּבֶל׃

Palavra que veio a Jeremias acerca de todo o povo de Judá. O *quarto ano de Jeoaquim* foi o ano de 606-605 a.C. A mesma declaração é feita em Jr 36.1; 45.1 e 46.2. O *primeiro ano* de Nabucodonosor, rei da Babilônia, começou em julho ou agosto de 605 a.C. Seu ano de subida ao trono foi de abril de 604 a abril de 603 a.C. A expressão hebraica que significa ano de subida ao trono é "começo do reinado". Cf. Jr 26.1. Jeremias entregou treze mensagens de julgamento nos capítulos 2—25, e esse capítulo 25 coroa as mensagens. Os anos dados aqui não parecem cair no mesmo período, e podemos falar em termos de aproximações, não de datas precisas. Não precisamos fazer distorções aqui (conforme fazem alguns intérpretes) para que os dois anos coincidam com exatidão. Alguns acusam um editor subsequente por essa leve discrepância histórica, para salvar Jeremias do deslize.

O Inimigo que Desceu do Norte. Cf. Jr 1.13-15; 4.5-31; 5.15-17; 6.22-26; 8.14-17; 10.21; 13.20-27; 15.12; 16.15 e 23.8.

Jeremias profetizou por cerca de 23 anos. Cf. Jr 1.2. Seu ministério foi efetuado durante o reinado de três reis, pelo tempo em que o capítulo 25 foi escrito.

■ 25.2

אֲשֶׁר דִּבֶּר יִרְמְיָהוּ הַנָּבִיא עַל־כָּל־עַם יְהוּדָה וְאֶל כָּל־יֹשְׁבֵי יְרוּשָׁלַ͏ִם לֵאמֹר׃

A qual anunciou Jeremias, o profeta, a todo o povo de Judá. Jeremias foi um profeta enviado a Judá (e Jerusalém) que trabalhou em tempos *pré-exílicos*. Ele continuou a viver durante o cativeiro, no Egito. Quanto a detalhes, ver no *Dicionário* o artigo chamado *Jeremias (o Profeta).* Jeremias nasceu em cerca de 640 a.C. e provavelmente morreu em cerca de 570 a.C., o que significa que ele não viu o fim do cativeiro babilônico, embora tivesse profetizado a respeito (ver Jr 25.11,12).

■ 25.3

מִן־שְׁלֹשׁ עֶשְׂרֵה שָׁנָה לְיֹאשִׁיָּהוּ בֶן־אָמוֹן מֶלֶךְ יְהוּדָה וְעַד הַיּוֹם הַזֶּה זֶה שָׁלֹשׁ וְעֶשְׂרִים שָׁנָה הָיָה דְבַר־יְהוָה אֵלָי וָאֲדַבֵּר אֲלֵיכֶם אַשְׁכֵּים וְדַבֵּר וְלֹא שְׁמַעְתֶּם׃

Durante 23 anos, desde o décimo terceiro de Josias. A Jeremias foi dado extenso tempo, da parte de Yahweh, para terminar seu ministério. Ele já havia profetizado por 23 anos, desde o tempo em que o capítulo 25 foi escrito. Ele deu início a seu ministério no décimo terceiro ano de Josias e continuou a profetizar nos reinados de Jeoacaz e Jeoaquim. E continuaria, de modo que seu ministério total envolveu também o período coberto pelos reinos de Jeconias (Conias) e Zedequias, ou seja, um total de quase quarenta anos, que começaram em cerca de 626 a.C. Cf. Jr 1.2. "Deus deu tempo bastante para o povo reagir, mas eles se recusaram a isso" (Charles H. Dyer, *in loc.*). Jeremias também teve tempo suficiente para completar sua missão. Oh! Senhor, concede-nos tal graça! Por isso, podemos dizer: "Deus é bom!" e a vida tem significado.

A parte final do versículo assinala a diligência do profeta. Ele "se levantava" cedo para fazer seu trabalho (*King James Version*) ou falava com "persistência" (*Revised Standard Version*), "começando de madrugada" (Atualizada). Cf. Jr 7.13,25; 11.7; 32.33; 35.14 e 44.4 quanto à mesma expressão.

■ 25.4

וְשָׁלַח יְהוָה אֲלֵיכֶם אֶת־כָּל־עֲבָדָיו הַנְּבִאִים הַשְׁכֵּם וְשָׁלֹחַ וְלֹא שְׁמַעְתֶּם וְלֹא־הִטִּיתֶם אֶת־אָזְנְכֶם לִשְׁמֹעַ׃

Também, começando de madrugada, vos enviou o Senhor todos os seus servos, os profetas. Jeremias mostrou-se persistente em seu ensino, mas o povo de Judá mostrou-se igualmente persistente em sua rejeição. Yahweh fazia o seu grande profeta levantar-se cedo, a cada manhã, para ir pregar, mas os judeus não se deixaram impressionar por seus esforços heroicos. Se tivessem ouvido a mensagem profética, poderiam ter impedido o ataque babilônico e o imediato cativeiro. Mas o povo de Israel preferiu a senda errada, e tudo terminou em colossal desastre. Ver no *Dicionário* o artigo chamado *Cativeiro Babilônico*.

Os profetas. Provavelmente estão em foco aqui os profetas pré-exílicos, como Isaías, Miqueias, Naum, Habacuque, Sofonias e Jeremias, além de outros que nada escreveram, mas tiveram um ministério oral. Houve boa abundância de profetas, assim como de profecias orais e escritas, ao passo que o povo teve ampla oportunidade de ouvir e agir com base no que ouvia. Eles deveriam retornar à legislação mosaica como guia (ver Dt 6.4 ss.) e ter uma fé sentida no fundo do coração (ver Jr 24.7; Pv 4.23). Quanto ao ato de *ouvir*, ver Sl 64.1.

■ 25.5

לֵאמֹר שׁוּבוּ־נָא אִישׁ מִדַּרְכּוֹ הָרָעָה וּמֵרֹעַ מַעַלְלֵיכֶם וּשְׁבוּ עַל־הָאֲדָמָה אֲשֶׁר נָתַן יְהוָה לָכֶם וְלַאֲבוֹתֵיכֶם לְמִן־עוֹלָם וְעַד־עוֹלָם׃

Convertei-vos agora cada um do seu mau caminho. As palavras dos profetas chegaram aos ouvidos de um povo apaixonado por sua idolatria-adultério-apostasia. Ver Jr 3.13, onde ilustro a questão. A apostasia-idolatria infestara o país inteiro; até as crianças pequenas participavam (ver Jr 7.18). Isso significa que o ataque dos babilônios não favoreceria nenhum membro da sociedade. Todas as unidades familiares seriam dissolvidas. Ver Jr 18.21. Eles perderiam a terra que tinham recebido como herança (ver Js 1.6; Jz 2.6; 1Rs 8.36). Israel tomou sua terra dos pagãos. Por causa de desobediência, os pagãos seriam enviados agora para tomar a terra de volta. Eles foram convidados a "abandonar" seus pecados e "voltar-se" para Deus. Ver 2Rs 17.13; Jr 18.11; 35.15 e Jn 3.8.

■ 25.6

וְאַל־תֵּלְכוּ אַחֲרֵי אֱלֹהִים אֲחֵרִים לְעָבְדָם וּלְהִשְׁתַּחֲוֺת לָהֶם וְלֹא־תַכְעִיסוּ אוֹתִי בְּמַעֲשֵׂה יְדֵיכֶם וְלֹא אָרַע לָכֶם׃

Não andeis após outros deuses para os servirdes. A *idolatria* (ver a respeito no *Dicionário*) estava arraigada no coração da nação, corrompendo o povo, que clamava por julgamento. A idolatria de Judá era versátil, incorporando tudo no culto dos deuses da fertilidade dos cananeus (ver Jr 3.13), assim como dos deuses dos céus da Assíria e da Babilônia (ver Jr 19.13). Eles adoravam coisas que suas mãos tinham feito e, de alguma maneira, não viam o absurdo de suas ações. Ver Jr 10.3 ss. quanto a uma sátira desse absurdo. Quanto à *desnaturalidade* da apostasia de Judá, considere o leitor que eles abandonaram as suas tradições para adotar toda a espécie de crenças estrangeiras, algo que outras nações não faziam (ver Jr 8.4-7).

■ 25.7

וְלֹא־שְׁמַעְתֶּם אֵלַי נְאֻם־יְהוָה לְמַעַן הַכְעִסוּנִי בְּמַעֲשֵׂה יְדֵיכֶם לְרַע לָכֶם׃ ס

Todavia não me destes ouvidos, diz o Senhor. O *trabalho de muitos profetas* (vs. 4) em nada contribuiu para mudar a atitude do povo, que tinha caído em uma apostasia desesperançada. Eles perderam a fibra moral e tornaram-se incapazes de reagir diante da mensagem divina. Provocando Yahweh através da ridícula idolatria pela qual adoravam produtos de suas próprias mãos, eles se tornaram candidatos a uma ruína inevitável, administrada pelos temíveis babilônios. Cf. Dt 32.21; Pv 8.36; 20.2. Ver no *Dicionário* o artigo chamado *Ira de Deus*. O castigo divino seria aplicado através da espada, da pestilência, da seca e da fome.

Destruição Iminente (25.8-14)

■ 25.8

לָכֵן כֹּה אָמַר יְהוָה צְבָאוֹת יַעַן אֲשֶׁר לֹא־שְׁמַעְתֶּם אֶת־דְּבָרָי׃

Visto que não escutastes as minhas palavras. Estes versículos descrevem, uma vez mais, a destruição que seria infligida pelo ataque do exército babilônico, com a subsequente matança, o saque e a deportação do povo que sobrevivesse ao ataque. Ver no *Dicionário* o artigo chamado *Cativeiro Babilônico*, quanto a maiores detalhes. Tendo usado os babilônios como instrumento de terror contra Judá e outras nações próximas, Yahweh puniria então esse instrumento, pois a Babilônia era uma nação cheia de pecados, violência e crueldade. Ver Is 13.6, quanto a Yahweh como a causa dos eventos humanos. Ver também, no *Dicionário*, o artigo chamado *Soberania*.

Yahweh, o Senhor dos Exércitos, que tem todo o poder, declara aqui sua vingança contra os desobedientes, e sua palavra é justa e firme. Ver sobre *Yahweh* e também sobre *Senhor dos Exércitos*, no *Dicionário*. Somos informados, nos vss. 4 e 7, que Judá não ouvia nem obedecia à voz de Yahweh. Isso armou o palco para sua punição. O comandante dos exércitos celestiais, que é também o comandante dos exércitos terrenos, não podia mais suportar a idolatria-adultério--apostasia de Judá.

■ 25.9

הִנְנִי שֹׁלֵחַ וְלָקַחְתִּי אֶת־כָּל־מִשְׁפְּחוֹת צָפוֹן נְאֻם־יְהוָה וְאֶל־נְבוּכַדְרֶאצַּר מֶלֶךְ־בָּבֶל עַבְדִּי וַהֲבִאֹתִים

עַל־הָאָרֶץ הַזֹּאת וְעַל־יֹשְׁבֶיהָ וְעַל כָּל־הַגּוֹיִם הָאֵלֶּה סָבִיב וְהַחֲרַמְתִּים וְשַׂמְתִּים לְשַׁמָּה וְלִשְׁרֵקָה וּלְחָרְבוֹת עוֹלָם׃

Eis que mandarei buscar todas as tribos do Norte, diz o Senhor. *Nabucodonosor* (ver sobre ele no *Dicionário*) não era homem conhecido por sua gentileza. Na realidade, era um assassino brutal, líder de assassinos. Ele traria suas hordas vindas do norte (ver Jr 1.13-15; 4.5-31; 5.15-17; 6.22-26; 8.14-17; 10.21; 13.20-27; 15.12; 16.15 e 23.8). O exército babilônico lançaria um ataque geral e tomaria várias nações que faziam fronteira com Judá. Eles poriam em prática o esporte de matar e aleijar; saqueariam e violentariam; e os poucos que sobrevivessem seriam deportados para a Babilônia, e até mesmo ali a espada os seguiria (ver Jr 9.16). E a espada também continuaria a perseguir os poucos que permanecessem na Terra Prometida (ver Jr 24.10). Este versículo afirma com clareza que Yahweh era a *causa real* dos acontecimentos. Nabucodonosor chega a ser chamado de *servo* de Yahweh, e ele saberia realizar bem a sua tarefa. Haveria total destruição de Judá e das nações circundantes. Essas nações se tornariam uma *piada internacional*, lugares de desolação perpétua. Animais selvagens se mudariam para as desolações que antes tinham sido Jerusalém, a Dourada. Ver Jr 9.11 e 10.22. Quanto a Nabucodonosor como *servo* de Yahweh, ver também Jr 27.6 e 43.10.

"Jr 40.2 mostra-nos que Nebuzaradã, capitão de Nabucodonosor, tinha alguma consciência da missão divina que o rei da Babilônia cumpria" (Fausset, *in loc.*). Cf. Is a falar sobre Ciro como o *pastor*, o *ungido* de Yahweh (ver Is 44.28; 45.1). Deus era a *causa primária*, mas também havia causas secundárias.

■ 25.10

וְהַאֲבַדְתִּי מֵהֶם קוֹל שָׂשׂוֹן וְקוֹל שִׂמְחָה קוֹל חָתָן וְקוֹל כַּלָּה קוֹל רֵחַיִם וְאוֹר נֵר׃

Farei cessar entre eles a voz de folguedo e a de alegria. Jerusalém seria transformada em *cidade fantasma*. Os sons da vida e das atividades normais não mais seriam ouvidos. Não mais haveria casamentos com seus festivais, e a voz da noiva e do noivo silenciaria estranhamente. Nada mais haveria para celebrar. A cidade inteira estaria às escuras, pois não haveria quem acendesse lamparinas à noite. Cf. este versículo com Jr 7.34 e Ap 18.23, onde encontramos declarações similares. "Este versículo prevê o fim da alegria e do regozijo. Não mais haveria a alegria franca das celebrações de casamento, nem os sons consoladores dos moinhos perto das casas no fim da tarde, nem as lamparinas convidativas do conforto doméstico brilhando nas janelas depois de tudo ter escurecido. E a terra inteira seria somente ruína e desolação" (Stanley Romaine Hopper, *in loc.*). "Este versículo mostra que eles seriam privados de tudo para satisfazer as necessidades e os prazeres... O Targum diz: 'A voz da companhia daqueles que cantavam à noite em redor da luz das lâmpadas não mais será ouvida'" (John Gill, *in loc.*).

O Cativeiro de Setenta Anos (25.11-14)

■ 25.11

וְהָיְתָה כָּל־הָאָרֶץ הַזֹּאת לְחָרְבָּה לְשַׁמָּה וְעָבְדוּ הַגּוֹיִם הָאֵלֶּה אֶת־מֶלֶךְ בָּבֶל שִׁבְעִים שָׁנָה׃

Toda esta terra virá a ser um deserto e um espanto. Jeremias não viveria o bastante para ver o cativeiro babilônico terminar (ver as notas expositivas sobre o vs. 2). Mas ele sabia, por inspiração divina, que o cativeiro duraria setenta anos. Ver Jr 29.10. Os invasores babilônicos devastavam terras propositadamente, além de incendiar florestas e destruir plantações. Eles eram criadores de desertos, e não somente assassinos. Matavam um território, e não somente as pessoas que ali habitavam. Somente os animais selvagens sentiam que a terra continuava habitável, depois que os babilônios terminavam seu trabalho de destruição. Ver Jr 9.11 e 10.22.

Por que Setenta Anos? (605-536 a.C.). De acordo com alguns intérpretes, o povo tinha deixado de observar a lei do descanso sabático a cada sete anos. Ver Lv 25.3-5. Já que o povo judeu se recusou a obedecer a essa lei, o Senhor os removeria da terra para forçar esse descanso (ver Lv 26.3-35). O cativeiro babilônico, pois, permitiu que a terra recuperasse seu descanso sabático (ver 2Cr 36.20,21). "Esse foi o número exato de anos sabáticos, nos 490 anos que se tinham escoado entre Saul e o cativeiro babilônico: uma justa retribuição pela violação dos anos sabáticos por parte deles (ver Lv 26.34,35; 2Cr 36.21)" (Fausset, *in loc.*). A fraqueza dessa teoria é que se deve supor que os anos sabáticos tenham sido inteira ou quase inteiramente negligenciados. Alguns cativos judeus conseguiram prosperar durante o cativeiro (ver Ed 2.69) e até cultivar a terra e construir casas (ver Jr 29.4,28), mas, em sua esmagadora maioria, o povo judeu viu-se reduzido à miserável escravidão, "servindo o rei da Babilônia". O número "setenta" é redondo, a ser calculado a partir da deportação de Jeconias, e não de Zedequias em diante.

■ 25.12

וְהָיָה כִמְלֹאות שִׁבְעִים שָׁנָה אֶפְקֹד עַל־מֶלֶךְ־בָּבֶל
וְעַל־הַגּוֹי הַהוּא נְאֻם־יְהוָה אֶת־עֲוֹנָם וְעַל־אֶרֶץ
כַּשְׂדִּים וְשַׂמְתִּי אֹתוֹ לְשִׁמְמוֹת עוֹלָם׃

Acontecerá, porém, que, quando se cumprirem os setenta anos, castigarei a iniquidade do rei da Babilônia. A nação da Babilônia, matadora em massa de outros povos, não se veria livre do castigo merecido. Ter sido usada como instrumento de Yahweh não apagava os muitos crimes dos babilônios. O próximo dançarino louco no palco do mundo seriam os medo-persas, quando então os babilônios se tornariam os novos escravos, ou seja, os poucos babilônios que sobrevivessem. A Babilônia se tornaria a nova terra desolada, conforme continua sendo até os nossos dias. Ver no *Dicionário* os artigos chamados *Média (Medos)* e *Pérsia*. Ver Is 13.19, quanto ao cumprimento da profecia sobre as desolações da Babilônia. A Babilônia se tornaria como Sodoma e Gomorra, tão grande seria a sua devastação. Ver também, no *Dicionário,* os verbetes intitulados *Dario* e *Ciro*, os novos homens fortes do mundo antigo. Dn 5 conta parte dessa história.

■ 25.13

וְהֵבֵאתִי עַל־הָאָרֶץ הַהִיא אֶת־כָּל־דְּבָרַי אֲשֶׁר־
דִּבַּרְתִּי עָלֶיהָ אֵת כָּל־הַכָּתוּב בַּסֵּפֶר הַזֶּה אֲשֶׁר־נִבָּא
יִרְמְיָהוּ עַל־כָּל־הַגּוֹיִם׃

Farei que se cumpram sobre aquela terra todas as minhas ameaças. Havia tantas profecias de condenação que elas precisaram ser registradas em um *livro* (rolo), para serem mantidas em ordem. Está em vista uma coletânea de oráculos contra Judá, e Jr 25.1-13 forma a conclusão desses oráculos. É provável que tenhamos aqui a conclusão do rolo de Baruque, escrito no quarto ano de Joiaquim (ver Jr 36). Cf. Jr 51.60, onde encontramos outra coletânea de oráculos contra a Babilônia. Isso se refere aos oráculos dos capítulos 50 e 51 do livro de Jeremias. Ver o vs. 9 e 11, quanto à *referência retroativa* a este versículo, onde a terra em foco é Judá, e não a Babilônia. Os capítulos 50 e 51 são uma *referência adiantada* a outra coletânea de profecias.

Contra todas as nações. Ou seja, as nações que caíram juntamente com Judá. Ver o vs. 9.

■ 25.14

כִּי עָבְדוּ־בָם גַּם־הֵמָּה גּוֹיִם רַבִּים וּמְלָכִים גְּדוֹלִים
וְשִׁלַּמְתִּי לָהֶם כְּפָעֳלָם וּכְמַעֲשֵׂה יְדֵיהֶם׃ ס

Porque também eles serão escravos de muitas nações. Este versículo continua a *olhar para trás:* as profecias eram contra Judá, mas talvez todo o Israel histórico esteja em vista, caso em que a referência é lata o bastante para incluir tanto o cativeiro assírio quanto o cativeiro babilônico. Isso explicaria o plural, *nações*, que seriam os povos opressores. Naturalmente, falando em sentido histórico, muitas nações oprimiram a Israel-Judá. Mas, se essas nações foram instrumentos da ira de Deus contra o seu povo, também deveriam sofrer julgamento por seus próprios pecados e desgraças interminéveis. Cf. o vs. 12. Alguns estudiosos, porém, fazem este versículo olhar para frente, o que também acontece com o vs. 13. Medos e persas estão em vista como nações que oprimiram os babilônios. Isso se ajusta bem à segunda parte do versículo, mas as "muitas nações" certamente são aqui as nações opressoras de Israel-Judá. Seja como for, a *Lei Moral da Colheita segundo a Semeadura* (ver a respeito no *Dicionário*) foi aplicada a nações, e não meramente a indivíduos.

AS NAÇÕES DEVEM BEBER O CÁLICE DA IRA (25.15-29)

■ 25.15

כִּי כֹה אָמַר יְהוָה אֱלֹהֵי יִשְׂרָאֵל אֵלַי קַח אֶת־כּוֹס
הַיַּיִן הַחֵמָה הַזֹּאת מִיָּדִי וְהִשְׁקִיתָה אֹתוֹ אֶת־כָּל־
הַגּוֹיִם אֲשֶׁר אָנֹכִי שֹׁלֵחַ אוֹתְךָ אֲלֵיהֶם׃

Toma da minha mão este cálice do vinho do meu furor. A cena se assemelha à cena anterior ao dilúvio. Todas as pessoas eram culpadas do mais horrendo dos crimes: "Viu o Senhor que a maldade do homem se havia multiplicado na terra, e que era continuamente mau todo desígnio do seu coração" (Gn 6.5). Em seguida, vem o pronunciamento de um julgamento necessário. Portanto, aqui há condenação e julgamento generalizado. É provável que esta seção, com seu *cálice de ira* (vs. 15), originalmente servisse para introduzir os oráculos contra as nações (Jr 46—51). Todas as nações, por causa de suas transgressões (ver Am 1.1—3.2), deverão sofrer o peso da ira de Deus. O cálice de uma bebida amarga simboliza a ira de Deus. No vs. 29, isso é equiparado à *espada,* visto que essa arma era comumente usada como instrumento na mão de Deus.

"Jeremias teve uma visão do Senhor segurando um *cálice* em sua mão. O cálice estava repleto com a ira de Deus. Era tarefa do profeta fazer com que todas as nações às quais ele fosse enviado sorvessem o cálice (cf. Lm 4.21; Ez 23.31-33; Ap 16.19 e 18.6). As primeiras nações a beber a amarga bebida (as *uvas da ira* de Deus) foram Jerusalém e as cidades de Judá" (Charles H. Dyer, *in loc.*). Outras nações se seguiriam para receber suas porções do cálice com bebida amargosa, conforme a vontade de Deus desdobrasse o divino decreto de julgamento. Cf. também este versículo com Hc 2.16; Sl 11.6; 75.8. Em Sl 16.5 e 23.5, o *cálice* aparece como símbolo de dispensação de bênçãos. Ver também Jr 13.12,13, onde está em vista um *julgamento estupefaciente*.

■ 25.16

וְשָׁתוּ וְהִתְגֹּעֲשׁוּ וְהִתְהֹלָלוּ מִפְּנֵי הַחֶרֶב אֲשֶׁר אָנֹכִי
שֹׁלֵחַ בֵּינֹתָם׃

Para que bebam e tremam, e enlouqueçam. Agora o cálice de ira transforma-se em uma *espada,* que é um dos modos comuns de aplicar a ira divina: as guerras de nações contra nações que abatiam milhares de pessoas, sem misericórdia. A Yahweh foi dado o crédito pela marcha dos exércitos. Cf. Is 13.6, que fala sobre como Deus controla os acontecimentos humanos. Ver no *Dicionário* os artigos chamados *Soberania de Deus* e *Providência de Deus*. A providência negativa e positiva de Deus está por trás daquilo que acontece neste mundo. Todavia, não devemos fazer de Deus a *causa única* de tudo, atribuindo a ele também o mal. Existem neste mundo muitas *causas secundárias* em operação que explicam as coisas terríveis que aqui acontecem.

Sorver a ira de Deus é algo intoxicador e enlouquecedor, que faz os homens balançar como embriagados. Cf. Na 3.11.

Eles não serão capazes de andar em linha reta.
Antes, caminharão como loucos.
E farão isso por causa da guerra que vou enviar entre eles.
NCV

■ 25.17

וָאֶקַּח אֶת־הַכּוֹס מִיַּד יְהוָה וָאַשְׁקֶה אֶת־כָּל־הַגּוֹיִם
אֲשֶׁר־שְׁלָחַנִי יְהוָה אֲלֵיהֶם׃

Recebi o cálice da mão do Senhor, e dei a beber a todas as nações. Obedecendo aos mandamentos de Yahweh, Jeremias tomou o cálice, à sua maneira visionária, e fez com que todas as nações o bebessem, por meio de suas profecias condenatórias que tinham o poder de Deus por trás delas, o que significa que fatalmente seriam cumpridas. Os julgamentos divinos eram versáteis, e cada tipo seria eficaz, sem importar se através da guerra, da pestilência, da seca, da fome ou dos desastres naturais. "As palavras descrevem os atos do profeta, tal como no êxtase da visão. Uma por uma, as nações foram forçadas a beber aquele cálice amargo, o cálice da ira de Deus" (Ellicott, *in loc.*).

25.18

אֶת־יְרוּשָׁלִַם וְאֶת־עָרֵי יְהוּדָה וְאֶת־מְלָכֶיהָ אֶת־שָׂרֶיהָ לָתֵת אֹתָם לְחָרְבָּה לְשַׁמָּה לִשְׁרֵקָה וְלִקְלָלָה כַּיּוֹם הַזֶּה׃

A Jerusalém, às cidades de Judá, aos seus reis e aos seus príncipes. O cálice foi servido primeiramente ao próprio povo de Deus, às cidades de Judá e a Jerusalém, a capital. Yahweh não mais podia tolerar a corrupção da idolatria-adultério-apostasia que eles tinham inventado e perpetrado por tão longo tempo. Eles haviam repelido as muitas chamadas ao arrependimento que Jeremias e outros profetas pré-exílicos proferiram. Contudo, os judeus desviaram-se para além do alcance do convite ao arrependimento, e já estavam sob julgamento preliminar da cegueira judicial. O povo de Judá, do mais alto ao mais humilde, seria julgado: reis, príncipes, líderes religiosos, homens, mulheres e crianças (ver Jr 15.7 ss.). Nenhuma célula familiar ficaria intacta. Haveria completa desolação. Aquela parte do mundo ficaria "espantada", diante dos acontecimentos, porque os desastres seriam radicais, terríveis e completos. As pessoas que por ali passassem assobiariam de desgosto diante da confusão, demonstrando assim seu desprazer. As *maldições* divinas se mostrariam eficazes, porquanto o povo de Judá não tinha obedecido à lei de Moisés, que era o *guia* desse povo quanto à sua conduta (ver Dt 6.4 ss.). Cf. o versículo com Jr 24.9, que tem algo similar. O julgamento começou pela casa de Deus (ver 1Pe 4.7). Quanto às *maldições* deuteronômicas, ver Dt 27.15 ss.; 28.15,45 e 29.20—21,27.

25.19

אֶת־פַּרְעֹה מֶלֶךְ־מִצְרַיִם וְאֶת־עֲבָדָיו וְאֶת־שָׂרָיו וְאֶת־כָּל־עַמּוֹ׃

A Faraó, rei do Egito, a seus servos, a seus príncipes e a todo o seu povo. O Egito seria outra vítima que sorveria o cálice da ira de Deus, com seu Faraó e seus oficiais, e todo o povo do país — um julgamento completo, de alto a baixo, tal como foi o caso de Israel (vs. 18). Particularmente em vista está o julgamento de Deus sobre aquele país, pois a promessa deles de ajudar Judá, contra a Babilônia, levou os judeus a serem ousados o bastante para oferecer resistência aos babilônios, fazendo-os sofrer mais do que sofreriam de outro modo. Jeremias, por sua vez, tinha aconselhado que os judeus simplesmente se rendessem, pois seria impossível oferecer resistência eficaz. Provavelmente, de outra maneira, teria havido o cativeiro, mas talvez a matança e o saque tivessem sido reduzidos a proporções mais modestas. Cf. Ez 29.6-9. O Faraó em particular, aqui destacado, foi o Faraó Neco, aquele que mais instigou nações circunvizinhas a formar uma liga contra a Babilônia, produzindo frutos desastrosos. Ver Jr 46.2,5. O Egito foi derrotado na batalha de Carquêmis. Note o leitor como a lista das nações a serem julgadas começa pelas nações mais ao sul e prossegue na direção norte.

25.20

וְאֵת כָּל־הָעֶרֶב וְאֵת כָּל־מַלְכֵי אֶרֶץ הָעוּץ וְאֵת כָּל־מַלְכֵי אֶרֶץ פְּלִשְׁתִּים וְאֶת־אַשְׁקְלוֹן וְאֶת־עַזָּה וְאֶת־עֶקְרוֹן וְאֵת שְׁאֵרִית אַשְׁדּוֹד׃

A todo misto de gente, a todos os reis da terra de Uz. Os vss. 20-26 listam as nações que, sucessivamente, seriam forçadas a sorver a bebida amargosa da ira de Deus. Há artigos sobre cada um desses nomes geográficos no *Dicionário*. Aqui, porém, só ofereço rápidas caracterizações. A ideia que obtemos é da natureza universal do pecado radical e da rebeldia, de tal modo que todas as nações daquela parte do mundo, que tinham algo a ver com Israel, foram feitas cativas e escravizadas pelos mesmos pecados, ou seja, elas mereciam a ira de Deus. Note o leitor que todas essas nações beberam de um mesmo *cálice*, pois formavam uma única massa de rebeldia e corrupção.

Misto de gente. Estas palavras podem apontar para os vários *povos árabes* que perambulavam pelo deserto da Arábia. Mas alguns estudiosos veem aqui tropas mercenárias que ajudam a agitar tribulações. Ou então a referência é aos vários povos estrangeiros com quem os judeus tinham alguma negociação. Ou, finalmente, a referência se limita à mistura de estrangeiros estabelecidos no Egito.

Uz. A terra natal de Jó (ver Jó 1.1). Ficava a leste da Palestina, provavelmente no território dos idumeus. Cf. Gn 10.23; 22.21; 36.38; 1Cr 1.17; Lm 4.21.

Filisteus. O povo que ocupava a região costeira das praias do mar Mediterrâneo, imediatamente a oeste do território de Judá. Além disso, foram listadas cidades específicas pertencentes a esse povo, como Ascalom, Gaza, Ecrom e o remanescente de Asdode. Heródoto (*História* II.157) diz-nos que o povo de Asdode foi destruído por Psamético I (663-609 a.C.), depois de um assédio de 29 anos. O local foi reedificado mais ou menos na época de Neemias (ver Ne 13.23).

25.21

אֶת־אֱדוֹם וְאֶת־מוֹאָב וְאֶת־בְּנֵי עַמּוֹן׃

A Edom, a Moabe e aos filhos de Amom. Em seguida temos três povos listados do sul para o norte, a saber: *Edom, Moabe* e *Amom*. Eles se situavam a oeste de Judá, do outro lado do rio Jordão e às margens do mar Morto. Essas três nações são unidas aqui por estarem geneticamente relacionadas a Israel. Ver Jr 48 e 49. "Os edomitas descendiam de Esaú; os moabitas e amonitas descendiam de dois filhos que Ló teve com suas filhas. A destruição desses povos foi profetizada nos capítulos 48 e 49" (John Gill, *in loc.*). Todos esses povos eram, historicamente, inimigos implacáveis de Israel-Judá.

25.22

וְאֵת כָּל־מַלְכֵי־צֹר וְאֵת כָּל־מַלְכֵי צִידוֹן וְאֵת מַלְכֵי הָאִי אֲשֶׁר בְּעֵבֶר הַיָּם׃

A todos os reis de Tiro, a todos os reis de Sidom e aos reis das terras dalém do mar. Os povos fenícios se localizavam ao norte de Judá, às margens do mar Mediterrâneo.

Tiro e Sidom eram duas cidades fenícias, algumas vezes amistosas com Judá e Israel, algumas vezes hostis. Voltadas ao comércio marítimo, eram dotadas de grande poder e riquezas. Como em todos os casos, maiores detalhes são encontrados nos artigos que aparecem no *Dicionário*. A ruína dessas cidades foi predita em Jr 47.4.

Terras dalém do mar. Esta é uma referência geral e vaga que pode falar da Grécia e da Itália, ou então de lugares como Rodes, Chipre, Creta e outras ilhas do mar Mediterrâneo. Mas algumas traduções dizem "à beira-mar", o que poderia indicar cidades costeiras como Tiro e Sidom. "... regiões marítimas (Sl 72.10, 'os reis de Társis e das ilhas...')" (Fausset, *in loc.*).

25.23

וְאֶת־דְּדָן וְאֶת־תֵּימָא וְאֶת־בּוּז וְאֵת כָּל־קְצוּצֵי פֵאָה׃

A Dedã, a Tema, a Buz e a todos os que cortam os cabelos nas têmporas. Dedã e Tema ficavam no noroeste da Arábia. Quanto a Dedã, ver Gn 10.7; Jr 49.8. Quanto a Tema, ver Is 21.14; Jó 6.19. Buz tem localização desconhecida, mas o fato de que esse lugar é aqui agrupado com os outros dois indica localização geográfica similar. Jerônimo considerou Buz pertencente aos ismaelitas ou aos sarracenos. Esses povos aparavam as pontas dos cabelos e das barbas, ou de ambas as coisas. Quanto a essa *infração*, ver a exposição sobre Jr 9.26. Ver Jr 49.7—8,20.

25.24

וְאֵת כָּל־מַלְכֵי עֲרָב וְאֵת כָּל־מַלְכֵי הָעֶרֶב הַשֹּׁכְנִים בַּמִּדְבָּר׃

A todos os reis da Arábia e todos os reis do misto de gente. Encontramos aqui referência geral às *tribos árabes*. Eram um povo misto composto de várias subtribos nômades que viviam vagueando ao redor, dificilmente mantendo-se vivos mediante um grande esforço. Diz o Targum: "Todos os reis dos árabes, que habitam em tendas no deserto". Ver a profecia contra eles, em Jr 49.28,29.

25.25

וְאֵת ׀ כָּל־מַלְכֵי זִמְרִי וְאֵת כָּל־מַלְכֵי עֵילָם וְאֵת כָּל־מַלְכֵי מָדָי׃

A todos os reis de Zimri, a todos os reis de Elão e a todos os reis da Média. De localização incerta, Zimri estava associada a *Elão* e à *Média,* que deviam ocupar a mesma localização geral. Essas duas nações ficavam a leste do rio Tigre e foram vítimas dos babilônios. Mas alguns eruditos preferem associar Zimri aos árabes, mencionados no vs. 24. Ver Gn 25.2,6. Quanto às profecias contra esses lugares do norte, ver Jr 49.34-39. Estão em vista aqui os medos e os persas.

25.26

וְאֵת ׀ כָּל־מַלְכֵי הַצָּפוֹן הַקְּרֹבִים וְהָרְחֹקִים אִישׁ אֶל־אָחִיו וְאֵת כָּל־הַמַּמְלְכוֹת הָאָרֶץ אֲשֶׁר עַל־פְּנֵי הָאֲדָמָה וּמֶלֶךְ שֵׁשַׁךְ יִשְׁתֶּה אַחֲרֵיהֶם׃

A todos os reis do Norte, os de perto e os de longe, um após outros. Todas as pessoas anteriormente nomeadas seriam julgadas por Yahweh, *através da Babilônia.* Aqui, porém, a ordem implícita é revertida, correndo do norte (o último lugar mencionado aparece no vs. 25) para o sul (os que tinham sido mencionados pela primeira vez no vs. 19).

Sesaque. Ver também Jr 51.41. Consideremos os seguintes três pontos:

1. "A maior parte dos eruditos acredita que esta palavra é um criptograma ou *atbash* para 'Babilônia'. Um *atbash* era um código no qual o nome contado a partir do fim do alfabeto é substituído por letras contadas a partir do começo do alfabeto. Por exemplo, em português, na palavra 'Babilônia', a letra 'a' tomaria o lugar da letra 'b', a letra 'i' substituiria a letra 'a' etc. De acordo com esse costume, a palavra *abby*, por exemplo, se tornaria *ybba*. Portanto, se Sesaque (*ssk*) é um *atbash* hebraico, então obtemos as consoantes *bbl*, ou seja, Babilônia. Cf. Jr 25.1" (Charles H. Dyer, *in loc.*). Devemos lembrar que o idioma hebraico não empregava letras vogais na escrita.
2. Outra explicação, menos complicada, é a que diz que *Sesaque* era o nome de uma dinastia do segundo milênio a.C. que ocupava a mesma área mais tarde ocupada pela Babilônia, o que explica a troca de nomes. Não é provável, entretanto, que algum escritor da época de Jeremias tivesse essa pequena informação. Isso seria esperar demais de seu conhecimento histórico.
3. Outra explicação ainda é que esse termo derivava do deus da Babilônia *Shach,* por meio da reduplicação da primeira letra. Não há como submeter a teste essa explicação. O certo é que está em vista a Babilônia, como o látego de Yahweh para castigar todas as outras nações. E então, finalmente, tendo completado sua horrenda missão, a Babilônia também deveria beber o cálice da ira de Deus através da instrumentalidade dos medos e dos persas, os próximos loucos dançarinos do drama humano. Ver Is 13.6, quanto a Yahweh como a causa por trás de todas as vicissitudes da história humana. Ver também sobre a Soberania de Deus. O texto inteiro ilustra a *Lei Moral da Colheita segundo a Semeadura,* aplicada às nações. Ver sobre esse título no *Dicionário*.

25.27

וְאָמַרְתָּ אֲלֵיהֶם ס כֹּה־אָמַר יְהוָה צְבָאוֹת אֱלֹהֵי יִשְׂרָאֵל שְׁתוּ וְשִׁכְרוּ וּקְיוּ וְנִפְלוּ וְלֹא תָקוּמוּ מִפְּנֵי הַחֶרֶב אֲשֶׁר אָנֹכִי שֹׁלֵחַ בֵּינֵיכֶם׃

Bebei, embebedai-vos, e vomitai, caí e não torneis a levantar-vos. Este versículo é uma ordem geral de Yahweh a todas as nações que foram castigadas por meio da Babilônia, a qual, setenta anos mais tarde, seria forçada, através dos medos e persas, a "beber" sua punição. O Poder Supremo, isto é, Yahweh (o Deus Eterno), o *Senhor dos Exércitos* (ver a respeito no *Dicionário*), *Elohim,* o Deus de Israel, a saber, o "Todo-poderoso", baixou uma ordem que não podia deixar de ser cumprida. Isso nos ensina que o mundo é governado por leis morais que, embora lentas em suas operações, são certas.

> Os moinhos de Deus moem lentamente, mas de forma segura.
> Provérbio grego

A bebida intoxicaria e deixaria os homens enlouquecidos, por causa da agonia que imporia a eles. Os homens perderiam a cabeça. Embriagados, eles cairiam no chão e vomitariam, e não se levantariam mais, porquanto estariam mortos pela bebida alcoólica. Ora, essa bebida é a *espada,* quando o profeta deixava de lado a descrição poética. A espada aniquilaria toda a humanidade naquela parte do mundo, castigando ainda mais severamente Judá e Jerusalém do que outros lugares. Judá, entretanto, se levantaria, mas algumas das nações feridas pelos babilônios desapareceriam, pois seus poucos sobreviventes se misturariam a outras nações. Esses são os embriagados que jamais se ergueriam da queda.

25.28

וְהָיָה כִּי יְמָאֲנוּ לָקַחַת־הַכּוֹס מִיָּדְךָ לִשְׁתּוֹת וְאָמַרְתָּ אֲלֵיהֶם כֹּה אָמַר יְהוָה צְבָאוֹת שָׁתוֹ תִשְׁתּוּ׃

Se recusarem receber o cálice da tua mão para beber. "Algumas nações repeliriam o julgamento divino, mas Deus as forçaria a participar. Se Deus estava trazendo desastre contra o próprio povo, por motivo de pecado, como poderiam aquelas nações pagãs esperar escapar à punição?" (Charles H. Dyer, *in loc.*). O que havia por trás das profecias de Jeremias era o poder *divino.* O cumprimento daquelas predições não dependia do próprio Jeremias. O Deus onipotente era a garantia desse cumprimento. Ele movia exércitos humanos segundo sua vontade. Mas tudo seria um movimento moral e justo. Nada haveria de arbitrário na questão. O julgamento em mira é temporal e em consonância com este mundo. Mas nada é dito ou subentendido sobre o julgamento da alma humana, do outro lado da "existência". Isso requer um novo jogo de regras, segundo o qual a justiça, a severidade, o amor e a misericórdia trabalham juntos. O princípio normativo é que o julgamento é um dedo da mão amorosa de Deus, pelo que continuam havendo muitas surpresas agradáveis.

"*Deveis beber!* O cálice das consequências de nossas ações morais está sempre sendo pressionado contra nossos lábios. Isso é uma verdade no tocante tanto a nações quanto a indivíduos" (Stanley Romaine Hopper, *in loc.*). Não há neutralidade onde a justiça reina. Mas ali também há amor e misericórdia.

25.29

כִּי הִנֵּה בָעִיר אֲשֶׁר נִקְרָא־שְׁמִי עָלֶיהָ אָנֹכִי מֵחֵל לְהָרַע וְאַתֶּם הִנָּקֵה תִנָּקוּ לֹא תִנָּקוּ כִּי חֶרֶב אֲנִי קֹרֵא עַל־כָּל־יֹשְׁבֵי הָאָרֶץ נְאֻם יְהוָה צְבָאוֹת׃

Pois eis que na cidade que se chama pelo meu nome começo a castigar. Este versículo é uma espécie de sumário do *modus operandi* do julgamento, refletido nos vss. 18-26. O julgamento começará na casa de Deus, entre o povo de Deus (ver 1Pe 4.17). Esse era o lugar chamado pelo nome de Deus (ver Dn 9.18,19). O povo de Israel era o povo que recebera a maior oportunidade, mas também o que mais se rebelara contra a luz e a revelação divina. Tendo desempenhado o papel de tolos, em sua idolatria-adultério-apostasia, eles teriam de pagar pesado ônus. Tendo limpado a casa de Deus, o julgamento de fogo passaria a limpar todas as demais casas. A *espada* ouviria o mandamento de Deus, erguer-se-ia e passaria à matança. Não haveria fim das vítimas.

> *Sereis punidos. Estou enviando guerra contra todos os povos da terra, diz o Senhor dos exércitos celestiais.*
> NCV

Senhor dos Exércitos. Ver sobre este título divino em 1Rs 15.18, e também no *Dicionário*.

A VINDA DE YAHWEH NO JULGAMENTO (25.30-38)

25.30

וְאַתָּה תִּנָּבֵא אֲלֵיהֶם אֵת כָּל־הַדְּבָרִים הָאֵלֶּה וְאָמַרְתָּ אֲלֵיהֶם יְהוָה מִמָּרוֹם יִשְׁאָג וּמִמְּעוֹן קָדְשׁוֹ יִתֵּן קוֹלוֹ

שָׁאֹג יִשְׁאַג עַל־נָוֵהוּ הֵידָד כְּדֹרְכִים יַעֲנֶה אֶל כָּל־יֹשְׁבֵי הָאָרֶץ:

Tu, pois, lhes profetizarás todas estas palavras. O julgamento universal é aqui confirmado. Quanto a paralelos, ver Jl 3.16; Lm 1.15; Is 63.1-6; Na 3.18; Zc 11.2,3. Há uma mudança da prosa para a poesia, que provavelmente indica que temos *oráculos* de Jeremias, usualmente escritos sob forma poética. E existem versículos redigidos sob forma prosaica que podem ter sido devidos a editores posteriores, que prepararam o livro para publicação. Este oráculo parece incluir uma visão escatológica, que abarca o tempo posterior às perturbações causadas pelos babilônios.

O julgamento divino foi descrito de acordo com termos convencionais, com repetições de frases vistas antes. *Vss. 30,31.* Assim temos "rugirá" (Am 1.2; Sl 46.6); "vindima" (Is 16.9,10; 63.1-3); "morada" (Jr 12.1); "espada" (Jr 12.12). *Vss. 32-33.* Inimigo distante (Jr 6.22); muitas mortes (Jr 8.2; 16.4). 34-38. Os governantes (pastores, senhores do rebanho) sentiam-se confusos e desesperados. *Vs. 38.* O leão era Deus ou Nabucodonosor (Jr 4.7)" (*Oxford Annotated Bible*, comentando sobre o vs. 30).

Esse oráculo universal tem Deus *rugindo* como um leão faminto contra o próprio rebanho (Judá) e contra "todos os habitantes da terra". O rugido desce de sua santa habitação, nos céus, onde há poder divino ilimitado. Amós 1.2 é um paralelo próximo. O leão faminto estava prestes a saltar sobre sua presa (ver Am 3.4,8). Cf. Is 42.13 e Jl 3.16. O leão primeiramente destruiria e dispersaria o rebanho em Judá. Ver Sl 103.3, quanto a essa metáfora.

A figura da *vindima* aparece em seguida. Cf. Is 16.9,10; 63.1-3. Deus surge como um agricultor celestial que pisa as uvas, simbolizando a matança. Ver também Jr 48.33 e Ap 14.18-20. As uvas vermelhas da Palestina pareciam estar cobertas de sangue ao homem que as pisasse para obter seu suco, e é isso, provavelmente, o que sugere a figura. E também há *violência* nesse ato, pois derramar sangue é algo violento. Isso nos faz lembrar a carnificina produzida por um exército cuja tarefa era causar o maior derramamento possível de sangue.

Yahweh como Juiz (25.31)

■ **25.31**

בָּא שָׁאוֹן עַד־קְצֵה הָאָרֶץ כִּי רִיב לַיהוָה בַּגּוֹיִם נִשְׁפָּט הוּא לְכָל־בָּשָׂר הָרְשָׁעִים נְתָנָם לַחֶרֶב נְאֻם־יְהוָה: ס

Chegará o estrondo até à extremidade da terra, porque o Senhor tem contenda com as nações. A figura muda agora para um *tribunal* (cf. Jr 12.1; Mq 6.2; Jl 3.3; Is 66.16). O julgamento divino seria *local* (em Judá e Jerusalém), mas também *internacional* (todas as nações). Yahweh tinha um caso contra toda carne, contra todos os povos. Ele provaria suas acusações e enviaria todos os povos à execução. Eles cometeram crimes dignos de punição capital. A *espada* (guerras) seria o instrumento de execução. A *justiça* seria feita: os opressores seriam aniquilados e os inocentes seriam vingados. O escopo mundial faz o versículo parecer uma profecia escatológica das condições que prevalecerão antes da era do reino, e não meramente uma profecia hiperbólica concernente à Babilônia e à própria época de Jeremias.

A Tempestade Devastadora (25.32,33)

■ **25.32**

כֹּה אָמַר יְהוָה צְבָאוֹת הִנֵּה רָעָה יֹצֵאת מִגּוֹי אֶל־גּוֹי וְסַעַר גָּדוֹל יֵעוֹר מִיַּרְכְּתֵי־אָרֶץ:

Eis que o mal passa de nação para nação. A figura agora muda para a de uma *grande tempestade* que vinha do ponto mais extremo da terra. Ver Jr 23.19 e 30.23. Uma nação após outra cairá perante o tornado-tufão, o que fala primariamente do devastador ataque do inimigo que descia do norte, a Babilônia, contra as nações, a fim de matá-las. Os antigos sabiam bastante sobre grandes frentes tempestuosas para concluir que as tempestades não respeitam as barreiras nacionais. Uma única tempestade pode cobrir uma área bem vasta, o que, para nós, é um conhecimento óbvio da questão, já que contamos com satélites de condições atmosféricas. Quanto a Nabucodonosor como redemoinho, ver Jr 4.13. Quanto ao inimigo do norte, ver Jr 1.13-15; 4.5-31; 5.15-17; 6.22-26; 8.14-17; 10.21; 13.20-27; 15.12; 16.15; 23.8 e 25.9.

Eis que um povo vem da terra do Norte, e uma grande nação se levanta dos confins da terra.

Jeremias 6.22

■ **25.33**

וְהָיוּ חַלְלֵי יְהוָה בַּיּוֹם הַהוּא מִקְצֵה הָאָרֶץ וְעַד־קְצֵה הָאָרֶץ לֹא יִסָּפְדוּ וְלֹא יֵאָסְפוּ וְלֹא יִקָּבֵרוּ לְדֹמֶן עַל־פְּנֵי הָאֲדָמָה יִהְיוּ:

Os que o Senhor entregar à morte naquele dia, se estenderão de uma a outra extremidade da terra. Este versículo dá prosseguimento à figura simbólica de uma *grande tempestade* que vinha do norte, no versículo anterior. Inúmeros cadáveres seriam espalhados ao longo da trilha seguida pelo exército babilônico, de uma extremidade à outra da terra. A matança seria tão grande que restariam poucos para lamentar e sepultar os mortos. Por isso mesmo, os cadáveres seriam deixados como um grande banquete para os animais selvagens e as aves de rapina. Quanto a declarações semelhantes, ver Jr 8.2; 14.16 e 16.4-6. Cf. Sl 83.10: "Tornaram-se adubo para a terra".

Os que o Senhor entregar à morte. É dito que Yahweh é a *causa* da matança que se tornaria um julgamento divino. Ver Is 13.6 quanto a Yahweh como a causa por trás dos eventos humanos. Ver também, no *Dicionário,* o verbete intitulado *Soberania de Deus.*

A Queda dos Falsos Pastores (25.34-36)

■ **25.34**

הֵילִילוּ הָרֹעִים וְזַעֲקוּ וְהִתְפַּלְּשׁוּ אַדִּירֵי הַצֹּאן כִּי־מָלְאוּ יְמֵיכֶם לִטְבוֹחַ וּתְפוֹצוֹתִיכֶם וּנְפַלְתֶּם כִּכְלִי חֶמְדָּה:

Uivai, pastores, e clamai; revolvei-vos na cinza, vós, donos dos rebanhos. A figura muda agora para a de um *pastor,* estando em pauta os falsos pastores, ou seja, a liderança do país, como o rei, os príncipes, os sacerdotes e os profetas. Essa figura estende-se até o vs. 36. Quanto à liderança pintada como os *pastores,* ver Jr 23.1,2; Zc 10.3.

Os falsos pastores foram apanhados na agonia da matança em massa, e todas as suas pretensões e todo o seu dinheiro nada fizeram em favor deles. Antes, eles morreram juntamente com o restante do povo. Portanto, eles uivavam, clamavam e revolviam-se nas cinzas da lamentação, antecipando os golpes fatais que receberiam, o fio da espada cortando-lhes a carne, e o traspassar das flechas. E aqueles que não fossem mortos seriam levados para o cativeiro (ou seriam dispersos); nenhum favor lhes seria mostrado; a espada os seguiria (ver Jr 5.16). Muitos dos que foram levados para o cativeiro, ao chegar lá, foram executados. Eles cairiam como cordeiros ou como carneiros sacrificados. Antes realizavam sacrifícios fraudulentos em honra aos que não eram deuses; agora tornavam-se sacrifícios oferecidos a Yahweh, nos quais o exército babilônico atuava como sacerdotes. Ver Jr 39.6, quanto à execução dos príncipes de Judá, em *Ribla.* Entre esses estavam os filhos do rei Zedequias.

Jarros preciosos. Os líderes de Judá se tornariam em *animais sacrificados.* A figura dos jarros é usada em Jr 19.11 e refere-se à *ruína irreparável* que a classe liderante sofreria. Eles deveriam formar uma classe excelente, como vasos escolhidos; mas a idolatria-adultério-apostasia deles os reduzira à posição de vasos comuns, que o divino oleiro quebrara em pedaços. Eles não tinham mais utilidade para o Senhor. Seriam sacrificados e quebrados. A palavra "carneiros" surge aqui como termo que aparece na Septuaginta e que alguns eruditos supõem ser o original hebraico.

■ **25.35**

וְאָבַד מָנוֹס מִן־הָרֹעִים וּפְלֵיטָה מֵאַדִּירֵי הַצֹּאן:

Não haverá refúgio para os pastores. Embora fossem os "grandes" de Judá, os falsos pastores seriam impotentes perante os atacantes babilônios, tanto quanto o povo comum. Eles não encontravam lugar onde se ocultar, o que significa que a maior parte seria exposta à morte, morrendo junto com as massas populares. Alguns poucos líderes escapariam da morte e iriam para o cativeiro, formando um pequeno remanescente. Eles tinham privilégios enquanto estavam no poder, mas perderiam tudo na hora da crise. Cf. Am 2.14. No cativeiro, esses líderes judeus tornaram-se objetos especiais de ódio. Por isso, grande parte deles foi executada. Ver Jr 39.6.

■ 25.36

קוֹל צַעֲקַת הָרֹעִים וִילְלַת אַדִּירֵי הַצֹּאן כִּי־שֹׁדֵד
יְהוָה אֶת־מַרְעִיתָם׃

Eis o grito dos pastores, o uivo dos donos dos rebanhos! Haveria grande choro e lamentação entre os falsos pastores, enquanto Yahweh, por meio dos babilônios, estivesse destruindo a Terra Prometida. "O Senhor destruiu as pastagens, as propriedades, as províncias, as cidades e as aldeias, bem como o povo sobre quem eles eram senhores e por quem eram apoiados" (John Gill, *in loc.*). Portanto, aqueles que não perderam a própria vida, perderam o seu meio de vida. Em breve, os poucos sobreviventes estariam servindo a outros, em vez de serem servidos. Se tinham sido senhores em Judá, na Babilônia seriam escravos.

■ 25.37

וְנָדַמּוּ נְאוֹת הַשָּׁלוֹם מִפְּנֵי חֲרוֹן אַף־יְהוָה׃

Porque as suas malhadas pacíficas serão devastadas. Os pastos pacíficos se tornariam desertos vazios, porque assim o Senhor Deus tinha ordenado. Os falsos líderes tinham habitado em palácios e excelentes edifícios, em meio à pompa e à dignidade. Mas os babilônios reduziriam tudo a ruínas, como sua política de terra arrasada. Mas a *causa* real de toda essa transformação social era Yahweh, mensagem que se repete por todas as passagens que tratam de julgamento. Ver Is 13.6 e o artigo do *Dicionário* chamado *Soberania de Deus*. As terras de pastagem tinham sido lugares pacíficos, livres de animais ferozes. Mas as feras humanas que tinham descido do norte colocaram fim ao bucólico paraíso.

■ 25.38

עָזַב כַּכְּפִיר סֻכּוֹ כִּי־הָיְתָה אַרְצָם לְשַׁמָּה מִפְּנֵי חֲרוֹן
הַיּוֹנָה וּמִפְּנֵי חֲרוֹן אַפּוֹ׃ פ

Saiu da sua morada como o filho de leão. O leão que viera do norte deixou sua cova e saiu à caça. Ele se tornou um feroz opressor, e assim deixou Judá uma desolação, por meio de sua espada terrível. Uma vez mais, somos lembrados que foi a ira de Yahweh que esteve por trás de toda a questão. Mas alguns estudiosos fazem aqui o "leão" ser Yahweh, e não Nabucodonosor. Assim, por exemplo, diz a NCV: "O Senhor, como um leão, deixou o seu covil. A terra deles está destruída. Tudo por causa de sua ira destruidora. Tudo por causa de sua ira feroz". "Deus destruiria suas terras (pastagens) e se exibiria ao redor como um leão entre as ovelhas (cf. Jr 25.30). A terra se tornaria uma desolação" (Charles H. Dyer, *in loc.*). "*Sua ira feroz*. Se a ira feroz de Nabucodonosor não podia ser evitada, muito menos ainda a ira feroz do Senhor. Cf. o vs. 37" (Fausset, *in loc.*). Quanto ao rei da Babilônia como leão, ver Jr 4.7. A Vulgata compreende o presente versículo como uma alusão a Nabucodonosor, tal como também o faz o Targum.

CAPÍTULO VINTE E SEIS

CONFLITOS DE JEREMIAS COM OS LÍDERES JUDEUS (26.1—29.32)

Esta grande seção dá informações sobre *três* importantes acontecimentos na vida do profeta Jeremias. O tema comum da seção são os seus conflitos com os líderes de Judá, especialmente no caso dos oficiais religiosos, sacerdotes e profetas, sobretudo estes últimos. Esses quatro capítulos do livro de Jeremias foram reunidos por esse tema comum, embora pertençam a datas diferentes. Além de terem um tema comum, também compartilham algumas peculiaridades de estilo, que não são encontradas no restante do livro, a saber: 1. O nome do rei da Babilônia aparece aqui grafado como Nabucodonosor, e não como Nabruchadrezar. 2. Os nomes pessoais que incorporam o nome divino Yahweh terminam com *-yah*, e não com *-yahu*. 3. Se Jeremias vinha sendo constantemente chamado de "Jeremias, o profeta", ocupando sozinho o palco, Hananias, o profeta, é mencionado nove vezes no capítulo 28. O texto da Septuaginta, nesta seção, também encerra algumas notáveis variantes que anoto ao longo do caminho.

O SERMÃO DO TEMPLO E O APRISIONAMENTO DE JEREMIAS (26.1-24)

Cf. o leitor a presente narrativa com Jr 7.1-15, trecho paralelo. O *sermão do templo* (que talvez seja uma compilação de coisas que Jeremias falou ali em mais de uma ocasião) causou muitas dificuldades para o profeta do Senhor. Provavelmente o editor deuteronômico se tenha mostrado ativo aqui, usando as memórias de Baruque. Sem dúvida alguma, Baruque foi testemunha dos eventos.

Já vimos que houve alguma oposição a Jeremias e à sua mensagem em Jr 11.18-23; 15.10; 20.1-6. Mas a seção à nossa frente especializa-se em relatar essa parte do drama.

CONFLITO COM O POVO (26.1-24)

A Mensagem de Jeremias (26.1-6)

O sermão de Jeremias, contido nestes seis versículos, provavelmente foi entregue no começo do reinado de Jeoaquim. Jeoaquim foi elevado ao trono de Judá pelos egípcios, em 609 a.C., depois do governo de três meses de seu irmão, Jeoacaz (ver 2Rs 23.31-37). O original hebraico diz aqui "começo do reino", o que provavelmente significa "ano de subida ao trono" (ver Jr 25.1). Talvez Jeremias tenha sido tão ousado que entregou essa mensagem por ocasião da cerimônia da coroação do rei, quando grandes multidões se reuniram para o evento. Nesse caso, não é de admirar que seus adversários tenham ficado tão furiosos a ponto de detê-lo e lançá-lo na masmorra (vss. 7-19).

"A mensagem propriamente dita deve ser associada ao *discurso do templo*, dos capítulos 7—10. Ali Jeremias enfocou a atenção sobre o conteúdo da mensagem, ao passo que aqui ele fixa sua atenção sobre a reação popular à mensagem" (Charles H. Dyer, *in loc.*).

■ 26.1

בְּרֵאשִׁית מַמְלְכוּת יְהוֹיָקִים בֶּן־יֹאשִׁיָּהוּ מֶלֶךְ יְהוּדָה
הָיָה הַדָּבָר הַזֶּה מֵאֵת יְהוָה לֵאמֹר׃

No princípio do reinado de Jeoaquim, filho de Josias, rei de Judá, veio esta palavra do Senhor. No princípio do reinado de Jeoaquim, e durante a monarquia, ou mesmo bem na cerimônia de coroação, o profeta, a quem o Senhor tornou ousado, surpreendeu o povo com outra tirada espicaçante contra os seus pecados, prometendo um julgamento iminente. O profeta naturalmente incorreu na ira e passou a sofrer oposição dos principais líderes da nação, especialmente os falsos profetas, que contavam uma história totalmente diferente com sua mensagem de "paz, paz" (ver Jr 6.14 e 8.11).

■ 26.2

כֹּה אָמַר יְהוָה עֲמֹד בַּחֲצַר בֵּית־יְהוָה וְדִבַּרְתָּ עַל־
כָּל־עָרֵי יְהוּדָה הַבָּאִים לְהִשְׁתַּחֲוֹת בֵּית־יְהוָה אֵת
כָּל־הַדְּבָרִים אֲשֶׁר צִוִּיתִיךָ לְדַבֵּר אֲלֵיהֶם אַל־תִּגְרַע
דָּבָר׃

Põe-te no átrio da casa do Senhor e dize a todas as cidades de Judá. O profeta pregou sua feroz mensagem no átrio mais espaçoso do templo, onde ele podia ser ouvido pelo maior número possível de pessoas. Aquela multidão tinha vindo para *adorar* e, talvez, para se fazer presente, especificamente, à coroação do novo rei, Jeoaquim. O povo de Judá estava em atitude festiva, mas o profeta logo tornou o momento sóbrio e solene. Ele estava dizendo a palavra de Yahweh, e entregou a mensagem toda, sem diminuir nem aditar uma coisa sequer. Cf. Ez 3.10. Ver também Dt 4.2; 7.32; Pv 30.6; At 20.27; 2Co 2.17; 4.2 e Ap 22.19. Sem dúvida alguma ele enumerou os pecados daquele povo idólatra-adúltero-apóstata, exortando-o ao arrependimento e à reforma, temas tão frequentemente reiterados nesse livro. Alguns intérpretes, entretanto, supõem que a ocasião do discurso de Jeremias não tenha sido o coroamento do rei Jeoaquim, mas uma das três festas obrigatórias, que todos os varões supostamente deveriam atender: a Páscoa, o Pentecoste e os Tabernáculos.

■ 26.3

אוּלַי יִשְׁמְעוּ וְיָשֻׁבוּ אִישׁ מִדַּרְכּוֹ הָרָעָה וְנִחַמְתִּי
אֶל־הָרָעָה אֲשֶׁר אָנֹכִי חֹשֵׁב לַעֲשׂוֹת לָהֶם מִפְּנֵי רֹעַ
מַעַלְלֵיהֶם:

Bem pode ser que ouçam, e se convertam cada um do seu mau caminho. O arrependimento do povo judeu podia fazer parar a invasão babilônica, salvando o país daquela singular agonia. Ouvir e converter-se equivalia a abandonar a idolatria e a injustiça e obedecer à legislação mosaica, o *guia* de Israel quanto à conduta (ver Dt 6.4 ss.). Deus poderia, por sua vez, *arrepender-se* de suas intenções destrutivas. Quanto ao arrependimento de Yahweh, ver Êx 32.14. Se Judá se arrependesse, Yahweh também se arrependeria de sua decisão de destruir o povo, conforme disse Jeremias, usando de ousado *antropomorfismo* (ver a respeito no *Dicionário*). Quanto ao ato de *ouvir*, ver Sl 64.1. Cf. este versículo com Jr 7.3-7, onde encontramos mais da mensagem desse profeta. Ver Jr 3.1,2,12,13 quanto ao caráter maligno da apostasia de Judá, uma idolatria misturada e cheia de ritos adúlteros pagãos realizados em prol das divindades cananeias da fertilidade. E isso era somente parte do quadro, não a sua totalidade. Também estavam incluídas a adoração dos deuses celestiais assírios e babilônios (ver Jr 19.13).

■ 26.4

וְאָמַרְתָּ אֲלֵיהֶם כֹּה אָמַר יְהוָה אִם־לֹא תִשְׁמְעוּ אֵלַי
לָלֶכֶת בְּתוֹרָתִי אֲשֶׁר נָתַתִּי לִפְנֵיכֶם:

Se não me derdes ouvidos para andardes na minha lei, que pus diante de vós. Não *ouvir, negligenciar e desobedecer* à mensagem do Senhor resultariam em Jerusalém ser feita como o antigo santuário de Silo, ou seja, ser totalmente aniquilada e abandonada (vs. 6). O que deveria ser obedecido era a *legislação mosaica*, conforme demonstra o presente versículo. Os filhos de Judá tinham de retornar às antigas veredas. Jeremias pregava uma mensagem de *volta à Bíblia*. A lei de Moisés tornava o povo de Israel *distinto* (ver Dt 4.4-8). A lei transmitia vida (ver Dt 4.1; 5.33; 6.2; Ez 20.1) e também servia de guia (ver Dt 6.4 ss.). Cf. este versículo com Jr 7.21-26. "O vs. 4, assim como vários dos versículos que se seguem, são quase idênticos a Jr 7.13 ss." (Adam Clarke, *in loc.*). Se o povo de Judá obedecesse à lei, por certo abandonaria tanto o paganismo quanto o *sincretismo*, a mistura do yahwismo com o paganismo.

■ 26.5

לִשְׁמֹעַ עַל־דִּבְרֵי עֲבָדַי הַנְּבִאִים אֲשֶׁר אָנֹכִי שֹׁלֵחַ
אֲלֵיכֶם וְהַשְׁכֵּם וְשָׁלֹחַ וְלֹא שְׁמַעְתֶּם:

Para que ouvísseis as palavras dos meus servos, os profetas. Profetas verdadeiros tinham sido enviados a Judá. Provavelmente estão em pauta os *profetas pré-exílicos*, a saber: Isaías, Miqueias, Naum, Habacuque, Sofonias e Jeremias. Estes versículos destacam a *ampla oportunidade* que o povo teve para conhecer os caminhos de Yahweh, segui-los e evitar as tentações prejudiciais que viriam por causa da má influência deixada por seus vizinhos. Os profetas verdadeiros "levantavam-se cedo" para ministrar aos judeus, ou seja, mostravam-se diligentes. Quanto a isso, cf. Jr 7.13,25; 11.7; 25.3,4; 29.19; 32.33; 35.14,15 e 44.4.

■ 26.6

וְנָתַתִּי אֶת־הַבַּיִת הַזֶּה כְּשִׁלֹה וְאֶת־הָעִיר הַזֹּאתה אֶתֵּן
לִקְלָלָה לְכֹל גּוֹיֵי הָאָרֶץ: ס

Então farei que esta casa seja como Silo, e farei desta cidade maldição para todas as nações da terra. Se a mensagem enviada por Yahweh fosse negligenciada ou rejeitada, então o desastre atingiria Jerusalém (o atual santuário), tal como tinha atingido Silo, o antigo santuário, tornando a cidade inteiramente desolada. Silo transformou-se em deserto, e sua glória terminou. Ver sobre *Silo* no *Dicionário*. Cf. Jr 7.12,14. Ver a história de sua captura, pelos filisteus, em 1Sm 4.10-12. Yahweh tinha esquecido seu antigo santuário e agora estava prestes a abandonar o novo santuário, em Jerusalém. E, em ambos os casos, o motivo disso foi a grande corrupção moral do povo. As leis morais governam e operam através da *Lei Moral da Colheita segundo a Semeadura* (ver a respeito no *Dicionário*). Jerusalém se tornaria uma maldição para as nações em redor, com seus ridículos habitantes que esqueceram Deus e terminaram *esquecidos* por ele e destruídos pelos seus juízos. Os povos, ao amaldiçoar a outros, diziam algo semelhante a: "Que termines como terminou Jerusalém, amaldiçoado pelos teus próprios deuses!"

Detenção e Provação de Jeremias (26.7-19)

■ 26.7

וַיִּשְׁמְעוּ הַכֹּהֲנִים וְהַנְּבִאִים וְכָל־הָעָם אֶת־יִרְמְיָהוּ
מְדַבֵּר אֶת־הַדְּבָרִים הָאֵלֶּה בְּבֵית יְהוָה:

Os sacerdotes, os profetas e todo o povo ouviram a Jeremias. A cortante mensagem de Jeremias despertou ira imediata, e logo ele estava detido e sendo julgado, com os falsos profetas como líderes da oposição ofendida. Os falsos profetas, com o apoio dos sacerdotes, estavam atrás da punição capital contra Jeremias, mas alguns líderes civis (lembre-se o leitor do caso de Miqueias e Ezequias) não permitiram que tal coisa acontecesse. Portanto, por algum tempo, Jeremias continuou em liberdade. Ver os vss. 18 ss. Outro verdadeiro profeta, porém, de nome *Urias*, ao imitar Jeremias, foi executado (vss. 20-23). *Aicão*, príncipe e homem dotado de autoridade, foi capaz de proteger Jeremias por algum tempo. Mas as coisas estavam ficando cada vez piores para o profeta. Os capítulos 7—10, trecho paralelo a este, não registram o resultado do discurso do profeta, mas dão mais detalhes sobre a mensagem dele do que a presente seção.

Jeremias chegou onde havia grande concentração popular, incluindo os sacerdotes e os profetas que, como um corpo, se opuseram e exigiram a pena de morte contra ele. Aqueles réprobos muito tinham a perder se Jeremias ganhasse apoio popular, e teriam tudo a perder se os babilônios descessem sobre eles, conforme Jeremias profetizava. Assim sendo, mediante alguma perversão da lógica, eles pensavam que livrar-se do profeta significaria livrar-se daquilo que o profeta havia dito! Eles deixaram de confiar em Yahweh e de praticar seu culto, pelo que não havia como tolerar seu profeta.

■ 26.8

וַיְהִי כְּכַלּוֹת יִרְמְיָהוּ לְדַבֵּר אֵת כָּל־אֲשֶׁר־צִוָּה יְהוָה
לְדַבֵּר אֶל־כָּל־הָעָם וַיִּתְפְּשׂוּ אֹתוֹ הַכֹּהֲנִים וְהַנְּבִאִים
וְכָל־הָעָם לֵאמֹר מוֹת תָּמוּת:

Tendo Jeremias acabado de falar tudo quanto o Senhor lhe havia ordenado. O povo de Judá continuou apoiando os sacerdotes errantes e os falsos profetas. Eles não apreciavam nem um pouco a mensagem de Jeremias e compartilhavam a lógica pervertida da liderança religiosa. Estavam empenhados na tentativa de condená-lo por um ato judicial e então executá-lo. Entrementes, sua mensagem simples de arrependimento e de volta à lei mosaica foi desprezada. Anunciar sua mensagem constituía o alvo inteiro de Jeremias, mas eles se mostravam *hostis* a qualquer sugestão como aquela. Eles apreciavam sua nova maneira de viver, sua idolatria-adultério-apostasia, e não desistiriam facilmente dessa conduta. Eles se arriscariam a enfrentar a Babilônia, mas queriam silenciar aquela voz que continuava a atacá-los. Jeremias já tinha enfrentado a morte às mãos do povo de sua própria cidade natal, Anatote (ver Jr 11.21). A atual ameaça, porém, era mais perigosa do que a primeira.

"Eles olhavam para Jeremias como quem tinha incorrido na condenação de Dt 18.20" (Ellicott, *in loc.*).

■ 26.9

מַדּוּעַ נִבֵּיתָ בְשֵׁם־יְהוָה לֵאמֹר כְּשִׁלוֹ יִהְיֶה הַבַּיִת
הַזֶּה וְהָעִיר הַזֹּאת תֶּחֱרַב מֵאֵין יוֹשֵׁב וַיִּקָּהֵל כָּל־
הָעָם אֶל־יִרְמְיָהוּ בְּבֵית יְהוָה:

Será como Silo esta casa, e esta cidade desolada e sem habitantes? "A profecia de Jeremias contra o templo e contra a cidade (vs. 11) poderia ser distorcida para contradizer as próprias palavras de Deus (ver Sl 132.14). Cf. a acusação similar feita contra Estêvão (ver At 6.13,14)" (Fausset, *in loc.*). Jeremias já havia advertido que Jerusalém não estava imune aos juízos divinos, conforme diziam os falsos profetas (ver Jr 14.13-15; ver também Jr 7.3,10). Assim sendo, os falsos profetas não podiam acreditar que Jerusalém se tornaria como Silo, mas a mensagem profética de Jeremias declarava que exatamente isso aconteceria. Os profetas falsos firmavam-se sobre uma *superstição* que se tornou, para eles, *artigo de fé* cardeal. Algumas vezes, pois, a fé consiste em confiar em algo que não é verdadeiro, e todos os credos incluem esses fragmentos de fé.

■ 26.10

וַיִּשְׁמְעוּ שָׂרֵי יְהוּדָה אֵת הַדְּבָרִים הָאֵלֶּה וַיַּעֲלוּ מִבֵּית־הַמֶּלֶךְ בֵּית יְהוָה וַיֵּשְׁבוּ בְּפֶתַח שַׁעַר־יְהוָה הֶחָדָשׁ: ס

Tendo os príncipes de Judá ouvido estas palavras, subiram da casa do rei à casa do Senhor. O tribunal se reuniu diante da *Porta Nova,* e os líderes civis tomaram conta do caso. Não somos capazes de identificar, com nenhum grau de certeza, a Porta Nova. Essa porta também é mencionada em Jr 36.10. Fausset pensava ter sido uma porta originalmente construída por Jotão (2Rs 15.35), a saber, a Porta Alta. Recentemente restaurada, foi chamada de Porta Nova. O Targum diz "a porta oriental", a qual também, ao que se presume, tinha sido restaurada há pouco. Os portões das cidades eram lugares geralmente usados como pontos de comércio e de procedimentos judiciais. Cf. Dt 21.18,19; Rt 4.1-11 e Jr 39.3.

Os príncipes de Judá. "Não estão em foco os membros da família real, mas oficiais do tribunal do rei, como aqueles que também são mencionados em Jr 36.10" (James Philip Hyatt, *in loc.*).

■ 26.11

וַיֹּאמְרוּ הַכֹּהֲנִים וְהַנְּבִאִים אֶל־הַשָּׂרִים וְאֶל־כָּל־הָעָם לֵאמֹר מִשְׁפַּט־מָוֶת לָאִישׁ הַזֶּה כִּי נִבָּא אֶל־הָעִיר הַזֹּאת כַּאֲשֶׁר שְׁמַעְתֶּם בְּאָזְנֵיכֶם:

Então os sacerdotes e os profetas falaram aos príncipes e a todo o povo, dizendo: Este homem é réu de morte. Os sacerdotes e profetas fizeram uma *acusação formal* contra Jeremias: ele tinha profetizado contra Jerusalém, a Dourada, o trono de Yahweh. E embora há muito tivessem abandonado a Yahweh, eles acreditavam que a "santa" cidade de Jerusalém estava imune a qualquer ataque. Essa era uma superstição que eles transformaram em artigo de fé, conforme comento nos vss. 9,10, pelo que não pressiono novamente sobre esse detalhe aqui. Eles acusaram Jeremias de "blasfêmia" porque ele havia contradito a crença favorita deles. Se você quiser incorrer no ódio das pessoas, basta atacar as crendices que elas transformaram na própria verdade de Deus. Todos os credos de todas as religiões contêm essas doutrinas tolas que os homens ergueram à posição de verdades eternas. O tempo, porém, tem uma maneira de fazer passar essas crenças sem sentido. É fácil ver que Jeremias não era culpado de crime algum. E também é fácil ver que os sacerdotes e profetas eram os criminosos espirituais, por causa de sua idolatria-adultério-apostasia; mas passaria bastante tempo até que esses fatos se destacassem claramente. Algumas vezes, as verdades são classificadas como blasfêmias e, de outras vezes, as blasfêmias são listadas como verdades.

■ 26.12

וַיֹּאמֶר יִרְמְיָהוּ אֶל־כָּל־הַשָּׂרִים וְאֶל־כָּל־הָעָם לֵאמֹר יְהוָה שְׁלָחַנִי לְהִנָּבֵא אֶל־הַבַּיִת הַזֶּה וְאֶל־הָעִיר הַזֹּאת אֵת כָּל־הַדְּבָרִים אֲשֶׁר שְׁמַעְתֶּם:

O Senhor me enviou a profetizar contra esta casa, e contra esta cidade todas as palavras que ouvistes. Jeremias, ao defender-se, disse o que vinha dizendo o tempo todo: "Yahweh me enviou a proclamar esta mensagem de condenação". Sua declaração obteria algum apoio da parte dos anciãos (vss. 17-19). A defesa digna de Jeremias obteria sua soltura. Mas novas tempestades estavam formando-se.

Quatro Elementos da Defesa de Jeremias. 1. Jeremias era um profeta comissionado por Yahweh (vs. 12). 2. Sua mensagem foi dada por inspiração divina (vs. 12). 3. Ainda havia oportunidade de evitar a iminente calamidade, através do arrependimento (vs. 13). 4. Quanto a Jeremias, ele falou na confiança de que sua vida dependia das mãos de Deus, portanto, acontecesse o que acontecesse, ele sabia que a vontade de Deus (e não aqueles homens miseráveis) estava controlando os eventos de sua vida (vs. 14).

Jeremias não alterou as suas profecias a para ganhar a aprovação daqueles réprobos. Ele não falou palavras próprias daqueles que se ajoelham, mas disse coisas que realmente sentia.

Tudo quanto ouvistes deriva-se do Senhor.

NCV

A verdade, esmagada até a terra, levantar-se-á de novo.
Os anos eternos de Deus lhe pertencem.
Mas o erro, ferido, contrai-se de dor,
E morre entre os seus adoradores.

William Cullen Bryant

■ 26.13

וְעַתָּה הֵיטִיבוּ דַרְכֵיכֶם וּמַעַלְלֵיכֶם וְשִׁמְעוּ בְּקוֹל יְהוָה אֱלֹהֵיכֶם וְיִנָּחֵם יְהוָה אֶל־הָרָעָה אֲשֶׁר דִּבֶּר עֲלֵיכֶם:

Agora, pois, emendai os vossos caminhos e as vossas ações, e ouvi a voz do Senhor. Ainda não era tarde demais para alterar o lamentável curso estabelecido pelo Senhor. O exército babilônico permaneceria em casa *caso* Judá se submetesse à renovação moral e espiritual. Tornaria a acontecer o *milagre de Ezequias,* em que a Assíria voltou dos portões de Jerusalém pela ação do anjo do Senhor. Ver 2Rs 19.35-37. Cf. este versículo aos vss. 3 e 19 deste mesmo capítulo. A obediência à voz do Senhor, devido ao arrependimento, significava o retorno à lei mosaica e o abandono dos intermináveis deuses que Judá adotara de países estrangeiros. Ver as notas expositivas sobre o vs. 4.

■ 26.14

וַאֲנִי הִנְנִי בְיֶדְכֶם עֲשׂוּ־לִי כַּטּוֹב וְכַיָּשָׁר בְּעֵינֵיכֶם:

Quanto a mim, eis que estou nas vossas mãos. Jeremias permanecia firme na confiança na *Providência de Deus* (ver a respeito no *Dicionário*), não temendo o que os homens podiam fazer com ele. A declaração de fé naquela crença era o *quarto* item de sua defesa (ver sobre o vs. 12). Jeremias tinha consciência de que era *invencível* até que a sua missão se completasse, e ele dependia de sua fé. De outro modo, poderia ser aterrorizado pelo que estava acontecendo em Jerusalém. Não se defendia a fim de obter apoio humano para si mesmo. Mantinha sua mensagem "na linha de frente", como dizemos em uma moderna expressão idiomática. Se ele assim fizesse, a providência cuidaria do resto, em seu melhor interesse. Este versículo demonstra a sujeição de Jeremias à vontade de Deus. Ele estava convencido, conforme disse Sócrates: "O mal não pode sobrevir a um homem bom", em última análise.

Senhor, tu, que ordenaste para a humanidade
Labutas benignas e cuidados ternos,
Nós te agradecemos pelas esperanças que levantas
Dentro de nosso coração dia após dia.

William Cullen Bryant

■ 26.15

אַךְ יָדֹעַ תֵּדְעוּ כִּי אִם־מְמִתִים אַתֶּם אֹתִי כִּי־דָם נָקִי אַתֶּם נֹתְנִים עֲלֵיכֶם וְאֶל־הָעִיר הַזֹּאת וְאֶל־יֹשְׁבֶיהָ כִּי בֶאֱמֶת שְׁלָחַנִי יְהוָה עֲלֵיכֶם לְדַבֵּר בְּאָזְנֵיכֶם אֵת כָּל־הַדְּבָרִים הָאֵלֶּה: ס

Sabei, porém, com certeza, que, se me matardes a mim, trareis sangue inocente sobre vós. O *assassinato de Jeremias* serviria somente para complicar ainda mais a situação do povo de Judá. Além de todas as notórias iniquidades que se haviam apegado à alma nacional, eles estariam adicionando o derramamento do sangue de um notável profeta de Yahweh. Não havia dúvidas de que Jeremias fora enviado por Yahweh. E o povo que estendesse as mãos contra ele teria a mão do Senhor estendida contra si. Em consequência, longe de escapar de qualquer coisa, por tão insensato assassinato, seriam atraídas penalidades ainda mais pesadas. Ver Mt 23.3.

A LINHA DE DESCENDÊNCIA DE SAFÃ

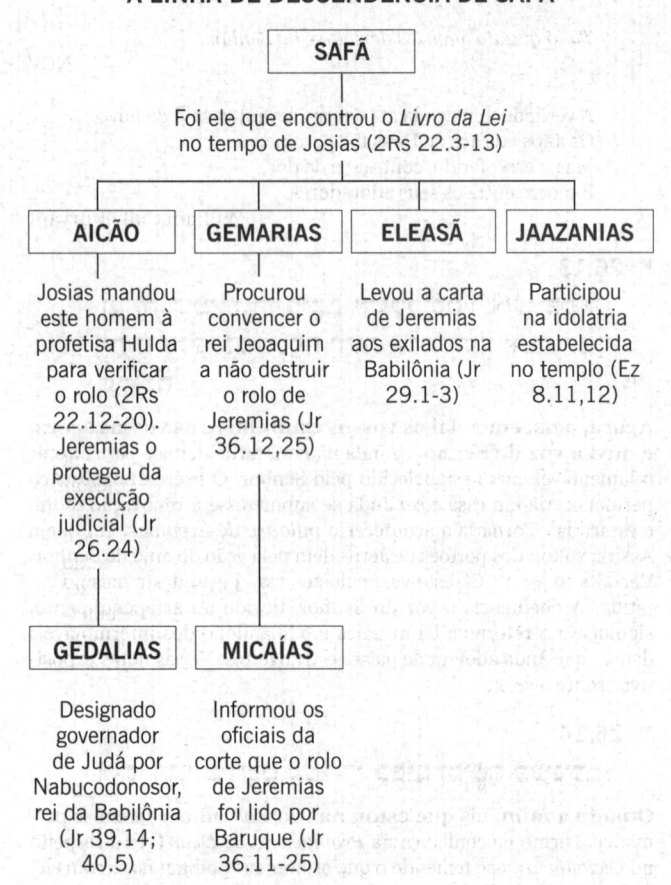

SAFÃ
Foi ele que encontrou o *Livro da Lei* no tempo de Josias (2Rs 22.3-13)

AICÃO — Josias mandou este homem à profetisa Hulda para verificar o rolo (2Rs 22.12-20). Jeremias o protegeu da execução judicial (Jr 26.24)

GEMARIAS — Procurou convencer o rei Jeoaquim a não destruir o rolo de Jeremias (Jr 36.12,25)

ELEASÃ — Levou a carta de Jeremias aos exilados na Babilônia (Jr 29.1-3)

JAAZANIAS — Participou na idolatria estabelecida no templo (Ez 8.11,12)

GEDALIAS — Designado governador de Judá por Nabucodonosor, rei da Babilônia (Jr 39.14; 40.5)

MICAÍAS — Informou os oficiais da corte que o rolo de Jeremias foi lido por Baruque (Jr 36.11-25)

Observações:
Jeremias tinha o apoio de Aicão, filho de Safã, que não permitiu a execução do profeta. Na hora da crise, Jeremias teve proteção divina para poder completar sua missão. *Nos anos finais de Judá*, a família de Safã desempenhou um papel fundamental. Três dos filhos deste homem são mencionados de maneira positiva, mas o pobre Jaazanias caiu nas garras do paganismo que tomou controle do culto de Jerusalém.

Um amigo numa vida é bastante. Dois é muito.
Três é quase impossível.

Henry Adams

Eu tenho amado meus amigos como amo a virtude, minha alma e Deus.

Sir Thomas Browne

Nunca fere um amigo, nem em brincadeira.

Cícero

A única maneira para ter um amigo é ser um.

Ralph Waldo Emerson

■ **26.16**

וַיֹּאמְרוּ הַשָּׂרִים וְכָל־הָעָם אֶל־הַכֹּהֲנִים וְאֶל־הַנְּבִיאִים אֵין־לָאִישׁ הַזֶּה מִשְׁפַּט־מָוֶת כִּי בְּשֵׁם יְהוָה אֱלֹהֵינוּ דִּבֶּר אֵלֵינוּ׃

Este homem não é réu de morte, porque em nome do Senhor, nosso Deus, nos falou. Jeremias ficou no mínimo com a maioria, senão com todos os votos dos líderes civis, além do povo comum, em geral, que se reunia em assembleia diante da Porta Nova, onde o seu destino estava sendo decidido. Era demais pensar que ele pudesse vencer os sacerdotes e falsos profetas, mas em que Jeremias se incomodava no tocante a uma competição de popularidade? Ele estava ali para defender sua missão profética e obteve, por assim dizer, um "voto de confiança" da parte de algumas pessoas importantes presentes. Note o leitor que aqueles que não votaram em favor de Jeremias eram os *líderes religiosos* corrompidos, o que serve de triste comentário sobre o estado religioso da nação.

■ **26.17**

וַיָּקֻמוּ אֲנָשִׁים מִזִּקְנֵי הָאָרֶץ וַיֹּאמְרוּ אֶל־כָּל־קְהַל הָעָם לֵאמֹר׃

Também se levantaram alguns dentre os anciãos da terra. Houve alguns poucos porta-vozes da classe dos anciãos, presumivelmente os líderes civis, os "príncipes" referidos no versículo anterior. Esses defenderam a causa de Jeremias e tiveram coragem de expressar sua opinião diante da multidão assassina dos falsos sacerdotes e profetas. Cf. a intervenção de Gamaliel em favor dos apóstolos Pedro e João, em At 5.34. É provável que *Aicão* tenha sido um dos príncipes que falou em defesa de Jeremias. Ver o vs. 24. Esses tiveram de justificar seu voto em favor do profeta, e a essência do que eles disseram é como segue.

■ **26.18**

מִיכָיָה הַמּוֹרַשְׁתִּי הָיָה נִבָּא בִּימֵי חִזְקִיָּהוּ מֶלֶךְ־יְהוּדָה וַיֹּאמֶר אֶל־כָּל־עַם יְהוּדָה לֵאמֹר כֹּה־אָמַר יְהוָה צְבָאוֹת צִיּוֹן שָׂדֶה תֵחָרֵשׁ וִירוּשָׁלַיִם עִיִּים תִּהְיֶה וְהַר הַבַּיִת לְבָמוֹת יָעַר׃

Miqueias, o morastita, profetizou nos dias de Ezequias, rei de Judá. Os príncipes que defenderam Jeremias relembraram a assembleia do caso, ocorrido fazia cerca de setenta anos, de Miqueias, o profeta, e do rei Ezequias. A ameaça daquele tempo era a Assíria, e não a Babilônia, mas as circunstâncias eram bastante parecidas com as da época de Jeremias. Profecias de condenação e de invasão iminente prometiam matanças sem limites e muito saque. O chamado era ao arrependimento, segundo a palavra de Yahweh. A citação deste versículo foi extraída de Mq 3.12. A destruição seria total: Sião se tornaria como um campo arado; Jerusalém seria reduzida a um montão de ruínas; o monte Moriá, onde estava o templo (casa do Senhor), ficaria coberto de relva e arbustos, espinheiros e mato daninho, em vez de ser o local do glorioso templo de Salomão. Ezequias ouviu as palavras do profeta e fez os ajustes necessários.

O resultado foi a destruição do exército assírio nas portas de Jerusalém, quando 185 mil soldados foram destruídos pelo Anjo do Senhor (ver 2Rs 19.35-37). Naquele caso, bastou uma *ameaça* para que a potência estrangeira, a Assíria, retrocedesse. Em outras palavras, o profeta expediu uma ameaça; o povo de Judá ouviu e agiu, e o inimigo foi derrotado. Assim também Jeremias agora tinha anunciado as suas ameaças. A obediência à palavra de Deus poderia deter os babilônios e salvar a nação de Judá. Pelo menos era isso o que os príncipes esperavam.

■ **26.19**

הֶהָמֵת הֱמִתֻהוּ חִזְקִיָּהוּ מֶלֶךְ־יְהוּדָה וְכָל־יְהוּדָה הֲלֹא יָרֵא אֶת־יְהוָה וַיְחַל אֶת־פְּנֵי יְהוָה וַיִּנָּחֶם יְהוָה אֶל־הָרָעָה אֲשֶׁר־דִּבֶּר עֲלֵיהֶם וַאֲנַחְנוּ עֹשִׂים רָעָה גְדוֹלָה עַל־נַפְשׁוֹתֵינוּ׃

Mataram-no, acaso, Ezequias, rei de Judá, e todo o Judá? Os príncipes observaram que Ezequias se mostrara sábio o suficiente para obedecer à palavra do profeta, em vez de executá-lo, e o resultado foi positivo para Judá e, especialmente, para Jerusalém. Envolvido na questão estava o *temor do Senhor*, expressão que usualmente representa a espiritualidade do Antigo Testamento. Ver no *Dicionário* e em Sl 119.38 e Pv 1.7 o verbete denominado *Temor*. Mas aqui a ideia de *temor literal* é proeminente. Ezequias enfrentara uma situação terrível, que era a aplicação da ira de Yahweh, pelo que ali real temor encorajou a obediência à palavra do profeta. 2Rs 18.3-6 fala sobre as reformas religiosas efetuadas por Ezequias, o que significa que o governo real, em Judá, tomou providências positivas. E Yahweh reagiu diante disso *arrependendo-se* (mudando sua ideia no que concernia ao julgamento). Ver Êx 3.14 quanto ao *arrependimento divino*. E ver, igualmente, 2Cr 32.26.

O Caso de Urias (26.20-23)

■ 26.20

וְגַם־אִישׁ הָיָה מִתְנַבֵּא בְּשֵׁם יְהוָה אוּרִיָּהוּ בֶּן־שְׁמַעְיָהוּ מִקִּרְיַת הַיְּעָרִים וַיִּנָּבֵא עַל־הָעִיר הַזֹּאת וְעַל־הָאָרֶץ הַזֹּאת כְּכֹל דִּבְרֵי יִרְמְיָהוּ:

Também houve outro homem, Urias, filho de Semaías. *O Contra-exemplo*. Houve o caso notório da execução de um profeta, nos dias de Jeoiaquim, rei de Judá, que os príncipes da época de Jeremias consideravam um *acontecimento horrendo* que não deveria repetir-se. Ver no *Dicionário* sobre *Urias*, quarto ponto, quanto ao pouco que se sabe sobre ele. Esse profeta tinha uma mensagem similar à de Jeremias, e predizia julgamento tanto para Judá quanto para Jerusalém. Houve uma conspiração geral contra Urias (rei, guerreiros, príncipes e, sem dúvida, sacerdotes e profetas), e o levante terminou na sua execução. Esse profeta foi identificado pela sua parentela, que ilustro no artigo sobre ele no *Dicionário*. Sua cidade natal era *Quiriate-Jearim* (ver a respeito no *Dicionário*), e esses detalhes adicionais sem dúvida fizeram relembrar o caso àqueles réprobos. A menção do caso de Urias demonstra que Jerusalém já era culpada do sangue inocente de um profeta, e complicar mais ainda o caso, com o assassinato de Jeremias, garantiria o julgamento divino que tanto Urias quanto Jeremias tinham profetizado.

■ 26.21

וַיִּשְׁמַע הַמֶּלֶךְ־יְהוֹיָקִים וְכָל־גִּבּוֹרָיו וְכָל־הַשָּׂרִים אֶת־דְּבָרָיו וַיְבַקֵּשׁ הַמֶּלֶךְ הֲמִיתוֹ וַיִּשְׁמַע אוּרִיָּהוּ וַיִּרָא וַיִּבְרַח וַיָּבֹא מִצְרָיִם:

Ouvindo o rei Jeoaquim, e todos os seus valentes e todos os príncipes as suas palavras, procurou o rei matá-lo. Os oponentes tinham sido muitos e poderosos, pois, na realidade, a conspiração era encabeçada pelo rei, Jeoaquim, que contava com o apoio de príncipes dos guerreiros. O apoio dos sacerdotes e dos falsos profetas não é mencionado no caso de Urias, mas temos de supor que ele existiu. Ninguém defendeu o infeliz profeta. Mas algum informante alertou Urias sobre a conspiração, pelo que ele fugiu para o Egito a fim de salvar a própria vida. Contudo, isso não foi o fim da história. A ira do rei Jeoaquim perseguiu Urias no Egito. Aqueles réprobos estavam pensando em silenciar o profeta e suas profecias, como se isso fosse suficiente para deter a invasão assíria que ele havia predito. Essa lógica perversa custou a vida de um homem bom e garantiu a vingança de Yahweh contra os assassinos.

■ 26.22

וַיִּשְׁלַח הַמֶּלֶךְ יְהוֹיָקִים אֲנָשִׁים מִצְרָיִם אֵת אֶלְנָתָן בֶּן־עַכְבּוֹר וַאֲנָשִׁים אִתּוֹ אֶל־מִצְרָיִם:

O rei Jeoaquim, porém, enviou a Elnatã, filho de Acbor, ao Egito, e com ele outros homens. Os *participantes* da detenção e execução do profeta de Yahweh, Urias, são mencionados aqui para sua vergonha eterna. O chefe da delegação assassina foi *Elnatã*. Quanto ao pouco que se sabe, ver no *Dicionário* o artigo sobre esse homem.

O caso do profeta Urias nos traz à memória um incidente na vida de Sócrates, quando a cruel democracia de Atenas o enviou para apreender um ofensor, ato que, muito provavelmente, terminaria na sua execução. Ao longo do caminho, porém, seus guias espirituais o advertiram que o ato não era justo, pelo que Sócrates voltou e se recusou a obedecer à ordem baixada pelo conselho. Todavia, *Elnatã* não teve a mesma coragem de Sócrates e, assim, apressou-se a trazer um homem inocente para ser executado. O rei Jeoaquim muito se esforçava por causar dores às pessoas. A delegação foi ao Egito à procura de Urias. Eles não pouparam esforços para perpetrar um plano sanguinário. Yahweh estava vigiando, todavia, e não permitiu que o crime ficasse impune, no final das contas.

■ 26.23

וַיּוֹצִיאוּ אֶת־אוּרִיָּהוּ מִמִּצְרַיִם וַיְבִאֻהוּ אֶל־הַמֶּלֶךְ יְהוֹיָקִים וַיַּכֵּהוּ בֶחָרֶב וַיַּשְׁלֵךְ אֶת־נִבְלָתוֹ אֶל־קִבְרֵי בְּנֵי הָעָם:

Eles tiraram a Urias do Egito, e o trouxeram ao rei Jeoaquim. A *delegação assassina* enviada pelo rei Jeoaquim mostrou-se incansável. Eles encontraram o profeta em seu esconderijo, no Egito, e o trouxeram de volta a Judá. É provável que tenha ido com a delegação uma guarda militar, não dando chance para Urias escapar. Urias foi introduzido à presença do rei Jeoaquim e prontamente executado, aparentemente pelo próprio rei. Ou talvez o monarca tenha dado a um soldado a ordem para empregar sem misericórdia a espada, mas, seja como for, o rei de Judá foi o *assassino*. Além disso, adicionaram desgraça a desgraça, dando ao honrado profeta um sepultamento comum, a fim de que sua posição na vida fosse ignorada e desonrada. "A execução de um profeta era uma ocorrência das mais incomuns na antiga nação de Israel. Um profeta usualmente tinha permissão de falar em nome do Senhor, ele era respeitado, mesmo quando suas palavras eram impopulares. O único outro registro de uma execução dessas foi a de Zacarias, em 2Cr 24.20-22. No decurso do tempo, surgiram lendas de que *muitos* dos profetas sofreram martírio (ver Mt 23.29-31; Lc 11.47-51)" (James Philip Hyatt, *in loc.*). Naturalmente, não podemos esquecer Jesus, cuja execução foi o crime coroador de Israel. Talvez *muitos* profetas executados, conforme se vê no texto de Mateus, estejam de acordo com a realidade, a despeito da falta de incidentes históricos registrados.

■ 26.24

אַךְ יַד אֲחִיקָם בֶּן־שָׁפָן הָיְתָה אֶת־יִרְמְיָהוּ לְבִלְתִּי תֵּת־אֹתוֹ בְיַד־הָעָם לַהֲמִיתוֹ: פ

Porém a influência de Aicão, filho de Safã, protegeu a Jeremias. *Aicão* (provavelmente um dos príncipes; vs. 16) foi o campeão da causa de Jeremias, salvando-o do aprisionamento ou da execução. Ver o gráfico acompanhante que ilustra a parentela e os descendentes de Aicão. Quanto ao pouco que se sabe sobre ele, ver o artigo no *Dicionário*. A família de Safã desempenhou importante papel nos dias finais de Jerusalém. O filho de Aicão, de nome *Gedalias*, foi nomeado governador de Judá, por Nabucodonosor, depois da queda de Jerusalém, em 586 a.C. Ver no *Dicionário* o artigo sobre *Gedalias*, quinto ponto, para detalhes. Aicão foi um homem-chave quanto à parte final do ministério de Jeremias, que ainda tinha algumas coisas a realizar, e pessoas-chaves estavam em meio à confusão e à violência geral para garantir a continuidade. Portanto, essa é uma verdade que afeta todos os homens espirituais que têm alguma missão a cumprir. Pessoas-chaves aparecem no momento certo para ajudar na causa da espiritualidade. Eis aí uma das muitas provisões da *Providência de Deus* (ver a respeito no *Dicionário*). Oh, Senhor, concede-nos tal graça!

Cf. este versículo com 2Rs 22.12 e 2Cr 34.8,20. *Aicão* tinha sido um dos conselheiros do rei Josias (2Rs 22.12) e foi o último rei bom de Judá. Ele possuía um longo registro de atos sábios e bons e, nos momentos de crise, não abandonou Jeremias quando este precisou de sua ajuda. Josias possuía e exercia as qualidades espirituais da lealdade e da coragem.

CAPÍTULO VINTE E SETE

O JUGO DA BABILÔNIA (27.1—28.17)

O texto hebraico diz *Jeoiaquim* no vs. 1, mas as versões estão corretas com *Zedequias*, o que é seguido pela maioria das traduções modernas. Os capítulos 27 e 28 registram a atitude de Jeremias diante da conspiração do rei Zedequias, bem como dos reis de nações circunvizinhas que se rebelaram contra Nabucodonosor, rei da Babilônia. Zedequias era apenas um rei títere, elevado ao trono de Judá pelos babilônios, em 598 a.C. Ver 2Rs 24.17. Quatro anos mais tarde, ele estava enojado e cansado das intervenções babilônicas, e assim planejou efetuar uma mudança. O vs. 3 mostra-nos que ele contava com o apoio de Edom, Moabe, Amom e Tiro. Jeremias, porém, sabia que a rebelião seria malsucedida e serviria apenas para complicar a questão, gerando ainda mais sofrimento. A oposição de Jeremias foi vista como traição, e assim a sua vida pessoal se desintegrou e seus sofrimentos aumentaram. A atitude de Jeremias pode parecer-nos estranha, mas ele conhecia quão insolúvel era a causa contra a Babilônia. Cf. a atitude similar de Jeremias, refletida em outras passagens: Jr 21.1-10; 32.3-5; 34.2-5; 37.7-10; 38.17-23. Conforme as coisas aconteceram, a rebelião nem foi tentada, e talvez os conselhos de Jeremias tenham sido um fator contribuinte.

"Jr 27.1—28.17: *O jugo do rei da Babilônia*. Jr 27.1-11: O jugo da Babilônia foi imposto por Deus contra Judá e os países vizinhos (ver Jr 21.1-10; 32.3-5). Assim sendo, os planos de rebeldia deles eram contrários à vontade de Deus. A ocasião da conspiração dependeu de uma revolta dentro do exército de Nabucodonosor (dezembro de 595 a.C. – janeiro de 594 a.C.), bem como da subida, ao trono egípcio, de Psamético II (594 a.C.). Talvez reagindo à advertência de Jeremias, Zedequias não tentou concretizar a rebeldia, e assim Judá foi poupado durante a campanha militar punitiva de Nabucodonosor, no fim daquele ano. A forma "Nabuchadenezer" ocorre nos capítulos 27—29 de Jeremias; em outros lugares, de acordo com o original hebraico, aparece a forma "Nabuchadrezar". A forma babilônica é Nabu-kudurru-usur. *12-15:* Jeremias repete seu aviso: Visto que Deus não havia enviado os profetas que estavam aconselhando a Zedequias (Jr 14.14), eles eram indignos de confiança. *16-22:* Ele acautelou os sacerdotes e o povo contra crerem nas garantias sem base dos profetas que diziam que o equipamento do templo, tomado como despojo em 597 a.C., em breve seria devolvido. Pelo contrário, eles deveriam orar para que aquilo que ainda tinham (ver Jr 52.17; 2Rs 25.13) não fosse levado para a Babilônia" (*Oxford Annotated Bible*, introdução ao capítulo).

A MENSAGEM AO REI ESTRANGEIRO (27.1-11)

■ 27.1

בְּרֵאשִׁית מַמְלֶכֶת יְהוֹיָקִם בֶּן־יֹאושִׁיָּהוּ מֶלֶךְ יְהוּדָה
הָיָה הַדָּבָר הַזֶּה אֶל־יִרְמְיָה מֵאֵת יְהוָה לֵאמֹר:

No princípio do reinado de Zedequias... veio da parte do Senhor esta palavra a Jeremias. O nome de Jeoiaquim certamente está incorreto aqui, embora conte com o apoio do texto hebraico massorético padronizado. Ver no *Dicionário* o verbete intitulado *Massora (Massorah); Texto Massorético*. Os capítulos 27 e 28 registram acontecimentos da época de Zedequias, cujo nome aparece em alguns poucos manuscritos hebraicos e nas versões. Algumas vezes, as versões preservam um texto original que foi perdido pelo texto massorético, o qual parece ser inexato em cerca de 5%. A Septuaginta simplesmente omite o vs. 1, provavelmente por causa de suas dificuldades. Outro problema é que o vs. 1 declara que a ideia da rebelião (ver a introdução a este capítulo, anteriormente) veio a Zedequias no seu primeiro ano de governo, o que é altamente improvável. Ele acabara de ser guindado ao trono de Judá, como rei títere, por Nabucodonosor, e dificilmente estaria planejando uma revolta justamente no início do governo. Provavelmente, este versículo foi erroneamente repetido com base em Jr 26.1, e a Septuaginta fez bem em omiti-lo. Talvez a verdade da questão seja que o versículo não existia no manuscrito hebraico original, e tenha sido uma adição infeliz de algum escriba posterior. Nesse caso, um título falso pode ter sido colocado no começo da seção, na tentativa de dizer-nos a quem foi dada essa profecia, em vez de permitir-nos descobrir, pelo material que se segue, que Zedequias era o destinatário.

■ 27.2

כֹּה־אָמַר יְהוָה אֵלַי עֲשֵׂה לְךָ מוֹסֵרוֹת וּמֹטוֹת וּנְתַתָּם
עַל־צַוָּארֶךָ:

Faze brochas e canzis, e põe-nos ao teu pescoço. Yahweh continuou entregando oráculos a Jeremias. *Servidão* é a palavra-chave deste oráculo. Por decreto divino, a área toda (que incluía Judá e os territórios dos povos mencionados no vs. 3) tinha sido entregue à Babilônia, como medida disciplinadora para aqueles povos, e coisa alguma poderia ser feita para aliviar a situação. Qualquer tentativa de libertação serviria somente para aumentar os sofrimentos, que já eram grandes. Para dar às partes envolvidas uma vívida lição objetiva, sob a forma de parábola, Jeremias prendeu-se com cordas e correias, e pôs um jugo em torno do pescoço. Era o jugo babilônico, que só apertaria mais ainda se fosse promovida a rebelião. O objeto em questão parece ter sido uma espécie de jugo cru, que foi preso ao pescoço do profeta por meio de tiras. Todas as nações daquele território geográfico estariam assim presas. O processo estava bem avançado e iria piorar bastante. Se houvesse oposição, as condições dominantes ficariam ainda piores.

■ 27.3

וְשִׁלַּחְתָּם אֶל־מֶלֶךְ אֱדוֹם וְאֶל־מֶלֶךְ מוֹאָב וְאֶל־
מֶלֶךְ בְּנֵי עַמּוֹן וְאֶל־מֶלֶךְ צֹר וְאֶל־מֶלֶךְ צִידוֹן בְּיַד
מַלְאָכִים הַבָּאִים יְרוּשָׁלִָם אֶל־צִדְקִיָּהוּ מֶלֶךְ יְהוּדָה:

E enviou outros ao rei de Edom, ao rei de Moabe, ao rei dos filhos de Amom... Os países mencionados neste versículo, vizinhos de Judá, presumivelmente seriam aqueles que Zedequias convidaria à rebelião conjunta contra a Babilônia. *Delegados* vindos daqueles lugares se tinham reunido em Jerusalém para traçar planos, pelo que era fácil entrar em contato com eles e entregar a mensagem: a rebeldia só significaria mais escravidão e desgraças, porquanto o poder de Yahweh era a causa real daquela situação, e a Babilônia era apenas um instrumento nas mãos de Deus.

"Essa reunião ocorreu em algum tempo entre maio e agosto de 593 a.C. (cf. Jr 28.1). A Crônica Babilônica deixou registrado que, apenas pouco mais de um ano antes, uma rebelião havia ocorrido na Babilônia. É evidente que Nabucodonosor teve de defender-se de uma tentativa de golpe político. Certamente, tal agitação interna na Babilônia teria levado os vários estados vassalos a avaliar suas chances de sucesso, libertando-se do jugo de dominação babilônica" (Charles H. Dyer, *in loc.*).

■ 27.4

וְצִוִּיתָ אֹתָם אֶל־אֲדֹנֵיהֶם לֵאמֹר כֹּה־אָמַר יְהוָה
צְבָאוֹת אֱלֹהֵי יִשְׂרָאֵל כֹּה תֹאמְרוּ אֶל־אֲדֹנֵיכֶם:

Ordena-lhes que digam aos seus senhores. Jeremias enviou seu delegado para falar com os delegados. Eles, por sua vez, supostamente deveriam levar a mensagem de volta a seus respectivos reis. A origem real da mensagem (que veio sob a forma de mandamento divino) era Yahweh, o *Senhor dos Exércitos*, o Poder que controla todas as coisas (ver Is 13.6 e, sobre a *Soberania de Deus*, no *Dicionário*). Quanto a esse título divino, ver o *Dicionário* e 1Reis 18.15. A esse acúmulo de títulos divinos, Jeremias adicionou *Elohim*, o Todo-poderoso. As nações vizinhas de Judá (envolvendo Judá) se antepunham à vontade divina quanto àquela área geográfica. Certamente elas cairiam em meio a intensos sofrimentos, sem nada mudarem. Sua confiante esperança de que haveria mudanças era mera ilusão.

■ 27.5

אָנֹכִי עָשִׂיתִי אֶת־הָאָרֶץ אֶת־הָאָדָם וְאֶת־הַבְּהֵמָה
אֲשֶׁר עַל־פְּנֵי הָאָרֶץ בְּכֹחִי הַגָּדוֹל וּבִזְרוֹעִי הַנְּטוּיָה
וּנְתַתִּיהָ לַאֲשֶׁר יָשַׁר בְּעֵינָי:

Eu fiz a terra, o homem e os animais que estão sobre a face da terra. *A mensagem divina:* Yahweh-Sabaoth-Elohim foi o Criador do cosmos, incluindo a terra e seus habitantes humanos e animais. Portanto, é correto que ele faça com a terra o que bem quiser. Isso inclui o destino das nações, que estão em suas mãos. Nisso ele segue princípios morais e espirituais. Não se trata de algo arbitrário. "O fato de que Deus mencionou seu poder supremo foi feito a fim de refutar o orgulho daqueles que dependem de suas próprias forças (ver Is 45.12). Ele dá poder a quem lhe agrada (ver Sl 115.15,16). Considere o leitor o exemplo de Nabucodonosor, que foi destronado em meio às jactâncias concernentes a seu poder augusto. Ele foi expulso do trono para aprender que o Altíssimo manda no reino dos homens e faz o que melhor lhe parece, dando ou tirando (ver Dn 4.17,25,32)" (Fausset, *in loc.*).

Com o meu braço estendido. Quanto a essa metáfora, ver Sl 77.15; 89.10; 98.1. Quanto à *mão,* ver Sl 81.14; quanto à *mão direita,* ver Sl 20.6. Usando símbolos antropomórficos, os profetas falaram sobre a vontade e a habilidade de Deus operar entre os homens com poder irresistível. Ver no *Dicionário* o artigo chamado *Antropomorfismo*. Quanto à criação divina como ilustração do poder de Yahweh, ver Sl 115.15; 146.6 e Is 45.12. Aquele que criou é também aquele que controla todas as coisas. Cf. Cl 1.16,17.

■ **27.6**

וְעַתָּ֗ה אָנֹכִי֙ נָתַ֙תִּי֙ אֶת־כָּל־הָאֲרָצ֣וֹת הָאֵ֔לֶּה בְּיַ֛ד
נְבוּכַדְנֶאצַּ֥ר מֶֽלֶךְ־בָּבֶ֖ל עַבְדִּ֑י וְגַם֙ אֶת־חַיַּ֣ת הַשָּׂדֶ֔ה
נָתַ֥תִּי ל֖וֹ לְעָבְדֽוֹ׃

Agora eu entregarei todas estas terras ao poder de Nabucodonosor, rei da Babilônia. Por decreto de Yahweh, Nabucodonosor tornou-se o homem mais poderoso da face da terra. Seu poder foi enviado pelo céu. Ele era *servo* de Yahweh (Jr 25.9; 43.10 e Ez 29.18,20). Não há indício, entretanto, de que o rei da Babilônia veio a prestar culto a Yahweh. Pelo contrário, ele era o *agente* do poder de Deus para modificar as coisas por meios violentos. Ciro, o monarca persa, foi, por igual modo, chamado *ungido* de Yahweh (ver Is 45.1). A história das nações flui do poder providencial de Deus, sendo esse poder negativo ou positivo, dependendo das condições morais e espirituais dos homens.

"Esses reinos estão à minha disposição soberana" (Adam Clarke, *in loc.*). O governo do Senhor é completo e detalhado, e estende-se até os animais do campo, que são servos do homem.

■ **27.7**

וְעָבְד֤וּ אֹתוֹ֙ כָּל־הַגּוֹיִ֔ם וְאֶת־בְּנ֖וֹ וְאֶֽת־בֶּן־בְּנ֑וֹ עַ֣ד בֹּא־
עֵ֤ת אַרְצוֹ֙ גַּם־ה֔וּא וְעָ֤בְדוּ בוֹ֙ גּוֹיִ֣ם רַבִּ֔ים וּמְלָכִ֖ים
גְּדֹלִֽים׃

Todas as nações o servirão a ele, a seu filho e ao filho de seu filho. Este versículo, que provavelmente é uma adição editorial, não se cumpriu literalmente. O último monarca do império neobabilônico foi Nabonido, que foi o *quarto* (e não o terceiro) rei depois de Nabucodonosor, e também não era parente de sangue de Nabucodonosor. Foi então que os medos e persas intervieram e puseram fim ao império babilônico. A Septuaginta omite este versículo, provavelmente por não ser ele inteiramente exato, historicamente falando. Alguns intérpretes fazem toda a espécie de ginástica e contorção na tentativa de "corrigir" esta afirmativa simples e inexata. Mas a fé pode ser prejudicada por tais contorções, as quais, afinal de contas, são pequenas demonstrações de *desonestidade.* A inspiração divina não depende desses minúsculos detalhes históricos.

De acordo com os ditames do cronograma divino, *chegaria o tempo* da Babilônia. E então os babilônios (aqueles que sobrassem da matança) se tornariam escravos de outros, tal como tinham feito de muitas nações seus escravos.

A Sucessão de Reis da Babilônia: 1. Evil-Merodaque, filho de Nabucodonosor. 2. Neriglissar, marido de uma filha de Nabucodonosor. 3. Seu filho, Labosodarcode. 4. Nabonido, com quem seu filho, Belsazar, era rei conjunto. Nabonido também se chamava Nabonidoco.

■ **27.8**

וְהָיָ֨ה הַגּ֜וֹי וְהַמַּמְלָכָ֗ה אֲשֶׁ֤ר לֹֽא־יַעַבְדוּ֙ אֹת֔וֹ אֶת־
נְבוּכַדְנֶאצַּ֣ר מֶֽלֶךְ־בָּבֶ֔ל וְאֵ֛ת אֲשֶׁ֥ר לֹֽא־יִתֵּ֛ן אֶת־צַוָּאר֖וֹ
בְּעֹ֣ל מֶ֣לֶךְ בָּבֶ֑ל בַּחֶ֨רֶב וּבָרָעָ֤ב וּבַדֶּ֙בֶר֙ אֶפְקֹ֣ד עַל־
הַגּ֣וֹי הַה֗וּא נְאֻם־יְהוָ֛ה עַד־תֻּמִּ֥י אֹתָ֖ם בְּיָדֽוֹ׃

Se alguma nação e reino não servirem o mesmo Nabucodonosor, rei da Babilônia. O *castigo* para quem não se submetesse à Babilônia (conforme era o plano divino para aquele tempo) seria uma calamidade multifacetada: espada, fome, pestilência; juntas, essas coisas consumiriam totalmente os rebeldes. Todos esses agentes seriam administrados pelo exército babilônico, com as usuais subcalamidades que se seguem à guerra. Cf. os *quatro* modos de punição de Jr 15.3. Jr 15.2 é, essencialmente, igual ao presente versículo. O castigo aos rebeldes consolidaria a posição da Babilônia naquela parte do mundo, por aquele tempo. A vontade de Deus estava sendo servida. Ver as notas expositivas em Is 13.6, com relação ao modo como Deus controla as atividades do mundo. Ver no *Dicionário* os artigos intitulados *Soberania de Deus* e *Providência de Deus*. Essas doutrinas não se ajustam ao *Determinismo,* visto que incluem a ideia de *Causas Secundárias,* que nada têm a ver com a *causa* que é Deus. A causa reage diante das causas secundárias. Se isso não fosse verdade, não haveria responsabilidade humana neste mundo. Ver no *Dicionário* os artigos denominados *Livre-arbítrio* e *Predestinação*.

■ **27.9**

וְ֠אַתֶּם אַל־תִּשְׁמְע֨וּ אֶל־נְבִיאֵיכֶ֜ם וְאֶל־קֹֽסְמֵיכֶ֗ם וְאֶל֙
חֲלֹמֹ֣תֵיכֶ֔ם וְאֶל־עֹֽנְנֵיכֶ֖ם וְאֶל־כַּשָּֽׁפֵיכֶ֑ם אֲשֶׁר־הֵ֞ם
אֹמְרִ֤ים אֲלֵיכֶם֙ לֵאמֹ֔ר לֹ֥א תַעַבְד֖וּ אֶת־מֶ֥לֶךְ בָּבֶֽל׃

Não deis ouvidos.... A mensagem de Jeremias contradizia a mensagem dos falsos profetas e dos sonhadores autoiludidos. Muitos tentavam participar do jogo da profecia: profetas, adivinhos, sonhadores, agoureiros e encantadores. Mas todos eles concordavam sobre um ponto: "A Babilônia não vos conquistará; não vos tornareis escravos da Babilônia". Eles formavam a *maioria*, ao passo que homens como Jeremias e Urias (ver Jr 26.20) eram uma minúscula minoria. Usualmente, a maioria se mostra do lado errado, quando se trata de questões espirituais. Cf. este versículo com Jr 29.8, que lhe é bastante similar, embora seja menor a lista ou os tipos de alegados profetas. Todos aqueles "profetas" eram mentirosos, francos e desgraçados, ou simplesmente autoiludidos. Alguns deles tinham visões reais, mas meramente psíquicas (naturais), alucinações e ilusões. Outros inventavam suas supostas visões, enquanto prosseguiam a fim de obter para si mesmos um nome como líderes espirituais.

Ver no *Dicionário* os artigos *Presságio (Agouro): Adivinhação; Encantador; Magia.* Ver as notas expositivas sobre Jr 23.16,23-27, que adicionam detalhes que não reitero aqui.

■ **27.10**

כִּ֣י שֶׁ֔קֶר הֵ֖ם נִבְּאִ֣ים לָכֶ֑ם לְמַ֙עַן֙ הַרְחִ֤יק אֶתְכֶם֙ מֵעַ֣ל
אַדְמַתְכֶ֔ם וְהִדַּחְתִּ֥י אֶתְכֶ֖ם וַאֲבַדְתֶּֽם׃

Porque eles vos profetizam mentiras para vos mandarem para longe da vossa terra. Alguns daqueles profetas e videntes sabiam que estavam falando de sua própria imaginação, e não por divina inspiração. Outros, porém, eram autoenganados. Todos mentiam, consciente ou inconscientemente. Justamente no meio de todo esse falso misticismo, aquela gente seria atacada, morta, saqueada e deportada para a Babilônia. Ver no *Dicionário* o verbete chamado *Misticismo.* Existe um misticismo autêntico e um misticismo falso. Muitos místicos falsos não têm consciência de que são falsos, e na igreja não há poucos deles. Também existe um misticismo natural que não sobe a Deus nem desce aos demônios. A telepatia, o conhecimento anterior, mensagens proféticas aparentes, todas essas coisas podem ser produtos da psique humana, sem nenhuma ajuda "externa". Algumas dessas mensagens podem ter valor, embora sejam meramente humanas. Outras são inúteis. E ainda outras podem ser francamente prejudiciais. Ver na *Enciclopédia de Bíblia, Teologia e*

Filosofia o artigo chamado *Parapsicologia*. Os fenômenos psíquicos naturais não são positivos nem moral nem espiritualmente. Mas podem tornar-se positivos mediante correto manuseio e uso. Por outra parte, os abusos podem torná-los negativos.

Se os reis daquelas nações não tivessem dado atenção a mentiras, talvez Nabucodonosor tivesse deixado aquela gente em suas próprias terras, apenas pagando-lhe tributo. Mas quando se rebelaram, ele resolveu puni-las.

■ 27.11

וְהַגּוֹי אֲשֶׁר יָבִיא אֶת־צַוָּארוֹ בְּעֹל מֶלֶךְ־בָּבֶל וַעֲבָדוֹ וְהִנַּחְתִּיו עַל־אַדְמָתוֹ נְאֻם־יְהוָה וַעֲבָדָהּ וְיָשַׁב בָּהּ׃

Mas a nação que meter o seu pescoço sob o jugo do rei da Babilônia... As nações que não se rebelassem nem tentassem medir forças com a Babilônia seriam deixadas em seus próprios territórios pátrios. O exército babilônico talvez fizesse seu trabalho usual de matanças e saques, mas não deportaria as nações atacadas. Ou, em alguns casos, Nabucodonosor tão somente exigiria tributo, sem se incomodar de enviar seu exército. Em outras palavras, quando se estivesse tratando com a Babilônia, naquela época, era sábio não tomar posições drásticas. A Babilônia não gostava daqueles que quisessem jogar o jogo do poder militar com ela. Todo esse conselho, bem o sabemos, poderia parecer covarde e impatriótico. Por outro lado, eram conselhos corretos. Algumas vezes é melhor desistir de uma negociação adversa do que insistir e tentar continuar negociando. A resistência contra a Babilônia era um daqueles maus negócios que deveriam ter sido abandonados.

MENSAGEM A ZEDEQUIAS (27.12-15)

■ 27.12

וְאֶל־צִדְקִיָּה מֶלֶךְ־יְהוּדָה דִּבַּרְתִּי כְּכָל־הַדְּבָרִים הָאֵלֶּה לֵאמֹר הָבִיאוּ אֶת־צַוְּארֵיכֶם בְּעֹל מֶלֶךְ־בָּבֶל וְעִבְדוּ אֹתוֹ וְעַמּוֹ וִחְיוּ׃

Falei a Zedequias, rei de Judá, segundo todas estas palavras. Esta mensagem era, em essência (mesmo que não quanto aos detalhes) uma duplicata da mensagem entregue a países vizinhos (vss. 5-11). Ver no *Dicionário* o artigo chamado *Reino de Judá*, IV.20, quanto a uma breve caracterização de *Zedequias*. Esse rei era mau, fraco, vacilante e tolo. Nessa oportunidade, ao que parece, ele tinha resolvido não se revoltar, e talvez a mensagem de Jeremias tenha sido um fator dissuasório. Posteriormente, porém, ele se revoltou (ver 2Rs 24.10; 2Cr 36.13). Finalmente, foi cegado e levado cativo para a Babilônia (ver 2Rs 25.7). Ver, sob o nome dele, o detalhado artigo do *Dicionário*.

Para compreender essa mensagem dirigida a Zedequias, o leitor deve primeiramente entender os eventos do cativeiro babilônico. Esse cativeiro não foi um acontecimento único. Antes, veio em ondas. O primeiro ataque ocorreu em 597 a.C. e envolveu o rei Jeoaquim (2Cr 36.6). Na oportunidade, houve a primeira deportação de judeus. Ver no *Dicionário* a história no artigo chamado *Jeoaquim*. Em seguida, houve outra onda, com matança e considerável devastação. Essa se deu nos dias de *Joaquim* (ver a respeito no *Dicionário*), também chamado Jeconias (Conias). Ele foi levado cativo juntamente com grande número de judeus. O templo de Jerusalém foi saqueado e os vasos sagrados foram levados para a Babilônia (2Rs 24.13). Todos os judeus dotados de alguma habilidade foram levados nessa ocasião para a Babilônia. *Zedequias* foi elevado ao trono de Judá, como rei vassalo, e não havia realmente muito para governar. A despeito dessa condição submissa, Zedequias tentou organizar uma revolta com a ajuda de seus vizinhos, que também tinham interesse em libertar-se do jugo babilônico. Esse é o pano de fundo da passagem presente. Yahweh já estava purificando a escória de Judá para obter um pouco de prata, a fim de permitir um novo começo após o cativeiro. O que Zedequias fez, entretanto, foi importante: uma nova destruição e deportação esperavam os judeus. O profeta Jeremias já havia chamado Zedequias, e os que tinham ficado em Jerusalém, de "figos maus". Ver Jr 24.2,8. Portanto, o apelo do profeta neste ponto foi urgente, e não meramente humanitário. Teria sido melhor se o rei de Judá tivesse ficado tranquilo, deixando que os sobreviventes dos ataques anteriores permanecessem em Jerusalém para viver em paz. Mas Zedequias continuava a provocar Nabucodonosor, e assim, em seus dias, o templo de Jerusalém foi destruído (incendiado). Ver 2Rs 24.9. As muralhas da cidade foram derrubadas; e os oficiais do rei foram levados, ainda com outro grupo de judeus. Esse foi o derradeiro e fatal golpe, que poderia ter sido evitado por um rei mais sábio. Ver a história em 2Rs 24.9 ss.

■ 27.13

לָמָּה תָמוּתוּ אַתָּה וְעַמֶּךָ בַּחֶרֶב בָּרָעָב וּבַדָּבֶר כַּאֲשֶׁר דִּבֶּר יְהוָה אֶל־הַגּוֹי אֲשֶׁר לֹא־יַעֲבֹד אֶת־מֶלֶךְ בָּבֶל׃

Por que morrerias tu e o teu povo à espada, à fome e de peste...? As tropas babilônicas tinham mostrado não ter dó em outros ataques e deportações. Por que, pois, Zedequias haveria de forçar a questão, submetendo Jerusalém a outro ataque, que significaria mais matança, saque e deportação? Mas foi precisamente isso o que ele provocou, embora não imediatamente. Temos aqui a descrição padronizada do que acontece com a guerra: primeiramente, a matança à espada; em seguida, fome e pestilência, que são os acompanhamentos inevitáveis. Cf. o vs. 8. Yahweh tinha dado à Babilônia o impulso e a capacidade para matar. Era melhor ser humilde do que morrer; era melhor sofrer certas privações do que ser privado da própria vida.

■ 27.14

וְאַל־תִּשְׁמְעוּ אֶל־דִּבְרֵי הַנְּבִאִים הָאֹמְרִים אֲלֵיכֶם לֵאמֹר לֹא תַעַבְדוּ אֶת־מֶלֶךְ בָּבֶל כִּי שֶׁקֶר הֵם נִבְּאִים לָכֶם׃

Não deis ouvidos às palavras dos profetas. Entrementes, os falsos profetas despertavam a mente do rei de Judá e de sua gente com mentiras sobre como a Babilônia não lhes faria mal algum. É admirável que, depois de ter visto os primeiros ataques e deportações, alguém continuasse acreditando nos profetas mentirosos e nos sonhadores iludidos. Por outro lado, em sua idolatria-adultério--apostasia, Judá não era capaz de tomar nenhuma decisão sensata. O julgamento divino pesava sobre eles e continuaria pesando até que toda a escória fosse queimada, e fosse deixado o pouco de prata que seria usado para dar início a uma nova nação.

Ver detalhes sobre as profecias mentirosas, nos vss. 15-20. Para os falsos profetas, Jeremias tinha o conselho "nada patriótico": "Servi ao rei da Babilônia, e vivei" (vs. 17). "... maus reis... más consequências" (comentário do Targum).

■ 27.15

כִּי לֹא שְׁלַחְתִּים נְאֻם־יְהוָה וְהֵם נִבְּאִים בִּשְׁמִי לַשָּׁקֶר לְמַעַן הַדִּיחִי אֶתְכֶם וַאֲבַדְתֶּם אַתֶּם וְהַנְּבִאִים הַנִּבְּאִים לָכֶם׃

Porque não os enviei, diz o Senhor, e profetizam falsamente em meu nome. Yahweh afirmou aqui que *não* tinha enviado aqueles falsos profetas, que nunca desistiam de profetizar falsamente, contando suas mentiras por muitas e muitas vezes. Alguns deles tinham a audácia de profetizar em nome de Yahweh, ao passo que falsos profetas profetizavam no nome de várias divindades pagãs. O resultado disso é que Yahweh estava prestes a "expulsá-los" da Terra Prometida por meio das tropas babilônicas. E aqueles que fossem deportados seriam executados em Ribla, na Babilônia (ver Jr 39.6). Os próprios filhos do rei Zedequias pereceram naquela matança particular. Triste é dizê-lo, porém, mas muitos outros judeus pereceriam da mesma maneira, porquanto continuavam acreditando em mentiras. Algumas vezes, a fé consiste em acreditar naquilo que não é verdade. "O diabo com frequência emprega o nome de Deus quando oferece suas mentiras (Mt 4.16)" (Fausset, *in loc.*). Cf. este versículo com Jr 23.21. Usar o nome de Deus, ao mesmo tempo que se mentia, certamente era uma significativa perversão que não deixaria de ser punida. "Tanto os falsos profetas (conforme o Targum os chama) como aqueles que os ouviam, cairiam na mesma valeta" (John Gill, *in loc.*).

MENSAGEM AOS SACERDOTES E AO POVO (27.16-22)

■ 27.16

וְאֶל־הַכֹּהֲנִים וְאֶל־כָּל־הָעָם הַזֶּה דִּבַּרְתִּי לֵאמֹר כֹּה אָמַר יְהוָה אַל־תִּשְׁמְעוּ אֶל־דִּבְרֵי נְבִיאֵיכֶם הַנִּבְּאִים לָכֶם לֵאמֹר הִנֵּה כְלֵי בֵית־יְהוָה מוּשָׁבִים מִבָּבֶלָה עַתָּה מְהֵרָה כִּי שֶׁקֶר הֵמָּה נִבְּאִים לָכֶם׃

Também falei aos sacerdotes, e a todo este povo. Os sacerdotes, a despeito de sua apostasia, sentiam a perda dos vasos do templo que tinham sido levados durante a segunda onda de ataque e deportação, nos dias de *Joaquim* (Jeconias, Conias). Ver 2Rs 24.13; 2Cr 36.10. Para satisfazer o desejo dos sacerdotes, os falsos profetas tinham profecias que declaravam que eles receberiam de volta os vasos sagrados. Jeremias sabia que isso era mentira pura. Pelo contrário, no próximo ataque dos babilônios, o próprio templo seria incendiado (nos dias de Zedequias) e o que restasse dos vasos sagrados seria levado para a Babilônia (ver 2Cr 36.18,19). Os profetas mentirosos continuavam dando ao povo de Judá (em sua alucinação) o que eles queriam receber; mas, na realidade, estavam fora da realidade. Haveria uma devolução parcial desses vasos nos dias de Esdras (Ed 1.7 e 7.19). Mas não existe registro da devolução da arca.

■ 27.17

אַל־תִּשְׁמְעוּ אֲלֵיהֶם עִבְדוּ אֶת־מֶלֶךְ־בָּבֶל וִחְיוּ לָמָּה תִהְיֶה הָעִיר הַזֹּאת חָרְבָּה׃

Não lhes deis ouvidos, servi ao rei da Babilônia, e vivereis. As *falsas promessas* dos profetas mentirosos distribuíam esperança quando não havia nenhuma. Portanto, a melhor norma política para impedir mais matança e mais saques era simplesmente colocar-se sob o jugo babilônico, servir aos estrangeiros e esperar o melhor quanto ao futuro. O conselho "destituído de patriotismo" que, finalmente, lançou Jeremias na prisão, era pragmaticamente bom para o povo, mesmo que desagradável e duro para com o seu orgulho. Algumas vezes, o "ideal" acha-se fora de alcance. Nesses casos, temos de fazer o que funciona sob as circunstâncias, embora fique muito aquém de nosso desejo. Os falsos profetas incitavam o povo de Judá à rebelião e usavam a profecia dos utensílios sagrados como parte de seu argumento. O que realmente vinha a caminho era muita destruição, e não vitórias que levantassem o "ego" do povo.

■ 27.18

וְאִם־נְבִאִים הֵם וְאִם־יֵשׁ דְּבַר־יְהוָה אִתָּם יִפְגְּעוּ־נָא בַּיהוָה צְבָאוֹת לְבִלְתִּי־בֹאוּ הַכֵּלִים הַנּוֹתָרִים בְּבֵית־יְהוָה וּבֵית מֶלֶךְ יְהוּדָה וּבִירוּשָׁלַםִ בָּבֶלָה׃ פ

Porém, se são profetas, e se a palavra do Senhor está com eles, que orem ao Senhor dos Exércitos. Se aqueles fossem verdadeiros profetas de Yahweh, então, em vez de apresentar profecias falsas sobre os vasos do templo que tinham sido levados para a Babilônia, eles deveriam interceder a Yahweh para que os vasos restantes fossem protegidos, juntamente com o próprio templo, a fim de que calamidades ainda maiores não ocorressem. Porém, eles estavam muito distantes de Yahweh para ao menos *saber* o que deveriam fazer, quanto menos realmente fazer o que deveriam. O palácio do rei também dispunha de dispendiosos móveis que ainda não tinham sido tomados, e outro tanto se pode dizer quanto às casas dos nobres. Todos tinham muita coisa a perder com novos atos de rebeldia. As coisas poderiam ficar muito piores do que já estavam. Os falsos profetas, entretanto, insistiam em um curso desastroso, e arriscavam aquilo que restava a Judá à mais total destruição. Em certo sentido, todavia, eles estavam fazendo a coisa certa, porque o plano divino incluía a mais total destruição.

■ 27.19

כִּי כֹה אָמַר יְהוָה צְבָאוֹת אֶל־הָעַמֻּדִים וְעַל־הַיָּם וְעַל־הַמְּכֹנוֹת וְעַל יֶתֶר הַכֵּלִים הַנּוֹתָרִים בָּעִיר הַזֹּאת׃

Porque assim diz o Senhor dos Exércitos acerca das colunas, do mar... Entre os objetos que ainda não tinham sido tocados pelos babilônios estavam as duas colunas de bronze no pórtico do templo. Essas colunas tinham cerca de 9 m de altura e 6 m de circunferência (ver 1Rs 7.15-22; Jr 52.11). Além delas havia o *mar de fundição*, a grande bacia de bronze que se apoiava sobre doze touros (ver 1Rs 7.23,25). As dez bases também eram feitas de bronze. Essa estrutura tinha cerca de 15 m de circunferência e continha a água para as lavagens cerimoniais. Ademais, a cidade de Jerusalém, embora esvaziada pelo saque, ainda tinha muita coisa que não fora tomada. Mas outro ataque babilônico transformaria a cidade num deserto. A Babilônia valorizaria aqueles objetos por seu valor como metal; para Judá, porém, tais objetos tinham grande valor histórico e cultual.

■ 27.20

אֲשֶׁר לֹא־לְקָחָם נְבוּכַדְנֶאצַּר מֶלֶךְ בָּבֶל בַּגְלוֹתוֹ אֶת־יְכָנְיָה בֶן־יְהוֹיָקִים מֶלֶךְ־יְהוּדָה מִירוּשָׁלַםִ בָּבֶלָה וְאֵת כָּל־חֹרֵי יְהוּדָה וִירוּשָׁלָםִ׃ ס

Os quais Nabucodonosor, rei da Babilônia, não levou. O presente versículo informa-nos que o ataque no tempo de *Joaquim* (ver a respeito no *Dicionário*), também chamado Jeconias ou Conias, assim como o saque dos objetos do templo, não tinha sido completo. Jeconias e muitos nobres tinham sido levados para o cativeiro, mas Zedequias e seus nobres enfrentariam algumas desgraças (ver 2Rs 25.7), e os nobres seriam executados em Ribla (ver Jr 39.6). "Nabucodonosor parece ter tomado todos os vasos mais valiosos, de ouro e de prata, deixando os de bronze. Ver 2Rs 24.12-16 quanto a isso e quanto à deportação do rei e seus nobres.

■ 27.21

כִּי כֹה אָמַר יְהוָה צְבָאוֹת אֱלֹהֵי יִשְׂרָאֵל עַל־הַכֵּלִים הַנּוֹתָרִים בֵּית יְהוָה וּבֵית מֶלֶךְ־יְהוּדָה וִירוּשָׁלָםִ׃

Sim, isso diz o Senhor dos Exércitos, o Deus de Israel. A *palavra divina* foi dada a Jeremias, afirmando que os vasos restantes e outros objetos valiosos do templo e da casa do rei e dos nobres também seriam levados para a Babilônia. A horrenda obra seria completada porque os falsos profetas continuavam incitando o povo à rebeldia, o que faria os babilônios atacar uma vez mais. Cf. o vs. 18 deste capítulo, onde essa profecia também é encontrada.

■ 27.22

בָּבֶלָה יוּבָאוּ וְשָׁמָּה יִהְיוּ עַד יוֹם פָּקְדִי אֹתָם נְאֻם־יְהוָה וְהַעֲלִיתִים וַהֲשִׁיבֹתִים אֶל־הַמָּקוֹם הַזֶּה׃ פ

À Babilônia serão levados, onde ficarão até ao dia em que eu atentar para eles, diz o Senhor. Os vasos que tinham sido ou ainda seriam tomados permaneceriam na Babilônia até que o cronograma divino marcasse o dia da volta a Israel. Quanto a esse dia, ver Ed 1.7 e 7.19. Instrumentos divinos fariam tal devolução, mas muitas desgraças teriam de acontecer antes. Além disso, pelo menos a arca da aliança nunca mais voltou a Israel, e ninguém sabe o que aconteceu a ela. Talvez venha a ser encontrada algum dia, nas ruínas de algum templo pagão.

Ciro seria o rei que controlaria a nova máquina de matar, naquela região do mundo, e isso seria inspirado por Yahweh em favor dos judeus. Os judeus seriam soltos e teriam permissão de levar consigo, de volta, os vasos do templo de Jerusalém. Por algum tempo não haveria templo onde colocar os vasos trazidos da Babilônia, mas um segundo e mais humilde santuário seria construído. Os livros de Esdras e Neemias nos contam essa história.

CAPÍTULO VINTE E OITO

CONFLITO COM HANANIAS (28.1-17)

O insensato Hananias enfrentou Jeremias no templo e predisse a total restauração de Judá dentro de dois anos. Ele espatifou o jugo simbólico de Jeremias (ver Jr 27.2). Em Hananias, o cumprimento do desejo de Judá quanto às profecias atingiu seu nível mais absurdo. Jeremias relembrou que seus predecessores tinham predito o castigo (ver Dt 18.20-22; Mq 3.5-12) e o julgamento que certamente Deus enviaria. Coisa alguma tinha-se modificado, e embora as tolas predições de Hananias confortassem o povo, eram apenas esperanças mentirosas, sem nenhuma substância. O desapontamento era o fim daqueles que confiavam nessas predições otimistas. Posteriormente, Jeremias usou o símbolo do *jugo de ferro* para enfatizar que o exílio continuaria (ver Jr 27.7). A Septuaginta chama Hananias de *falso profeta*. E, realmente, era isso o que ele era, sem dúvida um dentre a multidão que vivia enganando o povo de Judá. Aqueles homens continuavam a pregar sua falsa esperança de "paz" (vs. 9), conforme sempre fizeram (ver Jr 6.14 e 8.11).

■ 28.1

וַיְהִי ׀ בַּשָּׁנָה הַהִיא בְּרֵאשִׁית מַמְלֶכֶת צִדְקִיָּה מֶלֶךְ־
יְהוּדָה בַּשָּׁנָה הָרְבִעִית בַּחֹדֶשׁ הַחֲמִישִׁי אָמַר אֵלַי
חֲנַנְיָה בֶן־עַזּוּר הַנָּבִיא אֲשֶׁר מִגִּבְעוֹן בְּבֵית יְהוָה
לְעֵינֵי הַכֹּהֲנִים וְכָל־הָעָם לֵאמֹר׃

No mesmo ano, no princípio do reinado de Zedequias, rei de Judá. O capítulo 28 dá continuação ao capítulo 27, conforme revela este versículo. O tempo específico da mensagem de Jeremias, no capítulo 27, não foi dado, mas temos aqui uma designação cronológica para a oposição de Hananias. Foi o quinto mês do quarto ano do rei Zedequias. A data foi agosto-setembro de 593 a.C. Jeremias teve o cuidado de mencionar a data, porquanto coisas importantes estavam prestes a ocorrer imediatamente em seguida. Ver Jr 28.17. A palavra "princípio", aqui usada, não tem aplicação, visto que dificilmente podemos dizer que o quarto ano de um acontecimento qualquer é um começo. É provável que a influência de Jr 26.1 e 27.1 tenha entrado aqui por descuido. A data mencionada aqui mostra que estava em vista Zedequias, e não Joaquim (Jeconias, Conias).

Hananias. Este era um nome pessoal comum do Antigo Testamento. Ver no *Dicionário* sob esse título, ponto quinto, quanto ao que se sabe sobre ele. Hananias foi um dos mais ousados falsos profetas. Ele atacou Jeremias no templo, diante dos sacerdotes e algumas pessoas do povo, com uma absurda profecia de restauração. Teve até coragem de estabelecer datas, o que raramente funciona no caso de precognições e coerentemente assinala ou profecias falsas, ou datas falsas vinculadas a profecias verdadeiras. Curiosamente, os intérpretes bíblicos que dataram a Grande Tribulação no fim do século XX caíram na armadilha de estabelecer datas, mesmo que apenas por tentativa. Hoje, 20 de maio de 1997, dificilmente pode fazer parte de um tempo tão atribulado como será a Grande Tribulação.

> A cega incredulidade por certo errará,
> Sondando a obra de Deus em vão;
> Deus é o seu próprio intérprete,
> E ele deixará isso bem claro.
>
> Alexander Pope

■ 28.2

כֹּה־אָמַר יְהוָה צְבָאוֹת אֱלֹהֵי יִשְׂרָאֵל לֵאמֹר שָׁבַרְתִּי
אֶת־עֹל מֶלֶךְ בָּבֶל׃

Quebrei o jugo do rei da Babilônia. Aquele profeta idiota teve a coragem de falar em nome de Yahweh ao apresentar suas fábulas. Ele chegou mesmo a usar o título de Poder, *Yahweh* (o Deus Eterno), Senhor dos Exércitos, Elohim (o Todo-poderoso). Sua confiança e entusiasmo segredam-nos que ele realmente acreditava no que estava dizendo. Embora equivocado, ele era sincero, o que é um fenômeno comum. Ele começou pelo absurdo de que o jugo da Babilônia tinha sido divinamente quebrado, e dentro em breve essa realidade seria reconhecida pelo povo comum. *Deus agiu*, disse ele, e em breve se verá o resultado prático desse ato divino. Nesse caso, uma "crença cega" certamente errará. Algumas vezes, a fé consiste em crer naquilo que não é verdade. "Que tremenda falta de vergonha! Quando ele sabia, em sua consciência, que Deus não lhe dera nenhuma comissão como aquela" (Adam Clarke, *in loc.*). Por outro lado, o autoengano pode fazer um homem acreditar e dizer quase qualquer coisa. Ele usava a linguagem do verdadeiro profeta (ver Jr 2.19; 5.14; 9.7; 11.22; 23.15; 27.19 e 29.17), mas lhe faltava a inspiração divina.

■ 28.3

בְּעוֹד ׀ שְׁנָתַיִם יָמִים אֲנִי מֵשִׁיב אֶל־הַמָּקוֹם הַזֶּה אֶת־
כָּל־כְּלֵי בֵּית יְהוָה אֲשֶׁר לָקַח נְבוּכַדְנֶאצַּר מֶלֶךְ־
בָּבֶל מִן־הַמָּקוֹם הַזֶּה וַיְבִיאֵם בָּבֶל׃

Dentro de dois anos eu tornarei a trazer a este lugar todos os utensílios da casa do Senhor. *Marcando Datas.* Nas profecias autênticas é difícil marcar datas. Um missionário amigo meu estava ouvindo um pastor falar sobre profecias e determinação de datas. Disse o pastor: "Não sei quando essas coisas acontecerão, mas sei que elas não acontecerão *quando você diz* que acontecerão". É provável que Hananias tivesse alguma espécie de profecia de cumprimento de desejo. Em outras palavras, ele viu o que queria ver, e então enganou a si mesmo ao pensar que aquilo que vira era uma mensagem da parte de Yahweh. Pois os verdadeiros místicos sempre duvidam da validade de suas visões e submetem-nas a teste.

Sabemos, mediante estudos modernos, que as visões estão perfeitamente dentro do alcance da psique humana, sem a ajuda do diabo nem de Deus. Assim como todas as pessoas têm visões noturnas (sonhos) *todas as noites*, algumas pessoas possuem a capacidade de ter "visões diurnas" quase todos os dias. Mas geralmente nada há de espiritual em tal fenômeno. Quantas profecias assim recebidas realmente acontecem? Algumas acontecem, outras não. Essa é a natureza do conhecimento anterior. Tudo funciona segundo uma taxa de probabilidades, acerta-se e erra-se. Os melhores psíquicos modernos acertam uma taxa de 75%, o que já é bastante bom; e a maioria deles não reivindica nenhuma ajuda divina. Há um conhecimento anterior do qual todos os homens participam nos sonhos. Talvez Hananias tivesse tido seus *acertos* no passado. É provável que esses sucessos passados o tivessem encorajado a falar demais. Além disso, os profetas estavam sendo pressionados a fazer calar Jeremias e suas profecias pessimistas.

O pobre Hananias, sentindo a responsabilidade de redimir a escola dos profetas, terminou pronunciando um absurdo: o jugo dos babilônios cairia do pescoço dos judeus dentro de dois anos! É provável que por trás dessa declaração estivesse o fato de que a conspiração de Judá e das nações circunvizinhas se desenvolveria, e o "profeta" Hananias estivesse prevendo o sucesso para a rebelião. Jeremias, porém, sabia que estavam fervendo maiores tempestades, e não a libertação do jugo. O fim do jugo babilônico significaria a *recuperação dos vasos sagrados*, e era isso o que interessava aos sacerdotes (que estavam ouvindo).

■ 28.4

וְאֶת־יְכָנְיָה בֶן־יְהוֹיָקִים מֶלֶךְ־יְהוּדָה וְאֶת־כָּל־גָּלוּת
יְהוּדָה הַבָּאִים בָּבֶלָה אֲנִי מֵשִׁיב אֶל־הַמָּקוֹם הַזֶּה
נְאֻם־יְהוָה כִּי אֶשְׁבֹּר אֶת־עֹל מֶלֶךְ בָּבֶל׃

Também a Jeconias, filho de Jeoaquim, rei de Judá, e a todos os exilados de Judá. Os *partidários de Jeconias* sentiam-se infelizes com Zedequias como rei de Judá, e estavam sob a ilusão de que Jeconias seria devolvido a Jerusalém. Mas a verdade da questão é que ele permaneceria na prisão babilônica pelo espaço de trinta anos, e jamais deixaria a Babilônia, embora nos seus últimos anos de vida ele fosse tirado da prisão e favorecido. Ver no *Dicionário* o artigo chamado *Joaquim*, quanto a detalhes. A visão supostamente tida por Hananias até mostrava os cativos judeus, em geral, retornando à Terra Prometida, e isso só podia significar que Hananias tinha previsto a queda virtual da Babilônia pouco antes dessa ocorrência. E, ainda por cima, Hananias deu a Yahweh o crédito por aquela fantástica mas falsa visão sobre o futuro. Cf. o vs. 2 deste capítulo.

Os sacerdotes de Judá levantaram-se e "engoliram" as mentiras de Hananias, porque elas os faziam sentir-se bem, embora não houvesse realidade nas mentirosas predições. "Quão grave é a responsabilidade em que incorrem aqueles que, mediante falsas promessas de segurança, embora sem regeneração e sem conversão, lisonjeiam os pecadores para a ruína (vss. 15-18). Tais pessoas e seus seguidores ingênuos perecerão juntos, mas um ai especial espera pelos enganadores" (Fausset, *in loc.*). A confederação rebelde tinha feito toda espécie de coisas loucas entrar na cabeça das pessoas, a começar pelos falsos profetas. Nada seria capaz de debilitar o poder da Babilônia, até que o cronograma divino ditasse o tempo apropriado para tanto, que não aconteceria durante a vida de Hananias.

Refutação de Jeremias (28.5-9)

■ 28.5

וַיֹּאמֶר יִרְמְיָה הַנָּבִיא אֶל־חֲנַנְיָה הַנָּבִיא לְעֵינֵי
הַכֹּהֲנִים וּלְעֵינֵי כָל־הָעָם הָעֹמְדִים בְּבֵית יְהוָה׃

Então respondeu Jeremias, o profeta, ao profeta Hananias. Jeremias também contava com sua audiência, para ouvir a refutação às palavras de Hananias. Assim sendo, na presença do entusiasmado Hananias e dos sacerdotes que se tinham reunido para ouvir o discurso otimista, Jeremias novamente falou sobre a condenação. O primeiro discurso (do falso profeta) foi popular e sem dúvida recebeu o "sim, sim" e o "amém, amém" dos sacerdotes, mas o segundo discurso (de Jeremias) foi veraz. Este versículo também mostra que certo número de pessoas do povo comum se tinha reunido para ouvir o confronto entre os dois profetas. Cf. o vs. 1, que tem a mesma informação. Assim, de certa maneira, a discussão teve o aspecto de um debate público. As reivindicações rivais logo seriam testadas por eventos tão terríveis que as predições de restauração de Judá, feitas pelo profeta falso Hananias, acabariam submetidas à vergonha eterna.

■ 28.6

וַיֹּאמֶר יִרְמְיָה הַנָּבִיא אָמֵן כֵּן יַעֲשֶׂה יְהוָה יָקֵם יְהוָה
אֶת־דְּבָרֶיךָ אֲשֶׁר נִבֵּאתָ לְהָשִׁיב כְּלֵי בֵית־יְהוָה וְכָל־
הַגּוֹלָה מִבָּבֶל אֶל־הַמָּקוֹם הַזֶּה׃

Disse, pois, Jeremias, o profeta: Amém! Assim faça o Senhor. Jeremias disse "amém" a tudo quanto Hananias havia dito, esperando, em seu coração, que as coisas acontecessem daquela maneira. Mas ele não se deixaria enganar, concordando com as mentiras de Hananias, sob a hipótese de que "elas seriam ótimas se expressassem a verdade". A esperança brilha eternamente no coração humano, mas algumas vezes é vã, não passando de uma função de cumprimento de desejos da psique humana. Mas as funções de cumprimento de desejo não aliviam os sofrimentos quando chega a hora da tribulação.

As verdadeiras profecias dão indicações (mas não provas absolutas) de que Deus está por trás delas, de acordo com Dt 18.20-22, *caso* elas se cumpram. Hoje em dia, naturalmente, sabemos que todas as espécies de profecias naturais ou demoníacas se cumprem exatamente, pelo que o "teste do cumprimento" é, quando muito, mera tentativa. "Eu gostaria que aquilo que você diz seja verdade. Oxalá que aquilo que você diz seja a verdade. Eu prefiro a segurança de meu país, acima de minha própria estima e reputação. Não tenho prazer algum em anunciar os julgamentos divinos. Tenho feito isso impelido pelo senso de dever" (Fausset, *in loc.*). Cf. as palavras de Moisés em Êx 35.32 e a algo similar de Paulo, em Rm 13.3. Um homem bom não espera, ansioso, pela ruína, e até suas profecias de condenação precisarão ser revisadas se houver arrependimento. Note-se, porém, que Hananias nada disse sobre o arrependimento e a mudança moral. Ele meramente queria a restauração segundo os termos estabelecidos por Judá. Portanto, ele e todos aqueles que se tinham deixado enganar por suas palavras sairiam amargamente desapontados da experiência. Eles sentiriam o peso do braço raivoso da Babilônia, sobre quem falavam tão superficialmente.

■ 28.7,8

אַךְ־שְׁמַע־נָא הַדָּבָר הַזֶּה אֲשֶׁר אָנֹכִי דֹּבֵר בְּאָזְנֶיךָ
וּבְאָזְנֵי כָּל־הָעָם׃

הַנְּבִיאִים אֲשֶׁר הָיוּ לְפָנַי וּלְפָנֶיךָ מִן־הָעוֹלָם וַיִּנָּבְאוּ
אֶל־אֲרָצוֹת רַבּוֹת וְעַל־מַמְלָכוֹת גְּדֹלוֹת לְמִלְחָמָה
וּלְרָעָה וּלְדָבֶר׃

Mas ouve agora esta palavra, que eu falo a ti e a todo o povo para que ouçais. *Mas,* disse Jeremias enfaticamente: Existem boas razões para acreditarmos que nada de otimista haverá de acontecer. Há *precedentes históricos* quanto à validade das profecias de condenação, mas bem poucos precedentes para a posição contrária. Os profetas, por muitas vezes, falaram sobre a *guerra,* a *fome* e a *pestilência.* Ver Jr 27.8,13, quanto a essas três temíveis palavras que Jeremias aplicou à sua própria época.

Naturalmente, a guerra traz fome e doenças como companheiros naturais, o que tem sido abundantemente demonstrado ao longo da história humana. Israel-Judá, quase sempre em um estado de iniquidade e revolta, constantemente provocaram essa *temível tríade* da guerra, fome e pestilência a atacá-los uma vez mais. E visto que Judá estava pior que nunca, mais rebelde que nunca, mais pútrido que nunca, por que haveriam eles de ser poupados, quando seus ancestrais certamente não foram? Jeremias generalizou a profecia e aplicou-a a *muitas nações,* e não meramente a Israel-Judá. Ver Is 13.6 quanto à doutrina de que é Yahweh quem controla os acontecimentos humanos. Ver no *Dicionário* os verbetes chamados *Soberania de Deus* e *Providência de Deus.* A providência divina pode ser negativa ou positiva, o que quer dizer que maus e bons eventos são controlados por Deus. Naturalmente, os atos divinos levam em consideração *causas secundárias,* ou seja, coisas que os homens fazem de bom ou de mau, pois, acima do determinismo, valores morais e espirituais estabelecem o que deve acontecer entre os homens. Ver no *Dicionário* o verbete chamado *Lei Moral da Colheita segundo a Semeadura.* O que os homens semearem, isso colherão (ver Gl 6.7,8). A vontade de Deus jamais contradiz esse princípio.

■ 28.9

הַנָּבִיא אֲשֶׁר יִנָּבֵא לְשָׁלוֹם בְּבֹא דְּבַר הַנָּבִיא יִוָּדַע
הַנָּבִיא אֲשֶׁר־שְׁלָחוֹ יְהוָה בֶּאֱמֶת׃

O profeta que profetizar paz, só ao cumprir-se a sua palavra será conhecido como profeta. Um profeta de paz (ver Jr 6.14; 8.11 e 28.9) só será reconhecido como verdadeiro profeta quando aquilo que ele tiver dito realmente suceder. Portanto, os eventos testarão a validade tanto de sua pessoa como de suas profecias. Jeremias falava caridosamente, pois ele *sabia* que aqueles "profetas de paz" eram mentirosos, e nada aconteceria para alterar essa avaliação. Os testes padronizados acerca dos profetas e suas profecias eram três: 1. O evento predito teria de ocorrer (ver Dt 18.2). 2. As profecias e os profetas deveriam estar em acordo com a Palavra (lei) de Deus (ver Is 8.20). Os profetas falsos do tempo de Jeremias não se qualificavam em nenhum desses pontos. Devemos lembrar que o profeta não era mero previsor de acontecimentos. Era, igualmente, mestre do povo, e a lei mosaica era seu manual. A lei guiava a conduta do povo (ver Dt 6.5 ss.). 3. O profeta era alguém *enviado por Yahweh.* Aqueles que tivessem inventado alguma forma de *sincretismo,* misturando o yahwismo com o paganismo, ou aqueles que tivessem caído no paganismo puro (ver Jr 3.1,2,12,13), estavam desqualificados como profetas de Yahweh. Hananias clamava profetizar em nome de Yahweh, por ter sido comissionado por ele; mas em breve se tornaria evidente que ele estava mentindo, provavelmente iludido sobre a questão inteira. Ver a reivindicação dele no vs. 2.

■ 28.10

וַיִּקַּח חֲנַנְיָה הַנָּבִיא אֶת־הַמּוֹטָה מֵעַל צַוַּאר יִרְמְיָה
הַנָּבִיא וַיִּשְׁבְּרֵהוּ׃

Então o profeta Hananias tomou os canzis do pescoço de Jeremias, o profeta, e os quebrou. Hananias mostrou-se muito *atrevido* e *sórdido.* Ele humilhou Jeremias defronte daquela gente, quebrando o jugo que este tinha feito (ver Jr 27.2) e estava conspicuamente amarrado em torno do seu pescoço. Yahweh observava a cena desgraçada e continuava a falar com Jeremias. Jeremias estabeleceu também uma data: dentro de um ano, Hananias estaria morto (vs. 17). Ele não sobreviveria por muito tempo à sua insolência, nem suas profecias otimistas se cumpririam. Haveria um *jugo de ferro,* posto em volta do pescoço de Judá, que ninguém seria capaz de quebrar. Esse jugo substituiria o jugo de madeira. Ver os vss. 13,14. Hananias

28.11

וַיֹּאמֶר חֲנַנְיָה לְעֵינֵי כָל־הָעָם לֵאמֹר כֹּה אָמַר יְהוָה
כָּכָה אֶשְׁבֹּר אֶת־עֹל ׀ נְבֻכַדְנֶאצַּר מֶלֶךְ־בָּבֶל בְּעוֹד
שְׁנָתַיִם יָמִים מֵעַל־צַוַּאר כָּל־הַגּוֹיִם וַיֵּלֶךְ יִרְמְיָה
הַנָּבִיא לְדַרְכּוֹ׃ פ

Deste modo dentro de dois anos quebrarei o jugo de Nabucodonosor. O *ridículo Hananias* explicou por que tinha quebrado o jugo de madeira que estava amarrado ao pescoço de Jeremias com tiras de couro. Ele continuava afirmando possuir a autoridade de Yahweh. Contudo, note o leitor: Hananias nada disse sobre o arrependimento, sobre a mudança de vida e sobre a fé sentida no coração. Tudo quanto ele conhecia era paz e prosperidade, segundo os termos do próprio povo de Judá. Ele vociferava palavras em voz alta contra Jeremias e contra Nabucodonosor, como se seus gritos estabelecessem alguma diferença nos acontecimentos mundiais. Ele era tão tolo que chegava a acreditar ter uma posição especial na presença de Yahweh, a ponto de dizer alguma coisa, e essa coisa acontecer. Na oportunidade, Jeremias não respondeu ao fanático barulhento, mas em breve o profeta do Senhor estava de volta com uma diatribe que fez seus ouvidos soar. O tribunal soaria com a voz de Yahweh (por meio de seu profeta), cortando o ar com mais predições de condenação. Não haveria paz alguma. O poder incansável da Babilônia faria o que bem entendesse naquela parte do mundo, e nenhum Hananias, em Jerusalém, teria o menor poder para alterar o curso dos eventos.

Hananias queria a coroa sem a cruz. Declarou Tomás a Kempis: "O homem que carregar a sua cruz, será carregado por ela". Jeremias carregou sua cruz, a missão de anunciar a condenação, e escapou ao cativeiro babilônico e desceu em segurança ao Egito, onde viveu o resto de sua vida. Hananias não quis carregar nenhuma cruz e terminou morto no decurso daquele mesmo ano. Jeremias foi o instrumento de Yahweh. Hananias era o autoproclamado instrumento de suas próprias ambições. Alguns grandes pregadores são homens espirituais minúsculos. Compare-se a mensagem de Hananias com a declaração de Jr 27.7.

Resposta da palavra de Deus (28.12-17)

28.12

וַיְהִי דְבַר־יְהוָה אֶל־יִרְמְיָה אַחֲרֵי שְׁבוֹר חֲנַנְיָה
הַנָּבִיא אֶת־הַמּוֹטָה מֵעַל צַוַּאר יִרְמְיָה הַנָּבִיא לֵאמֹר׃

Mas depois que Hananias... quebrou os canzis de sobre o pescoço do profeta Jeremias. Não muito depois do ato insolente de Hananias, que quebrou o jugo de madeira que Jeremias tinha feito (ver os vss. 10,11), Yahweh comunicou a Jeremias uma severa palavra de julgamento contra o falso profeta e contra o povo de Judá.

28.13

הָלוֹךְ וְאָמַרְתָּ אֶל־חֲנַנְיָה לֵאמֹר כֹּה אָמַר יְהוָה מוֹטֹת
עֵץ שָׁבָרְתָּ וְעָשִׂיתָ תַחְתֵּיהֶן מֹטוֹת בַּרְזֶל׃

Canzis de madeira quebraste, mas em vez deles farás canzis de ferro. Hananias foi chamado por nome, e a profecia dirigiu-se primeiramente a ele, e em segundo lugar contra as profecias mentirosas que ele estivera espalhando. Esse homem havia quebrado o jugo de madeira, porquanto estava irado e porque *isso* lhe era possível fazer. Mas um *jugo de ferro* substituiria o jugo de madeira, e esse ninguém era capaz de quebrar. A condenação atingiria tanto Hananias quanto Judá, a despeito do *otimismo mentiroso* que estava sendo espalhado pelos falsos profetas. Hananias, com sua falsa profecia, forçaria a criação de um jugo de ferro. Mas a Septuaginta diz que "eu" (Yahweh) seria quem faria o jugo de ferro, e alguns adotam isso como o texto original. O cativeiro babilônico seria o jugo de ferro, e isso faria, tanto de Judá quanto de todas as nações daquela região do mundo, escravos da Babilônia, conforme o versículo seguinte apressa-se em informar. *Yahweh* era o poder por trás da questão, o Deus de quem os falsos profetas tinham abusado com suas palavras. Hananias não foi o real artífice do jugo de ferro, mas o texto hebraico mostra que suas profecias mentirosas é que estavam provocando Yahweh a agir dessa maneira. Naturalmente, esse jugo de ferro é o que acabaria acontecendo, sem importar as ações dos falsos profetas.

28.14

כִּי כֹה־אָמַר יְהוָה צְבָאוֹת אֱלֹהֵי יִשְׂרָאֵל עֹל בַּרְזֶל
נָתַתִּי עַל־צַוַּאר ׀ כָּל־הַגּוֹיִם הָאֵלֶּה לַעֲבֹד אֶת־
נְבֻכַדְנֶאצַּר מֶלֶךְ־בָּבֶל וַעֲבָדֻהוּ וְגַם אֶת־חַיַּת הַשָּׂדֶה
נָתַתִּי לוֹ׃

Jugo de ferro pus sobre o pescoço de todas estas nações. Note o leitor o *título divino de poder* usado aqui, o mesmo que Hananias tinha empregado no vs. 2 e provavelmente era o título normalmente usado quando os profetas entregavam seus oráculos e profecias. Isso enfatiza o Poder do céu, que faz as coisas da maneira como elas são entre os homens (cf. Is 13.6). O vs. 2 ilustra uma lista de referências desse título em Jr. Agora Yahweh é visto como o poder que aplica o jugo de ferro ao pescoço de Judá e das nações circunvizinhas. Era o jugo de Nabucodonosor, rei da Babilônia. *Todas as nações* daquela região do mundo haveriam de servi-lo como escravas. Ele exerceria poder até sobre os *animais* dos campos. Ver Jr 27.6 quanto à mesma declaração. A menção aos animais pretende dizer-nos quão completo e universal seria o governo de Nabucodonosor. Assim seria porque assim tinha sido decretado pelo Poder do Alto, e não porque Nabucodonosor fosse algo em si mesmo. Ver no *Dicionário* o verbete denominado *Soberania de Deus*. Todas as nações que contribuíram em sua conspiração para desfazer-se do jugo da Babilônia seriam presas pelo jugo de ferro. Ver Jr 27.3.

28.15

וַיֹּאמֶר יִרְמְיָה הַנָּבִיא אֶל־חֲנַנְיָה הַנָּבִיא שְׁמַע־נָא
חֲנַנְיָה לֹא־שְׁלָחֲךָ יְהוָה וְאַתָּה הִבְטַחְתָּ אֶת־הָעָם הַזֶּה
עַל־שָׁקֶר׃

Ouve agora, Hananias: O Senhor não te enviou, mas tu fizeste que este povo confiasse em mentiras. Jeremias estava mais convencido do que nunca de que Yahweh não havia comissionado Hananias, dando-lhe uma mensagem profética. Hananias enviara a si mesmo, longe de ser enviado por Deus. Ele era porta-voz de seus próprios desejos e esperanças, e não do que Yahweh estava dizendo. Era um profeta mentiroso que tinha convencido muita gente a confiar em seu otimismo enganador. Isso impedia o povo de arrepender-se e mudar espiritualmente, o que teria detido a invasão babilônica e o cativeiro consequente. Hananias não tinha nenhuma autoridade ou credencial espiritual. Era um falso embaixador. Suas palavras fracassariam, e em breve tempo ele estaria morto. Cf. o versículo a algo similar em Jr 29.31 e Ez 13.22.

28.16

לָכֵן כֹּה אָמַר יְהוָה הִנְנִי מְשַׁלֵּחֲךָ מֵעַל פְּנֵי הָאֲדָמָה
הַשָּׁנָה אַתָּה מֵת כִּי־סָרָה דִבַּרְתָּ אֶל־יְהוָה׃

Eis que te lançarei de sobre a face da terra; morrerás este ano. O falso profeta Hananias perdeu o direito de viver. Ele sofreria *morte prematura*, algo que a mentalidade dos hebreus tanto temia. Sua morte seria um "lançamento fora" da parte de Yahweh, e não um acontecimento natural. Ele não morreria em paz, como um homem velho que tivesse cumprido sua missão. Em breve, uma enfermidade ou um acidente lhe arrebataria a vida, demonstrando assim o desprezer divino. Quando essas palavras foram ditas por Jeremias, o impotente Hananias tinha menos de dois meses de vida, conforme deixa claro o vs. 17. "Seria lançado sobre a face da terra em indignação e aborrecimento, por causa de suas ofensas hediondas. Ele não morreria uma morte natural, mas uma morte violenta, atingido pela mão de Deus" (John Gill, *in loc.*).

28.17

וַיָּמָת חֲנַנְיָה הַנָּבִיא בַּשָּׁנָה הַהִיא בַּחֹדֶשׁ הַשְּׁבִיעִי׃ פ

Morreu, pois, o profeta Hananias, no mesmo ano, no sétimo mês. Hananias havia predito que, dentro de *dois anos,* o jugo da Babilônia seria retirado, os vasos do templo seriam devolvidos, e os cativos judeus voltariam da Babilônia. Em vez disso, em *dois meses* o profeta mentiroso estava morto. Ele disse sua profecia no *quinto* mês (vs. 1) e morreu no *sétimo* mês (vs. 17). Foi assim que ocorreu a retribuição divina de forma significativa, que muitos observariam, mas poucos devem ter temido. A providência divina continuou a trabalhar em um sentido tanto negativo quanto positivo, tocando em todos os eventos de qualquer importância na nação de Judá da época. Ver no *Dicionário* o artigo chamado *Providência de Deus.* Embora possa ter sido sincero em suas crenças, Hananias *ensinou a rebelião* (vs. 16) e foi removido da terra como uma lição objetiva de como não se deve agir. Essa morte por certo foi uma prova de que Jeremias era um verdadeiro profeta do Senhor, o que deveria ter feito os judeus dar atenção às suas profecias. O resultado disso tudo deveria ter sido o arrependimento, mas Judá era por demais pervertido para deixar-se influenciar por qualquer coisa, exceto por maiores males. "Deus vindicou seu verdadeiro profeta e julgou o profeta falso" (Charles H. Dyer, *in loc.*).

CAPÍTULO VINTE E NOVE

CONFLITO COM OS FALSOS PROFETAS NO EXÍLIO (29.1-32)

PRIMEIRA CARTA DE JEREMIAS AOS EXILADOS

O *falso otimismo* dos profetas mentirosos continuou a operar entre o povo que tinha sido levado exilado para a Babilônia. Cf. Jr 28.3, onde o infeliz profeta Hananias predisse que o exílio terminaria, ou seja, dois anos após sua profecia. Essa mensagem foi dada em cerca de 594-593 a.C., quatro anos depois que o cativeiro babilônico se iniciou. Se isso é, realmente, verdade, então Judá teria sofrido apenas de seis a sete anos de confinamento na Babilônia, em vez dos setenta anos que Jeremias predissera (ver Jr 25.11,12; 29.10). O vs. 21 dá os nomes de dois falsos profetas que influenciavam o povo judeu no cativeiro, para acreditar nas mesmas mentiras que Hananias havia dito em Jerusalém (ver Jr 28.2 ss.).

29.1

וְאֵלֶּה דִּבְרֵי הַסֵּפֶר אֲשֶׁר שָׁלַח יִרְמְיָה הַנָּבִיא מִירוּשָׁלָ͏ִם אֶל־יֶתֶר זִקְנֵי הַגּוֹלָה וְאֶל־הַכֹּהֲנִים וְאֶל־הַנְּבִיאִים וְאֶל־כָּל־הָעָם אֲשֶׁר הֶגְלָה נְבוּכַדְנֶאצַּר מִירוּשָׁלַ͏ִם בָּבֶלָה׃

São estas as palavras da carta que Jeremias, o profeta, enviou de Jerusalém. *Sumário de Ideias:* "Os exilados estavam sendo enganados pelos mesmos protestos de uma volta imediata à Palestina (capítulo 27). Para contrabalançar isso, Jeremias enviou uma carta, por meio de *Eleasá* (talvez irmão de *Aicão;* Jr 26.24) e *Gemarias* (36.10), aos anciãos do povo (ver Ez 8.1 e 14.1). Seu conselho foi revolucionário. Eles deveriam estabelecer lares na Babilônia e até assistir o bem-estar do Estado. Deus estaria com eles e, finalmente, restauraria sua terra natal, após setenta anos (ver Jr 25.11; 27.7). Os colegas de Hananias, Acabe e Zedequias (vs. 21), foram condenados por Jeremias (cf. Ez 13). Jeremias predisse que eles seriam executados. Os desejos do fim imediato do cativeiro, do ponto de vista babilônico, seriam considerados politicamente subversivos e só serviriam para prejudicar a causa de Judá" (*Oxford Annotated Bible,* na introdução ao capítulo).

Foi uma *carta aberta* a todos os elementos da comunidade de cativos: os sacerdotes, os profetas e o povo em geral. "Tratou-se de uma epístola universal, endereçada a todas as classes de cativos, a todas as fileiras, a todas as idades e a todos os sexos" (John Gill, *in loc.*). A finalidade da carta era cessar toda atividade subversiva que apenas complicaria as coisas, e encorajar o povo a *aumentar* em números, para que, quando chegasse o tempo da soltura, houvesse uma comunidade de bom tamanho para retornar e reconstruir Jerusalém. Ver o vs. 6.

29.2

אַחֲרֵי צֵאת יְכָנְיָה־הַמֶּלֶךְ וְהַגְּבִירָה וְהַסָּרִיסִים שָׂרֵי יְהוּדָה וִירוּשָׁלַ͏ִם וְהֶחָרָשׁ וְהַמַּסְגֵּר מִירוּשָׁלָ͏ִם׃

Depois que saíram de Jerusalém o rei Jeconias, a rainha-mãe... O editor da passagem adicionou esta nota, para que soubéssemos que os cativos eram aqueles que tinham acompanhado *Jeconias* (Conias, também chamado *Joaquim,* sob cujo título há um artigo no *Dicionário*). Os cativos que acompanharam o rei Zedequias ainda não tinham sido levados para a Babilônia quando a carta foi escrita, embora o editor, sem dúvida, soubesse desse desenvolvimento (ver Jr 22.24-27; 2Rs 24.8-17; Dn 1.1,2). Essa onda do cativeiro (o qual se deu mediante várias levas; ver as notas expositivas sobre Jr 27.12) ocorreu em cerca de 597 a.C. Esse cativeiro removeu à força as pessoas mais habilidosas de Jerusalém, o que debilitou Judá e fortaleceu a Babilônia, porque tais pessoas seriam postas a trabalhar no país inimigo. Ver em Jr 24.1 uma declaração similar à deste versículo.

29.3

בְּיַד אֶלְעָשָׂה בֶן־שָׁפָן וּגְמַרְיָה בֶּן־חִלְקִיָּה אֲשֶׁר שָׁלַח צִדְקִיָּה מֶלֶךְ־יְהוּדָה אֶל־נְבוּכַדְנֶאצַּר מֶלֶךְ בָּבֶל בָּבֶלָה לֵאמֹר׃ ס

A carta foi mandada por intermédio de Eleasá, filho de Safã, e de Gemarias, filho de Hilquias. *Eleasá* (ver a respeito no *Dicionário*) levou a carta de Jeremias e assim promoveu a causa do profeta, que estava em linha com a vontade divina. Gemarias acompanhou-o e ajudou a alisar o caminho. Ver também sobre *Gemarias,* no *Dicionário.* Ao que parece, os dois homens foram enviados com permissão e comissão do rei, Zedequias, pois sua aprovação seria necessária, a menos que Jeremias apelasse para um ato privado, secreto. É provável que Zedequias tivesse alguma negociação a ser tratada com a ajuda dos embaixadores, além da questão que era importante para Jeremias. Os dois homens podem ter levado dinheiro de tributo a ser pago a Nabucodonosor. Provavelmente, Zedequias se alegrou por ter os cativos retidos ali. Ele já tinha problemas suficientes em Jerusalém, e não queria mais complicações. Além disso, havia em Jerusalém o movimento para fazer Jeconias voltar do cativeiro e reassumir seus deveres reais. Ver Jr 28.4. Em consequência, Zedequias estaria favorável a qualquer influência que conservasse aquele homem longe de Jerusalém.

29.4

כֹּה אָמַר יְהוָה צְבָאוֹת אֱלֹהֵי יִשְׂרָאֵל לְכָל־הַגּוֹלָה אֲשֶׁר־הִגְלֵיתִי מִירוּשָׁלַ͏ִם בָּבֶלָה׃

Assim diz o Senhor... a todos os exilados, que eu deportei. O mesmo título divino de poder foi empregado conforme era usual, introduzindo os oráculos dos profetas. Ver sobre isso em Jr 28.2, onde ofereço referências. Ao que tudo indica, pelo menos alguns dos falsos profetas (como Hananias) empregavam essa fórmula, e não somente profetas como Jeremias. Yahweh afirmou ter enviado tal gente para o cativeiro e, assim sendo, ele foi o autor real da carta enviada por Jeremias. Os exilados estavam preocupados com o "elemento tempo", esperando soltura imediata; portanto, estavam interessados em qualquer declaração concernente a esse pormenor.

Quanto a um *sumário de ideias* sobre a carta, ver as notas expositivas no vs. 1. Dos cativos era esperado que se "comportassem direito" ali. Logo, não deveriam levantar questões que pudessem ser consideradas subversivas, tais como: "Queremos sair daqui, agora mesmo", porque isso seria desagradável a seus senhores. Antes, deveriam promover o bem-estar da cidade onde se encontravam (vs. 7); que se casassem e tivessem filhos, plantassem, e, de modo geral, se entregassem às atividades normais da vida, *como se* fossem ficar na Babilônia para sempre. Desse modo, aumentariam em números (vs. 6) e estariam em melhores condições para reconstruir Jerusalém quando voltassem. O mesmo poder que os enviara à Babilônia também os levaria de volta à Terra Prometida, mas tudo em concordância com o cronograma divino, e não com a vontade dos falsos profetas.

29.5

בְּנוּ בָתִּים וְשֵׁבוּ וְנִטְעוּ גַנּוֹת וְאִכְלוּ אֶת־פִּרְיָן׃

Edificai casas, e habitai nelas; plantai pomares, e comei o seu fruto. As *preocupações principais* dos homens são a edificação de casas, que representa um grande avanço financeiro para uma família, e a agricultura, o âmago do sistema econômico, a menos que consideremos um povo rico o bastante para importar seu alimento. Por *quanto tempo* o remanescente judeu deveria ficar na Babilônia não era uma preocupação *presente*. Mas logo seria, quando a vontade divina estivesse pronta para agir nessa direção. Por conseguinte, a mensagem de Jeremias foi: "As primeiras coisas em primeiro lugar", e que se confiasse em Yahweh quanto ao resto. Se muitos judeus serviam como escravos, a indicação deste versículo é que muitos, dentre o povo comum, tinham liberdade de viver de modo relativamente livre, com certa medida de independência. Uma "vida normal" naquele tempo ajudaria uma "volta melhor" à Terra Prometida, no futuro. Algumas vezes, a vontade de Deus é "esperarmos", e algumas vezes essa é a coisa mais difícil de ser feita. Ansiamos por resolver nossos problemas "agora mesmo". Devemos continuar orando para não fugirmos do centro do cronograma divino.

29.6

קְחוּ נָשִׁים וְהוֹלִידוּ בָּנִים וּבָנוֹת וּקְחוּ לִבְנֵיכֶם נָשִׁים וְאֶת־בְּנוֹתֵיכֶם תְּנוּ לַאֲנָשִׁים וְתֵלַדְנָה בָּנִים וּבָנוֹת וּרְבוּ־שָׁם וְאַל־תִּמְעָטוּ׃

Tomai esposas e gerai filhos e filhas, tomai esposas para vossos filhos. Os judeus que estavam na Babilônia deveriam seguir uma vida doméstica regular. Deveriam casar-se e dar-se em casamento, aumentando assim em *número*, pois isso seria necessário para o trabalho de reconstrução de Jerusalém. Eles não deveriam viver como se estivessem em um mundo intermediário. A Babilônia deveria ser o mundo deles, até que fossem chamados do exílio para voltar à sua terra, no tempo apropriado. A semente de Abraão não poderia falhar nesse aspecto. Isso fazia parte do pacto abraâmico (ver Gn 15.18). Casamentos mistos com os babilônios não foram aprovados aqui. O movimento separatista, depois do cativeiro, desfaria muitos desses casamentos. Ver Ed 10.

29.7

וְדִרְשׁוּ אֶת־שְׁלוֹם הָעִיר אֲשֶׁר הִגְלֵיתִי אֶתְכֶם שָׁמָּה וְהִתְפַּלְלוּ בַעֲדָהּ אֶל־יְהוָה כִּי בִשְׁלוֹמָהּ יִהְיֶה לָכֶם שָׁלוֹם׃ פ

Procurai a paz da cidade, para onde vos desterrei, e orai por ela. O bem da Babilônia, o lar temporário dos judeus, deveria ser valorizado: eles deveriam buscar sua paz e prosperidade e até orar por aquele lugar que lhes causara tantos males! Se a Babilônia gozasse de paz, com a prosperidade consequente, outro tanto aconteceria à comunidade dos judeus ali. Fica entendido que os judeus continuariam a observar suas formalidades religiosas, embora sem o templo e seu culto. "Esse ponto de vista é revolucionário. Jeremias mostra aqui que a fé religiosa dos judeus não dependia de eles estarem residindo na terra da Palestina, da mesma forma que havia sido demonstrado previamente que também não dependia do templo ou da oferta de sacrifícios (Jr 7.1-15,21,22)" (James Philip Hyatt, *in loc.*).

Cf. este versículo com Ed 6.10; Rm 13.1; 1Tm 2.2. "Não somente suporteis com paciência o jugo babilônico, mas até orai pelos vossos senhores. Chegaria, contudo, o tempo em que eles deveriam orar pela queda da Babilônia (ver Jr 51.35; Sl 137.8). A verdadeira religião ensina-nos uma submissão paciente, e não a sedição" (Fausset, *in loc.*). Cf. 1Tm 2.1,2 e Sl 122.6-9. Adam Clarke (*in loc.*) toma este versículo como um guia geral para a conduta de estrangeiros que vivam em qualquer terra.

29.8

כִּי כֹה אָמַר יְהוָה צְבָאוֹת אֱלֹהֵי יִשְׂרָאֵל אַל־יַשִּׁיאוּ לָכֶם נְבִיאֵיכֶם אֲשֶׁר־בְּקִרְבְּכֶם וְקֹסְמֵיכֶם וְאַל־תִּשְׁמְעוּ אֶל־חֲלֹמֹתֵיכֶם אֲשֶׁר אַתֶּם מַחְלְמִים׃

Não vos enganem os vossos profetas que estão no meio de vós. O título de poder divino é novamente usado para introduzir um oráculo. Cf. Jr 28.2, onde ofereço uma lista de referências nas quais é empregado esse acúmulo de nomes divinos. A mensagem do oráculo é a mesma dada nos capítulos 27 e 28. Em Jerusalém, o profeta Jeremias estava em conflito com os falsos profetas e os sonhadores iludidos que anunciavam para breve o fim do jugo babilônico, acompanhado do retorno dos cativos, incluindo o rei Jeconias, que preferiam a Zedequias. Ver Jr 28.2 ss. Essa mesma mentira agora perturbava o remanescente judeu no cativeiro. Se os profetas do cativeiro estivessem falando em "sair em breve daqui", suas palavras deveriam ser tomadas como evidências de rebeldia e conspiração contra o governo. Nesse caso, as coisas ficariam piores, com mais matanças e escravidão. Ademais, não haveria bem algum em falsos profetas saírem ao redor espalhando falsas esperanças. Portanto, os profetas falsos, os adivinhos autoenganados e os sonhadores insensatos deveriam ser ignorados. Estavam todos promovendo a mesma ficção. Cf. este versículo com Jr 27.9, onde temos uma lista similar (embora mais longa) da classe do visionário-sonhador-mágico-encantador. "Os judeus faziam ou causavam seus profetas contar-lhes sonhos encorajadores (ver Jr 23.25,26; Ec 5.7; Zc 10.2; Jo 3.19-21)" (Fausset, *in loc.*). Ver as notas em Jr 23.16,23-27, que adicionam detalhes às explicações.

29.9

כִּי בְשֶׁקֶר הֵם נִבְּאִים לָכֶם בִּשְׁמִי לֹא שְׁלַחְתִּים נְאֻם־יְהוָה׃ ס

Porque falsamente vos profetizam eles em meu nome. A classe dos profetas-sonhadores regularmente declarava falar em nome de Yahweh, e essa era outra de suas mentiras. Cf. Jr 28.2,15 e também Jr 23.25, que fala das mentiras contadas em nome de Yahweh. "Eles não tinham missão nem comissão da parte do Senhor. Não tinham autoridade da parte dele, mas eles mesmos se nomeavam e falavam o que estava na cabeça deles, de acordo com as fantasias de seus próprio cérebro, ou por meio das ilusões de Satanás, sob cujo poder e influência viviam" (John Gill, *in loc.*). Estudos modernos demonstram que os sonhos de pessoas comuns frequentemente preveem o futuro, e que o conhecimento anterior está dentro do escopo da psique humana natural. Existem visões naturais, visões demoníacas, visões divinas, e pessoas de todas as classes que, com frequência, pensam que suas habilidades lhes foram conferidas por Deus. Há um misticismo verdadeiro e um misticismo falso. Ver na *Enciclopédia de Bíblia, Teologia e Filosofia* o verbete chamado *Misticismo*.

29.10

כִּי־כֹה אָמַר יְהוָה כִּי לְפִי מְלֹאת לְבָבֶל שִׁבְעִים שָׁנָה אֶפְקֹד אֶתְכֶם וַהֲקִמֹתִי עֲלֵיכֶם אֶת־דְּבָרִי הַטּוֹב לְהָשִׁיב אֶתְכֶם אֶל־הַמָּקוֹם הַזֶּה׃

Logo que se cumprirem para Babilônia setenta anos atentarei para vós outros. O cativeiro babilônico não terminaria em breve. Perduraria por *setenta anos* (ver Jr 25.11-12). Isso proveria tempo bastante para os judeus edificarem casas e aumentarem em número (vs. 6), de modo que houvesse número suficiente de judeus para realizar a reconstrução de Jerusalém. Nesse tempo, a *visitação divina* ocorreria. Os medos e persas destruiriam completamente a Babilônia, e Ciro expediria o famoso decreto que libertaria os cativos judeus. Isso estaria em harmonia com o cronograma divino e seria o tempo favorável para o começo do novo Israel. Pouquíssimos dos que viviam quando Jeremias proferiu essa profecia participariam do retorno do povo de Israel à Terra Prometida. Portanto, o papel deles era *preparar* seus filhos e netos, e isso era extremamente importante. Eles tinham de mostrar-se pacientes em seu bom trabalho e deixar a maior parte para as gerações futuras. O grande Moisés fez um trabalho esplendoroso de preparação, mas não chegou pessoalmente à Terra Prometida. Assim, os cativos judeus conservariam em mente o caso e seriam encorajados, sabendo que o que estavam fazendo era importante. Os *setenta anos* não formavam um tempo preciso, e devem ser calculados a partir da deportação de Jeconias e sua corte, e não da deportação de Zedequias e sua corte. O número "setenta" é arredondado, geral. Cf. Dn 9.2. Daniel aprendeu sobre esse número no livro de Jeremias, e não mediante algum oráculo independente.

29.11

כִּי אָנֹכִי יָדַעְתִּי אֶת־הַמַּחֲשָׁבֹת אֲשֶׁר אָנֹכִי חֹשֵׁב עֲלֵיכֶם נְאֻם־יְהוָה מַחְשְׁבוֹת שָׁלוֹם וְלֹא לְרָעָה לָתֵת לָכֶם אַחֲרִית וְתִקְוָה:

Eu é que sei que pensamentos tenho a vosso respeito, diz o Senhor. O *cronograma divino* tinha motivos para ser observado. Não serviria de meio para prolongar o sofrimento, mas era a preparação adequada para um novo começo, um plano que visava o *bem-estar* e uma nova *esperança*. Os prolongados setenta anos foram um período de purificação e refinamento. A escória tinha de ser expurgada, a fim de que um pouco de prata resultasse para ser usada como começo da nova nação de Israel. Os julgamentos de Deus são todos remediadores, mas a cura, algumas vezes, tem de vir através dos sofrimentos, e não através de medidas mais graciosas. "O julgamento divino impulsionou os exilados a buscar Deus de todo o coração (ver Dn 9.2,3,15-19)" (Charles H. Dyer, *in loc.*). Os judeus riram das ameaças de Deus. A atitude de zombaria, pois, precisava ser arrancada. Note o leitor que a geração de Jeremias não voltou a *possuir* a Terra Prometida, tal como a geração queixosa dos dias de Moisés não obteve permissão de tomar posse da Palestina. Seja como for, a lição clara deste versículo é que o *amor de Deus* é o fator controlador de como ele opera sua vontade, naquilo que ele faz. O julgamento divino é um dedo da amorosa mão de Deus.

29.12

וּקְרָאתֶם אֹתִי וַהֲלַכְתֶּם וְהִתְפַּלַּלְתֶּם אֵלָי וְשָׁמַעְתִּי אֲלֵיכֶם:

Então me invocareis, passareis a orar a mim, e eu vos ouvirei. O povo de Deus, uma vez *disciplinado,* abandonaria a atitude de escárnio. Eles deixariam de lado sua idolatria-adultério-apostasia, aprenderiam novamente a orar e obteriam respostas para suas orações. Ver Dn 9.3. Este versículo é uma lição sobre a oração *eficaz,* quando procede de uma vida limpa. As orações, o ouvir a Deus e a mudança de vida aqui contemplados dizem respeito ao período imediatamente anterior ao retorno dos exilados; mas orações eficazes por outras coisas já faziam parte dos privilégios do remanescente que nunca saiu da Babilônia. Ver no *Dicionário* o detalhado artigo chamado *Oração.* "Quando Deus planeja demonstrar misericórdia, ele põe no coração de seu povo orar pela misericórdia que ele planeja exibir, quando tal espírito de oração é derramado, o que é um sinal seguro da vindoura misericórdia" (Fausset, *in loc.*).

29.13

וּבִקַּשְׁתֶּם אֹתִי וּמְצָאתֶם כִּי תִדְרְשֻׁנִי בְּכָל־לְבַבְכֶם:

Buscar-me-eis, e me achareis, quando me buscardes de todo o vosso coração. Os vss. 13,14 têm o tom do editor deuteronômico. Cf. este vs. 13 com Dt 4.29, e o vs. 14 com Dt 30.3,5, mas talvez tenha sido o próprio Jeremias quem proferiu esses versículos. Seja como for, os dois versículos por certo ultrapassam o que aconteceu no fim do exílio babilônico. Parecem falar sobre o fim da grande diáspora, que deverá ocorrer antes da inauguração da era do reino de Deus. Nesse caso, temos aqui uma profecia escatológica.

A busca de todo o coração certamente pagaria dividendos. O homem cujo coração está centralizado nas bênçãos divinas, dentro dos limites da vontade do Senhor, será um buscador diligente e por certo obterá o que busca. Cf. Lv 26.40-42,44,45.

> *Pedi, e dar-se-vos-á; buscai, e achareis; batei, e abrir-se-vos-á.*
> Mateus 7.7

"Sim, todo aquele que continua pedindo, receberá. Aquele que continua buscando, encontrará. E aquele que continua batendo, a porta lhe será aberta" (Mt 7.8, NCV). Oh, Senhor, concede-nos tal graça!

29.14

וְנִמְצֵאתִי לָכֶם נְאֻם־יְהוָה וְשַׁבְתִּי אֶת־שְׁבוּתְכֶם וְקִבַּצְתִּי אֶתְכֶם מִכָּל־הַגּוֹיִם וּמִכָּל־הַמְּקוֹמוֹת אֲשֶׁר הִדַּחְתִּי אֶתְכֶם שָׁם נְאֻם־יְהוָה וַהֲשִׁבֹתִי אֶתְכֶם אֶל־הַמָּקוֹם אֲשֶׁר־הִגְלֵיתִי אֶתְכֶם מִשָּׁם:

Serei achado de vós, diz o Senhor, e farei mudar a vossa sorte. Yahweh se deixa achar por aqueles que o buscam com coração puro e sincero; e então ele lhes dá aquilo que eles desejam e buscam diligentemente. No caso do remanescente judeu, nos dias de Jeremias, assim como nas massas populares da grande diáspora, o que eles desejavam tanto era o retorno a Jerusalém e a restauração da terra. Todo o homem espiritualmente diligente busca coisas especiais em seu coração. Temos aqui a anulação do cativeiro assírio (da nação do norte, Israel); a anulação do cativeiro babilônico (da nação do sul, Judá); e a reversão da dispersão romana. Ver no *Dicionário* o artigo chamado *Cativeiros.* Assim sendo, Israel foi e será forçado a voltar para Deus (ver Dt 30.1-10). Cf. também o versículo com Sl 32.6 e Is 55.6. Deus reverterá o cativeiro. Note o leitor, no hebraico, o jogo de palavras: *shabti... shebith.* A vontade divina foi o poder que forçou os judeus a entrar no cativeiro, por motivos disciplinares. Mas a mesma vontade divina reverterá todas essas coisas. Temos nisso as operações negativa e positiva da *Providência de Deus* (ver a respeito no *Dicionário*). É evidente que Yahweh é a grande causa dos acontecimentos humanos (ver as notas sobre Is 13.6).

Mais Avisos contra os Falsos Profetas (29.15-23)

29.15

כִּי אֲמַרְתֶּם הֵקִים לָנוּ יְהוָה נְבִאִים בָּבֶלָה: ס

Vós dizeis: O Senhor nos suscitou profetas na Babilônia. Este versículo nos faz retroceder até os profetas falsos, mentirosos e autoenganados citados no vs. 8. Esses profetas prometiam a rápida reversão do cativeiro babilônico, com a volta para Jerusalém. Os falsos profetas esperavam uma restauração nos termos de Judá. Eles continuavam cativos em sua idolatria-adultério-apostasia, e era *nessa condição* que queriam retornar à terra. Mas as coisas simplesmente não haveriam de funcionar dessa maneira. Havia muito trabalho de purificação a ser efetuado, e isso exigiria muitas lições difíceis e muito sofrimento. O povo judeu gostava do que os falsos profetas estavam dizendo e, assim sendo, dava a Yahweh o crédito por tê-los levantado para ministrar, estando eles no cativeiro. Não seria fácil corrigir os enganadores e os enganados. Jeremias predissera o retorno de Judá à Terra Prometida, passados setenta anos (ver Jr 25.11,12; 29.10), o que significa que a geração dos dias de Jeremias jamais participaria do retorno. Mas os falsos profetas continuavam acenando com uma "esperança maior": a restauração para breve, sem nenhuma mudança na condição espiritual do povo. Portanto, a fé deles continuaria a confiar em algo que não correspondia à verdade. As coisas não haveriam de melhorar tão cedo. De fato, a espada haveria de ferir novamente Jerusalém, e haveria outra deportação, conforme mostram os versículos seguintes. Não haveria nenhum fluxo de judeus da Babilônia para Jerusalém. Antes, o fluxo seria de Jerusalém para a Babilônia. Outrossim, a morte estava esperando os falsos profetas (vs. 21). Eles seriam executados, e suas mentiras pereceriam juntamente com eles.

29.16

כִּי־כֹה אָמַר יְהוָה אֶל־הַמֶּלֶךְ הַיּוֹשֵׁב אֶל־כִּסֵּא דָוִד וְאֶל־כָּל־הָעָם הַיּוֹשֵׁב בָּעִיר הַזֹּאת אֲחֵיכֶם אֲשֶׁר לֹא־יָצְאוּ אִתְּכֶם בַּגּוֹלָה:

Mas assim diz o Senhor a respeito do rei que se assenta no trono de Davi. Jerusalém ainda seria alvo de um ataque devastador e outra deportação ocorreria, dessa vez envolvendo *Zedequias,* o último monarca a sentar-se no trono de Davi, antes do colapso da sua linhagem, até o aparecimento do Messias. Zedequias governou por cerca de onze anos (597-586 a.C.) e teve um reino injusto (ver 2Rs 24.19; 2Cr 36.12). Ele se rebelou contra Nabucodonosor e pagou o preço por isso (ver 2Rs 24.20). Ver o capítulo 25 de 2Rs quanto à história. Ver no *Dicionário* sobre *Reino de Judá,* vigésimo ponto, bem como o artigo separado intitulado *Zedequias,* para detalhes. "Longe de voltarem imediatamente a Jerusalém, até vossos irmãos que ainda foram deixados lá, serão eles mesmos lançados no exílio" (Fausset, *in loc.*). O trono de Davi foi especificamente mencionado, porque fazia parte do *pacto davídico* (ver 2Sm 7.4), segundo o qual seu trono seria perpétuo. No entanto, o fracasso e a apostasia de Judá anularam suas provisões, até que o Messias viesse restaurá-lo. O povo, todavia, continuou a acreditar cegamente nas provisões desse pacto, ainda que há muito o tivessem anulado. Cf. Sl 89.29-36.

■ 29.17

כֹּה אָמַר יְהוָה צְבָאוֹת הִנְנִי מְשַׁלֵּחַ בָּם אֶת־הַחֶרֶב אֶת־הָרָעָב וְאֶת־הַדָּבֶר וְנָתַתִּי אוֹתָם כַּתְּאֵנִים הַשֹּׁעָרִים אֲשֶׁר לֹא־תֵאָכַלְנָה מֵרֹעַ׃

Eis que enviarei contra eles a espada, a fome e a peste. Yahweh proferiu aqui o "grito de guerra" padrão contra Jerusalém, uma vez mais: a *espada,* e seus acompanhantes, a *fome* e as *pragas,* a *tríade terrível.* Ver Jr 21.7; 24.10; 27.13; 32.24. A devastação estaria garantida, porque o próprio Yahweh, o Senhor dos Exércitos, estaria comandando o exército babilônico como o *General* invisível.

Fá-los-ei como a figos ruins. Esta linguagem simbólica já havia sido usada pelo profeta para indicar Zedequias e seu povo, os quais foram deixados na terra, em contraste com os *figos bons* (Jeconias e seu povo, cativos, na Babilônia). Ver Jr 24.8 e a passagem inteira quanto à parábola dos figos bons. "O sentido é que, quando eles se tornaram ímpios e corruptos, como figos ruins e estragados, o Senhor trataria com eles da mesma forma que os homens tratam tais figos: ele os lançaria fora, como figos que para nada prestavam. A palavra 'ruins', neste caso, significa figos tão ruins que encheriam de horror aquele que quisesse comê-los" (John Gill, *in loc.*).

■ 29.18

וְרָדַפְתִּי אַחֲרֵיהֶם בַּחֶרֶב בָּרָעָב וּבַדָּבֶר וּנְתַתִּים לְזַעֲוָה לְכֹל מַמְלְכוֹת הָאָרֶץ לְאָלָה וּלְשַׁמָּה וְלִשְׁרֵקָה וּלְחֶרְפָּה בְּכָל־הַגּוֹיִם אֲשֶׁר־הִדַּחְתִּים שָׁם׃

Persegui-los-ei com a espada, a fome e a peste; fá-los-ei um espetáculo horrendo. A *tríade terrível* (espada, fome e pestilência, vs. 17; ver as notas expositivas) haveria de impulsioná-los à Babilônia e chegaria mesmo a segui-los até lá (ver Jr 9.16), o que significa que a matança continuaria. Então, uma dispersão maior ainda se seguiria, tal como sucedeu no exílio romano dos judeus, que foram espalhados por todo o mundo conhecido na época. E por todos os lugares por onde eles fossem haveria maldição, espanto e assobio. Eles nunca conseguiriam pagar por seus erros passados. Os homens zombariam deles até o fim, até a volta do Messias. Este versículo nos remete à profecia escatológica do vs. 14, onde os vemos recolhidos de novo de todas as nações. Quanto às descrições, cf. Jr 18.16; 19.8 e 26.6. "Os homens olharão para eles, espantados; os homens os amaldiçoarão e assobiarão diante deles, e haverão de repreendê-los como o lixo do mundo" (John Gill, *in loc.*).

■ 29.19

תַּחַת אֲשֶׁר־לֹא־שָׁמְעוּ אֶל־דְּבָרַי נְאֻם־יְהוָה אֲשֶׁר שָׁלַחְתִּי אֲלֵיהֶם אֶת־עֲבָדַי הַנְּבִאִים הַשְׁכֵּם וְשָׁלֹחַ וְלֹא שְׁמַעְתֶּם נְאֻם־יְהוָה׃

Porque não deram ouvidos às minhas palavras, diz o Senhor. Jeremias foi apenas um dentre muitos profetas enviados ao povo. Outros profetas anteriores ao exílio foram Isaías, Miqueias, Naum, Habacuque e Sofonias. A oportunidade que tiveram de ouvir a mensagem divina foi ampla. Eles sabiam que o ataque dos babilônios tinha sido anunciado, mas preferiram continuar crendo nos falsos profetas que falavam de paz e prosperidade a despeito da horrenda idolatria-adultério-apostasia. Aqueles profetas se levantavam a cada dia, cedo pela manhã (ver também Jr 7.13,25; 11.7; 25.3; 32.33 e 44.4), para cumprir seus deveres; ou seja, eles foram *muito diligentes.* O povo de Judá, entretanto, mostrou-se ainda mais diligente em ouvir os falsos profetas e acreditar em suas mentiras. Em outras palavras, eles se privaram de tirar proveito da mensagem benéfica dos verdadeiros profetas, provocando assim a matança e o saque dos babilônios, com a subsequente deportação. A questão inteira foi uma incrível história de desobediência e fracasso espiritual. Quanto ao ato de *ouvir,* espiritualmente falando, ver as notas expositivas sobre Sl 64.1. Cf. este versículo com 2Cr 36.15,16.

■ 29.20

וְאַתֶּם שִׁמְעוּ דְבַר־יְהוָה כָּל־הַגּוֹלָה אֲשֶׁר־שִׁלַּחְתִּי מִירוּשָׁלַםִ בָּבֶלָה׃ ס

Vós, pois, ouvi a palavra do Senhor. Agora a palavra de Yahweh voltava para falar diretamente sobre as condições do povo judeu que já estava no cativeiro e que tinha ido no grupo de Jeconias (Conias, anotado sob *Joaquim,* no *Dicionário*). Tendo ouvido sobre as muitas ameaças e sobre algumas poucas promessas, o profeta os convidou a *ouvir* e *obedecer.* O povo de Judá precisava ignorar as palavras dos profetas mentirosos que prometiam que os exilados em breve deixariam a Babilônia. Segue-se, então, a mensagem específica. Yahweh enviou-os ao cativeiro e haveria de trazê-los de volta, mas sempre em consonância com seu cronograma, e não com o cronograma dos profetas mentirosos. Resistir aos babilônios, naquele momento, era um ato de rebeldia que apenas complicaria o julgamento purificador que os judeus teriam de enfrentar.

■ 29.21

כֹּה־אָמַר יְהוָה צְבָאוֹת אֱלֹהֵי יִשְׂרָאֵל אֶל־אַחְאָב בֶּן־קוֹלָיָה וְאֶל־צִדְקִיָּהוּ בֶן־מַעֲשֵׂיָה הַנִּבְּאִים לָכֶם בִּשְׁמִי שָׁקֶר הִנְנִי נֹתֵן אֹתָם בְּיַד נְבוּכַדְרֶאצַּר מֶלֶךְ־בָּבֶל וְהִכָּם לְעֵינֵיכֶם׃

Assim diz o Senhor... acerca de Acabe... e de Zedequias. *Dois falsos profetas* foram destacados como líderes da multidão judaica na Babilônia. Eles foram enviados por Yahweh, usando seu nome de poder, *Yahweh* (Deus Eterno)-*Sabaote* (Senhor dos Exércitos)-*Elohim* (Todo-poderoso). Esse era um título comumente empregado pelos profetas ao dar algum oráculo, para aumentar-lhes a autoridade. Quanto a esse título, ver Jr 28.2, onde dou referências. Ver no *Dicionário* cada nome explicado separadamente e também o verbete *Deus, Nomes Bíblicos de.* Coisa alguma se sabe sobre esses dois falsos profetas, *Acabe* e *Zedequias,* exceto o que se pode inferir do texto. Como castigo por terem anunciado profecias mentirosas, foram entregues a Nabucodonosor, a fim de serem executados. Podemos deduzir, a partir daí, que eles encabeçavam uma sedição, com suas confiantes proclamações de que o cativeiro estava chegando ao fim. Para eles, realmente estava, mas de maneira inesperada! À semelhança de Hananias, eles profetizavam em nome de Yahweh, o que fazia parte de suas blasfêmias. Cf. Jr 28.2. Uma execução pública poria fim àquela triste confusão.

■ 29.22

וְלֻקַּח מֵהֶם קְלָלָה לְכֹל גָּלוּת יְהוּדָה אֲשֶׁר בְּבָבֶל לֵאמֹר יְשִׂמְךָ יְהוָה כְּצִדְקִיָּהוּ וּכְאֶחָב אֲשֶׁר־קָלָם מֶלֶךְ־בָּבֶל בָּאֵשׁ׃

Daí surgirá nova espécie de maldição entre os exilados de Judá. Aqueles profetas mentirosos complicaram a vida de todos os cativos. Sua notável execução pública na fogueira certamente fechou a boca daqueles que previam o fim do cativeiro para breve. Uma *maldição* proverbial desenvolveu-se a partir dessa triste situação que empregava o nome de Yahweh: "Que Yahweh faça contra ti tua ação contra mim, que ele fez contra Acabe e Zedequias, quando Nabucodonosor os executou, queimando-os vivos no fogo".

"Executar na fogueira era uma punição caldaica (ver Dn 3.6; Am 2.1). Dali espalhou-se para outras nações" (Adam Clarke, *in loc.*). Alguns dos macabeus foram assados no fogo (ver 2Macabeus 7.3). A depravação ilimitada é demonstrada de muitas maneiras, e uma delas é como eles matam outras pessoas, tão impiedosamente, tão brutalmente, sem importar se essa matança se processa na guerra, pessoalmente, ou como execução. Por que os homens sofrem, e por que sofrem da maneira como sofrem? Isso constitui o *Problema do Mal* (ver a respeito no *Dicionário*). Existem os abusos da natureza (mal natural): terremotos, inundações, incêndios, acidentes, enfermidades e a morte. Além disso, há os sofrimentos causados pela desumanidade do homem contra o homem (mal moral).

■ 29.23

יַ֡עַן אֲשֶׁ֣ר עָשׂוּ֩ נְבָלָ֨ה בְּיִשְׂרָאֵ֜ל וַיְנַאֲפוּ֙ אֶת־נְשֵׁ֣י רֵעֵיהֶ֔ם וַיְדַבְּר֨וּ דָבָ֤ר בִּשְׁמִי֙ שֶׁ֔קֶר אֲשֶׁ֖ר ל֣וֹא צִוִּיתִ֑ם וְאָנֹכִ֛י הוידע [הַיּוֹדֵ֥עַ] וָעֵ֖ד נְאֻם־יְהוָֽה׃ ס

Porquanto fizeram loucuras em Israel, cometeram adultérios com as mulheres de seus companheiros. A *lista* dos pecados daqueles falsos profetas é de causar arrepio:

1. Eram profetas enviados por si mesmos, mas fingiam ter sido enviados por Yahweh. No entanto, ele não os tinha comissionado.
2. Eles diziam mentiras e afirmavam que Yahweh lhes tinha ensinado o que deveriam dizer. Isso subentende ou um embuste franco, ou um falso misticismo, que envolvia a autoilusão.
3. Além de serem *espiritualmente corruptos*, eram também *moralmente corruptos*. Não se incomodavam em seduzir mocinhas e corriam atrás das esposas de outros homens. De modo geral, podemos dizer que eles eram malandros da primeira ordem, e, no entanto, ali estavam eles, *liderando* os judeus no cativeiro.

Entrementes, Yahweh observava pessoalmente toda aquela vileza, e certamente se vingaria do que os judeus estavam fazendo. Aqueles corruptores acabaram sendo assados no forno de Nabucodonosor, terminando um curso vergonhoso que os homens continuavam repetindo. Cf. este versículo com Is 32.6. Este versículo confirma, de modo gráfico, a *Lei Moral da Colheita segundo a Semeadura* (ver a respeito no *Dicionário*).

Carta Concernente a Semaías (29.24-32)

■ 29.24

וְאֶל־שְׁמַעְיָ֥הוּ הַנֶּחֱלָמִ֖י תֹּאמַ֥ר לֵאמֹֽר׃

A Semaías, o neelamita, falarás dizendo. *Semaías* resolveu ser um criador de confusões e escolheu a escrita de cartas para assim promover sua causa. Ele pensava que Jeremias estava perturbando a vida dos cativos na Babilônia, por meio de suas profecias de condenação, que segregavam que o cativeiro babilônico ainda duraria longo tempo. Semaías achava que as autoridades de Jerusalém deveriam tomar alguma providência para calar a boca do profeta do Senhor. Semaías queria que Jeremias fosse detido e posto no tronco, e então encarcerado (vs. 26). A resposta de Jeremias, dada por meio de um oráculo da parte de Yahweh, condenava Semaías e todos os membros de sua família. Todos pereceriam na Babilônia. Nem um deles sequer retornaria a Jerusalém quando chegasse o tempo de os cativos serem postos em liberdade.

Coisa alguma se sabe a respeito de Semaías, exceto o que pode ser inferido desta passagem. Ele era mais um daqueles falsos profetas, provavelmente alguém aliado a Hananias (capítulo 28) e um amargo inimigo de Jeremias, como, de resto, eram todos os profetas falsos. Ver sobre *Semaías* no *Dicionário*, sob o número 25. Yahweh deu um oráculo especial para que Jeremias predissesse o que aconteceria por causa de sua insolência.

■ 29.25

כֹּֽה־אָמַ֞ר יְהוָ֧ה צְבָא֛וֹת אֱלֹהֵ֥י יִשְׂרָאֵ֖ל לֵאמֹ֑ר יַ֡עַן אֲשֶׁ֣ר אַתָּה֩ שָׁלַ֨חְתָּ בְשִׁמְכָ֜ה סְפָרִ֗ים אֶל־כָּל־הָעָם֙ אֲשֶׁ֣ר בִּירוּשָׁלִַ֔ם וְאֶל־צְפַנְיָ֥ה בֶן־מַעֲשֵׂיָ֖ה הַכֹּהֵ֑ן וְאֶ֥ל כָּל־הַכֹּהֲנִ֖ים לֵאמֹֽר׃

Porquanto enviaste no teu nome cartas a todo o povo que está em Jerusalém. *Yahweh viu Semaías* escrever aquelas cartas e sabia o que estava escrito ali. A palavra contra ele, por causa de seu ato, foi anunciada no nome divino de poder, Yahweh-Sabaote-Elohim (o Eterno, Senhor dos Exércitos, Todo-poderoso), que era a maneira comumente usada para introduzir oráculos atribuídos a Yahweh. Ver Jr 28.2. Ao que parece, o falso profeta Semaías enviou várias cópias ou várias cartas a diversos oficiais de Jerusalém, demandando que se fossem tomadas medidas contra Jeremias. O principal destinatário era *Sofonias* (ver no *Dicionário*, terceiro ponto). Sofonias havia sido nomeado guarda principal ou administrador do templo, elevada posição que só era secundária em relação ao sumo sacerdote. Ele tinha sido enviado pelo rei Zedequias para consultar Jeremias (ver Jr 21.1 e 37.3). Subsequentemente, foi executado por Nabucodonosor, após a captura de Jerusalém (2Rs 25.18,21; Jr 52.24-27). A execução dele ocorreu em Ribla, na Babilônia, e ele foi apenas um dentre vários que foram assim executados.

■ 29.26

יְהוָ֞ה נְתָנְךָ֣ כֹהֵ֗ן תַּ֚חַת יְהוֹיָדָ֣ע הַכֹּהֵ֔ן לִהְי֤וֹת פְּקִדִים֙ בֵּ֣ית יְהוָ֔ה לְכָל־אִ֥ישׁ מְשֻׁגָּ֖ע וּמִתְנַבֵּ֑א וְנָתַתָּ֥ה אֹת֛וֹ אֶל־הַמַּהְפֶּ֖כֶת וְאֶל־הַצִּינֹֽק׃

O Senhor te pôs por sacerdote em lugar do sacerdote Joiada. Este versículo informa-nos que Sofonias tinha sido nomeado sumo sacerdote em lugar de Joiada, que foi levado para o exílio na Babilônia (ver no *Dicionário* o artigo sobre *Joiada*, quinto ponto). Semaías estava dizendo que o novo sumo sacerdote tinha negligenciado os seus deveres, por não haver controlado todos aqueles loucos profetas que vexavam o povo com suas profecias. Entre os mais perturbadores, estava Jeremias. Semaías recomendou o uso do *tronco* como punição contra um entusiasmado como Jeremias, para que ele fechasse a boca. Esse cruel tratamento seria administrado na prisão e incluiria longo aprisionamento. Dessa maneira perturbadores como Jeremias parariam de agir e de perturbar a sociedade, tanto em Jerusalém quanto na Babilônia.

■ 29.27

וְעַתָּ֗ה לָ֚מָּה לֹ֣א גָעַ֔רְתָּ בְּיִרְמְיָ֖הוּ הָֽעֲנְּתֹתִ֑י הַמִּתְנַבֵּ֖א לָכֶֽם׃

Agora, pois, por que não repreendeste a Jeremias...? Conspícuo entre os supostos ofensores estava *Jeremias*, que muitos queriam ver executado, o que quase aconteceu, não fosse a intervenção de alguns líderes civis. Ver o capítulo 26. O novo sumo sacerdote, pois, teria negligenciado seu dever óbvio, por não haver impedido a continuação das profecias condenatórias de Jeremias, concernentes ao cativeiro (vs. 28). Semaías, como é óbvio, não aceitava a autoridade de Jeremias como profeta do Senhor, mas o classificava como apenas outro selvagem entusiasta que deveria ser reprimido.

■ 29.28

כִּ֣י עַל־כֵּ֞ן שָׁלַ֥ח אֵלֵ֛ינוּ בָּבֶ֖ל לֵאמֹ֑ר אֲרֻכָּ֣ה הִ֑יא בְּנ֤וּ בָתִּים֙ וְשֵׁ֔בוּ וְנִטְע֣וּ גַנּ֔וֹת וְאִכְל֖וּ אֶת־פְּרִיהֶֽן׃

Há de durar muito o exílio; edificai casas, e habitai nelas. A *principal profecia* de Jeremias, contra a qual Semaías mais se revoltava, predizia um longo cativeiro para os judeus na Babilônia. Tão prolongado seria o exílio que Deus recomendava aos judeus que se casassem, tivessem filhos e, de modo geral, se estabelecessem firmemente na Babilônia. Isso significava que eles deveriam esquecer qualquer forma de sedição, o que apenas pioraria as coisas na Babilônia. É óbvio, portanto, que Semaías profetizava as mentiras usuais dos falsos profetas, prometendo que em breve tempo os judeus seriam libertados do jugo babilônico. Isso requereria um colapso do império babilônico, algo que simplesmente não haveria de acontecer. Semaías, pois, era um aliado claro de Hananias. Eles contavam as mesmas mentiras ao povo judeu. Ver Jr 28. Podemos estar certos de que havia falsos sonhos e visões por trás daquela entusiasmada sedição. Porém, não basta a alguém ter visões, ser entusiasmado e mostrar-se sincero. É preciso que esteja no fundamento da questão a *verdade*, assim como a comissão de agir como profeta, pela autoridade divina. Aos profetas mentirosos faltavam tanto a verdade como a comissão divina.

Quanto ao conselho de Jeremias de que o povo de Israel se preparasse por longo tempo, ver Jr 29.5,6.

■ 29.29

וַיִּקְרָא צְפַנְיָה הַכֹּהֵן אֶת־הַסֵּפֶר הַזֶּה בְּאָזְנֵי יִרְמְיָהוּ הַנָּבִיא: פ

Sofonias, o sacerdote, leu esta carta aos ouvidos do profeta Jeremias. É difícil determinar a razão pela qual Sofonias leu a carta para Jeremias. Pode ter sido apenas um gesto de preparação para tomar providências contra ele, ou talvez um gesto de amizade. Seja como for, Jeremias ouviu a leitura da carta, e isso lhe permitiu replicar. Essa resposta foi dada a Jeremias por inspiração divina, vinda diretamente da parte de Yahweh, ao que tudo indica, ali mesmo. Não podemos determinar, entretanto, se Sofonias agiu de boa ou má vontade. Pelo menos, contudo, Jeremias não seria condenado sem primeiramente ser ouvido.

■ 29.30

וַיְהִי דְּבַר־יְהוָה אֶל־יִרְמְיָהוּ לֵאמֹר:

Então veio a palavra do Senhor a Jeremias. Jeremias vivia escutando a voz de Yahweh. Assim sendo, naquela crise (e houve tantas), obteve sua resposta por inspiração divina. Como lhe era comum, Jeremias falou seca e diretamente, atacando o problema com coragem e determinação. Seja como for, ele não tinha razão para temer, visto que era invencível, pelo menos enquanto sua missão não tivesse terminado. O resultado da informação dada por Yahweh, nessa ocasião, foi que Jeremias enviou uma segunda carta aos exilados, instruindo-os sobre Semaías e as dificuldades que ele estava gerando.

■ 29.31

שְׁלַח עַל־כָּל־הַגּוֹלָה לֵאמֹר כֹּה אָמַר יְהוָה אֶל־שְׁמַעְיָה הַנֶּחֱלָמִי יַעַן אֲשֶׁר נִבָּא לָכֶם שְׁמַעְיָה וַאֲנִי לֹא שְׁלַחְתִּיו וַיַּבְטַח אֶתְכֶם עַל־שָׁקֶר:

Manda dizer a todos os exilados: Assim diz o Senhor acerca de Semaías, o neelamita. Yahweh falou por meio da carta escrita por Jeremias. Este afirmou que Semaías era um *profeta autonomeado* que tivera a audácia de espalhar mentiras. Ele tinha feito o povo de Judá acreditar em mentiras. Algumas vezes, a fé consiste em acreditar em algo que não corresponde à verdade. A mentira específica de Semaías (e sem dúvida havia muitos outros profetas) era que o cativeiro estava prestes a terminar, embora só tivesse perdurado por seis a sete anos. O vs. 28 dá a entender que Semaías dizia justamente o contrário do que Jeremias profetizava. Ver também Jr 28.2-4, onde Hananias declarara o absurdo de que o exílio duraria somente mais dois anos, e então a Babilônia e seu jugo sobre outros povos se partiriam. Deve ter havido muitos sonhos ridículos e falsas visões por trás de tão absurda profecia. Em contraste com isso, Jeremias asseverava que o exílio perduraria por *setenta anos* (ver Jr 25.11 e 29.10). Se os exilados acreditassem nessa ficção de um exílio curto e espalhassem as notícias ao redor, seriam acusados de sedição, e a vida deles se tornaria ainda mais complicada na Babilônia. Alguns judeus seriam aprisionados; outros seriam executados.

■ 29.32

לָכֵן כֹּה־אָמַר יְהוָה הִנְנִי פֹקֵד עַל־שְׁמַעְיָה הַנֶּחֱלָמִי וְעַל־זַרְעוֹ לֹא־יִהְיֶה לוֹ אִישׁ יוֹשֵׁב בְּתוֹךְ־הָעָם הַזֶּה וְלֹא־יִרְאֶה בַטּוֹב אֲשֶׁר־אֲנִי עֹשֶׂה לְעַמִּי נְאֻם־יְהוָה כִּי־סָרָה דִבֶּר עַל־יְהוָה: ס

Eis que castigarei a Semaías, o neelamita, e a sua descendência. *A Repreensão Divina.* As perturbações causadas por Semaías não ficariam sem resposta divina. Ele estava prestes a sofrer o golpe divino de correção. Ele morreria no exílio, e outro tanto aconteceria a cada membro de sua família. E todos seriam como aqueles queixosos israelitas que não tiveram permissão de entrar na Terra Prometida, mas, antes, morreram no deserto. Ocorreria a soltura dos exilados da Babilônia, em conformidade com o divino cronograma de setenta anos. Um remanescente judeu retornaria à Terra Prometida, mas seriam os filhos e netos dos cativos originais. A "geração antiga" pereceria na Babilônia. A "nova geração" reconstruiria Jerusalém. Os falsos profetas pertenciam à antiga geração. "Nem Semaías nem seus familiares viveriam o bastante para ver as *coisas boas* que Deus tinha prometido a seu povo. Essas 'coisas boas' são explicadas nos capítulos 30—33. Semaías perdeu o direito de participar daquelas bênçãos, porquanto, ao exortar os moradores de Jerusalém a opor-se a Jeremias, ele tinha pregado rebelião contra Deus" (Charles H. Dyer, *in loc.*).

CAPÍTULO TRINTA

O LIVRO CONSOLADOR (30.1—31.40)

Na verdade, a maior parte das profecias de Jeremias eram condenatórias e tristonhas, pelo que somos aliviados um pouco, em relação aos seus temas comuns, por estas palavras de consolo. Alguns fazem esses dois capítulos pertencer ao início do ministério de Jeremias, falando especificamente sobre a esperança da volta de Israel (a nação do norte) da Assíria; mas tal opinião tem sido corretamente rejeitada pela maioria dos eruditos. "As referências ao reino do norte (ou tribos nortistas), bem como aos lugares situados no norte, são mais bem explicadas pela teoria de que alguns dos oráculos foram proferidos por Jeremias durante o governo de Gedalias, quando a capital se localizava em Mispa, onde o próprio Jeremias talvez estivesse vivendo" (James Philip Hyatt, *in loc.*). Ver no *Dicionário* sobre *Mispa*. Alguns eruditos, todavia, veem aqui uma ampla profecia que *inclui* o norte e, se isso está correto, então tem um tom *escatológico* que vê além das circunstâncias da época de Jeremias.

"*A restauração da nação à sua terra. Jr 30.1-3.* Deus disse a Jeremias que escrevesse suas promessas de consolo em um livro, para que estivesse à disposição dos exilados depois da queda de Jerusalém. Esse livro transmitiria uma nota de esperança de que estavam chegando os dias... *quando Deus restauraria*... Seu povo. O uso que Jeremias fez da palavra 'dias' é significativo, porquanto descreve dois diferentes períodos de tempo. O primeiro 'dia' para o qual Jeremias apontou foi o dia de destruição, quando Deus julgaria Judá por causa de seus pecados (cf. Jr 5.18; 7.32; 9.25; 19.6). Esse dia teve cumprimento quando Judá caiu diante da Babilônia. Entretanto, o segundo 'dia' para o qual Jeremias apontou será um dia de restauração, quando o Senhor fizer as nações de Judá e Israel entrar em um novo relacionamento com ele, e quando o Senhor fizer as nações gentílicas prestar contas a ele (cf. Jr 3.16,18; 16.14; 23.5,7,20; 30.3,24; 31.27,29,31,33,38; 33.14-16; 48.12,47; 49.2,39; 50.4,20; 51.47,52). Esse dia tem uma perspectiva escatológica. Será o dia em que Deus cumprirá as bênçãos da restauração, prometidas em Dt 30.1-10" (Charles H. Dyer, *in loc.*).

INTRODUÇÃO (30.1-3)

■ 30.1

הַדָּבָר אֲשֶׁר הָיָה אֶל־יִרְמְיָהוּ מֵאֵת יְהוָה לֵאמֹר:

Palavra que do Senhor veio a Jeremias. Conforme sucede com tanta frequência no livro de Jeremias, Yahweh recebe o crédito por aquilo que foi escrito. Este capítulo repete diversas vezes as palavras "assim diz o Senhor", e, na introdução (vss. 1-3), a reivindicação de que Deus foi quem deu a mensagem se repete a cada versículo. Esses três versículos servem para introduzir ambos os capítulos (30 e 31) do *livro de consolo*. O tema dominante é a restauração de Israel e Judá, e o retorno do povo de Deus à Terra Prometida. O *Livro da Consolação* é uma coletânea de profecias ligadas entre si pelo tema comum da esperança da restauração. Judá estava prestes a entrar em colapso; mas havia esperança mais adiante, uma *nova era* em que Israel e Judá voltariam à sua terra, unindo-se novamente como única nação.

Os fracassos eram muitos e os pecados eram grandes; as perversões eram hediondas, mas o retorno seria doce. O *pacto abraâmico* (ver Gn 15.18) tinha de se cumprir, porquanto trazia sobre si o selo de Deus. Esse era um pacto de esperança, firme e seguro, finalmente.

> Meus tempos estão em tuas mãos,
> Corroendo os cuidados, restaurando a calma;
> O tufão do inverno, o bálsamo da primavera;
> O que quer que venha,
> Seguro estarei no céu, finalmente.
>
> Russell Champlin

■ 30.2

כֹּה־אָמַר יְהוָה אֱלֹהֵי יִשְׂרָאֵל לֵאמֹר כְּתָב־לְךָ אֵת כָּל־הַדְּבָרִים אֲשֶׁר־דִּבַּרְתִּי אֵלֶיךָ אֶל־סֵפֶר:

Escreve num livro todas as palavras que eu disse. A despeito de todos os nossos modernos meios de comunicação, o livro ainda reina. As encorajadoras palavras ditas a Jeremias deveriam ser preservadas em um livro. Uma coletânea dos oráculos foi preparada, de acordo com o tema comum da esperança na restauração. Então a coletânea foi transformada em pequeno livro, o *Livro do Consolo*. Quando consideramos os propósitos a longo prazo de Deus na redenção-restauração, o desdobramento do mistério da vontade divina (ver Ef 1.9-10), podemos dizer verdadeiramente que o capítulo final da vida humana pode ser chamado de *livro do consolo*. Qualquer outra coisa diferente disso ficaria aquém do famoso amor de Deus. Ver no *Dicionário* os artigos chamados *Restauração* e *Mistério da Vontade de Deus*. Jeremias já havia entregue muitas profecias de condenação ferozes e assustadoras. Mas nenhuma delas poderia cancelar a seção sobre o *consolo*. E então que o leitor considere: as profecias de condenação foram instrumentos de consolo, e não destruidores do consolo. Ewaldo chamava o livro de Jeremias, até este ponto, de "livro de condenação", mas a estes dois capítulos chamava de "livro de consolo".

■ 30.3

כִּי הִנֵּה יָמִים בָּאִים נְאֻם־יְהוָה וְשַׁבְתִּי אֶת־שְׁבוּת עַמִּי יִשְׂרָאֵל וִיהוּדָה אָמַר יְהוָה וַהֲשִׁבֹתִים אֶל־הָאָרֶץ אֲשֶׁר־נָתַתִּי לַאֲבוֹתָם וִירֵשׁוּהָ: פ

Porque eis que vêm dias, diz o Senhor, em que mudarei a sorte do meu povo Israel e Judá. Este é o versículo da "grande reversão" (Stanley Romaine Hopper, *in loc.*). O cativeiro assírio da nação do norte (Israel) e o cativeiro babilônico da nação do sul (Judá) se consumarão na grande reversão, quando os filhos de Israel se reapossarem da Terra Prometida. Essa esperança, naturalmente, é *escatológica* e terá pleno cumprimento durante a era do reino. Ver o vs. 18 do presente capítulo, e também Jr 39.25. Cf. Ez 39.25 e Am 9.14,15. Ver em Rm 11.26 uma declaração do Novo Testamento sobre esse tema. Dt 30.3-5 afirma claramente que o poder de Deus operará a restauração. A promessa sobre a "terra para Israel" era uma das grandes provisões do pacto abraâmico, e ela não podia ser quebrada, embora tenha havido tanta perambulação e apostasia nos primeiros capítulos da história de Israel. Os últimos capítulos do livro de profecias divinas reverterão os primeiros, e isso acontecerá a toda a humanidade (ver Ef 1.9,10).

"Jeremias era um profeta de *esperança*. Todos os artistas o têm retratado com olhos desesperançados, e a imaginação popular há muito o pinta como dotado de coração carregado de desânimo. Poucos homens têm sido tão largamente mal-entendidos" (Charles E. Jefferson, no livro intitulado *Cardinal Ideas of Jeremiah*, pág. 194). Foi do meio de uma tempestade que Jeremias pôde apresentar sua proclamação de esperança, especialmente porque a própria tempestade queimava a escória que ocultava a esperança. Essa esperança repousava sobre o pressuposto de que Israel ainda seria chamado por Deus e chegaria à salvação. O julgamento ajudaria a garantir essa chamada e essa salvação. O julgamento, um dedo da amorosa mão de Deus, não é apenas retributivo; é também remediador (ver 1Pe 4.6). Não poderia haver uma hora de glória, para Israel, sem a hora da angústia. Essa declaração aplica-se a todos os julgamentos divinos, incluindo o julgamento dos homens perdidos. Ver na *Enciclopédia de Bíblia, Teologia e Filosofia* o artigo denominado *Julgamento de Deus dos Homens Perdidos*.

O TERROR DO DIA DE YAHWEH (30.4-9)

■ 30.4

וְאֵלֶּה הַדְּבָרִים אֲשֶׁר דִּבֶּר יְהוָה אֶל־יִשְׂרָאֵל וְאֶל־יְהוּדָה:

São estas as palavras que disse o Senhor acerca de Israel e de Judá. Encontramos aqui um vívido retrato do *Dia de Yahweh* (*aquele dia,* tão grande e temível, também chamado de *angústia para Jacó;* vs. 7). Alguns estudiosos veem aqui uma profecia a longo prazo da Grande Tribulação, e fazem dos apertos babilônicos apenas uma predição a respeito. Ver na *Enciclopédia de Bíblia, Teologia e Filosofia* o verbete chamado *Tribulação, a Grande*. Cf. Dn 9.27; 12.1; Mt 24.15-22. Finalmente, os judeus serão libertados (ver Rm 11.26; Mt 24.30,31; Ap 19.11-21 e 20.4-6). Na pessoa do Messias, o Rei Davi novamente subirá ao trono (Jr 23.5,6; Os 3.5).

Mais uma vez, o oráculo veio da parte de Yahweh, conferindo a Jeremias outra revelação sobre Israel-Judá. A volta do povo de Israel à Terra Prometida será antecedida por um período de angústias nacionais sem paralelo. Ver no *Dicionário* o artigo chamado *Revelação*.

■ 30.5

כִּי־כֹה אָמַר יְהוָה קוֹל חֲרָדָה שָׁמָעְנוּ פַּחַד וְאֵין שָׁלוֹם:

Ouvimos uma voz de tremor e de temor, e não de paz. Uma vez mais encontramos a afirmação da inspiração de Yahweh quanto ao oráculo que estava sendo dado. Aquele *dia* (vs. 7, a angústia para Jacó) trará um clamor de pânico, terror, angústia, e *não* de paz, conforme diziam as falsas predições dos profetas mentirosos (ver Jr 6.14; 8.11 e 28.9). Os intérpretes têm aplicado essas palavras ao ataque, à matança e ao subsequente cativeiro, e também à destruição da Babilônia pelas tropas de Ciro, e/ou à Grande Tribulação dos últimos dias, antes da era do reino. Kimchi fala aqui sobre Gogue e Magogue (ver Ez 38 e 39).

■ 30.6

שַׁאֲלוּ־נָא וּרְאוּ אִם־יֹלֵד זָכָר מַדּוּעַ רָאִיתִי כָל־גֶּבֶר יָדָיו עַל־חֲלָצָיו כַּיּוֹלֵדָה וְנֶהֶפְכוּ כָל־פָּנִים לְיֵרָקוֹן:

Perguntai, pois, e vede, se acaso um homem tem dores de parto. Neste ponto, o profeta Jeremias apela a uma estranha figura, apresentando homens com dores de parto, como se fossem mulheres. Todo homem estava tendo dores de parto e experimentando o que as mulheres usualmente sofrem, e ao que os homens escapam, por serem do sexo masculino. Quanto ao símbolo de mulheres em trabalho de parto, ver Jr 4.31; 6.24; 13.21; 22.23; 49.24; 50.43. "Deus impulsionará homens por meio da dor e de gestos que parecem mais apropriados a uma mulher do que a um homem. A metáfora das crianças é com frequência usada para expressar a dor que antecederá o súbito livramento de Israel. Cf. Is 66.7-9. Todos os rostos empalidecem... a palidez doentia do terror" (Fausset, *in loc.*). O tempo de terror será ímpar, tal como é ímpar que um homem sofra trabalho de parto. "...agudeza e brevidade da aflição, tal e qual as dores de uma mulher em trabalho de parto, e, quando terminam, logo são esquecidas, pois um menino nasceu; tempos de alegria e felicidade não demorarão a seguir-se" (John Gill, *in loc.*).

■ 30.7

הוֹי כִּי גָדוֹל הַיּוֹם הַהוּא מֵאַיִן כָּמֹהוּ וְעֵת־צָרָה הִיא לְיַעֲקֹב וּמִמֶּנָּה יִוָּשֵׁעַ:

Ah! Que grande é aquele dia, e não há outro semelhante! É tempo de angústia para Jacó. Ai de todos, pois *aquele dia* será o modelo mesmo dos dias de sofrimento; nenhum outro dia se assemelha a ele; será o tempo da *angústia de Jacó*, a Grande Tribulação, prefigurada pelo ataque e pelo cativeiro da Babilônia, que tinha, em comparação, bem menor magnitude. Contudo, a salvação virá *através* dos dias da Grande Tribulação, na era do reino de Deus. Ver Rm 11.26. Cf. Jl 2.11,31; Am 5.18; Sf 1.14. "O livramento parcial, por ocasião da queda da Babilônia, prefigura o final e completo livramento de Israel, literal e espiritual, por ocasião da queda da Babilônia mística (Ap 18 e 19)" (Fausset, *in loc.*). "O império caldeu haveria de cair, mas os judeus seriam libertados pelo destruidor, Ciro" (Adam Clarke, *in loc.*). Alguns se referem à destruição de Jerusalém pelos romanos, e fazem disso uma previsão típica de coisas piores a vir. Ver Mt 24.21,22; Dn 12.1,2. A nota-chave do livramento acompanha todas as destruições preditas, e todos os julgamentos são instrumentos de coisas melhores a sucederem. De fato, todos os fins são instrumentos de novos começos. A salvação, pessoal e nacional, seguir-se-á à tribulação.

> Sua graça é grande o bastante para enfrentar as coisas grandes —
> As ondas que batem na praia e avassalam a alma,
> Os ventos rugidores que nos deixam estonteados,
> As tempestades súbitas e fora de nosso controle.
> Annie Johnson Flint

■ 30.8

וְהָיָה בַיּוֹם הַהוּא נְאֻם יְהוָה צְבָאוֹת אֶשְׁבֹּר עֻלּוֹ מֵעַל צַוָּארֶךָ וּמוֹסְרוֹתֶיךָ אֲנַתֵּק וְלֹא־יַעַבְדוּ־בוֹ עוֹד זָרִים:

Naquele dia, diz o Senhor dos Exércitos, eu quebrarei o seu jugo de sobre o teu pescoço. Israel, geralmente escravizado a esta ou àquela nação, bem como à sua própria corrupção e apostasia, tem um dia melhor para o qual olhar, no futuro. *Yahweh-Sabaote*, o Senhor dos Exércitos, é quem garante isso. Ver Jr 28.2 quanto a esse título divino de poder, que introduz os oráculos. Neste caso, o profeta deixou de lado *Elohim* (o Todo-poderoso), que usualmente fazia parte do título. O Poder garante que todos os jugos serão quebrados, tanto o babilônico quanto os que se seguiriam; também garante que serão rompidos todos os laços; será o fim do domínio dos estrangeiros que sempre estiveram presentes para perturbar a vida do povo de Deus. "O vs. 8 tem em mente a reversão das condições retratadas em Jr 25.14 e 27.1—28.16" (James Philip Hyatt, *in loc.*).

"Após o livramento dado por Ciro, a Pérsia, Alexandre e Roma fizeram da Judeia sua escrava" (Fausset, *in loc.*). Então veio a servidão mundial que fazia parte da dispersão dos judeus entre as nações, um povo sempre sujeito às perseguições dos povos, onde quer que se encontrem. Até mesmo o remanescente do povo de Israel, que estava na Terra Prometida, nunca teve descanso, mas foi assediado diariamente.

■ 30.9

וְעָבְדוּ אֵת יְהוָה אֱלֹהֵיהֶם וְאֵת דָּוִד מַלְכָּם אֲשֶׁר אָקִים לָהֶם: ס

Que servirá ao Senhor, seu Deus, como também a Davi, seu rei, que lhe levantarei. Quando o povo de Judá for libertado de todos os jugos e potências estrangeiras, então servirá a Yahweh sem restrições, em paz e prosperidade. Então reinará o Rei davídico, Jesus Cristo, o Messias, e a restauração estará terminada. A linhagem davídica foi cortada quando Zedequias se tornou cativo, na Babilônia (2Rs 25.8 ss.), e permanece assim desde então. Contudo, a *perpetuidade* do Rei davídico, "para sempre", foi uma promessa do *pacto davídico*, o que comento em 2Sm 7.4. Ver também, no *Dicionário*, o verbete chamado *Pactos*. O Messias está em pauta aqui, conforme diz o Targum. Cf. Is 55.3,4; Ez 34.23,24; Os 3.5; Rm 11.25-32. Ele foi nomeado para ocupar para sempre o trono de Davi (ver Is 9.9; Lc 1.32). Somente um ato divino poderia tê-lo "levantado" àquela posição. Quanto ao estabelecimento de seu reino, ver Mt 24.30-31; 25.31-46; Ap 19.11-21; 20.4-6. Diz o Targum: "Eles ouvirão e obedecerão ao Messias, o filho de Davi, seu Rei". Cf. Tt 2.13 e Jd 4, bem como Jr 23.5 e Dt 18.8. Ver também At 3.26 e 13.23.

A SALVAÇÃO DE ISRAEL, SERVO DE YAHWEH (30.10,11)

■ 30.10

וְאַתָּה אַל־תִּירָא עַבְדִּי יַעֲקֹב נְאֻם־יְהוָה וְאַל־תֵּחַת יִשְׂרָאֵל כִּי הִנְנִי מוֹשִׁיעֲךָ מֵרָחוֹק וְאֶת־זַרְעֲךָ מֵאֶרֶץ שִׁבְיָם וְשָׁב יַעֲקֹב וְשָׁקַט וְשַׁאֲנַן וְאֵין מַחֲרִיד:

Não temas, pois, servo meu Jacó, diz o Senhor, nem te espantes, ó Israel. Cf. as expressões deste versículo com Is 41.8-10,13,14; 43.1,5; 44.1,2. Os vss. 10,11 deste capítulo também são encontrados, com leves modificações, em Jr 46.27,28. "O livramento é o corolário do julgamento histórico. O povo de Judá não estava isento da severidade do castigo. Eles não deixaram de ser punidos, mas também não ficaram sem libertação" (Stanley Romaine Hopper, *in loc.*).

Não temas. Uma maneira comum de Deus dirigir-se aos aflitos, que tinham alguma esperança de ser livrados e passar por uma modificação favorável. Cf. Gn 15.1; Is 35.4; Lc 2.10. O povo de Israel, emergindo de grande tribulação, terá razões de sobra para deixar-se consolar e abandonar o temor. O Senhor está com o seu povo (vs. 11). Então Jacó se tornará naquele tempo especial de tribulação (a angústia para Jacó; vs. 7) o servo de Yahweh, no sentido mais pleno da palavra, quando todas as demais prisões e algemas cairão por terra. "Israel não terá necessidade de temer ou de ficar desanimado, porquanto Deus prometeu salvá-lo desde lugares distantes. Nenhum país estará longe demais de Deus para que os descendentes de Jacó sejam alcançados e salvos" (Charles H. Dyer, *in loc.*). Haverá grande recolhimento dos israelitas, tal como tinha havido grande dispersão; e isso anulará os males do passado. Jacó retornará à sua terra. Haverá completa restauração nacional. Finalmente, Jacó *descansará* em sua terra natal; haverá tranquilidade e bem-estar; haverá prosperidade material e espiritual. Assim como houve um tempo de tribulações sem precedentes, também haverá um tempo de bênçãos sem precedentes. Todos os ferimentos serão sarados. A apostasia cederá lugar à lealdade. Não haverá inimigos "lá fora" para assustarem, uma constante na história de Israel. Cf. Jr 23.6 e Zc 14.11.

■ 30.11

כִּי־אִתְּךָ אֲנִי נְאֻם־יְהוָה לְהוֹשִׁיעֶךָ כִּי אֶעֱשֶׂה כָלָה בְּכָל־הַגּוֹיִם אֲשֶׁר הֲפִצוֹתִיךָ שָּׁם אַךְ אֹתְךָ לֹא־אֶעֱשֶׂה כָלָה וְיִסַּרְתִּיךָ לַמִּשְׁפָּט וְנַקֵּה לֹא אֲנַקֶּךָּ: פ

Porque eu estou contigo, diz o Senhor, para salvar-te. Yahweh está com seu servo, seu povo, seu amado; e salvará a todos eles, individual e nacionalmente (Rm 11.26). Isso será acompanhado pela temível destruição dos inimigos que os oprimiram. Grandes e revolucionários levantes serão experimentados entre as nações, o que significará a ruína total. Eles *terminarão*, mas o mesmo não acontecerá ao povo de Israel, embora tantos povos se tenham esforçado para isso. Será aplicada a correção a Israel; haverá intensos sofrimentos, como meio de restauração, e não de destruição. Haverá salvação por meio da dor, e não evitando a dor. Contudo, Yahweh não os *exterminará* (ver Jr 4.27; 5.10,18). A punição terá por finalidade corrigir, e não exterminar. Ver Jr 10.24. Mas o pecado será punido (ver Jr 25.29; 49.12). Aceitar que o julgamento divino consiste apenas em retribuição é condescender com uma teologia inferior. Os julgamentos divinos sempre são remediadores, e tão severos quanto a *necessidade*, para que exerçam seu efeito restaurador. Muitas nações desapareceram definitivamente, mas isso não acontece às almas. O plano divino tem permitido que certas nações continuem, atravessando séculos. E também há a imortalidade da alma, a provisão superior de Deus. Ver na *Enciclopédia de Bíblia, Teologia e Filosofia* o artigo denominado *Imortalidade*. A graça e o amor de Deus ultrapassam todas as nossas expectativas.

A CURA DOS FERIMENTOS DE SIÃO (30.12-17)

■ 30.12

כִּי כֹה אָמַר יְהוָה אָנוּשׁ לְשִׁבְרֵךְ נַחְלָה מַכָּתֵךְ:

Teu mal é incurável, a tua chaga é dolorosa. Este oráculo foi dado em duas partes: a primeira declara a (aparente) condição de incurabilidade da ferida de Sião. Na segunda parte, porém, a Sião são prometidas cura e saúde, acompanhadas pela punição de seus opressores, que eram a causa daqueles ferimentos. Alguns estudiosos separam as duas partes como se, originalmente, fossem dois poemas separados, supondo que algum editor posterior os tivesse unido, para não deixar uma cena desanimadora e sem redenção. Por outro lado, em todo o livro de Jeremias vemos o contrabalanço do mal com uma declaração de bem, que se segue.

A idolatria-adultério-apostasia de Judá deixou o país em uma situação aparentemente incurável, que o levaria fatalmente à morte. As feridas de Judá eram graves e incuráveis. E tiveram seu resultado natural nos ataques do exército babilônico e no cativeiro subsequente de Judá, quando o povo de Deus parecia disposto a permanecer apostatado do Senhor. Os ferimentos de Judá eram incuráveis antes do ataque. O ataque foi a cirurgia que curou aquelas chagas, embora a tenha sido por demais doloroso para que esse fator fosse percebido, exceto pelos judeus mais espirituais, como Jeremias, que tinham visão mais ampla das coisas. "As desesperadas circunstâncias dos judeus são aqui representadas como um ferimento incurável" (Fausset, *in loc.*). A cura seria como ressuscitar os mortos para a vida (ver Rm 11.15).

■ **30.13**

אֵין־דָּן דִּינֵךְ לְמָזוֹר רְפֻאוֹת תְּעָלָה אֵין לָךְ׃

Não há quem defenda a tua causa; para a tua ferida não tens remédio nem emplasto. Nenhum ato ou recurso humano podia fazer nada para ajudar. Judá amontoou para si mesmo alianças com o Egito e com outras nações, na tentativa de deter a Babilônia, mas tudo foi em vão. Uma coisa que os judeus não experimentaram, porém, foi o arrependimento e o retorno a Yahweh. Não havia cura porque eles tinham rejeitado o curador. Ninguém pensava seus ferimentos, porquanto, em última análise, foram ferimentos causados por um povo que estava disposto a cometer suicídio. "O desígnio dessas expressões é mostrar o estado impotente e desesperador do povo de Israel antes de seu chamado, conversão e restauração. E então, ficaria claro que a restauração era obra exclusiva do Senhor. Visto que ele foi capaz de fazer isso, não havia razão para os judeus se sentirem com medo ou desanimados, embora o caso deles, na ocasião, fosse desesperador" (John Gill, *in loc.*).

■ **30.14**

כָּל־מְאַהֲבַיִךְ שְׁכֵחוּךְ אוֹתָךְ לֹא יִדְרֹשׁוּ כִּי מַכַּת אוֹיֵב הִכִּיתִיךְ מוּסַר אַכְזָרִי עַל רֹב עֲוֹנֵךְ עָצְמוּ חַטֹּאתָיִךְ׃

Todos os teus amantes se esqueceram de ti. Considere o leitor estes pontos: 1. Os ídolos e deuses de nada deveriam ter ajudado na hora da provação, quando foram invocados, *se* é que tinham algum poder. Contudo, não eram deuses que respondessem às orações que lhes eram dirigidas. 2. Os aliados dos judeus que se uniram a eles em alianças, mediante as quais tentavam escapar da Babilônia. O Egito era o principal aliado de Judá. Mas os aliados de Judá mostraram-se inúteis e somente compartilhavam da mesma sorte desanimadora. Cf. Jr 4.30; 13.21; 22.20,22 e 37.5. Ver Jr 3.1,2,12,13, quanto aos deuses amantes. Os amantes não puderam impedir que Judá sofresse seus terríveis ferimentos. O *adversário cruel* era a Babilônia, instrumento da ira divina. Os pecados de Judá eram muitos e graves, e os ferimentos foram profundos, para se equipararem àqueles pecados.

■ **30.15**

מַה־תִּזְעַק עַל־שִׁבְרֵךְ אָנוּשׁ מַכְאֹבֵךְ עַל רֹב עֲוֹנֵךְ עָצְמוּ חַטֹּאתַיִךְ עָשִׂיתִי אֵלֶּה לָךְ׃

Por que gritas por motivo da tua ferida? tua dor é incurável. O réprobo ferido, que, em última análise, tinha ferido a si mesmo, gritava de dor como se fosse uma vítima inocente. O ferimento, auto-infligido, era incurável, forçando o réprobo a enveredar pelo caminho da morte. Os pecados de Judá eram muitos e sérios; sua culpa era óbvia e clamava pela retribuição divina. A *Lei Moral da Colheita segundo a Semeadura* (ver a respeito no *Dicionário*) requeria severa vingança, e essa foi a razão para a matança causada pelos babilônios e para o cativeiro subsequente. "Deus ferira a nação de Judá como um inimigo, e punira a nação por causa de sua culpa profunda" (Charles H. Dyer, *in loc.*). "Não tens razão para te queixares. Tua aflição é justa" (Fausset, *in loc.*). Mesmo depois da edificação do segundo templo, os judeus retornaram às suas históricas corrupções morais. Os romanos foram o próximo látego de Yahweh. A história de Israel, em certo ponto de vista, serve de ilustração quanto à total depravação humana, que raramente admite uma cura verdadeira.

■ **30.16**

לָכֵן כָּל־אֹכְלַיִךְ יֵאָכֵלוּ וְכָל־צָרַיִךְ כֻּלָּם בַּשְּׁבִי יֵלֵכוּ וְהָיוּ שֹׁאסַיִךְ לִמְשִׁסָּה וְכָל־בֹּזְזַיִךְ אֶתֵּן לָבַז׃

Por isso todos os que te devoram serão devorados. Os que matassem, seriam mortos; os que devorassem, seriam devorados; os que deportassem a outros, seriam deportados. Essa é a *Lex Talionis* (pagamento segundo a gravidade do crime) em operação com a *lei da colheita segundo a semeadura* (ver Gl 6.7,8). Ver no *Dicionário* o artigo que tem esse nome. Cf. este versículo com Jr 2.3; Êx 23.22 e Is 33.1. Os babilônios eram famosos *devoradores* e, portanto, eram precipitados, descuidados, sem dó e incansáveis. Mas os medos e os persas se igualavam a eles em brutalidade e os destruíram como nação. Na verdade, os babilônios foram *devorados*. Em certo sentido, a história das nações é uma série de atos de devorar e de ser devorado. O homem é o mais perigoso dos animais predatórios. A figura pretendida aqui é, provavelmente, um *leão* faminto, visto que esse animal era o símbolo da Babilônia.

■ **30.17**

כִּי אַעֲלֶה אֲרֻכָה לָךְ וּמִמַּכּוֹתַיִךְ אֶרְפָּאֵךְ נְאֻם־יְהוָה כִּי נִדָּחָה קָרְאוּ לָךְ צִיּוֹן הִיא דֹּרֵשׁ אֵין לָהּ׃ ס

Porque te restaurarei a saúde, e curarei as tuas chagas. Quando tiver terminado o processo de devorar e ser devorado, depois que cada qual tiver pago pelos pecados que cometeu, então a *cura* será dada a Judá, revertendo a *ferida incurável*, citada no vs. 12. O que é aparentemente incurável, e realmente assim é no tocante aos recursos humanos, pode ser curado pelo poder divino. A *saúde*, pois, será restaurada a Judá. Nenhuma única ferida permanecerá aberta. Isso ocorreria no retorno do remanescente a Jerusalém, para recomeçar todas as coisas. Mas o maior cumprimento de todos será a salvação de Israel, na era do reino de Deus (ver Rm 11.26).

Pois te chamaram a repudiada. Judá era como uma esposa adúltera, rejeitada por seu marido. A figura de Jr 3.1,2 é reiterada. Ver as notas expositivas ali. A lei de Moisés permitia o divórcio, e a mulher divorciada tinha liberdade de casar-se de novo. No entanto, não lhe era permitido casar-se novamente com o primeiro marido, do qual se havia separado (ver Dt 24.1-4). Foi assim que Yahweh, ao receber de volta a esposa infiel, fez algo extraordinário, realizando um notável ato de graça e amor. O fim dos recursos do povo de Judá, longe de ser um obstáculo para a graça, era antes a oportunidade de Deus demonstrar seu amor. A extremidade do homem é a oportunidade de Deus. Naturalmente, isso operava através do arrependimento e da mudança de coração. Não obstante, Deus criou condições que praticamente forçavam essas coisas. Este versículo fala da *intervenção divina*, um ato do Deus teísta. O *teísmo* (ver a respeito no *Dicionário*) ensina que o Criador continua presente em sua criação e intervém com sua providência negativa e positiva na vida dos indivíduos e das nações. O *deísmo* (ver também no *Dicionário*), por sua vez, ensina que Deus abandonou a sua criação aos cuidados das leis naturais.

A RESTAURAÇÃO DE JUDÁ (30.18-22)

■ **30.18**

כֹּה אָמַר יְהוָה הִנְנִי־שָׁב שְׁבוּת אָהֳלֵי יַעֲקוֹב וּמִשְׁכְּנֹתָיו אֲרַחֵם וְנִבְנְתָה עִיר עַל־תִּלָּהּ וְאַרְמוֹן עַל־מִשְׁפָּטוֹ יֵשֵׁב׃

Eis que restaurarei a sorte das tendas de Jacó. Judá é retratado aqui como um povo nômade que perambulava "por ali", em meio ao cativeiro. Eles armaram suas *tendas* em uma terra estrangeira. Agora, entretanto, os nômades deveriam dobrar suas tendas e encetar a viagem de volta para casa, porquanto sua pátria seria abençoada por Yahweh. Então, eles reconstruiriam a sua *cidade* e cessariam as perambulações. Em Jerusalém havia um ou mais palácios, edificações de luxo permanentes, em contraste com as humildes tendas do cativeiro. O palácio pode ter sido uma alusão ao templo, edificado em lugar do templo de Salomão, que tinha sido destruído (ver 2Rs 25.9). O Targum, Jarchi e Kimchi veem nesse palácio uma referência ao templo de Jerusalém. Mas Kimchi vê, igualmente, uma alusão ao palácio real, o que apontaria para uma teocracia restaurada. Talvez essa profecia tenha sentido *escatológico,* indicando a restauração maior da era do reino, ou seja, durante o milênio futuro.

Será reedificada sobre o seu montão de ruínas. As cidades reedificadas geralmente eram construídas sobre as ruínas das cidades anteriores, o que explica por que muitas cidades antigas estão edificadas sobre cômoros, que lhes servem de alicerces. Esse antigo estilo de construção de cidades tem possibilitado aos arqueólogos muitas descobertas, pois permite que eles desçam de camada em camada, conhecendo assim coisas pertencentes a muitos séculos. Cada camada ou nível representa um período diferente de tempo.

A "restauração da sorte das tendas de Jacó" também é mencionada em Jr 32.44; 33.11,26. Cf. Dt 30.3. A volta dos exilados do cativeiro está em pauta aqui, mas não um mero retorno: será um retorno próspero, repleto de bênçãos e bem-estar.

■ 30.19

וְיָצָא מֵהֶם תּוֹדָה וְקוֹל מְשַׂחֲקִים וְהִרְבִּתִים וְלֹא
יִמְעָטוּ וְהִכְבַּדְתִּים וְלֹא יִצְעָרוּ׃

Sairão deles ações de graças e o júbilo dos que se alegram. Temos aqui a descrição de uma prosperidade geral, conforme se vê nos pontos a seguir discriminados:

1. Yahweh é a origem das bênçãos dos últimos dias, o que significa que essas bênçãos serão abundantes.
2. Haverá um novo cântico, o hino de louvor e ação de graças. O culto será renovado, porquanto estamos tratando aqui com cânticos de ação de graças, e não meramente com composições frívolas.
3. E então, de modo geral, no terreno do templo ou nas ruas e residências, haverá gente cantando de alegria.
4. O pequeno remanescente judaico retornará. Mas uma vez seguros na terra, a reprodução será tão abundante que uma nação ressurgirá, a partir de humildes começos.
5. A multidão daí resultante terá honrarias divinas especiais. O povo será numeroso e glorificado, uma potência nacional que requererá o respeito de outros povos. O profeta Jeremias estava descrevendo uma verdadeira *restauração* de Jerusalém, a Dourada. Portanto, devemos supor que essa profecia tem um sentido escatológico, e não meramente aponta para o retorno dos exilados da Babilônia.

"A visão do novo estado teocrático, nos vss. 18-22, é uma das notáveis projeções da estrutura social de um povo piedoso, segundo a literatura antiga" (Stanley Romaine Hopper, *in loc.*). Cf. este versículo com Jr 17.26; 31.12,13; 33.11; Is 35.10; 51.11 e Os 1.10,11.

■ 30.20

וְהָיוּ בָנָיו כְּקֶדֶם וַעֲדָתוֹ לְפָנַי תִּכּוֹן וּפָקַדְתִּי עַל
כָּל־לֹחֲצָיו׃

Seus filhos serão como na antiguidade, e a sua congregação será firmada diante de mim. O que for *antigo* será restaurado e aprimorado. É provável que o profeta quisesse fazer-nos pensar sobre o tempo mais glorioso de Israel, o Israel da época de Davi e Salomão, quando a nação atingiu sua época áurea, bem como sua maior extensão territorial até hoje. Israel será assim restaurado, glorificado, vivendo no favor divino, protegido de inimigos, os quais Yahweh abaterá antes que possam levantar muito a cabeça. A restauração, após o retorno da Babilônia, serviu para falar da restauração maior que ocorrerá imediatamente antes da era do reino de Deus.

■ 30.21

וְהָיָה אַדִּירוֹ מִמֶּנּוּ וּמֹשְׁלוֹ מִקִּרְבּוֹ יֵצֵא וְהִקְרַבְתִּיו
וְנִגַּשׁ אֵלָי כִּי מִי הוּא־זֶה עָרַב אֶת־לִבּוֹ לָגֶשֶׁת אֵלַי
נְאֻם־יְהוָה׃

O seu príncipe procederá deles, do meio deles sairá o que há de reinar. Os príncipes e nobres do Judá restaurado serão nativos, e não estrangeiros que governem sobre eles. O governador também será um nativo, procedente do meio deles, e não um governante nomeado por uma potência estrangeira. O profeta parecia evitar conscientemente a palavra *rei,* porquanto o rei era Ciro, e os dirigentes eram os governadores. Nesta passagem, o governante é declarado como alguém que tinha acesso a Yahweh, o que talvez dê a entender que ele fosse um sacerdote. No período dos macabeus, os sacerdotes tornaram-se governantes civis, mas o oráculo por certo antecede esse período. A linguagem aqui usada não parece indicar o Messias, mas o Targum e vários intérpretes insistem em vê-lo aqui. A ideia do rei-sacerdote se ajusta ao Messias, mas falta a ideia de realeza, pelo menos no fraseado literal do versículo.

■ 30.22

וִהְיִיתֶם לִי לְעָם וְאָנֹכִי אֶהְיֶה לָכֶם לֵאלֹהִים׃ ס

Vós sereis o meu povo, eu serei o vosso Deus. Esta declaração, muito comum no livro de Jeremias e em outros livros da Bíblia, é comentada em Jr 7.23; 11.4; 24.7; 31.33 e 32.38. Este ponto não se encontra na Septuaginta, que parece ter sido adicionado com base em Jr 31.1, por algum editor posterior. Fora do livro de Jeremias, ver também Lv 26.12; Dt 7.6; 26.16-19; Ez 11.20; 14.11; 34.20; 36.28; 37.23,27; Js 2.23; Zc 8.8 e 13.9. Esse relacionamento divino-humano ideal aparece em grande variedade de contextos e subentende um *andar correto* e uma fé de todo o coração por parte do povo de Israel. Tal declaração mostra o tipo de relacionamento que deve existir para que se cumpram as condições do pacto. Ver sobre *pacto abraâmico* em Gn 15.18; sobre *pacto mosaico* na introdução a Êx 19; e sobre *pacto davídico* em 2Sm 7.4. "O pacto será renovado entre Deus e o seu povo, pela mediação do Messias (vs. 21; Jr 31.1,33; Ez 11.20; 36.28)" (Fausset, *in loc.*). "Este é um sumário do pacto da graça que visivelmente ocorrerá quando aquela gente voltar-se para o Senhor (ver Rm 11.26,27)" (John Gill, *in loc.*).

A TEMPESTADE DE YAHWEH (30.23—31.1)

■ 30.23,24

הִנֵּה סַעֲרַת יְהוָה חֵמָה יָצְאָה סַעַר מִתְגּוֹרֵר עַל רֹאשׁ
רְשָׁעִים יָחוּל׃

לֹא יָשׁוּב חֲרוֹן אַף־יְהוָה עַד־עֲשֹׂתוֹ וְעַד־הֲקִימוֹ
מְזִמּוֹת לִבּוֹ בְּאַחֲרִית הַיָּמִים תִּתְבּוֹנְנוּ בָהּ׃

Eis a tempestade do Senhor! O furor saiu e um redemoinho tempestuou. Estes dois versículos também podem ser encontrados em Jr 23.19,20, onde faço comentários, não acrescentando muita coisa aqui. Estes versículos foram adicionados a Jr 31.1 para dar um tom escatológico às profecias concernentes à restauração, que aparecem, de vez em quando, nos capítulos 30 e 31 do livro de Jeremias, mas que o autor sagrado quis enfatizar. Os vss. 19,20 têm um definido sabor escatológico. "A vingança sobre os inimigos de Deus sempre acompanha manifestações de graça ao seu povo" (Fausset, *in loc.*). A aplicação imediata da declaração é a ira divina contra a Babilônia, mas as palavras são gerais e falam das operações da ira de Deus em favor de seu povo, e contra seus opressores em qualquer era, especialmente antes da era do reino de Deus. As afirmações em Jr 23.19,20 talvez não tenham pretendido ser escatológicas, mas seu uso aqui quase certamente tem esse intuito.

CAPÍTULO TRINTA E UM

■ 31.1

בָּעֵת הַהִיא נְאֻם־יְהוָה אֶהְיֶה לֵאלֹהִים לְכֹל מִשְׁפְּחוֹת
יִשְׂרָאֵל וְהֵמָּה יִהְיוּ־לִי לְעָם׃ ס

Este versículo pertence à seção de Jr 30.23,24 (repetida com base em Jr 23.19,20) e é uma virtual duplicação de Jr 30.22, onde ofereço a exposição. Muitos críticos, entretanto, supõem que este versículo tenha sido posto depois de Jr 30.21 por um editor posterior, e que o lugar certo dessa asserção é aqui. A ideia é que, enquanto a ira de Deus se vinga dos inimigos de Israel, Israel estabelecerá um relacionamento espiritual verdadeiro e ideal com Yahweh. Todas as famílias (clãs) de Israel, ao que se presume, receberão Yahweh, como seu Deus. E esse será o fim da idolatria-adultério-apostasia. Ver as notas expositivas em Jr 30.22, assim como em outros lugares onde essa declaração aparece. Essa afirmação, conforme usada aqui, quase certamente refere-se à restauração de Israel antes da era do reino. O relacionamento do pacto será restabelecido antes desse tempo. O restante do capítulo 31 continua a tratar do tema da restauração.

"Este versículo deve ser vinculado às declarações que aparecem em Jr 30.23,24. Ele explica os resultados do juízo divino sobre a terra e também serve para introduzir a seção que versa sobre a restauração nacional, que se segue... Todos os clãs, e não somente a tribo de Judá, serão conhecidos como o povo de Deus (cf. Jr 30.22)" (Charles H. Dyer, *in loc.*).

RESTAURAÇÃO NACIONAL DE ISRAEL POR PARTE DE DEUS (31.2-40)

O Amor Eterno de Yahweh (31.2-6)

Este é um dos melhores, se não o melhor poema da coletânea dos capítulos 30 e 31 de Jeremias, e até os críticos mostram-se quase unânimes em declará-lo de autoria de Jeremias, e não obra de algum editor subsequente. As referências a lugares na nação do norte (Israel; ver o vs. 6) têm levado alguns estudiosos a supor que esse poema se refere à *esperança da restauração* que Jeremias tinha quanto ao destino final das dez tribos nortistas. Por outra parte, o governo de Gedalias foi estabelecido em *Mispa*, e não em Jerusalém, e isso poderia ter dado ao oráculo um sabor nortista. Ver no *Dicionário* o verbete chamado *Mispa*.

O vs. 1 deste capítulo destaca a *unidade nacional*, o que significa que o Israel que temos à nossa frente é uma nação unida; mas isso só se tornará realidade, e não apenas um ideal, antes do início da era do reino. Os vss. 7-14 ensinam o retorno dos exilados de *todas as nações*, e isso está em harmonia com o tema universalista. Os vss. 2-6 enfatizam a *graça* encontrada pela nação de Israel, expressão alicerçada sobre a narrativa de Êx 33.12-17. Cf. Jr 23.7,8. Além disso, vemos aqui o amor e a fidelidade eterna de Deus. É prometida a restauração jubilosa de toda a nação de Israel.

"O motivo da futura restauração divina da nação é seu amor eterno (no hebraico, '*ahabah*), que ele conferirá livremente sobre seu povo (cf. Os 11.4; 14.4; Sf 3.17), bem como sua amorosa gentileza (no hebraico, *hesed*; cf. Jr 9.24; 32.18; Lm 3.32; Dn 9.4)" (Charles H. Dyer, *in loc.*).

■ 31.2

כֹּה אָמַר יְהוָה מָצָא חֵן בַּמִּדְבָּר עַם שְׂרִידֵי חָרֶב הָלוֹךְ לְהַרְגִּיעוֹ יִשְׂרָאֵל׃

O povo que se livrou da espada, logrou graça no deserto. Está em vista aqui o período das perambulações pelo deserto, quando o povo de Israel encontrou descanso e segurança da opressão dos egípcios. O fato de que Yahweh tirou o povo de Israel *para fora do Egito* é um dos grandes temas do Pentateuco, encontrado por mais de vinte vezes no livro de Deuteronômio. Ver Dt 4.20, quanto a uma nota de sumário sobre o assunto. O incidente demonstrou o poder amoroso de Yahweh em favor de seu povo. Então houve o *pacto mosaico*, anotado na introdução a Êx 19. A "experiência passada do amor de Deus é uma promessa ou penhor quanto ao futuro" (Ellicott, *in loc.*). Ellicott, entretanto, identifica o incidente como o escape de alguns judeus do cativeiro babilônico, ou de alguns pertencentes às dez tribos do cativeiro assírio; mas essas ideias são menos prováveis.

■ 31.3

מֵרָחוֹק יְהוָה נִרְאָה לִי וְאַהֲבַת עוֹלָם אֲהַבְתִּיךְ עַל־כֵּן מְשַׁכְתִּיךְ חָסֶד׃

De longe se me deixou ver o Senhor, dizendo: Com amor eterno eu te amei. Diz aqui o Targum: "O Senhor apareceu a nossos pais e lhes disse: Eis que vos amei com amor eterno, pelo que te conduzi com bondade". O amor de Deus é identificado como o *motivo* do divino ato de bondade que tirou o povo de Israel do Egito, e devemos compreender que a restauração futura depende dos mesmos dois fatores: o '*ahabad* e o *hesed* de Yahweh (ver o último parágrafo de notas expositivas na introdução ao parágrafo, imediatamente antes da exposição ao vs. 2. Dou ali referências quanto ao uso dessas duas palavras hebraicas. Ver no *Dicionário* o verbete chamado *Amor*. O amor de Deus é muito maior do que a língua ou a pena podem jamais narrar, conforme diz um antigo hino evangélico. "Em virtude de meu amor eterno, ainda estenderei até vós a minha gentileza amorosa (ver Is 44.21). Oh, Israel, não sereis esquecidos por mim" (Fausset, *in loc.*). Cf. Jr 2.1-7.

Os judeus, cativos na Babilônia, não receberam nenhum sinal do amor e cuidado de Deus; e, assim sendo, entraram em colapso mental. Mas o profeta Jeremias relembrou-os sobre os precedentes históricos do amor de Deus, assegurando-lhes que tais poderes continuavam e em breve se manifestariam. Naturalmente, o cativeiro, embora tenha sido um julgamento severo, era uma manifestação do amor de Deus, visto que estava fazendo operar um bom desígnio.

■ 31.4

עוֹד אֶבְנֵךְ וְנִבְנֵית בְּתוּלַת יִשְׂרָאֵל עוֹד תַּעְדִּי תֻפַּיִךְ וְיָצָאת בִּמְחוֹל מְשַׂחֲקִים׃

Ainda te edificarei, e serás edificada, ó virgem de Israel. A esposa *repudiada* por causa de seu adultério (ver Jr 3.1,2,12,13) será restaurada de forma que sua *virgindade* lhe será devolvida, e nesse estado restaurado ela se entregará à dança, tocando seu tamborim em jubilosa celebração. Ela será adornada e atrairá a atenção de todos, por causa de sua beleza. "Os dias da tristeza terminarão, quando o cativeiro acabar (cf. Sl 137.1-4; Jr 16.8,9; 25.10,11)" (Charles H. Dyer, *in loc.*). No exílio, Israel tinha lançado fora todos os seus instrumentos de regozijo, mas na restauração celebrações serão acompanhadas por instrumentos musicais e danças. Cf. Êx 15.20 e Jz 11.34, que falam de regozijos públicos. "... tamborins, instrumentos musicais, como aqueles que as mulheres usavam em tempos de alegria e júbilo públicos (ver Êx 15.20; Jz 11.34; 1Sm 18.6), os quais lhes eram tão apropriados e muito ornamentais, enquanto tocavam e dançavam" (John Gill, *in loc.*). Cf. o novo cântico do Cordeiro, em Ap 14.2-4; 19.7-9; Sl 45.13-15.

■ 31.5

עוֹד תִּטְּעִי כְרָמִים בְּהָרֵי שֹׁמְרוֹן נָטְעוּ נֹטְעִים וְחִלֵּלוּ׃

Ainda plantarás vinhas nos montes de Samaria. Livres das ameaças dos povos estrangeiros, e livres do peso de sua própria apostasia, uma vida normal e próspera recomeçará, com os ciclos agrícolas da semeadura, colheita e abundância de coisas boas, quando os celeiros serão cheios de produtos. As referências a Samaria (vs. 6) e Efraim (vs. 6) indicam que este poema se originou na parte norte do país, Israel. Isso não significa, entretanto, que o oráculo foi, específica e exclusivamente, endereçado a Israel. Estas palavras bem podem aplicar-se aos tempos de Gedalias, após a invasão de Judá pelos babilônios, quando esse homem, pelo menos por algum tempo, foi governador de Judá. Ver 2Rs 25 e o artigo chamado *Gedalias*, no *Dicionário*. Esta passagem (ver os vss. 7-14) trata da total restauração nacional do norte e do sul, mostrando-nos Israel reunido. Portanto, é uma profecia escatológica, e não meramente local. Isso ocorrerá antes da implantação da era do reino de Deus.

Plantarão os plantadores e gozarão dos frutos. "A alusão é à lei da ingestão das frutas de árvores no quinto ano de seu plantio, pois somente então era permitido comer delas. Mas aqui o plantador pode comer as frutas assim que as árvores produzissem, como se fosse a produção do quinto ano, o que era o costume da lei. Ver Lv 19.23,25" (John Gill, *in loc.*).

■ 31.6

כִּי יֶשׁ־יוֹם קָרְאוּ נֹצְרִים בְּהַר אֶפְרָיִם קוּמוּ וְנַעֲלֶה צִיּוֹן אֶל־יְהוָה אֱלֹהֵינוּ׃ פ

Porque haverá um dia em que gritarão os atalaias na região montanhosa de Efraim. Vigias postados nas vinhas das colinas de Efraim haverão de convocar todo o povo de Israel para novamente observar as festividades de Jerusalém, especificamente as três festas anuais em que era requerida a presença de todos os membros do sexo masculino: a Páscoa, o Pentecoste e os Tabernáculos. Isso significa que o culto seria restaurado na nação de Israel, que então já estaria nacionalmente restaurada. Ver em Jr 41.5 um relato sobre os oitenta homens que vieram de cidades nortistas apresentar oferendas em Jerusalém, durante o tempo do governo de Gedalias. Essa pequena demonstração de "restauração" é um tipo da restauração maior que haverá no futuro. Não haverá mais, então, rivalidade de adoração entre o norte e o sul, onde Dã aparecia como rival de Jerusalém, como sítio do culto; e, naturalmente, não haverá mais idolatria em competição com o yahwismo. Todos os cismas serão curados. Haverá, pelo contrário, *unidade* nacional.

Efraim. "Não está em foco um monte isolado, e, sim, toda uma região montanhosa, a região das dez tribos" (Fausset, *in loc.*).

A Volta dos Exilados de Todas as Nações (31.7-14)

■ 31.7

כִּי־כֹה ׀ אָמַר יְהוָה רָנּוּ לְיַעֲקֹב שִׂמְחָה וְצַהֲלוּ בְּרֹאשׁ
הַגּוֹיִם הַשְׁמִיעוּ הַלְלוּ וְאִמְרוּ הוֹשַׁע יְהוָה אֶת־עַמְּךָ
אֵת שְׁאֵרִית יִשְׂרָאֵל׃

Cantai com alegria a Jacó, exultai por causa da cabeça das nações. Está em pauta o *retorno* dos exilados na Babilônia, pelo menos de maneira preliminar; mas esta profecia, obviamente, é escatológica, falando do fim de toda a dispersão dos judeus (Israel-Judá), que deverá anteceder a era do reino de Deus, aspecto que testemunhamos em nossa própria época (em 1948 foi formado o moderno Estado de Israel). Nenhum ser humano estará tão distante que Deus não possa alcançá-lo, e esse chamamento será uma capacitação para que ele retorne. "A volta à terra natal: Deus reunirá os dispersos em sua terra natal (ver Is 25.4-10; Sl 23.2,3). *Israel... Efraim* (ver Êx 4.2). Assim como Efraim será restaurado, acontecerá a todo o povo de Israel, incluindo Judá (ver Jr 2.3 e 3.19)" (*Oxford Annotated Bible*, comentando sobre o vs. 7).

Este versículo continua a nota de alegria do vs. 4, onde vemos a esposa adúltera ser trazida de volta à condição de virgem pura. Haverá muito para ser celebrado quando Yahweh restaurar seu povo disperso. Haverá gritos de alegria e triunfo. A proclamação de Yahweh sairá por todas as nações, a fim de reconduzir à Terra Prometida seu povo, de todos os lugares do mundo, sem importar quão distantes estejam. A mensagem é que será efetuada uma *salvação nacional* (ver Rm 11.26). Nenhum descendente de Abraão será insignificante demais para o Senhor libertá-lo, conforme demonstra a enumeração das classes, no vs. 8. A restauração incluirá clãs, famílias e todos os tipos de indivíduos.

Cabeça das nações. "Cabeça", neste caso, é paralelo a "Jacó", o que quer dizer que Israel é retratado como exaltado entre as nações, tornando-se a principal das nações, quando a restauração ocorrer. Cf. Êx 19.5; Sl 135.4; Am 6.1. A lei fez Israel tornar-se distinto entre as nações (ver Dt 4.4-8), e essa distinção será coroada com glória por ocasião da restauração. O povo em relação de pacto com Deus será elevado e coroado por ocasião da era do reino.

■ 31.8

הִנְנִי מֵבִיא אוֹתָם מֵאֶרֶץ צָפוֹן וְקִבַּצְתִּים מִיַּרְכְּתֵי־
אָרֶץ בָּם עִוֵּר וּפִסֵּחַ הָרָה וְיֹלֶדֶת יַחְדָּו קָהָל גָּדוֹל
יָשׁוּבוּ הֵנָּה׃

Eis que os trarei da terra do Norte, e os congregarei das extremidades da terra. O *norte* aqui mencionado é uma referência à Babilônia e, talvez, à Assíria, lugares para onde israelitas do sul, Judá, e do norte, Israel, tinham sido levados. Serão anulados tanto o cativeiro assírio quanto o cativeiro babilônico, e também a grande dispersão romana, a maior de todas as dispersões do povo de Deus. Não haverá um só lugar, em toda a terra, onde a voz convocadora de Yahweh não seja ouvida, e a resposta do povo de Israel a esse chamamento divino será absolutamente *universal*. Isso é enfatizado pela enumeração das classes, a começar pelos mais fracos entre todos, os cegos e os coxos, subindo pela escadaria e atingindo as mulheres que estejam para dar à luz filhos, que estarão em situação precária; e subindo mais ainda, para atingir mulheres que já estejam em processo de parto, uma situação mais precária ainda. E então é mencionada a comunidade de Israel em geral: todas as classes, fracos e fortes, pobres e ricos, humildes e exaltados. Nenhum indivíduo pertencente ao povo de Deus ficará de fora. A *grande companhia* dos israelitas retornará à Terra Prometida. As diversas classes apresentarão muitas necessidades especiais, mas nenhum indivíduo necessitado ficará sem a atenção do Senhor. Cf. este versículo com Is 41.18; 43.20; 48.21 e 49.10.

■ 31.9

בִּבְכִי יָבֹאוּ וּבְתַחֲנוּנִים אוֹבִילֵם אוֹלִיכֵם אֶל־נַחֲלֵי
מַיִם בְּדֶרֶךְ יָשָׁר לֹא יִכָּשְׁלוּ בָּהּ כִּי־הָיִיתִי לְיִשְׂרָאֵל
לְאָב וְאֶפְרַיִם בְּכֹרִי הוּא׃ ס

Virão com choro, e com súplicas os levarei. Será aquele um tempo emocional superlativo, os israelitas chorarão de alegria, e não de tristeza, e serão conduzidos em meio a múltiplas consolações, que curarão cada ferimento e obliterarão toda a tristeza. Os israelitas virão com "consolações" (Septuaginta) ou "súplicas" (texto massorético). Caminharão às margens dos ribeiros de águas, com todas as suas necessidades satisfeitas, porquanto a experiência do deserto passou. Cf. Is 41.18; 43.20; 48.21; 49.10. O caminho deles será reto, plano e fácil, porque Yahweh os guiará. Cf. Is 35.8-10; 40.4; 42.16; 45.2. Yahweh é o Pai de todo o povo de Israel, incluindo a parte norte da nação, aqui referida pelo termo "Efraim". Cf. o vs. 20 deste mesmo capítulo e Jr 3.19. Efraim será favorecido como o filho primogênito de um orgulhoso pai. Ver no *Dicionário* o artigo chamado *Paternidade de Deus*, e ver também Israel como o filho de Yahweh, em Êx 4.22. "Jeremias usou o simbolismo do relacionamento entre pai e filho para mostrar o profundo amor de Deus pelo seu povo (cf. Os 11.8)" (Charles H. Dyer, *in loc.*). Coisa alguma faltará aos israelitas restaurados, o que será simbolizado pelo fato de que eles caminharão ao lado das águas. "Eu os guiarei de tal modo e providenciarei para eles o necessário, nos desertos áridos, que eles encontrarão riachos de água sempre que isso for necessário. Todos sabem quão grande é a necessidade de água para os viajantes nos desertos orientais" (Adam Clarke, *in loc.*).

■ 31.10

שִׁמְעוּ דְבַר־יְהוָה גּוֹיִם וְהַגִּידוּ בָאִיִּים מִמֶּרְחָק וְאִמְרוּ
מְזָרֵה יִשְׂרָאֵל יְקַבְּצֶנּוּ וּשְׁמָרוֹ כְּרֹעֶה עֶדְרוֹ׃

Ouvi a palavra do Senhor, ó nações, e anunciai nas terras longínquas do mar. As nações que tinham provido alojamento e lares temporários para Israel ouvirão o chamado de Yahweh. Ele lhes ordenará que deem tudo quanto for necessário aos israelitas, tal como o Egito fez há muitos séculos. O chamamento divino será ouvido em toda a parte, em todas as costas marítimas das nações (ver Is 41.1; 42.10 e 49.1). *Yahweh espalhou os israelitas,* aplicando-lhes seus julgamentos, e as nações riram, zombaram e assobiaram por causa deles, alegrando-se com seus sofrimentos (Jr 18.16; 19.8; 25.9,18 e 29.18). Haverá, contudo, grande reversão, e Israel marchará avante, distanciando-se de seus antigos lugares de cativeiro e dirigindo-se ao lugar de alegria e bem-estar. Então Yahweh será o *Pastor* deles (cf. Is 40.11; Ez 34.12-14; Mq 2.12; 5.4; 7.14 e Jr 23.3). Ver no *Dicionário* o verbete chamado *Pastor,* quanto a detalhes sobre a metáfora. O rebanho, que estava espalhado por milhares de colinas dispersas pelo mundo, será recolhido, formando um único rebanho em sua própria Terra Prometida. Assim sendo, as lamentações serão transformadas em alegria, e a necessidade premente dará lugar à abundância. Eles foram procurados e encontrados por ele, visto que o tinham buscado de todo o coração (ver Jr 29.5,6,13).

■ 31.11

כִּי־פָדָה יְהוָה אֶת־יַעֲקֹב וּגְאָלוֹ מִיַּד חָזָק מִמֶּנּוּ׃

Porque o Senhor redimiu a Jacó. A figura do pastor é agora modificada para a figura da *redenção*. Esta era uma palavra-chave no tocante ao livramento da escravidão egípcia. Ver Êx 6.6. Cf. Zc 10.8. "Nenhuma força do inimigo pode impedir o Senhor de livrar Jacó (Is 48.24,25)" (Fausset, *in loc.*). Cf. Ez 34.12-14. Ver também Is 44.23 e 48.20.

O Senhor os comprará de volta do povo que era mais forte do que eles.
NCV

Yahweh foi o agente tanto da dispersão (vs. 10) como da restauração dos israelitas, porquanto a vontade divina governa os homens (ver Is 13.6 e notas). Ver no *Dicionário* os artigos chamados *Soberania de Deus* e *Providência de Deus*. A providência divina, em seus aspectos tanto negativo quanto positivo, controla todos os acontecimentos e empreendimentos humanos.

■ 31.12

וּבָ֣אוּ וְרִנְּנ֣וּ בִמְרוֹם־צִיּ֗וֹן וְנָהֲר֛וּ אֶל־ט֥וּב יְהוָ֖ה
עַל־דָּגָ֣ן וְעַל־תִּיר֣שׁ וְעַל־יִצְהָ֔ר וְעַל־בְּנֵי־צֹ֖אן
וּבָקָ֑ר וְהָיְתָ֤ה נַפְשָׁם֙ כְּגַ֣ן רָוֶ֔ה וְלֹא־יוֹסִ֥יפוּ
לְדַאֲבָ֖ה עֽוֹד׃

Hão de vir, e exultar na altura de Sião, radiantes de alegria. Este versículo repete, com detalhes adicionais, a mensagem dos vss. 4 e 7: exultação e brados de triunfo; toque de instrumentos musicais e danças — tudo sinal de grande felicidade por causa da obra restauradora de Yahweh. Eles estarão *radiantes* de alegria, e o rosto deles brilhará ante a bondade de Deus. Eles terão abundante suprimento agrícola: os grãos, o azeite, os rebanhos de gado miúdo e graúdo, tudo próspero e saudável. A Terra Prometida será como um gigantesco jardim bem regado. Jerusalém será a Cidade Jardim. Cf. Dt 30.5,9. Ver também Jr 58.11. O tempo de tristeza terá ficado no passado. Ver Is 35.10; 65.19; Ap 21.4.

"... *como um jardim bem regado*, pleno de luz, vida e poder de Deus, de modo a se regozijarem para sempre, orarem sem cessar e darem graças em tudo" (Adam Clarke, *in loc.*). "... em uma condição próspera e vicejante. A alma de um crente é um jardim no qual foram plantadas as graças do Espírito... regado pelo orvalho da graça divina e pelo ministério de sua Palavra... pelo que não terão mais ocasião para sentir tristezas... não haverá mais pecados nem tristezas (ver Ap 21.4)" (John Gill, *in loc.*). Cf. Is 58.11, que é um paralelo direto.

■ 31.13

אָ֣ז תִּשְׂמַ֤ח בְּתוּלָה֙ בְּמָח֔וֹל וּבַחֻרִ֖ים וּזְקֵנִ֣ים
יַחְדָּ֑ו וְהָפַכְתִּ֨י אֶבְלָ֤ם לְשָׂשׂוֹן֙ וְנִ֣חַמְתִּ֔ים
וְשִׂמַּחְתִּ֖ים מִיגוֹנָֽם׃

Então a virgem se alegrará na dança, e também os jovens e os velhos. A virgem (vs. 4) terá parte especial nas atividades, com as danças e o toque de instrumentos musicais. Os jovens exibirão sua força na celebração, e os homens idosos serão fortes o suficiente para, dançar, bradar e exultar. Todo o choro se transformará em alegria; toda a tristeza será consolada; todo o pesar será transformado em júbilo. Essas figuras simbólicas falam da contínua condição abençoada do povo, porquanto, neste caso, não descrevem meramente uma ou mais celebrações festivas. Cf. este versículo com Jr 31.4,7. Ver também Zc 8.4,5: "Ainda nas praças de Jerusalém sentar-se-ão velhos e velhas, levando cada um na mão o seu arrimo, por causa de sua muita idade. As praças da cidade se encherão de meninos e meninas, que nelas brincarão".

■ 31.14

וְרִוֵּיתִ֛י נֶ֥פֶשׁ הַכֹּהֲנִ֖ים דָּ֑שֶׁן וְעַמִּ֛י אֶת־טוּבִ֥י יִשְׂבָּ֖עוּ
נְאֻם־יְהוָֽה׃ ס

Saciarei de gordura a alma dos sacerdotes, e o meu povo se fartará com a minha bondade. Os sacerdotes retornarão às suas santas funções e serão abençoados por Yahweh até o ponto da saciedade, e, por sua vez, abençoarão o povo através de seu ministério. Todo o povo de Israel ficará satisfeito com a bondade de Yahweh. Isso aconteceu porque Deus disse que assim aconteceria. Os sacerdotes viviam das dádivas do povo, e um povo generoso certificar-se-ia de que os sacerdotes tinham abundância para comer. Mas aqui é a *alma* dos sacerdotes que será satisfeita, e *Yahweh* será o supridor.

O Choro de Raquel e a Volta de seus Filhos (31.15-22)

■ 31.15

כֹּ֣ה ׀ אָמַ֣ר יְהוָ֗ה ק֣וֹל בְּרָמָ֤ה נִשְׁמָע֙ נְהִי֙ בְּכִ֣י תַמְרוּרִ֔ים
רָחֵ֖ל מְבַכָּ֣ה עַל־בָּנֶ֑יהָ מֵאֲנָ֛ה לְהִנָּחֵ֥ם עַל־בָּנֶ֖יהָ כִּ֥י
אֵינֶֽנּוּ׃ ס

Ouviu-se um clamor em Ramá, pranto e grande lamento. *Raquel* foi mãe de José e de Benjamim, os mais favorecidos dentre os filhos de Jacó. Ver Gn 30.22; 35.16-20 e 1Sm 10.2. Ela lamentava o exílio deles, que simbolizavam tanto a nação do norte (Israel) quanto a nação do sul (Judá), pois a restauração será nacional. Mt 2.18, que emprega essas palavras, retrata a tristeza não mitigada da mãe, mas aqui a declaração introduz a promessa de restauração, quando o choro se transformará em alegria. Todo o exílio e perambulação serão anulados (vss. 7-14).

Ramá. Esta cidade ficava no território de Benjamim, a leste da grande estrada do norte, a duas horas de viagem de Jerusalém. Raquel morreu de parto, por ocasião do nascimento de Benjamim. Portanto, momentos antes de morrer, ela o chamou de *Benoni*, filho de minhas tristezas (ver Gn 35.18,19; 1Sm 10.2). Foi sepultada em Ramá. Ver no *Dicionário* o artigo denominado *Raquel, Túmulo de*. Ela é retratada a levantar a cabeça no sepulcro a fim de proferir sua lamentação, ao ver o povo deportado, em cadeias, de corpo alquebrado, humilhado. Eram seus filhos, e a cena se parecia com uma cena de morte. Mateus, entretanto, aplicou essas palavras a uma lamentação pelos inocentes mortos por Herodes. O uso de Mateus é uma *acomodação* (ver a respeito no *Dicionário*), e não uma interpretação das palavras de Jeremias.

"O profeta viu primeiramente a desolação do cativeiro. Raquel, na qualidade de mãe de José e, portanto, de Efraim (a nação do norte), tornou-se a representante ideal da nação do norte" (Ellicott, *in loc.*). Se o simbolismo do versículo aplica-se melhor ao cativeiro assírio das dez tribos do norte (722 a.C.), não há razão alguma para limitarmos a passagem a isso. A restauração seria de todos os cativos (vss. 7-14). Ver no *Dicionário* os verbetes intitulados *Cativeiro Assírio* e *Cativeiro Babilônico*. As mulheres choravam porque nunca mais veriam seus filhos; e o que poderia haver de pior que isso? Mas a promessa divina é: "Verás novamente os teus filhos!" Oh, Senhor, concede-nos tal graça!

Havia uma crença popular no sentido de que as pessoas podiam retornar, em espírito, a seus sepulcros, para lamentar algum tipo de perda, incluindo a perda de filhos; mas o uso do profeta, neste caso, provavelmente é poético.

■ 31.16

כֹּ֣ה ׀ אָמַ֣ר יְהוָ֗ה מִנְעִ֤י קוֹלֵךְ֙ מִבֶּ֔כִי וְעֵינַ֖יִךְ מִדִּמְעָ֑ה כִּי֩
יֵ֨שׁ שָׂכָ֤ר לִפְעֻלָּתֵךְ֙ נְאֻם־יְהוָ֔ה וְשָׁ֖בוּ מֵאֶ֥רֶץ אוֹיֵֽב׃

Reprime a tua voz de choro, e as lágrimas de teus olhos. Yahweh ordena aqui o fim do choro e das lamentações. Raiou um *novo dia*. Haveria restauração, e não privação. Os cativos que Raquel viu serem levados para o cativeiro e para a vergonha, ela podia ver agora voltando e, portanto, por que ela continuou chorando? "Eles voltarão outra vez" (cf. Os 1.11). Uma nova esperança foi declarada, anulando todas as antigas tragédias. As almas continuam vivas. Os inocentes, mortos por ordens de Herodes, estão vivos hoje em dia! Os "mortos" que estão no outro mundo, ressuscitarão, e Israel tornará a viver. Ver no *Dicionário* o artigo chamado *Esperança*.

Há recompensa para as tuas obras. O trabalho de Raquel, que deu à luz a três tribos de Israel — Efraim, Manassés e Benjamim — não ficaria sem recompensa. A morte veio, mas foi anulada pela vida. E o trabalho dos profetas, que deram a Israel nascimento espiritual, também será recompensado pela vida ressurreta.

■ 31.17

וְיֵשׁ־תִּקְוָ֥ה לְאַחֲרִיתֵ֖ךְ נְאֻם־יְהוָ֑ה וְשָׁ֥בוּ בָנִ֖ים
לִגְבוּלָֽם׃ ס

Há esperança para o teu futuro, diz o Senhor. Uma *nova esperança*, afirmada pela palavra do Senhor, anulará as antigas tristezas e tragédias. A esperança se concretizará "no futuro" (*Revised Standard Version*). "Há esperança para ti" (NCV). Essa *esperança* é a restauração, a volta do povo de Israel de todas as terras para onde eles tinham sido exilados. Os dias de disciplina tinham feito o seu trabalho. Todos os julgamentos de Deus são remediadores, e não meramente retributivos.

> Agora, todos nós agradecemos ao nosso Deus,
> Com o coração, as mãos e a voz.
> Ele tem feito coisas maravilhosas,
> E nele o mundo inteiro se regozija.
>
> Martin Rinkart

Quando sucede algo contrário às promessas de Deus, isso não pode suceder de forma permanente. O tempo passará, e então raiará um novo dia. A matança dos inocentes nos dias de Herodes não podia ser um sucesso permanente. Os cativeiros do povo de Deus não podiam ter sucesso permanente. Pois havia *esperança*, que é bem-sucedida de forma permanente.

■ **31.18**

שָׁמ֣וֹעַ שָׁמַ֗עְתִּי אֶפְרַ֙יִם֙ מִתְנוֹדֵ֔ד יִסַּרְתַּ֙נִי֙ וָֽאִוָּסֵ֔ר כְּעֵ֖גֶל
לֹ֣א לֻמָּ֑ד הֲשִׁיבֵ֣נִי וְאָשׁ֔וּבָה כִּ֥י אַתָּ֖ה יְהוָ֥ה אֱלֹהָֽי׃

Bem ouvi que Efraim se queixava, dizendo: Castigaste-me e fui castigado. Diz aqui o hebraico, literalmente: "Leva-me a *retornar*, para que eu possa *retornar*", o que poderíamos interpretar como: "Leva-me ao arrependimento, para que eu possa retornar do cativeiro". Nesse caso, o clamor é de um pecador desesperado que desejava sair de sua vida iníqua. Por isso mesmo diz a tradução inglesa NCV: "Toma-me de volta, e eu voltarei". O *castigo* provocou a mudança de mente e de direção na vida, que era precisamente o objetivo do castigo divino. A nação do norte tinha sido como um touro indisciplinado e rebelde, não acostumado ao jugo, dotado de dura cerviz. Ver no *Dicionário* o artigo chamado *Cerviz Dura*. Cf. Dt 32.15; At 7.51; Êx 32.9. Porém, a aplicação do chicote mudou a mentalidade do touro, que passou a receber voluntariamente o jugo. "Castigado e envergonhado pela desgraça de sua juventude, ele clamou: 'Faz-me voltar', para que eu seja restaurado" (Stanley Romaine Hopper, *in loc.*). "... desacostumado com o jugo, lamentando sua anterior estupidez... insensível e estúpido, sem pensar no perigo, não ensinado nas coisas divinas... por demais indisciplinado para suportar o jugo" (John Gill, *in loc.*).

■ **31.19**

כִּֽי־אַחֲרֵ֤י שׁוּבִי֙ נִחַ֔מְתִּי וְאַֽחֲרֵי֙ הִוָּ֣דְעִ֔י סָפַ֖קְתִּי עַל־
יָרֵ֑ךְ בֹּ֚שְׁתִּי וְגַם־נִכְלַ֔מְתִּי כִּ֥י נָשָׂ֖אתִי חֶרְפַּ֥ת נְעוּרָֽי׃

Na verdade, depois que me converti, arrependi-me. O *povo rebelde* "desviou-se" de Yahweh e de seu culto, mas então se arrependeu, tendo sido instruído pelo castigo. Efraim "bateu no peito", sinal de remorso indignado. Ver Ez 21.12. Pecados passados causaram agudo ataque de consciência, com *desgraça* e *vergonha* resultantes. Efraim agira como um *jovem insensato* que tinha vivido precipitadamente e, por isso, trouxe aflições contra si mesmo. Ele semeou más ações e, assim, em breve estava colhendo a tristeza. A nação do norte mostrou-se culpada de estabelecer ídolos em Dã e Betel, para rivalizarem com o culto de Yahweh em Jerusalém, imediatamente depois do cisma entre os dois países (Israel, no norte, e Judá, no sul), ou seja, na *juventude* do norte, como nação separada.

■ **31.20**

הֲבֵן֩ יַקִּ֨יר לִ֜י אֶפְרַ֗יִם אִ֚ם יֶ֣לֶד שַׁעֲשֻׁעִ֔ים כִּֽי־מִדֵּ֤י
דַבְּרִי֙ בּ֔וֹ זָכֹ֥ר אֶזְכְּרֶ֖נּוּ ע֑וֹד עַל־כֵּ֗ן הָמ֤וּ מֵעַי֙ ל֔וֹ רַחֵ֥ם
אֲרַֽחֲמֶ֖נּוּ נְאֻם־יְהוָֽה׃ ס

Não é Efraim meu precioso filho, filho das minhas delícias? Embora Efraim fosse um filho rebelde, praticante de más ações, promovendo apostasia, o Pai anelava por ele como um filho amado. Isto posto, o vs. 3 é ilustrado: "De longe o Senhor me apareceu, dizendo: Pois que com amor eterno te amei, também com benignidade te atraí". Assim sendo, mediante tais termos antropopatéticos, o profeta nos lembrou do amor salvador de Deus. Ver no *Dicionário* o verbete chamado *Antropopatismo* (atribuir a Deus emoções próprias dos homens). Cf. a história do filho pródigo (Lc 15). O coração do pai anelava por seu filho, e, quando este voltou, houve imediata recepção, sem palavras amargas. Por igual modo, neste texto, o coração de Yahweh aparece a palpitar por seu filho desviado. Cf. Dt 32.36; Is 63.15; Os 11.8. "Isto posto, todo o penitente sem dúvida encontrará misericórdia na mão de Deus" (Adam Clarke, *in loc.*). Deus *lembra* que somos apenas pó. Ele *lembra* suas promessas graciosas. Ele *lembra* de seus filhos, embora eles se tenham desviado.

> Há uma amplitude na misericórdia de Deus
> Como a imensidão do mar.
> Há uma bondade em sua justiça,
> Que é mais do que a liberdade.
> Há uma acolhida para o pecador,
> E mais graças para os bons.
>
> Frederick W. Faber

■ **31.21**

הַצִּ֧יבִי לָ֣ךְ צִיֻּנִ֗ים שִׂ֤מִי לָךְ֙ תַּמְרוּרִ֔ים שִׁ֣תִי לִבֵּ֔ךְ
לַֽמְסִלָּ֖ה דֶּ֣רֶךְ הלכתי הָלָ֑כְתְּ שׁ֚וּבִי בְּתוּלַ֣ת יִשְׂרָאֵ֔ל שֻׁ֖בִי
אֶל־עָרַ֥יִךְ אֵֽלֶּה׃

Põe-te marcos, finca postes que te guiem, presta atenção na vereda. "Essas palavras provavelmente foram ditas pelo profeta Jeremias, e não por Yahweh. Ele admoestou a *virgem Israel* (vs. 4) para dar cuidadosa atenção ao caminho pelo qual ela seguia para o exílio, para que pudesse fazer o caminho de volta" (James Philip Hyatt, *in loc.*). A figura é a de um viajante que segue viagem para um país desconhecido. O viajante deveria pôr marcos ao longo do caminho, fincando postes e notando sinais naturais do caminho, de modo que tivesse algo para guiar-se na "volta". Colunas e montões de pedras eram modos comuns de marcar uma estrada ou caminho. "As caravanas amontoavam pilhas de pedras para marcar o caminho pelo deserto, a fim de possibilitar uma volta fácil" (Fausset, *in loc.*). Cf. Is 35.8,10. O caminho de volta seria mostrado a Israel, pois o povo de Deus seria relembrado quanto aos mandamentos da lei e à necessidade de obediência. As colunas eram os mandamentos da legislação mosaica, as orientações espirituais. Ver a lei de Moisés como um *guia*, em Dt 6.4 ss.

■ **31.22**

עַד־מָתַי֙ תִּתְחַמָּקִ֔ין הַבַּ֖ת הַשּֽׁוֹבֵבָ֑ה כִּֽי־בָרָ֨א יְהוָ֤ה
חֲדָשָׁה֙ בָּאָ֔רֶץ נְקֵבָ֖ה תְּס֥וֹבֵֽב גָּֽבֶר׃ ס

Até quando andarás errante, ó filha rebelde? A virgem aparece agora como *filha infiel* que continuava a vacilar. A figura é a de uma filha virgem que caiu na promiscuidade ou talvez até na prostituição. Nesse caso, a figura é como em Jr 3.1,2,12,13, a esposa infiel que cai no adultério. Para reverter tão perversos atos, Yahweh criara uma *coisa nova* na terra.

A mulher infiel virá a requestar um homem. Temos aqui o possível significado de um texto hebraico difícil, que tem causado grande variedade de traduções, quanto à segunda parte do versículo. Seguem algumas ideias a respeito:

1. A tradução que aparece nesta versão portuguesa: o hebraico diz aqui, literalmente, *circundar* (tesobhebh), que pode significar "lançar uma coberta de proteção sobre o homem". Usualmente, é o homem que protege a mulher, devido à sua força superior. Se essa é a ideia correta, então é possível que o que está em pauta é que, na terra da restauração, as coisas serão tão pacíficas e seguras que os homens não terão de proteger as "mulheres impotentes". *Se* alguma proteção for necessária, a mulher protegerá o homem, provavelmente uma declaração irônica.
2. Alguns intérpretes antigos pensavam estar em pauta aqui uma referência ao nascimento virginal, a mulher procriando sem a ajuda do homem. Mas essa é uma interpretação fantástica, que nem merece nossa atenção. Se tal opinião está em harmonia com a verdade, significaria que a ajuda de Deus viria através do Messias, virginalmente nascido.
3. Ou então a mulher é que namorará o homem, quando o hebraico teria o sentido de *abraçar*, um ato comum que se pratica durante

o namoro. Se esse é o significado, então a frase quer dizer que a virgem desviada, que se tinha prostituído, deveria namorar Yahweh a fim de renovar o relacionamento que fora anulado. Em outras palavras, ela teria de arrepender-se.

4. Alguns estudiosos emendam o trecho hebraico em questão, alterando para a palavra similar, *tissobh*, que nos dá o resultado ridículo de "transformar em um homem". Essa seria uma declaração espirituosa. Nesse caso, Israel, que acabara de ser referido como virgem desviada, teria de vir como se fosse um homem. Em outras palavras, deveria tornar-se uma pessoa dotada de coragem e muita resolução, caso quisesse livrar-se do passado ruim e ganhar um bom presente.

5. Ou então a mulher teria de "retornar ao homem", isto é, Israel deveria retornar a seu marido, Yahweh, se é que as bênçãos da restauração tivessem de ser obtidas. Essa quinta interpretação também requer a emenda do texto hebraico para que nos livremos do embaraçoso significado de "circundar". "A esposa que tinha errado, mas estava arrependida, namoraria seu marido divino; cf. Os 2.14-20" (Ellicott, *in loc.*). Considerando todos os *antigos caminhos pecaminosos* de Israel, isso envolveria alguma coisa nova e produtiva.

De modo geral, a restauração de Israel requereria algo *novo,* uma reversão do passado.

Restauração da Terra de Judá (31.23-26)

■ **31.23**

כֹּה־אָמַר יְהוָה צְבָאוֹת אֱלֹהֵי יִשְׂרָאֵל עוֹד יֹאמְרוּ אֶת־הַדָּבָר הַזֶּה בְּאֶרֶץ יְהוּדָה וּבְעָרָיו בְּשׁוּבִי אֶת־שְׁבוּתָם יְבָרֶכְךָ יְהוָה נְוֵה־צֶדֶק הַר הַקֹּדֶשׁ׃

Ainda dirão esta palavra na terra de Judá, e nas suas cidades. A seção anterior estava preocupada com a restauração de *Efraim* (o reino do norte; vss. 23-25). Mas esta seção prediz a restauração de Judá. E os vss. 23-40 tratam da restauração do *novo pacto*. Assim como Yahweh foi quem despovoou Judá (ver Jr 1.10), também será ele quem o restaurará (ver Ez 36.8-11) e o reunirá à nação de Israel (vss. 2-14; Is 11.11-16).

Este oráculo é introduzido com o título divino que indica poder: *Yahweh-Sabaote-Elohim,* ou seja, o Eterno Senhor dos Exércitos Todo-poderoso, que comento em Jr 28.2. Quando *Yahweh* restaurar as fortunas de Judá, o povo será capaz novamente de dizer: "Que Yahweh te abençoe, ó habitação de *justiça,* ó colina santa", porquanto a antiga idolatria-adultério-apostasia terá sido completamente revertida, e terá raiado um novo dia.

> Este feliz ajuntamento de homens, este pequeno mundo,
> Esta pedra preciosa engastada em um mar de prata...
> Este lugar bendito, esta terra, este reino...
>
> John de Gaunt

Yahweh tinha arrancado, quebrado, destruído, derrubado; mas agora ele estava determinado a edificar e plantar (ver Jr 1.10). O monte sagrado deveria florescer (ver Sl 2.6; 43.3; Is 66.20). A terra será repovoada sob as bênçãos de Deus. Ver também Sl 122.5-8; Is 1.26 e Zc 14.21. Este oráculo aponta para a era do reino de Deus.

■ **31.24**

וְיָשְׁבוּ בָהּ יְהוּדָה וְכָל־עָרָיו יַחְדָּו אִכָּרִים וְנָסְעוּ בַּעֵדֶר׃

Nela habitarão Judá, e todas as tuas cidades juntamente. As cidades de Judá haverão de prosperar, a agricultura será restaurada, e a criação de animais domésticos se processará sob as bênçãos de Yahweh. Todas as coisas dentro e fora das muralhas e todos os aspectos da sociedade prosperarão como uma unidade. Coisa alguma estará fora do alcance das bênçãos de Yahweh. Fica entendido que princípios justos governarão todos os aspectos da vida, e esse será o segredo da renovação. A *paz* permitirá que os homens se entreguem às atividades cotidianas sem temor.

■ **31.25**

כִּי הִרְוֵיתִי נֶפֶשׁ עֲיֵפָה וְכָל־נֶפֶשׁ דָּאֲבָה מִלֵּאתִי׃

Porque satisfiz à alma cansada, e saciei a toda alma desfalecida. Yahweh saciará toda alma cansada com coisas boas, e toda alma entristecida, que fora deixada em necessidade, ele reabastecerá com vida nova e coragem. "Eu darei descanso e forças para aqueles que estiverem debilitados e exaustos" (NCV). Coisas boas aconteceram quando Israel voltou da Babilônia, mas as promessas que encontramos nestes versículos se estendem à era do reino. Em vez de "cansada" e "desfalecida", a Septuaginta traz "sedenta" e "faminta", e isso "de justiça" (ver Mt 5.6). A prosperidade material repousará sobre a renovação espiritual.

■ **31.26**

עַל־זֹאת הֱקִיצֹתִי וָאֶרְאֶה וּשְׁנָתִי עָרְבָה לִּי׃ ס

Nisto despertei, e olhei; e o meu sono fora doce para mim. Aqui é o profeta Jeremias quem fala. O Targum entende essas palavras com a afirmação: "O profeta disse". O profeta suspirou de alívio ao ver a bênção de Deus, tão plena e gratuita, em contraste com as maldições que predominaram na vida da nação de Judá por tantos séculos. Finalmente, o profeta podia ter uma boa noite de sono, porque o terror havia passado. Alguns eruditos supõem que os oráculos anteriores haviam sido recebidos mediante um sonho-visão, pelo que o profeta despertou daquele estado sentindo-se muito bem, por causa das cenas de alegria que tinha visto. Cf. Jr 23.25. Existem muitos sonhos falsos e vãs imaginações (ver Jr 23.25-28), mas o profeta tinha consciência de que experimentara um "autêntico sonho-visão". Alguns estudiosos veem aqui o espírito do profeta levantando-se do sono da morte, voltando para ver o que Yahweh faria em algum dia distante, e então sentindo-se feliz com o que vira. Mas não é isso que parece estar em vista aqui.

A Reocupação Humana de Israel e Judá (31.27,28)

■ **31.27**

הִנֵּה יָמִים בָּאִים נְאֻם־יְהוָה וְזָרַעְתִּי אֶת־בֵּית יִשְׂרָאֵל וְאֶת־בֵּית יְהוּדָה זֶרַע אָדָם וְזֶרַע בְּהֵמָה׃

Eis que vêm dias, diz o Senhor. Haveria um *novo dia,* pois a palavra de Yahweh confirma isso. A restauração da população é comparada a uma divina *semeadura* na Terra Prometida, que produzirá abundante colheita de pessoas e animais.

Semearei a casa de Israel, e a casa de Judá, de homens e de animais. Os cativeiros tinham deixado a população de Israel e Judá quase a zero. Nem mais podiam ser consideradas nações. Em consequência, entre as obras poderosas que Yahweh tinha de efetuar, na restauração, estava a *reocupação humana* da Terra Prometida. "Quanto ao repovoamento da Terra Prometida, cf. Ez 36.9-11; Os 1.10; 2.23. Quanto à *união* entre as nações de Israel e Judá, cf. Jr 3.18; 50.4; Is 11.11-14; Ez 37.15-24; Os 1.11. Teria de haver um novo começo.

■ **31.28**

וְהָיָה כַּאֲשֶׁר שָׁקַדְתִּי עֲלֵיהֶם לִנְתוֹשׁ וְלִנְתוֹץ וְלַהֲרֹס וּלְהַאֲבִיד וּלְהָרֵעַ כֵּן אֶשְׁקֹד עֲלֵיהֶם לִבְנוֹת וְלִנְטוֹעַ נְאֻם־יְהוָה׃

Como velei sobre eles, para arrancar... assim velarei sobre eles para edificar. Este versículo reitera as ideias vistas em Jr 1.10; 18.7,9 e 24.6, onde apresento as notas expositivas, pelo que não as repito aqui. Yahweh derrubou e arrancou as plantas e árvores; portanto, agora, ele terá de restaurá-las. O dano foi divinamente provocado, e outro tanto sucederá com a restauração. Ver Is 13.6, quanto à mão divina nos negócios humanos. Ver no *Dicionário* os artigos intitulados *Soberania de Deus* e *Providência de Deus.* Cf. Jr 44.27.

Retribuição Individual (31.29,30)

■ **31.29**

בַּיָּמִים הָהֵם לֹא־יֹאמְרוּ עוֹד אָבוֹת אָכְלוּ בֹסֶר וְשִׁנֵּי בָנִים תִּקְהֶינָה׃

Os pais comeram uvas verdes, e os dentes dos filhos é que se embotaram. Encontramos aqui a citação de um popular provérbio, também citado em Ez 18.2, e cuja essência se encontra em Lm 5.7. Ezequiel manuseia a questão de forma negativa. Ele tentou desacreditar esse provérbio (ver Ez 14.13-20; 18.1-32). Mas o uso que Jeremias faz do provérbio supõe que a questão se aplica corretamente à presente situação. Contudo, não se espera que se aplique "naqueles dias", isto é, no futuro.

Os dentes dos filhos é que se embotaram. Em outras palavras, os filhos sofreriam ou morreriam por causa dos pecados dos pais, conforme comento em Êx 20.5. Mas o contrário é afirmado no vs. 30. Jeremias parecia estar dizendo que o vs. 29 se aplica *agora*, mas o vs. 30 se aplica ao *futuro*. Cf. o vs. 29 com Lm 5.7 e Êx 18.2,3. Está em vista, especificamente (embora o princípio seja geral), que o cativeiro tinha sido provocado pelos pais, mas os filhos, necessariamente, tiveram de participar dele. "Os filhos sofrem por causa das ofensas de seus pais" (Adam Clarke, *in loc.*). Diz o Targum: "Os pais pecaram e os filhos foram feridos".

■ 31.30

כִּי אִם־אִישׁ בַּעֲוֹנוֹ יָמוּת כָּל־הָאָדָם הָאֹכֵל הַבֹּסֶר תִּקְהֶינָה שִׁנָּיו׃ ס

Cada um, porém, será morto pela sua iniquidade. O futuro haverá de reverter esse provérbio: cada qual sofrerá (morrerá) por seus próprios pecados. Esse princípio é declarado em Dt 24.16 e Ez 18.20. "A obra de Deus, no futuro, silenciaria um provérbio que era comum nos dias de Jeremias" (Charles H. Dyer, *in loc.*). Vida nova viria com o novo pacto (ver Rm 11.26), e então as condições antigas não mais prejudicariam a nação unida de Israel. Cada indivíduo terá de suportar seu próprio fardo espiritual, em consonância com a *Lei Moral da Colheita segundo a Semeadura* (ver a respeito no *Dicionário*). Calamidades públicas que afetassem os pais e os filhos não fariam parte das condições vigentes em Israel, uma vez que os cativeiros estivessem no passado e surgisse um dia novo, com o novo pacto (vss. 31-34). Os vss. 29,30 não abordam a questão da retribuição e/ou da recompensa para além do sepulcro e, sim, os pais físicos e nacionais de Israel, na Terra Prometida e nos cativeiros que a nação tiver de passar ao longo de sua história.

O novo pacto (31.31-34)

■ 31.31

הִנֵּה יָמִים בָּאִים נְאֻם־יְהוָה וְכָרַתִּי אֶת־בֵּית יִשְׂרָאֵל וְאֶת־בֵּית יְהוּדָה בְּרִית חֲדָשָׁה׃

Firmarei nova aliança com a casa de Israel e com a casa de Judá. Este trecho aborda um dos mais importantes temas explorados por Jeremias. Encontramos aqui uma "doutrina de pico de montanha", reverberada no Novo Testamento. Hb 8.8-12 cita esta passagem em sua inteireza. E em Hb 10.16,17 temos uma citação parcial. Talvez até 1Co 11.25 e Lc 22.20 (palavras da Última Ceia) sejam passagens que mencionam esta profecia. Há uma distinção entre o antigo e o novo pacto, o tema de 2Co 3.5-14. O Antigo Pacto estava fundamentado sobre a Lei e sobre o Pacto Mosaico (anotado na introdução a Êx 19). Já o novo pacto se fundamenta na graça e nos requisitos morais do governo de Deus, que são implantados no coração, e não em tábuas de pedra. Com tais palavras, pois, Jeremias provavelmente dava a entender que o pacto seria novo no sentido de que teria como centro um novo e íntimo motivo e poder para cumprir a lei já conhecida. O perdão dos pecados, que foi prometido, juntamente com o conhecimento de Yahweh, dará aos homens novo incentivo para obedecer a Yahweh e à sua Lei" (James Philip Hyatt, *in loc.*). Naturalmente, esse tipo de compreensão fica aquém daquela que obtemos no Novo Testamento, mas representa um passo gigantesco dentro da espiritualidade.

Ver no *Dicionário* o artigo geral intitulado *Pactos*. Ver o artigo separado sobre *novo pacto*. O Pacto Abraâmico (anotado em Gn 15.18) continha a semente do novo pacto, visto que ampliava a bênção prometida a *todos os povos*. Ver sobre *Novo Testamento*.

O *Antigo Pacto*, firmado através de Moisés, no monte Sinai (comentado na introdução a Êx 19), ocorreu mediante a aplicação do poder divino, tendo sido designado para todo o período do Antigo Testamento. Mas uma *nova obra* de Deus em operação para um *novo tempo* fará emergir um novo pacto, apropriado para as operações de Deus que ultrapassarão os antigos labores divinos. No que se aplica a Israel, estamos abordando a era do reino. Os autores do Novo Testamento (o que menciono na introdução à presente seção) acomodaram essas palavras às operações de Deus na igreja, as quais não foram antecipadas por Jeremias. Essa *acomodação* (ver no *Dicionário* sobre esse termo) foi legítima por causa do novo pacto de Deus com Israel e a igreja, que têm certa similaridade básica: a operação divina no coração humano independe de ritos, leis e cerimônias religiosas. Mas é inútil tentar equiparar o novo pacto, referido por Jeremias, ao pacto firmado com a igreja.

■ 31.32

לֹא כַבְּרִית אֲשֶׁר כָּרַתִּי אֶת־אֲבוֹתָם בְּיוֹם הֶחֱזִיקִי בְיָדָם לְהוֹצִיאָם מֵאֶרֶץ מִצְרָיִם אֲשֶׁר־הֵמָּה הֵפֵרוּ אֶת־בְּרִיתִי וְאָנֹכִי בָּעַלְתִּי בָם נְאֻם־יְהוָה׃

Não conforme a aliança que fiz com seus pais, no dia em que os tomei pela mão. Está em vista aqui o *Pacto Mosaico*, que comento na introdução a Êx 19. O antigo pacto, tinha certas diferenças básicas com o novo, as quais são explanadas no versículo seguinte. Os dois pactos têm a *similaridade* de emergir do livramento de algum poder estrangeiro: o antigo foi instituído após o livramento do Egito; o novo surgirá depois que o povo de Israel for libertado de sua sujeição às potências mundiais, quando Israel for estabelecido como cabeça das nações. O antigo pacto é retratado sob a figura de Yahweh (marido) / Israel (esposa). O pacto era um tipo de casamento. Cf. Jr 3.14. O rompimento do pacto é retratado como se a esposa cometesse adultério e fosse repudiada (ver Jr 3.1,2,12,13). O adultério consiste em apelar para os deuses-amantes, representados por ídolos que nada são. Nisso, a lei mosaica e o culto a Yahweh foram abandonados. Assim sendo, o casamento foi rompido, mas sempre sujeito à restauração (ver Jr 3.1).

■ 31.33

כִּי זֹאת הַבְּרִית אֲשֶׁר אֶכְרֹת אֶת־בֵּית יִשְׂרָאֵל אַחֲרֵי הַיָּמִים הָהֵם נְאֻם־יְהוָה נָתַתִּי אֶת־תּוֹרָתִי בְּקִרְבָּם וְעַל־לִבָּם אֶכְתֳּבֶנָּה וְהָיִיתִי לָהֶם לֵאלֹהִים וְהֵמָּה יִהְיוּ־לִי לְעָם׃

Porque esta é a aliança que firmarei com a casa de Israel. O antigo pacto requeria a observância ritualista da lei mosaica, um tipo de obediência formal a todos os requisitos, com certa falta de envolvimento de todo o coração. Ver sobre a fé sentida no coração, em Pv 4.23, onde apresento uma nota de sumário. O novo pacto operará através de uma fé que vem do fundo do coração — obediência devido à transformação interior, e não por assentimento mental a certos princípios. O resultado será que Israel será o povo de Deus, e ele será o Deus deles, uma declaração comum que comento em Jr 30.22, onde há uma lista de ocorrências, dentro e fora do livro de Jeremias. Esse relacionamento será o âmago mesmo do novo pacto. Jeremias não alcançou à plena altura da ministração do Espírito para a Igreja do Novo Testamento, e é inútil tentar equiparar esse novo pacto, referido por Jeremias, à aliança do Novo Testamento. Ver a doutrina do *novo coração,* em Ez 11.19; 18.31; 36.26. Essa doutrina, conforme aparece no livro de Jeremias, aproxima-se da *regeneração* ensinada no Novo Testamento. As tábuas de pedra são substituídas pelas tábuas de carne do coração humano, mas a *lei* continua ocupando posição central. Os usos dessa doutrina, em Hb 8.8-12 e 10.16,17, acomodam as palavras ao novo pacto. Ver no *Dicionário* o verbete intitulado *Acomodação*.

■ 31.34

וְלֹא יְלַמְּדוּ עוֹד אִישׁ אֶת־רֵעֵהוּ וְאִישׁ אֶת־אָחִיו לֵאמֹר דְּעוּ אֶת־יְהוָה כִּי־כוּלָּם יֵדְעוּ אוֹתִי לְמִקְטַנָּם וְעַד־גְּדוֹלָם נְאֻם־יְהוָה כִּי אֶסְלַח לַעֲוֹנָם וּלְחַטָּאתָם לֹא אֶזְכָּר־עוֹד׃ ס

Não ensinará jamais cada um ao seu próximo, nem cada um ao seu irmão. Cf. este versículo com algo similar encontrado em Is 11.9. Jeremias não salienta o ministério do Espírito Santo, a chave do Novo Testamento para uma vida espiritual bem-sucedida. Pelo contrário, ele via Yahweh operar no coração de seu povo, gravando a lei no seu interior, de modo que o ensino é grandemente simplificado e se torna muito mais eficaz. Destarte, os homens chegam a "conhecer" Yahweh em seu coração, o que não se refere meramente à apreensão intelectual dos princípios espirituais e, sim, a uma *comunhão de conhecimento* em que a obediência se torna fácil. O conhecimento de Yahweh não se parece com a sabedoria dos gregos, pois é um conhecimento experimental no qual há comunhão. Ver Os 2.20; 4.1,6; 5.4; 6.6 quanto à mesma ênfase. Ver declarações similares em Jr 2.8; 4.22; 9.3,6,24; 22.16. Ver especialmente Jr 22.15,16, onde o conhecimento é algo experimental e ético, pois conhecer a Yahweh é praticar o que é certo, do fundo do coração. Os profetas conheciam Yahweh direta e intimamente, e as pessoas comuns chegarão a esse tipo de conhecimento, à medida que crescerem espiritualmente.

O *perdão dos pecados* resultará do tipo certo de conhecimento, e o verdadeiro arrependimento se tornará característica nacional. Então Yahweh esquecerá a horrenda história de Israel, repleta de pecados graves. Quanto ao perdão e ao esquecimento divino dos pecados, cf. Jr 33.8; 50.20; Mq 7.18,19; Is 43.18,25. Ver no *Dicionário* o verbete chamado *Perdão*.

A Duração Eterna da Nação (31.35-37)

■ 31.35

כֹּה אָמַר יְהוָה נֹתֵן שֶׁמֶשׁ לְאוֹר יוֹמָם חֻקֹּת יָרֵחַ וְכוֹכָבִים לְאוֹר לָיְלָה רֹגַע הַיָּם וַיֶּהֱמוּ גַלָּיו יְהוָה צְבָאוֹת שְׁמוֹ׃

Assim diz o Senhor, que dá o sol para a luz do dia, e as leis fixas à lua e às estrelas. Yahweh criou a ordem das nações e aplicou a elas certa eternidade. Israel, naturalmente, participará nisso. Cf. Jr 33.20,25. Ideias similares encontram-se em Is 40.12,26; 42.5; 44.24; 45.7,18 e 54.10. Da mesma forma que Deus operou na criação, também atua entre os homens. Ele estabeleceu suas leis sobre a natureza e entre os homens, e ambas as leis continuam funcionando.

"Para sublinhar a *permanência* de Israel, por causa do novo pacto, Deus comparou a existência dessa nação com a existência dos céus e da terra. Assim como o Senhor determinou o sol para brilhar durante o dia, e a lua e as estrelas para brilharem durante a noite (cf. Gn 1.14-19), ele nomeou Israel como sua nação escolhida... o poder de Deus exibido na criação do universo é o poder que ele exerce ao preservar Israel como nação" (Charles H. Dyer, *in loc.*).

O nome divino de poder aparece no fim do versículo para enfatizar que há ali poder suficiente para a operação: o *Senhor dos Exércitos* realiza sua atuação nos céus e na terra. Ver sobre esse nome em 1Rs 18.15, e ver no *Dicionário* o artigo que versa sobre a questão.

■ 31.36

אִם־יָמֻשׁוּ הַחֻקִּים הָאֵלֶּה מִלְּפָנַי נְאֻם־יְהוָה גַּם זֶרַע יִשְׂרָאֵל יִשְׁבְּתוּ מִהְיוֹת גּוֹי לְפָנַי כָּל־הַיָּמִים׃ ס

Se falharem estas leis fixas diante de mim, diz o Senhor, deixará também a descendência de Israel. "A ideia principal da linguagem exaltada desta passagem é que o reino da lei, que reconhecemos na obra criativa de Deus, tem sua contraparte em seu reino espiritual. A estabilidade e a permanência da ordem natural são a garantia e o penhor do cumprimento de suas promessas a Israel, como um povo" (Ellicott, *in loc.*). Um elemento-chave do novo pacto é a perpetuidade de Israel como nação. No entanto, um propósito ainda superior está trabalhando na igreja, no novo pacto que a ela pertence. Não podemos equiparar o novo pacto de Jeremias ao pacto da graça, em Jesus Cristo, embora existam similaridades entre eles. Alguns intérpretes simplificam demais a questão, tornando os dois pactos um só. Mas, caros leitores, há uma diferença entre a igreja e Israel, embora ambos sejam salvos pelo mesmo poder de Deus.

■ 31.37

כֹּה אָמַר יְהוָה אִם־יִמַּדּוּ שָׁמַיִם מִלְמַעְלָה וְיֵחָקְרוּ מוֹסְדֵי־אֶרֶץ לְמָטָּה גַּם־אֲנִי אֶמְאַס בְּכָל־זֶרַע יִשְׂרָאֵל עַל־כָּל־אֲשֶׁר עָשׂוּ נְאֻם־יְהוָה׃ ס

Se puderem ser medidos os céus lá em cima, e sondados os fundamentos da terra cá embaixo. A *imensidade* dos céus torna impossível qualquer tentativa de medi-los. Nem mesmo nossa moderna astronomia tem obtido muito progresso quanto a isso. Além do mais, a própria terra e seus fundamentos estão prenhes de *mistérios* insolúveis. Se alguém pudesse lograr êxito ao medir o firmamento e desvendasse os segredos da terra, então Yahweh poderia abandonar seu povo, algo visto como tão impossível quanto as tarefas imediatamente mencionadas. Portanto, à *perpetuidade* de Israel como nação (vs. 36), adicionamos a *perpetuidade do amor de Deus* pelo seu povo, o que explica o eterno estado de bênçãos. Essas são provisões do novo pacto. Cf. este versículo com Jr 33.22, que tem declaração semelhante. O *divino* está na imensidão dos céus; o *divino* está nos segredos da terra; o *divino* está na perpetuidade de Israel e no favor divino eterno.

Reconstruindo Jerusalém (31.38-40)

■ 31.38

הִנֵּה יָמִים נְאֻם־יְהוָה וְנִבְנְתָה הָעִיר לַיהוָה מִמִּגְדַּל חֲנַנְאֵל שַׁעַר הַפִּנָּה׃

Eis que virão dias, diz o Senhor, em que esta cidade será reedificada. Com esta pequena seção termina o grande Livro do Consolo (a saber, os capítulos 30 e 31). Mas se esta seção é, por certo, um anticlímax ao elevado tema do novo pacto, que acaba de ser pronunciado, não há razão alguma para duvidarmos de que é obra de Jeremias. Ele acabara de considerar as bênçãos divinas sobre um Israel eterno, a "longo prazo", e chegava agora à tarefa em pauta, a reedificação de Jerusalém, depois de os exilados terem voltado do cativeiro. Ver uma situação quase paralela em Zc 14.10,11. Esta breve seção, pois, apresenta outro aspecto do novo relacionamento entre Deus e seu povo, em *antecipação* ao novo pacto.

Várias partes da cidade de Jerusalém são mencionadas simbolicamente, representando a cidade toda. Paralelamente à reconstrução material da cidade, haveria a reconstrução espiritual. E a reconstrução de todo o processo é vista como se apontasse para a reconstrução de Israel durante a era do reino de Deus. O que é menor, portanto, torna-se símbolo do que é maior. "Essas promessas (vss. 31-40) esperam cumprimento futuro, durante o milênio" (Charles H. Dyer, *in loc.*).

Desde a torre de Hananeel. Esta era a esquina nordeste de Jerusalém (cf. Ne 3.1; 12.39; Zc 14.10). A "Porta da Esquina" provavelmente era a esquina noroeste da cidade (ver 2Rs 14.13; Zc 14.10-11). Considerando juntas as duas referências, vemos que a muralha norte de Jerusalém será restaurada. As quatro *esquinas* de Jerusalém são vistas nesta passagem: a esquina *nordeste* (Hananeel); a esquina *noroeste* (A Porta da Esquina); a esquina *sudeste* (Garebe); e a esquina *sudoeste* (Goa), mas as duas últimas não têm sido identificadas.

■ 31.39

וְיָצָא עוֹד קָו הַמִּדָּה נֶגְדּוֹ עַל גִּבְעַת גָּרֵב וְנָסַב גֹּעָתָה׃

Até ao outeiro de Garebe, e virar-se para Goa. O outeiro de *Garebe* e *Goa* não são mencionados em nenhum outro trecho bíblico, mas as melhores conjecturas é que eles representam as esquinas sudeste e sudoeste de Jerusalém. Talvez *Goa* fosse o nome de uma colina ou de alguma característica geográfica específica conhecida pelos leitores de Jeremias. *Garebe* quer dizer "fragmentos" ou "crosta", que alguns intérpretes pensam referir-se a uma área fora da porta em questão, onde habitavam pessoas que tinham certa afecção cutânea (a *sara'at;* ver a introdução a Lv 13, que provavelmente incluía a lepra). *Goa*, por sua vez, vem de uma raiz que significa "perder o fôlego" e podia referir-se ao esforço despendido para subir a colina. Isso favorece a ideia de que se tratava de outro outeiro. Alguns identificam Goa com o Gólgota, onde Jesus foi crucificado; mas parece que isso não passa de fantasia.

31.40

וְכָל־הָעֵמֶק הַפְּגָרִים ׀ וְהַדֶּשֶׁן וְכָל־הַשְּׁרֵמוֹת עַד־נַחַל
קִדְרוֹן עַד־פִּנַּת שַׁעַר הַסּוּסִים מִזְרָחָה קֹדֶשׁ לַיהוָה
לֹא־יִנָּתֵשׁ וְלֹא־יֵהָרֵס עוֹד לְעוֹלָם׃ ס

Todo o vale dos cadáveres e da cinza, e todos os campos até ao ribeiro Cedrom. O "vale dos cadáveres e da cinza" deve ser uma referência ao vale de *Hinom*, que ficava ao sul de Jerusalém. Sacrifícios de crianças foram praticados ali (ver Jr 7.31,32; 19.2,6; 32.35; 2Rs 23.10; 2Cr 28.3 e 33.6). Quanto a detalhes sobre esse local, ver no *Dicionário* o artigo chamado *Hinom, Vale de*. Além disso, a medida da cidade devia estender-se a todos os campos até o ribeiro *Cedrom* (ver no *Dicionário*). Esse ribeiro ficava a leste de Jerusalém e unia-se ao vale de Hinom a sudeste da cidade. A "Porta dos Cavalos" também ficava no lado leste de Jerusalém (ver Ne 3.28; 2Rs 11.36). Ver no *Dicionário* o artigo chamado *Porta dos Cavalos*. Foi assim que a cidade inteira foi medida, a fim de ser reconstruída. Uma vez reedificada, ela será, uma vez mais, o Santuário do Senhor, quando então, com toda a razão, será chamada de *cidade santa*. Outrossim, nunca mais será arrancada como se fosse uma planta, nem será derrubada por inimigos estrangeiros, mas antes será uma cidade perpétua, tal como será perpétuo o território em redor (ver o vs. 36).

CAPÍTULO TRINTA E DOIS

A RESTAURAÇÃO DE ISRAEL E JUDÁ É ILUSTRADA. A COMPRA DE UM CAMPO EM ANATOTE (32.1-44)

Quanto ao pano de fundo histórico deste capítulo, ver o capítulo 37. A data da composição foi cerca de 587 a.C. Este capítulo segue, cronologicamente, o capítulo 37. Foi colocado aqui como uma maneira de validar os oráculos concernentes à restauração de Judá, que o antecedem.

"Este capítulo é importantíssimo no estudo das atitudes de Jeremias em relação ao futuro de Judá. Mediante a compra de um campo em Anatote, na época em que Jerusalém estava cercada e ele mesmo estava na prisão, o profeta demonstrou, inequívoca e dramaticamente, que a terra tinha futuro e não seria completamente destruída. E isso também é importante como exemplo da aplicação da lei da redenção, contida em Lv 25.

A narrativa, ao que tudo indica, foi aqui colocada por causa de seu assunto, e não devido a considerações cronológicas. Da mesma forma que os capítulos 30 e 31 tratam especialmente do futuro de Israel (o reino do norte), assim este capítulo está preocupado com o futuro de Judá. Cronologicamente, este capítulo pertence quase ao fim do período da independência de Judá e poderia ser colocado entre os capítulos 37 e 38.

Há um paralelo na história romana que tem sido frequentemente referido (pela primeira vez, ao que parece, por Grotius). Quando Hanibal estava acampado contra Roma, um prisioneiro disse-lhe que o terreno onde estava seu acampamento tinha acabado de ser vendido, sem nenhuma redução de preço (Lívio XXVI.11.6)" (James Philip Hyatt, *in loc*.).

"*No décimo ano de Zedequias...* Somos transportados por um período de seis anos, desde a profecia de Jr 28.1, ao ano de 588 a.C., quando a política de traições e intrigas de Zedequias provocou Nabucodonosor a cercar a cidade de Jerusalém no nono ano do reinado do monarca de Judá. O rei, irritado pelas contínuas predições de Jeremias, que previa sempre a derrota, aprisionou o profeta na masmorra do palácio, destinada a prisioneiros do Estado (ver Ne 3.25). Não era permitido a Jeremias deixar a prisão, mas amigos podiam chegar até ele" (Ellicott, *in loc*.).

Um Mandamento de Yahweh (32.1-8)

32.1

הַדָּבָר אֲשֶׁר־הָיָה אֶל־יִרְמְיָהוּ מֵאֵת יְהוָה בַּשָּׁנָה
הָעֲשִׂרִית לְצִדְקִיָּהוּ מֶלֶךְ יְהוּדָה הִיא הַשָּׁנָה שְׁמֹנֶה־
עֶשְׂרֵה שָׁנָה לִנְבוּכַדְרֶאצַּר׃

Palavra que veio a Jeremias da parte do Senhor, no ano décimo de Zedequias. A data foi o ano de 588 a.C., ou no fim do verão ou no começo do outono. O cerco de Jerusalém começou no princípio do mês de janeiro daquele mesmo ano, e a cidade caiu em agosto de 587 a.C. Zedequias tinha subido ao trono de Judá após a deportação de Jeconias (*Conias, Joaquim*, no *Dicionário*). Quanto às várias ondas dos ataques babilônicos, que sempre resultavam em deportação, ver as notas expositivas sobre Jr 27.12. Ver no *Dicionário* o artigo geral intitulado *Cativeiro Babilônico*.

JEREMIAS NA PRISÃO

Tenha coragem, alma aflita!
Uma nova aurora afugentará esta noite.
Nesta vida caótica grandes ganhos
Seguem grandes perdas.
A vida é mais nobre que aprender
A sacrificar o trivial.
Um vidro de perfume fino exige
Que um campo inteiro de flores seja esmagado.
O arco-íris somente se mostra depois
Da tempestade feroz.
Se homens escolhidos nunca tivessem sofrido
No profundo silêncio imposto por Deus,
Nenhuma grandeza teria sido sonhada.
Russell Norman Champlin

Foi ele quem me colocou nesta pequena gaiola,
Longe dos Jardins lindos.
Aqui devo cantar as canções mais doces
Porque foi ele quem me colocou aqui.
A vontade do Criador proíbe que eu
Bata as grades com as minhas asas.
Pois levantará a minha voz para
O portão do céu,
E cantará mais alto ainda.
Annie Johnson Flint

A fé dos nossos pais ainda vive
A despeito de prisão, fogo e espada.
Como os nossos corações batem fortes
Quando ouvimos aquela palavra gloriosa.
Nossos pais acorrentados em prisões escuras
Ainda foram livres em coração e consciência.
Frederick W. Faber

32.2

וְאָז חֵיל מֶלֶךְ בָּבֶל צָרִים עַל־יְרוּשָׁלָ͏ִם וְיִרְמְיָהוּ
הַנָּבִיא הָיָה כָלוּא בַּחֲצַר הַמַּטָּרָה אֲשֶׁר בֵּית־מֶלֶךְ
יְהוּדָה׃

Ora nesse tempo o exército do rei da Babilônia cercava Jerusalém. *Jeremias nunca cessou* suas profecias de condenação, o que Zedequias sumariou nos vss. 3-5. Talvez Zedequias tivesse uma tola superstição — se a boca de Jeremias silenciasse, o desastre poderia ser evitado. Jeremias foi detido e aprisionado no pátio da guarda do templo. Cf. Ne 3.25. A prisão estava dentro dos limites da casa do rei. Jeremias tinha certa liberdade, e seus amigos podiam visitá-lo (vs. 12). A execução de Jeremias talvez fosse o desígnio final do rei, mas ele estava conduzindo a questão por estágios. Ver o capítulo 37 do livro de Jeremias quanto a outros estágios do aprisionamento do profeta. Após muitos dias de confinamento severo (Jr 37.15), foi-lhe novamente permitido voltar à prisão mais suave, no átrio da guarda (Jr 37.21). E quando Jeremias se tornou o centro de um alvo mais concentrado dos judeus, foi lançado em uma cisterna sem água. E o profeta teria morrido ali se Ebede-Meleque não tivesse intervindo em seu favor. Dali, foi posto novamente no pátio da guarda (ver Jr 38.13). Jerusalém foi destruída, e ainda outra leva de judeus foi deportada para a Babilônia, incluindo o rei, Zedequias.

Jeremias foi tratado com humanidade pelos captores babilônicos e teve permissão de ir a Mispa, a nova capital de Judá, visto que Jerusalém tinha sido destruída. Então alguns judeus abandonaram a Palestina e fugiram para o Egito, forçando Jeremias a acompanhá-los (ver Jr 43.6,7). São diversas as tradições sobre o que teria acontecido a Jeremias no Egito. Algumas dizem que Jeremias ficou alguns anos no Egito, em paz; mas outras afirmam que ele foi assassinado por judeus réprobos, no Egito. Ver no *Dicionário* o artigo geral intitulado *Jeremias (o Profeta)*.

■ 32.3

אֲשֶׁר כְּלָאוֹ צִדְקִיָּהוּ מֶלֶךְ־יְהוּדָה לֵאמֹר מַדּוּעַ אַתָּה נִבֵּא לֵאמֹר כֹּה אָמַר יְהוָה הִנְנִי נֹתֵן אֶת־הָעִיר הַזֹּאת בְּיַד מֶלֶךְ־בָּבֶל וּלְכָדָהּ:

Pois Zedequias, rei de Judá, o havia encerrado. Zedequias, para sua vergonha eterna, aprisionou o profeta por haver dito a verdade, tendo repelido suas profecias, consideradas "traiçoeiras", porquanto poderiam influenciar o povo a simplesmente render-se e entregar-se aos babilônios. De fato, era exatamente isso o que Jeremias exortava o povo de Judá a fazer (ver Jr 27.12,13). Não há evidência, entretanto, de que Jeremias tenha sido capaz de influenciar algum indivíduo do povo judeu a seguir seus conselhos. Outrossim, resistir aos babilônios era uma tarefa impossível, mas, se o povo de Judá se tivesse rendido, talvez tivessem evitado a total destruição de Jerusalém, a morte de muitos e a deportação final do povo para a Babilônia.

Alguns intérpretes pensam que o vs. 3 reflete o aprisionamento narrado em Jr 37.15, onde o profeta Jeremias sofreu severamente. A Yahweh sempre foi dado o crédito pelo ataque do exército babilônico, cujo propósito era expurgar Judá de sua idolatria-adultério-apostasia. Pelo menos, um pequeno remanescente seria produzido dentre a escória, e alguma prata serviria para que houvesse um novo começo de Israel, terminado o cativeiro.

Os babilônios tinham levantado temporariamente o assédio, quando o exército egípcio ameaçou intervir (ver Jr 37.11). Tirando vantagem daqueles momentos de paz, Jeremias tentou retirar-se para o território de Benjamim, dirigindo-se à sua terra natal, Anatote (ver Jr 37.12). No entanto, ele foi apanhado antes de iniciar a viagem, acusado de fugir para os babilônios, em busca de asilo. Foi então que começou o período mais severo de seu aprisionamento.

■ 32.4

וְצִדְקִיָּהוּ מֶלֶךְ יְהוּדָה לֹא יִמָּלֵט מִיַּד הַכַּשְׂדִּים כִּי הִנָּתֹן יִנָּתֵן בְּיַד מֶלֶךְ־בָּבֶל וְדִבֶּר־פִּיו עִם־פִּיו וְעֵינָיו אֶת־עֵינָיו תִּרְאֶינָה:

Zedequias, rei de Judá, não se livraria das mãos dos caldeus. O rei Zedequias sabia que as profecias de Jeremias prediziam um mau fim para ele. Ele seria levado ao cativeiro; teria de encarar o rei da Babilônia face a face; e esse encontro seria muito adverso para Zedequias. Jr 39.6,7 mostra que os filhos de Zedequias foram mortos diante de seus olhos, em Ribla, na Babilônia, e, ato contínuo, Zedequias foi cegado.

A própria cidade de Jerusalém foi devastada e o templo foi incendiado. Somente os elementos mais pobres e desgraçados do povo de Judá foram deixados na Terra Prometida, porquanto esses dificilmente se levantariam em revolta contra os babilônios. Joaquim, que tinha sido aprisionado, permaneceu preso na Babilônia pelo período de trinta anos. Quando foi solto, recebeu favor (ver Jr 52.31); contudo, não há menção a Zedequias, que aparentemente morreu no cativeiro babilônico. Ver no *Dicionário* o verbete chamado *Zedequias*.

■ 32.5

וּבָבֶל יוֹלִךְ אֶת־צִדְקִיָּהוּ וְשָׁם יִהְיֶה עַד־פָּקְדִי אֹתוֹ נְאֻם־יְהוָה כִּי תִלָּחֲמוּ אֶת־הַכַּשְׂדִּים לֹא תַצְלִיחוּ: פ

E que levaria Zedequias para a Babilônia, onde estaria até que o Senhor se lembrasse dele. Este versículo subentende que uma *visitação divina* livraria Zedequias de seu aprisionamento e melhoraria suas condições. Todavia, não há registro sobre nenhum acontecimento dessa natureza, e alguns intérpretes afirmam que, neste ponto, Zedequias é confundido com Jeconias (Conias, *Joaquim*; ver Jr 52.31). Jr 52.11 afirma que Zedequias morreu na prisão. Talvez ele tenha morrido de morte natural, não sendo mais perseguido; e isso pode ser considerado certa medida de graciosa visitação divina. Se ele recebeu um *sepultamento honroso*, isso seria suficiente para explicar a promessa, mas não dispomos de registro que o confirme.

■ 32.6,7

וַיֹּאמֶר יִרְמְיָהוּ הָיָה דְבַר־יְהוָה אֵלַי לֵאמֹר:

הִנֵּה חֲנַמְאֵל בֶּן־שַׁלֻּם דֹּדְךָ בָּא אֵלֶיךָ לֵאמֹר קְנֵה לְךָ אֶת־שָׂדִי אֲשֶׁר בַּעֲנָתוֹת כִּי לְךָ מִשְׁפַּט הַגְּאֻלָּה לִקְנוֹת:

Veio a mim a palavra do Senhor, dizendo: Eis que Hananeel, filho de teu tio Salum, virá a ti. *O Oráculo Continua*. Yahweh fala e adiciona detalhes. O vs. 6 reinicia o que já tinha sido dito no vs. 1, e poderíamos considerar um parêntese os vss. 2-5. "O profeta... voltou a declarar qual fora a palavra do Senhor, naquela oportunidade" (John Gill, *in loc.*). O primo de Jeremias, *Hananeel* (ver a respeito no *Dicionário*), vendeu um campo a Jeremias, antes que os babilônios cercassem a cidade de Jerusalém. Esse foi um *ato simbólico*, mostrando a fé de que os negócios finalmente voltariam ao normal, em tempos normais. Jeremias, o comprador, a despeito das calamidades do momento, tornou-se proprietário daquelas terras. Hananeel, levita que era, não podia vender terras pertencentes à casta sacerdotal; ou então, nesse tempo, o preceito de Lv 25.34 havia caído em desuso. Porém, é possível que aquelas terras pertencessem ao lado materno de sua família. E, nesse caso, poderiam ser vendidas.

As terras eram em Anatote, cidade sacerdotal que também era a terra natal do profeta. Anatote já estava em poder dos babilônios, pelo que a transação toda parecia uma insensatez. Jeremias, entretanto, demonstrou sua fé em um novo dia. Infelizmente, para ele, o novo dia não veio em seu período de vida. Ele terminou a vida no Egito. Entretanto, é provável que o terreno tenha ficado como herança para algum parente próximo (ver o vs. 8).

A quem pertence o direito do resgate. Ou seja, caso a terra tivesse sido vendida a outrem, seria evidente que Jeremias deveria ter feito a compra, pois ele, como parente próximo, estava obrigado a comprá-la, para que não passasse à possessão de outra tribo e família. Temos nisso o direito do *goel* (ver a respeito no *Dicionário*; e ver Lv 25.25). No ano do jubileu, o terreno voltaria ao antigo proprietário (ver Lv 25.13).

■ 32.8

וַיָּבֹא אֵלַי חֲנַמְאֵל בֶּן־דֹּדִי כִּדְבַר יְהוָה אֶל־חֲצַר הַמַּטָּרָה וַיֹּאמֶר אֵלַי קְנֵה נָא אֶת־שָׂדִי אֲשֶׁר־בַּעֲנָתוֹת אֲשֶׁר בְּאֶרֶץ בִּנְיָמִין כִּי־לְךָ מִשְׁפַּט הַיְרֻשָּׁה וּלְךָ הַגְּאֻלָּה קְנֵה־לָךְ וָאֵדַע כִּי דְבַר־יְהוָה הוּא:

Veio, pois, a mim, segundo a palavra do Senhor, Hananeel. Jeremias viu a mão de Yahweh no desejo de seu parente, seu *primo* (diz a *Revised Standard Version*: "filho do meu tio"). O profeta calculou que o oferecimento da terra significava que as coisas eventualmente se normalizariam em Jerusalém, motivo pelo qual não hesitou em fechar o negócio, ainda que naquele momento Anatote estivesse sob o domínio babilônio. O profeta, uma vez levado para o Egito, nunca fez coisa alguma quanto ao terreno que comprara, mas talvez algum parente próximo o tenha herdado, e isso teria justificado a fé do profeta no futuro. O requerimento da lei era que as terras fossem conservadas dentro da linhagem familiar (ver Lv 25.25 ss.). Isso foi satisfeito, e as coisas se normalizaram, de fato, passados os *setenta anos* (Jr 25.11,12; 29.10).

O Ato da Compra (32.9-15)

■ 32.9

וָאֶקְנֶה אֶת־הַשָּׂדֶה מֵאֵת חֲנַמְאֵל בֶּן־דֹּדִי אֲשֶׁר בַּעֲנָתוֹת וָאֶשְׁקֲלָה־לּוֹ אֶת־הַכֶּסֶף שִׁבְעָה שְׁקָלִים וַעֲשָׂרָה הַכָּסֶף:

Comprei, pois, de Hananeel, filho de meu tio, o campo que está em Anatote. Convencido de que Yahweh lhe estava dando um sinal favorável, Jeremias avançou e comprou a terra, pagando dezessete siclos de prata, ou seja, cerca de 200 gramas. A quantia era pequena (cf. Gn 23.12-16), mas o campo pode ter sido pequeno, e Hananeel estava ansioso para vendê-lo. Quanto ao *siclo*, ver as notas expositivas sobre Êx 30.13 e Lv 27.25. Ver no *Dicionário* o verbete chamado *Dinheiro*. Talvez o primo de Jeremias precisasse daquele dinheiro para alimentar-se, pois os babilônios tinham saqueado a nação inteira. É evidente que Jeremias possuía algumas economias e alguma fonte de renda; mas sobre isso não temos informação.

■ 32.10

וָאֶכְתֹּב בַּסֵּפֶר וָאֶחְתֹּם וָאָעֵד עֵדִים וָאֶשְׁקֹל הַכֶּסֶף
בְּמֹאזְנָיִם׃

Assinei a escritura, fechei-a com selo, chamei testemunhas... Talvez esteja em vista aqui alguma forma de documento escrito em papiro ou vellum, embora alguns eruditos pensem estar em pauta algum tipo de tablete de argila, com escrita cuneiforme. O documento, sem importar qual, foi posto em um envelope (caixa?) para proteção. Os arqueólogos têm descoberto grande número de tabletes de argila, mas documentos escritos em papiro ou vellum também não são raros. Um cordão provavelmente amarrava o receptáculo, que então era cuidadosa e apropriadamente selado com algum tipo de selo, como um pouco de argila. O hebraico em escrita cursiva estava em uso na época, e essa pode ter sido a forma de escrita empregada. O vs. 11 mostra-nos que havia duas cópias do documento da transação e também testemunhas do processo, no caso de surgir alguma dúvida algum tempo depois. A prata foi pesada e a transação foi feita, documento por dinheiro, e então a terra foi declarada de Jeremias. O ato de *pesar* a prata mostra que as moedas ainda não estavam em uso corrente em Israel.

■ 32.11,12

וָאֶקַּח אֶת־סֵפֶר הַמִּקְנָה אֶת־הֶחָתוּם הַמִּצְוָה וְהַחֻקִּים
וְאֶת־הַגָּלוּי׃

וָאֶתֵּן אֶת־הַסֵּפֶר הַמִּקְנָה אֶל־בָּרוּךְ בֶּן־נֵרִיָּה בֶּן־
מַחְסֵיָה לְעֵינֵי חֲנַמְאֵל דֹּדִי וּלְעֵינֵי הָעֵדִים הַכֹּתְבִים
בְּסֵפֶר הַמִּקְנָה לְעֵינֵי כָּל־הַיְּהוּדִים הַיֹּשְׁבִים בַּחֲצַר
הַמַּטָּרָה׃

Tomei a escritura da compra, tanto a selada... como a cópia aberta. Havia duas cópias das escrituras de compra e venda, uma selada e outra deixada aberta, para facilitar futuras confirmações do processo. Baruque, amanuense de Jeremias, recebeu o documento para guardá-lo. As duas cópias da transação foram guardadas em uma jarra, para melhor preservação. Ao que tudo indica, não havia cartório na cidade para preservação de documentos, conforme se vê hoje em dia. As testemunhas acompanhavam cuidadosamente todo o processo, garantindo assim o futuro. A maneira elaborada como esses negócios eram conduzidos mostra que a desonestidade havia penetrado nessas questões. Poucas coisas, no mundo dos negócios, são mais desconcertantes do que comprar terras ou casas somente para descobrir, no fim, que o comprador não é o proprietário, e que o dinheiro se perdeu.

Baruque. Ver o artigo com esse nome, no *Dicionário*, primeiro ponto. Esta é a primeira menção ao secretário de Jeremias no livro. Dou amplos detalhes sobre ele no artigo, e não repito aqui essa informação.

■ 32.13,14

וָאֲצַוֶּה אֶת־בָּרוּךְ לְעֵינֵיהֶם לֵאמֹר׃

כֹּה־אָמַר יְהוָה צְבָאוֹת אֱלֹהֵי יִשְׂרָאֵל לָקוֹחַ אֶת־
הַסְּפָרִים הָאֵלֶּה אֵת סֵפֶר הַמִּקְנָה הַזֶּה וְאֵת הֶחָתוּם
וְאֵת סֵפֶר הַגָּלוּי הַזֶּה וּנְתַתָּם בִּכְלִי־חָרֶשׂ לְמַעַן
יַעַמְדוּ יָמִים רַבִּים׃ ס

Perante eles dei ordem a Baruque. Jeremias ordenou, perante as testemunhas, que seu amanuense efetuasse a negociação em boa ordem, assegurando que tudo estaria bem nos anos vindouros. As *evidências* (as duas cópias) da transação deveriam ser guardadas em segurança em jarras de barro. Já que o documento tinha duas cópias, uma delas era mantida selada, e a outra era deixada sem selo, para confirmação posterior, se necessário fosse. Ambas as cópias foram postas na jarra, e podemos presumir que um selo de argila também foi colocado ao redor da circunferência da boca da jarra, para vedá-la, de modo que nem ar nem água pudessem entrar.

O costume de guardar coisas em *jarras de barro* permitiu aos arqueólogos de hoje fazer significativas descobertas, incluindo os Papiros do mar Morto. Uma jarra bem selada guardava o conteúdo em seu interior de maneira quase indestrutível, contanto que não fosse quebrada.

Jeremias sentia-se tão ansioso sobre a questão toda que fez um juramento pelo divino nome de poder, que ele costumeiramente usava ao introduzir algum oráculo: *Yahweh-Sabaote-Elohim*, o Eterno Senhor dos Exércitos Deus Todo-poderoso. Ver Jr 28.2 sobre isso. O próprio Jeremias não seria beneficiado por essa transação, mas seus herdeiros seriam (vs. 15), o que mostra que a questão toda era muito importante para ele. Ademais, havia um *significado espiritual* em tudo aquilo que o inspirara a envolver-se na negociação. Grande abundância de documentos de papiro foi encontrada em vasos de barro, em bom estado de preservação em Elefantina (no Egito), e em várias outras localidades. A preocupação de Jeremias com a preservação do documento estava em harmonia com sua predição de que o cativeiro se prolongaria por setenta anos. E é provável que ele também soubesse que não estaria mais vivo para ver as terras cair nas mãos de seus herdeiros.

■ 32.15

כִּי כֹה אָמַר יְהוָה צְבָאוֹת אֱלֹהֵי יִשְׂרָאֵל עוֹד יִקָּנוּ
בָתִּים וְשָׂדוֹת וּכְרָמִים בָּאָרֶץ הַזֹּאת׃ פ

Ainda se comprarão casas, campos e vinhas nesta terra. *O Sentido Espiritual da Transação Feita por Jeremias.* Jeremias não estava fazendo um investimento. Ele estava efetuando um ato simbólico. Chegaria o tempo em que as coisas voltariam ao normal na nação de Judá. Judá não continuaria para sempre sob o domínio babilônico. O Deus Todo-poderoso (*Yahweh-Sabaote-Elohim*) garantiu que a paz retornaria à nação de Judá. E então os negócios voltariam à normalidade. Embora os babilônios, na oportunidade, estivessem controlando todas as coisas, as casas, as terras e os vinhedos viriam a ser *possuídos* pelos judeus, terminado o cativeiro. Então os herdeiros de Jeremias recuperariam o que lhes pertencia. Sem dúvida, foram baixadas instruções concernentes à jarra de barro, e esse conhecimento seria compartilhado pelos herdeiros potenciais do profeta.

O Compromisso. Se as profecias de Jeremias por certo eram entristecedoras, contudo haveria, não muito distante, um dia melhor, que já estava por trás do horizonte. A negociação de compra era o *compromisso*, feito por Jeremias, de que haveria um dia melhor, não muito distante.

A Oração de Jeremias (32.16-25)

■ 32.16

וָאֶתְפַּלֵּל אֶל־יְהוָה אַחֲרֵי תִתִּי אֶת־סֵפֶר הַמִּקְנָה אֶל־
בָּרוּךְ בֶּן־נֵרִיָּה לֵאמֹר׃

Depois que dei a escritura da compra a Baruque, filho de Nerias, orei ao Senhor. Esta elaborada oração desenvolve o *lado espiritual* da compra de um terreno, relatada nos vss. 9-15. O Senhor, o Deus de Poder, *Yahweh-Sabaote-Elohim* (vss. 14,15) é o controlador do destino humano. Ver Is 13.6, onde anoto esse conceito. Ele é o Deus teísta, que não somente criou, mas também continua intervindo nas atividades humanas, como fez quando libertou o povo de Israel da terra do Egito, e como fará quando anular todos os efeitos da dispersão romana, no início do milênio. Deus não se mostra indiferente, conforme o conceito deísta, que ensina que Deus abandonou sua criação ao governo das leis naturais. Ver no *Dicionário* os artigos intitulados *Teísmo* e *Deísmo*.

Assim sendo, essa oração de Jeremias louva a Deus por sua grandeza, e também porque a grandeza de Deus é posta a serviço dos homens, visando o benefício deles. Deus castiga o pecado, mas também aplica sua fidelidade ao pacto, e ainda aplica seu famoso amor, tendo em vista o benefício dos homens. Encontramos oração similar em Ne 9.6-38. A terminologia desta oração acompanha o linguajar do livro de Deuteronômio. Note o leitor como o profeta se dirigiu a Deus de modo semelhante ao que se vê em Sl 103. Ver também Ed 9.5-15; Is 37.16-20; Dn 9.4-19 quanto a orações intercessórias das quais o texto presente é um notável exemplo.

Terminado o negócio relativo à compra de um terreno, Jeremias, tendo entregue aos cuidados de Baruque o documento de compra, sentiu-se inspirado a enviar uma oração anelante a Yahweh, que se segue, nos vss. 17-25. "E que oração! Quão pesado é o assunto; que sublimidade de expressões, profunda, repleta de veneração, de conceitos justos, de unção divina, de pedidos poderosos, de força de fé. É uma oração histórica, sem ser enfadonha; é condensada, sem obscurantismos... reconhecendo a justiça de Deus em ferir e destruir, mas sem jamais esquecer a infinita bondade de Deus, que restaura" (Adam Clarke, *in loc.*).

■ 32.17

אֲהָהּ אֲדֹנָי יְהוִה הִנֵּה אַתָּה עָשִׂיתָ אֶת־הַשָּׁמַיִם וְאֶת־הָאָרֶץ בְּכֹחֲךָ הַגָּדוֹל וּבִזְרֹעֲךָ הַנְּטוּיָה לֹא־יִפָּלֵא מִמְּךָ כָּל־דָּבָר׃

Ah! Senhor Deus! Eis que fizeste os céus e a terra com o teu grande poder e com o teu braço estendido. Yahweh é o *Deus da criação*. O ato divino mediante o qual o Senhor trouxe à existência todas as coisas sempre foi usado pelos hebreus piedosos para ilustrar o *poder* e a *providência* de Yahweh. Foi o *braço* de Yahweh que trouxe todas as coisas à existência. Ver sobre *braço*, em Sl 77.15; 89.10 e 98.1. Ver sobre *mão*, em Sl 81.14; e ver sobre *mão direita* em Sl 20.6. Nada existe de difícil demais para Deus (cf. este versículo com o vs. 27 e com Gn 18.14; Zc 8.6 e Lc 1.37). Ver no *Dicionário* os verbetes chamados *Onipotência de Deus* e *Atributos de Deus*. A providência divina, em seus aspectos negativo e positivo, é ilustrada nesta oração e serve de essência do teísmo bíblico. Ver no *Dicionário* os artigos *Providência de Deus* e *Teísmo*.

■ 32.18

עֹשֶׂה חֶסֶד לָאֲלָפִים וּמְשַׁלֵּם עֲוֹן אָבוֹת אֶל־חֵיק בְּנֵיהֶם אַחֲרֵיהֶם הָאֵל הַגָּדוֹל הַגִּבּוֹר יְהוָה צְבָאוֹת שְׁמוֹ׃

Tu usas de misericórdias para com milhares, e retribuis a iniquidade dos pais nos filhos. Embora Deus seja um Deus justo, o que significa que ele deve punir o mal, contudo, seu poder de punir nunca fica sem o tempero da misericórdia. Ele aplica seus castigos com amor, porquanto ele é o Deus do amor constante (no hebraico, *hesed*). O pecado é castigado de maneira tal que a culpa dos pais passa para os filhos, e ambos são punidos. Cf. Jr 31.29,30, onde ambos os princípios, de que os filhos sofrem pelos pais e de que cada qual sofre pelos seus próprios pecados, são discutidos. Ver Êx 20.5 quanto ao sofrimento (morte) pelos pecados dos pais; e quanto aos sofrimentos (morte) pelos próprios pecados, ver Dt 24.16 e Ez 18.20.

O povo em relação de pacto com Deus era como se fosse um só homem na presença de Yahweh. Pecados nacionais causavam castigos nacionais, e assim, com frequência, de geração em geração, os mesmos pecados eram cometidos e castigados de maneira similar. Mas havia muitos pecados pessoais que também requeriam castigos especialmente dirigidos a indivíduos. O grande e poderoso Deus, o Senhor dos Exércitos, era ao mesmo tempo o grande exator e o grande benfeitor. Seu poder não tem limites e, assim sendo, não há casos difíceis demais para ele castigar ou recompensar. Ademais, a onisciência divina garante a aplicação apropriada do castigo ou da recompensa, e esse é o tema do versículo seguinte.

■ 32.19

גְּדֹל הָעֵצָה וְרַב הָעֲלִילִיָּה אֲשֶׁר־עֵינֶיךָ פְקֻחוֹת עַל־כָּל־דַּרְכֵי בְּנֵי אָדָם לָתֵת לְאִישׁ כִּדְרָכָיו וְכִפְרִי מַעֲלָלָיו׃

Grande em conselho e magnífico em obras. A *onisciência de Deus* (ver a respeito no *Dicionário*) guia tanto sua providência negativa quanto sua providência positiva. Além disso, a onipotência divina põe em operação apropriada seus conselhos. Seus olhos, que a tudo veem, nada perdem, e ele está sempre sondando o coração e a vida dos homens. Deus sabe a quem castigar e a quem abençoar.

> Aceita a enormidade do castigo,
> Com a mesma face com que antigamente
> Aceitava a delícia do pecado.
>
> Olavo Bilac, Rio de Janeiro

Para dar a cada um segundo o seu proceder. Cf. esta parte do versículo com Gl 6.7,8, e ver no *Dicionário* o verbete chamado *Lei Moral da Colheita segundo a Semeadura*. O profeta avançou do castigo contra os *pecados coletivos* (vs. 18) para o castigo contra os *pecados individuais* (vs. 19). Os olhos de Deus, que a tudo veem (ver Jó 34.21; Pv 5.21), garantem a propriedade e a justiça do julgamento universal dos homens e das nações.

■ 32.20

אֲשֶׁר־שַׂמְתָּ אֹתוֹת וּמֹפְתִים בְּאֶרֶץ־מִצְרַיִם עַד־הַיּוֹם הַזֶּה וּבְיִשְׂרָאֵל וּבָאָדָם וַתַּעֲשֶׂה־לְּךָ שֵׁם כַּיּוֹם הַזֶּה׃

Tu puseste sinais e maravilhas na terra do Egito até ao dia de hoje. *Precedente Histórico*. Uma das ilustrações favoritas do poder beneficente de Deus, em favor de seu povo, foi o livramento dos filhos de Israel "do Egito", tema repetido por mais de vinte vezes no livro de Deuteronômio. Quanto a isso, ver Dt 4.20. Esse foi um de seus sinais e maravilhas no Egito, sob a forma das dez pragas. Ver no *Dicionário* o artigo chamado *Pragas do Egito*. O que transpirou no Egito foi apenas um pequeno exemplo do que Deus estava fazendo o tempo todo, ao longo da história humana, e haveria sinais específicos do livramento de Judá da Babilônia, outro incidente de salvação nacional. O incidente da compra do terreno (vss. 9-15) tinha por finalidade ilustrar isso mesmo, e também o fato de que, algumas vezes, os homens não têm de esperar muito tempo para ver o braço de Yahweh realizar algum grande feito. Oh, Senhor, conceda-nos tal graça!

O nome de Deus. O nome e a reputação de Deus são fomentados entre os homens por causa de suas obras. O nome representa a pessoa e os atributos de Deus, mas aqui significa essencialmente a sua *reputação*. Ver sobre *nome*, em Sl 31.3; e sobre *nome santo*, em Sl 30.4 e 33.21. Cf. Êx 9.16; 1Cr 17.21 e Is 63.12. Yahweh obtinha louvores, glória e honra e era *temido* por causa das coisas que ele fizera, que dirigiam a história das nações, e não apenas de indivíduos.

A tradução da NCV é bastante vívida e clara aqui: "Senhor, tu fizeste milagres e coisas maravilhosas na terra do Egito. Tu te tens mantido a fazer essas coisas até hoje. Fizeste milagres em Israel e entre outras nações. Tu te tornaste bem conhecido".

■ 32.21

וַתֹּצֵא אֶת־עַמְּךָ אֶת־יִשְׂרָאֵל מֵאֶרֶץ מִצְרָיִם בְּאֹתוֹת וּבְמוֹפְתִים וּבְיָד חֲזָקָה וּבְאֶזְרוֹעַ נְטוּיָה וּבְמוֹרָא גָּדוֹל׃

Tiraste o teu povo Israel da terra do Egito, com sinais e maravilhas. Este versículo é uma expansão do versículo anterior: os sinais e as maravilhas (Dt 4.34; 26.8; 29.3; 34.11) resultaram no livramento da servidão egípcia. Foi a forte mão de Yahweh e seu braço estendido que realizaram o feito. Cf. o vs. 17, onde dou referências ao braço, à mão e à mão direita de Deus. E aqui foi adicionada a questão do *grande terror* causado pelas pragas. As ideias restantes, cubro nas notas sobre o vs. 20. Em vez de "terror", o Targum diz "grande visão", ou seja, a obra foi realizada como grande espetáculo na presença de todos. A versão siríaca diz "abertamente", ou seja, defronte dos olhos de todos.

■ 32.22

וַתִּתֵּן לָהֶם אֶת־הָאָרֶץ הַזֹּאת אֲשֶׁר־נִשְׁבַּעְתָּ לַאֲבוֹתָם לָתֵת לָהֶם אֶרֶץ זָבַת חָלָב וּדְבָשׁ׃

E lhes deste esta terra, que com juramento prometeste a seus pais. O próximo passo do triunfo divino foi a doação da Terra Prometida a Israel, como sua herança (ver Js 1.6; Jz 2.6). Isso aconteceu em cumprimento das promessas dirigidas aos pais, no *pacto abraâmico* (ver Gn 15.18). A Terra Prometida era um território rico, que transbordava leite e mel (ver Êx 3.8,17; 13.5; 33.3; Lv 20.24; Nm 13.27; Dt 6.3; 11.9; 26.9,15; Js 5.6). A ênfase recai sobre a ampla provisão, possibilitada pela poderosa mão de Yahweh. Essa mão também reverteria o cativeiro babilônico, de tal modo que o povo de Deus possuiria novamente a Terra Prometida.

■ 32.23

וַיָּבֹאוּ וַיִּרְשׁוּ אֹתָהּ וְלֹא־שָׁמְעוּ בְקוֹלֶךָ וּבְתֹרָתְךָ לֹא־הָלָכוּ אֵת כָּל־אֲשֶׁר צִוִּיתָה לָהֶם לַעֲשׂוֹת לֹא עָשׂוּ וַתַּקְרֵא אֹתָם אֵת כָּל־הָרָעָה הַזֹּאת׃

Entraram nela, e dela tomaram posse, mas não obedeceram à tua voz. Tendo chegado à Terra Prometida, começou um processo de *degeneração* que levou Israel (e também a posterior nação de Judá) a uma idolatria-adultério-apostasia crônica, pela qual o povo de Deus pagou elevado preço, especialmente no cativeiro assírio, do reino do norte, Israel, e no cativeiro babilônico, do reino do sul, Judá. A lei era o guia do povo de Deus (ver Dt 6.4 ss.), e a *obediência à lei* era o *modus operandi* da espiritualidade. Sem essa obediência, o povo de Deus se paganizava. Um Israel-Judá paganizado teve de sofrer os severos castigos que vieram. "A nação violou o pacto com o Senhor. Deus foi forçado a exibir seu poder e justiça, quando impôs os desastres que suas maldições exigiam, o que incluiu a invasão e a deportação. Cf. Lv 26.14-39; Dt 28.15-68" (Charles H. Hyatt, *in loc.*). A lei da colheita segundo a semeadura teve de ser satisfeita (ver Gl 6.7,8). "A punição foi, assim, exatamente comensurável com o pecado deles. Não foi uma punição fortuita" (Fausset, *in loc.*). O pacto mosaico foi quebrado, e assim sobrevieram as maldições ameaçadas em Dt. Ver sobre o pacto na introdução a Êx 19. Quanto às *maldições*, ver Dt 27.15 ss.

■ 32.24

הִנֵּה הַסֹּלְלוֹת בָּאוּ הָעִיר לְלָכְדָהּ וְהָעִיר נִתְּנָה בְּיַד הַכַּשְׂדִּים הַנִּלְחָמִים עָלֶיהָ מִפְּנֵי הַחֶרֶב וְהָרָעָב וְהַדֶּבֶר וַאֲשֶׁר דִּבַּרְתָּ הָיָה וְהִנְּךָ רֹאֶה׃

Eis aqui as trincheiras já atingem a cidade, para ser tomada. Tendo oferecido essa perspectiva histórica, o profeta olhou agora para os campos em volta de Jerusalém, e viu as *trincheiras* que o exército babilônico já havia construído. O ataque estava próximo, e a cidade certamente cairia. Essa era a maldição há muito prevista, mas ignorada por Judá por todo esse tempo. A *terrível tríade* — espada, fome e pestilência — não demoraria a expulsar a vida de Judá e, especialmente, de Jerusalém, o ponto de ataque central. Quanto à *terrível tríade*, ver também Jr 14.12; 21.7; 24.10; 27.8 e 29.17. Os muitos convites ao arrependimento tinham sido ignorados, pelo que as temidas predições haveriam de ser cumpridas. Foi uma visão terrível que os judeus tiveram de contemplar. O exército babilônico estava nos portões de Jerusalém. Jeremias contemplava o mesmo terror. Foi assim que o profeta convidou Yahweh a observar a cena, pois, afinal, ele era a causa de tudo, porquanto tinha ordenado que isso deveria acontecer.

■ 32.25

וְאַתָּה אָמַרְתָּ אֵלַי אֲדֹנָי יְהוִה קְנֵה־לְךָ הַשָּׂדֶה בַּכֶּסֶף וְהָעֵד עֵדִים וְהָעִיר נִתְּנָה בְּיַד הַכַּשְׂדִּים׃

Contudo, ó Senhor Deus, tu me disseste: Compra o campo por dinheiro. A *fé do profeta* no futuro de Jerusalém hesitou, quando ele viu o ataque dos babilônios. As coisas pareciam desesperadoras. Este versículo refere-se novamente à compra do campo (vss. 9-15), o que simbolizava a esperança de que, em futuro não muito distante, o cativeiro seria revertido e as coisas voltariam ao normal. Era difícil acreditar, no momento da tragédia, que as coisas fossem normalizadas. Yahweh replicou (vss. 26-44) e afirmou a restauração após uma provação severa.

A Réplica de Yahweh (32.26-44)

■ 32.26

וַיְהִי דְבַר־יְהוָה אֶל־יִרְמְיָהוּ לֵאמֹר׃

Então veio a palavra do Senhor a Jeremias. "A resposta de Deus (vss. 26-44) sumaria a interpretação de Jeremias (e a deuteronômica) sobre os eventos críticos, contemporâneos. Após um resumo da idolatria de Judá — incenso, vinho e azeite oferecidos dos eirados (Jr 19.13); mostrando a pecaminosidade comparativa entre Israel e Judá (3.6-11); sacrifícios humanos (7.30-32), e sua indiferença teimosa diante das advertências de Deus (17.21-23); sua iminente destruição (declarada nos termos convencionais de espada, fome e pestilência; 14.11,12; 21.7) são coisas afirmadas. A presente seção conclui com certeza de restauração, primeiramente no tocante ao novo pacto (Jr 31.31-34) e então no tocante às trocas e possessões de propriedades (vss. 42-44)" (*Oxford Annotated Bible,* falando da seção dos vss. 26-44).

Uma resposta muito necessária foi dada ao desespero do profeta (vs. 25), de que as coisas jamais poderiam normalizar-se, em vista do que estava acontecendo. O oráculo assegurou ao profeta que coisa alguma é difícil demais para Yahweh (vs. 17), porquanto ele reverterá todos os males e restaurará Jerusalém, quando isso combinar com a *cronologia divina,* que controla todos os acontecimentos humanos.

■ 32.27

הִנֵּה אֲנִי יְהוָה אֱלֹהֵי כָּל־בָּשָׂר הֲמִמֶּנִּי יִפָּלֵא כָּל־דָּבָר׃

Eis que eu sou o Senhor, o Deus de todos os viventes. *Yahweh* é o Poder (Elohim = Todo-poderoso), o qual controla toda a carne; assim, a mudança e a reversão sempre serão possíveis. Coisa alguma é difícil demais para ele (vs. 17) e, dessa forma, podem ocorrer muitas surpresas. O profeta Jeremias, pois, podia depender da mensagem profética, mesmo que as presentes circunstâncias parecessem indicar que tudo tinha caído em uma situação irrecuperável. Ver as notas sobre Is 13.6 quanto à declaração teísta de que Deus controla todos os acontecimentos humanos. Ver também, no *Dicionário,* os artigos intitulados *Soberania de Deus* e *Providência de Deus.* "Foi assegurado ao profeta que ele não estava equivocado quando se lançou, em plena confiança de fé, sobre a amorosa onipotência de Deus" (Ellicott, *in loc.,* remetendo ao incidente da compra do terreno).

■ 32.28

לָכֵן כֹּה אָמַר יְהוָה הִנְנִי נֹתֵן אֶת־הָעִיר הַזֹּאת בְּיַד הַכַּשְׂדִּים וּבְיַד נְבוּכַדְרֶאצַּר מֶלֶךְ־בָּבֶל וּלְכָדָהּ׃

Eis que entrego esta cidade nas mãos dos caldeus, nas mãos de Nabucodonosor. As profecias que previam desastres tinham de ser cumpridas. Yahweh, o Poder que dirige os eventos humanos, deveria primeiramente entregar Jerusalém (e toda a nação de Judá) nas mãos do rei Nabucodonosor e do exército babilônico, porquanto era isso o que Judá tinha obrigado o Deus Todo-poderoso a fazer, mediante sua longa história de idolatria-adultério-apostasia. As profecias de condenação que enchem esse livro tinham de ser cumpridas, porquanto era através do julgamento que a restauração seria efetuada. Ver os vss. 3-5 deste mesmo capítulo.

■ 32.29

וּבָאוּ הַכַּשְׂדִּים הַנִּלְחָמִים עַל־הָעִיר הַזֹּאת וְהִצִּיתוּ אֶת־הָעִיר הַזֹּאת בָּאֵשׁ וּשְׂרָפוּהָ וְאֵת הַבָּתִּים אֲשֶׁר קִטְּרוּ עַל־גַּגּוֹתֵיהֶם לַבַּעַל וְהִסִּכוּ נְסָכִים לֵאלֹהִים אֲחֵרִים לְמַעַן הַכְעִסֵנִי׃

Os caldeus, que pelejam contra esta cidade, entrando nela, porão fogo a esta cidade. Jerusalém, com suas casas, edificações suntuosas e o próprio templo, seria consumida pelo fogo. Sim, seriam incendiadas até as residências cujos eirados planos serviam como locais onde o incenso era queimado em honra aos deuses de nada dos pagãos. Cf. Jr 19.13, onde encontramos essa informação. Os judeus queimavam incenso aos deuses-estrelas nos eirados; e assim, os babilônios foram enviados para tocar fogo nas casas ofensoras. Dessa forma, com um toque de tremenda ironia, a voz de Yahweh afirmou o *modus operandi* do julgamento. Haveria retribuição conforme a natureza dos pecados, a operação da *Lex Talionis* (ver no *Dicionário*). Cf. o julgamento de fogo deste versículo com Jr 21.10; 34.2,22; 37.8,10; 38.18,23. Uma tola idolatria é que tinha provocado tão drásticas medidas divinas.

■ 32.30

כִּי־הָיוּ בְנֵי־יִשְׂרָאֵל וּבְנֵי יְהוּדָה אַךְ עֹשִׂים הָרַע
בְּעֵינַי מִנְּעֻרֹתֵיהֶם כִּי בְנֵי־יִשְׂרָאֵל אַךְ מַכְעִסִים אֹתִי
בְּמַעֲשֵׂה יְדֵיהֶם נְאֻם־יְהוָה׃

Porque os filhos de Israel e os filhos de Judá não fizeram senão mal perante mim. Desde o tempo em que Israel e Judá eram nações jovens, o riacho da corrupção fluía de tal maneira que era difícil encontrar algum bem em ambas as nações. Os olhos de Yahweh eram continuamente chocados pelo que viam, e não havia redenção à vista, mesmo para o escrutínio divino. Eles provocavam continuamente Yahweh, que, finalmente, teve de invocar as chamas da Assíria e da Babilônia para pôr fim a toda a confusão. "Eram pecadores mais do que todos os outros, mostrando-se excessivamente idólatras. Suas *mãos* é que haviam formado os *objetos* que eles adoravam" (Adam Clarke, *in loc.*). Eles agiam como tinham agido os homens pouco antes do dilúvio, nos quais não se achou coisa alguma que os redimisse. Estavam totalmente entregues ao mal (ver Gn 6.5 e 8.21). Ver no *Dicionário* o artigo geral denominado *Idolatria,* que apresenta algum material ilustrativo.

■ 32.31

כִּי עַל־אַפִּי וְעַל־חֲמָתִי הָיְתָה לִּי הָעִיר הַזֹּאת
לְמִן־הַיּוֹם אֲשֶׁר בָּנוּ אוֹתָהּ וְעַד הַיּוֹם הַזֶּה
לַהֲסִירָהּ מֵעַל פָּנָי׃

Porque para minha ira e para meu furor me tem sido esta cidade. Jerusalém, a capital primeiramente do reino unido e, depois, de Judá, era a cidade líder em atos de rebeldia e idolatria de tal maneira que a ira de Yahweh foi ali especialmente despertada. À semelhança das nações de Israel e Judá, as corrupções começaram a dominar bem cedo sua história, continuando sem mitigação até o dia em que Nabucodonosor incendiou a cidade. Yahweh não mais podia suportar a visão do lugar, tão cheio de desgraças e abominações estava; e, assim sendo, Deus removeu dali seus habitantes. O próprio templo estava repleto de ídolos abomináveis (7.30; Ez 8.3-16). Portanto, os judeus tinham perdido todo o senso de propriedade espiritual. O verdadeiro senso do Ser divino foi substituído pelo mais vil paganismo. "... *para que eu a removesse,* conforme faz um homem com algo que lhe causa náuseas e é abominável; o significado dessas palavras é a remoção dos habitantes da cidade para a Babilônia, para o cativeiro, conforme explica o Targum" (John Gill, *in loc.*).

■ 32.32

עַל כָּל־רָעַת בְּנֵי־יִשְׂרָאֵל וּבְנֵי יְהוּדָה אֲשֶׁר עָשׂוּ
לְהַכְעִסֵנִי הֵמָּה מַלְכֵיהֶם שָׂרֵיהֶם כֹּהֲנֵיהֶם וּנְבִיאֵיהֶם
וְאִישׁ יְהוּדָה וְיֹשְׁבֵי יְרוּשָׁלִָם׃

Por causa de toda a maldade que fizeram os filhos de Israel e os filhos de Judá. Aqui as acusações juntam Israel, Judá e Jerusalém sob uma única acusação pungente. *Todas as classes* de pessoas daqueles lugares (parcialmente enumerados) se tinham corrompido juntamente: os reis, os príncipes, os sacerdotes, os profetas e os habitantes de modo geral. Até as crianças participavam das práticas idólatras (ver Jr 7.18). Salomão, filho de Davi, foi o primeiro dos reis a voltar-se para uma franca idolatria. Portanto, foi ali, durante o reino unido de Israel, que a apostasia começou. E temos de relembrar que foi Salomão quem construiu o templo de Yahweh! Mesmo durante a época áurea de Jerusalém, a corrupção moral já tinha lançado raízes profundas. A sede da adoração a Yahweh, quase desde o começo, já estava poluída.

■ 32.33

וַיִּפְנוּ אֵלַי עֹרֶף וְלֹא פָנִים וְלַמֵּד אֹתָם הַשְׁכֵּם וְלַמֵּד
וְאֵינָם שֹׁמְעִים לָקַחַת מוּסָר׃

Viraram-me as costas, e não o rosto. Embora o réprobo povo de Judá tivesse a lei mosaica, que lhes servia de *guia* (ver Dt 6.4 ss.) e era a fonte dos ensinos espirituais que tornavam Israel uma nação *distinta* (ver Dt 4.4-8), o povo de Judá conseguiu voltar as costas, e não o rosto, para Yahweh. Em outras palavras, eles rejeitaram o Senhor, em vez de recebê-lo. Os ensinamentos na lei tinham sido feitos com diligência, porquanto Yahweh madrugara para administrá-los. Não houve negligência da parte de Deus. Quanto à metáfora de "levantar-se cedo pela manhã" (usualmente aplicada à diligência demonstrada pelos profetas), ver Jr 7.13; 11.7; 25.3,4; 26.5; 29.19; 35.14,15 e 44.4. Nenhuma oportunidade para ensinar se perdeu; o conhecimento de Deus foi apresentado. Mas tais privilégios foram negligenciados e rejeitados voluntariamente. Uma instrução persistente, que se propunha a gerar resultados, não conseguiu modificar as atitudes daqueles pecadores endurecidos, que mostraram ser os piores estudantes de que se tinha notícia. Eles exibiam notável resistência ao aprendizado. A referência ao ato de levantar-se cedo pela manhã pode subentender que, como regra geral, o *ensino* era efetuado cedo a cada manhã.

■ 32.34

וַיָּשִׂימוּ שִׁקּוּצֵיהֶם בַּבַּיִת אֲשֶׁר־נִקְרָא־שְׁמִי עָלָיו
לְטַמְּאוֹ׃

Antes puseram as suas abominações na casa que se chama pelo meu nome. O próprio templo de Jerusalém foi alvo das abominações de ídolos, pois os sacerdotes e profetas de Judá criaram um *sincretismo* doentio, segundo o qual Yahweh era apenas mais um dos deuses do panteão. Cf. Jr 7.30; Ez 8.3-16, onde encontramos a mesma informação. O templo era o lugar especial onde o nome de Yahweh deveria ser honrado, mas o *povo de Deus* fez com que a honra de Deus fosse envergonhada. Ver sobre *nome*, em Sl 31.3; e ver sobre *nome santo* em Sl 30.4 e 33.21.

■ 32.35

וַיִּבְנוּ אֶת־בָּמוֹת הַבַּעַל אֲשֶׁר בְּגֵיא בֶן־הִנֹּם לְהַעֲבִיר
אֶת־בְּנֵיהֶם וְאֶת־בְּנוֹתֵיהֶם לַמֹּלֶךְ אֲשֶׁר לֹא־צִוִּיתִים
וְלֹא עָלְתָה עַל־לִבִּי לַעֲשׂוֹת הַתּוֹעֵבָה הַזֹּאת לְמַעַן
הַחֲטִי אֶת־יְהוּדָה׃ ס

Edificaram os altos de Baal, que estão no vale do filho de Hinom. Continuando as descrições da versátil idolatria de Judá, Jeremias nos lembra da adoração a Baal (ver sobre esse deus, no *Dicionário*), efetuada nos *lugares altos* (ver também no *Dicionário*). A adoração a Baal incluía o sacrifício de crianças (ver sobre *Moleque, Moloque* quanto a informações completas). Este versículo, pois, descreve a *total depravação* do povo de Deus, naquela época. Cf. Jr 7.31,32, trecho similar onde ofereço notas expositivas adicionais que iluminam o texto presente. Ver também Jr 19.5,6, passagem essencialmente idêntica.

■ 32.36

וְעַתָּה לָכֵן כֹּה־אָמַר יְהוָה אֱלֹהֵי יִשְׂרָאֵל אֶל־הָעִיר
הַזֹּאת אֲשֶׁר אַתֶּם אֹמְרִים נִתְּנָה בְּיַד מֶלֶךְ־בָּבֶל
בַּחֶרֶב וּבָרָעָב וּבַדָּבֶר׃

Agora, pois, assim diz o Senhor, o Deus de Israel. O castigo para tão terrível e franca idolatria-adultério-apostasia era a terrível *tríade*, espada, fome e pestilência, administrada por meio do exército da Babilônia. Cf. com Jr 14.11,12; 21.7; 24.10; 29.17, onde a terrível tríade também é citada. Essa era uma maneira convencional de alguém referir-se ao que sucede na guerra e às consequências da guerra.

32.37

הִנְנִי מְקַבְּצָם מִכָּל־הָאֲרָצוֹת אֲשֶׁר הִדַּחְתִּים שָׁם
בְּאַפִּי וּבַחֲמָתִי וּבְקֶצֶף גָּדוֹל וַהֲשִׁבֹתִים אֶל־הַמָּקוֹם
הַזֶּה וְהֹשַׁבְתִּים לָבֶטַח׃

Eis que eu os congregarei de todas as terras, para onde os lancei na minha ira. A catástrofe que foi o ataque do exército da Babilônia não assinalou o fim da história. Deus escreveria um *fim surpreendente*. Haveria a restauração do povo de Israel não somente do cativeiro babilônico, mas também de todo e qualquer cativeiro, incluindo a temida dispersão romana. Haverá grande *recolhimento* do povo de Israel (cf. Ez 37.1-14), quando Israel se tornar a cabeça das nações. Os julgamentos ao longo do caminho seriam agentes remediadores que garantiriam o bom, surpreendente e final capítulo da história. Cf. Jr 31.1-17, onde temos eloquente declaração da restauração. Os filhos de Israel habitarão em *segurança* na Terra Prometida, e isso quase certamente fala sobre a era do reino, o que significa que a profecia à nossa frente é escatológica. "A expressão *todas as terras* implica uma futura restauração de Israel mais universal do que aquela da Babilônia" (Fausset, *in loc.*). Cf. Jr 29.14.

32.38

וְהָיוּ לִי לְעָם וַאֲנִי אֶהְיֶה לָהֶם לֵאלֹהִים׃

Eles serão o meu povo, e eu serei o seu Deus. Esta é uma frase repetida com frequência para representar a comunhão entre Yahweh e Israel, conforme vemos em Jr 24.7; 30.2 e 31.33, onde também a comento. É uma espécie de minúsculo sumário do pacto da graça. Sobre essas palavras está escrita a frase *lo-ammi, tu és meu povo*.

Trata-se de uma frase distintiva, mostrando quão especial é o povo de Israel, um povo separado do paganismo. Isso vem por meio da lei (ver Dt 4.4-8).

32.39

וְנָתַתִּי לָהֶם לֵב אֶחָד וְדֶרֶךְ אֶחָד לְיִרְאָה אוֹתִי כָּל־
הַיָּמִים לְטוֹב לָהֶם וְלִבְנֵיהֶם אַחֲרֵיהֶם׃

Dar-lhes-ei um só coração, e um só caminho, para que me temam todos os dias. Israel, como povo *distinto* entre as nações, receberá seu coração espiritual da parte de Yahweh. Esse coração será um só, pois a nação toda se unirá sob a mesma fé, um yahwismo puro, livre do sincretismo que assinalou o passado apostatado (vs. 34). O povo de um só coração também terá um só caminho espiritual. Isso estará alicerçado sobre o "temor do Senhor", expressão veterotestamentária que indica *espiritualidade*. Ver as notas a respeito em Sl 119.38 e Pv 1.7. Ver também no *Dicionário* o verbete intitulado *Temor*. Tendo eles entrado no caminho único dotados de um só coração, o *bem* lhes sobrevirá, como também aos seus filhos, conforme o tempo rolar de geração para geração. "Deus nunca deixará de fazer o bem a seu povo, e eles nunca mais se desviarão dele" (Charles H. Dyer, *in loc.*). Cf. Sl 34.12,14: "Quem é o homem que ama a vida...? Aparta-te do mal, e pratica o que é bom".

Quanto aos caminhos dos bons e dos maus, contrastados, ver as notas expositivas em Pv 4.27.

32.40

וְכָרַתִּי לָהֶם בְּרִית עוֹלָם אֲשֶׁר לֹא־אָשׁוּב מֵאַחֲרֵיהֶם
לְהֵיטִיבִי אוֹתָם וְאֶת־יִרְאָתִי אֶתֵּן בִּלְבָבָם לְבִלְתִּי
סוּר מֵעָלָי׃

Farei com eles aliança eterna, segundo a qual não deixarei de lhes fazer o bem. O povo dotado de um coração novo, que caminha por uma única vereda espiritual, participará do novo pacto, o que comento em Jr 31.31. Neste versículo o pacto é chamado de "eterno". Estará baseado no *temor do Senhor* (também repetido com base no vs. 39, onde comento a frase). Visto que esse temor será posto no coração do povo *por parte de Yahweh*, por um ato de sua graça, transformando o povo, eles nunca mais se *desviarão* dele, para cair de novo na senda da idolatria-adultério-apostasia que tinha maculado sua história por todo o longo trajeto. A conversão e a perseverança são obras de Deus, e outro tanto é a bênção contínua daí resultante. Tal como se vê em Jr 31.31 ss., temos de distinguir esse pacto com Israel do pacto com a igreja, embora eles tenham elementos similares. A *salvação* faz parte de ambos os pactos. O *novo pacto* com Israel, entretanto, não fala somente das bênçãos terrenas sobre a terra física. Por outro lado, o *destino distinto* da igreja, que é a transformação segundo a imagem de Cristo (ver Rm 8.29 e 2Co 3.18), é exatamente isso, *distinto*. Quanto a notas expositivas completas a respeito, ver na *Enciclopédia de Bíblia, Teologia e Filosofia* o artigo chamado *Transformação segundo a Imagem de Cristo*.

32.41

וְשַׂשְׂתִּי עֲלֵיהֶם לְהֵטִיב אוֹתָם וּנְטַעְתִּים בָּאָרֶץ הַזֹּאת
בֶּאֱמֶת בְּכָל־לִבִּי וּבְכָל־נַפְשִׁי׃ ס

Alegrar-me-ei por causa deles, e lhes farei bem. Pela terceira vez (vss. 38, 39 e 40) é dito que Yahweh *faria o bem* ao seu povo. Aprendemos neste versículo que o Senhor se *regozijará* por lhes fazer o bem. Visto que Deus extrairá alegria desse fato e tudo fará de modo entusiasmado, é-nos assegurado que haverá grande abundância e excelente qualidade. O novo Israel será *plantado* na nova terra, e isso fala de permanência, da mesma maneira que o poderoso carvalho aprofunda suas raízes no solo, florescendo e perdurando por longuíssimo tempo. Yahweh operará esses atos beneficentes de todo o seu coração e de toda a sua alma, o que representa um pesado antropomorfismo. Ver no *Dicionário* o artigo chamado *Antropomorfismo*. Essas palavras enfatizam a divindade dos atos de bênção, ou seja, sua abundância, seu alto valor e sua duração eterna, os tipos de coisas que esperaríamos da parte de Deus. "Eu os plantarei na Terra e fá-los-ei crescer. Farei isso de todo o meu ser" (NCV). "Quão condescendentes são essas palavras de Deus!" (Adam Clarke, *in loc.*). Cf. este versículo com Jr 24.6 e Am 9.15.

32.42

כִּי־כֹה אָמַר יְהוָה כַּאֲשֶׁר הֵבֵאתִי אֶל־הָעָם הַזֶּה אֵת
כָּל־הָרָעָה הַגְּדוֹלָה הַזֹּאת כֵּן אָנֹכִי מֵבִיא עֲלֵיהֶם
אֶת־כָּל־הַטּוֹבָה אֲשֶׁר אָנֹכִי דֹּבֵר עֲלֵיהֶם׃

Assim como fiz vir sobre este povo todo este grande mal, assim lhes trarei todo o bem. O *grande mal* foi o ataque do exército babilônico, que pode ser considerado símbolo dos muitos e devastadores males que Israel ainda teria de sofrer ao longo de sua história. Portanto, podemos dizer: "todos os grandes males", e não desprezar as implicações do texto. Essas coisas são declaradas como "causadas por Deus, porquanto a longa história de apostasia do povo de Deus requeria severo tratamento para *ser curada*. E da mesma maneira que Yahweh foi a causa da dor, também será a causa da glória.

Todo o bem que lhes estou prometendo. Temos aqui um texto de prova da restauração de Israel, a despeito de sua longa história de apostasia. O *pacto abraâmico* (comentado em Gn 15.18) era com Israel, e não com a igreja, pelo que suas condições se aplicam ao povo de Israel. A entrada da igreja não poderia anular o que foi prometido a Israel, nem poderia a igreja suplantar Israel em seu destino distinto. E o novo pacto com Israel não poderia anular o novo pacto com a igreja, pois eles contêm similaridades, embora não sejam a mesma coisa. As palavras aqui ultrapassam o que poderíamos esperar para depois do cativeiro babilônico. Ademais, a história não ilustra as palavras do texto. Em consequência, temos de olhar para a era do reino, se quisermos satisfazer as promessas desta passagem.

32.43

וְנִקְנָה הַשָּׂדֶה בָּאָרֶץ הַזֹּאת אֲשֶׁר אַתֶּם אֹמְרִים
שְׁמָמָה הִיא מֵאֵין אָדָם וּבְהֵמָה נִתְּנָה בְּיַד הַכַּשְׂדִּים׃

Comprar-se-ão campos nesta terra, da qual vós dizeis: Está deserta. Os vss. 43,44 olham de volta para o incidente da *compra do terreno* relatado nos vss. 9-12. Jeremias, pois, foi justificado em sua fé de que poderia comprar um campo, de que o cativeiro não perduraria por tanto tempo a ponto de anular a passagem da herança para seus herdeiros. Jeremias, contudo, ao contemplar o começo do ataque dos babilônios (vs. 25), por alguns momentos perdeu a fé, e perguntou se não teria sido um tolo por haver participado da compra de terras antes do ataque babilônico. Porém, o discurso inteiro de Yahweh, a começar pelo vs. 26, dizia que ele não fora um tolo ao agir daquela forma. Sua ação foi assim justificada. O cativeiro babilônico seria revertido dentro de um tempo relativamente curto (setenta anos, conforme Jeremias mesmo predissera; ver Jr 25.11,12; 29.10). Este versículo, pois, generaliza a questão. *Campos* podiam ser comprados por qualquer número de pessoas, e a desolação temporária deixada pelos babilônios seria revertida, de modo que a vida voltaria à normalidade.

Observando o *tempo verbal futuro* referente ao ato de compra, podemos supor que este versículo seja *profético*. Em um tempo relativamente curto, *após* o cativeiro, a desolação seria revertida e os judeus, que retornassem do cativeiro, começariam novamente a comprar e vender terras. Isso seria uma indicação de que as coisas estavam voltando ao normal, tal e qual Yahweh disse que aconteceria. Era algo que transmitia *esperança* ao remanescente, escorraçado da Babilônia, para que eles não pensassem que a vida não era digna de ser vivida.

■ **32.44**

שָׂדוֹת בַּכֶּסֶף יִקְנוּ וְכָתוֹב בַּסֵּפֶר וְחָתוֹם וְהָעֵד עֵדִים בְּאֶרֶץ בִּנְיָמִן וּבִסְבִיבֵי יְרוּשָׁלַם וּבְעָרֵי יְהוּדָה וּבְעָרֵי הָהָר וּבְעָרֵי הַשְּׁפֵלָה וּבְעָרֵי הַנֶּגֶב כִּי־אָשִׁיב אֶת־שְׁבוּתָם נְאֻם־יְהוָה׃ פ

Comprarão campos por dinheiro, lavrarão as escrituras e as fecharão com selos. Este versículo nos remete aos vss. 10-14, onde temos a *documentação* ou evidências referentes à compra e venda de terras. Qualquer número de pessoas poderia imitar os atos de Jeremias, terminado o cativeiro, e envolver-se em todos os atos relativos a documentos. E toda a dificuldade pela qual passassem estaria justificada, porquanto o povo de Deus não mais andaria disperso. Jeremias, naturalmente, não previu a dispersão causada pelos romanos, e, mesmo que o tivesse feito, isso não teria feito diferença quanto à compra e venda de terras, terminado o cativeiro babilônico. Essas compras e vendas documentadas de terras falam da *permanência* em termos relativos. Isso se aplicaria a todo o povo de Judá, e não apenas à cidade capital, Jerusalém. Jeremias, pois, esforçou-se para mostrar que cidades espalhadas por toda a Terra Prometida, nas montanhas (em redor da capital), nos vales, nas cidades do sul, em lugares próximos e distantes de Jerusalém, e nos territórios de ambas as tribos (Judá e Benjamim), participariam das compras e vendas, ou seja, regressariam à *normalidade* que se seguiria ao cativeiro, depois que este terminasse. As fortunas de Judá teriam então sido restauradas.

Farei tudo voltar a ser tão bom como era antes, diz o Senhor.
NCV

Quanto à restauração das fortunas de Judá, cf. Jr 30.18; 33.11,26 e Dt 30.3. Diz o hebraico original, literalmente: "Farei voltar seu cativeiro". "Seu cativeiro temporal, na Babilônia, e seu cativeiro espiritual ao pecado, a Satanás e à lei" (John Gill, *in loc.*).

CAPÍTULO TRINTA E TRÊS

PROMESSAS DE RESTAURAÇÃO (33.1-26)

Este capítulo continua a abordar os temas gerais tratados nos capítulos 30—32: saúde, restauração, alegria, bem-estar e duração eterna do pacto davídico (anotado em 2Sm 7.4). Outrossim, o sacerdócio levítico seria restaurado, terminado o cativeiro. Os vss. 1-13 contêm várias frases que fazem lembrar o editor deuteronômico, ou, talvez, comentários do próprio Jeremias, tomando por empréstimo pormenores daquele livro.

A Reedificação de Jerusalém (33.1-9)

Esta seção está diretamente relacionada a Jr 32.2, onde encontramos profecias de Jeremias, embora ele estivesse "trancado" na prisão. Agora, pela *segunda vez*, ele profetizava, embora continuasse confinado. "Embora Jeremias estivesse fechado na sua prisão, a palavra de Deus não estava aprisionada" (Fausset, *in loc.*).

■ **33.1**

וַיְהִי דְבַר־יְהוָה אֶל־יִרְמְיָהוּ שֵׁנִית וְהוּא עוֹדֶנּוּ עָצוּר בַּחֲצַר הַמַּטָּרָה לֵאמֹר׃

Estando ele ainda encarcerado no pátio da guarda. O profeta permanecia confinado no pátio da guarda (ver Jr 32.1,2), embora seu encarceramento mais severo ainda não tivesse sido iniciado (ver Jr 37.15 ss.). Yahweh veio até ele de novo, enfatizando seu poder de fazer qualquer coisa para encorajá-lo a continuar sua missão.

"*Vss. 1-3. Pela segunda vez,* estando Jeremias ainda encarcerado. Este discurso pertence ao mesmo período que o capítulo anterior e apresenta as mesmas características gerais. Sua conexão com as operações do cerco de Jerusalém pode ser acompanhada no vs. 4. Tal como acontecia com outras profecias, seu ponto de partida encontra-se no pensamento da majestade dos atributos de Deus" (Ellicott, *in loc.*).

■ **33.2**

כֹּה־אָמַר יְהוָה עֹשָׂהּ יְהוָה יוֹצֵר אוֹתָהּ לַהֲכִינָהּ יְהוָה שְׁמוֹ׃

Assim diz o Senhor que faz estas cousas, o Senhor que as forma para as estabelecer. O que Yahweh estava prestes a *fazer* era declarar o que ele *tinha feito* na natureza, ou seja, a criação e o estabelecimento da terra. Essa ideia, com toda a probabilidade, é paralela ao que se lê em Cl 1.17, a contínua *Providência de Deus* que preserva a criação e põe em boa ordem os eventos naturais. Trata-se do mesmo uso introdutório que se encontra em Jr 32.17. O poder de criação foi visto no Egito, por ocasião do livramento de Israel. E seria visto novamente no livramento de Israel do cativeiro babilônico. As obras de Deus mencionadas na presente passagem são paralelas às obras referidas em Jr 32, ainda que as ideias tenham sido transmitidas de maneiras diversas.

O Senhor é o seu nome. Ou seja, o Deus eterno e, para os hebreus, o único Deus e Criador, para quem coisa alguma é por demais difícil (ver Jr 32.17,27). Ver no *Dicionário* os artigos chamados *Yahweh* e *Deus, Nomes Bíblicos de*.

■ **33.3**

קְרָא אֵלַי וְאֶעֱנֶךָ וְאַגִּידָה לְּךָ גְּדֹלוֹת וּבְצֻרוֹת לֹא יְדַעְתָּם׃ ס

Invoca-me, e te responderei; anunciar-te-ei cousas grandes e ocultas, que não sabes. Este é um dos mais conhecidos e populares versículos de todo o livro de Jeremias, embora o emprego popular seja mais uma aplicação do que uma interpretação.

O vs. 3 é um convite à oração. Yahweh convidava Judá a aprender seus segredos e a saber mais sobre suas obras poderosas. Os segredos e as obras de Deus relacionavam-se, especificamente, à invasão dos babilônios e ao subsequente livramento do remanescente judeu. Os vss. 15 ss. deste capítulo são, como é óbvio, messiânicos, pelo que as obras de poder incluem os acontecimentos que se desdobrarão durante a era do reino, e não meramente circunstâncias que circundariam a Babilônia.

Se Judá invocasse a Yahweh, o que o Senhor faria em favor deles?
1. Algumas traduções enfatizam as "coisas ocultas", guardadas nos conselhos de Deus. Isso incluía o que aconteceria durante a invasão dos babilônios, a restauração, posterior e a era do reino de Deus, sob o governo do Messias. Essas coisas ocultas, que são os *mistérios de Deus*, seriam reveladas a Judá. E então eles poderiam agir com base naquilo que sabiam.
2. Outras traduções enfatizam as *obras poderosas* que Deus planejava fazer, e que, no momento, não eram conhecidas, mas em breve seriam reveladas por meio do seu profeta. Seria uma grandiosa obra de Deus, que causaria a devastação de Judá, além de outras grandes obras que produziriam a restauração; e então, uma outra, que traria o Messias e o reino de Deus. "Os planos de Deus quanto ao futuro são inacessíveis para as pessoas ordinárias. Somente Deus pode destrancar os segredos relativos ao futuro, e ele estava

oferecendo esse conhecimento a Jeremias. Ele compartilhava com Jeremias as 'cousas' que o profeta desconhecia e não entendia sobre o futuro de Israel" (Charles H. Dyer, *in loc.*). "As promessas de Deus não deveriam amortecer, e, sim, despertar as orações de seu povo (Sl 132.13,17; Is 62.6,7)" (Fausset, *in loc.*).

3. A interpretação popular deste versículo é uma *aplicação*. O poder da oração, segundo se diz popularmente, é capaz de fazer qualquer coisa. Aquele que ora, leva Yahweh a fazer qualquer coisa que lhe for pedido, sem importar quão difícil seja o pedido, porquanto coisa alguma é difícil demais para ele (ver Jr 32.17,27). Portanto, que o leitor invoque o Senhor, para que o Senhor lhe mostre coisas grandes, que o crente jamais poderia ter ao menos imaginado. Por conseguinte, que podemos dizer sobre um poder como esse? Oh, Senhor, concede-nos tal graça!

E visto que ele me ordena buscar a sua face,
Crendo em sua palavra e confiando em sua graça,
Lançarei sobre ele todos os meus cuidados.

William W. Walford

Quanto a reflexões baseadas em Is, nos vss. 2,3 deste capítulo, ver Is 45.18; 47.4 e 48.6.

■ 33.4

כִּי כֹה אָמַר יְהוָה אֱלֹהֵי יִשְׂרָאֵל עַל־בָּתֵּי הָעִיר הַזֹּאת וְעַל־בָּתֵּי מַלְכֵי יְהוּדָה הַנְּתֻצִים אֶל־הַסֹּלְלוֹת וְאֶל־הֶחָרֶב׃

Porque assim diz o Senhor, o Deus de Israel, a respeito das casas desta cidade. O hebraico deste versículo é obscuro, fazendo os intérpretes hesitar quanto ao seu significado, conforme se vê nos pontos a seguir:

1. A *King James Version* refere-se às casas derrubadas ou destruídas por causa dos terraplenos de cerco levantados pelos babilônios. Ou seja, as máquinas de guerra dos babilônios eram *eficazes*.
2. A *Revised Standard Version* diz casas derrubadas no esforço de contrabalançar os terraplenos de cerco, mas é difícil imaginar como isso possa ter funcionado. A NCV concorda com a ideia, mas ficamos nos debatendo diante da ideia de que casas derrubadas poderiam ter impedido o avanço dos babilônios.
3. Charles H. Dyer supõe que a madeira e as pedras das casas derrubadas eram usadas para fortalecer as muralhas, que estavam sendo atacadas.
4. Voltando à primeira interpretação, Fausset (*in loc.*) supunha que os mísseis lançados dos terraplenos de cerco destruíam as casas que ficavam próximas das muralhas.
5. O Targum concorda com a terceira dessas interpretações. Seja como for, a palavra de Yahweh-Elohim, embora ele fosse o Deus de Judá, uma vez proferida contra os judeus, tornava os babilônios eficazes em seus esforços por aniquilar o povo de Deus.

■ 33.5

בָּאִים לְהִלָּחֵם אֶת־הַכַּשְׂדִּים וּלְמַלְאָם אֶת־פִּגְרֵי הָאָדָם אֲשֶׁר־הִכֵּיתִי בְאַפִּי וּבַחֲמָתִי וַאֲשֶׁר הִסְתַּרְתִּי פָנַי מֵהָעִיר הַזֹּאת עַל כָּל־רָעָתָם׃

Quando se der a peleja contra os caldeus, para que eu as encha de cadáveres. Este trecho também é obscuro no hebraico original. Consideremos os seguintes pontos:

1. Alguns estudiosos imaginam que os defensores da cidade enchiam as casas com os cadáveres dos soldados babilônios. Os esforços desses defensores obtiveram sucesso em efetuar grande matança; mas isso não fez impediu o ataque do exército babilônico, que matava também muitos judeus, com a ajuda de Yahweh, o General do exército.
2. Ou então, de acordo com outros intérpretes, toda a matança é aqui atribuída aos babilônios, que enchiam as casas e ruas da cidade com os cadáveres dos judeus. Isso ocorria porque Yahweh tinha *escondido* seu rosto dos habitantes de Jerusalém, por causa da iniquidade deles, razão pela qual o Senhor não os ajudava na hora da crise.
3. "Os judeus, defensores das casas (vs. 4), adiantavam-se para combater contra os caldeus, os quais irromperam no interior da cidade através das casas derrubadas. Mas o efeito que os defensores conseguiam era encher as casas com seus cadáveres" (Fausset, *in loc.*). Segundo o Targum, a glória *shekinah* de Deus tinha-se afastado da cidade, o que explica a tremenda matança de judeus.

■ 33.6

הִנְנִי מַעֲלֶה־לָּהּ אֲרֻכָה וּמַרְפֵּא וּרְפָאתִים וְגִלֵּיתִי לָהֶם עֲתֶרֶת שָׁלוֹם וֶאֱמֶת׃

Eis que lhe trarei a ela saúde e cura, e os sararei. Este versículo repentinamente reverte o desastre expresso nos vss. 4,5 e fala de uma ajuda eventual da parte de Yahweh. Em vez de matança, o Senhor traria *saúde* e *cura*. Em vez de guerra, traria paz. E em vez de cativeiro, traria a restauração. Cf. Jr 30.17: "te restaurarei a saúde e curarei as tuas chagas, diz o Senhor".

A palavra "cura" aqui usada refere-se à longa bandagem de linho empregada para pensar os ferimentos. O julgamento divino era algo temporário e remediador, como são todos os julgamentos de Deus. *Paz e segurança* se seguiriam à destruição e matança. Este versículo fala do *segundo* grande fato que seria revelado, ou seja, a segunda grande obra que deveria ser feita: a restauração após o castigo (a primeira coisa a ser revelada e efetuada). Alguns estudiosos, contudo, pensam que esta profecia é escatológica, vendo a cura aqui referida como a obra do Messias, antes e durante a era do reino.

■ 33.7

וַהֲשִׁבֹתִי אֶת־שְׁבוּת יְהוּדָה וְאֵת שְׁבוּת יִשְׂרָאֵל וּבְנִתִים כְּבָרִאשֹׁנָה׃

Restaurarei a sorte de Judá e de Israel, e os edificarei como no princípio. As fortunas do povo de Deus seriam restauradas, ou seja, o cativeiro seria revertido; o remanescente voltaria à Terra Prometida, e o processo de *reconstrução* começaria. Cf. Jr 29.14; 30.3,18,26; 32.44 e o vs. 11 do presente capítulo, onde encontramos a mesma mensagem.

A *restauração* seria processada mediante quatro estágios: 1. O retorno do remanescente e a reconstrução (vs. 7). 2. A volta a *Yahweh*, uma reversão espiritual, e não meramente uma reversão física (vs. 8). 3. O perdão e a purificação, com as bênçãos resultantes (vs. 8). 4. A restauração de um lugar especial entre as nações (vs. 9). Cf. isso com Jr 31.10-14.

Note o leitor que tanto a nação de Israel como a nação de Judá serão as beneficiárias das bênçãos, o que significa que a grande restauração futura produzirá uma nação *unida de Israel*. Isso quer dizer que esta profecia é escatológica, incluindo e ultrapassando a questão concernente à Babilônia, alcançando a era do reino.

■ 33.8

וְטִהַרְתִּים מִכָּל־עֲוֹנָם אֲשֶׁר חָטְאוּ־לִי וְסָלַחְתִּי לְכָול־עֲוֹנוֹתֵיהֶם אֲשֶׁר חָטְאוּ־לִי וַאֲשֶׁר פָּשְׁעוּ בִי׃

Purificá-los-ei de toda a sua iniquidade com que pecaram contra mim. Por meio da purificação da iniquidade, um *retorno espiritual* acompanhará o retorno físico. Diante do perdão dos pecados, será removida a *causa* da agonia. Será anulada a idolatria-adultério-apostasia, no novo dia, quando Israel-Judá tornará a converter-se ao caminho de Yahweh. Ver no *Dicionário* os artigos denominados *Arrependimento* e *Perdão*. Cf. este versículo com Ez 36.25; Zc 13.1; Hb 9.13,14 e Mq 7.18,19. E ver também Jr 31.31-34.

■ 33.9

וְהָיְתָה לִּי לְשֵׁם שָׂשׂוֹן לִתְהִלָּה וּלְתִפְאֶרֶת לְכֹל גּוֹיֵי הָאָרֶץ אֲשֶׁר יִשְׁמְעוּ אֶת־כָּל־הַטּוֹבָה אֲשֶׁר אָנֹכִי עֹשֶׂה אֹתָם וּפָחֲדוּ וְרָגְזוּ עַל כָּל־הַטּוֹבָה וְעַל כָּל־הַשָּׁלוֹם אֲשֶׁר אָנֹכִי עֹשֶׂה לָּהּ׃ ס

Jerusalém me servirá por nome, por louvor e glória, entre todas as nações da terra. Alegria, louvor e glória serão características da cidade restaurada de Jerusalém, perante todas as nações, quando Israel for levantado a um lugar de honra entre elas. Cf. Jr 31.10-14. Durante a era do Reino — o milênio — Israel se tornará a cabeça das nações. As nações quedarão admiradas diante da obra de Deus, efetuada entre seu povo de Israel. Os gentios temerão e estremecerão diante de tão grande realização. Grande bondade e prosperidade serão exibidas a todos os povos, o que os deixará assustados. Cf. o vs. 6. Ver Sl 130.4 quanto à *bondade* de Deus. Haverá arrependimento e conversão universal (internacional) (ver Sl 102.13,15; Is 60.3). Quanto ao *temor do Senhor,* ver Sl 119.38 e Pv 1.7. Ver também, no *Dicionário,* o verbete chamado *Temor.*

A Volta da Alegria (33.10,11)

■ **33.10**

כֹּה אָמַר יְהוָה עוֹד יִשָּׁמַע בַּמָּקוֹם־הַזֶּה אֲשֶׁר אַתֶּם אֹמְרִים חָרֵב הוּא מֵאֵין אָדָם וּמֵאֵין בְּהֵמָה בְּעָרֵי יְהוּדָה וּבְחֻצוֹת יְרוּשָׁלִַם הַנְשַׁמּוֹת מֵאֵין אָדָם וּמֵאֵין יוֹשֵׁב וּמֵאֵין בְּהֵמָה׃

Neste lugar, que vós dizeis que está deserto, sem homens nem animais... O ataque desfechado pelos babilônios deixou Judá, mas especialmente a cidade de Jerusalém, uma desolação. A maior parte das cidades de Judá compartilhou da triste sorte de Jerusalém. O país inteiro ficou essencialmente desabitado, e animais ferozes apossaram-se do lugar, tornando-o seus covis. Os animais domesticados foram obliterados.

> *Está deserta, sem homens nem animais.*
> Jeremias 32.43

Cf. Jr 9.11; 10.22 e Is 35.7.

■ **33.11**

קוֹל שָׂשׂוֹן וְקוֹל שִׂמְחָה קוֹל חָתָן וְקוֹל כַּלָּה קוֹל אֹמְרִים הוֹדוּ אֶת־יְהוָה צְבָאוֹת כִּי־טוֹב יְהוָה כִּי־לְעוֹלָם חַסְדּוֹ מְבִאִים תּוֹדָה בֵּית יְהוָה כִּי־אָשִׁיב אֶת־שְׁבוּת־הָאָרֶץ כְּבָרִאשֹׁנָה אָמַר יְהוָה׃ ס

A voz de júbilo e de alegria, a voz de noivo e a de noiva, e a voz dos que cantam. O *deserto,* onde nem homens nem animais domésticos habitavam, uma vez restaurado, se tornará lugar de júbilo e alegria, onde as condições normais de vida continuarão e haverá ali celebração de festas de casamento, com seus cânticos, danças e execução de música por meio de instrumentos musicais. A casa do Senhor ficará repleta de adoradores felizes e dedicados, que trarão suas oferendas e sacrifícios. Cf. Jr 33.10,11; Sl 136.1; Ed 3.11. Quanto aos sacrifícios renovados, ver Sl 107.22; 116.17.

"... o templo será reedificado e os cultos públicos serão reiniciados" (Adam Clarke, *in loc.*). Quanto a declarações similares no livro de Jeremias, cf. 7.34; 16.9 e 25.10. A segunda parte deste versículo é quase igual a Sl 136.1, e talvez tenhamos aí um pequeno pedaço de um hino de louvor. *As fortunas da Terra Prometida* terão sido restauradas, garante-nos Yahweh. Ver esta mensagem declarada e comentada no vs. 7 do presente capítulo, onde também ofereço referências sobre a mesma afirmação, que aparece em outros trechos no livro de Jeremias. Quanto à *voz do noivo,* ver 7.34; 16.9 e 25.10.

■ **33.12**

כֹּה־אָמַר יְהוָה צְבָאוֹת עוֹד יִהְיֶה בַּמָּקוֹם הַזֶּה הֶחָרֵב מֵאֵין־אָדָם וְעַד־בְּהֵמָה וּבְכָל־עָרָיו נְוֵה רֹעִים מַרְבִּצִים צֹאן׃

Ainda neste lugar, que está deserto, sem homens e sem animais. Nos lugares desolados da Terra Prometida, que não eram ocupados nem por homens nem por animais domésticos (vs. 10; a ideia é repetida aqui para efeito de ênfase), os pastores cuidariam de seus rebanhos, um grande sinal de volta à normalidade. Durante algum tempo, somente animais ferozes habitavam ali (ver Jr 9.11; 10.22).

Agora voltariam animais domésticos, o que representava a volta da *prosperidade* ao lugar. Além disso, cumpre-nos observar a *cena pacífica.* Pastores haveriam de cuidar novamente de seus rebanhos, onde o exército babilônico fizera temíveis destruições. Cf. Jr 31.12, onde temos algo similar, mas envolvendo diversos animais domésticos. "... expressões de grande paz, sem inimigos estrangeiros para insuflar medo ou para perturbar... diligência e indústria, abundância e prosperidade" (John Gill, *in loc.*).

■ **33.13**

בְּעָרֵי הָהָר בְּעָרֵי הַשְּׁפֵלָה וּבְעָרֵי הַנֶּגֶב וּבְאֶרֶץ בִּנְיָמִן וּבִסְבִיבֵי יְרוּשָׁלִַם וּבְעָרֵי יְהוּדָה עֹד תַּעֲבֹרְנָה הַצֹּאן עַל־יְדֵי מוֹנֶה אָמַר יְהוָה׃ ס

Nas cidades da região montanhosa, nas cidades das planícies e nas cidades do sul... Cenas pacíficas dominarão todo o país. Rebanhos serão encontrados em todos os antigos lugares familiares; na região montanhosa próxima de Jerusalém; nas áreas dos sopés montanhosos do ocidente, nas planícies (a Sefelá) que ficavam no ocidente; e até no sul, no Neguebe, onde antigamente as condições não favoreciam a criação de ovelhas; e no território de Benjamim, mais ao norte. Cf. Jr 17.26. A enumeração desses lugares segreda-nos que a normalidade fora restaurada a toda a Terra Prometida. E, juntamente com essa normalidade, voltaram a paz e a prosperidade, conforme vemos no versículo anterior. Alguns intérpretes veem um sentido metafórico na menção aos pastores e seus rebanhos, vinculando isso à restauração da espiritualidade, segundo a qual os líderes se tornavam pastores fiéis que cuidavam das necessidades de seu povo. Alguns estudiosos veem aqui o Messias e Pastor-chefe, como se estes versículos se referissem à salvação e à restauração da era do reino de Deus; mas isso já é ver demais nas simples declarações dos vss. 12,13. Ver Jr 3.15; 23.3 e 31.10 quanto a tais usos espirituais.

Passarão os rebanhos pelas mãos de quem os conte. O bom pastor controlava o número de suas ovelhas, contando-as com o cajado, para que pudesse saber se alguma estava faltando. Cf. Lv 27.32; Mq 7.14; Jo 10.28,29; 17.12. É assim destacado o cuidado individual, elemento que se harmoniza com a interpretação espiritual do versículo. Pelo menos, podemos *aplicar* o versículo a fim de incluir essa ideia.

Reis Davídicos e Sacerdotes Levíticos (33.14-26)

■ **33.14**

הִנֵּה יָמִים בָּאִים נְאֻם־יְהוָה וַהֲקִמֹתִי אֶת־הַדָּבָר הַטּוֹב אֲשֶׁר דִּבַּרְתִּי אֶל־בֵּית יִשְׂרָאֵל וְעַל־בֵּית יְהוּדָה׃

Eis que vêm dias... em que cumprirei a boa palavra que proferi à casa de Israel e à casa de Judá. Esta seção primeiramente cita Jr 23.5,6 e então faz um longo comentário a respeito. É aqui prometida a continuação do Estado judeu. A linhagem davídica voltará a governar, e haverá um sacerdócio renovado, controlado pelos levitas, tal como era a prática antiga. Depois que os judeus voltaram do cativeiro, Zorobabel, descendente de Davi, tornou-se o *governador* de Judá. Mas o rei verdadeiro era Nabucodonosor. Houve, igualmente, a restauração do sacerdócio levítico. Mas a passagem à nossa frente requer uma interpretação messiânica e um pano de fundo próprio da era do reino. Os vss. 14-26 faltam na Septuaginta e podem ser um comentário sobre Jr 23.5,6, surgido nos dias de Ageu e Zacarias (520 a.C.), adicionado por um editor, visto ajustar-se tão bem à mensagem de Jeremias.

A coisa *boa* aqui referida é o retorno dos judeus da Babilônia, pouco antes da inauguração da era do reino. Isso tinha sido *prometido* juntamente com os dias atribulados que antecederam a época do relato bíblico. Cf. este versículo com Mq 7.9; Sf 3.10; Jr 16.15; 23.3; 29.10 e 32.37.

Vêm dias. Expressão usada dezesseis vezes no livro de Jeremias para indicar acontecimentos futuros: 1. A vindoura destruição de Judá e nações circunvizinhas; ver como exemplos Jr 7.32; 9.25; 19.6; 48.12; 49.2; 51.47,53. 2. A restauração e as bênçãos decorrentes; exemplos são Jr 16.14,15; 23.7,8; 30.3. O novo pacto fará parte desse tempo futuro (ver Jr 31.31-34). A cidade santa será reconstruída para nunca mais ser destruída (ver Jr 31.38-40).

O Pacto Davídico é Reafirmado (33.15-22)

■ 33.15

בַּיָּמִים הָהֵם וּבָעֵת הַהִיא אַצְמִיחַ לְדָוִד צֶמַח צְדָקָה
וְעָשָׂה מִשְׁפָּט וּצְדָקָה בָּאָרֶץ:

Naqueles dias e naquele tempo farei brotar a Davi um Renovo de justiça. Ver 2Sm 7.4. Como parte dos "dias que estão vindo", surgirá o *Renovo,* uma referência ao Messias, como descendente de Davi. A era do Reino será estabelecida, e com ela a retidão e a justiça. Já encontramos a doutrina do *Renovo* em Jr 23.5. Cf. Is 11.1. Ver também Zc 3.8 e 6.12. A linhagem davídica tinha sido cortada em Jeconias (Conias, *Joaquim;* ver a respeito no *Dicionário).* Quanto a isso, ver Jr 22.30. Mas na linhagem de Davi completa restauração teria cumprimento na primeira e na segunda vinda de Cristo. Ver Mt 1.11. Ver as notas expositivas sobre Jr 23.5 e também outras referências ali fornecidas. Ver na *Enciclopédia de Bíblia, Teologia e Filosofia* o artigo chamado *Profecias Messiânicas Cumpridas em Jesus.* Este versículo fala sobre um aspecto do pacto davídico.

■ 33.16

בַּיָּמִים הָהֵם תִּוָּשַׁע יְהוּדָה וִירוּשָׁלַ͏ִם תִּשְׁכּוֹן לָבֶטַח
וְזֶה אֲשֶׁר־יִקְרָא־לָהּ יְהוָה צִדְקֵנוּ: ס

Naqueles dias Judá será salvo e Jerusalém habitará seguramente. Os *aspectos espirituais* da restauração são enfatizados: a *salvação* do povo de Israel, outro aspecto dos momentosos acontecimentos daqueles dias futuros. Se a salvação nas páginas do Antigo Testamento com frequência é apenas simples sinônimo de segurança física e livramento de algum inimigo, pessoal ou nacional, dentro do contexto da doutrina do Renovo, devemos pensar na salvação espiritual. Cf. Rm 11.26. O presente versículo, como é óbvio, também fala sobre a *segurança* de Judá e de Jerusalém, quando ocorrer a restauração da Terra Prometida. As guerras cessarão e se concretizará por fim há longo tempo esperada. O Renovo, chamado também "o Senhor, Justiça Nossa", indica que a santidade de Deus será dada a seu povo, e isso fará parte da salvação deles. Haverá retidão "em virtude da *unidade* mística entre os israelitas e seu Senhor" (Fausset, *in loc.*). Cf. Jr 23.6, paralelo direto desta passagem. "A cidade tomará as mesmas características do Senhor, que habitará dentro dela (cf. Ez 48.35)" (Charles H. Dyer, *in loc.*).

■ 33.17

כִּי־כֹה אָמַר יְהוָה לֹא־יִכָּרֵת לְדָוִד אִישׁ יֹשֵׁב עַל־
כִּסֵּא בֵית־יִשְׂרָאֵל:

Nunca faltará a Davi homem que se assente no trono da casa de Israel. Com o aparecimento do Messias, a linhagem de Davi, que fora interrompida em Joaquim (Conias, Jeconias), será restaurada de forma permanente. A interrupção da linhagem de Davi ocorreu em 586 a.C., mas a restauração anulará esse aspecto tristonho da história. Cf. Lc 1.31-33. As genealogias acompanham a ascendência de Jesus de volta a Davi. Ver Mt 1.1-16 e Lc 3.23-31. O pacto davídico (comentado em 2Sm 7.4) inclui a importante promessa da perpetuidade da linhagem real de Davi. Cf. Sl 89.4,29,36. E 1Rs 2.4 encerra a mesma promessa. A esperança era inextinguível.

■ 33.18

וְלַכֹּהֲנִים הַלְוִיִּם לֹא־יִכָּרֵת אִישׁ מִלְּפָנָי מַעֲלֶה עוֹלָה
וּמַקְטִיר מִנְחָה וְעֹשֶׂה־זֶבַח כָּל־הַיָּמִים: ס

Nem aos sacerdotes levitas faltará homem diante de mim, para que ofereça holocausto. A linhagem dos sacerdotes levíticos devia acompanhar a linhagem real e também será inquebrantável. O sacerdócio levítico é um fenômeno comum no livro de Deuteronômio. Ver Dt 17.9; 18.1; 24.8; 27.9. Os trechos de Js 3.3 e 8.33 continuam a usar a mesma linguagem. Depois que o remanescente retornou do cativeiro, as genealogias de Neemias e Esdras tiveram o cuidado de demonstrar que havia levitas suficientes, os quais voltaram a ocupar-se do culto divino no novo templo, que deveria ser reedificado. A mesma ideia acompanha a era do reino, talvez simbolicamente, e não literalmente. O sacerdócio levítico foi anulado por Cristo, conforme vemos em Hb 7.11, quando Cristo se tornou o único Sumo Sacerdote. E então os crentes tornaram-se os sacerdotes, por estarem associados a ele (ver Hb 10.19-22). Em todas essas referências, porém, estamos em terreno cristão. Quanto ao terreno judaico, outra situação pode ser antecipada. Alguns supõem que Cristo, na sua qualidade de Rei, é também o Sumo Sacerdote para *Israel,* e isso cumpre a predição deste versículo, que converge sobre Cristo, e não em descendentes humanos literais de Levi. O pacto em torno do sacerdócio eterno de Cristo foi confirmado a Malaquias (ver Ml 2.4,5,8).

Afirmação do Pacto Davídico (33.19-26)

■ 33.19

וַיְהִי דְּבַר־יְהוָה אֶל־יִרְמְיָהוּ לֵאמֹר:

Veio a palavra do Senhor a Jeremias. Um novo oráculo dado por Yahweh ao profeta afirma enfaticamente a validade e a continuidade do pacto davídico. Quanto a esse pacto, ver as notas expositivas sobre 2Sm 7.4. Os vss. 19-22 repetem a substância dos vss. 17,18, com ainda maior solenidade. Este oráculo se afirma *revelado* pelo Senhor (ver no *Dicionário* o artigo chamado *Revelação*).

■ 33.20

כֹּה אָמַר יְהוָה אִם־תָּפֵרוּ אֶת־בְּרִיתִי הַיּוֹם וְאֶת־
בְּרִיתִי הַלָּיְלָה וּלְבִלְתִּי הֱיוֹת יוֹמָם־וָלַיְלָה בְּעִתָּם:

Se puderdes invalidar a minha aliança com o dia e a minha aliança com a noite... As *alianças* de Deus fazem parte das ordens *natural* e *espiritual,* e não podem ser invalidadas. Aparentemente podem ser quebradas, mas fatalmente serão reatadas. Deus firmou um pacto natural que veio a ser perpetuado pelas leis naturais: foram estabelecidos *o dia e a noite.* O dia e a noite vêm e vão interminavelmente, e precisamente na ordem em que devem fazê-lo: a noite segue o dia, e o dia segue a noite. Ver Gn 1.14-19. Nenhum ser humano pode anular esse pacto divino. Cf. Jr 31.35-37 quanto às operações de Yahweh na natureza, através das leis naturais. O sol faz-se presente para governar o dia; e a lua faz-se presente para governar a noite. Esses são instrumentos desse pacto natural. Yahweh é o poder por trás da estabilidade da natureza. E ele também governa os reinos espiritual e moral, dos quais o pacto davídico fazia parte. Da mesma maneira que Yahweh determina os tempos da natureza, assim também sua vontade governa os eventos humanos. Ver sobre isso em Is 13.5. Ver também, no *Dicionário,* os verbetes chamados *Soberania de Deus* e *Providência de Deus.*

■ 33.21

גַּם־בְּרִיתִי תֻפַר אֶת־דָּוִד עַבְדִּי מִהְיוֹת־לוֹ בֵן מֹלֵךְ
עַל־כִּסְאוֹ וְאֶת־הַלְוִיִּם הַכֹּהֲנִים מְשָׁרְתָי:

Poder-se-á também invalidar a minha aliança com Davi, meu servo. O *pacto davídico* cabia dentro do terreno moral e espiritual, e era precisamente tão inquebrantável como o pacto feito por Deus com o dia e a noite, dentro da ordem natural. Se alguém pudesse quebrar o pacto natural, então poderia ter uma chance de fazer o mesmo com o pacto davídico. Em outras palavras, anular qualquer das alianças de Deus é simplesmente impossível. Além disso, através de *Fineias,* o mesmo tipo de promessa foi feito acerca do sacerdócio (ver Nm 25.13). Em Cristo, cumprem-se tanto as promessas reais como as promessas sacerdotais. Ver Hb 7.24.

Ele é o Renovo da árvore de Jessé,
O Leão de Judá.
A luz dos gentios.

Cornelius Freund

■ 33.22

אֲשֶׁר לֹא־יִסָּפֵר צְבָא הַשָּׁמַיִם וְלֹא יִמַּד חוֹל הַיָּם
כֵּן אַרְבֶּה אֶת־זֶרַע דָּוִד עַבְדִּי וְאֶת־הַלְוִיִּם מְשָׁרְתֵי
אֹתִי: ס

Como não se pode contar o exército dos céus, nem medir-se a areia do mar. A promessa vinculada ao pacto abraâmico (ver Gn 15.18) é agora relacionada ao pacto davídico. Quanto ao inumerável *exército dos céus*, que falam dos descendentes de Abraão, ver Gn 15.5 e 22.17. E quanto às incontáveis partículas de areia que existem nas praias do mar, ver Gn 22.17; 32.12; Js 11.14 e 2Sm 17.11. Temos aqui uma promessa do pacto davídico, mas visto que o pacto davídico e o pacto abraâmico pertencem ao mesmo pacote de tratos de Deus, é legítimo transferir as coisas prometidas a Abraão a Davi. Ver no *Dicionário* o artigo chamado *Pactos*. E alguns eruditos transferem a coisa toda para o novo pacto, firmado entre Cristo e os regenerados, como o cumprimento de todos os pactos, e fazem com que esses descendentes todos tenham vida em Cristo. Mas isso é misturar o destino de Israel com o destino da igreja.

Refutando a Calúnia (33.23-26)

■ 33.23

וַיְהִי דְבַר־יְהֹוָה אֶל־יִרְמְיָהוּ לֵאמֹר:

Veio ainda a palavra do Senhor a Jeremias. Este versículo provavelmente assinala o aparecimento de um suboráculo para suplementar aquele iniciado no vs. 15. A revelação divina continua, e Jeremias estava sujeito a grande número de oráculos que lhe chegavam com grande variedade de assuntos. Esta breve seção diz que judeus blasfemam das promessas divinas e afirmam que o que tinha acontecido a Judá, por ocasião da invasão e do cativeiro babilônico, era totalmente incompatível com as promessas do antigo pacto. O oráculo refuta essa calúnia.

■ 33.24

הֲלוֹא רָאִיתָ מָה־הָעָם הַזֶּה דִּבְּרוּ לֵאמֹר שְׁתֵּי הַמִּשְׁפָּחוֹת אֲשֶׁר בָּחַר יְהֹוָה בָּהֶם וַיִּמְאָסֵם וְאֶת־עַמִּי יִנְאָצוּן מִהְיוֹת עוֹד גּוֹי לִפְנֵיהֶם: ס

Não atentas para o que diz este povo: As duas famílias, que o Senhor elegeu. Yahweh perguntou se Jeremias tinha ouvido o que certas pessoas diziam sobre as duas famílias, Israel e Judá. Essas pessoas acusavam Yahweh de tê-las abandonado, embora tivessem sido escolhidas por ele. Os acusadores eram judeus incrédulos, e não pagãos. É provável que os incrédulos formassem a maioria dos judeus. Israel e Judá tinham sido reduzidos a nações que nada representavam pela rejeição de Yahweh, pelo que as palavras daquela gente eram ditas de forma caluniosa. Yahweh foi vítima de blasfêmias, porquanto "aquela gente" não mencionou as causas reais da calamidade, a idolatria-adultério-apostasia do povo, tentando atribuir a Yahweh a culpabilidade de quebrar seu pacto com Israel unilateralmente.

As duas famílias eram a de Davi (a linhagem real) e a de Levi (a linhagem sacerdotal), o que pode ser inferido com base no vs. 21. As circunstâncias tinham levado ao desespero, e esta breve seção tinha por propósito contrabalançar isso, conforme mostra o vs. 25.

■ 33.25,26

כֹּה אָמַר יְהֹוָה אִם־לֹא בְרִיתִי יוֹמָם וָלָיְלָה חֻקּוֹת שָׁמַיִם וָאָרֶץ לֹא־שָׂמְתִּי:

גַּם־זֶרַע יַעֲקוֹב וְדָוִד עַבְדִּי אֶמְאַס מִקַּחַת מִזַּרְעוֹ מֹשְׁלִים אֶל־זֶרַע אַבְרָהָם יִשְׂחָק וְיַעֲקֹב כִּי־אָשׁוּב אֶת־שְׁבוּתָם וְרִחַמְתִּים: ס

Assim diz o Senhor: Se a minha aliança com o dia e com a noite... Para encorajar os desanimados, Yahweh voltou aos seus *pactos inquebrantáveis*, os pactos naturais e os pactos que atingem os terrenos moral e espiritual, comentados nos vss. 20,21, cujos argumentos são os mesmos destes versículos: vs. 20 = vs. 25 e vs. 21 = vs. 26. Mas o vs. 25 generaliza o vs. 20: dia e noite são agora tudo quanto acontece nos céus, os quais operam de acordo com as leis naturais estabelecidas por Yahweh. Em seguida, o vs. 26 generaliza o vs. 21. Em vez de falar somente do pacto com Davi, Yahweh fala de seus acordos com todos os patriarcas. E, naturalmente, está especificamente em vista o pacto abraâmico, confirmado com os vários patriarcas que se seguiram. Ver sobre o *pacto abraâmico*, em Gn 15.18. Visto que Yahweh cumpre todos os seus acordos (embora o pecado possa adiar sua concretização), era certa a reversão do cativeiro babilônico. As duas famílias rejeitadas (vs. 23) descobririam ser, na realidade, o povo de Yahweh, e também que todos os antigos pactos encontrariam fruição, no fim, quando Deus escrever o capítulo derradeiro do drama. Essa concretização espera a manifestação do Renovo (o Messias) e da era do reino. Cf. os vss. 25,26 a Jr 31.35-37.

Porque lhes restaurarei a sorte e deles me apiedarei. Quanto a esta repetida declaração, ver Jr 30.3,18; 31.23; 32.44; 33.7,11.

CAPÍTULO TRINTA E QUATRO

A PRESENTE CATÁSTROFE DE JUDÁ (34.1—35.19)

Os capítulos 30—33 descrevem as *esperanças futuras* de Israel-Judá. Agora Jeremias retorna a cenas de melancolia e destruição, que levariam Judá ao colapso completo. Repetidamente, nos capítulos 2—29, soa essa advertência. O tempo agora estava muito próximo. Os capítulos 34—36 continuam o tema da *rejeição* iniciado nos capítulos 26—29. O julgamento divino era certo. Coisa alguma poderia adiá-lo. Os capítulos 37—45 dão uma ordem cronológica dos acontecimentos que fornecem detalhes dos eventos ocorridos durante e depois da queda de Jerusalém.

ADVERTÊNCIA AO REI ZEDEQUIAS (34.1-7)

"A data desta passagem é sugerida pelo vs. 7, que diz que somente permaneceram Laquis e Azeca, dentre as cidades fortificadas de Judá atacadas pelo exército babilônico. Isso deve ter acontecido no começo da invasão da Palestina, talvez até antes do assédio da própria Jerusalém (ver a exegese sobre o vs. 7). Jeremias ainda não tinha sido lançado na prisão. A mensagem que ele entregou ao rei é similar à que foi dada, posteriormente, de acordo com Jr 21.1-10; 32.3-5; 37.8-10,17; 38.17-23.

A característica incomum aqui é a promessa, nos vss. 4,5, de que o rei teria morte honrosa e seria lamentado pelo povo. Na realidade, Zedequias foi capturado pelos babilônios, que o cegaram e levaram à Babilônia, onde ele morreu na prisão (39.7; 52.8-11; 2Rs 25.5-7; cf. Ez 12.13). Não há boas razões para duvidar (juntamente com Duhm) dos registros que relatam esse tratamento conferido ao rei Zedequias. Devemos, portanto, interpretar a atual passagem ou como uma promessa incondicional que não teve cumprimento, ou como uma promessa condicional que não se cumpriu porque o rei não seguiu as suas condições — as quais, sem dúvida, exigiam que ele se rendesse aos babilônios. A última hipótese é a mais provável, e podemos supor que algumas palavras, que continham a condição, foram retiradas do vs. 4. Assim sendo, a promessa feita por Jeremias tinha o sentido de que Zedequias não seria exilado, mas teria permissão de viver sua vida em Jerusalém, caso ele se rendesse. Isso é perfeitamente possível; contudo, devemos lembrar que Joaquim se tinha rendido, mas amargou o exílio na Babilônia, onde, subsequentemente, foi removido da prisão e recebeu posição favorecida (ver Jr 52.31-33). Zedequias, porém, como se rebelara contra Nabucodonosor, dificilmente receberia melhor tratamento do que aquele dado a Joaquim" (James Philip Hyatt, *in loc.*).

■ 34.1

הַדָּבָר אֲשֶׁר־הָיָה אֶל־יִרְמְיָהוּ מֵאֵת יְהֹוָה וּנְבוּכַדְרֶאצַּר מֶלֶךְ־בָּבֶל וְכָל־חֵילוֹ וְכָל־מַמְלְכוֹת אֶרֶץ מֶמְשֶׁלֶת יָדוֹ וְכָל־הָעַמִּים נִלְחָמִים עַל־יְרוּשָׁלִָם וְעַל־כָּל־עָרֶיהָ לֵאמֹר:

Palavra que do Senhor veio a Jeremias... A *devastação, longamente esperada,* estava nos portões de Jerusalém. A Babilônia, com todos os seus aliados e, quem sabe, com quantos soldados aproveitados de outras nações conquistadas, além de mercenários, grandes multidões de soldados treinados e brutais, todos se uniram para assassinar Jerusalém. Somente a Babilônia tinha 120 províncias das quais podia tirar tropas. A maioria das cidades de Judá já havia caído, e somente um louco ofereceria resistência; mas foi precisamente isso o que Zedequias fez, contra todas as exortações de Jeremias, que recomendavam a Zedequias desistir de uma questão perdida, na esperança de que o monstruoso rei babilônico usasse de misericórdia.

■ 34.2

כֹּה־אָמַר יְהוָה אֱלֹהֵי יִשְׂרָאֵל הָלֹךְ וְאָמַרְתָּ֤
אֶל־צִדְקִיָּהוּ מֶלֶךְ יְהוּדָה וְאָמַרְתָּ אֵלָיו כֹּה
אָמַר יְהוָה הִנְנִי נֹתֵן אֶת־הָעִיר הַזֹּאת בְּיַד
מֶלֶךְ־בָּבֶל וּשְׂרָפָהּ בָּאֵשׁ:

Eis que eu entrego esta cidade nas mãos do rei da Babilônia. Um oráculo especial foi dado a Jeremias, endereçado a Zedequias, para fazê-lo pensar razoavelmente acerca da ameaça babilônica, que já tinha causado tanta dor a toda a nação de Judá. Um rei judeu (Jeconias, Conias, *Joaquim*) já tinha sido levado cativo para a Babilônia, e muitos judeus haviam sido deportados para aquele país estrangeiro. Nenhum milagre de último minuto salvaria Jerusalém, conforme ocorreu no tempo de Ezequias (ver 2Rs 19.35 ss.). Milhares de vidas teriam sido salvas se Zedequias se tivesse rendido. Na tentativa de convencê-lo a render-se, este oráculo assegurava ao rei que Yahweh era quem estava entregando Jerusalém nas mãos dos babilônios, pelo que de nada adiantava lutar contra o decreto divino. Ver em Is 13.6 como o Senhor controla os acontecimentos humanos. Se o rei não desistisse, porém, o fogo destruiria o lugar inteiro, incluindo o templo. Quanto ao cumprimento dessa profecia, ver 2Rs 25.9. Cf. o versículo com Jr 32.3 e 52.13.

■ 34.3

וְאַתָּה לֹא תִמָּלֵט מִיָּדוֹ כִּי תָּפֹשׂ תִּתָּפֵשׂ וּבְיָדוֹ תִּנָּתֵן
וְעֵינֶיךָ אֶת־עֵינֵי מֶלֶךְ־בָּבֶל תִּרְאֶינָה וּפִיהוּ אֶת־פִּיךָ
יְדַבֵּר וּבָבֶל תָּבוֹא:

Tu não lhe escaparás da mão; pelo contrário, serás preso, e entregue nas suas mãos. As coisas seriam muito adversas para a cidade e igualmente adversas para o próprio rei Zedequias. O vs. 3 é uma duplicação virtual de Jr 32.4-5a, onde ofereço notas expositivas. Todas as coisas preditas ocorreram (ver Jr 39.4-7; 52.7-11).

■ 34.4

אַךְ שְׁמַע דְּבַר־יְהוָה צִדְקִיָּהוּ מֶלֶךְ יְהוּדָה כֹּה־אָמַר
יְהוָה עָלֶיךָ לֹא תָמוּת בֶּחָרֶב:

Todavia, ouve a palavra do Senhor, ó Zedequias, rei de Judá. Os vss. 4,5 mitigam os sofrimentos do rei Zedequias, mas é provável que tenhamos aqui uma profecia *condicional*. As coisas correriam melhor para ele, *caso* ele se rendesse. Ele poderia ser tratado como Joaquim foi tratado: não seria executado; seria aprisionado, mas finalmente bem tratado. Ver Jr 52.31. A informação de que dispomos (ver Jr 39.7; 52.8-11; 2Rs 25.5-7; Ez 12.13), porém, indica um mau fim para Zedequias. Ver a introdução ao capítulo quanto a outros detalhes.

■ 34.5

בְּשָׁלוֹם תָּמוּת וּכְמִשְׂרְפוֹת אֲבוֹתֶיךָ הַמְּלָכִים
הָרִאשֹׁנִים אֲשֶׁר־הָיוּ לְפָנֶיךָ כֵּן יִשְׂרְפוּ־לָךְ וְהוֹי אָדוֹן
יִסְפְּדוּ־לָךְ כִּי־דָבָר אֲנִי־דִבַּרְתִּי נְאֻם־יְהוָה: ס

Em paz morrerás, e te queimarão perfumes a ti, como se queimaram a teus pais. Se Zedequias não efetuasse seus planos de rebelião, e se simplesmente se rendesse, então morreria em paz e receberia um sepultamento honroso, acompanhado pelos ritos fúnebres usuais. "O povo acenderia piras fúnebres em sua honra, lamentando pelo rei. Esse fogo não se refere à cremação, porquanto Israel e Judá sepultavam seus mortos, em vez de cremá-los. Esse costume referia-se a grandes fogueiras acesas como tributos. Cf. 2Cr 16.14; 21.19" (Charles H. Dyer, *in loc*.). Especiarias eram então queimadas para conferir à atmosfera um odor agradável. Além disso, haveria as lamentações usuais: Ai, Senhor! Ai, Senhor! Carpideiras profissionais dirigiriam as lamentações, acompanhadas por danças tristes e todos os tipos de contorções que representassem a tristeza. "Os hebreus, em sua cronologia, *Seder Olam*, mencionam as lamentações que seriam usadas por causa do rei: 'Ai! O rei Zedequias está morto, e ele está sorvendo as fezes (a pena por seus pecados) de épocas passadas'" (Fausset, *in loc*.). Jarchi e Kimchi dizem-nos que isso incluía a queima de camas, vasos de ministração, objetos caseiros e itens pessoais pertencentes ao morto. O Talmude diz que essas honras seriam prestadas porque ele fizera *uma* coisa boa — tirara Jeremias de seu severo aprisionamento e o restaurara a uma prisão mais leve, no átrio da guarda. Ver Jr 37.20,21. Provavelmente isso não é histórico. Nem a Vulgata mostra-se correta ao dizer que o homem teve seu corpo cremado. Tácito diz-nos que os judeus não costumavam cremar os cadáveres (*História* 1.5, cap. 5).

■ 34.6

וַיְדַבֵּר יִרְמְיָהוּ הַנָּבִיא אֶל־צִדְקִיָּהוּ מֶלֶךְ יְהוּדָה אֵת
כָּל־הַדְּבָרִים הָאֵלֶּה בִּירוּשָׁלָםִ:

Falou Jeremias, o profeta, a Zedequias, rei de Judá. Jeremias cumpriu sua comissão, entregando ao rei todas aquelas advertências, sem dúvida face a face, de modo que não houvesse equívocos quanto ao significado da mensagem. Mas, como de costume, suas profecias foram rejeitadas pelo rebelde e ímpio rei Zedequias. Ele queria que as coisas corressem à sua maneira, e essa maneira era o caminho mais difícil. Entrementes, não longe dali, os babilônios continuavam sua incansável destruição no território de Judá, não muito distante de Jerusalém.

■ 34.7

וְחֵיל מֶלֶךְ־בָּבֶל נִלְחָמִים עַל־יְרוּשָׁלַםִ וְעַל כָּל־
עָרֵי יְהוּדָה הַנּוֹתָרוֹת אֶל־לָכִישׁ וְאֶל־עֲזֵקָה כִּי הֵנָּה
נִשְׁאֲרוּ בְּעָרֵי יְהוּדָה עָרֵי מִבְצָר: פ

Quando o exército do rei da Babilônia pelejava contra Jerusalém, e contra todas as cidades que restavam. Poucas cidades de Judá escaparam à devastação, à matança e ao saque. *Laquis* (37 km a sudoeste de Jerusalém) e *Azeca* (17,5 km ao norte de Laquis) continuavam resistindo, mas em breve sucumbiriam, e sua sorte seria tão lamentável quanto a de outras cidades. Ver no *Dicionário* artigos sobre as duas cidades.

"Uma carta encontrada em Laquis, escrita em hebraico em pedaços quebrados de argila, provê notável confirmação deste versículo: 'Estamos vigiando por sinais de fumaça de Laquis, de acordo com todas as indicações dadas pelo meu senhor, mas não vemos Azeca'. A carta foi escrita pelo capitão do posto avançado dos hebreus, provavelmente postado entre Azeca e Laquis, ao comandante, em Laquis. Deve ter sido escrita pouco depois da queda de Azeca diante dos babilônios e antes da queda de Laquis. Nabucodonosor tinha atacado e capturado muitas das cidades fortificadas de Judá, conforme tem sido confirmado pelas descobertas arqueológicas. Laquis e Azeca eram as mais fortes dessas cidades, e resistiram por mais tempo" (James Philip Hyatt, *in loc*.).

Essas duas cidades tinham sido fortemente fortificadas por Roboão (2Cr 11.9-11; 32.9). Embora tenha passado muito tempo desde então, é razoável supormos que essas cidades retiveram suas fortificações de proteção.

A PROMESSA QUEBRADA A ESCRAVOS LIBERADOS (34.8-22)

■ 34.8

הַדָּבָר אֲשֶׁר־הָיָה אֶל־יִרְמְיָהוּ מֵאֵת יְהוָה אַחֲרֵי כְּרֹת
הַמֶּלֶךְ צִדְקִיָּהוּ בְּרִית אֶת־כָּל־הָעָם אֲשֶׁר בִּירוּשָׁלַםִ
לִקְרֹא לָהֶם דְּרוֹר:

"Provavelmente para simplificar o problema do suprimento de alimentos domésticos e para libertar os homens em favor da defesa de Jerusalém, e a fim de tornar o Senhor mais propício, Zedequias proclamou a libertação de todos os escravos. Mas quando o exército egípcio se aproximou (ver Jr 37.6-15), levando os babilônios a suspender, temporariamente, o cerco de Jerusalém, foi cancelada a libertação dos escravos" (*Oxford Annotated Bible*, comentando sobre este versículo). Jeremias, então, protestou contra esse ato desumano e hipócrita do povo de Judá, e prometeu que os babilônios voltariam para terminar o trabalho iniciado. Temos em vista aqui a escravização dos judeus por seu próprio povo (vs. 9), o que era contra a lei, exceto sobre uma base temporária; e mesmo assim, teria de ser uma escravidão gentil, mais parecida com o relacionamento entre patrão-empregado do que com o relacionamento entre senhor-escravo. Ver Êx 21.2-11; Lv 25.39-55; Dt 15.12-18. Nenhum hebreu deveria ser escravizado por mais de seis anos, e sua soltura era automática. Contudo, regras humanitárias como essa eram frequentemente ignoradas.

O rei Zedequias provavelmente teve de forçar o povo judeu a concordar com a libertação dos escravos hebreus. E quando as circunstâncias se aliviaram (graças à ajuda temporária provida pelo exército egípcio), os senhores judeus agiram como melhor lhes parecia, fazendo seus escravos voltar ao estado de servidão e, assim sendo, quebraram unilateralmente o acordo.

■ 34.9

לְשַׁלַּח אִישׁ אֶת־עַבְדּוֹ וְאִישׁ אֶת־שִׁפְחָתוֹ הָעִבְרִי וְהָעִבְרִיָּה חָפְשִׁים לְבִלְתִּי עֲבָד־בָּם בִּיהוּדִי אָחִיהוּ אִישׁ׃

Para que cada um despedisse forro o seu servo, e cada um a sua serva. Encontramos aqui a *lamentável informação* de que os judeus tinham escravizado seu próprio povo, homens e mulheres e, naturalmente, crianças que estavam com eles. O *dinheiro* usualmente era a razão por trás de tal escravização: para pagar dívidas; para obter trabalho barato; abusos e injustiças abertas; crueldade; barbaridade. Zedequias, tomando uma atitude rara para ele, resolveu que as provisões da lei deveriam ser observadas, deixando de notar a libertação imediata dos escravos para livrá-los para a guerra, facilitando assim o problema do suprimento de alimentos na cidade. É provável que a maioria daqueles escravos já tivesse servido por mais do que os seis anos permitidos pela lei. Ver as notas sobre o vs. 8, quanto a uma lista de referências baseadas na lei mosaica que regulamentava a questão.

■ 34.10

וַיִּשְׁמְעוּ כָל־הַשָּׂרִים וְכָל־הָעָם אֲשֶׁר־בָּאוּ בַבְּרִית לְשַׁלַּח אִישׁ אֶת־עַבְדּוֹ וְאִישׁ אֶת־שִׁפְחָתוֹ חָפְשִׁים לְבִלְתִּי עֲבָד־בָּם עוֹד וַיִּשְׁמְעוּ וַיְשַׁלֵּחוּ׃

Todos os príncipes e todo o povo, que haviam entrado na aliança, obedeceram. A *aliança* incluíra a provisão de que "eles não seriam escravizados de novo". Talvez Zedequias estivesse esperando que Yahweh observaria quão "humanitário" ele era, tendo obedecido à lei mosaica, e até indo além de suas provisões, pelo que o Senhor terminaria por abençoá-lo. A grande bênção de que ele precisava era ver-se livre da ameaça dos babilônios. Os príncipes, os nobres, os ricos e as poucas pessoas comuns que tinham escravos, *obedeceram*, fazendo o que o rei Zedequias tinha requerido. No entanto, podemos ter certeza de que eles fizeram isso com relutância, temendo as providências que seriam tomadas pelo monarca judeu, caso não obedecessem. O mais provável é que Zedequias fingia agir nobremente, mas, na realidade, não era isso o que ele estava fazendo. E por certo aqueles ricos de Jerusalém também não agiam com nobreza.

■ 34.11

וַיָּשׁוּבוּ אַחֲרֵי־כֵן וַיָּשִׁבוּ אֶת־הָעֲבָדִים וְאֶת־הַשְּׁפָחוֹת אֲשֶׁר שִׁלְּחוּ חָפְשִׁים וַיִּכְבְּשׁוּם לַעֲבָדִים וְלִשְׁפָחוֹת׃ ס

Mas depois se arrependeram, e fizeram voltar os servos e as servas que haviam despedido forros. Passado pouco tempo, porém, aqueles miseráveis e ricos judeus mudaram de ideia e fizeram voltar todos os seus escravos. Isso pode ter ocorrido quando as coisas melhoraram um pouco, quando o exército egípcio, aproximando-se, forçou os babilônios a levantar temporariamente o cerco de Jerusalém. Ver Jr 37.6-11. Seja como for, a ganância e a barbaridade tornaram a tomar conta do coração dos judeus, e nem mesmo as mulheres foram poupadas. E, naturalmente, com as mulheres vieram as crianças, que foram assim forçadas a uma vida de duro labor e de crueldades. Ver no *Dicionário* os artigos chamados *Escravidão* e *Escravo, Escravidão*. Na escravidão não há nenhuma virtude remidora. Por semelhante modo, nas formas modernas de escravidão não há nenhuma virtude remidora, como os salários próprios de escravos que os empregadores oferecem a seus empregados, forçando-os a uma vida de contínua privação.

■ 34.12,13

וַיְהִי דְבַר־יְהוָה אֶל־יִרְמְיָהוּ מֵאֵת יְהוָה לֵאמֹר׃
כֹּה־אָמַר יְהוָה אֱלֹהֵי יִשְׂרָאֵל אָנֹכִי כָּרַתִּי בְרִית אֶת־אֲבוֹתֵיכֶם בְּיוֹם הוֹצִאִי אוֹתָם מֵאֶרֶץ מִצְרַיִם מִבֵּית עֲבָדִים לֵאמֹר׃

A quebra do acordo e as circunstâncias miseráveis a que foram devolvidos os escravos provocaram um oráculo especial. Yahweh observava a barbaridade e certamente entraria em ação. Haveria a retaliação divina contra aqueles réprobos senhores de escravos. Em breve, muitos judeus, senhores de escravos, estariam escravizados na Babilônia, isto é, *se* sobrevivessem ao massacre de Jerusalém. Yahweh relembrou o profeta quanto às circunstâncias históricas relacionadas ao problema. Yahweh tinha feito com o povo judeu um *pacto* acerca da escravidão, e ele se tornara parte da legislação mosaica, conforme os comentários sobre o vs. 8. *Yahweh-Elohim*, o Deus Eterno e Todo-poderoso, estabelecera o acordo, e ninguém poderia ignorar o que Deus dissera, sem pagar o preço. O último ano de governo de Zedequias parece ter correspondido ao ano sabático, no qual todos os escravos hebreus deveriam ser liberados. Mas, sem dúvida, existiam todas as formas de circunstâncias: alguns escravos tinham servido mais do que pelos seis anos requeridos; alguns tinham servido por seis anos e, de conformidade com a lei, deveriam ter sido liberados; e muitos tinham sido escravos por menos de seis anos. Mas mesmo *esses*, em harmonia com o decreto de Zedequias, deveriam ser liberados. Todavia, os judeus ricos e miseráveis ignoraram todos os pactos a respeito da questão, tanto os acordos antigos como aquele estabelecido pelo rei Zedequias. A legislação era antiga, tendo entrado em vigor quando Israel saiu do Egito, fazendo parte da lei dada no monte Sinai. Além disso, *todo o povo de Israel fora escravo* no Egito, mas Yahweh os libertara. Portanto, era apropriado (seguindo o exemplo divino) que os hebreus livrassem da escravidão outros hebreus.

Eu fiz aliança. Ver as notas expositivas sobre o vs. 18.

■ 34.14

מִקֵּץ שֶׁבַע שָׁנִים תְּשַׁלְּחוּ אִישׁ אֶת־אָחִיו הָעִבְרִי אֲשֶׁר יִמָּכֵר לְךָ וַעֲבָדְךָ שֵׁשׁ שָׁנִים וְשִׁלַּחְתּוֹ חָפְשִׁי מֵעִמָּךְ וְלֹא־שָׁמְעוּ אֲבוֹתֵיכֶם אֵלַי וְלֹא הִטּוּ אֶת־אָזְנָם׃

Ao fim de sete anos libertareis cada um a seu irmão hebreu. A *regra sabática*, instituída a fim de libertar os escravos hebreus (a lei não se aplicava aos pagãos que se tivessem tornado escravos dos hebreus), tinha sido desrespeitada e negligenciada desde o começo. É certo que os hebreus, dos dias do rei Zedequias, a ignoravam, o que significa que os hebreus se reduziram ao paganismo, perpetuamente escravizados por outros hebreus. Este versículo é essencialmente uma citação de Dt 15.1,12, e não menciona diretamente Êx 21.2, a legislação original. "Jeremias condenou essa perfídia como mais um exemplo de notória infidelidade" (*Oxford Annotated Bible*, comentando sobre os vss. 13-22).

■ 34.15

וַתָּשֻׁבוּ אַתֶּם הַיּוֹם וַתַּעֲשׂוּ אֶת־הַיָּשָׁר בְּעֵינַי לִקְרֹא דְרוֹר אִישׁ לְרֵעֵהוּ וַתִּכְרְתוּ בְרִית לְפָנַי בַּבַּיִת אֲשֶׁר נִקְרָא שְׁמִי עָלָיו׃

Não há muito havíeis voltado a fazer o que é reto perante mim. Zedequias e o povo judeu tinham feito o que era reto, ao libertarem os hebreus escravos, e Yahweh agradou-se deles por causa disso. Mas agora o Senhor estava infeliz com a reversão da atitude dos hebreus, que tinham traído seu próprio acordo, reunindo novamente seus escravos. A questão se complicava porque o pacto tinha sido feito no templo e, assim sendo, era um juramento feito em nome de Yahweh. Aqueles réprobos não respeitavam nem Deus nem o seu povo. Pisavam aos pés os pobres, porquanto tinham poder para isso, tudo atendendo às suas próprias finalidades egoístas. Eram, portanto, eram *ateus práticos*.

Razões para a Escravidão entre os Hebreus. Considere o leitor estes pontos: 1. Um homem endividado vendia-se como escravo, talvez vendendo até seus familiares, a fim de pagar a sua dívida. 2. Um ladrão, que tivesse furtado outras pessoas, poderia ser escravizado por causa de seu crime. Nesse caso, uma decisão tinha de ser tomada pelos juízes, que decretariam essa forma de punição, se o ladrão não fosse capaz de fazer a restituição devida. 3. Um homem que vivesse em pobreza abjeta poderia vender-se como escravo, a fim de melhorar sua situação financeira. Tal homem precisava provar que sofria da pobreza mais severa. 4. Uma criança que nascesse enquanto seus pais estivessem escravizados tornava-se escrava do comprador. A criança era considerada parte da família do senhor, e a liberação, após os seis anos de servidão, não ocorria. Ver Êx 21.1 ss. quanto a algumas dessas regras. 5. Sob certas circunstâncias, um hebreu podia tornar-se escravo permanente. Ver Êx 21.5 ss. Quanto a detalhes, ver no *Dicionário* o artigo *Escravo, Escravidão*, seção I. 6. Os hebreus também podiam tornar-se escravos permanentes de senhores estrangeiros, especialmente em tempos de guerra, mas essa possibilidade nada tem a ver com o texto presente.

■ 34.16

וַתָּשֻׁבוּ וַתְּחַלְּלוּ אֶת־שְׁמִי וַתָּשִׁבוּ אִישׁ אֶת־עַבְדּוֹ וְאִישׁ אֶת־שִׁפְחָתוֹ אֲשֶׁר־שִׁלַּחְתֶּם חָפְשִׁים לְנַפְשָׁם וַתִּכְבְּשׁוּ אֹתָם לִהְיוֹת לָכֶם לַעֲבָדִים וְלִשְׁפָחוֹת׃ ס

Mudastes, porém, e profanastes o meu nome, fazendo voltar cada um o seu servo. A reviravolta na atitude do povo de Judá, especialmente por parte da classe abastada, era uma afronta contra o pacto, uma bofetada contra o rosto de Yahweh; era o rompimento de uma promessa solene; uma violação do acordo do templo. Profanava o nome de Yahweh, pois o compromisso sagrado fora revertido, renovando assim uma *injustiça social*. Houve violação dos direitos humanos; duro golpe foi aplicado às emoções e aos direitos humanos. O nome de Yahweh foi tomado *em vão* através de um juramento fraudulento. Além de todos esses fatores, tinham sido quebradas as provisões da legislação mosaica, a qual era o *guia* espiritual e moral de Israel (ver Dt 6.4 ss.). Era a lei que tornava os hebreus povo distinto (ver Dt 4.4 ss.), mas eles preferiram agir como os pagãos a mostrar-se um povo diferente.

■ 34.17

לָכֵן כֹּה־אָמַר יְהוָה אַתֶּם לֹא־שְׁמַעְתֶּם אֵלַי לִקְרֹא דְרוֹר אִישׁ לְאָחִיו וְאִישׁ לְרֵעֵהוּ הִנְנִי קֹרֵא לָכֶם דְּרוֹר נְאֻם־יְהוָה אֶל־הַחֶרֶב אֶל־הַדֶּבֶר וְאֶל־הָרָעָב וְנָתַתִּי אֶתְכֶם לְזַעֲוָה לְכֹל מַמְלְכוֹת הָאָרֶץ׃

Vós não me obedecestes, para apregoardes a liberdade, cada um a seu irmão. *Liberdade* era a palavra-chave. Até mesmo as *ditaduras benévolas* (dentre as quais há bem poucas) furtam os homens de sua mais preciosa possessão: a liberdade. Um homem destituído de liberdade é menos do que um homem. Nenhum homem será livre enquanto todos os homens não forem livres. Ver no *Dicionário* o artigo detalhado intitulado *Liberdade*. Jesus, o Cristo, é o grande *Libertador*, e nele encontramos a verdadeira liberdade. Foi profundamente errado que a aristocracia dos hebreus furtasse de seus irmãos a liberdade, especialmente depois de lhes ter dado uma prova da liberdade, levando-os a acreditar que a escravidão tinha terminado.

Morremos nós mesmos um pouco, cada vez que esmagamos, em outras pessoas, aquilo que merece viver.

Oscar Hammling

Aquele que quiser tornar segura a própria liberdade
Deve proteger até seu inimigo da opressão.

Benjamim Franklin

A *espada* esperava os aristocratas que tinham violado a liberdade alheia. Muitos terminariam como escravos na Babilônia. Então, haveria os acompanhamentos da guerra, da fome e da pestilência. Essa *terrível tríade* garantiria que homens iníquos colheriam aquilo que tinham semeado. Ver no *Dicionário* o artigo chamado *Lei Moral da Colheita segundo a Semeadura*. Quanto à *terrível tríade*, ver Jr 14.12; 21.9; 24.10; 27.8; 29.17,18; 32.24,36; 42.17,22 e 44.13.

Darei liberdade a terríveis enfermidades e à fome, para matar-vos.

NCV

Jeremias falou com ironia acerca de uma liberdade falsa e mortífera, que seria dada aos aristocratas hebreus, visto que eles tinham roubado a liberdade de seus escravos. A *Lex Talionis* haveria de alcançá-los, com o pagamento conforme a gravidade do crime cometido. Ver sobre esse termo no *Dicionário*. Cf. este versículo com Jr 4.20; 6.19; 11.11,12 e 17.18.

■ 34.18

וְנָתַתִּי אֶת־הָאֲנָשִׁים הָעֹבְרִים אֶת־בְּרִתִי אֲשֶׁר לֹא־הֵקִימוּ אֶת־דִּבְרֵי הַבְּרִית אֲשֶׁר כָּרְתוּ לְפָנָי הָעֵגֶל אֲשֶׁר כָּרְתוּ לִשְׁנַיִם וַיַּעַבְרוּ בֵּין בְּתָרָיו׃

Farei aos homens que transgrediram a minha aliança. *Fazer uma aliança* (ver o vs. 13), no hebraico, literalmente, é "cortar uma aliança". O costume referia-se a dividir uma novilha ao meio, separando as duas metades a uma distância uma da outra, para que então as pessoas que faziam a aliança passassem entre as metades. Finalmente, a novilha era oferecida como sacrifício, e os participantes do acordo se banqueteavam com a carne. Ver Gn 15.9-17. Deduzimos, com base no presente versículo, que essa maneira de estabelecer alianças subentendia que os que passassem entre as metades do animal a ser sacrificado também seriam cortados em pedaços pela ira divina, caso violassem o pacto. Os assírios tinham um rito similar que envolvia cortar a cabeça de um carneiro. O homem que ousasse quebrar o pacto firmado estava sujeito a ter a cabeça cortada pelo deus que estivesse participando da aliança. Naturalmente, estamos falando em termos metafóricos que incluíam maldições, e não uma execução pelo Estado. Os árabes bebiam o sangue um do outro, ou então besuntavam o sangue do animal sacrificado sobre os participantes.

A divisão da novilha evidentemente se processava pelo caminho mais difícil: o animal era dividido do nariz à parte traseira do corpo, e o corte seguia a coluna vertebral, do começo ao fim. Os participantes começavam a atravessar as metades pelas duas extremidades, encontrando-se no meio, entre as duas partes da novilha, a cada lado.

■ 34.19

שָׂרֵי יְהוּדָה וְשָׂרֵי יְרוּשָׁלִַם הַסָּרִסִים וְהַכֹּהֲנִים וְכֹל עַם הָאָרֶץ הָעֹבְרִים בֵּין בִּתְרֵי הָעֵגֶל׃

Os príncipes de Judá, os príncipes de Jerusalém, os oficiais, os sacerdotes e todo o povo da terra. Este versículo menciona os príncipes, oficiais, sacerdotes e, de modo geral, todo o povo que tinha participado do pacto, passando figuradamente por entre as metades da novilha. E as coisas correriam muito mal para eles, caso violassem aquele compromisso sagrado. A referência aos *oficiais*, conforme lemos aqui, e que outras versões dão como *eunucos*, mostra que a corte dos oficiais de Judá tinha tirado proveito da prática pagã que envolvia eunucos; e alguns desses eunucos eram importantes o bastante, dentro da hierarquia da nação, para merecer menção especial como classe. Mas eis que aqui também encontramos menção aos *sacerdotes*, que é ainda mais surpreendente que a menção aos eunucos. Alguns deles devem ter retido escravos hebreus em aberta violação da lei, que eles pretendiam defender e ensinar. O fato de os *príncipes* (líderes civis) conservarem escravos não nos surpreende.

34.20

וְנָתַתִּי אוֹתָם בְּיַד אֹיְבֵיהֶם וּבְיַד מְבַקְשֵׁי נַפְשָׁם וְהָיְתָה נִבְלָתָם לְמַאֲכָל לְעוֹף הַשָּׁמַיִם וּלְבֶהֱמַת הָאָרֶץ:

Entregá-los-ei nas mãos de seus inimigos. Os abusivos proprietários de escravos (que sobrevivessem à matança provocada pelo exército babilônico) se tornariam escravos que sofreriam *abusos* na Babilônia. Os cadáveres dos que não sobrevivessem ficariam entre os milhares deixados para servir de pasto aos animais ferozes e às aves de rapina, o insulto supremo, conforme a mentalidade dos hebreus. Quanto a isso, cf. Jr 7.33; 15.3; 16.4 e 19.7. Cf. Jr 8.2.

34.21

וְאֶת־צִדְקִיָּהוּ מֶלֶךְ־יְהוּדָה וְאֶת־שָׂרָיו אֶתֵּן בְּיַד אֹיְבֵיהֶם וּבְיַד מְבַקְשֵׁי נַפְשָׁם וּבְיַד חֵיל מֶלֶךְ בָּבֶל הָעֹלִים מֵעֲלֵיכֶם:

A Zedequias, rei de Judá, e seus príncipes, entregá-los-ei nas mãos de seus inimigos. Quanto ao cumprimento dessa predição, ver Jr 52.9-11. O rei e seus príncipes, assim como a família real, pagaram terrível preço por terem conspirado contra a Babilônia e não terem ouvido o conselho de Jeremias para que eles simplesmente se rendessem ao inimigo. Entre outros pecados destacava-se o de quebrar as condições do pacto com Yahweh, incluindo o aspecto que girava em torno dos escravos.

Que já se retiraram de vós. Os babilônios temporariamente levantaram o cerco de Jerusalém quando o exército egípcio se aproximou para interferir nos acontecimentos. Mas o exército babilônico derrotou facilmente os egípcios e voltou a cercar Jerusalém, para terminar a tarefa que tinha iniciado na cidade. Ver Jr 37.5,11 e as notas expositivas ali existentes. A "ajuda" prestada pelos egípcios provavelmente encorajou Zedequias em sua rebelião; mas os egípcios revelaram-se um aliado débil. Seja como for, naquela época, não havia força armada no mundo capaz de deter o ataque babilônio. Zedequias, porém, caiu no equívoco de não acreditar nisso.

34.22

הִנְנִי מְצַוֶּה נְאֻם־יְהוָה וַהֲשִׁבֹתִים אֶל־הָעִיר הַזֹּאת וְנִלְחֲמוּ עָלֶיהָ וּלְכָדוּהָ וּשְׂרָפֻהָ בָאֵשׁ וְאֶת־עָרֵי יְהוּדָה אֶתֵּן שְׁמָמָה מֵאֵין יֹשֵׁב: פ

Eis que eu darei ordem, diz o Senhor, e os farei tornar a esta cidade. Por ordem de Yahweh, o exército babilônico não permaneceria "lá fora", combatendo contra os egípcios, ou então, depois de ter vencido os egípcios (conforme realmente sucedeu), não esqueceria a tarefa que teria de completar em Jerusalém. A cidade seria conquistada e incendiada, e as muralhas seriam derrubadas (ver 2Rs 25.9-10). As cidades de Judá, e Jerusalém, a capital da nação, seriam deixadas essencialmente desabitadas. Ver Jr 9.11 e 44.2,6 quanto a isso. A maioria esmagadora dos sobreviventes seria deportada para a Babilônia, e os que restassem na Terra Prometida pertenceriam à classe que não tinha chance de causar nenhuma confusão. O capítulo 52 do livro de Jeremias relata a triste história.

CAPÍTULO TRINTA E CINCO

O EXCELENTE EXEMPLO DOS RECABITAS (35.1-19)

Este capítulo contrasta a fidelidade a toda prova dos recabitas com a apostasia constante do povo de Judá. Esta profecia foi dada durante o reinado de Jeoaquim (609-595 a.C.), pelo menos onze anos e talvez vinte anos antes do tempo coberto pelo capítulo 34. "*O Símbolo dos Recabitas.* Eles formavam uma ordem religiosa, similar à dos nazireus (ver Nm 6.1-21), fundada por Jonadabe, filho de Recabe, durante o reinado de Jeú (*842-815 a.C.). Sendo fanáticos religiosos, eles ajudaram Jeú no banho de sangue que acompanhou a revolta contra a dinastia corrompida de Onri (2Rs 10.15-28). Eles acreditavam que a vida sedentária de Canaã punha em perigo a pureza da adoração ao Senhor. Em consequência, retornando aos costumes adquiridos no deserto, eles viviam em tendas, onde as pessoas eram pastoras e se abstinham de vinho... A associação de Jeremias não subentende que o profeta aceitasse a posição deles, pois Jeremias tão somente aprovava a fidelidade deles aos seus princípios, o que contrastava com a infidelidade dos judeus. A oportunidade provável foi a crise de 601 a.C. (ver Jr 12.7-13)" (*Oxford Annotated Bible,* comentando sobre o vs. 1 deste capítulo). Ver no *Dicionário* o artigo chamado *Recabe, Recabitas.*

35.1

הַדָּבָר אֲשֶׁר־הָיָה אֶל־יִרְמְיָהוּ מֵאֵת יְהוָה בִּימֵי יְהוֹיָקִים בֶּן־יֹאשִׁיָּהוּ מֶלֶךְ יְהוּדָה לֵאמֹר:

Palavra que do Senhor veio a Jeremias, nos dias de Jeoaquim, filho de Josias. Esta declaração nos dá o meio ambiente histórico. O oráculo é "antigo", anterior ao do capítulo 34 por pelo menos onze anos, se não mesmo por vinte anos. Ver a introdução ao capítulo, quanto a informações cronológicas. "A profecia que se segue nos remete a um período de cerca de dezessete anos antes da vida e do trabalho do profeta. Jerusalém ainda não tinha sido assediada. Jeoaquim ainda não tinha enchido a medida de suas iniquidades. Os exércitos dos caldeus e dos sírios, entretanto, moviam-se ao redor das fronteiras do reino de Judá (vs. 11), forçando os habitantes nômades, que habitavam em tendas, nas áreas desérticas, a refugiar-se nas cidades (cf. Jr 4.6 e 8.14). O primeiro cativeiro da cidade de Jerusalém, por parte de Nabucodonosor, ocorreu em 607 a.C." (Ellicott, *in loc.*). A invasão dos babilônios se deu em ondas, e não em um único golpe. Quanto a informações sobre isso, ver as notas em Jr 27.12.

35.2

הָלוֹךְ אֶל־בֵּית הָרֵכָבִים וְדִבַּרְתָּ אוֹתָם וַהֲבִאוֹתָם בֵּית יְהוָה אֶל־אַחַת הַלְּשָׁכוֹת וְהִשְׁקִיתָ אוֹתָם יָיִן:

Vai à casa dos recabitas, fala com eles, leva-os à casa do Senhor. Os *recabitas* amavam a vida no deserto e punham em prática sua fé ultraconservadora no ermo. Eles consideravam as cidades corruptoras da boa moral, e não estariam em Jerusalém se não tivessem sido forçados a fugir do ataque inicial dos babilônios contra Judá (vs. 11). Jeremias tinha uma mente fértil para ensinar lições objetivas em apoio aos seus ensinamentos e, naturalmente, a palavra de Yahweh o ajudava nisso. Jeremias sabia da reputação dos recabitas e queria "submetê-los a teste" concernente à ingestão de vinho, sabendo perfeitamente que eles não tocariam na bebida, porque suas tradições estritas assim proibiam. Eles seguiam as tradições fanaticamente, e o profeta precisava de uma lição objetiva sobre a fidelidade às doutrinas antigas. Os recabitas, pois, proveriam essa lição. Ver no *Dicionário* o artigo chamado *Recabe, Recabitas,* quanto a informações plenas. Representantes do clã nômade dos recabitas foram convidados a vir a um aposento lateral do templo, e ali foi-lhes oferecido vinho. "Eles eram *queneus* (1Cr 2.55), povo que originalmente se tinha instalado naquela parte da Arábia Pétrea, chamada terra de Midiã e, com toda a probabilidade, descendiam de Jetro, sogro de Moisés. Cf. Nm 10.29-32 com Jz 1.16 e 4.11" (Adam Clarke, *in loc.*). Dou informações mais precisas a respeito no artigo mencionado.

35.3

וָאֶקַּח אֶת־יַאֲזַנְיָה בֶן־יִרְמְיָהוּ בֶּן־חֲבַצִּנְיָה וְאֶת־אֶחָיו וְאֶת־כָּל־בָּנָיו וְאֵת כָּל־בֵּית הָרֵכָבִים:

Então tomei a Jazanias, filho de Jeremias, filho de Habazinias, aos irmãos e a todos os filhos dele. As pessoas mencionadas nos vss. 3,4 aparecem somente neste trecho bíblico. O pouco que se sabe é dado nos artigos do *Dicionário* que versam sobre elas. *Maaseias* (vs. 4) pode ter sido o pai do sacerdote Sofonias mencionado em Jr 21.1; 29.25 e 37.3. O Jeremias aqui mencionado não é, naturalmente, o profeta. Ver no *Dicionário* o artigo chamado *Jeremias (Outras Pessoas, que não o Profeta).* Ele ocupa a sexta posição naquela lista. Jazanias, ao que parece, era o ancião principal do clã, pelo menos dos que fugiram do deserto por causa das operações do exército babilônico nas proximidades. O convite para ele ver Jr, o profeta, foi feito por algum bom representante do grupo. Todos os recabitas seriam "tentados" pelo vinho; mas para aquela gente tal tipo de tentação não tinha atrativos.

35.4

וָאָבִ֞א אֹתָ֣ם בֵּ֣ית יְהוָ֗ה אֶל־לִשְׁכַּ֤ת בְּנֵי֙ חָנָ֣ן בֶּן־יִגְדַּלְיָ֔הוּ אִ֣ישׁ הָאֱלֹהִ֔ים אֲשֶׁר־אֵ֖צֶל לִשְׁכַּ֣ת הַשָּׂרִ֑ים אֲשֶׁ֣ר מִמַּ֗עַל לְלִשְׁכַּ֛ת מַעֲשֵׂיָ֥הוּ בֶן־שַׁלֻּ֖ם שֹׁמֵ֥ר הַסַּֽף׃

E os levei à casa do Senhor, à câmara dos filhos de Hanã, filho de Jigdalias, homem de Deus. "O templo de Salomão, de acordo com 1Reis 6.5, parecia ter apartamentos construídos lateralmente, que eram destinados, por especial favor, à residência de sacerdotes ou profetas conspícuos. Hanã é aqui descrito como "homem de Deus" e, portanto, simpático para com Jeremias. Ao que tudo indica, Jeremias não tinha ali nenhuma câmara sua. A saliência dada a certos detalhes provavelmente tinha por intuito mostrar que a memorável e dramática cena que se seguiu, por ousada que fosse, foi efetuada na presença de representantes das ordens sacerdotal, profética e oficial" (Ellicott, *in loc.*). *Maaseias* era um dos três *porteiros* ou guardas do templo, que parece ter sido um ofício importante. Tais homens foram destacados pelos babilônios para serem julgados, juntamente com os sacerdotes principais (ver 2Rs 25.18-21; Jr 52.24-27). Foi na presença dessa augusta companhia que os rústicos nômades, os *recabitas*, foram trazidos para serem "submetidos a teste". O Targum chama Maaseias de "tesoureiro", e essa parece ter sido uma das funções dos porteiros. Os sete *amarcalim* portavam as chaves dos vários cômodos onde eram guardados os vasos do santuário, além de outras coisas necessárias, incluindo o *vinho*.

35.5

וָאֶתֵּ֗ן לִפְנֵ֣י ׀ בְּנֵ֣י בֵית־הָרֵכָבִ֗ים גְּבִעִ֛ים מְלֵאִ֥ים יַ֖יִן וְכֹס֑וֹת וָאֹמַ֥ר אֲלֵיהֶ֖ם שְׁתוּ־יָֽיִן׃

E pus diante dos filhos da casa dos recabitas taças cheias de vinho. De forma bastante crua, Jeremias foi direto ao ponto, oferecendo todo aquele vinho "delicioso" aos recabitas, que sem dúvida o repeliram. Para eles, aquele era um ato diabólico. Eles jamais tocariam no vinho. Vários *gabhia* (vasos) cheios de vinho foram postos perante eles. Havia boa abundância de vinho. Todos os recabitas podiam beber e encher a barriga. Em Gn 44, a mesma palavra hebraica é usada para designar o cálice de José, mas aqui está em vista um vaso comum. Esses vasos tinham entre 20 e 25 cm de altura e eram usados para carregar água e outros líquidos. Devem ter contido cerca de um litro. Note o leitor que foi Jeremias quem disse "bebam". Ele não blasfemou de Yahweh sugerindo que o Senhor é quem tinha baixado a ordem, como através de um oráculo.

A Recusa dos Recabitas (35.6-17)

35.6

וַיֹּאמְר֖וּ לֹ֣א נִשְׁתֶּה־יָּ֑יִן כִּי֩ יוֹנָדָ֨ב בֶּן־רֵכָ֜ב אָבִ֗ינוּ צִוָּ֤ה עָלֵ֙ינוּ֙ לֵאמֹ֔ר לֹ֧א תִשְׁתּוּ־יַ֛יִן אַתֶּ֥ם וּבְנֵיכֶ֖ם עַד־עוֹלָֽם׃

Mas eles disseram: Não beberemos vinho. Defrontando-se com a sua falsa tentação, os recabitas citaram as proibições de suas tradições, que, para eles, eram tão fortes como as proibições da lei. O "pai" deles (o fundador de sua seita) deixara claras instruções quanto às bebidas alcoólicas. Ele tinha proibido o uso de quaisquer estimulantes artificiais. Ver no *Dicionário* o artigo chamado *Jonadabe*, pontos 2 e 3. A proibição contra o vinho era absoluta e "perpétua". Os descendentes daquela gente simplesmente não bebiam nenhuma bebida alcoólica, e isso era um *item cardeal* da fé deles. Uma *ampla experiência* tinha-lhes mostrado que ingerir bebidas alcoólicas era uma prática negativa, que estava por trás de muitos males. A experiência moderna ilustra a mesma tese, mas muitas pessoas continuam usando bebidas intoxicantes. Quanto à possível identidade de Jonadabe, ver 2Rs 10.15. Ele viveu cerca de trezentos anos antes desse pequeno drama.

35.7

וּבַ֣יִת לֹֽא־תִבְנ֗וּ וְזֶ֤רַע לֹא־תִזְרָ֙עוּ֙ וְכֶ֣רֶם לֹֽא־תִטָּ֔עוּ וְלֹ֥א יִֽהְיֶ֖ה לָכֶ֑ם כִּ֠י בָּאֳהָלִ֤ים תֵּֽשְׁבוּ֙ כָּל־יְמֵיכֶ֔ם לְמַ֨עַן תִּֽחְי֜וּ יָמִ֣ים רַבִּ֗ים עַל־פְּנֵ֣י הָאֲדָמָ֔ה אֲשֶׁ֥ר אַתֶּ֖ם גָּרִ֥ים שָֽׁם׃

Não edificareis casa, não fareis sementeiras, não plantareis nem possuireis vinha alguma. *Outras proibições da fé dos recabitas*: eles não edificavam casas, pois viviam em suas tendas, apropriadas para a vida de nomadismo. Não praticavam a agricultura, que era o principal meio de sustento nas cidades, cuja vida odiavam. Propositadamente eles assumiam a posição de "estrangeiros na terra", porquanto, para eles, as cidades corrompiam a moral das pessoas. Em outras palavras, eram separatistas radicais e ultraconservadores, em comparação com os quais até o profeta Jeremias deve ter parecido um "liberal". "Eram tipos dos filhos de Deus, peregrinos na terra, que esperavam o país celestial, tendo pouco a perder, em razão do que tempos apertados lhes causavam bem pouco alarma (ver Hb 10.34; 11.9,10,13-16)" (Fausset, *in loc.*). Coisa alguma era capaz de convencê-los a abandonar sua vida de peregrinos. Provavelmente orgulhavam-se em viver de modo similar ao dos patriarcas, como Abraão, Isaque e Jacó, que eram nômades. Talvez os essênios, de tempos bem posteriores, imitassem a dedicação e o estilo de vida deles. Estritamente falando, eles não eram hebreus, mas se tinham misturado aos hebreus por casamento, e eram prosélitos do portão. Contudo, formavam uma comunidade separada, com suas próprias distinções.

35.8

וַנִּשְׁמַ֗ע בְּק֨וֹל יְהוֹנָדָ֤ב בֶּן־רֵכָב֙ אָבִ֔ינוּ לְכֹ֖ל אֲשֶׁ֣ר צִוָּ֑נוּ לְבִלְתִּ֤י שְׁתֽוֹת־יַ֙יִן֙ כָּל־יָמֵ֔ינוּ אֲנַ֣חְנוּ נָשֵׁ֖ינוּ בָּנֵ֥ינוּ וּבְנֹתֵֽינוּ׃

Obedecemos, pois, à voz de Jonadabe, filho de Recabe, nosso pai. A *proibição* contra a ingestão do vinho aplicava-se a homens, mulheres ou crianças, em todos os níveis da sociedade. Eles obedeciam à voz de Jonadabe em sentido absoluto. Não se desviavam de suas tradições, e essa era a *qualidade* que se tornava a lição objetiva para Judá, embora atos específicos não estivessem envolvidos. Em termos evangélicos modernos, eles tinham "convicções" das quais jamais se afastariam. Na liberalização de nossas igrejas, hoje em dia, não há muito dessa atitude restante. A igreja evangélica moderna mais se parece com a apóstata nação de Judá do que com os recabitas. A história eclesiástica mostra que poucos grupos retêm suas formas originais por mais de cem anos. Os recabitas, em contraste, retiveram seus pontos distintivos por mais de trezentos anos!

35.9

וּלְבִלְתִּ֛י בְּנ֥וֹת בָּתִּ֖ים לְשִׁבְתֵּ֑נוּ וְכֶ֧רֶם וְשָׂדֶ֛ה וָזֶ֖רַע לֹ֥א יִהְיֶה־לָּֽנוּ׃

Nem edificamos casas para nossa habitação; não temos vinha nem campo, nem semente. Este versículo repete o que é visto no vs. 7. Os recabitas sentiam que a vida nômade favorecia a espiritualidade. As cidades, como é óbvio, eram para eles agentes corruptores, especialmente as grandes cidades. Brigham Young, primeiro líder do povo mórmon, proibiu a edificação de grandes cidades para impedir grandes males sociais, especialmente o crime e a indiferença para com a fé religiosa. Enquanto escrevo estas palavras, estou em Salt Lake City, o centro mesmo da Igreja Mórmon. Meu apartamento fica a cerca de 100 m do túmulo de Brigham Young. Enquanto olho pela janela, posso ver a efígie desse homem olhando para a cidade, cuja população atual é de um milhão de habitantes; e ele parece estar com uma carranca. Por semelhante modo, quando os recabitas foram morar na grande cidade de Jerusalém, não se sentiam felizes com o que viam. Jeremias arriscou-se a levar uma bofetada no rosto ao oferecer vinho àqueles rapazes!

35.10

וַנֵּ֖שֶׁב בָּאֳהָלִ֑ים וַנִּשְׁמַ֣ע וַנַּ֔עַשׂ כְּכֹ֥ל אֲשֶׁר־צִוָּ֖נוּ יוֹנָדָ֥ב אָבִֽינוּ׃

Mas habitamos em tendas, e assim obedecemos e tudo fazemos segundo nos ordenou Jonadabe. Este versículo reitera o que vemos no vs. 7. Tendas favoreciam mais a vida espiritual do que casas ornamentadas. Quanto mais dinheiro possuímos e quanto maior é nosso conforto, menos pensamos no paraíso do outro mundo. Se formos capazes de edificar um paraíso nesta terra, então para que precisaremos do paraíso "vindouro"? Como é óbvio, esse tipo de atitude tem um grande defeito: uma pessoa adoece e seu paraíso terreno se esboroa. Como é lógico, os recabitas eram fanáticos, mas a fé deles trabalhava em seu favor. Em nossos próprios dias, a fé que encontramos em nossas igrejas trabalha mais em favor do próprio "eu" e do diabo do que em favor dos valores espirituais. A igreja está rapidamente se aproximando da posição assumida pela apostatada nação de Judá.

■ 35.11

וַיְהִ֗י בַּעֲל֨וֹת נְבוּכַדְרֶאצַּ֥ר מֶֽלֶךְ־בָּבֶ֖ל אֶל־הָאָ֑רֶץ וַנֹּ֨אמֶר בֹּ֜אוּ וְנָב֣וֹא יְרוּשָׁלִַ֗ם מִפְּנֵי֙ חֵ֣יל הַכַּשְׂדִּ֔ים וּמִפְּנֵ֖י חֵ֣יל אֲרָ֑ם וַנֵּ֖שֶׁב בִּירוּשָׁלָֽםִ׃ פ

Quando, porém, Nabucodonosor, rei da Babilônia, subia a esta terra... Os recabitas estavam em Jerusalém contra a vontade. O exército da Babilônia já tinha entrado em operação nas cercanias de Judá, começando a matança e os saques. A vida nos desertos próximos tornou-se impossível. Por conseguinte, como medida *temporária*, a fim de salvarem a vida, algumas pessoas se mudaram para Jerusalém. Podemos estar certos, pois, de que elas estavam em Jerusalém, mas não faziam parte da cidade. Os olhos daquela gente continuavam olhando, saudosos, na direção do deserto, esperando em breve escapar da fortaleza do diabo, na qual Jerusalém se tinha transformado.

Aplicação da Lição Objetiva (35.12-17)

■ 35.12

וַיְהִי֙ דְּבַר־יְהוָ֔ה אֶֽל־יִרְמְיָ֖הוּ לֵאמֹֽר׃

Então veio a palavra do Senhor a Jeremias. Jeremias, na presença de sacerdotes e profetas no templo, deu uma boa lição objetiva ao povo judeu, acerca da fidelidade às antigas tradições, pelo que, agora, explicava o propósito de sua parábola viva. Ele tinha sido inspirado por Yahweh a dizer as coisas certas e dar instruções apropriadas. Mas as instruções de Jeremias nunca conseguiram realizar as coisas que ele esperava. O povo judeu estava por demais endurecido e por demais fixado em suas corrupções de idolatria-adultério-apostasia.

■ 35.13

כֹּֽה־אָמַ֞ר יְהוָ֤ה צְבָאוֹת֙ אֱלֹהֵ֣י יִשְׂרָאֵ֔ל הָלֹ֣ךְ וְאָמַרְתָּ֗ לְאִ֤ישׁ יְהוּדָה֙ וּלְיֽוֹשְׁבֵ֣י יְרֽוּשָׁלִַ֔ם הֲל֨וֹא תִקְח֥וּ מוּסָ֛ר לִשְׁמֹ֥עַ אֶל־דְּבָרַ֖י נְאֻם־יְהוָֽה׃

Vai, e dize aos homens de Judá e aos moradores de Jerusalém. *Yahweh-Sabaote-Elohim* (o Deus Eterno, Senhor dos Exércitos e Todo-poderoso), nome divino de poder que costumeiramente acompanhava as profecias de Jeremias (cf. Jr 2.19; 5.14; 6.6; 7.3; 9.7; 15.16; 16.9; 19.3,11,15; 23.36; 25.27; 27.4,21; 28.2,14; 29.4,8,17,21,25; 31.23; 38.17; 39.16; 44.2,7,11,25; 50.18), disse qual era a aplicação da lição objetiva. Jeremias foi enviado para publicar sua mensagem a todos os habitantes de Judá e Jerusalém. Havia *instrução* disponível por meio das palavras de Yahweh, se eles escutassem e se deixassem instruir. O argumento do profeta foi *a fortiori*. Se os recabitas continuavam fiéis às suas tradições depois de trezentos anos, e a palavra deles não viera de Moisés, *quanto mais* deveria Judá obedecer às suas tradições, recebidas da parte de Moisés, para, assim, estarem a salvo do ataque babilônico.

■ 35.14

הוּקַ֡ם אֶת־דִּבְרֵ֣י יְהוֹנָדָ֣ב בֶּן־רֵ֠כָב אֲשֶׁר־צִוָּ֨ה אֶת־בָּנָ֜יו לְבִלְתִּ֣י שְׁתֽוֹת־יַ֗יִן וְלֹ֤א שָׁתוּ֙ עַד־הַיּ֣וֹם הַזֶּ֔ה כִּ֣י שָֽׁמְע֔וּ אֵ֖ת מִצְוַ֣ת אֲבִיהֶ֑ם וְאָ֨נֹכִ֜י דִּבַּ֤רְתִּי אֲלֵיכֶם֙ הַשְׁכֵּ֣ם וְדַבֵּ֔ר וְלֹ֥א שְׁמַעְתֶּ֖ם אֵלָֽי׃

As palavras de Jonadabe, filho de Recabe, que ordenou a seus filhos não bebessem vinho, foram guardadas. Se os recabitas obedeceram a uma autoridade *inferior* por trezentos anos e faziam coisas que iam além da lei de Moisés, mostrando-se ascetas desnecessariamente, quanto mais os judaítas deveriam *obedecer* a autoridade maior, vivendo de acordo com a lei de Moisés como seu *guia* (ver Dt 6.4 ss.), visto que aquilo que ele ordenara eram os pontos essenciais da fé dos hebreus, e não regras ascéticas desarrazoadas. Jeremias, pois, demonstrou a sua *diligência*, levantando-se cedo pela manhã e trabalhando até tarde, a fim de cumprir seus deveres. Quanto ao "levantar-se cedo", cf. Jr 7.13,25; 11.7; 25.3,4; 26.5; 29.19; 32.33; 35.14,15; 44.4. Mas Judá, mergulhado em sua apostasia (a qual eles amavam), perdera a capacidade de obedecer à palavra de Deus. Note o leitor o contraste: *Recabe* falou, e seita por ele fundada obedecia estritamente. Mas quando *Yahweh* falou a Judá, foi ignorado. A mensagem de Yahweh era a lei de Moisés, que tornava Israel-Judá uma nação distinta (ver Dt 4.4-8), mas os judeus se paganizaram e acabaram se tornando outro povo idólatra qualquer, promovendo um sincretismo doentio, no qual Yahweh era apenas um entre inúmeros deuses.

■ 35.15

וָאֶשְׁלַ֣ח אֲלֵיכֶ֣ם אֶת־כָּל־עֲבָדַ֣י הַנְּבִאִים֩ הַשְׁכֵּ֨ים וְשָׁלֹ֜חַ ׀ לֵאמֹ֗ר שֻֽׁבוּ־נָ֞א אִ֣ישׁ מִדַּרְכּ֤וֹ הָֽרָעָה֙ וְהֵיטִ֣יבוּ מַֽעַלְלֵיכֶ֔ם וְאַל־תֵּלְכ֗וּ אַֽחֲרֵי֙ אֱלֹהִ֣ים אֲחֵרִ֔ים לְעָבְדָ֑ם וּשְׁבוּ֙ אֶל־הָ֣אֲדָמָ֔ה אֲשֶׁר־נָתַ֥תִּי לָכֶ֖ם וְלַאֲבֹֽתֵיכֶ֑ם וְלֹ֤א הִטִּיתֶם֙ אֶֽת־אָזְנְכֶ֔ם וְלֹ֥א שְׁמַעְתֶּ֖ם אֵלָֽי׃

Começando de madrugada vos tenho enviado todos os meus servos, dizendo: Convertei-vos agora. A mensagem do reavivamento voltava-se essencialmente contra a *idolatria*, e foi dirigida primariamente aos líderes do povo, em seguida ao povo em geral, e isso por meio de profetas fiéis. Mas a reação favorável à mensagem divina foi miseravelmente pequena. Coisa alguma conseguia extrair o povo judeu do seu auto-imposto aprisionamento ao paganismo. Como exemplo dos tipos de idolatria que o povo veio a promover, ver Jr 3.1,2,12,13 e 32.29. Ver no *Dicionário* o verbete chamado *Idolatria*. Se os judeus tivessem abandonado o paganismo, teriam evitado o avanço do exército babilônico, porquanto *Yahweh* controla os acontecimentos humanos (ver os comentários em Is 13.6). Quanto ao ato de *ouvir* a mensagem espiritual, ver Sl 64.1. Ver também Jr 2.4; 5.21; 7.2; 10.1; 11.2; 13.10; 21.11; 28.7,15; 31.10; 44.24. Quanto ao ato de *voltar*, que é apenas um sinônimo de arrepender-se, ver Jr 3.7,14; 18.8; 31.21 e 44.5. Ver no *Dicionário* o verbete denominado *Arrependimento*.

■ 35.16

כִּ֣י הֵקִ֗ימוּ בְּנֵי֙ יְהוֹנָדָ֣ב בֶּן־רֵכָ֔ב אֶת־מִצְוַ֥ת אֲבִיהֶ֖ם אֲשֶׁ֣ר צִוָּ֑ם וְהָעָ֣ם הַזֶּ֔ה לֹ֥א שָׁמְע֖וּ אֵלָֽי׃ ס

Visto que os filhos de Jonadabe, filho de Recabe, guardaram o mandamento de seu pai... Os recabitas ouviam, obedeciam e realizavam todos os seus deveres, conservando suas tradições, a despeito de a autoridade de Jonadabe sem dúvida ser muito menor que a autoridade de Moisés. Os recabitas tinham um *progenitor* espiritual ao qual respeitavam. Mas Israel-Judá, em grande desrespeito pela autoridade maior, tinham deixado de ouvir suas palavras e, assim, não obedeciam. Eles preferiram seguir o *próprio caminho* contra toda a razão, apelando para atos deprimentes que acabaram tornando-os pagãos. Eles pecaram contra um conhecimento e uma oportunidade maior e, por isso, tornaram-se um contraste violento com os fiéis recabitas. "Grosseira ingratidão! Dt 32.6" (John Gill, *in loc.*).

Povo louco e ignorante, não é ele teu pai, que te adquiriu, te fez e te estabeleceu?

Deuteronômio 32.6

■ 35.17

לָכֵ֞ן כֹּֽה־אָמַ֣ר יְהוָ֗ה אֱלֹהֵ֤י צְבָאוֹת֙ אֱלֹהֵ֣י יִשְׂרָאֵ֔ל הִנְנִ֨י מֵבִ֜יא אֶל־יְהוּדָ֗ה וְאֶ֤ל כָּל־יוֹשְׁבֵי֙ יְר֣וּשָׁלִַ֔ם אֵ֚ת כָּל־הָ֣רָעָ֔ה אֲשֶׁ֥ר דִּבַּ֖רְתִּי עֲלֵיהֶ֑ם יַ֣עַן דִּבַּ֤רְתִּי אֲלֵיהֶם֙ וְלֹ֣א שָׁמֵ֔עוּ וָאֶקְרָ֥א לָהֶ֖ם וְלֹ֥א עָנֽוּ׃

Por isso assim diz o Senhor, o Deus dos Exércitos, o Deus de Israel. O divino *nome de poder* é novamente empregado:

Yahweh-Sabaote-Elohim. Ver o vs. 13 quanto a notas e referências. O povo de Judá, que não queria ouvir e tão tolamente se corrompera, correndo após sua idolatria-adultério-apostasia, em breve deveria sofrer o julgamento da invasão, da matança e do saque do exército babilônico. Os poucos judeus que sobrevivessem seriam deportados para a Babilônia. Essa é a advertência constante do livro de Jeremias, bem como a principal razão do que ficou registrado. Cf. Jr 4.20; 6.19; 11.11,12 e 17.18. Houve amplos avisos, mas o povo judeu não quis ouvir nem obedecer. Ver as notas expositivas sobre o vs. 15 do presente capítulo. Cf. Pv 1.24 e Is 65.12. O Targum diz aqui: "Porquanto eu lhes enviei todos os meus servos, os profetas, mas eles não obedeceram. Os profetas lhes profetizaram, mas ele não voltaram".

A Promessa Feita aos Recabitas (35.18,19)

■ **35.18**

וּלְבֵית הָרֵכָבִים אָמַר יִרְמְיָהוּ כֹּה־אָמַר יְהוָה צְבָאוֹת
אֱלֹהֵי יִשְׂרָאֵל יַעַן אֲשֶׁר שְׁמַעְתֶּם עַל־מִצְוַת יְהוֹנָדָב
אֲבִיכֶם וַתִּשְׁמְרוּ אֶת־כָּל־מִצְוֹתָיו וַתַּעֲשׂוּ כְּכֹל אֲשֶׁר־
צִוָּה אֶתְכֶם: ס

À casa dos recabitas disse Jeremias: Assim diz o Senhor dos Exércitos, o Deus de Israel. Em violento contraste com os filhos de Judá, os recabitas ouviam e obedeciam à voz de seu pai, Jonadabe, filho de Recabe, e por trezentos anos continuaram a observar suas tradições sem nenhuma hesitação. Por conseguinte, o Deus de Poder, *Yahweh-Sabaote-Elohim* (ver o vs. 13), tinha uma promessa para eles. Os obedientes seriam abençoados e honrados.

■ **35.19**

לָכֵן כֹּה אָמַר יְהוָה צְבָאוֹת אֱלֹהֵי יִשְׂרָאֵל לֹא־יִכָּרֵת
אִישׁ לְיוֹנָדָב בֶּן־רֵכָב עֹמֵד לְפָנַי כָּל־הַיָּמִים: פ

Nunca faltará homem a Jonadabe, filho de Recabe, que esteja na minha presença. O poderoso nome de Deus é repetido novamente, quando a promessa é feita. A promessa é firme, porque o Deus de Poder estava por trás dela, e é ele quem controla as atividades humanas (ver Is 13.6). Ver no *Dicionário* os artigos intitulados *Soberania de Deus* e *Providência de Deus.*

À seita dos recabitas não haveria geração que não tivesse alguém vivendo *na presença de Yahweh.* Essa frase por muitas vezes fala de intercessão e implica uma capacidade sacerdotal (ver Jr 15.1 e 18.20), ou pode significar a função de um profeta. Contudo, Yahweh não estava dizendo que os recabitas seriam elevados a posições sacerdotais e proféticas. Antes, o sentido aqui é um "serviço fiel" prestado a Deus, que lhe seria agradável e certamente abençoado pelo Senhor. E é com base no presente versículo que ficamos sabendo que a seita também obedecia à legislação mosaica, e não apenas aos mandamentos específicos e distintivos de Jonadabe. Eles eram fanáticos e ultraconservadores, fazendo mais do lhes era requerido e também praticando tolamente certas coisas que lhes pareciam de *suprema importância* (o que é o abc dos fanáticos). Todavia, eles não negligenciavam os pontos fundamentais da fé dos hebreus, a lei como *guia* (ver Dt 6.4 ss.). Portanto, eram objetos óbvios das bênçãos de Yahweh. Eram ascetas, porém também muito mais que isso.

> *Sempre haverá um descendente de Jonadabe, filho de Recabe, que me sirva.*
>
> NCV

A promessa incluía a continuidade da seita dos recabitas, a estabilidade do clã e contínua fidelidade. Eles sempre seriam fortes. E, assim sendo, sempre seriam abençoados; sempre seriam servos de Yahweh, em contraste com os judeus, que se desviaram de suas tradições e se corromperam em seus caminhos pagãos. A tentativa de identificar os recabitas com alguma seita sacerdotal, fazendo deles nazireus ou essênios, tem fracassado. Isso é ver no texto algo mais do que está ali. Talvez algumas das filhas dos recabitas tenham casado com sacerdotes, mas dificilmente isso está em pauta aqui. Então as tradições, como aquela referida por Eusébio (*História Eclesiástica* 1.2, cap. 23), que dizem que os recabitas foram favoráveis ao cristianismo, continuando com sua fidelidade à verdade, provavelmente não são dignas de confiança.

CAPÍTULO TRINTA E SEIS

OS DOIS ROLOS DAS PROFECIAS DE JEREMIAS (36.1-32)

Este capítulo provê a única descrição detalhada, no Antigo Testamento, da escrita de um livro profético. É assim que obtemos algum discernimento quanto ao processo físico envolvido na produção de tais obras. Além disso, pela primeira vez, somos informados sobre como as obras de Jeremias eram lidas em público, o que naturalmente foi um grande fomento de seu ofício profético. É interessante observar que o profeta tinha um secretário pessoal, Baruque (vs. 4), quem realmente fazia o trabalho de escrita. Estou conjecturando que Jeremias pagava a Baruque um salário por esse trabalho, porquanto não é provável que fosse conferido a Jeremias tal auxílio por parte das autoridades religiosas de Jerusalém. Sem dúvida, Baruque era escriba profissional. O livro de Jeremias foi escrito em um rolo de papiro (vs. 2). Quanto a detalhes sobre *Baruque,* ver o verbete com esse nome no *Dicionário,* primeiro ponto.

O tempo da compilação do livro de Jeremias foi o quarto ano do rei Jeoaquim, ou seja, 605 a.C. São mencionados dois estágios adicionais de compilação, em Jr 36.32 e em 51.64. Nosso livro de Jeremias sem dúvida contém algumas expansões que ultrapassam o documento original, acrescentadas pelo editor deuteronômico, e talvez outras tenham sido adicionadas como comentários, aqui e acolá. Talvez o próprio Baruque tenha tomado a liberdade de adicionar detalhes, conforme foi arranjando os materiais para publicação. Jeremias recebeu tantos oráculos sobre o desastre futuro que se tornou imperativo contar com um registro histórico que lhes fomentasse a autoridade e também servisse de advertência mais clara. Foi dessa maneira que cresceu o livro bíblico de Jeremias.

Ditado a Baruque (36.1-7)

■ **36.1**

וַיְהִי בַּשָּׁנָה הָרְבִיעִת לִיהוֹיָקִים בֶּן־יֹאשִׁיָּהוּ מֶלֶךְ
יְהוּדָה הָיָה הַדָּבָר הַזֶּה אֶל־יִרְמְיָהוּ מֵאֵת יְהוָה
לֵאמֹר:

No quarto ano de Jeoaquim, filho de Josias, rei de Judá... O quarto ano do reinado de Jeoaquim foi 606-605 a.C. Cf. o vs. 9. Naquele ano, veio o mandamento a Jeremias, da parte de Yahweh, para escrever. Os *livros* são a melhor maneira de nos comunicarmos, a despeito dos avanços modernos no campo da comunicação. Ver no *Dicionário* o verbete intitulado *Livro, Livros.* Reunir em uma compilação escrita os oráculos que se acumulavam, facilitaria o ensino ao povo. A palavra escrita tem certa autoridade que falta à palavra falada. Além disso, homens bons aprenderiam que o livro fora produzido por inspiração divina. Sendo esse o caso, ele seria preservado para as gerações vindouras. E então, finalmente, no processo de *canonização,* o livro de *Jeremias* haveria de tornar-se um dos livros do Antigo Testamento. Ver no *Dicionário* o artigo chamado *Cânon do Antigo Testamento,* e também os verbetes *Revelação* e *Inspiração.*

■ **36.2**

קַח־לְךָ מְגִלַּת־סֵפֶר וְכָתַבְתָּ אֵלֶיהָ אֵת כָּל־הַדְּבָרִים
אֲשֶׁר־דִּבַּרְתִּי אֵלֶיךָ עַל־יִשְׂרָאֵל וְעַל־יְהוּדָה וְעַל־
כָּל־הַגּוֹיִם מִיּוֹם דִּבַּרְתִּי אֵלֶיךָ מִימֵי יֹאשִׁיָּהוּ וְעַד
הַיּוֹם הַזֶּה:

Toma o rolo, o livro, e escreve nele todas as palavras que te falei. O "rolo" era um rolo de vellum ou papiro, e não um códex (em formato de livro, como conhecemos atualmente). Ver no *Dicionário* os artigos chamados *Escrita* e *Escrituras.* O hebraico por trás da palavra *rolo* é *meghillah sepher,* empregado para indicar um rolo de tamanho suficiente para ser considerado um "livro". O formato de "códex" não começou a ser usado senão no século I d.C. O códex, com suas páginas, foi uma invenção para facilitar a leitura. Na realidade, o rolo era um formato difícil de ser manipulado. O fim do material era enrolado no centro do rolo. Nos dias de Jeremias, o papiro era comum e muito mais barato do que o vellum (peles de animais), pelo que é provável que o papiro tenha sido o material empregado por Baruque.

Os *oráculos* de Jeremias começaram nos dias de Josias, ou seja, cerca de 627 a.C. Ver Jr 1.2 e 25.3, o que significa que o acúmulo de material, no espaço de mais de vinte anos, tornou-se considerável. Em Jr 25.13 podemos ver uma declaração sobre a compilação dos materiais. Outras compilações se seguiriam: Jr 36.32 e 51.64. Ver a introdução ao capítulo, quanto a detalhes. Podemos supor com segurança que a maior parte dos oráculos já estava sob a forma escrita, mas sem dúvida alguns oráculos orais foram reduzidos à forma escrita por ocasião das compilações. Os oráculos consistiam essencialmente (embora não inteiramente) em advertências de julgamento sobre Israel-Judá e as nações, por motivo da sua idolatria-adultério-apostasia.

■ 36.3

אוּלַי יִשְׁמְעוּ בֵּית יְהוּדָה אֵת כָּל־הָרָעָה אֲשֶׁר אָנֹכִי חֹשֵׁב לַעֲשׂוֹת לָהֶם לְמַעַן יָשׁוּבוּ אִישׁ מִדַּרְכּוֹ הָרָעָה וְסָלַחְתִּי לַעֲוֹנָם וּלְחַטָּאתָם׃ ס

Talvez ouçam os da casa de Judá todo o mal que eu intento fazer-lhes. O principal propósito da compilação é que ela proveria um meio para instruir o povo de Judá a arrepender-se, ao ouvir sobre o *mal* que lhes sobreviria por causa de seus muitos pecados. Dessa forma, o arrependimento produziria perdão e poderia evitar o desastre causado pela invasão babilônica.

O livro de Jeremias tinha por propósito fornecer a provisão de uma *oportunidade,* e já vimos, até este ponto do livro, que essa oportunidade era ampla. Ver no *Dicionário* os verbetes intitulados *Arrependimento* e *Perdão.* Qualquer oportunidade subentende a realidade do livre-arbítrio, pois sem ele não pode haver a responsabilidade moral. Ver no *Dicionário* o artigo chamado *Livre-arbítrio.* Tudo isso faz parte dos dons da graça divina. De fato, essas coisas fazem parte dos dons essenciais da graça, um *sine qua non* da espiritualidade.

■ 36.4

וַיִּקְרָא יִרְמְיָהוּ אֶת־בָּרוּךְ בֶּן־נֵרִיָּה וַיִּכְתֹּב בָּרוּךְ מִפִּי יִרְמְיָהוּ אֵת כָּל־דִּבְרֵי יְהוָה אֲשֶׁר־דִּבֶּר אֵלָיו עַל־מְגִלַּת־סֵפֶר׃

Então Jeremias chamou a Baruque, filho de Nerias. Sem sombra de dúvida, Jeremias sabia escrever. O seu livro mostra muitos sinais de inteligência e ampla educação. Mas *Baruque* era escriba profissional e faria um trabalho de escrita mais rápido e mais bem ordenado. No estudo que apresento sobre os manuscritos do Novo Testamento, abordo a questão das produções escritas profissionais e não profissionais, e as produções profissionais são de leitura muito mais fácil. Ver no *Dicionário* o artigo chamado *Manuscritos.* Ofereço melhor seleção de fotografias de manuscritos do Novo Testamento no artigos introdutórios do *Novo Testamento Interpretado,* destacando-se especificamente o artigo chamado *Manuscritos.* Nenhum homem é tão bom na produção de livros que prescinda da ajuda de outros. Na verdade, a publicação de livros é um esforço de equipe. Os escribas eram homens eruditos, mestres do povo, e não apenas amanuenses habilidosos. Ver no *Dicionário* o artigo chamado *Baruque,* primeiro ponto, que ilustra as habilidades dessa personagem. Note o leitor como "Israel, Judá e as nações" foram reduzidas aqui a "Judá", o principal destinatário do livro.

Baruque já havia sido empregado por Jeremias para ajudar na questão da compra de um campo. Foi ele quem preparou os documentos. Ver Jr 32.12 e seu contexto. Portanto, Baruque era conhecido por Jeremias dentro de um contexto profissional. Todavia, é provável que Baruque fosse um discípulo do profeta. Jeremias não teria lançado mão de um homem que não estivesse espiritualmente qualificado para tão importante tarefa.

■ 36.5

וַיְצַוֶּה יִרְמְיָהוּ אֶת־בָּרוּךְ לֵאמֹר אֲנִי עָצוּר לֹא אוּכַל לָבוֹא בֵּית יְהוָה׃

Jeremias ordenou a Baruque, dizendo: Estou encarcerado. Jeremias era agora uma pessoa "não grata" no templo, pelo que, quando o trabalho de escrituração (ou parte dele) estivesse pronto, Baruque teria de lê-lo no átrio do templo para os líderes religiosos do povo. Se alguma mudança duradoura tivesse de ocorrer, esses líderes deveriam encabeçar o movimento. Em consequência, a leitura dos oráculos deveria começar no templo. Mas, conforme as coisas ocorreram, nem os líderes nem o povo acolheram bem a mensagem. Jeremias já havia anunciado mensagens impopulares no templo (ver Jr 7.1-15; 26.1-19) e agora não tinha mais amigos ali. Jeremias, contudo, não estava detido em uma prisão, conforme poderia dar a entender a palavra "encarcerado", usada no texto sagrado. Na realidade, Jeremias não sofreu nenhum tipo de aprisionamento nos dias do rei Jeoaquim, mas provavelmente sua entrada no templo teria sido impedida.

■ 36.6

וּבָאתָ אַתָּה וְקָרָאתָ בַמְּגִלָּה אֲשֶׁר־כָּתַבְתָּ־מִפִּי אֶת־דִּבְרֵי יְהוָה בְּאָזְנֵי הָעָם בֵּית יְהוָה בְּיוֹם צוֹם וְגַם בְּאָזְנֵי כָל־יְהוּדָה הַבָּאִים מֵעָרֵיהֶם תִּקְרָאֵם׃

Entra, pois, tu, e, do rolo que escreveste, segundo o que eu ditei, lê todas as palavras do Senhor. A visita de Baruque ao templo se daria em um *dia de jejum,* o que seria apropriado para que o povo ouvisse as sombrias palavras dos oráculos. Nesses dias, o povo supostamente estaria pensando sobre o arrependimento e os valores espirituais. "Antes da queda de Jerusalém, em 586 a.C., dias de jejum não eram especificados, mas convocados em momentos de emergência (cf. Jr 36.9; 2Cr 20.3; Jl 1.14; 2.15). Somente depois da queda de Jerusalém é que foram instituídos dias *regulares* de jejum (ver Zc 7.3,5; 8.10)" (Charles H. Dyer, *in loc.*). "... Um dia de jejum, um dia em que as multidões de Judá se reuniriam, vindas de todas as partes do país, para implorar a misericórdia de Deus. Aquele seria um dia favorável para que fossem lidas as tremendas profecias" (Adam Clarke, *in loc.*).

Este versículo indica considerável movimento de gente, vinda de outras cidades de Judá, sem dúvida por ordens emanadas dos líderes religiosos. Alguma crise nacional provocou tal movimentação, talvez um período de seca, uma falha na colheita ou a perigosa aproximação do exército babilônico. A Mishnah (Taanit 1.5) diz-nos que, se nenhuma chuva caísse no primeiro dia do mês de quisleu (novembro-dezembro), haveria três dias de jejum. Essa prática talvez viesse desde tempos mais antigos. Seja como for, a seca era sempre uma preocupação importante em Israel. Talvez a ocasião para esse jejum fosse o *Dia da Expiação,* que naturalmente era acompanhado de um jejum. Ver no *Dicionário* o artigo chamado *Dia da Expiação.*

■ 36.7

אוּלַי תִּפֹּל תְּחִנָּתָם לִפְנֵי יְהוָה וְיָשֻׁבוּ אִישׁ מִדַּרְכּוֹ הָרָעָה כִּי־גָדוֹל הָאַף וְהַחֵמָה אֲשֶׁר־דִּבֶּר יְהוָה אֶל־הָעָם הַזֶּה׃

Pode ser que as suas humildes súplicas sejam bem acolhidas pelo Senhor. Este versículo dá a entender que o povo de Judá havia sido severamente advertido sobre o desastre vindouro que procederia da Babilônia, mas é inútil pensarmos que o povo de Judá, temendo isso, estivesse reunido voluntariamente para jejuar. A única esperança de Jeremias era que aquele dia de jejum, determinado por alguma outra razão, seria favorável ao seu propósito. Talvez o arrependimento ocorresse mediante um jejum tão oportuno. Mas era tudo vã esperança. O povo de Judá não faria mais do que perder umas duas refeições, para então os pecados continuarem da maneira usual. A grande calamidade que estava para abater-se sobre eles, e que tão vívida e repetidamente lhes fora apresentada, ainda não começara a afetar sua maneira de pensar. Na realidade, eles preferiam acreditar na mensagem que dizia "paz, paz", proclamada pelos falsos profetas (ver Jr 6.14 e 8.11).

Leitura do Livro de Jeremias no Templo (36.8-11)

36.8

וַיַּ֗עַשׂ בָּרוּךְ֙ בֶּן־נֵ֣רִיָּ֔ה כְּכֹ֛ל אֲשֶׁר־צִוָּ֥הוּ יִרְמְיָ֖הוּ הַנָּבִ֑יא לִקְרֹ֥א בַסֵּ֛פֶר דִּבְרֵ֥י יְהוָ֖ה בֵּ֥ית יְהוָֽה׃ ס

Fez Baruque, filho de Nerias, segundo tudo quanto lhe havia ordenado Jeremias. Em contraste com os réprobos de Judá, Baruque era homem que obedecia às palavras do profeta e, assim sendo, desempenhou sua difícil mas necessária missão, tomando o lugar do profeta como leitor dos oráculos escritos. O pobre secretário de Jeremias veria, em primeira mão, quão endurecidos estavam aqueles ímpios, a despeito de se declararem *líderes religiosos*. Dificilmente existe alguém tão endurecido e teimoso como uma pessoa religiosa auto-enganada, que pensa "ter a verdade". Esse endurecimento começa quando essa pessoa nem percebe que pertence a tal classe de indivíduos. "Duros como o ferro" é uma expressão moderna que exprime bem a condição dos líderes religiosos de Judá nos dias de Jeremias.

36.9

וַיְהִ֣י בַשָּׁנָ֣ה הַ֠חֲמִשִׁית לִיהוֹיָקִ֨ים בֶּן־יֹאשִׁיָּ֤הוּ מֶֽלֶךְ־יְהוּדָה֙ בַּחֹ֣דֶשׁ הַתְּשִׁעִ֔י קָרְא֥וּ צ֛וֹם לִפְנֵ֥י יְהוָ֖ה כָּל־הָעָ֣ם בִּירוּשָׁלִָ֑ם וְכָל־הָעָ֗ם הַבָּאִ֛ים מֵעָרֵ֥י יְהוּדָ֖ה בִּירוּשָׁלִָֽם׃

No quinto ano de Jeoaquim, filho de Josias, rei de Judá, no mês nono, apregoaram jejum diante do Senhor. A leitura ocorreu no *quinto* ano do reinado de Jeoaquim, em algum tempo em 605-604 a.C. O mês era o quisleu (o nono mês, equivalente a nosso dezembro). O quarto ano do rei terminou aproximadamente em setembro de 605 a.C. O ano de governo real começou no outono, no sétimo mês. Portanto, não foi grande o intervalo de tempo entre a ordem de compilar o livro e sua primeira leitura no átrio do templo. Uma fonte informativa, por meio de um cálculo complexo, que joga com diferentes calendários e maneira de computar o tempo entre os hebreus, chega à conclusão de que não mais de três meses se passaram entre a data de Jr 36.1 e a data de Jr 36.9. O ponto, todavia, não é muito importante, exceto para demonstrar como Baruque escrevia rápido. Grande multidão veio a Jerusalém participar do jejum, conforme declarado aqui e no vs. 6. Portanto, estava armado o palco para o discurso impopular de Baruque, o qual, conforme veremos, deixou os ouvintes indignados. Eles já estavam a braços com uma seca, além de outras calamidades nacionais, para terem de pensar em coisas ainda mais drásticas que viriam.

36.10

וַיִּקְרָ֨א בָר֥וּךְ בַּסֵּ֛פֶר אֶת־דִּבְרֵ֥י יִרְמְיָ֖הוּ בֵּ֣ית יְהוָ֑ה בְּלִשְׁכַּ֡ת גְּמַרְיָהוּ֩ בֶן־שָׁפָ֨ן הַסֹּפֵ֜ר בֶּחָצֵ֣ר הָעֶלְי֗וֹן פֶּ֣תַח שַׁ֤עַר בֵּית־יְהוָה֙ הֶֽחָדָ֔שׁ בְּאָזְנֵ֖י כָּל־הָעָֽם׃

Leu, pois, Baruque naquele livro as palavras de Jeremias. Baruque, por não ser um sacerdote, não teria acesso ao próprio santuário, mas foi-lhe permitido entrar nos átrios e nas câmaras adjacentes ao templo. Ver Jr 35.2. Ele se dirigiu à câmara de Gemarias, que pertencia à linhagem de *Safã*. Essa câmara ficava no átrio superior do templo, próxima à *Porta Nova* (ver Jr 26.10). "Gemarias, tal como seu irmão, Aicão (ver Jr 26.24), apoiou a mensagem de Jeremias e permitiu que Baruque usasse a sua câmara, de onde ele pôde ler a mensagem ao povo reunido no átrio" (Charles H. Dyer, *in loc.*). Talvez a câmara tivesse uma sacada conveniente de onde Baruque leu, ou então uma janela onde uma pessoa, de pé, ficaria visível para o povo. Não é provável que o versículo queira dizer que ele leu somente às pessoas que pudessem juntar-se no interior da própria câmara.

Gemarias. Ver as notas a respeito no vs. 11.

36.11

וַיִּשְׁמַ֞ע מִכָ֣יְהוּ בֶן־גְּמַרְיָ֧הוּ בֶן־שָׁפָ֛ן אֶת־כָּל־דִּבְרֵ֥י יְהוָ֖ה מֵעַ֥ל הַסֵּֽפֶר׃

Ouvindo Micaías, filho de Gemarias, filho de Safã, todas as palavras do Senhor. Um dos principais homens que ouviram a leitura de Baruque foi *Micaías*. Sendo ele um crente no poder e na realidade da profecia, pensou que aquilo que tinha ouvido deveria ser noticiado aos príncipes do povo e, dali, talvez, ao próprio rei.

> Todos se sentaram emudecidos,
> Ponderando o perigo com pensamentos profundos,
> E cada qual viu, no semblante do outro,
> O seu próprio desânimo, e, juntos, ficaram
> Espantados.
>
> John Milton

Note o leitor que Gemarias, filho de Safã, não é a mesma pessoa que Gemarias, filho de Hilquias, citado em Jr 29.3. Ver sobre os nomes próprios no *Dicionário*, quanto ao pouco que se conhece sobre eles. Alguns supõem que a reunião, havida na câmara de Gemarias, fora planejada com antecedência, provendo a maneira de fazer a mensagem chegar à casa do rei. Mas não há razão alguma para imaginarmos algo tão sutil quanto isso. Antes, Micaías, *espantado* diante do que acabara de ouvir, agiu espontaneamente para dar à mensagem ainda mais amplo alcance.

36.12

וַיֵּ֤רֶד בֵּית־הַמֶּ֙לֶךְ֙ עַל־לִשְׁכַּ֣ת הַסֹּפֵ֔ר וְהִנֵּה־שָׁ֥ם כָּל־הַשָּׂרִ֖ים יֽוֹשְׁבִ֑ים אֱלִישָׁמָ֣ע הַסֹּפֵ֡ר וּדְלָיָ֣הוּ בֶן־שְׁ֠מַעְיָהוּ וְאֶלְנָתָ֨ן בֶּן־עַכְבּ֜וֹר וּגְמַרְיָ֧הוּ בֶן־שָׁפָ֛ן וְצִדְקִיָּ֥הוּ בֶן־חֲנַנְיָ֖הוּ וְכָל־הַשָּׂרִֽים׃

Desceu à casa do rei, à câmara do escrivão. Eis que todos os príncipes estavam ali assentados. Micaías tomou a missão sobre si mesmo. Não levou consigo a Baruque para reforçar suas intenções. Na casa do rei, ele se encontrou com vários príncipes da nação, além de boa quantidade de sacerdotes e profetas, representantes da classe governante. O pouco que se sabe sobre essas pessoas está relatado em artigos sobre elas, no *Dicionário*. Esses príncipes eram governantes civis (oficiais administrativos), e não membros da família real. Aquela gente parecia, ao menos, respeitar as palavras do profeta Jeremias. Note o leitor, no vs. 25, que eles se esforçaram para impedir a queima do rolo de Jeremias, por parte do rei. *Elisama* era um escriba, o que é comentado no sexto número do artigo com esse nome. *Delaías* tem comentários sob esse nome, ponto um. Coisa alguma se sabe sobre ele, exceto que era um dos príncipes do povo. Elnatã, para sua vergonha eterna, agiu como instrumento de Jeoaquim para buscar Urias no Egito, com propósitos de execução (ver Jr 26.22,23), mas para seu crédito ele não queria que o rolo de Jeremias fosse queimado (ver Jr 36.25). *Gemarias* não é o mesmo mencionado em Jr 29.3. *Zedequias* não era o rei desse nome e, sim, o filho de um infame falso profeta, Hananias. Ver Jr 28.10-17. Não somos informados sobre o que ele pensava acerca de Jeremias, mas talvez fosse demasiado esperar algo bom da parte dele.

36.13

וַיַּגֵּ֤ד לָהֶם֙ מִכָ֔יְהוּ אֵ֥ת כָּל־הַדְּבָרִ֖ים אֲשֶׁ֣ר שָׁמֵ֑עַ בִּקְרֹ֥א בָר֛וּךְ בַּסֵּ֖פֶר בְּאָזְנֵ֥י הָעָֽם׃

Micaías anunciou-lhes todas as palavras que ouvira. Baruque declarou a mensagem de Jeremias, lendo os oráculos a Micaías, o qual, por sua vez, levou o rolo e o leu perante uma espécie de subcomissão do rei (embora o próprio rei ainda não tivesse ouvido a leitura do rolo de Jeremias). Essa leitura mostrou-se impressionante o bastante para atrair a atenção dos outros príncipes (vs. 14) e tornou-se quase um empreendimento universal de pregação. O autor mostra os vários estágios da leitura que, finalmente, levou a questão à atenção do próprio rei, assim como de seus oficiais mais íntimos.

36.14

וַיִּשְׁלְח֨וּ כָל־הַשָּׂרִ֜ים אֶל־בָּר֗וּךְ אֶת־יְהוּדִ֡י בֶּן־נְתַנְיָ֡הוּ בֶּן־שֶׁלֶמְיָ֜הוּ בֶן־כּוּשִׁי֙ לֵאמֹ֔ר הַמְּגִלָּ֗ה אֲשֶׁ֨ר קָרָ֤אתָ בָּהּ

בְּאָזְנֵי הָעָם קָחֶנָּה בְיָדְךָ וָלֵךְ וַיִּקַּח בָּרוּךְ בֶּן־נֵרִיָּהוּ אֶת־הַמְּגִלָּה בְּיָדוֹ וַיָּבֹא אֲלֵיהֶם׃

Então todos os príncipes mandaram Jeudi, filho de Netanias. Esses príncipes são outros, diferentes daqueles do vs. 12, formando um *círculo mais lato* de oficiais civis. *Jeudi* foi escolhido para convidar Baruque a ler a mensagem de Jeremias. Esse mensageiro é apresentado a nós através de três gerações de ascendentes, um procedimento incomum que mostra a importância de sua linhagem. Se os nomes são desconhecidos para nós, provavelmente eram bem conhecidos e impressionantes para as pessoas que viviam no tempo de Jeremias. Alguns estudiosos emendam o texto, colocando a palavra "e" antes de Selemias, para fazer dele um mensageiro enviado juntamente com Jeudi, e não um de seus ancestrais. Por meio dessa emenda, obtemos *dois* mensageiros cujos *pais* são mencionados. Essa é uma maneira comum de manusear o material que vemos por todo este texto, e talvez seja o que está entendido aqui. Baruque atendeu ao convite e veio fazer a leitura. Aparentemente, a apresentação foi arranjada de modo que incluísse um bom número de pessoas além dos príncipes.

■ 36.15

וַיֹּאמְרוּ אֵלָיו שֵׁב נָא וּקְרָאֶנָּה בְּאָזְנֵינוּ וַיִּקְרָא בָרוּךְ בְּאָזְנֵיהֶם׃

Disseram-lhe: Assenta-te, agora, e lê-o para nós. Baruque foi tratado com cortesia. Foi-lhe oferecido um lugar apropriado para sentar-se, e ele foi convidado a ler o rolo, enquanto a audiência prestava estrita atenção às suas palavras. Não foi uma reunião hostil. Pelo contrário, aqueles príncipes pareciam estar à beira do arrependimento, mas o rei, duro de coração como era, transformaria o cenário em um ambiente de rebelião e negligência.

■ 36.16

וַיְהִי כְּשָׁמְעָם אֶת־כָּל־הַדְּבָרִים פָּחֲדוּ אִישׁ אֶל־רֵעֵהוּ וַיֹּאמְרוּ אֶל־בָּרוּךְ הַגֵּיד נַגִּיד לַמֶּלֶךְ אֵת כָּל־הַדְּבָרִים הָאֵלֶּה׃

Tendo eles ouvido todas aquelas palavras, entreolharam-se atemorizados. As *palavras dos oráculos* de Jeremias bateram no cérebro daqueles homens como marteladas. Eles estavam assustados e temerosos, e olharam, desanimados, uns para os outros. Como é óbvio, eles acreditavam na palavra profética e sabiam que seu amado país estava prestes a ser aniquilado pela maior potência militar da época. Também sabiam que fora a *idolatria-adultério-apostasia* que os tinha posto naquela situação impossível. As palavras deste versículo implicam o desejo de uma reforma geral, que só poderia ser realizada pela autoridade do rei; e era exatamente isso o que eles estavam buscando.

■ 36.17

וְאֶת־בָּרוּךְ שָׁאֲלוּ לֵאמֹר הַגֶּד־נָא לָנוּ אֵיךְ כָּתַבְתָּ אֶת־כָּל־הַדְּבָרִים הָאֵלֶּה מִפִּיו׃

E perguntaram a Baruque, dizendo: Declara-nos, como escreveste isto? O círculo maior dos príncipes quis saber como os rolos da profecia chegaram à existência. Eles não acreditavam que Baruque tinha composto todo aquele material por si mesmo. Deveria ter havido um processo para produzir a obra, de forma que tudo acabou em um livro. Em certo sentido, aqueles homens queriam saber mais sobre a *autoridade* do livro. Eles já tinham confiança de que o material todo fosse atribuído a Jeremias, conforme se depreende das palavras "ditava-me pessoalmente todas estas palavras", uma óbvia referência ao profeta. Jeremias tinha poderosa reputação como quem dava oráculos da parte de Yahweh, mas também recebeu oposição da parte dos sacerdotes e falsos profetas, não sendo respeitado pelo rei como o poder que ele, realmente, era. Teria Baruque reproduzido o material *de memória*, depois de tê-lo ouvido de Jeremias, ou ele foi escrevendo por meio de ditado gradual? Neste último caso, estaria envolvida maior exatidão, sem nenhuma dependência da memória do escriba. Tomar conhecimento de detalhes como esses era importante para aqueles "príncipes que criam".

■ 36.18

וַיֹּאמֶר לָהֶם בָּרוּךְ מִפִּיו יִקְרָא אֵלַי אֵת כָּל־הַדְּבָרִים הָאֵלֶּה וַאֲנִי כֹּתֵב עַל־הַסֵּפֶר בַּדְּיוֹ׃ פ

Ditava-me pessoalmente todas estas palavras, e eu as escrevia no livro com tinta. *Baruque informou aos príncipes* que o livro fora produzido mediante ditado direto da parte do profeta, que, ao que se presumia, tinha recebido sua mensagem por igual modo da parte de Yahweh. Ele não produziu o material de memória, depois de as frases terem sido ditas pelo profeta. Isto posto, tanto *exatidão* quanto *autoridade* eram palavras-chave em relação a essa circunstância. Em outras palavras, havia autoridade divina para os príncipes crerem no poder de Jeremias, mas, ao mesmo tempo, o partido de oposição só escarnecia do profeta. Os profetas falsos contavam uma história totalmente diferente da de Jeremias, com seus pronunciamentos de "paz, paz" (ver Jr 6.14; 8.11).

Tinta. Quanto a completos detalhes sobre as tintas de escrever antigas, ver no *Dicionário* o artigo chamado *Tinta*, onde contrasto a antiga variedade das tintas de escrever com a moderna. As tintas antigas eram substâncias poderosas e de longa duração, o que fica comprovado pelo fato de existirem manuscritos com muitos séculos de antiguidade que até hoje podem ser facilmente lidos. A tinta de fabricação mais simples era uma mistura de fuligem com certos tipos de gomas, água e carvão. Testes químicos revelam algum ferro nas composições. Substâncias vegetais eram usadas, emprestando à tinta a capacidade de resistir à degeneração dos séculos, pois mesmo após centenas de anos os textos escritos com essas tintas continuam legíveis. Um dos problemas com as tintas antigas era que, algumas vezes, elas corroíam o papiro, e essa foi uma boa razão para utilização do material mais caro do vallum.

■ 36.19

וַיֹּאמְרוּ הַשָּׂרִים אֶל־בָּרוּךְ לֵךְ הִסָּתֵר אַתָּה וְיִרְמְיָהוּ וְאִישׁ אַל־יֵדַע אֵיפֹה אַתֶּם׃

Vai, esconde-te, tu e Jeremias; ninguém saiba onde estais. A hostilidade do rei, dos sacerdotes e dos falsos profetas era bem conhecida. Ver Jr 26.20-23 quanto à execução do profeta Urias, por ordens do monarca judeu, o que contou com a plena cooperação de seus conselheiros. Portanto, o conselho que os "príncipes que criam" deram foi que tanto Baruque quanto Jeremias se escondessem, pelo menos até que as coisas esfriassem. Se o rei tinha caçado Urias até o Egito, mediante seus conselheiros assassinos, poder-se-ia esperar que ele também caçasse Jeremias, acusando-o de traição, e o mandasse executar.

"Profundamente impressionados, eles decidiram que informariam Jeoaquim. Mas sentindo a possibilidade de repercussões, instruíram tanto Baruque quanto Jeremias a ocultar-se" (*Oxford Annotated Bible*, comentando sobre o vs. 19). Se eles sentiam a obrigação de relatar ao rei o que tinham ouvido na leitura de Baruque, não estavam obrigados a permitir que houvesse derramamento de sangue inocente por esse motivo.

■ 36.20

וַיָּבֹאוּ אֶל־הַמֶּלֶךְ חָצֵרָה וְאֶת־הַמְּגִלָּה הִפְקִדוּ בְּלִשְׁכַּת אֱלִישָׁמָע הַסֹּפֵר וַיַּגִּידוּ בְּאָזְנֵי הַמֶּלֶךְ אֵת כָּל־הַדְּבָרִים׃

Foram os príncipes ter com o rei ao átrio, depois de terem depositado o rolo na câmara de Elisama. Para que ficasse guardado temporariamente, os príncipes mantiveram o rolo na câmara de Elisama, um escriba. Ver o vs. 12, onde esse homem é mencionado pela primeira vez. Cf. isso com a *câmara* de Gemarias, onde ocorrera a leitura original do livro (vs. 10). Assim sendo, estava armado o palco para a *leitura final* do rolo perante o rei e seus mais altos oficiais.

Antes mesmo de o rolo ser levado diretamente ao rei, os "príncipes que criam" já tinham contado ao rei a essência do documento, da melhor maneira que podiam lembrar. Contudo, "oráculos relembrados" não eram suficientes para o rei. Ele queria ver o livro e ouvir a leitura, por parte de alguma pessoa qualificada. O rei queria ter o livro *em suas mãos*, pois isso serviria como evidência do processo que ele desejava lançar contra Jeremias, já que era esse o curso que o rei havia decidido seguir.

■ **36.21**

וַיִּשְׁלַח הַמֶּלֶךְ אֶת־יְהוּדִי לָקַחַת אֶת־הַמְּגִלָּה וַיִּקָּחֶהָ מִלִּשְׁכַּת אֱלִישָׁמָע הַסֹּפֵר וַיִּקְרָאֶהָ יְהוּדִי בְּאָזְנֵי הַמֶּלֶךְ וּבְאָזְנֵי כָּל־הַשָּׂרִים הָעֹמְדִים מֵעַל הַמֶּלֶךְ׃

Então enviou o rei a Jeudi, para que trouxesse o rolo. Foi assim que *Jeudi*, ainda agindo como *office-boy*, foi enviado para trazer o rolo ao rei. Ele pegou o rolo na câmara de Elisama, onde estava guardado (vs. 20). Trazendo o rolo à presença do rei, o próprio Jeudi foi designado a lê-lo. O rei sentou-se com um rosto que estampava a incredulidade, enquanto seus mais elevados oficiais, de pé ao redor, olhavam e ouviam tudo com sorrisos de desprezo. Fazia muito tempo que ele tinha deixado de confiar em Yahweh ou em qualquer "profeta" que o Senhor enviasse. Se, porventura, eles tinham algum sentimento religioso, era em favor aos muitos deuses do panteão pagão adotados de povos estrangeiros, e provavelmente estamos certos em assumir que eles também não acreditavam nas divindades pagãs. Se tinham tornado *ateus práticos*, mas o povo comum se tornara idólatra declarado.

■ **36.22**

וְהַמֶּלֶךְ יוֹשֵׁב בֵּית הַחֹרֶף בַּחֹדֶשׁ הַתְּשִׁיעִי וְאֶת־הָאָח לְפָנָיו מְבֹעָרֶת׃

O rei estava assentado na casa de inverno... e diante dele estava um braseiro aceso. O drama ocorreu em novembro-dezembro (o nono mês do calendário hebraico) de 604 a.C. Naquela época do ano, o clima de Jerusalém era bastante frio, e, por essa razão, havia ali um braseiro aceso para efeito de aquecimento, e o rei estava com sua blusa de lã favorita. Os apartamentos de inverno eram construídos para aproveitar o sol matinal, pelo que o rei se sentia confortável em sua câmara, enquanto a mensagem era lida. Talvez a casa de inverno do rei não fosse uma estrutura separada, em um lugar diferente, mas apenas parte do palácio real, mais bem preparada para enfrentar o frio do inverno.

O *braseiro* para aquecer o meio ambiente no inverno era de origem egípcia. Feitos de metal ou argila, era bastante eficaz para aquecer áreas limitadas. Quanto a outra referência a uma casa de inverno, ver Am 3.15. No mês de dezembro ocasionalmente neva em Jerusalém, mas a queda de neve não dura muito tempo. Somente pessoas das classes abastadas tinham *braseiros*. Os mais pobres faziam pequenas fogueiras no meio da sala de suas casas.

■ **36.23**

וַיְהִי כִּקְרוֹא יְהוּדִי שָׁלֹשׁ דְּלָתוֹת וְאַרְבָּעָה יִקְרָעֶהָ בְּתַעַר הַסֹּפֵר וְהַשְׁלֵךְ אֶל־הָאֵשׁ אֲשֶׁר אֶל־הָאָח עַד־תֹּם כָּל־הַמְּגִלָּה עַל־הָאֵשׁ אֲשֶׁר עַל־הָאָח׃

Tendo Jeudi lido três ou quatro folhas do livro, cortou-o o rei com um canivete. Jeudi não tinha lido muito do rolo, mas apenas três ou quatro *colunas* (e não "folhas", conforme diz a nossa versão portuguesa) quando o rei, desgostoso com o que ouvia, desejou interromper a leitura. Assim sendo, ele tomou um canivete e cortou a parte que já havia sido lida, jogando fora aquele "lixo" no fogo do braseiro. O rei continuou cortando e atirando no braseiro o pedaço cortado, e em breve o rolo inteiro tinha sido consumido no fogo. Mediante ato tão insolente, o orgulhoso e ridículo rei demonstrou seu desprezar com as "profecias de condenação". 2Rs 22.11 parece contar uma história diferente quanto à reação do rei, dizendo que ele rasgou as próprias vestes ao ouvir a leitura do rolo. Mas isso aconteceu diante da leitura do livro perdido *da lei*, que havia sido encontrado. É perfeitamente possível que um homem, em dias diferentes, demonstre reações diferentes diante das coisas, mesmo quando é homem de coração duro e mente calejada. Talvez o rei Jeoaquim tivesse algum respeito pela lei, mas pouco pelo que os profetas escreviam.

Canivete. Literalmente, no hebraico, *faca de escriba,* usada para cortar o papiro quando se estavam preparando os rolos. Essa faca também servia para afiar as penas de juncos com as quais um homem escrevia.

Compare-se o leitor o ato altivo do apóstata rei Jeoaquim com a humilde reação de Josias, ao ouvir a leitura da lei, em 2Rs 22.11,19.

■ **36.24**

וְלֹא פָחֲדוּ וְלֹא קָרְעוּ אֶת־בִּגְדֵיהֶם הַמֶּלֶךְ וְכָל־עֲבָדָיו הַשֹּׁמְעִים אֵת כָּל־הַדְּבָרִים הָאֵלֶּה׃

Não se atemorizaram, não rasgaram as vestes, nem o rei nem nenhum dos seus servos. O rei e seus mais elevados oficiais eram homens ignorantes e endurecidos de coração. Eles tinham perdido o contato com Moisés, com a lei mosaica e com os antigos requisitos da fé dos hebreus. Eram pagãos sofisticados, que riam das coisas, como dos profetas de condenação. Preferiam a vida sensual da idolatria pagã e pensavam que, *se* algum profeta soubesse qualquer coisa sobre o futuro, era melhor apostar nos profetas otimistas (falsos), que continuavam a falar em paz (ver Jr 6.14 e 8.11). Aqueles homens endurecidos não tinham nenhum *temor* do que estava sendo lido. Pelo contrário, contavam piadas e faziam observações espirituosas sobre sonhadores insanos e profetas que se autonomeavam como tais. Eles não temiam as palavras de Jeremias porquanto não tinham *temor de Yahweh,* expressão do Antigo Testamento que representa espiritualidade, conforme compreendida na antiguidade. Ver no *Dicionário* o artigo chamado *Temor*, e ver Sl 119.38 e Pv 1.7. Outrossim, eles não rasgaram as próprias roupas como sinal de consternação e arrependimento. Em outras palavras, a leitura do livro de Jeremias foi um fracasso completo, se por sucesso compreendermos que teve algum efeito sobre o rei e seus oficiais. Ver no *Dicionário* o verbete intitulado *Vestimentas, Rasgar das,* quanto a maiores detalhes.

■ **36.25**

גַּם אֶלְנָתָן וּדְלָיָהוּ וּגְמַרְיָהוּ הִפְגִּעוּ בַמֶּלֶךְ לְבִלְתִּי שְׂרֹף אֶת־הַמְּגִלָּה וְלֹא שָׁמַע אֲלֵיהֶם׃

Posto que Elnatã, Delaías e Gemarias tinham insistido com o rei para que não queimasse o rolo. Três dos principais oficiais do rei, Elnatã, Delaías e Gemarias (ver as notas sobre o vs. 12 deste capítulo), protestaram (humildemente, sem dúvida) contra a queima do rolo, por razões que não são explicadas. Talvez eles pensassem que os oráculos tinham valor e deveriam ser conservados, para que pudessem ser consultados novamente. Talvez um ou outro pensasse que o documento escrito deveria ser conservado como evidência física contra Jeremias, que poderia ser apresentada durante o julgamento dele. Mas o rei, preso à sua cegueira judicial, reprovação, ignorância, insensatez, ausência de discernimento espiritual, corrupção moral e espiritual, rebeldia, falta de sensibilidade diante de uma situação muito séria, um escravo da generalizada idolatria-adultério-apostasia do país, não estava interessado no rolo nem em sua contínua existência, seja por qual razão fosse. Por conseguinte, ele ignorou os protestos e terminou sua pequena "queima da Bíblia". Por quantas vezes isso se tem repetido ao longo da história? No fim, porém, o Livro mostraria ser mais poderoso do que o canivete e o braseiro.

Com base nessa passagem, tornou-se quase uma lei oficial entre os judeus que qualquer homem que visse qualquer porção das Escrituras que fosse rasgada, cortada ou, de algum modo, maltratada, deveria rasgar as próprias vestes (*Talmude Babilônico Moed. Katon.,* fol. 26.1), mostrando sua consternação diante de ato tão blasfemo.

■ **36.26**

וַיְצַוֶּה הַמֶּלֶךְ אֶת־יְרַחְמְאֵל בֶּן־הַמֶּלֶךְ וְאֶת־שְׂרָיָהוּ בֶן־עַזְרִיאֵל וְאֶת־שֶׁלֶמְיָהוּ בֶּן־עַבְדְּאֵל לָקַחַת אֶת־בָּרוּךְ הַסֹּפֵר וְאֵת יִרְמְיָהוּ הַנָּבִיא וַיַּסְתִּרֵם יְהוָה׃ ס

Antes deu ordem o rei a Jerameel, a Seraías... e a Selemias... Conforme antecipado (vs. 19), o rei, irado diante do que lhe parecia ser a impudência do profeta e de seu amanuense, Baruque, ordenou que eles fossem aprisionados. O rei entregou essa importante tarefa a

Jerameel, Seraías e Selemias. Portanto, o rei enviou seus homens de maior confiança para cometer crimes!

Algumas versões traduzem a frase "filho de Hameleque" como se fosse "filho do rei". Isso tem provocado a seguinte pergunta por parte dos comentadores: "Como Jeoaquim, que tinha apenas cerca de 30 anos de idade na época, poderia ter um filho adulto na época?" (ver 2Rs 23.36) E a resposta tem sido: Talvez ele fosse um filho adotado, ou um membro próximo da família real, o que teria permitido a designação "filho" para Jerameel. Outras traduções, como nossa versão portuguesa, dizem "filho de Hameleque", mas essa é uma tradução errada.

Jeremias e Baruque estavam escondidos, pelo que a busca foi inútil. Se eles tivessem sido encontrados, teriam sido aprisionados, para então ser executados por motivo de traição. Os judeus imaginavam um *milagre de esconderijo*, como uma espécie de trevas, que os escondesse quando alguém se aproximasse (conforme dizia Kimchi); mas se isso é um drama, não passa também de uma fantasia.

O Segundo Rolo (36.27-32)

■ 36.27

וַיְהִ֤י דְבַר־יְהוָה֙ אֶֽל־יִרְמְיָ֔הוּ אַחֲרֵ֣י ׀ שְׂרֹ֣ף הַמֶּ֗לֶךְ אֶת־הַמְּגִלָּה֙ וְאֶת־הַדְּבָרִ֔ים אֲשֶׁ֨ר כָּתַ֥ב בָּר֛וּךְ מִפִּ֥י יִרְמְיָ֖הוּ לֵאמֹֽר׃

Então veio a Jeremias a palavra do Senhor, depois que o rei queimara o rolo. Para reparar o dano feito com a queima do rolo, a palavra (oráculo) de Yahweh veio a Jeremias e passou-lhe algumas instruções vitais. Jeremias, ainda escondido, recebeu a nova ordem e imediatamente agiu em conformidade. O trabalho de ditado, de Yahweh para Jeremias, e então de Jeremias para Baruque, teve de ser refeito. Então o palco estaria pronto para a publicação do livro de Jeremias, o qual, como é natural, teria acréscimos à forma original.

■ 36.28

שׁ֣וּב קַח־לְךָ֮ מְגִלָּ֣ה אַחֶרֶת֒ וּכְתֹ֣ב עָלֶ֗יהָ אֵ֤ת כָּל־הַדְּבָרִים֙ הָרִ֣אשֹׁנִ֔ים אֲשֶׁ֥ר הָי֛וּ עַל־הַמְּגִלָּ֥ה הָרִאשֹׁנָ֖ה אֲשֶׁ֥ר שָׂרַ֖ף יְהוֹיָקִ֥ים מֶֽלֶךְ־יְהוּדָֽה׃

Toma outro rolo, e escreve nele todas as palavras que estavam no original. *Outro rolo* precisou ser preparado, e os oráculos foram novamente registrados em forma escrita. Em consequência, Baruque deveria estar ocupado com seu canivete de escriba (vs. 23), preparando o rolo de papiro; e então tanto Baruque quanto Jeremias estariam ocupados com a produção do novo rolo. Nesse novo rolo, bastante material adicional foi acrescentado, conforme mostra o vs. 32. Assim, o livro de Jeremias adquiria forma. E também haveria outras adições, conforme se compreende através de Jr 51.64. Ver sobre o crescimento do livro na *Introdução*, seção V. Incidentalmente, este versículo mostra que *uma* das maneiras de revelação ou iluminação se dá pelo método do *ditado*. Mas é inútil supor que toda a revelação tem de usar esse método. Ver no *Dicionário* os verbetes chamados *Revelação* e *Iluminação*. No outro extremo, é uma insensatez negar que existam coisas como a revelação e a iluminação. Ver também o verbete chamado *Inspiração*.

"Todas as tentativas para destruir a palavra de Deus são inúteis. A palavra de Deus sempre existiu e sempre existirá, pois permanece para sempre" (John Gill, *in loc.*). "Os homens podem queimar um rolo, mas não podem destruir a palavra de Deus" (Charles H. Dyer, *in loc.*). Milhares de volumes da Bíblia têm sido queimados através dos séculos e, no entanto, hoje, como todos os anos, a Bíblia continua a ser o mais pleno sucesso de livraria.

■ 36.29

וְעַל־יְהוֹיָקִ֤ים מֶֽלֶךְ־יְהוּדָה֙ תֹּאמַ֔ר כֹּ֖ה אָמַ֣ר יְהוָ֑ה אַ֠תָּה שָׂרַ֜פְתָּ אֶת־הַמְּגִלָּ֤ה הַזֹּאת֙ לֵאמֹ֔ר מַדּוּעַ֩ כָּתַ֨בְתָּ עָלֶ֜יהָ לֵאמֹ֗ר בֹּֽא־יָב֤וֹא מֶֽלֶךְ־בָּבֶל֙ וְהִשְׁחִית֙ אֶת־הָאָ֣רֶץ הַזֹּ֔את וְהִשְׁבִּ֥ית מִמֶּ֖נָּה אָדָ֥ם וּבְהֵמָֽה׃ ס

E a Jeoaquim, rei de Judá, dirás: Assim diz o Senhor: Tu queimaste aquele rolo... Este versículo revela parte do conteúdo do rolo, isto é, o *tema principal* do livro de Jeremias: a iminente destruição de Jerusalém e Judá pelo exército babilônico. A destruição seria tão completa que Judá ficaria, essencialmente, desabitado. A própria cidade de Jerusalém se tornaria um covil de animais ferozes. Ver Jr 9.11 e seu contexto; 10.22; 32.29 ss. e 37.8, onde ofereço outras referências ao ataque devastador dos babilônios, que já havia sido anunciado por Jeremias para breve. Algumas vezes, a verdade é por demais devastadora para ser ouvida, e o truque psicológico é negá-la, pelo que a pessoa não precisa carregar a carga da mensagem. Talvez essa fosse uma das razões para a reação do rei às profecias de Jeremias. Aquele homem impotente era vítima de seu próprio engano. Por outra parte, ele provavelmente realmente não acreditava que as coisas pudessem ficar tão ruins como Jeremias (sempre pessimista) previa. Era mais fácil o rei voltar-se para os falsos profetas, de quem receberia sua mensagem de paz e prosperidade, e nela acreditar. Há uma passagem bastante similar a esta, mas tratando com Zedequias, em Jr 32.3 ss.

■ 36.30

לָכֵ֞ן כֹּֽה־אָמַ֣ר יְהוָ֗ה עַל־יְהֽוֹיָקִים֮ מֶ֣לֶךְ יְהוּדָה֒ לֹא־יִֽהְיֶה־לּ֥וֹ יוֹשֵׁ֖ב עַל־כִּסֵּ֣א דָוִ֑ד וְנִבְלָתוֹ֙ תִּֽהְיֶ֣ה מֻשְׁלֶ֔כֶת לַחֹ֥רֶב בַּיּ֖וֹם וְלַקֶּ֥רַח בַּלָּֽיְלָה׃

Assim diz o Senhor, acerca de Jeoaquim... Não terá quem se assente no trono. Esta profecia foi prática, mas não estritamente cumprida, visto que *Joaquim* sucedeu a seu pai, Jeoaquim, embora somente por três meses, para em seguida ser exilado na Babilônia. Ver 2Rs 24.6-15. Era fácil negligenciar tão breve reinado e dar a essência do que sucedeu; a linhagem davídica de reis terminou por ocasião do cativeiro babilônico. Os ataques desfechados pelo exército babilônico ocorreram sob a forma de *ondas,* cada uma tendo efeito sobre algum rei diferente de Judá. Ver as notas expositivas sobre isso em Jr 27.12. Outros nomes de Joaquim eram Jeconias e Conias. Depois de Joaquim, nenhum outro descendente de Jeoaquim subiu ao trono de Israel. Ver Jr 22.24-30. Zedequias, o último rei de Judá, foi o terceiro filho do rei Josias (ver 1Cr 3.15). Jeoaquim era irmão de Zedequias e, portanto, tio de Joaquim. Em consequência, o último rei de Judá pertencia à família real, mas não era descendente de Jeoaquim.

Quanto ao fim desastroso de Jeoaquim (seu corpo foi lançado fora como se fosse um jumento), ver Jr 22.18,19. Nada havia de tão repulsivo para a mentalidade dos hebreus como esse tipo de desgraça, referente ao cadáver de um homem. Ver as referências quanto ao que se sabe sobre essa questão, no tocante a Jeoaquim. Os gregos opinavam que ao cadáver de um homem teria de ser dado sepultamento decente, ou a alma era impedida em sua transição para o outro mundo. Essa ideia, entretanto, não parece ter feito parte do horror que os hebreus tinham dos cadáveres insepultos.

Será largado ao calor do dia e à geada da noite. Temos aqui uma nota de rodapé exata sobre a larga variação de temperatura, entre o dia e a noite, naquela região do globo terrestre. Cf. Gn 31.40. O cadáver, insepulto, ficava exposto aos extremos de temperatura, e isso, de alguma forma, adicionava horror à exposição aos elementos.

■ 36.31

וּפָקַדְתִּ֨י עָלָ֜יו וְעַל־זַרְע֤וֹ וְעַל־עֲבָדָיו֙ אֶת־עֲוֹנָ֔ם וְהֵבֵאתִ֣י עֲלֵיהֶ֡ם וְעַל־יֹשְׁבֵ֣י יְרוּשָׁלִַם֩ וְאֶל־אִ֨ישׁ יְהוּדָ֜ה אֵ֣ת כָּל־הָרָעָ֗ה אֲשֶׁר־דִּבַּ֧רְתִּי אֲלֵיהֶ֛ם וְלֹ֥א שָׁמֵֽעוּ׃ ס

Castigá-lo-ei, e a sua descendência e os seus servos por causa da iniquidade deles. As *profecias de condenação* proferidas por Jeremias eram *pessoalmente* endereçadas a Jeoaquim, bem como a seus parentes próximos, mas eram também nacionais, endereçadas a Jerusalém e à totalidade de Judá. Miséria extrema e *generalizada* já se aproximava do povo de Deus. O rei de Judá tinha muita coisa a perder pessoalmente, bem como todo o seu país, de modo geral; mas nenhuma palavra, sem importar quão clara e temível fosse, foi capaz de abalar aquele homem. Ele estava fora do alcance da voz de Yahweh e, por esse motivo, teria de sofrer. Por causa de sua iniquidade, ele se tinha *distanciado* da misericórdia de Deus, no tocante ao que teria de enfrentar no seu corpo. Mas o que ele tinha de enfrentar na sua *alma* era outra história, sendo esse o campo de ação da poderosa intervenção da missão de Cristo. Ver na *Enciclopédia de Bíblia, Teologia e Filosofia* o artigo chamado *Descida de Cristo ao Hades,* quanto à esperança posterior, incluindo até mesmo os que morrem na miséria espiritual.

Jeremias repetiu diretamente ao rei sua predição de desastre, o que forma o *tema principal do livro.* Cf. o vs. 29, onde dou referências sobre esse tema muito repetido. Aquele homem tinha cortado e queimado um rolo que, eventualmente, veio a tornar-se um dos livros da Bíblia (ver o vs. 23). Um severo julgamento divino agora o procurava. O cálice de sua iniquidade havia transbordado. Quanto ao ato de não ouvir a palavra de Yahweh, cf. Jr 6.17; 7.27; 25.4,7; 29.19; 32.33; 35.14.

■ 36.32

וְיִרְמְיָ֜הוּ לָקַ֣ח ׀ מְגִלָּ֣ה אַחֶ֗רֶת וַֽיִּתְּנָהּ֮ אֶל־בָּר֣וּךְ בֶּן־
נֵרִיָּהוּ֮ הַסֹּפֵר֒ וַיִּכְתֹּ֤ב עָלֶ֙יהָ֙ מִפִּ֣י יִרְמְיָ֔הוּ אֵ֚ת כָּל־
דִּבְרֵ֣י הַסֵּ֔פֶר אֲשֶׁ֥ר שָׂרַ֛ף יְהוֹיָקִ֥ים מֶֽלֶךְ־יְהוּדָ֖ה בָּאֵ֑שׁ
וְע֨וֹד נוֹסַ֧ף עֲלֵיהֶ֛ם דְּבָרִ֥ים רַבִּ֖ים כָּהֵֽמָּה: ס

Tomou, pois, Jeremias o outro rolo e o deu a Baruque. Parece que Jeremias adquiriu ou comprou outro rolo. Não é provável que ele tenha preparado o rolo por si mesmo, e o fraseado dá a entender que Baruque também não o fez. É bem possível que os escribas tivessem fornecedores de rolos. Isto posto, Jeremias foi capaz de ditar novamente a mensagem, presumivelmente através da orientação renovada de Yahweh, ou então de sua memória fantástica. Além do material original, foram feitas consideráveis adições, as quais, segundo presumimos, fazem parte do livro de Jeremias de nossa Bíblia moderna. Ver a introdução ao capítulo 36 quanto ao processo que conduzia à escrita de um livro profético da Bíblia. Cf. esse trabalho de nova escrita do livro de Jeremias com a nova escrita dos originais Dez Mandamentos, em Êx 32.15,16; 31.18 e 34.1,23.

CAPÍTULO TRINTA E SETE

O CERCO E A QUEDA DE JERUSALÉM (37.1—40.6)

Os eventos historiados nos capítulos 37 a 39 estão organizados na ordem cronológica correta. São acompanhados aqui certos acontecimentos da vida e do ministério de Jeremias durante o cerco final e a queda de Jerusalém. "Os oito capítulos que se seguem formam uma narrativa contínua da obra e das fortunas posteriores do profeta. Esses capítulos iniciam com o registro da subida ao trono de Judá de Zedequias, após a deposição de Conias (Jeconias, Joaquim)" (Ellicott, *in loc.*).

A MENSAGEM DE JEREMIAS A ZEDEQUIAS (37.1-10)

Introdução Editorial (37.1,2)

Estes dois versículos iniciais atuam como uma transição do capítulo 36 para o capítulo 37. Os eventos historiados no capítulo 36 ocorreram no ano de 605 a.C. e os historiados no capítulo 37, já perto do fim do reinado de Zedequias, em cerca de 598-587 a.C., depois que esse rei se rebelou contra Nabucodonosor. Quanto ao pano de fundo histórico, ver 2Rs 24.20—25.2.

■ 37.1

וַיִּמְלָךְ־מֶ֔לֶךְ צִדְקִיָּ֖הוּ בֶּן־יֹאשִׁיָּ֑הוּ תַּ֚חַת כָּנְיָ֣הוּ בֶן־
יְהוֹיָקִ֔ים אֲשֶׁ֥ר הִמְלִ֛יךְ נְבוּכַדְרֶאצַּ֥ר מֶֽלֶךְ־בָּבֶ֖ל
בְּאֶ֥רֶץ יְהוּדָֽה:

Zedequias, filho de Josias, e a quem Nabucodonosor... constituíra rei na terra de Judá. *Zedequias* foi guindado ao trono de Judá pelo rei da Babilônia, e não Conias, conforme algumas traduções parecem dar a entender. Ver 2Rs 24.17. Conias é a forma abreviada de Jeconias. Apresento notas sobre esse rei, no *Dicionário,* sob o nome *Joaquim.* Ver também *Reino de Judá,* onde listo todos os reis e ofereço breve descrição sobre a vida de cada um deles. Para aqueles dias de crise, Judá carecia de um rei que fosse tanto forte quanto piedoso, mas Zedequias não era nem uma coisa nem outra.

■ 37.2

וְלֹ֣א שָׁמַ֗ע ה֧וּא וַעֲבָדָ֛יו וְעַ֥ם הָאָ֖רֶץ אֶל־דִּבְרֵ֣י יְהוָ֑ה
אֲשֶׁ֣ר דִּבֶּ֔ר בְּיַ֖ד יִרְמְיָ֥הוּ הַנָּבִֽיא:

Mas nem ele, nem os seus servos, nem o povo da terra deram ouvidos às palavras do Senhor. Jeremias havia exortado Zedequias a render-se, ato que teria poupado a vida de muitos milhares de judeus. Contudo, Zedequias confiava em sua inútil aliança com o Egito. O coração do rei, pois, mostrava-se insensível para com as advertências do profeta; e Zedequias acabou lançando Jeremias na prisão, meramente porque ele dizia a verdade sobre o que estava prestes a acontecer. O monarca tinha rejeitado, de forma absoluta, as profecias de condenação; e os oficiais mais chegados do rei também não acreditavam nelas. Somente alguns oficiais secundários demonstraram ter medo, e poderiam acabar seguindo os conselhos do profeta (ver Jr 36.16). Ver Jr 36.29 quanto ao *tema principal* do livro, a iminente invasão do exército babilônico. Quanto ao ato de não dar ouvidos às mensagens e aos mandamentos de Yahweh, cf. Jr 6.17; 7.27; 17.24; 25.3—4,7; 29.19; 32.33; 35.14 e 36.21. O rei, por sua vez, ficou paralisado em sua cegueira judicial, reprovação espiritual e ignorância. Perdeu qualquer discernimento espiritual que pudesse ter tido por meio de sua iniquidade persistente. Tornou-se escravo da generalizada idolatria-adultério-apostasia que tinha abraçado.

Predição da Volta dos Caldeus (37.3-10)

■ 37.3

וַיִּשְׁלַח֩ הַמֶּ֨לֶךְ צִדְקִיָּ֜הוּ אֶת־יְהוּכַ֣ל בֶּן־שֶֽׁלֶמְיָ֗ה וְאֶת־
צְפַנְיָ֤הוּ בֶן־מַֽעֲשֵׂיָה֙ הַכֹּהֵ֔ן אֶל־יִרְמְיָ֥הוּ הַנָּבִ֖יא לֵאמֹ֑ר
הִתְפַּלֶּל־נָ֥א בַעֲדֵ֖נוּ אֶל־יְהוָ֥ה אֱלֹהֵֽינוּ:

Contudo mandou o rei Zedequias... ao profeta Jeremias. O ataque militar da Babilônia e o cativeiro de Judá ocorreram em ondas, cada uma das quais afetou um rei de Judá. Ver as notas expositivas sobre isso em Jr 27.12. O rei de Judá, de coração endurecido, começava a sentir o perigo no ar. Seus pensamentos voltaram-se para Jeremias, a quem ele havia tratado com muita arrogância. Ver isso ilustrado em Jr 32.3 ss., o aprisionamento de Jeremias. Mas agora o vento, que não soprava o bem, era percebido por toda a terra de Judá, e o rei Zedequias não era tão insensível a ponto de não sentir nada. Por isso, buscou o profeta Jeremias e procurou consolar-se com ele, na esperança de ouvir alguma boa palavra, em vez de todo aquele desastre. Zedequias enviou mensageiros a Jeremias, solicitando-lhe a ajuda de suas orações. Tudo isso, porém, ocorreu antes de Jeremias ter sido lançado na prisão, o que mostra que o relacionamento entre o rei e o profeta haveria de desintegrar-se, e não melhorar. Quanto aos oficiais do governo real aqui mencionados, ver também Jr 21.1; 29.25,29; 52.24. Esses oficiais eram conselheiros, mas não faziam nenhuma diferença em Judá naquele momento. O pouco que se sabe sobre eles é dado em artigos do *Dicionário,* com os respectivos nomes. Cf. Jr 21.1-10, que é paralelo e provavelmente até dependente do texto diante de nós.

"O tempo e a oportunidade da missão aparecem no vs. 5. Os caldeus tinham levantado o cerco de Jerusalém, ao ouvir falar na aproximação do exército egípcio, sob o comando do Faraó Hofra, que Heródoto chamou de Apries (ver *Heródoto* 2.161-169; Ez 17.15-17; 29.1-16; 30.1—32.32). Agora, pois, apresentava-se a oportunidade de Zedequias asseverar sua independência. Ele desejava obter a sanção e as orações dos profetas para sua política" (Ellicott, *in loc.*).

■ 37.4

וְיִרְמְיָ֕הוּ בָּ֥א וְיֹצֵ֖א בְּת֣וֹךְ הָעָ֑ם וְלֹֽא־נָתְנ֥וּ אֹת֖וֹ בֵּ֥ית
הַכְּלִֽיא

Jeremias andava livremente entre o povo. O profeta do Senhor continuava circulando em liberdade entre o povo de Judá e pregando sua mensagem de desastre, o que causava grande desassossego social. Tempos mais tarde, o profeta seria encarcerado no átrio do templo e passaria por um longo e severo teste. Ver o vs. 15 deste capítulo, bem como Jr 32.2, quanto ao severo aprisionamento do profeta. Esse aprisionamento inicial esteve ligado ao começo do cerco dos babilônios, e não à época em que os caldeus voltaram a atacar, depois que os egípcios se aproximaram de Jerusalém, sobre o que fala o vs. 5 deste capítulo. Quando o cerco foi levantado, Jeremias gozou de um período de maior liberdade.

■ 37.5

וְחֵיל פַּרְעֹה יָצָא מִמִּצְרָיִם וַיִּשְׁמְעוּ הַכַּשְׂדִּים הַצָּרִים עַל־יְרוּשָׁלִַם אֶת־שִׁמְעָם וַיֵּעָלוּ מֵעַל יְרוּשָׁלִָם: פ

O exército de Faraó saíra do Egito; e, quando os caldeus... retiraram-se dela. Zedequias tinha-se aliado ao Egito. Os babilônios estavam cercando Jerusalém. Os egípcios se aproximaram, na tentativa de interferir nos acontecimentos, e, por breve espaço de tempo, o exército babilônico se retirou, para cuidar da ameaça que partia do sul. Terminado esse aspecto da campanha, o exército babilônico voltou a cercar Jerusalém, para terminar sua tarefa ali. O Faraó do Egito envolvido era Hofra (588-569 a.C.), chamado por seu nome em Jr 44.30. A revolta de Zedequias contra Nabucodonosor (a qual, finalmente, produziu tão maus resultados) sem dúvida se fortaleceu diante da aproximação dos egípcios. Mas os egípcios mostraram ser um aliado fraco e ineficaz. Cf. Jr 34.21, onde vemos a questão que envolveu os egípcios e onde dou informações adicionais. Os egípcios não mais tentaram ajudar os judeus. Desistiram da situação como sem solução, e foram cuidar de seus próprios interesses. Ver 2Rs 24.7. Finalmente, o Egito foi devastado pelos babilônios, pois todos aqueles acontecimentos ocorreram numa época em que nenhuma potência poderia resistir à Babilônia.

■ 37.6

וַיְהִי דְּבַר־יְהוָה אֶל־יִרְמְיָהוּ הַנָּבִיא לֵאמֹר:

Então veio a Jeremias, o profeta, a palavra do Senhor. O novo oráculo dado por Yahweh conferiu a Jeremias as palavras a serem transmitidas aos representantes do rei Zedequias. Talvez alguma coisa pudesse ser alterada; talvez houvesse alguma nova esperança. Mas a nova mensagem estava em pleno acordo com as profecias de condenação que já tinham sido dadas por Yahweh. A aliança com o Faraó fracassaria e essa seria outra indicação de que o total aniquilamento não estava distante.

■ 37.7

כֹּה־אָמַר יְהוָה אֱלֹהֵי יִשְׂרָאֵל כֹּה תֹאמְרוּ אֶל־מֶלֶךְ יְהוּדָה הַשֹּׁלֵחַ אֶתְכֶם אֵלַי לְדָרְשֵׁנִי הִנֵּה חֵיל פַּרְעֹה הַיֹּצֵא לָכֶם לְעֶזְרָה שָׁב לְאַרְצוֹ מִצְרָיִם:

Assim direis ao rei de Judá, que vos enviou a mim... o exército de Faraó... voltará para a sua terra... O divino nome de poder, neste versículo, é típico das declarações oraculares. A única diferença em relação a outros títulos, anteriores, é que desta vez *Sabaote* (Senhor dos Exércitos) não foi usado. Neste caso temos apenas *Yahweh-Elohim* (O Deus Eterno e Todo-poderoso), uma combinação comum no Antigo Testamento. O título divino empresta às palavras proferidas maior peso, além de *autoridade*. A *primeira* revelação do novo oráculo era que o Egito não cumpriria as expectativas de Zedequias e em breve seria derrotado, para nunca mais tentar oferecer resistência ao adversário do norte. Os egípcios seriam derrotados em batalha, voltariam para sua terra, e em breve o exército babilônico estaria atacando o próprio Egito, que também teria de enfrentar o desastre.

■ 37.8

וְשָׁבוּ הַכַּשְׂדִּים וְנִלְחֲמוּ עַל־הָעִיר הַזֹּאת וּלְכָדֻהָ וּשְׂרָפֻהָ בָאֵשׁ: ס

Retornarão os caldeus, pelejarão contra esta cidade, tomá-la-ão, e a queimarão a fogo. A *segunda revelação* era que o exército da Babilônia voltaria a atacar Jerusalém, depois de ter derrotado os egípcios. A cidade seria tomada, saqueada e incendiada (ver 2Rs 25.8 ss.). Haveria grande matança, e os poucos sobreviventes seriam levados para a Babilônia. Os oficiais, bem como os filhos do rei, seriam mortos em Ribla, na Babilônia (ver Jr 39.5,6). O rei de Judá seria cegado e colocado na prisão, onde, provavelmente, morreria (ver Jr 39.7). A mensagem divina em nada havia sido modificada, e nada havia senão más notícias. Ver o último parágrafo de notas expositivas sobre o vs. 3 deste capítulo. Ver as notas sobre Jr 36.29 quanto ao *tema principal* do livro, a destruição de Judá por parte dos babilônios e a subsequente deportação do povo de Judá. Ali ofereço uma lista das passagens paralelas sobre o assunto.

■ 37.9

כֹּה אָמַר יְהוָה אַל־תַּשִּׁאוּ נַפְשֹׁתֵיכֶם לֵאמֹר הָלֹךְ יֵלְכוּ מֵעָלֵינוּ הַכַּשְׂדִּים כִּי־לֹא יֵלֵכוּ:

Não vos enganeis a vós mesmos, dizendo: Sem dúvida se irão os caldeus de nós. É provável que o rei e seus oficiais estivessem esperando algum tipo de milagre como o que salvou Jerusalém dos assírios, cerca de cem anos antes, no tempo de Ezequias. Ver 2Cr 32.21 ss.; 2Rs 19.35. ss. Em contraste, os babilônios só partiriam quando estivessem levando os cativos judeus. Não haveria salvação de último minuto. Judá teria de pagar por sua desavergonhada idolatria-adultério-apostasia.

■ 37.10

כִּי אִם־הִכִּיתֶם כָּל־חֵיל כַּשְׂדִּים הַנִּלְחָמִים אִתְּכֶם וְנִשְׁאֲרוּ בָם אֲנָשִׁים מְדֻקָּרִים אִישׁ בְּאָהֳלוֹ יָקוּמוּ וְשָׂרְפוּ אֶת־הָעִיר הַזֹּאת בָּאֵשׁ:

Porque ainda que derrotásseis a todo o exército dos caldeus... Era vontade de Yahweh que Jerusalém caísse diante dos babilônios, porquanto era essa sua maneira de purificar prata suficiente, dentre a escória generalizada, de modo que o povo de Israel tivesse a oportunidade de crescer novamente, sendo um novo Israel, em um novo dia. A antiga nação de Judá tinha de passar, porque havia chegado a uma situação irremediável. O exército da Babilônia, era, em muito, o maior exército da época, mas mesmo que somente os feridos e aleijados entre eles atacassem Jerusalém, venceriam, porque Yahweh seria o Capitão da batalha. Talvez, mediante algum milagre, o exército principal dos babilônios fosse derrotado, mas em breve os feridos se levantariam de seus leitos, atacariam Jerusalém e a queimariam a fogo. Jeremias tinha predito a derrota final de Judá por cerca de vinte anos. Coisa alguma havia mudado naqueles anos. O povo não mudara, permanecendo em sua horrenda idolatria. Portanto, não havia nenhuma mudança na mensagem de condenação. Cf. Jr 21.10; 32.29; 34.2,22; 38.18,23. Ver em Is 13.6 como Yahweh controla os acontecimentos humanos. Ver também, no *Dicionário*, os artigos chamados *Soberania de Deus* e *Providência de Deus*.

DETENÇÃO E APRISIONAMENTO DE JEREMIAS (37.11-15)

■ 37.11

וְהָיָה בְּהֵעָלוֹת חֵיל הַכַּשְׂדִּים מֵעַל יְרוּשָׁלִָם מִפְּנֵי חֵיל פַּרְעֹה: ס

Tendo-se retirado o exército dos caldeus de Jerusalém. O inevitável acabou acontecendo. Chegaria o tempo em que Jeremias seria silenciado. As pessoas cansaram de ouvir sobre o desastre, a vergonha e o fim. Facilmente os judeus esqueceram que Yahweh estava por trás das palavras do profeta. Mediante estranha distorção mental, eles lançaram a culpa sobre Jeremias quanto aos males do país, esperando que ele fosse punido por sua suposta traição. Uma circunstância permitiu que os oficiais do governo aprisionassem o profeta. Jeremias resolveu visitar sua cidade natal, Anatote, no território de Benjamim. Ele aproveitou a relativa calma proporcionada quando os babilônios levantaram o cerco da cidade e afastaram-se para interceptar o exército egípcio (vs. 7). Mas quando Jeremias já ia saindo da cidade, foi detido e acusado de tentar bandear-se para os babilônios. Seus protestos de inocência de nada valeram, pelo que em breve ele estava em uma prisão miserável em Jerusalém. Jeremias tinha exortado os judaítas a render-se aos babilônios, e alguns deles realmente desertaram (ver Jr 38.19; 39.9 e 52.15). Isso tornava difícil aos judeus acreditar na história de Jeremias. Ver em Jr 21.8 ss. o conselho de Jeremias para que Zedequias se rendesse.

Quanto ao levantamento do cerco de Jerusalém, por causa do avanço do exército egípcio, ver sobre os vss. 3 e 5 do presente capítulo. Um curto período de paz foi o resultado desse levantamento do cerco babilônico, propiciando a Jeremias a oportunidade de visitar sua cidade natal (vs. 12), Anatote, no território de Benjamim. Ver Jr 1.1.

■ 37.12

וַיֵּצֵא יִרְמְיָהוּ מִירוּשָׁלַם לָלֶכֶת אֶרֶץ בִּנְיָמִן לַחֲלִק מִשָּׁם בְּתוֹךְ הָעָם:

Saiu Jeremias de Jerusalém, a fim de ir à terra de Benjamim. Este versículo nos fornece a *razão* precípua da visita de Jeremias à sua terra natal, Anatote, mas o original hebraico é um tanto obscuro e deixa as traduções e os intérpretes conjecturar sobre o sentido. Considere o leitor estes pontos:

1. Jeremias deveria receber, em Anatote, seu *quinhão*, o que provavelmente apontava para alguma vantagem financeira, como uma herança, um terreno, os lucros de algum investimento etc.
2. Alguns estudiosos conjecturam que Jeremias simplesmente estaria fazendo uma "visita" à sua cidade natal. Para que se alcance esse sentido, torna-se mister uma emenda do texto sagrado.
3. Outra emenda nos permite chegar ao sentido de "escapar". Se isso está correto, então Jeremias estava fugindo para escapar com vida enquanto pudesse, antes que o exército babilônico retornasse e reiniciasse o assédio de Jerusalém.
4. Alguns eruditos vinculam este versículo à questão da compra do campo, no capítulo 32. Mas isso ocorreu quando o profeta estava aprisionado no átrio da guarda, e não pode estar em foco aqui.

Talvez o profeta Jeremias estivesse fugindo de Jerusalém. Sua mensagem tinha sido consistentemente rejeitada e ele talvez tenha sentido que sua missão estava terminada na capital do país. Ele não estava bandeando-se para os babilônios. O Targum diz "dividir a herança", o que concorda com a segunda razão possível mencionada antes.

■ 37.13

וַיְהִי־הוּא בְּשַׁעַר בִּנְיָמִן וְשָׁם בַּעַל פְּקִדֻת וּשְׁמוֹ יִרְאִיָּיה בֶּן־שֶׁלֶמְיָה בֶּן־חֲנַנְיָה וַיִּתְפֹּשׂ אֶת־יִרְמְיָהוּ הַנָּבִיא לֵאמֹר אֶל־הַכַּשְׂדִּים אַתָּה נֹפֵל:

Estando ele à Porta de Benjamim, achava-se ali um capitão da guarda, cujo nome era Jerias. A Porta de Benjamim, ao que parece, ficava na muralha norte de Jerusalém, voltada para o território de Benjamim. Cf. Jr 20.2; 38.7 e Zc 14.10. Infelizmente, o profeta Jeremias encontrou-se com uma sentinela ali, cujo nome era Jerias. Não possuímos nenhuma informação sobre Jerias, que possa ser deduzida com base no presente texto. O guarda, pois, acusou o profeta de tentar desertar para os babilônios, e nenhum protesto de Jeremias adiantou. Provavelmente os oficiais de Zedequias alegraram-se diante do pretexto de lançar o pobre Jeremias na prisão, de onde ele não sairia por longo tempo. "Quando Jeremias partiu na direção de Anatote (capítulo 37), ainda não tinha sido detido (ver Jr 37.4,21; 38.13,28). Por conseguinte, os eventos do capítulo 37 ocorreram antes dos eventos do capítulo 32" (Charles H. Dyer, *in loc.*).

■ 37.14

וַיֹּאמֶר יִרְמְיָהוּ שֶׁקֶר אֵינֶנִּי נֹפֵל עַל־הַכַּשְׂדִּים וְלֹא שָׁמַע אֵלָיו וַיִּתְפֹּשׂ יִרְאִיָּיה בְּיִרְמְיָהוּ וַיְבִאֵהוּ אֶל־הַשָּׂרִים:

Disse Jeremias: É mentira, não fujo para os caldeus. Jeremias não tardou a negar a acusação. Ele não estava desertando para os babilônios, embora tivesse recomendado que os judeus se rendessem, conforme mostro na introdução à presente seção (vs. 11). Alguns judeus, a bem da verdade, tinham feito precisamente isso. Portanto, não causaria admiração se Jeremias tivesse tomado precisamente essa decisão. O guarda, Jerias, levou o profeta a vários governantes civis, e eles não quiseram escutar a razão. Jeremias tinha caído em tempos difíceis, embora fosse um autêntico profeta de Yahweh e sempre tivesse obedecido a seus mandamentos. Por que os homens sofrem, e por que sofrem como sofrem? Isso constitui o *Problema do Mal* (ver a respeito no *Dicionário*, onde examino as "razões" do sofrimento humano). Embora fosse homem santo e profeta, Jeremias teve de sofrer a porção determinada para ele pela vontade divina. Com frequência é difícil para nós entender por qual motivo a vontade divina permite e até causa sofrimentos para os inocentes.

A ENTREVISTA SECRETA COM O REI (37.15-21)

■ 37.15,16

וַיִּקְצְפוּ הַשָּׂרִים עַל־יִרְמְיָהוּ וְהִכּוּ אֹתוֹ וְנָתְנוּ אוֹתוֹ בֵּית הָאֵסוּר בֵּית יְהוֹנָתָן הַסֹּפֵר כִּי־אֹתוֹ עָשׂוּ לְבֵית הַכֶּלֶא:

כִּי בָא יִרְמְיָהוּ אֶל־בֵּית הַבּוֹר וְאֶל־הַחֲנֻיוֹת וַיֵּשֶׁב־שָׁם יִרְמְיָהוּ יָמִים רַבִּים: פ

Os príncipes, irados contra Jeremias, açoitaram-no e o meteram no cárcere. Jeremias foi espancado, ali mesmo, pelos príncipes irados, os quais não acreditaram na sua explicação de que "queria ir para casa". Na verdade, de modo geral, aproveitaram a oportunidade de espancar o homem que tinha provocado tanta agitação social. Após o espancamento (que podem ter sido as quarenta chibatadas menos uma que a lei estipulava; ver Dt 25.3), lançaram-no na prisão. "Com grande frequência, no Oriente, parte do lar de um oficial público era transformada em prisão" (Fausset, *in loc.*).

Essa prisão particular foi escolhida por pertencer ao escriba Jônatas, o qual, como é provável, exercia as funções de chefe de polícia. A prisão estava equipada com uma masmorra subterrânea comum a todas as prisões orientais (vs. 16), bem como *células separadas* onde ficavam encerrados os prisioneiros individuais. O vs. 20 mostra que Jeremias foi maltratado em seu encarceramento. Eventualmente, porém, foi devolvido a uma prisão menos severa, período no qual os babilônios destruíram a cidade de Jerusalém. Talvez a masmorra consistisse em um buraco profundo. Nas paredes laterais, havia nichos cortados no solo para o confinamento de prisioneiros individuais. A maioria dos prisioneiros não conseguia sobreviver às condições desumanas de tais prisões. "... um fosso escuro, sujo e horrendo" (John Gill, *in loc.*). Ali ficou Jeremias, provavelmente até o retorno do exército babilônico, que tinha obtido fácil vitória sobre o exército egípcio e tinha renovado o seu assédio contra Jerusalém.

■ 37.17

וַיִּשְׁלַח הַמֶּלֶךְ צִדְקִיָּהוּ וַיִּקָּחֵהוּ וַיִּשְׁאָלֵהוּ הַמֶּלֶךְ בְּבֵיתוֹ בַּסֵּתֶר וַיֹּאמֶר הֲיֵשׁ דָּבָר מֵאֵת יְהוָה וַיֹּאמֶר יִרְמְיָהוּ יֵשׁ וַיֹּאמֶר בְּיַד מֶלֶךְ־בָּבֶל תִּנָּתֵן: ס

Há alguma palavra do Senhor? Respondeu Jeremias: Há... Nas mãos do rei da Babilônia serás entregue. É um bom palpite pensar que o exército babilônico havia retornado, e agora as coisas aconteciam do modo exato como o profeta dissera que aconteceriam. Zedequias, por assim dizer, viu a escritura na parede. Ele estava começando a ser atingido pelo "nervosismo da invasão", a despeito dos clamores dos falsos profetas, que teimavam em falar em paz e prosperidade (ver Jr 6.14 e 8.11). Portanto, o rei mandou buscar Jeremias daquela masmorra miserável para ouvir, da boca dele, alguma profecia da parte do Senhor, esperando que algo tivesse mudado, e que Yahweh (em quem ele tinha deixado de acreditar, embora agora não estivesse tão firme em sua incredulidade) dissesse algo favorável. Provavelmente, Zedequias esperava algum livramento miraculoso como aquele dos dias de Ezequias, quando os assírios ameaçavam acabar com Jerusalém. Ver 2Rs 19.35 ss. O ímpio e vacilante rei fez o profeta entrar, *secretamente*, em sua presença. Não queria que os oficiais soubessem que ele estava "amolecendo", e por certo também não queria que desconfiassem de seu temor.

A *questão crítica* era se Yahweh ainda estava comunicando-se acerca da sorte da nação de Judá e, nesse caso, quais eram as notícias mais recentes. Jeremias poderia ter tentado livrar-se de seu período de prisão, dizendo uma mentira ou não dizendo a verdade toda; mas simplesmente contou a história tal e qual ouvira da parte do Senhor: prevalecia a mesma mensagem. Os babilônios em breve terminariam a história da Jerusalém Dourada, e isso feriria Zedequias pessoalmente, de maneira muito dura, o que o capítulo 39 do livro de Jeremias ilustra de maneira tão gráfica. O pobre rei esperava uma das *maravilhas* que tinham tornado Yahweh famoso, e que ele costumava fazer com certa regularidade (ver Jr 21.2). Contudo, não havia nenhuma boa notícia. Cf. Jr 21.3-7.

■ 37.18

וַיֹּאמֶר יִרְמְיָהוּ אֶל־הַמֶּלֶךְ צִדְקִיָּהוּ מֶה חָטָאתִי לְךָ וְלַעֲבָדֶיךָ וְלָעָם הַזֶּה כִּי־נְתַתֶּם אוֹתִי אֶל־בֵּית הַכֶּלֶא:

Em que pequei contra ti, ou contra os teus servos, ou contra este povo, para que me pusesses na prisão? O *argumento* de Jeremias foi que as profecias não eram dele; e, assim sendo, por qual razão o rei e seus oficiais se tinham voltado contra ele? Se fossem capazes de pensar com sobriedade, logo descobririam que só tinham a lançar a culpa sobre si mesmos, porque fora a idolatria-adultério-apostasia deles que os deixara na situação em que estavam naquele dia. Os reais ofensores do povo eram cada pessoa do próprio povo, que era tão má quanto seus líderes e não precisava de ninguém para corrompê-la, pois já era suficientemente corrupta. A nação inteira estava em uma situação terrível, mas o culpado disso não era o profeta Jeremias.

■ 37.19

וְאַיֵּה נְבִיאֵיכֶם אֲשֶׁר־נִבְּאוּ לָכֶם לֵאמֹר לֹא־יָבֹא מֶלֶךְ־בָּבֶל עֲלֵיכֶם וְעַל הָאָרֶץ הַזֹּאת:

Onde estão agora os vossos profetas, que vos profetizavam, dizendo: O rei da Babilônia não virá contra vós outros...? Com *sarcasmo cortante,* Jeremias queria saber onde estavam os falsos profetas, visto que as profecias de "bem futuro" falharam miseravelmente, ao passo que as profecias de Jeremias estavam bem a caminho de cumprir-se. Jr 18.2 ss. fala sobre Hananias, um dos falsos profetas que teve a coragem de atacar pessoalmente Jeremias, tentando envergonhá-lo. Hananias emitiu a absurda profecia de que aqueles que já tinham sido levados para o cativeiro voltariam no espaço de dois anos (vs. 3). Além disso, os idiotas dos falsos profetas estavam falando em "paz" (ver Jr 6.14; 8.11) quando dentro de breve tempo uma guerra poria fim, por assim dizer, a todas as guerras. Mas os profetas falsos continuaram a proferir seus absurdos, mesmo depois que Jeoaquim e outros já haviam sido levados para a Babilônia, com a maior parte dos vasos do templo. Ver 2Cr 36.7-10 e cf. Jr 27.18 ss. Se Jeoaquim tinha sofrido tal sorte, por que as coisas seriam diferentes com Zedequias?

■ 37.20

וְעַתָּה שְׁמַע־נָא אֲדֹנִי הַמֶּלֶךְ תִּפָּל־נָא תְחִנָּתִי לְפָנֶיךָ וְאַל־תְּשִׁבֵנִי בֵּית יְהוֹנָתָן הַסֹּפֵר וְלֹא אָמוּת שָׁם:

Agora, pois, ouve, ó rei, meu senhor: Que a minha humilde súplica seja bem acolhida por ti... Jeremias também tinha uma solicitação a fazer ao rei. Ele morreria se fosse forçado a viver por mais tempo naquela masmorra desumana onde ratos, morcegos e vermes eram seus companheiros, onde tão pouco lhe era dado para comer e onde não havia proteção contra o frio, as bactérias e os fungos que enchiam o lugar. Portanto, Jeremias humilhou-se e chamou aquele rei pretensioso e ímpio, que era apenas um rei vassalo, de seu "senhor", na esperança de obter favor suficiente para que fosse transferido para uma prisão mais condizente. O profeta Jeremias humilhou-se. Algumas vezes, essa é a melhor postura. Por outro lado, Jeremias não estava fingindo, estava, de fato, lançando um *grito por misericórdia.*

■ 37.21

וַיְצַוֶּה הַמֶּלֶךְ צִדְקִיָּהוּ וַיַּפְקִדוּ אֶת־יִרְמְיָהוּ בַּחֲצַר הַמַּטָּרָה וְנָתֹן לוֹ כִכַּר־לֶחֶם לַיּוֹם מִחוּץ הָאֹפִים עַד־תֹּם כָּל־הַלֶּחֶם מִן־הָעִיר וַיֵּשֶׁב יִרְמְיָהוּ בַּחֲצַר הַמַּטָּרָה:

Então ordenou o rei Zedequias que pusessem a Jeremias no átrio da guarda. "Revela-se aqui a preocupação do rei pela segurança de Jeremias. O *átrio da guarda* não era um lugar tão confinador como a casa de Jônatas. De acordo com Jr 32.3, o átrio da guarda ficava no palácio real.

Deram-lhe um pão. "Era um pão redondo e pequeno, o bastante apenas para manter Jeremias vivo" (James Philip Hyatt, *in loc.*).

Rua dos Padeiros. Na antiga Jerusalém, tal como em algumas cidades modernas, certas ruas eram separadas para certas profissões e ofícios específicos (1Rs 20.34)" (James Philip Hyatt, *in loc.*). Atendendo ao pedido de Jeremias, o rei mudou o local de seu aprisionamento para uma *prisão doméstica.*

O profeta permaneceu nesse tipo de aprisionamento mais leve, que tinha livre acesso à luz e ao ar, e, provavelmente, permitia a visita de amigos, até que o cerco terminou. O Egito seria a próxima residência de Jeremias. Ver Jr 43.6,7. Embora estivesse na prisão, ainda nas terras da Judeia, o profeta tinha alimentos para sustentá-lo, pagos pelo tesouro público! Em seguida, Jeremias gozou dos favores do próprio Nabucodonosor, no que seria o próximo passo da história do profeta. Ver Jr 39.11 ss. Sim, enquanto sua missão não estivesse terminada, Jeremias era invencível.

CAPÍTULO TRINTA E OITO

CONSELHO DO PROFETA PARA QUE OS JUDEUS SE RENDESSEM (38.1-28)

Este capítulo leva-nos ao último estágio do assédio de Jerusalém por parte dos babilônios. As coisas terríveis que Jeremias havia predito começaram a acontecer, mas por alguma estranha distorção da lógica Jeremias estava sendo acusado de "causar" essas coisas. Por isso seus inimigos tentaram matá-lo, afundando-o numa cisterna seca. Certamente ele teria morrido ali por exposição às intempéries ou à fome. Mas o eunuco etíope, *Ebede-Meleque,* salvou-o. Em sua entrevista final com o rei Zedequias, o profeta continuou exortando-o a render-se, antes que fosse tarde demais para fazer qualquer coisa em socorro a Jerusalém. É provável que este vívido capítulo tenha dependido das memórias de Baruque, o amanuense pessoal do profeta Jeremias.

Jeremias é Livrado da Cisterna (38.1-13)

Os oficiais do rei Zedequias, que favoreciam o Egito, temiam a rendição aos babilônios e queriam continuar o esforço de guerra até o amargo fim. Em seu ódio contra o profeta, inventaram a ideia da morte na cisterna e obtiveram a permissão do rei para efetuar seu feito cruel. Yahweh, entretanto, tinha um plano de salvamento que pôs em ação através de Ebede-Meleque (vs. 7). O episódio mostra o caráter imoral e vacilante do monarca judeu.

■ 38.1

וַיִּשְׁמַע שְׁפַטְיָה בֶן־מַתָּן וּגְדַלְיָהוּ בֶּן־פַּשְׁחוּר וְיוּכַל בֶּן־שֶׁלֶמְיָהוּ וּפַשְׁחוּר בֶּן־מַלְכִּיָּה אֶת־הַדְּבָרִים אֲשֶׁר יִרְמְיָהוּ מְדַבֵּר אֶל־כָּל־הָעָם לֵאמֹר: ס

Ouviu, pois, Sefatias, filho de Matã... as palavras que Jeremias anunciava. Jeremias continuava suas profecias incansáveis de condenação, e a sua *prisão domiciliar,* em vez de seu aprisionamento mais severo (ver as notas em Jr 37.21), dava-lhe considerável liberdade para atingir muita gente com sua mensagem. Os vss. 2,3 fornecem um pequeno sumário do que ele dizia ao povo. E este vs. 1 refere-se aos *quatro* principais oficiais do rei, que ouviram o profeta levar avante sua missão de pregar uma assustadora mensagem. E chegaram à conclusão de que somente a morte do profeta poderia dar-lhes descanso. E então, dali por diante, procuravam uma boa ocasião para matá-lo.

"Gedalias, filho de Pasur, pode ter sido o filho de Pasur que espancara Jeremias e o pusera no tronco (ver Jr 20.1-6). Jucal, filho de Selemias, aparece como Jeucal em Jr 37.3, de acordo com certas traduções, embora não conforme nossa versão portuguesa. Pasur, filho de Malquias, é chamado por nome em Jr 21.1" (James Philip Hyatt, *in loc.*).

"A contínua insistência de Jeremias de que os judeus se rendessem a Nabucodonosor era perigosa para os conselheiros de Zedequias, que eram favoráveis ao Egito... Eles persuadiram o vacilante rei Zedequias que Jeremias estava subvertendo o esforço de guerra. A fraseologia aqui empregada é similar à de uma carta escrita dezoito meses antes, encontrada em escavações feitas em Laquis" (*Oxford Annotated Bible*, comentando sobre o vs. 1).

■ 38.2

כֹּה אָמַר יְהוָה הַיֹּשֵׁב בָּעִיר הַזֹּאת יָמוּת בַּחֶרֶב בָּרָעָב וּבַדָּבֶר וְהַיֹּצֵא אֶל־הַכַּשְׂדִּים יִחְיֶה וְהָיְתָה־לּוֹ נַפְשׁוֹ לְשָׁלָל וָחָי׃ ס

Assim diz o Senhor: O que ficar nesta cidade morrerá à espada, à fome e de peste; mas o que passar para os caldeus viverá. Este *sumário* da mensagem de Jeremias é quase igual ao sumário de Jr 21.9, onde foram dadas as notas expositivas. Quanto à terrível *tríade de assassinos*, ver também Jr 14.12; 21.9; 24.10; 27.8; 29.17; 32.24,36; 42.17,22 e 44.13.

■ 38.3

כֹּה אָמַר יְהוָה הִנָּתֹן תִּנָּתֵן הָעִיר הַזֹּאת בְּיַד חֵיל מֶלֶךְ־בָּבֶל וּלְכָדָהּ׃

Esta cidade infalivelmente será entregue na mão do exército do rei da Babilônia. Este versículo é o fim do sumário ou, talvez, das palavras do *profeta Jeremias*, ao passo que o vs. 2 é uma adição ou um comentário feito por Baruque ou pelo editor deuteronômico. Seja como for, o sumário é quase idêntico ao que aparece em Jr 21.3-10. A única esperança de Jerusalém era render-se aos babilônios e esperar pelo melhor resultado. Yahweh era a causa real por trás do sucesso do exército babilônico (ver Jr 21.13). A idolatria-adultério-apostasia de Judá não poderia continuar por muito tempo mais, sem receber a punição apropriada. A *Lei Moral da Colheita segundo a Semeadura* faria o seu papel. Ver sobre essa lei no *Dicionário*.

■ 38.4

וַיֹּאמְרוּ הַשָּׂרִים אֶל־הַמֶּלֶךְ יוּמַת נָא אֶת־הָאִישׁ הַזֶּה כִּי־עַל־כֵּן הוּא־מְרַפֵּא אֶת־יְדֵי אַנְשֵׁי הַמִּלְחָמָה הַנִּשְׁאָרִים בָּעִיר הַזֹּאת וְאֵת יְדֵי כָל־הָעָם לְדַבֵּר אֲלֵיהֶם כַּדְּבָרִים הָאֵלֶּה כִּי הָאִישׁ הַזֶּה אֵינֶנּוּ דֹרֵשׁ לְשָׁלוֹם לָעָם הַזֶּה כִּי אִם־לְרָעָה׃

Disseram os príncipes ao rei: Morra este homem. Aqueles réprobos queriam ver o profeta Jeremias morto, porquanto lhes parecia que ele desencorajava o esforço de guerra e cometia traição com suas palavras, que favoreciam os inimigos babilônios. E o rei Zedequias não se interpôs no caminho deles, pois era por demais débil e vacilante para opor-se. Além disso, provavelmente ele também se alegrava porque eles estavam prontos a fazer o trabalho sanguinário no seu lugar. Provavelmente ele compartilhava a lógica doentia de que as palavras ditas pelo profeta aconteceriam, porque teriam o estranho poder de fazer coisas acontecer. A isso chamamos de "profecias de autorrealizadoras". Mas se esse fenômeno realmente existe, é muito difícil que uma simples profecia tivesse posto em movimento o exército babilônico. Tinha de ser o trabalho de Yahweh.

"Em sua distorcida lógica nacionalista, aqueles oficiais criam que Jeremias estava procurando a ruína de seu povo quando, na realidade, ele queria precisamente o contrário (vs. 2). A fraqueza de caráter de Zedequias evidenciou-se mais em sua reposta àqueles oficiais (vs. 5)" (Charles H. Hyatt). Algumas vezes, a *fé* consiste em confiar em algo que não é verdade. Esse era o tipo de fé que aqueles oficiais tinham. Acreditavam, insanamente, que o exército babilônico poderia ser entravado se Jeremias fosse morto e, assim sendo, permitiram que Jerusalém cometesse suicídio na sua vã tentativa.

■ 38.5

וַיֹּאמֶר הַמֶּלֶךְ צִדְקִיָּהוּ הִנֵּה־הוּא בְּיֶדְכֶם כִּי־אֵין הַמֶּלֶךְ יוּכַל אֶתְכֶם דָּבָר׃

Eis que ele está nas vossas mãos; pois o rei nada pode contra vós outros. O rei Zedequias, além de fraco e vacilante, também era impiedoso e corrupto. Com tão pouco, ele permitiria que um homem bom fosse tomado e cruelmente executado? E com o que ele se importava? Ele adicionou mais pecados ao seu grande acúmulo, e assim garantiu o fim que tanto temia. Ele parecia "amigável" ao profeta quando isso o favorecia; mas, em um momento de crise, mostrava-se pior do que os babilônios. Havia muito tempo ele tinha perdido sua fibra moral e se tornara incapaz de tomar decisões corajosas.

■ 38.6

וַיִּקְחוּ אֶת־יִרְמְיָהוּ וַיַּשְׁלִכוּ אֹתוֹ אֶל־הַבּוֹר מַלְכִּיָּהוּ בֶן־הַמֶּלֶךְ אֲשֶׁר בַּחֲצַר הַמַּטָּרָה וַיְשַׁלְּחוּ אֶת־יִרְמְיָהוּ בַחֲבָלִים וּבַבּוֹר אֵין־מַיִם כִּי אִם־טִיט וַיִּטְבַּע יִרְמְיָהוּ בַּטִּיט׃ ס

Tomaram então a Jeremias, e o lançaram na cisterna de Malquias, filho do rei. Não muito longe de onde o profeta era mantido sob prisão domiciliar (Jr 37.21), havia aquela lúgubre cisterna que pertencia a Malquias, filho do rei. E aqueles homens sem coração escolheram a cisterna como sepultura do profeta, um lugar onde ele sofreria, ficaria exposto à ação das intempéries e então morreria de fome. No seu ódio, eles escolheram um modo cruel de execução. Jeremias teve de ser baixado por meio de cordas, e não restaram cordas para ajudá-lo na tentativa de sair dali. Aquela perfuração miserável não tinha água, mas estava lamacenta no fundo. E Jeremias afundou na lama para morrer. Na antiga cidade de Jerusalém havia muitas cisternas como aquela, cuja função era conservar água, durante a estação chuvosa, para ser usada quando as chuvas parassem. Praticamente não havia chuvas entre os meses de maio e outubro. O tempo foi pouco antes de os babilônios terem feito a primeira fenda na muralha, o que ocorreu em agosto de 587 a.C. (ver Jr 52.5-7).

O *Malquias* aqui referido muito provavelmente não era filho do rei, que então tinha apenas 32 anos. Antes, devia ser algum parente próximo, pertencente à família real. Tal como em Jr 36.26, algumas traduções retêm aqui a palavra hebraica transliterada, *Hammelech*, como nome próprio, mas essa palavra é mais bem traduzida como "do rei". Talvez as lamentações (ver Lm 3.55-57) tenham nascido dessa experiência de Jeremias, conforme sugeriu Josefo (*Antiq.* 1.10. cap. 7, sec. 5). Assim sendo, aqueles réprobos escolheram uma execução secreta e cruel, em vez de uma execução pública, que poderia sofrer a oposição de alguns, gerando um escândalo público.

■ 38.7

וַיִּשְׁמַע עֶבֶד־מֶלֶךְ הַכּוּשִׁי אִישׁ סָרִיס וְהוּא בְּבֵית הַמֶּלֶךְ כִּי־נָתְנוּ אֶת־יִרְמְיָהוּ אֶל־הַבּוֹר וְהַמֶּלֶךְ יוֹשֵׁב בְּשַׁעַר בִּנְיָמִן׃

Ouviu Ebede-Meleque, o etíope, eunuco... que tinham metido a Jeremias na cisterna. *Ebede-Meleque* (ver a respeito no *Dicionário*), eunuco etíope, ouviu a história que deve ter circulado rapidamente entre os oficiais do rei, e procurou o monarca. Achou-o assentado na Porta de Benjamim e tentou convencê-lo a deixar-lhe retirar o profeta daquela terrível situação. Note o leitor que o costume pagão de manter eunucos (ver no *Dicionário*) no palácio tinha sido adotado pelo rei Zedequias. Cf. Jr 34.19, onde há notas expositivas sobre a questão. A lei mosaica, entretanto, proibia tal prática, conforme o artigo demonstra, pelo que foi adicionado outro pecado à grande massa que o povo de Judá carregava, e tudo isso clamava por julgamento.

À Porta de Benjamim. Esta porta ficava na muralha norte. Ver Jr 37.13. O rei podia estar ali oficiando em alguma deliberação judicial ou observando as defesas da cidade.

"O uso de escravos etíopes ou cuxitas na casa do rei, provavelmente como guardiães do harém e para servir de guardas, era uma prática antiga que, entretanto, a legislação mosaica proibia (ver Dt 23.1)" (Ellicott, *in loc.*). O homem era um oficial elevado o bastante para ter acesso direto ao monarca. Josefo diz que ele era homem honrado e dotado de autoridade (*Antiq.* 1.10. cap. 7).

■ 38.8,9

וַיֵּצֵא עֶבֶד־מֶלֶךְ מִבֵּית הַמֶּלֶךְ וַיְדַבֵּר אֶל־הַמֶּלֶךְ לֵאמֹר׃

אֲדֹנִי הַמֶּלֶךְ הֵרֵעוּ הָאֲנָשִׁים הָאֵלֶּה אֵת כָּל־אֲשֶׁר עָשׂוּ לְיִרְמְיָהוּ הַנָּבִיא אֵת אֲשֶׁר־הִשְׁלִיכוּ אֶל־הַבּוֹר וַיָּמָת תַּחְתָּיו מִפְּנֵי הָרָעָב כִּי אֵין הַלֶּחֶם עוֹד בָּעִיר׃

Saiu Ebede-Meleque da casa do rei e lhe falou. Tendo sido informado do paradeiro do rei, o homem dirigiu-se diretamente à porta de Benjamim, sentindo a urgência de sua missão. E falou de maneira "livre, ousada e intrépida, na presença do rei e seus nobres" (John Gill, *in loc.*). Ele enfrentou face a face aqueles iníquos, chamando-os de "estes homens", ao mesmo tempo que apontava para eles, pois estavam junto com o rei na porta, agindo como se nada tivesse acontecido, embora tivessem cometido um crime gravíssimo. Ao que parece, o rei não sabia exatamente o que eles tinham feito, embora Ebede-Meleque soubesse que o nome do jogo era assassinato. O eunuco não hesitou em chamar de "mal" o que eles tinham feito, fazendo um correto julgamento moral contra homens que tinham perdido qualquer senso moral fazia muito tempo. Corretamente ele previu que Jeremias morreria de fome, como morreriam todos os demais, visto que não restava pão na cidade. O eunuco tinha senso moral e misericórdia, e não temia agir em consonância com essas qualidades.

■ 38.10

וַיְצַוֶּה הַמֶּלֶךְ אֵת עֶבֶד־מֶלֶךְ הַכּוּשִׁי לֵאמֹר קַח בְּיָדְךָ מִזֶּה שְׁלֹשִׁים אֲנָשִׁים וְהַעֲלִיתָ אֶת־יִרְמְיָהוּ הַנָּבִיא מִן־הַבּוֹר בְּטֶרֶם יָמוּת׃

Toma contigo daqui trinta homens, e tira da cisterna o profeta Jeremias. O rei, que tinha permitido àqueles réprobos fazer o que bem entendessem (vs. 5), aparentemente não ficou feliz com aquele cruel *modus operandi*, pelo que teve a coragem de opor-se a eles, num raro momento de decisão real. De acordo com a maioria dos manuscritos do *texto massorético*, Zedequias ordenou que o eunuco levasse consigo *trinta homens*, para tirar o profeta da cisterna. Mas o manuscrito hebraico diz *três homens*, que deve ser o texto correto. Ou então temos aqui um erro primitivo no texto original, que foi "corrigido" em um dos manuscritos hebraicos. Ver no *Dicionário* o artigo chamado *Massora (Massorah); Texto Massorético* (que é o texto hebraico padronizado) e também o verbete *Manuscritos Antigos do Antigo Testamento*. Fausset, *in loc.*, mantém o número de *trinta* homens, explicando que a maior parte deles fora enviada como guardas, para certificar que a operação seria feita sem oposição.

■ 38.11

וַיִּקַּח עֶבֶד־מֶלֶךְ אֶת־הָאֲנָשִׁים בְּיָדוֹ וַיָּבֹא בֵית־הַמֶּלֶךְ אֶל־תַּחַת הָאוֹצָר וַיִּקַּח מִשָּׁם בְּלוֹיֵ הַסְּחָבוֹת וּבְלוֹיֵ מְלָחִים וַיְשַׁלְּחֵם אֶל־יִרְמְיָהוּ אֶל־הַבּוֹר בַּחֲבָלִים׃

Tomou Ebede-Meleque os homens consigo, e foi à casa do rei. Tendo recebido ordens da parte do rei para agir, o eunuco reuniu seus trinta (ou três) homens, provavelmente empregando soldados que estavam na muralha em companhia do rei e de seus miseráveis príncipes. Mas primeiramente parou na casa do rei para arranjar cordas e roupas velhas, que ele localizou prontamente no recinto do templo, na *tesouraria*. Algumas traduções dizem aqui "guarda-roupa", mas para tanto é mister que se faça uma emenda, que alguns tradutores se sentem na liberdade de empregar. O hebraico literal, "debaixo da tesouraria" não faz sentido algum aqui. É provável que os trapos fossem vestes desgastadas dos operários do rei, que eram ali guardadas sabe-se lá com que propósito. A Septuaginta faz dessa câmara uma "cela subterrânea", mas essa é uma tradução imaginária e distante do hebraico literal. Talvez tais trapos fossem usados como material de limpeza no palácio. "... vestes desgastadas. Deus pode lançar mão das coisas mais humildes como objetos usados para o bem, ver 1Co 1.27-29" (Fausset, *in loc.*).

Casa do rei. Os trapos estavam em uma câmara do palácio do rei, sendo provável que pertencessem aos escravos que serviam ao rei. A palavra "tesouraria", nos faz pensar, falsamente, no complexo do templo como o lugar onde eram guardados os trapos. Esses trapos foram usados em um serviço humanitário, em favor do profeta, conforme o versículo seguinte nos adianta.

■ 38.12

וַיֹּאמֶר עֶבֶד־מֶלֶךְ הַכּוּשִׁי אֶל־יִרְמְיָהוּ שִׂים נָא בְּלוֹאֵי הַסְּחָבוֹת וְהַמְּלָחִים תַּחַת אַצִּלוֹת יָדֶיךָ מִתַּחַת לַחֲבָלִים וַיַּעַשׂ יִרְמְיָהוּ כֵּן׃

Disse Ebede-Meleque, o etíope, a Jeremias: Põe agora estas roupas usadas... nas axilas. Os trapos foram usados para proteger as axilas de Jeremias. Em outras palavras, serviriam de proteção. Foi assim que o serviço prestado por Ebede-Meleque se realizou com misericórdia e bom senso, em violento contraste com os atos atrevidos do rei e de seu bando de auxiliares miseráveis.

■ 38.13

וַיִּמְשְׁכוּ אֶת־יִרְמְיָהוּ בַּחֲבָלִים וַיַּעֲלוּ אֹתוֹ מִן־הַבּוֹר וַיֵּשֶׁב יִרְמְיָהוּ בַּחֲצַר הַמַּטָּרָה׃ ס

Puxaram a Jeremias com as cordas, e o tiraram da cisterna. Assim funcionou o plano divino, através de Ebede-Meleque: Jeremias foi retirado da cisterna, seguindo a sugestão do eunuco de proteger as axilas dele, que aguentariam todo o peso de seu corpo. Em seguida, o profeta foi posto de volta na casa da guarda e ficou sob prisão domiciliar (ver Jr 37.21). Dessa maneira, Jeremias escapou da morte certa, pela misericórdia e coragem de uma figura secundária da corte, mas que, espiritualmente falando, era o mais nobre do palácio. Isso serve de ilustração de como os primeiros serão últimos, e de como os últimos serão primeiros (ver Mt 19.30).

Entrevista Final com o Rei Zedequias (38.14-28)

■ 38.14

וַיִּשְׁלַח הַמֶּלֶךְ צִדְקִיָּהוּ וַיִּקַּח אֶת־יִרְמְיָהוּ הַנָּבִיא אֵלָיו אֶל־מָבוֹא הַשְּׁלִישִׁי אֲשֶׁר בְּבֵית יְהוָה וַיֹּאמֶר הַמֶּלֶךְ אֶל־יִרְמְיָהוּ שֹׁאֵל אֲנִי אֹתְךָ דָּבָר אַל־תְּכַחֵד מִמֶּנִּי דָּבָר׃

À terceira entrada na casa do Senhor. Esta é uma referência obscura que tem feito os intérpretes bater a cabeça. Nada sabemos sobre uma *primeira* e uma *segunda* entrada do templo, com as quais uma *terceira* tenha sido contrastada. Talvez fosse uma porta entre o palácio e o templo. Mediante emenda, obteremos o texto "entrada da guarda" (ver 2Rs 7.2,17,19; 9.25), mas isso é pura conjectura. Alguns estudiosos fazem da porta *leste* do templo a primeira entrada; a segunda seria a porta *sul*; e a terceira seria a porta *norte* do templo. Mas isso é apenas mais uma conjectura. A terceira porta (norte) dava frente para o palácio, e isso adiciona algum peso à ideia. ver 1Rs 10.5,12. Jarchi confessava que não sabia o que isso queria dizer, mas supunha que a entrada no átrio dos israelitas fosse a que está em pauta. "Essa entrada, que não é mencionada em nenhum outro lugar, pode referir-se a uma entrada particular que ligava o palácio do rei com o templo" (Charles H. Dyer, *in loc.*).

Quero perguntar-te uma cousa, nada me encubras. Esta passagem é similar, mas por certo não uma duplicata de Jr 37.17-21. Os dois relatórios têm variações importantes que os identificam como distintos. O rei, em seu estado de nervosismo, vendo agora que seu fim seria como o profeta disse que seria, convocou Jeremias pela segunda vez, ainda com a esperança de um milagre, como aquele que livrou Jerusalém das mãos dos assírios (ver 2Rs 19.35 ss.).

O rei apresentou a Jeremias a mesma antiga pergunta: O que aconteceria? Mas agora, enfaticamente, rogou que o profeta nada ocultasse. Uma mesma pergunta — e ele obteve a mesma antiga resposta.

■ 38.15

וַיֹּאמֶר יִרְמְיָהוּ אֶל־צִדְקִיָּהוּ כִּי אַגִּיד לְךָ הֲלוֹא הָמֵת תְּמִיתֵנִי וְכִי אִיעָצְךָ לֹא תִשְׁמַע אֵלָי׃

Se eu ta disser, porventura não me matarás? Se eu te aconselhar, não me atenderás. As experiências de Jeremias nunca tinham sido boas com Zedequias. Entre a debilidade do rei, a vacilação e a tendência para a traição, um aprisionamento ou execução poderiam ser decretados a qualquer momento. Jeremias foi aprisionado em troca de nada (ver Jr 37.21), e isso em diversas ocasiões; houve severo aprisionamento (ver Jr 37.15) e tentativa de assassinato (ver Jr 38.1 ss.). Portanto, o profeta tinha razões para acreditar que alguma outra catástrofe seria lançada contra ele. Além disso, Jeremias sabia que o rei nunca ouvia seus conselhos; portanto, para que continuar com aquela agonia? Conforme as coisas ocorreram, nenhum outro acontecimento absurdo foi forçado contra Jeremias por parte do rei; mas o rei também não ouviu o profeta nessa oportunidade, pelo que todas as consultas e todo o aconselhamento foram inúteis.

■ 38.16

וַיִּשָּׁבַע הַמֶּלֶךְ צִדְקִיָּהוּ אֶל־יִרְמְיָהוּ בַּסֵּתֶר לֵאמֹר חַי־יְהוָה אֵת אֲשֶׁר עָשָׂה־לָנוּ אֶת־הַנֶּפֶשׁ הַזֹּאת אִם־אֲמִיתֶךָ וְאִם־אֶתֶּנְךָ בְּיַד הָאֲנָשִׁים הָאֵלֶּה אֲשֶׁר מְבַקְשִׁים אֶת־נַפְשֶׁךָ׃ ס

Tão certo como vive o Senhor... não te matarei... Zedequias respondeu com um juramento em nome de Yahweh, o Deus vivo, que era o Criador de ambos, dizendo que Jeremias não teria mais que sofrer por alguma ação drástica da parte do rei, incluindo as loucuras que seus conselheiros pudessem inventar. Contudo, não prometeu seguir o conselho do profeta. De fato, o rei esperava apenas que houvesse alguma novidade no que o profeta iria dizer, embora não estivesse ansioso por seguir-lhe os conselhos. Zedequias, porém, ficaria amargamente desapontado com as palavras de Jeremias. Havia somente uma mensagem a ser dada àquele monarca corrupto. Ver no *Dicionário* o artigo chamado *Juramento*. Note o leitor que o juramento do rei foi feito em *segredo*. Zedequias não quis que outros o ouvissem e o criticassem. Portanto, até mesmo essa questão foi feita em meio às fraquezas usuais do rei de Judá.

■ 38.17,18

וַיֹּאמֶר יִרְמְיָהוּ אֶל־צִדְקִיָּהוּ כֹּה־אָמַר יְהוָה אֱלֹהֵי צְבָאוֹת אֱלֹהֵי יִשְׂרָאֵל אִם־יָצֹא תֵצֵא אֶל־שָׂרֵי מֶלֶךְ־בָּבֶל וְחָיְתָה נַפְשֶׁךָ וְהָעִיר הַזֹּאת לֹא תִשָּׂרֵף בָּאֵשׁ וְחָיִתָה אַתָּה וּבֵיתֶךָ׃

וְאִם לֹא־תֵצֵא אֶל־שָׂרֵי מֶלֶךְ בָּבֶל וְנִתְּנָה הָעִיר הַזֹּאת בְּיַד הַכַּשְׂדִּים וּשְׂרָפוּהָ בָּאֵשׁ וְאַתָּה לֹא־תִמָּלֵט מִיָּדָם׃ ס

Se te renderes voluntariamente aos príncipes do rei da Babilônia, então viverá tua alma. O nome divino de *poder* foi empregado pelo profeta para dar apoio à autoridade de suas palavras: *Yahweh-Sabaote-Elohim* (o Deus Eterno, o Senhor dos Exércitos e Todo-poderoso). Essa era uma forma de introdução comum dos oráculos, que Jeremias empregou com frequência. Cf. Jr 7.3,21; 9.15; 16.9; 19.3; 23.36; 28.2; 35.13,17-19; 42.15; 50.18 e 51.5. Dessa maneira, fica provado que o oráculo era solene e imperativo. O conselho foi o mesmo que já havia sido dado em diversas outras ocasiões: *rendição*. Se fosse seguido, Nabucodonosor salvaria tanto o rei quanto a nação de Judá inteira de muitas tribulações, maior número de judeus sobreviveria, e o rei da Babilônia teria misericórdia do povo humilde de Jerusalém. Cf. Jr 27.12,13.

Se te renderes voluntariamente. No original hebraico temos a frase "saíres ao rei". Esse é o hebraico literal que significa "rendição". O rei da Babilônia estava, na ocasião, em Ribla (ver Jr 39.5; 2Rs 25.6), mas o versículo não aponta para a ação literal naquela ocasião. Joaquim tinha-se rendido (ver 2Rs 24.12), e as coisas correram mais fáceis para ele. Render-se, entretanto, era algo inglório e humilhante, mas salvava a vida do rendido. A cidade de Jerusalém seria queimada a fogo (vs. 18) se não houvesse rendição e Nabucodonosor tivesse de dar-se ao trabalho de cercar a cidade e invadi-la. Ver Jr 21.10; 32.29; 24.2,22; 37.8,10; 38.23; 39.8. O rei e sua família teriam tido permissão de continuar vivos, e seriam reduzidos a uma escravidão leve na Babilônia, ou talvez até tivessem permissão de continuar vivendo em Jerusalém, pagando tributo.

Mas, conforme as coisas acabaram acontecendo, os filhos de Zedequias foram mortos, em Ribla (ver Jr 39.6); Zedequias foi cegado (ver Jr 39.7); a cidade de Jerusalém foi incendiada (ver Jr 39.8); e o rei Zedequias foi lançado na prisão, onde, provavelmente, morreu. Em contraste, Jeremias foi bem tratado, conforme o capítulo 38 relata. Todas as predições do vs. 18 aconteceram. O rei Zedequias, entretanto, ignorou todos os avisos divinos, na esperança de que Jeremias estivesse equivocado. Ou ele acreditaria, mas a vontade divina o forçou a prosseguir com a sua insensatez? Provavelmente a última possibilidade é a que está com a razão. Judá tinha-se transformado em uma massa informe de escória. Yahweh, pois, queria refinar uma pequena quantidade de prata, através de um julgamento de fogo, a fim de reiniciar a nação de Israel, terminado o cativeiro. Haveria um novo Israel em uma nova era; mas réprobos como Zedequias e seus conselheiros tinham de perecer com o antigo Israel, porque tinham forçado sobre si mesmos essa situação.

■ 38.19

וַיֹּאמֶר הַמֶּלֶךְ צִדְקִיָּהוּ אֶל־יִרְמְיָהוּ אֲנִי דֹאֵג אֶת־הַיְּהוּדִים אֲשֶׁר נָפְלוּ אֶל־הַכַּשְׂדִּים פֶּן־יִתְּנוּ אֹתִי בְּיָדָם וְהִתְעַלְּלוּ־בִי׃ פ

Receio-me dos judeus, que se passaram para os caldeus. *Certo número de judeus* já se tinha rendido aos babilônios, e o rei Zedequias temia que esses procurassem prejudicá-lo caso ele lhes seguisse o exemplo. Talvez aqueles judeus tivessem influência junto a Nabucodonosor e, odiando seu rei anterior, Zedequias, pudessem provocar algum evento drástico. A rendição de alguns judeus já tinha sido indicada em Jr 39.9. Ver também o vs. 52.15 do mesmo livro. Alguns supõem que o maior temor de Zedequias fosse o de ser entregue nas mãos daqueles judeus, como seus supervisores. Então fariam com ele o que bem entendessem. Devemos compreender que o rei tinha muitos inimigos entre os judeus, e é provável que esses temores fossem reais. A teoria do rei, entretanto, jamais seria submetida a teste. Ele prosseguiria na senda dura da rebelião contínua e terminaria a vida em tristeza completa, juntamente com sua pobre família, que foi trucidada pelos seus cruéis captores. "Ele tinha mais receio daqueles judeus do que de Deus (ver Pv 29.25: 'Quem teme ao homem arma ciladas, mas o que confia no Senhor está seguro')" (Fausset, *in loc.*).

■ 38.20

וַיֹּאמֶר יִרְמְיָהוּ לֹא יִתֵּנוּ שְׁמַע־נָא בְּקוֹל יְהוָה לַאֲשֶׁר אֲנִי דֹּבֵר אֵלֶיךָ וְיִיטַב לְךָ וּתְחִי נַפְשֶׁךָ׃

Não te entregarão; ouve, te peço, a palavra do Senhor... e será poupada a tua vida. O profeta Jeremias assegurou ao rei, por meio de seu discernimento profético, que os judeus que já estavam na Babilônia não lhe fariam mal algum. O rei não seria entregue a eles. A oportunidade, pois, seria escapar de maneira fácil, se ao menos *obedecesse* aos conselhos do profeta, que procediam de Yahweh, a causa por trás de todos os efeitos possíveis. Quando examinamos o que Jeremias disse, vemos que, na realidade, ele transmitiu uma mensagem de esperança. Zedequias, porém, era demasiado orgulhoso, teimoso e cego para reconhecer uma boa oportunidade quando visse uma. Em sua arrogância, continuaria na sua luta, e a perderia amargamente. Provavelmente, esse era o *plano principal* de Yahweh, e a maneira fácil de escapar era apenas uma contingência condicionada pela obediência de Zedequias, que nunca ocorreria. Não obstante, "poderia ter acontecido"; a oferta divina era genuína.

38.21

וְאִם־מָאֵ֥ן אַתָּ֖ה לָצֵ֑את זֶ֣ה הַדָּבָ֔ר אֲשֶׁ֥ר הִרְאַ֖נִי יְהוָֽה׃

Mas, se não quiseres sair, esta é a palavra que me revelou o Senhor. Os vss. 21-23 repetem, uma vez mais, todas as coisas temíveis que aconteceriam ao rei e à sua família, *caso* ele continuasse em sua rebeldia contra a Babilônia, ignorando a palavra do profeta.

Sair. Esta é a tradução literal do original hebraico que significa "render-se". Se o rei Zedequias se recusasse a fazer isso, os babilônios continuariam a pressionar em seus movimentos militares destrutivos, e o rei e seus familiares seriam os principais objetos do ódio e da crueldade dos babilônios. Jeremias continuou a reivindicar iluminação divina para suas declarações. Ele não estava tentando adivinhar, pesando taxas de probabilidade.

38.22

וְהִנֵּ֣ה כָל־הַנָּשִׁ֗ים אֲשֶׁ֤ר נִשְׁאֲרוּ֙ בְּבֵ֣ית מֶֽלֶךְ־יְהוּדָ֔ה מוּצָא֕וֹת אֶל־שָׂרֵ֖י מֶ֣לֶךְ בָּבֶ֑ל וְהֵ֣נָּה אֹמְר֗וֹת הִסִּית֜וּךָ וְיָכְל֤וּ לְךָ֙ אַנְשֵׁ֣י שְׁלֹמֶ֔ךָ הָטְבְּע֥וּ בַבֹּ֛ץ רַגְלֶ֖ךָ נָסֹ֥גוּ אָחֽוֹר׃

Eis que todas as mulheres que ficaram na casa do rei de Judá serão levadas aos príncipes do rei da Babilônia. As *mulheres* do harém real da casa real de Judá adicionariam insultos à injúria. Elas zombariam e escarneceriam do rei quando ele estivesse sendo levado embora pelos soldados estrangeiros. Elas até comporiam uma breve canção para cantarem, quando eles desaparecessem de sua visão. Os bons amigos do rei de Judá o tinham conduzido pelo caminho errado. Seus conselheiros íntimos, os falsos profetas e os sacerdotes apóstatas se tinham mostrado mais fortes do que ele, dando-lhe maus conselhos e prevalecendo sobre o seu "bom senso", se é que, na verdade, ele tinha algum bom senso. Agora os pés do rei estavam presos na lama, da mesma maneira que aqueles seus "bons amigos" tinham arriado Jeremias na cisterna, prendendo-o na lama (ver Jr 38.6). Jeremias saiu da cisterna mediante a ajuda de um verdadeiro amigo, mas o rei pereceria na lama. Foi um caso claro de colher conforme o que havia sido semeado. Ver no *Dicionário* o verbete chamado *Lei Moral da Colheita segundo a Semeadura*.

Mas por que as mulheres? Provavelmente porque foi exatamente isso que aconteceu, e também porque o rei tinha dominado aquele grupo de mulheres como não tinha feito com outras mulheres. Agora chegara a vez de ele ser dominado, um pouco da demonstração da *Lex Talionis*, de que recebemos conforme tivermos semeado. Em outras palavras, uma *doce vingança*. Ver sobre esse título no *Dicionário*, quanto a maiores detalhes. Todas aquelas mulheres teriam agora *novos senhores*, mas tudo ocorreria conforme a *antiga opressão*. A despeito disso, elas tiraram vantagem daquele breve momento, que lhes pertencia exclusivamente, para pôr sal nos ferimentos do rei.

38.23

וְאֶת־כָּל־נָשֶׁ֣יךָ וְאֶת־בָּנֶ֗יךָ מֽוֹצִאִים֙ אֶל־הַכַּשְׂדִּ֔ים וְאַתָּ֖ה לֹא־תִמָּלֵ֣ט מִיָּדָ֑ם כִּ֣י בְיַ֤ד מֶֽלֶךְ־בָּבֶל֙ תִּתָּפֵ֔שׂ וְאֶת־הָעִ֥יר הַזֹּ֖את תִּשְׂרֹ֥ף בָּאֵֽשׁ׃ פ

Assim que a todas as tuas mulheres e a teus filhos levarão aos caldeus, e tu não escaparás da sua mão. Era uma tradição que os reis dominadores levassem as mulheres e concubinas dos reis conquistados. Isso fazia parte do saque das guerras antigas. As concubinas do harém (vs. 22) eram levadas, e outro tanto aconteceria às esposas da "família social" do rei. O próprio rei era levado para ouvir o cântico zombeteiro das mulheres do harém. Tudo agora pertenceria ao rei da Babilônia. Os filhos de Zedequias, pois, foram mortos em Ribla (ver Jr 39.6); Zedequias teve seus olhos vazados (ver Jr 39.7); a cidade foi incendiada (ver Jr 39.8); as mulheres escolhidas seriam adicionadas ao harém de Nabucodonosor; as mulheres de segunda categoria, mas mesmo assim bonitas, seriam distribuídas entre os haréns dos oficiais do rei; e as mulheres de terceira categoria seriam postas como escravas nas casas dos babilônios ricos. O rei de Judá, Zedequias, continuaria vivendo, mas cego e esquecido em alguma prisão miserável, onde morreria finalmente.

38.24

וַיֹּ֨אמֶר צִדְקִיָּ֜הוּ אֶֽל־יִרְמְיָ֗הוּ אִ֛ישׁ אַל־יֵדַ֥ע בַּדְּבָרִֽים־הָאֵ֖לֶּה וְלֹ֥א תָמֽוּת׃

Então disse Zedequias a Jeremias: Ninguém saiba estas palavras, e não morrerás. Zedequias tinha ouvido um oráculo em tudo lamentável, a mesma história de antes, com alguns poucos novos detalhes — todos negativos e temíveis. O rei ouviu a última repetição em *segredo*, e não queria que ninguém soubesse que ele tinha consultado novamente o profeta. Ele tinha de conservar a paz entre os conselheiros, que queriam ver Jr morto. Por isso, Zedequias aconselhou o profeta a manter-se calado e, sob essa *condição*, nenhuma outra ação seria tomada contra ele. Este versículo repete o que é dito no vs. 16.

38.25

וְכִֽי־יִשְׁמְע֣וּ הַשָּׂרִים֮ כִּֽי־דִבַּ֣רְתִּי אִתָּךְ֒ וּבָ֣אוּ אֵלֶ֣יךָ וְאָמְר֣וּ אֵלֶ֡יךָ הַגִּֽידָה־נָּ֣א לָנוּ֩ מַה־דִּבַּ֨רְתָּ אֶל־הַמֶּ֜לֶךְ אַל־תְּכַחֵ֤ד מִמֶּ֨נּוּ֙ וְלֹ֣א נְמִיתֶ֔ךָ וּמַה־דִּבֶּ֥ר אֵלֶ֖יךָ הַמֶּֽלֶךְ׃

Quando, ouvindo os príncipes que falei contigo, vierem a ti... *Os Traiçoeiros Príncipes de Judá*. Eles anelavam por ver morto o profeta do Senhor. Já haviam tentado assassiná-lo e por certo fariam novas tentativas. Se ouvissem falar da conversa "secreta" que o rei tivera com o profeta, viriam atrás deste último novamente. Falariam em *traição* e pressionariam o rei a mandar executar o profeta, e o rei, sempre fraco, cederia diante da pressão.

"Não deixes que ninguém o saiba. O débil rei Zedequias continuou vacilante até o último momento. Ele temia o profeta Jeremias; mas temia mais ainda os príncipes. A natureza da entrevista foi ocultada e os eventos continuaram em seu devido curso. Jeremias continuou no átrio da guarda como sua prisão até que a cidade foi tomada" (Ellicott, *in loc.*).

38.26

וְאָמַרְתָּ֣ אֲלֵיהֶ֔ם מַפִּיל־אֲנִ֥י תְחִנָּתִ֖י לִפְנֵ֣י הַמֶּ֑לֶךְ לְבִלְתִּ֧י הֲשִׁיבֵ֛נִי בֵּ֥ית יְהוֹנָתָ֖ן לָמ֥וּת שָֽׁם׃ פ

Apresentei a minha humilde súplica diante do rei. O rei foi o *tutor* de Jeremias acerca do que este diria em uma possível entrevista. Ele deveria dizer uma meia-verdade. Poderia falar na parte onde Jeremias suplicara para não ser enviado de volta ao local de seu severo aprisionamento (ver Jr 37.15). Mas não deveria referir-se à porção dos atos temíveis do exército da Babilônia, que, segundo o profeta sabia, estavam a caminho. E Jeremias também não deveria falar sobre o conselho para que o rei se rendesse imediatamente aos babilônios, que era justamente o que faria aqueles réprobos gritar "Traição!"

38.27

וַיָּבֹ֨אוּ כָל־הַשָּׂרִ֤ים אֶֽל־יִרְמְיָ֨הוּ֙ וַיִּשְׁאֲלוּ־אֹת֔וֹ וַיַּגֵּ֤ד לָהֶם֙ כְּכָל־הַדְּבָרִ֣ים הָאֵ֔לֶּה אֲשֶׁ֥ר צִוָּ֖ה הַמֶּ֑לֶךְ וַיַּחֲרִ֣שׁוּ מִמֶּ֔נּוּ כִּ֥י לֹֽא־נִשְׁמַ֖ע הַדָּבָֽר׃ פ

Vindo, pois, todos os príncipes a Jeremias, e interrogando-os, declarou-lhes segundo todas as palavras que o rei lhe havia ordenado. *A Cautela do Rei Era Justificada*. De alguma maneira, propalou-se a notícia de que o rei tinha convocado o profeta para outra entrevista. Alguém vigiara; alguém vira os dois reunidos secretamente. Portanto, os oficiais réprobos correram diretamente para o lugar onde Jeremias estava em sua prisão mais relaxada e começaram a fustigá-lo com perguntas. Jeremias falou aos oficiais exatamente segundo as instruções de Zedequias. Jeremias lhes disse uma *meia-verdade*. Algumas pessoas acreditam que as meias-verdades são mentiras e, grosso modo, realmente são. Por outro lado, o profeta não estava obrigado a dizer nada àqueles réprobos oficiais. Ele não tinha recebido nenhum mandamento da parte de Yahweh, mas tinha recebido uma proibição do rei. Outrossim, existe tal coisa como uma mentira não moral. Ver no *Dicionário* o artigo chamado *Mentira (Mentiroso)*, onde ofereço detalhes ilustrativos.

38.28

וַיֵּ֣שֶׁב יִרְמְיָ֗הוּ בַּחֲצַ֤ר הַמַּטָּרָה֙ עַד־י֖וֹם אֲשֶׁר־נִלְכְּדָ֣ה יְרוּשָׁלָ֑͏ִם ס וְהָיָ֕ה כַּאֲשֶׁ֥ר נִלְכְּדָ֖ה יְרוּשָׁלָֽ͏ִם׃ פ

Ficou Jeremias no átrio da guarda, até ao dia em que foi tomada Jerusalém. Enquanto não ocorreu a invasão de Jerusalém, Jeremias esteve em boa situação. Ficou em seu aprisionamento mais leve, no átrio da guarda, recebendo seus amigos e exercendo bastante liberdade. Ele tinha trabalhado longa e arduamente na tentativa de fazer uma nação apóstata voltar ao bom senso. Mas Judá não se desviara, nem um pouco sequer, de sua idolatria-adultério-apostasia, o que significava que em breve eles seriam atingidos pelos dardos inflamados dos babilônios (o que é relatado no capítulo seguinte). Do ponto de vista humano, a missão de Jeremias fracassou. Mas da perspectiva divina, foi um sucesso, porquanto Jeremias nunca deixou de profetizar e obedecer, de obedecer e profetizar. Ele não poderia ser responsabilizado por uma tarefa feita pela metade. Ver no *Dicionário* os verbetes chamados *Obediência* e *Dever*. Jeremias ficou em Jerusalém e viu os horrendos sofrimentos causados pelo cerco, mas ele estava protegido pela mão de Yahweh, enquanto outros sucumbiram na matança.

CAPÍTULO TRINTA E NOVE

A INVASÃO BABILÔNICA: A QUEDA DE JERUSALÉM (39.1-14)

O terrível dia sobre o qual Jeremias tinha profetizado chegou. O povo de Judá não se desviou de sua iniquidade, a despeito de tantas advertências. O povo de Judá firmou-se definitivamente em sua idolatria-adultério-apostasia, até o amargo fim. O país inteiro caiu na insanidade, por causa de sua imitação do paganismo, e com isso perdeu o caráter distintivo. O capítulo 52 do livro de Jeremias provê uma descrição mais completa. É provável que a presente descrição seja uma abreviação daquela. Talvez os vss. 1,2 e 4-13 sejam adições feitas pelo editor deuteronômico, ou então a informação foi simplesmente extraída do livro de 2Rs. A Septuaginta omite os vss. 4-13 deste capítulo, talvez porque a maior parte deste material reapareça no capítulo 52.

O acontecimento aqui descrito foi tão traumático que ficou registrado em quatro trechos das Escrituras: Jr 39; Jr 52; 2Rs 25; e Ez 24. O cerco lançado pelos babilônios começou em 15 de janeiro de 588 a.C. e estendeu-se por cerca de trinta meses, até 18 de julho de 587 a.C.

"Esta seção registra, como se fosse um sumário, o cerco e a queda de Jerusalém, dando-nos informações especiais sobre a sorte de Jeremias diante da queda da cidade. Os vss. 1,2 e 4-10 são uma forma do registro em Jr 52.4-16, o qual é virtualmente equivalente a 2Reis 25.1-12. Os vss. 1,2 na verdade partem ao meio uma sentença hebraica que começa em Jr 38.28b e continua em Jr 39.3. Já os vss. 3 e 14 não têm paralelo no capítulo 52 nem na porção correspondente de 2Rs. Sem dúvida, com base nas memórias de Baruque, esses versículos nos dão informações exatas sobre a soltura de Jeremias — de fato, tudo quanto precisamos saber sobre ele (cf. Jr 40.1-6).

É extremamente improvável que Nebuzaradã tenha tratado com Jeremias conforme se noticia que ele fez, tanto nos vss. 13,14 como em Jr 40.1-6, pois Nebuzaradã só chegou à cidade um mês e um dia depois que as muralhas da cidade tinham sido rompidas, de acordo com Jr 52.12 (cf. 2Rs 25.8, que apresenta uma variação de três dias)" (James Philip Hyatt, *in loc.*). Por outra parte, há uma série de fatores sobre os quais nada sabemos, pelo que não devemos ser dogmáticos com nossas declarações críticas.

39.1,2

בַּשָּׁנָ֣ה הַתְּשִׁעִ֗ית לְצִדְקִיָּ֤הוּ מֶֽלֶךְ־יְהוּדָה֙ בַּחֹ֣דֶשׁ הָעֲשִׂרִ֔י בָּ֠א נְבוּכַדְרֶאצַּ֨ר מֶֽלֶךְ־בָּבֶ֤ל וְכָל־חֵילוֹ֙ אֶל־יְר֣וּשָׁלַ֔͏ִם וַיָּצֻ֖רוּ עָלֶֽיהָ׃ ס

בְּעַשְׁתֵּֽי־עֶשְׂרֵ֤ה שָׁנָה֙ לְצִדְקִיָּ֔הוּ בַּחֹ֥דֶשׁ הָרְבִיעִ֖י בְּתִשְׁעָ֣ה לַחֹ֑דֶשׁ הָבְקְעָ֖ה הָעִֽיר׃

Foi tomada Jerusalém. Era o ano nono de Zedequias, rei de Judá, no mês décimo. Traduzindo as antigas indicações para as modernas formas de computar o tempo, obtemos 15 de janeiro de 588 a.C. Essa era a data que Jeremias havia predito incansavelmente por tanto tempo. Jerusalém resistiu por mais tempo do que parecia possível, opondo-se por trinta meses às forças babilônicas. O vs. 2 deste capítulo revela-nos que, quando as muralhas foram rompidas e os babilônios tiveram acesso à cidade, seguiu-se horrenda matança e saque. Jr 52.6 informa-nos que as defesas da cidade cederam devido à pressão da fome. Cf. Jr 37.21. Os vss. 1-10 sumariam Jr 52.4-16, que, por sua vez, dependem de 2Rs 25.1-12. O vs. 3 deste capítulo adiciona os nomes dos oficiais babilônicos envolvidos. "Nabucodonosor esteve presente no início do cerco, mas estava em Ribla quando o cerco terminou (vss. 3 e 6; 53.17)" (Fausset, *in loc.*).

"Usando-se um método ocidental de computar as datas, parece que o assédio babilônico se prolongou por dezenove meses (os últimos três meses do nono ano + os doze meses do décimo ano + quatro meses do décimo primeiro ano). Entretanto, usando-se o método de computação de datas segundo o modelo hebraico, a duração do cerco parece muito mais longa. Pois os anos dos reis hebreus eram calculados segundo um calendário de tishri (setembro-outubro) a tishri, ao passo que os meses do ano eram calculados em uma base de nisã (março-abril) a nisã (ver os comentários sobre Jr 36.9). O décimo primeiro ano de Zedequias estendeu-se de 18 de outubro de 587 a.C. a 6 de outubro de 686 a.C. O nono dia daquele mês correspondia a 18 de julho de 586 a.C. Por conseguinte, o cerco inteiro durou pouco mais de trinta meses, de 15 de janeiro de 588 a.C. a 18 de julho de 586 a.C." (Charles H. Dyer, *in loc.*).

Jerusalém ofereceu resistência superior ao que se esperava, mas a cada dia em que essa resistência se mostrava eficaz, maiores eram os sofrimentos do povo judeu.

39.3

וַיָּבֹ֗אוּ כֹּ֚ל שָׂרֵ֣י מֶֽלֶךְ־בָּבֶ֔ל וַיֵּשְׁב֖וּ בְּשַׁ֣עַר הַתָּ֑וֶךְ נֵרְגַ֣ל שַׂר־אֶ֠צֶר סַֽמְגַּר־נְב֞וּ שַׂר־סְכִ֣ים רַב־סָרִ֗יס נֵרְגַ֤ל שַׂר־אֶ֙צֶר֙ רַב־מָ֔ג וְכָל־שְׁאֵרִ֔ית שָׂרֵ֖י מֶ֥לֶךְ בָּבֶֽל׃

Então entraram todos os príncipes do rei da Babilônia e se assentaram na Porta do Meio. Quanto aos nomes próprios pessoais deste versículo, ver o *Dicionário*. Resisti à tentação de repetir as informações sobre essas personagens aqui. O uso desses nomes adiciona um toque de autoridade e autenticação ao texto sagrado, pois estamos tratando de uma questão histórica, e não de mera lenda. A localização da Porta do Meio é disputada. O Talmude (*Erubin* V.22c) diz que esse era um dos sete nomes dados à grande porta oriental do templo, que veio a ser conhecida como Porta Dourada. Perto dela, as autoridades babilônicas estabeleceram seus assentos de governo e justiça, dos quais controlavam a cidade conquistada.

39.4

וַיְהִ֡י כַּאֲשֶׁ֣ר רָאָם֩ צִדְקִיָּ֨הוּ מֶֽלֶךְ־יְהוּדָ֜ה וְכֹ֣ל ׀ אַנְשֵׁ֣י הַמִּלְחָמָ֗ה וַֽיִּבְרְחוּ֙ וַיֵּצְא֤וּ לַ֙יְלָה֙ מִן־הָעִ֔יר דֶּ֖רֶךְ גַּ֣ן הַמֶּ֑לֶךְ בְּשַׁ֖עַר בֵּ֣ין הַחֹמֹתָ֑יִם וַיֵּצֵ֖א דֶּ֥רֶךְ הָעֲרָבָֽה׃

Tendo-os visto Zedequias, rei de Judá, e todos os homens de guerra, fugiram. Vendo que a causa de Jerusalém estava perdida, Zedequias e certo número de militares judeus desertaram da cidade, fugindo à noite por meio do jardim do rei, através do portão entre as duas muralhas. Eles fugiram na direção da Arabá e das *dificuldades*, mas também na direção da segurança física. Primeiramente chegaram à ravina pronunciada perto da qual se unem os vales de Hinom e Cedrom. E subiram pelo monte das Oliveiras. Passariam próximo de Jericó, cruzariam o rio Jordão e então escapariam para Rabá, moderna Amã, na Jordânia, capital de seus aliados, os amonitas. Cf. Ez 21.18-23. Zedequias provavelmente foi capaz de manter a cidade alta mais tempo do que o resto da cidade de Jerusalém, o que lhe deu certa liberdade de movimentos. Havia uma muralha dupla no sul de Sião, e os poucos fugitivos do grupo passaram entre as duas muralhas. Havia a muralha mais antiga e uma nova muralha, construída por Ezequias, para melhorar as defesas da cidade (ver 2Cr

33.5). Ou então devemos pensar na muralha regular da cidade e em outra muralha que circundava o jardim do rei.

39.5

וַיִּרְדְּפ֨וּ חֵיל־כַּשְׂדִּ֜ים אַחֲרֵיהֶ֗ם וַיַּשִּׂ֣גוּ אֶת־צִדְקִיָּהוּ֮ בְּעַרְב֣וֹת יְרֵחוֹ֒ וַיִּקְח֣וּ אֹת֗וֹ וַֽיַּעֲלֻ֞הוּ אֶל־נְבוּכַדְרֶאצַּ֧ר מֶֽלֶךְ־בָּבֶ֛ל רִבְלָ֖תָה בְּאֶ֣רֶץ חֲמָ֑ת וַיְדַבֵּ֥ר אִתּ֖וֹ מִשְׁפָּטִֽים׃

Mas o exército dos caldeus os perseguiu, e alcançou a Zedequias nas campinas de Jericó. De alguma maneira foi detectada a tentativa de fuga dos judeus, pelo que um destacamento do exército da Babilônia perseguiu a infeliz tropa fugitiva dos judeus. Alcançaram-nos nas campinas de Jericó, capturaram-nos e levaram-nos diretamente a Nabucodonosor, rei da Babilônia, a quem eles tanto temiam. Agora, tudo estava terminado, e a sorte mais horrenda os esperava. Na ocasião, Nabucodonosor estava em *Ribla*, que se transformara em posto avançado dos babilônios. Ver no *Dicionário* o artigo chamado *Ribla (Dibla)*, quanto a informações completas. Ez 6.14 dá o nome *Dibla*. Esse lugar seria a cena da matança dos filhos do rei Zedequias, bem como o lugar onde Zedequias foi cegado (ver Jr 39.6,7).

Terra de Hamate. Ver a respeito no *Dicionário*. Era uma cidade grande, originalmente pertencente à Síria. Ver Gn 10.18. Hamate tem sido identificada com Antioquia da Síria, às margens do rio Orontes. A cidade também foi chamada de *Epifânia*, em honra a Antíoco Epifânio. Ribla e Hamate ficavam distantes cerca de 24 km.

39.6

וַיִּשְׁחַ֧ט מֶֽלֶךְ־בָּבֶ֛ל אֶת־בְּנֵ֥י צִדְקִיָּ֖הוּ בְּרִבְלָ֣ה לְעֵינָ֑יו וְאֵת֙ כָּל־חֹרֵ֣י יְהוּדָ֔ה שָׁחַ֖ט מֶ֥לֶךְ בָּבֶֽל׃

O rei da Babilônia mandou matar, em Ribla, os filhos de Zedequias, à vista deste. Em *Ribla*, aquele lugar miserável, os filhos do rei Zedequias foram mortos sem misericórdia na frente do pai. Nabucodonosor assegurou-se que nenhum homem tentaria reverter o que lhe custara tanto realizar em Jerusalém. Ao mesmo tempo, todos os "nobres" de Judá foram executados, pelo que foi varrida do mapa, de um só golpe, toda a liderança de Judá. Essas eram as táticas comuns empregadas nas guerras antigas, que usualmente apelavam para o genocídio, e não para a mera vitória sobre um adversário. Zedequias tinha apenas cerca de 32 anos de idade na ocasião, pelo que seus filhos eram, na maioria, crianças, havendo entre eles um ou outro adolescente. Esses tiveram de pagar pelos pecados e pela rebelião do pai. E foi grande o choro naquele dia, que viverá para sempre como um dia de terror e vergonha na mente de todos quantos lerem o livro de Jeremias.

39.7

וְאֶת־עֵינֵ֥י צִדְקִיָּ֖הוּ עִוֵּ֑ר וַיַּאַסְרֵ֙הוּ֙ בַּֽנְחֻשְׁתַּ֔יִם לָבִ֥יא אֹת֖וֹ בָּבֶֽלָה׃

Vazou os olhos a Zedequias, e o atou com duas cadeias de bronze. Aqueles olhos, que momentos antes tinham sido forçados a contemplar a execução de crianças inocentes, agora foram "arrancados" por homens destituídos de misericórdia. As esculturas assírias pintam o deleite com o qual os reis da Assíria arrancavam os olhos dos reis e príncipes inimigos. Com frequência, os monarcas assírios faziam, eles mesmos, esse horrível trabalho. Tal é a história do homem sem redenção, que era e continua sendo o pior de todos os animais predadores. John Gill, geralmente um comentador que observava com cuidado cada detalhe, analisou este versículo sem recuar e, assim, aumentou o horror. Mas Adam Clarke, encolhendo-se, deixou de comentá-lo. O rei judeu, agora cego, foi preso a duas correntes, das quais jamais poderia escapar, e foi levado para a Babilônia, onde seu período de aprisionamento começaria, mas nunca terminaria. Seus ossos continuam por ali, em algum lugar, na desolação onde antes existira uma grande cidade.

"A forma especial de punição de Zedequias é notável, e duas profecias foram cumpridas: 1. Zedequias veria o rei da Babilônia e seria levado para a Babilônia (ver Jr 32.4). 2. Mas, embora viesse a morrer na cidade da Babilônia, ele nunca veria a cidade (ver Ez 12.13). Não se sabe qual foi a sorte final de Zedequias. Joaquim já estava aprisionado na Babilônia quando Zedequias chegou lá (ver 2Rs 24.15); mas não sabemos dizer se os dois se encontraram ali. Vinte e seis anos mais tarde, Joaquim foi solto por Evil-Merodaque (ver 2Rs 25.27)" (Ellicott, *in loc.*). Joaquim terminou a vida na Babilônia com grandes privilégios.

39.8

וְאֶת־בֵּ֤ית הַמֶּ֙לֶךְ֙ וְאֶת־בֵּ֣ית הָעָ֔ם שָׂרְפ֥וּ הַכַּשְׂדִּ֖ים בָּאֵ֑שׁ וְאֶת־חֹמ֥וֹת יְרוּשָׁלַ֖͏ִם נָתָֽצוּ׃

Os caldeus queimaram a fogo a casa do rei e as casas do povo, e derribaram os muros de Jerusalém. Tudo foi *incendiado* na infeliz cidade, como o palácio do rei, as casas dos ricos, as muitas casas dos não abastados e o templo (ver 2Rs 25.9). As muralhas de Jerusalém foram derribadas, e assim continuaram por cerca de setenta anos, quando então Neemias foi inspirado a restaurar essas muralhas, depois que o remanescente judeu começou a voltar do cativeiro babilônico. Cf. o trecho paralelo de Jr 52.13, que não inclui o item do incêndio da casa do povo. Note o singular da palavra "casa", conforme algumas traduções. Deve estar em foco algum edifício dedicado a assembleias gerais. Mas talvez tenhamos aqui uma referência ao templo de Jerusalém. Se o plural, "casas" (conforme lemos em nossa versão portuguesa), é o que está correto, então temos aqui uma menção à justa retribuição sofrida pelos oficiais e conselheiros do rei. Ver Jr 38.4-6, quanto aos pecados deles. Se talvez eles não tivessem feito tão amarga oposição ao profeta Jeremias, Zedequias tivesse tomado melhores decisões durante a crise, incluindo a questão da rendição dos judeus a Nabucodonosor e, assim, muitas vidas teriam sido poupadas na batalha.

"Isso tudo foi obra de Nebuzaradã (ver Jr 52.12,13), o qual foi enviado por Nabucodonosor, quando este ouviu falar na queda de Jerusalém. Seu trabalho incluía a destruição tanto do templo quanto do palácio do rei" (Ellicott, *in loc.*).

39.9

וְאֵת֩ יֶ֨תֶר הָעָ֜ם הַנִּשְׁאָרִ֣ים בָּעִ֗יר וְאֶת־הַנֹּֽפְלִים֙ אֲשֶׁ֣ר נָפְל֣וּ עָלָ֔יו וְאֵ֛ת יֶ֥תֶר הָעָ֖ם הַנִּשְׁאָרִ֑ים הֶגְלָ֛ה נְבֽוּזַרְאֲדָ֥ן רַב־טַבָּחִ֖ים בָּבֶֽל׃

O mais do povo, que havia ficado na cidade... Nebuzaradã... levou-os cativos para Babilônia. Em seguida, houve a deportação dos poucos sobreviventes judeus, outra obra de Nebuzaradã. O cativeiro incluiu os desertores e os defensores da cidade. O general de Nabucodonosor não se preocupou em fazer distinções entre os judeus, se essas distinções tinham agora algum valor. Os babilônios seguiam o modo assírio de total aniquilamento de um povo, para anular até sua identidade nacional. Temos os exemplos horrendos deixados por Tiglate-Pileser (2Rs 15.29); Salmaneser (2Rs 17.6); Esar-Hadom (2Rs 17.24) e Senaqueribe (2Rs 18.32). Os ataques e deportações efetuados pelos babilônios ocorreram em *ondas*, conforme comento em Jr 27.12. Ver no *Dicionário* o artigo chamado *Cativeiro Babilônico*, para maiores detalhes. Somente os mais pobres entre os judeus foram deixados na Terra Prometida, pois não representavam uma ameaça aos interesses da Babilônia, quando tentassem reiniciar sua vida de humildes agricultores. Os judeus levados cativos foram espalhados entre os diversos distritos da Babilônia, depois que seus líderes foram executados. Judá estava morto.

39.10

וּמִן־הָעָ֣ם הַדַּלִּ֗ים אֲשֶׁ֤ר אֵין־לָהֶם֙ מְא֔וּמָה הִשְׁאִ֛יר נְבוּזַרְאֲדָ֥ן רַב־טַבָּחִ֖ים בְּאֶ֣רֶץ יְהוּדָ֑ה וַיִּתֵּ֥ן לָהֶ֛ם כְּרָמִ֥ים וִֽיגֵבִ֖ים בַּיּ֥וֹם הַהֽוּא׃

Dos mais pobres da terra, que nada tinham, deixou Nebuzaradã... na terra de Judá. Nebuzaradã deixou na Terra Prometida o povo mais pobre, que era incapaz de causar revoltas. Chegou até a equipá-los com vinhedos e campos, para que pudessem sustentar-se. É provável que muitos deles estivessem agora melhor do que antes, tendo sido, na maioria dos casos, servos ou mesmo escravos no passado. Talvez até desses a Babilônia cobrasse taxas ou tributos, para que o império babilônico tivesse algum proveito pecuniário. Levar a "escória" da sociedade teria sido mais uma carga para o governo babilônico do que mereceria esse rebotalho. Daí a suposta "bondade" demonstrada para com essa camada do povo judeu.

■ 39.11

וַיְצַו נְבוּכַדְרֶאצַּר מֶלֶךְ־בָּבֶל עַל־יִרְמְיָהוּ בְּיַד נְבוּזַרְאֲדָן רַב־טַבָּחִים לֵאמֹר:

Mas Nabucodonosor, rei da Babilônia, havia ordenado acerca de Jeremias... Não se pode duvidar que Jeremias era conhecido pelo rei da Babilônia, no tocante à sua reputação. Ele sabia que o profeta tinha, por assim dizer, "favorecido a sua causa", ao recomendar que os judeus se rendessem aos babilônios, o que teria poupado milhares de vidas, incluindo grande número de soldados da Babilônia. Ademais, talvez Nabucodonosor tivesse Yahweh entre os seus deuses, como membro de seu panteão, tendo-lhe dado crédito por ajudá-lo em sua causa. Em consequência, um profeta de um dos "deuses ajudadores" mereceria respeito da parte do monarca violento, Nabucodonosor. Jeremias tinha enviado cartas à Babilônia (capítulo 29 de Jeremias), e também certo número de desertores (ver Jr 38.1-3) provavelmente espalharam histórias a respeito do profeta. Esses dois fatores garantiam que Jeremias fosse conhecido por Nabucodonosor. Ver Jr 27.12,13, quanto aos conselhos do profeta para que os judeus se rendessem.

■ 39.12

קָחֶנּוּ וְעֵינֶיךָ שִׂים עָלָיו וְאַל־תַּעַשׂ לוֹ מְאוּמָה רָע כִּי אִם כַּאֲשֶׁר יְדַבֵּר אֵלֶיךָ כֵּן עֲשֵׂה עִמּוֹ:

Toma-o, cuida dele, e não lhe faças nenhum mal. Nebuzaradã (ver no *Dicionário*) recebeu ordens da parte de Nabucodonosor para tratar bem de Jeremias e dar-lhe qualquer coisa que ele precisasse ou desejasse. A última parte do versículo provavelmente significa que Jeremias se tornou uma espécie de *conselheiro* dos babilônios quanto a assuntos judaicos. Ele se transformou em um homem honrado, contrastando com a maneira como Zedequias o havia tratado. Grande paradoxo! Se algum dos inimigos judeus do profeta ainda estivesse vivo, teria certeza de que Jeremias tinha cometido traição.

■ 39.13

וַיִּשְׁלַח נְבוּזַרְאֲדָן רַב־טַבָּחִים וּנְבוּשַׁזְבָּן רַב־סָרִיס וְנֵרְגַל שַׂר־אֶצֶר רַב־מָג וְכֹל רַבֵּי מֶלֶךְ־בָּבֶל:

Deste modo Nebuzaradã, chefe da guarda, ordenou a Nebusazbã. Cf. esta lista de oficiais babilônicos com aquela dada no vs. 3. Nebusazbã é um novo nome que aparece aqui. Ver sobre ele no *Dicionário*. E todos os oficiais babilônicos, seguindo o exemplo de Nebuzaradã, trataram bem a Jeremias, tendo recebido ordens específicas quanto a esse tratamento. Este versículo ilustra a extensão das honrarias prestadas a Jeremias; os versículos que se seguem dão alguns detalhes sobre a questão.

■ 39.14

וַיִּשְׁלְחוּ וַיִּקְחוּ אֶת־יִרְמְיָהוּ מֵחֲצַר הַמַּטָּרָה וַיִּתְּנוּ אֹתוֹ אֶל־גְּדַלְיָהוּ בֶּן־אֲחִיקָם בֶּן־שָׁפָן לְהוֹצִאֵהוּ אֶל־הַבָּיִת וַיֵּשֶׁב בְּתוֹךְ הָעָם: ס

Mandaram retirar Jeremias do átrio da guarda, e o entregaram a Gedalias, filho de Aicão. O profeta foi tirado de seu aprisionamento leve, no átrio da guarda (ver Jr 37.21), e passou a habitar com *Gedalias*, filho de *Aicão*. Um dos mais importantes desertores, Gedalias seria nomeado *governador* do que restava da nação de Judá. Ver Jr 40.7. Jeremias foi arrebanhado juntamente com o restante dos sobreviventes e levado 8 km ao norte de Ramá. Ali chegando, identificado como o famoso profeta, foi libertado. Ver Jr 40.4,5. Portanto, Jeremias ficou temporariamente acorrentado (ver Jr 40.1). Gedalias tinha sido um apoiador de Jeremias (ver Jr 26.24). Após o cativeiro, ele fixou residência em Mispa (ver Jr 40.5,6), a capital provisória de Judá, visto que Jerusalém tinha sido reduzida a um montão de escombros. Ver sobre *Gedalias*, no *Dicionário*. Dentro de pouco tempo, Gedalias seria assassinado (ver 2Rs 25.23 ss.)!

ORÁCULO CONCERNENTE A EBEDE-MELEQUE (39.15-18)

■ 39.15

וְאֶל־יִרְמְיָהוּ הָיָה דְבַר־יְהוָה בִּהְיֹתוֹ עָצוּר בַּחֲצַר הַמַּטָּרָה לֵאמֹר:

Ora, tinha vindo a Jeremias a palavra do Senhor... Tivemos oportunidade de encontrar, no livro de Jeremias, um relato concernente a Ebede-Meleque (Jr 38.7-13). Ele era o eunuco etíope que tinha tirado Jeremias da cisterna, onde os ímpios conselheiros de Zedequias o haviam lançado. Por causa de seu ato bondoso (que também exigiu coragem, porquanto ele arriscou a própria vida ao contrariar os horrendos conselheiros de Zedequias), Ebede-Meleque recebeu de Yahweh um oráculo especial de que não sofreria nenhum dano quando os babilônios conquistassem a cidade. Não há registro bíblico do cumprimento dessa profecia, mas isso não labora contra a sua genuinidade. Cf. algo similar em Jr 45.1-5, em que Baruque é o centro da profecia. Este oráculo ilustra a *Lei Moral da Colheita segundo a Semeadura*.

Quando Jeremias ainda estava aprisionado no átrio da guarda (ver Jr 37.21), foi-lhe entregue o presente oráculo. Provavelmente Jeremias estava experimentando um ataque de ansiedade, por causa da iminente destruição de Jerusalém. O que aconteceria a seus poucos bons amigos, entre os quais estava Ebede-Meleque? Enquanto Jeremias sofria por seus amigos, a boa palavra concernente a seu benfeitor lhe veio, uma mensagem de Yahweh.

■ 39.16

הָלוֹךְ וְאָמַרְתָּ לְעֶבֶד־מֶלֶךְ הַכּוּשִׁי לֵאמֹר כֹּה־אָמַר יְהוָה צְבָאוֹת אֱלֹהֵי יִשְׂרָאֵל הִנְנִי מֵבִי אֶת־דְּבָרַי אֶל־הָעִיר הַזֹּאת לְרָעָה וְלֹא לְטוֹבָה וְהָיוּ לְפָנֶיךָ בַּיּוֹם הַהוּא:

Vai, e fala a Ebede-Meleque, o etíope. O divino nome de poder introduz e garante o cumprimento da promessa: *Yahweh-Sabaote-Elohim* foi quem falou. Cf. Jr 7.3,21; 9.15,17; 16.9; 19.3; 25.27, exemplos de como essas palavras introduzem oráculos. Quando o Deus Eterno, Senhor dos Exércitos e Todo-poderoso fala, há cumprimento. Se as profecias temíveis contra Jerusalém precisavam ser cumpridas, haveria contudo alguns poucos favorecidos que seriam poupados da dor, e entre eles estava *Ebede-Meleque*. Contraste isso com a matança que atingiu os filhos de Zedequias e seus ímpios conselheiros (ver Jr 39.6; 52.10,24-27).

■ 39.17

וְהִצַּלְתִּיךָ בַּיּוֹם־הַהוּא נְאֻם־יְהוָה וְלֹא תִנָּתֵן בְּיַד הָאֲנָשִׁים אֲשֶׁר־אַתָּה יָגוֹר מִפְּנֵיהֶם:

A ti, porém, eu livrarei naquele dia, diz o Senhor. Este versículo afirma a *mensagem de esperança* dada a Ebede-Meleque, o que contrasta com o vs. 16. A vontade de Yahweh se mostraria poderosa, livrando a alguns poucos. Esses escapariam tanto da morte, por ocasião do ataque dos babilônios, como da deportação que se seguiria. A *terrível tríade* — espada, fome e pestilência — não os atingiria. Ver Jr 14.12; 21.9; 27.13; 29.17; 34.17. Ebede-Meleque estaria entre os poucos selecionados que não seriam atingidos pelas consequências da conquista babilônica, por causa da bondade demonstrada para com o profeta, quando este passava seu momento de crise.

■ 39.18

כִּי מַלֵּט אֲמַלֶּטְךָ וּבַחֶרֶב לֹא תִפֹּל וְהָיְתָה לְךָ נַפְשְׁךָ לְשָׁלָל כִּי־בָטַחְתָּ בִּי נְאֻם־יְהוָה: ס

Pois certamente te salvarei, e não cairás à espada. Ebede-Meleque foi elogiado por sua bondade e fé. Yahweh o livraria da espada, da fome e da peste que aniquilariam a cidade de Jerusalém. Sua vida não se tornaria presa do selvático leão do norte. Visto que ele havia temido ao Senhor, não teria de temer os homens. Ele tinha sido um dos oficiais da corte de Zedequias, mas não foi executado juntamente com os demais (vs. 6; Jr 52.10). Ele arriscou a vida em troca do bem, e sua vida foi salva do mal, em um momento de crise.

CAPÍTULO QUARENTA

MINISTÉRIO DE JEREMIAS AO REMANESCENTE NA PALESTINA (40.1—42.22)

A SOLTURA DE JEREMIAS (40.1-6)

A missão de Jeremias ainda não tinha terminado. Ele sobreviveu ao ataque contra Jerusalém e foi libertado das correntes quando ia para Ramá, um lugar onde os cativos eram processados a caminho de Ribla, e daí para a Babilônia. Mas, finalmente, ele iria parar no Egito, forçado por seus inimigos judeus e, presumivelmente, ali morreu, depois de vicissitudes sobre as quais as Escrituras nada revelam, havendo apenas tradições indignas de confiança sobre ele. Mas podemos estar certos que não havia planejamento inseguro da parte de Yahweh, o qual conduziu o profeta sempre em segurança. Jeremias foi invencível enquanto sua missão não se cumpriu plenamente.

As informações dadas aqui parecem contradizer as informações de Jr 39.14, no sentido de que o profeta do Senhor fora libertado para juntar-se a Gedalias, nomeado governador da pequena população sobrevivente em Judá. Temos de supor, entretanto, que os fatos narrados no capítulo 40 ocorreram antes das informações do capítulo 39. Ver as notas expositivas sobre Jr 39.14.

■ 40.1

הַדָּבָר אֲשֶׁר־הָיָה אֶל־יִרְמְיָהוּ מֵאֵת יְהוָה אַחַר שַׁלַּח אֹתוֹ נְבוּזַרְאֲדָן רַב־טַבָּחִים מִן־הָרָמָה בְּקַחְתּוֹ אֹתוֹ וְהוּא־אָסוּר בָּאזִקִּים בְּתוֹךְ כָּל־גָּלוּת יְרוּשָׁלַם וִיהוּדָה הַמֻּגְלִים בָּבֶלָה:

Palavra que veio a Jeremias da parte do Senhor, depois que Nebuzaradã, chefe da guarda, o pôs em liberdade em Ramá. Estas palavras atuam como uma espécie de cabeçalho para a nova porção do livro de Jeremias — capítulos 41,44 — a saber, as profecias dirigidas aos judeus que estavam na Judeia e no Egito, depois que a cidade foi tomada... A profecia só começa em Jr 42.7. Até lá temos apenas pano de fundo histórico. Para ter liberdade de completar seu ministério profético, Jeremias não podia ficar preso por correntes, em companhia de outros cativos. Assim sendo, em Ramá, onde os cativos eram selecionados para ser enviados a Ribla e, dali, para a cidade da Babilônia, a influência de Yahweh tinha de ser sentida para libertar seu profeta e fazê-lo voltar a Jerusalém, onde sua missão prosseguiria.

■ 40.2

וַיִּקַּח רַב־טַבָּחִים לְיִרְמְיָהוּ וַיֹּאמֶר אֵלָיו יְהוָה אֱלֹהֶיךָ דִּבֶּר אֶת־הָרָעָה הַזֹּאת אֶל־הַמָּקוֹם הַזֶּה:

Tomou o chefe da guarda a Jeremias, e lhe disse. Jr 39.11 ss. deixa claro que Jeremias era bem conhecido na Babilônia, incluindo pelo próprio Nabucodonosor, que tomou providências especiais para garantir que ele fosse bem tratado enquanto os babilônios estavam na cidade matando (quase) todos os outros judeus. Nebuzaradã conhecia as profecias de Jeremias contra Judá, por causa de sua horrenda idolatria-adultério-apostasia, pelo que tinha consciência do *aspecto espiritual* da queda de Jerusalém, que não envolveu somente os jogos internacionais de poder que inspiraram a Babilônia a conquistar Judá. As palavras de Nebuzaradã, entretanto, não dão a entender que ele estava voltando-se para o yahwismo. Era crença universal, entre as nações pagãs, que os deuses eram agentes que ajudavam seus povos a ganhar ou perder guerras. O politeísmo da Babilônia permitia facilmente que Yahweh fosse o Deus eficaz de Judá.

■ 40.3

וַיָּבֵא וַיַּעַשׂ יְהוָה כַּאֲשֶׁר דִּבֵּר כִּי־חֲטָאתֶם לַיהוָה וְלֹא־שְׁמַעְתֶּם בְּקוֹלוֹ וְהָיָה לָכֶם דָּבָר הַזֶּה:

O Senhor o trouxe, e fez como havia dito. Porque pecastes contra o Senhor... Até o pagão Nebuzaradã reconheceu a operação da lei da colheita segundo a semeadura no que tinha acontecido a Jerusalém. A idolatria-adultério-apostasia de Judá finalmente tinha cobrado seu tremendo preço. Yahweh fora a causa disso (ver as notas sobre Is 13.6) e os babilônios foram o instrumento usado por Deus para tanto. Todas as coisas acontecem exatamente em concordância com a *Providência de Deus* (ver no *Dicionário*), de acordo com seus aspectos negativos e positivos. Isso, entretanto, não nos deve fazer negligenciar as *causas secundárias* — o homem e sua perversa vontade, rebeldia e apostasia. De outra forma, se promovermos a ideia de que Deus é a causa única dos acontecimentos, então teremos de fazê-lo também a causa do mal, o que reflete uma teologia ridícula. Ver no *Dicionário* o artigo intitulado *Livre-arbítrio*. Cf. este versículo com Dt 29.24,25.

■ 40.4

וְעַתָּה הִנֵּה פִתַּחְתִּיךָ הַיּוֹם מִן־הָאזִקִּים אֲשֶׁר עַל־יָדֶךָ אִם־טוֹב בְּעֵינֶיךָ לָבוֹא אִתִּי בָבֶל בֹּא וְאָשִׂים אֶת־עֵינִי עָלֶיךָ וְאִם־רַע בְּעֵינֶיךָ לָבוֹא־אִתִּי בָבֶל חֲדָל רְאֵה כָּל־הָאָרֶץ לְפָנֶיךָ אֶל־טוֹב וְאֶל־הַיָּשָׁר בְּעֵינֶיךָ לָלֶכֶת שָׁמָּה לֵךְ:

Agora, pois, eis que te livrei hoje das cadeias que estavam sobre as tuas mãos. A *Lei Moral da Colheita segundo a Semeadura* (ver a respeito no *Dicionário*) deu *vida* a Jeremias, e isso através das mãos de um pagão. Era a mesma lei que havia ditado a *destruição* de Jerusalém, por meio da mesma mão. Além disso, a Jeremias foi oferecida *liberdade*, ao passo que a maioria dos sobreviventes da matança foi levada *cativa* para a Babilônia. Jeremias poderia ir para a Babilônia, onde seria bem tratado e prosperaria sob os auspícios de Nabucodonosor. Ou então poderia ficar em Jerusalém, ou em Mispa, na companhia de Gedalias, para tentar ajudar aos que restaram naquelas condições tão primitivas. Para ele tudo se resumia a uma decisão *moral*. A Jeremias cabia evitar o erro e praticar o que era certo, sem importar o lugar que sua consciência ditasse. Cf. este versículo com Jr 39.12.

■ 40.5

וְעוֹדֶנּוּ לֹא־יָשׁוּב וְשֻׁבָה אֶל־גְּדַלְיָה בֶן־אֲחִיקָם בֶּן־שָׁפָן אֲשֶׁר הִפְקִיד מֶלֶךְ־בָּבֶל בְּעָרֵי יְהוּדָה וְשֵׁב אִתּוֹ בְּתוֹךְ הָעָם אוֹ אֶל־כָּל־הַיָּשָׁר בְּעֵינֶיךָ לָלֶכֶת לֵךְ וַיִּתֶּן־לוֹ רַב־טַבָּחִים אֲרֻחָה וּמַשְׂאֵת וַיְשַׁלְּחֵהוּ:

Mas, visto que ele tardava em decidir-se, o capitão lhe disse: Volta a Gedalias. Quando Jeremias voltou-se para partir, Nebuzaradã reenfatizou a oferta de "faze o que bem quiseres"; mas, ao mesmo tempo, sugeriu que ele fosse para a companhia de Gedalias, que tinha a gigantesca tarefa de pôr em ordem as coisas e precisava de toda a ajuda que pudesse obter. Ele fora nomeado governador de Judá pelos babilônios e fizera sua capital em Mispa, visto que Jerusalém fora reduzida a um montão de ruínas. Não obstante, Jeremias estava livre para fazer o que bem entendesse, seguindo a *sugestão* de Nebuzaradã ou não. "Embora Nebuzaradã lhe tivesse dado tal conselho, não pressionou o profeta, mas o deixou na mais completa liberdade de tomar seu próprio rumo, indo para onde quisesse e estabelecendo-se onde bem entendesse" (John Gill, *in loc.*). Note o leitor como até um oficial pagão foi usado como instrumento para ajudar Jeremias a tomar uma decisão importante, quando ele hesitava entre duas alternativas. Isso fazia parte da *Providência de Deus* para o momento.

■ 40.6

וַיָּבֹא יִרְמְיָהוּ אֶל־גְּדַלְיָה בֶן־אֲחִיקָם הַמִּצְפָּתָה וַיֵּשֶׁב אִתּוֹ בְּתוֹךְ הָעָם הַנִּשְׁאָרִים בָּאָרֶץ: ס

Assim foi Jeremias a Gedalias, filho de Aicão, a Mispa. Tendo recebido um pequeno empurrão de Nebuzaradã naquela direção, e depois de ter consultado seu coração, Jeremias resolveu ajudar Gedalias, o recém-nomeado governador de Judá, em qualquer coisa que pudesse. Portanto, Jeremias escolheu o caminho mais difícil, e não o da vantagem pessoal. Nunca mais se levantaria rei em Israel, até que aparecesse o Messias, quando a linhagem de Davi voltaria. O próprio governador, Gedalias, era apenas um boneco da Babilônia. Mas isso não significa que não houvesse uma tarefa importante a ser realizada. Entrementes, o remanescente de Judá estava no processo de purificação, a fim de que depois dos *setenta anos* de cativeiro (ver Jr 25.11) houvesse um novo Israel, embora humilde. Gedalias tinha-se estabelecido em *Mispa* (ver a respeito no *Dicionário*), no território de Benjamim, que fora menos atingido que o resto de Judá pelos terrores do exército da Babilônia. Esse lugar ficava somente 16 km ao norte de Jerusalém, pelo que era extremamente conveniente para a nova capital.

O GOVERNO E O ASSASSÍNIO DE GEDALIAS (40.7—41.18)

Coisa alguma corria direito em Judá, e até o breve governo de Gedalias terminaria em tragédia. Jr 40.7—41.10 dá-nos uma seção histórica, antes do início de um novo conjunto de oráculos. Ver a nota expositiva sobre o vs. 1 deste mesmo capítulo. É provável que Baruque, o amanuense de Jeremias, tenha sido o autor desta revisão histórica. Coisa alguma é dita diretamente acerca de Jeremias, enquanto o autor está tratando de outras questões. Alguns estudiosos, porém, atribuem a seção a outro autor (desconhecido), pensando que as contribuições de Baruque se limitaram aos capítulos 1—39. Os eventos aqui registrados são paralelos a 2Rs 25.22-26, que nos dá apenas um esboço com alguns poucos detalhes. Cf. 2Rs 25.23-24 com Jr 40.7-10, e 2Rs 25.25,26 com Jr 41.1,2 e 41.16-18. Judá tornou-se uma província da Babilônia, e Gedalias tornou-se o governador títere. Gedalias era membro de uma proeminente família judaica. Seu pai, *Aicão*, fora oficial na corte dos reis Josias e Jeoaquim. Era amigo e protetor de Jeremias (ver Jr 26.24; 2Rs 22.12,14). O artigo sobre ele oferece detalhes que não repito aqui. Embora bastante simpático e gentil, o breve governo de Gedalias foi também bastante leniente, configurando-se num dos fatores que contribuíram para seu assassinato. Aqueles foram tempos difíceis, e Gedalias deveria ter sido mais firme. Os eruditos supõem que ele tenha governado por cerca de cinco anos, e todos os relatos de que dispomos tocam apenas nos pontos principais da época.

A PROMESSA DE GEDALIAS (40.7-10)

■ 40.7

וַיִּשְׁמְעוּ כָל־שָׂרֵי הַחֲיָלִים אֲשֶׁר בַּשָּׂדֶה הֵמָּה וְאַנְשֵׁיהֶם כִּי־הִפְקִיד מֶלֶךְ־בָּבֶל אֶת־גְּדַלְיָהוּ בֶן־אֲחִיקָם בָּאָרֶץ וְכִי הִפְקִיד אִתּוֹ אֲנָשִׁים וְנָשִׁים וָטָף וּמִדַּלַּת הָאָרֶץ מֵאֲשֶׁר לֹא־הָגְלוּ בָּבֶלָה:

Ouvindo, pois, os capitães dos exércitos que estavam nos campos... A primeira providência de Gedalias foi tentar pacificar os oficiais do exército de Judá, que continuavam em atitude hostil contra os babilônios, embora tivessem perdido a guerra. Ele os exortou a reconhecer a realidade do que havia acontecido e a submeter-se à Babilônia. Mas embora aquela causa estivesse perdida, continuava palpitando no coração deles, e a rebelião era uma palavra-chave. Outra revolta estava sendo planejada. Gedalias conseguiu pacificar a maioria dos oficiais, mas ainda existiam rebeldes judeus, que queriam causar perturbações sem sentido. E isso custaria a vida de Gedalias.

Se a guerra tinha sido perdida pelos judeus, ainda assim alguns oficiais e soldados tinham sobrevivido e estavam espalhados pelo campo aberto. Alguns deles aproximaram-se de Gedalias, ao ouvir que ele fora nomeado governador do pouco povo que restara intacto. E lhe perguntaram: "E agora?" A resposta do governador foi: "Submetei-vos à Babilônia. A guerra terminou. Submetei-vos e vivei!" Gedalias tinha pouco para governar — mulheres, crianças e pobres, conforme este versículo deixa claro.

■ 40.8

וַיָּבֹאוּ אֶל־גְּדַלְיָה הַמִּצְפָּתָה וְיִשְׁמָעֵאל בֶּן־נְתַנְיָהוּ וְיוֹחָנָן וְיוֹנָתָן בְּנֵי־קָרֵחַ וּשְׂרָיָה בֶן־תַּנְחֻמֶת וּבְנֵי עוֹפַי הַנְּטֹפָתִי וִיזַנְיָהוּ בֶּן־הַמַּעֲכָתִי הֵמָּה וְאַנְשֵׁיהֶם:

Vieram ter com ele a Mispa, a saber: Ismael... Joanã... *Mispa* se tornara a capital da província da Judeia. Ver no *Dicionário* o detalhado artigo sobre essa localidade. Mispa não tem sido identificada de modo absoluto, mas pode ser o moderno Tell en-Nasbeh, ou Nebi Samwil. Tell en-Nasbeh fica na estrada principal entre Siquém e Jerusalém, o que parece adaptar-se melhor às descrições de Jr 40.7 e 41.18. Escavações feitas em Tell en-Nasbeh descobriram uma inscrição em um túmulo, de um certo *Jazanias,* oficial do rei. Talvez ele tenha sido o Jazanias, referido neste versículo. Se essa identificação está correta, então encontramos a perdida cidade de Mispa. Pouquíssimo se sabe sobre as pessoas mencionadas neste versículo, mas o que se conhece ou se conjectura está relatado nos artigos sobre elas, no *Dicionário*. *Ismael*, naturalmente, estava destinado a ser o assassino de Gedalias. Ver no *Dicionário* sobre *Ismael (outros)*, ponto cinco, onde dou as informações essenciais sobre ele, com fatos e conjecturas. Os comandantes mencionados no vs. 8 queriam saber o que aconteceria se eles depusessem as armas e se rendessem. Gedalias assegurou-lhes que nenhum mal lhes sobreviria. E os encorajou a estabelecer-se e servir de uma nova maneira. Judá tinha perdido a guerra. De que adiantaria fingir que a Babilônia não estava controlando tudo?

■ 40.9

וַיִּשָּׁבַע לָהֶם גְּדַלְיָהוּ בֶן־אֲחִיקָם בֶּן־שָׁפָן וּלְאַנְשֵׁיהֶם לֵאמֹר אַל־תִּירְאוּ מֵעֲבוֹד הַכַּשְׂדִּים שְׁבוּ בָאָרֶץ וְעִבְדוּ אֶת־מֶלֶךְ בָּבֶל וְיִיטַב לָכֶם:

Gedalias... jurou a eles e aos seus homens, e lhes disse: Nada temais da parte dos caldeus. É como se Gedalias tivesse dito: "Ficai em paz e trabalhai em paz; reconstruí as vossas vidas; servi os babilônios. Agi conforme sois: um povo derrotado. Qualquer outra atitude só gerará maiores matanças!" Com essas e outras palavras, Gedalias tentou acalmar as águas turbulentas na mente e na alma deles. Raiaria um novo dia. A esperança era real, mas no presente as limitações das circunstâncias ditavam o que cada homem tinha de fazer.

■ 40.10

וַאֲנִי הִנְנִי יֹשֵׁב בַּמִּצְפָּה לַעֲמֹד לִפְנֵי הַכַּשְׂדִּים אֲשֶׁר יָבֹאוּ אֵלֵינוּ וְאַתֶּם אִסְפוּ יַיִן וְקַיִץ וְשֶׁמֶן וְשִׂמוּ בִּכְלֵיכֶם וּשְׁבוּ בְּעָרֵיכֶם אֲשֶׁר־תְּפַשְׂתֶּם:

Quanto a mim, eis que habito em Mispa, para estar às ordens dos caldeus. O trabalho de Gedalias era "continuar levando", conforme se diz em uma moderna expressão. Ele dirigia as coisas em Mispa e serviria alguns poucos e miseráveis indivíduos, que foram deixados na Terra Prometida, após a matança e a deportação. Aqueles oficiais militares poderiam fazer parte do esforço e ajudar. Seja como for, todos estariam servindo aos babilônios, gostassem disso ou não, e poderiam aproveitar a oportunidade para ajudar a si mesmos e ao povo. Eles teriam de ocupar-se das atividades agrícolas, pois toda a vida dependia disso, o que lhes daria abundância para ajudar os outros e os faria esquecer o que havia acontecido, se isso fosse possível. Até a humilde produção agrícola muito provavelmente teria sido taxada. O que o governador lhes disse não era muito inspirador, mas não havia como inspirar Judá com grandes coisas naqueles dias.

FUGITIVOS RETORNAM A JUDÁ (40.11,12)

■ 40.11

וְגַם כָּל־הַיְּהוּדִים אֲשֶׁר־בְּמוֹאָב וּבִבְנֵי־עַמּוֹן וּבֶאֱדוֹם וַאֲשֶׁר בְּכָל־הָאֲרָצוֹת שָׁמְעוּ כִּי־נָתַן מֶלֶךְ־בָּבֶל שְׁאֵרִית לִיהוּדָה וְכִי הִפְקִיד עֲלֵיהֶם אֶת־גְּדַלְיָהוּ בֶן־אֲחִיקָם בֶּן־שָׁפָן:

Da mesma sorte todos os judeus que estavam em Moabe, e entre os filhos de Amom e em Edom... A ameaça da invasão babilônica fez muitos judeus abandonar Judá e fixar residência nos países adjacentes. E então, durante a própria invasão, que durou cerca de trinta meses (ver a introdução ao capítulo 39), outros judeus conseguiram fugir para os países circunvizinhos. Moabe, Amom e Edom eram os preferidos. Mas, uma vez que as coisas se "normalizaram" e Gedalias começou a governar o povo que restara, eles preferiram tentar novamente a vida em Judá. Portanto, uma pequena esperança foi restaurada aos judeus que habitavam no território de Judá, que o retorno dos cativos da Babilônia, após os setenta anos, haveria de fomentar. A agricultura foi restaurada (vs. 12) de modo adequado para a pequena população que dela dependia. Mispa tornou-se a capital provisória da nação de Judá, até que Jerusalém pudesse equilibrar-se de novo.

■ 40.12

וַיָּשֻׁבוּ כָל־הַיְּהוּדִים מִכָּל־הַמְּקֹמוֹת אֲשֶׁר נִדְּחוּ־שָׁם וַיָּבֹאוּ אֶרֶץ־יְהוּדָה אֶל־גְּדַלְיָהוּ הַמִּצְפָּתָה וַיַּאַסְפוּ יַיִן וָקַיִץ הַרְבֵּה מְאֹד׃ פ

Então voltaram todos eles de todos os lugares, para onde foram lançados. "Além de atingir os bandos espalhados de guerreiros de Judá, a palavra sobre a nomeação de Gedalias como governador chegou aos judeus em Moabe, Amom e Edom, além de outros países em derredor. Todos esses muitos refugiados voltaram à Terra Prometida para reocupá-la e ajudar a colher as uvas e o fruto de verão" (Charles H. Dyer, *in loc.*). Isso representou uma pequena renovação do país, que ficou esperando eventos mais importantes, os quais seriam postos em movimento por Ciro, quando a Babilônia caísse diante do exército medo-persa. Algumas vezes, os pequenos acontecimentos são arautos de eventos maiores que já se aproximam. A Babilônia, que na ocasião parecia invencível, em breve estaria reduzida a cinzas, pagando pela maldade de ter transformado em cinzas o país de vários povos. Tudo isso aconteceu com uma velocidade surpreendente.

AVISO A GEDALIAS (40.13-16)

■ 40.13

וְיוֹחָנָן בֶּן־קָרֵחַ וְכָל־שָׂרֵי הַחֲיָלִים אֲשֶׁר בַּשָּׂדֶה בָּאוּ אֶל־גְּדַלְיָהוּ הַמִּצְפָּתָה׃

Joanã... e todos os príncipes dos exércitos que estavam no campo, vieram a Gedalias, a Mispa. Aqueles que odeiam e planejam o mal nunca desistem. Gedalias, ao que parece, tinha acalmado as águas agitadas, mas entre os líderes de Judá, que tinham jurado lealdade ao governador, alguns já planejavam seu assassinato. O rei dos amonitas fazia parte do conluio, sendo provável que o intuito fosse o de que Ismael (o assassino eventual) substituísse Gedalias e, assim sendo, se tornasse o "pseudorrei" de Judá. Talvez o governador Gedalias fosse considerado um traidor, tal como Jeremias fora acusado, por ser muito condescendente no tocante aos babilônios, e talvez Ismael pensasse poder encabeçar uma revolta que livrasse Judá do domínio babilônico. A coisa inteira era um plano louco e insano, mas os fanáticos vivem promovendo tais movimentos. Uma *fé perversa* e uma *esperança bizarra* assinalam esses fanatismos.

As notícias do assassinato planejado começaram a circular, e Joanã, militar (ver o vs. 8) que tinha jurado lealdade a Gedalias, veio adverti-lo acerca do plano assassino. Ele não via vantagem alguma em tomar o lugar de Gedalias e certamente não tinha paciência com a ideia de outra revolta contra a Babilônia. Ele já tinha visto matanças e muita miséria para uma única vida. É provável que tenha calculado que as coisas estavam correndo tão bem quanto se poderia esperar naquelas circunstâncias, e ele mesmo estava *vivo*, ajudando a reconstruir a nação. Não queria que nada perturbasse o precário *status quo*.

■ 40.14

וַיֹּאמְרוּ אֵלָיו הֲיָדֹעַ תֵּדַע כִּי בַּעֲלִיס מֶלֶךְ בְּנֵי־עַמּוֹן שָׁלַח אֶת־יִשְׁמָעֵאל בֶּן־נְתַנְיָה לְהַכֹּתְךָ נָפֶשׁ וְלֹא־הֶאֱמִין לָהֶם גְּדַלְיָהוּ בֶּן־אֲחִיקָם׃

Sabes tu que Baalis, rei dos filhos de Amom, enviou a Ismael... para tirar-te a vida? Baalis (ver a respeito no *Dicionário*), rei dos filhos de Amom, planejava, juntamente com Ismael, o assassinato de Gedalias. Não somos informados sobre que motivos o inspiravam, mas a luta política provavelmente estava no centro daquele conluio. Ou Ismael seria o próximo governador de Judá, ou armaria outra revolta contra os babilônios. Provavelmente ele era um patriota fanático completamente insensato, conforme é a maioria dessas pessoas. Amom era uma das nações que tinha entrado em liga na tentativa de libertar-se da vassalagem à Babilônia (cerca de 593 a.C.; ver Jr 27.1-11). É provável que *Baalis* continuasse sonhando com algo impossível, crendo que Ismael serviria melhor a seus propósitos do que o pacífico e submisso Gedalias. O plano original desenvolveu-se quando o novo Faraó (Hofra) subiu ao trono do Egito e passou a encabeçar a aliança (ver Jr 21.18-23). Nabucodonosor, entretanto, derrubou por terra a aliança que tinha o Egito como cabeça, atacando primeiro (ver Ez 21.18-23). O rei Zedequias provavelmente estava tentando chegar a Amom, ao fugir da cidade de Jerusalém (ver Jr 39.4,5). Parece que Amom ainda não havia recebido o golpe decisivo da parte dos babilônios, e assim pensasse ser forte o bastante para encabeçar uma aliança antibabilônica. Esse era um sonho impossível; mas certas pessoas continuavam sonhando, a despeito de evidências de sua futilidade. É assim que até hoje certos indivíduos continuam alimentando o sonho comunista, a despeito do colapso desse sistema pelo mundo inteiro. Quanto a outros motivos possíveis para o conluio contra a Babilônia, ver a introdução ao capítulo 41.

Gedalias, entretanto, por sua parte, não acreditou no relatório de Joanã e, por isso mesmo, nada fez para proteger-se. Isso selou a sua sorte. Ele sofreria uma morte tola e vergonhosa, às mãos de um fanático. Tudo se devia à política, como era usual.

■ 40.15

וְיוֹחָנָן בֶּן־קָרֵחַ אָמַר אֶל־גְּדַלְיָהוּ בַסֵּתֶר בַּמִּצְפָּה לֵאמֹר אֵלְכָה נָּא וְאַכֶּה אֶת־יִשְׁמָעֵאל בֶּן־נְתַנְיָה וְאִישׁ לֹא יֵדָע לָמָּה יַכֶּכָּה נֶּפֶשׁ וְנָפֹצוּ כָּל־יְהוּדָה הַנִּקְבָּצִים אֵלֶיךָ וְאָבְדָה שְׁאֵרִית יְהוּדָה׃

Todavia Joanã... disse a Gedalias em segredo: Irei agora, e matarei a Ismael. Joanã, um oficial do exército de Judá que, sem dúvida, já matara muitos homens durante sua carreira, pensou que um contra-ataque, um assassinato bem planejado, que livrasse a todos de Ismael, seria vantajoso para o povo de Judá. Portanto, ele estava ansioso para cometer um assassinato não moral. Ele pensou precisar da permissão de Gedalias para o ato de assassinato, que ele julgava ser necessário à manutenção da pouca paz que restava a Judá. Joanã sabia que o fanatismo de Ismael reiniciaria a guerra contra os babilônios e que a matança de judeus prosseguiria. Assim considerou que Gedalias era um aliado indispensável naquela hora. Joanã deve ter ficado consternado quando, em primeiro lugar, o governador não levou a sério sua advertência (vs. 16); e, depois, quando ocorreu o assassinato de Gedalias. Quanto à história toda (Joanã terminou no Egito, forçando Jeremias a acompanhá-lo), ver sobre *Joanã*, primeiro ponto, no *Dicionário*.

■ 40.16

וַיֹּאמֶר גְּדַלְיָהוּ בֶן־אֲחִיקָם אֶל־יוֹחָנָן בֶּן־קָרֵחַ אַל־תַּעַשׂ אֶת־הַדָּבָר הַזֶּה כִּי־שֶׁקֶר אַתָּה דֹבֵר אֶל־יִשְׁמָעֵאל׃ ס

Não faças tal cousa; porque isso que falas contra Ismael é falso. Gedalias ignorou o aviso. E o mais ridículo é o fato de que ele acusou Joanã de ter mentido sobre Ismael, como se Joanã tivesse algo a ganhar por espalhar um falso rumor. Foi uma terrível falta de bom julgamento da parte de Gedalias, bem como uma atitude ingênua acerca do que os fanáticos violentos são capazes de fazer. "Foi um mistério da providência divina que permitiu que um homem reto, a despeito dos avisos recebidos, viesse a cair na armadilha que fora armada para ele. 'O justo é levado antes que venha o mal' (Is 57.1). Essa citação talvez forneça uma resposta possível" (Fausset, *in loc.*). Por outro lado, impera o *caos* neste mundo, e até os homens bons são, algumas vezes, apanhados fora de guarda e têm de sofrer por isso. Devemos orar a respeito do caos todos os dias. Gedalias era um homem honrado, mas cometeu um erro fatal quando julgou erroneamente o caráter de Ismael. "O nobre Gedalias perdeu a vida por não acreditar que *outros* pudessem ser maus de uma maneira em que *ele* mesmo era incapaz de ser" (Adam Clarke, *in loc.*).

CAPÍTULO QUARENTA E UM

O ASSASSINATO DE GEDALIAS (41.1-3)

Este capítulo continua a história que encerrou o capítulo 40. O plano para assassinar Gedalias também foi fácil demais. Foi delineado em meio à traição, enquanto os homens se banqueteavam como dois amigos. O maligno tinha trazido dez outros homens para garantir o sucesso de sua missão perversa. O que ele fez foi pura loucura, inspirada por excesso de patriotismo e autêntico fanatismo em favor de uma causa má. Ver as explicações quanto a possíveis motivos em Jr 40.14. Ismael continuou seguindo seu sonho impossível de fugir do domínio babilônico. Ele estava em liga com Amom e o igualmente insano Baalis. Provavelmente, Ismael tinha seus próprios motivos pessoais e egoístas. Ele pertencia à família real (vs. 1) e, provavelmente, ressentia-se do pouco poder entregue a Gedalias pelos babilônios. Se teria de haver alguém dotado de autoridade em Judá, deveria ser Ismael — assim pensava o próprio Ismael. Além disso, havia o motivo da vingança contra os babilônicos, que mataram os filhos de Zedequias e os conselheiros de Judá, cegaram Zedequias e o deixaram na prisão para apodrecer. Ismael, sem dúvida, tinha parentes envolvidos nesses ultrajes. Ver Jr 39.6,7 e 2Rs 25.6,7. Mas, conforme as coisas sucederam, Ismael acabou desaparecendo no nada, em Amom. Porém, ele estava determinado a desempenhar seu papel e obter o máximo de poder e glória que pudesse. E assim, aquele que queria ser "rei de Judá" e libertador do povo morreu na obscuridade em Amom.

■ 41.1

וַיְהִי בַּחֹדֶשׁ הַשְּׁבִיעִי בָּא יִשְׁמָעֵאל בֶּן־נְתַנְיָה בֶן־אֱלִישָׁמָע מִזֶּרַע הַמְּלוּכָה וְרַבֵּי הַמֶּלֶךְ וַעֲשָׂרָה אֲנָשִׁים אִתּוֹ אֶל־גְּדַלְיָהוּ בֶן־אֲחִיקָם הַמִּצְפָּתָה וַיֹּאכְלוּ שָׁם לֶחֶם יַחְדָּו בַּמִּצְפָּה:

Sucedeu, porém, que no sétimo mês, veio Ismael... e dez homens... a Gedalias. O governador de Judá, Gedalias, foi assassinado no sétimo mês, tishri (setembro-outubro), embora o ano não seja determinado. O exército babilônico esteve em Jerusalém até tão tarde quanto 17 de agosto de 586 a.C. E é improvável que *Ismael* (ver a respeito dele no *Dicionário*) tenha agido enquanto os babilônios estivessem presentes. Mas sua posição como um dos principais oficiais do rei facilitou a traição. Ele jurou lealdade ao governador Gedalias (ver Jr 40.8), mas o que isso lhe interessava? O brutal ato de assassinato foi efetuado em meio a um banquete de comunhão, durante o qual, supostamente, reinava a amizade. Mas que interessava ao assassino esse tipo de vínculo? O assassino pertencia à família real, pelo que, provavelmente, "jogos de poder" foram um de seus principais motivos. Ver no *Dicionário* notas expositivas detalhadas sobre *Ismael (Outros)*, ponto 5.

E ali comeram pão juntos em Mispa. "O ato equivalia ao estabelecimento de um pacto solene, porquanto aquele que se banqueteava com outro sempre era reputado como *amigo*" (Adam Clarke, *in loc.*). John Gill imagina que era época de alguma importante festividade para os judeus, como a lua nova, o primeiro dia do mês ou, talvez, o início do ano novo. Nesse caso, a ocasião festiva retirou da mente de Gedalias qualquer ideia de traição.

■ 41.2

וַיָּקָם יִשְׁמָעֵאל בֶּן־נְתַנְיָה וַעֲשֶׂרֶת הָאֲנָשִׁים אֲשֶׁר־הָיוּ אִתּוֹ וַיַּכּוּ אֶת־גְּדַלְיָהוּ בֶן־אֲחִיקָם בֶּן־שָׁפָן בַּחֶרֶב וַיָּמֶת אֹתוֹ אֲשֶׁר־הִפְקִיד מֶלֶךְ־בָּבֶל בָּאָרֶץ:

Dispuseram-se Ismael... e os dez homens que estavam com ele, e feriram à espada a Gedalias. O assassino Ismael veio bem preparado, com dez homens, de sorte que o plano sanguinário não poderia fracassar. Podemos estar certos de que os oficiais do governador, que o acompanhavam no banquete, também foram eliminados. O rei da Babilônia certamente ficaria desagradado diante do assassinato do governador por ele nomeado, mas o que aqueles homens traiçoeiros se preocupavam com o que Nabucodonosor achasse?

Em seus sonhos estonteantes, aqueles assassinos se imaginavam "libertadores" do povo, expelindo os babilônios de Jerusalém e, eventualmente, de toda a nação de Judá. Naturalmente, o sonho utópico deles fracassaria, mas sua mente e coração estavam por demais sobrecarregados de fantasias para levar isso em conta. "Os convivas assassinaram o hospedeiro na ocasião mesma em que ele os acolhia de braços abertos" (Ellicott, *in loc.*). "... em violação ao direito sagrado da hospitalidade (ver Sl 41.9), o amigo familiar do homem levantou contra ele o calcanhar e feriu seu amigo" (Fausset, *in loc.*). Esse tipo de rebelião é condenada em Rm 13.1. A advertência de Jr 40.13 tinha sido ignorada, e provou ser mortalmente exata. Josefo disse que o vinho tinha fluído à vontade, deixando os homens embriagados e o próprio governador intoxicado, o que facilitou as coisas (ver *Antiq.* 1.10, cap. 9, sec. 4). Provavelmente Josefo estava com a razão, em sua especulação, quando assim escreveu, pois assim transcorriam as festas, usualmente.

■ 41.3

וְאֵת כָּל־הַיְּהוּדִים אֲשֶׁר־הָיוּ אִתּוֹ אֶת־גְּדַלְיָהוּ בַּמִּצְפָּה וְאֶת־הַכַּשְׂדִּים אֲשֶׁר נִמְצְאוּ־שָׁם אֵת אַנְשֵׁי הַמִּלְחָמָה הִכָּה יִשְׁמָעֵאל:

Também matou Ismael a todos os judeus que estavam com Gedalias. Houve grande matança, na qual o "partido de oposição" sofreu severas perdas. Todos os principais oficiais que ajudavam o governador Gedalias estavam presentes e foram mortos, pelo que houve tanto sangue quanto tinha havido vinho. Além disso, os soldados e oficiais babilônicos presentes à festa não foram poupados. Isso, sem dúvida, deixaria indignado o rei da Babilônia, mas os assassinos se arriscaram em seu jogo sanguinário. Cf. este versículo com Jr 40.7-10. *Mispa* tinha-se tornado a capital da Judeia, porquanto Jerusalém fora demolida. Este versículo dá a entender que houve grande matança, a qual fez muitas vítimas entre o pequeno remanescente do povo judeu que não tinha sido deportado para a Babilônia. A principal porção do povo, incluindo Jeremias, Ismael levou para o cativeiro no Egito (ver os vss. 10,11, abaixo). Fugindo para o Egito com seus cativos, Ismael tinha grandes planos, mas Joanã interveio. O assassino escapou e correu para a vergonha e a obscuridade em Amom. Portanto, a proposta utópica logo terminou em miserável confusão, o que acontece à maioria das utopias. Assim foram mortos o pobre Gedalias, seus principais auxiliares e a guarnição de babilônios em Mispa. Não havia fim nas desgraças de Judá. A espada continuava a seguir os judeus por onde quer que eles fossem. A idolatria-adultério--apostasia ainda faria muitas vítimas.

A MATANÇA INSENSATA DE SETENTA PEREGRINOS (41.4-9)

■ 41.4

וַיְהִי בַּיּוֹם הַשֵּׁנִי לְהָמִית אֶת־גְּדַלְיָהוּ וְאִישׁ לֹא יָדָע:

Sucedeu no dia seguinte ao em que ele matara a Gedalias, sem ninguém o saber. É difícil determinar por qual motivo o enlouquecido Ismael julgou necessário matar aquela gente inocente. Eram *peregrinos desarmados*. Talvez a única razão tenha sido furtar-lhes os bens para prover o "salário" daquele dia. Dez deles salvaram--se entregando aos assassinos trigo, cevada, azeite e mel (vs. 8). Seja como for, a matança cruel demonstrou o verdadeiro caráter de Ismael e de seus homens "desesperados". Os seguidores de Ismael pregavam reforma e libertação, mas, na realidade, eram apenas criminosos comuns. "No dia seguinte, Ismael interceptou um grupo de peregrinos que vinha do norte e se dirigia a Jerusalém. Ele os atraiu a Mispa e mandou matar a todos, com a exceção de dez que escaparam com vida em troca dos alimentos que tinham trazido. Após lançar os cadáveres dos mortos em uma antiga cisterna (cf. 1Rs 15.22), os assassinos tomaram o povo restante que havia em Mispa e se dirigiram com eles para Amom" (*Oxford Annotated Bible,* comentando sobre o vs. 4).

No dia seguinte. O assassinato tornou-se um esporte, e Ismael estava ocupado na série de jogos esportivos. No dia seguinte ao do assassinato de Gedalias e de outros que o acompanhavam, relatado no vs. 2, o enlouquecido Ismael fez sua barbaridade voltar-se contra o inocente grupo de peregrinos desarmados. O segundo assassinato ocorreu tão perto do primeiro que as notícias da primeira brutalidade não tiveram tempo de se espalhar. Os "libertadores" não passavam de assassinos criminosos, e a revolução deles, sem dúvida, era efetuada em nome de Yahweh. Mispa, sem dúvida, vivia o caos, por causa do primeiro assassinato em massa, mas o interior do país estava em paz, pelo que os peregrinos se dirigiam a Jerusalém em meio a suposta segurança. Mas seriam interceptados por uma fera selvagem.

■ **41.5**

וַיָּבֹאוּ אֲנָשִׁים מִשְּׁכֶם מִשִּׁלוֹ וּמִשֹּׁמְרוֹן שְׁמֹנִים אִישׁ מְגֻלְּחֵי זָקָן וּקְרֻעֵי בְגָדִים וּמִתְגֹּדְדִים וּמִנְחָה וּלְבוֹנָה בְּיָדָם לְהָבִיא בֵּית יְהוָה׃

Oitenta homens, com a barba raspada, as vestes rasgadas e o corpo retalhado. *Os Lamentadores.* Oitenta homens de Siquém, Silo e Samaria (homens do ex-reino do norte) estavam a caminho de Jerusalém para oferecer sacrifícios no templo parcialmente restaurado. Eles lamentavam os terríveis acontecimentos dos meses recentes, a destruição da cidade e do templo, assim como a deportação da maior parte da população, que havia sobrevivido diante da série de ataques devastadores do exército babilônio. Eles rasparam a barba, em sinal de consternação. Também rasgaram as vestes, outro sinal de lamentação. Ver no *Dicionário* o verbete denominado *Vestimentas, Rasgar das.* No entanto, os peregrinos exageraram quando se mutilaram (com múltiplos golpes), o que era proibido pela legislação mosaica. Ver Lv 19.28 e Dt 14.1.

A automutilação era uma prática pagã, e os remanescentes dos israelitas, deixados após o cativeiro assírio, que se misturaram por casamento a diversos povos pagãos, levados para o território do reino do norte, Israel, pelos assírios, tinham adotado muitas práticas pagãs. Não obstante, continuava havendo veneração a Jerusalém e seu templo. Podemos supor corretamente que a "restauração" do templo era uma coisa crua, mas, pelo menos, o lugar era apropriado e serviria aos propósitos dos peregrinos. Jarchi e Kimchi supuseram que aqueles peregrinos não tinham ouvido falar na destruição do templo. Se esse foi, realmente, o caso, é possível que não tenha havido nenhuma restauração do templo, e a ideia inteira de oferecer sacrifícios no templo era apenas uma fantasia. Seja como for, as intenções deles eram boas, e eles efetuariam as oferendas tradicionais, especialmente as ofertas de cereais (ofertas pacíficas), e queimariam incenso, que representava a oração. Que o templo fora incendiado, disso 2Rs 25.9 nos faz saber. Mas o lugar onde estivera o templo era considerado sagrado, e por isso suficiente para os peregrinos. Infelizmente para eles, Mispa ficava no meio do caminho que conduzia à antiga capital, Jerusalém, e em ali eles encontrariam sua sorte lamentável e inesperada.

■ **41.6**

וַיֵּצֵא יִשְׁמָעֵאל בֶּן־נְתַנְיָה לִקְרָאתָם מִן־הַמִּצְפָּה הֹלֵךְ הָלֹךְ וּבֹכֶה וַיְהִי כִּפְגֹשׁ אֹתָם וַיֹּאמֶר אֲלֵיהֶם בֹּאוּ אֶל־ גְּדַלְיָהוּ בֶּן־אֲחִיקָם׃ ס

Saindo-lhes ao encontro Ismael, filho de Netanias, de Mispa, ia chorando. Ismael pespegou naqueles peregrinos um jogo doentio, chorando como se estivesse de coração partido. Ele convidou os peregrinos a entrar na cidade, para lamentarem por um terrível mas não revelado acontecimento na "nova capital". O presente versículo pode dar a entender que ele lhes falou do assassinato do governador e disse-lhes que deveriam entrar em Mispa para ajudar nas lamentações, o que seria o "dever sagrado". Mas talvez suas lágrimas fossem apenas uma imitação zombeteira do que faziam os peregrinos, que choravam "por Jerusalém". Nesse caso, o convite de Ismael para os peregrinos entrarem na cidade de Mispa talvez tenha sido interpretado como um gesto de hospitalidade. Além disso, os peregrinos estavam famintos e sedentos, e uma parada ao longo do caminho haveria de ajudá-los. Portanto, Ismael ofereceu-lhes a oportunidade de "descanso", embora, na verdade, os estivesse convidando para serem assassinados. A Septuaginta faz o choro ser dos peregrinos, e não do hipócrita Ismael; porém, não há razão alguma para duvidarmos do ato ridículo de Ismael para enganar aqueles peregrinos, conduzindo-os à morte.

■ **41.7**

וַיְהִי כְּבוֹאָם אֶל־תּוֹךְ הָעִיר וַיִּשְׁחָטֵם יִשְׁמָעֵאל בֶּן־ נְתַנְיָה אֶל־תּוֹךְ הַבּוֹר הוּא וְהָאֲנָשִׁים אֲשֶׁר־אִתּוֹ׃

Vindo eles, porém, até ao meio da cidade, matou-os Ismael. O *insano Ismael* imediatamente matou aqueles inocentes, coitados e desarmados peregrinos, e lançou seus corpos em uma cisterna. A razão disto, provavelmente, era que ele queria roubar os bens deles. É forçar a imaginação supor que a matança foi efetuada como vingança contra os peregrinos, por serem eles apoiadores de Gedalias. Foi apenas uma questão de "ficar com os bens materiais". Ismael e seus homens ganhavam a vida mediante o derramamento de sangue; pois os bens de suas vítimas tornavam-se seus *salários*. O vs. 9 identifica a cisterna onde aqueles pobres homens foram lançados. Ismael lhes disse: "Vinde conhecer o governador" ou então: "Vinde ajudar a lamentar pela morte do governador". Mas na verdade o que ele quis dizer foi: "Vinde ser mortos, para que eu possa ficar com os vossos bens". Esse era o "homem bom" que queria tomar o poder em Judá; ele era um típico matador-revolucionário-reformador. O crime gera o crime, e, nesse processo, os criminosos perdem a consciência e a matança torna-se um esporte sanguinário.

■ **41.8**

וַעֲשָׂרָה אֲנָשִׁים נִמְצְאוּ־בָם וַיֹּאמְרוּ אֶל־יִשְׁמָעֵאל אַל־ תְּמִתֵנוּ כִּי־יֶשׁ־לָנוּ מַטְמֹנִים בַּשָּׂדֶה חִטִּים וּשְׂעֹרִים וְשֶׁמֶן וּדְבָשׁ וַיֶּחְדַּל וְלֹא הֱמִיתָם בְּתוֹךְ אֲחֵיהֶם׃

Mas houve dentre eles dez homens que disseram a Ismael: Não nos mates. Os *peregrinos,* observando que Ismael matava em troca de dinheiro, tentaram salvar a própria vida, entregando todos os bens (cereais, azeite, mel e demais produtos da terra) à fera humana. Não somos informados sobre como essa fera coletaria os bens, mas, sem dúvida, alguma forma de acordo foi estabelecida. Talvez ele tenha apresentado seu caso como nobre, guardando parte dos bens mal adquiridos em um armazém, como que para apoiar algum tipo de esforço de guerrilheiros que lutassem contra a Babilônia. Seja como for, os bens daquela pobre gente foram o preço da redenção, conforme Pv 13.8 diz que pode acontecer. A ganância de Ismael ganhou de sua sede por sangue, pelo menos no caso daqueles dez homens. Ademais, ele já tinha bebido o sangue dos outros setenta, pelo que deve ter ficado satisfeito por "aquele dia".

■ **41.9**

וְהַבּוֹר אֲשֶׁר הִשְׁלִיךְ שָׁם יִשְׁמָעֵאל אֵת כָּל־פִּגְרֵי הָאֲנָשִׁים אֲשֶׁר הִכָּה בְּיַד־גְּדַלְיָהוּ הוּא אֲשֶׁר עָשָׂה הַמֶּלֶךְ אָסָא מִפְּנֵי בַּעְשָׁא מֶלֶךְ־יִשְׂרָאֵל אֹתוֹ מִלֵּא יִשְׁמָעֵאל בֶּן־נְתַנְיָהוּ חֲלָלִים׃

O poço, em que Ismael lançou todos os cadáveres dos homens que ferira além de Gedalias, é o mesmo que fez o rei Asa. As palavras que aparecem no original hebraico são "por causa de Gedalias"; e, se isso está correto, então parece favorecer uma "declaração política": aqueles peregrinos apoiavam o antigo governador, Gedalias (não somos informados de que forma), pelo que deveriam morrer. A Septuaginta não fazia sentido dessa referência, pelo que diz "era a cisterna grande", uma emenda óbvia, com base em uma referência obscura. A versão portuguesa que estamos usando, a Atualizada, na tentativa de reter o texto hebraico, traduz a frase por "que ferido além de Gedalias". Isso faz sentido, mas não é o que o texto hebraico literal diz.

Seja como for, a cisterna foi aquela escavada pelo rei Asa cerca de trezentos anos antes, como parte do aprimoramento das defesas da cidade. Ver a história em 1Rs 15.16-22. A cisterna que fora construída para ajudar a preservar a vida dos judeus agora se tornara o sepulcro horrendo das vítimas da matança em massa! Ellicott (*in loc.*) sugeriu a interpretação que diz "por causa de Gedalias", com o sentido de "usando o nome de Gedalias para enganar os peregrinos". Talvez sim, talvez não. O autor não nos poupa o detalhe sanguinário de que a cisterna ficou cheia até a beira com os cadáveres dos setenta peregrinos mortos!

CAPTURA DOS HABITANTES DE MISPA (41.10)

■ 41.10

וַיִּשְׁבְּ יִשְׁמָעֵאל אֶת־כָּל־שְׁאֵרִית הָעָם אֲשֶׁר בַּמִּצְפָּה
אֶת־בְּנוֹת הַמֶּלֶךְ וְאֶת־כָּל־הָעָם הַנִּשְׁאָרִים בַּמִּצְפָּה
אֲשֶׁר הִפְקִיד נְבוּזַרְאֲדָן רַב־טַבָּחִים אֶת־גְּדַלְיָהוּ בֶּן־
אֲחִיקָם וַיִּשְׁבֵּם יִשְׁמָעֵאל בֶּן־נְתַנְיָה וַיֵּלֶךְ לַעֲבֹר אֶל־
בְּנֵי עַמּוֹן: ס

Ismael levou cativo todo o resto do povo que estava em Mispa. Uma desgraça seguia-se a outra. Ismael era homem de confusões e não deu descanso a ninguém. Notícias de seus crimes se espalharam, e em breve ele estava sendo perseguido. Mas em vez de deixar a questão horrenda como estava, ele foi inspirado a perpetrar ainda outro crime. Ismael tomou cativo o povo de Mispa e fugiu com eles na direção da terra dos amonitas, na Transjordânia. Ele estava em ligação com o rei Baalis, dos filhos de Amom, segundo vemos em Jr 40.14. *Nebuzaradã* era o comandante militar do rei da Babilônia, que fora amigo de Jeremias e estava encarregado de manter a ordem na nova capital, Mispa. Ver sobre ele no *Dicionário*. Sua missão, porém, sofrera um golpe rígido através dos atos do enlouquecido Ismael.

Os filhos de Amom estiveram em aliança com Zedequias (ver Jr 27.3), e Ismael parece ter acreditado que encontraria refúgio entre eles. Porém, havia algo mais envolvido. É provável que ele tinha sido enviado pelo rei com o propósito específico de matar o pobre Gedalias, como parte de alguma luta política doentia que visava vantagens pessoais. Os filhos de Gedalias estavam mortos, e as suas filhas foram levadas para engrossar os haréns dos amonitas, e isso realmente teria acontecido, se Joanã não tivesse intervindo.

A INTERVENÇÃO DE JOANÃ (41.11-18)

■ 41.11

וַיִּשְׁמַע יוֹחָנָן בֶּן־קָרֵחַ וְכָל־שָׂרֵי הַחֲיָלִים אֲשֶׁר אִתּוֹ
אֵת כָּל־הָרָעָה אֲשֶׁר עָשָׂה יִשְׁמָעֵאל בֶּן־נְתַנְיָה:

Ouvindo, pois, Joanã... todo o mal que havia feito Ismael. Os líderes leais de Judá, que tinham sobrevivido às diversas matanças provocadas pelo exército babilônico, ouviram falar dos crimes de Ismael e de como ele estava levando os cativos de Mispa. Encabeçados por Joanã, eles correram para interceptar a rota seguida por Ismael e libertar os cativos. *Joanã* é um nome comum no Antigo Testamento. O "Joanã" deste texto é discutido no *Dicionário*, sob o primeiro ponto. Jr 40.16 mostra que esse homem sabia do conluio para matar a Gedalias e até o tinha avisado do possível assassinato, mas o governador recusara a dar-lhe ouvidos. Subsequentemente, Joanã tomou o restante do povo, juntamente com Jeremias, para o Egito (ver Jr 43.5-7). E ali, provavelmente, passado algum tempo, Jeremias morreu. Mas, pelo menos, sua missão estava cumprida. Jr 41.6 e 42.22 contam a história da liderança de Jeremias, depois do assassinato do governador, Gedalias.

■ 41.12

וַיִּקְחוּ אֶת־כָּל־הָאֲנָשִׁים וַיֵּלְכוּ לְהִלָּחֵם עִם־יִשְׁמָעֵאל
בֶּן־נְתַנְיָה וַיִּמְצְאוּ אֹתוֹ אֶל־מַיִם רַבִּים אֲשֶׁר בְּגִבְעוֹן:

Tomaram consigo todos os seus homens, e foram pelejar contra Ismael. Foi em Gibeom (ver a respeito no *Dicionário*) que Joanã alcançou Ismael, seus apoiadores e seus cativos. Gibeom tem sido identificada com a moderna aldeia de *Ej-Jib,* a cerca de 5 km de Tell en-Nasbeh (Mispa). Porém, alguns identificam Mispa com Nebi Samwil. Seja como for, o lugar da interceptação não estava longe do ponto de partida. 2Sm 2.13 menciona um poço em Gibeom que provavelmente deve ser identificado com as "grandes águas" do presente versículo. Os arqueólogos descobriram os restos de um grande tanque, com cerca de 36 m por 30 m, no lado leste da colina da área da cidade antiga, e isso pode corresponder às informações dadas neste versículo. Joabe e Abner entraram em conflito ali. Mas Josefo afirmou que Joanã atacou Ismael no poço de Hebrom (ver *Antiq.* x.9-15). Contudo, isso seria distante demais da rota que o homem deve ter tomado se estivesse fugindo para Amom. O Targum chama o poço de Gibeom de "poço de muitas águas", pelo que havia água abundante naquele lugar.

■ 41.13,14

וַיְהִי כִּרְאוֹת כָּל־הָעָם אֲשֶׁר אֶת־יִשְׁמָעֵאל אֶת־יוֹחָנָן
בֶּן־קָרֵחַ וְאֵת כָּל־שָׂרֵי הַחֲיָלִים אֲשֶׁר אִתּוֹ וַיִּשְׂמָחוּ:
וַיָּסֹבּוּ כָּל־הָעָם אֲשֶׁר־שָׁבָה יִשְׁמָעֵאל מִן־הַמִּצְפָּה
וַיָּשֻׁבוּ וַיֵּלְכוּ אֶל־יוֹחָנָן בֶּן־קָרֵחַ:

Ora todo o povo que estava com Ismael se alegrou quando viu a Joanã. A visão de Joanã, que se apressava em intervir em seu favor, alegrou aqueles miseráveis cativos, para dizermos o mínimo, porquanto algum fim terrível esperava por eles, que estavam sendo levados para o território de Amom. No meio da surpresa e da súbita reversão das condições, os cativos foram capazes de uma rápida manobra para aproximar-se de Joanã, livrando-se do ensandecido Ismael, conforme somos informados no vs. 14. Eles voltaram as costas para Ismael e marcharam diretamente para Joanã e para a liberdade. Temos nisso um exemplo de "livramento de último minuto" ou "intervenção", de que todos os indivíduos espirituais necessitam, ocasionalmente, quando as coisas fogem de seu controle. Assim sendo, este incidente prové uma ilustração sobre uma das mais preciosas provisões da vida: a *ajuda divina,* em momentos de desespero, indecisão e medo.

■ 41.15

וְיִשְׁמָעֵאל בֶּן־נְתַנְיָה נִמְלַט בִּשְׁמֹנָה אֲנָשִׁים מִפְּנֵי יוֹחָנָן
וַיֵּלֶךְ אֶל־בְּנֵי עַמּוֹן: ס

Mas Ismael... escapou de Joanã com oito homens, e se foi para os filhos de Amom. Os poucos dias de matança de Ismael, que assim se divertiu, de súbito chegaram ao fim, mas o dano estava feito. Poderíamos esperar que houvesse "vingança" ali mesmo; mas o réprobo Ismael conseguiu escapar e continuar sua jornada até Amom, onde, sem dúvida, morreu na obscuridade, que ele merecia ricamente. Aquele que "queria ser rei" viveu e morreu como se fosse outro "rato do deserto". Ismael escapou com oito dos dez homens que o apoiavam, e os outros dois, sem dúvida, foram mortos na breve luta com as forças de Joanã. Por conseguinte, temos aqui uma ilustração de como os ímpios escapam com pouca perda, em comparação com a confusão que causam. Contudo, podemos estar certos de que o julgamento divino cuida deles. Ver o vs. 1 deste capítulo quanto aos *dez homens* de Ismael.

■ 41.16

וַיִּקַּח יוֹחָנָן בֶּן־קָרֵחַ וְכָל־שָׂרֵי הַחֲיָלִים אֲשֶׁר־אִתּוֹ
אֵת כָּל־שְׁאֵרִית הָעָם אֲשֶׁר הֵשִׁיב מֵאֵת יִשְׁמָעֵאל בֶּן־
נְתַנְיָה מִן־הַמִּצְפָּה אַחַר הִכָּה אֶת־גְּדַלְיָה בֶּן־אֲחִיקָם
גְּבָרִים אַנְשֵׁי הַמִּלְחָמָה וְנָשִׁים וְטַף וְסָרִסִים אֲשֶׁר
הֵשִׁיב מִגִּבְעוֹן:

Tomou então Joanã... e todos os príncipes dos exércitos que estavam com ele. Este versículo lista, com maiores detalhes, a natureza dos cativos que Ismael havia tomado: soldados, mulheres (entre as quais as filhas de Zedequias), eunucos, que tomavam conta do harém real, filhos, que pertenciam às filhas reais, esposas reais e, sem dúvida, outras das famílias dos oficiais, a maioria dos quais já tinha morrido às mãos dos bárbaros babilônicos. Joanã evitou Mispa como um lugar maldito e perigoso, e continuou até Gibeom e daí foi para Gerute-Quimã. Seu alvo real, entretanto, era o Egito. Ele estava cansado das matanças provocadas pelos babilônios e por outros elementos sanguinários, como Ismael, e buscava a paz, longe da cena daquela série de tragédias. Para Joanã, Judá era uma causa perdida, e ele estava alegre por escrever *fim* sobre toda aquela tremenda confusão, e também agiu contra os conselhos de Jeremias, registrados no capítulo 42.

■ 41.17

וַיֵּלְכוּ וַיֵּשְׁבוּ בְּגֵרוּת כְּמֹוהָם אֲשֶׁר־אֵצֶל בֵּית לָחֶם
לָלֶכֶת לָבוֹא מִצְרָיִם׃

Partiram e pararam em Gerute-Quimã, que está perto de Belém. De Gibeom, o grupo partiu para *Gerute-Quimã,* localidade sobre a qual há um artigo no *Dicionário.* Ficava perto de Belém, mas não foi, até hoje, positivamente identificada com nenhuma localização moderna. Serviu de ponto de parada para Joanã e seu grupo, antes de haverem descido ao Egito. O Targum diz que Gerute-Quimã era um lugar que Davi doara a Quimã, filho de Barzilai, o gileadita. Talvez pertencesse ao patrimônio da família real e foi concedido como dádiva a Quimã porquanto o pai dele mostrara ao rei Davi certa gentileza, em uma hora de necessidade, quando ele fugia de Absalão. Ver 2Sm 19.34,37-40. No ano de jubileu, o terreno voltou, sem dúvida, a pertencer à coroa de Judá, mas reteve seu nome anterior. O lugar, ao que tudo indica, ficava a cerca de 21 km de Gibeom.

■ 41.18

מִפְּנֵי הַכַּשְׂדִּים כִּי יָרְאוּ מִפְּנֵיהֶם כִּי־הִכָּה יִשְׁמָעֵאל
בֶּן־נְתַנְיָה אֶת־גְּדַלְיָהוּ בֶּן־אֲחִיקָם אֲשֶׁר־הִפְקִיד
מֶלֶךְ־בָּבֶל בָּאָרֶץ׃ ס

Por causa dos caldeus; porque os temiam, por ter Ismael... ferido a Gedalias. Joanã, exausto diante do caos, da anarquia e das matanças, agora estava a caminho da segurança, no Egito. Estava encerrando o capítulo sobre a "questão judaica", alegre por ter-se afastado definitivamente de toda aquela loucura. Temia os babilônios. Por que haveria de confiar em um país tão bárbaro? Mas ocorreriam mais desgraças. Ele até poderia ser acusado de ajudar Ismael a realizar seus miseráveis assassinatos, e terminar executado por algum soldado babilônio. Não se arriscaria inutilmente. Coisa alguma o inspirava a confiar nos babilônios ou em qualquer governo títere que os babilônios estabelecessem em Judá. Ele queria escapar de tudo isso. O conselho de Jeremias deveria ter sido procurado quanto à questão, mas Joanã já tinha resolvido fugir para o Egito. Ele não escutaria mais nenhuma conversa sobre como as coisas poderiam melhorar. O capítulo 42 relata a consulta de Joanã com Jeremias. Mas o próprio Jeremias seria forçado a acompanhá-lo ao Egito, embora tivesse aconselhado que o grupo ficasse em Judá na tentativa de reconstruir a nação. O capítulo 44 mostra-nos que a mesma espada, fome e pestilência que tinham devastado os judeus em Judá, seguiria o remanescente ao Egito, causando desgraças similares (ver Jr 44.13). Isso aconteceu porque eles não obedeceram aos conselhos do profeta Jeremias, mas preferiram seguir seu próprio caminho. O remanescente que tinha fugido para o Egito haveria de cair na idolatria, uma vez chegando àquele lugar, e ainda mais desastres aconteceriam.

CAPÍTULO QUARENTA E DOIS

A FUGA PARA O EGITO (42.1—43.7)

Não há nenhuma menção a Jeremias no trecho de Jr 40.7—41.18. Mas agora o vemos sendo convidado a dar conselhos sobre o plano de fuga para o Egito. E Jeremias permanecerá no centro da narrativa até Jr 44.30. A liderança de Joanã é descrita em Jr 41.16—42.22 e, a despeito de suas boas qualidades, ele é lembrado como homem que permitia que o temor governasse sua vida, e fazia desviar-se aqueles que estavam sob sua autoridade. Ele se tornou uma espécie de governador autonomeado do povo que abandonou a pátria temendo os bárbaros babilônios, e preferiu os egípcios idólatras e pagãos como compatriotas. Como era usual, as coisas acabariam redundando no mal. Era um tempo de caos e perda, tudo devido, em última análise, à idolatria-adultério-apostasia de Judá, a qual teria de receber a retaliação do julgamento divino.

O REMANESCENTE CONSULTA JEREMIAS (42.1-6)

Os poucos sobreviventes da matança causada por Ismael contra os habitantes de Mispa (Jr 41) resolveram buscar a vontade de Yahweh acerca da fuga proposta para o Egito, que foi uma ideia de Joanã. Provavelmente os consultores eram sinceros, mas, como tantos outros que buscam conselhos, eles na verdade já tinham resolvido para onde iriam e tão somente esperavam que Jeremias aprovasse seus planos. Ficar na Judeia era algo precário. Se não viessem desgraças da parte dos babilônios, viriam de rebeldes dentro da própria nação de Judá. Jeremias e seu amanuense, Baruque, provavelmente estavam entre os que habitavam a capital improvisada, Mispa. Talvez estivessem entre os cativos levados por Ismael, que foram salvos por Joanã e seus soldados, conforme registrado na última porção do capítulo 41 do livro de Jeremias. Seja como for, o povo sabia onde residia o profeta do Senhor e, assim sendo, ele estava disponível para ser consultado.

■ 42.1

וַיִּגְּשׁוּ כָּל־שָׂרֵי הַחֲיָלִים וְיוֹחָנָן בֶּן־קָרֵחַ וִיזַנְיָה בֶּן־
הוֹשַׁעְיָה וְכָל־הָעָם מִקָּטֹן וְעַד־גָּדוֹל׃

Então chegaram todos os capitães dos exércitos, e Joanã. O "grande" mas, na verdade, "pequeno" conselho que fora deixado para governar o pouco que restava de Judá resolveu consultar Jeremias acerca do que deveria ser feito, e se eles deveriam fugir ou não para o Egito. "Antes de continuar, todos os oficiais do exército, incluindo Joanã e Jezanias (chamado Azarias em Jr 43.2), filho de Hosaías, e todo o povo restante, resolveram procurar a orientação de Deus quanto à jornada. E assim, pediram que Jeremias orasse em favor deles. Eles queriam que Deus lhes dissesse onde deveriam ir e o que deveriam fazer. Eles já tinham resolvido fugir do território de Israel, mas o destino permanecia incerto (embora Jr 42.14 e 43.7 deem a entender que eles já planejavam ir para o Egito)" (Charles H. Dyer, *in loc.*). Ver no *Dicionário* os nomes próprios aqui existentes, quanto a detalhes.

■ 42.2

וַיֹּאמְרוּ אֶל־יִרְמְיָהוּ הַנָּבִיא תִּפָּל־נָא תְחִנָּתֵנוּ לְפָנֶיךָ
וְהִתְפַּלֵּל בַּעֲדֵנוּ אֶל־יְהוָה אֱלֹהֶיךָ בְּעַד כָּל־הַשְּׁאֵרִית
הַזֹּאת כִּי־נִשְׁאַרְנוּ מְעַט מֵהַרְבֵּה כַּאֲשֶׁר עֵינֶיךָ רֹאוֹת
אֹתָנוּ׃

Apresentamos-te a nossa humilde súplica, a fim de que rogues ao Senhor teu Deus por nós. O *minúsculo remanescente,* tão humilhado e abatido (conforme Jeremias foi chamado para testemunhar), apelou que o profeta lhes mostrasse o caminho. Eles fizeram sua anelante "súplica" e queriam que Yahweh-Elohim (Deus Eterno e Todo-poderoso) fosse consultado; porém, ao obter a resposta da consulta, eles a negligenciaram e foram para o Egito, conforme tinham em mente o tempo todo. Tal é a perversidade da mente humana. Todavia, a espada, a fome e a pestilência os seguiriam (ver Jr 44.12,13), conforme normalmente acontecia aos judeus. A idolatria-adultério-apostasia deixou os judeus em tão pouco número e, no Egito, eles cairiam de novo na idolatria, apesar das duras e intermináveis lições enviadas para purificá-los. Eles estavam prestes a entregar-se nos braços do Egito vizinho, que, para eles, eram braços protetores. Essa foi outra escolha errada, mas apenas mais um elo na corrente de desvios mentais dos filhos de Israel.

■ 42.3

וְיַגֶּד־לָנוּ יְהוָה אֱלֹהֶיךָ אֶת־הַדֶּרֶךְ אֲשֶׁר נֵלֶךְ־בָּהּ
וְאֶת־הַדָּבָר אֲשֶׁר נַעֲשֶׂה׃

A fim de que o Senhor teu Deus nos mostre o caminho por onde havemos de andar. Ver no *Dicionário* o verbete sobre a metáfora do *Andar.* O ato de andar é uma questão de dar passo após passo, uma série de quedas interrompidas que leva a algum lugar ou estado predeterminado. O minúsculo remanescente de Judá queria a orientação de Yahweh-Elohim (ver o vs. 2), o qual, naquele versículo, assim como aqui, é chamado de "teu Deus". Jeremias, em contraste com as massas populares de Israel, é que não tinha apostatado, e seu Deus sempre fora Yahweh. "Eles desejavam que Yahweh *autorizasse* o que eles já haviam determinado, sem se importar se isso estivesse em consonância ou não com sua vontade. Ver sobre o mensageiro de Acabe ao consultar Micaías (em 1Rs 22.13). Cf. a resposta de Jeremias (vs. 4) com a resposta de Micaías (ver 1Rs 22.14)" (Fausset, *in loc.*).

■ 42.4

וַיֹּאמֶר אֲלֵיהֶם יִרְמְיָהוּ הַנָּבִיא שָׁמַעְתִּי הִנְנִי מִתְפַּלֵּל אֶל־יְהוָה אֱלֹהֵיכֶם כְּדִבְרֵיכֶם וְהָיָה כָּל־הַדָּבָר אֲשֶׁר־יַעֲנֶה יְהוָה אֶתְכֶם אַגִּיד לָכֶם לֹא־אֶמְנַע מִכֶּם דָּבָר׃

Já vos ouvi; eis que orarei ao Senhor vosso Deus segundo o vosso pedido. Jeremias poderia estar tão amargurado com aquele povo tendente ao desvio, que poderia recusar-se a ter mais qualquer relacionamento com eles, porém separou *dez dias* (ver o vs. 7) para certificar-se de que entendia a vontade de Yahweh. O profeta entrou em oração intercessória para ter certeza de que obteria a resposta correta para o problema. Ver no *Dicionário* o artigo chamado *Oração*. Na qualidade de povo escolhido de Deus, Judá tinha obrigação de obedecer à vontade do Senhor. Ver Êx 19.5,6; 1Co 6.19,20. Coisa alguma seria feita às escondidas. Cf. 1Sm 3.18 e At 20.20. Uma completa e correta resposta estava prestes a ser dada a Jeremias.

■ 42.5

וְהֵמָּה אָמְרוּ אֶל־יִרְמְיָהוּ יְהִי יְהוָה בָּנוּ לְעֵד אֱמֶת וְנֶאֱמָן אִם־לֹא כְּכָל־הַדָּבָר אֲשֶׁר יִשְׁלָחֲךָ יְהוָה אֱלֹהֶיךָ אֵלֵינוּ כֵּן נַעֲשֶׂה׃

Seja o Senhor testemunha verdadeira e fiel contra nós, se não fizermos segundo toda a palavra... Aqueles réprobos concordaram, falsamente e mediante solene juramento, de que seguiriam qualquer orientação que lhes fosse dada, mas a narrativa que se segue mostra que eles a violaram despudoradamente. Yahweh foi uma testemunha fiel e verdadeira da promessa deles, e haveria de vingar qualquer violação da promessa. "O enfático juramento subentende que eles já tinham aceitado a punição que o justo Juiz aplicaria caso eles se mostrassem infiéis à promessa feita" (Ellicott, *in loc.*). Portanto, aqui, como em muitos outros lugares das Sagradas Escrituras, temos uma ilustração de quão fracos são os homens, incluindo os supostamente espirituais. Em um momento, a resolução humana é forte, mas assim que a causa do bem é abandonada, quando os homens são sujeitos à pressão, interna ou externa, toda aquela resolução é abandonada. Quanto ao Senhor sendo chamado como testemunha, mediante juramento, cf. Gn 31.50; Sl 89.37; Ap 1.5; 3.14 e 19.11. Os homens anseiam por estabelecer alianças com Deus ou com os homens, quando isso lhes é vantajoso. E, pela mesma razão, anelam por quebrar suas alianças com Deus ou com os semelhantes.

■ 42.6

אִם־טוֹב וְאִם־רָע בְּקוֹל יְהוָה אֱלֹהֵינוּ אֲשֶׁר אֲנוּ שֹׁלְחִים אֹתְךָ אֵלָיו נִשְׁמָע לְמַעַן אֲשֶׁר יִיטַב־לָנוּ כִּי נִשְׁמַע בְּקוֹל יְהוָה אֱלֹהֵינוּ׃ ס

Seja ela boa, ou seja má, obedeceremos à voz do Senhor nosso Deus. O remanescente judaico declarou enfaticamente sua intenção de *obedecer* a qualquer coisa que Yahweh ordenasse. Não temos razão alguma para duvidar da sinceridade deles em tudo isso; mas eles eram tão fracos que suas mais decididas resoluções sempre se reduziam a nada, quando submetidos à mais leve pressão. Eles tinham concordado em obedecer mesmo à ordem divina mais *desagradável*, que fosse contra seus desejos e inclinações. Sua piedade momentânea inspirou-os a falar palavras tão bonitas. Porém, chegado o momento da decisão, a debilidade deles anularia toda a declarada firmeza. As palavras deles não tinham "valor em dinheiro", ou seja, não tinham *resultados concretos*. Nas palavras deles havia nobreza, mas vileza em suas ações. Finalmente, eles não agiram "em consonância com suas promessas. E, o que era pior ainda, nem ao menos tencionavam agir daquela maneira! Que miserável cena de hipocrisia encontramos aqui!" (John Gill, *in loc.*).

A RESPOSTA DE YAHWEH (42.7-22)

Esta seção, longa e repetitiva como é, tem os sinais de identificação do editor deuteronômico que, aparentemente, tomou a resposta de Jeremias e a transformou em um longo discurso. Ele preservou a essência da resposta do profeta, mas a embelezou com sua própria composição. Ou então, pelo menos, essa parece ser a verdade da questão. Os vss. 10,11,13,18 e 22, especialmente, parecem ser trabalho desse editor. A essência da resposta do profeta está nos vss. 10-12, que tem forma poética suficiente para subentender que Jeremias está por trás deles. Jeremias escrevia sob forma poética, mas o editor usualmente adicionava seu material sob forma prosaica.

■ 42.7

וַיְהִי מִקֵּץ עֲשֶׂרֶת יָמִים וַיְהִי דְבַר־יְהוָה אֶל־יִרְמְיָהוּ׃

Sumário. "Jeremias orou pelo povo e, dez dias mais tarde, Deus respondeu à sua petição. Jeremias reuniu o povo e lhes transmitiu a resposta divina. *Se* eles permanecessem na Terra Prometida, Deus prometeu que os edificaria. Eles não deveriam temer os babilônios, porque Deus os livraria de todo dano que viesse da parte deles. De fato, Deus garantiu que Nabucodonosor teria *compaixão* (no hebraico, *raham*, 'mostrar terna preocupação'), o que não era uma característica própria dos babilônios. E Deus também prometeu que eles retornariam à Terra Prometida" (Charles H. Dyer, *in loc.*).

Não sabemos dizer por qual motivo foram necessários dez dias para Jeremias obter a resposta de Yahweh; mas podemos imaginar que até a mente divina se cansou de tanta hipocrisia e debilidade, e não se importou em dar outro oráculo inútil a Jeremias imediatamente. Mas a resposta divina finalmente veio, e devemos supor que houve *razões* para adiar a resposta para a oração.

> Ensina-me a paciência das orações não respondidas.
>
> George Croly

Jeremias tinha encorajado o povo a estabelecer-se na Terra Prometida e a ser bons cidadãos, obedecendo aos mestres babilônicos, e isso é verdade tanto no tocante aos que estavam cativos na Babilônia como aos que continuavam no território de Judá (ver Jr 29.1-14). Mas adversidades tais prosseguiram que se tornou difícil obedecer ao mandamento divino. Era apenas natural querer fugir e afastar-se do lugar onde calamidade após calamidade se havia abatido. Talvez tais considerações e temores tenham servido de instrumentos para fazer a luz brilhar através da névoa somente depois de certo número de dias. O importante a observar aqui é que a intercessão contínua de um homem bom finalmente produz os efeitos esperados: uma *resposta verdadeira* foi dada, embora não a resposta que o povo judeu esperava. "A verdadeira obediência se inclina diante do tempo de Deus" (Fausset, *in loc.*).

■ 42.8

וַיִּקְרָא אֶל־יוֹחָנָן בֶּן־קָרֵחַ וְאֶל כָּל־שָׂרֵי הַחֲיָלִים אֲשֶׁר אִתּוֹ וּלְכָל־הָעָם לְמִקָּטֹן וְעַד־גָּדוֹל׃

Então chamou a Joanã, filho de Careá, e a todos os capitães dos exércitos. *A Assembleia.* Tendo recebido a resposta em um oráculo divino, Jeremias convocou o povo, assegurando-se de que Joanã e os outros líderes estivessem presentes. Foi uma assembleia geral, incluindo os menores e os maiores. O oráculo tinha importância *nacional*, embora tão pouco restasse da "nação". Seja como for, uma assembleia solene se reuniu para ouvir a *palavra solene*: a orientação de Yahweh para o que restou de seu povo na Terra Prometida. Cf. o vs. 1 deste mesmo capítulo, onde encontramos as mesmas características: todo o povo, pequeno e grande, buscava orientação divina, e agora esse povo recebia a mensagem. Cf. os vss. 7,8 com Ez 3.16. "Ezequiel esperou sete dias, entre os exilados que habitavam às margens do rio Quebar, até que a palavra do Senhor foi dada a ele. Quando chegou a hora, o profeta pregou a uma multidão cuja ansiedade de ouvi-lo tinha sido intensificada por meio do suspense" (Ellicott, *in loc.*).

■ 42.9

וַיֹּאמֶר אֲלֵיהֶם כֹּה־אָמַר יְהוָה אֱלֹהֵי יִשְׂרָאֵל אֲשֶׁר
שְׁלַחְתֶּם אֹתִי אֵלָיו לְהַפִּיל תְּחִנַּתְכֶם לְפָנָיו:

Assim diz o Senhor, Deus de Israel, a quem me enviastes. A mensagem fora dada pela revelação direta de Yahweh-Elohim, o Deus de Israel, a quem o povo tinha enviado Jeremias. Não foram as palavras ou os raciocínios de Jeremias, mas a mente divina era que dava a orientação. Jeremias não desejava impor a própria vontade nem aplicar os próprios raciocínios. Esse momento de crise exigiu a revelação divina, e não o raciocínio humano. Yahweh tinha escolhido a nação de Israel e estava em relação de aliança com aquele povo. Ao falar diretamente com eles, ele estava cumprindo as suas obrigações e promessas. Em breve se tornaria evidente que o povo não corresponderia, mas novamente quebraria o pacto. Aqueles foram dias de transtorno e retrocessos, e coisa alguma parecia capaz de interromper o ciclo vicioso de eventos.

■ 42.10

אִם־שׁוֹב תֵּשְׁבוּ בָּאָרֶץ הַזֹּאת וּבָנִיתִי אֶתְכֶם וְלֹא
אֶהֱרֹס וְנָטַעְתִּי אֶתְכֶם וְלֹא אֶתּוֹשׁ כִּי נִחַמְתִּי אֶל־
הָרָעָה אֲשֶׁר עָשִׂיתִי לָכֶם:

Se permanecerdes nesta terra, então vos edificarei. Três metáforas foram usadas para entregar a mensagem: a *tríade misericordiosa*. Considere o leitor estes pontos:

1. Se o povo habitasse na Terra Prometida, haveria grande *edificação divina*. Eles seriam como um ótimo templo que Deus construiria, embelezaria e estabeleceria, e a adoração a Deus e a vontade divina restabeleceriam a Terra Prometida. *Israel* se tornaria o local da construção, edificação e bênção divina. O remanescente judeu, no Egito, seria amaldiçoado, e novas calamidades sobreviriam.
2. Em seguida, haveria um *plantio divino especial*. O remanescente se tornaria uma excelente vinha, plantada por Yahweh. Eles prosperariam, recebendo as águas e a luz do sol de suas graças.

    Cf. Jr 24.6 quanto a essas duas metáforas. Ambas as coisas são contrastadas com o oposto: derrubar uma edificação ou destruir uma plantação. Ainda recentemente, a nação de Judá tinha experimentado tanto daquelas forças negativas. Chegara o tempo de reconstruir e replantar, mas ambas as coisas dependiam de um povo obediente: *a obediência*, o material para edificar e a semente para o plantio. Ver no *Dicionário* o artigo chamado *Obediência*.
3. *O arrependimento divino*. Um povo *obediente* teria a bênção que afastaria a ira de Deus. Os babilônios tinham chegado à Terra Prometida para destruir, por ordens de Yahweh. Isso foi uma agência de disciplina. Mas, se o povo de Judá fugisse para o Egito, a maldição os seguiria até ali, conforme o capítulo 44 de Jeremias deixa claro. Ver especialmente os vss. 12,13. Ver também Jr 42.17. Quanto a notas expositivas sobre o *Arrependimento de Yahweh*, ver Êx 32.14.

Judá seria restaurado ao seu território pátrio dentro de setenta anos. O povo de Judá retornaria da Babilônia para reedificar a própria terra. Era certo que eles encontrariam, ao retornar, o pequeno remanescente de sobreviventes. E, juntos, reconstruiriam a nação de Judá, e haveria um novo dia, após a noite desanimadora do domínio babilônico.

■ 42.11

אַל־תִּירְאוּ מִפְּנֵי מֶלֶךְ בָּבֶל אֲשֶׁר־אַתֶּם יְרֵאִים מִפָּנָיו
אַל־תִּירְאוּ מִמֶּנּוּ נְאֻם־יְהוָה כִּי־אִתְּכֶם אָנִי לְהוֹשִׁיעַ
אֶתְכֶם וּלְהַצִּיל אֶתְכֶם מִיָּדוֹ:

Não temais o rei da Babilônia... porque eu sou convosco, para vos salvar... A Babilônia era a potência militar que o mundo inteiro temia, e com toda a razão. Mas sua época de fastígio estava terminando, embora o remanescente de Judá não pudesse imaginar tal coisa. Os que tinham ficado na Terra Prometida não teriam razão para temer a potência do norte. Yahweh livraria o remanescente judeu do poder da Babilônia. Ciro já se aproximava da cena mundial. Ele poria fim à Babilônia e decretaria a libertação do povo de Judá, permitindo que eles voltassem a Jerusalém e reconstruíssem sua pátria. O remanescente que ficara na Terra Prometida deveria esperar por aquele dia. *Essa* era a esperança deles, e não a falsa paz e segurança do Egito.

Esta passagem ilustra de forma excelente uma comum experiência humana. Homens espirituais buscam a vontade divina, mas algumas vezes depositam sua esperança em alternativas que realmente não são satisfatórias. Há em operação fatores *invisíveis* e *desconhecidos* que nos deixam surpresos, quando finalmente aparecem. E assim o homem espiritual é soerguido de suas miseráveis alternativas, recebendo um *novo caminho*. E então dizem: "Tudo foi feito pelo Senhor e é maravilhoso aos nossos olhos" (Mt 21.42). Ver também Sl 118.22,23.

■ 42.12

וְאֶתֵּן לָכֶם רַחֲמִים וְרִחַם אֶתְכֶם וְהֵשִׁיב אֶתְכֶם אֶל־
אַדְמַתְכֶם:

Eu vos serei propício, para que ele tenha misericórdia de vós. Judá, reconstruído e replantado (vs. 10), experimentaria as ricas misericórdias de Yahweh e seria seguro e próspero. Tais misericórdias não deveriam ser esperadas no Egito. Yahweh reconstruiria e abençoaria Israel, embora do ponto de vista humano isso não pudesse acontecer novamente, pelo menos em breve. Fugir para o Egito era radicalmente contra e estranho à iluminação divina. O plano divino era a restauração na *Terra Prometida*, e não a fuga. Os judeus precisavam ter fé para acreditar nisso, pois contrariava tudo quanto o remanescente observava. A fé, porém, ultrapassa a mera observação. A fé consiste em confiar no que ainda é invisível (ver Hb 11.1). Ver no *Dicionário* o artigo chamado *Fé*. Cristóvão Colombo encontrou um novo mundo, embora não contasse com um mapa, exceto aquele que ele podia decifrar nas estrelas.

> Confiar na empresa invencível da alma
> Era toda a sua ciência, toda a sua arte.
>
> George Santayana

"Por se desviarem para a desobediência, eles incorreriam nos próprios males que desejavam escapar. Mas se permanecessem [na Terra Prometida], ganhariam as bênçãos que temiam perder" (Fausset, *in loc.*).

■ 42.13

וְאִם־אֹמְרִים אַתֶּם לֹא נֵשֵׁב בָּאָרֶץ הַזֹּאת לְבִלְתִּי שְׁמֹעַ
בְּקוֹל יְהוָה אֱלֹהֵיכֶם:

Mas se vós disserdes: Não ficaremos nesta terra, não obedecendo à voz do Senhor vosso Deus. Judá, desobediente como era, não tinha direito de receber as misericórdias divinas. Eles perderiam as promessas e cairiam sob o castigo divino por haverem rompido os pactos. Em outras palavras, a experiência dos judeus em nada mudaria. Os sofrimentos se multiplicariam, em vez de serem eliminados. Em lugar de calamidades na terra da Judeia, o remanescente judeu sofreria calamidades no Egito. Mas a origem dessas calamidades seria a mesma — Yahweh. Ir para o Egito significaria tão somente cair em sua idolatria. Ver Dt 17.16.

"De modo muito parecido com as bênçãos e as maldições do capítulo 28 de Deuteronômio, Jeremias seguiu sua lista de bênçãos, em razão da obediência, com uma lista de julgamentos, em razão da desobediência. *Se* o povo de Judá se recusasse a permanecer na Terra Prometida e resolvesse desobedecer a Deus partindo para o Egito, experimentaria ali o julgamento de Deus, por ter violado o seu juramento (ver Jr 42.5,6)" (Charles H. Dyer, *in loc.*).

■ 42.14

לֵאמֹר לֹא כִּי אֶרֶץ מִצְרַיִם נָבוֹא אֲשֶׁר לֹא־נִרְאֶה
מִלְחָמָה וְקוֹל שׁוֹפָר לֹא נִשְׁמָע וְלַלֶּחֶם לֹא־נִרְעָב
וְשָׁם נֵשֵׁב:

Não, antes iremos à terra do Egito, onde não veremos guerra. O Egito era encarado como a salvação das desgraças e dos desastres que sobrevieram a Judá. Não haveria mais grito de batalha, aviso mediante a trombeta, derramamento de sangue nos campos de batalha, pragas e fome inevitáveis que sempre seguiam as lides da guerra. Mas o vs. 17 mostra que todas essas calamidades acompanhariam os judeus no Egito. Cf. este versículo a Jr 4.5,19-21 e 6.1. Ver também Lm 1.11; 5.6,9. "O Egito, então governado por Apies, o Faraó Hofra de Jr 44.30, parecia seguro e pacífico na opinião dos judeus. Tal como nos dias da antiguidade, o Egito continuava sendo o armazém do Oriente Próximo, e suas colheitas abundantes formavam tremendo contraste com a fome que eles experimentaram durante a invasão babilônica. Jeremias, entretanto, simplesmente rejeitou completamente a ideia, da mesma maneira que resistira a qualquer ideia de aliança com o Egito (ver Jr 2.36 e 37.7). As profecias de Ezequiel acerca do Egito estavam em harmonia com as palavras de Jeremias (ver Ez 17.11-18; capítulos 19—32)" (Ellicott, *in loc.*).

■ 42.15

וְעַתָּ֕ה לָכֵ֛ן שִׁמְע֥וּ דְבַר־יְהוָ֖ה שְׁאֵרִ֣ית יְהוּדָ֑ה כֹּֽה־אָמַ֨ר יְהוָ֜ה צְבָא֗וֹת אֱלֹהֵי֙ יִשְׂרָאֵ֔ל אִם־אַתֶּ֞ם שׂ֣וֹם תְּשִׂמ֤וּן פְּנֵיכֶם֙ לָבֹ֣א מִצְרַ֔יִם וּבָאתֶ֖ם לָג֥וּר שָֽׁם׃

Se tiverdes o firme propósito de entrar no Egito e fordes para morar. O oráculo dado por Yahweh era diametralmente contrário a qualquer "solução egípcia". O nome de autoridade e poder, *Yahweh-Elohim*, Deus Eterno e Todo-poderoso, deixou a mensagem clara. A intervenção divina direta traria miséria ao remanescente caso este se mudasse para o Egito. E assim a salvação proposta terminaria em condenação e sofrimento. As resoluções firmes são, com frequência, produtivas, mas, quando se voltam para o mal, produzem a calamidade. Yahweh é o Deus teísta. Ele se faz presente entre os homens para galardoar ou punir. Deus não é indiferente para com aquilo que os homens fazem. Ele intervém quando isso se torna necessário. Ver no *Dicionário* o artigo chamado *Teísmo*. Em contraste, o *deísmo* (ver também no *Dicionário*) ensina que Deus criou, mas, ato contínuo, abandonou sua criação ao governo das leis naturais. Os propósitos de Deus, entretanto, centralizavam-se em Judá, e não no Egito. Estar fora da esfera das bênçãos divinas significava que as promessas divinas não teriam cumprimento. Estar no lugar das maldições divinas significaria sofrer os desastres das maldições divinas, conforme Dt 28 deixa claro.

■ 42.16

וְהָיְתָ֣ה הַחֶ֗רֶב אֲשֶׁ֤ר אַתֶּם֙ יְרֵאִ֣ים מִמֶּ֔נָּה שָׁ֥ם תַּשִּׂ֛יג אֶתְכֶ֖ם בְּאֶ֣רֶץ מִצְרָ֑יִם וְהָרָעָ֞ב אֲשֶׁר־אַתֶּ֣ם ׀ דֹּאֲגִ֣ים מִמֶּ֗נּוּ שָׁ֣ם יִדְבַּ֧ק אַחֲרֵיכֶ֛ם מִצְרַ֖יִם וְשָׁ֥ם תָּמֻֽתוּ׃

Acontecerá então que a espada que vós temeis ali vos alcançará na terra do Egito. Judá, ou melhor, o minúsculo fragmento que restara de Judá estava cheio de temores. Os últimos poucos anos tinham sido de terror e sofrimento sem descanso. A maioria dos judeus tinha morrido. Os sobreviventes foram deportados para a Babilônia ou deixados em Judá. E os que ali ficaram pertenciam às classes mais pobres ou menos poderosas. Assim, não continuaria havendo revoltas. Fanáticos como Ismael (ver Jr 41) seriam esmagados. A sobrevivência dos poucos restantes é que formava a grande questão, e se à mera sobrevivência um pouco de conforto fosse adicionado, esse seria o ideal a ser buscado. O minúsculo remanescente de judeus que restara na Terra Prometida pensava que esse pouco de conforto seria encontrado no Egito. Porém, isso violava princípios espirituais básicos das alianças com o Senhor. Os que fugissem para o Egito teriam de enfrentar os mesmos temores que esperavam deixar para trás, em Judá. O *temor*, como uma fera terrível, não os deixaria em paz, mas antes os acompanharia por onde quer que fossem. A fera se compunha de três componentes: a espada, a fome e a pestilência, a *terrível tríade* por tantas vezes mencionada no livro de Jeremias, e que reaparece no vs. 17 deste capítulo. Mas se o povo de Judá permanecesse em sua terra, haveria outra tríade: uma nova construção, uma nova plantação, o arrependimento divino, que substituiria a maldição com as bênçãos e misericórdia divina. Ver essa outra tríade, no vs. 10.

■ 42.17

וְיִהְי֣וּ כָל־הָאֲנָשִׁ֗ים אֲשֶׁר־שָׂ֨מוּ אֶת־פְּנֵיהֶ֤ם לָבוֹא֙ מִצְרַ֙יִם֙ לָג֣וּר שָׁ֔ם יָמ֕וּתוּ בַּחֶ֖רֶב בָּרָעָ֣ב וּבַדָּ֑בֶר וְלֹֽא־יִהְיֶ֤ה לָהֶם֙ שָׂרִ֣יד וּפָלִ֔יט מִפְּנֵי֙ הָֽרָעָ֔ה אֲשֶׁ֥ר אֲנִ֖י מֵבִ֥יא עֲלֵיהֶֽם׃ ס

Assim será com todos os homens que tiverem o propósito de entrar no Egito para morar. Os perigos que eles esperavam evitar fugindo para o Egito os seguiriam até o Egito, a terrível tríade: a espada, a fome e a pestilência. Cf. Jr 14.12 e 42.22. A mesma informação se repete em Jr 44.13. Inevitavelmente, o povo de Judá, uma vez no Egito, sucumbiria diante da idolatria (ver Jr 44.15), pelo que, uma vez mais, ressurgiriam as antigas razões para o julgamento divino. "A espada, a fome e a peste estarão vos seguindo nos calcanhares; e vos alcançarão; elas vos destruirão; e ali, no Egito, morrereis" (Adam Clarke, *in loc.*).

A localização geográfica era um fator importante para Israel-Judá, visto que a terra foi dada àquele povo dentro da *aliança abraâmica* (anotada em Gn 15.18). As promessas daquele pacto não se realizariam no Egito. Em breve tempo, as fortunas internacionais seriam revertidas. A Babilônia cairia diante do poder dos medos e dos persas. O remanescente de Judá, cativo na Babilônia, seria enviado de volta à Terra Prometida por um decreto de Ciro. Haveria significativa restauração, e o remanescente deixado na Terra Prometida supostamente participaria disso. Mudanças tão radicais não estavam sendo antecipadas pelo povo de Judá. De fato, tal possibilidade deve ter sido aventada como impossibilidade. Eles teriam simplesmente de confiar nas palavras de Yahweh.

■ 42.18

כִּי֩ כֹ֨ה אָמַ֜ר יְהוָ֣ה צְבָא֗וֹת אֱלֹהֵ֣י יִשְׂרָאֵל֒ כַּאֲשֶׁר֩ נִתַּ֨ךְ אַפִּ֜י וַחֲמָתִ֗י עַל־יֹֽשְׁבֵי֙ יְר֣וּשָׁלַ֔͏ִם כֵּ֣ן תִּתַּ֤ךְ חֲמָתִי֙ עֲלֵיכֶ֔ם בְּבֹאֲכֶ֖ם מִצְרָ֑יִם וִהְיִיתֶ֞ם לְאָלָ֤ה וּלְשַׁמָּה֙ וְלִקְלָלָ֣ה וּלְחֶרְפָּ֔ה וְלֹֽא־תִרְא֣וּ ע֔וֹד אֶת־הַמָּק֖וֹם הַזֶּֽה׃

Como se derramou a minha ira e o meu furor sobre os habitantes de Jerusalém, assim se derramará a minha indignação sobre vós. Neste versículo foi usado o *completo título divino de poder* para introduzir as advertências que se seguem: *Yahweh-Sabaote-Elohim*, Deus Eterno, Senhor dos Exércitos e Todo-poderoso. Ocasionalmente no livro de Jeremias, esse título completo é empregado para introduzir um oráculo ou declaração do Senhor. Cf. Jr 9.15; 16.9; 25.27; 27.4; 28.2; 29.4; 31.23; 35.13,17-19; 38.17; 39.16. Ver no *Dicionário* o artigo intitulado *Deus, Nomes Bíblicos de*. A ira e a fúria divina destruíram a nação de Judá, deixando-a um deserto essencialmente desabitado. O mesmo poder destruidor operaria no Egito, consumindo o minúsculo remanescente judeu que ousasse fugir para lá. O Egito era um lugar de maldição, e não de bênção, e isso se mostraria correto pelos eventos dos meses e anos que se seguiriam. Haveria o quase total aniquilamento dos filhos de Israel que se dirigissem para o Egito. O povo de Judá se tornaria um espetáculo de execração, espanto, maldição e opróbrio. Além de todas essas maldições, os poucos que sobrevivessem a tais desgraças nunca mais veriam a Terra Prometida, e por certo não participariam da restauração de Judá que teria começo com o decreto de Ciro, de reversão do cativeiro babilônico. Cf. Jr 7.20, versículo similar a este. Bênçãos ou maldições inevitavelmente ocorreriam, dependendo da reação da vontade humana. Ver também Jr 18.16.

Assim se derramará. Como se fosse um líquido abundante, de uma fonte abundante; a *maré* das maldições divinas; o *dilúvio* das calamidades, como um poderoso *rio*, quando este invade uma planície; o *cálice divino* das maldições, tão pleno, seria derramado sobre eles.

■ 42.19

דִּבֶּ֨ר יְהוָ֤ה עֲלֵיכֶם֙ שְׁאֵרִ֣ית יְהוּדָ֔ה אַל־תָּבֹ֖אוּ מִצְרָ֑יִם יָדֹ֙עַ֙ תֵּֽדְע֔וּ כִּי־הַעִידֹ֥תִי בָכֶ֖ם הַיּֽוֹם׃

Falou-vos o Senhor, ó resto de Judá: Não entreis no Egito; tende por certo que vos adverti hoje. A mensagem divina não poderia ter sido declarada de modo mais direto e enfático: *Não entreis no Egito!* E as razões para tanto também tinham sido nomeadas de forma clara e enfática. As bênçãos eram claras; as maldições eram claras. Somente um idiota desobedeceria a instruções tão óbvias; mas os sobreviventes idiotas ignoraram todo o oráculo, preferindo confiar em seu raciocínio humano pervertido. No hebraico, o pronome "eu" ocupa uma posição enfática. O *próprio Yahweh* tinha dado a Jeremias aquelas palavras. O hebraico original diz aqui, literalmente, "testifico". O Senhor era uma *testemunha* contra eles. O minúsculo remanescente de Judá estava prestes a praticar um *erro fatal,* com os olhos escancarados, olhos que tinham sido *iluminados* pela revelação divina. A vontade de Deus acerca da questão fora revelada. Não havia espaço para interpretações equivocadas. Os que desobedecessem teriam de pagar por sua rebelião. A mente divina sabia que os judeus cairiam de volta na idolatria, chegando no Egito. Mais do que isso, era óbvio que eles se afastariam das bênçãos do pacto abraâmico, pois essas bênçãos não funcionariam no Egito.

■ **42.20**

כִּי הִתְעֵתֶים בְּנַפְשׁוֹתֵיכֶם כִּי־אַתֶּם שְׁלַחְתֶּם אֹתִי אֶל־יְהוָה אֱלֹהֵיכֶם לֵאמֹר הִתְפַּלֵּל בַּעֲדֵנוּ אֶל־יְהוָה אֱלֹהֵינוּ וּכְכֹל אֲשֶׁר יֹאמַר יְהוָה אֱלֹהֵינוּ כֵּן הַגֶּד־לָנוּ וְעָשִׂינוּ׃

Porque vós, à custa da vossa vida, a vós mesmos vos enganastes. O remanescente fugitivo, como um bando de ovelhas perdidas, se tornaria alimento para os leões. Eles se desviariam ao custo da própria vida. Estavam abordando questões de vida e morte, prestes a cometer um erro fatal. Aquele povo era hipócrita e iludido, e inclinava-se a enganar outros. *Eles é que tinham buscado o profeta,* prometendo fazer qualquer coisa que ele dissesse. Alegadamente, acreditavam que ele fosse capaz de entrar em contato com Yahweh e obter para eles uma *resposta divina*. Quando, porém, a resposta lhes foi dada, eles a chamaram de mentirosa. Eles tinham feito uma falsa profissão de sua prontidão em obedecer e, o tempo todo, só pretendiam agir conforme tinham planejado. Meramente buscavam a aprovação do profeta. Foi uma expectativa ridícula. "Uma hipocrisia como essa não poderia deixar de atrair a justa punição" (Ellicott, *in loc.*). Aqueles homens miseráveis, que não podiam enganar a Deus (ver Gl 6.7), conseguiram enganar somente a si mesmos.

"Que povo mais miserável e incorrigível! Ingratidão, hipocrisia, rebeldia e crueldade parecem ter-se *entronizado* em seu coração" (Adam Clarke, *in loc.*).

■ **42.21**

וָאַגִּד לָכֶם הַיּוֹם וְלֹא שְׁמַעְתֶּם בְּקוֹל יְהוָה אֱלֹהֵיכֶם וּלְכֹל אֲשֶׁר־שְׁלָחַנִי אֲלֵיכֶם׃

Mas, tendo-vos declarado isso hoje, não destes ouvidos à voz do Senhor vosso Deus. A mensagem foi devidamente declarada e nos termos mais enfáticos possíveis. Mas eles resolveram avançar com a *aventura egípcia* e, assim sendo, divorciar-se do pacto abraâmico. Jr 43.2,3 mostra-nos que eles acusaram Jeremias de ter mentido, expressando as opiniões de Baruque, e não a palavra de Yahweh sobre a questão. Não havia, pois, esperança para um povo como aquele. Eles tinham de seguir o próprio caminho para a destruição que tão ricamente mereciam. Este texto reproduz uma comum experiência humana. As pessoas consultam líderes espirituais em busca de conselhos. Mas com frequência já sabem o que irão fazer. Meramente querem a *aprovação* para os planos que já traçaram. Em outras palavras, as pessoas são autoaconselhadoras que manipulam líderes espirituais. A situação é complicada pelo fato de que muitos dos chamados líderes espirituais operam através da própria razão, e não mediante inspiração vinda de Deus. Esse não era o caso de Jeremias, embora ele tivesse sido acusado de algo similar. O presente versículo deixa claro que o profeta anunciou sua mensagem profética por inspiração divina, porque, como é usual, Yahweh-Elohim (que é o Deus de Judá) se mostrou gracioso em prover ainda outro oráculo que seria desobedecido. Esse povo era teimosamente desobediente. Tantos oráculos e mensagens divinas tinham sido desperdiçados. Aquela geração não veria a glória do Senhor.

■ **42.22**

וְעַתָּה יָדֹעַ תֵּדְעוּ כִּי בַּחֶרֶב בָּרָעָב וּבַדֶּבֶר תָּמוּתוּ בַּמָּקוֹם אֲשֶׁר חֲפַצְתֶּם לָבוֹא לָגוּר שָׁם׃ ס

Agora, pois, sabei por certo que morrereis à espada, à fome e de peste. A *terrível tríade* os perseguiria e lhes garantiria sofrimento e morte miserável. Eles rejeitaram a tríade misericordiosa referida no vs. 10, preferindo a tríade temível dos julgamentos de Deus. Ver as notas expositivas sobre os vss. 16,17 do presente capítulo. Cf. este versículo com Jr 5.12; 14.15; 21.7; 24.10; 32.24; 34.4; 44.12. Portanto, a *Lei Moral da Colheita segundo a Semeadura* continuaria operando no meio do povo de Judá. Ver no *Dicionário* sobre esse título. A providência negativa e a providência positiva de Deus governam este mundo. Ver no *Dicionário* o artigo chamado *Providência de Deus.* "Visto que já resolvestes desobedecer, Deus já resolveu vos castigar. Podeis seguir os ditames de vossos conselhos ímpios, mas Deus seguirá os requisitos de sua justiça. Sofrereis à espada, à fome e de pestilência. Vossa condenação está selada" (Adam Clarke, *in loc.*).

Quando andamos com o Senhor,
Na luz de sua palavra,
Que glória ele derrama em nosso caminho!
Enquanto fazemos a sua boa vontade,
Ele habita conosco,
E com todos os que confiam nele e lhe obedecem.

J. H. Sammis

CAPÍTULO QUARENTA E TRÊS

A RESPOSTA DO POVO (43.1-3)

Não há nenhuma interrupção entre os capítulos 42 e 43. Assim sendo, os três primeiros versículos deste capítulo continuam a história do profeta Jeremias sendo consultado quanto à questão da mudança do remanescente do povo judeu para o Egito, a fim de escapar das calamidades que tinham sobrevindo a Judá. Essa história é contada com abundância de detalhes no capítulo 42. Este capítulo, pois, prossegue a narrativa iniciada no capítulo anterior e registra a fuga para o Egito. O próprio Jeremias foi forçado a ir com os fugitivos e, ao que se presume, morreu ali. A restauração de Judá teria de ocorrer através do remanescente que seria enviado de volta à Terra Prometida por meio do decreto de Ciro, que ordenou que os judeus que quisessem fazê-lo poderiam voltar à Terra Prometida. O remanescente que fugira para o Egito perdeu sua parte na restauração, por causa do coração duro e da mente pervertida. Por sua vez, os babilônios, que eram usados como látego nas mãos de Yahweh, não pouparíam o Egito. Portanto, a fuga de Judá foi inútil, pois eles tiveram de enfrentar a mesma *terrível tríade,* lamentável, miserável, temível (a espada-fome-pestilência) no Egito. Os vss. 8-13 dão-nos outro oráculo da parte de Yahweh. Nabucodonosor invadiria o Egito e transformaria o país inteiro em uma grande massa revolta, tal como fizera com Judá. E os judeus desobedientes seriam apanhados ali e punidos. Eles deveriam ter ficado em Judá, onde estariam protegidos.

■ **43.1**

וַיְהִי כְּכַלּוֹת יִרְמְיָהוּ לְדַבֵּר אֶל־כָּל־הָעָם אֶת־כָּל־דִּבְרֵי יְהוָה אֱלֹהֵיהֶם אֲשֶׁר שְׁלָחוֹ יְהוָה אֱלֹהֵיהֶם אֲלֵיהֶם אֵת כָּל־הַדְּבָרִים הָאֵלֶּה׃ ס

Tendo Jeremias acabado de falar a todo o povo todas as palavras do Senhor seu Deus. "Quando Jeremias deu a resposta de Yahweh ao povo, eles se recusaram a acreditar que o profeta estivesse dizendo a verdade, e acusaram-no de estar dando ouvidos a Baruque, e não ao Senhor. Isto posto, eles se puseram na posição tanto de desobedecer à vontade de Yahweh como de duvidar da veracidade do profeta do Senhor. É possível que, durante os *dez dias* (ver Jr 42.7) em que Jeremias buscou a palavra de Yahweh, o povo tenha ficado impaciente e desassossegado, e aquele remanescente que acreditava dever fugir para o Egito, tenha ganhado o controle da situação, convencendo os demais da sabedoria de tal curso de ação" (James Philip Hyat, *in* *loc.*). Este versículo assegura-nos de novo que a mensagem foi dada por Yahweh-Elohim, o qual, uma vez mais, foi chamado de Deus de Judá (ver Jr 42.9). Porém, aqueles réprobos judeus chamaram o oráculo de oráculo forjado, uma mentira de Jeremias, baseada nas opiniões de Baruque, e não na verdadeira revelação dada por Yahweh.

"A reação dos líderes, conforme Jeremias provavelmente antecipara, foi a rejeição de sua palavra. Eles tentaram racionalizar seu comportamento asseverando que Jeremias, agora homem idoso, tinha sucumbido diante da juventude e vitalidade de seu secretário, Baruque, ou seja, sua influência é que tinha inspirado Jeremias a dar o seu oráculo, em vez de falar a pura palavra de Deus" (Stanley Romaine Hopper, *in loc.*). O fato, porém, é que Jeremias havia "dito a verdade, nada senão a verdade, e toda a verdade" (John Gill, *in loc.*).

■ **43.2**

וַיֹּאמֶר עֲזַרְיָה בֶן־הוֹשַׁעְיָה וְיוֹחָנָן בֶּן־קָרֵחַ וְכָל־
הָאֲנָשִׁים הַזֵּדִים אֹמְרִים אֶל־יִרְמְיָהוּ שֶׁקֶר אַתָּה
מְדַבֵּר לֹא שְׁלָחֲךָ יְהוָה אֱלֹהֵינוּ לֵאמֹר לֹא־תָבֹאוּ
מִצְרַיִם לָגוּר שָׁם:

É mentira isso que dizes; o Senhor nosso Deus não te enviou. Neste versículo são dados os nomes dos líderes que se haviam tornado pastores falsos, cujo intuito era guiar erroneamente o remanescente de Judá. Esses homens são aqui mencionados com desonra. O *Azarias* deste texto pode ser o Jezanias de Jr 42.1, mas alguns intérpretes calculam que eles eram irmãos, ambos líderes do pouco que restava de Judá na Terra Prometida. Ver no *Dicionário* sobre os nomes próprios pessoais que aqui aparecem. Além dele, temos de considerar *Joanã*, a principal personagem de Jr 41.16—42.22, sobre quem dou um detalhado artigo. Além desses, havia outros insolentes, orgulhosos e pretensiosos, que os apoiavam na intenção de fugir para o Egito e desobedecer ao oráculo de Yahweh. Aqueles homens miseráveis acusaram Jeremias de ter-lhes mentido, de não ter recebido nenhum oráculo da parte de Deus, porquanto ele seria apenas porta-voz de Baruque, seu amanuense. Não foi por coisa sem importância que eles se recusaram a obedecer, e até chamaram o oráculo de invenção e mentira do profeta Jeremias. O julgamento divino os seguiria até o Egito, conforme mostram os versículos anteriores do capítulo 42 e reafirmam os versículos seguintes.

A Septuaginta chama aqueles réprobos de "estrangeiros", em vez do termo hebraico que significa "orgulhosos". Eles se tinham alienado do pacto abraâmico, e não encontrariam paz nem bênção no Egito, a terra das maldições.

■ **43.3**

כִּי בָרוּךְ בֶּן־נֵרִיָּה מַסִּית אֹתְךָ בָּנוּ לְמַעַן תֵּת אֹתָנוּ
בְיַד־הַכַּשְׂדִּים לְהָמִית אֹתָנוּ וּלְהַגְלוֹת אֹתָנוּ בָּבֶל:

Baruque, filho de Nerias, é que te incita contra nós. Baruque, o amanuense do profeta Jeremias, foi "acusado" de culpado pela mensagem do "oráculo" que o profeta anunciou. O "velho Jeremias", influenciado pelo homem mais jovem, permitiu-se pensar coisas que não correspondiam à realidade dos fatos. Esse foi o *absurdo* inventado por aqueles insolentes e pretensiosos. Se o minúsculo remanescente de Judá, tendo Mispa como capital, permanecesse em sua terra natal, conforme diziam esses homens, em breve os babilônios resolveriam deportá-los para a Babilônia, ou simplesmente os matariam e se livrariam de todo o problema formado pelos judeus. Baruque, sem dúvida, era amigo de confiança e grande companheiro de Jeremias, pelo que lhes pareceu fácil acusá-lo.

"A volubilidade perversa deles era realmente espantosa. No capítulo 42, eles reconheceram que Jeremias merecia toda a confiança, do que já tinham a prova por tão longo tempo. Não obstante, aqui acusaram Jeremias de ser mentiroso. A mente do homem sem regeneração é cheia de enganos" (Fausset, *in loc.*). "Eles acusaram o profeta de ter dito uma mentira e, assim, negaram que ele tivesse uma missão da parte do Senhor. E, para diminuir o 'crime' dele, lançaram a culpa sobre Baruque, como se este, por causa de sua má vontade para com eles, tivesse instigado o profeta a entregar tal mensagem" (John Gill, *in loc.*). "O amanuense do profeta se tornara o líder dele!" (Ellicott, *in loc.*, que apontava para o absurdo dessas reivindicações).

A FUGA PARA O EGITO (43.4-7)

■ **43.4**

וְלֹא־שָׁמַע יוֹחָנָן בֶּן־קָרֵחַ וְכָל־שָׂרֵי הַחֲיָלִים וְכָל־
הָעָם בְּקוֹל יְהוָה לָשֶׁבֶת בְּאֶרֶץ יְהוּדָה:

Não obedeceu, pois, Joanã, filho de Careá, e nenhum de todos os capitães dos exércitos. *O Resultado.* Tendo calejado sua consciência com ridículas invenções, eles conseguiram desculpar suas perversões diante da mensagem de Yahweh e fugiram para o Egito. Procuravam descanso e prosperidade, mas achariam ali a espada, a fome e a pestilência que já tinham em Judá. Eles perderam os benefícios dos pactos com o Senhor, por se terem tornado réprobos no Egito. A voz de Yahweh os chamava, mas eles estavam distantes demais do Senhor para ouvi-lo. Os homens que se afastam do Senhor seguem sempre esse caminho. Mediante manipulações mentais, geralmente ligadas a temores e ansiedades, acabam seguindo suas próprias realizações. Ver no *Dicionário* o artigo chamado *Vontade de Deus, como Descobri-la.*

■ **43.5**

וַיִּקַּח יוֹחָנָן בֶּן־קָרֵחַ וְכָל־שָׂרֵי הַחֲיָלִים אֵת כָּל־
שְׁאֵרִית יְהוּדָה אֲשֶׁר־שָׁבוּ מִכָּל־הַגּוֹיִם אֲשֶׁר נִדְּחוּ־
שָׁם לָגוּר בְּאֶרֶץ יְהוּדָה:

Antes tomou Joanã... a todos os capitães dos exércitos e a todo o resto de Judá... Os líderes réprobos de Judá não se contentaram em viajar sozinhos. Pelo contrário, tomaram todos os judeus que puderam encontrar, até os que tinham fugido em busca de uma vida melhor e os que se tinham dispersado entre as nações circunvizinhas. E forçaram todos aqueles a seguir sua vontade. O número daquela gente não pode ter sido muito grande, pois o país se tornara essencialmente desabitado. A glória do Senhor tinha desertado daquele lugar miserável. Os juízos de Yahweh fizeram o trabalho. Os pecados do povo judeu haviam recebido o golpe máximo. As advertências de Jeremias mostraram-se agonizadoramente corretas. O remanescente que fugira para o Egito seria reduzido a nada por causa de suas calamidades contínuas. Esse fora o fruto da idolatria-adultério-apostasia de Judá. A invasão de Judá por parte dos babilônios forçou os judeus a correr dali, refugiando-se em países próximos, como Moabe, Amom e Edom. E, quando as coisas esfriaram, essa gente tomaria a iniciativa de voltar a Judá. Agora, porém, os renegados líderes de Judá fizeram ainda mais um movimento — fugiram para o Egito. Ver Jr 40.11,12 quanto a versículos paralelos.

■ **43.6**

אֶת־הַגְּבָרִים וְאֶת־הַנָּשִׁים וְאֶת־הַטַּף וְאֶת־בְּנוֹת הַמֶּלֶךְ
וְאֵת כָּל־הַנֶּפֶשׁ אֲשֶׁר הִנִּיחַ נְבוּזַרְאֲדָן רַב־טַבָּחִים
אֶת־גְּדַלְיָהוּ בֶּן־אֲחִיקָם בֶּן־שָׁפָן וְאֵת יִרְמְיָהוּ הַנָּבִיא
וְאֶת־בָּרוּךְ בֶּן־נֵרִיָּהוּ:

Tomou os homens, as mulheres e os meninos... A *deportação* daqueles pobres judeus, que foram forçados a acompanhar Joanã e outros líderes do povo, foi completa. Até as mulheres e as crianças foram forçadas a colocar-se em marcha. Todos aqueles a quem Nebuzaradã havia posto sob autoridade de Gedalias estavam agora sob o poder dos réprobos líderes que fugiram para o Egito. Eles levaram a "todos", os quais, na realidade, eram poucos. Com essa gente, os líderes de Judá estabeleceriam uma pequena colônia judaica no Egito; mas em breve estariam corrompidos pela idolatria, e não mais seriam judeus espirituais. Eles se casariam com estrangeiros e assim perderiam a identidade; mas isso aconteceria com relação aos poucos que sobrevivessem às novas calamidades que os atingiriam. Até mesmo Jeremias e seu amanuense, Baruque, foram forçados a ir para o Egito. Não temos registros bíblicos de que alguém dentre aquela gente tenha voltado à Terra Prometida. Esse foi o fim do drama do povo de Judá como nação. Os que foram para o Egito perderam a oportunidade de participar da restauração. Note o leitor, entretanto, que restaram alguns poucos familiares do rei Zedequias, como talvez algumas poucas esposas, concubinas e filhos. Não é provável que os babilônios tivessem deixado em Mispa nenhum varão judeu, para que não fossem infectados por ideias de rebelião. O que restou da família real, entretanto, terminou no Egito, a fim de ali perecer, tal como a maior parte dos membros da família real que já havia perecido na Babilônia. Ver Jr 39.6. Cf. este versículo com Jr 41.10.

■ 43.7

וַיָּבֹ֙אוּ֙ אֶ֣רֶץ מִצְרַ֔יִם כִּ֥י לֹ֥א שָׁמְע֖וּ בְּק֣וֹל יְהוָ֑ה וַיָּבֹ֖אוּ עַד־תַּחְפַּנְחֵֽס׃ ס

E entraram na terra do Egito... e vieram até Tafnes. Temendo retornar a Mispa, que se tornara a capital provisória de Judá após a destruição de Jerusalém, os fugitivos desceram para o Egito. Primeiro chegaram a Tafnes, cidade fronteiriça com o Egito, na parte oriental do delta do rio Nilo. Ver Jr 2.16. Era uma fortaleza egípcia, também conhecida pelo nome de Baal-Zefom, que os gregos chamavam de Dafne. Tem sido identificada como a moderna *Tell Dafneh*. Nossa versão portuguesa chama essa cidade de *Tafnes,* e é por esse nome que comento sobre ela, no *Dicionário*.

"A cidade obviamente ficava na fronteira norte-oriental do Egito. No livro de Judite 1.9, aparece localizada entre o rio do Egito (o Rhinocolura, que dividia o Egito da Palestina) e Ramsés (a Ramsés de Êx 1.11 ou a Ramessés de Nm 33.3,5). Em Ez 30.16-18 ela é nomeada em conjunto com Nô (isto é, Tebas) e Nofe (isto é, Mênfis), como uma das cidades do Egito" (Ellicott, *in loc.*). Seu nome pode ter surgido em associação com a rainha egípcia Tafnes, mencionada em 1Rs 11.19,20.

JEREMIAS NO EGITO (43.8—44.30)

■ 43.8

וַיְהִ֤י דְבַר־יְהוָה֙ אֶֽל־יִרְמְיָ֔הוּ בְּתַחְפַּנְחֵ֖ס לֵאמֹֽר׃

Então veio a palavra do Senhor a Jeremias, em Tafnes... A terrível desobediência do remanescente judeu estava concretizada. O que restara de Judá se transformara em uma minúscula colônia judaica no Egito. Depois de ter-se instalado ali, Jeremias continuou ativamente como profeta do Senhor, e primeiramente recebeu um oráculo de reprimenda contra os líderes judeus, por causa do que eles tinham acabado de fazer. Foi-lhe ordenado realizar um ato simbólico com pedras, conforme relatam os versículos que se seguem. A mensagem anuncia que os judeus que tinham fugido de Nabucodonosor em Judá haveriam de encontrá-lo no Egito. A espada-fome-pestilência, a *tríade terrível* (ver Jr 42.16,17 e 44.12), os seguiria até aquele país. Ver também o vs. 11 do presente capítulo. É verdade que esta seção não tem paralelos exatos nos relatos seculares, mas a história do império neobabilônico é pouco conhecida. Os registros sobre esse império foram preenchidos mais com os feitos arquitetônicos de seus reis, do que com suas campanhas militares. No Museu Britânico um texto fragmentado fala de uma invasão do Egito por parte de Nabucodonosor, em seu trigésimo sétimo ano de reinado (568-567 a.C.). O resultado das campanhas contra o Faraó Amasis (Ahmoses II)) não é registrado no fragmento restante. Josefo fala da invasão do Egito por parte dos babilônios, que ocorreu, ao que se presume, cerca de cinco anos depois da destruição de Jerusalém (*Antiq.* X. 9.7). Mas o seu relato provavelmente se baseou na narrativa de Jeremias, e não se reveste de autoridade independente. Mas se nos faltam informações precisas, não parece haver razão para duvidarmos da exatidão da passagem bíblica à nossa frente.

Jeremias continuou a receber seus oráculos, mensagens específicas de inspiração e revelação da parte de Yahweh. Estarem os judeus no Egito em nada alterava essa situação. O primeiro oráculo ocorreu em Tafnes, onde o minúsculo remanescente judaico primariamente se alojou. É admirável que Yahweh estivesse interessado em conceder àqueles rebeldes alguma nova revelação. Por outro lado, essa revelação só tinha aspectos negativos. Os judeus réprobos colheriam o que tinham semeado.

Jerônimo, seguindo uma antiga tradição judaica, diz-nos que por essa altura dos acontecimentos Jeremias foi apedrejado até a morte. E esse foi o fim de sua carreira. No entanto, outra tradição informa que ele continuou vivo, até morrer de morte natural, em paz, no Egito. Não sabemos de coisa alguma com certeza. Podemos estar seguros, porém, que ele foi invencível até ter cumprido a sua missão. Os homens espirituais desejam isso para si mesmos. Por conseguinte, Senhor, concede-nos tal graça!

■ 43.9

קַ֣ח בְּיָדְךָ֞ אֲבָנִ֣ים גְּדֹל֗וֹת וּטְמַנְתָּ֤ם בַּמֶּ֙לֶט֙ בַּמַּלְבֵּ֔ן אֲשֶׁ֛ר בְּפֶ֥תַח בֵּית־פַּרְעֹ֖ה בְּתַחְפַּנְחֵ֑ס לְעֵינֵ֖י אֲנָשִׁ֥ים יְהוּדִֽים׃

Toma contigo pedras grandes, encaixa-as na argamassa do pavimento que está à entrada da casa de Faraó. *O Simbolismo das Pedras.* Havia um pavimento à entrada da casa do Faraó, feito de tijolos assentados na argila. As pedras grandes que Jeremias escolheu, portanto, poderiam ser postas debaixo do pavimento sem grande esforço de sua parte. Essa casa do Faraó ficava em Tafnes, onde o remanescente judeu tinha fixado residência temporária. O trecho hebraico do vs. 9 é obscuro, pelo que não é possível obter dele uma compreensão indiscutível. Dou uma possibilidade sobre o *modus operandi* da manipulação de Jeremias sobre as pedras. O que é claro é que elas se tornaram uma espécie de alicerce simbólico sobre o qual o rei da Babilônia armaria o seu trono, depois de haver conquistado o Egito. As pedras assinalavam o local exato onde o trono seria armado; e esse trono simbolizaria o poder do rei da Babilônia. A capital do Egito, onde o Faraó tinha seu trono, era em Sais, e não em Tafnes; mas devemos supor que o Faraó também tinha uma residência ali, ou que o(s) edifício(s) pertencia(m) ao Estado. Sais ficava na metade ocidental do delta do Nilo, ao passo que Tafnes ficava na parte oriental. Ver o vs. 7.

■ 43.10

וְאָמַרְתָּ֣ אֲלֵיהֶ֡ם כֹּֽה־אָמַר֩ יְהוָ֨ה צְבָא֜וֹת אֱלֹהֵ֣י יִשְׂרָאֵ֗ל הִנְנִ֣י שֹׁלֵ֡חַ וְ֠לָקַחְתִּי אֶת־נְבוּכַדְרֶאצַּ֨ר מֶֽלֶךְ־בָּבֶ֜ל עַבְדִּ֗י וְשַׂמְתִּ֤י כִסְאוֹ֙ מִמַּ֙עַל֙ לָאֲבָנִ֣ים הָאֵ֔לֶּה אֲשֶׁ֖ר טָמָ֑נְתִּי וְנָטָ֥ה אֶת־שַׁפְרִיר֖וֹ עֲלֵיהֶֽם׃

Eis que eu mandarei vir Nabucodonosor, rei da Babilônia, meu servo, e porei o seu trono sobre estas pedras. O título divino inteiro é novamente usado a fim de destacar a mensagem dada: *Yahweh-Sabaote-Elohim,* ou seja, o Deus Eterno, Senhor dos Exércitos e Todo-poderoso. Essa é uma frequente introdução de importantes declarações divinas. Ver as notas expositivas sobre Jr 42.18. Nabucodonosor foi chamado de *servo* de Yahweh em Jr 27.6, onde anoto esse título, empregado no caso do rei pagão. A teologia por trás dele é que Deus controla os negócios e o destino dos indivíduos e das nações. Ou seja, temos aqui o *teísmo,* em contraste com o *deísmo*. Ver sobre ambos os termos no *Dicionário*. O teísmo bíblico, contudo, exceto em algumas passagens isoladas, não anula a livre agência humana. Ver no *Dicionário* o verbete intitulado *Livre-arbítrio.* O rei da Babilônia foi o agente de Yahweh para trazer o julgamento apropriado contra várias nações e, em alguns casos, a bênção apropriada, pois opera sempre tanto uma providência divina negativa quanto uma providência divina positiva.

Dentro de pouco tempo, Nabucodonosor viria e edificaria seu trono sobre as pedras ocultas na argila do pavimento; e isso significa que ele passaria a controlar o Egito. Quanto a problemas que essa afirmação causa, no tocante à história, conforme a conhecemos, ver as notas expositivas sobre o vs. 8. Supõe-se que a Babilônia atacou o Egito em cerca de 571 a.C. ou, talvez, tão tarde quanto 567 a.C. Mas as fontes de informação extrabíblicas não são claras sobre a questão, e há pouco material que possa ser aplicado a essa circunstância. "O rei Nabucodonosor deveria sentar-se por cima das pedras que Jeremias tinha escondido, não meramente em sua pompa real, mas em seu caráter de vingador, executando a ira de Yahweh contra os rebeldes" (Ellicott, *in loc.*).

O seu baldaquino. Esta referência é obscura, mas parece que temos aqui em vista uma espécie de rico tapete (literalmente, um "ornamento"), que ficava pendurado em redor do trono, como se fosse um adorno. Outros estudiosos veem uma espécie de aparelho de execução, usado para pôr fim à vida de prisioneiros e criminosos, o que, de alguma maneira, estava vinculado ao trono. A tradução inglesa NCV diz aqui "cobertura para dar sombra", uma espécie de estrutura tipo tenda, que protegia o trono.

43.11

וּבָאָה וְהִכָּה אֶת־אֶרֶץ מִצְרָיִם אֲשֶׁר לַמָּוֶת לַמָּוֶת וַאֲשֶׁר לַשְּׁבִי לַשֶּׁבִי וַאֲשֶׁר לַחֶרֶב לֶחָרֶב:

Virá, e ferirá a terra do Egito. O *rei da Babilônia* faria um trabalho completo, servindo Yahweh; traria a espada e feriria toda a terra do Egito, sujeitando-a ao seu poder: a pestilência se seguiria, conforme era usual quando havia guerra generalizada, e muitos morreriam das enfermidades, embora não tivessem sido mortos à espada; os sobreviventes seriam presos e deportados para a Babilônia, conforme era comum aos babilônios fazer. Mediante esses vários métodos de destruição, o Egito seria devastado, e mereceria esse tipo de tratamento, por causa de sua idolatria, conforme Jr 43.12 e o capítulo 44 desse livro deixam claro. O texto sagrado ensina que os eventos da história humana resultam de causas morais e espirituais, e não somente de jogos de poder e causas econômicas, que os homens gostam de destacar. Cf. este versículo com Jr 15.2, uma clara apresentação da tríade terrível: a espada, a fome e a pestilência. Ver Jr 42.16,17 sobre essa tríade, e ver Jr 42.10 sobre a *tríade misericordiosa*, que traz bênçãos aos obedientes. O remanescente judeu, que tinha fugido de Judá por causa da ameaça babilônica, encontraria a mesma ameaça no Egito e ficaria abundantemente claro que Jeremias tinha toda a razão ao denunciar a fuga dos judeus para o Egito como um ato de desobediência.

43.12

וְהִצַּתִּי אֵשׁ בְּבָתֵּי אֱלֹהֵי מִצְרַיִם וּשְׂרָפָם וְשָׁבָם וְעָטָה אֶת־אֶרֶץ מִצְרַיִם כַּאֲשֶׁר־יַעְטֶה הָרֹעֶה אֶת־בִּגְדוֹ וְיָצָא מִשָּׁם בְּשָׁלוֹם:

Lançará fogo às casas dos deuses do Egito, e as queimará. A *destruição babilônica* não deixaria de fora o ataque contra a idolatria dos egípcios. Os egípcios dependiam de seus muitos deuses para defendê-los. Suas esperanças seriam frustradas, entretanto. Os babilônios, por sua vez, atacariam alegremente aqueles defensores fraudulentos, para mostrar quão poderosos eles eram, visto estarem sendo liderados por "deuses superiores". Encontramos aqui a ridícula adição que diz que os *deuses* (juntamente com o povo) seriam levados ao cativeiro. Naturalmente, o povo que seria levado ao cativeiro eram os poucos que tivessem escapado dos incêndios generalizados. E a superstição que se vê nessas declarações é que aqueles deuses escolhidos se tornariam servos, ou mesmo protetores dos babilônios. Tal era a cegueira da idolatria pagã. Os deuses nada teriam feito em favor dos egípcios, mas esperava-se que fizessem algo em favor dos babilônios!

A Limpeza. Os vários atos do vs. 11, juntamente com aqueles do vs. 12, especificamente contra os deuses do Egito, seriam uma limpeza do lugar. O hebraico é gráfico aqui. Essa limpeza é comparada a como um pastor livra sua capa de "piolhos". O Egito, na verdade, tinha muitas formas de *piolhos*, isto é, metaforicamente falando, e precisava ser libertado deles. Quando um pastor ficava cansado dos piolhos que saíam de sua capa a fim de sugar-lhe o sangue, ele a punha em um banho de sabão forte, e os piolhos saíam dali correndo e eram destruídos. A Babilônia, pois, fez os piolhos do Egito correr para salvar a própria vida. "A vívida figura mostra quão baixa opinião tinha Jeremias da terra do Egito" (James Philip Hyatt, *in loc.*).

Tendo cumprido a missão que Deus lhe havia dado para realizar, o rei da Babilônia saiu tranquilamente do Egito, sem que ninguém o atacasse ou lhe perturbasse a mente. Isso significa que sua campanha militar foi totalmente bem-sucedida. Ele deixou algum rei títere em seu lugar e saiu à procura de outro país para atacar.

A sua própria veste. Alguns intérpretes compreendem a figura do pastor, simplesmente, como alguém que facilmente veste a sua capa. Assim, destruir o Egito seria tão fácil como vestir uma capa, ou seja, não exigiria nenhum esforço. A Septuaginta traduziu este versículo com a ideia de "tirar os piolhos", e talvez seja isso o que o original hebraico queira dizer.

43.13

וְשִׁבַּר אֶת־מַצְּבוֹת בֵּית שֶׁמֶשׁ אֲשֶׁר בְּאֶרֶץ מִצְרָיִם וְאֶת־בָּתֵּי אֱלֹהֵי־מִצְרַיִם יִשְׂרֹף בָּאֵשׁ: ס

Quebrará as colunas de Bete-Semes na terra do Egito. A destruição da idolatria egípcia incluía ataques, sobre a mais espetacular expressão disso, a saber, às colunas (obeliscos) de Bete-Semes, "a casa do sol". Está em vista a cidade de *Heliópolis*, o centro da adoração ao sol. A moderna Tell Husn identifica a antiga localização dessa cidade. Fica cerca de 9 km a nordeste do Cairo. Foi um famoso centro da adoração de Rá, o deus-sol. Os obeliscos (no hebraico, *maççebhoth*) eram colunas sagradas, altas colunas feitas de granito com topo em forma de pirâmide. Esses pilares eram erigidos para celebrar realizações notáveis dos faraós, as quais eram concebidas como resultantes da ajuda do deus-sol. Em Heliópolis, resta somente uma dessas colunas hoje em dia. Mas ainda existem, algures, duas outras colunas, apelidadas de *Agulhas de Cleópatra*. Uma delas foi erigida no Thames Embankment de Londres, Inglaterra, e a outra foi erguida no Central Park de Nova Iorque. Ver no *Dicionário* o verbete intitulado *Obelisco* para outras informações. Os babilônios, sem dúvida, transportaram alguns desses obeliscos, que eles selecionaram, e os ergueram na Babilônia. Foi assim que a idolatria egípcia, a alta e a baixa, foi demolida e queimada; e isso foi uma clara demonstração de que somente Yahweh é o Deus vivo e poderoso.

CAPÍTULO QUARENTA E QUATRO

Se está correta a informação de Jerônimo, no sentido de que Jeremias foi apedrejado por ocasião da "metáfora da pedra", em Jr 43.8-13, então o que se segue (não somente no capítulo 44, mas também em outras partes do livro, que contêm declarações de Jeremias, até o fim do livro) deve ter sido ou a obra do editor deuteronômico, ou então material dado em outras ocasiões, cronologicamente desvinculadas do capítulo 43. Mas a tradição do apedrejamento em Tafnes não é certa. Outrossim, outras tradições dizem que Jeremias ainda viveu muitos anos mais no Egito, tendo ali morrido pacificamente e sem violência. Jeremias foi invencível enquanto sua missão não terminou. Seja como for, os materiais que aparecem em seguida são cheios de alusões ao livro de Deuteronômio e podem ser obra de algum editor. Nesse caso, temos aqui uma *segunda* mensagem de Jeremias, após a fuga do remanescente judeu para o Egito. Quanto a essa fuga, ver Jr 43.4-7. O material do livro de Jeremias nem sempre aparece em ordem cronológica, e esse fator pode evidenciar-se mais do que nunca nos últimos capítulos do livro.

"O segundo incidente na vida de Jeremias no Egito começa com uma declaração formal dirigida a todos os judeus que estavam no Egito. Ali é feita a revisão de acontecimentos recentes, as advertências dadas nas mensagens proféticas e as reprimendas pela regressão moral para as práticas idólatras. Tudo isso aponta para o fato de que, ao que tudo indica, eles nada aprenderam de sua história recente. As palavras de Jeremias foram combatidas por uma defesa apaixonada, por parte das mulheres judias, que queimavam incenso à rainha do céu. Com aberta insolência, elas repeliram a autoridade espiritual do profeta, argumentando que as dificuldades que tinham atingido Judá resultavam das reformas encabeçadas por Josias, para livrar Judá da idolatria!" (Stanley Romaine Hopper, *in loc.*).

JEREMIAS REPREENDE OS JUDEUS NO EGITO (44.1-14)

44.1

הַדָּבָר אֲשֶׁר הָיָה אֶל־יִרְמְיָהוּ אֶל כָּל־הַיְּהוּדִים הַיֹּשְׁבִים בְּאֶרֶץ מִצְרַיִם הַיֹּשְׁבִים בְּמִגְדֹּל וּבְתַחְפַּנְחֵס וּבְנֹף וּבְאֶרֶץ פַּתְרוֹס לֵאמֹר: ס

Palavra que veio a Jeremias, acerca de todos os judeus, moradores da terra do Egito. Ainda *outro oráculo* foi dado ao profeta Jeremias. Ele era um profeta inspirado e devidamente qualificado, embora suas palavras fossem insistentemente desconsideradas. Chegou a ser chamado de mentiroso (ver Jr 43.2) pelos réprobos a quem tentava servir e orientar. Pelo tempo em que lhe foi conferida esta segunda mensagem, os judeus já se tinham espalhado a partir de Tafnes, o ponto de entrada deles no país (ver Jr 43.7). Sem dúvida, alguns judeus viviam no Egito fazia muitas gerações, e outros para ali fugiram antes de o remanescente (ver Jr 43.4-7) ter chegado àquele país. Mas esta mensagem foi endereçada especificamente aos que tinham abandonado recentemente seu país de origem, a Judeia. Todos os nomes próprios pessoais e locais citados neste versículo são comentados no *Dicionário*.

Um breve sumário dos nomes próprios locais é como segue: *Migdol* ficava perto da fronteira nordeste do Egito, bem como a moderna Tell el-Heir provavelmente assinala o local antigo. *Mênfis* (no hebraico, *Nof*) é a moderna Mit Rahneh. Fica pouco mais de 22 km ao sul da cidade do Cairo. Ver Jr 2.16. *Patros* era o nome do Alto Egito. A palavra egípcia significa "terra do sul". As cidades aqui mencionadas ficavam no norte e no sul do Egito, com o que o profeta Jeremias mostrou que a migração dos judeus para o Egito tinha sido considerável. Essa mensagem, por conseguinte, aplica-se a todos os judeus, de um extremo ao outro do Egito.

■ **44.2**

כֹּה־אָמַר יְהוָה צְבָאוֹת אֱלֹהֵי יִשְׂרָאֵל אַתֶּם רְאִיתֶם אֵת כָּל־הָרָעָה אֲשֶׁר הֵבֵאתִי עַל־יְרוּשָׁלִַם וְעַל כָּל־עָרֵי יְהוּדָה וְהִנָּם חָרְבָּה הַיּוֹם הַזֶּה וְאֵין בָּהֶם יוֹשֵׁב:

Vistes todo o mal que fiz cair sobre Jerusalém, e sobre todas as cidades de Judá. O completo nome divino de poder repete-se na introdução desta profecia: *Yahweh-Sabaote-Elohim* — Deus Eterno, Senhor dos Exércitos e Todo-poderoso. Ver a respeito em Jr 42.18. A *pesada mensagem* começou com uma breve revisão de todas as calamidades que o julgamento divino tinha feito cair contra Jerusalém e contra toda a nação de Judá. A devastação foi tão grande que o país inteiro tinha sido essencialmente desabitado. As cidades foram incendiadas; o povo foi morto à espada; os poucos sobreviventes foram deportados, e então, um minúsculo remanescente que sobreviveu por fim deixou o país um ermo. A pesada mão de Deus tinha feito tudo isso por causa da idolatria-adultério-apostasia de Judá; e mais ainda estava para vir, porquanto o minúsculo remanescente que tinha fugido para o Egito, não tinha mudado nem um pouco moral e espiritualmente, e continuava merecedor do mesmo tipo de tratamento por parte do Senhor. O remanescente judeu era formado por testemunhas oculares daquele lamentável processo, mas nada os havia transformado. As ruínas da nação eram uma espécie de testemunho contra eles, mas em que isso os afetava? Quando os homens continua e consistentemente se recusam a ouvir e seguir as instruções morais, eles perdem o poder de fazê-lo e, assim sendo, tornam-se condenados aos seus próprios olhos e se autoaleijam.

■ **44.3**

מִפְּנֵי רָעָתָם אֲשֶׁר עָשׂוּ לְהַכְעִסֵנִי לָלֶכֶת לְקַטֵּר לַעֲבֹד לֵאלֹהִים אֲחֵרִים אֲשֶׁר לֹא יְדָעוּם הֵמָּה אַתֶּם וַאֲבֹתֵיכֶם:

Por causa da maldade que fizeram, para me irarem. Embora os judeus tivessem muitos pecados, o profeta Jeremias salientou o pior deles, que se revelava mediante muitas manifestações: *a idolatria*. Ver sobre esse termo no *Dicionário* quanto à espantosa variedade de manifestações idólatras que floresciam entre os pagãos. Israel-Judá caiu no estado lamentável dos pagãos que perderam sua identidade nacional. A *lei* de Yahweh, dada por intermédio de Moisés, conferia ao povo de Israel seu *caráter distintivo*. Quanto a isso, ver Dt 4.4-8. Quanto à lei como um *guia*, ver Dt 6.4 ss. Quanto à lei como *transmissora de vida,* ver Dt 4.1; 6.2 e Ez 20.1.

O profeta Jeremias salientou aqui um *absurdo*: o povo de Judá era inteiramente destituído de imaginação. Eles ofereciam sacrifícios e queimavam incenso a deuses estrangeiros que nem eles nem seus pais tinham conhecido. Dessa maneira, anulavam todas as suas antigas tradições, que lhes tinham sido transmitidas por Moisés. O povo que tinha abandonado as tradições e as leis de Yahweh foi, por sua vez, abandonado pelo Senhor. Portanto, podemos compreender a razão de tão severos julgamentos. Ver sobre o ato de *queimar incenso*, no vs. 5.

■ **44.4**

וָאֶשְׁלַח אֲלֵיכֶם אֶת־כָּל־עֲבָדַי הַנְּבִיאִים הַשְׁכֵּים וְשָׁלֹחַ לֵאמֹר אַל־נָא תַעֲשׂוּ אֵת דְּבַר־הַתֹּעֵבָה הַזֹּאת אֲשֶׁר שָׂנֵאתִי:

Todavia, começando eu de madrugada, lhes tenho enviado os meus servos, os profetas. Os profetas, servos de Yahweh, levantavam-se cedo a cada manhã e ficavam acordados até tarde da noite, cumprindo sua missão da maneira mais fiel e diligente possível. Quanto ao "levantar-se cedo", ver Jr 7.13,25; 11.7; 25.3,4; 26.15; 29.29; 32.33 e 35.14,15. Esta é a última vez em que essa expressão ocorre no livro de Jeremias. Sua frequência faz lembrar uma fiel missão profética efetuada por muitos durante longo período de tempo. Mas, até onde dizia respeito a Israel-Judá, a mensagem divina, entregue por Jeremias, de forma diligente e fiel, caiu por terra, sem ser atendida. Os judeus rejeitavam essa mensagem a cada momento, o que explica aqueles intermináveis períodos de julgamento. O ato de "levantar-se cedo", como é natural, aplica-se primeiramente à própria diligência de Yahweh (por meio de forte antropomorfismo), e então, em segundo lugar, aos profetas que ele enviava.

Esta cousa abominável que aborreço. Embora todo o pecado, aos olhos de Deus, seja abominação, o termo é aqui aplicado ao pecado de *idolatria*, como uma espécie de fonte originária de todas as abominações. Trata-se de uma expressão que caracteriza o livro de Deuteronômio. Ver sobre Dt 27.15; 32.16; e também Jr 7.10; 8.12; 32.35 e Ez 5.11.

■ **44.5**

וְלֹא שָׁמְעוּ וְלֹא־הִטּוּ אֶת־אָזְנָם לָשׁוּב מֵרָעָתָם לְבִלְתִּי קַטֵּר לֵאלֹהִים אֲחֵרִים:

Mas eles não obedeceram, nem inclinaram os ouvidos, para se converterem. *A despeito de esforços heroicos* tanto da parte de Deus quando da parte do homem, o ouvido dos judeus inclinava-se para as corrupções e os deuses pagãos, e não para Yahweh. Essa franca desobediência fluía desde o começo até o fim da história de Israel. Quanto aos *ouvidos atentos,* uma metáfora de obediência, ver Sl 64.1. Neste capítulo, a *queima de incenso* representa toda a espécie de prática e rito idólatra. Ver no *Dicionário* o artigo chamado *Incenso*. Esse ato pode falar especificamente sobre a oração, e a oração faz parte de toda a forma de adoração, tanto a verdadeira como a falsa. A oração fala da dependência ao Ser divino ou à alguma entidade imaginária alegadamente divina. Os homens buscam as coisas que estão fora do alcance de sua inteligência. Esse é um aspecto importante de todas as religiões. Israel-Judá era um povo que facilmente se deixava sujeitar à sedução estrangeira. Tendo escapado de várias formas de idolatria na Palestina, o minúsculo remanescente de Judá sucumbiu diante da variedade de idolatria egípcia. Com grande facilidade o povo de Judá esqueceu suas raízes e tradições, como uma mulher volúvel sucumbe a um malandro qualquer que a aborda na rua.

■ **44.6**

וַתִּתַּךְ חֲמָתִי וְאַפִּי וַתִּבְעַר בְּעָרֵי יְהוּדָה וּבְחֻצוֹת יְרוּשָׁלִָם וַתִּהְיֶינָה לְחָרְבָּה לִשְׁמָמָה כַּיּוֹם הַזֶּה: ס

Derramou-se, pois, a minha indignação e a minha ira. A idolatria estava por trás dos severos julgamentos que, há tão pouco tempo, tinham atingido Judá e Jerusalém. Cf. o vs. 2, que este versículo repete em sua essência. Judá foi devastado e transformou-se num deserto, essencialmente ermo. Mas qual foi a contribuição da "lição histórica" de Jeremias? Nenhum caso de arrependimento perdurou por longo tempo e, usualmente, nenhum arrependimento ocorreu no coração de um povo desviado. Eles desenvolveram a imunidade à espiritualidade, conforme ela é definida pela legislação mosaica.

A minha indignação e a minha ira. O julgamento divino é retratado sob a figura do *fogo*, metáfora que se tornou comum a ponto de alguns intérpretes chegarem a pintar o julgamento da alma por intermédio de fogo literal. Porém, tentar prejudicar a alma ou fazê-la sentir-se desconfortável mediante o fogo literal é como jogar uma pedra no sol. Ver no *Dicionário* o verbete chamado *Fogo*, seções VII e VIII. Ver também o artigo separado chamado *Fogo, Símbolo do*.

O fogo é poderoso, consome e espalha-se rapidamente, e efetua devastações; as qualidades causadas por sua ação levaram o fogo a ser escolhido como símbolo do julgamento divino.

44.7

וְעַתָּ֡ה כֹּֽה־אָמַ֣ר יְהוָה֩ אֱלֹהֵ֨י צְבָא֜וֹת אֱלֹהֵ֣י יִשְׂרָאֵ֗ל לָמָה֩ אַתֶּ֨ם עֹשִׂ֜ים רָעָ֤ה גְדוֹלָה֙ אֶל־נַפְשֹׁ֣תֵכֶ֔ם לְהַכְרִ֨ית לָכֶ֧ם אִישׁ־וְאִשָּׁ֛ה עוֹלֵ֥ל וְיוֹנֵ֖ק מִתּ֣וֹךְ יְהוּדָ֑ה לְבִלְתִּ֛י הוֹתִ֥יר לָכֶ֖ם שְׁאֵרִֽית׃

Assim diz o Senhor, Deus dos Exércitos, o Deus de Israel. O nome divino completo, que indica o poder de Deus, introduz alguma declaração divina séria. Ver isso anotado em Jr 42.18. O nome *Yahweh-Sabaote-Elohim* servia de garantia de que o grande *mal* praticado por Judá não escaparia à retribuição divina. E a devastação continuaria, cortando a vida de homens, mulheres e crianças, até que praticamente nada restasse de Judá. O remanescente judeu que fugira para o Egito seria obliterado. E o que o julgamento não terminasse, os casamentos mistos com os egípcios o fariam. Famílias inteiras estavam envolvidas com a idolatria, e quase todas as células familiares pereceriam. A restauração da nação de Judá, que adquiriu o nome de Israel após o cativeiro babilônico, teria de ocorrer no meio do remanescente que retornaria da Babilônia. O remanescente judaico que havia fugido para o Egito pereceria inteiramente.

Tão grande mal, contra vós mesmos...? Quanto ao pecado contra a própria pessoa, ou contra a própria alma, cf. Nm 16.38 e Pv 8.36. Na verdade, o pecado é um ato de suicídio. A história já havia ilustrado claramente isso, mas o ignorante povo judeu não havia ainda notado.

44.8

לְהַכְעִסֵ֙נִי֙ בְּמַעֲשֵׂ֣י יְדֵיכֶ֔ם לְקַטֵּ֞ר לֵאלֹהִ֤ים אֲחֵרִים֙ בְּאֶ֣רֶץ מִצְרַ֔יִם אֲשֶׁר־אַתֶּ֥ם בָּאִ֖ים לָג֣וּר שָׁ֑ם לְמַ֙עַן֙ הַכְרִ֣ית לָכֶ֔ם וּלְמַ֧עַן הֱיוֹתְכֶ֛ם לִקְלָלָ֥ה וּלְחֶרְפָּ֖ה בְּכֹ֥ל גּוֹיֵ֥י הָאָֽרֶץ׃

Por que me irritais com as obras de vossas mãos, queimando incenso a outros deuses na terra do Egito...? Este versículo repete elementos que já tinham sido vistos nos vss. 5-7 e chama os atos do povo judeu de *provocação*. Este é um termo comum usado no livro de Deuteronômio, conforme se vê nas notas expositivas do artigo sobre esse livro, no *Dicionário*. Cf. Hb 3.8,15, onde o Novo Testamento também adota o tema. Ver Dt 4.25; 9.18; 31.20,29. A provocação deriva-se da idolatria, requerendo o "corte", que aparece no versículo anterior. As outras nações tanto ouviriam quanto testemunhariam o que aconteceria ao remanescente judeu no Egito, e reconheceriam as razões para as calamidades experimentadas. Elas saberiam que o remanescente judeu fora sujeito a uma *maldição divina*, outro tema comum do livro de Deuteronômio. Ver Dt 11.26,28,29; 23.15; 30.1. O remanescente judeu seria mencionado por outros povos como uma piada. Eles zombariam dos judeus, e sua memória seria ridicularizada. *Propositadamente,* eles cavaram a própria ruína! Sócrates pensava que o indivíduo que realmente *soubesse* o que fosse melhor para ele, seguiria um curso de ação que promovesse esse bem. Contudo, ele esqueceu a perversidade do coração humano. O simples *saber* não é suficiente para garantir a *conduta ideal.* É mister uma transformação moral da alma que diminua ou elimine a *perversidade humana.* "O nome deles foi tomado como provérbio e reprimenda por toda a parte" (John Gill, *in loc.*).

Atolado profundamente no dilúvio inundante,
Sem nada pleitear, exceto o sangue de Jesus.
Sussurrando, Jesus dizia: Vem, errante! Segue-me!

Marcus M. Wells

44.9

הַֽשְׁכַחְתֶּ֞ם אֶת־רָע֣וֹת אֲבוֹתֵיכֶ֗ם וְאֶת־רָע֣וֹת ׀ מַלְכֵ֣י יְהוּדָ֗ה וְאֵת֙ רָע֣וֹת נָשָׁ֔יו וְאֵת֙ רָעֹ֣תֵכֶ֔ם וְאֵ֖ת רָעֹ֣ת נְשֵׁיכֶ֑ם אֲשֶׁ֤ר עָשׂוּ֙ בְּאֶ֣רֶץ יְהוּדָ֔ה וּבְחֻצ֖וֹת יְרוּשָׁלִָֽם׃

Esquecestes já as maldades de vossos pais, as maldades dos reis de Judá...? *A Suprema Iniquidade.* Aqueles réprobos judeus que estavam no Egito esqueceram os pecados de seus pais, antigos habitantes de Israel, que se desviaram quase desde o princípio. Também esqueceram a iniquidade dos reis de Judá, que provocara o *cativeiro babilônico* (ver a respeito no *Dicionário*). Até as mulheres judias estavam cheias de pecados e eram campeãs na prática da idolatria. As mulheres antigas eram corruptas. As mulheres modernas eram corruptas, e elas mesmas eram os grandes modelos da iniquidade. O pecado era praticado francamente. O adultério era frequente; a idolatria era o guia de cada judeu. A taça da perversidade estava cheia, e o julgamento divino tinha caído contra toda a nação de Judá. Agora mesmo, no Egito, as calamidades não demorariam a derramar-se contra os poucos sobreviventes judeus que tinham fugido para aquela nação. Jr 44.9 é um versículo não teológico que ensina a "total depravação humana". Ver na *Enciclopédia de Bíblia, Teologia e Filosofia* o verbete chamado *Depravação.*

"Parece que as mulheres eram os principais agentes nas práticas idólatras. As rainhas, as esposas dos líderes políticos e as mulheres do nível comum da sociedade juntavam-se para queimar incenso à rainha do céu (a lua) (vs. 17)" (Adam Clarke, *in loc.*). Outrossim, muitas mulheres mostravam-se ativas na prostituição religiosa, vendendo o corpo para o sustento dos templos pagãos. Lembremos das esposas de Salomão e da confusão que elas causaram (ver 1Rs 11.4). Ver também 1Rs 15.13 (o caso de Asa) e 2Cr 22.2 (o caso de Acazias).

44.10

לֹ֣א דֻכְּא֔וּ עַ֖ד הַיּ֣וֹם הַזֶּ֑ה וְלֹ֤א יָֽרְאוּ֙ וְלֹֽא־הָלְכ֣וּ בְתוֹרָתִ֣י וּבְחֻקֹּתַ֔י אֲשֶׁר־נָתַ֥תִּי לִפְנֵיכֶ֖ם וְלִפְנֵ֥י אֲבוֹתֵיכֶֽם׃ ס

Não se humilharam até ao dia de hoje, não temeram... O ímpio remanescente judeu, uma vez no Egito, perdeu-se no caminho. Os poucos judeus desconheciam a lei de Moisés e não seguiam o pouco que conheciam. Note o leitor a forte ênfase deuteronômica. A lei é o *guia* (ver Dt 6.4 ss.), o que tornava Israel-Judá um povo distinto (ver Dt 4.4-8). Porém, o remanescente dos judeus fora absorvido pela cultura egípcia e perdeu as últimas distinções tipicamente judaicas. Os judeus tornaram-se orgulhosos e insolentes, e recusaram-se a ouvir o profeta Jeremias. Ultrapassaram a linha da cura possível, e tinham com eles as enfermidades que os levariam à morte. Não conheciam a contrição (ver Sl 51.17) nem eram inspirados pelo temor do Senhor, que é onde a sabedoria começa (ver Sl 119.38; Pv 1.7). Ver no *Dicionário* o verbete chamado *Orgulho.* Fazia muito tempo eles tinham deixado de *andar* de acordo com a legislação mosaica. Ver no *Dicionário* o artigo chamado *Andar.* "Eles não tinham nem o verdadeiro arrependimento por causa de seus pecados, nem o temor de Deus em seu coração. Se eles possuíssem essas qualidades, teriam obedecido à vontade divina" (John Gill, *in loc.*). Estavam em desesperadora necessidade, mas nem ao menos sabiam disso.

Lançai a linha da vida!
Alguém se está desviando;
Alguém está afundando hoje.

Edward S. Ufford

44.11

לָכֵ֗ן כֹּֽה־אָמַ֞ר יְהוָ֤ה צְבָאוֹת֙ אֱלֹהֵ֣י יִשְׂרָאֵ֔ל הִנְנִ֨י שָׂ֥ם פָּנַ֛י בָּכֶ֖ם לְרָעָ֑ה וּלְהַכְרִ֖ית אֶת־כָּל־יְהוּדָֽה׃

Eis que voltarei o rosto contra vós outros para mal, e para eliminar a todo o Judá. O nome do poder divino é novamente usado aqui, para efeito de ênfase: *Yahweh-Sabaote-Elohim.* Ver sobre isso em Jr 42.18. O rosto divino se voltaria contra os apóstatas, e isso significa que os judeus seriam "cortados", conforme podemos ver no vs. 7, onde todas as classes da sociedade judaica, até mesmo mulheres e crianças, são incluídas na matança predita. A *terrível tríade* — espada, fome e pestilência — faria o trabalho completo. Quanto a isso, ver Jr 42.17. Aqueles judeus réprobos voltaram o rosto para o Egito, abandonando a Terra Prometida. Portanto, o rosto de Deus voltou-se contra eles. Temos aí a operação da *Lex Talionis* (ver a respeito no *Dicionário*), a retribuição de acordo com a natureza do crime.

44.12

וְלָקַחְתִּ֞י אֶת־שְׁאֵרִ֣ית יְהוּדָ֗ה אֲשֶׁר־שָׂ֨מוּ פְנֵיהֶ֜ם לָב֣וֹא אֶֽרֶץ־מִצְרַיִם֮ לָג֣וּר שָׁם֒ וְתַ֨מּוּ כֹ֜ל בְּאֶ֧רֶץ מִצְרַ֣יִם יִפֹּ֗לוּ בַּחֶ֤רֶב בָּֽרָעָב֙ יִתַּ֔מּוּ מִקָּטֹן֙ וְעַד־גָּד֔וֹל בַּחֶ֥רֶב וּבָרָעָ֖ב יָמֻ֑תוּ וְהָיוּ֙ לְאָלָ֣ה לְשַׁמָּ֔ה וְלִקְלָלָ֖ה וּלְחֶרְפָּֽה׃

Tomarei o resto de Judá, que se obstinou em entrar na terra do Egito. Vemos aqui o remanescente resolvido a ir para o Egito. A fuga para o Egito foi realizada (ver Jr 43.4-7). Esse ato de apostasia provou a carranca do rosto divino, resolvendo que aqueles que desobedecessem à clara advertência de Jeremias (ver Jr 42.7-22) seriam todos consumidos por causa de sua maldade. No Egito, os judeus réprobos "cairiam" para nunca mais levantar-se. Os dois primeiros itens da terrível tríade são repetidos aqui: a espada e a fome. E então as mesmas palavras terminam o versículo, conforme vemos em Jr 42.18 e no vs. 8 deste capítulo. Outros povos ficariam boquiabertos diante dos atos praticados por aqueles apóstatas judeus, observariam a *maldição* que cairia sobre eles e os amaldiçoariam.

> As pessoas ficarão chocadas pelo que lhes aconteceu.
> Eles se tornarão uma palavra maldita.
> As pessoas os insultarão.
>
> NCV

44.13

וּפָקַדְתִּ֗י עַ֤ל הַיּֽוֹשְׁבִים֙ בְּאֶ֣רֶץ מִצְרַ֔יִם כַּאֲשֶׁ֥ר פָּקַ֖דְתִּי עַל־יְרוּשָׁלָ֑͏ִם בַּחֶ֥רֶב בָּרָעָ֖ב וּבַדָּֽבֶר׃

Porque castigarei os que habitam na terra do Egito. Repete-se aqui, uma vez mais, a *terrível tríade:* espada, fome e pestilência. Essas maldições devastariam o remanescente infiel dos judeus que estavam no Egito, tal como acontecera aos apóstatas que estavam em Judá, e mediante o mesmo intermédio: o exército babilônico e os resultados da guerra. Cf. Jr 42.17. "Essas palavras, como as de Jr 43.11, salientam uma punição que cairia sobre todo o Egito, e da qual os judeus que habitavam aquele país não estariam isentos" (Ellicott, *in loc.*).

44.14

וְלֹ֨א יִהְיֶ֜ה פָּלִ֤יט וְשָׂרִיד֙ לִשְׁאֵרִ֣ית יְהוּדָ֔ה הַבָּאִ֥ים לָגֽוּר־שָׁ֖ם בְּאֶ֣רֶץ מִצְרָ֑יִם וְלָשׁ֣וּב אֶ֣רֶץ יְהוּדָ֡ה אֲשֶׁר־הֵ֣מָּה מְנַשְּׂאִ֣ים אֶת־נַפְשָׁם֩ לָשׁ֨וּב לָשֶׁ֜בֶת שָׁ֗ם כִּ֛י לֹֽא־יָשׁ֖וּבוּ כִּ֥י אִם־פְּלֵטִֽים׃ ס

De maneira que dos restantes de Judá, que vieram à terra do Egito para morar, não haverá quem escape. O julgamento imposto por Yahweh deixou Judá devastado e essencialmente desabitado. Outro tanto sucederia ao fragmento dos judeus que tinha fugido para o Egito. Eles não conseguiriam escapar de novas desgraças. Pelo contrário, excetuando alguns poucos fugitivos que retornassem a Judá, o remanescente não mais voltaria à Terra Prometida. Isso quer dizer que o propósito de restaurar Judá teria de ocorrer por meio do remanescente que voltasse do cativeiro babilônico, depois de passados os setenta anos do exílio na Babilônia. Já o remanescente que tinha fugido para o Egito, esse se perderia para sempre, da mesma maneira que Israel (as dez tribos do norte) se perdera no cativeiro assírio. A mesma idolatria-adultério-apostasia que tinha provocado tanta confusão em Judá prosseguiria operando sua obra terrível no Egito, em concordância com a *Lei Moral da Colheita segundo a Semeadura* (ver a respeito no *Dicionário*). "Todos os que tinham fugido para o Egito, em violação ao mandamento de Deus (ver Jr 42.7-22), ali morreriam, excetuando alguns poucos fugitivos a quem Deus permitiria que voltassem" (Charles H. Dyer, *in loc.*). Cf. o vs. 28 deste mesmo capítulo, que dá a mesma informação.

"Os judeus aos quais Deus enviara para a Babilônia foram desmamados ali da idolatria e, finalmente, restaurados. Mas os que desceram ao Egito, por sua própria vontade pervertida, foram todos endurecidos na idolatria e pereceram ali" (Fausset, *in loc.*).

A RESPOSTA DOS JUDEUS (44.15-19)

44.15

וַיַּעֲנ֣וּ אֶֽת־יִרְמְיָ֗הוּ כָּל־הָאֲנָשִׁ֤ים הַיֹּֽדְעִים֙ כִּֽי־מְקַטְּר֤וֹת נְשֵׁיהֶם֙ לֵאלֹהִ֣ים אֲחֵרִ֔ים וְכָל־הַנָּשִׁ֥ים הָעֹמְד֖וֹת קָהָ֣ל גָּד֑וֹל וְכָל־הָעָ֛ם הַיֹּשְׁבִ֥ים בְּאֶֽרֶץ־מִצְרַ֖יִם בְּפַתְר֥וֹס לֵאמֹֽר׃

Então responderam a Jeremias todos os homens que sabiam que suas mulheres queimavam incenso a outros deuses. Encontramos aqui uma *resposta insolente* dos homens judeus à segunda mensagem de Jeremias. Longe de se arrependerem de sua idolatria no Egito, eles realmente atribuíram o grau de prosperidade que tinham obtido à bênção da rainha do céu, o objeto de sua adoração apostatada. Eles rejeitaram as palavras do profeta, de que Yahweh era o único Deus digno da lealdade prestada pelos homens.

Este versículo deve ser comparado ao vs. 9 deste mesmo capítulo. As mulheres judias é que tomaram a liderança na adoração idólatra no Egito, especialmente aquela referente à rainha do céu. Tal como nos dias mais antigos, e o que também era verdade no império romano (ver Juvenal, *Sat.* vi.526-534), as mulheres praticavam o culto, enquanto seus maridos não se aliavam a elas, mas também não se opunham. Em outras palavras, os homens aprovavam a idolatria promovida por suas mulheres com tanto empenho. A idolatria começava com as mulheres. Cf. 1Rs 11.4 e 1Tm 2.14. Ver sobre Jr 7.18 quanto a notas concernente à adoração idólatra à rainha do céu.

Patros. Ver as notas expositivas no vs. 1. O uso dessa palavra mostra que a atenção do escritor se voltara para o Alto Egito.

44.16

הַדָּבָ֗ר אֲשֶׁר־דִּבַּ֥רְתָּ אֵלֵ֖ינוּ בְּשֵׁ֣ם יְהוָ֑ה אֵינֶ֥נּוּ שֹׁמְעִ֖ים אֵלֶֽיךָ׃

Quanto à palavra que nos anunciaste em nome do Senhor, não te obedeceremos a ti. A réplica dos apóstatas judeus começou com uma clara e enfática declaração de que eles não dariam ouvidos aos oráculos de Jeremias. Estavam endurecidos para além da recuperação. Sentiam-se felizes com sua "nova fé". Yahweh tinha sido deslocado de seu coração. As leis e os costumes de Moisés, a fé do antigo povo de Israel, tinham sido descartados. A lei mosaica não era mais o *guia* (ver Dt 6.4 ss.), a fonte de *vida* para eles (ver Dt 4.1; Ez 20.1); eles não eram mais um povo *distinto* pela possessão e prática da lei (ver Dt 4.4-8). A idolatria egípcia satisfazia os mais profundos anelos deles. Eles não apenas rejeitavam a autoridade do profeta, como tinham abandonado todos os antigos caminhos do povo de Israel. Ver Jr 6.16.

44.17

כִּ֣י עָשֹׂ֣ה נַעֲשֶׂ֗ה אֶֽת־כָּל־הַדָּבָר֮ אֲשֶׁר־יָצָ֣א מִפִּינוּ֒ לְקַטֵּ֞ר לִמְלֶ֣כֶת הַשָּׁמַ֗יִם וְהַסֵּֽיךְ־לָ֤הּ נְסָכִים֙ כַּאֲשֶׁ֨ר עָשִׂ֜ינוּ אֲנַ֤חְנוּ וַאֲבֹתֵ֙ינוּ֙ מְלָכֵ֣ינוּ וְשָׂרֵ֔ינוּ בְּעָרֵ֣י יְהוּדָ֔ה וּבְחֻצ֖וֹת יְרוּשָׁלָ֑͏ִם וַנִּשְׂבַּֽע־לֶ֙חֶם֙ וַנִּֽהְיֶ֣ה טוֹבִ֔ים וְרָעָ֖ה לֹ֥א רָאִֽינוּ׃

Antes certamente toda a palavra que saiu da nossa boca. Os *réprobos judeus* apelaram para a antiguidade do culto à rainha do céu como fator autenticador da validade da adoração a essa deusa pagã. Eles salientaram que seus antepassados e seus reis estavam envolvidos nessa prática, e muitas cidades de Judá estavam infectadas com essa forma de adoração; e até na capital, Jerusalém, onde estava o templo de Yahweh, essa "adoração paralela" atraíra muita gente. Além disso, entre seus argumentos, apresentaram o maior de todos os absurdos, atribuindo à influência dos seus antepassados várias formas de idolatria. A rainha do céu (e não Yahweh) é que os estava abençoando! E deixaram de fora, por pura conveniência, todos os muitos julgamentos devastadores que sempre acompanharam a prática da idolatria em Judá e que os forçaram a buscar refúgio no Egito. As pessoas, quando querem apresentar um bom caso, sempre deixam de fora os fatores negativos contrários a seus argumentos. Quanto ao culto à *Rainha do Céu,* ver o detalhado artigo no *Dicionário.* Ver mais algumas ideias adicionais em Jr 7.18. Note aqui o leitor o absurdo: a vergonha deles foi referida como algo meritório e fonte do bem para eles. Aqueles miseráveis tinham pura vaidade em lugar de suas antigas leis e tradições, bem no meio de sofrimentos e horrendos castigos impostos por causa de seu desvio.

Os insensatos atribuem sua aparente prosperidade à aparente indiferença de Deus para com os seus pecados. Mas ver Pv 1.32; Ec 8.11-13. O fato, contudo, era que Deus os havia punido com frequência, por causa da idolatria (ver Jz 2.14). Note o leitor que aqueles réprobos estavam preocupados com o que comer, e atribuíam o abundante suprimento alimentar a uma fonte originária errada. No entanto, esqueceram o pão do céu, a alimentação espiritual da alma.

■ **44.18,19**

וּמִן־אָז חָדַלְנוּ לְקַטֵּר לִמְלֶכֶת הַשָּׁמַיִם וְהַסֵּךְ־לָהּ
נְסָכִים חָסַרְנוּ כֹל וּבַחֶרֶב וּבָרָעָב תָּמְנוּ׃

וְכִי־אֲנַחְנוּ מְקַטְּרִים לִמְלֶכֶת הַשָּׁמַיִם וּלְהַסֵּךְ לָהּ
נְסָכִים הֲמִבַּלְעֲדֵי אֲנָשֵׁינוּ עָשִׂינוּ לָהּ כַּוָּנִים לְהַעֲצִבָה
וְהַסֵּךְ לָהּ נְסָכִים׃ פ

Mas desde que cessamos de queimar incenso à rainha dos céus, e de lhe oferecer libações... Outro argumento *irracional e absurdo* é apresentado aqui. Quando aqueles homens miseráveis negligenciaram o culto à rainha dos céus, foi então que muitas e grandes calamidades os atingiram! O culto da "rainha" evidentemente consistia em três ritos principais: 1. a queima de incenso; 2. o oferecimento de libações; e 3. a feitura de bolos em honra à rainha do céu, que se tornou parte dos ritos envolvendo a ingestão de alimentos, tal como os sacrifícios de sangue oferecidos por Israel eram feitos em tempos de festejos, por parte dos que participavam dos ritos. Conspícuos por sua ausência eram os sacrifícios de animais, o fator central da adoração de Yahweh, conforme demandava a lei mosaica. "Parece que essa forma de adoração, caracterizada por oferendas de bolos em forma de lua crescente, era a forma dominante da idolatria da época. Ver Jr 7.18" (Ellicott, *in loc.*). Os bolos eram feitos de mel e farinha de trigo, e tinham a forma de lua crescente para relembrar nosso satélite, ou a forma de imagens de deuses ou deusas. A *estrela* era o símbolo da rainha, pelo que essa era uma forma comum e popular dos bolos. Em Jr 7.18 ofereço outros detalhes sobre essa questão, que não repito aqui.

Sem nossos maridos? As mulheres judias é que encabeçavam o culto e eram as adoradoras principais. Mas isso não era feito sem a aprovação e certa participação dos homens. Para aquelas mulheres, isso servia de outra autenticação de sua forma de culto. Elas não dependiam de sua própria autoridade para praticar a religião idólatra. Suas famílias estavam envolvidas e, mediante alguma distorção perversa da lógica, para elas isso justificava a idolatria. Pois, afinal, estavam promovendo uma fé doméstica! A rainha dos céus era uma deusa da fertilidade (entre outras funções), e isso, para aquelas mulheres insensatas, fazia dela uma boa "deusa da família". É provável que esteja em vista a deusa assiro-babilônica *Istar* (ver a respeito no *Dicionário*). Essa deusa também era chamada *Astarte* e *Astorete.* Aquelas mulheres judias, insensatas como eram, pensavam que a oposição de Jeremias à fé delas era um absurdo, visto que contavam com a aprovação dos maridos. Dessa forma, elas tentaram escudar-se da culpa apontando para a cumplicidade de outras pessoas.

OUTRA REPRIMENDA CONTRA OS JUDEUS (44.20-28)

■ **44.20**

וַיֹּאמֶר יִרְמְיָהוּ אֶל־כָּל־הָעָם עַל־הַגְּבָרִים וְעַל־
הַנָּשִׁים וְעַל־כָּל־הָעָם הָעֹנִים אֹתוֹ דָּבָר לֵאמֹר׃

Então disse Jeremias a todo o povo, aos homens e às mulheres. Jeremias não se deixou vencer pela fala tola daquelas mulheres. Pelo contrário, passou a repreendê-las nos termos mais candentes possíveis, e não se deixou impressionar pelo fato de que elas contavam com a aprovação dos maridos. O fato é que elas não contavam com a aprovação de Yahweh, e era com isso que elas deveriam preocupar-se.

"O profeta deu uma resposta à altura contra a assertiva de que a prosperidade dos anos passados tinha coincidido com a adoração idólatra que ele condenara. Essa prosperidade não tinha sido de longa duração. Outrossim, embora a longanimidade de Deus tivesse suportado aquelas mulheres, o seu julgamento viera, afinal" (Ellicott, *in loc.*).

Não há nenhuma indicação de que Jeremias receberia ainda outro oráculo divino para emitir sua reprimenda. Ele meramente usou argumentos históricos e lógicos baseados nos pontos comuns e fundamentais da fé judaica. Ele fez um discurso geral, dirigido a homens, mulheres e todo o povo. Ele continuava a tentar insuflar algum bom senso na mente daqueles réprobos endurecidos. Mas acabou falhando, no sentido de que não convenceu ninguém, nem em Judá, como antes, nem agora, no Egito. Ele cumpriu sua missão de instruir e advertir. E também não pôde ser responsabilizado pelo fato de que os ímpios não correspondiam positivamente a seu discurso. Com exagerada frequência, os homens medem o sucesso pelo número dos que respondem positivamente a um apelo qualquer. Com frequência, esse é um falso padrão. A fidelidade na proclamação é o verdadeiro padrão do sucesso.

■ **44.21**

הֲלוֹא אֶת־הַקִּטֵּר אֲשֶׁר קִטַּרְתֶּם בְּעָרֵי יְהוּדָה
וּבְחֻצוֹת יְרוּשָׁלִַם אַתֶּם וַאֲבוֹתֵיכֶם מַלְכֵיכֶם וְשָׂרֵיכֶם
וְעַם הָאָרֶץ אֹתָם זָכַר יְהוָה וַתַּעֲלֶה עַל־לִבּוֹ׃

Quanto ao incenso que queimastes nas cidades de Judá e nas ruas de Jerusalém... Os ímpios com frequência prosperam. Portanto, a prosperidade temporária frequentemente não serve de sinal de retidão, embora *possa ser.* No caso daqueles judeus, a prosperidade de que eles agora se vangloriavam não servia de sinal. O que acontecia era que Yahweh lhes estava dando tempo para voltar ao bom senso. Ele adiara seu juízo por um tempo, mais do que aquilo que mereciam, esperando que se arrependessem. Mas isso nunca ocorreu, pelo que a calamidade teria de cair sobre eles, fatalmente. O povo judeu prosperava de modo paralelo à sua adoração idólatra, pelo que a impressão era que Yahweh ou não existia, ou era indiferente para com a adoração que a rainha dos céus recebia em seu lugar. Jeremias estava dizendo que o povo judeu interpretava erroneamente os "bons anos", atribuindo-lhes uma causa falsa. Outrossim, os bons anos não demoraram a desandar em um fim calamitoso.

■ **44.22**

וְלֹא־יוּכַל יְהוָה עוֹד לָשֵׂאת מִפְּנֵי רֹעַ מַעַלְלֵיכֶם
מִפְּנֵי הַתּוֹעֵבֹת אֲשֶׁר עֲשִׂיתֶם וַתְּהִי אַרְצְכֶם לְחָרְבָּה
וּלְשַׁמָּה וְלִקְלָלָה מֵאֵין יוֹשֵׁב כְּהַיּוֹם הַזֶּה׃

O Senhor já não podia por mais tempo sofrer a maldade das vossas obras. O que era tão óbvio estava oculto do coração endurecido. Se o povo judeu tinha prosperado por algum tempo, de modo paralelo à sua adoração idólatra, também era verdade que, ato contínuo, a devastação mais temível tomou conta de toda a nação de Judá, deixando-a em ruína total e, virtualmente, desabitada. Qual tinha sido a causa disso? Por acaso a rainha dos céus trouxera a ruína sobre seus súditos favorecidos? Não. O que aconteceu é que Yahweh feriu o povo judeu por causa da corrupção que ele não podia mais tolerar. Ele é aqui pintado como o verdadeiro poder por trás das atividades humanas e dos movimentos da história, bons ou maus, tudo dependendo dos homens, em seu livre-arbítrio, quanto a como o provocam. Os cativeiros assírio e babilônico (ver a respeito no *Dicionário*) eram evidentes manifestações da ira de Deus contra a idolatria. "Longe de ser um motivo de bênçãos, a adoração de Judá a falsos deuses lhes garantira a condenação. O fracasso em reconhecer esse fato e seguir o Senhor produziu o tremendo desastre que sobreveio a Judá, conforme o remanescente judeu podia observar muito bem a cada dia" (Charles H. Dyer, *in loc.*).

As abominações que cometestes. "Abominação" é um sinônimo comum para *idolatria,* conforme comento no artigo do *Dicionário* sob esse título. Ver também Jr 4.1. Judá, reduzido a nada, tornou-se motivo de profunda admiração a todos quantos observassem o remanescente dessa nação; a nação de Judá tornou-se um lugar amaldiçoado e ficou essencialmente desabitada. Tudo isso foi abundantemente previsto. Ver Jr 25.11,18,38.

44.23

מִפְּנֵי אֲשֶׁר קִטַּרְתֶּם וַאֲשֶׁר חֲטָאתֶם לַיהוָה וְלֹא שְׁמַעְתֶּם בְּקוֹל יְהוָה וּבְתֹרָתוֹ וּבְחֻקֹּתָיו וּבְעֵדְוֹתָיו לֹא הֲלַכְתֶּם עַל־כֵּן קָרָאת אֶתְכֶם הָרָעָה הַזֹּאת כַּיּוֹם הַזֶּה: ס

Pois queimastes incenso, e pecastes contra o Senhor, não obedecestes à voz do Senhor... A *queima de incenso* não tinha sido o pior pecado que Judá havia cometido, mas era o *símbolo* da idolatria em geral. No vs. 19 encontramos os três modos principais de adoração prestada à rainha dos céus: queimar incenso, oferecer libações e fazer bolos em honra a ela. Essas coisas eram apenas o *modus operandi* do culto falso. Estando engajados em uma fé falsa, os judeus negligenciaram o verdadeiro fundamento da religião hebraica histórica: a lei e as tradições de Moisés. Encontramos aqui os vocábulos lei, estatutos e testemunhos, maneiras pelas quais os antigos judeus se referiam à lei mosaica. A lei era o *guia* dos judeus (ver Dt 6.4 ss.). Ela lhes transmitia a vida (ver Dt 4.1; 5.33; 6.2; Ez 20.1) e tornava Israel um povo distinto (ver Dt 4.4-8). Mas tudo isso tinha sido anulado por um povo desviado, desobediente, rebelde, insensato, ignorante e ímpio.

Quanto à *tríplice designação* da lei, ver Dt 6.1. Quanto ao *estatuto eterno*, ver Êx 29.42; 31.16; Lv 3.17 e 16.29. A desobediência e a negligência da fé histórica tinham feito Israel, e então Judá, cair na mais total desolação, que foi o julgamento divino apropriado contra eles. Eles pecaram contra a sua própria luz.

44.24

וַיֹּאמֶר יִרְמְיָהוּ אֶל־כָּל־הָעָם וְאֶל כָּל־הַנָּשִׁים שִׁמְעוּ דְּבַר־יְהוָה כָּל־יְהוּדָה אֲשֶׁר בְּאֶרֶץ מִצְרָיִם: ס

Ouvi a palavra do Senhor, vós, todo o Judá, que estais na terra do Egito. Jeremias continuou sua diatribe, dirigida a todo o povo, mas especialmente às mulheres que tinham sido o principal poder corruptor no que diz respeito à adoração à rainha dos céus, embora não no tocante a outras formas de idolatria. Jeremias estava entregando aos judeus a *palavra de Yahweh* como seu profeta autorizado. Essa palavra consistia nos muitos oráculos que ele tinha recebido por inspiração divina. Ele falava especificamente ao minúsculo remanescente de judeus que tinha fugido para o Egito, buscando segurança diante de um possível ataque dos babilônios. Pouco depois de terem entrado no Egito, eles apelaram à idolatria egípcia e, assim, criaram imediatamente novas condições para novas calamidades. O rei da Babilônia, Nabucodonosor, servo de Yahweh (ver Jr 43.10), em breve espalharia o terror no Egito, atingindo os judeus que para ali tinham fugido. A idolatria-adultério-apostasia dos judeus nunca desistia até ter esmagado a tudo e a todos, exceto o pequeno remanescente que retornaria da Babilônia, que seria o instrumento para iniciar um novo dia na história da nação.

44.25

כֹּה־אָמַר יְהוָה־צְבָאוֹת אֱלֹהֵי יִשְׂרָאֵל לֵאמֹר אַתֶּם וּנְשֵׁיכֶם וַתְּדַבֵּרְנָה בְּפִיכֶם וּבִידֵיכֶם מִלֵּאתֶם לֵאמֹר עָשֹׂה נַעֲשֶׂה אֶת־נְדָרֵינוּ אֲשֶׁר נָדַרְנוּ לְקַטֵּר לִמְלֶכֶת הַשָּׁמַיִם וּלְהַסֵּךְ לָהּ נְסָכִים הָקֵים תָּקִימְנָה אֶת־נִדְרֵיכֶם וְעָשֹׂה תַעֲשֶׂינָה אֶת־נִדְרֵיכֶם: פ

Assim fala o Senhor dos Exércitos, o Deus de Israel. O nome do poder divino, por inteiro, novamente introduz uma solene declaração, a saber, *Yahweh-Sabaote-Elohim*, Deus Eterno, Senhor dos Exércitos e Todo-poderoso. O uso deste título completo de Deus é frequente no livro de Jeremias. Ver sobre *Deus, Nomes Bíblicos de*, no *Dicionário*. Cf. Jr 42.15; 43.10; 44.2,7,11.

Vós e vossas mulheres não somente fizestes por vossa boca, senão também que cumpristes por vossas mãos... Aqueles homens e mulheres, tão *zelosos* em seus erros, se tinham vangloriado abertamente de seus votos, feitos à rainha dos céus, os quais certamente cumpririam. Portanto, o profeta falou com ironia, como se aquele cumprimento fosse algo recomendável. Porém, grande surpresa aguardava por aquela gente. Eles cumpririam seus votos, mas repentina destruição haveria de atingi-los, a despeito de sua piedade falsa e mal orientada. O que eles pensavam ser bom, operaria no sentido da destruição deles. Eles tinham o cuidado de queimar incenso, verter libações e fazer seus bolos doces, ao mesmo tempo que negligenciavam as antigas tradições dos hebreus. Isso só podia terminar em desastre. Pois, finalmente, o zelo deles, tão errôneo e mal orientado, acabaria por prejudicá-los. Seus *votos* ridículos, que guardavam com tanto empenho, seriam contrabalançados por um *voto de Yahweh* que os destruiria, conforme mostram os versículos que se seguem. O profeta falou com um tom zombeteiro na voz e com cortante ironia, a respeito dos votos dos judeus apóstatas.

44.26

לָכֵן שִׁמְעוּ דְבַר־יְהוָה כָּל־יְהוּדָה הַיֹּשְׁבִים בְּאֶרֶץ מִצְרָיִם הִנְנִי נִשְׁבַּעְתִּי בִּשְׁמִי הַגָּדוֹל אָמַר יְהוָה אִם־יִהְיֶה עוֹד שְׁמִי נִקְרָא בְּפִי כָּל־אִישׁ יְהוּדָה אֹמֵר חַי־אֲדֹנָי יְהוִה בְּכָל־אֶרֶץ מִצְרָיִם:

Eis que eu juro pelo meu grande nome... que nunca mais será pronunciado o meu nome... Yahweh fez assim seu próprio voto e proferiu seu próprio juramento. Por trás dele estão seus decretos, que nenhum homem pode alterar. Ele jurou por seu próprio *grande Nome*, em contraste com o nome de nada da rainha dos céus. O *Nome* representa a essência de sua pessoa, com os atributos acompanhantes. As notas sobre isso aparecem em Sl 31.3. Ver sobre *Nome Santo* em Sl 30.4 e 33.21. No *Dicionário*, dou um artigo chamado *Nome*. Visto que Judá havia abandonado Yahweh, nenhum homem entre os judeus que fugiram para o Egito tinha o direito de continuar usando o nome de Deus, invocando-o ou esperando respostas divinas às suas orações. Em outras palavras, os judeus apóstatas foram lançados fora. Nenhum homem entre os judeus novamente seria capaz de fazer um juramento em nome de Yahweh, dizendo: "Tão certo como vive o Senhor Deus" como garantia. O único relacionamento que existiria entre aqueles judeus e Yahweh era o de Juiz e de povo julgado. Eles tinham profanado o seu nome e perdido o direito de primogenitura. Ver Gn 22.16, onde *Yahweh-Adonai* jura por si mesmo, porquanto não havia outro, maior do que ele, por meio do qual ele pudesse jurar.

44.27

הִנְנִי שֹׁקֵד עֲלֵיהֶם לְרָעָה וְלֹא לְטוֹבָה וְתַמּוּ כָל־אִישׁ יְהוּדָה אֲשֶׁר בְּאֶרֶץ־מִצְרַיִם בַּחֶרֶב וּבָרָעָב עַד־כְּלוֹתָם:

Eis que velarei sobre eles para mal, e não para bem. Se já tinha havido tempo em que o Pastor celestial velara para o bem-estar deles, agora, tendo-se voltado contra eles, velaria para o mal. Ele cuidaria para que calamidades, e não bênçãos, os atingissem, e também para que fossem alcançados pela morte, e não bafejados pela vida. O Senhor enviaria contra eles a *terrível tríade* — espada, fome e pestilência (ver sobre Jr 42.17). Isso tornou-se uma tríade temível porquanto por trás havia o *juramento* de Deus. Cf. este versículo com Jr 1.10 e Ez 7.6. Ver também o vs. 13 do presente capítulo.

> Onde, caro Pastor, vigias as tuas ovelhas?
> Dize-me, por que no vale da morte deveria eu chorar?
> — Joseph Swain

44.28

וּפְלִיטֵי חֶרֶב יְשֻׁבוּן מִן־אֶרֶץ מִצְרַיִם אֶרֶץ יְהוּדָה מְתֵי מִסְפָּר וְיָדְעוּ כָּל־שְׁאֵרִית יְהוּדָה הַבָּאִים לְאֶרֶץ־מִצְרַיִם לָגוּר שָׁם דְּבַר־מִי יָקוּם מִמֶּנִּי וּמֵהֶם:

Os que escaparem da espada tornarão da terra do Egito à terra de Judá. Alguns poucos fugitivos conseguiriam escapar dos ataques militares de Nabucodonosor, rei da Babilônia, contra o Egito, e voltar para o território de Judá. A quase total destruição do minúsculo remanescente judeu no Egito comprovou a veracidade do que é dito no presente contexto: a morte os acompanharia de perto ao longo do caminho, porquanto eles tinham apostatado e se voltado para a rainha dos céus como guia e fonte de bênçãos. Este versículo não se mostra incoerente com os vss. 14 e 27, visto que o total aniquilamento daquela gente não era necessário para provar que eles mereciam destruição severa e quase completa. A reivindicação deles, de que a idolatria os havia beneficiado, finalmente se mostraria ridícula e suicida. Ver os vss. 17,18 do presente capítulo.

"O pequeno remanescente que sobreviveu à espada e à fome voltaria a Judá como testemunha do julgamento divino que os havia atingido, conforme o profeta havia avisado que aconteceria. Assim sendo, as palavras de Yahweh permaneceram de pé, ao passo que as palavras dos homens fracassaram" (Ellicott, *in loc.*). Dessa maneira, aquele minúsculo grupo de sobreviventes tornou-se testemunho da veracidade da mensagem profética dada por meio de Jeremias.

O SINAL CONCERNENTE AO FARAÓ-HOFRA (44.29,30)

■ 44.29

וְזֹאת־לָכֶם הָאוֹת נְאֻם־יְהוָה כִּי־פֹקֵד אֲנִי עֲלֵיכֶם בַּמָּקוֹם הַזֶּה לְמַעַן תֵּדְעוּ כִּי קוֹם יָקוּמוּ דְבָרַי עֲלֵיכֶם לְרָעָה: ס

Isto vos será sinal de que eu vos castigarei neste lugar, diz o Senhor. "O sinal tinha por intuito confirmar as predições feitas acerca da destruição a ser efetuada na terra do Egito. Quanto a sinais sobre esse tipo, cf. o sinal do *Emanuel* (referido em Is 7.11-17); ver também Is 37.30; 38.7; Êx 3.12; 1Sm 2.34 e 10.7-9" (James Philip Hyatt, *in loc.*).

O sinal indicava a destruição certa, porque as palavras dos oráculos dados por meio de Jeremias foram rejeitadas e tornaram-se alvo de zombarias. Jeremias, por sua vez, foi chamado de mentiroso (ver Jr 43.2). Essas palavras, pois, tornaram-se um testemunho *contra* a colônia judaica no Egito. Elas foram precisamente cumpridas para tristeza de todos os envolvidos. As calamidades que circundaram a vida do Faraó-Hofra serviriam de sinal de como as profecias de condenação, ditas por Jeremias, se cumpririam.

■ 44.30

כֹּה אָמַר יְהוָה הִנְנִי נֹתֵן אֶת־פַּרְעֹה חָפְרַע מֶלֶךְ־מִצְרַיִם בְּיַד אֹיְבָיו וּבְיַד מְבַקְשֵׁי נַפְשׁוֹ כַּאֲשֶׁר נָתַתִּי אֶת־צִדְקִיָּהוּ מֶלֶךְ־יְהוּדָה בְּיַד נְבוּכַדְרֶאצַּר מֶלֶךְ־בָּבֶל אֹיְבוֹ וּמְבַקֵּשׁ נַפְשׁוֹ: ס

Eu entregarei Faraó-Hofra, rei do Egito, nas mãos de seus inimigos. O *Faraó-Hofra* sofreria um destino cruel, tal como sucedera a Zedequias, rei de Judá. Yahweh agiu contra ambos os homens, através da mesma agência: homens rebeldes, facciosos e cruéis, que pouco respeitavam a vida humana. Heródoto (*Hist.* 2.161-163,169) fornece-nos a essência da história. Hofra perdeu seu trono em 570 a.C. Ele enviou Amasis, um de seus generais, para abafar uma revolta entre as suas tropas. Mas o exército decidiu que já havia sofrido bastante sob Hofra, pelo que fizeram de Amasis o novo Faraó. Esse homem posteriormente atacou o Faraó anterior, derrotou-o e aprisionou-o. Mais tarde, Amasis entregou o Faraó anterior nas mãos de seus inimigos, os quais o estrangularam. Hofra também era conhecido como Apries. No começo de seu reinado, ele se aliou ao rei Zedequias, de Judá, contra Nabucodonosor. Foi Hofra quem enviou o exército egípcio para aliviar o cerco de Jerusalém (ver Jr 37.5). Entretanto, essa vitória mostrou ser apenas temporária.

Se esse homem teve um reinado próspero, por longo tempo, sua vida posterior foi maculada por derrotas e, finalmente, por uma morte vergonhosa às mãos de sua própria gente. Suas desgraças, pois, tornaram-se um *sinal* para os judeus rebeldes que estavam no Egito. Eles sofreriam reversões, calamidades e, finalmente, a morte, cumprindo-se assim as profecias de condenação do profeta Jeremias. A guerra civil de Amasis contra Hofra pavimentou o caminho para a invasão de Nabucodonosor, que dentro de pouco tempo obteve o domínio do país, tornando-se o controlador de todo o Egito, incluindo os poucos judeus que para lá haviam fugido. Ver Josefo (*Antiq.* x.11).

Cf. este versículo com Jr 43.8-13, onde foi profetizada a vitória fácil da Babilônia contra o Egito. Foi desse modo que Nabucodonosor "despiolhou" o Egito, por ordens de Yahweh.

CAPÍTULO QUARENTA E CINCO

UM ORÁCULO PARA BARUQUE (45.1-5)

Este capítulo é um breve oráculo que Jeremias entregou ao seu amanuense, Baruque. A fonte originária, como é claro, foi Yahweh. O oráculo consiste em uma espécie de confissão de Baruque, similar a algumas confissões de Jeremias, em que ele se queixou a Yahweh acerca de suas tristezas. Baruque recebeu uma resposta divina, semelhante a algumas respostas divinas que também foram dadas a Jeremias. Ver Jr 12.5 e 15.19. Além disso, tal como se deu no caso de Jeremias, não foi conferida a Baruque a recompensa que ele pedia, mas tão somente foi solicitado, da parte do Senhor, que ele sofresse mais graciosamente a sua sorte.

A data deste oráculo é disputada. O vs. 1 deste capítulo situa-o no quarto ano do reinado de Jeoaquim, ou seja, 605-604 a.C. O vs. 4 quase certamente situa o oráculo antes das grandes destruições que fizeram findar Judá e Jerusalém. Mas alguns estudiosos o situam após a queda de Jerusalém, perto do fim da vida de Jeremias. Pode ter sido uma espécie de incumbência de leito de morte que Jeremias deu a Baruque pouco antes de partir desta vida terrena. Baruque foi convidado a mostrar-se humilde e otimista, em meio a toda a destruição à sua volta e à aparente inutilidade de seu ministério ao lado de Jeremias. Mas a própria vida de Baruque seria poupada, e podemos estar certos de que ele teve útil idade avançada e morreu em paz.

■ 45.1

הַדָּבָר אֲשֶׁר דִּבֶּר יִרְמְיָהוּ הַנָּבִיא אֶל־בָּרוּךְ בֶּן־נֵרִיָּה בְּכָתְבוֹ אֶת־הַדְּבָרִים הָאֵלֶּה עַל־סֵפֶר מִפִּי יִרְמְיָהוּ בַּשָּׁנָה הָרְבִעִית לִיהוֹיָקִים בֶּן־יֹאשִׁיָּהוּ מֶלֶךְ יְהוּדָה לֵאמֹר: ס

Palavra que falou Jeremias, o profeta, a Baruque, filho de Nerias. Quanto a informações sobre a data deste oráculo, e seu caráter em geral, ver as anotações anteriores. Este versículo deve ser vinculado a Jr 36.1, onde encontramos a mesma nota cronológica. A condenação sem mitigação, profetizada por Jeremias contra Judá, desagradou Jeoaquim e seus conselheiros, e fez o próprio profeta e seu amanuense, Baruque, cair em dificuldades por causa de seus esforços. Contudo, alguns estudiosos opinam que este oráculo pertence a um período posterior da vida de Jeremias e de Baruque, quase no tempo da morte do primeiro deles, conforme menciono anteriormente. Ellicott (*in loc.*) confiava que o oráculo foi deslocado de seu verdadeiro engaste histórico, por parte de algum editor posterior, que teve a má sorte de não inseri-lo na ordem cronológica apropriada. Disse Ellicott: "O conteúdo do oráculo parece mais apropriado ao fim da vida de Jeremias, depois que ele e Baruque tiveram de enfrentar maiores sofrimentos, do que ao tempo em que foi escrito o rolo correspondente ao capítulo 36 do livro de Jeremias. A data que aparece neste vs. 1 vem do editor deuteronômico, que é responsável por uma data similar, em Jr 25.1" (James Philip Hyat, *in loc.*).

■ 45.2

כֹּה אָמַר יְהוָה אֱלֹהֵי יִשְׂרָאֵל עָלֶיךָ בָּרוּךְ:

Assim diz o Senhor... acerca de ti, ó Baruque. Em seu desencorajamento, Baruque recebeu um oráculo especial da parte de Yahweh, exortando-o a esquecer suas ambições pessoais, a não preocupar-se com o sucesso, conforme os homens consideram esse sucesso, e a estar seguro sobre um bom futuro de utilidade e benefícios pessoais. Algumas vezes, nossa vida requer uma espécie de toque divino direto. Nenhum homem é tão forte que não precise que o Senhor se poste a seu lado.

Vede as correntes de águas vivas,
Manando do amor eterno.

Bem supridos são os teus filhos,
E todos os temores foram removidos.

John Newton

■ 45.3

אָמַרְתָּ אוֹי־נָא לִי כִּי־יָסַף יְהוָה יָגוֹן עַל־מַכְאֹבִי
יָגַעְתִּי בְּאַנְחָתִי וּמְנוּחָה לֹא מָצָאתִי׃ ס

Disseste: Ai de mim agora! porque me acrescentou o Senhor tristeza ao meu sofrimento. *Baruque,* na qualidade de amanuense pessoal e conselheiro de Jeremias, sofria as mesmas perseguições, recuos e desapontamentos que o profeta. Sendo um judeu piedoso, ele via como divina a *fonte* de seus tormentos e tribulações. *Yahweh* era a causa desses males da vida, tal como no caso de Jó, por razões que ele não conseguia discernir. A providência de Yahweh, em seus aspectos negativos e positivos, controlava todas as coisas. Ver no *Dicionário* o verbete intitulado *Providência de Deus*. A forma extrema dessa doutrina consiste em atribuir a Deus o mal, sendo ele a *causa única* de todas as coisas. Entretanto, jamais devemos deixar de lado a consideração sobre as *causas secundárias:* as coisas que os homens fazem por intermédio de seu livre-arbítrio, que, com frequência, é perverso; e, além do mais, há as desgraças da natureza, derivadas do caos. A teologia dos hebreus era fraca quanto às causas secundárias. Jeremias, por muitas vezes, esteve às voltas com o mesmo tipo de atitude de Baruque, tendo deixado registradas as mesmas formas de queixas diante do Senhor. Cf. Jr 8.21—9.2; 14.17,18; 15.10,15-18.

Além de seus problemas especiais, Baruque via-se vexado com a triste sorte de seu povo, pois eles estavam atraindo o julgamento divino com sua desobediência e rebeldia. Ver Jr 36.2,3. Os príncipes judeus planejavam a morte do profeta, e isso, sem dúvida, incluía planos sobre a morte de Baruque. Por isso, ambos não encontravam descanso e, algumas vezes, viviam tomados de temores. Assim sendo, acabavam exprimindo seus gemidos íntimos.

O Senhor me deu tristezas juntamente com a minha dor. Estou exausto por causa de meus sofrimentos.
Não consigo descansar.

NCV

Quanto ao que se sabe e se conjectura a respeito de *Baruque,* ver o verbete com esse título no *Dicionário,* primeiro ponto.

■ 45.4

כֹּה תֹאמַר אֵלָיו כֹּה אָמַר יְהוָה הִנֵּה אֲשֶׁר־בָּנִיתִי
אֲנִי הֹרֵס וְאֵת אֲשֶׁר־נָטַעְתִּי אֲנִי נֹתֵשׁ וְאֶת־כָּל־הָאָרֶץ
הִיא׃

Eis que estou demolindo o que edifiquei, e arrancando o que plantei, e isto em toda a terra. Baruque se consolaria *se* considerasse que todas as coisas que estavam acontecendo provinham, em última análise, da mão de Yahweh, que é a causa de todos os acontecimentos humanos. É ele quem planta e desarraiga, quem edifica e derruba. Isso era verdade em relação à vida e às vicissitudes do próprio Baruque, bem como em relação à vida nacional de Judá, nação que tinha de ser julgada em virtude de sua idolatria-adultério-apostasia. As profecias de Jeremias eram extremamente negativas e apontavam para julgamentos seguros e terríveis do povo judeu; mas a vontade divina estava envolvida em tudo aquilo. Baruque precisava parar de pensar que tinha alguma responsabilidade pessoal na questão. Cf. este versículo com Jr 1.10, que também encerra o *tom nacional.* Ver também Is 5.5.

Ventos de tentação e ondas de ai
Em breve os lançarão fora, onde fluem as águas escuras.

Edward S. Ufford

Baruque tinha apenas de confiar que o que estava acontecendo visava o bem geral, finalmente, deixando de castigar-se por ansiedades sobre o que Yahweh estava fazendo.

■ 45.5

וְאַתָּה תְּבַקֶּשׁ־לְךָ גְדֹלוֹת אַל־תְּבַקֵּשׁ כִּי הִנְנִי מֵבִיא
רָעָה עַל־כָּל־בָּשָׂר נְאֻם־יְהוָה וְנָתַתִּי לְךָ אֶת־נַפְשְׁךָ
לְשָׁלָל עַל כָּל־הַמְּקֹמוֹת אֲשֶׁר תֵּלֶךְ־שָׁם׃ ס

E procuras tu grandezas? Não as procures. Se Yahweh se esforçava por endireitar as coisas, Baruque deveria esquecer suas ambições pessoais e simplesmente adaptar-se ao quadro da vida, na condição de amanuense de Jeremias. Talvez ele embalasse ideias de ser, algum dia, um grande profeta. Talvez pensasse ter o poder de reverter a maré da história no tocante a Judá. As coisas iam ruins, mas ficariam ainda piores. Baruque teria de retirar-se do caminho, sem tentar ser um escudo para Judá. Nenhum dia glorioso haveria de raiar enquanto não fosse destruída a antiga nação de Judá. Surgiria um novo dia dentre as cinzas, e não por meio da reforma de um povo apóstata. Jr 43.3 pode subentender que, conforme Jeremias envelhecia, Baruque se tornava cada vez mais forte e tinha muita influência junto a Jeremias e ao pequeno núcleo de homens fiéis. Mas as palavras de Yahweh tinham o propósito de recomendar que ele não deveria desenvolver nenhum poder ou ambição pessoal. Na época, a ordem de coisas estava prestes a ser destruída. Não havia mais tempo nem circunstâncias para que Baruque atingisse alguma grandeza pessoal.

Mas se haveria destruição generalizada, a vida de Baruque (como a vida de Jeremias) seria poupada. Havia um futuro para Baruque. As tradições antigas dizem que ele morreu pacificamente no Egito, ou então que foi para a Babilônia para ali viver e, finalmente, morrer em paz. Algumas dessas tradições afiançam que Baruque viveu por dez anos após a destruição de Jerusalém. Todavia, todas essas afirmações tradicionais estão abertas às dúvidas. Mas podemos ter certeza de que ele cumpriu sua missão, tal como sucedeu a Jeremias, e basta-nos saber isso. Baruque, como Jeremias, foi invencível enquanto sua missão não se completou.

Terás que ir a muitos lugares, mas permitirei
que escapes por onde quer que vás.

NCV

"A reação que Deus esperava da parte de Baruque era a mesma que ele esperava do contemporâneo dele, Habacuque (ver Hc 3.16-19). A esperança de uma pessoa piedosa, em meio a um julgamento nacional, era continuar firmemente fixada em Deus" (Charles H. Dyer, *in loc.*).

Eu vi a eternidade uma noite dessas,
Como um grande halo de pura e interminável luz.

Henry Vaughn

CAPÍTULO QUARENTA E SEIS

ORÁCULOS CONTRA VÁRIAS NAÇÕES ESTRANGEIRAS (46.1—51.64)

Os capítulos 46—51 são constituídos por uma coletânea de oráculos contra potências estrangeiras. Os oráculos foram recebidos e entregues em períodos diferentes, mas depois foram reunidos em uma única seção, talvez por Baruque ou algum outro editor. Na Septuaginta, eles aparecem juntos em Jr 25.13. Essa antiga versão também ordena os oráculos em uma sequência diferente, mas a ordem do texto hebraico (preservada em nossa tradução portuguesa) está mais de acordo com a lista das nações que aparecem em Jr 25.19-26. Ademais, esta lista segue, grosso modo, a ordem cronológica da história daquelas nações em relação a Judá. É possível, igualmente, que os oráculos originais de Jeremias tenham sido ornamentados por um ou mais escribas subsequentes, mas não há razão alguma para duvidar da sua autenticidade. Os críticos que duvidam dessa autenticidade apresentam uma série de argumentos em favor de suas dúvidas:

1. Esses oráculos deixam de fora qualquer pensamento de um chamado ao arrependimento dirigido às nações, contra o modo geral de escrita do profeta.

2. Aos oráculos falta um colorido de circunstâncias históricas que não corresponde ao modo pelo qual o profeta usualmente escrevia.
3. A qualidade literária desses oráculos é inferior ao restante do livro, contendo muitas repetições e certa confusão na ordem de apresentação.
4. A atitude para com a Babilônia é contrária ao que se vê no restante do livro. O autor desses oráculos aconselhava a submissão à Babilônia, nomeada como instrumento divino do julgamento contra Judá.

A despeito de tais críticas, muitos estudiosos acreditam que, aqui e acolá, temos um toque genuíno do profeta Jeremias. Os comentaristas conservadores não sentem o peso desses argumentos e os consideram de peso insuficiente para provar uma origem diferente da de Jeremias, nesses seis capítulos do livro.

Seja como for, Jeremias foi mais do que um profeta enviado a Judá. Ele foi comissionado como profeta enviado às nações (ver Jr 1.5; 46.1). "Se Deus quisesse julgar seu próprio povo por causa dos pecados, como poderiam as nações pagãs em volta de Judá esperar escapar, já que seus pecados eram ainda mais pronunciados? Nos capítulos 46—51, o farol do julgamento divino mudou de Judá para seus vizinhos pagãos" (Charles H. Dyer, *in loc.*).

ORÁCULO CONTRA O EGITO (46.1-28)

"A primeira nação selecionada para receber o julgamento divino foi o Egito, anterior aliado de Judá. O Egito é que tinha encorajado Judá a revoltar-se contra a Babilônia. Porém, chegado o tempo de proteger o sócio na rebelião, os egípcios mostraram-se incapazes de cumprir seus compromissos (cf. Jr 37.4-10; Ez 29.6,7)" (Charles H. Dyer, *in loc.*).

■ 46.1

אֲשֶׁר הָיָה דְבַר־יְהוָה אֶל־יִרְמְיָהוּ הַנָּבִיא עַל־הַגּוֹיִם׃

Palavra do Senhor, que veio a Jeremias, o profeta, contra as nações. Este versículo serve para introduzir a seção inteira, constituída pelos capítulos 46—51 de Jeremias. Da mesma maneira que Yahweh tinha dado muitos oráculos contra Judá, também deu alguns oráculos específicos, através de Jeremias, contra seus vizinhos pagãos. Nessas profecias contra as nações há a inspiração divina, tal como no caso dos oráculos dirigidos contra Judá. Estamos abordando uma coletânea de oráculos dados em tempos diferentes, que um editor reuniu no fim do livro de Jeremias. "A maioria desses oráculos está vinculada a Jr 25.15-26 e pode ser considerada o desenvolvimento do que é dado ali em forma de esboço, estando associada ao reinado de Joaquim (cerca de 607 a.C.)" (Ellicott, *in loc.*). Mas provavelmente é incorreto atribuir esses oráculos a um único período histórico.

A Derrota de Carquemis (46.2-12)

■ 46.2

לְמִצְרַיִם עַל־חֵיל פַּרְעֹה נְכוֹ מֶלֶךְ מִצְרַיִם אֲשֶׁר־הָיָה
עַל־נְהַר־פְּרָת בְּכַרְכְּמִשׁ אֲשֶׁר הִכָּה נְבוּכַדְרֶאצַּר
מֶלֶךְ בָּבֶל בִּשְׁנַת הָרְבִיעִית לִיהוֹיָקִים בֶּן־יֹאשִׁיָּהוּ
מֶלֶךְ יְהוּדָה׃

A respeito do Egito. Contra o exército de Faraó-Neco, rei do Egito. O oráculo que se segue deve ser associado à batalha de Carquêmis, desferida em 605 a.C. O exército egípcio, sob as ordens de Faraó-Neco, foi derrotado pelo exército babilônio, encabeçado por Nabucodonosor. Josefo (*Antiq.* X.11.1; *Contra Apion* I.19) nos dá algumas informações. Além disso, a arqueologia confere alguns detalhes sobre a questão. As escavações feitas ali nos mostram que a cidade foi destruída em cerca de 600 a.C. Quanto a detalhes sobre esse lugar, ver o verbete intitulado *Carquêmis*, no *Dicionário*. E ver também a parte denominada *Carquêmis, Batalha de*, no artigo sobre *Jeremias (o Profeta)*, III. 1.3.c. Essa batalha foi um importante acontecimento na história do antigo Oriente Próximo e Médio. Depois dessa vitória da Babilônia, nenhuma nação podia resistir aos caldeus. O Egito perdeu terreno e a Babilônia se apossou daquela parte do mundo, antes dominada pelo Egito. Carquêmis era uma cidade hitita, à margem direita do rio Eufrates, uma grande fortaleza localizada perto dos melhores vaus daquele rio (ver Jr 46.24; Is 10.9). O exército egípcio ocupou essa cidade por algum tempo, mas foi rudemente desarraigado por um poder superior e em breve declinou até tornar-se uma potência de segunda categoria.

■ 46.3

עֶרְכוּ מָגֵן וְצִנָּה וּגְשׁוּ לַמִּלְחָמָה׃

Preparai o escudo e o pavês, e chegai-vos para a peleja. Temos aqui uma ordem zombeteira de Yahweh ao Egito, para que esse país se preparasse para a batalha de Carquêmis. A despeito de preparações elaboradas de uma alegada grande potência, coisa alguma salvaria o Egito da derrota. A mão de Yahweh repousou sobre a batalha, dando a vitória ao exército babilônico. Yahweh, o Deus da criação, não tinha abandonado sua criação, mas, antes, interveio nos negócios humanos, dispondo deles à sua vontade. O tempo do Egito havia terminado, por causa de sua iniquidade. Novas marés históricas tinham de fluir. Ver no *Dicionário* o artigo chamado *Armadura, Armas* quanto a detalhes sobre os instrumentos das guerras antigas.

Alguns estudiosos, contudo, pensam que essa ordem foi passada ao exército babilônico, para que pusesse a armadura, a fim de preparar-se para uma grande vitória.

O escudo era pequeno, usado pela cavalaria levemente armada; e o pavês era um escudo grande usado pela infantaria pesadamente armada.

■ 46.4

אִסְרוּ הַסּוּסִים וַעֲלוּ הַפָּרָשִׁים וְהִתְיַצְּבוּ בְּכוֹבָעִים
מִרְקוּ הָרְמָחִים לִבְשׁוּ הַסִּרְיֹנֹת׃

Selai os cavalos, montai cavaleiros. O cavalo era um instrumento campeão para a agricultura e para a guerra. O cavalo de guerra, tal como o cavaleiro, excitava-se muito com a agitação e o sangue. O cavaleiro montava um bom cavalo como seu companheiro de batalha. Vemo-lo aqui a colocar o elmo; equipando-se com suas lanças polidas e protegendo-se com sua cota de malhas. A despeito de seus orgulhosos e elaborados preparativos, o exército egípcio seria derrotado e demolido. O dia do Egito tinha terminado. Yahweh estava julgando severamente a idolatria dos egípcios e a multidão de seus pecados.

> Veste-te de toda a tua gloriosa armadura,
> Teu elmo e tua brigandina de metal.
>
> Milton

O Egito era famoso por seus carros de combate (ver Êx 14.7 e 15.4) e tinha adquirido considerável habilidade nos combates e excelente equipamento através dos séculos. A maré, porém, tinha-se voltado contra aquele país. As cotas de malha aqui mencionadas eram feitas de ferro, na forma de anéis, pesadas, para dizer a verdade, mas um instrumento que salvava muitas vidas. Mas coisa alguma poderia ajudar o Egito naquele momento de crise.

■ 46.5

מַדּוּעַ רָאִיתִי הֵמָּה חַתִּים נְסֹגִים אָחוֹר וְגִבּוֹרֵיהֶם
יֻכַּתּוּ וּמָנוֹס נָסוּ וְלֹא הִפְנוּ מָגוֹר מִסָּבִיב נְאֻם־יְהוָה׃

Por que razão vejo os medrosos voltando as costas? Estão derrotados os seus valentes. Apesar de seu orgulho, habilidade e elaborados preparativos, o Egito estava espantado diante do poder superior do exército babilônico; o exército egípcio recuou; seus guerreiros foram derrotados; os que sobreviveram fugiram em pânico; nem ao menos se deram ao trabalho de olhar para trás; havia terror por todos os lados. Diz o Targum: "Eles não olharam para trás para resistir àqueles que estavam matando com a espada, aqueles que se tinham acumulado perto deles e que os cercavam".

■ 46.6

אַל־יָנוּס הַקַּל וְאַל־יִמָּלֵט הַגִּבּוֹר צָפוֹנָה עַל־יַד נְהַר־
פְּרָת כָּשְׁלוּ וְנָפָלוּ׃

Não fuja o ligeiro, nem escape o valente. O *exército egípcio*, sangrando e derrotado, não foi capaz de fugir para a segurança a fim de combater por mais um dia. Pouquíssimos escaparam. Os que tentaram fugir foram cortados na rota de fuga, antes que pudessem ir muito longe. Portanto, eles morreram miseravelmente no país do norte, perto do rio Eufrates. Tropeçaram e caíram, e foram traspassados à espada, enquanto estavam caídos por terra. Os pecados deles os haviam alcançado. Eles tinham sido poderosos e rápidos, mas o poder deles os abandonou no momento da prova. Os registros históricos babilônicos confirmam esse quadro de confusão e puro desespero. O exército egípcio foi aniquilado em Carquêmis.

■ **46.7,8**

מִי־זֶה כַּיְאֹר יַעֲלֶה כַּנְּהָרוֹת יִתְגָּעֲשׁוּ מֵימָיו׃

מִצְרַיִם כַּיְאֹר יַעֲלֶה וְכַנְּהָרוֹת יִתְגֹּעֲשׁוּ מָיִם וַיֹּאמֶר
אַעֲלֶה אֲכַסֶּה־אֶרֶץ אֹבִידָה עִיר וְיֹשְׁבֵי בָהּ׃

Quem é este que vem subindo como o Nilo, como rios cujas águas se agitam? Aqui, Yahweh zomba do Egito. Quem era aquele povo que tinha subido como se fosse o rio Nilo, inundando as margens e espalhando-se ao redor, conquistando nações por todos os lados? O Egito tentou assumir o caráter de seu poderoso rio, o Nilo, mas o espetáculo terminou. As águas retrocederam e ficaram confinadas. Tinham encoberto parte da terra, mas foram forçadas a voltar para suas margens apropriadas. Eles tinham conseguido destruir cidades e países, mas o dia tinha acabado. As águas babilônicas mostraram ser superiores, e o Egito foi inundado por uma maré estrangeira. Cf. Jr 47.2 quanto às águas do norte. Ver também Is 8.7,8 e Dn 11.22 quanto a cifras similares. "O Nilo enche gentilmente. Mas no seu delta, diferentemente do que acontece na maioria dos rios, o Nilo mostra-se muito agitado, devido a bancos de areia que impedem seu livre curso, precipitando-se no mar como se fosse uma catarata" (Fausset, *in loc.*).

■ **46.9**

עֲלוּ הַסּוּסִים וְהִתְהֹלְלוּ הָרֶכֶב וְיֵצְאוּ הַגִּבּוֹרִים כּוּשׁ
וּפוּט תֹּפְשֵׂי מָגֵן וְלוּדִים תֹּפְשֵׂי דֹּרְכֵי קָשֶׁת׃

Avançai, ó cavaleiros, estrondeai, ó carros, e saiam os valentes. O exército egípcio era composto de muitos elementos, de muitos povos, alguns dos quais verdadeiros aliados dos egípcios, ao passo que outros eram empregados como mercenários. Este versículo fornece uma pequena lista de povos participantes. A ideia é que, apesar de seu "caráter internacional", que era como a união de muitas águas, os aliados não foram adversários à altura para os babilônios. O exército egípcio era multifacetado, tendo soldados de Cuxe, que forma a atual parte sul do Egito, e Pute, a moderna Líbia. Estavam equipados com escudos, como uma infantaria, e com arcos e flechas, como arqueiros. Cf. Ez 30.5, onde encontramos algo similar. Em lugar de Cuxe e Pute, muitas traduções dizem etíopes e líbios. Os cuxitas eram os etíopes do Alto Vale do rio Nilo que, algumas vezes, se mostravam independentes do Egito, mas na época estavam sujeitos aos egípcios. Quanto a maiores detalhes, ver sobre os nomes próprios no *Dicionário*. Além de serem arqueiros habilidosos, eles eram também bem treinados no uso dos cavalos e dos carros de combate, pelo que se atirariam como poderosa maré contra os babilônios. Mas em breve estavam esmagados e dispersos na confusão. Três nações aliadas dos egípcios são aqui mencionadas. Quanto aos *lídios*, ver no *Dicionário* o verbete chamado *Lídia*. No caso, está em pauta uma nação africana.

■ **46.10**

וְהַיּוֹם הַהוּא לַאדֹנָי יְהוִה צְבָאוֹת יוֹם נְקָמָה לְהִנָּקֵם
מִצָּרָיו וְאָכְלָה חֶרֶב וְשָׂבְעָה וְרָוְתָה מִדָּמָם כִּי זֶבַח
לַאדֹנָי יְהוִה צְבָאוֹת בְּאֶרֶץ צָפוֹן אֶל־נְהַר־פְּרָת׃

Porque este dia é o dia do Senhor dos Exércitos, dia de vingança contra os seus adversários. Yahweh, em seu trono, demonstrou ser o Senhor dos Exércitos, e a sua universalidade significa que ele tomara o comando do exército da Babilônia em Carquêmis.

Ele é *Yahweh* (Deus Eterno) *Sabaote* (Senhor dos Exércitos). Ele estava vingando-se do Egito, por causa de sua idolatria e dos muitos banhos de sangue provocados contra outras nações quando, à semelhança do rio Nilo, inundava as margens para assediar a outros povos. A espada de Yahweh, nas mãos dos babilônios, fazia suas vítimas. O dilúvio inundava poderosamente, e a matança foi imensa. Era uma "espada devoradora", que sorveu até a última gota de sangue. A espada, pois, efetuaria *a Yahweh* um sangrento sacrifício de corpos humanos. Todo esse terror apocalíptico ocorreu nas terras do norte, em Carquêmis. O sacrifício se deu no "dia do Senhor", quando ele governou de modo supremo e efetuou a sua vontade contra o Egito.

■ **46.11**

עֲלִי גִלְעָד וּקְחִי צֳרִי בְּתוּלַת בַּת־מִצְרָיִם לַשָּׁוְא
הִרְבֵּיתִי רְפֻאוֹת תְּעָלָה אֵין לָךְ׃

Sobe a Gileade, e toma bálsamo. *Gileade,* na Transjordânia, era famosa por seus bálsamos curativos (ver Jr 8.22; 51.8), mas nem mesmo aquele lugar teria grande utilidade para o Egito, nos dias de prova. Muitos medicamentos seriam empregados na tentativa de cura, mas nenhum produziria o mínimo efeito. A esmagadora Babilônia continuaria moendo até que o Egito fosse entregue nas mãos cruéis de estrangeiros. Os egípcios, desde tempos antigos, tinham feito a mesma coisa contra outros povos; e agora era inevitável que sofressem o mesmo tratamento, em harmonia com a *Lex Talionis* (ver a respeito no *Dicionário*).

Virgem filha do Egito. O Egito foi assim chamado por causa de seu luxo efeminado e porque a "jovem" nunca fora sujeitada ao jugo estrangeiro. Nunca fora conquistada e colocada sob o poder de outrem, como uma virgem se sujeita quando um seu amante exige que ela se entregue a ele. Melhor ainda, a figura aqui é do *estupro* de uma virgem.

■ **46.12**

שָׁמְעוּ גוֹיִם קְלוֹנֵךְ וְצִוְחָתֵךְ מָלְאָה הָאָרֶץ כִּי־גִבּוֹר
בְּגִבּוֹר כָּשָׁלוּ יַחְדָּיו נָפְלוּ שְׁנֵיהֶם׃ פ

As nações ouviram falar da tua vergonha, e a terra está cheia do teu clamor. As nações em redor do Egito ouviram os gritos de dor dos soldados egípcios, enquanto eles eram mortos, e esses gritos eram de *vergonha,* porque o poder do Egito estava sendo humilhado e derrotado. O vencedor de tantas batalhas de súbito tornou-se o perdedor e foi escarnecido pelos povos daquela área do mundo, muitos dos quais tinham sido suas vítimas. Esse foi outro caso em que o norte venceu o sul. O exército egípcio se apavorou e caiu em total confusão e caos, e isso foi motivo de vergonha para os egípcios. Cf. este versículo com o vs. 6 deste mesmo capítulo. "... desgraça, a matança prodigiosa de suas tropas" (Adam Clarke, *in loc.*). "Os poderosos egípcios caíram enquanto fugiam, e outros poderosos, seguindo-os, tropeçaram neles, e assim, todos, juntamente, tornaram-se presa dos perseguidores" (John Gill, *in loc.*).

A Vinda de Nabucodonosor (46.13-26)

Temos aqui outro oráculo que descreve a marcha e a vitória do rei da Babilônia sobre o Egito. Jeremias predisse a invasão e a conquista do Egito por Nabucodonosor, ou imediatamente após a batalha de Carquêmis, ou em algum tempo posterior. Talvez este oráculo tenha sido dado quando Jeremias já estava no Egito, forçado que fora por Joanã e outros oficiais judeus a acompanhar o remanescente judeu até aquele país (ver Jr 43.4-7). A história secular mostra-se fraca quanto a todos esses acontecimentos, pouco nos dando a conhecer, mas o que pode ser dito ficou registrado na exposição de Jr 43.8-13. A invasão do Egito, por parte dos babilônios, ocorreu em cerca de 571-567 a.C. O presente oráculo é uma espécie de "profecia modernizada", que se seguiu à outra profecia, também mencionada. E agora há detalhes adicionais que não apareciam anteriormente.

■ **46.13**

הַדָּבָר אֲשֶׁר דִּבֶּר יְהוָה אֶל־יִרְמְיָהוּ הַנָּבִיא לָבוֹא
נְבוּכַדְרֶאצַּר מֶלֶךְ בָּבֶל לְהַכּוֹת אֶת־אֶרֶץ מִצְרָיִם׃

Palavra que falou o Senhor... acerca da vinda de Nabucodonosor... para ferir a terra do Egito. A *inspiração divina* continuou a fluir através de Jeremias, e parece que, a cada nova situação, ele recebia nova revelação. Nabucodonosor, vitorioso em Carquêmis, mostrou sua superioridade em relação a todos os outros povos da terra, e o Egito era um prêmio que esperava por ele. O Egito era excelente para ser saqueado, e um lugar divertido para alguém entregar-se ao jogo da matança. Assim sendo, o exército babilônico apressou-se para colher a safra sangrenta. Yahweh era o General do exército da Babilônia, porquanto estava vingando-se do Egito.

■ **46.14**

הַגִּ֤ידוּ בְמִצְרַ֙יִם֙ וְהַשְׁמִ֣יעוּ בְמִגְדּ֔וֹל וְהַשְׁמִ֥יעוּ בְנֹ֖ף
וּבְתַחְפַּנְחֵ֑ס אִמְר֗וּ הִתְיַצֵּב֙ וְהָכֵ֣ן לָ֔ךְ כִּֽי־אָכְלָ֥ה חֶ֖רֶב
סְבִיבֶֽיךָ׃

Anunciai no Egito, e fazei ouvir isto em Migdol. A mensagem de *condenação* deveria ser proclamada nas principais cidades do Egito, aqui listadas. Ver sobre essas cidades no *Dicionário*, onde cada qual recebe um artigo separado. Suas respectivas localizações ilustram a universalidade da invasão, ferindo o Egito em todas as suas partes, de norte a sul e de leste a oeste. Cf. a lista em Jr 43.7 e 44.1, onde temos os mesmos nomes que figuram aqui, além de outros nomes. As *três cidades* aqui mencionadas ficavam todas no Baixo Egito (a parte norte do país). O exército babilônico começaria o ataque ali, e dali se espalharia. A *desolação* se difundiria no Egito, tal e qual tinha acontecido em Judá. Agora chegara a vez do Egito sofrer as chicotadas de Yahweh.

■ **46.15**

מַדּ֖וּעַ נִסְחַ֣ף אַבִּירֶ֑יךָ לֹ֣א עָמַ֔ד כִּ֥י יְהוָ֖ה הֲדָפֽוֹ׃

Por que foi derribado o teu Touro? Não se pôde ter de pé, porque o Senhor o abateu. O Egito foi derrotado, a despeito de seu exército bem equipado e bem treinado, porque Yahweh estava à testa das forças babilônicas. O teísmo bíblico ensina que foi Deus quem criou e continua a controlar as atividades humanas, intervindo na história da humanidade. Isso deve ser contrastado com o *deísmo*, que ensina que a força criadora abandonou a criação ao governo das leis naturais. Ver no *Dicionário* os artigos chamados *Teísmo* e *Deísmo*. O nome divino *Sabaote* quer dizer Senhor dos Exércitos e é com frequência aplicado a Yahweh e às suas operações neste mundo. Ver no *Dicionário* o verbete denominado *Deus, Nomes Bíblicos de*.

... foi derribado o teu Touro? O texto hebraico diz: "foi derribado o teu valente". Mas a nossa versão portuguesa reflete uma variante significativa, que aparece na Septuaginta: "foi derribado o teu Apis (Touro)?" E alguns críticos textuais preferem essa forma, considerando-a original. Também é o texto mais difícil, que pode ter sido simplificado por textos hebraicos posteriores. Apis era o deus-touro de Mênfis e, como todos os deuses, concebido como protetor. Apis era considerado o filho ou a reencarnação viva do deus Ptah. Suas imagens eram levadas aos campos de batalha, para assegurar o sucesso. A fuga ou captura de tais imagens era considerada símbolo da derrota dos egípcios, que adoravam o deus-touro. Jeremias, mediante essa referência, ilustrou a incapacidade dos deuses, criados por mãos humanas, de fazer qualquer coisa significativa em favor de um povo. Assim também, cada uma das dez pragas do Egito, quando Israel esteve em escravidão naquele lugar, ilustrou a esfera das atividades de um de seus deuses. Ver no *Dicionário* o artigo chamado *Pragas do Egito*.

■ **46.16**

הִרְבָּ֖ה כּוֹשֵׁ֑ל גַּם־נָפַ֞ל אִ֣ישׁ אֶל־רֵעֵ֗הוּ וַיֹּֽאמְרוּ֙ ק֣וּמָה ׀
וְנָשֻׁ֣בָה אֶל־עַמֵּ֗נוּ וְאֶל־אֶ֙רֶץ֙ מֽוֹלַדְתֵּ֔נוּ מִפְּנֵ֖י חֶ֥רֶב
הַיּוֹנָֽה׃

O Senhor multiplicou os que tropeçavam; também caíram uns sobre os outros. Este versículo reitera as ideias dos vss. 6 e 12, que falam do exército egípcio dizimado. Aqueles que tropeçavam e eram traspassados à espada anelavam por estar de volta à segurança de seu país de origem, distantes do amaldiçoado país do norte. Mas era destino deles morrer naquele campo de batalha miserável, porque o período de vitórias do Egito havia terminado, e Yahweh estava garantindo o aniquilamento de seu exército, para que nunca mais se levantasse como potência significativa no mundo.

O clamor "Voltemos para nossas casas" também se ouvia na boca dos soldados de países aliados e na boca dos soldados mercenários que se tinham juntado para ajudar os egípcios, os quais são listados e descritos no vs. 9. Mas a causa do Egito era perdida, e pouquíssimos sobreviveram para ver novamente seus lares.

■ **46.17**

קָרְא֖וּ שָׁ֑ם פַּרְעֹ֤ה מֶֽלֶךְ־מִצְרַ֙יִם֙ שָׁא֔וֹן הֶעֱבִ֖יר הַמּוֹעֵֽד׃

Ali apelidarão a Faraó, rei do Egito, de Espalhafatoso, porque deixou passar o tempo adequado. O hebraico original deste versículo é obscuro e tem gerado várias traduções diferentes. Alguns dizem que o original significa que "Faraó é apenas ruidoso! Seu tempo era passado", ou seja, a época dos faraós terminou. A *Revised Standard Version* diz: "Faraó, rei do Egito, é um sujeito barulhento, que deixa o momento aprazado passar". A NCV diz: "O rei do Egito é apenas um bocado de ruído. Seu tempo de glória passou!" Isso parece dar-nos a essência da declaração. As pessoas zombariam do ultrapassado Faraó e de toda a pompa do Egito, que repentinamente se transformara em cinzas. Os poucos soldados que conseguiram escapar, tendo retornado às suas casas, espalhariam a mensagem zombeteira. Ver o vs. 9 quanto aos que transmitiam essa miserável mensagem. É Deus quem determina as condições de vida, a potência e as fronteiras das nações (ver At 17.26). O faraó teve sua época no palco da vida, caminhando, empertigado, com toda a pompa e glória. Nabucodonosor, servindo a Yahweh, tirou o Faraó do palco da vida e deu início à sua própria dança insensata. Porém, em menos de setenta anos, os medos e persas substituiriam os babilônios. Todas as nações que chegam e vão são apenas grandes espalhafatos.

■ **46.18**

חַי־אָ֗נִי נְאֻם־הַמֶּ֙לֶךְ֙ יְהוָ֣ה צְבָא֣וֹת שְׁמ֔וֹ כִּ֚י כְּתָב֣וֹר
בֶּהָרִ֔ים וּכְכַרְמֶ֖ל בַּיָּ֥ם יָבֽוֹא׃

Tão certo como vivo eu, diz o Rei, cujo nome é o Senhor dos Exércitos. O *Rei* real e permanente é Yahweh, também conhecido pelo nome de Senhor dos Exércitos. Ele controla o destino das nações, convoca os atacantes e lhes dá a vitória. Portanto, ele anuncia aqui o aparecimento de uma força poderosa, forte e alta como o Tabor, que se eleva, altaneiro, sobre os montes ao redor, ou como o Carmelo, que se alça acima de todas as demais elevações. Assim como essas duas montanhas se elevavam acima das demais montanhas da Palestina, Nabucodonosor (vs. 26), ao aparecer, mostraria ser claramente superior e mais exaltado do que qualquer outro poder na face da terra. Yahweh dirigia as forças militares de Nabucodonosor, pelo que ele era invencível. A vitória de Nabucodonosor estava garantida, e o Egito seria uma de suas vítimas. O rei da Babilônia tinha uma grandeza esmagadora, à qual ninguém podia resistir. Ver no *Dicionário* sobre as duas montanhas mencionadas, Tabor e Carmelo. O Tabor eleva-se a cerca de 562 m acima do nível do mar, e o Carmelo a cerca de 531 m acima do nível do mar, o que não os torna grandes montanhas, em comparação a outras montanhas da terra, mas essa altura é significativa no mundo Mediterrâneo. Cf. este versículo com Jr 22.6, onde encontramos metáfora semelhante. Ver sobre esses locais no *Dicionário*.

■ **46.19**

כְּלֵ֤י גוֹלָה֙ עֲשִׂ֣י לָ֔ךְ יוֹשֶׁ֖בֶת בַּת־מִצְרָ֑יִם כִּֽי־נֹף֙ לְשַׁמָּ֣ה
תִֽהְיֶ֔ה וְנִצְּתָ֖ה מֵאֵ֥ין יוֹשֵֽׁב׃ ס

Prepara a tua bagagem para o exílio, ó moradora, filha do Egito. Os babilônios obtiveram avassaladora vitória em Carquêmis e também invadiriam com sucesso o Egito. Muitos egípcios tiveram de fugir para salvar a própria vida. Portanto, aqui Yahweh convida os futuros fugitivos a preparar bagagens para encetar a fuga. Eles sairiam para um exílio autoimposto a fim de escaparem da espada, ou então um exílio arranjado na Babilônia. Suas cidades principais, como Mênfis, seriam desoladas a ponto de tornar-se quase desabitadas, tal e qual acontecera em Judá. Cf. este versículo com Ez 29.9-16.

Filha do Egito. A *virgem* egípcia seria humilhada e dominada, conforme vemos no vs. 11, onde comento sobre essa figura simbólica. Ela, tão orgulhosa em seu luxo e lazer, de súbito cairia vítima de um estuprador.

■ **46.20**

עֶגְלָה יְפֵה־פִיָּה מִצְרָיִם קֶרֶץ מִצָּפוֹן בָּא בָא׃

Novilha mui formosa é o Egito; mas mutuca do Norte já lhe vem. O Egito era uma novilha formosa, mas a mutuca vinda do norte tornaria sua vida uma miséria. Chamar aqui o Egito de "novilha" é algo que nos faz lembrar da idolatria egípcia, com sua adoração ao boi. O boi cevado merecia ser ferrado por uma mutuca. Essa ferroada indicava a *destruição* do Egito, conforme dizem algumas traduções.

> *O Egito é como uma bela novilha, mas uma mutuca virá do norte e o atacará.*
>
> NCV

O Egito tinha ferrado muitas nações com seu poder e brutalidade. Mas agora não seria poupado da dor, pois tinha chegado seu tempo de sofrer. Cf. o vs. 15, onde, conforme a tradução da Septuaginta, vemos o boi Apis fugindo. A terrível mutuca viria do *norte,* termo geográfico comumente usado por Jeremias para indicar a Babilônia, que ficava a nordeste do território de Judá. Ver Jr 1.13-15; 3.18; 4.6; 6.1; 10.22; 13.20; 31.8 e 47.2 como exemplos.

■ **46.21**

גַּם־שְׂכִרֶיהָ בְקִרְבָּהּ כְּעֶגְלֵי מַרְבֵּק כִּי־גַם־הֵמָּה הִפְנוּ נָסוּ יַחְדָּיו לֹא עָמָדוּ כִּי יוֹם אֵידָם בָּא עֲלֵיהֶם עֵת פְּקֻדָּתָם׃

Até os seus soldados mercenários no meio dele, bezerros cevados, viraram as costas e fugiram juntos. Os aliados do Egito e os soldados mercenários também eram como bezerros engordados e impotentes, esperando receber a ferroada da mutuca vinda do norte. Esses bezerros voltariam as costas ao inimigo, postos em fuga e sacrificados no campo de batalha a Yahweh. Ver o vs. 10. A calamidade, dessa maneira, abateu-se sobre a aliança completa com o Egito. Eles tropeçariam (vss. 6 e 12) e seriam traspassados com uma espada sem misericórdia. A *visitação* de Yahweh, seu julgamento determinado, efetuaria o final do poder egípcio. Cf. este versículo com o vs. 16.

Metáforas Empregadas Nesta Passagem:

1. O Egito era uma bela novilha, atacada pela mutuca brutal, os babilônios (vs. 20).
2. Os aliados do Egito e os mercenários por ele contratados sofreriam a mesma sorte que bezerros engordados que tivessem sido preparados para a matança. A metáfora, neste caso, provavelmente aponta somente para a matança e para o sacrifício, em consonância com o vs. 10, ao passo que a mutuca pertence à primeira ilustração (vs. 20).
3. Além disso, o Egito era apenas como uma serpente silvadora, que precisou fugir. Não lhe restava poder, somente o silvar (vs. 22).
4. O exército invasor era muito numeroso, como um bando de madeireiros que tivessem de aniquilar uma floresta para obter lucro. Está em pauta o saque.
5. De modo paralelo a essa metáfora, temos outra: o grande exército babilônico agiria como um enxame de gafanhotos que devoraria todas as coisas verdes e deixaria apenas total desolação. Coisa alguma podia resistir a uma praga de gafanhotos orientais.

■ **46.22a**

קוֹלָהּ כַּנָּחָשׁ יֵלֵךְ כִּי־בְחַיִל

Faz o Egito um ruído como o da serpente que foge. A *terceira metáfora* empregada para ilustrar o infortúnio do Egito é a da serpente que foge de seu atacante e, enquanto foge, vai silvando. O Egito fora reduzido ao mero silvo de uma serpente. Cf. Is 29.4. A metáfora completa provavelmente gira em torno de uma pobre serpente apanhada em meio aos lenhadores que estavam ali para destruir uma floresta (vs. 23). Amedrontada, ela começou a silvar, como se isso tivesse algum efeito sobre homens que brandiam machados. O rugir de um leão se reduziu ao humilde silvo de uma serpente em fuga. O Egito tinha sido um dragão que assustava outras nações, como uma perigosa serpente (ver Is 27.1; 51.9; Sl 74.13). Tudo isso, porém, agora pertencia ao passado. O poder do Egito tinha passado. A coragem se transformara em medo.

■ **46.22b, 46.23a**

כִּי־בְחַיִל יֵלֵכוּ וּבְקַרְדֻּמּוֹת בָּאוּ לָהּ כְּחֹטְבֵי עֵצִים׃
כָּרְתוּ יַעְרָהּ נְאֻם־יְהוָה

Os seus inimigos vêm contra ele, com machados, quais derrubadores de árvores. A quarta metáfora pinta o exército babilônico invasor como uma tropa de lenhadores incansáveis que estavam dispostos a derrubar a floresta do Egito. As árvores representam suas muitas vítimas. Diz-se que o Egito tinha cerca de 1.220 cidades naquela época e uma população muito grande, de acordo com os padrões antigos. Os egípcios eram como uma floresta impenetrável. Mas os invasores babilônicos não teriam dificuldade em deixar tal floresta muito rala. Aquilo que não podia ser sondado por causa de um grande número em breve seria reduzido a um pequeno número, fácil de calcular. Alguns exércitos antigos usavam machados como instrumentos de guerra, e esse fato pode ter sugerido a metáfora dos lenhadores babilônicos. Uma árvore não consegue resistir às machadadas de um lenhador, e nem podiam os egípcios defender-se com eficácia dos soldados babilônios, que atuavam como lenhadores. Cf. este versículo com Is 10.33, onde Yahweh é pintado como lenhador.

■ **46.23b**

כִּי רַבּוּ מֵאַרְבֶּה וְאֵין לָהֶם מִסְפָּר׃

Porque se multiplicaram mais do que os gafanhotos; são inumeráveis. Esta parte do vs. 23 apresenta a *quinta metáfora*: o exército babilônico era invencível, em parte por causa de seu *vasto número*, comparável a um *enxame de gafanhotos*. Quanto ao poder de devastação dos gafanhotos, ver no *Dicionário* o artigo denominado *Praga de Gafanhotos,* que oferece algumas estatísticas e informações surpreendentes sobre o assunto. Assim como um enxame de gafanhotos devasta todas as coisas verdes de uma região, a praga que vinha do Norte devastaria o Egito inteiro, deixando-o estéril, desolado, virtualmente desabitado. Cf. este versículo com Jz 6.5. Essas coisas aconteceriam pela administração da retribuição divina, promovida por Yahweh. Ver no *Dicionário* o artigo intitulado *Lei Moral da Colheita segundo a Semeadura.* O Egito praticara muitos crimes nacionais e internacionais e agora tinha de pagar por todos eles.

■ **46.24**

הֹבִישָׁה בַּת־מִצְרָיִם נִתְּנָה בְּיַד עַם־צָפוֹן׃

A filha do Egito está envergonhada; foi entregue na mão do povo do Norte. Ver as notas expositivas sobre os vss. 11 e 19 quanto a essa frase e suas implicações. A orgulhosa virgem estava prestes a ser violada. Ela, que nunca tivera nenhum senhor nem estivera sob o jugo de ninguém, agora estava reduzida à vergonhosa servidão. Aquilo que o Egito tinha feito contra outros seria feito contra ele. Os brutos vindos do norte maltratariam a donzela egípcia. Quanto ao adversário vindo do norte, ver as notas sobre o vs. 20. Ela seria reduzida, do estado de uma jovem abastada, que vivia no lazer, para o estado de uma escrava. Seria desgraçada, maltratada e transformada em animal de carga. Aquilo que ela tinha feito contra outros, nisso mesmo ela se tornaria.

■ **46.25**

אָמַר יְהוָה צְבָאוֹת אֱלֹהֵי יִשְׂרָאֵל הִנְנִי פוֹקֵד אֶל־אָמוֹן מִנֹּא וְעַל־פַּרְעֹה וְעַל־מִצְרַיִם וְעַל־אֱלֹהֶיהָ וְעַל־מְלָכֶיהָ וְעַל־פַּרְעֹה וְעַל הַבֹּטְחִים בּוֹ׃

Eis que eu castigarei a Amom de Nô, a Faraó, ao Egito, aos deuses e aos seus reis. O título divino inteiro, que traduzia poder, é novamente empregado para introduzir uma solene declaração:

Yahweh-Sabaote-Elohim (Deus Eterno, Senhor dos Exércitos, Todo-poderoso). Essa expressão é de uso frequente no livro de Jeremias. Ver Jr 44.25 quanto a uma ilustração. A solene declaração introduzida dessa maneira aqui reflete a determinação de Yahweh em dar ao Egito punição condizente com os pecados da nação.

Amom de Nô. A *King James Version* diz aqui "a multidão de Nô". Amom era a principal divindade de *Tebas*, cidade também conhecida por "Nô". Tebas ficava no Alto Egito (a parte sul do país). O julgamento que havia começado no norte se estenderia para o sul. Seria um julgamento completo e universal. Todos os deuses e todos os povos atingidos seriam apequenados. "No hebraico, *Amon minno*, ou seja, *Amom de Nô*, chamada pelos gregos de *Dióspolis*, cidade de Júpiter. Essa era a famosa cidade de Tebas, célebre nos tempos antigos por causa de seus cem portões. *Amom* era o nome pelo qual os egípcios chamavam a Júpiter, e contava com um templo famoso naquele lugar" (Adam Clarke, *in loc.*). *Amom* também pode ser entendido como "multidão", conforme dizem algumas traduções, mas a referência à divindade provavelmente é o que devemos compreender aqui. Ver no *Dicionário* o verbete chamado *Tebas*, para maiores detalhes. A idolatria é novamente salientada como o objeto necessário da ira divina.

Os vss. 25,26 foram compostos em forma prosaica, fazendo contraste com a poesia do restante do oráculo. Por isso é provável que esses dois versículos sejam uma adição editorial que explica o sentido geral do poema.

■ 46.26

וּנְתַתִּים בְּיַד מְבַקְשֵׁי נַפְשָׁם וּבְיַד נְבוּכַדְרֶאצַּר מֶלֶךְ־בָּבֶל וּבְיַד־עֲבָדָיו וְאַחֲרֵי־כֵן תִּשְׁכֹּן כִּימֵי־קֶדֶם נְאֻם־יְהוָה׃ ס

Entregá-los-ei nas mãos dos que lhes procuram a morte. Yahweh, que controla os eventos internacionais, entregaria o Egito nas mãos dos babilônios, os quais aplicariam a devida retribuição pelos variegados pecados egípcios. Cf. isso com Ez 29.13—14,17-20. O Egito, entretanto, passado algum tempo, voltaria a existir como nação e seria, uma vez mais, habitado. O Egito não chegaria a um fim permanente, conforme aconteceu às dez tribos de Israel, à Assíria e a outras nações antigas, que simplesmente deixaram de existir. O Egito aparece associado à ainda futura restauração de Israel (ver Jr 46.27,28). Alguns estudiosos supõem que esta profecia olha para a era futura do reino de Deus, durante a qual o Egito, como nação, participará. O jugo babilônico foi lançado fora, e houve restauração do Egito no passado, mas o texto parece salientar algo além disso. Cf. Jr 48.47 e 49.39.

A SALVAÇÃO DE ISRAEL (46.27,28)

■ 46.27,28

וְאַתָּה אַל־תִּירָא עַבְדִּי יַעֲקֹב וְאַל־תֵּחַת יִשְׂרָאֵל כִּי הִנְנִי מוֹשִׁעֲךָ מֵרָחוֹק וְאֶת־זַרְעֲךָ מֵאֶרֶץ שִׁבְיָם וְשָׁב יַעֲקוֹב וְשָׁקַט וְשַׁאֲנַן וְאֵין מַחֲרִיד׃ ס

אַתָּה אַל־תִּירָא עַבְדִּי יַעֲקֹב נְאֻם־יְהוָה כִּי אִתְּךָ אָנִי כִּי אֶעֱשֶׂה כָלָה בְּכָל־הַגּוֹיִם אֲשֶׁר הִדַּחְתִּיךָ שָּׁמָּה וְאֹתְךָ לֹא־אֶעֱשֶׂה כָלָה וְיִסַּרְתִּיךָ לַמִּשְׁפָּט וְנַקֵּה לֹא אֲנַקֶּךָּ׃ ס

Não temas, pois, tu, servo meu, Jacó, diz o Senhor, porque estou contigo. Os vss. 27,28 repetem Jr 30.10,11 de modo quase preciso, e é ali que aparecem as notas expositivas. Provavelmente, o capítulo 30 era onde estava originalmente a declaração, ao passo que o presente uso é um empréstimo extraído dali. Também é provável que a mensagem do vs. 26, no sentido de que o Egito, embora fosse castigado, seria novamente habitado e recuperaria parte da glória anterior, tenha inspirado Jeremias ou um editor posterior a incluir a declaração sobre a restauração de Israel, a despeito do retrocesso temporário trazido pelo julgamento divino. O retorno dos judeus da Babilônia está primariamente em foco, mas talvez haja um lance de olhos ao longo dos corredores do tempo, até a era do reino, quando Israel obterá maior glória, que se cumprirá naquele tempo.

CAPÍTULO QUARENTA E SETE

ORÁCULO CONTRA OS FILISTEUS (47.1-7)

Compare os outros oráculos contra os filisteus, em Am 1.6-8; Is 14.28-31; Ez 25.15-17; Sf 2.4-7. O presente oráculo não depende dos outros e pode ser julgado corretamente como um oráculo autêntico de Jeremias, dado por inspiração divina. Pouco se sabe sobre a história dos filisteus, nos séculos VII e VI a.C., pelo que o próprio oráculo preenche um pouco o espaço em branco. "A Filístia ocupava a planície costeira de Judá e tinha sido um espinho na ilharga de Israel desde os tempos da conquista (ver Jz 3.1-4). Sempre que os filisteus se fortaleciam, tentavam expandir-se da planície costeira para a região montanhosa de Judá. Essas tentativas foram obstadas por Sangar (ver Jz 3.31), Sansão (Jz 13—16), Samuel (1Sm 7.2-17), Saul (1Sm 13.1—14.23; 28.1-4; 29.1,2; 31.1-10) e finalmente Davi (2Sm 5.17-25), que por fim foi capaz de subjugá-los (2Sm 8.1), e eles permaneceram um povo vassalo de Israel durante todo o tempo do reinado de Salomão... mas a Filístia reobteve o domínio próprio durante os reinados de Jeorão (2Cr 21.16,17) e Acaz (2Cr 28.16-18)" (Charles H. Dyer, *in loc.*).

■ 47.1

אֲשֶׁר הָיָה דְבַר־יְהוָה אֶל־יִרְמְיָהוּ הַנָּבִיא אֶל־פְּלִשְׁתִּים בְּטֶרֶם יַכֶּה פַרְעֹה אֶת־עַזָּה׃ ס

Palavra do Senhor que veio a Jeremias, o profeta, a respeito dos filisteus. Este oráculo foi dado por inspiração de Yahweh e entregue por Jeremias, que estava sujeito à constante movimentação do Espírito. Foi dado antes que o Faraó ferisse a cidade de Gaza. Heródoto relata que, depois da batalha de Megido (ver 2Cr 35.20), o Faraó-Neco invadiu Kaditis, que usualmente é identificada com *Gaza* (ver a respeito no *Dicionário*). Encontramos essa informação na sua *História* II.159. É provável que a circunstância referida por Heródoto tenha sido o motivo histórico do oráculo. Este versículo falta na Septuaginta e pode ter sido a anotação editorial de algum escriba posterior que não fazia parte do oráculo original. A data exata do oráculo está cercada de incertezas, mas ele deve ter sido entregue perto de 609 a.C., quando o Faraó-Neco marchou na direção norte, atravessando a Palestina, para sair ao encontro dos babilônios (2Rs 23.29,30); ou então, perto de 601 a.C., quando esse faraó derrotou o exército babilônico, em uma batalha que só é descrita em uma crônica babilônica. E visto que este versículo se refere a uma destruição ainda futura, a data de 609 a.C. provavelmente é a correta. Asquelom, seja como for, foi destruída por Nabucodonosor em fins de 604 a.C. Cf. os vss. 5 e 7; 36.9.

Os filisteus estavam relacionados aos habitantes indo-europeus de Creta (também chamada Caftor). Ver Am 9.7; 2Sm 8.18. Ver no *Dicionário* o artigo chamado *Filisteus, Filístia*, para detalhes. Cf. Ez 25.15, que pode ser um oráculo contemporâneo e paralelo. "O Faraó-Neco provavelmente feriu Gaza em sua volta, depois de ter derrotado Josias em Megido (2Cr 35.20). Alguns estudiosos, entretanto, pensam que está em pauta o Faraó-Hofra (ver Jr 47.5,7). Nesse caso, no retorno de sua tentativa infrutífera de salvar Jerusalém dos caldeus, ele feriu Gaza, a fim de que a sua expedição não fosse tida como totalmente inútil" (Fausset, *in loc.*).

■ 47.2

כֹּה אָמַר יְהוָה הִנֵּה־מַיִם עֹלִים מִצָּפוֹן וְהָיוּ לְנַחַל שׁוֹטֵף וְיִשְׁטְפוּ אֶרֶץ וּמְלוֹאָהּ עִיר וְיֹשְׁבֵי בָהּ וְזָעֲקוּ הָאָדָם וְהֵילִל כֹּל יוֹשֵׁב הָאָרֶץ׃

Eis que do Norte se levantam as águas e se tornam em torrentes transbordantes. "Este oráculo pode estar associado ao saque de Ascalom, por parte de Nabucodonosor (vss. 5,6; 36.9). As cidades fenícias de Tiro e Sidom talvez fossem aliadas dos filisteus (Jr 27.3)" (*Oxford Annotated Bible*, comentando sobre o vs. 1). As águas inundantes vindas do Norte naturalmente são uma representação dos babilônios, cujo brutal e incansável exército invadiu aquela parte do mundo. Os gritos de desespero de muitos povos foram ouvidos ecoando através daquela parte do mundo. Era o momento da Babilônia, e não somente Judá, mas todas as nações circundantes sofreram. Quanto ao inimigo que descia do *norte,* declaração com frequência repetida no livro de Jeremias, ver as notas expositivas sobre Jr 46.20. Cf. Jr 46.7,8, onde o Egito é pintado como águas inundantes, em suas campanhas militares. O sucesso de Nabucodonosor em Gaza foi apenas um prelúdio dos ataques contra a Filístia. O rio Nilo, do Egito, sugeriu essa figura dos avanços militares dos egípcios, ao passo que o rio Eufrates, da Babilônia, sugeriu o símbolo dos exércitos invasores da Babilônia, que inundaram as nações circundantes. Cf. este versículo com Is 8.7. Ambos os rios tinham suas estações de seca e cheia. Nesta última, os rios inundavam as áreas circundantes. E tanto o Egito quanto a Babilônia tiveram tempos históricos de expansão, nos quais fizeram muitas vítimas entre as nações.

■ 47.3

מִקּוֹל שַׁעֲטַת פַּרְסוֹת אַבִּירָיו מֵרַעַשׁ לְרִכְבּוֹ הֲמוֹן
גַּלְגִּלָּיו לֹא־הִפְנוּ אָבוֹת אֶל־בָּנִים מֵרִפְיוֹן יָדָיִם׃

Ao ruído estrepitoso das unhas dos seus fortes cavalos. O ataque do exército babilônico estava em processo. Havia os ruídos temíveis da guerra, como os cavalos que avançavam, os barulhentos carros de combate, as rodas retumbantes. Homens gritavam e morriam por todos os lados, mas os pais não tinham força para ajudar os filhos a chegar à segurança. Estavam por demais fracos para dar-lhes auxílio. Portanto, pais e filhos morriam juntos e não recebiam ajuda de parte alguma. O pânico havia gerado o egoísmo, e cada homem tentava salvar a si mesmo. Até mesmo filhos jovens eram deixados para perecer na matança, e nenhum pai saía em socorro deles. No dizer de Ellicott, *in loc.*: "Até pais se contentavam em salvar a si mesmos, esquecidos da vida de seus filhos". É que o instinto de autopreservação anulava os afetos naturais. Diz o Targum: "Os pais não olhavam para trás para terem misericórdia de seus filhos".

■ 47.4

עַל־הַיּוֹם הַבָּא לִשְׁדוֹד אֶת־כָּל־פְּלִשְׁתִּים לְהַכְרִית
לְצֹר וּלְצִידוֹן כֹּל שָׂרִיד עֹזֵר כִּי־שֹׁדֵד יְהוָה אֶת־
פְּלִשְׁתִּים שְׁאֵרִית אִי כַפְתּוֹר׃

Por causa do dia que vem para destruir a todos os filisteus. O ataque dos babilônios seria extenso, ultrapassando as fronteiras da Filístia, pois chegaria a Tiro e Sidom, que não eram cidades filisteias. Os filisteus eram originários da ilha de Caftor (isto é, Creta). A Filístia e a Fenícia seriam objetos da mesma campanha militar dos babilônios e cairiam juntas. Cf. Am 9.7 e Dt 2.23 quanto a Caftor (ilha de Creta). Sl 83.7 deixa implícito que esses dois países por muitas vezes estiveram coligados, porquanto ocupavam a mesma faixa marítima da Palestina. Portanto, aqui os vemos sofrer a mesma sorte terrível. Am 9.7 salienta que da ilha de Creta houve migração de povos que mais tarde se tornaram conhecidos como filisteus. Outras identificações têm sido dadas para Caftor, como a ilha de Chipre, a Cária e a Capadócia, e até mesmo o delta do Nilo, mas nenhum desses lugares está em vista. Ver no *Dicionário* o verbete *Caftor, Caftorim,* para maiores detalhes.

■ 47.5

בָּאָה קָרְחָה אֶל־עַזָּה נִדְמְתָה אַשְׁקְלוֹן שְׁאֵרִית עִמְקָם
עַד־מָתַי תִּתְגּוֹדָדִי׃ ס

Sobreveio calvície a Gaza, Ascalom está reduzida a silêncio. Gaza aparece aqui como calva, ou seja, "desolada", virtualmente desabitada. A *calvície* feita a propósito, mediante a rapagem dos cabelos, era um dos sinais padronizados de lamentação (ver Jr 48.37; Is 15.2,3). Mas também falava sobre desolações (ver Is 7.20). Ascalom estava "reduzida a silêncio", ou seja, seria aniquilada, morta, ou "pereceu" (*Revised Standard Version*).

Com o resto do seu vale. Quanto a uma explicação sobre isso, ver Js 11.21,22. A *Revised Standard Version* diz "o remanescente dos anaquins". "A longa faixa de planície baixa, ocupada pelos filisteus ao longo das margens do mar Mediterrâneo, a oeste da região montanhosa da Judeia. A Septuaginta diz *anaquins,* cujos remanescentes se tinham estabelecido naquelas regiões (ver Nm 13.28). Mas Josué os desalojou dali, pelo que nenhum deles foi deixado em Gaza, Gate e Asdode (ver Js 11.21,22)" (Fausset, *in loc.*). Ver no *Dicionário* o artigo chamado *Anaque (Anaquim)*. Eles eram uma das raças de gigantes da antiguidade. Os anaquins seriam mortos e saqueados, e os sobreviventes se mutilariam com golpes múltiplos, lamentando-se. O grande sofrimento é indicado pelo fato de que eles se automutilaram porque suas condições somente pioraram, sem alívio algum.

■ 47.6

הוֹי חֶרֶב לַיהוָה עַד־אָנָה לֹא תִשְׁקֹטִי הֵאָסְפִי אַל־
תַּעְרֵךְ הֵרָגְעִי וָדֹמִּי׃

Ah! Espada do Senhor, até quando deixarás de repousar? Toda a matança efetuada pelo exército babilônico é agora atribuída à "espada do Senhor", visto que fazia parte da teologia comum dos hebreus que tais coisas eram causadas por Yahweh, o qual puniria os homens por causa de seus pecados e de sua idolatria. A providência divina, em seus aspectos negativos e positivos, recebia o crédito pelo que acontecia entre os homens. Algumas vezes, essa doutrina atingia o absurdo extremo de fazer de Deus a causa única, esquecendo que existem causas secundárias para a perversão humana.

O profeta Jeremias esperava que Yahweh pusesse sua espada de volta na bainha, a fim de que tanto sofrimento cessasse e a paz descesse sobre a terra. Contudo, não haveria misericórdia divina enquanto não se completasse o propósito de tanta matança. Cf. este versículo com Dt 32.41; Ez 21.3-5,9,10. A espada tinha um trabalho a ser feito que cumpriria a vontade de Yahweh, e não haveria descanso enquanto essa tarefa temível não fosse terminada. Por isso Nabucodonosor foi chamado de "servo" de Yahweh. Ver Jr 25.9; 27.6 e 43.10.

■ 47.7

אֵיךְ תִּשְׁקֹטִי וַיהוָה צִוָּה־לָהּ אֶל־אַשְׁקְלוֹן וְאֶל־חוֹף
הַיָּם שָׁם יְעָדָהּ׃ ס

Como podes estar quieta, se o Senhor te deu ordem? A espada teria de continuar com sua obra terrível, porquanto Yahweh é quem lhe ordenara entrar em ação. O Senhor tinha *nomeado* a espada para efetuar matanças nos lugares mencionados no contexto, que são agora apresentados como Ascalom e as *bordas do mar*. A doutrina teísta dos hebreus contemplava o Criador como aquele que também intervém na história humana, determinando as atividades dos homens de acordo com sua vontade, que requer justiça. Ver no *Dicionário* o verbete chamado *Teísmo*, que contrasta com o *Deísmo*. Este último ensina que a força criativa abandonou sua criação nas mãos das leis naturais. Isso significa que não há intervenções divinas diretas, nem em favor do bem nem em favor do mal. Ocasionalmente, nas Sagradas Escrituras, encontramos um versículo que fala na *indiferença* de Deus, o que reflete um pensamento deísta. Ver, por exemplo, Sl 10.1; 28.1; 59.4; 82.1; 143.7. Mas não é esse o ensino usual da Bíblia, seja no Antigo seja no Novo Testamentos. Cf. este versículo com Mq 6.9.

CAPÍTULO QUARENTA E OITO

ORÁCULO CONTRA MOABE (48.1-47)

Este oráculo parece ter sido formado através da junção de vários oráculos. Assim sendo, parece que uma pequena coletânea de oráculos contra Moabe foi entretecida para formar um único oráculo. Este parece ser maior do que os oráculos dirigidos contra outras nações. São mencionados muitos nomes locais que podem ter sido distribuídos em certo número de oráculos menores. Também foram feitos longos empréstimos, especialmente do livro de Isaías. Adições editoriais são evidentes.

Dois incidentes da vida de Jeremias podem ter dado origem aos oráculos contra Moabe. Conforme 2Rs 24.2, quando Jeoaquim se rebelou contra Nabucodonosor (provavelmente por volta de 602 a.C.), Yahweh enviou bandos de caldeus contra Judá, aliados dos sírios, moabitas e amonitas. Isto posto, parece que os moabitas, pelo menos durante algum tempo, foram aliados dos babilônios, formando uma aliança que causou grande confusão em Judá. Outro incidente desses é dado em Jr 27.1-11. Ali somos informados que Moabe se rebelou contra a Babilônia. Jeremias, pois, avisou-os sobre os efeitos destruidores finais de tal rebelião, exortando-os a esquecer essa sua rebeldia. As dificuldades despertadas por tais movimentos deixavam os babilônios irritados, e Judá sofria mais do que outros povos. Portanto, indiretamente, Moabe pode ter sido uma das causas das campanhas militares iniciadas contra Judá pelos babilônios.

Extensos empréstimos feitos de Is 15 e 16 provavelmente indicam o trabalho de um editor, visto não ser provável que Jeremias precisasse engajar-se em tal atividade para produzir seus oráculos. Identifico esses empréstimos à medida que eles aparecem.

"A nação de Moabe situava-se a leste do mar Morto. Ficava separada do território de Edom, ao sul, pelo rio Zered, e ao norte, do território de Amom, pelo rio Arnom. Jeremias, pois, listou muitas das cidades dos moabitas que Deus haveria de destruir. Grande parte do simbolismo empregado por Jeremias foi tomado por empréstimo de Is 16.6-12" (Charles H. Dyer, *in loc.*). Quanto a detalhes, ver no *Dicionário* o artigo chamado *Moabe, Moabitas*.

■ 48.1

לְמוֹאָב֒ כֹּֽה־אָמַ֞ר יְהוָ֤ה צְבָאוֹת֙ אֱלֹהֵ֣י יִשְׂרָאֵ֔ל ה֤וֹי אֶל־נְבוֹ֙ כִּ֣י שֻׁדָּ֔דָה הֹבִ֥ישָׁה נִלְכְּדָ֖ה קִרְיָתָ֑יִם הֹבִ֥ישָׁה הַמִּשְׂגָּ֖ב וָחָֽתָּה׃

A respeito de Moabe. Assim diz o Senhor dos Exércitos, o Deus de Israel. Como em outros oráculos, as principais cidades do país que estavam sendo denunciadas representavam aquele país. Por igual modo encontramos aqui as cidades de Nebo, Quiriataim e Misgabe, todas as quais recebem artigos no *Dicionário*. Jeremias variou suas palavras, que indicam destruição: Nebo foi *destruída;* Quiriataim foi *tomada;* e Misgabe foi *envergonhada* e estava *abatida*.

Nebo, aqui mencionada, não é o monte com esse nome e, sim, uma cidade antes habitada pela tribo de Rúben (ver Nm 32.37,38). Moabe posteriormente a capturou, e ela se tornou um lugar de habitação dos moabitas. Quiriataim também tinha pertencido a Rúben (ver Js 13.19). *Misgabe* é nome que significa *fortaleza*. Sem dúvida era uma cidade fortificada, mas sua localização exata é desconhecida. A capacidade de destruição do exército babilônico garantiu que Moabe fosse deixada em ruínas e essencialmente desabitada. Os vss. 1-10 parecem indicar a ordem dos ataques desfechados pelos exércitos babilônicos no território.

■ 48.2

אֵ֣ין עוֹד֮ תְּהִלַּ֣ת מוֹאָב֒ בְּחֶשְׁבּ֗וֹן חָשְׁב֤וּ עָלֶ֙יהָ֙ רָעָ֔ה לְכ֖וּ וְנַכְרִיתֶ֣נָּה מִגּ֑וֹי גַּם־מַדְמֵ֣ן תִּדֹּ֔מִּי אַחֲרַ֖יִךְ תֵּ֥לֶךְ חָֽרֶב׃

A glória de Moabe já não é; em Hesbom tramaram contra ela. A fama de Moabe foi anulada pelos ataques babilônicos. Tendo saído dos lugares mencionados no vs. 1, o exército babilônico chegou a *Hesbom* (ver a respeito no *Dicionário*). Em seguida, a destruição chegou a Madmém. O clamor dos soldados, "Vinde, e eliminemo-la!", ecoou por toda a terra. A espada perseguia as vítimas e lhes cortava a vida. Diz o Targum: "Depois de teres saído com aqueles que matam à espada". A *espada* simbolizava a guerra, com todas as suas máquinas. Cf. este versículo com Is 16.14: "Será envilecida a glória de Moabe". Hesbom era a principal cidade dos moabitas, e o fato de ela ter sido ferida e saqueada abalou o espírito dos moabitas. Temos aqui um jogo de palavras. O significado da palavra *Hesbom* é *planejar* ou *aconselhar*. O lugar onde os planos eram traçados fez parte dos *planos* do inimigo. O original hebraico troca a palavra *Hesbom* por *Hashbu*. Outro jogo de palavras ocorreu com a palavra *Madmém*, que significa *silente*. Esse lugar foi *silenciado*. *Madmém* tem som semelhante ao termo hebraico *damam*, "mudo".

■ 48.3

ק֥וֹל צְעָקָ֖ה מֵחֹֽרוֹנָ֑יִם שֹׁ֖ד וָשֶׁ֥בֶר גָּדֽוֹל׃

Há gritos de Horonaim: Ruína e grande destruição! A vítima seguinte seria Horonaim, onde a matança provocaria entre as vítimas gritos de meter dó. Nada haveria senão desolação após a destruição estar terminada. Essa cidade situava-se em uma elevação entre Areópolis e Zoar. O exército babilônico não poupou coisa alguma em seus ataques. O significado de Horonaim é *cavernas duplas*, falando das cavernas comuns nas colinas onde a cidade se situava. Ver no *Dicionário* o termo *Horonaim*, quanto a detalhes. Esse lugar também é mencionado em Is 15.5. Sua localização exata continua sendo um mistério, apesar de todo o trabalho desenvolvido pelos arqueólogos.

■ 48.4

נִשְׁבְּרָ֖ה מוֹאָ֑ב הִשְׁמִ֥יעוּ זְּעָקָ֖ה צְעוֹרֶֽיהָ׃

Destruída está Moabe; seus filhinhos fizeram ouvir gritos. O profeta parou de escutar os gritos emanados das cidades que estavam sendo destruídas, a fim de fornecer-nos uma nota geral: Moabe estava *destruída*. Seus *filhinhos,* que tinham sobrevivido, foram deixados a chorar. Havia pânico e dor, e o sangue fluía livremente nas ruas e casas. Diz aqui a versão da Septuaginta: "Um grito é ouvido tão longe quanto Zoar", em vez de "seus filhinhos", pois alguns adotaram o texto do hebraico original. Ver no *Dicionário* o artigo denominado *Zoar*. O choro das crianças aumenta mais ainda a comoção provocada pela cena. Mulheres e crianças eram sempre vítimas impotentes na guerra. O adjetivo hebraico, aqui traduzido por *filhinhos*, é a mesma coisa que o nome local *Zoar*, o que explica a confusão. Cf. Is 15.5. Alguns intérpretes pensam aqui que os *filhinhos* eram as *vilas*, em contraste com as cidades maiores. O Targum interpreta *filhinhos* como menção aos humildes governadores de Moabe; mas isso parece ser uma ideia sem base.

■ 48.5

כִּ֚י מַעֲלֵ֣ה הַלֻּחִ֔ית בִּבְכִ֖י יַֽעֲלֶה־בֶּ֑כִי כִּ֚י בְּמוֹרַ֣ד חוֹרֹנַ֔יִם צָרֵ֥י צַעֲקַת־שֶׁ֖בֶר שָׁמֵֽעוּ׃

Pela subida de Luíte eles seguem com choro contínuo. Luíte foi outra vítima impotente. Ficava localizada em um lugar alto, não longe de Horonaim, mencionada em união com ela. Aqui temos uma reverberação de Is 15.5. Pessoas choravam e lamentavam-se na subida para Luíte, ao mesmo tempo que choram na descida de Horonaim. Um choro de desespero enchia o ar da área. As lamentações dos sobreviventes eram tudo quanto restava naqueles lugares. Onde antes havia uma vida feliz, agora só havia soluços.

> *O povo de Moabe sobe pela vereda para Luíte.*
> *Choram em voz alta enquanto avançam.*
> *Na estrada que desce para a aldeia de Horonaim,*
> *podem ser ouvidos choros de dor e de sofrimentos.*
>
> NCV

■ 48.6

נֻ֚סוּ מַלְּט֣וּ נַפְשְׁכֶ֔ם וְתִהְיֶ֕ינָה כַּעֲרוֹעֵ֖ר בַּמִּדְבָּֽר׃

Fugi, salvai a vossa vida, ainda que venhais a ser como o arbusto... Em meio aos soluços, podia ser ouvido o grito que dizia: "Fugi, salvai as vossas vidas". O choro e o clamor diziam aos moabitas que eles fugissem a toda velocidade pelo deserto. O sentido da palavra hebraica envolvida está em dúvida. Diz aqui a NCV: "Um arbusto soprado pelo deserto". As pessoas deveriam imitar esse tipo de fuga veloz, soprada pelo vento, e abandonar a área. A Septuaginta prefere traduzir aqui por "jumento selvagem". O hebraico original diz *Aroer,* nome de uma cidade moabita que não está em pauta aqui, mas pode ter provido o simbolismo do versículo, pois o "arbusto" ou o "jumento" são palavras de som similar. Temos aí um fenômeno gramatical chamado de *paronomasia,* jogo de palavras de sons similares, embora de sentidos diferentes.

■ 48.7,8

כִּ֚י יַ֣עַן בִּטְחֵ֔ךְ בְּמַעֲשַׂ֖יִךְ וּבְאוֹצְרוֹתָ֑יִךְ גַּם־אַ֖תְּ תִּלָּכֵ֑דִי וְיָצָ֨א כְמ֤וֹשׁ בַּגּוֹלָה֙ כֹּהֲנָ֣יו וְשָׂרָ֔יו יַחְדָּֽו׃

וְיָבֹ֨א שֹׁדֵ֜ד אֶל־כָּל־עִ֗יר וְעִיר֙ לֹ֣א תִמָּלֵ֔ט וְאָבַ֥ד הָעֵ֖מֶק וְנִשְׁמַ֣ד הַמִּישֹׁ֑ר אֲשֶׁ֖ר אָמַ֥ר יְהוָֽה׃

Pois, por causa da tua confiança nas tuas obras e nos teus tesouros, também tu serás tomada. Seriam saqueadas aquelas cidades, todo o vale, todos os montes, todo o interior do país, de alto a baixo e de um lado a outro. O povo seria morto, e tudo seria incendiado (vs. 8). O exército babilônico agiria conforme lhe era costumeiro. Era a "espada do Senhor" operando através de Nabucodonosor (ver Jr 47.6; 48.2,10). O deus moabita, Camos (ver a respeito no *Dicionário*), que supostamente deveria proteger os moabitas, seria desmascarado e mostraria ser exatamente o que era: *nada* (vs. 7). As fortalezas seriam derrubadas com extrema facilidade; os tesouros do país seriam saqueados; os templos seriam nivelados; e Camos, o deus tutelar de Moabe (ver Nm 21.29; Jz 11.24; 2Rs 23.13), seria levado para o cativeiro, como insulto final. Os sacerdotes seriam levados juntamente com as autoridades civis, os príncipes. Esses dois versículos nos dão um esboço do que aconteceria a Moabe, e vemos que os itens mencionados representam o país inteiro e tudo quanto havia de valor ali. Moabe estava dependendo de realizações antigas e feitos de bravura. Nada disso, entretanto, teria poder diante dos babilônios. Cf. Am 1.15. As cidades da planície que cairiam foram enumeradas nos vss. 21-24. Essas cidades estavam na Arabá, o vale profundo do rio Jordão. Ver Nm 22.1; Dt 3.10; 4.43. O nome *Camos* aparece em várias ocasiões na pedra moabita.

■ **48.9**

תְּנוּ־צִיץ לְמוֹאָב כִּי נָצֹא תֵּצֵא וְעָרֶיהָ לְשַׁמָּה תִהְיֶינָה מֵאֵין יוֹשֵׁב בָּהֵן:

Dai asas a Moabe, porque voando sairia; as suas cidades se tornarão em ruínas. Se Moabe fosse um pássaro que pudesse voar, desertando daquela área, teria oportunidade de escapar da maldição babilônica. Alguns poucos fugiriam e outros iriam para o exílio, mas a grande maioria pereceria miseravelmente. Cf. o simbolismo das asas com Sl 55.6. Este versículo ensina que a resistência era inútil e que escapar era impossível. O Targum diz aqui: "Tirei a coroa de Moabe, pois ela está indo para o cativeiro". Quanto à metáfora sobre a ave, a Vulgata Latina diz: "Dai a Moabe uma flor", pois a palavra hebraica tem sentido duvidoso. Decoramos os túmulos dos mortos com flores, porque eles podem significar a morte e o fim de alguma coisa, e provavelmente é isso o que os tradutores da Vulgata Latina tinham em mente.

■ **48.10**

אָרוּר עֹשֶׂה מְלֶאכֶת יְהוָה רְמִיָּה וְאָרוּר מֹנֵעַ חַרְבּוֹ מִדָּם:

Maldito aquele que fizer a obra do Senhor relaxadamente. Se Nabucodonosor não brandisse a espada do Senhor com vigor, varrendo do mapa a nação de Moabe e tirando vingança por causa de todos os seus pecados e idolatria, então esse imperador caldeu seria culpado de negligência. Se ele não usasse a espada sem misericórdia e sem dó, causando muito derramamento de sangue, então ele não cumpriria sua missão como *servo* de Yahweh (ver Jr 25.9; 43.10). Este sangrento versículo choca nossa sensibilidade cristã, mas tem uma boa aplicação: denuncia um serviço prestado a Deus com meio coração. Ele nos adverte sobre sermos lassos no serviço espiritual. Cf. os atos de Saul no caso de Amaleque (ver 1Sm 15.3,9), bem como os atos de Acabe no tocante à Síria (ver 1Rs 20.42). A condenação dos que operam com meia energia se manifesta como maldição divina.

A Complacência de Moabe Seria Despedaçada (48.11-17)

■ **48.11**

שַׁאֲנַן מוֹאָב מִנְּעוּרָיו וְשֹׁקֵט הוּא אֶל־שְׁמָרָיו וְלֹא־הוּרַק מִכְּלִי אֶל־כֶּלִי וּבַגּוֹלָה לֹא הָלָךְ עַל־כֵּן עָמַד טַעְמוֹ בּוֹ וְרֵיחוֹ לֹא נָמָר: ס

Despreocupado esteve Moabe desde a sua mocidade, e tem repousado nas fezes do seu vinho. Os ímpios vivem preguiçosamente, mas estão destinados a receber uma grande surpresa. Moabe havia entesourado muitas riquezas e grande influência, e "voava alto", conforme se diz em uma expressão idiomática moderna. O símbolo do *vinho* ilustra a vida fácil de Moabe. O vinho era posto em odres, em cujo fundo os sedimentos se acumulavam. Depois de cerca de quarenta dias, o vinho era então vertido para outro odre, e os sedimentos ficavam no primeiro. Se os sedimentos permanecessem junto com o vinho, o vinho ficava doce demais para o paladar. Para a maioria dos bebedores, o vinho se *estragava* se não fosse separado dos sedimentos. Por isso, lemos que a preguiçosa e abastada Moabe nunca se tinha dado ao trabalho de separar-se de seus sedimentos (fezes) e se tornara moral e espiritualmente estragada. Os sedimentos, pois, representavam os pecados e fracassos de um povo corrupto. O vinho que não fosse separado de seus sedimentos eventualmente ficava *amargo* e, assim, perdia o sabor.

Alguns intérpretes explicam este versículo de maneira diferente. Para eles o simbolismo representa um *bom vinho,* que era *gostoso* porque tinha sido deixado longo tempo com os seus sedimentos. Porém, esse gosto e excelência em breve chegariam ao fim, por meio da maldição babilônica. A complacência de Moabe estava prestes a chegar ao fim, e sua bondade passaria a outrem, que saquearia suas riquezas. Moabe se tornara complacente porque muito tempo passara sem que nenhum invasor lhe tivesse perturbado a paz. Ela tivera tempo vago para desenvolver suas várias corrupções morais. Esse dia estava quase terminando.

■ **48.12**

לָכֵן הִנֵּה־יָמִים בָּאִים נְאֻם־יְהוָה וְשִׁלַּחְתִּי־לוֹ צֹעִים וְצֵעֻהוּ וְכֵלָיו יָרִיקוּ וְנִבְלֵיהֶם יְנַפֵּצוּ:

Portanto, eis que vêm dias, diz o Senhor, em que lhes enviarei trasfegadores. O exército babilônico derramaria Moabe, o vinho fino, no chão, e não em outro odre. Em outras palavras, não haveria apenas *mudança* de meio ambiente, mas destruição completa. Os odres seriam completamente destruídos, e isso significaria o fim do vinho. O derramamento do vinho implicaria destruição e, provavelmente, exílio. Era o *modus operandi* do exército babilônico pôr fim a um povo qualquer mediante a matança, o saque e o exílio, e, com frequência, enviando outros povos para ocupar a terra que ficara desabitada. Em outras palavras, os babilônios eram especialistas no *genocídio*. A Septuaginta fala na destruição dos *chifres,* pois os chifres de vários animais eram usados como se fossem taças. Plínio informa que povos do norte usavam chifres de animais como taças. Um chifre favorito para tanto era o chifre de búfalo, por ser maior e mais comprido do que o chifre de um touro (*História Natural* 1.11.c. 37), o que significa que continha mais vinho.

■ **48.13**

וּבֹשׁ מוֹאָב מִכְּמוֹשׁ כַּאֲשֶׁר־בֹּשׁוּ בֵּית יִשְׂרָאֵל מִבֵּית אֵל מִבְטֶחָם:

Moabe terá vergonha de Camos, como a casa de Israel se envergonhou de Betel, sua confiança. Os deuses pagãos é que recebiam o crédito pelas vitórias ou derrotas na guerra. Moabe, uma vez totalmente destruída, seria concebida como se tivesse ficado desprotegida por seu deus central, Camos. Esse deus seria blasfemado pelos poucos sobreviventes, enquanto outros povos olhariam a cena, rindo-se. Os babilônios realizariam o ato ridículo de levar as imagens do deus Camos para a Babilônia, como se pudessem beneficiar-se de um deus que não fora capaz de beneficiar o próprio povo moabita. Os deuses de Betel decepcionaram o reino do norte, Israel, que os assírios destruíram, levando os sobreviventes para um cativeiro do qual nunca retornaram. Lembremos que Israel se voltou definitivamente para a idolatria, antes de sua queda final. Além disso, havia uma divindade semita ocidental chamada *Betel,* sendo possível que esse deus específico é que esteja aqui em vista. A principal adoração no reino do norte era o bezerro que fora estabelecido por Jeroboão, em Betel, para rivalizar com a adoração de Yahweh em Jerusalém. A empreitada toda teve mau fim, tal como aconteceu a Moabe, a despeito de sua famosa divindade, Camos. Ver 1Rs 12.26-30 quanto à idolatria em Israel, o reino do norte. Israel e Moabe descobriram, tarde demais, a futilidade da idolatria, para proteger e beneficiar uma nação.

■ **48.14**

אֵיךְ תֹּאמְרוּ גִּבּוֹרִים אֲנָחְנוּ וְאַנְשֵׁי־חַיִל לַמִּלְחָמָה:

Como dizeis: Somos valentes e homens fortes para a guerra? Este versículo nos leva de volta à atitude complacente do vs. 11. No passado, Moabe teve guerreiros valentes e vitórias notáveis sobre os inimigos. O povo moabita continuava relembrando os "bons antigos dias", presumindo que continuariam assim no presente. Esse povo, entretanto, laborava sob grande ilusão. Coisa alguma poderia deter os invasores vindos da direção norte. O profundo orgulho e jactância dos moabitas seriam inúteis em tempos de provação. "Por causa de seu orgulho, vaidade e autoconfiança, eles foram aqui reprovados, visto que a destruição deles já estava próxima" (John Gill, *in loc.*).

■ 48.15

שֻׁדַּד מוֹאָב וְעָרֶיהָ עָלָה וּמִבְחַר בַּחוּרָיו יָרְדוּ לַטָּבַח נְאֻם־הַמֶּלֶךְ יְהוָה צְבָאוֹת שְׁמוֹ׃

Moabe está destruído, e subiu das suas cidades, e os seus jovens escolhidos desceram à matança. O profeta olhava para o tempo em que a orgulhosa Moabe seria humilhada. Ele via esse país sofrendo *radical despojamento* às mãos de uma potência muito superior. Aqueles jovens escolhidos, os "famosos" soldados, cairiam facilmente diante da espada sem dó dos babilônios; o exército moabita seria executado como um sacrifício oferecido a Yahweh. Ver Jr 46.10. Tudo isso ocorreria mediante o decreto do Rei divino, Yahweh, também chamado de Senhor dos Exércitos. Era ele o poder real que fizera da Babilônia o que ela era, pois essa nação se tornara mero instrumento para trazer juízo sobre as nações em derredor. Terminada essa tarefa, os medos e persas poriam fim àquele instrumento, e um novo ciclo da história teria começo, com novos atores no palco, dançando suas danças fúteis e gritando seus *slogans* inúteis. Diz o Targum: "Os moabitas foram derrotados e suas cidades estão desoladas". Kimchi via a multidão das cidades moabitas varridas para o esquecimento.

■ 48.16

קָרוֹב אֵיד־מוֹאָב לָבוֹא וְרָעָתוֹ מִהֲרָה מְאֹד׃

Está prestes a vir a predição de Moabe, e muito se apressa o seu mal. A *calamidade* estava chegando para deslocar a paz; o aniquilamento poria fim à prosperidade material. A *aflição* se apressava para escurecer o dia de Moabe. Moabe foi destruída cerca de apenas cinco anos depois de Jerusalém, o que Josefo confirma ao comentar sobre o texto presente.

■ 48.17

נֻדוּ לוֹ כָּל־סְבִיבָיו וְכֹל יֹדְעֵי שְׁמוֹ אִמְרוּ אֵיכָה נִשְׁבַּר מַטֵּה־עֹז מַקֵּל תִּפְאָרָה׃

Condoei-vos dele todos os que estais ao seu redor. As *nações circunvizinhas* foram convocadas para lamentar a vítima impotente. Quão brevemente aquele orgulhoso país foi reduzido a nada, tal como um cetro pode ser quebrado em pedaços, por um homem forte, em questão de segundos. O cetro apontava para o governo de Moabe. Por isso diz a tradução inglesa NCV: "O poder do governante está quebrado. Desaparecidos são o poder e a glória de Moabe". O cetro era, ao mesmo tempo, *belo e glorioso*, mas em breve foi reduzido a nada pelos invasores babilônicos. As nações estavam conscientes do "grande nome" de Moabe, mas esse nome agora fora guardado nos arquivos da história. A glória tinha desaparecido: o poder tinha findado; a beleza tinha sido apagada. Diz aqui o Targum: "Como foi quebrado o rei que fazia o mal, aquele governante opressor!" Moabe, auto-satisfeita e apreciadora de seu lazer, confiante em uma falsa divindade, enganada por sua própria grandeza e poder, foi uma vítima fácil para a Babilônia, porque a vontade de Yahweh tornara os *babilônios* os atores da hora.

As Cidades de Moabe Sofreriam Catástrofe (48.18-28)

■ 48.18

רְדִי מִכָּבוֹד יֹשְׁבִי בַצָּמָא יֹשֶׁבֶת בַּת־דִּיבוֹן כִּי־שֹׁדֵד מוֹאָב עָלָה בָךְ שִׁחֵת מִבְצָרָיִךְ׃

Desce da tua glória, e assenta-te em terra sedenta, ó moradora, filha de Dibom. Entre as cidades antes orgulhosas e poderosas que tinham de ser niveladas até o chão, estava *Dibom*, sobre a qual dou detalhado artigo no *Dicionário*. Dibom é mencionada entre as cidades de Moabe listadas em Nm 21.30 e Is 15.2. Conforme vemos em Nm 33.45, a cidade foi reconstruída pelos gaditas. Aparece de modo proeminente na pedra moabita. Na época da conquista da Terra Prometida, passou para a tribo de Rúben, mas posteriormente foi reconquistada pelos moabitas e se tornou uma fortaleza ou lugar fortificado. Contava com água em abundância, sendo provável que ficasse localizada na margem norte do rio Arnom (ver Is 15.9). Mas seus recursos, naturais e humanos, não a salvaram, quando chegou a hora de provação.

■ 48.19

אֶל־דֶּרֶךְ עִמְדִי וְצַפִּי יוֹשֶׁבֶת עֲרוֹעֵר שַׁאֲלִי־נָס וְנִמְלָטָה אִמְרִי מַה־נִּהְיָתָה׃

Põe-te no caminho, e espia, ó moradora de Aroer. Ver o vs. 6, que se aplica a essa cidade. Em contraste com a cidade poderosa e proeminente, Dibom, *Aroer* era uma cidade bastante remota, situada na fronteira. Ali, por onde passava uma estrada, os habitantes veriam os fugitivos passando, homens e mulheres abandonando Dibom e perguntando o que havia acontecido, qual calamidade os teria reduzido àquele estado lastimável. Mas mesmo *ali* a maldição babilônica espalharia sua destruição, e os humildes tombariam juntamente com os altivos. E os fugitivos passariam e diriam: "O que nos aconteceu em breve também acontecerá convosco".

■ 48.20

הֹבִישׁ מוֹאָב כִּי־חַתָּה הֵילִילוּ וּזְעָקוּ הַגִּידוּ בְאַרְנוֹן כִּי שֻׁדַּד מוֹאָב׃

Moabe está envergonhado, porque foi abatido; uivai e gritai. Antes orgulhosa e poderosa, a abastada Moabe fora humilhada, transformada em água e quebrada em pedaços. Os jactanciosos moabitas que tinham sobrevivido à matança agora lamentavam e choravam de dor, ao mesmo tempo que a maioria dos moabitas jazia morta nos campos de batalha e nas cidades. As notícias da matança se espalharam até o rio *Arnom*, a principal corrente de água de Moabe. O nome indica uma "torrente rápida", e ofereço no *Dicionário* um artigo sobre esse rio que acompanha seu curso. Várias cidades foram edificadas ao longo do rio, como no caso de Dibom (vs. 19). Todas as cidades ao longo do curso do rio ouviriam as temíveis notícias sobre a invasão do exército babilônico. Esse rio nasce nas montanhas da Arábia e deságua no mar Morto, o que significa que as notícias viajariam por um longo caminho e seriam recebidas com terror pelas vítimas subsequentes. É provável que o significado em vista aqui é que devemos pensar na fronteira norte entre Moabe e Amom (vs. 19; Nm 21.13). As notícias chegariam àquele lugar remoto. O rio formava a fronteira naquele lugar. Quanto a detalhes, ver no *Dicionário* o artigo sobre o rio *Arnom*.

■ 48.21

וּמִשְׁפָּט בָּא אֶל־אֶרֶץ הַמִּישֹׁר אֶל־חֹלוֹן וְאֶל־יַהְצָה וְעַל־מוֹפָעַת׃

Também o julgamento veio sobre a terra da campina. O profeta, neste ponto, lista as cidades do *platô* da Transjordânia. Todas elas seriam destruídas. A lista segue uma vereda de norte para sul, provavelmente indicando a direção da marcha do exército babilônico. Algumas das cidades aqui citadas ainda não foram identificadas com nenhum local moderno. As onze cidades mencionadas ilustram a vastidão da destruição que seria infligida. O território inteiro de Moabe foi devastado. Ver sobre os nomes próprios locais, no *Dicionário*, quanto ao que se sabe sobre essas cidades. A destruição que viria foi pintada como *julgamento*, e o Juiz era Yahweh, que controla todos os acontecimentos ocorridos à face da terra, aplicando a sua vontade moral. O vs. 21 lista três cidades do platô da Transjordânia que seriam vitimadas pelos babilônios bárbaros. Ver sobre elas no *Dicionário*. Das cidades mencionadas nesta passagem, quatro são citadas na pedra moabita: Jaza (vs. 21); Bete-Diblataim (vs. 22); Bete-Meom (vs. 23) e Queriote (vs. 24). Ver no *Dicionário* o artigo chamado *Pedra Moabita*. A lista fala sobre cidades distantes e próximas, e assim projeta a universalidade da catástrofe vindoura.

■ 48.22

וְעַל־דִּיבוֹן וְעַל־נְבוֹ וְעַל־בֵּית דִּבְלָתָיִם׃

Sobre Dibom, Nebo e Bete-Diblataim. Mais três cidades são mencionadas, neste versículo, como vítimas para breve dos invasores. *Dibom* é vista no vs. 18, e *Nebo* no vs. 1. *Bete-Diblataim* aparece na pedra moabita, conforme indicado no vs. 21 (consultar no *Dicionário* maiores informações). Esse nome quer dizer "casa do duplo bolo de figos", o que pode significar que ficava em uma região um tanto quanto fértil. Nm 33.46,47 dá o nome de Almon-Diblataim, um dos lugares onde os israelitas pararam quando seguiam para a Terra Prometida.

■ 48.23

וְעַל קִרְיָתַיִם וְעַל־בֵּית גָּמוּל וְעַל־בֵּית מְעוֹן׃

Sobre Quiriataim, Bete-Gamul e Bete-Meom. Outras cidades do platô da Transjordânia são mencionadas como vítimas do exército da Babilônia para breves tempos. Encontramos a menção a *Quiriataim*, no vs. 1. *Bete-Gamul* não é mencionada nas listas anteriores, de Nm 32.34-38 e Js 13.16-20. Esse nome significa "casa do camelo". É a única menção a essa cidade nas Escrituras, e seu local moderno é incerto. *Bete-Meom* quer dizer "casa de habitação". Talvez seja a moderna cidade de *Mium*. Ela é mencionada em Js 13.17 como Baal-Meom. Ver também 1Cr 5.8 e Ez 25.8. O termo "Meom" significa "cidadela do céu". Provavelmente era um conhecido santuário dedicado a Baal, mas isso não impediu a destruição que tomou conta dela. Seu nome figura na pedra moabita.

■ 48.24

וְעַל־קְרִיּוֹת וְעַל־בָּצְרָה וְעַל כָּל־עָרֵי אֶרֶץ מוֹאָב הָרְחֹקוֹת וְהַקְּרֹבוֹת׃

Sobre Queriote e Bozra, e até sobre todas as cidades da terra de Moabe. Para completar a lista das onze cidades que os babilônios atacaram no platô da Transjordânia, encontramos mais duas cidades neste versículo. A lista inclui cidades *distantes e próximas*, informação que fala sobre a universalidade do ataque babilônico contra Moabe. *Queriote* significa *cidades* (no plural). Ver Js 15.25 e Am 3.2. Seu local ainda não foi identificado com certeza, mas poderia ser o lugar também chamado pelo nome de *Ar,* que foi uma antiga capital de Moabe. Talvez a moderna cidade de Saliya assinale o sítio antigo. Essa cidade é mencionada na décima terceira linha da pedra moabita. *Bozra* é citada em Is 34.6 e recebe um artigo no *Dicionário*. Pertencia originalmente a Edom (ver Gn 36.31,33), mas é possível que tenha havido uma Bozra em Edom, e outra em Moabe. Talvez a Bozra de Moabe seja o lugar chamado *Bezer*, em Js 21.36.

■ 48.25

נִגְדְּעָה קֶרֶן מוֹאָב וּזְרֹעוֹ נִשְׁבָּרָה נְאֻם יְהוָה׃

Está eliminado o poder de Moabe, e quebrado o seu braço. O chifre (ou seja, o poder) de Moabe foi assim decepado; e seu braço (agente de ação) foi quebrado. Em outras palavras, Moabe caiu em ruína total, tendo ficado praticamente desabitada. Por meio de seu oráculo, assim determinou Yahweh e assim aconteceu. O julgamento divino foi suspenso por muito tempo, para castigar Moabe por seus muitos pecados e perversões. "O *chifre* de Moabe, tão alto e forte, que era o seu poder e as forças com as quais ele defendia a si mesmo e feria a outros, como um animal dotado de chifre, foi cortado" (John Gill, *in loc.*). O braço que brandira a espada e massacrara a outros, foi quebrado; e assim a *Lex Talionis* (ver a respeito no *Dicionário*) foi satisfeita. A lei exigia "pagamento segundo a falta cometida", a filosofia do olho por olho, dente por dente. Ben Meleque interpretou o *braço* como os reis, príncipes e militares que eram agentes do poder de Moabe.

"O *chifre* dos animais naturalmente simbolizava força, e era apenas natural que esse simbolismo se estendesse aos homens e às nações. Cf. este versículo com 1Sm 2.1; Sl 92.10; Lm 2.3; Dn 7.7,8; Lc 1.69. O símbolo do *braço quebrado,* impotente para agarrar a espada ou o cetro, vem novamente a nosso encontro em Ez 30.21" (Ellicott, *in loc.*).

■ 48.26

הַשְׁכִּירֻהוּ כִּי עַל־יְהוָה הִגְדִּיל וְסָפַק מוֹאָב בְּקִיאוֹ וְהָיָה לִשְׂחֹק גַּם־הוּא׃

Embriagai-o, porque contra o Senhor se engrandeceu. O homem que se embriaga e depois se espoja em seu vômito, causa náusea em outras pessoas, as quais o ridicularizam com justiça devido ao estado aviltado no qual ele caiu por causa de um vício tolo. Yahweh fez Moabe tornar-se ridícula dessa maneira, porquanto os moabitas se tinham elevado em seu orgulho, embora fossem apenas tolos, servindo às forças das trevas. Moabe recebeu a derrisão de Deus, porquanto era um bêbado espiritual, tão causador de desgosto quanto um bêbado literal. Esse simbolismo provavelmente foi sugerido pelo fato de que Moabe foi forçado a beber do cálice de vinho da ira de Yahweh (ver Jr 25.15; Is 51.17; Jó 21.20; Ez 23.32; Ap 14.10.). Cf. também Jr 13.12 e 25.17. O vs. 27 aplica a Israel a imagem do tratamento conferido a Moabe.

■ 48.27

וְאִם לוֹא הַשְּׂחֹק הָיָה לְךָ יִשְׂרָאֵל אִם־בְּגַנָּבִים נִמְצָאָה כִּי־מִדֵּי דְבָרֶיךָ בּוֹ תִּתְנוֹדָד׃

Pois Israel não te foi também objeto de escárnio? Embora aparentados de longe com os hebreus, os moabitas serviram constantemente de maldição para os filhos de Israel. Para os moabitas, Israel sempre serviu de objeto de ódio e ridículo. Israel foi tratado com desprezo, como um criminoso é tratado quando apanhado. Cf. este versículo com Sf 2.8 e Ez 25.6. É provável que esteja em vista especificamente a "alegria" que Moabe extraiu do aniquilamento de Judá e Jerusalém por parte dos babilônios. Agora chegara a vez de Moabe sofrer as mesmas desgraças às mãos do mesmo inimigo brutal. "Sempre que os moabitas falavam das calamidades e aflições de Israel, e de seu cativeiro, eles se riam até estremecer. Os moabitas balançavam a cabeça, e seu corpo inteiro tremia com o prazer perverso de ver o sofrimento dos israelitas" (John Gill, *in loc.*). A Vulgata adiciona aqui a nota de que o *cativeiro* faria parte da punição de Moabe, por atos e atitudes tão insanos. O Targum diz a mesma coisa contra os moabitas, porquanto estes tinham "multiplicado palavras contra Israel". Eles chegaram ao extremo de dizer que os deuses de Israel não eram melhores que os de outros povos. Ver Ez 25.8.

■ 48.28

עִזְבוּ עָרִים וְשִׁכְנוּ בַּסֶּלַע יֹשְׁבֵי מוֹאָב וִהְיוּ כְיוֹנָה תְּקַנֵּן בְּעֶבְרֵי פִי־פָחַת׃

Deixai as cidades, e habitai no rochedo, ó moradora de Moabe. O ataque dos babilônios forçaria os poucos que sobrevivessem a fugir para as colinas e ali se esconder entre as rochas, como a pomba faz seu ninho nos lados da entrada de uma garganta. Pois, até mesmo ali os soldados babilônios haveriam de caçá-los, matando-os em suas tocas. "Os moabitas foram forçados a deixar suas cidades para se refugiar nas cavernas, que eram abundantes nas colinas da Palestina. Seriam fugitivos em agonia e ficariam desolados, com grande temor de perder a vida. Sofreriam o tipo de coisas que Judá sofreu poucos anos antes. E assim aprenderiam a não blasfemar. Eles perderiam o abrigo e a segurança de suas cidades e lares, e seriam obrigados a vaguear como animais selvagens, buscando lugares onde se esconder, onde animais ferozes e aves faziam suas covas e seus ninhos. Cf. Sl 55.6-8 e Ct 2.14.

A Soberba de Moabe Deve Cessar (48.29-39)

■ 48.29

שָׁמַעְנוּ גְאוֹן־מוֹאָב גֵּאֶה מְאֹד גָּבְהוֹ וּגְאוֹנוֹ וְגַאֲוָתוֹ וְרֻם לִבּוֹ׃

Ouvimos falar da soberba de Moabe, que de fato é extremamente soberbo. A seção maior deste capítulo, os vss. 29-46, tem muitos empréstimos, sobretudo de Is 15,16. Por isso, muitos críticos supõem que a passagem seja secundária, fruto de algum editor. O raciocínio é que o profeta Jeremias não poderia ser tão dependente de outro autor sagrado, ao passo que um compilador não hesitaria em incorporar tantos empréstimos. O gráfico seguinte demonstra a questão:

Jr 48	Fontes de Material
Vs. 30	Is 16.6
Vss. 31-33	Is 16.7-10
Vs. 34	Is 15.4-6
Vs. 35	Is 16.12
Vs. 36	Is 16.11; 15.7
Vss. 37,38	Is 15.2,3
Vss. 43,44	Is 24.17,18
Vss. 45,46	Nm 21.28,29; 24.17

Os vss. 40,41 são paralelos de Jr 49.22.

O orgulho extremado e a arrogância de Moabe eram o principal vício e o fracasso moral dos moabitas. Note o leitor o *acúmulo de termos* a fim de expressar isso: soberba; arrogância; orgulho; sobranceria e altivez. O orgulho foi o grande pecado do diabo, que finalmente o tornou vil. Ver no *Dicionário* o verbete chamado *Orgulho*. O orgulho é, pois, o substituto barato da humildade, que é uma virtude. Mas toda aquela arrogância não teve poder de salvar os moabitas, na hora de provação. Este versículo reproduz, essencialmente, Is 16.6. O acúmulo de termos demonstra a extremada depravação dos moabitas, e como esse pecado era abominado pela mente divina. O orgulho dos moabitas era tão grande que todas as nações em derredor tinham ouvido falar a respeito. Era uma característica nacional daquele povo. Naturalmente, o principal Ser a ouvir sobre esse orgulho foi Yahweh, e a ele cabia humilhar os arrogantes moabitas. Este versículo é um "acúmulo de palavras para expressar a mesma coisa, sugerindo que as instâncias da altivez eram muitas e excessivamente grandes" (John Gill, *in loc.*). Ver orgulho e humildade contrastados nas notas sobre Pv 11.2 e 13.10.

■ 48.30

אֲנִי יָדַעְתִּי נְאֻם־יְהֹוָה עֶבְרָתוֹ וְלֹא־כֵן בַּדָּיו לֹא־כֵן עָשׂוּ:

Conheço, diz o Senhor, a sua insolência, mas isso nada é. A *orgulhosa Moabe* nada produzia com sua *falsa jactância* e seus *falsos feitos*, o que só servia para demonstrar um espírito e uma mente depravados. Eles tinham o alegado grande deus Camos, mas não possuíam nenhuma legislação que, como a legislação mosaica, lhes servisse de guia espiritual. A tradução inglesa da NCV, entretanto, transmite uma ideia diferente:

Conheço a ira imediata de Moabe, mas ela é inútil.
A jactância de Moabe nada realiza.

Supõe-se que, em sua arrogância, Moabe planejava males que não produziam nenhum resultado positivo, mas eram somente prejudiciais a eles mesmos e a outros povos. Diz o Targum: "Seus nobres não são retos. Eles não agem de maneira correta".

■ 48.31

עַל־כֵּן עַל־מוֹאָב אֲיֵלִיל וּלְמוֹאָב כֻּלֹּה אֶזְעָק אֶל־אַנְשֵׁי קִיר־חֶרֶשׂ יֶהְגֶּה:

Por isso uivarei por Moabe, sim, gritarei por todo o Moabe. Tendo caído na calamidade, Moabe excitou a piedade do profeta. Ele clamou pelo povo de *Quir-Heres*, em meio aos sofrimentos deles. Ver no *Dicionário* o verbete chamado *Quir-Heres*. Is 15.1 destacou o nome Quir-Haresete, sendo provável que esteja em vista a cidade de Quir, em Moabe. O Targum fala em *Craque*, que pode ser a moderna cidade de Quiraque. Era uma cidade fortificada nas montanhas de Moabe, a sudeste do mar Morto. Alguns estudiosos, entretanto, conjecturam que o sentido dessa palavra é "cidade do sol", e isso a identificaria, de alguma modo, com o sol ou com a adoração à natureza. Os homens daquele lugar estavam entre os poderosos, mas isso não lhes trouxe bem algum quando sobreveio a devastação babilônica e eles terminaram sendo alvo de comiseração, e não de louvor por seus feitos heroicos. O Targum chama o lugar de "cidade da força deles", mas aos babilônios não foi necessário muito tempo para alterar tudo isso. Os vss. 31-33 reverberam o trecho de Is 16.7-10.

■ 48.32

מִבְּכִי יַעְזֵר אֶבְכֶּה־לָּךְ הַגֶּפֶן שִׂבְמָה נְטִישֹׁתַיִךְ עָבְרוּ יָם עַד יָם יַעְזֵר נָגָעוּ עַל־קֵיצֵךְ וְעַל־בְּצִירֵךְ שֹׁדֵד נָפָל:

Mais que a Jazer te chorarei a ti, ó vide de Sibma. *Sibma* é chamada aqui de *vinha*. Essa cidade deveria ser lamentada mais do que *Jazer*. Sem dúvida, há aqui uma alusão ao cultivo da videira, mas o vinho é a *vida*, e seus ramos são o povo. Cf. Is 16.8. Moabe era conhecida por seus ótimos vinhedos, e certos lugares de Moabe, ou a nação inteira, são comparados a um vinhedo que foi destruído por um predador, a Babilônia, o que significa que a sua vida foi devastada. Seus ramos se espalhavam por todo o caminho até o mar Morto; mas aqui o fruto amadurecido foi tomado pelo exército saqueador, como parte de seu "salário", pois os exércitos antigos viviam do saque. Moabe, pois, foi "colhida" no pior sentido possível da palavra. "O rei da Babilônia deu sobre eles com seu exército, na estação do verão, na época da vindima, e devorou os frutos das vinhas e das figueiras, que eram abundantes no país. Portanto, Moabe foi empobrecido e deixada em desolação. O profeta Jeremias fala aqui da destruição da agricultura de Moabe, mas também, e mais particularmente, da sua vida, do seu povo. Eles foram "colhidos" pelo inimigo vindo do norte. Ver no *Dicionário* os nomes próprios que aparecem no versículo.

■ 48.33

וְנֶאֶסְפָה שִׂמְחָה וָגִיל מִכַּרְמֶל וּמֵאֶרֶץ מוֹאָב וְיַיִן מִיקָבִים הִשְׁבַּתִּי לֹא־יִדְרֹךְ הֵידָד הֵידָד לֹא הֵידָד:

Tirou-se, pois, o folguedo e a alegria do campo fértil e da terra de Moabe. Os frutos foram comidos e destruídos; o povo de Moabe foi dizimado; a terra ficou desolada. E, desse modo, toda a alegria e júbilo foram anulados, e grande pranto foi ouvido de uma extremidade à outra da terra de Moabe. Não houve mais produção das vinhas preciosas; não houve mais festivais da colheita; não houve mais felicidade na vida. Os poucos sobreviventes foram deixados em profunda tristeza. Cf. este versículo com Is 16.10, e ver o gráfico de empréstimos literários, em Jr 48.29. "Essas palavras nos trazem o cântico da vindima daqueles que pisavam as uvas (ver Jr 25.30 e Is 16.10). Quanto a isso, o profeta diz que não haveria mais gritos, apresentando suas palavras em uma forma que faz lembrar a *dora adora* (no grego, "presentes que não são presentes") de *Soph. Aias.* 674. Gritos de alegria eram transformados em lamentações, e o tumulto das batalhas ocupou o lugar da paz" (Ellicott, *in loc.*).

■ 48.34

מִזַּעֲקַת חֶשְׁבּוֹן עַד־אֶלְעָלֵה עַד־יַהַץ נָתְנוּ קוֹלָם מִצֹּעַר עַד־חֹרֹנַיִם עֶגְלַת שְׁלִשִׁיָּה כִּי גַּם־מֵי נִמְרִים לִמְשַׁמּוֹת יִהְיוּ:

Ouve-se o grito de Hesbom até Eleale e Jaaz, e de Zoar se dão gritos até Horonaim e Eglate-Selisias. São listados os nomes de mais seis cidades para mostrar as lamentações de uma cidade inteira. Ver os nomes dessas cidades comentados no *Dicionário*. Novamente, é indicada vasta área geográfica, para mostrar a universalidade dos sofrimentos. Os primeiros três nomes correspondem a lugares do norte de Moabe — Hesbom, Eleale e Jaaz. Os outros três nomes correspondem a lugares do sul de Moabe — Zoar, Horonaim e Eglate-Selisias. As "águas do Ninrim" também ficavam no sul e serviam de fonte de vida para a região. Mas agora toda aquela área é vista desolada. As "águas de Ninrim" são mencionadas, na Bíblia toda, somente aqui e em Is 15.6, que é a fonte originária deste material. No *Dicionário,* o detalhado artigo chamado *Ninrim, Águas de,* dá mais informações ao leitor. A região era um oásis, mas essas águas tornaram-se malditas, e a área ficou desolada. Moabe estava pagando por seus pecados, especialmente os pecados de idolatria (vs. 35) e arrogância (vs. 29).

■ 48.35

וְהִשְׁבַּתִּי לְמוֹאָב נְאֻם־יְהוָה מַעֲלֶה בָמָה וּמַקְטִיר לֵאלֹהָיו׃

Farei desaparecer de Moabe, diz o Senhor, quem sacrifique... Vemos aqui que a idolatria dos moabitas era efetuada nos *lugares altos* (ver a respeito no *Dicionário*). Essa idolatria também é aqui denunciada como a principal razão do aniquilamento desse país, porque Yahweh chegara a um ponto em que não mais podia tolerar aquela falta de bom senso. *Camos* (a principal divindade de Moabe) era o objeto dos sacrifícios e da queima de incenso nos lugares altos. Podemos perceber, no vs. 7 deste capítulo, que essa alegada divindade nada representava na hora da provação. Ver no *Dicionário* o verbete chamado *Camos.* Quemós é um nome variante desse mesmo deus moabita, conforme algumas traduções portuguesas. Cf. o vs. 46, onde esse deus imaginário volta ao centro das atenções. Ver no *Dicionário* o detalhado artigo chamado *Deuses Falsos.* Cf. este versículo com Is 16.12, que são sua fonte originária. O versículo presente implica que certos santuários, como aqueles dos lugares altos, onde Camos era honrado, eram locais de peregrinação. Essas peregrinações chegaram a um fim definitivo quando os babilônios terminaram sua tarefa sangrenta em Moabe.

■ 48.36

עַל־כֵּן לִבִּי לְמוֹאָב כַּחֲלִלִים יֶהֱמֶה וְלִבִּי אֶל־אַנְשֵׁי קִיר־חֶרֶשׂ כַּחֲלִילִים יֶהֱמֶה עַל־כֵּן יִתְרַת עָשָׂה אָבָדוּ׃

Por isso o meu coração geme como flautas por causa de Moabe. A flauta pode produzir um som de lamentação, como se fosse uma pomba a arrulhar. O coração do profeta ficou comovido de profunda tristeza, quando, em sua visão, ele percebeu a devastação que aconteceria a Moabe. Os gritos das mulheres e das crianças enchiam de dor os seus ouvidos. Ele urrava ao ver os jovens cair feridos diante das feras babilônicas. E ficava perplexo ao contemplar todas as riquezas dos moabitas sendo levadas como saque. Uma sorte especialmente lamentável estava reservada a Quir-Heres, que aqui representa Moabe inteira. Esse lugar também é mencionado no vs. 31, onde uma lamentação especial é pronunciada contra ele. Cf. este versículo com Is 15.7 e 16.11, que é sua fonte originária. O profeta entoou pelo lugar um hino de lamentação que tinha tons tristes, como os de uma flauta em um cortejo fúnebre, onde a morte é o tema do cântico. Cf. Mt 9.23.

■ 48.37

כִּי כָל־רֹאשׁ קָרְחָה וְכָל־זָקָן גְּרֻעָה עַל כָּל־יָדַיִם גְּדֻדֹת וְעַל־מָתְנַיִם שָׂק׃

Porque toda cabeça ficará calva, e toda barba rapada. Vemos aí todos os sinais da lamentação, e nenhum deles é fruto da hipocrisia: a cabeça rapada, produzindo a calvície (ver Jr 7.29; 16.6); a barba escanhoada (ver Is 15.2); a automutilação mediante golpes (ver Jr 16.6; 41.5); as roupas rasgadas (mencionadas apenas em Jr 41.5); as roupas feitas de pano de saco (ver Jr 4.8; 6.26; Jl 1.8). A fonte essencial dos vss. 37,38 é Is 15.2,3. Ver o gráfico de trechos emprestados no vs. 29. Ver no *Dicionário* o artigo chamado *Lamentação.* A legislação mosaica proibia as mutilações (ver Dt 14.1), mas nem mesmo os israelitas sempre obedeceram a essa legislação, e certamente os moabitas não se deixaram influenciar por ela. Ver no *Dicionário* o artigo denominado *Pano de Saco.* Cf. as mutilações a Zc 13.6.

■ 48.38

עַל כָּל־גַּגּוֹת מוֹאָב וּבִרְחֹבֹתֶיהָ כֻּלֹּה מִסְפֵּד כִּי־שָׁבַרְתִּי אֶת־מוֹאָב כִּכְלִי אֵין־חֵפֶץ בּוֹ נְאֻם־יְהוָה׃

Sobre todos os eirados de Moabe e em todas as suas praças há pranto. Moabe fora partido por Yahweh como um vaso que não tinha mais utilidade e se tornara objeto de lamentação. Lamentações podiam ser ouvidas dos eirados planos, bem como nas ruas e praças da cidade. Cf. a metáfora do *vaso quebrado,* em Jr 22.28. Ver também Is 15.2,3, que é a fonte originária deste material. Os eirados planos das casas do Oriente Próximo e Médio eram os lugares naturais de reunião em que os homens, em tempos de pânico, se reuniam para orar e meditar. No verão quente, esses lugares também serviam como dormitórios. Algumas vezes havia festas ali. Mas agora a morte era o assunto principal.

> Cuidados pelos moribundos,
> Arrebatai-os com piedade,
> Do pecado e da sepultura.
> Chorai pelos que erram.
>
> Fanny J. Crosby

■ 48.39

אֵיךְ חַתָּה הֵילִילוּ אֵיךְ הִפְנָה־עֹרֶף מוֹאָב בּוֹשׁ וְהָיָה מוֹאָב לִשְׂחֹק וְלִמְחִתָּה לְכָל־סְבִיבָיו׃ ס

Como uivam! Como virou Moabe as costas de vergonha! *Grande uivo de dor* rasgou o ar quando as flechas de inimigos selvagens os atingiram. As vozes questionam, em pânico e agonia, quando tais coisas acontecem: como Moabe foi quebrada como vaso inútil, lançada em amarga vergonha, tornando-se motivo de zombarias e derrisão de outros povos; como os orgulhosos foram rebaixados tão ligeira e permanentemente. Os circunstantes temeram que Yahweh os levasse a tal sorte, pois eram eles realmente melhores que os moabitas? Os sobreviventes lamentavam os mortos, os aleijados, os feridos e a perda de todos os bens materiais. Israel fora motivo de escárnio para os moabitas, objeto de suas zombarias; agora eles pagavam com a mesma moeda, em consonância com a *Lex Talionis* (ver a respeito no *Dicionário*). Cf. Jr 24.6.

A Completa Destruição de Moabe (48.40-47)

■ 48.40

כִּי־כֹה אָמַר יְהוָה הִנֵּה כַנֶּשֶׁר יִדְאֶה וּפָרַשׂ כְּנָפָיו אֶל־מוֹאָב׃

Eis que voará como a águia e estenderá as suas asas contra Moabe. É provável que Jr 48 seja uma coletânea de oráculos que levou o material a ser tão abundante, em contraste com os tratamentos relativamente breves dados a outras potências estrangeiras também denunciadas. Temos aqui repetição e muitos empréstimos extraídos de Isaías, provavelmente o trabalho do editor-compilador que embelezou os oráculos originais. A presente seção reenfatiza o que já foi visto, "o completo aniquilamento" de Moabe.

Yahweh continua aqui sua mensagem de condenação. Ele era a causa de tudo quanto acontecia a Moabe. Provavelmente, os vss. 40-47 representam um oráculo separado, o mais dramático da coletânea. O exército babilônico desceria sobre Moabe como uma águia poderosa desce sobre um animal impotente. Os homens olhariam para o alto e veriam as asas da imensa águia espalhadas sobre eles. Então veriam o fatal ataque, e Moabe se mostraria impotente perante as garras e o bico do grande predador. O ataque fora ordenado por Yahweh para punir Moabe por seus pecados intermináveis e por seus atos de violência contra outros povos. Cf. a figura da águia a Dt 28.49; Is 46.11 e Ez 17.3. O presente versículo é reproduzido em Jr 49.22, pelo que, se não há empréstimo direto do livro de Isaías, neste ponto, contudo, certamente há um empréstimo. Mas ali a referência é a Edom. Ver também Hc 1.8. Diz o Targum: "Eis que como uma águia que voa, assim também um rei subirá com o seu exército e se acampará contra Moabe". "O inimigo cairá sobre ele, despedaçá-lo-á e o levará embora" (Adam Clarke, *in loc.*).

■ 48.41

נִלְכְּדָה הַקְּרִיּוֹת וְהַמְּצָדוֹת נִתְפָּשָׂה וְהָיָה לֵב גִּבּוֹרֵי מוֹאָב בַּיּוֹם הַהוּא כְּלֵב אִשָּׁה מְצֵרָה׃

São tomadas as cidades, e ocupadas as fortalezas. Usando *grande generalização,* o profeta fala sobre a queda de toda a nação de Moabe, com suas cidades e fortificações, campos de batalha e lugares altos e baixos. Ele acrescentou a isso a metáfora da mulher em trabalho de parto, cujo coração se abate, porque o *seu dia* chegou. Assim também, fraco e temeroso será o coração dos mais valentes guerreiros moabitas, quando os babilônios avançarem pelo território de Moabe. Cf. este versículo e sua metáfora do nascimento, em Jr 49.24; 50.43; Is 13.8 e 21.3. A mesma frase se repete em Jr 49.22, mas em relação a Edom, e não a Moabe.

■ 48.42

וְנִשְׁמַד מוֹאָב מֵעָם כִּי עַל־יְהוָה הִגְדִּיל׃

Moabe será destruído, para que não seja povo, porque se engrandeceu contra o Senhor. A devastação seria tão grande que Moabe deixaria de ser uma nação. Moabe seria extinta, porquanto ousou enfrentar Yahweh com seu tremendo peso de pecados. O teísmo bíblico vê Deus como a causa dos eventos humanos e, algumas vezes, ele aparece como a causa única, embora isso já seja um exagero. Por trás de muitos eventos, porém, existem causas secundárias, como o caos e a vontade perversa dos seres humanos, que forçam Deus a reagir com julgamento violento.

O completo aniquilamento não ocorreu. Restaram no território alguns habitantes, embora sujeitos a outras potências, com sua "nacionalidade" roubada por estrangeiros.

■ 48.43,44

פַּחַד וָפַחַת וָפָח עָלֶיךָ יוֹשֵׁב מוֹאָב נְאֻם־יְהוָה׃

הַנָּס מִפְּנֵי הַפַּחַד יִפֹּל אֶל־הַפַּחַת וְהָעֹלֶה מִן־הַפַּחַת יִלָּכֵד בַּפָּח כִּי־אָבִיא אֵלֶיהָ אֶל־מוֹאָב שְׁנַת פְּקֻדָּתָם נְאֻם־יְהוָה׃

Terror, cova e laço, vêm sobre ti, ó moradora de Moabe. Como se os moabitas fossem um *animal selvagem* que estivesse sendo caçado, o temor viera habitar em seu coração, mas caíram nas valetas e armadilhas preparadas pelos babilônios. E, como se fossem animais impotentes apanhados nessas armadilhas, foram mortos sem misericórdia. Estas palavras reproduzem Is 24.17. Ver o vs. 29 quanto aos empréstimos tomados do livro de Isaías. O animal caçado estava aterrorizado, quando os cães e os cavaleiros o perseguiam. Havia uma cova escavada no caminho, mas por estar disfarçada o animal não conseguia vê-la. Finalmente, o animal caiu na armadilha, e ficou imobilizado e impotente diante da morte que se aproximava rapidamente com ruídos tão temíveis. Cf. Sl 7.15; Pv 26.27; Ec 10.8. Se o pobre animal fosse capaz de desvencilhar-se da cova, seria apanhado em um laço. Não havia como o animal escapar. Assim também aconteceria a Moabe, diante da Babilônia sem misericórdia. Encontramos aqui uma "expressão proverbial, mostrando que, se eles escapassem de um perigo, de um terrível julgamento, cairiam em outro, até pior. Isaías aplicou essas palavras aos habitantes da terra, mas a presente passagem estreita a questão a Moabe" (John Gill, *in loc.*).

■ 48.45

בְּצֵל חֶשְׁבּוֹן עָמְדוּ מִכֹּחַ נָסִים כִּי־אֵשׁ יָצָא מֵחֶשְׁבּוֹן וְלֶהָבָה מִבֵּין סִיחוֹן וַתֹּאכַל פְּאַת מוֹאָב וְקָדְקֹד בְּנֵי שָׁאוֹן׃

Os que fogem param sem forças à sombra de Hesbom. Sem usar nenhuma metáfora, este versículo dá a mesma mensagem dos vss. 43,44. "Jeremias terminou esta seção sobre Moabe citando livremente uma antiga canção de Hesbom (cf. Nm 21.27-29). Os *fugitivos,* que tinham escapado da destruição, ficaram impotentes, porque o *fogo* do julgamento de Deus tinha saído por *toda* a nação de Moabe, para queimar aqueles que tanto se tinham vangloriado. Agora, a nação de Moabe fora destruída com seus filhos e filhas, no cativeiro, ou seja, os poucos que sobreviveram à matança" (Charles H. Dyer, *in loc.*). "O que está em foco é que os fugitivos de Moabe buscavam abrigo em Hesbom, capital de Amom (ver Jr 49.3), mas, chegando ali, não encontraram proteção. Um fogo saiu de Hesbom... Por ocasião do êxodo de Israel do Egito, essa cidade era a capital dos amorreus, mas aqui é identificada com Seom, o rei deles. Na aplicação dessas palavras por parte do profeta, os moabitas são apresentados como quem tomara refúgio sob as muralhas de Hesbom; porém, em vez de encontrarem refúgio, o fogo caiu sobre eles, saindo das muralhas e dos portões" (Ellicott, *in loc.*).

As têmporas de Moabe. Isto significa: 1. Os líderes e homens mais seletos de Moabe. 2. Ou tudo o que havia de mais vital em Moabe, visto que a cabeça é a parte essencial do corpo e, sendo gravemente ferida, é o fim da vida.

A *coroa* fala de porções geograficamente elevadas do país ou então de homens colocados em posições elevadas, como o rei e os príncipes do país. O Targum diz "Os nobres, filhos do barulho", ou seja, aqueles que se jactavam insensatamente. Isso significa, por sua vez, que o orgulho extremo do lugar (vs. 20) foi anulado pela matança.

■ 48.46

אוֹי־לְךָ מוֹאָב אָבַד עַם־כְּמוֹשׁ כִּי־לֻקְּחוּ בָנֶיךָ בַּשֶּׁבִי וּבְנֹתֶיךָ בַּשִּׁבְיָה׃

Ai de ti, Moabe; pereceu o povo de Camos. Um *ai final* foi pronunciado contra a ímpia nação de Moabe, que tinha exaltado a Camos, o deus que nada representava (ver os vss. 7 e 35). Os moabitas sobreviventes foram levados cativos, o *modus operandi* dos babilônios quando cometiam seu famoso genocídio. Os moabitas se tinham rido quando isso acontecera com Israel (Judá), mas os zombadores foram eficazmente silenciados. Ver as notas expositivas sobre o vs. 27 deste capítulo. Moabe perdeu sua identidade nacional quando o território ficou cheio de árabes vindos do oriente (cf. Ez 25.10). Este versículo repousa sobre Nm 21.29.

■ 48.47

וְשַׁבְתִּי שְׁבוּת־מוֹאָב בְּאַחֲרִית הַיָּמִים נְאֻם־יְהוָה עַד־הֵנָּה מִשְׁפַּט מוֹאָב׃ ס

Contudo mudarei a sorte de Moabe, nos últimos dias. Embora a situação dos moabitas fosse a mais lamentável possível, o profeta (ou um editor subsequente) não deixou a questão permanecer como perda permanente. A graça divina haverá de arranjar um retorno para Moabe. Sua sorte seria restaurada, tal como a sorte dos filhos de Amom (ver Jr 49.39). Deus dá maior graça quando a carga se torna mais pesada.

Oh, que essa estranha e inigualável graça,
Esse milagre do amor de Deus,
Preencha a terra toda com seu louvor agradecido,
Entoado também pelo coro angelical lá em cima.
Samuel Davies

Alguns estudiosos veem a restauração de Moabe no milênio, o tempo em que o Messias exercerá seu poder de Rei sobre a terra. Ver Dt 4.30; Jr 49.39; Dn 2.28 e 10.14. "Essa mistura da esperança de um retorno ainda distante é característica especial destes últimos capítulos de Jeremias, tal como no caso dos filhos de Amom (ver Jr 49.6) e Elão (49.39)" (Ellicott, *in loc.*). Cf. também a promessa de restauração feita ao Egito, em Jr 46.26. "Bênçãos evangélicas, temporais e espirituais, aos gentios, nos últimos dias, são planejadas" (Fausset, *in loc.*). Na história antiga, coisa alguma parece justificar essa predição bíblica. Por certo, os poucos moabitas que voltaram para sua terra, juntamente com os judeus, pelo decreto de Ciro, dificilmente podem qualificar-se como cumprimento desta profecia.

CAPÍTULO QUARENTA E NOVE

ORÁCULO CONTRA OS FILHOS DE AMOM (49.1-6)

Os filhos de Amom ocupavam o território a leste do rio Jordão e a norte do território dos moabitas. Embora fossem inimigos tradicionais de Israel (Judá), tornaram-se aliados dos judaítas contra o

Babilônia, quando vários países decidiram aliar-se contra aquela potência. Mas ver as notas em Jr 40.14. A história dos filhos de Amom é essencialmente paralela à história dos moabitas, pois muitas coisas aconteceram de igual modo a Moabe e a Amom. Quanto a detalhes completos, ver no *Dicionário* o artigo chamado *Amom (Amonitas)*. Ver as notas de introdução ao capítulo 46, que falam sobre a seção geral e sua mensagem. Jr 46.1—51.64 apresenta uma coletânea de oráculos contra potências estrangeiras.

"Este oráculo contra Amom não se reveste do espírito de vingança encontrado em alguns oráculos antiestrangeiros da coletânea, e até parece expressar certa simpatia pelos filhos de Amom. Embora possa ter sido uma produção genuína de Jeremias, é difícil datá-lo de modo específico. Os amonitas estiveram envolvidos na invasão de Judá, em 602 a.C. (ver 2Rs 24.2), e foram nomeados na lista dos estados que planejaram rebelar-se contra a Babilônia (ver Jr 27.3; 48.1-47). O presente oráculo não informa quem foi o destruidor dos filhos de Amom. Provavelmente, devemos pensar em Nabucodonosor" (James Philip Hyatt, *in loc.*). "Em Ez 21.26-28 a destruição de Amom é ligada à deposição de Zedequias" (Fausset, *in loc.*).

■ 49.1

לִבְנֵי עַמּוֹן כֹּה אָמַר יְהוָה הֲבָנִים אֵין לְיִשְׂרָאֵל אִם־יוֹרֵשׁ אֵין לוֹ מַדּוּעַ יָרַשׁ מַלְכָּם אֶת־גָּד וְעַמּוֹ בְּעָרָיו יָשָׁב:

A respeito dos filhos de Amom. Assim diz o Senhor. As palavras-chaves deste oráculo são: idolatria, violência, horror, zombaria, orgulho, maldição, espada, matança, julgamento e desolação. No caso dos filhos de Amom, o espírito de vingança não se mostrou tão forte como no caso dos moabitas, mas a sorte deles, mesmo assim, seria amarga. Yahweh aparece aqui como a fonte dos acontecimentos, o Poder por trás do julgamento e da condenação.

"Mediante a formulação de quatro perguntas (embora as perguntas 1 e 2 sejam paralelas, e as perguntas 3 e 4 também sejam paralelas), Jeremias enfocou o principal problema dos filhos de Amom. O reino do norte, Israel, fora cativado em 722 a.C., e Amom, supondo que Israel não tivesse filhos ou herdeiros que poderiam retornar à terra, apossou-se dela para si mesmo" (Charles H. Dyer, *in loc.*).

Perguntas 1 e 2. O cativeiro para Amom fez Israel tornar-se sem filhos e sem herdeiros; e, assim sendo, Yahweh indagou se aquele povo pensava que Israel não tinha filhos ou herdeiros. O território de Gade foi perdido por Israel. O profeta Jeremias supunha, entretanto, que esse território ainda pertencesse à ausente nação de Israel e declarou que Amom não tinha nada que apossar-se daquele território.

Perguntas 3 e 4. Estas perguntas indagam como os amonitas tomaram o território de Gade, e como esse povo pôde ocupar cidades que realmente pertenciam a Judá. Fora tudo um ultraje.

O texto supõe a possível volta das Dez Tribos para ocupar novamente seu território.

Milcom (ver a respeito no *Dicionário*) era a divindade nacional dos amonitas (ver 1Rs 11.5,33; 2Rs 23.13). Era pintada como o alegado poder que havia desapossado a tribo de Gade. Assim diz a Septuaginta. O texto massorético (o texto hebraico padronizado; ver no *Dicionário* o verbete intitulado *Massora (Massorah); Texto Massorético*) diz aqui *malkam*, ou seja, "o rei deles" e lhe dá o crédito por essa má ação. As versões Peshitta e a Vulgata Latina aliam-se à Septuaginta.

■ 49.2

לָכֵן הִנֵּה יָמִים בָּאִים נְאֻם־יְהוָה וְהִשְׁמַעְתִּי אֶל־רַבַּת בְּנֵי־עַמּוֹן תְּרוּעַת מִלְחָמָה וְהָיְתָה לְתֵל שְׁמָמָה וּבְנֹתֶיהָ בָּאֵשׁ תִּצַּתְנָה וְיָרַשׁ יִשְׂרָאֵל אֶת־יֹרְשָׁיו אָמַר יְהוָה:

Portanto, eis que vêm dias, diz o Senhor, em que farei ouvir em Rabá dos filhos de Amom o alarido de guerra. Amom seria severamente punido por seus feitos errados e sua presunção contra os planos e potencialidades de Yahweh no tocante a seu povo. Talvez Israel nunca voltasse. Mesmo assim, isso não dava aos filhos de Amom o direito de apossar-se do território conquistado.

Rabá (ver a respeito no *Dicionário* quanto a detalhes) era capital de Amom e seria a primeira cidade a sofrer com a ira de Yahweh. Ela e igualmente o resto das cidades, de fato o país inteiro, seriam devastados pelos babilônios, o vingador de Yahweh. As *filhas* que seriam incendiadas eram as *aldeias* do país, e não as mulheres. Israel foi retratado como quem cumpriria a tarefa, mas essa era uma visão idealista, de acordo com a *Lex Talionis* (vingança de acordo com a gravidade do crime cometido), que nunca se concretizou. Os que desapossaram Judá foram os babilônios, e somente em tempos remotos os israelitas voltaram para ocupar os territórios perdidos. Alguns eruditos veem aqui a era do reino de Deus e não a história contemporânea, e, nesse caso, o povo de Israel é que recuperaria os antigos territórios; mas é duvidoso que esta profecia tenha por intuito chegar tão longe. Os críticos veem em operação no vs. 2 não uma verdadeira profecia, mas apenas a manifestação de uma *esperança*. Houve cumprimento parcial dessa declaração no tempo dos macabeus (ver 1Macabeus 5.6).

■ 49.3

הֵילִילִי חֶשְׁבּוֹן כִּי שֻׁדְּדָה־עַי צְעַקְנָה בְּנוֹת רַבָּה חֲגֹרְנָה שַׂקִּים סְפֹדְנָה וְהִתְשׁוֹטַטְנָה בַּגְּדֵרוֹת כִּי מַלְכָּם בַּגּוֹלָה יֵלֵךְ כֹּהֲנָיו וְשָׂרָיו יַחְדָּיו:

Uiva, ó Hesbom, porque é destruída Ai; clamai, ó filhos de Rabá. Tal e qual em outros oráculos, o sofrimento do país é visto através de calamidades que atingem certas cidades-chaves. *Hesbom* ficava na fronteira entre Moabe e Amom, e foi controlada por diferentes governos em tempos diferentes. Aqui, entende-se que sua direção era de parte daquilo que pertencia a Amom, pelo que esse povo deve ter estado no controle da cidade, na época desta profecia. Ver Jz 11.12,26; Jr 48.34,35. A *Ai* do texto não é o mesmo lugar que a cidade chamada por esse nome, em Js 7.2. Pelo contrário, Hesbom era uma cidade de Amom, cujo local moderno é desconhecido. *Milcom* (ver a variante textual no vs. 1), o deus nacional de Amom, seria levado para o cativeiro, pois os babilônios tomavam as imagens dos deuses de seus inimigos. Os príncipes e os nobres que sobrevivessem sofreriam a mesma sorte, ao passo que o povo amonita em geral seria desolado, e os poucos sobreviventes ficariam a lamentar-se em *pano de saco* (ver no *Dicionário*). Rabá, a capital, é novamente mencionada como o lugar onde os sofrimentos mais se manifestariam. O texto hebraico aqui, tal como no vs. 1, permanece calcado sobre o *rei*, e não sobre Milcom, a divindade; e o rei e seus nobres iriam para o exílio.

Dai volta por entre os muros. Estão em vista as sebes vegetais entre as vinhas e os currais de ovelhas, e não as muralhas da cidade. A agricultura e o cultivo da terra deixariam de existir em Amom, por causa dos saques dos exércitos babilônicos que avançariam. Os lamentadores correriam em redor, onde o povo e as vinhas costumavam viver, quando o povo clamasse de temor e dor. A tradução inglesa da NCV diz que os amonitas buscariam segurança entre as sebes devastadas. Não havia fortificações nem muralhas atrás das quais os filhos de Amom pudessem esconder-se.

■ 49.4

מַה־תִּתְהַלְלִי בָּעֲמָקִים זָב עִמְקֵךְ הַבַּת הַשּׁוֹבֵבָה הַבֹּטְחָה בְּאֹצְרֹתֶיהָ מִי יָבוֹא אֵלָי:

Por que te glorias nos vales, nos teus luxuriantes vales, ó filha rebelde...? Amom era povo orgulhoso e arrogante, semelhante a Moabe (ver Jr 48.29). Eles se vangloriava, de seus vales, que eram extremamente frutíferos. Esse povo confiava em suas riquezas e se sentia seguro o bastante para se supor invencível. Cf. Ez 21.18-23. Mas o longo braço de julgamento de Yahweh chegou àquele lugar e o reduziu a ruínas. Os vales antigamente fluíam com águas abundantes e plena produção agrícola. Mas os babilônios em breve puseram fim a toda essa prosperidade. Amom era como uma *filha fiel* que, depois de algum tempo, caíra na prostituição, pelo que agora receberia o merecido castigo. Tal linguagem também foi aplicada às infiéis Dez Tribos de Israel. Ver Jr 3.6,8,11,14. Em ambos os casos está em vista a apostasia, cuja base era a idolatria. Um povo abastado não tinha tempo para ocupar-se com valores espirituais, e seus ideais espirituais eram pervertidos.

49.5

הִנְנִי֩ מֵבִ֨יא עָלַ֜יִךְ פַּ֗חַד נְאֻם־אֲדֹנָ֧י יְהוִ֛ה צְבָא֖וֹת מִכָּל־סְבִיבָ֑יִךְ וְנִדַּחְתֶּם֙ אִ֣ישׁ לְפָנָ֔יו וְאֵ֥ין מְקַבֵּ֖ץ לַנֹּדֵֽד׃

Eis que eu trarei terror sobre ti, diz o Senhor Deus dos Exércitos, de todos os que estão ao redor de ti. Yahweh seria a fonte do *terror* que sobreviria aos filhos de Amom, pois haveria destruição por todos os lados. Yahweh, o Senhor dos Exércitos (*Yahweh-Sabaote*), era quem tinha decretado as devastações que viriam contra Amom, pelo que eram certas. O povo de Amom, afligido pelos babilônios, seria espalhado, de forma que ninguém seria capaz de reunir novamente o povo de Amom, para que fosse uma nação. Os que não fossem mortos seriam levados para o cativeiro. Os babilônios eram especialistas no *genocídio*, e Amom seria uma de suas vítimas.

49.6

וְאַחֲרֵי־כֵ֗ן אָשִׁ֛יב אֶת־שְׁב֥וּת בְּנֵֽי־עַמּ֖וֹן נְאֻם־יְהוָֽה׃ ס

Mas depois disto mudarei a sorte dos filhos de Amom, diz o Senhor. Este oráculo provê *esperança* de um possível retorno de Amom à sua própria terra, o que nunca aconteceu na história dos séculos, mas alguns intérpretes supõem que se cumprirá na salvação gentílica durante o reino milenar de Cristo. Cf. Jr 48.27, onde é vista a mesma mescla de esperança e desespero, no tocante a Moabe. Naquele ponto, enumero os lugares onde a esperança se mistura ao desespero, nos oráculos contra potências estrangeiras. Ver também Jr 49.39. O Deus do julgamento é, igualmente, o Deus das esperanças restauradas, pois no Senhor não há pontos finais nem estagnações. A *restauração* é o grande tema que domina a cena divina. Ver na *Enciclopédia de Bíblia, Teologia e Filosofia* sobre *Restauração*. Na época do decreto de Ciro, que enviou Judá de volta a Jerusalém, alguns amonitas voltaram a seu território pátrio, conforme comentou Justino Mártir (ver *Dialog. cum Tryphone Judaeo.* par. 347). Mas dificilmente isso pode satisfazer a predição deste versículo.

ORÁCULO CONTRA EDOM (49.7-22)

Edom localizava-se ao sul do território de Moabe e a leste do mar Morto. Ver plenas notas expositivas sobre essa nação, no *Dicionário*. Esteve em conflito permanente com Israel-Judá, embora se relacionasse à distância com esse povo. Edom, pois, veio a simbolizar todos os povos que queriam prejudicar Israel. Ver Ez 35; 36.5; Ob 15 e 16. O simbolismo do oráculo que se segue parece depender de Obadias, mas alguns acreditam que o empréstimo foi feito por Jeremias a Obadias, e não o contrário. Cf. os empréstimos feitos por Isaías no oráculo contra Moabe, comentados em Jr 48.29. O trecho de Jr 49.14-16 é quase idêntico a Ob 1-4. E Jr 49.9,10 é muito similar a Ob 5 e 6. Alguns estudiosos supõem que a passagem, tanto em Jr como em Obadias, depende de um poema-oráculo mais antigo. Listei outros empréstimos ao longo do caminho, os quais têm convencido os críticos de que temos aqui o trabalho de um editor, e não um verdadeiro oráculo de Jeremias. Entretanto, o editor pode ter embelezado um oráculo do profeta, pelo que a essência do oráculo brilha por meio de toda a passagem, a despeito dos ornamentos literários. Os pensamentos-chaves de horror, escárnio, dilapidação, calamidade e maldição atravessam a seção inteira.

"Depois de 587 a.C., a relação entre Israel e seu 'irmão', Edom (Dt 23.7-8), deteriorou até transformar-se na vingança dos judeus, porque Edom tinha ocupado a parte sul do território de Judá (Lm 4.21-22; Ez 25.12-14)... Jeremias e Obadias (vss. 1-9) compartilham um oráculo que talvez não tenha sido original nem para um nem para o outro. Os oráculos descrevem o negro futuro de Edom" (*Oxford Annotated Bible*, comentando sobre o vs. 7).

49.7

לֶאֱד֗וֹם כֹּ֤ה אָמַר֙ יְהוָ֣ה צְבָא֔וֹת הַאֵ֥ין ע֛וֹד חָכְמָ֖ה בְּתֵימָ֑ן אָבְדָ֤ה עֵצָה֙ מִבָּנִ֔ים נִסְרְחָ֖ה חָכְמָתָֽם׃

A respeito de Edom. Assim diz o Senhor dos Exércitos: Acaso já não há sabedoria em Temã? *Yahweh-Sabaote* (Deus Eterno e Senhor dos Exércitos) foi quem proferiu a profecia contra Edom. Em primeiro lugar é denunciada a estupidez do lugar. A sabedoria dos homens de *Temã* (ver a respeito no *Dicionário*), cidade de Edom, tornou-se proverbial. Porém, no meio das corrupções, da idolatria e da violência, a sabedoria tinha morrido. Homens rudes e crus substituíram os sábios de tempos anteriores. Temã ficava na parte central de Edom, a cerca de 5 km de *Sela* (posteriormente chamada *Petra*). Ob 8 enfatiza o tema dos homens sábios de Edom. Elifaz, do livro de Jó (um dos atormentadores de Jó), era de Temã (ver Jó 2.11). A passagem do tempo "derramou para fora" (segundo diz o hebraico literal) a sabedoria daquele lugar, ou seja, terminou com ela, como a água que se perde ao ser jogada no chão.

49.8

נֻ֤סוּ הָפְנוּ֙ הֶעְמִ֣יקוּ לָשֶׁ֔בֶת יֹשְׁבֵ֖י דְּדָ֑ן כִּ֣י אֵ֥יד עֵשָׂ֛ו הֵבֵ֥אתִי עָלָ֖יו עֵ֥ת פְּקַדְתִּֽיו׃

Fugi, voltai, retirai-vos para as cavernas, ó moradores de Dedã. *Dedã* era uma cidade que havia na parte norte da península da Arábia, a sudeste de Edom, conhecida por seu extenso comércio (Jr 25.23; Ez 25.13). Dedã, na época em que Jeremias escreveu seu livro, estava sujeita a Edom, embora originalmente não fizesse parte dessa nação. Ver Gn 25.1-3. Os habitantes daquele lugar, bem como seus filhos, que se tinham espalhado para outras partes de Edom, foram aconselhados a fugir, voltar e esconder-se em lugares profundos, como as cavernas e os abismos das colinas, a fim de escapar do látego do exército babilônico que avançava. Alguns estudiosos pensam que as "cavernas" mencionadas nestes versículos referem-se às áreas remotas desérticas, onde os babilônios não se incomodariam em ir. Os árabes, quando atacados, desmanchavam suas tendas e se "enterravam" no deserto, a fim de escapar dos adversários. Era tempo de imitar o antigo costume para evitar a calamidade certa que estava prestes a atingir *Esaú*, o antigo progenitor dos idumeus, seu pai biológico. Esaú tinha vendido seu direito de primogenitura, e outro tanto fez Edom. A vingança da parte de Yahweh era inevitável. Para mais detalhes, ver no *Dicionário* o verbete intitulado *Dedã*.

49.9

אִם־בֹּֽצְרִים֙ בָּ֣אוּ לָ֔ךְ לֹ֥א יַשְׁאִ֖רוּ עֽוֹלֵל֑וֹת אִם־גַּנָּבִ֥ים בַּלַּ֖יְלָה הִשְׁחִ֥יתוּ דַיָּֽם׃

Se vindimadores viessem a ti, não deixariam alguns cachos? *Duas figuras simbólicas* ilustram as devastações que os babilônios estavam prestes a impor. Consideremos estes dois pontos:

1. Os vindimadores, obedecendo às leis antigas que visavam beneficiar os pobres (ver Ob 5 e Dt 24.21), deixavam algumas poucas uvas nas vinhas, para que os pobres pudessem vir tirar vantagem dessa humilde oferta. Os babilônios, entretanto, não deixariam, para ninguém, uma única uva.

2. Até os ladrões mostram-se um tanto seletivos quanto ao que roubam, não fazendo questão de alguns objetos. Os babilônios, entretanto, saqueavam tudo e nada deixavam para trás. Esaú ficaria totalmente despido (vs. 10).

49.10

כִּֽי־אֲנִ֞י חָשַׂ֣פְתִּי אֶת־עֵשָׂ֗ו גִּלֵּ֙יתִי֙ אֶת־מִסְתָּרָ֔יו וְנֶחְבָּ֖ה לֹ֣א יוּכָ֑ל שֻׁדַּ֥ד זַרְע֛וֹ וְאֶחָ֥יו וּשְׁכֵנָ֖יו וְאֵינֶֽנּוּ׃

Mas eu despi a Esaú, descobri os seus esconderijos. Esaú (Edom) seria deixado totalmente despido, pelos invasores. Até mesmo os que fugissem e se escondessem seriam encontrados e mortos. As crianças não escapariam do ataque; preciosos laços familiares seriam desmanchados mediante a matança. Não haveria mais laços sociais, como vizinhos com vizinhos. Edom ficaria essencialmente desabitada, e os poucos sobreviventes seriam levados cativos à Babilônia. Outro *genocídio* seria efetuado, o que era uma especialidade dos babilônios. Cf. este versículo com o vs. 8, onde o povo é encorajado a esconder-se nas "cavernas".

49.11

עָזְבָ֥ה יְתֹמֶ֖יךָ אֲנִ֣י אֲחַיֶּ֑ה וְאַלְמְנֹתֶ֖יךָ עָלַ֥י תִּבְטָֽחוּ׃ ס

Deixa os teus órfãos, eu os guardarei em vida. Alguma forma de misericórdia divina interviria. As pessoas incapazes de ajudar a si mesmas, como os órfãos e as viúvas, receberiam tratamento preferencial. Presume-se que Yahweh suavizaria o coração dos invasores e os faria poupar os verdadeiramente impotentes. Os varões adultos, entretanto, seriam mortos ou enviados à Babilônia como escravos. Alguns veem nessas palavras uma profecia de restauração, como em Jr 48.47 e 49.6, mas isso não parece subentender uma "situação futura". Outros veem aqui forte ironia, pelo que a declaração pode ser entendida negativamente ou como uma pergunta: "Porventura, viúvas e órfãos receberão tratamento misericordioso? Naturalmente que não!" Mas isso parece um exagero. Esta declaração parece significar que os varões adultos (pais), uma vez mortos, deixariam viúvas e órfãos. Deus, entretanto, suavizaria o coração dos babilônios, para que os tratassem com bondade.

■ 49.12

כִּי־כֹה ׀ אָמַר יְהוָה הִנֵּה אֲשֶׁר־אֵין מִשְׁפָּטָם לִשְׁתּוֹת הַכּוֹס שָׁתוֹ יִשְׁתּוּ וְאַתָּה הוּא נָקֹה תִּנָּקֶה לֹא תִנָּקֶה כִּי שָׁתֹה תִּשְׁתֶּה:

Eis que os que não estavam condenados a beber o cálice, totalmente o beberão. O cálice da ira de Yahweh seria fatalmente sorvido pelos culpados. Nem os pequenos inocentes seriam poupados; e se esses tivessem de sofrer a calamidade, bebendo o cálice amargo, quanto mais os culpados, como a população geral de Edom. Cf. Jr 25.15-29. Talvez os judeus que participavam do pacto com Yahweh sejam vistos aqui como não merecedores de beber do cálice. A história, porém, tem demonstrado que isso não funciona na prática. Em qualquer ataque por parte de um exército, sempre há inocentes que padecem; pois isso é resultado do caos, o que provavelmente está em foco aqui. Ou então a declaração é comparativa: "Outras pessoas, menos ímpias que vós, têm sofrido; e vós escaparíeis?" Nada havia de inocente no povo de Edom, pelo que a sorte miserável deles estava assegurada. "Poderia Esaú esperar imunidade? O pensamento é paralelo ao de 1Pe 4.17" (Ellicott, *in loc.*).

■ 49.13

כִּי בִי נִשְׁבַּעְתִּי נְאֻם־יְהוָה כִּי־לְשַׁמָּה לְחֶרְפָּה לְחֹרֶב וְלִקְלָלָה תִּהְיֶה בָצְרָה וְכָל־עָרֶיהָ תִהְיֶינָה לְחָרְבוֹת עוֹלָם:

Porque por mim mesmo jurei... que Bozra será objeto de espanto... O *juramento* divino (ver a respeito no *Dicionário*) e os decretos divinos garantiam a devastação de Bozra e outras cidades dos idumeus. O país inteiro se tornaria objeto de espanto, opróbrio, ruína e maldição. Cf. essa descrição com Jr 24.9, onde as palavras são aplicadas a Judá. *Bozra* (ver a respeito no *Dicionário*) era a principal cidade de Edom, que pode ser identificada com o local moderno de El-Susaireh, mais ou menos a meio caminho entre Petra e o mar Morto. Neste versículo, o lugar representa todo o maldito país de Edom. Bozra era uma grande fortaleza, mas acabou caindo. Assim também aconteceria a todo o país. A maldição de Yahweh garantia o cumprimento dessa predição.

■ 49.14

שְׁמוּעָה שָׁמַעְתִּי מֵאֵת יְהוָה וְצִיר בַּגּוֹיִם שָׁלוּחַ הִתְקַבְּצוּ וּבֹאוּ עָלֶיהָ וְקוּמוּ לַמִּלְחָמָה:

Ouvi novas da parte do Senhor, e um mensageiro foi enviado às nações. "Tomando por empréstimo a linguagem da diplomacia internacional, usada anteriormente por Obadias (vs. 1), Jeremias retratou Deus a enviar um *mensageiro* a seus aliados entre as nações, pedindo-lhes que se aliassem em um ataque contra Edom" (Charles H. Dyer, *in loc.*). Cf. Jr 46.3,4. A doutrina bíblica teísta de Yahweh a controlar os atos dos homens (individuais e coletivos) é novamente promovida. Ver no *Dicionário* o artigo chamado *Teísmo*.

■ 49.15

כִּי־הִנֵּה קָטֹן נְתַתִּיךָ בַּגּוֹיִם בָּזוּי בָּאָדָם:

Porque eis que te fiz pequeno entre as nações, desprezado entre os homens. A orgulhosa nação de Edom em breve se tornaria insignificante entre as nações. Os poucos que sobrevivessem à matança seriam desprezados como povo. "Os caldeus viriam contra eles para reduzir a força de Edom, destruindo suas possessões materiais e tornando-os um povo débil e desprezível" (John Gill, *in loc.*). Cf. Ob 2. Edom despencaria de seu lugar alto, e os observadores ficariam horrorizados diante de suas condições de miséria. Cf. Jr 49.13.

■ 49.16

תִּפְלַצְתְּךָ הִשִּׁיא אֹתָךְ זְדוֹן לִבֶּךָ שֹׁכְנִי בְּחַגְוֵי הַסֶּלַע תֹּפְשִׂי מְרוֹם גִּבְעָה כִּי־תַגְבִּיהַּ כַּנֶּשֶׁר קִנֶּךָ מִשָּׁם אוֹרִידְךָ נְאֻם־יְהוָה:

O terror que inspiras e a soberba do teu coração te enganaram. Houve tempo em que Edom inspirava terror sobre povos em derredor, e essa habilidade fez com que a nação pensasse ser forte e invencível. O povo edomita elevou-se em seu orgulho e subiu em suas elevadas rochas, onde se instalou e olhou desdenhosamente para o resto do mundo. E a nação tornou-se como uma águia, lá nas alturas, enquanto seu orgulho se inchava mais a cada dia. Entretanto, a despeito da altura em que se achava, a flecha de Deus a traspassou, e ela caiu por terra com uma terrível *pancada*. No território de Edom muitas colinas e cavernas naturais e buracos serviam de moradia natural para aves e várias espécies de animais, e isso inspirou a metáfora da ave, usada aqui. Diz aqui o Targum: "Tu és como a águia, que habitas na fenda da rocha, cuja elevada habitação está em um lugar forte". Edom formou para si mesma um belo e pequeno *ninho*, no lugar onde se ostentava. A águia voa mais alto que qualquer outro pássaro e mantém-se forte até a idade avançada. Plínio (*Hist. Nat.* 1.10. cap. 3) descreveu o hábito da águia de fazer seu ninho em lugares altos e inacessíveis, para que outros seres, fossem eles humanos ou animais, não pudessem chegar lá nem molestá-la. Ver no *Dicionário* o verbete chamado *Águia*. Cf. este versículo com Jó 39.27 e Ob 3 e 4. Edom construíra suas cidades nas ravinas e nelas preparara fortalezas de pedras. Eram cidades difíceis de atacar e conquistar, mas os babilônios não se deixavam vencer por tais fortificações. A vitória foi obtida de forma surpreendentemente fácil para os babilônios. Ver o contraste entre *orgulho* e *humildade,* em Pv 11.2 e 13.10.

■ 49.17

וְהָיְתָה אֱדוֹם לְשַׁמָּה כֹּל עֹבֵר עָלֶיהָ יִשֹּׁם וְיִשְׁרֹק עַל־כָּל־מַכּוֹתֶהָ:

Assim será Edom objeto de espanto; todo aquele que passar por ela se espantará. Edom, antes tão elevada e orgulhosa, se tornaria um horror para todos os que atravessassem suas antigas fronteiras. Edom ficaria em estado de desolação, e as pessoas que por ali passassem ficariam espantadas com o que Yahweh tinha feito com eles. Essas pessoas escarneceriam de Edom, assobiando e dizendo zombarias. Ver descrições similares em Jr 18.16 e 50.13, cujas notas também se aplicam aqui. Os observadores "se regozijariam diante de Edom; bateriam palmas e menariam a cabeça, conforme diz o Targum, e assobiariam com a língua, insultando-os e fazendo pouco deles" (John Gill, *in loc.*). Cf. este versículo com 1Rs 9.8.

> Na Rocha gretada onde estou descansando,
> Habito, abrigado em segurança.
> Ali, nem inimigos nem tempestades me molestam,
> Enquanto me oculto dentro da fenda.
>
> Mary D. James

■ 49.18

כְּמַהְפֵּכַת סְדֹם וַעֲמֹרָה וּשְׁכֵנֶיהָ אָמַר יְהוָה לֹא־יֵשֵׁב שָׁם אִישׁ וְלֹא־יָגוּר בָּהּ בֶּן־אָדָם:

Como na destruição de Sodoma e Gomorra, e das suas cidades vizinhas... A destruição de Sodoma e Gomorra tornou-se proverbial quanto aos julgamentos de Deus que ocorrem súbita, rápida e poderosamente, deixando absolutamente nada atrás, exceto ruínas fumegantes. Por conseguinte, a figura simbólica é empregada novamente aqui. Cf. Gn 19.25; Dt 29.23; Is 1.9; Jr 50.40 e Am 4.11.

As *cidades próximas* de Sodoma e Gomorra também foram feridas pelo golpe divino, que, com toda a probabilidade, foi alguma calamidade natural, como um terremoto e uma ação vulcânica em um único pacote. Portanto, os que se aproximam demais desses lugares miseráveis, quanto às suas condições morais e espirituais, tornam-se seus vizinhos naturais e estão sujeitos às mesmas pragas. Existe uma geografia do espírito, e não apenas uma geografia física.

■ 49.19

הִנֵּה כְּאַרְיֵה יַעֲלֶה מִגְּאוֹן הַיַּרְדֵּן אֶל־נְוֵה אֵיתָן
כִּי־אַרְגִּיעָה אֲרִיצֶנּוּ מֵעָלֶיהָ וּמִי בָחוּר אֵלֶיהָ
אֶפְקֹד כִּי מִי כָמוֹנִי וּמִי יֹעִידֶנִּי וּמִי־זֶה רֹעֶה אֲשֶׁר
יַעֲמֹד לְפָנָי׃ ס

Eis que como sobe o leãozinho da floresta jordânica contra o rebanho em pasto verde... "Os vss. 19-21 são uma forma adaptada de Jr 50.44-46. Nesta última passagem, as palavras se referem à Babilônia, a quem são mais apropriadas. O vs. 21 é muito mais apropriado à queda da Babilônia do que à queda de Edom" (James Philip Hyatt, *in loc.*). Seja como for, as palavras são apropriadas aqui.

"Deus seria como um leão feroz ao levantar-se para expulsar Edom de seu território. Ninguém seria capaz de desafiar a Deus. Nenhum pastor se levantaria contra ele" (Charles H. Dyer, *in loc.*). O leão sairia dos arbustos espessos próximos do rio Jordão. Avançaria pelas ricas pastagens e apanharia descuidados as ovelhas e os pastores. O leão salta sobre a presa e se precipita para matar. "A imagem simbólica usada pelo profeta retrata a invasão dos caldeus como o ataque de um leão (cf. Jr 5.6). O leão avança caminho através do mato ralo e atira-se contra os rebanhos em uma das veredas do prado, ao longo do curso do rio" (Ellicott, *in loc.*). Em seguida, o leão é personificado em uma autoridade que, após conquistar Edom, nomeia para ele qualquer governador de sua escolha. Nenhum homem o chama a prestar contas ou conselhos. Ele faz o que quer, no lugar por ele conquistado. Nabucodonosor, naturalmente, é o governante nomeado por Yahweh sobre Edom.

■ 49.20

לָכֵן שִׁמְעוּ עֲצַת־יְהוָה אֲשֶׁר יָעַץ אֶל־אֱדוֹם
וּמַחְשְׁבוֹתָיו אֲשֶׁר חָשַׁב אֶל־יֹשְׁבֵי תֵימָן אִם־לֹא
יִסְחָבוּם צְעִירֵי הַצֹּאן אִם־לֹא יַשִּׁים עֲלֵיהֶם נְוֵהֶם׃

Portanto ouvi o conselho do Senhor, que ele decretou contra Edom. Os líderes e, especificamente o rei de Edom, que era o pastor dos edomitas, tentariam resistir aos assaltantes, para livrar suas ovelhas, mas seus esforços seriam vãos. As ovelhas seriam mortas ou exiladas. Cf. este versículo com 1Sm 17.34,35, que mostram as tentativas de um pastor para proteger suas ovelhas. Mas Deus, o Leão, julgaria os pastores desviados e também as ovelhas. Cf. Jr 23.1-4. Até a última das ovelhas seria tirada brutalmente do rebanho e sacrificada. O leão atacaria sem a menor sombra de misericórdia. Os homens estremeceriam diante da crueldade dos atacantes a quem Yahweh enviou. Até as terras de pastagem seriam destruídas. O país seria reduzido a ruínas, incluindo seus empreendimentos agrícolas e os edifícios das cidades. Tudo seria destruído e incendiado.

■ 49.21

מִקּוֹל נִפְלָם רָעֲשָׁה הָאָרֶץ צְעָקָה בְּיַם־סוּף נִשְׁמַע
קוֹלָהּ׃

A terra estremeceu com o estrondo da sua queda. O leão devorador faria a própria terra estremecer, quando desse seus passos pesados e saltasse sobre suas vítimas. Gritos de desespero haveriam de subir aos céus, e os deuses ignorariam tais clamores. O som dos gritos seria ouvido por todo o caminho até o mar Vermelho, local da primeira destruição de uma nação inteira por parte de Deus (ver Êx 14.21-31). Edom se tornaria o Egito dos últimos dias. A referência ao mar Vermelho lembra-nos também de que havia longa distância entre esse mar e o território de Edom, então, para que os gritos dos idumeus fossem ouvidos por toda essa vasta distância, teriam de sair de muitas gargantas a plena força dos pulmões. Isso, pois, ilustra a grandeza dos sofrimentos. Naturalmente, estamos abordando aqui o mar de Juncos, e não o mar Vermelho. Foi a Septuaginta que produziu o texto "mar Vermelho". Ver Êx 13.18. Ver também, no *Dicionário*, o verbete *mar Vermelho*.

■ 49.22

הִנֵּה כַנֶּשֶׁר יַעֲלֶה וְיִדְאֶה וְיִפְרֹשׂ כְּנָפָיו עַל־בָּצְרָה
וְהָיָה לֵב גִּבּוֹרֵי אֱדוֹם בַּיּוֹם הַהוּא כְּלֵב אִשָּׁה
מְצֵרָה׃ ס

Eis que como águia subirá, voará e estenderá as suas asas contra Bozra. Edom era como uma águia poderosa (vs. 16), tendo feito seu ninho sobre penedos inacessíveis. Mas agora o inimigo do norte vinha como uma águia, espalhando suas asas sobre *Bozra* e fazendo os habitantes temer as consequências do inevitável, da varredura fatal que significaria morte para muitos. Este versículo duplica a ideia de Jr 48.40, exceto que ali a vítima era Moabe, e as asas se estendiam sobre o país inteiro, ao passo que aqui se estendem contra uma cidade, que representa o país inteiro de Edom. Vendo a águia prestes a dar seu bote mortífero, o povo se sentiu em dores como a mulher que começou seu trabalho de parto, por ter chegado a hora de dar à luz seu filho. Ver essa figura em Jr 48.41; 49.24 e 50.43. "O que Queriote era para Moabe, Bozra era para Edom, e, por isso, a captura de ambas é retratada mediante termos idênticos" (Ellicott, *in loc.*). O Targum diz aqui: "Eis que, assim como uma águia se alça no espaço e voa, um rei virá com o seu exército". "... uma águia devido à sua velocidade e voracidade, como antes, um leão devido à sua força e ferocidade (vs. 19)" (John Gill, *in loc.*).

ORÁCULO CONTRA DAMASCO (49.23-27)

■ 49.23

לְדַמֶּשֶׂק בּוֹשָׁה חֲמָת וְאַרְפָּד כִּי־שְׁמֻעָה רָעָה שָׁמְעוּ
נָמֹגוּ בַּיָּם דְּאָגָה הַשְׁקֵט לֹא יוּכָל׃

A respeito de Damasco. Envergonhou-se Hamate e Arpade. A história contemporânea não pode ser usada para ilustrar este oráculo. Damasco caiu diante dos assírios (liderados por Tiglate-Pileser) em 732 a.C. (cf. Is 17.1-3). Pouco sabemos sobre a história dessa cidade após sua queda, durante os poucos séculos seguintes. Há aqui sinais de empréstimos que os críticos pensam assinalar o oráculo como obra de um editor. O vs. 24 é semelhante a Jr 6.24; 13.21 e 49.22. O vs. 26 é semelhante a Jr 50.30. E o vs. 27 foi tomado por empréstimo de Am 1.4. Além disso, Damasco não é mencionada na lista das nações de quem se esperava beber o cálice da ira divina (ver Jr 25.18-26). Esses versículos parecem ter sido a introdução original dos oráculos antiestrangeiros dados nos capítulos 46 e ss. de Jeremias. Por causa dessas circunstâncias, é difícil colocar este oráculo entre os outros, dados no mesmo tempo em geral. Pode ser um oráculo posterior, adicionado aos anteriores. Mas os eruditos conservadores, sempre ansiosos por não admitir nenhuma dificuldade, fazem o oráculo ficar de pé mesmo sem o apoio da história contemporânea, supondo que "algo parecido com isso" deva ter acontecido quando Damasco foi invadida pelo exército babilônico. Se esse foi o caso, então simplesmente somos obrigados a depender do argumento de que nosso conhecimento acerca da história do período é muito defeituoso.

Tal como em outros oráculos, cidades proeminentes representam o país onde elas se encontravam. Portanto, encontramos aqui as cidades de *Hamate* (que foi envergonhada) e *Arpade* (que cambaleava). As notícias sobre o avanço do exército babilônico agitariam o coração dos homens como as águas do mar. Coisa alguma era capaz de aliviar seus temores; em breve começariam a acontecer as coisas mais terríveis. A matança deixaria o país desolado e essencialmente desabitado. Um genocídio a mais tinha sido cometido.

As duas cidades aqui mencionadas ficavam na parte norte da Síria e, conforme é de presumir-se, o ataque começou ali, espalhando-se depois para o sul. Talvez esse oráculo fosse muito antigo, tratando do ataque desfechado pelos assírios, e não do ataque dos babilônios, pelo que sua inclusão é anacrônica. Quanto a maiores detalhes, ver os vários nomes próprios no *Dicionário*. Josefo preservou o oráculo quanto às circunstâncias do ataque babilônico e ajustou os eventos descritos cerca de cinco anos depois da destruição de Jerusalém (*Antiq.* x.9,7), mas é provável que ele estivesse apenas conjecturando.

■ **49.24**

רָפְתָה דַמֶּשֶׂק הִפְנְתָה לָנוּס וְרֶטֶט הֶחֱזִיקָה צָרָה וַחֲבָלִים אֲחָזַתָּה כַּיּוֹלֵדָה׃

Enfraquecida está Damasco; virou as costas para fugir. O país inteiro (a cidade-estado) debilitou-se em temor, pois estava fraco em suas defesas, e dentro de pouco tempo sucumbiria em completa ruína. Os poucos que escaparam do massacre fugiram, porquanto o pânico se apossou da cidade. Suas dores eram como as dores de parto que a aterrorizam uma mulher, quando chega sua hora de dar à luz um filho. Essa figura simbólica é frequente, conforme vemos no vs. 22, onde traçamos comentários a respeito. Este versículo reflete uma defesa miserável e praticamente inexistente, seguida pelo devastador e quase total aniquilamento da população.

■ **49.25**

אֵיךְ לֹא־עֻזְּבָה עִיר תְּהִלָּה קִרְיַת מְשׂוֹשִׂי׃

Como está abandonada a famosa cidade, a cidade do meu folguedo! O passado seria subitamente anulado. Damasco situava-se na área de um grande oásis, ao sul da Síria, e se tornara importante centro comercial. Entre os povos esta abastada cidade exercia grande influência e ali os homens se alegravam e se orgulhavam. Era um bom lugar para viver, um pequeno paraíso. Mas agora nós a vemos *abandonada* e quase inteiramente desabitada. O genocídio passara pela cidade, e era obra especial do exército babilônico. Estrabão (*Geog.* 1.16, par. 520) diz que a cidade era a mais famosa, localizada perto da Pérsia. Conta-se uma história a respeito de Maomé, que, ao aproximar-se da cidade, observou-a de um lugar alto, e, vendo todo o seu luxo e beleza, resolveu não habitar ali. Ele então explicou que só estava interessado em um paraíso, aquele lá do *alto,* e não se deixaria envolver por um paraíso terrestre, que só poderia exercer sobre ele efeito corruptor.

■ **49.26**

לָכֵן יִפְּלוּ בַחוּרֶיהָ בִּרְחֹבֹתֶיהָ וְכָל־אַנְשֵׁי הַמִּלְחָמָה יִדַּמּוּ בַּיּוֹם הַהוּא נְאֻם יְהוָה צְבָאוֹת׃

Portanto cairão os seus jovens nas suas praças. Uma *débil defesa* teve por resultado deixar os jovens da cidade-estado mortos nas ruas. O exército inteiro do lugar em pouco tempo foi destruído, ficando a cidade à mercê (uma misericórdia inexistente) dos babilônios, que se puseram a saquear e a violentar as mulheres. Yahweh, o Senhor dos Exércitos, proferiu o seu oráculo e predisse esses miseráveis acontecimentos, que, de fato, ocorreram, por ser ele a causa daqueles sofrimentos. O povo de Damasco estava pagando por seus muitos pecados.

■ **49.27**

וְהִצַּתִּי אֵשׁ בְּחוֹמַת דַּמָּשֶׂק וְאָכְלָה אַרְמְנוֹת בֶּן־הֲדָד׃ ס

Acenderei fogo dentro do muro de Damasco, o qual consumirá os palácios de Ben-Hadade. Não contentes por matarem a juventude da cidade, violentarem as mulheres e saquearem as riquezas, que eram atos usuais de guerra, os babilônios incendiaram a cidade inteira. Os palácios luxuosos de *Ben-Hadade* (ver a respeito no *Dicionário*) foram incendiados juntamente com os escombros da cidade. *Ben-Hadade* (literalmente, "filho do deus Hadade") era o nome da dinastia que governava Damasco nos séculos IX e X a.C., mas não há registros históricos seculares sobre isso depois que os assírios destruíram a cidade. Ver 1Rs 15.18,20; 20.1-34; 2Rs 6.24; 8.7; 13.3,24. Deixo que o leitor procure o restante das informações no artigo anteriormente mencionado.

Falar sobre Ben-Hadade no tempo dos babilônios é completo anacronismo, a menos que a história da época em foco tenha sido preservada de modo completamente deficiente. Isso serve como pequena evidência de que o oráculo pertence a uma época anterior, tendo sido acrescentado anacronicamente ao resto das informações sobre o capítulo 16.

ORÁCULO CONTRA QUEDAR E HAZOR (49.28-33)

"Este é um oráculo contra tribos árabes. Na lista das nações que foram requeridas para sorver o cálice da ira de Yahweh, nem Quedar nem Hazor são nomeadas, mas vários grupos árabes e cidades são: 'A Dedã, a Tema, a Buz e a todos os que cortam os cabelos nas têmporas; a todos os reis da Arábia e todos os reis do misto de gente que habita no deserto' (ver Jr 25.23,24). Pouco se sabe sobre a história dos árabes. Josefo (*Contra Apion* I.19), citando Berosso, refere-se de passagem à conquista da Arábia pelas tropas de Nabucodonosor. Os vss. 30,31 foram influenciados por uma passagem posterior — Ez 38.10,11. É possível, por consequência, que um oráculo original de Jeremias (vss. 28,29; 32,33) tenha sido expandido por um editor posterior. Quanto a isso, entretanto, coisa alguma pode ser dita com certeza" (James Philip Hyatt, *in loc.*).

■ **49.28**

לְקֵדָר וּלְמַמְלְכוֹת חָצוֹר אֲשֶׁר הִכָּה נְבוּכַדְרֶאצּוֹר מֶלֶךְ־בָּבֶל כֹּה אָמַר יְהוָה קוּמוּ עֲלוּ אֶל־קֵדָר וְשָׁדְדוּ אֶת־בְּנֵי־קֶדֶם׃

Quedar (ver a respeito no *Dicionário*) era uma tribo nômade dos ismaelitas. Ver Gn 25.13. As habilidades dessa tribo eram próprias daqueles que habitam os desertos, pois eles criavam ovelhas e eram destros arqueiros, além de razoáveis negociantes, o que fornecia dinheiro para sua sobrevivência. Ver Is 21.16,17; 60.7; Ez 27.21. Eles se mostravam bons guerreiros, quando isso se tornava necessário (ver Sl 120.5,6).

Hazor, neste caso, não é a cidade israelita desse nome, que ficava ao norte do mar da Galileia, mas algum lugar desconhecido do deserto da Arábia. Talvez Hazor fosse um termo coletivo que designasse certo número de aldeias, pelo que a palavra hebraica cognata, *haçerim,* significa vilas, tendas ou cabanas rudes. Visto que o nome Hazor corresponde à palavra hebraica *haçor,* temos aqui uma boa conjectura. Seja como for, Nabucodonosor recebeu comissão divina para levantar-se e pôr fim às tribos árabes do deserto. Aquela gente compunha-se de pecadores, como os habitantes das grandes cidades, e precisava sofrer por causa disso.

■ **49.29**

אָהֳלֵיהֶם וְצֹאנָם יִקָּחוּ יְרִיעוֹתֵיהֶם וְכָל־כְּלֵיהֶם וּגְמַלֵּיהֶם יִשְׂאוּ לָהֶם וְקָרְאוּ עֲלֵיהֶם מָגוֹר מִסָּבִיב׃

Tomarão as suas tendas, os seus rebanhos; as lonas das suas tendas... Aquela pobre gente não tinha muita coisa; mas o que tinha, os babilônios destruiriam: tendas, rebanhos, camelos e todas as mercadorias, que seriam saqueadas. O povo seria morto, exceto as mulheres escolhidas, que terminariam nos haréns da Babilônia. Haveria terror por todos os lados, enquanto os pobres habitantes do deserto seriam mortos.

Há terror por toda parte! Os soldados babilônios despertariam aqueles povos infelizes de suas tendas, por meio desse grito. Ou então o sentido dessas palavras é que as vítimas gritariam umas para as outras, usando essas palavras, na esperança de que alguns conseguissem fugir.

Nabucodonosor era a causa secundária de tantas desgraças, e Yahweh era a causa primária, porque o rei da Babilônia era apenas um instrumento da ira divina contra os pecadores que habitavam o deserto. O rei Nabucodonosor tinha traçado planos para matar, mas Yahweh traçara o plano original. Isso concorda com o teísmo bíblico, que faz do Ser divino o controlador dos eventos entre os homens. A *Lei Moral da Colheita segundo a Semeadura* (ver a respeito no *Dicionário*) estava em operação no deserto, tanto quanto nas cidades.

■ **49.30**

נֻסוּ נֻּדוּ מְאֹד הֶעְמִיקוּ לָשֶׁבֶת יֹשְׁבֵי חָצוֹר נְאֻם־יְהוָה כִּי־יָעַץ עֲלֵיכֶם נְבוּכַדְרֶאצַּר מֶלֶךְ־בָּבֶל עֵצָה וְחָשַׁב עֲלֵיהֶם מַחֲשָׁבָה׃

Fugi, desviai-vos para mui longe, retirai-vos para as cavernas, ó moradores de Hazor. Yahweh, que tinha baixado ordens ao rei da Babilônia para atacar e matar, exortou os poucos sobreviventes a fugir para o "interior" do deserto, longe da cena de batalha, onde poderiam sobreviver e manter a raça viva. Quanto aos sentidos possíveis do termo "cavernas", ver as notas sobre o vs. 8. Cf. os vss. 30,31 com Ez 38.10,11. Nenhum conquistador se arriscaria a penetrar em um profundo deserto, o que dificilmente seria um lugar próprio para as marchas de um exército. Pois a sede não demoraria por acabar com eles. Após a derrota dos egípcios em Carquêmis, a Babilônia apossou-se das áreas gerais do baixo rio Eufrates, do norte da Arábia e do deserto da Síria, sendo provável que as cenas à nossa frente pertençam a essas campanhas.

■ 49.31

קוּמוּ עֲלוּ אֶל־גּוֹי שְׁלֵיו יוֹשֵׁב לָבֶטַח נְאֻם־יְהוָה לֹא־דְלָתַיִם וְלֹא־בְרִיחַ לוֹ בָּדָד יִשְׁכֹּנוּ׃

Levantai-vos, ó babilônios, subi contra uma nação que habita em paz e confiada. Aqueles árabes pecaminosos sentiam-se seguros no deserto, em suas tendas, cuidando de seus rebanhos e vagueando para cima e para baixo em seus camelos. Quem haveria de pensar que o exército babilônico se incomodaria com eles? Nabucodonosor não perderia tempo com eles. Porém, por ordem de Yahweh, ele foi compelido a ir a remotas áreas desérticas para espalhar suas destruições. Ele não obteria grande "salário" naquele saque, mas seria melhor que nada. "Lá fora" não haveria muralhas protetoras, nem trancas ou portões, pelo que a tarefa seria fácil para os babilônios. Aquele povo impotente estaria indefeso e sozinho, pelo que não haveria ataques de surpresa da parte de aliados.

■ 49.32

וְהָיוּ גְמַלֵּיהֶם לָבַז וַהֲמוֹן מִקְנֵיהֶם לְשָׁלָל וְזֵרִתִים לְכָל־רוּחַ קְצוּצֵי פֵאָה וּמִכָּל־עֲבָרָיו אָבִיא אֶת־אֵידָם נְאֻם־יְהוָה׃

Os seus camelos serão para presa e a multidão dos seus gados para despojo. O saque incluiria camelos e animais domésticos, mas não muito mais. O exército babilônico, naquela campanha, trabalharia por subsalários. Mas principalmente estaria doando seu tempo, a fim de cumprir o mandato divino. Eles espalhariam aqueles pecadores que aparavam as pontas do cabelo e da barba, prática repelente para os judeus. A barba era algo que os judeus respeitavam, e não deveria ser aparada de maneira ostentadora, como sinal de vaidade. Quanto a isso, ver as notas sobre Jr 9.26 e 25.23. Algumas traduções dizem aqui: "Cortam curto os seus cabelos". E essas palavras indicam que não apenas a barba era aparada. Contrastar isso com a ordem, baixada por Paulo, de que os homens usassem cabelos curtos, enquanto as mulheres deveriam usar cabelos longos, sem serem cortados (ver 1Co 11.14,15). As tribos árabes aparavam os cabelos das têmporas, e deixavam os cabelos longos por trás, o que era uma desgraça para a mentalidade dos hebreus. Até hoje damos muita importância ao que as pessoas fazem com seus cabelos!

■ 49.33

וְהָיְתָה חָצוֹר לִמְעוֹן תַּנִּים שְׁמָמָה עַד־עוֹלָם לֹא־יֵשֵׁב שָׁם אִישׁ וְלֹא־יָגוּר בָּהּ בֶּן־אָדָם׃ ס

Hazor se tornará em morada de chacais, em assolação para sempre. A vila principal, *Hazor* (que representa todas as vilas da área), ficaria desolada e desabitada. Animais selvagens, como o chacal, entrariam na área e tomariam conta dela. Nenhum homem haveria de querer viver ali, e o lugar permaneceria desolado por longo tempo. Cf. este versículo com algo similar, em Jr 9.11, em uma declaração sobre as cidades de Judá. Ver também Jr 10.22 e 51.37 quanto a declarações semelhantes. Ver o vs. 18 quanto ao fato de o território de Edom tornar-se um lugar desabitado. Os babilônios alegravam-se em esvaziar lugares, transformando-os em desertos. Eles eram especialistas no genocídio.

ORÁCULO CONTRA ELÃO (49.34-39)

■ 49.34

אֲשֶׁר הָיָה דְבַר־יְהוָה אֶל־יִרְמְיָהוּ הַנָּבִיא אֶל־עֵילָם בְּרֵאשִׁית מַלְכוּת צִדְקִיָּה מֶלֶךְ־יְהוּדָה לֵאמֹר׃

Palavra do Senhor, que veio a Jeremias, o profeta, contra Elão. "No inverno de 596 a.C., Nabucodonosor atacou Elão, que ficava a leste da Babilônia, e aparentemente logrou êxito com o ataque" (*Oxford Annotated Bible*, comentando sobre o vs. 34). O Elão ocupava parte do território atualmente ocupado pelo Irã. Essa profecia ocorreu no início do reinado de Zedequias. O Elão era um povo famoso pelo uso habilidoso do arco e da flecha, mas o arco deles seria quebrado, o que serve de símbolo de total derrota. O Elão fora um império importante, que perdeu sua proeminência ao longo do caminho, quando outras potências o dominaram. Foi conquistado no tempo de Assurbanipal (640 a.C.). No tempo de Ciro, tornou-se parte do império persa. Judá estava no exílio quando o Elão se levantou como ameaça para os babilônios, e muitos esperavam que esse povo obtivesse sucesso contra os babilônios, mas em vão. O "sucesso" teria de esperar pelos medos e persas. Quanto a detalhes completos, ver no *Dicionário* o artigo sobre *Elão*.

Nabucodonosor foi mantido ativo como servo de Yahweh (ver Jr 25.9; 27.6; 43.10). Muitas vítimas caíram perante seu exército, e as narrativas bíblicas dão o crédito dessas vitórias a Yahweh, como o poder que agia por trás dos bastidores. O *teísmo* bíblico (ver a respeito no *Dicionário*) assegura que Deus é o controlador dos eventos humanos, individuais e coletivos, em contraste com o *deísmo* (ver também no *Dicionário*), que supõe que a força criativa (pessoal ou impessoal) abandonou a sua criação ao governo das leis naturais.

No princípio do reinado de Zedequias. Ou seja, a cerca de 597 a.C. Ver sobre *Zedequias*, no *Dicionário*.

■ 49.35

כֹּה אָמַר יְהוָה צְבָאוֹת הִנְנִי שֹׁבֵר אֶת־קֶשֶׁת עֵילָם רֵאשִׁית גְּבוּרָתָם׃

Eis que eu quebrarei o arco de Elão, a fonte do seu poder. As qualidades *naturais* que faziam Elão distinguir-se eram sua habilidade no uso do arco e da flecha, com os quais eles matavam homens à distância, e não a caça dos animais. O arco de Elão seria quebrado por Yahweh, por meio da instrumentalidade do exército da Babilônia. Isso simboliza sua contundente derrota perante a Babilônia; e a razão dessa derrota, como em todos os casos, foi a iniquidade dos elamitas. Cf. este versículo com Is 22.6. Heródoto (*Hist.* vii.61) diz que os persas (parte de cujo território era ocupado pelo *Elão*) enfatizavam *três coisas* na educação de seus filhos: montar a cavalo; usar espertamente o arco; e falar a verdade.

■ 49.36

וְהֵבֵאתִי אֶל־עֵילָם אַרְבַּע רוּחוֹת מֵאַרְבַּע קְצוֹת הַשָּׁמַיִם וְזֵרִתִים לְכֹל הָרֻחוֹת הָאֵלֶּה וְלֹא־יִהְיֶה הַגּוֹי אֲשֶׁר לֹא־יָבוֹא שָׁם נִדְּחֵי עֵילָם

Trarei sobre Elão os quatro ventos dos quatro ângulos do céu. *A Metáfora dos Ventos.* O ataque dos babilônios contra o Elão seria como vendavais que sopravam das quatro principais direções da terra, cada sopro de um dos lados da bússola. O ataque seria avassalador e fulminante. É provável que isso enfatize a universalidade do exército babilônico: esse exército compunha-se de muitos povos e mercenários, representando boa variedade de áreas geográficas, se não mesmo toda a terra conhecida. Pelo menos, representava uma porção razoável do mundo que os babilônios conheciam. A Babilônia compunha-se de 127 províncias, onde habitavam muitos povos estrangeiros, por motivo dos vários cativeiros e também por razões comerciais. Cf. o vs. 32, onde encontramos declaração similar sobre os quatro cantos da terra. Os elamitas, pois, foram espalhados pelo vento como se fossem palha. O exército dos elamitas seria disperso, e os poucos sobreviventes seriam levados cativos.

49.37

וְהַחְתַּתִּי אֶת־עֵילָם לִפְנֵי אֹיְבֵיהֶם וְלִפְנֵי מְבַקְשֵׁי
נַפְשָׁם וְהֵבֵאתִי עֲלֵיהֶם רָעָה אֶת־חֲרוֹן אַפִּי נְאֻם־
יְהוָה וְשִׁלַּחְתִּי אַחֲרֵיהֶם אֶת־הַחֶרֶב עַד כַּלּוֹתִי אוֹתָם׃

Farei tremer a Elão diante de seus inimigos e diante dos que procuram a sua morte. Elão seria aterrorizado pelo ataque dos babilônios e entraria em pânico, perdendo o controle da batalha logo no início. Os elamitas seriam forçados a sorver a feroz ira de Yahweh, de forma que seriam devastados e suas cidades ficariam desertas. A espada os perseguiria até reduzi-los a nada. Seria uma espada *devoradora*. Durante alguns séculos, Elão deixaria de ser uma nação distinta. Mas eventualmente eles obterão restauração (vs. 39), pelo menos até certo ponto. Cf. o espírito deste versículo com Dn 8.2-27.

49.38

וְשַׂמְתִּי כִסְאִי בְּעֵילָם וְהַאֲבַדְתִּי מִשָּׁם מֶלֶךְ וְשָׂרִים
נְאֻם־יְהוָה׃

Porei o meu trono em Elão, e destruirei dali o rei e os príncipes. Yahweh, através da Babilônia, reinaria supremo no Elão, dirigindo a matança e o cativeiro dos elamitas, e assim garantindo o fim daquele reino até que, durante o milênio futuro, ele decida restaurá-lo em algum grau. O *trono* de Yahweh fala do controle absoluto, bem como de sua soberania sobre todos os seres humanos. Isso reflete o *teísmo* bíblico, que comento no vs. 34. Cf. Ez 32.24.

49.39

וְהָיָה בְּאַחֲרִית הַיָּמִים אָשִׁיב אֶת־שְׁבִית עֵילָם נְאֻם־
יְהוָה׃ ס

Nos últimos dias mudarei a sorte de Elão, diz o Senhor. Como no caso de alguns outros oráculos antiestrangeiros, que começam no capítulo 16 do livro de Jeremias, a Elão foi prometida certa medida da graça, a despeito das ameaças severas. Chegará o tempo em que os elamitas serão restaurados a seu território pátrio. Cf. essa "promessa de restauração" com Jr 48.47 e 49.6, onde Moabe e Amom recebem promessas semelhantes. Essa restauração não pode ser reduzida a alguns poucos que retornariam para habitar naquele lugar, após a queda da Babilônia. Todavia, Elão se tornaria parte do império persa, e não pode estar em foco. Alguns estudiosos pensam que essa profecia se refere aos últimos dias, à era do reino de Deus, quando o Messias se tornará o Rei de toda a terra, em um sentido patente. Ver as notas sobre esses versículos, onde desenvolvo o tema de como a graça divina reverte situações adversas.

CAPÍTULO CINQUENTA

VÁRIOS ORÁCULOS CONTRA A BABILÔNIA (50.1—51.64)

O tema dos oráculos contra potências estrangeiras (Jr 46—49) sugeriu que era apropriado haver aqui uma coletânea de oráculos contra a Babilônia, o mais feroz e ímpio poder estrangeiro da época. Esses oráculos são totalmente antibabilônicos, e alguns críticos supõem que Jeremias não poderia tê-los escrito. Isto porque, alegadamente, ele sempre aconselhou os judeus a não resistir à Babilônia, porquanto isso só serviria para aumentar o sofrimento dos judeus. No entanto, o simples fato de Jeremias ter dado tais conselhos, sobre uma base pragmática, não significa que ele estava cego para o mal horrendo que era a Babilônia.

Jeremias também solicitou que seus compatriotas orassem pelo bem-estar da Babilônia (ver Jr 27.6; cf. Mt 5.44). Isso também não o teria feito ignorar a idolatria e a violência daquela potência. Por outra parte, os dois capítulos à nossa frente contêm uma mistura de prosa e poesia. E, visto que tais passagens prosaicas são adornos feitos pelos editores, provavelmente isso também acontece aqui. Há uma referência direta aos medos (ver Jr 51.11,28), o que poderia sugerir uma composição de partes literárias pós-cativeiro. A ênfase constante dos oráculos é o *teísmo* bíblico (ver a respeito no *Dicionário*), doutrina que prega que Yahweh controla o que acontece entre as nações, e esse controle está alicerçado sobre princípios morais.

A Babilônia caiu para o rei persa, Ciro, em outubro de 539 a.C. Pouco depois, Ciro entrou triunfalmente naquela cidade. Ele foi um homem bastante moderado, que não perseguiu exageradamente os babilônios, depois de haver executado quatro mil nobres caldeus, e favoreceu a volta dos judeus a Jerusalém. O decreto que ele não demorou a editar possibilitou esse retorno, conforme vemos em Ed 1.

"Esta seção contém dois temas principais: 1. A queda da Babilônia, algumas vezes apresentada como algo que já tivesse acontecido e, de outras vezes, como acontecimento futuro; e 2. a volta dos exilados à Terra Prometida. Cf. 24.6; 29.10. A atitude é um tanto mais severa do que antes no livro (cf. Jr 50.14,24 com Jr 27.6 e 43.10). Contudo, considere o leitor a passagem mais severa de Jr 25.12-14, que pertence às profecias anteriores" (*Oxford Annotated Bible,* comentando sobre o vs. 1).

O ANÚNCIO DO JULGAMENTO (50.1-10)

50.1

הַדָּבָר אֲשֶׁר דִּבֶּר יְהוָה אֶל־בָּבֶל אֶל־אֶרֶץ כַּשְׂדִּים
בְּיַד יִרְמְיָהוּ הַנָּבִיא׃

Palavra que falou o Senhor contra Babilônia e contra a terra dos caldeus. A Babilônia estava destinada a ser humilhada pública e internacionalmente pelo julgamento de Yahweh, e Jeremias foi o primeiro profeta a receber a incumbência de anunciar isso. Durante muitos anos, ele tinha profetizado sobre a conquista de Judá pela Babilônia e o subsequente cativeiro dos hebreus. Ora, a história prosseguiu ao ponto em que agora era vez de a Babilônia sentir a ferroada enviada por Deus.

Por intermédio de Jeremias, o profeta. Estas palavras podem dar a entender que a seção seguinte foi escrita pelo próprio Jeremias, e não por Baruque, seu amanuense. Encontramos essa expressão algures, somente em Jr 37.2. Cf. os anúncios de Is 45—47, onde a queda da Babilônia ainda estava muito distante.

50.2

הַגִּידוּ בַגּוֹיִם וְהַשְׁמִיעוּ וּשְׂאוּ־נֵס הַשְׁמִיעוּ אַל־תְּכַחֵדוּ
אִמְרוּ נִלְכְּדָה בָבֶל הֹבִישׁ בֵּל חַת מְרֹדָךְ הֹבִישׁוּ
עֲצַבֶּיהָ חַתּוּ גִּלּוּלֶיהָ׃

Anunciai entre as nações; fazei ouvir, e arvorai estandarte; proclamai, não encubrais. A Babilônia tinha matado e aleijado várias nações, tornando-se um caso internacional, pelo que sua própria queda se tornaria uma questão internacional. As profecias não deveriam ser mantidas em segredo. O tempo já se aproximava. Essas notícias deveriam receber larga divulgação. Todas as nações deveriam ouvi-las. A publicação seria universal. "A profecia sobre a desolação da Babilônia, que já se aproximava, aludida por tantas vezes nos versículos seguintes, foi sumariada em Jr 51.7. A Babilônia tinha sido uma taça de ouro nas mãos do Senhor, e as nações tinham sido forçadas a beber do vinho que ali havia. Mas agora, de súbito, a Babilônia caiu e foi quebrada" (51.8)" (Stanley Romaine Hopper, *in loc.*).

Tomada é Babilônia, Bel está confundido. Os deuses da Babilônia fracassaram em salvá-la. *Bel* estava confundido; *Marduque tinha caído.* Ver no *Dicionário* sobre esses dois nomes próprios. Marduque era a divindade principal da Babilônia; e Bel era o deus da tempestade (cf. Jr 51.44 e Is 46.1). As imagens feitas pelos homens, para representar aqueles falsos poderes, foram quebradas em pedaços. O julgamento feriu a Babilônia e suas divindades, e assim as nações da terra viram o absurdo da idolatria e de suas muitas pretensões. Ver no *Dicionário* o artigo chamado *Idolatria*. Diz o Targum: "Estão quebrados aqueles que adoraram a Marduque". O povo e seus deuses caíram juntamente, e a antiga fé naquela forma de idolatria chegou ao fim, pelo menos até onda a Babilônia estava envolvida.

Arvorai estandarte. Ou seja, "levantai um sinal". Cf. Jr 4.6,21. Esse sinal seria uma rápida comunicação sobre o fato temível: "A Babilônia caiu", e não uma convocação para a guerra, conforme a expressão é usada com frequência. Uma maneira de anunciar grandes fatos era a sucessão de fogueiras acesas. Cf. Ésquilo (*Agam.* 272-307). "Levantai um sinal, para indicar às nações o lugar de encontro onde as boas-novas da queda da Babilônia seriam anunciadas" (Fausset, *in loc.*).

■ 50.3

כִּי עָלָה עָלֶיהָ גּוֹי מִצָּפוֹן הוּא־יָשִׁית אֶת־אַרְצָהּ
לְשַׁמָּה וְלֹא־יִהְיֶה יוֹשֵׁב בָּהּ מֵאָדָם וְעַד־בְּהֵמָה נָדוּ
הָלָכוּ׃

Porque do norte subiu contra ela uma nação que tornará deserta a sua terra. Alguns intérpretes supõem que as descrições que achamos aqui vão além do que aconteceu quando os medos e os persas tomaram a Babilônia. Considere o leitor estes pontos:

1. O exército veio do *oriente*, dizem eles, e não do norte, conforme este versículo. Mas o exército veio do *norte* da Palestina.
2. A cidade da Babilônia não se tornou desolada e desabitada. De fato, a cidade da Babilônia tornou-se um dos centros governantes do império persa. O próprio Daniel permaneceu na cidade, após sua queda (ver Dn 5.28,30,31; 6.1-3). Talvez o editor que produziu a cópia final do livro, que não conhecia exatamente como as coisas aconteceram, tenha exagerado em suas descrições, seguindo o tipo de coisas ditas sobre outras potências estrangeiras, como aquelas contra quem foram escritos os oráculos de Jr 46. Além disso, o vs. 4 prometeu a reunião de Israel e de Judá em uma só nação, o que não sucedeu naquela época.

Esses fatos têm levado alguns intérpretes a supor que as profecias olham para um tempo posterior, para os *tempos escatológicos*. Naturalmente, hoje em dia, a área onde a cidade da Babilônia existiu virou um lugar ermo. A lição que aprendemos disso tudo é que não devemos pressionar demasiadamente as profecias e esperar exatidão, sobretudo sobre uma base a curto prazo. Jr 50.39,40 e 51.29,37,43,62 contemplam uma Babilônia destituída de habitações. Basta-nos dizer que, "eventualmente", isso aconteceu, pois é precário ser por demais precisos quanto a questões de cronologia, quando tratamos de questões de conhecimento prévio.

Adam Clarke (*in loc.*) tem um comentário que merece atenção: "Essa guerra e as suas consequências (a queda da cidade) *deram início* aos desastres que levaram a Babilônia, afinal, mediante o processo do tempo, à completa desolação".

■ 50.4

בַּיָּמִים הָהֵמָּה וּבָעֵת הַהִיא נְאֻם־יְהוָה יָבֹאוּ בְנֵי־
יִשְׂרָאֵל הֵמָּה וּבְנֵי־יְהוּדָה יַחְדָּו הָלוֹךְ וּבָכוֹ יֵלֵכוּ
וְאֶת־יְהוָה אֱלֹהֵיהֶם יְבַקֵּשׁוּ׃

Naqueles dias... voltarão os filhos de Israel, eles e os filhos de Judá juntamente. A reunião de Israel e Judá, formando de novo uma única nação e cultivando o culto a Yahweh, pertence aos tempos escatológicos, a saber, era do reino, sob o Messias; e, portanto, pelo menos esta parte da profecia olha completamente além da era babilônico-persa. Naturalmente, esperanças quanto a isso eram uma constante; assim sendo, os profetas não viam por quanto tempo tal reunião duraria. Ver Os 1.11, onde é expressa a esperança dessa reunião. Ver também Jr 3.14-16 e cf. Ed 3.13; 8.21-23; Ne 9.38; 10.29; Zc 12.10. Os filhos de Israel, assim reunidos novamente, virão chorando, diante da restauração de Israel, formando novamente uma única nação. De modo muito gradual, isso se cumpriu no tempo de Esdras e Neemias. Alguns poucos elementos da nação do norte vieram até Jerusalém.

■ 50.5

צִיּוֹן יִשְׁאָלוּ דֶּרֶךְ הֵנָּה פְנֵיהֶם בֹּאוּ וְנִלְווּ אֶל־יְהוָה
בְּרִית עוֹלָם לֹא תִשָּׁכֵחַ׃ ס

Perguntarão pelo caminho de Sião, de rostos voltados para lá. Este versículo é definidamente escatológico. Fornece descrições posteriores sobre a reunião profetizada de Israel e Judá em uma única nação. Haverá jubilosa volta ao yahwismo, neste caso, por meio do Messias e da era do reino. A nação, uma vez reunida, buscará Yahweh-Elohim de todo o coração. A idolatria será abandonada, e haverá fé e confiança no Messias. Mas não está em vista aqui a igreja, a qual une judeus e gentios. A promessa aqui destina-se a Israel.

Em aliança eterna que jamais será esquecida. Ou seja, a renovação das antigas alianças sobre um novo plano, durante a era messiânica, uma espécie de ponto culminante de todas as antigas esperanças, formando uma nova norma política. Cf. Jr 31.31 e 32.40. Coisa alguma parecida se cumpriu em consequência da queda da Babilônia.

■ 50.6

צֹאן אֹבְדוֹת הָיָה עַמִּי רֹעֵיהֶם הִתְעוּם הָרִים שׁוֹבְבִים
מֵהַר אֶל־גִּבְעָה הָלָכוּ שָׁכְחוּ רִבְצָם׃

O meu povo tem sido ovelhas perdidas; seus pastores as fizeram errar. Os tempos antigos eram tempos de perambulação, por causa da má influência de pastores errados e da corrupção interior. Nos dias vindouros, entretanto, pastores justos assumirão responsabilidades divinas, e haverá o grande Pastor, diante de quem todos os pastores humanos serão considerados responsáveis. Haverá a conversão interior, uma verdadeira fé que resultará em verdadeira dedicação. Dessarte, serão anulados os antigos erros. Israel-Judá voltará a seu repouso, sob a égide do Messias, o lugar que eles abandonaram para vaguear pelo caos e pela confusão deste mundo. A idolatria cederá caminho a uma adoração verdadeiramente espiritual.

Ponde-vos de pé nas estradas e olhai,
e perguntai pelas veredas antigas.

Jeremias 6.16, cf. Jr 5.4

É provável que os vss. 6,7 sejam comentários de editores sobre a restauração de Israel-Judá, anunciada nos vss. 4,5. As ovelhas dispersas (ver Jr 23.1-3) finalmente voltarão a seus lares. Cf. Is 53.6 e Ez 34.5.

Oh! O amor maravilhoso que ele prometeu,
Prometeu para ti e para mim.
Embora tenhamos pecado, ele tem dó e perdoa,
Tem perdão para ti e para mim.

Will L. Thompson

Do monte passaram ao outeiro. A alusão provável é à idolatria praticada nos *lugares altos* (ver a respeito no *Dicionário*), como vívida ilustração dos antigos desvios de Israel para longe de Yahweh.

■ 50.7

כָּל־מוֹצְאֵיהֶם אֲכָלוּם וְצָרֵיהֶם אָמְרוּ לֹא נֶאְשָׁם
תַּחַת אֲשֶׁר חָטְאוּ לַיהוָה נְוֵה־צֶדֶק וּמִקְוֵה אֲבוֹתֵיהֶם
יְהוָה׃ ס

Todos os que as acharam as devoraram. Os desvios de Israel os levaram de uma calamidade a outra, às mãos de homens ímpios. Manifestou-se a antiga síndrome de idolatria-apostasia-julgamento-restauração. A era do reino de Deus, entretanto, anulará esses desvios, e Israel-Judá será levado à Terra Prometida para ali permanecer. Os pagãos mostraram ser como leões devoradores, que se avantajavam sobre as ovelhas desviadas para alimentar-se. Cf. Sl 79.7. Aqueles pagãos devoradores desculpavam-se do que faziam pensando não serem culpados de nenhuma maldade, pois, afinal de contas, cumpriam a vontade de Yahweh, punindo o seu povo. Isso exprime uma verdade, até certo ponto, mas a violência terá de sofrer sua própria retaliação.

■ 50.8

נֻדוּ מִתּוֹךְ בָּבֶל וּמֵאֶרֶץ כַּשְׂדִּים יֵצֵאוּ וִהְיוּ כְּעַתּוּדִים
לִפְנֵי־צֹאן׃

Fugi do meio da Babilônia, e saí da terra dos caldeus. Cf. este versículo com Jr 51.6 e Is 48.20. Os que pudessem fazê-lo, deviam fugir da Babilônia para evitar a destruição imposta pelo inimigo que desceria do *norte* (vs. 3). Os abutres estavam juntando-se, e os pequenos animais fariam melhor se saíssem daquela área. Os bodes sempre seguem à frente do rebanho, fornecendo direção para as ovelhas seguirem. Deveria haver líderes que ajudassem o povo a retirar-se. Talvez tenhamos aqui um convite para que judeus que estavam na Babilônia fugissem, se isso fosse possível; ou então trata-se de um convite em geral: todos os povos que estivessem ali e nada tinham a ver com aqueles conflitos mundiais, deveriam abandonar a cena da tempestade. Babilônia era uma cidade condenada. Não mais poderia ser considerada um "lar". Israel (Judá) não tinha, entretanto, poder para fugir, e somente o decreto de Ciro tornou essa fuga possível, após a queda da Babilônia. Mas o *ideal* teria sido que os judeus fugissem antes dessa queda.

■ 50.9

כִּי הִנֵּה אָנֹכִי מֵעִיר וּמַעֲלֶה עַל־בָּבֶל קְהַל־גּוֹיִם
גְּדֹלִים מֵאֶרֶץ צָפוֹן וְעָרְכוּ לָהּ מִשָּׁם תִּלָּכֵד חִצָּיו
כְּגִבּוֹר מַשְׁכִּיל לֹא יָשׁוּב רֵיקָם:

Porque eis que eu suscitarei e farei subir contra Babilônia um conjunto de grandes nações da terra do Norte. Na *aliança medo-persa*, os aliados e mercenários novamente são declarados como vindos do norte (vs. 3), embora, na realidade, estivessem a leste da Babilônia. Entretanto, eles eram do norte da Palestina. Ver as notas sobre o vs. 3 quanto a diversos esclarecimentos e detalhes da profecia. As *flechas* da aliança seriam atiradas com extrema precisão, o que significa que o exército seria uma máquina de matar muito eficaz. As *flechas* simbolizam a guerra em geral, tal como o vocábulo *espada* algumas vezes tem o mesmo sentido metafórico. Nem uma única flecha seria atirada em vão, o que significa que Yahweh daria aos medos e persas sucesso absoluto, ao passo que à Babilônia daria derrota absoluta. O império medo-persa foi a nova maré da história, bem como um novo ato no palco das atividades humanas. Esse império medo-persa teria seu período de hegemonia. O império babilônico tinha chegado ao fim. Os medos e os persas eram famosos por suas habilidades como arqueiros, o que explica a figura aqui para indicar as lides guerreiras em geral.

■ 50.10

וְהָיְתָה כַשְׂדִּים לְשָׁלָל כָּל־שֹׁלְלֶיהָ יִשְׂבָּעוּ נְאֻם־יְהוָה:

A Caldeia servirá de presa; todos os que a saquearam se fartarão. A grande saqueadora, a Caldeia, seria ela mesma saqueada. Todos os que se ocupassem dessa atividade seriam satisfeitos com muitos bens e ficariam contentes. Dessa maneira estava sendo cumprida a *Lex Talionis* (pagamento de acordo com a gravidade do crime). Ver sobre esta expressão no *Dicionário*, como também sobre a *Lei Moral da Colheita segundo a Semeadura*. De conformidade com o *teísmo* bíblico (ver a respeito no *Dicionário*), Yahweh governa com justiça. As leis morais estão por trás da maneira como o Senhor lida com as nações. Havia grandes riquezas na Babilônia, pelo que os saqueadores não se desapontariam com seus "salários". Os exércitos antigos viviam de seus saques.

■ 50.11

כִּי תִשְׂמְחִי כִּי תַעֲלְזִי שֹׁסֵי נַחֲלָתִי כִּי תָפוּשִׁי כְּעֶגְלָה
דָשָׁה וְתִצְהֲלִי כָּאֲבִּרִים:

Ainda que vos alegrais e exultais, ó saqueadores da minha herança. "A Babilônia pecou por haver destruído orgulhosamente Judá. Deus haverá de julgar qualquer nação que se regozije e se alegre por estar pilhando sua herança (ver Dt 4.20), saltando como uma novilha e relinchando como cavalo. Deus jurou que a Babilônia cairia em desgraça, transformando-a em um deserto, desabitado e completamente desolado" (Charles H. Dyer, *in loc.*). Quanto a atacar a herança de Deus, cf. Is 47.6. Quanto a Israel como a herança de Deus, ver também Dt 9.26. Quanto a Yahweh como o proprietário da herança do povo, ver Nm 18.20.

O "riso dos garanhões" (NCV) provavelmente é uma referência sexual. Os conquistadores corriam atrás do saque como machos atrás de fêmeas. Provavelmente temos aqui também uma alusão ao costume bélico de violentar as mulheres capturadas na guerra. Isso sempre fez parte do jogo dos saques.

■ 50.12

בּוֹשָׁה אִמְּכֶם מְאֹד חָפְרָה יוֹלַדְתְּכֶם הִנֵּה אַחֲרִית
גּוֹיִם מִדְבָּר צִיָּה וַעֲרָבָה:

Será mui envergonhada vossa mãe, será confundida a que vos deu à luz. "O profeta referia-se aqui ao povo da Babilônia, pelo que a cidade desse nome é descrita como a mãe deles" (Ellicott, *in loc.*). A mãe seria *envergonhada;* aquela que tinha dado à luz aos babilônios cairia em completa desgraça. A figura da violação sexual, que aparece no vs. 11, continua aqui. O violador também seria violado, em justa retribuição por sua iniquidade, conforme a *Lex Talionis* (ver o vs. 10). Ultraje provocava ultraje. "Mudança maravilhosa: a Babilônia, que já tinha sido a rainha do mundo, se tornaria a cauda e, finalmente, deserto desabitado" (Fausset, *in loc.*).

A Babilônia se tornaria a menos importante de todas as nações. Ela seria transformada em um deserto vazio e seco.
NCV

O vs. 13 dá prosseguimento às descrições, adicionando detalhes.

■ 50.13

מִקֶּצֶף יְהוָה לֹא תֵשֵׁב וְהָיְתָה שְׁמָמָה כֻלָּהּ כֹּל עֹבֵר
עַל־בָּבֶל יִשֹּׁם וְיִשְׁרֹק עַל־כָּל־מַכּוֹתֶיהָ:

Por causa da indignação do Senhor não será habitada, antes se tornará de todo deserta. A ira de Yahweh, o seu feroz julgamento, foi a *causa* do que ocorrera à Babilônia. Ela ficaria *desabitada* (o tema de Jr 50.39,40; 51.29,37,43,62). "Palavras similares foram ditas sobre Jerusalém ou a terra de Israel, em Jr 18.16; 19.8 e 25.9,11, e sobre Edom, em Jr 49.17. A Babilônia não foi destruída pelos persas, e só caiu em ruínas na época de Alexandre" (James Philip Hyatt, *in loc.*). Ver as notas expositivas no vs. 3, que dizem respeito a esse "efeito adiado" da profecia.

A cidade da Babilônia, uma vez destruída, se tornaria objeto de derrisão da parte dos povos. "Qualquer viajante que a tivesse visto em sua glória ficaria agora espantado por ver sua desolação. E, mediante escárnio e zombaria, assobiaria diante do lugar, por haver sofrido o julgamento de Deus. Ele se regozijaria diante do que visse, sacudindo a cabeça" (John Gill, *in loc.*). Cf. descrição semelhante em Jr 24.9, que se aplica a Judá naquela passagem. Ver também Jr 19.8 e 49.17 quanto a declarações similares. A segunda referência aplica-se a Edom.

■ 50.14

עִרְכוּ עַל־בָּבֶל סָבִיב כָּל־דֹּרְכֵי קֶשֶׁת יְדוּ אֵלֶיהָ
אַל־תַּחְמְלוּ אֶל־חֵץ כִּי לַיהוָה חָטָאָה:

Ponde-vos em ordem de batalha em redor contra Babilônia. O julgamento da Babilônia tinha chegado. Os arqueiros especialistas deveriam atirar suas flechas contra a Babilônia (ver os comentários sobre o vs. 9). Eles não deveriam ter compaixão da Babilônia, nem poupar esforços para levar esse império à sua condenação. Ela tinha pecado; por isso teria de cair. Xenofonte (*Cyropaedia* 1.2.cap. 1) informa-nos que Ciro atacou a Babilônia com grande número de arqueiros, a habilidade especial do exército medo-persa. Eles também contavam com vasto número de fundibulários que eram sempre precisos. "As palavras pintam o quadro de tropas levemente armadas que compunham a força do exército medo-persa (cf. Jr 49.35 e 50.14)" (Ellicott, *in loc.*). Aprendemos os fatos seguintes: 1. O mal é punido; 2. Os julgamentos divinos são devidamente administrados e adaptados aos pecados cometidos; 3. Há instrumentos humanos apropriados que aplicam o castigo e, nesses casos, os instrumentos são destinados a esse tipo de punição.

■ 50.15

הָרִיעוּ עָלֶיהָ סָבִיב נָתְנָה יָדָהּ נָפְלוּ אָשְׁיוֹתֶיהָ נֶהֶרְסוּ
חוֹמוֹתֶיהָ כִּי נִקְמַת יְהוָה הִיא הִנָּקְמוּ בָהּ כַּאֲשֶׁר
עָשְׂתָה עֲשׂוּ־לָהּ:

Gritai contra ela, rodeando-a; ela já se rendeu. Falharam todas as defesas da Babilônia. Suas torres foram derrubadas; suas muralhas foram niveladas até o chão. Coisa alguma poderia salvar a Babilônia, quando chegou o tempo da destruição, porque a vontade de Yahweh estava por trás disso. Ela sofreu a *vingança* divina, devido à sua indescritível iniquidade, que vivia clamando por retribuição. O que ela tinha feito contra outros, voltou-se contra ela mesma. Ela teve de render-se a uma força superior e, assim sendo, sofreu todo o tipo de desgraça, e estrangeiros a saquearam, desgraçaram e envergonharam (vs. 12).

Filha da Babilônia, que hás de ser destruída;
feliz aquele que te der o pago do mal que nos fizeste!
Salmo 137.8

Ver Ap 18.6, onde temos uma declaração semelhante, pronunciada contra Roma, a Babilônia dos últimos dias. Diz o Targum: "É a vingança do povo do Senhor".

■ **50.16**

כְּרָתוּ זוֹרֵעַ מִבָּבֶל וְתֹפֵשׂ מַגָּל בְּעֵת קָצִיר מִפְּנֵי חֶרֶב
הַיּוֹנָה אִישׁ אֶל־עַמּוֹ יִפְנוּ וְאִישׁ לְאַרְצוֹ יָנֻסוּ׃ ס

Eliminai da Babilônia o que semeia, e o que maneja a foice no tempo da sega. "Não permiti que o povo da Babilônia plante suas plantações. Não permiti que eles colham a colheita" (NCV, explicando a primeira parte do versículo mediante uma tradução bastante liberal). A *espada* (ataque militar) do opressor (a Babilônia) levara muitos povos para o cativeiro. Agora aquela gente exilada tinha a oportunidade de voltar à sua terra, quando Ciro pôs fim ao monstro. Alguns estudiosos pensam que *espada*, neste caso, seria a espada do Senhor nas mãos dos atacantes medo-persas, que exerceriam um efeito libertador sobre os cativos da Babilônia. Mas isso não se cumpriu em grande extensão exceto no caso do remanescente de Judá, que voltou a Jerusalém. Cf. Jr 51.9.

■ **50.17**

שֶׂה פְזוּרָה יִשְׂרָאֵל אֲרָיוֹת הִדִּיחוּ הָרִאשׁוֹן אֲכָלוֹ
מֶלֶךְ אַשּׁוּר וְזֶה הָאַחֲרוֹן עִצְּמוֹ נְבוּכַדְרֶאצַּר מֶלֶךְ
בָּבֶל׃ ס

Cordeiro desgarrado é Israel; os leões o afugentaram. *As duas grandes calamidades* da história de Israel-Judá foram os dois cativeiros, o assírio (contra Israel, a nação do norte) e o babilônico (contra Judá, a nação do sul). Ver no *Dicionário* os artigos chamados *Cativeiro Assírio* e *Cativeiro Babilônico*, para maiores detalhes. Ambos os cativeiros são comparados a leões que caçavam, os quais devastavam e devoravam suas vítimas. Um leão faminto chegava a roer os ossos das vítimas, não se contentando somente em comer-lhes as carnes. Os *ossos* representam, por muitas vezes, a pessoa inteira, pois o esqueleto é o arcabouço do corpo inteiro. Ver Sl 102.3 quanto à figura simbólica. Naquele lugar dou uma nota expositiva detalhada sobre a questão. Israel e Judá eram as *ovelhas* que primeiramente foram dispersas e em seguida foram devoradas pelos leões da Assíria e da Babilônia. Cf. os vss. 6,7 quanto à metáfora das ovelhas, incluindo o fato de elas estarem sendo devoradas. O cativeiro de Israel, a nação do norte, ocorreu em 722 a.C., e o cativeiro de Judá, a nação do sul, ocorreu em 586 a.C. Mas finalmente haveria a reversão da sorte de ambos (vss. 19,20; ver também o vs. 4). "O *leão* aparece aqui, tal como em Dn 7.4, como símbolo das grandes monarquias orientais. O fato de o *leão alado* esculpido aparecer tão constantemente nas ruínas tanto da Assíria quanto da Babilônia dá ao simbolismo uma força toda especial" (Ellicott, *in loc.*).

■ **50.18**

לָכֵן כֹּה־אָמַר יְהוָה צְבָאוֹת אֱלֹהֵי יִשְׂרָאֵל הִנְנִי פֹקֵד
אֶל־מֶלֶךְ בָּבֶל וְאֶל־אַרְצוֹ כַּאֲשֶׁר פָּקַדְתִּי אֶל־מֶלֶךְ
אַשּׁוּר׃

Eis que castigarei o rei da Babilônia, e a sua terra, como castiguei o rei da Assíria. O completo título divino de poder introduz o decreto de punição contra a Babilônia: *Yahweh-Sabaote-Elohim* (Deus Eterno, Senhor dos Exércitos e Todo-poderoso). Cf. com Jr 2.19; 5.14; 7.3; 8.3; 9.7; 15.16; 19.15; 27.4; 42.15; 46.10 e 48.1. Assim, a Assíria, que causara tanta dor ao reino do norte, Israel, foi eliminada pela Babilônia; e a Babilônia, que causara tanta dor ao reino do sul, Judá, foi eliminada pelo exército da Média-Pérsia. Por trás dessas guerras internacionais o poder de Yahweh operava entre as nações, o que concorda com o *teísmo* bíblico (ver a respeito no *Dicionário*).

■ **50.19**

וְשֹׁבַבְתִּי אֶת־יִשְׂרָאֵל אֶל־נָוֵהוּ וְרָעָה הַכַּרְמֶל וְהַבָּשָׁן
וּבְהַר אֶפְרַיִם וְהַגִּלְעָד תִּשְׂבַּע נַפְשׁוֹ׃

Farei tornar Israel para a sua morada, e pastará no Carmelo e em Basã. A restaurada nação de *Israel-Judá*, unida como uma só nação, novamente possuirá o benefício do antigo país, com seus recursos naturais e suas vantagens. Essa nação haverá de desfrutar as delícias do elevado monte Carmelo (ver Is 65.10; Ez 34.14,15); a produção agrícola das férteis planícies de Basã, a leste do mar da Galileia; e as frutas das colinas de Efraim e Gileade, a leste do rio Jordão (Nm 32.1; Mq 7.14). Alguns poucos lugares representativos são mencionados para lembrar-nos das vantagens de viver na Terra Prometida, que manava leite e mel (ver Êx 3.8; Lv 20.24; Nm 13.27 e Dt 6.3).

■ **50.20**

בַּיָּמִים הָהֵם וּבָעֵת הַהִיא נְאֻם־יְהוָה יְבֻקַּשׁ אֶת־עֲוֹן
יִשְׂרָאֵל וְאֵינֶנּוּ וְאֶת־חַטֹּאת יְהוּדָה וְלֹא תִמָּצֶאינָה כִּי
אֶסְלַח לַאֲשֶׁר אַשְׁאִיר׃

Naqueles dias, e naquele tempo... buscar-se-á a iniquidade de Israel, e já não haverá. O *Israel restaurado* será um *Israel santo*, cujos pecados foram perdoados e cuja conduta anulara erros e corrupções do passado. Mesmo uma busca cuidadosa não encontrará mal algum. Tanto Israel quanto Judá estarão unidos em uma nova maneira de viver. A menção ao *remanescente* mostra-nos que a aplicação imediata dessas palavras diz respeito à restauração terminado o cativeiro babilônico. Mas o fraseado vai adiante, e podemos ver aqui vislumbres da era do reino de Deus, ou milênio. Cf. Jr 31.31-34, por certo uma passagem escatológica. Quanto ao remanescente eleito, cf. Is 1.9 e Zc 13.8,9 e 14.2.

■ **50.21**

עַל־הָאָרֶץ מְרָתַיִם עֲלֵה עָלֶיהָ וְאֶל־יוֹשְׁבֵי פְּקוֹד
חֲרֹב וְהַחֲרֵם אַחֲרֵיהֶם נְאֻם־יְהוָה וַעֲשֵׂה כְּכֹל אֲשֶׁר
צִוִּיתִיךָ׃ ס

Sobe, ó espada, contra a terra duplamente rebelde, sobe contra ela e contra os moradores da terra. Dois jogos de palavras enfatizam o chamado lançado aos medos e persas para infligirem dano contra a Babilônia. *Merataim* (dupla rebeldia) seria atacada, e a rebelião contra Deus seria abafada. Essa era a região onde os rios Tigre e Eufrates entravam no golfo Pérsico, ao sul da Babilônia. A alusão é ao duplo cativeiro do qual a Babilônia participará contra Israel-Judá (vs. 17). A expressão literal, *mat marrati*, significa "Terra do Rio Amargo", e não se refere a uma cidade, mas, sim, a uma área. Ver no *Dicionário* o artigo chamado *Merataim*, quanto a detalhes. O ataque também seria contra *Pecode*, nome que significa "punição". Nenhum lugar com esse nome já foi descoberto, pelo que o profeta pode tê-lo inventado como designação para a Babilônia, como justo objeto da punição divina. Contudo, esse nome pode referir-se a uma tribo de arameus que vivia no lado oriental do baixo rio Tigre. O povo que habitava aquela região foi incorporado ao império babilônico, e a alusão pode ser a eles, ou o profeta empregou o termo por causa de seu significado, sem nenhuma alusão geográfica ou étnica. Seja como for, os dois termos foram aplicados à Babilônia em geral.

A brutal Babilônia seria sujeitada a um brutal tratamento retributivo. Haveria matanças, destruição, desolação e saque. Essa seria a manifestação da ira de Yahweh, que, na qualidade de *Sabaote*, atuaria como o General dos exércitos na matança.

50.22

קוֹל מִלְחָמָה בָּאָרֶץ וְשֶׁבֶר גָּדוֹל:

Há na terra estrondo de batalha e de grande destruição. Os *ruídos de batalha* eram especialidade dos babilônios, e a humanidade de toda estremecia diante deles. Agora, porém, esse ruído era contra a Babilônia, e a destruição era grande. A maré do tempo havia revertido as fortunas, e por trás disso estava Yahweh, o Senhor das águas. Os gritos dos guerreiros, tão ansiosos para matar; o entrechoque dos exércitos; os bufos dos cavalos; o ruído dos carros de combate; os gritos dos feridos; os gemidos dos moribundos. A Babilônia deleitava-se nesses sons; mas agora era sua vez de temer ante esses clamores.

50.23

אֵיךְ נִגְדַּע וַיִּשָּׁבֵר פַּטִּישׁ כָּל־הָאָרֶץ אֵיךְ הָיְתָה לְשַׁמָּה בָּבֶל בַּגּוֹיִם:

Como está quebrado, feito em pedaços o martelo de toda a terra! Por muito tempo a Babilônia tinha sido o martelo despedaçador e esmagador que quebrou tantas nações naquela parte do globo. Esse povo tinha sido um terror para outros, cujo próprio nome fazia outros povos estremecer e desmaiar de medo. A maré do tempo haveria revertido as fortunas, e agora a Babilônia era quebrada em pedacinhos. Chegara a sua vez de ficar horrorizada pelas brutalidades sem misericórdia, tal como ela mesma não tivera misericórdia para com outros povos. A nação despedaçadora fora despedaçada, em harmonia com a *Lei Moral da Colheita segundo a Semeadura* (ver a respeito no *Dicionário*). O governo mundial de Yahweh baseava-se em princípios morais que exigiam vingança contra a iniquidade. "Agora o próprio martelo, que fora o instrumento nas mãos de Yahweh (ver Jr 51.20), estava sendo, por sua vez, esmagado por um poder maior do que o dele" (Ellicott, *in loc.*). Cf. Is 14.6. A potência que tinha sido a cabeça das nações agora se tornara uma nação de nada, zombada e escarnecida por outros povos (vs. 13).

50.24

יָקֹשְׁתִּי לָךְ וְגַם־נִלְכַּדְתְּ בָּבֶל וְאַתְּ לֹא יָדָעַתְּ נִמְצֵאת וְגַם־נִתְפַּשְׂתְּ כִּי בַיהוָה הִתְגָּרִית:

Lancei-te o laço, ó Babilônia, e foste presa, e não o soubeste. A Babilônia, que tinha sido a *caçadora*, abrindo covas e preparando armadilhas para os mais fracos do que ela, a fim de destruir totalmente o povo tomado em cativeiro, agora foi apanhada em uma armadilha fatal que Yahweh lhe preparara, e foi desmembrada como um caçador sem piedade desmembra o animal que apanha, somente para obter o dinheiro ganho com a venda do corpo. Assim sendo, a caçadora tornou-se a caça. A capturadora tornou-se a capturada. A matadora acabou morta. Este versículo provavelmente alude ao estratagema usado por Ciro para desviar o curso do rio Eufrates a fim de preparar o caminho para que seu exército entrasse na cidade. Foi desse modo que Ciro conquistou a cidade da Babilônia de surpresa, uma das principais armas de um bom caçador. Cf. com Heródoto, *Hist.* i.cap. 191, que nos informa que metade da cidade já estava tomada antes que os outros habitantes tivessem consciência do ataque. Ver Dn 5. Ver Jr 51.31,32 quanto a uma vívida narrativa dessa história.

50.25

פָּתַח יְהוָה אֶת־אוֹצָרוֹ וַיּוֹצֵא אֶת־כְּלֵי זַעְמוֹ כִּי־מְלָאכָה הִיא לַאדֹנָי יְהוִה צְבָאוֹת בְּאֶרֶץ כַּשְׂדִּים:

O Senhor abriu o seu arsenal e tirou dele as armas da sua indignação. Outro simbolismo foi usado para descrever o que aconteceu. Yahweh abriu seu vasto arsenal e tirou dali boa variedade de armamentos contra a Babilônia, para assegurar a queda da cidade. Ele é *Sabaote*, o *Senhor dos Exércitos*, pelo que também sabe como fazer a guerra. Deus é especialista no uso de todo o mecanismo de guerra, e fez com que todas essas máquinas de guerra se voltassem contra a anterior senhora do mundo. Mediante a lista de armas, ele exibiu sua indignação contra esse povo, o qual por longo tempo praticara feitos sanguinários. *Yahweh-Sabaote-Elohim* preparara sua peça mestra de destruição. Ver o vs. 18 do presente capítulo, onde apresento várias referências no livro de Jeremias onde esse título divino de poder é empregado. Ver também, no *Dicionário,* o artigo chamado *Deus, Nomes Bíblicos de.* Uma expansão do simbolismo que aparece neste versículo é dada em *Sabedoria* v.17-23 e xviii.15,1. Cf. Is 13.5.

50.26

בֹּאוּ־לָהּ מִקֵּץ פִּתְחוּ מַאֲבֻסֶיהָ סָלּוּהָ כְמוֹ־עֲרֵמִים וְהַחֲרִימוּהָ אַל־תְּהִי־לָהּ שְׁאֵרִית:

Vinde contra ela de todos os confins da terra. O exército dos medos e persas, com seus aliados e mercenários, era um exército internacional; e, assim sendo, em um sentido bem real, a Babilônia foi atacada "de todas as direções" (*Revised Standard Version*). A tradução inglesa NCV diz aqui: "de longe", que também se aplica bem à situação. Nossa versão portuguesa diz: "de todos os confins da terra". Esse exército universal seria bem recompensado por seus esforços, porquanto o saque abriria o maior armazém de bens do mundo. Os armazéns da Babilônia alimentariam os invasores por longo tempo, e haveria festejos, danças, vinho, mulheres e cânticos por muitos anos. Entrementes, a Babilônia ficaria em ruínas e, finalmente, seria completamente destruída. Nenhuma rebelião obteria sucesso, e uma nação inteira entraria em esquecimento. Cf. Ap 18.8,21-23, que fala da destruição da Babilônia dos últimos dias, Roma. "No tempo em que Ciro tomou a cidade, ela estava cheia de provisões e tesouros de todas as espécies. As muralhas da cidade não sofreram nenhum dano. Quando seus habitantes ouviram o que tinha acontecido, que havia um inimigo *dentro* de suas muralhas, devem ter pensado que o adversário brotara da terra!" (Adam Clarke, *in loc.*).

50.27

חִרְבוּ כָּל־פָּרֶיהָ יֵרְדוּ לַטָּבַח הוֹי עֲלֵיהֶם כִּי־בָא יוֹמָם עֵת פְּקֻדָּתָם: ס

Matai à espada todos os seus touros, os seus valentes. A destruição dos rebanhos de gado graúdo (possivelmente pelo uso de um grande exército) pode estar em vista. O mais provável, entretanto, é que devamos entender aqui figuradamente os *touros*: seus homens fortes, seus generais, seus capitães e seus guerreiros. Nesse caso, está em vista a destruição do exército babilônico, que deixou o país entregue aos adversários. É assim que o Targum e a Vulgata Latina entendem a questão. "... comparados a touros por causa de sua força, gordura e ferocidade (Sl 22.12,13)" (John Gill, *in loc.*). Ver também Is 34.7; Jr 48.15.

A matança dos homens fortes seria uma vingança, tomada por Yahweh-Elohim, pela maneira como o templo de Jerusalém foi sujeitado a abusos pelo exército babilônico, conforme o vs. 28 nos relembra. A Babilônia teve seu dia de glória, que foi inevitavelmente seguido por seu dia de condenação.

50.28

קוֹל נָסִים וּפְלֵטִים מֵאֶרֶץ בָּבֶל לְהַגִּיד בְּצִיּוֹן אֶת־נִקְמַת יְהוָה אֱלֹהֵינוּ נִקְמַת הֵיכָלוֹ:

Ouve-se a voz dos que fugiram e escaparam da terra da Babilônia. No meio da confusão, certos judeus seriam capazes de fugir, e se apressariam para chegar a Jerusalém, levando as boas-novas: "A Babilônia caiu". O povo se regozijaria e veria a vingança de Yahweh-Elohim na questão, por causa do que o exército babilônico fizera em Jerusalém, que incluía a destruição do templo. O templo e seus vasos sagrados tinham sido profanados. Ver Jr 52.13; Dn 1.2; 5.2.

"Nabucodonosor pilhou, profanou e demoliu o templo, e transportou para a Babilônia os vasos sagrados, colocando-os no templo de seu deus, Bel" (Adam Clarke, *in loc.*). Eventualmente, Nabucodonosor teve de pagar elevado preço por esses ultrajes.

50.29

הַשְׁמִיעוּ אֶל־בָּבֶל רַבִּים כָּל־דֹּרְכֵי קֶשֶׁת חֲנוּ עָלֶיהָ סָבִיב אַל־יְהִי־לָהּ פְּלֵטָה שַׁלְּמוּ־לָהּ כְּפָעֳלָהּ כְּכֹל אֲשֶׁר עָשְׂתָה עֲשׂוּ־לָהּ כִּי אֶל־יְהוָה זָדָה אֶל־קְדוֹשׁ יִשְׂרָאֵל:

Convocai contra Babilônia a multidão dos que manejam o arco. Este versículo repete a ideia do vs. 14, a habilidade especial do exército medo-persa, com o arco e a flecha, que simbolizavam seu poder militar. Esse poder seria usado plenamente contra os profanos, blasfemos e orgulhosos babilônios, cujo dia estava terminando e cuja condenação tinha chegado da parte de Deus. Nem um único soldado babilônio escaparia à destruição, e todos receberiam de volta o mal que praticaram em seu orgulho ao desafiar Yahweh e profanar o templo. Yahweh é o Santo de Israel, em contraste com os deuses aviltados da idolatria pagã e, no entanto, Nabucodonosor teve a audácia de corromper e profanar seu templo. Ver no *Dicionário* o verbete intitulado *Santo de Israel,* quanto a detalhes sobre esse título.

Xenofonte (*Cyropaedia,* 1.2. cap. 1) informa-nos que o exército de Ciro contava com sessenta mil arqueiros de alta habilidade. A Babilônia se comportara altiva e desprezivelmente contra Judá e sua cidade sagrada, pelo que o real inimigo deles era Yahweh, que usou a Média-Pérsia como novo instrumento de destruição. "Tal como no vs. 15, o profeta viu a queda da Babilônia como a operação da lei da retribuição divina. Encontramos aqui a primeira ocorrência do título divino *Santo de Israel,* no livro de Jeremias, de uso comum em outros livros, incluindo Isaías. Ocorre novamente, no livro de Jeremias, em 51.5" (Ellicott, *in loc.*).

■ 50.30

לָכֵן יִפְּלוּ בַחוּרֶיהָ בִּרְחֹבֹתֶיהָ וְכָל־אַנְשֵׁי מִלְחַמְתָּהּ
יִדַּמּוּ בַּיּוֹם הַהוּא נְאֻם־יְהוָה: ס

Portanto, cairão os seus jovens nas suas praças, e todos os seus homens de guerra... Este versículo é virtualmente idêntico a Jr 49.29, que se manifesta contra Damasco. Ver as notas expositivas ali. O juramento divino fez com que as coisas assim fossem. Ver Dn 5.30 e Ap 20.18.

■ 50.31

הִנְנִי אֵלֶיךָ זָדוֹן נְאֻם־אֲדֹנָי יְהוִה צְבָאוֹת כִּי בָּא יוֹמְךָ
עֵת פְּקַדְתִּיךָ:

Eis que eu sou contra ti, ó orgulhosa, diz o Senhor Deus dos Exércitos. Babilônia, a orgulhosa, por muito tempo impusera sua sanguinária vontade sobre o mundo. Agora, porém, Yahweh, por meio do exército medo-persa, reduziu a nada o poder arrogante da Babilônia. Ver o orgulho e a humildade contrastados em Pv 11.2 e 13.10. Note o título completo do poder divino empregado aqui, para enfatizar a certa retribuição divina: *Yahweh-Sabaote-Elohim* (Deus Eterno, Senhor dos Exércitos e Todo-poderoso). Quanto a notas sobre isso, ver Jr 50.18, bem como detalhes no artigo do *Dicionário* intitulado *Deus, Nomes Bíblicos de.* A Babilônia teve seus dias de glória, quando realizou muitas e grandes perversidades e profanações. Agora, porém, tinha chegado o seu dia de condenação, pois ela seria *substituída* como ator proeminente no palco da história humana.

■ 50.32

וְכָשַׁל זָדוֹן וְנָפַל וְאֵין לוֹ מֵקִים וְהִצַּתִּי אֵשׁ בְּעָרָיו
וְאָכְלָה כָּל־סְבִיבֹתָיו: ס

Então tropeçará o soberbo, e cairá, e ninguém haverá que o levante. A orgulhosa nação da Babilônia *deveria cair* para nunca mais levantar-se, porquanto o fogo da ira de Deus haveria de incendiar suas cidades, e o país inteiro seria devorado. Ver Jr 15.14; Lm 4.11; Am 1.4,7,10,12,14; 2.2,5 quanto a algo similar. Na verdade, a Babilônia nunca mais se ergueu, em contraste com outras nações derrotadas. Cf. o ensino de Pv 16.18:

A soberba precede a ruína, e a altivez do espírito, a queda.

■ 50.33

כֹּה אָמַר יְהוָה צְבָאוֹת עֲשׁוּקִים בְּנֵי־יִשְׂרָאֵל וּבְנֵי־
יְהוּדָה יַחְדָּו וְכָל־שֹׁבֵיהֶם הֶחֱזִיקוּ בָם מֵאֲנוּ שַׁלְּחָם:

Os filhos de Israel e os filhos de Judá sofrem opressão juntamente. *Yahweh-Sabaote* (Deus Eterno, Senhor dos Exércitos) tinha proferido seu juramento. A questão estava garantida, e o cumprimento do plano de Deus ocorreria em breve. O poder divino traria de volta os cativos de Judá e daria a Israel um novo dia, um dia de reconstrução. Eles andavam *oprimidos,* e os opressores teriam de pagar pelo ultraje. Isso, todavia, não foi o capítulo derradeiro da história. O Redentor (vs. 34) escreveria outro capítulo que deixaria para trás o capítulo acerca da Babilônia. "Todos os apelos relativos à misericórdia de seus conquistadores, a Assíria e a Babilônia, foram inúteis" (Ellicott, *in loc.*). Portanto, Israel precisou apelar a um tribunal mais alto.

■ 50.34

גֹּאֲלָם חָזָק יְהוָה צְבָאוֹת שְׁמוֹ רִיב יָרִיב אֶת־רִיבָם
לְמַעַן הִרְגִּיעַ אֶת־הָאָרֶץ וְהִרְגִּיז לְיֹשְׁבֵי בָבֶל:

Mas o seu Redentor é forte, o Senhor dos Exércitos é o seu nome. Somente o *Redentor* de Israel poderia reverter o que a Babilônia tinha feito. Ele é *forte,* e o nome dele é Deus Eterno, Senhor dos Exércitos (Yahweh-Sabaote). É ele quem controla os eventos da história da humanidade. Ver no *Dicionário* o artigo denominado *Teísmo.* Ele é a *causa* do que acontece: o soerguimento da Babilônia; o cativeiro de Judá; a queda da Babilônia; a restauração de Judá. "*Redentor* é um título usado com frequência para Yahweh no segundo Isaías (ver Is 43.14; 44.6; 47.4; 48.17; 49.7 e 54.5" (Philip Hyatt, *in loc.*). Cf. Nm 35.12; Rt 4.1,8; Jó 19.25; e ver no *Dicionário* o artigo chamado *Goel.*

Porque o seu Vingador é forte, e lhes pleiteará a causa contra ti.

Provérbios 23.11

Os atos do Redentor trariam paz a Judá, mas à Babilônia trariam agitação e temor, pelo que as fortunas desses dois países sofreriam diametral reviravolta — a força seria transformada em fraqueza, e a fraqueza seria transformada em força. E tudo isso em consonância com a justa retribuição divina e as operações da lei universal da colheita conforme a semeadura.

■ 50.35

חֶרֶב עַל־כַּשְׂדִּים נְאֻם־יְהוָה וְאֶל־יֹשְׁבֵי בָבֶל וְאֶל־
שָׂרֶיהָ וְאֶל־חֲכָמֶיהָ:

A espada virá sobre os caldeus, diz o Senhor. A *espada,* que simboliza a guerra nas Escrituras, seria enviada contra a Babilônia, tal como essa potência, por tantos anos, destruíra seus vizinhos. A "inquietação" referida no vs. 34 é agora ilustrada nos vss. 35-38. A palavra "espada" aparece cinco vezes nesses quatro versículos. Ademais, a guerra seria seguida pela seca e por outros desastres naturais, comuns nos lugares despedaçados pela guerra. Sábios, psíquicos, videntes e profetas predisseram somente o bem para a Babilônia. Eles mentiram, ou estavam enganados. Pois nem os deuses (da idolatria) nem os homens seriam capazes de ajudar aquele povo violento em seu tempo de provação. Cf. Is 47.13; Rm 1.21-25; 1Co 1.20. Ver especialmente Dn 2.2,13.

■ 50.36

חֶרֶב אֶל־הַבַּדִּים וְנֹאָלוּ חֶרֶב אֶל־גִּבּוֹרֶיהָ וָחָתּוּ:

A espada virá sobre os gabarolas e ficarão insensatos. Encontramos aqui a segunda vez em que a palavra "espada" aparece nos quatro versículos (35-38). Lemos aqui que a guerra e a violência atingiriam os *mentirosos,* o que provavelmente se refere aos profetas que viam somente coisas boas para a Babilônia, enganando o povo sobre o futuro sombrio que se aproximava. Então a espada cairia sobre os *poderosos,* ou seja, os oficiais do exército e os políticos, incluindo o próprio monarca da Babilônia. Toda essa gente seria confundida e envergonhada. O terror faria os joelhos de todos eles estremecer, e o que aquele povo horrendo fizera contra outros povos seria agora experimentado por eles. "Eles ficarão transidos de terror" (NIV).

50.37

חֶ֤רֶב אֶל־סוּסָיו֙ וְאֶל־רִכְבּ֔וֹ וְאֶל־כָּל־הָעֶ֛רֶב אֲשֶׁ֥ר בְּתוֹכָ֖הּ וְהָי֣וּ לְנָשִׁ֑ים חֶ֥רֶב אֶל־אוֹצְרֹתֶ֖יהָ וּבֻזָּֽזוּ׃

A espada virá sobre os seus cavalos, e sobre os seus carros, e sobre todo o misto de gente. A espada continuaria seu trabalho, e aqui temos a terceira e a quarta menção da palavra "espada", nos vss. 35-38. A guerra e a violência cairiam sobre os cavalos, o principal instrumento de guerra nas batalhas antigas. O animal sofreria o que seu cavaleiro fizesse. Os carros de combate seriam demolidos, à medida que a guerra continuasse, pelo que outro instrumento usado nas batalhas antigas se perderia. E a espada também cairia sobre o exército em geral, incluindo militares de patentes mais baixas e mercenários, que sempre engrossavam as fileiras dos exércitos antigos. A matança em massa sempre foi um bom negócio, visto que o *saque* era oferecido como salário. O exército babilônico seria invadido pelo terror e se tornaria como um bando de mulheres histéricas. E a guerra também chegaria aos tesouros da Babilônia, e faria esses valores trocar de mãos. Haveria grande "furto", quando o saque se espalhasse pelo país. A anterior grande potência seria reduzida à desolação. A Babilônia chegaria ao seu fim.

50.38

חֹ֥רֶב אֶל־מֵימֶ֖יהָ וְיָבֵ֑שׁוּ כִּ֣י אֶ֤רֶץ פְּסִלִים֙ הִ֔יא וּבָאֵימִ֖ים יִתְהֹלָֽלוּ׃

A espada virá sobre as suas águas, e estas secarão. A *terrível tríade* da guerra era formada pela *espada, fome* e *pestilência*. E isso cairia sobre a derrotada Babilônia. O presente versículo não nos fornece o mesmo fraseado, mas a ideia é semelhante. Cf. Jr 14.12; 24.10; 29.17; 34.17; 42.17 e 43.13. Os resultados posteriores da guerra algumas vezes destroem mais do que a própria guerra. A guerra e suas consequências deixam um país totalmente desolado.

Porque a terra é de imagens de escultura. A Babilônia tinha muitos pecados pelos quais pagar, mas o profeta Jeremias nos lembra do rei dos pecados, a *idolatria*. Os idólatras babilônicos chegariam a um mau fim. Essa era sempre a mensagem por trás das profecias contra Judá. Judá teria de sofrer a vingança de Yahweh por causa de sua idolatria-adultério-apostasia. Este mundo é governado pelas leis morais de Yahweh e, quando os homens as violam, tornam-se alvos da violência divina. Ver no *Dicionário* o verbete denominado *Idolatria*, quanto a detalhes sobre essa prática horrenda. A Babilônia tinha enlouquecido em sua idolatria, perdendo todo o controle próprio e abandonando a razão.

50.39

לָכֵ֗ן יֵשְׁב֤וּ צִיִּים֙ אֶת־אִיִּ֔ים וְיָ֥שְׁבוּ בָ֖הּ בְּנ֣וֹת יַעֲנָ֑ה וְלֹֽא־תֵשֵׁ֥ב עוֹד֙ לָנֶ֔צַח וְלֹ֥א תִשְׁכּ֖וֹן עַד־דּ֥וֹר וָדֽוֹר׃

Por isso as feras do deserto com os chacais habitarão em Babilônia. "Uma vez que a Babilônia fosse devastada pela guerra e massacrada pelas consequências da guerra, a população seria obliterada daquele território. Em seguida, as feras se mudariam para esse território, no qual passariam a habitar. Cf. Is 13.21,22; 34.14; Jr 51.37 e Ap 18.2, quanto a declarações similares. Isso foi literalmente cumprido, no tocante à Babilônia, tendo sido criadas condições que permanecem até hoje. Essas são frases que exprimem a final e total extinção da Babilônia, o que não se cumpriu de imediato, mas por etapas" (Fausset, *in loc.*).

"[A Babilônia] foi tomada por Ciro e feita tributária dos persas; a sede de governo foi transferida da Babilônia; suas muralhas foram demolidas por Dario; foi drenada tanto de seus habitantes como de suas riquezas por Seleuco Nicator, quando ele construiu nas proximidades a cidade de Seleúcia (Plínio, *Hist. Natural* 1.6, cap. 26). No tempo de Adriano, nada restava ali exceto uma antiga muralha. No tempo de Jerônimo, o local da antiga cidade da Babilônia se tornara um parque para o rei da Pérsia usar como terreno de caça. Cf. o vs. 13 e ver Is 13.20" (John Gill, *in loc.*).

50.40

כְּמַהְפֵּכַ֨ת אֱלֹהִ֜ים אֶת־סְדֹ֧ם וְאֶת־עֲמֹרָ֛ה וְאֶת־שְׁכֵנֶ֖יהָ נְאֻם־יְהוָ֑ה לֹֽא־יֵשֵׁ֥ב שָׁם֙ אִ֔ישׁ וְלֹֽא־יָג֥וּר בָּ֖הּ בֶּן־אָדָֽם׃

Como quando Deus destruiu a Sodoma e a Gomorra, e as suas cidades vizinhas. O aniquilamento da Babilônia seria parecido com a destruição de Sodoma e Gomorra, ou seja, uma destruição absoluta. Nenhum ser humano habitaria ali ainda, e nenhum ser humano gostaria de habitar ali. A cidade da Babilônia se tornara um lugar amaldiçoado. Cf. Jr 49.18, que fala da destruição que atingiria Edom. O Iraque tem planos para reconstruir antigas localidades. Informações sobre isso estão contidas no *Archaeological Survival of Babylon is a Patriotic, National and International Duty* (Bagdá, State Oranization of Antiquities and Heritage, 1982). Talvez daí resulte a reconstrução da Babilônia, talvez não. Alguns intérpretes, antecipando a possível reconstrução da cidade da Babilônia, transferem a natureza absoluta da profecia para a época da Grande Tribulação. Mas isso é desnecessário. O que tem acontecido à antiga Babilônia, através dos séculos, é suficiente para o cumprimento dessa profecia.

A ANGÚSTIA DA BABILÔNIA (50.41-46)

50.41

הִנֵּ֛ה עַ֥ם בָּ֖א מִצָּפ֑וֹן וְג֤וֹי גָּדוֹל֙ וּמְלָכִ֣ים רַבִּ֔ים יֵעֹ֖רוּ מִיַּרְכְּתֵי־אָֽרֶץ׃

Eis que um povo vem do norte; grande nação e muitos reis se levantarão dos confins da terra. Este e o próximo versículo são quase exatamente iguais a Jr 6.22-24, mas agora se aplicam à Média-Pérsia, e não ao exército da Babilônia. Ambas as forças viriam, declaradamente, do norte. Ver Jr 50.3 quanto a essa direção, em referência a Ciro e a seus guerreiros. Ambas as nações ficavam ao norte de Israel, embora a Pérsia ficasse essencialmente a *leste* da Babilônia. A natureza *internacional* do exército da Média-Pérsia é novamente enfatizada, conforme também se vê no vs. 9, onde comento esse aspecto. O vs. 26 também enfatiza o elemento internacional, onde há notas adicionais a respeito. Jr 6.23 mostra-nos que o exército da Babilônia também era uma máquina de guerra. Os dois exércitos criavam grande confusão e intensos sofrimentos. Ambos tiveram seus momentos de sofrimento, como parte da operação das leis morais de Yahweh.

50.42

קֶ֣שֶׁת וְכִידֹ֞ן יַחֲזִ֗יקוּ אַכְזָרִ֥י הֵ֨מָּה֙ וְלֹ֣א יְרַחֵ֔מוּ קוֹלָ֖ם כַּיָּ֣ם יֶהֱמֶ֑ה וְעַל־סוּסִ֣ים יִרְכָּ֔בוּ עָר֕וּךְ כְּאִ֖ישׁ לַמִּלְחָמָ֑ה עָלַ֖יִךְ בַּת־בָּבֶֽל׃

Armam-se de arco e de lança; eles são cruéis, e não conhecem a compaixão. O profeta fornece-nos aqui uma temível descrição do exército persa. Eles eram muito habilidosos no uso do *arco* e da *lança*. Ver os comentários sobre os vss. 9,14,29 (arco e flecha) e sobre os vss. 35-37 (onde a espada é mencionada *cinco* vezes). Eles apreciavam as matanças e as conduziam sem o menor sinal de dó. Não demonstravam misericórdia alguma. Homens, mulheres e crianças eram atravessados por flechas ou cortados à espada, de forma que é terrível apenas ouvir o relato. Eles se aproximavam fazendo forte ruído como o de uma trovoada, lançando o terror no coração dos soldados mais endurecidos, pois se parecia com o som rugidor do mar, a multidão das águas. Quanto a essa figura simbólica, cf. Is 5.30. Eles chegavam em seus cavalos de guerra treinados e devidamente preparados para entrar em batalha, tal como os seus cavaleiros. "Tão bem ordenado e unido era o exército [da Média-Pérsia] que entrava na batalha como se fosse um único homem" (Grotius, *in loc.*). Assim era o esporte das guerras antigas. A vítima especial da marcha das tropas da Média-Pérsia era a *filha da Babilônia,* que sofreria tremenda violência sexual.

Rugem as ondas da arrebentação,
Ondas tumultuosas obedecem à vontade dele.

Charles Wesley

50.43

שָׁמַע מֶלֶךְ־בָּבֶל אֶת־שִׁמְעָם וְרָפ֖וּ יָדָ֑יו צָרָה֙
הֶחֱזִיקַ֔תְהוּ חִ֖יל כַּיּוֹלֵדָֽה׃

O rei da Babilônia ouviu a fama deles, e desfaleceram as suas mãos. Este versículo fala sobre aquele animal, o rei da Babilônia, acostumado a assustar outros povos; mas agora lá estava o rei da Babilônia, as mãos pendidas ao lado do corpo, tão debilitado que nem podia erguê-las. Isso tudo aconteceu porque ele tinha ouvido o rumor sobre o poder de Ciro, que em breve estaria batendo em suas portas. Ele estava tão assustado que se assemelhava a uma mulher cujas dores de parto a deixaram em estado de pânico. Quanto a esse simbolismo, ver Jr 4.31; 6.24; 13.21 e 49.24.

50.44

הִנֵּ֡ה כְּאַרְיֵה֩ יַעֲלֶ֨ה מִגְּא֤וֹן הַיַּרְדֵּן֙ אֶל־נְוֵ֣ה אֵיתָ֔ן כִּֽי־
אַרְגִּ֥עָה אֲרוּצֵ֖ם מֵעָלֶ֑יהָ וּמִ֤י בָחוּר֙ אֵלֶ֣יהָ אֶפְקֹ֔ד כִּ֣י מִ֤י
כָמ֙וֹנִי֙ וּמִ֣י יוֹעִדֶ֔נִּי וּמִי־זֶ֣ה רֹעֶ֔ה אֲשֶׁ֥ר יַעֲמֹ֖ד לְפָנָֽי׃

Eis que como sobe o leãozinho da floresta jordânica... assim, num momento, arrojá-la-ei dali. Os vss. 44-46 também são encontrados em Jr 49.19-21, com algumas pequenas modificações, para adaptá-los a Edom, ao passo que aqui eles se aplicam à Babilônia. É provável que a posição original da passagem fosse esta, embora haja notas expositivas a respeito naquele outro lugar. O vs. 44 é igual a Jr 49.19.

50.45

לָכֵ֞ן שִׁמְע֣וּ עֲצַת־יְהוָ֗ה אֲשֶׁ֤ר יָעַץ֙ אֶל־בָּבֶ֔ל
וּמַ֨חְשְׁבוֹתָ֔יו אֲשֶׁ֥ר חָשַׁ֖ב אֶל־אֶ֣רֶץ כַּשְׂדִּ֑ים אִם־לֹ֤א
יִסְחָבוּם֙ צְעִירֵ֣י הַצֹּ֔אן אִם־לֹ֥א יַשִּׁ֛ים עֲלֵיהֶ֖ם נָוֶֽה׃

Portanto ouvi o conselho do Senhor, que ele decretou contra Babilônia. Este versículo é equivalente a Jr 49.20, mas a Babilônia tomou o lugar de Edom, e os caldeus tomaram o lugar de Temã. Ver as notas expositivas ali.

50.46

מִקּוֹל֙ נִתְפְּשָׂ֣ה בָבֶ֔ל נִרְעֲשָׁ֖ה הָאָ֑רֶץ וּזְעָקָ֖ה בַּגּוֹיִ֥ם
נִשְׁמָֽע׃ ס

Ao estrondo da tomada da Babilônia estremeceu a terra; e o grito se ouviu entre as nações. Este versículo é equivalente a Jr 49.21, mas naquele ponto (que evidentemente foi copiado daqui, a posição primária) temos a *queda* de Edom, ao passo que aqui temos a *captura* da Babilônia. Ali lemos que o clamor da angústia de Edom foi ouvido no mar Vermelho, ao passo que aqui o clamor de angústia da Babilônia é ouvido entre as nações da terra. Essas pequenas modificações se devem, como é evidente, à adaptação. Ambos os lugares eram imaginados como invencíveis, mas quando a ira de Yahweh está em operação isso não existe. O poder de Deus operou em Edom, com propósitos de destruição; e o mesmo era verdadeiro com respeito à Babilônia. O Criador é visto aqui como quem intervinha em sua criação. Sua providência, negativa e positiva, operava nas atividades do homem, refletindo o *teísmo* bíblico (ver no *Dicionário*).

CAPÍTULO CINQUENTA E UM

Não há nenhuma interrupção entre os capítulos 50 e 51. Portanto, continuam neste capítulo os oráculos contra a Babilônia. Quanto à introdução da seção, ver as notas imediatamente anteriores a Jr 50.1.

51.1

כֹּ֚ה אָמַ֣ר יְהוָ֔ה הִנְנִ֨י מֵעִ֥יר עַל־בָּבֶ֖ל וְאֶל־יֹ֣שְׁבֵי לֵ֑ב
קָמָ֖י ר֥וּחַ מַשְׁחִֽית׃

Eis que levantarei um vento destruidor contra Babilônia, e contra os que habitam em Lebe-Camai. "A Caldeia é escrita, no hebraico, como *lebh-qamay*, que representa, através do artifício literário conhecido como *athbash*, os *kasdim*, ou seja, os caldeus. O nome hebraico significa literalmente 'o coração daqueles que se levantam contra mim'. O mesmo artifício literário é usado em Jr 25.26 e 51.41" (James Philip Hyatt, *in loc.*). "Um *athbash* é um código no qual as letras de um nome, contadas do fim do alfabeto, são substituídas pelas letras contadas do começo. Assim, o "z", por exemplo, substitui o "a". Abby torna-se *zyyb*" (Charles H. Dyer, comentando sobre Jr 29.26). Portanto aqui as consoantes (o alfabeto hebraico não tinha vogais) das palavras que significam "coração do meu adversário" (lbqmy), quando revertidas, conforme sugerido anteriormente, tornam-se *ksdym* (Caldeia). É difícil entender por que o autor achou necessário usar o código, quando, o tempo todo, ele vinha atacando a Babilônia pelo seu nome.

Talvez a *athbash* fosse apenas algo interessante para certos autores. Seja como for, a mensagem do versículo é clara: o exército medo-persa seria despertado por Yahweh e se tornaria um *vento* terrível contra a Babilônia. Mas alguns preferem a tradução "espírito", em vez de "vento", como se o espírito é que estivesse impulsionando aquele exército contra a Babilônia. Ciro, pois, teria um espírito fervente, pronto para matar, desolar e aniquilar. O *vento* naturalmente significa o destruidor exército medo-persa que aniquilaria a Babilônia como a nação número um. Em Ag 1.14; Ed 1.1,5 e 1Cr 5.26 essa frase indica o *espírito* despertado do homem. Porém, o ato de *padejar*, que aparece no vs. 2 deste capítulo, quase certamente faz com que a tradução "vento" seja preferível aqui.

51.2

וְשִׁלַּחְתִּ֨י לְבָבֶ֤ל ׀ זָרִים֙ וְזֵר֔וּהָ וִיבֹקְק֖וּ אֶת־אַרְצָ֑הּ כִּֽי־
הָי֥וּ עָלֶ֛יהָ מִסָּבִ֖יב בְּי֥וֹם רָעָֽה׃

Enviarei padejadores contra Babilônia, que a padejarão. O ato de padejar é o processo de separar a palha do grão de cereal, lançando no ar a massa, de modo que a brisa separe os dois elementos. O vento levaria para longe a Babilônia, por assim dizer, e isso causaria o fim dessa nação como potência mundial. O processo concebia o esvaziamento da terra para que se tornasse desabitada, eventualmente. Um prolongado dia de tribulações produziria esse resultado. Cf. Jr 50.13 quanto à desabitada nação da Babilônia. Ver também 51.37. Animais ferozes tomariam conta do território.

51.3

אֶֽל־יִדְרֹ֤ךְ יִדְרֹךְ֙ הַדֹּרֵ֣ךְ קַשְׁתּ֔וֹ וְאֶל־יִתְעַ֖ל בְּסִרְיֹנ֑וֹ
וְאַל־תַּחְמְלוּ֙ אֶל־בַּחֻרֶ֔יהָ הַחֲרִ֖ימוּ כָּל־צְבָאָֽהּ׃

O flecheiro arme o seu arco. Os babilônios, apanhados inteiramente de surpresa, não foram capazes de contra-atacar. Não tiveram tempo de vestir suas armaduras, porquanto Ciro, tendo desviado as águas do rio Eufrates, entrou na cidade sem ser percebido. Para os babilônios, o inimigo simplesmente brotou da terra e, de repente, estava dentro da cidade da Babilônia. Seguiu-se grande destruição, mas o ataque inicial foi relativamente destituído de derramamento de sangue. Pudemos observar que as profecias contra a Babilônia apresentam coisas que ocorreram "aos poucos" e "finalmente", e não o que Ciro fez em sua ocupação inicial do território. Ver as notas em Jr 50.3 sobre essa questão.

51.4

וְנָפְל֥וּ חֲלָלִ֖ים בְּאֶ֣רֶץ כַּשְׂדִּ֑ים וּמְדֻקָּרִ֖ים בְּחוּצוֹתֶֽיהָ׃

Caiam mortos na terra dos caldeus, e atravessados pelas ruas. Haveria grande matança e destruição na cidade da Babilônia, através de um processo bastante longo iniciado por Ciro, mas que ele mesmo não completaria. Ver as notas expositivas em Jr 50.39, quanto a isso. A devastação não se completou imediatamente, mas avançou por etapas graduais. O processo seria eficaz, contudo, deixando o exército obliterado e a população civil dizimada. A fina flor da Babilônia, os jovens guerreiros, ficaria traspassada à espada nas ruas. Cf. Jr 50.30.

51.5

כִּי לֹא־אַלְמָן יִשְׂרָאֵל וִיהוּדָה מֵאֱלֹהָיו מֵיְהוָה צְבָאוֹת
כִּי אַרְצָם מָלְאָה אָשָׁם מִקְּדוֹשׁ יִשְׂרָאֵל׃

O *cativeiro babilônico* (ver a respeito no *Dicionário*) pareceu marcar o fim do povo de Judá como nação. Ao que parecia, Yahweh tinha abandonado o seu povo, que seria como as Dez Tribos perdidas do norte, espalhados por entre os pagãos, para nunca mais retornar à Terra Prometida. Mas Judá foi poupado desta desgraça, e o começo da reversão do processo foi a derrota dos babilônios pelo exército medo-persa. Não muito depois dessa derrota, Ciro publicaria o famoso decreto, enviando o povo judeu de volta a Jerusalém, para que tivesse início um novo dia.

Não enviuvaram do seu Deus. Assim diz o original hebraico, "enviuvaram". Cf. Is 50.1; 54.4-6; Lm 1.1. Para Judá, era como se Deus tivesse morrido. Cf. Is 54.5-7. Terem sido abandonados foi como a morte para os judeus. Mas a Babilônia foi estacada e o terror imposto sobre Judá foi revertido, porquanto os babilônios atacaram o Santo de Israel, ao atacar Judá, Jerusalém, o templo e o culto a Yahweh. Cf. isso com Jr 51.11. Portanto, a vingança divina se descarregaria contra a Babilônia, por causa do que ela tinha feito contra o templo. Cf. Jr 50.29 quanto ao título divino, *Santo de Israel*, e ver os comentários no artigo do *Dicionário*, sob esse título. Somente em Jr 50.29 e neste versículo aparece essa designação de Yahweh, embora, em outros livros, ela seja bastante comum. O uso desse título aqui nos relembra a violação dos babilônios contra o culto a Yahweh, quando eles devastaram a nação de Judá.

Foi empregado o título divino de poder — *Yahweh-Sabaote-Elohim* (Deus Eterno, Senhor dos Exércitos e Todo-poderoso), para enfatizar a certeza da reversão de condições, porquanto o poder divino estava por trás desses acontecimentos. Ver as notas expositivas sobre Jr 50.25.

51.6

נֻסוּ מִתּוֹךְ בָּבֶל וּמַלְּטוּ אִישׁ נַפְשׁוֹ אַל־תִּדַּמּוּ
בַּעֲוֺנָהּ כִּי עֵת נְקָמָה הִיא לַיהוָה גְּמוּל הוּא
מְשַׁלֵּם לָהּ׃

Fugi do meio da Babilônia, e cada um salve a sua vida; não pereçais na sua maldade. Vemos o chamado para os judeus fugirem da Babilônia, antes de sua devastação, em Jr 50.8, cujas notas expositivas também se aplicam aqui. Somente mediante a fuga um homem poderia salvar a sua vida, porquanto o processo mediante o qual a Babilônia seria reduzida a nada a levaria, eventualmente, à completa desolação. O vs. 2 deste mesmo capítulo faz menção a isso. Cf. Ap 18.4,6. Naturalmente, poucos foram capazes de fugir enquanto a cidade da Babilônia estava sob ataque. Foi o gracioso decreto de Ciro que permitiu ao remanescente judeu voltar à Terra Prometida, e não alguma fuga durante o ataque. De qualquer maneira, foi a vingança de Yahweh que reduziu a Babilônia a nada. A Babilônia fora um instrumento na mão divina para punir outros povos, incluindo Judá; mas agora isso estava terminado. O dia de fastígio da Babilônia havia acabado.

51.7

כּוֹס־זָהָב בָּבֶל בְּיַד־יְהוָה מְשַׁכֶּרֶת כָּל־הָאָרֶץ מִיֵּינָהּ
שָׁתוּ גוֹיִם עַל־כֵּן יִתְהֹלְלוּ גוֹיִם׃

Babilônia era um copo de ouro na mão do Senhor, o qual embriagava a toda a terra. A Babilônia tinha sido uma *taça de ouro* na qual Yahweh vertera seu vinho de retribuição. As nações em derredor foram forçadas a beber daquela taça, o que significava a sua destruição. As nações embriagavam-se e enlouqueciam ao beber aquele vinho. Endoidecidas, caíam na calamidade de suas aflições. Cf. Jr 25.15-19 e Ap 17.3,4 e 18.6. O paralelo no capítulo 25 menciona a *espada*, como operação do vinho, pelo que as matanças vinham por beber o vinho. "O copo é chamado *de ouro* para expressar o esplendor e a opulência da Babilônia. Cf. Dn 2.38: a cabeça da imagem era feita de ouro. Ver também Is 14.4" (Fausset, *in loc.*). Cf. Ap 14.8 e 17.4 quanto ao mesmo simbolismo.

51.8

פִּתְאֹם נָפְלָה בָבֶל וַתִּשָּׁבֵר הֵילִילוּ עָלֶיהָ קְחוּ צֳרִי
לְמַכְאוֹבָהּ אוּלַי תֵּרָפֵא׃

Repentinamente caiu Babilônia, e ficou arruinada; lamentai por ela. A Babilônia tinha caído e sofria agonias. Muitos a lamentavam, e talvez alguém pudesse tomar uma espécie de bálsamo para lhe curar os ferimentos. Contemplar aquela dor excitava a piedade dos observadores, e eles esqueceriam, por um momento, que a Babilônia merecia ricamente o que lhe havia acontecido. Cf. Is 21.9. Quanto ao simbolismo do *bálsamo*, ver Jr 8.22 e 46.11 e Ap 18.8-19.

"A eles competia buscar a paz da cidade (ver Jr 29.7), prestando-lhe um serviço gentil, derramando bálsamo nos ferimentos que sangravam" (Ellicott, *in loc.*).

51.9

רִפִּאנוּ אֶת־בָּבֶל וְלֹא נִרְפָּתָה עִזְבוּהָ וְנֵלֵךְ אִישׁ
לְאַרְצוֹ כִּי־נָגַע אֶל־הַשָּׁמַיִם מִשְׁפָּטָהּ וְנִשָּׂא עַד־
שְׁחָקִים׃

Queríamos curar Babilônia, ela, porém, não sarou; deixai-a, e cada um vá para a sua terra. Os amigos e confederados, e até os inimigos que tivessem misericórdia da Babilônia, em sua aflição, poderiam fazer o esforço de curar-lhe as feridas (vs. 8), mas o caso da cidade foi considerado insolúvel; todos os homens a abandonaram, e tantos quantos puderam correram de volta a seus respectivos países de origem, deixando que a Babilônia agonizasse e morresse. Assim como a Babilônia, em sua arrogância, se elevara até os céus, também era agora o seu julgamento: em outras palavras, um julgamento muito severo que contava com a bênção do poder divino. Seus pecados eram tantos que chegavam ao céu. Deus prestou atenção àqueles pecados e precisou punir a cidade, a fim de efetuar a justiça. Ap 18.5 tem o mesmo simbolismo de pecados acumulados que atingem o céu. Ver Gn 18.21, e Jn 1.2. "Até as nações pagãs perceberam que a horrenda queda da Babilônia teria de ser atribuída ao julgamento divino. Cf. Sl 9.16 e 64.9" (Fausset, *in loc.*).

51.10

הוֹצִיא יְהוָה אֶת־צִדְקֹתֵינוּ בֹּאוּ וּנְסַפְּרָה בְצִיּוֹן אֶת־
מַעֲשֵׂה יְהוָה אֱלֹהֵינוּ׃

O Senhor trouxe a nossa justiça à luz: vinde, e anunciemos em Sião a obra do Senhor nosso Deus. A nação de Judá, que tanto havia sofrido às mãos dos brutais babilônios, fora *vindicada*, e as notícias da queda da Babilônia percorreram o mundo conhecido em um instante. A notícia também chegou a Sião, e foi declarada como obra de Yahweh-Elohim, que se lembrara dos sofrimentos de seu povo. Cf. Sl 102.13-21. Ver também Is 62.1. "O exílio na Babilônia foi um período de reforma e crescimento na retidão. O dia de vingança contra o opressor foi uma data de perdão para Judá. Constatou-se que eles não tinham perdido o favor de Yahweh. Eles podiam continuar entoando, tal como fizeram nos dias antigos (ver Jz 5.11)" (Ellicott, *in loc.*).

51.11

הָבֵרוּ הַחִצִּים מִלְאוּ הַשְּׁלָטִים הֵעִיר יְהוָה אֶת־רוּחַ
מַלְכֵי מָדַי כִּי־עַל־בָּבֶל מְזִמָּתוֹ לְהַשְׁחִיתָהּ כִּי־נִקְמַת
יְהוָה הִיא נִקְמַת הֵיכָלוֹ׃

Aguçai as flechas! Preparai os escudos! Foi Yahweh quem convocou Dario, o medo, Ciro e igualmente o exército medo-persa para nivelar até o chão a cidade da Babilônia. Eles afiaram seus dardos e prepararam seus escudos. Quanto às habilidades do exército medo-persa, como o arco e a flecha, ver Jr 50.9,14,29. Foi Yahweh quem despertou o espírito dos medo-persas para que atacassem a Babilônia. Cf. a declaração do vs. 1 deste capítulo. A destruição da Babilônia foi efetuada por vingança e retribuição divina, pois Yahweh era o poder por trás da marcha dos exércitos medo-persas. Seu templo e seu culto tinham sido violados, e isso foi um pecado fatal que a Babilônia cometera. Ver Jr 50.28. "O espírito de Ciaxares, rei da Média, é chamado Dario, o medo, nas Sagradas Escrituras; e o espírito de Ciro, rei da Pérsia, era o herdeiro presuntivo do trono de Ciaxares, seu tio. Cambises, seu pai, enviou-o com trinta mil homens para ajudar seu tio contra Neriglissar, rei da Babilônia, e foi por meio desses homens que a Babilônia foi derrubada por terra" (Adam Clarke, *in loc.*). "Ele nomeou os medos, e não os persas, porque Dario (Ciaxares) estava acima de Ciro em poder e grandeza" (Fausset, *in loc.*).

■ 51.12

אֶל־חוֹמֹת בָּבֶל שְׂאוּ־נֵס הַחֲזִיקוּ הַמִּשְׁמָר הָקִימוּ שֹׁמְרִים הָכִינוּ הָאֹרְבִים כִּי גַּם־זָמַם יְהוָה גַּם־עָשָׂה אֵת אֲשֶׁר־דִּבֶּר אֶל־יֹשְׁבֵי בָבֶל׃

Arvorai estandarte contra os muros da Babilônia, reforçai a guarda. Uma vez afiadas as flechas e preparados os arcos (vs. 11), foram levantados estandartes sobre as muralhas da Babilônia, para assinalar os locais onde os defensores deveriam concentrar-se para fazer frente aos invasores. Porém, outros intérpretes veem esses estandartes como bandeiras que orientavam os atacantes contra locais específicos das muralhas, onde os ataques seriam desfechados. A Babilônia tinha sentinelas que avisariam sobre a invasão; emboscadas foram preparadas, na tentativa de deter os invasores. Mas ainda outros estudiosos veem nesses atos providências dos invasores, e não dos defensores da cidade. Seja como for, o estratagema dos atacantes foi ditado por Yahweh, o General do Exército do Senhor, para garantir que a Babilônia fosse derrotada. Talvez a melhor maneira de compreender esta série de ordens seja entender que todas elas se aplicam a ações dos atacantes, e não dos defensores, e que cada uma dessas ações foi efetuada sob as ordens de Yahweh. "... uma convocação aos inimigos da Babilônia para que atacassem a cidade e pressionassem o assédio" (Adam Clarke, *in loc.*). Alguns eruditos, porém, pensam que temos aqui uma convocação irônica aos babilônios para que se defendessem, o que era uma causa perdida.

■ 51.13

שֹׁכַנְתִּי עַל־מַיִם רַבִּים רַבַּת אוֹצָרֹת בָּא קִצֵּךְ אַמַּת בִּצְעֵךְ׃

Ó tu, que habitas sobre muitas águas, rica de tesouros! As "muitas águas" referem-se ao rio Eufrates, que circundava a cidade e estava dividido em vários canais, formando ilhas. A cidade das muitas águas era rica, cheia de tesouros de todas as espécies. Por conseguinte, o ataque seria um empreendimento muito lucrativo, e os soldados que participassem do ataque seriam muito bem pagos com o saque que fizessem. O saque era o salário dos exércitos de antigamente.

"O fio da vida da Babilônia fora cortado" (*Revised Standard Version*). Mas outras versões, como a nossa versão portuguesa, dizem aqui: "Chegou o teu fim, a medida da tua avareza". Todas aquelas riquezas, que vinham sendo acumuladas há tanto tempo, à custa de outros povos, tinham de terminar e passar para outras mãos, que se tornariam os novos insensatos a dançar no palco da história da humanidade.

■ 51.14

נִשְׁבַּע יְהוָה צְבָאוֹת בְּנַפְשׁוֹ כִּי אִם־מִלֵּאתִיךְ אָדָם כַּיֶּלֶק וְעָנוּ עָלַיִךְ הֵידָד׃ ס

Jurou o Senhor dos Exércitos por si mesmo, dizendo: Encher-te-ei certamente de homens. Yahweh disse algo com um juramento, e o que ele dizia certamente aconteceria. Ele faria o exército medo-persa enfrentar o exército babilônico e ganhar a batalha. Seria uma quantidade prodigiosa de homens, como uma grande massa de gafanhotos, zumbindo em seu ataque. Ver no *Dicionário* o verbete intitulado *Praga de Gafanhotos,* para informações ilustrativas. Cf. Na 3.15. A figura se repete no vs. 27 deste mesmo capítulo. Os atacantes levantariam o temível grito de guerra que faria os babilônios estremecer (ver o vs. 29).

A SOBERANIA DE DEUS SOBRE A BABILÔNIA (51.15-26)

■ 51.15

עֹשֵׂה אֶרֶץ בְּכֹחוֹ מֵכִין תֵּבֵל בְּחָכְמָתוֹ וּבִתְבוּנָתוֹ נָטָה שָׁמָיִם׃

Ele fez a terra pelo seu poder; estabeleceu o mundo por sua sabedoria. Os vss. 15-19 são virtualmente iguais a Jr 10.12-16, onde ofereço a exposição da passagem. Jeremias salientou a soberania e o poder de Yahweh, que garantiriam a queda da Babilônia. Em Jr 10 é a idolatria que está sendo atacada. A soberania de Deus, eventualmente, porá fim à idolatria dos homens.

O vs. 15 é igual a Jr 10.12, onde dou a exposição. Ver no *Dicionário* o artigo chamado *Soberania de Deus*.

■ 51.16

לְקוֹל תִּתּוֹ הֲמוֹן מַיִם בַּשָּׁמַיִם וַיַּעַל נְשִׂאִים מִקְצֵה־אָרֶץ בְּרָקִים לַמָּטָר עָשָׂה וַיּוֹצֵא רוּחַ מֵאֹצְרֹתָיו׃

Fazendo ele ribombar o trovão, logo há tumulto de águas no céu. Este versículo é igual a Jr 10.13, onde ofereço a exposição. Ver o primeiro parágrafo das notas sobre o vs. 15, anteriormente, quanto às aplicações diferentes dos vss. 15-19 (= Jr 10.12-16). "O uso destes versículos visa fomentar a majestade daquele que decretou a destruição da Babilônia e apontou Israel como instrumento dessa destruição" (Ellicott, *in loc.*).

■ 51.17

נִבְעַר כָּל־אָדָם מִדַּעַת הֹבִישׁ כָּל־צֹרֵף מִפָּסֶל כִּי שֶׁקֶר נִסְכּוֹ וְלֹא־רוּחַ בָּם׃

Todo homem se tornou estúpido, e não tem saber. Este versículo é igual a Jr 10.14, onde ofereço a exposição correspondente. A Babilônia, nação idólatra, cheia de ignorância, embora se considerasse mais sábia que todas as outras nações, precisava cair juntamente com seus ídolos.

■ 51.18

הֶבֶל הֵמָּה מַעֲשֵׂה תַּעְתֻּעִים בְּעֵת פְּקֻדָּתָם יֹאבֵדוּ׃

Vaidade são, obra ridícula; no tempo do seu castigo virão a perecer. Este versículo é igual a Jr 10.15, onde ofereço a exposição. A Babilônia, tal como seus ídolos, era uma nulidade, e o tempo do julgamento divino contra ela tinha chegado. Esse povo pereceria com seus ídolos.

■ 51.19

לֹא־כְאֵלֶּה חֵלֶק יַעֲקוֹב כִּי־יוֹצֵר הַכֹּל הוּא וְשֵׁבֶט נַחֲלָתוֹ יְהוָה צְבָאוֹת שְׁמוֹ׃ ס

Não é semelhante a estas aquele que é a porção de Jacó. Este versículo é semelhante a Jr 10.16, exceto pelo fato de que a palavra "Israel" foi substituída pelos tradutores, que se basearam na palavra "Jacó", que aparece antes neste mesmo versículo. A palavra "Israel" é parte genuína do texto de Jr 10.16. A tradução inglesa NCV diz aqui: "Ele fez Israel ser o seu povo especial", mas isso não quer dizer que Israel era instrumento divino para o julgamento da Babilônia. A declaração é reforçada pelo título divino *Yahweh-Sabaote* (Deus Eterno, Senhor dos Exércitos). Os vss. 20 ss. apontam o exército medo-persa como o instrumento usado por Deus para destruir a Babilônia.

■ 51.20

מַפֵּץ־אַתָּה לִי כְּלֵי מִלְחָמָה וְנִפַּצְתִּי בְךָ גּוֹיִם וְהִשְׁחַתִּי בְךָ מַמְלָכוֹת׃

Tu, Babilônia, eras meu martelo e minhas armas de guerra. O exército medo-persa se tornara agora o *martelo* do julgamento nas mãos de Yahweh. Essa figura simbólica é usada em relação à Babilônia, em Jr 50.23. O novo martelo quebraria tudo em sua vereda, e a Babilônia estaria entre as vítimas do novo esmagamento. Nações e reinos seriam esmagados pela nova potência opressora, de modo que as guerras e as matanças continuariam, como que agindo pelas ordens de Yahweh, que usaria uma nação para trazer calamidades a outras. "Todos os obstáculos seriam esmagados na marcha vitoriosa dos conquistadores" (Ellicott, *in loc.*). Cf. Na 2.1 e Dn 2.44.

■ 51.21-23

וְנִפַּצְתִּי בְךָ סוּס וְרֹכְבוֹ וְנִפַּצְתִּי בְךָ רֶכֶב וְרֹכְבוֹ׃

וְנִפַּצְתִּי בְךָ אִישׁ וְאִשָּׁה וְנִפַּצְתִּי בְךָ זָקֵן וָנָעַר וְנִפַּצְתִּי בְךָ בָּחוּר וּבְתוּלָה׃

וְנִפַּצְתִּי בְךָ רֹעֶה וְעֶדְרוֹ וְנִפַּצְתִּי בְךָ אִכָּר וְצִמְדּוֹ וְנִפַּצְתִּי בְךָ פַּחוֹת וּסְגָנִים׃

Estes três versículos ampliam a metáfora do despedaçamento, iniciada no vs. 20. Os *exércitos* inimigos seriam destruídos (vs. 21), com os cavalos e seus cavaleiros, os carros de combate e seus cavaleiros. Os civis, tanto homens quanto mulheres, tanto jovens quanto idosos (vs. 22), seriam também esmagados pelo martelo. Os jovens, tanto os que eram soldados como os que não eram, também seriam transformados em pó. As jovens não seriam poupadas, pelo contrário, sofreriam brutalidade e violência. O verbo hebraico é *napas*, "despedaçar", ou seja, destruir totalmente. A ira de Yahweh não pouparia ninguém, mas se mostraria brutal e eficaz, conforme Ciro julgasse as nações, em concordância com a vontade divina. A força do verbo é multiplicada por sua repetição enfática. O *pastor* (o rei) não escaparia ao poder esmagador do martelo e sofreria com justiça, pois já tinha sido o martelo brandido pelas mãos de Yahweh (vs. 23). Seu rebanho, tanto de militares quanto de civis, seria pulverizado juntamente com o rei. Os simples agricultores, com seus animais domésticos e todos os empreendimentos agrícolas, seriam demolidos. Capitães do exército, juntamente com os governantes civis, estariam entre as vítimas. A longa lista das vítimas, que aparece nos vss. 20-23, exibe a universalidade do julgamento esmagador de Deus e sua total eficácia. "A lista exaure toda a espécie de sortes e condições de homens, e culmina com a classe dominante" (Ellicott, *in loc.*). A nação que não demonstrava compaixão quando era o martelo, não receberá compaixão quando se tornar a vítima de outro martelo.

> Não é mau. Que eles brinquem.
> Que os fuzis ladrem e que os bombardeiros
> Falem as suas blasfêmias prodigiosas.
> ....
> Quem se lembraria da face de Helena,
> Se lhe faltasse o terrível halo de lanças?
> ....
> Nunca chores. Que eles brinquem.
> A antiga violência não é antiga demais
> Para não ser capaz de gerar novos valores.
>
> Robinson Jeffers

Homero, em seu poema, *A Ilíada*, conta a história dos anciãos de Troia, sentados sobre uma muralha discutindo o ataque iminente dos gregos para obter a devolução de Helena, que tinha sido sequestrada. Ela era, como o leitor deve saber, a jovem que podia enviar ao mar mil navios, só de mostrar o rosto. Seja como for, os anciãos se queixavam da loucura de uma guerra na qual homens seriam mortos por causa de uma mulher. Eles recomendaram que Helena fosse devolvida aos gregos, acabando assim com a guerra, antes mesmo que esta começasse. Foi exatamente naquele momento que Helena passou andando. Os olhos de todos os anciãos a seguiram. Nenhum homem disse uma só palavra. Quando ela desapareceu, a conversação continuou. Os anciãos mudaram de ideia. Precisavam retê-la a qualquer custo.

■ 51.24

וְשִׁלַּמְתִּי לְבָבֶל וּלְכֹל יוֹשְׁבֵי כַשְׂדִּים אֵת כָּל־רָעָתָם אֲשֶׁר־עָשׂוּ בְצִיּוֹן לְעֵינֵיכֶם נְאֻם יְהוָה׃ ס

Pagarei à Babilônia, e a todos os moradores da Caldeia, toda a sua maldade. *Retribuição*. Toda aquela destruição (vss. 20-23) ocorreria para tirar vingança dos babilônios, por causa de toda a maldade que eles haviam praticado contra outros povos, especialmente contra Judá e, por consequência, contra Yahweh, o Deus dos judeus. Cf. isso com Jr 50.28 e 51.11. O que os ímpios babilônios tinham feito contra o templo e contra o culto a Yahweh não seria jamais esquecido. Ver do *Dicionário* os artigos *Retribuição* e *Lei Moral da Colheita segundo a Semeadura*.

■ 51.25

הִנְנִי אֵלֶיךָ הַר הַמַּשְׁחִית נְאֻם־יְהוָה הַמַּשְׁחִית אֶת־כָּל־הָאָרֶץ וְנָטִיתִי אֶת־יָדִי עָלֶיךָ וְגִלְגַּלְתִּיךָ מִן־הַסְּלָעִים וּנְתַתִּיךָ לְהַר שְׂרֵפָה׃

Eis que sou contra ti, ó monte que destróis, diz o Senhor. *O monte Destruidor*. Quanto a essa figura simbólica, cf. Dn 2.35,44,45. O reino dos céus, do Messias, será o reino final e esmagará a todos os demais reinos. Um *monte* é um símbolo apto para representar um reino. A Babilônia tinha sido um monstro destruidor, mas Yahweh estava cansado desse jogo. Ele estendeu a mão contra a destruidora Babilônia e a destruiu. Fez rolar esse monte como se fosse uma simples pedra, entrechocando-se com rochas, e a pedra foi esmagada enquanto rolava ladeira abaixo. Então se incendiou e foi totalmente consumida. Com essa metáfora mista, o autor sagrado falou da total ruína da anteriormente temida Babilônia. A destruição seria tão completa que outros povos nem se dariam ao trabalho de vir saquear o lugar. Foi assim que o monte destruidor se tornou o monte incendiado, por causa da vingança de Yahweh. Cf. Ap 18.8. O Targum refere-se à Babilônia aqui como a "cidade incendiada".

"*Monte destruidor* pode refletir a ideia do grande zigurate ou *torre do templo* da Babilônia, que se projetava na direção do céu. Estava em foco a própria Babilônia" (*Oxford Annotated Bible*, comentando sobre o vs. 25). Esse santuário, opondo-se ao culto de Yahweh, já tinha seus dias contados.

■ 51.26

וְלֹא־יִקְחוּ מִמְּךָ אֶבֶן לְפִנָּה וְאֶבֶן לְמוֹסָדוֹת כִּי־שִׁמְמוֹת עוֹלָם תִּהְיֶה נְאֻם־יְהוָה׃

De ti não se tirarão pedras, nem para o ângulo nem para fundamentos. A cidade da Babilônia seria reduzida a *escombros inúteis*. Nenhum homem tentaria salvar dali coisa alguma; ninguém tentaria saqueá-la ou estaria interessado em recolher as pedras do lugar para transformá-las em alicerces para novas edificações, civis (profanas) ou sagradas. O lugar seria reduzido à ruína perpétua.

Nem para o ângulo nem para fundamentos. Ou seja, para a construção de um palácio real, um templo para um deus, ou uma casa ornamentada de algum oficial do governo. Não haveria no local da antiga cidade da Babilônia nenhuma edificação importante. Mas as feras iriam até ali e escavariam suas covas ou construiriam seus ninhos.

■ 51.27

שְׂאוּ־נֵס בָּאָרֶץ תִּקְעוּ שׁוֹפָר בַּגּוֹיִם קַדְּשׁוּ עָלֶיהָ גּוֹיִם הַשְׁמִיעוּ עָלֶיהָ מַמְלְכוֹת אֲרָרַט מִנִּי וְאַשְׁכְּנָז פִּקְדוּ עָלֶיהָ טִפְסָר הַעֲלוּ־סוּס כְּיֶלֶק סָמָר׃

Arvorai estandarte na terra, tocai trombeta entre as nações. Os nomes próprios locais identificam povos que habitavam ao norte da Babilônia e foram conquistados pelos medo-persas no século VI a.C. *Ararate* é a Urartu das inscrições assírias, mais ou menos o equivalente à Armênia, ao norte do lago Van. *Mini* são os mesmos manaeanos das inscrições assírias, que viviam ao sul do lago Urmia. *Asquenaz* talvez contenha um erro escribal para *Ashkuz*, os citas, que mais ao ocidente se tornaram conhecidos como povos germânicos. Esses três povos são convocados para ajudar os medos (vs. 28) na batalha contra a Babilônia. Ver no *Dicionário* artigos sobre esses povos, quanto a detalhes. Esses povos tinham a reputação de gostar das lides da guerra, e estavam ansiosos por juntar-se à diversão. Eles seguiriam alegremente a bandeira que os lideraria à batalha.

51.28,29

קַדְּשׁוּ עָלֶיהָ גוֹיִם אֶת־מַלְכֵי מָדַי אֶת־פַּחוֹתֶיהָ וְאֶת־
כָּל־סְגָנֶיהָ וְאֵת כָּל־אֶרֶץ מֶמְשַׁלְתּוֹ:

וַתִּרְעַשׁ הָאָרֶץ וַתָּחֹל כִּי קָמָה עַל־בָּבֶל מַחְשְׁבוֹת
יְהוָה לָשׂוּם אֶת־אֶרֶץ בָּבֶל לְשַׁמָּה מֵאֵין יוֹשֵׁב:

Consagrai contra ela as nações, os reis dos medos, os seus governadores. O vs. 28 repete a ideia do vs. 27, sem os nomes próprios locais. Os medos estariam entre as nações que derrotariam a Babilônia. Seria uma guerra planejada. Os senhores dos medos, seus vários oficiais, militares e civis, fariam parte do plano e ajudariam a executá-lo. A Babilônia seria transformada em terra desértica, *desabitada*, finalmente (vs. 29). Cf. isso com Jr 50.3, onde comento a questão. Ver também Jr 50.13,39,40 e 51.43. A marcha do exército medo-persa faria estremecer a terra, e os babilônios tremeriam de medo, porquanto havia terminado a época da Babilônia. Em contraste com o estremecer da terra e do povo, os propósitos de Yahweh permaneceriam firmes e inabaláveis, o que provê uma ótima antítese. Yahweh é Sabaote, o Senhor dos Exércitos, bem como o executor mestre dos planos de batalha. A Babilônia fora antes o *servo* do Senhor (ver Jr 25.9; 27.6; 43.10). Mas agora esse privilégio passara a Ciro, o novo látego divino naquela região do mundo.

51.30

חָדְלוּ גִבּוֹרֵי בָבֶל לְהִלָּחֵם יָשְׁבוּ בַּמְּצָדוֹת נָשְׁתָה
גְבוּרָתָם הָיוּ לְנָשִׁים הִצִּיתוּ מִשְׁכְּנֹתֶיהָ נִשְׁבְּרוּ
בְרִיחֶיהָ:

Os valentes da Babilônia cessaram de pelejar, permanecem nas fortalezas. O ataque foi desfechado com tal surpresa que os babilônios não tiveram tempo para se preparar. Os soldados medo-persas até pareciam sair da terra. Os homens, antes temidos, agora recuavam e tremiam como mulheres (ver Jr 48.41; 50.37 e Is 19.16). Entrementes, os atacantes prosseguiam com seu propósito, rompendo as defesas e incendiando a cidade toda. Estamos falando de acontecimentos "eventuais" (ver Jr 50.3), visto que as descrições vão além dos ataques iniciais do exército medo-persa. Ver as notas expositivas em Jr 50.39. A cidade foi inicialmente conquistada por estratagema, quando Ciro desviou as águas do Eufrates de seu leito. Essas águas atravessavam a cidade, e ele fez seu exército passar pela abertura assim feita nas muralhas da cidade, entrando nela às escondidas, à noite. Ele surpreendeu completamente os babilônios e não foi obrigado a fazer grande destruição na cidade, pelo menos no começo.

51.31

רָץ לִקְרַאת־רָץ יָרוּץ וּמַגִּיד לִקְרַאת מַגִּיד לְהַגִּיד
לְמֶלֶךְ בָּבֶל כִּי־נִלְכְּדָה עִירוֹ מִקָּצֶה:

Sai um correio ao encontro de outro correio, um mensageiro ao encontro de outro mensageiro. Este versículo quase certamente diz respeito ao ataque inicial, de surpresa. A palavra foi espalhada por corredores, dizendo que um poderoso inimigo já estava no meio da cidade. Mas a mensagem foi dada tarde demais, e os babilônios nem puderam reunir forças para oferecer resistência. A expressão sobre os correios e os mensageiros tem por intuito falar da *confusão* estabelecida no processo de advertências. Em vez de dar a notícia aos oficiais do exército, para que este fosse mobilizado, eles continuavam correndo de um para o outro. Heródoto (*Hist.* 1) conta uma história similar. Ver Dn 5.1-30. Esta última passagem narra vividamente a ridícula situação. Heródoto informa que os arrabaldes da cidade foram tomados antes que os oficiais, no centro da cidade, ao menos soubessem que estava ocorrendo uma invasão (*Hist.* 1, cap. 191). Aristóteles (*Polic.* 50.3.c) disse que um dos extremos da cidade foi capturado três dias antes que a outra extremidade soubesse das notícias.

51.32

וְהַמַּעְבָּרוֹת נִתְפָּשׂוּ וְאֶת־הָאֲגַמִּים שָׂרְפוּ בָאֵשׁ וְאַנְשֵׁי
הַמִּלְחָמָה נִבְהָלוּ: ס

Que os vaus estão ocupados, e as defesas queimadas a fogo. "Os lugares de travessia do rio tinham sido capturados. Os lugares alagadiços se incendiavam. Todos os soldados da Babilônia estavam terrivelmente amedrontados" (NCV). Alguns fazem referências às barcaças que cruzavam o rio, que tinham sido postas fora de uso pelos invasores. Ao lado das barcaças de travessia, havia uma ponte que atravessava o rio, localizado no meio, e um túnel que passava por baixo do rio (Heródoto, *Hist.* i.186). Os invasores apossaram-se de todos os meios de transporte e comunicação, paralisando a cidade. "Depois de desviar o curso do rio, Ciro queimou a paliçada de árvores densas (os *juncos* de certas traduções) nas margens do rio. O incêndio dessas árvores dava a aparência de que o próprio rio estava pegando fogo" (Fausset, *in loc.*). O original hebraico é obscuro, pelo que há várias tentativas de tradução do que aconteceu com exatidão. A variedade de coisas que aconteciam simultaneamente, de mistura com o incêndio furioso, lançou medo no coração dos possíveis defensores, pelo que a defesa se debilitou e falhou completamente.

51.33

כִּי כֹה אָמַר יְהוָה צְבָאוֹת אֱלֹהֵי יִשְׂרָאֵל בַּת־בָּבֶל
כְּגֹרֶן עֵת הִדְרִיכָהּ עוֹד מְעַט וּבָאָה עֵת־הַקָּצִיר לָהּ:

A filha da Babilônia é como a eira quando é aplanada e pisada. A cidade da Babilônia tornou-se como uma eira, onde os colmos das plantas são pisados ao chão e reduzidos a pó, ou como a palha que o vento sopra para longe (ver Jr 51.2). A filha da Babilônia foi sujeitada a abusos esmagadores, pois o tempo da colheita tinha chegado. "A Babilônia era uma área repisada para prepará-la para a debulha e o padejamento. O povo babilônico compreendeu que tinha chegado a eles a colheita divina" (Charles H. Dyer, *in loc.*). A *debulha* é o processo mediante o qual o grão é batido com uma vara ou uma máquina, para separá-lo da palha. E o padejamento é o processo seguinte: lançar a massa do cereal no ar, dando a chance de o vento levar a palha, enquanto o grão cai no solo. Até mesmo esses processos agrícolas são transformados em figuras, aplicadas aos homens — uma *extrema violência* é o que está em pauta. "A roda do trilho passara sobre ela. Ela foi pisada aos pés" (Adam Clarke, *in loc.*). A *colheita* foi realizada por atos de violência, e as riquezas da Babilônia passaram para o exército medo-persa como salário.

51.34

אֲכָלַנוּ הֲמָמַנוּ נְבוּכַדְרֶאצַּר מֶלֶךְ בָּבֶל הִצִּיגָנוּ
כְּלִי רִיק בְּלָעָנוּ כַּתַּנִּין מִלָּא כְרֵשׂוֹ מֵעֲדָנָי
הֱדִיחָנוּ

Nabucodonosor, rei da Babilônia, nos devorou, esmagou-nos e fez de nós um objeto inútil. Vítimas de Nabucodonosor agora repassavam o que lhes havia acontecido e proferiam maldição contra a Babilônia, esperando que o que lhes tinha acontecido também acontecesse aos babilônios. Foi assim que se cumpriu a *Lex Talionis* (ver a respeito no *Dicionário*), ou seja, a retribuição conforme a gravidade do crime cometido, ao mesmo tempo que foi servida a *Lei Moral da Colheita segundo a Semeadura*. Ver no *Dicionário* o artigo sobre esse assunto. A violência da Babilônia contra as suas vítimas era *esmagadora*, pois ela sempre lançava mão de uma forma de genocídio. Era como um *leão* que devorava um animal impotente e indefeso. Uma vez que o *monstro* devorasse toda a parte comestível de sua vítima, ele vomitava o resto, conforme fazem alguns animais ferozes com os ossos de suas vítimas. Com essa variedade de figuras simbólicas, o autor descreveu o que a Babilônia tinha feito com os países vizinhos. Agora aqueles povos queriam vingança e, assim, pronunciaram uma maldição contra a Babilônia, desejando que aquilo que lhes havia acontecido fosse feito aos babilônios, pelo novo *monstro internacional*, o exército medo-persa.

As vítimas da Babilônia foram como vasos que o *oleiro louco*, a Babilônia, quebrou, por não estar satisfeito com eles. O vaso tornou-se *vazio*, uma alusão à prática de transportar para a Babilônia os poucos sobreviventes de um povo vitimado, para alimentar o mercado de escravos e prover trabalho gratuito para os projetos de construção. E as mulheres mais bonitas engrossavam os haréns dos ricos e poderosos babilônios.

51.35

חֲמָסִ֤י וּשְׁאֵרִי֙ עַל־בָּבֶ֔ל תֹּאמַ֖ר יֹשֶׁ֣בֶת צִיּ֑וֹן וְדָמִי֙ אֶל־יֹשְׁבֵ֣י כַשְׂדִּ֔ים תֹּאמַ֖ר יְרוּשָׁלָֽ͏ִם׃ ס

A violência que se me fez a mim e à minha carne caia sobre Babilônia. De acordo com a *Lex Talionis* (ver a respeito no vs. 34), a *violência produzida pelos babilônios* haveria de funcionar como um bumerangue contra eles mesmos. Sião (Jerusalém) fora uma das vítimas especiais daquele povo brutal, pelo que foi proferida a maldição de que eles teriam de pagar pelo sangue que haviam derramado. *Sião* fala aqui sobre o templo e o culto a Yahweh, e atacá-los era o sacrilégio supremo (ver as notas sobre Jr 50.28 e 51.11). Ver no *Dicionário* o verbete chamado *Retribuição*.

"Embora os caldeus tivessem sido o instrumento de Deus para punir os judeus, por sua vez, sendo eles excessivamente ímpios, deviam agora sofrer por toda a carnificina e por todo o sangue que haviam derramado" (Adam Clarke, *in loc.*).

51.36

לָכֵ֗ן כֹּ֤ה אָמַר֙ יְהוָ֔ה הִנְנִי־רָב֙ אֶת־רִיבֵ֔ךְ וְנִקַּמְתִּ֖י אֶת־נִקְמָתֵ֑ךְ וְהַחֲרַבְתִּי֙ אֶת־יַמָּ֔הּ וְהֹבַשְׁתִּ֖י אֶת־מְקוֹרָֽהּ׃

Eis que pleitearei a tua causa, e te vingarei da vingança que se tomou contra ti. Yahweh ouviu os clamores pedindo vingança (vss. 34,35), e agora respondia, assegurando que a Babilônia seria a vítima da violência e experimentaria a mesma coisa que tinha feito contra outros. O *mar* da Babilônia secaria, o que tem sido compreendido pelos intérpretes de diferentes maneiras:

1. O Eufrates era um rio caudaloso, que poderia ser chamado de mar, de acordo com o uso dos antigos e, se esse é o caso, está em pauta o estratagema de Ciro, o qual entrou na cidade da Babilônia desviando as águas desse rio. Ver sobre isso nos vss. 30,31.
2. Ou então o mar aponta para os vastos tesouros a serem saqueados, os quais eram como o mar quase interminável.
3. Em Is 21.1, a Babilônia é descrita como o *deserto do mar,* o que talvez signifique que aquele lugar seria reduzido a um deserto, em face do julgamento imposto por Yahweh.
4. Ou então está em foco a ideia de que o mar de águas, o rio Eufrates e seus canais, *secaria,* tornando o lugar estéril e desabitado.

51.37

וְהָיְתָ֨ה בָבֶ֧ל ׀ לְגַלִּ֛ים ׀ מְעוֹן־תַּנִּ֖ים שַׁמָּ֣ה וּשְׁרֵקָ֑ה מֵאֵ֖ין יוֹשֵֽׁב׃

Babilônia se tornará em montões de ruínas, morada de chacais. Este versículo repete figuras familiares: a cidade da Babilônia ficaria desabitada, reduzida a um montão de escombros. Ver Jr 50.13,39 e o vs. 26 do presente capítulo. O território seria, em seguida, ocupado por animais ferozes, que ali fariam suas covas e ninhos, conforme se vê em Jr 9.11 (aplicado a Jerusalém) e Jr 49.33 (aplicado aos árabes). Seria uma maldição contra a qual aqueles que passassem assobiariam e zombariam, espantados diante do que contemplavam. Quanto a isso, ver Jr 25.9,18. Cf. Is 13.21,22. O trecho de Jr 50.13 também encerra essas ideias aplicadas à Babilônia. "Nada caracterizava mais o local onde antes estivera a cidade da Babilônia, do que os *montões* de cacos de tijolos, fragmentos de argila e barro, que agora jaziam espalhados por toda a parte" (Ellicott, *in loc.*).

51.38

יַחְדָּ֖ו כַּכְּפִרִ֣ים יִשְׁאָ֑גוּ נָעֲר֖וּ כְּגוֹרֵ֥י אֲרָיֽוֹת׃

Ainda que juntos rujam como leões, e rosnem como cachorros de leões. Estas palavras nos remetem a um tempo *antes* do ataque dos medo-persas, e mostram a cena de orgia que antecedeu à calamidade. Os príncipes da Babilônia eram como *jovens leões* (ver Am 3.4), rosnando por sobre suas vítimas, tanto as que já tinham feito como as que ainda fariam. Provavelmente temos aqui uma alusão a Belsazar e seus festejos insensatos, às vésperas do ataque do exército medo-persa. Quando a Babilônia caiu, os príncipes insensatos rosnavam como leões estúpidos, gritando em sua orgia de vinho (ver Dn 5.4). Marchi, de modo pitoresco, falou sobre o zurro dos asnos, e não sobre o rugido dos leões, como característica dos príncipes da Babilônia.

51.39

בְּחֻמָּ֞ם אָשִׁ֣ית אֶת־מִשְׁתֵּיהֶ֗ם וְהִשְׁכַּרְתִּים֙ לְמַ֣עַן יַעֲלֹ֔זוּ וְיָשְׁנ֥וּ שְׁנַת־עוֹלָ֖ם וְלֹ֣א יָקִ֑יצוּ נְאֻ֖ם יְהוָֽה׃

Estando eles esganados, preparar-lhes-ei um banquete, embriagá-los-ei para que se regozijem... Os babilônios, embriagados com seu vinho e seus festins, continuariam festejando e bebendo, bebendo e festejando. Agora passavam por um estupor provocado pelas bebidas alcoólicas. Isso se tornaria um sono perpétuo, do qual não acordariam. Em outras palavras, eles terminariam mortos. "Quando os que se entregam à orgia estivessem quentes com o vinho e a concupiscência (cf. Os 7.4-7), Yahweh os chamaria para um banquete diferente. O cálice de vinho que ele lhes daria seria o vinho de sua ira (ver Jr 25.16,17), e a alegria do álcool terminaria no sono eterno. Por isso Heródoto (*Hist.* i.191) narrou que, quando Ciro tomou a cidade da Babilônia com seu estratagema, os habitantes observavam uma festa com seu usual deboche e costumes de orgia. Xenofonte (*Cyropaed.* vii.23) disse algo similar" (Ellicott, *in loc.*). Diz o Targum aqui: "Morre a segunda morte e não vivas no mundo vindouro", mas essa declaração vai além das implicações teológicas do versículo. Ver o vs. 57 e ss. Cf. Jr 49.12; Is 51.17 e Lm 4.21.

51.40

אֽוֹרִידֵ֖ם כְּכָרִ֣ים לִטְב֑וֹחַ כְּאֵילִ֖ים עִם־עַתּוּדִֽים׃

Fá-los-ei descer como cordeiros ao matadouro, como carneiros e bodes. Uma figura simbólica é empregada para indicar o fim desanimador do império babilônico. Esse império seria sacrificado como cordeiros e bodes. Cf. Jr 50.45. Os libertinos agora seriam vítimas da casa de abate (ver Jr 48.15 e 50.27). "Tal como os *touros* de Jr 50.27 representam os guerreiros escolhidos, assim também os cordeiros, os carneiros e os bodes representam diferentes classes da população babilônica (ver Is 34.6; Ez 39.18). Todas essas classes seriam entregues, igualmente, à espada" (Ellicott, *in loc.*).

51.41

אֵ֚יךְ נִלְכְּדָ֣ה שֵׁשַׁ֔ךְ וַתִּתָּפֵ֖שׂ תְּהִלַּ֣ת כָּל־הָאָ֑רֶץ אֵ֣יךְ הָיְתָ֧ה לְשַׁמָּ֛ה בָּבֶ֖ל בַּגּוֹיִֽם׃

Como foi tomada Babilônia e apanhada de surpresa a glória de toda a terra! Algumas traduções, em lugar de "Babilônia", dizem aqui "Sesaque". Essa palavra é um *athbash* para *Babilônia*. Ver as notas sobre Jr 51.1 quanto a esse código literário. Ver também Jr 25.26 para maiores detalhes. A Babilônia caíra e fora "tomada", tornando-se cativa dos invasores. Aquela potência, a quem o mundo inteiro louvara, seja gratuitamente, por causa de seu poder e riquezas, seja de maneira forçada, por terem sido sujeitados contra a própria vontade, agora se tornara um *horror* para o mundo inteiro. A Babilônia tinha sido desgraçada, humilhada e envergonhada. O império babilônico se tornara motivo de *espanto* para outros povos. A maioria desses povos estava alegre, porquanto a Babilônia tinha sido a grande perseguidora dos fracos. Eles se riam e zombavam das potências menores. Cf. o vs. 37. A fera orgulhosa fora conquistada e executada na armadilha do exército medo-persa.

51.42

עָלָ֥ה עַל־בָּבֶ֖ל הַיָּ֑ם בַּהֲמ֥וֹן גַּלָּ֖יו נִכְסָֽתָה׃

O mar é vindo sobre Babilônia, coberta está com o tumulto das suas ondas. É empregada aqui outra figura simbólica. O exército medo-persa era *como o mar* que tivesse inundado suas praias e avançado contra a Babilônia como poderosa maré. Suas ondas tumultuadas em breve encobriram aquele lugar, que foi obliterado pelo poder das águas. "A Babilônia desapareceria como o mar se tivesse elevado sobre ela, encobrindo-a" (Charles H. Dyer, *in loc.*). As inundações do rio Eufrates podem estar sendo aludidas aqui. Cf. uma figura simbólica semelhante, aplicada ao Egito, em Jr 46.7,8, onde estão em foco as inundações do Nilo, pintando seu exército brutal, que dominava seus vizinhos. Ver, igualmente, o soerguimento das águas em Jr 47.2 e Is 8.7,8. Houve ocasião em que a Babilônia se precipitara como maré contra outros povos. Agora ela é que seria invadida pela maré de outra potência. Talvez haja aqui uma antítese entre o desvio das águas do rio Eufrates, por parte de Ciro, a fim de obter acesso à cidade, com a invasão resultante, como as marés dos mares. Uma água substituiu a outra. Ver as notas expositivas em Jr 51.3.

■ 51.43

הָיוּ עָרֶיהָ לְשַׁמָּה אֶרֶץ צִיָּה וַעֲרָבָה אֶרֶץ לֹא־יֵשֵׁב בָּהֵן כָּל־אִישׁ וְלֹא־יַעֲבֹר בָּהֵן בֶּן־אָדָם׃

Tornaram-se as suas cidades em desolação, terra seca e deserta. Ver o vs. 28 quanto a uma mensagem similar concernente à desabitada Babilônia. Ver também Jr 50.39,40; 51.29,37,43, 62 quanto ao mesmo tema. A cidade da Babilônia estava destinada a tornar-se um deserto, um lugar que não seria visitado por muitas pessoas e, mesmo que fosse visitado, seria apenas usado como parada no caminho. O país seria devorado pela água ou requeimado pelo sol, um lugar de horror, uma *arabá* (conforme diz literalmente o original hebraico), termo que usualmente se refere ao deserto da Arábia, também chamado por esse nome. "O *dilúvio* dos invasores a deixaria um deserto", é a declaração paradoxal do profeta. Nenhum ser humano habitaria ali, e até mesmo os que passassem pelo lugar o fariam apressadamente (ver Jr 50.12,39).

■ 51.44

וּפָקַדְתִּי עַל־בֵּל בְּבָבֶל וְהֹצֵאתִי אֶת־בִּלְעוֹ מִפִּיו וְלֹא־יִנְהֲרוּ אֵלָיו עוֹד גּוֹיִם גַּם־חוֹמַת בָּבֶל נָפָלָה׃

Castigarei a Bel em Babilônia, e farei que lance de sua boca o que havia tragado. Quanto às principais divindades da Babilônia, *Bel* e *Marduque*, ver Jr 50.2. Os idólatras babilônios teriam de ser punidos, e assim também aconteceria a seus deuses, que seriam despedaçados, ficando assim demonstrado que eram divindades de nada. O deus Bel teria de vomitar o que havia engolido, ou seja, muitos povos, que foram mortos, enquanto o remanescente desses povos foi para o cativeiro. Esse deus é pintado como monstro devorador, cujo estômago estava cheio de vítimas. No vs. 34, Nabucodonosor aparece como quem havia devorado a muitos povos, tendo enchido o ventre com riquezas de vários tipos desses povos. Mais antigamente havia peregrinações de povos que iam aos santuários de Bel, na Babilônia. Mas agora ninguém se daria ao trabalho de visitar os esconderijos de um ídolo partido em pedaços. Houve tempo em que as nações *fluíam* para a cidade da Babilônia, como se fossem um rio, mas esse rio agora secara completamente no deserto (Babilônia, vs. 43). As *muralhas* (defesas) do império babilônico tinham caído, e Bel não foi capaz de impedir essa destruição. A cidade tornou-se apenas nome de um credo desgastado e morto. "As muralhas cessarão de servir de defesa, e embolorarão até que, no processo do tempo, não sejam mais discerníveis" (Adam Clarke, *in loc.*).

"Na antiguidade, a queda de um país era vista como a derrota de seu(s) deus(es). Cf. Is 37.12" (*Oxford Annotated Bible*, comentando sobre este versículo).

■ 51.45

צְאוּ מִתּוֹכָהּ עַמִּי וּמַלְּטוּ אִישׁ אֶת־נַפְשׁוֹ מֵחֲרוֹן אַף־יְהוָה׃

Saí do meio dela, ó povo meu, e salve cada um a sua vida do brasume da ira do Senhor. "A repetição constante dessa mesma recomendação (ver Jr 50.8; 51.6,45) subentende a grande preocupação de Deus pelo seu povo, tal como Ló se demorava em Sodoma, às vésperas da destruição dessa cidade, até que o anjo do Senhor o tomou e o forçou a sair dali (ver Gn 19.16,17)" (Fausset, *in loc.*). Ver nos lugares citados as notas expositivas que não repito aqui. A feroz ira de Yahweh estava dirigida contra a Babilônia. Pessoas inocentes poderiam postar-se no caminho (conforme realmente sucedeu), sofrendo junto com os opressores. É provável que o chamado urgente para fugir tenha chegado também aos que se contentavam em permanecer no lugar, depois que Ciro se apossou da cidade. E haveria ainda outras destruições que os judeus deveriam evitar, voltando a Jerusalém. Ver as notas expositivas sobre Jr 50.39. A cidade da Babilônia estava sob maldição divina; suas tribulações se multiplicariam, e não diminuiriam de intensidade. O povo de Deus, entretanto, deveria sair do território da maldição.

■ 51.46

וּפֶן־יֵרַךְ לְבַבְכֶם וְתִירְאוּ בַּשְּׁמוּעָה הַנִּשְׁמַעַת בָּאָרֶץ וּבָא בַשָּׁנָה הַשְּׁמוּעָה וְאַחֲרָיו בַּשָּׁנָה הַשְּׁמוּעָה וְחָמָס בָּאָרֶץ וּמֹשֵׁל עַל־מֹשֵׁל׃

Não desfaleça o vosso coração, não temais o rumor que se há de ouvir na terra. Este versículo quase certamente reflete o fato de um *contínuo desassossego* e da destruição na cidade da Babilônia, fora do ataque inicial de Ciro, que comento em Jr 50.39. A cidade da Babilônia só descansaria quando se tornasse um ermo, um lugar desabitado, conforme fora predito. Ver as notas sobre o vs. 43. Ano após ano haveria guerras e rumores de guerras. Os judeus não deveriam permanecer na cidade da Babilônia, ocupados no comércio e na busca de riquezas. Aqueles que se recusassem a voltar a Jerusalém, quando o decreto de Ciro permitisse o retorno dos judeus, seriam apanhados em outra voragem de violências. Mas aqueles que obedecessem à ordem de sair da cidade não tinham razão alguma para temer os tumultos. Antes, estariam ocupados, ajudando a reconstruir Jerusalém.

Alguns estudiosos encaram esses rumores como ocorridos *antes* do ataque inicial de Ciro. Nesse caso, os cativos na Babilônia deveriam demonstrar coragem e alegrar-se que as guerras continuassem, pois isso significaria a liberdade para eles. Ciro conquistaria a Babilônia e então libertaria os judeus. Mas tribulações ocorreriam, antes do livramento.

Dominador contra dominador. "Ou seja, um após o outro, dentro de um curto prazo... dois antes de Belsazar, então Dario e, depois dele, Ciro" (John Gill, *in loc.*). Também haveria conflitos e matanças interiores, jogos de poder, grande agitação — tudo porque um império estava morrendo.

■ 51.47

לָכֵן הִנֵּה יָמִים בָּאִים וּפָקַדְתִּי עַל־פְּסִילֵי בָבֶל וְכָל־אַרְצָהּ תֵּבוֹשׁ וְכָל־חֲלָלֶיהָ יִפְּלוּ בְתוֹכָהּ׃

Portanto, eis que vêm dias, em que castigarei as imagens de escultura da Babilônia. Este versículo reitera predições que já tínhamos visto — o julgamento da Babilônia e suas falsas divindades. A queda de uma terra era vista como a derrota de seu(s) deus(es). Ver os vss. 2 e 44, bem como Is 37.12. O tema é repetido no vs. 52 deste mesmo capítulo. Este versículo fala de imenso morticínio do qual poucos escapariam, o tema principal dos capítulos 50 e 51.

A terra inteira se tornará uma desgraça. Haverá muitos cadáveres jazendo ao redor, por toda a parte.

NCV

■ 51.48

וְרִנְּנוּ עַל־בָּבֶל שָׁמַיִם וָאָרֶץ וְכֹל אֲשֶׁר בָּהֶם כִּי מִצָּפוֹן יָבוֹא־לָהּ הַשּׁוֹדְדִים נְאֻם־יְהוָה׃

Os céus e a terra, e tudo quanto neles há, jubilarão sobre Babilônia. Não somente as nações circunvizinhas, mas também as hostes celestes irromperão em hinos de alegria diante da destruição do império babilônico. O inimigo do *norte* (ver as notas sobre Jr 50.3) moeria a Babilônia até reduzi-la a pó. Contrastar essa "alegria por causa da matança" com a alegria dos céus pela doação de uma vida pelos pecadores (ver Lc 15.10): "Eu vos afirmo que, de igual modo, há júbilo diante dos anjos de Deus por um pecador que se arrepende".

Quanto ao ato de *cantar diante da destruição*, cf. Is 14.7-13. Ver também Is 44.23 e Ap 18.20. Naturalmente, o julgamento é um dedo da amorosa mão de Deus, um elemento necessário para o aprimoramento. Deus pode fazer certas coisas melhor através do julgamento do que por qualquer outro meio. Ver no *Novo Testamento Interpretado* os comentários sobre 1Pe 4.6.

A CERTEZA DA QUEDA DA BABILÔNIA (51.49-53)

■ 51.49

גַּם־בָּבֶל לִנְפֹּל חַלְלֵי יִשְׂרָאֵל גַּם־לְבָבֶל נָפְלוּ חַלְלֵי
כָל־הָאָרֶץ׃

Como Babilônia fez cair traspassados os de Israel, assim em Babilônia cairão traspassados os de toda a terra. A *Lex Talionis* (retribuição segundo a gravidade do crime cometido; ver a respeito no *Dicionário*) garante que o sangue derramado por alguém fará com que o sangue do criminoso também seja derramado. Israel tinha caído e sangrado. Portanto, a Babilônia também teria de cair e sangrar. A Babilônia fez incontável número de outras vítimas e, embora essas outras vítimas fossem povos pagãos, ela também teria de pagar por esses crimes. A lei da colheita segundo a semeadura faz parte do governo moral de Yahweh no mundo. O Senhor aplica sua providência negativa e sua providência positiva. Ver no *Dicionário* os artigos intitulados *Providência de Deus* e *Lei Moral da Colheita segundo a Semeadura*.

"Aqueles que amaldiçoassem a Abraão também deveriam ser amaldiçoados" (Gn 12.2,3). Cf. Ap 13.7,10.

■ 51.50

פְּלֵטִים מֵחֶרֶב הִלְכוּ אַל־תַּעֲמֹדוּ זִכְרוּ מֵרָחוֹק אֶת־
יְהוָה וִירוּשָׁלִַם תַּעֲלֶה עַל־לְבַבְכֶם׃

Vós, que escapastes da espada, ide-vos, não pareis. O remanescente que escapou da espada dos babilônios e foi levado para o cativeiro na Babilônia, não podia esquecer Yahweh. Passados setenta anos de cativeiro (ver Jr 25.11,12), o decreto de Ciro deixaria os judeus livres para voltar à sua terra natal, e eles deveriam retornar. Eles não tinham de continuar naquele país estrangeiro, a despeito da boa vida que muitos conseguiram construir ali. "A destruição da Babilônia seria o catalisador que Deus usaria para trazer os judeus de volta para sua pátria" (Charles H. Dyer, *in loc.*). O povo de Deus sempre deve relembrar o Ser divino, bem como o culto a Yahweh, estando eles em cativeiro ou em liberdade. Isso deve ser uma constante espiritual. Sl 137.5,6 mostra que pelo menos alguns judeus não esqueceram suas raízes e suas responsabilidades, seus privilégios e sua posição distinta como servos de Yahweh. Quanto à distinção de Israel dentre as nações por causa da lei, ver Dt 4.4-8.

■ 51.51

בֹּשְׁנוּ כִּי־שָׁמַעְנוּ חֶרְפָּה כִּסְּתָה כְלִמָּה פָּנֵינוּ כִּי בָּאוּ
זָרִים עַל־מִקְדְּשֵׁי בֵּית יְהוָה׃ ס

Direis: Envergonhados estamos, porque ouvimos opróbrio. Vergonha, reprimenda e zombarias eram as constantes diárias que os judeus sofriam no cativeiro babilônico. Os *estrangeiros* eram pagãos do tipo mais brutal e vil que poderia haver, e tudo faziam para prejudicar e perseguir Judá. Eles demoliram a Jerusalém e não pouparam o templo, que arruinaram e então incendiaram (ver Jr 50.28; 51.11). Dessa maneira, o nome e a reputação de Yahweh foram atingidos, e não apenas o nome e a reputação dos judeus. Era inevitável, pois, que a Babilônia e seus deuses falsos recebessem idêntico tratamento (ver Jr 51.2,44,47; Is 37.12). Os profanadores teriam de sofrer profanações.

■ 51.52

לָכֵן הִנֵּה־יָמִים בָּאִים נְאֻם־יְהוָה וּפָקַדְתִּי עַל־
פְּסִילֶיהָ וּבְכָל־אַרְצָהּ יֶאֱנֹק חָלָל׃

Portanto, eis que vêm dias, diz o Senhor, em que castigarei as suas imagens de escultura. Este versículo repete o que vemos nos vss. 2,44,47 e 51. Virando-se as páginas do tempo, chegaria o *dia da vingança*. Os julgamentos impostos por Yahweh seriam severos. Os homens e seus deuses de mentira cairiam nesse julgamento divino. O gemido horrendo dos feridos que estavam prestes a morrer seria ouvido por toda a Babilônia. Seriam os gemidos dos amaldiçoadores, que estavam sendo agora amaldiçoados. "As dúvidas levantadas pela destruição do templo, que muitos judeus piedosos tinham declarado não poderia acontecer (um problema que também figura no livro de Ezequiel), seriam aliviadas pela certeza, dada por Deus, de que a Babilônia, que havia contaminado os lugares santos, certamente seria castigada" (*Oxford Annotated Bible*, comentando sobre os vss. 50-58).

■ 51.53

כִּי־תַעֲלֶה בָבֶל הַשָּׁמַיִם וְכִי תְבַצֵּר מְרוֹם עֻזָּהּ מֵאִתִּי
יָבֹאוּ שֹׁדְדִים לָהּ נְאֻם־יְהוָה׃ ס

Ainda que Babilônia subisse aos céus... de mim viriam destruidores contra ela, diz o Senhor. A Babilônia era autoexaltada e exaltada por outros povos por causa de seu poder e riquezas. Ela subiu até os céus, como se fosse uma nação composta por deuses, e parecia invencível. Isso, entretanto, não faria estacar o exército medo-persa, o novo instrumento dos julgamentos de Deus contra as nações. Os homens costumam exaltar a si mesmos, mas o poder divino se manifesta contra tal insensatez. A Babilônia era como uma nova torre de Babel, que ameaçava a paz de Deus e de seu exército celestial. Tudo aquilo, entretanto, era mera ilusão. Algumas das muralhas da Babilônia elevavam-se somente a 22,90 m, mas outras elevavam-se tanto quanto a 102 m. Dizia certa inscrição achada na cidade da Babilônia: "Para dificultar mais ainda o ataque de algum inimigo contra Imgur Bel, construí uma muralha indestrutível em volta da Babilônia. Construí um bastião como se fosse uma montanha" (Oppert, *Exped. en Mesop.* 1.p. parte 32, no livro *Records of the Past*, v. pág. 131). Cf. Ob 4 e Am 9.2.

RETRIBUIÇÃO NA MESMA MOEDA (51.54-58)

■ 51.54

קוֹל זְעָקָה מִבָּבֶל וְשֶׁבֶר גָּדוֹל מֵאֶרֶץ כַּשְׂדִּים׃

Da Babilônia se ouvem gritos, e da terra dos caldeus o ruído de grande destruição. Gritos de angústia foram ouvidos pelo profeta Jeremias quando ele descrevia a queda da cidade da Babilônia. Ele convidou os leitores a ouvir esses ruídos e a temer o Deus do céu. Havia os ruídos feitos pelos cavalos, pelos carros de combate e pelos gritos de batalha. A cidade da Babilônia se transformou em escombros, em meio ao derramamento de sangue. O lugar estava repleto de cadáveres, e os feridos gemiam, ao se aproximar deles a noite da morte.

Podemos ouvir o povo clamando na Babilônia.
E ouvimos o som das pessoas destruindo coisas.

NCV

■ 51.55

כִּי־שֹׁדֵד יְהוָה אֶת־בָּבֶל וְאִבַּד מִמֶּנָּה קוֹל גָּדוֹל וְהָמוּ
גַלֵּיהֶם כְּמַיִם רַבִּים נִתַּן שְׁאוֹן קוֹלָם׃

Porque o Senhor destrói Babilônia, e faz perecer nela a sua grande voz. *Yahweh era a causa* de todo o choro e gemidos, de toda a destruição, cujos sons chegavam aos ouvidos do profeta (vs. 44). Faz parte do teísmo bíblico que o poder de Deus está por trás do que acontece na terra, com os indivíduos ou com as nações. Ver no *Dicionário* o artigo chamado *Teísmo*. Contrastar isso com o ponto de vista do *Deísmo* (ver também no *Dicionário*), que é a ideia de que a força criadora abandonou o seu universo nas mãos das leis naturais. O exército medo-persa chegou como poderosa maré, levando a Babilônia de roldão e destruindo tudo no caminho de sua vereda. Podemos ver essa "figura sobre o mar" no vs. 42, onde apresento as notas expositivas.

■ 51.56

כִּי בָא עָלֶיהָ עַל־בָּבֶל שׁוֹדֵד וְנִלְכְּדוּ גִּבּוֹרֶיהָ חִתְּתָה
קַשְּׁתוֹתָם כִּי אֵל גְּמֻלוֹת יְהוָה שַׁלֵּם יְשַׁלֵּם׃

Porque o destruidor vem contra ela, contra Babilônia. Mais repetições contam-nos aqui a história da queda e destruição da Babilônia. Ela foi saqueada, e suas riquezas passaram para as mãos dos estrangeiros. Seu exército foi aniquilado; seu arco foi partido, sendo esse o símbolo de seu poder militar. E Yahweh-Elohim (o Deus Eterno e Todo-poderoso) foi a causa da queda da Babilônia. Ver sobre o vs. 55, quanto ao *teísmo bíblico*. Ver no *Dicionário* o verbete chamado *Retribuição*. A vingança pertence a Deus (ver Rm 12.19), e a ele cumpre efetuá-la. Cf. Ap 18.6-8.

■ 51.57

וְהִשְׁכַּרְתִּי שָׂרֶיהָ וַחֲכָמֶיהָ פַּחוֹתֶיהָ וּסְגָנֶיהָ וְגִבּוֹרֶיהָ וְיָשְׁנוּ שְׁנַת־עוֹלָם וְלֹא יָקִיצוּ נְאֻם־הַמֶּלֶךְ יְהוָה צְבָאוֹת שְׁמוֹ: ס

Embriagarei os seus príncipes, os seus sábios, os seus governadores, os seus vice-reis, os seus valentes. Aqui Yahweh também é chamado de *Sabaote* (Senhor dos Exércitos), além de ser o Rei celestial, o qual exerce poder sobre todos os reis terrenos, para reduzi-los a nada. A destruição começaria com o invencível exército da Babilônia. Ademais, os governantes civis sofreriam com o ataque de Yahweh. Em seguida, a matança se espalharia para todos os rincões da terra. Tão grande destruição não sobreveio imediatamente contra a Babilônia. Antes, foi um *processo gradual,* mas muito eficaz. Ver as notas em Jr 50.3 e 39. Cf. Ap 19.18.

■ 51.58

כֹּה־אָמַר יְהוָה צְבָאוֹת חֹמוֹת בָּבֶל הָרְחָבָה עַרְעֵר תִּתְעַרְעָר וּשְׁעָרֶיהָ הַגְּבֹהִים בָּאֵשׁ יִצַּתּוּ וְיִגְעוּ עַמִּים בְּדֵי־רִיק וּלְאֻמִּים בְּדֵי־אֵשׁ וְיָעֵפוּ: ס

Os largos muros da Babilônia totalmente serão derribados, e as suas altas portas serão abrasadas. Ver o vs. 53 quanto às muralhas imensas e as fortificações que a Babilônia possuía. As muralhas da Babilônia seriam niveladas até o chão, e seus portões seriam queimados a fogo (cf. Jr 50.15 e 51.30). Todo o labor que tinha sido despendido para prover a cidade com essas imensas fortificações se perderia, primeiramente pelo estratagema de Ciro, que desviou as águas do rio Eufrates e assim entrou na cidade, "sem disparar um tiro"; e, em seguida, pelas várias destruições ocorridas nos anos seguintes. A invasão às ocultas, de Ciro, abriu caminho para atos posteriores de violência. O dia da Babilônia tinha terminado; seu sol tinha-se posto atrás do horizonte. Outros atores proveriam o drama dos dias futuros.

Heródoto viu aquelas muralhas e fez um relato sobre elas (*Hist.* 1, cap. 178): "A cidade formava um quadrado regular, e cada um de seus lados media 120 estádios, e o perímetro da cidade tinha 480 estádios. Estava rodeada por uma muralha com 25 m de grossura e 100 m de altura. Cada lado tinha 25 portões de bronze". Um *estádio* tinha cerca de 185 m, e isso resultava em uma cidade com aproximadamente 22.200 m de cada lado. As muralhas da Babilônia tinham algo acima de 92 m de altura, em média. "Não tivesse Ciro apelado para seu estratagema e, humanamente falando, não poderia ter conquistado a cidade. Quanto à destruição dessas muralhas e a seus próprios vestígios, ver Is 13.19" (Adam Clarke, *in loc.*). Quanto a outros detalhes sobre a cidade da Babilônia, ver sobre ela no *Dicionário*.

APÊNDICE ACRESCENTADO AOS ORÁCULOS. A MISSÃO SIMBÓLICA DE SERAÍAS (51.59-64)

■ 51.59

הַדָּבָר אֲשֶׁר־צִוָּה יִרְמְיָהוּ הַנָּבִיא אֶת־שְׂרָיָה בֶן־נֵרִיָּה בֶּן־מַחְסֵיָה בְּלֶכְתּוֹ אֶת־צִדְקִיָּהוּ מֶלֶךְ־יְהוּדָה בָּבֶל בִּשְׁנַת הָרְבִעִית לְמָלְכוֹ וּשְׂרָיָה שַׂר מְנוּחָה:

Palavra que mandou Jeremias, o profeta, a Seraías, filho de Nerias. Temos aqui um apêndice à coletânea de oráculos que constituem os capítulos 50 e 51. Finalmente, encontramos um *apêndice histórico* em Jr 52.1-34, ou seja, no último capítulo desse livro. O vs. 60 parece dizer que as coletâneas dos oráculos originalmente formavam um livro pequeno. Nesse caso, esse livro eventualmente foi adicionado ao livro maior de *Jeremias*. Alguns eruditos creem que Zedequias foi transportado para a Babilônia no seu quarto ano de reinado (vs. 59), para evitar as suspeitas de alguma conexão com a rebelião planejada para aquele tempo (ver o capítulo 27). O tempo era cerca de 594-593 a.C. Contudo, não temos nenhum registro sobre tal visita, nem é certo que a rebelião referida no capítulo 27 ocorreu naquela época. A missão simbólica de Seraías, *o Livro e a Rocha,* era mostrar que a Babilônia não escaparia à devida punição. Sofreriam os babilônios pela maneira como trataram Judá e as outras nações que foram atacadas. Muitos eruditos consideram que esses apêndices são secundários e foram acrescentados ao livro original de Jeremias. Pelo menos o capítulo 52 certamente é um verdadeiro apêndice, elaborado por um autor diferente.

Ao que parece, Seraías era irmão de Baruque, escriba de Jeremias, conforme se pode deduzir de Jr 32.12, quando comparado com Jr 59.59, e ambos eram filhos de Nerias. Ver no *Dicionário* o artigo sobre *Seraías*, décimo ponto, quanto ao pouco que se sabe sobre ele. Embora não exista nenhum registro histórico de uma visita de Zedequias à Babilônia, é perfeitamente possível que Nabucodonosor tenha advertido os reis que lhe pagavam tributo contra qualquer tentativa de revolta e, talvez, também por outras razões. Foi um ato muito ousado, da parte de Jeremias, tirar proveito da ocasião, enviando Seraías para levar uma ameaça da parte do profeta. A Babilônia, que estava no auge de seu poder, em breve tombaria com ribombo sobre a terra. Havia um Rei mais elevado que considerava o monarca da Babilônia responsável pelos seus atos.

Seraías era o camareiro-mor. Diz o hebraico aqui, literalmente, "um homem de descanso". Cf. 1Cr 22.9. Ele era um homem dócil, no tocante às palavras e exigências de Deus, e não um príncipe hostil, como era a maioria dos príncipes. Ou então "camareiro-mor" significa que ele era um auxiliar de Zedequias que tinha como uma de suas responsabilidades arranjar lugares de parada (de descanso) para o rei, quando este viajava. As versões sentem-se perplexas diante desse título e não têm uma tradução uniforme. A Septuaginta diz "governador dos presentes", ao passo que a Vulgata fala em "príncipe da profecia". Mas nenhuma dessas traduções nos fornece luz quanto às atribuições de Seraías.

No quarto ano do reinado de Zedequias, ele foi convocado, ou compareceu voluntariamente, possivelmente a fim de assegurar ao rei da Babilônia que ele não participava do conluio em que se tinham metido Judá, Edom, Moabe, Edom, Tiro e Sidom. Ver Jr 27.1-13. Ou então ao rei da Babilônia o convocou e demandou sua lealdade, por meio de ameaças. Mas isso é apenas uma conjectura quanto ao *porquê* da viagem.

■ 51.60

וַיִּכְתֹּב יִרְמְיָהוּ אֵת כָּל־הָרָעָה אֲשֶׁר־תָּבוֹא אֶל־בָּבֶל אֶל־סֵפֶר אֶחָד אֵת כָּל־הַדְּבָרִים הָאֵלֶּה הַכְּתֻבִים אֶל־בָּבֶל:

Escreveu, pois, Jeremias num livro todo o mal que havia de vir sobre Babilônia. Jeremias escreveu um livro no qual reuniu todos os oráculos de condenação proferidos contra a Babilônia. É provável que esteja em vista a coletânea dos capítulos 50 e 51. Contudo, não há razão para supormos a inexistência de outros oráculos, além desses dois capítulos. O *livro,* como é claro, era um rolo feito de papiro ou pergaminho. É fútil identificá-lo como o livro inteiro de Jeremias. A maior parte do livro de Jeremias não se volve contra a Babilônia e, sim, contra Judá.

■ 51.61

וַיֹּאמֶר יִרְמְיָהוּ אֶל־שְׂרָיָה כְּבֹאֲךָ בָבֶל וְרָאִיתָ וְקָרָאתָ אֵת כָּל־הַדְּבָרִים הָאֵלֶּה:

Quando chegares a Babilônia, vê que leias em voz alta todas estas palavras. A Seraías foi dada a difícil tarefa de ler o livro, em voz alta, para os babilônios, o que dificilmente agradaria àqueles pagãos. A vida do homem estava em perigo. Mas ele seguiu adiante para cumprir corajosamente sua missão. Não somos chamados para o lazer, e sim para cumprir as tarefas dadas por Deus.

> Devo ser levado para os céus
> Em canteiros de flores de lazer,
> Enquanto outros lutam para ganhar o prêmio
> Velejando através de mares sangrentos?
>
> Isaac Watts

Visto que Zedequias teria uma audiência com o próprio rei Nabucodonosor, é seguro imaginarmos que Seraías leria o livro de condenação para príncipes elevados, se não mesmo para o próprio monarca. A leitura certamente deveria ser feita para mais do que os judeus que ali viviam cativos, embora alguns intérpretes limitem a questão a isso. Saber que a Babilônia cairia seria um motivo de alegria para os cativos, boas-novas realmente, pois poderia significar que eles ganhariam a liberdade. O contexto não informa quem foram os ouvintes de Seraías, e isso nos deixa a conjecturar.

■ 51.62

וְאָמַרְתָּ֙ יְהוָ֣ה אַתָּ֤ה דִבַּ֙רְתָּ֙ אֶל־הַמָּק֣וֹם הַזֶּ֔ה לְהַכְרִית֑וֹ לְבִלְתִּ֤י הֱיֽוֹת־בּוֹ֙ יוֹשֵׁ֔ב לְמֵאָדָ֖ם וְעַד־בְּהֵמָ֑ה כִּֽי־שִׁמְמ֥וֹת עוֹלָ֖ם תִּֽהְיֶֽה׃

Ó Senhor! falaste a respeito deste lugar, que o exterminarias, a fim de que nada fique nele. Os oráculos de Yahweh eram perfeitamente claros. O Senhor haveria de exterminar aquele lugar da terra dos vivos. Haveria mortes e sofrimentos em massa. O lugar ficaria essencialmente *desabitado* (ver Jr 50.3,39 e 51.29). Para que isso acontecesse, entretanto, passaria bastante tempo. Um processo de calamidades produziria, afinal, tal resultado. Ver Jr 50.3 e 39. A desolação seria de longa duração, se não fosse mesmo literalmente eterna. Ver as notas expositivas em Jr 50.40 sobre essa ideia.

■ 51.63,64

וְהָיָה֙ כְּכַלֹּ֣תְךָ֔ לִקְרֹ֖א אֶת־הַסֵּ֣פֶר הַזֶּ֑ה תִּקְשֹׁ֤ר עָלָיו֙ אֶ֔בֶן וְהִשְׁלַכְתּ֖וֹ אֶל־תּ֥וֹךְ פְּרָֽת׃

וְאָמַרְתָּ֗ כָּ֠כָה תִּשְׁקַ֨ע בָּבֶ֤ל וְלֹֽא־תָקוּם֙ מִפְּנֵ֣י הָרָעָ֗ה אֲשֶׁ֧ר אָנֹכִ֛י מֵבִ֥יא עָלֶ֖יהָ וְיָעֵ֑פוּ עַד־הֵ֖נָּה דִּבְרֵ֥י יִרְמְיָֽהוּ׃ ס

Quando acabares de ler o livro, atá-lo-ás a uma pedra e o lançarás no meio do Eufrates. Depois de terminar a leitura, Seraías deveria amarrar uma pedra ao livro e lançá-lo no meio do rio Eufrates. O livro deveria desaparecer de vista imediatamente, e não subir novamente à tona. O livro se perderia e seria destruído, sem remédio algum, pelas águas do rio. O dano seria irreparável, e um sinal do que a Babilônia, como um império, deveria esperar: *o fim* — não havia recuperação possível. Cf. Ap 18.21.

"A submersão do livro era típica do fim do labor fútil e do cansaço dos homens que habitavam a cidade condenada" (Ellicott, *in loc.*). Cf. o vs. 58, que diz algo similar. "Esse era o emblema da queda e da ruína irreversível da Babilônia. Ver Ap 18.21, onde encontramos isso como emblema da ruína total da Babilônia mística" (Adam Clarke, *in loc.*).

Até aqui as palavras de Jeremias. O editor-compilador diz-nos que conseguira dar forma final ao livro que apresenta os muitos oráculos de Jeremias. Dessa forma, ele apresentou o capítulo 52 como um apêndice por ele mesmo adicionado, ou talvez algum outro editor tenha levado o livro a um final, incluindo esse apêndice histórico. "Essa nota provavelmente foi feita pela pessoa que posteriormente adicionou o capítulo 52 ao livro já compilado de Jeremias. O capítulo 52 foi escrito, aproximadamente, 25 anos depois do restante do livro (ver Jr 52.29), pois o editor posterior incluiu essa nota para distinguir entre a porção do livro que tinha sido compilada por Jeremias e a porção editada posteriormente. Quem foi esse homem? Ninguém sabe com certeza" (Charles H. Dyer, *in loc.*). Esse mesmo autor moderno passa a conjecturar que o homem envolvido também escreveu o fim de 2Rs (24.18—25.30). O capítulo 52 do livro de Jeremias é um empréstimo óbvio dessa seção, mas isso não significa que somente um homem esteve envolvido. O editor final de Jeremias pode ter simplesmente feito uma cópia de 2Rs, sem que isso tivesse nada que ver com sua autoria.

CAPÍTULO CINQUENTA E DOIS

APÊNDICE HISTÓRICO (52.1-34)

A última sentença de Jr 51.64 mostra que Jeremias nada teve a ver com a escrita deste apêndice. Quanto a conjecturas sobre o autor, ver as notas expositivas no fim daquele versículo. Este capítulo toma de empréstimo 2Rs 24.18—25.30 e é, essencialmente, a mesma coisa. O copista, porém, deixou de lado Jr 25.22-26 e um pouco mais; mas, na maior parte, a cópia é quase idêntica ao original. A parte ignorada encobre o governo e o assassinato de Gedalias. Essa informação é dada em Jr 40.7-43.7, com base em outra fonte informativa. O editor acrescentou os vss. 28-30. Além disso, os vss. 18-23 são mais completos do que o material dado em 2Rs 25.13-17. As diferenças dos relatos talvez justifiquem a teoria de que tanto o capítulo 52 de Jeremias quanto 2Reis 24.18—25.30 repousam sobre uma fonte informativa comum que os editores manusearam de maneiras diferentes, e que nenhuma dessas duas passagens é o original desse material.

Seja como for, o apêndice foi adicionado ao livro de Jeremias para mostrar como algumas das profecias de Jeremias se cumpriram na queda de Jerusalém e no exílio de muitos judeus. O editor preferiu terminar a história com uma nota positiva, mostrando como o rei Joaquim, embora tenha passado tanto tempo na prisão, finalmente foi honrado pelo rei da Babilônia. Essa foi uma nota de esperança. Se isso aconteceu, então coisas boas poderiam acontecer a Judá, mesmo que eles estivessem na Babilônia. "Embora seja, em sua maior parte, uma duplicata de 2Rs 24.18—25.30, esta seção histórica, juntamente com Jr 39.1-10 e 40.7—43.7, provê importante informação complementar. Quanto a adições históricas semelhantes, ver Is 36—39" (*Oxford Annotated Bible,* comentando sobre o vs. 1).

Este capítulo foi escrito algum tempo depois de 561 a.C., quando o rei Joaquim foi libertado da prisão (vs. 33), o que aconteceu cerca de 25 anos depois que o capítulo 51 foi escrito.

Sumário do Reinado de Zedequias (52.1-3)

■ 52.1

בֶּן־עֶשְׂרִ֨ים וְאַחַ֤ת שָׁנָה֙ צִדְקִיָּ֣הוּ בְמָלְכ֔וֹ וְאַחַ֤ת עֶשְׂרֵה֙ שָׁנָ֔ה מָלַ֖ךְ בִּירוּשָׁלִָ֑ם וְשֵׁ֣ם אִמּ֔וֹ חֲמִיטַ֥ל בַּת־יִרְמְיָ֖הוּ מִלִּבְנָֽה׃

Tinha Zedequias a idade de vinte e um anos, quando começou a reinar. O reinado de Zedequias ficou registrado em 2Rs 24.18-20, cobrindo os anos de 594-586 a.C. Ez 8 fornece a situação religiosa contemporânea. Os vss. 1-3 são quase idênticos a 2Rs 24.18-20, e as notas devem ser vistas aqui. Ver a introdução ao capítulo quanto à cópia do editor de Jeremias, com base em 2Rs. Ou talvez os dois editores tenham copiado de uma fonte informativa comum. O reino de Zedequias foi avaliado mais ou menos da mesma maneira que passagens do livro de Deuteronômio avaliam os reis de Israel e Judá. "Este capítulo contém a história do cerco, da tomada e da destruição de Jerusalém; a causa foi o reinado ímpio de Zedequias (vss. 1-3); e os instrumentos dessa destruição foram o rei da Babilônia e seu exército (vss. 4-7)" (John Gill, *in loc.*).

Este versículo é idêntico a 2Rs 24.18, onde ofereço a exposição.

■ 52.2

וַיַּ֥עַשׂ הָרַ֖ע בְּעֵינֵ֣י יְהוָ֑ה כְּכֹ֥ל אֲשֶׁר־עָשָׂ֖ה יְהוֹיָקִֽים׃

Este versículo é idêntico a 2Rs 24.19, onde ofereço a exposição.

■ 52.3

כִּ֣י ׀ עַל־אַ֣ף יְהוָ֗ה הָֽיְתָה֙ בִּירוּשָׁלִַ֣ם וִֽיהוּדָ֔ה עַד־הִשְׁלִיכ֥וֹ אוֹתָ֖ם מֵעַ֣ל פָּנָ֑יו וַיִּמְרֹ֥ד צִדְקִיָּ֖הוּ בְּמֶ֥לֶךְ בָּבֶֽל׃

Este versículo é idêntico a 2Rs 24.20, onde ofereço a exposição.

Cerco e Queda de Jerusalém (52.4-27)

■ 52.4

וַיְהִי֩ בַשָּׁנָ֨ה הַתְּשִׁעִ֜ית לְמָלְכ֗וֹ בַּחֹ֙דֶשׁ֙ הָעֲשִׂירִ֔י בֶּעָשׂ֖וֹר לַחֹ֑דֶשׁ בָּ֠א נְבוּכַדְרֶאצַּ֨ר מֶֽלֶךְ־בָּבֶ֜ל ה֤וּא וְכָל־חֵילוֹ֙ עַל־יְר֣וּשָׁלִַ֔ם וַיַּחֲנ֖וּ עָלֶ֑יהָ וַיִּבְנ֥וּ עָלֶ֖יהָ דָּיֵ֥ק סָבִֽיב׃

Este versículo é idêntico a 2Rs 25.1, onde ofereço a exposição.

52.5

וַתָּבֹא הָעִיר בַּמָּצוֹר עַד עַשְׁתֵּי עֶשְׂרֵה שָׁנָה לַמֶּלֶךְ צִדְקִיָּהוּ׃

Ver a exposição sobre este versículo, no trecho paralelo de 2Rs 25.2.

52.6

בַּחֹדֶשׁ הָרְבִיעִי בְּתִשְׁעָה לַחֹדֶשׁ וַיֶּחֱזַק הָרָעָב בָּעִיר וְלֹא־הָיָה לֶחֶם לְעַם הָאָרֶץ׃

Ver a exposição deste versículo em 2Rs 25.3.

52.7

וַתִּבָּקַע הָעִיר וְכָל־אַנְשֵׁי הַמִּלְחָמָה יִבְרְחוּ וַיֵּצְאוּ מֵהָעִיר לַיְלָה דֶּרֶךְ שַׁעַר בֵּין־הַחֹמֹתַיִם אֲשֶׁר עַל־גַּן הַמֶּלֶךְ וְכַשְׂדִּים עַל־הָעִיר סָבִיב וַיֵּלְכוּ דֶּרֶךְ הָעֲרָבָה׃

Este versículo é idêntico a 2Rs 25.4, onde ofereço a exposição.

52.8

וַיִּרְדְּפוּ חֵיל־כַּשְׂדִּים אַחֲרֵי הַמֶּלֶךְ וַיַּשִּׂיגוּ אֶת־צִדְקִיָּהוּ בְּעַרְבֹת יְרֵחוֹ וְכָל־חֵילוֹ נָפֹצוּ מֵעָלָיו׃

Ver a exposição deste versículo em 2Rs 25.5.

52.9

וַיִּתְפְּשׂוּ אֶת־הַמֶּלֶךְ וַיַּעֲלוּ אֹתוֹ אֶל־מֶלֶךְ בָּבֶל רִבְלָתָה בְּאֶרֶץ חֲמָת וַיְדַבֵּר אִתּוֹ מִשְׁפָּטִים׃

Este versículo varia levemente de 2Rs 25.6. O autor adicionou as palavras "na terra de Hamate", identificando assim a área geográfica à qual pertencia Ribla. Ver no *Dicionário* o artigo denominado *Hamate*.

52.10

וַיִּשְׁחַט מֶלֶךְ־בָּבֶל אֶת־בְּנֵי צִדְקִיָּהוּ לְעֵינָיו וְגַם אֶת־כָּל־שָׂרֵי יְהוּדָה שָׁחַט בְּרִבְלָתָה׃

Matou o rei da Babilônia os filhos de Zedequias à sua própria vista. A segunda parte deste versículo, a execução de todos os príncipes de Judá, não se encontra no trecho paralelo de 2Rs 25. Encontramos essa afirmação em Jr 39.6. Mas tanto aqui quanto no trecho paralelo há o horrível detalhe de que os filhos do rei foram mortos diante de seus olhos. Foi dessa maneira que o julgamento de Yahweh caiu sobre a liderança de Judá. A idolatria-adultério-apostasia de Judá foi, assim, vingada pelo golpe divino.

52.11

וְאֶת־עֵינֵי צִדְקִיָּהוּ עִוֵּר וַיַּאַסְרֵהוּ בַנְחֻשְׁתַּיִם וַיְבִאֵהוּ מֶלֶךְ־בָּבֶל בָּבֶלָה וַיִּתְּנֵהוּ בְבֵית־הַפְּקֻדֹּת עַד־יוֹם מוֹתוֹ׃

Vazou os olhos de Zedequias, atou-o com duas cadeias de bronze, levou-o à Babilônia. Este versículo é essencialmente idêntico a 2Rs 25.7, mas o editor adiciona aqui que o período de aprisionamento de Zedequias perdurou até sua morte. Cf. Ez 12.13. O rei Zedequias foi transportado à cidade da Babilônia, embora não fosse capaz de vê-la, pois tinha sido cegado. A Septuaginta adiciona que ele foi posto a moer em um moinho, trabalho forçado comumente conferido a prisioneiros. Cf. Jz 16.21. Ver também Lm 5.13. O tratamento dado a reis estrangeiros, por parte dos assírios e babilônios, era brutal e vergonhoso. Assurbanipal jactava-se de que tinha posto um rei da Arábia em correntes, amarrado a cachorros. E esse rei foi mantido em uma das grandes portas de Nínive como se fosse uma peça de museu. Dario (conforme a inscrição existente em Behistum) cortou o nariz e as orelhas do rei Sagratia, conservando-o preso por cadeias à porta de seu palácio.

52.12

וּבַחֹדֶשׁ הַחֲמִישִׁי בֶּעָשׂוֹר לַחֹדֶשׁ הִיא שְׁנַת תְּשַׁע־עֶשְׂרֵה שָׁנָה לַמֶּלֶךְ נְבוּכַדְרֶאצַּר מֶלֶךְ־בָּבֶל בָּא נְבוּזַרְאֲדָן רַב־טַבָּחִים עָמַד לִפְנֵי מֶלֶךְ־בָּבֶל בִּירוּשָׁלִָם׃

No décimo dia do quinto mês... Nebuzaradã... veio a Jerusalém. Este versículo é essencialmente idêntico a 2Rs 25.8, mas aqui temos o *décimo* dia do mês, ao passo que ali se fala no *sétimo* dia. Esforços heroicos (desnecessários) foram feitos para obter a reconciliação, mas não sabemos dizer por que houve essa variante, nem é importante saber disso. Talvez Nabucodonosor tenha chegado em Jerusalém no sétimo dia do mês, mas não começou a incendiar a cidade senão no décimo dia do mês. Essa sutil explicação, entretanto, provavelmente nem foi levada em conta pelos editores em questão. A versão siríaca fala no *nono* dia. Não há necessidade de buscar harmonia.

52.13

וַיִּשְׂרֹף אֶת־בֵּית־יְהוָה וְאֶת־בֵּית הַמֶּלֶךְ וְאֵת כָּל־בָּתֵּי יְרוּשָׁלִַם וְאֶת־כָּל־בֵּית הַגָּדוֹל שָׂרַף בָּאֵשׁ׃

Ver a exposição sobre este versículo em 2Rs 25.9.

52.14

וְאֶת־כָּל־חֹמוֹת יְרוּשָׁלִַם סָבִיב נָתְצוּ כָּל־חֵיל כַּשְׂדִּים אֲשֶׁר אֶת־רַב־טַבָּחִים׃

Ver a exposição sobre este versículo em 2Rs 25.10.

52.15

וּמִדַּלּוֹת הָעָם וְאֶת־יֶתֶר הָעָם הַנִּשְׁאָרִים בָּעִיר וְאֶת־הַנֹּפְלִים אֲשֶׁר נָפְלוּ אֶל־מֶלֶךְ בָּבֶל וְאֵת יֶתֶר הָאָמוֹן הֶגְלָה נְבוּזַרְאֲדָן רַב־טַבָּחִים׃

Ver a exposição sobre este versículo em 2Rs 25.11.

52.16

וּמִדַּלּוֹת הָאָרֶץ הִשְׁאִיר נְבוּזַרְאֲדָן רַב־טַבָּחִים לְכֹרְמִים וּלְיֹגְבִים׃

Ver a exposição sobre este versículo em 2Rs 25.12.

52.17

וְאֶת־עַמּוּדֵי הַנְּחֹשֶׁת אֲשֶׁר לְבֵית־יְהוָה וְאֶת־הַמְּכֹנוֹת וְאֶת־יָם הַנְּחֹשֶׁת אֲשֶׁר בְּבֵית־יְהוָה שִׁבְּרוּ כַשְׂדִּים וַיִּשְׂאוּ אֶת־כָּל־נְחֻשְׁתָּם בָּבֶלָה׃

Ver a exposição sobre este versículo em 2Rs 25.13.

52.18-23

18 וְאֶת־הַסִּירוֹת וְאֶת־הַיָּעִים וְאֶת־הַמְזַמְּרוֹת וְאֶת־הַמִּזְרָקֹת וְאֶת־הַכַּפּוֹת וְאֵת כָּל־כְּלֵי הַנְּחֹשֶׁת אֲשֶׁר־יְשָׁרְתוּ בָהֶם לָקָחוּ׃

19 וְאֶת־הַסִּפִּים וְאֶת־הַמַּחְתּוֹת וְאֶת־הַמִּזְרָקוֹת וְאֶת־הַסִּירוֹת וְאֶת־הַמְּנֹרוֹת וְאֶת־הַכַּפּוֹת וְאֶת־הַמְּנַקִיּוֹת אֲשֶׁר זָהָב זָהָב וַאֲשֶׁר־כֶּסֶף כָּסֶף לָקַח רַב־טַבָּחִים׃

20 הָעַמּוּדִים שְׁנַיִם הַיָּם אֶחָד וְהַבָּקָר שְׁנֵים־עָשָׂר נְחֹשֶׁת אֲשֶׁר־תַּחַת הַמְּכֹנוֹת אֲשֶׁר עָשָׂה הַמֶּלֶךְ שְׁלֹמֹה לְבֵית יְהוָה לֹא־הָיָה מִשְׁקָל לִנְחֻשְׁתָּם כָּל־הַכֵּלִים הָאֵלֶּה׃

21 וְהָעַמּוּדִים שְׁמֹנֶה עֶשְׂרֵה אַמָּה קוֹמָה הָעַמֻּד הָאֶחָד וְחוּט שְׁתֵּים־עֶשְׂרֵה אַמָּה יְסֻבֶּנּוּ וְעָבְיוֹ אַרְבַּע אֶצְבָּעוֹת נָבוּב׃

22 וְכֹתֶרֶת עָלָיו נְחֹשֶׁת וְקוֹמַת הַכֹּתֶרֶת הָאַחַת חָמֵשׁ אַמּוֹת וּשְׂבָכָה וְרִמּוֹנִים עַל־הַכּוֹתֶרֶת סָבִיב הַכֹּל נְחֹשֶׁת וְכָאֵלֶּה לַעַמּוּד הַשֵּׁנִי וְרִמּוֹנִים׃

23 וַיִּהְיוּ הָרִמֹּנִים תִּשְׁעִים וְשִׁשָּׁה רוּחָה כָּל־הָרִמּוֹנִים מֵאָה עַל־הַשְּׂבָכָה סָבִיב׃

Levaram também as panelas... e todos os utensílios de bronze, com que se ministrava. A narrativa que aqui aparece tem alguns detalhes a mais que o trecho paralelo de 2Rs 25.13-17. Alguns poucos objetos do templo que foram levados para a Babilônia são mencionados aqui especificamente, mas não foram citados na versão mais breve. A maior parte dos itens referidos no vs. 19 foi omitida pelo autor de 2Rs. Além disso, só se fala aqui sobre os doze bois de bronze que apoiavam o mar de bronze. Detalhes da descrição das colunas, no vs. 21, não são encontrados no trecho paralelo. Ademais, o vs. 23 é peculiar à presente passagem. Essas adições foram acrescentadas pelo editor do capítulo 52 do livro de Jeremias, por meio de seu conhecimento sobre esses objetos, com base em outras passagens do Antigo Testamento; ou então o editor de 2Rs 25 abreviou a sua narrativa, por pensar que os detalhes eram desnecessários. Talvez o atual editor tivesse incluído detalhes para impressionar-nos com o *ultraje* dos babilônios. Aqueles objetos sagrados tinham sido *profanados* pelos estrangeiros. Por isso o julgamento divino estava garantido. Os babilônios sofreriam terrível condenação. Quanto a detalhes dos objetos mencionados, ver os artigos no *Dicionário*. "A beleza e a preciosidade desses objetos aumentam o amargor de sua perda, bem como a pecaminosidade do pecado que causou essa perda" (Fausset, *in loc.*).

Semelhante a esta era a outra coluna com as romãs. Havia noventa e seis romãs aos lados... A informação sobre as 96 romãs etc. não é dada no trecho paralelo. Ver 1Rs 7.20 e 2Cr 14.13 sobre esses detalhes. Há discrepâncias nos números fornecidos nas diferentes narrativas, que os intérpretes, inutilmente, tentam resolver.

Perto do bojo, próximo à obra de rede, os capitéis que estavam no alto das duas colunas tinham duzentas romãs, dispostas em fileiras em redor, sobre um e outro capitel.
1Reis 7.20

Essa fantástica obra de arte foi levada para a Babilônia, com outros itens retirados do templo, mas o próprio templo foi deixado como mero montão de pedras, e o que pôde ser incendiado, o foi.

■ 52.24

וַיִּקַּח רַב־טַבָּחִים אֶת־שְׂרָיָה כֹּהֵן הָרֹאשׁ וְאֶת־צְפַנְיָה כֹּהֵן הַמִּשְׁנֶה וְאֶת־שְׁלֹשֶׁת שֹׁמְרֵי הַסַּף׃

Este versículo é idêntico a 2Rs 25.18, onde ofereço a exposição.

■ 52.25

וּמִן־הָעִיר לָקַח סָרִיס אֶחָד אֲשֶׁר־הָיָה פָקִיד עַל־אַנְשֵׁי הַמִּלְחָמָה וְשִׁבְעָה אֲנָשִׁים מֵרֹאֵי פְנֵי־הַמֶּלֶךְ אֲשֶׁר נִמְצְאוּ בָעִיר וְאֵת סֹפֵר שַׂר הַצָּבָא הַמַּצְבִּא אֶת־עַם הָאָרֶץ וְשִׁשִּׁים אִישׁ מֵעַם הָאָרֶץ הַנִּמְצְאִים בְּתוֹךְ הָעִיר׃

Ver 2Rs 25.19 quanto à exposição deste versículo.

■ 52.26

וַיִּקַּח אוֹתָם נְבוּזַרְאֲדָן רַב־טַבָּחִים וַיֹּלֶךְ אוֹתָם אֶל־מֶלֶךְ בָּבֶל רִבְלָתָה׃

Ver 2Rs 25.20 quanto à exposição deste versículo.

■ 52.27

וַיַּכֶּה אוֹתָם מֶלֶךְ בָּבֶל וַיְמִתֵם בְּרִבְלָה בְּאֶרֶץ חֲמָת וַיִּגֶל יְהוּדָה מֵעַל אַדְמָתוֹ׃

Ver 2Rs 25.21 quanto à exposição deste versículo.

AS TRÊS DEPORTAÇÕES (52.28-30)

■ 52.28-30

זֶה הָעָם אֲשֶׁר הֶגְלָה נְבוּכַדְרֶאצַּר בִּשְׁנַת־שֶׁבַע יְהוּדִים שְׁלֹשֶׁת אֲלָפִים וְעֶשְׂרִים וּשְׁלֹשָׁה׃

בִּשְׁנַת שְׁמֹנֶה עֶשְׂרֵה לִנְבוּכַדְרֶאצַּר מִירוּשָׁלִַם נֶפֶשׁ שְׁמֹנֶה מֵאוֹת שְׁלֹשִׁים וּשְׁנָיִם׃

בִּשְׁנַת שָׁלֹשׁ וְעֶשְׂרִים לִנְבוּכַדְרֶאצַּר הֶגְלָה נְבוּזַרְאֲדָן רַב־טַבָּחִים יְהוּדִים נֶפֶשׁ שְׁבַע מֵאוֹת אַרְבָּעִים וַחֲמִשָּׁה כָּל־נֶפֶשׁ אַרְבַּעַת אֲלָפִים וְשֵׁשׁ מֵאוֹת׃ פ

Assim Judá foi levado cativo para fora de sua terra. Os vss. 28-30 não se encontram na Septuaginta e também não se acham no trecho paralelo de 2Rs 25. Entretanto, não há razão para duvidarmos de sua autenticidade histórica. Quando essas informações são comparadas a informações similares, dadas em outras passagens, encontramos discrepâncias nos números, que os esforços heroicos dos intérpretes não têm conseguido conciliar.

As Três Deportações

Primeiro Cativeiro (598-597 a.C.)	3.023 judeus
Segundo Cativeiro (587-586 a.C.)	832 judeus
Terceiro Cativeiro (582-581 a.C.)	745 judeus
	4.600 judeus

"A *primeira deportação* (vs. 28) provavelmente deve ser associada à rendição de Joaquim (ver 2Rs 24.12-16). Visto que os números aqui não concordam com os *dez mil* mencionados em 2Rs 24.14, alguns eruditos propõem que o vs. 28 deveria dizer no *décimo sétimo* ano de Nabucodonosor, e não *sétimo* ano, e que a deportação foi de judeus para fora de Jerusalém, no começo do cerco de Jerusalém, em 588 a.C. Isso, entretanto, parece impossível, visto que não há registro, em nenhum outro lugar, de tal deportação, a menos que Jr 13.19 seja uma alusão a isso.

"A data da *segunda deportação* (vs. 29), no décimo oitavo ano do governo de Nabucodonosor, parece incoerente com a data dada no vs. 12, onde a vinda de Nabucodonosor é datada no décimo nono ano. Uma explicação possível é que o vs. 12 usa o sistema de datas de não acessão, ao passo que o vs. 29 usa o sistema de datas de acessão.

"A *terceira deportação* (vs. 30) provavelmente foi feita pelos babilônios como punição dos judeus pelas perturbações na Palestina em torno do assassinato de Gedalias (ver Jr 40.7—41.18)" (James Philip Hyatt, *in loc.*). Outra fonte informativa ocupa uma coluna inteira com tentativas de conciliar as várias narrativas sobre a deportação, mas não chega a nenhuma conclusão certa. Coisas como esta revestem-se de interesse histórico, mas não de interesse espiritual, e não devem tornar-se base para questões de fé, como se a inspiração tivesse de ser perfeita quanto às palavras e não pudesse incorporar a fraqueza e os erros dos seres humanos que fizeram as declarações. Ver no *Dicionário* os artigos chamados *Inspiração* e *Revelação*.

A SOLTURA DE JOAQUIM DA PRISÃO (52.31-34)

■ 52.31

וַיְהִי בִשְׁלֹשִׁים וָשֶׁבַע שָׁנָה לְגָלוּת יְהוֹיָכִן מֶלֶךְ־יְהוּדָה בִּשְׁנֵים עָשָׂר חֹדֶשׁ בְּעֶשְׂרִים וַחֲמִשָּׁה לַחֹדֶשׁ נָשָׂא אֱוִיל מְרֹדַךְ מֶלֶךְ בָּבֶל בִּשְׁנַת מַלְכֻתוֹ אֶת־רֹאשׁ יְהוֹיָכִין מֶלֶךְ־יְהוּדָה וַיֹּצֵא אוֹתוֹ מִבֵּית הַכְּלִיא׃ ם

A REBELDIA TERMINOU MAL

Pagarei a Babilônia, e a todos os moradores da Caldeia, toda a sua maldade, que fizeram em Sião, ante os vossos próprios olhos, diz o Senhor.
Eis que sou contra ti, ó monte que destróis, diz o Senhor, que destróis toda a terra; estenderei a minha mão contra ti, e te revolverei das rochas, e farei de ti um monte em chamas.

Jeremias. 51.24,25

A CEIFA PAVOROSA

Quer alguém durma, ande ou esteja à vontade,
A Justiça, invisível e muda, lhe segue os passos,
Ferindo sua vereda, à direita e à esquerda,
Pois todo o erro nem a noite esconderá!
O que fizeres, de algum lugar, Deus te vê.

E pensas que poderás torcer a sabedoria divina?
E pensas que a retribuição jaz remota, longe dos mortais?
Bem perto, invisível, sabe muito bem a quem deve ferir.
Mas tu não sabes a hora quando, rápida e repentinamente,
Ela virá e varrerá da terra os iníquos.

Ésquilo

No ano em que começou a reinar, libertou a Joaquim, rei de Judá, e o fez sair do cárcere. Há pequena diferença entre esta seção e seu paralelo, 2Rs 25.27-30. Talvez seja correto dizer que Joaquim se tornou as *primícias* da reversão do cativeiro babilônico. "No trigésimo sétimo ano do exílio de Joaquim (561-560 a.C.), Evil-Merodaque tornou-se rei da Babilônia. Como parte dos festejos, ao fim de sua subida ao trono, ele soltou Joaquim da prisão, no vigésimo quinto dia do décimo segundo mês (21 de março de 560 a.C.). A Joaquim foi permitido comer regularmente à mesa do rei. Assim como as profecias de destruição feitas por Jeremias se cumpriram à risca, assim agora suas promessas de bênçãos em favor de Joaquim davam esperanças, aos exilados, de que a prometida bênção e restauração divina viriam" (Charles H. Dyer, *in loc.*).

"Quanto às atitudes de Jeremias para com Joaquim, e uma declaração concernente aos registros babilônicos que confirmam a soltura daquele rei do cárcere, ver a exegese sobre Jr 22.24-30" (James Philip Hyatt, *in loc.*).

Quanto à exposição deste versículo, ver 2Rs 25.27.

■ **52.32**

וַיְדַבֵּר אִתּוֹ טֹבוֹת וַיִּתֵּן אֶת־כִּסְאוֹ מִמַּעַל לְכִסֵּא
מְלָכִים אֲשֶׁר אִתּוֹ בְּבָבֶל׃

Quanto à exposição deste versículo, ver 2Rs 25.28.

■ **52.33**

וְשִׁנָּה אֵת בִּגְדֵי כִלְאוֹ וְאָכַל לֶחֶם לְפָנָיו תָּמִיד כָּל־
יְמֵי חַיָּו׃

Mudou-lhe as vestes do cárcere, e Joaquim passou a comer pão na sua presença. Esta é uma versão fiel da declaração de 2Rs 25.29. Este paralelo mostra que o rei continuou a ser favorecido, comendo à mesa de Evil-Merodaque, até ser removido da cena, por meio da morte.

■ **52.34**

וַאֲרֻחָתוֹ אֲרֻחַת תָּמִיד נִתְּנָה־לּוֹ מֵאֵת מֶלֶךְ־
בָּבֶל דְּבַר־יוֹם בְּיוֹמוֹ עַד־יוֹם מוֹתוֹ כֹּל יְמֵי
חַיָּו׃

E da parte do rei da Babilônia lhe foi dada subsistência vitalícia. Este versículo é idêntico a 2Rs 25.30, onde ofereço a exposição.

Um raio de *esperança* penetrou na vida desanimada do ex-rei de Judá, e esse foi o primeiro vislumbre da reversão do *cativeiro babilônico* (ver a respeito no *Dicionário*). Havia novamente esperança no ar. A esperança é uma das três grandes realidades espirituais: a fé, a esperança e o amor (ver 1Co 13.13).

Vivo da esperança e penso em todos os que entram neste mundo.
Robert Bridges

A verdadeira esperança é rápida e voa com asas de andorinha. Ela transforma reis em deuses, e criaturas comuns em reis.
Shakespeare

Todo o louvor seja dado a Yahweh-Sabaote-Elohim.

LAMENTAÇÕES

O livro que descreve as misérias causadas pelo cativeiro babilônico

> *Como jaz solitária a cidade, outrora populosa! Tornou-se como viúva, a que foi grande entre as nações.*
>
> Lamentações 1.1

5	Capítulos
154	Versículos

INTRODUÇÃO

ESBOÇO:
I. Caracterização Geral
II. Nome do Livro
III. Autoria e Data
IV. Propósitos e Teologia do Livro
V. Estilo Literário
VI. Conteúdo
VII. Bibliografia

I. CARACTERIZAÇÃO GERAL

Este livro faz parte da terceira divisão do cânon do Antigo Testamento hebraico, que os judeus chamavam de "escritos" ou "rolos". O livro de Lamentações consiste em cinco poemas que correspondem ao que, modernamente, chamamos de "capítulos". Esses poemas foram escritos segundo a métrica *kina, ou de lamentação*. Provavelmente, o livro foi escrito no século V a.C., provocado pela grande calamidade que se abateu sobre Jerusalém, com o consequente cativeiro babilônico. Esses poemas foram compostos na própria cidade de Jerusalém, ou, então, já na Babilônia. Os primeiros quatro poemas são *acrósticos alfabéticos*, o que significa que cada grupo de versículos começa por uma letra diferente do alfabeto hebraico, que consistia em 22 letras. A quinta estância tem o mesmo número de versículos que o alfabeto hebraico. Todos esses poemas foram compostos ou adaptados para a recitação pública em dias de jejum e lamentação (ver Jr 2.15-17; Sf 7.2,3), notadamente no nono dia de *Abe* (agosto), que comemorava especificamente o desastre babilônico. O primeiro, o segundo e o quarto poemas foram compostos como lamentações fúnebres. Jerusalém é apresentada como o falecido. O terceiro poema foi composto no estilo de uma lamentação individual, com a característica usual de que uma figura masculina (e não feminina) é que personifica o povo ou a própria cidade. O quinto poema consiste em uma lamentação coletiva. Esse poema faz lembrar as liturgias usadas em tempos de tristeza nacional, conforme se vê nos Salmos 74 e 79. O tema comum de todos os cinco poemas é a agonia da nação judaica e o aparente abandono de Sião por parte de seu Deus, bem como a esperança de que Deus ainda haveria de restaurar uma nação humilhada e arrependida.

Antigas tradições têm atribuído esse livro ao profeta Jeremias, porém muitos eruditos modernos encontram razões para duvidar dessa opinião. O próprio livro é anônimo, pelo que aquilo que cremos sobre sua autoria depende de nossa confiança ou desconfiança nessa tradição, bem como de outras evidências que pesam sobre a questão. Ver a terceira seção quanto à discussão a respeito.

II. NOME DO LIVRO

No hebraico, esse livro chama-se *ekah*, "como", a primeira palavra do livro, no original hebraico. Mas também tem o título de *qinah*, "lamentação". Naturalmente, isso alude ao caráter de deploração do livro inteiro. Conforme disse certo autor: "... cada letra foi escrita com uma lágrima; cada palavra, com o pulsar de um coração partido". O título do livro, na Septuaginta, é "Cânticos Fúnebres". O título do livro nas modernas línguas europeias — como em português — vem da Vulgata Latina, com base no vocábulo latino *lamentum*, "clamor", "choro", "lamentação". Na Vulgata Latina o título específico é *Lamentationes*.

III. AUTORIA E DATA

A tradição que atribui o livro de Lamentações a Jeremias é antiquíssima. O trecho de 2Cr 35.25, embora não faça alusão às lamentações que compõem o livro, mostra-nos que Jeremias compôs esse tipo de material literário. Alguns eruditos percebem a dicção de Jeremias no livro, mas outros pensam que o estilo é bastante parecido com o dos capítulos 40 a 66 do livro de Isaías, o que já aponta para outro autor. O trecho de Lm 3.48-51 parece similar às expressões de Jr 7.16; 11.14; 14.11-17 e 15.11. Alguns sentem o espírito de Jeremias no livro, o mesmo temperamento sensível, uma profunda simpatia para com as tristezas de Israel, e as mesmas emoções soltas a respeito do desastre provocado pela invasão dos babilônios.

Contra a autoria de Jeremias, temos os seguintes argumentos:
1. Os paralelos listados anteriormente, entre Lm 3.48-51 e certos trechos do livro de Jeremias, certamente indicam a narrativa feita por uma testemunha ocular sobre aquilo que os babilônios fizeram contra o povo de Israel. Contudo, essa testemunha ocular não precisa ser identificada obrigatoriamente com Jeremias, porquanto o autor do livro pode ter sido outra testemunha daqueles fatos.
2. O quinto poema reflete uma espécie de lassitude induzida por anos de ocupação estrangeira, o que é contrário ao que sabemos sobre a história envolvida. Jeremias permaneceu apenas algumas semanas na Palestina, após a captura de Jerusalém.
3. *O Argumento Literário.* Os extensos escritos de Jeremias (no livro que sabemos ser de sua autoria) não apelaram para a poesia, e muito menos para a forma específica de poemas acrósticos.
4. *O Argumento Histórico.* Em tempos posteriores, muitos oráculos foram coligidos em nome de Jeremias, quando, como é óbvio, esses escritos não foram de sua autoria. Os poemas do livro de Lamentações poderiam estar entre esses oráculos. Se realmente eram de sua lavra, por que motivo Jeremias não os identificou como seus? E por que motivo não foram incluídos como parte de suas profecias? No livro de *Jeremias,* o autor identificou-se claramente (ver Jr 1.1).
5. *Diferenças de Pontos de Vista.* As declarações de Lm 2.9; 4.17 e 5.7, de acordo com certos estudiosos, diferem dos pontos de vista da profecia de Jeremias. Porém, muitos outros estudiosos veem nisso mera avaliação subjetiva e, portanto, sem grande valor.
6. *O Argumento Linguístico.* O estilo, o vocabulário e a dicção dos livros *de Jeremias* e de *Lamentações* são por demais diferentes para que se suponha que um mesmo autor tenha escrito ambas as obras. Contra esse argumento, alegam outros que a *poesia*, naturalmente, difere da prosa em que são escritos os oráculos e as advertências proféticas. Todavia, grandes trechos do livro de Jeremias consistem em poemas, embora nossa versão portuguesa oculte isso, imprimindo o livro como se tudo fosse prosa. Mas ver, por exemplo, a *Revised Standard Version*. Muitos escritores em prosa, ocasionalmente, escrevem em poesia, o que requer estilo, dicção e vocabulário diferentes.

Conclusão. Não há como se fazer uma declaração firme sobre a questão. O livro de Lamentações não indica quem foi o seu autor; a obra é anônima.

Data. No livro não há nenhuma menção à reconstrução do templo de Jerusalém, que ocorreu em 538 a.C. No entanto, o livro foi escrito, sem a menor sombra de dúvida, por uma testemunha ocular da invasão de Jerusalém pelos babilônios e do subsequente exílio de Judá. Por conseguinte, deve ter sido escrito em algum tempo depois de 586 a.C., mas antes de 538 a.C.

IV. PROPÓSITOS E TEOLOGIA DO LIVRO

1. *A Justiça de Deus é Celebrada e os Efeitos Ruinosos do Pecado São Lamentados.* Um homem espiritual contemplou o que acontecera a um povo rebelde, que quisera dar ouvidos às advertências do Senhor, e que, por isso, recebeu tão grande castigo nacional. Tudo aquilo ocorrera por motivo de desobediência e insensibilidade espiritual. A calamidade foi tão grande que fez uma nação chegar ao fim. O santuário, que fora estabelecido em honra a Yahweh, bem como a teocracia (embora muito modificada pela monarquia) foram aniquilados pelos pagãos. O poeta, pois, celebrou a retidão e a justiça de Deus, porquanto, afinal, o que acontecera fora justo. A nação de Judá foi convocada ao arrependimento, visto que o mesmo poder que produziu a destruição com igual facilidade poderia produzir a restauração. A profunda iniquidade da nação de Judá é lamentada no livro, mas reconhece-se também que a graça de Deus é suficientemente ampla para reverter qualquer situação, e o autor sagrado contemplava, ansioso, essa bendita possibilidade. Em suma, o propósito do livro é celebrar a justiça de Deus, lamentar a iniquidade do povo de Judá e suas horrendas consequências, e,

então, conclamar ao arrependimento, em face da possibilidade de restauração.
2. *Aplicação Cristológica.* Alguns intérpretes evangélicos veem no livro de Lamentações um lamento pela alma de Jesus, diante da ira de Deus que sobre ele se descarregou, quando Cristo levou sobre si o pecado do mundo.
3. *A Trágica Reversão.* Havia em Israel uma tradição que falava sobre a suposta inviolabilidade de Sião (Sl 46.6-8; 48.2-9; 76.2-7), o que aparece como uma ideia com a qual o autor do livro de Lamentações estava familiarizado (Lm 3.34 e 5.9). Entretanto, o autor sagrado mostrou que nenhuma coisa boa necessariamente perdura para sempre. Reversões trágicas podem destruir até mesmo as melhores e mais excelentes coisas, se permitirmos que o pecado venha maculá-las.
4. *Confirmação do Ponto de Vista Deuteronômico da História.* O autor de Deuteronômio sustenta, como uma de suas teses primárias, que Israel ia bem enquanto obedecia a Deus, mas caía em ruína quando se mostrava rebelde. Embora, por certo, essa seja uma perspectiva simplista da história, não é um fator que deva ser ignorado. Esse tema também pode ser encontrado em outros livros do Antigo Testamento, além de Deuteronômio; Lamentações é um dos livros que promove essa tese.
5. *A Esperança Nunca Morre no Coração Humano.* Grandes tragédias sobrevêm às pessoas insensatas. Mas essas mesmas pessoas, se agirem sabiamente, poderão contemplar a concretização de suas esperanças de melhoria, quando seu triste estado for revertido pela misericórdia divina.

V. ESTILO LITERÁRIO
Esse estilo é descrito na primeira seção, *Caracterização Geral.*

VI. CONTEÚDO
1. As Lamentáveis Condições de Jerusalém (cap. 1)
2. Manifestação da *Ira de Deus* (cap. 2)
3. Reconhecimento da Justiça de Deus (cap. 3)
4. Reconhecimento da Fidelidade de Deus (cap. 4)
5. Confiança na Fidelidade de Deus (cap. 5)

VII. BIBLIOGRAFIA
AM E GOT(1954) I IB ROB(2) YO

Ao Leitor
Para ter melhor compreensão sobre o livro, o leitor deve ler a *Introdução,* que aborda os fatos e problemas básicos da composição: caracterização geral; nome do livro; autoria e data; propósitos e teologia do livro; estilo literário e conteúdo. Essas seções analisam de modo bastante completo o livro, que tem apenas 154 versículos.

Este é um dos livros mais tristes já escritos, que aplica habilidosa poesia para expressar as mais profundas emoções humanas. Trata-se de uma série de poemas que lamentam a desolação de Jerusalém e os sofrimentos do povo, depois dos ataques, do cerco e do cativeiro subsequente do povo de Israel, efetuado pelo exército babilônico. O templo de Jerusalém foi incendiado em cerca de 587-586 a.C., pelo que o autor escreveu algum tempo depois disso. O capítulo 5 do livro revela a autoria do poema, bastante tempo depois, mas antes que o decreto de Ciro permitiu que um pequeno remanescente de judeus retornasse a Jerusalém para reconstruir a cidade e, assim, iniciar um novo dia. Os primeiros quatro capítulos seguem acrósticos alfabéticos (os versículos começam com as sucessivas 22 letras do alfabeto hebraico). O capítulo 5 também tem 22 versículos, mas não escritos segundo esse estilo, que provavelmente requer um arranjo um tanto artificial que impede o livre fluxo do pensamento. Esse capítulo provê uma apta conclusão, sendo provável que o autor estivesse cansado de apegar-se ao estilo acróstico.

O livro era usado nas recitações em dias de jejum e lamentação, tanto públicas quanto particulares (ver Jr 2.15-17; Zc 7.2,3). "Os capítulos 1, 2 e 4 assumem a forma de lamentações fúnebres da cidade morta. A elegia capengante da métrica 3.2 (três toques seguidos por dois toques) pode ser reconhecida até nas traduções... No capítulo 3, a tristeza do povo desolado e o reflexo sobre o significado do desastre são expressos por um indivíduo. O capítulo 5, em forma e linguagem, relembra as liturgias usadas em tempos de tribulação nacional, como se vê nos Salmos 74 e 79. O tema comum e a esperança de que Deus ainda restauraria um povo arrependido e humilhado percorre o livro inteiro" (*Oxford Annotated Bible,* introdução ao livro).

"O livro de Lamentações é um pós-escrito de lamentação ao livro de Jeremias. Mediante o uso de *cinco cânticos fúnebres,* o autor sagrado se entristeceu pela sorte de Jerusalém, por causa de seu pecado" (Charles H. Dyer, *in loc.*). O livro, naturalmente, é mais que uma poesia fúnebre muito bem expressa. Antes, é uma lição moral que afirma que a vida é mais do que "comer, beber e divertir-se". É também uma inquirição séria que procura obedecer às regras divinas. Ensina-nos, supremamente, as consequências de semear uma má conduta, pois o que uma pessoa faz certamente é colher o que semeou. Ver Gl 6.7,8.

EXPOSIÇÃO

CAPÍTULO UM

PRIMEIRA LAMENTAÇÃO: DESOLAÇÃO DE JERUSALÉM EM RAZÃO DE SEU PECADO. AS LAMENTÁVEIS CONDIÇÕES DE JERUSALÉM (1.1-22)

É o poeta quem fala nos vss. 1-11 e 17, exceto pelo fato de que nas últimas linhas dos vss. 8 e 11, Jerusalém, personificada como uma mulher, é quem fala. Outro tanto se dá nos vss. 12-16 e 18-22. E então há um cântico fúnebre que encerra o capítulo (vss. 20-22). O livro de Provérbios não é livro que possa alegrar-nos, mas contém valiosas lições espirituais e morais. A justiça de Deus é celebrada, e são lamentados os efeitos ruinosos do pecado. A *Lei Moral da Colheita segundo a Semeadura* é o tema predominante do livro. Ver sobre esse assunto no *Dicionário.* O livro de Lamentações é um triste pós-escrito ao livro de Jeremias, cujo tema principal é o *Cativeiro Babilônico* (ver a respeito no *Dicionário*) resultante da idolatria-adultério-apostasia de Judá. "O livro é um lembrete de que o pecado, a despeito de todos os seus encantos e excitação, traz consigo grande peso formado por tristezas, aflições, miséria, esterilidade e dor" (Charles H. Dyer, *in loc.*).

■ **1.1**

אֵיכָה ׀ יָשְׁבָה בָדָד הָעִיר רַבָּתִי עָם הָיְתָה כְּאַלְמָנָה
רַבָּתִי בַגּוֹיִם שָׂרָתִי בַּמְּדִינוֹת הָיְתָה לָמַס: ס

Pano de Fundo. Quanto ao material de um importante pano de fundo, ver a introdução geral ao livro. A invasão babilônica ocorreu sob a forma de ondas. Não houve uma invasão única, seguida pelo cativeiro. Ver Jr 52.28, onde discuto as três deportações. De 588 e 586 a.C., o exército babilônico desgastou as defesas da cidade de Jerusalém. O Egito fez uma tentativa inútil de ajudar Judá. A maior parte das cidades judaicas foi esmagada (ver Jr 34.6,7). Jerusalém, finalmente, ficou sozinha. Os ataques contínuos minaram os alicerces da sociedade. mães famintas comeram os próprios filhos (ver Lm 2.20 e 4.10). Ironicamente, a idolatria entre os judeus continuou a florescer, enquanto a população, desesperada, clamava ao panteão de deuses em busca de livramento. A 18 de julho de 586 a.C., o cerco da cidade chegou a um fim abrupto. As muralhas foram rompidas e o exército babilônico entrou na cidade (2Rs 25.2-4). Zedequias e alguns poucos elementos pertencentes à elite da sociedade judaica tentaram fugir, mas foram capturados. Os príncipes foram mortos e os filhos de Zedequias foram executados, enquanto ele foi forçado a contemplar a cena. Em seguida, ele foi cegado e posto na prisão pelo resto de sua vida. Ver 2Rs 25.4-7 e Jr 52.7-11. Jerusalém transformou-se em completa ruína, o templo foi saqueado, os vasos sagrados foram levados para a Babilônia, e o que podia queimar foi incendiado. Jr 52 fornece-nos um sumário desses acontecimentos terríveis.

Três resultados dessa destruição foram registrados aqui, neste primeiro versículo do livro de Lamentações: 1. Jerusalém ficou quase inteiramente desabitada. 2. A economia foi arruinada. Cf. Êx 22.22; Dt 10.18; 24.19-21; 26.13; 27.19 e Is 1.17. Jerusalém, reduzida à condição de órfã ou viúva, ficou desolada e desesperada. 3. Não restou nenhuma estrutura social. A rainha (a cidade de Jerusalém) tornou-se escrava. A Babilônia era a senhora e impôs taxas a toda a vida e a toda manifestação de vida dos poucos sobreviventes.

JULGAMENTOS DIVINOS QUE ISRAEL (JUDÁ) DEVE SOFRER

Paralelos entre Lamentações e Deuteronômio

Essência dos Julgamentos	Lamentações	Deuteronômio
Judá (Israel) espalhado entre as nações não encontrará paz nem segurança.	1.3	28.65
Judá (Israel) será o escravo de forças estrangeiras e a cauda das nações.	1.5	28.44
Seus filhos e filhas serão cativos em nações pagãs.	1.5	28.32
Em fraqueza fugirão ante o perseguidor e serão absolutamente derrotados. As defesas falharão e os soldados fugirão em sete direções em total confusão.	1.6	28.25
Os homens e mulheres jovens serão levados e feitos escravos. Os pais os perderão para sempre.	1.18	28.41
O povo de Judá (Israel) será assunto de canções zombadoras e objeto de escárnio e desprezo.	2.15	28.37
mães, no seu desespero, comerão os próprios filhos para não morrer de fome. O pecado, especialmente o da idolatria, cobrará um alto preço em sofrimento.	2.20	28.53
Jovens e velhos morrerão juntos na poeira das ruas. O inimigo não respeitará idade nem sexo.	2.21	28.50
mães, com as próprias mãos, cozinharão seus filhos. As mais gentis esconderão seus filhos para comê-los depois do ataque do inimigo. As esposas não mais respeitarão seus maridos, mas se tornarão animais selvagens.	4.10	28.56,57
A herança de Israel, dada no Pacto Abraâmico, passará às mãos dos estrangeiros selvagens. O judeu construirá uma casa, mas nunca morará nela. As propriedades ficarão à disposição dos invasores e de seus filhos.	5.2	28.30
Perseguidos, os judeus não encontrarão paz no exílio. A espada os seguirá até lá e continuará a matança. O pecado cobrará um alto preço dos desobedientes.	5.5	28.65
Os sofrimentos no exílio serão variados e severos. A fome fará a pele dos cativos queimar como se estivesse sujeita a um forno.	5.10	28.28
Mulheres casadas e virgens serão estupradas nas ruas de Sião. Uma mulher prometida a um judeu nunca se tornará esposa dele, mas cairá vítima de um soldado impiedoso.	5.11	28.30
Os velhos não serão respeitados nem receberão misericórdia. Cairão vítimas das mesmas brutalidades.	5.12	28.50
O monte Sião ficará uma pilha de entulho e animais selvagens farão dele seu lugar de assombração. Os muitos e radicais pecados de Judá (Israel) exigirão castigos múltiplos e radicais, servindo de agentes de restauração para o fragmento que sobreviver.	5.18	28.26

"O quadro inicial faz-nos lembrar da bem conhecida representação de *Judaea capta*, uma mulher sentada debaixo de uma palmeira, que aparece nas moedas de metal romanas que foram cunhadas depois da destruição de Jerusalém. O poema de 22 versículos (capítulo 1) está dividido em duas porções simétricas (1. vss. 1-11; 2. vss. 12-22)" (Ellicott, *in loc.*).

Como jaz solitária. Essa é a postura dos que lamentam pelos mortos. Ver Lm 2.10 e Ed 9.3. Um sinal da aproximação ou do desenvolvimento de problemas mentais é exatamente esse. A pessoa começa a sentar-se no chão, e não em uma cadeira ou banco. Essa é a postura de uma mente desolada e perturbada.

1.2

בָּכוֹ תִבְכֶּה בַּלַּיְלָה וְדִמְעָתָהּ עַל לֶחֱיָהּ אֵין־לָהּ
מְנַחֵם מִכָּל־אֹהֲבֶיהָ כָּל־רֵעֶיהָ בָּגְדוּ בָהּ הָיוּ לָהּ
לְאֹיְבִים׃ ס

Chora e chora de noite. *A viúva*, ali sentada em sua tristeza, chorou a noite inteira; as lágrimas desciam pelas bochechas; todos os seus amantes (deuses falsos e ex-aliados) a tinham abandonado; seus amigos haviam fugido; ela não contava com simpatizantes nem com consoladores; ela tinha sido atraiçoada, pois suas alianças com estrangeiros fracassaram; ex-amigos e aliados agora eram inimigos. Os *amantes e amigos* eram aqueles "estados que tinham apoiado Jerusalém em sua revolta contra a Babilônia" (ver Jr 27.3; 37.5-8). Visto que Jerusalém foi personificada como uma mulher, aquelas nações estrangeiras foram personificadas como amantes libertinos, volúveis e passageiros (cf. o vs. 19)" (Theophile J. Meek, *in loc.*). O termo *amante* traz à nossa mente o fato de que ela abandonou a Yahweh e voltou-se para a idolatria, cometendo adultério espiritual. Portanto, o crime de Judá foi idolatria-adultério-apostasia. O paganismo no qual ela se envolveu promoveu a prostituição sagrada, o que explica a *figura da amante*. "Os amantes eram nações como o Egito (ver Jr 2.36), Moabe e outras, com as quais Judá estivera em aliança, mas que agora se voltaram contra ela (cf. Sl 137.7; Ez 25.3-6 e Jr 40.14, como exemplos da hostilidade dessas nações. Ver especialmente Lm 4.21)" (Ellicott, *in loc.*). Também estão em vista os *ídolos* "que ela amava mas que agora não a consolavam (ver Jr 2.20-25)" (Fausset, *in loc.*). Alguns de seus anteriores aliados agora se juntaram traiçoeiramente a seus inimigos, contra ela (ver 2Rs 24.2,7).

1.3

גָּלְתָה יְהוּדָה מֵעֹנִי וּמֵרֹב עֲבֹדָה הִיא יָשְׁבָה בַגּוֹיִם
לֹא מָצְאָה מָנוֹחַ כָּל־רֹדְפֶיהָ הִשִּׂיגוּהָ בֵּין הַמְּצָרִים׃ ס

Judá foi levado ao exílio. Os poucos sobreviventes judeus foram levados para a Babilônia. Houve três deportações distintas, conforme comento em Jr 52.28. Ver, no *Dicionário,* o verbete chamado *Cativeiro Babilônico.* Note o leitor que aqui o sujeito é *Judá*, e não apenas Jerusalém. O que ocorreu foi a morte de toda a nação. O país também foi personificado como uma mulher. Eles tinham sido como uma rainha entre as nações, que agora não passava de uma escrava. A calamidade dos ataques do exército babilônico foi ampliada pelo cativeiro. O cativeiro durou de 605 a 538 a.C., mais ou menos setenta anos (ver Jr 25.11,12). Judá foi submetido a trabalhos forçados naquela terra estrangeira, e os judeus não mais tiveram descanso no corpo e na alma. Mas esse foi um processo de purificação. Haveria um retorno a Jerusalém, permitido pelo decreto de Ciro, o poder medo-persa que substituiu a Babilônia. Haveria um novo dia de vitória e labor proveitoso, em favor de Yahweh e de suas instituições, uma vez que a idolatria de Judá tivesse sido expurgada. Cf. este versículo com Dt 28.65,66 e ver no gráfico acompanhante os muitos paralelos que o livro de Lamentações tem com o livro de Deuteronômio. Os cativos estavam sob cerco, mesmo quando já derrotados e em cativeiro. Seus perseguidores continuaram a desfechar ataques.

... o apanharam nas suas angústias. "Tendo-a caçado como os homens caçam animais ferozes e levam-nos para lugares estreitos, os babilônios a capturaram" (John Gill, *in loc.*). "A imagem de roubadores que no Oriente interceptam os viajantes nas passagens estreitas das áreas montanhosas" (Fausset, *in loc.*).

■ **1.4**

דַּרְכֵ֨י צִיּ֜וֹן אֲבֵל֗וֹת מִבְּלִי֙ בָּאֵ֣י מוֹעֵ֔ד כָּל־שְׁעָרֶ֙יהָ֙ שֽׁוֹמֵמִ֔ין כֹּהֲנֶ֖יהָ נֶאֱנָחִ֑ים בְּתוּלֹתֶ֥יהָ נּוּג֖וֹת וְהִ֥יא מַר־לָֽהּ׃ ס

Os caminhos de Sião estão de luto. A *personificação* do país e da cidade foi agora transferida para as estradas e portas de Sião, como se fossem seres vivos. As estradas que conduziam a Sião estavam em lamentação. Houve ocasião em que peregrinos tinham vindo às festas em Jerusalém, um grande santuário religioso durante séculos. Mas agora as coisas estavam tranquilas. Nenhum homem queria chegar perto do lugar. As portas da cidade foram demolidas e não admitiam a entrada de peregrinos. O dia glorioso havia terminado. Os poucos sacerdotes que não tinham sido mortos ou deportados sentavam-se na cidade, gemendo. Não havia culto para ser celebrado. A idolatria de Judá tinha desqualificado a casta sacerdotal. O próprio templo tinha sido transformado em um montão de ruínas, incendiado e agora jazia desolado (vs. 10; ver também Jr 50.28 e 51.11). Antes as *virgens* acompanhavam as festividades, provendo cânticos e danças para alegrar a atmosfera. Ver Êx 15.20; Sl 68.25; Jz 21.19; Jr 31.13. As virgens, como uma classe, tinham sido deportadas e agora povoavam os haréns dos ricos e poderosos da Babilônia. Nada restara que as encorajasse a cantar e dançar. O regozijo tinha morrido. Aquelas jovens mulheres tinham sido "arrastadas" (*Revised Standard Version*), algo terrível de ser contemplado.

■ **1.5**

הָי֨וּ צָרֶ֤יהָ לְרֹאשׁ֙ אֹיְבֶ֣יהָ שָׁל֔וּ כִּֽי־יְהוָ֥ה הוֹגָ֖הּ עַ֣ל רֹב־פְּשָׁעֶ֑יהָ עוֹלָלֶ֛יהָ הָלְכ֥וּ שְׁבִ֖י לִפְנֵי־צָֽר׃ ס

Os seus adversários triunfam. Os inimigos de Judá tornaram-se seus senhores. Muitos sobreviventes judeus tornaram-se escravos e foram submetidos a trabalho árduo. As mulheres seletas tornaram-se escravas do sexo; as outras foram obrigadas a trabalhar arduamente nas casas das damas da Babilônia. Tudo isso aconteceu porque Yahweh estava vingando-se da idolatria-adultério-apostasia de Judá. A *Lei Moral da Colheita segundo a Semeadura* (ver a respeito no *Dicionário*) estava fazendo sua cobrança. Havia *muitos pecados* para punir, e muita corrupção precisava ser removida do povo. É Yahweh quem controla as atividades dos homens, e é ele quem intervém com sua providência negativa e com sua providência positiva. Ver no *Dicionário* o artigo chamado *Providência de Deus*. O *teísmo* bíblico (ver o artigo a respeito) ensina que o Criador continua presente em sua criação, intervindo, recompensando e castigando. O *deísmo*, em contraste, ensina que a força criadora (pessoal ou impessoal) abandonou sua criação ao cuidado das leis naturais. Entrementes, a Babilônia estava voando alto às expensas da miséria das nações que ela havia destruído. A especialidade da Babilônia era o genocídio. O poder medo-persa, entretanto, tinha em reserva um dia de prestação de conta para a Babilônia. Cf. este versículo com Dt 28.13,44. Quanto aos muitos paralelos entre o livro de Deuteronômio e o livro de Lamentações, ver o gráfico acompanhante.

■ **1.6**

וַיֵּצֵ֥א מִן־בַּת־צִיּ֖וֹן כָּל־הֲדָרָ֑הּ הָי֣וּ שָׂרֶ֗יהָ כְּאַיָּלִים֙ לֹא־מָצְא֣וּ מִרְעֶ֔ה וַיֵּלְכ֥וּ בְלֹא־כֹ֖חַ לִפְנֵ֥י רוֹדֵֽף׃ ס

Da filha de Sião já se passou todo o seu esplendor. A *filha de Sião* (ver sobre esse título no *Dicionário*) aponta para a cidade de Jerusalém. Cf. Lm 2.1,2. Era um comum costume antigo personificar países e cidades como se fossem mulheres. Ver também Lm 2.4,8,10,13,18 e 4.22. Algumas vezes, essa personificação se dá como "filha de Sião" e, outras, como "filha de Jerusalém". Essa mulher sofreu um estupro tanto figurado quanto literal. Ver no *Dicionário* o verbete intitulado *Sião*. Essa palavra nos faz lembrar do *aspecto espiritual* de Jerusalém, que era o local do templo e seu culto a Yahweh. Alguns judeus pensavam que Jerusalém era invencível por causa de seu templo e seu culto (ver Jr 7.2-15; 26.2-11), mas a apostasia a deixara vulnerável. Ver Jr 50.28 e 51.11. Uma vingança especial finalmente ocorreria contra aquela nação (a Babilônia), que ousara arrasar a cidade e o templo de Yahweh.

A Metáfora do Animal Feroz. Os poucos líderes judeus que tinham sobrevivido aos ataques dos babilônios eram como animais que fugiam do caçador. Eles não tinham lugar para parar, comer ou beber. Estavam exaustos e atemorizados. Esta parte do versículo provavelmente é uma referência à fuga de Zedequias, na companhia de alguns elementos da elite judaica (ver 2Rs 25.5; Jr 39.5). Os perseguidores não permitiram que eles chegassem muito longe. Zedequias foi forçado a contemplar a execução dos próprios filhos. Ato contínuo, ele foi cegado e lançado na prisão pelo resto de seus dias. Os príncipes judeus foram executados em Ribla (ver Jr 52.10,11).

■ **1.7**

זָכְרָ֣ה יְרוּשָׁלִַ֗ם יְמֵ֤י עָנְיָהּ֙ וּמְרוּדֶ֔יהָ כֹּ֥ל מַחֲמֻדֶ֖יהָ אֲשֶׁ֣ר הָי֣וּ מִ֣ימֵי קֶ֑דֶם בִּנְפֹ֧ל עַמָּ֣הּ בְּיַד־צָ֗ר וְאֵ֤ין עוֹזֵר֙ לָ֔הּ רָא֣וּהָ צָרִ֔ים שָׂחֲק֖וּ עַ֥ל מִשְׁבַּתֶּֽהָ׃ ס

Agora nos dias da sua aflição e do seu desterro. "Como se o trauma físico não bastasse, a angústia mental também assediava os habitantes de Jerusalém. O povo dessa cidade lembrava todos os tesouros que lhe pertenciam, nos dias antigos. Seu presente estado de ruína e ridículo contrastava fortemente com sua glória anterior — e Jerusalém se consolava ao lembrar o que antes lhe pertencera. Tendo caído nas mãos de seus inimigos (vss. 2,3 e 5,6), ela se tornou motivo de risos" (Charles H. Dyer, *in loc.*). "Ela estava sofrendo e sem pátria. Relembrava todas as coisas preciosas que possuía no passado. Lembrava como o seu povo tinha sido derrotado pelo inimigo. Não havia quem a ajudasse. Quando seus inimigos a viam, eles se riam de vê-la arruinada" (NCV).

Fizeram escárnio da sua queda. Outra tradução diz "fizeram escárnio de seus sábados". Se essa tradução está certa, então devemos lembrar que as nações pagãs se riam do povo de Israel por guardar o sábado, o sinal do *pacto mosaico* (comentado na introdução a Êx 19). Alguns estudiosos supõem que a razão pela qual o cativeiro babilônico durou *setenta anos* fosse que, durante 490 anos, Israel negligenciou a guarda do sábado da terra, que ocorria a cada sete anos. Portanto, divida-se 490 por 7, e o resultado será de setenta sábados anuais negligenciados. Os pagãos, pois, zombavam de Judá, na Babilônia, enquanto descontavam setenta anos sabáticos. A versão siríaca diz "ruína" em vez de "sábados", e alguns supõem que assim dizia o texto original dos manuscritos hebraicos, antes do aparecimento do texto massorético. Ver no *Dicionário* o artigo *Massora (Massorah); Texto Massorético*.

Algumas vezes, as versões (mormente a Septuaginta) preservam um texto mais antigo do que o do texto massorético, o texto hebraico padronizado. Os Papiros do mar Morto (que representam um texto hebraico mais antigo do que o texto massorético) confirmam esse fenômeno. Parece que 5% do texto massorético está defeituoso, e suas deficiências algumas vezes podem ser corrigidas mediante a comparação das versões. Devemos lembrar que essa porcentagem foi traduzida de manuscritos hebraicos. De fato, é digno de nota que os manuscritos existentes da Septuaginta são cerca de quinhentos anos mais antigos que os manuscritos hebraicos sobre os quais estão estribados os manuscritos pertencentes ao texto massorético. Os manuscritos hebraicos dos Papiros do mar Morto algumas vezes dão apoio à Septuaginta, e não aos textos hebraicos padronizados. Ocasionalmente, dão apoio à Vulgata, ao siríaco e a outras versões contra o texto massorético, quando esses manuscritos não contam com o apoio da Septuaginta. Algumas vezes, as versões, de modo geral, concordam contra o texto massorético. Portanto, esse texto não pode ser equiparado ao original hebraico. Mas os intérpretes preguiçosos com frequência fazem essa equação.

1.8

חָטְא֙ חָטְאָ֜ה יְרוּשָׁלִַ֗ם עַל־כֵּ֛ן לְנִידָ֥ה הָיָ֖תָה כָּל־
מְכַבְּדֶ֣יהָ הִזִּיל֗וּהָ כִּי־רָא֣וּ עֶרְוָתָ֔הּ גַּם־הִ֥יא נֶאֶנְחָ֖ה
וַתָּ֥שָׁב אָחֽוֹר׃ ס

Jerusalém pecou gravemente. Jerusalém, a cidade prostituta, teve sua nudez revelada perante os olhos do mundo inteiro e caiu em desgraça total. Seus amantes a abandonaram (vs. 2). Os severos julgamentos de Yahweh revelaram o que ela realmente era: uma mulher *idólatra-adúltera-apóstata*. A adúltera, pois, fazia seus olhos voltar-se para longe dos olhares que a rodeavam, vendo-a sofrer as agonias de seu castigo. Estando poluída por seus pecados, ela tinha sido rejeitada da congregação de Deus como se fosse uma coisa imunda. Ver no *Dicionário* o artigo chamado *Limpo e Imundo*. O Targum refere-se correta e especificamente aqui à *idolatria* como o pecado cardeal de Jerusalém. O hebraico diz, literalmente, "pecou um pecado", que é uma construção gramatical enfática. A mulher adúltera virou a cabeça para outro lado e afastou-se, envergonhada. Cf. Is 42.17.

1.9

טֻמְאָתָ֣הּ בְּשׁוּלֶ֗יהָ לֹ֤א זָֽכְרָה֙ אַחֲרִיתָ֔הּ וַתֵּ֖רֶד פְּלָאִ֑ים
אֵ֤ין מְנַחֵם֙ לָ֔הּ רְאֵ֤ה יְהוָה֙ אֶת־עָנְיִ֔י כִּ֥י הִגְדִּ֖יל אוֹיֵֽב׃ ס

A sua imundícia está nas suas saias. "O quadro da poluição é levado ao mais nojento extremo. A própria saia da mulher estava contaminada" (Ellicott, *in loc.*), visto que *ela* estava poluindo as próprias roupas. A mulher estava tão imunda que contaminava as próprias vestes! A corrupção dela chegava até os pés, a extremidade inferior de sua saia. "... a terra estava contaminada pela pecaminosidade dela, até suas fronteiras mais longínquas" (Adam Clarke, *in loc.*). "A alusão é a uma mulher menstruada... cujo sangue desce saia abaixo" (John Gill, *in loc.*). Nada existe de extremamente pudico na Bíblia! O Targum afirma que o sangue da mulher não fora limpo porque ela não se tinha arrependido.

O estado de imundícia dela atraiu cães babilônios que vieram lamber-lhe o sangue, ou seja, reduzi-la a nada pelo assassinato e pelo saque. E não houve consolador. Nenhum aliado saiu em seu socorro, mas a deixaram exposta à violência. Ela clamou para que Yahweh observasse sua deplorável situação e a ajudasse, mas ele ignorou aqueles apelos. Ela não pensou na condenação que atinge tais pessoas, pelo que nada fez para evitar a calamidade.

Lembra-te, pois, de onde caíste, arrepende-te e volta...
Apocalipse 2.5

1.10

יָד֣וֹ פָּ֣רַשׂ צָ֔ר עַ֖ל כָּל־מַחֲמַדֶּ֑יהָ כִּֽי־רָאֲתָ֤ה גוֹיִם֙ בָּ֣אוּ
מִקְדָּשָׁ֔הּ אֲשֶׁ֣ר צִוִּ֔יתָה לֹא־יָבֹ֥אוּ בַקָּהָ֖ל לָֽךְ׃ ס

Estendeu o adversário a sua mão. O inimigo não parou diante do saque ordinário. Ele estendeu a mão contra as "coisas preciosas", isto é, contra os tesouros e vasos do templo, que eram sagrados para as tradições hebreias. O santuário foi invadido, saqueado, arrebentado, e o que podia queimar foi incendiado (ver Jr 52.13). O povo tinha confiado tolamente no templo de Jerusalém como proteção, como se a sua presença o tornasse invencíveis. Ver Jr 7.2-15; 26.2-11. O templo não era nenhum talismã gigantesco nem um encanto de boa sorte. Mostrou ser extremamente vulnerável à violação da parte de estrangeiros, uma vez que Judá tinha apostatado. Pedras em nada protegiam o povo. A desobediência atraiu a destruição. A lei de Moisés não permitia que estrangeiros (não convertidos) tivessem acesso ao templo (ver Dt 23.1-3), mas a violação da lei quebrou o poder dessa proibição. Israel tinha sido feito nação distinta, separada das nações, mediante a possessão e prática da lei mosaica (ver Dt 4.4-8), mas quando, por causa da idolatria, perdeu sua distinção, também atraiu severo julgamento divino.

Ver 2Cr 36.10,19 quanto à preciosidade do templo e de seus vasos. A profanação arruinou a preciosidade da fé, primeiramente a deles, e depois a dos babilônios pagãos.

1.11

כָּל־עַמָּ֤הּ נֶאֱנָחִים֙ מְבַקְשִׁ֣ים לֶ֔חֶם נָתְנ֧וּ מַחֲמַדֵּיהֶ֛ם
בְּאֹ֖כֶל לְהָשִׁ֣יב נָ֑פֶשׁ רְאֵ֤ה יְהוָה֙ וְֽהַבִּ֔יטָה כִּ֥י הָיִ֖יתִי
זוֹלֵלָֽה׃ ס

Todo o seu povo anda gemendo. A *terrível tríade* da guerra, a saber, espada, fome e pestilência, tomou conta de Jerusalém. Essa combinação é comum no livro de Jeremias. Quanto a alguns poucos exemplos, ver Lm 5.12; 14.12; 16.4; 32.24 e 42.17. O potencial agrícola foi destruído, juntamente com a maior parte dos agricultores. As pessoas andavam à cata do pão, a fim de escapar da fome e da morte. Os que tinham alguma possessão depois do temível saque efetuado pelo exército babilônico agora davam essas possessões em troca de alimentos. Algumas mulheres chegaram a comer os próprios filhos (ver Lm 2.20; 4.10). Desprezada pelos homens e por Deus, Jerusalém foi deixada a sofrer sua horrível sorte. Cf. Jr 37.21; 38.9; 2Rs 6.25. Ver também Lm 1.1; 2.20 e 4.10.

Tudo quanto o homem tem dará pela sua vida.
Jó 2.4

Segunda Metade do Poema (1.12-22)

1.12

ל֣וֹא אֲלֵיכֶם֮ כָּל־עֹ֣בְרֵי דֶרֶךְ֒ הַבִּ֣יטוּ וּרְא֔וּ אִם־יֵ֤שׁ
מַכְאוֹב֙ כְּמַכְאֹבִ֔י אֲשֶׁ֥ר עוֹלַ֖ל לִ֑י אֲשֶׁר֙ הוֹגָ֣ה יְהוָ֔ה
בְּי֖וֹם חֲר֥וֹן אַפּֽוֹ׃ ס

Não vos comove isto...? Jerusalém, em sua angústia, teve uma tristeza singular. Era *Yahweh* quem a estava afligindo, por causa da apostasia. A *Lei Moral da Colheita segundo a Semeadura* estava em plena operação. Ver sobre esse título no *Dicionário*. Mas os que passavam e viam sua aflição mostravam-se indiferentes. Não havia simpatia nem consolo algum.

"Os vss. 12-19 contêm a chamada de Jerusalém àqueles que passassem por perto e porventura parassem para observar sua condição. Em primeiro lugar, ela enfocava sua atenção sobre o julgamento divino que lhe tinha sobrevindo (vss. 12-17); então ela explicava que o julgamento fora merecido, por causa do pecado " (vss. 18 e 19)" (Charles H. Dyer, *in loc.*). Os apelos por simpatia da parte de outros eram baldados.

Dwight L. Moody tomou uma visão severa da operação da lei da colheita segundo a semeadura, conforme dado pela seguinte ilustração: "Nunca esqueças que aquilo que um homem semear, isso também ele colherá... Você pergunta: 'Se eu me arrepender e Deus me perdoar, então terei de colher?'. Sim, você terá de colher. Coisa alguma pode mudar essa lei... Surpreso, você poderá dizer: 'Nesse caso, de que adianta me arrepender?'. Ah, nesse caso Deus o ajudará no trabalho árduo da colheita". Naturalmente, temos exemplos bíblicos de arrependimento que fazem cessar a colheita, como no caso de Nínive. Mas isso não deve diminuir para nós a seriedade da lei. Ver Gl 6.7,8.

1.13

מִמָּר֛וֹם שָֽׁלַח־אֵ֥שׁ בְּעַצְמֹתַ֖י וַיִּרְדֶּ֑נָּה פָּרַ֨שׂ רֶ֜שֶׁת
לְרַגְלַ֗י הֱשִׁיבַ֣נִי אָח֔וֹר נְתָנַ֙נִי֙ שֹֽׁמֵמָ֔ה כָּל־הַיּ֖וֹם דָּוָֽה׃ ס

Lá do alto enviou fogo a meus ossos. As *chamas do julgamento de Yahweh* entraram nos *ossos* do povo de Israel, personificado pela mulher. Os ossos com frequência falam da pessoa inteira, pois o corpo todo depende dos ossos. Ver as notas expositivas em Sl 102.3. O fogo é uma figura de castigo severo. Então outra figura é usada, a do caçador. A dama impotente teve os pés apanhados em uma rede. Ela se tornou como um animal selvagem que estivesse sendo caçado, levado à beira da impotência e da morte. Ela se tornou desolada, "triste e solitária e fraca o dia todo" (NCV). Redes eram usadas para capturar uma variedade de animais (aves, Pv 1.17; peixes, Eclesiastes 9.12; antílopes, Is 51.20). Embora aparentemente sejam frágeis, as redes prendiam o animal e o deixavam impotente. A rede de Yahweh deixara Jerusalém em estado de desespero e impotência. Cf. Ez 12.13 e Os 7.12.

"A palavra *desolada* subentende, como no caso de Tamar (ver 2Sm 13.20), total e impotente miséria" (Ellicott, *in loc.*).

1.14

נִשְׂקַד עֹל פְּשָׁעַי בְּיָדוֹ יִשְׂתָּרְגוּ עָלוּ עַל־צַוָּארִי
הִכְשִׁיל כֹּחִי נְתָנַנִי אֲדֹנָי בִּידֵי לֹא־אוּכַל קוּם׃ ס

O jugo das minhas transgressões. As transgressões de Jerusalém tornaram-se um jugo pesadíssimo posto sobre o seu pescoço. O jugo temível a imobilizara; suas forças tinham fracassado. Nessa condição debilitada, ela foi entregue às mãos da assassina Babilônia, pelo que calamidade se seguia a calamidade. Mas tudo começou com o jugo pesado do pecado. Foi Yahweh quem atou todos os pecados de Jerusalém para formar o jugo. Mas a própria Jerusalém tinha suprido a matéria-prima. Cf. este versículo com Dt 28.48. "Uma metáfora do agricultor que, depois de ter atado o jugo ao pescoço do boi, segura as rédeas firmemente em torno da mão" (Fausset, *in loc.*). O jugo era empregado para obrigar os animais a puxar uma carga pesada. Era tudo uma disciplina para obrigar ao trabalho. A *disciplina* de Yahweh obrigou Jerusalém a sofrer por suas inúmeras transgressões. Mas as disciplinas de Deus são remediadoras e não meramente retributivas, ou seja, contêm em si mesmas as sementes da restauração. Ver sobre 1Pe 4.6 no *Novo Testamento Interpretado*. Os pecados de um homem deixam-no cego, limitando-o e pervertendo-o. Mas há um poder que liberta o homem disso e, por muitas vezes, só o julgamento divino mostra-se eficaz.

Note o leitor, neste versículo, que o termo *Senhor* é tradução do hebraico *Adonai*, e não do mais usual *Yahweh*. Isso ocorre treze vezes no livro de Lamentações, mas não vejo nada de especial nessa substituição. Ver no *Dicionário* o artigo *Deus, Nomes Bíblicos de*.

Quando Jerusalém foi libertada dos efeitos do jugo do pecado, isso ocorreu por um ato de Deus através do decreto misericordioso de Ciro, que permitiu a volta dos judeus a Jerusalém.

1.15

סִלָּה כָל־אַבִּירַי אֲדֹנָי בְּקִרְבִּי קָרָא עָלַי מוֹעֵד לִשְׁבֹּר
בַּחוּרָי גַּת דָּרַךְ אֲדֹנָי לִבְתוּלַת בַּת־יְהוּדָה׃ ס

O Senhor dispersou todos os meus valentes. O pecado tinha feito sua obra temível. Judá contava com muitos jovens fortes, aptos para o serviço militar. No entanto, eles se dissolveram ante o ataque do exército babilônico. *Adonai* foi o agente desse acontecimento, pois é ele quem controla o que sucede entre os homens. Isso reflete o *teísmo* (ver no *Dicionário*) bíblico.

Adonai esmagou sob os pés os jovens, pois eles representavam a mulher pecaminosa, Jerusalém, e sua causa não era justa. Ele chamou seu *ajuntamento* (o exército babilônico) e disse-lhe o que fazer. Portanto, esse exército *esmagou* os jovens. Mas o verdadeiro *esmagador* foi o próprio Senhor. Judá, aqui chamado de "a virgem filha", foi pisado como uvas no lagar. A jovem foi violentada. "Uvas colhidas foram postas em um lagar e pisadas aos pés até que o suco escorreu para uma valeta contígua. Esse ato foi associado à ideia de uma completa destruição. Cf. Is 63.1-6; Jl 3.12-15; Ap 14.17-20" (Charles H. Dyer, *in loc.*). Quanto ao título "virgem filha de Judá", cf. Lm 2.2,5.

"A figura é horrenda. O vinho do banquete era o sangue espremido dos corpos humanos, concebidos como uvas (cf. Is 63.3)" (Theophile J. Meek, *in loc.*).

1.16

עַל־אֵלֶּה אֲנִי בוֹכִיָּה עֵינִי עֵינִי יֹרְדָה מַּיִם כִּי־רָחַק
מִמֶּנִּי מְנַחֵם מֵשִׁיב נַפְשִׁי הָיוּ בָנַי שׁוֹמֵמִים כִּי גָבַר
אוֹיֵב׃ ס

Por estas cousas choro eu. As *horrendas condições* que acabam de ser descritas dizem por que a jovem se debulhou em lágrimas, por que seus olhos não paravam de lacrimejar; ela tinha perdido a coragem, pois nenhum homem a ajudou ou consolou, e certamente Yahweh não agiu assim. Seus *filhos* (os poucos que sobreviveram) foram deixados desolados, em busca de um pedaço de pão que lhes sustivesse a vida (vs. 11). Embora Judá tenha sido chamado de povo de Deus, contudo foi o *inimigo* que prevaleceu, e isso por causa do decreto de juízo de Yahweh contra seu próprio povo. Cf. este versículo com a figura da *viúva* chorosa, no vs. 1. Ver o vs. 9 quanto ao fato de que não havia ajudador ou consolador. "Desolação" é a palavra-chave neste caso. "... miséria sem igual se manifestou em um dilúvio de lágrimas amargas. Note-se a ênfase da reiteração, *meus olhos, meus olhos*" (Ellicott, *in loc.*). Ver também Lm 4.18, onde encontramos um uso similar, *o nosso fim... o nosso fim*.

Oh, a miséria que o meu pecado me tem causado,
Nada tenho conhecido senão dor e tristeza.
Agora busco tua graça salvadora e misericórdia.
Estou indo para casa.

A. H. Ackley

1.17

פֵּרְשָׂה צִיּוֹן בְּיָדֶיהָ אֵין מְנַחֵם לָהּ צִוָּה יְהוָה לְיַעֲקֹב
סְבִיבָיו צָרָיו הָיְתָה יְרוּשָׁלַם לְנִדָּה בֵּינֵיהֶם׃ ס

Estende Sião as mãos. Jerusalém torna a apelar para algum passante que poderia parar e ajudar. Cf. o vs. 12, que é similar. Aqui Jerusalém é chamada de "Sião", o lugar do santuário e do templo, que não mais existia. As antigas instituições religiosas foram primeiramente deixadas em ruínas no coração do povo, e então os objetos físicos do culto foram reduzidos a um montão de destroços. Sião não tinha mais poder para excitar a simpatia de outros. A glória do Senhor se afastou daquele lugar. Seus amigos (aliados) tornaram-se adversários e riram-se de suas aflições. Jacó jazia no solo, agonizante, e quem poderia importar-se? Note os nomes, cada qual com seu significado: Sião, Jerusalém, Jacó. Eram nomes sagrados dados a Israel e a Jerusalém. Mas agora os judeus eram um povo sem nome, que se tornou uma coisa imunda, como uma mulher menstruada. Cf. o vs. 9 quanto à figura. A palavra hebraica para "imundo", *nidah*, refere-se à impureza cerimonial vinculada à menstruação (cf. Lv 15.19,20; Ez 18.6). Ver no *Dicionário* o verbete *Limpo e Imundo*. Os amigos tornaram-se inimigos; e os amantes e ex-aliados, além do próprio Deus, manse tinham distantes da mulher.

1.18,19

צַדִּיק הוּא יְהוָה כִּי פִיהוּ מָרִיתִי שִׁמְעוּ־נָא
כָל־עַמִּים וּרְאוּ מַכְאֹבִי בְּתוּלֹתַי וּבַחוּרַי
הָלְכוּ בַשֶּׁבִי׃ ס

קָרָאתִי לַמְאַהֲבַי הֵמָּה רִמּוּנִי כֹּהֲנַי וּזְקֵנַי בָּעִיר גָּוָעוּ
כִּי־בִקְשׁוּ אֹכֶל לָמוֹ וְיָשִׁיבוּ אֶת־נַפְשָׁם׃ ס

Justo é o Senhor. Os ex-amantes mostraram-se enganadores e infiéis, abandonando a pobre dama (vs. 19). Mas ela merecia toda a consternação que estava sofrendo (vs. 18) e mostrou-se sensível o bastante para reconhecer isso. Sua santidade estava sendo vindicada no merecido julgamento contra a iniquidade. A lei mosaica tinha sido violada; seus mandamentos tinham sido todos quebrados. Jerusalém fora despedaçada pelo malho do exército pagão, e as poucas virgens sobreviventes foram enviadas ao cativeiro para aumentar os haréns dos ricos e poderosos babilônios. Os jovens judeus foram enviados ao cativeiro para servir como escravos. Em vão foi que a impotente dama pediu socorro a seus ex-amantes. Mas eles não tinham mais tempo para ela. Havia melhores companhias que ela. Quanto à figura do *amante*, ver o vs. 2.

Quando uma mulher adorável se baixa para a loucura,
E descobre, tarde demais, que os homens traem,
Que encanto pode suavizar sua melancolia?
Que arte pode lavar a sua culpa?

Oliver Goldssmith

Uma mulher chorando por seu amante demônio!

Samuel Taylor Coleridge

Todos os teus amantes se esqueceram de ti...

Jeremias 30.14

1.20

רְאֵה יְהוָה כִּי־צַר־לִי מֵעַי חֳמַרְמָרוּ נֶהְפַּךְ לִבִּי בְּקִרְבִּי כִּי מָרוֹ מָרִיתִי מִחוּץ שִׁכְּלָה־חֶרֶב בַּבַּיִת כַּמָּוֶת: ס

Olha, Senhor. A *entristecida dama* apelou, em primeiro lugar, aos que passavam, para que notassem sua miséria e lhe prestassem ajuda e consolação (vss. 12-19). Agora, porém, ela se voltava para Yahweh, em busca de simpatia. Afinal, ele era a causa do julgamento, embora ela tivesse provocado isso por seus múltiplos pecados (vs. 18). Ela nada pleiteou senão sua grande necessidade, e esperava que o imenso amor de Deus fizesse uma diferença em sua miserável condição. Mas o amor já estava operando através do julgamento, pois o juízo é um dedo da amorosa mão de Deus. Deus não é o sádico supremo que causa sofrimentos meramente porque isso lhe agrada. Os sofrimentos têm efeito benéfico quando recebidos da maneira correta. Nas *ruas*, a espada colhia muitas almas. Haveria poucos sobreviventes. No *coração da mulher* havia angústia, porque esse coração estava atingido pela tristeza. Tudo isso porque ela se mostrara *rebelde* ao promover sua idolatria-adultério-apostasia.

Estou angustiada. Diz o hebraico, literalmente, "minhas entranhas estão perturbadas". Cf. Jó 30.27; Is 16.11; Jr 4.18 e 31.20. A aflição mental tem pronunciados efeitos sobre o coração e os intestinos, o que explica a expressão no original hebraico.

O coração da dama "estava agoniado dentro dela", preparando-se para um ataque de coração, palpitante de angústia. Cf. Os 11.8, que diz algo similar. Se a espada continuava a matar "lá fora", a morte estava ativa nas casas. Cf. Dt 32.25 e Ez 7.15. A fome e a peste colhiam suas vítimas em leitos de morte.

> A morte avança e abre sua garganta hedionda para devorar as pessoas.
>
> Silius Italicus, II. 548

Diz o Targum: "Por dentro, a fome mata como o anjo destruidor, nomeado sobre a morte".

1.21

שָׁמְעוּ כִּי נֶאֱנָחָה אָנִי אֵין מְנַחֵם לִי כָּל־אֹיְבַי שָׁמְעוּ רָעָתִי שָׂשׂוּ כִּי אַתָּה עָשִׂיתָ הֵבֵאתָ יוֹם־קָרָאתָ וְיִהְיוּ כָמוֹנִי: ס

Ouvem que eu suspiro. As declarações sobre lamentações são repetidas, como já seria de esperar. Já vimos os *gemidos* da dama aflita (vs. 8), e isso foi expresso de forma poética (vs. 20). Vimos que não havia *consolador* (vs. 17). A isso adicione-se o fato de que os inimigos da mulher estavam *alegres* diante de suas calamidades. Agora ela clama por vingança contra seus ex-amigos, aliados e inimigos, para que eles caíssem no mesmo tipo de juízo que ela estava sofrendo, porquanto, por certo, eles mereciam tal sorte, tanto quanto acontecia com ela. Ela queria companhia em sua miséria. "O dia" referido neste versículo não é o dia escatológico do Senhor, mas um dia de julgamento específico profetizado para a punição de cada uma das nações em vista. Alguns intérpretes insistem nesse dia distante de prestação de conta por parte de todas as nações, mas isso é ver demais no texto. Jr 48 e 49 dão profecias específicas de condenação para as nações envolvidas no cativeiro de Judá na Babilônia. A maioria delas também foi para o cativeiro. Cf. este versículo com Jr 48.27, onde Israel aparece como objeto de *escárnio*. Jr 50 e 51 dão uma coletânea de oráculos contra a Babilônia.

1.22

תָּבֹא כָל־רָעָתָם לְפָנֶיךָ וְעוֹלֵל לָמוֹ כַּאֲשֶׁר עוֹלַלְתָּ לִי עַל כָּל־פְּשָׁעָי כִּי־רַבּוֹת אַנְחֹתַי וְלִבִּי דַוָּי: פ

Venha toda a sua iniquidade. A *Lei Moral da Colheita segundo a Semeadura* (ver no *Dicionário*) tinha atuado dura mas justamente com Judá. E a mulher agora implorava a mesma coisa para seus inimigos, o que expande as ideias dadas no vs. 21. Nos Salmos, temos muitos exemplos de imprecações, principalmente nos salmos de lamentação. Há dezoito classes (ou tipos) de salmos, e esse tipo é de longe o mais numeroso. Ver no início do livro de Salmos o gráfico que revela os tipos diferentes e lista os salmos pertencentes a cada tipo. Esse sentimento não está em concordância com a moralidade mais elevada do Novo Testamento (ver Rm 12.19), nem com as palavras de Jesus de "orar pelos inimigos" (ver Mt 5.44). Mas poucas pessoas, até no seio da igreja atual, aproximam-se do ideal ensinado por Jesus. A maioria sente *prazer* em ver sofrer alguém que lhe fez sofrer antes. É um exagero do texto ver o juízo desejado aqui como a Grande Tribulação dos últimos dias. Cf. este versículo com Is 62.8—63.6; Jr 48—51; Ob 15-21; Zc 14.1-9 e Mt 25.31,46. Cf. também Sl 69; 99; 137 e Jr 18.21-23. Judá estava no lagar divino (vs. 15), e era ali que a dama aflita queria ver as outras nações.

CAPÍTULO DOIS

SEGUNDA LAMENTAÇÃO: MANIFESTAÇÃO DA IRA DIVINA CONTRA JERUSALÉM (2.1-22)

Este capítulo registra o sofrimento do povo; o desprezo dos observadores; a alegria dos inimigos de Judá diante de suas calamidades. Várias ideias do capítulo 1 se repetem. O poeta é o orador do começo ao fim. O tempo é a retribuição divina contra a idolatria-adultério-apostasia de Judá-Jerusalém. Os vss. 1-10 fornecem um excelente quadro da ira de Deus, quando ele desmantelou, sistematicamente, a cidade. Os vss. 11-19 retratam o choro do profeta diante da cena. Os vss. 20-22 mostram seu clamor ao povo implorando a misericórdia divina. Em meio a grandes aflições, ultrajes foram cometidos, como mulheres que comiam os filhos diante da ameaça de morte por fome (vs. 20).

Palavras de Condenação. Este capítulo emprega uma variedade de palavras para indicar sofrimento e condenação: 1. *devorar* (vss. 2 e 5); 2. *destruir, derribar, lançar por terra* (vs. 2); 3. *demolir* (vs. 6); *quebrar* e *despedaçar* (vs. 9). A confusão e o caos eram totais. A cidade foi deixada em escombros, e Yahweh aparece como o autor da miséria, castigando os pecados dos homens.

2.1

אֵיכָה יָעִיב בְּאַפּוֹ אֲדֹנָי אֶת־בַּת־צִיּוֹן הִשְׁלִיךְ מִשָּׁמַיִם אֶרֶץ תִּפְאֶרֶת יִשְׂרָאֵל וְלֹא־זָכַר הֲדֹם־רַגְלָיו בְּיוֹם אַפּוֹ: ס

Como cobriu o Senhor de nuvens. Jerusalém é de novo personificada como uma mulher, pois é a filha de Sião (ver *virgem, filha de Judá*, no vs. 15). Ver no *Dicionário* o verbete chamado *Filha de Sião*. Essa mulher já estivera andando nas nuvens, mas agora estava debaixo de uma nuvem de condenação. Ela foi *precipitada* do céu à terra, foi humilhada e esmigalhada. O céu era bom demais para ela, embora ela tivesse elevadas pretensões. Ter sido ela destruída na terra, mediante queda, estava de acordo com seu estado pecaminoso. Ela fora antes o escabelo de Deus, o lugar onde ele se manifestava na terra. No entanto, perdeu a posição e foi apagada da memória divina, por causa de sua idolatria-adultério-apostasia.

> O Senhor derrubou por terra a grandeza de Israel, do céu para a terra. Ele não se lembrou do templo, seu escabelo, no dia de sua ira.
>
> NCV

Lembremo-nos das palavras de Esclus, *pathei mathos*, que significam "é através dos sofrimentos que uma pessoa aprende". Todos os julgamentos de Deus são remediadores.

A arca da aliança era o escabelo de Deus porque ali sua presença se manifestava. Ver 1Cr 28.2; Sl 99.5. Na destruição do templo, a arca se perdeu. O Targum faz o escabelo de Deus, neste caso, ser o templo de Jerusalém.

Nos países do Oriente Próximo e Médio, as mulheres usavam véus. Provavelmente é isso o que está por trás da figura da *nuvem*, aqui. Yahweh, pois, cobriu Jerusalém com um véu de vergonha e desprezo.

2.2,3

בִּלַּע אֲדֹנָי לֹא חָמַל אֵת כָּל־נְאוֹת יַעֲקֹב הָרַס
בְּעֶבְרָתוֹ מִבְצְרֵי בַת־יְהוּדָה הִגִּיעַ לָאָרֶץ חִלֵּל
מַמְלָכָה וְשָׂרֶיהָ׃ ס

גָּדַע בָּחֳרִי־אַף כֹּל קֶרֶן יִשְׂרָאֵל הֵשִׁיב אָחוֹר יְמִינוֹ
מִפְּנֵי אוֹיֵב וַיִּבְעַר בְּיַעֲקֹב כְּאֵשׁ לֶהָבָה אָכְלָה
סָבִיב׃ ס

Devorou o Senhor todas as moradas de Jacó. Jacó foi *devorado*. A ira divina é aqui retratada como um monstro que ataca sua presa, despedaçando-a e devorando seus pedaços mutilados. Havia fortalezas para proteger Jerusalém, mas elas se mostraram ineficazes porque Yahweh se tornou o General do exército babilônico, pelo que coisa alguma podia resistir ao ataque. Os governantes e o reino inteiro foram despedaçados e desonrados, tendo sido esmagados no chão pelos pés de Deus. Os governantes (príncipes) foram as vítimas notáveis da matança. Zedequias e seus subordinados, e a maior parte de sua família, foram levados ao cativeiro. Os filhos do rei foram executados diante de seus olhos. Em seguida, ele foi cegado e ficou apodrecendo em uma masmorra babilônica até a morte. Os príncipes judeus foram executados em Ribla. Ver Jr 52.9-11. A ira feroz do Senhor foi uma grande conflagração que queimou tudo. Sua fúria foi como fogo *consumidor* (vs. 3), uma poderosa corrente que a tudo crestou. Jerusalém foi deixada desolada e essencialmente desabitada. Os poucos sobreviventes foram transportados para a Babilônia, onde a miséria continuou até o decreto misericordioso de Ciro, que os libertou, depois que o centro de poder foi transferido da Babilônia para a Média-Pérsia.

Toda a força de Israel. Ou seja, não restou a Israel nenhum poder. A figura foi extraída do fato de que certos animais usavam seus chifres (símbolos de poder) como armas ofensivas e defensivas. Cf. esta parte do versículo com 1Sm 2.10; Sl 132.17; Jr 48.25. Ao redor do mundo, cabeças de animais cornudos têm sido usadas para retratar poder, autoridade e majestade. Ver Dn 7.24.

2.4

דָּרַךְ קַשְׁתּוֹ כְּאוֹיֵב נִצָּב יְמִינוֹ כְּצָר וַיַּהֲרֹג כֹּל
מַחֲמַדֵּי־עָיִן בְּאֹהֶל בַּת־צִיּוֹן שָׁפַךְ כָּאֵשׁ חֲמָתוֹ׃ ס

Entesou o seu arco qual inimigo. Yahweh, que também é *Sabaote*, o General dos Exércitos, por algum tempo foi o líder do exército da Babilônia. O arco divino atirava flechas de terror, as quais traspassaram o exército e os habitantes de Judá com grande matança. Ele também empregou sua *espada* (símbolo da guerra) e matou "o orgulho dos olhos de Judá", ou seja, todos os elementos desejáveis, militares ou civis. A ira de Deus derramou-se como se caísse de um grande vaso, ou fluiu como um rio que tivesse sido derramado dos céus, varrendo todo o território de Judá. A torrente de fogo queimou todas as *tendas* de Israel, todas as habitações do povo. Alguns estudiosos retêm a forma singular, "a tenda" (conforme diz nossa versão portuguesa), dando a entender o templo. O templo foi incendiado (ver Jr 52.13), mas não parece ser isso o que está em pauta aqui.

2.5

הָיָה אֲדֹנָי כְּאוֹיֵב בִּלַּע יִשְׂרָאֵל בִּלַּע כָּל־אַרְמְנוֹתֶיהָ
שִׁחֵת מִבְצָרָיו וַיֶּרֶב בְּבַת־יְהוּדָה תַּאֲנִיָּה וַאֲנִיָּה׃ ס

Tornou-se o Senhor como inimigo. *Adonai* recebeu o crédito por haver destruído Israel, visto que o *teísmo* bíblico (ver a respeito no *Dicionário*) retrata Deus a controlar os eventos da história humana. Ele atua em acordo com sua lei moral, e sua lei moral está alicerçada sobre a legislação mosaica. Desobedecer é ser castigado, afinal. Por treze vezes no livro de Lamentações, o nome divino menos usado, *Adonai*, substitui o mais comum, *Yahweh*. Este versículo mostra uma dessas substituições, mas é uma exagerada sofisticação tentar encontrar uma razão para isso. Ver no *Dicionário* o verbete intitulado *Deus, Nomes Bíblicos de*. A ideia de *devorar* é aqui repetida. O monstro aniquilou sua vítima, Adonai aniquilou completamente a Judá. Suas fortalezas foram destruídas, conforme declarado no vs. 2. A filha de Judá (chamada de filha de Sião, no vs. 1) foi deixada a chorar e a lamentar-se, o que o capítulo 1 ilustrou tão bem, com várias repetições. Ver os vss. 20 e 21.

É coisa terrível quando Deus se torna inimigo de um homem. E isso é algo que o homem espiritual pode evitar.

O pranto e a lamentação. Estes dois substantivos hebraicos são formados da mesma raiz, pelo que são escritos e pronunciados de maneira similar. "... uma lamentação realmente grande em vista da destruição de suas cidades, aldeias, vilas e seus habitantes" (John Gill, *in loc.*).

2.6

וַיַּחְמֹס כַּגַּן שֻׂכּוֹ שִׁחֵת מוֹעֲדוֹ שִׁכַּח יְהוָה בְּצִיּוֹן מוֹעֵד
וְשַׁבָּת וַיִּנְאַץ בְּזַעַם־אַפּוֹ מֶלֶךְ וְכֹהֵן׃ ס

Demoliu com violência o seu tabernáculo. Temos aqui a menção ao *templo*, que lembra o tempo em que o santuário era uma tenda móvel, além de fazer alusão às tendas da Festa dos Tabernáculos, quando o povo celebrava os *lugares de habitação* temporários durante os anos de perambulação pelo deserto. O templo, que parecia uma estrutura permanente, um agente de proteção, dando segurança ao povo israelita (ver Lm 7.2-15; 26.2-11), mostrou não ser mais substancial que as estruturas temporárias e fracas da tenda da congregação. Na época da colheita, os agricultores construíam *cabanas* temporárias para fazer sombra, o que nos dá outra ilustração. As festas e celebrações determinadas terminaram abruptamente quando o templo foi reduzido a um montão de pedras. Os gritos de alegria das festividades transformaram-se em lamentos. A feroz ira de Yahweh obliterou a tudo, e tanto o rei quanto os sacerdotes foram *desprezados*, tornando-se vítimas, juntamente com o povo comum, dos ataques desfechados pelos babilônios. O que parecia permanente mostrou ser apenas uma "tenda de jardim" (NCV), uma estrutura temporária para o tempo da colheita, que os agricultores usavam como sombra e para guardar seus instrumentos agrícolas. Os pecados do povo tinham provocado esse tipo de situação.

2.7

זָנַח אֲדֹנָי מִזְבְּחוֹ נִאֵר מִקְדָּשׁוֹ הִסְגִּיר בְּיַד־אוֹיֵב חוֹמֹת
אַרְמְנוֹתֶיהָ קוֹל נָתְנוּ בְּבֵית־יְהוָה כְּיוֹם מוֹעֵד׃ ס

Rejeitou o Senhor o seu altar. Yahweh (Adonai) foi o poder destruidor por trás das potências humanas que destruíram Jerusalém e o templo. Mas agora Adonai substitui o nome Yahweh, o que ocorreu treze vezes nesse livro. Mas o sentido em coisa alguma se altera pelo uso de nomes divinos diferentes. O altar do Senhor estava no templo, mas por causa da apostasia de Judá esse lugar foi desprezado pelo Ser divino e entregue para ser destruído pelos babilônios. As paredes de todos os edifícios importantes e de todos os edifícios privados foram niveladas. Um grande grito de desespero subiu do antigo local de sacrifícios, no lugar dos gritos de alegria que acompanhavam o culto. Alguns tomam esse *clamor* como se fossem os gritos de vitória dos babilônios, enquanto eles aniquilavam a tudo. "Os gritos dos inimigos, em seu triunfo... tomaram o lugar dos aleluias das festas solenes" (Ellicott, *in loc.*). Os sons dos instrumentos do templo usados no culto foram substituídos pelo tinido das armas que se entrechocavam. O Targum diz que o povo de Jerusalém, chorando e orando, é que gritava, na aflição daquele momento terrível.

2.8

חָשַׁב יְהוָה לְהַשְׁחִית חוֹמַת בַּת־צִיּוֹן נָטָה קָו לֹא
הֵשִׁיב יָדוֹ מִבַּלֵּעַ וַיַּאֲבֶל־חֵל וְחוֹמָה יַחְדָּו אֻמְלָלוּ׃ ס

Intentou o Senhor destruir... Foi Yahweh quem determinou a destruição do lugar. Deus arruinou o lugar para castigar a idolatria--adultério-apostasia de Jerusalém. Ele derrubou as muralhas que protegiam a *filha de Sião* (ver sobre esse título no vs. 1, e ver no *Dicionário* o artigo chamado *Filha de Sião*). Deus fez com que o lugar fosse destruído com seu *prumo*, que os homens usualmente usam nas construções. Ver Am 7.7-9; 2Rs 21.13; 34.1. O uso do prumo fala de uma cuidadosa e completa destruição. Cada centímetro do lugar estava condenado. As muralhas e as defesas caíram juntamente, personalizadas e pintadas como clamando porque a Babilônia as tinha demolido, o que é um toque patético na descrição. Ver Hc 2.11; Lc 19.40.

Jerusalém, antes gloriosa, foi cuidadosamente demarcada para ser destruída pela "linha da devastação" (Adam Clarke, *in loc.*). "Os povos orientais usavam a linha de medir não apenas nas suas construções, mas também ao destruir edificações (ver 2Rs 21.13; Is 34.11). Isso implica uma rigidez que nada poupava, com a qual Yahweh aplicaria sua punição" (Fausset, *in loc.*).

■ **2.9,10**

טָבְע֤וּ בָאָ֨רֶץ֙ שְׁעָרֶ֔יהָ אִבַּ֥ד וְשִׁבַּ֖ר בְּרִיחֶ֑יהָ מַלְכָּ֨הּ וְשָׂרֶ֤יהָ בַגּוֹיִם֙ אֵ֣ין תּוֹרָ֔ה גַּם־נְבִיאֶ֕יהָ לֹא־מָצְא֥וּ חָז֖וֹן מֵיְהוָֽה׃ ס

יֵשְׁב֨וּ לָאָ֤רֶץ יִדְּמוּ֙ זִקְנֵ֣י בַת־צִיּ֔וֹן הֶֽעֱל֤וּ עָפָר֙ עַל־רֹאשָׁ֔ם חָגְר֖וּ שַׂקִּ֑ים הוֹרִ֤ידוּ לָאָ֨רֶץ֙ רֹאשָׁ֔ן בְּתוּלֹ֖ת יְרוּשָׁלָֽ͏ִם׃ ס

As suas portas caíram por terra. As portas da cidade, feitas de bronze, que davam a aparência de uma proteção confiável, caíram por terra diante das pancadas do inimigo. O hebraico original é vívido aqui, dizendo que as portas afundaram "no" chão, como se tivessem sido socadas de cima para baixo. As barras de proteção foram despedaçadas. O rei e os príncipes de Judá foram objetos especiais da ira dos babilônios. Os que não foram mortos acabaram cativos entre os gentios (ou seja, foram dispersos por todo o território babilônico). A lei de Moisés cessou de funcionar juntamente com as instituições. Era a lei de Moisés que tornava Israel um povo distintivo (ver Dt 4.4-8). O ofício profético foi abolido. Yahweh não continuou a conceder visões, para servir de instrumentos especiais que guiavam o povo. O versículo diz que as *instituições religiosas* de Judá foram aniquiladas com o material físico e os habitante do lugar. "Yahweh abandonou totalmente o seu povo e não se manifestou mais a ele em nenhum sentido" (Theophile J. Meek, *in loc.*). "Aqui as condições lamentáveis são vistas como devidas principalmente ao fracasso dos líderes religiosos (cf. Lm 4.12-16)" (William Pierson Merrill, *in loc.*). Cada tipo de pessoa que tinha uma posição de liderança, como o rei, os príncipes, os sacerdotes e os profetas, foi dizimado. O vs. 10 descreve as várias cenas de lamentação. A filha de Sião estava sentada no chão, em típica posição de tristeza (ver Jó 2.12,13).

Havia também o *pano de saco* (ver no *Dicionário*) e as cinzas lançadas sobre a cabeça, que eram símbolos comuns de lamentação. As jovens pendiam a cabeça até o chão. Ver no *Dicionário* o verbete chamado *Filha de Sião,* e ver também Lm 1.6; 2.1,4.

■ **2.11**

כָּל֤וּ בַדְּמָעוֹת֙ עֵינַ֔י חֳמַרְמְר֣וּ מֵעַ֔י נִשְׁפַּ֥ךְ לָאָ֖רֶץ כְּבֵדִ֑י עַל־שֶׁ֨בֶר֙ בַּת־עַמִּ֔י בֵּֽעָטֵ֤ף עוֹלֵל֙ וְיוֹנֵ֔ק בִּרְחֹב֖וֹת קִרְיָֽה׃ ס

Com lágrimas se consumiram os meus olhos. Os vss. 11-19 falam da tristeza do profeta em vista do que sucedera. Ao observar a cena, ele clamou de angústia. Então traçou *cinco retratos* para descrever as deploráveis condições de Jerusalém. O coração do profeta estava perturbado (ver Lm 1.20, quanto a essa expressão). O seu *fígado* se derramou no chão. O fígado era considerado, pelos hebreus, a sede das emoções, conforme dizemos acerca do coração, que é o termo empregado aqui pela maioria das traduções. Cf. Sl 62.8. O povo de Judá é pintado como uma mulher, uma *filha,* o que se vê por todo esse livro. Ver Lm 1.6,15; 2.1,2,4,5,8-11,13,15,18; 3.48,51; 4.6,10. Uma tristeza especial foi ocasionada pela inanição dos infantes e dos bebês pelas ruas da cidade e, naturalmente, das mulheres e da população masculina. O *primeiro retrato* que o profeta pintou sobre as misérias de Jerusalém foi exatamente esse: o sofrimento de crianças inocentes, abandonadas nas ruas da cidade. A maior parte dos pais estava morta, e os poucos que sobreviveram não conseguiam alimentar os filhos famintos. O vs. 12 dá prosseguimento a esse primeiro retrato.

■ **2.12**

לְאִמֹּתָם֙ יֹֽאמְר֔וּ אַיֵּ֖ה דָּגָ֣ן וָיָ֑יִן בְּהִֽתְעַטְּפָ֤ם כֶּֽחָלָל֙ בִּרְחֹב֣וֹת עִ֔יר בְּהִשְׁתַּפֵּ֣ךְ נַפְשָׁ֔ם אֶל־חֵ֖יק אִמֹּתָֽם׃ ס

Dizem a suas mães: Onde há pão e vinho? Os filhos choravam, pedindo de suas mães um pedaço de pão ou um gole de vinho para satisfazer a sede. Eles eram como os muitos soldados feridos que jaziam pelas ruas, impotentes e sofrendo dores. Além disso, havia crianças que morriam nos braços das mães, por causa de ferimentos, sede ou fome. "Instintivamente, eles buscavam leite nos seios de suas mães, mas, nada encontrando, davam o último suspiro encostados aos seios delas" (Fausset, *in loc.*). "Como soldados feridos, que se esforçam por respirar o ar, soltavam seu último suspiro, agarrados, em desespero, aos seios de suas mães" (Ellicott, *in loc.*). Esse primeiro quadro causa dó, para dizermos o mínimo. "Quantas e quão temíveis aflições!" (Adam Clarke, *in loc.*).

■ **2.13**

מָֽה־אֲעִידֵ֞ךְ מָ֣ה אֲדַמֶּה־לָּ֗ךְ הַבַּת֙ יְר֣וּשָׁלַ֔͏ִם מָ֤ה אַשְׁוֶה־לָּךְ֙ וַאֲנַֽחֲמֵ֔ךְ בְּתוּלַ֖ת בַּת־צִיּ֑וֹן כִּֽי־גָד֥וֹל כַּיָּ֛ם שִׁבְרֵ֖ךְ מִ֥י יִרְפָּא־לָֽךְ׃ ס

Que poderei dizer-te? Temos aqui o *segundo retrato* dos sofrimentos de Jerusalém — a imagem de uma vasta área, tão vasta que nenhum homem pode ver o outro lado, nem mesmo imaginar onde ela terminaria. Assim eram os sofrimentos da cidade: *vastos e incomensuráveis*. O povo de Judá é aqui chamado de "filha de Jerusalém". Ver sobre os vários títulos femininos dados ao povo de Jerusalém, no vs. 11, onde ofereço uma lista de referências. "tua ruína é tão vasta como o mar" (NCV). "A magnitude dos julgamentos foi tão grande que nenhuma consolação pôde ser dada" (Charles H. Dyer, *in loc.*). Os sofrimentos foram imensos. Ver Lm 1.12; Dn 9.12. A calamidade foi ilimitada e, portanto, irremediável. "... um dilúvio de aflições; um mar de tribulações; um oceano de misérias" (Adam Clarke, *in loc.*). Diz aqui o Targum: "A tua destruição é tão grande como a grandeza dos mares empolados em tempo de tempestade. Quem é o médico que poderá curar-te de tal enfermidade?"

Eu gostaria de ser forte, pois há muito para sofrer. Eu gostaria de ser bravo, pois há muito para ousar.

Howard Arnold Walter

■ **2.14**

נְבִיאַ֗יִךְ חָ֤זוּ לָךְ֙ שָׁ֣וְא וְתָפֵ֔ל וְלֹֽא־גִלּ֥וּ עַל־עֲוֺנֵ֖ךְ לְהָשִׁ֣יב שְׁבוּתֵ֑ךְ וַיֶּ֣חֱזוּ לָ֔ךְ מַשְׂא֥וֹת שָׁ֖וְא וּמַדּוּחִֽים׃ ס

Os teus profetas te anunciaram visões falsas e absurdas. O *terceiro* dentre os cinco retratos descreve a obra deletéria dos falsos profetas, os quais insuflavam falsas esperanças no povo de Israel, dizendo que Jerusalém estava *imune* à ameaça babilônica. Esse engano enevoava a questão e impedia que o povo realmente se arrependesse, com a exceção de alguns poucos profetas independentes (como Jeremias), que contradiziam a palavra da vasta maioria das escolas proféticas. Quanto aos *profetas falsos,* que enganavam os judeus, ver Is 3.12; 9.15,16; Jr 23.23 e Ez 13.8-10. Aqueles falsos profetas enganavam a si mesmos, e muitos tinham visões que distorciam a verdade dos fatos.

Os próprios místicos verdadeiros duvidam de suas visões, porque as visões são muito difíceis de interpretar e, com frequência, são guias duvidosos. Muitas visões, até de homens bons, nada são senão impulsos *psíquicos* não inspirados pelo Espírito de Deus. Ver no *Dicionário* o verbete chamado *Visão (Visões).* Ademais, podemos estar certos de que os falsos profetas mentiam desbragadamente, pois nem ao menos haviam tido visões. Esses falsos profetas diziam que não haveria nenhum ataque nem cativeiro babilônico. E alguns deles tinham visões psíquicas para confirmar isso, como sonhos acordados. Outros meramente *diziam* ter recebido visões confirmadoras. Esses enganadores não desvendavam os pecados do povo, nem pregavam o arrependimento. Estavam por demais envolvidos na boa vida terrena. Não queriam ouvir falar em calamidades. Cf. Jr 28.1-4,10,11;

29.29-32. Seus oráculos eram "falsos e enganadores" (*Revised Standard Version*). "Eles enganavam as pessoas" (NCV). Em vez de advertir o povo, proferiam lisonjas.

■ 2.15

סָפְק֨וּ עָלַ֤יִךְ כַּפַּ֙יִם֙ כָּל־עֹ֣בְרֵי דֶ֔רֶךְ שָֽׁרְקוּ֙ וַיָּנִ֣עוּ
רֹאשָׁ֔ם עַל־בַּ֖ת יְרוּשָׁלָ֑͏ִם הֲזֹ֣את הָעִ֗יר שֶׁיֹּֽאמְרוּ֙ כְּלִ֣ילַת
יֹ֔פִי מָשׂ֖וֹשׂ לְכָל־הָאָֽרֶץ׃ ס

Todos os que passam pelo caminho batem palmas. O *quarto retrato* do profeta, descrevendo as misérias de Jerusalém, ocupa os vss. 15-17. Encontramos aqui o retrato de um inimigo vitorioso a zombar do povo derrotado. Insultos foram adicionados às injúrias. Os que passavam — soldados vitoriosos ou viajantes que trafegavam por ali — batiam palmas diante da miséria que viam, e expressavam feroz alegria, em vez de consternação. Eles assobiavam diante dos poucos judeus que tinham sobrevivido, sacudindo a cabeça em gestos zombeteiros. Eles perseguiam Jerusalém (personalizada como uma mulher; ver as notas no vs. 11). Jerusalém tinha sido uma mulher graciosa e bela, uma princesa. A cidade tinha sido centro da adoração religiosa e sítio de peregrinações. Isso tudo foi uma *alegria* para a terra. Agora, porém, a cidade era uma desgraça, pois estava abandonada por Deus e pelos homens; era um montão de ruínas, um lugar de morte essencialmente desabitado. Até os antes amigos tornaram-se agora inimigos (ver Lm 1.7-9). A beleza da cidade transformou-se em fraqueza e desolação. Quanto ao bater de palmas em derrisão, cf. Jó 24.37 e 27.23. Quanto ao sacudir escarnecedor da cabeça, ver 2Rs 19.21; Sl 44.14. Quanto a Jerusalém como alegria e beleza, ver Sl 48.2. Jerusalém, a Dourada, era agora um monte de ruínas. Destroços tomaram o lugar das riquezas.

■ 2.16

פָּצ֨וּ עָלַ֤יִךְ פִּיהֶם֙ כָּל־א֣וֹיְבַ֔יִךְ שָֽׁרְקוּ֙ וַיַּֽחַרְקוּ־שֵׁ֔ן אָמְר֖וּ
בִּלָּ֑עְנוּ אַ֣ךְ זֶ֥ה הַיּ֛וֹם שֶׁקִּוִּינֻ֖הוּ מָצָ֥אנוּ רָאִֽינוּ׃ ס

Todos os teus inimigos. Continua aqui o *quarto retrato*. O profeta começou a chorar quando observou a desolação do lugar. Em vez de zombar, ele chorava diante do que via, embora estivesse plenamente cônscio de como a apóstata Jerusalém sofrera justo julgamento às mãos de Yahweh. Eles colheram o que haviam semeado (Gl 6.7,8). Tal como a filha de Sião (Lm 1.16), o profeta não encontrava consolo para sua tristeza. A desolação era como um vasto oceano que não admitia remédio algum (vs. 13). Entrementes, os destruidores se regozijavam diante da destruição e da miséria, assobiando e rilhando os dentes em zombaria. Esses gestos eram acompanhados por gritos perversos de triunfo. "Nós engolimos Judá. Este era o dia pelo qual estávamos esperando. Finalmente, vimos o mesmo acontecer" (NCV). A cena pintada está cheia de ódio e perversão, revelando o coração debochado dos conquistadores. "A exultação do inimigo é expressa por cada característica na fisionomia e no ódio maligno, a boca aberta, os assobios, o rilhar dos dentes em ódio e ira" (Ellicott, *in loc.*).

■ 2.17

עָשָׂ֨ה יְהוָ֜ה אֲשֶׁ֣ר זָמָ֗ם בִּצַּ֤ע אֶמְרָתוֹ֙ אֲשֶׁ֣ר צִוָּ֣ה מִֽימֵי־
קֶ֔דֶם הָרַ֖ס וְלֹ֣א חָמָ֑ל וַיְשַׂמַּ֤ח עָלַ֙יִךְ֙ אוֹיֵ֔ב הֵרִ֖ים קֶ֥רֶן
צָרָֽיִךְ׃ ס

Fez o Senhor o que intentou. O *quarto retrato* é completado pela segurança de que *Yahweh* era a causa real por trás da devastação de Jerusalém, por ser ele o *Sabaote*, o General dos Exércitos, aquele que liderava as tropas babilônicas. É posição do *teísmo* bíblico (ver a respeito no *Dicionário*) que o Criador continua presente em sua criação, recompensando e punindo, intervindo nos negócios humanos, e que os homens se tornam instrumentos de suas obras. Em contraste, o *deísmo* (ver também no *Dicionário*) crê que a força criadora abandonou sua criação aos cuidados das leis naturais. Aqui, Yahweh deixa de lado toda a piedade, pois a hora da retribuição tinha chegado. Judá, nação idólatra, adúltera e apostatada, merecia o que os babilônios lhe serviam. O Senhor até fez o inimigo alegrar-se sobre suas obras temíveis. Em outras palavras, o que lemos no vs. 16 foi inspirado por Yahweh! É difícil, para mentes treinadas no Novo Testamento, concordar com essa forma radical de teísmo, mas a lei da colheita segundo a semeadura é, realmente, terrível. Ver no *Dicionário* o verbete chamado *Lei Moral da Colheita segundo a Semeadura*.

Quanto aos atos sem dó de Yahweh, ver os vss. 2 e 21; e também 3.43. Em meio a tais descrições, devemos lembrar a nós mesmos que todos os juízos de Deus são meios de restauração, e não apenas de retribuição. O julgamento é um dedo da amorosa mão de Deus. Através do castigo, Deus pode fazer mais coisas do que por qualquer outro modo. Em meio a tantas cenas destruidoras do Antigo Testamento, temos de lembrar a verdade do que Orígenes disse: "Ver somente retribuição no juízo, e nenhum remédio, é descer a uma teologia inferior". Ver na *Enciclopédia de Bíblia, Teologia e Filosofia* o verbete chamado *Julgamento de Deus dos Homens Perdidos*, onde sigo essa maneira de pensar.

■ 2.18

צָעַ֥ק לִבָּ֖ם אֶל־אֲדֹנָ֑י חוֹמַ֣ת בַּת־צִ֠יּוֹן הוֹרִ֨ידִי כַנַּ֤חַל
דִּמְעָה֙ יוֹמָ֣ם וָלַ֔יְלָה אַֽל־תִּתְּנִ֤י פוּגַת֙ לָ֔ךְ אַל־תִּדֹּ֖ם
בַּת־עֵינֵֽךְ׃ ס

O coração de Jerusalém clama ao Senhor. O *quinto retrato* do profeta sobre as misérias de Jerusalém ocupa os vss. 18 e 19. O angustiado profeta encorajou incessante lamentação por parte do remanescente, como petição a Deus por misericórdia. Ele lhes ordenou que clamassem a *Adonai*, derramando diante dele toda a tristeza. Talvez todo aquele choro e lamentação tocasse o coração de Deus e causasse uma medida de misericórdia. Por treze vezes *Adonai* substitui o nome divino mais familiar, *Yahweh*, mas isso não implica nenhuma mudança no sentido. Ver no *Dicionário* o artigo chamado *Deus, Nomes Bíblicos de*. A *filha de Sião* (ver esse título no *Dicionário*, bem como uma lista de referências da personalização de Jerusalém, no vs. 11) foi chamada a chorar tão copiosamente a ponto de imitar um rio que flui noite e dia. A cidade foi invocada a não descansar e a não permitir que seus olhos parassem de chorar, porque assim poderia tocar o coração divino e receber alguma misericórdia.

As meninas de teus olhos. Diz aqui o hebraico, literalmente, "a filha de teu olho", indicando a pupila (ver Sl 17.8). A pupila reflete imagens que podem ser vistas por outra pessoa, e tais imagens podem parecer pessoas em miniatura nos olhos de quem as vê. A pupila, neste caso, representa o olho, o qual é encorajado a continuar chorando, em uma oração a Deus rogando misericórdia.

■ 2.19

ק֣וּמִי ׀ רֹ֣נִּי בַלַּ֗יְלָה לְרֹאשׁ֙ אַשְׁמֻר֔וֹת שִׁפְכִ֤י כַמַּ֙יִם֙ לִבֵּ֔ךְ
נֹ֖כַח פְּנֵ֣י אֲדֹנָ֑י שְׂאִ֧י אֵלָ֣יו כַּפַּ֗יִךְ עַל־נֶ֙פֶשׁ֙ עֽוֹלָלַ֔יִךְ
הָעֲטוּפִ֥ים בְּרָעָ֖ב בְּרֹ֥אשׁ כָּל־חוּצֽוֹת׃ ס

Levanta-te, clama de noite. O choro não podia cessar nem mesmo à noite. A mulher teria de erguer-se e derramar suas lágrimas como se fossem um rio. Deveria continuar chorando nas várias vigílias da noite e levar suas lágrimas à presença de *Adonai* (ver sobre isso no vs. 18). Ela teria de erguer as mãos em intensa oração, porquanto a vida de seus filhos foi apagada como a chama de uma vela. Alguns poucos filhos continuavam vivos, mas estavam morrendo de fome. Podiam ser encontrados a chorar em todas as ruas e esquinas. Cf. as dolorosas descrições dos vss. 10 e 11. Ver também Na 3.10.

No princípio das vigílias. Os hebreus dividiam a noite em três vigílias, mas os romanos a dividiam em quatro. Ver Jz 7.19. Ver no *Dicionário* o verbete chamado *Vigílias*. A noite é o tempo próprio para dormir e descansar. Para Jerusalém, todavia, a noite se tornara um tempo de lamentar as calamidades que tinham devastado a nação. Quanto ao *erguer as mãos* em oração, cf. Lm 3.41 e 1Tm 2.8. Esse é um gesto que significa súplica intensa.

Os Apelos de Jeremias (2.20-22)

■ 2.20

רְאֵ֤ה יְהוָה֙ וְֽהַבִּ֔יטָה לְמִ֖י עוֹלַ֣לְתָּ כֹּ֑ה אִם־תֹּאכַ֨לְנָה
נָשִׁ֤ים פִּרְיָם֙ עֹלֲלֵ֣י טִפֻּחִ֔ים אִם־יֵהָרֵ֛ג בְּמִקְדַּ֥שׁ אֲדֹנָ֖י
כֹּהֵ֥ן וְנָבִֽיא׃ ס

Vê, ó Senhor, e considera. Os vss. 20-22 fornecem a expressão de tristeza de Jerusalém, a par dos seus apelos. Ou então trata-se dos apelos do profeta. Seja como for, o profeta convocou Jerusalém a fazer suas petições a Deus, pedindo-lhe misericórdia.

"Este versículo, bem como os dois versículos seguintes, foram postos na boca da cidade como respostas ao apelo feito pelo profeta, no vs. 19. Este versículo indica que Jerusalém estava reduzida ao canibalismo no cerco de 586 a.C. (cf. Jr 19.9)" (Theophile J. Meek, *in loc.*). Cf. Lv 26.29; Dt 28.56,57. Que as crianças morressem de fome já era algo demais para suportar, mas uma mãe comer um próprio filho, por causa da fome, era algo impensável. Ver 2Rs 6.24-31.

As crianças do seu carinho. Temos aqui uma tradução provavelmente melhor que "crianças com um palmo de comprimento". Até mesmo um bebê recém-nascido já tem mais de um palmo de comprimento. A *Revised Standard Version* diz aqui: "crianças de seu terno carinho". O cerco de Jerusalém (em 70 d.C.) produziu o canibalismo, conforme nos informou Josefo (*Guerras*, vs. 12).

Outro *ultraje* provocado pelo ataque dos babilônios foi a morte de sacerdotes e profetas no santuário, um sacrilégio supremo.

■ **2.21**

שָׁכְבוּ לָאָרֶץ חוּצוֹת נַעַר וְזָקֵן בְּתוּלֹתַי וּבַחוּרַי נָפְלוּ בֶחָרֶב הָרַגְתָּ בְּיוֹם אַפֶּךָ טָבַחְתָּ לֹא חָמָלְתָּ׃ ס

Jazem por terra pelas ruas o moço e o velho. Jovens e velhos jaziam nas ruas, sangrando; donzelas e homens eram alvos especiais da *espada*. Yahweh é quem os matava em sua ira, por causa de seus pecados. Ver as notas sobre Lm 2.17 quanto ao *teísmo* bíblico, que atribui a Deus as coisas más que fazem os homens, como instrumentos de seus julgamentos. "Visto que tudo quanto acontece foi decretado por Deus como punição pelo pecado, tudo era ato divino, até a matança entre o povo. Essa é a interpretação profética regular da história" (Theophile J. Meek, *in loc.*).

■ **2.22**

תִּקְרָא כְיוֹם מוֹעֵד מְגוּרַי מִסָּבִיב וְלֹא הָיָה בְּיוֹם אַף־יְהוָה פָּלִיט וְשָׂרִיד אֲשֶׁר־טִפַּחְתִּי וְרִבִּיתִי אֹיְבִי כִלָּם׃ פ

Convocaste de toda parte terrores contra mim. A matança é comparada a um dia de *festejos solenes*, quando os cidadãos como um todo são chamados ao banquete, conforme sucedia nas três festividades religiosas anuais: a Páscoa, o Pentecoste e os Tabernáculos. Mas aqui os sacrifícios oferecidos, em torno dos quais os babilônios estavam festejando, eram os cidadãos de Jerusalém! Eles estavam sendo sacrificados a Yahweh, que lhes tinha decretado a miséria, por causa de seus pecados inumeráveis. "Ninguém escapou ou permaneceu vivo no dia da ira do Senhor. Meu inimigo matou aqueles a quem dei à luz e criei" (NCV). Temos aqui outro toque quase insuportável de emoção. O inimigo, em tal *breve tempo*, aniquilou todas aquelas crianças (muitas das quais agora estavam chegando à idade adulta), cujos pais tinham passando *tantos anos* a criá-las e a quem devotaram tanto amor e sacrifício.

Foram necessários trinta meses para que os babilônios quebrassem as defesas da cidade de Jerusalém. E, quando finalmente conseguiram, precipitaram-se contra os cidadãos do lugar em feroz ira. Não fizeram distinção entre jovens e idosos, homens e mulheres, adultos e crianças, sacerdotes e povo comum. E assim aniquilaram a muitos milhares de pessoas.

CAPÍTULO TRÊS

TERCEIRA LAMENTAÇÃO: RESPOSTA DE JERUSALÉM. RECONHECIMENTO DA JUSTIÇA DE DEUS (3.1-66)

Os temas principais deste capítulo são: aflição, resignação, arrependimento e oração. Este capítulo toma a forma de uma lamentação pessoal, presumivelmente do profeta Jeremias. "No capítulo 3, a tristeza do povo desolado e o reflexo sobre o significado do desastre foram expressos por um indivíduo. Os primeiros quatro capítulos foram compostos no estilo de um acróstico alfabético. Nos capítulos 1 e 2, cada estrofe começa por uma letra hebraica, na ordem em que essas letras aparecem no alfabeto. Mas este longo terceiro capítulo tem três estrofes para cada letra hebraica. Existem vários estilos de poemas acrósticos. Discuto sobre isso na introdução ao Salmo 34. Vários dos salmos também foram compostos nesse estilo.

Este capítulo fala da confiança pessoal em Deus, a despeito das circunstâncias, e dessa maneira é similar ao Salmo 56. Relembra a terminologia de algumas das passagens de Jó.

Lamentações 3	Jó
Vs. 1	9.34
Vs. 2	19.8
Vs. 3	7.18
Vs. 4	7.5; 30.30
Vs. 5	19.6,12
Vs. 6	23.16,17
Vs. 7	19.8
Vs. 8	30.20
Vs. 9	19.8
Vss. 10 e 11	16.9
Vss. 12 e 13	16.12,13
Vs. 14	30.9
Vs. 15	9.18
Vss. 16-18	19.10; 30.19

■ **3.1**

אֲנִי הַגֶּבֶר רָאָה עֳנִי בְּשֵׁבֶט עֶבְרָתוֹ׃

Eu sou o homem que viu a aflição. O profeta, tomando lugar ao lado do povo, era um colega sofredor e tinha visto as mesmas desgraças e sentido as mesmas dores que eles. Ele é outro Jó, conforme demonstra o gráfico anterior. A *vara* de Yahweh foi aplicada, atingindo-o com muitos e severos golpes, e ele sangrava, debilitado. Ele levantou a voz para expressar sua miséria, que era também a de Jerusalém, devastada pelo exército babilônico. Os primeiros clamores eram contra Deus, que fizera tais coisas, seguindo as linhas dos queixumes de Jó. Os vss. 21 ss. têm uma diferença marcante de tom: o aflito tornou-se humilde e reconheceu que aquilo que ele tinha sofrido era *justo*, e isso em contraste com Jó, que manteve sua inocência até o fim. "Em uma longa lista de metáforas, Jeremias enumerou as muitas aflições que ele, na qualidade de representante de Judá, tinha sofrido da parte da *ira* de Deus (cf. Lm 2.2,4; 4.11). Ele se sentiu confuso ao observar que Deus aparentemente reverteu suas atitudes e atos passados" (Charles H. Dyer, *in loc.*). Cf. Is 10.5, onde a Assíria é chamada de vara da ira de Yahweh.

■ **3.2**

אוֹתִי נָהַג וַיֹּלַךְ חֹשֶׁךְ וְלֹא־אוֹר׃

Ele me levou e me fez andar. O homem pobre foi levado para um lugar totalmente destituído de luz. Ali, em meio às densas trevas, foi brutalmente espancado pela vara da ira de Deus, e não compreendeu o porquê. Cf. este versículo com Jó 9.34 e 19.8. Há muitos paralelos com aquele livro, conforme demonstro no gráfico na introdução a este capítulo. "Trevas" aqui significam os sofrimentos e a falta de compreensão ou esperança. Ajax (Homero, *Ilíada* xvii.647) disse: "Mata-me, se é teu dever, mas mata-me à luz". O vs. 6 deste mesmo capítulo traz de volta a metáfora das trevas. "Nos escritos sagrados, as *trevas* com frequência representam a *calamidade*, ao passo que a luz representa a prosperidade" (Adam Clarke, *in loc.*). Cf. este versículo com Sl 97.11 e 112.4.

■ **3.3**

אַךְ בִּי יָשֻׁב יַהֲפֹךְ יָדוֹ כָּל־הַיּוֹם׃ ס

Deveras ele volveu contra mim a sua mão. A *mão divina* voltou-se contra o homem, aplicando-lhe repetidos golpes, dia após dia. Entrementes, o homem espancado não sabia por que Deus estava tão irado com ele. A mão divina oferece bênçãos e maldições, dependendo do que cada indivíduo merece. Ver sobre *mão*, em Sl 81.14; e sobre *mão direita*, em Sl 20.6. Ver sobre *braço*, como o poder divino em ação, em Sl 77.15; 89.10 e 98.1. "A mão de Deus, antes favorável, tornou-se um punho de adversidade" (Charles H. Dyer, *in loc.*). Diz o hebraico original aqui, literalmente: "Ele volveu, ele volveu", que forma uma expressão ímpar, usada somente aqui em todo o Antigo Testamento, mas a ideia da mão golpeadora de Deus é bastante comum. Cf. este versículo com Jó 7.18.

> Por muitas vezes palmilhamos a vereda diante de nós
> Com um coração cansado, ardente.
> Com frequência labutamos em meio a sombras,
> Todo o nosso labor renderá dividendos,
> Quando as sombras se tiverem dissipado
> E as névoas tiverem desaparecido.
>
> Annie Herbert

■ **3.4**

גִּלָּה בְשָׂרִי וְעוֹרִי שִׁבַּר עַצְמוֹתָי׃

Fez envelhecer a minha carne e a minha pele. Punições divinamente aplicadas tinham piorado muito a saúde do profeta. Cf. Sl 38.2,3. Cf. este versículo com Jó 7.5 e 30.30. Ver o gráfico na introdução ao capítulo 3 quanto aos muitos paralelos entre Jó e este capítulo. A pele e a carne do homem tinham envelhecido, e seus ossos estavam quebrados, figuradamente. Ver sobre *ossos*, em Sl 102.3. Talvez os termos pele, carne e ossos representem o ser inteiro, e não apenas o corpo. É fácil observar como crises profundas podem envelhecer rapidamente uma pessoa.

■ **3.5**

בָּנָה עָלַי וַיַּקַּף רֹאשׁ וּתְלָאָה׃

Edificou contra mim. O pobre homem foi cercado e assediado tal e qual acontecera a Jerusalém. Mas seus assediadores e o exército que franzia a testa contra ele eram a amargura e a tribulação, ambos acontecimentos funestos.

Veneno. Algumas traduções dizem aqui "fel", outras falam em "amargor". Está em foco alguma erva amargosa, citada figuradamente para indicar situações e acontecimentos que azedam a vida das pessoas. Cf. este versículo com Jó 19.6,12. "O sentido é que ele estava cercado por tristezas e aflições tão desagradáveis quanto as ervas mais amargas e venenosas" (John Gill, *in loc.*). Cf. Jr 8.14. "O ataque da tristeza é apresentado sob a figura de um assédio militar" (Ellicott, *in loc.*). Da mesma maneira que Jerusalém não pôde escapar de seu assédio, o profeta não pôde escapar do seu. Ver os vss. 7 e 9.

■ **3.6**

בְּמַחֲשַׁכִּים הוֹשִׁיבַנִי כְּמֵתֵי עוֹלָם׃ ס

Fez-me habitar em lugares tenebrosos. Cf. o vs. 2, onde o homem é conduzido a *lugares tenebrosos*. Isso é aqui definido como um presságio de morte, visto que aqueles que morrem há muito tempo estão em um lugar escuro. A referência pode ser ao *sheol*. Nas Escrituras, esse lugar usualmente é apenas a morte ou o sepulcro, ou seja, onde os homens são sepultados. Mas, de outras vezes, está em vista alguma espécie de vida pós-túmulo. Essa doutrina passou por uma transição, tal como sucedeu à doutrina do *hades*, no Novo Testamento. Quanto a versículos que parecem levar-nos além da mera ideia de sepulcro, ver Sl 88.10; 139.8; Pv 5.5; Is 14.9; 29.4. Nos livros pseudepígrafos e apócrifos, temos novos avanços da ideia. Parte do *sheol* destinava-se aos ímpios, e outra parte era devotada aos justos. Em 1Enoque, foram acesas as chamas do inferno pela primeira vez, e essa ideia passou para algumas passagens do Novo Testamento. Ver o detalhado artigo sobre o *Hades*, no *Novo Testamento Interpretado*. O vs. 6 é uma citação direta de Sl 143.3, com leve mudança na ordem das palavras, adaptando o trecho ao estilo acróstico do profeta. Quanto aos poemas acrósticos, ver a introdução a Sl 34. Provavelmente nada diz respeito ao *sheol*. Está em vista o sepulcro ou, talvez, *esquecimento* seja a ideia aqui apresentada.

Se o profeta estava pensando no *sheol*, interpretava isso como outro nome para o sepulcro. O Targum fala sobre o sepulcro, por meio do qual os homens vão para o outro mundo, e alguns intérpretes modernos concordam com essa avaliação. Mas é difícil reconciliar isso com a ideia de *trevas*. O profeta dificilmente poderia pensar em ir para um lugar escuro por meio da morte, a menos que a doutrina de *sheol* ainda estivesse nos primeiros estágios do desenvolvimento. Cf. Jó 23.16,17.

■ **3.7**

גָּדַר בַּעֲדִי וְלֹא אֵצֵא הִכְבִּיד נְחָשְׁתִּי׃

Cercou-me de um muro, já não posso sair. Encontramos aqui um quadro sobre o cerco e a captura da vítima de um exército. Mas o sujeito oculto (ele) é *Yahweh* como *Sabaote*, o Capitão dos Exércitos que liderou o exército babilônico à vitória sobre Jerusalém. As muralhas servem de proteção, mas algumas têm por objetivo conservar as pessoas encerradas, como as paredes de uma prisão. O homem foi aprisionado em sua miséria e não tinha como escapar. Ele foi capturado e preso com pesadas correntes — sua liberdade acabou-se, e sofrimentos lhe foram adicionados — uma das condições mais deploráveis que podem ocorrer a um homem. Cf. este versículo com Jó 19.8.

> *Ele me encerrou, pelo que não pude sair.*
> *Ele me prendeu com pesadas correntes.*
>
> NCV

Vss. 7-9. Jó 3.23; Os 2.6. Não foi visando a eterna ruína que Israel foi encerrado, mas visando o seu bem, em última análise. A aprisionada nação de Israel não podia continuar em suas veredas tortuosas e tinha de voltar-se para Yahweh, finalmente. Foi assim que ela retornou a seu "primeiro marido", abandonando seus amantes (as práticas pagãs, os ídolos etc.).

■ **3.8**

גַּם כִּי אֶזְעַק וַאֲשַׁוֵּעַ שָׂתַם תְּפִלָּתִי׃

Ainda quando clamo e grito. As orações do profeta *deixaram de ser ouvidas* e respondidas, uma das piores coisas que pode acontecer a um homem espiritual. Essa é uma provação realmente difícil, quando a oração não mais modifica as coisas. Portanto, o homem nessa situação fica sujeito aos ataques do caos. Jó enfrentou a mesma calamidade, conforme lemos em Jó 30.20. Ver no *Dicionário* o artigo chamado *Oração*, quanto às vantagens que os homens esperam alcançar da súplica a Deus. A oração é onde se encontra a ação. Quando a oração para de funcionar, o homem bom fica sujeito ao temor e à incerteza. Cf. este versículo com Sl 22.2. Quanto à aparente *indiferença* de Yahweh em relação aos homens, ver Sl 10.1; 28.1; 59.4; 82.1 e 143.7. Esse é um dos *temas principais* dos salmos de lamentação, que é a classe mais numerosa dos dezoito tipos de salmos. Quanto a essas classificações, ver o frontispício ao livro de Salmos, onde apresento um gráfico que mostra os tipos de salmos e quais pertencem a cada classificação.

> Ensina-me a suportar as lutas da alma,
> A enfrentar a dúvida que se ergue, o suspiro rebelde.
> Ensina-me a paciência da oração sem resposta.
>
> George Croly

■ **3.9**

גָּדַר דְּרָכַי בְּגָזִית נְתִיבֹתַי עִוָּה׃ ס

Fechou os meus caminhos com pedras lavradas. A ideia do lugar fechado se repete (ver o vs. 7), mas agora o agente encerrador são *pedras lavradas*, um material mais forte do que aquele geralmente usado nas paredes (tijolos). E, então, no lugar dos grilhões de bronze, temos aqui a nota de que as veredas do pobre homem se tornaram tortuosas e levavam a lugares para onde ele não queria ir, não lhe dando a liberdade de "escolher o seu caminho". É conforme diz o antigo hino: "Eu gostava de escolher e ver meu caminho, mas agora lidera-me tu" (John H. Newman). O homem aflito foi forçado a seguir veredas tortuosas para a destruição, o que ele jamais escolheria. Ele tinha perdido o poder da vontade e estava seguindo um destino tristonho. A maciça parede de pedras não permitiria que o homem avançasse, pelo que ele foi desviado para um labirinto cheio de confusão e abismos. Cf. este versículo com Jó 19.8. Quanto aos muitos paralelos entre este capítulo e o livro de Jó, ver o gráfico no começo do capítulo.

■ 3.10,11

דֹּב אֹרֵב הוּא לִי אֲרִיה בְּמִסְתָּרִים:

דְּרָכַי סוֹרֵר וַיְפַשְּׁחֵנִי שָׂמַנִי שֹׁמֵם:

Fez-se-me como urso à espreita. A aflição do homem é agora comparada a alguém que foi emboscado e atacado por animais ferozes, como o urso ou o leão. Os perigos que ele enfrenta podem ser temíveis, trazer tristeza, dor e, finalmente, morte. Portanto, ele pode ser despedaçado e devorado por esses animais. Na Palestina alguns animais bem grandes eram tão numerosos que corriam selvagens e constantemente ameaçavam a vida humana, bem como os animais domésticos. Cf. os vss. 10 e 11 com Jó 10.16 e 16.9. O pobre homem que caiu na vereda seguida pelo leão foi despedaçado (vs. 11). No entanto, foi Yahweh quem levou a vítima à emboscada, fazendo-o ser apanhado pelo leão ou pelo urso, porquanto é Deus quem intervém na história da humanidade e controla os eventos, pessoais e nacionais. O leão é enviado para atacar o pecador. Cf. estes dois versículos com Os 6.1 e 13.8; Am 5.19; Jr 4.7; 5.6; 49.19 e 50.44. O resultado dos ataques é a desolação, havendo pesadas perdas.

■ 3.12,13

דָּרַךְ קַשְׁתּוֹ וַיַּצִּיבֵנִי כַּמַּטָּרָא לַחֵץ: ס

הֵבִיא בְּכִלְיוֹתָי בְּנֵי אַשְׁפָּתוֹ:

Entesou o seu arco. Yahweh é o arqueiro especialista cujas flechas nunca erram o alvo. As flechas infligem danos e dor, e também matam. Os vss. 12 e 13 são similares a Jó 16.12,13. Ver também Jó 6.4 e 7.20. O leão (vs. 10) sugere o caçador, mas quando ele aparece em cena, como que para salvar a vítima, o caçador torna-se outro atacante e completa a obra da destruição. Sua aljava vive cheia de flechas mortíferas, e assim ele as atira rapidamente, atravessando o coração do homem (vs. 13). A ponta das flechas de Yahweh tinham sido mergulhada em veneno mortífero, pelo que elas eram duplamente eficazes (Jó 6.4). "Os julgamentos de Deus são representados por várias metáforas, como a espada, a fome, a pestilência, os animais ferozes (Dt 32.23,42; Ez 5.16; 14.21) e as flechas (Sl 38.2)" (John Gill, *in loc.*).

■ 3.14

הָיִיתִי שְּׂחֹק לְכָל־עַמִּי נְגִינָתָם כָּל־הַיּוֹם:

Fui feito objeto de escárnio para todo o meu povo. Além de ser um alvo para as flechas divinas, o pobre homem era objeto das zombarias do povo, ou seja, dos inimigos, dos amantes e dos ex-aliados de Judá. Ver as zombarias dos escarnecedores em Jr 20.7. Cf. o versículo com Jó 30.9. Alguns estudiosos pensam que este versículo tem um reflexo messiânico, por ser ele o tema do cântico dos beberrões (ver Sl 69.12), mas essa interpretação por certo representa um exagero. O terceiro capítulo do livro de Lamentações dificilmente é messiânico. O texto massorético aqui diz: "todo o meu povo". Se esse é o texto correto, então os judaítas são retratados como quem zombava das vítimas das punições divinas. Alguns manuscritos massoréticos, além da versão siríaca, dizem "de todos os povos", mudando assim a direção das zombarias dos pagãos. Isso está mais próximo da verdade do que aconteceu, mas a mudança pode ter sido feita de propósito, para dar ao versículo essa ideia, visto que "meu povo" parecia estar fora de lugar. Ver no *Dicionário* o artigo chamado *Manuscritos do Antigo Testamento*, onde inclui material sobre como os textos corretos são escolhidos quando aparecem variantes. Ver também, no *Dicionário*, o verbete chamado *Massora (Massorah): Texto Massorético*. Alguns destacam Jr 20.7,8, que narra a perseguição de Jeremias por seus conterrâneos de Anatote, e talvez seja isso o que está em vista aqui. Como é claro, ele caiu presa de seu próprio rei, foi aprisionado e sofreu terrores. Ver Jr 37. Mas esses acontecimentos ocorreram antes do cerco de Jerusalém por parte dos babilônios. Talvez o terceiro capítulo de Lamentações vá mais longe que aqueles relacionados aos acontecimentos finais.

■ 3.15

הִשְׂבִּיעַנִי בַמְּרוֹרִים הִרְוַנִי לַעֲנָה: ס

Fartou-me de amarguras. O profeta ficou *amargurado* por seus sofrimentos. O *absinto* era uma erva amarga como o *fel*. Ver sobre ambas as coisas no *Dicionário*. Cf. Jr 9.15 e Jó 9.18. Ver também Lm 1.4 e o vs. 5 deste capítulo. O profeta ficou amargurado por punições extremamente severas, o que também aconteceu à dama, Jerusalém. O povo comia e bebia das ervas amargas e venenosas de suas refeições, e ia sendo encaminhado para a destruição. Cf. Êx 12.8 e Nm 9.11. Ver Lm 5.19. "... amargas aflições e calamidades, que o profeta e o povo experimentavam" (John Gill, *in loc.*). E eles se embriagaram com a bebida amarga (ver Is 51.17,21; Jr 25.27).

■ 3.16

וַיַּגְרֵס בֶּחָצָץ שִׁנָּי הִכְפִּישַׁנִי בָּאֵפֶר:

Fez-me quebrar com pedrinhas de areia os meus dentes. Mais e mais figuras são empregadas para expressar os severos sofrimentos do profeta sofredor. Agora, mediante o poder de Yahweh, ele foi forçado a mascar pedrinhas, como se só tivesse areia como alimento. Ademais, foi "esmagado no pó", pelo pé divino, que o pisava (NCV). Mas a *Revised Standard Version* diz "cobrir de cinzas". "Pisado aos pés, privado de paz e prosperidade e, assim, levado ao desespero" (Charles H. Dyer, *in loc.*). Ver Jó 19.10 e 30.19, que tem paralelo nos vss. 16-18.

"Que figura para expressar desgosto e dor, com a consequente incapacidade de receber alimentos para sustentar a vida. Um homem, em vez de pão, é forçado a comer pedrinhas, que ele se esforça por partir com os dentes. Dificilmente alguém pode ler essa descrição sem sentir *dor de dentes*... Então o homem vê-se coberto de cinzas — a ideia de morrer sufocado... Dificilmente alguém pode ler isso sem sentir a *respiração embargada* e os pulmões apertados! Por acaso alguém já conseguiu pintar a tristeza como esse homem?" (Adam Clarke, *in loc.*). "Coberto de cinzas, conforme costumava acontecer aos lamentadores... O Targum diz: 'ele me humilhou'. A Vulgata e a versão árabe dizem: 'ele me alimentou com cinzas', que leva avante a metáfora da alimentação" (John Gill, *in loc.*).

■ 3.17

וַתִּזְנַח מִשָּׁלוֹם נַפְשִׁי נָשִׁיתִי טוֹבָה:

Afastou a paz de minha alma. Coisas altamente valorizadas, como *a paz e a prosperidade*, foram aniquiladas por todo aquele sofrimento. A alegria desapareceu. A felicidade se acabou. A vida do homem não mais valia a pena ser vivida. A expressão "minha alma" é simples substituto do pronome "eu". O profeta não estava falando sobre o bem-estar e o destino da alma imortal. Antes, falava sobre o bem-estar físico que tinha sido roubado dele pelas suas calamidades. O roubo duraria pelo resto de sua vida mortal. Os dias bons tinham desaparecido. "Ele se tinha afastado tanto da paz e da prosperidade que perdera toda a noção sobre essas coisas... Ele nunca esperava vê-las de novo" (John Gill, *in loc.*).

■ 3.18

וָאֹמַר אָבַד נִצְחִי וְתוֹחַלְתִּי מֵיְהוָה: ס

Então disse eu: Já pereceu a minha glória. A vida gloriosa tinha-se afastado do profeta. A alegria dada pela prosperidade transformou-se em amargura. Sua força foi completamente debilitada. Ele perdeu a esperança. *Yahweh* não era mais seu ajudador. De fato, tinha-se tornado seu inimigo. A fonte de toda essa miséria era divina. O profeta estava sendo punido por causa do pecado. A esperança é o apoio dos miseráveis, mas quando ela se perde, a morte é a atração para a qual os homens correm, "a fim de dominá-la". Cf. Sl 31.22.

Vivo na esperança, e penso que assim fazem todos aqueles que vêm a este mundo.

Robert Bridges

Ver no *Dicionário* o artigo chamado *Esperança*. Ver Is 26.4; 45.24 e Jr 14.8.

A Esperança do Profeta (3.19-40)

3.19

זְכָר־עָנְיִי וּמְרוּדִי לַעֲנָה וָרֹאשׁ׃

Lembra-te da minha aflição e do meu pranto. Yahweh é aqui invocado para abandonar sua indiferença, ouvir as orações do profeta e correr em seu auxílio. Quanto à *indiferença divina*, ver Sl 10.1; 28.1; 59.4; 82.1; 143.7. Embora em total desespero, o profeta levantou a voz a Yahweh, o qual podia ajudá-lo se assim desejasse. Este versículo contém tanto o *fel* (vs. 4) como o *absinto* (vs. 15), que foram usados para simbolizar a amarga condição do profeta. Se Yahweh *lembrasse* (notasse) sua condição, poderia usar sua misericórdia para remediar a situação. A condição do profeta era paralela às condições do povo, incluindo tanto as *aflições externas* (vs. 19a; vss. 1-4) quanto a *turbulência interna* (vs. 19b; vss. 5,13,15). Se o profeta fosse ouvido pelo ouvido divino, outro tanto aconteceria ao povo. Cf. Lm 1.7. O profeta prefaciou sua esperança (e oração) invocando Yahweh a abandonar sua vingança.

3.20,21

זָכוֹר תִּזְכּוֹר וְתָשִׁיחַ עָלַי נַפְשִׁי׃

זֹאת אָשִׁיב אֶל־לִבִּי עַל־כֵּן אוֹחִיל׃ ס

Minha alma continuamente os recorda. A miséria e o sofrimento do homem (vs. 19) estavam sempre diante de seus olhos e de sua alma. Essas durezas lhe tinham consumido a vida. De fato, se tinham tornado a sua vida, que não era mais digna de ser vivida. Lembrar essas coisas servia somente para torná-lo mais triste e desanimado. Portanto, ele levantou sua oração e suas esperanças, pois somente Yahweh agora poderia ajudá-lo.

> Desce até as profundezas das promessas de Deus,
> As bênçãos nunca serão negadas.
> Ele ama e se lembra de seus filhos,
> E todas as coisas boas são supridas.
>
> Sra. Frank A. Breck

"Ele se humilhou sob a poderosa mão de Deus, e então sua esperança reviveu" (Adam Clarke, comentando sobre o vs. 21). Sua alma foi rebaixada (vs. 20); ele foi humilhado, mas então a esperança se ergueu dentre as cinzas. Sua própria fraqueza (vss. 19,20) deu-lhe a esperança de que Deus interviria, visto que a força lhe pertencia (Sl 25.11,17; 42.5,8; 2Co 1.9,10).

> *Mais me gloriarei nas fraquezas, para que sobre mim repouse o poder de Cristo.*
>
> 2Coríntios 12.9

"O primeiro raio de esperança irrompeu a melancolia. A tristeza não fora em vão. Isso produziu humildade, e é da humildade que a esperança surge" (Ellicott, *in loc.*). Jarchi retratou a alma esperando até que Deus se lembrasse dela.

3.22

חַסְדֵי יְהוָה כִּי לֹא־תָמְנוּ כִּי לֹא־כָלוּ רַחֲמָיו׃

As misericórdias do Senhor são a causa de não sermos consumidos. Este versículo é um dos mais conhecidos e citados do livro de Lamentações. Talvez seja a *luz mais brilhante* do livro. Fala de uma misericórdia abundante ou, conforme diz a *Revised Standard Version*, de um "amor constante", traduzindo o termo hebraico *hesed*. Deus lembra a aliança com seu povo e mostra-se longânimo para com os pecados deles. Portanto, não trata com eles de maneira estrita, punindo-os por seus pecados, quando seria razoável feri-los em sua ira. Ele permanece com o povo que escolheu e continua a aplicar sua disciplina sem destruí-los. Deus trabalha visando a modificação do povo, e não a sua destruição. Seu amor é poderoso e, assim, atinge mais alto que a mais distante estrela e mais baixo que o mais profundo inferno. Até seus juízos são remediadores, e não meramente retributivos (ver 1Pe 4.6). Os artigos do *Dicionário*, chamados *Misericórdia* e *Amor*, oferecem muito material, incluindo poemas ilustrativos.

"Judá fora rebaixado, mas não eliminado. Deus estava punindo os judeus por seus pecados, mas não os rejeitou como o povo em pacto com ele... O pacto não fora ab-rogado. De fato, o amor leal de Deus podia ser visto em sua fidelidade, ao cumprir suas maldições (ver Dt 28)" (Charles H. Dyer, *in loc.*). O julgamento é um dedo da amorosa mão do Senhor. Ver no *Dicionário* o verbete intitulado *Pactos* e em Gn 15.18 o artigo *Pacto Abraâmico*. Ver a mensagem paralela de Ml 3.6.

Este versículo tira o livro da futilidade. Deus ainda haveria de escrever outro capítulo contando a história da tragédia e insuflando-a com esperança e prosperidade, finalmente. Diz a Septuaginta: "As misericórdias do Senhor não me abandonaram". A versão siríaca diz: "As misericórdias do Senhor, elas não têm fim". Aben Ezra lembrou que "não há fim das misericórdias do Senhor". "O Senhor é cheio de misericórdias, que ele concede de maneira livre e soberana. Elas são a mola de todas as coisas boas e nunca falham. Eis a razão pela qual o povo de Deus nunca é, e nunca será, consumido, ainda que falhe. As misericórdias divinas são de eternidade a eternidade, e estão guardadas em Cristo, o Cabeça dos pactos. Ver Sl 89.28 e 103.17" (John Gill, *in loc.*).

MISERICÓRDIA NO MEIO DO DESESPERO

As misericórdias do Senhor são a causa de não sermos consumidos, porque as suas misericórdias não têm fim.

Lamentações 3.22

Longe de ti o fazeres tal cousa, matares o justo com o ímpio; como se o justo fosse igual ao ímpio; longe de ti. Não fará justiça o Juiz de toda a terra?

Gênesis 18.25

AINDA PODEMOS CONFIAR

> Oh, podemos ainda confiar que de algum modo
> O bem será o alvo final do mal.
> Das dores da natureza, dos pecados da vontade,
> Dos defeitos da dúvida, e das manchas de sangue.
>
> Que nada caminha sem alvo,
> Que nenhuma única vida será destruída,
> Ou lançada como refugo no vazio,
> Quando Deus completar a pilha.
>
> Que nem um verme é ferido em vão,
> Que nem uma mariposa com vão desejo
> É lançada em uma chama infrutífera.
> Senão para servir o ganho de outra.
>
> Eis que de coisa alguma sabemos;
> Penso tão somente confiar que o bem sobrevirá
> Finalmente — de longe — finalmente, para todos,
> E que todo inverno se tornará em primavera.
>
> Assim se descortina o meu sonho:
> Porém, quem sou eu?
> Um infante a clamar à noite;
> E sem linguagem, mas apenas com um clamor.
>
> Alfred Lord Tennyson

3.23

חֲדָשִׁים לַבְּקָרִים רַבָּה אֱמוּנָתֶךָ׃

Renovam-se cada manhã. Do mesmo modo que cada novo dia traz o sol de novo, e os homens olham para o alto e sentem a esperança no ar, pois a vida continua, assim também a grande *fidelidade* de

Deus é renovada a cada nascer do sol. Cada novo dia põe fim à noite anterior e começa a vida outra vez, e é isso que sucede ao *amor constante* de Deus, pois grande é a sua fidelidade.

> Grande é tua fidelidade, ó Deus, meu Pai;
> Não há sombra de mudança em ti.
> Tu não mudas, tuas compaixões não falham.
> Como sempre foste, para sempre serás.
> Verão e inverno, primavera e colheita,
> Sol, lua e estrelas, em seus cursos lá em cima,
> Juntam-se a toda a natureza, em múltiplo testemunho,
> A tua grande fidelidade, misericórdia e amor.
>
> T. O. Chisholm

"Com a aurora de todos os dias, descem também as misericórdias de Yahweh" (Ellicott, *in loc.*). "Quem poderia existir por todo o dia, não fora uma contínua providência superintendente? Quem poderia ser preservado à noite, se o Vigia de Israel dormitasse ou dormisse?" (Adam Clarke, *in loc.*). Ver no *Dicionário* o artigo *Providência de Deus*.

"Não temas, crê somente" (Mc 5.36). Essas palavras, conforme alguém disse, são o coração da fé cristã.

3.24

חֶלְקִי יְהוָה אָמְרָה נַפְשִׁי עַל־כֵּן אוֹחִיל לוֹ׃ ס

A minha porção é o Senhor, diz a minha alma. "Digo a mim mesmo: 'O Senhor é o que me resta e, por isso, tenho esperança'" NCV). Cf. este versículo com Sl 119.57. "Deus oferece um suprimento novo de amor leal a cada dia, a seu povo, em pacto com ele. De maneira muito parecida com o maná no deserto, esse suprimento não se exaure. Essa verdade levou Jeremias a clamar em louvor: 'Grande é a tua fidelidade'. Por causa disso, o profeta continuou a esperar no Senhor. Haveria cura e restauração" (Charles H. Dyer, *in loc.*). "O Senhor é a porção do seu povo, na vida e na morte, no tempo e na eternidade. Tudo quanto ele é e tem, pertence a eles. Eles são seus herdeiros. Ele é uma porção grande e plena, incalculavelmente rica e grande... Assim sendo, seu povo continua a esperar nele, pedindo livramento dos males; no presente, suprimento da graça para aprazimento da glória e da felicidade futura" (John Gill, *in loc.*). "Yahweh, minha porção, uma ideia que nos faz lembrar de Sl 16.5; 73.26; 142.5; 119.27; o pensamento repousa primariamente sobre Nm 28.21. Essa é a *herança* do povo de Deus que eles têm da parte do Pai. Ver Nm 18.20. Os levitas não tinham herança na terra, conforme acontecia às demais tribos. Yahweh era sua herança. Ver Jr 10.16. "Cada crente agora é um sacerdote de Deus e pode apropriar-se da mesma linguagem" (Fausset, *in loc.*).

3.25,26

טוֹב יְהוָה לְקֹוָו לְנֶפֶשׁ תִּדְרְשֶׁנּוּ׃
טוֹב וְיָחִיל וְדוּמָם לִתְשׁוּעַת יְהוָה׃

Bom é o Senhor para os que esperam por ele. Diz o hebraico aqui, literalmente, "esperam ansiosamente" ou "suspiram por". Para eles, por causa de sua sinceridade, Yahweh é bom.

> Visto que ele me ordena buscar sua face,
> Crer em sua palavra e confiar em sua graça,
> Lançarei sobre ele todo o meu cuidado.
>
> W. W. Walford

"Aqui o poeta recebe nova e profunda percepção, dando-nos uma bela declaração do real significado de nossa relação com Deus, nosso Pai. Cumpre-nos buscá-lo e esperar quietamente pela salvação do Senhor, sabendo que é bom para um homem suportar o jugo em sua juventude... Um grande psicólogo disse, certa ocasião: 'Se houver um pecado contra o Espírito Santo, é o pecado de fazer alguma coisa para prejudicar a própria juventude ou a juventude de outrem'" (William Pierson Merrill, *in loc.*). "Um homem sábio aconselha à submissão e à penitência, em reconhecimento da retidão e da misericórdia de Deus" (*Oxford Annotated Bible*, comentando sobre o vs. 25). Cf. este versículo com Hb 11.6; Pv 8.17; Mt 7.7; Rm 2.7; Sl 9.10 e 69.32. O Deus que proferiu as maldições referidas em Dt 28 também cumpriria a restauração prometida em Dt 30. Ver no *Dicionário* o artigo chamado *Salvação*.

Sete Princípios Concernentes à Aflição:

1. A aflição pode ser suportada pelo homem que mantém a *esperança*, em geral e na salvação de Deus, ou seja, na restauração final (vss. 25-30). A salvação tem um aspecto temporal e um aspecto espiritual.
2. A aflição é temporal e temperada pelo amor e pela misericórdia de Deus (vss. 31,32).
3. Deus não se deleita em afligir os homens, mas eles precisam ser disciplinados (vs. 33).
4. As aflições que nos chegam através de nossas injustiças não são aprovadas por Deus, nem é ele a fonte originária das aflições (vss. 34-36).
5. A soberania de Deus controla as aflições (vss. 37,38).
6. Foram os pecados de Judá que levaram Yahweh a afligir seu povo (vs. 39).
7. O propósito das aflições é efetuar o arrependimento e a restauração (vs. 40).

3.27

טוֹב לַגֶּבֶר כִּי־יִשָּׂא עֹל בִּנְעוּרָיו׃ ס

Bom é para o homem... O *jugo* provém da lei, que instrui e guia (ver Dt 6.4 ss.). O jugo é a disciplina de Yahweh por meio de sua lei. O homem instruído recebe livramento dos efeitos do pecado, tal como Judá foi libertado do cativeiro babilônico. Então o jugo conduz à salvação espiritual da alma. Os ensinos no caminho divino devem começar na juventude. Ver Hb 12.7-11.

No Novo Testamento, o jugo é de Cristo. Ele ensina o discípulo obediente. Ver Mt 11.29. O ministério do Espírito Santo toma o lugar dos mandamentos da lei, mas a mesma moralidade é ensinada. Todavia, há uma espiritualidade mais profunda no Novo Testamento, em relação ao Antigo. Ver no *Dicionário* o artigo chamado *Desenvolvimento Espiritual, Meios do*.

"Os hábitos antigos, quando bons, são valiosos. Uma disciplina iniciada cedo é igualmente boa" (Adam Clarke, *in loc.*, que passa a falar sobre a restrição saudável na juventude, que produz, mais tarde, um homem útil).

> Semeai um ato, e colhereis um hábito,
> Semeai um hábito, e colhereis um caráter.
> Semeai um caráter, e colhereis um destino.
> Semeai um destino, e colhereis... Deus.
>
> Prof. Huston Smith

Jugo. Os mandamentos (Targum); a disciplina ou correção (Aben Ezra).

3.28

יֵשֵׁב בָּדָד וְיִדֹּם כִּי נָטַל עָלָיו׃

Assente-se solitário e fique em silêncio. Um *homem disciplinado* não exprimirá objeção nem causará confusão. Ele se sentará e ficará em silêncio, aprendendo o que deve do jugo que lhe foi imposto por Yahweh, que provê o ensino e a disciplina. Yahweh é o condicionador da alma, bem como o objeto do andar do homem bom. "Ele não luta contra o jugo, como um boi não acostumado ao jugo (ver Jr 31.18; At 9.5)" (Fausset, *in loc.*). "Ele se senta sozinho. Já aprendeu a lição necessária da *independência*" (Adam Clarke, *in loc.*). Esse homem não é alguém da multidão que segue as maneiras dos pecadores. Antes, vive separado deles, um homem espiritual que anda na luz.

3.29

יִתֵּן בֶּעָפָר פִּיהוּ אוּלַי יֵשׁ תִּקְוָה׃

Ponha a sua boca no pó. "Ele deve prostrar-se diante do Senhor com o rosto em terra. Talvez ainda haja esperança" (NCV). Este versículo fala da *humildade* que um homem deve ter para garantir as bênçãos de Deus. Ver o orgulho e a humildade contrastados, nas notas sobre Pv 11.2 e 13.10. Ver também Pv 6.17. Quanto a *olhos altivos*, ver Pv 14.3; 15.25; 16.5,18. O homem bom deve "prostrar-se perante o Senhor" (Targum). Esse é o homem que pode obter a esperança mesmo nas situações de desespero. Cf. o versículo com Jó 42.6. "A imagem é a das prostrações dos súditos orientais diante de um rei. O rosto deles está no pó, pelo que não podem falar" (Ellicott, *in loc.*). No pó há espaço para a esperança, que foge do homem orgulhoso. Ver no *Dicionário* o artigo chamado *Esperança*.

Por ocasião do cativeiro babilônico, Judá conservou o rosto em terra e ali encontrou esperança de restauração. Mas o orgulhoso Judá não escapou da severa disciplina procedente da mão de Yahweh, que enviou o exército babilônico para punir seu povo por causa de seus muitos pecados.

■ 3.30

יִתֵּ֧ן לְמַכֵּ֛הוּ לֶ֖חִי יִשְׂבַּ֥ע בְּחֶרְפָּֽה׃ ס

Dê a face ao que o fere. O *castigo divino* veio mediante o imenso abuso dos babilônios, com sua matança e saques, mas veio porque o povo de Judá o merecia. "Foi mais difícil aceitar o castigo divino que veio através de agentes humanos" (Ellicott, *in loc.*). Quanto a concordâncias verbais, ver Is 50.6 e Mt 5.39. Mas esses são exemplos do justo que sofre nas mãos de homens ímpios e desvairados. Aqui, a culpada nação de Judá sofre nas mãos dos pagãos. Todavia, alguns veem aqui o castigo do justo como se fosse correto, e então as referências dadas são paralelas. Parece melhor, porém, ver aqui o Judá pecaminoso sendo restaurado por meio das aflições. O vs. 31 confirma tal interpretação, visto que aqueles uma vez *rejeitados* (entregues às mãos dos babilônios para serem punidos) finalmente foram restaurados, depois de sofrerem com paciência e terem aprendido com a punição. Tudo isso fazia parte do sofrer o jugo do vs. 27. Os vss. 28 ss. descrevem o processo disciplinador e o aprendizado, e não a experiência de um inocente perseguido. O Senhor impôs merecida tristeza, mas depois mostrou compaixão (vs. 32). Há uma aflição contra o justo que Yahweh não aprova (vss. 34-36), mas isso já é outro assunto.

■ 3.31

כִּ֣י לֹ֥א יִזְנַ֛ח לְעוֹלָ֖ם אֲדֹנָֽי׃

O Senhor não rejeitará para sempre. Embora fosse severo, o castigo do cativeiro babilônico tinha por finalidade expurgar Judá. Após setenta anos (Jr 25.11,12), o remanescente voltou para Jerusalém e reconstruiu a cidade. Foi o "recebimento" do povo por parte de Yahweh, o que deu início a um novo dia. Isso tipificou a maneira como Deus trata seu povo: o juízo divino é restaurador, e não meramente retributivo. Cf. Sl 77.7 e Jr 3.5,12. "A vontade primária e eterna de Deus está ao lado do amor, e o julgamento, por assim dizer, é algo contrário à sua vontade final" (Ellicott, *in loc.*). O juízo traz arrependimento e renovação. Ver Sl 94.14. Ver Rm 11.2. Esse princípio é universal, e não provincial (aplicado somente a Israel). Ver na *Enciclopédia de Bíblia, Teologia e Filosofia* o artigo chamado *Restauração*.

■ 3.32

כִּ֣י אִם־הוֹגָ֔ה וְרִחַ֖ם כְּרֹ֥ב חֲסָדָֽיו

Pois, ainda que entristeça a alguém. A tristeza resulta do julgamento, mas a restauração ocorre na compaixão de Deus, outro nome para o amor que resulta da multidão de suas misericórdias. Ver no *Dicionário* os artigos chamados *Compaixão; Amor* e *Misericórdia*, quanto a completas ilustrações sobre esses princípios divinos. Os castigos divinos duram por algum tempo; sua misericórdia é para sempre. O amor escreverá o último capítulo da história humana, e todos os outros capítulos foram apenas preliminares. Ademais, o julgamento faz a obra do amor, produzindo mudanças favoráveis. O amor eterno de Deus é que escreverá o capítulo final. A vontade final de Deus está ao lado do amor.

> Cessei de minhas vagabundagens e desvios,
> Meus pecados, que são muitos, foram todos lavados.
> Tenho uma esperança firme e segura.
> Há uma luz no vale da morte para mim.
>
> R. H. McDaniel

■ 3.33

כִּ֣י לֹ֤א עִנָּה֙ מִלִּבּ֔וֹ וַיַּגֶּ֖ה בְּנֵי־אִֽישׁ׃ ס

Porque não aflige nem entristece de bom grado. O *amor de Deus* não aflige os homens. Deus não é um poder sádico e maligno, como eram muitos dos deuses gregos. Ele é a epítome do bem e do amor. Logo, quando Deus julga, visa realizar algum bom propósito e produzir a restauração. A vontade divina está ao lado do amor eterno e das bênçãos que esse princípio impõe. Por outro lado, o julgamento e o amor são *sinônimos*, visto que o primeiro é um dedo da amorosa mão de Deus, operando para produzir o bem do homem. Note aqui o leitor o título universal de "filhos dos homens". Os princípios benévolos do Senhor aplicam-se a todos os homens, e não apenas a Israel ou a algum grupo seleto. O hebraico literal é que Deus "não aflige do coração". O coração de Deus não está no castigo. Antes, está no amor, pois o *nome de Deus é amor* (ver 1Jo 4.8). "... coração, o centro da volição, bem como das emoções" (Ellicott, *in loc.*). "Deus não se deleita em nossa dor e miséria. No entanto, como Pai terno e inteligente, ele usa a vara, não para agradar a si mesmo, mas para nosso proveito e salvação" (Adam Clarke, *in loc.*).

> Por misericórdias tão grandes como posso retribuir?
> Eu o amarei, eu o servirei com tudo quanto tenho,
> Enquanto perdurar a minha vida.
>
> T. O Chisholm

■ 3.34

לְדַכֵּא֙ תַּ֣חַת רַגְלָ֔יו כֹּ֖ל אֲסִ֥ירֵי אָֽרֶץ׃

Pisar debaixo dos pés. A palavra "presos" alude ao *remanescente cativo* na Babilônia, mas a ideia foi generalizada para indicar todos os homens, de todos os lugares, que são prisioneiros do mal, de pecados múltiplos, de horrendos vícios da maldade. Não está no coração de Deus esmagar esses prisioneiros. Antes, seu negócio consiste em libertá-los e conduzi-los a uma nova vida. "Deus nunca nos aflige, a não ser para o nosso bem. Ele nos castiga para que possamos participar de sua retidão" (Adam Clarke, *in loc.*). Este versículo é um ótimo João 3.16 de Lamentações. O amor de Deus o levou a dar seu Filho; e isso produziu a missão universal de amor, para que os homens não pereçam. A prisão rouba o homem de sua individualidade. Mas a salvação liberta os homens para que cumpram seu potencial espiritual, transformados segundo a imagem de Cristo (Rm 8.29 e 1João 2.2). Ver no *Novo Testamento Interpretado* o verbete intitulado *Transformação segundo a Imagem de Cristo*.

■ 3.35

לְהַטּוֹת֙ מִשְׁפַּט־גָּ֔בֶר נֶ֖גֶד פְּנֵ֥י עֶלְיֽוֹן׃

Perverter o direito do homem. O amor de Deus o deixa indignado quando ele "vê alguém ser tratado injustamente na presença do Deus Altíssimo" (NCV). Ver no *Dicionário* o artigo sobre o nome divino *Altíssimo*. De seu exaltado lugar, ele pode ver todas as injustiças que os homens perpetram uns contra outros, e certamente ele os julga. A alusão é ao sofrimento dos judeus durante o cativeiro na Babilônia. Houve muitos abusos e também muitas injustiças. Yahweh considerava responsáveis aqueles pagãos, por causa do que faziam, embora eles estivessem administrando um castigo merecido por parte de Judá, por ordem do Senhor. Um cruel castigo faria cessar aqueles que tratavam cruelmente os prisioneiros judeus na Babilônia. Além disso, o *princípio geral* da justiça não permite que a injustiça prevaleça nos tribunais de justiça. Ver Êx 23.6. Muitos direitos humanos eram violados nos tribunais de Israel (bem como de outros povos). Yahweh, de sua elevada posição nos céus, via tudo quanto estava sendo feito, e requeria retribuição, no final. Cf. este versículo com Ec 5.8.

■ 3.36

לְעַוֵּ֤ת אָדָם֙ בְּרִיב֔וֹ אֲדֹנָ֖י לֹ֥א רָאָֽה׃ ס

Subverter ao homem no seu pleito, não o veria o Senhor? Êx 23.6 e Dt 10.17 estavam na mente do autor quando ele escreveu este versículo. Ele mudara dos abusos e injustiças dos babilônios contra o remanescente judeu, cativo na Babilônia (vs. 34), para os abusos e injustiças dos tribunais, ou para qualquer lugar onde os direitos dos homens estivessem sendo negados e a injustiça prevalecesse. A NCV diz: "Se alguém for enganado em sua causa no tribunal", que é a referência primária. São condenadas a perversão deliberada da justiça em um tribunal público no qual os homens, ao que se presume, atuam em nome de Deus (ver Êx 23.6), e toda forma de injustiça, mesmo privada, não ligada a tribunal de lei. Homens ímpios esperam que Deus não veja o que eles fazem. Ver Ez 9.9. Mas essa esperança é vã. Deus olha para tais coisas e as abomina (Hc 1.13). Diz o Targum: "Será possível que tal coisa não fosse revelada diante do Senhor?"

■ 3.37

מִי זֶה אָמַר וַתֶּהִי אֲדֹנָי לֹא צִוָּה׃

Quem é aquele que diz, e assim acontece... A *soberania de Deus* controla o resultado de todas as coisas. Ademais, o que o homem planeja não pode ocorrer a menos que a soberania de Deus a cause ou a permita. Nenhum homem pode provocar coisa alguma meramente ordenando-a. Ver no *Dicionário* o artigo chamado *Soberania*. Este versículo reverbera Sl 33.9. "O mal que ele permite está sob o controle de seus propósitos amorosos" (Ellicott, *in loc.*). Deus falou, e a criação veio à existência. Os homens são agentes ativos que fazem coisas acontecer, mas suas palavras não são poderosas, a menos que Deus esteja na questão, provocando ou permitindo os acontecimentos. Essas palavras atuavam como um consolo para o remanescente cativo na Babilônia. A palavra de Deus em breve haveria de libertá-los, e todas as más manipulações dos homens não poderiam entravar isso. O decreto de Ciro obedeceu à vontade de Deus, e os judeus tiveram a liberdade de voltar a Jerusalém e reconstruí-la. Foi assim que nasceu um novo Israel e raiou um novo dia.

Enquanto palmilho o labirinto escuro,
E as tristezas se espalham a meu redor,
Sê tu meu guia.
Ordena que as trevas se transformem em dia.
Enxuga as lágrimas da tristeza,
E não me deixes desviar-me
Para longe de ti.

Ray Palmer

■ 3.38

מִפִּי עֶלְיוֹן לֹא תֵצֵא הָרָעוֹת וְהַטּוֹב׃

Acaso não procede do Altíssimo...? O bem supremo é declarado pela boca do *Altíssimo* (ver a respeito no *Dicionário*). O *mal* também é pronunciado, ou seja, os homens devem sofrer por seus pecados. Deus é assim a fonte do bem supremo e do julgamento esmagador, mas, em última análise, essas coisas são iguais, pois ambas se originam em seu amor eterno. Neste versículo não há ideia sobre o ser de Deus como fonte do mal e do senso moral, embora ele use os homens imorais para fazer sua vontade. E por certo não há aqui ideia de Deus como a *causa única,* como se homens ímpios não fossem a causa de muitas tristezas deste mundo. A teologia dos hebreus era fraca quanto a causas secundárias e, algumas vezes, advogava Deus como a causa única, fazendo dele a causa do mal. Isso, porém, é uma teologia unilateral, que o calvinismo extremado também defende.

"A calamidade e a prosperidade não procedem igualmente de Deus?" (Jó 2.10; Is 45.7; Am 3.6) (Fausset, *in loc.*).

■ 3.39

מַה־יִּתְאוֹנֵן אָדָם חָי גֶּבֶר עַל־חֲטָאָו׃

Por que, pois, se queixa o homem vivente? Nenhum homem pode queixar-se porque o mal que Deus envia é punição contra os pecados. O remanescente cativo estava pagando por seus pecados, em consonância com a *Lei Moral da Colheita segundo a Semeadura* (ver a respeito no *Dicionário*). Nenhum homem tinha o direito de queixar-se do sofrimento que ele mesmo havia causado por sua iniquidade. Aquele que peca deve esperar consequências desagradáveis de seus atos. "Nenhum homem deve queixar-se quando é punido por seus pecados" (NCV). Cf. este versículo com Jr 45.5. O queixador potencial deste versículo continuava *vivo*, a despeito de suas aflições. Outros tinham sido removidos desta vida por causa de seus pecados. Portanto, por que o homem vivo deveria queixar-se de seu julgamento *inferior?* Este versículo não subentende punição além do sepulcro. Estamos tratando apenas de castigos temporais, neste versículo. A retribuição contra o pecado não é uma injustiça. Ademais, o castigo vem do Pai, que corrige seus filhos. Os juízos divinos podem ser amargos, mas são doces quando fazem o que devem fazer. Cf. Hb 12.6,7.

■ 3.40

נַחְפְּשָׂה דְרָכֵינוּ וְנַחְקֹרָה וְנָשׁוּבָה עַד־יְהוָה׃

Esquadrinhemos os nossos caminhos. Em vez de queixar-se da dor, quando castigado, o sábio examinará seus caminhos e verá onde errou e se rebelou. Em seguida, ele se arrependerá e retornará ao Senhor. Isso acalmará a ira divina, que começará a abençoar o homem, pois agora ele está andando na luz. Começando aqui, o poeta se identificou com o povo, e esse modo de expressão continua até o vs. 47. "O sofrimento chama um homem ao autoescrutínio. Devemos conhecer os pecados que o castigo pretende punir e corrigir" (Ellicott, *in loc.*).

O profeta aliou-se aos sofrimentos do remanescente judeu na Babilônia e convidou que se fizesse um sábio exame dos erros que causaram o cativeiro na Babilônia. "A aflição de Deus tinha por desígnio servir como medida corretiva de restaurar o seu povo desviado (ver Dt 28.15-68). Seu desígnio foi forçar o povo a voltar-se para o Senhor (Dt 30.1-10)" (Charles H. Dyer, *in loc.*).

A Oração do Pecador (3.41-66)

■ 3.41

נִשָּׂא לְבָבֵנוּ אֶל־כַּפָּיִם אֶל־אֵל בַּשָּׁמָיִם׃

Levantemos os nossos corações. A *oração* resulta do exame da vida. Os homens se arrependerão e buscarão o perdão e o consolo de Deus, além de nova direção para a vida. Ver no *Dicionário* o artigo chamado *Oração.* O profeta descreveu, mediante termos claros e simples, o que se espera de um homem que foi tocado pelo Espírito de Deus, no que tange a desejar uma vereda melhor. Ele deve reconhecer claramente sua culpa e buscar reforma. Tem de humilhar-se e deixar a rebeldia. Precisa "limpar a tábua", mediante o arrependimento. Deve *elevar seu coração* a Deus, sinceramente. O quadro é de um suplicante sincero. Cf. este versículo com Sl 141.2 e 1Tm 2.8. "O coração deve estar ao lado da oração do homem, ou de nada adiantará. A *alma* deve ser elevada a Deus" (John Gill, *in loc.*).

■ 3.42

נַחְנוּ פָשַׁעְנוּ וּמָרִינוּ אַתָּה לֹא סָלָחְתָּ׃ ס

Nós prevaricamos, e fomos rebeldes. *A Confissão.* O povo judeu transgrediu a lei mosaica, especialmente quanto à questão da idolatria. Tornou-se culpado de idolatria-adultério-apostasia. Eles foram rebeldes porque tinham luz suficiente para saber que o que faziam era iniquidade e perversão da fé histórica de Israel. Continuaram rebeldes, e Yahweh não os perdoou. Por isso o juízo divino sobreveio, e o exército babilônico avançou contra Jerusalém. Os babilônios mataram e saquearam, e os poucos sobreviventes foram levados à Babilônia como cativos. Todos esses golpes divinos mudaram a maneira de pensar dos rebeldes, e eles voltaram purificados. Tornaram-se assim instrumentos da restauração, mas não antes da temível remoção da vasta maioria, mediante feroz destruição. Ambos os pronomes usados neste versículo são enfáticos. Os *suplicantes* pecaram; e Deus ainda não (nos, vos) havia perdoado.

■ 3.43

סַכֹּתָה בָאַף וַתִּרְדְּפֵנוּ הָרַגְתָּ לֹא חָמָלְתָּ׃

Cobriste-nos de ira, e nos perseguiste. *A Figura do Caçador.* O feroz caçador, coberto de ira como se fosse uma veste, perseguiu o animal insensato. Ele o alcançou e o matou sem dó. Ou a figura é a de um soldado em perseguição, atrás de uma vítima impotente que tentava escapar, mas que acabou sucumbindo diante do caçador. As *vestes* do caçador podem aludir à armadura e às armas do soldado sem misericórdia. O Targum faz a cobertura aplicar-se à vítima: "Tu nos cobriste com a tua ira". A vítima foi *perseguida,* ao que o Targum adicionou "no cativeiro".

■ 3.44

סַכּוֹתָה בֶעָנָן לָךְ מֵעֲבוֹר תְּפִלָּה׃

De nuvens te encobriste. A *cobertura* do vs. 43 agora torna-se diferente quanto à sua natureza, a saber, uma *nuvem* que ocultava Yahweh das orações feitas pela vítima. A *nuvem* significa que Yahweh se tornou *indiferente* para com Judá, enquanto a nação estivesse na rebeldia. Quanto à aparente indiferença de Deus, ver Sl 10.1; 28.1; 59.4; 82.1 e 43.7. Deus deixou de responder às orações de seu povo rebelde e apostatado. Isso fazia parte do castigo, o qual era remediador, e não apenas retributivo.

■ 3.45

סְחִי וּמָאוֹס תְּשִׂימֵנוּ בְּקֶרֶב הָעַמִּים׃ ס

Como cisco e refugo nos puseste. As tribulações da nação (estando ela sob a ira de Deus; cf. Lm 2.1,3,6,22; 3.43) incluíam o fato de que suas orações não eram respondidas, e de que eles se tornaram como o refugo rejeitado pelos outros povos. E, desnecessário é dizer, esse refugo também era rejeitado por Yahweh como indigno de atenção. "Tu nos fizeste o refugo e o lixo entre as outras nações" (NCV). "Os apóstolos foram tratados assim (ver 1Co 4.14), mas se regozijavam diante disso, pois eram inocentes" (Fausset, *in loc.*). Judá era culpado de seu pecado e merecia ser humilhado entre as nações, como o mais vil dos povos que tinha abandonado seu Deus e se tinha voltado para deuses de nada, os ídolos.

Refugo. A sujeira tirada de um objeto mediante lavagem; a varrição da sujeira e dos escombros das ruas; a escória dos metais refinados; o lixo tirado dos soalhos de uma casa; as crostas extraídas das panelas de uma cozinha. Eles eram, realmente, o *lixo* que as pessoas jogavam fora.

■ 3.46

פָּצוּ עָלֵינוּ פִּיהֶם כָּל־אֹיְבֵינוּ׃

Todos os nossos inimigos... Para piorar ainda mais as condições, os inimigos de Judá zombavam deles, condenando-os com declarações cortantes. Em outras palavras, eles adicionavam insultos às injúrias. Este versículo é similar a Lm 2.16, onde ofereço outras notas. "Como se fossem leões e outras feras, eles abriram a boca para nos devorar; ou escarneciam e zombavam de nós; derramando suas reprimendas e zombarias... O Targum adiciona: 'para ordenar contra nós maus decretos'" (John Gill, *in loc.*).

■ 3.47

פַּחַד וָפַחַת הָיָה לָנוּ הַשֵּׁאת וְהַשָּׁבֶר׃

Sobre nós vieram o temor e a cova. Caçados como uma fera por um caçador sem misericórdia, o povo se encheu de pânico e terror. Eles caíram nas valetas e foram apanhados pelas armadilhas, e assim acabaram destruídos. Depois de Judá experimentar tais calamidades, eles foram forçados a reexaminar sua vida e buscar reforma da parte de Yahweh. O hebraico literal aqui é "cova e laço", que também se vê em Jr 48.43 e Is 24.17. O animal que era perseguido fugiu em pânico e terror, mas de súbito foi apanhado por um laço. Judá foi devastado e tornou-se desolado, virtualmente desabitado (Jr 10.25). O *terrível trio* espada-fome-pestilência reduziu Judá a virtualmente nada. Ver sobre esse trio em Jr 14.12; 24.10; 27.8; 29.17; 42.17 e 44.13.

■ 3.48

פַּלְגֵי־מַיִם תֵּרַד עֵינִי עַל־שֶׁבֶר בַּת־עַמִּי׃ ס

Dos meus olhos se derramam torrentes de águas. A metáfora dos rios de água, indicando copioso choro devido à calamidade sofrida por Judá, já tinha sido empregada em Lm 1.16 e 2.18. As notas dadas ali também têm aplicação aqui. Ver também Jr 9.1, onde a mesma metáfora é usada. Cf. Sl 119.136. Esse uso "denota a grandeza de sua tristeza e tribulação diante das aflições do povo, por quem o autor chorava muitas lágrimas" (John Gill, *in loc.*).

■ 3.49,50

עֵינִי נִגְּרָה וְלֹא תִדְמֶה מֵאֵין הֲפֻגוֹת׃
עַד־יַשְׁקִיף וְיֵרֶא יְהוָה מִשָּׁמָיִם׃

Os meus olhos choram. O fluxo copioso de lágrimas (vs. 48) continuava sem cessar, pois as calamidades prosseguiam e o profeta não via fim em suas tristezas; e elas *continuariam* até que Yahweh, lá nos céus, olhasse para baixo, tivesse piedade e fizesse algo sobre a questão (vs. 50). Como é claro, temos aqui uma hipérbole oriental, visto que seria fisicamente impossível para um homem continuar chorando dia após dia. Mas não há como exagerar a descrição da destruição de Jerusalém, que foi terrível "só de contar", quanto mais na realidade, como Homero costumava dizer quanto a calamidades drásticas. Havia uma promessa de que Israel seria restaurado após os desastres (ver Dt 30.2,3), pelo que o profeta continuava esperando por isso. Ver também Is 63.15. Diz o Targum: "Até que ele olhe e veja a minha injúria".

■ 3.51

עֵינִי עוֹלְלָה לְנַפְשִׁי מִכֹּל בְּנוֹת עִירִי׃ ס

Os meus olhos entristecem a minha alma. Os olhos de Jeremias causavam-lhe imensa tristeza, quando ele via a sorte das donzelas da cidade. "Filhas", aqui, pode apontar para a população geral, visto que Jerusalém era representada como uma *mulher* (ver Lm 1.6,15; 2.1,2,4,5,10; 4.8,10,13 etc.). Alguns eruditos, porém, supõem que o profeta estivesse falando aqui especificamente sobre o que sucedera às jovens da cidade, matanças e violações, bem como transporte de mulheres seletas para aumentar os haréns da Babilônia, e das mulheres não tão bonitas para servir como escravas. As mulheres e crianças eram as vítimas que mais dó causavam, no ataque e subsequente cativeiro. Mas alguns pensam que as "filhas" sejam as cidades secundárias de Judá, caso em que Jerusalém seria a mãe, e elas seriam as filhas. O sentido aqui pode ser: "Meu coração foi mais afetado por essas calamidades que atingiram o mais terno sexo feminino, do que as calamidades que atingiram as outras classes".

■ 3.52

צוֹד צָדוּנִי כַּצִּפּוֹר אֹיְבַי חִנָּם׃

Caçaram-me como se eu fosse ave. *A Metáfora da Pobre Ave*. A maior parte das aves é composta de criaturas impotentes que nos excitam a piedade. Judá inteiro era como uma ave, quando os caçadores babilônios o perseguiam com redes e desígnios assassinos. O caçador estava resolvido a matar a ave, embora não tivesse *razão* para fazer isso. Este versículo ignora o raciocínio, comum nas cenas proféticas de condenação, no qual a matança e o saque tinham sido ordenados por Yahweh contra um povo desobediente. Ver o vs. 32, onde aprendemos que *ele* causou a tristeza sofrida por Judá. Para extrair sentido das palavras "sem motivo", alguns intérpretes pensam que este versículo se refere aos sofrimentos pessoais do profeta, que foi perseguido e ameaçado por seus conterrâneos de Anatote (ver Jr 11). Em seguida, Jeremias foi perseguido pelo rei e lançado na prisão (cap. 37). Mas ele era homem inocente, odiado por dizer a verdade, pelo que as palavras "sem motivo" se ajustam pessoalmente a ele, ao mesmo tempo que dificilmente se ajustam ao culpado povo de Judá. Alguns queriam sua execução (ver Jr 26.7-9), embora não houvesse razão alguma para ele ser odiado daquele modo. Nisso, Jeremias foi tipo do Messias (ver Jo 15.25). Ver também Sl 69.4 e 109.3,4.

■ 3.53

צָמְתוּ בַבּוֹר חַיָּי וַיַּדּוּ־אֶבֶן בִּי׃

Para me destruírem, lançaram-me na cova. A alusão, aqui, é à "experiência de Jeremias na masmorra", quando ele foi aprisionado (Jr 37), ou à sua permanência nas cisterna (Jr 38). A referência à pedra que bloqueava o caminho pode ser literal, visto que pedras eram usadas para tapar as saídas das masmorras, embora também possa ser figurada. A *Revised Standard Version* usa o plural aqui, "pedras", tal como se vê em nossa versão portuguesa. Isso poderia significar que o profeta, em sua masmorra ou na cisterna, foi apedrejado, não para morrer, pois seus perseguidores somente jogaram pedras contra ele. Mas a experiência toda simbolizava a perseguição sofrida por Judá no *cativeiro babilônico* (ver a respeito no *Dicionário*). Cf. com a experiência de Jesus, em Mt 27.60. Os judeus, no cativeiro, foram comparados a cadáveres em seus sepulcros (ver Ez 37.11), e este versículo pode apontar para isso.

■ **3.54**

צָפוּ־מַיִם עַל־רֹאשִׁי אָמַרְתִּי נִגְזָרְתִּי׃ ס

Águas correram sobre a minha cabeça. Esta poderia ser uma hipérbole oriental para o fundo úmido da cisterna (Jr 38), ou então uma metáfora para salientar o severo teste que o profeta experimentou, tal como sucedeu a Judá, no ataque e subsequente cativeiro por parte dos babilônios. "... um emblema de calamidades avassaladoras (ver Sl 69.2; 124.4,5)" (Fausset, *in loc.*).

> Sua graça é grande o bastante para satisfazer grandes coisas.
> As ondas empoladas que avassalam a alma,
> Os ventos uivantes que nos deixam tontos,
> As tempestades súbitas fora de nosso controle.
>
> Annie Johnson Flint

■ **3.55**

קָרָאתִי שִׁמְךָ יְהוָה מִבּוֹר תַּחְתִּיּוֹת׃

Da mais profunda cova, Senhor... Estando na masmorra, o profeta apelou para sua única esperança, a *oração*. Ele levantou a voz para Yahweh, que aparentemente se mostrava indiferente diante de seus suspiros (ver Sl 10.1; 28.1 e 59.4). Cf. Sl 88.6. "... quando toda a esperança tinha morrido e toda outra ajuda tinha falhado, ainda havia Deus, um Deus a quem orar. Nunca é tarde demais para invocá-lo" (John Gill, *in loc.*).

> Em nossas alegrias e em nossas tristezas,
> Dias de labuta e horas de lazer.
> Contudo ele nos dá cuidados e prazeres.
>
> Sra. Cecil F. Alexander

Ver Jn 2.2. O profeta Jonas invocou o Senhor quando estava no ventre do grande peixe, em circunstâncias totalmente impossíveis. A resposta de Deus reverteu sua condição de condenação.

■ **3.56**

קוֹלִי שָׁמָעְתָּ אַל־תַּעְלֵם אָזְנְךָ לְרַוְחָתִי לְשַׁוְעָתִי׃

Ouviste a minha voz. A oração de desespero foi ouvida, e o Espírito de Deus se aproximava da vítima da calamidade. O profeta continuava respirando forte em sua aflição, e a cada tomada de fôlego havia nova oração. Em vez de respiração, alguns dizem *suspiros* e *soluços*. A palavra hebraica em questão pode significar *ofego*. "Ele foi obrigado a sussurrar sua oração a Deus. Foi apenas uma respiração" (Adam Clarke, *in loc.*).

> Eu lhe conto minhas dúvidas, tristezas e temores;
> Oh, com quanta paciência ele escuta!
> E minha alma cambaleante é animada.
> Quando a alma está desmaiada e sedenta,
> Por baixo da sombra de suas asas,
> Há frescor e abrigo agradável,
> Estando ele tão próximo.
>
> Ellen Kakshmi Goreh

■ **3.57**

קָרַבְתָּ בְּיוֹם אֶקְרָאֶךָּ אָמַרְתָּ אַל־תִּירָא׃ ס

De mim te aproximaste no dia em que te invoquei. Deus resolveu pleitear a causa do homem pobre e assim aproximou-se dele e proferiu palavras de ânimo. Disse ao homem para não *temer*, e assim dissiparam-se os seus temores. "Vieste perto quando eu te invoquei. Disseste: 'Não temas'" (NCV). "Quando as pessoas se aproximam de Deus... invocando seu nome, ele se avizinha e opera a salvação com graça e misericórdia. Diz o Targum: 'Vieste como um anjo e, achegando-te, me livraste, no dia em que orei a ti'. Ver Is 41.10" (John Gill, *in loc.*).

> Que amigo temos em Jesus,
> Todos os nossos pecados e tristezas ele leva!
> Que privilégio é levar
> Tudo a Deus em oração.
>
> Joseph Scriven

■ **3.58**

רַבְתָּ אֲדֹנָי רִיבֵי נַפְשִׁי גָּאַלְתָּ חַיָּי׃

Pleiteaste, Senhor, a causa da minha alma. Quando o Senhor se aproxima, ele o faz como Redentor e Advogado. Ele pleiteou a causa do pobre e então o redimiu de todas as suas dificuldades. Cf. Sl 35.1 e Mq 7.9. "Yahweh apareceu como advogado ou parente próximo protetor do profeta. As perseguições tinham por fim arrebatar-lhe a vida. Temos aqui outras referências pessoais à vida do profeta. Cf. Jr 26.8-17; 37.14 e 38.4" (Ellicott, *in loc.*). Ver no *Dicionário* o verbete chamado *Goel*. "Jeremias tornou-se assim um exemplo vivo do amor leal de Deus e de sua fidelidade (cf. Lm 3.22,23)" (Charles H. Dyer, *in loc.*). Cf. este versículo com Jr 51.36.

> Oh! Que paz com frequência perdemos,
> Oh! Quanta dor desnecessária sofremos,
> Tudo porque nós não levamos,
> Tudo a Deus em oração.
>
> Joseph Scriven

■ **3.59**

רָאִיתָה יְהוָה עַוָּתָתִי שָׁפְטָה מִשְׁפָּטִי׃

Viste, Senhor, a injustiça que me fizeram. Alguém fez uma injustiça contra o profeta, pelo que foi mister Yahweh defender a causa dele. Ninguém estava por perto para ajudar, e quem estava ali só queria prejudicar. Grandes injustiças estavam sendo perpetradas. Jeremias foi o profeta da condenação de Judá, desdizendo as palavras dos falsos profetas, que prometiam paz e prosperidade. Jeremias, porém, advogava a rendição diante dos babilônios, um poder irresistível, para que os judeus salvassem sua vida. Seus conterrâneos o ameaçaram (Jr 11) e o acusaram de traição. Ele foi ameaçado de morte, mas escapou (Jr 26). Foi aprisionado (Jr 37) e lançado em uma cisterna para morrer (Jr 38). Todas essas coisas foram graves injustiças contra ele, perpetradas por homens ímpios e desvairados. Mas ele foi *vindicado* quando suas profecias se mostraram verazes; Judá foi aniquilado, e os poucos sobreviventes foram levados para o cativeiro na Babilônia. E então Jeremias foi levado para o Egito pelos judeus que abandonaram a Terra Prometida. Ao que tudo indica, o profeta morreu ali em paz. Ele foi invencível e sua missão se completou, e o Senhor o livrou de todas as crises que lhe ameaçavam a vida. A graça divina foi suficiente para ele.

> *A minha graça te basta, porque o poder se aperfeiçoa na fraqueza.*
>
> 2Coríntios 12.9

■ **3.60**

רָאִיתָה כָּל־נִקְמָתָם כָּל־מַחְשְׁבֹתָם לִי׃ ס

Viste a sua vingança toda. Este versículo reitera a ideia central do vs. 59: as perseguições que Jeremias sofreu às mãos de homens ímpios. Sumario, naquele versículo, os piores ataques contra a sua vida. Yahweh tinha plena consciência do que estava ocorrendo, mas, por fim, atacaria os atacantes, endireitando assim as contas. Yahweh viu o "espírito de vingança deles; a sua ira e fúria, e como eles requeimavam com o desejo de prejudicar o profeta. Ele viu seus atos desprezíveis, seu comportamento vil; entendeu a iníqua imaginação deles, a elaboração de seus planos e esquemas" (John Gill, *in loc.*). "Tudo está aberto diante dos olhos de Deus, oh, alma aflita... Ele derrotará infalivelmente todos os planos deles e te salvará" (Adam Clarke, *in loc.*). "*Todos os seus pensamentos*, as mesmas palavras que os planos referidos em Jr 11.19 e 18.18, aos quais o autor sacro, como é óbvio, se refere" (Ellicott, *in loc.*).

3.61

שָׁמַעְתָּ חֶרְפָּתָם יְהוָה כָּל־מַחְשְׁבֹתָם עָלָי׃

Ouviste as suas afrontas, Senhor. O profeta repisa a questão, relembrando os escárnios de seus inimigos, as zombarias de homens ímpios que lhe faziam carrancas de ira. Seus atos eram acompanhados pela fala insolente. Eles usaram de linguagem abusiva contra um homem inocente e então prosseguiram com seus planos assassinos de tirar-lhe a vida. Ver no *Dicionário* o verbete intitulado *Linguagem, Uso Apropriado da*, bem como notas adicionais sobre o assunto, em Sl 5.9; 12.2; 15.3 e 17.3. "... a linguagem desprezível deles, seus escárnios, suas zombarias e mofas" (John Gill, *in loc.*), o que reflete a imaginação de seu coração, por meio da qual eles tinham esperado aniquilar o profeta.

3.62

שִׂפְתֵי קָמַי וְהֶגְיוֹנָם עָלַי כָּל־הַיּוֹם׃

As acusações dos meus adversários. Este versículo refaz levemente as coisas que já tinham sido ditas no vs. 61. Yahweh tinha consciência do que aqueles homens insolentes estavam dizendo com os *lábios*, e era conhecedor de seus *pensamentos*, que inventavam atos destruidores o dia inteiro. Os lábios são paralelos às "afrontas" do vs. 61.

3.63

שִׁבְתָּם וְקִימָתָם הַבִּיטָה אֲנִי מַנְגִּינָתָם׃ ס

Observa-os quando se assentam e quando se levantam. "Vede! Em tudo quanto fazem, zombam de mim com cânticos" (NCV). O hebraico diz aqui, literalmente, *sentam-se e levantam-se*, atos comuns da vida que representam todas as atividades. Em tudo quanto faziam, não se esqueciam de escarnecer do profeta. Ele se tornou a letra da canção daqueles homens iníquos e embriagados. Cf. Sl 69.12, onde temos algo similar. O vs. 14 deste capítulo nos dá a substância dessa queixa. Ver as notas ali.

3.64

תָּשִׁיב לָהֶם גְּמוּל יְהוָה כְּמַעֲשֵׂה יְדֵיהֶם׃

Tu lhes darás a paga, Senhor. Os homens que agirem como faziam aqueles réprobos (conforme se descreve nos vss. 58-63) sofrerão a retribuição divina apropriada. O que eles semearam, terão agora de colher (Gl 6.7,8). Ver no *Dicionário* o verbete chamado *Lex Talionis* (retribuição conforme o crime cometido). A Septuaginta e a Vulgata Latina apresentam as palavras deste versículo como uma profecia. Esses pecadores não escaparão da vingança divina, porquanto a palavra profética predisse a condenação deles. Cf. Jr 50.15,29. Ver Sl 28.4, que é bastante similar a este versículo. Paulo reproduziu esse sentimento em 2Tm 4.14.

3.65

תִּתֵּן לָהֶם מְגִנַּת־לֵב תַּאֲלָתְךָ לָהֶם׃

Tu lhes darás cegueira de coração. A vingança contra aqueles homens ímpios e desvairados significa que eles sofrerão tremenda tristeza no coração. Eles saberão o que significa ser ferido pelo golpe divino e sofrer ansiedades e temores, como sucedeu às suas vítimas. A *maldição* de Deus estará sobre eles.

"Os líderes, responsáveis por terem rejeitado e perseguido a Jeremias, foram punidos pela Babilônia (ver Jr 39. 4-7; 52.7-11,24-27). O paralelo de Jerusalém é óbvio. A cidade também foi perseguida por inimigos (Lm 3.46,47), mas confiava que Deus a vindicaria antes de seus inimigos, se ela se voltasse para ele" (Charles H. Dyer, *in loc.*). Cf. este versículo com Is 6.10 e 2Co 3.14,15. Aqueles homens tinham o coração *coberto* pela cegueira e pela rebelião. O coração deles era duro, pelo que eles praticavam o mal que agradava sua mente perversa. Isso não poderia continuar. Eles tinham de ser afastados dali. A Septuaginta substitui "cegueira de coração" por "cobertura de coração", que é uma tradução possível. Estão em foco a *cegueira* e a *dureza*. O coração deles tinha-se tornado insensível a qualquer apelo divino, pelo que eles estavam destinados à ruína. Esses homens sofreram de *Cegueira Judicial* (ver a respeito na *Enciclopédia de Bíblia, Teologia e Filosofia*).

3.66

תִּרְדֹּף בְּאַף וְתַשְׁמִידֵם מִתַּחַת שְׁמֵי יְהוָה׃ פ

Na tua ira os perseguirás. *Yahweh*, em seu alto céu, envia relâmpagos e fere aqueles homens miseráveis. Da mesma forma que eles haviam perseguido e destruído, serão perseguidos e destruídos, provavelmente por meio de instrumentos humanos, como os babilônios. Ver Jr 39.4-7 e 52.7-11,24-27. Assim teria cumprimento a *Lei Moral da Colheita segundo a Semeadura* (ver a respeito no *Dicionário*). "Este versículo parece aludir à predição caldaica em Jr 10.11. Por sua conduta, eles atraíram contra si mesmos a maldição denunciada contra seus inimigos" (Adam Clarke, *in loc.*). "Destrói-os da terra do Senhor" (NCV). Diz o hebraico, literalmente: "de sob os céus de Yahweh", referindo-se à terra localizada debaixo dos céus. "A frase é excepcional mas, como é óbvio, equivalente ao *mundo inteiro*, considerado o reino de Deus" (Ellicott, *in loc.*).

CAPÍTULO QUATRO

QUARTA LAMENTAÇÃO: A IRA DE YAHWEH. RECONHECIMENTO DA FIDELIDADE DE DEUS (4.1-22)

Este capítulo é paralelo ao capítulo 2, e ambos falam dos juízos de Yahweh contra homens ímpios e desvairados. Jeremias voltou a falar sobre as calamidades de Jerusalém, decorrentes de sua idolatria-adultério-apostasia. Foi provido contraste entre as condições daquela cidade antes e depois do cerco efetuado pelo exército babilônico (vss. 1-11). As causas do cerco são declaradas nos vss. 12-20. A esperança da restauração é levantada nos vss. 21 e 22.

Alguns Paralelos em Lm 4.1-11. Temos aqui um artifício literário para efeito de ênfase, onde os vss. 1-6 recebem paralelos nos vss. 7-11:

1. Vss. 1-6	Vss. 7-11
O valor dos filhos de Sião é desprezado	O valor dos príncipes é desprezado
2. Vss. 3-5	Vss. 9,10
Criancinhas e adultos sofrem juntos	Crianças e adultos sofrem juntos
3. Vs. 6	Vs. 11

Conclusão: A calamidade do castigo divino

Este capítulo é aliado próximo do capítulo 2. "Contrasta a humilhação de Jerusalém às mãos dos babilônios com seu anterior esplendor, e lança a culpa sobre os sacerdotes e profetas (vss. 13-16). Tal como o capítulo 2, trata-se da obra de uma testemunha ocular do cerco, e é ao mesmo tempo vívida e concreta" (Theophile J. Meek, *in loc.*).

4.1

אֵיכָה יוּעַם זָהָב יִשְׁנֶא הַכֶּתֶם הַטּוֹב תִּשְׁתַּפֵּכְנָה אַבְנֵי־קֹדֶשׁ בְּרֹאשׁ כָּל־חוּצוֹת׃ ס

Como se escureceu o ouro! *Jerusalém, a Dourada*, tornou-se escurecida e embotada. Não mais refletia a glória do Senhor. As pedras, antes grandiosas, como tantas gemas, constituíam o templo e seus esplendorosos edifícios. Agora aquelas pedras estavam espalhadas e se tornaram um montão de escombros. Com uma metáfora de coisas preciosas feitas comuns e corruptas, o profeta falou sobre o atual estado horrendo da cidade, depois que os babilônios terminaram sua missão destruidora. O vs. 2 faz essas coisas preciosas ser os habitantes da cidade, mas a referência é lata o bastante para incorporar o templo e suas riquezas materiais. "O ouro, o ouro fino e as pedras sagradas são o templo, os seus tesouros que são então usados como uma metáfora para as possessões *mais preciosas* de Jerusalém, a saber, os seus habitantes" (Theophile J. Meek, *in loc.*). Cf. este versículo com Lm 1.10 e 1Rs 6.22. Toda a casa de Salomão estava recoberta de ouro, como também todo o altar (ver Jr 3.19).

Vede como o ouro perdeu o seu brilho!
Vede como o bom ouro mudou!
As pedras do templo estão espalhadas
Por todos os cantos da rua.

NCV

■ 4.2

בְּנֵי צִיּוֹן הַיְקָרִים הַמְסֻלָּאִים בַּפָּז אֵיכָה נֶחְשְׁבוּ לְנִבְלֵי־חֶרֶשׂ מַעֲשֵׂה יְדֵי יוֹצֵר: ס

Os nobres filhos de Sião. Os filhos de Sião, que antes eram como ouro fino, foram mudados em vasos de barro quebrados pelos atacantes babilônios. O valor deles foi perdido como o sangue foi derramado no chão. Os filhos de Sião eram filhos de Deus altamente estimados, mas agora formavam apenas um bando de potes que algum oleiro humano tinha feito.

"Eles valiam seu peso em ouro, pois o hebraico diz, literalmente, 'aqueles pesados a peso de ouro fino'" (Theophile J. Meek, *in loc.*). O barro era o material comum usado para vasos de utilidade, tanto na cozinha como fora dela. Esses vasos tinham pouco valor e podiam ser substituídos facilmente, caso se quebrassem. Os filhos de Sião tornaram-se inúteis e foram jogados fora como lixo. Cf. Is 30.14; Jr 18.1-6 e 19.1-10. Ver também Sl 31.12.

■ 4.3

גַּם־תַּנִּין חָלְצוּ שַׁד הֵינִיקוּ גּוּרֵיהֶן בַּת־עַמִּי לְאַכְזָר כִּי עֵנִים בַּמִּדְבָּר: ס

Até os chacais dão o peito. Até animais ferozes e cruéis como os *chacais* têm sentimentos de ternura para com os filhotes, garantindo que eles receberão leite materno suficiente. Porém, endurecidas pelo que os babilônios lhes fizeram, as mães de Judá terminaram comendo os próprios filhos! (Lm 2.20). Elas se tornaram piores que as feras do campo, e se assemelharam a avestruzes, que têm a reputação de negligenciar os filhotes (Jó 39.13-18). A mãe avestruz põe os ovos na areia, onde são pisados sob os pés, e os poucos que sobrevivem não são tratados com nenhum cuidado especial. Os *chacais*, antes abundantes em torno do mar Mediterrâneo, viajavam em bandos e se associavam em áreas desoladas (ver Is 35.7; Jr 9.11; 10.22; 49.33; Ml 1.3). Eles eram (e são) cruéis contra outras formas de vida, mas pelo menos cuidam dos filhotes.

■ 4.4

דָּבַק לְשׁוֹן יוֹנֵק אֶל־חִכּוֹ בַּצָּמָא עוֹלָלִים שָׁאֲלוּ לֶחֶם פֹּרֵשׂ אֵין לָהֶם: ס

A língua da criança que mama. O cerco reduziu Jerusalém à inanição. Os poucos sobreviventes competiam para consumir os alimentos restantes. As crianças pequenas morriam de sede e fome, e muitas estavam feridas e sofriam. As crianças em idade de mamar não tinham mais o leite materno. A mãe deles estava morta, ferida ou moribunda. Algumas mães chegavam a comer os filhinhos famintos! As crianças maiores, entrementes, estavam nas ruas, esmolando pão, mas ninguém compartilhava com elas coisa alguma. Cf. Lm 2.12,19,20. O profeta pinta um quadro desesperado e sanguinário, e devemos entender que a idolatria-adultério-apostasia de Judá é que os pusera nessas condições deploráveis.

■ 4.5

הָאֹכְלִים לְמַעֲדַנִּים נָשַׁמּוּ בַּחוּצוֹת הָאֱמֻנִים עֲלֵי תוֹלָע חִבְּקוּ אַשְׁפַּתּוֹת: ס

Os que se alimentavam de comidas finas. Os ricos, acostumados a comer comidas finas e usufruir os luxos da vida, pereciam nas ruas como esmoleres comuns, de quem ninguém tinha pena. Estavam feridos e morriam de fome em montões de cinzas, pois tinham sido reduzidos a nada. Aquelas pessoas foram acostumadas a usar roupas finas, mas agora sua condição era de miséria, jazendo eles entre as cinzas, feridos e mortos de fome!

As pessoas que tinham crescido usando roupas finas agora reviravam as latas de lixo.

NCV

Os que se criaram entre escarlata. "A escarlata, tal como se vê em 2Sm 1.24, representa os xales ou vestes dos ricos, tingidos, por assim dizer, com a púrpura ou o carmesim de Tiro. Os que se tinham adornado com essas vestes de excelente qualidade agora se refugiavam nos monturos como seu único abrigo" (Ellicott, *in loc.*).

... se apegam. O hebraico diz aqui, literalmente, *abraçam*. Aqueles que evitavam qualquer tipo de imundícia agora se jogavam nos monturos, seus lugares de descanso, de onde eles esperavam extrair alguma coisa para manter-se vivos. Os monturos e os montões de cinzas continuam sendo características conspícuas nas aldeias orientais.

■ 4.6

וַיִּגְדַּל עֲוֹן בַּת־עַמִּי מֵחַטַּאת סְדֹם הַהֲפוּכָה כְמוֹ־רָגַע וְלֹא־חָלוּ בָהּ יָדָיִם: ס

Porque maior é a maldade da filha do meu povo... O profeta lembra que toda aquela calamidade era um *castigo* da parte de Yahweh. Em sua opinião, algo pior do que o que tinha acontecido em Sodoma e Gomorra. O terremoto e a atividade vulcânica que houve em seguida varreram completamente aquela gente, juntamente com outras cidades da planície, e isso foi o fim de tudo. Mas Jerusalém estava sujeita a uma morte lenta, em meio a terrores e cruéis sofrimentos. "A destruição de Sodoma foi instantânea, mais misericordiosa do que a agonia arrastada por longos anos de Jerusalém" (Theophile J. Meek, *in loc.*). Ambas caíram sob o peso da mão de Yahweh. Ver sobre *mão divina* em Sl 81.14; e sobre *mão direita* em Sl 20.6. *Outra vantagem* de Sodoma foi que "mão alguma" se fez sentir sobre ela. Antes, uma força temível da natureza, dirigida por Deus, aniquilou a cidade em pouquíssimo tempo. Mas cruéis mãos humanas afligiram Jerusalém com uma agonia prolongada. Cf. este versículo com 2Sm 24.14; Mt 10.15 e 11.24. Ver Gn 19.24.

"Embora os habitantes de Sodoma fossem grandes pecadores, os judeus foram muito piores. Os pecados deles eram agravados. Com isso concorda o Targum, que diz que os judeus tinham luz muito maior, o que tornou o pecado deles muito maior" (John Gill, *in loc.*).

Sem o emprego de mãos nenhumas. O hebraico por trás desta tradução é incerto. Dou uma tradução padrão acima: foram cruéis mãos humanas que afligiram Jerusalém. Mas tanto a NCV quanto a NIV fazem a mão ser uma *mão potencialmente ajudadora*, que não se estendeu nem ajudou. Tanto Sodoma quanto Jerusalém pereceram sem receber ajuda de nenhuma agência, humana ou divina. Portanto, a desolação dessas duas cidades foi grande, já que não houve esperança quando elas foram esmagadas pelo castigo divino.

■ 4.7

זַכּוּ נְזִירֶיהָ מִשֶּׁלֶג צַחוּ מֵחָלָב אָדְמוּ עֶצֶם מִפְּנִינִים סַפִּיר גִּזְרָתָם: ס

Os seus príncipes eram mais alvos do que a neve. A palavra hebraica aqui traduzida por "príncipes" pode significar "devotos", e a *King James Version* pensa ser isso uma alusão aos nazireus. A maior parte dos eruditos, porém, rejeita esse significado, e alguns emendam o hebraico para uma palavra similar, produzindo "jovens". Seja como for, é evidente que devemos pensar na elite do povo. O profeta falou poeticamente a respeito. Eles eram mais "alvos do que a neve" e mais "brancos do que o leite". É provável que isso se refira à ótima aparência física deles, e não a qualidades morais superiores. Os hebreus não eram brancos, mas tinham mais ou menos a cor dos árabes modernos. Os judeus de nossos dias foram clareados devido à mistura com europeus. Além disso, o corpo deles era "mais ruivo" do que os corais, e o rosto deles se parecia com safiras. Estamos tratando com expressões poéticas que falam de saúde e boa aparência, e não com descrições exatas de cor da pele. Eles tinham, por assim dizer, uma tez branco-avermelhada, o ideal nos países do Oriente. Cf. 1Sm 17.42 e Ct 5.10. Mas os babilônios estragaram a beleza e cortaram a vida dos jovens israelitas.

4.8

חָשַׁךְ מִשְּׁחוֹר֙ תָּאֳרָ֔ם לֹ֥א נִכְּר֖וּ בַּחוּצ֑וֹת צָפַ֤ד עוֹרָם֙ עַל־עַצְמָ֔ם יָבֵ֖שׁ הָיָ֥ה כָעֵֽץ׃ ס

Mas agora escureceu-se-lhes o aspecto mais do que a fuligem. A beleza transformou-se em feiura. O branco tornou-se mais escuro que o carvão, a cor da morte. Os poucos sobreviventes foram deixados a morrer nas ruas. Estavam feridos e esfomeados, com o corpo emaciado e a pela enrugada. Eram indivíduos ressecados, duros como a madeira. Estavam praticamente mumificados. Cf. Lm 5.10. A principal referência é aos efeitos da fome, que dizimava os sobreviventes. Cf. Jl 2.6 e Ne 2.10. "A pele deles estava gretada e enrugada; a carne estava endurecida; os ossos se tinham tornado como varetas, ou como um pedaço seco de madeira, pois a umidade e o tutano se ressecaram" (John Gill, *in loc.*).

4.9

טוֹבִ֤ים הָיוּ֙ חַלְלֵי־חֶ֔רֶב מֵֽחַלְלֵ֖י רָעָ֑ב שֶׁ֣הֵ֤ם יָז֙וּבוּ֙ מְדֻקָּרִ֔ים מִתְּנוּבֹ֥ת שָׂדָֽי׃ ס

Mais felizes foram as vítimas da espada. Se pudermos falar sobre a felicidade, então *felizes* são os que morrem devido ao golpe de uma espada. As vítimas da fome sofrem mais. Clamam por pão ou algum outro produto do campo, mas não há; e, mesmo que houvesse, ninguém lhes daria dessas coisas. A espada só atravessa uma pessoa por uma vez. A fome, especialmente a dos feridos, é algo que se repete continuamente. A vida "fluía" para fora deles gradualmente, que é o sentido literal do hebraico por trás de "se definham". O Targum tem uma nota horrenda aqui: "Mais felizes são aqueles mortos à espada do que aqueles que morrem de fome. Aqueles que são feridos pela espada têm seus intestinos derramados para fora de uma vez. Mas aqueles mortos de fome têm seus ventres inchados de fome. Seus ventres estouram por falta de alimentos".

4.10

יְדֵ֗י נָשִׁים֙ רַחֲמָ֣נִיּ֔וֹת בִּשְּׁל֖וּ יַלְדֵיהֶ֑ן הָי֤וּ לְבָרוֹת֙ לָ֔מוֹ בְּשֶׁ֖בֶר בַּת־עַמִּֽי׃ ס

As mãos das mulheres outrora compassivas. As mulheres, sobretudo as *mães*, que usualmente tinham gestos de compaixão e carinho com os filhos, agora usavam essas mesmas mãos para mergulhar os filhos em grandes vasos com água fervente, a fim de prepará-los como alimentos! Ver Lm 2.20, onde vemos o canibalismo que ocorreu quando os babilônios cercaram Jerusalém por trinta meses. A história se repete, mostrando (até mesmo nos tempos modernos, entre os povos civilizados) que as pessoas que enfrentam a possibilidade da morte pela fome apelam para comer os semelhantes, mesmo que em sua cultura nada encoraje tal conduta. Que poderia haver de mais terrível do que o corpo de um filhinho a flutuar na água fervente de uma panela? Tais coisas aconteceram novamente quando os romanos assediaram Jerusalém no ano de 70 d.C., conforme informa Josefo (*Guerras dos Judeus* v.12). Cf. Dt 28.56,57. "De cenas tão horríveis, é bom que as deixemos para trás o mais rapidamente possível" (Adam Clarke, *in loc.*, que comentou abreviadamente o vs. 10 e se apressou a passar adiante). Certa judia chamada Maria, por ocasião do cerco dos romanos de Jerusalém, matou seu filhinho, cozinhou-o em uma panela grande, comeu parte dele e deixou o resto guardado para uma refeição futura. Os endurecidos soldados romanos, que encontraram a parte do corpinho restante, encheram-se de horror diante do que viram.

4.11

כִּלָּ֤ה יְהוָה֙ אֶת־חֲמָת֔וֹ שָׁפַ֖ךְ חֲר֣וֹן אַפּ֑וֹ וַיַּצֶּת־אֵ֣שׁ בְּצִיּ֔וֹן וַתֹּ֖אכַל יְסוֹדֹתֶֽיהָ׃ ס

Deu o Senhor cumprimento à sua indignação. A *Yahweh* foi dado o crédito por ter causado tais aflições, pois foi o juízo divino que reduziu Jerusalém a um bando de animais, ou seja, os poucos que sobreviveram à matança e ao saque causados pelo exército babilônico. Foi sua ira feroz que acendeu as chamas que incendiaram Jerusalém e até o templo. A cidade tornou-se um montão de ruínas fumegantes. A idolatria-adultério-apostasia do povo judeu foi finalmente tratada. Cf. este versículo com Lm 2.3. O incêndio da cidade foi registrado em 2Cr 36.19. Ver também Dt 32.22 e Jr 21.14. Ver no *Dicionário* o artigo chamado *Ira de Deus*. O local foi demolido de tal modo que até parecia jamais poder ser reconstruído. Mas um novo dia já se aproximava, depois que o juízo divino tivesse completado sua obra. As chamas tinham por finalidade expurgar, e não meramente destruir.

Causas do Cerco (4.12-20)

4.12

לֹ֤א הֶאֱמִ֙ינוּ֙ מַלְכֵי־אֶ֔רֶץ וְכֹ֖ל יֹשְׁבֵ֣י תֵבֵ֑ל כִּ֤י יָבֹא֙ צַ֣ר וְאוֹיֵ֔ב בְּשַׁעֲרֵ֖י יְרוּשָׁלָֽםִ׃ ס

Não creram os reis da terra. Os habitantes de Jerusalém se consideravam *invencíveis*, e outro tanto pensavam muitos povos. Suas fortificações eram imensas. Foram necessários trinta meses para que os babilônios vencessem as defesas da cidade. Mas, quando romperam as muralhas, eles se precipitaram sobre as vítimas como uma matilha de chacais ferozes, que em breve tinham efetuado horrenda matança, assassinando jovens e velhos, homens e mulheres, indiscriminadamente. Jeremias tinha avisado ao povo que a cidade não era tão forte quanto o povo pensava, pois cairia na hora da provação. Ver Jr 7.4 e 27.14. Mas os judeus preferiam ouvir a bela história dos falsos profetas que continuavam a falar em paz e prosperidade. Se vários inimigos tinham alcançado certa medida de sucesso contra a cidade, suas defesas tinham sido reconstruídas e aprimoradas, e havia suprimento de água garantido por um túnel subterrâneo. Ver 2Cr 32.2-5; 33.14. Esses elaborados preparativos atrasaram os babilônios, mas não os fizeram parar.

4.13

מֵֽחַטֹּ֣את נְבִיאֶ֔יהָ עֲוֺנ֖וֹת כֹּהֲנֶ֑יהָ הַשֹּׁפְכִ֥ים בְּקִרְבָּ֖הּ דַּ֥ם צַדִּיקִֽים׃ ס

Foi por causa dos pecados dos seus profetas. As inúmeras injustiças de Jerusalém (Judá), incluindo a execução de pessoas inocentes, o que encheu a cidade com o sangue delas, finalmente requereram a destruição do lugar, em consonância com a *Lei Moral da Colheita segundo a Semeadura* (ver a respeito no *Dicionário*). Cf. este versículo com Lm 2.14. "Visto que os profetas e os sacerdotes, por sua orientação, eram culpados pelas condições da nação, eles eram, de fato, assassinos dos inocentes" (Theophile J. Meek, *in loc.*). Os inocentes cujo sangue fora derramado viveram antes e depois do cerco babilônico. Foi uma questão assassina do começo ao fim. "Os seres mais miseráveis, sob a pretensão do zelo pela verdadeira fé, perseguiam e matavam profetas e sacerdotes genuínos, bem como o povo de Deus, fazendo o sangue deles ser derramado no meio da cidade" (Adam Clarke, *in loc.*). Ver 2Cr 36.14. Cf. também Mt 23.35-38 e Tg 5.6. "Essas palavras apontam para incidentes como a morte de Zacarias, filho de Joiada (2Cr 24.21); o sangue inocente derramado por Manassés (2Rs 24.21); e, provavelmente, outras atrocidades que não ficaram registradas, mas ocorreram durante o cerco. Contra a vida de Jeremias também foram feitas tentativas, mas sem êxito (Jr 26.7). Os verdadeiros profetas eram vistos como traidores (Jr 26.7)" (Ellicott, *in loc.*).

4.14

נָע֤וּ עִוְרִים֙ בַּֽחוּצ֔וֹת נְגֹֽאֲל֖וּ בַּדָּ֑ם בְּלֹ֣א יֽוּכְל֔וּ יִגְּע֖וּ בִּלְבֻשֵׁיהֶֽם׃ ס

Eram como cegos nas ruas. Os profetas e sacerdotes, tão cheios de violência e iniquidade, diziam-se iluminados, mas na realidade eram homens cegos, manchados de sangue, poluídos como leprosos, e se tornaram um nojo para todos ao redor. Este versículo parece salientar sua condição moral e espiritual antes do cerco, e então seus atos literais, quando o cerco os tomou de surpresa. "Quando a cidade foi conquistada, eles fugiram e, quais cegos, não sabiam em que direção ir; antes, ficaram vagueando de lugar para lugar, buscando um refúgio" (John Gill, *in loc.*). Cf. este versículo com Dt 28.28; Jr 23.12; Is 29.10. "Os homens não podiam tocar em suas vestes, pois estavam empapadas de sangue (Nm 19.16)" (Fausset, *in loc.*).

4.15

סוּרוּ טָמֵא קָרְאוּ לָמוֹ סוּרוּ סוּרוּ אַל־תִּגָּעוּ כִּי נָצוּ
גַם־נָעוּ אָמְרוּ בַּגּוֹיִם לֹא יוֹסִיפוּ לָגוּר׃ ס

Apartai-vos, imundos! Gritavam-lhes. Aqueles homens rudes foram tratados como leprosos. Ninguém queria aproximar-se deles e tocar em suas vestes que causavam nojo. Por isso gritavam para que se mantivessem afastados e chamavam-nos de imundos. Ver Lv 13.45. Eles se tornaram como Caim, fugitivos e vagabundos na terra, párias, abandonados. "Deus dispersou os líderes de Jerusalém, pois eles haviam conduzido o povo ao pecado" (Charles H. Dyer, *in loc.*). "Aqueles assassinos fugiram de seus próprios compatriotas e se viram igualmente repelidos entre os pagãos" (Ellicott, *in loc.*). Ver Dt 28.65.

4.16

פְּנֵי יְהוָה חִלְּקָם לֹא יוֹסִיף לְהַבִּיטָם פְּנֵי כֹהֲנִים לֹא
נָשָׂאוּ זְקֵנִים לֹא חָנָנוּ׃ ס

A ira do Senhor os espalhou. Não foram as condições adversas que espalharam aqueles réprobos. Foi o juízo divino contra eles que os tornou fugitivos. O hebraico diz, literalmente: A "face de Yahweh" os dispersou. Foi o rosto de Deus, em carranca, que os assustou e os lançou em confusão e terror. Aqueles homens iníquos tinham caído na desgraça. E todos os homens passaram a evitá-los, pois estavam debaixo da maldição divina. Os homens não tinham mais respeito pelo ofício e pela posição deles. Eles tinham perdido tanto o favor divino quanto o favor humano.

Nem se compadece dos anciãos. As pessoas de idade avançada mereciam respeito, mas não agora. A palavra "ancião" substituiu o termo "profetas" para enfatizar o horror da situação. Aqueles em quem o povo tinha confiado agora não mereciam mais confiança e favor.

4.17

עוֹדֵינוּ תִּכְלֶינָה עֵינֵינוּ אֶל־עֶזְרָתֵנוּ הָבֶל בְּצִפִּיָּתֵנוּ
צִפִּינוּ אֶל־גּוֹי לֹא יוֹשִׁעַ׃ ס

Os nossos olhos ainda desfalecem. A cena agora muda de volta para o povo geral, pois o autor terminou sua diatribe contra a liderança de Judá. O povo em vão esperou alguma intervenção de último minuto, quando algum aliado os salvaria do exército babilônico. Mas essa ajuda nunca se concretizou. O povo tinha olhado para o Egito como esse aliado (ver Is 36.6-10; Jr 37.5-10), mas os egípcios mostraram-se admiravelmente fracos na hora azada. "Tanto Jeremias quanto Ezequiel tinham advertido contra a futilidade de confiar no Egito como proteção (ver Jr 37.6-10; Ez 29.6,7). Essa falsa esperança só produziu uma amarga tristeza quando o exército babilônico, *mais rápido que as águias* (Hc 1.8), finalmente capturou Jerusalém, perseguindo àqueles que tentavam escapar" (Charles H. Dyer, *in loc.*). Outro golpe aplicado pela ignorância foi o ato de Joanã, que levou para o Egito os poucos sobreviventes de Judá, a fim de escapar de futuras atrocidades dos babilônios. Ver Jr 43. Mas a ira dos babilônios os seguiu até o Egito, quando essa nação foi demolida, não muito tempo depois.

4.18

צָדוּ צְעָדֵינוּ מִלֶּכֶת בִּרְחֹבֹתֵינוּ קָרַב קִצֵּינוּ מָלְאוּ
יָמֵינוּ כִּי־בָא קִצֵּינוּ׃ ס

Espreitavam os nossos passos. Jerusalém tornou-se como um animal caçado, e o caçador (a Babilônia) não lhe dava paz, perseguindo, matando e saqueando. Nenhum homem podia andar nas ruas, pois ali encontraria morte súbita. Os que se escondiam eram descobertos e mortos em seus lares. O dia de Jeremias estava terminado; os poucos dias que lhes restavam estavam numerados, e logo se acabaram. O fim deles tinha chegado. Este versículo pode referir-se especificamente aos ataques preliminares contra o povo, a partir dos fortes e das torres que eles haviam construído, de onde atiravam setas e lançavam mísseis em qualquer um que fosse tolo o bastante para vaguear pelas ruas.

4.19

קַלִּים הָיוּ רֹדְפֵינוּ מִנִּשְׁרֵי שָׁמָיִם עַל־הֶהָרִים דְּלָקֻנוּ
בַּמִּדְבָּר אָרְבוּ לָנוּ׃ ס

Os nossos perseguidores foram mais ligeiros. Estas palavras descrevem as tentativas de alguns para fugir da cidade, depois que a matança começou. Mas os que fugiram foram perseguidos e alcançados com flechas pelos soldados que tinham saído depois deles como águias velozes, efetuando ainda pior matança. Até mesmo os que se refugiaram nas colinas em torno de Jerusalém foram alcançados e executados sem tardança. Além disso, os babilônios também se achavam nos vales, de forma que ninguém conseguiu escapar. Eles eram onipresentes e assassinos. Pode haver aqui uma alusão à tentativa de fuga de Zedequias, seus familiares e dos nobres. Mas eles foram capturados nas planícies de Jericó. Em Ribla, os filhos do rei foram executados diante de seus olhos; e então Zedequias foi cegado e lançado na prisão pelo resto da vida. Os príncipes foram todos executados. Ver Jr 52.7-9. Os babilônios eram especialistas do genocídio.

4.20

רוּחַ אַפֵּינוּ מְשִׁיחַ יְהוָה נִלְכַּד בִּשְׁחִיתוֹתָם אֲשֶׁר
אָמַרְנוּ בְּצִלּוֹ נִחְיֶה בַגּוֹיִם׃ ס

O fôlego da nossa vida, o ungido do Senhor. O rei era o *comandante em chefe*, e foi aqui chamado de "fôlego da nossa vida". Diz a NCV: "Aquele que era a nossa própria respiração". A referência é a Zedequias, que foi apanhado como um animal em uma cova. Eles haviam dito acerca dele: "Debaixo de sua sombra viveremos entre as nações"; mas ele não ofereceu nenhuma esperança na hora da provação. Ele tinha sido o ungido de Yahweh, uma referência à unção dos reis de Judá para o seu ofício. Ele parecia ter o favor de Deus, mas perdeu esse direito por causa de sua iniquidade e fraqueza. Quanto à unção dos reis de Israel, ver 1Sm 10.1; 16.1; 1Rs 1.39-45 e 2Rs 11.12. Quanto à tentativa de Zedequias escapar, ver Jr 39.2-7. Descrevo o que aconteceu a ele e aos que tentaram fugir com ele, na última porção das notas do vs. 19.

4.21

שִׂישִׂי וְשִׂמְחִי בַּת־אֱדוֹם יוֹשַׁבְתִּי בְּאֶרֶץ עוּץ גַּם־עָלַיִךְ
תַּעֲבָר־כּוֹס תִּשְׁכְּרִי וְתִתְעָרִי׃ ס

Regozija-te e alegra-te, ó filha de Edom. Visto que Yahweh tinha um pacto com Israel (Dt 28—30), havia esperança de vindicação tanto contra a Babilônia como contra as nações que a tinham vexado ao longo da história. Os dois últimos versículos deste capítulo contrastam Israel com seu principal inimigo, Edom. O contraste ilustra como o juízo de Israel tinha por intuito operar retribuição, mas também a restauração final.

Israel e Edom Contrastados

Condição Atual	Condição Futura
Edom alegra-se diante da condenação de Israel	Israel é restaurado
Israel é punido	Edom é punido

"Dentre todos os seus vizinhos, nenhum era tão odiado por Israel quanto Edom (ver Is 34.1-17; 63.1-6; Ez 35.1-15; Jr 49.7-22; Ob 1-21). De acordo com isso, havia certa satisfação no pensamento de que em breve chegaria a vez de Edom ser destruído, e de que essa nação teria de beber da mesma taça de vergonhosa humilhação (cf. Jr 25.15-29; Hc 2.15,16). Aqui e em Gn 36.28 (= 1Cr 1.42), *Uz* foi ligada a Edom, mas em outros lugares ela é variegadamente localizada" (Theophile J. Meek, *in loc.*). Ver os nomes próprios no *Dicionário* quanto a detalhes. Edom se regozijaria por causa da queda de Jerusalém, mas o dia da destruição de Edom já se avizinhava, pelo que o seu dia de alegria teria pouca duração. Por isso foi dito: "Alegra-te, jovem, na tua juventude" (Ec 11.9). "O triunfo de Edom por ocasião da queda de Sião foi, tal como no Salmo 137, a tristeza coroadora do lamentador.

Mas juntamente com essa tristeza houve uma visão do julgamento, que também é uma visão de esperança" (Ellicott, *in loc.*).

O profeta usou aqui uma de suas *metáforas favoritas*, o cálice amargo que intoxica e destrói. Judá teria de beber esse cálice de causar desgosto, mas logo chegaria a vez de Edom bebê-lo. Ver Jr 25.17. Está em vista o juízo, e o cálice, falando-se finalmente, era o cálice de Yahweh, embora ele utilizasse instrumentos humanos para fazer as nações sorver seu vinho de ira. Ver também Jr 13.12 e 49.7-22. Os que beberam do cálice ficaram embriagados, ou seja, foram totalmente vencidos pela ira de Yahweh. Em seguida, foram desnudados, para serem vistos e zombados por outros. O pecado deles os tinha encontrado.

■ 4.22

תַּם־עֲוֹנֵךְ֙ בַּת־צִיּ֔וֹן לֹ֥א יוֹסִ֖יף לְהַגְלוֹתֵ֑ךְ פָּקַ֤ד עֲוֹנֵךְ֙ בַּת־אֱד֔וֹם גִּלָּ֖ה עַל־חַטֹּאתָֽיִךְ׃ פ

O castigo da tua maldade está consumado, ó filha de Sião. *Bastante é Bastante.* A punição imposta pela Babilônia em seu ataque e subsequente cativeiro tinha realizado sua obra. A iniquidade fora punida, e o arrependimento fora inspirado *por meio do julgamento*. Cf. 1Pe 4.6. Os julgamentos de Deus são remediadores, e não apenas retributivos. Em breve terminaria o exílio dos judeus na Babilônia. Haveria a restauração de Judá. O decreto misericordioso de Ciro enviaria de volta a Jerusalém um pequeno remanescente, e haveria um novo dia. Alguns estudiosos supõem que esta profecia se estenda à era do reino, sob o Messias, quando haverá acontecimentos revolucionários. Mas Edom cairia, e nenhuma promessa de renovação fazia parte do decreto divino. O oráculo de condenação de Edom (Jr 49.7-22) também termina sem nenhuma nota de esperança. Assim operava a lei da colheita segundo a semeadura, ditada pela vontade de Yahweh. Cf. Ob 4,15-18,20,21. Os pecados de Israel foram *cobertos* (perdoados e esquecidos), mas os pecados de Edom permaneceram expostos, pelo que os tremendos efeitos do juízo divino continuariam até que os edomitas desaparecessem da face da terra.

CAPÍTULO CINCO

QUINTA LAMENTAÇÃO: A RESPOSTA DO REMANESCENTE. CONFIANÇA NA FIDELIDADE DE DEUS (5.1-22)

Os capítulos 1—3 se encerram com uma oração, o que não acontece com o capítulo 4. E o capítulo 5 pode ser visto então como essa oração de encerramento. De fato, este capítulo é mais uma oração que um lamento, embora tenha muitos elementos de lamentação. Essa oração descreve que tipo de respostas o povo tem de dar para ganhar o favor de Yahweh. Em *primeiro lugar*, o povo, em humildade e arrependimento, deve buscar a Deus e pedir-lhe que considere a miserável condição deles, a fim de que, na sua piedade, ele a reverta (vss. 1-18). Além disso, há a chamada de Deus para restaurar Judá (vss. 19-22). As bênçãos do pacto deveriam cumprir-se (Dt 30.1-10).

"Neste poema, encontramos a oração da nação pedindo compaixão, e não uma lamentação autêntica. Na Vulgata Latina, o capítulo tem o título: 'Uma oração do profeta Jeremias'. O vs. 3 indica que o autor estava vivendo na Palestina, entre o remanescente que ficara na região. Ele se demorou nas suas condições miseráveis como base da compaixão" (Theophile J. Meek, *in loc.*). Este poema final não emprega o *método acróstico* como os outros. Quanto a isso, ver a introdução ao Salmo 34.

■ 5.1

זְכֹ֤ר יְהוָה֙ מֶֽה־הָ֣יָה לָ֔נוּ הַבִּ֖יט וּרְאֵ֥ה אֶת־חֶרְפָּתֵֽנוּ׃

Lembra-te, Senhor, do que nos tem sucedido. Se Yahweh lembrasse o seu povo e visse sua condição de miséria, poderia deixar de lado sua indiferença (ver Sl 10.1; 28.1; 15.3) e aliviar-lhe os sofrimentos. Esse é o tema principal dos vss. 1-18. Diríamos: "Isso já seria punição suficiente para seus pecados, e agora que se pense como eles seriam restaurados. O profeta já tinha observado que o Senhor nota tais atrocidades (Lm 3.34-36). O Deus que vê e simpatiza também seria um Deus que age para mudar as coisas. Cf. o versículo com Sl 89.50,51. Este capítulo repete os "ais" de Judá, à espera do remédio da compaixão de Deus.

■ 5.2

נַחֲלָתֵ֙נוּ֙ נֶֽהֶפְכָ֣ה לְזָרִ֔ים בָּתֵּ֖ינוּ לְנָכְרִֽים׃

A nossa herança passou a estranhos. Parte da *herança* dos judeus era a Terra Prometida, o lugar onde eles deviam viver. Mas era também o próprio Yahweh, a herança espiritual, o templo e seu culto que unia Judá e o tornava uma nação única. Naturalmente, Judá abandonou *essa* herança, tendo-se voltado para a idolatria-adultério-apostasia. Ver Sl 79.1, onde Israel é a *herança* de Deus. Está em vista aqui, particularmente, a herança física de Judá, o território, bem como suas casas, que eles tinham construído na Terra Prometida. Cf. Êx 23.30 e Lv 20.24. Mas os babilônios tomaram essa herança. Eles são chamados de estrangeiros, destituídos do direito de fazer o que fizeram, e certamente a Palestina não lhes pertencia, em sentido algum. Mas os pecados de Judá fizeram os judeus ser desertados. A maioria das casas dos príncipes e dos oficiais foi incendiada (Jr 52.13), mas mesmo assim havia edificações em número suficiente para abrigar os invasores. A herança da Terra Prometida era uma importante provisão do pacto abraâmico (ver Gn 15.18). Os apóstatas haviam abandonado o pacto, pelo que foram abandonados e sua terra foi entregue a estrangeiros.

■ 5.3

יְתוֹמִ֤ים הָיִ֙ינוּ֙ אֵ֣ין אָ֔ב אִמֹּתֵ֖ינוּ כְּאַלְמָנֽוֹת׃

Somos órfãos, já não temos pai. Os poucos sobreviventes judeus perderam, literalmente, seus pais, pelo que agora eram órfãos, e os poucos pais que sobreviveram perderam seus preciosos filhos. Poucas mulheres continuaram casadas, pois seus maridos foram mortos, e a maioria das mulheres casadas agora eram viúvas. As mulheres mais bonitas foram levadas para engrossar os haréns da Babilônia, e as mulheres não tão bonitas foram submetidas a trabalho escravo. Ademais, o marido de Judá abandonou, desgostoso, o seu povo, pelo que, espiritualmente falando, Judá foi deixada na viuvez. Em Israel, os membros da sociedade mais carentes eram os órfãos e as viúvas (ver os comentários sobre Lm 1.1). Mas aquele versículo salienta, principalmente, a viuvez espiritual, que acabo de mencionar. Ver também Jr 3.19 quanto a esse tema.

■ 5.4,5

מֵימֵ֙ינוּ֙ בְּכֶ֣סֶף שָׁתִ֔ינוּ עֵצֵ֖ינוּ בִּמְחִ֥יר יָבֹֽאוּ׃
עַ֤ל צַוָּארֵ֙נוּ֙ נִרְדָּ֔פְנוּ יָגַ֖עְנוּ לֹ֥א הֽוּנַֽח־לָֽנוּ׃

A nossa água por dinheiro a bebemos. O pescoço dos vencidos foi pisado pelas botas dos babilônios (vs. 5). Alguns pensam que a metáfora é o *jugo* adicionado pela *Revised Standard Version*. Perseguições e labor forçado macularam a vida dos poucos sobreviventes. "O poeta estava frisando a completa vassalagem e degradação do povo" (Theophile J. Meek, *in loc.*). Essa servidão aumentou devido ao fato de que eles tinham de pagar pela água e pela lenha (vs. 4). Eles pagavam essas coisas com o trabalho, e vendendo ou negociando qualquer item de valor que tivesse restado, em troca de alimentos, água e lenha. "A perseguição e o medo seguiam-lhes os calcanhares (cf. Dt 28.65-67; Ez 5.2,12)" (Charles H. Dyer, *in loc.*).
cf. estes versículos com Sl 66.12; Is 51.23 e Js 10.24. Essa questão de pagarem pelas necessidades básicas pode referir-se ao tributo forçado que foi imposto aos poucos judeus que restauram em Judá. Ou então tudo passou a ser taxado. Aben Ezra mistura as ideias dos vss. 4 e 5: "Se carregamos água ou lenha em nossas costas, o inimigo nos persegue; eles nos tomam os nossos haveres". Seja como for, os judeus foram forçados a trabalhar dia e noite, e não tinham descanso, nem mesmo nos dias de sábado. Portanto, o trabalho de uma semana deixava-os literalmente exaustos. Uma servidão do tipo egípcio tornou-se a maneira de vida dos sobreviventes.

Eles nos fazem trabalhar duro como se fôssemos animais, com jugo no pescoço. Ficamos cansados e não temos descanso.

NCV

5.6,7

מִצְרַ֙יִם֙ נָתַ֣נּוּ יָ֔ד אַשּׁ֖וּר לִשְׂבֹּ֥עַ לָֽחֶם׃
אֲבֹתֵ֤ינוּ חָֽטְאוּ֙ אֵינָ֔ם אֲנַ֖חְנוּ עֲוֺנֹתֵיהֶ֥ם סָבָֽלְנוּ׃

Submetemo-nos aos egípcios e aos assírios. Os pais, que haviam pecado, "não mais existiam". Tinham deixado o palco da vida, mas seus descendentes eram *pecadores ativos,* como haviam sido seus pais, na época deles. A *idolatria,* naturalmente, é o principal pecado destacado, quer dos pais, quer de seus descendentes. Os que viveram no passado distante receberam formas de juízo da parte de Yahweh, e agora os que viviam nos dias de Jeremias deviam suportar o látego babilônico (vs. 6). Alguns deles escaparam e foram para o Egito ou para o território da antiga Assíria. É possível que os dois nomes locativos (vs. 6) visem somente dar direções gerais: o Ocidente e o Oriente. Os que escaparam tiveram de trabalhar arduamente naqueles lugares, somente para sobreviver. Assim, não tinham uma vida fácil e satisfatória. Mas o vs. 6 é entendido por alguns eruditos como as *alianças* feitas com potências estrangeiras para garantir o simples suprimento de pão.

Além disso, a Assíria podia apontar para a Babilônia, pois esta ocupou os territórios essenciais da potência anterior. Nesse caso, está em foco a *servidão.* Os judeus trabalhavam como escravos apenas para continuar comendo e vivendo. Cf. este versículo com Jr 50.15. Mas a referência ao Egito quase certamente diz respeito aos fugitivos judeus que se dirigiram ao local para escapar dos babilônios. Ver Jr 52.14. O *sentido geral* é que os vários sobreviventes sofreram sortes variegadas, embora todas más. Desse modo, foram *severamente julgados,* por continuarem no pecado (especialmente a idolatria) de seus antepassados.

5.8

עֲבָדִים֙ מָ֣שְׁלוּ בָ֔נוּ פֹּרֵ֖ק אֵ֥ין מִיָּדָֽם׃

Escravos dominam sobre nós. Que o leitor acompanhe estes pontos:

1. É provável que aqui os *escravos* sejam os oficiais do governo babilônico, por serem apenas servos de Nabucodonosor. Alguns deles podiam ter sido escravos anos antes, pois não era incomum que os servos se elevassem a altas posições, caso mostrassem ser pessoas habilidosas. Cf. sobre Tobias, o escravo, em Ne 2.10,19.
2. Alguns creem que esses escravos não eram os oficiais, mas os escravos literais dos oficiais, que foram delegados para dirigir os judeus escravizados. "Escravos sob os governadores caldeus governavam os judeus (Ne 5.15). Israel, que tinha sido um reino de sacerdotes (Êx 19.6), tornou-se um escravo de escravos, de acordo com a maldição de Gn 9.25" (Fausset, *in loc.*).
3. Outra ideia aqui é que o restante dos judeus, em Judá, passou a ser governado por baixos oficiais de nenhuma potência especial, enviados pelos babilônios àquele lugar, que não merecia receber grande atenção.
4. Adam Clarke (*in loc.*) pensa que os soldados babilônios estão em vista, pois eles não eram muito mais que escravos do império.

5.9

בְּנַפְשֵׁ֙נוּ֙ נָבִ֣יא לַחְמֵ֔נוּ מִפְּנֵ֖י חֶ֥רֶב הַמִּדְבָּֽר׃

Com perigo de nossas vidas providenciamos o nosso pão. Que o leitor acompanhe os seguintes pontos enumerados:

1. Quando Jerusalém caiu, os judeus fugiram para o deserto e tentaram manter a vida ali. Mas foram atacados pelas tribos beduínas, que se ressentiam da presença deles.
2. Ou então, ladrões, sabendo que havia fugitivos estabelecidos naquelas paragens solitárias, resolveram atacá-los, já que eles eram totalmente incapazes de defender-se. O simples fato de ficar vivo e comer tinha-se tornado uma aventura perigosa, tal era a turbulência daqueles dias.
3. Ou então os poucos sobreviventes que permaneceram em Judá (por não terem fugido) foram atacados por gangues errantes, tanto nos lugares onde viviam como nos lugares aonde iam em busca de suprimentos básicos. A expressão "espada do deserto" provavelmente refere-se aos assaltantes árabes, bandidos sanguinários do deserto que viviam errantes procurando qualquer oportunidade de mostrar-se maléficos. Cf. Jr 40.14. Ver também Dt 28.31.

5.10

עוֹרֵ֙נוּ֙ כְּתַנּ֣וּר נִכְמָ֔רוּ מִפְּנֵ֖י זַלְעֲפ֥וֹת רָעָֽב׃

Nossa pele se esbraseia como um forno. Que o leitor acompanhe os pontos seguintes:

1. O *trio terrível,* espada-fome-pestilência, quase aniquilou os judeus. Ver Jr 14.12; 21.9; 24.10; 29.17; 38.2; 42.17 e 44.13. Aqui a fome é enfatizada. A agricultura do país foi destruída, tal como foram destruídos os agricultores, pelo que não havia suprimentos alimentares nas cidades. Os desnutridos judeus foram vítimas de várias enfermidades; e talvez a febre tenha sido destacada aqui como um dos miseráveis resultados da febre e da fome.
2. O *forno* aqui referido é o corpo, e não os ventos quentes que varriam a desolação, ideia que alguns estudiosos têm apresentado.
3. Ou então os ventos requeimantes devem ser entendidos como uma *metáfora* do forno. Condições climáticas agravavam a fome e faziam os famintos sofrer ainda mais. Concordando com a segunda dessas ideias, Charles H. Dyer (*in loc.*) disse: "A pele dos judeus era febril, devido à ausência de alimentos adequados (cf. Lm 4.8)". "A fome resseca os poros, e a pele torna-se como se fosse queimada pelo sol (Jó 30.30; Sl 119.83)" (Fausset, *in loc.*).

5.11

נָשִׁים֙ בְּצִיּ֣וֹן עִנּ֔וּ בְּתֻלֹ֖ת בְּעָרֵ֥י יְהוּדָֽה׃

Forçaram as mulheres em Sião. O *estupro* sempre foi e continua sendo um procedimento padrão na guerra. Ter acesso fácil às mulheres de uma cidade capturada fazia parte do salário dos soldados. O saque é outra porção do *pagamento* dos que arriscam a vida. Homero diz-nos que os gregos, quando foram a Troia para recuperar Helena, que tinha sido sequestrada, entraram em um pacto de que não retornariam à sua terra nativa sem terem estuprado alguma esposa troiana. Como é claro, eles fizeram isso por vingança, mas tal coisa poderia ter sido feita mesmo que a "causa" da guerra não fosse o sequestro de Helena. Uma vez consumado o estupro, as mulheres selecionadas foram enviadas para engrossar os haréns da Babilônia. E as mulheres de beleza secundária tornaram-se escravas das damas babilônicas. A última parte do versículo mostra que as virgens não escaparam do estupro em massa. "Esse mal foi predito por Moisés (ver Dt 28.30,32) e também por Jeremias (6.12)" (Adam Clarke, *in loc.*). Ver também Zc 14.2.

5.12

שָׂרִים֙ בְּיָדָ֣ם נִתְל֔וּ פְּנֵ֥י זְקֵנִ֖ים לֹ֥א נֶהְדָּֽרוּ׃

Os príncipes foram por eles enforcados. Que o leitor acompanhe os pontos seguintes:

1. Os que tinham liderado a rebelião contra a Babilônia receberam um tratamento destituído de misericórdia, como ser pendurados pelas mãos e ali ficar até morrer de fome ou de exposição às condições atmosféricas. Até os líderes mais velhos receberam tão desumano tratamento, pois a idade avançada deles não foi respeitada.
2. A crucificação não está em vista aqui, embora alguns tenham pensado nisso. Nem a impalação parece estar em vista, embora essa fosse uma forma comum de execução na época.
3. Alguns reduzem a desgraça a ter o corpo pendurado, para ficar expostos na presença de outros e para que as aves dos céus o comessem. Cf. 1Sm 31.10-12. Sabe-se que esse era um ato comum de humilhação aplicado por assírios e babilônios.
4. Se as *mãos* que figuram em algumas versões são as mãos dos babilônios, então estão em foco as atrocidades que eles praticaram contra os judeus. O *enforcamento* pode estar então em vista. "Era costume dos persas, depois de executar um homem, decapitá-lo e pendurar o corpo em um poste... (Heródoto, *Hist.*, lib.vi, cap. 30, lib. vii.c.238)" (Adam Clarke, *in loc.*).

5.13

בַּחוּרִים֙ טְח֣וֹן נָשָׂ֔אוּ וּנְעָרִ֖ים בָּעֵ֥ץ כָּשָֽׁלוּ׃

Os jovens levaram a mó. Os jovens, e até mesmo meros meninos, foram submetidos a trabalho escravo, sendo postos a fazer funcionar a pedra de moinho ou a carregar pesadas cargas de lenha ou coisas parecidas. As guerras antigas eram sempre a principal fonte de trabalho escravo, uma importante atividade internacional. Hoje em dia as pessoas são reduzidas à "escravidão do salário", e não têm vida melhor que os escravos antigos. De fato, muitos assalariados vivem em piores condições que os escravos, pois pelo menos a maioria dos escravos antigos tinha o bastante para comer, o que não é o caso de muitos "escravos do salário". Ver no *Dicionário* os verbetes chamados *Escravidão* e também *Escravo, Escravidão*, quanto a descrições dessa prática desumana, que nunca morreu, embora tenha tido sua forma modificada. "Quanto à indignidade de moer, o trabalho de escravos e escravas, ver Jz 16.21 e Is 47.2. A colheita de lenha também era trabalho de escravos e de mulheres" (Theophile J. Meek, *in loc.*). Cf. Jó 31.10.

■ **5.14**

זְקֵנִים֙ מִשַּׁ֣עַר שָׁבָ֔תוּ בַּחוּרִ֖ים מִנְּגִינָתָֽם׃

Os anciãos já não se assentam na porta. Terminaram *todas as funções sociais normais*. Não havia mais comércio nem julgamentos nas portas da cidade, onde os anciãos eram proeminentes. Nem a música e a dança eram mais ouvidas e testemunhadas. Os lugares de assembleia, com qualquer propósito, foram obliterados, e não havia número suficiente de pessoas para reunir-se. Não existiam mais tribunais nas portas da cidade, onde um homem poderia apresentar suas queixas e ver corrigidas as injustiças. Além disso, já não havia número suficiente de pessoas para entrar em litígio. Nada havia para celebrar com música e danças, nem havia músicos que tocassem instrumentos musicais ou dançarinos que enfeitassem ocasiões festivas. Ver Jó 29.7,8.

Embora Satanás esbofeteie, embora venham provações,
Que esta bendita segurança controle:
Cristo considerou nosso estado de impotência.

H. G. Spafford

■ **5.15**

שָׁבַת֙ מְשׂ֣וֹשׂ לִבֵּ֔נוּ נֶהְפַּ֥ךְ לְאֵ֖בֶל מְחֹלֵֽנוּ׃

Cessou o júbilo de nosso coração. A alegria se azedou, e a dança perdeu o sentido, visto que quem dança exprime alegria. As lamentações eram a única atividade dos sobreviventes. "Não resta alegria em nossos corações. Nossa dança transformou-se em tristeza" (NCV). Cf. Jz 21.21. O próprio contexto da sociedade judaica foi despedaçado. Toda atividade cessou. Os poucos sobreviventes que restaram lutavam desesperadamente apenas para sobreviver, mas a vida não era digna de ser vivida.

■ **5.16**

נָֽפְלָה֙ עֲטֶ֣רֶת רֹאשֵׁ֔נוּ אֽוֹי־נָ֥א לָ֖נוּ כִּ֥י חָטָֽאנוּ׃

Caiu a coroa da nossa cabeça. Esta frase significa a perda da condição de nação. Uma nação inteira havia morrido. Os restos dela estavam sujeitos a um governo estrangeiro. Ver Jr 13.18. Judá tinha deixado de ser uma nação. Os babilônios eram especializados no genocídio. O pequeno restante veria um novo dia, e a minúscula comunidade criaria uma pequena cidade-estado, que se transformaria novamente em nação. Mas isso só ocorreria no futuro. O presente nada era senão sofrimentos de um remanescente minúsculo e sem privilégios. Cf. este versículo com Jó 19.9 e Sl 89.39,44. Tudo isso sucedeu por causa da idolatria-adultério-apostasia que Yahweh precisou julgar a fim de purificar o povo de Judá.

■ **5.17**

עַל־זֶ֗ה הָיָ֤ה דָוֶה֙ לִבֵּ֔נוּ עַל־אֵ֖לֶּה חָשְׁכ֥וּ עֵינֵֽינוּ׃

Por isso caiu doente o nosso coração. *Corações desmaiavam* no meio da melancolia, e os olhos tiveram sua acuidade visual diminuída pelo choro constante. Era uma situação desesperadora, e a maioria dos atingidos morreu desse modo. Alguns poucos de seus filhos viram a restauração da nação. Cf. Lm 1.22 e 2.11. Este versículo é um lembrete dos horrores listados e descritos nos vss. 8-15. Ver também Lm 3.48,49.

■ **5.18**

עַ֤ל הַר־צִיּוֹן֙ שֶׁשָּׁמֵ֔ם שׁוּעָלִ֖ים הִלְּכוּ־בֽוֹ׃ פ

Pelo monte Sião que está assolado. O coração deles estava desmaiado e os olhos estavam turvos de chorar (vs. 17), especialmente em vista da destruição e incêndio do templo, e do fim da glória do culto em Sião. Onde Yahweh era antes honrado, e onde peregrinos vinham para celebrar alegremente as festas anuais, agora somente feras, como os chacais, estavam presentes. Eles se tinham mudado, uma vez que o povo que podia lutar estava morto. Cf. esta declaração com Lm 4.3. Ver também Is 35.7; Jr 9.11; 10.22; 49.33; Sl 63.10 e Ml 1.3. Os animais passam a ocupar os lugares de onde o temor do homem foi removido.

A Oração do Remanescente pela Restauração (5.19-22)

■ **5.19**

אַתָּ֤ה יְהוָה֙ לְעוֹלָ֣ם תֵּשֵׁ֔ב כִּסְאֲךָ֖ לְדֹ֥ר וָדֽוֹר׃

Tu, Senhor, reinas eternamente. Encontramos aqui a segunda parte do poema. Os capítulos do livro de Lamentações terminam com uma oração. É apropriado que o livro termine com uma nota de esperança, baseada na eterna soberania de Deus. Yahweh tinha feito um pacto com seu povo, o que lhes dava a esperança de que o seu poder eventualmente reverteria aquela calamidade.

Yahweh é tanto soberano quanto eterno. Ele permanece o mesmo e continua poderoso. Seu trono nunca perde os privilégios, como aconteceu ao trono de Judá (vs. 16). O poder e o governo de Deus continuam de geração em geração, nunca sofrendo uma perda. Judá baseou suas esperanças na restauração dos *fatos divinos*. Como um povo em pacto com Deus, eles esperavam que sua apostasia não tivesse anulado as promessas de Yahweh a Abraão (ver sobre *Pacto Abraâmico*, em Gn 15.18). "O Deus de Judá é o único verdadeiro Deus. *Ele* é quem havia causado suas calamidades (Lm 1.12-17; 2.1-8; 4.11). No entanto, esse mesmo Deus tinha poder de produzir restauração de Judá, *se assim preferisse fazê-lo*" (Charles H. Dyer, *in loc.*). "A lamentação aproxima-se do fim, e o lamentador consolava-se no pensamento sobre a eternidade de Deus (Sl 102.12); e, portanto, sobre a imutabilidade de seu propósito de amor para com o povo" (Ellicott, *in loc.*). Diz o Targum: "A casa da tua habitação está nos altos céus. O trono da tua glória continua de geração em geração. Antes tu nos amavas. Oh, que o teu amor se renove para conosco!" (Adam Clarke, *in loc.*).

■ **5.20**

לָ֤מָּה לָנֶ֙צַח֙ תִּשְׁכָּחֵ֔נוּ תַּֽעַזְבֵ֖נוּ לְאֹ֥רֶךְ יָמִֽים׃

Por que te esquecerias de nós para sempre? Os sucessos do ataque babilônico e do cativeiro subsequente indicariam que Yahweh não permanecia indiferente, mas, antes, estava *brutalmente presente* para danificar e destruir. Por quanto tempo isso sucederia? Alguma coisa restaria? Yahweh golpeou furiosamente e então se afastou. E nada fez para curar o ferimento. Ele esqueceu Judá, deixando-o em sua miséria. Ele abandonou sua herança. Moisés falou sobre Deus a lembrar-se de seu pacto, *caso* o povo confessasse os seus pecados (Lv 26.40-42). Isso aconteceria nessa situação desesperada? Haveria restauração após os setenta anos de miséria, conforme o profeta disse que sucederia (Jr 25.11,12)? Nesse caso, somente os filhos dos lamentadores veriam o novo dia.

■ **5.21**

הֲשִׁיבֵ֨נוּ יְהוָ֤ה ׀ אֵלֶ֙יךָ֙ וְנָשׁ֔וּבָה חַדֵּ֥שׁ יָמֵ֖ינוּ כְּקֶֽדֶם׃

Converte-nos a ti, Senhor, e seremos convertidos. A esperança de restauração inspira o apelo final: "Restaura-nos para ti, ó Yahweh, para que sejamos restaurados" (*Revised Standard Version*). O povo esperava pelas bênçãos prometidas dos antigos pactos e ansiava por ver os dias antigos restaurados. Eles anelavam abandonar sua idolatria-adultério-apostasia, que tão caro lhes havia custado. Cf. Lv 26.40-45 e Dt 3.1-10. Ver no *Dicionário* o artigo chamado *Pactos*. Poderiam as promessas do pacto reverter a melancolia? "Vamos recuperar nosso país, nosso templo, e todos os ofícios divinos de nossa fé. E o mais importante é que recuperemos o teu favor" (Adam Clarke, *in loc.*). O Targum relembra-nos do *arrependimento* que deve acompanhar tal esperança e adiciona que o retorno deve ser para o "bem". Cf. o versículo com Sl 80.3 e Jr 31.18.

5.22

כִּי אִם־מָאֹס מְאַסְתָּנוּ קָצַפְתָּ עָלֵינוּ עַד־מְאֹד׃

Por que nos rejeitarias totalmente? O clamor do povo judeu, que tinha subido aos céus, pedindo restauração, agora desce de novo ao vale do desespero. Ali estava sendo experimentada a rejeição de Yahweh, e a esperança começava a dissipar-se. A ira de Deus é vista a operar, e aparentemente continuará para sempre. A presente realidade obscurece as esperanças relativas ao futuro. O livro termina de maneira sombria. Os judeus, em tempos posteriores, quando liam este capítulo final, sempre revertiam os vss. 21 e 22, a fim de que a leitura terminasse com uma nota de esperança. O mesmo tratamento era dado à leitura das porções finais de Isaías, Malaquias e Eclesiastes, e pela mesma razão. A esperança é uma das três grandes realidades espirituais (ver 1Co 13.13), pelo que continuemos esperando.

O ocaso de uma grande esperança é como o ocaso do sol. O brilho de nossa vida desaparece.

Henry W. Longfellow

A esperança surge eterna no peito humano.

Alexander Pope

"Que podemos dizer sobre a fácil vida religiosa que levamos, neste nosso terrível mundo? Deus seja louvado e que a agonia temível deste livro não seja nossa" (William Pierson Merrill, *in loc.*).

Assim termina uma das mais sombrias composições literárias de todos os tempos. A esperança, porém, não tinha morrido. Recebeu glorioso e novo poder no evangelho de Cristo.

... lançando sobre ele toda a vossa ansiedade, porque ele tem cuidado de vós.

1Pedro 5.7

A Fonte

O desespero, a dor, a chaga aberta,
Para as angústias todas deste mundo!
Vem, alma aflita, de sentido alerta;
Vem, peito triste, em seu sofrer profundo.
Tragas as misérias, a tua fé incerta.
Em tuas mágoas, é que me confundo,
Porque minha alma de sofrer desperta.
Vem, coração magoado, vem buscar comigo
O lenitivo de um suave abrigo.
Que impressivo, eu também supus.
Alguma coisa há que tal sofrer isola.
Vem, vem que verás que tudo o que consola
Vem da fonte divina, que é Jesus.

Camilo Flamarion Pires — Guaratinguetá,
SP, Brasil, 17/06/1973

EZEQUIEL

O LIVRO DA MENSAGEM PROFÉTICA DADA DURANTE O CATIVEIRO BABILÔNICO

> *Tu, pois, ó filho do homem, toma um tijolo, põe-no diante de ti, e grava nele a cidade de Jerusalém. Põe cerco contra ela.*
>
> EZEQUIEL 4.1,2

48	Capítulos
1.273	Versículos

INTRODUÇÃO

Houve três deportações distintas do povo de Judá para a Babilônia. Daniel foi exilado quando da primeira dessas deportações. Ezequiel foi exilado quando da segunda delas. A destruição de Jerusalém e do templo ocorreu como um prelúdio da terceira deportação. Jeremias também era contemporâneo de Ezequiel. Quanto à deportação de Ezequiel, ver 2Rs 24.11-16. Tal como Daniel e o apóstolo João (este bem mais tarde, já dentro do cristianismo), Ezequiel profetizou na terra do exílio. E o método de Ezequiel assemelhava-se muito ao método de Daniel e João, repleto de símbolos e visões, ao que ele acrescentava atos simbólicos. No exílio, ele foi capaz de salientar a causa do infortúnio de Israel, a saber, seus muitos pecados e deslealdades (Ez 14.23). Seus propósitos incluíam o encorajamento dos cativos até que a vontade de Deus os libertasse para uma nova expressão nacional. Em sete grandes arranques proféticos, introduzidos pelas palavras "A mão do Senhor veio sobre mim", ou coisa semelhante, Ezequiel entregou a sua mensagem. Ver Ez 1.3; 3.14,22; 8.1; 33.22; 27.1; 40.1. Há outras predições introduzidas pelas palavras "Veio a mim a palavra do Senhor". Os eventos registrados nesse livro ocupam um período de cerca de 21 anos.

ESBOÇO:

I. O Profeta Ezequiel
II. Pano de Fundo Histórico
III. Períodos Pessoais e Proféticos de Ezequiel
IV. Autenticidade, Unidade, Canonicidade
V. Ezequiel no Novo Testamento e no Apocalipse
VI. Data
VII. Proveniência
VIII. Propósito e Ensinamentos
IX. Esboço do Conteúdo
X. Bibliografia

I. O PROFETA EZEQUIEL

Apresentamos no *Dicionário* um artigo separado sobre o homem Ezequiel, que o leitor deveria consultar. Ele era filho de Buzi, pelo que ou era sacerdote ou filho de um sacerdote (provavelmente, ambas as coisas), tendo sido chamado por Deus como profeta, por ocasião da maior crise de Judá; e então tornou-se um dos pastores de todo o Israel no exílio. Foi chamado por Deus para o exílio profético no quinto ano do primeiro exílio judaico, que teve início em 598 a.C., ou seja, o seu trabalho profético começou em 593 a.C. Sua última mensagem vem datada do ano 571 a.C. (ver Ez 29.17). Dos 20 ou 22 anos em que ele serviu, cerca de três foram os mais difíceis da história da nação de Judá. Os severos modos e os ensinamentos morais de Ezequiel têm-lhe conquistado a alcunha de João Calvino de Judá.

II. PANO DE FUNDO HISTÓRICO

Antes do *cativeiro babilônico* de Judá, houve o *cativeiro assírio* que envolveu a nação do norte, *Israel* (ver no *Dicionário* sobre ambos os termos em destaque). A queda de Samaria, capital do reino do norte, ocorreu em 722 a.C. O domínio assírio sobre Judá começou em 721 a.C., quando caiu o reino do norte, mas Judá nunca se tornou uma província assíria, embora tivesse pago tributo regularmente aos reis assírios. Com o surgimento do reino caldeu, sob Nabucodonosor (605—562 a.C.), a situação de Judá piorou rapidamente. Em 598 a.C., Nabucodonosor invadiu Judá e levou para o cativeiro o seu rei, Jeoaquim, e muitos dos principais cidadãos dessa nação. O trecho de 2Rs 24.15 mostra-nos que Ezequiel se encontrava entre esses exilados. Os eruditos discordam quanto ao modo geral e ao número das deportações. Presumivelmente, antes disso, em cerca de 605 a.C., houve outra deportação, de tal modo que a deportação de Ezequiel foi a segunda de três deportações. Na Babilônia, Ezequiel continuou a advertir aos que tinham sido deixados na Judeia de que o pior ainda estava por vir. Os pecados nacionais, mormente a idolatria, eram as causas espirituais de todos esses infortúnios. O governo de Zedequias, em Judá, sob as ordens de Nabucodonosor, foi incapaz de controlar os rebeldes líderes do Estado judeu. A revolta irrompeu contra o domínio estrangeiro, em 588 a.C. Nabucodonosor não perdeu um instante. Em 586 a.C., a terra inteira de Judá jazia arruinada, Jerusalém estava destruída e saqueada e o templo não existia mais. E muitos outros milhares de judeus foram então deportados (na terceira deportação).

III. PERÍODOS PESSOAIS E PROFÉTICOS DE EZEQUIEL

O trabalho da vida de Ezequiel pode ser dividido em cinco períodos: 1. Sua chamada (Ez 1.4-28); 2. Seus atos simbólicos (Ez 4.1-3; 4.4-8; 4.9-17; 5.1-17; 12.1-16); 3. Suas denúncias contra os pecados de Israel (Ez 8—11; 16 e 20); 4. Seus ensinamentos sobre a responsabilidade humana (Ez 3.16-21; 8.4; 14.12-20; 33.1-29); 5. Suas promessas de restauração de Israel (Ez 33.21 ss. e os capítulos 40—48, onde se encontram as mais notáveis visões de Ezequiel quanto ao futuro).

Cronologicamente, suas obras dividem-se em dois períodos principais, a saber: a. De 593 a 586 a.C. Repetidos avisos e atos simbólicos, com o intuito de levar o povo de Judá ao arrependimento, contidos em Ez 1—24. b. De 586 a 571 a.C. Ezequiel passa a agir como pastor dos cativos, no exílio, e também como mensageiro da esperança, no tocante à futura restauração, tópicos contidos em Ez 33—48. Entre um bloco e outro de material, temos os seus oráculos contra as nações estrangeiras, nos capítulos 25 a 32. Algumas de suas mais brilhantes declarações encontram-se nessa porção, especialmente nos capítulos 27, 28, 30 e 31.

IV. AUTENTICIDADE, UNIDADE, CANONICIDADE

1. *Autenticidade*. A escola de *Shammai* (ver a respeito no *Dicionário*) considerava o livro de Ezequiel um livro apócrifo, sobre bases doutrinárias, supondo haver ali contradições com a lei mosaica. Isso pressupunha ou que Ezequiel não fora um profeta genuíno, ou que um pseudoprofeta usara o seu nome, para dar maior prestígio ao livro. Até o ano de 1924, o livro escapou a críticas sérias; mas, a partir de então, iniciou-se uma atividade que colocava em dúvida o livro como obra autêntica do profeta Ezequiel, excetuando algumas porções. Dos seus 1.273 versículos, Gustavo Hoelscher (*Hesekiel, der Dichter und das Buch,* 1924) elegeu 170 como genuinamente de Ezequiel. Esse julgamento radical, todavia, não foi largamente apoiado. No tocante às antigas críticas, o rabino Hananias escreveu um comentário sobre o livro, com o intuito, entre outras coisas, de harmonizá-lo com os ensinos de Moisés. Contudo, por causa de sua obscuridade, as visões do livro não eram lidas publicamente, e somente aqueles com mais de trinta anos de idade tinham permissão para lê-lo em particular. No entanto, desde os tempos antigos, o livro tem sido reputado uma profecia genuína; e até mesmo os críticos mais radicais veem nele a mão de autoria de Ezequiel, pelo menos quanto a alguns trechos.

2. *Unidade*. Até 1924, pouca dúvida fora lançada sobre a unidade do livro de Ezequiel. Em outras palavras, cria-se que um único autor havia escrito a obra inteira. Depois daquele ano, o livro tornou-se o fulcro de um temporal de críticas literárias. Gustavo Hoelscher (mencionado anteriormente) só atribuiu 170 versículos a Ezequiel. Um autor moderno, C.C. Forrgy, chegou ao extremo de chamar o livro de obra pseudepígrafa do século III a.C.! A maioria dos estudiosos, entretanto, supõe que o livro seja obra genuína de Ezequiel, embora com algumas pequenas adições, feitas por mãos posteriores. Até mesmo um livro drasticamente criticado revela um poderoso profeta e um homem de consideráveis habilidades literárias. A maior parte da crítica baseia-se em questões de estilo; mas isso nos transporta para uma subjetividade que não pode produzir nenhum resultado acima de toda dúvida.

3. *Canonicidade*. Ver no *Dicionário* o artigo intitulado *Cânon do Antigo Testamento*. A canonicidade do livro de Ezequiel foi estabelecida desde a antiguidade pelas autoridades judaicas, tendo sido confirmada pelas autoridades cristãs. Ben Siraque (Eclesiástico 49.8), um pouco antes de 320 a.C., usou o livro e considerou-o

canônico. Nos dias dos rabinos Shammai e Hillel, o problema do cânon do Antigo Testamento foi calorosamente discutido.

Certos eruditos chamam alguns livros de *Antilegômenos,* usando a designação grega para referir-se a livros que não concordam com os demais e não merecem a mesma posição que outros. Vale dizer, livros não canônicos. Esses livros, na opinião deles, são: Ezequiel, Ester, Provérbios, Eclesiastes e Cantares. Certos indivíduos rejeitavam o livro de Ezequiel, mas nunca houve um esforço conjunto para tirá-lo da coletânea do Antigo Testamento. A questão maior era se esses livros deveriam ser usados ou não na leitura pública e nos propósitos litúrgicos. O Talmude *(Hag.* 1.13a) destaca o problema central. Os capítulos 40—48 contêm contradições com a Torá. O rabino Hananias supostamente encontrou soluções para o problema, mas nem todos os eruditos deixam-se convencer. Talvez esses capítulos de Ezequiel não devessem ser reputados como um reavivamento do judaísmo (com algumas corrupções) e, sim, como uma descrição do templo futuro, com suas cerimônias, o que produziria algumas diferenças em comparação com a legislação mosaica original.

Na opinião dos pais da Igreja, dos concílios e dos cânones, o livro de Ezequiel é solidamente defendido, sendo mencionado favoravelmente nos catálogos de Melti, Orígenes e Jerônimo.

V. EZEQUIEL NO NOVO TESTAMENTO E NO APOCALIPSE

No Novo Testamento não há citações explícitas do livro, mas há empréstimos bem definidos. Cf. Rm 2.24 com Ez 36.21; Rm 10.5 e Gl 3.12 com Ez 20.11; 2Pe 3.4 com Ez 12.22 e 20.11. As palavras "quem tem ouvidos, ouça" (Mt 11.15; Mc 7.16; Lc 14.35; Ap 2.7,11,17,29; 3.6,13; 13.9) talvez sejam um reflexo de Ez 3.27. A solene advertência de que o juízo divino precisa começar pela casa de Deus (1Pe 4.17) provavelmente foi tomada por empréstimo de Ez 9.6. O trecho de 2Co 6.16 talvez combine e condense as passagens de Ez 37.27 e Lv 26.11. E 2Co 6.18 parece repousar sobre Ez 36.28.

Esses empréstimos são ainda mais óbvios e frequentes no livro de Apocalipse. Temos ali menção a Gogue e Magogue (Ez 38.2-22; 39.1-11 = Ap 20.8); à visão de Deus (Ez 1.22-28, com reflexos literários no Apocalipse); à voz de Cristo como o sonido de muitas águas (Ez 1.24, com reflexos em Ap 1.15 e 19.6). A figura simbólica do rio doador de vida, que flui do trono de Deus (Ap 22.1,2), é similar ao que se lê em Ez 47.1-12. As águas e árvores curadoras, que produzem toda espécie de fruto, a cada mês (Ez 47.12), também foram incorporadas no texto de Apocalipse (cap. 22). A nova Jerusalém (Ap 21.10-27) é ideia tomada por empréstimo de Ez 48.15-35.

Referências Joaninas. O Messias como Pastor (Ez 34.11-31) tem paralelos em Jo 10.1-39. Ver a vinha inútil em Ez 15, que tem paralelo em Jo 15.15.

Apocalipses. Ver no *Dicionário* o artigo separado sobre *Apocalípticos, Livros.* As visões de Ezequiel contribuíram para as atitudes psicológicas que produziram a volumosa literatura apocalíptica, principalmente entre o século II a.C. e o século II d.C. O misticismo da *Cabala* (ver a respeito no *Dicionário),* igualmente, pelo menos em parte, depende do livro de Ezequiel. Autores apocalípticos tomaram por empréstimo certas ideias e símbolos de Ezequiel, de tal modo que a similaridade é notável. Por esse motivo, já houve até quem sugerisse que Ezequiel é um livro pseudepígrafo do século III a.C.

VI. DATA

A data da compilação desse livro tem sido muito debatida. A maioria dos eruditos supõe que as datas fornecidas no próprio livro sejam dignas de confiança, de tal maneira que as atividades de Ezequiel teriam começado em julho de 593 a.C., prosseguindo até abril de 571 a.C. (ver Ez 1.1 e 29.17). Aqueles que rejeitam esses informes como pseudoadições e truques literários, fornecem datas que vão de 691 a 230 a.C. Porém, uma data depois de 200 a.C. torna-se impraticável, devido ao fato de que Ben Siraque (Eclesiástico 49.8) manifesta conhecimento do livro de Ezequiel, tendo-o reputado como parte do cânon hebraico das Escrituras. A data mais remota supõe que o cativeiro de Israel (por parte dos assírios) predissesse a mesma sorte para Judá. Contudo, a ideia nunca obteve larga aceitação.

VII. PROVENIÊNCIA

O próprio livro afirma que foi escrito às margens do rio Quebar (um canal que ligava as cidades da Babilônia e Uruque), juntamente com Nipur, que, em acádico, chamava-se *nar Kabari,* significando "grande canal". No entanto, as descrições sobre a conquista de Jerusalém, na opinião de alguns estudiosos, sugerem que tenha havido a mão de uma testemunha ocular. Ver Ez 8 e 11.1-13. Isso significa que Ezequiel estava realmente em Jerusalém, quando Nabucodonosor a atacou, e que o profeta a tudo testemunhou. Nesse caso, em algum tempo posterior, material produzido na Babilônia foi acrescentado ao livro, por um editor posterior. Contra essa posição, supõe-se que Ezequiel possa ter tido acesso ao relato feito por testemunhas da destruição de Jerusalém, sem a necessidade de ter testemunhado pessoalmente os fatos. Quanto a essa questão, parece melhor depender do testemunho dado pelo próprio livro. Ver Ez 1.1.

VIII. PROPÓSITO E ENSINAMENTOS

O livro foi dado ao profeta Ezequiel a fim de avisar sobre o desastre envolvido no cativeiro babilônico, provocado pelos pecados pessoais e coletivos de Israel. Uma vez ocorridos os acontecimentos, o propósito foi fazer Ezequiel atuar como pastor, consolador e profeta da restauração da nação, segundo se vê em Ez 37.11,15-24. O livro oferece a justificação para os horríveis acontecimentos que se desenrolaram. Esse é o tema dominante dos capítulos 8 a 33. O propósito espiritual do livro era para que os israelitas aprendessem a sua responsabilidade diante de Deus e se conduzissem de acordo com isso. Outrossim, foi-lhes garantido que as nações que exultavam por causa da queda de Israel haveriam de ter seu próprio severo julgamento (Ez 25.1—32.32). Foi prometida a restauração final de Israel, quando do reino davídico medianeiro (Ez 33.1; 48.35). A expressão "saberão que eu sou Deus" ocorre por mais de trinta vezes dentro da seção de Ez 6.7—39.28.

Ensinamentos Importantes. Alguns dos temas centrais do livro são:

1. *Conceitos Específicos de Deus.* Ele é um Ser glorioso (1.2 ss.), que requer da parte dos homens santidade equiparada à sua santidade. A glória de Deus pode revelar-se em qualquer lugar, até mesmo entre os pagãos (3.23). O nome de Deus é "eu sou Yahweh" (em nossa versão portuguesa, "eu sou o Senhor" (6.7). Deus poupava seu povo, embora este fosse pecaminoso, por amor ao seu nome, a fim de eles não serem ridicularizados entre as nações (20.9,14,22). Eles retornarão do exílio não por merecerem tal misericórdia, mas por causa do nome do Senhor (36.22). A santidade de Deus é constantemente enfatizada (Ez 20.41; 28.22,25; 36.23; 38.16,23; 39.27). É prometida a exaltação do nome de Deus entre as nações gentílicas (Ez 28.22; 38.16,23).

2. *Conceito de Israel.* Israel foi escolhido para ser instrumento da glória de Deus, beneficiando espiritualmente a outras nações (20.5,14,22). Também havia a revelação de Deus em Israel, para o próprio benefício de Israel, por ser a nação que estava cumprindo a vontade do Senhor (39.23). Foram prometidos o triunfo e a salvação final, que serão obtidos devido à inexorável vontade de Deus (Ez 20.42-44; 36.11,37; 39.28,29).

3. *Conceito da Responsabilidade Humana.* Esta é frisada na expressão: "... a alma que pecar, essa morrerá" (Ez 18.4). Um homem não transfere sua culpa a seu filho, como também não pode transmitir a sua retidão a seus descendentes (Ez 18; 14.12-20). Cada um haverá de receber sua própria recompensa ou punição (3.16-21; 18.19-32; 33.1-29). O profeta Ezequiel precisava cumprir fielmente a sua comissão, a fim de que não incorresse em culpa (33.1-6; 3.16-21).

4. *Os Ensinamentos Proféticos.* Os capítulos 40 a 48 oferecem-nos certa variedade de ensinamentos que incluem visões messiânicas, as futuras dificuldades de Israel e a restauração final; o estabelecimento do reino de Deus; a restauração das nações. O reino final de Deus só poderá tornar-se uma realidade mediante a intervenção e a presença pessoal de Yahweh entre os remidos, quando o Tabernáculo de Deus descer aos homens. "... e o nome da cidade, desde aquele dia, será: O Senhor está ali" (Ez 48.35). A cultura de Israel é retratada como algo que continuará quando da era do reino. Os capítulos 38 e 39 têm sido largamente interpretados como elementos que farão parte da Terceira Guerra

Mundial (ou então da Terceira e da Quarta Guerras Mundiais, segundo pensam outros intérpretes), de acordo com uma potência e seus aliados serão derrotados, e Israel no futuro será finalmente confirmado na posição de cabeça das nações.

IX. ESBOÇO DO CONTEÚDO
Há quatro divisões principais do livro de Ezequiel:
I. Chamada e Comissão de Ezequiel (1.1—3.27)
II. Profecias contra Judá e Jerusalém (4.1—24.27)
III. Profecias contra Nações Estrangeiras (25.1—32.32)
   1. Condenação de Amom (25.1-7)
   2. Condenação de Moabe (25.8-11)
   3. Condenação de Edom (25.12-14)
   4. Condenação da Filístia (25.15-17)
   5. Condenação de Tiro (26.1—28.19)
   6. Condenação de Sidom (28.20-26)
   7. Condenação do Egito (29.1—32.32)
IV. Profecias sobre Tribulações Futuras e sobre a Restauração Final (33.1—48.35)
   1. Eventos Preliminares (33.1—39.29)
      a. Castigo dos ímpios (33.1-33)
      b. Os falsos pastores são eliminados e o verdadeiro Pastor é estabelecido (34.1-31)
      c. Restauração de Israel à sua terra (36.1-15)
      d. Restauração geral dos povos (36.16—37.28)
      e. Julgamento dos inimigos (38.1—39.24)
      f. As nações restauradas (39.25-29)
   2. A Adoração Durante a era do reino (41.1—48.35)
      a. O templo milenar (40.1—43.27)
      b. A adoração milenar (44.1—46.24)
      c. A terra milenar (47.1—48.35)

X. BIBLIOGRAFIA
ALB BA E ELL I TOR WBC WES Z

Ao Leitor
Um espaço surpreendentemente grande do Antigo Testamento se dedica ao assunto do *Cativeiro Babilônico* (ver a respeito no *Dicionário*). Profetas escreveram antes, durante e depois desse evento. Judá fora executado pelo exército babilônico. O livro de Lamentações narra como o país foi massacrado e, depois, esvaziado de habitantes pelo cativeiro babilônico. Mas, através do decreto misericordioso de Ciro, a um pequeno remanescente foi permitido retornar para começar tudo de novo. Judá tornou-se Israel, sendo que as dez tribos (o norte) já tinham desaparecido no cativeiro assírio.

O leitor sério, começando o estudo de Ezequiel, preparar-se-á lendo primeiramente a *Introdução*, onde são abordadas questões como: pano de fundo histórico; detalhes pessoais sobre o profeta Ezequiel; unidade; canonicidade; Ez no Novo Testamento e em Ap; data; proveniência; propósitos e ensinamentos e esboço do conteúdo.

Jeremias era contemporâneo de Ezequiel. Quanto à deportação de Ezequiel, ver 2Rs 24.11-15. Tal como Daniel, ele profetizou na terra do exílio, isto é, na Babilônia. Seu livro é cheio de símbolos e visões. Ezequiel, Jeremias e outros profetas consideraram a miséria de Judá resultado direto de sua idolatria-adultério-apostasia. Ver Ez 14.23. Yahweh havia castigado o povo dos pactos por haver desobedecido a suas ordens e ensinamentos. Ezequiel apoia o teísmo bíblico que ensina que o Criador não abandonou sua criação, mas continua presente, intervindo, recompensando e castigando, de acordo com os méritos do povo. Ver no *Dicionário* os artigos chamados *Lei Moral da Colheita segundo a Semeadura* e *Teísmo*. O *Deísmo* (ver a respeito também no *Dicionário*) ensina que Deus abandonou o universo ao governo das leis naturais.

"Ezequiel foi um sacerdote cujo ministério se estendeu de 593 a 563 a.C. (ver Ez 1.1). Se nós entendermos que o enigmático numeral trigésimo de Ez 1.1 significa 30 anos depois da sua chamada, então poderemos afirmar que a compilação do livro começou naquele ano. A data do último oráculo era 571 a.C. (29.17)... A coleção original foi escrita e expandida por um redator, mas a bela poesia e prosa de Ezequiel podem ser reconhecidas através do livro. O texto sofreu algumas corrupções textuais que, às vezes, deixam o significado incerto. O profeta garantiu ao povo que Yahweh ficaria entre eles, enfatizando o papel divino nos acontecimentos diários. As nações reconheceriam que Yahweh é o Senhor. O profeta ressaltou a necessidade da responsabilidade humana e, para o povo em desespero, trouxe a esperança de restauração. O livro combina o divino com o humano, de forma significativa, característica literária que marca a transição dos tempos pós-exílicos para a fé do judaísmo que seguiu após a tempestade" (*Oxford Annotated Bible*, introdução).

Ezequiel
As Quatro Divisões Principais:
1. O chamado de Ezequiel, o profeta (1.1—3.27)
2. Profecias contra Judá e Jerusalém (4.1—24.27)
3. Profecias contra poderes estrangeiros (25.1—32.32)
4. Profecias sobre a tribulação do futuro e a restauração final (33.1—48.34)

EXPOSIÇÃO

CAPÍTULO UM

CHAMADO E COMISSÃO DE EZEQUIEL (1.1—3.27)

Os capítulos 1—24 falam sobre o julgamento futuro que desintegraria Judá. Yahweh elevara sua espada para cortar a nação em pedaços. A tarefa do profeta era explicar por que os babilônios foram os instrumentos deste ultraje. A explicação era a idolatria-adultério-apostasia, a terrível tríade que havia corrompido o país inteiro. Ezequiel tinha sua missão entre os cativos e recebeu as credenciais apropriadas para cumpri-la. Como Isaías (capítulo 6), Ezequiel recebeu um chamado diretamente de Yahweh: um rolo que deveria comer simbolizava sua assimilação da mensagem, com a subsequente responsabilidade de transmitir as instruções divinas. O profeta tinha as palavras *de Yahweh* em sua boca (Ez 1.9; 5.14). Ezequiel recebeu seu chamado na Babilônia, através de visões poderosas, quando, diante de seus olhos, Yahweh cavalgava, no alto, no seu trono-carro. Ver o chamado descrito no capítulo 1 e sua comissão registrada nos capítulos 2—3 desse livro.

PRÓLOGO (1.1-3)
O registro da comissão divina de Ezequiel figura entre os mais longos da Bíblia. Ver Ez 1.1—3.27 e cf. a comissão mais curta de Isaías, no capítulo 6 daquele livro. Ezequiel tinha experiências místicas muito poderosas, e suas visões elaboradas o prepararam para a tarefa a ser realizada. Ver no *Dicionário* o artigo denominado *Misticismo*. Ver, também, *Visão (Visões)*.

■ 1.1,2

וַיְהִי בִּשְׁלֹשִׁים שָׁנָה בָּרְבִיעִי בַּחֲמִשָּׁה לַחֹדֶשׁ וַאֲנִי
בְתוֹךְ־הַגּוֹלָה עַל־נְהַר־כְּבָר נִפְתְּחוּ הַשָּׁמַיִם וָאֶרְאֶה
מַרְאוֹת אֱלֹהִים:

בַּחֲמִשָּׁה לַחֹדֶשׁ הִיא הַשָּׁנָה הַחֲמִישִׁית לְגָלוּת הַמֶּלֶךְ
יוֹיָכִין:

Trigésimo ano. O livro de Ezequiel, repleto de dificuldades, inicia-se com esta referência enigmática. As palavras poderiam significar: 1. O ano trigésimo depois da sua chamada inicial. Neste caso, as visões que inspiraram a composição do livro começaram em 563 a.C. Cf. Jr 36.1-3. 2. Alguns eruditos supõem que a referência fale da *idade do profeta*. Como sacerdote (vs. 3), o profeta naturalmente teria começado seu ministério com aquela idade. Este trigésimo ano era também o quinto ano do exílio de Joaquim na Babilônia (vs. 2). 3. Outros supõem que este trigésimo ano seja o início do reino de Nabopolassar, pai de Nabucodonosor. Neste caso, o ano em pauta é 625 a.C. Não há como determinar a verdadeira interpretação, o que não é importante, pois em nada detrata o valor do texto. Outras interpretações ainda mais duvidosas foram omitidas.

Quarto mês... dia quinto... A data mencionada aqui é o dia 31 de julho de 593 a.C., se calculada segundo o calendário lunar, que começou o ano na primavera. O mês *tamuz* corresponde mais ou menos ao nosso mês de julho.

No vs. 2, a referência ao tempo envolvido se repete, mas com outros detalhes. O quinto ano do cativeiro de Joaquim era também o ano trigésimo do vs. 1, onde foram dados diversos cálculos possíveis. Três deportações distintas foram anotadas em Jr 52.28. O rei *Joaquim* (ver a respeito no *Dicionário*) participou da primeira deportação. Ver 2Cr 36.9 e 2Rs 24.8-16. Ver no *Dicionário* o artigo geral sobre *Cativeiro Babilônico*. O breve reinado de Joaquim começou em 597 a.C.

Estando eu no meio dos exilados... O profeta estava em companhia dos cativos, no cativeiro babilônico. Foi ali que ele recebeu suas visões iniciais. Esperançosamente, elas seriam de grande benefício para aquele povo na sua miséria. Eles estavam acampados perto do rio *Quebar* (ver a respeito no *Dicionário*). Este "rio" era, realmente, um canal do Eufrates, localizado acima da Babilônia. Ele fluía para o sul, passando ao lado de Nipur e entrando no Eufrates, perto de Ereque. O nome atual deste rio é *Shatt en-Ni*. Sua forma em cuneiforme é *naru kabari*.

Os céus se abriram. E então o profeta teve "visões de Yahweh", o Deus Todo-poderoso. Ezequiel recebeu experiências místicas significativas, que demonstram sua autoridade como profeta. Ver no *Dicionário* o artigo intitulado *Inspiração e Revelação*. As visões mencionadas aqui são descritas em Ez 1.4—2.7. O profeta viu a glória do Senhor, o que o impressionou profundamente. Dessa forma ele se tornou "o homem do momento". Recebeu unção especial e poder do Espírito e, assim equipado, iniciou sua missão com entusiasmo. Ver no *Dicionário* o artigo chamado *Unção*. Suas visões não foram apenas *grandes,* foram também *divinas.* Cf. Ez 8.3 e 40.2. Ver também Mt 3.16; At 7.56; 10.11 e Ap 19.11.

■ **1.3**

הָיֹה הָיָה דְבַר־יְהוָה אֶל־יְחֶזְקֵאל בֶּן־בּוּזִי הַכֹּהֵן בְּאֶרֶץ כַּשְׂדִּים עַל־נְהַר־כְּבָר וַתְּהִי עָלָיו שָׁם יַד־יְהוָה׃

Veio expressamente a palavra do Senhor a Ezequiel. O versículo afirma que Ezequiel recebeu *inspiração divina*. Sobre este profeta, ver no *Dicionário* o artigo intitulado *Ezequiel (a Pessoa)*, seção I. Ezequiel recebeu suas visões iniciais na terra dos caldeus, perto do rio *Quebar* (vs. 2).

Ali esteve sobre ele a mão do Senhor. Note-se a mudança de referência da primeira para a terceira pessoa, o que poderia indicar que um redator manipulou o material do profeta, compilando uma cópia final do livro a ser publicado. A mensagem em pauta é descrita elaboradamente em Ez 2.8–3.11. A *mão do Senhor* estava com o profeta, guiando seus esforços. A iniciativa era divina, não humana. Cf. Ez 3.14,22; 8.1; 33.22; 37.1; 40.1. Ver também 1Rs 18.46 e Dn 8.18. A visão celestial preenche o restante do capítulo.

Mão do Senhor. Ver sobre esta palavra, em Sl 81.4; ver sobre *mão direita*, em Sl 20.6. O poder e a direção eram de Yahweh. O profeta recebeu unção do alto.

A VISÃO DO TRONO-CARRO (1.4-28)

■ **1.4**

וָאֵרֶא וְהִנֵּה רוּחַ סְעָרָה בָּאָה מִן־הַצָּפוֹן עָנָן גָּדוֹל וְאֵשׁ מִתְלַקַּחַת וְנֹגַהּ לוֹ סָבִיב וּמִתּוֹכָהּ כְּעֵין הַחַשְׁמַל מִתּוֹךְ הָאֵשׁ׃

Olhei... um vento tempestuoso vinha do Norte. A descrição desta visão ocupa os vss. 4-28. O propósito da visão é dado em Ez 2.1-7. Olhando para o *norte,* o profeta viu a aproximação de uma tremenda tempestade acompanhada de muitos trovões estrondosos. Grande luz emergiu daí. Sua aparência era de metal luminoso, que se refere ao resplendor da glória de Deus. Algumas pessoas vêem aqui discos voadores, mas essa ideia reflete uma imaginação fértil e não uma verdade bíblica. O templo de Jerusalém foi construído num ângulo que fazia os raios solares dos equinócios brilhar diretamente no Santo dos Santos. Esta circunstância ilustra que a Luz do céu iluminava o templo do Senhor. Um rito complexo celebrava estas ocasiões especiais, nas quais a arca da aliança era carregada em procissão sagrada. Aquele era o Dia do Senhor.

Note-se a referência ao "norte", direção que, na mitologia dos cananeus, era associada ao lar dos deuses. *Baal-zefom* foi chamado "o Senhor do Norte". Os críticos acham que o presente versículo alude a estes fatos. Por outro lado, não há nenhuma razão para duvidarmos da origem celestial das visões de Ezequiel. É possível que a descrição tenha emprestado algumas ideias dos cananeus, mas a visão, em si, era de Yahweh.

Vento tempestuoso. Isto é, o *remoinho* que fala sobre a aproximação violenta do julgamento de Yahweh. Cf. Jr 23.19; 25.32. O inimigo chegaria *do norte* como um remoinho. A Babilônia ficava ao norte (e a leste) de Judá. A *nuvem* fala de uma manifestação divina, como aconteceu também no Sinai (Êx 19.9-16). O *fogo* simboliza o poder e a destruição divina, e o âmbar (mencionado na edição Revista e Corrigida) provavelmente é uma referência à cor do metal no estado derretido. Cf. o vs. 7, que utiliza a expressão "bronze polido". Ver Ap 1.15. O bronze estava no meio do fogo. No vs. 27, encontramos outros detalhes da visão.

■ **1.5**

וּמִתּוֹכָהּ דְּמוּת אַרְבַּע חַיּוֹת וְזֶה מַרְאֵיהֶן דְּמוּת אָדָם לָהֵנָּה׃

Do meio de toda aquela manifestação brilhante, quatro *seres viventes* emergiram. Sua aparência era muito estranha, mas tinham, de certa maneira, a forma de homens. Outras características confundiram a mente do profeta. Os vss. 6-11 dão alguns detalhes sobre a aparência destes seres, e o capítulo 10 identifica estas criaturas como *Querubins* (ver a respeito no *Dicionário*). Devemos entender as descrições como simbólicas e metafóricas, não forçando literalidade sobre o texto.

Aqueles seres celestiais tinham acesso à presença de Deus (Ez 28.14,16). Imagens de ouro dos seres guardavam a arca da aliança, no Santo dos Santos, com as asas estendidas sobre a caixa sagrada (Êx 25.17-22; Nm 7.89), onde a presença divina se manifestava (1Sm 4.4; 2Sm 6.2; Sl 80.1; 99.1; Is 37.16). É ridículo entender tais símbolos de modo literal, supondo que Deus cavalgasse sobre um trono-carro e que seres celestiais, literalmente, tivessem tais características. É também absurdo reduzir visões místicas à crassa literalidade. Ver no *Dicionário* o artigo chamado *Antropomorfismo*. Ver também o verbete chamado *Mysterium Tremendum* (que Deus é). Adquirimos algumas informações dos símbolos místicos e devemos contentar-nos com isto. Ninguém viu Deus como ele realmente é, e até os anjos devem baixar sua luz para não cegar os seres humanos.

■ **1.6**

וְאַרְבָּעָה פָנִים לְאֶחָת וְאַרְבַּע כְּנָפַיִם לְאַחַת לָהֶם׃

Quatro rostos. Os seres viventes, em pé, tinham em certo grau a aparência de homens. Aparentemente, estavam voltados na direção dos quatro pontos da bússola. Seu olhar era *universal,* porque os olhos do Senhor estão em toda a parte, como lemos em Zc 4.10. Ver no *Dicionário* o artigo chamado *Onisciência*. Cada criatura tinha quatro rostos, cada um (supostamente) olhando em uma direção cardinal, demonstrando compreensão universal. O vs. 10 dá as descrições dos rostos. Em que cada rosto representava a figura de um animal. Muitas interpretações simbólicas se aplicam a estes detalhes.

Quatro asas. Podemos ver coisa semelhante nas descrições dos serafins de Is 6.2. Ver também Ap 4.8. O vs. 11 deste capítulo descreve, com maiores detalhes, essas asas. O número das asas varia nas Escrituras: no templo de Salomão, essas criaturas tinham *duas* asas (1Rs 6.27); aqui e em Ez 10.21, *quatro;* em Is 6.2 e Ap 4.8, *seis.* Ver exposição no vs. 11 do presente capítulo.

■ **1.7**

וְרַגְלֵיהֶם רֶגֶל יְשָׁרָה וְכַף רַגְלֵיהֶם כְּכַף רֶגֶל עֵגֶל וְנֹצְצִים כְּעֵין נְחֹשֶׁת קָלָל׃

Pernas... pés. Chegamos agora à descrição de suas pernas e pés. As pernas eram retas como as dos homens, em contraste com as pernas dos animais. Como um conjunto, as criaturas brilhavam da mesma forma que *bronze polido*. Uma antiga mitologia falava dos deuses como se voassem e não andassem, e as pernas retas (não dobradas) poderiam ter emprestado o simbolismo daquela figura. Os seus pés eram como os de animais, o que pode implicar poder e firmeza, porque os brutos são mais fortes do que os homens. Os pés dos bois eram divididos e, sendo de animais limpos, podiam pisar as espigas para debulhar os grãos. Esta ação é símbolo de julgamento. O julgamento fere os ímpios, mas dá alimento aos justos. O metal que lança seus raios gloriosos fala da majestade de Deus, que é glorificado no julgamento do mal. Alguns intérpretes limitam o brilho aos pés. Cf. a glória do Senhor dada em Ap 1.5.

■ 1.8

וִידֵו אָדָם מִתַּחַת כַּנְפֵיהֶם עַל אַרְבַּעַת רִבְעֵיהֶם
וּפְנֵיהֶם וְכַנְפֵיהֶם לְאַרְבַּעְתָּם׃

Nas extremidades dos braços, os seres viventes eram equipados com *mãos humanas*. A mão é o instrumento de poder e ação. Estas criaturas trabalhavam em favor da causa divina, julgando os pecadores, mas agindo em favor dos justos. Isto fala da *Providência de Deus* (ver a respeito no *Dicionário*), que age negativa ou positivamente, dependendo dos méritos dos homens. O Talmude faz, nestas mãos, as *mãos divinas* agindo através dos anjos. Ver sobre *mão*, em Sl 81.14, e sobre *mão direita*, em Sl 20.6. Ver no *Dicionário* o artigo intitulado *Mão*, para maiores detalhes. O restante deste versículo introduz o vs. 9, onde são apresentados mais detalhes sobre as asas.

■ 1.9

חֹבְרֹת אִשָּׁה אֶל־אֲחוֹתָהּ כַּנְפֵיהֶם לֹא־יִסַּבּוּ בְלֶכְתָּן
אִישׁ אֶל־עֵבֶר פָּנָיו יֵלֵכוּ׃

As asas tocavam umas nas outras. Então, quando estavam em movimento, as criaturas não giravam, mas iam diretamente para a frente. Isto mostra determinação para cumprir seus propósitos, sem nenhuma hesitação. As asas unidas umas às outras formavam um perfeito quadrado, que simbolizava solidariedade. "Tendo quatro rostos nos quatro lados, ligados na forma de uma quadra, as criaturas podiam viajar em qualquer direção sem girar" (Charles H. Dyer, *in loc.*). É difícil imaginar como isto funcionaria, e os intérpretes continuam debatendo sobre esta interpretação. De qualquer maneira, o texto fala de *locomoção divina*, superior a qualquer tipo de locomoção que os homens possam inventar. *Realização*, através de movimentos divinos, é a ideia aqui projetada. Estes seres viventes voavam sem bater asas, porque algum tipo de poder divino os controlava.

■ 1.10

וּדְמוּת פְּנֵיהֶם פְּנֵי אָדָם וּפְנֵי אַרְיֵה אֶל־הַיָּמִין
לְאַרְבַּעְתָּם וּפְנֵי־שׁוֹר מֵהַשְּׂמֹאול לְאַרְבַּעְתָּן וּפְנֵי־נֶשֶׁר
לְאַרְבַּעְתָּן׃

Este versículo dá mais detalhes dos rostos dos seres viventes. O vs. 6 meramente mencionou que eram quatro. Agora aprendemos que cada rosto tinha a aparência de um animal diferente: homem; leão; boi; águia. Os rostos do homem e do leão se situavam no lado direito, e os do boi e da águia, no lado esquerdo. Os seres viventes de Ap 4.7 têm seis asas e a aparência de leão, boi, homem e águia em voo, respectivamente. A arqueologia descobriu nos desenhos de diversas religiões orientais representações semelhantes de seres sobrenaturais. Uma vez que o próprio autor não nos informa sobre como interpretar estes símbolos, os intérpretes sentem liberdade para inventar as mais diversas explicações. Por exemplo: 1. o homem representa *inteligência*; 2. o leão, *poder* para executar julgamento e atos bravos; 3. o boi, *poder* para efetuar as obras divinas; 4. a águia, *rapidez* na execução dos propósitos divinos. Nos manuscritos antigos do Novo Testamento, estes mesmos animais representam os *quatro evangelhos*, que são os instrumentos nas mãos de Deus para propagar a nova mensagem: Mateus (homem); Marcos (boi); Lc (águia); Jo (leão). Não há nenhuma chance de que o profeta Ezequiel tenha antecipado tais aplicações. O Talmude chama estes quatro animais de as *mais nobres criaturas de Deus*. Eles representam o serviço divino eficaz e glorioso.

■ 1.11

וּפְנֵיהֶם וְכַנְפֵיהֶם פְּרֻדוֹת מִלְמָעְלָה לְאִישׁ שְׁתַּיִם
חֹבְרוֹת אִישׁ וּשְׁתַּיִם מְכַסּוֹת אֵת גְּוִיֹּתֵיהֶנָה׃

Suas asas se abriam em cima. Prossegue aqui a descrição das asas que foram introduzidas no vs. 6. Duas das asas foram estendidas para cima, tocando nas asas dos seres viventes ao lado. O efeito produzido era como a configuração de uma caixa. As outras duas asas cobriam os corpos das criaturas. Cf. Is 6.1-3, onde encontramos descrição semelhante. Em Isaías existem *seis* asas, não quatro. Duas delas eram para levantar voo, o que não aparece no presente texto. De novo, o próprio autor não nos dá explicações, abrindo as portas para uma variedade de interpretações que nos deixam atônitos, mas há dúvida sobre a validade das ideias apresentadas. Talvez não possamos fazer melhor do que dizer alguma coisa simples, como John Gill, *in loc.*: "... os símbolos podem expressar agilidade, rapidez e a prontidão dos ministros para efetuar seu serviço".

■ 1.12

וְאִישׁ אֶל־עֵבֶר פָּנָיו יֵלֵכוּ אֶל אֲשֶׁר יִהְיֶה־שָּׁמָּה הָרוּחַ
לָלֶכֶת יֵלֵכוּ לֹא יִסַּבּוּ בְּלֶכְתָּן׃

Cada qual anda para a sua frente. A *locomoção divina* foi fornecida pelo poder do Espírito. As criaturas voavam sem bater asas, tinham propósitos nobres, não girando nem para a esquerda nem para a direita. Sempre souberam o que fazer e nunca falharam. Possivelmente, deveríamos entender que elas sempre foram guiadas pelo poder e *Providência de Deus*. O *espírito*, isto é, o *querubim*, operava através das rodas, de alguma maneira não explicada e pouco clara (vs. 20). Devemos lembrar que as descrições são do *trono-carro* de Yahweh e que as criaturas faziam parte daquele aparelho. O Targum nos informa que elas se moviam para os lugares aos quais sua vontade mandava, sem obstáculos, interferências ou oposição. Devemos entender que a ação era ditada por Yahweh, porque o trono-carro era dele, afinal. O Espírito guiava os espíritos (anjos). O trono-carro de Yahweh era como um *ser vivente* composto de seres angelicais.

■ 1.13,14

וּדְמוּת הַחַיּוֹת מַרְאֵיהֶם כְּגַחֲלֵי־אֵשׁ בֹּעֲרוֹת כְּמַרְאֵה
הַלַּפִּדִים הִיא מִתְהַלֶּכֶת בֵּין הַחַיּוֹת וְנֹגַהּ לָאֵשׁ וּמִן
הָאֵשׁ יוֹצֵא בָרָק׃

וְהַחַיּוֹת רָצוֹא וָשׁוֹב כְּמַרְאֵה הַבָּזָק׃

Os seres viventes agiam como fogo, com movimentos bruscos, brilhando como o relâmpago. O hebraico dos vss. 13,14 é difícil, o que dá margem a muitas adivinhações sobre os possíveis significados em pauta. A Septuaginta simplesmente deixa o vs. 14 de fora, como impossível de ser entendido. De qualquer maneira, o vs. 13 fala sobre um fogo misterioso que se movimentava estranhamente, brilhava muito e lançava raios como o relâmpago. O julgamento de Deus provavelmente é assim simbolizado. O próprio profeta, mais uma vez, não fornece nenhuma interpretação, dando margem a que intérpretes brinquem com o assunto. A terminologia é típica daquela que descreve as *Teofanias* (ver a respeito no *Dicionário*). Cf. Sl 18.12—13; 97.4; Gn 15.17; Êx 19.16 e 20.18. O fogo era como tochas (Jo 18.3); como fachos (Jz 15.4); como relâmpagos (Êx 20.18). Nenhuma exposição é adequada para descrever o divino. Temos as ideias de energia dirigida, de poder e atividade divina, de realização de propósitos divinos e de realização da vontade de Deus.

As Quatro Rodas (1.15-21)

■ 1.15

וָאֵרֶא הַחַיּוֹת וְהִנֵּה אוֹפַן אֶחָד בָּאָרֶץ אֵצֶל הַחַיּוֹת
לְאַרְבַּעַת פָּנָיו׃

Havia uma roda. Cada ser vivente era acompanhado por uma *roda* (vs. 15), dentro de outra (vs. 16), de maneira difícil de entender. Quando o profeta viu as rodas, elas estavam deitadas no chão, uma roda ao lado de cada ser vivente. O vs. 17 as descreve já em movimento. O vs. 19 nos informa que as rodas sempre acompanhavam as criaturas. Elas tinham aros com olhos brilhantes e visíveis a todos. Exercendo uma imaginação fértil, algumas pessoas veem neste quadro os discos voadores, outro mistério dificilmente relacionado ao presente texto. Outras veem os deuses visitando a terra, como seres extraterrestres, conjecturas interessantes que não têm nada a ver com Ezequiel e suas visões. Os discos voadores e seus pilotos parecem uma realidade temível, mas, no presente texto, tratam-se de mais informações sobre o trono-carro de Yahweh, o Deus que realmente chegou à terra para ajudar os homens. Dn 7.9 afiança que as rodas pertencem ao trono de Deus. Eram rodas de fogo ardente e brilhante. O deus-sol da literatura do Oriente antigo cavalga em um trono voador, na forma de um tipo de carro sobrenatural. Ver 2Rs 23.11. A arqueologia descobriu modelos de argila que representam os tronos voadores dos deuses. O livro pseudepígrafo de Enoque 61.10 e 71.7 representa as rodas como seres divinos; em Ez, elas *acompanham* os anjos, mas não são identificadas com eles.

■ 1.16,17

מַרְאֵה הָאוֹפַנִּים וּמַעֲשֵׂיהֶם כְּעֵין תַּרְשִׁישׁ וּדְמוּת אֶחָד לְאַרְבַּעְתָּן וּמַרְאֵיהֶם וּמַעֲשֵׂיהֶם כַּאֲשֶׁר יִהְיֶה הָאוֹפַן בְּתוֹךְ הָאוֹפָן׃

עַל־אַרְבַּעַת רִבְעֵיהֶן בְּלֶכְתָּם יֵלֵכוּ לֹא יִסַּבּוּ בְּלֶכְתָּן׃

As rodas eram objetos impressionantes, pela construção versátil e pela capacidade e aparência gloriosa. Elas brilhavam como as mais finas pedras preciosas, refletindo o sol. Eram semelhantes à *crisólita*, pedra dourada e preciosa, ou, talvez, ao *topázio*. Ver Ez 10.9; 28.13; Êx 28.20; 39.13; Dn 10.6. A palavra hebraica empregada aqui, *tarshish*, sugere que esta pedra era extraída em Tarso. As rodas foram construídas em pares, uma dentro da outra, transversalmente ou em ângulos retos; assim, podiam avançar em qualquer direção, sem girar. Elas avançavam, mas não precisavam girar para reverter direções, como faz uma roda simples. Os intérpretes ficam atônitos tentando imaginar como estas rodas funcionavam e qual foi a intenção do profeta ao escrever este texto. Novamente, o próprio autor não fornece nenhuma descrição que nos ajude a entender. Compreendemos, a despeito disto, que a vontade de Yahweh operava maravilhosamente nas ações das rodas, e que os poderes sobrenaturais permitiam ao trono-carro funcionar. O quadro apresentado fala da *Soberania de Deus* (ver a respeito no *Dicionário*). A palavra de Deus governa este mundo e seus propósitos são efetuados. A vontade divina é cheia de mistérios e poderes gloriosos pouco compreendidos pela mente humana. Seres vivos celestiais formavam o corpo do trono-carro de Yahweh, portanto havia uma unidade sagrada nele.

■ 1.18

וְגַבֵּיהֶן וְגֹבַהּ לָהֶם וְיִרְאָה לָהֶם וְגַבֹּתָם מְלֵאֹת עֵינַיִם סָבִיב לְאַרְבַּעְתָּן׃

As rodas tinham aros para onde os raios se estendiam, sugerindo a complexidade da operação da soberania divina, repleta de inteligência e luz, porque os aros possuíam olhos. O olho simboliza a inteligência e a iluminação divina (ver Zc 4.10). A fileira de olhos representa a onisciência divina (ver 2Cr 16.9; Pv 15.3). Os olhos transmitiam, para o trono-carro, uma inteligência divina, porque aquele que cavalgava era divino e também a fonte de toda a inteligência.

Ideias. 1. A multiplicidade dos olhos representa a plenitude da sabedoria de Deus, compartilhada pelos seres viventes, por serem servos de Deus. O olho é a janela da alma. 2. As rodas significam a *Providência de Deus* guiada pela inteligência dos olhos. Não há sombra alguma em Deus. 3. Em Ap 4.8, os quatro seres viventes são representados "cheios de olhos". Para os hebreus, Deus era tanto a *causa única* como a *causa controladora* de tudo. 4. As rodas são representadas "muito altas", quase além da visão humana. Sua altura é temível. Com tais descrições, o autor aumenta o resplendor da passagem. 5. Os olhos simbolizam o Deus que tudo vê (10.12) e tudo controla por sua sabedoria. Cf. isto com o *Horus-olho*, os amuletos dos egípcios, e o *rhomb* (olho) tão comum nos cilindros-selos da Mesopotâmia.

■ 1.19

וּבְלֶכֶת הַחַיּוֹת יֵלְכוּ הָאוֹפַנִּים אֶצְלָם וּבְהִנָּשֵׂא הַחַיּוֹת מֵעַל הָאָרֶץ יִנָּשְׂאוּ הָאוֹפַנִּים׃

Andavam as rodas ao lado deles. Os seres viventes eram constantemente acompanhados pelas rodas, compondo o trono-carro de Yahweh. Os seres carregavam o trono, sempre acompanhados pelas rodas. Assim, quando os seres viventes subiam, as rodas também subiam. Yahweh dava ordens para as subidas e descidas. As rodas pareciam extensões dos seres, em plena harmonia. A plataforma móbil obedecia a vontade do *Cavaleiro* divino, e o propósito divino operava através das criaturas, que operavam através das rodas. Desse modo, o propósito de Yahweh se efetuava em todos os detalhes.

■ 1.20

עַל אֲשֶׁר יִהְיֶה־שָּׁם הָרוּחַ לָלֶכֶת יֵלֵכוּ שָׁמָּה הָרוּחַ לָלֶכֶת וְהָאוֹפַנִּים יִנָּשְׂאוּ לְעֻמָּתָם כִּי רוּחַ הַחַיָּה בָּאוֹפַנִּים׃

O espírito os impelia. O espírito controla tudo, conforme deixa claro este versículo. O espírito aqui pertence a cada ser vivente. Devemos supor que o Espírito de Deus controle os espíritos. Não existe (na mentalidade hebraica) um espírito independente não controlado pelo Espírito. Aqui, temos unidade de propósito e de ação. O coordenador é divino. O Cavaleiro está sentado no trono-carro vivo, cheio de sabedoria. Assim, cavaleiro-trono-carro-seres viventes-rodas formam uma unidade perfeita. Há harmonia e unidade nos céus e na terra. Yahweh controla todas as coisas.

> Deus se move de forma misteriosa
> Para realizar suas maravilhas.
> Implanta seus passos no mar,
> E cavalga por cima do tufão.
>
> No profundo, em minas insondáveis
> de habilidades que nunca falham,
> Ele entesoura seus grandes desígnios,
> E põe em obras sua vontade soberana.
>
> William Cowper

■ 1.21

בְּלֶכְתָּם יֵלֵכוּ וּבְעָמְדָם יַעֲמֹדוּ וּבְהִנָּשְׂאָם מֵעַל הָאָרֶץ יִנָּשְׂאוּ הָאוֹפַנִּים לְעֻמָּתָם כִּי רוּחַ הַחַיָּה בָּאוֹפַנִּים׃

Andando eles, andavam elas. Este versículo amplia o vs. 20, descrevendo ainda mais claramente o que já tinha sido dito. O *trono-carro* de Yahweh tem quatro rodas localizadas em sua base e, sobre uma delas, uma criatura em pé, cujas asas se estendem para cima e formam horizontalmente um tipo de cobertura para o carro. Sobre o aparelho vivo, Yahweh está sentado, como em um trono voador. Ver vs. 26 para descrições do "trono em cima". A visão traz detalhes ainda mais fantásticos, à medida que prosseguimos.

■ 1.22

וּדְמוּת עַל־רָאשֵׁי הַחַיָּה רָקִיעַ כְּעֵין הַקֶּרַח הַנּוֹרָא נָטוּי עַל־רָאשֵׁיהֶם מִלְמָעְלָה׃

Firmamento. O trono-carro ganha *dimensões cósmicas*. Em cima da cobertura, vemos uma figura que sobe acima do *firmamento*. Isto não significa meramente o *céu*, como alguns intérpretes supõem. Para os hebreus, o firmamento era um tipo de tigela de cabeça para baixo, feito de material duro. Desta maneira (segundo eles pensavam), uma cúpula se formava, fechando a terra e separando-a dos céus. Ver no *Dicionário* detalhes sobre estas noções, no artigo chamado *Astronomia*, onde há uma ilustração da cosmologia hebraica. No vs. 22, vemos Yahweh sentado no seu trono-carro, que vai além das dimensões da terra e do céu. Ele preenche todo o espaço, numa majestade indescritível. O próprio firmamento brilha com esplendor celestial. A palavra hebraica envolvida é *raqim*, de *raqa*, "bater", implicando alguma coisa (como metal) formada por batidas repetidas. Em cima do firmamento está o grande *mar celestial*, as águas do céu, que na cosmologia hebraica não tinham nada a ver com a atmosfera da terra.

O *cristal*, cortado e formado artisticamente, é sólido; muitos rostos (facetas) refletem a glória de Deus. Seu esplendor é tão brilhante que o homem mal pode suportar sua visão.

■ 1.23

וְתַ֗חַת הָרָקִ֙יעַ֙ כַּנְפֵיהֶ֣ם יְשָׁר֔וֹת אִשָּׁ֖ה אֶל־אֲחוֹתָ֑הּ
לְאִ֗ישׁ שְׁתַּ֤יִם מְכַסּוֹת֙ לָהֵ֔נָּה וּלְאִ֗ישׁ שְׁתַּ֤יִם מְכַסּוֹת֙
לָהֵ֔נָּה אֵ֖ת גְּוִיֹּתֵיהֶֽם׃

Este versículo nos leva de volta às descrições dos vss. 11 e 21. As asas dos seres viventes são estendidas. Esticando para cima, formam a plataforma do trono-carro. Assim, as asas suportam a plataforma e, de alguma maneira fantástica, o próprio firmamento. O trono-carro torna-se o próprio cosmos em miniatura. Este belo toque da descrição nos pega de surpresa. As asas se ajuntam no topo, formando a plataforma, mas duas asas cobrem o corpo dos seres viventes, que formam o corpo do carro.

> *Embaixo da cúpula, as asas das criaturas vivas estavam esticadas...*
> NCV

A palavra *cúpula*, da NCV, é uma boa tradução, dando-nos a ideia de uma tigela colocada de cabeça para baixo. A cúpula fecha a terra, separando-a dos céus.

■ 1.24

וָאֶשְׁמַ֣ע אֶת־ק֣וֹל כַּנְפֵיהֶ֡ם כְּקוֹל֩ מַ֙יִם רַבִּ֜ים כְּקוֹל־
שַׁדַּ֤י בְּלֶכְתָּם֙ ק֣וֹל הֲמֻלָּ֔ה כְּק֖וֹל מַחֲנֶ֑ה בְּעָמְדָ֖ם
תְּרַפֶּ֥ינָה כַנְפֵיהֶֽן׃

Ouvi o talatar das suas asas. Até este ponto da descrição, não há informação sobre o *modus operandi* da propulsão do carro. Certamente, as asas não foram descritas como se estivessem batendo. Mas agora ouvimos sons de propulsão, semelhantes ao das ondas do mar, ou ao barulho que muitas águas fazem ou, ainda, ao fluxo de um rio poderoso. O carro, quando imóvel, supostamente não produzia nenhum som, e os seres vivos baixavam suas asas em descanso. Nos salmos de entronização, quase sempre temos a figura do som de muitas águas. Ver Sl 29.3; 93.4. Cf. Ap 1.15; 14.2; 19.6. Na mitologia dos cananeus, temos descrições semelhantes que falam das lutas de Baal contra o Príncipe do Mar, ou de quando eles lutam no rio-Juízo.

Onipotente. A palavra hebraica aqui é *Shaddai,* um nome de Deus pré-mosaico. Esta palavra está relacionada à *montanha,* isto é, uma *força maciça.* Ver no *Dicionário* o artigo *Deus, Nomes Bíblicos de,* e cf. Gn 17.1.

■ 1.25

וַיְהִי־ק֕וֹל מֵעַ֕ל לָרָקִ֖יעַ אֲשֶׁ֣ר עַל־רֹאשָׁ֑ם בְּעָמְדָ֖ם
תְּרַפֶּ֥ינָה כַנְפֵיהֶֽן׃

Veio uma voz de cima do firmamento. *Uma voz* é ouvida outra vez. Yahweh está em cima do firmamento e fala palavras de poder, dando ordens. A voz vem do trono-carro, que viaja rapidamente através dos céus. Yahweh dirige tudo, inclusive os movimentos dos seres viventes. Talvez este versículo seja uma ditografia (erro de copista) do vs. 24. Nove manuscritos hebraicos e um manuscrito siríaco o omitem. A voz de Deus é como o trovão. Cf. Sl 18.13; Êx 9.23,28,29 e 20.18. Yahweh está acima da cúpula formada pelo firmamento. Às ordens divinas, o trono-carro para, e a terra inteira, o *escabelo* de Deus, escuta a ordem que está sendo pronunciada. Yahweh controla tudo e enche os céus e a terra. Ver no *Dicionário* o artigo intitulado *Soberania de Deus.*

■ 1.26

וּמִמַּ֗עַל לָרָקִ֙יעַ֙ אֲשֶׁ֣ר עַל־רֹאשָׁ֔ם כְּמַרְאֵ֥ה אֶֽבֶן־סַפִּ֖יר
דְּמ֣וּת כִּסֵּ֑א וְעַל֙ דְּמ֣וּת הַכִּסֵּ֔א דְּמ֛וּת כְּמַרְאֵ֥ה אָדָ֖ם
עָלָ֥יו מִלְמָֽעְלָה׃

A Visão da Glória Divina Continua. Agora vemos o próprio trono que está acima do firmamento. Ele brilha como uma safira, isto é, o *lápis-lazúli* (ver a respeito no *Dicionário*). A pedra tem um lindo azul, apropriado para esta descrição, porque é a cor da espiritualidade. Cf. Êx 24.10. Os pés de Elohim (no texto em Êxodo) descansam sobre um tipo de plataforma feita dessa pedra. Sentado sobre o trono-carro, Yahweh assume a forma humana. Tentando evitar um *antropomorfismo* (ver a respeito no *Dicionário*) crasso, o profeta fala "como se fosse humano", ao se referir a Yahweh. A Bíblia está repleta deste tipo de linguagem (que descreve Deus em termos humanos) por causa do nosso dilema linguístico. Alguns intérpretes veem aqui o Cristo pré-encarnado, mas esta ideia é um toque imaginário no qual o profeta não teria pensado. Os hebreus sempre descreveram Deus em termos humanos, mas isto dificilmente implica "encarnação".

■ 1.27

וָאֵ֣רֶא ׀ כְּעֵ֣ין חַשְׁמַ֗ל כְּמַרְאֵה־אֵ֤שׁ בֵּֽית־לָהּ֙ סָבִ֔יב
מִמַּרְאֵ֥ה מָתְנָ֖יו וּלְמָ֑עְלָה וּמִמַּרְאֵ֤ה מָתְנָיו֙ וּלְמַ֔טָּה
רָאִ֙יתִי֙ כְּמַרְאֵה־אֵ֔שׁ וְנֹ֥גַֽהּ ל֖וֹ סָבִֽיב׃

O profeta tenta, neste versículo, descrever a figura "quase humana" ou "como se fosse humana". Naturalmente, todos estes tipos de descrições falham miseravelmente. A explicação começa falando de como a *figura* era da cintura para cima e, depois, da cintura para baixo. A figura brilhava como metal no fogo, como *bronze* brilhante, com uma grande luz que emanava ao seu redor. Sua glória tomava toda a cena, assustando as criaturas não divinas. Cf. essa descrição com as de Hc 3.4; Sl 97.3 e Dn 7.9,10. Ezequiel fala de Deus como o *Mysterium Tremendum* (ver a respeito no *Dicionário*), mas cai no antropomorfismo que praticamente anula a grandeza das ideias apresentadas. De qualquer maneira, experiências místicas são essencialmente inefáveis, e "falar" sobre elas pouco nos ajuda. Procuramos futilmente usar termos comuns e conhecidos para expressar coisas que estão fora da nossa experiência. Ver no *Dicionário* o artigo chamado *Misticismo.*

Metal brilhante. Aqui temos a mesma palavra (âmbar, na edição Revista e Corrigida) que encontramos no vs. 4, onde existem notas. A cor amarela é celestial, lembrando o bronze derretido, ainda brilhante, e com fogo em seu interior. Cf. Dn 10.5 e Ap 1.14.

■ 1.28

כְּמַרְאֵ֣ה הַקֶּ֡שֶׁת אֲשֶׁר֩ יִֽהְיֶ֨ה בֶעָנָ֜ן בְּי֣וֹם הַגֶּ֗שֶׁם כֵּ֣ן
מַרְאֵ֤ה הַנֹּ֙גַהּ֙ סָבִ֔יב ה֕וּא מַרְאֵ֖ה דְּמ֣וּת כְּבוֹד־יְהוָ֑ה
וָֽאֶרְאֶה֙ וָאֶפֹּ֣ל עַל־פָּנַ֔י וָאֶשְׁמַ֖ע ק֥וֹל מְדַבֵּֽר׃ ס

Como o aspecto do arco que aparece na nuvem em dia de chuva. Um *arco-íris* sobrenatural cerca o trono-carro. É um arco-íris glorioso, porque Yahweh se encontra nele. Suas muitas cores falam das perfeições divinas. De fato, ele é distinguido por sua harmonia de cores, dando uma visão espetacular aos homens da terra. Cf. Gn 9.13-14; Ap 4.3 e 10.1. Ele também nos faz lembrar da gloriosa promessa divina de salvação e preservação; é um tipo de "bandeira eterna" que flutua no céu, comunicando sua mensagem de paz.

Caí com o rosto em terra. O impacto da visão terrível e inesperada estarreceu o pobre profeta, jogando-o ao chão. Aterrorizado, o profeta permanece deitado na presença majestosa de Deus e continua ouvindo a voz celestial. Cf. Ez 2.2; 3.23,24 e Ap 1.17. O profeta sente profundamente sua fraqueza e indignidade, porque ele era, afinal, somente um verme-homem. Ver Jr 1.6; Is 6.5; Gn 32.30; Êx 20.19,20-24.11; Dn 8.17 e At 9.4, onde há declarações similares.

CAPÍTULO DOIS

AS COMISSÕES (2.1—3.27)

A TAREFA É DADA AO PROFETA (2.1-7)

Deus falou (Ez 1.28), e enquanto falava, deu ao profeta o poder necessário para efetuar sua missão (Ez 2.1,2). Oh, Senhor, conceda-nos tal graça! Os vss. 1-7 narram a tarefa confiada ao profeta.

Nos capítulos 2,3 encontramos cinco comissões distintas: a) Ez 2.3-8; b) Ez 3.4-9; c) Ez 3.10,11; d) Ez 3.17-21; e) Ez 3.24-27. Todas elas foram dadas pelo poder divino e exigiam uma fidelidade excepcional para serem realizadas.

O Modus operandi. Os capítulos 2—3 têm as comissões distintas. A primeira repete a chamada original; as outras acrescentam detalhes. O Espírito de Deus agiu atrás do profeta. Até Ez 3.13, as palavras de Yahweh foram proferidas durante a visão introduzida no capítulo 1. Então, o profeta foi dirigido para a companhia dos cativos e lá ficou por sete dias (Ez 3.14,15). Daí ele foi para uma planície (Ez 3.22), onde outras visões apareceram (Ez 3.23). O texto não informa quanto tempo esteve envolvido em todas estas atividades e mudanças de lugar.

■ **2.1**

וַיֹּאמֶר אֵלַי בֶּן־אָדָם עֲמֹד עַל־רַגְלֶיךָ וַאֲדַבֵּר אֹתָךְ׃

Voz. Este versículo relaciona as circunstâncias com a visão do capítulo 1. O profeta recebeu o impacto da visão e perdeu o controle de suas pernas, que ficaram bambas, caindo no chão. Lá estava ele, tremendo e gemendo e, então, a voz de Yahweh veio do trono (Ez 1.28), dando-lhe ordens para parar com a cena ridícula e levantar-se do chão. A voz o fortaleceu e continuou com a apresentação da comissão. O profeta recebeu direção e conforto, porque um homem cambaleante não pode efetuar coisa alguma. O poder divino passou a agir no homem-verme, que se transformou. Oh, Senhor, concede-nos tal graça!

Filho do homem. Isto é, um *homem mortal* e fraco, nascido de mulher, um ser distinto entre as ordens da criação. O termo, em tempos posteriores, tornou-se um título messiânico e passou a referir-se ao Messias, a Jesus, ao Cristo. Ver no *Dicionário* o artigo intitulado *Filho do Homem*. Esta expressão se repete bastante em Ez, mas não é um termo messiânico aqui. Cf. Ez 2.8; 3.1,3—4,10,17; 4.1; 5.1. Ver também Nm 23.19; Jó 25.6; Sl 8.4; e Dn 8.17.

■ **2.2**

וַתָּבֹא בִי רוּחַ כַּאֲשֶׁר דִּבֶּר אֵלַי וַתַּעֲמִדֵנִי עַל־רַגְלָי וָאֶשְׁמַע אֵת מִדַּבֵּר אֵלָי׃ פ

Entrou em mim o Espírito. A *voz* foi seguida pelo *ato* especial do Espírito de Deus, que entrou no homem e o transformou, dando-lhe *unção* divina. O Poder celestial tomou conta do profeta; sua mente foi radicalmente mudada e elevada; sua mensagem tornou-se poderosa; o divino entrou no humano e fez a diferença entre fracasso e vitória. Sobre a habitação do Espírito no profeta, ver também Ez 3.12,14,24; 11.1; 5.24; 37.1; 43.5. O escritor deste trecho se esforça para comunicar a seguinte mensagem: Foi *Deus* quem capacitou aquele homem! Assim, qualquer homem de realização espiritual deve passar pelo mesmo processo de transformação. Cf. Is 6.5-7; Dn 8.18; 10.15-19; Ap 1.17. O *homem humilde* tornou-se um *leão* de Deus. Ele recebeu poderes especiais e coragem que não tinha antes, começou a viver inspirado pelo Poder do alto e passou a trabalhar mais abundantemente do que todos os outros (1Co 15.10).

A Primeira Comissão (2.3-8)

■ **2.3**

וַיֹּאמֶר אֵלַי בֶּן־אָדָם שׁוֹלֵחַ אֲנִי אוֹתְךָ אֶל־בְּנֵי יִשְׂרָאֵל אֶל־גּוֹיִם הַמּוֹרְדִים אֲשֶׁר מָרְדוּ־בִי הֵמָּה וַאֲבוֹתָם פָּשְׁעוּ בִי עַד־עֶצֶם הַיּוֹם הַזֶּה׃

Eu te envio aos filhos de Israel, às nações rebeldes. O povo quase sempre era rebelde, assim era tradicional enviar profetas para ajudar e instruir tais pessoas, perdidas em sua idolatria-adultério-apostasia. Israel (o norte) já tinha sido eliminado como nação pelo cativeiro assírio. Judá estava prestes a sofrer o mesmo destino. Aquele povo havia transgredido a lei mosaica da forma mais desgraçada, tornando-se perito em todos os tipos de idolatria e abominações sem-fim. Assim, o povo havia quebrado vergonhosamente a lei de Êx 20.3,4, um dos Dez Mandamentos. Nenhuma mensagem de profeta algum impressionou aqueles rebeldes; nenhuma ameaça, nem mesmo a da devastação do exército babilônico, causou a mínima impressão na mente dos apóstatas. Eles *exigiram* que o julgamento de Deus fosse cumprido. Quando o ataque veio, a maioria do povo foi massacrada. O pequeno restante foi levado para a Babilônia. Ver no *Dicionário* o artigo chamado *Cativeiro Babilônico*.

Uma ilustração vívida da operação da *Lei Moral da Colheita segundo a Semeadura* foi fornecida para que todas as nações vissem. O restante, na Babilônia, recebeu o ministério de Ezequiel. Ele enfrentou um povo ainda rebelde. Quanto à deportação de Ezequiel, ver 2Rs 24.11-15. O cativeiro duraria setenta anos (Jr 25.11,12), e o povo que voltasse precisaria urgentemente de reformas. As profecias que encontramos em Ez falam do tempo de advertência, antes do cativeiro, e do tempo de instrução, depois desse acontecimento.

■ **2.4**

וְהַבָּנִים קְשֵׁי פָנִים וְחִזְקֵי־לֵב אֲנִי שׁוֹלֵחַ אוֹתְךָ אֲלֵיהֶם וְאָמַרְתָּ אֲלֵיהֶם כֹּה אָמַר אֲדֹנָי יְהוִה׃

Os filhos são de duro semblante e obstinados de coração. O povo se especializou em rebeldia, apostasia, adultério e todos os tipos de abominações imagináveis. Este versículo fala do coração *duro* e *obstinado* do povo. Uma lista miserável de adjetivos descreveu a condição daqueles réprobos. Ezequiel foi transformado em um homem de poder e autoridade, para tentar reformar os pecadores. A continuidade da nação de Israel (através da única tribo, Judá) dependia do sucesso do ministério do profeta.

Mas aquele povo era impudente e, literalmente, "duro de rosto". A expressão se repete em Ez 3.7. Assim, o rosto do profeta também tinha de endurecer, para que pudesse enfrentar as pessoas. Para vencer os *obstinados*, o profeta precisava ser obstinado na causa do bem. O coração deles era inflexível no mal, duro como o diamante, por isso eles se rebelaram contra o jugo de Yahweh.

Senhor Deus. Isto é, *Adonai-Yahweh,* o nome divino que Ezequiel empregou mais frequentemente, ocorrendo 217 vezes nesse livro. No restante do Antigo Testamento, ele aparece somente 103 vezes. Ele é o *Senhor Eterno Deus,* o Soberano Eterno. Ver no *Dicionário* o artigo denominado *Deus, Nomes Bíblicos de*.

■ **2.5**

וְהֵמָּה אִם־יִשְׁמְעוּ וְאִם־יֶחְדָּלוּ כִּי בֵּית מְרִי הֵמָּה וְיָדְעוּ כִּי נָבִיא הָיָה בְתוֹכָם׃ פ

Casa rebelde. O hebraico aqui é, literalmente, "casa de rebelião", um povo cuja característica principal era a rebelião contra a lei de Moisés e todas as direções e instruções que os profetas diversos tinham dado. Seu caso era patético e incurável. A expressão "casa de rebelião" aparece por onze vezes nesse livro, substituindo a expressão comum "casa de Israel". Aquelas pessoas deixaram de ser príncipes de Deus e tornaram-se rebeldes. Cf. Ez 2.6,8; 3.9,26,27; 12.2,3,9,25; 17.12; 24.3. Ver a expressão *nação rebelde* no vs. 3 deste capítulo.

Hão de saber que esteve no meio deles um profeta. Ezequiel era um *profeta principal,* um homem de poder que tinha sido ungido para cumprir uma missão especial. Independentemente de aqueles rebeldes e apóstatas se arrependerem ou não, todos ficariam conscientes de que um grande homem de Deus havia andado no meio deles. Eles não teriam nenhuma desculpa, porque a luz era tão brilhante quanto poderosa. Mas o povo, cego por sua idolatria-adultério-apostasia, não podia ver a luz dos céus. De qualquer maneira, o povo não poderia alegar inocência. Cf. Ez 33.53.

As profecias de Ezequiel previram o ataque babilônico, o cativeiro que se seguiria e as condições entre os cativos. Dando instruções e exortações durante o cativeiro, o profeta cumpriu outra missão importante. Uma restauração estava em preparação. Deus nunca abandonou seu povo, embora, periodicamente, fosse necessário castigá-lo severamente.

■ **2.6**

וְאַתָּה בֶן־אָדָם אַל־תִּירָא מֵהֶם וּמִדִּבְרֵיהֶם אַל־תִּירָא כִּי סָרָבִים וְסַלּוֹנִים אוֹתָךְ וְאֶל־עַקְרַבִּים אַתָּה יוֹשֵׁב מִדִּבְרֵיהֶם אַל־תִּירָא וּמִפְּנֵיהֶם אַל־תֵּחָת כִּי בֵּית מְרִי הֵמָּה׃

Não os temas... ainda que haja sarças e espinhos para contigo. O profeta enfrentaria o povo bravo e violento, totalmente sem consciência, como *sarças, espinhos e escorpiões*. Seria perigoso estar entre homens dessa espécie. Não o ouviriam humilde e cortesmente, mas responderiam a qualquer repreensão com palavras duras e cortantes. Olhariam para o profeta com rosto impudente, ameaçando-o com ações violentas. Eram assassinos e não hesitariam em matar de novo. O Espírito, naquele dia, o defenderia, ou ele não duraria até o pôr do sol. Estas descrições fornecem um quadro horripilante do caráter dos habitantes de Jerusalém que foram exilados na Babilônia. As catástrofes sofridas em nada contribuíram para modificar o comportamento deles, que haviam esquecido a definição da palavra "arrependimento", e, obstinados e duros, revelaram-se verdadeiros apóstatas. Cf. 2Sm 23.7; Ct 2.2; Is 9.18; Lc 12.4 e 1Pe 3.14.

■ 2.7

וְדִבַּרְתָּ אֶת־דְּבָרַי אֲלֵיהֶם אִם־יִשְׁמְעוּ וְאִם־יֶחְדָּלוּ כִּי מְרִי הֵמָּה׃ פ

A Ordem Divina. A mensagem vinha do alto, não era uma invenção dos homens. Os apóstatas foram o objeto da palavra de fogo. Eles podiam reagir favorável ou negativamente, mas não escapariam do teste. Às vezes, o sucesso em uma missão é alcançado através da *tentativa*, sem ter sido cumprido o ideal. Ezequiel nunca mostrou receio nem favoreceu alguém por causa de sua posição, dinheiro ou poder. A *tentativa* de corrigir a apostasia de Judá já seria o seu sucesso. Mas eu digo: Oh, Senhor, poupe-nos desse tipo de sucesso.

> *O pendor da carne é inimizade contra Deus, pois não está sujeito à lei de Deus, nem mesmo pode estar.*
> Romanos 8.7

> Para aquele que vence o inimigo,
> Vestimentas brancas serão dadas.
> Ante os anjos, ouvirá seu nome
> Confessado nos céus.
> John H. Yates

A MENSAGEM PARA O TRABALHO (2.8—3.11)

O COMER DO ROLO (2.8—3.3)

A divisão entre os capítulos 2 e 3 é infeliz, porque o parágrafo não deve ser dividido ao meio. O comer do rolo pertence à primeira comissão. O profeta recebeu a palavra de Yahweh de maneira dramática (Ez 2.8—3.3) e tinha a responsabilidade de entregá-la (Ez 3.4-11). O rolo que o profeta comeu continha palavras escritas na frente e no verso do pergaminho. Palavras de lamentação e tristeza dominavam a mensagem, porque julgamentos severos seriam executados contra o povo da idolatria-adultério-apostasia. Cf. com o rolo de Zc 5.1-4 e de Ap 10.8-11, cujo texto sem dúvida é dependente de sua contraparte no livro de Ezequiel. Normalmente, as mensagens eram escritas em um lado só, mas os pergaminhos e papiros eram preciosos e, às vezes, para poupar espaço, os dois lados eram utilizados. O rolo produzido pelo profeta tornou-se um documento (divinamente) legal, uma acusação formal contra o povo reprovado. E também autenticou o ofício do profeta, porque a realização das ameaças seria a prova da origem divina da mensagem.

A Mensagem Global do Profeta. A mensagem aplicava-se ao povo, antes da deportação para a Babilônia, e também ao pequeno restante do povo que ficou cativo. Ezequiel acompanhou a primeira das três deportações. Ver a exposição em Jr 52.28, onde é ilustrado o assunto das deportações múltiplas. Ver Ez 3.21,22, de cuja deportação o profeta participou.

■ 2.8

וְאַתָּה בֶן־אָדָם שְׁמַע אֵת אֲשֶׁר־אֲנִי מְדַבֵּר אֵלֶיךָ אַל־תְּהִי־מֶרִי כְּבֵית הַמֶּרִי פְּצֵה פִיךָ וֶאֱכֹל אֵת אֲשֶׁר־אֲנִי נֹתֵן אֵלֶיךָ׃

Abre a boca e come. O profeta recebeu ordem de comer o rolo e obedeceu à palavra de Yahweh, em contraste com o povo rebelde. De maneira dramática, ele comeu e assimilou o documento. Tendo feito isso, estava preparado para entregar a mensagem que passara a fazer parte de seu próprio ser.

As Ordens. Tome; leia; coma; assimile; fale. Estas foram as palavras de Yahweh. O profeta era o instrumento de comunicação, não o inventor daquilo que estava escrito. O ato de comer (ou receber intimamente), para ter a capacidade de entender e comunicar efetivamente, era figura comum no Oriente. Ver Jr 15.16 e Jo 6.33-58.

■ 2.9

וָאֶרְאֶה וְהִנֵּה־יָד שְׁלוּחָה אֵלָי וְהִנֵּה־בוֹ מְגִלַּת־סֵפֶר׃

Certa mão se estendeu para mim. A *mão* que entregou o pergaminho para o profeta saiu do nada. A mesma mão colocou o rolo na boca do profeta, porque a *boca* seria o instrumento para entregar os oráculos. Yahweh obviamente era a fonte da mensagem. Em Ap 10.8,9, é um anjo que faz o serviço.

Nela se achava o rolo de um livro. O rolo era uma tira de papiro ou pergaminho enrolada em um bastão de forma cilíndrica, que facilitava seu uso; mas o material ali contido era uma longa fila de linhas escritas, de complicado manuseio e cujos trechos não eram fáceis de encontrar. Por isso, foi inventado o *códex*, o precursor do livro, com folhas soltas e presas por um lado. A palavra *volume* vem do latim, *volumen*, "movimento giratório, rolo".

■ 2.10

וַיִּפְרֹשׂ אוֹתָהּ לְפָנַי וְהִיא כְתוּבָה פָּנִים וְאָחוֹר וְכָתוּב אֵלֶיהָ קִנִים וָהֶגֶה וָהִי׃ ס

O Livro Aberto. O rolo foi aberto para permitir que o profeta lesse seu conteúdo. Ele leu o material rapidamente e de imediato notou que estava cheio de lamentações, gritos de dor e trevas. Normalmente, os rolos eram escritos somente no lado da frente, mas este continha mensagens em ambos os lados. Então, ficou claro para ele o significado daquelas mensagens: a Babilônia iria massacrar Judá, e um pequeno número de pessoas terminaria cativo naquele lugar miserável. O profeta tinha seu ministério essencialmente entre os cativos na Babilônia. Ver na introdução ao livro de Isaías o gráfico que lista os profetas de Israel e Judá, dando datas e esferas de atividades.

CAPÍTULO TRÊS

Os primeiros versículos deste capítulo dão continuidade ao último parágrafo do capítulo 2, portanto não há uma divisão entre os dois. Começar um novo capítulo aqui é um erro infeliz. Ver na *Enciclopédia de Bíblia, Teologia e Filosofia* o artigo denominado *Versículos, Divisão da Bíblia em*.

■ 3.1

וַיֹּאמֶר אֵלַי בֶּן־אָדָם אֵת אֲשֶׁר־תִּמְצָא אֱכוֹל אֱכֹל אֶת־הַמְּגִלָּה הַזֹּאת וְלֵךְ דַּבֵּר אֶל־בֵּית יִשְׂרָאֵל׃

Filho do homem. Ver as notas sobre este título em Ez 2.1. *Judá* receberia a palavra de Yahweh. Depois do cativeiro assírio do norte (as dez tribos), Judá tornou-se Israel, e Israel, tendo voltado do cativeiro babilônico, era essencialmente composto por um pequeno remanescente de Judá. O ministério de Ezequiel começou logo depois da queda de Jerusalém. O profeta acompanhou a primeira das três deportações. Ver notas adicionais em Jr 52.28. Sem dúvida, o profeta já tinha alguma atividade antes do ataque da Babilônia, mas seu ministério principal se realizou entre os cativos. Ver as notas expositivas em Ez 1.1 e também os comentários em Ez 2.7. O vs. 11 deste capítulo aplica as profecias aos cativos; determinados versículos, todavia, falam de tempos anteriores ao cativeiro, demonstrados nas notas em Ez 4.1-3.

Come. A ordem divina de "comer" o rolo já fora dada (Ez 2.8) e é repetida. Assimilando a mensagem, o profeta teria capacidade de transmiti-la ao povo.

3.2

וָאֶפְתַּח אֶת־פִּי וַיַּאֲכִלֵנִי אֵת הַמְּגִלָּה הַזֹּאת׃

Ele me deu a comer o rolo. O ato de comer o rolo foi consumado pelo profeta obediente, que ficou preparado para a árdua tarefa de enfrentar os rebeldes de Judá. O Targum traz aqui: "Eu inclinei minha alma a ele e ele me ensinou, e me fez sábio concernente ao que foi escrito no rolo".

3.3

וַיֹּאמֶר אֵלַי בֶּן־אָדָם בִּטְנְךָ תַאֲכֵל וּמֵעֶיךָ תְמַלֵּא אֵת הַמְּגִלָּה הַזֹּאת אֲשֶׁר אֲנִי נֹתֵן אֵלֶיךָ וָאֹכְלָה וַתְּהִי בְּפִי כִּדְבַשׁ לְמָתוֹק׃ פ

Filho do homem. Ver as notas sobre esta expressão em Ez 2.1. Yahweh normalmente usava este título quando se dirigia ao profeta. O rolo *comido* encheu a boca, o estômago e os intestinos do homem, tomando conta dele. Assim ele ficou *cheio* da mensagem e preparado para entregá-la. Na boca, o rolo tinha o sabor de *mel* (muito doce), a substância mais doce conhecida pelos povos antigos. Mas a mensagem a ser entregue se revelaria *amarga* para o povo. O paralelo em Ap 10.9,10 diz que o rolo era doce na boca, mas amargo no estômago. A mensagem era doce pelo fato de assim ser a sua fonte, mas sua realização era extremamente amarga, por causa da natureza perniciosa do povo. O *maná* dos céus era doce (Êx 16.31), mas tornou-se amargo pelos abusos dos homens. Cf. Jr 15.16; Sl 19.10; 119.103.

A SEGUNDA COMISSÃO DO PROFETA (3.4-9)

3.4

וַיֹּאמֶר אֵלָי בֶּן־אָדָם לֶךְ־בֹּא אֶל־בֵּית יִשְׂרָאֵל וְדִבַּרְתָּ בִדְבָרַי אֲלֵיהֶם׃

Ver informações sobre as *cinco comissões* de Ezequiel, na introdução ao capítulo 2. Este versículo talvez implique que o profeta devesse ir para Jerusalém (ainda não destruída), para ali entregar a mensagem, pessoalmente; ou as palavras se aplicam ao pequeno restante de Judá, levado cativo para a Babilônia e chamado "Israel". O vs. 11 limita o assunto aos cativos, mas tal limitação pode não ser absoluta.

Casa de Israel. Esta expressão é usada 101 vezes, nesse livro, e Judá ou o seu restante normalmente está em pauta. Ver Ez 6.11 e 8.11,12. A palavra divina seria entregue àquele povo (Ez 2.8—3.3), e os resultados subsequentes seriam lamentações e gritos de dor e agonia (Ez 2.10). O julgamento de Yahweh, efetuado através dos babilônios, seria extremamente amargo, mas, ao mesmo tempo, seria um fogo refinador. Todos os julgamentos de Deus são remediadores. Aquele tempo de terror seria o *parto* de Judá (Israel). Dali emergiria o novo Israel, muito pequeno, mas viável para começar tudo de novo. Em Ez 2.3-7, o profeta recebeu a primeira comissão. Aqui, ele é equipado para a árdua tarefa de entregar a mensagem de maneira efetiva.

3.5

כִּי לֹא אֶל־עַם עִמְקֵי שָׂפָה וְכִבְדֵי לָשׁוֹן אַתָּה שָׁלוּחַ אֶל־בֵּית יִשְׂרָאֵל׃

A missão do profeta não seria obstruída por nenhuma barreira linguística ou cultural. Os recebedores da mensagem falavam a mesma língua do profeta e eram produtos da mesma cultura. "A casa de Israel" (ver as notas em Ez 3.4) compartilhou a lei de Moisés e as palavras dos profetas com Ezequiel. Para realizar sua missão, Jonas precisou ultrapassar as barreiras de linguagem e cultura, mas venceu, embora relutantemente, por causa de seu racismo. Ezequiel escapou destes obstáculos, mas não seria fácil derrubar a apostasia. Ele enfrentou um povo obstinado, duro e apóstata (Ez 2.3 ss.). As pessoas eram como um bando de escorpiões e cobras, com o rosto duro e arrogante, falando palavras ásperas e estúpidas.

3.6

לֹא אֶל־עַמִּים רַבִּים עִמְקֵי שָׂפָה וְכִבְדֵי לָשׁוֹן אֲשֶׁר לֹא־תִשְׁמַע דִּבְרֵיהֶם אִם־לֹא אֲלֵיהֶם שְׁלַחְתִּיךָ הֵמָּה יִשְׁמְעוּ אֵלֶיךָ׃

Este versículo *repete*, essencialmente, as ideias dos vss. 4,5, acrescentando somente que a mensagem não seria aceita, a despeito dos esforços heroicos do profeta, embora todos entendessem perfeitamente seu conteúdo. Não houve mistério. *Ironicamente*, se o profeta tivesse pregado a povos estrangeiros, teria encontrado aceitação de sua pessoa e mensagem. Ver o capítulo 23, que também contém este pensamento. Mt 11.21,23 fala algo semelhante. É experiência comum, na igreja, que pessoas criadas sob seu ministério frequentemente sejam duras e menos receptivas do que os descrentes. verdadeiramente, a pregação repetida revolta os ouvintes saturados, que ficam indiferentes, se não revoltados, com as muitas repetições "da palavra", pregadas com pouca imaginação. E sempre entra o coração perverso do ouvinte, porque, no fundo, ele é um rebelde e pecador contumaz, que exibe uma conversão superficial; para ele, a igreja é um clube social ou, pior ainda, um *palco de diversões*.

3.7

וּבֵית יִשְׂרָאֵל לֹא יֹאבוּ לִשְׁמֹעַ אֵלֶיךָ כִּי־אֵינָם אֹבִים לִשְׁמֹעַ אֵלָי כִּי כָּל־בֵּית יִשְׂרָאֵל חִזְקֵי־מֵצַח וּקְשֵׁי־לֵב הֵמָּה׃

Casa de Israel. Ver as notas sobre esta expressão no vs. 4. Esta *casa do diabo* já havia abandonado Yahweh e sua herança espiritual, ou não teria estado cativa na Babilônia. Mesmo assim, o Poder divino não desistiu. Mandou o profeta fazer mais uma tentativa de reformar os reprovados. Rejeitar o profeta é, *ipso facto*, rejeitar Yahweh.

Fronte obstinada e dura de coração. Isaías falou que aquele povo tinha o pescoço duro como ferro e a testa como bronze. A rebelião tomou conta do país inteiro. A casa real liderara a revolta e a apostasia. Judá se perdeu em sua idolatria-adultério-apostasia. Cf. Jo 15.20. "Aquele povo tinha a testa de uma prostituta, um rosto impudente, e havia perdido a habilidade de sentir vergonha; tinha um coração como pedra. Houve poucas exceções" (John Gill, *in loc.*).

3.8

הִנֵּה נָתַתִּי אֶת־פָּנֶיךָ חֲזָקִים לְעֻמַּת פְּנֵיהֶם וְאֶת־מִצְחֲךָ חָזָק לְעֻמַּת מִצְחָם׃

O profeta teria de enfrentar aqueles rostos duros e palavras irônicas. Precisaria, também ele, de uma testa dura, para poder enfrentar a de seus oponentes. Para efetuar o bem e entregar sua mensagem, deveria ser mais obstinado do que os reprovados na realização de suas maldades. Ver Jr 1.18.

Este versículo expressa a *oposição* entre o povo, porque as pessoas viviam em mundos diferentes e em conflito. Isto é ilustrado dramaticamente em Am 7.10-17; Jr 20.7-18 e 26.1-24. O profeta precisava da força de um herói e da determinação de um anjo poderoso, para cumprir bem sua tarefa. A maioria raramente está com a razão, e o profeta não encontraria amigos para ajudá-lo.

O nome *Ezequiel* significa "fortalecido por Deus", e essa força deveria tornar-se um fato na vida dele. Ver sobre *Ezequiel (Pessoa)* no *Dicionário*. Recebendo força adicional do Espírito, o profeta não falharia, embora fosse amargamente atacado por seus inimigos. Sua força maior (divina) venceria a força menor (do demônio).

3.9

כְּשָׁמִיר חָזָק מִצֹּר נָתַתִּי מִצְחֶךָ לֹא־תִירָא אוֹתָם וְלֹא־תֵחַת מִפְּנֵיהֶם כִּי בֵּית־מְרִי הֵמָּה׃ פ

Dureza contra Dureza. Yahweh ilustra como Ezequiel seria mais forte do que os reprovados e ganharia a batalha moral e espiritual. Temos aqui um símile que ilustra dureza superior. A *esmeralda* é mais dura que a *pederneira*. A NCV e a Atualizada definem o *diamante* como mais duro que *pedra* (ou pederneira). A *testa* fala de *determinação* ou *desafio* (ver Is 48.4; 50.7). A determinação e a dureza do profeta venceriam a resistência dos pecadores. A pederneira era a pedra mais dura conhecida na Palestina, depois do diamante (ver Jl 5.2,3); era utilizada para fabricar armas e instrumentos agrícolas e para fazer facas. Obviamente, a determinação do profeta venceria qualquer tipo de dureza dos apóstatas. Ver Jr 1.18 e cf. Is 50.7 e Jr 8.17. O símile exibe a coragem e a fortaleza de mente que o profeta havia recebido da fonte divina. Nenhuma arrogância ou dureza de oponentes o venceria ou anularia sua missão. Ver Ez 2.6.

A TERCEIRA COMISSÃO DO PROFETA (3.10,11)

■ 3.10

וַיֹּאמֶר אֵלָי בֶּן־אָדָם אֶת־כָּל־דְּבָרַי אֲשֶׁר אֲדַבֵּר אֵלֶיךָ קַח בִּלְבָבְךָ וּבְאָזְנֶיךָ שְׁמָע:

Os capítulos 2—3 têm *cinco comissões* distintas. Ver a introdução ao capítulo 2, para uma discussão. O profeta tinha de *acreditar* em todas as palavras da mensagem dos céus e depois *transmiti-las* para os homens na terra. Ele precisava *receber* as palavras em seu coração e ouvi-las com ouvidos espirituais, ou seja, ter *absoluta recepção* (vs. 11). Deus preparou o seu coração com contatos místicos. O profeta já sentia a presença divina. Cf. Pv 16.1 e Sl 10.17. O homem preparado recebeu e entregou uma mensagem especialmente preparada para aquela hora de crise.

■ 3.11

וְלֵךְ בֹּא אֶל־הַגּוֹלָה אֶל־בְּנֵי עַמֶּךָ וְדִבַּרְתָּ אֲלֵיהֶם וְאָמַרְתָּ אֲלֵיהֶם כֹּה אָמַר אֲדֹנָי יְהוִה אִם־יִשְׁמְעוּ וְאִם־יֶחְדָּלוּ:

As Três Deportações. Depois do ataque do exército babilônico, que quase eliminou toda a nação de Judá, houve três deportações do pequeno restante do povo para a Babilônia. Para detalhes, ver Jr 52.18. Quando Ezequiel começou seu ministério entre os cativos, tendo participado da primeira deportação, Jerusalém ainda não havia sofrido destruição, mas isto não demoraria. As profecias de Ezequiel se aplicaram tanto ao povo de Jerusalém quanto aos cativos, já na Babilônia. A *casa de Israel* (ver as notas em Ez 3.4), isto é, *Judá*, era o objeto das denúncias dos céus. O presente versículo parece limitar *Israel* aqui às pessoas cativas na Babilônia. A despeito dos sofrimentos experimentados, eles permaneceram duros, obstinados e apóstatas. Assim, foi necessária sua purificação, como a prata se purifica no fogo. Talvez uma pequena porção fosse realmente purificada e se tornasse o novo Israel, depois do cativeiro.

Ideias. 1. O profeta proclamava a mensagem do Soberano, *Adonai-Yahweh.* 2. Ele recebeu outro aviso sobre a tarefa que tinha para cumprir (Cf. Ez 2.4,5). 3. O sucesso dele seria a realização da pregação, e não a reação favorável do povo; alguns o escutariam, outros não; alguns obedeceriam, outros não. 4. O ministério de Ezequiel seria pequeno, já que dirigido a poucas pessoas, e esta condição continuaria por alguns anos. O profeta ficaria contente com a humildade da tarefa.

Senhor Deus. *Adonai-Yahweh* é o nome divino geralmente utilizado por Ezequiel, sendo empregado 217 vezes nesse livro, embora somente 103 vezes no restante do Antigo Testamento.

A MOTIVAÇÃO DO TRABALHO (3.12-27)

■ 3.12

וַתִּשָּׂאֵנִי רוּחַ וָאֶשְׁמַע אַחֲרַי קוֹל רַעַשׁ גָּדוֹל בָּרוּךְ כְּבוֹד־יְהוָה מִמְּקוֹמוֹ:

Levantou-me o Espírito. O Espírito de *Adonai-Yahweh* (Senhor Soberano) levantou o profeta Ezequiel para um lugar de exaltação. A glória do Senhor acompanhou todo o processo. Sua voz soava como um grande terremoto (RSV), pois uma mensagem de poder estava sendo pronunciada. A voz falou: "Glória a Deus nas alturas". Cf. Is 6.3. A *exaltação* do profeta foi mental e espiritual, e não física; ele experimentou um transporte divino, místico. Cf. Ez 8.3 e 11.1,24 e At 8.39. O vs. 15 mostra que o profeta ia para Tel-Abibe, local desconhecido atualmente que, sem dúvida, ficava perto de Quebar. Ver Ez 2.2. Ver as notas no vs. 15 para maiores detalhes. Talvez o transporte tivesse sido literal, ou poderia ter sido somente na mente do profeta. A voz falou com *grande estrondo*, e o profeta obedeceu, como sempre. Ele levava a sério sua missão.

■ 3.13

וְקוֹל כַּנְפֵי הַחַיּוֹת מַשִּׁיקוֹת אִשָּׁה אֶל־אֲחוֹתָהּ וְקוֹל הָאוֹפַנִּים לְעֻמָּתָם וְקוֹל רַעַשׁ גָּדוֹל:

Ouvi o talatar... e o barulho. O alto som registrado no vs. 12 agora é descrito como idêntico àquele feito pelo movimento do trono-carro de Yahweh, que é o tema central do capítulo 1. Ver Ez 1.24. Este texto indica que as rodas fizeram grande barulho. Cf. Ez 1.1 e Zc 14.5. O som temível lembra a marcha do exército babilônico e os sons que os pés dos soldados e cavalos faziam. O julgamento se aproximava e se anunciou com som assustador.

... que tocavam umas nas outras. O hebraico literal aqui é "beijar", em vez de "tocar". "As asas se beijavam umas às outras, cada uma e sua irmã", um toque fino de poesia. Ver Ez 1.9,11,23.

■ 3.14

וְרוּחַ נְשָׂאַתְנִי וַתִּקָּחֵנִי וָאֵלֵךְ מַר בַּחֲמַת רוּחִי וְיַד־יְהוָה עָלַי חָזָקָה:

O Espírito... me levou; eu fui amargurado. O profeta foi divinamente transportado. Seu espírito ficou *quente*, porque estava em alto estado de *agitação*. A palavra hebraica utilizada é *mar*, que pode significar *angústia*, em vez de *amargura*, que alguns intérpretes preferem. Também pode significar *raiva brava* (ver 2Sm 17.8) ou *descontente* (1Sm 22.2). Talvez o texto diga que os pecados do povo enfureceram o profeta. Quando ele comeu o livro (Ez 2.8 ss.), seu sabor era *doce*, mas a situação logo *azedou* (cf. Ap 10.10). Ezequiel estava sentindo o poder de Yahweh e estava sendo preparado mentalmente para comunicar sua mensagem *amarga*. A *mão* do Senhor o guiava e impulsionava pelo fato de que sua tarefa era difícil. Ver sobre *mão do Senhor*, em Sl 81.14, e sobre *mão direita*, em Sl 20.6. Sem uma preparação divina, o profeta não teria tido força e determinação para cumprir sua missão. A metáfora da *mão* aparece 190 vezes no Antigo Testamento. Ver também Ez 3.22; 8.1; 33.22 e 37.1.

■ 3.15

וָאָבוֹא אֶל־הַגּוֹלָה תֵּל אָבִיב הַיֹּשְׁבִים אֶל־נְהַר־כְּבָר וָאֵשֵׁב הֵמָּה יוֹשְׁבִים שָׁם וָאֵשֵׁב שָׁם שִׁבְעַת יָמִים מַשְׁמִים בְּתוֹכָם:

Fui a Tel-Abibe. O transporte divino levou o profeta para *Tel-Abibe,* localidade desconhecida hoje, mas sem dúvida não distante de *Quebar* (ver a respeito no *Dicionário*). Aparentemente, considerável porcentagem dos exilados ocupava aquela região, que foi, por algum tempo, o "lar fora do lar" do profeta. Tendo chegado literal ou espiritualmente, o profeta se sentou entre os cativos, ficou naquela posição por alguns dias, sem nada falar, o que surpreendeu grandemente os que o acompanhavam. O próprio profeta, experimentando o poder e a presença do Senhor, ficou atônito com o acontecimento. Periodicamente, experiências místicas poderosas sacudiram a vida dele. A visão passou com o tempo, mas seus efeitos continuaram, fortalecendo Ezequiel. Ele carregava consigo o poder de seu chamado. Não conhecia ainda a natureza exata da sua missão nem podia antecipar o que aconteceria com ele no meio de homens rebeldes, mas seu espírito era forte e capaz para realizar qualquer coisa.

O Lugar Certo. É uma grande bênção estar no *lugar certo* da missão concedida por Deus. O profeta começou bem e já estava instruindo os exilados na região de Quebar. Esdras nos informa que alguns exilados moravam em Tel-Melá e Tel-Harsa (Ed 1.59). A palavra babilônica *til abubi* significa *montículo*. Embaixo desses montículos, cidades inteiras foram enterradas, e os judeus passaram a construir suas habitações sobre diversos daqueles montículos. A palavra babilônica *abubu* significa *dilúvio*, e pode ser que essas cidades perdidas pré-dataram o dilúvio de Noé.

Por sete dias, assentei-me ali, atônito. Cf. Dn 4.19 e Ed 9.3,4. O silêncio dos lamentadores tem paralelo em Lm 3.28. A posição usada para a lamentação era a sentada (Is 3.26; Lm 1.1). *Sete dias* era o tempo típico para lamentações profundas (Jó 2.13). Cf. os *quarenta anos* da experiência de Moisés (At 7.23), e os *quarenta dias* de Elias (1Rs 19.3-8). Ver também Gl 1.17. Devemos lembrar, ainda, a história da tentação de Jesus (quarenta dias), narrada em Mateus capítulo 4. Períodos específicos de tempo eram dedicados às situações consideradas importantes e decisivas.

Ezequiel Designado Atalaia de Israel (3.16-21)

■ **3.16**

וַיְהִ֕י מִקְצֵ֖ה שִׁבְעַ֣ת יָמִ֑ים פ וַיְהִ֥י דְבַר־יְהוָ֖ה אֵלַ֥י לֵאמֹֽר׃

Outra Etapa da Missão. O profeta teve sete dias de descanso e meditação. Então, o poder de Yahweh o pegou novamente. Agora chegara o tempo de agir, pois a mensagem tinha de ser entregue aos exilados. A *comissão* do profeta foi renovada e ele sentiu grande responsabilidade de agir como um herói. O Targum nos informa aqui que "a palavra de profecia" foi dada a Ezequiel, nesta experiência; assim, ele ficou qualificado para agir como profeta de Yahweh.

■ **3.17**

בֶּן־אָדָ֕ם צֹפֶ֥ה נְתַתִּ֖יךָ לְבֵ֣ית יִשְׂרָאֵ֑ל וְשָׁמַעְתָּ֤ מִפִּי֙ דָּבָ֔ר וְהִזְהַרְתָּ֥ אוֹתָ֖ם מִמֶּֽנִּי׃

Filho do homem. Yahweh frequentemente utilizou este título para referir-se ao profeta. Ver as notas expositivas em Ez 2.1. Aquele fraco filho de homem seria feito o poderoso *atalaia* de Israel. Cf. Is 56.10; Jr 6.17 e Os 9.8, onde o mesmo título é empregado. Os atalaias se posicionavam sobre os muros da cidade, sobre topos de colinas, às vezes sobre torres de água ou instalações militares, pois precisavam de visão panorâmica. O trabalho deles consistia em avisar o povo sobre a aproximação de qualquer perigo. Eles serviam como protetores do povo e trabalhavam em favor do seu bem-estar. Ezequiel tornou-se o atalaia espiritual do pequeno remanescente de judeus no cativeiro babilônico. Um novo Israel estava sendo preparado por seus esforços. Seu trabalho era "pequeno", mas tinha grandes implicações. O atalaia avisou o povo da chegada do julgamento, por causa de sua idolatria-adultério-apostasia. Ele deu instruções morais e espirituais. A figura do *atalaia* será repetida em Ez 33.2-6. Ver também 1Sm 14.16; 2Sm 18.24-27; 2Rs 9.17-20 e Is 21.6.

■ **3.18**

בְּאָמְרִ֤י לָֽרָשָׁע֙ מ֣וֹת תָּמ֔וּת וְלֹ֥א הִזְהַרְתּ֖וֹ וְלֹ֣א דִבַּ֑רְתָּ לְהַזְהִ֥יר רָשָׁ֛ע מִדַּרְכּ֥וֹ הָרְשָׁעָ֖ה לְחַיֹּת֑וֹ ה֤וּא רָשָׁע֙ בַּעֲוֺנ֣וֹ יָמ֔וּת וְדָמ֖וֹ מִיָּדְךָ֥ אֲבַקֵּֽשׁ׃

As advertências espirituais dos vss. 18-21 não se referem à alma e à condenação eterna em uma vida além do sepulcro, embora, comumente, intérpretes utilizem este trecho com tal aplicação. Podemos fazer essa *aplicação,* porque as palavras são aptas a esse fim, mas o que está em pauta é a destruição pelas mãos dos babilônios. As palavras podem incluir a ideia de desastres, pragas e revoltas da natureza, que massacram a vida humana. A *vida* prometida aos obedientes e convertidos seria tranquila e longa na Terra Prometida, onde os habitantes teriam o privilégio de promover o culto a Yahweh, fonte de todas as bênçãos. Em outras palavras, o texto se refere à salvação temporal, não espiritual.

Casos Específicos:

1. O *primeiro caso* estipulado é o do homem pecaminoso, rebelde, apóstata (coletivamente, Judá-Jerusalém); este ímpio recebe a advertência de Yahweh. Os babilônios trariam a morte, que chegaria na forma de um imenso massacre. Presumivelmente, o próprio profeta pereceria com o povo. Além dos ataques dos babilônios, haveria doenças, desastres naturais e uma variedade espantosa de calamidades. Mas nada, no trecho presente, fala sobre a alma e o julgamento do outro mundo.

É óbvio que este texto não menciona nada sobre o problema da segurança do crente, embora alguns intérpretes o utilizem desta maneira. "A referência aqui é obviamente à morte física" (Charles H. Dyer, *in loc.*).

■ **3.19**

וְאַתָּ֞ה כִּֽי־הִזְהַ֤רְתָּ רָשָׁע֙ וְלֹא־שָׁ֣ב מֵֽרִשְׁע֔וֹ וּמִדַּרְכּ֖וֹ הָרְשָׁעָ֑ה ה֤וּא בַּעֲוֺנ֣וֹ יָמ֔וּת וְאַתָּ֖ה אֶֽת־נַפְשְׁךָ֥ הִצַּֽלְתָּ׃ ס

2. O *segundo caso* é o reverso do primeiro (vs. 18). Se o profeta cumprisse sua missão, mas os desobedientes permanecessem rebeldes e morressem nessa condição, ele entregaria sua vida por causas destas consequências. Cf. Is 49.4,5; At 20.26 e 1Tm 4.16.

■ **3.20**

וּבְשׁ֨וּב צַדִּ֤יק מִצִּדְקוֹ֙ וְעָ֣שָׂה עָ֔וֶל וְנָתַתִּ֥י מִכְשׁ֖וֹל לְפָנָ֑יו ה֣וּא יָמ֔וּת כִּ֣י לֹ֤א הִזְהַרְתּוֹ֙ בְּחַטָּאת֣וֹ יָמ֔וּת וְלֹ֥א תִזָּכַ֖רְןָ צִדְקֹתָ֣ו אֲשֶׁ֣ר עָשָׂ֔ה וְדָמ֖וֹ מִיָּדְךָ֥ אֲבַקֵּֽשׁ׃

3. O *terceiro caso* é o do homem justo (segundo os padrões do Antigo Testamento, o homem que obedece à lei mosaica e participa do culto a Yahweh). Este homem cumpre seus deveres, mas finalmente *abandona* sua fé (como Judá fez quando correu atrás da idolatria de seus vizinhos). Este homem, ontem justo, agora é um ímpio como o resto do Judá apóstata; contra ele Yahweh agirá; sua bondade anterior não o ajudará nem um pouco. Com a iniquidade, ele *anula* sua condição anterior, cai e morre. Todavia, o ministro que o advertiu fica livre de sua culpa. O texto não se refere a um homem que ontem estava *salvo*, mas hoje está *perdido*, e, se morrer nesta condição, sofrerá julgamento eterno; esta é a interpretação de alguns ansiosos que querem um *texto de prova* para sua doutrina arminiana. O texto fala especificamente do golpe de morte do exército babilônico, que executou uma nação inteira e obviamente dos indivíduos daquela nação. A segunda morte não está em pauta.

Tropeço. Cf. Is 8.14; 1Co 1.23; Rm 8.32,33; 1Pe 2.8. A bondade que o homem praticou no passado não pode agir como um tipo de *crédito,* para evitar consequências desastrosas de uma vida pecaminosa presente. Ele não pode tirar algum dinheiro de seu banco espiritual e pagar os débitos de uma vida atual de apostasia. *A Lei Moral da Colheita segundo a Semeadura* (ver a respeito no *Dicionário*) garantirá que esse homem pague o que deve: ele morrerá.

■ **3.21**

וְאַתָּ֞ה כִּ֧י הִזְהַרְתּ֛וֹ צַדִּ֖יק לְבִלְתִּ֣י חֲטֹ֣א צַדִּ֑יק וְהוּא־לֹא־חָטָ֔א חָיֹ֣ה יִֽחְיֶ֔ה כִּ֣י נִזְהָ֑ר וְאַתָּ֖ה אֶֽת־נַפְשְׁךָ֥ הִצַּֽלְתָּ׃ ס

4. O *quarto caso* é o do homem bom que se tornou melhor ainda. Os ensinamentos do profeta fiel o ajudaram; ele obedeceu aos mandamentos e agiu com justiça. Esse homem será poupado das calamidades trazidas pelos babilônios. Ele também escapará aos castigos da natureza, não ficará doente, terá uma vida longa, saudável e próspera. É bom negócio ser bom. Cf. o sentimento do Novo Testamento:

> *Obedecei aos vossos guias e sede submissos para com eles; pois velam por vossa alma, como quem deve prestar contas, para que façam isto com alegria e não gemendo.*
> Hebreus 13.17

Quinta Comissão (3.22-27)

■ **3.22**

וַתְּהִ֥י עָלַ֛י שָׁ֖ם יַד־יְהוָ֑ה וַיֹּ֣אמֶר אֵלַ֗י ק֥וּם צֵא֙ אֶל־הַבִּקְעָ֔ה וְשָׁ֖ם אֲדַבֵּ֥ר אוֹתָֽךְ׃

A mão do Senhor veio sobre mim. A *mão do Senhor* (isto é, sua direção e poder) estava com Ezequiel. Ele tinha direção e controle divino. Naquela condição, dirigiu-se a um vale. Talvez este lugar fosse o mesmo onde ele recebeu, subsequentemente, a visão dos *ossos secos*

(Ez 37.1). O mesmo termo deste texto é usado em Gn 11.2, para falar do território da parte inferior da região dos rios Tigre e Eufrates. No vale, o profeta teria paz e estaria mais sujeito à revelação. As distrações da vida na comunidade seriam apagadas temporariamente. Em um lugar isolado, longe de homens incrédulos, o poder de Yahweh se manifestaria mais livremente, e o profeta receberia palavras divinas no meio de visões sobrenaturais. Cf. a experiência de Jesus descrita em Mt 4. Ezequiel andaria com Yahweh e sentiria a sua presença.

Levanta-te e sai. Ver sobre as *cinco comissões* que o profeta recebeu, na introdução ao capítulo 2. Este trecho contém certa confusão. Primeiro, o profeta (presumivelmente na sua casa, vs. 24) foi chamado para uma planície ou vale, para receber o oráculo. "Lá fora", recebeu uma visão da glória do Senhor, enquanto descansou em um vale de paz. Voltando imediatamente para casa, ficou amarrado em cordas e emudecido pela força do Senhor, permanecendo assim até receber ordem de abrir a boca para continuar com sua missão profética. A mudez do profeta é mencionada de novo em Ez 24.25-27 e 33.21,22. Houve períodos em que não foi permitido a Ezequiel profetizar; sem duvida, nestes tempos, o povo afundou mais e mais nas suas corrupções. De qualquer maneira, um julgamento severo seria o resultado de tais coisas, para quase todos.

■ **3.23**

וָאָקוּם וָאֵצֵא אֶל־הַבִּקְעָה וְהִנֵּה־שָׁם כְּבוֹד־יְהוָה עֹמֵד כַּכָּבוֹד אֲשֶׁר רָאִיתִי עַל־נְהַר־כְּבָר וָאֶפֹּל עַל־פָּנָי:

Saí para o vale, e eis que a glória do Senhor estava ali. *Na planície de paz*, a glória de Yahweh iluminava tudo. Cf. esta experiência com aquela descrita em Ez 1.1, ocorrida perto do rio Quebar. O profeta viveu mais uma experiência mística elevada. Pelo poder divino, ele estava sendo transformado no tipo de homem necessário para a realização de uma missão especial. Como antes (Ez 1.28), o efeito da visão foi tão poderoso, que o profeta perdeu o equilíbrio e caiu no chão.

■ **3.24**

וַתָּבֹא־בִי רוּחַ וַתַּעֲמִדֵנִי עַל־רַגְלָי וַיְדַבֵּר אֹתִי וַיֹּאמֶר אֵלַי בֹּא הִסָּגֵר בְּתוֹךְ בֵּיתֶךָ:

O Espírito... me pôs em pé. Como antes, o Espírito de Yahweh colocou o pobre homem em pé, para que pudesse receber a mensagem. O profeta recebeu ordem para voltar para a casa que mantinha na vila, onde um grupo de exilados morava perto do rio *Quebar*. Na privacidade de sua própria casa, ele receberia mais instruções espirituais, inclusive a lição material de ser amarrado em cordas. Esta lição serviria de parábola ou metáfora de ensino. Primeiramente, o profeta sofreria *impedimentos*, antes de ser libertado para cumprir sua missão profética. Ele não poderia ter contato com os outros judeus no cativeiro. Certos líderes podiam visitá-lo para receber a palavra de Deus (ver Ez 8.1; 20.1), mas o tempo de seu ministério *público* ainda não tinha chegado. O profeta passava por um período de preparação e condicionamento.

Talvez seu confinamento na casa simbolizasse o ataque dos babilônios contra Jerusalém, seguido por outras deportações que produziriam *confinamento* do pequeno restante do povo. Jerusalém seria colocado em uma gaiola, como um passarinho, e aqueles pobres *passarinhos* seriam confinados nas *gaiolas* da Babilônia.

■ **3.25**

וְאַתָּה בֶן־אָדָם הִנֵּה נָתְנוּ עָלֶיךָ עֲבוֹתִים וַאֲסָרוּךָ בָּהֶם וְלֹא תֵצֵא בְּתוֹכָם:

Porão cordas sobre ti. *O Primeiro Impedimento*. O profeta foi amarrado em cordas.

Explicações. 1. Alguns intérpretes imaginam que os inimigos do profeta tivessem ido à sua casa para amarrá-lo, impedindo-lhe circular entre o povo; já estavam cansados de suas denúncias. 2. Outros acham que o ato de amarrar era figurativo e espiritual, e não literal, resultado do trabalho do Espírito de Yahweh. 3. Outros ainda acham que as cordas eram as forças da oposição, a incredulidade do povo, não cordas literais. Mas o texto deixa claro que o impedimento era *de Yahweh*. Seu propósito estava sendo realizado. 4. Mesmo assim, é verdade que aquele povo apóstata impediu a missão do profeta, amarrando-o com sua oposição e ameaças de violência. Cf. Jo 1.11: "Veio para o que era seu, e os seus não o receberam". 5. O profeta foi amarrado; esta circunstância se referia ao fato de que os ímpios eram e continuariam sendo amarrados pelo poder da Babilônia: houve três deportações do povo. Ver as notas em Jr 52.28.

■ **3.26**

וּלְשׁוֹנְךָ אַדְבִּיק אֶל־חִכֶּךָ וְנֶאֱלַמְתָּ וְלֹא־תִהְיֶה לָהֶם לְאִישׁ מוֹכִיחַ כִּי בֵּית מְרִי הֵמָּה:

Ficarás mudo. *Outro Impedimento*. Ezequiel foi *emudecido*. A missão profética (pública) estava adiada. O povo apóstata seria forçado a passar sem instruções. Sua taça de iniquidade estava quase cheia; o julgamento era iminente. Quando o profeta começou a dar suas advertências, era tarde demais. O povo ficaria além da chamada de arrependimento. Por causa de sua idolatria-adultério-apostasia, o povo perdeu sua oportunidade, exceto por poucos que seriam transformados para constituir o novo Israel depois do cativeiro.

Aparentemente, a *mudez* do profeta era intermitente. Ezequiel tinha períodos de atividade profética. O vs. 27 deste capítulo bem como Ez 33.22 demonstram este fato. Os *impedimentos* que o profeta sofreu eram julgamentos do povo. Aquela gente já estava sob julgamento, a *cegueira judicial*. Ver na *Enciclopédia de Bíblia, Teologia e Filosofia* o verbete *Julgamento que Cega (Cegueira Judicial)*. Eles rejeitaram Yahweh, e ele os rejeitou de acordo com a *Lex Talionis* (retribuição de acordo com a gravidade do crime; ver a respeito no *Dicionário*), isto é, pagamento "em gênero", recebendo de acordo com o que foi feito.

■ **3.27**

וּבְדַבְּרִי אוֹתְךָ אֶפְתַּח אֶת־פִּיךָ וְאָמַרְתָּ אֲלֵיהֶם כֹּה אָמַר אֲדֹנָי יְהוִה הַשֹּׁמֵעַ יִשְׁמָע וְהֶחָדֵל יֶחְדָּל כִּי בֵּית מְרִי הֵמָּה: ס

Quando eu falar contigo, darei que fale a tua boca. Ezequiel não seria para sempre um *profeta silencioso*. Com o tempo, sua boca foi aberta para falar. O Espírito estava controlando a situação e operando segundo sua vontade. Todos os elementos se harmonizavam perfeitamente. Não houve lapsos na execução do plano divino.

Assim diz o Senhor Deus. *Adonai-Yahweh*, isto é, *Soberano Eterno*, o título divino comum desse livro, aparecendo 217 vezes. Aparece somente 103 vezes no restante do Antigo Testamento. A missão do profeta seria realizada de acordo com a *Soberania de Deus* (ver a respeito no *Dicionário*). Quando o profeta ficava em silêncio, era porque Yahweh não tinha falado; quando abria a boca, era inspirado por Yahweh. O ministério do profeta mesclaria períodos de silêncio com períodos de pregação. Como o *atalaia* de Israel (Ez 3.16 ss.), ele se harmonizaria perfeitamente com a mente divina. Sua mudez seria *intermitente*. Sua palavra encontraria receptividades radicalmente diversas. Alguns o escutariam; amém! Outros não o fariam; assim seja! A grande maioria dos rebeldes não se converteria, e sofreria o devido castigo. Yahweh não esperava "sucesso de números" da parte do profeta. Cf. as palavras de Jesus em Mt 11.15; ver também Mt 13.9; Mc 4.9,23; Lc 8.8.

Quem tem ouvidos para ouvir, ouça.

Lucas 14.35

A pregação era seu próprio sucesso. O dever do atalaia seria realizado a despeito da rebeldia dos ouvintes.

CAPÍTULO QUATRO

PROFECIAS CONTRA JUDÁ E JERUSALÉM (4.1—24.27)

O DESTINO DE JERUSALÉM; O EXÍLIO DO REMANESCENTE (4.1—5.17)

Os capítulos 4 e 5 formam uma unidade que contém *cinco ações* dramáticas:

1. Ezequiel recebeu a ordem de desenhar, em um tijolo, um quadro de Jerusalém, e dar-lhe uma olhada severa, simbolizando a ira de Deus contra aquele lugar (4.1-3).
2. Seria necessário que o profeta ficasse deitado e amarrado por 390 dias, do lado esquerdo, simbolizando os anos da punição de Israel; então, deitaria do lado direito por quarenta dias, simbolizando os anos de punição de Judá (4.4-8).
3. Ele comeria comida e beberia água em pequenas quantidades, sujeitas à dispensa, simbolizando as dificuldades que o povo passaria com a simples alimentação diária (4.9-11,16,17): *o racionamento*.
4. Então, o profeta seria obrigado a comer comida preparada de maneira *imunda*, contra as leis dos judeus, simbolizando como Judá, no exílio entre os pagãos, seria obrigado a comer coisas imundas (4.12-15).
5. Depois, foi-lhe ordenado cortar o cabelo com uma espada afiada, destruí-lo de diversas maneiras e em diversos lugares, simbolizando o destino violento que esperava Judá (5.1-17).

Estes atos dramáticos enfatizaram a *seriedade* dos pecados do povo e como este merecia a destruição que os babilônios iriam trazer. Cf. Ez 13.1-11; 18.1-22; 19.1-13; 17.1-15; 35.1-19. Ver também Is 8.1-4 e 20.1-16.

O SÍMBOLO DO SÍTIO (4.1-3)

■ 4.1

וְאַתָּ֣ה בֶן־אָדָ֗ם קַח־לְךָ֙ לְבֵנָ֔ה וְנָתַתָּ֥ה אוֹתָ֖הּ לְפָנֶ֑יךָ וְחַקּוֹתָ֥ עָלֶ֛יהָ עִ֖יר אֶת־יְרוּשָׁלָֽ͏ִם׃

Toma um tijolo... grava nele a cidade de Jerusalém. *A Primeira Ação Dramática. O Ataque dos Babilônios*. A arqueologia descobriu muitos tijolos que serviam de veículos de comunicação. Entre estas descobertas, figuram tijolos das cidades da Palestina. Um relevo mostra o ataque de Senaqueribe contra Laquis, que aconteceu no tempo de Ezequias (2Rs 18). Os assírios são representados destruindo todas as fortificações da cidade e ganhando entrada para efetuar seu massacre.

O formato de Jerusalém era distinto, portanto qualquer um reconheceria a cidade representada em um desenho. A cidade foi "marcada para a aniquilação".

■ 4.2

וְנָתַתָּ֨ה עָלֶ֜יהָ מָצ֗וֹר וּבָנִ֤יתָ עָלֶ֙יהָ֙ דָּיֵ֔ק וְשָׁפַכְתָּ֥ עָלֶ֖יהָ סֹלְלָ֑ה וְנָתַתָּ֨ה עָלֶ֤יהָ מַחֲנוֹת֙ וְשִׂים־עָלֶ֥יהָ כָּרִ֖ים סָבִֽיב׃

A Obliteração de Jerusalém. Este versículo apresenta uma lista das coisas que seriam destruídas: as fortificações, os muros, as torres — tudo ruiria. Nada resistiria aos aríetes dos babilônios. Jerusalém era poderosamente fortificada, assim a demolição durou trinta meses. Mas quando os soldados, cheios de raiva, conseguiram seu intento, efetuaram uma grande matança de homens, mulheres, crianças e até animais. Foi um verdadeiro holocausto. Talvez o profeta utilizasse, além do tijolo, modelos de argila para representar o amargo destino da cidade. Cf. 2Rs 25.1 e Jr 52.4.

■ 4.3

וְאַתָּ֤ה קַח־לְךָ֙ מַחֲבַ֣ת בַּרְזֶ֔ל וְנָתַתָּ֥ה אוֹתָ֛הּ קִ֥יר בַּרְזֶ֖ל בֵּינְךָ֣ וּבֵ֣ין הָעִ֑יר וַהֲכִינֹתָ֨ה אֶת־פָּנֶ֤יךָ אֵלֶ֙יהָ֙ וְהָיְתָ֣ה בַמָּצ֔וֹר וְצַרְתָּ֖ עָלֶ֑יהָ א֥וֹת הִ֖יא לְבֵ֥ית יִשְׂרָאֵֽל׃ ס

Toma também uma sertã de ferro. *Um Ataque Eficaz*. A *sertã de ferro* era um tipo de grade utilizado para assar pão e outras comidas. Ver Lv 2.5 e 7.9. A peça representava o *muro* da cidade que Yahweh colocou entre si mesmo e a cidade. Alguns intérpretes acham que este versículo deve ser combinado com o vs. 2. Nesse caso, a sertã de ferro representaria todos os *diversos mecanismos* do ataque ali mencionados.

Pelejarei eu mesmo contra vós outros com braço estendido e mão poderosa, com ira, com indignação e grande furor.
Jeremias 21.5

O próprio autor não dá nenhuma explicação desta *sertã*, assim, os intérpretes têm licença para fazer adivinhações. 1. Talvez a peça significasse um muro de ferro que não deixaria ninguém escapar do ataque. 2. Ou os próprios soldados são vistos como o muro de ferro, implacáveis, ferozes e destruidores. Este muro de ferro seria mais forte do que o muro de tijolos da cidade. 3. Yahweh ficou distante, deixando o muro de ferro separá-lo do povo rebelde. Ele não defenderia a cidade que sofreria morte agonizante. O rosto divino estava contra os apóstatas, e o profeta, para simbolizar isto, deu uma olhada severa para o tijolo que tinha a representação da cidade. Todos os itens dos vss. 2,3 serviam como "sinal" do desprezo divino contra a cidade iníqua. Sua destruição foi implacavelmente determinada como resultado da *Lei da Colheita segundo a Semeadura* (ver este artigo no *Dicionário*). A hora decisiva tinha chegado. O gesto de "dirigir para ela o teu rosto" é utilizado quatorze vezes nesse livro. Cf. Ez 6.2.

SÍMBOLO DA DURAÇÃO DO EXÍLIO (4.4-8)

■ 4.4,5

וְאַתָּ֤ה שְׁכַב֙ עַל־צִדְּךָ֣ הַשְּׂמָאלִ֔י וְשַׂמְתָּ֛ אֶת־עֲוֺ֥ן בֵּית־יִשְׂרָאֵ֖ל עָלָ֑יו מִסְפַּ֤ר הַיָּמִים֙ אֲשֶׁ֣ר תִּשְׁכַּ֣ב עָלָ֔יו תִּשָּׂ֖א אֶת־עֲוֺנָֽם׃

וַאֲנִ֗י נָתַ֤תִּי לְךָ֙ אֶת־שְׁנֵ֣י עֲוֺנָ֔ם לְמִסְפַּ֣ר יָמִ֔ים שְׁלֹשׁ־מֵא֥וֹת וְתִשְׁעִ֖ים י֑וֹם וְנָשָׂאתָ֖ עֲוֺ֥ן בֵּית־יִשְׂרָאֵֽל׃

Porque eu te dei os anos da sua iniquidade... *A Segunda Ação Dramática*. Os vss. 4,5 não são claros. O profeta é representado como permanecendo deitado do lado *esquerdo* por 390 dias (os dias representam anos), e isto se relaciona a *Israel*. Mas fica duvidoso como calcular estes anos. É claro que eles falam de anos de punição para o norte. "Sua culpa ficará sobre você o número de dias (anos) que você ficar do seu lado esquerdo" (NCV). Podemos afirmar, de maneira crua, que os anos envolvidos se estenderam do tempo da divisão dos dois reinos (Israel separado de Judá) até 538 a.C., quando o remanescente de Judá voltou do exílio babilônico. Este período, aparentemente, é entendido pelo profeta como o tempo do cativeiro de Israel. Aquele tempo acabou quando Judá tornou-se o novo Israel. As dez tribos não voltaram, pondo fim ao cativeiro, mas o equivalente era o estabelecimento de um novo reino, marcando um novo dia. É fútil manipular os anos para obter exatamente 390. O número é arredondado e representativo, não exato. Alguns entendem os dias literalmente (não como anos) e procuram mostrar que o ataque ao norte durou aquele número de dias, mas poucos aceitam esta interpretação. Alguns intérpretes entendem o período como aquele da idolatria de Israel, outra interpretação menos provável.

Provavelmente a ação de deitar era simbólica, não literal. É difícil imaginar o profeta imóvel durante tanto tempo.

■ 4.6

וְכִלִּיתָ֣ אֶת־אֵ֗לֶּה וְשָׁכַבְתָּ֞ עַל־צִדְּךָ֤ הַיְמוֹנִי֙ שֵׁנִ֔ית וְנָשָׂאתָ֖ אֶת־עֲוֺ֣ן בֵּית־יְהוּדָ֑ה אַרְבָּעִ֣ים י֔וֹם לַשָּׁנָ֔ה י֥וֹם לַשָּׁנָ֖ה נְתַתִּ֥יו לָֽךְ׃

Levarás sobre ti a iniquidade da casa de Judá. Deitando-se de novo, o profeta estava do seu lado direito, dando o rosto para o *sul*, isto é, para *Judá*. Naquele momento, carregava a iniquidade da casa de Judá, vicariamente. Ele continuou nessa posição por quarenta dias (cada dia representando um ano). O cativeiro babilônico, de fato, durou *setenta anos* (ver Jr 25.11-12). Talvez o autor considerasse o número quarenta suficientemente próximo a setenta ou, mais provavelmente, tenha empregado o velho símbolo do número quarenta como um período de provação. Neste caso, quarenta representa *a essência* do sofrimento no período de setenta anos. Ver no *Dicionário* o artigo sobre *Quarenta*, para uma discussão das muitas vezes que este símbolo aparece nas Escrituras.

Alguns intérpretes acrescentam 40 a 390, produzindo 430 anos. Então, supõem que este número fale *do futuro*, estendendo os anos até o tempo dos macabeus; especificamente 167 a.C., o ano da revolta, que preparou o palco para a independência de Israel. Todavia, os anos do texto são *históricos*, não proféticos.

O próprio autor não oferece interpretações e nos força a adivinhar e a escolher entre as diversas possibilidades.

4.7

וְאֶל־מְצוֹר יְרוּשָׁלַםִ תָּכִין פָּנֶיךָ וּזְרֹעֲךָ חֲשׂוּפָה וְנִבֵּאתָ עָלֶיהָ׃

Voltarás, pois, o teu rosto. Cf. Lv 17.10; 20.3,5,6; 2Cr 20.3. O gesto é de ameaça, propósito firme e determinação.

Com o teu braço descoberto. O autor já havia descrito as punições que o norte e o sul tinham de sofrer por causa de sua idolatria-adultério-apostasia. Agora, ele começa a relatar o próprio ataque do exército babilônico. O profeta levantou o braço, para dar o golpe mortal, e seu braço significa o braço do Senhor. Para libertar seu braço e dar o golpe feroz, ele retirou sua longa roupa oriental, deixando-o descoberto. Ver Is 52.10, onde temos uma descrição semelhante. Aqui, temos o *braço atacante* de Yahweh. O ataque refinaria Judá, retirando-se da escória geral, uma pequena porção de prata que se transformaria no novo Israel depois do cativeiro.

4.8

וְהִנֵּה נָתַתִּי עָלֶיךָ עֲבוֹתִים וְלֹא־תֵהָפֵךְ מִצִּדְּךָ אֶל־צִדֶּךָ עַד־כַּלּוֹתְךָ יְמֵי מְצוּרֶךָ׃

Eis que te prenderei com cordas. Cf. Ez 3.25. Não foi permitido ao profeta fazer coisa alguma até a realização do ataque que traria o golpe mortal. Ele não podia pregar a paz, fazer promessas ou oferecer conforto; não podia nem mesmo conclamar o povo ao arrependimento. Ele estava preso *com cordas* e totalmente imobilizado. O terrível propósito de Deus tomou o palco inteiro. Os apóstatas pagariam seu débito. A nação, já sob julgamento judicial, colheria os "frutos" de sua rebeldia. Não haveria misericórdia ou mudança que pudesse melhorar as circunstâncias. O Targum traz esta declaração pitoresca: "Eis o decreto da minha palavra, que está sobre ti como um complexo de cordas".

O SÍMBOLO DO RACIONAMENTO (4.9-11,16,17)

4.9

וְאַתָּה קַח־לְךָ חִטִּין וּשְׂעֹרִים וּפוֹל וַעֲדָשִׁים וְדֹחַן וְכֻסְּמִים וְנָתַתָּה אוֹתָם בִּכְלִי אֶחָד וְעָשִׂיתָ אוֹתָם לְךָ לְלָחֶם מִסְפַּר הַיָּמִים אֲשֶׁר־אַתָּה שׁוֹכֵב עַל־צִדְּךָ שְׁלֹשׁ־מֵאוֹת וְתִשְׁעִים יוֹם תֹּאכֲלֶנּוּ׃

A Terceira Ação Dramática. Os vss. 9-11,16,17 falam tanto de *racionamento* como de *comidas imundas,* e as ações do profeta simbolizam as duas coisas. O fornecimento de comida e água da cidade, durante o ataque babilônico, seria severamente restrito (cf. 2Rs 7.1,4 e Jr 37,21). A situação ficou tão dramática que os habitantes da cidade comeram seus próprios filhos! (Lm 2.20). O povo misturou diversos tipos de grãos na mesma massa, porque não havia quantidade suficiente de *um só tipo* para fazer o pão. Este pão "estranho" foi consumido por 390 dias, enquanto o profeta (simbolicamente) se deitava do lado esquerdo (ver os vss. 4,5). Isto descreveu os sofrimentos de Judá no seu julgamento. Aqui, o autor omite qualquer menção aos quarenta dias (anos) de punição de Judá. Talvez tenha sido um descuido ou, supostamente, devamos entender que os 390 dias (anos) simbolizam o julgamento divino *dos dois reinos.* Neste caso, o autor não se interessou em fazer descrições exatas nem que estivessem em harmonia com o que ele já tinha escrito. O próprio autor não explica o porquê da omissão.

Escassez e poluição andaram de mãos dadas quando Judá foi julgado. O *pão estranho* foi cozido sobre um fogo que queimava esterco humano, ação inimaginável para qualquer judeu, mas permissível para os pagãos. O pecado e a rebelião reduzem o povo a nada.

4.10

וּמַאֲכָלְךָ אֲשֶׁר תֹּאכֲלֶנּוּ בְּמִשְׁקוֹל עֶשְׂרִים שֶׁקֶל לַיּוֹם מֵעֵת עַד־עֵת תֹּאכֲלֶנּוּ׃

A tua comida será por peso... de tempo em tempo a comerás. *Restrições Severas. As quantidades* de líquido e comida eram restritamente controladas pelo fato de os estoques estarem diminuídos, e nenhum fornecimento chegaria de fora da cidade. O ataque prometeu fome e destruição pela espada. Uma pessoa podia comer somente 20 siclos por dia, isto é, 200 gramas, uma quantidade miserável que não sustentaria a vida por muito tempo. Hoje, certos restaurantes vendem refeições *por quilo.* Supostamente, uma pessoa poderia comer um quilo em uma única refeição! O ato de controlar a comida *por peso* era sinal de que a fome total estava às portas. Cf. Lv 26.26.

4.11

וּמַיִם בִּמְשׂוּרָה תִשְׁתֶּה שִׁשִּׁית הַהִין מֵעֵת עַד־עֵת תִּשְׁתֶּה׃

Beberás a água por medida... de tempo em tempo a beberás. A água que uma pessoa podia beber por dia era 1/6 de um *him,* ou cerca de 0,6 litro, quantidade que talvez servisse para uma única refeição, mas não para um dia inteiro. Infecções urinárias logo tomariam conta do povo. Aparentemente, estas pequenas quantidades de comida e água seriam tomadas ao longo do dia, não em uma única "refeição". Mas os intérpretes não concordam neste ponto. De qualquer maneira, existiriam pequenas mordidelas e goles mesquinhos de líquido, enquanto os estoques fossem sumindo. Ao mesmo tempo, haveria o clamor dos soldados babilônicos fora dos muros da cidade. A nação seria executada, finalmente, e os sofrimentos seriam terríveis. As traduções de RSV e NCV dão impressão de que haveria uma única refeição por dia, se é que podemos chamar aquilo de refeição.

O SÍMBOLO DA COMIDA IMUNDA (4.12-15)

4.12

וְעֻגַת שְׂעֹרִים תֹּאכֲלֶנָּה וְהִיא בְּגֶלְלֵי צֵאַת הָאָדָם תְּעֻגֶנָה לְעֵינֵיהֶם׃ ס

Bolos de cevadas; cozê-lo-ás sobre o esterco do homem. *A Quarta Ação Dramática.* Ver no *Dicionário* o artigo *Limpo e Imundo.* Quanto ao fato de o esterco humano ser considerado *imundo,* ver Dt 32.12-14. Os 9.3 mostra que o remanescente das dez tribos cativas na Assíria foi forçado a comer comida imunda. Eles haviam descido ao paganismo e tiveram de praticar os costumes pagãos. Foram abomináveis e praticaram coisas abomináveis. Dn 1 informa que os jovens hebreus recusaram comer de acordo com os costumes da Babilônia, pedindo tratamento especial na questão de comidas e bebidas. Assim, eles se preservaram das abominações do paganismo. Todavia, Judá, sob ataque, não podia comer e beber de acordo com as leis que estipulavam o que era limpo e imundo. Esta circunstância continuaria para o remanescente no cativeiro, os quais, tendo agido como os pagãos, terminariam comendo e bebendo como eles, para sobreviver. *O profeta* devia cozer bolos de cevada sobre as cinzas quentes de um fogo que utilizava esterco humano por combustível. Inevitavelmente, a comida tocaria no esterco e a pessoa que a ingerisse consumiria certa quantidade da imundícia! Hoje, é praticamente impossível comprar legumes e verduras não contaminados com E Coli, a bactéria dos intestinos de animais.

À vista do povo. O profeta prepararia sua refeição ante os olhos do povo, pregando uma lição metafórica, e todos ficariam revoltados com a cena. Os bolos eram cozidos diretamente nas cinzas e o contato com o esterco era inevitável. Todo o povo, portanto, ficaria poluído e *imundo,* segundo as leis do "limpo e imundo". A necessidade de ingerir comida imunda revelou a imundície do próprio povo. Os imundos seriam julgados e queimados pelo fogo do exército babilônico, pois Yahweh tinha perdido a paciência com eles.

4.13

וַיֹּאמֶר יְהוָה כָּכָה יֹאכְלוּ בְנֵי־יִשְׂרָאֵל אֶת־לַחְמָם טָמֵא בַּגּוֹיִם אֲשֶׁר אַדִּיחֵם שָׁם׃

O Povo Imundo. Os judeus levados cativos para a Babilônia seriam forçados a comer tais bolos imundos, naquele país para onde Yahweh os encaminharia. Eles haviam praticado abominações e seriam forçados a praticar outras abominações no cativeiro, por causa da sua idolatria-adultério-apostasia. Ficariam cerimonialmente imundos, porque já eram moral e espiritualmente imundos. A *Lei Moral da Colheita segundo a Semeadura* (ver a respeito no *Dicionário*) determinaria o destino miserável daqueles apóstatas. Devemos lembrar que os judeus não fizeram nenhuma distinção entre a lei cerimonial e a lei moral, porque para eles o cerimonial (usando o termo cristão) era altamente moral. Assim, comer comidas imundas era um ato abominavelmente imoral.

Séculos depois, o presente versículo seria usado pelos rabinos como texto-prova para indicar que o homem que não lavasse e secasse as mãos antes de comer automaticamente ficaria imundo.

■ **4.14**

וָאֹמַר אֲהָהּ אֲדֹנָי יְהֹוִה הִנֵּה נַפְשִׁי לֹא מְטֻמָּאָה וּנְבֵלָה וּטְרֵפָה לֹא־אָכַלְתִּי מִנְּעוּרַי וְעַד־עַתָּה וְלֹא־בָא בְּפִי בְּשַׂר פִּגּוּל: ס

Eis que a minha alma não foi contaminada. *O Profeta Revoltado.* Ezequiel fez objeções clamorosas contra o uso de esterco humano como combustível, para cozinhar seus bolos de cevada. Ele sempre observara cuidadosamente todas as leis cerimoniais. Nunca havia comido um animal que tivesse morrido espontaneamente, por acidente ou doença, ou que fosse morto por outro, ou tivesse sofrido ferimento grave; nunca havia comido animais proibidos, como o cavalo, camelo, cobra etc. Cf. isto com a história de Pedro, em At 10.14.

Carne abominável. Isto é, carne que ainda tivesse sangue, não tendo sido apropriadamente drenada; carne de animais proibidos ou com mau cheiro, por já ter entrado em decomposição. A carne de animais mortos há três dias ou mais era proibida (Lv 7.17; 19.6,7); ainda não havia refrigeração. Nos sacrifícios, a carne era consumida no mesmo dia ou, no máximo, dentro de 24 horas. Ver Lv 17.11-16; Dt 12.16; Êx 22.31.

■ **4.15**

וַיֹּאמֶר אֵלַי רְאֵה נָתַתִּי לְךָ אֶת־צְפוּעֵי הַבָּקָר תַּחַת גֶּלְלֵי הָאָדָם וְעָשִׂיתָ אֶת־לַחְמְךָ עֲלֵיהֶם: ס

Esterco de vacas, em lugar de esterco humano. *Yahweh cedeu,* permitindo que o profeta utilizasse esterco de vaca como combustível. A vaca figurava entre os animais limpos, até *nobres,* porque era um dos cinco animais aceitáveis para sacrifícios. Ver as notas em Lv 1.14-16, onde há uma discussão sobre os animais "nobres" dos sacrifícios. Em áreas nas quais a madeira era escassa, o esterco de diversos animais servia de combustível; o de camelo era "popular", mas nenhum judeu o usava. O esterco das vacas era espalhado no chão, ou sobre muros e paredes, para secar. Naturalmente, o material tinha bastante palha não digerida que dava "qualidade" ao combustível.

INTERPRETAÇÃO DO SIMBOLISMO DO RACIONAMENTO (4.16,17)

■ **4.16**

וַיֹּאמֶר אֵלַי בֶּן־אָדָם הִנְנִי שֹׁבֵר מַטֵּה־לֶחֶם בִּירוּשָׁלִַם וְאָכְלוּ־לֶחֶם בְּמִשְׁקָל וּבִדְאָגָה וּמַיִם בִּמְשׂוּרָה וּבְשִׁמָּמוֹן יִשְׁתּוּ:

Eis que tirarei o sustento de pão em Jerusalém. Este versículo nos remete aos vss. 10,11, os quais nos informaram sobre a escassez de pão e água. O *báculo de pão* significa o *fornecimento de comida.* Cf. Ez 5.16; 14.13; Sl 105.16; Is 3.1. Judá tinha uma grande área de deserto e a água era escassa, o que fazia o povo depender de cisternas e poços que frequentemente secavam. Ver Jr 2.13 e 38.6. Havia as águas vivas de Giom, no vale de Cedrom, e outros riachos no vale de Hinom. Ezequias construiu um túnel (escondido) para levar água para Jerusalém, fora do alcance de invasores. Ver 2Rs 20.20. Os versículos seguintes parecem indicar que os babilônios descobriram uma maneira de bloquear aquelas preciosas águas, o que deixou a cidade em posição precária. Mas foi Yahweh quem cortou a água e a comida com atos divinos, como a seca, e também era ele o General que liderava o exército babilônico. Isto deixou o povo morrendo de fome, sede e violência, pagando pelos muitos anos de sua idolatria-adultério-apostasia. Eles semearam e ceifaram (Gl 6.7,8). Cf. Lm 4.13 e 5.16.

Pão. O hebraico, aqui, fala do *báculo* de pão. Esta palavra indica a vara sobre a qual um homem se inclinava para se apoiar. Yahweh removera o apoio. Cf. Lv 26.26. A vara fora quebrada e um país inteiro caíra. Sua condição mental era de ansiedade; sua condição física era de *emaciação.* Cf. Lm 4.8.

■ **4.17**

לְמַעַן יַחְסְרוּ לֶחֶם וָמָיִם וְנָשַׁמּוּ אִישׁ וְאָחִיו וְנָמַקּוּ בַּעֲוֹנָם: פ

Espantar-se-ão uns com os outros, e se consumirão. *Consternação extrema* aborreceria a mente dos reprovados, sobre quem o julgamento de Yahweh cairia, afinal. O ataque duraria trinta longos meses e o povo cairia em desespero total. Mulheres comeriam os próprios filhos para sustentar uma vida que não valeria a pena viver! Existiriam condições inefáveis de fraqueza, doenças, matanças e violência. A fome consumiria almas corruptas. Jerusalém paganizado pagaria um alto preço, que quase se estenderia à aniquilação de toda a nação. Olhando uns para os outros, ficariam chocados com o que veriam.

CAPÍTULO CINCO

MAIS SIMBOLISMOS DE TERROR (5.1-17)

O capítulo 5 acompanha o capítulo 4, empregando outros simbolismos para contar a mesma história do destino temível de Jerusalém. Aqui, temos novos simbolismos seguidos de interpretações. Este capítulo fornece um relatório cronológico dos acontecimentos, suficientemente detalhado para chocar a mente do leitor.

■ **5.1,2**

וְאַתָּה בֶן־אָדָם קַח־לְךָ חֶרֶב חַדָּה תַּעַר הַגַּלָּבִים תִּקָּחֶנָּה לָּךְ וְהַעֲבַרְתָּ עַל־רֹאשְׁךָ וְעַל־זְקָנֶךָ וְלָקַחְתָּ לְךָ מֹאזְנֵי מִשְׁקָל וְחִלַּקְתָּם:

שְׁלִשִׁית בָּאוּר תַּבְעִיר בְּתוֹךְ הָעִיר כִּמְלֹאת יְמֵי הַמָּצוֹר וְלָקַחְתָּ אֶת־הַשְּׁלִשִׁית תַּכֶּה בַחֶרֶב סְבִיבוֹתֶיהָ וְהַשְּׁלִשִׁית תִּזְרֶה לָרוּחַ וְחֶרֶב אָרִיק אַחֲרֵיהֶם:

A Quinta Ação Dramática. Ver as notas sobre as *cinco* ações dramáticas na introdução ao capítulo 4.

Toma uma espada afiada. A *navalha do barbeiro* representa a espada babilônica. Imagine-se uma espada tão afiada para ser como a navalha de um barbeiro! "Tome sua espada; use-a como a navalha do barbeiro" (NCV). O profeta recebeu ordens para cortar seu cabelo e depois destruí-lo totalmente, de diversas maneiras e em diversos lugares. Uma terça parte seria destruída em um lugar, de uma maneira; outra terça parte, *idem;* e a outra terça parte, *idem.* As três destruições representariam a total aniquilação de Jerusalém. Remover todo o cabelo era considerado, entre os judeus, um ato de vergonha (2Sm 10.4,5) e dupla desgraça no caso de um sacerdote (Lv 21.5). O cabelo simbolizava sua dedicação a Yahweh. A mulher adúltera tinha o cabelo cortado para indicar a desgraça do pecado. O cabelo também era cortado como um sinal de lamentação (Jó 1.20; Is 22.12; Jr 7.39). Ezequiel provavelmente era um sacerdote (implicado em 1Cr 24.16) e sentiria amargamente a perda de seu cabelo. Ele se auto-humilhou para simbolizar que Judá sofreria em breve desgraça e humilhação às mãos dos babilônios, autoprovocada, na análise final. Uma lamentação amarga se seguiria.

Tomarás uma balança de peso. O cabelo cortado foi pesado com o propósito de o dividir em três partes exatamente iguais. Uma *terça parte* seria *queimada* no *meio* da cidade; esta ação representava o sofrimento dos exilados durante o ataque babilônico que duraria trinta meses. A *terça parte* seguinte seria *batida* com uma espada, até ser reduzida a partículas minúsculas; isto simbolizava como o povo seria massacrado, uma vez que o exército ganhasse acesso à cidade. Haveria massacres, torturas e estupros, e todos os bens seriam confiscados pelos soldados. A terça parte restante seria *jogada* ao vento, para ser espalhada sobre a terra até pontos distantes. Isto representava que o pequeno remanescente do povo seria exilado na Babilônia. Yahweh mandaria a espada atrás deles e a matança continuaria.

> *Espalhá-los-ei entre nações que nem eles nem seus pais conheceram; e enviarei a espada após eles, até que eu venha a consumi-los.*
>
> Jeremias 9.16

O vs. 12 explica a operação da *tríade temível*, isto é, *espada, fome, pestilência*. Jeremias constantemente dá esta sequência dos males, enquanto Ezequiel dá uma ordem diferente, mas a essência é a mesma.

Quando o exército de Nabucodonosor entrou em Jerusalém, encontrou um povo já dizimado pela fome. O canibalismo tornou-se a regra vigente (Lm 2.20; vs. 10). Tais horrores foram previstos por Moisés para um povo desobediente e apóstata (Dt 28.52-57). Jeremias repetia estas profecias de terror (Lm 2.20; 4.10).

■ 5.3

וְלָקַחְתָּ מִשָּׁם מְעַט בְּמִסְפָּר וְצַרְתָּ אוֹתָם בִּכְנָפֶיךָ׃

Tomarás uns poucos e os atarás nas abas da tua veste. *Poucos* fios do cabelo do profeta restaram depois da destruição geral dos cabelos cortados. Ele os colocou nas dobras de sua roupa, representando como os poucos sobreviventes do horror procurariam esconder-se. De fato, um pequeno remanescente voltaria a Jerusalém, depois de setenta anos, para começar tudo de novo. Seria o *novo Israel*. Vestimentas orientais não tinham bolsos, e dobras do pano serviam para o mesmo propósito. Na altura da cintura, era feita uma dobra, formando um bolso amplo que podia guardar muitos itens. Provavelmente, o profeta colocou os fios naquele bolso. Até o pequeno número de sobreviventes não teria uma vida de paz, mas continuaria sofrendo, como nos informa o vs. 4. Alguns intérpretes acham que os fios restantes simbolizavam os poucos judeus que ficaram em Judá, depois do cativeiro. É possível que tanto aqueles que foram levados para o cativeiro como os que permaneceram na Palestina fossem simbolizados pelos fios.

■ 5.4

וּמֵהֶם עוֹד תִּקָּח וְהִשְׁלַכְתָּ אוֹתָם אֶל־תּוֹךְ הָאֵשׁ וְשָׂרַפְתָּ אֹתָם בָּאֵשׁ מִמֶּנּוּ תֵצֵא־אֵשׁ אֶל־כָּל־בֵּית יִשְׂרָאֵל׃ פ

Destes ainda tomarás alguns, e os lançará no meio do fogo. *Purificação*. Alguns fios (parte do restante que sobreviveu) seriam lançados ao fogo, o que poderia significar: 1. O fogo purificaria a escória para tirar dela uma pequena porção de prata, que seria utilizada para formar o novo Israel, depois do cativeiro. 2. A queima dos fios seria simplesmente destruição, sem levar em conta a possibilidade de restauração. A aniquilação da nação seria quase total.

Eficácia Terrível. Este versículo ilustra a eficácia terrível dos julgamentos de Yahweh. A nação foi executada por causa de sua grande idolatria-adultério-apostasia. Os babilônios cometeram genocídio. Mas a *causa* de tudo era Yahweh, o *Criador-Destruidor*. O *teísmo* bíblico representa Deus como o agente ativo de tudo quanto acontece aos homens. O Criador não abandonou sua criação, mas está presente para recompensar o bem e castigar o mal. A *Providência de Deus* (ver a respeito no *Dicionário*) é positiva e negativa, dependendo das reações das pessoas às suas direções. Contraste-se esta ideia com o deísmo que assevera que a força criadora (pessoal ou impessoal) abandonou sua criação ao governo das leis naturais.

Interpretações do Cerco Simbólico (5.5-17)

■ 5.5

כֹּה אָמַר אֲדֹנָי יְהוִֹה זֹאת יְרוּשָׁלַםִ בְּתוֹךְ הַגּוֹיִם שַׂמְתִּיהָ וּסְבִיבוֹתֶיהָ אֲרָצוֹת׃

Agora, o autor abandona seus simbolismos e nos informa, em linguagem simples e sem adornos, o que seus atos simbólicos significaram. O tema geral é o fim miserável de Jerusalém. Yahweh fez daquele lugar o centro do mundo, o lugar onde ele manifestou sua presença, estabeleceu seu culto e entregou sua lei. Os judeus literalmente pensaram que Jerusalém era o centro do mundo, em notável arrogância. A Septuaginta usa o termo "o umbigo do mundo". Alguns cristãos perpetuaram o mito. O *Catholicon* da Igreja do Sepulcro Sagrado, em Jerusalém, contém um copo dentro do qual uma bola achatada representa o centro da terra. Os gregos fizeram de Delfos o centro. Cada povo tem seu orgulho nacionalista. Mas, neste texto, Jerusalém é o centro dos julgamentos de Deus! Aquele lugar tornou-se o centro da apostasia mundial.

> *Seu santo monte, belo e sobranceiro, é a alegria de toda a terra.*
> Salmo 48.2

Jerusalém, a cidade dourada, tornou-se Jerusalém, a cidade podre.

BARBAS Smith's Bible Dictionary.

A BARBA

Entre os povos semitas, a barba era sinal de virilidade, de tal forma que termos cognatos para *ancião* e *adulto* eram palavras verbais e nominais que diziam respeito à barba. Ver Êx 4.29.

USO FIGURADO

O povo de Deus é comparado aos pelos da barba e aos cabelos de Ezequiel, dando a entender que eram muito apreciados. Ver Ez 4.1—5.4. Em Is 7.20, quando o Senhor ameaçou raspar a cabeça e a barba dos homens de seu povo, isso deu a entender que grande número deles seria sujeitado ao julgamento divino.

A barba no Oriente era exageradamente respeitada como se tivesse alguma virtude em si.

5.6

וַתֶּ֨מֶר אֶת־מִשְׁפָּטַ֤י לְרִשְׁעָה֙ מִן־הַגּוֹיִ֔ם וְאֶת־חֻקּוֹתַ֖י
מִן־הָאֲרָצ֣וֹת אֲשֶׁ֣ר סְבִיבוֹתֶ֑יהָ כִּ֤י בְמִשְׁפָּטַי֙ מָאָ֔סוּ
וְחֻקּוֹתַ֖י לֹא־הָלְכ֥וּ בָהֶֽם: ס

... se rebelou contra os meus juízos. *A Apostasia de Jerusalém.* Judá-Jerusalém rejeitou a legislação mosaica, que tornou Israel *distinto* entre as nações (ver Dt 4.4-8). A lei foi o guia nacional e individual (Dt 6.4 ss.). Outras nações continuaram com suas múltiplas formas de idolatria, enquanto os hebreus subiam na escala da espiritualidade. Mas o processo foi interrompido por pecados sem-fim, a famosa idolatria-adultério-apostasia do povo. Os judeus terminaram rejeitando a lei de Moisés, de maneira global, o que é indicado pelo uso, aqui, de diversos termos que descrevem a lei: estatutos, ordenanças, juízos. Ver a tríplice designação da lei, em Dt 6.1. O povo deveria ter andado segundo os padrões da lei. Ver no *Dicionário* o artigo denominado *Andar,* para notas sobre esta metáfora. O esplendor de Yahweh tornou-se preto, por causa dos atos de seu povo, que se transformou em outra manifestação do paganismo. A conduta de Judá baixou para uma posição mais degradada do que a de seus vizinhos pagãos. Os mestres da escola abandonaram-na e fizeram dos esgotos seus lugares de habitação.

5.7

לָכֵ֞ן כֹּֽה־אָמַ֣ר ׀ אֲדֹנָ֣י יְהֹוִ֗ה יַ֤עַן הֲמָנְכֶם֙ מִן־הַגּוֹיִם֙
אֲשֶׁ֣ר סְבִיבֽוֹתֵיכֶ֔ם בְּחֻקּוֹתַי֙ לֹ֣א הֲלַכְתֶּ֔ם וְאֶת־מִשְׁפָּטַ֖י
לֹ֣א עֲשִׂיתֶ֑ם וּֽכְמִשְׁפְּטֵ֧י הַגּוֹיִ֛ם אֲשֶׁ֥ר סְבִיבוֹתֵיכֶ֖ם לֹ֥א
עֲשִׂיתֶֽם: ס

Sois mais rebeldes do que as nações que estão ao vosso redor. *O Pior de Todos.* O melhor degenerou-se para ficar o pior. Este versículo repete a informação do vs. 6, tornando-se a introdução do vs. 8, onde temos o pronunciamento do julgamento inevitável. Aqui, temos a *causa* do julgamento. Os vss. 9 ss. dão os *efeitos.* Os pagãos foram consistentes e constantes, não renunciando à sua religião idólatra; mas os judeus abandonaram suas tradições e adotaram a idolatria de seus vizinhos, um ato de grande estupidez. Cf. Jr 2.11. Os privilegiados ficaram rebeldes; os rebeldes ficaram peritos em atos criminosos, violentos e sem-vergonha. Eles desceram para os esgotos do paganismo, abandonando o templo glorioso de Yahweh.

Mais rebeldes. O hebraico literal, aqui, é "enfurecer", palavra também usada em Sl 2.1: "... se *enfurecem* os gentios.". Os judeus, como um bando de loucos insanos, correram para a idolatria, abandonando sua luz e privilégios. Ficaram arrogantes e loucos em sua apostasia-idolatria. Desceram à lama dos pagãos.

... não tendes andado nos meus juízos. Abandonando a Lei de Moisés, adotaram as leis do diabo. Deslizaram para um paganismo total e sem-vergonha, imitando a conduta de seus vizinhos, já sujeitos à condenação de Deus. Alguns manuscritos hebraicos trazem, aqui: "não agiram como as nações", implicando que os judeus agiram de maneira ainda *pior.* A luz do templo se apagou. A presença divina abandonou o lugar e *Icabô* foi escrito sobre o portão. Cf. Rm 2.14,15. Ver também Jr 2.11.

5.8

לָכֵ֗ן כֹּ֤ה אָמַר֙ אֲדֹנָ֣י יְהֹוִ֔ה הִנְנִ֥י עָלַ֖יִךְ גַּם־אָ֑נִי וְעָשִׂ֧יתִי
בְתוֹכֵ֛ךְ מִשְׁפָּטִ֖ים לְעֵינֵ֥י הַגּוֹיִֽם:

Eu, eu mesmo, estou contra ti. *Depravação Espiritual.* O vs. 7 evidencia a depravação total em Jerusalém. Yahweh levantara sua espada e esperava o momento certo para cortar Judá em pedaços. Os babilônios já estavam às portas. Vendo a destruição que seria efetuada, as nações diriam: "Aquilo foi justo. Eles abandonaram seu Deus, praticaram a traição e a depravação". O povo que gozava do favor de Yahweh agora enfrentaria sua ira. O texto ilustra um notável exemplo da operação da *Lei Moral da Colheita segundo a Semeadura* (ver a respeito no *Dicionário*). Judá tinha sido notável no favor de Deus, e agora seria notável em sua desgraça ante outras nações. Yahweh sempre fora seu amigo e ajudador, agora se tornaria seu inimigo e destruidor.

5.9

וְעָשִׂ֣יתִי בָ֗ךְ אֵ֚ת אֲשֶׁ֣ר לֹֽא־עָשִׂ֔יתִי וְאֵ֛ת אֲשֶֽׁר־לֹֽא־
אֶעֱשֶׂ֥ה כָמֹ֖הוּ ע֑וֹד יַ֖עַן כָּל־תּוֹעֲבֹתָֽיִךְ: ס

Farei contigo o que nunca fiz, e o que jamais farei. O massacre pelos babilônios e o subsequente cativeiro seriam uma obra *singular* de Yahweh. Nunca fora feita tal obra, nem seria feita de novo. Aquela obra era extremamente severa e completa. Uma nação inteira morreria. A paciência divina esgotara com a idolatria-adultério-apostasia de Judá-Jerusalém. Cf. Mt 24.21. Os profetas, por longo tempo, previram as consequências finais da rebeldia de Israel (ver Lv 26.29; Dt 28.53). Calamidades eram esperadas e aconteceram. A ira divina queimava tudo. Só fumaça sobrava.

5.10

לָכֵ֗ן אָב֞וֹת יֹאכְל֤וּ בָנִים֙ בְּתוֹכֵ֔ךְ וּבָנִ֖ים יֹאכְל֣וּ אֲבוֹתָ֑ם
וְעָשִׂ֤יתִי בָךְ֙ שְׁפָטִ֔ים וְזֵרִיתִ֥י אֶת־כָּל־שְׁאֵרִיתֵ֖ךְ לְכָל־
רֽוּחַ: פ

Os pais comerão a seus filhos... os filhos comerão a seus pais. O *canibalismo,* largamente espalhado, seria o resultado do ataque dos inimigos. Cf. Lm 2.20, onde as mães comeram seus próprios filhos, para salvar uma vida que não valia a pena viver. Tais atos horrendos mostraram o desespero total de Jerusalém, durante os trinta meses do sítio dos babilônios. Ver 2Rs 6.28,29. Os mesmos atos bárbaros aconteceram quando os romanos isolaram Jerusalém, logo depois do tempo de Jesus, 70 d.C. (Josefo, *Guerras*, 1.6.c.3.sec.4). Yahweh espalhou seus julgamentos (Ez 5.2,3). Os poucos sobreviventes foram dispersos para diversos lugares no Império Babilônico. A espada foi atrás daqueles pobrezinhos e a matança continuava (Jr 9.16). Os julgamentos raivosos de Yahweh não deram paz a ninguém. Alguns judeus fugiram para o Egito e outros países da vizinhança, mas a turbulência generalizada não diminuiu. O mundo inteiro estava em chamas.

5.11

לָכֵ֣ן חַי־אָ֗נִי נְאֻם֙ אֲדֹנָ֣י יְהוִ֔ה אִם־לֹ֗א יַ֚עַן אֶת־מִקְדָּשִׁ֣י
טִמֵּ֔את בְּכָל־שִׁקּוּצַ֖יִךְ וּבְכָל־תּוֹעֲבֹתָ֑יִךְ וְגַם־אֲנִ֤י אֶגְרַע֙
וְלֹא־תָח֣וֹס עֵינִ֔י וְגַם־אֲנִ֖י לֹ֥א אֶחְמֽוֹל:

Tão certo como eu vivo. *O Deus Vivente.* Yahweh, o Deus Eterno, jurava por seu próprio nome infalível. Assim, o juramento era absolutamente certo e todo-poderoso. Um julgamento aniquilador logo se manifestaria. Os judeus poluíram o próprio templo, levando para lá a idolatria dos pagãos e misturando-a com certas coisas da velha religião hebraica. A mistura deste sincretismo era odiosa.

O Deus-Vivo-de-Julgamentos viu tudo e levantou sua espada para despedaçar Judá-Jerusalém. Em retaliação aos rebeldes, Yahweh retirou sua glória e sua presença do templo. Seus olhos brilhavam como fogo e sua espada era afiada. Yahweh não teria pena quando os reprovados começassem a gritar em dores. O Todo-poderoso lançou calamidades especiais.

Como eu vivo. A vida necessária e absoluta de Deus apoia o juramento. Somente Deus tem uma vida independente. Todas as outras vidas são criadas e dependentes. Deus é autoexistente. Sua vida é certa e necessária, assim como são seus juramentos. Cf. Is 49.18; Jr 22.24; 46.18, onde temos o mesmo tipo de juramento. Em Ez, as ocorrências são: 14.16; 16.48; 17.17; 18.3; 20.3.

Senhor Deus. Note-se bem, aqui, o nome divino empregado. *Adonai-Yahweh, o Eterno Deus Soberano,* não permitiria que essa condição miserável durasse para sempre. Este nome é usado 217 vezes nesse livro, mas somente 103 vezes no resto do Antigo Testamento. O título fala de como a soberania de Deus governa tudo e não deixa nada escapar à sua recompensa apropriada ou ao seu castigo merecido. O Targum diz: "Eu cortarei a força de seu braço".

5.12

שְׁלִשִׁתֵ֞יךְ בַּדֶּ֤בֶר יָמ֙וּתוּ֙ וּבָֽרָעָב֙ יִכְל֣וּ בְתוֹכֵ֔ךְ
וְהַ֨שְּׁלִשִׁ֔ית בַּחֶ֖רֶב יִפְּל֣וּ סְבִיבוֹתָ֑יִךְ וְהַשְּׁלִישִׁית֙ לְכָל־
ר֣וּחַ אֱזָרֶ֔ה וְחֶ֖רֶב אָרִ֥יק אַחֲרֵיהֶֽם:

Os Infelizes. Os pecadores infelizes e desfavorecidos seriam atacados sem misericórdia pela espada de Yahweh, ou seja, o exército babilônico. A *tríade terrível* (espada, fome, pestilência) logo massacraria o povo. A sequência, aqui, é a de Jeremias. Ezequiel reverte a ordem, mas preserva a essência da maldição. Ver Jr 4.12; 21.9; 24.20; 27.8; 32.24; 42.17. Ez 7.15 varia a ordem, enquanto Ez 6.11 e 12.16 trazem a ordem de Jeremias.

A espada significa guerra e grande matança. A fome sempre segue destruições naturais ou feitas pelo homem. A agricultura falha e o povo morre de fome. As doenças vêm logo depois. O povo faminto fica doente; e as pragas atacam onde corpos mortos não são enterrados. As águas ficam poluídas com bactérias fatais. Pestilência e fome matam um terço do povo; um terço cai pela espada; um terço é espalhado, isto é, levado para o exílio, ou foge para países vizinhos. Provavelmente, o profeta não está tentando ser exato em suas descrições, mas duplica a ideia da *metáfora do cabelo* dos vss. 2,3. A mensagem dele é clara e exata, mesmo que sua estatística não seja perfeita. As calamidades esmagariam a *todos* os judeus, de uma maneira ou de outra. Cf. vs. 4 e Jr 9.16.

■ **5.13**

וְכָלָה אַפִּי וַהֲנִחוֹתִי חֲמָתִי בָּם וְהִנֶּחָמְתִּי וְיָדְעוּ כִּי־אֲנִי יְהוָה דִּבַּרְתִּי בְּקִנְאָתִי בְּכַלּוֹתִי חֲמָתִי בָּם׃

Assim se cumprirá a minha ira. Yahweh ficaria satisfeito com o massacre, como se fosse comida de um holocausto; sua ira se dissiparia somente por sua própria violência. Ele é um *Deus ciumento* (ver Dt 4.24; 5.9; 6.15; 32.16,21), que agia de acordo com a inspiração da emoção tão vingadora. Ver no *Dicionário* o verbete chamado *Antropomorfismo*. Mas o julgamento divino seria refinador, não meramente vingador. O objetivo era tirar, da escória, uma pequena porção de prata que começaria o novo Israel, depois do cativeiro. O texto não fala de julgamento da alma, mas de julgamento temporal.

Saberão que eu, o Senhor, falei. As profecias cumpridas comprovam a veracidade do profeta e a realidade de Yahweh, em contraste com deuses falsos, que obviamente não podiam prever o futuro. Ver este conceito também em Is 41.22-29. Precognição é uma capacidade natural do homem. Mas profecias de longo alcance, de eventos mundiais (não meramente pessoais), são outro assunto. De qualquer maneira, o ofício bíblico do profeta é muito mais do que a mera capacidade de prever o futuro. Ver na *Enciclopédia de Bíblia, Teologia e Filosofia* o verbete chamado *Precognição*.

Meu zelo. Ver sobre o *Deus ciumento* no livro de Ezequiel: 16.38,42; 35.11; 36.5,6; 38.19; 39.25. O profeta tomou emprestado um tema principal do Pentateuco.

■ **5.14**

וְאֶתְּנֵךְ לְחָרְבָּה וּלְחֶרְפָּה בַּגּוֹיִם אֲשֶׁר סְבִיבוֹתָיִךְ לְעֵינֵי כָּל־עוֹבֵר׃

Desolação... objeto de opróbrio. Castigos severos sobre Jerusalém reduziriam aquele lugar a uma pilha de escombros. A cidade ficaria despovoada e se tornaria um lugar de *assombração* de animais selvagens (Lm 5.18). As outras nações zombariam e inventariam coisas para falar contra Jerusalém (Lm 2.15). Pessoas que passassem perto dos escombros sacudiriam a cabeça, ironizando o fato de eles terem abandonado o próprio Deus, que se vingara com atos violentos. Ver Jr 19.8. A Babilônia seria o instrumento do castigo, "a espada do Senhor". Depois, a vingança de Yahweh cairia sobre *aquele* povo (Jr 50.13). Judá acompanhara as nações idólatras e se deitara com os porcos. Ver Lc 15.15. Aquela situação exigia um julgamento estupendo. Yahweh, abandonado, revidaria de maneira violenta e decisiva.

■ **5.15**

וְהָיְתָה חֶרְפָּה וּגְדוּפָה מוּסָר וּמְשַׁמָּה לַגּוֹיִם אֲשֶׁר סְבִיבוֹתָיִךְ בַּעֲשׂוֹתִי בָךְ שְׁפָטִים בְּאַף וּבְחֵמָה וּבְתֹכְחוֹת חֵמָה אֲנִי יְהוָה דִּבַּרְתִּי׃

Opróbrio e ludíbrio... escarmento e espanto. Este versículo expande o vs. 14. Jerusalém sofreria ruína total, desgraça sem limites; seria assunto para piadas e ditados populares, porque se tornaria o povo mais tolo do mundo, tendo rejeitado o *Benfeitor* e feito dele o *Vingador*. Yahweh pronunciou outro juramento para garantir o cumprimento das calamidades contra os apóstatas. Cf. o vs. 11. "Aqueles povos ridículos ficarão horripilados com o que acontecer a Jerusalém, pois serviria de advertência. Se Yahweh castigar seu próprio povo daquela maneira, o que fará com os outros, afinal?"

■ **5.16**

בְּשַׁלְּחִי אֶת־חִצֵּי הָרָעָב הָרָעִים בָּהֶם אֲשֶׁר הָיוּ לְמַשְׁחִית אֲשֶׁר־אֲשַׁלַּח אוֹתָם לְשַׁחֶתְכֶם וְרָעָב אֹסֵף עֲלֵיכֶם וְשָׁבַרְתִּי לָכֶם מַטֵּה־לָחֶם׃

Quando eu despedir as malignas flechas... destruidoras. Aqui Yahweh é representado como o *Arqueiro sem misericórdia,* cujas flechas acertam com precisão temível e brutal, para fazer Jerusalém sofrer o máximo. Ver as "flechas de Deus" em Sl 64.7, onde há notas e referências que ilustram a metáfora. Devemos lembrar que a flecha era a principal arma de guerra, instrumento causador de muito sofrimento e morte. A espada tem o mesmo simbolismo. Yahweh mandaria guerra, fome e doenças e cortaria o *sustento de pão* (anotado em Ez 4.16). Jerusalém perderia o fornecimento de comida e sofreria fome, pestilências e morte generalizada. As pragas destruiriam mais do que a espada do inimigo. Ver nas notas do vs. 2 a *metáfora do cabelo.* Ver o vs. 17, para maiores detalhes.

■ **5.17**

וְשִׁלַּחְתִּי עֲלֵיכֶם רָעָב וְחַיָּה רָעָה וְשִׁכְּלֻךְ וְדֶבֶר וָדָם יַעֲבָר־בָּךְ וְחֶרֶב אָבִיא עָלַיִךְ אֲנִי יְהוָה דִּבַּרְתִּי׃ פ

Os tripulantes do carro da morte: fome, bestas-feras, peste, sangue e espada. Ver sobre a *tríade terrível* no vs. 12. Aqui, a tríade se transforma em quíntuplo. Ez 14.21 traz um *quádruplo*.

Se eu enviar os meus quatro maus juízos, a espada, a fome, as bestas-feras e a peste, contra Jerusalém, para eliminar dela homens e animais?

Ezequiel 14.21

Bestas-feras. Cf. Dt 32.23-25. Bestas literais infestaram regiões desoladas como eram boa parte de Judá. Os ataques fariam de *todo* o Judá uma região de calamidades, e poucas pessoas sobreviveriam. O lugar ficaria essencialmente despovoado. Feras tomariam conta de tudo. Cf. Ez 34.28; Êx 32.29; Dt 32.24 e 2Rs 17.25. "As feras sempre se multiplicam em lugares desabitados. Na Inglaterra, os lobos abundavam quando o país tinha pouca população. Agora o país está cheio de pessoas e é difícil encontrar um lobo" (Adam Clarke, *in loc.*). Ver também Lv 26.22.

CAPÍTULO SEIS

ORÁCULOS CONTRA AS MONTANHAS (6.1-14)

Existem nesse livro dois *oráculos-montanhas.* O *primeiro* se encontra no capítulo 6; o *segundo,* no capítulo 36. O primeiro é uma declaração de ira contra os lugares altos idólatras. O segundo fala da restauração das colinas de Israel, uma vez que a ira de Yahweh tenha feito seu trabalho purificador. Ver no *Dicionário* o artigo denominado *Lugares Altos.*

Ideias. 1. Os lugares altos serão destruídos. 2. Cadáveres profanarão aqueles lugares idólatras. 3. A desolação lembrará ao povo a santidade e soberania de Yahweh. 4. As práticas imorais cessarão, no meio das calamidades. 5. As reformas de Josias não durarão muito, mas a obra de Yahweh porá fim definitivo aos lugares altos. Cf. Is 57.3-13; Zc 12.11; Ml 2.10,11.

A Destruição dos *Lugares Altos* (6.1-7)

As montanhas são personalizadas e Yahweh fala diretamente para elas. Elas representam os ímpios que praticaram idolatria e todo o tipo de abominação, naqueles lugares. Nos vss. 5-7, Yahweh fala diretamente às pessoas, deixando a metáfora de lado. Os vss. 13,14 voltam à metáfora das montanhas personalizadas.

6.1

וַיְהִי דְבַר־יְהוָה אֵלַי לֵאמֹר׃

Veio a mim a palavra do Senhor. A palavra do profeta era a palavra de Yahweh. A mesma expressão introduz o capítulo 7. A inspiração divina é indicada. Os capítulos 6,7 são sermões-oráculos e se apresentam na forma de *diatribe*. A palavra de Yahweh é poderosa e deve efetuar uma obra temível. Não existiam "boas palavras" para os reprovados de Judá. Mesmo assim, as palavras más tinham a intenção de restaurar, afinal. Todos os julgamentos de Deus são remediadores, não meramente retributivos. O amor de Deus se manifesta em seus castigos.

6.2

בֶּן־אָדָם שִׂים פָּנֶיךָ אֶל־הָרֵי יִשְׂרָאֵל וְהִנָּבֵא אֲלֵיהֶם׃

Filho do homem. Ver este título anotado em Ez 2.1.

Vira o teu rosto para os montes de Israel, e profetiza contra eles. Ezequiel dirige o seu rosto (ver Ez 4.3,7) contra as montanhas idólatras de Judá, significando, especialmente, as colinas ao redor de Jerusalém. O profeta tem um olhar severo, inspirado pela ira divina. Com determinação e propósito (2Rs 12.17) e com intenções hostis (Lv 17.10; 20.3,5,6), ele pronuncia o oráculo, uma profecia de destruição. Ver sobre *Lugares Altos* no *Dicionário* e na introdução ao presente capítulo.

A frase *dirige o seu rosto* se encontra por quatorze vezes nesse livro: Ez 4.3,7; 6.2; 13.17; 14.8; 15.7 (duas vezes); 20.46; 21.2; 25.2; 28.21; 29.3; 35.2; 38.2.

6.3

וְאָמַרְתָּ הָרֵי יִשְׂרָאֵל שִׁמְעוּ דְּבַר־אֲדֹנָי יְהוִה כֹּה־
אָמַר אֲדֹנָי יְהוִה לֶהָרִים וְלַגְּבָעוֹת לָאֲפִיקִים וְלַגֵּאָיוֹת
הִנְנִי אֲנִי מֵבִיא עֲלֵיכֶם חֶרֶב וְאִבַּדְתִּי בָּמוֹתֵיכֶם׃

Montes de Israel, ouvi. *Montanhas Metafóricas*. Estas montanhas representavam o povo de Judá, que se envolveu na prática da idolatria nas colinas da região. Contra este povo vem o pronunciamento de calamidades causadas por Yahweh.

Senhor Deus. O título divino, aqui, é *Adonai-Yahweh*, que significa o *Senhor Soberano Eterno Deus*. Este título é usado 217 vezes em Ez, mas somente 103 no restante do Antigo Testamento.

Ribeiros e vales. Os rios e vales compartilham da condenação, por estarem associados às montanhas. Isto significa que "todo o país" era culpado das acusações. O julgamento de Yahweh arrasaria um país inteiro, sem misericórdia. A espada (guerra) teria parte significativa na destruição. A *terrível tríade* (espada, fome, pestilência) desempenharia bem o seu trabalho. Ver Ez 5.12. O temível *quádruplo* deixaria pouca coisa sobrando (ver as notas sobre Ez 5.17). Os cultos dos lugares altos seriam destruídos no meio das calamidades generalizadas que nivelariam Judá. Cf. Lv 36.30. Para a combinação de montanhas, colinas, vales, ravinas e rios, ver também Ez 3.58 e 36.4,6.

Eu, eu mesmo. Note-se o tom enfático". Yahweh era a fonte das calamidades. Isto concorda com o teísmo bíblico, que ensina que o Criador não abandona sua criação, mas constantemente intervém na vida humana. Ele recompensa o bem e castiga o mal, aplicando providências positiva e negativa. Ver no *Dicionário* o artigo chamado *Teísmo*. Contraste-se isto com o *Deísmo* (ver também no *Dicionário*), que ensina que a força criadora (pessoal ou impessoal) se divorciou de sua criação, deixando-a aos cuidados da leis naturais. O governo de Yahweh é *moral*, em contraste com as muitas imoralidades dos deuses pagãos. O governo de Yahweh também apresenta um contraste com a imoralidade dos governos humanos.

6.4

וְנָשַׁמּוּ מִזְבְּחוֹתֵיכֶם וְנִשְׁבְּרוּ חַמָּנֵיכֶם וְהִפַּלְתִּי
חַלְלֵיכֶם לִפְנֵי גִּלּוּלֵיכֶם׃

Ficarão desolados os vossos altares. O equipamento cultual dos lugares altos incluía altares de incenso, altares de sacrifícios, representações divinas (ídolos), o carvalho e outras árvores, que (no pensamento dos idólatras) tinham qualidades divinas. Ver o vs. 13 e Os 4.13. Imagens das deusas de fertilidade (como Aserá e Anate) foram descobertas por arqueólogos.

As *obras* (vs. 6) podem ser uma referência às colunas sagradas que fizeram parte do culto. Ver Êx 32.24 e Dt 7.5. Entre as descobertas arqueológicas, figuram altares de pedra calcária, que têm projeções de chifres nos quatro cantos. Em Palmira, foi encontrado um espécime especialmente bem preservado. Este altar era usado para queimar incenso. Ver no *Dicionário* o artigo intitulado *Incenso*.

A palavra para *imagens* aqui (*altares,* em algumas traduções) é, literalmente, *sol-imagens,* implicando que o sol estava entre as muitas formas de adoração pagã. De fato, a adoração nos lugares altos quase sempre incorporou este tipo de idolatria.

Arrojarei os vossos mortos à espada diante dos vossos ídolos. O exército babilônico acabaria com todas as formas de idolatria, agindo em nome de Yahweh e executando um julgamento severo e completo. Os idólatras fugiriam daqueles lugares, e suas orações de proteção seriam ignoradas pelos deuses que eles adoravam. Os lugares altos se tornariam sepulcros. Cadáveres poluiriam aqueles lugares que teriam sido "sagrados".

6.5

וְנָתַתִּי אֶת־פִּגְרֵי בְּנֵי יִשְׂרָאֵל לִפְנֵי גִּלּוּלֵיהֶם וְזֵרִיתִי
אֶת־עַצְמוֹתֵיכֶם סְבִיבוֹת מִזְבְּחוֹתֵיכֶם׃

A Poluição de Cadáveres. Este versículo enfatiza o aspecto desagradável da poluição de cadáveres, nos lugares de júbilo e excesso de prazeres carnais. A "avenida do carnaval" teria uma fileira de caixões. Aqueles que vivem em pecado já são mortos espirituais. Cadáveres empilhados ao redor dos altares eram um cumprimento da *Lex Talionis* (retribuição de acordo com a gravidade do crime; ver a respeito no *Dicionário*). O lugar de morte (idolatria) se tornaria literalmente um lugar de morte física, cheio de corpos mortos. Cf. Lv 26.30, um paralelo óbvio do qual talvez o presente versículo tenha sido copiado. Baruque 2.24 informa que os soldados até abriram sepulcros e desenterraram ossos, espalhando-os ao redor dos altares, um merecido ato de profanação.

6.6

בְּכֹל מוֹשְׁבוֹתֵיכֶם הֶעָרִים תֶּחֱרַבְנָה וְהַבָּמוֹת תִּישָׁמְנָה
לְמַעַן יֶחֶרְבוּ וְיֶאְשְׁמוּ מִזְבְּחוֹתֵיכֶם וְנִשְׁבְּרוּ וְנִשְׁבְּתוּ
גִּלּוּלֵיכֶם וְנִגְדְּעוּ חַמָּנֵיכֶם וְנִמְחוּ מַעֲשֵׂיכֶם׃

O Ataque Generalizado. O ataque demoliria as cidades e os campos, não meramente os lugares altos. De qualquer maneira, todo o aparelho da adoração idólatra dos lugares altos seria aniquilado. O vs. 4 lista os termos empregados para expressar a calamidade. A demolição seria *completa* e *final*. A ira de Yahweh substituíra sua paciência. O fogo seria refinador; a escória seria removida e um pouco de "prata" forneceria material para iniciar o novo Israel, depois do cativeiro. O esmagamento de Judá ensinaria que a idolatria era um veículo da morte, não da vida. O pequeno remanescente, que voltaria do cativeiro da Babilônia, levaria consigo a lição que seria um fator de purificação. O sofrimento, assim, se tornaria um fator positivo, afinal. Cf. Is 40.18-20; Jr 2.28 e 2Rs 23.5.

6.7

וְנָפַל חָלָל בְּתוֹכְכֶם וִידַעְתֶּם כִּי־אֲנִי יְהוָה׃

Contando os Cadáveres. O número dos mortos seria tão grande que ninguém poderia calculá-lo. Quase não existiriam homens para tentar a contagem. A carnificina e o terror deixariam os poucos sobreviventes atônitos. A lição dos resultados da idolatria seria vívida e duradoura. Tudo aquilo aconteceria porque Yahweh havia perdido a paciência com as abominações de seu povo, que precisava, urgentemente, de uma purificação.

Para que saibais que eu sou o Senhor. Note-se aqui a afirmação da *soberania* de Yahweh, que controlava todos os acontecimentos, de acordo com sua lei moral. Esta expressão ocorre 63 vezes em Ez. O nome *Yahweh* nos faz lembrar de que Israel era o povo dos *Pactos* (ver a respeito no *Dicionário*), mas não observou sua parte nos acordos. Em lugar disso, entrou em apostasia aberta e desavergonhada. O

Todo-poderoso Benfeitor transformou-se em Todo-poderoso Punidor. O verdadeiro Deus é também o Governador do mundo, a adoração pertence somente a ele, e quem quebra as regras sofrerá.

Os Exilados se Lembrarão do Senhor (6.8-10)

■ 6.8

וְהוֹתַרְתִּ֞י בִּהְי֥וֹת לָכֶ֛ם פְּלִ֥יטֵי חֶ֖רֶב בַּגּוֹיִ֑ם בְּהִזָּרֽוֹתֵיכֶ֖ם בָּאֲרָצֽוֹת׃

Mas deixarei um resto. A destruição temível não seria absolutamente completa. Um remanescente deveria sobreviver para tornar-se o novo Israel, depois do cativeiro. O pequeno restante veria um novo dia. Alguns, cansados de matança, fugiriam para os países vizinhos e não voltariam à Palestina. O número que voltaria seria muito pequeno, mas viável para reconstruir Jerusalém. O minúsculo remanescente seria purificado. Outras corrupções logo viriam, mas, pelo menos, um novo começo seria efetuado. O propósito de Deus trabalhava naquela direção. Os obstáculos seriam vencidos e Israel sobreviveria. Os julgamentos seriam remediadores, não meramente retributivos. Ver as notas em 1Pe 4.6, no *Novo Testamento Interpretado,* para uma explicação deste princípio misericordioso. "No meio do julgamento de Deus, houve uma promessa de misericórdia. Deus pouparia alguns (cf. Ez 5.3-5 e 12.16); a derrota iminente de Judá não acabaria com o pacto de Deus com seu povo. Deus julgou, mas não abandonou suas promessas" (Charles H. Dyer, *in loc.*). Cf. Ez 5.2,12; 14.22; Jr 44.28; Rm 9.6-13 e Zc 10.9.

■ 6.9

וְזָכְר֣וּ פְלִיטֵיכֶ֡ם אוֹתִי֩ בַּגּוֹיִ֨ם אֲשֶׁ֣ר נִשְׁבּוּ־שָׁ֗ם אֲשֶׁ֨ר נִשְׁבַּ֜רְתִּי אֶת־לִבָּ֣ם הַזּוֹנֶ֗ה אֲשֶׁר־סָר֙ מֵֽעָלַ֔י וְאֵת֙ עֵֽינֵיהֶ֔ם הַזֹּנ֕וֹת אַחֲרֵ֖י גִּלּֽוּלֵיהֶ֑ם וְנָקֹ֨טּוּ֙ בִּפְנֵיהֶ֔ם אֶל־הָרָעוֹת֙ אֲשֶׁ֣ר עָשׂ֔וּ לְכֹ֖ל תּוֹעֲבֹתֵיהֶֽם׃

Então se lembrarão de mim os que de vós escaparem. O pequeno remanescente que escaparia à devastação se lembraria de Yahweh e de seus pactos e, assim, abandonaria a idolatria. O coração de Yahweh (texto massorético) fora partido por eles e, em retaliação, Yahweh partiu-lhes o coração (texto do Siríaco, da Vulgata e do Targum). Ver no *Dicionário* sobre *Massora (Massorah); Texto Massorético.* Às vezes as versões retêm uma leitura correta contra o texto padronizado do hebraico que se chama *massorético.* Devemos lembrar que as versões foram traduzidas de manuscritos *hebraicos* muitas vezes mais antigos do que aqueles utilizados na compilação do texto hebraico padronizado.

Coração dissoluto. O coração daqueles que abandonaram a Yahweh, correndo atrás da idolatria-adultério-apostasia, merecia ser partido. Tristeza e dor purificariam o povo e efetuariam cura. Os olhos pecaminosos, que haviam desejado as abominações idólatras, deviam ficar cegos, para que olhos santificados os substituíssem. Estes olhos procurariam uma nova visão de Yahweh e de sua lei, que lhes garantiria a continuação das provisões do Pacto Abraâmico (ver as notas em Gn 15.18). Os pecadores seriam abomináveis aos seus próprios olhos, e disso resultaria o arrependimento. Cf. Lv 26.29-45. O povo rebelde se autocondenaria. Ver Ez 20.43; 36.31; Jó 42.6 e 1Co 11.31.

■ 6.10

וְיָדְע֖וּ כִּֽי־אֲנִ֣י יְהוָ֑ה לֹ֤א אֶל־חִנָּם֙ דִּבַּ֔רְתִּי לַעֲשׂ֥וֹת לָהֶ֖ם הָרָעָ֥ה הַזֹּֽאת׃ פ

Saberão que eu sou o Senhor. O povo vil seria purificado e, *naquela* condição, voltaria para as antigas tradições mosaicas, o *guia* de Israel (ver Dt 6.4 ss.). Israel conheceria Yahweh de novo, depois da sua viagem temível no labirinto da idolatria. Os velhos valores tomariam conta da vida deles e suas aventuras no pecado terminariam.

Cansado estou de pecar, pés inchados e exausto;
A vereda tenebrosa aumentou espantosamente;
Mas agora uma luz surgiu, animando-me,
Descobri em ti a minha Estrela, o meu Sol.

tua preciosa vontade, ó Salvador triunfante,
Agora me circunda e me rodeia.
Calaram-se todas as discórdias.
Minha alma é como um pássaro cativo que foi solto.

C. H. Morris

As ameaças de Yahweh produziram os efeitos desejados. Os castigos aplicados foram remediadores, não meramente retributivos.

Israel Conhecerá Yahweh como único Deus (6.11-14)

■ 6.11

כֹּֽה־אָמַ֞ר אֲדֹנָ֣י יְהוִ֗ה הַכֵּ֨ה בְכַפְּךָ֜ וּרְקַ֤ע בְּרַגְלְךָ֙ וֶֽאֱמָר־אָ֔ח אֶ֛ל כָּל־תּוֹעֲב֥וֹת רָע֖וֹת בֵּ֣ית יִשְׂרָאֵ֑ל אֲשֶׁ֗ר בַּחֶ֛רֶב בָּרָעָ֥ב וּבַדֶּ֖בֶר יִפֹּֽלוּ׃

Assim diz o Senhor Deus: Bate as palmas, bate com o pé. *Adonai-Yahweh,* o *Soberano Eterno* (ver este título anotado em Ez 2.4), dá ordens ao pequeno remanescente, exigindo arrependimento, o que incluía reconhecer seus muitos pecados e abominações. O verdadeiro arrependimento seria demonstrado pela consternação do povo, através dos gestos de bater palmas, pisar forte, com os pés, o chão, como se com raiva por causa dos muitos erros cometidos. A *terrível tríade* (espada, fome, pestilência; ver Ez 5.12) e o temível *quádruplo* (ver Ez 5.17) queimariam todas as abominações no coração do povo, reduzindo-as a cinzas. O povo assim libertado sentiria a devida gratidão. O ato de bater uma mão contra a outra pode expressar alegria, ira, tristeza, consternação (diversas emoções fortes). Ver 2Rs 11.12; Sl 98.2; Jó 27.23; Lm 2.15; Ez 21.14; 22.13; Na 3.19. Pisar forte o chão expressa as mesmas emoções e, muitas vezes, é feito simultaneamente com o ato de bater as mãos. Está em vista a ira-lamentação. "Mostre sinais honestos de sua indignação, por causa dos males temíveis que vão castigar a nação" (Adam Clarke, *in loc.*). O profeta tinha de fazer aqueles gestos, esperando que o povo fizesse o mesmo, com o coração consternado. Antes do ataque babilônico, eles fariam isto com receio do massacre que estava às portas. Depois do ataque, eles lamentariam a quase aniquilação da nação.

■ 6.12

הָרָח֞וֹק בַּדֶּ֣בֶר יָמ֗וּת וְהַקָּרוֹב֙ בַּחֶ֣רֶב יִפּ֔וֹל וְהַנִּשְׁאָ֥ר וְהַנָּצ֖וּר בָּרָעָ֣ב יָמ֑וּת וְכִלֵּיתִ֥י חֲמָתִ֖י בָּֽם׃

A Volta da Temível Tríade. Os mesmos terrores de espada, fome e pestilências castigariam o povo repetidamente. Cf. Ez 5.12. Os habitantes de Judá, que moravam "longe" ou "perto" de Jerusalém, seriam vítimas das mesmas calamidades. A devastação babilônica seria geral e implacável. Quase toda a nação seria extinta. Os babilônios eram especialistas em genocídio e tornavam-se a espada do Senhor. O Targum traz aqui: "Aquele que sobrevivesse correria para as cidades, onde morreria de fome". A ira de Deus puniria, mas também purificaria. Yahweh era, para a mente hebraica, a *única causa,* de modo que os hebreus atribuíam a Deus todas as coisas, boas e ruins. Sua teologia era fraca quanto a *causas secundárias,* como as maldades dos homens, que cometem tantas abominações neste mundo.

■ 6.13

וִֽידַעְתֶּם֙ כִּֽי־אֲנִ֣י יְהוָ֔ה בִּֽהְי֣וֹת חַלְלֵיהֶ֗ם בְּת֣וֹךְ גִּלּֽוּלֵיהֶם֮ סְבִיב֣וֹת מִזְבְּחוֹתֵיהֶם֒ אֶל֙ כָּל־גִּבְעָ֣ה רָמָ֔ה בְּכֹ֖ל רָאשֵׁ֣י הֶהָרִ֑ים וְתַ֨חַת כָּל־עֵ֤ץ רַעֲנָן֙ וְתַ֙חַת֙ כָּל־אֵלָ֣ה עֲבֻתָּ֔ה מְק֗וֹם אֲשֶׁ֤ר נָֽתְנוּ־שָׁם֙ רֵ֣יחַ נִיחֹ֔חַ לְכֹ֖ל גִּלּוּלֵיהֶֽם׃

Então sabereis que eu sou o Senhor. As devastações do povo com seus pecados (prática de idolatria-adultério-apostasia) trariam lições de morte e de vida. Eles aprenderiam que Yahweh é o Único Senhor, e que os ídolos nada são. Yahweh é o Deus Vivo, em contraste com ídolos mortos. A expressão "Eu sou o Senhor" ocorre 63 vezes em Ez e indica a *soberania* de Deus. Ver as notas expositivas no vs. 7.

Os cadáveres espalhados em toda parte dariam uma lição dura, e o povo voltaria ao bom senso espiritual. Até os próprios lugares de adoração idólatra seriam poluídos com os cadáveres: a morte física tomaria o lugar da morte espiritual.

Debaixo de todo carvalho espesso. Para os antigos, as árvores tinham um aspecto místico, quase divino, e os lugares de adoração eram estabelecidos entre árvores nobres como o carvalho, que alcança uma altura de mais de 10 m, e era especialmente venerada. O vale de *Elá* recebeu seu nome desta árvore porque tinha florestas de carvalho (o hebraico *Elah* significa "carvalho"). Davi matou Golias naquele vale (1Sm 17.2,19). As árvores tinham, supostamente, poderes sagrados, assim ídolos eram colocados debaixo delas.

Suave perfume. O *aroma* agradável aqui (ver em Lv 1.9 e 29.18) provavelmente é uma referência ao cheiro produzido pelas carnes cozidas dos sacrifícios. Parte dos sacrifícios era dedicada aos deuses, mas o restante era comido pelos adoradores. Cada sacrifício dava margem para júbilo, celebração e deboche.

Cf. 1Rs 14.23; 2Rs 16.4; Jr 2.20 e 3.6. Os deuses abomináveis pereceriam com seus adoradores ridículos.

■ 6.14

וְנָטִיתִי אֶת־יָדִי עֲלֵיהֶם וְנָתַתִּי אֶת־הָאָרֶץ שְׁמָמָה
וּמְשַׁמָּה מִמִּדְבַּר דִּבְלָתָה בְּכֹל מוֹשְׁבוֹתֵיהֶם וְיָדְעוּ
כִּי־אֲנִי יְהוָה׃ פ

Estenderei a minha mão sobre eles. O Senhor levantou sua mão pesada contra o seu povo e deu um golpe quase fatal. Ver sobre *mão divina*, em Sl 81.14. Ver sobre *mão direita*, em Sl 20.6. Ver também no *Dicionário* o artigo intitulado *Mão*, para explicações mais detalhadas. Judá ficaria desolado, praticamente sem habitantes; este é um tema comum em Jr e Ezequiel. Ver Jr 2.12; 4.7; 6.8; 10.22; Ez 12.19,20; 15.8.

Dibla. Alguns manuscritos trazem a forma *Ribla*, provavelmente correta. Ver este título no *Dicionário*. Dibla ou Ribla era uma cidade situada ao lado do rio Orontes, perto da fronteira norte de Israel. No tempo de Davi e Salomão, o território de Israel estendeu-se até aquele ponto, pelo menos com acampamentos militares, se não como habitação de cidadãos. O autor está aqui visualizando as antigas fronteiras da terra, que devem ser restauradas (Ez 47.16; 48.1). Todo o Israel-Judá, de uma fronteira à outra, sofreria o golpe da dura mão de Yahweh. O julgamento traria devastação, mas também mudaria o coração do povo, que conheceria Yahweh de novo, e as condições dos pactos seriam restabelecidas. Cf. o vs. 13.

CAPÍTULO SETE

PROFECIA DO FIM IMINENTE (7.1-27)

Os capítulos 6 e 7 formam uma unidade; assim, a introdução ao capítulo 6 aplica-se também aqui. O capítulo 7 oferece mais detalhes sobre os mesmos temas. O tema principal é o julgamento iminente de Judá, na forma de ataque do exército babilônico. O fim para Judá estava próximo. Os babilônios praticavam genocídio, mas Yahweh fizera o decreto e também transformara a espada babilônica na espada do Senhor. O dia do ataque seria o *Dia do Senhor*, uma temível demonstração de sua ira: seria o dia *decisivo*. Alguns intérpretes veem aqui uma profecia do dia do Senhor escatológico: a *finalização* das profecias. Ver sobre esse termo no *Dicionário*. Mas é duvidoso que a profecia deste capítulo tenha um alcance tão grande.

■ 7.1

וַיְהִי דְבַר־יְהוָה אֵלַי לֵאמֹר׃

Veio ainda a palavra do Senhor. Note-se como o capítulo 7 inicia com as mesmas palavras que introduzem o capítulo 6 (ver as notas em Ez 6.1). O oráculo é um *decreto* e, ao mesmo tempo, uma *profecia* que podia ser quebrada ou modificada; era iminente e cheia de terrores para Judá.

■ 7.2

וְאַתָּה בֶן־אָדָם כֹּה־אָמַר אֲדֹנָי יְהוִה לְאַדְמַת יִשְׂרָאֵל
קֵץ בָּא הַקֵּץ עַל־אַרְבַּעַת כַּנְפוֹת הָאָרֶץ׃

Filho do homem. Título comum de Ezequiel, utilizado por Yahweh (ver as notas em Ez 2.1). *Adonai-Yahweh* (o Soberano Eterno) fala de novo. Este título divino é usado 217 vezes nesse livro, mas somente 103 vezes no restante do Antigo Testamento (ver as notas em Ez 2.4). "O fim" havia chegado para Judá. Este termo é usado cinco vezes no início deste oráculo (Ez 7.2, duas vezes; vs. 3; vs. 6, duas vezes). Cf. uma expressão semelhante que Amós usou quando descreveu a destruição iminente do reino do norte, pelos assírios (Am 8.2). O reino do sul cairia da mesma maneira miserável, pelo fato de praticar as mesmas iniquidades.

Quatro cantos da terra. Ver sobre esta expressão em Is 11.12 e Ap 7.1 (no *Novo Testamento Interpretado*). A origem da expressão se encontra na crença de que a terra tinha o formato chato, retangular, ou era uma *planície retangular*, com quatro cantos literais.

■ 7.3

עַתָּה הַקֵּץ עָלַיִךְ וְשִׁלַּחְתִּי אַפִּי בָּךְ וּשְׁפַטְתִּיךְ
כִּדְרָכָיִךְ וְנָתַתִּי עָלַיִךְ אֵת כָּל־תּוֹעֲבֹתָיִךְ׃

Agora vem o fim sobre ti. A idolatria-adultério-apostasia de Judá receberia, logo, seu devido castigo. A paciência divina se esgotara. A *Lei Moral da Colheita segundo a Semeadura* escreveria o "fim" de Judá. Yahweh não podia mais tolerar as condições perversas e os corações duros. O dilúvio do pecado tinha tomado conta da terra. Não haveria mais misericórdia. Ver o vs. 4.

Lançou contra eles o furor da sua ira: cólera, indignação e calamidade, legião de anjos portadores de males.

Salmo 78.49

"A taça de sua iniquidade está quase cheia, e minha paciência chegou ao fim" (Adam Clarke, *in loc.*).

■ 7.4

וְלֹא־תָחוֹס עֵינִי עָלַיִךְ וְלֹא אֶחְמוֹל כִּי דְרָכַיִךְ עָלַיִךְ
אֶתֵּן וְתוֹעֲבוֹתַיִךְ בְּתוֹכֵךְ תִּהְיֶיןָ וִידַעְתֶּם כִּי־אֲנִי
יְהוָה׃ פ

Os meus olhos não te pouparão. Os olhos de Yahweh, que tudo viam, tudo sabiam. Nada podia escapar a seu olhar atento e penetrante. As abominações gritavam para serem castigadas, e o castigo chegaria em breve. Uma demonstração de ira temível era iminente.

Sabereis que eu sou o Senhor. Esta expressão ocorre 63 vezes nesse livro. Ver as notas em Ez 6.7. Está em foco a *soberania* de Deus, controlando todas as coisas, pois ele recompensa o bem e castiga o mal. Ver no *Dicionário* o verbete intitulado *Soberania de Deus*. O vs. 4 praticamente duplica o vs. 3. Os vss. 3,4 são essencialmente repetidos em 8,9, para ênfase. O capítulo 7 tem uma série de repetições e Ez 5.11 já nos deu os elementos principais dos vss. 3,4.

■ 7.5

כֹּה אָמַר אֲדֹנָי יְהוִה רָעָה אַחַת רָעָה הִנֵּה בָאָה׃

Assim diz o Senhor Eterno. Novamente temos o título divino *Adonai-Yahweh* (o Soberano Eterno). Ver as notas sobre este título em Ez 2.4.

Mal após mal, eis que vêm. O Targum registra, aqui: "Ruindade depois de ruindade: eis, elas vêm!" O siríaco traz: "Eis, o mal vem contra o mal; ele vem!" A indicação é de uma situação de semeadura e colheita (Gl 6.7,8), como nos vss. 3,4. Ver sobre a temível *tríade* (espada, fome e pestilências) em Ez 5.12, e o terrível *quádruplo*, em Ez 5.17. Nos vss. 5-9, Yahweh é como um arauto, que vem correndo à cidade, gritando sua mensagem no caminho, dando advertências. O hebraico aqui se apresenta em frases curtas, abreviadas, cortadas. As palavras "chegando" e "veio" ocorrem seis vezes nos vss. 5-7. O *atalaia* proclama: "Desastre! Desastre nunca ouvido, chegando sobre Jerusalém!"

7.6

קֵץ בָּא בָּא הַקֵּץ הֵקִיץ אֵלַיִךְ הִנֵּה בָּאָה׃

Vem o fim. O terrível castigo de Yahweh poria fim a uma nação inteira, como uma execução. Judá era como um gigante adormecido; de súbito, ele acorda, mas é tarde demais; flechas já haviam penetrado em seu corpo. O golpe fatal já fora administrado. As palavras para "acorde" e "fim" têm sons semelhantes no hebraico, assim temos um trocadilho. Cf. Am 8.2, onde há algumas semelhanças.

7.7

בָּאָה הַצְּפִירָה אֵלֶיךָ יוֹשֵׁב הָאָרֶץ בָּא הָעֵת קָרוֹב הַיּוֹם מְהוּמָה וְלֹא־הֵד הָרִים׃

tua sentença. A palavra assim traduzida é de significado incerto. A KJV traz "lamentação", presumivelmente a lamentação do dia final e fatal. A RSV apresenta "perdição". Em Is 28.5, a palavra tem o significado de *diadema* ou *coroa*, mas o cognato na linguagem babilônica, *saparu*, significa "destruir", o que, sem dúvida, deve ser entendido aqui.

O dia da *destruição* está perto, a madrugada já chegou. É um dia de tumulto e sangue, não de alegria e gritos de vitória. Montanhas e vales compartilharão o mesmo temível destino de aniquilação. Gritos de dor e angústia ecoarão de colina para colina, de vale para vale. O circuito do pecado acabou. Aqueles que colhem as uvas já estão entrando nos campos. Seus gritos são de ira, não de alegria. A ceifa é tenebrosa. É a colheita da morte. As mulheres dançam as danças de luto. Há gritos de dor, pois a alegria da ceifa fora ontem; hoje, só há angústia. Ver "os gritos da ceifa" em Is 16.9,10.

7.8,9

עַתָּה מִקָּרוֹב אֶשְׁפּוֹךְ חֲמָתִי עָלַיִךְ וְכִלֵּיתִי אַפִּי בָּךְ וּשְׁפַטְתִּיךְ כִּדְרָכָיִךְ וְנָתַתִּי עָלַיִךְ אֵת כָּל־תּוֹעֲבוֹתָיִךְ׃

וְלֹא־תָחוֹס עֵינִי וְלֹא אֶחְמוֹל כִּדְרָכַיִךְ עָלַיִךְ אֶתֵּן וְתוֹעֲבוֹתַיִךְ בְּתוֹכֵךְ תִּהְיֶיןָ וִידַעְתֶּם כִּי אֲנִי יְהוָה מַכֶּה׃

Estes versículos essencialmente repetem os vss. 3,4. Aqui temos a figura da maré que vem para inundar a praia, ou do rio que inunda a terra. Os julgamentos de Yahweh inundarão a terra e afogarão os pecadores. O pecado desaparecerá. Os pecadores perecerão. O julgamento continuará até ser consumido por sua própria fúria. Isto acontecerá somente quando não existir nada mais para destruir. O processo é de retaliação contra o abominável Judá, o apóstata, o idólatra, o adúltero, a nação-farsa.

O vs. 9 é praticamente uma duplicata do vs. 4. O olho de Yahweh reconhece todas as infrações e punirá cada uma sem misericórdia. Os caminhos perversos de Judá haviam terminado. A espada de Yahweh corta a nação em pedaços. Seu martelo a esmaga. Yahweh torna-se o Deus da ira implacável. Cf. Ez 6.7,10,14; 7.4,27. Aqueles que receberem os golpes reconhecerão a justiça deles. O Senhor ganha o título de *Yahweh-makkeh,* "o Senhor que golpeia". O Targum diz: "Eu sou o Senhor que te golpeia". O povo reconhecerá *por que* foi golpeado tão severamente. Mas, que maravilha, o golpe divino cura os pecadores!

7.10

הִנֵּה הַיּוֹם הִנֵּה בָאָה יָצְאָה הַצְּפִרָה צָץ הַמַּטֶּה פָּרַח הַזָּדוֹן׃

Eis o dia. O temível dia de Yahweh chegou. A ira do Todo-poderoso ameaça e traz o fim para a nação desobediente (vs. 6). A madrugada do receio está raiando (vs. 7), que destino amargo!

Vara. A palavra hebraica assim traduzida é *hamatteh*. Por emenda, alguns substituem por *hammuteh, injustiça*. Cf. Ez 9.9. Talvez o versículo sugira que a vara de Yahweh, batendo nos ímpios, efetue justiça. A palavra *vara* torna possível uma metáfora fina: a vara floresce e, florescendo, produz golpes temíveis. A vara do Senhor cumpre seu propósito de julgamento. Mas, se devemos entender *injustiça* como a palavra correta, então compreendemos que os muitos pecados de Judá enchem a terra como ervas daninhas que tomam conta de tudo. As plantas das iniquidades florescem na agricultura do diabo. A NCV traz "a violência tem crescido". O *orgulho,* um dos principais pecados do povo, também cresce, e a vingança divina corta todo o crescimento pernicioso pelas raízes.

A metáfora da vara provavelmente foi sugerida pela experiência de Arão, quando sua vara floresceu (Nm 17). Ou, talvez, estivesse em vista a amendoeira de Jeremias (Jr 1.11,12). De qualquer maneira, a vara que floresceu mostra que a ira de Deus estava crescendo e em breve floresceria. Os frutos produzidos seriam terrivelmente amargos e venenosos.

Reverdeceu a soberba. A *vara* obviamente representava o exército babilônico, pragas, seca, fome e outras calamidades de poder destrutivo. A *arrogância* do povo tinha apressado o florescimento da vara, ou a arrogância deste versículo é a do exército destruidor. Cf. Jr 50.31,32. Mas provavelmente está em vista "a oposição ousada do povo de Judá contra Deus".

7.11

הֶחָמָס קָם לְמַטֵּה־רֶשַׁע לֹא־מֵהֶם וְלֹא מֵהֲמוֹנָם וְלֹא מֶהֱמֵהֶם וְלֹא־נֹהַּ בָּהֶם׃

Este versículo, no hebraico, é considerado ininteligível por muitos, e as interpretações dadas são meras especulações. As traduções escondem as dificuldades.

Ideias. 1. A NCV traz: "A violência cresceu e tornou-se uma arma para punir os iníquos". 2. Ou a violência do povo tem girado contra ele, provocando a ira de Deus. 3. Ou o *inimigo* violento se levanta como uma vara, para servir de instrumento de castigo. A referência, neste caso, seria à Babilônia. 4. O Targum diz: "Saqueadores têm se levantado para castigar os ímpios".

O restante do versículo é claro: a destruição será quase total; Jerusalém ficará praticamente despovoada; a pilhagem roubará do país todos os seus bens.

7.12

בָּא הָעֵת הִגִּיעַ הַיּוֹם הַקּוֹנֶה אַל־יִשְׂמָח וְהַמּוֹכֵר אַל־יִתְאַבָּל כִּי חָרוֹן אֶל־כָּל־הֲמוֹנָהּ׃

O que compra não se alegre, e o que vende não se entristeça. O dia mau está amanhecendo (vss. 6-8). Sendo a aniquilação a ordem do dia, negócios e comércio seriam ridículos. Normalmente, o homem que compra alguma coisa de que necessita sente alegria, e o homem que vende também fica alegre por ter feito "bom negócio". No dia da devastação, os dois seriam entregues à tristeza. Talvez o texto se refira à venda de terras hereditárias, para pagar débitos. Ver Ne 5.3 e Jr 32.7. Para a redenção de tais terras, ver Lv 25.24,25. Ver sobre o ano do jubileu, em Lv 25.8-55. A destruição de Judá acabaria com tais transações e com outras de modo geral, destruindo a alegria do comércio. Tanto o vendedor quanto o comprador perderiam tudo com a calamidade. A maioria seria morta, e no sheol ninguém manipula bens. A própria terra, sua vegetação e seus animais seriam aniquilados.

7.13

כִּי הַמּוֹכֵר אֶל־הַמִּמְכָּר לֹא יָשׁוּב וְעוֹד בַּחַיִּים חַיָּתָם כִּי־חָזוֹן אֶל־כָּל־הֲמוֹנָהּ לֹא יָשׁוּב וְאִישׁ בַּעֲוֹנוֹ חַיָּתוֹ לֹא יִתְחַזָּקוּ׃

O que vende não tornará a possuir aquilo que vendeu. O vendedor de terras hereditárias esperaria em vão pelo ano do jubileu, quando poderia recuperar suas terras. Para Judá, o jubileu havia acabado. O comprador possuiria a terra comprada por pouco tempo, pois tudo passaria às mãos dos babilônios (Jr 25.11,12). Além disso, poucos vendedores e compradores escapariam do massacre efetuado pelo exército babilônico, e o pequeno restante iria para o exílio, onde morreria. Os mortos não podem manipular bens na terra. Depois do cativeiro, as terras seriam divididas entre os poucos judeus que voltassem a Jerusalém, sem a possibilidade de restaurar a velha distribuição, segundo tribos e clãs.

Por causa de seus pecados, ninguém salvará a sua vida.

NCV

A profecia contra a multidão não voltará atrás. A destruição se aplicaria a todos em Judá e Jerusalém. As calamidades aconteceriam com uma precisão divina. Esta parte do versículo não está clara. A RSV traz *ira,* no lugar de *profecia (visão).* A ira seria *universal.* A mudança de *profecia* para *ira* exige uma emenda do texto, que se baseia em duas palavras de som semelhante.

■ **7.14**

תִּקְעוּ בַתָּקוֹעַ וְהָכִין הַכֹּל וְאֵין הֹלֵךְ לַמִּלְחָמָה כִּי חֲרוֹנִי אֶל־כָּל־הֲמוֹנָהּ:

A multidão deles. Os judeus são chamados aqui (com desprezo) de "aquela multidão". O dia de devastação pegaria aquela gente despreparada. Eles inutilmente tocariam a trombeta, tentando dar o alerta. Ninguém teria poder de parar o dilúvio que varreria a terra. O sítio do exército babilônico duraria trinta meses. Jerusalém faria uma defesa inútil. Cairia por causa de suas iniquidades, perderia sua força e se tornaria uma vítima fácil. Atrás da força do inimigo, estava o poder de Yahweh; atrás da fraqueza de Judá, estava a ação contrária do Senhor. A fome tiraria todas as forças dos defensores.

■ **7.15**

הַחֶרֶב בַּחוּץ וְהַדֶּבֶר וְהָרָעָב מִבָּיִת אֲשֶׁר בַּשָּׂדֶה בַּחֶרֶב יָמוּת וַאֲשֶׁר בָּעִיר רָעָב וָדֶבֶר יֹאכְלֶנּוּ:

A temível tríade faz seu trabalho: a espada, a fome e a pestilência reduziriam Judá a nada. Ver sobre a temível *tríade,* em Ez 5.12. Ver sobre o terrível *quádruplo,* em Ez 5.17. Fome e pestilência sempre se seguem à espada, são companheiros da morte.

O que está no campo... o que está na cidade. Os fazendeiros, nos seus campos "lá longe", seriam mortos por soldados babilônicos. Os habitantes morreriam de fome, e o que restasse teria morte por pragas e violência. Nem as cidades fortificadas sobreviveriam, afinal. Poderes variados e ferozes "devorariam" os habitantes do país, na quase aniquilação da ira divina. Cf. Mt 24.16-18. A grande maioria do povo morreria, e o pequeno remanescente iria para o cativeiro. Os sobreviventes não estariam livres do sofrimento (como informa o vs. 16).

■ **7.16**

וּפָלְטוּ פְּלִיטֵיהֶם וְהָיוּ אֶל־הֶהָרִים כְּיוֹנֵי הַגֵּאָיוֹת כֻּלָּם הֹמוֹת אִישׁ בַּעֲוֹנוֹ:

Se alguns deles fugindo escaparem... Alguns conseguiriam fugir para lugares escondidos, na Palestina e nos países vizinhos, como o Egito, Amom e Edom. Longe de casa, eles ficariam como pombas em lamentação, emitindo tristes sons. Alguns se esconderiam nas cavernas das colinas, mas seriam descobertos e mortos. Os poucos sobreviventes teriam uma vida de privação e sofrimento. A maioria terminaria na Babilônia, como escravos. As belas mulheres encheriam os haréns dos estrangeiros, e as mais feias se tornariam escravas. Todo o povo sobrevivente ficaria em um estado de profunda lamentação. Os pombos (normalmente) habitam nos vales, mas estes "pombos" fugiriam para as montanhas, nas quais teriam pouca capacidade de adaptação. Os pombos deslocados saberiam que os seus pecados os tinham colocado naquela vida miserável, necessária para que eles pagassem pelas iniquidades cometidas. Ver no *Dicionário* o artigo chamado *Lei Moral da Colheita segundo a Semeadura.* Cf. Is 59.11.

■ **7.17**

כָּל־הַיָּדַיִם תִּרְפֶּינָה וְכָל־בִּרְכַּיִם תֵּלַכְנָה מָּיִם:

Todas as mãos se tornarão débeis. As mãos são instrumentos de poder e ação. Mas as mãos dos judeus, no meio do castigo, ficariam debilitadas. Seus braços ficariam imobilizados, fracos e inúteis. Seus joelhos tremeriam e seriam incapazes de sustentar o próprio peso. Eles ficariam tão fracos quanto a água, como se fala comumente hoje. Cf. Ez 21.7 e Jr 6.24. Ver também Js 7.5; Sl 22.14 e Is 13.7. O Targum diz que a água deste versículo se refere ao suor e à urina do homem, porque suar e urinar involuntariamente se associam ao receio. Os líquidos naturais do homem fluem *como água* nos momentos de terror e extrema ansiedade.

■ **7.18**

וְחָגְרוּ שַׂקִּים וְכִסְּתָה אוֹתָם פַּלָּצוּת וְאֶל כָּל־פָּנִים בּוּשָׁה וּבְכָל־רָאשֵׁיהֶם קָרְחָה:

Cingir-se-ão de pano de saco. *Sinais de Lamentação.* Aqui temos alguns dos sinais comuns da lamentação: o vestir-se com pano de saco; a desfiguração do rosto; o corte do cabelo. Ver no *Dicionário* o artigo denominado *Lamentação,* para maiores detalhes. Os poucos sobreviventes se sujeitariam a uma variedade de desgraças e transtornos, pois começariam uma vida que não valeria a pena ser vivida. Cf. Is 51.2,3; 22.12; Am 8.10; Gn 37.34; Dt 14.1 e Jr 16.5-7. Às vezes, a lamentação entre os judeus ultrapassava os limites permitidos pela lei mosaica, como a automutilação ou a remoção total do cabelo, para produzir calvície. Ver no *Dicionário* o artigo intitulado *Mutilação.*

■ **7.19**

כַּסְפָּם בַּחוּצוֹת יַשְׁלִיכוּ וּזְהָבָם לְנִדָּה יִהְיֶה כַּסְפָּם וּזְהָבָם לֹא־יוּכַל לְהַצִּילָם בְּיוֹם עֶבְרַת יְהוָה נַפְשָׁם לֹא יְשַׂבֵּעוּ וּמֵעֵיהֶם לֹא יְמַלֵּאוּ כִּי־מִכְשׁוֹל עֲוֹנָם הָיָה:

Nem a sua prata nem o seu ouro os poderá livrar. Prata, ouro e outros itens valiosos seriam inúteis na hora da crise. Até os avarentos, com seus depósitos cheios e bem guardados, não teriam o suficiente para comer, porque os babilônios não aceitariam suborno para poupar vidas. Afinal, se eles tomariam conta de tudo, por que mostrar misericórdia? Naqueles dias temíveis, a prata e o ouro não comprariam comida. Talvez a ação de jogar metais preciosos nas ruas fosse um gesto para dizer: "Tomem nossas riquezas, mas poupem nossa vida". Ou jogar fora as coisas mais valiosas seria um ato de desespero, como homens que, em um barco afundando, jogam a carga preciosa no mar. Sem dúvida, preços absurdos para comprar os víveres para a simples sobrevivência fizeram da prata e do ouro itens sem valor. Preciosidades se tornaram *coisas imundas,* não podiam satisfazer a fome. As iniquidades do povo eram obstáculos na hora da crise. A vingança divina destruiu todos os valores comuns entre os homens. O desejo louco para adquirir bens figurava entre os pecados mais óbvios daqueles apóstatas. A corrida atrás do dinheiro fora aniquilada. Cf. Ez 14.3,4. Um quilo de ouro não valia um grama de pão.

■ **7.20**

וּצְבִי עֶדְיוֹ לְגָאוֹן שָׂמָהוּ וְצַלְמֵי תוֹעֲבֹתָם שִׁקּוּצֵיהֶם עָשׂוּ בוֹ עַל־כֵּן נְתַתִּיו לָהֶם לְנִדָּה:

De tais preciosas joias fizeram seu objeto de soberba. 1. Alguns veem nestas palavras uma referência ao templo, que era o principal tesouro e a ornamentação mais preciosa de Jerusalém. O templo poluído era rejeitado por Yahweh. 2. Ou estão em vista as joias preciosas do povo, utilizadas com ostentação e arrogância. No dia decisivo, tais joias não teriam nenhum valor e seriam tão inúteis quanto a prata e o ouro (vs. 19).

Aqueles reprovados fabricaram ídolos de prata, ouro e joias e os adoravam como deuses. O julgamento provaria a inutilidade daqueles ídolos "caros". A ira de Yahweh os quebraria em pedaços, juntamente com os ídolos de barro. Cf. Jr 7.30, que mostra que tais ídolos foram colocados no próprio templo. Judá pagaria um alto preço por tais ultrajes. As riquezas se tornariam itens *imundos,* especialmente os ídolos.

Os judeus se revoltaram contra coisas consideradas imundas, como o fluxo menstrual (Lv 15.19-23), certos animais que não serviam para comida, cadáveres etc. Ver no *Dicionário* o artigo intitulado *Limpo e Imundo.* Ver também Nm 19.13-21. Quando as calamidades chegassem, as riquezas se tornariam revoltantes para o povo, seriam consideradas coisas imundas. Tais coisas não teriam poder nenhum para aliviar a fome ou a dor.

■ **7.21**

וּנְתַתִּיו בְּיַד־הַזָּרִים לָבַז וּלְרִשְׁעֵי הָאָרֶץ לְשָׁלָל וְחִלְּלֻהָ:

E o entregarei na mão de estrangeiros. Para alguns intérpretes, o templo seria saqueado e seus bens seriam roubados. Nenhum item sagrado escaparia ao ultraje. Ou, segundo outros intérpretes, o ouro, a prata e as joias, todos itens de valor, seriam saqueados. O templo foi saqueado segundo Jr 52.17-23. Os pagãos, tocando nos tesouros daquele lugar sagrado, tornaram-nos imundos. Igualmente, todos os tesouros do povo tornaram-se imundos pelo toque poluidor dos pagãos. A profanação foi total.

■ 7.22

וַהֲסִבּוֹתִי פָנַי מֵהֶם וְחִלְּלוּ אֶת־צְפוּנִי וּבָאוּ־בָה פָּרִיצִים וְחִלְּלוּהָ: פ

Profanarão o meu recesso. Sem dúvida, este versículo se refere à profanação do templo pelos babilônios (uma das interpretações do versículo anterior). O templo foi saqueado (Jr 52.17-23), queimado (Jr 52.13) e reduzido a uma pilha de escombros. A idolatria-adultério-apostasia do povo garantiu aquele ultraje final. "Karl Jasper, um dos principais pensadores da Alemanha, escrevendo sobre a humilhação daquele país na Segunda Guerra Mundial, encorajou o povo a reconhecer que o acontecido era merecido, por causa de suas terríveis transgressões, individuais e coletivas" (E. L. Allen, *in loc.*). O mesmo se aplicou ao caso de Judá. O castigo era justo, a punição era necessária. Somente o arrependimento sincero poderia ter impedido o fim triste daquele povo. De fato, o arrependimento permitiu a restauração de alguns, depois do cativeiro, e o novo Israel surgiu. A glória do Senhor havia partido; a glória *Shekinah* (ver a respeito no *Dicionário*) abandonara o país, mas, na misericórdia de Deus, voltou, manifestando-se em uma luz menos brilhante.

■ 7.23

עֲשֵׂה הָרַתּוֹק כִּי הָאָרֶץ מָלְאָה מִשְׁפַּט דָּמִים וְהָעִיר מָלְאָה חָמָס:

Faze cadeia. Estas palavras têm perturbado os intérpretes.

Ideias. 1. Os sobreviventes do ataque dos soldados foram levados para a Babilônia, em cadeias que representaram seu cativeiro. 2. A Septuaginta substitui a palavra *cadeia* por *confusão*. 3. O siríaco fala que o povo "passava através de tijolos", metáfora para um castigo severo. 4. A RSV, por emenda, substitui *cadeia* por *desolação*. 5. Pode ser uma alusão ao ato de levar ao julgamento criminosos amarrados em cadeias. Esta ideia produz uma figura fina, porque os pecadores de Judá, eram, de fato, criminosos espirituais.

Aquele povo encheu a terra com crimes, violência, poluições, ultrajes e rebelião, e mereceu o castigo de criminosos. Os violentos foram punidos violentamente. Cf. Ez 8.17 e 12.19. "Havia o costume de levar um grupo de cativos amarrados juntos, com uma ou mais cadeias. As cadeias passavam de pescoço para pescoço. Obviamente, era impossível escapar" (Fausset, *in loc.*). Cf. Ne 3.10.

■ 7.24

וְהֵבֵאתִי רָעֵי גוֹיִם וְיָרְשׁוּ אֶת־בָּתֵּיהֶם וְהִשְׁבַּתִּי גְּאוֹן עַזִּים וְנִחֲלוּ מְקַדְשֵׁיהֶם:

Instrumentos Imundos de Destruição. Os piores pagãos serviam como instrumentos para punir seu povo, porque os habitantes de Jerusalém tinham escorregado para uma vida cheia de crimes de todos os tipos. Os ricos confiscaram os bens dos pobres; terras hereditárias foram roubadas; com os tesouros saqueados, os poderosos construíram mansões e se enriqueceram ainda mais com o comércio desonesto. Eles ergueram monumentos para os falsos deuses e usaram bens roubados para pagar as despesas. No final, como o destino ordenou, com justiça, toda aquela riqueza terminou nas mãos dos invasores. Eles purificaram tudo; não pouparam o templo poluído nem os altares e monumentos idólatras. Cf. o vs. 22. "... os caldeus, os mais cruéis, os piores idólatras de todas as nações" (Adam Clarke, *in loc.*). Cf. Dt 28.49,50 e Lv 26.19.

■ 7.25

קְפָדָה־בָא וּבִקְשׁוּ שָׁלוֹם וָאָיִן:

Este versículo funciona como um tipo de *sumário* de passagem extremamente abreviada. "A destruição logo chegaria, a paz fugiria e a misericórdia sumiria. A dor seria o rei de Jerusalém. O julgamento havia chegado na forma de destruição do templo, da cidade, da nação e do povo, através do rei da Babilônia, o mais poderoso destruidor dos gentios, e agora de Judá (Jr 4.7)" (John Gill, *in loc.*). Os judeus procuraram reconciliar-se com o "monstro", mas não conseguiram. Ele riu no rosto deles. Não houve paz entre Judá e Yahweh. Cf. 1Ts 5.2 e Lc 26.26.

■ 7.26

הוָֹה עַל־הוָֹה תָּבוֹא וּשְׁמֻעָה אֶל־שְׁמוּעָה תִּהְיֶה וּבִקְשׁוּ חָזוֹן מִנָּבִיא וְתוֹרָה תֹּאבַד מִכֹּהֵן וְעֵצָה מִזְּקֵנִים:

Virá miséria sobre miséria, e se levantará rumor sobre rumor. Um desastre seguia outro; boatos de mais calamidades espalharam-se por toda a cidade. Judá caiu de joelhos, implorando misericórdia, mas era tarde demais. Os oficiais procuraram videntes e profetas, esperando receber "uma boa palavra", mas naquele momento nenhuma boa palavra foi dita. Até os mentirosos pararam de mentir, pois nada havia para encorajá-los. Um meio arrependimento não teve efeito. Os ensinamentos já estavam perdidos entre os sacerdotes e líderes, e um sincretismo doentio tinha infeccionado o país inteiro. Os apóstatas ficaram surdos às palavras de qualquer profeta verdadeiro. A consciência deles estava "dura e queimada".

Buscarão visões. *As Três Fontes de Conselho.* Os profetas, os sacerdotes e os presbíteros deram conselhos na hora crítica, mas foi tudo em vão. Yahweh já tinha abandonado seu povo, que o havia abandonado repetidamente. Cf. Pv 1.28 e a história do desespero de Saul, quando ele foi rejeitado por Deus (1Sm 28.15). Cf. Dt 32.23 e Jr 4.20.

■ 7.27

הַמֶּלֶךְ יִתְאַבָּל וְנָשִׂיא יִלְבַּשׁ שְׁמָמָה וִידֵי עַם־הָאָרֶץ תִּבָּהַלְנָה מִדַּרְכָּם אֶעֱשֶׂה אוֹתָם וּבְמִשְׁפְּטֵיהֶם אֶשְׁפְּטֵם וְיָדְעוּ כִּי־אֲנִי יְהוָה: פ

Todas as Classes Sofreriam. As classes sociais, das mais humildes às mais altas, tremeriam de terror. O rei lamentaria a destruição sem precedentes. Os príncipes entrariam em um período prolongado de lamentação, gritando o seu desespero. A dor cobriria o povo como uma vestimenta. Todas as classes, autocorrompidas, cairiam sob o desprezo divino. *Através* dos julgamentos de Yahweh, reconheceriam o Senhor como vingador.

Saberão que eu sou o Senhor. Esta ideia se repete 63 vezes no livro de Ezequiel. Ver as notas em 6.7. "Ele seria conhecido como o Todo-poderoso Punidor" (Fausset, *in loc.*). "O único Senhor, onipotente, onisciente, onipresente, verdadeiro, fiel, santo, justo e bom" (John Gill, *in loc.*). O julgamento se conduziria segundo os méritos do povo. Ver no *Dicionário* o verbete chamado *Lei Moral da Colheita segundo a Semeadura.*

CAPÍTULO OITO

A VISÃO DO JULGAMENTO IMINENTE (8.1—11.25)

O Vingador Visita seu Templo. Os capítulos 8—11 formam uma unidade. Os *temas principais* são:

1. A visão do profeta das abominações do templo (8.1-18).
2. A aniquilação dos ímpios, no santuário e na cidade de modo geral (9.1-11).
3. Uma diatribe contra certos líderes corruptos (11.1-12).
4. A partida da glória do Senhor da cidade (10.1-22; 11.22,23).

Repetições concernentes ao julgamento de Judá-Jerusalém são muito frequentes nesse livro. Os capítulos 8—11 revelam *os porquês* do julgamento: a terrível idolatria-adultério-apostasia, em inumeráveis manifestações do povo, de todas as classes. Não houve inocentes.

■ 8.1

וַיְהִי בַּשָּׁנָה הַשִּׁשִּׁית בַּשִּׁשִּׁי בַּחֲמִשָּׁה לַחֹדֶשׁ אֲנִי יוֹשֵׁב בְּבֵיתִי וְזִקְנֵי יְהוּדָה יוֹשְׁבִים לְפָנָי וַתִּפֹּל עָלַי שָׁם יַד אֲדֹנָי יְהוִה:

No sexto ano, no sexto mês, aos cinco dias do mês. "A data, aqui, é o dia 7 de setembro de 591 a.C. A Septuaginta diz *no quinto mês*. Alguns eruditos aceitam isto como acurado, contra o texto massorético. Talvez o redator tenha alcançado aquela data, acrescentando sete dias (Ez 3.16) aos 390 (Ez 4.5,9), data fornecida em Ez 1.2" (Theophile J. Meek, *in loc.*). Os dias naturalmente representam anos. Intérpretes diversos entendem datas diferentes na expressão "o sexto ano" do presente versículo: 1. Aquela data pode referir-se ao sexto ano do cativeiro de Ezequiel. 2. Alguns estudiosos não aceitam essa ideia e assim diversas especulações são formuladas. É fútil procurar ter certeza sobre este assunto. De qualquer maneira, em um dia específico, quando o profeta estava na companhia dos presbíteros (liderança) de Judá, justamente *naquela* hora, a mão de *Adonai-Yahweh* (o Soberano Eterno) caiu sobre o profeta e o inspirou a denunciar a apostasia de Judá e, especialmente, as iniquidades da liderança.

Os anciãos de Judá. Os presbíteros, aqui, foram representantes dos exilados da primeira deportação, da qual o profeta também participou. Houve três deportações. Ver sobre isto nas notas em Jr 52.20. Eles habitaram uma região perto do rio *Quebar* (Ez 1.1). Ezequiel tornou-se o profeta do pequeno restante do povo que escapou ao massacre do exército babilônico. Mas suas profecias começaram antes do cativeiro e tinham uma aplicação mais ampla do que o presente capítulo implica.

Senhor Deus. O título divino *Adonai-Yahweh* ocorre 217 vezes nesse livro, mas somente 103 vezes no restante do Antigo Testamento. Enfatiza a *soberania de Deus* (ver a respeito no *Dicionário*). Deus intervém na história humana, não estando indiferente a ela. Ver no *Dicionário* o artigo intitulado *Teísmo*.

■ 8.2

וָאֶרְאֶה וְהִנֵּה דְמוּת כְּמַרְאֵה־אֵשׁ מִמַּרְאֵה מָתְנָיו וּלְמַטָּה אֵשׁ וּמִמָּתְנָיו וּלְמַעְלָה כְּמַרְאֵה־זֹהַר כְּעֵין הַחַשְׁמַלָה׃

Eis uma figura como de fogo. *A Teofania.* A *Figura Divina* que o profeta viu era, essencialmente, a mesma descrita em Ez 1.27 (ver as notas expositivas ali para maiores detalhes). A ordem das palavras nas duas descrições varia, mas o conteúdo é o mesmo. Ver no *Dicionário* o artigo chamado *Teofania*, para detalhes. A *figura divina* assumiu a forma humana. Ver no *Dicionário* o artigo denominado *Antropomorfismo*. O *fogo* fala do julgamento severo que chegaria em breve. A figura era brilhante e gloriosa, mas seu propósito era destrutivo.

■ 8.3

וַיִּשְׁלַח תַּבְנִית יָד וַיִּקָּחֵנִי בְּצִיצִת רֹאשִׁי וַתִּשָּׂא אֹתִי רוּחַ בֵּין־הָאָרֶץ וּבֵין הַשָּׁמַיִם וַתָּבֵא אֹתִי יְרוּשָׁלְַמָה בְּמַרְאוֹת אֱלֹהִים אֶל־פֶּתַח שַׁעַר הַפְּנִימִית הַפּוֹנֶה צָפוֹנָה אֲשֶׁר־שָׁם מוֹשַׁב סֵמֶל הַקִּנְאָה הַמַּקְנֶה׃

Em um ato brusco, a figura pegou o profeta pelo cabelo e o levou para Jerusalém. A ação não foi muito gentil. O profeta foi colocado na entrada do templo que dava acesso à corte interior. Ali ele viu um *ídolo* que estava provocando a ira de Yahweh. Ver sobre o *Deus ciumento* nas notas em Dt 4.24; 5.9; 6.15; e 32.16,21. Elohim (o Todo-poderoso) foi provocado pela idolatria tola dos homens. Ver sobre *transporte divino* em Ez 3.14; 11.1,24; 37.1; 43.5. Ver Ez 8.5 ss., para o *ídolo de ciúmes*, isto é, a imagem que provocou ciúmes divinos.

Talvez o *ídolo* fosse literal, sendo uma imagem favorita do povo. Mais provavelmente, seria um símbolo visionário, representando a idolatria geral da nação. Sabemos naturalmente que ídolos foram colocados no próprio templo, e sua adoração fez parte de um sincretismo doentio que os sacerdotes judeus inventaram. Ver 2Rs 16.10-16. Manassés promovia abominações semelhantes (2Rs 21.4). Tais ações eram violações dos Dez Mandamentos (Êx 20.4; Dt 4.23,24). A prática da idolatria exigiu punição capital, mas este mandamento da lei mosaica fora ignorado há muito tempo.

■ 8.4

וְהִנֵּה־שָׁם כְּבוֹד אֱלֹהֵי יִשְׂרָאֵל כַּמַּרְאֶה אֲשֶׁר רָאִיתִי בַּבִּקְעָה׃

Eis que a glória do Deus de Israel estava ali. A glória do *Soberano Eterno* (Adonai-Yahweh) brilhava ao redor, de maneira terrível. Cf. Ez 1.28, que tem as mesmas ideias, de uma forma mais elaborada. A glória do Senhor fez contraste violento com o ridículo ídolo postado ali. A glória do Senhor, a *Shekinah*, a nuvem da glória de Yahweh, ainda brilhava no templo, a despeito da provocação do ídolo. A glória era semelhante àquela da planície (Ez 3.22,23). Não lemos sobre a partida do Senhor, do templo, até Ez 10.4,18. Isto mostra a longanimidade de Deus, que deveria ter inspirado os judeus ao arrependimento. Mas aquele povo duro não se inspirava com nenhuma motivação espiritual ou moral.

A IMAGEM DE CIÚME (8.5,6)

■ 8.5

וַיֹּאמֶר אֵלַי בֶּן־אָדָם שָׂא־נָא עֵינֶיךָ דֶּרֶךְ צָפוֹנָה וָאֶשָּׂא עֵינַי דֶּרֶךְ צָפוֹנָה וְהִנֵּה מִצָּפוֹן לְשַׁעַר הַמִּזְבֵּחַ סֵמֶל הַקִּנְאָה הַזֶּה בַּבִּאָה׃

Da banda do norte, à porta do altar, estava esta imagem dos ciúmes. O ídolo estava posicionado no portão que apontava para o norte (vs. 3). Talvez este fato identificasse a adoração ao culto de Baal, que era chamado o *Senhor do Norte*. Também o julgamento sobre Judá chegaria do *norte* (da Babilônia, que se situava ao noroeste da Palestina). Ver Ez 1.4. Cf. este ídolo àquele estabelecido por Manassés (2Rs 21.7; 2Cr 23.7,15). Talvez tais referências específicas indicassem que o ídolo deste texto era literal, uma imagem favorita do povo, que recebera adoração especial. De qualquer maneira, a idolatria provocou o ciúme de Yahweh, que logo destruiria a bagunça inteira. O rei Acaz (2Rs 16.10-14) tinha removido o altar de bronze de seu devido lugar (na frente do templo), colocando ali um ídolo seu. Esta ação foi especialmente odiosa.

A "porta do altar" refere-se ao portão situado na frente do altar, e a referência é ao Portão do Norte. Mas a Septuaginta, o latim antigo e o siríaco dizem "o Portão Oriental".

■ 8.6

וַיֹּאמֶר אֵלַי בֶּן־אָדָם הֲרֹאֶה אַתָּה מֵהֶם עֹשִׂים תּוֹעֵבוֹת גְּדֹלוֹת אֲשֶׁר בֵּית־יִשְׂרָאֵל עֹשִׂים פֹּה לְרָחֳקָה מֵעַל מִקְדָּשִׁי וְעוֹד תָּשׁוּב תִּרְאֶה תּוֹעֵבוֹת גְּדֹלוֹת׃ ס

Filho do homem. Yahweh chamou o profeta de "o filho do homem", título frequentemente utilizado nesse livro. Ver as notas em Ez 2.1.

Vês o que eles estão fazendo? Ezequiel recebeu a ordem para *observar* os atos blasfemos daquela idolatria crassa promovida no próprio templo. O povo estava perpetuando muitas "coisas odiosas" (NCV). Yahweh logo abandonaria o santuário e chamaria o exército babilônico para demolir o sincretismo que os sacerdotes do templo promoviam. Aquele ídolo, justamente no templo, chocou o profeta. Jerusalém se tornara o lugar de choques desgostosos; Ez 10.18 informa que Yahweh, não muito depois, abandonou aquele lugar blasfemo. *Icabô* estava escrito sobre o lugar. A maldição divina o consumiria. O templo, outrora tão glorioso, tornou-se um lugar sem glória e em breve seria demolido pelo exército babilônico.

OS RITOS ABOMINÁVEIS (8.7-13)

■ 8.7,8

וַיָּבֵא אֹתִי אֶל־פֶּתַח הֶחָצֵר וָאֶרְאֶה וְהִנֵּה חֹר־אֶחָד בַּקִּיר׃

וַיֹּאמֶר אֵלַי בֶּן־אָדָם חֲתָר־נָא בַקִּיר וָאֶחְתֹּר בַּקִּיר וְהִנֵּה פֶּתַח אֶחָד׃

Cava naquela parede. *Adonai-Yahweh* mandou o profeta passar através do portão, para a corte, provavelmente o *átrio interior*. Havia um *buraco* no muro que cercava o átrio, e Ezequiel recebeu ordem para cavar dentro do buraco, aumentando o espaço. Enquanto ele cavava, uma porta se abriu. O profeta passou pela porta e se deparou com uma cena repugnante: estavam desenhados nas paredes muitos tipos de bestas, animais imundos de todas as espécies. Ídolos *infestavam* o templo. Sem dúvida, aquela grande representação de ídolos falava da idolatria de muitas nações: Canaã, Assíria, Babilônia e, provavelmente, até de lugares distantes como a Grécia. Jerusalém se tornara o lar das idolatrias internacionais. O templo estava poluído por um sincretismo doentio promovido pelo povo perverso. Sem dúvida, Yahweh fora representado ao lado das imagens dos muitos deuses, o que, em si, era outra abominação. Essa é a *ideia geral* dos vss. 7-10. Os intérpretes não concordam sobre os detalhes e esta versão padronizada é uma visão possível dos procedimentos. Talvez o buraco, sendo aumentado de tamanho, se tornasse a porta, vs. 8; ou o buraco aumentado permitiu que o profeta visse uma porta além. De qualquer maneira, o profeta, cavando aquele buraco, abriu uma grande "lata de vermes". Ele, como Pandora, abriu a caixa que guardava todos os males do mundo. *Pandora* era, na mitologia grega, a primeira mulher mortal. Ela roubou de Prometeu o fogo divino e foi mandada para a terra, como castigo por sua ousadia. Trouxe com ela uma caixa fechada com uma tampa. A ninguém era permitido abrir a caixa. Curiosa, a mulher — a Eva dos gregos — abriu a caixa cheia de todas as aflições que castigariam os homens. As maldades saíram da caixa. Eis o início do problema do mal: Por que os homens sofrem e por que sofrem como sofrem? Foi uma mulher que fez aquilo! A única coisa que restou na caixa foi a *esperança*. Também haveria esperança para Judá, quando os fogos do julgamento terminassem com sua obra de purificação.

■ **8.9**

וַיֹּאמֶר אֵלָי בֹּא וּרְאֵה אֶת־הַתּוֹעֵבוֹת הָרָעוֹת אֲשֶׁר הֵם עֹשִׂים פֹּה׃

Entra, e vê as terríveis abominações. Entrando pela porta, o profeta teve uma visão aterrorizante de todos os males que os judeus estavam praticando. As abominações não tinham fim. O profeta viu uma coleção de criminosos espirituais, um panorama dos deuses falsos do mundo.

Ver no *Dicionário* o artigo chamado *Deuses Falsos,* onde é ilustrada a corrupção da idolatria mundial. O que o profeta viu era repugnante, para falar o mínimo. Ele sentiu *ira,* a própria ira de Yahweh manifestada em um homem. Muitas perversões se ajuntaram no templo, que há muito tinha deixado de ser o lar do Deus de Israel.

■ **8.10**

וָאָבוֹא וָאֶרְאֶה וְהִנֵּה כָל־תַּבְנִית רֶמֶשׂ וּבְהֵמָה שֶׁקֶץ וְכָל־גִּלּוּלֵי בֵּית יִשְׂרָאֵל מְחֻקֶּה עַל־הַקִּיר סָבִיב סָבִיב׃

Representações Odiosas. O que Ezequiel viu não eram ídolos sentados em toda a parte, mas, sim, *desenhos* nas paredes, que representavam serpentes, répteis, animais imundos, insetos que se rastejavam no chão, aves imundas de rapina que voavam no céu, e todos os tipos de ídolos possíveis. A NCV fala em "quadros", sobre aquelas coisas. A visão do paganismo doentio fez o profeta cair doente; ele entendeu perfeitamente bem o *porquê* do julgamento que chegaria logo e que seria *justo*. Este versículo nos faz lembrar do Livro dos Mortos dos egípcios, que fala de tais animais imundos. Textos ugaríticos nos informam sobre ritos praticados em cavernas, no escuro, para honrar o deus solar da vegetação. Provavelmente tais descrições influenciaram o conteúdo deste capítulo, ou pelo menos algumas das suas expressões. O vs. 12 nos diz que o culto foi praticado na *escuridão*.

■ **8.11**

וְשִׁבְעִים אִישׁ מִזִּקְנֵי בֵית־יִשְׂרָאֵל וְיַאֲזַנְיָהוּ בֶן־שָׁפָן עֹמֵד בְּתוֹכָם עֹמְדִים לִפְנֵיהֶם וְאִישׁ מִקְטַרְתּוֹ בְּיָדוֹ וַעֲתַר עֲנַן־הַקְּטֹרֶת עֹלֶה׃

Ritos da Escuridão. Operando na escuridão (vs. 12), os *setenta* líderes de Judá praticavam seus ritos idólatras. O número setenta, aqui, não fala do Sinédrio, que não existia ainda. De fato, aquele grupo governante começou a existir bem depois do cativeiro babilônico. Os setenta, aqui, são um grupo amplo de representantes do povo. Moisés escolheu setenta assistentes para ajudá-lo no ministério e no trabalho governador. Ver Nm 1.16,17. Aparentemente, a tradição de ter justamente setenta líderes continuava, de forma modificada.

Setenta homens... tendo cada um na mão o seu incensário. Aqueles homens agiam como sacerdotes, cada um com um incensário na mão, onde se queimava o incenso sagrado (Nm 16; 2Cr 26.11-18). Anteriormente, somente os sacerdotes podiam realizar aqueles atos, e apenas os descendentes de Arão podiam ser sacerdotes. As velhas regras não eram mais observadas. Cada um dos setenta praticava seu próprio culto, sacrificando e honrando a "seu deus". Talvez um entre aqueles deuses representasse Yahweh, mas, de modo geral, era uma mistura terrível de idolatria crassa.

Subia o aroma de incenso. Uma grande nuvem de fumaça ascendeu das tochas dos setenta, e o mau cheiro da idolatria permeava tudo. Entre os reprovados e rebeldes, o profeta reconheceu *Jaazanias,* descendente de *Safã*. Seus parentes desempenhavam importante papel no governo do Estado e no sacerdócio. Ver o gráfico que ilustra a linhagem de Safã, perto das notas sobre Jr 26.24. A maioria dos membros da família de Safã era fiel a Yahweh, mas Jaazanias abandonou as velhas tradições e se juntou à idolatria crassa da apostasia de Judá. O profeta sofria outros choques, outras revelações repugnantes. Jaazanias, entre os rebeldes, era somente um choque entre muitos.

■ **8.12,13**

וַיֹּאמֶר אֵלַי הֲרָאִיתָ בֶן־אָדָם אֲשֶׁר זִקְנֵי בֵית־יִשְׂרָאֵל עֹשִׂים בַּחֹשֶׁךְ אִישׁ בְּחַדְרֵי מַשְׂכִּיתוֹ כִּי אֹמְרִים אֵין יְהוָה רֹאֶה אֹתָנוּ עָזַב יְהוָה אֶת־הָאָרֶץ׃

וַיֹּאמֶר אֵלָי עוֹד תָּשׁוּב תִּרְאֶה תּוֹעֵבוֹת גְּדֹלוֹת אֲשֶׁר־הֵמָּה עֹשִׂים׃

Nas trevas. Aqueles tolos praticaram seus ritos na escuridão, escondidos do olhar de Yahweh, honrando os deuses dos céus, da terra e do sol. Eles imitaram o *modus operandi* do paganismo, como demonstrado nas notas do vs. 10. Um verdadeiro *panteão* de deuses tinha atraído sua adoração e devoção. Eles anularam o yahwismo e se rebelaram contra tudo que Moisés havia escrito. Talvez Yahweh figurasse, naquele culto, como um deus entre muitos deuses, em um *sincretismo* odioso. O yahwismo se degenerou, tornando-se uma forma de paganismo, entre muitas.

O Senhor abandonou a terra. Os líderes acusaram Yahweh de ter abandonado Judá e, em retaliação, eles o abandonaram; ver. Ez 9.9. Muitos crimes eram cometidos no caótico Judá do tempo de Ezequiel. Matadores se desculparam dizendo que Yahweh os havia abandonado, portanto, qualquer ato bestial era permitido. Eles acharam que, se Yahweh existisse, não os estava observando e nenhum castigo os pegaria. Para a indiferença aparente de Yahweh, ver Sl 10.1; 28.1; 59.4; e 82.1. A acusação do abandono de Yahweh provavelmente se originou no massacre de Jerusalém, pelo exército babilônico, e nas três deportações que se seguiram. Onde estava Yahweh quando aqueles ultrajes aconteceram? Ver as notas em Jr 52.28, para as três deportações.

A ADORAÇÃO DE TAMUZ (8.14,15)

■ **8.14**

וַיָּבֵא אֹתִי אֶל־פֶּתַח שַׁעַר בֵּית־יְהוָה אֲשֶׁר אֶל־הַצָּפוֹנָה וְהִנֵּה־שָׁם הַנָּשִׁים יֹשְׁבוֹת מְבַכּוֹת אֶת־הַתַּמּוּז׃ ס

Levou-me à entrada da porta da casa do Senhor. O Espírito de Yahweh levou o profeta para o Portão do Norte da área do templo. *O circuito do profeta* trouxe-lhe muitas surpresas desagradáveis. Ele estava vendo Jerusalém como realmente era e entendia, cada vez mais, o porquê do julgamento que nivelaria aquela cidade e todo Judá. As abominações iam ficando cada vez maiores e o profeta se estarrecia enquanto continuava o seu circuito.

Estavam ali mulheres assentadas chorando a Tamuz. Ezequiel teve uma visão de mulheres chorando dolorosamente por *Tamuz,* um deus da Babilônia. Segundo as lendas, a cada ano ele morria, quando as plantas não resistiam ao frio do inverno, e sua morte era amargamente lamentada. Parte da lenda diz que o grande *dilúvio* das lágrimas de seus devotos o trouxe de volta à vida, como as chuvas da primavera dão vida nova à terra. O culto de Tamuz, embora começasse na Babilônia, tornou-se praticamente geral no Oriente. Ver no *Dicionário* o detalhado artigo sobre *Tamuz*. Os sumérios o chamaram de *Dumuz*. Em alguns lugares, ele era um deus de fertilidade; seu poder cresceu à medida que seu culto se espalhou.

■ 8.15

וַיֹּאמֶר אֵלַי הֲרָאִיתָ בֶּן־אָדָם עוֹד תָּשׁוּב תִּרְאֶה
תּוֹעֵבוֹת גְּדֹלוֹת מֵאֵלֶּה:

Verás ainda abominações maiores do que estas. O profeta não podia acreditar no que os seus olhos estavam vendo; a abominação de Tamuz foi uma visão deplorável. Mais choques estavam para chegar. Idolatria praticada no próprio templo era algo além da imaginação do profeta, mas não além da maldade do povo. Seria difícil imaginar que abominações ainda maiores poderiam existir. Mas o profeta ainda não tinha visto nem a metade.

A ADORAÇÃO DO SOL (8.16-18)

■ 8.16

וַיָּבֵא אֹתִי אֶל־חֲצַר בֵּית־יְהוָה הַפְּנִימִית וְהִנֵּה־
פֶתַח הֵיכַל יְהוָה בֵּין הָאוּלָם וּבֵין הַמִּזְבֵּחַ כְּעֶשְׂרִים
וַחֲמִשָּׁה אִישׁ אֲחֹרֵיהֶם אֶל־הֵיכַל יְהוָה וּפְנֵיהֶם קֵדְמָה
וְהֵמָּה מִשְׁתַּחֲוִיתֶם קֵדְמָה לַשָּׁמֶשׁ:

Levou-me para o átrio de dentro. O circuito trouxe o profeta para dentro do *átrio interior*. À porta do templo (entre o alpendre e o altar, 1Rs 6.2,3), Ezequiel encontrou cerca de 25 homens, que tinham as costas voltadas para o templo e o rosto apontado para o *oriente*. O que aqueles reprovados estavam fazendo? Adorando o sol! Possivelmente, naquele momento, o sol estivesse nascendo. Em tempos posteriores, os adoradores do sol conduziram sua adoração olhando para o templo (1Rs 8.29,35; Dn 6.10). É difícil determinar os detalhes daquele culto com precisão. Ez 9.6 chama estes homens de "presbíteros". O texto descreve outro exemplo da corrupção da *liderança* do país. Cf. o vs. 11. Provavelmente aqueles homens eram sacerdotes. A entrada principal do templo apontava para o oriente. Os tolos tinham abandonado *Shekinah* e a glória do Santo dos Santos e estavam adorando uma coisa criada, em lugar do próprio Criador. Tinham girado as costas ao culto verdadeiro do templo, para adotar uma forma comum da idolatria pagã. Ver no *Dicionário* o artigo intitulado *Sol, Adoração do,* para maiores detalhes.

■ 8.17

וַיֹּאמֶר אֵלַי הֲרָאִיתָ בֶן־אָדָם הֲנָקֵל לְבֵית יְהוּדָה
מֵעֲשׂוֹת אֶת־הַתּוֹעֵבוֹת אֲשֶׁר עָשׂוּ־פֹה כִּי־מָלְאוּ אֶת־
הָאָרֶץ חָמָס וַיָּשֻׁבוּ לְהַכְעִיסֵנִי וְהִנָּם שֹׁלְחִים אֶת־
הַזְּמוֹרָה אֶל־אַפָּם:

Vês...? O *Guia divino* perguntou se o profeta tinha conseguido uma boa visão daquela nova abominação (vss. 13,15). O circuito não incluiria nenhuma trivialidade. Cada cena seria importante para o entendimento da condição da cidade, já que sua condenação seria justa. As evidências se amontoavam. A sociedade "lá fora" era totalmente perversa, mas a sociedade religiosa, "lá dentro do templo", era ainda pior. Crimes horrendos estavam sendo cometidos, todos os dias, por um número surpreendente de pessoas. O povo, de modo geral, tinha abandonado Yahweh e seu culto, e agia como qualquer outra nação pagã. A lei mosaica era totalmente ignorada. Israel tinha caído em uma apostasia irreversível.

Ei-los a chegar o ramo ao seu nariz. Esta referência é obscura e tem atraído certo número de interpretações (adivinhações). Sem dúvida, as pessoas do tempo de Ezequiel sabiam o que significava aquele ramo, parte da adoração pagã ali praticada.

Ideias. 1. Os ramos eram instrumentos para irritar o nariz de Yahweh, em um ato de rebelião e apostasia. Neste caso, a palavra *ramo* é usada metaforicamente para falar de uma variedade de *irritações*. 2. Alguns intérpretes fazem os ramos simbolizar o *fedor* da idolatria que chegou às narinas divinas. Ou, por uma emenda, substituindo-se a palavra *ramo* por *fedor*, alcançamos o mesmo significado. 3. Adam Clarke, *in loc.*, fala de ramos que os adoradores carregavam nas procissões, honrando a deuses e ídolos. Os ramos tinham, supostamente, flores que exalavam um cheiro doce, mas, para Yahweh, o cheiro era um fedor. 4. Talvez fossem colocados ramos nos narizes dos ídolos para irritá-los. O propósito era o de *acordar* os deuses, para que eles pudessem ouvir as orações dos devotos e beneficiá-los. É fútil multiplicar adivinhações.

■ 8.18

וְגַם־אֲנִי אֶעֱשֶׂה בְחֵמָה לֹא־תָחוֹס עֵינִי וְלֹא אֶחְמֹל
וְקָרְאוּ בְאָזְנַי קוֹל גָּדוֹל וְלֹא אֶשְׁמַע אוֹתָם:

Os meus olhos não pouparão. *Os olhos de Yahweh,* que tudo veem, não perderam um único detalhe das péssimas condições da cidade e não teriam misericórdia. Uma destruição quase total estava chegando. Sua ira nivelaria os apóstatas em um julgamento bem merecido. Os esforços heroicos do profeta não teriam o mínimo efeito sobre a mente daqueles perversos. O palco já estava preparado para o ataque do exército babilônico. Cf. Pv 1.24-28 e Mt 7.22,23.

Ainda que me gritem aos ouvidos em alta voz, nem assim os ouvirei. É possível pecar-se além do dia da graça e entrar em um estado de cegueira, no qual o arrependimento não é mais possível. Cf. Is 1.15. O Targum traz: "Eles orarão diante de mim, com uma grande voz, mas não receberei suas orações".

CAPÍTULO NOVE

O MASSACRE DOS CULPADOS (9.1-11)

Os capítulos 8—11 formam uma unidade. Ver a introdução à seção no capítulo 8. "O presente capítulo constitui uma parte da visão, continuando os textos que o precederam e que apresentaram uma exposição dos pecados do povo, mas este capítulo nos informa as punições inevitáveis que se seguiriam" (Ellicott, *in loc.*).

Vêm agora os *executores* carregando suas armas de destruição, fazendo ameaças, sem intenção alguma de exercer misericórdia. Voando no alto está Yahweh, no seu trono-carro, garantindo que a missão de destruição se realize de forma fulminante. Somente poucos piedosos escapariam às punições, recebendo o selo do Senhor, para garantir sua segurança. O restante cairia miseravelmente.

■ 9.1

וַיִּקְרָא בְאָזְנַי קוֹל גָּדוֹל לֵאמֹר קָרְבוּ פְּקֻדּוֹת הָעִיר
וְאִישׁ כְּלִי מַשְׁחֵתוֹ בְּיָדוֹ:

As Ordens Temíveis. Yahweh dá as ordens. Ele é o Rei verdadeiro e seus anjos o obedecem. As hostes dos céus, utilizando instrumentos humanos, reduzirão os ímpios a nada. Cf. estes *executores divinos* com os setenta mil que agiram no tempo de Davi, por causa do censo (2Sm 24). Agentes divinos também haviam destruído o exército assírio que ameaçava Jerusalém no tempo de Ezequias (2Rs 19.35). Cf. Êx 12.23. Tais julgamentos em larga escala empregam calamidades naturais como pragas, fome e a espada de exércitos; mas julgamentos sobrenaturais também podem participar da destruição generalizada. Todas as armas dos executores divinos são eficazes. Anteriormente, estes executores haviam guardado as propriedades de Yahweh na terra, mas, agora, eles se tornariam destruidores das coisas que antigamente haviam protegido com muito cuidado. Agora, seu *cuidado* seria destruir sem misericórdia. A palavra hebraica traduzida por *guarda* também pode significar *executor*. Ver 2Rs 11.18 e cf. Gn 18.1,2; Js 5.13; Jz 13.11 e Dn 8.16, onde a palavra só é usada para falar de seres angelicais.

O Massacre. O instrumento humano da punição seria o exército babilônico, a maior força militar da época. O exército assírio já havia executado o norte (as dez tribos). Ver as notas no vs. 9. A vez de Judá-Jerusalém chegara. Sua idolatria-adultério-apostasia seria severamente punida.

9.2

וְהִנֵּ֣ה שִׁשָּׁ֣ה אֲנָשִׁ֣ים בָּאִ֣ים ׀ מִדֶּ֩רֶךְ־שַׁ֨עַר הָעֶלְי֜וֹן אֲשֶׁ֣ר ׀
מָפְנֶ֣ה צָפ֗וֹנָה וְאִ֨ישׁ כְּלִ֤י מַפָּצוֹ֙ בְּיָד֔וֹ וְאִישׁ־אֶחָ֤ד
בְּתוֹכָם֙ לָבֻ֣שׁ בַּדִּ֔ים וְקֶ֥סֶת הַסֹּפֵ֖ר בְּמָתְנָ֑יו וַיָּבֹ֙אוּ֙
וַיַּֽעַמְד֔וּ אֵ֖צֶל מִזְבַּ֥ח הַנְּחֹֽשֶׁת׃

Seis homens. *Seres Semelhantes ao Homem.* Estes seres estranhos chegaram do norte, seguindo o *modus operandi* do trono-carro (Ez 1.4). Com eles, veio um *anjo de alto* poder e prestígio, vestido em linho fino. Cf. os *sete anjos* de Tobias 12.14; Enoque 20.1-8; Ap 4.5 e 11.19. O *Portão superior* é o do norte. Os seis seres celestiais carregam armas e têm olhar ameaçador. O anjo vestido em linho carrega à cintura um estojo de escriba. Este anjo-escriba fará um relatório dos acontecimentos, apresentando a Yahweh todos os detalhes da realização de suas ordens. Na mitologia babilônica, o escriba dos deuses registrava tudo e garantia a realização dos planos divinos. Era chamado o *Senhor do Estilo;* era um filho do deus mais alto, Marduque. As imagens do vs. 2 têm paralelos às ideias das nações do Oriente Próximo, mas o profeta lhes dá um toque hebraico. Kimchi fornece os nomes dos seres angelicais deste versículo: Ira; Raiva; Fúria; Destruição; Brecha e Consumação. Comparar isto com a lista de Jr 39.3. Todas as interpretações são interessantes, mas extravagantes.

E se puseram junto ao altar de bronze. Os seres ficaram perto do *altar de bronze,* normalmente identificado com o velho altar do templo de Salomão. Acaz o substituiu, colocando em seu lugar um altar pagão de Damasco (ver 2Rs 16.10-16); era o altar dos sacrifícios queimados e simbolizava o julgamento que logo se realizaria contra a cidade.

9.3,4

וּכְב֣וֹד ׀ אֱלֹהֵ֣י יִשְׂרָאֵ֗ל נַעֲלָה֙ מֵעַ֤ל הַכְּרוּב֙ אֲשֶׁ֣ר
הָיָ֣ה עָלָ֔יו אֶ֖ל מִפְתַּ֣ן הַבָּ֑יִת וַיִּקְרָ֗א אֶל־הָאִישׁ֙ הַלָּבֻ֣שׁ
הַבַּדִּ֔ים אֲשֶׁ֛ר קֶ֥סֶת הַסֹּפֵ֖ר בְּמָתְנָֽיו׃ ס

וַיֹּ֤אמֶר יְהוָה֙ אֵלָ֔יו עֲבֹר֙ בְּת֣וֹךְ הָעִ֔יר בְּת֖וֹךְ יְרוּשָׁלִָ֑ם
וְהִתְוִ֨יתָ תָּ֜ו עַל־מִצְח֣וֹת הָאֲנָשִׁ֗ים הַנֶּֽאֱנָחִים֙ וְהַנֶּ֣אֱנָקִ֔ים
עַ֚ל כָּל־הַתּ֣וֹעֵב֔וֹת הַֽנַּעֲשׂ֖וֹת בְּתוֹכָֽהּ׃

A glória do Deus de Israel se levantou do querubim. Lá em cima, Yahweh andava no seu trono-carro, atravessando o céu como um cometa. Ver no capítulo 1 a descrição completa do veículo do Senhor. Através de seu anjo e, às vezes, ele mesmo, o Senhor guiava o profeta no circuito da cidade, para que visse a vasta expressão de corrupções daquele lugar (capítulo 8).

Marca com um sinal a testa dos homens que suspiram e gemem. Agora, Yahweh desce do trono-carro e fica em pé na entrada do templo. A um anjo é dada a tarefa de passar em Jerusalém e marcar a testa dos fiéis que estivessem entristecidos com as perversões da cidade. As pessoas que recebessem a marca seriam poupadas. A *marca* era a letra *taw* do alfabeto hebraico, o X, ou uma cruz. Cf. este caso com o de *Caim* (Gn 4.15). Ver também Ap 7.3,4; 13.16; 14.9,11; 20.4 e 22.4. Antigos intérpretes cristãos viram nesta marca a *cruz de Jesus* que salva, mas isto cristianiza o texto e é anacrônico. Era costume, no Oriente, marcar servos, escravos, oficiais etc. com algum tipo de sinal para distinguir tais pessoas das demais. Na mitologia antiga dos judeus, o arcanjo Gabriel era um "marcador" frequente. Cf. o texto presente com a história do anjo marcador de Êx 11, cujo sinal efetuou a salvação dos marcados. Segundo a profecia, na Grande Tribulação, um sinal na testa garantirá a salvação dos fiéis. Ver Ap 9.4; 14.1.

9.5,6

וּלְאֵ֙לֶּה֙ אָמַ֣ר בְּאָזְנַ֔י עִבְר֥וּ בָעִ֛יר אַחֲרָ֖יו וְהַכּ֑וּ עַל־
תָּחֹ֥ס עֵינְכֶ֖ם וְאַל־תַּחְמֹֽלוּ׃

זָקֵ֡ן בָּח֣וּר וּבְתוּלָה֩ וְטַ֨ף וְנָשִׁ֜ים תַּהַרְג֣וּ לְמַשְׁחִ֗ית וְעַל־
כָּל־אִ֨ישׁ אֲשֶׁר־עָלָ֤יו הַתָּו֙ אַל־תִּגַּ֔שׁוּ וּמִמִּקְדָּשִׁ֖י תָּחֵ֑לּוּ
וַיָּחֵ֙לּוּ֙ בָּאֲנָשִׁ֣ים הַזְּקֵנִ֔ים אֲשֶׁ֖ר לִפְנֵ֥י הַבָּֽיִת׃

Anjos Destruidores. Estes anjos temíveis recebem ordens. Eles devem passar através da cidade para executar grande parte da população. Seus olhos sobrenaturais não deixarão escapar nenhum ímpio; eles farão um serviço completo. Nenhum apóstata, pecador, homem, mulher ou criança, escapará. Somente aqueles que têm o X serão salvos da devastação. Cf. Jn 4.11. Os presentes versículos não são o João 3.16 do Antigo Testamento. De qualquer maneira, muitas advertências foram dadas. Não houve pessoas mal informadas nem inocentes. Uma oportunidade ampla havia sido oferecida, mas a paciência divina se esgotara. A corrupção da cidade se tornara maior e mais maligna, como o capítulo 8 bem ilustrou. Cf. Mt 25.41; Lc 23.30; e Ap 3.16. A vingança final sobre a perversão é inevitável. Por outro lado, os julgamentos de Deus são sempre remediadores, não meramente retributivos: eles curam através de feridas. Ver em 1Pe 4.6, no *Novo Testamento Interpretado,* comentários que ilustram este princípio. De qualquer modo, as punições do presente texto não são para a vida além do sepulcro, mas são *temporais.* Às vezes os justos sofrem aparentemente sem causa alguma, e isto é o *Problema do Mal* (ver a respeito no *Dicionário*): Por que os homens sofrem e por que sofrem da maneira como sofrem?

Começai pelo meu santuário. O julgamento começaria no santuário, ferindo fatalmente os presbíteros (a liderança) de Jerusalém. Os principais líderes de toda aquela corrupção, que deveriam ter protegido o povo, sofreriam primeiro. Eram donos de tudo e tinham a tarefa de promover o culto divino a Yahweh, mas falharam miseravelmente, introduzindo idolatria até no próprio templo. Tornaram sua missão divina uma missão diabólica. Influenciaram negativamente o país inteiro e mereciam os sofrimentos impostos pelo poder divino. Aqueles apóstatas encorajaram a apostasia do povo de Deus e por isso sofreriam.

9.7

וַיֹּ֤אמֶר אֲלֵיהֶם֙ טַמְּא֣וּ אֶת־הַבַּ֔יִת וּמַלְא֥וּ אֶת־הַחֲצֵר֖וֹת
חֲלָלִ֑ים צֵ֕אוּ וְיָצְא֖וּ וְהִכּ֥וּ בָעִֽיר׃

Abominações no Templo. Os presbíteros contaminaram o santuário e seus próprios cadáveres contaminariam aquele lugar. O massacre começara e o sangue deles corria no templo e enchia o lugar. Houve gritos para que Yahweh tivesse misericórdia, mas aquele era um dia de matança, não de amizade. Yahweh, furioso, tornou-se o inimigo implacável de seu povo. Uma das principais infrações da legislação mosaica era o ato de tocar em um corpo morto, humano ou animal (Nm 19.11; 1Rs 13.2; 2Rs 13.16). Os judeus tinham horror a esse toque. Mas agora cadáveres e sangue humano poluíam o templo. Um julgamento pesado cairia sobre os mais notáveis ímpios, isto é, a liderança do povo. Os mais privilegiados estavam recebendo o julgamento mais pesado. Cf. 1Pe 4.17,18.

9.8

וַֽיְהִי֙ כְּהַכּוֹתָ֔ם וְנֵֽאשֲׁאַ֖ר אָ֑נִי וָאֶפְּלָ֨ה עַל־פָּנַ֜י וָאֶזְעַ֗ק
וָאֹמַר֙ אֲהָ֙הּ֙ אֲדֹנָ֣י יְהוִ֔ה הֲמַשְׁחִ֣ית אַתָּ֗ה אֵ֚ת כָּל־
שְׁאֵרִ֣ית יִשְׂרָאֵ֔ל בְּשָׁפְכְּךָ֥ אֶת־חֲמָתְךָ֖ עַל־יְרוּשָׁלִָֽם׃

Caí com o rosto em terra, clamei e disse: Ah! Senhor Deus! *O Massacre Continua.* O profeta agonizou observando a cena. A matança era grande e miseravelmente completa. O profeta ouviu os gritos de dor, mas Yahweh, não. Parecia que não haveria um único sobrevivente. Ezequiel gritou para Yahweh, esperando que ele retirasse a sua *mão destruidora.* Ezequiel empregou o título *Adonai-Yahweh,* Soberano Eterno, esperando que sua soberania parasse o massacre e aliviasse os sofrimentos. Naquele momento, parecia que somente o profeta seria poupado. Yahweh não dera nenhuma promessa de que um *remanescente* seria poupado e que, afinal, se tornaria um novo Israel, depois do cativeiro. Naquele momento, não houve esperança projetada. O dia era miserável e totalmente preto. O profeta não viu nenhum homem com o X de proteção na sua testa. Parecia não ter havido ninguém que valesse a pena poupar. Todos tinham caído nas armadilhas do diabo. Ver no *Dicionário* o artigo intitulado *Ira de Deus.* O profeta caiu em total consternação e desespero. Ele sentiu a dor de seu povo, mas os seus atos e promessas piedosas não valeram nada naquele momento, não ajudaram o povo e não aliviaram o sofrimento.

9.9

וַיֹּאמֶר אֵלַי עֲוֺן בֵּית־יִשְׂרָאֵל וִיהוּדָה גָּדוֹל בִּמְאֹד
מְאֹד וַתִּמָּלֵא הָאָרֶץ דָּמִים וְהָעִיר מָלְאָה מֻטֶּה כִּי
אָמְרוּ עָזַב יְהוָה אֶת־הָאָרֶץ וְאֵין יְהוָה רֹאֶה׃

A iniquidade da casa de Israel e de Judá é excessivamente grande. O texto parece incluir, aqui, o norte, embora há muito tempo aquele país tivesse sido aniquilado pelo poder assírio. A expressão *casa de Israel*, ao lado de *Judá*, quase certamente fala do norte. Há mais de cem anos, o norte fora executado pelos assírios, e o pequeno número de sobreviventes tinha sido levado para o cativeiro na Assíria, para nunca mais voltar. Mas, na mente divina, aquele acontecimento fora *ontem*. Tanto o norte como o sul se tornaram cativos nas suas respectivas apostasias. A mesma ira divina esmagara os dois países pelas mesmas razões. Os habitantes praticaram os mais terríveis crimes: matança de inocentes, abuso de autoridade, roubo dos pobres, injustiças sem-fim. A violência era a ordem do dia e, finalmente, os violentos sofreram uma violência divina. Os ímpios tinham uma visão *deísta* das circunstâncias; pensavam que Yahweh não estava observando seus atos e não interviria. Mas a intervenção divina chegou "com os quatro pés", como se fala em linguagem popular. Yahweh é um Deus *teísta*, o Criador que não abandona sua criação e retribui, castigando os pecadores e abençoando os fiéis. Ver no *Dicionário* os artigos chamados *Teísmo* e *Deísmo*. Ver a alegada indiferença de Deus, em Sl 10.1; 28.1; 59.4 e 82.1. Cf. Ez 11.13.

9.10

וְגַם־אֲנִי לֹא־תָחוֹס עֵינִי וְלֹא אֶחְמֹל דַּרְכָּם בְּרֹאשָׁם
נָתָתִּי׃

Não me compadecerei. Yahweh não ouviu os gritos do profeta. Vingança e massacre eram as ocupações daquele dia, e os agentes destruidores não descansariam enquanto restasse um único ímpio respirando. Os anjos vingadores cumpririam suas ordens, a despeito dos gritos do profeta. A ira de Deus aumentava enquanto o profeta gritava. A *Lei Moral da Colheita segundo a Semeadura* estava celebrando a justiça de Deus (ver esse título no *Dicionário*). Cf. Pv 1.30,31. Há uma descrição semelhante em Ez 7.4, cujas notas se aplicam aqui.

9.11

וְהִנֵּה הָאִישׁ לְבֻשׁ הַבַּדִּים אֲשֶׁר הַקֶּסֶת בְּמָתְנָיו מֵשִׁיב
דָּבָר לֵאמֹר עָשִׂיתִי כַּאֲשֶׁר צִוִּיתָנִי׃ ס

Fiz como me mandaste. Com sua vestimenta de linho puro e fino, aquele anjo deu seu relatório. Tinha marcado o X divino na testa dos justos, que eram um número restrito. No vs. 4 menciona a tarefa dada a este anjo. Os versículos anteriores mostraram como *seis* anjos executores cumpriram sua tarefa de matança dos iníquos. Foram levados *seis* anjos, para cumprir aquele dever, mas somente *um*, para cumprir a missão de misericórdia. A providência divina negativa e positiva estava em ação. Cf. Jo 17.14; Sl 103.21 e Mc 6.30. A *Providência de Deus* está atrás de todas as missões divinas que os homens recebem. O Guia dos céus e da terra não erra nem negligencia. Os anjos e os homens que recebem missões são responsáveis para fazer o melhor, sem isenção. Como a canção popular fala: "Fiz tudo que tinha de fazer, sem isenção". Sim, os anjos e os homens devem prestar contas: O que fizeram ou deixaram de fazer, quantas falhas foram cometidas, quantos pecados foram superados e a forma como amaram? O que aprenderam nas suas experiências e nos seus estudos das coisas divinas? Essas são as perguntas vitais. O *anjo-escriba* respondeu: "Fiz como me mandaste". Feliz o homem que pode dizer, honestamente, essas palavras.

CAPÍTULO DEZ

A PARTIDA DA GLÓRIA DE YAHWEH (10.1-22)

Os capítulos 8—11 formam uma unidade. Ver a introdução geral a esta unidade, na introdução ao capítulo 8. Os julgamentos sobre Jerusalém serão executados através do exército babilônico. A *temível tríade* (espada, fome e pestilência, ver as notas em Ez 5.12) fará o seu trabalho terrível. *Icabô* será escrito sobre a cidade. Agora, Yahweh sobe em seu trono-carro e desaparece de Jerusalém. Este capítulo descreve a partida. Deus recusa compartilhar sua glória com os *deuses* que estavam sendo adorados na cidade; ele não queria compartilhar seu templo nem seu povo. A adoração de Deus sumiu de Silo, em pouco tempo, depois da partida da glória do Senhor daquele lugar. A história se repetiu em relação a Jerusalém. Ver 1Sm 4.1-4; 10,11; 19-23; Jr 7.12-14.

10.1

וָאֶרְאֶה וְהִנֵּה אֶל־הָרָקִיעַ אֲשֶׁר עַל־רֹאשׁ הַכְּרֻבִים
כְּאֶבֶן סַפִּיר כְּמַרְאֵה דְּמוּת כִּסֵּא נִרְאָה עֲלֵיהֶם׃

A forma de um trono. Esta descrição do trono-carro nos leva de volta ao capítulo 1, com a mesma informação. Ver especialmente Ez 1.21—22,26, onde há as notas apropriadas. Yahweh estava à entrada do santuário, e seu trono-carro, no lado sul (vs. 3); em breve ele tomaria o veículo e iria para longe, deixando Jerusalém sofrer o seu temível destino. Este capítulo nos dá outra visão do trono-carro, incluindo a descrição de duas novas criaturas associadas ao veículo. A cidade será entregue ao fogo e o templo abandonado (vss. 18,19).

10.2

וַיֹּאמֶר אֶל־הָאִישׁ לְבֻשׁ הַבַּדִּים וַיֹּאמֶר בֹּא אֶל־בֵּינוֹת
לַגַּלְגַּל אֶל־תַּחַת לַכְּרוּב וּמַלֵּא חָפְנֶיךָ גַחֲלֵי־אֵשׁ
מִבֵּינוֹת לַכְּרֻבִים וּזְרֹק עַל־הָעִיר וַיָּבֹא לְעֵינָי׃

O Anjo-escriba. Este ser luminoso estava vestido em linho tão branco e brilhante quanto o sol. Ele passou entre as rodas do trono-carro, onde o fogo de Yahweh queimava, enchendo as mãos com brasas acesas para espalhá-las sobre Jerusalém e o templo. Uma conflagração gigantesca consumiria tudo. Sabemos que o templo foi deveras queimado, e a maior parte da cidade sofreu o mesmo fim (Jr 52.13). Ver as descrições das rodas giratórias em Ez 1.16,18; 23,24; e 26.10. Ver sobre as *brasas acesas* em Ez 1.13 e cf. Is 6.6. O fogo purificaria a cidade. Da escória geral, Yahweh tiraria uma pequena porção de prata, para utilizar na formação do novo Israel, depois do cativeiro babilônico.

"As brasas acesas significam a destruição da cidade, pelo fogo. Parece que o espaço entre as quatro rodas, que estavam em chamas, foi de onde as brasas foram tiradas" (Adam Clarke, *in loc.*).

10.3

וְהַכְּרֻבִים עֹמְדִים מִימִין לַבַּיִת בְּבֹאוֹ הָאִישׁ וְהֶעָנָן
מָלֵא אֶת־הֶחָצֵר הַפְּנִימִית׃

Os querubins estavam ao lado direito. Os *querubins* (plural) estavam em pé, no lado sul (direito) do templo, quando se olha do oriente. O trono-carro estava posicionado naquele lado também. O anjo com aspecto de homem foi para o carro sobrenatural recolher as brasas acesas. Grandes nuvens de fumaça subiram, enchendo o átrio interior do templo. Devemos compreender a glória *Shekinah* (ver a respeito no *Dicionário*) envolvida nessa demonstração de poder divino. A glória está prestes a partir. A presença divina abandonará o lugar. Comparar este versículo com Ez 1.28, que é semelhante. Ver também Êx 33.9,10; 1Rs 8.10,11; e Is 6.1-4. Aqui, devemos entender a glória da presença como uma força destrutiva, enquanto, em outros textos, é uma força que abençoa. Normalmente, a proximidade da presença divina significa aprovação, mas aqui está em vista a *ira*, aplicada de forma sobrenatural.

10.4

וַיָּרָם כְּבוֹד־יְהוָה מֵעַל הַכְּרוּב עַל מִפְתַּן הַבָּיִת
וַיִּמָּלֵא הַבַּיִת אֶת־הֶעָנָן וְהֶחָצֵר מָלְאָה אֶת־נֹגַהּ כְּבוֹד
יְהוָה׃

Então se levantou a glória do Senhor. A glória de Yahweh pairava sobre os querubins e depois parou à entrada do templo. Isto repete a primeira parte de Ez 9.3. Note-se o singular aqui, *o querubim*, provavelmente um *coletivo*, para os seres que fizeram parte do trono-carro, ou em referência ao *querubim* do Santo dos Santos. Neste caso, a glória de Yahweh partiu daquele lugar, indo para a entrada do templo, para logo desaparecer. Deixando a presença divina o templo, o lugar ficará *desolado* e *desprotegido*, tornando-se uma pilha de escombros. *Querubim* é a forma plural hebraica, mas a tradução portuguesa confunde a questão, usando *querubim* para o singular.

■ 10.5

וְקוֹל֙ כַּנְפֵ֣י הַכְּרוּבִ֔ים נִשְׁמַ֕ע עַד־הֶחָצֵ֖ר הַחִיצֹנָ֑ה כְּק֥וֹל אֵל־שַׁדַּ֖י בְּדַבְּרֽוֹ:

Este versículo é, essencialmente, uma duplicata de Ez 1.24, onde há notas expositivas. A *exibição divina* do capítulo 1 se repete. Yahweh está sentado no seu trono-carro, preparando-se para abandonar o templo. Ele se elevará para o firmamento, desaparecendo totalmente da vista dos homens ímpios de Jerusalém. A cidade, um imenso depósito de pecados e violações da lei, ficará ainda pior, não será mais habitável. Os pecadores e irracionais tomarão conta e a cidade será parte do próprio inferno.

Deus Todo-poderoso. O hebraico do título divino aqui é *El Shaddai*, nome composto que significa *Poder Soberano*, ou *Soberano Onipotente*. Cf. Ez 17.1. O Poder, outrora protetor de Jerusalém, agora se torna contrário e traz destruição total.

■ 10.6,7

וַיְהִ֗י בְּצַוֺּתוֹ֙ אֶת־הָאִ֤ישׁ לְבֻֽשׁ־הַבַּדִּים֙ לֵאמֹ֔ר קַ֥ח אֵשׁ֙ מִבֵּינ֣וֹת לַגַּלְגַּ֔ל מִבֵּינ֖וֹת לַכְּרוּבִ֑ים וַיָּבֹא֙ וַֽיַּעֲמֹ֔ד אֵ֖צֶל הָאוֹפָֽן:

וַיִּשְׁלַ֣ח הַכְּר֡וּב אֶת־יָדוֹ֩ מִבֵּינ֨וֹת לַכְּרוּבִ֜ים אֶל־הָאֵ֗שׁ אֲשֶׁר֙ בֵּינ֣וֹת הַכְּרֻבִ֔ים וַיִּשָּׂא֙ וַיִּתֵּ֔ן אֶל־חָפְנֵ֖י לְבֻ֣שׁ הַבַּדִּ֑ים וַיִּקַּ֖ח וַיֵּצֵֽא:

Os vss. 6,7 não são cronologicamente subsequentes ao vs. 5, mas formam um parêntese, aumentando a informação já dada no vs. 2. Obedecendo à ordem de pegar o fogo divino, o *anjo-escriba*, vestido em linho, se aproxima da fonte do fogo, localizada entre as rodas do trono-carro. O anjo ficou perto de uma roda. Uma das criaturas (querubim) estendeu a mão, pegou uma porção significativa de brasas e as entregou ao anjo-escriba, que tinha a forma de um homem. Este anjo, com o fogo nas mãos, saiu para incendiar o lugar (vs. 7). O palco estava preparado para queimar a cidade rebelde, na realização do julgamento que Yahweh ordenara. "Os querubins, normalmente ministros da graça e da bondade de Deus, agora se tornam ministros da vingança divina" (Fausset, *in loc.*). Cf. Ap 6.9,11; 18.4-7 e Mt 22.7.

■ 10.8

וַיֵּרָ֖א לַכְּרֻבִ֑ים תַּבְנִ֣ית יַד־אָדָ֔ם תַּ֖חַת כַּנְפֵיהֶֽם:

Tinham os querubins uma semelhança de mão de homem. Este versículo é, praticamente, uma duplicata de Ez 1.8, assim colocado desajeitadamente. Provavelmente é o comentário de um redator subsequente, que quis lembrar alguma coisa da aparência dos querubins que formavam o corpo do trono-carro. A descrição é continuação da do capítulo 1, mas os vss. 12,13 dão detalhes adicionais.

■ 10.9,10

וָאֶרְאֶ֗ה וְהִנֵּ֨ה אַרְבָּעָ֣ה אוֹפַנִּים֮ אֵ֣צֶל הַכְּרוּבִים֒ אוֹפַ֣ן אֶחָ֗ד אֵ֚צֶל הַכְּר֣וּב אֶחָ֔ד וְאוֹפַ֥ן אֶחָ֖ד אֵ֣צֶל הַכְּר֑וּב אֶחָ֑ד וּמַרְאֵה֙ הָא֣וֹפַנִּ֔ים כְּעֵ֖ין אֶ֥בֶן תַּרְשִֽׁישׁ:

וּמַרְאֵיהֶם֙ דְּמ֣וּת אֶחָ֔ד לְאַרְבַּעְתָּ֑ם כַּאֲשֶׁ֨ר יִהְיֶ֧ה הָאוֹפַ֛ן בְּת֖וֹךְ הָאוֹפָֽן:

Quatro rodas. Estes dois versículos repetem Ez 1.15,16, com alguma variação insignificante. Ver as notas ali, para maiores informações.

■ 10.11,12

בְּלֶכְתָּ֗ם אֶל־אַרְבַּ֤עַת רִבְעֵיהֶם֙ יֵלֵ֔כוּ לֹ֥א יִסַּ֖בּוּ בְּלֶכְתָּ֑ם כִּ֣י הַמָּק֞וֹם אֲשֶׁר־יִפְנֶ֤ה הָרֹאשׁ֙ אַחֲרָ֣יו יֵלֵ֔כוּ לֹ֥א יִסַּ֖בּוּ בְּלֶכְתָּֽם:

וְכָל־בְּשָׂרָ֣ם וְגַבֵּהֶ֗ם וִֽידֵיהֶם֙ וְכַנְפֵיהֶ֔ם וְהָא֖וֹפַנִּ֑ים מְלֵאִ֤ים עֵינַ֙יִם֙ סָבִ֔יב לְאַרְבַּעְתָּ֖ם אוֹפַנֵּיהֶֽם:

Uma Descrição Confusa. Estes dois versículos apresentam uma mistura confusa das figuras que pertencem aos querubins e às rodas do trono-carro. Alguns intérpretes, tentando seguir literalmente este texto, fazem dos querubins as próprias rodas do trono-carro, mas até agora os dois itens ficaram distintos. Cada querubim estava *associado* a uma roda e sempre a acompanhava, mas não era idêntico a ela. Ver Ez 1.17,18 e 10.9,10 que, certamente, separam estes dois elementos do trono-carro. A NCV ajuda os leitores inserindo "as rodas" como o sujeito do vs. 11. Isto resolve o problema, mas representa uma emenda do hebraico. O vs. 12 traz "cheios de olhos", falando dos *corpos* dos querubins, enquanto Ez 1.18 (ver as notas expositivas) apresenta os olhos cercando os aros das rodas. Aproximando-se do hebraico, Charles H. Dyer, *in loc.*, traduz: "Seus corpos inteiros eram completamente cheios de olhos". Outros tradutores adaptam o versículo a Ez 1.18. De qualquer modo, está em vista a *onisciência de Deus*. Cf. Ap 4.8, onde as quatro criaturas são cobertas de olhos, e declaração que, sem dúvida, se originou do presente versículo desajeitado.

■ 10.13

לָא֣וֹפַנִּ֔ים לָהֶ֛ם קוֹרָ֥א הַגַּלְגַּ֖ל בְּאָזְנָֽי:

Ouvindo-o eu. Ezequiel escutava o som das rodas (chamadas rodas giratórias pela RSV). As rodas giravam tão rapidamente que forneciam propulsão para o veículo voar. Mas Yahweh, falando e dando ordens, era a fonte do movimento produzido pelo veículo. A lição é óbvia: a palavra do Senhor é a fonte do movimento giratório deste mundo e de toda a criação. Sua palavra criou; sua palavra impulsiona; sua palavra determina o destino dos homens, dos céus e da terra. O trono-carro, com suas rodas em alta rotação, se prepara para sair do templo e sumir de Jerusalém. Icabô já pairava em cima da cidade; a glória do Senhor desapareceria.

■ 10.14

וְאַרְבָּעָ֥ה פָנִ֖ים לְאֶחָ֑ד פְּנֵ֨י הָאֶחָ֜ד פְּנֵ֣י הַכְּר֗וּב וּפְנֵ֤י הַשֵּׁנִי֙ פְּנֵ֣י אָדָ֔ם וְהַשְּׁלִישִׁ֖י פְּנֵ֣י אַרְיֵ֑ה וְהָרְבִיעִ֖י פְּנֵי־נָֽשֶׁר:

A Confusão Continua. Este versículo também é confuso. A fonte é Ez 1.10, mas, aqui, temos o rosto dos querubins como: 1. do querubim; 2. do leão; 3. da águia. Também, neste presente versículo, cada criatura tem quatro rostos! Provavelmente um redator, inadequadamente copiando as figuras anteriores, confundiu o texto. Certos intérpretes, não querendo confessar o que é óbvio, tentam heroicamente reconciliar as descrições dos capítulos 1 e 10, mas suas tentativas somente aumentam a confusão. Nada nos ajuda saber que o rosto do boi era uma figura comum nas descrições dos querubins, e que assim poderíamos substituir *boi* por *querubim* e falar a mesma coisa. Alguns intérpretes dizem que boi, no rosto para as rodas, não para os querubins! Mas, com esse tipo de interpretação, caímos em confusão total. É melhor e mais honesto confessarmos que o escritor original ou um redator subsequente manipularam com inépcia os textos do capítulo 1.

■ 10.15

וַיֵּרֹ֖מּוּ הַכְּרוּבִ֑ים הִ֣יא הַחַיָּ֔ה אֲשֶׁ֥ר רָאִ֖יתִי בִּנְהַר־כְּבָֽר:

Os querubins se elevaram. Aqui, o trono-carro se eleva, voando para cima, pronto para abandonar o lugar. A glória de Yahweh não poderia mais se manifestar onde os idólatras se tinham estabelecido. Cf. Ez 3.23; 8.4 e 10.20,22. Chegara a hora para a glória do Senhor partir. Os querubins voaram para cima; o trono-carro se elevou, pairando sobre o átrio de Israel. As rodas giravam loucamente. Cf. Ez 1.19,20. A propulsão levaria o veículo para longe de Jerusalém. Abandonada, a cidade sofreria calamidades múltiplas.

■ 10.16,17

וּבְלֶכֶת הַכְּרוּבִים יֵלְכוּ הָאוֹפַנִּים אֶצְלָם וּבִשְׂאֵת הַכְּרוּבִים אֶת־כַּנְפֵיהֶם לָרוּם מֵעַל הָאָרֶץ לֹא־יִסַּבּוּ הָאוֹפַנִּים גַּם־הֵם מֵאֶצְלָם:

בְּעָמְדָם יַעֲמֹדוּ וּבְרוֹמָם יֵרוֹמּוּ אוֹתָם כִּי רוּחַ הַחַיָּה בָּהֶם:

Estes dois versículos são paralelos a Ez 1.20,21; ver as notas, com algumas pequenas variações. As duas passagens enfatizam a *soberania de Deus* (ver a respeito no *Dicionário*); seus atos soberanos deram para o templo sua glória e importância. Também removeram o que fora dado; seu poder *abençoou* e também *amaldiçoou*. Ver no *Dicionário* o artigo intitulado *Teísmo*. O Criador intervém na sua criação, não a abandona como ensina o *Deísmo* (ver a respeito no *Dicionário*). O Poder Supremo recompensa ou julga de acordo com as provisões da lei moral.

■ 10.18

וַיֵּצֵא כְּבוֹד יְהוָה מֵעַל מִפְתַּן הַבָּיִת וַיַּעֲמֹד עַל־הַכְּרוּבִים:

Então saiu a glória do Senhor. Cf. o vs. 4 deste capítulo. A glória de Yahweh saiu do Santo dos Santos e hesitava um pouco na entrada do templo (ver Ez 9.3). Lá estava o trono-carro pronto para partir. A Pessoa e a glória do Senhor logo partiriam no seu veículo. Esta partida da presença e da glória de Yahweh marca o início do fim da cidade, que ficaria totalmente sem proteção. A espada do exército babilônico era a espada do Senhor. Cf. Dt 31.17. A maldição divina arrasaria a cidade e a reduziria a pó. Cf. Os 9.12.

■ 10.19

וַיִּשְׂאוּ הַכְּרוּבִים אֶת־כַּנְפֵיהֶם וַיֵּרוֹמּוּ מִן־הָאָרֶץ לְעֵינַי בְּצֵאתָם וְהָאוֹפַנִּים לְעֻמָּתָם וַיַּעֲמֹד פֶּתַח שַׁעַר בֵּית־יְהוָה הַקַּדְמוֹנִי וּכְבוֹד אֱלֹהֵי־יִשְׂרָאֵל עֲלֵיהֶם מִלְמָעְלָה:

A glória do Deus de Israel estava no alto. O *Cavaleiro divino* está sentado em seu carro; as rodas giram loucamente, o veículo é propulsionado, eleva-se, para momentaneamente junto ao Portão Oriental do templo, a entrada principal do sol, "o portão de retidão", o "portão do Senhor" (Sl 118.19-20). As "antigas portas" (Sl 24.7,9) não veriam mais a presença divina. O Talmude (*Jerusalém, Erubin*, V. 22c) traz "portão do sol". Ver no *Dicionário* o artigo chamado *Portão Oriental*, para maiores detalhes. Através daquele portão, o rei e a arca da aliança entravam nos dias de procissão sagrada na celebração do Ano Novo. Também foi através daquele portão que surgiram os raios do sol da madrugada. O Portão Oriental estava perfeitamente alinhado com o sol nos dias dos equinócios. Foi apropriado, portanto, que Yahweh, pronto para sumir do templo de Jerusalém, parasse um pouco no Portão Oriental. Mas em que o ato ajudou? A história sacra havia terminado, a glória fugiria e o culto de Yahweh abandonaria o povo e seu templo idólatra. Fim! O segundo templo renovaria, em termos menores, a velha glória. Mas a glória do templo de Salomão nunca voltaria, e a arca da aliança estava destruída ou perdida em algum lugar na Babilônia. Aquela geração apóstata morreu miseravelmente no meio das corrupções que tinha fomentado. Sim, morreu como aqueles rebeldes no deserto das vagueações de Israel, no tempo de Moisés. Muitos não entraram na Terra Prometida, ficaram para sempre no deserto.

■ 10.20

הִיא הַחַיָּה אֲשֶׁר רָאִיתִי תַּחַת אֱלֹהֵי־יִשְׂרָאֵל בִּנְהַר־כְּבָר וָאֵדַע כִּי כְרוּבִים הֵמָּה:

São estes os seres viventes que vi debaixo do Deus de Israel. As criaturas vivas (os querubins) formavam o corpo do trono-carro. Note-se o título: *Elohim*, o Poder de Israel. Vemos o Senhor Soberano sentado no veículo, pronto para dar as ordens da partida final. Ver o vs. 15 e cf. Ez 1.26. A visão original se manifestou perto do rio Quebar; agora, tudo se repete em cima do templo. Em espírito, o profeta viajou para Jerusalém para ver as visões maravilhosas da glória do Senhor. Deixou seu corpo perto do rio e, sem obstáculos, viajou em espírito. Ver na *Enciclopédia de Bíblia, Teologia e Filosofia* o verbete chamado *Projeção da Psique*.

■ 10.21

אַרְבָּעָה אַרְבָּעָה פָנִים לְאֶחָד וְאַרְבַּע כְּנָפַיִם לְאֶחָד וּדְמוּת יְדֵי אָדָם תַּחַת כַּנְפֵיהֶם:

Este versículo repete Ez 1.8,10,23. Mas a confusão do vs. 14 é preservada. Cada criatura viva apresenta quatro rostos, em vez de apenas um. Alguns intérpretes veem nas repetições um esforço para enfatizar certos detalhes. Outros culpam o redator de repetição inútil, porque certos detalhes das descrições tinham atraído sua atenção e ele não resistiu à tentação de repeti-los.

■ 10.22

וּדְמוּת פְּנֵיהֶם הֵמָּה הַפָּנִים אֲשֶׁר רָאִיתִי עַל־נְהַר־כְּבָר מַרְאֵיהֶם וְאוֹתָם אִישׁ אֶל־עֵבֶר פָּנָיו יֵלֵכוּ:

Eram os mesmos seres. Aqui, o autor original, ou um redator, poupa-nos de mais repetições, meramente asseverando que os querubins que ele viu, perto do rio Quebar, eram idênticos àqueles da visão presente. As imagens do capítulo 1 se repetem no capítulo 10 e representam as mesmas realidades. O trono-carro do capítulo 1 é o mesmo veículo da partida de Yahweh, do templo e de Jerusalém, do capítulo 10. *Icabô* (ver este termo no *Dicionário*) estava escrito sobre Jerusalém e seu templo; de fato, sobre todo o Judá. Os judeus foram entregues às mãos dos atormentadores-executores do norte.

CAPÍTULO ONZE

JULGAMENTO E ESPERANÇA (11.1-25)

Os capítulos 8—11 formam uma unidade. Ver as notas na introdução do capítulo 8. O tema geral é o *julgamento iminente*. O presente capítulo se divide em três partes: 1. *Vss. 1-13*: continuam a narração do circuito do templo iniciada no capítulo 8. 2. *Vss. 14-21*: são um oráculo de esperança para os exilados na Babilônia. Também contêm uma crítica dos judeus que ficaram em Judá. 3. *Vss. 22-25*: prosseguem com a descrição da partida de Yahweh, que andava no seu trono-carro, abandonando o templo e Jerusalém (a visão apresentada no capítulo 10).

Detalhes. 1. A Glória sumiu de Jerusalém. 2. Parou um pouco no Portão Oriental do templo. 3. Ezequiel teve novamente uma visão da idolatria-adultério-apostasia da cidade, que ratificou a justiça da partida da Glória. A cidade não era mais o trono do Senhor. 4. O profeta recebeu duas mensagens do Senhor: a) *A primeira* (vss. 1-15) descreve o julgamento do povo rebelde que tinha ficado em Jerusalém. Os sobreviventes não eram bons, e o fato de terem sobrevivido não demonstrava nenhuma superioridade que eles pudessem ter adquirido. b) A s*egunda* apresenta uma promessa de restauração para os exilados na Babilônia (vss. 16-21). Finalmente, o profeta registrou alguns detalhes sobre a partida final da Glória de Deus (vss. 22-25).

Os Líderes Iníquos (11.1-13)

■ 11.1

וַתִּשָּׂא אֹתִי רוּחַ וַתָּבֵא אֹתִי אֶל־שַׁעַר בֵּית־יְהוָה הַקַּדְמוֹנִי הַפּוֹנֶה קָדִימָה וְהִנֵּה בְּפֶתַח הַשַּׁעַר עֶשְׂרִים וַחֲמִשָּׁה אִישׁ וָאֶרְאֶה בְתוֹכָם אֶת־יַאֲזַנְיָה בֶן־עַזֻּר וְאֶת־פְּלַטְיָהוּ בֶן־בְּנָיָהוּ שָׂרֵי הָעָם: פ

Então o Espírito me levantou e me levou à porta oriental da casa do Senhor. "Ezequiel estivera à porta do templo (Ez 8.16), a oeste do altar. Agora, foi trazido pelo poder de Deus para o *Portão Oriental,* que ficava na frente do altar. A utilização dos nomes de *Jaazanias,* filho de Azur, e *Palatias,* filho de Benaia, príncipes do povo, dá um toque de realismo à narrativa, confirmando que o profeta realmente estava ali" (Theophile J. Meek, *in loc.*). O homem chamado Jaazanias não é o mesmo mencionado em Ez 8.11, 2Rs 25.23 e Jr 40.8.

Este versículo reivindica o milagre do *transporte divino* e é paralelo a Ez 8.3. Ver também Ez 3.8.

Vinte e cinco homens. Talvez os mesmos citados em Ez 8.16, adoradores do sol. Alguns intérpretes acham que devemos distinguir estes homens daqueles mencionados no capítulo 8. Talvez fossem outro grupo de idólatras e líderes falsos. O primeiro grupo era de *sacerdotes*; estes poderiam ser *líderes civis* (vs. 2). Não há como ter certeza sobre este ponto, nem é preciso ter. Talvez Jerusalém fosse dividida em 24 distritos, cada um com seu líder principal. Acima dos 24, talvez houvesse um *chefe,* perfazendo o total de 25. É impossível determinar a precisão desta adivinhação. De qualquer maneira, os 25 homens foram congregados no portão, o lugar tradicional de comércio e justiça. Os homens daquele grupo eram os principais "advogados" do país. Cf. Gn 23.10,18; Dt 21.18; Js 20.4; Rt 4.1—2,9; Jó 29.7,14-17. Ver o que se sabe sobre estes homens, nos artigos do *Dicionário* dedicados a eles.

■ **11.2**

וַיֹּאמֶר אֵלַי בֶּן־אָדָם אֵלֶּה הָאֲנָשִׁים הַחֹשְׁבִים אָוֶן וְהַיֹּעֲצִים עֲצַת־רָע בָּעִיר הַזֹּאת׃

Filho do homem. O Espírito (ou *espírito,* um anjo) transportou o profeta para aquele lugar e o chamou "filho do homem", título comum que Ezequiel recebe nesse livro. Ver as notas sobre este título em Ez 2.1.

Homens que maquinam vilezas. O profeta foi informado pelo Espírito da maldade daqueles homens, ímpios de coração, que promoviam injustiça no portão. Eles estavam cheios de planos e ações pecaminosas. Envolveram-se em crimes de sangue, em roubos dos pobres. Receberam subornos que compraram a "justiça". Jeremias aconselhou o povo a não resistir a Nabucodonosor, porque era um poder irresistível. Resistência traria morte e destruição generalizada. Mas muitos líderes de Judá rejeitaram aquele conselho e chamaram Jeremias de *traidor* (ver Jr 8). Talvez, entre os atos errados dos 25 homens, estivesse uma conspiração para resistir à Babilônia.

A conspiração sem dúvida incluía uma aliança com o Egito, mas aquele povo comprovou ser um aliado frágil na hora da crise. Ver Jr 27.2,3; 37.5,7,11.

■ **11.3**

הָאֹמְרִים לֹא בְקָרוֹב בְּנוֹת בָּתִּים הִיא הַסִּיר וַאֲנַחְנוּ הַבָּשָׂר׃

Mentiras. Aqueles líderes negaram a "ameaça babilônica" e garantiram que a destruição de Jerusalém não seria iminente. Tudo continuaria como sempre. A vida doce continuaria; construções de casas podiam continuar, sem receio de interrupção.

Esta cidade é a panela, e nós a carne. Esta tradução (da *Atualizada*) esconde um hebraico obscuro que encoraja muitas interpretações igualmente duvidosas.

Ideias. 1. Como a panela é um item apropriado para cozinhar carne, aquele tempo era propício para construir casas e continuar uma vida normal, sem receios de "invasões" do norte. 2. "Esta cidade é como uma panela de cozinha, e *nós* somos as melhores pessoas dela" (NCV). Em outras palavras, tudo continuaria na mesma rotina, a cidade exercendo todas as suas funções, e aqueles 25 líderes tendo uma vida privilegiada numa cidade privilegiada. 3. A hora *não é boa* para construir ou continuar uma vida normal, porque a cidade logo será um forno ou uma panela, e habitantes serão "fritos". Os líderes serão os habitantes que mais mereceriam o castigo de fogo. 4. Talvez o versículo represente uma zombaria daqueles 25 líderes contra o profeta: "Deixe que Jerusalém seja exposta ao inimigo do norte. Nossas defesas são plenamente amplas para nos salvar das chamas da guerra". 5. Ou aqueles orgulhosos líderes acharam que a cidade pertencia *a eles,* para seu benefício, como uma panela naturalmente recebe carne para fritar. Tinham certeza de que nada perturbaria o *status quo*.

■ **11.4,5**

לָכֵן הִנָּבֵא עֲלֵיהֶם הִנָּבֵא בֶּן־אָדָם׃
וַתִּפֹּל עָלַי רוּחַ יְהוָה וַיֹּאמֶר אֵלַי אֱמֹר כֹּה־אָמַר יְהוָה כֵּן אֲמַרְתֶּם בֵּית יִשְׂרָאֵל וּמַעֲלוֹת רוּחֲכֶם אֲנִי יְדַעְתִּיהָ׃

Portanto, profetiza contra eles. A superconfiança e a arrogância dos líderes provocaram um oráculo especial de Yahweh (vs. 4). O Espírito desceu sobre o profeta para iluminar-lhe a mente, dando uma visão clara dos castigos que seriam aplicados aos líderes apóstatas. Os pecados da liderança se multiplicaram, assim como a ira de Yahweh. Uma falsa confiança esconde receios interiores. Cf. Sl 139.1-4. "Eu sei as coisas que vêm à mente deles, todas elas; não meramente as palavras de escárnio e seus atos ímpios, mas até seus pensamentos e as corrupções do coração deles. Nada escapa à minha atenção" (John Gill, *in loc.*). Ver no *Dicionário* o artigo intitulado *Consciência*.

■ **11.6**

הִרְבֵּיתֶם חַלְלֵיכֶם בָּעִיר הַזֹּאת וּמִלֵּאתֶם חוּצֹתֶיהָ חָלָל׃ פ

Multiplicastes os vossos mortos nesta cidade. *A condição moral podre* dos apóstatas de Jerusalém resultou de uma variedade de iniquidades, inclusive crimes de sangue. Ver Ez 7.23,24. As pessoas que representavam a esperança da cidade foram mortas sem piedade. A cidade inteira morreria miseravelmente. A Babilônia garantiria este fim, executaria o povo inteiro, também sem piedade. Seria "assassinato coletivo". Ver 2Rs 21.16.

■ **11.7**

לָכֵן כֹּה־אָמַר אֲדֹנָי יְהוִה חַלְלֵיכֶם אֲשֶׁר שַׂמְתֶּם בְּתוֹכָהּ הֵמָּה הַבָּשָׂר וְהִיא הַסִּיר וְאֶתְכֶם הוֹצִיא מִתּוֹכָהּ׃

Os que vós matastes e largastes no meio dela, são a carne, e ela a panela. 1. A *carne boa* da cidade (ver o vs. 3) não eram aqueles devassos que se acharam donos de Jerusalém, mas as pessoas que foram assassinadas. A autodesignada "elite", o "creme" de Jerusalém, poderia salvar a cidade dos executores, se fosse especializada na prática da justiça. Negligenciaram-na, porque não acharam lucro nela. Assim, a *carne podre* seria queimada nos fogos dos agressores. 2. Há outra maneira de entender este versículo: aqueles assassinos não seriam os bons da cidade, mas, sim, os maldosos que morreriam no meio dela, durante o ataque do inimigo. Seriam como carne *consumida* na panela-Jerusalém. Os agressores colocariam aquela panela no fogo de sua violência. 3. Existe uma terceira interpretação do versículo: as pessoas boas seriam aquelas consumidas na panela-Jerusalém pelos opressores. O terror babilônico não respeitaria ninguém nem distinguiria entre bons e maus. O vs. 11 parece favorecer a segunda interpretação.

■ **11.8**

חֶרֶב יְרֵאתֶם וְחֶרֶב אָבִיא עֲלֵיכֶם נְאֻם אֲדֹנָי יְהוִה׃

A espada trarei sobre vós. *A Ameaça Babilônica.* Há muito o terror potencial que tinha começado continuava crescendo, ganhando proporções maiores. A *espada* babilônica tornou-se imensa. A espada, aqui, representa a *temível tríade:* espada, fome, pestilência, uma força destrutiva implacável. Ver as notas em Ez 5.12. Ver sobre o *terrível quádruplo* em Ez 5.17. A temível tríade e os animais destruidores produziriam o terrível quádruplo.

Diz o Senhor Deus. *Adonai-Yahweh* (o Soberano Eterno, o único Poder) garantiu que o que havia sido grandemente receado, aconteceria. Este título divino ocorre 217 vezes nesse livro, mas somente 103 vezes no restante do Antigo Testamento.

■ 11.9

וְהוֹצֵאתִי אֶתְכֶם מִתּוֹכָהּ וְנָתַתִּי אֶתְכֶם בְּיַד־זָרִים
וְעָשִׂיתִי בָכֶם שְׁפָטִים׃

Tirar-vos-ei do meio dela, e vos entregarei na mão de estrangeiros. Alguns líderes maldosos escapariam da caldeira fervente, aparentemente salvos, mas logo seriam conduzidos cativos até a Babilônia, para sofrer os devidos ultrajes. Muitos seriam mortos, sem piedade, em Ribla (Jr 52.10). A mesma temível espada que massacrou os habitantes de Jerusalém continuaria a matança em outros lugares. Poucos sobreviventes terminariam na Babilônia. Não existiria segurança dentro ou fora do fogo destruidor de Jerusalém. A espada babilônica era grande e hábil. As orações implorando misericórdia não seriam ouvidas.

■ 11.10

בַּחֶרֶב תִּפֹּלוּ עַל־גְּבוּל יִשְׂרָאֵל אֶשְׁפּוֹט אֶתְכֶם
וִידַעְתֶּם כִּי־אֲנִי יְהוָה׃

Caireis à espada; nos confins de Israel vos julgareis. *Interpretações.* 1. Ficaria comprovado que os reprovados não eram, de fato, a *boa carne* (a elite) do povo de Jerusalém (ver o vs. 3). 2. Nem todos seriam "cozidos na caldeira" de Jerusalém, mas, nem por isso, escapariam a uma morte miserável. Seriam destruídos na fronteira de Israel com a Síria, em Ribla (Jr 52.10). Escapando à espada em Ribla, e já na Babilônia, seriam perseguidos pelo inimigo que continuaria a matança (ver Jr 9.16). Naquele jogo, eles não poderiam ganhar. Cf. 2Rs 25.18-21; Jr 52.8-11,24-27.

■ 11.11

הִיא לֹא־תִהְיֶה לָכֶם לְסִיר וְאַתֶּם תִּהְיוּ בְתוֹכָהּ
לְבָשָׂר אֶל־גְּבוּל יִשְׂרָאֵל אֶשְׁפֹּט אֶתְכֶם׃

Nos confins de Israel vos julgarei. A declaração se repete: Seria comprovado que aquela "elite" maldosa não era a *carne boa* (vs. 3) de Jerusalém. Escapando da "caldeira" de Jerusalém, encontraria a espada em Ribla ou, mais tarde, na Babilônia. O versículo ilustra a operação da *Lei Moral da Colheita segundo a Semeadura* (ver a respeito no *Dicionário*). De qualquer modo, uma longa vida não demonstra que a pessoa "idosa" seja boa e justa. Toda a vida humana é muito curta.

■ 11.12

וִידַעְתֶּם כִּי־אֲנִי יְהוָה אֲשֶׁר בְּחֻקַּי לֹא הֲלַכְתֶּם
וּמִשְׁפָּטַי לֹא עֲשִׂיתֶם וּכְמִשְׁפְּטֵי הַגּוֹיִם אֲשֶׁר
סְבִיבוֹתֵיכֶם עֲשִׂיתֶם׃

Pois não andastes nos meus estatutos. O povo rebelde tinha desobedecido à lei de Moisés, o *guia* de Israel (Dt 6.4 ss.). Eles ignoraram seus estatutos, seus juízos e suas regras. Ver Dt 6.1, para a tríplice designação da lei. A lei fez de Israel uma nação *distinta* das demais (Dt 4.4-8). Mas Israel-Judá tornou-se uma nação pagã, como as outras, e merecia julgamento especial pelo fato de ter abandonado sua herança e desprezado a bondade do Senhor. Cf. Dt 12.30,31. A vingança de Yahweh se aproximara para acertar as contas.

■ 11.13

וַיְהִי כְּהִנָּבְאִי וּפְלַטְיָהוּ בֶן־בְּנָיָה מֵת וָאֶפֹּל
עַל־פָּנַי וָאֶזְעַק קוֹל־גָּדוֹל וָאֹמַר אֲהָהּ אֲדֹנָי יְהוִה
כָּלָה אַתָּה עֹשֶׂה אֵת שְׁאֵרִית יִשְׂרָאֵל׃ פ

Ao tempo em que eu profetizava. Justamente quando o profeta estava pronunciando ameaças de julgamento, Pelatias morreu, de acidente, doença etc., mas tão *de súbito*, que o profeta não viu nas circunstâncias nenhuma coincidência. O efeito era de semear-ceifar. Aquele era um dos 25 príncipes maldosos do povo (vs. 1). Sua morte *inesperada* falou aos outros líderes: "Eis aqui o seu destino!" Não é provável que o homem tenha morrido na companhia do profeta. Ezequiel teve uma visão da morte, ou recebeu a notícia por um mensageiro.

Morreu Pelatias. Este homem morreu por um golpe divino, não de causas naturais. Sua morte chegou *de súbito* e consternou o profeta, que viu, na circunstância, uma prova de que Yahweh estava prestes a executar o povo em geral. Cf. esta morte com a de Uzá, que tocou na arca, indevidamente (2Sm 6.3-8), e também com as mortes de Ananias e Safira, registradas em At 5.1-10. Podemos ver algo semelhante em Ez 9.8, cujas notas se aplicam aqui.

A Esperança dos Exilados (11.14-21)

■ 11.14

וַיְהִי דְבַר־יְהוָה אֵלַי לֵאמֹר׃

Veio a mim a palavra do Senhor. A inspiração do Espírito continuava trazendo ao profeta mais oráculos de Yahweh. Em meio à destruição, houve a luz de uma esperança. Comparem-se estes oráculos de restauração com os dos capítulos 20, 34 a 39. O presente versículo responde à pergunta do vs. 13: Haverá sobreviventes? Existe esperança? Todos cairão como o infeliz Pelatias?

■ 11.15

בֶּן־אָדָם אַחֶיךָ אַחֶיךָ אַנְשֵׁי גְאֻלָּתֶךָ וְכָל־בֵּית יִשְׂרָאֵל
כֻּלֹּה אֲשֶׁר אָמְרוּ לָהֶם יֹשְׁבֵי יְרוּשָׁלַםִ רַחֲקוּ מֵעַל
יְהוָה לָנוּ הִיא נִתְּנָה הָאָרֶץ לְמוֹרָשָׁה׃ ס

Filho do homem. Este é o título comum dado ao profeta, no livro de Ezequiel. Ver as notas em Ez 2.1. O profeta já estava no exílio, tendo compartilhado com outros a primeira das três deportações. Ver Jr 52.28. O pequeno remanescente que ficou em Jerusalém começou a se orgulhar do fato, pensando estupidamente que merecia ser poupado. Eles desprezaram "os pecadores" na Babilônia, isto é, os exilados naquele lugar. Imaginaram ser a elite de Judá. Afinal, toda a terra ficou *para eles.* Mas Yahweh havia falado que, depois do cativeiro, *os exilados* formariam o novo Israel, não os sobreviventes que permanecessem em Jerusalém. A história mostra que a grande maioria dos que ficaram em Jerusalém finalmente abandonou a cidade, fugindo para o Egito, com receio de outros ataques devastadores. No Egito, aquela gente não prosperou e não compartilhou da restauração em Jerusalém. O julgamento dos exilados era remediador, como são todos os julgamentos de Deus. Ver este princípio anotado na exposição de 1Pe 4.6, no *Novo Testamento Interpretado.*

■ 11.16

לָכֵן אֱמֹר כֹּה־אָמַר אֲדֹנָי יְהוִה כִּי הִרְחַקְתִּים בַּגּוֹיִם
וְכִי הֲפִיצוֹתִים בָּאֲרָצוֹת וָאֱהִי לָהֶם לְמִקְדָּשׁ מְעַט
בָּאֲרָצוֹת אֲשֶׁר־בָּאוּ שָׁם׃ ס

Assim diz o Senhor Deus. *Adonai-Yahweh* (o Soberano Eterno), que controla todas as coisas neste mundo, sabia o que estava fazendo na Babilônia, preparando os exilados para um novo dia.

Todavia lhes servirei de santuário... nas terras para onde foram. Os cativos seriam purificados e transformados na mente e no espírito. No exílio, o próprio Yahweh seria o templo deles. Profeticamente, temos uma antecipação do dia em que o Espírito fará do próprio homem seu lugar de habitação (ver Ef 2.20-22). Por determinado tempo, o povo exilado não teria um templo material. Voltando, seria o instrumento para construir o segundo templo. O sol brilharia novamente sobre Judá. O remanescente que ficara em Jerusalém não participaria da nova glória, portanto era ridícula sua jactância.

"O meu altar é o coração humilde. Houve uma preparação para a catolicidade do evangelho. O templo local e material será substituído pelo templo do espírito do homem" (Fausset, *in loc.*). Os rabinos entenderam que o templo foi substituído pelas sinagogas, que se tornaram *pequenos templos.* Isto é uma pequena verdade; a verdade maior é a outra interpretação deste versículo.

■ 11.17

לָכֵן אֱמֹר כֹּה־אָמַר אֲדֹנָי יְהוִה וְקִבַּצְתִּי אֶתְכֶם מִן־
הָעַמִּים וְאָסַפְתִּי אֶתְכֶם מִן־הָאֲרָצוֹת אֲשֶׁר נְפֹצוֹתֶם
בָּהֶם וְנָתַתִּי לָכֶם אֶת־אַדְמַת יִשְׂרָאֵל׃

Hei de ajuntá-los... e os recolherei. Yahweh mandou o profeta comunicar esta mensagem de esperança. O Deus Eterno e Todo-poderoso não havia abandonado seu povo, mas estava purificando-o para o novo dia. O Poder que espalhasse o povo também o recolheria. O Poder que destruísse também restauraria. Sabe-se que os setenta anos de purificação (Jr 25.11) produziram uma nova nação. Alguns intérpretes acham que o versículo é *escatológico,* alcançando o Israel do milênio depois da volta do Messias. Cf. Ez 34.13.

■ **11.18**

וּבָ֣אוּ שָׁ֔מָּה וְהֵסִ֛ירוּ אֶת־כָּל־שִׁקּוּצֶ֖יהָ וְאֶת־כָּל־
תּוֹעֲבוֹתֶ֖יהָ מִמֶּֽנָּה׃

Voltarão... e tirarão... todos os seus ídolos detestáveis. O remanescente voltará purificado. Entrando em Jerusalém, purificará a cidade, limpando-a e preparando-a para o segundo templo. O fim definitivo da idolatria chegará. Não restará nenhum vestígio de paganismo no lugar. Em outras palavras, o remanescente que voltasse *removeria a causa* do cativeiro babilônico. Os livros de Esdras e Neemias contam a história do novo começo. A lei de Moisés tornou-se novamente o *guia* do povo (Dt 6.4 ss.). Ver Ag 2.9. O vs. 21 do presente capítulo dá outros detalhes sobre a restauração.

■ **11.19**

וְנָתַתִּ֤י לָהֶם֙ לֵ֣ב אֶחָ֔ד וְר֥וּחַ חֲדָשָׁ֖ה אֶתֵּ֣ן בְּקִרְבְּכֶ֑ם
וַהֲסִרֹתִ֞י לֵ֤ב הָאֶ֙בֶן֙ מִבְּשָׂרָ֔ם וְנָתַתִּ֥י לָהֶ֖ם לֵ֥ב בָּשָֽׂר׃

Dar-lhes-ei um só coração. Yahweh abençoará o seu povo, dando-lhe um único coração totalmente dedicado ao yahwismo. O povo terá um *novo espírito.* As velhas atitudes e atos pecaminosos serão eliminados. O antigo coração de pedra será substituído por um coração sensível aos mandamentos de Yahweh. Alguns intérpretes pensam que temos aqui uma profecia escatológica que alcança os tempos do Novo Testamento e da igreja cristã. Alguns intérpretes acham que alcança até o milênio, quando graças espirituais transformarão todas as coisas. Cf. Jr 31.31-34 e o novo pacto desse texto. Ver também Mt 26.28; Mc 14.24; Lc 22.20; Hb 8.6-13; 9.15; 10.14-16 e 12.24. Cf. Ez 18.31 e 36.26, onde é mencionado o *novo coração.* Cf. Is 53.6, onde cada homem continua seguindo seu próprio caminho maldoso. A vontade perversa do homem o conduz à confusão e destruição. A vontade de Deus conduz à unidade e renovação.

Da multidão dos que creram era um o coração e a alma.
Atos 4.32

■ **11.20**

לְמַ֙עַן֙ בְּחֻקֹּתַ֣י יֵלֵ֔כוּ וְאֶת־מִשְׁפָּטַ֥י יִשְׁמְר֖וּ וְעָשׂ֣וּ אֹתָ֑ם
וְהָֽיוּ־לִ֣י לְעָ֔ם וַאֲנִ֕י אֶהְיֶ֥ה לָהֶ֖ם לֵאלֹהִֽים׃

Para que andem nos meus estatutos. *Boas Notícias.* O remanescente restaurado voltará para a fé histórica dos hebreus, para a lei de Moisés e para as tradições dos patriarcas. Yahweh será o seu Deus de novo.

Eles serão o meu povo, e eu serei o seu Deus. Ver esta declaração em Ez 14.11; 36.28; 37.23,27; Os 2.23. O povo obediente receberá o novo pacto e a comunhão com Yahweh que fora quebrada pela rebelião dos apóstatas. A regeneração será comprovada pelos frutos que produzirá.

Ela invocará o meu nome, e eu a ouvirei; direi: é o meu povo, e ela dirá: O Senhor é meu Deus.
Zacarias 13.9

■ **11.21**

וְאֶל־לֵ֧ב שִׁקּוּצֵיהֶ֛ם וְתוֹעֲבוֹתֵיהֶ֖ם לִבָּ֣ם הֹלֵ֑ךְ דַּרְכָּ֗ם
בְּרֹאשָׁ֛ם נָתַ֖תִּי נְאֻ֥ם אֲדֹנָ֥י יְהוִֽה׃

Quanto àqueles cujo coração se compraz em seus ídolos detestáveis... Por contraste, os idólatras rebeldes, que nunca se modificaram nem ficaram sensíveis à palavra de Yahweh, devem cair sob o peso de seus próprios pecados.

Eu farei recair sobre suas cabeças as suas obras, diz o Senhor Deus. Os apóstatas não verão a restauração, e Yahweh não será o seu Deus. Sofrerão os merecidos castigos e serão, afinal, aniquilados. A vingança de Yahweh limpará tudo. Os rebeldes serão punidos segundo suas obras maléficas. A espada, a fome e a pestilência os devorarão. Eles abandonaram o Senhor, e o Senhor os abandonará.

A *vontade perversa* dos apóstatas semeou e ceifou uma colheita amarga. Nenhuma instrução teria o mínimo efeito para evitar as calamidades do julgamento. Cf. Ap 21.8.

A Partida da Glória de Yahweh (11.22-25)

■ **11.22**

וַיִּשְׂא֤וּ הַכְּרוּבִים֙ אֶת־כַּנְפֵיהֶ֔ם וְהָאוֹפַנִּ֖ים לְעֻמָּתָ֑ם
וּכְב֧וֹד אֱלֹהֵֽי־יִשְׂרָאֵ֛ל עֲלֵיהֶ֖ם מִלְמָֽעְלָה׃

Os querubins elevaram as suas asas... e a glória do Deus de Israel estava no alto. Este versículo se vincula naturalmente a Ez 10.19. "O *simbolismo solar* é óbvio (cf. Ez 43.1-4 e Is 60.1-3,19-20). Como o sol ascendente da glória de Yahweh subiu acima do monte das Oliveiras, assim, aqui, a mesma glória abandona Jerusalém, partindo do mesmo lugar. Provavelmente esta passagem foi influenciada por Zc 14.4" (Theophile J. Meek, *in loc.*).

Ver sobre a "glória do Senhor" nas notas de Ez 1.28. A glória de Deus deixou Jerusalém, passou por sobre o vale de Cedrom, pairou sobre o monte das Oliveiras e sumiu. Jerusalém foi abandonada. A glória do Senhor partiu; Icabô foi escrito sobre a cidade. O lugar, sem a proteção de Yahweh, logo seria destruído sem misericórdia. Afinal, a glória voltaria justamente para o monte das Oliveiras (Ez 43.1-3). Jesus, na sua ascensão, subiu daquele lugar (At 1.9-12). Ele prometeu voltar para aquele monte (At 1.11; cf. Zc 14.4). Ver comentários em Ez 10.19, quase iguais ao presente versículo.

■ **11.23**

וַיַּ֙עַל֙ כְּב֣וֹד יְהוָ֔ה מֵעַ֖ל תּ֣וֹךְ הָעִ֑יר וַֽיַּעֲמֹד֙ עַל־הָהָ֔ר
אֲשֶׁ֖ר מִקֶּ֥דֶם לָעִֽיר׃

A glória do Senhor subiu do meio da cidade. Yahweh, sentado em seu trono-carro, levantou voo, parou momentaneamente em cima do monte das Oliveiras, a colina que fica a oriente da cidade, onde o sol se levanta. Um pôr do sol caiu sobre Jerusalém. A glória sumiu. O sol voltaria para aquele lugar quando o segundo templo fosse construído, mas setenta anos de escuridão dominariam todos os judeus para que um remanescente pudesse ser purificado (ver Jr 25.11). Naquele mesmo lugar, na visão de um profeta posterior (Zc 14.4), o Senhor é representado em pé, no dia do julgamento final. Naquele lugar, Jesus proclamou a destruição da cidade rebelde no seu dia (Mt 24; Lc 21.20). Daquele lugar, Jesus ascendeu (Lc 24.50,51). No presente versículo, a visão da partida da glória de Yahweh termina.

Jarchi chama esta partida de *terceira* remoção da glória *Shekinah* de Jerusalém. Os rabinos foram capazes de encontrar nada menos do que *dez* abandonos da glória do Senhor a Israel (T. Bab. Roshhashana, fol. 31.1).

■ **11.24,25**

וְר֗וּחַ נְשָׂאַ֙תְנִי֙ וַתְּבִיאֵ֤נִי כַשְׂדִּ֙ימָה֙ אֶל־הַגּוֹלָ֔ה בַּמַּרְאֶ֖ה
בְּר֣וּחַ אֱלֹהִ֑ים וַיַּ֙עַל֙ מֵֽעָלַ֔י הַמַּרְאֶ֖ה אֲשֶׁ֥ר רָאִֽיתִי׃
וָאֲדַבֵּ֣ר אֶל־הַגּוֹלָ֔ה אֵ֛ת כָּל־דִּבְרֵ֥י יְהוָ֖ה אֲשֶׁ֥ר
הֶרְאָֽנִי׃ פ

Depois o Espírito me levantou, e me levou... *Epílogo.* O Espírito de Yahweh proporcionou ao profeta outro transporte místico e divino. Cf. Ez 3.14; 8.3; 11.1; 37.1 e 43.5. Ele foi levado de Jerusalém para a companhia dos exilados na Babilônia. Lá, o profeta lhes revelou as mensagens que Yahweh tinha dado, todas para o benefício deles (vs. 25). As revelações de Deus vêm para beneficiar os homens, para ensinar, corrigir, informar, purificar; para restaurar e dar esperança em situações difíceis, quando o coração humano depende da ajuda divina. O profeta relatou tudo. O transporte divino fora do espírito de

CAPÍTULO DOZE

SÍMBOLOS DO EXÍLIO E DO DESESPERO (12.1-28)

Os capítulos 4—11 nos informaram sobre a tarefa de Ezequiel de comunicar, aos habitantes de Jerusalém, a necessidade do julgamento de Yahweh para purificar seu povo. A mensagem foi comunicada através de uma variedade de sinais, mas nada funcionou. O orgulho pecaminoso venceu o bom senso. Em uma tentativa heroica de melhorar a condição daquele povo rebelde, o profeta trouxe sinais, sermões e provérbios adicionais (relatados nos capítulos 12—19), mas nada funcionou. Judá tinha descido longe demais na trilha da apostasia, para se impressionar com alguma pregação. O coração deles estava longe do arrependimento exigido por Yahweh. O julgamento tornou-se inevitável. Às vezes, através do julgamento, Deus pode fazer obras melhores do que por qualquer outro meio.

As Três Seções do Capítulo 12. 1. Vss. 1-16: o exílio do povo; seu príncipe; ações dramáticas que fazem esta seção vívida. 2. Vss. 17-20: o receio experimentado pelo povo, por causa da desolação potencial da terra: o ataque do exército babilônico era iminente. 3. Vss. 21-28: o fim é iminente; a realização das profecias está próxima. Cf. Ez 13.1—14.11.

■ 12.1,2

וַיְהִי דְבַר־יְהוָה אֵלַי לֵאמֹר׃

בֶּן־אָדָם בְּתוֹךְ בֵּית־הַמֶּרִי אַתָּה יֹשֵׁב אֲשֶׁר עֵינַיִם לָהֶם לִרְאוֹת וְלֹא רָאוּ אָזְנַיִם לָהֶם לִשְׁמֹעַ וְלֹא שָׁמֵעוּ כִּי בֵּית מְרִי הֵם׃

Veio a mim a palavra do Senhor. *Oráculos Persistentes*. Eles continuaram chegando; a inspiração do profeta era grande e variada, alertando para o fim da cidade, que se aproximava rapidamente. Yahweh dera advertências urgentes, mas nada mudou o coração duro daqueles rebeldes. Ezequiel, "o filho do homem" (ver Ez 2.1), continuava sendo o mensageiro, no meio dos rebeldes, mas eles não tinham olhos espirituais e seus ouvidos estavam entupidos com corrupções. Comparar as declarações destes versículos com Dt 29.1-4; Is 6.9,10; Jr 5.21; Mt 13.13-15; e At 28.26-28. O profeta foi fiel, mas o povo infiel era totalmente insensível à mensagem divina. Judá era "uma casa rebelde" (ver Dt 1.26 e Rm 10.21). O profeta ilustrava sua mensagem com sinais, atos dramáticos e palavras poderosas, mas nada funcionou.

O Sinal da Bagagem (12.3-6)

■ 12.3

וְאַתָּה בֶן־אָדָם עֲשֵׂה לְךָ כְּלֵי גוֹלָה וּגְלֵה יוֹמָם לְעֵינֵיהֶם וְגָלִיתָ מִמְּקוֹמְךָ אֶל־מָקוֹם אַחֵר לְעֵינֵיהֶם אוּלַי יִרְאוּ כִּי בֵּית מְרִי הֵמָּה׃

Prepara a bagagem de exílio. Cf. Jr 46.19. O profeta havia recebido ordens para arrumar as malas; ele iria para o exílio e levaria pouca coisa, pois perderia quase tudo. Cf. Am 3.12. Com o povo observando-o, ele levaria suas malas e se transferiria para outro lugar, em clara demonstração do que aconteceria. Houve *três deportações distintas* (ver as notas em Jr 52.28). Ezequiel e seus companheiros exilados em Tel-Abibe (Ez 3.15) tinham participado da primeira deportação. Outras se seguiriam; a devastação seria grande e Jerusalém ficaria, essencialmente, desabitada.

■ 12.4

וְהוֹצֵאתָ כֵלֶיךָ כִּכְלֵי גוֹלָה יוֹמָם לְעֵינֵיהֶם וְאַתָּה תֵּצֵא בָעֶרֶב לְעֵינֵיהֶם כְּמוֹצָאֵי גּוֹלָה׃

À vista deles. O profeta, carregando suas malas, não iria muito longe; uma viagem curta seria suficiente para ilustrar a *viagem longa* que o povo faria às mãos do rei da Babilônia. Ver no *Dicionário* o artigo denominado *Cativeiro Babilônico*. Os exilados, já em Tel-Abibe, compreenderam plenamente o significado da "viagem" do profeta. Sua ação-parábola era simples e clara. Os judeus ainda em Jerusalém receberiam notícias das ações do profeta, as quais serviriam de advertência.

Sairás de tarde. "A viagem para a Babilônia começaria no frescor da noitinha, depois que toda a sua bagagem tivesse sido arrumada durante o dia. Jr 40.1 informa como os exilados potenciais seriam maltratados" (Theophile J. Meek, *in loc.*).

Zedequias tentou escapar na noite. Talvez o presente texto aluda àquele fato (ver Jr 39.4 e 52.7).

■ 12.5

לְעֵינֵיהֶם חֲתָר־לְךָ בַקִּיר וְהוֹצֵאתָ בּוֹ׃

Abre um buraco na parede, à vista deles, e sai por ali. O versículo refere-se à maneira como Zedequias e sua família tentaram escapar da cidade, através de uma brecha no muro (ver Jr 39.2-4; 2Rs 25.4).

Diversas Interpretações. 1. Os babilônios abriram muitas brechas nos muros de Jerusalém, buscando obter acesso à cidade. Os habitantes sobreviventes tentaram escapar à deportação, saindo através destas brechas, provavelmente à noite. 2. A bagagem seria retirada às pressas das casas; quando a noite chegasse, as brechas serviriam de caminhos para sair da cidade.

Cf. Jr 39.4, a tentativa do rei Zedequias de escapar. Ele foi apanhado com toda a sua família. Seus filhos foram mortos em Ribla, diante de seus olhos; ele mesmo ficou cego, foi preso com algemas e levado à Babilônia (Jr 52.1-11).

■ 12.6

לְעֵינֵיהֶם עַל־כָּתֵף תִּשָּׂא בָּעֲלָטָה תוֹצִיא פָּנֶיךָ תְכַסֶּה וְלֹא תִרְאֶה אֶת־הָאָרֶץ כִּי־מוֹפֵת נְתַתִּיךָ לְבֵית יִשְׂרָאֵל׃

Às escuras. Realizando sua *ação-parábola*, o profeta aproveita a noite para sair furtivamente da cidade, cobrindo o rosto e olhando para a esquerda e para a direita. Ele está escapando de Jerusalém para salvar a sua própria vida. A maioria da população jaz morta nas ruas da cidade. Ver Jr 39.2-4. A escapada simulada do profeta ilustrou o desespero que logo tomaria conta da cidade. Talvez a noite aluda à cegueira de Zedequias (Jr 52.11), que entraria na noite permanente. O exílio na Babilônia seria uma longa noite de terror para os cativos.

■ 12.7

וָאַעַשׂ כֵּן כַּאֲשֶׁר צֻוֵּיתִי כֵּלַי הוֹצֵאתִי כִּכְלֵי גוֹלָה יוֹמָם וּבָעֶרֶב חָתַרְתִּי־לִי בַקִּיר בְּיָד בָּעֲלָטָה הוֹצֵאתִי עַל־כָּתֵף נָשָׂאתִי לְעֵינֵיהֶם׃ פ

Como se me ordenou assim eu fiz. *Sumário*. Este versículo fornece um pequeno sumário do que foi dito nos vss. 4-6: O profeta realizou sua encenação enquanto o povo observa. O *sinal* da ação-parábola era tão claro, que todos entenderam a mensagem perfeitamente.

■ 12.8,9

וַיְהִי דְבַר־יְהוָה אֵלַי בַּבֹּקֶר לֵאמֹר׃

בֶּן־אָדָם הֲלֹא אָמְרוּ אֵלֶיךָ בֵּית יִשְׂרָאֵל בֵּית הַמֶּרִי מָה אַתָּה עֹשֶׂה׃

Pela manhã veio a mim a palavra do Senhor. *Novo Oráculo*. No dia seguinte, a palavra de Yahweh veio novamente ao profeta. O povo pediu explicações do significado da ação-parábola da bagagem. O significado era tão claro quanto o cristal, mas o povo quis uma confirmação do que já sabia. O novo oráculo ofereceu explicações adicionais.

Filho do homem. Yahweh utilizou o título comum de Ezequiel, quando se dirigiu ao profeta (ver as notas em Ez 2.1).

Aquela casa rebelde. Yahweh chama "a casa de Judá" de *casa rebelde*. Ver a expressão "casa rebelde" em Ez 2.5—6,8; 3.26,27. Outras referências têm "casa de Israel", sem a menção de sua rebeldia (ver Ez 3.1,4,5; 4.3; 12.3,9,25). Judá era Israel, depois do fim no reino do norte (722 a.C.), quando o exército assírio acabou definitivamente com aquele povo. Ver no *Dicionário* o artigo intitulado *Cativeiro Assírio*. Comparar o vs. 9 com Ez 7.18 e 24.19. Embora o significado da ação-parábola fosse claro, é possível que o povo achasse graça na mensagem.

12.10

וְאָמַרְתָּ֣ אֲלֵיהֶ֗ם כֹּ֤ה אָמַר֙ אֲדֹנָ֣י יְהוִ֔ה הַנָּשִׂ֥יא הַמַּשָּׂ֛א הַזֶּ֖ה בִּירוּשָׁלִָ֑ם וְכָל־בֵּ֥ית יִשְׂרָאֵ֖ל אֲשֶׁר־הֵ֥מָּה בְתוֹכָֽם׃

Assim diz o Senhor Deus. *Adonai-Yahweh* (o Soberano Eterno) deu a resposta que o profeta deveria transmitir ao povo. Ele controlava tudo na sua *soberania* (ver a respeito no *Dicionário*), e o destino dos habitantes de Jerusalém dependia da sua vontade, que sempre funcionava (funciona) segundo as exigências da lei moral. O título *Adonai-Yahweh* é usado 217 vezes em Ez, mas somente 103 vezes no restante do Antigo Testamento. Ver no *Dicionário* o artigo intitulado *Deus, Nomes Bíblicos de*.

Príncipe em Jerusalém. Josefo (Ant. x.7) nos conta que uma carta foi enviada ao rei Zedequias, informando-o da ação-parábola do profeta. Esta lenda inclui o detalhe de que o próprio rei exigiu uma explicação da ação. De qualquer maneira, a parábola falava diretamente ao rei (*príncipe*, um título comum para "rei"). A parábola era uma *sentença pesada* (*peso*, literalmente). Trouxe más notícias de sofrimentos iminentes. A sentença era pesada demais para o rei e os habitantes de Jerusalém. O oráculo era repleto *de ais*.

12.11

אֱמֹ֖ר אֲנִ֣י מֽוֹפֶתְכֶ֑ם כַּאֲשֶׁ֣ר עָשִׂ֔יתִי כֵּ֖ן יֵעָשֶׂ֣ה לָהֶ֑ם בַּגּוֹלָ֥ה בַשְּׁבִ֖י יֵלֵֽכוּ׃

Eu sou o vosso sinal. *Uma Resposta Simples.* O profeta não complicou a mensagem. Ele mesmo era um *sinal* para o povo e para o rei. O que ele fez simbolizava o terror que o ataque do exército babilônico traria. A *deportação* era inevitável. O rei e os poucos sobreviventes arrumaram as malas.

Zedequias tentou escapar sob a proteção da noite, falhou e foi feito cativo nas planícies de Jericó; mais tarde, foi levado para Ribla, na fronteira de Israel com a Síria, e viu seus filhos sendo mortos; foi cegado e levado para a Babilônia, onde terminou seus dias numa prisão miserável. Ver 2Rs 25.4-7; Jr 52.7-11. O rei cobriu seu rosto para não ser reconhecido, mas não funcionou; a cegueira cobriu seus olhos permanentemente. Ele *foi* para a Babilônia, mas nunca *viu* o lugar.

12.12

וְהַנָּשִׂ֨יא אֲשֶׁר־בְּתוֹכָ֜ם אֶל־כָּתֵ֤ף יִשָּׂא֙ בָּעֲלָטָ֣ה וְיֵצֵ֔א בַּקִּ֖יר יַחְתְּר֣וּ לְה֣וֹצִיא ב֑וֹ פָּנָ֣יו יְכַסֶּ֔ה יַ֛עַן אֲשֶׁ֥ר לֹא־יִרְאֶ֖ה לַעַ֥יִן ה֖וּא אֶת־הָאָֽרֶץ׃

O rei Zedequias fez todas as coisas que o profeta tinha feito na encenação de sua *ação-parábola* (vss. 4-6). Naturalmente, ele não cavou literalmente um buraco no muro; não viajou para longe, mas cobriu seu rosto (como o rei cobriria) para não ser reconhecido. A maldição de Yahweh pesava sobre o rei, portanto todos os seus esforços seriam em vão. Seu destino amargo o abalou, porque ele seria merecedor de um fim triste. Ele e a liderança, de modo geral, nunca obedeceram às ordens de Yahweh transmitidas pelos profetas. Semearam e ceifaram. O Targum fala aqui: "Cobrirá o seu rosto porque pecou". O pecador arrogante foi humilhado. O rei não se preocupava com "regras morais". No fim, as regras morais o esmagaram. Fugiu do Espírito e de suas exigências; em vão fugiu da cidade. Encontraria sua própria pessoa na prisão na Babilônia e reconheceria, nela, um tolo arrogante que ceifou o que tão diligentemente tinha semeado. Ver Gl 6.7,8 e, no *Dicionário*, o artigo chamado *Lei Moral da Colheita segundo a Semeadura*.

12.13

וּפָרַשְׂתִּ֤י אֶת־רִשְׁתִּי֙ עָלָ֔יו וְנִתְפַּ֖שׂ בִּמְצֽוּדָתִ֑י וְהֵבֵאתִ֨י אֹת֤וֹ בָבֶ֙לָה֙ אֶ֣רֶץ כַּשְׂדִּ֔ים וְאוֹתָ֥הּ לֹֽא־יִרְאֶ֖ה וְשָׁ֥ם יָמֽוּת׃

Também estenderei a minha rede sobre ele. Zedequias estava tentando *escapar*, mas o *caçador divino* o apanhou na sua rede. Os babilônios o pegaram na planície de Jericó, levaram-no para Ribla e mataram seus filhos diante dos seus olhos; cegaram-no e levaram-no para a Babilônia, onde sofreu prisão perpétua, mas sem nunca ter visto o lugar. As profecias de Jeremias e Ezequiel foram cumpridas plenamente. As profecias dos falsos profetas falharam lastimavelmente. Não houve paz nem a continuidade do *status quo*. Ver Jr 6.14 e 8.11.

12.14

וְכֹל֩ אֲשֶׁ֨ר סְבִיבֹתָ֤יו עֶזְרֹה֙ וְכָל־אֲגַפָּ֔יו אֱזָרֶ֖ה לְכָל־ר֑וּחַ וְחֶ֖רֶב אָרִ֥יק אַחֲרֵיהֶֽם׃

Aos quatro ventos espalharei todos os que para o ajudarem estão ao redor dele. Os poucos sobreviventes de Judá seriam espalhados pelos ventos do julgamento de Yahweh. Alguns tentariam fugir para os países vizinhos, escapando à rede da Babilônia. A maioria morreria naquela cidade, no cativeiro que duraria setenta anos (Jr 25.11,12). Aquela geração se perderia na Babilônia, como os rebeldes que saíram do Egito pereceram no deserto das vagueações. Seus filhos e netos voltariam para Jerusalém, assim como os filhos e netos dos rebeldes, no deserto, finalmente alcançaram a Terra Prometida. O decreto misericordioso de Ciro garantiria a volta deles para Jerusalém e a oportunidade de reconstruir o lugar. Cf. Ez 5.2,10,12.

Desembainharei a espada após eles. O remanescente não teria paz na Babilônia, como os rebeldes, no deserto, nunca tiveram paz. Até na Babilônia a espada da morte os perseguiria. Houve muitas barbaridades que mataram e feriram (ver Jr 9.16). Jr 41—43 descrevem a vida daqueles que ficaram em Jerusalém e, finalmente, fugiram para o Egito para evitar mais ultrajes dos babilônios. Jeremias foi forçado a acompanhar essas pessoas e passou o resto de sua vida naquele lugar.

12.15

וְיָדְע֖וּ כִּֽי־אֲנִ֣י יְהוָ֑ה בַּהֲפִיצִ֤י אוֹתָם֙ בַּגּוֹיִ֔ם וְזֵרִיתִ֥י אוֹתָ֖ם בָּאֲרָצֽוֹת׃

Saberão que eu sou o Senhor. Ver esta frase anotada em Ez 5.13; 6.7,10,13-14. As pessoas envolvidas em todo aquele terror aprenderiam, afinal, uma grande lição sobre a função da soberania de Deus (ver Ez 12.12-16). Aqueles que se recusam conhecer o Senhor como Benfeitor e Salvador terminam conhecendo-o como Juiz Soberano. Ver no *Dicionário* o artigo intitulado *Soberania de Deus*. O teísmo bíblico ensina que o Criador não abandona sua criação, mais continua presente, intervindo, castigando o mal e recompensando o bem; ele age segundo a lei moral, aplicando sua providência negativa e positiva, conforme os méritos do povo.

Quando eu os dispersar entre as nações. O povo seria espalhado, como uma vingança de Yahweh contra a sua idolatria-adultério-apostasia.

12.16

וְהוֹתַרְתִּ֤י מֵהֶם֙ אַנְשֵׁ֣י מִסְפָּ֔ר מֵחֶ֖רֶב מֵרָעָ֣ב וּמִדָּ֑בֶר לְמַ֨עַן יְסַפְּר֜וּ אֶת־כָּל־תּוֹעֲבֽוֹתֵיהֶ֗ם בַּגּוֹיִם֙ אֲשֶׁר־בָּ֣אוּ שָׁ֔ם וְיָדְע֖וּ כִּֽי־אֲנִ֥י יְהוָֽה׃ פ

Deixarei ficar alguns poucos. A aniquilação não seria total, nem todas as pessoas levadas para o cativeiro morreriam na Babilônia. Haveria alguns sobreviventes, bem como filhos e netos dos cativos. A *tríade temível* (espada, fome e pestilência) não acabaria com todos os judeus. Ver sobre a tríade nas notas de Ez 5.12. Castigados, alguns seriam purificados e se tornariam uma pequena porção de prata que Yahweh utilizaria para começar tudo de novo, depois do cativeiro. Finalmente, a idolatria dos judeus terminou e o povo abandonou suas abominações pagãs, voltando para a lei de Moisés (ver sobre este *guia* em Dt 6.4 ss.). Cf. os vss. 15,16 com Ez 6.8,10. Ver também Ez 5.13, que tem algo semelhante.

Saberão que eu sou o Senhor. *As Obras Divinas de Instrução*. Às vezes, os homens precisam de castigos severos para serem purificados. Outras vezes, atos de misericórdia são suficientes para trazer o arrependimento. Deus aplica os meios necessários para garantir resultados positivos. Até seus julgamentos são dedos na mão de seu amor.

A bondade de Deus é que te conduz ao arrependimento.
Romanos 2.4

O Receio do Povo: O Segundo Sinal (12.17-20)

■ 12.17,18

וַיְהִי דְבַר־יְהוָה אֵלַי לֵאמֹר׃

בֶּן־אָדָם לַחְמְךָ בְּרַעַשׁ תֹּאכֵל וּמֵימֶיךָ בְּרָגְזָה וּבִדְאָגָה תִּשְׁתֶּה׃

O teu pão comerás com tremor. Os oráculos de Yahweh continuaram e trouxeram receio e tremedeiras (vss. 17,18). Ezequiel comia seu pão e bebia sua bebida em meio a muitos receios e ansiedades. Não podia relaxar, sabia dos terrores que logo chegariam: matança e pilhagem reduziriam Judá e Jerusalém a quase nada; gritos de desespero encheriam a terra.

Aqui, temos o *sinal do terror,* que era o *segundo*, seguindo o primeiro sinal da bagagem (vss. 3-6). O segundo sinal era "comer e beber com tremedeiras". O povo observava o profeta encenando este sinal, e podia ver claramente o significado. Os terrores iminentes perturbariam até os atos mais simples da vida.

O ataque babilônico traria escassez de comida e água. O *sustento de pão* seria quebrado (Ez 5.16). A comida e a água seriam racionadas (Ez 4.10,11). O profeta comia com os homens, em meio ao terror e desespero de um ataque do exército invasor.

■ 12.19

וְאָמַרְתָּ אֶל־עַם הָאָרֶץ כֹּה־אָמַר אֲדֹנָי יְהוִה לְיוֹשְׁבֵי יְרוּשָׁלִַם אֶל־אַדְמַת יִשְׂרָאֵל לַחְמָם בִּדְאָגָה יֹאכֵלוּ וּמֵימֵיהֶם בְּשִׁמָּמוֹן יִשְׁתּוּ לְמַעַן תֵּשַׁם אַרְצָהּ מִמְּלֹאָהּ מֵחֲמַס כָּל־הַיֹּשְׁבִים בָּהּ׃

A Aplicação do Segundo Sinal. O profeta, comendo em terror e ansiedade aguda, era um *sinal* que mostrava como o povo comeria e beberia quando o exército babilônico batesse às portas de Jerusalém. Logo, o povo nem teria coisa alguma para comer ou beber. As mulheres comeriam os próprios filhos (Lm 2.20)! O horror era autoprovocado. Eles trouxeram o julgamento para si mesmos, com seus atos contínuos de iniquidade (Ez 20.18). Cf. Ez 7.23 e 8.17.

O seu pão comerão com ansiedade e a sua água beberão com espanto. A vida normal foi totalmente perturbada por forças fora do controle dos habitantes de Jerusalém. O povo criou essas forças. Elas se tornaram monstros e atacaram seus criadores.

■ 12.20

וְהֶעָרִים הַנּוֹשָׁבוֹת תֶּחֱרַבְנָה וְהָאָרֶץ שְׁמָמָה תִהְיֶה וִידַעְתֶּם כִּי־אֲנִי יְהוָה׃ פ

As cidades habitadas cairão em ruínas. Os devastadores não poupariam nada. Sistematicamente, reduziriam as cidades de Judá à poeira; Jerusalém seria a última e a mais gloriosa vítima. A destruição era a mão pesada de Yahweh sobre eles. Ficariam conhecendo-o como Juiz.

Sabereis que eu sou o Senhor. Esta declaração ocorre 63 vezes nesse livro. Fala da providência *negativa* que Deus aplicaria ao povo. A dor do pecado e a miséria causada pela apostasia seriam agudamente sentidas. Eles semearam a cevada brava e a colheriam. A *Lex Talionis* (retribuição de acordo com a gravidade do crime) efetuaria o castigo apropriado (ver sobre esse termo no *Dicionário*). A terra inteira de Judá ficaria desolada e abandonada. A agricultura falharia por falta de fazendeiros.

O Fim Está Próximo (12.21-28)

Depois dos *dois sinais dados* (vss. 3-6 e vss. 18-20), o profeta entregou *cinco mensagens* (vss. 21-25; vss. 26-28; capítulo 13; 14.1-11; 14.12,13). Estas mensagens demonstraram poderosamente que o *otimismo* do povo sobre a "ameaça da Babilônia" era ilusório. O julgamento fatalmente aconteceria, e seria terrível. As profecias otimistas dos falsos profetas falhariam absolutamente. Eles tinham a boca cheia de mentiras e engano. Não haveria a prosperidade da qual tinham falado (capítulo 13), mas, sim, calamidades (Ez 12.26-28).

Cada uma das cinco mensagens é introduzida da mesma forma: "Veio a mim a palavra do Senhor, dizendo...". Estas palavras constituem uma afirmação da inspiração divina dos *oráculos* e também reivindicam que Ezequiel era o profeta autorizado por Yahweh. Ver no *Dicionário* os artigos chamados *Inspiração* e *Revelação*.

Primeira Mensagem (12.21-25)

■ 12.21

וַיְהִי דְבַר־יְהוָה אֵלַי לֵאמֹר׃

Veio a mim a palavra do Senhor. Outro *oráculo* do Senhor foi recebido pelo profeta. A instrução divina continuava operando. A profecia se aplicou ao tempo de Ezequiel, mas parece também ter uma aplicação *escatológica*. Talvez estejam incluídas no oráculo as condições que caracterizarão o fim dos tempos.

■ 12.22

בֶּן־אָדָם מָה־הַמָּשָׁל הַזֶּה לָכֶם עַל־אַדְמַת יִשְׂרָאֵל לֵאמֹר יַאַרְכוּ הַיָּמִים וְאָבַד כָּל־חָזוֹן׃

Que provérbio é esse...? O oráculo denuncia um *provérbio popular* sobre a falha das profecias (ver 1Co 13.8). A experiência mostrou, ao contrário, que as profecias dos principais profetas, como Ezequiel, normalmente, eram acuradas. Cf. 2Pe 3.4: "Onde está a promessa de sua vinda? Porque, desde que os pais dormiram, todas as cousas permanecem como desde o princípio da criação".

O *provérbio* obviamente falou sobre profecias que prometeram *calamidades* que nunca se concretizaram. O capítulo 13 mostra que o povo, de modo geral, favoreceu os falsos profetas que prometeram paz e prosperidade, pronunciando visões mentirosas. O povo inventou o provérbio para baixar o prestígio daqueles profetas que só podiam ver desastres chegando. O povo cansou de ouvir tais coisas e pensou que as previsões, caso se realizassem, não se cumpririam no tempo deles. A verdade era que os pronunciamentos eram meios divinos de preparar um povo ímpio, para evitar as calamidades previstas, através do arrependimento.

Estou escrevendo estas palavras no dia 10 de agosto de 1997. As profecias para o "tempo do fim", tão populares nas igrejas evangélicas, estão atrasadas. Muitos intérpretes previram a Grande Tribulação para a década de 1990-99, e a quase total destruição do mundo até o ano 2000. O anticristo deveria ter-se manifestado há alguns anos, se aquelas interpretações fossem acuradas. O que aconteceu? São os nossos dias, verdadeiramente, o "fim dos tempos"? Deus mudou de ideia? Os intérpretes estavam errados? As profecias são verdadeiras, mas atrasadas, pela graça de Deus, que está dando a este mundo iníquo mais tempo? Todas estas circunstâncias são uma advertência para não sermos dogmáticos quando discutimos as profecias. De fato, devemos ter cuidado com "dogmas", pois temos a tendência de representá-los como *verdades fixas*. Muitas vezes ouvi, nas igrejas, que o Mercado Comum Europeu seria um instrumento especial nas mãos do anticristo, quando o número de nações membros chegasse a *dez*. Existe, hoje, um número maior de membros e os intérpretes estão mudando suas interpretações para ajustar-se ao que está acontecendo.

■ 12.23

לָכֵן אֱמֹר אֲלֵיהֶם כֹּה־אָמַר אֲדֹנָי יְהוִה הִשְׁבַּתִּי אֶת־הַמָּשָׁל הַזֶּה וְלֹא־יִמְשְׁלוּ אֹתוֹ עוֹד בְּיִשְׂרָאֵל כִּי אִם־דַּבֵּר אֲלֵיהֶם קָרְבוּ הַיָּמִים וּדְבַר כָּל־חָזוֹן׃

Assim diz o Senhor Deus: Farei cessar esse provérbio. *Adonai-Elohim* (o Soberano Eterno Deus), nos dias de Ezequiel, logo poria fim ao provérbio popular que zombava das profecias de calamidades. A boca dos rebeldes seria fechada permanentemente. A espada do Senhor, o exército babilônico, seria o instrumento de castigo para acabar com o escárnio. Ver sobre o título divino, *Adonai-Elohim,* em Ez 2.4; 3.27; 4.1; 5.5. Este nome aparece 217 vezes nesse livro, mas somente 103 vezes no restante do Antigo Testamento. O julgamento figura entre os atos soberanos do Senhor. O povo perceberia, tarde demais, que a apostasia não podia continuar para sempre. A retaliação seria justa. Yahweh, para eles, ficaria conhecido como o *Vingador,* no lugar de Benfeitor (vs. 20). John Gill calcula que o ataque babilônico tenha acontecido somente três anos depois das profecias registradas neste trecho.

■ **12.24**

כִּי לֹא יִהְיֶה עוֹד כָּל־חֲזוֹן שָׁוְא וּמִקְסַם חָלָק בְּתוֹךְ בֵּית יִשְׂרָאֵל:

Não haverá visão falsa nenhuma, nem adivinhação lisonjeira. Os falsos profetas, prometendo paz e prosperidade, constituíram um contraste violento às verdadeiras profecias, que prometeram desastres.

O decreto de Yahweh era contra os hipócritas religiosos. A mão pesada do Senhor em breve comprovaria quem tinha razão. Cf. Lm 2.14. Os falsos profetas tinham visões fraudulentas. Provavelmente tinham também "impulsos psíquicos" (intuições) de cumprimento de desejo, que não eram reflexos da vontade divina. Cf. Ez 13.23; Jr 28.1-4 e 29.1,8,9.

■ **12.25**

כִּי אֲנִי יְהוָה אֲדַבֵּר אֵת אֲשֶׁר אֲדַבֵּר דָּבָר וְיֵעָשֶׂה לֹא תִמָּשֵׁךְ עוֹד כִּי בִימֵיכֶם בֵּית הַמֶּרִי אֲדַבֵּר דָּבָר וַעֲשִׂיתִיו נְאֻם אֲדֹנָי יְהוִה: פ

Falarei a palavra e a cumprirei, diz o Senhor. As verdadeiras visões dadas por Yahweh produziram profecias válidas e precisas. Logo seriam realizadas para o horror dos "otimistas". A *casa rebelde* de Judá (ver as notas nos vss. 2,3,9,25) teria de cessar suas abominações. A paciência de Yahweh se esgotara. A vingança era verdadeira e logo chegaria. *Adonai-Yahweh* fez o pronunciamento e, como *Soberano,* garantiu seu cumprimento. Ver no *Dicionário* o artigo intitulado *Soberania.* Ver também sobre a *Providência de Deus,* que opera de maneira positiva ou negativa.

Segunda Mensagem (12.26-28)

■ **12.26**

וַיְהִי דְבַר־יְהוָה אֵלַי לֵאמֹר:

Veio-me ainda a palavra do Senhor. Ver no vs. 21 as notas que descrevem os *dois sinais* e as *cinco mensagens* (oráculos). O vs. 26, que introduz a mensagem, é uma duplicação do vs. 21, onde a expressão é anotada. Todas as cinco mensagens foram introduzidas com esta declaração, garantindo que os oráculos foram de inspiração divina e que Ezequiel era um profeta autorizado por Yahweh.

■ **12.27,28**

בֶּן־אָדָם הִנֵּה בֵית־יִשְׂרָאֵל אֹמְרִים הֶחָזוֹן אֲשֶׁר־הוּא חֹזֶה לְיָמִים רַבִּים וּלְעִתִּים רְחוֹקוֹת הוּא נִבָּא:
לָכֵן אֱמֹר אֲלֵיהֶם כֹּה אָמַר אֲדֹנָי יְהוִה לֹא־תִמָּשֵׁךְ עוֹד כָּל־דְּבָרָי אֲשֶׁר אֲדַבֵּר דָּבָר וְיֵעָשֶׂה נְאֻם אֲדֹנָי יְהוִה: ס

Os da casa de Israel dizem:... Ele profetiza de tempos que estão mui longe. *A segunda mensagem* repete, essencialmente, a primeira e serve para *enfatizar* a informação dada. O vs. 28 é praticamente uma duplicata dos vss. 23 e 25. A repetição é uma *característica literária* desse livro. Ezequiel era repetitivo ou, segundo alguns intérpretes, foi o redator que assim agiu. De qualquer maneira, fica claro que a misericórdia era abusada e o amor, rejeitado. Restou julgar severamente. As pessoas que ignoraram ou interpretaram erroneamente as profecias logo descobririam seu erro.

Os escarnecedores fizeram duas afirmações: 1. As profecias, se verdadeiras, não aconteceriam no tempo deles. 2. As profecias não eram válidas, mas, sim, produtos de mentes religiosas fanáticas que não mereciam a atenção do povo. Os acontecimentos logo comprovariam que estas duas afirmações estavam equivocadas.

CAPÍTULO TREZE

ORÁCULOS CONTRA OS FALSOS PROFETAS E FALSAS PROFETISAS (13.1-23)

Ezequiel deu *dois sinais* (ver Ez 12.3-6 e 18-20) e, então, *cinco mensagens* (ver as notas em Ez 12.21). O capítulo 13 descreve a *terceira mensagem* (oráculo). As duas primeiras deram advertências contra os escarnecedores que perverteram as mensagens do profeta, negaram a validade de suas profecias, ou afirmaram que, se verdadeiras, elas não se realizariam *nos seus dias.* A *terceira mensagem* desenvolve o assunto, afirmando que os falsos profetas e as falsas profetisas diziam mentiras e tinham visões falsas. Estes declararam que haveria paz e prosperidade nos seus dias, em vez de terror. Garantiram, também, que Yahweh e outros deuses os inspiraram. De fato, eles eram hipócritas, mentirosos, atores corruptos, simuladores, entusiastas autoenganados, idólatras e apóstatas.

"O conflito entre profetas verdadeiros e falsos foi dramatizado pelo incidente que envolveu Micaías, filho de Inlá. Ele fez oposição aos quatrocentos profetas de Baal e contra Acabe e Jezabel. Ver 1Rs 22.8-26; houve também o conflito entre Jeremias e Hananias, o terrível (Jr 28). Amós recusou identificar-se com os falsos profetas de seu tempo (Am 7.14). Tanto Miqueias como Isaías participaram do conflito (Mq 2.11; Is 9.15). Os falsos profetas guiaram o povo para a destruição, afirmando que tudo estava bem, enquanto tudo estava muito ruim" (Theophile J. Meek, *in loc.*).

O povo era enganado com falsas esperanças. Corrupções internas facilitaram o trabalho dos falsos profetas. As pessoas foram "vítimas contentes" da liderança corrupta da época; quiseram ouvir mentiras, porque a verdade lhes perturbava a vida.

A Pesquisa Moderna. Estudos realizados por cientistas dos fenômenos psíquicos têm demonstrado que a *psique humana* é perfeitamente capaz de produzir *visões* totalmente independentes de Deus ou de demônios. Tais visões podem ser meramente sonhos no estado acordado, ou puras invenções psíquicas que não têm nada a ver com a realidade. Mas, para os inventores, são absolutamente *reais*. Podem existir fontes demoníacas, mas as experiências místicas podem ser naturais e humanas, não divinas ou demoníacas. Além disso, os mentirosos gostam de glorificar-se, afirmando ser líderes espirituais que têm visões do alto. Sempre encontram discípulos ingênuos que acreditam em suas mitologias.

Terceira Mensagem: Oráculo contra os Falsos Profetas (13.1-16)

■ **13.1**

וַיְהִי דְבַר־יְהוָה אֵלַי לֵאמֹר:

Veio a mim, a palavra do Senhor. Esta afirmação introduz as cinco mensagens. Ver as notas expositivas em Ez 12.21. Yahweh *não era* a fonte das visões e dos sonhos dos oponentes de Ezequiel, como eles afirmaram. É bom ter esperança no dia de calamidades iminentes, mas não é bom ser enganado. Promessas que afirmam "Nada de ruim vai acontecer" nada valem quando, de fato, calamidades são iminentes. Mentiras deixam o povo sem a devida preparação.

■ **13.2**

בֶּן־אָדָם הִנָּבֵא אֶל־נְבִיאֵי יִשְׂרָאֵל הַנִּבָּאִים וְאָמַרְתָּ לִנְבִיאֵי מִלִּבָּם שִׁמְעוּ דְּבַר־יְהוָה:

Os profetas de Israel... exprimem... o que lhes vem do coração. Existe *profecia mental* que nada tem a ver com o Espírito:
1. As *capacidades normais* da psique humana podem produzir vários tipos de manifestações, inclusive profecias. *Precognição* é uma propriedade da mente do ser humano. Ver sobre este título na *Enciclopédia de Bíblia, Teologia e Filosofia*. Todas as pessoas, em sonhos, preveem o futuro todas as noites, mas não têm o conhecimento necessário para reconhecer este fato. Ver no *Dicionário* o artigo intitulado *Sonhos*.
2. Homens religiosos tendem a ser autoenganados, sempre se levando muito a sério. Gostam de glorificar-se, como se fossem profetas de Deus. Reivindicam autoridade, mas não são inspirados pelo Espírito. Suas imaginações férteis produzem "profecias" que nada têm a ver com a verdade.
3. Alguns homens são simplesmente *mentirosos e enganadores*. Não são autoenganados, mas gostam de enganar os outros. Num tipo de esporte doentio, eles sempre encontram pessoas humildes que acreditam nas suas afirmações tolas.

Na introdução ao capítulo presente, há notas que se aplicam ao problema das *visões falsas*. Essas notas são acompanhadas por referências bíblicas que tratam do assunto. De qualquer maneira, o profeta que produzia suas próprias profecias, mas dava o crédito a Yahweh, era culpado de blasfêmia. Yahweh tinha seus mediadores (Jr 1.9), escolhidos e autorizados pelo Espírito. A falsificação de uma mensagem espiritual é um crime grave. Um castigo apropriado é sempre aplicado em tais casos.

■ 13.3

כֹּה אָמַר אֲדֹנָי יְהֹוִה הוֹי עַל־הַנְּבִיאִים הַנְּבָלִים אֲשֶׁר הֹלְכִים אַחַר רוּחָם וּלְבִלְתִּי רָאוּ:

Ai dos profetas loucos. Os falsos profetas eram amaldiçoados por Yahweh. Falsificavam suas mensagens e as atribuíam ao Senhor. Eles mesmos eram a fonte das falsidades. Ver no *Dicionário* o artigo intitulado *Profetas Falsos*, para maiores detalhes. Tais homens seguem seus próprios espíritos, ou outros espíritos, não o Espírito de Deus.

Sete Características Distintas Daqueles Enganadores. 1. Sua fonte de informação não era Yahweh. 2. Os falsos profetas *andam* em sua própria sabedoria, não na sabedoria de Yahweh. 3. São frequentemente corruptos moralmente. 4. Suas profecias não se realizam, revelando-se mentirosas. 5. Suas mensagens não melhoram as pessoas moral e espiritualmente. 6. São autoglorificados, homens arrogantes e orgulhosos. 7. São autodestruidores.

■ 13.4

כְּשֻׁעָלִים בָּחֳרָבוֹת נְבִיאֶיךָ יִשְׂרָאֵל הָיוּ:

Os teus profetas... são como raposas entre as ruínas. As raposas no deserto "devastam os vinhedos" (Ct 2.15). Israel era o vinhedo (Sl 80.8-15; Is 5.1-7; 27.2; Jr 2.21). No deserto, as raposas têm pouco para comer e ficam vorazes e astutas, para devorar o restante da comida, antes que outro animal lhes roube a oportunidade. Os falsos profetas são raposas espirituais, prontos para destruir e devorar. Eles trabalham para a ruína, não para o bem, do povo. De fato, o falso profeta faz "das ovelhas" sua comida.

■ 13.5

לֹא עֲלִיתֶם בַּפְּרָצוֹת וַתִּגְדְּרוּ גָדֵר עַל־בֵּית יִשְׂרָאֵל לַעֲמֹד בַּמִּלְחָמָה בְּיוֹם יְהוָה:

Não fizestes muros para a casa de Israel, para que ela permaneça firme na peleja, no dia do Senhor. Os falsos profetas não fizeram absolutamente nada para preparar o povo que ia sofrer. Eles nunca falaram do pecado e do arrependimento. Em vez de construir muros, o que fizeram foi abrir as portas para o exército babilônico. Eram amigos dos inimigos, porque promoveram sua causa de destruição. Derrubaram os muros de proteção moral e espiritual de Judá. Eram conselheiros falsos que gritavam "Paz e prosperidade", quando deveriam ter gritado "Desastre! Calamidade!" Foram como os pastores mercenários de Jo 10.12: egoístas, calculistas e destruidores sem o mínimo de amor pelas ovelhas.

■ 13.6

חָזוּ שָׁוְא וְקֶסֶם כָּזָב הָאֹמְרִים נְאֻם־יְהוָה וַיהוָה לֹא שְׁלָחָם וְיִחֲלוּ לְקַיֵּם דָּבָר:

Tiveram visões falsas e adivinhação mentirosa. A variedade de enganos: 1. O que eles falavam era falso, às vezes mentiras desgraçadas e propositais. 2. Eles tinham falsas visões que consideravam mensagens de Yahweh. 3. Sabiam que as falsas visões eram fruto de sua imaginação. 4. Falaram de visões que eram meramente produtos de "desejo", como o são a maioria dos sonhos humanos. O que nós realmente queremos, nossos sonhos nos dão, no nosso mundo imaginário da noite. 5. Suas visões eram "esperanças" de seu coração, não realidades do mundo objetivo. Suas palavras facilmente enganaram o povo que quis ser enganado.

Judá já era uma nação perdida na idolatria-adultério-apostasia. Eram ovelhas do diabo que não resistiram aos profetas do diabo. Em alguns casos, os falsos profetas eram vítimas de autoengano, e seus discípulos se tornaram cópias dos mestres.

■ 13.7

הֲלוֹא מַחֲזֵה־שָׁוְא חֲזִיתֶם וּמִקְסַם כָּזָב אֲמַרְתֶּם וְאֹמְרִים נְאֻם־יְהוָה וַאֲנִי לֹא דִבַּרְתִּי: ס

Não tivestes visões falsas... quando dissestes: O Senhor diz, sendo que eu tal não falei? Para certos intérpretes, este versículo afirma que algumas visões dos falsos profetas eram reais. Aqueles profetas, realmente, sob certas circunstâncias, receberam uma previsão do futuro. Suas visões eram pervertidas e mal aplicadas e terminaram prejudicando o povo, em vez de ajudá-lo. Outros intérpretes veem aqui simplesmente mais uma referência às visões falsas e enganadoras, desprovidas de qualquer valor. Yahweh, de toda a maneira, não os intuiu em suas visões, verdadeiras ou falsas.

Sincretismo Doentio. Aqueles falsos líderes religiosos desenvolveram um sincretismo doente, no qual Yahweh era misturado a outros deuses, em uma "salada nojenta". Eles abandonaram as velhas tradições, produzindo sua "nova religião".

Ilusão e Autoengano. Estudos psíquicos têm demonstrado claramente que a psique humana é capaz de produzir ilusões visuais e auditivas. O cérebro-mente produz um mundo ilusório, que é perfeitamente real para seu criador. Um experimento colocou uma pessoa em uma cápsula, dentro de água. As percepções dos sentidos ficaram severamente limitadas. Dentro de 24 horas, as pessoas sujeitas a esta privação das percepções alucinam, criando um mundo mental. Este mundo é perfeitamente real para seus criadores. Tais pessoas podem facilmente acreditar em suas próprias profecias e visões falsas, e logo passam a ter discípulos que fielmente acreditam naquilo tudo. Ver 2Ts 2.11.

■ 13.8

לָכֵן כֹּה אָמַר אֲדֹנָי יְהוִה יַעַן דַּבֶּרְכֶם שָׁוְא וַחֲזִיתֶם כָּזָב לָכֵן הִנְנִי אֲלֵיכֶם נְאֻם אֲדֹנָי יְהוִה:

Eu sou contra vós outros, diz o Senhor Deus. *Adonai-Yahweh* (o Soberano Eterno) declara-se *contra* a farsa e as falsificações dos falsos profetas. O julgamento divino irá abatê-los e isto acontecerá com todos os homens reprovados de Judá. Eles gritavam "paz e prosperidade", mas seus gritos não funcionariam como defesa no dia da calamidade. Suas falsas profecias de paz não os protegeriam no dia da crise; eles seriam vítimas do exército babilônico. Seriam mortos na matança generalizada. Cf. Ap 2.16. Eles ajudaram a promover a desintegração moral e espiritual do povo, que traria o fim da nação. O exército babilônico cometeria genocídio.

Senhor Deus. O título divino utilizado aqui implica que Yahweh tinha a capacidade e a vontade de acabar com a raça dos falsos líderes religiosos. Yahweh faria uma intervenção. *Adonai-Yahweh*, o Soberano, é o título mais comum de Deus, usado 217 vezes nesse livro, enquanto no restante do Antigo Testamento ocorre somente 103 vezes.

■ 13.9

וְהָיְתָה יָדִי אֶל־הַנְּבִיאִים הַחֹזִים שָׁוְא וְהַקֹּסְמִים כָּזָב בְּסוֹד עַמִּי לֹא־יִהְיוּ וּבִכְתָב בֵּית־יִשְׂרָאֵל לֹא יִכָּתֵבוּ

וְאֶל־אַדְמַת יִשְׂרָאֵל לֹא יָבֹאוּ וִידַעְתֶּם כִּי אֲנִי אֲדֹנָי יְהוִה:

Minha mão será contra os profetas que têm visões falsas. Eles serão excomungados do conselho de Judá, removidos de seu ofício. A referência não é a uma ação do povo de Judá contra aqueles homens, mas, sim, à sua remoção violenta pelo exército babilônico. O texto fala da ação como se fosse uma excomunhão de Yahweh. O *anátema divino* cairia sobre eles. Os falsos profetas perderiam sua autoridade e prestígio. De fato, perderiam a própria vida ou seriam levados cativos para a Babilônia. O oráculo prometeu que nem um deles escaparia ao devido castigo.

Minha mão. Ver no *Dicionário* o artigo intitulado *Mão* e ver também Sl 81.14. Ver sobre *mão direita*, em Sl 20.6.

Consequências Drásticas da Corrupção. Os profetas mentirosos: 1. perderiam seus lugares no conselho de Judá; 2. se sobrevivessem ao cativeiro, não figurariam entre os que retornariam a Jerusalém: seus nomes não estariam na lista dos cidadãos da nova Jerusalém; 3. a maioria nem sairia de Jerusalém: seria morta ou terminaria no Egito, para viver uma vida miserável; 4. Seus nomes seriam apagados da memória humana; perderiam, afinal, o respeito dos homens.

Ver *exclusão* da comunidade em Êx 12.19; Nm 9.13. Talvez o *registro* deste versículo fale da lista dos cidadãos de Jerusalém renovada, depois do cativeiro. Ver Ed 2 e Ne 7.1-73. Cf. Ne 11.1—12.26.

Referência Escatológica. No mundo além, a qualificação para ser cidadão é a *espiritualidade*. Aqueles homens perversos não teriam seus nomes registrados no Livro da Vida. Esta "interpretação" é, de fato, uma *aplicação* do texto, provavelmente não antecipada pelo profeta. Ver no *Dicionário* o artigo chamado *Livro da Vida*.

■ 13.10

יַעַן וּבְיַעַן הִטְעוּ אֶת־עַמִּי לֵאמֹר שָׁלוֹם וְאֵין שָׁלוֹם וְהוּא בֹּנֶה חַיִץ וְהִנָּם טָחִים אֹתוֹ תָּפֵל:

O povo deveria ter-se ocupado na construção de muros morais e espirituais, mas os profetas mentirosos distraíram a mente deles de tais tarefas. Isto deixou o povo sem as defesas necessárias para enfrentar a ameaça babilônica. Os muros morais e espirituais eram cheios de brechas. A mensagem dos falsos profetas, de "paz e prosperidade no nosso tempo", escondeu as brechas. Os muros estavam caindo aos pedaços e ninguém percebeu. Cf. Jr 6.14 e 8.11. Muitas vezes o "trabalho" de homens supostamente "espirituais" esconde situações ruins, em vez de revelá-las e transformá-las. A igreja de hoje é extremamente corrupta, seus "muros" são uma massa de escombros. A música do diabo diverte o povo, enquanto o espírito morre de fome.

Argamassa Fraca. Este tipo de material *esconde* os defeitos, mas não acrescenta força. A declaração "paz e prosperidade" não era um tijolo forte, mas fraco. O "material" daqueles depravados era uma farsa.

■ 13.11

אֱמֹר אֶל־טָחֵי תָפֵל וְיִפֹּל הָיָה גֶּשֶׁם שׁוֹטֵף וְאַתֵּנָה אַבְנֵי אֶלְגָּבִישׁ תִּפֹּלְנָה וְרוּחַ סְעָרוֹת תְּבַקֵּעַ:

Ela ruirá. A *argamassa fina* cairia, mostrando seu verdadeiro caráter; as chuvas logo dissolveriam o material, que desapareceria na lama. Os muros da cidade, morais e espirituais, cairiam no primeiro teste de adversidade.

O Muro de Lama. Um muro de lama sofre, fatalmente, quando vêm as chuvas e a saraiva do inverno. Os falsos profetas esconderam as fraquezas do muro; não contribuíram para proteger o povo da tempestade. Enganaram o povo. Os muros estavam prontos para desmoronar e ninguém se preocupava com isto. A força da saraiva era forte na Palestina e a destruição por tempestades daquele tipo era proverbial. Cf. Mt 7.27. O exército babilônico era comparado aos ventos tempestuosos (Jr 4.11-13).

■ 13.12

וְהִנֵּה נָפַל הַקִּיר הֲלוֹא יֵאָמֵר אֲלֵיכֶם אַיֵּה הַטִּיחַ אֲשֶׁר טַחְתֶּם: ס

Onde está a cal com que a caiastes? Os falsos profetas, mentirosos e traiçoeiros, passaram uma argamassa fina sobre muros fracos; não fizeram consertos. Quando os muros caíssem, o povo culparia a liderança religiosa hipócrita e falsa. Mas acusações nada fariam contra as calamidades que se seguiriam, fatalmente. Além disso, o povo era, por conta própria, corrupto, e promovera sua idolatria-adultério--apostasia desavergonhadamente. Merecia um julgamento totalmente à parte das obras iníquas da liderança religiosa. Os maus se tornariam piores. Todo o povo pagaria um alto preço pelas exigências da *Lei Moral da Colheita segundo a Semeadura* (ver a respeito no *Dicionário*).

■ 13.13

לָכֵן כֹּה אָמַר אֲדֹנָי יְהוִה וּבִקַּעְתִּי רוּחַ־סְעָרוֹת בַּחֲמָתִי וְגֶשֶׁם שֹׁטֵף בְּאַפִּי יִהְיֶה וְאַבְנֵי אֶלְגָּבִישׁ בְּחֵמָה לְכָלָה:

Assim diz o Senhor: Tempestuoso vento farei irromper no meu furor... ira... indignação. O título divino, aqui utilizado, é *Adonai-Yahweh* (o *Soberano Eterno*). Yahweh mandaria a tempestade de vingança. Ele seria o Capitão do exército babilônico. A aniquilação de Jerusalém seria uma vingança do Soberano, um ato de providência negativa. Os apóstatas, os líderes e o povo geral não mereciam misericórdia.

Tríplice Tempestade. O profeta utilizou uma figura vívida: ventos pesados, chuvas torrenciais e saraiva se juntariam para garantir o fim violento da cidade. Grandes inundações afogariam o povo. A nação inteira seria executada. Os poucos sobreviventes seriam levados para a Babilônia, para ali viver uma vida de terror. O Targum diz: "Eu trarei um rei poderoso que chegará com a força de uma tempestade terrível e destruirá o povo com chuvas irresistíveis. Trarei reis tão poderosos como a saraiva consumidora".

■ 13.14

וְהָרַסְתִּי אֶת־הַקִּיר אֲשֶׁר־טַחְתֶּם תָּפֵל וְהִגַּעְתִּיהוּ אֶל־הָאָרֶץ וְנִגְלָה יְסֹדוֹ וְנָפְלָה וּכְלִיתֶם בְּתוֹכָהּ וִידַעְתֶּם כִּי־אֲנִי יְהוָה:

Derribarei a parede que caiastes. A *tríplice tempestade* (vs. 13) logo nivelará o muro, que se transformará em uma pilha de escombros; até os alicerces ficarão visíveis e logo serão levados pelo dilúvio resultante das chuvas torrenciais.

Sabereis que eu sou o Senhor. Esta expressão é usada 63 vezes, enfatizando a *soberania* de Deus. Ver este título no *Dicionário*. O muro cairá sobre aqueles lastimáveis líderes religiosos. Então, todo o povo reconhecerá a mão do Senhor na destruição. "Começando com a história do dilúvio de Noé, o Antigo Testamento tem muitas referências ao uso dos elementos naturais que Yahweh utilizou para aplicar seus julgamentos. Cf. Ez 38.22; Is 29.6; Jr 30.23,24; Am 4.6,11" (Theophile J. Meek, *in loc.*).

■ 13.15

וְכִלֵּיתִי אֶת־חֲמָתִי בַּקִּיר וּבַטָּחִים אֹתוֹ תָּפֵל וְאֹמַר לָכֶם אֵין הַקִּיר וְאֵין הַטָּחִים אֹתוֹ:

A parede já não existe, nem aqueles que a caiaram. O muro sumiu e aqueles que usaram uma argamassa fina para esconder seus defeitos o acompanharam para o esquecimento. Este versículo acrescenta detalhes à informação dada no vs. 14. A ira de Yahweh liquidou a apostasia. O muro caiu em ruína total, e os hipócritas ficaram sob os escombros, reduzidos a uma massa de cadáveres fedorentos. Yahweh cumpriu assim suas promessas de destruição e aplicou sua terrível ira contra os apóstatas. O Targum fala aqui: "Não houve nem cidade, nem profeta falso sobrando". Historicamente, sabemos que pouco restou. O exército babilônico aniquilou a cidade. Os soldados mataram até os animais; queimaram tudo e levaram os bens para suas casas, na Babilônia. A temível tempestade de Yahweh cumpriu o seu dever.

■ 13.16

נְבִיאֵי יִשְׂרָאֵל הַנִּבְּאִים אֶל־יְרוּשָׁלִַם וְהַחֹזִים לָהּ חֲזוֹן שָׁלֹם וְאֵין שָׁלֹם נְאֻם אֲדֹנָי יְהוִה: פ

Não há paz, diz o Senhor Deus. Os aplicadores de argamassa fina desapareceram; falaram sobre paz e agora têm paz total, na morte. Suas mentiras seduziram um povo fácil de seduzir, um povo já autoseduzido. Os falsos profetas sumirão; o povo sumirá; a nação sumirá. Ninguém sobreviverá para falar o absurdo: "Paz e prosperidade no nosso tempo". Assim termina o oráculo contra os falsos profetas. Agora, o profeta olha para as falsas profetisas com olhar duro. Elas também não escaparão.

Adonai-Yahweh (o Soberano Eterno) determinou o fim daqueles homens hipócritas e devassos e também do povo que eles enganaram. A *soberania* de Deus escreveu "Icabô" sobre a nação inteira. Yahweh interveio e acabou com a farsa. Este trecho é uma demonstração notável do *teísmo bíblico*: o Criador não abandonou sua criação; ele interveio, castigando o mal; controlando todas as circunstâncias, efetuando sua vontade entre os homens. Ver no *Dicionário* o artigo intitulado *Teísmo*. Ver também *Soberania* e *Providência de Deus*.

ORÁCULO CONTRA AS FALSAS PROFETISAS (13.17-23)

■ 13.17

וְאַתָּה בֶן־אָדָם שִׂים פָּנֶיךָ אֶל־בְּנוֹת עַמְּךָ הַמִּתְנַבְּאוֹת
מִלִּבְּהֶן וְהִנָּבֵא עֲלֵיהֶן׃

Põe-te contra as filhas do teu povo, que profetizam de seu coração. A *terceira mensagem* (oráculo) continua. Ver as notas sobre esta terceira mensagem na introdução ao capítulo 13.

Em Israel, existiam poucas profetisas verdadeiras. Ser mulher não desqualificava a pessoa daquele ofício. Por outro lado, existiam muito mais profetisas falsas do que verdadeiras. A mulher tem a mente mais sensível aos estados místicos do que o homem. Assim, sempre haverá profetisas verdadeiras e profetisas falsas. Cf. At 2.17. Uma mulher não podia exercer o sacerdócio, servindo formalmente no culto no templo, embora existissem casos de mulheres de caráter sacerdotal.

Ver no *Dicionário* o artigo denominado *Profetisa*. Alguns exemplos notáveis foram Miriã, a irmã de Moisés (Êx 15.20); Débora (Jz 4.4); Hulda (2Rs 22.14); Ana, a filha de Fanuel (Lc 2.36); as quatro filhas de Filipe, o diácono (At 21.9). Israel sempre teve seus médiuns e espíritas. É possível que as mulheres que o profeta denuncia neste texto fossem médiuns e bruxas (feiticeiras). Ver no *Dicionário* o verbete chamado *Magia e Feitiçaria*.

A extraordinária profecia de Jl 2.28 assegura às mulheres um lugar no ministério profético. Ver no *Dicionário* o artigo intitulado *Mulher*, para um tratamento global do assunto. Às vezes, homens e mulheres atuavam em grupo. A esposa de Isaías se declarava *profetisa* (Is 8.3). Mas considere-se o terrível caso da falsa profetisa de Tiatira (Ap 2.20).

Denúncias contra Falsas Profetisas. Cf. o presente texto com Am 4.1-3; Is 3.16-41; Jr 44.16-30; Dt 18.9-15.

Profetiza contra elas. O profeta recebeu ordem para profetizar contra as falsas profetisas. Estas mulheres eram judias, não pagãs, mas haviam adotado o estilo e o *modus operandi* das mulheres estrangeiras. Como as falsas profetisas eram de Israel, falavam de seu próprio coração, de seus impulsos psíquicos, ou simplesmente *inventavam* "profecias" fraudulentas, dizendo o tempo todo que estavam entregando "oráculos do Senhor" ou (claramente) de outros deuses. Tanto elas quanto os falsos profetas mereciam a denúncia do profeta (que é o assunto dos vss. 1-16 deste capítulo). Um *oráculo especial* foi dado ao profeta, por Yahweh, para condenar aquelas mulheres hipócritas.

■ 13.18

וְאָמַרְתָּ כֹּה־אָמַר אֲדֹנָי יְהוִה הוֹי לִמְתַפְּרוֹת כְּסָתוֹת
עַל כָּל־אַצִּילֵי יָדַי וְעֹשׂוֹת הַמִּסְפָּחוֹת עַל־רֹאשׁ
כָּל־קוֹמָה לְצוֹדֵד נְפָשׁוֹת הַנְּפָשׁוֹת תְּצוֹדֵדְנָה לְעַמִּי
וּנְפָשׁוֹת לָכֶנָה תְחַיֶּינָה׃

Assim diz o Senhor. *Adonai-Yahweh* (o Soberano Eterno) deu o oráculo condenando aquelas mulheres. Um julgamento severo acabaria com o "ministério" delas. Eram tolas, falsas, enganadoras, devassas e escandalosas. Não era Yahweh quem as inspirava.

Cosem invólucros feiticeiros para todas as articulações das mãos, e fazem véus para cabeças de todo tamanho. Os *invólucros* tinham (sem dúvida) encantos mágicos inscritos, com o suposto poder de mudar as situações não desejadas de seus "clientes". Provavelmente, as práticas daquelas mulheres foram copiadas da Babilônia, onde era comum amarrar *nós mágicos* às partes diversas do corpo, para curar doenças, assustar maus espíritos ou proteger o corpo dos "clientes" de qualquer ataque, natural ou sobrenatural. As profetisas feiticeiras também usavam véus para cobrir a cabeça e o rosto, a fim de acrescentar uma aura de mistério à sua pessoa. Com essas práticas tolas, elas enganavam seus clientes, que contribuíam para seu sustento material. Mas, de fato, não havia nenhum mistério, pois aquelas mulheres eram *caçadoras*. Sua influência era destrutiva, seus conselhos, falsos, suas profecias, infrutíferas. Chamavam espíritos, mas recebiam ventos ou, talvez, demônios, ou, ocasionalmente, espíritos dos mortos que vagueavam, perdidos no mundo dos espíritos.

Quereis matar as almas do meu povo e preservar outras para vós mesmas? O Targum tem aqui: "Podem destruir as almas do meu povo, ou podem vivificá-las?" O profeta dá a resposta certa a essa indagação.

■ 13.19

וַתְּחַלֶּלְנָה אֹתִי אֶל־עַמִּי בְּשַׁעֲלֵי שְׂעֹרִים וּבִפְתוֹתֵי לֶחֶם
לְהָמִית נְפָשׁוֹת אֲשֶׁר לֹא־תְמוּתֶנָה וּלְחַיּוֹת נְפָשׁוֹת אֲשֶׁר
לֹא־תִחְיֶינָה בְּכַזֶּבְכֶם לְעַמִּי שֹׁמְעֵי כָזָב׃ ס

Este versículo sugere que as falsas profetisas algumas vezes se envolviam em crimes de sangue e, literalmente, destruíam pessoas. Entre as obras maléficas daquelas mulheres, podemos arrolar: 1. *Desonraram Yahweh* na presença do povo; promoveram um culto falso e prejudicial. 2. Ganharam a vida de *maneira proibida*, moralmente errada e nociva; eram criminosas espirituais que obtiveram dinheiro com seus crimes. 3. Mataram pessoas moral e *espiritualmente*, prejudicando *almas*. 4. Mataram pessoas *fisicamente* (literalmente) falando mentiras que as condenaram nas cortes; inocentes foram as suas vítimas. 5. Salvaram a vida de pessoas iníquas, que deveriam ter sido executadas pela ordem das cortes; deram falso testemunho, para condenar ou para libertar; Jz corruptos aceitaram seus falsos testemunhos. 6. Confundiram o povo com constantes mentiras e profecias falsas, que prejudicaram seus clientes e outros a eles relacionados. Cf. Mq 3.5,11.

Por punhados de cevada, e por pedaços de pão. Elas praticavam qualquer obra maléfica em troca de recompensas miseráveis. Era fácil comprar uma falsa profetisa. A informação aqui não quer dizer que aquelas mulheres não ganhavam bastante. Simplesmente enfatiza que elas cometeram grandes crimes por pouco dinheiro. Aprendiam os segredos de seus clientes e não hesitavam em traí-los, contando-os a outros.

Por tais práticas e coisas terríveis demais para serem ditas, profanaram o nome de Yahweh, a quem, supostamente, serviam. Profanaram o nome dele, falando mentiras, praticando fraudes e violências e criando uma mistura iníqua de Deus com os deuses que adoravam indiscriminadamente. Acabaram promovendo um sincretismo doentio. Elas seriam julgadas severamente, pois mereciam o ataque divino.

■ 13.20

לָכֵן כֹּה־אָמַר אֲדֹנָי יְהוִה הִנְנִי אֶל־כִּסְּתוֹתֵיכֶנָה אֲשֶׁר
אַתֵּנָה מְצֹדְדוֹת שָׁם אֶת־הַנְּפָשׁוֹת לְפֹרְחוֹת וְקָרַעְתִּי
אֹתָם מֵעַל זְרוֹעֹתֵיכֶם וְשִׁלַּחְתִּי אֶת־הַנְּפָשׁוֹת אֲשֶׁר
אַתֶּם מְצֹדְדוֹת אֶת־נְפָשִׁים לְפֹרְחֹת׃

Assim diz o Senhor Deus: Eis aí vou eu contra vossos invólucros feiticeiros. *Adonai-Yahweh* se declarou contra aquelas devassas que se diziam "espirituais" e "líderes religiosas". O *Soberano Eterno* pronunciou uma maldição contra elas. Seus dias terminariam em calamidades diversas; elas não escapariam, porque a vontade soberana de Deus estava controlando a situação. O Senhor Soberano logo seria o *Libertador* do povo enganado pelas profetisas.

Vós caçais as almas como aves. Com sua magia, elas caçavam almas e seus feitiços as ajudaram a obter êxito. O povo, qual passarinho indefeso, caía nos laços daquelas mulheres. Elas pagariam alto preço por seus atos de traição. Yahweh arrancaria os invólucros feiticeiros dos braços dos enganados e os libertaria. Os "passarinhos libertados" voariam para longe de seus atormentadores. Cf. Sl 93.3; Pv 6.6 e Os 9.8. A alma tradicionalmente é representada, em muitas culturas, como um passarinho, e talvez o texto se refira a este fato, na escolha da metáfora. A arqueologia descobriu nas paredes de túmulos desenhos que representavam almas voando como passarinhos.

■ 13.21

וְקָרַעְתִּי אֶת־מִסְפְּחֹתֵיכֶם וְהִצַּלְתִּי אֶת־עַמִּי מִיֶּדְכֶן
וְלֹא־יִהְיוּ עוֹד בְּיֶדְכֶן לִמְצוּדָה וִידַעְתֶּן כִּי־אֲנִי
יְהוָה׃

Rasgarei os vossos véus. Os véus especiais das profetisas, que escondiam seus mistérios, seriam tirados para expor sua vergonha e estupidez. Ver no vs. 18 sobre este item que funcionava como sinal de seu "ofício". O texto afiança que aquelas mulheres perderiam seu "mistério" e seriam expostas como fraudes. "... descobrirá seus truques e as exporá para o ódio do povo, destruindo-as com as suas obras ímpias. Isto libertará o povo de Deus de suas mãos, de maneira que não será mais caçado e apanhado nas suas redes. Aquelas mulheres enganadoras fugirão para o Egito ou para outros países, ou serão levadas cativas para a Babilônia" (John Gill, *in loc.*).

■ 13.22

יַעַן הַכְאוֹת לֵב־צַדִּיק שֶׁקֶר וַאֲנִי לֹא הִכְאַבְתִּיו
וּלְחַזֵּק יְדֵי רָשָׁע לְבִלְתִּי־שׁוּב מִדַּרְכּוֹ הָרָע
לְהַחֲיֹתוֹ׃

Com falsidade entristecestes o coração do justo. Aquelas mulheres pecaminosas e pretensiosas desanimaram o povo e encorajaram os criminosos a prosseguir com seus crimes. As profetisas não tinham nenhum senso de responsabilidade, seu jogo era de vantagem própria. Cf. Ez 3.16-21. Elas eram irresponsáveis e duras, não tinham nenhuma simpatia para com as pessoas em sofrimento. De fato, aumentavam as dores do povo. Sua classe era proibida pela lei (Lv 19.21; 20.6,27; Dt 18.11), que também proibia qualquer contato com elas. Mas ninguém estava preocupado com os mandamentos de Moisés.

Fortalecestes as mãos do perverso para que não se desviasse do seu mau caminho. Pessoas culpadas de crimes terríveis, que mereciam a execução formal da lei, haviam escapado pela influência e advertência daquelas "profetisas". Encorajados a pecar mais e mais, os criminosos não se arrependiam de seus crimes. Aquelas mulheres nunca pronunciaram a palavra "arrependimento". As místicas fraudulentas prometiam vida longa e prosperidade para *os ímpios*, ignorando o fato de que a lei prometia essas recompensas *aos obedientes* (Dt 4.1; 5.33; 6.2; Ez 20.1). A lei também deveria ter sido seu *guia* (Dt 6.4 ss.), mas as profetisas falsas usurparam seu ofício. Cf. Jr 23.14.

■ 13.23

לָכֵן שָׁוְא לֹא תֶחֱזֶינָה וְקֶסֶם לֹא־תִקְסַמְנָה עוֹד
וְהִצַּלְתִּי אֶת־עַמִּי מִיֶּדְכֶן וִידַעְתֶּן כִּי־אֲנִי יְהוָה׃

Já não tereis visões falsas, nem jamais fareis adivinhações. *O Fim das Consultas.* Quando os falsos profetas e as falsas profetisas fossem julgados pelo poder de Yahweh, ninguém mais correria para fazer uma consulta. Os poucos sobreviventes seriam libertados dessas práticas. O julgamento daquelas mulheres ajudaria o povo a conhecer melhor Yahweh.

Sabereis que eu sou o Senhor. Esta expressão ocorre 63 vezes nesse livro. Ela ilustra a aplicação da *soberania* pela mente divina. No fim, Deus corrige as situações erradas e julga aqueles que as criam.

Yahweh seria conhecido como um Juiz severo, que acaba com os entretenimentos do diabo e com os jogadores dos esportes diabólicos. "Nós não devemos recear ser expostos à acusação de ter *mentes estreitas* demais. Algumas religiões e práticas religiosas são obviamente erradas e devemos ter a coragem de distinguir entre o que é certo e o que é errado" (E. L. Allen, *in loc.*).

Cf. o vs. 9 deste capítulo. Ver também Ez 14.8; 15.7 e Mq 3.6.

CAPÍTULO QUATORZE

JULGAMENTO DOS IDÓLATRAS E DE JERUSALÉM (14.1-23)

O profeta deu dois sinais (Ez 12.3-6 e 14.18-20); depois pronunciou cinco mensagens (oráculos) (ver as notas em Ez 12.21). O capítulo 14, vss. 1-11, apresenta a *quarta* mensagem, que declara a certeza do julgamento de Judá-Jerusalém.

"Vss. 1-11: contra os idólatras. A duplicidade religiosa era tão *repreensiva*, que o próprio Deus julgaria qualquer um culpado dela. O termo traduzido por *ídolos* aqui traduz o literal *bolas de esterco*, figura vulgar que o profeta utilizava com frequência. Esta expressão é encontrada 39 vezes nesse livro, embora apareça apenas nove vezes no restante do Antigo Testamento. A palavra *estrangeiros*, deste trecho, refere-se aos prosélitos que foram, ante a lei, essencialmente iguais aos cidadãos" (*Oxford Annotated Bible*, introdução ao capítulo).

As Duas Seções Principais. 1. *Vss. 1-11*: *A quarta mensagem:* a terrível tríade contra a idolatria; um julgamento severo varrerá a terra. 2. *Vss. 12-23*: *A quinta mensagem: o modus operandi* e a natureza do julgamento. Mesmo se Noé, Daniel e Jó tivessem intercedido em favor de Judá, em nada teriam ajudado os ímpios a escapar do seu devido castigo. Somente os justos serão salvos (vss. 12-20).

Quarta Mensagem: O Julgamento Varrerá a Terra (14.1-11)

■ 14.1

וַיָּבוֹא אֵלַי אֲנָשִׁים מִזִּקְנֵי יִשְׂרָאֵל וַיֵּשְׁבוּ לְפָנָי׃ פ

Então vieram ter comigo alguns dos anciãos de Israel. Judá tornou-se Israel depois do cativeiro assírio do norte (Israel). Os poucos exilados que voltaram do cativeiro babilônico tornaram-se o novo Israel. É esse pequeno remanescente que se chama *Israel* na presente seção. Os anciãos (líderes) daquele remanescente visitaram o profeta para consultá-lo. O texto não informa sobre o que eles falaram, mas o assunto deveria ser, em parte, o castigo severo que eles estavam experimentado, por causa de sua idolatria-adultério-apostasia. Haveria uma restauração? Aquela visita e suas interrogações armaram o palco para a *diatribe azeda* que o profeta pronunciou. Cf. Ez 20.1b, onde há uma situação análoga. O profeta estava confinado na sua casa (Ez 3.24), mas isto não prejudicou a conferência. O lugar da consulta era "o lar fora do lar", perto do rio Quebar, o acampamento do remanescente. Aparentemente o texto deve ser entendido como incluindo aquelas pessoas que nunca saíram de Jerusalém. A idolatria continuava entre os dois grupos de judeus. A idolatria é severamente castigada em qualquer lugar onde se encontre. O vs. 3 deixa claro que o remanescente, perto do rio Quebar, ainda estava infeccionado com a idolatria dos pagãos. Nem o imenso sofrimento infligido pelos babilônios purificou aquele povo obstinado.

■ 14.2

וַיְהִי דְבַר־יְהוָה אֵלַי לֵאמֹר׃

Veio a mim a palavra do Senhor. Esta declaração introduz as *cinco mensagens*. Ver as notas em Ez 12.21. A expressão garante que Yahweh era a fonte das mensagens e Ezequiel era profeta autorizado. Os falsos profetas reivindicaram inspiração divina, mas eram mentirosos e autoenganados. A mensagem de catástrofe de Ezequiel veio diretamente da fonte divina. O pecado necessitava de julgamento. O arrependimento poderia evitá-lo.

■ 14.3

בֶּן־אָדָם הָאֲנָשִׁים הָאֵלֶּה הֶעֱלוּ גִלּוּלֵיהֶם עַל־לִבָּם
וּמִכְשׁוֹל עֲוֹנָם נָתְנוּ נֹכַח פְּנֵיהֶם הַאִדָּרֹשׁ אִדָּרֵשׁ
לָהֶם׃ ס

Filho do homem. O profeta é assim chamado por Yahweh, cada vez que uma mensagem é dada. Ver este título em Ez 2.1.

Estes homens levantaram os seus ídolos dentro em seu coração. Os líderes que consultaram o profeta não tinham coração puro. De fato, retinham uma idolatria doentia no espírito, mesmo que não adorassem ídolos crassos em lugares públicos. Não se tinham voltado para o culto de Yahweh. Não obedeceram à lei de Moisés, o *guia de Israel* (Dt 6.4 ss.). Não eram *distintos* das nações pagãs (Dt 4.4-8). Ainda amavam seus ídolos, as *bolas de esterco,* expressão usada 39 vezes nesse livro. O amor aos ídolos foi um impedimento para aqueles ímpios, que continuaram pecando aberta e vergonhosamente. Eles viviam uma farsa, pois os terrores da Babilônia não os curaram. Cf. Ez 7.19,20 e Am 4.4,5. Ver também Jr 2.25. Como a esposa de Ló, eles também desejaram os velhos caminhos pecaminosos. Não receberam nenhuma comunicação divina. Yahweh não podia recebê-los ou abençoá-los. Aqueles homens eram doentes, espiritualmente falando; eram rebeldes, idólatras, apóstatas e reprovados.

■ 14.4

לָכֵן דַּבֶּר־אוֹתָם וְאָמַרְתָּ אֲלֵיהֶם כֹּה־אָמַר אֲדֹנָי יְהוִה אִישׁ אִישׁ מִבֵּית יִשְׂרָאֵל אֲשֶׁר יַעֲלֶה אֶת־גִּלּוּלָיו אֶל־לִבּוֹ וּמִכְשׁוֹל עֲוֺנוֹ יָשִׂים נֹכַח פָּנָיו וּבָא אֶל־הַנָּבִיא אֲנִי יְהוָה נַעֲנֵיתִי לוֹ בָהּ בְּרֹב גִּלּוּלָיו׃

Assim diz o Senhor Deus: Qualquer... que levantar os seus ídolos dentro em seu coração. *Adonai-Yahweh* (o Soberano Eterno) deu respostas duras àqueles atores. Eles eram *idólatras de coração*: sem coragem de estabelecer cultos públicos de idolatria, mantinham altares idólatras em seu íntimo. O Soberano, no exercício de sua providência negativa, castigaria sem misericórdia esses tais. A espada os tinha seguido até o cativeiro (Jr 9.16). Ver também Ez 12.14.

Eu, o Senhor... lhe responderei segundo a multidão dos seus ídolos. *Adonai-Yahweh* daria a eles uma resposta severa que eles não gostariam de ouvir. Era a palavra da *aniquilação*. O Targum fala aqui da palavra de *misericórdia,* mas esta interpretação não faz sentido no presente contexto. Os idólatras tolos sofreriam por causa de sua tolice. As palavras de terror se tornariam experiências de terror.

Comerão do fruto do seu procedimento e dos seus próprios conselhos se fartarão.

Provérbios 1.31

■ 14.5

לְמַעַן תְּפֹשׂ אֶת־בֵּית־יִשְׂרָאֵל בְּלִבָּם אֲשֶׁר נָזֹרוּ מֵעָלַי בְּגִלּוּלֵיהֶם כֻּלָּם׃ ס

Julgamentos Remediadores. Idealmente, por um julgamento remediador no próprio cativeiro, Yahweh "ganharia de volta o seu povo" (NCV). O povo abandonou o culto de Yahweh, adotando ídolos dos pagãos. Potencialmente, eles seriam curados de sua doença espiritual, sendo refinados pelo fogo do Refinador. Idealmente, um pouco de prata seria assim separado da escória geral, e aquela pequena porção seria utilizada para formar o novo Israel, depois do cativeiro (Jr 25.11). Cf. esta advertência áspera com Rm 1.28. Ver também 2Ts 2.11.

■ 14.6

לָכֵן אֱמֹר אֶל־בֵּית יִשְׂרָאֵל כֹּה אָמַר אֲדֹנָי יְהוִה שׁוּבוּ וְהָשִׁיבוּ מֵעַל גִּלּוּלֵיכֶם וּמֵעַל כָּל־תּוֹעֲבֹתֵיכֶם הָשִׁיבוּ פְנֵיכֶם׃

Convertei-vos. *Arrependimento?* Esta palavra tinha perdido seu significado para os homens iníquos no cativeiro. Eles chegaram a detestar a lei mosaica, amando os "novos caminhos" da idolatria. O arrependimento verdadeiro reverteria a situação: o amor pertenceria ao culto de Yahweh, o ódio aos ídolos libertaria o povo do paganismo. Isto exigiria uma *mudança de coração.* Um novo homem interior deveria tomar conta da vida de cada um. Ver no *Dicionário* o artigo intitulado *Arrependimento.* Aqueles homens depravados sempre tinham o rosto apontado para os ídolos pagãos. O coração deles vibrava de amor à idolatria. Se o coração deles fosse radicalmente mudado, então eles deixariam de olhar para os ídolos. Suas abominações incluíram a prática da prostituição "sagrada", e eles contribuíam para o sustento dos cultos idólatras, pagando dinheiro às sacerdotisas, que retribuíam com experiências sexuais. Nenhuma reforma superficial (os altares não foram construídos) ofereceu esperança. Foi necessário tirar os ídolos do coração deles. Suas afeições deveriam voltar-se para Yahweh, "porque, onde está o teu tesouro, aí estará o teu coração" (Mt 6.21).

■ 14.7

כִּי אִישׁ אִישׁ מִבֵּית יִשְׂרָאֵל וּמֵהַגֵּר אֲשֶׁר־יָגוּר בְּיִשְׂרָאֵל וְיִנָּזֵר מֵאַחֲרַי וְיַעַל גִּלּוּלָיו אֶל־לִבּוֹ וּמִכְשׁוֹל עֲוֺנוֹ יָשִׂים נֹכַח פָּנָיו וּבָא אֶל־הַנָּבִיא לִדְרָשׁ־לוֹ בִי אֲנִי יְהוָה נַעֲנֶה־לּוֹ בִּי׃

Qualquer homem da casa de Israel, ou dos estrangeiros que moram em Israel, que se alienar... Este versículo é uma duplicata do vs. 4, onde há uma exposição. Aqui, todavia, aprendemos que os adeptos do judaísmo incluíram "estrangeiros". Esta palavra se refere aos prosélitos do judaísmo, que eram das nações pagãs. Qualquer homem, nativo ou estrangeiro (convertido), que se apresentasse como seguidor de Yahweh, mas praticasse a idolatria, seria rejeitado por ele. Um julgamento angustiante cairia sobre os nativos e estrangeiros. Todos eram hipócritas, ímpios e depravados. *Adonai-Yahweh,* o Soberano Eterno, acabaria com todos. Ver Lv 17.8,9, que fala dos prosélitos do judaísmo. A *condição* de conversão era a *obediência à lei* de Moisés. Nem mesmo os judeus nativos cumpriram essa condição, no tempo de Ezequiel.

■ 14.8

וְנָתַתִּי פָנַי בָּאִישׁ הַהוּא וַהֲשִׁמֹּתִיהוּ לְאוֹת וְלִמְשָׁלִים וְהִכְרַתִּיו מִתּוֹךְ עַמִּי וִידַעְתֶּם כִּי־אֲנִי יְהוָה׃ ס

Voltarei o meu rosto contra o tal homem, e o farei sinal e provérbio. Os ímpios, atores hipócritas, enfrentaram Yahweh como inimigo. Eles se tornarão um sinal e um provérbio de zombaria entre os povos. Serão esmagados pelo mesmo Poder que poderia tê-los abençoado. As pessoas não se cansarão de rir deles. Falarão sobre "aqueles tolos" e comporão canções de escárnio para "celebrar" a estupidez daqueles homens. Ver Ez 23.10; Jó 17.6; 30.9; Sl 44.14; Jr 24.9; Jl 2.17. Os hipócritas serão "cortados fora", isto é, punidos severamente, *mortos* por não merecerem viver, pisados por terem pisado a bondade de Deus sob seus pés.

"A linguagem, aqui, é do *código de santidade* (ver Lv 17.8-10; 20.3,5-6). Cf. estas palavras com a ameaça de excomunhão em Ed 10.8. Ver também Êx 12.15; 31.14; Nm 15.30" (Theophile J. Meek, *in loc.*).

■ 14.9

וְהַנָּבִיא כִי־יְפֻתֶּה וְדִבֶּר דָּבָר אֲנִי יְהוָה פִּתֵּיתִי אֵת הַנָּבִיא הַהוּא וְנָטִיתִי אֶת־יָדִי עָלָיו וְהִשְׁמַדְתִּיו מִתּוֹךְ עַמִּי יִשְׂרָאֵל׃

Se o profeta for enganado, e falar alguma cousa, eu, o Senhor, enganei esse profeta. O texto fala de profetas falsos e sugere (hipoteticamente) que Yahweh até pudesse dar *oráculos falsos* através desses homens, como forma de julgamento. Por tais profecias, um povo apóstata seria ainda mais confirmado em sua apostasia, a qual resultaria, afinal, num julgamento esmagador. Este ensinamento é semelhante à *Cegueira Judicial* de outros textos (ver este título no *Dicionário*). O que os homens se recusam fazer, afinal, perdem as forças morais para tanto e ficam sujeitos à vingança divina contra suas maldades. "Sob certas circunstâncias, Yahweh poderia inspirar um oráculo falso (ver 1Rs 22.19-23)" (Theophile J. Meek, *in loc.*). Quando isto acontece, certamente os reprovados estão perto de um julgamento decisivo e todos os seus seguidores cairão na mesma armadilha. Ver o capítulo 13, que se dedica ao assunto dos profetas e profetisas, que estavam sempre em oposição ao culto de Yahweh. Tais pessoas foram denunciadas porque formaram um grupo de caçadores de almas que destruíram muitas vidas, e receberão um castigo de Yahweh, severo e bastante merecido.

A única causa? A teologia hebraica era fraca quanto a causas secundárias, promovendo a doutrina de Yahweh como a *única causa*. Esta ideia tinha a tendência de atribuir a ele *todas* as coisas, boas e ruins, fazendo dele a causa do bem *e* do mal. Inspirar falsos profetas, para dar oráculos mentirosos, parece fazer parte dessa doutrina.

14.10

וְנָשְׂאוּ עֲוֺנָם כַּעֲוֺן הַדֹּרֵשׁ כַּעֲוֺן הַנָּבִיא יִהְיֶה׃

Ambos levarão sobre si a sua iniquidade. Tanto o profeta que dá oráculos falsos como os homens corruptos que os recebem serão severamente punidos. Todos semeiam corrupção e ceifarão corrupção (Gl 6.7,8). Ver no *Dicionário* o artigo intitulado *Lei Moral da Colheita segundo a Semeadura*, para maiores detalhes. O Targum aqui tem um comentário interessante: "O falso profeta comunica anti-informação e aqueles que a recebem devem sofrer as consequências por ter dado ouvidos a tais oráculos". O discernimento estava há muito perdido para aquelas pessoas abomináveis. Ver Dt 13.2 e cf. o caso de Saul, 1Sm 16.14; 28.6,7. Ver também Nm 31.8, o caso de Balaão. É uma coisa temível alguém se tornar companheiro dos inimigos de Deus.

14.11

לְמַעַן לֹא־יִתְעוּ עוֹד בֵּית־יִשְׂרָאֵל מֵאַחֲרַי וְלֹא־יִטַּמְּאוּ עוֹד בְּכָל־פִּשְׁעֵיהֶם וְהָיוּ לִי לְעָם וַאֲנִי אֶהְיֶה לָהֶם לֵאלֹהִים נְאֻם אֲדֹנָי יְהוִה׃ פ

Para que a casa de Israel não se desvie mais de mim. Todos os julgamentos de Deus, mesmo os mais esmagadores, são remediadores, não meramente retributivos. Ver as notas expositivas em 1Pe 4.6, no *Novo Testamento Interpretado*, que demonstram esta verdade. Existe alguém tão puro que não precise do fogo refinador? O povo iníquo pode ser forçado a voltar para seu Deus. Ele será de novo o seu Deus, para o seu bem, não para a sua ruína. Cf. Ez 11.20; 36.28; 37.23,27; Os 2.23.

Eles serão o meu povo e eu serei o seu Deus. O pacto da relação *Pai-filhos* será restaurado, porque, afinal, Israel era o filho de Yahweh (Êx 4.22). Ver no *Dicionário* o artigo intitulado *Pactos*. A relação "de família" excluiria influências alheias como a idolatria dos pagãos. *Elohim* (o Deus Todo-poderoso) torna-se *Adonai-Yahweh* (o Soberano Eterno) para os "filhos". Os atos divinos de poder tornam-se benéficos para eles. Ver no *Dicionário* o artigo intitulado *Soberania de Deus*. A soberania de Deus continua funcionando. Pode ter efeitos benéficos ou destruidores, dependendo da reação dos homens, os quais exercem seu livre-arbítrio para o bem ou para o mal. A soberania de Deus funciona segundo as exigências da lei moral.

Quinta Mensagem: Os Justos Salvam Apenas a si Mesmos (14.12-23)

O profeta explica o *modus operandi* e a natureza do julgamento. Mesmo que Noé, Daniel e Jó tivessem intercedido em favor de Judá, em nada ajudariam os ímpios a escapar do seu devido castigo. Somente os justos serão salvos. Ver as cinco mensagens listadas em Ez 12.21. Esta quinta mensagem afirma que a presença de homens espirituais em nada ajuda os ímpios que não imitam sua santidade. Os justos salvarão somente a si mesmos. Os corruptos sofrerão morte terrível no ataque do exército babilônico e no cativeiro subsequente.

14.12

וַיְהִי דְבַר־יְהוָה אֵלַי לֵאמֹר׃

Veio ainda a mim a palavra do Senhor. Esta afirmação introduz as cinco mensagens. A fonte dos oráculos era Yahweh, e o seu profeta autorizado era Ezequiel.

14.13

בֶּן־אָדָם אֶרֶץ כִּי תֶחֱטָא־לִי לִמְעָל־מַעַל וְנָטִיתִי יָדִי עָלֶיהָ וְשָׁבַרְתִּי לָהּ מַטֵּה־לָחֶם וְהִשְׁלַחְתִּי־בָהּ רָעָב וְהִכְרַתִּי מִמֶּנָּה אָדָם וּבְהֵמָה׃

A Circunstância Ridícula. O povo que tinha a *luz* da lei mosaica e das palavras dos profetas propositadamente entrou na escuridão do paganismo. Tornou-se transgressor incurável de suas próprias leis. Era distinto entre as nações (Dt 4.4-8), mas passou a ser apenas uma nação pagã entre outras.

Estenderei a minha mão contra ela. A mão de Yahweh, que abençoava, tornou-se a *mão pesada* de castigo. Foi *Adonai-Yahweh* (o Soberano Eterno) que ficou inimigo de seu próprio povo. Ver sobre *mão*, em Sl 81.13, e no *Dicionário*. Ver sobre *mão direita*, em Sl 20.6, e sobre *braço*, em Sl 77.14; 89.10 e 98.1.

A *mão do Soberano* traria o exército babilônico contra Judá. A *tríade temível* (espada, fome e pestilência) faria seu serviço de aniquilação. Ver sobre a *tríade temível* em Ez 5.12. O sustento de pão seria cortado. O país cairia na fome e homens e animais pereceriam nas ruas da cidade. Os julgamentos do presente texto são temporais, não eternos, e as palavras não descrevem um julgamento além do sepulcro. A espada, a fome, a pestilência praticamente obliterariam a nação inteira. O cativeiro seguinte seria outra provação sem precedentes para Judá (ver Jr 9.16; Ez 12.14). O vs. 15 mostra que *animais selvagens* acrescentariam sofrimento à situação: seriam outro agente da morte. Acrescentando-se aqueles animais, a tríade torna-se um *quádruplo*. Ver Ez 5.17, para outras ideias. Devemos lembrar que a Palestina antiga era praticamente *infestada* por animais, como o urso e o leão, e havia grande abundância de lobos.

14.14

וְהָיוּ שְׁלֹשֶׁת הָאֲנָשִׁים הָאֵלֶּה בְּתוֹכָהּ נֹחַ דָּנִיֵּאל וְאִיּוֹב הֵמָּה בְצִדְקָתָם יְנַצְּלוּ נַפְשָׁם נְאֻם אֲדֹנָי יְהוִה׃

Ainda que estivessem no meio dela estes três homens, Noé, Daniel e Jó. Mesmo que os justos notáveis, Noé, Jó e Daniel, estivessem presentes em Judá, e implorassem misericórdia para o povo, ainda assim não conseguiriam evitar o julgamento daqueles apóstatas. Eles poderiam salvar somente suas próprias vidas. Cf. esta declaração com a história da intercessão de Abraão em favor de Sodoma e Gomorra (Gn 18.23 ss.).

Não há dúvida de que Noé e Jó, neste texto, são as personagens bíblicas que tinham aqueles nomes. Mas o nome *Daniel* tem criado dúvidas. Alguns intérpretes acham que está em vista uma figura mitológica. Encontramos um *Dan'el* nos textos cananeus e também em escritas ugaríticas. A forma do nome no presente texto é *Dan'el*, que é igual à forma daquelas obras pagãs. O *Dan'el* mitológico era descrito como um homem justo, que trabalhava como juiz respeitado. Mesmo justo, não tinha o poder e a autoridade para proteger os próprios filhos da ira da deusa Anate. Um paralelo no presente texto *parece* "óbvio", mas a maioria dos intérpretes acha duvidoso que um livro bíblico como Ezequiel incluísse uma referência pagã, especialmente pelo fato de que esse livro faz oposição a todas as formas do paganismo.

Razões para Rejeitar a Referência Pagã. 1. Podemos supor que a variante *Dan'el* fosse sido utilizada como alternativa de *Daniel*, sem nenhuma referência ao uso pagão da palavra. Não existe um bom argumento contra esta suposição. 2. Um livro bíblico como Ezequiel, que em cada página faz oposição ao paganismo, dificilmente empregaria uma referência pagã. 3. O livro de Ezequiel foi escrito no período pós-exílico e assim poderia fazer referência à personagem bíblica Daniel, sem cair em anacronismo. 4. O *Dan'el* cananeu era idólatra e pagão; ele não poderia ter servido como um exemplo de piedade.

Vencendo Adversidades. Os três homens justos deste texto venceram grandes adversidades, lutando em favor de causas justas. Ver as seguintes referências: Noé (Gn 6.8-7.1); Jó (Jó 42.7-9); Daniel (Dn 2.12-24). Cf. este versículo com Ez 18.4 e 33.12. Um povo claramente depravado não poderia esperar favor divino meramente por ter alguns homens justos. As orações de intercessão dos justos não seriam ouvidas por Yahweh. Cf. Jr 15.1. Estes homens não teriam o poder de salvar os próprios filhos, caso estes também participassem na iniquidade do povo. Ver o vs. 18.

14.15

לוּ־חַיָּה רָעָה אַעֲבִיר בָּאָרֶץ וְשִׁכְּלָתָּה וְהָיְתָה שְׁמָמָה מִבְּלִי עוֹבֵר מִפְּנֵי הַחַיָּה׃

Se eu fizer passar pela terra bestas-feras... Ao ser abandonada, a terra estaria sujeita à invasão de animais selvagens. Eles acrescentariam seu poder destrutivo e fariam, da temível tríade, um quádruplo terrível. Ver Ez 5.12,17. Cf. Lv 26.22. Os *três* homens justos não teriam poder contra a temível *tríade*, muito menos contra o terrível *quádruplo*. Ver no vs. 13 notas sobre a ameaça de animais selvagens na Palestina antiga. "...feras maldosas e perniciosas, leões, tigres, raposas, lobos, ursos, bestas vorazes, especialmente nos tempos de fome. Existiam também pequenos animais, que tinham grande força destrutiva, como o gafanhoto e outros insetos que danificavam as plantações" (John Gill, *in loc.*).

■ **14.16**

שְׁלֹשֶׁת הָאֲנָשִׁים הָאֵלֶּה בְּתוֹכָהּ חַי־אָנִי נְאֻם אֲדֹנָי יְהוִה אִם־בָּנִים וְאִם־בָּנוֹת יַצִּילוּ הֵמָּה לְבַדָּם יִנָּצֵלוּ וְהָאָרֶץ תִּהְיֶה שְׁמָמָה׃

Tão certo como eu vivo, diz o Senhor Deus. *Adonai-Yahweh* (o Soberano Eterno) pronunciou um juramento por sua *própria vida*, afirmando, com absoluta certeza e autoridade, que nenhum homem poderia negar ou anular, que aqueles três homens justos não poderiam salvar os próprios filhos, ainda que através de intercessão sincera e persistente, caso eles se tornassem corruptos. Assim, deveria perecer a população em geral, por não ter parentesco com os justos. A simples presença de homens justos, fazendo intercessões, em nada conseguiria ajudar o povo devasso e rebelde. Cf. Ez 18.10-13. Ver também os vss. 18 e 20 deste capítulo, que fortalecem a mensagem do oráculo.

■ **14.17**

אוֹ חֶרֶב אָבִיא עַל־הָאָרֶץ הַהִיא וְאָמַרְתִּי חֶרֶב תַּעֲבֹר בָּאָרֶץ וְהִכְרַתִּי מִמֶּנָּה אָדָם וּבְהֵמָה׃

Espada, passa pela terra iníqua. *Adonai-Yahweh* (Senhor Soberano) manda sua espada à terra para aniquilá-la. Está historicamente confirmado que o exército babilônico não poupou nem os animais. Os homens e os animais de Judá foram praticamente obliterados, tamanha foi a destruição. É terrível quando a *guerra* é ordenada por Deus e tudo lhe é oferecido, como um *holocausto* (ver a respeito no *Dicionário*).

■ **14.18**

וּשְׁלֹשֶׁת הָאֲנָשִׁים הָאֵלֶּה בְּתוֹכָהּ חַי־אָנִי נְאֻם אֲדֹנָי יְהוִה לֹא יַצִּילוּ בָּנִים וּבָנוֹת כִּי הֵם לְבַדָּם יִנָּצֵלוּ׃

Só eles seriam salvos. Este versículo repete as informações dadas nos vs. 16,17, mas acrescenta a ideia de que somente os *três homens santos* escapariam da aniquilação, enquanto a grande massa de homens pereceria. O vs. 20 repete esta informação. O título divino de soberania, *Adonai-Yahweh*, é usado novamente para enfatizar que o julgamento era inevitável. Nenhuma força poderia anular o *Poder destruidor* de Yahweh.

■ **14.19**

אוֹ דֶּבֶר אֲשַׁלַּח אֶל־הָאָרֶץ הַהִיא וְשָׁפַכְתִּי חֲמָתִי עָלֶיהָ בְּדָם לְהַכְרִית מִמֶּנָּה אָדָם וּבְהֵמָה׃

Peste. A pestilência seria a arma principal da *guerra santa* promovida pelo poder soberano do Senhor. O *contexto* apresenta o terrível *quádruplo:* 1. fome (vs. 13); 2. animais selvagens (vs. 15); 3. espada (vs. 17); 4. pestilência (vs. 19). A combinação de três destas forças (espada, fome, pestilência) é comum em Jr e Ezequiel. Às vezes é acrescentada a quarta praga: animais selvagens. Ver as notas em Ez 5.17. A ordem de apresentação destas forças varia, o que não modifica o sentido.

Derramar o meu furor sobre ela, com sangue, para eliminar dela homens e animais. *Julgamentos sangrentos* são coisas temíveis, mas podem ser utilizados para purificar um povo. O resultado pode ser bênção e vida para os arrependidos. O contexto descreve a morte violenta causada por meios diferentes.

■ **14.20**

וְנֹחַ דָּנִאֵל וְאִיּוֹב בְּתוֹכָהּ חַי־אָנִי נְאֻם אֲדֹנָי יְהוִה אִם־בֵּן אִם־בַּת יַצִּילוּ הֵמָּה בְצִדְקָתָם יַצִּילוּ נַפְשָׁם׃ פ

Este versículo repete as informações dadas nos vss. 14,16,18. A repetição é uma *característica literária* desse livro, do autor original ou de um redator subsequente, que preparou a cópia final. Esta característica serve para enfatizar os termos principais.

■ **14.21**

כִּי כֹה אָמַר אֲדֹנָי יְהוִה אַף כִּי־אַרְבַּעַת שְׁפָטַי הָרָעִים חֶרֶב וְרָעָב וְחַיָּה רָעָה וָדֶבֶר שִׁלַּחְתִּי אֶל־יְרוּשָׁלִָם לְהַכְרִית מִמֶּנָּה אָדָם וּבְהֵמָה׃

Adonai-Yahweh reafirma seu propósito de devastação, que se operará através do quádruplo temível (ver Ez 5.17). Ver também as notas do vs. 19 do presente capítulo. O trabalho do quádruplo seria tão eficiente que aniquilaria praticamente toda a vida de Jerusalém, e a cidade ficaria essencialmente desabitada. Cf. Ez 6.14; 12.19; 14.15; Jr 25.11,18; 34.22; Is 24.12; e 64.10.

Quatro maus juízos. Assim é chamado pelo profeta o temível *quádruplo*. A presença de alguns homens santos não teria efeito algum para anular a aniquilação. *Adonai-Yahweh* (o Soberano Eterno) fez um juramento de devastação a que nenhuma força poderia resistir. As operações da soberania de Deus determinam o destino dos homens, sendo um tema constante de todos os profetas. As nações também se curvam ante o poder do Alto. A tendência da teologia judaica era de falar sobre Deus como a *única causa*, portanto causa também do mal e não somente do bem. Esta teologia era fraca quanto a *causas secundárias*. Os atos depravados dos homens efetuam muitas maldades neste mundo. Deus não anula o livre-arbítrio do homem.

■ **14.22**

וְהִנֵּה נוֹתְרָה־בָּהּ פְּלֵטָה הַמּוּצָאִים בָּנִים וּבָנוֹת הִנָּם יוֹצְאִים אֲלֵיכֶם וּרְאִיתֶם אֶת־דַּרְכָּם וְאֶת־עֲלִילוֹתָם וְנִחַמְתֶּם עַל־הָרָעָה אֲשֶׁר הֵבֵאתִי עַל־יְרוּשָׁלִַם אֵת כָּל־אֲשֶׁר הֵבֵאתִי עָלֶיהָ׃

Eis que alguns restarão. *Ideias*. 1. Poucos escapariam. O profeta poderia derivar algum conforto desse fato. A devastação seria tão grande que o profeta caiu em desespero, temendo que nada nem ninguém sobrevivesse. Mas o plano de Yahweh, a longo prazo, pouparia um pequeno remanescente. Um novo Israel surgiria dos escombros. Uma pequena porção de prata, subtraída da escória geral, seria refinada. 2. Mas o versículo admite entendimentos diferentes. O hebraico é obscuro, assim como as traduções. O versículo aparentemente fala das *três deportações* (ver Jr 52.28). A maioria das pessoas que participaria da primeira deportação era formada de pecadores empedernidos. Mas depois surgiriam alguns com coração mais brando e receptivo à mensagem do Senhor.

Ficareis consolados do mal que eu fiz vir sobre Jerusalém. Um julgamento severo varreria da terra os ímpios que participaram das deportações, mas o mesmo castigo prepararia um pequeno remanescente para a restauração, depois do cativeiro de setenta anos. O profeta teria um *conforto,* ainda que *perverso,* na aniquilação dos ímpios, percebendo claramente que o julgamento era justo e *necessário;* o julgamento teria bons resultados para o futuro de Israel.

■ **14.23**

וְנִחֲמוּ אֶתְכֶם כִּי־תִרְאוּ אֶת־דַּרְכָּם וְאֶת־עֲלִילוֹתָם וִידַעְתֶּם כִּי לֹא חִנָּם עָשִׂיתִי אֵת כָּל־אֲשֶׁר־עָשִׂיתִי בָהּ נְאֻם אֲדֹנָי יְהוִה׃ פ

Eles vos consolarão. Este versículo enfatiza o conforto perverso do profeta, ao ver que o julgamento de Yahweh era justo e necessário, já que o povo merecia o que iria receber. A vida deles era o próprio padrão da maldade. Uma iniquidade tão grande não poderia escapar ao castigo do Soberano. Depois de observar aqueles homens praticando males sem-fim, ninguém questionaria a justiça do julgamento. Provavelmente, alguns poderiam discordar da *severidade* do castigo.

Sabereis que não foi sem motivo tudo quanto fiz. Este versículo parece ser dirigido às objeções de homens simpatizantes com os punidos. A lei da retribuição era e é uma lei divina. Os castigos têm papel importante porque efetuam a restauração. De fato, Deus pode fazer algumas coisas mais efetivamente através do julgamento do que através de blandícia misericordiosa. O julgamento é um dedo da mão amorosa de Deus, portanto é o amor em ação radical. Ver no *Dicionário* o artigo chamado *Justiça*. Os julgamentos do presente capítulo são temporais. O profeta não se refere a um julgamento pós-morte.

O Soberano não faz nada sem causa justa. O texto é contra o voluntarismo, ideia de que a vontade de Deus é suprema, às expensas de sua razão e justiça, conforme se entende o termo. Ver na *Enciclopédia de Bíblia, Teologia e Filosofia* o verbete chamado *Voluntarismo*. O julgamento deve ser justo, segundo os termos da revelação sobre a moralidade. A soberania de Deus sempre entra no quadro. O julgamento realiza os ideais do amor divino. Ver as notas de 1Pe 4.6, no *Novo Testamento Interpretado*.

CAPÍTULO QUINZE

A produção de uvas sempre foi importante na agricultura de Israel. É natural, portanto, que diversos escritores da Bíblia empregassem a parábola do vinhedo para ilustrar verdades espirituais. Cf. Jz 9.8-15; Jr 2.21; e Jo 15, no Novo Testamento. Mas é singular a lição extraída da *qualidade da madeira* da videira, em Ez. A madeira é boa somente quando *produz boas uvas*. Se as uvas são ruins, julgamos que a madeira também o seja. Até para combustível, a madeira é praticamente inútil (vs. 4).

O tema mais importante das três parábolas apresentadas por Ezequiel (vinhedo, capítulo 15; da esposa infiel, capítulo 16; e das duas águias e do cedro, capítulo 17) é que não houve nenhuma possibilidade de Israel (Judá) escapar ao julgamento que seria efetuado pelo exército babilônico. "A destruição de Jerusalém é profetizada de novo, desta vez, sob o símile *da videira*. Se for inútil, será lançada no fogo. O símile se apresenta nos vss. 1-5; os vss. 6-8 oferecem uma explicação da parábola" (John Gill, *in loc.*).

A PARÁBOLA DO VINHEDO (15.1-5)

■ 15.1

וַיְהִי דְבַר־יְהוָה אֵלַי לֵאמֹר׃

Veio a mim a palavra do Senhor. Os novos oráculos ou mensagens desse livro quase sempre iniciam com esta declaração. 1. Ela enfatiza que Yahweh era a fonte das mensagens. 2. Ezequiel era o seu profeta autorizado. Portanto, a mensagem tinha autoridade e certamente era verdadeira. Ver os comentários em Ez 12.21; 13.1 e 14.2, que apresentam esta fórmula de introdução.

■ 15.2

בֶּן־אָדָם מַה־יִּהְיֶה עֵץ־הַגֶּפֶן מִכָּל־עֵץ הַזְּמוֹרָה אֲשֶׁר הָיָה בַּעֲצֵי הַיָּעַר׃

Que mais é o pau de videira do que qualquer outro...? Em vez de falar sobre o *fruto* da videira, o profeta fala sobre a *qualidade de sua madeira*. Naturalmente, essa qualidade está subentendida na provável produção das uvas, podendo ser boa ou má. Caso a madeira não seja boa e saudável, se houver qualquer produção, as uvas serão azedas. A madeira da videira, se ruim, não serve nem como combustível. É pior do que uma árvore podre que faria bom combustível. Os homens cortam quase todo o tipo de árvore para esse propósito, mas a madeira da videira produz tão pouca quantidade, que nem é utilizada como combustível. Em outras palavras, a madeira ruim da videira é realmente *inútil*. "Essa madeira é mole, quebradiça, e nunca de grande quantidade" (Fausset, *in loc.*). Portanto, se a videira não produz boas uvas, não lhe sobra nenhuma utilidade. Por outro lado, a videira que produz boas uvas é mais útil do que a grande maioria das árvores da floresta.

■ 15.3

הֲיֻקַּח מִמֶּנּוּ עֵץ לַעֲשׂוֹת לִמְלָאכָה אִם־יִקְחוּ מִמֶּנּוּ יָתֵד לִתְלוֹת עָלָיו כָּל־כֶּלִי׃

Alguma obra? A madeira da videira é inútil para fabricar móveis, ou até para fazer uma simples prateleira onde sejam colocados utensílios. A parábola não menciona a função da videira de produzir uvas, mas explora outros usos possíveis, considerando-se que essa videira fosse inútil para os propósitos agrícolas. Jerusalém era madeira inútil. Não produzia frutos, era estéril, servia somente como combustível para o fogo divino.

Plínio menciona itens *ornamentais* feitos da madeira da videira (*Nat. Hist.* 1.14.c.1). Nosso autor não tinha conhecimento desses usos, ou não os mencionou para não enfraquecer a parábola. De modo geral, podemos afirmar que essa madeira é torta, áspera, fraca, inútil para fabricar instrumentos, móveis ou quaisquer outros objetos de valor.

■ 15.4

הִנֵּה לָאֵשׁ נִתַּן לְאָכְלָה אֵת שְׁנֵי קְצוֹתָיו אָכְלָה הָאֵשׁ וְתוֹכוֹ נָחָר הֲיִצְלַח לִמְלָאכָה׃

Serviria, acaso, para alguma obra? Talvez alguém usasse a madeira da videira como combustível. Se isto ocorresse, logo descobriria que se queima rápida e totalmente. As extremidades e a parte central são consumidas ao mesmo tempo. Ela fornece pouco calor e some completamente. Cf. os vss. 4,5 com Jr 24.10. Jerusalém, que não prestava para nada, mesmo assim serviria de combustível para o exército babilônico (vs. 6).

> *Se alguém não permanecer em mim, será lançado fora, à semelhança do ramo, e secará; e o apanham, lançam no fogo e o queimam.*
>
> João 15.6

A videira, que nem mesmo serve para combustível, uma vez queimada, é duplamente inútil: suas cinzas não servem para nenhum propósito. Judá é como a videira lançada no fogo, que logo se reduz a nada. Jerusalém logo "sofreria" um fogo devastador.

■ 15.5

הִנֵּה בִּהְיוֹתוֹ תָמִים לֹא יֵעָשֶׂה לִמְלָאכָה אַף כִּי־אֵשׁ אֲכָלַתְהוּ וַיֵּחָר וְנַעֲשָׂה עוֹד לִמְלָאכָה׃ ס

Se, estando inteiro, não servia para obra alguma, quanto menos sendo consumido pelo fogo. Quando a madeira da videira está intacta, antes de ser queimada, não presta para nada (vss. 2,3); muito menos prestará, uma vez queimada e reduzida a cinzas. Se houvesse algum valor "antes", estaria perdido no fogo. O autor fala da Judá-Jerusalém que já era inútil quando promovia sua idolatria-adultério-apostasia. Sendo atacada e consumida pelo fogo babilônico, perderia qualquer valor que pudesse ter tido antes. Sua *inutilidade total* é assim comprovada. O profeta fez uma péssima avaliação do valor espiritual da cidade apóstata.

A EXPLICAÇÃO DA PARÁBOLA (15.6-8)

■ 15.6

לָכֵן כֹּה אָמַר אֲדֹנָי יְהוִה כַּאֲשֶׁר עֵץ־הַגֶּפֶן בְּעֵץ הַיַּעַר אֲשֶׁר־נְתַתִּיו לָאֵשׁ לְאָכְלָה כֵּן נָתַתִּי אֶת־יֹשְׁבֵי יְרוּשָׁלָ͏ִם׃

Assim diz o Senhor Deus. O título divino aqui, *Adonai-Yahweh* (Soberano Eterno), é usado 217 vezes em Ez, mas somente 103 no restante do Antigo Testamento. Seu uso nesse livro quase sempre se aplica à destruição de Jerusalém, ato que ilustrou o governo moral de Deus para com seu povo. Suas providências negativa e positiva governam o mundo, segundo as exigências da lei moral. Ver no *Dicionário* os artigos intitulados *Soberania* e *Providência de Deus*.

Como o pau da videira... *Adonai-Yahweh* (o Soberano Eterno) agiu utilizando seu poder onipotente, cumprindo seus decretos de aniquilação de Jerusalém, que seria queimada pelo fogo da Babilônia. Cf. Is 6.13. Ver também Ez 5.2 e 10.2, que mencionam literalmente a destruição por fogo. Até o templo foi queimado (Jr 52.13).

■ 15.7

וְנָתַתִּי אֶת־פָּנַי בָּהֶם מֵהָאֵשׁ יָצָאוּ וְהָאֵשׁ תֹּאכְלֵם וִידַעְתֶּם כִּי־אֲנִי יְהוָה בְּשׂוּמִי אֶת־פָּנַי בָּהֶם׃

Ainda que saiam do fogo, o fogo os consumirá. Se Judá-Jerusalém conseguisse escapar ao fogo do ataque babilônico, Yahweh mandaria outros fogos que garantiriam sua destruição *quase total*. Um julgamento se seguiria a outro. A fome e a pestilência seguiriam a espada, e animais selvagens comeriam os poucos sobreviventes. Ver Ez 5.12 e 17. O capítulo 14 descreve os desastres com detalhes. Cf. Jr 9.16 e Ez 12.14. Ver também Ez 5.4; 11.9; 12.14 e 23.25. Talvez as três deportações estejam incluídas nesta declaração global. Ver Jr 52.28, onde há notas sobre essas deportações. O terror babilônico chegaria em ondas, como se fossem de um grande mar. Os *fogos* falam de calamidades de todos os tipos (ver Sl 66.12).

Sabereis que eu sou o Senhor, quando tiver voltado o meu rosto contra eles. Que os homens *conhecerão* melhor a natureza de Adonai-Yahweh, através de seus julgamentos, é um tema constante de Ezequiel. Eles entenderiam claramente a natureza terrível de sua apostasia quando experimentassem os resultados. Entenderiam melhor a santidade de Deus e reconheceriam as exigências das leis morais.

■ **15.8**

וְנָתַתִּי אֶת־הָאָרֶץ שְׁמָמָה יַעַן מָעֲלוּ מַעַל נְאֻם אֲדֹנָי יְהוִה׃ פ

Tornarei a terra em desolação. As diversas formas de destruição deixariam Judá-Jerusalém desabitada e totalmente desolada. Cf. Ez 6.14; 12.20; 14.15,21,23. Ver também Is 1.7; 6.11; Jr 2.12; 4.7; 10.22 e 18.16. Os babilônios eram peritos em *genocídio*, mas foi o decreto de Yahweh que acionou a máquina destruidora da Babilônia. Os homens não podem esconder de Deus seu verdadeiro caráter. A *Lei Moral da Colheita segundo a Semeadura* nivela tudo, quando chega a hora apropriada (Gl 6.7,8).

Cometeram graves transgressões. Portanto, sofreriam consequências desastrosas e aniquilação quase total.

CAPÍTULO DEZESSEIS

A PARÁBOLA DA ESPOSA INFIEL (16.1-63)

A primeira parábola apresentada por Ezequiel descreve a *madeira inútil* da videira, representando Jerusalém (capítulo 15). A segunda parábola descreve Jerusalém como *esposa infiel* (capítulo 16). Todas as mensagens nos informam que Jerusalém era um caso perdido. Um julgamento devastador foi decretado por *Adonai-Yahweh* (o Soberano Eterno). O tema mais importante destas parábolas é que não houve nenhuma possibilidade de Judá escapar ao julgamento efetuado pelo exército babilônico.

Jerusalém era um infante abandonado, de pais desconhecidos. Ezequiel empregou uma lenda popular, na forma de uma alegoria. A linhagem de Jerusalém era *pagã*, e o povo não tinha nenhuma participação nos pactos com Yahweh. Os cananeus eram residentes semitas que habitaram a Palestina antes da invasão das tribos de Israel, no século 13 a.C. Foram aparentemente uma subdivisão dos amorreus que chegaram ao Crescente Fértil, no segundo milênio a.C. Os hititas eram um povo pagão que residia na Palestina com os cananeus (Gn 23; Js 3.10). Cf. 2Sm 11.3. Não desejada e tendo negados seus direitos de nascimento (como ocorria a crianças do sexo feminino na antiguidade pagã), Judá-Jerusalém tornou-se um prejuízo. Ela foi abandonada para morrer, exposta aos elementos hostis. Mas, pela ajuda divina, conseguiu sobreviver e tornar-se adulta.

Agora, a despeito de sua origem humilde, é uma linda mulher. Casa-se com um rei e torna-se a rainha da terra. Mas logo se prova infiel e ingrata. Toma uma série de amantes e inicia uma vida devassa. Enfeita-se com muitas joias e ouro e torna-se arrogante e intolerável. Em breve, seus amantes retirariam todas os seus enfeites e a matariam. Os vss. 1-43 parecem ser uma unidade completa, mas os vss. 44-63 aparentemente são de um redator subsequente, que expandiu o tema original. Estes versículos apresentam a esperança de que Deus, afinal, restauraria as fortunas de Jerusalém e até as de Samaria e Sodoma. O amor de Deus funciona assim, empregando julgamentos severos para purificar e restaurar. Todos os julgamentos de Deus são restauradores, não meramente retributivos.

A relação entre Yahweh e seu povo é representada como a de um homem e sua esposa. Talvez Oseias fosse o primeiro profeta a empregar esta metáfora. Os profetas com frequência utilizavam-se desta figura de linguagem. Ver Jr 2.1-3; 3.1-5; Is 50.1. Cf. a metáfora de Pai-filho em Êx 4.22; Jr 31.9,20 e Os 11.1. Ver também a figura do rei e seu escravo (ou suboficial), um símile muito comum nas Escrituras, em Is 41.8,9; 42.1; 43.10; Jr 20.10; Ez 28.25.

Cantares foi alegorizado por intérpretes judaicos posteriores, para fazer de Israel a esposa de Yahweh. Mas este livro é somente uma canção que celebra o amor romântico. Por estas parábolas, os autores do Antigo Testamento ensinam certas lições morais e espirituais importantes. Entram obviamente no *antropomorfismo* (ver a respeito no *Dicionário*).

O INFANTE ABANDONADO (16.1-6)

■ **16.1**

וַיְהִי דְבַר־יְהוָה אֵלַי לֵאמֹר׃

Veio a mim a palavra do Senhor. Esta expressão comumente introduz novas mensagens ou oráculos nesse livro. Ela afirma a inspiração divina do que se segue e indica que Ezequiel era um profeta autorizado por Yahweh. Cf. Ez 12.21; 13.1; 14.2 e 15.1, onde há notas.

■ **16.2**

בֶּן־אָדָם הוֹדַע אֶת־יְרוּשָׁלִַם אֶת־תּוֹעֲבֹתֶיהָ׃

Faze conhecer a Jerusalém as suas abominações. Ninguém poderia ter orgulho da linhagem do infante. O profeta descreve aquela linhagem como a dos pagãos, na qual reinava uma idolatria grosseira. O infante, produto daquela extração, era corrupto desde o início, e não superaria sua genética, a despeito dos muitos privilégios recebidos. Ela, pagã e abandonada, seria uma rainha pela graça de um rei. Logo se comprovaria pequena demais para ser rainha; embora casada com o rei, tornou-se infiel e arrogante. Israel era o infante terrível; Yahweh era o Rei das graças que o elevou.

Explicando os Pecados de Israel. 1. Originalmente, Israel não tinha nenhuma estatura especial. Não podia reivindicar uma posição especial ante o Rei. Recebeu de graça tudo o que tinha, e seus pecados posteriores revelam sua ingratidão. 2. Israel, o infante terrível, não tinha nenhuma atração em si mesmo. Ele foi feito distinto entre as nações pela pura graça, quando Yahweh deu àquele povo a lei de Moisés (ver Dt 4.4-8). 3. Como infante terrível, ele foi exposto aos elementos hostis deste mundo e abandonado, mas a graça de Deus o tirou da miséria. 4. Yahweh compartilhou seus pactos com ele e, figurativamente, tornou-se seu marido. Mas o infante pagão tornou-se uma adulta pagã, correndo atrás de seus amantes. 5. Yahweh perdeu a paciência com a devassa e a castigou por causa da sua idolatria-adultério-apostasia.

■ **16.3**

וְאָמַרְתָּ כֹּה־אָמַר אֲדֹנָי יְהוִה לִירוּשָׁלִַם מְכֹרֹתַיִךְ וּמֹלְדֹתַיִךְ מֵאֶרֶץ הַכְּנַעֲנִי אָבִיךְ הָאֱמֹרִי וְאִמֵּךְ חִתִּית׃

Procedem da terra dos cananeus; teu pai era amorreu, e tua mãe heteia. Israel era simplesmente outro produto da Canaã pagã, que fora sempre abominável aos olhos de Yahweh. Para detalhes, ver sobre os nomes desses dois povos no *Dicionário*. Os dois povos eram especialmente proeminentes na Palestina e seus nomes representam, de modo geral, as nações pagãs do lugar. Ver Gn 15.16; Dt 1.44; Nm 14.45; Js 10.5; 2Rs 21.11. Os patriarcas tinham associações frequentes com aqueles povos, algumas boas, outras ruins. Ver Gn 7.46; 23.1-20; 26.34,35 e 28.1-22.

Parábola ou verdade? O profeta estava dizendo que, literalmente, Israel compartilhava com aqueles povos sua linhagem? É claro que não. A origem de Israel, Ur dos Caldeus, era um fato universalmente conhecido. O profeta proferia uma *parábola* para atacar Israel, como se fosse uma nação pagã. Moral e espiritualmente falando, aquele povo era somente outra nação pagã. Jerusalém, corrupta, era filha de pagãos. Sodoma era sua *irmã* (Ez 16.46), mas a relação era moral e espiritual, não genética. Jerusalém foi paganizada *por associação*. Foi *adotada* como filha de pagãos, porque agia como eles.

Mostrou *afinidade* com as nações abomináveis, mas a afinidade era moral e espiritual, não física.

■ 16.4

וּמוֹלְדוֹתַיִךְ בְּיוֹם הוּלֶּדֶת אוֹתָךְ לֹא־כָרַּת שָׁרֵּךְ וּבְמַיִם לֹא־רֻחַצְתְּ לְמִשְׁעִי וְהָמְלֵחַ לֹא הֻמְלַחַתְּ וְהָחְתֵּל לֹא חֻתָּלְתְּ׃

Não te foi cortado o umbigo. O infante nascido daqueles pais pagãos nem recebeu os cuidados que os bebês normalmente têm; o cordão umbilical não foi cortado; o infante não foi lavado; não foi friccionado com sal; não foi ungido com óleo; não foi vestido em roupas apropriadas; sofria frio e fome. Até os pobres da Palestina praticavam essas coisas comuns em favor dos bebês. A criança, segundo os costumes, era friccionada com sal misturado a água e óleo, e embrulhada em faixas de pano, por sete dias. Frequentemente, as meninas eram expostas aos elementos hostis do tempo, para morrerem; se, por algum milagre, alguma sobrevivesse, era *sinal* de que "merecera" viver.

O infante deste texto conseguiu resistir aos maus-tratos; sua própria vida era um milagre. Provavelmente esta é uma referência aos maus-tratos que Israel recebeu no Egito, por quatrocentos anos. Mas Yahweh entregou seu filho naquele lugar e lhe deu uma terra agradável e rica.

■ 16.5

לֹא־חָסָה עָלַיִךְ עַיִן לַעֲשׂוֹת לָךְ אַחַת מֵאֵלֶּה לְחֻמְלָה עָלָיִךְ וַתֻּשְׁלְכִי אֶל־פְּנֵי הַשָּׂדֶה בְּגֹעַל נַפְשֵׁךְ בְּיוֹם הֻלֶּדֶת אֹתָךְ׃

Não se apiedou de ti olho algum. Aquela menina indesejada não despertou pena em ninguém; não houve compaixão para com ela, que sofreu privações e fome, foi odiada e exposta aos elementos hostis para morrer. Era costume que meninas saudáveis, deformadas ou doentes sofressem infanticídio. Israel recebeu esse tipo de tratamento, no Egito, e depois na própria terra foi perseguido pelas nações pagãs. Exposto por pais cruéis e enfermeiras indiferentes, foi deixado no campo deste mundo para morrer, entregue ao deserto do ódio humano.

Uma carta de papiro achada por arqueólogos, escrita por um trabalhador egípcio, descreve tais barbaridades praticadas contra meninas. O nome dele era Hilárion e o de sua esposa, Alís. A carta diz: "... se é uma menina, a expõe". Em um tempo posterior, uma carta escrita por um cristão, a *Epístola a Diogneto*, registrou claramente que os cristãos não praticavam essa barbaridade.

■ 16.6

וָאֶעֱבֹר עָלַיִךְ וָאֶרְאֵךְ מִתְבּוֹסֶסֶת בְּדָמָיִךְ וָאֹמַר לָךְ בְּדָמַיִךְ חֲיִי וָאֹמַר לָךְ בְּדָמַיִךְ חֲיִי׃

Passando eu por junto de ti, vi-te. *A Parábola Continua.* Yahweh, representado como homem, passou no campo onde a menina estava exposta e escutou seu choro. Encontrou-a em condição miserável, ainda manchada pelo sangue do parto, imunda, fria, com fome e totalmente abandonada.

Vive... ainda que estás no teu sangue, vive. Yahweh, o homem gentil, falou: "Vive!", o que garantiu a vida da criança. Daí, exerceu seu famoso amor e cuidou da criança. A menina logo ficou alegre e recuperou a saúde. Foi assim que Deus teve compaixão de Israel e resolveu todos os seus problemas. Deu-lhe a lei de Moisés para que lhe servisse de *guia* (Dt 6.4 ss.); livrou-o de todos os seus opressores, dando-lhe uma vida no seu culto (Dt 4.1; 5.33; 6.2; Ez 20.1). A menina abandonada tornou-se uma criança altamente *privilegiada*.

■ 16.7

רְבָבָה כְּצֶמַח הַשָּׂדֶה נְתַתִּיךְ וַתִּרְבִּי וַתִּגְדְּלִי וַתָּבֹאִי בַּעֲדִי עֲדָיִים שָׁדַיִם נָכֹנוּ וּשְׂעָרֵךְ צִמֵּחַ וְאַתְּ עֵרֹם וְעֶרְיָה׃

Eu te fiz multiplicar como o renovo do campo. A criança tornou-se objeto de muita atenção, gentileza e amor; cresceu rapidamente como uma planta robusta do campo, em meio a muita água e sol.

Cresceste e te engrandeceste e chegaste a grande formosura; formaram-se os teus seios e te cresceram os cabelos. A menina maltratada logo se tornou uma mulher linda, bem formada, com seios admiráveis e atraentes. Era muito cobiçada por homens que procuravam uma esposa extraordinária. Seus cabelos longos, pretos e bem cuidados, atraíam olhares até dos homens mais santos. Ontem estava nua, hoje está coberta de beleza.

■ 16.8

וָאֶעֱבֹר עָלַיִךְ וָאֶרְאֵךְ וְהִנֵּה עִתֵּךְ עֵת דֹּדִים וָאֶפְרֹשׂ כְּנָפִי עָלַיִךְ וָאֲכַסֶּה עֶרְוָתֵךְ וָאֶשָּׁבַע לָךְ וָאָבוֹא בִבְרִית אֹתָךְ נְאֻם אֲדֹנָי יְהוִה וַתִּהְיִי לִי׃

Passando eu por junto de ti, vi-te. Em tempo posterior, o *salvador* da recém-nascida, passando por acaso, a viu, uma mulher bela e madura para ter filhos. Assim, o marido divino decidiu casar-se com aquela mulher-milagre. Cumpriu todos os ritos simbólicos que os costumes exigiam, cobrindo-a com seu próprio manto, escondendo-lhe a nudez, oferecendo-lhe proteção. Fez um contrato de casamento com ela. Como *Adonai-Yahweh* (o Soberano Eterno), tinha riquezas e poderes para abençoar ricamente aquela mulher, agora altamente privilegiada. Cf. este pacto de casamento, com Ml 2.14 e Pv 2.17. Através desta parábola de casamento, devemos entender o fato de que Israel foi feito participante dos pactos, especialmente do *Pacto Abraâmico* (ver as notas em Gn 15.18). Outros pactos acompanharam Israel, na continuidade da sua história. Ver no *Dicionário* o artigo intitulado *Pactos*. Ver também sobre *Pacto Mosaico*, anotado na introdução a Êx 19.

Estendi sobre ti as abas do meu manto. "... um ato simbólico de casamento. Ver Rt 3.9 e cf. Dt 22.30. Este ato simbolizava proteção, possessão e identificação com o marido e com sua família. Davi cortou fora uma porção da vestimenta de Saul, porque sabia que, com ela, seria identificado com a realeza (1Sm 24)" (Theophile J. Meek, *in loc.*).

■ 16.9

וָאֶרְחָצֵךְ בַּמַּיִם וָאֶשְׁטֹף דָּמַיִךְ מֵעָלָיִךְ וָאֲסֻכֵךְ בַּשָּׁמֶן׃

Em contraste com os pais pagãos da menina, que não tinham coração, Yahweh, o marido potencial, lavou a menina suja de sangue e a ungiu com óleo (a mistura de sal, óleo e água, vs. 4). Assim a criança abandonada tornou-se uma senhora eleita. Ver o vs. 6. O escritor ignora aqui as sequências de tempo da história, enfatizando certos fatos importantes. O vs. 9 informa que as maldades praticadas contra a menina foram revertidas pela bondade de Yahweh. Devemos prestar atenção aos detalhes mais óbvios e não nos distrair com pormenores. Yahweh *lavou* a menina quando a encontrou no campo. A senhora, antes do casamento, tomou o banho tradicional das noivas. As *lavagens* falam da santificação de uma esposa. A senhora estava tornando-se uma rainha. Os cuidados divinos garantiram o êxito do processo. O infante abandonado se tornou a senhora eleita, o Israel distinto entre as nações (Dt 4.4-8).

■ 16.10

וָאַלְבִּישֵׁךְ רִקְמָה וָאֶנְעֲלֵךְ תָּחַשׁ וָאֶחְבְּשֵׁךְ בַּשֵּׁשׁ וַאֲכַסֵּךְ מֶשִׁי׃

Também te vesti de roupas bordadas. O processo de enriquecimento continuava. A senhora eleita recebeu as joias mais finas e as roupas mais caras, bordadas pelas costureiras mais capacitadas do país; usava roupas de linho fino e seda; tinha sapatos de couro importado, até de animais do mar, itens preciosos e raros. Cf. Sl 45.13,14 e Is 61.10. Não houve privilégio que aquela mulher não recebesse, nenhum desejo lhe foi negado.

■ 16.11

וָאֶעְדֵּךְ עֶדִי וָאֶתְּנָה צְמִידִים עַל־יָדַיִךְ וְרָבִיד עַל־גְּרוֹנֵךְ׃

Também te adornei com enfeites. Cf. vss. 11-13 com Os 2.13 e Is 3.18-24. Não houve fim na decoração vistosa que a mulher recebeu. Foi-lhe dado tudo o que ela pediu, ela possuía tudo o que uma mulher podia desejar: joias de todos os tipos, para o cabelo, o pescoço, os braços, as pernas, os dedos e os pulsos. Ela exagerou. Cf. Gn 24.22, e ver no *Dicionário* o artigo chamado *Joias e Pedras Preciosas*.

Este versículo não deve ser usado como um texto-prova de que é legítimo para uma mulher cristã usar muitas joias como adornos. Ver 1Pe 3.3,5, para a visão cristã mais humilde do vestuário feminino. O presente versículo, metaforicamente, fala de todos os *benefícios e privilégios* que aquela mulher havia recebido. Ela se tornou a senhora eleita, pelo poder e bondade de Deus, seu marido. Deveria ter ficado muito contente, mas estava insatisfeita. Começou a procurar amantes. Ver Rm 9.4 ss. Israel tinha uma vida espiritual altamente adornada. A lei era seu *guia* (Dt 6.4 ss.); sua *vida* (Dt 4.1; 5.33; 6.2; Ez 20.1). Israel era *distinto* entre as nações (Dt 4.4-8).

■ **16.12**

וָאֶתֵּן נֶזֶם עַל־אַפֵּךְ וַעֲגִילִים עַל־אָזְנָיִךְ וַעֲטֶרֶת תִּפְאֶרֶת בְּרֹאשֵׁךְ׃

Vaidade Feminina. Aquela *senhora eleita*, uma vez humilde, mas agora exaltada, tinha anéis até para o nariz, para as orelhas e para os dedos das mãos e pés. Onde havia espaço, ela colocou uma joia ou um anel de pérola ou ouro. Nada da humilde prata! Então, ela foi coroada rainha do Rei do mundo e sobre *todo* o mundo. Sua coroa era de ouro puro, com muitas joias incrustadas. Agora, ela estava sentada em seu trono, lançando olhares de desprezo para os plebeus. Enquanto ainda atravessava o processo do casamento, estabeleceu-se sobre um trono mais alto do que as nuvens. Esta história de Cinderela superou todas as demais histórias. O seu reino era o mundo, não uma pequena província de um país no deserto, rico em petróleo. O Targum fala aqui: "... as nuvens de sua glória a cobriram como uma grande sombra". Cf. Êx 19.6; Ap 1.6; Gn 24.22; Jó 42.11; Pv 11.22; Is 3.21 e Os 3.12.

■ **16.13**

וַתַּעְדִּי זָהָב וָכֶסֶף וּמַלְבּוּשֵׁךְ שֵׁשִׁי וָמֶשִׁי וְרִקְמָה סֹלֶת וּדְבַשׁ וָשֶׁמֶן אָכָלְתִּי וַתִּיפִי בִּמְאֹד מְאֹד וַתִּצְלְחִי לִמְלוּכָה׃

Mais Exageros. O profeta não podia parar com as suas descrições. Volta a falar de todas aquelas joias e ornamentos; fala mais ainda dos vestidos finos da mulher, e, finalmente, passa a descrever a sua *alimentação*, que era a mais rica possível, para se igualar aos seus excessos de vestimenta.

A primeira parte deste versículo repete as informações dadas nos versículos anteriores. Agora, aprendemos que sua alimentação incluía itens de luxo, farinhas finas, mel e óleos importados. De modo geral, ela ficou cada vez mais rica, mas *não* mais gorda. Ela preservou sua beleza para melhor seduzir a todos aqueles amantes.

Talvez o texto aluda à *época áurea* de Salomão, quando as riquezas fluíram como o rio Amazonas. Mas, surpreendentemente, no meio de todas aquelas bênçãos divinas, a idolatria rude atacou e venceu o país inteiro. Até o próprio rei, o fiel filho de Davi, tornou-se um idólatra e hedonista desgraçado. Logo o reino se dividiu em duas partes, norte (Israel) e sul (Judá), e a época áurea se perdeu em meio à confusão. A degeneração tomou conta de tudo, começando com o coração de homens descuidados.

Flor de farinha, de mel e azeite. Estes três elementos foram misturados para fazer um bolo rico, um contraste ao pão seco e às cebolas do Egito. Cf. Dt 32.13,14. Israel começou humilde, floresceu e ficou bonito; prosperou ainda mais e tornou-se um império que dominava os países ao redor.

■ **16.14**

וַיֵּצֵא לָךְ שֵׁם בַּגּוֹיִם בְּיָפְיֵךְ כִּי כָּלִיל הוּא בַּהֲדָרִי אֲשֶׁר־שַׂמְתִּי עָלַיִךְ נְאֻם אֲדֹנָי יְהוִה׃

Correu a tua fama entre as nações, por causa da minha glória que eu pusera em ti, diz o Senhor. A senhora eleita ficou famosa em todo o mundo; histórias, e até lendas, aumentaram sua reputação. A glória e a beleza do Senhor brilhavam nela, e esse foi o segredo de seu estrondoso sucesso. Ela era bela, rica e famosa, tudo o que as mulheres gostariam de ser.

O versículo obviamente ilustra o princípio da *graça*, que está mais elaboradamente descrito no Novo Testamento.

A QUEDA DA RAINHA (16.15-34)

"Em contraste com a bondade abundante de Deus, houve o pecado pernicioso da idolatria de Israel. O autor dá uma descrição detalhada nos vss. 15-34. Devemos lembrar que o fruto natural da graça negligenciada resultou em iniquidade. Israel está representado como o pior dos pecadores, e isto não é mera hipérbole. A graça que não eleva termina criando um povo que vai às profundidades do pecado" (Ellicott, *in loc.*).

■ **16.15**

וַתִּבְטְחִי בְיָפְיֵךְ וַתִּזְנִי עַל־שְׁמֵךְ וַתִּשְׁפְּכִי אֶת־תַּזְנוּתַיִךְ עַל־כָּל־עוֹבֵר לוֹ־יֶהִי׃

E te ofereceste a todo o que passava. Aquela senhora eleita tornou-se uma *prostituta de luxo*. Sua beleza atraiu muitos amantes, o que simboliza as diversas formas de idolatria dos vizinhos de Israel. Sua idolatria incluiu a "prostituição sagrada". As sacerdotisas dos templos pagãos vendiam o corpo a fim de ganhar dinheiro para o sustento dos cultos. Cf. Dt 32.15 e Os 13.6. Talvez este versículo aluda aos exageros de Salomão, especialmente ao harém de mil mulheres que o atraíram para praticar a idolatria de diversas nações.

A *senhora eleita* parou de olhar para o seu marido e ficou obcecada com a beleza de seu próprio corpo. Quis testar seus poderes sobre os homens e logo descobriu que nenhum podia resistir-lhe. Seu *harém* competiu com os haréns de reis. Sua prostituição espiritual está descrita nos vss. 15,21—22,25. Aquela mulher perdeu o controle e não mais fazia seleções entre "candidatos" para sua cama. Jerusalém tornou-se uma "prostituta sagrada"; abandonou seu casamento com Yahweh.

"O termo *prostituição* neste trecho (ver os vss. 15,21—22,25), como no livro de Oseias, implica que Israel se associou a um tipo de idolatria que incluía *ritos sexuais* dos cultos cananeus. A forma verbal da palavra também carrega esta conotação (vss. 16,17,28). Jerusalém tornou-se uma prostituta sagrada, imitando o deboche dos pagãos. Ver Gn 38; Jr 2.23-25; 3.1-5; Os 4.14—15; 9.1" (Theophile J. Meek, *in loc.*).

■ **16.16**

וַתִּקְחִי מִבְּגָדַיִךְ וַתַּעֲשִׂי־לָךְ בָּמוֹת טְלֻאוֹת וַתִּזְנִי עֲלֵיהֶם לֹא בָאוֹת וְלֹא יִהְיֶה׃

Atração Diabólica. *Roupas lindas* fizeram da mulher uma pessoa distinta, naturalmente desejada pelos homens. A senhora eleita tornou-se a *senhora iníqua* mais notória do país. Ela decorava os altares onde oferecia incenso e sacrifícios, servindo a um sincretismo doentio, que misturava Yahweh com os deuses pagãos. Seus altares eram pontos de atração turística, onde os gentios se misturavam com os judeus. A rainha iníqua estava sempre presente para se oferecer aos "adoradores", honrando a fertilidade e praticando as profundezas da depravação. Ver no *Dicionário* o artigo intitulado *Lugares Altos*.

Tais coisas nunca deveriam ter acontecido e não devem acontecer, nunca mais.

NCV

Altos adornados de diversas cores. O uso de cores, especialmente em tapeçarias, na decoração dos lugares de adoração era universal nas religiões da antiguidade. O tabernáculo havia empregado essas decorações coloridas. Alguns intérpretes supõem que as prostitutas sagradas adornassem suas tendas com desenhos coloridos, para atrair seus fregueses. Cf. Pv 7.16,17. Sabemos que as prostitutas decoravam suas camas ricamente e usavam perfumes e outros truques para seduzir homens que já estavam seduzidos no seu íntimo. As adúlteras imitaram as prostitutas, aplicando as mesmas técnicas para enfraquecer os poderes de resistência dos homens, se é que encontravam alguma resistência.

16.17

וַתִּקְחִ֞י כְּלֵ֣י תִפְאַרְתֵּ֗ךְ מִזְּהָבִ֤י וּמִכַּסְפִּי֙ אֲשֶׁ֣ר נָתַ֣תִּי לָ֔ךְ וַתַּעֲשִׂי־לָ֖ךְ צַלְמֵ֣י זָכָ֑ר וַתִּזְנִי־בָֽם׃

Fizeste estátuas de homens e te prostituíste com elas. Descendo mais e mais na sua depravação, a senhora eleita, agora a senhora iníqua, empregou os metais preciosos que seu marido lhe dera para fabricar ídolos. Esta foi uma ação de deboche inacreditável. A senhora caída usou o ouro e a prata de suas joias para fabricar ídolos e símbolos fálicos.

Estátuas de homens. *Quase certamente* estas palavras falam de objetos fálicos (tipos de pênis), não de imagens na forma de homens, feitos de materiais preciosos. Mulheres que visitavam os altares usavam aqueles itens para se masturbar! O uso de itens fálicos era para o "benefício" das adoradoras, mulheres depravadas que frequentavam os altares idólatras. Heródoto (*Hist.* liv. ii.c.48,49) nos informa sobre tais práticas em conexão com a adoração de Osíris, Baco e Adônis, deuses e deusas da fertilidade. Os hindus deificaram o *membrum virile,* porque simbolizava a fertilidade do povo, de origem supostamente divina.

16.18

וַתִּקְחִ֞י אֶת־בִּגְדֵ֤י רִקְמָתֵךְ֙ וַתְּכַסִּ֔ים וְשַׁמְנִי֙ וּקְטָרְתִּ֔י נָתַ֖תְּ לִפְנֵיהֶֽם׃

Os teus vestidos bordados. A senhora rainha iníqua prostituta fora coberta pelo manto de Yahweh (vs. 8). Este mesmo manto ela usou para cobrir seus fregueses, para protegê-los do frio! Também utilizou os itens de luxo que seu marido lhe tinha dado, para satisfazer os desejos deles, isto é, os óleos, para ungir-lhes o corpo, e os perfumes, para excitar-lhes as paixões. Queimou *incenso* para honrá-los, incenso que seu marido lhe tinha dado para seu uso pessoal. Ver o *óleo sagrado* descrito em Êx 30.22-25,32,33. Este versículo informa que os materiais do templo, que pertenciam a Yahweh, eram empregados nos cultos pagãos.

... e as cobriste. falando das imagens, ou dos itens fálicos. Panos especiais, como a roupa das idólatras, foram usados para cobrir e honrar as imagens, em uma cerimônia que não entendemos hoje. Talvez estejam (parcialmente) em vista as imagens fálicas vista. Cobrir tais itens com uma roupa feminina podia significar o pênis entrando na vagina, símbolo da fertilidade desejada.

16.19

וְלַחְמִי֩ אֲשֶׁר־נָתַ֨תִּי לָ֜ךְ סֹ֣לֶת וָשֶׁ֤מֶן וּדְבַשׁ֙ הֶֽאֱכַלְתִּ֔יךְ וּנְתַתִּ֧יהוּ לִפְנֵיהֶ֛ם לְרֵ֥יחַ נִיחֹ֖חַ וַיֶּ֑הִי נְאֻ֖ם אֲדֹנָ֥י יְהוִֽה׃

O meu pão que te dei. *Tipos diversos* de ofertas de cereais (as *ofertas de paz*), antigamente direito exclusivo de Yahweh, foram dedicados aos deuses falsos. As mulheres prepararam tapeçarias de muitas cores e as penduraram na corte do templo (2Rs 23.7). Cf. Jz 8.26,27 e Êx 32.2-4. Tapeçarias especiais também eram dedicadas a Aserá. Ver *Aserins,* em 1Rs 14.15, e, no *Dicionário,* o verbete chamado *Deuses Falsos.* As tapeçarias eram tecidas nas casas de prostituição sagrada, por mulheres capacitadas na arte da costura e dedicadas exclusivamente aos cultos depravados. Provisões dedicadas ao culto do templo e a Yahweh foram usurpadas e utilizadas nos ritos pagãos. O Todo-poderoso Deus, *Adonai-Yahweh,* não toleraria por muito tempo aquele ultraje. O *aroma suave* (ver em Lv 1.9 e 29.18) agradava os deuses falsos, mas irritou Yahweh, tornando-se um fedor para ele.

16.20

וַתִּקְחִ֞י אֶת־בָּנַ֤יִךְ וְאֶת־בְּנוֹתַ֙יִךְ֙ אֲשֶׁ֣ר יָלַ֣דְתְּ לִ֔י וַתִּזְבָּחִ֥ים לָהֶ֖ם לֶאֱכ֑וֹל הַמְעַ֖ט מִתַּזְנוּתֵֽךְ׃

Tomaste a teus filhos e tuas filhas. *Sacrifício de Crianças.* Sobre este assunto doloroso, ver Ez 20.26,31; 23.27-29; 1Rs 3.27; 2Rs 16.34; Jr 7.31; 19.5,6; 32.55; Mq 6.7. Ver no *Dicionário* o artigo intitulado *Moleque, Moloque.* A barbaridade do povo de Judá nos choca, porque é terrível meramente falar nela, quanto mais vê-la ou praticá-la. Esses atos cruéis supostamente satisfaziam os apetites dos deuses, que gostavam de chupar o sangue de crianças. Somente uma teologia especialmente depravada poderia dar algum valor a essas práticas. Além desses ultrajes, perversões sexuais acompanhavam os ritos. O povo de Judá se perdeu na idolatria-adultério-apostasia. O exército babilônico acabaria com aquela raça reprovada e apóstata.

16.21

וַֽתִּשְׁחֲטִ֖י אֶת־בָּנָ֑י וַֽתִּתְּנִ֔ים בְּהַעֲבִ֥יר אוֹתָ֖ם לָהֶֽם׃

Mataste a meus filhos. Pequenas crianças foram forçadas a passar através do fogo e sua morte foi considerada *sacrifício* especial para deuses que nem existiam. Outro método usado era colocar a criança em um tipo de esfera feita de metal; a "bola" era posta no fogo de um altar e a criança era literalmente assada.

A *contraparte* desta barbaridade era consagrar o filho mais velho a Yahweh, que não exigia sua morte, mas, sim, a *dedicação* de sua *vida.* A vida era a contraparte, do velho judaísmo, para a morte dos pagãos. As crianças queimadas nos cultos depravados tornaram-se *comida* para os deuses famintos. Quando o fogo as devorava, eram os deuses que estavam comendo uma refeição especial. Ainda hoje, alguns povos primitivos utilizam o "andar no fogo" como um de seus ritos mais espetaculares, mas o sacrifício de crianças, associado a tais "andanças", não mais existe. Os peritos nesta atividade conseguem andar no fogo sem se queimar, por forças pouco conhecidas por nós.

16.22

וְאֵ֤ת כָּל־תּוֹעֲבֹתַ֙יִךְ֙ וְתַזְנֻתַ֔יִךְ לֹ֥א זָכַ֖רְתְּ אֶת־יְמֵ֣י נְעוּרָ֑יִךְ בִּֽהְיוֹתֵךְ֙ עֵרֹ֣ם וְעֶרְיָ֔ה מִתְבּוֹסֶ֥סֶת בְּדָמֵ֖ךְ הָיִֽית׃

Não te lembraste dos dias da tua mocidade. *Memória Fraca.* A *senhora rainha* (Judá) abandonou seu marido (Yahweh) e se mostrou ingrata. Ela nem lembrou o tempo em que era uma criança abandonada; não lembrou que foi ele quem cuidou dela (ver os vss. 4,6,9). A ingratidão é uma característica da mente pagã (Rm 1.21). As pessoas se esquecem de Deus, a fonte de todas as bênçãos. A senhora rainha fora, uma vez, um infante abandonado, deixado no sangue e na sujeira, exposto aos elementos hostis para morrer. Ela esqueceu o Rei que a libertou e tão magnificamente a abençoou. Esquecendo as coisas divinas, cometeu os pecados mais reles. Ver o vs. 6, que está por trás do presente versículo.

16.23

וַיְהִ֕י אַחֲרֵ֖י כָּל־רָעָתֵ֑ךְ א֥וֹי א֛וֹי לָ֖ךְ נְאֻ֥ם אֲדֹנָ֥י יְהוִֽה׃

Ai, ai de ti! Diz o Senhor Deus. *Um Castigo Merecido.* Depois de praticar pecados de todos os tipos, ignorando a lei de Moisés, o povo cometeu crimes bárbaros, como o sacrifício de crianças e a prostituição sagrada; avançou ainda mais em outras formas de deboche e apostasia. Velhas e novas formas de apostasia atraíram a mão pesada de Yahweh, que com a batida do exército da Babilônia acabaria de vez com os depravados.

16.24

וַתִּבְנִי־לָ֖ךְ גָּ֑ב וַתַּעֲשִׂי־לָ֥ךְ רָמָ֖ה בְּכָל־רְחֽוֹב׃

Fizeste elevados altares por todas as praças. *Infestação Total.* Altares pagãos infestaram os *lugares altos* (ver a respeito no *Dicionário*). O velho culto de Yahweh foi obliterado. Práticas idólatras e adúlteras invadiram o templo (vss. 18,19). Agora, vemos aqueles homens perversos erguendo altares em lugares públicos, nas ruas, nas praças, em prateleiras construídas sobre os muros e até em nichos escavados nos próprios muros. Aonde um homem pudesse olhar, veria altares dedicados a uma multiplicidade de deuses.

O presente trecho nos lembra de At 17.2 ss., onde Paulo se queixa da idolatria onipresente de Atenas. O espírito de Paulo se revoltou com o que viu (vs. 16). Da mesma forma, Ezequiel desmaiou sob a visão do desenvolvimento de uma idolatria onipresente em Jerusalém. Aquela idolatria anulava tudo o que Jerusalém representava: a lei de Moisés e as tradições antigas.

Elevados altares. A Septuaginta e a Vulgata fazem, dos *lugares eminentes,* bordéis sagrados. A Atualizada emprega a expressão *elevados altares* para falar daqueles lugares, referência que se repete no vs. 25. A palavra significa, literalmente, *arco* e pode ser qualquer lugar com um teto alto. Esses lugares eram convenientes para a colocação de ídolos, em nichos ou pendurados com cordas. Mas a referência pode ser às câmaras que foram utilizadas como bordéis. Naqueles lugares, eram praticados cultos de fertilidade, como a prostituição sagrada. As prostitutas sacerdotisas praticavam o adultério em nome dos deuses e cobravam por seus serviços. O dinheiro ajudava a sustentar os templos e seus cultos.

■ 16.25

אֶל־כָּל־רֹאשׁ דֶּרֶךְ בָּנִית רָמָתֵךְ וַתְּתַעֲבִי אֶת־יָפְיֵךְ וַתְּפַשְּׂקִי אֶת־רַגְלַיִךְ לְכָל־עוֹבֵר וַתַּרְבִּי אֶת־תַּזְנוּתָיִךְ׃

A cada canto do caminho edificaste o teu altar. Cada rua tornou-se lugar apropriado para construir mais um altar. A rainha iníqua se mostrou zelosa na construção de altares e lugares de devoção aos deuses inexistentes. Espiritualmente, ela abriu as pernas a todos os que passavam, multiplicando, mais e mais as suas prostituições. Empregou sua beleza (um presente de Deus) para promover iniquidades. Encontrou vítimas sem-fim para sua cobiça. Tinha suas câmaras públicas, perto de praças principais, para facilitar os encontros com seus clientes. A idolatria de Jerusalém tornou-se versátil e onipresente. O versículo ilustra os caprichos pecaminosos do coração humano.

Abriste as tuas pernas a todo que passava. A rainha senhora iníqua "abriu as pernas" para o ato sexual e qualquer um servia para aquele propósito, indicando que a idolatria de Jerusalém foi universalizada. *Todos os deuses* eram bem-vindos naquela cidade que se tornou um centro pagão. O autor emprega "um eufemismo para indicar a *exposição* das partes privadas de seu corpo, que funcionavam como *isca* para atrair mais clientes" (John Gill, *in loc.*).

■ 16.26

וַתִּזְנִי אֶל־בְּנֵי־מִצְרַיִם שְׁכֵנַיִךְ גִּדְלֵי בָשָׂר וַתַּרְבִּי אֶת־תַּזְנֻתֵךְ לְהַכְעִיסֵנִי׃

Também te prostituíste com os filhos do Egito. Yahweh salvou "seu filho" daquele lugar (Êx 4.22), mas aquele filho voltou espiritualmente para se poluir com as iniquidades do Egito. O adultério foi cometido com o Egito, pela adoção de práticas idólatras e também pela formação de alianças políticas e militares com esse país. Os profetas proibiram os dois tipos de idolatria. As alianças mostraram a falta de confiança de Judá em Yahweh, verdadeiro poder e proteção. Ver 2Rs 16.7-18; 18.24; Is 7.1-25; Jr 2.18; Os 8.8-14. "A revolta contra a Babilônia, de 589 a.C., se iniciou com a promessa de ajuda egípcia (Ez 17.15). Em um tempo anterior, Senaqueribe (701 a.C.) informa como diminuiu o poder de Ezequias, que lhe havia dado muitas cidades conquistadas dos reis de Asdode, Ecrom e Gaza" (Theophile J. Meek, *in loc.*). As alianças que Israel-Judá formaram com poderes estrangeiros nunca deram certo.

Teus vizinhos de grandes membros. Os egípcios eram o próprio padrão da iniquidade, um povo totalmente idólatra, sensual, cheio de transgressões de todo tipo. O texto implica que era um povo sexualmente poderoso, cuja cobiça nunca se satisfez. Algumas versões falam em vizinhos "... grandemente carnais", um eufemismo para o tamanho do órgão masculino. Sem o eufemismo, diríamos, simplesmente, que o Egito tinha um pênis muito grande. Juv. *Sat.* ix. 34 tem uma referência semelhante, que Adam Clarke, *in loc.*, deixa no latim, para não embaraçar o leitor. O bom doutor nos informa que não seria apropriado falar sobre o tamanho do *Pênis do Egito*. O latim fala, mas os leitores leigos não procuram em um dicionário para ver o que significa.

O significado espiritual do versículo é que, como seus membros sexuais eram enormes, também foram grandes as suas idolatrias-adultérios.

■ 16.27

וְהִנֵּה נָטִיתִי יָדִי עָלַיִךְ וָאֶגְרַע חֻקֵּךְ וָאֶתְּנֵךְ בְּנֶפֶשׁ שֹׂנְאוֹתַיִךְ בְּנוֹת פְּלִשְׁתִּים הַנִּכְלָמוֹת מִדַּרְכֵּךְ זִמָּה׃

Estendi a minha mão contra ti. O governo moral de Adonai-Yahweh não podia permitir a continuação daquelas corrupções. Por causa dos debochos de Judá, que foram muitos e chocantes, a *mão divina* se preparou para acabar, de vez, com todo aquele pecado. Ver sobre *mão direita,* em Sl 20.6. A mão de Yahweh seria o exército babilônico, que acabaria com Judá e seus aliados. O golpe administrado seria quase total. Jerusalém ficaria essencialmente desabitada; as cidades de Judá seriam aniquiladas e tudo o que fosse de valor seria levado para a Babilônia. Os filisteus tinham atacado Judá e Jerusalém nos reinos de Jeorão (2Cr 21.16,17) e Acaz (2Cr 28.16-19). Eles eram um povo lascivo e violento, campeão de muitas formas de idolatria. Mas o Judá do tempo de Ezequiel chocou até aquele povo indecente. Judá-Jerusalém tornou-se o pior dos piores. Pelo menos, os filisteus foram fiéis às suas tradições, em contraste com os judeus, que abandonaram a lei de Moisés e o culto a Yahweh. A Babilônia seria um *chicote* bem mais poderoso do que os filisteus. Cf. Jr 2.10,11. Israel-Judá merecia um castigo maior do que o das nações pagãs, porque havia pecado contra uma luz maior e porque errava mais desgraçadamente do que os próprios pagãos.

■ 16.28

וַתִּזְנִי אֶל־בְּנֵי אַשּׁוּר מִבִּלְתִּי שָׂבְעָתֵךְ וַתִּזְנִים וְגַם לֹא שָׂבָעַתְּ׃

Também te prostituíste com os filhos da Assíria. Este povo era bem mais forte e violento do que os filisteus e tornou-se o novo golpeador designado por Yahweh. Atacou o norte e o sul; massacrou, destruiu e levou o que tinha de valor para a Assíria. Devastou o norte e arrasou a sua história como um povo. Ver no *Dicionário* o artigo intitulado *Cativeiro Assírio.* Através dessa circunstância, Yahweh forneceu a Judá outra lição, que foi totalmente ignorada. Os pecadores sempre acabam mal, mas Judá-Jerusalém não aprendera a lição. Israel-Judá participou do adultério-idolatria do Egito, da Assíria e dos filisteus. *Insaciável,* tornou-se pior do que os pecadores pagãos. "Procuraram *novos deuses* e novos modos de adoração; prostituíram-se com os seus vizinhos, como uma mulher devassa que nunca se satisfaz, mas vai de um amante para outro, como uma infecção que se espalha pelo corpo, sempre conquistando novo território. Insaciável, perdeu-se no meio de pecados múltiplos" (John Gill, *in loc.*).

■ 16.29

וַתַּרְבִּי אֶת־תַּזְנוּתֵךְ אֶל־אֶרֶץ כְּנַעַן כַּשְׂדִּימָה וְגַם־בְּזֹאת לֹא שָׂבָעַתְּ׃

Multiplicaste as tuas prostituições na terra de Canaã até Caldeia. A rainha senhora iníqua correu atrás da Babilônia e, com facilidade, a acrescentou à sua lista interminável de conquistas. Tudo aquilo tinha de parar em algum lugar. O marido da senhora estava perdendo a paciência.

Israel-Judá começou com sua idolatria-adultério-apostasia no Egito; foi para Canaã, para a Assíria e para a Babilônia. As viagens de adultério não cessaram. Ela tinha um apetite sexual enorme, e procurava satisfação com uma variedade de parceiros. Yahweh, afinal, foi obrigado a acabar com as vagueações espirituais de seu povo.

Na Babilônia, cometeu ainda mais pecados sexuais; eles foram comerciantes. Mas nem aí ficou satisfeita.

NCV

Muito comércio com poderes estrangeiros encorajou empréstimos de seus costumes religiosos e culturais.

■ 16.30

מָה אֲמֻלָה לִבָּתֵךְ נְאֻם אֲדֹנָי יְהוִה בַּעֲשׂוֹתֵךְ אֶת־כָּל־אֵלֶּה מַעֲשֵׂה אִשָּׁה־זוֹנָה שַׁלָּטֶת׃

Quão fraco é o teu coração. Judá não tinha mais nenhuma fibra moral; sua vontade desaparecera em meio à promiscuidade. Como Judá era fraco! Seu coração frívolo se envolvera em uma promiscuidade incontrolável. Tendo a lei como *guia* (Dt 5.4 ss.), deveria ter tido força moral. Mas nasceu para tornar-se uma prostituta. A prostituição estava na sua genética. Ela não tinha poder para se modificar. *Adonai-Yahweh,* contudo, acabaria com isso de modo definitivo. Ele arrasaria a prostituta atrevida.

O caminho do Senhor é a fortaleza para os íntegros.
Provérbios 10.29

Mas Judá estava perdido nos atalhos pagãos. A senhora iníqua, dominada por uma imaginação depravada, perdeu o controle; perdeu as forças; perdeu a própria vida.

■ **16.31**

בִּבְנוֹתַיִךְ גַּבֵּךְ בְּרֹאשׁ כָּל־דֶּרֶךְ וְרָמָתֵךְ עָשִׂיתִי בְּכָל־רְחוֹב וְלֹא־הָיִיתִי כַּזּוֹנָה לְקַלֵּס אֶתְנָן:

Desprezaste a paga. Este versículo repete as ideias dos vss. 24,25, onde há notas apropriadas. A senhora iníqua agia como prostituta, mas estava tão ansiosa em aproveitar o prazer de seus atos, que frequentemente se esquecia de cobrar por seus serviços. Talvez ela se prostituísse por pouco dinheiro ou até para receber uma batata ou uma banana. Parte do dinheiro que ela ganhava sustentava os cultos de seus deuses; afinal, era uma prostituta "sagrada". Ela também vivia do lucro de seu negócio devasso. Cf. Is 23.17,18; Mq 1.7. A lei mosaica naturalmente proibia tais práticas (Dt 23.18), mas há muito tempo o povo não prestava atenção à lei. Judá se vendeu e perdeu a própria vida. Aquela senhora prostituta era tão submissa aos desejos perversos que, às vezes, dava dinheiro para seus clientes, a fim de garantir sua cooperação!

■ **16.32**

הָאִשָּׁה הַמְּנָאָפֶת תַּחַת אִישָׁהּ תִּקַּח אֶת־זָרִים:

Foste como a mulher adúltera. Judá era uma senhora versátil e, assim, cumpria simultaneamente vários papéis. Como esposa adúltera, cobrava dinheiro de seus amantes ou, às vezes, prestava serviços gratuitamente para satisfazer desejos perversos insaciáveis.

Em lugar de seu marido, recebe estranhos. Ela rejeitou seu marido, o grande benfeitor, e recebeu estranhos que nada tinham a ver com o seu bem-estar. Era cheia de maldades, mas emprestou outras maldades de seus clientes, para aumentar sempre mais o estoque de suas perversidades. Cf. Nm 5.18; 20.29. Sua vida caiu no ridículo porque, afinal, fora seu marido que dela cuidara e a tornara rainha, a ela que, antes, fora um infante abandonado. Ver os vss. 6-13. Tão fraca e iníqua, servia os alheios, em vez de servir seu marido. Ela não tinha *amor* no verdadeiro sentido da palavra, apenas tinha desejos que a controlavam como os ventos do inverno.

■ **16.33**

לְכָל־זֹנוֹת יִתְּנוּ־נֵדֶה וְאַתְּ נָתַתְּ אֶת־נְדָנַיִךְ לְכָל־מְאַהֲבַיִךְ וַתִּשְׁחֳדִי אוֹתָם לָבוֹא אֵלַיִךְ מִסָּבִיב בְּתַזְנוּתָיִךְ:

A todas as meretrizes se dá a paga, mas tu dás presentes a todos os teus amantes. prostitutas comuns ganham dinheiro e presentes de seus clientes, mas aquela senhora rainha decaída era tão corrupta e insaciável, que começou a pagar os seus clientes! Ofereceu subornos para garantir um homem diferente na cama todos os dias; ofereceu favores especiais como isca; depravou-se com alianças estrangeiras, em idolatria e crimes de sangue; gastou suas riquezas para comprar um remoinho que rasgou sua vida em pedaços.

Ezequias, rei de luz extraordinária, mostrou os tesouros do templo para os babilônios que jantaram com ele. A cobiça se levantou no coração deles, que, não muito depois, carregaram aqueles tesouros para a Babilônia. Ver Is 39. A rainha prostituta orava para que os deuses estrangeiros a ajudassem, esquecendo que o seu Benfeitor era o seu marido, Yahweh. Ver 2Rs 16.8,9, outro texto que ilustra o presente versículo. Acaz usou os tesouros do templo para comprar a ajuda da Assíria, e o negócio não logrou êxito.

■ **16.34**

וַיְהִי־בָךְ הֵפֶךְ מִן־הַנָּשִׁים בְּתַזְנוּתַיִךְ וְאַחֲרַיִךְ לֹא זוּנָּה וּבְתִתֵּךְ אֶתְנָן וְאֶתְנַן לֹא נִתַּן־לָךְ וַתְּהִי לְהֶפֶךְ:

Nas tuas prostituições sucede o contrário. Este versículo repete a ideia geral dos vss. 31-33. Aquela senhora prostituta era diferente das demais. Dava-se gratuitamente. Judá nada ganhou por sua prostituição com os pagãos. Pelo contrário, terminou perdendo a própria vida. Até subornou seus amantes pagãos para garantir fornecimento contínuo. Judá se tornara uma pecadora ainda pior que seus vizinhos.

A PUNIÇÃO DA MULHER ADÚLTERA (16.35-52)

■ **16.35**

לָכֵן זוֹנָה שִׁמְעִי דְּבַר־יְהוָה: פ

A Punição Inevitável. "O profeta, tendo descrito até este ponto a depravação de Judá, agora pronuncia a *punição* que aquele povo sofreria (vss. 35-52). A alegoria da meretriz é preservada. Esta porção da profecia se divide, convenientemente, em *duas partes*: 1. A própria punição, descrita como o castigo que uma adúltera ou assassina receberia; 2. Garantia da *justiça* do castigo. Uma comparação com Samaria e Sodoma serve de ilustração" (Ellicott, *in loc.*).

Jerusalém deteriorou-se de rainha a vagabunda. Sua beleza se perdeu no caminho da depravação; com poucos recursos, não podia mais subornar clientes para seu jogo perverso. O próprio Deus lhe ofereceu ajuda, mas sua corrida louca para a destruição continuou; ela recusou as advertências e cometeu suicídio. A hora do julgamento havia chegado.

Ó meretriz, ouve a palavra do Senhor. Um novo oráculo se introduz, com a menção da palavra inspirada de Yahweh. Cf. Ez 16.1: a palavra era de Yahweh, pois continua com a metáfora da prostituta. O Targum traz aqui: "... cujas obras são aquelas de uma prostituta. Ó congregação de Israel, recebe as palavras do Senhor".

■ **16.36**

כֹּה־אָמַר אֲדֹנָי יְהוִה יַעַן הִשָּׁפֵךְ נְחֻשְׁתֵּךְ וַתִּגָּלֶה עֶרְוָתֵךְ בְּתַזְנוּתַיִךְ עַל־מְאַהֲבָיִךְ וְעַל כָּל־גִּלּוּלֵי תוֹעֲבוֹתָיִךְ וְכִדְמֵי בָנַיִךְ אֲשֶׁר נָתַתְּ לָהֶם:

Assim diz o Senhor. *Adonai-Yahweh* (o Soberano Eterno) fala a palavra de condenação. Este título divino é usado nesse livro 217 vezes, mas somente 103 no restante do Antigo Testamento. Enfatiza a *Soberania de Deus* (ver a respeito no *Dicionário*).

A senhora rainha prostituta logo sentirá o golpe divino que porá fim à sua carreira. Recolherá os frutos amargos que semeou, conforme a *Lei Moral da Colheita segundo a Semeadura* (ver a respeito no *Dicionário*).

Por se ter exagerado a tua lascívia e se ter descoberto a tua nudez... A senhora escandalosa mostrou os órgãos genitais para seus amantes, a fim de garantir ação. Perdeu todo o sentido de vergonha. O hebraico literal é, "seu bronze fora esvaziado", que significa, segundo os rabinos, o *fundo* de algum objeto, obviamente uma referência aos órgãos genitais da mulher. O profeta fala da *exposição* do "fundo" da mulher. A Bíblia não é exageradamente santa, fala a linguagem do povo, usa expressões que muitas pessoas consideram vulgares. Os hebreus eram um povo amante da canção, do vinho, da dança e do sexo e sempre falou explicitamente das paixões humanas.

O autor dá imediatamente uma explicação para a metáfora. Os ídolos (abominações) são adultério espiritual. Ver no *Dicionário* o artigo intitulado *Idolatria*. Obviamente existia muito deboche sexual literal, que se misturou com os cultos pagãos. Abusos morais bizarros acompanharam a idolatria. O pior de todos era o sacrifício das crianças no fogo. Ver as notas no v. 20 do presente capítulo.

Lascívia. Podemos interpretar esta palavra de diversas maneiras: 1. A *genitália feminina*, como interpretado acima. 2. *Dinheiro*, sendo que se usava este metal como dinheiro. Judá gastou sua substância promovendo cultos idólatras adúlteros. 3. *Impureza* e *vilezas*, uma alusão à corrosão do bronze e do cobre. 4. Segundo alguns intérpretes, *doenças venéreas*. O sexo de Judá era cheio de doenças, ou seja, a vida espiritual do povo tornou-se totalmente debochada.

■ **16.37**

לָכֵן הִנְנִי מְקַבֵּץ אֶת־כָּל־מְאַהֲבַיִךְ אֲשֶׁר עָרַבְתְּ עֲלֵיהֶם וְאֵת כָּל־אֲשֶׁר אָהַבְתְּ עַל כָּל־אֲשֶׁר שָׂנֵאת וְקִבַּצְתִּי אֹתָם עָלַיִךְ מִסָּבִיב וְגִלֵּיתִי עֶרְוָתֵךְ אֲלֵהֶם וְרָאוּ אֶת־כָּל־עֶרְוָתֵךְ:

Ajuntarei todos os teus amantes. Os amantes agora significam a aliança com a Babilônia. Os babilônios se congregaram para executar Judá. Antes de matar, os amantes anteriores da rainha depravada verão seu corpo exposto, mas detestarão a mulher, em vez de serem atraídos pela visão de sua genitália. A rainha amava alguns de seus amantes e detestava outros. Os dois tipos correrão para acabar com a mulher, que, de tão devassa, nem mesmo desejavam mais.

"Os egípcios e os assírios, cuja amizade e idolatria Judá tanto valorizava, juntamente com os filisteus, moabitas e amonitas, liderados pelos babilônios, atacarão a meretriz. O exército caldeu se constituiu de muitas nações" (John Gill, *in loc.*).

Ajuntá-los-ei de todas as partes contra ti. Os amantes tornam-se assassinos. A rainha depravada seria vítima de sua raiva. Antes de morrer, seria exposta publicamente e sofreria uma vergonha singular. Ver Is 47.3; Jr 13.26; Os 2.12; Ne 3.5.

■ **16.38**

וּשְׁפַטְתִּיךְ מִשְׁפְּטֵי נֹאֲפוֹת וְשֹׁפְכֹת דָּם וּנְתַתִּיךְ דַּם חֵמָה וְקִנְאָה׃

Julgar-te-ei como são julgadas as adúlteras e as sanguinárias. Adúlteras e assassinos eram executados, segundo as exigências da lei mosaica. Judá perpetrou crimes variados: idolatria, perversões sexuais e crimes de sangue. As pedras de Yahweh (ver Lv 20.10; Dt 22.24) a matariam. Assassínio era punido com execução (Êx 21.12). Aqueles homens e mulheres, que obrigaram os próprios filhos a passar pelo fogo, também mereciam ser mortos (Lv 20.1-5). Ver no *Dicionário* o artigo intitulado *Moleque (Moloque)*. Os idólatras eram executados (Dt 17.2-5) ou, em alguns casos, banidos (Jr 8.3; Os 8.5-8).

... Te farei vítima de furor e de ciúme. A fúria do marido da devassa causaria sua morte. Imensos ciúmes divinos seriam aliviados somente pela execução. Yahweh se ofendera fatalmente com a promiscuidade de sua esposa. A espada da Babilônia seria o instrumento da matança. O julgamento, a *terrível tríade*, traria o fim de uma nação inteira (ver Ez 5.12). Ver sobre *ciúmes divinos*, em Dt 4.24; 5.9; 6.14; 32.16,21.

Melhoramentos? As coisas não têm melhorado muito. Não mais executamos crianças, embora nossas guerras tenham matado um número espantoso delas. Aceitamos condições sociais que matam crianças. Condições inadequadas de higiene também executam crianças. Hoje os deuses que ofendem não são ídolos e ultrajes como Moleque, mas guerras, negligência, fome, violência nas ruas e nas casas e abuso de menores e de mulheres. Falando em termos de *crimes morais*, será que somos melhores que os judeus do tempo de Ezequiel?

■ **16.39**

וְנָתַתִּי אוֹתָךְ בְּיָדָם וְהָרְסוּ גַבֵּךְ וְנִתְּצוּ רָמֹתַיִךְ וְהִפְשִׁיטוּ אוֹתָךְ בְּגָדַיִךְ וְלָקְחוּ כְּלֵי תִפְאַרְתֵּךְ וְהִנִּיחוּךְ עֵירֹם וְעֶרְיָה׃

Matança Generalizada. Os amantes matarão a senhora rainha apóstata nos lugares onde uma vez praticaram o adultério com ela; haverá massacres nos lugares altos, nos bordéis sagrados e até no próprio templo, que se tornou um centro de paganismo. Haverá matança nas ruas, nas câmaras secretas e nas câmaras abobadadas. A fúria de Yahweh queimará a terra inteira, sem misericórdia. A senhora prostituta perderá primeiro todas os seus enfeites, joias e roupas finas e, depois, a própria vida. Com estas metáforas, o profeta descreve o fim temível de Judá-Jerusalém. Cf. Ez 23.36 e Os 2.3. As pilhagens, seguidas por massacre geral, significarão o fim definitivo do país. A cidade, de fato, foi reduzida a escombros e queimada. Os poucos sobreviventes foram levados cativos para a Babilônia. Assim terminou a prostituta magnificente.

■ **16.40**

וְהֶעֱלוּ עָלַיִךְ קָהָל וְרָגְמוּ אוֹתָךְ בָּאָבֶן וּבִתְּקוּךְ בְּחַרְבוֹתָם׃

Farão subir contra ti uma multidão. As hostes do exército universal da Babilônia (vs. 37) chegarão para apedrejar; um castigo apropriado para uma prostituta ou para uma esposa adúltera. Ver Lv 20.10 e Dt 22.24. Agora, o profeta deixa de lado a linguagem figurada e passa a falar sem adornos: a *espada* traspassará muitos homens, mulheres e crianças. Cf. Ez 23.47, e a *tríade temível* (espada, fome, pestilência) em Ez 5.12. Cf. Dt 13.15,16. O mesmo tema se repete no tempo dos apóstolos (Lc 19.43,44).

■ **16.41**

וְשָׂרְפוּ בָתַּיִךְ בָּאֵשׁ וְעָשׂוּ־בָךְ שְׁפָטִים לְעֵינֵי נָשִׁים רַבּוֹת וְהִשְׁבַּתִּיךְ מִזּוֹנָה וְגַם־אֶתְנַן לֹא תִתְּנִי־עוֹד׃

Executarão juízos contra ti, à vista de muitas mulheres. A senhora rainha deu mau exemplo para as outras mulheres (nações), e sua humilhação teria de ser pública. Todas observariam o que acontece a perversos como ela, uma mulher que quebrou os votos do casamento e abandonou seu marido, o Benfeitor universal. Ver Dt 13.16 e Jr 52.12. *As mulheres* aqui são as nações amantes de Judá. Elas se regozijariam com a queda da senhora prostituta, mas também teriam receio de compartilhar seu castigo. Ver Sl 137.7, para a zombaria das nações contra Israel-Judá. A mulher devastada pelo julgamento não teria mais recursos para pagar seus amantes. Sua carreira havia terminado.

■ **16.42**

וַהֲנִחֹתִי חֲמָתִי בָּךְ וְסָרָה קִנְאָתִי מִמֵּךְ וְשָׁקַטְתִּי וְלֹא אֶכְעַס עוֹד׃

Satisfarei em ti o meu furor, os meus ciúmes... Os *ciúmes divinos* (ver as notas em Dt 4.24; 5.9; 6.15; 32.16,21) foram intensos e, por isso, o fogo vingador seria muito quente. Quando Judá transformar-se em cinzas, os ciúmes de Yahweh se dissiparão. O fogo queima o combustível, mas, quando o combustível for totalmente consumido, o fogo cessará, autodestruído.

Aquietar-me-ei e jamais me indignarei. Uma vez que o calor do ciúme do Senhor se esfriar, ele ficará calmo e não mais haverá vinganças. O remanescente voltará a Jerusalém, será purificado e estará apto para começar tudo de novo. Os julgamentos de Deus são remediadores, não meramente retributivos. Alguns intérpretes não veem restauração aqui, mas este é um tema constante dos profetas. A ira de Deus opera num *propósito benéfico*. Ver este princípio anotado em 1Pe 4.6, no *Novo Testamento Interpretado*.

■ **16.43**

יַעַן אֲשֶׁר לֹא־זָכַרְתְּי אֶת־יְמֵי נְעוּרַיִךְ וַתִּרְגְּזִי־לִי בְּכָל־אֵלֶּה וְגַם־אֲנִי הֵא דַּרְכֵּךְ בְּרֹאשׁ נָתַתִּי נְאֻם אֲדֹנָי יְהוִה וְלֹא עָשִׂיתִי אֶת־הַזִּמָּה עַל כָּל־תּוֹעֲבֹתָיִךְ׃

Sumário dos Fatos Relacionados à senhora rainha Apóstata:
1. Foi abandonada como bebê recém-nascido.
2. Não tinha linhagem ilustre; de fato, era uma filha pagã de pais pagãos (vs. 3).
3. Foi exposta à morte, ainda suja com o sangue do parto. O cordão umbilical nem foi cortado.
4. Não foi lavada na mistura de sal, água e óleo, como os demais infantes (vs. 4).
5. O Benfeitor, Yahweh, ouviu seus choros e cuidou dela (vs. 6).
6. Ela cresceu e tornou-se uma mulher adulta e linda (vs. 10).
7. O Benfeitor tornou-se seu marido e lhe deu grandes riquezas em joias e roupas, fornecendo-lhe farta e saborosa alimentação (vss. 8-11).
8. Mas ela era uma mulher de memória fraca e ignorou tudo o que fora feito em seu favor; tornou-se ingrata, rebelde e arrogante (vss. 15 ss.).
9. A mulher, agora depravada, acrescentou pecados sexuais ao seu estoque de iniquidades (vss. 15-17).
10. Praticou todos os ritos mais iníquos da idolatria pagã, inclusive a prostituição sagrada, até no templo de Yahweh (vs. 20).
11. Mas não ficou impune. A mão divina abateu-se sobre ela e a destruiu. Sua ingratidão pagã (Rm 1) terminou destruindo-a. O favor divino foi substituído por vingança divina. A escolha foi dela. Ela se suicidou. Yahweh decretou sua destruição, fazendo um juramento por sua própria vida (vs. 27).
12. Ela se tornou um contra-exemplo para todas as nações (vss. 37,41).

Israel-Judá deveria ter dado um bom exemplo às nações, mas falhou miseravelmente no seu ofício de professor.

A Família Desgraçada (16.44-52)
"A primeira parte da parábola de Ezequiel (vss. 1-43) apresenta uma analogia entre Jerusalém e uma esposa adúltera. A segunda parte (vss. 44-63) apresenta uma analogia entre Jerusalém e suas irmãs, Samaria e Sodoma. As irmãs de Jerusalém receberam um julgamento à altura de suas ofensas. Como poderia Jerusalém esperar escapar? Ela tinha ficado ainda mais perversa do que as suas irmãs" (Charles H. Dyer, *in loc.*).

■ 16.44

הִנֵּה כָּל־הַמֹּשֵׁל עָלַיִךְ יִמְשֹׁל לֵאמֹר כְּאִמָּה בִּתָּהּ׃

Tal mãe, tal filha. *A apostasia de Judá* fez o autor se lembrar de um *provérbio popular*. Sabemos que Judá, arrogante, era filha de uma mulher pagã heteia (ver o vs. 3). O pai dela era amorreu (vs. 3). Sua irmã mais jovem era Samaria e a mais velha, Sodoma. O profeta não podia fazer nada mais humilhante e revoltante do que falar assim da "família de Judá". Não devemos entender relações étnicas, mas espirituais.

Sucessores. "Os judeus foram os sucessores dos cananeus na Terra e, então, imitando-os, adotaram suas práticas abomináveis; Judá era a filha ruim de uma mãe ruim" (John Gill, *in loc.*). A filha recebeu suas características por herança genética *e* através de imitação. Recebeu um exemplo mau e apresentou-o às nações ao redor.

■ 16.45

בַּת־אִמֵּךְ אַתְּ גֹּעֶלֶת אִישָׁהּ וּבָנֶיהָ וַאֲחוֹת אֲחוֹתֵךְ אַתְּ אֲשֶׁר גָּעֲלוּ אַנְשֵׁיהֶן וּבְנֵיהֶן אִמְּכֶן חִתִּית וַאֲבִיכֶן אֱמֹרִי׃

Tu és filha de tua mãe... e tu és irmã de tuas irmãs. A mãe da senhora rainha era uma heteia (vs. 3). Seu pai era amorreu (vs. 3). Esta família humilde e depravada também incluiu duas irmãs: Samaria e Sodoma (vs. 46). A mãe teve *nojo* de seu marido, e as irmãs detestaram os maridos e os filhos que tiveram com eles. Devemos entender, dentro do contexto da parábola, que mãe e filhas eram mulheres depravadas e irresponsáveis. Abandonaram seus maridos, homens razoáveis, a despeito de serem amorreus. A rainha depravada imitou a mãe e as irmãs, abandonando Yahweh, seu marido e Benfeitor. Foi ainda pior e caiu em todos os tipos de deboche, pecando contra a sua luz e privilégios. Chegou ao extremo de detestar o próprio Deus (Rm 1.30) e, portanto, tornou-se detestada por ele. Judá pecou de maneira mais perniciosa que as suas irmãs, quebrando todos os pactos. Ver no *Dicionário* o artigo chamado *Pactos*.

■ 16.46

וַאֲחוֹתֵךְ הַגְּדוֹלָה שֹׁמְרוֹן הִיא וּבְנוֹתֶיהָ הַיּוֹשֶׁבֶת עַל־שְׂמֹאולֵךְ וַאֲחוֹתֵךְ הַקְּטַנָּה מִמֵּךְ הַיּוֹשֶׁבֶת מִימִינֵךְ סְדֹם וּבְנוֹתֶיהָ׃

E tua irmã, a maior, é Samaria. *A Apóstata do Norte.* Samaria era a capital do reino do norte, e nesta parábola significa a irmã mais velha da rainha Judá. Aquele reino era mais velho que o do sul, e seu território era maior; por isso, a parábola faz dela "mais velha" do que a rainha. Começando no tempo de Salomão, a idolatria florescia no norte, mas levou mais tempo para tomar conta do sul.

E a tua irmã, a menor... é Sodoma. Nesta parábola, este país significa a irmã mais jovem da rainha apóstata. As três "mulheres" eram as promotoras de diversas formas de idolatria e, há muito tempo, apóstatas cujo coração estava longe de Yahweh. A rainha herdou o deboche, crimes de todos os tipos e barbaridades dos cananeus.

À tua esquerda... à tua mão direita. A *esquerda* significa *norte,* Samaria, e a direita, *sul,* Sodoma. Os orientais, determinando as direções, olhavam para o oriente, e, assim, a esquerda era o norte, e a direita era o sul. O fraco Ló morava em Sodoma, que se tornou símbolo constante de deboche de todos os tipos. Samaria promovia um sincretismo doentio e servia como ilustração de idolatria insensata. O sul, Judá, incorporava em si as características daqueles que serviam como exemplos ruins e foi, de fato, o pior de todos.

"A mão esquerda e a mão direita aqui, provavelmente, significam *norte* e *sul,* respectivamente (a pessoa apontando o rosto para o leste). Samaria tinha o território maior, portanto, é chamada a irmã mais velha de Judá" (Theophile J. Meek, *in loc.*).

■ 16.47

וְלֹא בִדְרָכֵיהֶן הָלַכְתְּ וּבְתוֹעֲבוֹתֵיהֶן עָשִׂיתִי כִּמְעָט קָט וַתַּשְׁחִתִי מֵהֵן בְּכָל־דְּרָכָיִךְ׃

Ainda te corrompeste mais do que elas. *Imitação e Proeza.* A senhora rainha começou *imitando* os maus exemplos, mas terminou pior ainda. Das três irmãs, ela era a pior. Pecou contra a luz e a oportunidade. Negligenciou a lei de Moisés, que era o *guia* (Dt 6.4 ss.) e a *vida* (Dt 4.1; 6.33; Ez 20.1). Aquela lei fez Israel-Judá distintos entre as nações, mas os dois se tornaram somente outros países pagãos, sem nenhuma distinção. Ver em Dt 4.4-8 a lei como uma força para fazer deles um povo distinto dos demais. Judá tornou-se pior do que a campeã das pecadoras, Sodoma. O Targum fala aqui: "Se tivesse somente andado nos caminhos de Sodoma, praticando suas abominações, seu pecado teria sido pequeno". Cf. Mt 11.23,24. Ver no *Dicionário* os artigos intitulados *Milcom* e *Camos,* para as abominações dos amonitas e moabitas, e cf. 1Rs 11.5,7. Ver também no *Dicionário* o verbete *Falsos Deuses.*

■ 16.48

חַי־אָנִי נְאֻם אֲדֹנָי יְהוִה אִם־עָשְׂתָה סְדֹם אֲחוֹתֵךְ הִיא וּבְנוֹתֶיהָ כַּאֲשֶׁר עָשִׂית אַתְּ וּבְנוֹתָיִךְ׃

Este versículo repete a mensagem do vs. 47, para enfatizar o fato repugnante de que Judá se tornou pior que os piores exemplos da corrupção. Judá superou suas competidoras abomináveis, no ridículo jogo de "quem será a pior de todas".

Tão certo como eu vivo, diz o Senhor Deus. Para enfatizar aquele fato temível, *Adonai-Yahweh* faz um juramento por sua própria vida, um juramento absolutamente certo e poderoso. O poder divino agirá segundo o juramento e trará destruição para "a pior das pecadoras". Adonai-Yahweh é o Soberano que controla tudo, e seu julgamento é iminente. Nem Sodoma, na sua terrível iniquidade, poderia ser comparada a Judá, na sua apostasia.

■ 16.49,50

הִנֵּה־זֶה הָיָה עֲוֹן סְדֹם אֲחוֹתֵךְ גָּאוֹן שִׂבְעַת־לֶחֶם וְשַׁלְוַת הַשְׁקֵט הָיָה לָהּ וְלִבְנוֹתֶיהָ וְיַד־עָנִי וְאֶבְיוֹן לֹא הֶחֱזִיקָה׃

וַתִּגְבְּהֶינָה וַתַּעֲשֶׂינָה תוֹעֵבָה לְפָנָי וָאָסִיר אֶתְהֶן כַּאֲשֶׁר רָאִיתִי׃ ס

Esta foi a iniquidade de Sodoma. Estes dois versículos analisam a situação, dando uma lista de iniquidades típicas, que certamente não é definitiva. A lista ilustra o deboche total do país, que obviamente poderia aplicar-se a qualquer grande cidade de hoje: Nova Iorque, Londres, São Paulo, Rio ou até mesmo onde o leitor esteja morando neste momento. Todos os pecados desta lista são comuns e foram denunciados pelos profetas. Ver Am 6.4,5; Et 3.15; Lc 16.19-21: pecados dos ricos e abastecidos, dos pobres, dos homens, das mulheres e até das crianças, e, sim, os *nossos pecados*. O evangelho chegou para salvar os *pecadores,* e nós somos altamente qualificados para a salvação, pelo poder e pela graça de Deus.

Os Seis Pecados:
1. *Orgulho* (ver maiores detalhes no *Dicionário*). Cf. Pv 6.17; 11.2; e 14.3.
2. *Gula* (ver sobre esta palavra no *Dicionário*): comer mais do que o corpo necessita para ser saudável. O texto diz: "fartura de pão".
3. *Prosperidade,* que toma conta da mente e das ações do homem: desejo excessivo de ser rico e, quando realizado, uso abusivo do dinheiro. Ver Ap 3.17.

4. *Egoísmo*. O homem que possui dinheiro e nada faz em favor dos menos privilegiados. De fato, ele usa o dinheiro para aumentar sua proeza material, em vez de aliviar as necessidades dos outros. Ver Tg 2.16.
5. *Arrogância*. Ver o vs. 50 e Pv 15.25; 16.5,18; 18.12; 30.12,32.
6. *Idolatria*, a princesa dos pecados, a *abominação* do paganismo. Ver no *Dicionário* o artigo detalhado sobre *Idolatria* e *Abominações*. "O povo dos seis pecados" não podia escapar ao julgamento de Yahweh, que tudo governa, segundo as exigências morais da lei. Cf. o vs. 47 e Ez 22.29; Gn 13.13 e 18.20.

■ 16.51

וְשֹׁמְרוֹן כַּחֲצִי חַטֹּאתַיִךְ לֹא חָטָאָה וַתַּרְבִּי אֶת־
תּוֹעֲבוֹתַיִךְ מֵהֵנָּה וַתְּצַדְּקִי אֶת־אֲחוֹתֵךְ בְּכָל־
תּוֹעֲבֹתַיִךְ אֲשֶׁר עָשִׂיתי

Também Samaria não cometeu metade de teus pecados. O profeta não se preocupou em dar uma lista para Samaria, a irmã mais velha. Mas temos a afirmação da grande multidão dos pecados daquele povo, inclusive a idolatria. Mesmo em grande número, contudo, seus pecados não alcançavam nem a metade dos pecados de Judá, que foi a pecadora mais perita e ativa de todas. Ela era tão ruim, que suas irmãs eram santas, em comparação. Samaria adorava o ridículo bezerro, com altares especiais em Dã e Betel, mas Judá adotou o *panteão inteiro* do paganismo. Ver Jr 2.28; 7.30; Ez 8.5,10,14,16. Seus pecados se agravaram pelo fato de que aquele país tinha mais luz e mais privilégios espirituais do que os outros.

■ 16.52

גַּם־אַתְּ שְׂאִי כְלִמָּתֵךְ אֲשֶׁר פִּלַּלְתְּ לַאֲחוֹתֵךְ
בְּחַטֹּאתַיִךְ אֲשֶׁר־הִתְעַבְתְּ מֵהֵן תִּצְדַּקְנָה מִמֵּךְ וְגַם־אַתְּ
בּוֹשִׁי וּשְׂאִי כְלִמָּתֵךְ בְּצַדֶּקְתֵּךְ אַחְיוֹתֵךְ:

Tu, pois, leva a tua ignomínia. Judá merecia julgamento mais severo que o de suas irmãs, tão audaciosos e numerosos eram os seus pecados. Samaria e Sodoma já tinham sofrido punições terríveis, e o sul logo cairia nas mãos zangadas de Deus. Em tempos passados, Judá havia criticado os pecadores dos países vizinhos, mas com o passar do tempo ficou ainda pior que eles. Isto era uma *façanha do diabo*.

Assim justificaste a tuas irmãs. Judá, pior do que Samaria e Sodoma, forneceu uma desculpa para elas pecarem. "Se Judá pode fazer estas coisas, por que nós não podemos?" As irmãs se tornaram superiores a Judá, não por ter virtudes, mas porque Judá se desintegrou tão miseravelmente. O sul ganhou discípulos que imitaram suas perversidades. Sodoma era uma *luz* entre as nações, quando comparada à *escuridão* que era Judá. Cf. Mt 7.1,2; Rm 2.1,17-23; Lc 13.2.

A RESTAURAÇÃO (16.53-63)

■ 16.53

וְשַׁבְתִּי אֶת־שְׁבִיתְהֶן אֶת־שְׁבוּת סְדֹם וּבְנוֹתֶיהָ וְאֶת־
שְׁבוּת שֹׁמְרוֹן וּבְנוֹתֶיהָ וּשְׁבוּת שְׁבִיתַיִךְ בְּתוֹכָהְנָה:

Restaurarei a sorte... de Sodoma... de Samaria.... e a tua própria sorte. Cf. esta passagem concernente à restauração das nações pagãs, com Jr 12.14-17; 46.26; 48.47; 49.6,39. Todas estas profecias vêm do mesmo período. As palavras que se seguem oferecem uma *consolação* considerável. Todas as três irmãs serão restauradas! Isto acontecerá através dos julgamentos de Deus, que são remediadores, não meramente retributivos. As irmãs depravadas dos vss. 45-52 são as *restauradas* do presente trecho. Ver os comentários sobre o princípio da restauração através do julgamento, nas notas de 1Pe 4.6, no *Novo Testamento Interpretado*. Ver também no *Dicionário* o artigo denominado *Restauração*, onde há mais detalhes sobre o assunto.

Sorte. As *fortunas* de Sodoma e suas irmãs, as cidades da planície, serão restauradas. Até Gomorra se beneficiará pela administração generalizada da misericórdia e do amor de Deus. A sua sorte, isto é, bênçãos e bem-estar, literalmente, *o retornar do cativeiro*, será restauradas pela graça pura de Deus. Ver no *Dicionário* o artigo intitulado *Graça*. Os julgamentos darão lugar às graciosas ações do amor de Deus. Ver no *Dicionário* o artigo intitulado *Amor*. Os *propósitos* dos julgamentos serão realizados e um novo dia amanhecerá. *Sofrimentos* e *infortúnios* eram chamados *cativeiros*, sendo que o *cativeiro* era o principal sofrimento das nações antigas do Oriente. A palavra tornou-se sinônimo de infortúnios.

Escatologia? Alguns intérpretes acham que as profecias deste trecho são escatológicas, porque somente no milênio e no estado eterno aqueles povos poderiam ser restaurados. E qualquer restauração deveria afetar o estado das almas das pessoas que viviam nos tempos antigos. Ver na *Enciclopédia de Bíblia, Teologia e Filosofia* o artigo chamado *Descida de Cristo ao Hades*. Cristo teve um ministério no hades e reverteu a sorte de almas perdidas. Obviamente, Judá também participará dos benefícios da graça de Deus, no tempo escatológico. Ver Rm 11.26: "... todo o Israel será salvo".

■ 16.54

לְמַעַן תִּשְׂאִי כְלִמָּתֵךְ וְנִכְלַמְתְּ מִכֹּל אֲשֶׁר עָשִׂית
בְּנַחֲמֵךְ אֹתָן:

A Necessidade do Julgamento. Não há restauração sem o trabalho purificador do julgamento. Judá, desgraçado, será santificado, e este princípio se aplica a todos os homens. Ele sofrerá vergonha na frente das outras nações e recolherá o que semeou, segundo os princípios morais de Deus, como exibidos na *Lei Moral da Colheita segundo a Semeadura* (ver a respeito no *Dicionário*).

Servindo-lhes de consolação. Aquela nação radicalmente pecaminosa até deu *conforto* às pecadoras de menor estatura. A consolação agora deve vir da *situação endireitada* pelo julgamento. Uma vez restaurada, Jerusalém sentirá profundo remorso pela história de sua rebeldia. Ela jogou com todas as formas do deboche, tendo como companhia suas irmãs pecadoras. O julgamento, purificando todas, reverterá a situação.

■ 16.55

וַאֲחוֹתַיִךְ סְדֹם וּבְנוֹתֶיהָ תָּשֹׁבְןָ לְקַדְמָתָן וְשֹׁמְרוֹן
וּבְנוֹתֶיהָ תָּשֹׁבְןָ לְקַדְמָתָן וְאַתְּ וּבְנוֹתַיִךְ תְּשֻׁבֶינָה
לְקַדְמַתְכֶן:

Quando tuas irmãs... tornarem ao seu primeiro estado. As três irmãs voltarão ao estado abençoado de ontem e compartilharão o bem-estar da restauração. Haverá restauração *coletiva*. Ver na *Enciclopédia de Bíblia, Teologia e Filosofia* o verbete intitulado *Mistério da Vontade de Deus*, que garantirá restauração universal. Ver Ef 1.9,10 no *Novo Testamento Interpretado*. As promessas deste texto certamente são escatológicas. A volta dos judeus a Jerusalém, depois do cativeiro babilônico, foi uma pequena amostra do que Deus fará, afinal. O decreto misericordioso de Ciro foi uma pequena demonstração do poder do decreto escatológico de Deus.

O decreto e o Decreto. O decreto de Ciro permitiu a renovação de Judá, um acontecimento isolado e de pequena influência no tempo em que aconteceu. O Decreto de Yahweh restaurará a criação inteira (Ef 1.9,10). Comparar este versículo com Jr 23.6; 50.4 e Os 5.11.

■ 16.56,57

וְלוֹא הָיְתָה סְדֹם אֲחוֹתֵךְ לִשְׁמוּעָה בְּפִיךְ בְּיוֹם
גְּאוֹנָיִךְ:

בְּטֶרֶם תִּגָּלֶה רָעָתֵךְ כְּמוֹ עֵת חֶרְפַּת בְּנוֹת־אֲרָם וְכָל־
סְבִיבוֹתֶיהָ בְּנוֹת פְּלִשְׁתִּים הַשָּׁאטוֹת אוֹתָךְ מִסָּבִיב:

No seu orgulho hipócrita, Judá nem quis falar de sua irmã Samaria, e muito menos de sua irmã Sodoma, não mencionada no presente trecho. O tempo todo, Judá escondia seus pecados horrorosos e não tinha nenhuma razão para se orgulhar. Yahweh se cansou da farsa e revelou a idolatria-adultério-apostasia. Seu caráter verdadeiro era visto por todas as nações ao redor. As filhas da Síria, e até as filhas dos filisteus, começaram a falar mal de Judá, por ser ela a pior de todas. Sodoma era o próprio modelo da iniquidade, e um provérbio popular não se cansava em dar aquela informação. Agora Judá torna-se o assunto desse provérbio. As nações odiavam Judá, porque era uma *hipócrita intolerável.* As depravadas detestavam a *depravada hipócrita,* que as superou na maldade. Os outros países de má reputação tinham "o último riso" à custa de Judá. Na classificação dos "maus", até Sodoma perdeu o "primeiro lugar". *O terror,* Judá, tornou-se o cabeça da lista das nações depravadas!

■ 16.58

אֶת־זִמָּתֵךְ וְאֶת־תּוֹעֲבוֹתַיִךְ אַתְּ נְשָׂאתִים נְאֻם יְהוָה׃ ס

As tuas depravações e as tuas abominações tu levarás. Judá carregaria o peso de um julgamento exemplar. Seus adultérios, literais e espirituais, não poderiam escapar da atenção de Yahweh, nem da devida punição. Como Judá encabeçava a lista das depravadas, seria a primeira na lista das castigadas.

A crítica das outras nações era amarga, mas o julgamento de Yahweh seria duplamente amargo. A mão divina aplicaria um golpe fatal, quase total. "Edom regozijava-se na queda de Judá e ajudou os babilônios a efetuá-la. Cf. Sl 137.7; Ez 25.12-14; 35.5,6,15. As *filhas* de Edom e dos filisteus eram *cidades* localizadas naquelas regiões. Jerusalém seria restaurada, mas não antes de um julgamento humilhante e severo. Judá precisava sofrer as consequências de seus atos abomináveis" (Charles H. Dyer, *in loc.*). Cf. Ez 23.48. O julgamento de Yahweh foi justo e corrigiu a situação com precisão. Judá mereceu o que recebeu, de acordo com as leis morais de Deus.

■ 16.59

כִּי כֹה אָמַר אֲדֹנָי יְהוִה וְעָשִׂית אוֹתָךְ כַּאֲשֶׁר עָשִׂית אֲשֶׁר־בָּזִית אָלָה לְהָפֵר בְּרִית׃

Assim diz o Senhor Deus. *Adonai-Yahweh* se pronunciou sobre a retidão do julgamento. Este título divino é usado 217 vezes em Ez, mas somente 103 no restante do Antigo Testamento. O título enfatiza que Yahweh é o *Soberano Eterno* que age com justiça neste mundo, abençoando o bem e punindo o mal. Ver no *Dicionário* o artigo denominado *Soberania de Deus* e *Providência de Deus.*

Eu te farei a ti como fizeste. *A lei da colheita segundo a semeadura* (Gl 6.7,8) exigiu julgamento completo e efetivo. Afinal, somente aquele tipo de julgamento funcionaria como medida restauradora. Judá seria punida para seu próprio bem, porque o julgamento é um dedo da mão amorosa de Deus. O *castigo* faz a obra de *amor,* é uma vingança, uma retribuição, mas também um ato de misericórdia restaurador.

Como fizeste... invalidando a aliança. Judá quebrou todos os pactos que haviam confirmado seu relacionamento com Yahweh. A *quebradora de pactos* não podia escapar impune. Os pactos incorporaram responsabilidades, não meramente benefícios. Ver Rm 9.4,5. Ele rejeitou seus privilégios e suas responsabilidades. O *Pacto Abraâmico* fora desprezado (ver a respeito em Gn 15.18); o *Pacto Mosaico* fora desprezado (ver a respeito na introdução a Êx 19). No contexto presente, os pactos representam um *contrato matrimonial.* A rainha apóstata, que quebrou os pactos, era uma *esposa adúltera.* Suas abominações a alienaram de Yahweh, seu marido. Na misericórdia de Deus, toda e qualquer situação pode ser revertida. É assim que funciona a operação do amor de Deus.

■ 16.60

וְזָכַרְתִּי אֲנִי אֶת־בְּרִיתִי אוֹתָךְ בִּימֵי נְעוּרָיִךְ וַהֲקִמוֹתִי לָךְ בְּרִית עוֹלָם׃

Eu me lembrarei da minha aliança, feita contigo nos dias da tua mocidade. Yahweh, o marido, julgaria, mas não esqueceria o contrato matrimonial restaurador. A esposa, jovem quando se casara, seria recebida de novo.

Estabelecerei contigo uma aliança eterna. Seria formulado um *novo contrato matrimonial,* um contrato eterno. Uma profecia escatológica entra no quadro. Ver Rm 11.26. Ver sobre *Pacto Eterno* em Ez 37.26; Jr 31.31-33 e Lv 24.8. Na parábola de Ezequiel, o pacto era uma aliança ou contrato de casamento. O autor aplica pesado *antropomorfismo.* Ver este título no *Dicionário.*

O cabeça das nações seria restaurado e com ele as outras nações, até a humilde Sodoma, campeã das pecadoras. O universalismo do profeta é significativo, considerando-se que ele era judeu. Ver Ez 11.18-20 e 36.26-28. Provavelmente está em vista o Pacto Abraâmico, pelo fato de que, com este pacto, Israel começou como um povo distinto. Alguns intérpretes veem aqui o novo pacto da igreja, mas devemos lembrar que a doutrina diz que Israel, como nação na terra, será especialmente abençoada. A visão do profeta não alcançou os céus. Ver as notas em Jr 31.31-34, que têm uma discussão sobre o escopo do novo pacto *com Israel.* Cf. também Jr 50.4,5 e Hb 8.8-13.

■ 16.61

וְזָכַרְתְּ אֶת־דְּרָכַיִךְ וְנִכְלַמְתְּ בְּקַחְתֵּךְ אֶת־אֲחוֹתַיִךְ הַגְּדֹלוֹת מִמֵּךְ אֶל־הַקְּטַנּוֹת מִמֵּךְ וְנָתַתִּי אֶתְהֶן לָךְ לְבָנוֹת וְלֹא מִבְּרִיתֵךְ׃

Então te lembrarás dos teus caminhos. A *senhora rainha prostituta,* envergonhada e humilhada, encontraria um lugar de arrependimento e, por isso, entraria na bênção e provisão do novo pacto. Suas irmãs pecadoras, Samaria e Sodoma, se tornariam filhas amadas de uma mãe e esposa fiel. Isto implica que haverá um fluxo de bênçãos divinas do *Centro,* isto é, de *Jerusalém,* que emanará para todas as nações do mundo. Cf. Is 54.1 e 60.3,4. Alguns intérpretes veem aqui a pregação do evangelho e o alcance da igreja cristã, mas Ezequiel não é o livro de Atos. Ver Gl 4.26.

■ 16.62

וַהֲקִימוֹתִי אֲנִי אֶת־בְּרִיתִי אִתָּךְ וְיָדַעַתְּ כִּי־אֲנִי יְהוָה׃

Estabelecerei a minha aliança contigo. Está em vista o *Pacto Eterno* (a aliança de casamento) do presente contexto. Ver as notas no vs. 60. O Restaurador dará uma demonstração de sua bondade, pela graça pura que sua vontade determinou.

Saberás que eu sou o Senhor. Esta expressão ocorre 63 vezes nesse livro, normalmente em relação ao julgamento dos pecadores de coração duro, que devem aprender que o Soberano julga. Aqui, a conexão está com o propósito redentor de *Adonai-Yahweh,* o Soberano Eterno, que mostra sua misericórdia para com os homens.

Este versículo é, essencialmente, uma repetição do vs. 60, acrescentando a questão de *conhecer o Senhor,* de uma maneira diferente e superior.

■ 16.63

לְמַעַן תִּזְכְּרִי וָבֹשְׁתְּ וְלֹא יִהְיֶה־לָּךְ עוֹד פִּתְחוֹן פֶּה מִפְּנֵי כְּלִמָּתֵךְ בְּכַפְּרִי־לָךְ לְכָל־אֲשֶׁר עָשִׂית נְאֻם אֲדֹנָי יְהוִה׃ ס

Quando eu te houver perdoado tudo quanto fizeste. O *perdão* (ver a respeito no *Dicionário*) dado por *Adonai-Yahweh* (o Soberano Eterno) não terá limitações nem fraquezas. Anulará o pecado e a desgraça de Israel, em todos os tempos. Somente o *Soberano* tem este poder e autoridade. O perdão está condicionado ao *arrependimento* (ver a respeito no *Dicionário*). A senhora rainha prostituta, lembrando seu passado, sentirá uma imensa vergonha que a confundirá. Mas o perdão será absoluto e limpará a "ficha da criminosa".

> Perdão do pecado e paz que dura;
> Sua própria presença para alegrar e guiar;
> Forças para hoje são proporcionadas,
> Esperança brilhante, para amanhã.
> Todas as bênçãos são minhas,
> E mais dez mil adicionais.
>
> T. O. Chisholm

Perdão. Isto é, *expiação,* que, segundo o conceito hebraico, é o ato divino que *cobre* o pecado, escondendo-o do olhar feroz de Deus.

Onde abundou o pecado, superabundou a graça.
Romanos 5.20

CAPÍTULO DEZESSETE

As Divisões do Capítulo. 1. A alegoria (vss. 1-10). 2. A interpretação da alegoria (vss. 11-21). 3. A alegoria messiânica do cedro (vss. 22-24).

O Significado das Imagens. 1. A grande águia: Nabucodonosor. 2. O topo do cedro: a casa de Davi (Jr 22.5,6,23). 3. O renovo: Joaquim. 4. A terra do comércio: Babilônia. 5. A semente da terra: Zedequias. 6. Outra águia: Pisamético II do Egito (594-588 a.C.). Este rei, aliado a Zedequias e outros, fez oposição à Babilônia.

Os capítulos 15—17 apresentam três parábolas: a da videira inútil (capítulo 15); a da esposa infiel (capítulo 16); e a das duas águias e o cedro (capítulo 17). Esta *terceira parábola* informa a rebelião de Zedequias contra o rei da Babilônia, e a miséria resultante. Yahweh julgou Zedequias e Judá, por esta rebelião, uma vez que tinha ordenado que não houvesse resistência à Babilônia.

Referências Históricas. Cf. 2Rs 24.8-20; 2Cr 36.9-13; Jr 37.1.21 e 52.1-7.

A PARÁBOLA DAS DUAS ÁGUIAS E DO CEDRO (17.1-24)

A Alegoria das Duas Águias (17.1-10)

Ver uma generalização do conteúdo do capítulo na introdução acima.

17.1

וַיְהִי דְבַר־יְהוָה אֵלַי לֵאמֹר:

Veio a mim a palavra do Senhor. Esta declaração ratifica que a mensagem era inspirada por Yahweh e que seu profeta autorizado era Ezequiel. Cf. Ez 13.1; 14.2; 16.1.

17.2

בֶּן־אָדָם חוּד חִידָה וּמְשֹׁל מָשָׁל אֶל־בֵּית יִשְׂרָאֵל:

Filho do homem. Este é o *título comum* do profeta no livro (ver as notas em Ez 2.1).

Propõe um enigma. Yahweh coloca diante do profeta um *enigma*. Esta palavra traduz o hebraico *hidah*, um ditado enigmático de difícil entendimento, um *mistério*. É necessária uma interpretação inspirada para entender o *enigma*, que se apresenta em *parábola* ou *alegoria*, palavra preferida por alguns intérpretes. Esta mesma palavra é usada para o *enigma* de Sansão que precisava ser *decifrado* (Jz 14.12-19). As *perguntas difíceis* da Rainha de Sabá, feitas para Salomão, derivam do mesmo termo hebraico. Ver 1Rs 10.1; 2Cr 9.1.

Parábola. Do hebraico *masal*, que normalmente se usa para significar "provérbio". A palavra designa um ditado curto, esperto e vigoroso. Ver Ez 12.22 e 18.1. Todavia, pode referir-se a uma declaração mais longa, expressando uma parábola ou alegoria. Segundo o uso moderno, a palavra mais apropriada, como tradução, seria *alegoria*, sendo que *animais* entram no quadro, representando homens. A alegoria não emprega necessariamente animais como símbolos, mas o uso deles é frequente. A parábola não usa animais como símbolo. A alegoria e a parábola, portanto, se distinguem uma da outra por este uso ou pela ausência dele. Neste versículo, *enigma* e *parábola* são a mesma coisa. A maioria das parábolas ensina lições morais e, por esta razão, este modo de expressão tornou-se um veículo de escritores bíblicos. Segundo o uso moderno de parábolas e alegorias, devemos dizer que Jesus empregou parábolas, não alegorias. Ver no *Dicionário* o artigo intitulado *Alegoria*, especialmente o ponto 3, *Alegorias na Bíblia*.

17.3

וְאָמַרְתָּ כֹּה־אָמַר אֲדֹנָי יְהוִה הַנֶּשֶׁר הַגָּדוֹל גְּדוֹל הַכְּנָפַיִם אֶרֶךְ הָאֵבֶר מָלֵא הַנּוֹצָה אֲשֶׁר־לוֹ הָרִקְמָה בָּא אֶל־הַלְּבָנוֹן וַיִּקַּח אֶת־צַמֶּרֶת הָאָרֶז:

Assim diz o Senhor Deus. *Adonai-Yahweh* (o Soberano Eterno) apresenta uma alegoria cheia de ameaças que o seu poder realizará. Normalmente, o título é usado para falar do poder que o Soberano usa no julgamento, mas em Ez 16.63 esse poder apoia a restauração de Judá e das outras nações, em um tempo futuro. Neste texto, o poder divino controla as atuações das marionetes neste mundo.

Uma grande águia. Esta águia de classe, com suas asas enormes, cheias de plumas de cores variadas, representa o grandioso rei da Babilônia, Nabucodonosor. É uma ave de rapina implacável. Ela ataca com descidas rápidas, contra as quais não há defesa. Um pobre animal é preso e logo se torna o almoço da ave e de seus filhotes.

Líbano. Este lugar não é mencionado por ser o verdadeiro *lar* do rei de Israel, mas uma localidade onde crescem florestas de cedros nobres. O autor está interessado em dar detalhes à sua alegoria, não em falar com exatidão geográfica. O Líbano é mencionado *como se fosse* o lar do rei. Este país se localizava na fronteira norte, e o ataque da Babilônia começaria lá. Ver Jr 1.14; 3.18; 25.26. A ameaça chegou "do norte".

17.4

אֵת רֹאשׁ יְנִיקוֹתָיו קָטָף וַיְבִיאֵהוּ אֶל־אֶרֶץ כְּנַעַן בְּעִיר רֹכְלִים שָׂמוֹ:

Arrancou a ponta mais alta dos seus ramos. A águia raivosa agarra o ramo e o arranca, levando-o embora. O ramo representa *Joaquim*, rei de Judá. Está em vista a primeira deportação do povo de Judá para a Babilônia. Ver as notas sobre as três deportações, em Jr 52.28. O vs. 12 dá a interpretação. O ramo é *alto* porque representa um *rei*, o homem no topo da hierarquia de uma nação. A primeira deportação aconteceu em 597 a.C. Cf. 2Rs 24.9-16, que dá a informação histórica.

O rei da Babilônia é comparado a uma águia em Jr 48.40; 49.12 e Dn 7.4. Ciro era chamado *ave de rapina* em Is 46.11. A águia tem longas asas, fortes e coloridas. É capaz de longos voos e descidas poderosas. Tem poder para efetuar muita destruição. Já havia descido em diversos países, em seus ataques implacáveis; Judá seria somente outra vítima de sua crueldade. A águia está *cheia de penas*, porque incorporou muitos países a seu império; tem *muitas cores*, porque era rica e poderosa, arrogante e gloriosa, a *ave topo* do mundo. Como uma grande e faminta ave, devora muitas presas e leva seus bens para seu ninho (Babilônia).

E a levou para uma terra de negociantes. A águia, forte e sem misericórdia, levou o ramo de cedro arrancado para a Babilônia. Este país distinguia-se como centro comercial, era *uma cidade de comerciantes*. O vs. 12 dá a interpretação. O ramo incorporou renovos jovens. Joaquim tinha somente 18 anos quando foi exilado. O renovo foi replantado (vs. 5). O rei fora aprisionado no seu "novo lar", onde permaneceria até morrer.

Cf. Os 8.8; Is 23.8 e Sf 1.11. A Babilônia já tinha associações com Canaã, através do comércio; portanto, a Palestina era um lugar conhecido pelo poder do norte. Além de trocar produtos, elas mantinham um intercâmbio de formas idólatras e, assim, eram mutuamente corrompidas.

Do primeiro versículo de Gênesis até este ponto (Ez 17.4), temos 90% do Antigo Testamento. Assim, cheguei até aqui e dou graças pelas forças físicas, mentais e espirituais que me permitiram completar a maior parte da obra.

Agora levanto meu Ebenézer,
Até aqui por sua ajuda cheguei,
E espero por seu bom prazer,
Chegar seguramente em casa.

Robert Robinson

17.5

וַיִּקַּח מִזֶּרַע הָאָרֶץ וַיִּתְּנֵהוּ בִּשְׂדֵה־זָרַע קָח עַל־מַיִם רַבִּים צַפְצָפָה שָׂמוֹ:

Tomou muda da terra e a plantou num campo fértil. Realizando a primeira deportação, Nabucodonosor se mostrou totalmente implacável e desumano. Ele levou para a Babilônia o rei de Judá, Joaquim, e deixou uma *semente nativa* na terra, o rei Zedequias, que tomou o lugar do outro. Nabucodonosor não forçou sobre Judá um sátrapa de raça babilônica. Assim, Jerusalém ganhou certa autonomia, enquanto Zedequias observava seu tratado com a Babilônia. A semente foi plantada em um lugar fértil, onde poderia florescer, e também haveria abundância de água para garantir uma vida razoável. Foi feito um *pacto* entre os dois (vs. 13). Judá foi humilhado, mas poderia ter sobrevivido com certa prosperidade e bem-estar. Mas Zedequias logo violou o pacto e arruinou tudo. Ele era da *família real* (com conexões históricas com o rei Davi), tio de Joaquim. A linhagem de Davi poderia ter continuado, mas Zedequias perdeu a paciência com a situação "mais ou menos boa" e fez uma aliança com o Egito, para libertar-se do domínio da Babilônia. Cometeu um erro fatal. Mais invasões se seguiram, e Judá-Jerusalém foi reduzido ao pó. Ver Ez 6.4-6.

■ **17.6**

וַיִּצְמַ֡ח וַיְהִ֣י לְגֶ֣פֶן סֹרַ֩חַת֩ שִׁפְלַ֨ת קוֹמָ֜ה לִפְנ֣וֹת דָּלִיּוֹתָ֣יו אֵלָ֗יו וְשָׁרָשָׁ֖יו תַּחְתָּ֣יו יִֽהְי֑וּ וַתְּהִ֣י לְגֶ֔פֶן וַתַּ֥עַשׂ בַּדִּ֖ים וַתְּשַׁלַּ֥ח פֹּארֽוֹת׃

Ela cresceu e se tornou videira mui larga, de pouca altura. A videira (renovo) cresceu e mostrou potencial. Espalhou-se, cobrindo o chão, mas não se estendeu para o céu. Tornou-se uma videira de *pouca altura*. Os dias de orgulho terminaram, mas os dias subsequentes eram razoáveis. O ramo se mostrou para a primeira águia, confirmando sua submissão à Babilônia. Suas raízes ficaram justamente onde a semente fora plantada, nada de grandes expansões. Mas a planta cresceu e produziu muitas folhas saudáveis; floresceu a despeito dos limites impostos pelo inimigo. Jerusalém, sujeita à Babilônia, pagando tributo, teria uma vida de paz e relativa prosperidade. Logo, tudo se transformou com a rebeldia de Zedequias, que avaliou mal as suas forças. A Babilônia era a força irresistível da época.

■ **17.7**

וַיְהִ֤י נֶֽשֶׁר־אֶחָד֙ גָּד֔וֹל גְּד֥וֹל כְּנָפַ֖יִם וְרַב־נוֹצָ֑ה וְהִנֵּ֡ה הַגֶּ֩פֶן֩ הַזֹּ֨את כָּפְנָ֤ה שָׁרָשֶׁ֨יהָ֙ עָלָ֔יו וְדָלִיּוֹתָיו֙ שִׁלְּחָה־לּ֔וֹ לְהַשְׁק֣וֹת אוֹתָ֔הּ מֵעֲרֻג֖וֹת מַטָּעָֽהּ׃

Houve outra grande águia. A outra águia era o faraó Hofra, também chamado Pisamético II (reinou de 594 a 588 a.C.). Era uma ave *magnífica*, com grandes asas e plumagem decorativa. Essencialmente, as mesmas descrições foram empregadas para falar tanto da primeira quanto da segunda águia (vs. 3). A videira que se inclinava para a primeira agora se inclina na direção da segunda. Foi feita uma aliança com o Egito, especificamente para terminar com a dominância da primeira águia. Aquela mudança de alianças foi fatal para Judá-Jerusalém. O vs. 15 dá a interpretação. Ver as circunstâncias históricas descritas em 2Rs 24.7,20 e 2Cr 36.13. Por determinado tempo, o Egito ofereceu alguma ajuda, mas, no fim, mostrou-se um aliado fraco. Por causa de um ataque egípcio, a Babilônia retirou seu exército de Jerusalém, e isto foi somente uma melhora temporária. O temível exército voltou. O Egito foi totalmente vencido, e a pequena porção de seu exército, que sobreviveu, retornou em pânico para sua terra. Ver Jr 37.5,7.

■ **17.8**

אֶל־שָׂ֥דֶה טּ֛וֹב אֶל־מַ֥יִם רַבִּ֖ים הִ֣יא שְׁתוּלָ֑ה לַעֲשׂ֤וֹת עָנָף֙ וְלָשֵׂ֣את פֶּ֔רִי לִהְי֖וֹת לְגֶ֥פֶן אַדָּֽרֶת׃ ס

Em boa terra, à borda de muitas águas, estava ela plantada. Este versículo poderia ser um lembrete de que Zedequias, plantado na sua terra nativa, por permissão de Nabucodonosor, tinha o potencial de continuar prosperando em casa, *caso* tivesse observado as condições do pacto com a Babilônia. Ou a videira foi *transferida* para um novo solo, quando o rei fez uma aliança com o Egito. O replantio presumivelmente foi feito no solo egípcio *ou* em Jerusalém, mas *como se fosse* um *novo* plantio. Os intérpretes se dividem entre as duas possibilidades.

■ **17.9**

אֱמֹ֗ר כֹּ֥ה אָמַ֛ר אֲדֹנָ֥י יְהוִ֖ה תִּצְלָ֑ח הֲל֣וֹא אֶת־שָׁרָשֶׁ֣יהָ יְנַתֵּ֗ק וְאֶת־פִּרְיָ֤הּ ׀ יְקוֹסֵס֙ וְיָבֵ֔שׁ כָּל־טַרְפֵּ֥י צִמְחָ֖הּ תִּיבָ֑שׁ וְלֹֽא־בִזְרֹ֤עַ גְּדוֹלָה֙ וּבְעַם־רָ֔ב לְמַשְׂא֥וֹת אוֹתָ֖הּ מִשָּׁרָשֶֽׁיהָ׃

Acaso prosperará ela? Não lhe arrancará a águia as raízes...? Este versículo, com suas perguntas retóricas, diz que a videira não florescerá. Muito ao contrário, murchará e se tornará poeira. Jeremias recomendou a Judá que não se revoltasse contra a Babilônia, uma força implacável e irresistível. Quando Judá mudou de alianças, assinou seu próprio certificado de óbito. A Babilônia logo arrancou as suas raízes do chão. O resultado foi a morte de um país inteiro. Zedequias já era fraco e não foi preciso grande esforço para arrancar suas raízes. Jeremias pronunciou o terrível destino do rei e do país (Jr 27). Ver também Jr 27.10. O vs. 17 do presente capítulo dá a interpretação. Ver os comentários em 2Rs 25.7.

■ **17.10**

וְהִנֵּ֥ה שְׁתוּלָ֖ה הֲתִצְלָ֑ח הֲלוֹא֩ כְגַ֨עַת בָּ֜הּ ר֤וּחַ הַקָּדִים֙ תִּיבַ֣שׁ יָבֹ֔שׁ עַל־עֲרֻגֹ֥ת צִמְחָ֖הּ תִּיבָֽשׁ׃ פ

Desde a cova do seu plantio se secará. O vs. 8 mostra que o replantio resultaria na morte da videira. O vento oriental ressecaria a planta, totalmente. Esta figura *equivale* à retirada das raízes do chão. Assim, Zedequias foi o último rei de Judá e, com ele, terminou a linhagem real de Davi. "O vento oriental do deserto é usado frequentemente como símbolo de destruição. Ver Ez 19.12; 17.27; Is 27.8; e Os 13.15. O vento oriental é Nabucodonosor" (Theophile J. Meek, *in loc.*). Embora regado pelo Egito, regozijando-se de razoável prosperidade, Judá afinal sofreu calamidade quase total. Zedequias e sua família, os nobres e os principais oficiais foram capturados nas planícies de Jericó e levados para Ribla, onde foram assassinados. O próprio rei foi poupado, mas teve de testemunhar a execução dos próprios filhos e, depois, foi cegado e levado cativo para a Babilônia. Assim terminou a casa real de Davi, que só se recuperou com o Messias, nos tempos escatológicos.

A Interpretação da Alegoria (17.11-21)

■ **17.11**

וַיְהִ֥י דְבַר־יְהוָ֖ה אֵלַ֥י לֵאמֹֽר׃

Então veio a mim a palavra do Senhor. Este versículo é a introdução comum para novos oráculos ou mensagens nesse livro. A expressão confirma que o oráculo a seguir foi inspirado por Yahweh e que Ezequiel era seu profeta autorizado. Cf. Ez 13.1; 14.2 e 16.1. O novo material introduzido é a *interpretação* da alegoria apresentada anteriormente.

■ **17.12**

אֱמָר־נָ֣א לְבֵ֣ית הַמֶּ֗רִי הֲלֹ֥א יְדַעְתֶּ֖ם מָה־אֵ֑לֶּה אֱמֹ֗ר הִנֵּה־בָ֨א מֶֽלֶךְ־בָּבֶ֤ל יְרוּשָׁלִַ֨ם֙ וַיִּקַּ֤ח אֶת־מַלְכָּהּ֙ וְאֶת־שָׂרֶ֔יהָ וַיָּבֵ֥א אוֹתָ֛ם אֵלָ֖יו בָּבֶֽלָה׃

Eis que veio o rei da Babilônia a Jerusalém. *Caracterização Geral.* A primeira águia gloriosa é Nabucodonosor, rei da Babilônia (vs. 3). Yahweh o mandou para castigar a *casa rebelde* de Judá. Ver esta expressão em Ez 2.5,7,8; 3.9,26,37; 12.2; 24.3; 44.6. A rebelião de Judá se manifestou, essencialmente, na idolatria-adultério-apostasia que resultou em uma variedade espantosa de crimes literais, morais e espirituais. O capítulo 16 fornece uma longa descrição destas condições, empregando a figura da esposa infiel. A Babilônia se apressou em atacar, cumprindo as ordens de Yahweh, e reduziu Judá praticamente a nada. Os poucos sobreviventes foram levados em três deportações (Jr 52.28), para a Babilônia, onde a matança e a miséria continuaram. A Babilônia, assim, cometeu *genocídio*. Ver 2Rs 24.11,12-16. Para maiores detalhes, ver no *Dicionário* o artigo chamado *Cativeiro Babilônico*.

■ **17.13**

וַיִּקַּח֙ מִזֶּ֣רַע הַמְּלוּכָ֔ה וַיִּכְרֹ֥ת אִתּ֖וֹ בְּרִ֑ית וַיָּבֵ֤א אֹתוֹ֙ בְּאָלָ֔ה וְאֶת־אֵילֵ֥י הָאָ֖רֶץ לָקָֽח׃

Tomou um da estirpe real, e fez aliança com ele. Este versículo é paralelo aos vss. 5,6, onde foi feita a exposição essencial. Depois da deportação de Joaquim (a primeira das três), seu tio, Zedequias, foi colocado no seu lugar, por Nabucodonosor. Dessa forma, uma *semente nativa* servia de marionete para governar o que restou de Jerusalém. O "rei" de Judá foi forçado a assinar um pacto com Nabucodonosor. Era um pacto de *não agressão*. Jerusalém recebeu certa autonomia e pagava tributo. *Se* Zedequias não tivesse se revoltado contra o invasor e *se* não tivesse feito uma aliança com o Egito, para se libertar da opressão, poderia ter continuado em paz, florescendo razoavelmente. Judá foi reduzido à posição de província da Babilônia, sem liberdade, mas também sem guerra. Ver 2Cr 36.13.

■ 17.14

לִהְיוֹת מַמְלָכָה שְׁפָלָה לְבִלְתִּי הִתְנַשֵּׂא לִשְׁמֹר אֶת־בְּרִיתוֹ לְעָמְדָהּ׃

Para que o reino ficasse humilhado, e não se levantasse. O país tornou-se um poder de terceira classe, totalmente humilhado, mas, pelo menos, *existente*. Aquela condição desagradável continuaria enquanto a Babilônia fosse o cachorro topo do mundo. As perspectivas de Judá não eram brilhantes, mas o país continuava existindo em paz e relativa prosperidade. Judá precisava ser uma videira que se arrastava no chão; nada de expandir-se, nada de procurar brilhar ao sol. Ver o vs. 6. Era uma videira de "pouca altura", mas era uma videira.

■ 17.15

וַיִּמְרָד־בּוֹ לִשְׁלֹחַ מַלְאָכָיו מִצְרַיִם לָתֶת־לוֹ סוּסִים וְעַם־רָב הֲיִצְלָח הֲיִמָּלֵט הָעֹשֵׂה אֵלֶּה וְהֵפֵר בְּרִית וְנִמְלָט׃

Mas ele se rebelou contra o rei da Babilônia. O rei Zedequias sobrestimou seus poderes e tolamente confiou no fraco Egito. Como não suportasse as condições impostas pelo invasor, grandes ideias encheram sua cabeça: ele venceria a Babilônia, feito que nenhum país, até aquele ponto, conseguira. Seria o *herói* do mundo, nocauteando o campeão. Mas, na realidade, era somente um tolo fraco, sonhando impossibilidades. Ver a crítica virulenta de Jeremias contra os planos de Zedequias, em Jr 34.8-22. O vs. 19 mostra que o rei de Judá tinha feito juramentos, confirmando o pacto com a Babilônia, em *nome de Yahweh*. Nenhum pacto, confirmado assim, poderia ser quebrado, mas Zedequias não hesitou em anulá-lo. Ver 2Cr 36.13.

O grandioso exército do Egito era um tigre de papel. Sua multidão de cavalos não se comprovou efetiva na crise. Ver 1Rs 10.28 e Is 31.1,3, para a fama que o Egito tinha por causa de seus cavalos. A Babilônia não se preocupou com a "fama" do Egito. No campo de batalha, a reputação adquirida nos *anos passados* em nada ajudou. Judá e seus aliados apresentaram fraca oposição diante da força do norte. Ver o vs. 9, que mostra que não seria necessária grande força para tirar da terra as raízes de Judá.

Juramentos. A mente semita levava o juramento e os pactos muito seriamente, especialmente quando o nome de Deus e/ou de um deus era empregado por garantia. Os gibeonitas fizeram um juramento baseado numa fraude. Mesmo assim, o pacto não foi quebrado. Ver Js 9. Quando a aliança foi violada, o resultado foi o severo julgamento de Yahweh (ver 2Sm 21.1,2).

■ 17.16

חַי־אָנִי נְאֻם אֲדֹנָי יְהוִה אִם־לֹא בִּמְקוֹם הַמֶּלֶךְ הַמַּמְלִיךְ אֹתוֹ אֲשֶׁר בָּזָה אֶת־אָלָתוֹ וַאֲשֶׁר הֵפֵר אֶת־בְּרִיתוֹ אִתּוֹ בְתוֹךְ־בָּבֶל יָמוּת׃

Tão certo como eu vivo, diz o Senhor. *Adonai-Yahweh* fez o juramento, exercendo seu poder de *soberano*. Este nome divino ocorre 217 vezes nesse livro e significa *Soberano Eterno*. Ver no *Dicionário* o artigo intitulado *Soberania de Deus*. Seus decretos determinam o destino dos homens, mas são sempre de acordo com as leis morais divinas.

No meio da Babilônia será morto. Zedequias, o quebrador de pactos, foi amaldiçoado por Yahweh. Zedequias, sua família e seus oficiais fugiram, mas os soldados babilônicos os pegaram nas planícies de Jericó. Em Ribla, foram executados, excetuando-se Zedequias, a quem cegaram e levaram para a Babilônia, onde foi para a prisão e nunca saiu. Semeou, ceifou. Ver Jr 52.10,11. Ele ia de mal a pior, fazendo juramentos falsos. Cf. Ez 12.13 e Jr 32.5; 34.3 e 52.11.

■ 17.17

וְלֹא בְחַיִל גָּדוֹל וּבְקָהָל רָב יַעֲשֶׂה אוֹתוֹ פַרְעֹה בַּמִּלְחָמָה בִּשְׁפֹּךְ סֹלְלָה וּבִבְנוֹת דָּיֵק לְהַכְרִית נְפָשׁוֹת רַבּוֹת׃

A Delusão. O apóstata foi inspirado a confiar no fraco Egito. A estrela daquele país já se punha atrás do horizonte, enquanto a estrela da Babilônia estava alta, no céu do meio-dia. Os ímpios calcularam mal e terminaram autodestruídos. Judá caiu com o Egito, compartilhando o mesmo triste destino.

Faraó. Aprendemos em Jr 44.30 que o homem, mencionado aqui era o faraó *Hofra*, chamado *Apries* pelos gregos. Em Jr 37.5-11, temos a informação de que o exército do Egito cessou temporariamente o ataque contra Jerusalém. Mas a ajuda se mostrou inadequada. Logo Jerusalém foi cercada de novo, e não houve salvação. Foram necessários trinta meses para subjugar a cidade, e a matança reduziu a população a um pequeno grupo que foi levado (em três deportações) para a Babilônia. Uma nação inteira morreu, pois as raízes de Judá foram arrancadas do chão (ver o vs. 9). O vento oriental ressecou a planta até se perder no oblívio.

Levantando tranqueiras e edificando baluartes, para destruir. Os babilônios eram peritos no uso das máquinas de guerra, e nenhum poder daquele tempo tinha chance contra eles. Cf. Ez 4.2. Além de um exército numeroso, também possuíam máquinas que facilitavam suas matanças.

■ 17.18

וּבָזָה אָלָה לְהָפֵר בְּרִית וְהִנֵּה נָתַן יָדוֹ וְכָל־אֵלֶּה עָשָׂה לֹא יִמָּלֵט׃ ס

Desprezou o juramento, violando a aliança. O crime de *quebrar um pacto* é mencionado novamente aqui para enfatizar a seriedade do caso. Ver as notas no vs. 15 para detalhes.

Aperto de mão. Um gesto de confirmação de acordo. Cf. 2Rs 10.12; Ed 10.19 e Pv 6.1. Um juramento e um aperto de mão sancionaram o pacto que Zedequias logo quebrou. Judá ficou sujeito ao poder babilônico e pagou pesado tributo. O rei não aguentou as condições. Ver 1Cr 29.24; 2Cr 30.8 e Lm 5.6. Zedequias tornou-se culpado de uma leviandade intolerável, segundo os padrões de conduta internacional da época. O juramento foi feito em nome de Yahweh, o que complicou o caso para o rei de Judá.

■ 17.19

לָכֵן כֹּה־אָמַר אֲדֹנָי יְהוִה חַי־אָנִי אִם־לֹא אָלָתִי אֲשֶׁר בָּזָה וּבְרִיתִי אֲשֶׁר הֵפִיר וּנְתַתִּיו בְּרֹאשׁוֹ׃

O meu juramento que desprezou, e a minha aliança que violou. O pacto foi feito em nome de Yahweh e, provavelmente, em nome de alguns deuses prestigiosos dos babilônios. Foi um pacto "divinizado" pelos juramentos. Quebrar um pacto desta natureza era um ultraje contra os homens e contra Deus ou deuses envolvidos. Um julgamento severo esperava os infratores. A *Lei Moral da Colheita segundo a Semeadura* acertaria as contas (ver este título no *Dicionário*). Cf. o vs. 15 deste capítulo. Uma vingança divina cairia sobre a cabeça dos ímpios de juramentos falsos (ver Sl 17.15). *Adonai-Yahweh* (o Soberano Eterno) sentenciou um destino amargo para o infiel Zedequias.

■ 17.20

וּפָרַשְׂתִּי עָלָיו רִשְׁתִּי וְנִתְפַּשׂ בִּמְצוּדָתִי וַהֲבִיאוֹתִיהוּ בָבֶלָה וְנִשְׁפַּטְתִּי אִתּוֹ שָׁם מַעֲלוֹ אֲשֶׁר מָעַל־בִּי׃

Estenderei sobre ele a minha rede, e ficará preso no meu laço. O ataque babilônico funcionaria, para Judá, como *rede e laço*, e faria daquele povo uma *presa* para o inimigo. A *presa*, especificamente, era Zedequias, mas Judá compartilharia seu destino amargo. A presa seria levada à Babilônia, para ocupar uma gaiola até o fim de sua vida. Ver Jr 52.11 e cf. Ez 20.36. Esta profecia foi feita três anos antes de sua realização. Cf. Ez 8.1 com 20.1, para o elemento tempo. Ver também 2Reis 24.3-7. Ez 12.13 é paralelo do presente versículo e suas notas também se aplicam aqui.

■ 17.21

וְאֵת כָּל־מִבְרָחוֹ בְּכָל־אֲגַפָּיו בַּחֶרֶב יִפֹּלוּ וְהַנִּשְׁאָרִים
לְכָל־רוּחַ יִפָּרֵשׂוּ וִידַעְתֶּם כִּי אֲנִי יְהוָה דִּבַּרְתִּי: ס

Todos os seus fugitivos, com todas as suas tropas, cairão à espada. Judá sofreria o *destino sombrio* de seu rei. "Os melhores soldados" (NCV) morreriam na batalha. Os sobreviventes, do exército e do povo, seriam espalhados pelos ventos. Alguns fugiriam para o Egito ou para outros países vizinhos de Judá. O restante seria levado para a Babilônia, onde permaneceria por setenta anos. Cf. Ez 6.8; 11.16,17; 20.34; 28.25; 24.5; 36.19. O *Targum* nos lembra que tudo foi feito pela "palavra de Yahweh".

A Alegoria Messiânica do cedro (17.22-24)

Esta alegoria é semelhante à de Ez 31.1-9, que descreve a *árvore cósmica*. Ver especialmente os vss. 5,6,8, onde há semelhanças notáveis. Cf. Dn 4.10-12, que também é semelhante.

Ideias. 1. Há um conforto para Israel-Judá. 2. Deus, a *Águia Celestial,* agirá para desfazer as ações das duas águias (Ez 17.1 ss.) que quase destruíram o país. A Grande Águia reverterá a situação. 3. As duas águias (Babilônia e Egito) trouxeram sofrimento para o povo de Judá. A Grande Águia trará paz e prosperidade, afinal. Ver os vss. 3 e 7, para as duas águias humanas. 4. Yahweh exaltará o Ramo, o Messias, e trará um *novo dia.* O Renovo divino e messiânico trará frutos duradouros.

■ 17.22

כֹּה אָמַר אֲדֹנָי יְהוִה וְלָקַחְתִּי אָנִי מִצַּמֶּרֶת הָאֶרֶז
הָרָמָה וְנָתָתִּי מֵרֹאשׁ יְנִקוֹתָיו רַךְ אֶקְטֹף וְשָׁתַלְתִּי אָנִי
עַל הַר־גָּבֹהַּ וְתָלוּל:

Assim diz o Senhor Deus. *Adonai-Yahweh* (o Soberano Eterno) fará uma obra para anular as obras prejudiciais. Na sua soberania, agirá. Este título divino ocorre 217 vezes nesse livro, mas somente 103 no restante do Antigo Testamento. Significa que Yahweh é o *Soberano* que determina o destino dos homens, individualmente, e das nações.

Tomarei a ponta de um cedro, e a plantarei. *O Ramo, o Messias.* Um título comum do Messias é *ramo (renovo).* O ramo tem vida e Yahweh tem o poder de replantá-lo onde quiser, e assim garantir a vida de Israel.

Do principal dos seus ramos cortarei o renovo mais tenro, e o plantarei. Cf. a imagem com os vss. 4 e 12, onde há algo semelhante. O *cedro alto* é a casa real de Davi. O *ramo* é o Messias. Era um renovo *tenro,* humilde na sua encarnação e, aparentemente, fraco. Mas, plantado sobre um monte alto e sublime, seria o maior poder da terra. Comparar a *ternura* do renovo com Is 53.2 e Fp 2.6-8. Zedequias, o ramo do tempo anterior, foi humilhado por Nabucodonosor e era uma videira de pouca altura. Ver o vs. 6. Em contraste, o Messias será exaltado no monte mais alto. O renovo é real e será o Potentado Universal. O Messias será exaltado (ver Fp 2.9): *"Deus o exaltou sobremaneira e lhe deu o nome que está acima de todo nome".*

Outra maneira para interpretar o versículo: 1. O cedro é Israel; 2. O ramo é a casa real de Davi; 3. O *renovo* é o Messias. Este renovo é o *enxerto* que Yahweh planta no monte alto.

■ 17.23

בְּהַר מְרוֹם יִשְׂרָאֵל אֶשְׁתֳּלֶנּוּ וְנָשָׂא עָנָף וְעָשָׂה פֶרִי
וְהָיָה לְאֶרֶז אַדִּיר וְשָׁכְנוּ תַחְתָּיו כֹּל צִפּוֹר כָּל־כָּנָף
בְּצֵל דָּלִיּוֹתָיו תִּשְׁכֹּנָּה:

Produzirá ramos, dará frutos e se fará cedro excelente. Este enxerto tem vida em si mesmo e, quando plantado no monte alto (Zion), de súbito se desenvolve num grande e nobre *cedro.* Seus ramos abundantes e saudáveis produzem muitos frutos. Obviamente, os cedros não são árvores frutíferas, mas este cedro de Deus é altamente frutífero. O autor não se preocupa com exatidão botânica. Sua alegoria traz surpresas. O reino do Messias trará o novo dia. O cedro é *Israel restaurado.* Este cedro é tão alto, que muitas espécies de aves (as nações) se aninharão nos seus ramos. Animais de toda a sorte habitarão à sua sombra. Israel, assim, será o cabeça das nações e o centro de atividades comerciais e espirituais.

À sombra dos seus ramos se aninharão aves de toda espécie. O cedro lança uma sombra de conforto que cura as nações que procuram refúgio debaixo dele. Cf. as figuras deste versículo com Dn 4.20,21 e Mt 13.32. A *universalidade* das bênçãos do reino messiânico é descrita, contrastando-se com o escopo limitado do Israel antigo. Alguns intérpretes veem aqui o alcance da igreja cristã, através do evangelho, mas o texto se refere à glória de Israel, na era futura do reino de Deus, que alguns identificam com o milênio.

> *... a terra se encherá do conhecimento do Senhor, como as águas cobrem o mar.*
>
> Isaías 11.9

■ 17.24

וְיָדְעוּ כָּל־עֲצֵי הַשָּׂדֶה כִּי אֲנִי יְהוָה הִשְׁפַּלְתִּי עֵץ
גָּבֹהַ הִגְבַּהְתִּי עֵץ שָׁפָל הוֹבַשְׁתִּי עֵץ לָח וְהִפְרַחְתִּי עֵץ
יָבֵשׁ אֲנִי יְהוָה דִּבַּרְתִּי וְעָשִׂיתִי: פ

Saberão todas as árvores do campo que eu, o Senhor, abati a árvore. *Adonai-Yahweh* (o Soberano Eterno) faz o que quer para as nações. Árvores altas (autoexaltadas), como Zedequias, são abatidas, enquanto humildes enxertos tornam-se grandes potências, como o Messias dos últimos dias.

A Babilônia era uma árvore alta e exaltada, mas o seu dia logo passou. Este versículo apresenta um princípio geral de como os soberbos são humilhados e os humildes são exaltados pelo poder soberano de Deus. Cf. Lc 1.52 e 1Sm 2.1-10. Dn 2.44 tem uma ideia semelhante.

Um Tema Principal. O versículo apresenta um dos temas constantes das Escrituras. O Soberano não tolera por muito tempo os orgulhosos da terra. Também exalta, finalmente, os humildes que são justos. O *Magnificat* de Maria fala do tema, numa poesia emprestada de 1Sm 2.1-10:

> *Derrubou dos seus tronos os poderosos e exaltou os humildes. Encheu de bens os famintos e despediu vazios os ricos.*
>
> Lucas 1.52,53

Uma Ilustração Histórica. Um monumento à margem do rio Reno, perto de Bonn, contém uma inscrição em francês: "Aqui, o Grande Exército da Alemanha partiu para conquistar a Rússia". Embaixo foi escrito, também em francês: "Aqui, o exército russo atravessou o Reno para invadir a França". O reverso era um item do governo de Deus neste mundo iníquo.

O autor do presente texto reafirma o mesmo princípio: a árvore verde seca, enquanto a árvore seca fica verde e floresce. Tais reversos acontecem quando Yahweh fala. Seus decretos se realizam fatalmente entre os homens. Ver os versículos que contrastam os orgulhosos e os humildes: Pv 11.2; 13.10; 14.3; 15.25; 18.2; 21.4.

CAPÍTULO DEZOITO

RESPONSABILIDADE INDIVIDUAL (18.1-32)

Os vss. 1-4 declaram o princípio da *responsabilidade pessoal,* e o restante do capítulo ilustra este princípio. Algumas passagens afirmam que os filhos (descendentes) de um homem podem sofrer e morrer por causa dos pecados paternos. Ver Êx 20.5, onde há notas com este princípio. Outras passagens enfatizam a responsabilidade pessoal. Ver as notas expositivas sobre Dt 24.16 e Ez 18.20. O conceito de *união da comunidade* era muito forte na mentalidade hebraica; assim, o que os antepassados fizeram, os descendentes compartilham, como se a raça fosse um *único ser* manifestando-se em tempos diferentes. Este conceito era forte entre os hebreus, mas a responsabilidade individual não se perdeu. Os exilados culparam seus antepassados pelas calamidades que sofreram (ver Jr 31.27-30). Mas qualquer pessoa veria que aqueles ímpios mereciam o que receberam, por causa de suas próprias obras iníquas. A raça compartilhou um pacto, mas cada indivíduo era responsável por agir de acordo com as suas pretensões. A *Lei Moral da Colheita segundo a Semeadura* (ver a respeito no *Dicionário*) se aplica às coletividades (às nações), mas também aos indivíduos.

O presente capítulo é paralelo a Ez 12.21-28, sendo que os dois respondem a um provérbio do povo, que negava a iminência do julgamento de Yahweh. Quando a comunidade é julgada, obviamente os indivíduos também o são. O indivíduo culpado de rebeldia pode sofrer, enquanto a comunidade escapa da mão pesada de Deus. Quem toma as decisões é a mente divina, não a mente manipuladora dos homens.

A *vida* mencionada neste capítulo provavelmente é a vida terrena, física. O homem que observa a lei de Deus vive por mais tempo, com prosperidade, mas os pecadores morrem jovens, em meio à miséria. Alguns intérpretes veem aqui uma referência à vida além do sepulcro e falam de julgamentos eternos. Não é provável que este trecho de Ezequiel contenha um ensino desta natureza. De qualquer modo, o texto pode ser *aplicado* desta maneira. É precário usar textos do Antigo Testamento para ensinar tais doutrinas.

A Lei Dá Vida. Quer dizer, a lei, quando observada, dá vida física longa e próspera, segundo o conceito hebraico. Ver Dt 4.1; 5.33; 6.2 e Ez 20.11.

Todas as Almas Estão Sujeitas a Yahweh (18.1-4)

■ 18.1

וַיְהִי דְבַר־יְהוָה אֵלַי לֵאמֹר:

Veio a mim a palavra do Senhor. Com esta *afirmação*, novos materiais são introduzidos pelo autor do livro. Ela afirma a inspiração do que se segue, e declara que Ezequiel era o profeta autorizado por Yahweh. O *oráculo* era de Yahweh, e o profeta havia recebido ordem para comunicá-lo. Ver esta declaração introdutória também em Ez 13.1; 14.2; 15.1; 16.1.

Cf. vss. 1-4 a Jr 31.27-30; Dt 24.16; 2Rs 14.6. Estes trechos provavelmente foram compostos pela mesma escola de profetas, no mesmo período de tempo.

■ 18.2,3

מַה־לָּכֶם אַתֶּם מֹשְׁלִים אֶת־הַמָּשָׁל הַזֶּה עַל־אַדְמַת יִשְׂרָאֵל לֵאמֹר אָבוֹת יֹאכְלוּ בֹסֶר וְשִׁנֵּי הַבָּנִים תִּקְהֶינָה:

חַי־אָנִי נְאֻם אֲדֹנָי יְהוִה אִם־יִהְיֶה לָכֶם עוֹד מְשֹׁל הַמָּשָׁל הַזֶּה בְּיִשְׂרָאֵל:

Os pais comeram uvas verdes, e os dentes dos filhos é que se embotaram? *Um Provérbio Popular.*

Se os dentes da pessoa não são perfeitos, certas comidas os incomodam. Sabemos que as bactérias cavam nos dentes buracos microscópicos, os quais estão presentes muito antes de essas cáries serem visíveis. Os buracos microscópicos criam uma sensibilidade. Uvas são bastante ácidas e irritam os dentes cariados. Obviamente, os antigos não antecipam tais explicações científicas, mas nem por isso deixaram de sofrer consequências desagradáveis pelos dentes cariados.

O povo inventou o absurdo de que o filho do homem que comeu uvas verdes sofreria os resultados da acidez que perturbou o pai! Dizer que os filhos sofrem por causa *dos pecados* dos pais é espiritualmente, semelhante absurdo. O provérbio comum contém interpretação de textos como Êx 20.5. O presente capítulo anula tanto o ensino de Êx 20.5 como a sua interpretação popular. Que os intérpretes lutem com a reconciliação dos dois ensinos. O autor aqui não se preocupa com harmonia teológica.

Conclusão. O remanescente no exílio da Babilônia continuava sofrendo terrores, às mãos de seus capturadores. Antes, haviam sofrido os ataques violentos do inimigo. Sofreram porque "os pais pecaram".

Estavam ceifando o que semearam. Judá era o próprio modelo da idolatria-adultério-apostasia, e Yahweh perdeu a paciência com suas vagueações morais e espirituais.

Para a verdade que possa estar presente em tais declarações, como em Êx 20.5; 34.6,7 e Dt 5.9, ver as notas nestes lugares. O apóstolo Paulo fala algo semelhante em Rm 5.12 ss. Como o próprio autor do presente trecho não se preocupou em reconciliar as ideias opostas, representadas por Êx 20.5 (de um lado) e o presente texto (do outro), também não me preocupo aqui em tentar uma reconciliação. As minhas notas, na introdução ao capítulo 18 do presente livro, e os trechos mencionados, entram no problema.

Os Pecadores Morrem; os Justos Vivem (18.4-9)

■ 18.4,5

הֵן כָּל־הַנְּפָשׁוֹת לִי הֵנָּה כְּנֶפֶשׁ הָאָב וּכְנֶפֶשׁ הַבֵּן לִי־הֵנָּה הַנֶּפֶשׁ הַחֹטֵאת הִיא תָמוּת: ס

וְאִישׁ כִּי־יִהְיֶה צַדִּיק וְעָשָׂה מִשְׁפָּט וּצְדָקָה:

Eis que todas as almas são minhas. O fato de todas as almas *pertencerem* a Yahweh é prova de que todas são igualmente responsáveis diante dele. Cada alma é responsável por si, não pela grande coletividade (uma nação, por exemplo). Se ela influenciou outra alma que pecou, então é responsável por isto.

A alma que pecar, essa morrerá. Yahweh é o Criador, portanto é também o Juiz de todas as almas. Além disto, é o grande Legislador. Sua lei (a lei mosaica) é o próprio padrão da justiça e dos pecados. A lei *obedecida* promete uma vida longa e cheia de prosperidade. O transgressor, todavia, *morrerá*. Alguns intérpretes acham que tal ensinamento inclui a morte espiritual depois do sepulcro, mas outros pensam que Ezequiel não tinha uma teologia suficientemente avançada para incluir esta ideia. O próprio escritor deixa suas palavras sem definição. Dn 12.2,3 olha para além do sepulcro e vê a lei moral da colheita segundo a semeadura operando aí, mas fez com que a *ressurreição* mediasse castigos e recompensas, não a imortalidade da alma. As definições foram melhoradas nos livros apócrifos e pseudepígrafos, no período entre o Antigo e o Novo Testamento; o Novo Testamento melhorou ainda mais os nossos entendimentos.

De qualquer maneira, a *morte* do vs. 4 é, certamente, uma referência à matança que o exército babilônico traria a Jerusalém. O país inteiro sofreria morte *prematura*. O que mais pudéssemos ver no texto, ficaria duvidoso. A *vida* prometida é a sobrevivência física, a libertação do massacre babilônico, que seria proporcionada mediante arrependimento sincero. Os vss. 5-9 dão um breve sumário da natureza do homem justo que sobreviveria em meio à matança.

■ 18.6

אֶל־הֶהָרִים לֹא אָכָל וְעֵינָיו לֹא נָשָׂא אֶל־גִּלּוּלֵי בֵּית יִשְׂרָאֵל וְאֶת־אֵשֶׁת רֵעֵהוּ לֹא טִמֵּא וְאֶל־אִשָּׁה נִדָּה לֹא יִקְרָב:

Este versículo mistura, de maneira curiosa, as leis morais e cerimoniais, mas é bom lembrar que os hebreus não faziam distinção entre elas. Todas as leis cerimoniais eram, para eles, altamente morais. O cristianismo fez a distinção entre os dois tipos de leis, aplicando outra mentalidade.

Idolatria, Adultério e Menstruação. Para os cristãos, idolatria e adultério são transgressões radicais de leis morais. Mas manter relações sexuais com uma mulher, durante a menstruação, pertence às leis cerimoniais. Para os judeus, todavia, os três atos eram pecados morais, especialmente detestados. O homem justo não teria comunhão com os cultos idólatras que anularam o yahwismo e desonraram as velhas tradições. Por uma emenda, "nos altos" torna-se "com o sangue", referindo-se à ingestão de sangue com comida. A lei cerimonial proibiu qualquer tipo de ingestão de sangue. Ver Ez 33.25; Lv 7.26,27; 19.26; Dt 12.16. Se esta emenda for correta, então a idolatria é seguida por uma lei cerimonial (segundo os cristãos entendem o termo). Daí, o adultério é seguido por uma lei cerimonial contra sexo com uma mulher menstruada. Ver Lv 15.19-30; 18.19; 20.18. O cristianismo não proibiu a ingestão de sangue como comida (se não fosse uma ofensa aos judeus) nem o sexo com uma mulher menstruada. Alguns cristãos obviamente retêm atitudes judaicas. Calmet, por exemplo, declarou que crianças concebidas durante o ciclo menstrual frequentemente nascem leprosas, monstruosas ou deformadas, ideia que é uma verdadeira tolice.

■ 18.7,8

וְאִישׁ לֹא יוֹנֶה חֲבֹלָתוֹ חוֹב יָשִׁיב גְּזֵלָה לֹא יִגְזֹל לַחְמוֹ לְרָעֵב יִתֵּן וְעֵירֹם יְכַסֶּה־בָּגֶד׃

בַּנֶּשֶׁךְ לֹא־יִתֵּן וְתַרְבִּית לֹא יִקָּח מֵעָוֶל יָשִׁיב יָדוֹ מִשְׁפַּט אֱמֶת יַעֲשֶׂה בֵּין אִישׁ לְאִישׁ׃

Não oprimindo a ninguém. A lei contra a opressão é, obviamente, uma lei moral segundo qualquer fé religiosa. Um exemplo de opressão é o uso e abuso de dinheiro. Há muitas práticas desonestas associadas ao dinheiro. Um homem que cobrasse juros excessivos era considerado um transgressor da lei. Ver Lv 25.36,37; Ne 5.7,10; Sl 15.5; Is 24.2; Jr 15.10. Se um homem oferecesse penhor (alguma possessão ou item importante para quem o havia dado) para garantir o pagamento de um débito, quando o dinheiro fosse pago, o penhor tinha de ser devolvido. Um judeu não podia exigir juros de outro judeu. O uso correto do dinheiro figurava entre as condições razoáveis de uma justiça social. O homem bom é generoso, jamais ganancioso. O homem bom é aquele que alivia sofrimentos dos outros, por privações econômicas. O judaísmo sempre enfatizou estes princípios. É difícil aprender estas lições neste mundo eternamente egoísta. As pessoas que as aprendem precisam continuar nesta vereda.

Cf. Tg 2.15,16. Santidade prática deve seguir uma teologia teorética. O homem bom, no nome somente, não o é na realidade. Nossas igrejas evangélicas são fracas na caridade, enquanto a igreja romana católica é forte neste ponto.

Desviando a sua mão da injustiça. Esta é uma declaração geral contra qualquer forma de corrupção. O bom homem não machuca outros, é gentil e benevolente. Nunca é violento. Ele promove a justiça entre os homens, dentro e fora das cortes da lei. Ver no *Dicionário* o artigo chamado *Crimes e Castigos*.

■ 18.9

בְּחֻקּוֹתַי יְהַלֵּךְ וּמִשְׁפָּטַי שָׁמַר לַעֲשׂוֹת אֱמֶת צַדִּיק הוּא חָיֹה יִחְיֶה נְאֻם אֲדֹנָי יְהוִה׃

Andando nos meus estatutos. *O Andar Espiritual*. Cf. Am 5.4. O bom homem anda segundo as exigências da lei, observando tanto as leis morais quanto as cerimoniais que faziam parte da espiritualidade do Antigo Testamento. Ver a *tríplice* designação da lei, em Dt 6.1. Ver no *Dicionário* o artigo intitulado *Andar*, que desenvolve essa metáfora. O bom homem, obedecendo a lei, viverá muitos anos e prosperidade (Dt 4.1; 5.33; Ez 20.11); terá a lei como *guia* da sua vida (Dt 6.4 ss.); será um homem *distinto* dos pecadores (Dt 4.4-8). Se está em vista a vida eterna (além de uma vida física longa), então é óbvio que, de acordo com a mentalidade judaica, essa vida também procede da lei.

O Novo Testamento modificou algumas ideias teológicas principais do Antigo Testamento. Ver Gl 3.21: "... se fosse promulgada uma lei que pudesse dar vida, a justiça, na verdade, seria procedente de lei". Assim falou Paulo, mas é ridículo projetar no Antigo Testamento ideias revolucionárias da época cristã. Segundo o judaísmo, *a lei era tudo,* inclusive a doadora de vida, material ou espiritual.

Procedendo retamente o tal justo certamente viverá, diz o Senhor Deus. *Adonai-Yahweh* (o Soberano Eterno) declara que o homem justo terá vida *pela lei.*

O Filho Ímpio de um Homem Justo Morrerá (18.10-13)

■ 18.10

וְהוֹלִיד בֵּן־פָּרִיץ שֹׁפֵךְ דָּם וְעָשָׂה אָח מֵאַחַד מֵאֵלֶּה׃

Se ele gerar um filho ladrão... A espiritualidade que dá vida não é hereditária nem genética. O bom homem que obedece à lei e que *viverá* (vss. 5-9) não terá automaticamente um filho justo que obedecerá à lei, para ganhar, com isso, a vida. O *ideal* de Pv 22.6 nem

sempre funciona: "Ensina a criança no caminho em que deve andar, e ainda quando for velho, não se desviará dele".

Sabemos hoje que 1.800 características são transmitidas dos pais para os seus filhos, geneticamente. Entre estas, figuram atitudes e inclinações morais e espirituais. Sabemos que existe a *mente criminosa* que não surge do meio ambiente. Pode ser de um cérebro defeituoso, de um espírito corrupto, espiritualmente herdado, mas não necessariamente dos pais. Uma alma pecaminosa (seja preexistente ou não) logo influencia o homem físico a andar erradamente. E este andar pode não ter nada a ver com a educação que a criança recebeu em casa. Claro, o exemplo dos pais é importante, mas essa consideração é somente *um fator* do desenvolvimento do filho. Devemos *ensinar* o caminho justo, mas o ensino não é garantia absoluta. Os estudos mostram o seguinte: 1. Se nossos filhos tornam-se bons homens, justos e espirituais, devemos receber *menos crédito* do que havíamos recebido antes. 2. Se nossos filhos tornam-se rebeldes e entram no caminho ímpio, devemos receber *menos culpa* do que havíamos recebido antes.

O texto aqui diz que um bom homem pode produzir um filho moral e espiritualmente podre. O que acontece com nossos filhos é complexo e não aceita nenhuma explicação simplista. Um jovem que entrou numa vida de deboche, incluindo o uso de entorpecentes, falou para seu pai, consternado: "Pai, tudo isto não é sua culpa". Aquele filho recebeu os ensinamentos a vida inteira, mas isto não o salvou do dilúvio do pecado. Um dos piores assassinos da história dos Estados Unidos era filho de um devoto evangélico. De fato, filhos de pais devotos e sinceros se envolvem em crimes pesados de sangue, roubos e outras desgraças. Soube de um caso, em São José dos Campos, São Paulo. O filho de um evangélico proeminente começou a andar com maus companheiros. Ouviram dizer que uma família daquela cidade tinha recebido grande soma de dinheiro; foram para a casa e exigiram o dinheiro. Quando souberam que não havia dinheiro em casa, mataram, por raiva, um deficiente físico que estava confinado a uma cadeira de rodas. O filho "podre" de um bom homem terminou na prisão por assassinato!

■ 18.11-13

וְהוּא אֶת־כָּל־אֵלֶּה לֹא עָשָׂה כִּי גַם אֶל־הֶהָרִים אָכַל וְאֶת־אֵשֶׁת רֵעֵהוּ טִמֵּא׃

עָנִי וְאֶבְיוֹן הוֹנָה גְּזֵלוֹת גָּזָל חֲבֹל לֹא יָשִׁיב וְאֶל־הַגִּלּוּלִים נָשָׂא עֵינָיו תּוֹעֵבָה עָשָׂה׃

בַּנֶּשֶׁךְ נָתַן וְתַרְבִּית לָקַח וָחָי לֹא יִחְיֶה אֵת כָּל־הַתּוֹעֵבוֹת הָאֵלֶּה עָשָׂה מוֹת יוּמָת דָּמָיו בּוֹ יִהְיֶה׃

Os Pecados do Filho Rebelde. Estes três versículos repetem, quase palavra por palavra, os vss. 6-8, com algumas omissões insignificantes. Tudo o que era odioso para Yahweh, aquele fanático do pecado praticou. Nos vss. 6-8, vemos o bom homem evitando tais pecados; aqui, o filho iníquo pratica tudo o que seu pai detestava. Ele quebrou todas as regras e costumes dos anciãos: roubou, praticou a idolatria, adulterou, perpetuou abusos sociais e foi um homem totalmente perverso que trouxe vergonha para os pais. Terá ele uma vida longa e próspera? O texto responde com um enfático *não*. Terá a vida eterna? O texto *implica* um *não*. O homem perverso teve um bom pai, mas nada adiantou; esta circunstância não era nenhuma garantia. O filho desobediente terminou apedrejado.

O seu sangue cairá sobre ele. Isto significa que ele, sozinho, fora *responsável* pelo que acontecera. Cf. Ez 3.18,20; Lv 20.9,11,13,16,27. A frase implica que o homem perverso sofrerá morte violenta e prematura; ele poderia ser executado pela lei; poderia contrair uma doença fatal; poderia sofrer um acidente mortal. De qualquer maneira, Yahweh estaria por trás do golpe, aplicando justiça, segundo as exigências morais da lei.

O que guarda o mandamento guarda a sua alma; mas o que despreza os seus caminhos, esse morre.

Provérbios 19.16

Ideias. 1. A retidão do pai não se transferiu para o filho, embora esforços heroicos tivessem sido feitos. 2. Cada homem carrega sua própria culpa e condenação. 3. O provérbio do vs. 2 foi comprovado como falso. 4. A verdade do vs. 4 se comprova: a responsabilidade pessoal determina o destino das pessoas.

> Semeai um hábito e colhereis um caráter.
> Semeai um caráter e colhereis um destino.
> Semeai um destino e colhereis... Deus.
>
> Prof. Huston Smith

O Filho Justo de um Pai Ímpio Viverá (18.14-20)

■ **18.14**

וְהִנֵּה הוֹלִיד בֵּן וַיַּרְא אֶת־כָּל־חַטֹּאת אָבִיו אֲשֶׁר עָשָׂה וַיִּרְאֶה וְלֹא יַעֲשֶׂה כָּהֵן׃

Se ele gerar um filho que veja todos os pecados que seu pais fez, e... não cometer cousas semelhantes... O discurso sobre a responsabilidade pessoal continua. Este jovem não recebeu os ensinamentos da lei de seu pai; não teve um bom exemplo. O pai deve a seu filho *três coisas*: exemplo, exemplo, exemplo. Este jovem não teve nenhuma vantagem no lar, mas venceu na vida espiritual. Ele recebeu maus exemplos, mas não sentiu inclinação para imitar o pai iníquo. Em vez disso, cultivou no seu coração o temor ao Senhor, que o guiou. Ver Pv 1.7 e Sl 119.38, onde há notas sobre "o temor do Senhor".

> *O temor do Senhor é o princípio do saber, mas os loucos desprezam a sabedoria e o ensino.*
>
> Provérbios 1.7

O filho, sem um bom exemplo do pai biológico, tinha o exemplo e os ensinamentos do Pai Celestial. Considere-se Josias, filho do terrível Amom, e o bom Ezequias, que era filho do deplorável Acaz. Ver 2Rs capítulos 16,18,21,22. Por outro lado, o iníquo Manassés, um dos reis mais perversos da história dos reis de Judá, era filho do piedoso Ezequias!

■ **18.15-17**

עַל־הֶהָרִים לֹא אָכָל וְעֵינָיו לֹא נָשָׂא אֶל־גִּלּוּלֵי בֵּית יִשְׂרָאֵל אֶת־אֵשֶׁת רֵעֵהוּ לֹא טִמֵּא׃

וְאִישׁ לֹא הוֹנָה חֲבֹל לֹא חָבָל וּגְזֵלָה לֹא גָזָל לַחְמוֹ לְרָעֵב נָתָן וְעֵרוֹם כִּסָּה־בָגֶד׃

מֵעָנִי הֵשִׁיב יָדוֹ נֶשֶׁךְ וְתַרְבִּית לֹא לָקָח מִשְׁפָּטַי עָשָׂה בְּחֻקּוֹתַי הָלָךְ הוּא לֹא יָמוּת בַּעֲוֺן אָבִיו חָיֹה יִחְיֶה׃

Estes versículos repetem o material dado nos vss. 6-8, com omissões insignificantes. Ver as notas dadas ali, que também se aplicam aqui. O bom filho observa todas as exigências da lei, tanto morais quanto cerimoniais. A lei será para ele o *guia* (Dt 6.4 ss.). Esse homem não morrerá como seu pai, ímpio; não morrerá como um transgressor da lei. Pelo contrário, viverá, porque terá guardado a lei. Viverá, por ter tido o temor ao Senhor, que não o deixará vaguear nos caminhos do pecado. Ver as notas no vs. 4, para definições de "vida" e "morte" do presente contexto. "Este homem não será infeccionado pelos crimes de seu pai, como aquele pai não fora influenciado pela retidão do pai dele" (Adam Clarke, *in loc.*). "Ele viverá na sua própria terra e gozará as coisas boas da vida. Influenciado pelo temor ao Senhor, e transformado por sua graça, procurando a glória do Senhor, viverá eternamente, embora tivesse um pai ímpio" (John Gill, *in loc.*).

■ **18.18**

אָבִיו כִּי־עָשַׁק עֹשֶׁק גָּזַל גֵּזֶל אָח וַאֲשֶׁר לֹא־טוֹב עָשָׂה בְּתוֹךְ עַמָּיו וְהִנֵּה־מֵת בַּעֲוֺנוֹ׃

Quanto a seu pai..., ele morrerá por causa de sua iniquidade. O homem pecador não receberá nenhum crédito por ter um bom filho. De fato, ele fez tudo para corrompê-lo: roubou, adulterou, praticou idolatria, cometeu crimes de sangue, praticou extorsão, foi ganancioso e deu péssimos exemplos para o filho.

O autor, neste versículo, não repete todos os pecados já enumerados no texto. Sua lista representativa basta. O contexto apresenta três listas de pecados que são essencialmente iguais: 1. vss. 6-8; 2. vss. 11-13; 3. vss. 15-17. O provérbio do vs. 2, que o povo gostava de repetir, é mostrado como enganador.

"Este *terceiro caso* foi especialmente apropriado para ilustrar o propósito do profeta: mostrar a falsidade do provérbio. Este pai comeu as uvas verdes, mas os dentes do filho não foram afetados (vs. 2)" (Ellicott, *in loc.*).

A Morte de Judá. Não devemos esquecer que o profeta tenta justificar a morte que o país sofreu, às mãos do exército babilônico. Os princípios que se aplicam aos indivíduos são válidos para a coletividade.

■ **18.19**

וַאֲמַרְתֶּם מַדֻּעַ לֹא־נָשָׂא הַבֵּן בַּעֲוֺן הָאָב וְהַבֵּן מִשְׁפָּט וּצְדָקָה עָשָׂה אֵת כָּל־חֻקּוֹתַי שָׁמַר וַיַּעֲשֶׂה אֹתָם חָיֹה יִחְיֶה׃

Guardou todos os meus estatutos e os praticou, por isso certamente viverá. O autor sagrado enfatizou novamente a *responsabilidade* pessoal de cada homem. Os vss. 19,20 formulam uma doutrina resultante da discussão anterior. O povo continuava insistindo na "verdade" do provérbio (vs. 2). Todas as ilustrações do profeta comprovaram a falsidade do ditado. O princípio, aplicado às circunstâncias imediatas de Judá, mostra que aquele povo iníquo morreria por causa de seus próprios pecados, não por causa das falhas "dos pais" da nação. A tese do povo era falsa e perniciosa. O povo que promovia a idolatria-adultério-apostasia sofreria as consequências drásticas de seu caráter perverso. A *Lei Moral da Colheita segundo a Semeadura* (ver a respeito no *Dicionário*) garantiu o péssimo destino de toda a nação e de todos os pecadores que a constituíam. O profeta refutou a "ortodoxia" da doutrina de Êx 20.5, ignorando que poderia ter *alguma* verdade. Ele não quis enfraquecer seu argumento, portanto não se preocupou com reconciliações de teologias em conflito. Ver as notas sobre aquele versículo.

■ **18.20**

הַנֶּפֶשׁ הַחֹטֵאת הִיא תָמוּת בֵּן לֹא־יִשָּׂא בַּעֲוֺן הָאָב וְאָב לֹא יִשָּׂא בַּעֲוֺן הַבֵּן צִדְקַת הַצַּדִּיק עָלָיו תִּהְיֶה וְרִשְׁעַת רָשָׁע עָלָיו תִּהְיֶה׃ ס

A alma que pecar, essa morrerá. *A Doutrina.* Agora o profeta chega à *conclusão* da discussão anterior: a responsabilidade pessoal opera na vida de todas as pessoas e na vida coletiva de uma nação. A alma que pratica o pecado morrerá; a coletividade que pratica a maldade morrerá; a alma que pratica o bem viverá; a coletividade que pratica o bem viverá.

> *O salário do pecado é a morte, mas o dom gratuito de Deus é a vida eterna.*
>
> Romanos 6.23

A doutrina de Ezequiel é uma afirmação poderosa da lei moral da colheita segundo a semeadura. Ver Gl 6.7,8, no *Novo Testamento Interpretado*. O filho inocente de um pai corrupto viverá (vss. 14-17); o bom pai não participará dos resultados dos pecados de um filho rebelde (vss. 10,11). O bom homem terá a proteção de Yahweh e terá vida longa e próspera e, depois, da morte biológica, a vida eterna. Mas o homem maldoso enfrentará a ira de Deus. O seu sangue será sobre ele (vs. 13). Esta conclusão é lógica e verdadeira, e concorda plenamente com o princípio anunciado no vs. 4. Yahweh, o Criador de todas as almas, é também seu Juiz. Além disto, é o Legislador que deu sua lei como *guia*, tornando os homens responsáveis, porque tinham *luz* para o caminho.

O texto ensina responsabilidade moral e espiritual de todos os indivíduos, e também ensina responsabilidade da nação de Judá inteira. As duas manifestações são os dois lados da mesma moeda.

> *Os pais não serão mortos em lugar dos filhos, nem os filhos, em lugar dos pais; cada um será morto pelo seu pecado.*
>
> Deuteronômio 24.16

O Homem Mau que se Torna Justo Viverá (18.21-24)

Este trecho demonstra que certos casos podem ser *revertidos*. Um bom homem pode tornar-se corrupto; o homem corrupto pode tornar-se bom. Casos revertidos provocam destinos revertidos.

■ 18.21

וְהָרָשָׁע כִּי יָשׁוּב מִכָּל־חַטֹּאתָו אֲשֶׁר עָשָׂה וְשָׁמַר אֶת־כָּל־חֻקּוֹתַי וְעָשָׂה מִשְׁפָּט וּצְדָקָה חָיֹה יִחְיֶה לֹא יָמוּת׃

Mas se o perverso se converter de todos os pecados... A experiência mostra que situações morais e espirituais podem sofrer reversos. O arrependimento está disponível para o pecador; o bom homem está sujeito à influência da maldade e pode cair, anulando sua vida justa.

Certamente viverá. O homem mau de ontem se arrepende de seus erros e começa a seguir a lei, como o *guia* de sua vida (Dt 6.4 ss.). O resultado desta mudança de vida é que ele *viverá* (Dt 4.1; 5.33; 6.2; Ez 20.1). A ideia original sobre esta *vida* era certamente a vida física, esperançosamente longa e próspera. No judaísmo *posterior*, a vida pós-túmulo entrou na questão, embora não tenhamos certeza do ponto ao qual a teologia de Ezequiel chegou. Mesmo que sua teologia falasse sobre a vida pós-túmulo, suas declarações dificilmente podem ser aplicadas à doutrina da vida eterna. Nossa teologia já avançou muito além do Antigo Testamento, portanto fiquemos com os apóstolos, para definir tais questões. O artigo sobre o problema da segurança do crente, no *Dicionário*, apresenta uma discussão ampla.

Kimchi, representando o judaísmo posterior, comenta: "Viverá neste mundo e não morrerá no mundo que vem". "O pecador penitente é tratado de acordo com a sua nova obediência" (Fausset, *in loc.*).

Segurança Eterna do Crente? Obviamente, este texto tem sido empregado na controvérsia sobre a *segurança eterna do crente*. Ver no *Dicionário* o detalhado artigo sobre este assunto. Ali são apresentados os dois lados dos conflitos, com seus textos de prova favoritos. Na minha opinião, é duvidoso empregar versículos do Antigo Testamento nesse debate, pois nem mesmo temos certeza de que o profeta Ezequiel quis entrar na questão de uma vida pós-túmulo e das condições que poderiam governar essa vida. Mesmo tocando nesse assunto, a luz do Antigo Testamento não seria suficiente para esclarecer tais questões.

■ 18.22

כָּל־פְּשָׁעָיו אֲשֶׁר עָשָׂה לֹא יִזָּכְרוּ לוֹ בְּצִדְקָתוֹ אֲשֶׁר־עָשָׂה יִחְיֶה׃

Não haverá lembrança contra ele. O que o homem mau fez no passado é anulado. Yahweh, esquecendo as velhas transgressões do pobre pecador, olha somente para o presente justo daquele homem e o abençoa. A graça de Deus age assim, portanto não devemos surpreender-nos com a anulação de toda a grande massa de pecados. Todos temos grande quantidade de iniquidades para anular e esquecer. O homem, ontem tão miserável, hoje vive uma nova vida, pelo poder do Espírito que transformou (e está transformando) o seu coração. A mudança no homem é completa; o perdão de seus pecados é completo. Ele tem um *novo coração*. A lei de Moisés tornou-se efetiva na sua vida. Se o homem não esquecer a lei, cumprindo seus requisitos (Pv 3.1), então Deus esquecerá sua vida anterior de pecados.

> *De todos os pecados que cometeu não se fará memória contra ele; juízo e justiça fez; certamente, viverá.*
>
> Ezequiel 33.16

■ 18.23

הֶחָפֹץ אֶחְפֹּץ מוֹת רָשָׁע נְאֻם אֲדֹנָי יְהוִה הֲלוֹא בְּשׁוּבוֹ מִדְּרָכָיו וְחָיָה׃ ס

Acaso tenho eu prazer na morte do perverso? diz o Senhor Deus. Yahweh não é um sádico celestial que sente prazer em ver o pobre pecador sofrer e, finalmente, morrer. É *Adonai-Yahweh* (o Soberano Eterno) que se declara contra o princípio de achar prazer na tragédia que traz sofrimento. Este título divino se encontra 217 vezes nesse livro, mas somente 103 no resto do Antigo Testamento.

Ele enfatiza a *soberania* de Deus. O *Soberano,* em última análise, é o *Salvador,* não o Destruidor. Até seus julgamentos são expressões de seu amor, pelo fato de que têm a intenção de restaurar, não de aniquilar. Vemos a soberania de Deus perdoando o pecado e esquecendo o passado do pecador. Deus prefere que o homem viva. O versículo é contra o calvinismo radical e sua doutrina de *reprovação* (ver a respeito no *Dicionário*), que certamente é blasfema. Cf. 1Tm 2.4 e também 2Pe 3.9. E não devemos esquecer Jo 3.16, a luz mais brilhante no céu do pecador.

Deus é amor (1Jo 4.8). Desejar ou achar prazer na morte do pecador é contra a natureza divina. Pessoalmente, sou contra toda doutrina de reprovação, ativa ou passiva. Considero ambas contrárias à natureza divina e à missão do Salvador.

■ 18.24

וּבְשׁוּב צַדִּיק מִצִּדְקָתוֹ וְעָשָׂה עָוֶל כְּכֹל הַתּוֹעֵבוֹת אֲשֶׁר־עָשָׂה הָרָשָׁע יַעֲשֶׂה וָחָי כָּל־צִדְקֹתָו אֲשֶׁר־עָשָׂה לֹא תִזָּכַרְנָה בְּמַעֲלוֹ אֲשֶׁר־מָעַל וּבְחַטָּאתוֹ אֲשֶׁר־חָטָא בָּם יָמוּת׃

Desviando-se o justo da sua justiça... acaso viverá? Este único versículo contrasta com os vss. 20-23. Todos conhecemos casos de pessoas santas que se corromperam. Tais pessoas ficam sujeitas à condenação de Deus, seja no presente seja na vida além. Não sabemos se a teologia do profeta tinha avançado para considerações pós-túmulo. De qualquer maneira, o mesmo *princípio* se aplica à vida agora e à vida pós-túmulo. Mas não devemos esquecer o poder de Deus, que é dedicado à salvação. O homem que volta para o pecado sofrerá, mas a graça de Deus o restaurará, afinal, ainda nesta vida ou na vida pós-túmulo. Jesus pode alcançar homens onde quer que estejam, nesta vida ou além. O presente versículo é uma declaração arminiana, sem dúvida, mas nenhuma declaração deste tipo governa a eternidade. Haverá outros reversos. O homem que realmente começou na trilha espiritual pela atuação do Espírito terminará entre os salvos, a despeito de suas vagueações. O mesmo propósito redentor o seguirá; a vida é uma só. E, para o homem genuinamente bom, o propósito opera até *efetuar* o resultado desejado. Assim corre a minha fé. Entro em detalhes no artigo sobre a *Segurança do Crente,* no *Dicionário*. Haverá um *dia final,* quando a graça de Deus deixará de funcionar, terminando com a missão redentora do Logos? Acho que não. Assim correm meu sonho e minha doutrina, confiantes na graça de Deus para superar todas as negativas que os homens tanto apreciam. A porta do inferno se fecha do lado de dentro, e pode ser aberta pela mudança da alma que recebe a graça de Deus. Sempre haverá a possibilidade de reversos. Ver as notas sobre Ef 1.9,10, no *Novo Testamento Interpretado,* onde apresento evidências das Escrituras que favorecem as minhas ideias. Ver também, na *Enciclopédia de Bíblia, Teologia e Filosofia,* o verbete intitulado *Mistério da Vontade de Deus* e, no *Dicionário,* o artigo chamado *Restauração*.

De qualquer modo, o texto ensina o princípio de "libertação do passado". Até a porta do inferno, o Espírito chama os homens; sim, até no próprio hades, o Espírito chama os homens. Ver na *Enciclopédia de Bíblia, Teologia e Filosofia* o verbete intitulado *Descida de Cristo ao Hades.* Até no Hades há uma porta que conduz os homens para os céus. Deste evangelho (boas-novas), eu tenho orgulho. Do evangelho pequeno, que tão frequentemente se prega nas igrejas, tenho vergonha.

O Caminho do Senhor é Justo (18.25-29)

O autor, contradizendo a antiga lei de Êx 20.5, que ensina a responsabilidade moral e espiritual dos indivíduos, achou necessário *vindicar* a justiça divina, que exige uma reação humana à lei moral. Voltará a este tema em Ez 33.17-20.

■ 18.25

וַאֲמַרְתֶּם לֹא יִתָּכֵן דֶּרֶךְ אֲדֹנָי שִׁמְעוּ־נָא בֵּית יִשְׂרָאֵל הֲדַרְכִּי לֹא יִתָּכֵן הֲלֹא דַרְכֵיכֶם לֹא יִתָּכֵנוּ׃

Dizeis: O caminho do Senhor não é direito. Este versículo fornece uma resposta à objeção do povo, que não gostou do discurso do profeta sobre a responsabilidade pessoal. Aqueles pecadores tinham a coragem de declarar-se *inocentes* e não merecedores dos "maus-tratos" de Yahweh (administrados pelo exército babilônico). Continuavam culpando seus antepassados, cujos pecados supostamente excitaram a ira do Senhor, que reagiu empregando o chicote babilônico. O profeta os acusa de andar em *caminhos tortuosos*. Eles transgrediram as leis do Senhor e acusaram o próprio Deus de não seguir um *caminho direito* em relação a eles. Sendo culpados de pecados gritantes, proferiram blasfêmias no rosto de Yahweh! Os vss. 6-9 já ilustraram sua condição perversa, mas as palavras do profeta caíram em ouvidos surdos. Todavia, ouviram o estrondo do ataque do exército babilônico.

Ouvi agora, ó casa de Israel. O reino do norte fora obliterado pela Assíria em 722 a.C. O cativeiro babilônico reduziu Judá a quase nada, de 596 em diante. O restante daquela nação foi chamado de "Israel" e, na restauração, começou tudo de novo. "Aquela casa", no cativeiro, não abandonou seu caminho ímpio; neste versículo, ouvimos suas queixas contra os alegados maus-tratos de Yahweh, a causa de todos os seus sofrimentos. Ver Ez 2.5, onde a "casa de Israel" é chamada "a casa rebelde". Este uso se repete em Ez 3.1; 4.3; 6.11; 8.6.

Não é o meu caminho direito? Não são os vossos caminhos tortuosos? A palavra *direito* vem de uma raiz que fala sobre *pesagem*, ou *equilíbrio*. No uso metafórico, está em vista a *justiça*. A *casa rebelde* acusou Yahweh de fazer *pesagem inexata*, isto é, de praticar *injustiça*, castigando-a com o chicote babilônico, quando era inocente. A afirmação divina é que o castigo era exatamente de acordo com os merecimentos do povo. "Sua declaração afirma que ele recompensa ou pune de acordo com os princípios justos e imutáveis da lei moral. Cada homem recebe o que semeou" (Ellicott, *in loc.*). Cf. Rm 2.5-10 e Gl 6.7,8.

■ **18.26**

בְּשׁוּב־צַדִּיק מִצִּדְקָתוֹ וְעָשָׂה עָוֶל וּמֵת עֲלֵיהֶם בְּעַוְלוֹ
אֲשֶׁר־עָשָׂה יָמוּת: ס

O profeta ilustra sua tese, repetindo o caso do homem justo que abandona o caminho reto, tornando-se ímpio. Sua maldade anula o bom passado e ele fica sujeito às *punições justas* de Yahweh. Morrerá de morte prematura (fisicamente) e talvez (na mente do profeta) sofrerá a *ira de Deus* além-túmulo. O vs. 26 é uma declaração abreviada do vs. 24, onde apresento as notas mais detalhadas. A justiça de Deus é *vindicada*, quando ele castiga o pecador severamente, mesmo se *no passado* o homem (nação) tivesse sido bom.

■ **18.27**

וּבְשׁוּב רָשָׁע מֵרִשְׁעָתוֹ אֲשֶׁר עָשָׂה וַיַּעַשׂ מִשְׁפָּט
וּצְדָקָה הוּא אֶת־נַפְשׁוֹ יְחַיֶּה:

A justiça de Deus é *demonstrada e vindicada* também quando o homem mau de ontem é o homem bom de hoje. O passado é anulado pelo presente; uma mudança de conduta reverte a avaliação divina. Este versículo repete, de modo mais abreviado, o que vemos nos vss. 21-22, onde há notas expositivas completas.

■ **18.28**

וַיִּרְאֶה וַיָּשָׁב מִכָּל־פְּשָׁעָיו אֲשֶׁר עָשָׂה חָיוֹ יִחְיֶה לֹא
יָמוּת:

Este versículo expande as ideias dadas nos vss. 21,22 e 27. O pecador de ontem pode ser o santo de hoje. O homem abandona seu caminho ímpio e o temor do Senhor começa a guiá-lo (ver em Pv 1.7). Este homem estuda a lei e termina vivendo segundo as suas exigências. Assim, ele ganha *vida* (Dt 4.1; 5.33; 6.2; Ez 20.1). A justiça de Deus se vindica quando o homem mau de ontem recebe vida hoje, através do arrependimento e da mudança de vida. Contraste-se o caso de Judá, que fora bom ontem, mas corrupto hoje.

■ **18.29**

וְאָמְרוּ בֵּית יִשְׂרָאֵל לֹא יִתָּכֵן דֶּרֶךְ אֲדֹנָי הֲדְרָכַי לֹא
יִתָּכֵנוּ בֵּית יִשְׂרָאֵל הֲלֹא דַרְכֵיכֶם לֹא יִתָּכֵן:

A Vindicação Continua. A justiça do caminho do Senhor é clara e irrecusável. Mas os ímpios insistem em que houve abuso no tratamento severo de Yahweh. Suas acusações comprovaram mais e mais sua natureza depravada. Este versículo repete o vs. 25, onde há notas detalhadas. Cf. Mq 2.7 e Mt 11.18,19.

O Novo Coração e o Novo Espírito (18.30-32)

Este trecho é igual a Ez 11.17-21 e 36.24-32. Ver, também, Jr 31.31,32. As operações do Espírito dependem do arrependimento humano e da graça divina, que se unem para efetuar o bem. Este texto demonstra que o entendimento do Antigo Testamento sobre *justiça* e *espiritualidade* não se limitou à obediência formal da lei. O *dever* alia-se ao *coração transformado* pelo Espírito. De fato, o homem que realmente guarda a lei só pode fazê-lo por forças espirituais além de suas próprias capacidades. O poder de Deus precisa agir, para que o homem não permaneça nas suas fraquezas e deficiências.

■ **18.30**

לָכֵן אִישׁ כִּדְרָכָיו אֶשְׁפֹּט אֶתְכֶם בֵּית יִשְׂרָאֵל נְאֻם
אֲדֹנָי יְהוִה שׁוּבוּ וְהָשִׁיבוּ מִכָּל־פִּשְׁעֵיכֶם וְלֹא־יִהְיֶה
לָכֶם לְמִכְשׁוֹל עָוֹן:

Eu vos julgarei, a cada um segundo os seus caminhos. Este versículo descreve o lado humano da questão. A moeda tem dois lados: o humano e o divino. Os dois se unem para efetuar a obra de Deus na alma humana. O *arrependimento* (ver a respeito no *Dicionário*) exige do homem uma mudança verdadeira e abre a porta para o poder transformador do Espírito. O homem mau de ontem, cansado de seus caminhos perversos, procura uma vida nova. Ele segue um caminho que o leva para o Alto. No caminho, o amor de Deus o encontra e fortalece seu propósito. O homem é espiritualmente transformado. Claro, até o desejo de se *arrepender* depende do Espírito, porque o homem totalmente depravado procura mais depravações.

Adonai-Yahweh (o Soberano Eterno), o agente do lado divino, tem poder de transformar qualquer pecador. O Senhor recompensa e castiga, segundo os merecimentos dos homens, mas também abre um caminho para o bem-estar da alma humana. Ver no *Dicionário* o artigo chamado *Lei Moral da Colheita segundo a Semeadura*. A transgressão se dirige para a ruína, porque o decreto de Yahweh determina este resultado. Mas seus decretos também garantem a felicidade do homem que caminha segundo a lei. Yahweh pode ser Juiz, Destruidor, Salvador e Restaurador, dependendo das reações humanas à direção divina. Ver no *Dicionário* o artigo chamado *Livre-arbítrio*. Cf. Ez 11.19 e 36.26.

"Morrerá? Eis a pergunta que exige uma resposta. A compaixão de Deus espera nossa reação ao ministério do Espírito" (E. L. Allen, *in loc.*).

■ **18.31**

הַשְׁלִיכוּ מֵעֲלֵיכֶם אֶת־כָּל־פִּשְׁעֵיכֶם אֲשֶׁר פְּשַׁעְתֶּם בָּם
וַעֲשׂוּ לָכֶם לֵב חָדָשׁ וְרוּחַ חֲדָשָׁה וְלָמָּה תָמֻתוּ בֵּית
יִשְׂרָאֵל:

Criai em vós coração novo e espírito novo. Quando o homem lança fora suas transgressões e mostra desejo de caminhar num novo trilho, o Espírito se aproxima e lhe dá um novo coração e um novo espírito. O novo coração conduz o homem (ou a nação) a uma transformação espiritual:

> E todos nós, com o rosto desvendado, contemplando, como por espelho, a glória do Senhor, somos transformados, de glória em glória, na sua própria imagem, como pelo Senhor, o Espírito.
>
> 2Coríntios 3.18

Ver na *Enciclopédia de Bíblia, Teologia e Filosofia* o verbete intitulado *Transformação segundo a Imagem de Cristo*. O texto fala daquilo que está além do alcance natural do homem. Sem o Espírito não há transformação. Mas o homem faz a sua parte, resultando na união do divino e do humano, no mesmo processo: o livre-arbítrio humano coopera com o poder divino. Segundo as ideias do Antigo

Testamento, o homem transformado terá longa vida, cheia de bênçãos e prosperidade; viverá além da morte biológica e compartilhará a glória do Senhor.

"A vida ou a morte do povo depende de suas reações ao ministério do Espírito. Aqueles que continuam se rebelando, morrerão; aqueles que se arrependem, viverão" (Charles H. Dyer, *in loc.*).

■ **18.32**

כִּי לֹא אֶחְפֹּץ בְּמוֹת הַמֵּת נְאֻם אֲדֹנָי יְהוִה וְהָשִׁיבוּ וִחְיוּ: פ

Não tenho prazer na morte de ninguém. Este versículo repete o que é dito no vs. 23, onde há notas. "Então, vamos correndo para ele. Nunca acharemos nenhuma injustiça nos seus caminhos (vs. 29). Ele nunca manda embora um homem que tem fome ou sede, o homem que está procurando a justiça de Deus. Ver Mt 5.6" (Fausset, *in loc.*).

Cf. Jr 9.24 e Pv 1.26. "Você pode duvidar da *sinceridade* divina? Pode duvidar da sua *capacidade*? Pode você duvidar da sua eficácia? Pode duvidar das provisões de seus pactos?" (Adam Clarke, *in loc.*).

> Quando andamos com o Senhor,
> Na luz de sua palavra,
> Que glória ele faz brilhar no nosso caminho.
> Enquanto fazemos a sua boa vontade,
> Permanece conosco e com todos
> Que confiam e obedecem.
>
> J. H. Sammis

CAPÍTULO DEZENOVE

AS ALEGORIAS DA LEOA E DA VIDEIRA (19.1-14)

Estas alegorias assumem a forma de lamentações e cantos fúnebres.

Detalhes da Primeira Alegoria. 1. Israel é a leoa. 2. Um de seus filhotes (Jeoacaz) foi capturado e levado para o Egito (2Rs 23.30-34) 3. Outro filhote (Jeoaquim) foi levado para a Babilônia (2Rs 24.8-16). 4. A história deixa fora qualquer informação sobre o rei que reinou entre aqueles dois, por não ter contribuído para a mensagem da alegoria. 5. Uma tradição posterior diz que Jeoaquim sofreu exílio (2Cr 36.6; Dn 1.2) e morreu em Jerusalém (2Rs 24.1-6). Se isto for verdadeiro, ele não poderia ser o segundo filhote. De qualquer maneira, a leoa é símbolo apropriado para Judá. Ver Gn 49.9 e Mq 5.8. Os reis de Judá se sentaram no trono decorado com leões (1Rs 10.18-20). 6. Ver o leão como parte do simbolismo real, em Pv 19.12; 20.2; 2Sm 1.23. Um selo de Jotão, encontrado em Eziom-Geber, tem a imagem de um leão embutida nele.

A Segunda Alegoria. Os vss. 10-14 apresentam a *segunda lamentação*, que fala de Israel como uma videira. A videira foi arrancada e transplantada num deserto. A referência é à *primeira deportação* (de três), que aconteceu em 586 a.C. Esta deportação incluiu a tragédia pessoal de Zedequias, sua família e oficiais. Ver Jr 52.7-11, para detalhes. Cf. o capítulo 17, que também apresenta a alegoria de uma videira.

Com estas alegorias, o autor conclui a seção (capítulos 12—19), que trata de *otimismo falso*. Esta é a primeira de cinco lamentações. Cf. também Ez 26.17,18; 27.1-36; 28.12-19; 32.1-16. Três lamentações foram dirigidas contra Tiro e a quarta foi contra o Egito (32.1-16). Estas lamentações são cantos fúnebres que normalmente celebravam as boas qualidades do defunto e lamentavam a perda que sua morte representava para a comunidade. Cf. 2Sm 1.17,27.

Circunstâncias que Dificultam a Interpretação das Alegorias. 1. As diversas transliterações dos nomes próprios hebraicos, nas traduções em português, dos reis em pauta, são suficientemente diferentes para confundir o leitor. 2. Houve quatro reis durante o período histórico descrito pelo autor, mas ele menciona somente três, deixando em dúvida as identificações. 3. O autor mistura os acontecimentos, atribuindo, ao reino de um rei, experiências de outro. 4. O texto não segue perfeitamente dados históricos da vida dos três reis. Exigir uma interpretação histórica perfeita desaponta o intérprete.

A Primeira Alegoria (19.1-9)

O Destino Amargo de Jeoacaz (19.1-4)

■ **19.1**

וְאַתָּה שָׂא קִינָה אֶל־נְשִׂיאֵי יִשְׂרָאֵל:

Os príncipes de Israel. Esta *lamentação* inclui três reis específicos: Jeoacaz, Jeoaquim e Zedequias, com quem a história de Judá, relacionada com a Babilônia, terminou. De fato, ele era o último rei da linhagem de Davi, e com ele terminou a casa de Davi, isto é, a *casa real* que dele descendeu. Os vss. 2-9 tratam do primeiro "príncipe". Ver 2Rs 23.30-34. Ele foi capturado e levado para o Egito. Outro príncipe foi levado para a Babilônia (2Rs 24.8-16). Seu destino amargo é descrito nos vss. 5-9. Então, os vss. 10-14 falam de Zedequias. Os cantos fúnebres "celebram" o fim dos três. O destino deles foi amargo, por causa da operação da lei moral da colheita segundo a semeadura, que determina o destino desses homens, bons ou maus.

■ **19.2**

וְאָמַרְתָּ מָה אִמְּךָ לְבִיָּא בֵּין אֲרָיוֹת רָבָצָה בְּתוֹךְ כְּפִרִים רִבְּתָה גוּרֶיהָ:

Quem é tua mãe? Uma leoa entre leões. Judá fora uma grande potência, a rainha das bestas, uma leoa orgulhosa e poderosa. O leão simboliza o reino de Judá, como mostrado na introdução ao capítulo. A leoa cuida bem de seus filhotes; qualquer um que observe as cenas de famílias de leões sabe que há *amor*. A leoa cuida de todas as necessidades dos filhotes, até adquirirem sua independência. Nesta alegoria, essa circunstância indica que os filhotes da leoa se tornaram reis, líderes poderosos, e a leoa se sentiu orgulhosa, pois foi o trabalho dela que propiciou esta façanha. Mas a glória da realização logo caiu na desgraça e destruição. A leoa criou "reis decaídos". O autor entoa cantos fúnebres para lamentar a morte dos três filhotes.

O vs. 10 torna a leoa mãe de *toda a teocracia*, o norte e o sul. Os dois reinos afundaram no suicídio de idolatria-adultério-apostasia.

Entre leões. Possivelmente temos aqui uma alusão ao fato de que a leoa fez alianças com poderes estrangeiros, que a prejudicaram no final. A leoa tinha filhotes (leõezinhos). A NCV fala de "leões jovens". Eles se tornaram reis, e o país prosperou com o seu poder notável.

■ **19.3**

וַתַּעַל אֶחָד מִגֻּרֶיהָ כְּפִיר הָיָה וַיִּלְמַד לִטְרָף־טֶרֶף אָדָם אָכָל:

Leãozinho. *O Filhote Jeoacaz.* Ele foi criado com cuidado e tornou-se um grande leão. Mas foi capturado e levado para o Egito (2Rs 23.30-34). Não se deve levar muito seriamente as descrições que exaltam este homem. Os vss. 6,7 não descrevem acuradamente as realizações de Jeoaquim. O autor emprega a *licença poética* para melhorar suas descrições. Afinal, o rei era um *leão* que inspirou certo exagero na descrição. Não há nenhuma referência aqui às mães biológicas dos reis. A leoa é Judá, a mãe universal.

■ **19.4**

וַיִּשְׁמְעוּ אֵלָיו גּוֹיִם בְּשַׁחְתָּם נִתְפָּשׂ וַיְבִאֻהוּ בַחַחִים אֶל־אֶרֶץ מִצְרָיִם:

As nações ouviram falar dele. O faraó Neco II colocou *Jeoaquim* no trono de Jeoacaz. Foi obrigado a seguir uma política pró-Egito para manter seu poder; isto quer dizer que ele se opôs à Babilônia. Ver as profecias de Jeremias sobre o infeliz Jeoacaz (Jr 22.10-12). Ele também profetizou contra os outros reis e suas alianças (Jr 13.18-10; 22.24-30). Os assírios caçavam leões por esporte. A caça era proclamada por grandes barulhos, homens batendo em tambores, soprando trombetas, gritando e, de modo geral, preparando-se para matar os pobres animais "por diversão". Neco II agia assim, praticando um esporte doentio em relação ao rei de Judá.

Foi ele apanhado na cova... e levado com ganchos para a terra do Egito. Os *ganchos*, aqui, são literalmente *anéis de* *nariz*. Outras versões falam em *cadeias*. Ver as notas sobre o vs. 3 para detalhes. Ver 2Rs 23.33 e 2Cr 36.4. O pobre homem foi levado para o Egito e confinado numa *cova*, como se fosse um animal. Antes de habitar naquela cova, foi apanhado na "cova da caça": o buraco era coberto com ramos de árvores e arbustos; os caçadores perseguiam o animal em direção à cova; ele caía e ficava à mercê dos caçadores cruéis. Os cachorros tinham a sua parte neste "esporte", latindo e assustando o animal, e guiando os caçadores através de seu infalível olfato.

Jeoacaz foi deposto pelo faraó Neco II. O pobre rei de Judá foi levado com ganchos no nariz, para evitar qualquer resistência. O gancho era ligado a uma corda, e um escravo (ou soldado raso) tinha a tarefa de conduzir o rei, à força. Cf. o vs. 9. Uma vez no Egito, foi colocado numa jaula. Ele morreu no cativeiro (2Rs 23.31-34; Jr 22.11,12). Ver suas ações de leão no vs. 6.

O Amargo Destino de Jeoaquim (19.5-9)

■ 19.5

וַתֵּרֶא כִּי נוֹחֲלָה אָבְדָה תִּקְוָתָהּ וַתִּקַּח אֶחָד מִגֻּרֶיהָ
כְּפִיר שָׂמָתְהוּ:

Tomou outros dos seus cachorrinhos. Outro filhote da magnífica mãe, Judá, a leoa, era Jeoaquim. Ele recebeu tratamentos lastimáveis da Babilônia, um leão mais poderoso do que ele. Vendo o destino amargo do primeiro leãozinho, a mãe se mostrou frustrada e perdida (desconcertada, RSV); não foi diferente no caso do segundo. O primeiro estava perdido. Quando ele não voltou para a cova, a mãe preparou outro para assumir o poder. Mas o segundo, *Jeoaquim*, foi capturado e levado para a Babilônia. Reinou somente três meses, antes de seu cativeiro. Zedequias não pode estar em vista, como alguns intérpretes argumentam. Ele foi feito rei por Nabucodonosor, não pela leoa. Ver o relato em 2Rs 23.34. Restritamente falando, Jeoaquim foi designado rei por Neco II, um poder estrangeiro, mas nesta alegoria a leoa fez o serviço. Jeoacaz e Jeoaquim eram irmãos e sofreram destinos semelhantes.

■ 19.6

וַיִּתְהַלֵּךְ בְּתוֹךְ־אֲרָיוֹת כְּפִיר הָיָה וַיִּלְמַד לִטְרָף־
טֶרֶף אָדָם אָכָל:

Licença Poética. O profeta exerce, de novo, sua licença poética, glorificando o segundo leão, "andando entre os leões" e presumivelmente fazendo façanhas. Mas o pobre homem reinou somente três meses e não teve tempo suficiente para distinguir-se. Foi levado para a Babilônia e morreu numa prisão miserável (segundo algumas tradições). Não teve tempo para realizar conquistas militares. No seu curto reinado, mostrou-se forte na opressão social, e alguns intérpretes acham que isto está em vista, mas tal interpretação é forçada. Ver Jr 22.13-17. As tradições em relação a este homem são confusas. Algumas falam de seu exílio e morte na Babilônia. Outras dizem que morreu em Jerusalém. Ver as notas sobre este problema, na introdução ao capítulo. Cf. 2Rs 24.1-6. Alguns intérpretes substituem Jeoaquim por Zedequias, afirmando que, de fato, ele é que foi levado para a Babilônia e ali morreu. O profeta apresenta uma história abreviada, ignorando alguns detalhes que poderiam esclarecer o assunto. Sua alegoria não tinha a intenção de relatar, com precisão, a história envolvida.

■ 19.7

וַיֵּדַע אַלְמְנוֹתָיו וְעָרֵיהֶם הֶחֱרִיב וַתֵּשַׁם אֶרֶץ וּמְלֹאָהּ
מִקּוֹל שַׁאֲגָתוֹ:

A Licença Poética Opera Novamente. Este rei reinou somente três meses e não poderia ter feito o que se relata aqui. Não conquistou cidades nem fez muitas viúvas, matando soldados inimigos. De novo, alguns intérpretes falam das opressões sociais que fizeram viúvas, mas o que isto tem que ver com a conquista de *cidades*? O profeta exerce sua licença poética, descrevendo *proezas reais* que fizeram parte da alegoria, mas não da realidade histórica.

■ 19.8

וַיִּתְּנוּ עָלָיו גּוֹיִם סָבִיב מִמְּדִינוֹת וַיִּפְרְשׂוּ עָלָיו רִשְׁתָּם
בְּשַׁחְתָּם נִתְפָּשׂ:

Então se ajuntaram contra ele as gentes das províncias. A Babilônia dispunha de um *exército internacional*, uma força que Judá-Jerusalém não tinha chance de vencer. Com metáforas sobre caçadas, o autor descreve essa força irresistível: 1. Era como laços colocados em toda a parte, para pegar um grande número de animais. 2. Era como uma rede que pegaria o rei de Judá. 3. Era como uma cova preparada para capturar o rei.

E foi apanhado na cova que elas fizeram. Uma variedade de infortúnios destruiu Jeoaquim. Ele ficou encarcerado na Babilônia, durante 37 anos, até que, finalmente, foi liberado. A partir daí, ele foi favorecido pelo resto da vida, mas nunca voltou a seu país. Ver 2Rs 24.8-17; 25.27,30; e Jr 52.31-34, para as circunstâncias históricas.

A aliança babilônica era formada pela Babilônia, Síria, Moabe e Amom (2Rs 24.2). Muitos mercenários e soldados de outras nações foram forçados a lutar. Aquele exército servia de chicote nas mãos de Yahweh, para efetuar seus julgamentos.

■ 19.9

וַיִּתְּנֻהוּ בַסּוּגַר בַּחַחִים וַיְבִאֻהוּ אֶל־מֶלֶךְ בָּבֶל
יְבִאֻהוּ בַּמְּצֹדוֹת לְמַעַן לֹא־יִשָּׁמַע קוֹלוֹ עוֹד אֶל־הָרֵי
יִשְׂרָאֵל: פ

Com gancho meteram-no em jaula. Depois do ataque inicial, o rei, desamparado, foi levado com ganchos no nariz, acompanhado por um jugo de pescoço (hebraico, *sugar*). Nessa condição deplorável, foi levado cativo para a Babilônia. Ficou na prisão 37 longos anos, até que *Evil-Merodoque* (ver a respeito no *Dicionário*) o libertou. Ele era filho de Nabucodonosor. O rei de Judá recebeu favores no final da sua vida, mas nunca saiu da Babilônia. Ver 2Rs 25.27 ss.; Jr 52.31-34. Ver *ganchos de nariz*, em Ez 29.4 e Is 37.29. No lugar de *jugo de pescoço* (gancho), alguns falam em "gaiola", seguindo o vocábulo acadiano *sigaru*, que fala de uma *gaiola* para veados capturados, cães, leões ou qualquer outro animal confinado. Assurbanipal jactava-se de ter confinado o rei da Arábia numa gaiola e, assim, tê-lo humilhado totalmente (ver Lukenbill, II, 314, *Ancient Records of Assyria and Babylonia*).

Para que não se ouvisse mais a sua voz. *A voz do leão* não foi ouvida mais em Judá. O leão de Judá não mais assustou os animais da floresta. Seu rugido foi silenciado para sempre. O leão tornou-se um cachorro numa gaiola, humilhado, desamparado.

A Alegoria da Videira Arruinada: O Destino Lastimável de Zedequias (19.10-14)

■ 19.10

אִמְּךָ כַגֶּפֶן בְּדָמְךָ עַל־מַיִם שְׁתוּלָה פֹּרִיָּה וַעֲנֵפָה
הָיְתָה מִמַּיִם רַבִּים:

tua mãe... era qual videira. Entra em cena o terceiro leãozinho da magnífica mãe (Judá). Outro canto fúnebre "celebra" o fim daquela potência, isto é, *Zedequias*. Mas agora, numa nova alegoria, a leoa torna-se uma videira. Assim, temos *a alegoria da videira arruinada*.

Plantada junto às águas. *A videira* foi bem regada e floresceu. Era cheia de vida, gozava de muitos prazeres e tinha uma vida produtiva. O rei, chefe daquele país, compartilhava todas essas vantagens. Cf. a alegoria deste texto com a metáfora de Ez 17.5,8 e Jr 17.5-8. A *uva* era um dos produtos mais importantes da Palestina, e é natural que tenha sido empregada várias vezes, nas Escrituras, para falar do povo de Deus. Ver Is 5.1-7; Ez 15.1-8; Mt 21.33-41 e Jo 15.1-8.

Videira no seu Sangue. Assim diz o texto massorético, literalmente. Estas palavras têm consternado os intérpretes, que oferecem uma variedade de emendas e explicações. Talvez signifique que ela "vivesse no sangue" de seus filhos, isto é, "nas suas vidas". Talvez a leitura seja corrupta. A RSV simplesmente substitui as palavras por "na sua videira". Ver no *Dicionário* o artigo chamado *Massora (Massorah); Texto Massorético*.

Possivelmente a referência é a Zedequias, e "no seu sangue" quer dizer "no sangue real", a fonte da autoridade dos reis de Judá.

■ 19.11

וַיִּהְיוּ־לָהּ מַטּוֹת עֹז אֶל־שִׁבְטֵי מֹשְׁלִים וַתִּגְבַּהּ קוֹמָתוֹ עַל־בֵּין עֲבֹתִים וַיֵּרָא בְגָבְהוֹ בְּרֹב דָּלִיֹּתָיו׃

Tinha varas fortes para cetros dominadores. A *haste* mais forte da videira foi empregada para fazer um cetro para o rei. Mas note-se bem o plural: *varas*. Isto fala dos muitos reis fortes de Judá. O último dos cetros elevou-se acima dos outros. O povo admirava sua imensa altura. Isto fala do passado glorioso, quando Israel-Judá tinha muitos líderes poderosos, e de Zedequias, o *último* deles. De fato, este homem foi o último representante da linhagem real de Davi. O cativeiro babilônico acabou com a casa real de Davi.

Alguns intérpretes fazem a própria videira elevar-se acima dos ramos, o que significa que Judá se exaltou sobremaneira, só para ser, afinal, humilhado diante de todos os reinos do mundo.

Espessos ramos. Literalmente, *nuvens*, expressão hiperbólica para indicar a *excelência* de Israel. A videira glorificada e seus ramos espessos não foram suficientes para enfrentar o exército babilônico, a maior força da época. Aquele era o dia da Babilônia, como mostram os versículos seguintes.

■ 19.12

וַתֻּתַּשׁ בְּחֵמָה לָאָרֶץ הֻשְׁלָכָה וְרוּחַ הַקָּדִים הוֹבִישׁ פִּרְיָהּ הִתְפָּרְקוּ וְיָבֵשׁוּ מַטֵּה עֻזָּהּ אֵשׁ אֲכָלָתְהוּ׃

Mas foi arrancada com furor. A fúria do exército babilônico arrancou a videira do chão, com terrível violência. Depois, o *Vento Oriental* (ver a respeito no *Dicionário*) eliminou qualquer vestígio de vida que restasse na videira. Aquele vento secou a planta totalmente. Apenas a morte sobrou. A videira não tinha mais vida, não tinha mais utilidade e, assim, foi jogada ao fogo e totalmente consumida. Alguns intérpretes acham que este ato se aplica, especialmente, a Zedequias e seu fim triste. Ele era a *haste principal* de Judá nos seus dias finais. Cf. Ez 17.9,10. Ver também 2Reis 24.14-16. A ira de Yahweh estava por trás de todas as ações do exército babilônico. Era o dia de julgamento de Judá-Jerusalém, a grande apóstata. O pouco que sobrou do país foi transplantado para o deserto (significando o *cativeiro*). Ver o vs. 13.

■ 19.13

וְעַתָּה שְׁתוּלָה בַמִּדְבָּר בְּאֶרֶץ צִיָּה וְצָמָא׃

Agora está plantada no deserto, numa terra seca e sedenta. A videira, uma vez próspera, saudável e gozando de uma abundância de água que sustentava sua vida privilegiada, foi arrancada do chão com suas raízes e transplantada para o deserto, um lugar extremamente seco que não podia sustentar a vida. Com esta metáfora, o autor fala do *cativeiro babilônico* (ver a respeito no *Dicionário*). A Babilônia, *rica* para seus próprios habitantes, era um *deserto* para o pequeno remanescente de Jerusalém. Até no cativeiro, a espada continuava sua matança (ver Jr 9.16; Ez 12.14). A vida tornou-se insuportável. Era a vingança de Yahweh contra a idolatria-adultério-apostasia de Judá—Jerusalém.

■ 19.14

וַתֵּצֵא אֵשׁ מִמַּטֵּה בַדֶּיהָ פִּרְיָהּ אָכָלָה וְלֹא־הָיָה בָהּ מַטֵּה־עֹז שֵׁבֶט לִמְשׁוֹל קִינָה הִיא וַתְּהִי לְקִינָה׃ פ

Das varas dos seus ramos saiu fogo. O fogo se espalhou da haste principal para os ramos, consumindo tudo no seu caminho.

Já não há nela vara forte que sirva de cetro para dominar. Quando Zedequias se revoltou contra a Babilônia, atraiu o fogo todo-consumidor. Ele e todo o país foram consumidos no meio de agonia e desespero. Nenhuma haste escapou e foi impossível para o país sobreviver. Nenhum rei surgiria. Zedequias foi o último rei da linhagem da casa real de Davi. Somente o Messias poderia reverter essa situação. A casa real de Davi voltará, mas somente no *dia escatológico*.

Esta é a lamentação. O profeta entoou o canto fúnebre e os poucos sobreviventes o acompanharam. "Até o dia de hoje, Israel está sujeito àquela lamentação" (Adam Clarke, *in loc.*). Não haverá mais fruto em Israel, até o Messias vir tomar conta daquele país, quando "todo o Israel será salvo" (Rm 11.26).

CAPÍTULO VINTE

A APOSTASIA E A RESTAURAÇÃO DE ISRAEL (20.1-49)

Na Bíblia hebraica, o capítulo 20 se constitui dos vss. 1-44, enquanto os vss. 45-49 fazem parte do capítulo 21.

Os vss. 1-44 naturalmente se dividem em duas unidades: 1. *Vss. 1-31:* a descrição da apostasia de Israel-Judá. 2. *Vss. 32-44:* a restauração do país.

A história inteira de Israel-Judá era corrupta. Cada geração caiu em suas próprias formas de apostasia, e cada geração sofreu, consequentemente, as devidas punições. Somente o grande amor de Yahweh poderia ter preservado um povo em meio às destruições múltiplas. Esse amor funcionava todas as vezes, efetuando seu ministério de salvação. Os vss. 1-44 são, essencialmente, um sermão para o benefício da *diáspora*, encorajando o povo a ter esperança na restauração, que viria, afinal.

Lições Importantes. As profecias dos capítulos 20-24, contra Judá-Jerusalém, relatam certos episódios históricos, tirando deles importantes lições morais e espirituais. Cf. os capítulos 16 e 21, que são parabólicos. Os capítulos 20 e 23 não empregam parábolas ou alegorias, mas falam diretamente com palavras fáceis de entender. Lições apropriadas são oferecidas por uma variedade de métodos.

O tema principal desta seção (também o principal do próprio livro) é uma severa advertência da destruição iminente que pegaria de surpresa o pecaminoso Judá. O apóstata não sobreviveria. A queda de Jerusalém era iminente, e sua delusão de segurança logo se comprovaria insensata.

Israel-Judá Sempre Rebelde, Sempre Apóstata (20.1-32)

O passado do país não fora brilhante, muito menos o seu presente.

O Oráculo aos Anciãos (20.1-4)

■ 20.1

וַיְהִי בַּשָּׁנָה הַשְּׁבִיעִית בַּחֲמִשִׁי בֶּעָשׂוֹר לַחֹדֶשׁ בָּאוּ אֲנָשִׁים מִזִּקְנֵי יִשְׂרָאֵל לִדְרֹשׁ אֶת־יְהוָה וַיֵּשְׁבוּ לְפָנָי׃ ס

No quinto mês do sétimo ano, aos dez dias do mês. A data indicada neste versículo é primeiro de setembro de 590 a.C. Outros calculam o dia 13 de agosto de 591 a.C. Alguns intérpretes supõem que originalmente essa data estivesse relacionada às circunstâncias descritas em Ez 20.45-49. Sua colocação, neste caso, seria duvidosa. Ver o paralelo em Ez 14.1-11. Os anciãos aqui não são o corpo-governador de Judá, mas os líderes do pequeno remanescente do povo cativo na Babilônia. Houve uma relação ruim entre aqueles homens e o profeta. Eles não aceitaram de bom grado os ataques contra seus pecados e corrupções. Eram os hipócritas de sempre. Yahweh mandou o profeta condenar aqueles homens falsos e iníquos (vs. 4). Cf. Ez 22.2 e 23.36. O texto não informa sobre o que aqueles líderes perguntaram ao profeta, mas provavelmente tinha alguma coisa a ver com "restauração" ou "vida melhor". Podemos ter certeza de que eles não tinham interesse no arrependimento nem na espiritualidade. Queriam tudo sob suas próprias condições, não segundo as condições impostas por Yahweh. Não se mostraram dignos de consultar Yahweh e perguntar coisa alguma a seu profeta autorizado. Ficaram num estado abominável, moral e espiritualmente falando.

Cf. os capítulos 8 e 14. Os oráculos foram provocados em todos estes casos mencionados pela inquirição dos anciãos.

O capítulo 20 relata a história de Israel, repetindo advertências tão frequentemente dadas pelos profetas. Cf. Ne 9 e Sl 78. Ver também o discurso em At capítulo 7, que é semelhante. Essencialmente, este capítulo repete, com palavras não metafóricas, o que foi falado na alegoria do capítulo 16.

20.2

וַיְהִ֥י דְבַר־יְהוָ֖ה אֵלַ֥י לֵאמֹֽר׃

Então veio a mim a palavra do Senhor. Esta declaração comumente introduz novos materiais ou oráculos, em Ez. Lembra que era Yahweh a fonte das mensagens; portanto, houve inspiração divina. Também ressalta que Ezequiel era profeta autorizado, merecedor do respeito de todos. Cf. Ez 13.1; 14.2 e 16.1.

20.3

בֶּן־אָדָ֗ם דַּבֵּ֞ר אֶת־זִקְנֵ֤י יִשְׂרָאֵל֙ וְאָמַרְתָּ֣ אֲלֵהֶ֔ם כֹּ֤ה אָמַר֙ אֲדֹנָ֣י יְהוִ֔ה הֲלִדְרֹ֥שׁ אֹתִ֖י אַתֶּ֣ם בָּאִ֑ים חַי־אָ֗נִי אִם־אִדָּרֵ֤שׁ לָכֶם֙ נְאֻ֖ם אֲדֹנָ֥י יְהוִֽה׃

Filho do homem. Yahweh sempre utilizou este título para dirigir-se ao profeta. Ver Ez 2.1,3,6,8; 3.1; 4.1; 5.1; 7.2; 12.2.

A Indignidade dos Líderes. Os líderes não mereciam nenhuma mensagem de Yahweh. Já haviam rejeitado suas revelações, na lei de Moisés e nas declarações dos profetas. Ouviriam uma única comunicação: "O julgamento é iminente". Não receberiam nenhuma palavra encorajadora. Cf. Ez 14.1,3,4. O profeta não informa a natureza da pergunta, mas podemos ter certeza de que se relacionava ao "bem-estar" esperado pelos homens reprovados. Quiseram restauração e bem-estar, sem cumprir as condições da justiça de Yahweh, sem obedecer à lei de Moisés. Quiseram ouvir uma "boa palavra" do profeta, mas o que ele falou não era bom para eles. Sua idolatria-adultério-apostasia não podia continuar. Quiseram benefícios sem o devido arrependimento. Desejaram o fim do cativeiro, para pecar mais livre e abundantemente. A restauração chegaria em setenta anos, mas aqueles miseráveis líderes não veriam esse dia. Ver Jr 25.11. Talvez seus filhos fizessem melhor do que eles e recebessem a bênção de Yahweh, no novo dia em Jerusalém.

Tão certo como eu vivo, diz o Senhor Deus. *Adonai-Yahweh* (o Soberano Eterno) fez um juramento por sua própria vida, isto é, um juramento verdadeiro, poderoso e de realização garantida. Este título divino fala da *Soberania de Deus* (ver a respeito no *Dicionário*). Yahweh controlava e controlará tudo, inclusive o destino de indivíduos e de nações. Em vez de responder a uma pergunta específica, a resposta de Yahweh era um *discurso condenador,* que revisava a história deplorável de Israel.

20.4

הֲתִשְׁפֹּ֣ט אֹתָ֔ם הֲתִשְׁפּ֖וֹט בֶּן־אָדָ֑ם אֶת־תּוֹעֲבֹ֥ת אֲבוֹתָ֖ם הוֹדִיעֵֽם׃

Julgá-los-ias tu, ó filho do homem? O profeta traria uma sentença contra aqueles homens perversos, cumprindo seu ofício de juiz e advogado. Representava o Juiz celestial que se cansara da perversidade daqueles apóstatas hipócritas. O Juiz falou a palavra de condenação, não uma palavra de encorajamento.

Faze-lhes saber as abominações de seus pais. Yahweh já tinha perdido a paciência. O profeta entregou uma mensagem de condenação. Judá-Jerusalém continuaria sofrendo pelo chicote dos estrangeiros; no fim, seria "devorado pelos monstros". Os pais daqueles homens tinham sido abomináveis, e eles continuaram com as mesmas práticas. Ver no *Dicionário* o artigo intitulado *Abominação.* Esta palavra normalmente se refere à prática da idolatria acompanhada por todo o tipo de degradação.

"O capítulo inteiro é um relato da história da infidelidade, ingratidão, rebelião e idolatria dos hebreus. Segue a linha toda da história triste dos pais até o dia do profeta Ezequiel. Esta passagem vindica os julgamentos de Deus sobre *todos eles*" (Adam Clarke, *in loc.*). O capítulo ilustra a *Lei Moral da Colheita segundo a Semeadura* (ver a respeito no *Dicionário*). O profeta funcionava como um advogado da prossecução. Era o promotor público designado por Yahweh para examinar o caso.

A Apostasia no Egito (20.5-8)

20.5

וְאָמַרְתָּ֣ אֲלֵיהֶ֗ם כֹּֽה־אָמַר֮ אֲדֹנָ֣י יְהוִה֒ בְּיוֹם֙ בָּחֳרִ֣י בְיִשְׂרָאֵ֔ל וָאֶשָּׂ֣א יָדִ֗י לְזֶ֙רַע֙ בֵּ֣ית יַעֲקֹ֔ב וָאִוָּדַ֥ע לָהֶ֖ם בְּאֶ֣רֶץ מִצְרָ֑יִם וָאֶשָּׂ֨א יָדִ֤י לָהֶם֙ לֵאמֹ֔ר אֲנִ֖י יְהוָ֥ה אֱלֹהֵיכֶֽם׃

No dia em que escolhi a Israel... Israel começou como nação no cativeiro no Egito. Antes do êxodo naquele lugar, Israel tornou-se uma nação numerosa, com cerca de 6 milhões de pessoas. No início, *Adonai-Yahweh* (o Soberano Eterno) favoreceu Jacó e seus descendentes. Usou sua soberania de modo positivo e benéfico. Houve o *Pacto Abraâmico* (anotado em Gn 15.18) que deu poderosas promessas à nação, condicionadas pela obediência às direções divinas, concretizadas (num tempo posterior) na lei de Moisés. Yahweh formou aquela nação para ser um povo *distinto* (ver Dt 4.4-8), que tinha o destino de ser o professor espiritual do mundo. Todas as nações seriam abençoadas em Israel.

A *mão* de Yahweh tirou o povo do Egito e o guiou no deserto; deu a lei para ser o seu *guia* (Dt 6.4 ss.). Ver sobre *mão* (o agente divino), em Sl 81.4; e sobre *mão direita,* em Sl 20.6.

Escolhi a Israel. A ideia da *raça escolhida* começou no *Pacto Abraâmico* e continuou no *Pacto Mosaico* (ver na introdução a Êx 19), tornando-se parte permanente da mentalidade dos judeus. Cf. Dt 4.37; 7.6,7; 10.15; 14.2; Jr 23.24; Is 48.

O Ato Soberano. O texto deixa claro que o Poder do alto agia em favor de Israel, ou nada de especial poderia ter acontecido. Israel existia porque Yahweh agiu; Israel continuava porque Yahweh agiu. A mão poderosa do soberano deu um golpe severo no Egito, e o "filho" de Yahweh foi libertado (ver Êx 4.22). Ver Êx 3.11-17 e 6.2-8, que mencionam a mão divina. A libertação e o *juramento divino* garantiram a realização da vontade de Deus. O êxodo era a porta aberta para a Terra Prometida, uma terra abençoada, rica em recursos, que manava leite e mel (Êx 3.8,17; Lv 20.24).

Levantei-lhes a minha mão. 1. Para golpear; 2. para fazer um juramento; ou para os dois. Cf. Hb 6.17,18.

20.6

בַּיּ֣וֹם הַה֗וּא נָשָׂ֤אתִי יָדִי֙ לָהֶ֔ם לְהוֹצִיאָ֖ם מֵאֶ֣רֶץ מִצְרָ֑יִם אֶל־אֶ֜רֶץ אֲשֶׁר־תַּ֣רְתִּי לָהֶ֗ם זָבַ֤ת חָלָב֙ וּדְבַ֔שׁ צְבִ֥י הִ֖יא לְכָל־הָאֲרָצֽוֹת׃

Jurei. Yahweh fez seu juramento com a mão levantada, segundo o costume dos antigos. O Egito seria julgado e Israel seria libertado. Moisés seria o instrumento principal que Yahweh utilizaria para efetuar seu propósito. A libertação do Egito significou também a entrega da Terra Prometida para eles como lugar de habitação. Aquela terra tinha a reputação de ser fértil e rica; era um lugar altamente desejável para se morar.

Mana leite e mel, coroa de todas as terras. Cf. o vs. 15 e Êx 3.7,8,17; Lv 20.24; Dt 6.3; 11.9; 26.15. Para a *mão levantada,* ver Ez 20.5 (duas vezes),15,23,42; Êx 6.8; Ne 9.15; Sl 106.26; Ez 36.7; 44.12; 47.14.

A Palestina é representada como a melhor das terras. Cf. Dt 8.7,8; Dn 8.9; 7.14; era a "terra agradável". O Targum, aqui, tem: "... era o louvor de todas as províncias". Segundo a opinião nacionalista do autor, era a "coroa de todas as terras", a mais agradável, elevada e abençoada por Deus, o *Rei* da terra.

20.7

וָאֹמַ֣ר אֲלֵהֶ֗ם אִ֣ישׁ שִׁקּוּצֵ֤י עֵינָיו֙ הַשְׁלִ֔יכוּ וּבְגִלּוּלֵ֥י מִצְרַ֖יִם אַל־תִּטַּמָּ֑אוּ אֲנִ֖י יְהוָ֥ה אֱלֹהֵיכֶֽם׃

Lance de si as abominações de que se agradam os seus olhos. "Não foi o receio que os hebreus tinham dos egípcios que os forçou a adotar a idolatria daquele lugar; foi a cobiça tola do próprio coração deles. Ez 6.9; 18.6" (Fausset, *in loc.*).

Não vos contamineis com os ídolos do Egito; eu sou o Senhor vosso Deus. *Do Início.* Quando a nação *começou,* já estava infeccionada com a idolatria egípcia. *Abundantes* deuses falsos eram adotados pelos hebreus, cada um escolhendo seu "deus favorito" e os ídolos que pertenciam ao culto. Suas práticas tornaram-se "odiosas" para Yahweh. A nação inteira ficou *imunda.* Ver no *Dicionário* o artigo chamado *Limpo e Imundo.* O povo *cobiçou* as abominações do Egito. *Adonai-Yahweh* (o Soberano Eterno) deu advertências adequadas para evitar desastres, mas nada impressionou aquele povo. A nação escolhida tornou-se *imunda*. Os imundos ficaram *rebeldes*. Yahweh, o Benfeitor, tornou-se o Juiz e Destruidor. A ele, deviam dez mil obrigações, mas absolutamente nada "aos deuses" falsos. Ver no *Dicionário* o artigo chamado *Deuses Falsos* e, também, *Idolatria*. Estes artigos ilustram bem a doença do politeísmo dos antigos.

■ 20.8

וַיַּמְרוּ־בִי וְלֹא אָבוּ לִשְׁמֹעַ אֵלַי אִישׁ אֶת־שִׁקּוּצֵי
עֵינֵיהֶם לֹא הִשְׁלִיכוּ וְאֶת־גִּלּוּלֵי מִצְרַיִם לֹא עָזָבוּ
וָאֹמַר לִשְׁפֹּךְ חֲמָתִי עֲלֵיהֶם לְכַלּוֹת אַפִּי בָּהֶם בְּתוֹךְ
אֶרֶץ מִצְרָיִם:

Rebelaram-se contra mim. A cobiça de seus olhos logo transformou aqueles apóstatas em *rebeldes* notórios. Eles deixaram de ouvir as palavras da lei; pararam de cultivar o culto a Yahweh; envolveram-se em todo tipo de deboche; adotaram os cultos dos deuses inexistentes, os "deuses de nada". Mudaram sua lealdade de Yahweh para as abominações, provocando sofrimentos que podiam ter evitado. Parte da filosofia da história de Israel deve-se a esta crença firme: o que Israel sofreu durante o curso de sua existência dependeu, em parte, da rebelião do povo no Egito e no deserto. Somente as misericórdias de Deus salvaram a nação naquele tempo. O *Pacto Abraâmico* não foi anulado somente porque *Yahweh* preservou e, ao longo do caminho, repetidamente, restaurou o povo rebelde. Cf. Ez 16.3,19, que confirmam que Israel era uma nação idólatra no Egito, isto é, no início de sua existência como nação.

A Apostasia no Deserto (20.9-26)

■ 20.9

וָאַעַשׂ לְמַעַן שְׁמִי לְבִלְתִּי הֵחֵל לְעֵינֵי הַגּוֹיִם אֲשֶׁר־
הֵמָּה בְתוֹכָם אֲשֶׁר נוֹדַעְתִּי אֲלֵיהֶם לְעֵינֵיהֶם
לְהוֹצִיאָם מֵאֶרֶץ מִצְרָיִם:

O que fiz, porém, foi por amor do meu nome. Prosseguindo com a história de Israel, chegamos ao deserto. Vemos as coisas piorando a cada ano que passa. O amor divino não permitiu que nenhum julgamento *fatal* caísse, mas muitos julgamentos e sofrimentos castigaram o povo rebelde. O *nome* de Yahweh estava em jogo. Fora ele quem criara e confirmara o *Pacto Abraâmico*. Era o cossignatário do Pacto. Seu nome não podia ser profanado entre as nações. Ele havia libertado Israel do Egito e o protegera no deserto, a despeito de suas inumeráveis infrações e abominações. Ver no *Dicionário* o artigo chamado *Nome*, e ver também Sl 31.3. Ver sobre *Santo Nome*, em Sl 30.4 e 33.21. O *nome* representa a pessoa e suas qualidades e atributos. O ato de *pronunciar* o nome Yahweh, para o hebreu devoto, significava a capacidade de realizar praticamente qualquer façanha. Cf. os vss. 14 e 22, que são essencialmente iguais ao presente versículo.

Cf. Êx 32.12; Dt 9.28 e 32.27,28.

"Eu os aguentei, e não os castiguei fatalmente, para que as nações não pensassem que *quebrei* as promessas que fiz a eles, ou que não tinha o poder para realizá-las" (Adam Clarke, *in loc.*).

■ 20.10

וָאוֹצִיאֵם מֵאֶרֶץ מִצְרָיִם וָאֲבִאֵם אֶל־הַמִּדְבָּר:

Tirei-os da terra do Egito e os levei para o deserto. A despeito de suas falhas horrorosas, Yahweh tirou seu povo do Egito e, gentilmente, o dirigiu no deserto, onde começou a *segunda fase* da história de Israel. Aquele povo enfrentaria nova série de provações e tentações e seria totalmente aniquilado sem a presença de Yahweh. Este período incluiu as vagueações no deserto, a doação da lei, o estabelecimento do tabernáculo e do culto de Yahweh e um pacto legal (ver as notas sobre o *Pacto Mosaico* na introdução a Êx 19).

Eles obtiveram libertação de *maneira espetacular*. Foram guiados de *maneira milagrosa;* foram preservados no meio de forças destrutivas poderosas. Mesmo assim, abandonaram repetidamente Yahweh e seu culto, e caíram na descrença e nas abominações dos pagãos.

■ 20.11

וָאֶתֵּן לָהֶם אֶת־חֻקּוֹתַי וְאֶת־מִשְׁפָּטַי הוֹדַעְתִּי אוֹתָם
אֲשֶׁר יַעֲשֶׂה אוֹתָם הָאָדָם וָחַי בָּהֶם:

Dei-lhes os meus estatutos. A lei de Moisés foi dada para fazer de Israel-Judá um povo *distinto* (Dt 4.4-8). Todas as provisões exigiram obediência aos estatutos (mandamentos) e às prescrições (observações rituais, cerimoniais). Toda a lei era altamente moral para os judeus. Ver a designação *tríplice* da lei, em Dt 6.1. O Targum menciona que a lei *dá vida* (ver Dt 4.1; 5.22; 6.2; Ez 20.11). O Targum assegura que isto é válido tanto para a vida física como para a vida eterna. Originalmente, no Pentateuco, a *vida* era longa e próspera, evitando a morte prematura, que tanto assustava a mentalidade hebraica. Somente nos Salmos e Profetas, a ideia da existência e sobrevivência da alma começou a entrar. Não sabemos até que ponto a teologia de Ezequiel chegou. Cf. Dt 30.15-20. Ver os artigos chamados *Imortalidade* e *Alma,* no *Dicionário* e, também, na *Enciclopédia de Bíblia, Teologia e Filosofia*.

MUGIDOS E BALIDOS INSENSATOS

Que mugidos e balidos insensatos são esses?
Quem trouxe esses touros ruidosos
E essas cabras berradoras
Até a porta do santuário?
A esta porta do santuário de minha alma?

Que ruídos estranhos são esses que
Desviam a minha mente dos céus?

Os prazeres mundanos, sua fama, suas vantagens
São apenas touros ruidosos e cabras berradoras;
Ruidosos e fedorentos, exigem admissão,
Saltitando loquazmente à porta,
A presença fragrante de Deus e do bem
Não tardarão a dissipar.

Russell Norman Champlin

OS DEVERES E A REBELIÃO

Dei-lhes os meus estatutos, e lhes fiz conhecer os meus juízos, os quais cumprindo-os o homem viverá por eles.

...

Mas a casa de Israel se rebelou contra mim no deserto, não andando nos meus estatutos e rejeitando os meus juízos, os quais, cumprindo-os o homem, viverá por eles; e profanaram grandemente os meus sábados. Então eu disse que derramaria sobre eles o meu furor no deserto, para os consumir.

Ezequiel 20.11,13

■ 20.12

וְגַם אֶת־שַׁבְּתוֹתַי נָתַתִּי לָהֶם לִהְיוֹת לְאוֹת בֵּינִי
וּבֵינֵיהֶם לָדַעַת כִּי אֲנִי יְהוָה מְקַדְּשָׁם:

Também lhes dei os meus sábados. O *sábado* era o *sinal* do *Pacto Mosaico* (anotado na introdução a Êx 19). O povo de Israel era *santificado* pela lei, de modo geral, e especificamente pela observação do sábado. Cf. Êx 31.13-17. O sábado era consagrado e, com ele, também o povo. Ver Lv 20.8; Jr 17.19-27. Nenhum pacto do Senhor podia funcionar sem um povo santificado; por sua vez, o pacto exigiu um dia da semana para uma observação especial do culto a Yahweh. Ver Ez 23.38; Ne 13.17,18. Ver no *Dicionário* o artigo intitulado *Sábado,* para maiores detalhes. A observação do sábado fazia parte dos Dez Mandamentos originais (Êx 20.8). Ver no *Dicionário* o artigo intitulado *Dez Mandamentos*.

Para que soubessem que eu sou o Senhor que os santifica. Este versículo enfatiza que Yahweh se torna conhecido quando seu povo é santificado e pratica seu culto. Yahweh tornou-se *conhecido* universalmente através de seus julgamentos e restaurações subsequentes. Ver este assunto anotado na última parte da exposição do vs. 26.

■ 20.13

וַיַּמְרוּ־בִי בֵית־יִשְׂרָאֵל בַּמִּדְבָּר בְּחֻקּוֹתַי לֹא־הָלָכוּ
וְאֶת־מִשְׁפָּטַי מָאָסוּ אֲשֶׁר יַעֲשֶׂה אֹתָם הָאָדָם וָחַי בָּהֶם
וְאֶת־שַׁבְּתֹתַי חִלְּלוּ מְאֹד וָאֹמַר לִשְׁפֹּךְ חֲמָתִי עֲלֵיהֶם
בַּמִּדְבָּר לְכַלּוֹתָם׃

A casa de Israel se rebelou. Os estatutos e prescrições (vs. 11), que tinham a função de dar vida, não foram obedecidos, e a morte nacional foi o resultado do ultraje. A r*ebelião* "quebrou as costas" da lei que dá vida. Os rebeldes chegaram ao absurdo de "detestar" a própria lei e as tradições antigas. Eles *poluíram* o culto a Yahweh com a adoção da idolatria dos pagãos. Violaram o *sinal* que os separava das demais nações, não observando o sábado. No deserto, rebelaram-se contra tudo o que o yahwismo simbolizava. Ver Êx 32.1-25; Nm 11.1-3; 12.1-16; 14.1-45; 16.1-50; 21.4-9; Lv 10.1,2. Adoraram o ridículo ídolo do bezerro de ouro e os deuses pagãos em Sitim (Nm 25.1-15). O trecho de Sl 106.6-39 elabora o assunto da rebelião de Israel e sua idolatria pagã. Jr 2.1-3 descreve as vagueações no deserto como um tempo de lealdade a Yahweh, mas esse texto está em oposição ao registro histórico.

Meu furor. A ira de Yahweh se excitou contra os rebeldes, mas a misericórdia e o amor de Deus não permitiram nenhuma destruição aniquiladora. O ataque babilônico foi terrível e quase total. Ver a violação do sábado durante o tempo das vagueações, em Êx 16.27 e Nm 15.32. Ver a *fúria* do Senhor, em Êx 16.27; 32.10 e Nm 15.12,32.

■ 20.14

וָאֶעֱשֶׂה לְמַעַן שְׁמִי לְבִלְתִּי הֵחֵל לְעֵינֵי הַגּוֹיִם אֲשֶׁר
הוֹצֵאתִים לְעֵינֵיהֶם׃

O que fiz, porém, foi por amor do meu nome. Este versículo repete os sentimentos do vs. 9: o *nome* de Yahweh tinha de ser *honrado* perante todas as nações, e não ridicularizado e profanado, o que aconteceria se Israel tivesse sofrido uma queda fatal e definitiva no deserto. A mão do julgamento não provocou uma queda fatal. Era a mesma mão que libertou o povo do Egito, operando outra maravilha. O *Nome* tirou o povo do Egito. O *Nome* representa tudo o que uma pessoa é, com suas características e atributos. Ver no *Dicionário* esse título.

Uma demonstração de poder e misericórdia se manifestou no deserto, mostrando que Yahweh não tinha a fraqueza de não cumprir seus propósitos e promessas. Ele era *vindicado* pelos acontecimentos, agindo com sabedoria.

■ 20.15

וְגַם־אֲנִי נָשָׂאתִי יָדִי לָהֶם בַּמִּדְבָּר לְבִלְתִּי הָבִיא
אוֹתָם אֶל־הָאָרֶץ אֲשֶׁר־נָתַתִּי זָבַת חָלָב וּדְבַשׁ צְבִי
הִיא לְכָל־הָאֲרָצוֹת׃

Levantei-lhes no deserto a minha mão. Ver esta expressão comentada no vs. 6. O autor emprega um *antropomorfismo* (ver a respeito no *Dicionário*), ao falar de Deus como falaria de um homem, atribuindo-lhe emoções e ações tipicamente humanas. Os homens, fazendo juramentos, levantaram a mão, em sinal da sinceridade das declarações feitas.

Jurei. Yahweh jurou que aquela geração apóstata não entraria na Terra Prometida, de leite e de mel, mas morreria miseravelmente no deserto. Somente Josué e Calebe entraram na Terra. Até Moisés, por causa do pecado (ver Nm 20.12; Dt 1.37; 3.23,26; 4.21), não entrou. Ver declarações semelhantes em Sl 95.11 e 106.26. Cf. Hb 3.11 e Nm 14.23-30.

Mana leite e mel, coroa de todas as terras. Estas palavras são repetições do vs. 6, onde há as notas.

■ 20.16

יַעַן בְּמִשְׁפָּטַי מָאָסוּ וְאֶת־חֻקּוֹתַי לֹא־הָלְכוּ בָהֶם וְאֶת־
שַׁבְּתוֹתַי חִלֵּלוּ כִּי אַחֲרֵי גִלּוּלֵיהֶם לִבָּם הֹלֵךְ׃

Rejeitaram os meus juízos. Este versículo repete, de forma abreviada, o vs. 13, onde dou as notas expositivas.

O seu coração andava após os seus ídolos. Aquele povo chegou a ponto de *dedicar-se* a formas pagãs de adoração, abandonando totalmente o culto ao Yahweh. Ver no *Dicionário* o artigo intitulado *Idolatria*. Os filhos de Abraão violaram o *Pacto Abraâmico*.

Porque o coração deles não era firme para com ele, nem foram fiéis à sua aliança.

Salmo 78.37

■ 20.17

וַתָּחָס עֵינִי עֲלֵיהֶם מִשַּׁחֲתָם וְלֹא־עָשִׂיתִי אוֹתָם כָּלָה
בַּמִּדְבָּר׃

A Tentação Divina. Yahweh contemplou a *aniquilação* daquela geração apóstata. Mas, olhando para aquelas pessoas fracas e humildes, sentiu pena, a despeito de suas inumeráveis transgressões. Assim, seu *olhar de ira* foi bloqueado e um julgamento fatal foi evitado. Muitas rebeliões se seguiram, porque nenhum ato de misericórdia impressionou aquele povo de coração duro. Mesmo assim, as apostasias foram corrigidas sem um julgamento aniquilador. A *longanimidade* de Deus sempre entrou no quadro para evitar o pior. Ver. Sl 78.38 e Jr 30.11. A *velha geração*, todavia, pereceu no deserto, mas sua posteridade avançou para a Terra Prometida. O propósito divino continuou, apesar das vagueações morais e espirituais do povo. A tolice humana não venceu a sabedoria de Deus. O *Pacto Abraâmico* continuava intacto.

■ 20.18

וָאֹמַר אֶל־בְּנֵיהֶם בַּמִּדְבָּר בְּחוּקֵּי אֲבוֹתֵיכֶם אַל־
תֵּלֵכוּ וְאֶת־מִשְׁפְּטֵיהֶם אַל־תִּשְׁמֹרוּ וּבְגִלּוּלֵיהֶם אַל־
תִּטַּמָּאוּ׃

Não andeis nos estatutos de vossos pais. A geração que nasceu e cresceu no deserto tinha a vantagem da posse da lei de Moisés e uma identificação com o culto a Yahweh, a despeito das falhas do povo em geral. Os filhos dos apóstatas receberam a palavra divina, com suas advertências severas contra uma imitação dos rebeldes. Seu *andar* tinha de ser diferente do "dos velhos". Ver no *Dicionário* o artigo chamado *Andar*. A lei governava qualquer andar correto, aplicando as exigências de seus estatutos e prescritos. A *contaminação* da idolatria era restritamente *proibida*. A entrada do paganismo arruinaria a nova geração, como havia arruinado a velha. Os jovens precisavam de uma nova atitude, baseada num novo coração, de onde um andar santo resultaria. Ver Pv 4.23, para a *religião do coração*.

■ 20.19

אֲנִי יְהוָה אֱלֹהֵיכֶם בְּחֻקּוֹתַי לֵכוּ וְאֶת־מִשְׁפָּטַי שִׁמְרוּ
וַעֲשׂוּ אוֹתָם׃

Eu sou o Senhor vosso Deus. Yahweh-Elohim (o Eterno, Todo-poderoso Deus) deu as ordens e direções que se basearam na lei de Moisés. Aquela lei guiava o homem na vereda certa, oferecendo violento contraste às poluições dos deuses falsos, cujos cultos corrompem a alma e aniquilam um andar correto.

De tudo o que se tem ouvido, a suma é: Teme a Deus, e guarda os seus mandamentos; porque isto é o dever de todo homem.

Eclesiastes 12.13

A Espiritualidade do Antigo Testamento. Obediência à lei, com coração sincero, no temor ao Senhor. Ver Pv 1.7 e 4.23. Esta obediência resultaria *na vida* material e espiritual. Ver Dt 4.1; 5.33; Ez 20.11. A lei era o *guia* (Dt 6.4 ss.), o fator que distinguia um homem de outro (Dt 4.4-8).

Criai em vós coração novo e espírito novo; pois, por que morreríeis, ó casa de Israel?

Ezequiel 18.31

■ 20.20

וְאֶת־שַׁבְּתוֹתַי קַדֵּשׁוּ וְהָיוּ לְאוֹת בֵּינִי וּבֵינֵיכֶם לָדַעַת כִּי אֲנִי יְהוָה אֱלֹהֵיכֶם׃

Santificai os meus sábados, pois servirão de sinal entre mim e vós. Para a nação ser restaurada, o sábado tinha de ser observado com perfeição, segundo as direções da lei mosaica. Um povo distinto seria restaurado em Jerusalém, mais uma vez. A mentalidade hebraica fez da observação do sábado o *termômetro* da espiritualidade nacional.

Foi *Yahweh-Elohim* (o Eterno, Todo-poderoso Deus) quem deu a ordem. Note-se bem que este nome divino é o mais comum em Dt, o livro da repetição da lei. A obediência à lei seria a fonte de bênçãos divinas. Tendo o *sinal* de obediência, o povo supostamente observaria o restante da lei. Cf. Jr 17.22. A negligência do sinal significaria a negligência do total. "Precisamos de um dia para o reconhecimento de Deus, a fim de que todos os dias possam ser consagrados a ele" (E. L. Allen, *in loc.*).

Um Sábado Cristão? O domingo do cristão obviamente não é um sábado, porque esse povo não está sob a mesma lei. Mas um dia especial, embora não obrigatório, consolida a adoração da igreja. Um dia de comunhão e associação com outros na mesma fé tem uma função importante. Ver no *Dicionário* o artigo intitulado *Sábado*, onde, além de informações gerais, há uma discussão sobre o modo como o cristianismo se relaciona com o sábado.

Para que saibais que eu sou o Senhor vosso Deus. Yahweh é *conhecido* através de seus julgamentos e restaurações. Ver as notas na última parte do vs. 26. Yahweh ficaria conhecido como o Deus do povo que guarda o sábado, isto é, um povo distinto, dedicado ao yahwismo.

■ 20.21

וַיַּמְרוּ־בִי הַבָּנִים בְּחֻקּוֹתַי לֹא־הָלָכוּ וְאֶת־מִשְׁפָּטַי לֹא־שָׁמְרוּ לַעֲשׂוֹת אוֹתָם אֲשֶׁר יַעֲשֶׂה אוֹתָם הָאָדָם וָחַי בָּהֶם אֶת־שַׁבְּתוֹתַי חִלֵּלוּ וָאֹמַר לִשְׁפֹּךְ חֲמָתִי עֲלֵיהֶם לְכַלּוֹת אַפִּי בָּם בַּמִּדְבָּר׃

Um Sumário. Este versículo sumaria os versículos imediatamente anteriores, não acrescentando nada de novo. Ver os vss. 11 e 13. De fato, é um tipo de remanejamento do vs. 13. Ver as notas sobre esse versículo. A lei ofereceu ao povo um *guia* espiritual, um livro de regras que governava a vida em todos os seus detalhes. O sábado era o sinal do livro-guia. Se o homem guarda o sábado, significa que está observando o restante da lei. Quando os hebreus andaram no caminho dos pagãos, naturalmente negligenciaram o sábado e toda a lei. Perderam sua *singularidade* entre as nações, tornando-se iguais a elas.

> *Não vos conformeis com este século, mas transformai-vos pela renovação da vossa mente, para que experimenteis qual seja a boa, agradável e perfeita vontade de Deus.*
> Romanos 12.2

■ 20.22

וַהֲשִׁבֹתִי אֶת־יָדִי וָאַעַשׂ לְמַעַן שְׁמִי לְבִלְתִּי הֵחֵל לְעֵינֵי הַגּוֹיִם אֲשֶׁר־הוֹצֵאתִי אוֹתָם לְעֵינֵיהֶם׃

Outra Repetição. Este versículo repete as ideias essenciais dos vss. 9 e 14, onde há notas. A *mão divina* que operava em favor do povo tornou-se a mão de julgamento. Mas Yahweh não destruiria o seu povo, apesar de ter anulado o propósito redentor do Pacto Abraâmico. Mesmo assim, julgamentos severos foram necessários, com o propósito de santificar e restaurar o povo. Yahweh agiu com misericórdia, não segundo os merecimentos dos rebeldes, que persistiram nos caminhos maldosos, a despeito de tudo.

Detive a minha mão, e o fiz por amor do meu nome, para que não fosse profanado diante das nações. A *reputação divina* não poderia ser deturpada. Os propósitos tinham de ser cumpridos.

■ 20.23

גַּם־אֲנִי נָשָׂאתִי אֶת־יָדִי לָהֶם בַּמִּדְבָּר לְהָפִיץ אֹתָם בַּגּוֹיִם וּלְזָרוֹת אוֹתָם בָּאֲרָצוֹת׃

Os julgamentos do povo reprovado, embora não aniquiladores, eram adequadamente severos para ensinar lições importantes sobre o comportamento espiritual e as exigências de Yahweh. O povo rebelde pouco aprendeu, tema que os profetas repetem com consternação. O livro de Juízes descreve a síndrome da *apostasia-julgamento-restauração*, que aconteceu repetidamente naquele período da história de Israel. De certa maneira, a síndrome *era* a história daquele povo rebelde.

Jurei espalhá-los. Provavelmente, esta declaração é uma alusão ao cativeiro assírio do reino do norte, que acabou de vez com aquela nação. Estava prestes a acontecer outra dispersão, o cativeiro babilônico, que quase liquidaria de vez com o reino do sul (Judá). Ver no *Dicionário* os artigos intitulados *Cativeiro Assírio* e *Cativeiro Babilônico*. No Pentateuco há referências proféticas àqueles cativeiros. Ver Lv 26.23; Dt 4.27 e 27.64. A dispersão era *um* dos muitos julgamentos de Yahweh contra os hebreus perversos. Houve outras manifestações da ira do Senhor.

■ 20.24

יַעַן מִשְׁפָּטַי לֹא־עָשׂוּ וְחֻקּוֹתַי מָאָסוּ וְאֶת־שַׁבְּתוֹתַי חִלֵּלוּ וְאַחֲרֵי גִּלּוּלֵי אֲבוֹתָם הָיוּ עֵינֵיהֶם׃

Porque não executaram os meus juízos. *A Razão da Dispersão.* Este versículo repete o vs. 13 de forma mais abreviada, acrescentando uma declaração na segunda parte.

E os seus olhos se iam após os ídolos de seus pais. Os jovens perpetuaram a idolatria dos velhos, que, por sua vez, perpetuaram a idolatria *dos pais*. Combinaram-se numa nação, antiga e moderna, imitando os piores pagãos. O reino do norte foi totalmente perdido. O reino do sul enfrentava potencialmente o mesmo destino, tendo praticado os mesmos pecados. Não executaram os juízos, rejeitaram os estatutos, profanaram os sábados e fixaram seus olhos nos ídolos ridículos das nações vizinhas.

A rebelião perniciosa, que começou no Egito, persistia através da história daquele povo persistente no mal.

■ 20.25

וְגַם־אֲנִי נָתַתִּי לָהֶם חֻקִּים לֹא טוֹבִים וּמִשְׁפָּטִים לֹא יִחְיוּ בָּהֶם׃

Pelo que também lhes dei estatutos que não eram bons. Agora vemos, com surpresa, *o próprio Yahweh* entregando aos apóstatas leis perversas e ordenanças malignas, para garantir sua morte! Também vemos o próprio Yahweh encorajando o povo a praticar coisas horrendas, típicas dos piores pagãos (vs. 26). Estes dois versículos deixam os intérpretes consternados, porque fazem de Yahweh a fonte da perversão. Diversas interpretações surgem: 1. Alguns intérpretes veem aqui a velha doutrina hebraica de Deus como a *única causa*. Se não existem causas secundárias (como os homens de má vontade), então Deus é a causa do mal, não somente do bem. A despeito deste fato óbvio, esta doutrina persistia entre os hebreus. A teologia deles era fraca quanto a causas secundárias. Alguns versículos em Ec promovem abertamente a noção de Deus como a única causa. O calvinismo radical é culpado do mesmo erro. 2. Ou o versículo é *irônico*, declarando hipoteticamente coisas que o autor não esperava que seus leitores levassem ao pé da letra. 3. Ou o versículo fala da *vontade permissiva* de Deus. Os rebeldes atraíram sobre si a morte, caminhando na trilha da perversidade. Yahweh deixou-os continuar no caminho da destruição, pois era o que mereciam. A soberania de Deus retirou qualquer ação preventiva e, de certa maneira, *causou* a circunstância que prevaleceu. A vontade permissiva de Deus respeita o livre-arbítrio do homem, que é, de fato, uma causa do bem e do mal neste mundo. 4. Ou temos aqui um exemplo temível da *cegueira judicial* de Deus (ver este título no *Dicionário*). O povo, que recusava ver, ficou cego pela ordem de Yahweh, totalmente *incapaz* de modificar o comportamento que o levou à morte. Deus os entregou perversamente para sofrer o que eles tão ardentemente cultivaram. A *cegueira* *judicial* é uma aplicação radical da *Lei Moral da Colheita segundo a Semeadura* (ver a respeito no *Dicionário*).

Juízos pelos quais não haviam de viver. Ao desobedecer à lei de Deus que dá vida (Dt 4.1; Ez 20.11), o povo terminou obedecendo às leis pagãs que produzem a morte. Os rebeldes foram entregues àquilo que tanto desejaram. Foram a *causa original* de sua miséria, sendo Yahweh a *causa confirmadora*.

Vida e Morte. Sobre os significados destas palavras em Ez, ver as notas em Ez 18.4.

A lei de Moisés era, de fato, um *agente da morte* (um conceito do Novo Testamento). Mas o presente contexto não tem nada a ver com essa ideia. Sobre este assunto, ver o capítulo 7 de Romanos, especialmente Rm 7.9.

■ **20.26**

וָאֲטַמֵּא אוֹתָם בְּמַתְּנוֹתָם בְּהַעֲבִיר כָּל־פֶּטֶר רָחַם
לְמַעַן אֲשִׁמֵּם לְמַעַן אֲשֶׁר יֵדְעוּ אֲשֶׁר אֲנִי יְהוָה׃ ס

Dons sacrificiais. Ofertas para uma divindade deveriam ser positivas, mas os sacrifícios dos pagãos eram abominações. Israel, participando da idolatria, poluiu seu sistema de sacrifícios. O sagrado tornou-se imundo. As coisas pioraram ainda mais, quando Israel incorporou, ao seu culto, o sacrifício de crianças. Isto nos mostra o ponto radical a que a idolatria de Israel tinha chegado. Ver essa prática incrivelmente bárbara em 2Rs 21.6; 2Cr 28.3; 33.6; Jr 32.35; Ez 16.20,21 e Lv 20.1-5.

O Sacrifício Original. O sacrifício original dos hebreus era o sacrifício simbólico do primogênito, a Yahweh, que era um *sacrifício vivo*, no espírito de Rm 12.1:

Rogo-vos, pois, irmãos, pelas misericórdias de Deus, que apresenteis os vossos corpos por sacrifício vivo, santo e agradável a Deus, que é o vosso culto racional.

Ver Êx 13.2; 22.29 e 34.20. Por seus pecados inefáveis, Yahweh os fez *desolados* através dos dois cativeiros. O norte foi obliterado, e suas terras passaram às mãos de estrangeiros. Judá-Jerusalém ficou essencialmente desabitada. Ver Is 1.7; Jr 10.22,25; Ez 6.4,6,14.

Para horrorizá-los a fim de que soubessem que eu sou o Senhor. Através *das desolações*, o povo conheceria Yahweh como o Senhor que, na sua soberania, controla o destino dos indivíduos e das nações; castigando o mal e recompensando o bem. Ver no *Dicionário* o artigo intitulado *Teísmo*. O teísmo bíblico ensina que o Criador não abandonou sua criação, mas está presente para castigar ou recompensar, segundo os méritos dos homens. Ver no *Dicionário* o artigo intitulado *Providência de Deus*. A providência divina opera negativa e positivamente, sempre de acordo com a lei moral. A ideia de *conhecer o Senhor* ocorre 63 vezes nesse livro, normalmente em conexão com seus julgamentos. Cf. Ez 12.15 e contrastar com Ez 16.62, onde o povo conhece Deus como o *Restaurador*.

As Apostasias em Canaã (20.27-29)

■ **20.27**

לָכֵן דַּבֵּר אֶל־בֵּית יִשְׂרָאֵל בֶּן־אָדָם וְאָמַרְתָּ אֲלֵיהֶם
כֹּה אָמַר אֲדֹנָי יְהוִה עוֹד זֹאת גִּדְּפוּ אוֹתִי אֲבוֹתֵיכֶם
בְּמַעֲלָם בִּי מָעַל׃

Cf. Ez 6.13; 34.6; Dt 12.2,3 e Jr 3.6. *Adonai-Yahweh* (o Soberano Eterno), que tem autoridade sobre todas as coisas, e cuja vontade determina os acontecimentos terrestres, ordena ao profeta entregar uma mensagem de *condenação*.

Os pais profanaram o nome de Yahweh e desprezaram suas leis. Adotaram as práticas nojentas de seus vizinhos e praticaram todo o tipo de abominação. O autor dá uma lista representativa de suas práticas maléficas. Estas maldades foram praticadas pelo povo, antes de sua entrada na Terra. Chegando em Canaã, as coisas pioraram e a apostasia cresceu. No Egito, nas vagueações no deserto, e, finalmente, na Terra Prometida, Israel tornou-se cada vez pior, abandonando as velhas tradições e a lei mosaica. O povo ganhou um *novo lugar*, mas não um *novo coração*. De fato, corromperam seu novo lugar com o velho e profano coração. Os vss. 27-29 falam abreviadamente do período da conquista da terra até o tempo dos reis dos dois reinos. Este foi o quarto período que o profeta descreveu no seu longo discurso sobre as apostasias de Israel-Judá.

■ **20.28**

וָאֲבִיאֵם אֶל־הָאָרֶץ אֲשֶׁר נָשָׂאתִי אֶת־יָדִי לָתֵת אוֹתָהּ
לָהֶם וַיִּרְאוּ כָל־גִּבְעָה רָמָה וְכָל־עֵץ עָבֹת וַיִּזְבְּחוּ־
שָׁם אֶת־זִבְחֵיהֶם וַיִּתְּנוּ־שָׁם כַּעַס קָרְבָּנָם וַיָּשִׂימוּ שָׁם
רֵיחַ נִיחוֹחֵיהֶם וַיַּסִּיכוּ שָׁם אֶת־נִסְכֵּיהֶם׃

O Poder e a Graça de Yahweh. Somente estes dois fatores, trabalhando juntos, poderiam ter trazido os rebeldes para a Terra Prometida, fornecendo-lhes benefícios sem-fim. Yahweh agiu para cumprir sua parte do Pacto Abraâmico, mas Israel sempre negligenciou sua parte. Ver as notas sobre este pacto em Gn 15.18.

Chegando à terra, quase imediatamente, Israel começou a oferecer sacrifícios aos deuses sem vida, nos *Lugares Altos* (ver a respeito no *Dicionário*) e em outros lugares. Perto do fim, até o próprio templo tornou-se um lugar de cultos pagãos. Ofereceram sacrifícios perante *árvores sagradas;* queimaram *incenso*; praticaram a prostituição "sagrada"; apresentaram libações a um número incalculável de deuses. No seu sincretismo doentio, incorporaram Yahweh ao seu panteão. O culto a Yahweh ficara limitado e, finalmente, fora suplantado. Ver no *Dicionário* o artigo denominado *Sacrifícios e Ofertas*.

Árvores Sagradas. Os antigos do Oriente acreditavam que as árvores eram praticamente divinas e lugares ideais para cultos religiosos. As árvores apontam para o céu, como o pináculo de um templo. Heródoto (*Euterpe*. 1,2c,138) informa sobre o respeito exagerado que eles tinham pelas árvores, especialmente certos tipos nobres, como o cedro e o carvalho. O templo de Diana, em Bubastis, no Egito, foi localizado em um lindo bosque de árvores. O homem, segundo Heródoto, poderia sentir ali a presença dos deuses. Ele falou das *árvores que se estendem para o céu*.

■ **20.29**

וָאֹמַר אֲלֵהֶם מָה הַבָּמָה אֲשֶׁר־אַתֶּם הַבָּאִים שָׁם
וַיִּקָּרֵא שְׁמָהּ בָּמָה עַד הַיּוֹם הַזֶּה׃

Que alto é este, aonde vós ides? Yahweh, em tom acusador, questionava o povo sobre os lugares altos que eles frequentavam. Um daqueles lugares era chamado *Bamá*, que significa "lugar alto". Mas a origem da palavra parece significar "alguém que entra", um eufemismo para o ato sexual. Cultos orgiásticos foram praticados em tais lugares, como o nome sugere. Ver no *Dicionário* o artigo intitulado *Bamá*.

Yahweh Recusa Dar uma Consulta (20.30,31)

O Senhor recusou que o povo O consultasse por causa de inúmeras poluições e ultrajes espirituais (vs. 31). Os líderes, entre outros, sofrendo problemas, como a ameaça da invasão da Babilônia, queriam respostas (oráculos) no culto a Yahweh, através de profetas ou sacerdotes, inclusive Ezequiel. Ver o vs. 3. Os líderes apóstatas procuravam por um novo dia, mas sem arrependimento. Queriam o favor de Yahweh, sem, contudo, agradá-lo. Supostamente, o vs. 30 nos leva ao vs. 3, ou pode estar referindo-se a qualquer um que quisesse informação através dos oráculos de Yahweh.

■ **20.30**

לָכֵן אֱמֹר אֶל־בֵּית יִשְׂרָאֵל כֹּה אָמַר אֲדֹנָי יְהוִה
הַבְדֶרֶךְ אֲבוֹתֵיכֶם אַתֶּם נִטְמְאִים וְאַחֲרֵי שִׁקּוּצֵיהֶם
אַתֶּם זֹנִים׃

Assim diz o Senhor Deus. *Adonai-Yahweh* (o Soberano Eterno) tinha pronunciado um decreto contra os pecadores apóstatas. Assim, na hora de sua provação, eles não encontrariam o Soberano para os socorrer. Nenhuma palavra encorajadora sairia do culto de Yahweh, a respeito de seus altares, templo ou outros lugares sagrados.

Contaminai-vos a vós mesmos...? Aqueles reprovados não tinham imaginação. Simplesmente copiaram os cultos pagãos e introduziram parte do culto a Yahweh. A mistura era nojenta para o Senhor. No Egito, copiaram as idolatrias egípcias; no deserto, levaram seus deuses e acrescentaram outros que encontraram ao longo de suas vagueações. Cada nova localidade trazia outras abominações.

Prostituís. É como diz a versão portuguesa; a RSV dá "vaguearam". Mas a palavra hebraica assim traduzida pode ter a ideia de girar para aquilo que é *poluído*, com tons sexuais. Provavelmente, está em vista a prostituição sagrada, embora não exclusivamente.

Os vss. 30-32 constituem o *quinto* e último período histórico que o autor examina, encontrando, em cada um, transgressões numerosas de Israel. O povo foi "infiel" (NCV) do início até o fim.

■ **20.31**

וּבִשְׂאֵת מַתְּנֹתֵיכֶם בְּהַעֲבִיר בְּנֵיכֶם בָּאֵשׁ אַתֶּם
נִטְמְאִים לְכָל־גִּלּוּלֵיכֶם עַד־הַיּוֹם וַאֲנִי אִדָּרֵשׁ לָכֶם
בֵּית יִשְׂרָאֵל חַי־אָנִי נְאֻם אֲדֹנָי יְהוִה אִם־אִדָּרֵשׁ לָכֶם׃

Ao oferecerdes os vossos dons sacrificiais... O pecador, imerso na sua idolatria-adultério-apostasia, não podia esperar que Yahweh ouvisse suas petições e aliviasse seus sofrimentos autocausados. Eles estavam praticando os males mais perversos, inclusive o sacrifício de suas próprias crianças, no fogo, para satisfazer a cobiça de deuses-donada. *Três atos* sumariam suas iniquidades: 1. *Sacrifícios de crianças* (ver o vs. 26 para detalhes). 2. *Dons de sacrifícios* (ver o vs. 26). Os dons principais ofertados aos ídolos foram suas próprias crianças. 3. *Idolatria ampla*, que incorporou muitos deuses (diversos versículos deste capítulo; ver o vs. 28). Estes pecados foram representantes de muitos que o autor não se preocupou em listar. Yahweh os abandonou para que fossem julgados a fim de terminar com aquela história desgostosa e intolerável. Yahweh não ouviu mais suas orações. Tinha uma única mensagem para comunicar: julgamento.

A Purificação de Israel (20.32-39)

■ **20.32**

וְהָעֹלָה עַל־רוּחֲכֶם הָיוֹ לֹא תִהְיֶה אֲשֶׁר אַתֶּם אֹמְרִים
נִהְיֶה כַגּוֹיִם כְּמִשְׁפְּחוֹת הָאֲרָצוֹת לְשָׁרֵת עֵץ וָאָבֶן׃

Dizeis: Seremos como as nações... servindo ao pau e à pedra. Aquele povo depravado quis ser, desesperadamente, como as outras nações. Não tinha paciência para com o fato de ser distinto delas (ver Ez 4.4-8). Seu jogo idólatra foi interrompido pelo poder de Yahweh, cujos julgamentos efetuariam (idealmente) uma purificação. O povo se tornara pagão, porém esta seria uma condição temporária. As condições do Pacto Abraâmico seriam restabelecidas (ver Gn 15.18). Tudo isto aconteceria pelo ato soberano de Yahweh, porque a iniciativa nunca sairia do povo. Ver o vs. 33. O Senhor acabaria com sua tentativa de assemelhar-se a outras nações (cf. Ez 25.8-11 e Jr 10.2). *Adonai-Yahweh* cansou-se daquela atitude ridícula e agiu com mão pesada para efetuar mudanças.

■ **20.33**

חַי־אָנִי נְאֻם אֲדֹנָי יְהוִה אִם־לֹא בְּיָד חֲזָקָה וּבִזְרוֹעַ
נְטוּיָה וּבְחֵמָה שְׁפוּכָה אֶמְלוֹךְ עֲלֵיכֶם׃

Tão certo como eu vivo, diz o Senhor Deus... hei de reinar sobre vós. *Adonai-Yahweh* (o Soberano Eterno) fez um juramento por sua própria vida, um juramento certo, poderoso, efetivo. Sua soberania governaria o povo, em termos absolutos, afinal. Israel, segundo a vontade divina, deveria ser uma nação distinta das demais que haviam mergulhado na idolatria.

Mão forte, com braço estendido. O instrumento do Senhor para cumprir seus propósitos. Ver sobre *mão*, em Sl 88.14, e sobre *mão direita*, em Sl 20.6. A mão representa *os meios* de ação. Sua mão age e seus julgamentos rugem. Yahweh seria o rei de um povo distinto dos demais, Israel gostando ou não.

Sua *poderosa mão* e seu *braço estendido* levaram Israel para fora do Egito (Dt 5.15; 7.19; 11.2; Sl 136.13), de forma suficientemente poderosa para efetuar o plano de redenção, depois do cativeiro babilônico, e no dia escatológico. A ira de Deus seria seguida pela restauração.

A ira restaura, não meramente retribui. Disciplina e libertação foram as palavras do dia.

■ **20.34**

וְהוֹצֵאתִי אֶתְכֶם מִן־הָעַמִּים וְקִבַּצְתִּי אֶתְכֶם מִן־
הָאֲרָצוֹת אֲשֶׁר נְפֹצֹתֶם בָּם בְּיָד חֲזָקָה וּבִזְרוֹעַ נְטוּיָה
וּבְחֵמָה שְׁפוּכָה׃

Tirar-vos-ei dentre os povos. Os desastres de Israel foram autoprovocados. A restauração seria promovida por Deus. Todos os julgamentos de Deus são restauradores, não meramente retributivos. O reconhecimento do povo seria *através* da ira, como deixa claro este versículo. Provavelmente o versículo é escatológico, olhando além da restauração do remanescente do cativeiro babilônico, para a restauração de Israel no reino de Deus (no milênio?). Este versículo é deuteronômico. Cf. Dt 5.15; 7.19; 26.8; Jr 21.5; 27.5; 32.21. A assimilação de Israel com as nações pagãs deve terminar em algum lugar, em algum tempo. O Israel deve ser o agente para ensinar e guiar as outras nações, conduzindo-as para a adoração e glorificação de Yahweh. Este versículo descreve um *novo êxodo*, que exigirá a operação da mão divina, como foi o caso no primeiro êxodo.

A terra se encherá do conhecimento do Senhor, como as águas cobrem o mar.

Isaías 11.9

■ **20.35**

וְהֵבֵאתִי אֶתְכֶם אֶל־מִדְבַּר הָעַמִּים וְנִשְׁפַּטְתִּי אִתְּכֶם
שָׁם פָּנִים אֶל־פָּנִים׃

Entrarei em juízo convosco. Somente uma nação preparada, disciplinada e purificada poderia cumprir o papel que Yahweh tinha reservado para Israel. Aquele povo deveria passar primeiro pelo deserto de sofrimentos e angústias. O decreto de Yahweh operava para efetuar aquele propósito. A alusão é ao deserto sírio-árabe, mas provavelmente há também uma referência à *diáspora*. Realizar-se-á um *segundo êxodo*, depois das vagueações de Israel entre as nações do mundo.

Cf. Is 11.15,16; Os 2.14-16, que vêm do mesmo período histórico dos escritos de Ezequiel. A *diáspora* (ver a respeito no *Dicionário*) aconteceu (nos seus primeiros passos) na Babilônia, no Egito, em Amom e Moabe. Houve restauração depois do cativeiro babilônico, mas os romanos (132 d.C.) efetuaram a maior de todas, que está sendo revertida somente nos nossos próprios dias. Em tais diásporas, Yahweh implora para que seu povo abandone as causas de seus sofrimentos. Também face a face ele julga. O arrependimento significa restauração, mas o coração de pedra não é capaz de ouvir qualquer apelo.

A Corte Divina. Este versículo se baseia na metáfora da corte. Yahweh é o Advogado de prossecução e também o Juiz que decidirá a sentença para o culpado. Uma antiga decisão do Juiz era mandar Judá apóstata para a Babilônia, através de três deportações (Jr 52.28). Mas a deportação de Roma seria *universal* e muito duradoura.

■ **20.36**

כַּאֲשֶׁר נִשְׁפַּטְתִּי אֶת־אֲבוֹתֵיכֶם בְּמִדְבַּר אֶרֶץ מִצְרָיִם
כֵּן אִשָּׁפֵט אִתְּכֶם נְאֻם אֲדֹנָי יְהוִה׃

A Mistura de Acontecimentos Históricos. O Egito é representado como um deserto onde Yahweh entrou em juízo com seu povo. Historicamente falando, a vagueação no deserto veio *depois* da libertação do Egito. De certa maneira, o povo, tanto no Egito quanto fora dele, vagueava no deserto. Houve *deserto no Egito* e fora dele. Israel tornou-se um povo do deserto. As experiências do deserto resultaram das perversidades do povo. O deserto do Egito tornou-se um tipo do deserto da Babilônia, onde Israel sofreu outro cativeiro. O pior de todos se seguiria, o do império romano. Em todas essas experiências, Yahweh implorou para que o povo abandonasse as causas de seus sofrimentos.

Na tristeza vagueava, meu espírito oprimido,
Uma alma em desespero, nas baixadas de conflito.
Mas agora, ando com o Rei, aleluia!

Não vagueio mais; minha alma está em casa.
Ando e falo com o Rei.

James Rowe

20.37

וְהַעֲבַרְתִּ֥י אֶתְכֶ֖ם תַּ֣חַת הַשָּׁ֑בֶט וְהֵבֵאתִ֥י אֶתְכֶ֖ם בְּמָסֹ֥רֶת הַבְּרִֽית׃

Far-vos-ei passar debaixo do meu cajado, e vos sujeitarei à disciplina da aliança. A vara de punição é também a vara do Pastor. As ovelhas passaram sob aquela vara para serem contadas (Jr 33.13). Cada uma que passava pertencia ao Pastor. O grande Pastor, embora punisse severamente as ovelhas teimosas, também as amava e protegia. O autor emprega outra metáfora: *a aliança,* que pode referir-se especificamente ao Pacto Abraâmico (Gn 15.17) ou a todos os *pactos* (ver a respeito no *Dicionário*). De qualquer modo, as ovelhas devem sujeitar-se às condições de disciplina e lealdade exigidas pelos pactos.

Adonai-Yahweh (o Soberano Eterno) fala, e sua palavra é garantida; ele determinará o destino de Israel sob suas condições, não sob as condições inventadas pelos homens. Ele é soberano para julgar e para restaurar. O siríaco tem "a disciplina do pacto". Ver a *vara de contagem,* em Lv 27.32 e Jr 33.13. "Se quiser ou não, será contado como meu, e será sujeito à minha disciplina, para que, afinal, seja salvo como um povo escolhido (Mq 7.14; cf. Jo 10.27-29)" (Fausset, *in loc.*) "... selecionado e constituído o povo dos pactos, o povo de Deus" (Ellicott, *in loc.*).

A Septuaginta tem: "Entrarei em julgamento contigo" (deixando fora a menção aos pactos). Alguns intérpretes supõem que esta tradução represente o original.

20.38

וּבָרוֹתִ֣י מִכֶּ֗ם הַמֹּרְדִים֙ וְהַפּוֹשְׁעִ֣ים בִּ֔י מֵאֶ֤רֶץ מְגוּרֵיהֶם֙ אוֹצִ֣יא אוֹתָ֔ם וְאֶל־אַדְמַ֥ת יִשְׂרָאֵ֖ל לֹ֣א יָב֑וֹא וִידַעְתֶּ֖ם כִּי־אֲנִ֥י יְהוָֽה׃

Separarei dentre vós os rebeldes. O Pastor divino separa as ovelhas desejadas das não desejadas, utilizando sua vara-cajado. Às ovelhas irrecuperáveis (perdidas na apostasia) não seria permitido retornar a Jerusalém para participar da restauração. Um pequeno remanescente voltaria, disciplinado e recuperado. O povo reconheceria quem é Yahweh, por sua ação de separação.

Não entrarão na terra de Israel; e sabereis que eu sou o Senhor. A expressão "conhecer o Senhor" ocorre 63 vezes nesse livro, normalmente associada à ideia de julgamento de Deus. Às vezes, porém, a associação se faz com a ideia de restauração. Esta expressão é usada seis vezes neste capítulo: vss. 12,20,26,38,42 e 44.

20.39

וְאַתֶּ֨ם בֵּֽית־יִשְׂרָאֵ֜ל כֹּֽה־אָמַ֣ר ׀ אֲדֹנָ֣י יְהוִ֗ה אִ֤ישׁ גִּלּוּלָיו֙ לְכ֣וּ עֲבֹ֔דוּ וְאַחַ֕ר אִם־אֵינְכֶ֖ם שֹׁמְעִ֣ים אֵלָ֑י וְאֶת־שֵׁ֤ם קָדְשִׁי֙ לֹ֣א תְחַלְּלוּ־ע֔וֹד בְּמַתְּנֽוֹתֵיכֶ֖ם וּבְגִלּוּלֵיכֶֽם׃

Assim diz o Senhor Deus. Novamente é usado o nome divino, *Adonai-Yahweh* (o Soberano Eterno Deus). Na sua soberania, ele decreta o que deve acontecer. Faz um juramento garantindo a realização de sua vontade. O povo poluído não pode ficar assim interminavelmente. Os bons serão separados dos maus. Haverá uma restauração dos obedientes.

Não me quereis ouvir; mas não profaneis o meu santo nome com as vossas dádivas e com os vossos ídolos. *O Reverso Prometido.* Este versículo é semelhante ao vs. 25, onde há interpretações mais detalhadas. O próprio Yahweh dá ordem aos rebeldes para que continuem poluindo-se com a idolatria dos pagãos. Aquelas depravações, todavia, não escreveriam o último capítulo da história de Israel. O autor divino tinha outros planos. O fogo do alto pegaria os idólatras, no meio de seus cultos ímpios, e queimaria suas corrupções. Haveria uma purificação, sendo a ira de Yahweh o instrumento da restauração. O *santo nome* não seria profanado indefinidamente.

Lava-me por fora e por dentro; purifica-me com fogo, se for necessário. Aplica qualquer medida para fazer o pecado morrer em mim.

W. Chalmers Smith

20.40

כִּ֣י בְהַר־קָדְשִׁ֞י בְּהַ֣ר ׀ מְר֣וֹם יִשְׂרָאֵ֗ל נְאֻם֙ אֲדֹנָ֣י יְהוִ֔ה שָׁ֣ם יַעַבְדֻ֜נִי כָּל־בֵּ֧ית יִשְׂרָאֵ֛ל כֻּלֹּ֖ה בָּאָ֑רֶץ שָׁ֣ם אֶרְצֵ֔ם וְשָׁ֞ם אֶדְר֣וֹשׁ אֶת־תְּרוּמֹֽתֵיכֶ֗ם וְאֶת־רֵאשִׁ֛ית מַשְׂאוֹתֵיכֶ֖ם בְּכָל־קָדְשֵׁיכֶֽם׃

No meu santo monte, no monte alto de Israel. Ver no *Dicionário* o artigo intitulado *Sião.* Jerusalém servirá para *unificar* o culto a Yahweh num só lugar santo, evitando a pluralidade contaminadora. Cf. Ez 28.14; Dt 9.16,20; 11.45; Is 11.9; 56.7; 65.25; Jl 2.1; 3.17; Ob 16.

Toda a casa de Israel me servirá. *A Reconquista.* Quando Yahweh exercer seus poderes, tomará possessão do território conquistado pelo inimigo. Recolocará seu culto nas montanhas, onde os apóstatas adoraram ídolos mortos e vazios de significado. Cf. o vs. 28. Mais especificamente, fará um Sião restaurado substituir todos os outros lugares, alegadamente sagrados. Israel-Judá o servirá e trará a ele dádivas e sacrifícios, honrando o seu culto. Ver os vss. 31 e 39.

Toda a casa de Israel. A expressão indica: 1. O novo Israel, Judá restaurado depois do cativeiro babilônico. O pequeno remanescente se tornará o novo Israel, extremamente fraco, humilde, mas viável como núcleo de uma nova nação. 2. Ou está em vista o Israel do reino do Messias, uma realização ainda futura. Cf. Ez 2.3 e 4.3.

Requererei as vossas ofertas. Elas servirão como parte do sistema de sacrifícios, do culto a Yahweh, e para o sustento da casta sacerdotal. Ver Ez 45.1 e 48.8-10. Talvez também possa haver aqui uma alusão à porção de Yahweh, o sangue e a gordura. Ver Lv 22.12 e Nm 6.9. Este versículo afirma que o culto, em todas as suas características, será restaurado. Os cultos pagãos se perderão absolutamente. Alguns intérpretes veem aqui a realização do milênio. Os mais radicais supõem que o sistema de sacrifícios será restaurado nesse tempo, quando um novo Judaísmo surgirá. Não haverá restauração do sacrifício de animais, ideia à qual o Novo Testamento é totalmente contrário.

20.41

בְּרֵ֣יחַ נִיחֹחַ֮ אֶרְצֶ֣ה אֶתְכֶם֒ בְּהוֹצִיאִ֤י אֶתְכֶם֙ מִן־הָ֣עַמִּ֔ים וְקִבַּצְתִּ֣י אֶתְכֶ֔ם מִן־הָ֣אֲרָצ֔וֹת אֲשֶׁ֥ר נְפֹצֹתֶ֖ם בָּ֑ם וְנִקְדַּשְׁתִּ֥י בָכֶ֖ם לְעֵינֵ֥י הַגּוֹיִֽם׃

Agradar-me-ei de vós. Aquele povo se tornará um sacrifício agradável para Yahweh. Terá o *aroma suave* que a carne produz quando está sendo cozida. Ver sobre *aroma agradável* em Lv 1.9; 29.18. O autor emprega uma figura antropomórfica bastante crua, mas utilizada com frequência no Antigo testamento. Deus inala o cheiro da carne sendo cozida e sente uma satisfação como a de um homem faminto. A carne cozida era comida pelos sacerdotes e convidados, que realizavam uma festa depois da formalidade dos sacrifícios. Todos esses sacrifícios (menos os holocaustos) eram ocasiões de refeições comunitárias. Os textos do Antigo Testamento sempre representam Yahweh como participante destas refeições, recebendo a melhor parte, o sangue e a gordura (ver as leis sobre o sangue e a gordura em Lv 3.17).

Israel pode ser um sacrifício para Yahweh, se for *purificado*. Yahweh não aceita ofertas podres e malcheirosas. Empregando esta metáfora, o autor fala da necessidade do arrependimento e da restauração do país ao yahwismo.

Aroma suave. Ver uma aplicação metafórica destas palavras no Novo Testamento, em Ef 5.2; Fp 4.18. A expressão fala da aceitação total do povo. Finalmente Israel, transformado, agradará a Deus.

Serei santificado em vós perante as nações. O sacrifício será um ato público. O povo, outrora poluído por idolatria, está purificado e torna-se um sacrifício agradável ao Senhor.

Apresenteis o vosso corpo por sacrifício vivo, santo e agradável a Deus, que é vosso culto racional.

Romanos 12.1

Este acontecimento notável se realizará somente quando Deus separar o seu povo das nações, efetuando uma restauração, revertendo as dispersões. O Santo Deus receberá um santo povo, distinto das demais nações.

■ **20.42**

וִידַעְתֶּם֙ כִּֽי־אֲנִ֣י יְהוָ֔ה בַּהֲבִיאִ֥י אֶתְכֶ֖ם אֶל־אַדְמַ֣ת יִשְׂרָאֵ֑ל אֶל־הָאָ֕רֶץ אֲשֶׁ֤ר נָשָׂ֙אתִי֙ אֶת־יָדִ֔י לָתֵ֥ת אוֹתָ֖הּ לַאֲבֽוֹתֵיכֶֽם׃

Sabereis que eu sou o Senhor. Em Ez 16.62, "conhecer o Senhor" se associa a uma restauração, enquanto normalmente a associação se faz com o julgamento. Israel conhecerá Yahweh como um *fiel parceiro* nos pactos que serão realizados depois do cativeiro babilônico, na restauração que se seguirá, e no dia escatológico, quando todos os pactos alcançarão seus objetivos. O Juiz também é o Benfeitor. Ver o vs. 38. "Yahweh ser conhecido" inclui o reconhecimento de que ele é o *Soberano* que determina o destino dos indivíduos e das nações. Haverá um *novo êxodo*, seguido pela *restauração* do dia escatológico, quando os planos de Deus, de todas as épocas, se consolidarão. Todas as nações verão a grande mudança histórica que estes acontecimentos iniciarão. Cf. Is 66.18 e Zc 14.16-19.

O que acontece se realiza, porque o Senhor honra seus juramentos feitos a Abraão. Ver sobre o *Pacto Abraâmico* em Gn 15.18. E ver no *Dicionário* o artigo chamado *Pactos*.

■ **20.43**

וּזְכַרְתֶּם־שָׁ֗ם אֶת־דַּרְכֵיכֶם֙ וְאֵת֙ כָּל־עֲלִיל֣וֹתֵיכֶ֔ם אֲשֶׁ֥ר נִטְמֵאתֶ֖ם בָּ֑ם וּנְקֹטֹתֶם֙ בִּפְנֵיכֶ֔ם בְּכָל־רָעוֹתֵיכֶ֖ם אֲשֶׁ֥ר עֲשִׂיתֶֽם׃

Tereis nojo de vós mesmos. O passado ímpio de Israel será uma vergonha para o povo restaurado. Os restaurados sentirão *nojo* de seu passado. O povo glorificado verá claramente a verdadeira natureza de seu passado podre, e sentirá nojo de si mesmo. Ver declarações similares em Ez 6.9; 11.17-19; 16.61,63; 36.31 e 39.26,27.

Eles terão nojo de si mesmos, por causa dos males que fizeram em todas as suas abominações.

Ezequiel 6.9

A vergonha, entre outros fatores, levará Israel a um arrependimento sincero, que operará uma mudança radical não somente em Israel, mas também no mundo inteiro.

O pecado parece *odioso* quando colocado ao lado do amor perdoador de Deus. Ver Ed 9.6,8 e Ez 16.53.

Quem é um Deus que perdoa como tu?
Quem tem uma graça tão rica e livre como a tua?
Digo eu, quem tem uma graça tão rica e livre como a tua?

Samuel Davies

"A humilhação de Judá (Ne 9) é um tipo da penitência futura da nação inteira. Ver Os 5.16; 6.1; Zc 12.10-14. A bondade de Deus, entendida pelo pecador, é a única força que guia ao verdadeiro arrependimento". Ver Os 3.5; Lc 7.47,48" (Fausset, *in loc.*).

■ **20.44**

וִידַעְתֶּ֞ם כִּֽי־אֲנִ֣י יְהוָ֗ה בַּעֲשׂוֹתִ֤י אִתְּכֶם֙ לְמַ֣עַן שְׁמִ֔י לֹ֧א כְדַרְכֵיכֶ֛ם הָרָעִ֖ים וְכַעֲלִילֽוֹתֵיכֶ֣ם הַנִּשְׁחָת֑וֹת בֵּ֣ית יִשְׂרָאֵ֔ל נְאֻ֖ם אֲדֹנָ֥י יְהוִֽה׃ פ

Sabereis que eu sou o Senhor. Ver no vs. 42 as notas expositivas sobre esta declaração, que ocorre seis vezes neste capítulo (vss. 12,20,26,42,44) e em um total de 63, no livro inteiro. Ez 16.62 e o vs. 42 deste capítulo ligam a expressão à ideia de *restauração*: o povo reconhecerá a natureza graciosa de Deus, quando ele os restaurar. O presente versículo associa a expressão com o fato de Yahweh ser o *Benfeitor* universal. Nota-se aqui que a graça de Deus supera os pecados e anula o julgamento. A graça opera por causa do *nome* de Yahweh, que deve ser exaltado e honrado entre todas as nações. A obra se realiza a despeito dos muitos pecados do povo. Até os julgamentos aplicados eram restauradores, não meramente retributivos. As nações blasfemariam contra aquele Deus que destruiria seu próprio povo, não procurando medidas para superar as dificuldades. Foi absolutamente necessário para Yahweh guardar suas promessas, especialmente aquelas contidas nos pactos. Cf. os vss. 9 e 22 deste capítulo. Deus é amor (1Jo 4.8).

Que nos salvou e nos chamou com santa vocação; não segundo as nossas obras, mas conforme a sua própria determinação e graça, que nos foi dada em Cristo Jesus, antes dos tempos eternos.

2Timóteo 1.9

Senhor Deus. *Adonai-Yahweh*, o Soberano Eterno Deus, no exercício de sua soberania, garantiu a realização do propósito benéfico. Este título é usado 217 vezes nesse livro, mas somente 103 no restante do Antigo Testamento. Enfatiza a soberania de Deus, que opera através de julgamentos, mas também através de uma bondade eficaz. De qualquer maneira, no final o amor de Deus vencerá.

Nota Histórica. João Calvino, chegando a este versículo, nos seus comentários sobre o antigo Testamento, sofreu um ataque (derrame?). Foi colocado no seu leito, de noite, e não se recuperou. Hoje, dou graças a Deus, porque fui capacitado a comentar a Bíblia inteira, versículo por versículo, e terminei a obra ainda com boa saúde. De fato, terminei o trabalho sentindo-me tão forte como um touro.

Na Bíblia hebraica, o capítulo 20 termina aqui, e os outros versículos fazem parte do capítulo 21.

ORÁCULO CONTRA O SUL (20.45-49)

■ **20.45** (na Bíblia hebraica corresponde ao **21.1**)

וַיְהִ֥י דְבַר־יְהוָ֖ה אֵלַ֥י לֵאמֹֽר׃

Veio a mim a palavra do Senhor. A declaração padrão utilizada para iniciar novos trechos introduz a mensagem. Essa declaração lembra que foi Yahweh quem deu as mensagens, por inspiração, através de seu profeta autorizado, Ezequiel.

Cinco mensagens se seguem, uma do capítulo 20 e quatro do capítulo 21. Judá, a nação do sul, receberá o que merece, um castigo de Yahweh administrado através do inimigo do norte (a Babilônia). O castigo chegará como um grande incêndio florestal. A destruição será por fogo e espada.

■ **20.46** (na Bíblia hebraica corresponde ao **21.2**)

בֶּן־אָדָ֗ם שִׂ֤ים פָּנֶ֙יךָ֙ דֶּ֣רֶךְ תֵּימָ֔נָה וְהַטֵּ֖ף אֶל־דָּר֑וֹם וְהִנָּבֵ֕א אֶל־יַ֖עַר הַשָּׂדֶ֥ה נֶֽגֶב׃

Volve o teu rosto para o Sul. Três palavras hebraicas indicam o sul: 1. *Temanah*, "o que está no seu *lado direito*, quando se olha para o oriente". Os orientais indicavam suas direções dando a face para o oriente. Quando esta palavra era usada na forma nominal (*Teman*), indicava uma cidade em Edom. *Teman* estava localizada ao *sul* de Judá, e o presente texto talvez aluda àquele lugar, mas o *sul* aqui é Judá-Jerusalém, o reino do sul. 2. *Darom*, termo usado para falar do *templo ideal* de Ezequiel. Ver Ez 40.24,27,28,44,45; 41.11; 42.12,13,18. Esta palavra talvez fale do *vento* do sul. É de derivação incerta. 3. *Neguebe*, "o território do sul". O uso no presente versículo não é esse, mas lembra *o sul*. A raiz da palavra é *seco*, uma característica das terras ao sul de Jerusalém. O vs. 47 fala de *florestas* naquela área; talvez, essa palavra aluda aos *habitantes* de Jerusalém. De qualquer maneira, no tempo de Ezequiel, havia na Palestina muitas florestas, que não existem mais.

Os três "sul" (Judá) são ameaçados por ordens dadas ao profeta.
Volve o teu rosto. O profeta dirige seu rosto contra Judá-Jerusalém, com um *olhar zangado*.
Derrama as tuas palavras contra ele. Yahweh manda um *dilúvio* destrutivo contra aquele território. Lava vulcânica desce como um rio, sobre o lugar.
Profetiza contra o bosque. Finalmente, uma *profecia de condenação* é pronunciada contra o sul. O fogo da ira de Yahweh

queimará o território todo. As palavras do profeta eram *fogosas*, aptas para destruir totalmente.

■ **20.47** (na Bíblia hebraica corresponde ao **21.3**)

וְאָמַרְתָּ֙ לְיַ֣עַר הַנֶּ֔גֶב שְׁמַ֖ע דְּבַר־יְהוָ֑ה כֹּֽה־אָמַ֣ר אֲדֹנָ֣י יְהוִ֡ה הִנְנִי־מַצִּֽית־בְּךָ֣ ׀ אֵ֡שׁ וְאָכְלָ֣ה בְךָ֣ כָל־עֵֽץ־לַח֩ וְכָל־עֵ֨ץ יָבֵ֜שׁ לֹֽא־תִכְבֶּה֙ לַהֶ֣בֶת שַׁלְהֶ֔בֶת וְנִצְרְבוּ־בָ֥הּ כָּל־פָּנִ֖ים מִנֶּ֥גֶב צָפֽוֹנָה׃

Dize ao bosque do Sul. A *floresta do sul* (o bosque do vs. 46), a terceira designação, provavelmente significa os *habitantes* de Judá-Jerusalém. Naturalmente, a referência poderia ser extensa o bastante para incluir as coisas materiais do sul, até os animais. Tudo existente naquele território estará sujeito a destruição devastadora. A *temível tríade* (ver em Ez 5.12: espada, fome e pestilência) aniquilará tudo.

Um fogo que consumirá. A devastação varrerá o território como um incêndio florestal, devorando todas as árvores; queimando todas as coisas verdes; destruindo a agricultura e aniquilando os ímpios. As pessoas de todas as classes serão reduzidas a cinzas: os *jovens* (verde); os *prósperos* (verde); os *velhos* e *pobres* (seco); todos os *rostos* (pessoas) serão eliminados sem misericórdia.

Árvore verde... árvore seca... Estas palavras podem contrastar *classes* distintas de pessoas, mas em Ez 21.3 elas aparentemente falam dos *justos* e dos *ímpios*.

... se queimarão todos os rostos. A palavra *rostos*, neste versículo, demonstra que a floresta significa essencialmente *seres humanos*. Enquanto a conflagração avança, haverá rostos de terror, de desespero, de confusão. Depois existirão somente rostos queimados. O fogo procederá com imparcialidade, queimando tudo no seu caminho. Cf. esta descrição com Ez 21.3,4 e Lc 23.31.

■ **20.48** (na Bíblia hebraica corresponde ao **21.4**)

וְרָאוּ֙ כָּל־בָּשָׂ֔ר כִּ֛י אֲנִ֥י יְהוָ֖ה בִּֽעַרְתִּ֑יהָ לֹ֖א תִּכְבֶּֽה׃

Todos os homens verão que eu, o Senhor, o acendi. O fogo que consumirá a *floresta do sul* é *divino*. Suas chamas serão vistas a grandes distâncias. Todos os vizinhos de Judá verão o incêndio e tremerão. A vontade de Yahweh terá acendido o fogo e jogado Judá-Jerusalém no meio dele, para ser o seu combustível. Somente o poder divino pode apagar as chamas. A terra inteira será consumida sem misericórdia, e quase todos os habitantes perecerão. Ver no *Dicionário* o artigo intitulado *Fogo*, seções VII e VIII, que descrevem os usos metafóricos da palavra.

O fogo deste texto é tanto literal como figurativo. Como metáfora, fala da *tríade temível*: espada, fome e pestilência, os chicotes divinos usados para castigar os desobedientes. Ver as notas em Ez 5.12. Yahweh garantirá a eficácia do ataque do exército da Babilônia e de outros fatores que operarão contra os rebeldes.

■ **20.49** (na Bíblia hebraica corresponde ao **21.5**)

וָאֹמַ֕ר אֲהָהּ֙ אֲדֹנָ֣י יְהוִ֔ה הֵ֖מָּה אֹמְרִ֣ים לִ֑י הֲלֹ֛א מְמַשֵּׁ֥ל מְשָׁלִ֖ים הֽוּא׃ פ

Eles dizem de mim: Não é ele proferidor de parábolas? O povo, sentindo terror por causa da mensagem ameaçadora, escondeu seu temor com palavras zombeteiras: "Ele está somente falando sobre histórias inventadas" (NCV).

Recusaram ligar a mensagem com a vida deles, porque preferiam acreditar nos falsos profetas que não se cansavam de dizer: "Paz! Paz!" (Jr 6.14; Ez 13.10). "Voluntariamente fecharam os seus olhos. Deus retaliou, selando-os na sua escuridão" (Adam Clarke, *in loc.*). Acreditaram no que quiseram, para manter seu *status quo*. Acusaram o profeta de não falar claramente, usando sempre alegorias e parábolas para dificultar o entendimento. Mas a verdade é que eles se recusaram a acreditar na mensagem que era suficientemente clara.

O capítulo 21 evita qualquer linguagem figurada, falando diretamente, fortemente, até brutalmente, do destino amargo que esperava o povo. A aniquilação era iminente.

CAPÍTULO VINTE E UM

AS QUATRO MENSAGENS DA ESPADA (21.1-32)

"Tendo o povo recusado entender a mensagem de Ezequiel sobre o *fogo* no território do sul (20.45-49), ele transmitiu *quatro mensagens*, interpretando o que tinha falado anteriormente. Nestas mensagens, o profeta substituiu *fogo* por *espada*, e Neguebe tornou-se Judá e Jerusalém" (Charles H. Dyer, *in loc.*).

Os *capítulos 20—24* formam uma unidade. Ver informações sobre este arranjo, na introdução ao capítulo 20.

As Seções. 1. vss. 1-7; 2. vss. 8-17; 3. vss. 18-27; 4. vss. 28-32. Cada seção traz uma representação da espada com os seus simbolismos. O uso da espada é um *símile*, tal como o fogo, mas ninguém podia entender o que *aquela* palavra significava.

A Espada Tirada da Bainha (21.1-7)

■ **21.1** (na Bíblia hebraica corresponde ao **21.6**)

וַיְהִ֥י דְבַר־יְהוָ֖ה אֵלַ֥י לֵאמֹֽר׃

Veio a mim a palavra do Senhor. Este primeiro versículo introduz os símiles da espada, com a declaração comum que apresenta novos materiais. A expressão é frequentemente usada nesse livro (três vezes neste capítulo: vss. 1,8,18) para indicar que a mensagem veio por inspiração de Yahweh e que Ezequiel era seu profeta autorizado. Cf. Ez 13.1; 14.2; 15.1 e 16.1.

■ **21.2** (na Bíblia hebraica corresponde ao **21.7**)

בֶּן־אָדָ֗ם שִׂ֤ים פָּנֶ֙יךָ֙ אֶל־יְר֣וּשָׁלִַ֔ם וְהַטֵּ֖ף אֶל־מִקְדָּשִׁ֑ים וְהִנָּבֵ֖א אֶל־אַדְמַ֥ת יִשְׂרָאֵֽל׃

Este versículo combina frases já vistas: 1. Yahweh fala com o profeta, utilizando seu título comum, "filho do homem" (ver as notas em Ez 2.1). 2. O profeta recebeu a ordem para "volver (dirigir) seu rosto contra o sul (Jerusalém)". Ver Ez 20.46. O profeta lançou um olhar severo contra o lugar da apostasia. *Jerusalém* substitui *sul*. 3. O profeta deve "deixar cair" uma palavra pesada sobre Jerusalém, como uma bomba aniquiladora. Esta metáfora substitui o "pregar" ou "profetizar", de Ez 20.46,47. A expressão "terra de Israel" toma o lugar de "território do sul". É evidente, então, que a maioria das figuras de Ez 20.46 é substituída com declarações diretas e claras, que todo o mundo entenderia sem necessidade de interpretação.

■ **21.3** (na Bíblia hebraica corresponde ao **21.8**)

וְאָמַרְתָּ֞ לְאַדְמַ֣ת יִשְׂרָאֵ֗ל כֹּ֚ה אָמַ֣ר יְהוָ֔ה הִנְנִ֣י אֵלַ֔יִךְ וְהוֹצֵאתִ֥י חַרְבִּ֖י מִתַּעְרָ֑הּ וְהִכְרַתִּ֥י מִמֵּ֖ךְ צַדִּ֥יק וְרָשָֽׁע׃

Eis que sou contra ti, e tirarei a minha espada da bainha. A espada tirada da bainha ameaça os ímpios do sul, isto é, o território do sul, agora designado "terra de Israel". Está em vista *Judá*, que se tornou Israel, depois do cativeiro assírio que liquidou o reino do norte (as dez tribos). Yahweh profere a mensagem temível da espada, olhando-os com fogo nos olhos, levantando sua espada para cortá-los em pedaços. Seu fim seria iminente. Seguiriam o destino do norte. O exército babilônico era o instrumento da destruição; a espada simboliza o *fogo* de Ez 20.46-49. Representa uma parte da *temível tríade*: espada, fome e pestilência (ver Ez 5.12). A espada não respeitará pessoas; despedaçará tanto justos quanto ímpios, sem distinção. Os *poucos* justos cairão com os pecadores. Os intérpretes questionam a justiça desta ação indiscriminada. Condições desta natureza fazem parte do *Problema do Mal* (ver a respeito no *Dicionário*): por que os homens sofrem e por que sofrem como sofrem? Guerras sempre trazem matança, e os inocentes caem junto com os impiedosos. Existem algumas respostas para o problema do sofrimento, mas muitos enigmas permanecem. Os *rostos* de Ez 20.47 agora são *seres humanos*, assim a parábola cede à literalidade.

■ **21.4** (na Bíblia hebraica corresponde ao **21.9**)

יַ֛עַן אֲשֶׁר־הִכְרַ֥תִּי מִמֵּ֖ךְ צַדִּ֣יק וְרָשָׁ֑ע לָ֠כֵן תֵּצֵ֨א חַרְבִּ֧י מִתַּעְרָ֛הּ אֶל־כָּל־בָּשָׂ֖ר מִנֶּ֥גֶב צָפֽוֹן׃

Hei de eliminar do meio de ti o justo e o perverso... desde o sul até ao norte. A espada não respeita classes e condições, nem distingue entre o bem e o mal. Golpeou a terra de norte a sul, porque a invasão babilônica começou no norte e desceu para o sul. O texto, todavia, reverte as designações direcionais.

O *dia do Senhor* chegou, e a devastação seria inexorável. Adam Clarke, *in loc.*, conforta-se em relação à morte dos justos, lembrando que, pela morte, o justo chega mais rapidamente à "glória". Esta declaração me faz lembrar de uma história que se originou num campo de batalha, durante a Primeira Guerra Mundial. Um soldado, com somente 19 anos de idade, foi atingido por uma bala. Sangrando, quase morto, implorava para que Deus lhe salvasse a vida. Afinal, tinha apenas 19 anos e queria viver. Assim, clamava e chorava a Deus. Mas morreu. Fez a viagem para o mundo de luz, escapando aos muitos sofrimentos que iria enfrentar. A misericórdia de Deus o salvou! Claro, falando do *Problema do Mal*, precisamos lembrar a dimensão eterna, a vida além-túmulo. Mesmo assim, enigmas permanecem no problema do sofrimento.

■ **21.5** (na Bíblia hebraica corresponde ao **21.10**)

וְיָדְעוּ כָּל־בָּשָׂר כִּי אֲנִי יְהוָה הוֹצֵאתִי חַרְבִּי מִתַּעְרָהּ
לֹא תָשׁוּב עוֹד: ס

Saberão todos os homens que eu, o Senhor, tirei da bainha a minha espada. *O Resultado do Julgamento Universal.* Foi proporcionada uma dura lição sobre a justiça de Deus. Os homens aprenderam para onde o pecado os leva. Os rebeldes são esmagados. Todos *reconhecerão* Deus como o Juiz que é, que não tolera eternamente os abusos dos homens. "Conhecer Deus" é um tema que se repete 63 vezes nesse livro, normalmente associado a castigos, como neste caso. Em Ez 16.62 e 20.42 este "conhecer" se associa ao tema da *restauração*. A restauração, de qualquer modo, opera através de julgamentos que purificam. A espada de Yahweh ficará desembainhada até que a espantosa tarefa se complete. A espada, como o *fogo* de Ez 20.48 (ver as notas), não será embainhada até terminar o seu trabalho. Isto significa que o exército babilônico não voltaria para seu país, até que executasse a nação inteira. Era a vontade irresistível de Deus.

■ **21.6** (na Bíblia hebraica corresponde ao **21.11**)

וְאַתָּה בֶן־אָדָם הֵאָנַח בְּשִׁבְרוֹן מָתְנַיִם וּבִמְרִירוּת
תֵּאָנַח לְעֵינֵיהֶם:

À vista deles suspira de coração quebrantado e com amargura. Vendo aquela cena deplorável, o profeta começa a gritar, chorar, gemer e lamentar. Seus gritos e choros implicam que, afinal, o povo gritará e chorará. O profeta participa de antemão dos sofrimentos dos habitantes de Jerusalém. Seu coração está "partido" (RSV), em desespero amargo, não se pode controlar e cai em lamentações ruidosas.

Coração. Literalmente, no hebraico, *lombo*, a parte do corpo entre a última costela e o osso principal do quadril. Os hebreus falavam dessa parte do corpo como o lugar das forças do homem. Ela foi debilitada pelo sofrimento, e o profeta caiu em fraqueza total. Talvez haja uma alusão ao parto da mulher, no qual ela agoniza. "O lombo era considerado a sede das forças do homem (Jó 40.16) e, sendo quebrado, expressa prostração total. Cf. Sl 66.1; 69.23; Is 21.3 e Ne 1.10. A expressão 'todo coração desmaia' (vs. 7) é semelhante" (Ellicott, *in loc.*). Ver também Jr 30.6.

■ **21.7** (na Bíblia hebraica corresponde ao **21.12**)

וְהָיָה כִּי־יֹאמְרוּ אֵלֶיךָ עַל־מָה אַתָּה נֶאֱנָח וְאָמַרְתָּ
אֶל־שְׁמוּעָה כִי־בָאָה וְנָמֵס כָּל־לֵב וְרָפוּ כָל־יָדַיִם
וְכִהֲתָה כָל־רוּחַ וְכָל־בִּרְכַּיִם תֵּלַכְנָה מַּיִם הִנֵּה בָאָה
וְנִהְיָתָה נְאֻם אֲדֹנָי יְהוִה: פ

O Significado da Encenação. O profeta tinha apresentado uma "parábola viva". O povo não entendeu e perguntou o "porquê" da peça teatral.

Por que suspiras tu? Por causa "das novas", a destruição iminente de Jerusalém; por causa do sofrimento que não poupará ninguém: 1. O coração deles derreterá, queimado pelo fogo divino. 2. Suas mãos se afrouxarão, totalmente inúteis (cf. Ez 7.17). 3. Seus joelhos se tornarão como água, literalmente, "giram água", por causa de sua fraqueza total provocada por temores e horrores. Cf. Ez 7.17, onde temos a mesma expressão. 4. O ditado (profecia) é certo e irrefragável, porque foi pronunciado por *Adonai-Yahweh* (o Soberano Eterno Deus), que controla o destino dos homens e das nações. Ver no *Dicionário* o artigo intitulado *Soberania de Deus*. Ver também sobre *Providência de Deus*, a qual, funcionando negativa e positivamente, governa tudo.

A Espada é Afiada (21.8-17)

Esta é a *segunda mensagem* sobre a espada de Yahweh. Ver as notas na introdução ao capítulo. Este oráculo é um tipo de *canção poética*, cujo tema é o julgamento. A espada afiada efetuará uma matança terrível.

■ **21.8** (na Bíblia hebraica corresponde ao **21.13**)

וַיְהִי דְבַר־יְהוָה אֵלַי לֵאמֹר:

Veio a mim a palavra do Senhor. Esta é a declaração comum que introduz novos materiais. Ela fala sobre a inspiração divina da mensagem e afirma que Ezequiel era o profeta autorizado por Yahweh. Cf. Ez 13.1; 14.2; 15.1; 16.1.

■ **21.9** (na Bíblia hebraica corresponde ao **21.14**)

בֶּן־אָדָם הִנָּבֵא וְאָמַרְתָּ כֹּה אָמַר אֲדֹנָי אֱמֹר חֶרֶב
חֶרֶב הוּחַדָּה וְגַם־מְרוּטָה:

A Urgência da Mensagem. Ezequiel deveria transmitir imediatamente as ordens, porque foram dadas pelo Senhor e ele tinha urgência em iniciar a matança.

Profetiza, e dize. Yahweh manda; fala tudo; não retenhas nada; não tenhas misericórdia; o tempo é agora. A espada está afiada e polida, preparada para cumprir seu trabalho espantoso. Haverá guerra, fome e pestilência. O exército babilônico trará ondas de grande terror. Existirá somente uma lei, a da espada.

Nenhuma lei, senão a espada, desembainhada e descontrolada.
Rudyard Kipling

A matança caça suas vítimas em toda a terra; no meio da fúria e destruição, Deus trabalha. É a espada do Senhor (Dt 32.41; Jr 12.12).

■ **21.10** (na Bíblia hebraica corresponde ao **21.15**)

לְמַעַן טְבֹחַ טֶבַח הוּחַדָּה לְמַעַן־הֱיֵה־לָהּ בָּרָק
מֹרָטָּה אוֹ נָשִׂישׂ שֵׁבֶט בְּנִי מֹאֶסֶת כָּל־עֵץ:

Afiada para matança. A espada afiada corre para a matança; é polida e brilha ao sol, e, como relâmpago, mutila os habitantes de Jerusalém. É rápida e efetiva; não descansará enquanto não completar sua tarefa.

Não chore,
A velha violência não é tão velha
Que não possa gerar novos valores.
Robinson Jeffers

Israel diz: Alegremo-nos! O cetro do meu filho despreza qualquer outro pau. Talvez este trecho contenha algum tipo de confusão ou erro primitivo. Os intérpretes procuram deduzir o significado: deve comunicar alguma coisa como "Tu, Judá, não estás feliz com este castigo terrível. Mas, meu filho, Judá, tu não te modificastes, quando foste surrado somente com uma vara" (NCV). Julgamentos preliminares foram ineficazes, portanto, a *espada* de Yahweh avançou sobre os rebeldes.

Qualquer outro pau. "Toda árvore" (KJV); ou, "tudo com madeira". Estão em vista as *varas de disciplina* feitas de madeira, contrastando com espadas de metal. Tendo rejeitado a primeira, Judá recebeu outra. Mas alguns intérpretes acreditam que a figura é a de uma *espada* que corta *árvores* (isto é, os habitantes de Jerusalém). Cf. Ez 20.47. As árvores verdes e secas (todas as classes sociais e os justos e os ímpios) serão massacradas.

■ **21.11** (na Bíblia hebraica corresponde ao **21.16**)

וַיִּתֵּן אֹתָהּ לְמָרְטָה לִתְפֹּשׂ בַּכָּף הִיא־הוּחַדָּה חֶרֶב
וְהִיא מֹרָטָה לָתֵת אוֹתָהּ בְּיַד־הוֹרֵג:

Está afiada e polida. Yahweh preparou sua espada com cuidado, afiando-a e polindo-a. Ficou pronta para efetuar o serviço. Yahweh coloca nas mãos de Nabucodonosor o instrumento de terror, e ele, por sua vez, o dá a seu exército. A *causa* do massacre era Yahweh, e a Babilônia, seu instrumento. O Targum traz: "Ele deu a vingança para as mãos do rei da Babilônia". Cf. Ap 19.15. O vs. 19 deste capítulo informa diretamente que o rei da Babilônia foi designado executor de Judá.

■ **21.12** (na Bíblia hebraica corresponde ao **21.17**)

זְעַק וְהֵילֵל בֶּן־אָדָם כִּי־הִיא הָיְתָה בְעַמִּי הִיא בְּכָל־
נְשִׂיאֵי יִשְׂרָאֵל מְגוּרֵי אֶל־חֶרֶב הָיוּ אֶת־עַמִּי לָכֵן סְפֹק
אֶל־יָרֵךְ:

Grita e geme. Este versículo volta ao vs. 6: os gemidos e as lamentações proferidos pelo profeta, porque seu coração estava "partido". Agora, ele dá pancadas na *coxa*, um gesto de consternação e desespero. Todo o povo, inclusive os líderes, cairão juntos, numa *massa de carne mutilada*.

Coxa. Alguns traduzem *peito*, para fazer a declaração concordar com a expressão moderna. Cf. Jr 31.19.

■ **21.13** (na Bíblia hebraica corresponde ao **21.18**)

כִּי בֹחַן וּמָה אִם־גַּם־שֵׁבֶט מֹאֶסֶת לֹא יִהְיֶה נְאֻם אֲדֹנָי
יְהוִה: פ

Qualquer tradução deste versículo é hipotética, já que o hebraico é obscuro e provavelmente corrupto.

Ideias. 1. O tempo da grande provação chegou; a espada ultrapassará a vara em muito (assim diz o KJV). 2. O que está por vir não será meramente um tempo de provação, mas uma *finalidade*. Houve muitos castigos; haverá uma só finalidade (assim diz a RSV). 3. A provação virá fatalmente, e Judá, detestada pelo exército da Babilônia, não durará muito (assim diz a NCV). 4. A *vara*, aqui, é o cetro de Israel que não aguentará o ataque e desaparecerá. A linhagem real, davídica, cessará.

Diz o Senhor Deus. Embora o significado do versículo seja duvidoso, é claro que *Adonai-Yahweh* (o Soberano Eterno Deus) efetuará sua vontade no massacre de Judá. Sua soberania determina o destino dos homens, indivíduos e nações. Ver no *Dicionário* o artigo intitulado *Deus, Nomes Bíblicos de*.

■ **21.14** (na Bíblia hebraica corresponde ao **21.19**)

וְאַתָּה בֶן־אָדָם הִנָּבֵא וְהַךְ כַּף אֶל־כָּף וְתִכָּפֵל חֶרֶב
שְׁלִישִׁתָה חֶרֶב חֲלָלִים הִיא חֶרֶב חָלָל הַגָּדוֹל
הַחֹדֶרֶת לָהֶם:

Bate com as palmas uma na outra. *Cumprimento das Profecias Amargas*. Yahweh ordenou a Ezequiel bater palmas. O barulho serviria de *sinal* para a matança começar. Aquele gesto era de raiva e daria início ao massacre. A ira de Yahweh não mais se conteve. Era a hora da queda de Judá. A espada existe para matar e golpeará uma, duas, *três vezes,* para garantir o massacre completo de praticamente todos os habitantes de Jerusalém. Os poucos sobreviventes serão levados à Babilônia, em *três* deportações (Jr 52.28). O ataque babilônico chegará em ondas, cada uma mais temível que a outra.

Até aqueles que se esconderem, em câmaras secretas e cavernas nas colinas, serão descobertos e mortos. "Uma grande matança os cercará" (RSV). A versão portuguesa traz: *terror* cercando as vítimas, "rodeando-as". Cf. Jr 52.5,6,12,30.

■ **21.15** (na Bíblia hebraica corresponde ao **21.2**)

לְמַעַן לָמוּג לֵב וְהַרְבֵּה הַמִּכְשֹׁלִים עַל כָּל־שַׁעֲרֵיהֶם
נָתַתִּי אִבְחַת־חָרֶב אָח עֲשׂוּיָה לְבָרָק מְעֻטָּה לְטָבַח:

Para que desmaie o seu coração. Cf. o vs. 7 deste capítulo.

Ela foi feita para ser raio. A *espada* polida e brilhante se movimenta como o relâmpago, flamejando com cada golpe, derretendo corações e espalhando terror. Os invasores avançam através dos portões quebrados, em cima dos muros, através de buracos nos muros, correndo nas ruas e matando homens, mulheres, crianças e até animais, indiscriminadamente.

Está afiada para matar. A espada sendo "embrulhada" para a matança provavelmente significa "na mão do matador" que a utiliza. A NCV dá "segurada, pronta para matar". A Atualizada interpreta: "Está *afiada* para matar". Esta tradução segue o texto à *margem* da Bíblia hebraica. O Targum diz: "polida"; a RSV adota a leitura que exige uma emenda do texto.

■ **21.16** (na Bíblia hebraica corresponde ao **21.21**)

הִתְאַחֲדִי הֵימִנִי הַשְׂמִילִי אָנָה פָּנַיִךְ מֻעָדוֹת:

Ó espada, vira-te com toda a força... para onde quer que o teu rosto se dirigir. O hebraico representa Yahweh falando com a espada, dando direções de como agir. Ela corta para a esquerda, para a direita, corta ao redor, com a maior facilidade, e parará somente quando não houver mais vítimas para destruir. O castigo de Deus determinou a matança dessa maneira.

Esquerda e *direita* podem significar *norte* e *sul*, quando alguém olha para o oriente. Ver Ez 20.46. Isto significa que o massacre dominaria o país inteiro, de fronteira a fronteira. *Uma nação* estava sendo executada.

■ **21.17** (na Bíblia hebraica corresponde ao **21.22**)

וְגַם־אֲנִי אַכֶּה כַפִּי אֶל־כַּפִּי וַהֲנִחֹתִי חֲמָתִי אֲנִי יְהוָה
דִּבַּרְתִּי: פ

Também eu baterei as minhas palmas. Aqui Yahweh faz o gesto, enquanto no vs. 14 é o profeta que o emprega para dar o alarme que inicia a matança. A fúria do Senhor o inspira a bater palmas, como se estivesse golpeando as vítimas do massacre ou aplaudindo os instrumentos que efetuam a matança.

Desafogarei o meu furor. A fúria de Yahweh se satisfará somente quando o povo estiver quase aniquilado. Yahweh fez um juramento de destruição e o cumpriu. O *Targum* registra: "Eu trarei fúria sobre fúria". Cf. Ez 5.13 e 16.42. A raiva divina estará desassossegada enquanto houver uma vítima viva. Adonai-Yahweh se satisfará com o sofrimento e a morte de seu povo, um holocausto sobre o seu altar!

A Espada da Babilônia contra Jerusalém (21.18-27)

Este é o *terceiro oráculo* sobre a espada. Ver a introdução ao capítulo para comentários a respeito das "parábolas da espada". A espada de Yahweh entra em ação drástica. Nabucodonosor está em dúvida sobre a quem atacará em seguida (vs. 21). Yahweh colocou a espada nas suas mãos e falou: "Vai atrás de Judá!" A ordem divina interveio, porque o rei da Babilônia estava empregando diversos modos de adivinhação para tomar sua decisão. A palavra de Yahweh aproveitou a situação e deu uma direção absoluta. O Senhor entrou no meio das adivinhações, obrigando-as a dar a indicação certa. Aprendemos, de novo, que *Adonai-Yahweh* (o Soberano Eterno Deus) controla o destino dos homens e das nações.

■ **21.18** (na Bíblia hebraica corresponde ao **21.23**)

וַיְהִי דְבַר־יְהוָה אֵלַי לֵאמֹר:

Veio a mim a palavra do Senhor. Este versículo apresenta a declaração comum que introduz novas mensagens ou oráculos. Ela ensina que as mensagens foram dadas por inspiração divina e que Ezequiel era o profeta autorizado por Yahweh. Cf. Ez 13.1; 14.2; 15.1 e 16.1.

■ **21.19** (na Bíblia hebraica corresponde ao **21.24**)

וְאַתָּה בֶן־אָדָם שִׂים־לְךָ שְׁנַיִם דְּרָכִים לָבוֹא חֶרֶב
מֶלֶךְ־בָּבֶל מֵאֶרֶץ אֶחָד יֵצְאוּ שְׁנֵיהֶם וְיָד בָּרֵא בְּרֹאשׁ
דֶּרֶךְ־עִיר בָּרֵא:

Propõe dois caminhos. "Em ações simbólicas, o profeta demonstra que Deus guiou Nabucodonosor sobrenaturalmente para derrotar

Jerusalém" (Charles H. Dyer, *in loc.*). O que parecia governado pelo acaso, ou pela decisão caprichosa do rei (inspirada por adivinhações vazias), estava realmente sob o controle do Soberano. O *teísmo bíblico* ensina que Deus intervém na história dos homens; o Criador é também o controlador. Governa segundo as suas leis morais, castigando o mal e recompensando o bem. O *deísmo,* por contraste, ensina que a força criadora (pessoal ou impessoal) abandonou sua criação, deixando-a ao controle das leis naturais. Ver no *Dicionário* os artigos chamados *Teísmo* e *Deísmo.* Ver, também, *Providência de Deus* e *Soberania de Deus.*

Os dois caminhos começam na Babilônia, mas para Yahweh houve somente um pelo qual o rei poderia seguir: aquele que ia diretamente para Judá.

■ **21.20** (na Bíblia hebraica corresponde ao **21.25**)

דֶּרֶךְ תָּשִׂים לָבוֹא חֶרֶב אֵת רַבַּת בְּנֵי־עַמּוֹן וְאֶת־
יְהוּדָה בִירוּשָׁלַםִ בְּצוּרָה׃

A Encruzilhada. Embora fosse o homem mais poderoso do mundo, Nabucodonosor, chegando à encruzilhada, não teria certeza de qual caminho seguir. Naquele ponto, precisaria da direção divina para prosseguir. Oh, Senhor, concede-nos tal graça! Um caminho ia na direção de Rabá, de Amom, e o outro para Jerusalém, em Judá. Jerusalém era muito fortificada, e esse fato pode ter influenciado o rei a ir na outra direção, levando a grande espada do Senhor, pronta para cometer genocídio. Tendo devastado Rabá ou Jerusalém, em outra ocasião, ele iria atrás da outra, mas Yahweh tinha pressa de acabar com Jerusalém e, assim, deu direções apropriadas para cumprir aquele propósito.

Rabá era a capital de Amom, moderna Amam, capital da Jordânia. Amom participava da aliança contra a Babilônia e seria um alvo natural. Ver Jr 27.3. Anteriormente, a cidade (e país) tinha sido aliada da Babilônia (2Rs 24.2), mas antes de 589 mudou de lealdade.

■ **21.21** (na Bíblia hebraica corresponde ao **21.26**)

כִּי־עָמַד מֶלֶךְ־בָּבֶל אֶל־אֵם הַדֶּרֶךְ בְּרֹאשׁ שְׁנֵי
הַדְּרָכִים לִקְסָם־קָסֶם קִלְקַל בַּחִצִּים שָׁאַל בַּתְּרָפִים
רָאָה בַּכָּבֵד׃

O rei da Babilônia para na encruzilhada. Para resolver o dilema, *três formas* de adivinhação foram empregadas: 1. Foram usadas *flechas.* Provavelmente eram colocadas dentro da aljava e, então, sacudidas. Cada uma continha uma mensagem escrita, e a flecha "puladora", com sua mensagem, determinaria a decisão. Ou, um general, com os olhos fechados, tiraria uma flecha da aljava com a mensagem. Os árabes utilizavam essa forma de adivinhação, à qual chamavam de *belomancia.* 2. Ou *terafins* (ver a respeito no *Dicionário*) foram utilizados. Não sabemos como a consulta dos ídolos era feita. Os ídolos em pauta eram pequenos como os que pessoas guardam em casa. As pessoas levavam consigo estes pequenos ídolos, esperando deles direção e proteção sobrenaturais. Ver Gn 31.34. 3. Ou *fígados* de animais serviam como *agentes reveladores.* Esta forma de adivinhação, a qual os antigos do Oriente apreciavam, chama-se *hepatoscopia.* Muitos fígados-moldes têm sido encontrados pelos arqueólogos, ilustrando o assunto. As linhas e dobras tinham significados para os praticantes desta "arte", bem como as linhas e dobras em mãos humanas servem hoje à *quiromancia.* Ver no *Dicionário* o artigo intitulado *Adivinhação.*

■ **21.22** (na Bíblia hebraica corresponde ao **21.27**)

בִּימִינוֹ הָיָה הַקֶּסֶם יְרוּשָׁלַםִ לָשׂוּם כָּרִים לִפְתֹּחַ
פֶּה בְּרֶצַח לְהָרִים קוֹל בִּתְרוּעָה לָשׂוּם כָּרִים עַל־
שְׁעָרִים לִשְׁפֹּךְ סֹלְלָה לִבְנוֹת דָּיֵק׃

Caiu-lhe o oráculo para a direita, sobre Jerusalém. *As Duas Direções.* No lado direito (sul) se situava Jerusalém; no lado esquerdo (norte), Amom. Ou o texto quer dizer que "dentro da mão direita veio a sorte" (NIV). Como ela chegou aí, o texto não explica. De qualquer maneira, as adivinhações foram feitas, e a sorte caiu sobre Jerusalém, a escolha absoluta. Presumivelmente as três formas (do vs. 21) indicavam a mesma coisa. A máquina de guerra da Babilônia foi preparada para a longa marcha, e logo Judá passaria para a história.

Com ordens de matar, para lançar gritos de guerra, para colocar os aríetes contra as portas, para levantar terraplenos, para edificar baluartes. Ver no *Dicionário* o artigo chamado *Guerra,* que explica como os antigos conduziam aquele triste negócio e quais instrumentos empregavam. *A escolha foi feita,* e a máquina da guerra já descia a estrada para Jerusalém. Todas as preparações foram feitas; os espíritos de ódio acompanharam o exército. Sede de sangue já controlava a mente dos soldados.

O comandante Sanguinário

Não é mau. Que toquem.
Que os canhões estrondem e os aviões bombardeiem,
Proferindo suas prodigiosas blasfêmias.
Não é mau, é chegado o tempo.
A violência ainda é do comandante para
Gerar valores neste mundo.
Quem se lembraria do rosto de Helena,
Se lhe faltasse o terrível halo de lanças?
...
Não choreis, deixai-os brincar,
A velha violência não é antiga demais
Para não poder gerar novos valores.

Robinson Jeffers

■ **21.23** (na Bíblia hebraica corresponde ao **21.28**)

וְהָיָה לָהֶם כִּקְסָם־שָׁוְא בְּעֵינֵיהֶם שְׁבֻעֵי שְׁבֻעוֹת לָהֶם
וְהוּא־מַזְכִּיר עָוֹן לְהִתָּפֵשׂ׃ פ

Possíveis Significados Deste Versículo. 1. Os babilônios ficaram surpresos com a escolha feita pelos modos diferentes de adivinhação. Duvidaram da escolha, mas, em obediência aos deuses, prosseguiram com o plano, esperando que estivessem fazendo o que era certo. Mas *Yahweh* garantiu-lhes que haviam escolhido bem e que seu poder os ajudaria. 2. Ou os líderes de Judá-Jerusalém, que tinham feito alianças contra a Babilônia, acharam as adivinhações falsas. O próprio Yahweh garantiu que a decisão fora dele e logo seu castigo cairia sobre eles, por causa de muitos pecados. 3. Ou os juramentos feitos aqui se referem àqueles depois da primeira deportação. Zedequias e seus generais "quebraram a fé"; a ira de Yahweh estava pronta para puni-los, porque violaram o acordo de *não agressão* que fizeram com a Babilônia. Talvez Zedequias e seus generais acreditassem que as adivinhações de Nabucodonosor fossem falsas; confortados por um falso senso de segurança, não procuraram a ajuda de Yahweh, arrependidos de sua idolatria-adultério-apostasia.

Os intérpretes e tradutores manuseiam o texto de maneiras diferentes, porque o hebraico é obscuro. A Atualizada escolhe a segunda possibilidade.

■ **21.24** (na Bíblia hebraica corresponde ao **21.29**)

לָכֵן כֹּה־אָמַר אֲדֹנָי יְהוִה יַעַן הַזְכַּרְכֶם עֲוֹנְכֶם
בְּהִגָּלוֹת פִּשְׁעֵיכֶם לְהֵרָאוֹת חַטֹּאותֵיכֶם בְּכֹל
עֲלִילוֹתֵיכֶם יַעַן הִזָּכֶרְכֶם בַּכַּף תִּתָּפֵשׂוּ׃ פ

Visto que me fazeis lembrar da vossa iniquidade... Yahweh não podia mais ignorar a condição lamentável daquele povo. "Seus velhos pecados, juntamente com os novos, contra Yahweh e contra o rei da Babilônia, entregariam Jerusalém às mãos do destruidor" (John Gill, *in loc.*). O *Targum* traz: "Será entregue às mãos do rei da Babilônia", que servia de chicote. Seu falso senso de segurança seria abalado. A matança seria muito grande e a pilhagem, completa. Os poucos sobreviventes seriam levados, em três deportações, para a Babilônia.

A espada os seguiria para continuar o massacre (Jr 9.16; Ez 12.14).

Iniquidade... transgressões... pecados... Uma tríplice descrição procura expressar a *imensidade* da apostasia de Judá-Jerusalém. Nenhum arrependimento os salvaria. O dia da graça havia passado; o julgamento era iminente.

■ **21.25** (na Bíblia hebraica corresponde ao **21.30**)

וְאַתָּה חָלָל רָשָׁע נְשִׂיא יִשְׂרָאֵל אֲשֶׁר־בָּא יוֹמוֹ בְּעֵת
עֲוֹן קֵץ׃ ס

Ó profano e perverso, príncipe de Israel. A referência é a Zedequias, que violou seu juramento feito em nome de Yahweh. Quebrou o pacto de não agressão que tinha feito com a Babilônia e que promovia uma aliança com o Egito, para acabar com a ameaça do norte. O *ímpio príncipe* provocou a destruição quase total de seu país. Houve três deportações, que se seguiram à onda de ataques que o exército babilônico lançou contra Jerusalém. "Zedequias é chamado *profano*, por ter quebrado seu juramento, e *perverso* por ter feito oposição a Yahweh e seu profeta" (Adam Clarke, *in loc.*). Um dia fora designado para a destruição daquele homem, e o decreto do Senhor não podia falhar. O dia da misericórdia tinha passado. Ver o vs. 29. A taça da iniquidade estava cheia, e a retaliação divina era iminente e inevitável.

■ **21.26** (na Bíblia hebraica corresponde ao **21.31**)

כֹּה אָמַר אֲדֹנָי יְהוִה הָסִיר הַמִּצְנֶפֶת וְהָרִים הָעֲטָרָה
זֹאת לֹא־זֹאת הַשָּׁפָלָה הַגְבֵּהַ וְהַגָּבֹהַ הַשְׁפִּיל׃

Tira o diadema, e remove a coroa. Zedequias perderia seu diadema e sua coroa, símbolos da autoridade real. Cf. estas palavras sobre o diadema com Lv 8.9. Ver também Êx 28.37 e 29.6.

Será exaltado o humilde, e abatido o soberbo. Os líderes ricos e poderosos seriam humilhados; os humildes ganhariam poder e prestígio. Ver este tema anotado em Pv 3.34. No *Novo Testamento Interpretado*, ver as notas sobre Lc 1.15; Tg 4.6 e 1Pe 3.5. Os orgulhosos e humildes são contrastados em Pv 11.2; 13.10; 14.3; 15.25; 21.4 e 30.12.

O reverso descrito neste versículo supostamente aconteceu quando o pequeno e humilde remanescente voltou a Jerusalém, para começar o novo Israel. Os corpos dos poderosos e orgulhosos apodreciam no chão, numa humilhação final. Alguns intérpretes veem aqui uma profecia do reino do Messias, que reverterá tais fortunas. Ver Mt 5.5 e Is 53.2.

■ **21.27** (na Bíblia hebraica corresponde ao **21.32**)

עַוָּה עַוָּה עַוָּה אֲשִׂימֶנָּה גַּם־זֹאת לֹא הָיָה עַד־בֹּא
אֲשֶׁר־לוֹ הַמִּשְׁפָּט וּנְתַתִּיו׃ פ

Ruína! Ruína! A ruínas a reduzirei. *A ameaça*, repetida três vezes, é enfática. A palavra hebraica traduzida por ruína significa literalmente "derrubar" ou "reviravolta". Haverá total reverso de fortuna, de poder, de prestígio, de bem-estar; os fortes descerão; os fracos subirão. Depois do cativeiro, Jerusalém ressurgiria com nova liderança. Talvez a profecia seja escatológica, como supõem alguns intérpretes.

A ruína reinará, até que venha aquele a quem pertence o direito de reinar. Cf. Zc 9.9; Mt 21.1-11; Ap 19.11-16; "Cristo cumprirá as exigências da profecia de Ezequiel. *Ele* será o Rei de Israel" (Charles H. Dyer, *in loc.*). Cf. Gn 49.10, outra profecia do Messias, de longo alcance.

O Amargo Destino dos Amonitas (21.28-32)

■ **21.28** (na Bíblia hebraica corresponde ao **21.33**)

וְאַתָּה בֶן־אָדָם הִנָּבֵא וְאָמַרְתָּ כֹּה אָמַר אֲדֹנָי יְהוִה
אֶל־בְּנֵי עַמּוֹן וְאֶל־חֶרְפָּתָם וְאָמַרְתָּ חֶרֶב חֶרֶב
פְּתוּחָה לְטֶבַח מְרוּטָה לְהָכִיל לְמַעַן בָּרָק׃

Assim diz o Senhor Deus. *Adonai-Yahweh* (o Soberano Eterno Deus) fala através de seu representante, Ezequiel. Esse título é usado 217 vezes nesse livro, mas somente 103 no restante do Antigo Testamento. Yahweh é o Deus que faz o que quer, cuja *soberania* determina o destino dos homens ou das nações. Ele age baseado em sua lei moral. Os amonitas foram culpados de pecados grosseiros e se tornaram alvo da espada do Senhor.

Acerca dos filhos de Amom. A espada golpeará Judá primeiro, mas logo depois cortará Amom em pedaços. Seguirá a *outra* estrada (vs. 21). Comparar este oráculo contra Amom com Ez 25.1-7. Ver também Jr 49.1-6 e Sf 2.8-11. "Como em Ez 25.3,6, talvez haja aqui uma alusão aos eventos que cercaram a morte de Gedalias (Jr 40.13—41.18). Note-se o papel que os amonitas desempenhavam no tempo de Neemias (Ne 2.10,19; 13.1-3; 23.27)" (Theophile J. Meek, *in loc.*).

A espada. Esta é a *quarta* profecia sobre a espada. Ver a introdução ao capítulo, para as outras, e os versículos que elas ocupam. Cada seção é uma apresentação separada sobre a espada e seus simbolismos.

A espada é descrita como antes (vss. 9,10): afiada e polida, preparada como uma arma temível e eficaz, que golpeia como o relâmpago. Ver as notas mais completas nos versículos citados anteriormente.

■ **21.29** (na Bíblia hebraica corresponde ao **21.34**)

בַּחֲזוֹת לָךְ שָׁוְא בִּקְסָם־לָךְ כָּזָב לָתֵת אוֹתָךְ אֶל־
צַוְּארֵי חַלְלֵי רְשָׁעִים אֲשֶׁר־בָּא יוֹמָם בְּעֵת עֲוֹן קֵץ׃

Falsos Profetas de Amom. Aqueles mentirosos agiram como seus contrapartes de Jerusalém. Pronunciaram falsos oráculos, prevendo "paz e prosperidade". Cf. Jr 6.14; 8.11 e Ez 13.10,16. A despeito de seu otimismo, a espada cairia sobre os profetas mentirosos e também sobre os tolos que acreditaram em seus oráculos ridículos. O dia da vingança se aproximava rapidamente. Adonai-Yahweh (o Soberano Eterno Deus) governava todas as nações, não meramente Israel, chamado o *seu povo*. O mundo inteiro é o povo de Deus, responsável perante ele. Cf. Jr 27.3,9.

■ **21.30** (na Bíblia hebraica corresponde ao **21.35**)

הָשֵׁב אֶל־תַּעְרָהּ בִּמְקוֹם אֲשֶׁר־נִבְרֵאתָ בְּאֶרֶץ
מְכֻרוֹתַיִךְ אֶשְׁפֹּט אֹתָךְ׃

Torna a tua espada à sua bainha. Este versículo é bastante obscuro no hebraico, dando licença para os intérpretes inventarem possíveis explicações: 1. Aquele que recebe a ordem para colocar sua espada de volta na bainha é *Nabucodonosor*. Ele completara seu "serviço" em Amom, cometendo genocídio, e voltara à Babilônia. Lá sofreu um período de insanidade, deixando o "serviço ativo" por algum tempo. Outros tiranos continuaram as suas matanças. Ver Dn 4.22. 2. Ou devemos entender a expressão como uma pergunta: "Será que vou mandar o matador embainhar sua espada?" A resposta é um retumbante *Não!* Amom será julgada *a la Jerusalém*, sendo quase aniquilada. A espada cortará *Zoar* em pedaços.

No lugar em que foste formado, na terra do teu nascimento, te julgarei. O pai de Amom nasceu nesse lugar, que servia como capital do país. O julgamento cairia sobre o lugar onde o rei nascera. Ele morreria "em casa", não em campo de batalha. Os poucos sobreviventes seriam levados para a Babilônia, como aconteceu no caso de Jerusalém.

■ **21.31** (na Bíblia hebraica corresponde ao **21.37**)

וְשָׁפַכְתִּי עָלַיִךְ זַעְמִי בְּאֵשׁ עֶבְרָתִי אָפִיחַ עָלָיִךְ
וּנְתַתִּיךְ בְּיַד אֲנָשִׁים בֹּעֲרִים חָרָשֵׁי מַשְׁחִית׃

Assoprarei contra ti o fogo do meu furor. O fogo foi derramado como um rio de lava. Yahweh *soprou* neles feito vento do deserto oriental. As palavras talvez aludam ao processo metalúrgico de fundição de metais. Amom foi colocado no forno da ira de Deus. Cf. Ez 22.20,21. O sopro divino aumentou o calor do fogo. Alguns intérpretes veem aqui um incêndio de floresta intensificado pelo vento. Ver Ez 22.21 e cf. Ez 20.45-49.

E te entregarei nas mãos de homens brutais, mestres de destruição. Os babilônios eram hábeis exterminadores de raças. Seu esporte não era a guerra comum, mas o genocídio. A matança era, de fato, a ira *de Yahweh* limpando aquela parte do mundo, com sua vassoura, a Babilônia. Yahweh havia escolhido um instrumento capacitado, composto de homens cruéis e ansiosos por ver o sangue correr.

■ **21.32** (na Bíblia hebraica corresponde ao **21.37**)

לָאֵשׁ תִּהְיֶה לְאָכְלָה דָּמֵךְ יִהְיֶה בְּתוֹךְ הָאָרֶץ לֹא
תִזָּכֵרִי כִּי אֲנִי יְהוָה דִּבַּרְתִּי׃ פ

Servirás de pasto ao fogo. O país inteiro se tornará combustível para o fogo, e disso resultará grande conflagração. A imagem muda de novo para o *fluxo do sangue* provocado pela espada cruel. Os companheiros, o fogo e o sangue, farão tão grande devastação, que ninguém lembrará que Amom existiu um dia. O autor emprega uma hipérbole oriental para enfatizar sua mensagem. O *Targum* lembra que tudo isso aconteceu porque o *decreto* de Yahweh operou exatamente com essa finalidade.

Adonai-Yahweh (o Soberano Eterno Deus) empregou seu poder soberano para garantir o colapso total de Amom. O dia da vingança divina chegou e aniquilou os depravados.

CAPÍTULO VINTE E DOIS

TRÊS MENSAGENS CONCERNENTES À POLUIÇÃO E AO JULGAMENTO DE JERUSALÉM. ACUSAÇÃO CONTRA A CIDADE (22.1-31)

Este capítulo contém *três* novos oráculos: 1. *Vss. 1-16:* a acusação contra Jerusalém, uma cidade sem-vergonha, cheia de crimes de sangue. Os habitantes desse lugar tenebroso serão espalhados entre as nações. 2. *Vss. 17-22:* o fogo de Yahweh será como o do fundidor. Jerusalém será testada; ficará comprovado que a cidade se consistia de *escória* somente. O autor não menciona a pequena porção de prata que seria separada da escória e usada para começar o novo Israel depois do cativeiro. 3. *Vss. 23-31:* todas as classes sociais serão justiçadas por causa de suas transgressões intermináveis. A indignação de Yahweh acabará com elas e com suas infrações. A *justiça* de Yahweh será demonstrada claramente. A *ira* de Deus será vindicada. Tudo acontecerá de acordo com a *Lei Moral da Colheita segundo a Semeadura* (ver a respeito no *Dicionário*).

A Cidade de Sangue Frio: Acusação Formal contra a Cidade (22.1-16)

■ 22.1

וַיְהִי דְבַר־יְהוָה אֵלַי לֵאמֹר׃

Esta seção nos dá a *acusação geral* de Yahweh contra Jerusalém, com o propósito de demonstrar a justiça das punições administradas. O catálogo de pecados, neste trecho, nos faz lembrar de Ez 18.5-18; os termos empregados provavelmente foram emprestados de tais passagens, como Lv 18.6-9,17,20; 19.3,16,20,30,33; 20.9,10-14,17. Houve o terror do sacrifício humano, crimes de sangue, opressão social, violência e extorsão, o uso da corte para esconder e promover crimes. Cf. Ez 7.23; 11.6,7; 18.10; 23.37,45; 24.6-9; 33.25 e 37.18.

Veio a mim a palavra do Senhor. Esta é a declaração comum que introduz novos materiais ou oráculos. Enfatiza a inspiração divina ao que se segue, e afirma que Ezequiel era o profeta autorizado por Yahweh, o revelador.

■ 22.2

וְאַתָּה בֶן־אָדָם הֲתִשְׁפֹּט הֲתִשְׁפֹּט אֶת־עִיר הַדָּמִים
וְהוֹדַעְתָּהּ אֵת כָּל־תּוֹעֲבוֹתֶיהָ׃

Faze-lhes conhecer, pois, todas as suas abominações. A tarefa do profeta era *julgar* Jerusalém, em nome de Yahweh, condenando-a, pelas informações que o oráculo traria e por sua própria constatação das abominações do povo. Era uma cidade de assassínios (cidade de sangue) e idolatria variegada (abominações). Estes dois pecados eram os mais conspícuos, mas representavam grande multiplicidade de infrações da lei moral de Yahweh. Ezequiel agiria como um "advogado" contra a cidade, apresentando um caso convincente. Os pecadores não mais poderiam fingir inocência. Cf. Ez 20.4 e 23.36.

■ 22.3

וְאָמַרְתָּ כֹּה אָמַר אֲדֹנָי יְהוִה עִיר שֹׁפֶכֶת דָּם בְּתוֹכָהּ
לָבוֹא עִתָּהּ וְעָשְׂתָה גִלּוּלִים עָלֶיהָ לְטָמְאָה׃

Assim diz o Senhor Deus: Ai da cidade que derrama sangue... e faz ídolos. *Adonai-Yahweh* (o Soberano Eterno Deus) apresenta ao profeta a condenação que deve verbalizar. Seu título indica que a *soberania* de Deus será aplicada (negativamente) à situação. O soberano condena o pecado de *assassinato*, infração violenta e crassa da lei de Moisés (Êx 20.13). Os poderosos haviam matado para aumentar suas fortunas e ganhar mais poder. Utilizaram a corte para executar homens inocentes. O segundo pecado mais destacado é a *idolatria* de Judá-Jerusalém, que incorporava diversos cultos pagãos. A paciência divina se esgotara. O "tempo designado" (RSV) da destruição da cidade chegara. A oportunidade de arrependimento (e reversão) já tinha passado.

■ 22.4

בְּדָמֵךְ אֲשֶׁר־שָׁפַכְתְּ אָשַׁמְתְּ וּבְגִלּוּלַיִךְ אֲשֶׁר־עָשִׂית
טָמֵאת וַתַּקְרִיבִי יָמַיִךְ וַתָּבוֹא עַד־שְׁנוֹתָיִךְ עַל־כֵּן
נְתַתִּיךְ חֶרְפָּה לַגּוֹיִם וְקַלָּסָה לְכָל־הָאֲרָצוֹת׃

Fizeste chegar o dia do teu julgamento e o término de teus anos. O vs. 4 repete, essencialmente, os vss. 2,3, acrescentando o fato de que o "dia designado" do julgamento agora é *iminente*. "O tempo de sua punição está perto" (NCV).

Eu te fiz objeto de opróbrio das nações. O versículo também acrescenta que Judá-Jerusalém, por causa de seus pecados crassos, ganhou reputação de desonra até entre seus vizinhos pagãos. Cf. este tema com Ez 5.14,15. O trecho de Êx 20.3,4,13 proíbe estes dois pecados, crimes de sangue e idolatria, que exigiram execução judicial.

■ 22.5

הַקְּרֹבוֹת וְהָרְחֹקוֹת מִמֵּךְ יִתְקַלְּסוּ־בָךְ טְמֵאַת הַשֵּׁם
רַבַּת הַמְּהוּמָה׃

Escarnecerão de ti. Até os pagãos, próximos ou distantes, totalmente corruptos e violentos, ridicularizaram Jerusalém, chamando-a de cidade "infamada, cheia de inquietação". A cidade santa tornou-se a cidade sem lei. Cidades pagãs, localizadas às fronteiras de Judá, habitações de Moabe, Edom e Filístia, souberam da ruindade de Jerusalém, e sua péssima reputação chegou até a Babilônia e outros lugares distantes, como cidades do império medo-persa.

■ 22.6

הִנֵּה נְשִׂיאֵי יִשְׂרָאֵל אִישׁ לִזְרֹעוֹ הָיוּ בָךְ לְמַעַן שְׁפָךְ־
דָּם׃

Nada mais intentam senão derramar sangue. *O Esporte de Matar.* Os *líderes* da cidade assumiram o comando no esporte de executar homens inocentes. Tinham muito a ganhar com a morte de seus rivais e inimigos. Fizeram comércio de assassinato, satisfazendo a mente perversa de seus companheiros. Empregaram assassinos para não sujar suas mãos de sangue; subornaram cortes da lei para executar seus oponentes. Até o rei e os seus conselheiros foram culpados de tais crimes e ficaram sempre *impunes*, acima das leis hipotéticas do país, há muito tempo inativas. Ver os casos de Manassés (2Rs 21.6) e Jeoaquim (2Rs 24.4).

■ 22.7

אָב וָאֵם הֵקַלּוּ בָךְ לַגֵּר עָשׂוּ בַעֹשֶׁק בְּתוֹכֵךְ יָתוֹם
וְאַלְמָנָה הוֹנוּ בָךְ׃

Outros Pecados de Jerusalém. A locomotiva que levava o *trem-pecado* era *assassinato-idolatria.* Seguiram-se muitos vagões. O texto lista os *três* principais, neste versículo, e muitos outros se seguem.

1. Os pais foram tratados *com desrespeito* por seus filhos; não houve autoridade familiar; o lar era um lugar de abuso. A lei que proibia tais condutas havia sido violada. Ver Êx 20.12.
2. Os *estrangeiros*, que não tinham residência permanente no país, mas estavam passando por ali, foram maltratados, saqueados e até mortos. Sofreram extorsão e abuso econômico. A Septuaginta tem uma tradução que faz alguns deles *prosélitos* do judaísmo. Sendo verdade, os crimes foram ainda mais horripilantes. A lei proibia a opressão dos estrangeiros (Lv 19.33,34). Israel também foi estrangeiro entre outras nações e por isso maltratado. Deveria ter aprendido a lição da necessidade de tratar bem os menos privilegiados.
3. Perseguiram os membros mais fracos da sociedade, explorando-os. Os *órfãos* e as *viúvas* foram oprimidos; suas poupanças

foram confiscadas; suas propriedades, roubadas, e alguns deles, executados, quando protestaram. A lei proibia tais barbaridades (Êx 22.22,24; Dt 10.18; 14.28; 16.11; 24.17; 27.19). Alguns destes versículos também regulam o tratamento dado a estrangeiros. A lei de Moisés condenava enfaticamente os *abusos sociais*.

Estes três pecados figuram entre os *mais pesados*, mas houve inumeráveis infrações das leis e dos costumes hebreus, como vemos nos versículos seguintes.

■ 22.8

קָדָשַׁי בָּזִית וְאֶת־שַׁבְּתֹתַי חִלָּלְתְּ:

Desprezaste as minhas cousas santas. Na sua apostasia, Judá-Jerusalém nem respeitou as coisas santas de sua fé antiga. Eles violaram e negligenciaram as prescrições e leis do código mosaico; poluíram os sacrifícios e ofertas. Não observaram o sábado, o sinal do *Pacto Mosaico* (ver as notas na introdução a Êx 19). Ver uma discussão sobre a profanação do sábado, em Lv 19.30 e Ez 23.38.

■ 22.9

אַנְשֵׁי רָכִיל הָיוּ בָךְ לְמַעַן שְׁפָךְ־דָּם וְאֶל־הֶהָרִים אָכְלוּ בָךְ זִמָּה עָשׂוּ בְתוֹכֵךְ:

Três Outros Pecados. A apostasia de Jerusalém era multifacetada.

1. *Acusações falsas* eram uma prática comum nas cortes; falsas testemunhas apoiavam as acusações e homens inocentes eram condenados e executados "por ordem do Estado". Houve também difamações particulares que prejudicaram pessoas inocentes. A lei da selva reinava.
2. Eles participavam de festividades e sacrifícios (refeições comunais) que honravam a deuses pagãos, celebrando ritos nos *Lugares Altos* (ver a respeito no *Dicionário*) e em todas as localidades do país onde existiam altares pagãos. Ver no *Dicionário* o artigo intitulado *Idolatria,* onde é ilustrada a grande variedade que essa prática assumiu.
3. Formas variegadas de *perversões sexuais* fizeram parte dos hábitos daqueles ímpios. Eles praticaram a *prostituição sagrada,* pagando as prostitutas sacerdotisas para seus serviços. O dinheiro sustentava aquelas mulheres e os cultos idólatras. Foram adúlteros públicos e privados, praticantes de *perversidade*, uma palavra geral que fala de todo o tipo de deboche: adultério, fornicação, incesto, que os vss. 10 e 11 descrevem.

■ 22.10

עֶרְוַת־אָב גִּלָּה־בָךְ טְמֵאַת הַנִּדָּה עִנּוּ־בָךְ:

Perversidades Sexuais. Este versículo fornece detalhes sobre as perversidades do vs. 9.

1. *Incesto.* Alguns daqueles homens perversos usaram sexualmente as esposas plurais e concubinas de seus pais. "Descobrem a vergonha de teu pai" é um eufemismo para praticar relações sexuais com mulheres que pertenciam a seus pais (daquela sociedade altamente polígama). O hebraico literal é "nudez" dos pais, isto é, a nudez (mulheres) *que pertencia* aos pais, já que o ato sexual se pratica com mulheres nuas. Cf. Gn 35.22. O versículo pode implicar que o incesto foi praticado com a *própria mãe* daqueles depravados, pelo fato de que esse tipo de incesto sempre era comum, e ainda é. Ver no *Dicionário* o artigo chamado *Incesto.* Ver também Lv 20.11, que trata da forma de incesto mencionada no presente versículo. Lv 18 e 20 descrevem e proíbem alguns tipos de incesto. No capítulo 18, um *gráfico* ilustra o assunto.
2. O sexo com mulheres durante a menstruação era restritamente proibido (Lv 18.19; 20.18; Ez 18.6) e classificado como um crime sério. O cristianismo, rejeitando a lei cerimonial, o *descriminou.* Devemos lembrar que a mentalidade hebraica considerava o período de menstruação da mulher mais uma doença do que um ciclo normal. Além disso, praticar o sexo com uma mulher nesse período era considerado *excesso.* O homem que insistia em praticar sexo nesses dias estaria *aproveitando-se* da mulher, porque ela não poderia engravidar nesse período. Tal homem não respeitava a dignidade das mulheres. Finalmente, o sangue da menstruação era considerado *imundo*. A própria mulher ficava "imunda" nesses dias, bem como tudo em que ela tocasse. As pessoas imundas não podiam participar do culto a Yahweh. Ver no *Dicionário* o artigo intitulado *Limpo e Imundo,* e o tópico denominado *Menstruação,* no artigo *Enfermidades,* I.22, na *Enciclopédia de Bíblia, Teologia e Filosofia*.

■ 22.11

וְאִישׁ אֶת־אֵשֶׁת רֵעֵהוּ עָשָׂה תּוֹעֵבָה וְאִישׁ אֶת־כַּלָּתוֹ טִמֵּא בְזִמָּה וְאִישׁ אֶת־אֲחֹתוֹ בַת־אָבִיו עִנָּה־בָךְ:

Mais Três Pecados de Jerusalém:

1. *Adultério* (ver a respeito no *Dicionário*): sexo com a esposa de outro homem, a violação do sétimo mandamento (Êx 20.14). Ver as notas expositivas para maiores detalhes.
2. *Incesto* com uma nora. Ver Lv 18.5 e 20.12.
3. *Incesto* com uma irmã ou meia-irmã. Ver Lv 18.9 e 20.17. Os trechos de Lv 18.7-20 e 20.10-21 dão informações completas sobre as leis hebraicas contra o incesto, inclusive as punições administradas contra os infratores. Ver também Dt 22.22,23,30; 27.22.

O incesto praticado com a permissão da mulher era um crime; o incesto praticado por estupro era crime especialmente depravado e condenado pela lei. Em Jerusalém, os ímpios não observavam nenhuma lei.

■ 22.12

שֹׁחַד לָקְחוּ־בָךְ לְמַעַן שְׁפָךְ־דָּם נֶשֶׁךְ וְתַרְבִּית לָקַחַתְּ וַתְּבַצְּעִי רֵעַיִךְ בַּעֹשֶׁק וְאֹתִי שָׁכַחַתְּ נְאֻם אֲדֹנָי יְהוִה:

Outros Quatro Pecados de Jerusalém:

1. *Assassinatos* "comprados" e cometidos por assassinos profissionais, que ganhavam dinheiro, posição, propriedades etc. de seus empregadores. Alguns *subornos* nas cortes da lei "compraram" a morte de homens inocentes. Houve execuções legais, compradas. "... *pessoas recebem dinheiro para matar pessoas*" (NCV).
2. *Juros exorbitantes* eram cobrados dos pobres, humilhados por sua necessidade financeira. O hebreu não podia cobrar juros de outros hebreus, mas a prática era comum, em violação à lei (Êx 22.25; 25.36; Dt 23.19; Ez 18.13). A última destas referências ameaça o homem que cobra juros altos, de *morte prematura,* tão receada pelos hebreus. Mas quem não teme esse fenômeno?
3. *Extorsão.* Obter dinheiro, propriedades, bens etc., por meio de ameaças, violência, opressão ou abuso de autoridade. Extorsão é uma forma de roubo.
4. *Esqueceram Yahweh.* Desobedeceram às suas leis, negligenciaram seus cultos; ignoraram o "temor ao Senhor", a espiritualidade do Antigo Testamento. Ver Sl 119.38 e Pv 1.7. Ver no *Dicionário* o artigo intitulado *Temor.* Cf. Dt 32.18; Jr 2.32 e 3.21. Um caso radical de esquecer Deus é o *ateísmo,* teorético e prático. Muitas pessoas acreditam em Deus, mas não conduzem sua vida de acordo com essa crença, agindo como se ele não existisse.

■ 22.13

וְהִנֵּה הִכֵּיתִי כַפִּי אֶל־בִּצְעֵךְ אֲשֶׁר עָשִׂית וְעַל־דָּמֵךְ אֲשֶׁר הָיוּ בְּתוֹכֵךְ:

Bato as minhas palmas com furor. O julgamento necessariamente cairia sobre aquelas perversões, cumprindo as exigências da lei moral. Ver no *Dicionário* o artigo chamado *Lei Moral da Colheita segundo a Semeadura.* Este versículo especifica apenas *dois pecados:* ganho desonesto e assassinato, que nos fazem lembrar da lista que os precedeu. Ver no *Dicionário* o artigo intitulado *Vícios,* que arrola inúmeros pecados, descritos detalhadamente.

■ 22.14

הֲיַעֲמֹד לִבֵּךְ אִם־תֶּחֱזַקְנָה יָדַיִךְ לַיָּמִים אֲשֶׁר אֲנִי עֹשֶׂה אוֹתָךְ אֲנִי יְהוָה דִּבַּרְתִּי וְעָשִׂיתִי:

Estarão fortes as tuas mãos, nos dias em que eu vier a tratar contigo? "Ainda serão corajosos e bravos quando eu os julgar?

Eu, o Senhor, tenho falado e agora agirei" (NCV). Yahweh perdera a paciência com aqueles grandes pecadores. O exército babilônico já estava descendo a estrada para Judá; haveria matança e pilhagem, sofrimento e desespero. Judá-Jerusalém logo perderia a coragem ao enfrentar uma força destruidora implacável. Seus braços frouxos cairiam, inúteis para os defender. Reconheceriam Yahweh como Juiz e Destruidor.

Eu, o Senhor, o disse, e o farei. Um juramento acompanha e fortalece a ameaça. O Targum tem: "Eu tenho decretado por minha palavra e a cumprirei". Cf. Ez 21.7, que apresenta um quadro mais completo sobre os terrores do julgamento que virá.

■ 22.15

וַהֲפִיצוֹתִי אוֹתָךְ בַּגּוֹיִם וְזֵרִיתִיךְ בָּאֲרָצוֹת וַהֲתִמֹּתִי
טֻמְאָתֵךְ מִמֵּךְ:

Espalhar-te-ei entre as nações. Depois do massacre e da pilhagem efetuados pelo exército babilônico, os poucos sobreviventes seriam levados cativos para a Babilônia. Ver no *Dicionário* o artigo intitulado *Cativeiro Babilônico*. Alguns intérpretes acham que o texto tem alcance maior, atingindo a dispersão romana de 132 d.C. Se assim for, então a profecia tem aspectos *imediatos* (em relação à Babilônia) e *escatológicos* (em relação a Roma). Cf. Dt 4.27; 28.25 e Ez 12.14,15. Ver no *Dicionário* o artigo chamado *Cativeiros* e *Diáspora*.

■ 22.16

וְנִחַלְתְּ בָּךְ לְעֵינֵי גוֹיִם וְיָדַעַתְּ כִּי־אֲנִי יְהוָה: פ

Serás profanada em ti mesma. Assim lê a Septuaginta, o Siríaco e a Vulgata, que alguns estudiosos consideram o original, antes de ter sido modificado pelo texto massorético, o texto padronizado do Antigo Testamento hebraico. Ver no *Dicionário* o artigo intitulado *Massora (Massorah); Texto Massorético*. Devemos lembrar que as versões foram traduzidas de manuscritos hebraicos e, às vezes, preservam leituras originais que o texto hebraico padronizado perdeu. Ver também sobre *Manuscritos Antigos do Antigo Testamento,* que dá informações gerais, incluindo indicações sobre como leituras corretas são escolhidas quando há variantes. Judá-Jerusalém será profanada pela ordem de Yahweh, por palavras adversas e zombeteiras dos pagãos.

Terás uma herança em ti mesmo... Assim diz o texto hebraico, substituindo a leitura dada anteriormente. Estas palavras talvez indiquem que aquele povo perderá a herança prometida no Pacto Abraâmico e terminará somente com suas próprias pessoas como herança. Se esta variante representa o original, então as palavras são *irônicas*. Suas próprias pessoas logo seriam mutiladas pela invasão dos babilônios. Em vez da herança divina, teriam uma herança de carne mutilada.

À vista das nações. As calamidades que esmagarão Judá-Jerusalém chocarão as nações ao redor. Perguntarão: "Por que seu Deus não os protegeu?" Suas palavras serão irônicas, porque sentirão prazer com os sofrimentos dos judeus. Desprezarão, escarnecerão de Yahweh e profanarão o seu nome. Mesmo assim, Yahweh ficará conhecido universalmente, especialmente para Judá. O Juiz universal será exaltado porque sua lei moral derrubará as montanhas de corrupção.

Saberás que eu sou o Senhor. O tema de "conhecer o Senhor" ocorre 63 vezes nesse livro, normalmente associado a Yahweh como Juiz. Às vezes, ele se torna conhecido por causa de seus atos de *restauração* (ver Ez 16.62).

O Fogo da Ira de Yahweh (22.17-22)

Aqui começa o *segundo* dos três oráculos do capítulo. Ver as notas de introdução no início do capítulo. Esta segunda mensagem descreve a fundição da casa de Israel no forno de Yahweh. A indicação é a de que aquele povo se tornou escória, sem nenhuma prata redentora. Cf. Is 1.26-36; Zc 13.9 e Ml 3.3, onde o processo de fundição é para purificar o minério, obtendo dele algo útil. O profeta aqui não espera nenhum resultado positivo. A despeito disto, sabemos que os julgamentos de Deus são restauradores, não retributivos.

■ 22.17

וַיְהִי דְבַר־יְהוָה אֵלַי לֵאמֹר:

Veio a mim a palavra do Senhor. Este versículo tem uma declaração comum que introduz materiais ou mensagens novos. Lembra-nos de que a inspiração divina entregou a mensagem e de que Ezequiel era seu profeta autorizado.

■ 22.18

בֶּן־אָדָם הָיוּ־לִי בֵית־יִשְׂרָאֵל לְסוּג כֻּלָּם נְחֹשֶׁת
וּבְדִיל וּבַרְזֶל וְעוֹפֶרֶת בְּתוֹךְ כּוּר סִגִים כֶּסֶף הָיוּ: ס

Filho do homem. Yahweh revela sua mensagem ao profeta, que comumente recebe este título no livro de Ezequiel (ver notas em Ez 2.1).

A casa de Israel se tornou para mim em escória. O Senhor acusa a "casa de Israel" de muitas infrações. Ver "casa de Israel", em Ez 3.1,5,7,17; 4.3,4; 5.4. Judá tornou-se Israel, depois que as dez tribos pereceram no cativeiro assírio (em 722 a.C.).

Escória. Judá, seguindo a trilha dos ímpios do norte, tornou-se *escória,* isto é, inútil. Seus dias de utilidade terminaram. O processo normal de refinação produz ouro, prata, ferro ou chumbo. Mas, quando Judá-Jerusalém foi refinado, só saiu escória. Aquele povo perdeu todo o valor na sua idolatria-adultério-apostasia. Judá tornou-se um joão-ninguém, na hierarquia de valores de Yahweh; ele, que fora o príncipe das nações. Ver a metáfora de refinamento em Is 1.25; Jr 6.29; Zc 13.9 e Ml 3.3. Ver no *Dicionário* o artigo denominado *Refinar, Refinador,* para maiores detalhes. A *escória* não tinha nenhum valor e foi jogada no lixo do minério. Judá foi reduzido à escória, pelo exército babilônico, e o que restou foi jogado na pilha de lixo da Babilônia.

Aqui, o fogo é símbolo do *julgamento*. Na teologia de alguns, este fogo tornou-se escatológico e reteve sua literalidade; um erro, sem dúvida. Ver no *Dicionário* o artigo intitulado *Fogo, Símbolo do,* e *Fogo, VII, VIII*.

■ 22.19

לָכֵן כֹּה אָמַר אֲדֹנָי יְהוִה יַעַן הֱיוֹת כֻּלְּכֶם לְסִגִים
לָכֵן הִנְנִי קֹבֵץ אֶתְכֶם אֶל־תּוֹךְ יְרוּשָׁלָם:

Assim diz o Senhor Deus. *Adonai-Yahweh* (o Soberano Eterno Deus) pronunciou um juramento, garantindo o triste fim daqueles rebeldes. Este título divino é usado 217 vezes nesse livro, mas somente 103 no restante do Antigo Testamento. Fala da soberania de Deus, que determina o destino dos homens e das nações.

Eu vos ajuntarei no meio de Jerusalém. O Soberano reunirá todos os habitantes de Jerusalém e irá jogá-los no forno do Refinador. Ficará evidente que não havia nada de valor na cidade. O processo só servirá para revelar a *verdade:* aqui não existe nada de valor. Na sua idolatria-adultério-apostasia, Jerusalém tornou-se *escória* mesquinha.

■ 22.20

קְבֻצַת כֶּסֶף וּנְחֹשֶׁת וּבַרְזֶל וְעוֹפֶרֶת וּבְדִיל אֶל־
תּוֹךְ כּוּר לָפַחַת־עָלָיו אֵשׁ לְהַנְתִּיךְ כֵּן אֶקְבֹּץ בְּאַפִּי
וּבַחֲמָתִי וְהִנַּחְתִּי וְהִתַּכְתִּי אֶתְכֶם:

Os refinadores procuraram purificar o minério, retirando algum metal de valor: ouro, prata, cobre, ferro, chumbo etc. O calor do fogo era aumentado pelo uso de um assoprador, instrumento especializado. Ver no *Dicionário* o artigo intitulado *Refinar, Refinador,* para detalhes do processo. O minério deve ser *derretido* para se extrair o metal. A escória sobe para a superfície e é retirada. O que é útil fica. O processo era *radical*, porque exigia muito calor, assim *refinar* é uma figura apropriada para o julgamento, e o fogo é o agente do processo. Supor que o fogo literal será o agente do julgamento além-túmulo é falta de imaginação, tornando a figura crassa.

■ 22.21

וְכִנַּסְתִּי אֶתְכֶם וְנָפַחְתִּי עֲלֵיכֶם בְּאֵשׁ עֶבְרָתִי וְנִתַּכְתֶּם
בְּתוֹכָהּ:

Assoprarei sobre vós o fogo do meu furor... e sereis fundidos. Jerusalém se tornaria o forno do refinador, o exército babilônico, nas mãos do grande Refinador, Yahweh. O julgamento é o ideal para a tarefa. Cada metal atinge determinado ponto de temperatura no qual se derrete. O refinador sabe exatamente quando essa temperatura é atingida. Assim, Jerusalém seria derretida para sofrer exatamente o que havia merecido. A cidade e o templo seriam literalmente queimados. Cf. Jr 52.13.

■ 22.22

כְּהִתּוּךְ כֶּסֶף בְּתוֹךְ כּוּר כֵּן תֻּתְּכוּ בְתוֹכָהּ וִידַעְתֶּם
כִּי־אֲנִי יְהוָה שָׁפַכְתִּי חֲמָתִי עֲלֵיכֶם: פ

Como se funde a prata no meio do forno, assim sereis fundidos. Yahweh procurava, em vão, um pouco de prata no meio da escória. Prata é um metal precioso e, sem dúvida, a escolha desse metal foi proposital neste texto. Porém, a preciosa prata já havia desaparecido da massa de pedra inútil. O minério de Jerusalém não tinha valor. No processo de refinamento, aquele povo reconheceria Yahweh como o Refinador, e assim teria mais conhecimento do Altíssimo. O Refinador é o Juiz, mais bem conhecido por experiência amarga. Mas em Ez 16.62, ele é conhecido como o *restaurador*. Ver as notas no vs. 16.

Um processo esmerado de refinação exigia a aplicação do calor por sete vezes. Cada uma produzia uma prata mais pura, mais nobre. Ver Sl 12.6. Mas Judá-Jerusalém tornou-se tão corrupta e inútil que, cada vez que foi submetida ao processo de refinamento, mostrou ser apenas escória.

Todas as Classes São Acusadas (22.23-31)

Eis *o terceiro* dos três oráculos do capítulo. Ver as notas de introdução no início do capítulo. Estes versículos mostram que todas as classes sociais se tinham corrompido totalmente e as acusações contra elas eram justas. O vs. 31 descreve a queda de Jerusalém, e os vss. 29,30 fornecem detalhes sobre a causa da queda: as muitas transgressões da cidade. "Este trecho nomeia os recebedores do julgamento: os príncipes (vs. 25); os sacerdotes (vss. 26,27); os profetas (vs. 28); e o povo em geral (vs. 29)" (Charles H. Dyer, *in loc.*).

■ 22.23

וַיְהִי דְבַר־יְהוָה אֵלַי לֵאמֹר:

Veio a mim a palavra do Senhor. Esta é a declaração comum que introduz novos materiais ou oráculos. Indica que o que segue foi inspirado por Yahweh, e que Ezequiel era seu profeta autorizado. Cf. Ez 13.1; 14.2; 15.1 e 16.2.

■ 22.24

בֶּן־אָדָם אֱמָר־לָהּ אַתְּ אֶרֶץ לֹא מְטֹהָרָה הִיא לֹא
גֻשְׁמָהּ בְּיוֹם זָעַם:

Tu és terra que não está purificada, e que não tem chuva. As águas do céu purificam. O texto não fala em seca material, mas em seca espiritual. A Septuaginta traz *chuva*, em vez de *purificar*, fazendo a primeira declaração paralela à segunda. O hebraico registra *purificação*, na primeira frase, e logo nos explica que a *chuva* efetua esta limpeza. Talvez aluda às purificações das cerimônias, exigidas pela lei mosaica, que o povo, de modo geral, estava negligenciando. Ver no *Dicionário* o artigo chamado *Limpo e Imundo*. Judá estava *imundo*, moral e cerimonialmente (cheio de pecados que foram infrações da lei de Moisés). As chuvas do céu não limparam a imundície. Talvez haja alusão a uma seca literal, simbolizando a seca espiritual. Ver Am 4.7,8; Jr 3.3; 1Rs 17.1, para aquela condição que servia de castigo.

Alguns intérpretes veem uma referência à *limpeza* da terra, que precedeu o cultivo. Nesse caso, as iniquidades poluíram a terra de tal maneira que não havia possibilidade de um cultivo espiritual. Isto igualou Judá às nações pagãs vizinhas.

As *chuvas* podem simbolizar as bênçãos de Deus retiradas do povo por causa da grande multiplicidade de seus erros.

■ 22.25

קֶשֶׁר נְבִיאֶיהָ בְּתוֹכָהּ כַּאֲרִי שׁוֹאֵג טֹרֵף טָרֶף נֶפֶשׁ
אָכָלוּ חֹסֶן וִיקָר יִקָּחוּ אַלְמְנוֹתֶיהָ הִרְבּוּ בְתוֹכָהּ:

Conspiração dos seus profetas. A Septuaginta registra *príncipes* aqui como a classe atacada, em lugar de "profetas", que é o que diz o hebraico. Mas essa classe figura no vs. 28, portanto provavelmente *príncipes* é correto aqui. De qualquer maneira, era intenção do autor repreender as diversas classes do povo, tanto civis quanto religiosas. A liderança era totalmente corrupta, e o povo, podre. Eles quebraram todas as leis morais e cerimoniais; desprezaram as "coisas santas": os sábados, os sacrifícios, de fato, todas as obrigações da lei mosaica. Cometeram infrações contra a justiça social, contra as viúvas e os órfãos e contra os estrangeiros. Não respeitaram nada nem ninguém. Agiram como leões que despedaçam as presas, fazendo de Jerusalém um campo de caça. Apoderaram-se do dinheiro do tesouro do templo, usando parte dele para promover a idolatria dentro do próprio templo. Abusaram das viúvas e, constantemente, eram os responsáveis pela morte de seus maridos. A cobiça era seu deus. A ganância governava todas as suas ações. Cf. Os 6.9; Sf 3.3,5 e Mt 23.14.

■ 22.26

כֹּהֲנֶיהָ חָמְסוּ תוֹרָתִי וַיְחַלְּלוּ קָדָשַׁי בֵּין־קֹדֶשׁ
לְחֹל לֹא הִבְדִּילוּ וּבֵין־הַטָּמֵא לְטָהוֹר לֹא הוֹדִיעוּ
וּמִשַּׁבְּתוֹתַי הֶעְלִימוּ עֵינֵיהֶם וָאֵחַל בְּתוֹכָם:

Os seus sacerdotes transgridem a minha lei. Podemos ter certeza de que a liderança, civil e religiosa, compartilhava as mesmas iniquidades e vícios, explorando os mais fracos. Mas os sacerdotes abusaram de tudo, inclusive das coisas sagradas que deveriam ter protegido.

1. Em vez de dar exemplos de como a lei de Moisés deveria ser respeitada e observada, eram seus principais infratores. Violaram-na, repetidamente, quebrando os Dez Mandamentos.
3. Profanaram as *coisas santas* (vs. 8), as coisas sagradas do templo, seus rituais e sistema de sacrifícios; profanaram o templo, trazendo para dentro seus ídolos.
3. Não fizeram nenhuma distinção entre o limpo e o imundo, ignorando totalmente a lei cerimonial. Ver no *Dicionário* o artigo intitulado *Limpo e Imundo*.
4. Entre as *coisas santas*, figurava o sábado que não era mais observado, a despeito de ser o próprio sinal do Pacto Mosaico (vs. 8).
5. Eram pecadores privados e públicos, praticando maldades longe da vista dos homens, mas também poluíram o nome de Yahweh publicamente. Cf. o vs. 16, onde vemos o nome de Yahweh sendo profanado à vista das nações ao redor. "Em todas as coisas eram infiéis. Cf. Mq 3.11 e Sf 3.4" (Ellicott, *in loc.*). A lei de Deus era profanada; suas instituições eram poluídas; seus sábados, negligenciados; blasfemaram contra o próprio Yahweh. O Targum diz: "Minha vontade era profanada entre eles".

■ 22.27

שָׂרֶיהָ בְקִרְבָּהּ כִּזְאֵבִים טֹרְפֵי טָרֶף לִשְׁפָּךְ־דָּם
לְאַבֵּד נְפָשׁוֹת לְמַעַן בְּצֹעַ בָּצַע:

Os seus príncipes... são como lobos. Eles foram acusados de ser como leões (vs. 25) e agora são comparados a outro predador, o *lobo*. No tempo de Ezequiel, a Palestina era infestada de lobos, que caçavam em grupos e faziam muitas vítimas, tanto humanas quanto animais. Os príncipes, *como lobos*, destruíram muitas vidas humanas em busca de vantagem própria. Cf. os vss. 12 e 25.

Para derramarem o sangue, para destruírem as almas. *Vida*, no hebraico, *nephesh*, era identificada com *sangue*, como acontece em Gn 9.4; Lv 17.11,14 e Dt 12.23. *Almas* eram devoradas (vs. 25) e destruídas (vs. 27). Está em vista a *vida física*. Em tempos posteriores, o hebraico *nephesh* era usado para indicar a alma humana, o espírito imaterial.

A injustiça e violência foram temas comuns nas acusações aos profetas. Eles esqueceram totalmente a justiça e a equidade. Aqueles reprovados tornaram-se notórios por suas barbaridades cruéis (Mq 3.2,3; 9.11; Jo 10.12).

■ 22.28

וּנְבִיאֶיהָ טָחוּ לָהֶם תָּפֵל חֹזִים שָׁוְא וְקֹסְמִים לָהֶם
כָּזָב אֹמְרִים כֹּה אָמַר אֲדֹנָי יְהוִה וַיהוָה לֹא דִבֵּר:

Os seus profetas lhes passam caiação, tendo visões falsas, profetizando mentiras. Os profetas fingiram possuir espiritualidade, entregando ao povo visões piedosas (mas falsas). Cf. Ez 13.10-16. Ver também Ez 2.4; 3.11,27. Os trechos de Ez 13.10,14 e 16 falam de caiar muros com *argamassa não temperada* (RSV). Seus edifícios tinham a aparência de fortes, mas por dentro eram defeituosos. Logo ruiriam, pois seus materiais estavam desintegrando-se. Os líderes pecaram levianamente, praticando até crimes de sangue, adultério e apostasia. Os profetas lideraram cultos idólatras, guiando o povo para a destruição. Tinham coragem de falar em nome de Yahweh, misturando seu culto com os dos pagãos, num sincretismo doentio. Inventaram visões mentirosas e tinham experiências psíquicas que não eram espirituais. Continuaram falando em *paz e prosperidade*, enganando o povo, porque uma destruição total estava às portas. Ver Jr 6.14 e Ez 13.1. Não tinham a autoridade de Yahweh; suas missões eram *auto-inventadas*. Deixaram Jerusalém despreparada. Nunca falaram do arrependimento nem da reforma moral do país. Proferiram palavras doces, deixando a nação inteira dormir na hora da crise.

■ **22.29**

עַם הָאָרֶץ עָשְׁקוּ עֹשֶׁק וְגָזְלוּ גָּזֵל וְעָנִי וְאֶבְיוֹן הוֹנוּ וְאֶת־הַגֵּר עָשְׁקוּ בְּלֹא מִשְׁפָּט׃

O povo era tão corrupto quanto seus líderes; era corrompido e corrompia a outros; era ímpio e cheio de doenças espirituais; praticava opressão contra os pobres e fracos, imitando os líderes; perseguia as viúvas, os órfãos e os estrangeiros (vss. 7,12,25). Praticava roubos e extorsão; crimes de sangue e todo tipo de iniquidade (vss. 12,25). O autor fornece um sumário dos pecados do povo, sem se esforçar em mencionar alguma coisa nova. Aprendemos que os príncipes, os profetas e o povo eram totalmente corruptos, ímpios e poluídos, e entendemos por que o julgamento tornou-se inevitável.

■ **22.30**

וָאֲבַקֵּשׁ מֵהֶם אִישׁ גֹּדֵר־גָּדֵר וְעֹמֵד בַּפֶּרֶץ לְפָנַי בְּעַד הָאָרֶץ לְבִלְתִּי שַׁחֲתָהּ וְלֹא מָצָאתִי׃

Busquei entre eles um homem que tapasse o muro e se colocasse na brecha. A busca revelou um fato surpreendente: não havia nenhum justo. Nem Deus pôde encontrar um justo. Nenhum homem como Moisés, que podia salvar o povo, foi encontrado; nenhum homem, como Abraão, procurou salvar os ímpios do fogo da ira de Deus. Jerusalém tornou-se uma Sodoma irrecuperável. Cf. Jr 5.1-6, que fornece mais detalhes sobre este tema. Ver também Ez 13.5, que é um paralelo direto. Sl 106.23 descreve algo semelhante. Sem dúvida, havia alguns justos em Jerusalém, mas nenhum *líder* foi capaz de reverter a situação desesperadora, abrindo um novo caminho. Cf. o caso de Abraão em Gn 20.7, e o de Moisés, em Êx 32.11. Ver também Nm 16.48.

Não há justo, nem sequer um.

Romanos 3.10

■ **22.31**

וָאֶשְׁפֹּךְ עֲלֵיהֶם זַעְמִי בְּאֵשׁ עֶבְרָתִי כִּלִּיתִים דַּרְכָּם בְּרֹאשָׁם נָתַתִּי נְאֻם אֲדֹנָי יְהוִה׃ פ

Derramei sobre eles a minha indignação. Todas as condições foram contrárias, e o resultado foi a ira de Yahweh derramar-se sobre os rebeldes, como o fluxo de lavas de um grande vulcão. Seu fogo consumiu o povo, como lenha seca ou madeira apodrecida. As maldades deles alimentaram o fogo e as brasas lhes caíram sobre a cabeça. A *Lex Talionis* (retribuição de acordo com a gravidade do crime; ver a respeito no *Dicionário*) foi satisfeita. Ver Gl 6.7,8, para a lei da colheita segundo a semeadura. Ez 9.10 é um paralelo direto; as notas oferecidas naquele texto se aplicam aqui, também. Os trechos de Ez 11.21 e 16.43 são semelhantes. Ver Ez 21.31, para o fluxo da ira de Yahweh. No *Dicionário*, o artigo chamado *Fogo, Símbolo de,* acrescenta ideias. Ver também o verbete intitulado *Fogo*, seções VII e VIII. Outros versículos que se relacionam ao tema do versículo são Pv 1.31; Is 3.11 e Jr 6.19. O castigo provinha da *temível tríade:* espada, fome e pestilência; o cativeiro acrescentou seus próprios terrores, que funcionavam como agentes de purificação. Ver sobre a *temível tríade* em Ez 5.12.

CAPÍTULO VINTE E TRÊS

CONTRA AS ESPOSAS INFIÉIS DE YAHWEH (23.1-48)

"A alegoria das irmãs Oolá e Oolibá (cf. o capítulo 16). Os vss. 1-4 descrevem a apostasia de Israel, iniciada no Egito (ver Ez 20.5-9). Existe um trocadilho com os nomes: *Oolá* (ela que tem uma tenda, significando Samaria) e *Oolibá* (minha tenda está dentro dela, isto é, em Jerusalém). A alegoria sugere que, embora Samaria tivesse um *santuário* (tenda), o verdadeiro santuário de Yahweh se situava em Jerusalém. Este fato ressaltou a enormidade da apostasia de Judá. Ou há uma alusão aos santuários pagãos (Ez 16.16), que se encontravam nos dois reinos, norte e sul. Sobre o fato de se casar com duas irmãs, cf. Gn 31.41 e Lv 18.18" (*Oxford Annotated Bible*, introdução ao capítulo).

As Duas Divisões do Capítulo. 1. Vss. 1-35: Oolá e Oolibá representam Samaria e Jerusalém, respectivamente; são irmãs que se casam com Yahweh. "Oolá, a mais velha, entregou seus favores aos assírios. Por causa de sua infidelidade, Yahweh a entregou àquelas mesmas pessoas, para ser maltratada e finalmente morta. Oolibá não aprendeu coisa alguma com o contraexemplo da sua irmã e manteve relações primeiramente com os assírios, e depois com os babilônios, tornando-se pior do que sua irmã. O resultado foi a destruição da esposa infiel, pelos babilônios" (Theophile J. Meek, *in loc.*). 2. Vss. 36-49: Estes versículos descrevem os julgamentos que Oolá e Oolibá sofreram, e dão informações adicionais sobre seus pecados, a *causa* das punições.

Introdução (23.1-4)

■ **23.1**

וַיְהִי דְבַר־יְהוָה אֵלַי לֵאמֹר׃

Parece fora de lugar colocar as duas irmãs *no Egito,* falando da sua apostasia naquele lugar, enquanto ela se realizou em Samaria e Jerusalém. Todavia, devemos lembrar o fato de que a *apostasia nacional* começou no Egito, logo depois do nascimento da nação de Israel, bem antes da divisão do país em norte (Israel) e sul (Judá). O autor pretendia dar-nos uma *prospectiva histórica*.

Veio a mim a palavra do Senhor. Este versículo apresenta a declaração comum que introduz materiais e oráculos novos. Indica que o oráculo foi dado por inspiração divina, sendo Ezequiel o profeta autorizado por Yahweh. Cf. Ez 13.1; 14.2; 15.1; 16.1.

■ **23.2**

בֶּן־אָדָם שְׁתַּיִם נָשִׁים בְּנוֹת אֵם־אַחַת הָיוּ׃

Filho do homem. Yahweh dirige-se ao profeta com o título comum empregado nesse livro. Ver sobre este uso em Ez 2.1.

Duas mulheres. O profeta é informado sobre as características das mulheres da alegoria: foram filhas da mesma mãe, destinadas a tornar-se esposas do mesmo "homem" (Yahweh); mulheres graciosas da raça judia; Abraão e Sara foram seus "pais" distantes; elas tinham grandes privilégios e oportunidades; foram elevadas acima das outras.

"Ezequiel apresentou outra parábola para ilustrar a infidelidade de Judá e a inevitabilidade de seu julgamento. O capítulo 23 parece ser uma redeclaração do capítulo 16. Ambos tratam da infidelidade de Judá, mas o capítulo 16 coloca isto no contexto de sua confiança em outros deuses, enquanto o capítulo 23 fala de sua confiança em outras nações" (Charles H. Dyer, *in loc.*).

■ **23.3**

וַתִּזְנֶינָה בְמִצְרַיִם בִּנְעוּרֵיהֶן זָנוּ שָׁמָּה מֹעֲכוּ שְׁדֵיהֶן וְשָׁם עִשּׂוּ דַּדֵּי בְּתוּלֵיהֶן׃

Prostituíram-se na sua mocidade. As duas nações (norte e sul) se originaram de uma só, o reino unido (Israel, doze tribos). No início de seu reinado, Salomão começou a sacrificar aos ídolos de suas muitas esposas. Mas, antes disto, no Egito, logo depois de seu surgimento, a nação já praticava a idolatria egípcia. Portanto, desde o início, a nação era torta, pervertida e doente, praticando a *prostituição* espiritual (a idolatria). O Targum diz: "Elas erraram no Egito, adorando os ídolos daquele lugar, e foram corruptas nas suas obras". Cf. Jr 2.2

e Os 2.16. Ver também Ez 20.4-12. figurativamente falando, as duas irmãs foram promíscuas e filhas de uma mulher promíscua. Ez 20.8 e 23.19 descrevem a idolatria de Israel no Egito.

As mulheres promíscuas permitiram a praticamente qualquer um tocar em seus seios, um eufemismo para o ato sexual. As virgens logo perderam sua virgindade e, sendo já corruptas, tornaram-se esposas infiéis.

■ 23.4

וּשְׁמוֹתָן אָהֳלָה הַגְּדוֹלָה וְאָהֳלִיבָה אֲחוֹתָהּ וַתִּהְיֶינָה
לִי וַתֵּלַדְנָה בָּנִים וּבָנוֹת וּשְׁמוֹתָן שֹׁמְרוֹן אָהֳלָה
וִירוּשָׁלַםִ אָהֳלִיבָה׃

Oolá, a mais velha. *Oolá* (Aolá em algumas traduções) significa *sua tenda* e fala de Samaria, a capital do reino do norte, depois da divisão do reino unido. O norte preparou seu próprio santuário para competir com o de Yahweh, em Jerusalém, e assim perpetrou profunda apostasia. Jeroboão estabeleceu santuários apóstatas em Betel e Dã e, de propósito, desprezou o templo e o culto a Yahweh. Ver no *Dicionário* o artigo sobre ele.

Oolibá, sua irmã. *Oolibá* (Aolibá em algumas traduções) significa *minha tenda*, referindo-se ao templo de Jerusalém, o santuário *de Yahweh*. Este fato automaticamente elevou Oolibá acima de Oolá. Mas privilégios maiores em nada contribuíram para Judá-Jerusalém ser fiel ao yahwismo. Samaria e Jerusalém eram as capitais dos dois reinos, e as irmãs as representam.

Adultério de Oolá (23.5-10)

■ 23.5

וַתִּזֶן אָהֳלָה תַּחְתָּי וַתַּעְגַּב עַל־מְאַהֲבֶיהָ אֶל־אַשּׁוּר
קְרוֹבִים׃

Prostituiu-se Oolá, quando era minha. As duas irmãs se tornaram as esposas de Yahweh. Sendo infiéis, logo começaram a dar seus favores aos poderes que as destruiriam: a Assíria e a Babilônia, que se tornaram seus amantes. De fato, elas *amaram* os amantes e desprezaram o marido.

Oolá amava seu amante, a Assíria, com extremos de loucura, não percebendo que isso a mataria, afinal. Sua dedicação logo acendeu o ódio do "homem", inspirando-o a executar a "mulher". Ele quis livrar-se dela. Naquele tempo, a Assíria controlava a Síria, compartilhando a fronteira norte de Israel; assim, dizer que a Assíria confinava com Israel é correto. Ver alguns detalhes históricos em 2Rs 15.19,20. Antes de ser destruído, o norte pagava pesados tributos ao "amante".

■ 23.6

לְבֻשֵׁי תְכֵלֶת פַּחוֹת וּסְגָנִים בַּחוּרֵי חֶמֶד כֻּלָּם פָּרָשִׁים
רֹכְבֵי סוּסִים׃

Guerreiros Ferozes. A Assíria era o poder do momento, o principal ator no palco dos absurdos humanos. Era um lugar rico, cujos bens foram adquiridos especialmente através das pilhagens de outras nações; mas a tola Oolá ignorava a fonte das riquezas de seu amante e foi atraída estupidamente por seu dinheiro, poder e excessos.

Os militares e oficiais civis da Assíria se vestiam com roupas finas de púrpura; eram belos, jovens e fortes; tinham os melhores cavalos e todas as vantagens que o dinheiro podia comprar. A *senhora do sul*, embora casada, não pôde resistir ao amante do norte e caiu nos seus braços, adotando suas práticas religiosas. Agora, ela é uma adúltera feliz (por enquanto). Desprezou seu marido, Yahweh, e corrompeu-se totalmente nas delícias da infidelidade. Além da evidência bíblica, temos informações arqueológicas. O *Obelisco Negro* do rei assírio, Salmaneser III (c. 841 a.C.), menciona *Jeú*, o filho de Omri, como sujeito à Assíria, pagando-lhe pesado tributo. Um desenho mostra aquele infeliz rei trazendo seus bens ao poderoso estrangeiro. A prostituta-esposa-infiel terminou dando bens para seu amante, em lugar de recebê-los. Tornou-se escrava dele e o romance acabou. Ver 2Rs 15.19,20; 17.3,4. Oseias (c. 760-720 a.C.) repreendeu Israel (o norte) por depender da Assíria, em vez de depender de Yahweh (Ez 5.13,14; 7.11; 8.9; 12.1). Israel do norte ficou totalmente sujeito à Assíria e continuava pagando tributo. Mesmo assim, o "amante", zangado com a "mulher", a destruiu. Ver no *Dicionário* o artigo intitulado *Cativeiro Assírio*.

■ 23.7

וַתִּתֵּן תַּזְנוּתֶיהָ עֲלֵיהֶם מִבְחַר בְּנֵי־אַשּׁוּר כֻּלָּם וּבְכֹל
אֲשֶׁר־עָגְבָה בְּכָל־גִּלּוּלֵיהֶם נִטְמָאָה׃

Cometeu ela as suas devassidões. A prostituta-esposa-infiel perdeu o controle e começou a dar seus favores a um número considerável de homens poderosos da Assíria. Tornou-se imunda na sua prostituição (idolatria). Envolveu-se em todo o tipo de *abominação* (ver a respeito no *Dicionário*). No início, aquela senhora sentia alegria e satisfação em sua vida de deboche. Inflamou-se com os prazeres que os amantes lhe proporcionavam, e eles se inflamaram com ela. Era um esporte delicioso, quente demais para se esfriar. Todavia, os amantes se cansaram dela, porque, afinal, havia muitas outras mulheres correndo atrás deles. Tudo se deteriorou.

Com todos os seus ídolos se contaminou. O hebraico literal é *deuses das pilhas de esterco*, expressão de *desprezo* absoluto. A senhora se contaminou com o esterco da idolatria pagã.

■ 23.8

וְאֶת־תַּזְנוּתֶיהָ מִמִּצְרַיִם לֹא עָזָבָה כִּי אוֹתָהּ שָׁכְבוּ
בִנְעוּרֶיהָ וְהֵמָּה עִשּׂוּ דַּדֵּי בְתוּלֶיהָ וַיִּשְׁפְּכוּ תַזְנוּתָם
עָלֶיהָ׃

Com ela se deitaram na sua mocidade, e eles apalparam os seios da sua virgindade, e derramaram sobre ela a sua impudicícia. A senhora, ainda inocente, começou a se interessar pelo *adultério* do Egito. Flertava, era tentada e mais fraca do que alguém pudesse acreditar; logo caía. Os adúlteros confirmados sabiam como tentar e inflamar a mulher.

A Bíblia, como sempre, fala aberta e francamente sobre relações sexuais, que aqui tratam de *idolatria*. O rio de deboche, uma referência ao sêmen, derramava-se sobre ela e a poluía. Os comentaristas coram, aqui. Adam Clarke, *in loc.*, não explica, mas fala de *expressões indelicadas*. As alianças de Israel com o Egito eram formas de adultério espiritual. A mulher terminou tendo muitos amores. Recebendo um novo amante, não largou dos outros e foi acumulando parceiros. A mulher promíscua tornou-se escandalosa como uma prostituta que caçava parceiros na rua.

■ 23.9

לָכֵן נְתַתִּיהָ בְּיַד־מְאַהֲבֶיהָ בְּיַד בְּנֵי אַשּׁוּר אֲשֶׁר עָגְבָה
עֲלֵיהֶם׃

Por isso a entreguei na mão dos seus amantes. A senhora, agora totalmente corrompida, recebe o que merece. Seus amantes eram homens violentos, e ela se tornou uma vítima deles, como frequentemente acontece com mulheres dessa profissão. O próprio Yahweh a entregou para que dela abusassem. Ela deu favores a seu amante assírio, mas ele logo se cansou dela. Em vez de pagá-la com dinheiro, pagou com ódio e escárnio e, na última sessão de amor, a estrangulou e queimou. Pul abusou dela, daí foi a vez de Tiglate-Pileser, depois de Salmaneser, todos reis da Assíria. Ver detalhes históricos em 2Rs 14.19-29 e 17.5-18. Finalmente, a vingança de Yahweh caiu sobre ela. "Homens" que ela aceitou como amigos, nos quais confiou, foram os instrumentos da sua destruição. Cf. Ed 4.2,10. "Foi o *pecado* dela que procurou tais amantes; foi sua punição, pois eles mesmos a liquidaram" (Fairbairn, *in loc.*).

■ 23.10

הֵמָּה גִּלּוּ עֶרְוָתָהּ בָּנֶיהָ וּבְנוֹתֶיהָ לָקָחוּ וְאוֹתָהּ בַּחֶרֶב
הָרָגוּ וַתְּהִי־שֵׁם לַנָּשִׁים וּשְׁפוּטִים עָשׂוּ בָהּ׃ ס

Descobriram as vergonhas dela. Os amantes destruidores tiraram toda a sua roupa; praticaram muitos atos de adultério com ela; expuseram-na a todo tipo de vergonha, destruindo-a moral e espiritualmente. No dia em que se cansaram, a mataram. A *temível tríade* (espada, fome e pestilência) foi o instrumento usado para a matança.

Ela se tornou falada entre as mulheres. Ela foi reduzida a uma *piada*, que as mulheres gostavam de repetir. O *provérbio* que repetiam contava a história inteira: uma história da ascensão e queda de uma esposa-prostituta. O norte caiu em 722 a.C., para nunca mais se levantar. Ver 2Rs 17.5,6,18-20.

As mulheres de toda parte falaram de como ela fora castigada.

NCV

O Adultério de Oolibá (23.11-21)

■ 23.11

וַתֵּ֧רֶא אֲחוֹתָ֣הּ אָהֳלִיבָ֗ה וַתַּשְׁחֵ֤ת עַגְבָתָהּ֙ מִמֶּ֔נָּה וְאֶת־
תַּזְנוּתֶ֕יהָ מִזְּנוּנֵ֖י אֲחוֹתָֽהּ׃

O profeta traz o caso de Judá para nossa atenção. Oolibá (Aolibá) significa "minha tenda", uma referência ao templo ou santuário em Jerusalém. Esta jovem formosa era a favorita de Yahweh, mas tornou-se ainda mais corrupta do que sua irmã (Oolá, o norte). Recebeu oportunidades superiores. Era o território do rei Davi, da casa de Davi, que incorporava Jerusalém e seu templo e era uma expressão ampla do culto a Yahweh. Terminou pecando contra maior luz e maiores oportunidades do que sua irmã tivera. Ela se encheu de paixões sexuais e correu atrás de muitos amantes, principalmente a Babilônia, o "glorioso homem" do norte. Naquela época, ele era o mais bonito e poderoso homem do mundo, para não falar sobre todo o dinheiro que enchia seus cofres.

Alianças Adúlteras. "As alianças com a Assíria são bem ilustradas no reino de Acaz (2Rs 16.7-9; Is 7.1—8.22). Ezequias se mostrou fiel à Assíria (2Rs 18.1-36), como também Manassés, depois de seu exílio por Esar-Hadom (cf. 2Cr 33.10-13). Ezequias também fez alianças com os babilônios (2Rs 20.12-21; Is 39.1). Seguindo os conselhos de Jeremias, Zedequias adotou uma política pró-babilônica, mas em 589 se revoltou contra aquele poder (Jr 27.-22; 29.1-3)" (Theophile J. Meek, *in loc.*). Foi assim que Judá pulou de um amante, Assíria, para outro, Babilônia; adotando as idolatrias dos dois, tornou-se ainda pior do que sua irmã. Os vss. 12 e 14 informam sobre os dois amantes e sobre como ela se entregou generosamente a eles. Pecou contra seus privilégios e vantagens (Ez 16.47,51; Jr 3.11).

■ 23.12

אֶל־בְּנֵ֨י אַשּׁ֜וּר עָגָ֗בָה פַּח֨וֹת וּסְגָנִ֤ים קְרֹבִים֙ לְבֻשֵׁ֣י
מִכְל֔וֹל פָּרָשִׁ֖ים רֹכְבֵ֣י סוּסִ֑ים בַּח֥וּרֵי חֶ֖מֶד כֻּלָּֽם׃

Jovens de cobiçar. O profeta ridicularizava a alegada beleza dos amantes. As mulheres ficam loucas quando veem um homem "bonito", que para elas é automaticamente "perfeito". São capazes de perder de vista todos os seus defeitos. Até o *malandro* bonito ganha o favor de boas mulheres. O velho ditado nos lembra de que "a beleza tem a profundidade da grossura da pele", quer dizer, é *superficial*. Os vizinhos ao norte atraíram as irmãs com seu físico forte, belas roupas e muito dinheiro, coisas que comumente chamam a atenção feminina. A senhora do sul nem percebeu a feiura de espírito dos amantes e imediatamente adotou suas idolatrias e corrupções. A senhora lançou para eles olhares cheios de cobiça; que homem a rejeitaria? Ninguém a rejeitou, mas eles eram cobras prontas para atacar e matar. Oolibá seguiu a mesma estrada destrutiva de Oolá, e ambas terminaram mal. As duas irmãs foram *fascinadas* com o esplendor dos poderes do norte. Era a terra de governadores e comandantes, e de soldados vestidos em seus uniformes impressionantes; até seus cavalos atraíam a atenção das nações humildes ao redor.

■ 23.13

וָאֵ֕רֶא כִּ֖י נִטְמָ֑אָה דֶּ֥רֶךְ אֶחָ֖ד לִשְׁתֵּיהֶֽן׃

Vi que se tinha contaminado. Yahweh não gostou do que viu: Oolibá flertando com seus amantes e indo para a cama com eles. Ela se tornou totalmente corrupta em sua idolatria-adultério-apostasia. O marido perdeu a paciência e insuflou, na mente de seus amantes, a ideia de matar.

■ 23.14

וַתּ֖וֹסֶף אֶל־תַּזְנוּתֶ֑יהָ וַתֵּ֗רֶא אַנְשֵׁי֙ מְחֻקֶּ֣ה עַל־הַקִּ֔יר
צַלְמֵ֣י כַשְׂדִּ֔יים חֲקֻקִ֖ים בַּשָּׁשַֽׁר׃

Aumentou as suas impudicícias. Cf. Ez 8.10. Oolibá se corrompeu mais do que Oolá ou, o que não foi fácil. Só em ver "aqueles homens bonitos" desenhados nas paredes, inflamou-se seu desejo de ter relações sexuais com eles (vs. 16). Ela enviou mensageiros para fazer uma "proposta indecente". Ela já estava pronta, esperando por eles, deitada na cama e com pensamentos eróticos (vs. 17).

Homens pintados na parede. As paredes representavam homens fortes e bonitos, pintados em tons predominantemente vermelhos, acompanhados com uma mistura de azul e preto. A arqueologia tem mostrado tais decorações com suas descobertas. Esculturas eram feitas em pedra e tijolos e depois pintadas assim. Virgílio (*Eclog*. 10) menciona pinturas de deuses em vermelho. Plínio (*Nat. Hist.* 1.33.c.7) fala do rosto avermelhado de Júpiter. Imagens que o representaram foram assim decoradas nos dias de festividades. Os romanos, na época de seus *triunfos*, se pintavam de vermelho, porque consideravam essa cor *nobre*. Talvez o fogo divino fosse assim representado.

■ 23.15

חֲגוֹרֵ֨י אֵז֜וֹר בְּמָתְנֵיהֶ֗ם סְרוּחֵ֤י טְבוּלִים֙ בְּרָ֣אשֵׁיהֶ֔ם
מַרְאֵ֥ה שָׁלִשִׁ֖ים כֻּלָּ֑ם דְּמ֤וּת בְּנֵֽי־בָבֶל֙ כַּשְׂדִּ֔ים אֶ֖רֶץ
מוֹלַדְתָּֽם׃

Comparar as descrições deste versículo com as dos vss. 6 e 12, que são semelhantes. As pinturas representavam oficiais, governadores e guerreiros no seu esplendor. Tinham os lombos cingidos. Seus cintos especiais eram sinais de autoridade, fazendo parte dos uniformes militares. Seus turbantes e coroas esplendorosos atraíam os olhares de admiração feminina. Eles eram muito atraentes, exibindo força e superioridade, em relação aos "peões". Só a visão da representação daqueles homens nas pinturas de parede fora suficiente para inflamar a adúltera, Oolibá. Ela tinha ficado totalmente depravada no seu "sexo livre", a idolatria descontrolada, que honrava um panteão de deuses pagãos. O popular ditado de que "a roupa faz o homem" se aplicava ao caso daquela senhora perversa. Todos nós sabemos como os uniformes militares são atraentes. O mesmo homem que atrai uma mulher quando vestido de uniforme, pode desagradá-la quando em roupa comum (cf. 1Jo 2.16).

Tais coisas são *valores falsos*, mas os homens e as mulheres, pateticamente fracos em suas corrupções, valorizam o que tem pouco ou nenhum valor. Judá-Jerusalém escolheu o que era atraente e assim perdeu a bênção do futuro.

■ 23.16

וַתַּעְגַּ֥ב עֲלֵיהֶ֖ם לְמַרְאֵ֣ה עֵינֶ֑יהָ וַתִּשְׁלַ֧ח מַלְאָכִ֛ים
אֲלֵיהֶ֖ם כַּשְׂדִּֽימָה׃

Inflamou-se por eles. A descrição desgostosa continua. O profeta não nos poupa. Os olhos da adúltera se encheram de cobiça, ela ficou superexcitada. Enviou mensageiros para convidar seus amantes potenciais a visitá-la o mais prontamente possível. O texto fala de alianças estrangeiras (uma forma de adultério espiritual). Ver os comentários no vs. 11. A mensagem principal é a de que a *idolatria* poluiu a senhora, que abandonou seu marido.

Um ditado popular diz que os homens são excitados pelo que veem, mas as mulheres, pelo toque. Aquela adúltera se excitava pelos olhos *e* pelo toque. Filmes e livros pornográficos têm-se demonstrado atraentes para as mulheres, o que surpreendeu seus produtores, que acreditaram no velho ditado. O dinheiro agora está rolando como o rio Amazonas.

Judá-Jerusalém, pela graça de Deus, escapou de seu amante, a Assíria (2Rs 19.35-37), mas não voltou para o marido. Correu para outro amante, a Babilônia. Antes disto, tornou-se sujeita ao Egito, seu primeiro amante. Os babilônios derrotaram os egípcios em Carquemis, em 605 a.C. Jeoaquim mudou de lealdade e foi correndo para a Babilônia. O namoro não durou muito. Ele ficou sob a autoridade de Nabucodonosor e pagava tributo pesado. Ver 2Rs 24.1 e contexto. Para o pano de fundo histórico, ver 2Rs 23.29,30 e Ez 16.29.

23.17

וַיָּבֹאוּ אֵלֶיהָ בְנֵי־בָבֶל לְמִשְׁכַּב דֹּדִים וַיְטַמְּאוּ אוֹתָהּ בְּתַזְנוּתָם וַתִּטְמָא־בָם וַתֵּקַע נַפְשָׁהּ מֵהֶם:

Vieram ter com ela os filhos da Babilônia. Os amantes potenciais aceitaram prontamente a proposta indecente de Oolibá e a corromperam com sua idolatria e costumes pagãos. De fato, assumiram controle sobre a mulher, tornando-a escrava. Ela foi "possuída" em todos os sentidos. Afinal, tentou fugir daqueles perversos, porque sentiu náusea, mas seu desejo de mudança radical chegou tarde demais. Ela já "pertencia" a eles. Zedequias fez um pacto solene com a Babilônia, o qual logo foi quebrado, formando uma aliança com o Egito, outro amante. O homem forte do norte, furioso, desceu a Judá-Jerusalém, tornando tudo uma ruína fumegante. Ver Jr 52, para a história. Todas as maçãs do diabo têm vermes. Cf. 2Rs 24.1,7,20 e Jr 37.5,7.

23.18

וַתְּגַל תַּזְנוּתֶיהָ וַתְּגַל אֶת־עֶרְוָתָהּ וַתֵּקַע נַפְשִׁי מֵעָלֶיהָ כַּאֲשֶׁר נָקְעָה נַפְשִׁי מֵעַל אֲחוֹתָהּ:

Tendo ela posto a descoberto as suas devassidões e a sua nudez. A adúltera fez uma exposição completa de sua sensualidade, deixando seus amantes de boca aberta, *temporariamente*. Nem mesmo eles aguentaram a profanação da mulher. O marido, Yahweh, a repudiou e planejou executá-la, de acordo com as provisões da lei mosaica. Enquanto os planos divinos destruidores estavam sendo elaborados, a senhora prostituta continuava com sua prostituição. Ela não era nada discreta, praticava seus atos adulterinos. Tornou-se adúltera de reputação internacional. Desprezou os Pactos Abraâmico e Mosaico (ver Gn 15.18 e a introdução a Êx 19, respectivamente).

23.19

וַתַּרְבֶּה אֶת־תַּזְנוּתֶיהָ לִזְכֹּר אֶת־יְמֵי נְעוּרֶיהָ אֲשֶׁר זָנְתָה בְּאֶרֶץ מִצְרָיִם:

Multiplicou as suas impudicícias, lembrando-se dos dias da sua mocidade. Oolibá tinha uma história sexual sórdida, desde os dias da sua mocidade no Egito. Ela nunca se arrependeu, nunca mudou, nunca sentiu remorso, nunca assumiu as responsabilidades de uma mulher casada. Tornou-se uma meretriz sem-vergonha, desgraçada e desprezível. Cf. os vss. 3,7,8 e 16.26. Ver no *Dicionário* o artigo intitulado *Idolatria*, onde é descrita a versatilidade da imaginação pagã. Tornando-se somente outra nação idólatra, Judá-Jerusalém perdeu sua posição distinta entre as nações (ver Dt 6.4 ss.).

23.20

וַתַּעְגְּבָה עַל פִּלַגְשֵׁיהֶם אֲשֶׁר בְּשַׂר־חֲמוֹרִים בְּשָׂרָם וְזִרְמַת סוּסִים זִרְמָתָם:

Inflamou-se pelos seus amantes, cujos membros eram como o de jumento. Aquela senhora gostava de homens que se comportavam como animais, cheios de desejos proibidos e perversos. Não tinha tempo para homens decentes, dignos e discretos, pois estes eram "chatos". Quanto mais bestial fosse o homem, melhor para ela. Ela gostava de pênis grande, e seus amantes eram dotados como jumentos que, sabe-se, têm o pênis tão grande que se arrasta no chão, parecendo um aspirador de pó. A Bíblia sempre fala aberta e francamente sobre sexo. Os hebreus eram um povo sensual, assim, a Bíblia hebraica frequentemente nos choca com suas descrições pouco discretas. Os intérpretes enrubescem, mas o profeta não. O tamanho dos membros sexuais dos amantes da mulher nos deixa atônitos, e a cobiça sexual da mulher deixou seus amantes atônitos. Tudo isto não podia durar. John Gill, *in loc.*, tem a coragem de dizer: "... carne, isto é, o *membrum virile*, que nos asnos é muito grande."

O asno era dedicado ao deus *Priapus* pelos pagãos. O líquido espermático daquela besta é extremamente copioso, e os cavalos também produzem grandes quantidades desse líquido. Os amantes da mulher tinham fluxo seminal como os do jumento e do cavalo. Adam Clarke nem comenta os versículos "indiscretos" deste capítulo; corando, passa adiante. Sua colaboração é enfraquecida neste trecho por causa de sua vergonha. A língua inglesa tem uma palavra especializada para descrever esta atitude: *prudish*, que os dicionários em português tentam, em vão, definir.

O cavalo é um animal de paixões acentuadas. Sua avidez sexual é notória. Os amantes da senhora eram como os cavalos e ela, como uma prostituta de rua, *insaciável*. Cf. Jr 5.8. Os hieróglifos egípcios utilizaram a imagem do cavalo para representar uma pessoa de desejos sexuais exagerados.

23.21

וַתִּפְקְדִי אֵת זִמַּת נְעוּרָיִךְ בַּעְשׂוֹת מִמִּצְרַיִם דַּדַּיִךְ לְמַעַן שְׁדֵי נְעוּרָיִךְ: ס

Os do Egito apalpavam os teus seios. O seio da mulher é propriedade comum. O que é mais exibido na nossa sociedade do que o seio da mulher? Todos os homens são malandros e todas as mulheres são exibicionistas. O próprio sinal do sexo é a manipulação do seio da mulher.

Os hebreus chamavam uma noite de sexo de "uma noite de seios". A palavra "apalpavam", aqui, é, no hebraico, *machucar* ou *pressionar*. O seio é uma característica sexual secundária, mas na nossa sociedade, o que é tão primário? O seio tornou-se um símbolo de sexo descontrolado. O profeta usou linguagem audaciosa não para impressionar seus leitores, mas para chocá-los e fazê-los repensar sua condição de prostituta internacional. A senhora vulgar cairia de seu trono de cobiça. Sua degradação atrairia os julgamentos do marido enfurecido.

As Alianças Adúlteras. A senhora perversa corria de amante para amante. Nos últimos quatorze anos da sua história (600-586 a.C.), Judá tentou firmar alianças com o Egito para ajudar na revolta contra a Babilônia. Depois da derrota do Egito pelos babilônios (2Rs 24.1), Jeoaquim continuou rebelando-se contra o inimigo do norte. O Egito se provou fraco, e Judá não era mais o mesmo. A revolta contra a Babilônia terminou em 588 a.C. O massacre inevitável se realizou com muitas perdas de vidas e sofrimento cruel. Tais alianças eram adúlteras, segundo a avaliação dos profetas.

Primeiro Oráculo: O Amargo Destino de Oolibá (23.22-27)

Esta seção, dividida em quatro subseções, tem como tema geral o fato de os amantes da senhora adúltera serem justamente aqueles que a destruiriam. Cada subdivisão começa com a mesma declaração: "... assim diz o Senhor". Ver os vss. 22,28,32 e 35. Yahweh se prepara para terminar com o *show* doentio da adúltera (Judá-Jerusalém).

A punição das irmãs (Ez 23.22,35) se expressa em quatro oráculos. Cada um é introduzido com as palavras do Soberano, que traz as mensagens de destruição. Os quatro oráculos declaram o mesmo tema de julgamento, de maneiras diferentes.

23.22

לָכֵן אָהֳלִיבָה כֹּה־אָמַר אֲדֹנָי יְהוִה הִנְנִי מֵעִיר אֶת־מְאַהֲבַיִךְ עָלַיִךְ אֵת אֲשֶׁר־נָקְעָה נַפְשֵׁךְ מֵהֶם וַהֲבֵאתִים עָלַיִךְ מִסָּבִיב:

Assim diz o Senhor. *Adonai-Yahweh* (o Soberano Eterno Deus) anuncia o fim de Judá-Jerusalém, que ocorrerá imediatamente. Sua soberania controla o destino dos homens e das nações.

A *Lex Talionis* (retribuição de acordo com a gravidade do crime; ver no *Dicionário*) se aplicará aos rebeldes. Os amantes se tornarão instrumentos para a execução de Jerusalém. O dia do arrependimento passara, tendo-se perdido no meio do caos do pecado.

Eis que eu suscitarei contra ti os teus amantes. Os amantes das irmãs foram muitos. Jerusalém, portanto, seria atacada de todas as direções, pelo exército universal da Babilônia. O ataque seria irresistível e fatal. O jogo sujo acabara.

23.23

בְּנֵי בָבֶל וְכָל־כַּשְׂדִּים פְּקוֹד וְשׁוֹעַ וְקוֹעַ כָּל־בְּנֵי אַשּׁוּר אוֹתָם בַּחוּרֵי חֶמֶד פַּחוֹת וּסְגָנִים כֻּלָּם שָׁלִשִׁים וּקְרוּאִים רֹכְבֵי סוּסִים כֻּלָּם:

Os amantes não mais seriam desejáveis, quando atacassem a prostituta. Os executores não figuram entre as pessoas favoritas da sociedade. Todos aqueles que eram tão atraentes, os governadores, comandantes e guerreiros, se tornariam destruidores. Pecode, Soa e Coa são, normalmente, identificados com Puqudu, Sutu e Qutu, tribos aramaicas que habitaram a região a leste do rio Tigre. Tabletes em caracteres cuneiformes as mencionam. A Vulgata e diversos comentários entendem os nomes mencionados, neste versículo, como os de comandantes do exército, isto é, generais notáveis. Nosso conhecimento moderno tem extrapolado essa interpretação.

Essas tribos fizeram parte do Império Babilônico, que contava com um exército universal, incorporando muitos povos e mercenários. Soldados capturados foram empregados para ampliar as suas fronteiras. Um exército combinado logo aniquilaria Jerusalém. Era *o mundo* contra aquela cidade. Os judeus resistiriam trinta meses, mas depois a matança e a pilhagem reduziriam Jerusalém a uma pilha de escombros. A Babilônia era perita em genocídio e já tinha executado um bom número de povos.

■ 23.24

וּבָאוּ עָלַיִךְ הֹצֶן רֶכֶב וְגַלְגַּל וּבִקְהַל עַמִּים צִנָּה וּמָגֵן וְקוֹבַע יָשִׂימוּ עָלַיִךְ סָבִיב וְנָתַתִּי לִפְנֵיהֶם מִשְׁפָּט וּשְׁפָטוּךְ בְּמִשְׁפְּטֵיהֶם:

Virão contra ti do Norte. O exército do norte será brutal, sem misericórdia e eficaz. Trará o melhor equipamento de guerra: inumeráveis cavalos, carruagens de carga e guerra, aríetes, material para fazer rampas para subir nos muros e para fazer torres, espadas, dardos, lanças, paveses, capacetes, arcos e flechas, equipamento completo para um exército de grande número de soldados.

Norte. Ver Jr 1.14; 3.18; 4.6; 10.22. Cf. Ez 26.7 e 32.30. A tradução *norte* vem da Septuaginta. A palavra hebraica empregada aqui não tem significado conhecido atualmente. Provavelmente, a tradução *norte* é hipotética, sendo que outras Escrituras têm essa anotação.

O Fator Decisivo. O *próprio Yahweh* era o general principal e a força unificadora do exército babilônico. Assim, a vitória era absolutamente *garantida* e isso significou o fim de Judá. Os dias da prostituta do sul estavam contados.

■ 23.25

וְנָתַתִּי קִנְאָתִי בָּךְ וְעָשׂוּ אוֹתָךְ בְּחֵמָה אַפֵּךְ וְאָזְנַיִךְ יָסִירוּ וְאַחֲרִיתֵךְ בַּחֶרֶב תִּפּוֹל הֵמָּה בָּנַיִךְ וּבְנוֹתַיִךְ יִקָּחוּ וְאַחֲרִיתֵךְ תֵּאָכֵל בָּאֵשׁ:

Eles te tratarão com furor. *Barbaridades.* Aquele exército não meramente matava, mas mutilava suas vítimas antes e depois de executá-las. Cortava fora narizes, orelhas, línguas e mãos. Era um exército mutilador-executor. Fez questão de massacrar homens de todas as idades, mulheres (inclusive as grávidas), crianças e até animais. Estuprou as virgens, as solteiras e as casadas. Matando, zombava de suas vítimas. Os poucos sobreviventes foram levados (em três deportações) para a Babilônia. O remanescente foi perseguido e maltratado na Babilônia e a morte continuou reinando. A espada foi atrás daqueles miseráveis (Jr 9.16; Ez 12.14).

Cortar-te-ão o nariz e as orelhas. Esta bárbara punição era comum entre os persas e babilônios. Adúlteras eram punidas da mesma maneira, marcadas para sempre como elementos sem-vergonha.

Quem foi que te aconselhou cortar fora o nariz das adúlteras?
Martial

Os registros do Egito mostram que os egípcios praticavam a mesma "arte". Os *adúlteros* naturalmente escaparam.

Quem ainda restar será consumido pelo fogo. Além das mutilações, os invasores empregaram *fogo* (Jr 52.13). Mutilada e queimada, a senhora pecadora esquecerá seus amantes. Naquela condição, quem a desejaria?

■ 23.26

וְהִפְשִׁיטוּךְ אֶת־בְּגָדָיִךְ וְלָקְחוּ כְּלֵי תִפְאַרְתֵּךְ:

Despojar-te-ão. A senhora adúltera perderá todas as suas joias e roupas finas. Isto fala da pilhagem do país pelos soldados, que não deixariam nada de valor. A festa para aquela mulher havia acabado de modo definitivo. Os cativos foram desnudados e roubados. Não levaram nada para a Babilônia. Os "salários" dos soldados antigos eram a pilhagem que conseguiam de suas vítimas. Exércitos modernos seguem a mesma prática e cometem as mesmas barbaridades.

■ 23.27

וְהִשְׁבַּתִּי זִמָּתֵךְ מִמֵּךְ וְאֶת־זְנוּתֵךְ מֵאֶרֶץ מִצְרָיִם וְלֹא־תִשְׂאִי עֵינַיִךְ אֲלֵיהֶם וּמִצְרַיִם לֹא תִזְכְּרִי־עוֹד: ס

Farei cessar em ti a tua luxúria. A pobre senhora pecadora, antes tão alegre e elegante, agora está diante de nós nua, mutilada e reduzida a nada. Não tem mais joias preciosas e roupas finas; nem todo o rosto conseguiu reter. Pagou o preço de ter tido selvagens por amantes, abandonando suas velhas tradições e a lei mosaica. Não fará mais alianças com os idólatras. Nenhum amante a procurará. *Seu dia acabou.*

A tua prostituição proveniente da terra do Egito. A senhora começou seus adultérios no Egito que, neste versículo, representa *todos* os seus amantes.

"O cativeiro obrigou os judeus a repudiar a idolatria, não somente depois da sua volta da Babilônia, mas nos dezoito séculos que se seguiram" (Fausset, *in loc.*, que escreveu estas linhas no século 19).

Segundo Oráculo: Detalhes da Punição (23.28-31)

■ 23.28

כִּי כֹה אָמַר אֲדֹנָי יְהוִה הִנְנִי נֹתְנָךְ בְּיַד אֲשֶׁר שָׂנֵאת בְּיַד אֲשֶׁר־נָקְעָה נַפְשֵׁךְ מֵהֶם:

Assim diz o Senhor Deus. *Adonai-Yahweh* (o Soberano Eterno Deus) inicia este segundo oráculo com sua palavra de autoridade. Ver as notas no vs. 22. Este título divino encabeça as subdivisões, garantindo que os oráculos foram dados por inspiração divina.

Eu te entregarei na mão daqueles a quem aborreces. O tema geral é o *julgamento temível* que cairia sobre Jerusalém, aquela senhora adúltera, cheia de desejos proibidos (a esposa adúltera do capítulo 23). A senhora prostituta, antes amante do homem forte do norte, de súbito percebeu seu verdadeiro caráter e, desejando uma mudança radical, o odiou e procurou escapar dele. Yahweh, todavia, sabia que não tinha havido verdadeiro arrependimento, somente uma conveniência interesseira. O ódio, que agora enchia o coração da mulher, nada valeria para deter o avanço do exército babilônico. Contraste-se este versículo com o vs. 14, que descreve as paixões descontroladas que a mulher sentiu por seus amantes. Cf. os vss. 17, 18 e 16.37.

■ 23.29

וְעָשׂוּ אוֹתָךְ בְּשִׂנְאָה וְלָקְחוּ כָּל־יְגִיעֵךְ וַעֲזָבוּךְ עֵירֹם וְעֶרְיָה וְנִגְלָה עֶרְוַת זְנוּנָיִךְ וְזִמָּתֵךְ וְתַזְנוּתָיִךְ:

Eles te tratarão com ódio. A paixão intensa da mulher foi substituída por um ódio fervente. Tudo que Judá-Jerusalém tinha acumulado de riquezas e bens, e sua própria vida, estava em jogo. A nação, com todas as suas instituições, estava ameaçada. O país logo recolheria os frutos amargos que havia semeado. A senhora adúltera seria despida, sua nudez ficaria exposta aos olhos de todos ao redor. Seu caráter verdadeiro seria visto e as pessoas sentiriam nojo dela. Ela se tornara imunda em todos os sentidos, até segundo os padrões dos pagãos.

"Este versículo nos dá um amontoado de palavras para expressar a natureza grosseira da mulher idólatra. Seu verdadeiro caráter fora exposto publicamente, afinal" (John Gill, *in loc.*).

As mulheres cativas (frequentemente) eram levadas totalmente nuas por seus opressores, e este versículo aparentemente faz uma alusão a esse fato.

■ 23.30

עָשֹׂה אֵלֶּה לָךְ בִּזְנוֹתֵךְ אַחֲרֵי גוֹיִם עַל אֲשֶׁר־נִטְמֵאת בְּגִלּוּלֵיהֶם:

Estas cousas te farão. *A Ceifa.* O que aconteceu foi *autoprovocado.* A senhora lasciva era imunda e desprezada por todos. Ela sofreu por causa da *Lei Moral da Colheita segundo a Semeadura* (ver a respeito no *Dicionário*). A Septuaginta e a Vulgata dizem: "Estas coisas fizeram contra ti (Yahweh)", mas o sujeito é a senhora imunda. Yahweh era a *causa* daquele sofrimento. A mulher o obrigou a agir contra ela, aplicando um julgamento devastador.

O *Targum* registra: "Os seus pecados causaram todas estas coisas".

■ 23.31

בְּדֶרֶךְ אֲחוֹתֵךְ הָלָכְתְּ וְנָתַתִּי כוֹסָהּ בְּיָדֵךְ: ס

Andaste no caminho de tua irmã. *Oolá*, a irmã de Oolibá (vs. 4), já tinha sofrido seu julgamento aniquilador às mãos dos assírios. Os poucos sobreviventes foram levados para a Assíria, para nunca mais voltar. A taça de vinho da ira de Deus era amarga. O norte bebeu o vinho e desapareceu. Agora, a taça passa para o sul. *Oolibá* sofrerá destino semelhante. Ver as notas sobre a *taça da ira* de Yahweh, em Jr 25.15-29; 49.12,13; 51.6,7; Lm 4.21; Is 51.17-23; Zc 12.2; Hc 2.16; Sl 11.6; 75.8 e Ap 14.20. O conteúdo da taça é um vinho amargo e venenoso, que acaba com a própria vida. "Sua culpa era como a de Israel, assim sua punição seria semelhante" (Fausset, *in loc.*).

Terceiro Oráculo: O Fim Iminente de Judá-Jerusalém (23.32-34)

■ 23.32

כֹּה אָמַר אֲדֹנָי יְהוִה כּוֹס אֲחוֹתֵךְ תִּשְׁתִּי הָעֲמֻקָּה וְהָרְחָבָה תִּהְיֶה לִצְחֹק וּלְלַעַג מִרְבָּה לְהָכִיל:

Assim diz o Senhor Deus. Adonai-Yahweh introduz a terceira mensagem. Na sua soberania, promete o fim iminente da senhora adúltera. Ver as notas de introdução aos *quatro* oráculos, no vs. 22.

Beberás o copo de tua irmã. O vinho da ira de Deus não era somente amargo, também intoxicava rapidamente, como um veneno fatal. É a taça "de horror e desolação" (RSV); e "de temor e ruína" (NCV). É larga, profunda e cheia de morte. Judá-Jerusalém beberá até a última gota e, assim, morrerá. As nações, observando o processo da execução, dela zombarão. Sentirão prazer nas suas agonias finais. Os castigos serão amargos, e o resultado será a destruição total. A crueldade do homem contra o homem é uma realidade terrível. Os homens continuam bebendo o vinho da taça das barbaridades, mas ela nunca se esvazia.

■ 23.33

שִׁכָּרוֹן וְיָגוֹן תִּמָּלֵאִי כּוֹס שַׁמָּה וּשְׁמָמָה כּוֹס אֲחוֹתֵךְ שֹׁמְרוֹן:

Encher-te-ás de embriaguez e dor. O vinho natural tem a tendência de fazer o homem feliz, embora seja uma felicidade falsa e enganadora. O vinho da ira de Deus traz desespero total. É a taça de espanto e desolação. Devastou Oolá e devastará Oolibá. Ver no *Dicionário* o artigo intitulado *Ira de Deus*, e as referências dadas ao fim da exposição do vs. 31.

Este vinho te fará miserável e bêbada. É a taça do temor e da ruína. É a taça de sua irmã, Samaria.

NCV

Sobre a desolação de Judá, depois do ataque do exército babilônico e o cativeiro que se seguiu, ver Jr 4.7-27; 7.34; 10.22. Cf. Ez 6.14; 12.19.

■ 23.34

וְשָׁתִית אוֹתָהּ וּמָצִית וְאֶת־חֲרָשֶׂיהָ תְּגָרֵמִי וְשָׁדַיִךְ תְּנַתֵּקִי כִּי אֲנִי דִבַּרְתִּי נְאֻם אֲדֹנָי יְהוִה: ס

... Te rasgarás os peitos. A consternação de ter bebido aquele vinho fará a senhora arrancar os cabelos e cortar os próprios seios profundamente. Os magníficos seios da mulher foram, uma vez, objetos de cobiça de homens lascivos (vs. 21), mas agora, mutilados, não atraem mais ninguém. Seu deboche trouxe-lhe uma reviravolta radical da fortuna. O siríaco traz: "Vai tirar absolutamente seu cabelo e cortar fora os seus seios". Uma punição que as adúlteras costumavam sofrer era o corte dos cabelos.

Quarto Oráculo: O Pecado Cardinal (23.35)

■ 23.35

לָכֵן כֹּה אָמַר אֲדֹנָי יְהוִה יַעַן שָׁכַחַתְּ אוֹתִי וַתַּשְׁלִיכִי אוֹתִי אַחֲרֵי גַוֵּךְ וְגַם־אַתְּ שְׂאִי זִמָּתֵךְ וְאֶת־תַּזְנוּתָיִךְ: ס

Como te esqueceste de mim, e me viraste as costas... A fonte de todos os pecados da senhora devassa era o abandono de seu marido, Yahweh, quebrando os pactos estabelecidos (metaforicamente, as promessas solenes do casamento). Cf. Ez 22.12. *Adonai-Yahweh* (o Soberano Eterno Deus) entrega a quarta mensagem. Ver as notas no vs. 22, sobre os *quatro oráculos*. Esquecendo Yahweh, a senhora adúltera correu atrás de seus amantes (idolatria). Chegou a hora de suportar as consequências de sua loucura. Ver sobre a lei da colheita segundo a semeadura, nas notas em Gl 6.7-9, no *Novo Testamento Interpretado*. Os amantes da senhora prostituta se aproximam para matar sua "amada". Cf. Ne 9.26; Is 5.24; Jr 2.32 e 13.25. A lei de Moisés era seu *guia*, mas ela entrou em caminhos espúrios. Ver a lei como guia em Dt 6.4 ss.

CONCLUSÃO (23.36-39)

"Nesta seção final, Ezequiel fornece um sumário dos pecados de Samaria e Judá. Ele descreveu, separadamente, a história e julgamento desses povos (vss. 1-35) e, então, combina os dois povos para fazer uma comparação. Os pecados principais eram a idolatria (vss. 36-39) e as alianças estrangeiras (vss. 40-44). Seus julgamentos serão iguais: vss. 45-49" (Charles H. Dyer, *in loc.*).

■ 23.36

וַיֹּאמֶר יְהוָה אֵלַי בֶּן־אָדָם הֲתִשְׁפּוֹט אֶת־אָהֳלָה וְאֶת־אָהֳלִיבָה וְהַגֵּד לָהֶן אֵת תוֹעֲבוֹתֵיהֶן:

Filho do homem. Yahweh falou, utilizando o título de sempre, com o qual se dirigia ao profeta (anotado em Ez 2.1).

Julgarás tu...? O profeta momentaneamente assume o lugar de Yahweh, tornando-se o Juiz que acusará a senhora culpada. Demonstrará o envolvimento dela em atos abomináveis que exigiram um julgamento severo. Ver Ez 20.4, onde o profeta também é designado juiz.

■ 23.37

כִּי נִאֵפוּ וְדָם בִּידֵיהֶן וְאֶת־גִּלּוּלֵיהֶן נִאֵפוּ וְגַם אֶת־בְּנֵיהֶן אֲשֶׁר יָלְדוּ־לִי הֶעֱבִירוּ לָהֶם לְאָכְלָה:

Os Pecados Mais Conspícuos do Povo. Os versículos que se seguem fazem um sumário da triste atuação espiritual das duas nações: adultério (literal e metafórico: a idolatria); crimes de sangue; prostituição (física e sagrada); sacrifício de crianças no fogo de deuses pagãos, que fizeram de suas crianças uma "comida" para os deuses. Cf. Ez 16.16,20,21,28,36,45; 20.26,31, para listas semelhantes. Nada de novo é apresentado. Os pecados eram pesados, e o julgamento também o seria. A lista demonstra que o julgamento, embora severo, será justo e inevitável.

■ 23.38

עוֹד זֹאת עָשׂוּ לִי טִמְּאוּ אֶת־מִקְדָּשִׁי בַּיּוֹם הַהוּא וְאֶת־שַׁבְּתוֹתַי חִלֵּלוּ:

No mesmo dia contaminaram o meu santuário e profanaram os meus sábados. Desonraram os sábados do Senhor; encheram o templo com ídolos, tornando-o imundo; sacrificaram aos deuses pagãos, até no santuário de Yahweh; no mesmo dia, sacrificaram suas crianças (ver no *Dicionário* o artigo chamado *Moleque, Moloque*). O texto informa que aqueles homens cometeram uma série de pecados pesados, *no mesmo dia,* e não sentiram remorso nenhum. Praticaram suas profanações nos dias designados pela lei para honrar a Yahweh.

No mesmo dia em que sacrificaram suas crianças para ídolos absurdos, entraram no templo, com o sangue delas ainda nas mãos, e a fumaça dos sacrifícios impregnada nas roupas, e assim profanaram a casa do Senhor com sacrifícios pagãos. Sua própria presença profanava o templo.

■ 23.39

וּבְשַׁחֲטָם אֶת־בְּנֵיהֶם לְגִלּוּלֵיהֶם וַיָּבֹאוּ אֶל־מִקְדָּשִׁי בַּיּוֹם הַהוּא לְחַלְּלוֹ וְהִנֵּה־כֹה עָשׂוּ בְּתוֹךְ בֵּיתִי׃

O Fundo do Poço. Aqueles homens chegaram ao limite do deboche. Sacrificaram suas crianças de maneira cruel e, com os gritos delas ainda ressoando nos ouvidos, foram profanar o templo. Provavelmente praticaram tais abominações em pleno *sábado*, o dia dedicado ao culto de Yahweh, fazendo de seus atos uma ofensa múltipla. Cf. Jr 7.9,10,30.

■ 23.40

וְאַף כִּי תִשְׁלַחְנָה לַאֲנָשִׁים בָּאִים מִמֶּרְחָק אֲשֶׁר מַלְאָךְ שָׁלוּחַ אֲלֵיהֶם וְהִנֵּה־בָאוּ לַאֲשֶׁר רָחַצְתְּ כָּחַלְתְּ עֵינַיִךְ וְעָדִית עֶדִי׃

Cf. este versículo com o vs. 16, onde há declaração semelhante. Aqueles homens ímpios igualaram seu adultério espiritual com a variedade física. Os dois países fizeram *alianças* com forças estrangeiras, o que os profetas sempre condenaram. Emprestaram de dois países pagãos seus deboches, inclusive a prostituição sagrada. Pagaram às sacerdotisas por seus serviços de adultério literal, e o dinheiro foi utilizado para sustentar o culto idólatra. As prostitutas sagradas se vestiam em roupas finas, multicoloridas; convidavam os "fregueses" para suas câmaras de iniquidades; banhavam-se diante de seus olhos e se preparavam para o ato sexual. Boquiabertos, os fregueses observavam a cena e se inflamavam. Ver sobre prostitutas pintadas, em Jr 4.30. Para as *camas* do adultério, ver Pv 7.16 e Os 7.14. Ver Is 57.9, para detalhes destas preparações, e para pintura dos olhos, ver 2Rs 9.30. Tinta preta era usada para cobrir as pálpebras e salientar o branco dos olhos.

■ 23.41

וְיָשַׁבְתְּ עַל־מִטָּה כְבוּדָּה וְשֻׁלְחָן עָרוּךְ לְפָנֶיהָ וּקְטָרְתִּי וְשַׁמְנִי שַׂמְתְּ עָלֶיהָ׃

E te assentaste num suntuoso leito. Os fregueses se sentavam a uma mesa, bebendo vinho para aumentar sua cobiça sexual e remover qualquer inibição. Observavam a preparação da mulher e, finalmente, lá estava ela, nua, deitada na cama, falando palavras obscenas, um velho (e atual) truque para provocar desejo. Fazia gestos sugestivos e, em pé na cama, dançava, enquanto os olhos dos homens se enchiam de cobiça.

O incenso sagrado (tirado do templo!) queimava, emitindo odores agradáveis, para excitá-los ainda mais, se isto fosse possível. De fato, para algumas pessoas, cheiros de perfume e incenso são importantes como estimuladores da paixão. Havia também os óleos sagrados (tirados do templo!) para ungir os corpos daqueles depravados. Nada faltava e, com gemidos de prazer, os participantes praticavam seus deboches. E, quando olharam pelas janelas, o sol já se levantava. Fora uma noite delirante e eles perderam qualquer senso da passagem do tempo. Assim, o profeta, sem nenhuma vergonha, descreveu a cena do adultério, literal e metafórico, de Israel-Judá. A Bíblia sempre fala francamente sobre tais coisas.

■ 23.42

וְקוֹל הָמוֹן שָׁלֵו בָהּ וְאֶל־אֲנָשִׁים מֵרֹב אָדָם מוּבָאִים סוֹבָאִים מִמִּדְבָּר וַיִּתְּנוּ צְמִידִים אֶל־יְדֵיהֶן וַעֲטֶרֶת תִּפְאֶרֶת עַל־רָאשֵׁיהֶן׃

Com ela se ouvia a voz de muita gente que folgava. Houve muitos parceiros, muitos amantes, muitas noites de iniquidades. Oolá e Oolibá eram donzelas ocupadas. Elas convidavam qualquer um que passasse na rua, até os bêbados e homens das classes mais baixas.

Bêbado. A palavra hebraica utilizada é *sabeanos*, que tem um significado duplo: 1. Um *povo* assim chamado. 2. *Beberrões.* Aquela gente era um povo semicivilizado, bravo e violento, que tinha reputação de conduta debochada. As duas irmãs gostavam dos tipos mais bestiais, para satisfazer seus desejos depravados. Provavelmente o texto faz alusão às festividades dos pagãos, que sempre incluíram muita música, bebida, dança e mulheres; eram os "carnavais" antigos. Um comportamento promíscuo sempre resultou disso, porque, afinal, o carnaval é um convite à promiscuidade. O que pode ser mais *carnal* do que *carnaval*?

Alguns homens vis se vestiam regiamente para tais ocasiões. Afinal, iam para a cama com mulheres sofisticadas. As mulheres finas se enfeitavam com joias raras e roupas caras, exalando delicioso cheiro de perfumes importados, tudo para excitar as paixões daqueles ímpios.

Puseram braceletes nas mãos delas e, na cabeça, coroas formosas. Foram os homens que enfeitaram as mulheres já deitadas na cama, todos rindo e falando piadas de baixo calão.

■ 23.43

וָאֹמַר לַבָּלָה נִאוּפִים עַתָּ יִזְנֶה תַזְנוּתֶהָ וָהִיא׃

Envelhecida em adultérios. A NIV chama as mulheres de "desgastadas", porque se enfraqueceram de tanto praticar adultérios com seus muitos parceiros, e acrescenta: *"Deixe-os usá-la como prostituta, porque uma prostituta é só o que ela é".*

Continuará ela em suas prostituições? Esta é uma pergunta retórica que espera uma resposta negativa: Não! As irmãs se cansaram de seus deboches (NCV). E Yahweh falou: "Deixe a mulher continuar no seu adultério; é somente uma prostituta" (NCV).

O hebraico deste versículo é obscuro e interpretado de diversas maneiras. Aquelas irmãs eram mulheres casadas que se perderam no meio da carnalidade. O marido, Yahweh, de sua posição privilegiada nos céus, observava "as esposas", enfurecendo-se mais e mais. Logo, ele destruiria toda aquela multidão com um único golpe de sua espada (o exército babilônico).

■ 23.44

וַיָּבוֹא אֵלֶיהָ כְּבוֹא אֶל־אִשָּׁה זוֹנָה כֵּן בָּאוּ אֶל־אָהֳלָה וְאֶל־אָהֳלִיבָה אִשֹּׁת הַזִּמָּה׃

Passaram a estar com ela, como quem frequenta a uma prostituta. Embora rainhas, as irmãs lascivas se reduziram à posição de prostitutas de rua comuns, recebendo qualquer um. Perderam todo o respeito próprio, desgastaram-se e se tornaram "prostitutas velhas" e obsoletas, que ninguém mais procurava. Não havia amor, só paixões desenfreadas. Não existia nada de nobre envolvido (cf. Ez 23.3). As descrições aqui apropriadamente representam Israel e Judá como *devassas* que procuraram as nações pagãs, abandonando o marido.

■ 23.45

וַאֲנָשִׁים צַדִּיקִם הֵמָּה יִשְׁפְּטוּ אוֹתְהֶם מִשְׁפַּט נֹאֲפוֹת וּמִשְׁפַּט שֹׁפְכוֹת דָּם כִּי נֹאֲפֹת הֵנָּה וְדָם בִּידֵיהֶן׃ ס

Nas suas mãos há culpa de sangue. As prostitutas velhas, da representação do profeta, envolveram-se em crimes de todo o tipo: de sangue, de roubos, de extorsão. Não eram meramente mulheres de prazeres; eram criminosas desprezíveis, prostitutas sangrentas que fizeram muitas vítimas. Mas eram esposas do Rei! Os homens bons não sentiram nenhuma atração por elas e as acharam obnóxias. No vs. 36, Yahweh designou o profeta para juiz daquelas senhoras, tomando o seu lugar. O juiz descobriu somente coisas negativas e, assim, as condenou. Yahweh, aceitando sua avaliação, logo passará a sentença contra elas. Os babilônios serão o instrumento da vingança.

■ 23.46

כִּי כֹּה אָמַר אֲדֹנָי יְהוִה הַעֲלֵה עֲלֵיהֶם קָהָל וְנָתֹן אֶתְהֶן לְזַעֲוָה וְלָבַז׃

Farei subir contra elas grande multidão. Yahweh passou a sentença. As mulheres serão *executadas* pela multidão. A adúltera sofria execução legal por apedrejamento (Lv 19.20-22; Lv 20.10; Dt 13.10; Jo 8.5). As adúlteras tiveram uma morte agonizante às mãos das pessoas ao redor. A *multidão,* aqui, é o exército babilônico. As senhoras prostitutas foram executadas publicamente, à vista das nações pagãs, que aplaudiram a execução como *justa.*

■ 23.47

וְרָגְמ֨וּ עֲלֵיהֶ֥ן אֶ֙בֶן֙ קָהָ֔ל וּבָרֵ֥א אוֹתְהֶ֖ן בְּחַרְבוֹתָ֑ם
בְּנֵיהֶ֤ם וּבְנֽוֹתֵיהֶם֙ יַהֲרֹ֔גוּ וּבָתֵּיהֶ֖ן בָּאֵ֥שׁ יִשְׂרֹֽפוּ׃

A multidão as apedrejará e as golpeará com as suas espadas. Como as adúlteras, que eram apedrejadas, assim seriam executadas as senhoras adúlteras, mas as pedras seriam as *espadas* do exército estrangeiro.

A seus filhos e suas filhas matarão. A *temível tríade* devastará as senhoras e todos os seus filhos e filhas, isto é, a população inteira. Ver a *temível tríade* (espada, fome e pestilência) anotada em Ez 5.12. O Targum tenta aqui preservar a imagem das pedras, falando da *funda* dos babilônios como instrumento da destruição. Havia também máquinas de guerra especializadas em lançar grandes pedras, que destruíam muitas vidas.

Suas casas queimarão a fogo. O *fogo* era também empregado pelos exércitos antigos como elemento devastador. Ver no *Dicionário* o artigo intitulado *Fogo*. Não há nenhuma alusão ao fogo do julgamento além do sepulcro, neste texto. Ver no *Dicionário* o artigo intitulado *Fogo, Símbolo de*.

■ 23.48,49

וְהִשְׁבַּתִּ֥י זִמָּ֖ה מִן־הָאָ֑רֶץ וְנִֽוַּסְּרוּ֙ כָּל־הַנָּשִׁ֔ים וְלֹ֥א
תַעֲשֶׂ֖ינָה כְּזִמַּתְכֶֽנָה׃

וְנָתְנ֤וּ זִמַּתְכֶנָה֙ עֲלֵיכֶ֔ן וַחֲטָאֵ֥י גִלּוּלֵיכֶ֖ן תִּשֶּׂ֑אינָה
וִידַעְתֶּ֕ם כִּ֥י אֲנִ֖י אֲדֹנָ֥י יְהוִֽה׃ פ

Assim farei cessar a luxúria da terra. O exército pagão terminará efetivamente com a vida das duas senhoras ímpias. As outras mulheres (nações), observando o temível acontecimento, aprenderão a lição para não agir erradamente. Se arrependerão (se isto for possível). De qualquer maneira, o ataque babilônico e o cativeiro subsequente acabariam absolutamente com a idolatria israelense para todo o sempre. "Daquele tempo até hoje, os judeus nunca se envolveram mais com a idolatria" (Adam Clarke, *in loc.*).

> Todo o Israel ouvirá e temerá, e não se tornará a praticar maldade.
>
> Deuteronômio 13.11

Sabereis que eu sou o Senhor Deus. Esta expressão é usada usa 63 vezes no livro, normalmente associada ao *julgamento*. Algumas vezes é associada à ideia de *restauração*. Ver as notas em Ez 16.62. Todos os julgamentos são remediadores, não meramente retributivos. Ver a respeito desse tema nas notas em 1Pe 4.6, no *Novo Testamento Interpretado*.

Senhor Deus. *Adonai-Yahweh* (o Soberano Eterno Deus), exercendo sua soberania, determinará o destino das duas senhoras, e o resultado certamente será amargo. O *teísmo bíblico* persiste no livro de Ezequiel. O Criador não abandonou sua criação; está presente para intervir, castigar as maldades e recompensar a bondade, segundo as suas leis morais. O *deísmo*, por contraste, ensina que a força criadora (pessoal ou impessoal) abandonou sua criação aos cuidados das leis naturais. Ver no *Dicionário* os artigos chamados *Teísmo* e *Deísmo*.

O *show doentio* de Israel-Judá acabou no desmantelamento do palco e na queda de todos os atores. As duas senhoras apresentaram um *show* pornográfico (idolatria-adultério-apostasia) que Yahweh não pôde tolerar.

CAPÍTULO VINTE E QUATRO

A CALDEIRA SOBRE O FOGO (24.1-14)

Os julgamentos de Yahweh são agora profetizados sob outras figuras. Primeiro, temos a metáfora da caldeira sobre o fogo, vss. 1-14; depois, o sinal ilustre da morte da esposa de Ezequiel, vss. 15-27.

Este capítulo conclui a *terceira série* de julgamentos pronunciados contra Judá: 1. capítulos 4—11; 2. capítulos 12—19; 3. capítulos 20—24.

O capítulo 24 funciona como o ápice, enfatizando a *inevitabilidade* da punição. Judá demorara demais nas suas poluições, exaurindo a paciência divina. A oportunidade para arrependimento estava perdida.

"O Início do Fim. A alegoria da caldeira (cf. Jr 1.13-19) combina os dois temas (talvez dois oráculos, originalmente). Na *caldeira*, isto é, em Jerusalém (Ez 11.3-12), todos os bons e os maus (Ez 21.4; Mq 2.2,3) serão fervidos, enquanto homens farão pilhas de madeira (equipamentos de guerra) ao redor dela. O conteúdo da caldeira será totalmente fervido. Depois, ela será esvaziada (o cativeiro depois do ataque). Os ossos que resistirem à água fervente serão queimados (uma referência à pilhagem que se seguirá ao ataque). Os vss. 6 e 11 introduzem o novo tema de *corrosão*, referindo-se ao passado sangrento de Jerusalém (Ez 22.2-12; Gn 4.10,11)" (*Oxford Annotated Bible*, na introdução ao capítulo).

■ 24.1

וַיְהִי֩ דְבַר־יְהוָ֨ה אֵלַ֜י בַּשָּׁנָ֤ה הַתְּשִׁיעִית֙ בַּחֹ֣דֶשׁ
הָעֲשִׂירִ֔י בֶּעָשׂ֥וֹר לַחֹ֖דֶשׁ לֵאמֹֽר׃

Veio a mim a palavra do Senhor. Esta declaração garante que a mensagem foi inspirada por Yahweh, e que Ezequiel era o seu profeta autorizado. Cf. Ez 13.1; 14.2; 15.1; 16.1. Ver as notas sobre as *três deportações* de Judá para a Babilônia, em Jr 52.28.

O nono ano, no décimo mês, aos dez dias do mês. A data indicada neste versículo é o dia 15 de janeiro de 588 a.C., início do ataque a Jerusalém. Cf. 2Rs 25.1 e Jr 52.4. As profecias finais de Ezequiel, sobre a destruição da cidade, foram pronunciadas no nono ano do exílio de Jeoaquim, rei de Judá. O dia exato era o décimo do décimo mês. Esse foi um dia de calamidade singular na história de Jerusalém. Grande parte dos últimos livros do Antigo Testamento foi dedicada ao tema.

■ 24.2

בֶּן־אָדָ֗ם כְּתָב־לְךָ֙ אֶת־שֵׁ֣ם הַיּ֔וֹם אֶת־עֶ֖צֶם הַיּ֣וֹם הַזֶּ֑ה
סָמַ֤ךְ מֶֽלֶךְ־בָּבֶל֙ אֶל־יְר֣וּשָׁלַ֔͏ִם בְּעֶ֖צֶם הַיּ֥וֹם הַזֶּֽה׃

Filho do homem. Ver as notas sobre esta expressão em Ez 2.1. Yahweh normalmente usava este título quando se dirigia ao profeta.

Escreve o nome deste dia. Justamente aquele dia foi escolhido por Yahweh para o ataque babilônico; era o início do fim de Jerusalém. Logo a cidade seria uma pilha de escombros fumegantes. Ezequiel começara a falar a respeito daquele acontecimento fazia quatro anos, mas suas palavras caíram em ouvidos surdos. O povo nem quis saber das "profecias de aniquilação". Ninguém se arrependeu nem mudou de conduta. Cf. 2Rs 25.1; Jr 39.1 e 52.4. A autoridade de Ezequiel como profeta era comprovada. Talvez ele estivesse presente para ver pessoalmente o acontecimento temível. Mais provavelmente estava 1.400 km distante, com os cativos em Quebar, Babilônia (2Rs 25.1; Jr 39.1). Ele recebeu o oráculo que descrevia a calamidade no mesmo dia em que tudo aconteceu!

■ 24.3

וּמְשֹׁ֤ל אֶל־בֵּית־הַמֶּ֙רִי֙ מָשָׁ֔ל וְאָמַרְתָּ֥ אֲלֵיהֶ֖ם כֹּ֣ה אָמַ֑ר
אֲדֹנָ֣י יְהוִ֔ה שְׁפֹ֥ת הַסִּ֛יר שְׁפֹ֖ת וְגַם־יְצֹ֥ק בּ֖וֹ מָֽיִם׃

Propõe uma parábola à casa rebelde. *O Dia Temível.* A alegoria da caldeira sobre o fogo, ou da panela no fogo, com água fervente, ilustra o dia da *calamidade* de Jerusalém. Cf. Jr 1.13-19, onde é descrito algo semelhante. Ver também Ez 11.3,11. A referência indica um tipo de pote feito de metal ou barro. O vs. 6 fala de *corrosão*, que mostra que este pote era de cobre. A arqueologia descobriu uma variedade bastante grande de potes. O tipo descrito neste texto tinha a boca larga e servia para ferver uma quantidade razoável de água ou comida.

Nesta alegoria, a *própria Jerusalém* é o pote (panela ou caldeira). Dentro dele, será fervida a população, os bons e os maus, sem distinção. O cerco da cidade durou trinta meses; os ataques chegaram em ondas; três deportações levaram os poucos sobreviventes para a Babilônia e, até lá, a espada os alcançou e continuou a matança. A ira de Yahweh só se esgotou quando não restava mais nada para destruir.

Casa rebelde. Esta é uma referência comum para Israel-Judá, que toma o lugar de "a casa de Israel" ou "a casa de Judá". Cf. Ez 2.5-8; 3.9,26,27; 12.2; 17.12; 44.6.

Assim diz o Senhor Deus. *Adonai-Yahweh* (o Soberano Eterno Deus), pelo exercício de sua *soberania*, era a causa daquele dia temível. Nada acontece por acaso. Este título divino ocorre 217 vezes nesse livro, mas somente 103 no restante do Antigo Testamento. Enfatiza que a soberania de Deus determina o destino da humanidade, tanto dos indivíduos quanto das nações, agindo segundo as exigências da lei moral. Os decretos divinos são as causas de tudo quanto acontece, embora existam também *causas secundárias,* especialmente as maldades dos homens que criam tanto caos neste mundo. A *Providência de Deus*, tanto negativa quanto positiva, é o agente ativo por trás dos eventos humanos. Ver esse título no *Dicionário*. Ver também os artigos denominados *Soberania de Deus* e *Teísmo*. Ver as notas em Gl 6.7,8, no *Novo Testamento Interpretado*.

Põe ao lume a panela, põe-na, deita-lhe água dentro. O triste fim de Jerusalém fora selado com aquele decreto.

■ **24.4**

אֱסֹ֤ף נְתָחֶ֙יהָ֙ אֵלֶ֔יהָ כָּל־נֵ֥תַח ט֖וֹב יָרֵ֣ךְ וְכָתֵ֑ף מִבְחַ֥ר עֲצָמִ֖ים מַלֵּֽא׃

Ajunta nela pedaços de carne, todos os bons pedaços. Os *cortes nobres* da carne eram cozidos no pote; a alusão é àquelas partes que pertenciam a Yahweh, o sangue e a gordura (ver as leis sobre isto em Lv 3.17). Os sacerdotes também recebiam oito porções especiais (ver Lv 7.11-23; 26.1-46; Nm 18.8 e Dt 12.17,18). O restante ia para a festividade (refeição comunal), da qual participavam as pessoas que haviam levado os sacrifícios. Os "bons pedaços" eram a liderança do país, oficiais do exército, governantes civis e sacerdotes. Ver sobre os *bons pedaços* em 1Sm 2.13-17. O massacre de Jerusalém tornou-se um *sacrifício a Yahweh*, um culto sagrado e uma festividade macabra.

■ **24.5**

מִבְחַ֤ר הַצֹּאן֙ לָק֔וֹחַ וְגַ֛ם דּ֥וּר הָעֲצָמִ֖ים תַּחְתֶּ֑יהָ רַתַּ֣ח רְתָחֶ֔יהָ גַּם־בָּשְׁל֥וּ עֲצָמֶ֖יהָ בְּתוֹכָֽהּ׃ ס

O Sacrifício Continua. Seria coisa temível quando Judá-Jerusalém fosse sacrificado pelos babilônios, que se tornam os sacerdotes de Yahweh, na alegoria. O hebraico deste versículo é obscuro e diversas interpretações hipotéticas se apresentam: 1. Alguns colocam *os ossos* embaixo da caldeira para serem queimados, servindo como combustível. Os ossos provavelmente significam o *povo comum*. 2. Outros substituem *ossos* por *madeira*. Cf. o vs. 10. 3. Os nobres do país são representados pelas *ovelhas escolhidas*, que seriam sacrificadas no altar de Yahweh. Estas substituem os *cortes nobres* do vs. 4. 4. Ou tanto os ossos quanto as ovelhas escolhidas estão *dentro* do pote e serão cozidos até ficarem totalmente dissolvidos. Não resistirão ao calor da ira de Deus. A punição continuará destruindo até que nada reste. Os mais fortes (os ossos duros) serão enfraquecidos e finalmente obliterados por causa da severidade dos ataques do exército babilônico.

■ **24.6**

לָכֵ֞ן כֹּה־אָמַ֣ר ׀ אֲדֹנָ֣י יְהוִ֗ה א֛וֹי עִ֥יר הַדָּמִ֖ים סִ֣יר אֲשֶׁ֥ר חֶלְאָתָ֣ה בָ֔הּ וְחֶ֨לְאָתָ֔הּ לֹ֥א יָצְאָ֖ה מִמֶּ֑נָּה לִנְתָחֶ֤יהָ לִנְתָחֶ֙יהָ֙ הוֹצִיאָ֔הּ לֹא־נָפַ֥ל עָלֶ֖יהָ גּוֹרָֽל׃

Assim diz o Senhor Deus: Ai da cidade sanguinária, da panela cheia de ferrugem. É o Soberano que efetua sua vontade no sacrifício de Jerusalém. A panela enferrujada significa a corrupção de Jerusalém, ou o cobre está corroído, afirmando a mesma coisa. A cidade sangrenta, ímpia, iníqua, adúltera, idólatra, escandalosa, pecaminosa, obscena, abusiva, devassa, apóstata, violenta, rebelde, miserável não escapará à vingança de Deus.

Adonai-Yahweh (o Soberano Eterno Deus) aplicará seu poder à situação e reduzirá a cidade a nada. Seu decreto de ira queimará os perversos.

Ferrugem. A palavra assim traduzida no hebraico é, literalmente, doença. É curioso que peritos na metalurgia moderna chamem a corrosão do cobre de "doença de cobre". A *violência* da cidade era uma das suas muitas doenças crônicas. Todas as cidades modernas sofrem da mesma enfermidade. O autor menciona apenas algumas das mais virulentas. Cf. Ez 22.3; 23.37 e o vs. 9. Jerusalém era uma cidade *repleta de ferrugem*.

Pedaço por pedaço. A carne cozida será tirada do pote, pedaço por pedaço, indicando que a destruição será completa, nada escapará à ira de Yahweh. Todos terão seus lugares no sacrifício de vingança. *Pedaço por pedaço* talvez indique, também, que a destruição acontecerá aos poucos, em estágios. Haverá espada, fome e pestilência, a *temível tríade* em operação (ver Ez 5.12). Nenhum pedaço será favorecido; nenhuma mágica ocorrerá. Nenhuma *escolha* será feita, isto é, não haverá discriminação.

Sem parcialidade, favores ou respeito a pessoas, todos, culpados de grandes males, sofrerão grandes males, pois terão o mesmo destino amargo. A devastação será *nacional* e de *proporções gigantescas*. O Targum salienta aqui as deportações que se seguiram às ondas de ataques. Ver Jr 52.28, para as *três* deportações.

■ **24.7**

כִּ֤י דָמָהּ֙ בְּתוֹכָ֣הּ הָיָ֔ה עַל־צְחִ֥יחַ סֶ֖לַע שָׂמָ֑תְהוּ לֹ֤א שְׁפָכַ֙תְהוּ֙ עַל־הָאָ֔רֶץ לְכַסּ֥וֹת עָלָ֖יו עָפָֽר׃ פ

A culpa de sangue está no meio dela. Cf. a história de Caim e Abel, em Gn 4.10,11. O texto enfatiza que Jerusalém era uma cidade de crimes de sangue (vs. 6). Quando um homem morria violentamente, boa parte de seu sangue era absorvido no chão e se perdia. Mas uma rocha não podia absorvê-lo. O sangue se espalharia por toda a parte e seria visível a todos. O olho de Yahweh observava as cenas de violência e constatou todo aquele sangue sobre as rochas. A porção absorvida clamava para ser vista e também vingada. Uma lei levítica exigia que sangue derramado fosse *enterrado* (Lv 17.13); a lei se aplicou ao sangue de homens e animais. O sangue gritava contra a cidade sangrenta. Personificado, fica em pé, em cima da rocha polida, para ser visto e ouvido. Crimes de violência se acumularam em Jerusalém. Ver Ez 22.12,13; 23.37. A cidade ficou indiferente à violência, mas Yahweh, não.

■ **24.8**

לְהַעֲל֤וֹת חֵמָה֙ לִנְקֹ֣ם נָקָ֔ם נָתַ֥תִּי אֶת־דָּמָ֖הּ עַל־צְחִ֣יחַ סָ֑לַע לְבִלְתִּ֖י הִכָּסֽוֹת׃ פ

Para fazer subir a indignação, para tomar vingança. O sangue descoberto não podia ser ignorado. Estava lá, chamando a atenção de Deus; exigia vingança contra os assassinos. Cf. Gn 4.10; Lv 17.13,14 e Jó 16.18.

Pus o seu sangue numa penha. *Adonai-Yahweh* colocará sobre uma rocha o sangue derramado pela cidade sangrenta. Afinal, como vingança divina, a cidade será inundada *com seu próprio sangue*, quando o exército babilônico abrir as veias de toda a sua população com a espada. O sangue não será absorvido pela terra, mas ficará visível aos olhos de todos.

■ **24.9**

לָכֵ֗ן כֹּ֤ה אָמַר֙ אֲדֹנָ֣י יְהוִ֔ה א֖וֹי עִ֣יר הַדָּמִ֑ים גַּם־אֲנִ֖י אַגְדִּ֥יל הַמְּדוּרָֽה׃

Assim diz o Senhor Deus. *Adonai-Yahweh* (o Soberano Eterno Deus) aplicará sua soberania à situação que não mais podia ser ignorada. Seu poder controla o destino das nações.

Também eu farei pilha grande (de lenha). Seu decreto exigiu o fim da cidade violenta. Yahweh pronunciou uma maldição contra ela. Jerusalém será destruída pelo fogo (metafórico, de Yahweh, e literal, do exército babilônico). O fogo embaixo da caldeira ficaria extremamente quente, porque Deus continuaria alimentando-o com mais combustível. A água no pote ferverá furiosamente, porque a ira de Deus é furiosa. O fogo purificará o lugar. O pote ficará tão quente que seu cobre se tornará candente (vs. 11).

O grande fogo, bem suprido com combustível, queimará por muito tempo, até se completar a tarefa de "cozinhar a carne". Os habitantes da cidade pecaram por longo tempo, e o fogo igualará sua atuação.

■ **24.10**

הַרְבֵּ֤ה הָעֵצִים֙ הַדְלֵ֣ק הָאֵ֔שׁ הָתֵ֖ם הַבָּשָׂ֑ר וְהַרְקַ֣ח הַמֶּרְקָחָ֔ה וְהָעֲצָמ֖וֹת יֵחָֽרוּ׃

Amontoa muita lenha. A pilha se estenderá aos céus e terá potencial ilimitado para queimar. O fogo não falhará por falta de combustível; ficará mais quente e furioso, para cumprir a tarefa de acabar com a cidade. Um sacrifício está sendo preparado para Yahweh, que se satisfará com a carne cozida. Ela será *bem* cozida; receberá condimentos para ficar mais apetitosa. Yahweh consumirá tudo, porque será sua refeição sacrificial. Estas preparações significam que os ataques do rei da Babilônia seriam bem planejados e executados, obtendo êxito absoluto. A catástrofe será a primor; a ruína será grande e as calamidades, devastadoras.

Engrossa o caldo. Usando condimentos e farinha de trigo, para deixar a refeição mais deliciosa. A Septuaginta substitui estas palavras com "esvazia o caldo", que teria o efeito de deixar o conteúdo do pote queimar-se totalmente ou ser derramado diretamente nas chamas, consumindo-se. O pote vazio seria purificado pelo fogo.

■ 24.11

וְהַעֲמִידֶהָ עַל־גֶּחָלֶיהָ רֵקָה לְמַעַן תֵּחַם וְחָרָה נְחֻשְׁתָּהּ
וְנִתְּכָה בְתוֹכָהּ טֻמְאָתָהּ תִּתֻּם חֶלְאָתָהּ:

Porás a panela vazia sobre as brasas. A panela vazia será colocada diretamente no fogo, sem nenhum líquido para diminuir o calor. O cobre do pote ficará candente e, esperançosamente, sua corrosão (vs. 6) será destruída. Mas ai! Até mesmo o fogo superaquecido não teria efeito *nenhum* sobre a corrosão (depravações da cidade). As iniquidades da cidade permaneceriam intactas, mesmo com o cobre candente. O Targum diz aqui: "Eu deixarei a terra desolada, para que os habitantes fiquem desolados. Aqueles que operam imundícia serão consumidos; os portões da cidade serão obliterados, e aqueles que praticam obras sórdidas, na cidade, serão derretidos".

■ 24.12

תְּאֻנִים הֶלְאָת וְלֹא־תֵצֵא מִמֶּנָּה רַבַּת חֶלְאָתָהּ בְּאֵשׁ חֶלְאָתָהּ:

Trabalho inútil! Todo aquele trabalho de Yahweh não conseguiu seu alvo ideal: purificar a cidade apóstata. Yahweh desistiu de ter misericórdia. A devastação total da cidade vem logo, sem possibilidade de redenção do povo.

Os antropomorfismos do texto são fortes por causa do dilema da linguagem humana. Ver no *Dicionário* o artigo intitulado *Antropomorfismo*. Ver também *Antropopatismo* (atribuir a Deus emoções humanas). A paciência de Deus se esgotou. O dia do julgamento havia chegado. Yahweh não teria piedade, e Jerusalém ceifaria o que havia semeado. Cf. Is 43.24 e Ml 2.17.

■ 24.13

בְּטֻמְאָתֵךְ זִמָּה יַעַן טִהַרְתִּיךְ וְלֹא טָהַרְתְּ מִטֻּמְאָתֵךְ
לֹא תִטְהֲרִי־עוֹד עַד־הֲנִיחִי אֶת־חֲמָתִי בָּךְ:

Na tua imundícia está a luxúria. Agora o autor informa claramente o que quis dizer com a *corrosão* do pote. A *doença do cobre* significa as doenças do povo, suas corrupções, violência, adultérios, rebeldia, idolatria e apostasia. As duas irmãs, *Oolá* e *Oolibá* (Israel e Judá, respectivamente; ver o capítulo 23), afundaram-se nas suas perversões e foram além das nações pagãs. Recusaram qualquer purificação ou reforma. Yahweh reagiu furiosamente e aplicou sua ira através do exército babilônico. Um pequeno remanescente seria levado para a Babilônia e o sofrimento continuaria por setenta anos (Jr 25.11,12). O pequeno remanescente seria *refinado*. Adonai-Yahweh encontraria uma pequena porção de prata, para começar tudo de novo, depois do cativeiro. Haveria um novo Israel, humilhado e pobre, mas viável como uma nação em regeneração.

Yahweh demorou longo tempo para aplicar o julgamento, esperando uma mudança no comportamento do povo, mas aqueles homens rebeldes nem souberam o significado da palavra "arrependimento". A misericórdia de Deus fora de longa duração, mas, afinal, o julgamento tornou-se inevitável e urgente. Cf. 2Pe 3.8-10. Onde a misericórdia falhou, a punição devastadora obteria êxito. Abominações, escolhidas *de propósito* pelo povo, seriam anuladas por um julgamento escolhido de propósito por Deus.

■ 24.14

אֲנִי יְהוָה דִּבַּרְתִּי בָּאָה וְעָשִׂיתִי לֹא־אֶפְרַע וְלֹא־אָחוּס
וְלֹא אֶנָּחֵם כִּדְרָכַיִךְ וְכַעֲלִילוֹתַיִךְ שְׁפָטוּךְ נְאֻם אֲדֹנָי
יְהוִה: פ

Eu, o Senhor, o disse: será assim, e eu o farei. Este versículo intenso fala da *vontade divina*: 1. A palavra de Yahweh (seu decreto) e seu juramento garantem que o julgamento será efetivo. Ver no *Dicionário* o artigo intitulado *Juramento*. 2. O resultado triste será inevitável, porque o dia do arrependimento se perdera no caos do pecado. O fogo de Yahweh purificará o povo e depois o curará. Os julgamentos de Deus são restauradores, não meramente retributivos. 3. Yahweh diz "Eu o farei", portanto, a obra é divina, cumprindo as exigências da lei moral de Deus. 4. O *teísmo* (ver a respeito no *Dicionário*) continua sendo um conceito importante de Ezequiel: o Criador não abandonou sua criação, mas está presente para intervir, castigando os maus e recompensando os bons. 5. Não haverá arrependimento divino até a tarefa se completar. Ver sobre o arrependimento de Yahweh, nas notas expositivas sobre Êx 32.14. 6. Os homens recolhem o que semeiam. Ver no *Dicionário* o artigo chamado *Lei Moral da Colheita segundo a Semeadura*. 7. Adonai-Yahweh (o Soberano Eterno Deus) é o Juiz, cuja soberania governa tudo; dele depende o destino das nações e dos indivíduos. Este título é usado 217 vezes nesse livro, mas somente 103 no restante do Antigo Testamento. Ver no *Dicionário* o artigo intitulado *Soberania de Deus*.

O SINAL DA MORTE DA ESPOSA DO PROFETA (24.15-27)

Este novo oráculo se divide em duas partes: 1. A morte da mulher (vss. 15-19). 2. A parábola (sinal) derivada do acontecimento (vss. 20-27).

A esposa de Ezequiel morreu, mas Yahweh o proibiu de realizar os ritos comuns relacionados à morte, como lamentar-se por diversos dias, desfigurar-se, cortar o cabelo, sentar em cinzas, andar descalço e vestir-se em pano de saco. Cf. Jr 16.5-9 e Mq 1.8, que falam sobre os sinais de tristeza associados à morte de um ente querido. A dor interior do profeta não podia ser revelada. Jerusalém morrerá, mas ninguém lamentará o acontecimento.

■ 24.15

וַיְהִי דְבַר־יְהוָה אֵלַי לֵאמֹר:

Veio a mim a palavra do Senhor. Esta é a declaração comum que introduz novos materiais ou oráculos. Afirma a inspiração divina da mensagem que se segue e garante que Ezequiel era o profeta autorizado por Yahweh.

■ 24.16

בֶּן־אָדָם הִנְנִי לֹקֵחַ מִמְּךָ אֶת־מַחְמַד עֵינֶיךָ בְּמַגֵּפָה
וְלֹא תִסְפֹּד וְלֹא תִבְכֶּה וְלוֹא תָבוֹא דִּמְעָתֶךָ:

Filho do homem. Yahweh fala com o profeta utilizando seu título comum (anotado em Ez 2.1).

Não lamentarás, nem chorarás, nem te correrão as lágrimas. O controlador do destino humano decidiu tirar a vida da esposa do profeta. Ele amava a mulher, "a delícia" dos olhos dele, mas não podia expressar nenhuma tristeza.

Ela morreu às súbitas, talvez de derrame, acidente ou qualquer outra doença. O golpe fora rápido e fatal. O profeta não teve tempo para se preparar, nem para orar pedindo misericórdia. De manhã, ela estava bem; ao meio-dia, morta. A situação tornou-se pior pela proibição das lamentações. Jerusalém devassa não seria lamentada quando morta pelo exército babilônico. Ver no *Dicionário* o artigo chamado *Lamentação*; cf. Jr 16.5-7. Ver também 2Sm 15.30; Jr 14.3; 22.18; 34.5 e Os 9.4.

A mulher representava, especificamente, o templo e, por extensão, toda a cidade. O templo era valioso e espiritualmente útil, fazendo de Judá um povo distinto entre as nações (Dt 4.4-8). Por causa de sua idolatria-adultério-apostasia, cairá morto num dia designado por Yahweh. O golpe será súbito, brutal e fatal.

A morte da esposa é o único acontecimento *pessoal* da vida do profeta registrado nesse livro. Até esse evento foi colocado no contexto do trabalho dele. O profeta trabalhou arduamente e com tanta intensidade, que não lhe sobrava tempo para participar dos pequenos prazeres da vida. Sua vida era dedicada, totalmente, ao Ser divino.

■ 24.17

הֵאָנֵק ׀ דֹּם מֵתִים אֵבֶל לֹא־תַעֲשֶׂה פְּאֵרְךָ חֲבוֹשׁ עָלֶיךָ וּנְעָלֶיךָ תָּשִׂים בְּרַגְלֶיךָ וְלֹא תַעְטֶה עַל־שָׂפָם וְלֶחֶם אֲנָשִׁים לֹא תֹאכֵל׃

Geme em silêncio, não faças lamentação pelos mortos, prende o teu turbante, mete as tuas sandálias nos pés, não cubras os teus bigodes e não comas o pão que te mandam. *A Vida Continua.* O profeta recebeu ordens para conduzir sua vida como se nada tivesse acontecido: nada de lamentações ou de sinais de tristeza.

Para detalhes completos, ver no *Dicionário* o artigo sobre *Lamentação*. Ezequiel enrolou na cabeça um tipo especial de turbante, talvez semelhante ao dos sacerdotes, mas não o do sumo sacerdote, que ele não o era. Descobrir a cabeça era sinal comum de lamentação. Os sacerdotes comuns podiam tirar seus turbantes em tempos de lamentação, mas o sumo sacerdote, não. Todavia, quando um parente *muito próximo* morria, essa regra (proibição) era relaxada (Lv 10.6,7). O lamentador cobria o lábio superior com um pano ou com a mão, em sinal de dor. Os amigos do lamentador levariam para ele uma refeição humilde, que o aliviaria da necessidade de preparar comida nesse tempo de crise. O costume de *festas fúnebres* pertencia a uma época posterior e ainda persiste em alguns países do mundo moderno. O profeta continuou uma vida normal; não observou nenhum rito e nenhum vizinho trouxe comida para ele.

■ 24.18

וָאֲדַבֵּר אֶל־הָעָם בַּבֹּקֶר וַתָּמָת אִשְׁתִּי בָּעָרֶב וָאַעַשׂ בַּבֹּקֶר כַּאֲשֶׁר צֻוֵּיתִי׃

Falei ao povo pela manhã. No dia em que a esposa morreu, o profeta continuava suas pregações ao povo. Seria outro dia de rotina, mas, à tarde, a mulher faleceu. A rotina prosseguiu, como se nada de anormal tivesse acontecido. A previsão de Yahweh correu com exatidão. Assim Jerusalém será morta e ninguém lamentará, embora fosse "amada" durante toda a sua história. O profeta encenava uma *parábola viva*, cumprindo as ordens de Yahweh nos mínimos detalhes.

■ 24.19

וַיֹּאמְרוּ אֵלַי הָעָם הֲלֹא־תַגִּיד לָנוּ מָה־אֵלֶּה לָנוּ כִּי אַתָּה עֹשֶׂה׃

Não nos fará saber o que significam estas cousas...? A notícia da morte da esposa do profeta se espalhou. O povo observava o profeta conduzindo sua vida normalmente, não lamentando e (aparentemente) não se importando com o acontecido. Na sua curiosidade, perguntaram o "porquê" de seu comportamento estranho, considerando-se as circunstâncias. Ezequiel, homem piedoso, negligenciando seus deveres como judeu? Sua conduta, segundo os padrões na nação, era impiedosa. A lamentação figurava entre os *deveres* de qualquer pessoa decente de Judá.

Respeito aos Mortos. As pessoas, frequentemente, respeitam aos mortos mais do que aos vivos. Sempre procuram falar alguma coisa boa sobre eles, mesmo que, quando vivos, os detestassem. De qualquer maneira, a morte nos ajuda a esquecer as trivialidades da vida, para contemplar as questões mais sérias. Esquecemos as coisas irritantes que as pessoas praticaram quando vivas. Até procuramos deixar nas mãos de Deus a *crítica*, a avaliação do valor da vida que se foi. Em vez de criticar, nós nos esforçamos para dizer alguma coisa positiva. De fato, ritos fúnebres frequentemente incorporam palestras pouco realistas sobre as alegadas virtudes do defunto.

Um pastor, conduzindo um rito fúnebre de um homem de má reputação, esforçou-se para dizer algo positivo sobre ele. Falou: "Este homem não era tão mau, em certas ocasiões, como o era em outras".

A Explicação da Parábola Viva (24.20-27)

■ 24.20

וַיֹּאמֶר אֲלֵיהֶם דְּבַר־יְהוָה הָיָה אֵלַי לֵאמֹר׃

Eu lhes disse: Veio a mim a palavra do Senhor. A declaração deste versículo é a mesma que introduz novos materiais ou oráculos, nesse livro. Lembra-nos de que Yahweh havia inspirado as palavras a Ezequiel, seu profeta autorizado.

O profeta recebeu um oráculo especial para explicar bem a parábola da morte de sua esposa.

■ 24.21

אֱמֹר ׀ לְבֵית יִשְׂרָאֵל כֹּה־אָמַר אֲדֹנָי יְהוִה הִנְנִי מְחַלֵּל אֶת־מִקְדָּשִׁי גְּאוֹן עֻזְּכֶם מַחְמַד עֵינֵיכֶם וּמַחְמַל נַפְשְׁכֶם וּבְנֵיכֶם וּבְנוֹתֵיכֶם אֲשֶׁר עֲזַבְתֶּם בַּחֶרֶב יִפֹּלוּ׃

O meu santuário, objeto do vosso mais alto orgulho, delícia dos vossos olhos e anelo de vossa alma. A *esposa amada* representava o *templo amado*. O templo era "a delícia dos olhos" de Jerusalém, da mesma maneira que a esposa o era para o profeta (vs. 16). Fora também o "anelo das suas almas", mas o profanaram e, assim, garantiram o fim do Tesouro. Como a *esposa* do profeta fora subitamente removida pela morte, em certo dia determinado por Yahweh, assim aconteceria com o *templo*. O golpe divino nivelou os dois. O povo, atônito, permaneceu em silêncio.

Vossos filhos e vossas filhas... cairão à espada. Nunca mais os gritos alegres das crianças se ouviriam nas ruas. Jr 52 relata a história temível. Os judeus, já no cativeiro, não terminariam seus dias em paz. Perseguição e matança os alcançariam. Os poucos sobreviventes seriam levados à força, da cidade, enquanto os corpos de seus amados seriam espalhados na rua, sem um enterro decente. Era terrível só ouvir, quanto mais seria participar da realização desses fatos.

Achas que o templo dá forças para ti;
Tens orgulho dele. Ele dá alegria para ti.

NCV

■ 24.22

וַעֲשִׂיתֶם כַּאֲשֶׁר עָשִׂיתִי עַל־שָׂפָם לֹא תַעְטוּ וְלֶחֶם אֲנָשִׁים לֹא תֹאכֵלוּ׃

Fareis como eu fiz. Tudo o que aconteceu a Ezequiel, no seu dia de calamidade, acontecerá a Jerusalém no seu dia de punição. As pessoas levadas cativas para a Babilônia não terão a oportunidade de cuidar dos mortos, providenciar enterros decentes e realizar os ritos de lamentação. O cadáver-Jerusalém ficaria deitado numa rua abandonada. Este versículo dá um pequeno sumário sobre a lamentação vista no vs. 17, onde há notas. Os sobreviventes de Jerusalém agirão exatamente como o profeta agiu, quando da morte de sua esposa. A dramática parábola viva se tornará a realidade da cidade.

Os judeus, já na Babilônia, evitariam toda demonstração pública de aflição. Simplesmente se desgastariam no cativeiro, por causa de seus pecados. Gemeriam intimamente, mas expressões públicas de lamentação seriam restritamente proibidas pelo governo babilônico. Eles não receberiam nenhuma gentileza da parte de seus mestres. Ninguém traria comida para eles (vs. 17).

■ 24.23

וּפְאֵרֵכֶם עַל־רָאשֵׁיכֶם וְנַעֲלֵיכֶם בְּרַגְלֵיכֶם לֹא תִסְפְּדוּ וְלֹא תִבְכּוּ וּנְמַקֹּתֶם בַּעֲוֺנֹתֵיכֶם וּנְהַמְתֶּם אִישׁ אֶל־אָחִיו׃

Este versículo acrescenta itens que já vimos no vs. 17, tornando a informação do vs. 22 mais completa. Os judeus no cativeiro não mostrarão sinais normais de lamentação, imitando o profeta, mas continuarão apodrecendo em seus pecados, com gemidos interiores que não podiam expressar publicamente. Ficarão angustiados, mas os chefes do trabalho na Babilônia não lhes permitirão retirar a sandália, mostrando sua dor pela destruição de Jerusalém. Os lamentadores tiravam as sandálias, ficando com os pés nus em sinal de tristeza. Os cativos na Babilônia andarão com os pés calçados, para trabalhar e melhor servir os estrangeiros.

■ 24.24

וְהָיָה יְחֶזְקֵאל לָכֶם לְמוֹפֵת כְּכֹל אֲשֶׁר־עָשָׂה תַּעֲשׂוּ
בְּבֹאָהּ וִידַעְתֶּם כִּי אֲנִי אֲדֹנָי יְהוִה: ס

Servirá Ezequiel de sinal. O profeta servia de *sinal*, um padrão para se imitar. O que havia acontecido com ele se daria com os judeus e com Jerusalém.

Sabereis que eu sou o Senhor. Percebendo a miséria da parábola viva, aquele povo conhecerá *Adonai-Yahweh* (o Soberano Eterno Deus) melhor, como Juiz e Destruidor. Esta expressão ocorre 63 vezes no livro, normalmente associada ao julgamento, mas, às vezes, à restauração. Ver Ez 16.62, quanto a esse uso. A soberania de Deus controlava os eventos finais da cidade.

Notícias da Queda de Jerusalém (24.25-27)
Sumário. "Quando as notícias da queda de Jerusalém alcançassem os exilados na Babilônia, a boca do profeta seria aberta. Não mais ficaria em silêncio. O profeta tinha recebido ordem para ficar quieto diante de seus companheiros do cativeiro, menos, ocasionalmente, pronunciando uma palavra de julgamento (ver Ez 3.25-27). Sua mudez por tempo parcial terminaria quando as profecias que tinha entregado se cumprissem; cf. Ez 33.21,22" (Charles H. Dyer, *in loc.*). Em Ez 33.21,22, o *fugitivo*, anunciando o desastre, chegou seis meses depois da queda da cidade. A passagem indica que as notícias chegaram no mesmo dia da calamidade, obviamente uma impossibilidade. Só de avião alguém teria atravessado 1.400 km no mesmo dia. Alguns dizem que o anúncio foi feito *por visão*, mas outros confessam a discrepância. De qualquer maneira, é inútil aplicar esforços heroicos para "explicar" tais problemas. Nossa fé não depende de harmonia a qualquer custo (que é, normalmente, a honestidade). Também não é necessário localizar o profeta em Jerusalém, recebendo a notícia lá, de alguém fugindo da cidade.

■ 24.25

וְאַתָּה בֶן־אָדָם הֲלוֹא בְּיוֹם קַחְתִּי מֵהֶם אֶת־מָעוּזָּם
מְשׂוֹשׂ תִּפְאַרְתָּם אֶת־מַחְמַד עֵינֵיהֶם וְאֶת־מַשָּׂא נַפְשָׁם
בְּנֵיהֶם וּבְנוֹתֵיהֶם:

Este versículo repete, essencialmente, o vs. 21, sobre a destruição do templo e da cidade. Repetição é uma característica literária do autor, que fica evidente nas minhas próprias repetições de temas comuns. A informação, aqui, acrescenta "a alegria de sua glória", referindo-se à *casa* (templo), onde a glória de Yahweh (a *Shekinah*) se manifestou. Ver sobre esta palavra no *Dicionário*. Jerusalém perdeu sua glória quando o templo foi queimado. Sua apostasia foi a causa dessa calamidade. Cf. Is 60.7. Jerusalém era altamente fortificada, mas se comprovou fraca como a água, diante do ataque do exército babilônico. Ver Jr 5.17.

■ 24.26

בַּיּוֹם הַהוּא יָבוֹא הַפָּלִיט אֵלֶיךָ לְהַשְׁמָעוּת אָזְנָיִם:

Nesse dia virá ter contigo algum que escapar. O fugitivo conseguiu escapar ao massacre e viajou toda a distância de Jerusalém até a Babilônia, cerca de 1.400 km. É claro que não fez a viagem num só dia, como está implícito no vs. 27 (ver as notas no vs. 25). O fugitivo demonstrou que o profeta teve razão o tempo todo e que os profetas mentirosos, que não se cansaram de dizer "Paz e prosperidade em nossos dias", eram instrumentos do diabo. Cf. Ez 33.21.

■ 24.27

בַּיּוֹם הַהוּא יִפָּתַח פִּיךָ אֶת־הַפָּלִיט וּתְדַבֵּר וְלֹא תֵאָלֵם
עוֹד וְהָיִיתָ לָהֶם לְמוֹפֵת וְיָדְעוּ כִּי־אֲנִי יְהוָה: ס

Nesse dia. Isto é, o dia da queda, afirmando que, no *mesmo dia* em que Jerusalém caiu, Ezequiel recebeu a notícia. Ver a discussão sobre o problema do tempo no vs. 25. Os harmonistas colocam o profeta em Jerusalém, para receber a notícia, ou lhe imputam uma visão do fugitivo, mas o próprio texto não afirma nada disso.

Abrir-se-á a tua boca. *No mesmo dia*, o profeta, livre do silêncio imposto, está falando aos exilados em Quebar. No lugar de procurar harmonia a qualquer custo, é melhor aceitar certas discrepâncias, sem pensar que essas trivialidades têm alguma coisa a ver com a fé.

A mudez imposta por Yahweh terminou naquele mesmo dia. Ver explicações no vs. 25, no *Sumário*. Cf. Ez 3.36,37; 29.21 e 33.22.

CAPÍTULO VINTE E CINCO

ORÁCULOS CONTRA AS NAÇÕES ESTRANGEIRAS (25.1—32.32)

ORÁCULOS CONTRA AMOM, MOABE, EDOM E FILÍSTIA (25.1-17)

Esta seção apresenta uma *coleção* de oráculos. Isaías (capítulos 13—23) e Jeremias (capítulos 46—51) têm coleções semelhantes. Há um *motivo escatológico* por trás destas coleções: somente quando aquelas nações fossem derrotadas, Israel poderia obter seu lugar apropriado na era do reino.

Esta seção fala de *sete* nações que serão julgadas, número que certamente simboliza a eficácia divina.

Os oráculos provavelmente foram escritos em tempos pós-exílicos e continham esperanças para um novo Israel, em futuro distante (no reino do Messias).

Judá não escapou da terrível punição de Yahweh. Por outro lado, um propósito restaurador estava operando. As nações ao redor também não podiam escapar à pesada mão de Yahweh. Todas as nações daquela parte do mundo compartilharam degradações, provocando a paciência divina. As punições das nações seriam também restauradoras. A graça de Deus supera sua ira, ou *melhor*, sua ira é um instrumento de sua graça, porque muda situações para melhor. A restauração generalizada foi prevista no Pacto Abraâmico (ver as notas em Gn 15.18). Em Abraão, *todas as nações* devem ser abençoadas. Cf. Ez 36.1-5; Ob 12-14; Sl 137.7-9 e Ne 2.19; 4.3.

Depois do castigo de Israel, sete nações deveriam sofrer calamidades semelhantes. Isto acontecerá antes da restauração de Israel (Ez 36.5-7).

As Nações Denunciadas pelos Oráculos: Amom, Moabe, Edom, Filístia, Tiro, Sidom e Egito. Cf. Dt 7.1. Do ponto de vista escatológico, estas nações tornam-se tipos de um julgamento em todo o mundo, sobre todas as nações. Uma queda universal do paganismo deve acontecer antes da restauração de Israel, como condição *sine qua non* do novo dia. O reino do Messias aparecerá depois de um julgamento completo, também restaurador.

Oráculo contra Amom (25.1-7)
O conflito entre Israel e Amom era muito antigo. Começou no tempo dos Juízes (ver 10.1—11.40) e houve vitórias e derrotas, mas a questão nunca se resolveu completamente. As velhas hostilidades se renovavam constantemente. Quando os assírios derrotaram Israel (o norte), os amonitas migraram para o oeste e tomaram o controle de Gade (Jr 49.11). Atacaram Judá em 600 a.C., mas se aliaram às forças contra a Babilônia, no tempo de Zedequias (Ez 21.19,20; Jr 27.3). Ver no *Dicionário* o artigo intitulado *Amom*, para detalhes completos.

Ezequiel já tinha anunciado o julgamento sobre Amom (Ez 21.28-32). Agora esse país é apontado como o principal objeto da vingança de Yahweh. Durante breve tempo, os amonitas se uniram a Judá para participar da revolta contra a força do Norte. A Babilônia atacou Judá primeiro e, logo depois, Amom. Ver Ez 21.18-27. Amom não correu para ajudar Judá na sua hora de crise; pelo contrário, alegrou-se com suas calamidades, esperando ganhar territórios (ver Jr 49.1). Mas, com a Babilônia atrás dos bens de Judá, ninguém ganhou coisa alguma, por muito tempo.

■ 25.1

וַיְהִי דְבַר־יְהוָה אֵלַי לֵאמֹר:

Veio a mim a palavra do Senhor. Este versículo repete a declaração comum que introduz novos materiais e oráculos. Afirma a

ATI ■ Ezequiel   613

inspiração do que se segue e que Ezequiel era o profeta autorizado por Yahweh.

■ 25.2

בֶּן־אָדָם שִׂים פָּנֶיךָ אֶל־בְּנֵי עַמּוֹן וְהִנָּבֵא עֲלֵיהֶם:

Filho do homem. Ver as notas sobre esta expressão em Ez 2.1. Yahweh normalmente usava este título para dirigir-se ao profeta.

Volve o teu rosto contra os filhos de Amom. Yahweh pronunciou um oráculo contra Amom. Sua determinação em julgar aquele país, por suas iniquidades, inicia com a ordem para o profeta *volver o rosto contra os filhos de Amom*. Entendemos que um olhar severo será seguido por um julgamento severo. Sua *carranca* significou que a ira de Yahweh logo cairia sobre o lugar. Ver sobre a expressão do *olhar severo* em Ez 4.3; 6.2; 13.17; 15.7; 20.46; 21.2; 29.2 e 35.2. A Septuaginta e o siríaco têm "fortalece seu rosto contra...", que expressa a mesma coisa com palavras diferentes. Os amonitas descenderam do incesto de Ló com sua filha mais jovem; foram inimigos constantes de Israel durante vários séculos.

■ 25.3

וְאָמַרְתָּ לִבְנֵי עַמּוֹן שִׁמְעוּ דְּבַר־אֲדֹנָי יְהוִה כֹּה־אָמַר אֲדֹנָי יְהוִה יַעַן אָמְרֵךְ הֶאָח אֶל־מִקְדָּשִׁי כִי־נִחָל וְאֶל־אַדְמַת יִשְׂרָאֵל כִּי נָשַׁמָּה וְאֶל־בֵּית יְהוּדָה כִּי הָלְכוּ בַּגּוֹלָה:

Assim diz o Senhor Deus. *Adonai-Yahweh* (o Soberano Eterno Deus) pronunciou sua palavra de poder contra aquele povo. Seu poder soberano realizaria seu ato retributivo, porque é *ele* quem determina o destino dos homens e das nações. Este título divino ocorre 217 vezes nesse livro, mas somente 103 no restante do Antigo Testamento. Fala da soberania de Deus em ação entre os povos. Ver no *Dicionário* os artigos chamados *Soberania de Deus* e *Teísmo*.

Bem feito. No hebraico, literalmente "ah!", uma exclamação de alegria. A NCV traz "ficaram felizes". Amom aplaudiu o ataque ultrajante contra Judá. Regozijou-se com cada calamidade: 1. quando o templo foi pilhado; 2. quando o templo foi reduzido a escombros e queimado (Jr 52.13); 3. quando Judá ficou desolado (Is 1.7; Jr 4.7; 9.11; 10.22; 18.16*);* 4. quando os poucos sobreviventes foram levados cativos para a Babilônia. Os amonitas procuraram tirar proveito dessas desgraças. Regozijar-se nos infortúnios dos outros é uma perversão agravada, porque quebra violentamente a lei do amor.

■ 25.4

לָכֵן הִנְנִי נֹתְנָךְ לִבְנֵי־קֶדֶם לְמוֹרָשָׁה וְיִשְּׁבוּ טִירוֹתֵיהֶם בָּךְ וְנָתְנוּ בָךְ מִשְׁכְּנֵיהֶם הֵמָּה יֹאכְלוּ פִרְיֵךְ וְהֵמָּה יִשְׁתּוּ חֲלָבֵךְ:

Filhos do Oriente. Provavelmente trata-se de uma referência aos povos do deserto. Cf. Jz 6.3,33; 7.12; 1Rs 4.30; e Is 11.14.

Acampamentos. Fala das habitações temporárias típicas de povos nômades. As tribos bárbaras do deserto atacariam Amom e criariam uma situação de caos, agindo como instrumentos nas mãos de Yahweh para efetuar vingança contra os "abominadores judeus". Alguns intérpretes, antigos e modernos, veem a Babilônia, neste versículo, como o vingador; outros dizem serem os medos e persas, mas a ideia das tribos do deserto é o que, certamente, está em vista. "... homens do Oriente, literalmente, filhos do leste, isto é, tribos nômades que habitaram os desertos do oriente" (Ellicott, *in loc.*). Os homens do oriente atacaram Amom, em nome de Yahweh, o Vingador. Cf. Ez 21.28.

■ 25.5

וְנָתַתִּי אֶת־רַבָּה לִנְוֵה גְמַלִּים וְאֶת־בְּנֵי עַמּוֹן לְמִרְבַּץ־צֹאן וִידַעְתֶּם כִּי־אֲנִי יְהוִה: ס

Farei de Rabá uma estrebaria de camelos. A *principal cidade* dos amonitas era *Rabá* (ver a respeito no *Dicionário*). Ela foi reduzida a nada e tornou-se um lugar de pastagem de gado, camelos etc. Neste local as tribos vitoriosas construíram estábulos para os seus animais, especialmente para os veículos do deserto, os camelos. Os amonitas perderam seu território, tal como aconteceu a Judá. As cidades foram abandonadas e tornaram-se lugares de pastagem. Cf. Is 17.2; 32.14; Sf 2.14,15. Rabá era a única cidade importante de Amom. As "cidades" mencionadas nos registros históricos eram somente vilas rurais. Assim, "as habitações" caíram nas mãos dos ratos do deserto.

Sabereis que eu sou o Senhor. Por suas atitudes antissemíticas, sofreram a penalidade. Ficaram conhecendo melhor Yahweh, por tudo o que sofreram; esta declaração frequente nesse livro se relaciona a um julgamento sofrido ou, ocasionalmente, à ideia de restauração. Ver Ez 16.62.

■ 25.6

כִּי כֹה אָמַר אֲדֹנָי יְהוִה יַעַן מַחְאֲךָ יָד וְרַקְעֲךָ בְּרָגֶל וַתִּשְׂמַח בְּכָל־שָׁאטְךָ בְּנֶפֶשׁ אֶל־אַדְמַת יִשְׂרָאֵל:

Assim diz o Senhor Deus. *Adonai-Yahweh* (o Soberano Eterno Deus), no exercício de sua soberania, não deixa nada passar, castigando os merecedores e recompensando os poucos bons.

Visto como bateste as palmas e pateaste... Os amonitas bateram palmas e patearam, regozijando-se por causa da dor de Judá, o que enfureceu Yahweh, embora ele próprio fosse a causa do sofrimento dos judeus. Ver o vs. 3. Para nós, bater palmas é um gesto comum para expressar alegria, mas não patear; contudo, entendemos que o era para os amonitas. Os mesmos gestos demonstravam *consternação* (Ez 6.11). Talvez, aqui, o verbo *patear* signifique "dançar", donde teríamos um paralelo moderno. Cf. Is 55.12; Lm 2.15; Jr 47.27. Ver também Ez 21.20.

■ 25.7

לָכֵן הִנְנִי נָטִיתִי אֶת־יָדִי עָלֶיךָ וּנְתַתִּיךָ־לְבַג לַגּוֹיִם וְהִכְרַתִּיךָ מִן־הָעַמִּים וְהַאֲבַדְתִּיךָ מִן־הָאֲרָצוֹת אַשְׁמִידְךָ וְיָדַעְתָּ כִּי־אֲנִי יְהוִה: ס

Eis que estendi a minha mão contra ti. *A Mão de Yahweh*. 1. Estendeu-se contra aquele povo, ameaçando punição. 2. Efetuou grande massacre e pilhagem. 3. Matou quase todos, "cortando-os fora" da terra dos vivos. 4. Mandou os poucos sobreviventes para a Babilônia, duplicando o exílio de Judá. 5. Deu a terra deles para os ratos do deserto, as tribos do oriente (vss. 4,5).

A *mão* é o instrumento de ação, para o bem ou para o mal. Ver esta palavra no *Dicionário*. Ver as notas sobre *mão*, em Sl 81.14; sobre *mão direita,* em Sl 20.6; e sobre *braço*, em Sl 77.15; 89.10 e 98.1. Todas estas expressões são antropomórficas, devido à fraqueza da linguagem humana, que não consegue falar com precisão sobre Deus, sua natureza e atributos. Ver no *Dicionário* o artigo intitulado *Antropomorfismo*.

As tribos do deserto foram utilizadas pela mão de Yahweh para satisfazer às exigências da *Lei Moral da Colheita segundo a Semeadura* (ver a respeito no *Dicionário*).

Eliminar-te-ei dentre os povos, e te farei perecer dentre as terras... e saberás que eu sou o Senhor. Como Israel, os amonitas conheceram melhor Yahweh, através de seus sofrimentos, que foram um julgamento de Deus. Esta declaração ocorre 63 vezes nesse livro, normalmente em conexão com o julgamento, mas, às vezes, associada à restauração (ver Ez 16.62). Cf. Jr 48.47 e 49.6,39, onde as nações pagãs são restauradas, aparentemente para participar do culto a Yahweh, depois de serem purificadas por punições. O reino do Messias está em vista nessas profecias.

Oráculo contra Moabe (25.8-11)

Ver a introdução ao presente capítulo, onde listo as *sete nações* contra as quais o profeta pronunciou oráculos.

Os moabitas, já no tempo de Moisés, entraram em choque com Israel (ver Nm 22,24, onde temos a história de *Balaque*). As hostilidades entre os dois povos às vezes se manifestaram em guerras abertas como no tempo do rei Omri, de Israel, e Mesa, de Moabe. Esta disputa também é mencionada na *Pedra Moabita* (ver a respeito no *Dicionário*). Ver no *Dicionário* o artigo denominado *Moabe, Moabitas*, para detalhes.

25.8

כֹּה אָמַר אֲדֹנָי יְהוִה יַעַן אֲמֹר מוֹאָב וְשֵׂעִיר הִנֵּה
כְּכָל־הַגּוֹיִם בֵּית יְהוּדָה׃

Assim diz o Senhor Deus. *Adonai-Yahweh* (o Soberano Eterno Deus) pronunciou o oráculo contra Moabe e, na sua soberania, garantiu os castigos merecidos.

Como dizem Moabe e Seir. A Septuaginta e a Vulgata omitem *Seir*, que está fora de lugar, sendo que pertencia a Edom, não a Moabe. Se a palavra fez parte do texto original, então foi um erro de descuido do autor original.

Eis que a casa de Judá é como todas as nações. Os moabitas insultaram Judá sarcasticamente. Obviamente, os judeus tornaram-se pagãos e perderam sua distinção entre as nações, como nação moralmente superior. Ver Israel *distinto* entre as nações, por causa da possessão e obediência à lei de Moisés (Dt 4.4-8). Todavia, podemos ter certeza de que a escória de Moabe contra os judeus era um antissemitismo em ação, não meramente uma observação moral. Além disto, maldizer Israel não era direito deles. Cf. Nm 24.17; e Is 15.1–16.14, onde temos outros oráculos contra Moabe. Ver também Jr 48 e Am 2.1-3.

Moabe ilustrou o tipo *racionalista do* antissemitismo que recusa ver qualquer fator bom num inimigo. Este tipo reduz o oponente a nada, vendo tudo o que é mau e sendo cego a qualquer virtude. É uma atitude ignorante que, normalmente, tem a autoglorificação como alvo, à custa de outro.

25.9

לָכֵן הִנְנִי פֹתֵחַ אֶת־כֶּתֶף מוֹאָב מֵהֶעָרִים מֵעָרָיו
מִקָּצֵהוּ צְבִי אֶרֶץ בֵּית הַיְשִׁימֹת בַּעַל מְעוֹן וְקִרְיָתָיְמָה׃

A Vingança Divina. As cidades que protegeram Moabe seriam atacadas e vencidas, deixando o país vulnerável. Este versículo nos dá os nomes de três cidades principais que tinham a função de proteger o país. Forneço artigos no *Dicionário* sobre cada uma. O flanco seria cortado, deixando uma chaga aberta que debilitaria o povo. O autor usa uma metáfora de caça: um animal ferido seriamente perde as forças e logo, a vida, porque os caçadores o alcançam e matam. O Talmude usa "força", no lugar de flanco, o que nos informa o significado da metáfora. "A fronteira oriental tinha uma linha de fortificações agrupadas de tal maneira, que podiam ser vistas umas pelas outras. As colinas também tinham fortificações que tornavam Moabe um lugar difícil de derrotar. Foi atacado o flanco ao norte, onde o país era mais fraco. As três cidades mencionadas se localizavam nessa fronteira.

25.10

לִבְנֵי־קֶדֶם עַל־בְּנֵי עַמּוֹן וּנְתַתִּיהָ לְמוֹרָשָׁה לְמַעַן
לֹא־תִזָּכֵר בְּנֵי־עַמּוֹן בַּגּוֹיִם׃

Dá-las-ei aos povos do Oriente. Os "filhos do oriente" (vs. 4) tomariam conta da maior parte de Moabe, da mesma maneira que possuíram Amom. Moabe, tendo perdido suas fortalezas e cidades principais, ficou desabitada. Os babilônios devastaram o país, e as tribos do deserto se aproveitaram da situação. Logo, as tendas dos ratos do deserto estavam espalhadas por toda parte. As histórias de Amom e Moabe correram paralelamente, e o texto fala, essencialmente, as mesmas coisas dos dois povos.

25.11

וּבְמוֹאָב אֶעֱשֶׂה שְׁפָטִים וְיָדְעוּ כִּי־אֲנִי יְהוָה׃ ס

Executarei juízos contra Moabe, e saberão que eu sou o Senhor. Os julgamentos serão severos e a retribuição, completa, tornando *Adonai-Yahweh* bem conhecido como Juiz e Destruidor, tema que se repete 63 vezes nesse livro. Ver as notas no vs. 7.

A restauração destes povos é um tema de Jeremias, capítulos 25 e 26; Ez omitiu a esperança.

"Embora os caldeus e árabes fossem os instrumentos da ruína daqueles povos, a destruição veio de Yahweh. Foi a mão divina que os golpeou, foi a vingança de Deus que executou aqueles povos. Eles tinham falado coisas duras contra o povo de Deus" (John Gill, *in loc.*).

A noite escura está cobrindo a terra,
Mas a esperança brilha nas trevas.
Que alegria, quando ele apaga todos os pecados.
Adaptado de Avis B. Christiansen

Oráculo contra Edom (25.12-14)

Ver a introdução ao capítulo, para as *sete* nações que os oráculos de Yahweh condenaram.

O antagonismo entre Edom e os hebreus começou nos dias de Jacó e Esaú (Gn 25.1—33.20); continuou nos dias descritos em Nm 20.14-21. Tanto Malaquias quanto Obadias falam sobre o tema. Comparar os vss. 12-14 a Ez 35; Is 34.1-17; 63.1-6; Jr 49.7-22; Am 1.11,12; Obadias (o livro inteiro) e Ml 1.2-5. Ver detalhes das relações de Israel com Edom, no artigo do *Dicionário* chamado *Edom, Idumeus.*

"Em Edom, temos o espetáculo lastimoso de um antissemitismo que se baseou numa relação de sangue. As duas nações eram aliadas por laços ancestrais. Jacó e Esaú eram gêmeos (Gn 25.21,26). Animosidades dentro de famílias frequentemente são as mais severas e irracionais" (E. L. Allen, *in loc.*).

25.12

כֹּה אָמַר אֲדֹנָי יְהוִה יַעַן עֲשׂוֹת אֱדוֹם בִּנְקֹם נָקָם
לְבֵית יְהוּדָה וַיֶּאְשְׁמוּ אָשׁוֹם וְנִקְּמוּ בָהֶם׃

Assim diz o Senhor Deus: Visto que Edom se houve vingativamente para com a casa de Judá. *Adonai-Yahweh* (o Soberano Eterno Deus) pronunciou um julgamento contra aquele povo para garantir-lhe castigo. Eles foram culpados de crimes de sangue contra o seu irmão, uma forma virulenta de antissemitismo. O versículo refere-se às circunstâncias históricas, quando Edom ajudou a Babilônia a derrubar Judá. Por ter ajudado a Babilônia a destruir Judá, Yahweh ajudaria a Babilônia a destruí-lo, afinal. Ele, o Soberano, tinha poder para efetuar sua vontade e logo o utilizaria. "Edom não manifestou simples ódio, mas um ódio profundo, irracional e implacável" (Fausset, *in loc.*). Cf. Sl 137.7 e Ob 12,13.

25.13

לָכֵן כֹּה אָמַר אֲדֹנָי יְהוִה וְנָטִתִי יָדִי עַל־אֱדוֹם
וְהִכְרַתִּי מִמֶּנָּה אָדָם וּבְהֵמָה וּנְתַתִּיהָ חָרְבָּה מִתֵּימָן
וּדְדָנֶה בַּחֶרֶב יִפֹּלוּ׃

Assim diz o Senhor Deus. Repete-se o título divino de poder, *Adonai-Yahweh*, Soberano Juiz. Este título é encontrado 217 vezes nesse livro, mas somente 103 no restante do Antigo Testamento. Enfatiza a soberania de Deus.

Estenderei a minha mão contra Edom. Desolação total reduziria Edom a nada. A mão do Senhor se levantara contra o lugar. Ver no *Dicionário* o artigo intitulado *Mão*, e em Sl 81.4; ver sobre *mão direita*, em Sl 20.6, e sobre *braço*, em Sl 77.15; 89.10 e 98.1.

Desde Temã até Dedã. Ver os nomes próprios deste versículo no *Dicionário*. *Temã* talvez seja o moderno Tawilan, uma habitação não muito longe de Sela (Petra). *Dedã* é localizada em Edom, mas sua posição geográfica é desconhecida atualmente. Houve outra vila, na Arábia, com o mesmo nome (Ez 27.20; 38.13). *Temã* significa *sul*, assim chamada porque se situava naquela parte do país. Ver Jr 49.20; Hc 3.3. *Dedã* é, aparentemente, uma referência à fronteira mais distante, portanto representa o país inteiro que ficaria desolado. Edom perdeu quase todo o seu território e, com isto, sua identificação nacional. Todavia, Israel continuava.

25.14

וְנָתַתִּי אֶת־נִקְמָתִי בֶּאֱדוֹם בְּיַד עַמִּי יִשְׂרָאֵל וְעָשׂוּ
בֶאֱדוֹם כְּאַפִּי וְכַחֲמָתִי וְיָדְעוּ אֶת־נִקְמָתִי נְאֻם אֲדֹנָי
יְהוִה׃ פ

Exercerei a minha vingança contra Edom. Haverá vingança sem restauração. Jeremias, entretanto, viu uma restauração para Edom, afinal (Jr 48.47; 49.6,39). Os intérpretes ficam perplexos com a declaração de que o próprio Israel efetuaria a vingança que, historicamente, não aconteceu. Alguns procuram localizar o acontecimento na história, mas nenhuma sugestão os satisfaz. É verdade que João Hircano forçou a conversão daquele povo ao judaísmo. Mas Herodes, descendente daquela raça, reinou em Israel como fantoche de Roma! Alguns intérpretes acham que a profecia se cumpriu na era cristã, quando aquela área foi absorvida pelo poder do evangelho, mas esta interpretação erra longe. Provavelmente, o texto simplesmente significa que a Babilônia, agindo como se estivesse *no lugar de Israel-Judá*, se vingaria. Yahweh dispunha de instrumentos humanos para efetuar sua vontade. Certamente, não está em vista o tempo dos macabeus (Js *Ant.* l.xiii.c.17; 1Macabeus 5.6; 2Macabeus 10.16).

Oráculo contra a Filístia (25.15-17)

Evidências históricas (escritas) e arqueológicas demonstram que os filisteus entraram na Palestina em cerca de 1200 a.C. Desde o início, Israel lutou contra aquele povo. Ver Jz 3.31; 14.1—16.31; 2Cr 26.6,7. Para maiores detalhes, ver no *Dicionário* o artigo chamado *Filisteu, Filístia*. "Os livros históricos do Antigo Testamento contêm referências constantes descrevendo as hostilidades dos filisteus" (Ellicott, *in loc.*). Aquele povo exibiu um antissemitismo aberto e violento. Seu modo de vida contrastava violentamente com o de Israel, e eles se ofenderam com a presença dos judeus na "sua terra". Assim, contínuas guerras sacudiram a localidade. Houve grandes matanças dos dois lados e nenhuma trégua de paz.

■ **25.15**

כֹּה אָמַר אֲדֹנָי יְהוִה יַעַן עֲשׂוֹת פְּלִשְׁתִּים בִּנְקָמָה
וַיִּנָּקְמוּ נָקָם בִּשְׁאָט בְּנֶפֶשׁ לְמַשְׁחִית אֵיבַת עוֹלָם׃

Os filisteus se houveram vingativamente, e com desprezo de alma executaram vingança. Ódio e violência se expressaram em todas as ações dos filisteus. A destruição de Israel tornou-se uma obsessão na mente deles. A devastação *total* de Israel era seu alvo. Eles cultivavam um antissemitismo do tipo de Hitler.

Cf. os vss. 15-17 com Is 14.29-31; Jr 47; Am 1.6-8; Sf 2.4-7 e Zc 9.5-7.

■ **25.16**

לָכֵן כֹּה אָמַר אֲדֹנָי יְהוִה הִנְנִי נוֹטֶה יָדִי עַל־פְּלִשְׁתִּים
וְהִכְרַתִּי אֶת־כְּרֵתִים וְהַאֲבַדְתִּי אֶת־שְׁאֵרִית חוֹף
הַיָּם׃

Estendo a minha mão contra os filisteus. *Adonai-Yahweh* (o Soberano Eterno Deus) fez um pronunciamento violento contra aquele povo violento. Seu poder soberano não permitiria que obstáculo algum impedisse o golpe divino. Uma retribuição obliteraria o inimigo. Sua *mão* seria pesada. Ver Sl 81.14, para a *mão divina* que efetua a vontade de Yahweh. Ver sobre o *braço do Senhor*, em Sl 77.15; 89.10 e 98.1. Deus é o Deus da *intervenção*. O Criador não abandonou sua criação, mas intervém, castigando ou recompensando, dependendo dos méritos dos homens. Ver no *Dicionário* o artigo intitulado *Teísmo*.

Quereteus. Ver a respeito deste povo no *Dicionário*. A palavra, um sinônimo para filisteus (ver 1Sm 30.1-14; Sf 2.5), talvez tenha vindo de *Creta*, o *Captor* da Bíblia (ver Am 9.7). "Ezequiel usou a palavra *quereteus*, em lugar de filisteus, para produzir um trocadilho interessante: Deus *cortaria fora* (hebraico, *hicrati*) os *quereteus* (hebraico, *keretim*, uma palavra de som semelhante)" (Charles H. Dyer, *in loc.*).

A Filístia persistia como nação, através dos ataques e cativeiros da Babilônia, mas desapareceu no período entre o Antigo e o Novo Testamento. Cf. Jr 25.20 e Is 20.1. "Os quereteus foram uma porção dos filisteus que habitaram a costa do sul (1Sm 30.14; Sf 2.5). Às vezes, este nome é usado para indicar o país inteiro" (Ellicott, *in loc.*).

■ **25.17**

וְעָשִׂיתִי בָם נְקָמוֹת גְּדֹלוֹת בְּתוֹכְחוֹת חֵמָה וְיָדְעוּ כִּי־
אֲנִי יְהוָה בְּתִתִּי אֶת־נִקְמָתִי בָּם׃ ס

Saberão que eu sou o Senhor, quando eu tiver exercido a minha vingança contra eles. O julgamento de *Adonai-Yahweh* (o Soberano Eterno Deus) contra os filisteus seria fulminante, porque eles agiram fulminantemente contra Israel. A soberania divina estava por trás do fogo destruidor. O Senhor ficaria *conhecido* através da destruição do lugar.

O tema de conhecer melhor Adonai-Yahweh ocorre 63 vezes nesse livro, associado às ideias de julgamento e restauração, atos principais da vontade de Deus. Os capítulos 25—32 o utilizam frequentemente, mostrando que as *sete nações* golpeadas pela mão do Senhor reconhecerão a autoridade dele nos seus sofrimentos. Cf. Sl 9.16. A maioria das nações condenadas pelos oráculos de Yahweh deixara de existir, como resultado de seus julgamentos.

"Nenhuma outra nação tem sofrido tantos infortúnios e hostilidades como Israel. Mesmo assim, tem continuado como um povo, muito além do tempo de seus rivais. Fica em pé ao lado dos túmulos daqueles que os tentaram destruir" (E. L. Allen, *in loc.*).

CAPÍTULO VINTE E SEIS

Os *capítulos 25—32* formam uma unidade que constitui o pronunciamento de julgamento contra as *sete nações* que se opuseram a Israel. Não há nenhuma divisão entre os capítulos 25 e 26. Ver a introdução geral a esta unidade, no início do capítulo 25. O trecho de Ez 26.1—28.19 apresenta a *tirada* contra Tiro. Então, em Ez 28.20-26, há o pronunciamento contra sua irmã, Sidom. Os capítulos 29—32 condenam o Egito e, com este país, completam-se os pronunciamentos contra as sete nações. As sete nações condenadas são Amom, Moabe, Edom, Filístia, Tiro, Sidom e Egito. Seria impossível realizar o reino do Messias com os inimigos de Israel ainda ativos. A vingança de Yahweh deve destruir a oposição antes de trazer a *época áurea*. As profecias proferidas cabem tanto dentro de contextos históricos como dentro dos tempos remotos do reino do Messias, tendo implicações de curto e longo prazos.

DIVERSOS ORÁCULOS CONTRA TIRO (26.1-21)

Ver a história inteira no artigo sobre *Tiro*, no *Dicionário*. Este capítulo naturalmente se divide em *quatro partes*: 1. *Vss. 1-6*: o destino amargo de Tiro. 2. *Vss. 7-14*: a Babilônia será o instrumento da destruição exigida por Yahweh. 3. *Vss. 15-18*: lamentações dos príncipes do mar. 4. *Vss. 19-21*: a descida de Tiro ao hades. Cada seção começa com a declaração comum: a palavra de Yahweh veio para ser cumprida. Ver as notas no vs. 1, segundo parágrafo.

O Amargo Destino de Tiro (26.1-6)

Tiro fala do *império fenício* que, no tempo de Ezequiel, era a cidade mais poderosa da região. Esta seção segue a fórmula de Ezequiel, vista no capítulo 25: porque / portanto / saberá. O pecado principal de Tiro era sua ganância, a qual inspirou muitos atos de violência. Esse povo também se regozijou com a queda de Jerusalém, dizendo: Bem feito (ah!). Ver as notas em Ez 25.3, onde explico o hebraico envolvido. Tiro aumentou sua fortuna com a destruição de Jerusalém, seu rival comercial, pois dominava os caminhos lucrativos das caravanas que se dirigiam ao mar e a Tiro. Esse povo era comerciante ganancioso, que lucrava com a queda de um rival, e sentiu muito prazer na miséria de Jerusalém.

■ **26.1**

וַיְהִי בְּעַשְׁתֵּי־עֶשְׂרֵה שָׁנָה בְּאֶחָד לַחֹדֶשׁ הָיָה דְבַר־
יְהוָה אֵלַי לֵאמֹר׃

No undécimo ano, no primeiro dia do mês. Este oráculo foi entregue no décimo primeiro ano, no primeiro dia do mês, calculando-se desde o início do exílio de Jeoaquim. Ezequiel não especifica o mês, mas sabemos que o ano era 587-586 a.C. Jerusalém caiu no dia 18 de julho de 586 a.C.

Provavelmente, o oráculo foi inspirado pelo colapso de Jerusalém. A mente do profeta foi agitada para ver "outro colapso", não muito distante, de um rival de Jerusalém (Tiro).

Veio a mim a palavra do Senhor. O restante do versículo é a declaração comum do livro, que introduz materiais ou oráculos novos. Afirma que o que se segue foi inspirado por Yahweh, sendo Ezequiel o seu profeta autorizado. Cf. Ez 13.1; 14.2; 15.1; 16.1.

26.2

בֶּן־אָדָ֗ם יַ֡עַן אֲשֶׁר־אָ֨מְרָה־צֹּ֤ר עַל־יְרוּשָׁלִַ֙ם֙ הֶאָ֔ח נִשְׁבְּרָ֛ה דַּלְת֥וֹת הָעַמִּ֖ים נָסֵ֣בָּה אֵלָ֑י אִמָּלְאָ֖ה הָחֳרָֽבָה׃

Filho do homem. Falando com Ezequiel, *Yahweh* utiliza seu título comum (anotado em Ez 2.1). *Adonai-Yahweh* se pronuncia contra aquele comerciante ganancioso, Tiro.

Bem-feito! Está quebrada a porta dos povos. Quando Jerusalém caiu, gritaram, "Bem-feito", exclamação de alegria no hebraico (ver as notas em Ez 25.3). Jerusalém dominava os caminhos lucrativos de caravanas que se dirigiam para e para Tiro. Os negócios e, consequentemente, os lucros de Tiro aumentaram bastante com Jerusalém em escombros. Jerusalém é chamada aqui "a porta dos povos", porque grande quantidade de produtos, de todas as nações ao redor, passava através daquele centro comercial. Ela se enriqueceu com o intercâmbio.

Eu me tornarei rico, agora que está assolada. Dinheiro é um dos deuses mais persistentes na história do mundo. Algumas políticas se baseiam praticamente em questões comerciais. O deus *dinheiro* abandonou Jerusalém e foi "passar uma temporada" em Tiro, que dominou o comércio depois da queda de Jerusalém. Dizem que o dinheiro não pode comprar a felicidade, mas Tiro estava muito feliz com todas as riquezas que acumulou. Todavia, o fim da festa era iminente.

Buscai, em primeiro lugar, o seu reino e a sua justiça, e todas estas coisas vos serão acrescentadas.
Mateus 6.33

26.3

לָכֵ֗ן כֹּ֤ה אָמַר֙ אֲדֹנָ֣י יְהוִ֔ה הִנְנִ֥י עָלַ֖יִךְ צֹ֑ר וְהַעֲלֵיתִ֤י עָלַ֙יִךְ֙ גּוֹיִ֣ם רַבִּ֔ים כְּהַעֲל֥וֹת הַיָּ֖ם לְגַלָּֽיו׃

Assim diz o Senhor Deus: Eis que estou contra ti. *Adonai-Yahweh* (o Soberano Eterno Deus), empregando o poder de sua soberania, pronunciou-se contra os povos que abusaram de Israel, com atos ou com palavras. Aquela boca-de-trovão, Tiro, não se regozijaria por muito tempo. Ela tinha um antissemitismo comercial, uma ganância notória que sentia prazer nas dificuldades de seus rivais comerciais. Esta nação abusava de seus rivais, às vezes com forças militares e sempre com opressão econômica.

Farei subir contra ti muitas nações, como faz o mar subir as suas ondas. Yahweh se preparou para a vingança, pelo abuso cometido contra seu povo. Inimigos chegariam, como ondas do mar, contra Tiro, o rei do mar. *Ondas* são figuras comuns para *nações*. Cf. Is 17.12,13. Provavelmente está em vista o exército universal da Babilônia. Assim interpreta o Targum: "Trarei contra ti um exército de muitas nações". Somente a Babilônia, naquela época, tinha tal tipo de exército.

"... muitas nações, que por seu grande número e barulho e por sua fúria, são comparadas às ondas furiosas do mar" (John Gill, *in loc.*). "Tiro conheceu o mar Mediterrâneo melhor do que todas as outras nações. Por isso, o profeta empregou a metáfora de uma tempestade, para falar dos julgamentos de Deus. Nações invasoras chegariam como ondas do mar e eliminariam todas as defesas do país, esmagando suas torres e muros" (Charles H. Dyer, *in loc.*).

26.4

וְשִׁחֲת֞וּ חֹמ֤וֹת צֹר֙ וְהָֽרְס֣וּ מִגְדָּלֶ֔יהָ וְסִֽחֵיתִ֥י עֲפָרָ֖הּ מִמֶּ֑נָּה וְנָתַתִּ֥י אוֹתָ֖הּ לִצְחִ֥יחַ סָֽלַע׃

Elas destruirão os muros de Tiro, e deitarão abaixo as suas torres. As fortificações de Tiro nada seriam perante o ataque babilônico (e o de Alexandre, numa época posterior). A cidade seria reduzida a um deserto desabitado. A camada superior da terra seria retirada, deixando somente rocha. A agricultura não mais existiria. Aqui temos um trocadilho interessante. *Tiro* significa rocha (hebraico, *cor*). Aquela rocha ou *pedra dura* seria deixada como simples *pedra* (hebraico, *cur*) ao lado do mar. Toda a vida seria obliterada. Historicamente, tudo isso aconteceu. As ruínas originais estão embaixo da água, perdidas para sempre. A cidade, uma vez tão rica, foi reduzida a uma pobreza *irrecuperável*. Tiro foi designada "a rocha", porque foi construída sobre o alicerce de uma grande extensão de pedra. A cidade, destruída, foi reduzida ao seu alicerce.

26.5,6

מִשְׁטַ֨ח חֲרָמִ֤ים תִּֽהְיֶה֙ בְּת֣וֹךְ הַיָּ֔ם כִּ֥י אֲנִ֖י דִבַּ֑רְתִּי נְאֻ֖ם אֲדֹנָ֣י יְהוִ֑ה וְהָיְתָ֥ה לְבַ֖ז לַגּוֹיִֽם׃

וּבְנוֹתֶ֙יהָ֙ אֲשֶׁ֣ר בַּשָּׂדֶ֔ה בַּחֶ֖רֶב תֵּהָרַ֑גְנָה וְיָדְע֖וּ כִּֽי־אֲנִ֥י יְהוָֽה׃ פ

No meio do mar virá a ser um enxugadouro... Suas filhas, que estão no continente, serão mortas à espada. Tiro se situava numa ilha, a cerca de 800 metros da costa. Havia um subúrbio no continente, mas a parte principal era separada pelo mar Mediterrâneo. A cidade era chamada de "a Rainha do Mar". Suas "filhas que estão no campo" eram os subúrbios e vilas associados à cidade principal. O complexo formava uma cidade-estado. Tiro era, essencialmente, invencível até o tempo de Alexandre, o conquistador grego. Nem os babilônios foram capazes de derrotá-la totalmente. A parte da cidade no continente foi facilmente vencida, mas a Rainha do Mar resistiu. Alexandre construiu um caminho para a ilha, enchendo o espaço entre o continente e a ilha com pedra, terra e entulho. Com uma "estrada" indo para lá, foi fácil para ele acabar com a cidade. Tiro tornou-se um lugar de pesca. A sua glória e toda a sua população desapareceram. O império comercial foi aniquilado. A causa secundária foi a espada da Babilônia, aperfeiçoada pela espada de Alexandre. Todavia, a causa principal foi Yahweh, usando os homens como seus instrumentos.

E saberão que eu sou o Senhor... Yahweh ficou conhecido pela destruição de Tiro, sua obra de vingança contra um povo arrogante e violento. *Adonai-Yahweh* (o Soberano Eterno Deus) cansou-se do deus *dinheiro* e acabou com ele. A soberania de Yahweh exigiu uma mudança radical naquela parte do mundo. Ver no *Dicionário* o artigo intitulado *Soberania de Deus*.

Nabucodonosor, o Destruidor de Tiro (26.7-13)

26.7

כִּ֣י כֹ֤ה אָמַר֙ אֲדֹנָ֣י יְהוִ֔ה הִנְנִ֧י מֵבִ֛יא אֶל־צֹ֖ר נְבוּכַדְרֶאצַּ֥ר מֶֽלֶךְ־בָּבֶ֖ל מִצָּפ֑וֹן מֶ֣לֶךְ מְלָכִ֔ים בְּס֥וּס וּבְרֶ֖כֶב וּבְפָרָשִׁ֑ים וְקָהָ֖ל וְעַם־רָֽב׃

Eis que trarei contra Tiro a Nabucodonosor. O rei da Babilônia era o *servo* de Yahweh. Cf. Jr 25.9 e 27.6. Ele realizou muitas tarefas de destruição que eram atos de julgamento ordenados por Adonai-Yahweh. Entre as suas muitas façanhas, estava a destruição de Tiro, completada, historicamente, por Alexandre.

O exército universal da Babilônia (vs. 3) inundaria Tiro como ondas do mar. Nabucodonosor comandava uma força irresistível, porque, afinal, era o "rei dos reis" da época. O inimigo do norte (Jr 46.20) fez o que quis e ninguém pôde resistir-lhe. O título "rei dos reis" aparentemente se originou com os assírios. Outras pessoas aplicaram a expressão a seus reis (cf. Dn 2.37 e Ed 7.12). A arrogância de Tiro não duraria. Aquele que pagaria um preço muito alto por ter zombado de Jerusalém e sentido prazer com sua dor. Depois de derrotar Jerusalém, o "rei dos reis" levou seu exército para Tiro (585 a.C.). Massacrar Tiro, *do continente* e vilas ao redor, foi uma tarefa fácil. Mas derrotar Tiro, do mar (a Rainha do Mar), levou treze anos. Foi impossível para Nabucodonosor cortar os suprimentos que continuavam chegando à ilha, nos muitos navios de Tiro. No caso de Jerusalém, o cerco babilônico cortou todos os suprimentos alimentares, e a cidade resistiu somente trinta meses. Mulheres começaram a comer os próprios filhos e, finalmente, a cidade se rendeu. Foi impossível cercar Tiro por causa de sua marinha poderosa. Todavia, Nabucodonosor persistiu até cumprir sua tarefa.

O artigo *Tiro*, no *Dicionário*, descreve os diversos invasores da cidade. Somente Alexandre acabou, de vez, com ela.

26.8,9

בְּנוֹתַ֥יִךְ בַּשָּׂדֶ֖ה בַּחֶ֣רֶב יַהֲרֹ֑ג וְנָתַ֨ן עָלַ֜יִךְ דָּיֵ֗ק וְשָׁפַ֤ךְ עָלַ֙יִךְ֙ סֹֽלְלָ֔ה וְהֵקִ֥ים עָלַ֖יִךְ צִנָּֽה׃

וּמְחִי קָבָלּוֹ יִתֵּן בְּחֹמוֹתָיִךְ וּמִגְדְּלֹתַיִךְ יִתֹּץ בְּחַרְבוֹתָיו׃

A Babilônia, perita em guerra, conduziu a campanha contra Tiro com precisão matemática. Todos os seus inúmeros instrumentos de guerra foram utilizados; eles mataram com a espada; levantaram baluarte; ergueram montes de terra e um telhado de paveses; empregaram aríetes contra os muros e, com seus ferros, derrubaram as torres. O exército da Babilônia era composto de homens sanguinários, cruéis e sem consciência. Só a visão daquele bando de assassinos aproximando-se era o suficiente para matar a maioria dos homens. Sistematicamente, o exército do norte pulverizou seus inimigos. O alvo era nada deixar, fazendo um *holocausto* dos povos patéticos, para o oferecer aos seus deuses.

Ver os instrumentos de guerra descritos em Ez 4.2; 17.17; 21.22. Ver no *Dicionário* o artigo intitulado *Guerra*, para informações adicionais.

Telhado de paveses. Também traduzido como "tranqueira" ou "telhado de escudos" (RSV), é uma referência obscura. Heródoto (*Hist*. ix.61,99,102) oferece uma explicação: "... um tipo de telhado feito de escudos foi utilizado por invasores para se defenderem dos mísseis do inimigo". Os persas também usaram defesa semelhante.

Embaixo daquele "telhado", os invasores construíram montes de terra, para passar por cima dos muros, ou para realizar outras manobras que exigiam proteção especial.

■ 26.10

מִשִּׁפְעַת סוּסָיו יְכַסֵּךְ אֲבָקָם מִקּוֹל פָּרַשׁ וְגַלְגַּל וָרֶכֶב תִּרְעַשְׁנָה חוֹמוֹתַיִךְ בְּבֹאוֹ בִּשְׁעָרַיִךְ כִּמְבוֹאֵי עִיר מְבֻקָּעָה׃

Pela multidão de seus cavalos te cobrirá de pó. Os babilônios atacarão com uma cavalaria maciça, e os cavalos levantarão tanta poeira, que Tiro será "enterrada". A vibração dos soldados do exército avançando ruirá os muros e as casas, sendo desnecessário o uso dos aríetes. A cidade será aberta com a espada e ninguém sobreviverá. O poder de Yahweh estará por trás de tudo, garantindo a destruição total.

O vs. 10 obviamente descreve a devastação de Tiro II (Tiro Nova), a cidade no continente. Somente um exército "de terra" poderia produzir tais efeitos. O vs. 12 poderia aludir ao caminho artificial que Alexandre construiu para atacar Tiro I (Tiro Velha). Esse "caminho" pertencia a um tempo posterior, mas a discussão geral talvez possa incluir "o grande quadro" da destruição da cidade. O escritor, possivelmente, não tenta distinguir os dois estágios dos ataques. Ver as notas em Ez 26.4-6.

■ 26.11

בְּפַרְסוֹת סוּסָיו יִרְמֹס אֶת־כָּל־חוּצוֹתָיִךְ עַמֵּךְ בַּחֶרֶב יַהֲרֹג וּמַצְּבוֹת עֻזֵּךְ לָאָרֶץ תֵּרֵד׃

Este versículo continua a descrição da invasão do exército babilônico: o temível barulho do avanço dos inumeráveis cavalos, a poeira levantada pelos pés dos soldados, avançando e gritando, a matança da espada sem respeito a ninguém. Os corpos de homens, mulheres, crianças e até de animais cobrem as ruas e o sangue corre nas sarjetas. As *fortes colunas* (torres de defesa ou aparelhos idólatras?) caem por terra, destruindo homens e deuses. Heródoto (*Hist*. ii.44) nos informa sobre as colunas de ídolos. Algumas eram feitas de ouro, outras, de esmeralda, e outras, de mármore, ricamente trabalhadas e decoradas para honrar deuses que nunca existiram.

■ 26.12

וְשָׁלְלוּ חֵילֵךְ וּבָזְזוּ רְכֻלָּתֵךְ וְהָרְסוּ חוֹמוֹתַיִךְ וּבָתֵּי חֲמֻדָּתֵךְ יִתֹּצוּ וַאֲבָנַיִךְ וְעֵצַיִךְ וַעֲפָרֵךְ בְּתוֹךְ מַיִם יָשִׂימוּ׃

Roubarão as tuas riquezas. O ataque seguiu o padrão normal do exército do norte, não poupando nada nem ninguém. O lugar ficou quase totalmente desabitado, e tudo o que era de valor, incluindo os bens acumulados do comércio marítimo, as riquezas roubadas de outras nações etc., foi levado para a Babilônia. O exército recebeu um "salário" considerável naquele dia. Os palácios dos ricos foram pilhados, tal como o foram os templos dos deuses. O templo de Hércules, com suas colunas de ouro, esmeralda e mármore, foi uma vítima especial.

O teu pó lançarão no meio das águas. Os soldados lançaram os destroços no mar, num ato de desprezo e ódio. Alguns intérpretes veem aqui a construção feita por Alexandre de um caminho para a ilha. Os gregos utilizaram entulho, pedra e terra para encher o espaço entre o continente e a ilha (fato ocorrido em 322 a.C.). O caminho artificial deixou a Velha Tiro tão vulnerável quanto a Nova, no continente, e as duas foram esmagadas por Alexandre. A ilha se situava a cerca de 800 metros do continente. A tarefa era muito pesada, mas não para Alexandre. Tiro, ainda que destruída, conseguiu sobreviver, mas nunca mais foi a mesma, pois não recuperou as riquezas, os poderes e a fama de antigamente.

■ 26.13

וְהִשְׁבַּתִּי הֲמוֹן שִׁירָיִךְ וְקוֹל כִּנּוֹרַיִךְ לֹא יִשָּׁמַע עוֹד׃

Farei cessar o arruído das tuas cantigas. A cidade rica era alegre, dada à canção e dança. O exército babilônico acabou com a festa. Alegria se expressa em canções e dança. Ninguém cantou mais; ninguém dançou mais; não havia nada para celebrar e nenhuma razão para alegrar-se. O que sobrou foi uma luta dura pela sobrevivência. Houve lamentação pelos mortos e a necessidade de enterrar inumeráveis corpos. Também houve a luta contra a fome e o frio do inverno, sem a proteção das casas destruídas. Tiro havia sido uma cidade de júbilo (Is 23.7). Cf. a profecia de Ap 18.22. Ver também Jr 7.34.

Note-se a repetição do pronome "Eu" (oculto em "Farei"). Era Yahweh a causa de tudo quanto aconteceu; ele utilizou instrumentos humanos implacáveis para cumprir a temível tarefa. Yahweh esmagou o antissemitismo comercial de Tiro, punindo a cidade por suas iniquidades intermináveis.

■ 26.14

וּנְתַתִּיךְ לִצְחִיחַ סֶלַע מִשְׁטַח חֲרָמִים תִּהְיֶה לֹא תִבָּנֶה עוֹד כִּי אֲנִי יְהוָה דִּבַּרְתִּי נְאֻם אֲדֹנָי יְהוִה׃ ס

Farei de ti uma penha descalvada. Ver os comentários sobre o trocadilho que envolve o nome *Tiro* (A Rocha), que foi fundada sobre uma *rocha*. A metrópole, antes próspera, tornou-se uma rocha nua sobre a qual nada poderia crescer; uma pedra dura e infrutífera; uma pedra morta. Em vez de centro comercial, tornou-se um lugar de assombração, para pescadores espalharem suas redes, onde antes palácios brilhavam ao sol. As águas, orgulhosas com os navios de um império poderoso, agora são humilhadas pelos barquinhos de pescadores. Tiro nunca foi completamente aniquilada, como ocorrera a Jerusalém, mas sua devastação foi *quase* total. O decreto de Yahweh fez seu trabalho vingador. A *Lei Moral da Colheita segundo a Semeadura* estava servida. Ver este título no *Dicionário*.

Porque eu, o Senhor, o falei. *Adonai-Yahweh* (o Soberano Eterno Deus) decretou, agiu e destruiu, porque tinha o poder e aplicou sua soberania, intervindo e castigando os orgulhosos. Hoje, esse centro comercial, outrora poderoso e importante, deita-se em ruínas embaixo da água. Tornou-se testemunha silenciosa da ira de Yahweh, que controla o destino das nações.

As Lamentações dos Vizinhos de Tiro (26.15-18)

A fonte das riquezas acabou; os satélites de Tiro lamentaram a morte da mãe, a Rainha do Mar. Tiro era o cabeça de um comércio internacional enriquecido por inumeráveis navios que levavam e traziam produtos de todos os portos do mar Mediterrâneo. Seus vizinhos agonizaram com a visão da mãe morta, a flutuar nas águas, pelo fato de perderem seus meios de sustento e fonte de riquezas; receavam ser vítimas da mesma praga do Norte. A queda de Tiro espalhou ondas de choque através daquela parte do mundo. Ver Ez 27.28-36, que é um paralelo.

■ 26.15

כֹּה אָמַר אֲדֹנָי יְהוִה לְצוֹר הֲלֹא מִקּוֹל מַפַּלְתֵּךְ בֶּאֱנֹק חָלָל בֵּהָרֵג הֶרֶג בְּתוֹכֵךְ יִרְעֲשׁוּ הָאִיִּים׃

Assim diz o Senhor Deus a Tiro: Não tremerão as terras do mar com o estrondo da tua queda...? Esta seção se inicia com a declaração comum de que *Adonai-Yahweh* (o Soberano Eterno Deus) estava entregando sua mensagem. Ele ainda tinha mais para falar. Seu poder soberano ainda não tinha partido do lugar. Ainda não havia paz; os vizinhos de Tiro sofreriam terrores semelhantes aos da mãe. Todas as cidades próximas tremeriam com o estrondo da queda de Tiro, gemeriam traspassadas com a mesma espada; sofreriam espantosa matança. As ilhas e cidades da costa participaram do terremoto que sacudiu Tiro. Aquele império tinha colônias: Útica, Cartago, Leptis, Gades, Tarso e Társis. A vida sem a mãe seria péssima, e suas respectivas destruições eram iminentes. Muitas outras habitações, à borda do mar, também ficariam no caminho do invasor, embora não estivessem ligadas diretamente a Tiro, o poder fenício.

■ 26.16

וְיָרְדוּ מֵעַל כִּסְאוֹתָם כֹּל נְשִׂיאֵי הַיָּם וְהֵסִירוּ אֶת־
מְעִילֵיהֶם וְאֶת־בִּגְדֵי רִקְמָתָם יִפְשֹׁטוּ חֲרָדוֹת יִלְבָּשׁוּ
עַל־הָאָרֶץ יֵשֵׁבוּ וְחָרְדוּ לִרְגָעִים וְשָׁמְמוּ עָלָיִךְ׃

Todos os príncipes do mar descerão dos seus tronos. Os orgulhosos príncipes, ricamente vestidos, não tinham razão para serem felizes. Sua grande fonte de renda de súbito fora cortada. Assim, aqueles orgulhosos desceram de seus tronos e se misturaram aos plebeus. Tiraram seus mantos finos, despiram suas vestes bordadas e se sentaram nas cinzas, vestidos com pano de saco, sentindo a fumaça da destruição de Tiro nas suas narinas. De fato, uma situação muito séria, quando o dinheiro se esgota. Ver a postura dos lamentadores comentada em Jó 2.11-13. Cf. os vss. 16,17 e Ap 18.9,10. Provavelmente, esta última referência se baseia no presente versículo. Os mantos e as vestes bordadas deveriam ser itens importados, produtos do comércio com Tiro. Cf. Ez 27.35; 28.19 e Lv 26.32, quanto à natureza apavorante do acontecimento.

■ 26.17

וְנָשְׂאוּ עָלַיִךְ קִינָה וְאָמְרוּ לָךְ אֵיךְ אָבַדְתְּ נוֹשֶׁבֶת
מִיַּמִּים הָעִיר הַהֻלָּלָה אֲשֶׁר הָיְתָה חֲזָקָה בַיָּם הִיא
וְיֹשְׁבֶיהָ אֲשֶׁר־נָתְנוּ חִתִּיתָם לְכָל־יוֹשְׁבֶיהָ׃

Levantarão lamentações sobre ti. Tudo foi perdido. A lamentação da perda ecoava sobre as águas, atingindo todas as habitações da costa. Os aliados e parceiros de Tiro choraram em uníssono. Como um império poderoso e rico, fortificado e orgulhoso, poderia cair tão completa e miseravelmente? Tiro esvaneceu; o povo próspero e feliz se afundou no mar; seu poder, tão recentemente imposto sobre toda a costa, dissipou-se num instante. O dinheiro sumiu, e o deus *dinheiro* sofreu enorme derrota na confrontação com Yahweh, o Soberano. Ontem, o terror da mãe dominava os povos como as ondas do mar, mas agora *ela* se afunda embaixo das águas. O terror foi aterrorizado.

Lamentações. O hebraico é *qinah*, que significa *canto fúnebre*. Cf. 2Sm 1.17-27 e 3.33,34. Cantos fúnebres lamentaram as mortes de Saul, Jônatas e Abner. Ver também a lamentação sobre Israel em Am 5.1-12, e cf. Jr 7.29 e 9.9.

■ 26.18

עַתָּה יֶחְרְדוּ הָאִיִּן יוֹם מַפַּלְתֵּךְ וְנִבְהֲלוּ הָאִיִּים אֲשֶׁר־
בַּיָּם מִצֵּאתֵךְ׃ ס

Estremecerão as ilhas no dia da tua queda. Este versículo repete, essencialmente, o vs. 16, onde há uma exposição. A cidade partiu da terra dos vivos e esvaneceu da face da terra (vs. 17). Yahweh estendeu sua mão poderosa e afundou Tiro no mar. Cf. Ap 18.11,15,17. Ver também Is 23.6.

Ver uma lista das colônias de Tiro, nos comentários do vs. 5. Possivelmente, as *ilhas* mencionadas aqui se referem às colônias, mas podemos ter certeza de que todas as habitações ao redor do mar Mediterrâneo sentiram as ondas do choque do terremoto que destruiu a mãe comercial.

A Descida de Tiro ao Hades (Seol) (26.19-21)

Sumário de Ideias. "As analogias são semelhantes àquelas do Egito, no mundo inferior (seol); ver Ez 31.14-18; 32.17-32. A expressão é prosaica e cheia de repetições. A cidade se tornou ficou uma ruína, uma pilha de escombros, ver Ez 29.12 e 30.7. Os habitantes desceram à *cova* do seol (cf. Ez 31.14-18; 32.17-32; Is 14.19; 38.18; Sl 88.4; 143.7). Os povos da antiguidade nos lembram de Lm 3.6; e as ruínas primevas refletem Jr 25.9 e 49.13. Ver também Is 58.12" (Theophile J. Meek, *in loc.*).

Tiro desceu à cova (seol) e nunca mais subirá. O oceano da ira de Yahweh a cobriu para sempre (vs. 3). O grande poder do mar foi "perdido no mar", um fenômeno tão temido por marinheiros. Tiro se afogou no próprio mar que lhe havia trazido tanta riqueza, e agora lhe trouxe a morte, o fim das riquezas e prazeres. Segundo a teologia dos hebreus, a cova do seol era um lugar final, do qual ninguém poderia voltar. A doutrina do seol passou por uma evolução. A teologia hebraica mais primitiva (do Pentateuco) não contemplou uma alma imaterial que sobreviveria à morte do corpo biológico. *Seol* era um lugar sem habitantes, o *sepulcro*. Daí, fantasmas começaram a voar ao redor, mas não eram "pessoas", e sim meras sombras sem memória e sem raciocínio. Finalmente, elas ganharam inteligência e tornaram-se almas. Começando nos Salmos e Profetas, encontramos algumas indicações de uma crença na sobrevivência da alma. Os livros pseudepígrafos e apócrifos desenvolveram esta doutrina e o Novo Testamento a ampliou ainda mais. O seol não era um inferno, segundo as definições cristãs, mas um tipo de prisão. No início, todos os fantasmas (e depois as almas) compartilharam condições *iguais* no seol, ignorando-se o que as pessoas tinham feito na terra. Depois, o lugar foi dividido em dois compartimentos, um para os justos e outro para os maldosos. Lc 16 reflete este estágio da doutrina. Ver textos no Antigo Testamento que mostram avanços na doutrina do seol: Sl 88.10; 139.8; Is 14.9; 29.4 e Pv 5.5.

No Novo Testamento, em 1Pe 3.18-4.6, vemos esperança de salvação levada ao hades pela descida de Cristo. Ver na *Enciclopédia de Bíblia, Teologia e Filosofia* os verbetes intitulados *Descida de Cristo ao Hades* e *Hades*.

■ 26.19

כִּי כֹה אָמַר אֲדֹנָי יְהוִה בְּתִתִּי אֹתָךְ עִיר נֶחֱרֶבֶת
כֶּעָרִים אֲשֶׁר לֹא־נוֹשָׁבוּ בְּהַעֲלוֹת עָלַיִךְ אֶת־תְּהוֹם
וְכִסּוּךְ הַמַּיִם הָרַבִּים׃

Assim diz o Senhor Deus. *Adonai-Yahweh* (o Soberano Eterno Deus) pronuncia desastres e seu poder soberano os efetuará. Este título divino é usado 217 vezes nesse livro, mas somente 103 no restante do Antigo Testamento. Enfatiza a soberania de Deus e como o destino dos homens e das nações é determinado pelo decreto divino.

Quando eu fizer vir sobre ti as ondas do mar, e as muitas águas te cobrirem. O dinheiro fluía em Tiro como o *rio Amazonas*, mas embaixo da água não houve fluxo nenhum. Todas as riquezas do império se perderam no mar. As *muitas águas* se referem às águas do abismo primordial, o *tehom*, o *abismo* da teologia hebraica primitiva. O seol está em vista. Cf. Ap 17.15,16.

■ 26.20

וְהוֹרַדְתִּיךְ אֶת־יוֹרְדֵי בוֹר אֶל־עַם עוֹלָם וְהוֹשַׁבְתִּיךְ
בְּאֶרֶץ תַּחְתִּיּוֹת כָּחֳרָבוֹת מֵעוֹלָם אֶת־יוֹרְדֵי בוֹר
לְמַעַן לֹא תֵשֵׁבִי וְנָתַתִּי צְבִי בְּאֶרֶץ חַיִּים׃

E te farei habitar nas mais baixas partes da terra. Tiro se afundou nas águas do mar Mediterrâneo e depois nas águas do abismo, o seol. Esta linguagem é figurativa. Não há, no texto, nenhuma indicação de um julgamento pós-túmulo, doutrina que se desenvolveu bem mais tarde. A discussão sobre o desenvolvimento da doutrina do hades no vs. 19. A Rainha do Mar se ajuntou aos povos da antiguidade que já estavam no abismo, a *cova horrenda* do oblívio (ver Lm 3.6).

Com os que descem à cova, para que não sejas habitada. A vida no império acabou e não foi renovada, de modo algum, no *tehom*, chamado aqui de "as mais baixas partes da terra", a câmara embaixo da superfície da terra, a cova implacável, a terra do esquecimento.

Este versículo fala figurativamente da ruína "final e irreversível" dos maus, mas não ensina nada sobre qualquer julgamento pós-túmulo. Este ensino estava entre os estágios finais do desenvolvimento da doutrina do hades, que se tornou um lugar de tormentos, *a la* Lc 16. Os eruditos sabem que os fogos do hades foram acesos no livro de 1Enoque, onde encontramos o "rio de fogo" que se tornou "o lago de fogo" de Apocalipse (ver 19.20; 20.10). Cf. o presente texto com a descida do rei da Babilônia para o *mundo inferior*, em Is 14. A palavra *cova* comumente fala do abismo, seol, que, afinal, no desenvolvimento posterior da doutrina, tornou-se o lugar dos espíritos dos mortos. Cf. Jó 17.16; 33.18,24,30; Sl 28.1; 30.3 e 88.4,6,10. No Novo Testamento, hades torna-se um lugar de *esperança*, justamente o que podíamos ter esperado da graça e do amor de Deus. Ver 1Pe 3.18—4.6.

■ 26.21

בַּלָּהוֹת אֶתְּנֵךְ וְאֵינֵךְ וּתְבֻקְשִׁי וְלֹא־תִמָּצְאִי עוֹד
לְעוֹלָם נְאֻם אֲדֹנָי יְהוִה: ס

Quando te buscarem, jamais serás achada. *Adonai-Yahweh* terminaria a história de Tiro, trazendo o dia de terror e aniquilação. Se algum homem procurasse a cidade-estado, ficaria desapontado, pois nada encontraria. Cf. Ap 18.21. Os povos sentiram saudades do império que distribuía tanta riqueza. Ai!, a cidade ficou irrecuperavelmente perdida. Sua destruição era uma obra-prima de Yahweh, que nivela os lugares da iniquidade, impiedosamente.

Esta passagem, todavia, não ensina nada sobre o estado da alma nos mundos pós-túmulo. De qualquer maneira, a missão *tridimensional* de Cristo trouxe luz até o hades, onde o destino dos homens pode ser revertido. A missão *tridimensional* de Cristo, o Logos (na terra, no hades e nos céus), é a resposta a este mundo desesperado. Deixemos a graça e o amor de Deus fluir na nossa teologia. Chega de "teto baixo"!

CAPÍTULO VINTE E SETE

Os capítulos 25—32 formam uma unidade, representando uma *coleção* de oráculos contra as *sete nações* que tinham alguma coisa que ver com Israel. Aquelas nações mereciam julgamentos severos às mãos de Yahweh, o Juiz e Destruidor. Ele usou instrumentos humanos para destruir; normalmente, o exército babilônico foi o escolhido nesse período. Ver a introdução ao capítulo 25, onde identifico as nações envolvidas e dou outras informações importantes para o entendimento da seção. Os capítulos 26—28 apresentam a tirada contra Tiro. Então, Ez 28.20-26 fala contra a sua irmã, Sidom, outra cidade fenícia importante da época. Os capítulos 29—32 terminam a unidade pronunciando palavras de fogo contra o Egito.

LAMENTAÇÃO SOBRE TIRO (27.1-36)

Esta lamentação é um *canto fúnebre*. Ver um paralelo em Ez 26.15-18. No último parágrafo das notas em Ez 26.17, explico a natureza da lamentação, no hebraico, *qinah*. O canto fúnebre deste capítulo é realmente uma lamentação intercalada na outra, pois o capítulo contém duas lamentações. Ver o vss. 32-36, para a segunda delas.

"O bom navio, Tiro, foi construído com materiais de primeira qualidade; assim, ele falou: 'Sou o navio perfeito' (cf. Ez 28.2-10). *Púrpura real* era o produto mais importante do comércio de exportação da Fenícia. De fato, o termo *Fenícia* vem da palavra grega para *púrpura*. A palavra *Canaã* também significa *púrpura*. *Senir*, deste texto, é o monte Hermom (ver Dt 3.8) e Basã fica ao oriente do mar da Galileia. *Elisá* provavelmente significa Chipre. *Arvade*, como Tiro, era uma cidade localizada numa ilha a cerca de 3 km da costa. *Gebal*, em tempos posteriores, se chamava *Biblos*" (*Oxford Annotated Bible*, introdução ao capítulo 27).

A destruição de Tiro era inevitável e terrível, portanto o canto fúnebre já começara. Tiro, aquele grande navio, afundaria logo, trazendo o fim do império. Muitas cidades morreram ou ficaram moribundas com ela; as filhas compartilharam a morte da mãe. Este capítulo menciona uma série de cidades que compartilharam o destino amargo da Rainha do Mar. Tiro era uma cidade-estado formada por colônias, as quais são nomeadas Ez em 26.5. Muitas outras cidades cercaram o império, com quem mantinham relações econômicas. Sua vida dependia da saúde da mãe.

■ 27.1

וַיְהִי דְבַר־יְהוָה אֵלַי לֵאמֹר:

Veio a mim a palavra do Senhor. Esta é uma repetição da declaração comum que introduz novos materiais e oráculos nesse livro.

Afirma que a mensagem a seguir é inspirada por Yahweh e que Ezequiel é o seu profeta autorizado. Cf. Ez 13.1; 14.2; 15.1; 16.1.

■ 27.2

וְאַתָּה בֶן־אָדָם שָׂא עַל־צֹר קִינָה:

Filho do homem, levanta lamentação sobre Tiro. Yahweh fala com o profeta, utilizando seu título comum (anotado em Ez 2.1). Ao profeta é ordenado entoar um *canto fúnebre* (hebraico, *qinah*, anotado em Ez 26.17, último parágrafo). Não houve boas notícias para Tiro, o navio nobre, o império, a Rainha do Mar. O seu dia acabara, e ela, como um navio sem sorte, estava afundando, para nunca mais ser vista. Yahweh pronunciou seu temível decreto e preparou sua vingança. Um dos pecados pesados cometidos por Tiro era sua forma especial de antissemitismo, um *semitismo comercial*. Ver as notas em Ez 26.3.

■ 27.3

וְאָמַרְתָּ לְצוֹר הַיֹּשֶׁבֶת עַל־מְבוֹאֹת יָם רֹכֶלֶת הָעַמִּים
אֶל־אִיִּים רַבִּים כֹּה אָמַר אֲדֹנָי יְהוִה צוֹר אַתְּ אָמַרְתְּ
אֲנִי כְּלִילַת יֹפִי:

Tiro, que habita nas entradas do mar e negocia com os povos em muitas terras. *Adonai-Yahweh* tinha uma mensagem de terror para a Rainha do Mar, aquela mulher vaidosa, autoglorificada, rica, ímpia. Sendo uma cidade-estado, possuía muitos filhos e filhas que pereciam com ela. O Poder Soberano perdera a paciência com a festa no mar e logo afogaria o império.

A Rainha do Mar era a ditadora do Mediterrâneo, todos a obedeciam, mas isto não impressionou o Poder dos céus. Muitas cidades dependiam de Tiro para sua sobrevivência, mas ela dependia exclusivamente do favor divino para continuar. Este favor não lhe fora dado. Seu sol estava desaparecendo no horizonte; seu barco estava afundando. Os primeiros tons do canto fúnebre começavam a soar.

Assim diz o Senhor Deus. O título *Adonai-Yahweh* (o Soberano Eterno Deus) é usado 217 vezes nesse livro, mas somente 103 no restante do Antigo Testamento. Fala da *soberania de Deus* (ver a respeito no *Dicionário*) que determina o destino dos homens e das nações.

Tu dizes: Eu sou perfeita em formosura. Assim Tiro falou sobre si mesma, e nenhum homem teria coragem de contradizer a sua palavra. Mas a palavra de Yahweh anulou toda a jactância.

A *Rainha do Mar* era, realmente, a mãe adúltera das águas, cheia de pecado, opressão, desonestidade, crimes de sangue e impiedades inumeráveis; eis a razão do julgamento que logo poria fim à história dessa cidade. Cf. as jactâncias do Egito, em Ez 29.3 e 32.2. Para a expressão *perfeição em beleza*, ver Ez 28.12; 32.19 e Lm 2.15. O pecado principal de Tiro era seu *orgulho* (cf. Is 47.8-10). Ver no *Dicionário* o artigo chamado *Orgulho*. Ver também as notas expositivas em Pv 11.2; 13.10 e 14.3, e sobre *olhos altivos*, ver Pv 6.17.

■ 27.4

בְּלֵב יַמִּים גְּבוּלָיִךְ בֹּנַיִךְ כָּלְלוּ יָפְיֵךְ:

No coração dos mares estão os teus termos. Tiro estava *em casa* no *alto-mar* (NCV). Suas fronteiras eram as águas, porque era um poder marítimo, não estando limitada à terra. Era uma ilha cercada pelo mar, mas não confinada por ele. A Rainha do Mar era perita na construção de navios, seus instrumentos de riqueza.

"Utilizando-se da alegoria de um belo *navio*, o profeta, aqui e nos versículos seguintes, descreve a glória daquela cidade antiga. Horácio falou em termos semelhantes a respeito de Roma, em seu Carm. Liv. 1 c. xiv" (Adam Clarke, *in loc.*).

Ver abaixo parte da descrição de Horácio:

> Ó filha nobre da madeira pôntica,
> Agora pode jactar-se de seu nascimento conspícuo
> No corredor da fama...
> Mas tenha cuidado para que uma tempestade não venha
> A levar todas as suas glórias para o fundo do mar.

27.5

בְּרוֹשִׁים מִשְּׂנִיר בָּנוּ לָךְ אֵת כָּל־לֻחֹתָיִם אֶרֶז מִלְּבָנוֹן לָקָחוּ לַעֲשׂוֹת תֹּרֶן עָלָיִךְ׃

Fabricaram todos os teus conveses de ciprestes de Senir. O riquíssimo império fez tudo com um toque de classe. Construiu navios com os mais nobres cedros do Líbano e os augustos pinheiros de *Senir* (ver a respeito no *Dicionário*). A Rainha do Mar era como seus navios: rica, bela e nobre. De fato, seus navios a simbolizavam.

Senir. Isto é, o monte Hermom. Senir era o nome amorreu para Hermom. O nome fenício era *Sirion*. Cf. Ct 4.8, onde Senir e Hermom aparentemente referem-se a picos distintos da mesma extensão montanhosa. Os picos estavam localizados próximos um do outro, como os seios das mulheres. Cf. Dt 3.9. A área apontada era rica em pinheiros de qualidade e, aproveitando este dom da natureza, materiais para construir navios. Os tirianos (a história informa) foram os inventores da navegação, mas é difícil comprovar esta "informação". De qualquer modo, no tempo de Ezequiel eles eram os mestres absolutos dos mares. Hirão forneceu a Salomão estas madeiras nobres, para a construção do templo (1Rs 6.15). A madeira era leve, durável e livre de parasitas e doenças.

Trouxeram cedros do Líbano para te fazerem mastros. Os cedros do Líbano foram utilizados para construir mastros, móveis e certos objetos para decorar os navios, dando-lhes um toque de classe. Ver no *Dicionário* o artigo intitulado *Cedro*. Os melhores materiais foram usados para construir os navios; a própria Tiro era forte, bela e nobre como seus navios. O cedro era utilizado para fazer os mastros, por causa de seu grande porte e durabilidade. Esta espécie cresce reta, sem as curvas que baixam a dignidade e o valor de outras árvores. Os cedros do Líbano eram valorizados por sua altura, força, resistência e beleza natural e eram um item importante de exportação, devido ao seu alto valor em comparação com outros tipos de madeira. Cf. Reis 4.33; 5.6; 1Cr 17.1-7 e Is 2.13.

27.6

אַלּוֹנִים מִבָּשָׁן עָשׂוּ מִשּׁוֹטָיִךְ קַרְשֵׁךְ עָשׂוּ־שֵׁן בַּת־אֲשֻׁרִים מֵאִיֵּי כִּתִּים

Fizeram os teus remos de carvalhos de Basã. Seus remos eram feitos de carvalho importado de Basã, lugar famoso por esse tipo de árvore. Aquela área se situava ao oriente do mar da Galileia. Ver Is 2.13 e Zc 11.2. Ver no *Dicionário* o artigo intitulado *Carvalho*, para maiores detalhes. Os conveses também eram feitos com essa madeira dura, de boa aparência, ou com pinheiros de Senir, e eram embelezados com marfim embutido. O autor está dizendo que Tiro tinha os barcos mais finos de todo o mundo, como a própria Tiro era a princesa da terra, singular em sua formosura. Sua *beleza*, todavia, não anularia o julgamento de Yahweh, que estava prestes a cair, porque, para o Poder dos céus, o lugar era pobre e feíssimo.

Teus bancos fizeram-nos de marfim engastado em buxo das ilhas dos quiteus. *Quitetus*, o povo de *Quitim*, isto é, de *Chipre*. Ver sobre este nome alternativo no *Dicionário*. Ver também o artigo intitulado *Marfim*.

27.7

שֵׁשׁ־בְּרִקְמָה מִמִּצְרַיִם הָיָה מִפְרָשֵׂךְ לִהְיוֹת לָךְ לְנֵס תְּכֵלֶת וְאַרְגָּמָן מֵאִיֵּי אֱלִישָׁה הָיָה מְכַסֵּךְ׃

De linho fino bordado do Egito era a tua vela. *O linho* mais fino, normalmente empregado para fazer as melhores roupas, foi usado na fabricação das velas dos navios fenícios. A NCV fala de "desenhos" costurados nas velas, feitas do material mais fino e ornamentadas com trabalho artístico. Pareciam bandeiras de países importantes. Qualquer pessoa, vendo um belo navio construído com a melhor madeira e com as velas decoradas, logo saberia que era de Tiro. Nos conveses era instalado um tipo de toldo ou cobertura, tingido com tintas de cor púrpura e azul, para proteger os marinheiros do sol e das tempestades. Somente os ricos se preocupavam com coisas artísticas para agradar aos olhos, mas aos olhos divinos, todavia, não viram ali beleza alguma, porque Tiro, embora rica, era decadente e cheia de corrupções. Plínio (*His. Nat.* L.19.c.1) informa que o Egito produzia quatro tipos de linho, cada um sendo a especialidade de uma província daquele país. Esses linhos eram identificados com os nomes das províncias de origem: Tanitas, Pelusiac, Butico e Tentirítico. O linho mais puro e durável era o de Pelusiac, usado para confeccionar roupas finas que somente as senhoras mais ricas podiam comprar. As *velas* dos navios de Tiro eram feitas de linho fino do Egito!

Das ilhas de Elisá era o teu toldo. Elisá provavelmente significa *Chipre*, ou outra ilha importante próxima. Ver a discussão sobre esta palavra no *Dicionário*. Cf. Gn 1.4 e 1Cr 1.7.

27.8

יֹשְׁבֵי צִידוֹן וְאַרְוַד הָיוּ שָׁטִים לָךְ חֲכָמַיִךְ צוֹר הָיוּ בָךְ הֵמָּה חֹבְלָיִךְ׃

Os moradores de Sidom e de Arvade. Tiro empregou os tripulantes mais experientes que existiam, de *Arvade* (ver a respeito no *Dicionário*), uma ilha fenícia a 3 km da costa. O nome moderno do lugar é *Erwade*. Alguns deles eram de *Sidom* (ver no *Dicionário* a respeito), a irmã de Tiro, uma das principais cidades fenícias. Outros eram de *Zemer* (texto da Septuaginta). O hebraico traz: "homens capacitados". *Zemer* (ver a respeito no *Dicionário*) tem o nome moderno de Tell Cazel. Sidom era um porto não muito distante de Tiro e um centro comercial marítimo entre os mais antigos do mundo. Ficava a 30 km de Tiro e, durante sua história, às vezes, foi mais importante do que Tiro. As duas irmãs (Tiro e Sidom) eram as cidades-estados mais importantes do império fenício.

Barcos Fenícios. Os mais antigos empregavam cinquenta remadores, conseguindo considerável propulsão. Posteriormente, os maiores empregavam duzentos remadores, situados em três níveis. Estes eram os mais velozes do mundo e conseguiram chegar até à América do Norte, como a arqueologia já demonstrou.

A Mensagem do Versículo. O autor nos informa que tanto os navios como seus tripulantes eram de primeira qualidade, os melhores do mundo, como a própria Tiro era "a melhor cidade-estado do mundo". Mas o padrão empregado era a riqueza, controlada por *dinheiro*, o principal deus daquele povo. A avaliação de Yahweh, que se baseou em considerações espirituais, era bem diferente. Os navegadores de Tiro eram os melhores conhecedores de todos os caminhos marítimos, de todos os portos, para visitar e barganhar, de todas as ilhas e habitações ao longo da costa. Aqueles homens, entretanto, pouco sabiam sobre o *caminho de Deus,* e se entregavam ao naufrágio moral e espiritual, em meio à destruição física de tudo quanto tinha valor para eles.

27.9-11

זִקְנֵי גְבַל וַחֲכָמֶיהָ הָיוּ בָךְ מַחֲזִיקֵי בִדְקֵךְ כָּל־אֳנִיּוֹת הַיָּם וּמַלָּחֵיהֶם הָיוּ בָךְ לַעֲרֹב מַעֲרָבֵךְ׃

פָּרַס וְלוּד וּפוּט הָיוּ בְחֵילֵךְ אַנְשֵׁי מִלְחַמְתֵּךְ מָגֵן וְכוֹבַע תִּלּוּ־בָךְ הֵמָּה נָתְנוּ הֲדָרֵךְ׃

בְּנֵי אַרְוַד וְחֵילֵךְ עַל־חוֹמוֹתַיִךְ סָבִיב וְגַמָּדִים בְּמִגְדְּלוֹתַיִךְ הָיוּ שִׁלְטֵיהֶם תִּלּוּ עַל־חוֹמוֹתַיִךְ סָבִיב הֵמָּה כָּלְלוּ יָפְיֵךְ׃

Os anciãos de Gebal e os seus sábios foram em ti os teus calafates. *Construção de Navios.* Tiro empregava somente os mais experientes construtores do mundo. Entre eles estavam homens capacitados de *Gebel* (chamado, em tempos posteriores, *Biblos*). Naquele tempo foram utilizadas as madeiras mais finas e duráveis na fabricação de navios. A arte de utilizar metais se desenvolveu somente em tempos modernos. Às vezes, era necessário consertar os navios em alto-mar, e homens treinados acompanhavam as viagens justamente com esse propósito. Gebel tinha a reputação de ser o lar de tais homens, que ganhavam bem, praticando sua arte. Esta cidade ficava localizada na costa do mar Mediterrâneo. No *Dicionário*, o artigo sobre a cidade fornece detalhes abundantes.

Entre os tripulantes incluíam-se *comerciantes*, que negociavam peças e agiam como fornecedores de produtos para os portos. Estes comerciantes fornecedores enriqueceram Tiro e suas filhas. Tiro até

O EXTENSO COMÉRCIO DE TIRO (Ez 27.12-15)		
Centros de Comércio	Nomes Modernos	Produtos
Társis	Espanha (?)	Prata, ferro, latão, chumbo
Grécia	Grécia moderna	Escravos, instrumentos de bronze
Tubal	Leste da Turquia	Escravos, instrumentos de bronze
Meseque	Turquia central	Escravos, instrumentos de bronze
Togarma	Leste da Turquia	Trabalho e cavalos de guerra, mulas
Dedã (Hb)	Rodes moderna	Marfim, ébano
Rodes (Sept.)		
Síria (Arão, Edom, nos manuscritos sírios)	Síria moderna e/ou Jordão	Turquesa, tecidos roxos, trabalhos bordados, linho fino, corais, rubis
Judá (duas tribos)	Palestina	Trigo, azeite de oliva, bálsamo, mel
Israel (dez tribos)	Palestina	Vinho, lã
Damasco	Síria	Ferro batido, cássia, cálamo
Vedã	Aden (?)	Ferro batido, cássia, cálamo
Gregos de Uzal	Iêmen ou sudeste da Turquia	Cobertores de seda
Dedã	Arábia	Ovelhas, carneiros, bodes
Arábia	Arábia	Ovelhas, carneiros, bodes
Quedar	Arábia	Temperos, pedras preciosas, ouro
Sabá	Sul da Arábia	Temperos, pedras preciosas, ouro
Raamá	Sul da Arábia	Tecidos azuis, trabalho bordado, tapetes multicoloridos
Harã, Cane, Éden Seba, Assíria, Quilmade	Mesopotâmia	

Observações:

O texto exibe considerável variação de nomes de locais, tanto nos manuscritos hebraicos como nas versões. As traduções modernas refletem tais variações.

empregou homens especializados da Pérsia, Lude e Pute, que eram, sem dúvida, aliados militares e comerciais do *império* de Tiro, a Rainha dos Mares.

Tiro desenvolveu um subimpério constituído de aliados militares e comerciais, e todos eles enriqueceram com a iniciativa da mãe. Até os estrangeiros ajudaram a proteger Tiro e suas possessões, agindo como militares protetores. Os lídios eram o povo de *Lude*, provavelmente *Cirene*, ao oriente da Líbia. Homens de *Gamade* (ver no *Dicionário* o artigo intitulado *Gamaditas*) cuidaram de suas torres e fortificações. Provavelmente está em vista um lugar na Síria, presumivelmente a moderna *Kumidi*. As cartas de *Tell El-Amarna* (ver a respeito no *Dicionário*) mencionam o lugar. Alguns eruditos dizem que se trata de *Gomerim* (Ez 38.6; Gn 10.2,3). *Arvade* já foi vista no vs. 8; *Heleque*, segundo algumas traduções, provavelmente indica *Cilícia*. Alguns traduzem a palavra como "seu exército", que talvez seja o significado da palavra hebraica envolvida. Os muros eram guardados por nativos e estrangeiros, unidos na proteção de *Muito Dinheiro*, outro nome possível para Tiro. O lugar era *quase* invencível.

Penduravam os seus escudos nos teus muros em redor; aperfeiçoavam a tua formosura. Quando os soldados penduravam seus escudos nas paredes dos palácios, produziam uma visão belíssima, acrescentando um toque estético ao que já era magnífico. Alguns escudos eram feitos de metais preciosos ou tinham *superfícies* de ouro ou de prata. Tais excessos faziam parte do jogo do dinheiro e da ostentação. Cf. Ap 18.19.

Lugares com os Quais Tiro Mantinha Intercâmbio Comercial (27.12-25)
Esta seção nos dá uma lista extensiva de lugares que eram parceiros de Tiro no comércio. Artigos sobre eles, no *Dicionário,* dão detalhes que permitem um tratamento abreviado aqui, sem a necessidade de se criar um pequeno *Dicionário* da Bíblia. Ver o *gráfico* que acompanha esses artigos, para maiores detalhes e informações essenciais.

O propósito da lista é exaltar Tiro e seus aliados bélicos e comerciais. O autor ilustra a *grandeza* do império para mostrar, afinal,

quão grande foi a sua *queda*. O lugar esplêndido caiu com o peso de suas próprias iniquidades.

A avaliação divina não levou em conta a trivialidade das riquezas de Tiro, mas suas qualidades morais e espirituais, que eram "nulas", em contraste com a abundância de suas riquezas materiais. Tiro tinha *orgulho* das coisas banais (diversas formas de riqueza material); mas esqueceu o tesouro dos céus.

Os gentios é que procuram todas estas cousas; pois vosso Pai celeste sabe que necessitais de todas elas; buscai, pois, em primeiro lugar, o seu reino e a sua justiça, e todas estas cousas vos serão acrescentadas.

Mateus 6.32,33

O JULGAMENTO DE TIRO

No tempo em que foste quebrada nos mares, nas profundezas das águas se afundaram os teus negócios e toda a tua multidão no meio de ti... Os mercadores dentre os povos assistiam contra ti; vens a ser objeto de espanto e jamais subsistirás.

Ezequiel 27.34,36

O que semeia para a sua própria carne, da carne colherá corrupção; mas o que semeia para o Espírito, do Espírito colherá vida eterna.

Gálatas 6.8

■ **27.12-25**

תַּרְשִׁישׁ סֹחַרְתֵּךְ מֵרֹב כָּל־הוֹן בְּכֶסֶף בַּרְזֶל 12
בְּדִיל וְעוֹפֶרֶת נָתְנוּ עִזְבוֹנָיִךְ׃

13 יָוָן תֻּבַל וָמֶשֶׁךְ הֵמָּה רֹכְלָיִךְ בְּנֶפֶשׁ אָדָם וּכְלֵי נְחֹשֶׁת נָתְנוּ מַעֲרָבֵךְ:

14 מִבֵּית תּוֹגַרְמָה סוּסִים וּפָרָשִׁים וּפְרָדִים נָתְנוּ עִזְבוֹנָיִךְ:

15 בְּנֵי דְדָן רֹכְלַיִךְ אִיִּים רַבִּים סְחֹרַת יָדֵךְ קַרְנוֹת שֵׁן וְהוֹבְנִים הֵשִׁיבוּ אֶשְׁכָּרֵךְ:

16 אֲרָם סֹחַרְתֵּךְ מֵרֹב מַעֲשָׂיִךְ בְּנֹפֶךְ אַרְגָּמָן וְרִקְמָה וּבוּץ וְרָאמֹת וְכַדְכֹּד נָתְנוּ בְּעִזְבוֹנָיִךְ:

17 יְהוּדָה וְאֶרֶץ יִשְׂרָאֵל הֵמָּה רֹכְלָיִךְ בְּחִטֵּי מִנִּית וּפַנַּג וּדְבַשׁ וָשֶׁמֶן וָצֹרִי נָתְנוּ מַעֲרָבֵךְ:

18 דַּמֶּשֶׂק סֹחַרְתֵּךְ בְּרֹב מַעֲשַׂיִךְ מֵרֹב כָּל־הוֹן בְּיֵין חֶלְבּוֹן וְצֶמֶר צָחַר:

19 וְדָן וְיָוָן מְאוּזָּל בְּעִזְבוֹנַיִךְ נָתָנּוּ בַּרְזֶל עָשׁוֹת קִדָּה וְקָנֶה בְּמַעֲרָבֵךְ הָיָה:

20 דְּדָן רֹכַלְתֵּךְ בְבִגְדֵי־חֹפֶשׁ לְרִכְבָּה:

21 עֲרַב וְכָל־נְשִׂיאֵי קֵדָר הֵמָּה סֹחֲרֵי יָדֵךְ בְּכָרִים וְאֵילִים וְעַתּוּדִים בָּם סֹחֲרָיִךְ:

22 רֹכְלֵי שְׁבָא וְרַעְמָה הֵמָּה רֹכְלָיִךְ בְּרֹאשׁ כָּל־בֹּשֶׂם וּבְכָל־אֶבֶן יְקָרָה וְזָהָב נָתְנוּ עִזְבוֹנָיִךְ:

23 חָרָן וְכַנֵּה וָעֶדֶן רֹכְלֵי שְׁבָא אַשּׁוּר כִּלְמַד רֹכַלְתֵּךְ:

24 הֵמָּה רֹכְלַיִךְ בְמַכְלֻלִים בִּגְלוֹמֵי תְּכֵלֶת וְרִקְמָה וּבְגִנְזֵי בְּרֹמִים בַּחֲבָלִים חֲבֻשִׁים וַאֲרֻזִים בְּמַרְכֻלְתֵּךְ:

25 אֳנִיּוֹת תַּרְשִׁישׁ שָׁרוֹתַיִךְ מַעֲרָבֵךְ וַתִּמָּלְאִי וַתִּכָּבְדִי מְאֹד בְּלֵב יַמִּים:

Observações:
1. A lista de cidades segue uma ordem geográfica, começando com o oeste extremo das terras ao redor do mar Mediterrâneo, movimentando-se para o leste e chegando à Grécia; daí, avança para a Ásia Menor. Nesse ponto, gira para o sul e, então, vai para o norte, chegando em Edom; passa através da Palestina, alcançado Damasco. Finalmente, vai para a Arábia e termina na Mesopotâmia.
2. O gráfico que acompanha este livro lista 23 cidades e suas localizações. São especificados os principais produtos com que cada uma contribuiu para o comércio do império. Podemos afirmar, com precisão, que o mar Mediterrâneo daquele tempo era "o lago de Tiro", como depois tornou-se "o lago de Roma".
3. A Fenícia tinha um exército razoável, mas sua grandeza dependia de suas riquezas. Possuía um exército gigantesco de *comerciantes*, que fazia guerra para melhorar a renda, proteger o comércio e garantir o fluxo constante do dinheiro. O império era idólatra, mas, de certa maneira, monoteísta, porque, na prática, tinha um deus só: *o dinheiro*.
4. Esta lista mostra a influência universal de Tiro, a cidade-estado que controlava a área Mediterrânea com sua vasta economia. Na terra, obviamente, outros poderes econômicos dominavam o comércio, mas a *Rainha do Mar* era Tiro.
5. Os navios de *Társis* (vs. 12) eram os principais carregadores dos produtos comerciais do império (vs. 25). Eles cantavam bem a canção do dinheiro, o que alegrava a todos os membros da confederação. Cf. os navios de Hirão e de Salomão, que trouxeram riquezas para Israel (1Cr 9.21; 20.26,27; Is 2.16).

6. Note-se bem o arranjo que o profeta fez de seu material:
    a. *Primeiro*, temos a descrição da construção perita dos navios, os instrumentos do comércio (vss. 1-8).
    b. *Segundo*, recebemos informações sobre a extensão e o sucesso do comércio. Entendemos como Tiro e seu império fenício ficaram tão ricos, bem como a glória que o dinheiro lhes trouxe (vss. 10-25).
    c. *Terceiro*, temos o anticlímax: o afundamento catastrófico da frota do império (vss. 26-36). A mão de Yahweh estava naquele acontecimento: ele afundou a frota tiriana. Ele se vingou daquele povo orgulhoso que se aproveitara de Israel e o maltratara. A destruição chegou ao *lar* de Tiro, isto é, ao *alto-mar* (ver o vs. 4). O mar agitado pelo vento oriental quebrou em pedaços os navios soberbos. Uma tempestade violenta, enviada por Yahweh, surpreendeu os orgulhosos do mar. As ondas engoliram tudo, e as riquezas desceram para o fundo das águas. No outono e no inverno, viagens pelo mar Mediterrâneo eram perigosas. Cf. At 27.9-26. Yahweh aumentou ainda mais o perigo, que se tornou universal, varrendo o império em todas as direções. Um vento forte podia levar um navio para o mar aberto, onde havia pouca chance de sobrevivência. O vento do oriente, a Babilônia, soprou o império de Tiro para o mar aberto, onde ele se perdeu nas ondas.

7. Aprendemos, de novo, a lição do *Teísmo* (ver a respeito no *Dicionário*). Yahweh, o Criador, não abandonou sua criação, mas intervém, castigando o mal e recompensando o bem. Contraste-se com o *Deísmo*, que ensina que a força criadora (pessoal ou impessoal) abandonou sua criação aos cuidados das leis naturais.

8. Os vss. 12-23 oferecem uma visão geral das nações com as quais Tiro tinha conexões comerciais, omitindo aquelas mencionadas em passagens anteriores. Como um bom escritor, o profeta utiliza sinônimos para variar o texto.

Tiro, o Navio Nobre, Afundado (27.26-36)

Note-se bem a ordem da apresentação dos materiais no capítulo: 1. *Vss. 1-9:* a construção perita dos navios e sua beleza. 2. *Vss. 10-25:* um comércio de sucesso extraordinário. 3. *Vss. 26,27:* o naufrágio do navio-Tiro, a mãe dos mares.

Os navios de Társis (vs. 12) assumiram o controle do lago de Tiro (o Mediterrâneo). Yahweh decidiu transferir o poder e o dinheiro para a Babilônia, que logo arrasaria o império de Tiro, o capitão da Fenícia.

■ 27.26

בְּמַיִם רַבִּים הֱבִיאוּךְ הַשָּׁטִים אֹתָךְ רוּחַ הַקָּדִים שְׁבָרֵךְ בְּלֵב יַמִּים:

Os teus remeiros te conduziram sobre grandes águas. Os navios tirianos eram equipados com duzentos remadores; os chefes dos tripulantes eram peritos em navegação, comercialização de produtos e reparo e conservação dos navios. Os tirianos eram, nas águas, o povo mais poderoso e rápido. Mas o vento oriental, mais rápido e poderoso do que eles, os pegou de surpresa. Esse vento era a Babilônia, que se cansou de seu rival e decidiu tomar todas as suas riquezas.

"O vento oriental frequentemente é empregado nas Escrituras como o agente de destruição de Yahweh: cf. Ez 17.10; 19.12; Sl 48.7; Jr 18.17; Os 13.15; Jn 4.8" (Theophile J. Meek, *in loc.*).

Remos eram o principal instrumento de propulsão naquele tempo, quando o uso de velas ainda não possuía tecnologia avançada. Tiro era o "rei" dos navios movidos a remo. O Targum diz aqui: "O rei que é tão forte como o vento oriental quebrou Tiro no meio dos mares".

■ 27.27

הוֹנֵךְ וְעִזְבוֹנַיִךְ מַעֲרָבֵךְ מַלָּחַיִךְ וְחֹבְלָיִךְ מַחֲזִיקֵי בִדְקֵךְ וְעֹרְבֵי מַעֲרָבֵךְ וְכָל־אַנְשֵׁי מִלְחַמְתֵּךְ אֲשֶׁר־בָּךְ וּבְכָל־קְהָלֵךְ אֲשֶׁר בְּתוֹכֵךְ יִפְּלוּ בְּלֵב יַמִּים בְּיוֹם מַפַּלְתֵּךְ:

... se afundarão no coração dos mares no dia da tua ruína. O profeta, laboriosamente, repete todos os elementos que contribuíram para fazer de Tiro o poder que era, para nos dizer, afinal, que era tudo uma fraude, que tudo caiu aos pedaços; que tudo se desintegrou miseravelmente; que tudo foi para o fundo do mar. O vento oriental acabou por completo com o que supostamente era invencível. Ver os vss. 8-11, que descrevem os tripulantes que operavam os navios: marinheiros, comerciantes, consertadores dos barcos e soldados; juntos, eles obtiveram um grande sucesso, mas juntos também foram reduzidos a nada. O time que trouxe tanta riqueza afundou com seus barcos ricos e se afogou. O grande time do norte (a Babilônia) ganhou o jogo e terminou o lucrativo esporte do império.

O vs. 34 repete a informação dada aqui, mencionando as classes de Tiro que pereceram juntas. As *classes* eram os *tripulantes* do navio-Tiro. Cf. Ez 26.4,12,14, para a destruição de Tiro, sem a metáfora do navio.

O Grande Aventureiro. O império de Tiro não receava os mares, como seus vizinhos; com coragem notável, os dominou e deles tirou riquezas. O aventureiro, Tiro, velejava maravilhosamente bem, até que o vento oriental o pegou. Daí, acabou a aventura. O mar que tanta riqueza dera engoliu o aventureiro.

■ 27.28

לְקוֹל זַעֲקַת חֹבְלָיִךְ יִרְעֲשׁוּ מִגְרֹשׁוֹת:

Ao estrondo da gritaria dos teus pilotos tremerão as praias. *Os gritos* dos pilotos afundando ecoaram sobre as águas e sobre as terras; até as praias do mar tremeram. O afundamento do barco do Estado de Tiro era como um terremoto que começou no leito do mar e rapidamente se espalhou para a terra, assustando todos os habitantes do Mediterrâneo. Um maremoto tornou-se um terremoto, e os dois, juntos, devastaram tudo.

A figura fala da grande dor do império, quando a mão de Yahweh o golpeou. Da dor emanava profunda tristeza, que permeava o império e seus aliados. Toda a esperança de ganho havia acabado. Houve perda universal e perda particular, e a lamentação era o sol daquele dia. Cf. Ed 4.1-3; Jó 1.20; 2.8 e Jr 6.26.

■ 27.29,30

וְיָרְדוּ מֵאָנִיּוֹתֵיהֶם כֹּל תֹּפְשֵׂי מָשׁוֹט מַלָּחִים כֹּל חֹבְלֵי הַיָּם אֶל־הָאָרֶץ יַעֲמֹדוּ:

וְהִשְׁמִיעוּ עָלַיִךְ בְּקוֹלָם וְיִזְעֲקוּ מָרָה וְיַעֲלוּ עָפָר עַל־רָאשֵׁיהֶם בָּאֵפֶר יִתְפַּלָּשׁוּ:

No meio da catástrofe, "todos que manejaram os remos abandonarão seus navios. E os marinheiros de outros navios, na terra, chorarão..." (NCV). Chorarão amargamente, observando o que tinha acontecido no mar. Aquilo perturbou os homens, na terra, que lamentaram com brados agonizantes. Talvez este versículo fale dos tripulantes que conseguiram alcançar a terra, depois de abandonar seus navios. Olhando para trás, viram seus barcos desaparecer nas águas. Tudo o que era precioso para eles pereceu. Seu meio de ganhar a vida afundou com os barcos. Eles gostavam de velejar e de ajuntar aquele bom dinheiro que lhes permitia comprar prazeres. De fato, é agonizante quando o dinheiro se esgota. Cf. Ap 18.17. As pessoas que ficavam em casa, em terra firme, se beneficiavam com o comércio marítimo. A lamentação era generalizada.

Os marinheiros, antes orgulhosos e corajosos, se tornarão *lamentadores* do naufrágio do *navio-Tiro*. Chorarão amargamente e praticarão os ritos da lamentação.

Lançarão pó sobre as cabeças, e na cinza se revolverão. Ver no *Dicionário* o artigo intitulado *Lamentação*, para detalhes. O *show* da lamentação era o último do império, que por tanto tempo fora o ator principal no palco das vicissitudes e loucuras dos homens. Cf. Ed 4.1-3; Jó 1.20; 2.8 e Jr 6.16. Mq 1.10 fala algo semelhante.

Seu grito foi o canto fúnebre que disse o "adeus" ao império antes tão orgulhoso. Ver este canto registrado nos vss. 32-36.

■ 27.31

וְהִקְרִיחוּ אֵלַיִךְ קָרְחָה וְחָגְרוּ שַׂקִּים וּבָכוּ אֵלַיִךְ בְּמַר־נֶפֶשׁ מִסְפֵּד מָר:

Chorarão sobre ti com amargura de alma. Aqueles homens arrancaram o cabelo e cortaram a barba, ficando praticamente calvos; vestiram-se em pano de saco, jogando fora, para sempre, suas roupas finas. Alguns lamentadores eram profissionais, como as mulheres empregadas que ofereciam um bom *show* de demonstração de "tristeza", com gritos, choros e gemidos. Mas os marinheiros choraram de coração. Tudo o que era precioso para eles havia acabado. Cf. Ap 18.19. O costume fenício de raspar *todo o cabelo* como demonstração de dor foi proibido para os hebreus pela lei de Moisés (Dt 14.1), porque era considerado uma forma de mutilação.

Eis! Toda a sua pompa de ontem
Se uniu com Nínive e Tiro!
Ó Juiz das nações, poupa-nos
E lembra-nos destas dores,
Para não esquecermos;
Para não esquecermos.

Rudyard Kipling

O Conteúdo do Canto Fúnebre (27.32-36)

■ 27.32-36

32 וְנָשְׂאוּ אֵלַיִךְ בְּנִיהֶם קִינָה וְקוֹנְנוּ עָלָיִךְ מִי כְצוֹר כְּדֻמָה בְּתוֹךְ הַיָּם:

33 בְּצֵאת עִזְבוֹנַיִךְ מִיַּמִּים הִשְׂבַּעַתְּ עַמִּים רַבִּים בְּרֹב הוֹנַיִךְ וּמַעֲרָבַיִךְ הֶעֱשַׁרְתְּ מַלְכֵי־אָרֶץ:

34 עֵת נִשְׁבֶּרֶת מִיַּמִּים בְּמַעֲמַקֵּי־מָיִם מַעֲרָבֵךְ וְכָל־קְהָלֵךְ בְּתוֹכֵךְ נָפָלוּ:

35 כֹּל יֹשְׁבֵי הָאִיִּים שָׁמְמוּ עָלָיִךְ וּמַלְכֵיהֶם שָׂעֲרוּ שַׂעַר רָעֲמוּ פָּנִים:

36 סֹחֲרִים בָּעַמִּים שָׁרְקוּ עָלָיִךְ בַּלָּהוֹת הָיִיתְ וְאֵינֵךְ עַד־עוֹלָם: ס

Vemos em passagens anteriores os marinheiros e todos os tripulantes do navio-Tiro chorando e gemendo, seus sons lamentadores ecoando na costa do mar Mediterrâneo (ver os vss. 28-30). O império morreu e o canto fúnebre está sendo entoado. Os vss. 32-36 sumariam o seu conteúdo. Os sobreviventes do império e da federação dos comerciantes, todos os que contribuíram e cooperaram com seus esforços para o enriquecimento de Tiro, e vice-versa, lamentam a queda da Rainha do Mar.

Seis comentários descrevem pormenorizadamente o conteúdo do canto fúnebre:

1. A destruição de Tiro foi um *fenômeno singular*, porque ocorreu a um poder marítimo que tinha assumido controle sobre todo o Mediterrâneo e áreas adjacentes. No auge do poder, de súbito, Tiro foi afundado pelo vento oriental (a Babilônia). O *Targum* traz, aqui: "Quem é como Tiro? Não há nenhum poder igual a ele no meio dos mares". Cf. Ap 18.22. Houve alguma coisa mais temível, na queda de Tiro, do que na de outros poderes: era um império tão rico, tão belo, tão orgulhoso, tão exaltado, tão poderoso, tão abrasador. Mas, num momento, a mão de Yahweh o afundou.

2. Foi Tiro, o enriquecedor dos povos de uma vasta área, que caiu. Como nenhum homem é uma ilha, também nenhuma nação o é. Quando o império caiu, muitos povos perderam seu sustento, a riqueza que vinha do mar. Muitos povos tinham *satisfação* (RSV) nas riquezas geradas por Tiro. A vida de toda a área dependia do poder do império. Um império doente tornou o mundo Mediterrâneo também doente; mas um império ainda mais forte executou seu rival. O afundamento da Rainha do Mar foi o naufrágio do comércio sustentador de muitas nações. O dinheiro acabou; a vida acabou. Milhares de pessoas perderam seus meios de sustento; o povo passaria fome.

Tu satisfizeste as necessidades de muitas nações.

NCV

3. O temível naufrágio foi efetuado pelo *vento oriental*, o exército babilônico, instrumento de devastação da mão de Yahweh. Aquele vento poderoso pegou o *navio-Tiro* de surpresa, e o mar tornou-se seu sepulcro. O mar, que ontem havia produzido riquezas para todos, hoje é o destruidor das esperanças das nações.
"O exército caldeu avançou sobre eles como as ondas do mar (Ez 26.3) e os dominou, humilhou e destruiu" (John Gill, *in loc.*).
4. Todos os tripulantes, com seus produtos, afundaram no esquecimento do mar. *Finis* foi escrito sobre o maior poder marítimo que o mundo jamais viu. O navio-Tiro desapareceu e, com ele, as esperanças de muitos povos.
"O comércio cessou e os comerciantes de todas as regiões do mundo viram o fim de seu orgulho. Os nativos do lugar pereceram; os marinheiros, os soldados, todas as pessoas de todas as classes, posições sociais, idades e sexo sofreram o mesmo destino amargo. Era a mão de Deus agindo no meio das multidões. O Targum diz: 'Todos os seus exércitos'. Abendana sugere que está em vista a destruição de Tiro, por Alexandre, o Grande" (John Gill, *in loc.*).
5. Todos os habitantes das costas ficaram aterrorizados com o acontecimento. Foi difícil entender o tamanho e extensão da catástrofe e suas consequências abrangentes. Os reis tremeram, seus "rostos manifestando temor" (NCV). O desastre de Tiro era também o seu próprio desastre; a queda do império era também a sua queda. O inimigo do norte logo viria atrás deles, para acabar com o pouco que restara. Perderam todo o seu dinheiro; perderão suas vidas. Cf. Ap 18.9,10.
6. Os mercadores que não foram afetados pelo desastre *assobiam* contra Tiro, zombando de seu poder, regozijando-se em sua queda, exibindo uma atitude maliciosa. Estavam felizes porque o império havia morrido e celebraram com júbilo. Alguns eruditos traduzem a palavra hebraica envolvida (*assobiam*, em algumas traduções) como "grito". Eles gritaram com espanto, vendo o navio-Tiro afundar nas águas. Nesse caso, o texto fala da grande *consternação* sofrida pelas nações. Para o *assobio* de zombaria, ver Ez 26.2. Tiro escarneceu quando Jerusalém caiu, e agora teve sua vez para ser escarnecido. A retribuição foi justa; Yahweh vingou-se de seu povo; a *Lei Moral da Colheita segundo a Semeadura* se aplicou ao caso de Tiro. Ver no *Dicionário* este título.

CAPÍTULO VINTE E OITO

Os capítulos 25—32 formam uma unidade, que constitui o pronunciamento de julgamento contra as *sete nações* inimigas de Israel-Judá. Não existe nenhuma interrupção entre os capítulos 27 e 28. Ez 26.1—28.19 apresenta a tirada contra Tiro. Então, Ez 28.20-26 fala contra sua irmã, *Sidom* (ver o artigo no *Dicionário,* para detalhes). Finalmente, os capítulos 29—32 apresentam a tirada contra o Egito e, com isto, a unidade se completa. As sete nações atacadas são Amom, Moabe, Edom, Filístia, Tiro, Sidom e Egito. Alguns intérpretes entendem estas profecias como escatológicas, não meramente históricas. O reino do Messias não pode realizar-se até que os inimigos de Israel sejam humilhados. Uma vez que isto aconteça, Israel se levantará como cabeça das nações, e o milênio (alguns afirmam) se iniciará.

PROFECIAS CONTRA TIRO E SIDOM (28.1-26)
Este capítulo se divide naturalmente em quatro partes: 1. *Vss. 1-10:* O oráculo contra Tiro; os príncipes devem morrer, especialmente *o príncipe*, que se representou (estupidamente) como um deus. 2. *Vss. 11-19:* A alegoria (parábola) da queda do príncipe. Ele é representado como um ser perfeito, no Éden, que pecou e, consequentemente, foi expulso de seu paraíso. 3. *Vss. 20-23:* O oráculo contra Sidom, a irmã de Tiro. 4. *Vss. 24-26:* Esta seção, em prosa, fala da restauração de Israel e do julgamento dos Estados vizinhos.

Oráculo contra Tiro (28.1-10)
Yahweh tinha muito para falar contra aquele lugar. Ez 26.1—28.19 contém palavras amargas condenatórias, prevendo punições horrendas às mãos dos babilônios. Tiro se exaltou como um deus, mas logo comprovaria ser somente um pobre coitado, humano, mortal e frágil, sujeito a todas as calamidades humanas. *Adonai-Yahweh* (o Soberano Eterno Deus) garantirá sua queda (vss. 6,7).

"Este oráculo contra Tiro aparentemente emprega alguns temas mitológicos, inclusive a história cananeia de *Dan'el* (ver Ez 14.2-23). O príncipe era um juiz sábio e justo, tratando bem as viúvas e os órfãos. Mas seu orgulho cresceu tanto que ele começou a pensar em si como um deus. Ele se levantou e se sentou no conselho dos deuses (cf. Is 14.13,14). Sua morte, entretanto, está próxima. Ele será aniquilado pela Babilônia, a mais temível das nações (Ez 30.10,11), e assim chegará a um fim ignominioso (a morte dos não circuncidados) no seol (Ez 31.14,15)" (*Oxford Annotated Bible*, introdução aos vss. 1-10).

Daniel (bíblico) parece estar em vista, tendo conseguido a reputação de ser um homem especialmente sábio; no entanto, a referência pode ser à figura mitológica. Naturalmente, os intérpretes se dividem quanto a esta questão.

■ 28.1

וַיְהִי דְבַר־יְהוָה אֵלַי לֵאמֹר׃

Veio a mim a palavra do Senhor. Esta é a declaração comum que introduz novos materiais e oráculos nesse livro. Lembra-nos da inspiração de Yahweh e de que Ezequiel era seu profeta autorizado. Cf. Ez 13.1; 14.2; 15.1; 16.1. Yahweh é chamado por seu título soberano (vs. 10), *Adonai-Yahweh*. O que acontece entre as nações se origina dele.

■ 28.2

בֶּן־אָדָם אֱמֹר לִנְגִיד צֹר כֹּה־אָמַר אֲדֹנָי יְהוִה יַעַן גָּבַהּ לִבְּךָ וַתֹּאמֶר אֵל אָנִי מוֹשַׁב אֱלֹהִים יָשַׁבְתִּי בְּלֵב יַמִּים וְאַתָּה אָדָם וְלֹא־אֵל וַתִּתֵּן לִבְּךָ כְּלֵב אֱלֹהִים׃

Filho do homem. Yahweh fala com o profeta, utilizando seu título comum (anotado em Ez 2.1).

Dize ao príncipe de Tiro: Visto que se eleva o teu coração... O *príncipe* (rei) de Tiro, naquele tempo, era *Ito-baal*, chamado *Itobal*, por Josefo. Entendemos através do texto que aquele homem estava exaltando-se como um deus, uma prática comum da época, naquela parte do mundo. De fato, venerar o rei, como se fosse um deus ou filho de um deus, era doutrina padrão no Egito. Cf. Is 14.12-25 e Sl 82.

Dizes: Eu sou Deus, sobre a cadeira de Deus me assento. Para a *cadeira* (ou *sede*) dos deuses, ver Is 14.13-14. A *cadeira* do deus *El* (o poder) se localizava, na mente popular, sobre alguma montanha *do norte*. O trono de *El*, na mitologia ugarítica, estava "nas alturas do norte". No presente texto, a ilha-Tiro tornou-se a "montanha dos deuses". Na mitologia grega, existia o monte Olimpo, o lar dos deuses. De algum monte alto, os deuses se transferiram para uma região nos céus, além da terra, e assim nasceu o conceito de "céu". Os céus ficaram mais e mais remotos, os deuses perderam interesse pelos homens e, então, nasceu o conceito de *transcendência*. Lado a lado, imanência e transcendência vivem nas nossas teologias.

Meros homens começaram a pensar em si mesmos como deuses, semideuses ou filhos dos deuses. Os "deuses" se casaram, e deuses e filhos de deusas nasceram na teologia. As doutrinas se desenvolveram e um rei podia ser relacionado a uma variedade de conceitos. As mitologias misturaram homens e deuses numa salada extravagante; logo, deuses estavam produzindo semideuses, filhos de mulheres mortais. Todas estas farsas seriam expostas, e o deus de Tiro corria para encontrar seu destino amargo (vss. 6-10). Ver Ez 28.6,9, para uma renovação da reivindicação de divindade entre os homens.

■ 28.3

הִנֵּה חָכָם אַתָּה מִדָּנִאֵל כָּל־סָתוּם לֹא עֲמָמוּךָ׃

Daniel. A referência, talvez, seja à mitologia cananeia que fala sobre *Dan'el*, um deus-homem especialmente sábio, um juiz que tratava bem os menos privilegiados, como as viúvas e os órfãos. Alguns intérpretes, rejeitando a ideia de que o profeta empregaria um item da mitologia de um povo pagão, creem estar em vista o *Daniel bíblico*. Apontam textos como Dn 1.17-20; 2.48 e 4.8,9 como provas da sua interpretação. As tradições judaicas colocaram Daniel entre os mais sábios homens de todos os tempos. Chegaram ao absurdo de declarar: "Se todos os sábios de todas as nações fossem colocados num lado de uma balança, e Daniel no outro, ele pesaria mais do que todos eles juntos".

O *príncipe* de Tiro, considerando-se um deus, se achava mais sábio do que *Dan'el* ou Daniel, uma jactância escandalosa. Aquele falso deus pensava conhecer todos os mistérios da terra e dos céus, mas de fato, sua sabedoria era meramente comercial e simplesmente o enriqueceu materialmente.

Daniel, um Contemporâneo. "Daniel tinha estado na corte de Nabucodonosor, por 25 anos, quando Jerusalém caiu, e o sítio de Tiro aconteceu cinco anos depois" (Ellicott, *in loc.*). Obviamente, então, houve tempo suficiente para Daniel ganhar ampla reputação como homem sábio, e isto podia ter-se espalhado até Tiro. Ou o próprio autor simplesmente inventou um bom cenário para o oráculo, utilizando o nome de Daniel para embelezar sua apresentação.

■ 28.4

בְּחָכְמָתְךָ וּבִתְבוּנָתְךָ עָשִׂיתָ לְּךָ חָיִל וַתַּעַשׂ זָהָב וָכֶסֶף בְּאוֹצְרוֹתֶיךָ:

O Deus-rei. Esta personagem exaltada aplicou sua sabedoria extraordinária na tarefa de ganhar mais e mais dinheiro e, nesse empreendimento, teve um sucesso singular. Quase todos concordam que ter dinheiro é sábio e saudável, e que ser pobre é a condição dos ignorantes. Os bons profissionais estão no topo da hierarquia financeira; não se deve esquecer que o *líder* dos homens tem a *porção do leão* do dinheiro. Além disso, dinheiro é poder e compra poder. O rico é naturalmente poderoso, como a chama é naturalmente quente. O empreendimento para ganhar dinheiro, obtendo-se êxito, é uma realização divina. *Dinheiro* é o deus mais popular do povo. Mas ai! O homem não pode servir ao mesmo tempo a Deus e ao dinheiro. As massas, entretanto, nunca ficam convencidas deste fato. As religiosas adoram tanto a Mamom (riquezas) como a Deus. Ver Mt 6.24.

O amor ao dinheiro é raiz de todos os males; e alguns, nessa cobiça, se desviaram da fé e a si mesmos se atormentaram com muitas dores.
1Timóteo 6.10

Ver Rm 13.7; 2Co 8.9; Mt 6.4,34, versículos que discursam sobre o dinheiro, seus usos bons e maus. Naturalmente, o dinheiro é como um *sexto sentido*, sem o qual é difícil aproveitar completamente os outros cinco. Todavia, no jogo dos seis sentidos, o espírito frequentemente se perde. Ver no *Dicionário* o artigo chamado *Dinheiro*.

■ 28.5

בְּרֹב חָכְמָתְךָ בִּרְכֻלָּתְךָ הִרְבִּיתָ חֵילֶךָ וַיִּגְבַּהּ לְבָבְךָ בְּחֵילֶךָ: ס

Este versículo é uma reapresentação do vs. 4, com leves mudanças. Muito dinheiro no banco tende a tornar uma pessoa *orgulhosa*, que é a ideia adicional do vs. 5. Com o sucesso na tarefa de ganhar mais e mais dinheiro e poder, o príncipe-deus de Tiro se exaltou. Ver as notas em Pv 6.17; 13.10; 14.3; 15.25; 16.5,18; 18.12; 21.4; 30.12,32, que contrastam os humildes aos orgulhosos. Ver no *Dicionário* o artigo intitulado *Orgulho*.

O asno-deus de Tiro tornou-se independente de Deus. Esqueceu totalmente a *Providência de Deus*, a verdadeira fonte de todos os bens. Achou-se a fonte de todas as bênçãos. *Ito-baal* considerou-se o *senhor (baal)*, mas era, na verdade, simplesmente um ator ridículo no palco das vicissitudes e iniquidades dos homens. Sua encenação logo terminou. A morte fez parte de seu *show*.

Se as vossas riquezas prosperam, não ponhais nelas o coração.
Salmo 62.10

Cf. Ap 18.7.

■ 28.6,7

לָכֵן כֹּה אָמַר אֲדֹנָי יְהוִה יַעַן תִּתְּךָ אֶת־לְבָבְךָ כְּלֵב אֱלֹהִים:

לָכֵן הִנְנִי מֵבִיא עָלֶיךָ זָרִים עָרִיצֵי גּוֹיִם וְהֵרִיקוּ חַרְבוֹתָם עַל־יְפִי חָכְמָתֶךָ וְחִלְּלוּ יִפְעָתֶךָ:

Assim diz o Senhor Deus... Eis que eu trarei sobre ti os mais terríveis estrangeiros. Empregando seu título, *Adonai-Yahweh* (o Soberano Eterno Deus), o Deus verdadeiro dos céus repreende o deus autocriado de Tarso, o ridículo Ito-baal. Este título divino é usado 217 vezes nesse livro, mas somente 103 no restante do Antigo Testamento. Enfatiza a soberania de Deus e como ele determina o destino dos homens. O pequeno deus Ito-baal sofreria as consequências de seu orgulho; sua arrogância havia provocado a ira de Yahweh. Um exército estrangeiro (da Babilônia) nivelaria o trono de Tiro e as pretensões de divindade que se tinham espalhado como doença naquele lugar. A sabedoria do rei demonstraria ser mera tolice humana. A Babilônia não ficou impressionada com "o deus" de Tiro e logo mostrou como era fácil vencer um "deus".

A soberba do teu coração te enganou, ó tu que habitas nas fendas das rochas, na tua alta morada, e dizes no teu coração: Quem me deitará por terra?
Obadias 3

Ver a lista de referências que contrastam os humildes aos orgulhosos, no vs. 5.

■ 28.8

לַשַּׁחַת יוֹרִדוּךָ וָמַתָּה מְמוֹתֵי חָלָל בְּלֵב יַמִּים:

Eles te farão descer à cova. A alusão é ao *Seol* (ver a respeito no *Dicionário*). Ver também as notas em Ez 26.20, onde Tiro já está associada ao mundo inferior, às *mais baixas partes da terra*. A doutrina do seol passou por uma evolução, durante os séculos. Ver Ez 26.19,20, para explicações detalhadas. Aqui seol provavelmente fala só do sepulcro, a *morte biológica*, provocada violentamente. Por certo, não há nenhuma ameaça de castigo num mundo imaterial além do sepulcro, doutrina que se desenvolveu bem mais tarde. *Descer à cova* fala de ser enterrado no chão. Em tempos posteriores, a expressão se referia à câmara sob a superfície terrestre, o lugar dos espíritos dos mortos. Cf. Ez 31.14-18; 32.18-32; Is 14.15. O artigo *Hades*, na *Enciclopédia de Bíblia, Teologia e Filosofia,* descreve o desenvolvimento histórico da doutrina.

Morrerás da morte dos traspassados no coração dos mares. A morte de *marinheiros* no mar era vergonhosa. Os corpos eram simplesmente atirados ao mar para serem comidos por tubarões. Tiro, embora elevada no seu orgulho, tornou-se comida para peixes. Assim terminaram suas reivindicações de divindade. Tiro e seu príncipe, um falso deus, encontrariam morte prematura, recolhendo o que haviam semeado. O hebraico traz o plural *mortes:* uma multidão pereceria. O julgamento de Adonai-Yahweh seria completo e final.

■ 28.9

הֶאָמֹר תֹּאמַר אֱלֹהִים אָנִי לִפְנֵי הֹרְגֶךָ וְאַתָּה אָדָם וְלֹא־אֵל בְּיַד מְחַלְלֶיךָ:

Dirás ainda diante daquele que te matar: Eu sou Deus? Ilustração. Certo rei de Roma, ferido mortalmente numa batalha, vendo correr seu sangue vermelho, *de homem,* surpreendeu-se com o fato. Estava iludido acreditando fielmente na sua divindade. Assim, o príncipe, o falso deus de Tiro, enfrentando a morte física, a espada da Babilônia, esqueceria a história de ser um deus. O homem era mortal, frágil, passível de tremor e morte, tudo o que um deus não poderia ser. A queda de Ito-baal aconteceu em 573-572 a.C. Ele pagou um preço alto por sua atuação ridícula.

■ 28.10

מוֹתֵי עֲרֵלִים תָּמוּת בְּיַד־זָרִים כִּי אֲנִי דִבַּרְתִּי נְאֻם אֲדֹנָי יְהוִה: ס

Da morte dos incircuncisos morrerás. Os fenícios praticavam a circuncisão, mas espiritualmente eram pagãos incircuncisos. O pobre Ito-baal sofreria a morte do incircunciso, isto é, do *profano*. Ver no *Dicionário* o artigo sobre *Circuncisão,* onde são comentados os usos metafóricos da palavra. A morte de um *incircunciso* era lamentável e vergonhosa, segundo a mentalidade dos hebreus. Ver Ez 32.30 e

1Sm 17.26,27. Aquele rei orgulhoso seria humilhado com uma morte ignóbil, demonstrando claramente a falsidade de suas tolas reivindicações. Cf. Ez 31.18; 32.19-21,24-28.

Por intermédio dos estrangeiros. Foi muito fácil matar o grande deus-rei, príncipe da Rainha dos Mares; os estrangeiros desprezados impuseram o sofrimento a que nenhum homem decente de Tiro deveria ter sido submetido, muito menos o "deus" desse lugar.

> ... morrerá como uma pessoa imunda. Estrangeiros o matarão.
> NCV

Lamentação sobre o Rei de Tiro (28.11-19)
Temos aqui uma alegoria (parábola) que celebra a queda do príncipe de Tiro. "Esta lamentação se baseia em uma variante da história do Éden. O homem, criado como um ser perfeito, morava no paraíso do Éden, coberto com pedras preciosas. Cf. este item com as pedras preciosas do peitoral do sumo sacerdote, em Êx 28.17-20. Ver também a descrição da Jerusalém celestial, em Ap 4.1-6; 21.15-21. Foi o orgulho que provocou o banimento do rei de seu paraíso, pelo querubim" (*Oxford Annotated Bible*, introdução ao vs. 11).

A Versão Mesopotâmica da História da Criação. O jardim do Éden era habitação de um deus e de sua esposa-deusa. Esta versão é compatível com o deus-homem, o príncipe de Tiro. Os detalhes essenciais se duplicam em Gênesis, menos os fatores de homem-mulher *versus* deus-deusa. Ver no *Dicionário* o artigo intitulado *Éden, Jardim do*, especialmente a seção II, "Interpretações liberais e alegóricas sobre o Éden e Éden nos mitos mesopotâmicos". Alguns cristãos, seguindo a interpretação do judaísmo posterior, encontram Satanás no jardim, no símbolo da serpente. Outros veem Satanás atrás do deus-homem de Tiro, inspirando-o, mas esta interpretação é anacrônica, pertencente ao judaísmo que existiu muito tempo depois da época de Ezequiel. É totalmente desnecessário supor que houvesse um *deus* (demônio, espírito mau, Satanás etc.) inspirando o falso deus de Tiro. O texto de Ezequiel reflete um paganismo puro: a reivindicação de um homem ser deus. A passagem é mais do que uma expressão poética de um homem poderoso que era *como* um deus.

O deus do Éden foi lançado fora e humilhado e, finalmente, sofreu morte miserável. Daí reduziu-se a cinzas (vs. 18). Não podemos dizer tais coisas sobre Satanás, o demônio etc. Estão em vista a destruição do príncipe de Tiro e da própria Tiro, não um acontecimento cósmico como o julgamento de Satanás. De qualquer modo, a cidade está sob consideração, mas não sem o seu rei. Afinal, os dois eram um só.

■ 28.11

וַיְהִי דְבַר־יְהוָה אֵלַי לֵאמֹר׃

Veio a mim a palavra do Senhor. Esta é a declaração comum para introduzir novos materiais ou novos oráculos. Lembra-nos da inspiração divina da mensagem e de que Ezequiel era o profeta autorizado por Yahweh. Ver Ez 13.1; 14.2; 15.1; 16.1.

■ 28.12

בֶּן־אָדָם שָׂא קִינָה עַל־מֶלֶךְ צוֹר וְאָמַרְתָּ לּוֹ כֹּה אָמַר אֲדֹנָי יְהוִה אַתָּה חוֹתֵם תָּכְנִית מָלֵא חָכְמָה וּכְלִיל יֹפִי׃

Filho do homem. Yahweh fala com Ezequiel, utilizando seu título comum (anotado em Ez 2.1).

Levanta lamentações contra o rei de Tiro. Adonai-Yahweh manda o profeta levantar o *qinah*, o *canto fúnebre*, porque Tiro, a cidade-estado, morreu. Ver as notas em Ez 19.1. *Adonai-Yahweh* (o Soberano Eterno Deus), utilizando seu poder incomparável, acabará logo com Tiro e seu rei, a despeito de suas glórias anteriores. Ontem, eles foram o próprio epítome da perfeição, mas este fato não os ajudará hoje, o dia da crise. Também não devemos esquecer que aquela perfeição era fruto da avaliação dos homens, da própria Tiro e de seus aliados, que não concordavam com a realidade definida por Yahweh.

Tu és o sinete da perfeição, cheio de sabedoria e formosura. Estas palavras parecem descrever Satanás, o Príncipe das Trevas, mas o texto não tem nada a ver com ele, como se fosse o poder por trás do trono de Tiro. As perfeições do diabo, antes da queda, não se expressam neste texto. Cf. Is 14.12 ss.

Uma de minhas fontes insiste na teoria de que se trata de Satanás, mas a interpretação apresentada baseia-se num judaísmo posterior, não na teologia da época de Ezequiel. Precisamos evitar anacronismos, ao tentar explicar o texto. O que algum judeu teria entendido deste oráculo, no tempo de Ezequiel, aplicando-o à teologia da época? Não encontraríamos o Príncipe das Trevas naquela época, mas sim, o príncipe de Tiro, o deus-homem, isto é, o homem que dizia ser um deus.

O texto fala poeticamente sobre o deus-rei de Tiro, que logo seria reduzido a cinzas (vs. 18) pelo ataque da Babilônia.

Sinete. Um manuscrito hebraico, a Septuaginta, o Siríaco e a Vulgata registram, no lugar desta palavra, *selo*, que traduz uma palavra hebraica semelhante. Ver o rei como o *selo*, em Jr 22.24. Cf. Ag 2.23. Alguns eruditos preferem *selo* como representante do texto original, que o texto massorético supostamente perdeu. Ver no *Dicionário* o artigo intitulado *Massora (Massorah); Texto Massorético*. Este é um texto padronizado. As versões, às vezes (talvez 5%), preservam o original contra o texto hebraico padronizado. Ver também no *Dicionário* o artigo *Manuscritos Antigos do Antigo Testamento*, que, além de dar informações gerais, comenta o problema de como as leituras certas são escolhidas, quando há variantes.

■ 28.13

בְּעֵדֶן גַּן־אֱלֹהִים הָיִיתָ כָּל־אֶבֶן יְקָרָה מְסֻכָתֶךָ אֹדֶם פִּטְדָה וְיָהֲלֹם תַּרְשִׁישׁ שֹׁהַם וְיָשְׁפֵה סַפִּיר נֹפֶךְ וּבָרֶקֶת וְזָהָב מְלֶאכֶת תֻּפֶּיךָ וּנְקָבֶיךָ בָּךְ בְּיוֹם הִבָּרַאֲךָ כּוֹנָנוּ׃

Estavas no Éden, jardim de Deus; de todas as pedras preciosas te cobrias. O deus-rei era *como* um deus, ou ser angelical, habitando no Éden, vestido em esplendor, com muitas joias e vestimentas finas. No *Dicionário*, forneço ao leitor curioso um artigo sobre *Pedras Preciosas*, assim não comento cada uma aqui. Cf. a lista do presente texto com aquela que trata do peitoral do sumo sacerdote, em Êx 28.17-20 e 39.10-13. Nessas descrições temos doze pedras, enquanto o texto hebraico, aqui, lista somente nove. A Septuaginta, influenciada pelos textos de Êxodo, dá todas as doze. As pedras preciosas representam a beleza, a perfeição e a glorificação de Tiro e de seu deus-rei. Há certa *fascinação* pelas pedras preciosas, que as valoriza para a mente humana. Tiro, a joia do mar, encantou o mundo antigo. Alguns intérpretes veem o papa e toda a sua pompa, aqui, mas esta interpretação é ridícula.

Engastes. Podemos entender, da palavra hebraica por trás desta tradução, *instrumentos musicais* de sopro, que, quando tocados, dariam uma atmosfera agradável ao Éden do deus-rei. A presença de instrumentos musicais talvez aluda ao dia da ascensão do deus-rei ao trono, ocasião celebrada com música, dança e vinho.

■ 28.14

אַתְּ־כְּרוּב מִמְשַׁח הַסּוֹכֵךְ וּנְתַתִּיךָ בְּהַר קֹדֶשׁ אֱלֹהִים הָיִיתָ בְּתוֹךְ אַבְנֵי־אֵשׁ הִתְהַלָּכְתָּ׃

Tu eras querubim da guarda ungido. O falso deus-rei tinha a aparência de um deus glorioso ou de um ser angélico esplendoroso. Foi *ungido* para seu alto ofício, e seu trono era como uma montanha alta, exaltada, o monte dos deuses, ou de Deus: Tiro exaltada no seu trono. O deus-rei andava no meio do brilho das pedras celestiais fogosas e era glorioso no seu aspecto. As pedras preciosas são sua própria fonte de luz ou refletem a glória do deus-rei. Alguns intérpretes encontram *Satanás* aqui, na sua glória antes da queda, mas devemos rejeitar esta interpretação como supérflua e anacrônica. Ver a discussão sobre esta ideia, nos comentários dos vss. 11,12. Está em vista o glorioso Ito-baal e suas reivindicações absurdas concernentes à alegada divindade.

Querubim da guarda. A alusão é ao querubim "que cobriu" o propiciatório, a tampa da arca da aliança, situado no Santo dos Santos. O rei era como aquele anjo especial e seleto, imitando o poder de Deus no santuário. A ironia continua. O autor não fala seriamente, mas zomba da glória pretensiosa do deus-rei. Aqui, ele é comparado ao anjo que protegia o Poder do santuário. Era como o querubim que guardava os portões do paraíso, protegendo a árvore da vida. Se a passagem é irônica, então não está descrevendo Satanás, que tinha uma glória real antes da sua queda. Cf. Êx 24.10,17.

28.15

תָּמִים אַתָּה בִּדְרָכֶיךָ מִיּוֹם הִבָּרְאָךְ עַד־נִמְצָא עַוְלָתָה בָּךְ:

As descrições do "maravilhoso" deus-rei continuam. Não são as de Satanás antes de sua queda, como insistem alguns intérpretes. Ver as notas nos vss. 11,12,14, que não são repetidas aqui. O versículo, em tom irônico, continua descrevendo o falso deus de Tiro. *Orgulho* era a iniquidade principal daquele homem, alegado deus. Cf. esta ideia com os vss. 2 e 6. O coração do homem era autoexaltado nas suas reivindicações absurdas.

Perfeito eras nos teus caminhos, desde o dia em que foste criado, até que se achou iniquidade em ti. Como Satanás, houve um dia quando o ridículo-falso-deus-rei fora inocente. Ver no *Dicionário* o artigo denominado *Orgulho* e cf. Pv 6.17; 11.2; 13.10; 14.3; 15.25; 16.5,12; 18.12; 21.4; 30.12,32. O orgulho destruiu a inocência do homem que se tornou um deus, segundo sua própria avaliação.

A Ironia. 1. Ele era *como* um deus ou um anjo exaltado (vs. 14). 2. Era mais exaltado do que Moisés e mais sábio do que Daniel (vs. 3). 3. Sua farsa foi revelada, afinal. Era somente um homem cheio de iniquidades e pretensões absurdas. Era o homem do naufrágio (capítulo 26). 4. Tiro era como um *paraíso perdido*.

28.16

בְּרֹב רְכֻלָּתְךָ מָלוּ תוֹכְךָ חָמָס וַתֶּחֱטָא וָאֶחַלֶּלְךָ מֵהַר אֱלֹהִים וָאַבֶּדְךָ כְּרוּב הַסֹּכֵךְ מִתּוֹךְ אַבְנֵי־אֵשׁ:

Na multiplicação do teu comércio se encheu o teu interior de violência. Este versículo se opõe a qualquer interpretação que sugere que o texto fala de Satanás. Quando é que Satanás se envolveu no comércio para enriquecer? Isto descreve o falso deus-rei Ito-baal, de Tiro, que construiu um império poderoso, adorando o deus *dinheiro*. O comércio se aliou à violência, porque onde o dinheiro flui, os criminosos entram em ação. O falso deus fora lançado do seu trono alto (Tiro); tornou-se totalmente profano e corrupto. Era *como* o anjo da guarda do paraíso, mas Deus fechou os portões daquele lugar e apagou a sua glória. As pedras fogosas pararam de glorificar o deus-homem. A luz do paraíso se apagou. O anjo foi lançado na rua, e seu paraíso foi fechado. É ridículo ver aqui as *pedras de fogo* representando as estrelas, e estas significando *seres angelicais* que caíram com *a Estrela*, Satanás (ver Ap 12.4). É igualmente ridículo ver as estrelas fogosas como crentes verdadeiros que, afinal, foram corrompidos e jogados para fora do paraíso, com o papa.

> *Porque comercializou com países distantes, aprendeu a ser cruel e pecou; assim, atirei-te em desgraça da montanha de Deus. E os querubins que o protegeram o obrigaram a sair do lugar dos rubis de fogo.*
>
> NCV

28.17

גָּבַהּ לִבְּךָ בְּיָפְיֶךָ שִׁחַתָּ חָכְמָתְךָ עַל־יִפְעָתֶךָ עַל־אֶרֶץ הִשְׁלַכְתִּיךָ לִפְנֵי מְלָכִים נְתַתִּיךָ לְרַאֲוָה בָךְ:

Elevou-se o teu coração por causa da tua formosura. O orgulhoso deus-rei pagou um alto preço por suas agressões e crimes. Tendo grande beleza e riquezas, encheu-se de *orgulho* (ver a respeito no *Dicionário*) e não estava mais apto a ocupar o trono no monte de Deus (Tiro). Seu orgulho servia como fonte de muitos outros pecados. Se possuísse alguma sabedoria verdadeira, teria evitado os caminhos da destruição.

Lancei-te por terra, diante dos reis te pus. Sendo lançado fora de seu trono (Tiro), foi humilhado perante os outros reis do mundo e terminou lamentando seu destino, nas cinzas, vestido em pano de saco. Os reis o contemplaram nas cinzas e zombaram dele. O julgamento foi mundano. Não temos aqui nenhuma referência a um julgamento num mundo imaterial, além do sepulcro. O julgamento não foi *cósmico* (não sendo o de Satanás).

28.18

מֵרֹב עֲוֹנֶיךָ בְּעֶוֶל רְכֻלָּתְךָ חִלַּלְתָּ מִקְדָּשֶׁיךָ וָאוֹצִא־אֵשׁ מִתּוֹכְךָ הִיא אֲכָלָתְךָ וָאֶתֶּנְךָ לְאֵפֶר עַל־הָאָרֶץ לְעֵינֵי כָּל־רֹאֶיךָ:

Muitos Santuários. Tiro era "um religioso fanático" que tinha muitos santuários ao redor do mundo; na realidade, era *monoteísta*, adorando o deus dinheiro. Os outros deuses eram supérfluos em seu culto. Seus santuários não eram *santos,* como tais lugares devem ser. Os muitos crimes de Tiro anularam qualquer manifestação de santidade. Seu comércio marítimo gerava muito dinheiro e muitos crimes. Por causa destas condições, Deus incendiou a cidade-estado, Tiro. O fogo era o ataque do exército babilônico, que *reduziu a cidade a cinzas*. Isto dificilmente poderia falar de Satanás. Não é uma interpretação correta fazer, dos santuários, o santuário de Yahweh. Sem dúvida, Satanás pecou contra a luz que tinha (Rm 1.21), mas esta ideia não está em vista aqui. O profeta, por licença poética, permite que os tirianos tivessem alguma coisa de valor, sem dizer claramente que sua palavra não representava a verdadeira avaliação de sua condição.

O *Targum* traz: "Eu trarei um povo tão forte como o fogo por causa dos pecados de seu orgulho". A referência é, obviamente, à Babilônia.

28.19

כָּל־יוֹדְעֶיךָ בָּעַמִּים שָׁמְמוּ עָלֶיךָ בַּלָּהוֹת הָיִיתָ וְאֵינְךָ עַד־עוֹלָם: פ

Repetições. Uma característica literária do autor deste livro é a repetição, que minhas notas imitam. Este versículo repete coisas vistas em trechos anteriores. Aqueles que viram o fim do império ficaram amedrontados pela visão desse acontecimento (Ez 27.35). Aquele império nunca se recuperará, sofrendo um fim temível (Ez 27.36). Ver as notas nestes versículos, para detalhes.

As nações ficaram *chocadas;* a punição foi *terrível;* o império *sumiu* (traduções da NCV).

Oráculo contra Sidom (28.20-23)

Os capítulos 25—32 formam uma unidade, atacando, com palavras amargas, *sete nações:* Amom, Moabe, Edom, Filístia, Tiro, Sidom e Egito. Todas elas tinham algo a ver com Israel e praticavam atrocidades contra o povo de Deus.

Agora, o autor ataca Sidom, a irmã de Tiro. Simplesmente ajunta uma série de frases já utilizadas em outras tiradas, seguindo seu costume literário de repetição. Esta seção é abreviada, enquanto aquela contra Tiro é extensiva. O profeta não sentiu necessidade de repetir detalhadamente todos os pecados de Sidom, como fez no caso de Tiro. Estava atacando o *império fenício,* utilizando o nome de outra cidade principal daquela unidade. Não há diferença substancial entre as tiradas contra Tiro e Sidom, sendo a segunda uma espécie de *sumário* da primeira.

28.20

וַיְהִי דְבַר־יְהוָה אֵלַי לֵאמֹר:

Veio a mim a palavra do Senhor. Esta é a declaração comum que introduz novos materiais e novos oráculos. Lembra que a inspiração divina operava nas palavras do profeta e que ele era um ministro autorizado por Yahweh.

28.21

בֶּן־אָדָם שִׂים פָּנֶיךָ אֶל־צִידוֹן וְהִנָּבֵא עָלֶיהָ:

Filho do homem, volte o teu rosto contra Sidom. Yahweh fala ao profeta utilizando seu título comum (anotado em Ez 2.1). Manda o profeta "volver seu rosto contra", expressão comumente empregada nesse livro. Ver também Ez 4.3; 6.2; 13.17; 14.8; 15.7; 20.46; 21.2; e 25.2. A *carranca divina* significava que Sidom logo sofreria um julgamento vingador. Ver no *Dicionário* o artigo intitulado *Sidom,* para detalhes que não ofereço aqui. Localizava-se a 30 km de Tiro (ao norte). Nas Escrituras, com frequência, Sidom é mencionada juntamente com Tiro (ver Jr 25.22; 27.4; Jl 3.4; Zc 9.2; Lc 6.17; 10.13,14). As duas cidades eram aliadas no mesmo império, na vida, nos pecados e na morte.

28.22

וְאָמַרְתָּ֗ כֹּ֤ה אָמַר֙ אֲדֹנָ֣י יְהוִ֔ה הִנְנִ֥י עָלַ֖יִךְ צִיד֑וֹן
וְנִכְבַּדְתִּ֖י בְּתוֹכֵ֑ךְ וְֽיָדְע֞וּ כִּֽי־אֲנִ֣י יְהוָ֗ה בַּעֲשׂ֥וֹתִי בָ֛הּ
שְׁפָטִ֖ים וְנִקְדַּ֥שְׁתִּי בָֽהּ׃

Assim diz o Senhor Deus: Eis-me contra ti, ó Sidom. *Adonai-Yahweh* (o Soberano Eterno Deus) decretou o fim de Sidom; assim, a catástrofe estava prestes a acontecer. O Soberano escreveu *finis* sobre a cidade. Ver no *Dicionário* o artigo intitulado *Deus, Nomes Bíblicos de*. O título divino deste texto se encontra 217 vezes no livro, mas somente 103 no restante do Antigo Testamento. Fala da soberania de Deus e de como ela determina o destino dos homens e das nações. Nesse livro, o título é constantemente associado aos julgamentos decretados contra vários lugares, mas especialmente contra a própria Jerusalém.

Logo o exército babilônico bateria na porta de Sidom, trazendo uma máquina de guerra aniquiladora, para nivelar a cidade, que conheceria Yahweh como Juiz e Destruidor que age segundo a lei moral.

Saberão que eu sou o Senhor, quando nela executar juízos e nela me santificar. Esta expressão é usada nesse livro 63 vezes, associada às ideias de julgamento e restauração (ver Ez 16.62). O Juiz será glorificado na sua vingança contra o pecado e se mostrará justo. A cidade, uma pecadora de reputação internacional, merecia seu julgamento.

"Sidom, por longo tempo, teve possessão do império marítimo e de toda a Fenícia. Tiro era uma das suas colônias. Com o passar do tempo, a *filha* ficou mais poderosa do que a mãe" (Adam Clarke, *in loc.*). mãe e filha sofreram o mesmo destino amargo, porque compartilharam as mesmas iniquidades. Comparar este versículo com Sl 9.15,16.

28.23

וְשִׁלַּחְתִּי־בָ֞הּ דֶּ֤בֶר וָדָם֙ בְּחוּצוֹתֶ֔יהָ וְנִפְלַ֣ל חָלָ֔ל
בְּתוֹכָ֛הּ בְּחֶ֥רֶב עָלֶ֖יהָ מִסָּבִ֑יב וְיָדְע֖וּ כִּֽי־אֲנִ֥י יְהוָֽה׃

Enviarei contra ela a peste, e o sangue nas ruas. Dois tipos distintos de destruição praticamente aniquilariam Sidom: a *espada* (guerra) e as *pestilências* (doenças). Ver a *tríade temível* (espada, fome e pestilência) anotada em Ez 5.12. O massacre seria espantoso: cadáveres encheriam as ruas, poucas pessoas sobreviveriam, porque não haveria lugar onde se esconder.

Saberão que eu sou o Senhor. O Juiz divino ficaria conhecido por sua obra de julgamento que vindicaria sua justiça. Esta expressão é usada 63 vezes nesse livro, associada ao julgamento ou à restauração. Os julgamentos de Deus são restauradores, não meramente vingativos. Haveria uma manifestação do poder e da glória de Yahweh no meio da cidade pagã. Cf. Ez 20.41; 36.23; 38.16 e 39.13.

A Restauração da Casa de Israel (28.24-26)

"Temos aqui uma alusão típica à *diáspora*, muito difundida em Israel. A promessa de que, afinal, a casa de Israel habitará *seguramente* na Terra (Palestina) é um tema repetido nas Escrituras. Cf. Ez 34.28; 38.11,14; 39.26. O *código de santidade* (parte do Pentateuco) prometeu vida aos que guardam a lei e estatutos de Yahweh. Ver Lv 25.19; Dt 4.1; 6.2; Ez 20.11; ver também Jr 23.7; 32.37; 33.16; Zc 14.11" (Theophile J. Meek, *in loc.*).

28.24

וְלֹא־יִהְיֶ֨ה ע֜וֹד לְבֵ֣ית יִשְׂרָאֵ֗ל סִלּ֤וֹן מַמְאִיר֙ וְק֣וֹץ
מַכְאִ֔ב מִכֹּל֙ סְבִ֣יבֹתָ֔ם הַשָּׁאטִ֖ים אוֹתָ֑ם וְיָ֣דְע֔וּ כִּ֣י אֲנִ֖י
אֲדֹנָ֥י יְהוִֽה׃ ס

Para a casa de Israel já não haverá espinho que a pique. Cf. Nm 33.35 e Js 23.13. Não existirão mais agitações e provocações que farão Israel pecar e cair na idolatria. Não haverá mais obstáculos à prática do yahwismo. Não haverá mais destruidores para ferir ou assustar o povo. O Targum diz: "Nenhum rei ou governador chegará para praticar maldades, ferir ou pilhar Israel". Não existirão pecados e corrupções internos que atrapalharão o povo de Deus. A providência divina positiva controlará a vida de Israel. Ver no *Dicionário* o artigo intitulado *Providência de Deus*.

Saberão que eu sou o Senhor Deus. Por causa de sua providência benéfica e por seus julgamentos; por seus atos restauradores, por suas ricas bênçãos conferidas ao povo restaurado, Yahweh será mais bem conhecido por Israel. O Juiz é restaurador e benfeitor, e os homens o conhecerão em todas estas categorias.

28.25

כֹּֽה־אָמַר֮ אֲדֹנָ֣י יְהוִה֒ בְּקַבְּצִ֣י ׀ אֶת־בֵּ֣ית יִשְׂרָאֵ֗ל
מִן־הָֽעַמִּים֙ אֲשֶׁ֣ר נָפֹ֣צוּ בָ֔ם וְנִקְדַּ֥שְׁתִּי בָ֖ם לְעֵינֵ֣י
הַגּוֹיִ֑ם וְיָֽשְׁבוּ֙ עַל־אַדְמָתָ֔ם אֲשֶׁ֥ר נָתַ֖תִּי לְעַבְדִּ֥י
לְיַעֲקֹֽב׃

Assim diz o Senhor Deus. O Todo-poderoso *Adonai-Yahweh* (o Soberano Eterno Deus) pronunciou seu *decreto restaurador* e assim será. Este título divino (usado 217 vezes nesse livro) fala da operação da soberania de Deus, que determina o destino dos homens e das nações.

Quando eu congregar a casa de Israel... Haverá o recolhimento da *diáspora* (ver a respeito no *Dicionário*). Historicamente, isto se refere à volta do remanescente dos cativos da Babilônia, a Jerusalém, para começar tudo de novo. Profeticamente (escatologicamente), refere-se à restauração dos últimos dias, no reino do Messias. O primeiro recolhimento serviu como primícias para o segundo. O recolhimento será uma manifestação da *santidade* de Yahweh. Ele agirá em favor de seu povo, para santificá-lo, separando-o das nações, a fim de produzir uma nova criação. Os filhos imitarão o Pai na sua justiça e santidade, e serão transformados pelo Espírito. Retomarão a antiga terra que lhes foi prometida no *Pacto Abraâmico* (ver notas em Gn 15.18). A possessão da Terra era uma das principais provisões do pacto, sem a qual a nação não poderia sobreviver. Ver Gn 13.14-17 e 15.17-21. O pacto foi renovado com Jacó (Gn 35.11-13) e nunca revogado, a despeito da triste história de Israel, que sempre praticou grande número de pecados.

Os antigos comentaristas discutiram o problema da restauração de Israel, querendo saber se os textos de restauração deveriam ser entendidos literal ou metaforicamente. A história sustenta a interpretação literal. Em nossa própria época, Israel foi restaurado em sua terra, terminando o exílio romano que começou em 132 d.C. Uma restauração mais completa e mais espiritual, que incluirá a conversão de Israel ao cristianismo, pertence ao futuro.

Todo o Israel será salvo, como está escrito: Virá de Sião o Libertador e ele apartará de Jacó as impiedades.
Romanos 11.26

A maior realização da restauração de Israel permanece como tema principal da teologia escatológica.

28.26

וְיָשְׁב֣וּ עָלֶיהָ֮ לָבֶטַח֒ וּבָנ֤וּ בָתִּים֙ וְנָטְע֣וּ
כְרָמִ֔ים וְיָשְׁב֖וּ לָבֶ֑טַח בַּעֲשׂוֹתִ֣י שְׁפָטִ֗ים בְּכֹ֨ל
הַשָּׁאטִ֤ים אֹתָם֙ מִסְּבִ֣יבוֹתָ֔ם וְיָ֣דְע֔וּ כִּ֛י אֲנִ֥י יְהוָ֖ה
אֱלֹהֵיהֶֽם׃ ס

Habitarão nela seguros. Haverá uma *vida normal*, marcada por uma agricultura próspera e pela construção de casas permanentes, indicando o fim da peregrinação de Israel nos países estrangeiros. Israel chegará em casa, afinal. Os julgamentos de Deus libertarão o povo dos espinhos (vs. 24) e de todas as dores que poderes alheios provocaram. Os "abominadores de Israel" serão derrotados. Israel se levantará e será o cabeça das nações. Habitará em segurança e felicidade, em prosperidade material e espiritual.

E saberão que eu sou o Senhor. Este acontecimento revolucionário tornará Yahweh conhecido universalmente. A obra será, obviamente, divina. Israel será *distinto* entre as nações, o que era, o tempo todo, o *ideal* (ver Dt 4.4-8). Yahweh ficará conhecido como Juiz, Restaurador e Benfeitor; todas as nações se beneficiarão, segundo as promessas do *Pacto Abraâmico*. Cf. Jr 23.6 (habitando seguramente e sendo salvo).

CAPÍTULO VINTE E NOVE

ORÁCULOS CONTRA O EGITO (29.1—32.32)

Os capítulos 25—32 formam uma unidade, contendo oráculos contra *sete* nações: Amom, Moabe, Edom, Filístia, Tiro, Sidom e Egito. Ver a introdução ao capítulo 25.

O Egito é elaboradamente denunciado através de *sete* oráculos. O capítulo 29 contém dois deles: vss. 1-15, o oráculo contra o faraó; vss. 17-21, a profecia de que Nabucodonosor destruirá o Egito, utilizando seu exército internacional. Os eruditos datam o primeiro oráculo: 6 de janeiro de 587 a.C.; e o segundo: 16 de abril de 570 ou 26 de abril de 571.

ORÁCULO CONTRA O FARAÓ (29.1-16)

Hofra, faraó do Egito, atacou Nabucodonosor na primavera de 588 a.C., esperando entregar Jerusalém ao cerco do exército babilônico; o êxito alcançado durou pouco e, depois desse acontecimento, o Egito se mostrou um aliado fraco. Ver os vss. 6-9 e Jr 37.1-10. Um grande *dragão* simbolizava o faraó (hebraico, *tannin*; ver Is 27.1 e Jó 41). Yahweh facilmente o capturou, o matou e deixou seu corpo exposto para servir de comida para as aves de rapina (Ez 32.1-8). Seus *riachos* são o Nilo e seus canais, especialmente o Delta. Os peixes são os egípcios e seus comerciantes. O dragão naturalmente refere-se ao monstro mitológico, *Caos*, como menciono na exposição no vs. 3 deste capítulo.

29.1

בַּשָּׁנָה֙ הָעֲשִׂירִ֔ית בָּעֲשִׂרִ֖י בִּשְׁנֵ֣ים עָשָׂ֣ר לַחֹ֑דֶשׁ הָיָ֥ה דְבַר־יְהוָ֖ה אֵלַ֥י לֵאמֹֽר׃

No décimo ano. Isto é, muitos anos depois do cativeiro de Jeconias. Ver Jr 52.28, onde descrevo as *três* deportações que Judá sofreu. Jeconias e alguns outros foram os primeiros cativos a serem levados para a Babilônia. Esta deportação veio um ano depois do primeiro ataque contra Jerusalém (Ez 24.1,2).

Veio a mim a palavra do Senhor. Esta declaração sempre introduz novos materiais e oráculos. Lembra-nos de que as mensagens e oráculos eram inspirados por Yahweh, e de que Ezequiel era seu profeta autorizado.

29.2

בֶּן־אָדָ֕ם שִׂ֣ים פָּנֶ֔יךָ עַל־פַּרְעֹ֖ה מֶ֣לֶךְ מִצְרָ֑יִם וְהִנָּבֵ֣א עָלָ֔יו וְעַל־מִצְרַ֖יִם כֻּלָּֽהּ׃

Filho do homem, volve o teu rosto contra o Faraó, rei do Egito. Yahweh fala com o profeta usando seu título comum (anotado em Ez 2.1). O faraó Hofra (também chamado Apries) é o objeto desta tirada que promete um fim triste. Ele pertencia à XXVI dinastia e reinou de 588-569 a.C. Ver no *Dicionário* os artigos chamados *Egito* e *Faraó*. O oráculo contra o faraó era, ao mesmo tempo, contra o Egito, seu reino, como deixa claro o versículo. "... Sua destruição e a do território inteiro estão em vista" (John Gill, *in loc.*).

Ver sobre a *carranca* do profeta, que indica a ira de Yahweh, nas notas no vs. 3, último parágrafo.

29.3

דַּבֵּ֨ר וְאָמַרְתָּ֜ כֹּֽה־אָמַ֣ר ׀ אֲדֹנָ֣י יְהוִ֗ה הִנְנִ֤י עָלֶ֙יךָ֙ פַּרְעֹ֣ה מֶֽלֶךְ־מִצְרַ֔יִם הַתַּנִּים֙ הַגָּד֔וֹל הָרֹבֵ֖ץ בְּת֣וֹךְ יְאֹרָ֑יו אֲשֶׁ֥ר אָמַ֛ר לִ֥י יְאֹרִ֖י וַאֲנִ֥י עֲשִׂיתִֽנִי׃

Assim diz o Senhor Deus: Eis-me contra ti, ó Faraó. *Adonai-Yahweh* (o Soberano Eterno Deus) estava controlando o Egito e cumpriria sua vontade em relação a Hofra e ao seu povo. Este título divino mostra que Yahweh exerceu sua soberania no caso do Egito e continua controlando o destino dos homens. Seu ato de poder colocaria o faraó e o Egito nos seus devidos lugares, pois sofreriam a força destrutiva da Babilônia e pagariam por todas as suas iniquidades. Hofra não escaparia ao julgamento prestes a limpar o Egito.

Crocodilo enorme. Esta "tradução" da Atualizada é, realmente, uma interpretação. Embora alguns detalhes do monstro marinho correspondam ao crocodilo comum, outros são mitológicos. *Caos* é o monstro, que era chamado por uma variedade de nomes. Ele é cósmico, não meramente terrestre. Representava o faraó Hofra, cujo território era infestado de crocodilos que lembrariam ao povo o monstro-caos. O faraó, na sua posição elevada, exaltada e poderosa, era *como* o temível Leviatã ou *Tannin*. O monstro era poderoso e assustador, mas a *carranca* de Yahweh o espantaria. *Adonai-Yahweh* (o Soberano Eterno Deus) garantiu a destruição deste monstro, através da aplicação de seu julgamento (pelo exército babilônico). A *carranca* do profeta (vs. 2) era a *ira de Yahweh* em ação contra um inimigo específico. Ver sobre o *rosto feio* do profeta em Ez 4.3; 13.17; 14.8; 20.46.

O título "grande dragão" fala do faraó Hofra, utilizando a figura de *Tannin*, o dragão mitológico, o *monstro-caos*, que o *Criador* confinava e controlava no mar. Ver Is 27.1 e o *leviatã* de Jó capítulo 41. Ver as notas de introdução ao presente capítulo e, também, o artigo *Leviatã*, no *Dicionário*.

O nome hebraico era *Raabe*. Ver Sl 84.7; 89.10; Jó 9.13; Is 51.9,10. O nome babilônico era *Tiamate*. Textos ugaríticos registram *Tehom*.

Seus rios. Isto é, o Nilo e seus canais. Cf. Is 19.6; Êx 7.19.

Hofra jactava-se de que o *rio* pertencia a ele, mas logo aprenderia que Yahweh é o dono deste mundo, a força por trás da história humana (ver no *Dicionário* o artigo intitulado *Teísmo*). O suposto dono e arquiteto do Egito logo perderia tudo, inclusive a própria vida. Ver as notas no vs. 9.

29.4

וְנָתַתִּ֣י חַחִ֣יים בִּלְחָיֶ֔יךָ וְהִדְבַּקְתִּ֥י דְגַת־יְאֹרֶ֖יךָ בְּקַשְׂקְשֹׂתֶ֑יךָ וְהַעֲלִיתִ֙יךָ֙ מִתּ֣וֹךְ יְאֹרֶ֔יךָ וְאֵת֙ כָּל־דְּגַ֣ת יְאֹרֶ֔יךָ בְּקַשְׂקְשֹׂתֶ֖יךָ תִּדְבָּֽק׃

Porei anzóis em teus queixos. A *grande besta* seria controlada por um gancho na boca, que tiraria dela a bravura. Textos antigos informam que o crocodilo era controlado dessa maneira cruel. Mas, para controlar o monstro-caos, haveria o gancho divino.

Representações. O monstro é o faraó; os *peixes* são seus oficiais e súditos. O povo, de modo geral, ficaria grudado às escamas da besta, quando retirada dos *riachos* (o Nilo e seus canais); o faraó controlado significa um povo controlado pela soberania de Deus. Todos juntos "foram tirados da água" e, assim, sem resistência alguma, seriam julgados, como informam os versículos seguintes. "O faraó não pode cair sozinho. Arrastará consigo todo o seu povo e, juntos, irão para uma destruição comum" (Ellicott, *in loc.*). O faraó era considerado um deus no Egito, mas sua divindade não o ajudaria na hora da crise, quando Yahweh o pegasse com seu *gancho* (poder soberano).

29.5

וּנְטַשְׁתִּ֣יךָ הַמִּדְבָּ֗רָה אוֹתְךָ֙ וְאֵת֙ כָּל־דְּגַ֣ת יְאֹרֶ֔יךָ עַל־פְּנֵ֤י הַשָּׂדֶה֙ תִּפּ֔וֹל לֹ֥א תֵאָסֵ֖ף וְלֹ֣א תִקָּבֵ֑ץ לְחַיַּ֥ת הָאָ֛רֶץ וּלְע֥וֹף הַשָּׁמַ֖יִם נְתַתִּ֥יךָ לְאָכְלָֽה׃

Lançar-te-ei para o deserto, a ti e a todo peixe dos teus rios. O faraó e o seu povo serão retirados da sua habitação natural e lançados no deserto, expostos ao sol para morrer; mortos, não serão enterrados, uma desgraça temível segundo a mentalidade antiga. Os peixes, já malcheirosos, atrairão as aves de rapina e as bestas da terra, que compartilharão um almoço real. As aves e as bestas representam o exército babilônico, que massacrará os seres vivos e pilhará todos os bens do país. O texto indica que sua vitória será fácil, porque o gancho (soberania) de Yahweh fizera o trabalho mais árduo. O Poder divino confundiu as estratégias do Egito, facilitando o avanço da Babilônia. Comparar este texto com a descrição do destino amargo de Tiro, em Ez 28.18. Jeremias usou linguagem semelhante ao falar da queda de Jeoaquim, em Jr 22.18,19; 36.30; ver também Ez 32.4,5; 39.4,5.

"O *deserto* refere-se dos desertos da Líbia e Cirene, onde a batalha entre Hofra e Amasis se realizou, e onde o exército egípcio foi aniquilado" (John Gill, *in loc.*).

29.6,7

וְיָדְעוּ֙ כָּל־יֹשְׁבֵ֣י מִצְרַ֔יִם כִּ֖י אֲנִ֣י יְהוָ֑ה יַ֧עַן הֱיוֹתָ֛ם מִשְׁעֶ֥נֶת קָנֶ֖ה לְבֵ֥ית יִשְׂרָאֵֽל׃

בְּתָפְשָׂם בְּךָ בַכַּף תֵּרוֹץ וּבָקַעְתָּ לָהֶם כָּל־כָּתֵף וּבְהִשָּׁעֲנָם עָלֶיךָ תִּשָּׁבֵר וְהַעֲמַדְתָּ לָהֶם כָּל־מָתְנָיִם: ס

E saberão todos os moradores do Egito que eu sou o Senhor. Esta expressão é usada 63 vezes nesse livro, normalmente associada aos julgamentos de Deus, mas, às vezes, ao seu ato restaurador (ver Ez 16.62 e 28.26). A *grande catástrofe* ilustra a soberania de Yahweh, que controla os acontecimentos da história humana e o destino dos homens.

Pois se tornaram um bordão de cana para a casa de Israel. Judá, tolamente, dependia do Egito para ajudá-lo a livrar-se do domínio babilônico. O Egito tornou-se um bordão de cana para a casa de Israel. No entanto, na hora da crise, a cana quebrou. O Egito era uma muleta fraca que deixou Judá em apuros. O hebraico literal, aqui, é *cana*, ou *junco*. Os juncos, ao longo do rio Nilo, eram inumeráveis, mas eram fracos demais para servir de muleta. Judá estupidamente confiou no apoio egípcio, abandonando Yahweh, sua Fortaleza e apoio verdadeiro, seu Defensor e Escudo. Cf. Êx 2.3,5 e Is 19.6. Ver também 2Reis 18.21 e Is 36.6.

"O Egito era um aliado ineficiente e traidor" (Adam Clarke, *in loc.*).

> Que comunhão é a minha, que alegria divina,
> Inclinando-me sobre os braços eternos.
> Que bem-aventurança, que paz é a minha,
> Inclinando-me sobre os braços eternos.
>
> E. A. Hoffman

"A cana quebrou, sob o peso do homem que se inclinava sobre ela, e um fragmento atingiu o seu ombro, infligindo um corte profundo; em consternação, o homem treme" (Ellicott, *in loc.*). Abandonados, os judeus enfrentaram a Babilônia, sem o apoio de aliados. Era o julgamento de Deus operando entre os homens, ajeitando as circunstâncias das vicissitudes da vida humana.

29.8

לָכֵן כֹּה אָמַר אֲדֹנָי יְהוִה הִנְנִי מֵבִיא עָלַיִךְ חָרֶב וְהִכְרַתִּי מִמֵּךְ אָדָם וּבְהֵמָה:

Eis que trarei sobre ti a espada. O exército faria uma obra rápida na batalha contra o Egito. Tanto os homens como os animais seriam cortados em pedaços e logo o Egito seria pilhado. Yahweh-Elohim (o Soberano Eterno Deus), aplicando seu poder ilimitado, decretou o fim do Egito, e assim seria. Ver no *Dicionário* as notas sobre este título divino, no artigo *Deus, Nomes Bíblicos de*.

O exército egípcio foi vencido e os soldados se rebelaram contra Hofra, lançando-o fora de seu trono. Pouco depois, o executaram, e um novo partido político assumiu o controle do país. O sol do Egito se pôs; era a hora da Babilônia.

29.9

וְהָיְתָה אֶרֶץ־מִצְרַיִם לִשְׁמָמָה וְחָרְבָּה וְיָדְעוּ כִּי־אֲנִי יְהוָה יַעַן אָמַר יְאֹר לִי וַאֲנִי עָשִׂיתִי:

A terra do Egito se tornará em desolação e deserto. O país tornou-se um deserto, quando do avanço do exército babilônico, que destruía e pilhava. A *tríade temível* (a espada, a fome e as pestilências; ver Ez 5.12) fizera bem o seu serviço, deixando uma pilha de escombros.

E saberão que eu sou o Senhor. Pelo terror, Adonai-Yahweh ficou mais bem conhecido, um tema que se repete 63 vezes nesse livro. Hofra jactou-se de que o rio lhe pertencia, de que ele era o dono do Egito, mas seu ato, no palco internacional, acabou de súbito, e outros atores continuaram o *show* de vicissitudes e catástrofes. O *orgulho* do homem sofreu grande derrota.

29.10

לָכֵן הִנְנִי אֵלֶיךָ וְאֶל־יְאֹרֶיךָ וְנָתַתִּי אֶת־אֶרֶץ מִצְרַיִם לְחָרְבוֹת חֹרֶב שְׁמָמָה מִמִּגְדֹּל סְוֵנֵה וְעַד־גְּבוּל כּוּשׁ:

Fim da Jactância. Adonai-Yahweh irou-se contra o faraó orgulhoso, o suposto dono do Nilo e do Egito. Sua propriedade tornou-se um deserto, ele perdeu seu trono e logo depois a própria vida. Desolação reinava desde Migdol até Sevene, que compartilhava uma fronteira com a Etiópia. O lugar outrora fértil perdeu suas qualidades de vida e não mais sustentaria um grande povo. *Sevene* (ver a respeito no *Dicionário*) ficava ao *sul* extremo do Egito, na altura da primeira catarata do Nilo. O moderno Aswan (cf. Ez 30.6) marca a localidade. *Migdol* (que significa *torre*, o moderno Tell el-Heir) localizava-se ao sul de Pelusium, no *extremo* norte do país. Estes dois nomes tinham a mesma função, no Egito, como Dã e Berseba, em Israel, e, indicando as fronteiras mais distantes do país, designavam o *país inteiro*. A desolação reinaria em todo o território do Egito, cumprindo o decreto de destruição de Yahweh.

29.11

לֹא תַעֲבָר־בָּהּ רֶגֶל אָדָם וְרֶגֶל בְּהֵמָה לֹא תַעֲבָר־בָּהּ וְלֹא תֵשֵׁב אַרְבָּעִים שָׁנָה:

Nem será habitada por quarenta anos. Cf. Ez 32.13,15; ver também Ez 26.20. "Quarenta anos nos lembram dos anos da punição de Israel nas suas vagueações no deserto (Nm 14.33; Sl 95.10)" (Theophile J. Meek, *in loc.*). *Quarenta* representa o número bíblico de punição e provação. Ver no *Dicionário* o artigo intitulado *Quarenta*, onde há explicações detalhadas. A história nos mostra que o Egito, começando em Migdol e estendendo-se a uma boa distância, foi devastado, mas a destruição se aplicou essencialmente ao oriente do país, deixando o resto intacto. O profeta, por hipérbole oriental, fez a destruição parecer maior do que realmente foi. A história não informa sobre um cativeiro de sobreviventes, prática comum da Babilônia. Se houve exílio de egípcios, provavelmente os cativos voltaram ao Egito, pelo decreto generoso de Ciro, que libertou os judeus da Babilônia. O decreto de Ciro se realizou 33 anos depois do ataque de Nabucodonosor, que nivelou uma porção considerável do Egito. Trinta e três é quase quarenta, e não é necessário inventar maneiras de harmonizar os dois números. É inútil tentar extrair da história uma cronologia exata, e defender uma desolação absoluta do Egito, que não aconteceu. Também é um erro transferir esta profecia para o fim dos tempos, para ter sua realização completa. Em se tratando de profecia, não devemos procurar precisão absoluta. Aqueles que a procuram serão desapontados.

29.12

וְנָתַתִּי אֶת־אֶרֶץ מִצְרַיִם שְׁמָמָה בְּתוֹךְ אֲרָצוֹת נְשַׁמּוֹת וְעָרֶיהָ בְּתוֹךְ עָרִים מָחֳרָבוֹת תִּהְיֶיןָ שְׁמָמָה אַרְבָּעִים שָׁנָה וַהֲפִצֹתִי אֶת־מִצְרַיִם בַּגּוֹיִם וְזֵרִיתִים בָּאֲרָצוֹת: פ

Tornarei a terra do Egito em desolação, no meio de terras desoladas. Entre todas as desolações, a do Egito seria a maior. Este versículo expande o tema ventilado nos versículos anteriores. Os babilônios eram peritos em genocídio, e o Egito não escapou à perícia deles. A última parte do versículo prevê um cativeiro de egípcios na Babilônia, sendo essa a nossa única referência. Temos uma *alusão* ao fato, em Josefo (*Ant.* 1.10.c.11). Não há nenhuma razão para duvidar do acontecimento, embora não seja documentado nos registros do Egito.

Quarenta anos. Ver as notas no vs. 11.

29.13

כִּי כֹּה אָמַר אֲדֹנָי יְהוִה מִקֵּץ אַרְבָּעִים שָׁנָה אֲקַבֵּץ אֶת־מִצְרַיִם מִן־הָעַמִּים אֲשֶׁר־נָפֹצוּ שָׁמָּה:

Assim diz o Senhor: Ao cabo de quarenta anos ajuntarei os egípcios dentre os povos. *Adonai-Yahweh* (o Soberano Eterno Deus) havia causado o cativeiro e também poderia anulá-lo e devolver os egípcios ao seu país. Provavelmente, devemos entender que o decreto de Ciro, que libertou os judeus, também abrangeu os egípcios e outros cativos na Babilônia. Alguns intérpretes, aplicando este versículo ao reino do Messias, veem uma restauração extensiva de povos, no milênio, depois da provação mundial (os *quarenta anos simbólicos* que falam da provação de todos os povos). Esta ideia é certamente uma verdade, mas provavelmente não figura no presente texto. Ver na *Enciclopédia de Bíblia, Teologia e Filosofia* o verbete intitulado *Restauração*.

O Egito, embora restaurado em certo grau, nunca mais alcançou as glórias antigas, e assim o castigo de Yahweh sobre este país continua até hoje. Cf. Jr 46.26.

29.14

וְשַׁבְתִּי֙ אֶת־שְׁב֣וּת מִצְרַ֔יִם וַהֲשִׁבֹתִ֣י אֹתָ֔ם אֶ֥רֶץ פַּתְר֖וֹס עַל־אֶ֣רֶץ מְכֽוּרָתָ֑ם וְהָ֥יוּ שָׁ֖ם מַמְלָכָ֥ה שְׁפָלָֽה׃

... os farei voltar à terra de Patros. Ver sobre este título no *Dicionário*. O próprio Egito é identificado com *Patros*, concordando com a declaração de Jr 44.15. Este lugar se situava no Egito Superior (Ez 30.14; Jr 44.1,15). Segundo a tradição, o Egito, como nação, começou naquele lugar, que era a mãe-terra. Alguns intérpretes acham que o texto implica que o Egito Inferior ficou desabitado, uma suposição desnecessária. Patros simplesmente representa a totalidade do país. A versão portuguesa fala do lugar como a terra de origem do Egito, e a RSV diz "a terra natal".

Embora humilhado, o Egito continuará uma nação viável. Levará muito tempo para que os erros do passado sejam anulados.

29.15

מִן־הַמַּמְלָכוֹת֙ תִּהְיֶ֣ה שְׁפָלָ֔ה וְלֹֽא־תִתְנַשֵּׂ֥א ע֖וֹד עַל־הַגּוֹיִ֑ם וְהִ֨מְעַטְתִּ֔ים לְבִלְתִּ֖י רְד֥וֹת בַּגּוֹיִֽם׃

Uma Medida de Graça. Embora recebendo uma medida de graça para ser restaurado, o Egito "nunca" (segundo a visão limitada do profeta) se aproximaria da sua glória anterior. De fato, seria um poder de terceira classe, humilhado entre os mais excelentes. Não é necessário considerar esta profecia absoluta, pois se aplica aos tempos antigos. Os ptolomeus exaltaram o Egito, embora não ao grau em que o fizeram os faraós antigos. Existem poucos contrastes mais significativos entre a *glória de ontem* e a *humildade de hoje*, do que o apresentado pelo Egito. Naturalmente, hoje o número dos cóticos (descendentes dos egípcios originais) é pequeno. O Egito de hoje é um país árabe, não cótico. Invasões do deserto determinaram o tipo de raça que ocupa o Egito.

29.16

וְלֹ֣א יִֽהְיֶה־עוֹד֩ לְבֵ֨ית יִשְׂרָאֵ֤ל לְמִבְטָח֙ מַזְכִּ֣יר עָוֹ֔ן בִּפְנוֹתָ֖ם אַחֲרֵיהֶ֑ם וְיָ֣דְע֔וּ כִּ֥י אֲנִ֖י אֲדֹנָ֥י יְהוִֽה׃ פ

Já não terá a confiança da casa de Israel. Israel nunca mais dependerá de um aliado tão fraco. O povo sempre lembrará como o Egito o deixou em apuros para enfrentar uma força esmagadoramente superior. Além disso, o Egito, por longo tempo, não terá forças suficientes para enfrentar uma potência de primeira ou de segunda classe. Sendo assim, Israel será *forçado* a depender de Yahweh. A lição principal que Israel aprendeu, de sua experiência com o Egito, foi a de que a nação deve depender de Yahweh, e não de alianças com estrangeiros. Tais alianças eram sempre denunciadas pelos profetas, mas Israel-Judá nunca dera ouvidos às advertências. Os egípcios, vencidos pelo exército babilônico, não mereciam mais a atenção de Israel.

DERROTA DO EGITO PELA BABILÔNIA (29.17-21)

O Segundo Oráculo. Os capítulos 29—32 apresentam *sete* oráculos contra o Egito; dois deles são descritos no capítulo 29, onde se podem ver as notas de introdução a respeito. O Egito, totalmente derrotado, será apresentado a Nabucodonosor como um *salário*. Os exércitos da antiguidade não recebiam dinheiro do Estado, mas faziam das pilhagens seu salário. A Babilônia *ganharia bem*, pilhando os imensos tesouros do Egito. Cada soldado ficaria praticamente rico, e o Estado teria um aumento considerável de riquezas, para encher ainda mais suas tesourarias já gordas. O exército babilônico invadiu o Egito no trigésimo sétimo ano do reinado de Nabucodonosor (c. 568-567 a.C.). O próprio império egípcio não foi incorporado ao império babilônico, como aconteceu com outros países, mas as perdas para o Egito e os ganhos para a Babilônia foram imensos. Jeremias previu a destruição do Egito em termos semelhantes aos de Ezequiel. Ver Jr 43.8-13; 44.30—46.25. Todavia, a destruição não se comparava, em magnitude, à de Judá, mas fora suficiente para tirar do Egito sua glória e colocá-lo entre as nações mais fracas (ver o vs. 16).

Este segundo oráculo contra o Egito é o último de Ezequiel, que foi datado em 25 de abril de 571 a.C. Chegou logo depois que o faraó, obrigado, tornou o general Amosis II seu corregente. Hofra, não muito tempo depois, foi forçado a deixar totalmente o poder e acabou estrangulado pelos conspiradores.

Nabucodonosor não recebeu grande "salário" na pilhagem contra Tiro, porque aquela vitória despendeu grande parte de seus recursos. Em comparação, o salário recebido pela derrota do Egito recuperou as perdas da campanha contra Tiro.

"Esta profecia foi escrita logo depois da derrota de Tiro (572 a.C.). Nabucodonosor levou treze anos para conquistar o império do mar" (Charles H. Dyer, *in loc.*). Foi assim que o exército trabalhou duro e longamente para receber um salário relativamente pequeno. A situação foi revertida no caso da campanha contra o Egito. Antes de sua derrota, Tiro mandou embora boa parte de sua riqueza por portos distantes do mar Mediterrâneo. Outros se beneficiaram, deixando a Babilônia com lucro relativamente pequeno. O caso do Egito foi diferente. A Babilônia levou tanta riqueza daquele país, que praticamente não houve onde armazenar tudo.

29.17

וַיְהִ֗י בְּעֶשְׂרִ֤ים וָשֶׁ֙בַע֙ שָׁנָ֔ה בָּרִאשׁ֖וֹן בְּאֶחָ֣ד לַחֹ֑דֶשׁ הָיָ֥ה דְבַר־יְהוָ֖ה אֵלַ֥י לֵאמֹֽר׃

No vigésimo sétimo ano. Isto é, muitos anos depois do cativeiro de Jeconias, o primeiro, proveniente das três deportações dos judeus para a Babilônia. Aquele ano era o décimo quinto depois da queda de Jerusalém, e o trigésimo sétimo do reinado de Nabucodonosor. Ver as três deportações comentadas nas notas de exposição em Jr 52.28, onde há um gráfico ilustrativo. Ver a introdução à presente seção, para outras notas.

Veio a mim a palavra do Senhor. Esta segunda parte do versículo é a declaração comum que introduz novos materiais e oráculos. Lembra que as mensagens foram inspiradas por Yahweh e que Ezequiel era seu profeta autorizado.

29.18

בֶּן־אָדָ֗ם נְבוּכַדְרֶאצַּ֣ר מֶֽלֶךְ־בָּ֠בֶל הֶעֱבִ֨יד אֶת־חֵיל֜וֹ עֲבֹדָ֤ה גְדֹלָה֙ אֶל־צֹ֔ר כָּל־רֹ֣אשׁ מֻקְרָ֔ח וְכָל־כָּתֵ֖ף מְרוּטָ֑ה וְ֠שָׂכָר לֹא־הָ֨יָה ל֤וֹ וּלְחֵילוֹ֙ מִצֹּ֔ר עַל־הָעֲבֹדָ֖ה אֲשֶׁר־עָבַ֥ד עָלֶֽיהָ׃ ס

Nabucodonosor, rei da Babilônia, fez que o seu exército me prestasse grande serviço contra Tiro. A guerra contra Tiro durou treze longos anos e Nabucodonosor fez seu exército trabalhar arduamente. A fricção dos capacetes em suas cabeças fê-los calvos, porque nunca foi aliviada, já que a guerra continuava. Os ombros dos homens, que carregavam materiais para fazer montes de sítio (para passar por cima dos muros), perderam a pele por causa de tanto peso e fricção. Alexandre, continuando a guerra (numa época posterior), gastou enorme energia, construindo seu caminho artificial para ligar a ilha com a costa. Os corpos dos soldados se alquebraram com tão pesada labuta, porque Tiro não cedeu facilmente. O esforço feito por Alexandre naturalmente foi posterior e não está em pauta neste versículo, mas ilustra como foi difícil derrubar a capital do império fenício.

Não houve paga de Tiro para ele. Tudo era extremamente cansativo e rendeu pouco em "salários" para os soldados e o Estado babilônico. E, quando os soldados finalmente conseguiram derrubar os tirianos, encontraram pouca coisa na ilha para pilhar. Os navios já tinham levado tudo o que era valioso para portos distantes ao redor do mundo mediterrâneo. A campanha contra Tiro, do ponto de vista econômico, não valeu a pena. Nabucodonosor fez o trabalho de Yahweh, destruindo os ímpios de Tiro, mas em termos de salário, Yahweh ficou-lhe devendo. A pilhagem no Egito reverteu a situação e, nesse caso, Yahweh pagou salários muito altos, para a alegria de seus "empregados".

Josefo (*Contra ap.* 1.21) informa que Nabucodonosor conquistou toda a Síria e Fenícia; teve êxito militar, mas, economicamente, lucrou pouco. Em contraste, foi muito mais fácil vencer o Egito, e a vitória rendeu-lhe muitos lucros.

29.19

לָכֵ֗ן כֹּ֤ה אָמַר֙ אֲדֹנָ֣י יְהוִ֔ה הִנְנִ֥י נֹתֵ֛ן לִנְבוּכַדְרֶאצַּ֥ר מֶֽלֶךְ־בָּבֶ֖ל אֶת־אֶ֣רֶץ מִצְרָ֑יִם וְנָשָׂ֤א הֲמֹנָהּ֙ וְשָׁלַ֣ל שְׁלָלָ֔הּ וּבָזַ֖ז בִּזָּ֑הּ וְהָיְתָ֥ה שָׂכָ֖ר לְחֵילֽוֹ׃

Assim diz o Senhor Deus: Eis que eu darei a Nabucodonosor... a terra do Egito. *Adonai-Yahweh* (o Soberano Eterno Deus) pagou excelentes salários aos babilônios por seu trabalho no Egito; afinal, podia ser generoso, porque sua soberania controlava toda aquela situação. Ver no *Dicionário* o artigo intitulado *Soberania de Deus*, bem como o verbete chamado *Teísmo*. A *Providência de Deus*, negativa ou positiva, determina todas as finalidades deste mundo.

Ele levará a sua multidão. A Babilônia levou todas as *riquezas* do Egito. O hebraico literal é *multidão*. A Atualizada preserva o hebraico literal, enquanto a RSV registra *riquezas*.

Esperando a Ceifa. Este versículo nos ensina que: 1. Deus opera sua vontade entre os homens. O Criador não abandonou sua criação, está presente para intervir, para castigar os maus e recompensar os bons. Isto é o *Teísmo* bíblico. Ver sobre este título no *Dicionário*. 2. Haverá uma ceifa, quando os homens colherão o que semearam. Há uma *Lei Moral da Colheita segundo a Semeadura* (ver a respeito no *Dicionário*). 3. Os homens podem substituir a vontade de Deus com "viagens" do ego humano, enganando-se em afirmar que estão servindo a Deus. 4. A vontade de Deus é revelada àqueles que querem obedecer. Esta revelação vem através das profecias, das Escrituras, das experiências místicas e intuitivas e das circunstâncias. Oh, Senhor, concede-nos tal graça!

■ **29.20**

פְּעֻלָּתוֹ אֲשֶׁר־עָבַד בָּהּ נָתַתִּי לוֹ אֶת־אֶרֶץ מִצְרַיִם
אֲשֶׁר עָשׂוּ לִי נְאֻם אֲדֹנָי יְהוִה: ס

Este versículo repete, em essência, a mensagem do vs. 19, acrescentando enfaticamente que Nabucodonosor era o servo de Deus, nas suas conquistas mundiais. Yahweh estava limpando aquela parte do mundo. Jr 25.9 e 27.5 chamam Nabucodonosor de *servo* de Yahweh, porque ele tinha a tarefa de efetuar os julgamentos de Deus sobre as nações ímpias. "Porque tinha realizado os desígnios de Deus contra Tiro, recebeu a promessa de galardão pela pilhagem do Egito" (Adam Clarke, *in loc.*). Cf. Jr 25.9.

■ **29.21**

בַּיּוֹם הַהוּא אַצְמִיחַ קֶרֶן לְבֵית יִשְׂרָאֵל וּלְךָ אֶתֵּן
פִּתְחוֹן־פֶּה בְּתוֹכָם וְיָדְעוּ כִּי־אֲנִי יְהוִה: פ

Farei brotar o poder na casa de Israel. Enquanto as outras nações recebem "salários" de Yahweh, por serviços prestados, é Israel-Judá que, afinal, será grandemente beneficiado no reino do Messias. Alguns intérpretes entendem este versículo escatologicamente. Outros acham que a referência é à restauração, depois do cativeiro babilônico, possibilitada. pelo decreto misericordioso de Ciro.

Poder. *Poder* é, literalmente, o *chifre*, símbolo de poder e de um reino. Também pode significar o *próprio rei*, e alguns acreditam que a referência aqui é ao Messias. O animal usa seu *chifre* para atacar e defender-se, assim é um símbolo apto para poder, reino ou rei. Cf. 1Sm 2.1; 2Sm 22.3; 1Rs 22.11 e Jr 48.25.

E te darei que fales livremente. Ezequiel era o profeta autorizado para entregar a mensagem, e seu ofício seria validado pelos acontecimentos. Os oráculos do profeta eram-lhe intuídos e ele próprio era inspirado para entregá-los.

E saberão que eu sou o Senhor. Normalmente, esta expressão, usada 63 vezes nesse livro, se associa aos julgamentos do Senhor. *Adonai-Yahweh* ficará *conhecido* pela restauração de Israel (ver Ez 16.62 e 28.25,26).

Ez 24.27 é semelhante ao presente versículo e as notas oferecidas ali também se aplicam aqui.

CAPÍTULO TRINTA

Os capítulos 29—32 contêm *sete* oráculos contra o Egito, acompanhados por alguns suboráculos. Os capítulos 25—32 denunciaram *sete nações* com os oráculos de Adonai-Yahweh, o último dos quais era o Egito. *Sete outros oráculos* apresentam uma denúncia detalhada contra aquele país. Ver a introdução ao capítulo 25; e a introdução ao capítulo 29 contém materiais de pano de fundo. Obviamente, não é acidental que haja dois grupos de *sete* oráculos cada. Yahweh, em sua perfeição, revela o plano divino incomparável para as nações. Sua soberania se expressa constantemente em todo o universo.

O DESTINO AMARGO DO EGITO (30.1-26)

Este *grande oráculo* de Yahweh contra o Egito tem quatro suboráculos nos vss. 1-19 deste capítulo. Eles se apresentam em forma poética. Um quinto oráculo (em prosa) se apresenta nos vss. 20-26. Os braços do faraó serão quebrados, simbolizando o fim do seu poder. O exército babilônico fará a tarefa, servindo a Yahweh.

"O dia do Senhor" (vss. 2-5), desde o tempo de Amós (Ez 5.18-20), falava do dia do julgamento (com ou sem uma referência escatológica). Ver Ez 15.5; Is 2.12; Jr 30.7; Zc 1.14-18. Mais tarde, a expressão se aplicou à restauração de Israel, mas também indicava o destino amargo dos gentios" (*Oxford Annotated Bible*, introdução à seção).

Este oráculo não recebe uma data, em contraste com os anteriores. Cada um é introduzido com a declaração "Veio a mim a palavra do Senhor", revelando a inspiração das mensagens: 1. vss. 1-5; 2. vss. 6-9; 3. vss. 10-12; 4. vss. 13-19; 5. vss. 20-26.

Primeiro Oráculo: o Dia do Senhor (30.1-5)

■ **30.1**

וַיְהִי דְבַר־יְהוָה אֵלַי לֵאמֹר:

Veio a mim a palavra do Senhor. Esta é a declaração comum que introduz novos materiais ou oráculos. Lembra-nos de que eram inspirados por Yahweh, sendo Ezequiel seu profeta autorizado. Cf. Ez 13.1; 14.2; 15.1; 16.1.

■ **30.2**

בֶּן־אָדָם הִנָּבֵא וְאָמַרְתָּ כֹּה אָמַר אֲדֹנָי יְהוִה
הֵילִילוּ הָהּ לַיּוֹם:

Filho do homem, profetiza. Yahweh fala com o profeta utilizando seu título comum (anotado em Ez 2.1). O profeta recebe outra mensagem para ser entregue, cumprindo o ofício divino para o qual fora ungido. Este é um oráculo de amargura:

Gemei, Ah! Aquele dia! "Gritai e dizei, o dia terrível está chegando".

NCV

O Egito logo encontraria o julgamento merecido. A devastação seria grande e as perdas, inumeráveis. *Adonai-Yahweh* (o Soberano Eterno Deus) havia pronunciado o decreto e sua soberania seria efetuada. Este título divino é o nome mais comum de Deus, nesse livro, aparecendo 217 vezes.

■ **30.3**

כִּי־קָרוֹב יוֹם וְקָרוֹב יוֹם לַיהוָה יוֹם עָנָן עֵת גּוֹיִם
יִהְיֶה:

Está perto o dia. *O dia temível está perto*; é o dia terrível de Yahweh. Ver no *Dicionário* o artigo intitulado *Dia do Senhor*.

A profecia pode ser *escatológica*, falando de restauração e salvação, mas, no presente texto, não tem estas implicações. Será um dia de nuvens e relâmpagos, chuvas torrenciais, dilúvios descontrolados, aniquilamento. O dia do pecado acabou; a rebelião contra Deus será esmagada; a terra será limpa. Alguns intérpretes veem aqui uma referência escatológica e supõem que o Egito simbolize todas as nações gentílicas, que devem ser humilhadas, antes da ascensão de Israel como cabeça das nações, no reino do Messias.

Dia nublado. As nuvens, metaforicamente, são figuras frequentes de ruína e sofrimento. Ver o vs. 18; Ez 23.7,8; 34.2; Jl 2.2; Sf 1.15. Os julgamentos futuros de Deus são chamados de "o dia do Senhor" (Is 13.6-16; 34.8; Ml 4). O *dia* neste presente texto é *específico*, isto é, o dia tão devastador que aniquilará o Egito. Ver Ez 22.3; 35.5; Jr 8.12; 27.7.

30.4

וּבָאָה חֶרֶב בְּמִצְרַיִם וְהָיְתָה חַלְחָלָה בְּכוּשׁ בִּנְפֹל
חָלָל בְּמִצְרָיִם וְלָקְחוּ הֲמוֹנָהּ וְנֶהֶרְסוּ יְסוֹדֹתֶיהָ:

A espada virá contra o Egito. O dia do Senhor, pronunciado contra o Egito, será quando o exército babilônico atacar o Egito e causar desolação quase total. Será o dia da angústia da Etiópia; um dia de matança generalizada e pilhagem cobiçosa; um dia de ruína das fortificações do Egito, deixando-o exposto às brutalidades arbitrárias do inimigo. O Egito nunca mais se recuperaria para gozar os dias gloriosos do passado, quando os faraós haviam sido os maiores poderes na face da terra. Ver Ez 29.14,15.

Etiópia. Isto é, *Cuxe*. Ver sobre os dois nomes no *Dicionário*. Estão em vista, em termos modernos, o sul do Egito, Sudã, e o norte da Etiópia moderna (Ed 1.1; Jr 46.9; Ez 27.10). Quando o Egito cair, seus aliados entrarão em pânico, sabendo que o seu dia de destruição também está próximo. Com a mãe massacrada, o aniquilamento das filhas não pode estar distante.

Grande dor. Isto é, *angústia*, palavra hebraica frequentemente usada para falar das dores do parto, mas aqui referindo-se às dores da morte. Estão em vista os grandes sofrimentos que vêm *de súbito*.

30.5

כּוּשׁ וּפוּט וְלוּד וְכָל־הָעֶרֶב וְכוּב וּבְנֵי אֶרֶץ הַבְּרִית
אִתָּם בַּחֶרֶב יִפֹּלוּ: פ

O dia do Senhor surpreenderá o Egito e seus aliados com uma fúria singular, resultando em consequências devastadoras. Os aliados serão despedaçados pela mesma espada que terá sacrificado a mãe.

Etiópia. Ver as notas, no vs. 4, e o artigo no *Dicionário*.

Pute. A moderna Líbia (Is 66.19; Jr 46.9; Ez 27.10).

Lude. Habitantes da costa oeste da Ásia Menor. Cf. Ez 27.10. A Septuaginta, o Siríaco e a Vulgata trazem *Líbia*. O hebraico literal é *Cube* (kub.). Se Cube for o correto, então não sabemos qual terra está em vista. Ver sobre este título no *Dicionário*.

Arábia. O deserto povoado por tribos nômades, no sul. Uma emenda textual dá "os povos mistos", que poderia indicar populações estrangeiras (para incluir soldados mercenários) que moravam no Egito, ou que foram seus aliados. Ver Jr 25.20.

Outros aliados. "E o meu povo" (NCV) talvez seja uma referência a Judá que cairá, com os outros mencionados, por ter feito alianças com o odioso Egito. Alguns intérpretes afirmar estar em vista os judeus que moravam no Egito. Ver Jr 42.16-18; 19.22; 44.1-14. De qualquer maneira, a profecia é clara: o Egito e todos os seus aliados encontrarão o mesmo destino amargo, a mesma ruína.

Segundo Oráculo: O Egito e seus Aliados Devem Cair (30.6-9)

30.6

כֹּה אָמַר יְהוָה וְנָפְלוּ סֹמְכֵי מִצְרַיִם וְיָרַד גְּאוֹן עֻזָּהּ
מִמִּגְדֹּל סְוֵנֵה בַּחֶרֶב יִפְּלוּ־בָהּ נְאֻם אֲדֹנָי יְהוִה:

Também cairão os que sustêm o Egito. Yahweh pronunciou seu decreto e sua promessa ameaçadora: todos os que apoiaram o Egito devem cair com a guerra e compartilhar o destino amargo da mãe. O exército babilônico fará um serviço completo, aniquilando a todos. Haverá poucos sobreviventes, e muitos serão levados cativos para a Babilônia, para que o sofrimento continue. *Todo* o Egito será esmagado, de fronteira a fronteira, de *Sevene a Migdol*, o que vemos em Ez 29.10, com as notas principais.

Será humilhado o orgulho do seu poder. O *orgulho* do Egito será baixado à poeira. Ver no *Dicionário* o artigo chamado *Orgulho*. Suas fortificações (torres) ruirão. A máquina de guerra da Babilônia, a melhor do mundo, será efetiva e fará um trabalho rápido e completo.

30.7

וְנָשַׁמּוּ בְּתוֹךְ אֲרָצוֹת נְשַׁמּוֹת וְעָרָיו בְּתוֹךְ־עָרִים
נַחֲרָבוֹת תִּהְיֶינָה:

Serão desolados. O Egito será devastado e todos os territórios ao redor sofrerão o mesmo destino, por terem apoiado o império ímpio. O Egito fundou muitas cidades e assumiu controle sobre outras, pela força. No fim, perderá tudo, tornando-se uma pilha de escombros. Cf. Ez 29.12, que tem descrições semelhantes e notas mais completas. Heródoto (*Euterpe*. 1.2.c.177) informa que o Egito era uma terra de muitas maravilhas, com inumeráveis cidades e obras magníficas. Diodoro Sículo afirma que, no seu auge, o Egito contava com 18 mil cidades e vilas. Heródoto diz que, quando Amasis era o faraó (aquele, depois de Hofra), o lugar tinha 20 mil cidades e vilas. Ptolomeu Lago elevou o número para 30 mil e Teócrito (*Idyl.* 17.v.82), para 33.339! A hipérbole oriental está obviamente operando nestas estatísticas. De qualquer maneira, o Egito era um lugar magnífico, o paraíso do mundo antigo. Os babilônios arrasaram tudo isso, porque seu exército era mais poderoso e porque o decreto de Yahweh ordenou um basta! O *império da iniquidade* tinha de cair.

30.8

וְיָדְעוּ כִּי־אֲנִי יְהוָה בְּתִתִּי־אֵשׁ בְּמִצְרַיִם
וְנִשְׁבְּרוּ כָּל־עֹזְרֶיהָ:

Saberão que eu sou o Senhor. Na devastação, *Yahweh ficará conhecido*, e de maneira singular, no Egito e nos territórios de seus aliados. Esta expressão é usada 63 vezes nesse livro, normalmente associada aos julgamentos divinos, mas, às vezes, à ideia de restauração (como em Ez 16.62; 28.25,26 e 29.21). A justiça de Deus vencerá. Yahweh tinha suas razões para castigar aqueles povos; seus julgamentos satisfizeram as exigências da lei moral de Deus. Era preciso coibir o pecado. Ver no *Dicionário* o artigo intitulado *Lei Moral da Colheita segundo a Semeadura*. Ver também a exposição em Gl 6.7,8, no *Novo Testamento Interpretado*.

30.9

בַּיּוֹם הַהוּא יֵצְאוּ מַלְאָכִים מִלְּפָנַי בַּצִּים
לְהַחֲרִיד אֶת־כּוּשׁ בֶּטַח וְהָיְתָה חַלְחָלָה בָהֶם
בְּיוֹם מִצְרַיִם כִּי הִנֵּה בָּאָה: ס

Em navios. O texto hebraico descreve os mensageiros espalhando a notícia "em navios", o que tem perturbado os intérpretes. A Septuaginta e o Siríaco mudaram *navios* para o adjetivo *rápidos*, descrevendo a urgência dos mensageiros na realização de sua tarefa. Normalmente, leituras difíceis são simplificadas por escribas subsequentes; este princípio, sem dúvida, esteve em ação neste caso. Não há nenhuma explicação clara e suficiente para o texto hebraico, neste lugar. Ver no *Dicionário* o artigo intitulado *Manuscritos Antigos do Antigo Testamento*, para informações gerais, que explicam como as leituras certas são escolhidas, quando há variantes no texto.

Será que os *navios* subiriam ou desceriam o Nilo, para espalhar a mensagem, ou fariam viagens mais longas no mar Vermelho ou no Mediterrâneo, para fazer uma divulgação universal?

Eis que já vem. O julgamento chegará inesperadamente, será rápido e cruel como a dor que pega a mulher que vai dar à luz. Logo, mensageiros trarão as notícias temíveis: o Egito caiu, com todos os seus aliados! A espada os deixará como *carne mutilada*. A notícia temível se espalhará rapidamente e todas as nações tremerão.

Terceiro Oráculo: Nabucodonosor Esmagará o Egito (30.10-12)

30.10

כֹּה אָמַר אֲדֹנָי יְהוִה וְהִשְׁבַּתִּי אֶת־הֲמוֹן מִצְרַיִם בְּיַד
נְבוּכַדְרֶאצַּר מֶלֶךְ־בָּבֶל:

Assim diz o Senhor Deus. *Adonai-Yahweh* (o Soberano Eterno Deus) garante o bom resultado; governando tudo na sua soberania universal, honrará sua promessa. Os homens ceifam o que semeiam. O título divino utilizado aqui ocorre 217 vezes no livro e enfatiza a soberania de Yahweh, que opera segundo as exigências da lei moral. A vontade divina não é arbitrária, como assevera o *voluntarismo*. Ver este título na *Enciclopédia de Bíblia, Teologia e Filosofia*. O voluntarismo é a ideia falaciosa de que a vontade de Deus opera independentemente da razão, ou das leis morais, como os homens as entendem. O calvinismo extremo assevera que uma variedade de fatos advêm do voluntarismo, fazendo de Deus a única causa, e que sua vontade esmaga a todos, menos os eleitos, esquecendo que a *soberania* de Deus está por trás *de seu amor:* "Porque Deus amou o mundo de tal maneira que deu o seu Filho...".

Eu, pois, farei cessar a pompa do Egito. *Adonai-Yahweh* (o Soberano Eterno Deus) pronunciou outro oráculo com *notícias péssimas* para o Egito. Logo haverá um fim para o Egito e toda a sua riqueza e orgulho. Nabucodonosor fará o serviço por Yahweh e receberá um salário espetacular através de pilhagem. As tesourarias da Babilônia se encherão e transbordarão. Armazenar tudo seria um problema para os babilônios. A campanha contra Tiro havia rendido pouco; isto seria compensado pelo salário imenso que a Babilônia ganharia no Egito. Ver Ez 29.18-20.

■ **30.11**

הוּא וְעַמּוֹ אִתּוֹ עָרִיצֵי גוֹיִם מוּבָאִים לְשַׁחֵת הָאָרֶץ וְהֵרִיקוּ חַרְבוֹתָם עַל־מִצְרַיִם וּמָלְאוּ אֶת־הָאָרֶץ חָלָל׃

Desembainharão as suas espadas contra o Egito, e encherão de traspassados a terra. *O Exército Universal.* A Babilônia tinha uma máquina de guerra gigantesca e diversificada, incorporando representantes de muitos povos. Prisioneiros de guerra (os melhores soldados) foram forçados (e/ou sujeitados) a batalhar ao lado dos babilônios nativos. Também houve mercenários de todo o mundo. O Egito, embora um dos poderes principais do mundo, não tinha nenhuma chance contra a Babilônia. A todo-poderosa espada da Babilônia agiria sem misericórdia e discriminação, cortando tudo e todos em pedaços: homens, mulheres, velhos, jovens, crianças e até animais. O povo orgulhoso e idólatra pagaria por seus inumeráveis crimes. A lei moral de Yahweh seria servida (Gl 6.7,8). A Babilônia, embora a força mais temível da época, em breve cairia ante uma força ainda mais *esperta* e poderosa: o império medo-persa.

Aquele reverso histórico chegaria tarde demais para ajudar o Egito. A terra ficaria essencialmente despovoada, e os sobreviventes seriam levados para a Babilônia (Ez 29.12). Uma grande pilhagem transferiria os tesouros do Egito para o norte. Deus escolheu a Babilônia, a mais cruel das nações, como instrumento de seu poder (ver. Ez 28.7; 30.10,11; 32.12). "verdadeiramente, aquele povo maltratava seus cativos" (Charles H. Dyer, *in loc.*).

■ **30.12**

וְנָתַתִּי יְאֹרִים חָרָבָה וּמָכַרְתִּי אֶת־הָאָרֶץ בְּיַד־רָעִים וַהֲשִׁמֹּתִי אֶרֶץ וּמְלֹאָהּ בְּיַד־זָרִים אֲנִי יְהוָה דִּבַּרְתִּי׃ ס

Repetições. Uma característica literária do autor deste livro é a repetição. Assim, este versículo segue o padrão, repetindo itens vistos anteriormente.

Secarei os rios. O Nilo e seus canais (ver Ez 29.3; Is 7.18 e 19.6) ficarão secos, perdendo seu poder sustentador de vida. O Nilo transbordava periodicamente, trazendo fertilidade para o solo, mas sem ele, não haveria agricultura, o coração da vida de qualquer país. Sem o Nilo, o Egito não era nada. O fim do Nilo significava o fim da própria vida do país. O "Nilo seco" é uma *metáfora* para "pôr fim à vida".

Não houve seca literal, devastadora, naquele tempo. A terra seria "vendida" para estrangeiros; o Egito perderia o controle de tudo. *Desolação* seria a palavra do dia, como visto no vs. 7. O instrumento da ruína seria o exército babilônico (ver Ez 7.21; 11.9; 28.7,10 e 30.12). Ver também Is 19.5-10. Tudo aconteceu por decreto de Yahweh, a verdadeira *causa* do que acontece aos homens. Sua palavra deve ser cumprida.

Quarto Oráculo: Yahweh é o Destruidor (30.13-19)

■ **30.13**

כֹּה־אָמַר אֲדֹנָי יְהוִה וְהַאֲבַדְתִּי גִלּוּלִים וְהִשְׁבַּתִּי אֱלִילִים מִנֹּף וְנָשִׂיא מֵאֶרֶץ־מִצְרַיִם לֹא יִהְיֶה־עוֹד וְנָתַתִּי יִרְאָה בְּאֶרֶץ מִצְרָיִם׃

Destruirei os ídolos. Não há, nesse livro, tema mais repetido que este. A Babilônia seria o instrumento do poder de Yahweh, mas *Yahweh* era a causa do que aconteceria. O Poder destruidor por trás das cenas era divino. Para dar uma noção completa da destruição que ia acontecer, este oráculo enumera diversos lugares do Egito que sofreriam. Certamente, nenhuma cidade principal escaparia ao destino terrível que Yahweh planejara. Será que o Egito tinha 20 mil cidades, como falou Heródoto? Ou 30 mil, como afirmou Ptolomeu Lago? Ou 33.339, como disse Teócrito? Uma hipérbole oriental operava nas estatísticas, mas podemos ter certeza de que a devastação seria grande. Cf. o vs. 7.

A idolatria egípcia, uma das mais desgraçadas do mundo, seria o objeto principal da destruição. Os deuses do Egito sofreriam um péssimo dia.

Adonai-Yahweh (o Soberano Eterno Deus) não podia tolerar mais os egípcios e suas muitas *abominações*. Deus, aplicando sua soberania (como o título divino aqui sugere), acabaria com as iniquidades do lugar, inclusive a mais conspícua, a idolatria. Os babilônios realizariam o trabalho por Yahweh, até o último detalhe.

Darei cabo das imagens em Mênfis. *Nofe* (o hebraico literal) significa *Mênfis* (ver a respeito no *Dicionário*). Cf. Os 9.6. Este lugar era famoso por sua idolatria, adorando um verdadeiro panteão de deuses. O deus *Serápis* tinha um templo magnífico naquela cidade. *Ísis* e *Osíris* estavam no topo da lista dos deuses e deusas. Havia templos numeráveis em todo o país, honrando uma variedade doentia de deuses que nem existiam. Mênfis incorporava em si a idolatria de todo o país e, por isso mesmo, mereceu repreensão especial.

Mênfis havia sido a primeira capital do país (c. 3200 a.C.). Deixou de ser a capital, mas reteve sua importância. Houve uma colônia de judeus naquele lugar (Jr 44.1). Ver outros detalhes no artigo correspondente, no *Dicionário*.

O profeta assevera que os principais centros populosos seriam os objetos escolhidos para sofrer a devastação, mas a destruição atingiria também os lugares de menos proeminência. O autor não se cansou de enumerar todas as cidades e vilas que sofreriam. Alguns locais referidos serviam ao propósito de mostrar a *grandeza* da destruição.

Ampla Aniquilação. A vassoura de Nabucodonosor varrerá a terra inteira, e os homens do Egito tremerão, antecipando o terror iminente. O rei da Babilônia substituirá os governantes do Egito por homens especialmente escolhidos para a tarefa.

Não haverá príncipe na terra do Egito, onde implantarei o terror. O pouco que sobraria do Egito seria governado por estrangeiros, uma circunstância humilhante, um toque final da desgraça generalizada.

■ **30.14**

וַהֲשִׁמֹּתִי אֶת־פַּתְרוֹס וְנָתַתִּי אֵשׁ בְּצֹעַן וְעָשִׂיתִי שְׁפָטִים בְּנֹא׃

Mais *três lugares principais* representam o país inteiro que seria devastado.

Patros. Área mais ou menos central, entre Cairo e Aswan; o nome servia de sinônimo para o Egito inteiro. O termo, em tempos posteriores, indicou o Egito Superior. Ver as notas sobre o lugar, em Ez 29.14. Ver também Is 11.1; Jr 44.1 e o artigo correspondente no *Dicionário*.

Zoã. Residência real localizada na região do Delta. Os gregos a chamaram *Tânis* (ver Sl 78.12,43; Is 19.11,13 e os artigos correspondentes no *Dicionário*).

Nô. Esta palavra hebraica se refere a *Tebes*, que se situava ao sul (Egito Superior), a 650 km do Cairo. A moderna *Carnaque* representa a localidade antiga. Jeremias também previu sua ruína (Jr 46.25). Ver o artigo no *Dicionário,* para detalhes.

■ **30.15,16**

וְשָׁפַכְתִּי חֲמָתִי עַל־סִין מָעוֹז מִצְרָיִם וְהִכְרַתִּי אֶת־הֲמוֹן נֹא׃

וְנָתַתִּי אֵשׁ בְּמִצְרַיִם חוּל תָּחִיל סִין וְנֹא תִּהְיֶה לְהִבָּקֵעַ וְנֹף צָרֵי יוֹמָם׃

São especificados *mais lugares,* que serão destruídos, mostrando a natureza generalizada da devastação efetuada pelo exército babilônico.

Derramarei o meu fluxo. Tal qual o fluxo ardente de lava de uma explosão vulcânica, ou como um rio que inunda tudo. "... atearei fogo no Egito e exterminarei..." (vs. 16).

Sim. Isto é, Pelúsio, sofreria ataque direto do fogo divino. A *ira* de Yahweh não poupou nem aquele lugar. *Pelúsio* estava localizada no Delta, mais ou menos a 2 km do mar Mediterrâneo. Era essencialmente uma fortaleza militar que protegia o norte do Egito contra intrusões estrangeiras. Os babilônios, todavia, não teriam nenhum problema em anular esta fortaleza e todas as outras do Egito, deixando-as sem defesa.

Exterminarei. A RSV diz "cortar fora", com a espada, ou como um animal que despedaça sua vítima com os dentes.

Mênfis terá *angústia contínua,* porque os ataques virão repetidamente. Com suas descrições, o autor abrange uma área considerável, porque os lugares citados são distantes uns dos outros, representando todo o Egito, não somente uma área daquele país. O texto enfatiza a *universalidade* dos ataques.

Expressões de Sofrimento. 1. *Fogo* é derramado como a lava de um vulcão. Ver no *Dicionário* o artigo intitulado *Fogo, Símbolo de.* 2. *Golpes cortantes* da espada; os pedaços, como se cortados pelos dentes de animais selvagens, matariam e mutilariam as massas. O massacre eliminaria boa parte da população. 3. O *fogo* volta (vs. 16), como um *incêndio florestal,* atingindo uma área considerável do país. 4. Os *ataques* são contínuos e trazem *angústia.*

■ 30.17

בַּחוּרֵי אָוֶן וּפִי־בֶסֶת בַּחֶרֶב יִפֹּלוּ וְהֵנָּה בַּשְּׁבִי תֵלַכְנָה׃

O profeta cita mais duas cidades por ilustração.

Áven. Ou *On,* que significa *iniquidade.* O nome dado a esta cidade, em Jr 43.13, é *Bete-Semes,* que significa "a casa do sol". Era ali que o deus-sol, *Re-Herakhti,* era adorado. Potífera, sogro de José, era um sacerdote em On (Heliopólis) (Gn 41.45,50; 46.20). O nome grego era *Heliópolis* (ver o artigo no *Dicionário* para detalhes). Era uma importante cidade comercial, militar e religiosa. A Babilônia não respeitaria homem ou deuses, mas varreria tudo, efetuando extensiva devastação.

Pi-Besete. Esta cidade, situada ao noroeste da área do Cairo moderno, no Egito Inferior, não seria poupada. Sua principal divindade adorada era *Bast,* a deusa com cabeça de gato. Os gregos chamavam o lugar de Bubastis.

As duas cidades, Áven e Pi-Besete, eram a flor do Egito. Os jovens fortes seriam massacrados pela espada, perdendo a vida no auge da juventude. Os poucos sobreviventes seriam levados cativos para a Babilônia. Alguns poucos homens, mas principalmente mulheres e crianças, constituiriam os exilados, como aconteceu com Judá. Cf. Ez 29.12. As melhores e as mais belas mulheres aumentariam o número de concubinas nos haréns, e as outras se tornariam escravas, limpando as casas das senhoras da Babilônia. Alguns homens seriam enviados como escravos, para trabalhar nas fábricas e fazendas.

■ 30.18

וּבִתְחַפְנְחֵס חָשַׂךְ הַיּוֹם בְּשִׁבְרִי־שָׁם אֶת־מֹטוֹת מִצְרַיִם וְנִשְׁבַּת־בָּהּ גְּאוֹן עֻזָּהּ הִיא עָנָן יְכַסֶּנָּה וּבְנוֹתֶיהָ בַּשְּׁבִי תֵלַכְנָה׃

Aqui termina a lista de cidades representativas que simbolizam o Egito inteiro.

Tafnes. Localizava-se perto do Canal e ali os faraós tinham um palácio (Jr 43.8). Provavelmente foi este o fato principal que inspirou o profeta a mencioná-la em último lugar; ele quis mostrar que nem os santuários dos reis estariam isentos da destruição; o faraó e seus príncipes estariam incluídos entre as vítimas. Jeremias condenou esta cidade em companhia de Mênfis (Jr 43.7,8).

... se escurecerá o dia. A mensagem foi clara: as cidades principais cairiam; os santuários não escapariam; as classes do Egito, das mais altas às plebeias, seriam vítimas do exército babilônico. A escuridão tomaria conta do país; a pompa e a glória do império seriam apagadas. Nuvens encheriam os céus; os poucos sobreviventes iriam para o cativeiro. Para o símbolo do *dia escuro* (calamidade), cf. o vs. 3; 32.8; Is 3.10; Jl 2.10,31; 3.16; Am 8.9 e Mt 24.29.

Quando eu quebrar ali os jugos do Egito. O Egito, que tinha escravizado outros povos, sujeitando-os a tratamentos cruéis, ele mesmo receberia esse tratamento, cumprindo a *Lex Talionis* (retribuição de acordo com a gravidade do crime; ver a respeito no *Dicionário*).

Suas filhas cairão em cativeiro. As filhas são mencionadas para indicar *todos* os habitantes, mas nos lembram dos sofrimentos *de mulheres* indefesas que seriam maltratadas, encheriam os haréns dos babilônios e se tornariam escravas de homens irracionais e brutais.

■ 30.19

וְעָשִׂיתִי שְׁפָטִים בְּמִצְרָיִם וְיָדְעוּ כִּי־אֲנִי יְהוָה׃ פ

Executarei juízo no Egito. Fica claro que a longa lista de cidades tinha a função de falar sobre o país inteiro, sendo meramente representativa.

Os escravos que o Egito tinha feito seriam libertados, e o país se tornaria escravo de um poder estrangeiro; haveria grande devastação, com a perda de inumeráveis vidas.

E saberão que eu sou o Senhor. *Yahweh ficará conhecido* por seus julgamentos, tema que se repete 63 vezes nesse livro. Às vezes, a expressão se aplica à restauração, falando de Yahweh como o Benfeitor, mas normalmente a ideia é de julgamento. Cf. Ez 16.62; 28.25,26 e 29.21. A tirania egípcia terminará, um tirano tomará conta do Egito e de seus tesouros e maltratará os poucos sobreviventes.

Quinto Oráculo: Os Braços do Faraó Serão Quebrados (30.20-26)

Os outros quatro oráculos foram escritos em forma poética, mas este está em prosa. Sua data foi o dia 19 de abril de 586 (ou segundo alguns, 29 de abril de 587). Este oráculo é o principal dos cinco e pode ser considerado o *quarto* dos *sete* dos capítulos 29—32. Os outros são suboráculos. Ele foi dado quase quatro meses depois da primeira profecia de Ezequiel contra o Egito (Ez 29.1). O décimo primeiro ano foi o número de anos depois do exílio de Jeconias. Ver Jr 52.28, onde anoto as *três* deportações. Os capítulos 25—32 têm *sete* oráculos que condenam *sete nações*: Amom, Moabe, Edom, Filístia, Tiro, Sidom e Egito. Os capítulos 29—32 contêm *sete oráculos* que, elaboradamente, condenam o Egito.

O número *sete* fala da fonte divina dos oráculos, que são perfeitos, completos e certos. Inevitavelmente, Yahweh *intervirá*. Ver no *Dicionário* o artigo intitulado *Teísmo.*

■ 30.20

וַיְהִי בְּאַחַת עֶשְׂרֵה שָׁנָה בָּרִאשׁוֹן בְּשִׁבְעָה לַחֹדֶשׁ הָיָה דְבַר־יְהוָה אֵלַי לֵאמֹר׃

Veio a mim a palavra do Senhor. Além de nos informar a data do *quinto oráculo,* este versículo apresenta a declaração comum que introduz novos materiais ou oráculos. A declaração lembra que os oráculos foram inspirados por Yahweh e que Ezequiel era o seu profeta autorizado.

■ 30.21

בֶּן־אָדָם אֶת־זְרוֹעַ פַּרְעֹה מֶלֶךְ־מִצְרַיִם שָׁבָרְתִּי וְהִנֵּה לֹא־חֻבְּשָׁה לָתֵת רְפֻאוֹת לָשׂוּם חִתּוּל לְחָבְשָׁהּ לְחָזְקָהּ לִתְפֹּשׂ בֶּחָרֶב׃ ס

Filho do homem, eu quebrei o braço de Faraó. Yahweh fala com o profeta utilizando seu título comum (anotado em Ez 2.1). O *braço* (poder) do faraó será quebrado. Aquele braço, que havia causado tanto sofrimento, sempre administrando golpes cruéis, estava chegando ao fim de sua carreira. Agora, o *braço* de Nabucodonosor acabará com o *show* do Egito. Seu tempo para sair do palco está próximo. Seu dia de dominação logo acabará, e iniciará o tempo de tornar-se escravo de outro poder. A espada do Egito cai no chão, porque o braço do faraó se pendura inutilizado. O faraó em vista é Hofra, que governou o Egito de 598 a 570 a.C. "Os braços dos ímpios serão quebrados" (Jr 48.25). O Egito foi derrotado em Carquêmis, na primeira de uma série de batalhas que trouxeram reversos agonizantes para o país. A queda total foi o resultado da acumulação de perdas. Ver Jr 37.5,7 e 2Rs 24.7.

30.22

לָכֵן כֹּה־אָמַר אֲדֹנָי יְהוִה הִנְנִי אֶל־פַּרְעֹה מֶלֶךְ־מִצְרַיִם וְשָׁבַרְתִּי אֶת־זְרֹעֹתָיו אֶת־הַחֲזָקָה וְאֶת־הַנִּשְׁבָּרֶת וְהִפַּלְתִּי אֶת־הַחֶרֶב מִיָּדוֹ׃

Assim diz o Senhor Deus: Eis que eu estou contra Faraó, rei do Egito. *Adonai-Yahweh* (o Soberano Eterno Deus) pronunciou seu decreto, com o poder para efetuá-lo; o decreto era contra o Egito; sua hora de desastre e fim de carreira havia chegado.

Eu. O braço aniquilador é de Yahweh, embora usasse um instrumento humano.

Quebrar-lhe-ei os braços. O plural (braços) substitui o singular do vs. 21. O Egito e seu rei serão totalmente *inutilizados*, e ficarão sem a mínima chance de defender-se ou reagir contra o inimigo. A espada cairá da mão do faraó; o dia dos massacres do Egito, infligidos contra outros povos, acabaria. Haveria vingança e retaliação. A *Lei da Colheita segundo a Semeadura* estaria satisfeita. Ver este título no *Dicionário*.

Nabucodonosor quebrou um braço de Hofra, em Carquêmis; terminou quebrando o outro em batalhas subsequentes. Cf. Ez 29.1-16.

30.23

וַהֲפִצוֹתִי אֶת־מִצְרַיִם בַּגּוֹיִם וְזֵרִיתִם בָּאֲרָצוֹת׃

Espalharei os egípcios entre as nações. Depois da devastação do Egito, os poucos sobreviventes foram espalhados entre as nações ao redor; alguns fugiram para os Estados vizinhos, mas a maioria terminou na Babilônia, no cativeiro. Vemos a mesma informação em Ez 29.12, um paralelo direto, cujas notas também se aplicam aqui. A *espada do Senhor* operava através de instrumentos humanos; Yahweh, exercitando sua soberania entre as nações, agia segundo a lei moral. A dispersão do Egito é mencionada novamente no vs. 26.

30.24

וְחִזַּקְתִּי אֶת־זְרֹעוֹת מֶלֶךְ בָּבֶל וְנָתַתִּי אֶת־חַרְבִּי בְּיָדוֹ וְשָׁבַרְתִּי אֶת־זְרֹעוֹת פַּרְעֹה וְנָאַק נַאֲקוֹת חָלָל לְפָנָיו׃

Fortalecerei os braços do rei da Babilônia. Poderes caíram e outros subiram. Yahweh, tendo quebrado os braços do Egito, fortaleceu os da Babilônia; é a soberania de Deus determinando o destino das nações.

Gemerá como geme o traspassado. O Egito, recebendo o golpe mortal, agonizará. A crueldade sempre foi o deus do campo de batalha; agora era a vez de o Egito gemer, pois fizera muitos povos gemer com sua crueldade. O faraó Hofra, assassinado por outros egípcios, emitirá o gemido mais horripilante.

30.25

וְהַחֲזַקְתִּי אֶת־זְרֹעוֹת מֶלֶךְ בָּבֶל וּזְרֹעוֹת פַּרְעֹה תִּפֹּלְנָה וְיָדְעוּ כִּי־אֲנִי יְהוָה בְּתִתִּי חַרְבִּי בְּיַד מֶלֶךְ־בָּבֶל וְנָטָה אוֹתָהּ אֶל־אֶרֶץ מִצְרָיִם׃

Repetições. Uma característica literária deste livro é a repetição. Este versículo é composto totalmente de itens vistos em outras passagens. Os braços do faraó penderão inúteis, e os da Babilônia se levantarão; o agente de tudo é Yahweh; a *espada* dos babilônios será o instrumento das calamidades.

Saberão que eu sou o Senhor. Yahweh *ficará conhecido* através desses atos de julgamento. O Juiz efetuará sua vontade entre os homens. O mundo inteiro receberá uma visão mais nítida do poder e da justiça de Adonai-Yahweh, um tema que se repete 63 vezes nesse livro. Cf. o vs. 19.

30.26

וַהֲפִצוֹתִי אֶת־מִצְרַיִם בַּגּוֹיִם וְזֵרִיתִי אוֹתָם בָּאֲרָצוֹת וְיָדְעוּ כִּי־אֲנִי יְהוָה׃ ס

Este versículo repete os vss. 23 e 19: a dispersão do Egito (vs. 23) e o fato de que Yahweh será conhecido através dos acontecimentos (vs. 19). A lei da colheita segundo a semeadura será satisfeita (ver as notas explicativas em Gl 6.7,8, no *Novo Testamento Interpretado*).

CAPÍTULO TRINTA E UM

Os capítulos 25—32 contêm *sete* oráculos contra *sete nações* que tinham relações com Israel. Então, os capítulos 29—32 têm *sete* oráculos contra o Egito, a sétima nação da série composta por Amom, Moabe, Edom, Filístia, Tiro, Sidom e Egito. Os *sete* oráculos dificilmente poderiam ser arbitrários. Os julgamentos de Yahweh são divinos, perfeitos e completos, operando sua vontade neste mundo.

Ver as introduções aos capítulos 25 e 29, para mais detalhes. O presente capítulo ilustra a similaridade entre a Assíria e o Egito. Os dois eram países de poder extensivo, mas sofreram quedas fatais, pela força divina que funciona neste mundo. Ambos eram pecadores orgulhosos e autoexaltados, embora sua autoexaltação não os tivesse ajudado no dia da calamidade.

SIMILARIDADES ENTRE O EGITO E A ASSÍRIA (31.1-18)

Este capítulo se divide naturalmente em duas partes: 1. O Egito como um grande cedro, alegoria que ensina que os orgulhosos, inevitavelmente, têm uma queda temível, pelo poder dos Céus (vss. 1-9). 2. O Egito cairá e terminará no próprio seol (vss. 10-18).

O Egito como o grande cedro (31.1-9)

"A Alegoria do cedro (cf. o capítulo 17). A data deste oráculo foi o dia 21 de junho de 587 a.C. Ezequiel empregou um mito antigo da Babilônia para apresentar seu tema, como no caso de Tiro (Ez 28.1-5): a causa da queda do Egito era o seu *orgulho* e irresponsabilidade política, Ez 29.6-8" (*Oxford Annotated Bible*, comentando o vs. 1).

31.1

וַיְהִי בְּאַחַת עֶשְׂרֵה שָׁנָה בַּשְּׁלִישִׁי בְּאֶחָד לַחֹדֶשׁ הָיָה דְבַר־יְהוָה אֵלַי לֵאמֹר׃

No undécimo ano, no terceiro mês, no primeiro dia do mês. Ver a data citada acima. O mesmo ano está em vista, assim como em Ez 30.20, mas dois meses depois. O ano décimo primeiro se conta a partir do ano em que o rei Jeconias, de Judá, foi exilado na Babilônia. Houve três deportações. Ver as notas sobre estes fatos em Jr 52.28.

Veio a mim a palavra do Senhor. O restante do versículo repete a declaração comum que introduz novos materiais e oráculos, informando que as mensagens eram divinamente inspiradas e que Ezequiel era o profeta autorizado por Yahweh. Cf. Ez 13.1; 14.2; 15.1; 16.1.

31.2

בֶּן־אָדָם אֱמֹר אֶל־פַּרְעֹה מֶלֶךְ־מִצְרַיִם וְאֶל־הֲמוֹנוֹ אֶל־מִי דָּמִיתָ בְגָדְלֶךָ׃

Filho do homem, dize a Faraó, rei do Egito, e à multidão do seu povo. Yahweh fala com o profeta utilizando seu título comum (anotado em Ez 2.1). Este oráculo seria entregue ao *faraó* e à sua *multidão*, o país inteiro. Está em pauta o faraó Hofra, que reinou no Egito de 589 a 570 a.C. Ele e seus homens poderosos (os príncipes) se sentiram seguros pelo fato de serem como um cedro alto, forte e exaltado perante todas as nações.

A quem és semelhante na tua grandeza? O contexto mostra que os assírios eram semelhantes aos egípcios em sua grandeza, orgulho e poder, mas também, em sua queda. Os orgulhosos terminam no mesmo abismo.

31.3

הִנֵּה אַשּׁוּר אֶרֶז בַּלְּבָנוֹן יְפֵה עָנָף וְחֹרֶשׁ מֵצַל וּגְבַהּ קוֹמָה וּבֵין עֲבֹתִים הָיְתָה צַמַּרְתּוֹ׃

A Assíria era como um cedro no Líbano. O Líbano era famoso por causa de seus muitos cedros nobres, mas o *mais nobre* e exaltado era a Assíria. O cedro era uma árvore apta para a alegoria, por ser alto, forte, ter ramos abundantes e uma beleza singular, e por estar livre de doenças. "O seu topo estava entre as nuvens" (NCV). O hebraico traz *ramos grossos,* mas a Septuaginta fala dos "ramos nas nuvens", que alguns eruditos consideram o texto original. O texto não quer fazer do Líbano a sede do império assírio, mas declara simplesmente que aquele império era *como* os cedros daquele lugar. De fato, a Assíria era o cedro *mais nobre* entre muitos nobres e fortes. Ver no *Dicionário* o artigo intitulado *Cedro,* que dá detalhes interessantes.

O cedro, na Assíria, era considerado uma árvore sagrada, fato que possivelmente inspirou a alegoria do cedro deste texto. Cedros, cercados com anéis de bronze, se localizavam nos lados do templo principal da capital de Sargom. Provavelmente estes cedros tinham um significado cósmico na mente dos assírios. Os antigos, das terras mencionadas na Bíblia, tinham um respeito exagerado concernente às árvores. Eles acreditavam que havia algo de divino nelas e os santuários eram sempre decorados com árvores nobres.

■ 31.4

מַ֣יִם גִּדְּל֔וּהוּ תְּה֖וֹם רֹֽמְמָ֑תְהוּ אֶת־נַהֲרֹתֶ֗יהָ הֹלֵךְ֙ סְבִיב֣וֹת מַטָּעָ֔הּ וְאֶת־תְּעָלֹתֶ֣יהָ שִׁלְחָ֔ה אֶ֖ל כָּל־עֲצֵ֥י הַשָּׂדֶֽה׃

As águas o fizeram crescer. Água, tão vital à vida, fluía abundantemente na Assíria. O cedro-Assíria tinha raízes profundas e cresceu para o alto, mostrando sua beleza e altura augusta para serem vistas por todos. Além das águas fluindo ao redor, havia *poços profundos* (NCV) que aguavam as raízes do glorioso cedro. A árvore contava até com rios fluindo ao redor, garantindo uma vida farta. Com tudo sob controle e nada faltando, a Assíria tornou-se o maior império do mundo de seu tempo. Devemos entender que a história do Egito é paralela à da Assíria, todas as coisas se duplicando nele também. O Egito tinha o poderoso Nilo e seus muitos canais para garantir o bem-estar. Até aquele dia, a Assíria fora o único poder da Mesopotâmia que conseguira invadir o Egito, tendo destruído sua capital, Tebes. Cf. Na 3.8-10. Outro poder da Mesopotâmia derrubou a Assíria (a Babilônia) e também invadiu o Egito. Provavelmente essas associações históricas influenciaram a escolha da alegoria desta seção. Assíria e Egito tinham os fluxos dos bens de outros países aumentando seu bem-estar e riqueza. Os riachos (nações) foram fornecedores, forçados ou voluntários, de riquezas e benefícios. O Targum traz: "Pelos povos ele era multiplicado; por seus auxiliares tornou-se forte".

■ 31.5

עַל־כֵּן֙ גָּבְהָ֣א קֹֽמָת֔וֹ מִכֹּ֖ל עֲצֵ֣י הַשָּׂדֶ֑ה וַתִּרְבֶּ֣ינָה סַֽרְעַפֹּתָ֗יו וַתֶּאֱרַ֙כְנָה֙ פֹארֹתָ֔יו מִמַּ֥יִם רַבִּ֖ים בְּשַׁלְּחֽוֹ׃

... se elevou a sua estatura sobre todas as árvores. Com toda a ajuda de outros povos, a Assíria cresceu e tornou-se orgulhosa, como um glorioso cedro no meio de humildes pinheiros. Nos cedros (Assíria e Egito), foram construídos muitos ninhos de aves, significando que outras nações ficaram sujeitas e dependentes das mães. Devemos entender, constantemente, que o que se fala da Assíria também se aplica ao Egito, que "era como" o outro (vs. 2).

Os dois cedros eram iguais no poder, na glória, na riqueza e na exaltação. A Assíria tinha o rio Tigre, o Egito, o Nilo, símbolos de rico fornecimento de todas as coisas boas. O Targum traz: "... Ele foi elevado, no seu poder, acima dos reis da terra, e seu exército se multiplicou. Seus auxiliares prevaleceram sobre muitos povos, através de suas vitórias".

■ 31.6

בִּסְעַפֹּתָ֤יו קִֽנְנוּ֙ כָּל־ע֣וֹף הַשָּׁמַ֔יִם וְתַ֣חַת פֹּארֹתָ֔יו יָלְד֖וּ כֹּ֣ל חַיַּ֣ת הַשָּׂדֶ֑ה וּבְצִלּ֣וֹ יֵֽשְׁב֔וּ כֹּ֖ל גּוֹיִ֥ם רַבִּֽים׃

Todas as aves do céu se aninhavam nos seus ramos, todos os animais do campo geravam debaixo da sua fronde. As árvores atraem as aves e os animais, por serem "lares" convenientes, fornecendo frutos, sombra e folhagem que os protege contra os ventos e tempestades. Como os animais dependem das árvores e de seus dons gratuitos, assim muitos povos se aliaram à Assíria e ao Egito, voluntária ou forçosamente. Suas economias se uniram; houve intercâmbio e interdependência. Os animais silvestres se reproduziram à sombra das árvores, assim a população cresceu e a riqueza aumentou. A árvore lança uma sombra de proteção e conforto, e os animais correm para aproveitar essa circunstância. Poder sobre outros e prosperidade à custa de todos as são principais ideias desta parte da alegoria. O Targum registra: "Por seu exército subjugou todas as torres fortes e sob seus governadores sujeitou todas as províncias da terra; à sua sombra, povos numerosos habitaram". Cf. Ez 17.23 e Dn 4.12,21. Ver também Mt 13.32.

■ 31.7

וַיְּיִ֣יף בְּגָדְל֔וֹ בְּאֹ֖רֶךְ דָּֽלִיּוֹתָ֑יו כִּֽי־הָיָ֥ה שָׁרְשׁ֖וֹ אֶל־מַ֥יִם רַבִּֽים׃

A sua raiz estava junto às muitas águas. As raízes procuraram uma vida farta e se saturaram com as águas abundantes; como resultado, o cedro cresceu rapidamente e ficou grandioso. Tinha ramos extraordinariamente longos, com folhagem grossa e rica. Adquiriu todas as características de beleza e grandeza. Era o cedro Real, a inveja de todos os reinos da terra. Dominou todas as outras árvores da floresta, que, obviamente, lhe eram inferiores.

■ 31.8

אֲרָזִ֣ים לֹֽא־עֲמָמֻהוּ֮ בְּגַן־אֱלֹהִים֒ בְּרוֹשִׁ֗ים לֹ֤א דָמוּ֙ אֶל־סְעַפֹּתָ֔יו וְעַרְמֹנִ֥ים לֹֽא־הָי֖וּ כְּפֹֽארֹתָ֑יו כָּל־עֵץ֙ בְּגַן־אֱלֹהִ֔ים לֹא־דָמָ֥ה אֵלָ֖יו בְּיָפְיֽוֹ׃

Os cedros no jardim de Deus não lhe eram rivais. *Hipérbole Oriental.* Tão grandioso era aquele cedro, que se exaltou até acima das árvores do jardim de Deus, o Éden, o lugar onde *Deus* plantou a sua glória e manifestou sua presença. Cf. Ez 28.11-19. Presumivelmente, o *Éden* não tinha rivais, pois pertencia à época da inocência, antes que o pecado arruinasse tudo. Mas o cedro pagão, cheio de iniquidades, conseguiu *superar* o Éden, o jardim de Deus! "Esta árvore tão grandiosa não se igualava a nenhuma outra árvore de Deus. De fato, era a *inveja* de todas as árvores do próprio Éden" (Charles H. Dyer, *in loc.*).

Ver no *Dicionário* o artigo intitulado *Éden, Jardim do,* para materiais que podem ilustrar o presente texto. A localidade tradicional do Éden é dentro das fronteiras da Assíria, fato que pode ter influenciado a utilização deste item na alegoria.

■ 31.9

יָפֶ֣ה עֲשִׂיתִ֔יו בְּרֹ֖ב דָּלִיּוֹתָ֑יו וַיְקַנְאֻ֙הוּ֙ כָּל־עֲצֵי־עֵ֔דֶן אֲשֶׁ֖ר בְּגַ֥ן הָאֱלֹהִֽים׃ ס

Todas as árvores do Éden... tiveram inveja dele. *Repetições.* Este versículo repete as ideias apresentadas em outros trechos, acrescentando o fato de que as outras árvores sentiram *inveja* do grandioso cedro assírio (e, então, do magnífico Egito). Certamente, no seu dia de glória, o Egito era o Príncipe dos cedros. As outras nações o invejavam e o imitavam, esperando compartilhar algo da sua eminência. Note-se bem que *Yahweh* deu aos cedros sua majestade, pois a vontade de Deus determina o destino das nações. A Assíria, depois o Egito, completaram seus dias de importância e caíram no esquecimento. O poder de Yahweh levantou *outros cedros* que teriam seu tempo de poder. O Targum traz: "Fui eu quem o fez belo pela multidão de seus poderosos; todos os reis do Oriente tremeram perante o trono que Yahweh lhe deu".

A Assíria e o Egito superaram até mesmo as árvores do Éden, o jardim de Deus, e *elas* invejaram os dois cedros nobres. O autor fala em termos superlativos, aplicando sua hipérbole oriental. As árvores "quiseram ser como ele" (NCV). Houve inveja e emulação.

A Queda do Egito e sua Descida para o Seol (31.10-18)

O cedro nobre, que tinha sua cabeça nas nuvens (vss. 3 e 10), de súbito foi lançado para baixo da superfície da terra, isto é, para o *Seol* (ver a respeito no *Dicionário*). A maioria das referências ao seol, no Antigo Testamento, fala meramente do *sepulcro,* mas aos poucos a doutrina se desenvolveu e o lugar passou a ser descrito como uma câmara sob a superfície da terra. A alma dos bons e a dos maus habitariam aquele lugar, sem distinção de posição. Finalmente, a câmara foi dividida em dois compartimentos, um para os maus e outro para os bons. Para o desenvolvimento da doutrina, ver o artigo denominado *Hades*, no *Dicionário* e na *Enciclopédia de Bíblia, Teologia e Filosofia*. Ver os vss. 14 e 16 do presente capítulo. Não é provável que o presente texto faça referência a um julgamento pós-túmulo, doutrina que pertence a uma época posterior. Devemos evitar interpretações anacrônicas. O texto fala do fim *físico* de um grande império, não de sofrimentos de almas no mundo inferior.

O Poderoso Orgulhoso não poderia reter sua posição no mundo, porque Yahweh castigaria seu orgulho, que fora também a principal ofensa de Tiro (Ez 28.17). Ver no *Dicionário* o artigo intitulado *Orgulho*.

Os vss. 10-18 formam a segunda parte do oráculo contra o *cedro* (Egito). Cf. este texto com a queda da Babilônia para o seol (Is 14.1-32). Ver também Ez 26.19-21, a descida de Tiro para o mesmo lugar.

Os *vss. 1-9* descrevem a exaltação, o poder e a glória do cedro; os *vss. 10-18*, o julgamento que tirou do Egito seus privilégios e sua própria vida.

Vss. 10-18. "Deus derrubará o cedro; a vida que o cedro protegeu será dispersada, e ele mesmo descerá para o seol (cf. Ez 28.8-10). Naquele lugar, o cedro deitará, não com os mortos honrados, mas com aqueles que sofreram morte prematura e desonrada. Na morte, o cedro será distinguido dos cedros nobres do Éden. Mais tarde, surgirá a Árvore-Mundo (a árvore da vida), tema que se tornou comum no pensamento apocalíptico do Oriente Próximo" (*Oxford Annotated Bible*, introdução à seção).

■ 31.10

לָכֵן כֹּה אָמַר אֲדֹנָי יְהוִה יַעַן אֲשֶׁר גָּבַהְתָּ בְּקוֹמָה וַיִּתֵּן צַמַּרְתּוֹ אֶל־בֵּין עֲבוֹתִים וְרָם לְבָבוֹ בְּגָבְהוֹ:

Assim diz o Senhor Deus. Esta frase fala de um *decreto* de Yahweh. O título *Adonai-Yahweh* (o Soberano Eterno Deus) é usado 217 vezes nesse livro, mas somente 103 no restante do Antigo Testamento. Ele enfatiza a soberania de Deus que está por trás do destino dos homens e das nações. Esta soberania não suporta o orgulho humano.

Como sobremaneira se elevou... O *orgulho* do Egito foi a principal causa da sua queda (ver os vss. 10,11; 28.1-5; 29.3; 32.2; Dt 4.30). O cedro autoexaltado, com a cabeça nas nuvens, atraiu a atenção divina e logo foi decepado (ver o vs. 3). O Egito tinha um coração arrogante, uma mente exaltada e era cheio de presunção.

Cf. os *olhos altivos* de Pv 6.17. Ver os humildes e os orgulhosos contrastados em Pv 11.2; 13.10; 14.3; 15.25; 16.5,18; 18.12; 21.4; 30.12,32. Ver o orgulho de Judá em Ez 16.56, e o de Tiro, em Ez 27.3; 28.2. Cf. Is 10.8-15; 36.18-20; 37.10-13, onde temos ideias paralelas.

■ 31.11

וְאֶתְּנֵהוּ בְּיַד אֵיל גּוֹיִם עָשׂוֹ יַעֲשֶׂה לוֹ כְּרִשְׁעוֹ גֵּרַשְׁתִּהוּ:

Eu o entregarei na mão da mais poderosa das nações, que lhe dará o tratamento segundo merece a sua perversidade. O cedro arrogante (Egito) será cortado e aniquilado pelo machado de Yahweh (a Babilônia). Nabucodonosor ainda estava no "meio-dia" de seu poder, mas a carreira do Egito logo acabaria na escuridão. O julgamento obedeceu à lei da colheita segundo a semeadura (Gl 6.7,8). Seguiu as exigências da lei moral, que nunca é arbitrária. Devemos rejeitar o *Voluntarismo* (ver a respeito no *Dicionário*), que supõe que a vontade de Deus opera irracional e imoralmente (segundo os homens definem estes termos). Os julgamentos de Deus são sempre racionais e morais, em termos que os homens podem entender, porque, afinal, a lei foi dada *aos homens* por Deus, o padrão da moralidade.

Lançá-lo-ei fora. A árvore foi lançada fora do jardim, uma metáfora desajeitada mas perfeitamente inteligível. A alusão obviamente é à história de como Adão e Eva foram lançados fora do jardim do Éden. Nabucodonosor, no seu primeiro ano como rei da Babilônia, venceu a arrogante Assíria (o primeiro cedro) e não teria nenhuma dificuldade em cortar e derrubar o segundo cedro (Egito). O rei, mais velho e mais experiente na arte (?) da guerra, tornou-se uma força irresistível. Cf. Ez 28.7; 30.11; 32.12 e ver no *Dicionário* o artigo intitulado *Babilônia*.

■ 31.12

וַיִּכְרְתֻהוּ זָרִים עָרִיצֵי גוֹיִם וַיִּטְּשֻׁהוּ אֶל־הֶהָרִים וּבְכָל־גֵּאָיוֹת נָפְלוּ דָלִיּוֹתָיו וַתִּשָּׁבַרְנָה פֹארֹתָיו בְּכֹל אֲפִיקֵי הָאָרֶץ וַיֵּרְדוּ מִצִּלּוֹ כָּל־עַמֵּי הָאָרֶץ וַיִּטְּשֻׁהוּ:

Os mais terríveis estrangeiros das nações o cortaram. O *cedro magnificente* será derrubado e abandonado. As aves do céu e os animais da floresta, que tinham feito seus lares nos ramos densos, fugirão, tentando salvar a sua vida, o que mostra que os aliados do Egito procurarão outras alianças, abandonando o pai *derrotado*. Esta árvore gigantesca, cujos ramos cobriram as montanhas e os vales, não terá mais acesso às águas abundantes da vida, morrerá e secará, encolhendo-se para o nada. Onde ontem houve vida abundante e próspera, hoje há morte. Cf. os vss. 6 e 17. Os *madeireiros* serão os estrangeiros desprezados, os peritos em genocídio. Não haverá misericórdia. Como a Assíria, também o Egito, pelas mãos dos mesmos *madeireiros,* cairá.

■ 31.13

עַל־מַפַּלְתּוֹ יִשְׁכְּנוּ כָּל־עוֹף הַשָּׁמָיִם וְאֶל־פֹּארֹתָיו הָיוּ כֹּל חַיַּת הַשָּׂדֶה:

Todas as aves do céu habitarão na sua ruína. Os aliados correm para salvar a vida: primeiro fugirão e logo voltarão para habitar nas ruínas, esperando aproveitar alguma coisa que não tenha sido destruída. Os aliados da Assíria, depois os do Egito, voltarão, procurando faturar na pilhagem do que restou. "Não há nenhuma inconsistência entre este versículo e o anterior. À queda do Egito, todas as nações fugirão, tentando evitar a catástrofe. Mas, uma vez que a poeira se assente, voltarão para ver se podem obter algo do tronco e dos ramos, que porventura tenha escapado à ruína quase total" (Ellicott, *in loc.*).

Recentemente, através das notícias, fomos informados de como os bancos da Suíça se aproveitaram da agonia dos judeus na Segunda Guerra Mundial, confiscando dinheiro, ouro e itens valiosos, que foram depositados por eles na hora de sua provação. Aprendemos que até certos judeus ricos (distantes da guerra) fizeram a mesma coisa com o dinheiro dos menos afortunados. As aves de rapina e as bestas selvagens não sentiram a dor daqueles que sofreram, mas, com olhos de cobiça, confiscaram seus bens.

"As aves vêm e pousam sobre os ramos, colhendo o que podem, e as bestas, embaixo dos ramos, procuram qualquer coisa de valor" (John Gill, *in loc.*).

■ 31.14

לְמַעַן אֲשֶׁר לֹא־יִגְבְּהוּ בְקוֹמָתָם כָּל־עֲצֵי־מַיִם וְלֹא־יִתְּנוּ אֶת־צַמַּרְתָּם אֶל־בֵּין עֲבֹתִים וְלֹא־יַעַמְדוּ אֲלֵיהֶם בְּגָבְהָם כָּל־שֹׁתֵי מָיִם כִּי־כֻלָּם נִתְּנוּ לַמָּוֶת אֶל־אֶרֶץ תַּחְתִּית בְּתוֹךְ בְּנֵי אָדָם אֶל־יוֹרְדֵי בוֹר: ס

As árvores orgulhosas, autoexaltadas, elevam a cabeça às nuvens e não sabem que logo serão derrubadas pelo poder vingador de *Adonai-Yahweh*. Depois da queda dos dois grandes cedros (a Assíria e o Egito), outras árvores seguiram seus maus exemplos, ignorando, de propósito, o fim do drama dos dois, que foi uma morte vergonhosa. Elas também terminarão na cova, o seol. Lá se ajuntarão aos mortos que as precederam.

Com os que descem à cova. "Tinham descido aonde os mortos estão" (NCV). Não sabemos dizer até que ponto da evolução da doutrina do seol chegara o pensamento do profeta. Este versículo pode falar meramente da *morte física*, ilustrada pela metáfora de "descer embaixo da terra", para uma câmara aí. Ou talvez o profeta já tivesse alcançado o estágio no qual os judeus começaram a pensar que *almas* habitam a câmara. Originalmente, *Seol* significava somente a morte biológica, sob a figura de uma *metáfora* (indo para baixo da superfície da terra, como no sepultamento). Segundo o desenvolvimento posterior, fragmentos de seres humanos, *fantasmas* sem razão ou vida real, voavam ao redor da câmara subterrânea. Eles não eram considerados *almas* (como o termo se definiria mais tarde). Não tinham memória nem autoconsciência, porém eram mais do que nada. Aos poucos, os fantasmas tornaram-se almas, verdadeiros seres, mas todas as almas habitavam a mesma câmara, sob as mesmas condições miseráveis. Mais tarde, a câmara (nos livros apócrifos e pseudepígrafos) se dividiu em dois compartimentos, um para as almas boas e o outro para os ímpios. Lucas 16 se insere nesse estágio da doutrina. Em 1Enoque, os fogos de castigo foram acesos; houve um *rio de fogo* que no Apocalipse tornou-se o *lago de fogo* (Ap 19.20; 20.10). Neste estágio, *o castigo* começou no seol. 1Pe 3.18—4.6 melhorou a doutrina, informando que Cristo teve uma missão redentora no *Hades* (ver a respeito no *Dicionário*). Ver também na *Enciclopédia de Bíblia, Teologia e Filosofia* o verbete intitulado *Descida de Cristo ao Hades*.

A Evolução da Doutrina. Podemos seguir a trilha do desenvolvimento da doutrina, em Sl 88.10; 139.8; Is 14.6; 29.4 e Pv 5.5. Lucas 16 preserva o desenvolvimento da doutrina, que se realizou entre os dois Testamentos, nos livros apócrifos e pseudepígrafos.

Ezequiel não fornece um quadro claro sobre o que ele pensava a respeito do seol, mas ensina que os homens maus terminam mal. Cf. Ez 26.20; 28.8; 32.18,24,25,29,30.

31.15

כֹּה־אָמַר אֲדֹנָי יְהוִה בְּיוֹם רִדְתּוֹ שְׁאוֹלָה הֶאֱבַלְתִּי כִּסֵּתִי עָלָיו אֶת־תְּהוֹם וָאֶמְנַע נַהֲרוֹתֶיהָ וַיִּכָּלְאוּ מַיִם רַבִּים וָאַקְדִּר עָלָיו לְבָנוֹן וְכָל־עֲצֵי הַשָּׂדֶה עָלָיו עֻלְפֶּה׃

Assim diz o Senhor Deus... fiz eu que houvesse luto. Adonai-Yahweh (o Soberano Eterno Deus) decretou um dia de lamentação para comemorar a morte do poderoso cedro que está agora deitado no chão. Está ali postado, mas não abandonado, porque seus aliados anteriores estão pilhando tudo o que podem (vs. 13). As outras nações lamentam a sua queda, agora no seol. Até a cova, o próprio seol, lamentará a queda do gigante (segundo a leitura da Septuaginta). O hebraico literal, que confunde os eruditos, é "cobrirei a profundeza por ele". A NCV fala dos *riachos profundos*, possível referência ao abismo das águas que, supostamente, serviam de alicerce para a terra. As águas do abismo serão confinadas, deixando a terra seca e improdutiva. Nessa condição, as árvores não se desenvolverão. As águas pararam, participando da lamentação do Cedro, recusando produzir mais cedros como ele. Yahweh fechou o fluxo das águas, secou a terra, e julgou todos os orgulhosos já formados e aqueles em estágio de formação. O Líbano, que produziu os cedros magníficentes, se ajunta à lamentação generalizada. Seu "filho" mais glorioso foi derrubado e está no seol, acompanhando os mortos que habitam aquele lugar. Outros cedros também descerão para o seol, para fazer companhia ao grande cedro (vs. 16). Este será o resultado da seca de Yahweh, que acaba com a vida dos orgulhosos.

31.16

מִקּוֹל מַפַּלְתּוֹ הִרְעַשְׁתִּי גוֹיִם בְּהוֹרִדִי אֹתוֹ שְׁאוֹלָה אֶת־יוֹרְדֵי בוֹר וַיִּנָּחֲמוּ בְּאֶרֶץ תַּחְתִּית כָּל־עֲצֵי־עֵדֶן מִבְחַר וְטוֹב־לְבָנוֹן כָּל־שֹׁתֵי מָיִם׃

Fiz tremer as nações. O choque da queda do grande cedro foi tão violento e seu peso foi tão imenso, que um *terremoto* resultou, sacudindo todas as nações da terra. O *som* de sua queda era horripilante e fez tremer todos os homens. De fato, os horríveis sons do terremoto assustam os que estão perto. O cedro desce para o seol, acompanhado por árvores mais humildes, todas elas orgulhosas e ímpias. Até as árvores do Éden terminarão no abismo. As melhores compartilharão o triste destino do cedro magnífico.

A implicação da primeira parte deste versículo é que uma *divisão* da câmara, em dois compartimentos, não fora contemplada na doutrina do profeta. Mas o restante do versículo fala de *consolo*, cujo significado intérpretes se debatem para encontrar.

... se consolarão nas profundezas da terra. O decreto divino forneceu algum tipo de conforto no seol, mas como defini-lo testa os nervos dos eruditos, que oferecem uma variedade de explicações:

1. Existem *dois compartimentos* no seol, um para os ímpios e outro para os justos (as árvores, a fina flor e as melhores do Líbano).
2. Isto *implica* que os maus sofrem algum tipo de julgamento ao qual os bons escapam. Implica também que o conceito de *almas*, no seol, está sendo antecipado, mas a declaração é imperfeita e não permite muitas explanações.
3. O Targum diz especificamente que os "mortos são confortados no seol", mas devemos lembrar que esse documento reflete um judaísmo posterior.
4. O texto não deve ser reduzido à ideia de que o "conforto" é um tipo *perverso*: as árvores melhores são confortadas porque o grande cedro sofre, e elas não. Is 14.9,10 poderia implicar essa ideia.
5. O *motivo de descidas* ao Hades é universal entre as nações e, nas lendas, encontramos esperança para as almas no abismo tenebroso. Parece que Ezequiel compartilhava desse aspecto do ensino sobre o seol.
6. Alguns acham que o presente versículo antecipa 1Pe 3.18—4.6, onde vemos Cristo levando o evangelho redentor ao Hades.

Pois, para este fim, foi o evangelho pregado também a mortos, para que, mesmo julgados na carne segundo os homens, vivam no espírito segundo Deus.

1Pedro 4.6

Não é provável que Ezequiel antecipasse uma doutrina tão gloriosa que pertence ao Novo Testamento, mas nem por isto ela deixa de ser uma verdade. Que a luz da redenção brilhe. Cristo tinha uma missão *tridimensional:* na terra, no hades e nos céus, e sua missão continua em todos estes lugares. Obviamente, *toda* a missão de Cristo é redentora.

31.17

גַּם־הֵם אִתּוֹ יָרְדוּ שְׁאוֹלָה אֶל־חַלְלֵי־חָרֶב וּזְרֹעוֹ יָשְׁבוּ בְצִלּוֹ בְּתוֹךְ גּוֹיִם׃

Os poderes menores, que eram subordinados à Assíria e ao Egito, desceram ao seol para acompanhar os dois grandes cedros, sob cujos ramos antes tiveram lar e proteção (vs. 6). Aqui temos uma descrição geral da queda e do destino temível de todas as nações que se esquecem de Deus. Cf. os vss. 17,18 com Ez 32.20-32. Amigos se encontram no seol! Os ajudantes e os instrumentos de tirania se ajuntam com seus mestres, por prejudicarem tantas pessoas. Estes "braços" (instrumentos do poder) dos tiranos não escapam ao seu destino, quando os homens pagam o preço de suas iniquidades. O braço e o corpo têm o mesmo destino.

São passíveis de morte os que tais coisas praticam, não somente as fazem, como também aprovam os que assim procedem.

Romanos 1.32

31.18

אֶל־מִי דָמִיתָ כָּכָה בְּכָבוֹד וּבְגֹדֶל בַּעֲצֵי־עֵדֶן וְהוּרַדְתָּ אֶת־עֲצֵי־עֵדֶן אֶל־אֶרֶץ תַּחְתִּית בְּתוֹךְ עֲרֵלִים תִּשְׁכַּב אֶת־חַלְלֵי־חֶרֶב הוּא פַרְעֹה וְכָל־הֲמוֹנֹה נְאֻם אֲדֹנָי יְהוִה׃ ס

A Aplicação da Alegoria do grande cedro. A Assíria e o Egito compartilham as mesmas características e, finalmente, o mesmo destino sombrio.

A quem, pois, és semelhante em glória, e em grandeza entre as árvores do Éden? A resposta é *ao Egito*: "... o faraó e toda a sua pompa...". O Egito era o segundo grande cedro, que imitava o primeiro tão bem, alimentando-se de águas abundantes; as aves do céu e os animais da floresta corriam para construir lares entre os seus ramos, e à sombra dele se multiplicaram. Eram protegidos e prosperaram, compartilhando dos tesouros do Egito.

Neste versículo temos a *conclusão* da alegoria. O capítulo inteiro se completa aqui: o Egito, como a Assíria, tão glorioso e orgulhoso, impressionante para os homens, terminou sob o julgamento divino, pagando por suas iniquidades. Yahweh comprovou que os dois eram realmente apenas pagãos incircuncisos (ver Ez 28.10), profanos e desprezíveis, homens distantes da aprovação de Deus, sem direito a nenhuma provisão dos pactos de Yahweh, como o *Pacto Abraâmico* (ver Gn 15.18). Em vez de obter aprovação e glória do Senhor, desceram para o seol sombrio. Aqueles que eles mataram os esperavam no abismo para lhes fazer companhia.

O vs. 18 nos traz de volta ao vs. 2: o faraó se coloca antes da alegoria e depois dela. A Assíria e o Egito foram, metaforicamente, companheiros na alegoria e na vida real. Viveram como rebeldes contra a vontade de Deus e compartilharam o mesmo destino desesperador.

CAPÍTULO TRINTA E DOIS

Os capítulos 29—32 apresentam *sete oráculos* contra o Egito, a *sétima* e última das nações condenadas nos capítulos 25—32 (Amom, Moabe, Edom, Filístia, Tiro, Sidom e Egito). Os dois *sete* dificilmente são acidentais: falam do julgamento perfeito e completo de Yahweh contra os pagãos. Ver as introduções aos capítulos 25 e 29. O capítulo 32 apresenta o *sexto* e o *sétimo* oráculos (vss. 1-16 e 17-32, respectivamente).

LAMENTAÇÃO CONTRA O FARAÓ E O EGITO (32.1-32)

O *primeiro oráculo* é um *canto fúnebre* sobre o faraó. Era como um dragão prestes a ser capturado e aniquilado por Yahweh. Embora o faraó se considerasse um *leão* (símbolo de poder; cf. Ez 19.1-9), era somente um monstro marinho que Yahweh facilmente capturou com sua rede e, então, matou implacavelmente. A história nos lembra da lenda babilônica da captura de *Tiamate* por Marduque (ver Ez 31.4). O corpo do monstro serviria de alimento às aves de rapina e aos animais selvagens (cf. Ez 29.1-16). Os vss. 7,8 nos lembram do *dia do Senhor* (ver Ez 30.1-5; Is 13.10; Jl 2.2), no qual Deus, afinal, vence tudo e todos, estabelecendo sua soberania, universal e cósmica. A espada de Yahweh se mostrou muito ativa, um tema constante de Ezequiel (ver os vss. 1-12; 21.1-32; 30.25; cf. também Lv 26.33; Is 34.5-6 e Jr 12.12). O Egito se tornará um deserto sem vida e inabitável. O profeta aplica uma hipérbole oriental para nos impressionar com a desolação do lugar, depois que sofresse o golpe da mão pesada de Yahweh.

Sexto Oráculo contra o Egito (32.1-16)
Ver as notas anteriores, que oferecem uma introdução apropriada a esta seção.

■ 32.1

וַיְהִי בִּשְׁתֵּי עֶשְׂרֵה שָׁנָה בִּשְׁנֵי־עָשָׂר חֹדֶשׁ בְּאֶחָד לַחֹדֶשׁ הָיָה דְבַר־יְהוָה אֵלַי לֵאמֹר׃

No ano duodécimo, no duodécimo mês, no primeiro dia do mês. "A *sexta profecia* contra o Egito foi dada no *décimo segundo* ano (depois do cativeiro de Jeconias), no décimo segundo mês, no primeiro dia, isto é, o dia 3 de março de 585 a.C., dois meses depois que a notícia da queda de Jerusalém chegou aos cativos em Quebar (cf. Ez 33.21). A destruição do Egito era absolutamente correta, assim Ezequiel recebeu a ordem para iniciar a lamentação pelo faraó, o canto fúnebre cantado quando alguém estava sendo enterrado" (Charles H. Dyer, *in loc.*). Ver as notas em Jr 52.28, para as *três* deportações de Judá, onde as datas são registradas.

Veio a mim a palavra do Senhor. *A segunda parte* do versículo é a declaração comum que introduz novos materiais e oráculos. Lembra que as mensagens foram divinamente inspiradas e que Ezequiel era o profeta autorizado por Yahweh. Ver Ez 13.1; 14.2; 15.1; 16.1.

■ 32.2

בֶּן־אָדָם שָׂא קִינָה עַל־פַּרְעֹה מֶלֶךְ־מִצְרַיִם וְאָמַרְתָּ אֵלָיו כְּפִיר גּוֹיִם נִדְמֵיתָ וְאַתָּה כַּתַּנִּים בַּיַּמִּים וַתָּגַח בְּנַהֲרוֹתֶיךָ וַתִּדְלַח־מַיִם בְּרַגְלֶיךָ וַתִּרְפֹּס נַהֲרוֹתָם׃

Filho do homem, levanta lamentações contra Faraó, rei do Egito. Yahweh fala com o profeta utilizando seu título comum (anotado em Ez 2.1). O faraó logo morreria, pois o exército babilônico estava às portas. Ele se orgulhava de seu poder e se exaltou como um deus.

Foste comparado a um filho de leão entre as nações, mas não passas de um crocodilo. O faraó era o *leão* do Egito, o animal feroz que devorara muitas vítimas inocentes. Mas, na realidade, era o monstro marinho que Yahweh tão facilmente capturaria e mataria, deixando seu corpo exposto para servir de comida às aves de rapina e às bestas selvagens. Talvez haja uma alusão ao crocodilo e seus hábitos, mas a referência é ao monstro *Tiamate*, que representava o *Caos* nas mitologias da região, especialmente a babilônica. O deus principal dos babilônios, Marduque, foi representado como o poder que capturou o monstro e o destruiu. O Egito era uma besta orgulhosa, mas apenas uma *besta*. O monstro agitava as águas de todo o mundo, fazendo muitas vítimas e apavorando todos os povos. Subjugou outras nações que se tornaram seus escravos. Mas o seu dia havia acabado, e uma força maior do que ele, agindo por Yahweh, acabaria com a história de Tiamate. O poder passaria para o norte, para começar um novo ciclo de futilidades, deboches e crueldades dos homens. Cf. Ez 31.4, que é um paralelo direto.

■ 32.3

כֹּה אָמַר אֲדֹנָי יְהוִה וּפָרַשְׂתִּי עָלֶיךָ אֶת־רִשְׁתִּי בִּקְהַל עַמִּים רַבִּים וְהֶעֱלוּךָ בְּחֶרְמִי׃

Assim diz o Senhor Deus: Estenderei sobre ti a minha rede. *Adonai-Yahweh* (o Soberano Eterno Deus), exercendo a sua soberania, não terá nenhuma dificuldade em capturar e aniquilar o monstro temível. Aprendemos que Yahweh controla o destino dos homens e das nações. Ver no *Dicionário* o artigo chamado *Soberania de Deus*.

Minha rede. Instrumento apto para capturar o monstro do mar, simboliza o exército babilônico dirigido pelo decreto de Yahweh, ao qual nenhum homem ou nação poderia resistir. Os decretos divinos funcionam de acordo com a lei moral, não sendo nunca arbitrários, injustos ou irracionais.

Muitos povos. Isto é, o exército universal e internacional da Babilônia, composto de diversas raças: "Utilizará um grande número de pessoas" (NCV). As conquistas babilônicas entregaram a Nabucodonosor os melhores soldados do mundo, que tinham batalhado em muitos lugares; eram estrangeiros *de classe,* que aumentaram o número e o poder do exército da Babilônia. Alguns serviam de boa vontade, outros eram forçados. Era considerado o melhor exército do mundo, contra o qual o Egito, relativamente fraco, não tinha nenhuma chance de sair vitorioso.

■ 32.4

וּנְטַשְׁתִּיךָ בָאָרֶץ עַל־פְּנֵי הַשָּׂדֶה אֲטִילֶךָ וְהִשְׁכַּנְתִּי עָלֶיךָ כָּל־עוֹף הַשָּׁמַיִם וְהִשְׂבַּעְתִּי מִמְּךָ חַיַּת כָּל־הָאָרֶץ׃

No campo aberto te lançarei. Apanhado na rede, o monstro marinho será tirado de seu *hábitat* natural e lançado no chão, deixado ali para tremer e morrer. As aves do céu, lá de cima, observam a agonia do monstro e, vendo a morte dele, descem para ter um farto almoço. As bestas selvagens sentem o seu cheiro e vêm correndo para pegar a sua parte.

Farei morar sobre ti as aves do céu; e se fartarão de ti os animais de toda a terra. As aves e as bestas se encherão a ponto de estourar. Não é sempre que *um rei* é o prato do dia. A cena fala da matança e pilhagem efetuadas por um exército enlouquecido. Diversos poderes do mundo devorarão o Egito. Será uma "refeição internacional". É errado reduzir as figuras vivas deste versículo à captura e matança do humilde crocodilo. As figuras são *cósmicas*, não naturais.

■ 32.5

וְנָתַתִּי אֶת־בְּשָׂרְךָ עַל־הֶהָרִים וּמִלֵּאתִי הַגֵּאָיוֹת רָמוּתֶךָ׃

Porei tua carne sobre os montes. O monstro marinho, como o cedro, era *gigantesco*. Cf. o capítulo 31, especialmente os vss. 3 e 12. Era tão grande que, quando morto e espalhado no chão, cobria as montanhas e os vales. Sua altura enchia os vales, embora a Vulgata registre "vermes" enchendo o monstro (que exige uma pequena emenda do hebraico). A RSV dá *carcaça*, seguindo o siríaco.

Encherei os vales da tua corpulência. A mensagem nojenta que se comunica é a de uma imensa carcaça fedorenta cobrindo a terra, que presta só para alimentar as aves de rapina e as bestas selvagens da floresta. O Egito valerá somente isto, uma vez que a Babilônia termine com ele.

■ 32.6

וְהִשְׁקֵיתִ֨י אֶ֧רֶץ צָפָתְךָ֛ מִדָּמְךָ֖ אֶל־הֶהָרִ֑ים
וַאֲפִקִ֖ים יִמָּלְא֥וּן מִמֶּֽךָּ׃

Com o teu sangue que se derrama regarei a terra até aos montes. O monstro imenso, morto por muitos ferimentos de espada, sangrará sobre a terra inteira, molhando-a completamente. Como rios, o sangue fluirá sobre as montanhas, e os vales serão inundados. A alusão naturalmente é ao Nilo e a suas inundações periódicas. O Nilo torna-se sangue, na metáfora deste versículo, que nos lembra da *primeira praga* que o Egito sofreu nos dias de Moisés (ver Êx 7.20-24). Cf. também Ap 16.3,4.

■ 32.7

וְכִסֵּיתִ֤י בְכַבּֽוֹתְךָ֙ שָׁמַ֔יִם וְהִקְדַּרְתִּ֖י אֶת־
כֹּֽכְבֵיהֶ֑ם שֶׁ֚מֶשׁ בֶּעָנָ֣ן אֲכַסֶּ֔נּוּ וְיָרֵ֖חַ לֹא־יָאִ֥יר
אוֹרֽוֹ׃

Encobrirei o sol com uma nuvem, e a lua não resplandecerá a sua luz. *A figura Cósmica.* O texto adquire aspectos cósmicos e mitológicos. Fazendo o monstro desaparecer, Yahweh escureceu o próprio céu e fez sumir as estrelas. Ele envia uma escuridão total, apagando o monstro Caos. Este versículo nos faz lembrar da *nona praga* do Egito, nos dias de Moisés (ver Êx 10.21-29). O monstro dos céus, o *Caos*, é destruído no dia do Senhor (Ez 30.1-5; Is 13.10; Jl 2.2,30-32; 3.15). Ver *Dia do Senhor* no *Dicionário*. *Tannin*, o deus do caos e da escuridão, é dissipado pela luz de Deus. Mas aqui é Yahweh quem apaga o brilho do Egito.

■ 32.8

כָּל־מְא֤וֹרֵי אוֹר֙ בַּשָּׁמַ֔יִם אַקְדִּירֵ֖ם עָלֶ֑יךָ וְנָתַ֤תִּי
חֹ֙שֶׁךְ֙ עַֽל־אַרְצְךָ֔ נְאֻ֖ם אֲדֹנָ֥י יְהוִֽה׃

Vestirei de preto todos os brilhantes luminares do céu, e trarei trevas sobre o teu país, diz o Senhor Deus. Coletivamente, *todas* as estrelas do céu do Egito serão apagadas, e este país, sendo devastado, se tornará uma terra de morte e escuridão.

Adonai-Yahweh (o Soberano Eterno Deus) é a causa dos acontecimentos, exercendo sua soberania. Ver o vs. 3, para este título divino, usado 217 vezes nesse livro. Muitos povos terão o coração angustiado pelas notícias da queda do Egito. Muitas nações (as estrelas do céu do Egito; vs. 8) serão destruídas simultaneamente, suportando a mesma vingança divina sofrida por aquele país. Os poucos sobreviventes do massacre serão levados para a Babilônia, como cativos, onde se tornarão escravos.

■ 32.9

וְהִכְעַסְתִּ֔י לֵ֖ב עַמִּ֣ים רַבִּ֑ים בַּהֲבִיאִ֥י שִׁבְרְךָ֖ בַּגּוֹיִ֑ם
עַל־אֲרָצ֖וֹת אֲשֶׁ֥ר לֹֽא־יְדַעְתָּֽם׃

Quando se levar às nações... a notícia da tua destruição. Mensageiros velozes espalharão as notícias da queda do Egito. A Etiópia e outros aliados e vizinhos ficarão angustiados, sabendo que seu tempo de calamidade se aproxima. Participaram das riquezas do Egito, mas a espada cortará o intercâmbio de vantagens econômicas. Cf. Ez 30.4,5. Até as nações que tivessem pouco conhecimento do Egito sentiriam receio, sabendo que a Babilônia não pararia com o massacre naquele lugar. O perito em genocídio nivelaria muitos outros povos. O profeta continua dando notícias do cativeiro do Egito, embora fontes de informações egípcias não as confirmem (vs. 20). A Septuaginta, neste versículo, dá uma notícia de seu cativeiro, que talvez seja a leitura original.

■ 32.10

וַהֲשִׁמּוֹתִ֨י עָלֶ֜יךָ עַמִּ֣ים רַבִּ֗ים וּמַלְכֵיהֶם֙ יִשְׂעֲר֣וּ
עָלֶ֔יךָ שַׂ֕עַר בְּעוֹפְפִ֥י חַרְבִּ֖י עַל־פְּנֵיהֶ֑ם וְחָרְד֤וּ
לִרְגָעִים֙ אִ֣ישׁ לְנַפְשׁ֔וֹ בְּי֖וֹם מַפַּלְתֶּֽךָ׃ ס

Farei que muitos povos fiquem pasmados a teu respeito, e os seus reis tremam sobremaneira, quando eu brandir a minha espada. A espada era versátil e universal, sendo a máquina de guerra daquele país a melhor do mundo antigo daquele tempo. Golpeou o Egito e ficou elevada para golpear outras nações. Nenhuma nação teria o poder para lhe resistir; nenhuma nação escaparia à ameaça. Assim, as nações próximas e distantes compartilharam as mesmas ansiedades, amedrontadas pela cena da destruição do Egito. Uma tremedeira descontrolada atacou todas elas, porque receavam que, no fim, não houvesse sobreviventes. A arqueologia tem encontrado imagens de Baal segurando sua espada e ameaçando todo o mundo. Uma espada divina é assustadora, e devemos lembrar que a da Babilônia era a espada do Senhor. Cf. Lv 26.33; Js 5.13; Jz 8.20; Sl 7.12; Is 34.6; 66.16; Jr 12.12; 47.6.

■ 32.11

כִּ֛י כֹּ֥ה אָמַ֖ר אֲדֹנָ֣י יְהוִ֑ה חֶ֥רֶב מֶֽלֶךְ־בָּבֶ֖ל תְּבוֹאֶֽךָ׃

Assim diz o Senhor Deus. Esta fórmula comum introduz um suboráculo que enfatiza que a espada temível da Babilônia era a espada do Senhor. O título *Adonai-Yahweh* (o Soberano Eterno Deus) reforça a ideia, lembrando que é a *soberania* de Yahweh que determina o destino dos homens e das nações.

O *teísmo bíblico* ensina que o Criador não abandona sua criação, mas intervém, castigando os ímpios e recompensando os justos. A providência divina controla os acontecimentos humanos. Ver no *Dicionário* os verbetes chamados *Teísmo* e *Providência de Deus*.

■ 32.12

בְּחַרְב֤וֹת גִּבּוֹרִים֙ אַפִּ֣יל הֲמוֹנֶ֔ךָ עָרִיצֵ֥י גוֹיִ֖ם כֻּלָּ֑ם
וְשָֽׁדְדוּ֙ אֶת־גְּא֣וֹן מִצְרַ֔יִם וְנִשְׁמַ֖ד כָּל־הֲמוֹנָֽהּ׃

Farei cair a tua multidão com as espadas dos valentes. As *multidões estrangeiras* (o exército universal da Babilônia) acabarão logo com a contramultidão do Egito, sendo superior em todos os sentidos.

Eles destruirão a soberba do Egito. Aquele exército era o mais poderoso, cruel, devastador e selvagem de todos. O Egito, orgulhoso e perverso, com toda a sua pompa, será humilhado na poeira. Era um grande cedro que tinha a cabeça nas nuvens (Ez 31.3), acima de todas as outras árvores (Ez 31.5); elevou-se em *orgulho* (Ez 31.10), mas logo seria reduzido a nada. Ver no *Dicionário* o artigo intitulado *Orgulho*; ver *olhos altivos,* em Pv 6.17, e os humildes contrastados com os orgulhosos, em Pv 11.2; 13.10; 14.3; 16.6,18; 18.12; 21.4; 30.12,32.

■ 32.13

וְהַֽאֲבַדְתִּ֙י אֶת־כָּל־בְּהֶמְתָּ֔הּ מֵעַ֖ל מַ֣יִם רַבִּ֑ים וְלֹ֨א
תִדְלָחֵ֤ם רֶֽגֶל־אָדָם֙ ע֔וֹד וּפַרְס֥וֹת בְּהֵמָ֖ה לֹ֥א תִדְלָחֵֽם׃

A devastação do Egito foi tão grande que não somente os seres humanos, mas também os animais do lugar foram aniquilados. Os canais se encheram com sangue. O fornecimento de água, em alguns lugares, secou ou estava poluído, resultando na morte em massa de homens e animais.

O Egito ficou incapacitado de agitar as águas internacionais, como fizera em anos anteriores; também não podia poluí-las com as suas agitações na lama. Um agitador e poluidor maior o substituiu.

Os babilônios comerão os animais domésticos, deportarão os cavalos e matarão o que sobrou, tanto animais quanto homens. Alguns intérpretes acham que os *animais* simbolizam os aliados do Egito que comeram à sua mesa. Todas as atividades de dar e de receber bens terminarão. O Egito ficará um deserto. Ver Ez 29.9,10; 30.7,14; 32.15.

■ 32.14

אָ֣ז אַשְׁקִ֣יעַ מֵֽימֵיהֶ֔ם וְנַהֲרוֹתָ֖ם כַּשֶּׁ֣מֶן אוֹלִ֑יךְ נְאֻ֖ם אֲדֹנָ֥י
יְהוִֽה׃

Farei assentar as suas águas; e farei correr os seus rios como o azeite. As águas, não mais perturbadas pelos pés dos animais ou pelos baldes dos homens, correrão limpas, fluindo como azeite, muito suavemente; haverá paz total, o Egito ficará como um túmulo. As águas do Egito ficarão em paz, não inundando mais seus vizinhos; os ataques cessarão. O país não seria mais o temido hipopótamo que perturbava a vida dos outros, invadindo, matando e pilhando. Um hipopótamo maior (a Babilônia) substituiria o Egito, como poder devastador de nações mais fracas. Foi *Adonai-Yahweh* (o Soberano Eterno Deus) que o feriu e o substituiu, exercendo sua soberania em todo o lugar, irresistivelmente.

O Egito parou de poluir as águas internacionais com sua lama, sendo substituído por um poluidor ainda mais sujo.

■ **32.15**

בְּתִתִּי אֶת־אֶרֶץ מִצְרַיִם שְׁמָמָה וּנְשַׁמָּה אֶרֶץ מִמְּלֹאָהּ
בְּהַכּוֹתִי אֶת־כָּל־יוֹשְׁבֵי בָהּ וְיָדְעוּ כִּי־אֲנִי יְהוָה:

Então saberão que eu sou o Senhor. Quando o Egito for desolado; quando a terra for desnudada e toda a sua riqueza for aniquilada; quando o país for despovoado, então Yahweh ficará *conhecido* como o Juiz dos homens. Este tema se repete 63 vezes nesse livro, normalmente, como aqui, em conexão com o julgamento, mas, às vezes, associado à ideia de restauração (Ez 16.52; 28.25,26 e 29.21). Ver o vs. 13, que mostra como o Egito perderia, essencialmente, sua população.

■ **32.16**

קִינָה הִיא וְקוֹנְנוּהָ בְּנוֹת הַגּוֹיִם תְּקוֹנֵנָּה אוֹתָהּ עַל־
מִצְרַיִם וְעַל־כָּל־הֲמוֹנָהּ תְּקוֹנֵנָּה אוֹתָהּ נְאֻם אֲדֹנָי
יְהוִה: פ

Sobre o Egito e toda sua pompa se lamentará. Haverá grande *lamentação* (ver a respeito no *Dicionário*), efetuada não somente por mulheres profissionais, mas por todos os angustiados tanto dentro quanto fora do Egito. Esta lamentação é um *canto fúnebre*. O presente versículo marca o fim daquele canto que começou no vs. 2. O Senhor assim pronunciou o *sexto oráculo* contra o Egito. Agora começa o *sétimo* (vs. 17), que se estenderá até o vs. 32. Ver a respeito das mulheres profissionais em lamentação, descritas nas notas de 2Sm 1.24; Jr 9.17,18; 49.3 e Ez 8.14.

Diz o Senhor Deus. *Adonai-Yahweh* (o Soberano Eterno Deus) pronunciou o decreto de destruição que foi cumprido implacavelmente. As exigências da *Lei Moral da Colheita segundo a Semeadura* (ver a respeito no *Dicionário*) foram satisfeitas. Ver Gl 6.7,8; cf. Ez 19.14, que contém uma mensagem semelhante.

Sétimo Oráculo contra o Egito (32.17-32)

O Egito Lançado no Seol. Cf. Ez 31.15-18, que descreve essencialmente a mesma mensagem. Os capítulos 29—32 têm *sete oráculos* contra o Egito e, no presente texto, a série se completa.

"O Egito no submundo (seol), como Tiro (Ez 28.10), se juntará aos que sofreram morte prematura e violenta. Não terão o privilégio de gozar a posição dos mortos honrados, enterrados apropriadamente (vs. 27). No seu falecimento desonrado, O Egito se juntará a outros que foram os objetos da ira de Deus (Is 14.9-11), como a Assíria (Na 1.1—3.19); Elão (Jr 49.34-39) Meseque e Tubal (Ez 38.2; Gn 10.2); Edom (Ez 25.12-14); Sidom (Ez 28.20-23); os príncipes do norte (Ez 5.20) e diversos reis da Fenícia e da Síria não designados por nome" (*Oxford Annotated Bible*, introdução à seção).

Esta seção (como Ez 31.16) talvez implique certa diferença de posição entre os mortos no seol; mas não há aqui nenhuma delineação de uma doutrina de julgamentos além do sepulcro, como temos em Lucas 16, que representa um desenvolvimento da doutrina formulada no período entre os dois Testamentos, nos livros apócrifos e pseudepígrafos. Ver as notas em Ez 31.14 e 16, que ilustram os passos da *evolução* da doutrina do seol.

■ **32.17**

וַיְהִי בִּשְׁתֵּי עֶשְׂרֵה שָׁנָה בַּחֲמִשָּׁה עָשָׂר לַחֹדֶשׁ הָיָה
דְבַר־יְהוָה אֵלַי לֵאמֹר:

No ano duodécimo, aos quinze do primeiro mês. A *data* fornecida aqui praticamente é a mesma do vs. 1, embora não mencione o décimo segundo mês. Provavelmente esta omissão tenha sido um descuido do autor e não tem nenhum significado. O vs. 1 traz o *primeiro dia,* enquanto aqui, é o *décimo quinto,* presumivelmente, do mesmo mês.

Veio a mim a palavra do Senhor. A segunda parte do versículo é a declaração comum que introduz novos materiais e oráculos. Lembra-nos da inspiração divina dos oráculos e de que Ezequiel era o profeta autorizado por Yahweh. Cf. Ez 13.1; 14.2; 15.1; 16.1.

■ **32.18**

בֶּן־אָדָם נְהֵה עַל־הֲמוֹן מִצְרַיִם וְהוֹרִדֵהוּ
אוֹתָהּ וּבְנוֹת גּוֹיִם אַדִּרִם אֶל־אֶרֶץ תַּחְתִּיּוֹת
אֶת־יוֹרְדֵי בוֹר:

Filho do homem, pranteia sobre a multidão do Egito. Yahweh fala com o profeta utilizando seu título comum (ver as notas em Ez 2.1).

Às profundezas da terra. Isto é, a cova ou seol. Os antigos acreditavam que havia uma câmara subterrânea para receber a alma dos homens. Antes de chegar *àquela* crença, a doutrina do submundo (seol) passou por considerável evolução. Ver as notas em Ez 31.14 e 16, onde há um *sumário* que não repito aqui. Alguns versículos do Antigo Testamento que representam estágios do desenvolvimento da doutrina são: Sl 88.10; 139.8; Is 14.6; 29.4; Pv 5.5. O Evangelho de Nicodemos (um Evangelho pseudepígrafo do Novo Testamento) representa Jesus como *esvaziando* o Hades, no intervalo entre sua morte e ressurreição. 1Pe 3.18—4.6 informam que Cristo trouxe a esperança da salvação para o Hades.

Para as ideias dos judeus sobre a *natureza do cosmos* (que inclui a ideia de uma câmara embaixo da superfície da terra), ver no *Dicionário* o artigo intitulado *Astronomia,* que tem um gráfico ilustrativo. Ver na *Enciclopédia de Bíblia, Teologia e Filosofia* o verbete intitulado *Hades.*

O presente texto não contém nenhuma descrição autoritária sobre a vida além do sepulcro e não deve ser utilizado como um texto de prova. Entendemos que o profeta antecipou uma miséria total. Ele não previu uma descida misericordiosa do Messias naquele lugar. Nem por isso devemos esquecer a esperança que a evolução da doutrina trouxe. A evolução ultrapassou Ezequiel, como aconteceu com muitas doutrinas do Antigo Testamento, superadas pelo Novo Testamento.

■ **32.19**

מִמִּי נָעָמְתָּ רְדָה וְהָשְׁכְּבָה אֶת־עֲרֵלִים:

A quem sobrepujas tu em beleza. Cf. Ez 28.7-9. A *jactância* do Egito era ilusória e enganadora. O fim daquele país anularia seus anos de glória e beleza; compartilharia o destino comum dos homens, no tenebroso seol, fazendo sua cama final com os *incircuncisos*. No seol, nenhuma grandeza ou beleza dos homens brilha. Yahweh não era seu Deus, e eles não participaram das provisões do *Pacto Abraâmico* (ver Gn 15.18). O presente texto não trata da descida ao seol dos *circuncidados* (Israel). Se tivesse tratado, talvez houvesse diferença em relação ao seu estado, como em Ez 31.16. Lucas 16 faz uma distinção clara, visionando o hades dividido em dois compartimentos, um para os ímpios e outro para os justos. Em um deles há alegria, no outro, miséria e tormento. Mas esta visão do seol foi emprestada da teologia judaica do período entre o Antigo e o Novo Testamento; aplicá-la aqui seria anacronismo.

O Targum diz: "Vai lá para se ajuntar aos pecadores", mas não representa o seol do texto como o "lar" de *almas* humanas; tão somente o apresenta como o *sepulcro* do corpo, que era a ideia original associada à doutrina.

Os egípcios, de fato, praticavam a circuncisão, mas o profeta está falando da circuncisão espiritual, não física. Cf. Rm 2.25,26. A circuncisão era o *sinal* do Pacto Abraâmico. A expressão *incircuncisos* era sempre derrogatória. Ocorre dez vezes no presente capítulo: vss. 19,21,24-30,32. A espada babilônica foi atrás dos incircuncisos e os lançou no seol.

32.20

בְּתוֹךְ חַלְלֵי־חֶרֶב יִפֹּלוּ חֶרֶב נִתָּנָה מָשְׁכוּ אוֹתָהּ
וְכָל־הֲמוֹנֶיהָ:

No meio daqueles que foram traspassados à espada, eles cairão. Isto é, o Egito descerá ao seol e ficará entre aqueles que já fizeram a temível viagem. A espada babilônica despacharia praticamente um país inteiro para aquele lugar. Mas por trás da espada estava o decreto de Yahweh, o "assim diz o Senhor". Houve morte comum para todos os ímpios de eras diferentes. O Egito era somente um caso entre muitos e, a despeito de sua glória e poder anteriores, não se distinguiu entre os mortos. A espada e o seol devastaram o país e anularam toda aquela jactância. Seu dia de orgulho e glória terminou, de súbito e para sempre (na visão do profeta).

32.21

יְדַבְּרוּ־לוֹ אֵלֵי גִבּוֹרִים מִתּוֹךְ שְׁאוֹל אֶת־עֹזְרָיו יָרְדוּ
שָׁכְבוּ הָעֲרֵלִים חַלְלֵי־חָרֶב:

A Comissão de Recepção. Não sabemos dizer se o profeta falou metafórica ou literalmente, quando representou o seol tendo líderes (literalmente, *chefes*) que eram grandes reis da terra em tempos anteriores. Aquelas pessoas formaram uma comissão de recepção amarga e pouco respeitosa e aproveitaram para zombar do recém-chegado. O Egito agora é humilhado. Na terra, aquele povo era o "cachorro no topo", como diz a expressão, mas no seol era somente outro desonrado, humilhado e desgraçado. Naquele lugar temível não havia qualidade nenhuma que o distinguisse; todos eram incircuncisos, desprezíveis e amaldiçoados. Cf. Ez 31.11. Há algo semelhante em Is 14.9, onde temos o quadro da descida do rei da Babilônia para o seol. A *lição óbvia* do texto é que a morte é uma *niveladora*.

A morte nivela todas as coisas.

Claudian

A grandeza terrestre é ilusória e não pode ser transferida para o mundo pós-túmulo. A câmara embaixo da terra não se interessa pelas condições anteriores de seus habitantes. Até os *chefes* do lugar não eram, realmente, distintos dos outros, mas descritos como se fossem mais exaltados para a conveniência da história. O chefe (Egito) se ajuntou aos chefes (de tempos anteriores), e todos foram engolidos pelo seol, a câmara do esquecimento.

32.22

שָׁם אַשּׁוּר וְכָל־קְהָלָהּ סְבִיבוֹתָיו קִבְרֹתָיו כֻּלָּם
חֲלָלִים הַנֹּפְלִים בֶּחָרֶב:

Exemplos de "grandes" que deixaram de ser grandes. O Egito se juntou à companhia dos "ontem grandes", que são os "hoje humilhados". **Ali está a Assíria com todo o seu povo... todos eles foram traspassados e caíram à espada.** A Assíria era o cedro alto da alegoria do capítulo 31. O cedro conseguiu meter seu nariz nas nuvens dos céus, mas sua grandeza anterior não o ajudou em nada no seol. A espada babilônica o derrubou e o mandou para a câmara subterrânea. Por diversas vezes, a espada era a *chave* do seol para os povos do mundo antigo. Os cedros altos e baixos não escaparam à violência e à imunidade de homens contra homens. O seol, com boca grande, engole os homens infelizes.

32.23

אֲשֶׁר נִתְּנוּ קִבְרֹתֶיהָ בְּיַרְכְּתֵי־בוֹר וַיְהִי קְהָלָהּ
סְבִיבוֹת קְבֻרָתָהּ כֻּלָּם חֲלָלִים נֹפְלִים בַּחֶרֶב אֲשֶׁר־
נָתְנוּ חִתִּית בְּאֶרֶץ חַיִּים:

Aqueles reprovados espalharam o terror enquanto dominaram os homens, mas logo a espada da Babilônia encurtou sua carreira como o mestre do mundo. A Assíria foi mandada "para as partes profundas" (NCV), a câmara subterrânea que engole todo o orgulho humano. A Assíria foi assim *enterrada* no abismo, com todo aquele seu vasto exército, bravo e cruel. Aqueles que causaram desespero terminaram no desespero, cumprindo a *Lex Talionis* (retribuição de acordo com a gravidade do crime). A KJV fala de seus sepulcros como embutidos nos lados da cova, uma alusão ao modo egípcio de enterrar corpos em nichos de cavernas subterrâneas. O autor descreve o seol como se fosse um gigantesco *cemitério*, uma figura grotesca que não devemos entender literalmente. Os chefes do seol têm autoconsciência e memória, isto é, qualidades *de almas*. Não sabemos se o profeta quis projetar estes elementos como condições *reais* do seol, ou se foram mencionados apenas para construir uma história razoável que ilustrasse o julgamento "dos grandes".

32.24

שָׁם עֵילָם וְכָל־הֲמוֹנָהּ סְבִיבוֹת קְבֻרָתָהּ כֻּלָּם
חֲלָלִים הַנֹּפְלִים בַּחֶרֶב אֲשֶׁר־יָרְדוּ עֲרֵלִים אֶל־
אֶרֶץ תַּחְתִּיּוֹת אֲשֶׁר נָתְנוּ חִתִּיתָם בְּאֶרֶץ חַיִּים וַיִּשְׂאוּ
כְלִמָּתָם אֶת־יוֹרְדֵי בוֹר:

Ali está o Elão com todo o seu povo. Elão (ver a respeito no *Dicionário*) era outro grandioso tolo que se distinguiu na terra, mas não no seol. Este país desceu para o seol com seu vasto exército. Para ele, a *espada* serviu como chave da câmara subterrânea, tema que se repete nos casos de todos "os grandes". Também era uma nação *incircuncisa*, desonrada, humilhada e ímpia. Ver as notas no vs. 19. Espalhou terror na terra e foi aterrorizada no seol. Suas façanhas anteriores não a ajudaram a escapar da temível cova.

"Elão era uma nação antiga, importante, no Oriente Próximo, que, frequentemente, era inimiga da Assíria. Tornou-se província do império persa. Sua capital era Susa, que foi também a capital do império. Cf. Ne 1.1 e Dn 8.2" (Theophile J. Meek, *in loc.*). Ver no *Dicionário* o artigo chamado *Elão*, para detalhes.

Levaram a sua vergonha com os que descem à cova. *Sofrer vergonhas* implica autoconsciência e memória. Ver os comentários no vs. 23. Se esta vergonha era consciente, segundo a avaliação doutrinal do profeta, então temos o início de "sofrimentos" no seol. Quantos destes detalhes se deviam à tentativa de apresentar uma boa história, e quantos fizeram parte real do sistema doutrinal do profeta, é difícil dizer. Ele não podia ter falado seriamente do seol como um tipo de cemitério, com corpos embutidos em nichos nas paredes da caverna! Pelo menos, tais detalhes eram metafóricos, itens de uma boa apresentação, não elementos de doutrina.

32.25

בְּתוֹךְ חֲלָלִים נָתְנוּ מִשְׁכָּב לָהּ בְּכָל־הֲמוֹנָהּ סְבִיבוֹתָיו
קִבְרֹתֶהָ כֻּלָּם עֲרֵלִים חַלְלֵי־חֶרֶב כִּי־נִתַּן חִתִּיתָם
בְּאֶרֶץ חַיִּים וַיִּשְׂאוּ כְלִמָּתָם אֶת־יוֹרְדֵי בוֹר בְּתוֹךְ
חֲלָלִים נִתָּן:

De novo, o profeta fala sobre a *câmara subterrânea* como se fosse um cemitério gigantesco, onde os corpos daqueles traspassados eram embutidos em nichos nas paredes da caverna. Ver as notas no vs. 23, onde é descrita esta noção grotesca. Elão estava *no meio* daquele cemitério nojento, mas o texto não explica como. O campo onde os corpos são enterrados agora se chama *uma cama*, porque os mortos descansarão para sempre. O seol é, portanto, como uma cova nas profundezas da terra; sepulcro, câmara subterrânea e cama. O caixão, de fato, é um tipo de cama, muito estreita! As "almas" aí sofrem *vergonha*, como já visto nas notas do vs. 24. Note-se que as supostas *almas são representadas como* corpos, que refletem o pensamento cru que o texto está expondo. Estes corpos-almas são traspassados! Esta é outra descrição grotesca que dificilmente pode representar um ensinamento.

Incircuncisos. Ímpios, pecadores imundos, pessoas que não podiam participar do Pacto Abraâmico. Este termo é usado dez vezes no presente capítulo: vss. 19,21,24-30,32. Está em vista incircuncisão espiritual; cf. Rm 2.25,26. Ver no *Dicionário* o artigo intitulado *Circuncisão*, para detalhes.

O autor mistura o físico e o espiritual, sem nenhuma tentativa de distinguir um do outro. A teologia dele não visionou uma alma *imaterial*.

32.26

שָׁ֣ם מֶ֤שֶׁךְ תֻּבַל֙ וְכָל־הֲמוֹנָ֔הּ סְבִיבוֹתָ֖יו קִבְרוֹתֶ֑יהָ כֻּלָּ֤ם עֲרֵלִים֙ מְחֻ֣לְלֵי חֶ֔רֶב כִּֽי־נָתְנ֥וּ חִתִּיתָ֖ם בְּאֶ֥רֶץ חַיִּֽים׃

Ali estão Meseque e Tubal com todo o seu povo. Meseque e Tubal são as próximas estrelas do *show* subterrâneo. As interpretações sobre estes dois nomes são intermináveis, e uma escatologia pesada os cerca nos capítulos 38 e 39. Historicamente, estão em vista povos ao sul do mar Negro. Distinguiram-se como matadores das massas, mas no seol não havia nenhuma distinção entre eles. Estavam entre os *incircuncisos* (ver o vs. 25). Em todos os versículos, as descrições dos "mortos" no seol são praticamente iguais; todos tinham reputação de ser poderosos, mas desceram para a cova dos fracos, desgraçados, aterrorizados, humilhados e envergonhados. Ninguém se distinguiu naquele buraco miserável.

32.27

וְלֹ֤א יִשְׁכְּבוּ֙ אֶת־גִּבּוֹרִ֔ים נֹפְלִ֖ים מֵעֲרֵלִ֑ים אֲשֶׁ֣ר יָרְדֽוּ־שְׁא֣וֹל בִּכְלֵֽי־מִלְחַמְתָּ֗ם וַיִּתְּנ֤וּ אֶת־חַרְבוֹתָם֙ תַּ֣חַת רָאשֵׁיהֶ֔ם וַתְּהִ֤י עֲוֹנֹתָם֙ עַל־עַצְמוֹתָ֔ם כִּֽי־חִתִּ֥ית גִּבּוֹרִ֖ים בְּאֶ֥רֶץ חַיִּֽים׃

E não se acharão com os valentes de outrora. "O negativo, *não*, provavelmente deve ser omitido como o fazem a Septuaginta e o Siríaco; de outra maneira, devemos entender que os valentes de Meseque e Tubal, por serem enterrados com honra e dignidade, obtiveram posição favorável no seol, como possivelmente não tendo sido posicionados tão profundamente na cova com os outros *grandes*" (Theophile J. Meek, *in loc.*).

Podemos evitar a omissão de *não*, entendendo que a declaração é uma pergunta retórica que espera uma resposta negativa. Alguns poderiam ter recebido um enterro decente, mas isso não os ajudaria em nada, pois na câmara escura todos são iguais.

Desceram ao sepulcro com as suas próprias armas. Isso implica que eles receberam o enterro honrado de bons soldados. "Era prática antiga, em diversas nações, enterrar com o soldado os seus instrumentos de guerra" (Adam Clarke, *in loc.*). A prática honrosa era realizada, mas os honrados da terra eram desonrados na cova, nas profundezas da terra, na câmara subterrânea, na cama dos mortos, que são os nomes diversos que designam o seol.

32.28

וְאַתָּ֗ה בְּת֧וֹךְ עֲרֵלִ֛ים תִּשָּׁבַ֥ר וְתִשְׁכַּ֖ב אֶת־חַלְלֵי־חָֽרֶב׃

Também tu serás quebrado no meio dos incircuncisos, e jazerás com os que foram traspassados à espada. *Conclusão.* Meseque e Tubal sofreram o mesmo destino amargo dos outros *grandes*, sendo incircuncisos como eles, ímpios, pecadores imundos, pessoas que não podiam participar do Pacto Abraâmico.

Também tu. Uma referência possível, coletivamente, a Meseque e Tubal, ou o assunto agora é o Egito. O Egito compartilhará o mesmo destino horripilante dos outros. Não obterá nenhuma vantagem entre os ímpios que terminaram pagando um alto preço por suas iniquidades. Deitarão nas suas camas infernais, quebrados e imundos.

32.29

שָׁ֣מָּה אֱד֤וֹם מְלָכֶ֙יהָ֙ וְכָל־נְשִׂיאֶ֔יהָ אֲשֶׁר־נִתְּנ֥וּ בִגְבוּרָתָ֖ם אֶת־חַלְלֵי־חָ֑רֶב הֵ֛מָּה אֶת־עֲרֵלִ֥ים יִשְׁכָּ֖בוּ וְאֶת־יֹ֥רְדֵי בֽוֹר׃

Ali está Edom. Outro grande tolo era *Edom*, uma estrela falsa no céu do mundo dos homens, uma entidade que possuía uma glória fictícia. Também eram matadores das massas e, tendo usado a espada, morreram pela espada. Esta era a *chave* principal para abrir os portões do seol. Homens violentos morrem violentamente (Mt 25.12-14) e enfrentarão um destino amargo na câmara embaixo da terra. Poderosos exércitos mataram inúmeras pessoas, e os matadores e suas vítimas descerão juntos na cova temível, para compartilhar o mesmo destino.

Homero fala algo semelhante:

> Há um lugar aonde os enterrados
> E não enterrados vão,
> Onde Agamenom não é melhor do que Irus,
> Onde deitam o bonito Aquiles e Tersites,
> Iguais na sua nudez, pobreza e seca.

"Na terra, os homens violentos aterrorizam seus companheiros; mas, depois, o próprio Deus aterroriza os violentos" (Fausset, *in loc.*).
"... a cova, o receptáculo comum de todos os mortos" (John Gill, *in loc.*).

32.30

שָׁ֣מָּה נְסִיכֵ֥י צָפ֛וֹן כֻּלָּ֖ם וְכָל־צִֽדֹנִ֑י אֲשֶׁר־יָרְד֣וּ אֶת־חֲלָלִ֗ים בְּחִתִּיתָ֧ם מִגְּבוּרָתָ֛ם בּוֹשִׁ֖ים וַיִּשְׁכְּב֤וּ עֲרֵלִים֙ אֶת־חַלְלֵי־חֶ֔רֶב וַיִּשְׂא֥וּ כְלִמָּתָ֖ם אֶת־י֥וֹרְדֵי בֽוֹר׃

Ali estão os príncipes do Norte. Estes constituem o último "grande" da lista. A referência é vaga, mas deve estipular diversos países ao norte da Palestina, como os assírios, babilônios e sírios, ou, segundo alguns intérpretes, a Fenícia (Tiro, Sidom etc.). Diversas cidades-estados pertenciam ao império fenício, homens ricos, poderosos, cruéis e matadores de massas. Seu destino não será melhor do que aquele dos outros grandes. As mesmas descrições servem tanto para o seu caso, como o dos demais. Ver as notas nos vss. 28 e 29, que não repito aqui. A espada continua sendo a chave dos portões da cova (seol).

32.31

אוֹתָם֙ יִרְאֶ֣ה פַרְעֹ֔ה וְנִחַ֖ם עַל־כָּל־הֲמוֹנֹ֑ה חַלְלֵי־חֶ֙רֶב֙ פַּרְעֹ֣ה וְכָל־חֵיל֔וֹ נְאֻ֖ם אֲדֹנָ֥י יְהוִֽה׃

Faraó os verá, e se consolará com toda a sua multidão. O *Faraó e suas multidões,* descendo para a cova, nas profundezas da terra, não obterão nenhuma vantagem sobre os outros, mas serão consolados com um tipo perverso de conforto: ficarão felizes em ver que, pela espada, mandaram outros para aquele lugar terrífico. Aqueles mortos estão nas suas camas infernais em toda a parte. Embora não fossem melhores do que os *outros grandes,* também não ficaram em estado pior, outro conforto perverso. Cf. Ez 31.16. "Tal conforto é conforto pobre, de fato! (John Gill, *in loc.*). Todos os *poderes* que terminaram no seol ficaram impotentes na câmara escura, compartilhando o mesmo destino amargo.

"O faraó, que se representou como um *deus,* terminou como os mortos vulgares, na cova" (Adam Clarke, *in loc.*).

32.32

כִּֽי־נָתַ֥תִּי אֶת־חִתִּית֖וֹ בְּאֶ֣רֶץ חַיִּ֑ים וְהֻשְׁכַּ֞ב בְּת֣וֹךְ עֲרֵלִ֗ים אֶת־חַלְלֵי־חֶ֙רֶב֙ פַּרְעֹה֙ וְכָל־הֲמוֹנֹ֔ה נְאֻ֖ם אֲדֹנָ֥י יְהוִֽה׃ פ

Pus o meu espanto na terra dos viventes. O Egito, que espalhou espanto na terra dos viventes, se acalmou na sua cama no meio dos incircuncisos no seol; se ajuntou àqueles que mataram outros com a espada, compartilhando o mesmo destino sombrio.

Sendo incircunciso e agindo como selvagem, devia compartilhar os mesmos castigos e condições, na cova, que os outros receberam. A definição de *grande*, neste texto, que descreve os ímpios, é "ser grande destruidor". A espada era o instrumento usado por Yahweh para abrir-lhes o seol, o que era justo, segundo a *Lei Moral da Colheita segundo a Semeadura* (ver a respeito no *Dicionário*).

Adonai-Yahweh (o Soberano Eterno Deus) controlava a situação e se vingou, trazendo seus julgamentos para os perversos. Os reprovados tinham cometido os mesmos crimes e compartilharam, afinal, a mesma punição. A *soberania* de Deus não deixou nada escapar de sua atenção.

"Assim, termina esta cantiga lúgubre, um canto fúnebre ou lamentação composta e cantada contra o faraó, cumprindo o decreto de Yahweh, que garantiu sua destruição" (John Gill, *in loc.*).

Alguns Ensinamentos ou Implicações do Texto. 1. A doutrina do seol estava desenvolvendo-se além do conceito de simples *sepulcro*. Ver Ez 31.14 e 16, para esclarecimentos. 2. A obra efetiva da *Lei Moral*

da Colheita segundo a Semeadura é destacada. 3. A *necessidade de justiça* para salvar o mundo do caos. Emanuel Kant desenvolveu um argumento em favor da existência de Deus e da alma do homem, baseado na necessidade de a justiça ser o guia da vida humana. É claro que, neste mundo, a justiça não é feita. Portanto, para sua realização, deve haver uma vida além, onde Deus (um Poder suficiente) castiga o mal e recompensa o bem. O ser humano deve estar lá para receber o que merece, portanto a alma deve existir e sobreviver à morte biológica. Se a vida humana não terminar assim, na *justiça*, então o verdadeiro deus deste mundo é o *Caos*. 4. O seol de Ezequiel não tem *fogo*. O fogo castigador do seol entrou no livro pseudepígrafo, 1Enoque. Como os eruditos dizem, "O fogo do inferno se acendeu em Enoque". Ver no *Dicionário* o artigo intitulado *Fogo, símbolo de*.

CAPÍTULO TRINTA E TRÊS

Os *capítulos 33—39* formam uma seção distinta do livro, que trata da *restauração de Israel*. Temos aqui uma *coleção* de oráculos, todos inspirados por Yahweh e comunicados por seu profeta autorizado, Ezequiel.

Embora julgado por suas iniquidades, Israel não pode ficar para sempre sob o desprazer divino, o que anularia o *Pacto Abraâmico* (descrito em Gn 15.18). Este pacto prometeu um futuro glorioso para Israel, e o decreto de Yahweh não pode ser anulado. Deve haver o reino do Messias e a realização de todas as profecias antigas. Judá (Israel) morreu na matança e no cativeiro da Babilônia, mas um pequeno remanescente começou tudo de novo, depois dos setenta anos. Nova vida surgiu e surgirá no futuro para criar o novo Israel escatológico.

> *Todo o Israel será salvo, como está escrito: Virá de Sião o Libertador e ele apartará de Jacó as impiedades.*
> Romanos 11.26

Ver as notas sobre esse versículo, no *Novo Testamento Interpretado*.

EZEQUIEL COMO O ATALAIA (33.1-33)

O capítulo 33 se divide naturalmente em *cinco seções*: 1. Vss. 1-9; 2. Vss. 10-20; 3. Vss. 21,22; 4. Vss. 23-29; 5. Vss. 30-33.

Ezequiel Designado o Atalaia de Israel (33.1-9)

Os vss. 1-9 retratam o profeta como o atalaia de Israel, e os vss. 10-22 descrevem seus deveres. Os vss. 7-9 aplicam os ensinamentos especificamente a Ezequiel. Os profetas funcionaram como atalaias, como vemos também em Is 21.6; 56.10; Jr 6.17 e Hc 2.1. O atalaia divino deve advertir os homens ímpios em uma tentativa de mudar seu modo de pensar e agir. Se assim proceder, ficará *livre de seu sangue*, isto é, da *responsabilidade* do castigo que sofrerão, afinal, segundo as exigências das leis morais de Yahweh. Se não agir corretamente como atalaia, será *culpado de seu sangue*, isto é, será responsável pela punição que sofrerão, afinal. Cf. Ez 3.17-21.

"A primeira comissão que Ezequiel recebeu se referia a julgamentos, mas aquele ministério já se completou. Depois, Yahweh o designou *atalaia* pela segunda vez (ver. Ez 3.17-21). Agora sua mensagem é diferente, mas ainda focaliza a responsabilidade individual. O objeto da responsabilidade, todavia, neste texto, se relaciona à restauração de Israel" (Charles H. Dyer, *in loc.*).

33.1

וַיְהִי דְבַר־יְהוָה אֵלַי לֵאמֹר׃

Veio a mim a palavra do Senhor. Esta é a declaração comum que introduz novos materiais ou oráculos. Lembra que as mensagens eram inspiradas por Yahweh e que Ezequiel era o seu profeta autorizado. Cf. Ez 13.1; 14.2; 15.1; 16.1.

33.2,3

בֶּן־אָדָם דַּבֵּר אֶל־בְּנֵי־עַמְּךָ וְאָמַרְתָּ אֲלֵיהֶם אֶרֶץ כִּי־אָבִיא עָלֶיהָ חָרֶב וְלָקְחוּ עַם־הָאָרֶץ אִישׁ אֶחָד מִקְצֵיהֶם וְנָתְנוּ אֹתוֹ לָהֶם לְצֹפֶה׃

וְרָאָה אֶת־הַחֶרֶב בָּאָה עַל־הָאָרֶץ וְתָקַע בַּשּׁוֹפָר וְהִזְהִיר אֶת־הָעָם׃

Filho do homem. Yahweh fala com o profeta utilizando seu título comum (anotado em Ez 2.1).

Quando eu fizer vir a espada sobre a terra... Uma *espada* (guerra) está chegando contra a terra, pelo decreto de Yahweh, e o povo precisará de um *atalaia* para ajudá-lo, dando advertências apropriadas à situação, tocando a trombeta e avisando os habitantes de Israel de perigos iminentes. Se agir assim, cumprirá seu dever e se libertará da responsabilidade da punição que o povo sofrerá. Qualquer um que, recebendo a advertência, a ignorar, será culpado e merecerá a punição, porque a responsabilidade pessoal determina o destino dos homens.

A Espada como Símbolo da Guerra. Cf. Ez 32.30-32. Ver o símbolo do *atalaia* em 2Sm 18.25; 2Rs 9.17,18; Is 21.6,11; e Jr 51.12.

Os primeiros *dez* versículos do capítulo 33 são, essencialmente, iguais a Ez 3.17-21, onde há notas mais detalhadas. A repetição é uma característica do livro de Ezequiel. Cf. os vss. 2,3 com Ez 3.17.

33.4

וְשָׁמַע הַשֹּׁמֵעַ אֶת־קוֹל הַשּׁוֹפָר וְלֹא נִזְהָר וַתָּבוֹא חֶרֶב וַתִּקָּחֵהוּ דָּמוֹ בְרֹאשׁוֹ יִהְיֶה׃

Se aquele que ouvir o som da trombeta, não se der por avisado... O *ímpio e tolo* não escuta as advertências do atalaia, porque sua mente é perversa, e ele está corrompido por muitas iniquidades. A espada vem e o alcança, tirando-lhe a vida. *Ele* sofrerá a culpa do que aconteceu, porque, afinal, existe a responsabilidade individual.

O atalaia está livre de culpa, porque tocou a trombeta e deu uma advertência clara; chamou o homem para o arrependimento, mas o tolo nem sabia o significado daquela palavra. O pecador perverso e descuidado terminará no seol (Ez 32.17-32). Este versículo repete, essencialmente, o que já vimos em Ez 3.19. A culpa cairá sobre aquele homem. O atalaia estará livre de qualquer responsabilidade. Para ser "culpado de sangue", ver Ez 3.18,30. Cf. também Ez 1.13; 22.12-13; 36.18. Podemos ver um ensinamento semelhante em Gn 4.10 e 37.26.

A Metáfora. A metáfora deste versículo vem do sistema sacrificial. Os sacerdotes que sacrificavam os animais deitavam as mãos sobre a cabeça dos animais, implorando que sua culpa (seus pecados) fosse transferida para os sacrifícios, libertando-os dos resultados inevitáveis de seus erros.

33.5

אֵת קוֹל הַשּׁוֹפָר שָׁמַע וְלֹא נִזְהָר דָּמוֹ בּוֹ יִהְיֶה וְהוּא נִזְהָר נַפְשׁוֹ מִלֵּט׃

Mas o que se dá por avisado salvará a sua vida. Cf. Ez 3.19,21, onde temos os elementos essenciais apresentados aqui. Com uma emenda do texto (que alguns acham representar o original), obtemos a tradução: "Ele que deu a advertência salvou a vida dele" (do pecador que se arrependeu).

> *Sabei que aquele que converte o pecador do seu caminho errado salvará da morte a alma dele e cobrirá multidão de pecados.*
> Tiago 5.20

Socorre aquele que perece, cuida dos moribundos, tira-os, em misericórdia, do pecado e do sepulcro.
Fanny J. Crosby

Ou a ideia é a de que a vítima, escutando as advertências, salvou sua própria vida de passar por consequências desastrosas.

33.6

וְהַצֹּפֶה כִּי־יִרְאֶה אֶת־הַחֶרֶב בָּאָה וְלֹא־תָקַע בַּשּׁוֹפָר וְהָעָם לֹא־נִזְהָר וַתָּבוֹא חֶרֶב וַתִּקַּח מֵהֶם נָפֶשׁ הוּא בַּעֲוֺנוֹ נִלְקָח וְדָמוֹ מִיַּד־הַצֹּפֶה אֶדְרֹשׁ׃ ס

FORTIFICANDO CIDADES

A primeira linha de defesa era o muro. A Babilônia tinha dois muros, mais um "muro de água", um fosso-canal. Os muros tinham portões altamente fortificados, feitos de madeira grossa reforçada com metal e pedras. Mesmo assim, inimigos a atacaram com êxito, empregando rampas e pilhas de terra para subir e atravessar o muro. Usaram também o aríete para derrubar o muro.

Mas se o atalaia vir que vem a espada, e não tocar a trombeta... *O atalaia* que não age fielmente, negligenciando seus deveres, provoca uma reação em cadeia, que termina com consequências muito desagradáveis. A espada vem e mata alguns; foi a culpa do atalaia infiel. O pecado arruina a vida de outras pessoas, porque não receberam nenhuma advertência; o atalaia negligente arruinou e será arruinado, finalmente. Ele morrerá prematura e violentamente. Cf. Ez 3.18, que é, essencialmente, igual. O pecador, avisado ou não, morrerá por seus pecados e deve ser abatido com os outros ímpios. Todavia, se o atalaia pregou sua mensagem de arrependimento, então não compartilhará a culpa do náufrago. A ignorância não liberta o pecador; até a falta de conhecimento de pecado não o ajudará no dia da crise (ver Os 4.1,6).

■ **33.7**

וְאַתָּה בֶן־אָדָם צֹפֶה נְתַתִּיךָ לְבֵית יִשְׂרָאֵל וְשָׁמַעְתָּ
מִפִּי דָּבָר וְהִזְהַרְתָּ אֹתָם מִמֶּנִּי׃

A ti, pois, ó filho do homem, te constituí atalaia. A mensagem geral se aplica ao profeta e à sua missão entre os cativos que moravam perto de Quebar. *Ele* é o atalaia que não deve negligenciar a missão. O Espírito deve dominar a sua mente. Seu "rebanho" era a "casa de Israel"; neste contexto, Judá, cativo na Babilônia. A "casa de Israel" (ver Ez 3.1,4-5,7; 4.3; 5.4; 6.11) tornou-se uma "casa rebelde" (Ez 2.8; 3.8) e até uma *abominação* para Yahweh (Ez 6.11; 8.10). Mesmo rebelde, tinha sabedoria suficiente para desejar um atalaia; seu homem era Ezequiel, aprovado pelos homens e por Yahweh. Além de ser aprovado, recebeu uma *comissão divina* de Yahweh. Será que este homem escolhido salvará a casa rebelde da espada e dos abusos da Babilônia? O Targum traz: "Eu te designei um mestre, um atalaia espiritual". Cf. 2Tm 4.5 e Hb 13.17.

Obedecei aos vossos guias e sede submissos para com eles; pois velam por vossa alma.

Hebreus 13.17

Há um irmão que alguém deve salvar,
Um irmão de alguém!
Quem ousará lançar para ele o salva-vidas?

Edward S. Ufford

■ **33.8**

בְּאָמְרִי לָרָשָׁע רָשָׁע מוֹת תָּמוּת וְלֹא דִבַּרְתָּ לְהַזְהִיר
רָשָׁע מִדַּרְכּוֹ הוּא רָשָׁע בַּעֲוֺנוֹ יָמוּת וְדָמוֹ מִיָּדְךָ
אֲבַקֵּשׁ׃

Este versículo repete as mesmas coisas ditas no vs. 6. A morte aqui, provavelmente, é um falecimento prematuro e violento, que a mente judaica tanto receava. O profeta não está falando dos castigos de uma vida além do sepulcro, embora alguns intérpretes deem esta ideia. Este versículo duplica Ez 3.18, cujas interpretações se aplicam aqui. É possível que o autor tivesse em mente a questão das almas no seol (Ez 32.17-32), ou talvez tenha empregado esta ideia abertamente, no presente texto, para enfatizar seu argumento sobre o dever do atalaia. "A morte aqui provavelmente é a morte física prematura dos ímpios, em contraste com a vida longa e próspera prometida aos justos. Cf. Ez 18.1-32" (Theophile J. Meek, *in loc.*).

■ **33.9**

וְאַתָּה כִּי־הִזְהַרְתָּ רָשָׁע מִדַּרְכּוֹ לָשׁוּב מִמֶּנָּה וְלֹא־שָׁב
מִדַּרְכּוֹ הוּא בַּעֲוֺנוֹ יָמוּת וְאַתָּה נַפְשְׁךָ הִצַּלְתָּ׃ ס

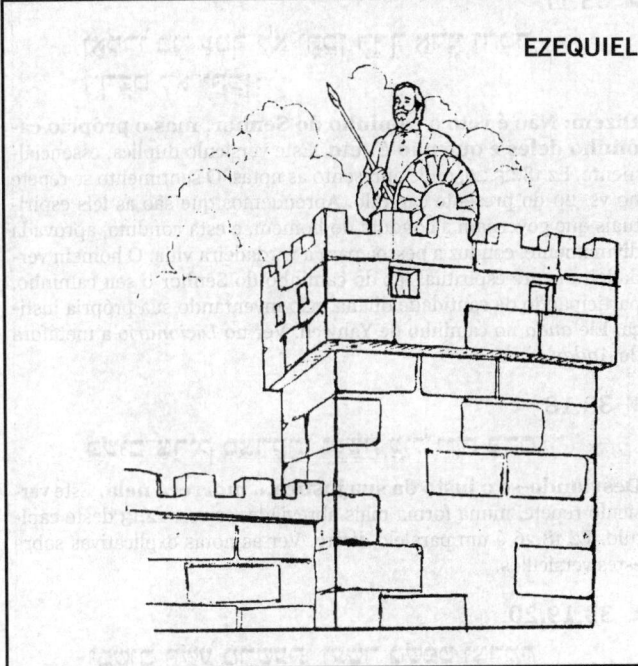

EZEQUIEL, O ATALAIA

O vigia era fundamental para a defesa de uma cidade. Do topo do muro, ele podia observar o avanço do inimigo e dar o alerta para permitir uma preparação de defesa. Ezequiel era designado o vigia espiritual de Judá.

Quando eu fizer vir a espada sobre a terra, e o povo da terra tomar um homem dos seus termos, e o constituir por seu atalaia; e vendo ele que a espada vem sobre a terra, tocar a trombeta e avisar o povo; se aquele que ouvir o som da trombeta, não se der por avisado, e vier a espada, e o abater, o seu sangue será sobre a sua cabeça.

Ezequiel 33.2-4

O autor continua suas repetições, trazendo à nossa atenção afirmações oferecidas nos vss. 4,5. Ez 3.19 é praticamente igual e as notas dadas ali se aplicam aqui.

> Sim, Jesus levou meu peso
> Que não podia mais carregar.
> Sim, levou meu peso, respondendo
> Às minhas orações.
> Meus temores ansiosos se acalmaram,
> Meu espírito se fortaleceu, pois,
> Jesus levou meu peso,
> E deixou-me com uma canção.
>
> Johnson Oatman, Jr.

Novo Oráculo sobre a Responsabilidade Individual (33.10-20)

O povo, coletivamente, foi culpado de muitas infrações da lei de Moisés, aprofundando-se mais e mais em sua idolatria-adultério--apostasia. O julgamento golpearia as massas, mas alguns indivíduos escapariam e participariam da restauração, após os setenta anos de cativeiro na Babilônia. A mensagem do presente texto se aplica, essencialmente, aos cativos, que ainda tiveram de enfrentar a violência de seus mestres; a espada os perseguiu até mesmo naquele lugar (Jr 9.16; Ez 12.14). Uma mudança de coração podia salvar alguns, enquanto a maioria morreria no estrangeiro e nunca veria o novo dia.

Cf. Ez 18.21-23. O vs. 11 é semelhante a Ez 8.23, o vs. 13 a Ez 18.24; os vss. 14,15 a Ez 18.21,22; e os vss. 17-20 a Ez 18.25-30. O ofício profético incluía tanto advertências como uma palavra de consolação para os reformados.

■ **33.10**

וְאַתָּה בֶן־אָדָם אֱמֹר אֶל־בֵּית יִשְׂרָאֵל כֵּן אֲמַרְתֶּם
לֵאמֹר כִּי־פְשָׁעֵינוּ וְחַטֹּאתֵינוּ עָלֵינוּ וּבָם אֲנַחְנוּ נְמַקִּים
וְאֵיךְ נִחְיֶה:

Filho do homem. Yahweh falou com o profeta utilizando seu título comum (ver notas em Ez 2.1). A *casa de Israel* (ver o vs. 7) era também a *casa rebelde* (Ez 2.8; 3.9) que se tornou até uma *abominação* para Yahweh (Ez 6.11; 8.10). Ezequiel nunca desistiu de advertir aquela casa. Seus pecados pesados a estavam afundando no abismo, seol, a câmara subterrânea. Segundo a mente hebraica, guardar a lei trazia vida (Dt 4.1; 5.33; 6.2; Ez 20.11) e desobedecer-lhe significava a morte. A *vida* se refere a uma vida física longa e próspera; a *morte*, a um falecimento prematuro e violento. O povo, querendo viver, tinha de abandonar a prática de iniquidades e correr atrás da lei de Moisés, para conhecê-la e obedecer-lhe. Aquela era a substância da espiritualidade dos judeus, entendendo naturalmente a ação do Espírito para inspirar os esforços. O objetivo imediato era sobreviver ao *cativeiro babilônico* (ver a respeito no *Dicionário*) e participar da restauração além. Cf. Ez 37.11: os ossos secos que ganham nova vida. Ver também Mt 11.28. Lv 26.39 é um paralelo direto do presente versículo.

■ **33.11**

אֱמֹר אֲלֵיהֶם חַי־אָנִי נְאֻם אֲדֹנָי יְהוִה אִם־
אֶחְפֹּץ בְּמוֹת הָרָשָׁע כִּי אִם־בְּשׁוּב רָשָׁע
מִדַּרְכּוֹ וְחָיָה שׁוּבוּ שׁוּבוּ מִדַּרְכֵיכֶם הָרָעִים
וְלָמָּה תָמוּתוּ בֵּית יִשְׂרָאֵל: פ

Tão certo como eu vivo, diz o Senhor Deus. *Adonai-Yahweh* (o Soberano Eterno Deus) faz um juramento por sua própria vida: o que diz deve ser a verdade, e esta deve efetuar sua vontade entre os homens. Este título divino ocorre 217 vezes nesse livro, mas somente 103 no restante do Antigo Testamento. Enfatiza a soberania de Deus, que determina o destino dos homens.

Não tenho prazer na morte do perverso. O Soberano não sente nenhum prazer na morte de um homem, desejando, contrariamente, sua vida, através do arrependimento e da anulação de suas iniquidades. Quando os homens abandonam suas abominações, eles ganham "vida". O arrependimento é uma mudança de coração, não meramente uma intenção. Ver Pv 4.23 e, no *Dicionário*, o artigo chamado *Arrependimento*.

Cf. Ez 18.23,32 e 2Pe 3.9, onde temos ideias semelhantes. O tênue desejo de ver uma mudança se manifesta neste texto. Exige, todavia, justiça e uma vida positiva de espiritualidade. O desespero é anulado com uma segurança que somente o arrependimento verdadeiro pode dar.

> *Ele é longânimo para convosco, não querendo que nenhum pereça, senão que todos cheguem ao arrependimento.*
>
> 2Pedro 3.9

O livre-arbítrio do homem se une com o Poder transformador de Deus, para fazer um novo homem, apagando o passado de inumeráveis infrações.

33.12,13

וְאַתָּה בֶן־אָדָם אֱמֹר אֶל־בְּנֵי־עַמְּךָ צִדְקַת
הַצַּדִּיק לֹא תַצִּילֶנּוּ בְּיוֹם פִּשְׁעוֹ וְרִשְׁעַת הָרָשָׁע
לֹא־יִכָּשֶׁל בָּהּ בְּיוֹם שׁוּבוֹ מֵרִשְׁעוֹ וְצַדִּיק לֹא
יוּכַל לִחְיוֹת בָּהּ בְּיוֹם חֲטֹאתוֹ׃

בְּאָמְרִי לַצַּדִּיק חָיֹה יִחְיֶה וְהוּא־בָטַח עַל־צִדְקָתוֹ
וְעָשָׂה עָוֶל כָּל־צִדְקֹתָו לֹא תִזָּכַרְנָה וּבְעַוְלוֹ אֲשֶׁר־
עָשָׂה בּוֹ יָמוּת׃

A Responsabilidade Individual. Yahweh fala com a comunidade, mas não ignora nenhum indivíduo. A mesma mensagem se aplica a todos. Este versículo é paralelo a Ez 3.20 e 18.4, onde forneço as notas expositivas essenciais. A bondade do passado não salva o pecador de hoje; o pecado do passado não condena o arrependido de hoje. O julgamento vem sobre os pecadores de hoje, e Deus não se lembra do passado. Este versículo naturalmente tem sido aplicado à questão da segurança eterna do crente, mas o assunto não está em vista aqui. A salvação evangélica não é o assunto, mas, sim, o problema babilônico, o julgamento temporal e a possibilidade de escape. Ver na *Enciclopédia de Bíblia, Teologia e Filosofia* o verbete chamado A *Segurança Eterna do Crente.* Cf. Pv 10.2 e 11.4. A responsabilidade pessoal é enfatizada. A lei moral de Deus é o instrumento que mede a qualidade espiritual da vida do homem.

33.14,15

וּבְאָמְרִי לָרָשָׁע מוֹת תָּמוּת וְשָׁב מֵחַטָּאתוֹ וְעָשָׂה
מִשְׁפָּט וּצְדָקָה׃

חֲבֹל יָשִׁיב רָשָׁע גְּזֵלָה יְשַׁלֵּם בְּחֻקּוֹת
הַחַיִּים הָלַךְ לְבִלְתִּי עֲשׂוֹת עָוֶל חָיוֹ יִחְיֶה
לֹא יָמוּת׃

O homem mau de ontem, impressionado pelos ensinamentos morais e espirituais, pode reverter seu caminho e salvar sua vida, embora, por longo tempo, vivesse como pecador. Mas não é suficiente *falar* sobre a vida espiritual: o homem deve possuir um novo coração e modificar radicalmente a sua vida, entrando num *novo caminho,* guiado pela lei de Moisés e inspirado pelo Espírito. O *homem bom* atual deve compensar as maldades praticadas. Se roubou, deve restaurar; se machucou, deve curar; se semeou miséria, deve semear bondade para o bem-estar dos outros. Ver no *Dicionário* o artigo intitulado *Reparação (Restituição).*

Empréstimos eram feitos com "segurança", através de penhores, coisas de valor dadas para garantir o pagamento. Alguns homens sem caráter retinham os penhores quando o empréstimo já tinha sido pago. O profeta condena esta prática e exige liberalidade para com os outros, em qualquer situação.

O homem deve viver pelas regras justas da vida, não meramente discursar sobre elas. Agindo assim, o pecador anula um passado de iniquidades e ganha nova vida. Cf. Ez 20.11,13. Paralelos diretos deste versículo são Ez 3.18,19; 18.7 e 27.27. Atos manifestos de caridade são exigidos do homem verdadeiramente bom. O ladrão, segundo a legislação mosaica, tinha de devolver 400 ou 500% do que havia roubado (Êx 22.1). O homem bom é generoso; é impossível ser bom e mesquinho ao mesmo tempo. Cf. Ez 5.7.

33.16

כָּל־חַטֹּאתָו אֲשֶׁר חָטָא לֹא תִזָּכַרְנָה לוֹ מִשְׁפָּט
וּצְדָקָה עָשָׂה חָיוֹ יִחְיֶה׃

De todos os seus pecados que cometeu não se fará memória contra ele. Cf. Ez 18.22, um paralelo direto, cujas notas também se aplicam aqui. O homem ímpio de ontem, que é o homem bom e generoso de hoje, anula seu passado de pecados e caminha para um futuro brilhante. Assim funciona a graça de Deus.

33.17

וְאָמְרוּ בְּנֵי עַמְּךָ לֹא יִתָּכֵן דֶּרֶךְ אֲדֹנָי וְהֵמָּה
דַּרְכָּם לֹא־יִתָּכֵן׃

Dizem: Não é reto o caminho do Senhor, mas o próprio caminho deles é que não é reto. Este versículo duplica, essencialmente, Ez 18.25,29, onde apresento as notas. O sentimento se repete no vs. 20 do presente capítulo. Aprendemos que são as leis espirituais que governam a conduta do homem, e esta conduta, aprovada divinamente, conduz a pessoa para a verdadeira vida. O homem verdadeiramente espiritual faz do caminho do Senhor o seu caminho, participando da santidade divina, não inventando sua própria justiça. Ele *anda* no caminho de Yahweh. Ver no *Dicionário* a metáfora do *Andar.*

33.18

בְּשׁוּב־צַדִּיק מִצִּדְקָתוֹ וְעָשָׂה עָוֶל וּמֵת בָּהֶם׃

Desviando-se o justo da sua justiça... morrerá nela. Este versículo repete, numa forma mais abreviada, os vss. 12,13 deste capítulo. Ez 18.26 é um paralelo direto. Ver as notas explicativas sobre estes versículos.

33.19,20

וּבְשׁוּב רָשָׁע מֵרִשְׁעָתוֹ וְעָשָׂה מִשְׁפָּט וּצְדָקָה
עֲלֵיהֶם הוּא יִחְיֶה׃

וַאֲמַרְתֶּם לֹא יִתָּכֵן דֶּרֶךְ אֲדֹנָי אִישׁ כִּדְרָכָיו אֶשְׁפּוֹט
אֶתְכֶם בֵּית יִשְׂרָאֵל׃ פ

O profeta continua com *muitas repetições,* pois essa era uma característica de seu estilo literário. Os vss. 19,20 são, essencialmente, iguais aos vss. 14 e 17 deste mesmo capítulo. A *casa de Israel* (vs. 7) será julgada pela multidão de seus pecados, e cada homem sofrerá o devido castigo, de acordo com as exigências das leis morais de Deus. Paralelos diretos destes versículos são Ez 18.27,30. "A ênfase continua na responsabilidade individual, mas isso faz parte do tema geral da restauração potencial da casa de Israel" (Charles H. Dyer, *in loc.*).

O Fugitivo Traz Notícias da Queda de Jerusalém (33.21,22)

Esta terceira parte do capítulo apresenta um *interlúdio histórico.* "Oito manuscritos hebraicos, alguns da Septuaginta e do Siríaco, têm: 'no décimo primeiro ano'. Alguns eruditos aceitam esta leitura como original; mas, supondo que o *décimo segundo* ano seja correto (que é a leitura do hebraico), então o fugitivo chegou um ano e meio depois da queda da cidade, que tinha acontecido no quarto mês do décimo primeiro ano. Entretanto, utilizando o calendário outonal, o décimo mês do ano duodécimo ocorreria em menos de seis meses depois do quarto mês do décimo primeiro ano... A data aqui seria, então, o dia 8 de janeiro de 585 a.C. Seis meses parece um tempo longo demais para as notícias chegarem da Babilônia. Esdras levou somente quatro meses para fazer a viagem, mesmo acompanhado por grande multidão (Ed 7.9 e 8.31). Naturalmente, Ez 24.26,27 são interpretados para significar que o fugitivo chegou no mesmo dia da queda de Jerusalém. Se este for o caso, o que é impossível, devemos ignorar as notícias cronológicas dos presentes versículos e presumir que o trecho foi escrito por um editor (não o escritor de Ez 24.26,27)" (Theophile J. Meek, *in loc.*). Ver as notas em Ez 24.26,27, para alegadas soluções do problema.

33.21

וַיְהִי בִּשְׁתֵּי עֶשְׂרֵה שָׁנָה בָּעֲשִׂרִי בַּחֲמִשָּׁה לַחֹדֶשׁ
לְגָלוּתֵנוּ בָּא־אֵלַי הַפָּלִיט מִירוּשָׁלַםִ לֵאמֹר הֻכְּתָה
הָעִיר׃

No ano duodécimo. Isto é, o número de anos depois da deportação de Jeconias, a primeira de três (ver Jr 52.28).

ATI ■ Ezequiel 649

■ 33.22

וַיַד־יְהוָה הָיְתָה אֵלַי בָּעֶרֶב לִפְנֵי בּוֹא הַפָּלִיט וַיִּפְתַּח
אֶת־פִּי עַד־בּוֹא אֵלַי בַּבֹּקֶר וַיִּפָּתַח פִּי וְלֹא נֶאֱלַמְתִּי
עוֹד׃ פ

A mão do Senhor estivera sobre mim. As amargas profecias de Ezequiel, sobre a destruição de Jerusalém, provaram-se acuradas e, portanto, inspiradas. Não havia mais necessidade de ficar calado. Sua boca foi aberta pelo Espírito e um dilúvio de mensagens fluiu. O Espírito lhe deu uma elocução, libertada justamente na noite antes da chegada do fugitivo. Durante sete longos anos ele permanecera calado, por ordem de Yahweh (Ez 3.26,27). O profeta terminou falando muitas profecias que eram, afinal, publicadas, sendo, quase todas, o conteúdo do presente livro. Cf. Ez 24.27, um paralelo direto do presente versículo. Provavelmente, a ação do Espírito em sua mente já tinha revelado a queda de Jerusalém. Aquela informação foi *confirmada pela chegada do fugitivo*.

O Orgulho e a Punição dos Sobreviventes que Ficaram em Judá (32.23-29)

É espantoso que os poucos sobreviventes dos ataques da Babilônia, deixados em Judá, mantivessem a vida pecaminosa que tinham antes do desastre. Aqueles reprovados afundaram mais e mais em suas atitudes e atividades perversas, a despeito do golpe divino. Eles não aprenderam nada com a experiência catastrófica. A bondade de Deus não conseguiu direcioná-los para o arrependimento (Rm 2.4), nem mesmo o sofrimento agudo. Por longo tempo, foram prisioneiros da sua idolatria-adultério-apostasia, nunca se libertaram, nem com a ajuda direta de Deus.

■ 33.23

וַיְהִי דְבַר־יְהוָה אֵלַי לֵאמֹר׃

Veio a mim a palavra do Senhor. Esta é a declaração comum que introduz novos materiais e oráculos. Lembra que as mensagens eram divinamente inspiradas e que Ezequiel era o profeta autorizado por Yahweh. Ver Ez 13.1; 14.2; 15.1; 16.1.

■ 33.24

בֶּן־אָדָם יֹשְׁבֵי הֶחֳרָבוֹת הָאֵלֶּה עַל־אַדְמַת יִשְׂרָאֵל
אֹמְרִים לֵאמֹר אֶחָד הָיָה אַבְרָהָם וַיִּירַשׁ אֶת־הָאָרֶץ
וַאֲנַחְנוּ רַבִּים לָנוּ נִתְּנָה הָאָרֶץ לְמוֹרָשָׁה׃ ס

Abraão era um só, no entanto possuiu esta terra; ora, sendo nós muitos, certamente esta terra não foi dada em possessão. Aqueles homens reprovados se orgulhavam de ter Abraão como pai ancestral e supuseram vaidosamente que uma conexão biológica os salvasse no dia do desastre. Acharam que continuariam possuindo a terra que foi prometida pelo *Pacto Abraâmico* (ver Gn 15.18), mesmo que não compartilhassem a espiritualidade do pai. Até tinham um argumento do "menor para o maior", supondo que Abraão, tendo sido somente *um* homem, possuiu a Terra Prometida, portanto eles, sendo muitos, a segurariam ainda mais firmemente. Mas o *pacto* exigia uma *obediência* que eles nunca seguiram. Não eram filhos espirituais de Abraão, e as provisões do pacto não lhes pertenciam. Os apóstatas anularam o pacto e perderam sua participação nele. Foram expulsos da terra (Jr 43.1-7), e os cativos na Babilônia, voltando, começaram o novo Israel, no novo dia. A Terra Prometida era uma *herança* dada aos filhos espirituais. A biologia não deu nenhuma vantagem aos ímpios. Ver os capítulos 16, 18, 26,27 e 32—34 do livro de Números.

Nos vss. 23-29, o profeta condena os *dois grupos*: os deixados em Judá e os levados para a Babilônia. Alguns indivíduos escaparam à condenação, mas, de modo geral, os judeus, dentro e fora de Judá, não aprenderam muita coisa com a experiência babilônica. Permaneceram em seus caminhos perversos e rebeldes. Os vss. 30-33 condenam o segundo grupo, sediado na Babilônia. Eles praticavam as mesmas e velhas perversidades. Abraão recebeu o que Yahweh prometeu, através da obediência baseada no coração limpo. Aqueles pecadores horríveis não imitaram o pai e não receberam parte da herança prometida.

■ 33.25

לָכֵן אֱמֹר אֲלֵיהֶם כֹּה־אָמַר אֲדֹנָי יְהוִה עַל־הַדָּם
תֹּאכֵלוּ וְעֵינְכֶם תִּשְׂאוּ אֶל־גִּלּוּלֵיכֶם וְדָם תִּשְׁפֹּכוּ
וְהָאָרֶץ תִּירָשׁוּ׃

Assim diz o Senhor Deus:... porventura haveis de possuir a terra? *Adonai-Yahweh* (o Soberano Eterno Deus) deixou claro que aqueles culpados de transgressões pesadas não participariam das bênçãos dos justos que fluíram do Pacto Abraâmico. Eles comeram carne ainda com sangue, que não fora apropriadamente drenada, e eram culpados de crimes de sangue. Esses dois exemplos de pecados serviam para representar a grande massa. Eles já estavam sofrendo a desolação, mas veriam ainda mais.

Com sangue. Uma emenda leve produz "nas montanhas", em referência aos lugares altos onde era praticada a idolatria. Ver no *Dicionário* o artigo intitulado *Lugares Altos*. Ver a proibição contra comer carne ainda saturada de sangue, em Lv 17.10-14. *Crimes de sangue* foram proibidos pelos *Dez Mandamentos* originais. Ver Êx 20.4-6. *Adonai-Yahweh* (o Soberano Eterno Deus), no exercício de seu poder ilimitado e efetivo, golpearia os ímpios apóstatas e os deixaria atônitos. Certamente, eles nunca seriam os donos da Terra Prometida, que passou para outros.

■ 33.26

עֲמַדְתֶּם עַל־חַרְבְּכֶם עֲשִׂיתֶן תּוֹעֵבָה וְאִישׁ אֶת־אֵשֶׁת
רֵעֵהוּ טִמֵּאתֶם וְהָאָרֶץ תִּירָשׁוּ׃ ס

Possuireis a terra? *Outros Pecados Pesados dos Apóstatas.* Aqueles homens desprezíveis, violentos, perversos e tolos quebraram todos os *Dez Mandamentos* (ver a respeito no *Dicionário*) e mereciam execução legal, não uma herança de terra. Praticaram todo o tipo de males, atos violentos e antissociais. Adulteraram com todas as mulheres casadas do acampamento. Yahweh não lhes daria o privilégio de reconstruir Jerusalém.

Estes homens violentos dependiam de suas espadas para conseguir o que queriam. A espada de Yahweh acabaria com eles.

■ 33.27

כֹּה־תֹאמַר אֲלֵהֶם כֹּה־אָמַר אֲדֹנָי יְהוִה חַי־אָנִי אִם־
לֹא אֲשֶׁר בֶּחֳרָבוֹת בַּחֶרֶב יִפֹּלוּ וַאֲשֶׁר עַל־פְּנֵי הַשָּׂדֶה
לַחַיָּה נְתַתִּיו לְאָכְלוֹ וַאֲשֶׁר בַּמְּצָדוֹת וּבַמְּעָרוֹת
בַּדֶּבֶר יָמוּתוּ׃

Assim diz o Senhor Deus: Tão certo como eu vivo. *Adonai-Yahweh* (o Soberano Eterno Deus) pronunciou um decreto de aniquilação que, precisamente, seria cumprido.

Os que estiverem em lugares desertos, cairão à espada, e o que estiver em campo aberto o entregarei às feras, para que o devorem, e os que estiverem em fortalezas e em cavernas morrerão de peste. *A Destruição Versátil.* Eles eram pecadores caprichosos e seriam aniquilados caprichosamente. Aqueles homens, naquele momento, habitavam as terras de Judá, que se tornou praticamente um deserto desabitado; mesmo no meio da desolação, não se arrependeram e continuaram pensando num *reverso de fortuna* que os favoreceria. Sentiram *arrogância* na possessão do que sobrou de Judá, como se fossem melhores do que aqueles massacrados e exilados. Dias piores, entretanto, os esperavam.

"Aqui há um comentário do Antigo Testamento relacionado a Mt 3.9. Ezequiel está falando aos sobreviventes da catástrofe de 587 a.C., entre eles os seguidores de Ismael, que talvez tenha matado o infeliz Gedalias (Jr 41). A despeito da despovoação da terra, sentiram-se seguros, porque eram descendentes de Abraão" (E. L. Allen, *in loc.*). Do coração perverso deles, brotou uma esperança ridícula.

■ 33.28

וְנָתַתִּי אֶת־הָאָרֶץ שְׁמָמָה וּמְשַׁמָּה וְנִשְׁבַּת גְּאוֹן עֻזָּהּ
וְשָׁמְמוּ הָרֵי יִשְׂרָאֵל מֵאֵין עוֹבֵר׃

Tornarei a terra em desolação e espanto. Destruição avassaladora acabaria com o remanescente orgulhoso, que não aprendera nada da experiência babilônica, mas continuava com sua vida anterior de deboche e violência.

Os montes de Jerusalém ficarão tão desolados que ninguém passará por eles. Cf. Jr 4.27; 12.11; 44.2,6,22; Ez 36.34,35. A agricultura acabou e, com ela, o povo. O país tornou-se lugar de "assombração" para animais selvagens e homens que pilhavam e matavam. Os matadores não respeitavam as caravanas, que eram meras presas para eles. Nenhum turista ousou chegar perto do lugar. Afinal, o *orgulho* terminou. Ver as notas no vs. 29.

■ 33.29

וְיָדְעוּ כִּי־אֲנִי יְהוָה בְּתִתִּי אֶת־הָאָרֶץ שְׁמָמָה וּמְשַׁמָּה עַל כָּל־תּוֹעֲבֹתָם אֲשֶׁר עָשׂוּ׃ ס

Então saberão que eu sou o Senhor. Judá tornou-se uma terra devastada pelo decreto de *Adonai-Yahweh*, o Soberano que controla o destino dos homens. A mente divina não suportou mais a idolatria-adultério-apostasia do lugar. Através de um julgamento devastador, Yahweh se tornará conhecido, um tema que se repete 63 vezes nesse livro, normalmente associado aos julgamentos divinos, mas, às vezes, à restauração (ver Ez 16.62; 28.25-26 e 29.21). Conhecendo Yahweh melhor *como Juiz*, os orgulhosos serão humilhados. Ver no *Dicionário* o artigo intitulado *Orgulho*; sobre *olhos altivos*, ver Pv 6.17.

Ezequiel, Cantor de Canções de Amor (33.30-33)

A despeito das profecias amargas de Ezequiel se terem mostrado acuradas e divinamente inspiradas, o remanescente de Judá, na Babilônia, não se arrependeu; até zombou das mensagens, ridicularizando os oráculos, dizendo que somente um tolo prestaria atenção àquelas "canções". Ninguém encara seriamente os cantores de canções de amor, que falam de um mundo ilusório e falsamente ideal (vs. 32). Jeremias, o cantor, tinha uma bela voz, mas não valia a pena ouvir suas canções. As pessoas que falaram tais coisas foram os cativos na Babilônia, onde o profeta tinha sua missão principal. Tornaram-se reprovadores duros e estúpidos. Nenhuma lição, não importando quão clara e enfática, atraiu a sua atenção. A história ilustra bem a natureza humana. Aquelas pessoas escutaram somente o que quiseram ouvir, recusando o resto com piadas. Mas "as palavras de amor" de Deus logo se tornariam severas palavras do julgamento. O uso da palavra "canção" aqui provavelmente indica que os oráculos eram cantados, ao menos em certas ocasiões.

■ 33.30

וְאַתָּה בֶן־אָדָם בְּנֵי עַמְּךָ הַנִּדְבָּרִים בְּךָ אֵצֶל הַקִּירוֹת וּבְפִתְחֵי הַבָּתִּים וְדִבֶּר־חַד אֶת־אַחַד אִישׁ אֶת־אָחִיו לֵאמֹר בֹּאוּ־נָא וְשִׁמְעוּ מָה הַדָּבָר הַיּוֹצֵא מֵאֵת יְהוָה׃

Os filhos do teu povo falam de ti. Este versículo implica que Ezequiel desenvolveu um discipulado *popular*. As pessoas gostavam de ouvir seus discursos eloquentes. Enquanto a situação ficou só em palavras, não se perturbaram, nem com as mensagens cortantes. Suas palavras eram como *canções frívolas de amor*, belas mas inconsequentes. O profeta cantava e tocava bem um instrumento, mas era tudo ilusório. Ezequiel tinha discípulos, mas eles não eram sérios. Em outras palavras, eram hipócritas que não tinham nenhuma intenção de modificar sua conduta. Disseram que "Yahweh" falava através do profeta, mas não acreditavam realmente na afirmação. O profeta recebeu uma advertência para não se impressionar com a aparente popularidade e a suposta complacência do povo em relação às suas exigências.

Junto aos muros e nas portas. Isto é, *publicamente*, falavam bem do profeta, mas dentro de suas casas a conversa tornava-se zombaria "daquele louco". O profeta era o sujeito de palavras cortantes e triviais.

■ 33.31

וְיָבוֹאוּ אֵלֶיךָ כִּמְבוֹא־עָם וְיֵשְׁבוּ לְפָנֶיךָ עַמִּי וְשָׁמְעוּ אֶת־דְּבָרֶיךָ וְאוֹתָם לֹא יַעֲשׂוּ כִּי־עֲגָבִים בְּפִיהֶם הֵמָּה עֹשִׂים אַחֲרֵי בִצְעָם לִבָּם הֹלֵךְ׃

Eles vêm a ti. *Ezequiel Atraiu a Multidão.* Nunca faltava gente quando o profeta fazia um discurso. As pessoas gostavam de sentar-se na "escola" dele, ouvir seus oráculos cantados, acompanhados com o belo som de um instrumento musical. Mas nunca se preocupavam em pôr em prática qualquer coisa que ele recomendava. Até expressavam *amor* por ele, mas realmente estavam atrás do dinheiro e do poder entre os homens. A NCV faz o objeto de seu amor *Yahweh*. Falavam do amor, mas seus atos eram perversos. Empregavam meios desonestos e até violentos para adquirir o que queriam. Ouvir o profeta era uma "diversão", um modo de aliviar as pressões do dia com alguma coisa leve, como um *show* de música e palestras. Aqueles homens eram a terra *cheia de espinhos* de Mt 13.22. Cf. Am 8.5. O Targum diz que eles "brincaram com jogos de boca".

Tornai-vos, pois, praticantes da palavra e não ouvintes somente, enganando-vos a vós mesmos.

Tiago 1.22

■ 33.32

וְהִנְּךָ לָהֶם כְּשִׁיר עֲגָבִים יְפֵה קוֹל וּמֵטִב נַגֵּן וְשָׁמְעוּ אֶת־דְּבָרֶיךָ וְעֹשִׂים אֵינָם אוֹתָם׃

Tu és para eles como quem canta canções de amor. Muitos salmos eram cantados com o acompanhamento de instrumentos musicais, e a mesma prática se aplicava aos oráculos. Ver 1Sm 10.5; 2Rs 3.15. Havia cantores profissionais e certas pessoas adquiriam considerável habilidade com instrumentos musicais. Ver no *Dicionário* o artigo intitulado *Música, Instrumentos Musicais*. Aparentemente, o profeta tinha a reputação de ser um bom músico, e as pessoas sempre se reuniam para ouvi-lo. Suas profecias eram pronunciadas com e sem música, e ele se tornou uma figura popular, mas o povo o tratava de maneira frívola, como simples músico de canções de amor, não como um profeta que realmente previa desastres.

Ouvem as tuas palavras, mas não as põem por obra. Eles gostaram do *show*, mas não puseram em prática as instruções espirituais.

"Vocês costumam dizer: 'Porventura não conhecemos certos homens que se têm assentado por muitos anos aos pés de algum filósofo, sem terem adquirido o menor verniz de sabedoria?'. Naturalmente, reconheço que existem homens assim. Na verdade, existem cavalheiros persistentes, que se mostram constantes; e, no entanto, não os considero discípulos dos sábios, mas meros *acocorados*. Essa classe de gente, como é fácil de ver, constitui um contingente muito numeroso entre os ouvintes" (Sêneca).

■ 33.33

וּבְבֹאָהּ הִנֵּה בָאָה וְיָדְעוּ כִּי נָבִיא הָיָה בְתוֹכָם׃ ס

Saberão que houve no meio deles um profeta. Aqueles homens eram ouvintes das palavras, mas não praticantes (Tg 1.22), e um destino desastroso estava prestes a nivelá-los, como o profeta tinha dito diversas vezes. Conhecerão o Senhor melhor, quando as profecias de calamidade se realizarem, um tema constante deste livro. Neste versículo, é *o profeta* que ficará conhecido; seu verdadeiro caráter se manifestará: verão que era um *profeta de Yahweh*, não meramente um bom cantor de canções de amor.

> Eu tencionava chegar até Deus,
> E para Deus eu me apressei deveras;
> Pois no seio de Deus, meu próprio lar,
> Chegaram multidões em glória ofuscante,
> E por fim fiz ali descansar o meu espírito.

Esse tipo de atitude era incompreensível para aqueles perversos, que gostavam de ouvir uma bela voz e palavras eloquentes, mas não levavam a sério o que lhes era comunicado. Em breve eles saberiam, experimentalmente, o preço da negligência espiritual.

CAPÍTULO TRINTA E QUATRO

O *tema unificador* deste capítulo é o de que existem *falsos pastores* que se contrastam com o futuro *verdadeiro Pastor*.

O capítulo se divide naturalmente em cinco partes: 1. Vss. 1-10; 2. Vss. 11-16; 3. Vss. 17-22; 4. Vss. 23,24; 5. Vss. 25-31. No início de cada seção, há um título e um parágrafo introdutório. Os vss. 23,24 falam especificamente do *Messias-Rei*, que é o verdadeiro Pastor de Israel e, neste tema, a passagem encontra seu auge. O autor se prepara para apresentar o tema principal dos capítulos 31—39, a *restauração de Israel*. O Messias-Rei é descrito como o *Servo* de Yahweh (vs. 23). Os falsos pastores serviam a si mesmos, rejeitando a responsabilidade de ser servos do povo. Deixaram as ovelhas a vaguear e, por esta razão, sofreriam um julgamento temível de Deus. O tema do verdadeiro Pastor se apresenta também em Jr 10.21; 23.1-4; 25.34-38 e 50.6. Cf. Mq 5.5; Zc 10.2,3; 11.3-8; 1Rs 22.17. Passagens análogas são: Jr 23.1-6; 31.9,10; Zc 11.4-17; 13.7; Sl 80.1 e 95.7. Ver no *Dicionário* o artigo intitulado *Pastor*.

JULGAMENTO DOS FALSOS PASTORES (34.1-10)

É fato temível receber uma missão espiritual significativa e tratá-la de maneira trivial, ou pior, usá-la como meio de ganhar dinheiro, fama e posição. Foi assim que os falsos pastores agiram, com resultados desastrosos para as ovelhas, que se tornaram corruptas e se espalharam nos campos da vida, sem nenhuma direção ou propósito firme. Os pastores, além de negligentes, eram falsamente motivados por seus próprios prazeres e interesses, envolvendo-se em crimes pesados. Eles se alimentaram e deixaram as ovelhas morrer de fome (vs. 8).

■ **34.1**

וַיְהִי דְבַר־יְהוָה אֵלַי לֵאמֹר׃

Veio a mim a palavra do Senhor. Esta é a declaração comum que introduz novos materiais ou oráculos. Lembra que as mensagens foram inspiradas divinamente e que Ezequiel era o profeta autorizado por Yahweh. Cf. Ez 13.1; 14.2; 15.1; 16.1.

■ **34.2**

בֶּן־אָדָם הִנָּבֵא עַל־רוֹעֵי יִשְׂרָאֵל הִנָּבֵא וְאָמַרְתָּ
אֲלֵיהֶם לָרֹעִים כֹּה אָמַר אֲדֹנָי יְהוִה הוֹי רֹעֵי־יִשְׂרָאֵל
אֲשֶׁר הָיוּ רֹעִים אוֹתָם הֲלוֹא הַצֹּאן יִרְעוּ הָרֹעִים׃

Filho do homem, profetiza contra os pastores de Israel. Yahweh fala ao profeta utilizando seu título comum (anotado em Ez 2.1). Mandou-o repreender os profetas desviados de Israel-Judá. *Adonai-Yahweh* (o Soberano Eterno Deus) pronuncia um oráculo ameaçador e, como Soberano, tem o poder para efetuá-lo. Os líderes perversos, alimentando-se fartamente, deixaram as ovelhas passar fome. O padrão de seu serviço era o *interesse próprio*, não o bem-estar do povo. Realizando seu jogo perverso, logo caíram em infrações sérias, inclusive crimes de sangue.

"Os vss. 2-4 apresentam a verdadeira atitude profética em relação aos líderes ímpios (cf. Jr 22.13-17; Os 1.4; 7.7; 1Sm 8.1-22" (Theophile J. Meek, *in loc.*). O falso pastor considera o rebanho somente como um meio para ganhar algo de valor para si mesmo. Obviamente, devem existir poder e liderança em qualquer sociedade, mas não sem a responsabilidade que vise o bem-estar coletivo.

"Os líderes frequentemente foram chamados *pastores*. Ver Sl 78.70-72; Is 44.28; Jr 23.1-4; 25.34-38. Ezequiel expôs primeiramente os pecados dos falsos pastores e depois pronunciou um julgamento justo contra eles (vss. 7-10)" (Charles H. Dyer, *in loc.*).

■ **34.3**

אֶת־הַחֵלֶב תֹּאכֵלוּ וְאֶת־הַצֶּמֶר תִּלְבָּשׁוּ הַבְּרִיאָה
תִּזְבָּחוּ הַצֹּאן לֹא תִרְעוּ׃

Comeis a gordura. Quando um animal era sacrificado, as "delicadezas" (segundo a mente hebraica), o *sangue e a gordura*, pertenciam a Yahweh, sendo queimados no seu altar. Ver as leis sobre o *sangue e a gordura* em Lv 3.17. Então, oito porções (os melhores cortes da carne) pertenciam aos sacerdotes. O restante era dividido entre os adoradores que haviam trazido os sacrifícios. Uma *refeição comunal* terminava o rito, cada um comendo sua porção apropriada.

Aqueles perversos e presunçosos falsos pastores tomavam para si mesmos o melhor, que pertencia exclusivamente a Yahweh! Na mente hebraica, tal ação configurava um ato de traição que anulava a lei mosaica e merecia execução legal. Os perversos, então, se apossavam das outras partes dos animais, para comer e fazer roupas. Fartavam-se e engordavam, deixando o povo sem nenhuma provisão de comida ou de roupa. Aqueles homens eram tiranos gananciosos, explorando o povo. "Os pastores (isto é, reis, oficiais etc.) abusaram do povo (Jr 23.13-17) e o espalharam (Jr 10.21; 23.1-4). Este oráculo reforça a doutrina da *responsabilidade pessoal* (Ez 18.5-22). Os líderes, supostamente, eram sujeitos às leis de Deus (2Sm 12.1-15), mas, de fato, eram rebeldes e perversos" (*Oxford Annotated Bible*, introdução à seção).

Em vez de alimentar as "ovelhas", usaram-nas para alimentar a si mesmos! Eles as abatiam, roubavam, praticavam crimes de sangue, pervertiam a lei de Moisés, promoviam injustiças sociais, utilizando as primícias para seu próprio benefício, impondo pesados impostos sobre os menos afortunados, enquanto o dinheiro se acumulava em suas tesourarias pessoais. O Targum diz, simplesmente, em um sumário sucinto: "Vós comeis o que é bom", implicando que somente o ruim ficou para as *ovelhas*. "Foram como cachorros famintos que nunca se satisfazem, como Is 56.11 diz" (Fausset, *In loc.*).

> *Tais cães são gulosos, nunca se fartam; são pastores que nada compreendem.*
>
> Isaías 56.11

"Egoísmo é a característica principal dos pastores infiéis. Cf. Jo 10.1-17" (Ellicott, *in loc.*).

■ **34.4**

אֶת־הַנַּחְלוֹת לֹא חִזַּקְתֶּם וְאֶת־הַחוֹלָה לֹא־רִפֵּאתֶם
וְלַנִּשְׁבֶּרֶת לֹא חֲבַשְׁתֶּם וְאֶת־הַנִּדַּחַת לֹא הֲשֵׁבֹתֶם
וְאֶת־הָאֹבֶדֶת לֹא בִקַּשְׁתֶּם וּבְחָזְקָה רְדִיתֶם אֹתָם
וּבְפָרֶךְ׃

A fraca não fortalecestes, a doente não curastes, a quebrada não ligastes, a desgarrada não tornastes a trazer e a perdida não buscastes. Entre o povo comum, sempre existem os fracos e os doentes, os indefesos e os totalmente dependentes, que podem ser facilmente explorados. Tais pobres almas, aqueles violentos desprezaram e exploraram, lucrando com cada ato perverso. Governaram com força excessiva, castigando com impostos absurdamente altos, intimidando, extorquindo, perseguindo, fazendo leis injustas que só serviam às classes mais altas, à custa do *povo*. Não tinham coração nem consciência, agiam como *lobos*. Aqueles ímpios não eram passivos; agiam com vigor, sempre machucando os fracos, espiritual e fisicamente. Cf. Êx 23.4. O líder verdadeiro leva seriamente os deveres para ajudar seu povo:

> *Nem como dominadores dos que vos foram confiados, antes, tornando-vos modelos do rebanho. Ora, logo que o Supremo Pastor se manifestar, recebereis a imarcescível coroa da glória.*
>
> 1Pedro 5.3,4

■ **34.5**

וַתְּפוּצֶינָה מִבְּלִי רֹעֶה וַתִּהְיֶינָה לְאָכְלָה לְכָל־חַיַּת
הַשָּׂדֶה וַתְּפוּצֶינָה׃

Assim se espalharam, por não haver pastor. Os líderes não foram pastores, mas *tiranos*. Não protegeram o rebanho, mas o exploraram. Seus atos violentos espalharam as ovelhas, deixando-as desprotegidas e sem nenhum verdadeiro pastor. Perdidas nos campos, elas se tornaram alimento para as feras que vigiavam aqueles lugares, sempre famintas, sempre matando, sempre esperando para devorar mais uma vítima.

Os vss. 5,6 mencionam três vezes a *dispersão* das ovelhas, ressaltando que aquela ação figurava entre suas ofensas principais. O dever do pastor era o de não permitir justamente *aquilo*. Mas os falsos pastores tinham uma regra só: servir a si mesmos.

"Eles não mereciam o nome *pastor*; era um ultraje aplicar esse título augusto a eles (1Rs 22.17; Mt 9.36). Cf. Mt 26.31, onde também vemos a *dispersão* das ovelhas, porque o verdadeiro Pastor fora morto" (Fausset, *in loc.*). O povo se envolveu em pecados pesados como idolatria, adultério, explorações dos fracos, atos antissociais, opressões, porque não tinha líderes para instruir e guiar em caminhos retos. O Targum explica que a maior dispersão era justamente o *cativeiro babilônico,* que o povo sofreu por causa da infinidade de suas transgressões. Provavelmente, o vs. 6 inclui esta ideia.

■ 34.6

יִשְׁגּוּ צֹאנִי בְּכָל־הֶהָרִים וְעַל כָּל־גִּבְעָה רָמָה וְעַל
כָּל־פְּנֵי הָאָרֶץ נָפֹצוּ צֹאנִי וְאֵין דּוֹרֵשׁ וְאֵין מְבַקֵּשׁ:

As minhas ovelhas andam desgarradas por todos os montes. O povo pecador tornou-se iníquo seguindo os maus exemplos dos líderes. Logo, os *lobos* atacarão para devorar líderes e liderados, que compartilharão o mesmo destino catastrófico. Os *lobos* internacionais eram os soldados babilônicos, sempre famintos, à procura de vítimas. Algumas poucas ovelhas que sobreviveram aos ataques dos lobos esconderam-se nas ravinas das colinas, em cavernas, em câmaras secretas. Algumas fugiram para países vizinhos e sofreram exílio permanente. A maioria dos sobreviventes foi levada cativa para a Babilônia, onde a miséria continuou.

"Lá fora" não houve ninguém que cuidasse das ovelhas perdidas e doentes. Nenhum homem se preocupava com as suas almas. Chaucer falou de ovelhas perdidas "orientadas" por pastores perdidos:

> Ele mesmo sendo um vagabundo, deixando
> O caminho estreito,
> Não era nenhuma maravilha, e suas ovelhas tolas
> Também erraram o caminho.

As minhas ovelhas. Note-se que Yahweh as chama de "minhas ovelhas", a despeito de seus pecados. Ele era o Pastor, mas aqueles designados subpastores foram negligentes e abusaram de seus deveres, descumprindo sua missão. *Nunca* a missão de alguém deve servir a si mesmo.

> *Foram espalhadas sobre toda a face da terra. Ninguém se preocupou em procurá-las.*
> NCV

Por contraste, o verdadeiro Pastor veio para procurar e salvar o que foi perdido (Lc 19.10).

■ 34.7,8

לָכֵן רֹעִים שִׁמְעוּ אֶת־דְּבַר יְהוָה:

חַי־אָנִי נְאֻם אֲדֹנָי יְהוִה אִם־לֹא יַעַן הֱיוֹת־צֹאנִי לָבַז
וַתִּהְיֶינָה צֹאנִי לְאָכְלָה לְכָל־חַיַּת הַשָּׂדֶה מֵאֵין רֹעֶה
וְלֹא־דָרְשׁוּ רֹעַי אֶת־צֹאנִי וַיִּרְעוּ הָרֹעִים אוֹתָם וְאֶת־
צֹאנִי לֹא רָעוּ: ס

Tão certo como eu vivo, diz o Senhor. Yahweh (vs. 7), isto é, *Adonai-Yahweh* (vs. 8), o Soberano Eterno Deus, dirigiu sua palavra de ira contra aqueles ímpios que não cumpriram sua missão em favor de Judá. Fez um juramento "por sua própria vida", garantindo a realização da ameaça. Por falta de liderança espiritualmente adequada, as ovelhas caíram em uma idolatria-adultério-apostasia. Os lobos do campo devoraram as ovelhas desprotegidas. Houve lobos no Egito, Edom, Amom e na Babilônia, esperando a chance de devorar uma ovelha descuidada. "As bestas selvagens das nações exploraram Judá, especialmente os babilônios" (Theophile J. Meek, *in loc.*).

O Targum, sobre este versículo, lembra que os "pastores" eram os governadores, os civis e os religiosos, as pessoas de autoridade. Eram homens sem escrúpulos, violentos, destruidores, implacáveis, desumanos, como já visto nos vss. 2-4.

■ 34.9,10

לָכֵן הָרֹעִים שִׁמְעוּ דְבַר־יְהוָה:

כֹּה־אָמַר אֲדֹנָי יְהוִה הִנְנִי אֶל־הָרֹעִים וְדָרַשְׁתִּי
אֶת־צֹאנִי מִיָּדָם וְהִשְׁבַּתִּים מֵרְעוֹת צֹאן וְלֹא־יִרְעוּ
עוֹד הָרֹעִים אוֹתָם וְהִצַּלְתִּי צֹאנִי מִפִּיהֶם וְלֹא־
תִהְיֶיןָ לָהֶם לְאָכְלָה: ס

Ouvi a palavra do Senhor. Yahweh exige que aqueles líderes miseráveis escutem o seu decreto. De novo, *Adonai-Yahweh* (o Soberano Eterno Deus) fala, ameaçando agir com seu poder soberano. Um julgamento severo é o tema do decreto, que começará com a liderança do país e descerá a todos os níveis daquela sociedade corrupta. Os pastores infiéis serão removidos de seus ofícios. Perderão sua missão nobre.

Estou contra os pastores, e deles demandarei as minhas ovelhas; porei termo no seu pastoreio. Eles serão levados para a Babilônia como cativos, para serem vítimas de abuso de "outros líderes". O lobo-Babilônia os devorará como eles devoraram o rebanho de Yahweh; a *Lei Moral da Colheita segundo a Semeadura* será satisfeita. O Senhor Soberano deve intervir para garantir a realização do Pacto Abraâmico, pois Judá estava sob ameaça de total extinção. Esta mensagem concorda com o *teísmo bíblico*: O Criador não abandonou sua criação, mas intervém, castigando os maus e recompensando os justos. Contraste-se esta declaração com o *deísmo*, que diz que o Criador (pessoal ou impessoal) abandonou sua criação ao comando das leis naturais. Ver no *Dicionário* os verbetes chamados *Teísmo* e *Deísmo*. Considere-se o que aconteceu com Zedequias e seus filhos e príncipes (Jr 52.3-11)!

YAHWEH COMO O BOM PASTOR (34.11-16)

O texto é claro: *Yahweh* é o Bom Pastor, mas esta seção pode ser interpretada messianicamente, prevendo o Messias agindo como instrumento do Deus Eterno.

Paralelos. Em espírito, esta seção é paralela a Jo 10.1-18; Hb 13.20; 1Pe 2.25; 5.4. Cf. Mt 10.6 e 25.32. Ver no *Dicionário* o artigo intitulado *Pastor*, e ver na *Enciclopédia de Bíblia, Teologia e Filosofia* o artigo denominado *Pastor (Ofício da Igreja).*

"O que os falsos pastores não realizaram por causa de sua ganância (vss. 1-10), Yahweh realizará; cuidará de seu rebanho (vss. 11-16); garantirá justiça entre as ovelhas (vss. 17-24); estabelecerá um *pacto de paz* (vss. 25-31)" (Charles H. Dyer, *in loc.*). A figura do pastor se eleva ao ofício do *Rei-Pastor*, o Messias, nos vss. 23,24.

■ 34.11

כִּי כֹּה אָמַר אֲדֹנָי יְהוִה הִנְנִי־אָנִי וְדָרַשְׁתִּי אֶת־צֹאנִי
וּבִקַּרְתִּים:

Assim diz o Senhor Deus: Eu mesmo procurarei as minhas ovelhas. *Adonai-Yahweh* (o Soberano Eterno Deus), exercendo seu poder divino e soberano, assumirá o ofício do Pastor e providenciará para suprir as necessidades do rebanho. Este título divino é usado 217 vezes nesse livro, mas somente 103 no restante do Antigo Testamento. Exalta a soberania de Yahweh, cuja vontade deve ser realizada entre os homens. Ver no *Dicionário* os artigos chamados *Soberania de Deus* e *Providência de Deus.* As provisões de Yahweh reverterão os danos cometidos pelos pastores infiéis. O rebanho dispersado será recolhido; a *diáspora* (ver a respeito no *Dicionário*) terminará. O próprio Adonai-Yahweh procurará suas ovelhas e as salvará dos lobos.

> *Porque o Filho do Homem veio buscar e salvar o perdido.*
> Lucas 19.10

> *O bom pastor dá a vida pelas ovelhas.*
> João 10.11

O *vs.* 11 é mais do que histórico (o reverso do cativeiro babilônico); é também *escatológico*, uma promessa de reversão da diáspora, para que o reino dos céus se realize neste mundo. A restauração de Judá, depois do cativeiro babilônico, seria uma pequena amostra da verdadeira, que ainda jaz no futuro:

> *Todo o Israel será salvo, como está escrito: Virá de Sião o Libertador e ele apartará de Jacó as impiedades.*
> Romanos 11.26

"O próprio Deus é o Bom Pastor (Is 40.11; Jr 31.10) que recolherá o rebanho disperso e machucado. Esta passagem sugere a volta da teocracia (Os 8.4; 1Sm 8.7)" (*Oxford Annotated Bible*, comentando o vs. 11).

34.12

כְּבַקָּרַת רֹעֶה עֶדְרוֹ בְּיוֹם־הֱיוֹתוֹ בְתוֹךְ־צֹאנוֹ נִפְרָשׁוֹת
כֵּן אֲבַקֵּר אֶת־צֹאנִי וְהִצַּלְתִּי אֶתְהֶם מִכָּל־הַמְּקוֹמֹת
אֲשֶׁר נָפֹצוּ שָׁם בְּיוֹם עָנָן וַעֲרָפֶל׃

Buscarei as minhas ovelhas. Tanto o cativeiro babilônico quanto a diáspora serão revertidos. Yahweh, o Bom Pastor, salvará o rebanho dos lobos-nações e de todos os lugares de trevas, do dia do temor, do dia de nuvens e tempestades. Na hora de sua maior necessidade, Yahweh encontrará seu povo e resolverá todos os problemas, aliviando suas angústias.

> Salvador, como um Pastor nos guia,
> Tanto precisamos de seus cuidados,
> Nos seus pastos agradáveis nos alimenta,
> Para o nosso uso seu aprisco prepara.
>
> William B. Bradbury

No dia de nuvens e de escuridão. Cf. Sl 97.2; Jl 2.2 e Sf 1.15. "... em tempos de desespero e perseguição, o Pastor está especialmente vigilante" (Adam Clarke, *in loc.*). O texto fala de "uma gloriosa libertação do futuro" (Ellicott, *in loc.*).

34.13

וְהוֹצֵאתִים מִן־הָעַמִּים וְקִבַּצְתִּים מִן־הָאֲרָצוֹת
וַהֲבִיאֹתִים אֶל־אַדְמָתָם וּרְעִיתִים אֶל־הָרֵי יִשְׂרָאֵל
בָּאֲפִיקִים וּבְכֹל מוֹשְׁבֵי הָאָרֶץ׃

Apascentá-las-ei nos montes de Israel, junto às correntes, e em todos os lugares habitados da terra. *O Rebanho Seguro no Aprisco.* Somente uma obra divina poderia salvar aquele rebanho, disperso e rebelde, longe da terra que lhe fora prometida no Pacto Abraâmico (ver em Gn 15.18). A libertação e a salvação acontecerão nas colinas de Jerusalém, onde o rebanho encontrará seu lar, afinal. Haverá reversão total nas colinas antigas da terra-lar. A volta dos cativos da Babilônia será um pequeno antegozo do milagre da era do Messias. A obra será realizada não nas ravinas do austero Sinai, mas nas graciosas colinas de Jerusalém. A lei não dará a vida, mas onde ela falhou abundará a graça. O rebanho se dispersou ao pôr do sol e desapareceu nas trevas de uma longa noite. Mas a luz de um novo dia dispersará a melancolia da derrota. Cf. Ez 28.25; 36.24; 37.21-22; Is 65.9,10 e Jr 23.3.

34.14

בְּמִרְעֶה־טּוֹב אֶרְעֶה אֹתָם וּבְהָרֵי מְרוֹם־יִשְׂרָאֵל יִהְיֶה
נְוֵהֶם שָׁם תִּרְבַּצְנָה בְּנָוֶה טּוֹב וּמִרְעֶה שָׁמֵן תִּרְעֶינָה
אֶל־הָרֵי יִשְׂרָאֵל׃

Apascentá-las-ei em bons pastos, e nos altos montes de Israel será a sua pastagem. Assim será quando o Bom Pastor assumir o controle da situação, fazendo violento contraste com os maus-tratos dos falsos pastores. Todas as suas necessidades serão satisfeitas, em pastos ricos e verdejantes, onde a sombra da fome não atinge ninguém. O rebanho estará em descanso e plenitude, e suas ansiedades esvanecerão. Ver no *Dicionário* o artigo chamado *Providência de Deus*.

> *O Senhor é o meu pastor; nada me faltará.*
>
> Salmo 23.1

> Nós somos teus, nosso Amigo tu seja;
> Seja o Guardião do nosso caminho;
> Guarda teu rebanho, do pecado nos defende,
> Procura-nos quando vagueamos.
>
> William B. Bradbury

34.15

אֲנִי אֶרְעֶה צֹאנִי וַאֲנִי אַרְבִּיצֵם נְאֻם אֲדֹנָי יְהוִה׃

Eu mesmo apascentarei as minhas ovelhas, e as farei repousar. Este versículo repete os dois elementos principais do vs. 14: a *alimentação* do rebanho e sua *segurança* e plenitude em ricos pastos.

> *Ele me faz repousar em pastos verdejantes. Leva-me para junto das águas de descanso.*
>
> Salmo 23.2

Cf. Ez 20.28. O Targum traz: "Governará o meu povo e o farei habitar seguramente". A Septuaginta e o árabe acrescentam o familiar "... e saberão que eu sou o Senhor", que ocorre 63 vezes nesse livro.

34.16

אֶת־הָאֹבֶדֶת אֲבַקֵּשׁ וְאֶת־הַנִּדַּחַת אָשִׁיב וְלַנִּשְׁבֶּרֶת
אֶחֱבֹשׁ וְאֶת־הַחוֹלָה אֲחַזֵּק וְאֶת־הַשְּׁמֵנָה וְאֶת־הַחֲזָקָה
אַשְׁמִיד אֶרְעֶנָּה בְמִשְׁפָּט׃

A perdida buscarei, a desgarrada tornarei a trazer, a quebrada ligarei e a enferma fortalecerei. O Bom Pastor reverterá todos os atos e situações prejudiciais: a negligência e a exploração dos falsos pastores serão anuladas e substituídas por ações divinas benéficas. O *amor de Deus* será o tema do dia da restauração.

Mas a gorda e a forte destruirei. Por contraste, um julgamento merecido cairá sobre os pastores perversos. Engordaram à custa do rebanho e passarão dias magros. Enriqueceram-se, mas empobrecerão até o ponto de angústia. Eram orgulhosos, mas serão humilhados; prejudicaram os fracos, mas sofrerão fraquezas. "Eu destruirei aquelas ovelhas que ficaram gordas e fortes" (NCV).

> *Ai dos pastores que destroem e dispersam as ovelhas do meu pasto! diz o Senhor.*
>
> Jeremias 23.1

Cf. Jr 50.6; Sl 147.3; Is 61.1; Mt 9.35; 1Co 11.30. Ct 2.5 e 5.8 têm declarações semelhantes.

SEPARAÇÃO DAS BOAS OVELHAS DAS MÁS (34.17-22)

34.17

וְאַתֵּנָה צֹאנִי כֹּה אָמַר אֲדֹנָי יְהוִה הִנְנִי שֹׁפֵט בֵּין־שֶׂה
לָשֶׂה לָאֵילִים וְלָעַתּוּדִים׃

Eis que julgarei entre ovelhas e ovelhas, entre carneiros e bodes. Cf. esta seção ao Novo Testamento, que retrata o ato de separar as ovelhas dos bodes (Mt 23.32). Todas as ovelhas pertenciam ao mesmo rebanho, mas não eram iguais em valores morais e espirituais. De fato, algumas eram destruidoras de outras. A maioria se dedicara à idolatria, ao adultério e a grande número de perversidades. O texto enfatiza novamente a responsabilidade pessoal (individual).

Alguns intérpretes veem aqui em ação captores estrangeiros, aqueles que perseguiram o rebanho disperso entre as nações. Talvez o texto seja suficientemente amplo para incluir esta ideia. Note-se que carneiros, cordeiros, bodes e novilhos representam estrangeiros perseguidores, em Ez 39.18. Todavia, a ideia do presente texto é que, justamente dentro do rebanho de Judá, algumas ovelhas maldosas prejudicaram outras. O tema dos *pastores infiéis* de Ez 34.1-10 continua.

Talvez a profecia seja escatológica, à maneira de Mt 26.31-46: algum dia as boas ovelhas serão separadas das más; somente as boas entrarão no reino do Messias (milênio?). Os vss. 20 e 22 repetem o tema.

O Targum traz: "Eis, julgarei entre homem e homem, pecadores e piedosos".

34.18

הַמְעַט מִכֶּם הַמִּרְעֶה הַטּוֹב תִּרְעוּ וְיֶתֶר מִרְעֵיכֶם
תִּרְמְסוּ בְּרַגְלֵיכֶם וּמִשְׁקַע־מַיִם תִּשְׁתּוּ וְאֵת הַנּוֹתָרִים
בְּרַגְלֵיכֶם תִּרְפֹּשׂוּן׃

Não vos basta...? Os animais gananciosos, profanos e selvagens (os profetas falsos e ímpios) aproveitaram o bom pasto, enchendo-se com todas as boas coisas. Não satisfeitos com suas vantagens, também pisaram o pasto que não puderam utilizar, para não deixá-lo para os outros. As classes pobres passam fome, enquanto os ricos participam de banquetes todos os dias. Os pastores profanos beberam águas limpas e, de propósito, turvaram aquelas de que não precisavam, para que outros não as bebessem. A alusão é às bestas que invadem o pasto, que pisam as plantas e turvam as águas, deixando o restante impróprio para o sustento das ovelhas. Mas estas bestas são outras ovelhas, não lobos e leões. São "ovelhas-lobos-leões", os pervertidos e deturpados.

Significado Espiritual. Homens do rebanho de Yahweh tornaram-se os corruptores do povo, promovendo sua idolatria-adultério-apostasia, levando um país inteiro à beira da extinção. Tais homens abusaram dos poucos fiéis e destruíram as massas.

■ 34.19

וְצֹאנִי מִרְמַס רַגְלֵיכֶם תִּרְעֶינָה וּמִרְפַּשׂ רַגְלֵיכֶם תִּשְׁתֶּינָה: ס

Este versículo expande levemente o que o vs. 18 expõe. O rebanho de Yahweh (os poucos fiéis) que continuara o culto divino, segundo os padrões da lei de Moisés, foi roubado de seus pastos e águas, sendo explorado e perseguido pelos monstros-pastores. Eram tratados brutalmente, suas propriedades foram confiscadas, seus animais domésticos furtados, comidos ou vendidos. Os falsos pastores agiram como um bando de urubus, e seu apetite nunca se satisfez. As boas ovelhas foram, afinal, corrompidas, ajuntando-se às corruptas. Uma nação inteira ficou à beira da extinção, quando a ira de Yahweh acabou com aquela situação irreversível. Os vss. 18,19 falam de abuso e exploração e também das muitas vagueações da liderança do povo.

■ 34.20

לָכֵן כֹּה אָמַר אֲדֹנָי יְהוִה אֲלֵיהֶם הִנְנִי־אָנִי וְשָׁפַטְתִּי בֵּין־שֶׂה בִרְיָה וּבֵין שֶׂה רָזָה:

Diz o Senhor Deus: Eis que eu mesmo, julgarei entre ovelhas gordas e ovelhas magras. *Adonai-Yahweh* (o Soberano Eterno Deus) tem o poder para fazer o que deve. Ele intervirá em Judá, trazendo o fogo dos céus para limpar esse lugar, mudando os caminhos tortos em retos, e separando o bom do mau. As ovelhas gordas representam as pessoas que tinham vantagens de todos os tipos, inclusive financeiras; tinham suas mãos sobre o país inteiro, controlando tudo e aproveitando seu poder para enriquecer. Oprimiram as ovelhas magras; exploraram os fracos; abusaram dos doentes.

Yahweh pegou sua espada e a colocou nas mãos de Nabucodonosor, um guerreiro perito em genocídio. Sua espada cortará as ovelhas gordas em pedaços e fará delas um sacrifício para seus deuses. As poucas não sacrificadas, no campo de batalha, serão levadas para a Babilônia, para satisfazer os gananciosos daquele lugar.

O Targum faz das ovelhas gordas, os *ricos*, e das magras, os *pobres*, o que simplifica demais o texto, porque todos os tipos de perversidade eram propriedades das gordas.

■ 34.21

יַעַן בְּצַד וּבְכָתֵף תֶּהְדֹּפוּ וּבְקַרְנֵיכֶם תְּנַגְּחוּ כָּל־הַנַּחְלוֹת עַד אֲשֶׁר הֲפִיצוֹתֶם אוֹתָנָה אֶל־הַחוּצָה:

Com os chifres impelis as fracas até as espalhardes fora. "Ver Zc 1.18-21, onde os *chifres* representam aqueles que dispersaram Judá" (Theophile J. Meek, *in loc.*). Aqui, os chifres representam perseguição e abuso. Os chifres são os meios violentos que os perseguidores usaram contra as suas vítimas. As "bestas-falsos-profetas-liderança-abusiva" avançam contra as ovelhas como um bando de touros enfurecidos, derrubando-as, pisando, machucando e matando. Os sobreviventes dos ataques foram dispersos e privados de seus direitos ao pasto de Yahweh. O Poder do alto deveria agir para evitar a total extinção de seu povo. Logo, os babilônios, com seus chifres impiedosos, avançarão contra as ovelhas gordas e acabarão com sua raça. Se uma delas sobreviver, será levada à Babilônia para servir de refeição.

■ 34.22

וְהוֹשַׁעְתִּי לְצֹאנִי וְלֹא־תִהְיֶינָה עוֹד לָבַז וְשָׁפַטְתִּי בֵּין שֶׂה לָשֶׂה:

Eu livrarei as minhas ovelhas. *Adonai-Yahweh* (o Soberano Eterno Deus) intervirá para salvar o que restar de seu rebanho. Aqueles que comeram as ovelhas inocentes, *eles mesmos* servirão de refeição para os estrangeiros. A sentença justa de Yahweh garantirá este resultado. As ovelhas boas serviram de alimento para as águias da liderança do país, mas os abusadores serão alimento para os urubus do norte (o exército babilônico). As más ovelhas serão expulsas do pasto do Senhor. Alguns sobreviventes voltarão do cativeiro, para começar tudo de novo. Este versículo repete, essencialmente, o que é dito nos vss. 17 e 20.

O MESSIAS-REI SERÁ O NOVO PASTOR (34.23,24)

Esta pequena seção ensina que Davi, ressuscitado, voltará a ser o rei de Israel, no reino do Messias, um tipo de vice-rei do próprio Messias, como ensinam os dispensacionalistas. Antes, haverá um novo Rei que restaurará o trono davídico. Será "uma só cabeça", como afirma Os 1.11. O autor, segundo seu costume, usa a palavra *príncipe*, para significar "rei". Cf. Ez 37.25; 44.3; 46.2. Ele é o *servo de* Yahweh, como o próprio Davi era chamado (2Sm 3.18; 7.5; 2Rs 8.19; Sl 89.3,20). Os sobrescritos dos Salmos 18 e 36 também usam este título para designar Davi. O Cristo, o Bom Pastor (Jo 10.11-18), descendente da linhagem de Davi (Mt 1.1), reinará e cuidará das ovelhas escatológicas.

■ 34.23

וַהֲקִמֹתִי עֲלֵיהֶם רֹעֶה אֶחָד וְרָעָה אֶתְהֶן אֵת עַבְדִּי דָוִיד הוּא יִרְעֶה אֹתָם וְהוּא־יִהְיֶה לָהֶן לְרֹעֶה:

Suscitarei para elas um só Pastor. Cf. Os 1.11; Jo 10.16. Será um Pastor de absoluta dedicação ao bem-estar das ovelhas; elas não sofrerão necessidade ou perigo. Será o Novo dia do novo Israel.

O Senhor é o meu pastor; nada me faltará. Bondade e misericórdia certamente me seguirão todos os dias da minha vida, e habitarei na Casa do Senhor para todo o sempre.
Salmo 23.1,6

O Deus da Bíblia. O Deus da Bíblia é o Deus que escuta os gritos dos necessitados e manda o Bom Pastor para curar os doentes, alimentar os famintos e proteger os perseguidos. Buscará o vagueador e o trará para casa.

■ 34.24

וַאֲנִי יְהוָה אֶהְיֶה לָהֶם לֵאלֹהִים וְעַבְדִּי דָוִד נָשִׂיא בְתוֹכָם אֲנִי יְהוָה דִּבַּרְתִּי:

Eu, o Senhor, lhes serei por Deus. *Yahweh será o Deus do novo Israel*, quando o Messias assumir o controle do trono de Israel. O juramento divino decretou, e isto será cumprido. *Príncipe* significa *rei*, como no vs. 23 e, normalmente, nos escritos de Ezequiel. O Targum traz: "Eu, o Senhor, tenho decretado isto através da minha Palavra". Ele mesmo decretou o bem-estar de seu povo e o realizará como provisão do pacto estabelecido com Israel. O Messias virá, cumprindo sua vontade e a do decreto de Yahweh. Cf. Sl 40.7,8; Is 42.1; 49.3,6; 53.11; Fp 2.7. Ver também At 13.36.

O PACTO DE PAZ (34.25-31)
Cf. esta seção com Lv 26.6.

■ 34.25

וְכָרַתִּי לָהֶם בְּרִית שָׁלוֹם וְהִשְׁבַּתִּי חַיָּה־רָעָה מִן־הָאָרֶץ וְיָשְׁבוּ בַמִּדְבָּר לָבֶטַח וְיָשְׁנוּ בַּיְּעָרִים:

Farei com elas aliança. No hebraico literal, "cortar uma aliança", alusão à prática de cortar o animal de sacrifício da cerimônia do pacto, em duas partes iguais. Isto era realizado dividindo o animal ao longo da espinha. As duas partes iguais eram separadas, deixando um espaço através do qual os participantes da aliança passavam, como sinal de que guardariam as condições do pacto. Cada participante tinha responsabilidades iguais; no caso do presente texto, Yahweh, de um lado, e Israel, do outro. Ver Gn 15.18, que têm notas sobre o *Pacto Abraâmico*. Ver o *Pacto Mosaico*, explicado na introdução a Êx 19. Cf. Jr 31.31-34.

Acabarei com as bestas-feras da terra. Neste versículo, há também a promessa de que a terra será libertada de bestas selvagens. Provavelmente, o autor espera que entendamos os dois tipos de feras: literais e figuradas. Ver sobre *Pacto de Paz*, em Ez 37.26 e Is 54.10. Segundo os dispensacionalistas, temos aqui o famoso reino *milenar* de paz. A contenda universal se acalmará na presença de Deus, quando o Messias se manifestar. Cf. esta ideia com Hb 13.20.

■ **34.26**

וְנָתַתִּי אוֹתָם וּסְבִיבוֹת גִּבְעָתִי בְּרָכָה וְהוֹרַדְתִּי הַגֶּשֶׁם בְּעִתּוֹ גִּשְׁמֵי בְרָכָה יִהְיוּ׃

Eu farei bênção. Eles (o novo Israel) se tornarão uma bênção universal para todas as nações (como também foi prometido no Pacto Abraâmico): "Em ti serão benditas todas as famílias da terra" (Gn 12.3).

Farei descer a chuva; a seu tempo, serão chuvas de bênção. A referência é às *chuvas anteriores* (do outono) e *posteriores* (da primavera), que garantiam o sucesso da agricultura. Cf. Lv 26.4; Dt 11.14; 28.12; Jr 5.24; Os 6.3. Ver no *Dicionário* o artigo chamado *Chuvas Anteriores e Posteriores*. A chuva é um símbolo vivo de bênçãos de todos os tipos, porque nada poderia existir sem a água dos céus.

Derramarei água sobre o sedento e torrentes, sobre a terra seca; derramarei o meu Espírito sobre a tua posteridade e a minha bênção, sobre os teus descendentes.

Isaías 44.3

Ez 34.26 (o presente versículo) inspirou o belo hino *Chuvas de Bênçãos*:

Haverá chuvas de bênçãos, é a promessa do amor;
Haverá estações refrescantes, mandadas do Salvador.
Chuvas de bênçãos, chuvas de bênçãos precisamos.
Gotas de misericórdia ao redor estão caindo,
Mas pelas chuvas imploramos...
Haverá chuvas de bênçãos, preciosa revivificação;
Sobre as colinas e nos vales,
O som da abundância de chuva.

El Nathan

■ **34.27**

וְנָתַן עֵץ הַשָּׂדֶה אֶת־פִּרְיוֹ וְהָאָרֶץ תִּתֵּן יְבוּלָהּ וְהָיוּ עַל־אַדְמָתָם לָבֶטַח וְיָדְעוּ כִּי־אֲנִי יְהוָה בְּשִׁבְרִי אֶת־מֹטוֹת עֻלָּם וְהִצַּלְתִּים מִיַּד הָעֹבְדִים בָּהֶם׃

A terra dará a sua novidade. A *agricultura* florescerá sobremaneira; haverá ceifas abundantes de todos os tipos de produtos. O Pão da Vida satisfará todos e não haverá fome. A *nova era* será um tempo muito especial, espiritual e materialmente. Cf. Os 2.22; Jl 3.18; Am 9.13,14; Zc 8.13 e Jr 27.1—28.17.

Estarão seguras na sua terra. Haverá *segurança* espiritual e física. O povo nunca mais receará os ataques de inimigos, guerras e contendas externas e internas. O Pacto de Paz é a garantia absoluta de uma longa era de tranquilidade. Cf. Jr 23.6. A presença do Messias acalmará a contenda universal.

Quando eu quebrar as varas do seu jugo... Não haverá nenhuma forma de *escravidão*. Yahweh a obliterará, quebrando as cadeias e libertando os cativos. O espírito do homem não mais será amarrado, nem mesmo por pecados e defeitos.

Conhecereis a verdade, e a verdade vos libertará.

João 8.32

O poder de Satanás será quebrado e as almas serão libertadas. Cf. Lc 1.74,75; Jr 22.13; 25.14; Gn 15.13 e Êx 1.14.

■ **34.28**

וְלֹא־יִהְיוּ עוֹד בַּז לַגּוֹיִם וְחַיַּת הָאָרֶץ לֹא תֹאכְלֵם וְיָשְׁבוּ לָבֶטַח וְאֵין מַחֲרִיד׃

Não servirão de rapina aos gentios, e as feras da terra nunca mais as comerão. As nações, que caçaram Israel como um animal e o cativaram nas suas armadilhas, serão aniquiladas. As bestas da terra, literais e figurativas, não mais terão poder para machucar e fazer recear (ver o vs. 25). Israel habitará a terra em segurança (vs. 25); viverá sem temores, porque os seus agentes sumirão de cena. A *repetição* é um elemento do estilo literário do autor, e este versículo segue o padrão. Cf. Jr 23.6. O vs. 8 do presente capítulo apresenta um contraste. Ver também Jr 30.10 e 46.27, que repetem elementos deste versículo.

■ **34.29**

וַהֲקִמֹתִי לָהֶם מַטָּע לְשֵׁם וְלֹא־יִהְיוּ עוֹד אֲסֻפֵי רָעָב בָּאָרֶץ וְלֹא־יִשְׂאוּ עוֹד כְּלִמַּת הַגּוֹיִם׃

Levantar-lhes-ei plantação memorável. A *agricultura abundante* (vs. 27) volta como tema deste versículo.

Nunca mais serão consumidas pela fome. A fome, física e espiritual, não mais assustará o povo, que será alimentado pelo pão dos céus (Jo 6.22 ss.). As plantações de plenitude são as *plantações de paz*, que é a leitura da Septuaginta e do siríaco. Essa leitura exige uma mudança de posição das consoantes na palavra hebraica, que poderia representar o texto original. A RSV adotou a declaração da Septuaginta.

Nem mais levarão sobre si o opróbrio dos gentios. Israel nunca mais servirá de zombaria. Não mais será insultado nem perseguido. Cf. Jr 6.10; 20.8; 23.40; 24.9,10; 44.8; Ez 5.14,15. Será o cabeça das nações, e Jerusalém se tornará a capital religiosa do mundo.

■ **34.30**

וְיָדְעוּ כִּי אֲנִי יְהוָה אֱלֹהֵיהֶם אִתָּם וְהֵמָּה עַמִּי בֵּית יִשְׂרָאֵל נְאֻם אֲדֹנָי יְהוִה׃

Saberão, porém, que eu, o Senhor seu Deus, estou com elas. Yahweh ficará conhecido entre eles, um tema que se repete 63 vezes nesse livro, usualmente em associação ao julgamento, mas às vezes referindo-se à restauração e ao favor especial de Deus, como no presente versículo. Cf. Ez 16.63; 28.25,26; 29.21. Este conhecimento é um poder ativo, não meramente a acumulação de dados cerebrais. Seu povo antigo se tornará seu povo moderno, na era da paz, quando o Pacto Abraâmico se realizar. Yahweh estará com eles; sua presença os engrandecerá.

Casa de Israel. Judá-Israel reunificado, no novo Israel, tomará o lugar da *casa rebelde apóstata*.

Diz o Senhor Deus. *Adonai-Yahweh* (o Soberano Eterno Deus) faz a afirmação escatológica e, pelo exercício de sua soberania, será como ele falou. Cf. o vs. 24. O Pacto Abraâmico florescerá no novo pacto.

■ **34.31**

וְאַתֵּן צֹאנִי צֹאן מַרְעִיתִי אָדָם אַתֶּם אֲנִי אֱלֹהֵיכֶם נְאֻם אֲדֹנָי יְהוִה׃ פ

Vós, pois, ó ovelhas minhas. O *seu povo* é o *seu rebanho* (vs. 30), porque ele é o Bom Pastor (afirmado em dois oráculos: vss. 11-16 e 23.24). *Adonai-Yahweh* (título divino usado 217 vezes nesse livro) decretou o benefício para o novo Israel. Ele é *Elohim*, o Poder, e sua vontade não pode falhar. O destino dos homens e das nações é determinado por ele. Cf. Sl 100.3 e João 10.11.

Homens sois, mas eu sou o vosso Deus. O capítulo termina com uma declaração firme e benéfica, apontando o objeto da linguagem figurada que a antecedeu: a comunhão de Yahweh com o seu povo, no novo dia escatológico, quando os propósitos divinos se cumprirão. Assim, o abismo entre Deus e seu povo se fechará e haverá acesso ao divino. Yahweh deita uma ponte sobre as águas perturbadas.

CAPÍTULO TRINTA E CINCO

ORÁCULO CONTRA O MONTE SEIR (35.1-15)

O profeta já entregou um oráculo contra Edom (Ez 25.12-14), então por que outro? E por que o novo oráculo foi registrado no meio do texto que trata da *restauração de Israel*? Provavelmente Edom representa todas as nações pagãs que devem ser rebaixadas, antes que Israel possa levantar-se como chefe das nações. A destruição de Edom talvez seja um *sinal* do início dos julgamentos de Deus contra o mundo pagão. O julgamento se baseará em como cada nação tratou Israel (entre outros fatores). Cf. Gn 12.3: "Abençoarei os que te abençoarem e amaldiçoarei os que te amaldiçoarem; em ti serão benditas todas as famílias da terra."

Repetições. De acordo com seu estilo literário, o autor continua produzindo muitas repetições: vs. 2 (= 6.2; 25.2); vs. 3 (= 5.8; 6.14); vs. 4 (= 12.20); vs. 5 (= 21.25; 25.12,15); vs. 6 (= 11.8; 22.4); vs. 7 (= 14.13,17,19); vs. 8 (= 6.3; 31.17,18); vs. 11 (= 20.5,9); vs. 12 (= 15.4; 33.24; 36.4).

É bem provável que este oráculo tenha sido colocado aqui para contrastar com o capítulo 36 (a restauração de Israel e a derrota de seus inimigos). O capítulo 35 é um tipo de prelúdio do outro tema. O oráculo contra Edom reflete a animosidade crescente entre os dois Estados. Na hora de sofrimento, às mãos dos babilônios, os idumeus aproveitaram a situação para ocupar parte do sul de Judá (Jr 49.7-22). Em contraste com o Egito (Ez 29.13-16), não há promessa de restauração para Edom, que ficará para sempre desolado.

O *monte Seir* (ver a respeito no *Dicionário*) se eleva do planalto, a leste de Arabá. Nesta região estava situada Sela, a capital de Edom. Ver no *Dicionário* o artigo chamado *Edom, Idumeus*.

35.1

וַיְהִי דְבַר־יְהוָה אֵלַי לֵאמֹר:

Veio a mim a palavra do Senhor. Esta é a declaração comum que introduz novos materiais e oráculos. Lembra-nos da inspiração das mensagens e de que Ezequiel era o profeta autorizado por Yahweh. Cf. Ez 13.1; 14.2; 15.1; 16.1.

35.2

בֶּן־אָדָם שִׂים פָּנֶיךָ עַל־הַר שֵׂעִיר וְהִנָּבֵא עָלָיו:

Filho do homem. Yahweh falou com o profeta utilizando seu título comum (anotado em Ez 2.1).

Volve o teu rosto contra o monte Seir. Esta é uma expressão comumente usada no livro para expressar o aborrecimento de Yahweh contra os homens. Sua *ira* estava prestes a desolar o lugar. A carranca do profeta prevê desastres semelhantes aos de Ez 6.2 e 25.2.

Monte Seir. Título comum posterior de Edom, uma característica geográfica principal do território. Era (é) uma extensão de montanhas a leste do wadi Arabá, ao sul do mar Morto. Aquela porção do país era desolada, e Yahweh tornaria o território inteiro de Edom igual a ela. Ver no *Dicionário* o artigo chamado *Seir*, para detalhes. Dt 1.2; 2.1,5; 1Cr 4.42; e Gn 25.25 acrescentam informações. *Seir* significa *desgrenhado*, aludindo às colinas ásperas da localidade.

35.3

וְאָמַרְתָּ לוֹ כֹּה אָמַר אֲדֹנָי יְהוִה הִנְנִי אֵלֶיךָ הַר־שֵׂעִיר וְנָטִיתִי יָדִי עָלֶיךָ וּנְתַתִּיךָ שְׁמָמָה וּמְשַׁמָּה:

Assim diz o Senhor Deus:... Estenderei a minha mão contra ti. A mão poderosa de *Adonai-Yahweh* (o Soberano Eterno Deus) está prestes a golpear Edom e reduzi-lo a pó, deixando-o totalmente desolado.

O Soberano, que determina o destino dos homens e das nações, usa sua *mão* poderosa em cada situação que exige mudança. Ver sobre *mão*, em Sl 81.14; e no *Dicionário*; ver sobre *mão direita*, em Sl 20.6; e sobre *braço*, em Sl 98.1. Com estes termos antropomórficos, o profeta comunica sua mensagem. Ver no *Dicionário* o artigo chamado *Antropomorfismo*. Cf. Jr 49.17.

Farei desolação e espanto. Literalmente, no hebraico, uma *desolação de desolado*, isto é, *absolutamente* desolado. Edom perderia sua identidade nacional, deixando de ser uma nação distinta, e seus territórios seriam invadidos e habitados por estrangeiros. Os poucos sobreviventes do ataque babilônico se misturariam com os novos habitantes.

A profecia é também escatológica, empregando a palavra *Edom* para representar coletivamente as nações pagãs. Todos os povos fizeram Israel sofrer e deveriam pagar o preço por ter violado o povo do Pacto Abraâmico. Ver Gn 12.3.

35.4

עָרֶיךָ חָרְבָּה אָשִׂים וְאַתָּה שְׁמָמָה תִהְיֶה וְיָדַעְתָּ כִּי־אֲנִי יְהוָה:

Farei desertas as tuas cidades. As cidades de Edom serão objetos especiais para as forças de aniquilação. A ira de Yahweh terá alvos específicos que, sendo destruídos, deixarão a própria nação reduzida a nada.

Saberás que eu sou o Senhor. Tornando-se uma terra devastada, Edom *conhecerá Yahweh melhor*, especificamente como Juiz, uma expressão que ocorre 63 vezes nesse livro, normalmente associada à ideia de julgamento, como aqui. Às vezes, o mote é a restauração, como em Ez 16.62; 28.25,26; 29.21 e 34.30.

35.5

יַעַן הֱיוֹת לְךָ אֵיבַת עוֹלָם וַתַּגֵּר אֶת־בְּנֵי־יִשְׂרָאֵל עַל־יְדֵי־חָרֶב בְּעֵת אֵידָם בְּעֵת עֲוֹן קֵץ:

Guardaste inimizade perpétua. A regra do jogo era *odiar* uns aos outros; as hostilidades entre Israel e Edom eram constantes e amargas. O programa do ódio começou com Jacó e Esaú, irmãos gêmeos, os pais distantes de Israel e Edom, respectivamente. A inimizade de outras nações contra Israel era forte. Amom, Moabe e Filístia sempre o detestaram e o prejudicaram, mas o ódio de Edom era mais profundo e irracional. Ver Gn 25.22 e 27.41. O profeta Amós comenta sobre este *ódio maligno* em Am 1.11, como também Obadias (vss. 10-15). Naturalmente, Israel não era nada inocente, sempre dando suas contribuições maléficas. Salomão explorou os recursos desse país e o reduziu à escravidão (ver 2Sm 8.14; 1Rs 9.26-28). Até no deserto as hostilidades floresceram (Nm 20.14-21). Quando a Babilônia atacou Judá, Edom aproveitou a oportunidade para ocupar parte do sul do território judeu. Ver Jr 49.7-22. A destruição de Jerusalém deixou Judá "de costas", e Edom voou para lá, como um urubu faminto, para devorar o que podia. Cf. Ez 21.25,29.

35.6

לָכֵן חַי־אָנִי נְאֻם אֲדֹנָי יְהוִה כִּי־לְדָם אֶעֶשְׂךָ וְדָם יִרְדֲּפֶךָ אִם־לֹא דָם שָׂנֵאתָ וְדָם יִרְדֲּפֶךָ:

Tão certo como eu vivo, eu te fiz sangrar. *Adonai-Yahweh* (o Soberano Eterno Deus) fez um juramento por "sua própria vida", que Edom sofreria uma devastação fatal e final. O seu destino fora determinado e as hostilidades contra Israel tinham os seus dias contados. O texto da NCV é vívido aqui:

> Por minha vontade será assassinado; assassínio te caçará; não detestou assassinos e assim vão correr atrás de ti.

A referência é aos assassinos da Babilônia, o exército especializado em genocídio. A palavra hebraica para sangue é *dam*, que tem som semelhante a *Edom*, que significa *vermelho*, a cor do sangue. O autor brinca com as palavras. Edom, com suas montanhas vermelhas, ficará cheio de sangue. Sangue atrai sangue; é Edom sofrendo o mesmo destino sangrento que fez Judá agonizar. O hebraico literal é gráfico: "Far-te-ei sangue". Amou o sangue e cheio de sangue será.

Sangue te perseguirá. Note-se a repetição da palavra *sangue*, para falar da *guerra*, o que garante que o sangue sempre flui. Violência, matança, massacre, assassinato são os demônios que governam o campo de batalha.

35.7

וְנָתַתִּי֙ אֶת־הַ֣ר שֵׂעִ֔יר לְשִׁמְמָ֖ה וּשְׁמָמָ֑ה וְהִכְרַתִּ֥י מִמֶּ֖נּוּ עֹבֵ֥ר וָשָֽׁב׃

Farei do monte Seir extrema desolação. Edom (o monte Seir), aniquilado pela Babilônia, ficará absolutamente desolado (vs. 4). Haverá poucos sobreviventes no território desabitado.

Eliminarei dele o que por ele passa, e o que por ele volta. Os *comerciantes* não se interessarão pelo território, por falta de compradores para seus produtos. Os circuitos do comércio cairão em desuso. Cf. esta declaração com Ap 18.11. Edom era uma terra de tribos nômades que promoviam o comércio para sobreviver; havia caminhos para as caravanas, as quais produziam bastante riqueza, mas tudo isto terminou. O comércio entre o Egito e a Índia não mais passava por Edom. Outros caminhos substituíram os velhos, e o intercâmbio continuava sem a participação dos idumeus. Animais selvagens assombravam os lugares onde antes o dinheiro fluía.

35.8

וּמִלֵּאתִ֤י אֶת־הָרָיו֙ חֲלָלָ֔יו גִּבְעוֹתֶ֥יךָ וְגֵאוֹתֶ֖יךָ וְכָל־אֲפִיקֶ֑יךָ חַלְלֵי־חֶ֖רֶב יִפְּל֥וּ בָהֶֽם׃

Encherei os seus montes dos seus traspassados. Os cadáveres estavam espalhados em toda parte, poluindo o país com fedor e perigosa decomposição bacteriológica. Nenhum lugar fora poupado: as cidades estavam cheias de carniça, assim como as montanhas e os caminhos do deserto. Não houve sobreviventes suficientes para enterrar os mortos, nem água no país para limpar as ruas de tanto sangue. A evidência da ira de Yahweh estava clara e não haveria restauração, afinal. Cf. a descrição de Ez 39.4,5 e Ap 16.3,4; 19.18,19. Edom ficaria essencialmente *desabitado*, informação que recebemos em Ez 6.3 e 31.17,18. Ver também Ez 32.20-32 e 36.6.

35.9

שִׁמְמ֤וֹת עוֹלָם֙ אֶתֶּנְךָ֔ וְעָרֶ֖יךָ לֹ֣א תֵישַׁ֑בְנָה וִֽידַעְתֶּ֖ם כִּֽי־אֲנִ֥י יְהוָֽה׃

Em perpétuas desolações te porei. Edom nunca mais se recuperaria, em contraste com o Egito, que sofreu golpes pesados, mas sempre voltou para uma glória razoável (ver Ez 29.13-16). O ódio de Edom era especialmente violento e seu julgamento seria efetuado segundo esse padrão. "Terá desolação perpétua, porque seu ódio fora perpétuo" (Adam Clarke, *in loc.*). Cf. Ml 1.4. Edom era como uma pedra de moinho lançada ao mar: afundou, desapareceu; *finis!* Ver Ap 18.21.

Conquistas nunca permanecem. O que o conquistador obtém hoje, perderá amanhã. O destino é assim, sempre intercambiando com a sorte dos homens. Mas Edom foi uma exceção; caiu e não se levantou mais; perdeu-se nas páginas do livro da história.

Assim sabereis que eu sou o Senhor. Os poucos sobreviventes conhecerão Yahweh como Juiz, tema constante nesse livro. Ver as notas no vs. 4 deste capítulo.

35.10

יַ֣עַן אֲ֠מָרְךָ אֶת־שְׁנֵ֨י הַגּוֹיִ֜ם וְאֶת־שְׁתֵּ֧י הָאֲרָצ֛וֹת לִ֥י תִהְיֶ֖ינָה וִֽירַשְׁנ֑וּהָ וַֽיהוָ֖ה שָׁ֥ם הָיָֽה׃

Os dois povos. Israel e Judá, contra quem Edom guerreou do início até o fim. Edom cobiçava os dois territórios, mas a presença de Yahweh, vigiando, não permitiu a realização de seus planos sombrios. Mesmo quando Judá estava no exílio na Babilônia, seu território foi protegido para que o pequeno remanescente pudesse voltar e começar tudo de novo no "lar" histórico. Em nossa própria época, os judeus voltaram a possuir sua terra, depois de séculos de vagueações entre as nações estrangeiras. A *presença* divina os protegia, porque o propósito de restauração continuava firme. O futuro verá uma restauração ainda maior e mais gloriosa, que é o tema dos capítulos 33—39. O Pacto Abraâmico nunca será ab-rogado. Houve e haverá futuro para Israel.

E as duas terras serão meus. Ver a apropriação da terra de Judá, a porção no sul, por Edom, quando o cativeiro babilônico estava em efeito, em Ez 36.5 e Ob 13. Para a *presença* protetora, cf. Ez 48.35;

Sl 48.1; 132.13,14. A terra pertencia a Yahweh e foi *ele* quem a deu a Israel. Nenhum homem tinha o direito de perturbar aquela circunstância; ninguém podia reverter a condição e anular a vontade de Deus. O velho problema continua no conflito entre os judeus e os árabes, mas a palavra de Deus não pode ser quebrada; Israel reterá seu território.

35.11

לָכֵ֣ן חַי־אָ֗נִי נְאֻם֮ אֲדֹנָ֣י יְהוִה֒ וְעָשִׂ֗יתִי כְּאַפְּךָ֙ וּכְקִנְאָ֣תְךָ֔ אֲשֶׁ֣ר עָשִׂ֔יתָה מִשִּׂנְאָתֶ֖יךָ בָּ֑ם וְנוֹדַ֥עְתִּי בָ֖ם כַּאֲשֶׁ֥ר אֶשְׁפְּטֶֽךָ׃

Tão certo como eu vivo, diz o Senhor Deus, procederei segundo a tua ira e segundo a tua inveja, com que, no teu ódio, os trataste. *Adonai-Yahweh* (o Soberano Eterno Deus) outra vez faz um juramento por "sua própria vida" e, no exercício de sua soberania, realizará o que quiser. Edom será julgado segundo a *Lex Talionis* (retribuição de acordo com a gravidade do crime; ver a respeito no *Dicionário*).

Serei conhecido no meio deles. Yahweh ficará conhecido como o Juiz que aplicou a *Lex Talionis* (retribuição de acordo com a gravidade do crime) rigidamente, para acabar com a raça de Edom. O tema sobre Yahweh ficar conhecido repete-se mais uma vez no vs. 12. Cf. os vss. 4 e 9.

Procederei segundo a tua ira e segundo a tua inveja. *Antropomorfismo*. Este versículo, como muitos outros da Bíblia, retrata Deus como possuidor de atributos e emoções humanas, uma imposição da fraqueza da linguagem humana. Ver no *Dicionário* os artigos denominados *Antropomorfismo* e *Antropopatismo*.

35.12

וְֽיָדַעְתָּ֮ כִּֽי־אֲנִ֣י יְהוָה֒ שָׁמַ֣עְתִּי ׀ אֶת־כָּל־נָאָצוֹתֶ֗יךָ אֲשֶׁ֥ר אָמַ֛רְתָּ עַל־הָרֵ֥י יִשְׂרָאֵ֖ל לֵאמֹ֣ר ׀ שָׁמֵ֑מוּ לָ֥נוּ נִתְּנ֖וּ לְאָכְלָֽה׃

Edom, ímpio e perverso, quis *devorar* as montanhas de Israel, isto é, *todo o Israel*, retratado como pessoas adorando Yahweh no monte Sião (ver Dt 3.25). A boca de Edom estava cheia de ameaças e maldições, e Yahweh, ouvindo todo aquele "falar duro", se irritou e pegou sua espada para fechar a boca do blasfemador. Edom quis desolar Judá e, depois, devorá-lo como um animal devora uma besta menor que encontra na floresta. Yahweh não permitiu aquele e o devorador foi devorado. Assim, temos um quadro vívido da operação da *Lei Moral da Colheita segundo a Semeadura* (ver a respeito no *Dicionário*). Yahweh ficou conhecido como o Juiz Destruidor, um tema constante no livro de Ezequiel.

Alegria na Violência. Edom se divertia com seus planos de assumir controle de parte do território de Judá, enquanto o remanescente estava na Babilônia, pois gostava do sofrimento que tornou essa circunstância possível. Seus pensamentos o divertiam, mas Yahweh traria o "segundo pensamento" que, segundo os gregos, *é mais sóbrio*. Cf. Ap 11.10.

35.13

וַתַּגְדִּ֤ילוּ עָלַי֙ בְּפִיכֶ֔ם וְהַעְתַּרְתֶּ֥ם עָלַ֖י דִּבְרֵיכֶ֑ם אֲנִ֖י שָׁמָֽעְתִּי׃ ס

O que se praticou contra Israel, foi praticado contra Yahweh. A identificação era absoluta como "Pai-filho" (Êx 4.22). "Deus considera o que se faz contra seu povo como feito contra ele" (Fausset, *in loc.*). Ver Mt 25.45 e At 9.1,4,5, que anunciam o princípio. "Julgará as nações do mundo de acordo com o seu tratamento dado a Israel (Mt 25.31-36). Serão valorizadas ou desvalorizadas, segundo suas ações em relação a Israel" (Charles H. Dyer, *in loc.*). Ver também Gn 12.3 e Jd 15, que têm ideia semelhante.

35.14

כֹּ֥ה אָמַ֖ר אֲדֹנָ֣י יְהוִ֑ה כִּשְׂמֹ֙חַ֙ כָּל־הָאָ֔רֶץ שְׁמָמָ֖ה אֶעֱשֶׂה־לָּֽךְ׃

Ao alegrar-se toda a terra eu te reduzirei à desolação. O hebraico deste versículo tem sofrido alguma corrupção, fazendo os intérpretes produzir diversas interpretações. Parece que o significado é: a alegria que Edom sentiu, vendo os sofrimentos de Israel, era *contagiosa* e infeccionou outras nações. Mas outros interpretam como a NCV: "Toda a terra se regozijará quando eu fizer de ti uma ruína desolada".

Yahweh é retratado como a causa tanto da queda de Edom quanto da alegria que se manifestou entre as nações.

■ 35.15

כְּשִׂמְחָתְךָ לְנַחֲלַת בֵּית־יִשְׂרָאֵל עַל אֲשֶׁר־שָׁמֵמָה כֵּן
אֶעֱשֶׂה־לָּךְ שְׁמָמָה תִהְיֶה הַר־שֵׂעִיר וְכָל־אֱדוֹם כֻּלָּהּ
וְיָדְעוּ כִּי־אֲנִי יְהוָה׃ פ

Como te alegraste com a sorte da casa de Israel... assim também farei a ti. Com *antropopatismo ousado*, o autor agora retrata o próprio Yahweh sentindo prazer na aniquilação de Edom. De fato, Yahweh exulta com a queda daquele país que havia humilhado Judá e agora está humilhado na poeira da terra. Quando Edom sofrer suas desgraças tão merecidas, Yahweh rirá.

> *Ri-se aquele que habita nos céus; o Senhor zomba deles.*
> Salmo 2.4

Utilizar tais descrições para falar de Deus é, de fato, precário. Ver no *Dicionário* o artigo sobre *Antropopatismo*. A linguagem e a teologia humana, ambas tão fracas, se unem para produzir declarações duvidosas sobre Deus.

> *Quão insondáveis são os seus juízos, e quão inescrutáveis, os seus caminhos! Quem, pois, conheceu a mente do Senhor?*
> Romanos 11.33,34

"Mais cedo ou mais tarde, Edom aprenderá que o que parecia ser só outro deus tribal era, de fato, o poderoso Yahweh, Senhor de toda a terra. O que algumas pessoas acham ser conversa leve sobre justiça e direitos humanos, é vital na ordem moral que deve governar as nações. O profeta invoca a ordem moral que, desobedecida, esmaga aqueles que a rejeitam" (E. L. Allen, *in loc.*).

"O capítulo inteiro inculca esta máxima: trate os outros como quer que os outros tratem você; não faça a outros o que não quer que seja feito a você" (Adam Clarke, *in loc.*, aludindo a Mt 7.12). Cf. Ob 12,15.

CAPÍTULO TRINTA E SEIS

RESTAURAÇÃO DAS MONTANHAS E DO POVO DE ISRAEL (36.1-38)

Este capítulo se divide naturalmente em seis partes: 1. vss. 1-7; 2. vss. 8-15; 3. vss. 16-21; 4. vss. 22-32; 5. vss. 33-36; 6. vss. 37—38. Cada seção é iniciada com um título e parágrafo introdutório que apresentam a essência do que vem a seguir.

O capítulo 36 é uma antítese do anterior. Deus deve intervir em favor de seu povo, e, quando agir, rebaixará os inimigos de Israel, como Edom e as outras nações hostis. Ver Ez 35.1-3,8. As montanhas dos inimigos de Israel, como o *monte Seir* (que representava Edom inteiro), devem ser julgadas e niveladas. Contrariamente, as montanhas de Israel devem ser restauradas (Ez 36.1). "Nos vss. 1-7, Edom representa todas as nações pagãs que procuraram prejudicar Israel (ver os vss. 5 e 7)" (Charles H. Dyer, *in loc.*).

"Os vss. 1-15 apresentam um contraste deliberado com Ez 35.1-15, que é o oráculo contra o monte Seir. Como o *inimigo* se regozijava com a queda das montanhas de Israel e as reivindicara por sua possessão, sofrerá a punição de Yahweh (vss. 1-7). Mas as montanhas de Israel serão novamente frutíferas, e suas cidades serão habitadas (vss. 8-15)" (Theophile J. Meek, *in loc.*).

Montanhas. As colinas de Jerusalém (incluindo o monte Sião, onde se localizava o templo) representam Israel inteiro, sendo o santuário o coração do país, sem o qual ele não tinha nenhuma distinção.

Julgamento sobre as Nações Gentílicas (36.1-7)

Edom, opressivo, representa todas as nações gentílicas hostis a Judá-Israel. Contrariando as perseguições, Yahweh fala confortavelmente *às montanhas* de seu povo. A alusão é ao monte Sião, que contrasta com o monte Seir do capítulo 35.

■ 36.1

וְאַתָּה בֶן־אָדָם הִנָּבֵא אֶל־הָרֵי יִשְׂרָאֵל וְאָמַרְתָּ הָרֵי
יִשְׂרָאֵל שִׁמְעוּ דְּבַר־יְהוָה׃

Filho do homem, profetiza aos montes de Israel. Yahweh fala com o profeta utilizando seu título comum (citado em 2.1). Este oráculo é de conforto, visando a volta do povo do cativeiro babilônico e a restauração subsequente, mas profeticamente destaca o reino do Messias e a paz que ele trará.

"*A profecia das montanhas:* a restauração de Israel. *Vss. 1-7:* as montanhas de Israel e os planaltos representam o país inteiro (Dt 3.25). Embora enfrentando as hostilidades de Edom (Ez 35.1-15) e perdendo a Terra Prometida, perseguido pelas nações durante séculos, Israel será restaurado à sua herança (Ml 1.2-5). A terra será produtiva, ultrapassando qualquer período de sua história antiga, inclusive os anos imediatamente depois da libertação do Egito. Ver Os 11.1-4 e Jr 2.1-3" (*Oxford Annotated Bible*, introdução ao capítulo).

■ 36.2

כֹּה אָמַר אֲדֹנָי יְהוִה יַעַן אָמַר הָאוֹיֵב עֲלֵיכֶם הֶאָח
וּבָמוֹת עוֹלָם לְמוֹרָשָׁה הָיְתָה לָּנוּ׃

Judá foi massacrado e os poucos sobreviventes foram levados para a Babilônia. Edom, aproveitando a oportunidade, se apossou de parte do sul do país. O Poder Supremo, *Adonai-Yahweh* (o Soberano Eterno Deus) não permitiria que aquela situação continuasse. Ele preparou um julgamento severo e decisivo contra Edom (e as nações de modo geral). Os inimigos zombaram do povo dizendo "Ah!", uma exclamação de prazer perverso, que a Atualizada traduz, simplesmente, como "Bem feito!" Os poderes hostis meteram a mão nos "eternos lugares altos", isto é, nas colinas ao redor de Jerusalém, inclusive no monte Sião, a localidade do templo onde o culto a Yahweh se realizava. Estão em vista o santuário e as colinas ao redor, não os *lugares altos* idólatras (ver a respeito no *Dicionário*). O *monte Sião* contrasta, violentamente, com o monte Seir, onde Yahweh não era honrado. Ver as *colinas eternas* da profecia de Jacó (Gn 49.26).

■ 36.3

לָכֵן הִנָּבֵא וְאָמַרְתָּ כֹּה אָמַר אֲדֹנָי יְהוִה יַעַן בְּיַעַן
שַׁמּוֹת וְשָׁאֹף אֶתְכֶם מִסָּבִיב לִהְיוֹתְכֶם מוֹרָשָׁה
לִשְׁאֵרִית הַגּוֹיִם וַתֵּעֲלוּ עַל־שְׂפַת לָשׁוֹן וְדִבַּת־עָם׃

O Plano Diabólico Desfeito. Yahweh não permitiu (por muito tempo) a ocupação da Terra Prometida por forças alheias, antes preservou-a para seu povo, depois do cativeiro babilônico. A história se repetirá antes do tempo do reino do Messias, quando Israel recuperará todas as suas terras, segundo a promessa do Pacto Abraâmico. Historicamente, Edom era o ofensor principal, mas outras nações também tinham planos diabólicos em relação à Terra Prometida. Cf. Ed 9.1; Ne 2.19; 4.1-3; 13.23. O povo esmagado (Judá) tinha potencialmente o que restou; sua história. De qualquer maneira, todas as vitórias contra Israel eram, por natureza, temporárias, porque Yahweh sempre controla o destino das nações.

> *De um só fez toda raça humana para habitar sobre toda a face da terra, havendo fixado os tempos previamente estabelecidos e os limites da sua habitação.*
> Atos 17.26

Os tempos e as terras estão nas mãos de Yahweh, que controla cada nação, sua história, a terra que ocupa e suas finalidades. O nome dele é *Adonai-Yahweh* (o Soberano Eterno Deus) e este título já nos informa que sua *soberania* prevalecerá. Ver no *Dicionário* o artigo chamado *Soberania de Deus*.

36.4

לָכֵן֙ הָרֵ֣י יִשְׂרָאֵ֔ל שִׁמְע֖וּ דְּבַר־אֲדֹנָ֣י יְהוִ֑ה כֹּֽה־אָמַ֣ר אֲדֹנָ֣י יְהוִ֡ה לֶהָרִ֣ים וְלַגְּבָעוֹת֩ לָאֲפִיקִ֨ים וְלַגֵּאָי֜וֹת וְלֶחֳרָב֧וֹת הַשֹּׁמְמ֣וֹת וְלֶעָרִ֣ים הַנֶּעֱזָב֗וֹת אֲשֶׁ֨ר הָי֤וּ לְבַז֙ וּלְלַ֔עַג לִשְׁאֵרִ֥ית הַגּוֹיִ֖ם אֲשֶׁ֥ר מִסָּבִֽיב׃ ס

Assim diz o Senhor Deus aos montes e aos outeiros... *Adonai-Yahweh* (o Soberano Eterno Deus) pronunciou uma maldição contra os ofensores que maltrataram Israel. Este título divino ocorre quatorze vezes neste capítulo e 217 no livro inteiro. Ver no *Dicionário* o artigo chamado *Deus, Nomes Bíblicos de*. O Soberano fala com as montanhas de Israel-Judá (ver o vs. 1), personificando-as. Elas representam Israel, assim como Seir representa Edom (capítulo 35). O culto a Yahweh se realizava nas colinas, onde o monte Sião estava situado. Aqui, as colinas se associam a correntes de águas, vales, lugares desolados, cidades desamparadas, termos que falam também de Israel, o objeto de escárnio das nações pagãs. Não podiam continuar as condições adversas, nem os atos dos perseguidores e destruidores.

Houve pilhagem do que sobrou depois do ataque babilônico, da mesma maneira que um caminhão tombado na estrada atrai os "urubus" de pilhagem (pessoas desonestas que se aproveitam das tragédias dos outros).

36.5

לָכֵ֗ן כֹּֽה־אָמַר֮ אֲדֹנָ֣י יְהוִה֒ אִם־לֹ֠א בְּאֵ֨שׁ קִנְאָתִ֥י דִבַּ֛רְתִּי עַל־שְׁאֵרִ֥ית הַגּוֹיִ֖ם וְעַל־אֱד֣וֹם כֻּלָּ֑א אֲשֶׁ֣ר נָתְנֽוּ־אֶת־אַרְצִ֣י ׀ לָ֠הֶם לְמ֨וֹרָשָׁ֜ה בְּשִׂמְחַ֤ת כָּל־לֵבָב֙ בִּשְׁאָ֣ט נֶ֔פֶשׁ לְמַ֥עַן מִגְרָשָׁ֖הּ לָבַֽז׃

Assim diz o Senhor Deus: Certamente no fogo do meu zelo falei. *Adonai-Yahweh* (o Soberano Eterno Deus), vendo o que estava acontecendo, pronunciou um julgamento severo contra aqueles criminosos. Seu ciúme era *quente*, porque o *seu povo* estava sendo explorado, e a terra que ele lhes havia dado estava sendo confiscada. Ver sobre *Deus ciumento*, em Dt 4.24; 5.9; 6.15; 12.16,21. O uso é, obviamente, antropopatético, atribuindo a Deus sentimentos humanos. Ver no *Dicionário* o artigo chamado *Antropopatismo*. Os planos diabólicos contra Israel eram também contra o seu Deus, o Soberano. A terra foi pilhada com alegria perversa, emanada de corações cruéis. Yahweh logo acabaria com aquele ultraje. A terra seria ocupada temporariamente; a vitória passaria em breve para o lado de Judá. Cf. Ob 12-14.

36.6

לָכֵ֕ן הִנָּבֵ֖א עַל־אַדְמַ֣ת יִשְׂרָאֵ֑ל וְאָמַרְתָּ֡ לֶהָרִ֣ים וְלַגְּבָעוֹת֩ לָאֲפִיקִ֨ים וְלַגֵּאָי֜וֹת כֹּֽה־אָמַ֣ר ׀ אֲדֹנָ֣י יְהוִ֗ה הִנְנִ֨י בְקִנְאָתִ֤י וּבַחֲמָתִי֙ דִּבַּ֔רְתִּי יַ֛עַן כְּלִמַּ֥ת גּוֹיִ֖ם נְשָׂאתֶֽם׃

Eis que falei no meu zelo e no meu furor. *Adonai-Yahweh* (o Soberano Eterno Deus) continua com seu juramento-profecia, expressando ira e intenção de acabar com o jogo sujo dos inimigos de Israel. O profeta cuidadosamente repete as diversas designações de Israel, produzindo uma lista semelhante à do vs. 4, e fala com "aquele povo" (dos montes, correntes, vales etc.). Promete que a pilhagem, o escárnio e o opróbrio daqueles reprovados não continuarão. O prejuízo seria temporário, porque o desígnio divino visava a restauração e não o *finis*, para Israel. O *finis* se aplicava a Edom, não a Judá (como deixa claro o oráculo do capítulo 35). Cf. Sl 123.3,4.

36.7

לָכֵ֗ן כֹּ֤ה אָמַר֙ אֲדֹנָ֣י יְהוִ֔ה אֲנִ֖י נָשָׂ֣אתִי אֶת־יָדִ֑י אִם־לֹ֤א הַגּוֹיִם֙ אֲשֶׁ֣ר לָכֶ֣ם מִסָּבִ֔יב הֵ֖מָּה כְּלִמָּתָ֥ם יִשָּֽׂאוּ׃

Jurei que as nações que estão ao redor de vós, levem o seu opróbrio sobre si mesmas. *Adonai-Yahweh* (o Soberano Eterno Deus, título divino usado por quatorze vezes neste capítulo e 217 vezes no livro inteiro) levanta a mão direita e faz um juramento solene: aqueles que cometeram ultrajes logo sofrerão o opróbrio divino na forma de desolação para suas terras e massacre de seus povos. Yahweh aplicará a *Lex Talionis* (retribuição de acordo com a gravidade do crime; ver a respeito no *Dicionário*). Cf. Gn 12.3; Ez 20.5 e Ml 1.2-5. Nesta última referência, a destruição de Edom se apresenta como evidência do amor de Deus para com Israel. O triunfo pagão terá vida curta e fim violento. Aqueles perversos haviam semeado o vento e ceifariam o remoinho (ver Os 8.7).

A Restauração das Montanhas de Israel (36.8-15)

36.8

וְאַתֶּ֞ם הָרֵ֤י יִשְׂרָאֵל֙ עַנְפְּכֶ֣ם תִּתֵּ֔נוּ וּפֶרְיְכֶ֥ם תִּשְׂא֖וּ לְעַמִּ֣י יִשְׂרָאֵ֑ל כִּ֥י קֵרְב֖וּ לָבֽוֹא׃

Ó montes de Israel, vós produzireis os vossos ramos. Embora recentemente devastadas, as *montanhas* (país) de Israel logo se recuperariam, a agricultura floresceria e produziria abundância de alimentos, com produtos de todos os tipos para o povo recém-chegado do cativeiro babilônico. Yahweh tocou o coração de Ciro, que decretou a liberdade de Judá (e de outros povos). Coisas impressionantes acontecem quando Yahweh toca o coração dos homens. Oh, Senhor, concede-nos tal graça!

Alguns intérpretes acham que a profecia aqui é de longo alcance, descrevendo o reino do Messias (e o milênio?). Ver no *Dicionário* o artigo chamado *Milênio*. Quando a profecia foi pronunciada, cerca de 58 anos, dos setenta do cativeiro, tinham passado (ver Jr 25.11,12). A restauração histórica estava às portas, e logo se cumpririam as grandiosas promessas de Yahweh. Antes da restauração histórica, o julgamento de Deus nivelaria os inimigos de Israel; o mesmo se aplica à restauração escatológica.

Israel se tornará como uma árvore florida, ou uma *videira frutífera*, símbolos de vida e de plenitude. Sua volta, depois do cativeiro babilônico, representará as primícias de uma realização histórica e escatológica de grandes proporções: a diáspora será totalmente revertida, preparando o caminho para o reino do Messias.

36.9

כִּ֖י הִנְנִ֣י אֲלֵיכֶ֑ם וּפָנִ֣יתִי אֲלֵיכֶ֔ם וְנֶעֱבַדְתֶּ֖ם וְנִזְרַעְתֶּֽם׃

Porque eis que eu estou convosco. Yahweh se declara ao lado de Israel, fazendo sua parte: favorecendo-o, abençoando-o ricamente, protegendo-o com o poder de sua soberania; cultivando suas montanhas, aguando a Terra Prometida com as chuvas anteriores e posteriores, nas estações certas, garantindo uma ceifa abundante.

36.10

וְהִרְבֵּיתִ֤י עֲלֵיכֶם֙ אָדָ֔ם כָּל־בֵּ֥ית יִשְׂרָאֵ֖ל כֻּלֹּ֑ה וְנֹֽשְׁבוּ֙ הֶֽעָרִ֔ים וְהֶחֳרָב֖וֹת תִּבָּנֶֽינָה׃

Multiplicarei homens sobre vós. A terra produzirá todas as coisas necessárias para a vida, de maneira extraordinária; o povo favorecido terá vida abundante e cheia de paz. As velhas contendas serão acalmadas; as cidades abandonadas terão novamente grandes populações de pessoas felizes; o som da música e da dança voltará, substituindo as lamentações. Os lugares devastados serão restaurados.

Haverá grande *restauração*, um tema favorito dos profetas que nunca cansaram de transmitir oráculos sobre o assunto. A volta da Babilônia seria um antegozo de maravilhas escatológicas.

Israel. Normalmente este livro fala de *Judá*, utilizando esse título, mas provavelmente está em vista aqui "todo o Israel do futuro, o novo Israel". Cf. Ez 3.1,4—5,7; 4.3; 5.4. Ver também Is 58.12; 51.4 e Amós 9.11—12,14.

36.11

וְהִרְבֵּיתִ֧י עֲלֵיכֶ֛ם אָדָ֥ם וּבְהֵמָ֖ה וְרָב֣וּ וּפָר֑וּ וְהוֹשַׁבְתִּ֨י אֶתְכֶ֜ם כְּקַדְמֽוֹתֵיכֶ֗ם וְהֵטִֽבֹתִי֙ מֵרִאשֹׁ֣תֵיכֶ֔ם וִֽידַעְתֶּ֖ם כִּֽי־אֲנִ֥י יְהוָֽה׃

Multiplicarei homens e animais sobre vós. Tanto homens como animais se multiplicarão de maneira assustadora, enchendo o país com criaturas vivas, como se fosse uma gigantesca *nova criação*, a fim de garantir um magnífico novo Israel.

Fá-los-ei habitar-vos como dantes. Uma referência à possessão da Terra Prometida depois da libertação do Egito, ou de modo geral, aos bons tempos quando Israel era uma grande nação. Cf. Os 11.1-4; Jr 2.1-3,6,7. Depois do cativeiro, provavelmente as terras de clãs e famílias seriam restauradas aos seus donos, na medida do possível. Mas a restauração do texto é também escatológica e não permitirá os obstáculos e as restrições do passado. Será, verdadeiramente, um *novo dia*.

Sabereis que eu sou o Senhor. Através da restauração, Israel *conhecerá melhor Yahweh*, tema repetido 63 vezes nesse livro, normalmente associado à ideia de julgamento, mas aqui à restauração (cf. Ez 16.63; 28.25,26; 29.21; e 34.30).

■ **36.12**

וְהוֹלַכְתִּי עֲלֵיכֶם אָדָם אֶת־עַמִּי יִשְׂרָאֵל וִירֵשׁוּךָ
וְהָיִיתָ לָהֶם לְנַחֲלָה וְלֹא־תוֹסִף עוֹד לְשַׁכְּלָם׃ ס

Farei andar sobre vós homens. As montanhas abandonadas terão, de novo, uma grande população espalhada sobre elas. As multidões possuirão as colinas e a herança será repossuída. Os pagãos as pisaram ilegalmente; os novos habitantes serão seus amigos, estabelecendo ali lares permanentes. "Em vez de serem desertos cruéis com seca, fome e morte, os territórios de Israel se tornarão regiões de bênçãos divinas. As condições adversas anteriores serão anuladas. Ver Lv 26.18-22; Nm 13.32; Dt 28.20-24. Isto se realizará quando Israel possuir sua terra no reino milenar de Cristo" (Charles H. Dyer, *in loc.*).

■ **36.13**

כֹּה אָמַר אֲדֹנָי יְהוִה יַעַן אֹמְרִים לָכֶם אֹכֶלֶת אָדָם
אָתְּ וּמְשַׁכֶּלֶת גּוֹיַיִךְ הָיִית׃

Visto que dizem: Tu és terra que devora os homens... *Adonai-Yahweh* (o Soberano Eterno Deus) continua seu discurso "às montanhas". 1. Outros povos se queixaram contra "as montanhas de Israel", acusando-as de ter pisado outros povos, devastando-os e matando-os. 2. Ou o significado é que as montanhas (sendo invadidas) terminaram devastando o próprio povo. 3. Ou o julgamento de Deus fez as montanhas perseguir, matar e mandar embora os judeus apóstatas que nelas habitavam. Provavelmente esta terceira ideia é correta. As montanhas são descritas poeticamente como *expulsoras* do povo de Israel.

Quando os bons tempos voltarem, todas as catástrofes e ultrajes do passado serão anulados. A terra, personificada, é descrita como causadora ativa de tudo quanto aconteceu. As montanhas foram como uma mãe desnaturada que devorou os próprios filhos.

■ **36.14**

לָכֵן אָדָם לֹא־תֹאכְלִי עוֹד וְגוֹיַיִךְ לֹא תְכַשְּׁלִי־עוֹד נְאֻם
אֲדֹנָי יְהוִה׃

Não devorarás mais os homens. Todo aquele sofrimento deve cessar; as montanhas não podem mais devorar seus próprios habitantes, suas *filhas*. Houve um tempo de julgamento refinador; esse tempo passou e um novo dia chegou; a purificação alcançou seus objetivos. Todos os julgamentos de Deus são restauradores, pois o julgamento é um dedo na mão amorosa de Deus. Ver este princípio comentado nas notas em 1Pe 4.6, no *Novo Testamento Interpretado*.

■ **36.15**

וְלֹא־אַשְׁמִיעַ אֵלַיִךְ עוֹד כְּלִמַּת הַגּוֹיִם וְחֶרְפַּת עַמִּים
לֹא תִשְׂאִי־עוֹד וְגוֹיַיִךְ לֹא־תַכְשִׁלִי עוֹד נְאֻם אֲדֹנָי
יְהוִה׃ ס

Não permitirei jamais que ouças a ignomínia dos gentios. Os insultos dos pagãos devem cessar; Israel não pode mais ser perturbado; o opróbrio dos povos deve parar; os inimigos de Israel não podem mais pisotear o povo de Yahweh. *Adonai-Yahweh* (o Soberano Eterno Deus) decreta paz. O passado, tão cheio de abusos e desastres, teve seu dia e desapareceu. As *abominações* cometidas causaram todo aquele sofrimento (Ez 33.29). Yahweh removeu o câncer e o paciente se recuperou totalmente. A *temível tríade* (espada, fome e pestilência, ver Ez 5.12) completou seu trabalho de vingança, purificando o povo sofrido. Ela não voltará para espalhar terror. Ver no *Dicionário* o artigo chamado *Abominação*.

Israel Punido por suas Maldades (36.16-21)

Este oráculo volta para revisar, uma vez mais, o passado de falhas de Judá, suas muitas iniquidades e perversidades; sua idolatria-adultério-apostasia. O encorajamento do oráculo anterior, sobre a restauração, silencia, enquanto a tirada contra os pecados continua. Quando os oráculos se apresentaram, Israel ainda estava em meio a seus sofrimentos autoprovocados. As *razões* dos reversos do povo são revisadas. O prestígio de Yahweh estava em jogo, por não permitir a restauração. Entretanto, a restauração estava prestes a acontecer e, com ela, o prestígio de Yahweh seria recuperado. O nome santo do Senhor seria vindicado, porque os ímpios devem pagar o preço de suas tolices. O nome do Senhor é também um nome de amor, a restauração exaltaria seu nome. Yahweh age com misericórdia e graça, sem as quais seu nome não impressiona ninguém. De qualquer modo, a *Lei Moral da Colheita segundo a Semeadura* deve produzir os efeitos desejados: punição, vingança e, finalmente, purificação e restauração. Deve existir um lugar onde o Deus que puniu pronuncie: Basta! Que seja uma cura; que seja salvação.

■ **36.16**

וַיְהִי דְבַר־יְהוָה אֵלַי לֵאמֹר׃

Veio a mim a palavra do Senhor. Esta é a declaração comum que introduz novos materiais e oráculos. Lembra que as mensagens foram inspiradas e que Ezequiel era o profeta autorizado por Yahweh. Cf. Ez 13.1; 14.2; 15.1; 16.1.

■ **36.17**

בֶּן־אָדָם בֵּית יִשְׂרָאֵל יֹשְׁבִים עַל־אַדְמָתָם וַיְטַמְּאוּ
אוֹתָהּ בְּדַרְכָּם וּבַעֲלִילוֹתָם כְּטֻמְאַת הַנִּדָּה הָיְתָה
דַרְכָּם לְפָנָי׃

Sua terra, eles a contaminaram com os seus caminhos e as suas ações. O ataque do exército babilônico puniu e purificou. Israel-Judá habitava a Terra Prometida de modo descuidado, maldoso, pervertido e ímpio, poluindo tudo e todos. Foram quebrados todos os Dez Mandamentos, repetidamente, contrariando a lei de Moisés, que era o guia do povo (ver Dt 6.4 ss.).

Como a imundícia de uma mulher em sua menstruação, tal era o seu caminho perante mim. Os hebreus encaravam a menstruação da mulher como uma doença, não como um processo natural. A mulher e tudo o que ela tocava ficavam *imundos* naquele período. Ver no *Dicionário* o artigo denominado *Limpo e Imundo*. A ideia aqui é que nenhuma nação poluída poderia manter posição distinta entre as nações. De fato, Israel, imundo, tornou-se a pior das nações e passível de julgamento. A lei tinha a intenção de tornar Israel um povo distinto (Dt 4.4-8). Imunda, a nação não tinha nem o poder de manter seu lar e foi expulsa por forças estrangeiras. A terra "vomitou" a imunda prostituta, o Israel apóstata. A senhora doente foi isolada em quarentena na Babilônia. Cf. Lv 15.19.

■ **36.18**

וָאֶשְׁפֹּךְ חֲמָתִי עֲלֵיהֶם עַל־הַדָּם אֲשֶׁר־שָׁפְכוּ עַל־
הָאָרֶץ וּבְגִלּוּלֵיהֶם טִמְּאוּהָ׃

Derramarei, pois, o meu furor sobre eles, por causa do sangue... e por causa dos seus ídolos. Os dois pecados pesados, o assassinato e a idolatria, tão largamente praticados no Judá pré-cativo, representavam a totalidade das iniquidades que anularam a lei mosaica entre o povo. A depravação persistente provocou a ira de Yahweh. O julgamento seria furioso e esmagaria aquele povo abominável. O autor continua com seu *antropopatismo*, aplicando a Deus emoções humanas. A linguagem e a teologia dos homens são fracas, compelindo-os a contentar-se com tais descrições improváveis da pessoa de Deus. Ver no *Dicionário* os verbetes intitulados *Antropomorfismo* e *Antropopatismo*. Os *Dez Mandamentos* (também no *Dicionário*) tinham orientações específicas contra os pecados referidos no presente texto. Ver Êx 20.4—5,13. Cf. Ez 16.36,38 e 23.37.

■ 36.19

וָאָפִ֤יץ אֹתָם֙ בַּגּוֹיִ֔ם וַיִּזָּר֖וּ בָּאֲרָצ֑וֹת כְּדַרְכָּ֥ם
וְכַעֲלִילוֹתָ֖ם שְׁפַטְתִּֽים׃

Espalhei-os entre as nações. Depois do massacre terrível, efetuado pelo exército babilônico, seguiu-se o cativeiro. Ver no *Dicionário* o artigo chamado *Cativeiro Babilônico*. Assim, a mulher menstruada, sendo considerada imunda, era separada de seu lar e sofria o isolamento da quarentena naquele lugar (ver o vs. 17). Cf. Ez 22.15.

"Foram dispersos, soprados fora como o palhiço, condenados e punidos por causa de seus caminhos ímpios e de suas obras maldosas, o que satisfez as regras da justiça" (John Gill, *in loc.*).

■ 36.20

וַיָּב֗וֹא אֶל־הַגּוֹיִם֙ אֲשֶׁר־בָּ֣אוּ שָׁ֔ם וַֽיְחַלְּל֖וּ אֶת־שֵׁ֣ם
קָדְשִׁ֑י בֶּאֱמֹ֤ר לָהֶם֙ עַם־יְהוָ֣ה אֵ֔לֶּה וּמֵאַרְצ֖וֹ יָצָֽאוּ׃

Profanaram o meu santo nome. Aqueles homens reprovados profanaram o santo nome de Yahweh. Até no cativeiro na Babilônia persistiam em suas poluições, mostrando-se rebeldes contra as velhas tradições da lei mosaica. Ver no *Dicionário* o artigo chamado *Nome* e ver também Sl 31.3. O nome implica tudo o que a pessoa é, inclusive sua natureza e atributos. Ver sobre *Nome Santo*, em Sl 30.4 e 33.21. Ver sobre a *profanação* do nome divino, em Ez 20.9; cf. Lv 18.21; 19.12 e 20.3.

Pois deles se dizia: São estes o povo do Senhor, porém tiveram de sair da terra dele. Os inimigos zombavam dos israelitas. Era uma situação absurda de contradição, que incitava o escárnio dos pagãos. O povo de Yahweh era tudo o que Yahweh não era. Ver as notas sobre "o povo do Senhor", em Êx 6.7; Lv 20.24,26; Dt 4.20 e 7.6. A congregação de Israel era chamada de "assembleia de Yahweh" (Nm 16.3; 20.4; 27.17; 31.16). Sua associação os separou dos demais nações, como povo distinto, mas eles continuamente violaram seus privilégios e posição. Tornaram-se piores do que as nações ao redor, afundando-se mais e mais nas suas corrupções.

O Targum diz: "Se estas pessoas são o povo de Yahweh, como é que eles saíram da Terra da casa da Majestade?"

■ 36.21

וָאֶחְמֹ֖ל עַל־שֵׁ֣ם קָדְשִׁ֑י אֲשֶׁ֤ר חִלְּל֙וּהוּ֙ בֵּ֣ית יִשְׂרָאֵ֔ל
בַּגּוֹיִ֖ם אֲשֶׁר־בָּ֥אוּ שָֽׁמָּה׃ ס

Tive compaixão do meu santo nome. Yahweh se preocupou com a reputação de seu santo nome, por serem as condições em Israel tão adversas. A má reputação do povo se refletiu na de Yahweh, "sujando" seu nome. Os incrédulos não podiam entender como "o povo de Deus" se afundara em tão lamentável estado. Assim sendo, foi necessário que Yahweh reagisse, demonstrando que o julgamento de seu povo, embora extremamente severo, era justo. Depois, a misericórdia entraria para consolidar o ganho trazido pela punição. O presente versículo naturalmente é uma declaração unilateral, que exclui momentaneamente de que modo a misericórdia e o amor de Deus salvariam o povo no meio de sua angústia. Cf. Ez 20.9 e 14, que são quase iguais.

A Restauração de Israel (36.22-32)

Yahweh deve vindicar seu santo nome, agindo contra todas as perversidades de seu povo. Entretanto, agindo assim, não esqueceria de aplicar sua misericórdia e seu amor, tão logo o julgamento atingisse seus objetivos. Julgar—restaurar, eis a obra do Deus da Bíblia.

Santificado seja o teu nome; venha o teu reino.

Mateus 6.9,10

Yahweh, por causa de seu nome, que a casa de Israel profanou entre as nações, vindicará sua santidade e depois devolverá Israel à Terra Prometida. Criará um novo coração no povo, transformando-o para conformar-se à sua imagem. A terra, alegrando-se, produzirá em abundância, e Israel detestará *o que fora*, quando praticara obras abomináveis. Assim aconteceria, e Yahweh "implora" para que os rebeldes reconheçam sua conduta depravada, como primeiro passo do arrependimento.

■ 36.22

לָכֵ֞ן אֱמֹ֣ר לְבֵֽית־יִשְׂרָאֵ֗ל כֹּ֤ה אָמַר֙ אֲדֹנָ֣י יְהוִ֔ה לֹ֧א
לְמַעַנְכֶ֛ם אֲנִ֥י עֹשֶׂ֖ה בֵּ֣ית יִשְׂרָאֵ֑ל כִּ֤י אִם־לְשֵׁם־קָדְשִׁי֙
אֲשֶׁ֣ר חִלַּלְתֶּ֔ם בַּגּוֹיִ֖ם אֲשֶׁר־בָּ֥אתֶם שָֽׁם׃

Assim diz o Senhor Deus: Não é por amor de vós que eu faço isto... mas pelo meu santo nome. *Adonai-Yahweh* (o Soberano Eterno Deus) continua falando à casa de Israel (ver as notas no vs. 17). Relativamente, a restauração de Israel seria devida ao amor de Yahweh, porque aquele povo nada fizera para merecê-la; mas ele, numa obra unilateral, exigia somente o arrependimento. A obra agradaria a vontade de Deus e seria boa aos olhos divinos. Graça e misericórdia administradas àqueles que não as merecem, está de acordo com o atributo de Deus: o amor (1Jo 4.8). A moeda é, de um lado, o julgamento vingador purificador e, do outro, misericórdia-amor; ambos trabalham juntos para cumprir os mesmos propósitos. Por enquanto, o autor ignora o lado misericórdia-amor e se preocupa com a reputação de Yahweh, seu santo nome que deve ser vingado. É por causa de sua misericórdia que não somos aniquilados, Lm 3.22. O santo nome é vingado porque a punição golpeia o deboche, mas o exercício do outro lado da moeda é essencial para a obra completa e efetiva de Deus. Cf. Ez 20.41; 28.22,25; 38.16; 39.27. Israel continuará cumprindo as exigências do Pacto Abraâmico e Yahweh sabe como garantir tal continuidade, com uma variedade de ações severas e misericordiosas. Israel deve continuar na sua *terra*, ou as promessas em relação à *nação* não poderão ser cumpridas.

■ 36.23

וְקִדַּשְׁתִּ֞י אֶת־שְׁמִ֣י הַגָּד֗וֹל הַֽמְחֻלָּל֙ בַּגּוֹיִ֔ם אֲשֶׁ֥ר
חִלַּלְתֶּ֖ם בְּתוֹכָ֑ם וְיָדְע֨וּ הַגּוֹיִ֜ם כִּי־אֲנִ֣י יְהוָ֗ה נְאֻם֙ אֲדֹנָ֣י
יְהוִ֔ה בְּהִקָּדְשִׁ֥י בָכֶ֖ם לְעֵינֵיהֶֽם׃

Vindicarei a santidade do meu grande nome. É função do julgamento vindicar, portanto, a punição do povo iníquo é inevitável. Também o castigo deve ser suficientemente grande, para tornar Yahweh *conhecido* entre as nações. "Deus deve ser santificado aos olhos do próprio povo de Israel e, então, perante as outras nações" (Ellicott, *in loc.*); assim, ficará conhecido como o Juiz justo, que não deixa os ímpios governar este mundo. Este tema se repete 63 vezes nesse livro, sendo um item básico da teologia do Antigo Testamento, não somente de Ezequiel.

■ 36.24

וְלָקַחְתִּ֤י אֶתְכֶם֙ מִן־הַגּוֹיִ֔ם וְקִבַּצְתִּ֥י אֶתְכֶ֖ם מִכָּל־
הָאֲרָצ֑וֹת וְהֵבֵאתִ֥י אֶתְכֶ֖ם אֶל־אַדְמַתְכֶֽם׃

Tomar-vos-ei de volta de entre as nações. A volta de Judá do cativeiro pelo poder de *Adonai-Yahweh* (o Soberano Eterno Deus) se realizará, porque haverá arrependimento e mudança de conduta. No processo de julgamento-arrependimento-recuperação, o santo nome de Yahweh será vindicado, honrado e louvado. Quando o nome divino for *glorificado*, seu povo também o será. A realização maior do ideal deste versículo será no reino do Messias, no dia escatológico.

■ 36.25

וְזָרַקְתִּ֧י עֲלֵיכֶ֛ם מַ֥יִם טְהוֹרִ֖ים וּטְהַרְתֶּ֑ם מִכֹּ֧ל
טֻמְאוֹתֵיכֶ֛ם וּמִכָּל־גִּלּוּלֵיכֶ֖ם אֲטַהֵ֥ר אֶתְכֶֽם׃

Aspergirei água por sobre vós. Um ato de santificação e purificação, em que Israel é visto como sacrifício vivo oferecido a Yahweh.

Apresentai o vosso corpo por sacrifício vivo, santo e agradável a Deus, que é o vosso culto racional.

Romanos 12.1

O arrependimento do remanescente será genuíno e duradouro, efetuado pelo Espírito e simbolizado pela *aspersão* com água. O arrependimento resultará em mudança radical de vida; a conduta do remanescente será ideal, de acordo com as exigências da lei mosaica. Ver no *Dicionário* os verbetes intitulados *Arrependimento* e *Santificação*.

... vos purificarei. A aspersão com sangue é anotada em Êx 24.6; Lv 17.16; Nm 19.17-19. Forneço notas explicativas sobre as *lavagens rituais*, em Êx 30.17-21; Lv 14.52; Nm 19.17-19. Aqueles ritos simbolizam realidades espirituais que foram realizadas no remanescente, depois da volta do cativeiro babilônico. Uma realização mais significativa acontecerá no reino do Messias, na restauração de Israel, nos últimos dias. Cf. Hb 9.13; 10.22; Ef 5.26; Tt 3.5.

> *Aproximemo-nos, com sincero coração, em plena certeza de fé, tendo o coração purificado de má consciência e lavado o corpo com água pura.*
>
> Hebreus 10.22

"Purificação de todo tipo de abominação, interna e externa: purificação dos deuses falsos (da idolatria); da adoração falsa; das doutrinas falsas; das esperanças falsas" (Adam Clarke, *in loc.*).

■ 36.26

וְנָתַתִּי לָכֶם לֵב חָדָשׁ וְרוּחַ חֲדָשָׁה אֶתֵּן בְּקִרְבְּכֶם וַהֲסִרֹתִי אֶת־לֵב הָאֶבֶן מִבְּשַׂרְכֶם וְנָתַתִּי לָכֶם לֵב בָּשָׂר׃

Dar-vos-ei coração novo. Os elementos vitais chegarão ao *coração* do povo, como visto em Ez 18.30-32. Ver as notas nesse lugar e em Ez 11.19. O *coração de pedra* da casa rebelde de Israel (Ez 2.6,8) será substituído por um coração que agrada Yahweh. O texto fala de uma *mudança profunda* no povo. As promessas escatológicas incluem uma série de novas realidades: nova canção; novo nome; novo coração; nova terra; novo céu. Ver Is 42.9,10; 43.19; 48.6; 62.2; 66.22; Jr 3.17; 31.22; 33.16; Sl 96.1. Cf. 2Pe 3.13; Ap 5.9 e 21.1,5, no Novo Testamento.

O Targum traz aqui: "... através de um coração e um espírito tementes, quebrarei os ímpios cujo coração é tão duro como pedra". O coração de carne (ver Ez 11.19) é mole, em comparação com o de pedra, insensível à palavra de Deus. O Espírito dirige o coração sensível, transformando o homem à imagem divina. O coração duro detesta a justiça e a pureza, mas o coração mole está cheio do amor de Deus.

Jeremias usou a terminologia *Pacto Novo* (Ez 31.31-33) para descrever a renovação espiritual e as condições divinas que trarão o novo dia. O presente texto ilustra "a responsabilidade humana e a graça soberana de Deus, coexistindo. O homem não pode fazer, por si mesmo, um novo coração; Deus o capacita a obter esta realização (Fp 2.12-13)" (Fausset, *in loc.*).

> *Deus é quem efetua em vós tanto o querer como o realizar, segundo a sua boa vontade.*
>
> Filipenses 2.13

■ 36.27

וְאֶת־רוּחִי אֶתֵּן בְּקִרְבְּכֶם וְעָשִׂיתִי אֵת אֲשֶׁר־בְּחֻקַּי תֵּלֵכוּ וּמִשְׁפָּטַי תִּשְׁמְרוּ וַעֲשִׂיתֶם׃

Porei dentro em vós o meu Espírito. Haverá mais em operação do que o velho pacto e a lei de Moisés, que guia (Dt 6.4 ss.). Haverá atividade incomum do Espírito Santo, que inspira e transforma os homens, criando um *novo andar*. Ver no *Dicionário* sobre a metáfora do *Andar*. O povo, inspirado e capacitado pelo ministério do Espírito, andará nos estatutos e guardará os juízos divinos.

O profeta não abandona as velhas descrições, mas dá um papel importante à operação direta de Deus no coração do homem.

O novo pacto exigirá um novo *modus operandi* de espiritualidade, mas a igreja cristã não está em vista aqui, como supõem alguns intérpretes. *Israel*, na sua restauração, é o assunto do texto. Existe uma realização ainda mais alta, em Cristo, que transforma os homens à sua própria imagem (Rm 8.29); neste processo, o homem redimido participará da natureza divina (2Pe 1.4), de modo finito, *mas real*.

Cf. Is 42.1 e 44.3. Ver também o derramamento do Espírito, em Jl 2.28-29. "A ideia da possessão do homem, pelo Espírito, tem uma longa história. Ver Gn 41.38; Êx 31.3; 1Sm 10.10; 11.6; Mt 12.18; At 2.17,18. O Espírito entrou em Ez (Ez 2.2; 3.24; 8.3)" (Theophile J. Meek, *in loc.*).

■ 36.28

וִישַׁבְתֶּם בָּאָרֶץ אֲשֶׁר נָתַתִּי לַאֲבֹתֵיכֶם וִהְיִיתֶם לִי לְעָם וְאָנֹכִי אֶהְיֶה לָכֶם לֵאלֹהִים׃

Habitareis na terra que eu dei a vossos pais. O *novo povo* possuirá a velha terra, que será um *novo lar* para os exilados. A possessão da terra como lar era (é) parte integral do Pacto Abraâmico (ver as notas em Gn 15.18). Os dois cativeiros (na Assíria, o norte; na Babilônia, o sul) foram interrupções temporárias. A diáspora romana também não podia durar para sempre. *Restauração* é a palavra que fala de duração e condição permanente.

Vós sereis o meu povo, e eu serei o vosso Deus. Esta é a condição *sine qua non* da história de Israel. Cf. Jr 30.22; Ez 11.20; 37.27. "A promessa de restauração terrestre deve ser, afinal, cumprida literalmente" (Ellicott, *in loc.*, que escreveu no século 19, quando a restauração de Israel, à sua terra, parecia improvável, mas o homem tinha fé na sua realização). No século 20, temos visto uma restauração que é um antegozo de maiores coisas, na agenda de Deus, que fatalmente chegarão.

■ 36.29

וְהוֹשַׁעְתִּי אֶתְכֶם מִכֹּל טֻמְאוֹתֵיכֶם וְקָרָאתִי אֶל־הַדָּגָן וְהִרְבֵּיתִי אֹתוֹ וְלֹא־אֶתֵּן עֲלֵיכֶם רָעָב׃

Israel, libertado de sua idolatria-adultério-apostasia, habitará seguramente na terra que será extremamente fértil como um sinal da aprovação de Deus. Cf. Ez 34.27. Não haverá mais fome, um instrumento divino de punição. Cf. Ez 5.12; Mt 1.21; Rm 11.26; Sl 115.16; Ez 34.29; Zc 8.12 e 9.17. O povo santificado terá todas as suas necessidades satisfeitas.

> *O Senhor é o meu pastor; nada me faltará.*
>
> Salmo 23.1

■ 36.30

וְהִרְבֵּיתִי אֶת־פְּרִי הָעֵץ וּתְנוּבַת הַשָּׂדֶה לְמַעַן אֲשֶׁר לֹא תִקְחוּ עוֹד חֶרְפַּת רָעָב בַּגּוֹיִם׃

Este versículo reitera a ideia do vs. 29: haverá abundância e não existirá mais fome. Haverá multiplicação divina de recursos, não meramente um bom ciclo agrícola. A fome era uma desgraça, um sinal do descontentamento de Deus com o seu povo. O Israel ímpio sofreu *vergonha* (NCV) entre as nações, porque nem comida suficiente tinha. A punição caçava os pecadores. Cf. Ez 34.27.

■ 36.31

וּזְכַרְתֶּם אֶת־דַּרְכֵיכֶם הָרָעִים וּמַעַלְלֵיכֶם אֲשֶׁר לֹא־טוֹבִים וּנְקֹטֹתֶם בִּפְנֵיכֶם עַל עֲוֹנֹתֵיכֶם וְעַל תּוֹעֲבוֹתֵיכֶם׃

Então vos lembrareis dos vossos maus caminhos. Israel-Judá, lembrando-se de suas abominações do passado, lamentará, porque ter agido com tanta estupidez, que custou ao povo muito sofrimento. Sentirão *ódio por si mesmos* devido a seus feitos odiosos. O arrependimento interromperá o ciclo vicioso de apostasia-castigo-restituição, trazendo verdadeira e duradoura renovação. Israel será curado de seus grandes pecados e levado a um nível de espiritualidade mais alta. "O povo purificado nunca esquecerá a cova horrível e a lama da qual foi libertado. Detestar-se-á por causa de seu passado rebelde" (Adam Clarke, *in loc.*). Cf. Ez 16.61,63; Lv 26.39. Ver também Ez 6.9 e 20.43.

Tereis nojo de vós mesmos. O siríaco traz "seu rosto será enrugado", isto é, contorcido em desgosto do passado pouco louvável. O Targum diz: "Gemerá quando se lembrar de seus pecados anteriores e de suas abominações".

36.32

לֹא לְמַעַנְכֶם אֲנִי־עֹשֶׂה נְאֻם אֲדֹנָי יְהוִה יִוָּדַע לָכֶם
בּוֹשׁוּ וְהִכָּלְמוּ מִדַּרְכֵיכֶם בֵּית יִשְׂרָאֵל׃ ס

Não é por amor de vós, fique bem entendido, que eu faço isto. Voltamos ao vs. 22. Yahweh restaurou e purificou seu povo, essencialmente por causa de seu santo nome que estava sendo desgraçado. A justiça de Deus deve ser vindicada na punição de maldades. Um subproduto será a restauração do povo; a obra principal será a preservação da reputação de Deus entre os homens. Seu caráter santo deve prevalecer neste mundo de tantas perversidades; o santo nome deve ser protegido. O povo restaurado lembrará seu passado vergonhoso e continuará no novo caminho, para reverter o ontem debochado. *Adonai-Yahweh* (o Soberano Eterno Deus) controla as circunstâncias, efetuando o que deve ser feito. Sua soberania santifica o seu próprio nome e o seu povo, ao mesmo tempo. Cf. Dt 9.4-6.

Este versículo ensina o princípio *da graça*. Yahweh fez o que fez por causa de seu amor e autovindicação, não por causa dos merecimentos do povo. Graça inesperada tem o poder de realizar o que o princípio legal nunca poderia efetuar.

As Cidades e Lugares Desolados Serão Restaurados (36.33-36)

36.33

כֹּה אָמַר אֲדֹנָי יְהוִה בְּיוֹם טַהֲרִי אֶתְכֶם מִכֹּל
עֲוֹנוֹתֵיכֶם וְהוֹשַׁבְתִּי אֶת־הֶעָרִים וְנִבְנוּ הֶחֳרָבוֹת׃

A restauração vem através da purificação, como *sine qua non*, e inclui naturalmente a reprovação da terra. *Adonai-Yahweh* (o Soberano Eterno Deus) decreta o que deve ser feito e, com seu poder ilimitado, faz o que fala. Um ato de graça salva o dia e restaura o povo rebelde, transformando-o para ser compatível com o padrão divino.

Será Yahweh, não o homem, que trará a história para a sua consumação. O texto visa a nova era, nos últimos dias, que completará a obra divina, anulando o passado baixíssimo. Cf. Dn 12.2 e o vs. 10 do presente capítulo, que é essencialmente igual. Os comentários dados ali se aplicam aqui também.

36.34,35

וְהָאָרֶץ הַנְּשַׁמָּה תֵּעָבֵד תַּחַת אֲשֶׁר הָיְתָה שְׁמָמָה
לְעֵינֵי כָּל־עוֹבֵר׃

וְאָמְרוּ הָאָרֶץ הַלֵּזוּ הַנְּשַׁמָּה הָיְתָה כְּגַן־עֵדֶן וְהֶעָרִים
הֶחֳרֵבוֹת וְהַנְשַׁמּוֹת וְהַנֶּהֱרָסוֹת בְּצוּרוֹת יָשֵׁבוּ׃

Lavrar-se-á a terra deserta, em vez de estar desolada aos olhos de todos os que passavam. A terra desolada ganhará de novo alta produtividade agrícola, o suficiente para todas as necessidades do povo.

Esta terra desolada ficou como jardim do Éden. O autor aplica uma hipérbole oriental, ou está em vista a era do reino do Messias, quando o deserto florescerá como a rosa (Is 35.1). Como o Éden antigo, o novo Israel, livre de seus pecados, gozará de extraordinária fertilidade, que será o fim de toda a necessidade. A maldição antiga será levantada. Cf. Is 51.3. O golpe de Satanás será substituído pela bênção de Yahweh. O texto está descrevendo um dia realmente novo, o dia escatológico.

36.36

וְיָדְעוּ הַגּוֹיִם אֲשֶׁר יִשָּׁאֲרוּ סְבִיבוֹתֵיכֶם כִּי אֲנִי יְהוָה
בָּנִיתִי הַנֶּהֱרָסוֹת נָטַעְתִּי הַנְּשַׁמָּה אֲנִי יְהוָה דִּבַּרְתִּי
וְעָשִׂיתִי׃ ס

As nações que tiverem restado ao redor de vós saberão que eu, o Senhor, reedifiquei as cidades destruídas. Qualquer homem, observando a cena, saberá que algo sobrenatural, "divino", aconteceu. Nenhuma força humana poderia fazer do deserto um novo Éden. Yahweh decretou restauração e plenitude e nada pôde obstruir seus propósitos. O julgamento de Yahweh criara um deserto; sua restauração fez do deserto um novo Éden. Cf. Ez 17.24; 22.14 e 37.14.

Uma População Grandemente Aumentada (36.37,38)

36.37

כֹּה אָמַר אֲדֹנָי יְהוִה עוֹד זֹאת אִדָּרֵשׁ לְבֵית־יִשְׂרָאֵל
לַעֲשׂוֹת לָהֶם אַרְבֶּה אֹתָם כַּצֹּאן אָדָם׃

Multiplique eu os homens como rebanho. Esta passagem nos remete ao simbolismo *do rebanho* (capítulo 34). Ontem Yahweh não permitiu nem a consulta de homens ímpios, cheios de pecados graves (ver Ez 14.3; 20.3,31). Hoje as coisas são diferentes: Yahweh está acessível ao seu povo reformado e trabalha em favor deles. Ele os multiplicará e reedificará suas cidades. Cf. Is 49.19; 54.1-3; Zc 2.4. O pecado cortou o acesso a Deus; a santificação abriu novamente o caminho, e o povo se beneficiou sobremaneira. Ver no *Dicionário* o artigo chamado *Acesso*. A fertilidade e o aumento de população foram *sinais* da bênção do Senhor, como temos também em Gn 12.2; 15.1-6; 1Sm 1.5,6; 2.1-11; Zc 8.4,5 e Ez 34.23.

36.38

כְּצֹאן קָדָשִׁים כְּצֹאן יְרוּשָׁלַם בְּמוֹעֲדֶיהָ כֵּן תִּהְיֶינָה
הֶעָרִים הֶחֳרֵבוֹת מְלֵאוֹת צֹאן אָדָם וְיָדְעוּ כִּי־אֲנִי
יְהוָה׃ ס

Como o rebanho dos santos. A *comparação*, aqui, é com os rebanhos de animais sacrificiais que foram trazidos para Jerusalém no tempo das festas anuais. O propósito da declaração é dar uma ideia do *número de pessoas* que habitarão a terra.

As cidades desertas se encherão de rebanhos de homens; e saberão que eu sou o Senhor. A figura do rebanho traz naturalmente à nossa mente a metáfora de Yahweh como o Bom Pastor do povo. Cuidados ternos e proteção eram (são) suas especialidades. Lemos que 30 mil cordeiros e 3 mil novilhas foram sacrificados numa ocasião só, pelo rei Josias, e mais um número indeterminado, contribuição de seus príncipes, 2Cr 37.7-9. Esta abundância de animais sacrificiais serve para ilustrar a repovoação de Israel nos últimos dias. Haverá um novo Éden, um novo dia, uma nova nação, um novo pacto. Yahweh ficará conhecido por causa dessas obras de graça. Cf. Ez 16.63; 28.25,26; 29.21; 34.30.

CAPÍTULO TRINTA E SETE

Este capítulo contém o oráculo do vale de ossos secos (vss. 1-14) e o oráculo dos dois paus (vss. 15-28). Estas duas seções ilustram o tema da *restauração de Israel*. Historicamente, visam a volta dos exilados do cativeiro babilônico; profeticamente, visam a restauração no novo Israel, no dia escatológico, quando o reino do Messias se realizará. O capítulo 37 ilustra as promessas do capítulo 36: a restauração da terra; a repovoação; uma agricultura superprodutiva; uma vida renovada como aquela no jardim do Éden. O Israel no cativeiro estava *morto* e espalhado, como uma multidão de ossos secos sobre toda a terra. Yahweh se mostrou capaz de reajuntar todos os ossos secos para fazer um novo homem. Somente Deus pode efetuar tal obra.

A VISÃO DO VALE DE OSSOS SECOS (37.1-14)

Vale, ou Planície. Cf. Ez 3.22 e 8.4. Os *ossos* são os exilados na Babilônia, o remanescente sem esperança de ressuscitar para o recomeço do Reino de Judá. Quem poderia fazer, de ossos secos de mortos, novos seres? Essa obra seria tão difícil quanto restaurar Israel na sua terra, trazendo uma nação de volta da morte.

O texto informa que o poder de Yahweh era suficiente para efetuar essas duas obras e quaisquer outras. Judá, no cativeiro, perdeu as esperanças, mas o decreto misericordioso de Ciro mudou sua mente. Eles começaram a pensar que o que era considerado impossível poderia ser feito. Levou tempo para que o propósito fosse realizado, mas, no fim, foi cumprido. Levará tempo para trazer Israel para a restauração do reino do Messias, mas isso será realizado, afinal.

■ 37.1

הָיְתָ֣ה עָלַי֮ יַד־יְהוָה֒ וַיּוֹצִאֵ֤נִי בְר֙וּחַ֙ יְהוָ֔ה וַיְנִיחֵ֖נִי בְּת֣וֹךְ הַבִּקְעָ֑ה וְהִ֖יא מְלֵאָ֥ה עֲצָמֽוֹת׃

Ele me levou pelo Espírito. A mão de Yahweh agiu para dar ao profeta a visão dos ossos secos. Ver no *Dicionário* o artigo chamado *Mão*, e em Sl 81.14. Ver sobre *mão direita*, em Sl 20.6, e sobre *braço*, em Sl 77.15 e 98.1. A mão poderosa do Senhor levou Ezequiel para certo vale, em visão, naturalmente. Cf. o vale de Ez 3.23, que talvez estivesse na mente do autor quando compôs este texto. Aquele vale tornou-se um *lugar de revelação*. O profeta enfrentou uma cena horripilante da morte. Desastres tinham tomado conta de Judá quando o exército babilônico a aniquilou. Uma nação inteira tornou-se uma massa de ossos secos sob os raios do sol implacável que os secava e branqueava. Os ossos estavam mortos, em todos os sentidos da palavra.

■ 37.2

וְהֶעֱבִירַ֥נִי עֲלֵיהֶ֖ם סָבִ֣יב ׀ סָבִ֑יב וְהִנֵּ֨ה רַבּ֤וֹת מְאֹד֙ עַל־פְּנֵ֣י הַבִּקְעָ֔ה וְהִנֵּ֖ה יְבֵשׁ֥וֹת מְאֹֽד׃

E me fez andar ao redor deles. Ezequiel fez um circuito no vale. Os ossos secos não foram empilhados, mas espalhados sobre uma área considerável. Assim, o profeta levou algum tempo para atravessar aquela área. O que ele viu foi uma coisa só: morte e destruição, inumeráveis ossos dos mortos ressecados e branqueados pelo sol. O desespero reinava naquele lugar miserável. Não havia nenhum potencial de vida. Os ataques e cativeiros da Babilônia haviam conseguido a quase extinção de Judá, e o profeta, vendo o vale, teria dito que a extinção do povo fora absoluta. Somente a obra especial da graça de Deus poderia reverter aquela situação. Afinal, a salvação provém da graça, embora exija a cooperação do homem para aceitá-la.

> Conduza, Luz Gentil, dentre a negra escuridão
> Conduza-me à frente.
> A noite está escura e longe de casa estou,
> Conduza-me à frente.
> Mantenha os meus pés; não peço para ver
> A distante cena;
> Um passo apenas, o bastante para mim.
>
> John H. Newman

■ 37.3

וַיֹּ֣אמֶר אֵלַ֔י בֶּן־אָדָ֕ם הֲתִחְיֶ֖ינָה הָעֲצָמ֣וֹת הָאֵ֑לֶּה וָאֹמַ֕ר אֲדֹנָ֥י יְהוִ֖ה אַתָּ֥ה יָדָֽעְתָּ׃

Acaso poderão reviver estes ossos? Todos nós, de vez em quando, nos encontramos em armadilhas, como aquele pequeno remanescente cativo na Babilônia. Judá estava absolutamente impotente. As circunstâncias eram desesperadoras. Às vezes, nós nos vemos em circunstâncias totalmente além do nosso potencial de modificação. Sim, às vezes, entramos no vale de ossos secos, um limbo de desolação, sem nenhum raio de luz. Então, *Adonai-Yahweh* (o Soberano Eterno Deus) entra em cena e opera um milagre que nos surpreende. Oh, Senhor, concede-nos tal graça! Este título divino é usado 217 vezes nesse livro, indicando que há um Soberano que age neste mundo, modificando as coisas que, supostamente, não podem ser mudadas. A *Providência de Deus* é capaz de tudo. O Criador não abandonou sua criação, mas está presente para intervir. Realizar obras inesperadas é a sua especialidade.

■ 37.4

וַיֹּ֤אמֶר אֵלַי֙ הִנָּבֵ֣א עַל־הָעֲצָמ֣וֹת הָאֵ֔לֶּה וְאָמַרְתָּ֖ אֲלֵיהֶ֑ם הָעֲצָמוֹת֙ הַיְבֵשׁ֔וֹת שִׁמְע֖וּ דְּבַר־יְהוָֽה׃

Profetiza a estes ossos. Yahweh mandou Ezequiel "profetizar sobre os ossos" (o hebraico literal), significando "o que vai acontecer com eles". A profecia carregava com ela o poder do Senhor e, certamente, seria cumprida. Os ossos secos (Judá na Babilônia) ouviriam logo a palavra de poder que os entregaria à sua "morte viva".

A Vida que Vem da Morte. A seção de abertura deste capítulo figura entre as mais importantes da Bíblia. O pregador voltará a ela repetidamente, porque é rica em sugestões e porque a inspiração de Deus brilha nela. O que o profeta falou, aconteceu e pode ser comprovado historicamente, embora na época de seu pronunciamento esperar a realização da profecia fosse ato de uma imaginação ativa. Mas o fato é que o poder de Deus entrou na história e mudou seu curso.

"Por causa do poder inerente da Palavra divina para cumprir seus propósitos, *os profetas,* pronunciando aquela palavra, eram capazes de efetuar maravilhas (Jr 1.10)" (Fausset, *in loc.*).

■ 37.5

כֹּ֤ה אָמַר֙ אֲדֹנָ֣י יְהוִ֔ה לָעֲצָמ֖וֹת הָאֵ֑לֶּה הִנֵּ֨ה אֲנִ֜י מֵבִ֥יא בָכֶ֛ם ר֖וּחַ וִחְיִיתֶֽם׃

Assim diz o Senhor Deus:... Farei entrar o espírito em vós, e vivereis. *Adonai-Yahweh* (o Soberano Eterno Deus) coloca sua força todo-poderosa por trás de suas palavras. Como Soberano, no dia da criação, soprou no barro e fez uma criatura viva, assim agora, soprando sobre os ossos secos, os fará viver. *Um novo ato criativo* animará os ossos mortos. O Criador intervém na sua criação, um fator principal da doutrina do *teísmo* (ver a respeito no *Dicionário*). Em contraste, o *deísmo* ensina que o Criador (uma força pessoal ou impessoal) abandonou sua criação ao governo das leis naturais. Cf. Gn 2.7; 6.17 e 7.22. Ver Ez 37.14, onde a palavra hebraica *ruah* (sopro, espírito) refere-se ao Espírito de Deus. Nova vida é o trabalho do Espírito. Ver também Sl 104.30.

■ 37.6-8

וְנָתַתִּ֩י עֲלֵיכֶ֨ם גִּדִ֜ים וְהַעֲלֵתִ֧י עֲלֵיכֶ֣ם בָּשָׂ֗ר וְקָרַמְתִּ֤י עֲלֵיכֶם֙ ע֔וֹר וְנָתַתִּ֥י בָכֶ֛ם ר֖וּחַ וִחְיִיתֶ֑ם וִידַעְתֶּ֖ם כִּֽי־אֲנִ֥י יְהוָֽה׃

וְנִבֵּ֖אתִי כַּאֲשֶׁ֣ר צֻוֵּ֑יתִי וַֽיְהִי־ק֤וֹל כְּהִנָּֽבְאִי֙ וְהִנֵּה־רַ֔עַשׁ וַתִּקְרְב֣וּ עֲצָמ֔וֹת עֶ֖צֶם אֶל־עַצְמֽוֹ׃

וְרָאִ֜יתִי וְהִנֵּֽה־עֲלֵיהֶ֤ם גִּדִים֙ וּבָשָׂ֣ר עָלָ֔ה וַיִּקְרַ֧ם עֲלֵיהֶ֛ם ע֖וֹר מִלְמָ֑עְלָה וְר֖וּחַ אֵ֥ין בָּהֶֽם׃

A Notável Lição Espiritual. Os mortos podem ser reanimados pela palavra de poder de Yahweh, e isto se aplica a nações e indivíduos. Estes versículos não falam diretamente sobre a imortalidade da alma, nem sobre o tema geral da ressurreição, mas o milagre no vale de ossos secos *apoia* ambas as doutrinas. Há vida depois da morte biológica. Ver no *Dicionário* os artigos chamados *Alma, Ressurreição* e *Imortalidade.* Ver na *Enciclopédia de Bíblia, Teologia e Filosofia* o verbete intitulado *Imortalidade.*

Sabereis que eu sou o Senhor. Yahweh ficou conhecido pelo milagre da ressurreição. Este tema se repete 63 vezes no livro, normalmente associado à ideia de julgamento, mas, às vezes, como aqui, à restauração. Cf. Ez 16.62; 28.25,26; 34.30; 36.11 e o vs. 13 do presente capítulo.

Então profetizei segundo me fora ordenado. Ezequiel obedeceu às ordens de Yahweh e ele deu *o comando da vida,* através de sua profecia. Imediatamente, o profeta ouviu o ruído dos ossos chocalhando e, quando olhou, todos se tinham ajuntado, formando esqueletos perfeitos. Ao mesmo tempo, a carne voltou aos esqueletos e logo houve, em toda parte, espécimes maravilhosos de seres humanos. Ainda não eram animados, mas a obra se completaria em breve. Foi um milagre magnificente, mas não mais do que aquilo tipificado: a restauração dos ossos secos (exílios) no cativeiro babilônico.

Ideias sobre o Ruído. 1. O barulho de um terremoto; 2. os gritos dos judeus ao ouvir o decreto de Ciro que os liberou para voltar a Jerusalém; 3. uma grande voz dos czares comandando a ressurreição; 4. a voz de anjos, agentes de vida; 5. a trombeta de Deus. Melhor, o barulho era, simplesmente, o som dos ossos se ajuntando para fazer esqueletos viáveis.

■ 37.9

וַיֹּ֣אמֶר אֵלַ֔י הִנָּבֵ֖א אֶל־הָר֑וּחַ הִנָּבֵ֣א בֶן־אָדָ֗ם וְאָמַרְתָּ֤ אֶל־הָר֙וּחַ֙ כֹּֽה־אָמַ֣ר ׀ אֲדֹנָ֣י יְהוִ֗ה מֵאַרְבַּ֤ע רוּחוֹת֙ בֹּ֣אִי הָר֔וּחַ וּפְחִ֛י בַּהֲרוּגִ֥ים הָאֵ֖לֶּה וְיִחְיֽוּ׃

Bem dos quatro ventos, ó espírito, e assopra sobre estes mortos, para que vivam. Foi necessário outro milagre para completar o processo da revivificação. O *ruah* do Espírito entrou nos corpos e os animou. Alguns intérpretes preferem a tradução *vento*, e acham que os quatro ventos, à ordem de Yahweh, restauraram Israel. Os exilados voltaram dos quatro cantos da terra e se reuniram em Jerusalém. Houve restauração total. Cf. Zc 2.6. Mas a alusão principal é ao capítulo 1 de Gênesis, o *ato criativo* de Deus. Por seu sopro, Yahweh deu vida ao barro, fazendo do inanimado animado. Cf. também Ez 36.27 e os vss. 4 e 5 do presente capítulo. "Eles recebem o sopro e tornam-se criaturas vivas como em Gn 1.20—21,24 e 2.7, onde se encontra a mesma expressão" (Ellicott, *in loc.*).

Dos quatro ventos. O autor mistura as metáforas. O *ruah* agora se origina dos quatro ventos, não da boca de Yahweh, como em Gn 1. Aqueles ventos falam da restauração dos israelitas de todos os lugares onde foram exilados ou vaguearam. Cf. Is 43.5,6 e Jr 31.8. Foram espalhados para as quatro direções *pelos ventos* (Ez 5.10; 12.14; 17.21; Ap 7.14) e era justo que os mesmos ventos os trouxessem de volta para casa.

■ 37.10

וְהִנַּבֵּאתִי כַּאֲשֶׁר צִוָּנִי וַתָּבוֹא בָהֶם הָרוּחַ וַיִּחְיוּ וַיַּעַמְדוּ עַל־רַגְלֵיהֶם חַיִל גָּדוֹל מְאֹד־מְאֹד: ס

Profetizei como ele me ordenara. Este versículo repete, essencialmente, as declarações do vs. 9: o que foi *ordenado* naquele versículo é *efetuado* neste. A profecia que dá vida se mostrou efetiva. Os esqueletos, juntamente com seus corpos perfeitos, de súbito se tornaram seres vivos, e os ossos secos foram assim revivificados. Os cativos se animaram e transformaram-se num vasto exército, pronto a marchar de volta para Jerusalém. O novo Israel (histórico) recomeçou tudo e tornou-se um antegozo de maiores acontecimentos no dia escatológico. O poder revolucionário de Deus criou e continua criando. A restauração nacional de Israel apoia as doutrinas de imortalidade e ressurreição. Cf. Is 25.8; 26.10; Dn 12.2; Os 6.2 e 13.14.

■ 37.11

וַיֹּאמֶר אֵלַי בֶּן־אָדָם הָעֲצָמוֹת הָאֵלֶּה כָּל־בֵּית יִשְׂרָאֵל הֵמָּה הִנֵּה אֹמְרִים יָבְשׁוּ עַצְמוֹתֵינוּ וְאָבְדָה תִקְוָתֵנוּ נִגְזַרְנוּ לָנוּ:

Estes ossos são toda a casa de Israel. A *casa de Israel* (ver Ez 3.1,3,5; 4.3) era uma grande massa de ossos secos espalhados em toda a parte do vale, isto é, a Babilônia. Não houve mais vida; toda a esperança se perdeu; a nação inteira foi "cortada fora", isto é, morreu violentamente. Os babilônios, mais uma vez, tinham cometido genocídio.

Estamos de todo exterminados. "Os sobreviventes sabiam que suas esperanças nacionais tinham sido esmagadas. A nação inteira morreu nas chamas do ataque babilônico e não houve esperança de ressurreição" (Charles H. Dyer, *in loc.*). Cf. Sl 141.7 e Is 49.14. A árvore cortada foi separada das suas raízes e, assim, caiu e morreu.

■ 37.12

לָכֵן הִנָּבֵא וְאָמַרְתָּ אֲלֵיהֶם כֹּה־אָמַר אֲדֹנָי יְהוִה הִנֵּה אֲנִי פֹתֵחַ אֶת־קִבְרוֹתֵיכֶם וְהַעֲלֵיתִי אֶתְכֶם מִקִּבְרוֹתֵיכֶם עַמִּי וְהֵבֵאתִי אֶתְכֶם אֶל־אַדְמַת יִשְׂרָאֵל: ס

Eis que abrirei as vossas sepulturas, e vos farei sair delas. Neste trecho, o autor utiliza uma *nova figura*. Os ossos do vale tornam-se esqueletos nos seus sepulcros. *Adonai-Yahweh* (o Soberano Eterno Deus) emprega seu poder imenso para abrir os sepulcros e chamar para fora os esqueletos. No processo de sair, eles se animam e tornam-se criaturas vivas.

Uma *restauração nacional* foi realizada pelo milagre da graça que somente o poder de Deus podia efetuar. Através da ressurreição, o povo que vagueava volta para ser o povo escolhido de Deus, florescendo na sua terra, no seu lar. Um novo ciclo da história se iniciou, antegozando acontecimentos que serão ainda mais espetaculares nos últimos dias, no reino do Messias.

Afinal, Israel se tornará um povo realmente *distinto* entre as nações (ver este ideal em Dt 4.4-8). A renovação é completa: física, moral e espiritual. O sopro do Espírito era (é) o agente desta revolução de vida. Cf. Ez 36.24-28 e Jo 5.25,28,29. A fidelidade de Yahweh estava vinculada aos pactos por ele firmados. Sem sua terra, a *nação* de Israel não poderia continuar existindo.

Ó povo meu. "... Estou com eles e eles são o meu povo, a casa de Israel, diz o Senhor Deus" (Ez 34.30). Cf. Ez 11.20; 36.27 e Jr 30.22.

■ 37.13

וִידַעְתֶּם כִּי־אֲנִי יְהוָה בְּפִתְחִי אֶת־קִבְרוֹתֵיכֶם וּבְהַעֲלוֹתִי אֶתְכֶם מִקִּבְרוֹתֵיכֶם עַמִּי:

Sabereis que eu sou o Senhor. Pela *restauração nacional*, Israel-Judá conhecerá Yahweh melhor, de uma maneira nova e especial. Este tema se repete 63 vezes nesse livro, normalmente associado ao julgamento, mas, às vezes, como aqui, à ideia de restauração. Ver Ez 16.62; 28.25,26; 34.30; 36.11. Ver no *Dicionário* o artigo chamado *Providência de Deus*.

Ó povo meu. Ver as notas sobre esta frase no vs. 12.

■ 37.14

וְנָתַתִּי רוּחִי בָכֶם וִחְיִיתֶם וְהִנַּחְתִּי אֶתְכֶם עַל־אַדְמַתְכֶם וִידַעְתֶּם כִּי־אֲנִי יְהוָה דִּבַּרְתִּי וְעָשִׂיתִי נְאֻם־יְהוָה: פ

Poreis em vós o meu Espírito, e vivereis. O poder que dá vida, que efetuou a ressurreição nacional, é identificado como o Espírito de Deus. Assim devemos equiparar o *ruah* (vento) dos vss. 5 e 9 ao *ruah* (Espírito). Este versículo mostra que a renovação foi espiritual, não meramente física. O povo recebeu de volta a sua terra, mas também foi transformado para ter um andar digno de sua chamada, obedecendo à lei de Moisés. Cf. Ez 36.27. "A ressurreição moral do povo e a restauração à sua terra foram intimamente associadas. Cf. esta ideia a uma associação semelhante (o espírito com o físico) em Jo 5.21-29" (Ellicott, *in loc.*).

O ORÁCULO DOS DOIS PAUS (37.15-28)

Cf. este oráculo com Zc 11.7-14. Este oráculo visa à reunificação do norte com o sul (Israel com Judá) para formar, uma vez mais, um único povo, eliminando a divisão iniciada com Reoboão, filho de Salomão, quase mil anos antes do tempo de Cristo. Haverá um novo Israel unificado sob a autoridade de um rei. Aquela nação não mais será presa de outras nações (Ez 34.28); obedecerá à lei de Moisés e aos princípios do culto a Yahweh (Ez 11.20); será unida na sua própria terra, cumprindo as promessas do Pacto Abraâmico; terá um rei da linhagem davídica (Ez 23.23,24); gozará um pacto de paz (Ez 34.25); e terá um único *santuário* para todo o povo (Ez 45.1-8).

O *sinal dos dois paus* é apresentado nos vss. 15-17 e explicado com detalhes nos vss. 18-28. Em Zc 11.7-14 temos *duas varas* chamadas *Graça e União*, uma ideia semelhante.

■ 37.15

וַיְהִי דְבַר־יְהוָה אֵלַי לֵאמֹר:

Veio a mim a palavra do Senhor. Esta é a declaração comum que introduz novos materiais e oráculos. Lembra que as mensagens eram inspiradas e que Ezequiel era o profeta autorizado por Yahweh. Cf. Ez 13.1; 14.2; 15.1; 16.1.

■ 37.16

וְאַתָּה בֶן־אָדָם קַח־לְךָ עֵץ אֶחָד וּכְתֹב עָלָיו לִיהוּדָה וְלִבְנֵי יִשְׂרָאֵל חֲבֵרָיו וּלְקַח עֵץ אֶחָד וּכְתוֹב עָלָיו לְיוֹסֵף עֵץ אֶפְרַיִם וְכָל־בֵּית יִשְׂרָאֵל חֲבֵרָיו

Filho do homem, toma um pedaço de pau. Yahweh falou com o profeta, utilizando seu título comum (anotado em Ez 2.1). Ezequiel recebeu a ordem para pegar dois paus. Sobre um deveria escrever "Para Judá", representando o reino do sul, e, no outro, "Para José", a maior tribo do norte e representante do total. Não houve, restritamente, uma tribo de José, embora seus dois filhos, Efraim e Manassés, se tornassem os pais de duas tribos. Foi Jacó quem determinou aquele arranjo das tribos, adotando os dois filhos de José como seus. Ver Gn 48.19 e 1Cr 5.1. Alguns intérpretes veem aqui dois tabletes de madeira em lugar de dois paus. Assim, o *pau* se relaciona à *vara tribal* (Nm 17.2). A união das duas varas era uma profecia de unificação fraternal, que se realizará quando o norte e o sul se tornarem novamente um único reino.

■ **37.17**

וְקָרַב אֹתָם אֶחָד אֶל־אֶחָד לְךָ לְעֵץ אֶחָד וְהָיוּ לַאֲחָדִים בְּיָדֶךָ:

Ajunta-os um ao outro. Os dois paus (varas, tabletes de madeira), unidos na mão do profeta, tornam-se *um*, pelo poder divino. Nessa união, o cativeiro assírio do norte e o cativeiro babilônico do sul serão anulados. A esperança de uma unificação das duas nações pairava no ar, embora o norte estivesse irreparavelmente espalhado entre as nações. A profecia sem dúvida tem aplicação escatológica, referindo-se ao tempo em que o novo Israel do reino do Messias se tornará realidade. A interpretação rabínica deste versículo afirma que aconteceu uma união *literal* dos dois paus de madeira, para fazer uma só entidade orgânica, mas esta ideia é supérflua para o entendimento de um *símile*.

■ **37.18**

וְכַאֲשֶׁר יֹאמְרוּ אֵלֶיךָ בְּנֵי עַמְּךָ לֵאמֹר הֲלוֹא־תַגִּיד לָנוּ מָה־אֵלֶּה לָךְ:

Não nos revelarás o que significam estas cousas? Os vss. 18-28 dão a explicação, do próprio Yahweh, sobre a parábola (símile) dos dois paus. Cf. Ez 24.19. Um grupo de pessoas, em pé ao redor do profeta, observava o que ele fazia com os paus, que haviam sido separados e juntados em um (simbolicamente). Quiseram saber o "porquê" da ação-parábola. Yahweh forneceu ao profeta as devidas explicações. Ele não precisava inventar coisa alguma. O profeta então compartilhou a informação com o povo. Este versículo, entre outras coisas, ensina que aqueles que procuram saber serão satisfeitos:

Pedi, e se dará; buscai e achareis; batei, e abrir-se-á. Pois todo o que pede recebe; o que busca encontra; e, a quem bate, abrir-se-lhe-á.

Mateus 7.7,8

■ **37.19**

דַּבֵּר אֲלֵהֶם כֹּה־אָמַר אֲדֹנָי יְהוִה הִנֵּה אֲנִי לֹקֵחַ אֶת־עֵץ יוֹסֵף אֲשֶׁר בְּיַד־אֶפְרַיִם וְשִׁבְטֵי יִשְׂרָאֵל חֲבֵרוֹ וְנָתַתִּי אוֹתָם עָלָיו אֶת־עֵץ יְהוּדָה וַעֲשִׂיתִם לְעֵץ אֶחָד וְהָיוּ אֶחָד בְּיָדִי:

Assim diz o Senhor Deus. *Adonai-Yahweh* (o Soberano Eterno Deus) deseja revelar sua vontade e, subsequentemente, operar suas obras entre os homens. A palavra deve tornar-se realidade. Ver o título divino, utilizado aqui, explicado no vs. 3 do presente capítulo.

Tomarei a vara de José... ajuntarei à vara de Judá, e farei delas uma só vara. A vara de José representa a terra de Efraim, isto é, as dez tribos, o norte. Efraim era a tribo mais forte e numerosa depois da divisão do reino unido, assim esse nome refere-se à totalidade do reino de Israel (o norte). Judá, a tribo mais forte do sul (que absorveu, afinal, a tribo de Benjamim), representa o reino do sul. Na mão divina, as duas varas paus tornam-se uma só. Ver os comentários na introdução anterior (vs. 15) e nas notas sobre o vs. 17, para maiores detalhes.

Esta profecia aplica-se exclusivamente a Israel-Judá. A união de judeus e gentios, na igreja cristã, não está em vista. Historicamente, falou-se *idealmente* da restauração do reino dividido no novo Israel, depois do cativeiro babilônico. Profeticamente, fala do Israel unido no reino do Messias.

■ **37.20**

וְהָיוּ הָעֵצִים אֲשֶׁר־תִּכְתֹּב עֲלֵיהֶם בְּיָדְךָ לְעֵינֵיהֶם:

Os pedaços de pau em que houveres escrito, estarão na tua mão. Isso simboliza uma união sendo feita. Ao abri a mão, o profeta mostra os dois paus unidos.

Segure os paus de madeira, sobre os quais escreveu os nomes. Segure-os nas suas mãos de modo que o povo possa vê-los juntos.

NCV

Perante eles. A ação simbólica foi realizada perante o povo; a madeira unida ficou na mão do profeta, que representava a *mão de Yahweh*. Quando ele a abriu, a lição ficou clara: os dois paus estavam unidos, com os nomes visíveis, Efraim e Judá reunificados; eis o propósito de Deus. Esta promessa é dada em Ez 34.11-32, sob outra figura. Cf. também Ez 36.22-30.

■ **37.21**

וְדַבֵּר אֲלֵיהֶם כֹּה־אָמַר אֲדֹנָי יְהוִה הִנֵּה אֲנִי לֹקֵחַ אֶת־בְּנֵי יִשְׂרָאֵל מִבֵּין הַגּוֹיִם אֲשֶׁר הָלְכוּ־שָׁם וְקִבַּצְתִּי אֹתָם מִסָּבִיב וְהֵבֵאתִי אוֹתָם אֶל־אַדְמָתָם:

Eis que tomarei os filhos de Israel... e os congregarei. *Adonai-Yahweh* (o Soberano Eterno Deus; ver o vs. 3 para uma explicação deste título divino) era, ao mesmo tempo, o revelador e o operador do que foi apresentado na parábola-ação. Esta revelação foi dada para encorajar os exilados. Quando houver reunificação do norte com o sul, certamente o cativeiro deverá terminar, num tempo determinado por Yahweh. Além disso, haverá restauração da terra; o povo deverá ganhar, de novo, seu velho lar. Haverá um novo Israel; as provisões do Pacto Abraâmico serão concretizadas. Cf. Ez 36.24, que também traz a mensagem da restauração da terra.

No século 20, houve (e está havendo) um retorno de Israel para sua terra, o que é um antegozo do novo Israel do reino do Messias, quando aquela nação se levantará para assumir seu ofício como chefe das nações. Cf. Is 11.9.

■ **37.22**

וְעָשִׂיתִי אֹתָם לְגוֹי אֶחָד בָּאָרֶץ בְּהָרֵי יִשְׂרָאֵל וּמֶלֶךְ אֶחָד יִהְיֶה לְכֻלָּם לְמֶלֶךְ וְלֹא יִהְיֶה־עוֹד לִשְׁנֵי גוֹיִם וְלֹא יֵחָצוּ עוֹד לִשְׁתֵּי מַמְלָכוֹת עוֹד:

Farei deles uma só nação na terra... e um só rei será rei de todos. Haverá um reino unido e um rei da linhagem davídica. Depois do cativeiro babilônico, houve um governador (Gedalias), designado por Nabucodonosor, mas ele não era um rei e não cumpriu esta profecia. Esta realização espera o dia escatológico de Israel, quando o Messias, Filho de Davi, reinará. Os macabeus não eram da casa de Davi, de maneira que a profecia não se cumpriu neles. Ver na *Enciclopédia de Bíblia, Teologia e Filosofia* o verbete intitulado *Hasmoneanos (Macabeus)*. Os macabeus descenderam da linhagem sacerdotal (levítica), não de Judá, como Davi.

■ **37.23**

וְלֹא יִטַּמְּאוּ עוֹד בְּגִלּוּלֵיהֶם וּבְשִׁקּוּצֵיהֶם וּבְכֹל פִּשְׁעֵיהֶם וְהוֹשַׁעְתִּי אֹתָם מִכֹּל מוֹשְׁבֹתֵיהֶם אֲשֶׁר חָטְאוּ בָהֶם וְטִהַרְתִּי אוֹתָם וְהָיוּ־לִי לְעָם וַאֲנִי אֶהְיֶה לָהֶם לֵאלֹהִים:

Nunca mais se contaminarão. O povo do reino unido será preparado para o seu papel no novo dia, por renovação moral e espiritual. A idolatria-adultério-apostasia do velho Israel será anulada. As velhas abominações cessarão antes desse dia; as transgressões notórias serão eliminadas. Os purificados serão, num sentido moral e espiritual, "o povo de Yahweh" e ele será *o seu Deus*. Cf. esta declaração com Ez 11.20; 14.11; 36.28 e 37.23.

Tudo e todos mudarão; haverá novos padrões e novas ações. O conhecimento de Yahweh encherá a consciência de todas as nações, e Jerusalém será a capital religiosa internacional.

Não se fará mal nem dano algum em todo o meu santo monte, porque a terra se encherá do conhecimento do Senhor, como as águas cobrem o mar.

Isaías 11.9

"O *lo-ammi* (não meu-povo) sumirá, e o pacto de graça será renovado entre eles, as bênçãos e profecias tendo cumprimento. Ver Jr 3.11; Rm 11.25,26" (John Gill, *in loc.*).

Liberta-me de todo o pecado escondido
E faz sua santidade.
Purifica o meu ser para que
Possa ficar um templo digno de ti.

Gertrude E. Swallen

Livrá-los-ei de todas as apostasias em que pecaram. As promessas deste versículo, que preveem uma revolução espiritual para Israel, antecipam os planos detalhados do novo santuário (capítulos 40—43). O santuário *ideal* é a própria pessoa redimida e transformada (1Co 3.16).

■ **37.24**

וְעַבְדִּי דָוִד מֶלֶךְ עֲלֵיהֶם וְרוֹעֶה אֶחָד יִהְיֶה לְכֻלָּם
וּבְמִשְׁפָּטַי יֵלֵכוּ וְחֻקֹּתַי יִשְׁמְרוּ וְעָשׂוּ אוֹתָם:

O meu servo Davi reinará sobre eles. Cf. Ez 34.23,24. Alguns intérpretes veem Davi ressuscitado como o rei, mas a referência aqui é ao Messias, Filho de Davi, que renovará a linhagem real davídica.

Depois do cativeiro babilônico, nada aconteceu que possa justificar as informações deste versículo, portanto provavelmente devemos entender o Messias que reinará no dia escatológico. *Zorobabel* (ver a respeito no *Dicionário*) pertencia à linhagem davídica, mas era praticamente um fantoche de Nabucodonosor, não um rei. Os macabeus ganharam considerável poder, dando a Israel cerca de cem anos de independência de poderes estrangeiros, mas eram da linhagem levítica (sacerdotal), não de Judá, a tribo dos reis. Depois do cativeiro babilônico, Israel ficou séculos sem um *rei;* ou a profecia falhou, ou haverá uma realização futura.

Terão um só pastor. O rei é o *Rei-pastor* porque seus súditos são como um rebanho, totalmente dependente de sua bondade, proteção e sustento. O Messias será tanto um *Rei Ideal* como um *Pastor Ideal*. Haverá um Pastor espiritual que trará abundância de bênçãos. Cf. Jo 10; ver também Ez 34.23. E, no *Dicionário*, ver o detalhado artigo chamado *Pastor*.

O Pastor do Amor está procurando os perdidos
Em trilhas árduas e íngremes;
Está chamando os cordeiros que vaguearam;
Está chamando, está chamando suas ovelhas.
Eis! Está chamando o vagueador para casa.

Albert Simpson Reitz

Andarão nos meus juízos, guardarão os meus estatutos e os observarão. *Condições da Comunhão.* A lei de Moisés, agora administrada pelo Pastor, é o padrão de conduta do rebanho. Ver no *Dicionário* sobre a metáfora do *andar*. A lei dá *vida* (Dt 4.1; 5.33; 6.2; Ez 20.11) e é o *guia* dos fiéis (Dt 4.4,8). Segundo a mentalidade do Antigo Testamento, a lei é o *sine qua non* da própria vida, física ou espiritual.

■ **37.25**

וְיָשְׁבוּ עַל־הָאָרֶץ אֲשֶׁר נָתַתִּי לְעַבְדִּי לְיַעֲקֹב
אֲשֶׁר יָשְׁבוּ־בָהּ אֲבוֹתֵיכֶם וְיָשְׁבוּ עָלֶיהָ הֵמָּה וּבְנֵיהֶם
וּבְנֵי בְנֵיהֶם עַד־עוֹלָם וְדָוִד עַבְדִּי נָשִׂיא לָהֶם
לְעוֹלָם:

Habitarão na terra que dei a meu servo Jacó. A terra de Abraão é a terra do novo Israel. Cf. Ez 28.25. Ver o reino eterno de "Davi" (= Messias) em Sl 45.6; Dn 2.44 e Lc 2.32,33. "A promessa de que a casa de Israel habitará seguramente na Terra é tema repetido frequentemente (ver Ez 34.28; 38.11,14; 39.26). O Código de Santidade promete esta realização àqueles que guardam os estatutos e juízos do Senhor (Lv 25.18; Jr 23.6; 32.37; 33.16; ver também Zc 14.11)" (Theophile J. Meek, sobre Ez 28.35)". Is 40.21 é um paralelo próximo ao presente versículo. Jl 3.20 é semelhante.

■ **37.26**

וְכָרַתִּי לָהֶם בְּרִית שָׁלוֹם בְּרִית עוֹלָם יִהְיֶה אוֹתָם
וּנְתַתִּים וְהִרְבֵּיתִי אוֹתָם וְנָתַתִּי אֶת־מִקְדָּשִׁי בְּתוֹכָם
לְעוֹלָם:

Farei com eles aliança de paz. O *novo pacto* de Jr 31.31 se chama *Pacto de Paz,* aqui e em Ez 24.25, porque acalma a contenda universal e traz o homem para aquela paz que Deus oferece e realiza (cf. Rm 5.1).

E os multiplicarei. Porque Israel será grandemente diminuído pelas perseguições, antes da era do reino do Messias. Para ser uma grande nação, precisará de uma população considerável. Esta multiplicação não é a da igreja cristã entre as nações gentílicas, como dizem alguns intérpretes.

No meio deles para sempre. Isto mostra que o pacto de paz é também *eterno*. As vicissitudes de Israel, suas iniquidades e erros terminaram. O santuário: Deus está com seu povo, pelo exercício do Espírito. Este versículo antecipa o novo santuário (o templo ideal) dos capítulos 40—43, que alguns acham ser literal, outros consideram metafórico.

Na introdução ao capítulo 40, temos quatro interpretações do assunto. De qualquer modo, estamos falando da terra judaica, aqui. O texto não está descrevendo a igreja cristã, que tem outro futuro e outra glória. O Novo Testamento (pacto) da igreja não está em vista. O pacto com Israel é terrestre, embora contenha provisões espirituais.

Não possuímos muitas informações sobre o futuro de Israel, mas as indicações são as de que eles terão um destino *como nação*, entre nações que entrarão na era eterna. Certamente, o assunto não cabe no período depois do cativeiro na Babilônia. Cf. Ez 34.24,25, que é paralelo ao presente trecho. Para o santuário e seus arredores, ver Ez 45.1-8 e 47.13—48.35. O reino unido terá também uma adoração centralizada no novo santuário. Haverá repetição gloriosa do que aconteceu com Salomão e seu templo, mas em termos muito mais elevados. Todos os altares e santuários "lá fora" desaparecerão.

■ **37.27**

וְהָיָה מִשְׁכָּנִי עֲלֵיהֶם וְהָיִיתִי לָהֶם לֵאלֹהִים וְהֵמָּה
יִהְיוּ־לִי לְעָם:

O meu tabernáculo estará com eles. Este versículo combina o vs. 23 com o vs. 26. O tabernáculo estará com eles para sempre. Isto significa que o Espírito habitará com Israel; ele, a força que transformará tudo e todos, de tal maneira que cada homem se tornará uma habitação particular (um templo) da presença de Deus. Cf. Gn 9.27; Jo 1.14 e 2Co 6.16. Ver também Ap 21.3-22.

Eu serei o seu Deus e eles serão o meu povo. Cf. Ez 11.20; 36.28 e Jr 30.22.

■ **37.28**

וְיָדְעוּ הַגּוֹיִם כִּי אֲנִי יְהוָה מְקַדֵּשׁ אֶת־יִשְׂרָאֵל בִּהְיוֹת
מִקְדָּשִׁי בְּתוֹכָם לְעוֹלָם: ס

As nações saberão que eu sou o Senhor. *A Obra Divina.* Até as nações pagãs reconhecerão que o ocorrido com Israel, na sua restauração, foi obra do poder de Deus, totalmente além das capacidades dos homens. Yahweh *santificará* seu povo, fazendo dele uma nação realmente *distinta*, que foi sempre o ideal desejado (ver Dt 4.4-8). O santuário de Yahweh, no seu meio, será uma obra notável de graça, a fonte de todos os seus benefícios.

Este versículo serve como introdução apropriada aos capítulos 40—48, que descrevem o templo ideal e seu culto. Ele não deve ser cristianizado para significar o Espírito de Cristo que habita seu templo, a igreja.

Santifico a Israel. Isto é, o ato de *separar* aquele povo para Deus, como nação santa e distinta (Êx 19.5,6). Nessa condição, Israel será equipada para tornar-se chefe das nações e fonte dos ensinamentos divinos em favor das outras nações. Jerusalém será a capital espiritual do mundo.

> Ao redor de cada habitação,
> Vê a gloriosa cobertura
> Da nuvem e do fogo,
> Mostrando que o Senhor está perto!
> Coisas gloriosas de ti são faladas,
> Sião, cidade de nosso Deus.
>
> John Newton

CAPÍTULO TRINTA E OITO

ORÁCULOS CONTRA GOGUE E MAGOGUE (38.1—39.29)

"Israel foi repetidamente pisoteado por seus inimigos, mas no futuro o próprio Deus intervirá para garantir a segurança do país. Defenderá o seu povo e julgará os seus inimigos até em lugares distantes. O julgamento dos países vizinhos já foi descrito (capítulos 25—32)" (Charles H. Dyer, *in loc.*).

Controvérsias. Os capítulos 38 e 39 são cercados de muita controvérsia interpretativa, não tanto porque têm, inerentemente, grandes dificuldades, mas porque certos intérpretes forçam sobre eles ideias pouco prováveis.

Ideias Principais — Seis Interpretações:
1. *Interpretação Histórica*. Está em pauta o inimigo *do norte,* a Babilônia. Assim sendo, estes dois capítulos são paralelos elaborados e metafóricos de Jr 4.5,6.26; 16.15; 23.8. Cf. Ez 38.17 e 39.8. Ver também Sf 1.14-18; Jl 2.20; Zc 6.8. Está em vista o ataque do exército *universal*. Com um toque de hipérbole oriental, o temível inimigo do norte é visto comandando todas as nações do mundo. Sem uma intervenção, Israel não sobreviverá. Sem dúvida, o texto incorpora esta mensagem histórica, mas algumas descrições parecem ultrapassá-la. O inimigo é representado como vencido, esmagadoramente (como a Babilônia o foi, pelo império medo-persa). Mas isto não aconteceu *quando* o exército babilônico *estava atacando Israel*. Ver as notas em 39.23,24.
2. *Interpretação Escatológica Específica*. A ideia é a de que estes dois capítulos não têm paralelo histórico e pertencem absolutamente ao futuro. A destruição descrita deve acontecer antes que Israel se levante e assuma sua posição como chefe das nações, antes do reino do Messias. Os intérpretes que ensinam esta ideia fazem dos dois capítulos descrições do *Armagedom* (ver a respeito no *Dicionário*).
   Uma variação desta interpretação é a ideia de que estes capítulos falam sobre uma guerra preliminar a Armagedom, talvez a Terceira Guerra Mundial, enquanto Armagedom seria a Quarta. A alegada Terceira Guerra Mundial seria uma luta ocidental-oriental, a Rússia e seus aliados de um lado, e os Estados Unidos e seus aliados do outro. Alguns a colocam dentro da *Grande Tribulação* (ver a respeito no *Dicionário*), enquanto Armagedom viria depois desse período, como o *grande finale*. Esta *variação* incorpora ideias duvidosas, como as que identificam o *ros* (chefe) do vs. 38.2 e Meseque e Tobal (vs. 3), respectivamente a Rússia, Moscou e Tobolsque, meramente porque estes nomes têm sons semelhantes. Até intérpretes dispensacionalistas estão abandonando tais conjeturas, como infundadas. Ver no *Dicionário* o artigo chamado *Dispensação (Dispensacionalismo)*. Aqueles intérpretes ensinam que a década de 1990-2000 seria o tempo da Grande Tribulação e, logo depois, o milênio se iniciará no Sétimo Milênio.
   Aquela ideia (originalmente) foi emprestada do livro pseudepígrafo de I1Enoque, que falou do "tempo do homem", como os seis mil anos, e da era da paz, como os mil anos seguintes.
3. *Interpretação Escatológica Simples*. Um exame sem preconceitos dos nomes geográficos mencionados nos dois capítulos revela que as localidades não se estendem tanto ao norte, para atingir a Rússia. Os lugares são da Assíria, da Babilônia e da Turquia asiática. Portanto, historicamente, está em vista o exército universal da Babilônia, com sua própria aniquilação subsequente pelos medo-persas. A linguagem não deve ser restrita por uma cronologia limitada, nem por uma geografia exata. É pomposa e contém hipérboles orientais, como outros textos de Ezequiel.
   Por outro lado, quase certamente, condições escatológicas estão incluídas nestes dois capítulos. Talvez esteja em vista algum grande acontecimento, como o Armagedom tradicional, mas sem as complicações que os intérpretes gostam de forçar sobre o texto. Os dispensacionalistas, sendo precisos demais, caíram num grande equívoco. Assim, devemos continuar com nossas pesquisas, porque ser muito vago também é um equívoco.
4. *Interpretação Cética*. Estudos sobre fenômenos psíquicos têm demonstrado que a *precognição* (ver a respeito no *Dicionário*) está dentro do alcance das capacidades naturais da psique humana; e também que, quando os acontecimentos estão distantes, pode ser obtida pouca precisão sobre o tempo (cronologia) e as circunstâncias. Portanto, todas as profecias devem ser manuseadas com muito cuidado e sem dogmatismo ou radicalismo. Embora não haja razões para duvidarmos de que certos indivíduos tinham dons psíquicos (profetas, por exemplo, como Isaías, Jeremias e Ezequiel) e realmente viram a chegada do ataque babilônico, porque não seria muito distante, é esperar demais deles ver acontecimentos relativos a um futuro distante, como, por exemplo, *nossa era*. É exagero aplicar profecias dos antigos hebreus ao nosso tempo; as pessoas que caem neste equívoco pagarão o preço. Todas as profecias escatológicas são duvidosas. Às vezes, ter *fé* é acreditar no que não é a verdade.
5. *Interpretação Niilista*. A profecia, especialmente aquela variedade de "longo alcance", é uma farsa. "Profecias" realizadas são meras coincidências. As profecias bíblicas que "se realizaram" foram escritas "depois dos fatos". As alegadas "profecias" eram registros históricos. Porém, até a ciência tem ultrapassado esta interpretação niilista.
6. *Interpretação Simbólica*. Os rabinos posteriores abandonaram a atividade de infligir as interpretações dos capítulos 38–39, com demasiados detalhes. Os capítulos simbolizam (segundo eles) qualquer grande inimigo de Israel, ou o *próprio princípio* das nações contra aquele país. Não devemos esforçar-nos para encontrar significados nas localidades geográficas mencionadas, nem procurar aplicar estes capítulos ao futuro, próximo ou distante. Os detalhes de tais profecias são elementos de uma *parábola profética* e não devem ser encarados como específicos ou dogmáticos.

Se o leitor tem curiosidade em saber qual destas interpretações mais atrai a minha atenção, saiba que é a de número três.

Divisões dos Capítulos 38—39. Existem *sete* divisões naturais, cada uma introduzida com a notícia comum: "Veio a mim a palavra do Senhor", que afirma a inspiração dos oráculos. As seções são: 1. *Vss.* 38.3-9; 2. *Vss.* 38.10-13; 3. *Vss.* 38.14-16; 4. *Vss.* 38.17-23; 5. *Vss.* 39.1-16; 6. *Vss.* 39.17-24; 7. *Vss.* 39.25-29. Cada uma delas contém sua própria introdução abreviada.

Caracterização Geral dos Capítulos 38—39. "Os oráculos contra Gogue e Magogue descrevem, em linguagem apocalíptica, o avanço do inimigo do norte (Ez 38.15; Jr 6.22) contra o povo de Deus, que habita pacificamente na Terra Prometida (Ez 39.8,11,12). Depois de uma batalha catastrófica, o agressor será totalmente vencido, e o Senhor ficará conhecido e reconhecido como Deus, entre as nações. Deus (e seu povo) será visto como um vencedor incontestável (Ez 38.23; 39.21-29; cf. Ez 36.22,23). Sendo o inimigo *do norte* (no tempo de Jeremias e Ezequiel) a Babilônia, é provável que o texto fale da própria Babilônia, ou de um substituto dela, no futuro. O conflito descrito acontecerá antes da queda da Babilônia, e o contexto inclui a restauração de Israel (Ez 34.11-16; 36.9-38; Jr 23.23-28). No Novo Testamento, o escritor do Apocalipse expandiu as ideias do texto para incluir *conflitos cósmicos* (Ez 20.7-10). *Vss. 1-9:* A terra, Magogue, fica totalmente sem identificação, embora sua localização geral, no norte, seja afirmada. *Meseque* é o assírio *Mushku*, ao sul de Gomer e a oeste das montanhas Antetauro. Cuxe é Etiópia; Pute, a moderna Líbia (ver Ez 30.5); Gomer é o assírio *Gimirrai*, a terra dos cimérios na Ásia Menor central (Gn 10.2,3). Bete-Togarma (o assírio, *Til-garimmu*) ficava localizada a leste da extremidade do rio Hales, a sudeste de Gomer (Ez 27.14). Embora na literatura apocalíptica povos e lugares possam ser identificados, com frequência eles fazem parte do equipamento simbólico deste tipo de literatura e raramente devem ser entendidos literalmente. Os *tempos posteriores* destes capítulos correspondem aos "últimos dias" de Os 3.5 e Jr 30.24, isto é, o tempo imediatamente anterior ao restabelecimento da linhagem real de Davi (Ez 34.23,24; Jr 23.5,6). *Vss. 10-23:* O plano diabólico contra o povo de Deus fracassou; falhou por causa da intervenção divina. Yahweh utilizará as forças da natureza contra Gogue (Sl 18.7-15; Is 24.18-20; 30.27-33; Jl 2.28-32)" (*Oxford Annotated Bible*, introdução à seção).

■ 38.1

וַיְהִי דְבַר־יְהוָה אֵלַי לֵאמֹר:

Veio a mim a palavra do Senhor. Esta é a declaração comum que introduz novos materiais e oráculos. Lembra que as mensagens eram inspiradas e que Ezequiel era o profeta autorizado por Yahweh. Cf. Ez 13.1; 14.2; 15.1; 16.1.

Todos os sete oráculos dos capítulos 38—39 são introduzidos com a declaração "Assim diz o Senhor Deus" (vs. 3). A unidade (capítulos 38—39, com seus sete oráculos) começa com a declaração padronizada.

■ 38.2

בֶּן־אָדָם שִׂים פָּנֶיךָ אֶל־גּוֹג אֶרֶץ הַמָּגוֹג נְשִׂיא רֹאשׁ מֶשֶׁךְ וְתֻבָל וְהִנָּבֵא עָלָיו:

Filho do homem. Yahweh falou com o profeta, utilizando seu título comum (anotado em Ez 2.1).

Volve o teu rosto contra Gogue, da terra de Magogue. O versículo repete a ordem de Yahweh para que o profeta demonstre indignação. Com sua carranca, mostrava a impaciência de Deus em relação às iniquidades dos povos. Cf. Ez 4.3,7; 6.2; 13.17; 14.8; 21.2. Ver no *Dicionário* o artigo chamado *Gogue e Magogue,* e nas notas de introdução ao capítulo, onde algumas ideias do *Dicionário* são modificadas. Ver as *seis* interpretações dos capítulos 38—39, na introdução ao capítulo 38.

GOGUE E SUAS MULTIDÕES (38.3-9)

Yahweh não permitirá que aquele exército maciço machuque Israel; colocará na boca dele um gancho (anzol), da mesma maneira que os homens controlavam crocodilos ou monstros do mar, rendendo-os totalmente e, depois, destruindo-os. Temos neste versículo a figura do cativeiro do dragão ou monstro marinho, empregada em Ez 19.4,9 e 29.4.

■ 38.3

וְאָמַרְתָּ כֹּה אָמַר אֲדֹנָי יְהוִה הִנְנִי אֵלֶיךָ גּוֹג נְשִׂיא רֹאשׁ מֶשֶׁךְ וְתֻבָל:

Assim diz o Senhor Deus. Ver as notas no vs. 1. *Adonai-Yahweh* (o Soberano Eterno Deus), utilizando seu poder ilimitado, controlará e destruirá o inimigo do norte. Este título divino é utilizado 217 vezes nesse livro, mas somente 103 no restante do Antigo Testamento. Fala da *Soberania de Deus,* que controla o destino de nações e de indivíduos. Ver no *Dicionário* sobre esse título e, também, sobre *Providência de Deus.* O Criador não abandonou sua criação, mas interveio, castigando a iniquidade dos homens e recompensando os justos. Este conceito se chama *Teísmo* (ver a respeito no *Dicionário*). Contraste-se com o *Deísmo,* que ensina que a *força criadora* (pessoal ou impessoal) abandonou sua criação ao governo das leis naturais.

Gogue... Meseque... Tubal. Ver estes nomes no *Dicionário* e na introdução ao presente capítulo. Ao escrever os artigos do *Dicionário,* assumo a posição dispensacionalista, identificando estes lugares com a Rússia. As notas de introdução ao presente capítulo modificam consideravelmente esse entendimento.

■ 38.4

וְשׁוֹבַבְתִּיךָ וְנָתַתִּי חַחִים בִּלְחָיֶיךָ וְהוֹצֵאתִי אוֹתְךָ וְאֶת־כָּל־חֵילֶךָ סוּסִים וּפָרָשִׁים לְבֻשֵׁי מִכְלוֹל כֻּלָּם קָהָל רָב צִנָּה וּמָגֵן תֹּפְשֵׂי חֲרָבוֹת כֻּלָּם:

Porei anzóis nos teus queixos. A intervenção de *Adonai-Yahweh* segue o *modus operandi* da captura e aniquilamento de um crocodilo ou monstro marinho. O *gancho divino* controlará o monstro; reverterá o seu curso; anulará seus planos de ataque e, finalmente, acabará com o chefe dos inimigos.

O Equipamento de Guerra. Certos intérpretes, sempre procurando ser *literais* e querendo ver profecias escatológicas, tentam combinar os dois, supondo que "na guerra do futuro" o homem será reduzido ao equipamento típico dos antigos. A ideia é absurda e nem merece uma menção, aqui. Textos apocalípticos naturalmente são cheios de símbolos. O gancho na boca da besta (ver Ez 29.4) simboliza a intervenção divina adequada para garantir a derrota absoluta do inimigo. "O empreendimento pagão deve falhar" (Adam Clarke, *in loc.*).

Ver no *Dicionário* o artigo chamado *Guerra,* para o equipamento e o *modus operandi* de batalhas antigas. Ver também *Armadura, Armas,* para descrições mais detalhadas do equipamento.

■ 38.5

פָּרַס כּוּשׁ וּפוּט אִתָּם כֻּלָּם מָגֵן וְכוֹבָע:

Persas e etíopes, e Pute com eles. *Os Aliados.* O autor já mencionou Gogue (chefe da terra de Magogue), Meseque e Tubal, descritos na introdução ao capítulo. A lista continua neste versículo com *Pérsia, Cuxe e Pute,* sendo, respectivamente, Pérsia, Etiópia e Cirene, a leste da Líbia. Ver Ez 29.10,11; 30.5, e os nomes próprios no *Dicionário.* Lugares no Egito, na África e na Ásia Menor estão em vista.

Observações. 1. Não encontramos a Rússia aqui, como insistem os dispensacionalistas. O artigo sobre *Gogue e Magogue,* no *Dicionário,* foi escrito do ponto de vista daquele sistema, que agora considero um equívoco, como mostram as notas à introdução do presente capítulo. 2. Embora seja possível identificar os lugares na lista, essa atividade também pode ser equivocada, pois estamos tratando com textos apocalípticos. A literatura apocalíptica emprega um bom número de símbolos padronizados, que não devemos interpretar sempre literalmente. Para maiores detalhes, ver na *Enciclopédia de Bíblia, Teologia e Filosofia* o artigo *Apocalipse,* seção I, e no *Dicionário* o verbete intitulado *Apocalípticos, Livros.*

■ 38.6

גֹּמֶר וְכָל־אֲגַפֶּיהָ בֵּית תּוֹגַרְמָה יַרְכְּתֵי צָפוֹן וְאֶת־כָּל־אֲגַפָּיו עַמִּים רַבִּים אִתָּךְ:

Gômer. Isto é, o assírio *Gimerai,* referindo-se aos cimérios da Ásia Menor central (cf. Gn 10.2,3). Alguns intérpretes conseguem ver aqui a *Alemanha,* ou até a Alemanha Oriental, uma interpretação popular antes da reunificação da Alemanha. *Togarma* é o assírio *Til-garimmu,* a leste da extremidade sul do rio Hales, a sudeste de Gômer (Ez 24.14). A Assíria ocupava territórios ao norte, como a Babilônia, mas esses países não estavam situados no extremo norte, como está a Rússia. Estão em vista o exército universal da Babilônia, historicamente, e os inimigos de Israel, do futuro, simbolizados por aquele exército antigo. Talvez o *Armagedom* seja o objeto das profecias, escatologicamente falando. Ver as *seis* interpretações dos capítulos 38—39, na introdução ao presente capítulo.

■ 38.7

הִכֹּן וְהָכֵן לְךָ אַתָּה וְכָל־קְהָלֶךָ הַנִּקְהָלִים עָלֶיךָ וְהָיִיתָ לָהֶם לְמִשְׁמָר:

Prepara-te, sim, dispõe-te. Todas as preparações possíveis são feitas por Gogue e seus aliados para guerrear. Gogue é o líder do exército maciço, mas por trás de tudo está o propósito de Yahweh para rebaixar, afinal, as nações que fazem oposição a Israel.

Talvez a declaração sobre "preparação" seja irônica: "Faça tudo para ser bem preparado para ser esmagado no fim!" Nada poderá

Yahweh Reina no Cosmo e no Mundo

- As Nações
- Israel
- Jerusalém
- O Templo
- O Lugar Mais Santo
- **A ARCA DA ALIANÇA — O Centro do Mundo**
- O Lugar Mais Santo
- O Templo
- Jerusalém
- Israel
- As Nações

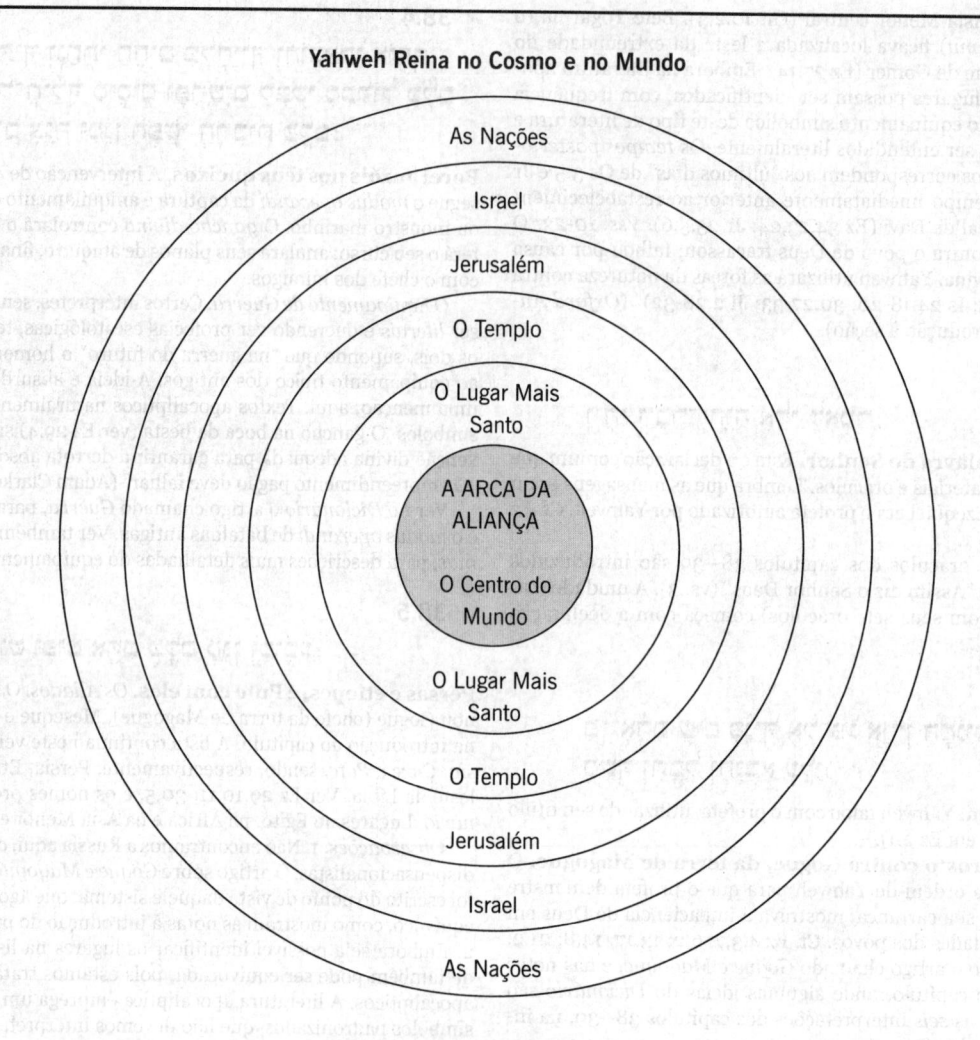

O CENTRO DO MUNDO

Obviamente, os judeus, de modo geral, consideraram a arca da aliança o centro moral e espiritual de seu culto a Yahweh. Mas alguns fanáticos acharam o Lugar Mais Santo o centro literal do mundo físico. "Como o umbigo se encontra no centro do corpo humano, assim a terra de Israel se encontra no centro do mundo... Jerusalém está no centro de Israel; o Templo está no centro de Jerusalém; o Lugar Mais Santo está no centro do Templo; e a Arca está no centro do Lugar Mais Santo e serve como a pedra de alicerce do mundo" (Tanhuma Qedoshim, 10).

Na cristianismo, Cristo substituiu a arca da aliança como o centro da espiritualidade, e a Igreja, o Templo Vivo, substituiu o Templo feito de pedras.

---

vencer a intervenção divina que acompanhará a situação. *Adonai-Yahweh* (o Soberano Eterno Deus) fará o que quiser, para beneficiar o seu povo.

■ 38.8

מִיָּמִים רַבִּים תִּפָּקֵד בְּאַחֲרִית הַשָּׁנִים תָּבוֹא אֶל־
אֶרֶץ מְשׁוֹבֶבֶת מֵחֶרֶב מְקֻבֶּצֶת מֵעַמִּים רַבִּים עַל
הָרֵי יִשְׂרָאֵל אֲשֶׁר־הָיוּ לְחָרְבָּה תָּמִיד וְהִיא מֵעַמִּים
הוּצָאָה וְיָשְׁבוּ לָבֶטַח כֻּלָּם:

No fim dos anos virá à terra que se recuperou da espada. O povo de Yahweh descansa na Terra Prometida, em paz com Deus e com os homens. Há muito tempo o povo descansa de guerras e tropas, por muito tempo não pisaram as colinas de Jerusalém. Mas Yahweh chama as nações para perturbar aquela paz, porque está na hora de ser manifestada uma hostilidade final contra Israel.

No fim dos anos. "Nos últimos dias" é o sentido dessa designação de tempo. **Grande multidão** (um vasto exército) invadirá Israel para acabar com os judeus, de vez, mas a surpresa que Yahweh reserva é o fim dos próprios invasores, para que Israel possa levantar-se e tornar-se o chefe, no tempo do reino do Messias. A grande preparação, então, era de seu próprio sepulcro. Cf. o vs. 16 do presente capítulo com Jr 30.24; 48.17; 49.39 e Os 3.5. Ver no *Dicionário* o artigo denominado *Últimos Dias*.

O Alcance da Profecia. Historicamente, está em vista o exército universal da Babilônia. Sua conquista universal finalmente será anulada pela derrota sofrida às mãos dos medo-persas. Mas, quase certamente, devemos entender *Armagedom*, ou coisa semelhante, como o alcance apocalíptico das palavras. Ver esse título, no *Dicionário*, e consultar as seis interpretações da passagem, na introdução ao presente capítulo.

A interpretação que faz os capítulos 38—39 referir-se a uma guerra na *grande tribulação* (a Terceira Guerra Mundial) se mostrou equivocada. Ver a interpretação de número 2, na introdução. Ver na

Enciclopédia de Bíblia, Teologia e Filosofia o verbete intitulado *Tribulação, a Grande*. Colocar esta tribulação na década de 1990-2000 seria um equívoco. Esta circunstância nos alerta para não sermos dogmáticos no manuseio de profecias e, também, para não suporsmos que tudo o que os profetas escreveram deva acontecer "no nosso tempo". Ver as notas sobre estas questões ao fim do livro de Daniel.

Montes de Israel que sempre estavam desolados. Talvez isto se refira ao cativeiro babilônico e à derrota subsequente às mãos dos medo-persas. Ou devemos supor que a profecia pertença ao futuro, a acontecimentos que devem realizar-se antes do estabelecimento do reino do Messias. A dificuldade de localizar estes acontecimentos no passado tem inspirado os intérpretes a supor que devam descrever um tempo futuro.

■ 38.9

וְעָלִיתָ כַּשֹּׁאָה תָבוֹא כֶּעָנָן לְכַסּוֹת הָאָרֶץ תִּהְיֶה אַתָּה וְכָל־אֲגַפֶּיךָ וְעַמִּים רַבִּים אוֹתָךְ: ס

Virás como tempestade. O exército gigantesco avança como uma *tempestade*, figura comum para descrever atividades militares. Cf. Is 28.2. "A tempestade vem de súbito, parece tudo preto e terrível, causando escuridão e horror; faz grandes barulhos, ameaça e é, potencialmente, devastadora" (John Gill, *in loc.*).

O PLANO DIABÓLICO DE GOGUE (38.10-13)

■ 38.10

כֹּה אָמַר אֲדֹנָי יְהוִה וְהָיָה בַּיּוֹם הַהוּא יַעֲלוּ דְבָרִים עַל־לְבָבֶךָ וְחָשַׁבְתָּ מַחֲשֶׁבֶת רָעָה:

Assim diz o Senhor Deus. Este novo oráculo se inicia com o típico instrumento literário para trazer novos materiais. Todos os *sete oráculos* (dos capítulos 38—39) começam assim, embora a declaração introdutória comum de "Veio a mim a palavra do Senhor" (vs. 1) sirva para iniciar *a série* de oráculos.

Adonai-Yahweh (o Soberano Eterno Deus), no exercício de sua soberania, arruma a confrontação que será fatal para as nações. O poder divino controla todas as circunstâncias que resultam no destino de homens ou de nações. Yahweh *sabia* tudo sobre as *estratégias maldosas* (RSV) de Gogue e suas multidões, e que seu poder seria o suficiente para anular as forças alheias. Ver no *Dicionário* o artigo denominado *Onisciência de Deus*.

Os *vss. 10-14* expõem as *motivações* que inspiraram o ataque contra Israel, para Gogue invadir, matar, pilhar, espalhar, tudo por seu interesse, naturalmente. As profecias sempre contêm a ideia de que a *causa* de tudo é Deus; todos os movimentos são dirigidos por Deus, para julgar, vingar e purificar a terra e os habitantes que precisam de disciplina severa. Uma aplicação perversa desta circunstância é fazer de Deus a *única causa*, portanto também do mal, e não apenas do bem. A teologia hebraica às vezes promoveu esse conceito, esquecendo as *causas secundárias*. O calvinismo extremo comete o mesmo equívoco, baseado em versículos bíblicos que abrigam o velho erro judaico.

■ 38.11

וְאָמַרְתָּ אֶעֱלֶה עַל־אֶרֶץ פְּרָזוֹת אָבוֹא הַשֹּׁקְטִים יֹשְׁבֵי לָבֶטַח כֻּלָּם יֹשְׁבִים בְּאֵין חוֹמָה וּבְרִיחַ וּדְלָתַיִם אֵין לָהֶם:

Subirei contra a terra das aldeias sem muros, virei contra os que estão em repouso. *Um povo fraco*, desprotegido, impotente, essencialmente despreparado, despreocupado em construir muros e outras fortificações, que nem chamou seus jovens para formar um exército decente, estará sujeito às brutalidades do exército pagão. O autor obviamente nos alerta para o fato de que, sem a intervenção divina, Israel seria aniquilado absolutamente, apagando o Pacto Abraâmico que previa um *futuro glorioso* para seus descendentes. O povo, sossegado, sem nenhuma preocupação, confiando nos "bons tempos" prevalentes, logo sofreria horripilante surpresa. Antes do ataque babilônico, houve um falso senso de segurança. Os falsos profetas não cansaram de gritar: "Paz, paz nos nossos tempos e prosperidade" (Jr 6.14; 8.11; Ez 13.10). É difícil relacionar estas profecias a Israel e ao Oriente Próximo de hoje, estando eles eternamente em estado de convulsão, e Israel, em alerta permanente.

■ 38.12

לִשְׁלֹל שָׁלָל וְלָבֹז בַּז לְהָשִׁיב יָדְךָ עַל־חֳרָבוֹת נוֹשָׁבֹת וְאֶל־עַם מְאֻסָּף מִגּוֹיִם עֹשֶׂה מִקְנֶה וְקִנְיָן יֹשְׁבֵי עַל־טַבּוּר הָאָרֶץ:

A fim de tomar o despojo, arrebatar a presa e levantar a tua mão contra as terras desertas. *As motivações* dos invasores são as comuns dos exércitos antigos, sempre baseadas na ganância individual e coletiva. A matança é um esporte para exércitos treinados e é sempre interessante recolher um grande *salário* pela pilhagem. Vencedores ficam ricos e os haréns se enchem com mulheres estrangeiras, para o prazer dos vitoriosos.

Enquanto os inimigos se preparavam para praticar seu esporte, os judeus gastavam seu tempo nos pequenos prazeres da vida. Achavam-se seguros, supondo que Yahweh os protegeria de qualquer perigo. Pensaram ocupar *o centro da terra*, tendo a arca do pacto (ou o templo) como o berço do mundo. Israel como o centro da terra era um velho mito judaico que persiste até hoje. Alguns intérpretes gastam seu tempo tentando comprovar esse absurdo. De qualquer maneira, o *centro* seria uma atração irresistível para os matadores do norte.

Habita no meio da terra. O hebraico literal é *umbigo*, referindo-se ao centro do corpo humano, num símbolo de Israel como o centro da Terra. Em Ez 5.5, Jerusalém é chamada de centro das nações. Ver o *gráfico* que acompanha o presente texto, para uma ilustração do velho *mito do centro*.

■ 38.13

שְׁבָא וּדְדָן וְסֹחֲרֵי תַרְשִׁישׁ וְכָל־כְּפִירֶיהָ יֹאמְרוּ לְךָ הֲלִשְׁלֹל שָׁלָל אַתָּה בָא הֲלָבֹז בַּז הִקְהַלְתָּ קְהָלֶךָ לָשֵׂאת כֶּסֶף וְזָהָב לָקַחַת מִקְנֶה וְקִנְיָן לִשְׁלֹל שָׁלָל גָּדוֹל: ס

Mais Aliados de Gogue Listados. Sabá (ver Ez 27.22) situava-se na Arábia sudeste; Dedã (ver Ez 25.13), em outro lugar na Arábia; *Társis* (Jr 10.9) ou Tartesso, na Espanha. Gogue foi capaz de reunir um exército quase universal, segundo os padrões da antiguidade. Por um truque de imaginação, alguns dizem que a Inglaterra está em vista na referência à Espanha e, por outro truque, o vs. 13 é forçado a referir-se a uma força de resistência *contra* Gogue; por outro truque de imaginação, os EUA entram no texto como aliados da suposta Inglaterra.

Governadores. No original, *leões*, sugerindo a certos intérpretes dispensacionalistas a Inglaterra (e os EUA, seu filhote maior). Mas os *governadores* são aliados à massa do norte e interessados em compartilhar a pilhagem. O ataque é representado como o de animais selvagens e brutais. A Septuaginta substitui *leões* por *vilas*, que exige uma pequena emenda do hebraico. A RSV utiliza essa leitura como se fosse a original. A emenda entende outras vogais na palavra. O hebraico era escrito somente com consoantes, com as vogais sendo *entendidas;* por isso o texto às vezes dá margem a mais de uma interpretação.

GOGUE VEM CONTRA ISRAEL (38.14-16)

■ 38.14

לָכֵן הִנָּבֵא בֶן־אָדָם וְאָמַרְתָּ לְגוֹג כֹּה אָמַר אֲדֹנָי יְהוִה הֲלוֹא בַּיּוֹם הַהוּא בְּשֶׁבֶת עַמִּי יִשְׂרָאֵל לָבֶטַח תֵּדָע:

Assim diz o Senhor Deus. Este novo oráculo se inicia, como todos os sete, com as palavras padronizadas. *Adonai-Yahweh* (o Soberano Eterno Deus), na sua soberania, manipula o destino dos homens e nações. Esta fórmula nos lembra da inspiração das mensagens e de que Ezequiel era o profeta autorizado por Yahweh. O vs. 16 mostra que o ataque de Gogue deve ser atribuído a Yahweh, que controla as forças internacionais para cumprir sua vontade entre os homens. Ver no *Dicionário* o artigo chamado *Soberania de Deus*. Por trás da vontade de Deus, está sua lei moral, porque nenhum julgamento ou ação divina poderiam ser arbitrários. As *causas secundárias* dos acontecimentos (isto é, os homens maldosos) levarão seus devidos castigos.

Quando o meu povo Israel habitar seguro, não saberás tu? Chegará o dia em que Gogue, vendo aquele povo em paz e despreparado, decidirá pilhar o lugar. Israel se apresentará como presa fácil, um bom *salário* potencial, para ser ganho com pouco esforço. Yahweh agitava a mente de Gogue, embora suas decisões fossem, aparentemente, autoprovocadas. Cf. o vs. 16.

■ 38.15

וּבָאתָ מִמְּקוֹמְךָ מִיַּרְכְּתֵי צָפוֹן אַתָּה וְעַמִּים רַבִּים אִתָּךְ רֹכְבֵי סוּסִים כֻּלָּם קָהָל גָּדוֹל וְחַיִל רָב׃

Virás, pois, do teu lugar, das bandas do norte. *Gogue estava inquieto*, sua mente criava cenas de dinheiro e prazer. Assim deixou seu *hábitat* natural, recolhendo um vasto exército entre as nações ao redor, para atacar o pobre Israel, que vivia tão descuidadamente na sua terra. Ver o inimigo do norte, em Jr 4.5,6; 6.26; 16.15; 23.8. Como mencionado antes (ver a introdução ao capítulo), os intérpretes veem a Rússia e seus aliados aqui, mas esta interpretação tem caído no descrédito. Historicamente, sem dúvida, está em vista a Babilônia, *profeticamente* um símbolo dos inimigos de Israel; talvez esteja em vista *Armagedom*. Ver as seis interpretações dadas na introdução ao presente capítulo.

■ 38.16

וְעָלִיתָ עַל־עַמִּי יִשְׂרָאֵל כֶּעָנָן לְכַסּוֹת הָאָרֶץ בְּאַחֲרִית הַיָּמִים תִּהְיֶה וַהֲבִאוֹתִיךָ עַל־אַרְצִי לְמַעַן דַּעַת הַגּוֹיִם אֹתִי בְּהִקָּדְשִׁי בְךָ לְעֵינֵיהֶם גּוֹג׃ ס

Subirás contra o meu povo Israel, como nuvem, para cobrir a terra. O ataque vem como uma tempestade devastadora, um símile empregado no vs. 9. Ela cobre a terra inteira; o ataque será maciço. De fato, uma chuva pode atacar um país inteiro, como o Brasil, ao mesmo tempo, se as condições forem criadas pela natureza. Este ataque extraordinário acontecerá "nos últimos dias" (ver no vs. 8, que registra *anos*). As notas sobre as expressões de tempo se apresentam naquele versículo. As designações de tempo quase certamente tornam a profecia escatológica, ou o autor está empregando hipérboles orientais para descrever acontecimentos do passado.

Para que as nações me conheçam. Este é um tema comum no livro, expresso 63 vezes com as palavras "Saberão que eu sou o Senhor". Yahweh ficará conhecido como Juiz ou como o Restaurador (como em Ez 16.62; 28.25,26; 29.21; 34.20; 36.11; 37.6 e 37.13). Aqui, a santidade de Yahweh é vindicada no julgamento de Gogue e de seu exército gigantesco. Sua *grandeza* (NCV) ficará conhecida quando ele colocar o gancho na boca do crocodilo (ver o vs. 4). O ensinamento é: a lei moral prevalecerá ao mais forte. Os julgamentos de Yahweh não são arbitrários. "Deus parecerá santo e justo, infligindo aos inimigos de Israel o merecido castigo. Suas perfeições de poder, fidelidade, onisciência e onipotência serão manifestadas" (John Gill, *in loc.*).

A DESTRUIÇÃO DAS FORÇAS DE GOGUE (38.17-23)

■ 38.17

כֹּה־אָמַר אֲדֹנָי יְהוִה הַאַתָּה־הוּא אֲשֶׁר־דִּבַּרְתִּי בְּיָמִים קַדְמוֹנִים בְּיַד עֲבָדַי נְבִיאֵי יִשְׂרָאֵל הַנִּבְּאִים בַּיָּמִים הָהֵם שָׁנִים לְהָבִיא אֹתְךָ עֲלֵיהֶם׃ ס

Assim diz o Senhor Deus. Este novo oráculo se introduz com a declaração que se repete nos sete oráculos dos capítulos 38–39. A mensagem vem de Yahweh, sendo inspirada com resultados garantidos. *Adonai-Yahweh* (o Soberano Eterno Deus) é a fonte dos oráculos e, na sua soberania, é a força ativa por trás da sua realização. Este título ocorre 217 vezes no livro, mas somente 103 no restante do Antigo Testamento. Enfatiza como a soberania de Deus determina o destino dos homens e intervém nas alegadas vicissitudes da vida.

Não és tu aquele de quem eu disse nos dias antigos...? A referência é às profecias dadas há muito tempo por uma variedade de profetas autorizados. Mas a referência *específica* provavelmente é a Jeremias, cujas profecias tinham muitos temas em comum com as de Ezequiel. O sentido provável é que o oráculo destes versículos foi dado muito tempo depois das primeiras tiradas de Jeremias, contra as forças pecaminosas do mundo antigo. Os profetas maiores (Is, Jeremias e Ezequiel) e os menores falaram dos ataques da Babilônia contra Israel e outros povos; este assunto é, sem dúvida, o principal do texto. Cf. Jl 3.9-14 e Sf 3.15-20. O próprio Gogue não foi mencionado antes, mas o que ele representou foi amplamente condenado. "Gogue e Magogue, aqui, são identificados com os inimigos descritos em outras profecias (ver Nm 24.17-24; Is 26.20,21; 27.1; Jr 30.23,24; Jl 3.2; Mq 5.5,6)" (Fausset, *in loc.*).

■ 38.18

וְהָיָה בַּיּוֹם הַהוּא בְּיוֹם בּוֹא גוֹג עַל־אַדְמַת יִשְׂרָאֵל נְאֻם אֲדֹנָי יְהוִה תַּעֲלֶה חֲמָתִי בְּאַפִּי׃

A minha indignação será muito grande. *Adonai-Yahweh* (o Soberano Eterno Deus; ver os comentários no vs. 17) vê Gogue aproximar-se contra Israel (que ele mesmo inspirou!), mas, agora, a cena o irrita, e sua ira se incendeia. O hebraico literal é "minha ira ascenderá às minhas narinas". Haverá ira queimando como um grande vulcão. A ira divina promoverá a espada (guerra), mas também se manifestará em convulsões da própria natureza: terremotos, tempestades gigantescas, dilúvios, incêndios e pestilências. As descrições das reações de Deus são antropopatéticas, ou seja, emoções humanas atribuídas a Deus. Ver no *Dicionário* os artigos *Antropomorfismo* e *Antropopatismo*.

■ 38.19

וּבְקִנְאָתִי בְאֵשׁ־עֶבְרָתִי דִּבַּרְתִּי אִם־לֹא בַּיּוֹם הַהוּא יִהְיֶה רַעַשׁ גָּדוֹל עַל אַדְמַת יִשְׂרָאֵל׃

No meu zelo, no brasume do meu furor. O fogo é símbolo da ira divina. Haverá fogo contra os inimigos de Israel, porque seu Deus é *ciumento*, não permitindo que ninguém coloque a mão sobre seu povo. Ver sobre *Deus ciumento*, em Dt 4.24; 5.9; 6.15; 32.16,21. Este versículo continua o antropopatismo do autor. De súbito, haverá um grande *terremoto*, outra arma do arsenal de Yahweh. Terremotos eram frequentes na Palestina e naturalmente tornaram-se símbolos das obras destrutivas de Deus. Cf. Is 24.18-20; Jl 3.16; Ag 2.6-7; Zc 14.5. Um terremoto, em 1837 d.C., derrubou os muros de Tiberíades e matou uma multidão de pessoas. Há evidências arqueológicas de que um terremoto teve papel fundamental na derrota de Jericó, no tempo de Josué.

Os terremotos trazem uma forma de receio especial porque libertam forças súbitas, que estão além do controle dos homens. Até hoje, não se alcançou nenhuma proteção significativa contra eles. Podem ser construídos edifícios à prova de terremoto, com despesas enormes, mas até mesmo nestes casos terremotos realmente grandes ignoram as precauções dos homens. Assim é que, em lugares propensos a terremotos, as pessoas ficam sentadas, esperando o melhor, mas essencialmente impotentes ante esta força assustadora.

■ 38.20

וְרָעֲשׁוּ מִפָּנַי דְּגֵי הַיָּם וְעוֹף הַשָּׁמַיִם וְחַיַּת הַשָּׂדֶה וְכָל־הָרֶמֶשׂ הָרֹמֵשׂ עַל־הָאֲדָמָה וְכֹל הָאָדָם אֲשֶׁר עַל־פְּנֵי הָאֲדָמָה וְנֶהֶרְסוּ הֶהָרִים וְנָפְלוּ הַמַּדְרֵגוֹת וְכָל־חוֹמָה לָאָרֶץ תִּפּוֹל׃

O terremoto prejudica todo o delicado equilíbrio da natureza, onde golpeia. Assim é que o autor menciona o fato de que até os animais do mar e da terra se aterrorizam, como os homens. Os bichos da floresta, que se arrastam no chão, também temem os terremotos. Os homens, todavia, serão os mais assustados, quando Deus sacudir a terra. Saberão que *eles* são os objetos principais do terremoto, e os que mais sofrerão. Os muros caem, mas até as próprias montanhas não resistem, fragmentando-se. O texto indica que um terremoto gigantesco acabará com os planos maldosos de Gogue e seus aliados. A terra se convulsionará e vomitará os invasores fora. Cf. Ap 6.2 ss.; 8.5 e 16.18.

"As catástrofes da natureza, tão frequentes em teofanias poéticas (ver Sl 18.7-15; 29.1-11; 68.7-9; Is 6.4; Hc 3.3-6; Êx 15.1-27; Jz 5.4-5), tornaram-se tema comum na escatologia hebraica (ver Is 17.12-14; 30.27-33; 64.1-4; Sf 1.14-18; Jl 2.28-32; Ag 2.21; Zc 14.3,4)" (Theophile J. Meek, *in loc.*).

38.21

וְקָרָ֨אתִי עָלָ֤יו לְכָל־הָרַי֙ חֶ֔רֶב נְאֻ֖ם אֲדֹנָ֣י יְהוִ֑ה חֶ֥רֶב אִ֖ישׁ בְּאָחִ֥יו תִּֽהְיֶֽה׃

A espada de cada um se voltará contra o seu próximo. Homens cheios de temor, cercados por escombros e cadáveres, perderão o controle, enlouquecendo e matando uns aos outros. O exército de Gogue se autodestruirá. Os poucos sobreviventes enfrentarão outros terrores da natureza, descritos no vs. 22. Cf. Jz 7.22 e 2Cr 20.22,28, onde lemos sobre as intervenções divinas contra exércitos. Ver especialmente 2Rs 19.35. *Adonai-Yahweh* (o Soberano, Deus Eterno) decretou a devastação e assim aconteceu. Ver este título divino nas notas no vs. 17.

38.22

וְנִשְׁפַּטְתִּ֥י אִתּ֖וֹ בְּדֶ֣בֶר וּבְדָ֑ם וְגֶ֣שֶׁם שׁוֹטֵף֩ וְאַבְנֵ֨י אֶלְגָּבִ֜ישׁ אֵ֣שׁ וְגָפְרִ֗ית אַמְטִ֤יר עָלָיו֙ וְעַל־אֲגַפָּ֔יו וְעַל־עַמִּ֥ים רַבִּ֖ים אֲשֶׁ֥ר אִתּֽוֹ׃

Inumeráveis Armas da Natureza. Os poucos sobreviventes da espada dos inimigos, da automatança e dos efeitos desastrosos do terremoto, enfrentarão as outras armas do arsenal divino: pestilência, matança largamente espalhada entre cidadãos e soldados, chuvas torrenciais, dilúvios, saraiva e erupções vulcânicas. Cf. estas descrições com aquelas pronunciadas contra Sidom e Israel, em Ez 5.17 e 28.33. Ainda, temos o exemplo tradicional de Sodoma e Gomorra, em Gn 19. O texto ensina a doutrina (*teísmo*) de que Deus intervém na sua criação. Ver no *Dicionário* o verbete denominado *Teísmo*. Contraste-se com o *Deísmo* (também no *Dicionário*), que afirma que a força criativa (pessoal ou impessoal) abandonou sua criação, deixando as leis naturais tomando conta de tudo.

38.23

וְהִתְגַּדִּלְתִּי֙ וְהִתְקַדִּשְׁתִּ֔י וְנ֣וֹדַעְתִּ֔י לְעֵינֵ֖י גּוֹיִ֣ם רַבִּ֑ים וְיָדְע֖וּ כִּֽי־אֲנִ֥י יְהוָֽה׃ ס

Assim eu me engrandecerei. *Adonai-Yahweh* (o Soberano Eterno Deus) se glorifica na destruição, porque os ímpios, que desafiaram a sua vontade, foram rebaixados a seus devidos lugares humildes. O julgamento é justo e segue os padrões da lei moral; a santidade de Deus é magnificada quando o pecado sofre uma perda (vs. 16).

Saberão que eu sou o Senhor. O Soberano ficará conhecido por todos, quando sua ira limpar este mundo. Mais do que qualquer outra nação, Israel reconhecerá o poder e a justiça de Yahweh. Cf. Ez 36.22,23. A maior glorificação virá quando os reinos deste mundo se tornarem o reino do Senhor (Ap 11.15); quando a contenda universal se acalmar e o conhecimento do Senhor cobrir toda a terra, como as águas cobrem o mar (Is 11.9). O julgamento é um meio efetivo para restaurar, não meramente para retribuir.

> Este mundo pertence ao meu Pai;
> Ó, nunca me deixe esquecer isso,
> Embora a injustiça pareça tão forte,
> Deus ainda é o Governador.
>
> Maltbie D. Babcock

CAPÍTULO TRINTA E NOVE

Os capítulos 38—39 formam uma unidade, não havendo interrupção entre eles. Ver a introdução ao capítulo 38, que se aplica também aqui. Estes dois capítulos apresentam *sete oráculos*; os últimos três pertencem ao capítulo 39.

DESTRUIÇÃO E ENTERRO DAS MULTIDÕES DE GOGUE (39.1-16)

Como Yahweh fora responsável por ter trazido as *hordas do norte* contra Jerusalém, também fora a causa da destruição *delas*, uma vez que chegaram ao seu destino. No ataque babilônico histórico, foi Israel quem sofreu devastação, mas na aplicação *escatológica* da história a própria Babilônia foi reduzida a pó. As *montanhas de Israel* (vs. 2) ligam este oráculo ao do capítulo 36. Cf. Ez 38.8.

39.1

וְאַתָּ֤ה בֶן־אָדָם֙ הִנָּבֵ֣א עַל־גּ֔וֹג וְאָ֣מַרְתָּ֔ כֹּ֥ה אָמַ֖ר אֲדֹנָ֣י יְהוִ֑ה הִנְנִ֤י אֵלֶ֙יךָ֙ גּ֔וֹג נְשִׂ֕יא רֹ֖אשׁ מֶ֥שֶׁךְ וְתֻבָֽל׃

Assim diz o Senhor Deus. Todos os sete oráculos se introduzem com estas palavras, as quais lembram que os oráculos foram divinamente inspirados e que *Adonai-Yahweh* (o Soberano Eterno Deus) os cumpriria no meio dos homens. Este título divino nos faz lembrar de que Yahweh é o Soberano que controla o destino dos homens. Ver no *Dicionário* o artigo denominado *Soberania de Deus*. O título aparece 217 vezes nesse livro, embora somente 103 no restante do Antigo Testamento, glorificando a onipotência de Deus.

Profetiza ainda contra Gogue. As profecias "contra Gogue" continuam (ver Ez 38.2). O profeta volveu o rosto contra aquele poder e sua carranca indicou que a ira de Yahweh estava próxima. Neste versículo, a figura é substituída pelo simples "contra". O presente capítulo se inicia com um sumário abreviado da primeira parte do capítulo 38.

As Interpretações dos Capítulos 38—39. Na introdução ao capítulo 38, apresento *seis* interpretações que não são repetidas aqui.

Os nomes próprios deste versículo são anotados na introdução ao capítulo 38 e em Ez 38.2, com detalhes acrescentados no *Dicionário*, em artigos específicos sobre os lugares mencionados.

39.2

וְשֹׁבַבְתִּ֙יךָ֙ וְשִׁשֵּׁאתִ֔יךָ וְהַעֲלִיתִ֖יךָ מִיַּרְכְּתֵ֣י צָפ֑וֹן וַהֲבִאוֹתִ֖ךָ עַל־הָרֵ֥י יִשְׂרָאֵֽל׃

Far-te-ei que te volvas. "Tendo trazido o exército outrora poderoso contra as montanhas de Israel (cf. Ez 38.8), Deus o enfraquece (Ez 39.3) e, depois, o golpeia nas montanhas. Aquele exército, antes tão poderoso e orgulhoso, torna-se comida para as aves de rapina e para os animais selvagens da floresta. A d*estruição* é descrita, essencialmente, em termos da intervenção divina, num *modus operandi* que transcende o mero natural. A aniquilação poderosa deixará somente 1/6 do exército original vivo. As hordas vêm, essencialmente, do norte, mas não tão ao norte como a Rússia, uma interpretação popular dos dispensacionalistas. Nas *seis* interpretações dadas na introdução ao capítulo 38, apresento as principais ideias dos comentaristas. Cf. Ez 38.15 e Jr 1.14; 4.6; 10.22. Para a *repulsão* do exército, ver Ez 38.4.

39.3

וְהִכֵּיתִ֥י קַשְׁתְּךָ֖ מִיַּ֣ד שְׂמֹאולֶ֑ךָ וְחִצֶּ֕יךָ מִיַּ֥ד יְמִינְךָ֖ אַפִּֽיל׃

Tirarei o arco da tua mão esquerda, e farei cair as tuas flechas da tua mão direita. O exército chegou para matar, pilhar e lucrar (Ez 39.5), mas a intervenção divina anulou todos os planos. Um poderoso terremoto os pegou de surpresa; outros fenômenos da natureza também cooperaram para derrubar os ímpios (ver Ez 38.22). Houve resistência com espada, por parte das pessoas atacadas, mas esse item tem pouca importância nestes capítulos.

O exército, totalmente privado de seu poder, sujeitou-se à aniquilação absoluta.

39.4

עַל־הָרֵ֤י יִשְׂרָאֵל֙ תִּפּ֔וֹל אַתָּ֖ה וְכָל־אֲגַפֶּ֣יךָ וְעַמִּ֣ים אֲשֶׁ֣ר אִתָּ֑ךְ לְעֵ֨יט צִפּ֥וֹר כָּל־כָּנָ֛ף וְחַיַּ֥ת הַשָּׂדֶ֖ה נְתַתִּ֥יךָ לְאָכְלָֽה׃

Nos montes de Israel cairás. O exército, grande e potente, foi reduzido a nada, servindo somente de comida para as aves de rapina e as bestas selvagens. Alguns interpretam que estes animais representam *outras forças* (como as humanas) que cooperaram na destruição generalizada.

"A *preservação de Israel* resulta da destruição de seus inimigos, com Yahweh realizando uma obra dupla. Cf. Dn 11.45, que descreve a blasfêmia voluntária do rei do norte, que chegará ao seu fim, sem que ninguém o ajude" (Fausset, *in loc.*). "Compare-se esta destruição àquela do faraó, em Ez 39.4,5" (Ellicott, *in loc.*).

Virgílio fala da omissão de um enterro decente e de corpos deixados para serem comidos pelas aves e bestas do campo, como um julgamento de Deus, reservado a homens especialmente ímpios (A*en*. 1.10).

■ 39.5

עַל־פְּנֵי הַשָּׂדֶה תִּפּוֹל כִּי אֲנִי דִבַּרְתִּי נְאֻם אֲדֹנָי יְהוִה:

Cairás em campo aberto, porque eu falei, diz o Senhor Deus. *Adonai-Yahweh* (o Soberano Eterno Deus) pronunciou seu oráculo de aniquilação contra Gogue e suas hordas, e assim aconteceu. Ver o vs. 1 para este título divino. Mesmo a maldade sendo forte, Deus ainda é o Governador. Suas intervenções mudam o curso da vida dos homens e das nações.

■ 39.6

וְשִׁלַּחְתִּי־אֵשׁ בְּמָגוֹג וּבְיֹשְׁבֵי הָאִיִּים לָבֶטַח וְיָדְעוּ כִּי־אֲנִי יְהוָה:

Meterei fogo em Magogue. Ez 38.19-22 descreve a devastação do exército de Gogue e seus aliados, *pelas forças da natureza,* e aquela descrição se completa aqui com *fogo,* possivelmente numa alusão à erupção vulcânica. A *ira* divina é assim simbolizada. Ver no *Dicionário* o artigo chamado *Fogo, Simbolismo de,* para detalhes. Talvez relâmpagos temíveis também façam parte da alusão. Gogue não será a única vítima; as ilhas e cidades da costa também serão atingidas pelo fogo divino. O autor fala dos que habitam seguros nas terras do mar, que se aliaram a Gogue. Ez 26.15,18; 27.3,6,7,16,35 mencionam outras nações, em lugares mais distantes, como sujeitas ao castigo de Yahweh.

Saberão que eu sou o Senhor. Yahweh ficará conhecido nesse julgamento, quando os *profanos* sofrerem o que merecem. Para o tema de Yahweh ficar conhecido pelo julgamento ou pela restauração (63 vezes nesse livro), ver as notas em Ez 38.23.

■ 39.7

וְאֶת־שֵׁם קָדְשִׁי אוֹדִיעַ בְּתוֹךְ עַמִּי יִשְׂרָאֵל וְלֹא־אַחֵל אֶת־שֵׁם־קָדְשִׁי עוֹד וְיָדְעוּ הַגּוֹיִם כִּי־אֲנִי יְהוָה קָדוֹשׁ בְּיִשְׂרָאֵל:

Farei conhecido o meu santo nome no meio do meu povo Israel. Yahweh ficou conhecido (vs. 6), assim como o seu *santo nome,* reverenciado como um Juiz justo que castiga os homens rebeldes e maldosos que agem contrariamente às suas leis. Ver no *Dicionário* o artigo denominado *Nome,* e ver Sl 31.3. Ver *santo nome,* em Sl 30.4 e 33.21. O *nome* representa tudo que alguém é, sua natureza e atributos. Para os ímpios, Yahweh ficou conhecido como Juiz, mas para o seu próprio povo ele é conhecido como Protetor e Restaurador. Cf. Ez 16.62; 28.25-26; 29.21; 34.30; 36.11; 37.6 e 37.13.

Nunca mais deixarei profanar o meu santo nome. O santo nome não mais será profanado pelos perversos. O novo dia já chegou, cheio de glória, e Israel se levanta como chefe das nações. Ver no *Dicionário* o artigo denominado *Santo de Israel.* Ver também *Deus, Nomes Bíblicos de.* Devemos lembrar que o Deus de Israel é descrito em termos *morais*; sua lei moral determina o bem-estar ou a punição dos povos. Contraste-se este ensinamento com o conceito grego dos deuses que compartilharam todos os vícios e maldades dos homens, mas numa forma exagerada, porque, afinal, eram *deuses.* Ver no *Dicionário* o artigo denominado *Santidade.* Os nomes divinos ficaram tão respeitados no judaísmo, que nunca mais foram pronunciados por um judeu piedoso, que substituiu os sons por outros semelhantes. Contraste-se isto com o uso em português: até o crente fala levianamente: "Ó meu Deus!"

■ 39.8

הִנֵּה בָאָה וְנִהְיָתָה נְאֻם אֲדֹנָי יְהוִה הוּא הַיּוֹם אֲשֶׁר דִּבַּרְתִּי:

Eis que vem, e se cumprirá, diz o Senhor Deus. *Adonai-Yahweh* (o Soberano Eterno Deus; ver as notas no vs. 1) pronunciou o oráculo de desastres contra Gogue e suas massas, que foi cumprido para honrar seu santo nome. A reputação de seu nome estava em jogo, uma situação intolerável. O dia da devastação inevitável e terrível fará seu serviço com temível precisão.

Este é o dia de que tenho falado. Cf. os "últimos anos", de Ez 38.8 e os "últimos dias", de Ez 38.16. Ver no *Dicionário* o artigo denominado *Dia do Senhor,* e ver também Ez 21.7.

■ 39.9

וְיָצְאוּ יֹשְׁבֵי עָרֵי יִשְׂרָאֵל וּבִעֲרוּ וְהִשִּׂיקוּ בְּנֶשֶׁק וּמָגֵן וְצִנָּה בְּקֶשֶׁת וּבְחִצִּים וּבְמַקֵּל יָד וּבְרֹמַח וּבִעֲרוּ בָהֶם אֵשׁ שֶׁבַע שָׁנִים:

Os habitantes das cidades de Israel sairão, e queimarão de todo as armas... Os israelitas irão para os campos de batalha para limpá-los; começam queimando a grande quantidade de armas que os soldados mortos deixaram, utilizando o *fogo* como instrumento purificador. A terra deve ser purificada das hordas de Gogue e de todos os seus objetos de crueldade.

O vs. 10 mostra que as armas eram fabricadas de madeira. Este material será consumido pelo fogo e, talvez, a parte de metal será utilizada para fazer instrumentos agrícolas (Is 2.4). A madeira fornece *combustível* para o povo; cf. Ez 38.4,5, que tem uma descrição das armas. Ver, também, no *Dicionário* o artigo denominado *Armadura, Armas.* O texto aqui acrescenta *bastões de mão,* ou clubes de guerra (NCV). Em outros textos, a mesma palavra é usada para falar de bengalas e varas usadas para controlar os rebanhos. Ver Gn 32.10; Êx 21.11; Nm 22.27. É inútil, no contexto escatológico, entender estas armas, literalmente, como alguns intérpretes literalistas insistem em fazer. Os exércitos das nações não voltarão para as armas antigas, por causa de tratados, alianças etc. Esse tipo de interpretação é absurdo.

Farão fogo com tudo isto por sete anos. Levará *sete anos* para completar o serviço. Com este detalhe, o autor nos impressiona com a grandeza do exército caído e também com o Poder que agiu em favor de Israel, para dar-lhe vitória em circunstâncias impossíveis.

Alguns intérpretes fazem destes *sete anos* o tempo da *Grande Tribulação,* mas a ideia é certamente equivocada. Não há aqui paralelo com as setenta semanas de Dn 9, cujo gráfico ilustra o ponto de vista dispensacionalista da questão.

■ 39.10

וְלֹא־יִשְׂאוּ עֵצִים מִן־הַשָּׂדֶה וְלֹא יַחְטְבוּ מִן־הַיְּעָרִים כִּי בַנֶּשֶׁק יְבַעֲרוּ־אֵשׁ וְשָׁלְלוּ אֶת־שֹׁלְלֵיהֶם וּבָזְזוּ אֶת־בֹּזְזֵיהֶם נְאֻם אֲדֹנָי יְהוִה: ס

Não trarão lenha do campo. A madeira das florestas será poupada, não sendo utilizada por sete anos, melhorando a ecologia e os recursos naturais do país.

Saquearão os que os saquearam. Além do uso da madeira, os israelitas pilharão todos os valores dos soldados mortos, ação comum em guerras, antigas ou modernas. O *salário* dos exércitos antigos era justamente a pilhagem. Os saqueadores foram saqueados; isto fez parte da justiça efetuada. A *Lex Talionis* (retribuição de acordo com a gravidade do crime) governou o dia da pilhagem. Ver no *Dicionário* sobre este título. Ver também sobre *Lei Moral da Colheita segundo a Semeadura.* As leis morais de Deus devem ser aplicadas entre os homens, para que o deus verdadeiro deste mundo não seja o *Caos.*

"... tiraram das vítimas não somente as suas armas, mas também suas vestimentas, seu ouro, prata e joias e qualquer outra coisa julgada de valor" (John Gill, *in loc.*).

■ 39.11

וְהָיָה בַיּוֹם הַהוּא אֶתֵּן לְגוֹג מְקוֹם־שָׁם קֶבֶר בְּיִשְׂרָאֵל גֵּי הָעֹבְרִים קִדְמַת הַיָּם וְחֹסֶמֶת הִיא אֶת־הָעֹבְרִים וְקָבְרוּ שָׁם אֶת־גּוֹג וְאֶת־כָּל־הֲמוֹנֹה וְקָרְאוּ גֵּיא הֲמוֹן גּוֹג:

Naquele dia darei ali a Gogue um lugar de sepultura em Israel. "Aquele dia" (ver as notas no vs. 8) é o dia do julgamento, o dia decisivo. Os mortos foram decentemente enterrados, para que a terra não ficasse poluída para sempre, algo intolerável segundo a mente dos judeus. Ver no *Dicionário* o artigo *Limpo e Imundo*.

Vale dos Viajantes. O cemitério situava-se no *Vale dos Viajantes*, a leste do mar Morto. Por uma emenda do texto, podemos traduzir *Vale de Abarim*, como traz a versão armênia. Se essa é a leitura correta, então está em pauta um vale nas montanhas de Abarim, que inclui o monte Nebo, ao norte do rio Naliel, o moderno wadi Zerca. Ver Nm 27.12; 33.47,48 e Dt 32.49. O Cótico também traz esta leitura. Às vezes, as versões retêm leituras originais quando o texto hebraico padronizado, o texto massorético, perdeu. Devemos lembrar que as versões foram traduzidas de manuscritos hebraicos, algumas delas mais antigas que o texto padronizado hebraico. Ver no *Dicionário Massora (Massorah); Texto Massorético* e *Manuscritos Antigos do Antigo Testamento*, artigos que contêm informações a respeito de como leituras originais são escolhidas quando existem variantes.

"Os mortos serão sepultados do outro lado do Jordão, fora da Palestina, para que a terra não seja poluída (cf. o vs. 14)" (Theophile J. Meek, *in loc.*). Ver no *Dicionário* o artigo chamado *Vale dos Viajantes*.

O vale receberá um *novo nome* por causa do enterro das hordas de Gogue, isto é, o *Vale do Hamon-Gogue*, que significa o "Vale das Forças de Gogue". Esse vale impedirá a passagem na área de viajantes, que se tornariam imundos se atravessassem o lugar. Ver no *Dicionário* o artigo *Limpo e Imundo*. Se um homem tocasse em um cadáver, ficaria imundo até ser cerimonialmente purificado.

■ 39.12

וּקְבָרוּם בֵּית יִשְׂרָאֵל לְמַעַן טַהֵר אֶת־הָאָרֶץ שִׁבְעָה חֳדָשִׁים:

Durante sete meses estará a casa de Israel a sepultá-los. O trabalho de sepultar a multidão de Gogue será enorme, levando *sete meses* para terminar. Deverá ser feito com todo o cuidado para não deixar nenhuma poluição. Até os ossos individuais deverão ser enterrados na mesma hora, no lugar onde forem encontrados (vs. 15). Os judeus eliminarão o horror de cadáveres deixados sem sepultamento decente. As aves de rapina e as bestas selvagens da floresta deverão ser afastadas da área (vs. 4). Obviamente, algumas delas encherão a barriga da carne doce, mas o trabalho evitará a continuação da festa. Os animais ajudarão a "limpar" a terra, fazendo a sua parte.

■ 39.13

וְקָבְרוּ כָּל־עַם הָאָרֶץ וְהָיָה לָהֶם לְשֵׁם יוֹם הִכָּבְדִי נְאֻם אֲדֹנָי יְהוִה:

Todo o povo da terra os sepultará. *O empreendimento do enterro* exigirá a cooperação de boa porção da população. Alguns intérpretes se divertem procurando calcular quantos corpos serão sepultados e quantos judeus o trabalho exigiria. Supondo-se que houvesse um milhão de homens empregados na tarefa, e que a cada dia cada homem enterrasse dois corpos, durante sete meses, haveria um total de 360 milhões de corpos enterrados! Precisamos de uma matemática fantástica, se considerarmos literalmente a expressão "todo o povo", como empenhado no trabalho.

Os enterros continuarão. A magnitude do julgamento ficará evidente, bem como o motivo pelo qual o povo precisava da intervenção divina para sobreviver. O nome do Senhor será magnificado entre as nações, mas especialmente em Israel.

Ser-lhes memorável o dia em que eu for glorificado, diz o Senhor Deus. "... cuja grandeza, bondade, poder e sabedoria serão manifestos na salvação de seu povo e na destruição de seus inimigos" (John Gill, *in loc.*).

■ 39.14

וְאַנְשֵׁי תָמִיד יַבְדִּילוּ עֹבְרִים בָּאָרֶץ מְקַבְּרִים אֶת־הָעֹבְרִים אֶת־הַנּוֹתָרִים עַל־פְּנֵי הָאָרֶץ לְטַהֲרָהּ מִקְצֵה שִׁבְעָה־חֳדָשִׁים יַחְקֹרוּ:

Serão separados homens que sem cessar percorrerão a terra para sepultar... A campanha original de sepultamento será seguida por buscas adicionais, para garantir que todo o material do massacre seja enterrado. Homens especialmente escolhidos receberão a tarefa e serão zelosos em cumpri-la.

Talvez o presente versículo indique que este grupo especial de homens trabalhará *mais* sete meses na *limpeza* da terra, ou podemos entender que seu trabalho *faz parte* dos sete meses totais. A Atualizada dá a primeira ideia: "... depois de sete meses, iniciarão a busca". A NIV e a NCV falam algo semelhante. Se este for o caso, então o texto não fala explicitamente que serão necessários *sete meses a mais* para completar a limpeza. O ensino do versículo é claro: a tarefa de limpeza será fundamental para o bem-estar de Israel e deverá ser feita com zelo e determinação.

■ 39.15

וְעָבְרוּ הָעֹבְרִים בָּאָרֶץ וְרָאָה עֶצֶם אָדָם וּבָנָה אֶצְלוֹ צִיּוּן עַד קָבְרוּ אֹתוֹ הַמְקַבְּרִים אֶל־גֵּיא הֲמוֹן גּוֹג:

Depois das duas campanhas de sepultamento, a área poderá ser liberada para viajantes. Mas, se um passante encontrar um osso, deverá chamar um enterrador de ossos para sepultar o achado imediatamente. Ele mesmo não poderá fazer a tarefa porque, agindo assim, ficará *imundo*. O enterro exigirá cuidados especiais porque, para os judeus, nada era tão poluidor quanto um corpo humano morto, no todo ou em partes. O que para nós parece exagero, para os judeus era um negócio sério.

A Lição Moral. Todo o cuidado com as coisas limpas e imundas ensina que também devemos ter cuidado com a pureza moral e espiritual. Cf. Ef 5.26,27 e Ap 21.27.

■ 39.16

וְגַם שֶׁם־עִיר הֲמוֹנָה וְטִהֲרוּ הָאָרֶץ: ס

O nome da cidade será o das Forças. *Hamona.* Esta palavra significa *multidão* ou *força*. Nenhuma cidade com este nome se encontra na literatura, nem figura entre as descobertas arqueológicas. É bem provável que esteja em vista um campo de trabalho ou uma cidade. O significado da referência fica na dúvida. Ver no *Dicionário* o artigo chamado *Hamona*, que apresenta especulações.

AS HORDAS DE GOGUE COMO UM SACRIFÍCIO PARA YAHWEH (39.17-24)

O *dia de Yahweh* é representado neste trecho como um *dia de sacrifício*. Cf. esta declaração com Sf 1.1-9; ver também Is 34.6,7 e Jr 46.10. As vítimas do sacrifício, em lugar de animais, foram neste caso homens. Yahweh sacrificou aquela multidão para si mesmo e convida Israel para assistir à festividade! A mesma filosofia governava a *guerra santa*. Ver as notas oferecidas em Dt 7.1-5 e 20.10,18 que comentam este assunto. Uma vila inteira poderia ser massacrada (homens, mulheres, crianças e até animais) como gigantesca oferta a Deus (ou a algum deus ou deuses). Este tipo de sacrifício era um *holocausto*, no qual a vítima era consumida totalmente no fogo no altar. Ver no *Dicionário* o artigo intitulado *Holocausto*, para detalhes.

■ 39.17

וְאַתָּה בֶן־אָדָם כֹּה־אָמַר אֲדֹנָי יְהוִה אֱמֹר לְצִפּוֹר כָּל־כָּנָף וּלְכֹל חַיַּת הַשָּׂדֶה הִקָּבְצוּ וָבֹאוּ הֵאָסְפוּ מִסָּבִיב עַל־זִבְחִי אֲשֶׁר אֲנִי זֹבֵחַ לָכֶם זֶבַח גָּדוֹל עַל הָרֵי יִשְׂרָאֵל וַאֲכַלְתֶּם בָּשָׂר וּשְׁתִיתֶם דָּם:

Ajuntai-vos de toda parte para o meu sacrifício. Yahweh convida muitos participantes para o sacrifício horripilante! Além dos homens, convida também as aves de rapina e as bestas selvagens da floresta, para encher a barriga com sua porção. A festa será realizada "nas montanhas" de Israel, as mesmas que as hordas de Gogue atacaram. Cf. Ez 38.8,19-22. Haverá abundância de carne para comer e muito sangue para beber!

As descrições são *figurativas*, obviamente, pois Israel jamais poderia envolver-se num ato canibalesco e, certamente, jamais beberia sangue. Talvez as aves e as bestas selvagens simbolizem "outras nações" que se beneficiariam da festa. De qualquer maneira, o autor apresenta uma parábola, não esperando que os leitores entendam o assunto literalmente.

■ 39.18

בְּשַׂר גִּבּוֹרִים תֹּאכֵלוּ וְדַם־נְשִׂיאֵי הָאָרֶץ תִּשְׁתּוּ אֵילִים כָּרִים וְעַתּוּדִים פָּרִים מְרִיאֵי בָשָׁן כֻּלָּם:

Comereis a carne dos poderosos e bebereis o sangue dos príncipes. Este sacrifício e a festa subsequente serão, em todos os sentidos, incomuns. Afinal, o cardápio será composto da carne e do sangue de reis e príncipes! Eles serão como animais sacrificiais, gordos e perfeitos para a oferta, e deliciosos para serem comidos. Aqueles sacrifícios reais serão melhores para a refeição do que a carne de carneiros, bodes e novilhos que normalmente eram utilizados naquele propósito.

Nos sacrifícios dos judeus, o próprio Yahweh, embora invisível, era considerado presente para receber a gordura e o sangue das ofertas. Ver sobre as leis relativas a estes elementos em Lv 3.17. Então, os sacerdotes tinham direito de comer oito porções especiais; o restante era reservado para a refeição daqueles que haviam trazido os animais sacrificiais. Ver Lv 6.26; 7.11-24; Nm 18.8 e Dt 12.17,18. Havia uma grande festa, acompanhada de música e dança.

O sacrifício de Gogue e as festividades atendentes tinham outras regras. *Todos os participantes* recebiam as porções preferidas, o sangue, a gordura e as melhores partes.

Basã. Situada na Transjordânia, era famosa pela produção de gado fino. Cf. Am 4.1.

■ 39.19

וַאֲכַלְתֶּם־חֵלֶב לְשָׂבְעָה וּשְׁתִיתֶם דָּם לְשִׁכָּרוֹן מִזִּבְחִי אֲשֶׁר־זָבַחְתִּי לָכֶם:

Comereis a gordura até vos fartardes. A gula e a bebedice continuarão até a barriga dos judeus estourar e eles caírem bêbados no chão. De fato, evidências históricas mostram que, com certa frequência, as festas de sacrifício terminaram em cenas nojentas e, talvez, este versículo possa estar referindo-se a uma dessas ocasiões desgraçadas. Até na igreja cristã primitiva, no Ágape, tais coisas aconteceram, como mostra 1Co 11.21,22. Mas nesta parábola a gula e a ebriedade são encorajadas para mostrar que não estamos considerando uma festa comum. Adam Clarke, *in loc.*, informa que certos povos escandinavos da antiguidade bebiam o sangue de seus inimigos, utilizando os crânios como copos!

■ 39.20

וּשְׂבַעְתֶּם עַל־שֻׁלְחָנִי סוּס וָרֶכֶב גִּבּוֹר וְכָל־אִישׁ מִלְחָמָה נְאֻם אֲדֹנָי יְהוִה:

Vós vos fartareis de cavalos e de cavaleiros. Os cavalos nobres do exército, que morreram com seus cavaleiros, são acrescentados ao cardápio. O cavalo, um animal imundo (segundo as leis levíticas), não era apropriado ao sacrifício, mas nesta refeição especial todas as velhas regras foram esquecidas. Cavalos de guerra especialmente treinados foram ajudantes valiosos dos cavaleiros e, frequentemente, contribuíram para o sucesso das batalhas. Matar um bom cavalo tinha quase o mesmo valor de matar um bom soldado. Referências literárias nos convencem de que os cavalos de guerra apreciavam a excitação da batalha e da matança, sendo tão sanguinários como seus cavaleiros. Foi apropriado, então, que se tornassem pratos do dia em companhia dos homens que tanto ajudaram.

Diz o Senhor Deus. *Adonai-Yahweh* (o Soberano Eterno Deus) arrumou a festa e suas condições, exercendo seus poderes ilimitados. Ver sobre esse título divino, nas notas no vs. 1.

■ 39.21,22

וְנָתַתִּי אֶת־כְּבוֹדִי בַּגּוֹיִם וְרָאוּ כָל־הַגּוֹיִם אֶת־מִשְׁפָּטִי אֲשֶׁר עָשִׂיתִי וְאֶת־יָדִי אֲשֶׁר־שַׂמְתִּי בָהֶם:

וְיָדְעוּ בֵּית יִשְׂרָאֵל כִּי אֲנִי יְהוָה אֱלֹהֵיהֶם מִן־הַיּוֹם הַהוּא וָהָלְאָה:

Manifestarei a minha glória entre as nações. O vs. 21, em essência, é igual a Ez 38.23. Yahweh é *vindicado e glorificado*, porque sua pesada mão de julgamento realizou uma obra justa e necessária. Ver sobre *mão,* no *Dicionário* e em Sl 81.4; e sobre *mão direita,* em Sl 20.6.

Dois Resultados da Batalha. 1. As nações verão a temível glória de *Adonai-Yahweh* (cf. Ez 1.28). 2. Israel voltará para o seu Deus (cf. Ez 5.7).

> *Todas as nações temerão o nome do Senhor, e todos os reis da terra, a sua glória; porque o Senhor edificou a Sião.*
> Salmo 102.15,16

Saberão que eu sou o Senhor. Ficará universalmente conhecido que foi Adonai-Yahweh quem efetuou a façanha da destruição de Gogue e de suas hordas e restaurou o seu povo de volta a seu devido lugar, descansando na sua terra, seguro nos braços eternos do Senhor. Que Adonai-Yahweh se tornará conhecido como Juiz e como o Restaurador, é um tema que ocorre 63 vezes nesse livro. Para a *restauração de Israel,* ver Ez 16.62; 28.25,26; 29.21; 34.30; 36.11; 37.6,11 e 39.7.

■ 39.23

וְיָדְעוּ הַגּוֹיִם כִּי בַעֲוֺנָם גָּלוּ בֵית־יִשְׂרָאֵל עַל אֲשֶׁר מָעֲלוּ־בִי וָאַסְתִּר פָּנַי מֵהֶם וָאֶתְּנֵם בְּיַד צָרֵיהֶם וַיִּפְּלוּ בַחֶרֶב כֻּלָּם:

Pano de Fundo Histórico. Este versículo oferece um abreviado pano de fundo histórico para os capítulos 38—39. Temos aqui uma referência óbvia ao cativeiro babilônico. As nações saberão o *porquê* de Israel ter sido sujeitado a todo aquele sofrimento e, assim, não profanarão o nome de Yahweh (Ez 36.20). Para evitar a *referência histórica,* intérpretes falam dos *sofrimentos* ferais de Israel, o que é, obviamente, absurdo. Confessamente, pouco do que vemos nos capítulos 38—39 corresponde às informações que temos sobre o ataque babilônico a Israel, com a subsequente destruição daquele poder pelos medo-persas. Isto nos dá licença para supor que a profecia tenha também um alcance de longo prazo, atingindo os dias antes do estabelecimento do reino do Messias, "os últimos anos" ou "últimos dias", talvez *Armagedom.* Alguns intérpretes simplesmente supõem que estes dois capítulos sejam singulares e não caibam bem em nenhum esquema histórico ou profético. Tal suposição, todavia, é contra o presente versículo e sua referência óbvia ao cativeiro babilônico.

Foram levados para o exílio. Fazer a dispersão aqui significar uma *diáspora* romana dificilmente seguiria o pensamento do autor. Note-se o verbo no passado: *"foram* levados", por causa das suas muitas iniquidades, a mensagem constante de Ezequiel. "Todos eles caíram à espada" também refere-se a Israel no tempo no passado. Ver as notas no fim do vs. 24, para a queda de Israel pela espada.

■ 39.24

כְּטֻמְאָתָם וּכְפִשְׁעֵיהֶם עָשִׂיתִי אֹתָם וָאַסְתִּר פָּנַי מֵהֶם: ס

Este versículo continua destacando o *porquê* do cativeiro babilônico. A iniquidade de Israel era uma *imundície,* pois eles se envolveram em idolatria, praticando todas as abominações das nações ao redor.

O povo de Israel estava *cheio* de transgressões, ignorando por completo a legislação mosaica, o *guia* ideal de conduta (Dt 6.4 ss.). Aquele povo entrou em profunda idolatria-adultério-apostasia; a Babilônia foi mandada por Yahweh, para purificar Israel através de sofrimentos. O incidente serviu para ilustrar a *Lei Moral da Colheita segundo a Semeadura* (ver a respeito no *Dicionário*). A história se repetirá antes do estabelecimento do reino do Messias, e parece que uma interpretação escatológica é desejável, considerando-se a unidade dos capítulos 38—39, e não meramente o presente trecho.

Paralelos. Cf. os vss. 23,24 com Dt 31.17; Is 59.2; Lv 26.25; Ez 36.19. "Morreram pela espada" (isto é, numa *guerra,* vs. 23). A referência óbvia é à derrota que Israel sofreu às mãos dos babilônios.

A RESTAURAÇÃO DO BEM-ESTAR DE JACÓ (39.25-29)

■ 39.25

לָכֵן כֹּה אָמַר אֲדֹנָי יְהוִה עַתָּה אָשִׁיב אֶת־שְׁבִית יַעֲקֹב וְרִחַמְתִּי כָּל־בֵּית יִשְׂרָאֵל וְקִנֵּאתִי לְשֵׁם קָדְשִׁי׃

Assim diz o Senhor Deus: Agora tornarei a mudar a sorte de Jacó. *Adonai-Yahweh* (o Soberano Eterno Deus), no exercício de sua soberania, recebe de volta seu filho errante e o restaura à glória sem precedentes. Trará seu povo de volta do cativeiro babilônico e, depois, também da diáspora romana, para anular todas as vagueações voluntárias e forçadas. "A casa de Israel" significa o *reino unido* que existirá no reino do Messias. Vindicando seu nome santo e fiel, Yahweh cumprirá todas as provisões do Pacto Abraâmico.

Terei zelo pelo santo nome. Cf. Ez 16.43 e 29.14. "Se mostrará santo através deles (Ez 20.41; 28.22,25; 36.23; 38.16)" (Charles H. Dyer, *in loc.*). Para o Deus *ciumento*, ver Dt 4.24; 5.9; 6.1; 32.16,21. Em um *antropopatismo* pronunciado, o autor atribui a Deus as emoções dos homens. Ver esse título no *Dicionário*.

Cf. Os 1.11. *Todo o Israel* será restaurado (Rm 11.26).

■ 39.26

וְנָשׂוּ אֶת־כְּלִמָּתָם וְאֶת־כָּל־מַעֲלָם אֲשֶׁר מָעֲלוּ־בִי בְּשִׁבְתָּם עַל־אַדְמָתָם לָבֶטַח וְאֵין מַחֲרִיד׃

Esquecerão a sua vergonha. Ou, segundo algumas traduções, "carregarão sua vergonha", que é o texto padronizado do hebraico. Uma pequena emenda muda "carregarão" para "esquecerão", mas a primeira é a leitura mais difícil, portanto provavelmente a original. Ver no *Dicionário* o artigo intitulado *Massora (Massorah); Texto Massorético*. Ver também *Manuscritos Antigos do Antigo Testamento*, que dá informações sobre como leituras corretas são escolhidas quando há variantes. Cf. Ez 20.43 e 36.31. Ver também Dn 9.16.

O *passado tenebroso* de idolatria-adultério-apostasia, que tanto envergonhou Israel, desvanecerá da consciência do povo; sua conduta será totalmente revertida, por causa do *coração novo* que eles adquirirão antes do reino do Messias. Habitarão seguramente na Terra Prometida no *Pacto Abraâmico* (ver em Gn 15.18). Ninguém chegará para fazê-los temer ou para machucá-los. Cf. Lv 26.5,6.

■ 39.27

בְּשׁוֹבְבִי אוֹתָם מִן־הָעַמִּים וְקִבַּצְתִּי אֹתָם מֵאַרְצוֹת אֹיְבֵיהֶם וְנִקְדַּשְׁתִּי בָם לְעֵינֵי הַגּוֹיִם רַבִּים׃

Quando eu tornar a trazê-los de entre os povos... O recolhimento de Israel será um exemplo notável da operação da misericórdia e da graça de Yahweh, mas também uma vindicação do santo nome do Senhor. Haverá clara demonstração da justiça de seus atos. Este versículo é, essencialmente, igual ao vs. 25. Cf. também Ez 28.25-26, um paralelo direto dos vss. 26,27 deste capítulo. Estes versículos discursam sobre a volta dos cativos da Babilônia, que logo aconteceria. A profecia também parece ser de longo alcance, falando do fim da diáspora romana, que deve ocorrer antes do estabelecimento do reino do Messias. A igreja não é o assunto deste texto, e o versículo não tem nada a ver com o alcance do evangelho entre as nações. Também não descreve a salvação da alma, mas versa sobre a redenção física e espiritual de toda uma nação, realizada aqui, nesta terra, não nos céus. O novo pacto de Israel não é o novo pacto da igreja (Jr 31.31).

■ 39.28

וְיָדְעוּ כִּי אֲנִי יְהוָה אֱלֹהֵיהֶם בְּהַגְלוֹתִי אֹתָם אֶל־הַגּוֹיִם וְכִנַּסְתִּים עַל־אַדְמָתָם וְלֹא־אוֹתִיר עוֹד מֵהֶם שָׁם׃

Saberão que eu sou o Senhor Deus. *Adonai-Yahweh* é, neste versículo, *Yahweh-Elohim* (o Eterno Deus, o Poder). Os dois títulos transmitem a mesma mensagem da *Soberania de Deus*. Yahweh ficará conhecido como Juiz e Restaurador, tema que se repete 63 vezes nesse livro. Este versículo fala do poder restaurador do Senhor, sendo paralelo a Ez 16.62; 28.25,26; 29.21; 34.30; 36.11; 37.6,13; 39.7,22.

Yahweh ficou conhecido como *Juiz* no cativeiro babilônico, e como *Restaurador* quando o remanescente voltou para começar tudo de novo. Cf. Os 3.4,5; Ez 36.23,24 e 38.16.

■ 39.29

וְלֹא־אַסְתִּיר עוֹד פָּנַי מֵהֶם אֲשֶׁר שָׁפַכְתִּי אֶת־רוּחִי עַל־בֵּית יִשְׂרָאֵל נְאֻם אֲדֹנָי יְהוִה׃ פ

Já não esconderei deles o meu rosto. Yahweh escondeu o rosto quando Israel estava sofrendo a condenação divina por causa de sua péssima conduta. As bênçãos de Deus cessaram e foram substituídas por vários modos de punição. Mas, quando o trabalho de purificação terminou, o rosto de Yahweh brilhou novamente sobre eles, iluminando seus caminhos e enriquecendo suas vidas. Depois, para completar o ciclo de bênçãos, ele derramou o Espírito sobre eles para transformá-los totalmente. Ver Jl 2.28; Zc 12.10; Is 59.19-21 e At 2.17. Yahweh nunca mais esconderá o rosto deles, porque o passado de vergonha terminou. Cf. Ez 36.27 e 37.14.

Espírito do Deus Vivo,
Cai de novo sobre mim.
Espírito do Deus Vivo,
Cai de novo sobre mim.
Quebra-me; derrete-me; molda-me; enche-me.

Daniel Iverson

CAPÍTULO QUARENTA

A NOVA ORDEM DE ISRAEL. A VISÃO DA COMUNIDADE RESTAURADA (40.1—48.35)

Estes *nove capítulos* formam a divisão final do livro. O tema principal é a restauração do templo e de seu culto, que atingirá uma glória muito grande, ultrapassando toda a história de Israel. Ez 40.1—42.20 apresentam detalhes do arranjo da área do templo. Ezequiel recebeu uma visão, através da qual fez um circuito do templo e de suas áreas adjacentes, para ajudá-lo a entender a grandeza da provisão de Yahweh. O *arquiteto Divino* foi o seu guia nesse estudo. Deve existir um ministério apropriado no novo templo (capítulo 44). O capítulo 45 fornece os regulamentos sobre pesos e medidas, contribuições para serem feitas ao ministério e a renovação das diversas festividades tradicionais. No capítulo 46, o exame do templo reaparece. Um riacho sagrado fluirá do templo para refrescar o povo, simbolizando a vida divina que garante plenitude em todos os sentidos.

O capítulo 40 tem oito divisões naturais: 1. vss. 1-5; 2. vss. 6-16; 3. vss. 17-19; 4. vss. 20-27; 5. vss. 28-37; 6. vss. 38-43; 7. vss. 44-47; 8. vss. 48,49.

Diversas Interpretações da Seção. As interpretações representam ideias consideravelmente diversas:

1. *Interpretação Histórica.* Ezequiel esperava a construção de um novo e magnificente templo, logo depois da volta dos cativos da Babilônia. Isto não aconteceu, mas foi a *esperança* que o inspirou nos capítulos que se seguem.
2. *Interpretação Metafórica.* Está em vista a *igreja cristã*, ela mesma sendo o templo desta seção, representado com uma multidão de símbolos. Não esperamos um templo literal, material.
3. *Interpretação Futurista.* O templo será literal e material, o *templo milenar.* Este templo magnífico será construído no milênio e restaurará o velho culto de Israel, com algumas modificações.
4. *Interpretação Ideal, Literal.* Idealmente, será construído por Israel um templo que terá as características apresentadas nestes capítulos, mas o elemento tempo é indeterminado, não estando associado a nenhuma era específica.
5. *Interpretação Ideal, Espiritual.* As descrições são metafóricas, discursando sobre *ideais espirituais*, não sobre um templo literal de materiais crassos. O povo restaurado se tornará o templo e possuirá qualidades espirituais como aquelas *simbolizadas* nesta seção.

O CONCEITO DO TEMPLO

O conceito do templo, no antigo Oriente Próximo, desenvolveu-se a partir de uma ideia bastante simples: cada divindade estava vinculada, na concepção popular, a algum local fixo, um lugar sagrado, que seria ou o domicílio ou o albergue daquele deus, onde ele se manifestaria.

A característica principal da estrutura do templo de Ezequiel é a sua simetria, cujo intuito é destacar sua ênfase sobre a santidade. Não tem havido muitas tentativas para produzir modelos ou desenhos ilustrativos do templo de Ezequiel, talvez em parte porque ele tem sido, geralmente, considerado como uma expressão ideal do cerimonial da religião.

A PLANTA DO TEMPLO; AS CORTES EXTERIORES E INTERIORES (40.1-49)

"O profeta é transportado da Babilônia para o monte do templo, em visão. Seu guia celestial o conduz em um circuito através do templo e das áreas adjacentes, onde medidas múltiplas dos portões, dos muros, das câmaras e das cortes são realizadas. O circuito começa no Portão Oriental e vai para a corte interior. O presente capítulo termina com uma descrição do próprio templo, que continua no capítulo 41" (Theophile J. Meek, *in loc.*).

Ezequiel no Monte do Templo (40.1-5)

■ 40.1

בְּעֶשְׂרִים וְחָמֵשׁ שָׁנָה לְגָלוּתֵנוּ בְּרֹאשׁ הַשָּׁנָה בֶּעָשׂוֹר לַחֹדֶשׁ בְּאַרְבַּע עֶשְׂרֵה שָׁנָה אַחַר אֲשֶׁר הֻכְּתָה הָעִיר בְּעֶצֶם הַיּוֹם הַזֶּה הָיְתָה עָלַי יַד־יְהוָה וַיָּבֵא אֹתִי שָׁמָּה:

No ano vinte e cinco do nosso exílio. *Data.* O cálculo é feito a partir do 25º aniversário do exílio do remanescente na Babilônia. Ezequiel foi levado (em visão; cf. Ez 8.2,3) ao monte do templo ideal, uma montanha muito alta (Ez 17.22; Mq 4.1). A data é o dia 28 de abril de 573 a.C. Ela pode variar dependendo do calendário utilizado: "Os israelitas começaram seu ano religioso em nisã (abril-maio), que foi estabelecido pelo tempo do êxodo (Êx 12.1,3). Todavia, em tempos posteriores, o sétimo mês, tisri (outubro-novembro), tornou-se o primeiro mês do calendário civil ou real. A data do presente texto, portanto, poderia ser o dia 28 de abril de 573 a.C. ou 22 de outubro de 573 a.C. Essa data em outubro era também o Dia da Expiação (cf. Lv 23.27)" (Charles H. Dyer, *in loc.*).

Veio sobre mim a mão do Senhor. O circuito era divino (visionário, porque a *mão do Senhor* estava sobre o profeta). Ver sobre *mão*, no *Dicionário* e em Sl 81.14; ver sobre *mão direita*, em Sl 20.6. O Targum interpreta a *mão* de Yahweh, aqui, como "o espírito da profecia".

■ 40.2

בְּמַרְאוֹת אֱלֹהִים הֱבִיאַנִי אֶל־אֶרֶץ יִשְׂרָאֵל וַיְנִיחֵנִי אֶל־הַר גָּבֹהַּ מְאֹד וְעָלָיו כְּמִבְנֵה־עִיר מִנֶּגֶב:

... me pôs sobre um monte muito alto. De sua posição vantajosa, na montanha alta, o profeta foi capaz de observar tudo facilmente. Naquele monte, de maneira especial, visionária, tudo ficou claro. Ao sul, o profeta viu um grupo de edifícios que pareciam formar uma cidade. Provavelmente, está em vista o monte Sião, como em Sl 48.2; Is 3.2; Mq 4.1 e Zc 14.10, mas imensamente glorificado na visão. O profeta logo foi transportado para o lado oposto, a *área sagrada* onde o circuito (divinamente guiado) ia começar.

■ 40.3

וַיָּבֵא אוֹתִי שָׁמָּה וְהִנֵּה־אִישׁ מַרְאֵהוּ כְּמַרְאֵה נְחֹשֶׁת וּפְתִיל־פִּשְׁתִּים בְּיָדוֹ וּקְנֵה הַמִּדָּה וְהוּא עֹמֵד בַּשָּׁעַר:

Eis um homem cuja aparência era como a do bronze. O profeta foi, então, conduzido acima do lugar-cidade. Aí ele viu seu guia, uma figura como um homem, mas feito de bronze ardente; aquele ser ficou em pé no Portão Oriental; tinha na mão uma corda feita de linho e uma vara de medir (cana para efetuar medidas). O templo e suas áreas adjacentes seriam medidos com os instrumentos do Ser celestial. Talvez devamos entender que o *Guia* era também o *arquiteto* de todas as maravilhas que seriam medidas. O termo *bronze* é representado como se estivesse brilhando, com um fogo interior. Esta figura identifica o Ser como sobrenatural. Cf. Ez 1.4,7,27 e Dn 10.6. Ver também as descrições de Ap 21.10-17.

A *linha* (cordel) serve para fazer medidas longas, enquanto a cana (vara) serve para medidas curtas de detalhe mais fino.

■ 40.4

וַיְדַבֵּר אֵלַי הָאִישׁ בֶּן־אָדָם רְאֵה בְעֵינֶיךָ וּבְאָזְנֶיךָ שְׁמָע וְשִׂים לִבְּךָ לְכֹל אֲשֶׁר־אֲנִי מַרְאֶה אוֹתָךְ כִּי לְמַעַן הַרְאוֹתְכָה הֻבָאתָה הֵנָּה הַגֵּד אֶת־כָּל־אֲשֶׁר־אַתָּה רֹאֶה לְבֵית יִשְׂרָאֵל:

Filho do homem, vê com os teus próprios olhos. A figura celestial ordena que Ezequiel preste atenção para entender tudo que o guia fala e mostra. Ele deve dirigir sua mente para o assunto, a fim de compreender as implicações da visão. O propósito divino o trouxe àquele lugar. O profeta deve registrar tudo no papel, para lembrar os detalhes e depois retransmiti-los ao povo. Ver as diversas interpretações desta seção, na introdução ao presente capítulo.

■ 40.5

וְהִנֵּה חוֹמָה מִחוּץ לַבַּיִת סָבִיב סָבִיב וּבְיַד הָאִישׁ קְנֵה הַמִּדָּה שֵׁשׁ־אַמּוֹת בָּאַמָּה וָטֹפַח וַיָּמָד אֶת־רֹחַב הַבִּנְיָן קָנֶה אֶחָד וְקוֹמָה קָנֶה אֶחָד:

Vi um muro exterior que rodeava toda a casa. O muro que cercava o templo era o primeiro item a ser medido. A vara de medição (cana de medir) tinha o comprimento de um pouco mais de 6 *côvados* (1 côvado = 45 cm). Àquela medida, adicionando-se a largura de uma mão de homem, obtinha-se um tipo de côvado longo. Talvez a medida fosse 50 cm. Multiplicando-se o côvado longo por 6, temos por volta de 3 m, que era a medida da vara. Colocando-se a vara no muro, ficou evidente que sua grossura era de cerca de 3 m; sua altura era igual à sua grossura. O autor não explica o significado destas medidas iguais, se é que existe explicação. O templo era formado por certo número de quadrados. A grande grossura do muro tinha a função de separar o sagrado do profano, porque sempre existe uma grande brecha entre estas duas realidades.

O Portão Oriental e a Corte Exterior (40.6-16)

■ 40.6

וַיָּבוֹא אֶל־שַׁעַר אֲשֶׁר פָּנָיו דֶּרֶךְ הַקָּדִימָה וַיַּעַל בְּמַעֲלוֹתָיו וַיָּמָד אֶת־סַף הַשַּׁעַר קָנֶה אֶחָד רֹחַב וְאֵת סַף אֶחָד קָנֶה אֶחָד רֹחַב:

O homem (Anjo?, arquiteto divino, Guia) levou o profeta para o *Portão Oriental*. Uma escada fazia parte da estrutura daquele portão, e o profeta subiu os degraus para medir sua abertura. O limiar da porta media uma cana longa, e o outro limiar tinha a mesma medida. A medida era igual a cerca de 3 m, igualando as medidas da grossura e da altura do muro (vs. 5).

O fato de o profeta precisar *subir* uma escada revela que o templo foi construído sobre uma plataforma elevada, exaltando-o. Os vss. 22 e 26 mostram que havia *sete* degraus, o símbolo das perfeições divinas. A Septuaginta e a versão árabe inserem *sete* no presente versículo, harmonizando-o com os vss. 22 e 26. O templo "ia para cima", na direção de Deus, simbolicamente. O Portão Oriental era um dos três portões existentes; confrontava com o levantar do sol e era o mais importante. Cf. Ez 44.1-3. Os vss. 6-16 descrevem pormenorizadamente este único portão, implicando sua grande importância.

O TEMPLO IDEAL DE EZEQUIEL

(O templo do milênio?)

(Conceito de Charles H. Dyer)

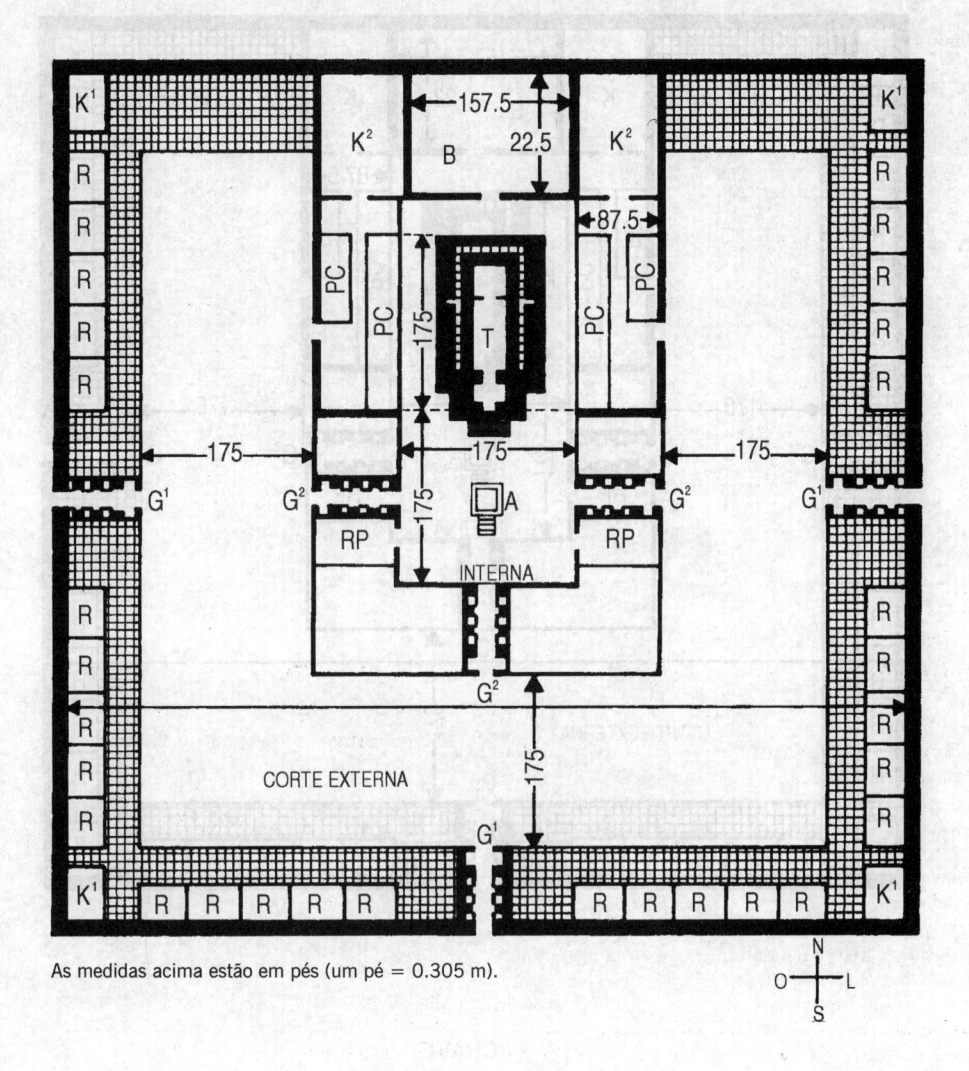

As medidas acima estão em pés (um pé = 0.305 m).

CHAVE

A	Altar: 43.13-17
K1	Cozinhas (sacrifícios do povo): 46.21-24
K2	Cozinhas (sacrifícios dos sacerdotes): 46.19,20
PC	Câmaras dos sacerdotes: 42.1-14
B	Edifício (função não explicada): 41.12
G1	Portões exteriores: 40.6-18, 20-27
G2	Portões interiores: 40.28-37
R	Trinta salas
RP	Salas dos sacerdotes ministrantes: 40.44-47
T	Templo: 40.48—41.11,13,14,16-26

O TEMPLO IDEAL DE EZEQUIEL

(Conceito de Ellicott)

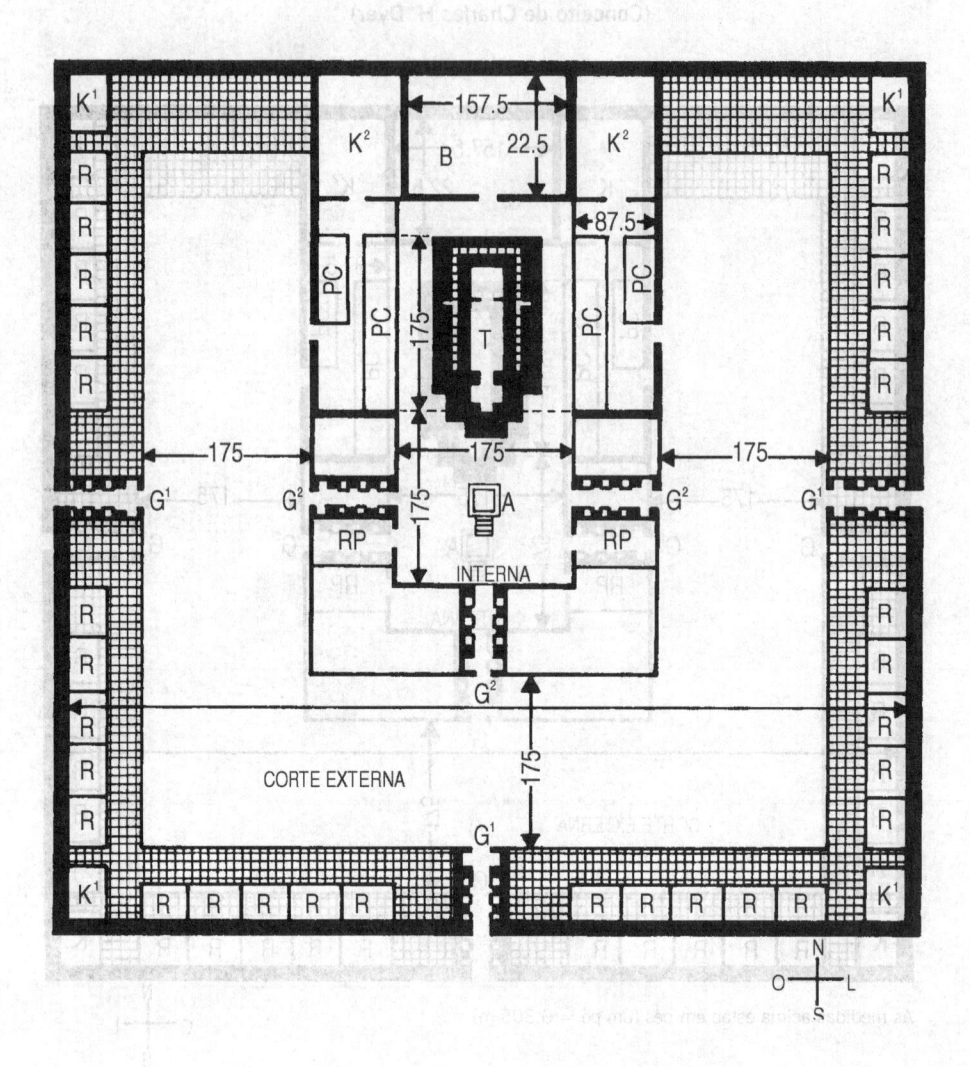

CHAVE

A	Altar
BBB	Portão Exterior
B'B'B'	Portões Interiores
CC	Corte Exterior
C'	Corte Interior
DD	Câmaras na Corte Exterior
EE	Lugares do Povo para Cozinhar
FF	Lugares dos Sacerdotes para Cozinhar
G	Edifício num Lugar Separado
HH	Câmaras dos Sacerdotes
I	Espaço num Lugar Separado
J	Câmaras Anexas ao Templo
KK	Calçada
LL	Muros de Telhas
MM	Muro da Corte Exterior
N	Câmaras dos Sacerdotes e dos Cantores na Corte Interior
O	Câmara dos Sacerdotes em Serviço
PP	Pavimento
RR	Muro da Corte Interior
SS	Degraus
T	Templo
T	Santo dos Santos
VV	Colunas
WW	Escada Espiral
XX	Lugares para Matar os Sacrifícios
YY	Plataforma Anexa às Câmaras
Z	Alpendre do Templo

TEMPLO IDEAL DE EZEQUIEL

(Conceito de Adam Clarke)

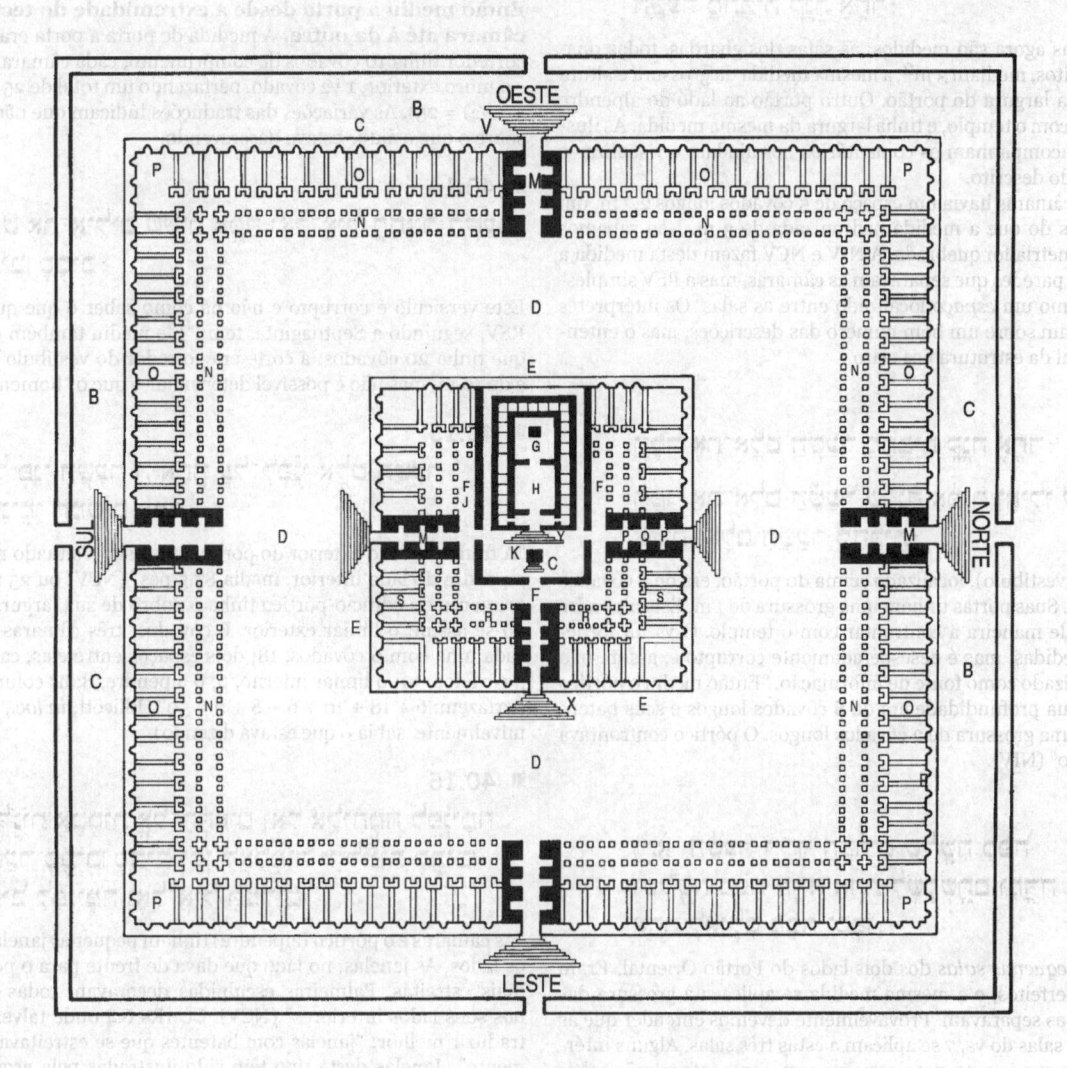

CHAVE

AAAA	Primeiro Lugar Fechado com um Muro de 600 Côvados
BBBB	Corte dos Gentios
CCCC	Muro Exterior da Corte de Israel
DDDD	Corte de Israel
EEEE	Muro Exterior, Lugar Fechado dos Sacerdotes
FFF	Corte dos Sacerdotes
G	Santo dos Santos
H	Lugar Santo
I	Alpendre
L	Altar de Sacrifícios Queimados
LLL	Muro de Separação
MMMMMM	Portões da Corte de Israel e dos Sacerdotes
NNNNNNNN	Galerias ao Redor da Corte de Israel
OOOOOOOO	Câmaras ao Redor da Corte de Israel
PPPP	Cozinhas do Templo
Q	Portão Norte da Corte dos Sacerdotes
RRRR	Galerias ao Redor da Corte dos Sacerdotes
SSSSSS	Câmaras ao Redor da Corte dos Sacerdotes
TT	Cozinhas da Corte dos Sacerdotes
VVVV	Escadas Dando Acesso à Corte do Povo
XXX	Degraus para a Corte dos Sacerdotes
YY	Escadas para o Alpendre do Templo
aaa	Câmaras ao Redor do Templo
bb	Escadas na Frente das Câmaras
c	Degraus do Altar de Sacrifícios Queimados
dddd	Mesas de Pedra Cortada no Pórtico do Portão do Norte Utilizadas para a Preparação dos Sacrifícios.

40.7

וְהַתָּא קָנֶה אֶחָד אֹרֶךְ וְקָנֶה אֶחָד רֹחַב וּבֵין
הַתָּאִים חָמֵשׁ אַמּוֹת וְסַף הַשַּׁעַר מֵאֵצֶל אוּלָם
הַשַּׁעַר מֵהַבַּיִת קָנֶה אֶחָד:

Diversos itens agora são medidos: as salas dos guardas, todas quadrados perfeitos, mediam 3 m², a mesma medida da grossura e altura do muro e da largura do portão. Outro portão ao lado do alpendre confrontava com o templo, e tinha largura da mesma medida. As ilustrações que acompanham os comentários nos ajudam a visualizar o que está sendo descrito.

Entre as câmaras havia um espaço de 5 côvados longos 2,7 m, um pouco menos do que a medida padronizada de 3 m. Não sabemos por que a simetria foi quebrada. A NIV e NCV fazem desta medida a grossura das paredes que separavam as câmaras, mas a RSV simplesmente dá como um *espaço* localizado entre as salas. Os intérpretes não concordam sobre um bom número das descrições, mas o entendimento geral da estrutura fica claro.

40.8,9

וַיָּמָד אֶת־אֻלָם הַשַּׁעַר מֵהַבַּיִת קָנֶה אֶחָד:

וַיָּמָד אֶת־אֻלָם הַשַּׁעַר שְׁמֹנֶה אַמּוֹת וְאֵילָו שְׁתַּיִם
אַמּוֹת וְאֻלָם הַשַּׁעַר מֵהַבָּיִת:

O *alpendre* (vestíbulo), localizado acima do portão, era de 8 côvados longos (4 m). Suas portas tinham uma grossura de 1 m. Este alpendre era situado de maneira a confrontar com o templo. O vs. 14 fornece outras medidas, mas é desesperadamente corrupto e, assim, não pode ser utilizado como fonte de informação. "Então mediu o pórtico do portão. Sua profundidade era de 8 côvados longos e seus batentes tinham uma grossura de 2 côvados longos. O pórtico confrontava com o templo" (NIV).

40.10

וְתָאֵי הַשַּׁעַר דֶּרֶךְ הַקָּדִים שְׁלֹשָׁה מִפֹּה
וּשְׁלֹשָׁה מִפֹּה מִדָּה אַחַת לִשְׁלָשְׁתָּם וּמִדָּה
אַחַת לָאֵילִם מִפֹּה וּמִפּוֹ:

Havia *três pequenas salas* dos dois lados do Portão Oriental. Eram quadrados perfeitos, e a mesma medida se aplicava à grossura das paredes que as separavam. Provavelmente devemos entender que as medidas das salas do vs. 7 se aplicam a estas três salas. Alguns intérpretes acham que o vs. 10 simplesmente acrescenta informação sobre as descrições do vs. 7.

40.11

וַיָּמָד אֶת־רֹחַב פֶּתַח־הַשַּׁעַר עֶשֶׂר אַמּוֹת אֹרֶךְ
הַשַּׁעַר שְׁלוֹשׁ עֶשְׂרֵה אַמּוֹת:

Então o homem (Anjo?, arquiteto, Guia) mediu a largura do portão, que era de aproximadamente 5 m. Seu comprimento era cerca de 7 m. Os intérpretes não concordam sobre o que exatamente está sendo medido. Assim é que as traduções servem como *interpretações* do texto, não como declarações absolutamente certas. Estas notas apresentam algumas ideias sem a preocupação de entrar em discussões intermináveis que acabam na futilidade.

40.12

וּגְבוּל לִפְנֵי הַתָּאוֹת אַמָּה אֶחָת וְאַמָּה־אַחַת
גְּבוּל מִפֹּה וְהַתָּא שֵׁשׁ־אַמּוֹת מִפּוֹ וְשֵׁשׁ אַמּוֹת
מִפּוֹ:

Havia um *muro baixo* de cerca de 50 cm de altura, na frente das câmaras. Estas, como já visto, mediam 3 m de cada lado (formando quadrados). A versão portuguesa, em lugar de um muro baixo, dá *espaço* a que supostamente se refere a um tipo de corredor entre (ou ligando) as câmaras.

40.13

וַיָּמָד אֶת־הַשַּׁעַר מִגַּג הַתָּא לְגַגּוֹ רֹחַב עֶשְׂרִים וְחָמֵשׁ
אַמּוֹת פֶּתַח נֶגֶד פָּתַח:

Então mediu a porta desde a extremidade do tecto de uma câmara até à da outra. A medida de porta a porta era de 13 m. O corredor tinha 10 côvados de comprimento; cada câmara, 6 côvados, e o muro exterior, 1 ½ côvado, perfazendo um total de 25 (10 + 2 x (6 + 1 ½) = 25). As variações das traduções indicam que não há certeza sobre o que o autor estava descrevendo.

40.14

וַיַּעַשׂ אֶת־אֵילִים שִׁשִּׁים אַמָּה וְאֶל־אֵיל הֶחָצֵר הַשַּׁעַר
סָבִיב סָבִיב:

Este versículo é corrupto e não há como saber o que o quer dizer. A RSV, seguindo a Septuaginta, tem: "Ele mediu também o vestíbulo, que tinha 20 côvados; a corte era ao redor do vestíbulo". A medida é de 10 m, mas não é possível determinar o que o "homem" mediu.

40.15

וְעַל פְּנֵי הַשַּׁעַר הַיֹּאתוֹן עַל־לִפְנֵי אֻלָם הַשַּׁעַר
הַפְּנִימִי חֲמִשִּׁים אַמָּה:

"A frente do lado exterior do portão, que estava situado na frente do alpendre do lado interior, media 87,5 pés" (NCV) ou 25 m. "O comprimento do edifício-pórtico tinha o dobro de sua largura, calculando-se assim: o limiar exterior, 6 côvados; três câmaras de guarda, cada uma com 6 côvados, 18; dois espaços entre elas, cada um com 5 côvados, 10; o limiar interno, 6; o alpendre, 8; as colunas, 2 cada, perfazem: 6 + 18 + 10 + 6 + 8 + 2 = 50" (Ellicott, *in loc.*, que, presumivelmente, sabia o que estava dizendo).

40.16

וְחַלֹּנוֹת אֲטֻמוֹת אֶל־הַתָּאִים וְאֶל אֵלֵיהֵמָה לִפְנִימָה
לַשַּׁעַר סָבִיב סָבִיב וְכֵן לָאֵלַמּוֹת וְחַלּוֹנוֹת סָבִיב
סָבִיב לִפְנִימָה וְאֶל־אַיִל תִּמֹרִים:

"As câmaras e o pórtico (alpendre) tinham pequenas janelas em todos os lados. As janelas, no lado que dava de frente para o portão, eram mais estreitas. Palmeiras esculpidas decoravam todas as paredes nos seus lados interiores" (NCV). Cf. 1Rs 6.4 onde talvez possamos traduzir melhor: "janelas com batentes que se estreitavam gradualmente". Janelas deste tipo têm sido ilustradas pela arqueologia. O Talmude chama este tipo de janela de *tiriano*. Essa ornamentação também foi empregada no templo de Salomão; descobertas arqueológicas demonstram que esta era uma decoração comum de edifícios importantes no Oriente Próximo.

As Trinta Câmaras ao Redor da Corte (40.17-19)

40.17

וַיְבִיאֵנִי אֶל־הֶחָצֵר הַחִיצוֹנָה וְהִנֵּה לְשָׁכוֹת וְרִצְפָה
עָשׂוּי לֶחָצֵר סָבִיב סָבִיב שְׁלֹשִׁים לְשָׁכוֹת אֶל־
הָרִצְפָה:

A descrição não menciona o tamanho destas salas, nem o seu uso. Provavelmente existiam para o uso do povo e dos levitas que conduziam seu culto na corte exterior. "O templo de Ezequiel tinha duas cortes, uma exterior e outra interior, mas nada se fala, especificamente, do uso delas pelo povo comum. Podemos supor que a *corte interior*, julgando-se seu tamanho e arranjo, fosse utilizada pelos sacerdotes que preparavam os sacrifícios; a corte exterior, então, poderia ter sido usada pelo povo comum" (Ellicott, *in loc.*). As trinta salas facilitavam o culto do povo comum e talvez dos levitas, mas o texto não esclarece como eram utilizadas.

O homem (Anjo?, Guia, arquiteto) levou o profeta à corte exterior, onde ele pôde observar a natureza das trinta salas e o arranjo das pedras do pavimento. As salas eram alinhadas ao longo do pavimento.

Ver os diagramas que acompanham este comentário e que localizam as trinta salas da corte exterior.

■ **40.18**

וְהָרִצְפָה אֶל־כֶּתֶף הַשְּׁעָרִים לְעֻמַּת אֹרֶךְ הַשְּׁעָרִים הָרִצְפָה הַתַּחְתּוֹנָה׃

Um pavimento corria ao longo dos portões, sendo tão longo quanto os portões largos. Este era um pavimento inferior, em contraposição ao da corte interior, que estava em nível mais alto. Sem ver um modelo, é difícil imaginar exatamente como o arranjo era feito.

■ **40.19**

וַיָּמָד רֹחַב מִלִּפְנֵי הַשַּׁעַר הַתַּחְתּוֹנָה לִפְנֵי הֶחָצֵר הַפְּנִימִי מִחוּץ מֵאָה אַמָּה הַקָּדִים וְהַצָּפוֹן׃

"A corte exterior tinha uma profundidade de 100 côvados, isto é, a medida da face interior dos portões até a face exterior, na corte interior (cf. os vss. 23,27). No vs. 19, alguns registram *portão*, no lugar de *corte*, seguindo a Septuaginta, embora a outra leitura seja inteligível" (Theophile J. Meek, *in loc.*). "O homem mediu do muro exterior para o muro interior. A corte exterior, entre estes dois muros, media 175 pés (52 m) no oeste e no norte" (NCV).

Os Portões do Norte e do Sul da Corte Exterior (40.20-27)

■ **40.20-23**

20 וְהַשַּׁעַר אֲשֶׁר פָּנָיו דֶּרֶךְ הַצָּפוֹן לֶחָצֵר הַחִיצוֹנָה מָדַד אָרְכּוֹ וְרָחְבּוֹ׃

21 וְתָאָו שְׁלוֹשָׁה מִפּוֹ וּשְׁלֹשָׁה מִפּוֹ וְאֵילָו וְאֵלַמָּו הָיָה כְּמִדַּת הַשַּׁעַר הָרִאשׁוֹן חֲמִשִּׁים אַמָּה אָרְכּוֹ וְרֹחַב חָמֵשׁ וְעֶשְׂרִים בָּאַמָּה׃

22 וְחַלּוֹנָו וְאֵלַמָּו וְתִמֹרָו כְּמִדַּת הַשַּׁעַר אֲשֶׁר פָּנָיו דֶּרֶךְ הַקָּדִים וּבְמַעֲלוֹת שֶׁבַע יַעֲלוּ־בוֹ וְאֵילַמָּו לִפְנֵיהֶם׃

23 וְשַׁעַר לֶחָצֵר הַפְּנִימִי נֶגֶד הַשַּׁעַר לַצָּפוֹן וְלַקָּדִים וַיָּמָד מִשַּׁעַר אֶל־שַׁעַר מֵאָה אַמָּה׃

As medidas destes dois portões eram iguais às do Portão Oriental (vss. 6-19). O vs. 20 trata do Portão do Norte. "Os vss. 20-23 descrevem o Portão do Norte, que duplica o Portão Oriental, já descrito. No vs. 22, há a primeira menção do número (sete) de degraus da escada que levava aos portões (cf. o vs. 26); no vs. 23, há a primeira menção dos portões da corte interior (ver também o vs. 27)" (Ellicott, *in loc.*). O vs. 21 é semelhante aos vss. 7,15; o vs. 22, ao vs. 16; e o vs. 23, ao vs. 19.

■ **40.24-27**

24 וַיּוֹלִכֵנִי דֶּרֶךְ הַדָּרוֹם וְהִנֵּה־שַׁעַר דֶּרֶךְ הַדָּרוֹם וּמָדַד אֵילָו וְאֵילַמָּו כַּמִּדּוֹת הָאֵלֶּה׃

25 וְחַלּוֹנִים לוֹ וּלְאֵילַמָּו סָבִיב סָבִיב כְּהַחֲלֹנוֹת הָאֵלֶּה חֲמִשִּׁים אַמָּה אֹרֶךְ וְרֹחַב חָמֵשׁ וְעֶשְׂרִים אַמָּה׃

26 וּמַעֲלוֹת שִׁבְעָה עֹלוֹתָו וְאֵלַמָּו לִפְנֵיהֶם וְתִמֹרִים לוֹ אֶחָד מִפּוֹ וְאֶחָד מִפּוֹ אֶל־אֵילָו׃

27 וְשַׁעַר לֶחָצֵר הַפְּנִימִי דֶּרֶךְ הַדָּרוֹם וַיָּמָד מִשַּׁעַר אֶל־הַשַּׁעַר דֶּרֶךְ הַדָּרוֹם מֵאָה אַמּוֹת׃

Estes versículos descrevem o Portão do Sul, nos mesmos termos dos Portões Oriental e do Norte, já descritos. Todos os portões tinham as mesmas dimensões. O espaço entre os portões exteriores e interiores é medido no vs. 19; o do norte, no vs. 23; e o do sul, no vs. 27: 100 côvados longos cada. Ver as ilustrações que acompanham o comentário e esclarecem os detalhes. Comparações: vs. 25 aos vss. 7,16,22; vs. 26 aos vss. 6,22; vs. 27 aos vss. 19,23.

Os Três Portões e a Corte Interior (40.28-37)

■ **40.28-37**

28 וַיְבִיאֵנִי אֶל־חָצֵר הַפְּנִימִי בְּשַׁעַר הַדָּרוֹם וַיָּמָד אֶת־הַשַּׁעַר הַדָּרוֹם כַּמִּדּוֹת הָאֵלֶּה׃

29 וְתָאָו וְאֵילָו וְאֵלַמָּו כַּמִּדּוֹת הָאֵלֶּה וְחַלּוֹנוֹת לוֹ וּלְאֵלַמָּו סָבִיב סָבִיב חֲמִשִּׁים אַמָּה אֹרֶךְ וְרֹחַב עֶשְׂרִים וְחָמֵשׁ אַמּוֹת׃

30 וְאֵלַמּוֹת סָבִיב סָבִיב אֹרֶךְ חָמֵשׁ וְעֶשְׂרִים אַמָּה וְרֹחַב חָמֵשׁ אַמּוֹת׃

31 וְאֵלַמָּו אֶל־חָצֵר הַחִיצוֹנָה וְתִמֹרִים אֶל־אֵילָו וּמַעֲלוֹת שְׁמוֹנֶה מַעֲלוֹ׃

32 וַיְבִיאֵנִי אֶל־הֶחָצֵר הַפְּנִימִי דֶּרֶךְ הַקָּדִים וַיָּמָד אֶת־הַשַּׁעַר כַּמִּדּוֹת הָאֵלֶּה׃

33 וְתָאָו וְאֵלָו וְאֵלַמָּו כַּמִּדּוֹת הָאֵלֶּה וְחַלּוֹנוֹת לוֹ וּלְאֵלַמָּו סָבִיב סָבִיב אֹרֶךְ חֲמִשִּׁים אַמָּה וְרֹחַב חָמֵשׁ וְעֶשְׂרִים אַמָּה׃

34 וְאֵלַמָּו לֶחָצֵר הַחִיצוֹנָה וְתִמֹרִים אֶל־אֵלָו מִפּוֹ וּמִפּוֹ וּשְׁמֹנֶה מַעֲלוֹת מַעֲלָו׃

35 וַיְבִיאֵנִי אֶל־שַׁעַר הַצָּפוֹן וּמָדַד כַּמִּדּוֹת הָאֵלֶּה׃

36 תָּאָו אֵלָו וְאֵלַמָּו וְחַלּוֹנוֹת לוֹ סָבִיב סָבִיב אֹרֶךְ חֲמִשִּׁים אַמָּה וְרֹחַב חָמֵשׁ וְעֶשְׂרִים אַמָּה׃

37 וְאֵילָו לֶחָצֵר הַחִיצוֹנָה וְתִמֹרִים אֶל־אֵילָו מִפּוֹ וּמִפּוֹ וּשְׁמֹנֶה מַעֲלוֹת מַעֲלָו׃

"Estes portões correspondem, em posição e arranjo, aos da corte exterior, com exceção de que foram alcançados subindo-se uma escada de oito degraus, e de que o vestíbulo, confrontando a corte exterior, se situava na extremidade oposta. O vs. 30 não tem significado no presente contexto e é omitido por diversos manuscritos hebraicos e pela Septuaginta. Pode ter resultado de uma ditografia. O vs. 36, originalmente, era igual aos vss. 29 e 33, como a RSV traz na margem. No vs. 37, é melhor entender 'seu vestíbulo', como nos vss. 31,34, em vez de seus *batentes*, seguindo a Septuaginta e a Vulgata, que exigem uma emenda do texto hebraico" (Theophile J. Meek, *in loc.*). "Oito degraus subiam da corte exterior para os portões que se abriam para a corte interior, correspondendo ao arranjo dos sete degraus. Fica óbvio que o templo foi construído em plataformas (elevações distintas)" (*Oxford Annotated Bible*, comentando os vss. 28,29).

"Depois de medir a corte exterior, o anjo mediu a corte interior. Avançou do Portão do Sul da corte exterior, para o Portão do Sul da corte interior. Este portão tinha as mesmas medidas dos outros. O Portão do Sul (vss. 28-31), o Oriental (vss. 32-34) e o do Norte (vss. 35-37) da corte interior eram idênticos, sendo iguais aos portões da corte exterior, com exceção do posicionamento: os pórticos dos portões interiores confrontavam com a corte exterior. O pórtico ou vestíbulo foi revertido nestes portões" (Charles H. Dyer, *in loc.*).

"*Oito degraus.* Todos os portões da corte interior (vss. 34,37) tinham um degrau a mais do que os da corte exterior; eram elevados um pouco acima dos da corte *exterior* que, por sua vez, era elevada acima dos recintos ao redor. Os dois jogos, 7 + 8, perfazem 15 degraus de elevação do Santo dos Santos. O mesmo arranjo era preservado no segundo templo. Segundo a tradição, os levitas ficavam em pé na elevação, para entoar os quinze salmos (120—134), chamados os Salmos dos Degraus" (Ellicott, *in loc.*).

Sacrifícios aos Portões do Norte e do Oriente, na Corte Interior (40.38-43)

O portão descrito poderia ser o do Norte ou o Oriental. O texto não esclarece a questão. Todavia, a posição do altar e a descrição da prática do culto, em Ez 46.1,2, provavelmente indicam o Portão Oriental. A identificação é difícil, porque o Portão do Norte foi mencionado por último (imediatamente antes), no texto.

Sacrifícios? Alguns intérpretes, que fazem do templo de Ezequiel o *templo milenar,* aceitam pacificamente a alegada renovação de sacrifícios de animais no milênio. Outros entendem a questão metaforicamente. Aqueles que não acham que o templo é milenar escapam do problema. Os intérpretes *literalistas* não conseguem libertar-se de suas cadeias, nem aqui, e supõem que o velho sistema de sacrifícios de animais voltará no tempo do milênio, o que é um absurdo manifesto. Esta interpretação cai na falácia inimaginável de que, *depois de Cristo,* que substituiu todos os sacrifícios e ofertas do Antigo Testamento, tais coisas poderiam entrar em ação de novo. Se o templo é o *templo ideal,* então não há problema. Ver as diversas interpretações da questão, na introdução ao presente capítulo. Os capítulos 43—44 demonstram claramente que o próprio profeta pensava em termos literais. Se um templo milenar está em vista, então a realidade futura deve ultrapassar o entendimento do profeta, ou o mundo religioso, judaico, cairá no absurdo.

■ 40.38

וְלִשְׁכָּה וּפִתְחָהּ בְּאֵילִים הַשְּׁעָרִים שָׁם יָדִיחוּ אֶת־הָעֹלָה׃

"No Portão Oriental, confrontando com a corte interior, havia facilidades para a preparação dos sacrifícios (cf. Lv 1.1—7.38)" (*Oxford Annotated Bible,* comentando os vss. 38-43). Devemos notar que a palavra hebraica traduzida por alguns como *câmara* não é a mesma usada anteriormente (vss. 10,12,13) e seria mais bem interpretada como *cela* ou *cubículo.* "Havia um cubículo dentro de suas portas, ao lado dos postes dos portões. Havia uma sala (cubículo) equipada com uma porta que abria para o vestíbulo, a corte interior do norte, onde os sacerdotes lavavam os animais para servir como ofertas queimadas" (NCV). Esta tradução retém a palavra "norte", enquanto a *Oxford Annotated Bible* dá *oriental.* Não há como resolver o problema.

"Todos os arranjos para os sacrifícios são descritos aqui em relação ao Portão do Norte, embora em Ez 46.2 se fale que, na ocasião de certas festividades, o *príncipe* entraria pelo Portão Oriental e o culto seria ali conduzido. A lei (Lv 1.11; 6.25; 7.2) exigia que todos os animais dos sacrifícios fossem mortos na corte do lado norte do altar. Aqui, a matança se faz no Portão do Norte, mas dentro da corte exterior. A razão parece ser que, segundo a lei antiga, cada adorador tinha de matar seu próprio animal, mas aqui (Ez 44.11) o serviço é feito pelos levitas. Isto era realizado na presença das pessoas que haviam trazido os animais, na corte interior" (Ellicott, *in loc.*).

"Outras passagens também se referem ao sistema sacrificial do milênio: Is 56.7; 66.20-23; Jr 33.18; Zc 14.16-21; Ml 3.3-4" (Charles H. Dyer, *in loc.,* que dá uma interpretação literal e insiste em que o templo milenar está em vista).

■ 40.39

וּבְאֻלָם הַשַּׁעַר שְׁנַיִם שֻׁלְחָנוֹת מִפּוֹ וּשְׁנַיִם שֻׁלְחָנוֹת מִפֹּה לִשְׁחוֹט אֲלֵיהֶם הָעוֹלָה וְהַחַטָּאת וְהָאָשָׁם׃

Ver informações gerais e detalhadas no artigo chamado *Sacrifícios e Ofertas,* no *Dicionário.* A preposição hebraica utilizada neste versículo pode ser traduzida por "em" ou "por". A RSV traz "no vestíbulo do portão"; mas alguns entendem "por", isto é, perto do lugar, achando que o vestíbulo era pequeno demais para conter duas mesas em cada lado (total de quatro). "As quatro mesas estavam dispostas duas de cada lado, perto do alpendre" (Ellicott, *in loc.*). Os animais que serviam como ofertas queimadas, ofertas para expiação de pecados e ofertas de culpa eram mortos sobre aquelas mesas. Ver sobre os tipos de ofertas, nas notas em Lv 7.37. Naquele ponto, listo os diferentes tipos, acompanhados com as respectivas referências bíblicas.

■ 40.40

וְאֶל־הַכָּתֵף מִחוּצָה לָעוֹלֶה לְפֶתַח הַשַּׁעַר הַצָּפוֹנָה שְׁנַיִם שֻׁלְחָנוֹת וְאֶל־הַכָּתֵף הָאַחֶרֶת אֲשֶׁר לְאֻלָם הַשַּׁעַר שְׁנַיִם שֻׁלְחָנוֹת׃

Havia quatro mesas (vs. 40), duas situadas à entrada do Portão do Norte, duas de cada lado do vestíbulo, isto é, uma de cada lado, ou talvez *perto* daquele lugar, se assim entendermos a preposição hebraica. Ver as notas no vs. 39. Ver também as ilustrações que acompanham o texto, para melhor entendimento dos arranjos descritos. Em Ez 46.1-8, o profeta associa os sacrifícios dos sacerdotes às *cozinhas* que se situavam não muito distante do Portão do Norte.

■ 40.41

אַרְבָּעָה שֻׁלְחָנוֹת מִפֹּה וְאַרְבָּעָה שֻׁלְחָנוֹת מִפֹּה לְכֶתֶף הַשָּׁעַר שְׁמוֹנָה שֻׁלְחָנוֹת אֲלֵיהֶם יִשְׁחָטוּ׃

Havia quatro mesas em um lado do portão e mais quatro no outro, perfazendo um total de *oito.* Sobre aquelas mesas, a matança se realizava. Os sacrifícios eram ali preparados e depois oferecidos no altar da corte interior. As descrições deixam os intérpretes em dúvida sobre muitos detalhes. Ellicott, *in loc.,* por exemplo, distingue as oito mesas do vs. 41 daquelas dos vss. 40,42, entendendo um total de doze. Não podemos resolver problemas que envolvem os detalhes e nem é preciso fazer esforços heroicos para obter um entendimento perfeito.

■ 40.42

וְאַרְבָּעָה שֻׁלְחָנוֹת לָעוֹלָה אַבְנֵי גָזִית אֹרֶךְ אַמָּה אַחַת וָחֵצִי וְרֹחַב אַמָּה אַחַת וָחֵצִי וְגֹבַהּ אַמָּה אֶחָת אֲלֵיהֶם וְיַנִּיחוּ אֶת־הַכֵּלִים אֲשֶׁר יִשְׁחֲטוּ אֶת־הָעוֹלָה בָּם וְהַזָּבַח׃

Estas mesas parecem ser adicionais àquelas mencionadas no vs. 41 (oito), perfazendo um total de doze. Todas funcionavam como lugares para a preparação dos sacrifícios. Os instrumentos de matança ficavam sobre estas mesas, como também aqueles usados para cortar as vítimas nas devidas porções. No segundo templo (aquele construído pelo remanescente que voltou do cativeiro babilônico), as mesas eram feitas de mármore e, talvez, devamos entender isto aqui. Elas tinham 90 cm de comprimento, 90 cm de largura e 60 cm de altura. Provavelmente todas tinham as mesmas dimensões.

■ 40.43

וְהַשְׁפַתַּיִם טֹפַח אֶחָד מוּכָנִים בַּבַּיִת סָבִיב סָבִיב וְאֶל־הַשֻּׁלְחָנוֹת בְּשַׂר הַקָּרְבָּן׃

A palavra traduzida *ganchos,* neste versículo, é de derivação incerta. Poderia significar *borda* e, nesse caso, entendemos que as bordas das mesas tinham a largura de um palmo. O termo *gancho* vem da paráfrase caldaica. Se essa é a leitura correta, então estão em vista os ganchos sobre os quais a carne das vítimas era pendurada. *O processo:* os animais eram mortos; a carne era cortada e preparada nas mesas, pendurada nos ganchos e levada para o altar. Alguns intérpretes descrevem os ganchos como embutidos nas mesas; outros, nas paredes; outros, nos postes dos portões. Talvez as mesas também servissem para as refeições, e ali fossem colocadas as porções dos sacerdotes. Ver Lv 6.25,26. Os sacerdotes recebiam oito porções especiais (Lv 7.28-38; Nm 18.18; Dt 12.17,18). Yahweh recebia o sangue e a gordura (Lv 3.17), e o restante se destinava às refeições do povo.

As Duas Câmaras do Norte e do Sul (40.44-47)

Estas duas câmaras eram utilizadas pelos sacerdotes zadoquitas (Ez 43.19; 44.15,16). O texto massorético menciona *cantores,* em relação a eles, mas isto parece ser um erro de descuido. A Septuaginta faz uma emenda lendo: "na corte interior"; a maioria dos intérpretes aceita a mudança. As duas câmaras estavam localizadas na extremidade oriental da corte interior. Uma das minhas fontes as coloca na extremidade *ocidental* da corte interior; assim, aqui também, não há acordo geral sobre os detalhes.

■ 40.44

וּמֵחוּצָה֩ לַשַּׁ֨עַר הַפְּנִימִ֜י לִֽשְׁכ֣וֹת שָׁרִ֗ים בֶּחָצֵ֤ר הַפְּנִימִי֙
אֲשֶׁ֗ר אֶל־כֶּ֨תֶף֙ שַׁ֣עַר הַצָּפ֔וֹן וּפְנֵיהֶ֖ם דֶּ֣רֶךְ הַדָּר֑וֹם
אֶחָ֗ד אֶל־כֶּ֨תֶף֙ שַׁ֣עַר הַקָּדִ֔ים פְּנֵ֖י דֶּ֥רֶךְ הַצָּפֹֽן׃

Uma das salas se situava *ao lado* (NCV) do Portão do Norte, confrontando com o Portão do Sul. A outra estava colocada ao lado do Portão do Sul, confrontando com o Portão do Norte. Obviamente estão em vista os portões da corte interior, não os da corte exterior que abriam para fora. Estas salas estavam localizadas do lado de fora da corte interior, não dentro dela, mas muito próximas a ela.

■ 40.45,46

וַיְדַבֵּ֖ר אֵלָ֑י זֹ֣ה הַלִּשְׁכָּ֗ה אֲשֶׁ֤ר פָּנֶ֨יהָ֙ דֶּ֣רֶךְ הַדָּר֔וֹם
לַכֹּ֣הֲנִ֔ים שֹׁמְרֵ֖י מִשְׁמֶ֥רֶת הַבָּֽיִת׃

וְהַלִּשְׁכָּ֗ה אֲשֶׁ֤ר פָּנֶ֨יהָ֙ דֶּ֣רֶךְ הַצָּפ֔וֹן לַכֹּ֣הֲנִ֔ים שֹׁמְרֵ֖י
מִשְׁמֶ֣רֶת הַמִּזְבֵּ֑חַ הֵ֣מָּה בְנֵֽי־צָד֗וֹק הַקְּרֵבִ֧ים מִבְּנֵֽי־לֵוִ֛י
אֶל־יְהוָ֖ה לְשָׁרְתֽוֹ׃

A câmara localizada perto do Portão do Norte (confrontando com o sul) servia para o uso dos sacerdotes que tinham controle geral do templo. Aquela do outro lado (vs. 46), no sul (confrontando com o norte), servia para os sacerdotes que cuidavam do altar. Os sacerdotes descendentes de Zadoque eram os únicos que tinham permissão para servir no templo. Ver no *Dicionário* o artigo intitulado *Zadoque*, para detalhes completos. No tempo de Salomão, Abiatar foi deposto e a família de Zadoque assumiu a liderança do sacerdócio. As câmaras provavelmente serviam como áreas de utilidades e, também, como locais onde os sacerdotes podiam descansar. Os sacerdotes tinham de descender da linhagem de Zadoque (ver Ez 43.19; 44.15; 48.11). Zadoque tornou-se o sumo sacerdote no tempo de Salomão (1Rs 1.26,27).

■ 40.47

וַיָּ֨מָד אֶת־הֶחָצֵ֜ר אֹ֣רֶךְ ׀ מֵאָ֣ה אַמָּ֗ה וְרֹ֛חַב מֵאָ֥ה אַמָּ֖ה
מְרֻבָּ֑עַת וְהַמִּזְבֵּ֖חַ לִפְנֵ֥י הַבָּֽיִת׃

A corte ao redor do altar formava um quadrado perfeito, cerca de 52 m de cada lado. O altar de bronze, para ofertas queimadas, ficava no meio da corte interior e podia ser visto de qualquer lugar, dentro daquela corte e das suas câmaras, até mesmo da corte exterior, através dos portões. Era o centro do culto de Yahweh. Ver as medidas do altar mencionadas em Ez 43.13-17. Ver também a introdução a Ez 43.13.

O Vestíbulo (Alpendre) do Templo (40.48,49)

Ver os diagramas anexos, para a localização do vestíbulo. Situava-se na extremidade oriental do *recinto* do Santo dos Santos e do Lugar Santo, e formava um tipo de entrada para aquele lugar. Ficava a uma distância curta do altar de bronze. "Como a corte interior era mais alta do que a exterior, e esta mais alta do que a área de fora, assim a plataforma do recinto era mais alta do que a corte interior" (Theophile J. Meek, *in loc.*, falando dos diversos *níveis* da estrutura do templo).

■ 40.48

וַיְבִיאֵ֨נִי֙ אֶל־אֻלָ֣ם הַבַּ֔יִת וַיָּ֨מָד֙ אֵ֣ל אֻלָ֔ם חָמֵ֥שׁ אַמּ֖וֹת
מִפֹּ֑ה וְחָמֵ֤שׁ אַמּוֹת֙ מִפֹּ֔ה וְרֹ֣חַב הַשַּׁ֔עַר שָׁלֹ֥שׁ אַמּ֖וֹת
מִפּ֖וֹ וְשָׁלֹ֥שׁ אַמּ֖וֹת מִפֹּֽה׃

O homem (Anjo?, Guia, arquiteto) levou o profeta para o alpendre do templo. Suas paredes mediam cerca de 3 pés de cada lado. A abertura tinha cerca de 7 m de largura. Os lados dos portões tinham por volta de 1,5 m de largura. Alguns intérpretes fazem estas medidas pertencer aos batentes dos portões, aos quais chamam de *postes do alpendre*. Sua grossura media aproximadamente 1,5 m, segundo esta interpretação.

■ 40.49

אֹ֣רֶךְ הָאֻלָ֞ם עֶשְׂרִ֣ים אַמָּ֗ה וְרֹ֨חַב֙ עַשְׁתֵּ֣י עֶשְׂרֵ֣ה אַמָּ֔ה
וּבַֽמַּעֲל֕וֹת אֲשֶׁ֥ר יַעֲל֖וּ אֵלָ֑יו וְעַמֻּדִים֙ אֶל־הָ֣אֵילִ֔ים
אֶחָ֥ד מִפֹּ֖ה וְאֶחָ֥ד מִפֹּֽה׃

O próprio alpendre media 10,5 m de comprimento e 6 m de largura. Tinha dez degraus que levavam à plataforma, o que significa que o Santo dos Santos e o Lugar Santo eram bem elevados acima do resto da estrutura do templo. Havia *pilares* junto às paredes, um de cada lado da entrada. Os pilares provavelmente não estavam dentro do alpendre, mas perto da sua entrada, do lado de fora, como no caso do templo de Salomão. A Ezequiel foi permitido avançar até o alpendre, mas ele não pôde entrar no Lugar Santo, nem no Santo dos Santos, porque somente um membro da casta dos sacerdotes tinha esse direito como parte de seus serviços. Os pilares do templo de Salomão tinham os nomes *Jaquim* e *Boaz* (1Rs 7.15-22). O templo representava um *acesso limitado*. Isto foi anulado quando o próprio homem se tornou o templo de Deus (Ef 2.22). Ver no *Dicionário* o artigo chamado *Acesso*.

CAPÍTULO QUARENTA E UM

Os capítulos 40—48 formam a seção final do livro. Ez 40.1-41.20 apresentam descrições dos arranjos do templo e de suas áreas adjacentes. Assim não há interrupção entre os capítulos 40 e 41. Ver a introdução à seção, no início das notas do capítulo 40.

A NAVE, A SALA INTERIOR E OUTROS ARRANJOS (41.1-26)

O plano geral do templo, com sua divisão tríplice, de alpendre, nave e sala interior, tem paralelos nas estruturas de santuários do Oriente Próximo. A arqueologia desenterrou um edifício sagrado do século 8 a.C., em Hatina (moderno Tell Tainate), na Síria, que tinha uma planta semelhante. Vemos a influência dos fenícios em tais construções, e foram trabalhadores dessa raça que ajudaram Salomão a construir o templo original de Israel. A construção de templos na Palestina começou em data remota, tão cedo quanto os tempos neolíticos em Jericó. Há muitas ilustrações da era do bronze (1550-1200 a.C.).

O capítulo 41 tem naturalmente cinco divisões: 1. vss. 1-4; 2. vss. 5-11; 3. vs. 12; 4. vss. 13-15a; 5. Vss. 15b-26. Uma declaração introdutória inicia cada seção.

A Nave do Templo (41.1-4)

"A divisão tríplice era a planta do templo cananeu de Hazor, no século 8 a.C. (moderno Tell Tainate), a Hatina do sul da Síria. O vestíbulo (Ez 40.48-39) media 10 x 6 m; a nave (Ez 41.1,2) media 10 x 21 m; a sala (recinto) interior (Ez 41.3,4), o Santo dos Santos (onde o profeta não podia entrar, Lv 16.1-34), media 10 x 10 m (1Rs 6.1-8.66; Êx 26.31-37)" (*Oxford Annotated Bible*, introdução aos vss. 1-4)

■ 41.1

וַיְבִיאֵ֖נִי אֶל־הַהֵיכָ֑ל וַיָּ֣מָד אֶת־הָאֵילִ֗ים שֵׁשׁ־
אַמּ֨וֹת רֹ֤חַב־מִפּוֹ֙ וְשֵׁשׁ־אַמּ֣וֹת רֹֽחַב־מִפֹּ֔ו לְרֹ֖חַב
הָאֹֽהֶל׃

O termo traduzido *nave* aqui vem do hebraico *haklal*, de origem sumeriana, que pode ser traduzido por *templo*. Está em pauta a *sala principal* do templo. A expressão *nave* se originou do fato de que, em muitas igrejas, a sala principal tinha a aparência de uma nave (grande barco). Estão em vista aqui o Santo dos Santos e o Lugar Santo (o santuário). A entrada do Santo dos Santos media 3 m, portanto era mais estreita do que os 5 m da entrada do Lugar Santo, o que restringia o acesso. No Antigo Testamento, o acesso era mais estreito, para que somente alguns pudessem entrar na presença divina; no Novo Testamento, o acesso é grande e a todos. Ver no *Dicionário* o artigo denominado *Acesso*.

41.2

וְרֹחַב הַפֶּתַח עֶשֶׂר אַמּוֹת וְכִתְפוֹת הַפֶּתַח חָמֵשׁ אַמּוֹת
מִפּוֹ וְחָמֵשׁ אַמּוֹת מִפּוֹ וַיָּמָד אָרְכּוֹ אַרְבָּעִים אַמָּה
וְרֹחַב עֶשְׂרִים אַמָּה:

A entrada do Lugar Santo (o santuário exterior) era de 5 m. As paredes (batentes) dos dois lados da entrada mediam 3 m cada. O comprimento do santuário exterior (o Lugar Santo) era de 21 m; a largura era de 10 m. Cf. 1Rs 6.2,17 que descrevem o templo de Salomão. Ver os diagramas anexos aos capítulos 40, 41 e 42, que nos ajudam a compreender melhor o que está sendo descrito.

41.3

וּבָא לִפְנִימָה וַיָּמָד אֵיל־הַפֶּתַח שְׁתַּיִם אַמּוֹת וְהַפֶּתַח
שֵׁשׁ אַמּוֹת וְרֹחַב הַפֶּתַח שֶׁבַע אַמּוֹת:

O santuário interior (o Santo dos Santos) media 10 m dos dois lados, formando um quadrado com a metade da área do Lugar Santo (o santuário exterior). Seus batentes (paredes de entrada) mediam cerca de 1 m de cada lado. A própria entrada media 3 m. As paredes laterais tinham uma grossura de 3,5 m. As traduções diferem, refletindo interpretações divergentes, o que deixa os leitores na dúvida quanto a um bom número de detalhes.

O *santuário interior* (o Santo dos Santos) é chamado *debhir* nos livros dos Reis e em Crônicas (ver 1Rs 6.16,18; 2Cr 4.20; 8.6,8). Estas palavras normalmente significam *oráculo*, proveniente da palavra hebraica *dabhar*, "falar". Mas o cognato árabe significa "o fundo", que poderia referir-se ao Santo dos Santos como "o fundo" da estrutura santuário interior + santuário exterior. De qualquer modo, foi naquele "fundo", ou no lugar do oráculo, que a presença divina se manifestou.

41.4

וַיָּמָד אֶת־אָרְכּוֹ עֶשְׂרִים אַמָּה וְרֹחַב עֶשְׂרִים אַמָּה
אֶל־פְּנֵי הַהֵיכָל וַיֹּאמֶר אֵלַי זֶה קֹדֶשׁ הַקֳּדָשִׁים:

O Santo dos Santos (o santuário interior) media 10 x 10 m, formando um quadrado. O homem (Anjo?, Guia, arquiteto) pronunciou a palavra *santo*, referindo-se ao local. Ele entrou, mas o profeta ficou fora, porque não era um sacerdote da linhagem de Zadoque, portanto sem autoridade. Ver Lv 16.1-32. Somente o sumo sacerdote, uma vez por ano, podia entrar naquele lugar, no *Dia da Expiação* (ver a respeito no *Dicionário*). Ver as notas sobre o Santo dos Santos em 1Rs 6.1—8.66; 2Cr 3.1—5.14 e Êx 26.31-37. Cf. Hb 9.6,7. Aquele recinto era um *cúbico perfeito*, o que provavelmente simbolizava as perfeições de Yahweh. Não havia nenhuma medida desigual no lugar, indicando que não há em Deus nenhuma qualidade ou atributo imperfeito ou incompleto.

As Câmaras Laterais (41.5-11)

Cf. estas descrições com 1Rs 6.5-10, onde temos as mesmas estruturas em pauta. "*Vss. 5-11*. Os três níveis, com trinta câmaras em cada nível, nos lados do templo (1Rs 6.5-10), provavelmente eram para a armazenagem do equipamento usado no templo e para guardar os tesouros reais e sacerdotais (1Rs 14.26; 2Rs 14.14)" (*Oxford Annotated Bible*, introdução aos vss. 5-11). "Em 1Rs 6.6, a largura das salas é dada como 5, 6 e 7 côvados, respectivamente, para os três níveis. No presente texto, o nível mais baixo tem uma largura de 4 côvados (vs. 5) e, presumivelmente, os outros têm larguras de 5 e 6 côvados, respectivamente" (Theophile J. Meek, *in loc.*). Ver as notas no vs. 5.

41.5

וַיָּמָד קִיר־הַבַּיִת שֵׁשׁ אַמּוֹת וְרֹחַב הַצֵּלָע אַרְבַּע
אַמּוֹת סָבִיב סָבִיב לַבַּיִת סָבִיב:

O homem (Anjo?, Guia, arquiteto) mediu o muro do templo e descobriu que tinha a grossura de 3 m, a mesma do muro da corte exterior (Ez 40.5). Grande solidez e medidas amplas eram características da arquitetura Oriental. O autor projeta as ideias de firmeza, segurança e força, atributos do divino Poder e suas obras.

As salas laterais tinham uma largura de 2 m, havendo três níveis delas, como informa o vs. 6 (4 côvados = 2 m). A largura das salas aumentou e os níveis subiram, como mostram os versículos seguintes.

ACESSO

O templo representava acesso a Deus, mas sua própria estrutura limitou esse acesso. Cristo, fazendo a Igreja um templo vivo do Espírito (Ef 2.19-22), eliminou os obstáculos.

A NATUREZA DO ACESSO

1. É um dom de Deus (Sl 65.11).

2. É dado através de Cristo (Jo 10.7,8).

3. É dado através do Espírito Santo (Ef 2.18).

4. Está condicionado à reconciliação (Cl 1.21,22).

5. Garante todas as bênçãos espirituais (Hb 4.16).

6. Tem aspectos presentes e futuros (Hb 10.17).

7. É mediado através da filiação (Jo 1.12; Rm 8.29).

41.6

וְהַצְּלָעוֹת צֵלָע אֶל־צֵלָע שָׁלוֹשׁ וּשְׁלֹשִׁים פְּעָמִים
וּבָאוֹת בַּקִּיר אֲשֶׁר־לַבַּיִת לַצְּלָעוֹת סָבִיב סָבִיב
לִהְיוֹת אֲחוּזִים וְלֹא־יִהְיוּ אֲחוּזִים בְּקִיר הַבָּיִת:

As salas laterais eram construídas em três níveis superpostos, havendo trinta delas em cada nível. No parágrafo introdutório à seção, há sugestões sobre a utilidade das salas, mas o próprio autor não dá nenhuma informação a respeito deste assunto. Cf. 1Rs 14.26; 15.16; 2Rs 14.14. O templo era, de certa maneira, uma tesouraria real, além de seus usos sagrados. Josefo (*Ant*. viii.3,2) informa que havia doze salas em três níveis no norte do templo: doze no sul e seis no oriente. As câmaras eram construídas sobre plataformas e afastadas dos muros.

41.7

וְרָחֲבָה וְנָסְבָה לְמַעְלָה לְמַעְלָה לַצְּלָעוֹת כִּי מוּסַב־
הַבַּיִת לְמַעְלָה לְמַעְלָה סָבִיב סָבִיב לַבַּיִת עַל־כֵּן
רֹחַב־לַבַּיִת לְמָעְלָה וְכֵן הַתַּחְתּוֹנָה יַעֲלֶה עַל־
הָעֶלְיוֹנָה לַתִּיכוֹנָה:

1Rs 6.6 informa que as larguras das salas variavam entre 5, 6 e 7 côvados, respectivamente, do nível mais baixo, ascendendo para o mais alto. Aqui, a ordem é de 4 côvados e, presumivelmente, de 5 e 6, subindo. O templo de Salomão seguiu o mesmo plano, mas com dimensões um pouco diferentes. Uma escada ligava os níveis. As traduções deste versículo diferem, sendo *interpretações* do hebraico sem muita clareza.

41.8

וְרָאִיתִי לַבַּיִת גֹּבַהּ סָבִיב סָבִיב מְיֻסְּדוֹת הַצְּלָעוֹת
מְלוֹ הַקָּנֶה שֵׁשׁ אַמּוֹת אַצִּילָה:

O profeta viu que o templo tinha uma plataforma elevada, que se tornou os alicerces das salas laterais. O alicerce tinha uma grossura de 3 m. O templo descansava sobre aquela plataforma de 6 côvados de grossura. A versão portuguesa traz *pavimento elevado*. Novamente, as traduções e os intérpretes procuram adivinhar o que o texto diz, com resultados diferentes.

O PRÓPRIO TEMPLO MILENÁRIO

(Conceito de Charles H. Dyer)

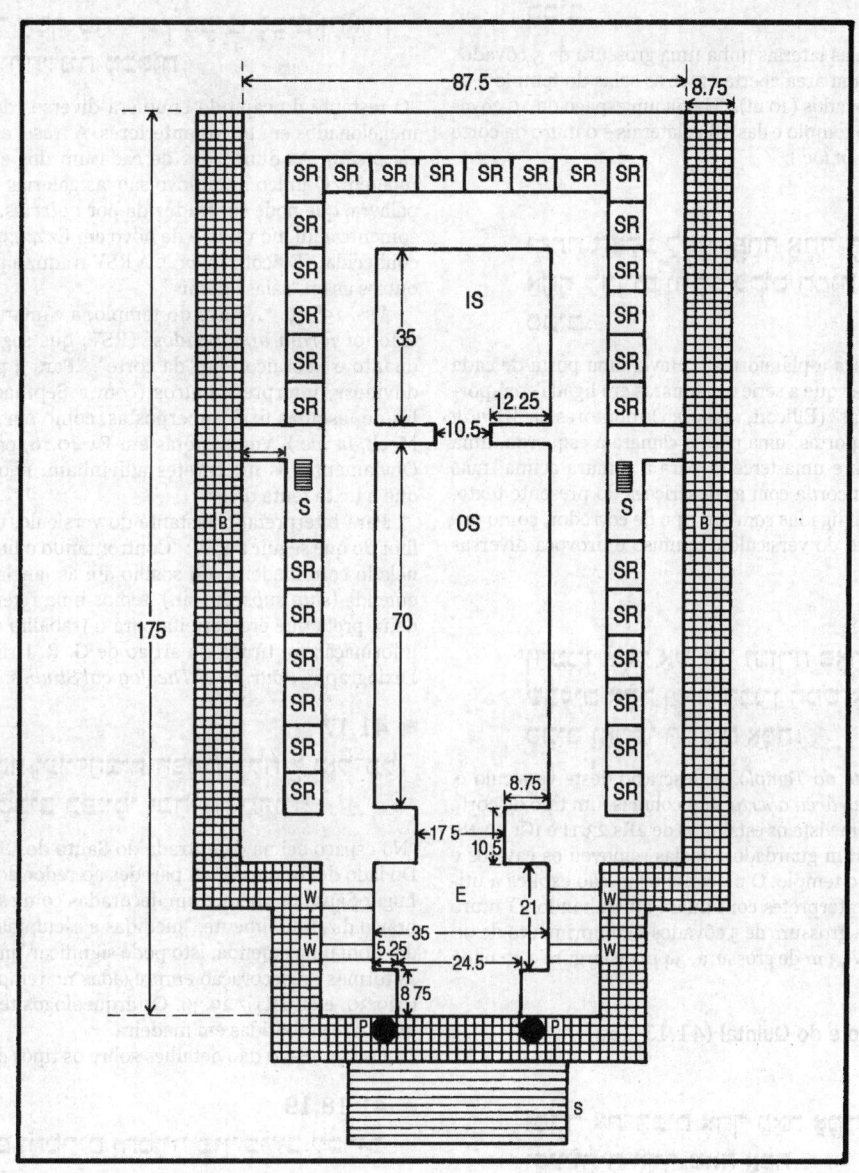

Dimensões em pés (um pé = 0,305m)

CHAVE

B	Base ao redor do templo (41.11)
E	Entrada ao templo (Pórtico, 40.48,49; 41.2,25)
IS	Santuário interior (41.3,4)
OS	Santuário exterior (41.2,21)
P	Pilares (40.49)
S	Degraus (40.49; 41.7)
SR	Câmaras laterais (41.5-11)
W	Janelas (41.26)

41.9,10

רֹחַב הַקִּיר אֲשֶׁר־לַצֵּלָע אֶל־הַחוּץ חָמֵשׁ אַמּוֹת וַאֲשֶׁר מֻנָּח בֵּית צְלָעוֹת אֲשֶׁר לַבָּיִת:

וּבֵין הַלְּשָׁכוֹת רֹחַב עֶשְׂרִים אַמָּה סָבִיב לַבַּיִת סָבִיב ׀ סָבִיב:

A parede exterior das salas laterais tinha uma grossura de 5 côvados longos (2,5 m). Havia uma área aberta entre as salas do templo e as dos sacerdotes, de 20 côvados (10 m). "Havia um espaço de 20 côvados entre os alicerces do templo e das salas laterais e o muro da corte nos três lados" (Ellicott, *in loc.*).

41.11

וּפֶתַח הַצֵּלָע לַמֻּנָּח פֶּתַח אֶחָד דֶּרֶךְ הַצָּפוֹן וּפֶתַח אֶחָד לַדָּרוֹם וְרֹחַב מְקוֹם הַמֻּנָּח חָמֵשׁ אַמּוֹת סָבִיב ׀ סָבִיב:

"Estas portas abriam para a plataforma... Havia uma porta de cada lado, o que parece indicar que a série de câmaras era ligada com portas internas entre as salas" (Ellicott, *in loc.*). Os doutores da *Misnah* dão a cada câmara três portas: uma para a câmara à esquerda, uma para a câmara à direita, e uma terceira para a câmara acima; mas essa informação não concorda com as descrições do presente texto. Parece que as salas eram ligadas com um tipo de corredor, como entende a NCV. O restante do versículo é confuso e provoca diversas interpretações.

41.12

וְהַבִּנְיָן אֲשֶׁר אֶל־פְּנֵי הַגִּזְרָה פְּאַת דֶּרֶךְ־הַיָּם רֹחַב שִׁבְעִים אַמָּה וְקִיר הַבִּנְיָן חָמֵשׁ־אַמּוֹת רֹחַב סָבִיב ׀ סָבִיב וְאָרְכּוֹ תִּשְׁעִים אַמָּה:

A Estrutura ao Ocidente do Templo. A descrição deste versículo é, aparentemente, a de uma *área aberta* sem colunas, um tipo de corte aberta. Talvez estejam em vista os estábulos de 2Rs 23.11 e 1Cr 26.18, onde os cavalos reais eram guardados. Josias removeu os cavalos e as carruagens da área do templo. O presente texto não explica a utilidade desta área e os intérpretes continuam adivinhando. O muro que a cercava tinha uma grossura de 5 côvados e comprimento de 90 côvados; segundo a NCV, 3 m de grossura, 34 m de largura e 47 m de comprimento.

As Medidas do Templo e do Quintal (41.13-15a)

41.13,14

וּמָדַד אֶת־הַבַּיִת אֹרֶךְ מֵאָה אַמָּה וְהַגִּזְרָה וְהַבִּנְיָה וְקִירוֹתֶיהָ אֹרֶךְ מֵאָה אַמָּה:

וְרֹחַב פְּנֵי הַבַּיִת וְהַגִּזְרָה לַקָּדִים מֵאָה אַמָּה:

"O templo tinha um comprimento de 100 côvados, que incluía as câmaras laterais e o muro exterior. O quintal atrás do templo, mais o edifício nos fundos (vs. 13b), media 100 côvados. As medidas do vs. 14 falam do lado ocidental da corte interior (cf. Ez 40.47)" (Theophile J. Meek, *in loc.*). O templo tinha um comprimento de aproximadamente 52 m. Essa medida inclui o quintal, com seu edifício e seus muros (vs. 13). A frente oriental do templo, com seu quintal, media 52 m. A medida dentro da base que cercava o templo era de 26 m.

41.15a

וּמָדַד אֹרֶךְ־הַבִּנְיָן אֶל־פְּנֵי הַגִּזְרָה אֲשֶׁר עַל־אַחֲרֶיהָ וְאַתּוּקֵיהָא מִפּוֹ וּמִפּוֹ מֵאָה אַמָּה

"Então, mediu o comprimento do edifício que confrontava com o quintal nos fundos do templo, incluindo suas galerias de cada lado. Media 100 côvados" (NIV). A medida era de 52 m, como visto antes. Ver o vs. 12, para esta área, e conjecturas sobre seus usos possíveis.

Detalhes da Decoração do Templo (41.15b-26)

41.15b,16

וְהַהֵיכָל הַפְּנִימִי וְאֻלַמֵּי הֶחָצֵר:

הַסִּפִּים וְהַחַלּוֹנִים הָאֲטֻמוֹת וְהָאַתִּיקִים ׀ סָבִיב לִשְׁלָשְׁתָּם נֶגֶד הַסַּף שְׂחִיף עֵץ סָבִיב ׀ סָבִיב וְהָאָרֶץ עַד־הַחַלֹּנוֹת וְהַחַלֹּנוֹת מְכֻסּוֹת:

"O restante do capítulo enumera diversos detalhes, quase todos já mencionados em textos anteriores. A frase, *e mediu,* é igual a *assim ele mediu.* As dimensões de cada um dos elementos principais se repetem. O único item novo são 'as galerias' da estrutura, mas esta palavra, que pode ser traduzida por *galerias,* ocorre, neste capítulo, somente aqui, no vs. 16 e de novo em Ez 42.3,5. Sua derivação é desconhecida" (Ellicott, *in loc.*). A RSV traduz a palavra por *muros,* mas outros usam "salas laterais".

Vss. 15b,16. "A nave do templo, a câmara interior e o vestíbulo exterior *foram apainelados*" (RSV, que segue a Septuaginta), enquanto o hebraico tem "da corte". "Para a palavra *galerias,* que é duvidosa, interpreta *muros* (com a Septuaginta) e entende janelas de fasquias fixas superpostas, como em 1Rs 6.4" (Theophile J. Meek, *in loc.*). Ver as notas em Ez 40.16, para este tipo de janela. Obviamente, os intérpretes adivinham, não sabendo realmente o que o texto tenta dizer.

Para interpretar o restante do versículo, não podemos fazer melhor do que seguir a RSV: "Confrontando o limiar, o templo era apainelado com madeira, do soalho até as janelas". Com uma pequena emenda (*shin* substitui *sin*), temos uma referência ao *shahiph*, madeira preta que era perfeita para o trabalho de apainelamento; esta informação foi tirada do artigo de G. R. Driver, "Notes on Hebrew Lexiograph", *Journal of Theological Studies,* XXIII (1922, p. 409).

41.17

עַל־מֵעַל הַפֶּתַח וְעַד־הַבַּיִת הַפְּנִימִי וְלַחוּץ וְאֶל־כָּל־הַקִּיר סָבִיב ׀ סָבִיב בַּפְּנִימִי וּבַחִיצוֹן מִדּוֹת:

"No espaço acima da entrada do Santo dos Santos havia esculturas. Do lado de fora, todas as paredes ao redor do Santo dos Santos e do Lugar Santo também eram decoradas com esculturas" (NCV). O hebraico diz, literalmente, "medidas e esculpidas", o que não faz sentido. Com uma emenda, isto pode significar "imagens esculpidas". Ver as formas de decoração empregadas no templo de Salomão, em 1Rs 6.29,30, e cf. 1Rs 7.29,36. Os arqueólogos têm descoberto peças de mármore embutidas em madeira.

Os vss. 18-20 dão detalhes sobre os tipos de decoração utilizados.

41.18,19

וְעָשׂוּי כְּרוּבִים וְתִמֹרִים וְתִמֹרָה בֵּין־כְּרוּב לִכְרוּב וּשְׁנַיִם פָּנִים לַכְּרוּב:

וּפְנֵי אָדָם אֶל־הַתִּמֹרָה מִפּוֹ וּפְנֵי־כְפִיר אֶל־הַתִּמֹרָה מִפּוֹ עָשׂוּי אֶל־כָּל־הַבַּיִת סָבִיב ׀ סָבִיב:

Os itens mencionados neste versículo são os comuns ao templo de Salomão: palmeira, folhas e imagens de querubim. Aqueles seres angelicais tinham dois rostos (vs. 19), um de *homem,* que confrontava com uma palmeira, e outro de *leão,* que confrontava com uma palmeira do outro lado e, assim, sucessivamente. Havia uma *série* de palmeiras entremeadas com os rostos duplos dos querubins. Ellicott, *in loc.*, supõe que estas imagens tivessem sido esculpidas na madeira do apainelamento, não diretamente nas paredes. Intérpretes antigos e modernos veem símbolos fantásticos representados pelas decorações, os quais podem seguramente ser ignorados. Se as imagens realmente comunicam ou transmitem mensagens além de sua função de ornamentação artística, então possivelmente devemos pensar em "anjos da guarda" no templo do Senhor. Ver Ez 1.4-28 e o capítulo 10. A palmeira era um símbolo de fertilidade e vitalidade.

41.20

מֵהָאָרֶץ עַד־מֵעַל הַפֶּתַח הַכְּרוּבִים וְהַתִּמֹרִים
עֲשׂוּיִם וְקִיר הַהֵיכָל:

Este versículo ilustra o *uso profuso* das decorações. Os mesmos itens foram usados do soalho até um ponto acima das portas. Mas a Septuaginta diz "até o teto". Provavelmente, a ornamentação era disposta em filas, mas alguns intérpretes acham que desenhos *gigantes* se estendiam do soalho até um ponto acima das portas. "O templo tinha uma altura de 30 côvados (1Rs 6.2), e o portão, de 14 côvados (Ez 40.48). As palmeiras e os querubins iam até a altura dos portões ou portas" (Adam Clarke, *in loc.*).

41.21

הַהֵיכָל מְזוּזַת רְבֻעָה וּפְנֵי הַקֹּדֶשׁ הַמַּרְאֶה
כַּמַּרְאֶה:

As ombreiras do templo eram quadradas. A NCV diz, contudo, "as paredes do Lugar Santo eram quadradas". "As ombreiras (postes) de cada lado da porta, o lintel (verga) e o limiar formavam um quadrado. Os próprios postes não eram redondos, como as colunas normalmente o são, mas chatos e quadrados. A parte superior não formava um semicírculo, como em muitos edifícios, mas eram linhas retas para formar quadrados" (John Gill, *in loc.*). Jarchi informa que ele *ouviu* dizer que os postes do templo de Salomão eram quadrados, mas não temos como testar essa informação. Quase tudo neste edifício maravilhoso tinha a forma geométrica do quadrado, para significar firmeza, estabilidade e segurança, e nos fazer lembrar da perfeição divina.

41.22

הַמִּזְבֵּחַ עֵץ שָׁלוֹשׁ אַמּוֹת גָּבֹהַּ וְאָרְכּוֹ שְׁתַּיִם־אַמּוֹת
וּמִקְצֹעוֹתָיו לוֹ וְאָרְכּוֹ וְקִירֹתָיו עֵץ וַיְדַבֵּר אֵלַי זֶה
הַשֻּׁלְחָן אֲשֶׁר לִפְנֵי יְהוָה:

Este *altar de madeira* é o único móvel descrito no *templo ideal* (milenar). Sua altura era de 1,5 m; sua largura era de 1 m. Essas dimensões se aproximam das do altar de incenso (Êx 25.23; 30.1,2), mas a maioria dos intérpretes acredita estar em vista a *mesa* do pão da proposição (Êx 25.23-30). Ver no *Dicionário* o artigo intitulado *Mesa*, II *Mesas Rituais*, item 1, seção II, *Mesa dos Pães da Proposição ou da Presença*. Cf. 1Rs 6.20. Essa mesa era feita de cedro, revestida com uma camada de ouro. Êx 25.23-30 diz que era de madeira de *acácia*. A arqueologia tem descoberto mesas rituais e desenhos que retratam pães arrumados em filas colocados sobre elas (cf. Lv 24.5-9; 2Cr 29.18); parece que houve um intercâmbio cultural e religioso nas formas de equipamento utilizado nos templos da Palestina. O autor não identifica a mesa nem dá informações sobre a sua função. A NCV começa falando de um *altar* e termina com uma *mesa*, neste versículo; igualmente o afirmam outras traduções, portanto entendemos que o *altar* era uma *mesa*.

Esta é a mesa que está perante a face do Senhor. A mesa estava localizada perto da parte do templo onde a glória *shekinah* se manifestou. De fato, a mesa ficava do lado de fora do véu, mas estava associada ao Santo dos Santos, onde a glória do Senhor aparecia de vez em quando. A presença divina dá vida ao espírito, e o pão, ao corpo físico.

41.23,24

וּשְׁתַּיִם דְּלָתוֹת לַהֵיכָל וְלַקֹּדֶשׁ:
וּשְׁתַּיִם דְּלָתוֹת לַדְּלָתוֹת שְׁתַּיִם מוּסַבּוֹת דְּלָתוֹת
שְׁתַּיִם לְדֶלֶת אֶחָת וּשְׁתֵּי דְלָתוֹת לָאַחֶרֶת:

"Tanto o Lugar Santo como o Santo dos Santos tinham portas duplas" (NCV), o que quer dizer, uma porta com *duas folhas*. As portas funcionavam sobre pivôs embutidos nos postes. Cada porta tinha duas folhas que se encontravam no meio e podiam ser abertas dos dois lados, as duas folhas juntas, ou uma só. Cf. Ez 40.48. Ver estas portas descritas com detalhes em 1Rs 6.31-35.

41.25

וַעֲשׂוּיָה אֲלֵיהֶן אֶל־דַּלְתוֹת הַהֵיכָל כְּרוּבִים וְתִמֹרִים
כַּאֲשֶׁר עֲשׂוּיִם לַקִּירוֹת וְעָב עֵץ אֶל־פְּנֵי הָאוּלָם
מֵהַחוּץ:

As palmeiras e as criaturas com asas foram esculpidas também nas portas do Lugar Santo. Eram semelhantes àquelas das paredes. Havia um baldaquino de madeira na fachada do vestíbulo. A ornamentação desse item era a mesma descrita nos vss. 18,19. Os eruditos discutem sobre a natureza do baldaquino de madeira, mas o próprio autor não nos ajuda. Para complicar ainda mais, a própria palavra hebraica é de significado incerto. Alguns reduzem o objeto mencionado a uma simples vara de madeira que se usava para trancar a porta, como um tipo de fechadura de segurança. O que fica claro é que a madeira era decorada no mesmo estilo dos painéis das paredes (vs. 26).

41.26

וְחַלּוֹנִים אֲטֻמוֹת וְתִמֹרִים מִפּוֹ וּמִפּוֹ אֶל־כִּתְפוֹת
הָאוּלָם וְצַלְעוֹת הַבַּיִת וְהָעֻבִּים:

As janelas, do tipo descrito em Ez 40.16, eram decoradas com palmeiras. O restante do versículo não faz sentido nenhum no hebraico, o que provoca adivinhações dos intérpretes. Note-se que este versículo deixa fora os querubins, por descuido ou porque este tipo de decoração não figurava naquela peça. A Atualizada registra, para o resto do versículo, "... em ambos os lados do vestíbulo, como também nas câmaras laterais do templo e no baldaquino", todos decorados com palmeiras.

CAPÍTULO QUARENTA E DOIS

Os capítulos 40—48 formam a seção final do livro. Ez 40.1—42.20 dão as descrições dos arranjos do equipamento do templo e de suas áreas adjacentes. Não há, portanto, nenhuma interrupção entre os capítulos 40, 41 e 42. Ver a introdução à seção, no início das notas do capítulo 40.

AS CÂMARAS DOS SACERDOTES (42.1-20)

As descrições oferecidas não são claras, e os intérpretes continuam adivinhando. "Talvez os três níveis de câmaras fossem sobrepostos contra as paredes dos lados sul e norte da corte interior, com escadas ligando-os e corredores em cada nível. As câmaras supostamente tinham portas que abriam para os corredores. Nestas câmaras, os sacerdotes armazenavam suas porções dos sacrifícios (Ez 44.28-31; Lv 2.1-10; 7.7-10) e comiam suas refeições. Também ali deixavam suas vestimentas, que pertenciam ao serviço sagrado, antes de sair do templo. A área total do templo complexo era de cerca de 2.500 côvados quadrados = 765.626 pés quadrados" (*Oxford Annotated Bible*, com um sumário do capítulo).

Este capítulo se divide naturalmente em quatro partes: 1. vss. 1-10a; 2. vss. 10b-12; 3. vss. 13,14; 4. vss. 15-20, cada qual com sua própria introdução.

As Câmaras ao Norte do Quintal do Templo (42.1-10a)

42.1

וַיּוֹצִאֵנִי אֶל־הֶחָצֵר הַחִיצוֹנָה הַדֶּרֶךְ דֶּרֶךְ הַצָּפוֹן
וַיְבִאֵנִי אֶל־הַלִּשְׁכָּה אֲשֶׁר נֶגֶד הַגִּזְרָה וַאֲשֶׁר־נֶגֶד
הַבִּנְיָן אֶל־הַצָּפוֹן:

Agora deixamos o templo propriamente dito, para examinar as diversas estruturas adjacentes que foram construídas para o uso dos sacerdotes. As ilustrações anexas (capítulos 40—42) mostram estas câmaras situadas diretamente ao norte e ao sul do Lugar Santo e do Santo dos Santos. Havia dois complexos de câmaras nos dois lados. "Este complexo de salas estava ligado à corte interior, com entradas da corte exterior" (Charles H. Dyer, *in loc.*). "O comprimento da série de câmaras era de 100 côvados (vs. 2) e Ez 46.9 parece indicar que não alcançava o muro ocidental. O restante do comprimento do edifício deveria estender-se para o oeste, atravessando o espaço interior" (Ellicott, *in loc.*, que presumivelmente sabia o que queria dizer"

Os vss. 1-9 descrevem as câmaras do lado norte e os vss. 10-12 dão uma descrição abreviada das câmaras correspondentes do lado sul. O "lugar separado" fala do quintal do templo. Ver as notas em Ez 41.12-15. *No diagrama*, segundo o conceito de Charles H. Dyer, estas câmaras são designadas com PC (duas de um lado, e duas do outro lado do Lugar Santo e do Santo dos Santos). Ver o diagrama que acompanha o capítulo 42.

■ 42.2

אֶל־פְּנֵי־אֹ֙רֶךְ֙ אַמּ֣וֹת הַמֵּאָ֔ה פֶּ֖תַח הַצָּפ֑וֹן וְהָרֹ֕חַב חֲמִשִּׁ֖ים אַמּֽוֹת׃

O edifício no lado norte tinha o comprimento de 52 m e a largura de 26 m. Cf. o vs. 8.

■ 42.3

נֶ֣גֶד הָֽעֶשְׂרִ֗ים אֲשֶׁר֙ לֶחָצֵ֣ר הַפְּנִימִ֔י וְנֶ֣גֶד רִֽצְפָ֔ה אֲשֶׁ֖ר לֶחָצֵ֣ר הַחִֽיצוֹנָ֑ה אַתִּ֥יק אֶל־פְּנֵֽי־אַתִּ֖יק בַּשְּׁלִשִֽׁים׃

Os vinte côvados talvez fossem a largura do quintal (Ez 41.10). As câmaras se situavam em três níveis, como já visto. Havia um grupo idêntico de câmaras no lado sul (vss. 10-12). Ver outros detalhes nas notas dos vss. 3-6.

■ 42.4

וְלִפְנֵ֨י הַלְּשָׁכ֜וֹת מַהֲלָ֣ךְ עֶ֩שֶׂר֩ אַמּ֨וֹת רֹ֧חַב אֶל־הַפְּנִימִ֛ית דֶּ֥רֶךְ אַמָּ֖ה אֶחָ֑ת וּפִתְחֵיהֶ֖ם לַצָּפֽוֹן׃

Havia um corredor no lado norte das salas. Suas medidas eram 5 m de largura e 52 de comprimento. "Entre as duas filas de câmaras, havia um corredor com as medidas mencionadas. Os ocupantes das câmaras, assim, tinham um lugar para andar, relaxar e conversar" (John Gill, *in loc.*).

■ 42.5

וְהַלְּשָׁכ֥וֹת הָעֶלְיוֹנ֖וֹת קְצֻר֑וֹת כִּֽי־יוֹכְל֤וּ אַתִּיקִים֙ מֵהֵ֔נָה מֵהַתַּחְתֹּנ֖וֹת וּמֵהַתִּכֹנ֥וֹת בִּנְיָֽן׃

As salas dos níveis mais altos eram mais estreitas porque as galerias ocupavam mais espaço do que as do primeiro nível. O edifício se estreitava progressivamente ao subir. As câmaras eram numeráveis e, como aquelas na casa do Pai, preparadas para nós (Jo 14.2), mas há muito espaço sobrando (Lc 14.22).

■ 42.6

כִּ֤י מְשֻׁלָּשׁוֹת֙ הֵ֔נָּה וְאֵ֥ין לָהֶ֖ן עַמּוּדִ֑ים כְּעַמּוּדֵ֣י הַחֲצֵר֔וֹת עַל־כֵּ֣ן נֶאֱצַ֗ל מֵהַתַּחְתּוֹנ֛וֹת וּמֵהַתִּיכֹנ֖וֹת מֵהָאָֽרֶץ׃

As salas se situavam em três níveis superpostos, mas não tinham colunas como as das cortes. As salas superiores estavam localizadas mais atrás do que as dos primeiros dois níveis. Não sabemos por que as salas do pavimento tinham colunas, pois eram só de um andar e não se exigiam colunas para suportar o telhado. Provavelmente eram ornamentais, não funcionais. Novamente, não podemos definir exatamente o que está sendo descrito.

■ 42.7

וְגָדֵ֤ר אֲשֶׁר־לַחוּץ֙ לְעֻמַּ֣ת הַלְּשָׁכ֔וֹת דֶּ֖רֶךְ הֶחָצֵ֣ר הַחִֽצוֹנָ֑ה אֶל־פְּנֵ֥י הַלְּשָׁכ֖וֹת אָרְכּ֥וֹ חֲמִשִּׁ֥ים אַמָּֽה׃

"Havia um muro paralelo às salas da corte exterior, que se estendia na frente das salas, por 50 côvados" (NIV). Este muro talvez fosse uma extensão (indo para o leste) do muro de 50 côvados que passava na frente das câmaras da corte exterior. As câmaras e o muro tinham o comprimento de 100 côvados. Ellicott, *in loc.*, examinando as palavras utilizadas, dá outra explicação: "Temos duas indicações sobre a natureza deste muro: em primeiro lugar, a própria palavra empregada é diferente daquelas já usadas para significar *muros*. Esta palavra parece indicar um tipo de muro-cerca, que é traduzida em Ez 13.5 e 22.30 como *cerca (viva)*, composta de arbustos ou plantas de algum tipo. Em Nm 22.4 esta palavra indica uma cerca ao redor de um vinhedo. Em segundo lugar, no presente texto, talvez a palavra possa indicar um tipo de muro-tela que cobria as janelas das salas onde os sacerdotes trocavam de roupa, para que não fossem vistos por pessoas na corte interior". Tal explicação é imaginativa, mas nem por isto verdadeira.

■ 42.8

כִּֽי־אֹ֣רֶךְ הַלְּשָׁכ֗וֹת אֲשֶׁ֛ר לֶחָצֵ֥ר הַחִֽצוֹנָ֖ה חֲמִשִּׁ֣ים אַמָּ֑ה וְהִנֵּ֛ה עַל־פְּנֵ֥י הַהֵיכָ֖ל מֵאָ֥ה אַמָּֽה׃

A fila de salas do lado próximo à corte exterior media 50 côvados e aquela perto do santuário media 100 côvados (26 m contra 52 m). A Septuaginta tem: "O comprimento das câmaras que confrontavam a corte exterior era de 50 côvados, e o comprimento daquelas que confrontavam com o templo era de 100 côvados".

■ 42.9,10a

וּמִתַּ֖חְתָּה לַלְּשָׁכ֣וֹת הָאֵ֑לֶּה הַמֵּב֗וֹא מֵֽהַקָּדִ֔ים בְּבֹא֣וֹ לָהֵ֔נָּה מֵֽהֶחָצֵ֖ר הַחִֽצֹנָֽה׃

Aqui, acompanho o arranjo da RSV, para os versículos, que põe uma parte do vs. 10 como pertencente ao vs. 9. A RSV segue o arranjo da Septuaginta. A declaração é: "Embaixo destas câmaras havia uma entrada no lado leste, quando alguém entra da corte exterior, onde o muro exterior começa". Essa entrada dava acesso à área da corte. "O objetivo da declaração provavelmente é mostrar que o acesso para as câmaras ficava na corte exterior, por meio de um corredor já descrito no vs. 4, que começava no leste e chegava até o alpendre da corte interior" (Ellicott, *in loc.*).

As Câmaras Correspondentes no Sul do Quintal do Templo (42.10b-12)

■ 42.10b

בְּרֹ֣חַב ׀ גֶּ֣דֶר הֶחָצֵ֗ר דֶּ֚רֶךְ הַקָּדִ֔ים אֶל־פְּנֵ֖י הַגִּזְרָ֑ה וְאֶל־פְּנֵ֥י הַבִּנְיָ֖ן לְשָׁכֽוֹת׃

"No lado sul e também no outro lado, confrontando com o edifício, havia câmaras" (NCV). Esta leitura se baseia numa reconstrução de um hebraico pouco claro, que também empresta indicações da Septuaginta. O hebraico diz "a grossura do muro", o que poderia significar "ao lado da corte no leste". A Septuaginta traz *sul*, que provavelmente é correto, em vez do *leste* do texto massorético.

■ 42.11

וְדֶ֙רֶךְ֙ לִפְנֵיהֶ֔ם כְּמַרְאֵ֣ה הַלְּשָׁכ֔וֹת אֲשֶׁ֖ר דֶּ֣רֶךְ הַצָּפ֑וֹן כְּאָרְכָּן֙ כֵּ֣ן רָחְבָּ֔ן וְכֹל֙ מוֹצָאֵיהֶ֔ן וּכְמִשְׁפְּטֵיהֶ֖ן וּכְפִתְחֵיהֶֽן׃

As câmaras do sul tinham as mesmas características daquelas do norte, que o profeta já descreveu, portanto ele não entra em detalhes aqui. "Estas salas tinham um corredor na sua frente e eram como aquelas do norte, tendo as mesmas medidas de comprimento e largura. Também suas portas eram iguais" (NCV).

■ 42.12

וּכְפִתְחֵ֖י הַלְּשָׁכ֑וֹת אֲשֶׁר֙ דֶּ֣רֶךְ הַדָּר֔וֹם פֶּ֖תַח בְּרֹ֣אשׁ דָּ֑רֶךְ דֶּ֗רֶךְ בִּפְנֵי֙ הַגְּדֶ֣רֶת הֲגִינָ֔ה דֶּ֥רֶךְ הַקָּדִ֖ים בְּבוֹאָֽן׃

As portas do lado norte eram iguais às portas do sul. Havia uma entrada no início do corredor que correspondia ao muro no leste, pela qual alguém poderia ganhar acesso às salas. De novo, o hebraico é obscuro, criando dificuldades para os tradutores, que procuram "consertar" o texto. O conserto da RSV é: "Embaixo das câmaras havia uma entrada no lado leste, dando acesso ao corredor (passeio); oposto a isto, havia um muro de divisão". O texto massorético é obscuro, mas o significado corresponde aos vss. 9,10.

O Uso das Câmaras (42.13,14)

■ 42.13

וַיֹּאמֶר אֵלַי לִשְׁכוֹת הַצָּפוֹן לִשְׁכוֹת הַדָּרוֹם אֲשֶׁר
אֶל־פְּנֵי הַגִּזְרָה הֵנָּה לִשְׁכוֹת הַקֹּדֶשׁ אֲשֶׁר יֹאכְלוּ־שָׁם
הַכֹּהֲנִים אֲשֶׁר־קְרוֹבִים לַיהוָה קָדְשֵׁי הַקֳּדָשִׁים שָׁם
יַנִּיחוּ קָדְשֵׁי הַקֳּדָשִׁים וְהַמִּנְחָה וְהַחַטָּאת וְהָאָשָׁם כִּי
הַמָּקוֹם קָדֹשׁ:

Os sacerdotes naturalmente eram da linhagem zadoquita, como visto em Ez 40.46 e 43.19. As câmaras eram usadas para as refeições dos sacerdotes (ver Ez 47.20) e para guardar suas roupas e pertences pessoais (Ez 44.19), quando eles terminavam o serviço. As ofertas e sacrifícios não eram preparados nestas salas, onde os sacerdotes podiam comer suas *oito porções seletas* (ver as notas em Lv 6.26; 7.11-14; 7.28-38; Nm 18.8; Dt 12.17,18). As notas em Ez 7.37 descrevem os tipos diferentes de sacrifícios. O sangue e a gordura pertenciam a Yahweh e eram consumidos no altar pelo fogo (Lv 3.17). O restante servia como alimento para o povo, ou seja, as pessoas que haviam trazido os animais para serem sacrificados. O ritual terminava com uma refeição comunal, música, dança e celebração.

■ 42.14

בְּבֹאָם הַכֹּהֲנִים וְלֹא־יֵצְאוּ מֵהַקֹּדֶשׁ אֶל־הֶחָצֵר
הַחִיצוֹנָה וְשָׁם יַנִּיחוּ בִגְדֵיהֶם אֲשֶׁר־יְשָׁרְתוּ בָהֶן כִּי־
קֹדֶשׁ הֵנָּה יִלְבְּשׁוּ בְּגָדִים אֲחֵרִים וְקָרְבוּ אֶל־אֲשֶׁר
לָעָם:

Os sacerdotes usavam vestimentas oficiais quando estavam trabalhando no serviço sagrado. Tais vestimentas eram consideradas santas e símbolos da autoridade da casta sacerdotal. Saindo do serviço, as vestimentas eram deixadas nas salas. As leis escritas sobre o assunto não são muito claras, mas as referências bíblicas correspondentes são sugestivas quanto à natureza dos regulamentos em vigor. Ver Êx 28.43 comparado a Lv 6.10,11 e 16.23. O presente versículo representa a interpretação oficial da legislação antiga. O Targum e a Misnah (*Shebet Judah,* fol. 43.2) são claros, confirmando a declaração de Ezequiel. O sacerdote não podia vestir roupas oficiais na corte exterior e muito menos na rua.

Medidas Gerais da Área do Templo (42.15-20)

■ 42.15

וְכִלָּה אֶת־מִדּוֹת הַבַּיִת הַפְּנִימִי וְהוֹצִיאַנִי דֶּרֶךְ הַשַּׁעַר
אֲשֶׁר פָּנָיו דֶּרֶךְ הַקָּדִים וּמְדָדוֹ סָבִיב סָבִיב:

"Depois de medir tudo dentro do complexo do templo, o homem (Anjo?, Guia, arquiteto) levou o profeta para fora para registrar as dimensões externas. O complexo tinha a medida de 500 côvados (262 m) de cada lado, formando um quadrado. A área total ocupava 70 m^2" (Charles H. Dyer, *in loc.*). Em outras palavras, era enorme. Voltando do cativeiro babilônico, o remanescente não tentou construir um novo templo desta natureza, pois não tinha dinheiro nem capacidade tecnológica para essa tarefa.

■ 42.16-19

מָדַד רוּחַ הַקָּדִים בִּקְנֵה הַמִּדָּה חֲמֵשׁ־אֵמוֹת קָנִים
בִּקְנֵה הַמִּדָּה סָבִיב:

מָדַד רוּחַ הַצָּפוֹן חֲמֵשׁ־מֵאוֹת קָנִים בִּקְנֵה הַמִּדָּה
סָבִיב:

אֵת רוּחַ הַדָּרוֹם מָדַד חֲמֵשׁ־מֵאוֹת קָנִים בִּקְנֵה
הַמִּדָּה:

סָבַב אֶל־רוּחַ הַיָּם מָדַד חֲמֵשׁ־מֵאוֹת קָנִים בִּקְנֵה
הַמִּדָּה:

Laboriosamente, o profeta informa como o anjo mediu os quatro lados do complexo, com o mesmo resultado para cada lado: 500 côvados longos (o côvado normal mais a largura da mão do homem). Ver as notas no vs. 8. A *vara de medida* tinha 6 côvados longos (3 m). Portanto, as *varas* (canos) deste versículo devem ser *côvados,* que é a leitura da Septuaginta. Se cada lado tivesse 500 canos (varas), isto perfaria um total de 3 mil côvados, quase um quilômetro e meio, manifestamente absurdo. O autor confundiu *cano* com côvado, como a Septuaginta reconheceu. O hebraico registra o que os eruditos chamam de *erro primitivo,* isto é, um erro *original* do autor do texto, não de um escriba posterior. O mesmo erro aparece nos vss. 16, 17 e 18. Alguns intérpretes defendem o tamanho gigantesco, mas isto não concorda com as medidas mais humildes do texto dos capítulos 40–42 de Ezequiel. Se aceitarmos o hebraico aqui, então devemos supor que o muro ao redor do templo fosse *muito* distante dele.

■ 42.20

לְאַרְבַּע רוּחוֹת מְדָדוֹ חוֹמָה לוֹ סָבִיב סָבִיב אֹרֶךְ
חֲמֵשׁ מֵאוֹת וְרֹחַב חֲמֵשׁ מֵאוֹת לְהַבְדִּיל בֵּין הַקֹּדֶשׁ
לְחֹל:

Aos detalhes das medidas do complexo do templo (vss. 15-19), o autor acrescenta a informação de que o complexo tinha um muro, presumivelmente das mesmas dimensões, isto é, 500 côvados de lado. Ver as medidas explicadas nas notas de introdução aos vss. 15-20. O propósito do muro era separar o sagrado (área do templo) do profano (tudo lá fora). "O objetivo do lugar fechado era proteger a santidade do templo e suas cortes, fazendo uma separação entre o santuário e o profano" (Ellicott, *in loc.*). Feliz o homem que sabe fazer isto na sua vida! Cf. o texto com o *distrito sagrado* que media 11 x 5 km (Ez 45.3). Ver também Ez 48.10-12. A parte valiosa da vida deve ser distinguida do trivial e poluído. A igreja cristã, em muitos lugares hoje, perdeu a distinção entre o sagrado e o profano, tornando-se corrupta, como Ap 3.16,17 fala. O cristão individual é o templo do Espírito (1Co 3.16), mas este templo, tão frequentemente, é corrompido (1Co 3.17).

CAPÍTULO QUARENTA E TRÊS

Os capítulos 40—48 formam a seção final do livro. Portanto, não há divisão entre estes capítulos, que tratam do mesmo tema: O templo ideal (milenar?) e seus acessórios. É melhor dizer que o tema *predominante* é a restauração de Israel e o templo ideal é um subtema. O trecho de Ez 40.1—43.27 fala do próprio templo; Ez 44.1—46.24 descrevem a adoração do Israel restaurado, que inclui, necessariamente, o templo e seu culto. Então, Ez 47.1—48.35 tratam da terra da restauração.

A VOLTA DA GLÓRIA *SHEKINAH* E CONSEQUÊNCIAS (43.1-27)

Ver no *Dicionário* sobre *a glória Shekinah.*

"Como Deus, sobre seu carro-trono, tinha abandonado o templo, saindo pelo Portão Oriental, assim, agora, volta da mesma direção para rededicar e purificar o templo com sua presença (cf. Êx 40.34-38; 1Rs 8.10,11). O evento foi poderoso como o trovão ou o som de muitas águas (Ez 1.24; Ap 14.2; 19.6) e o brilho do sol. A terra, refletindo a glória do Senhor, iluminou-se gloriosamente (Is 60.1-3). O Ez 6.12 mostra que o templo restaurado terá exclusivamente usos espirituais, ordenados por Yahweh. Nenhuma influência do rei terrestre será admitida (capítulo 8; 1Rs 7.1-12; 11.3; Am 7.13)" (*Oxford Annotated Bible*, introdução aos vss. 1-12).

Este capítulo se divide naturalmente em quatro partes: 1. vss. 1-5; 2. vss. 6-12; 3. vss. 13-17; 4. vss. 18-27. Cada uma tem sua própria introdução abreviada.

O ALTAR DO TEMPLO MILENÁRIO

(Conceito de Charles H. Dyer)

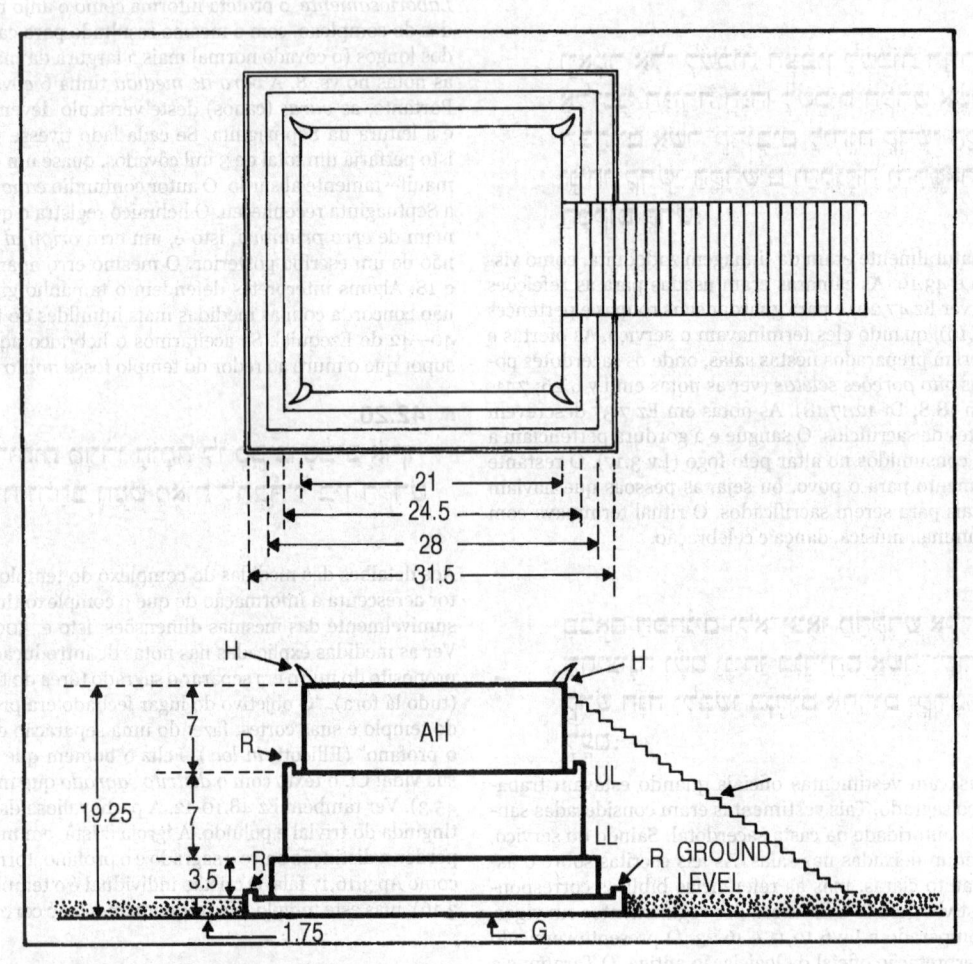

Dimensões em pés (1 pé = 0.305m)

CHAVE

AH	Altar-Forno (43.16)
G	Sarjeta (43.13,14)
H	Chifres (43.15)
LL	Orla Inferior (43.14)
R	Bordas (43.13,17)
S	Degraus (43.17)
UL	Orla Superior (43.17)

O CONCEITO DO ALTAR

O altar, o local de se entrar em contato com o poder divino, ou com os mortos, por meio de um sacrifício e de oferendas. As religiões primitivas supunham que o altar de uma divindade fosse o lugar onde ela manifestava a sua presença. O altar (do latim, *altus*, estrutura elevada) presumivelmente chamaria a atenção do poder invocado. Oferendas eram postas nessas estruturas a fim de aplacar ou solicitar o favor do deus do altar.

Os altares eram de vários tipos, formatos e dimensões; alguns deles eram imensos e outros pequenos. Na Idade do Bronze Antiga, alguns eram, simplesmente, pilhas de pedras. Na Idade do Bronze Moderna, alguns eram retangulares, feitos de tijolos ou pedras, erguidos com cimento de argila. Com o passar do tempo, a sofisticação deles foi aumentando.

A Volta da Glória de Yahweh (43.1-5)

Ver os comentários no penúltimo parágrafo das notas introdutórias, que têm aplicação aqui. "No reverso dramático da saída da glória do Senhor (capítulos 10—11), Ezequiel viu a glória de Deus voltando do oriente e habitando, mais uma vez, entre o seu povo" (Charles H. Dyer, *in loc.*).

■ 43.1

וַיּוֹלִכֵנִי אֶל־הַשָּׁעַר שַׁעַר אֲשֶׁר פֹּנֶה דֶּרֶךְ הַקָּדִים׃

Então me levou à porta... que olha para o oriente. A glória de Yahweh (ver em Ez 1.28) entrou pelo mesmo portão do qual tinha saído, o *Portão Oriental*, onde o sol se levanta e dá vida ao mundo inteiro. Este versículo ensina que reversos são possíveis, até mesmo os de situações consideradas impossíveis. Quando o Espírito de Deus toma parte em uma situação, todas as impossibilidades são anuladas. Oh, Senhor, concede-nos tal graça! "A glória *Shekinah* era a distinção especial do velho templo e, assim, também do novo, mas se realizará em grau muito mais elevado no segundo" (Fausset, *in loc.*).

■ 43.2

וְהִנֵּה כְּבוֹד אֱלֹהֵי יִשְׂרָאֵל בָּא מִדֶּרֶךְ הַקָּדִים וְקוֹלוֹ
כְּקוֹל מַיִם רַבִּים וְהָאָרֶץ הֵאִירָה מִכְּבֹדוֹ׃

Eis que do caminho do oriente vinha a glória do Deus de Israel. Como o sol se levanta no oriente e ilumina o céu, de horizonte a horizonte, assim a glória de Yahweh, o Sol da alma, iluminará todos os homens. A chegada da presença divina é anunciada universalmente, e o grito de triunfo é como o som de muitas águas, ouvido por todos os homens da terra. Todo o globo terrestre brilha com a sua glória que vem depois de uma noite escura de sofrimentos, quando o povo desiste de praticar sua idolatria-adultério-apostasia. A luz de um novo dia brilha sobre o povo renovado.

> Ó Dia de descanso e júbilo,
> Ó Dia de alegria e luz,
> O unguento que cura todas as feridas,
> Tão belo e brilhante.
>
> C. Wordsworth

Ver a figura das *muitas águas* em Ez 1.24; 19.10; 31.4; Ap 1.15; 14.2; 17.1; 19.6. "A terra brilhando com sua glória reflete o simbolismo solar da glória de Yahweh. Cf. Is 60.1-3; Dt 33.2; Hc 3.3,4; Lc 2.9" (Theophile J. Meek, *in loc.*).

■ 43.3,4

וּכְמַרְאֵה הַמַּרְאֶה אֲשֶׁר רָאִיתִי כַּמַּרְאֶה אֲשֶׁר־רָאִיתִי
בְּבֹאִי לְשַׁחֵת אֶת־הָעִיר וּמַרְאוֹת כַּמַּרְאֶה אֲשֶׁר רָאִיתִי
אֶל־נְהַר־כְּבָר וָאֶפֹּל אֶל־פָּנָי׃

וּכְבוֹד יְהוָה בָּא אֶל־הַבָּיִת דֶּרֶךְ שַׁעַר אֲשֶׁר פָּנָיו
דֶּרֶךְ הַקָּדִים׃

A glória do Senhor entrou no templo pela porta que olha para o oriente. A glória de Yahweh, vinda do oriente, entrou no templo pelo Portão Oriental e foi diretamente para o Santo dos Santos. Dessa maneira, a glória *Shekinah* (ver a respeito no *Dicionário*) foi restaurada a Israel. O velho dia de iniquidades terminou. Com o novo dia, o reino do Messias (nos seus primeiros passos) se iniciou. Para o significado do Portão Oriental, ver Ez 40.6-16. Esta visão foi tão dramática quanto aquela da destruição de Jerusalém. Cf. Ez 8.24; Gn 49.7; Is 6.10; Jr 1.10. Os capítulos 1, 9 e 10 de Ezequiel descrevem este acontecimento em detalhes. A primeira visão foi recebida perto do rio Quebar, onde o profeta se prostrou, com o rosto no chão, tão aterrorizado estava. Agora, no novo templo, o dia escuro esvanece na luz do novo dia.

"Assim Israel renovado e dedicado fica esperando por Deus. Ele volta da mesma maneira grandiosa que tinha saído. O autor aqui consegue captar uma partícula da essência do evangelho. O Deus que julgou é o mesmo que restaura, anulando deslealdades do passado. Seu amor nos ganha de volta, e o que ele ganhou, ele transforma" (E. L. Allen, *in loc.*).

■ 43.5

וַתִּשָּׂאֵנִי רוּחַ וַתְּבִיאֵנִי אֶל־הֶחָצֵר הַפְּנִימִי וְהִנֵּה מָלֵא
כְבוֹד־יְהוָה הַבָּיִת׃

Eis que a glória do Senhor enchia o templo. A glória de Yahweh era tão grande que encheu o templo inteiro, não meramente o Santo dos Santos. Cf. Is 6.1-3; 1Rs 8.11; 2Cr 5.14. A mesma glória encheu o tabernáculo (Êx 40.34-38; Lv 9.23). No fim, a própria terra será o templo que Yahweh encherá com sua glória. Cf. Is 11.9 e Ag 2.7,9. O profeta foi sujeito a uma experiência mística, visionária, de grandes proporções. Ver na *Enciclopédia de Bíblia, Teologia e Filosofia* o artigo denominado *Misticismo*.

A experiência do presente versículo é atribuída à presença e atuação do Espírito. O Espírito é o principal fator do misticismo bíblico. Ver no *Dicionário* o detalhado artigo denominado *Espírito Santo*.

Yahweh Fala do Santuário Interior (43.6-12)

O templo restaurado pode ter somente atividades espirituais, como ordenadas por Deus; nenhuma influência política será tolerada (capítulo 8; 1Rs 7.11,12; 11.33; Am 7.13). O novo templo será o trono de Yahweh, onde ele manifestará sua glória para sempre em Israel (vs. 7). Cf. Ez 5.9. O trono de Yahweh é o Santo dos Santos (hebraico, *debhir*). A presença divina enfatiza a divisão radical entre o sagrado e o profano, como projetado em Ez 42.20. Yahweh combina divindade e realeza, restaurando a *teocracia*, o governo ideal para Israel. O deus-rei era um conceito comum nas nações pagãs, e Yahweh-Rei era a versão desse conceito em Israel.

"O templo servirá como a habitação terrestre de Deus e um meio de comunhão entre o divino e o humano. Israel nunca mais profanará o santo nome (cf. Ez 20.39 e 39.7), adorando ídolos mortos e inúteis e trazendo desastres para a nação (Ez 43.7,8)" (Charles H. Dyer, *in loc.*).

■ 43.6

וָאֶשְׁמַע מִדַּבֵּר אֵלַי מֵהַבָּיִת וְאִישׁ הָיָה עֹמֵד אֶצְלִי׃

Ouvi uma voz que me foi dirigida do interior do templo. A voz de Yahweh veio para revelar mais verdades ao profeta. Ezequiel ouviu aquela voz saindo da casa (templo). Entrementes, o homem (Anjo?, Guia, arquiteto) continuava como guia do profeta. Deus é a fonte da verdade, da vida e da razão para continuar vivendo. Mas seus servos, anjos e homens, são seus ajudantes. Ver o ministério dos anjos, em Hb 1.14. Os guias angelicais são também professores e intérpretes. A vida humana é enriquecida pelo ministério do Espírito, através de seus instrumentos.

■ 43.7

וַיֹּאמֶר אֵלַי בֶּן־אָדָם אֶת־מְקוֹם כִּסְאִי וְאֶת־מְקוֹם
כַּפּוֹת רַגְלַי אֲשֶׁר אֶשְׁכָּן־שָׁם בְּתוֹךְ בְּנֵי־יִשְׂרָאֵל
לְעוֹלָם וְלֹא יְטַמְּאוּ עוֹד בֵּית־יִשְׂרָאֵל שֵׁם קָדְשִׁי הֵמָּה
וּמַלְכֵיהֶם בִּזְנוּתָם וּבְפִגְרֵי מַלְכֵיהֶם בָּמוֹתָם׃

Este é o lugar do meu trono. Às vezes, a própria Jerusalém é designada trono de Yahweh. Cf. Jr 3.17; 14.21. Mas o templo, o centro do culto, continuará sendo o trono. Naquele lugar, metaforicamente, Yahweh coloca seus pés. A nova habitação será para sempre, anulando as provisões temporárias e imperfeitas. O novo dia não será mais seguido por uma noite, porque o Sol dos céus brilhará permanentemente. O templo nunca mais sofrerá poluição de tipo algum, especialmente de ritos pagãos licenciosos (Ez 20.39; 39.7). O céu é o *hábitat* natural de Deus, mas ele condescende ao estado humilde do homem, fazendo da terra estrado de seus pés (Is 66.1; Mt 5.35). A presença dos pés metafóricos de Deus é o máximo que o homem, no seu estado humilde, pode aguentar.

Não contaminarão mais o meu nome santo, nem eles nem os seus reis. Os reis, que deviam ter sido os mais fiéis à lei e ao culto de Yahweh, foram os principais ofensores, praticando sua idolatria-adultério-apostasia. Levantaram monumentos idólatras para aumentar suas iniquidades, que já eram monstruosas. Até poluíram o templo, estabelecendo cultos pagãos naquele lugar.

Cadáveres. Em lugar desta palavra, alguns têm *monumentos* de idolatria, que é um entendimento possível da palavra hebraica. *Interpretações Possíveis.* A palavra é contra a *idolatria* e os monumentos construídos como parte desta prática.

Os reis, por sua vida e morte, desonraram Yahweh. Alguns acham que os corpos deles foram enterrados na área (cortes) do templo, mas não há nenhuma evidência histórica que apoie esta ideia. Ou está em vista a prática de sacrifício humano feito sob as ordens dos reis, como parte de cultos pagãos. Os reis desonraram Deus por aqueles assassinatos brutais. A frase "os cadáveres dos seus reis, nos seus monumentos" é obscura. Alguns entendem sacrifício humano nos *lugares altos*, em vez de monumentos. O hebraico para estes lugares é *bamotham*, mas cerca de vinte manuscritos hebraicos têm *bemotham*, que significa "quando morreram". Yahweh era desonrado pelas mortes dos reis, ou pelas mortes que eles praticavam.

Manassés e outros reis introduziram seus ídolos nas próprias cortes do templo (2Rs 21.4-7; ver também Ez 16.11). Assim, suas vidas e suas mortes foram desgraças para Israel.

■ **43.8**

בְּתִתָּם סִפָּם אֶת־סִפִּי וּמְזוּזָתָם אֵצֶל מְזוּזָתִי וְהַקִּיר בֵּינִי וּבֵינֵיהֶם וְטִמְּאוּ אֶת־שֵׁם קָדְשִׁי בְּתוֹעֲבוֹתָם אֲשֶׁר עָשׂוּ וָאֲכַל אֹתָם בְּאַפִּי:

Contaminaram o meu santo nome com as suas abominações. Aquele homens reprovados poluíram o santo nome, colocando seu limiar e sua ombreira junto aos dele. Esta referência obscura talvez possa significar que túmulos (que pareciam grandes casas) foram construídos perto do templo, tornando-o *imundo*. Ver no *Dicionário* o artigo denominado *Limpo e Imundo*. Talvez a referência seja aos *monumentos* (construções idólatras) que os reis misturaram com os edifícios sagrados, e que corresponderia à palavra "abominações" aqui. Normalmente, os túmulos eram construídos fora da cidade para evitar impureza cerimonial (1Sm 25.1; 1Rs 2.34). Os profanos faziam peregrinações aos túmulos dos reis, em vez de visitar o templo de Jerusalém, não separando o profano do sagrado e até preferindo o profano. Apenas uma *parede* (não muro) separava o templo de Yahweh das construções imundas dos idólatras, e essa era uma separação inadequada. A *ira de Deus* (ver a respeito no *Dicionário*) acabaria com aqueles ímpios, o que aconteceu no ataque e cativeiros babilônicos.

■ **43.9**

עַתָּה יְרַחֲקוּ אֶת־זְנוּתָם וּפִגְרֵי מַלְכֵיהֶם מִמֶּנִּי וְשָׁכַנְתִּי בְתוֹכָם לְעוֹלָם: ס

Lancem eles para longe de mim a sua prostituição... A limpeza das poluições devia incluir dois princípios essenciais: 1. A *idolatria* seria eliminada. 2. Os *monumentos* de ídolos (ou mausoléus dos reis) seriam afastados da área sagrada. Se o povo fizesse estas coisas (que representavam uma purificação geral), então Yahweh habitaria entre o seu povo.

"Davi foi sepultado na cidade de Davi, perto do monte Sião, próximo ao lugar onde o templo foi construído; a mesma situação se aplicou aos túmulos dos outros reis. Deus exigiu que a vizinhança do templo fosse libertada daquele ultraje" (Adam Clarke, *in loc.*).

... e os cadáveres de dos seus reis. Como no vs. 7, "cadáveres" podem ser "monumentos", ou casas de ídolos. Ver as notas naquele versículo.

■ **43.10**

אַתָּה בֶן־אָדָם הַגֵּד אֶת־בֵּית־יִשְׂרָאֵל אֶת־הַבַּיִת וְיִכָּלְמוּ מֵעֲוֹנוֹתֵיהֶם וּמָדְדוּ אֶת־תָּכְנִית:

Mostra à casa de Israel este templo. Os *vss. 10-12* destacam a glória do templo ideal de Ezequiel, fazendo contraste com as glórias do passado. O Israel de hoje poderia aceitar a mensagem e modificar-se pelos ensinamentos recebidos, anulando o passado inglório. Uma visão clara do plano ideal de Deus talvez produzisse uma mudança. Parte da lição era a de que suas iniquidades haviam provocado a destruição do templo de Salomão e o exílio na Babilônia. "Constatar os propósitos graciosos de Deus poderia inspirar o povo a se arrepender" (Ellicott, *in loc.*). O passado era cheio de vergonha, um fator negativo que poderia agir sobre a mente do povo, para convertê-lo para o bem.

■ **43.11**

וְאִם־נִכְלְמוּ מִכֹּל אֲשֶׁר־עָשׂוּ צוּרַת הַבַּיִת וּתְכוּנָתוֹ וּמוֹצָאָיו וּמוֹבָאָיו וְכָל־צוּרֹתָו וְאֵת כָּל־חֻקֹּתָיו וְכָל־צוּרֹתָו וְכָל־תּוֹרֹתָו הוֹדַע אוֹתָם וּכְתֹב לְעֵינֵיהֶם וְיִשְׁמְרוּ אֶת־כָּל־צוּרָתוֹ וְאֶת־כָּל־חֻקֹּתָיו וְעָשׂוּ אוֹתָם:

Faze-lhes saber a planta desta casa. Este versículo desenvolve as ideias do vs. 10, mostrando a natureza esplêndida do templo ideal, com todos os seus arranjos, cortes, salas, entradas, portões etc. Sua forma era augusta e suas ordenanças, santas, em contraste com as imundícies do povo. Israel, ainda mergulhado na sua idolatria-adultério-apostasia, veria a diferença entre o ideal e sua condição patética, entre o sagrado e o profano. O país (o pequeno remanescente) tinha feito algum progresso no retorno do cativeiro, mas a construção do templo ideal aumentaria muito o processo de transformação. O versículo implica que o profeta esperava que o pequeno remanescente construísse um novo templo, seguindo a planta de seu templo ideal. O pequeno remanescente, todavia, não tinha recursos nem conhecimento técnico para tal empreendimento. Assim, o grandioso templo ficou para o futuro. De qualquer maneira, é óbvio que a santidade é maior e melhor do que a depravação, e mais vantajosa para qualquer povo, afinal.

■ **43.12**

זֹאת תּוֹרַת הַבָּיִת עַל־רֹאשׁ הָהָר כָּל־גְּבֻלוֹ סָבִיב סָבִיב קֹדֶשׁ קָדָשִׁים הִנֵּה־זֹאת תּוֹרַת הַבָּיִת:

Esta é a lei do templo. A lei que governava o *templo ideal* incluía a providência de sua separação do profano. O templo foi construído para ser um lugar *santo* e dedicado a Yahweh, a fim de que o povo também pudesse tornar-se santo como o povo de Deus, separado das nações pagãs. O *cume* do monte é uma referência à colina, Sião, localidade tradicional dos templos dos judeus. Cf. Ez 40.2. Aquele lugar não podia ser poluído nem profanado; era um lugar *santíssimo*. Um muro o separava do profano (Ez 42.20). "Uma santidade difundida em toda parte era a *lei* da Casa" (Fausset, *in loc.*).

O Altar dos Sacrifícios Queimados (43.13-17)

"O altar fora construído em três quadrados superpostos, medindo 16, 14 e 12 côvados laterais, respectivamente; a construção inteira se apoiava em uma plataforma. Esta, supostamente, era o peito da terra, seu centro. A estrutura tinha uma escada no lado leste, que conduzia ao altar-forno, chamado a *montanha de Deus*, tendo uma forma semelhante aos zigurates mesopotâmicos (Gn 11.4). A altura total do altar era de 12 côvados (6 m)" (*Oxford Annotated Bible,* comentando sobre o vs. 13). Ver a ilustração que acompanha este texto para entender melhor as descrições. Albright tinha certeza de que este altar refletia ideias cósmicas mesopotâmicas: o estágio mais baixo é o *heq haareç* (o peito da terra, vs. 14). O ponto mais alto do altar é o *harel* (ou 'ariel). Esta palavra se deriva do acadiano, *arellu* ou *arallu,* que pode referir-se ao *submundo* ou à *montanha dos deuses*, isto é, à montanha cósmica, o lar dos deuses. O templo-torre mesopotâmico, o *zigurate* (que significa *pico de montanha*), foi construído em três estágios (como o altar do presente texto) e tinha (como ele) chifres embutidos nos cantos. Ver no *Dicionário* o artigo denominado *Zigurate.*

É provável que existam alusões pagãs no altar de Yahweh, mas não há nenhuma razão para supor que Ezequiel tenha seguido o padrão pagão, o que seria um sacrilégio para a *mentalidade hebraica,* que ultrapassara o credo pagão num grau significativo.

A estatística e as informações dos vss. 13-17 são confusas, portanto qualquer explicação não esclarece muito o que o autor quis dizer. Talvez nem ele entendesse bem o que estava dizendo. O diagrama anexo é o melhor esclarecimento para o assunto, pois ignora pontos de dúvida para não confundir o leitor.

43.13

וְאֵ֣לֶּה מִדּ֣וֹת הַמִּזְבֵּ֘חַ֮ בָּֽאַמּוֹת֒ אַמָּ֥ה אַמָּ֖ה וָטֹ֑פַח וְחֵ֨יק הָאַמָּ֜ה וְאַמָּה־רֹ֗חַב וּגְבוּלָ֨הּ אֶל־שְׂפָתָ֤הּ סָבִיב֙ זֶ֣רֶת הָאֶחָ֔ד וְזֶ֖ה גַּ֥ב הַמִּזְבֵּֽחַ׃

São estas as medidas do altar. Como o restante do templo e seus acessórios, o altar era medido com a *vara*, empregando-se o côvado longo (o côvado padrão mais a largura da palma da mão do homem). *As medidas:* 52 cm de comprimento; 52 cm de profundidade e 52 cm de largura. Tinham um tipo de borda, ao redor, de 23 cm. A base do altar tinha profundidade e largura de um côvado; seu comprimento era de 16 côvados de cada lado, formando um quadrado. Esta medida era de cerca de 9 m. A base, enterrada no chão, tornou-se um tipo de plataforma-alicerce para a estrutura total. Ver as ilustrações do altar que acompanham o presente comentário.

43.14

וּמֵחֵ֨יק הָאָ֜רֶץ עַד־הָעֲזָרָ֤ה הַתַּחְתּוֹנָה֙ שְׁתַּ֣יִם אַמּ֔וֹת וְרֹ֖חַב אַמָּ֣ה אֶחָ֑ת וּמֵהָעֲזָרָ֨ה הַקְּטַנָּ֜ה עַד־הָעֲזָרָ֤ה הַגְּדוֹלָה֙ אַרְבַּ֣ע אַמּ֔וֹת וְרֹ֖חַב הָאַמָּֽה׃

Do chão até a borda mais baixa, media 1 m. A largura era de 52 cm. Media 2 m da borda inferior até a borda superior. Estas medidas descrevem o *primeiro* dos três quadrados superpostos, sendo 16, 14 e 12 côvados quadrados, respectivamente. Esta primeira unidade descansava sobre a *base* mais baixa das três.

43.15,16

וְהַֽהַרְאֵ֖ל אַרְבַּ֣ע אַמּ֑וֹת וּמֵהָאֲרִאֵ֣יל וּלְמַ֔עְלָה הַקְּרָנ֖וֹת אַרְבַּֽע׃

וְהָאֲרִאֵ֗יל שְׁתֵּ֤ים עֶשְׂרֵה֙ אֹ֔רֶךְ בִּשְׁתֵּ֥ים עֶשְׂרֵ֖ה רֹ֑חַב רָב֕וּעַ אֶ֖ל אַרְבַּ֥עַת רְבָעָֽיו׃

O quadrado onde o sacrifício era queimado tinha uma altura de 4 côvados 2 m. Os cantos do altar tinham a forma de chifres (o símbolo do poder do boi, portanto, do poder de Yahweh). Esta descrição nos leva ao *nível mais alto*, ou o *terceiro* quadrado, medindo 12 côvados de cada lado (6 m). A Septuaginta informa que os chifres acrescentaram mais um côvado à altura da estrutura. Neste terceiro nível, eram queimados os sacrifícios. Altares com chifres eram comuns no Oriente Próximo. O chifre tinha um *simbolismo múltiplo:* o boi, o animal comum de sacrifício; a força do boi, falando do poder dos deuses ou de Deus; o sacrifício, uma maneira para pacificar a ira divina. O altar-forno é, literalmente, no hebraico, "a montanha de Deus". Ver a introdução à seção, para explicações.

43.17a

וְהָעֲזָרָ֞ה אַרְבַּ֧ע עֶשְׂרֵ֣ה אֹ֗רֶךְ בְּאַרְבַּ֤ע עֶשְׂרֵה֙ רֹ֔חַב אֶ֖ל אַרְבַּ֣עַת רְבָעֶ֑יהָ וְהַגְּבוּ֞ל סָבִ֤יב אוֹתָהּ֙ חֲצִ֣י הָֽאַמָּ֔ה וְהַֽחֵיק־לָ֥הּ אַמָּ֖ה סָבִֽיב

O Segundo Nível. A descrição começou com o primeiro quadrado; foi para o terceiro e, agora, desce para o *segundo*. O segundo nível era também um quadrado medindo 7 x 7 m. Sua borda media 27 cm.

43.17b

וּמַעֲלֹתֵ֖הוּ פְּנ֥וֹת קָדִֽים׃

Degraus para ascender a um altar eram proibidos pela lei mosaica (Êx 20.26). Mas a altura do altar do templo de Salomão e do segundo templo exigiram algum modo para chegar até o topo. Alguns altares tinham o *kibbesh*, um montículo de barro construído ao lado, enquanto outros empregavam a escada. A regra contra degraus provavelmente tinha sido instituída para proteger a modéstia do sacerdote. Ele, subindo uma escada, mostraria suas roupas íntimas para as pessoas embaixo, que não poderiam pensar em Deus com aquela vista curiosa à sua disposição. O templo de Salomão e o de Herodes empregaram o montículo, enquanto o templo ideal de Ezequiel usou a escada.

Regulamentos para a Consagração do Altar (43.18-27)

Um ritual de *sete dias* era cumprido para purificar o altar, que assim seria separado para o culto de Yahweh. Os sacerdotes zadoquitas realizavam o rito, seguindo as ordens divinas. Fica claro que o ritual se baseia nas formas tradicionais, com algumas modificações (ver Êx 29.36,37; 40.1-38 e Lv 8.14,15).

43.18

וַיֹּ֣אמֶר אֵלַ֗י בֶּן־אָדָם֙ כֹּ֤ה אָמַר֙ אֲדֹנָ֣י יְהוִ֔ה אֵ֚לֶּה חֻקּ֣וֹת הַמִּזְבֵּ֔חַ בְּי֖וֹם הֵעָשׂוֹת֑וֹ לְהַעֲל֤וֹת עָלָיו֙ עוֹלָ֔ה וְלִזְרֹ֥ק עָלָ֖יו דָּֽם׃

Filho do homem, assim diz o Senhor Deus. *Adonai-Yahweh* (o Soberano Eterno Deus), exercendo sua soberania, deu ordens ao profeta, o "filho do homem" (seu título comum; ver Ez 2.1 para as notas). Este título divino é usado 217 vezes nesse livro, mas somente 103 no restante do Antigo Testamento. Enfatiza a soberania de Deus, que determina o destino dos homens e dita as regras que governam a vida humana. O título cabe dentro do ensino geral do *Teísmo* (ver a respeito no *Dicionário*) que afirma que o Criador não abandonou sua criação, mas está presente para intervir, castigando os maus e abençoando os bons. Seu governo se inspira na lei moral, nunca agindo arbitrariamente.

São estas as determinações do altar. A palavra do Soberano determinou a construção do templo ideal, com todos os seus acessórios e cerimônias. Sobre o altar-forno, os sacrifícios eram realizados. O ritual incluía o derramamento do sangue da vítima à base do altar. Uma bacia era empregada para este propósito, e o sangue era para Yahweh, isto é, era um elemento da sua porção (o outro era a gordura; ver Lv 3.17). Cf. Êx 24.6; 29.16,20; Lv 17.6; Nm 18.17. Ver também 2Reis 16.13,15, para o ritual do sangue. Ver no *Dicionário* o artigo denominado *Holocausto*.

Notas sobre a questão de sacrifícios no templo ideal (milenar?) são apresentadas na introdução a Ez 40.38. Todo o pecado da comunidade precisava ser expiado, e o altar, *purificado*, algo vital para o sistema de sacrifícios. Cf. Êx 29.36,37, onde Moisés recebeu ordens para realizar o ritual de *sete dias*, purificando e dedicando o altar.

43.19

וְנָתַתָּ֣ה אֶל־הַכֹּהֲנִ֣ים הַלְוִיִּ֡ם אֲשֶׁ֣ר הֵם֩ מִזֶּ֨רַע צָד֜וֹק הַקְּרֹבִ֣ים אֵלַ֗י נְאֻם֙ אֲדֹנָ֣י יְהוִ֔ה לְשָֽׁרְתֵ֑נִי פַּ֥ר בֶּן־בָּקָ֖ר לְחַטָּֽאת׃

Aos sacerdotes levitas... darás um novilho para oferta pelo pecado. Os rituais de *expiação-consagração* começavam com o sacrifício do novilho como uma oferta-pecado (para a expiação do pecado). Somente os sacerdotes da linhagem de Zadoque eram qualificados para efetuar o rito (ver Ez 40.46). Ver os diversos tipos de ofertas anotados em Lv 7.37, onde também são fornecidas referências bíblicas. Ver no *Dicionário* o detalhado artigo intitulado *Sacrifícios e Ofertas*. As ordens foram dadas por *Adonai-Yahweh* (ver as notas sobre este título no vs. 18). Todos os sacerdotes eram levitas, mas nem todos os levitas eram sacerdotes. E nem todos os sacerdotes eram da linhagem de Zadoque. A maioria dos levitas era ajudante dos sacerdotes. Todos os sacerdotes descendiam de Arão. Cf. Ez 44.5-31.

Zadoque tomou o lugar de Abiatar, como sumo sacerdote, no tempo de Salomão (1Rs 2.35), e sua família continuava na liderança da casta sacerdotal. Ver no *Dicionário* os artigos chamados *Levitas* e *Arão*. Arão era da linhagem de Coate.

Cinco animais serviam legalmente como sacrifícios. Ver Lv 1.14-16, para esta informação. No presente contexto temos o novilho, o bode e o cordeiro como os animais envolvidos no rito de consagração do altar.

43.20

וְלָקַחְתָּ֣ מִדָּמ֗וֹ וְנָ֨תַתָּ֜ה עַל־אַרְבַּ֤ע קַרְנֹתָיו֙ וְאֶל־אַרְבַּע֙ פִּנּ֣וֹת הָעֲזָרָ֔ה וְאֶל־הַגְּב֖וּל סָבִ֑יב וְחִטֵּאתָ֥ אוֹת֖וֹ וְכִפַּרְתָּֽהוּ׃

Tomarás do seu sangue, e o porás sobre os seus quatro chifres. Para o rito do sacrifício-consagração ser válido, era necessário colocar sangue nos quatro chifres, nos cantos do altar e também sobre os cantos do altar-forno. Ver os vss. 15,16. Os regulamentos vêm de Êx 29.13 e Lv 8.14. A aplicação do sangue preparava o altar para o seu serviço. O novilho sacrificado era queimado no altar. "Este rito de consagração era semelhante, de algum modo, aos ritos mosaicos (Êx 40.10,29) e salomônicos (2Cr 7.8,9) para a santificação de suas casas de adoração" (Charles H. Dyer, *in loc.*). Cf. os vss. 18-27 com Êx 40 e Lv 8. O vs. 25 mostra que o bode também era oferecido no primeiro dia das cerimônias e em cada um dos seis dias seguintes. O vs. 23 implica que *os três* animais (novilho, bode e carneiro) eram oferecidos durante os sete dias.

A expiação do pecado do povo era efetuada e a comunhão entre Israel e Yahweh, estabelecida. O altar continuava sendo usado, tendo recebido autorização divina. O restante do sangue que não havia sido aspergido nos chifres ficava na bacia, para ser jogado à base do altar. Esse item não é mencionado aqui, nem a unção do altar (Lv 8.11). Provavelmente, o profeta abreviou, em certo grau, a descrição do ritual.

■ 43.21

וְלָקַחְתָּ אֶת הַפָּר הַחַטָּאת וּשְׂרָפוֹ בְּמִפְקַד הַבַּיִת מִחוּץ לַמִּקְדָּשׁ:

Então tomarás o novilho... o qual será queimado. "Então leva o novilho para ser sacrificado pelo pecado do povo; queima-o no lugar apropriado na área do templo. Isto será fora, no Lugar Santo" (NCV). O altar não estava dentro do Lugar Santo, mas fora, no oriente, situado na corte interior. Era o lugar designado para a combustão dos animais do sacrifício, segundo as exigências da lei.

Fora do santuário. O animal da oferta para o pecado comum foi consumido pelo fogo; a vítima era o novilho, como no caso da oferta de pecado para o sumo sacerdote (Lv 4.3,11,12) ou para a congregação inteira (vss. 13,20 da mesma passagem); e ele foi queimado fora do acampamento. Aqui, está queimado *no lugar designado*, mas não dentro do santuário. Talvez, então, esteja em vista o edifício mencionado em Ez 41.12" (Ellicott, *in loc.*). Se essa informação representa a verdade, então as partes mais grossas da carne dos animais não eram queimadas no altar, mas em algum outro lugar, dentro do complexo do templo. Ver as ofertas "fora do acampamento" descritas em Êx 29.14; Lv 8.17; 9.11; 16.27. Em tais casos, certas partes eram queimadas no altar: a gordura, um pouco do sangue que ungiu o altar, parte do fígado e os dois rins com sua gordura. Da mesma forma que o animal *inteiro* era consumido pelo fogo, todos os pecados do povo eram expiados.

■ 43.22

וּבַיּוֹם הַשֵּׁנִי תַּקְרִיב שְׂעִיר־עִזִּים תָּמִים לְחַטָּאת וְחִטְּאוּ אֶת־הַמִּזְבֵּחַ כַּאֲשֶׁר חִטְּאוּ בַּפָּר:

No segundo dia, oferecerás um bode. O procedimento foi repetido, mas agora um *bode* foi acrescentado, presumivelmente, com outro novilho e um carneiro (vss. 23,25). Alguns intérpretes acham que todos os três animais foram sacrificados todos os dias. Ver as notas no vs. 20. O bode era outra oferta para o pecado e, neste caso, participava do ritual de purificação e dedicação do altar. As ofertas tinham dupla função: expiar o pecado e dedicar o altar. No presente ritual, aparentemente, os animais inteiros eram consumidos pelo fogo; outros tipos de ofertas permitiam o consumo (como refeições) de certas partes dos animais. Os sacerdotes recebiam os *oito* cortes preferidos (Lv 6.26; 7.11-14; Nm 18.8; Dt 12.17,18), e os adoradores (que haviam trazido os animais para sacrificar) tinham direito ao restante. Uma refeição comunal se seguia. Cf. Lv 4.22,23 com este versículo. As *ofertas queimadas* foram naturalmente ofertas para expiar o pecado, mas do tipo que exigiu que o animal inteiro fosse consumido no fogo.

Em todos os casos, os animais não podiam ter nenhum defeito ou doença, uma regra constante de todo o sistema sacrificial dos hebreus. Cf. Êx 12.5; 29.1; Lv 1.3,10; 3.1; 4.3; 5.15,18; 14.10.

■ 43.23

בְּכַלּוֹתְךָ מֵחַטֵּא תַּקְרִיב פַּר בֶּן־בָּקָר תָּמִים וְאַיִל מִן־הַצֹּאן תָּמִים:

Combinando os vss. 22 e 23, vemos que os três animais (o novilho, o bode e o carneiro), todos sem defeito algum, foram oferecidos no segundo dia. O autor, para não nos cansar com detalhes, omitiu o terceiro e o sexto dia, indo diretamente para o sétimo (vs. 25). Obviamente, os três animais foram oferecidos nos dias não descritos individualmente, segundo os padrões mencionados nos vss. 20,21. Os tipos de ofertas descritos neste trecho são o holocausto, a oferta pelo pecado e a oferta de paz (dos cereais) (vs. 27). Ver Lv 7.37 e as notas oferecidas naquele lugar.

■ 43.24

וְהִקְרַבְתָּם לִפְנֵי יְהוָה וְהִשְׁלִיכוּ הַכֹּהֲנִים עֲלֵיהֶם מֶלַח וְהֶעֱלוּ אוֹתָם עֹלָה לַיהוָה:

Oferecê-los perante o Senhor. Todos os três animais foram sacrificados por direção e com a aprovação do Senhor. O sal fez parte do ritual como em Lv 2.13 e Mc 9.49. A carne era salgada, mas o que o sal significa não é claro. Ver as notas em Lv 2.13, para explicações possíveis. Ver no *Dicionário* o artigo intitulado *Sal*, para mais detalhes. Neste versículo, todos os sacrifícios são classificados como *holocaustos*. O sal era jogado sobre os animais, implicando uso copioso do material. O leitor, lendo as notas em Lv 2.13, ficará mais bem informado.

■ 43.25,26

שִׁבְעַת יָמִים תַּעֲשֶׂה שְׂעִיר־חַטָּאת לַיּוֹם וּפַר בֶּן־בָּקָר וְאַיִל מִן־הַצֹּאן תְּמִימִם יַעֲשׂוּ:

שִׁבְעַת יָמִים יְכַפְּרוּ אֶת־הַמִּזְבֵּחַ וְטִהֲרוּ אֹתוֹ וּמִלְאוּ יָדוֹ:

O autor omitiu descrições dos ritos do terceiro e do sexto dia e, agora, vem ao sétimo dia, mencionando as ofertas queimadas pelo pecado, as purificações e a consagração do altar, ritos necessários para a utilização do templo ideal.

Durante sete dias prepararás cada dia... por sete dias expiarão o altar. O número *sete* naturalmente fala das perfeições divinas e da completa realização do trabalho. Os três animais foram sacrificados no sétimo dia, completando o ciclo exigido. O pleonasmo de dias e sacrifícios fala da abundância dos ritos e dos muitos resultados positivos esperados.

Consagrarão. Literalmente, no hebraico, "encherão as mãos", em alusão a um ato que não mais entendemos. Talvez a referência seja à colocação dos sacrifícios nas mãos dos sacerdotes. Através desse ato, o restante se seguiu. Alguns intérpretes, porém, pensam que a referência é ao enchimento do altar com os sacrifícios. Nada se fala sobre a consagração dos sacerdotes, um detalhe omitido; o autor estava ansioso para descrever a consagração *do altar*. Cf. Lv 8. Na *tipologia* temos esta ideia: "Estes sacrifícios dirigirão a mente dos israelitas para Cristo, que nos deu *acesso* ao Pai (Hb 10.19-25)" (Charles H. Dyer, *in loc.*).

■ 43.27

וִיכַלּוּ אֶת־הַיָּמִים ס וְהָיָה בַיּוֹם הַשְּׁמִינִי וָהָלְאָה יַעֲשׂוּ הַכֹּהֲנִים עַל־הַמִּזְבֵּחַ אֶת־עוֹלוֹתֵיכֶם וְאֶת־שַׁלְמֵיכֶם וְרָצִאתִי אֶתְכֶם נְאֻם אֲדֹנָי יְהוִה: ס

Tendo eles cumprido estes dias... Provavelmente os *sete dias* de sacrifícios ocupassem os dias de domingo a sábado. Assim, no outro domingo, no oitavo dia, o próprio sistema de sacrifício continuava, tendo tido sua consagração apropriada nos sete dias. O altar, purificado e consagrado, tornou-se instrumento de expiação para todos os dias e anos que se seguiram.

Eu vos serei propício, diz o Senhor Deus. *Adonai-Yahweh* (o Soberano Eterno Deus; ver este título anotado no vs. 18), ordenou o sistema com seus diversos tipos de sacrifícios e aceitou o que foi feito na implementação de suas ordens; também aceitará todos os sacrifícios e ofertas nos dias e anos que vêm. *O acesso* a Yahweh foi estabelecido, para o benefício do povo. Ver no *Dicionário* o artigo denominado *Acesso*. O milênio terá uma renovação do sistema sacrificial, segundo alguns intérpretes, se o templo ideal de Ezequiel for o templo milenar. Existem diversas interpretações do assunto. Ver as notas em Ez 40.38, onde isto é discutido em detalhes. Devemos rejeitar esta ideia, contrária ao livro inteiro de Hebreus.

CAPÍTULO QUARENTA E QUATRO

Os capítulos 40—48 formam a divisão final do livro. Restritamente falando, não há divisões entre estes capítulos. Todos tratam do tema principal, a *restauração de Israel*, com seu corolário indispensável, o templo ideal. O capítulo 44 trata das *ordenanças* em relação ao ministério do santuário.

O capítulo se divide naturalmente em cinco partes: 1. vss. 1-3; 2. vss. 4,5; 3. vss. 6-9; 4. vss. 10-14; 5. Vss. 15-31. Cada seção tem sua própria introdução. Ver a *introdução geral* no início das notas do capítulo 40.

Características Gerais do Capítulo. "Yahweh mostrou ao profeta que o Portão Oriental deveria permanecer fechado. Ninguém podia entrar por aquele lugar. Adonai-Yahweh entrou por aquele portão quando voltou ao seu lar terrestre e, assim, o consagrou exclusivamente para uso divino. Chegará um *príncipe* que poderá sentar-se no local e comer pão ante o Senhor; ele também entrará por este portão. O profeta voltou para a corte interior, onde recebeu instruções sobre o ministério do templo. Estrangeiros não poderão trabalhar no serviço divino, nem na qualidade de servos (escravos) (vss. 10-14). Somente sacerdotes levíticos da linhagem de Zadoque terão o direito de trabalhar na corte interior (vss. 15,16). As *ordenanças* (regras do ministério) foram entregues àqueles sacerdotes. Incluíam regulamentos sobre sacrifícios, festas, sábados, pureza cerimonial (o cumprimento das leis sobre *Limpo e Imundo;* ver o artigo correspondente no *Dicionário*). Ver os vss. 17-31" (Theophile J. Meek, *in loc.*, com algumas modificações).

O PORTÃO ORIENTAL FECHADO (44.1-3)

Yahweh tinha abandonado seu templo (capítulo 11) pelo Portão Oriental, mas depois voltou (43.1-4). Sua volta consagrou a entrada pela qual ele entrou, de novo, no templo. O Portão Oriental tornou-se *santo* e reservado. A entrada para o templo por aquele lugar, por um mortal, o poluiria. Além disso, Yahweh nunca mais abandonará seu *lar*, porque o templo nunca mais será conspurcado por um povo imundo.

■ 44.1

וַיָּשֶׁב אֹתִי דֶּרֶךְ שַׁעַר הַמִּקְדָּשׁ הַחִיצוֹן הַפֹּנֶה קָדִים וְהוּא סָגוּר:

Yahweh fechou o Portão Oriental; nenhum mortal poderia entrar no templo por ele, pois seria um ato de desrespeito e um sacrilégio. Haverá uma exceção, como descrito no vs. 3. O capítulo 46 dá outros detalhes sobre este assunto.

A Lição Moral e Espiritual. Yahweh controla o acesso às realidades espirituais. No Antigo Testamento, o acesso era severamente restrito, mas no Novo Testamento, em Cristo, é pleno e aberto para todos. O livro inteiro de Hebreus fornece detalhes do novo caminho.

> *Tendo, pois, irmãos, intrepidez para entrar no Santo dos Santos, pelo sangue de Jesus, pelo novo e vivo caminho que ele nos consagrou pelo véu, isto é, pela sua carne, e tendo grande sacerdote sobre a casa de Deus.*
>
> Hebreus 10.19-21

■ 44.2

וַיֹּאמֶר אֵלַי יְהוָה הַשַּׁעַר הַזֶּה סָגוּר יִהְיֶה לֹא יִפָּתֵחַ וְאִישׁ לֹא־יָבֹא בוֹ כִּי יְהוָה אֱלֹהֵי־יִשְׂרָאֵל בָּא בוֹ וְהָיָה סָגוּר:

Esta porta permanecerá fechada... porque o Senhor Deus de Israel entrou por ela. Yahweh explica ao profeta por que o portão foi fechado. *Yahweh-Elohim* (o Eterno Deus, o Poder) usou aquela entrada quando retornou ao templo, para reconfirmar o lugar como seu lar terrestre; com essa ação, o Portão Oriental foi consagrado para o uso divino, exclusivamente.

Símbolos do Portão. 1. Segundo os católicos romanos, a *Virgem Maria*, por quem Cristo veio. 2. As *Escrituras* que revelam a vontade do Senhor. 3. A *igreja cristã*, que abre acesso a Deus e às coisas sagradas. 4. Salvação, santificação, transformação, que são as realizações do acesso a Deus.

Estas "interpretações" têm seus valores como *aplicações* do texto. A *interpretação* é que, somente através do Ser divino, os homens têm acesso às realidades espirituais. É a obra de Deus, não uma realização humana.

■ 44.3

אֶת־הַנָּשִׂיא נָשִׂיא הוּא יֵשֶׁב־בּוֹ לֶאֱכוֹל־לֶחֶם לִפְנֵי יְהוָה מִדֶּרֶךְ אֻלָם הַשַּׁעַר יָבוֹא וּמִדַּרְכּוֹ יֵצֵא:

Quanto ao príncipe, ele se assentará ali por ser príncipe. Somente o *Príncipe* pode entrar pelo Portão Oriental. O termo "príncipe", nesse livro, significa *rei*. O rei já foi identificado como *Davi*, que continuará a linhagem davídica, real.

Para comer o pão. O *pão* que ele come à entrada fala da *comunhão* que terá com o seu povo. Cf. Lv 7.15-21. O pão é a *refeição sacramental* compartilhada com toda a comunidade de adoradores. O portão tinha um pórtico ou vestíbulo, como mostra a ilustração que acompanha o capítulo 44.

Comer pão diante do Senhor. Esta é a expressão usada comumente nas Escrituras para falar das refeições feitas de porções dos animais sacrificados, mais as ofertas de cereais. Cf. Gn 31.54; Êx 18.12. Ver também Mt 8.11 e Lc 14.15.

Tendo acesso, o Messias dará o mesmo a seu povo. O que foi fechado se abrirá pelo uso da chave messiânica. "A chave da casa de Davi deitará no seu ombro (o antítipo sendo Eliaquim); abrirá e ninguém fechará; fechará e ninguém abrirá. A porta foi fechada ao povo, mas aberta ao Príncipe, que toma o lugar de Deus pela autoridade de seu ofício. Como ato de respeito, a porta pela qual o monarca *oriental* entrou foi selada. Mas a Grande Porta de acesso a Deus e à salvação será aberta pela missão do Messias. Ver no *Dicionário* o artigo denominado *Acesso*.

> *Estas coisas diz o santo, o verdadeiro, aquele que tem a chave de Davi, que abre, e ninguém fechará, e que fecha, e ninguém abrirá.*
>
> Apocalipse 3.7

O PROFETA É POSICIONADO ANTE O TEMPLO (44.4,5)

■ 44.4

וַיְבִיאֵנִי דֶּרֶךְ־שַׁעַר הַצָּפוֹן אֶל־פְּנֵי הַבַּיִת וָאֵרֶא וְהִנֵּה מָלֵא כְבוֹד־יְהוָה אֶת־בֵּית יְהוָה וָאֶפֹּל אֶל־פָּנָי:

Eis que a Glória do Senhor enchia a casa do Senhor. O profeta foi surpreendido pela visão da glória de Yahweh no seu templo, que lhe foi dada de súbito. Ele recebeu aquela visão quando entrou pelo Portão do Norte, pois não tinha permissão para entrar pelo Portão Oriental.

"Este portão devia ter sido a entrada para a corte interior, o lugar designado para a matança dos sacrifícios e, assim, um lugar apropriado para o recebimento das ordenanças do ministério dos sacerdotes. Neste lugar, ele viu a glória do Senhor e recebeu ordens para prestar a devida atenção às leis que iam ser anunciadas" (Ellicott, *in loc.*).

Caí rosto em terra. O profeta perdeu o controle muscular, vencido pelo poder da visão. Cf. Ez 1.28; 3.23; 9.8; 43.3.

■ 44.5

וַיֹּאמֶר אֵלַי יְהוָה בֶּן־אָדָם שִׂים לִבְּךָ וּרְאֵה בְעֵינֶיךָ וּבְאָזְנֶיךָ שְּׁמָע אֵת כָּל־אֲשֶׁר אֲנִי מְדַבֵּר אֹתָךְ לְכָל־חֻקּוֹת בֵּית־יְהוָה וּלְכָל־תּוֹרֹתוֹ וְשַׂמְתָּ לִבְּךָ לִמְבוֹא הַבַּיִת בְּכֹל מוֹצָאֵי הַמִּקְדָּשׁ:

Filho do homem, nota bem, e vê com o teus próprios olhos. Yahweh falou com o profeta utilizando seu título comum (anotado em Ez 2.1). Novas instruções são dadas e o profeta terá a responsabilidade de comunicá-las. Deve ter olhos e ouvidos abertos para as instruções, para não perder um único item. Muitas ordenanças e leis seriam entregues, todas paralelas à legislação mosaica. Entre as leis estavam aquelas que governariam o acesso ao templo, sendo estipulado quem podia entrar e quem não podia.

A passagem fala *contra o secularismo,* porque era responsabilidade dos sacerdotes dirigir o povo para Deus, longe de seus interesses mundanos. Os profanos serão excluídos do santuário. O *Senhor* dá entrada; o homem não tem o direito nem o poder para abrir seu próprio caminho.

A EXCLUSÃO DOS ESTRANGEIROS (44.6-9)

Os estrangeiros não podiam servir no templo, como antigamente. Ver Js 9.23; Nm 31.30,47. Nem os estrangeiros espirituais, nem os incircuncisos de coração (vs. 7), embora judeus por raça (Dt 30.6 Lv 26.41; Jr 4.4) pudessem participar do templo ideal. Nos tempos mais antigos, os escravos que faziam tarefas servis, duras e sujas no templo eram os gibeonitas. Também alguns midianitas ajudaram os levitas. Além desses, houve alguns netinim (ver no *Dicionário* o artigo denominado *Netinim, Servos do Templo*). A palavra *netinim* significa "aqueles dados" e eram equivalentes aos escravos, nos templos da Babilônia, chamados *shirku* (que significa a mesma coisa). Ver Ed 2.43-54; Ne 7.46-56. Alguns guardas do templo eram *cários* (2Rs 11.4-8). Cf. Ne 7.57-60.

■ **44.6**

וְאָמַרְתָּ אֶל־מֶ֙רִי֙ אֶל־בֵּ֣ית יִשְׂרָאֵ֔ל כֹּ֥ה אָמַ֖ר אֲדֹנָ֣י יְהוִ֑ה רַב־לָכֶ֛ם מִֽכָּל־תּוֹעֲבֽוֹתֵיכֶ֖ם בֵּ֥ית יִשְׂרָאֵֽל׃

A regra do templo ideal era rígida e absoluta: nenhum estrangeiro, de nenhum tipo, teria acesso ao templo para desempenhar nenhuma função. No templo de Herodes havia um aviso para manter os gentios longe da corte interior. Existia uma corte onde eles podiam entrar, a qual não tinha nada a ver com os lugares de atuação sagrada. Entendemos que, no templo ideal, nem os prosélitos tinham acesso a nada. Isto faz um contraste violento com a igreja cristã, na qual o gentio tornou-se o próprio templo do Espírito (1Co 3.16; Ef 2.19-22). Ver também Gl 3.28.

Talvez o vs. 7 possa ser interpretado como permissão para os convertidos ao judaísmo terem acesso ao templo, a fim de participar dos seus ritos; mas os vss. 8,9 quase certamente fecham a porta para os estrangeiros de qualquer tipo. A questão é disputada, mas sem justificação, na minha opinião. Contraste-se este conceito com as leis mais liberais de Lv 17.10-12 e Nm 15.14,26,29.

■ **44.7**

בַּהֲבִיאֲכֶ֣ם בְּנֵֽי־נֵכָ֗ר עַרְלֵי־לֵב֙ וְעַרְלֵ֣י בָשָׂ֔ר לִהְי֥וֹת בְּמִקְדָּשִׁ֖י לְחַלְּל֣וֹ אֶת־בֵּיתִ֑י בְּהַקְרִֽיבְכֶ֤ם אֶת־לַחְמִי֙ חֵ֣לֶב וָדָ֔ם וַיָּפֵ֙רוּ֙ אֶת־בְּרִיתִ֔י אֶ֖ל כָּל־תּוֹעֲבֽוֹתֵיכֶֽם׃

Introduzistes estrangeiros, incircuncisos de coração e incircuncisos de carne. Os estrangeiros ficam em aposição aos *incircuncisos de coração.* Há dois tipos de estrangeiros: os literais e os espirituais, isto é, os judeus profanos. Os dois são excluídos do templo. Este versículo, isolado, poderia ensinar que os estrangeiros circuncidados teriam acesso, mas isto é contra o contexto. Os incircuncisos são tanto os estrangeiros profanos quanto os judeus profanos. Ver Jr 4.4; 9.26; Dt 10.16; 30.6; Lv 26.41. Ver sobre *lábios incircuncisos,* em Êx 6.12,30; e sobre *ouvidos incircuncisos,* em Jr 6.10. Estes termos obviamente falam de judeus por raça, que eram pagãos de coração, isto é, judeus ímpios que não obedeceram à lei de Moisés, o guia do povo (Dt 6.4 ss.). Ver notas mais completas sobre *corações incircuncisos,* em Rm 2.25 ss.

No cristianismo, naturalmente, a circuncisão literal não tem mais aplicação; era o *sinal* do Pacto Abraâmico. Mas a ideia de circuncisão e incircuncisão espiritual é um conceito que persiste. Ver no *Dicionário* o artigo intitulado *Circuncisão,* para detalhes.

A questão, na presente passagem, é se o pagão, convertido ao judaísmo e circuncidado, poderia participar do ministério do templo, ou da prática dos ritos desse lugar. Alguns dizem "sim", outros, "não". Eu digo "não", como resposta consistente em relação à ideia geral do contexto.

Gordura. Sangue. Ver as leis que governavam o sangue e a gordura, nas notas de Lv 3.17.

Práticas Abomináveis. 1. Incluir estrangeiros como participantes nos ritos do templo; 2. permitir a entrada de qualquer forma de idolatria (2Rs 21.4-7). Tais práticas violaram os pactos entre os judeus e Yahweh. Quando o Soberano Eterno Deus, o Poder, recebeu sua porção de sangue e gordura dos sacrifícios, não quis nenhum profano, judeu ou estrangeiro, perto dele.

■ **44.8**

וְלֹ֥א שְׁמַרְתֶּ֖ם מִשְׁמֶ֣רֶת קָדָשָׁ֑י וַתְּשִׂימ֗וּן לְשֹׁמְרֵ֧י מִשְׁמַרְתִּ֛י בְּמִקְדָּשִׁ֖י לָכֶֽם׃

Este versículo, quase certamente, significa a exclusão *total* dos estrangeiros, para incluir os prosélitos. Reverte totalmente os velhos regulamentos sobre o trabalho escravo de estrangeiros no templo, descrito nas notas do vs. 6. O autor não está mandando as autoridades investigar as qualidades espirituais dos estrangeiros, para separar os bons dos maldosos: simplesmente exclui todos e não aceita a velha legislação como sendo aplicável ao templo ideal. A passagem não discute "qual tipo" de participação o estrangeiro poderia ter no judaísmo ideal, depois da libertação dos judeus do cativeiro babilônico. Parece que o "nacionalismo" e o "ódio aos estrangeiros" estavam em alta e, para o profeta, idealmente, os estrangeiros não teriam parte alguma na nova religião, cujo centro seria o templo ideal. Esdras exigiu o divórcio do povo judaico de maridos e esposas adquiridos no cativeiro e não fez nenhuma investigação para verificar se eles se haviam tornado judeus pela circuncisão. Fez uma regra, aplicada a todos, e separou, com um golpe, muitas famílias, entre elas, presumivelmente, algumas felizes. Ver Ed 10 e Ne 13.1-9. A propriedade dos estrangeiros foi protegida, não sendo confiscada, para incluir heranças (Ez 47.21-23), mas isso é outro assunto não relacionado ao presente capítulo.

■ **44.9**

כֹּה־אָמַ֞ר אֲדֹנָ֣י יְהוִ֗ה כָּל־בֶּן־נֵכָ֗ר עֶ֤רֶל לֵב֙ וְעֶ֣רֶל בָּשָׂ֔ר לֹ֥א יָב֖וֹא אֶל־מִקְדָּשִׁ֑י לְכָל־בֶּן־נֵכָ֔ר אֲשֶׁ֖ר בְּת֥וֹךְ בְּנֵ֥י יִשְׂרָאֵֽל׃

Este versículo repete o já visto nos vss. 7 e 8. Os pagãos incircuncisos (literalmente) e aqueles sem a circuncisão *do coração,* foram excluídos do uso do templo. De fato, nem podiam entrar no complexo. Tal providência, extrema e irracional, teria a vantagem de evitar certos excessos do passado. Salomão não hesitou em introduzir no país as práticas pagãs de suas muitas esposas estrangeiras, e logo a idolatria se espalhou em toda a parte; não parou de corromper o povo até que Israel se tornou meramente outra nação pagã. O vs. 9 pode ser interpretado como referindo-se somente ao serviço do templo, não ao acesso e suas vantagens, mas o contexto é radical, proibindo qualquer tipo de participação de estrangeiros no templo, inclusive a simples entrada no complexo.

O SERVIÇO DOS LEVITAS NO SANTUÁRIO (44.10-14)

■ **44.10**

כִּ֣י אִם־הַלְוִיִּ֗ם אֲשֶׁ֤ר רָֽחֲקוּ֙ מֵֽעָלַ֔י בִּתְע֥וֹת יִשְׂרָאֵ֖ל אֲשֶׁ֤ר תָּעוּ֙ מֵֽעָלַ֔י אַחֲרֵ֖י גִּלּֽוּלֵיהֶ֑ם וְנָשְׂא֖וּ עֲוֺנָֽם׃

Os levitas, porém, que se apartaram para longe de mim... Os levitas participaram da idolatria-adultério-apostasia do povo, mas, sendo restaurados, em contraste com os estrangeiros, recuperaram seu velho ministério. Os *levitas não sacerdotes* (não descendentes da linhagem de Arão, embora tivessem Levi como antepassado) receberam por incumbência os serviços servis, sujos e duros (em companhia dos estrangeiros escravos). Sua tarefa era inglória, mas era *do Senhor,* que os exaltou acima da média dos judeus na comunidade. Eles limpavam o chão, matavam os animais, lavavam os instrumentos do culto e carregavam para fora o esterco que os animais (inevitavelmente) depositavam nas cortes. Como o restante do povo, eles abandonaram o serviço de Yahweh e adotaram ídolos como deuses. Por isso, mereciam a punição dos ataques e o cativeiro babilônico. Tendo pago o preço conforme a *Lei Moral da Colheita segundo a Semeadura* (ver a respeito no *Dicionário*), voltaram ao velho serviço, quer dizer, o pequeno número de sobreviventes das diversas catástrofes. *Carregaram seu castigo* para seu próprio bem. Cf. o vs. 12; Ez 4.4; 14.10; Lv 10.17; 16.22; Nm 30.15; Is 53.11.

Os levitas foram restaurados, mas parte do castigo continuou. Seu serviço tornou-se mais humilde ainda. Tarefas sujas feitas pelos estrangeiros agora eram parte de *seus* deveres. O texto não entra em detalhes, para informar a natureza exata da humilhação; é improvável a implicação de que, antes, eles tivessem atuação direta no serviço espiritual que pertencia aos sacerdotes. A lei mosaica já os tinha humilhado. Todos os direitos sacerdotais foram reservados para os descendentes diretos de Arão. Ver o vs. 13. A hierarquia era: sacerdotes / levitas não sacerdotes / estrangeiros; e tornou-se: sacerdotes / levitas não sacerdotes.

■ 44.11

וְהָיוּ בְמִקְדָּשִׁי מְשָׁרְתִים פְּקֻדּוֹת אֶל־שַׁעֲרֵי הַבַּיִת
וּמְשָׁרְתִים אֶת־הַבָּיִת הֵמָּה יִשְׁחֲטוּ אֶת־הָעֹלָה וְאֶת־הַזֶּבַח לָעָם וְהֵמָּה יַעַמְדוּ לִפְנֵיהֶם לְשָׁרְתָם׃

Eles servirão no meu santuário como guardas... e ministros. Os levitas eram trabalhadores servis do santuário: guardavam as portas; matavam os animais; limpavam o chão e os instrumentos; serviam os adoradores, ajudando-os em tudo; carregavam madeira para fazer fogo e transportavam água para a limpeza; tiravam do complexo do templo o esterco depositado pelos animais dos sacrifícios em toda a parte. Os sacerdotes falavam: "Faça isso!", e eles obedeciam sem uma palavra de protesto. Eram os "office-boys" do templo. Os estrangeiros haviam ocupado o último nível do serviço, mas os levitas deslizaram e acabaram ocupando aquele lugar. Falando claramente, eram *escravos*, mas "do Senhor", que exaltara seu serviço. Para as tarefas destes homens no templo de Salomão, ver 1Cr 15.16; 16.4 e 23.28-31.

■ 44.12

יַעַן אֲשֶׁר יְשָׁרְתוּ אוֹתָם לִפְנֵי גִלּוּלֵיהֶם וְהָיוּ לְבֵית־יִשְׂרָאֵל לְמִכְשׁוֹל עָוֹן עַל־כֵּן נָשָׂאתִי יָדִי עֲלֵיהֶם נְאֻם אֲדֹנָי יְהוִה וְנָשְׂאוּ עֲוֹנָם׃

Ministraram diante dos seus ídolos. Este versículo repete, essencialmente, os vss. 10,11, sendo um tipo de sumário. Os levitas "vaguearam", servindo ídolos e encorajando o povo a fazer o mesmo. Eram líderes do debocho e obstáculos ao bem-estar de Israel, promovendo sua idolatria-adultério-apostasia. Foram cegos que guiaram outros cegos, e o país inteiro caiu no buraco. Praticaram maldades e inspiraram a prática de iniquidades. Cf. Ez 14.3,4. A *mão divina* se levantou para administrar um golpe esmagador, Yahweh vingando-se contra os rebeldes, dobrando-os em direção do chão. Ver no *Dicionário* o artigo denominado *mão* e também em Sl 81.14, e ver sobre *mão direita*, em Sl 20.6. O golpe seria, afinal, uma medida restauradora. Os julgamentos de Deus vingam e castigam, mas são todos restauradores, sendo dedos da amorosa mão de Deus. Ver este conceito anotado nas notas de 1Pe 4.6, no *Novo Testamento Interpretado*. *Adonai-Yahweh* é o autor do trabalho, o Soberano Eterno Deus que determina o destino dos homens e nações. Ver no *Dicionário* o artigo denominado *Soberania de Deus*.

■ 44.13

וְלֹא־יִגְּשׁוּ אֵלַי לְכַהֵן לִי וְלָגֶשֶׁת עַל־כָּל־קָדָשַׁי אֶל־קָדְשֵׁי הַקֳּדָשִׁים וְנָשְׂאוּ כְּלִמָּתָם וְתוֹעֲבוֹתָם אֲשֶׁר עָשׂוּ׃

Não se chegarão a mim, para me servirem no sacerdócio. Este versículo, no presente contexto, parece indicar que parte da humilhação dos levitas foi a perda da participação no augusto serviço reservado aos sacerdotes. Mas aquela proibição já fazia parte da legislação mosaica. Portanto, o presente versículo meramente reafirma uma lei antiga. Aos sacerdotes cabia a tarefa de cuidar diretamente dos sacrifícios, manipulando os instrumentos sagrados, servindo ao altar e às coisas santas do santuário. Somente o sumo sacerdote (uma vez por ano) podia entrar no Santo dos Santos, no dia da expiação, para aplacar a ira de Yahweh, fazendo uma oferta pelos pecados de todo o povo. Os levitas que se envolveram com abominações, mesmo restaurados, continuaram nos seus serviços humildes. Era melhor ser um escravo humilde do Senhor do que um príncipe orgulhoso do diabo. É melhor "levar sobre si a vergonha do Senhor", pagando por seus pecados, para depois, servir ao Senhor, do que continuar impune servindo o diabo, que arrebata sua alma.

■ 44.14

וְנָתַתִּי אוֹתָם שֹׁמְרֵי מִשְׁמֶרֶת הַבָּיִת לְכֹל עֲבֹדָתוֹ וּלְכֹל אֲשֶׁר יֵעָשֶׂה בּוֹ׃ פ

Eu os encarregarei da guarda do templo e de todo o serviço. Este versículo descreve, sem entrar em detalhes, o serviço dos levitas restaurados, o que é anotado nos vss. 10,11. "Cuidarão de tudo que deve ser feito" (NCV), isto é, no templo: serviços humildes; trabalho servil; consertos; corte de madeira; transporte de água; limpeza do esterco; vigia das portas etc.

REGULAMENTOS PARA OS ZADOQUITAS (44.15-31)

"Somente os zadoquitas podiam ser ministros representantes de Yahweh, pois compunham a casta sacerdotal oficial. Eles descendiam de Zadoque que, de súbito, apareceu como um sacerdote companheiro de Abiatar no tempo de Davi (1Sm 8.17; 15.24 ss.); apoiou Salomão como o sucessor de Davi e tornou-se o sumo sacerdote. Abiatar (que apoiou o partido da oposição) foi banido para Anatote. Ver 1Rs 1.8; 2.26—27,35. Alguns intérpretes acham que Zadoque já era sacerdote de Jebus, antes de sua derrota; derrotado, Jerusalém, a capital de Davi, tornou-se o vencedor. Segundo esta teoria, a legislação posterior *deu* àquele homem uma descendência (inventada) de Arão, através de Eleazar (1Cr 6.50-53; 24.31). A lei de Deuteronômio originalmente determinou que os levitas servissem ao lado dos sacerdotes, administrando os sacrifícios" (Theophile J. Meek, *in loc.*, promovendo duas teorias detestadas pelos conservadores). Ver no *Dicionário* o artigo intitulado *Zadoque*, para detalhes.

■ 44.15

וְהַכֹּהֲנִים הַלְוִיִּם בְּנֵי צָדוֹק אֲשֶׁר שָׁמְרוּ אֶת־מִשְׁמֶרֶת מִקְדָּשִׁי בִּתְעוֹת בְּנֵי־יִשְׂרָאֵל מֵעָלַי הֵמָּה יִקְרְבוּ אֵלַי לְשָׁרְתֵנִי וְעָמְדוּ לְפָנַי לְהַקְרִיב לִי חֵלֶב וָדָם נְאֻם אֲדֹנָי יְהוִה׃

Os sacerdotes levíticos, os filhos de Zadoque, que cumpriram as prescrições... Talvez este versículo implique que os zadoquitas permaneceram fiéis durante o tempo da grande apostasia de Israel, que causou o cativeiro babilônico; portanto, mereceram sua posição exaltada depois daquele evento. Sua fidelidade antiga foi confirmada por uma fidelidade "moderna".

... me ofereceram a gordura e o sangue. Estes elementos eram a porção de Yahweh e aqui simbolizam a realização correta dos sacrifícios, sendo o *sinal* de uma atuação fiel da parte dos zadoquitas. Ver as leis sobre o sangue e a gordura, em Lv 3.17.

"Deus observa a fidelidade dos homens e promete aos fiéis coisas boas e grandiosas. Ver Ap 2.7,10—11,13,17,26-28; 3.5,10-12,21,22; Mt 25.21" (John Gill, *in loc.*). "O povo pecou, mas os zadoquitas foram fiéis. Assim, depois do cativeiro, receberam de volta sua posição de honra" (Charles H. Dyer, *in loc.*). É a velha história da colheita segundo a semeadura (Gl 6.7,8).

Diz o Senhor Deus. *Adonai-Yahweh* (o Soberano Eterno Deus) tinha suas mãos soberanas sobre tudo e pronunciou em favor dos descendentes de Zadoque, por causa de sua fidelidade, no tempo de Davi e Salomão. Esse título divino aparece 217 vezes nesse livro, mas somente 103 no restante do Antigo Testamento. Fala da soberania de Deus que controla o destino de todos os homens e nações. Era seu direito estabelecer o sacerdócio sob a direção dos zadoquitas.

■ 44.16

הֵ֜מָּה יָבֹ֣אוּ אֶל־מִקְדָּשִׁ֗י וְהֵ֛מָּה יִקְרְב֥וּ אֶל־שֻׁלְחָנִ֖י
לְשָׁרְתֵ֑נִי וְשָׁמְר֖וּ אֶת־מִשְׁמַרְתִּֽי׃

... se chegarão à minha mesa, para me servirem. A *mesa* deste versículo provavelmente significa a mesa da Presença, ou Mesa da Exposição dos Pães, a qual se situava no santuário interior. Aqui, simboliza a refeição sacramental (Ez 39.20). cf. Ml 1.7,12. Ver no *Dicionário* o artigo sobre *Mesa, II. Mesas Rituais, 1. Mesa dos Pães da Proposição ou da Presença*. Alguns intérpretes, todavia, acham que o *altar* está em vista "... e queimar *incenso* no altar áureo" (Adam Clarke, *in loc.*). Ou, talvez a referência seja ao altar *de sacrifício*. Ver Lv 3.11,16. Para o altar de incenso, ver Ez 41.22 e no *Dicionário*.

■ 44.17,18

וְהָיָ֗ה בְּבוֹאָם֙ אֶל־שַׁעֲרֵי֙ הֶחָצֵ֣ר הַפְּנִימִ֔ית בִּגְדֵ֥י
פִשְׁתִּ֖ים יִלְבָּ֑שׁוּ וְלֹֽא־יַעֲלֶ֤ה עֲלֵיהֶם֙ צֶ֔מֶר בְּשָׁ֣רְתָ֔ם
בְּשַׁעֲרֵ֛י הֶחָצֵ֥ר הַפְּנִימִ֖ית וָבָֽיְתָה׃

פַּאֲרֵ֤י פִשְׁתִּים֙ יִהְי֣וּ עַל־רֹאשָׁ֔ם וּמִכְנְסֵ֣י פִשְׁתִּ֔ים יִהְי֖וּ
עַל־מָתְנֵיהֶ֑ם לֹ֥א יַחְגְּר֖וּ בַּיָּֽזַע׃

Usarão vestes de linho. Ver a lei sobre o uso de vestimentas de linho, em Ez 9.2; Lv 7.10; 16.4,23; Êx 28.6,42; 39.27-39. A lã poderia ser *imunda*, porque era produto animal; por esta razão, o material foi proibido na fabricação das vestimentas sacerdotais; além disso, a lei não permitia nenhuma mistura de tipos de fios. A escolha divina era o linho, um produto vegetal, cerimonialmente *limpo* e apropriado. Ver no *Dicionário* o artigo denominado *Limpo e Imundo*. Referências literárias mostram que os egípcios também utilizaram o linho para as vestimentas sacerdotais. Uma vestimenta de lã, provocadora de suor, era considerada impura e inapropriada para os ministros. Esta passagem segue, essencialmente, as direções de Lv 28. Fios misturados foram condenados em Dt 22.11 e Lv 19.19.

Tipologia. Alguns intérpretes veem aqui as "vestimentas" morais e espirituais.

... todos quantos fostes batizados em Cristo de Cristo vos revestistes.
Gálatas 3.27

■ 44.19

וּבְצֵאתָ֞ם אֶל־הֶחָצֵ֣ר הַחִיצוֹנָה֮ אֶל־הֶחָצֵ֣ר הַחִיצוֹנָה֒
אֶל־הָעָ֗ם יִפְשְׁט֤וּ אֶת־בִּגְדֵיהֶם֙ אֲשֶׁר־הֵ֣מָּה מְשָׁרְתִ֣ם
בָּ֔ם וְהִנִּ֥יחוּ אוֹתָ֖ם בְּלִֽשְׁכֹ֣ת הַקֹּ֑דֶשׁ וְלָֽבְשׁוּ֙ בְּגָדִ֣ים
אֲחֵרִ֔ים וְלֹֽא־יְקַדְּשׁ֥וּ אֶת־הָעָ֖ם בְּבִגְדֵיהֶֽם׃

Saindo eles ao átrio exterior... despirão as vestes com que ministraram. Os sacerdotes podiam usar as vestimentas oficiais somente durante o serviço sagrado, como visto em Ez 42.14. Vestimentas santas eram guardadas em salas apropriadas para este propósito. A razão da proibição de usar tais roupas na rua era a superstição de que o contato com elas (por pessoas comuns) poderia trazer algum tipo de maldição. *Poder* em objetos santos era uma velha crença que entrou também nas lendas da igreja cristã. Esta superstição chegou a ponto de afirmar que um homem enterrado nas roupas de um sacerdote automaticamente seria salvo e iria para os céus. "Transmissão mágica" de virtudes, de objetos considerados santos, faz parte da idolatria da igreja de hoje. Cf. Êx 29.37; 30.29; Lv 6.27; e Mt 23.17,19, para a teoria do fator de transferência de virtude. Sabemos que objetos inanimados absorvem energia psíquica de pessoas, especialmente daquelas com acentuados poderes psíquicos. Tal energia talvez possa curar em alguns casos. Todas as mitologias têm alguma base em acontecimentos reais, o que não justifica a fé idólatra das massas em tais coisas.

■ 44.20

וְרֹאשָׁם֙ לֹ֣א יְגַלֵּ֔חוּ וּפֶ֖רַע לֹ֣א יְשַׁלֵּ֑חוּ כָּס֥וֹם יִכְסְמ֖וּ
אֶת־רָאשֵׁיהֶֽם׃

Cortar a barba, rapar o cabelo, deixar o cabelo sem os cuidados comuns, ou deixá-lo crescer demais, eram sinais de *lamentação* (ver a respeito no *Dicionário*). Cf. Lv 10.6 e 21.5,10. O sacerdote não podia tomar tais atitudes, porque seu serviço era de alegria, simbolizando a vida, não a morte. Ver Nm 6.1-21 e 1Sm 1.11. Esta lei concernente aos sacerdotes se encontra em Lv 21.5, que inclui, também, a proibição contra mutilação. O sacerdote não podia usar cabelo longo demais ou curto demais. Moderação em todas as coisas! Os sacerdotes egípcios raspavam a cabeça e se barbeavam, o que era contrário à mentalidade hebraica.

Seja a vossa moderação conhecida de todos os homens.
Filipenses 4.5

■ 44.21

וְיַ֥יִן לֹֽא־יִשְׁתּ֖וּ כָּל־כֹּהֵ֑ן בְּבוֹאָ֖ם אֶל־הֶחָצֵ֥ר הַפְּנִימִֽית׃

Ver Lv 10.9, onde as proibições do presente versículo fazem parte da lei mosaica. No livro de Levítico, a proibição é feita com ameaça de morte. Yahweh golpearia o sacerdote ímpio que tivesse a audácia de beber quando estivesse ministrando no templo do Senhor. Era um *ultraje* para um homem servir a Deus no santuário e beber ao mesmo tempo. O texto implica que tais pessoas ficavam bêbadas, mas qualquer uso de vinho no lugar santo era considerado vergonhoso. O sacerdote tinha a obrigação de fazer clara distinção entre o sagrado e o profano, especialmente no próprio templo. Hoje, a igreja cristã, em muitos lugares, imita os clubes noturnos na questão de música e no estilo de culto com seus "conjuntos". Tais práticas envergonham a igreja que, em vez de ser um barco de salvação, tornou-se um barco de diversões. Este ultraje faz parte da apostasia generalizada. Ver Ap 3.17.

Cf. 1Tm 3.3, onde *moderação* é exigida na questão da bebida. As listas de vícios do Novo Testamento sempre incluem *bebedice* como uma obra da carne. Ver Gl 5.21. Ver no *Dicionário* o artigo denominado *Bebida, Beber*.

■ 44.22

וְאַלְמָנָ֤ה וּגְרוּשָׁה֙ לֹֽא־יִקְח֥וּ לָהֶ֖ם לְנָשִׁ֑ים כִּ֣י אִם־
בְּתוּלֹת֙ מִזֶּ֣רַע בֵּ֣ית יִשְׂרָאֵ֔ל וְהָֽאַלְמָנָ֕ה אֲשֶׁ֣ר תִּֽהְיֶ֥ה
אַלְמָנָ֖ה מִכֹּהֵ֥ן יִקָּֽחוּ׃

O sacerdote tinha de ser *necessariamente* um homem casado. Ele podia casar-se somente com uma virgem ou com a viúva de outro sacerdote. Ver Lv 21.7,12. A exigência do celibato para ministros hoje é uma insensatez. O sistema não funciona e só traz desgraça. Baseia-se em tradições e não na Bíblia. Ver na *Enciclopédia da Bíblia, Teologia e Filosofia* o artigo denominado *Celibato*.

A proibição do casamento de um ministro retém o sentimento de que o sexo é impuro e que até a mulher casada é corrompida. Ver 1Co 7.1-9. O sexo é uma função animal que algumas pessoas acham que deve ser proibida, especialmente para um homem espiritual. Mas poucos homens espirituais, carregando seus corpos animais, chegam a tal grau de espiritualidade que lhes capacite a dispensar o sexo. O resultado é um celibato fingido. Os hebreus sempre o rejeitaram como *impróprio* para os ministros. O celibatário quase sempre termina na promiscuidade, no adultério e até no homossexualismo. O homem espiritual e trabalhador precisa do sexo como um meio de diversão e relaxamento, para se aliviar das tensões do trabalho. O sexo é o prazer mais *econômico*, exigindo pouco tempo e despesas mínimas.

■ 44.23

וְאֶת־עַמִּ֣י יוֹר֔וּ בֵּ֥ין קֹ֖דֶשׁ לְחֹ֑ל וּבֵין־טָמֵ֥א לְטָה֖וֹר
יוֹדִעֻֽם׃

O principal dever de um ministro é *geral*: o bom sacerdote deve ser um mestre do povo, transmitindo seus conhecimentos e sabedoria aos incultos e menos privilegiados. Ele sabe das coisas, mas eles não. Ele sabe a diferença entre o profano e o sagrado, mas o povo "por aí" está sambando, celebrando o *carnaval*. As mulheres se pintam e saem às ruas seminuas, e os homens as observam com olhar atento. O deus na praia é a nudez, e todo o mundo ali pratica o seu culto. Pode-se dizer que todos os homens são malandros e todas as mulheres são exibicionistas. Mas o sacerdote sabe todas as regras e tenta aplicá-las ao povo, sempre com pouco sucesso. A lei mosaica tinha regulamentos positivos e negativos para governar todos os aspectos da vida, leis morais e cerimoniais, como as que governavam o *Limpo e Imundo* (ver a respeito no *Dicionário*). A lei era o *guia* (Dt 6.4 ss.) que poucos tentaram seguir e, entre estes, poucos conseguiram. As leis do corpo carnal e do espírito perverso se mostram mais fortes: "O pecado te afasta deste Livro, ou este Livro te afasta do pecado".

■ 44.24

וְעַל־רִיב הֵמָּה יַעַמְדוּ לְשָׁפֹט בְּמִשְׁפָּטַי וּשְׁפָטֻהוּ
וְאֶת־תּוֹרֹתַי וְאֶת־חֻקֹּתַי בְּכָל־מוֹעֲדַי יִשְׁמֹרוּ וְאֶת־
שַׁבְּתוֹתַי יְקַדֵּשׁוּ׃

O bom sacerdote funcionava como um juiz imparcial para resolver contendas entre o povo. Ficou no lugar de Moisés, o legislador e juiz supremo. Era uma autoridade na lei e perito na sua aplicação. Tinha sabedoria suficiente para reconhecer fraudes e más intenções e podia endireitar situações complicadas. Ver Dt 17.8 ss.; cf. a aplicação do Novo Testamento (1Co 6.1-7).

O bom sacerdote agia como coordenador de muitas atividades, públicas e privadas, especialmente aquelas de adoração e culto religioso. Conhecia todas as leis e sabia como aplicá-las na sociedade. Promovia festas anuais e ocasionais, dos dias especiais e dos dias designados santos. Nunca esquecia suas exigências e sempre corria atrás dos infratores. Ver Êx 20.1-48; cf. Ez 45.17. Ver no *Dicionário* o artigo intitulado *Festas (Festividades) Judaicas,* para detalhes. O sábado era o *sinal* do *Pacto Mosaico.* Ver as notas sobre este pacto, na introdução à Êx 19.

■ 44.25

וְאֶל־מֵת אָדָם לֹא יָבוֹא לְטָמְאָה כִּי אִם־לְאָב וּלְאֵם
וּלְבֵן וּלְבַת לְאָח וּלְאָחוֹת אֲשֶׁר־לֹא־הָיְתָה לְאִישׁ
יִטַּמָּאוּ׃

Os vss. 25-27 baseiam-se em Lv 21.1-3. O cadáver de um homem ou de um animal era *imundo* segundo as leis cerimoniais dos judeus; alguém que tocasse os corpos também ficava imundo e desqualificado para participar do culto de Yahweh. O sacerdote não podia exercer seu ofício se não observasse, com cuidado, todas as leis relativas ao "limpo e imundo". Ele ficaria temporariamente imundo, se houvesse a necessidade de enterrar um parente próximo, mas logo se purificaria com as devidas cerimônias (vs. 26).

■ 44.26

וְאַחֲרֵי טָהֳרָתוֹ שִׁבְעַת יָמִים יִסְפְּרוּ־לוֹ׃

Este versículo se baseia em Nm 19.11-17; 31.19, que descrevem os ritos de purificação. Após sete dias, a pessoa era purificada da contaminação por ter tocado num cadáver! Ver as exigências descritas no vs. 27. No último dia, havia necessidade de um sacrifício final. Poluição cerimonial era um assunto muito sério na mentalidade dos hebreus. Tudo isto desapareceu no cristianismo, felizmente! Por outro lado, as cerimônias elaboradas nos lembram da seriedade do pecado, o "sinfulness of sin", como alguns gostam de dizer, a "pecaminosidade do pecado"; ou inventando uma palavra hábil, a "pecabilidade do pecado". O bom sacerdote era um homem de dedicação ao seu ofício, promovendo o culto a Yahweh. Cf. Hb 9.13,14.

■ 44.27

וּבְיוֹם בֹּאוֹ אֶל־הַקֹּדֶשׁ אֶל־הֶחָצֵר הַפְּנִימִית לְשָׁרֵת
בַּקֹּדֶשׁ יַקְרִיב חַטָּאתוֹ נְאֻם אֲדֹנָי יְהוִה׃

O homem havia se purificado através de purificação privada, mas precisava mostrar ao povo que estava novamente qualificado para exercer seu ofício. Isto era realizado através de uma oferta de pecado, para expiar seu pecado. Era pecado ficar imundo cerimonialmente. Ser *imundo* era uma infração das leis cerimoniais, mas é preciso lembrar que, para a mentalidade judaica, a lei cerimonial era altamente *moral.* Foi a igreja cristã que fez a distinção entre as leis moral e cerimonial.

Ao purificar-se, o sacerdote dava um bom exemplo, a fim de que o povo tivesse cuidado em distinguir o profano do sagrado.

■ 44.28

וְהָיְתָה לָהֶם לְנַחֲלָה אֲנִי נַחֲלָתָם וַאֲחֻזָּה לֹא־תִתְּנוּ
לָהֶם בְּיִשְׂרָאֵל אֲנִי אֲחֻזָּתָם׃

Os sacerdotes terão uma herança. A divisão da terra de Josué, em 13.14,33 e 18.7, e os regulamentos de Nm 18.20,21, não se aplicavam à tribo de Levi, que se tornara uma casta sacerdotal, "sem-terra". Ver também Dt 18.1; Nm 18.20. O trecho de Dt 10.9 informa especificamente que a "herança" da casta de levitas era o próprio Yahweh. Os ministros eram obviamente *privilegiados*, não destituídos. Naturalmente, tinham suas cidades com áreas adjacentes, portanto não eram absolutamente "sem-terra". Não havia para eles nenhuma herança de terra que passasse de geração para geração; eles recebiam os dízimos para sua alimentação e necessidades básicas. Cf. este versículo com 1Co 9.7 ss. Ver no *Dicionário* o artigo denominado *Levitas, Cidades dos.*

■ 44.29

הַמִּנְחָה וְהַחַטָּאת וְהָאָשָׁם הֵמָּה יֹאכְלוּם וְכָל־חֵרֶם
בְּיִשְׂרָאֵל לָהֶם יִהְיֶה׃

A Porção dos Sacerdotes. Os sacerdotes tinham suas porções dos sacrifícios, que constituíam o seu fornecimento básico de alimentação. Também criavam animais e plantavam para suprir qualquer necessidade. Ver as *oito* porções designadas para os sacerdotes, em Lv 6.26; 7.11-24; Nm 18.8; Dt 12.17,18. Frutas e legumes foram cultivados nas suas terras ao redor da área do templo e perto de suas cidades. Também recebiam "coisas devotadas" a Yahweh, inclusive dons especiais e voluntários do povo. Além dessas vantagens, recebiam as *primícias* (ver a respeito no *Dicionário*). Cf. Lv 27.28.

Dedicações. Homens, animais, terras e produtos poderiam ser devotados ao Senhor e, assim, tornar-se possessões dos levitas (incluindo os sacerdotes). A provisão, então, para a casta sacerdotal (mesmo "sem-terra") era ampla, quando o povo obedecia às leis sobre a questão. Sob circunstâncias ideais, prosperavam. Ver no *Dicionário* o artigo denominado *Levitas, Cidades dos.*

■ 44.30

וְרֵאשִׁית כָּל־בִּכּוּרֵי כֹל וְכָל־תְּרוּמַת כֹּל מִכֹּל
תְּרוּמוֹתֵיכֶם לַכֹּהֲנִים יִהְיֶה וְרֵאשִׁית עֲרִסוֹתֵיכֶם תִּתְּנוּ
לַכֹּהֵן לְהָנִיחַ בְּרָכָה אֶל־בֵּיתֶךָ׃

O *holocausto* (ver a respeito no *Dicionário*) constituía uma oferta queimada, na qual o animal inteiro era consumido pelo fogo, e não seguida pela refeição comunal. Outros tipos de ofertas tornaram-se celebrações com vinho, danças e canções, uma vez que a parte "séria" (o sacrifício) fora realizada. Ver as explicações dadas no vs. 29. Cf. Dt 18.1-5. "Deus cuidará daqueles que atuam no ministério. Eles viverão dos sacrifícios que o povo trará ao templo" (Charles H. Dyer, *in loc.*). Ver no *Dicionário* o artigo denominado *Primícias.* Cf. este versículo com Pv 3.9,10 e Ml 3.10. Um povo generoso, que cuidasse bem de seus ministros, descobriria que Yahweh seria generoso com eles, abrindo as portas dos céus e enviando *chuvas de bênçãos.*

Farei descer a chuva a seu tempo, serão chuvas de bênção.
Ezequiel 34.26

■ 44.31

כָּל־נְבֵלָה וּטְרֵפָה מִן־הָעוֹף וּמִן־הַבְּהֵמָה לֹא יֹאכְלוּ
הַכֹּהֲנִים׃ פ

Este versículo se baseia em Lv 7.24, que aplica as declarações a todos os israelitas, não exclusivamente aos ministros. Haverá abundância para comer, eliminando-se a necessidade de consumir animais proibidos, como aqueles que morreram de doença ou feridos por um predador.

Esta passagem nos ensina a promover as causas *dos outros*, não apenas as nossas. Ver no *Dicionário* os artigos chamados *Liberalidade e Generosidade* e *Abundância, Generosidade.* A medida de um homem é a sua generosidade, que é outro nome para o amor. Alguém falou: "Não se pode dar mais do que Deus", porque o homem que dá recebe da tesouraria do céu. O homem que tem Deus como sua *herança* (vs. 28) prosperará em todos os sentidos, materiais e espirituais.

> Houve, alguma vez, uma bênção dada,
> Que não voltou para o doador
> Com um duplo poder de bênção?

CAPÍTULO QUARENTA E CINCO

Os capítulos 40—48 formam a seção final do livro, assim não há divisões verdadeiras entre eles. O tema que permeia todos é a restauração de Israel; seu corolário é o templo ideal com seu culto.

"*Vss. 1-9. A Distribuição da Terra*. Este tema continua em Ez 47.13—48.35. O material é completamente ideal e simbólico. O *distrito sagrado* divide-se em duas seções, cada uma medindo 25 mil x 10 mil côvados. A seção do norte é para os levitas; a do sul, para os sacerdotes zadoquitas. Na parte sul, foi incluída uma área quadrada de 500 côvados laterais, onde se localizava o templo complexo. Outra área de 50 côvados de cada lado é agora mencionada, sem o ter sido antes (cf. Ez 42.20). Os 25 mil x 5 mil côvados, uma área especial de Jerusalém (ao sul do distrito sagrado, vs. 6), combinada com aquele distrito (vs. 1), perfaz uma área de 25 mil x 20 mil côvados, cerca de 13 x 11 km)" (*Oxford Annotated Bible*, introdução aos vss. 1-10).

Este capítulo se divide naturalmente em quatro seções 1. vss. 1-9; 2. vss. 10-12; 3. vss. 13-17; 4. vss. 18-25. Cada seção é introduzida por um parágrafo, que dá a sua essência.

A PARCELA DE TERRA DOS SACERDOTES DO TEMPLO (45.1-9)

O paralelo (Ez 48.8-22) é mais completo. Aqui, o autor se preocupa somente com a essência da questão. Mais tarde, ele repete e elabora o tema, dando uma ideia melhor da porção dada aos sacerdotes. Os territórios foram santificados e se constituíram em uma *oblação* a Yahweh. Esta mesma palavra é usada para falar de uma *oferta* dada a um príncipe ou a Yahweh, isto é, uma oferta *consagrada*. Cf. Ez 44.30 e Lv 22.12. Podemos ver ideia semelhante em Nm 5.9. "A parcela dedicada aos sacerdotes e levitas se compara às cidades apresentadas aos levitas em Js 21.1-42" (Theophile J. Meek, *in loc.*).

Ver no *Dicionário* o artigo denominado *Levitas, Cidades dos*. Ver as ilustrações anexas, no presente capítulo, para melhor entender as informações que o autor oferece.

45.1

וּבְהַפִּילְכֶם אֶת־הָאָרֶץ בְּנַחֲלָה תָּרִימוּ תְרוּמָה לַיהוָה
קֹדֶשׁ מִן־הָאָרֶץ אֹרֶךְ חֲמִשָּׁה וְעֶשְׂרִים אֶלֶף אֹרֶךְ
וְרֹחַב עֲשָׂרָה אָלֶף קֹדֶשׁ־הוּא בְכָל־גְּבוּלָהּ סָבִיב:

Quando, pois, repartirdes a terra por sortes em herança, fareis uma oferta ao Senhor, uma porção santa da terra. A terra foi dada aos ministros como herança, sendo, ao mesmo tempo, um tipo de *oblação* (sacrifício especial) a Yahweh, que determinou a distribuição e deu a herança aos sacerdotes. A parcela de terra era considerada *santa*, assim como todos os sacrifícios. Toda a área dos 25 mil x 20 mil côvados era consagrada e santa porque foi separada do profano e reservada para usos sagrados. Em quilômetros, a área era de aproximadamente 13 x 11 km). "Dentro daquela área se situava o templo complexo descrito nos capítulos 40—43. Esta terra retangular foi dividida em duas partes iguais, cada uma com 13 x 5 km" (Charles H. Dyer, *in loc.*). Os versículos seguintes dão detalhes sobre estas duas partes.

Por sortes. O autor retém a linguagem original que era empregada sobre a divisão da terra entre as doze tribos. Ver Js 18.6. A palavra *sortes* é usada, mas *neste texto* não tem nenhuma ideia de *acaso*, porque as dimensões e características das divisões da terra foram predeterminadas por Yahweh, segundo sua vontade soberana. A linguagem é *convencional*, não literal. Cf. Ez 47.22 e 48.29. O sentido original da palavra se perdeu em relação à mensagem do presente capítulo. Ver no *Dicionário* o artigo denominado *Sortes*.

45.2

יִהְיֶה מִזֶּה אֶל־הַקֹּדֶשׁ חֲמֵשׁ מֵאוֹת בַּחֲמֵשׁ מֵאוֹת
מְרֻבָּע סָבִיב וַחֲמִשִּׁים אַמָּה מִגְרָשׁ לוֹ סָבִיב:

Ver Ez 42.16,20, que este versículo repete. Dentro do distrito sagrado, a área do templo complexo ocupava uma parte, cerca de 252 m de lado. Um espaço aberto ao redor do complexo media 25 m de lado. As situações do santuário e de sua área adjacente são mais detalhadamente descritas em Ez 48.10. A área menor ficava *no meio* da outra. Ver as ilustrações que acompanham o comentário sobre este capítulo, para um melhor entendimento. Ver a designação *A* da ilustração de Adam Clarke, no capítulo 40.

45.3

וּמִן־הַמִּדָּה הַזֹּאת תָּמוֹד אֹרֶךְ חֲמֵשׁ וְעֶשְׂרִים אֶלֶף
וְרֹחַב עֲשֶׂרֶת אֲלָפִים וּבוֹ־יִהְיֶה הַמִּקְדָּשׁ קֹדֶשׁ
קָדָשִׁים:

O distrito sagrado foi dividido em duas partes, cada uma medindo 25 mil x 10 mil côvados (ver estas medidas em quilômetros no vs. 1). A parte do norte foi reservada para os levitas; a do sul, para os sacerdotes zadoquitas. Esta parte incluiu os 5 mil x 5 mil da área do templo complexo, mais uma pequena área de 50 x 50 côvados, não mencionada anteriormente. Ver as designações A, B, C, D, E da ilustração de Adam Clarke, no capítulo 40. Esta pequena medida era "um espaço aberto", segundo a NCV, e aparentemente não tinha nenhuma função específica.

45.4

קֹדֶשׁ מִן־הָאָרֶץ הוּא לַכֹּהֲנִים מְשָׁרְתֵי הַמִּקְדָּשׁ יִהְיֶה
הַקְּרֵבִים לְשָׁרֵת אֶת־יְהוָה וְהָיָה לָהֶם מָקוֹם לְבָתִּים
וּמִקְדָּשׁ לַמִּקְדָּשׁ:

A parte do sul foi reservada para os sacerdotes zadoquitas; nesta área estava localizado o templo complexo. Os lotes para as residências dos sacerdotes se situavam ali. A área inteira era considerada sagrada e santificada para Yahweh. O muro que separava o templo complexo do profano, um pouco além do complexo (Ez 42.20), não é mencionado aqui. O presente texto não fala de nenhuma localidade *profana* perto do templo, porque tudo fazia parte do *distrito sagrado*. Esta pequena discrepância não tem nenhuma importância para o entendimento do texto. Alguns intérpretes falam de autores diferentes para as duas seções, o que constitui um exagero, só para explicar uma diferença tão pequena. Ver a designação *A,* na ilustração de Adam Clarke, no capítulo 40.

45.5

וַחֲמִשָּׁה וְעֶשְׂרִים אֶלֶף אֹרֶךְ וַעֲשֶׂרֶת אֲלָפִים רֹחַב
יִהְיֶה לַלְוִיִּם מְשָׁרְתֵי הַבַּיִת לָהֶם לַאֲחֻזָּה עֶשְׂרִים
לְשָׁכֹת:

Este versículo descreve a porção de terra do norte reservada aos levitas não sacerdotes, que tinha o mesmo tamanho daquela descrita no vs. 3. Os levitas, servos dos sacerdotes, embora humildes, não foram deixados de fora, antes tiveram sua porção na herança do Senhor. Sua posição era mais humilde, mas sua provisão era adequada. Para entender bem este versículo, ver Ez 44.11-14.

Vinte câmaras. Assim fala o hebraico original, e os intérpretes lutam para entender o significado. São complexos de comunidades, talvez na forma de edifícios de apartamentos. A Septuaginta traz "cidades", em vez de *câmaras*, mas tal leitura provavelmente foi a substituição de uma leitura fácil para uma difícil, a fim de facilitar o entendimento. Isto implica que, aos levitas, foram dadas muitas cidades. Ver no *Dicionário* o artigo denominado *Levitas, Cidades dos. Cidades* dificilmente caberiam dentro da área descrita.

Ou as cidades eram localizadas fora da área, um detalhe que o autor omitiu, talvez por descuido.

Provavelmente o texto massorético é correto contra a Septuaginta, embora nos deixe sem entender o significado da referência. Ver no

Dicionário o artigo denominado *Massora (Massorah); Texto Massorético*. Às vezes, as versões retêm leituras corretas contra o texto massorético (o texto hebraico padronizado). Ver no *Dicionário* sobre *Manuscritos Antigos do Antigo Testamento*, artigo que dá informações sobre o modo pelo qual leituras corretas são escolhidas quando há variantes.

Alguns substituem *cidades* por *portões*, o que não resolve o problema, porque portões implicam cidades. Para conseguir esta leitura, é necessária uma emenda da palavra hebraica. O certo é que os levitas tinham uma provisão adequada em relação à *moradia*, mas exatamente *como*, não se sabe dizer.

■ 45.6

וַאֲחֻזַּת הָעִיר תִּתְּנוּ חֲמֵשֶׁת אֲלָפִים רֹחַב וְאֹרֶךְ חֲמִשָּׁה וְעֶשְׂרִים אֶלֶף לְעֻמַּת תְּרוּמַת הַקֹּדֶשׁ לְכָל־בֵּית יִשְׂרָאֵל יִהְיֶה׃

A *cidade* tinha uma área de 22 x 2 km, situada ao longo da área sagrada. Comportava a própria cidade de Jerusalém e suas terras adjacentes (cf. Ez 48.15-18). No paralelo no capítulo 44, esta área adjacente se chama profana (Ez 42.20), mas no *distrito sagrado* tal descrição se perdeu. Ver as notas no vs. 4 deste capítulo. A *oblação* de Yahweh não pode ser profana, e a área descrita em Ez 45.6 faz parte da oferta sagrada. Ver FF da ilustração de Adam Clarke, no capítulo 40. Ver as ilustrações anexas para um melhor entendimento das descrições do capítulo.

O retângulo formado pelas partes dos sacerdotes e levitas se tornou um quadrado com a adição de terras que formaram a cidade de Jerusalém.

■ 45.7,8

וְלַנָּשִׂיא מִזֶּה וּמִזֶּה לִתְרוּמַת הַקֹּדֶשׁ וְלַאֲחֻזַּת הָעִיר אֶל־פְּנֵי תְרוּמַת־הַקֹּדֶשׁ וְאֶל־פְּנֵי אֲחֻזַּת הָעִיר מִפְּאַת־יָם יָמָּה וּמִפְּאַת־קֵדְמָה קָדִימָה וְאֹרֶךְ לְעֻמּוֹת אַחַד הַחֲלָקִים מִגְּבוּל יָם אֶל־גְּבוּל קָדִימָה׃

לָאָרֶץ יִהְיֶה־לּוֹ לַאֲחֻזָּה בְּיִשְׂרָאֵל וְלֹא־יוֹנוּ עוֹד נְשִׂיאַי אֶת־עַמִּי וְהָאָרֶץ יִתְּנוּ לְבֵית־יִשְׂרָאֵל לְשִׁבְטֵיהֶם׃ ס

Aqui temos o quadrado de 13 km de cada lado. Ver na ilustração de Adam Clarke, no capítulo 40, as designações EE, FF e GG. Esta área se localizava na cidade de Jerusalém e pertencia *ao príncipe* (ver Ez 44.3; cf. Ez 34.24).

Os meus príncipes nunca mais oprimirão o meu povo, antes distribuirão a terra à casa de Israel. O fato de o príncipe ter sua própria propriedade, com sua própria fonte de recursos, garantiu o caráter teocrático da nova comunidade. Os príncipes roubaram os bens do povo, através de impostos exorbitantes e até pela violência. Na *era ideal*, o príncipe teria sua própria fonte de renda, para evitar abusos econômicos contra o povo. Muitos reis foram pouco mais do que predadores do povo (a política, como sempre!). Abusos seriam eliminados com a instituição de reis independentes. Em tempos ideais, os príncipes (reis) se tornariam contribuintes especiais do bem geral da comunidade, uma novidade incomum para políticos.

■ 45.9

כֹּה־אָמַר אֲדֹנָי יְהוִה רַב־לָכֶם נְשִׂיאֵי יִשְׂרָאֵל חָמָס וָשֹׁד הָסִירוּ וּמִשְׁפָּט וּצְדָקָה עֲשׂוּ הָרִימוּ גְרֻשֹׁתֵיכֶם מֵעַל עַמִּי נְאֻם אֲדֹנָי יְהוִה׃

Assim diz o Senhor Deus: Basta, ó príncipes de Israel. *Adonai-Yahweh* (o Soberano Eterno Deus), utilizando sua soberania em todas as coisas, exige que os reis não mais explorem o povo. O tempo de abusos econômicos, brutalidades e maus-tratos terminou. Aquele título divino é empregado 217 vezes nesse livro, mas somente 103 no restante do Antigo Testamento. Fala da *Soberania de Deus* (ver a respeito no *Dicionário*). Governando as ações dos homens, ele garante uma sociedade mais justa, acalmando a cobiça material dos líderes. Os príncipes, assim aplacados, serão menos violentos e egoístas.

Diz o Senhor Deus. O título divino de soberania abre e fecha o versículo, dando especial ênfase à mensagem nele contida. Cf. Ez 22.3 e considere-se o caso de 1Rs 21.1-16. Os versículos que se seguem aplicam os mesmos princípios ao povo em geral. Ver Lv 19.35,36 e Dt 25.13-15. Há certa semelhança em Ez 19.1-9; 22.25 e 34.10. O problema básico é a ganância, já que homens descontrolados fazem qualquer coisa para ganhar dinheiro e poder.

REGULAMENTOS SOBRE *PESOS E MEDIDAS* (45.10-12)

Parte da opressão econômica era o uso de pesos e medidas fraudulentos, problema constante em Israel-Judá. A questão se aplica primeiramente aos reis, depois ao povo (vss. 13 ss.). A legislação mosaica sobre este assunto se encontra em Dt 25.13-16 e Lv 19.35-37. Ver detalhes sobre esta questão no artigo denominado *Pesos e Medidas*, no *Dicionário*.

■ 45.10

מֹאזְנֵי־צֶדֶק וְאֵיפַת־צֶדֶק וּבַת־צֶדֶק יְהִי לָכֶם׃

Efa justo e bato justo. O autor começa mencionando as medidas padrões, o *efa*, uma medida seca, e o *bato*, uma medida líquida. As duas equivaliam aproximadamente a 6 galões ou 22 litros.

■ 45.11

הָאֵיפָה וְהַבַּת תֹּכֶן אֶחָד יִהְיֶה לָשֵׂאת מַעְשַׂר הַחֹמֶר הַבָּת וַעֲשִׂירִת הַחֹמֶר הָאֵיפָה אֶל־הַחֹמֶר יִהְיֶה מַתְכֻּנְתּוֹ׃

As duas medidas (mencionadas no vs. 10) eram de cerca de 1/10 *ômer*. A palavra hebraica significa, literalmente, uma *carga de burro*. O ômer era a medida padrão da qual as outras foram derivadas. Cf. Êx 16.36.

■ 45.12

וְהַשֶּׁקֶל עֶשְׂרִים גֵּרָה עֶשְׂרִים שְׁקָלִים חֲמִשָּׁה וְעֶשְׂרִים שְׁקָלִים עֲשָׂרָה וַחֲמִשָּׁה שֶׁקֶל הַמָּנֶה יִהְיֶה לָכֶם׃

Siclo. Cerca de 11,5 gramas.

Geras. A medida hebraica menor, que correspondia a 1/20 de um siclo. Eram necessários 60 siclos para obter um *mina* (1,5 libras = 0,6 grama). Nos textos ugaríticos, a *mina* consistia em 50 desiclo, mas há evidência de que, na Babilônia, compunha-se de 60, que é paralelo ao siclo de Ezequiel. A Septuaginta segue os 50, dos textos ugaríticos, ou de uma fonte não conhecida que tinha a mesma figura. A *mina* é mencionada somente em 1Rs 10.17; Ed 2.69; Ne 7.71. Ver as notas sobre esta medida em Êx 30.13 e Lv 27.25.

A moedagem apareceu na Palestina na segunda parte do século V a.C. Até então, os *pesos* determinaram os valores.

A CONTRIBUIÇÃO AO PRÍNCIPE (45.13-17)

A exploração cessou quando o príncipe se tornou autossuficiente. Ele recebia mercadorias através de impostos moderados, que enviava aos levitas e aos sacerdotes (o ministério do culto a Yahweh). Como líder civil, o príncipe tinha participação ativa no culto religioso, dando bom exemplo ao povo.

■ 45.13

זֹאת הַתְּרוּמָה אֲשֶׁר תָּרִימוּ שִׁשִּׁית הָאֵיפָה מֵחֹמֶר הַחִטִּים וְשִׁשִּׁיתֶם הָאֵיפָה מֵחֹמֶר הַשְּׂעֹרִים׃

Esta será a oferta que haveis de fazer. O príncipe continua recebendo instruções. Quantidades específicas foram exigidas do povo para entregar ao príncipe que, por sua vez, as deu ao culto sagrado. O ministério, portanto, era apoiado pelo povo, de modo geral, tornando possível a continuidade do sistema sacrificial. Cada pessoa, de acordo com sua posição econômica, contribuía, dando 1/60 de sua cevada e trigo, "a sexta parte de um efa de cada ômer". Ver os vss. 10 e 11.

45.14,15

וְחֹק הַשֶּׁמֶן הַבַּת הַשֶּׁמֶן מַעְשַׂר הַבַּת מִן־הַכֹּר עֲשֶׂרֶת הַבַּתִּים חֹמֶר כִּי־עֲשֶׂרֶת הַבַּתִּים חֹמֶר:

וְשֶׂה־אַחַת מִן־הַצֹּאן מִן־הַמָּאתַיִם מִמַּשְׁקֵה יִשְׂרָאֵל לְמִנְחָה וּלְעוֹלָה וְלִשְׁלָמִים לְכַפֵּר עֲלֵיהֶם נְאֻם אֲדֹנָי יְהוִה:

Além da necessidade de doar 1/60 de seus cereais, a pessoa precisava dar também 1/100 de seu azeite (vs. 14), mais uma ovelha de cada grupo de 200, isto é, 1/200 (vs. 15). O *coro* é declarado como o equivalente de um *bato* (6 galões = 22 litros). Ver 1Rs 4.22; 5.11 2Cr 2.10 e 27.5. Direções específicas foram dadas para evitar confusão. Os materiais trazidos serviriam aos diversos tipos de ofertas: de cereais (ofertas de paz); ofertas queimadas; sacrifícios para expiar pecados. Ver as notas sobre os diversos tipos de ofertas, em Lv 7.37. Para maiores informações, ver no *Dicionário* o artigo denominado *Sacrifícios e Ofertas*. Os sacerdotes e levitas tinham seu sustento essencial garantido por estas doações; o restante seria suprido por seus esforços agrícolas.

O príncipe tinha responsabilidade de recolher estes produtos do povo e entregá-los aos representantes da casta ministerial. Para o problema de sacrifícios de animais no templo ideal (milenar), ver as notas na introdução à seção, capítulos 40—48: *cinco interpretações* são apresentadas. Ver especialmente Ez 40.38.

45.16

כָּל הָעָם הָאָרֶץ יִהְיוּ אֶל־הַתְּרוּמָה הַזֹּאת לַנָּשִׂיא בְּיִשְׂרָאֵל:

Todo o povo da terra fará contribuição. *Obrigação Universal.* Todos os cidadãos tinham de contribuir segundo a mesma regra. A obrigação geral era, ao mesmo tempo, um privilégio geral. O príncipe fazia sua parte, recolhendo e distribuindo os produtos ao ministério. Era o coordenador do empreendimento.

45.17

וְעַל־הַנָּשִׂיא יִהְיֶה הָעוֹלוֹת וְהַמִּנְחָה וְהַנֶּסֶךְ בַּחַגִּים וּבֶחֳדָשִׁים וּבַשַּׁבָּתוֹת בְּכָל־מוֹעֲדֵי בֵּית יִשְׂרָאֵל הוּא־יַעֲשֶׂה אֶת־הַחַטָּאת וְאֶת־הַמִּנְחָה וְאֶת־הָעוֹלָה וְאֶת־הַשְּׁלָמִים לְכַפֵּר בְּעַד בֵּית־יִשְׂרָאֵל: ס

Estarão a cargo do príncipe os holocaustos... O príncipe *ideal* participava de todos os aspectos do sistema sacrificial hebraico, inclusive das festas e feriados religiosos que envolviam toda a comunidade. A legislação mosaica foi a fonte destas atividades; alguns intérpretes acham que aquelas leis serão reativadas no *milênio*. Pessoalmente, rejeito tal interpretação. Ver as diversas interpretações da questão, nas notas de introdução ao capítulo 40, especialmente em Ez 40.38. Naturalmente, a participação do príncipe e as porcentagens de contribuição do povo, para o sustento do ministério, são materiais novos do livro de Ezequiel. O regulamento mosaico deixou uma parte considerável às contribuições voluntárias; Ez pronunciou em favor de *obrigações* adicionais.

REGULAMENTOS PARA AS FESTAS DO PRIMEIRO E SÉTIMO MÊS (45.18-25)

Ezequiel tornou-se um tipo de novo Moisés, dando instruções novas misturadas com as velhas. As festas que exigiam ofertas incluíram a festa do Ano Novo (vss. 18-20); a Páscoa (incluindo os pães asmos; vss. 21-24); a Festa dos Tabernáculos (vs. 25). O profeta deu uma lista representativa, não se preocupando com detalhes exatos em relação às festas.

"Regulamentos das festas: Páscoa (Êx 23.15; Dt 16.1-8; Lv 23.4-8); tabernáculos (Êx 23.16; Dt 16.13-15; Lv 23.33-36). Festas omitidas: das primícias, pentecoste (Êx 23.16; Dt 16.9-13; Lv 23.33-36); trombetas (Lv 23.24); dia da expiação (Lv 23.26-32)" (*Oxford Annotated Bible*, introdução à seção).

45.18

כֹּה־אָמַר אֲדֹנָי יְהוִה בָּרִאשׁוֹן בְּאֶחָד לַחֹדֶשׁ תִּקַּח פַּר־בֶּן־בָּקָר תָּמִים וְחִטֵּאתָ אֶת־הַמִּקְדָּשׁ:

Assim diz o Senhor: No primeiro mês, no primeiro dia do mês. O primeiro e o sétimo mês marcaram as duas metades do calendário religioso. Aqui, temos a celebração do Ano Novo que aconteceu no primeiro dia de nisã (no meio de abril). Era celebrada a redenção de Israel do Egito. "O ano começou com um serviço de consagração, não mencionado na lei levítica, mas o penhor dele foi fornecido pela festa da dedicação do segundo templo. Esta festa celebrava a purificação daquele lugar, da poluição provocada por Antíoco Epifânio" (Fausset, *in loc.*). "Como em Dt 16.1-8,13-15, os regulamentos da Páscoa e da festa dos Tabernáculos tratam do santuário central. Os animais de sacrifício mencionados aqui são os de Dt 16.2; cf. Êx 12.2" (Theophile J. Meek, *in loc.*). Parece que a Páscoa ganhou novos significados na legislação de Ezequiel. Foi necessário purificar o santuário pela oferta do *novilho*. O velho rito tornou-se um composto de rituais. Provavelmente havia uma purificação anual do santuário.

As Três Festas do Contexto. 1. O novo-composto (vss. 18-20). 2. A Páscoa com modificações (vss. 21-24). 3. Tabernáculos (vs. 25).

45.19

וְלָקַח הַכֹּהֵן מִדַּם הַחַטָּאת וְנָתַן אֶל־מְזוּזַת הַבַּיִת וְאֶל־אַרְבַּע פִּנּוֹת הָעֲזָרָה לַמִּזְבֵּחַ וְעַל־מְזוּזַת שַׁעַר הֶחָצֵר הַפְּנִימִית:

O sacerdote tomará do sangue e porá dele nas ombreiras da casa... *A Páscoa de purificação* reteve os mesmos elementos da Páscoa original, mas acrescentou novos aspectos. O sangue foi colocado nas ombreiras das portas do templo, nos quatro cantos da fiada do altar e nas ombreiras da porta do átrio interior. Estas colocações imitaram o ato antigo da colocação do sangue nas ombreiras das portas das casas particulares do povo cativo no Egito (Êx 12). Vendo o sangue, o anjo da morte "passou por cima", não matando os primogênitos de Israel (assim, a festa se chamava "passar por cima"). Presumivelmente, o novo rito foi repetido a cada ano, tornando-se um substituto do *dia de expiação*, que não é mencionado no texto. A festa era composta de Páscoa-consagração-ano-novo-purificação-expiação.

45.20

וְכֵן תַּעֲשֶׂה בְּשִׁבְעָה בַחֹדֶשׁ מֵאִישׁ שֹׁגֶה וּמִפֶּתִי וְכִפַּרְתֶּם אֶת־הַבָּיִת:

Assim também farás no sétimo dia do mês. O rito se repetiu no sétimo dia do mês para expiar (de novo) os pecados (de ignorância) do povo. A Septuaginta faz este segundo rito acontecer no primeiro dia do *sétimo* mês, isto é, depois de um intervalo de seis meses; alguns eruditos acham a colocação historicamente correta, contra as indicações do texto massorético.

Por causa dos que pecam por ignorância, e por causa dos símplices: assim expiareis o templo. Esta purificação era um tipo de apoio à primeira, que tornou possível o uso contínuo do santuário. Israel e seu santuário foram assim purificados. "Esta oferta e limpeza cerimonial provavelmente substituíam o *dia de expiação*, que se realizava no sétimo mês (Lv 23.26-32)" (Charles H. Dyer, *in loc.*). Se isto for verdadeiro, Ezequiel está descrevendo um tipo de composto: Páscoa-consagração-purificação-dia-de-expiação, um novo rito que combinou diversas práticas e tinha propósitos múltiplos.

45.21

בָּרִאשׁוֹן בְּאַרְבָּעָה עָשָׂר יוֹם לַחֹדֶשׁ יִהְיֶה לָכֶם הַפָּסַח חָג שְׁבֻעוֹת יָמִים מַצּוֹת יֵאָכֵל:

No primeiro mês, no dia catorze do mês, tereis a Páscoa. A descrição da festa composta não termina o tratamento. O profeta agora informa que uma Páscoa distinta tinha de ser preservada. A Páscoa e a festa dos Pães Asmos eram originalmente celebrações distintas, que se ajuntaram em uma. Ver informações completas nos dois artigos do *Dicionário: Páscoa* e *Pães Asmos*. Pães Asmos era, originalmente, uma festa agrícola; a Páscoa era um rito pastoral. A celebração da Páscoa se tornou o rito de purificação que incorporou certos aspectos da Páscoa. A combinação Páscoa-pães-asmos durava sete dias, segundo a velha legislação. "Como uma nova solenidade, a festa de consagração para a própria Páscoa combinou diversos sacrifícios, que foram diferentes daqueles exigidos pela lei mosaica. Em vez de um carneiro e sete cordeiros, para uma oferta queimada diária, passaram a sacrificar sete novilhos e sete carneiros" (Fausset, *in loc.*).

■ **45.22**

וְעָשָׂה הַנָּשִׂיא בַּיּוֹם הַהוּא בַּעֲדוֹ וּבְעַד כָּל־עַם הָאָרֶץ
פַּר חַטָּאת׃

O príncipe... proverá um novilho para oferta pelo pecado. O príncipe assume a liderança nas atividades. Presumivelmente, onde o sumo sacerdote trabalhasse, ele participaria, embora não diretamente nos atos sacrificiais. Curiosamente, Ezequiel não menciona o sumo sacerdote. O *primeiro sacrifício* foi feito para o príncipe e para o povo, para expiar seus pecados. O novilho era o animal oferecido a Yahweh para aplacar sua ira. Os sacrifícios não seguem a velha legislação, que era mais simples; Ez os multiplicou, como as notas no vs. 23 demonstram. O *príncipe*, fazendo uma oferta para si mesmo, não é, naquele momento, o Messias. O príncipe, o líder do rito, não fazia parte do velho rito; assim, temos um tipo de Nova Páscoa, retendo velhos elementos e acrescentando novos. "Nada se fala sobre o próprio cordeiro pascal, mas talvez o autor achasse que entenderíamos aquilo como parte da cena; segundo a lei mosaica (Nm 28.17,22), o bode era oferecido todos os dias da festa. Aqui o novilho é oferecido no primeiro dia e um bode nos outros seis" (vs. 23)" (Ellicott, *in loc.*). Mais detalhes sobre as ofertas podem ser vistos no vs. 23, que também modifica a velha ordem.

■ **45.23,24**

וְשִׁבְעַת יְמֵי־הֶחָג יַעֲשֶׂה עוֹלָה לַיהוָה שִׁבְעַת פָּרִים
וְשִׁבְעַת אֵילִים תְּמִימִם לַיּוֹם שִׁבְעַת הַיָּמִים וְחַטָּאת
שְׂעִיר עִזִּים לַיּוֹם׃

וּמִנְחָה אֵיפָה לַפָּר וְאֵיפָה לָאַיִל יַעֲשֶׂה וְשֶׁמֶן הִין
לָאֵיפָה׃

Sete novilhos e sete carneiros. "A oferta queimada exigida pela lei era de dois novilhos, um carneiro e sete cordeiros, todos os dias. Aqui, em Ez, temos um efa utilizado em cada sacrifício, perfazendo um total de 14 efas de cereais e o mesmo número de hins de azeite para cada efa. A velha legislação exigia somente 3/10 de efa de cereal, misturado com 2/10 de azeite para cada carneiro, e 1/10 para cada cordeiro, isto é, um total de 1,5 por dia. As ofertas de Ezequiel eram mais ricas" (Ellicott, *in loc.*).

Estas variações foram vistas como *desvios* da lei mosaica, por muitos intérpretes judaicos que foram *perturbados* por eles. Contrariamente, intérpretes cristãos ficam felizes com os "desvios", porque mostram (segundo eles) que a velha lei não era a *autoridade final* de todas as atividades espirituais, como os judeus afirmaram.

Him. O *him* era aproximadamente 4 quarts = um pouco menos de 4 litros. O uso de azeite misturado com ofertas de cereais, em Ez 46.11, e cf. Nm 15.6,9. Ofertas de cereais acompanhavam os sacrifícios de animais (Nm 15.4; 28.20). Para detalhes, ver no *Dicionário* o artigo denominado *Sacrifícios e Ofertas*.

■ **45.25**

בַּשְּׁבִיעִי בַּחֲמִשָּׁה עָשָׂר יוֹם לַחֹדֶשׁ בֶּחָג יַעֲשֶׂה כָאֵלֶּה
שִׁבְעַת הַיָּמִים כַּחַטָּאת כָּעֹלָה וְכַמִּנְחָה וְכַשָּׁמֶן׃ ס

Chegamos, agora, à *terceira festa* do contexto: a Festa dos Tabernáculos. Esta festa começava no dia 15 do sétimo mês e durava sete dias. Ver Lv 23.33,34. Era a última das festas originais de Israel, realizadas anualmente. Ver no *Dicionário* o artigo chamado *Tabernáculos, Festa dos,* para detalhes. O autor omitiu diversas festas na sua lista neste texto, circunstância anotada na introdução ao vs. 18.

Razões Possíveis para as Omissões. O profeta, de propósito, desviou-se das velhas regras para mostrar que um novo dia estava amanhecendo. A lei não era tudo e não antecipou tudo da vontade de Deus. O novo reteria o velho, mas *não rigidamente:* omitiria algumas coisas e acrescentaria outras.

O texto cita três festas anuais e omite três, o que poderia ter sido meramente circunstancial. Com três festas representativas, o autor esperou que os leitores entendessem todas. Ele fez uma *representação*, sem entrar em detalhes sobre o porquê da abreviação.

A Festa dos Tabernáculos foi celebrada no estilo da Páscoa e, por isso, o autor não repete os detalhes já vistos nos vss. 22-24.

Aplicação das Instruções? "Nunca houve uma tentativa dos judeus de instituir o esquema de Ezequiel, o que evidencia o fato de que seus contemporâneos entenderam seus escritos idealisticamente, não como instruções para substituir Moisés" (Ellicott, *in loc.*).

Os dispensacionalistas supõem que, no milênio, as instruções serão seguidas como parte do novo dia. Esperam a realização de tudo o que os capítulos 40—48 apresentam. É melhor ficar com a interpretação idealista.

CAPÍTULO QUARENTA E SEIS

Os capítulos 40—48 formam a seção final do livro e não há interrupção entre os capítulos. Continuam com o tema principal: a restauração de Israel, com seu corolário principal, o templo ideal e seu culto.

Mais Regulamentos. O capítulo 46 se divide naturalmente em cinco seções: 1. vss. 1-8; 2. vss. 9,10; 3. vss. 11-15; 4. vss. 16-18; 5. vss. 19-24. Cada uma se apresenta com um parágrafo introdutório. Os vss. 1-19 apresentam mais especificações rituais. No vs. 20, o circuito de inspeção do templo continua.

OFERTAS DO PRÍNCIPE PARA CELEBRAR A LUA NOVA E O SÁBADO (46.1-8)

"*Regulamentos concernentes ao príncipe* (rei): vss. 1-8. O *príncipe* (Ez 37.15-28) trará suas ofertas (Ez 45.13-16) através do Portão Oriental para a corte interior (o vestíbulo), onde ficará em pé, ao lado da entrada santificada ritualmente (Ez 45.18,19). Diretamente na frente dele, os sacerdotes oferecerão os sacrifícios. O povo ficará na corte exterior durante este tempo. Ver descrições dos sacrifícios em Êx 29.38-42 e Nm 28.3-15. *Lua nova*: isto é, o primeiro dia do segundo mês do calendário lunar que os judeus seguiam. Note-se que a ênfase sempre é mais vigorosa sobre o sábado" (*Oxford Annotated Bible*, introdução aos vss. 1-8).

■ **46.1**

כֹּה־אָמַר אֲדֹנָי יְהוִה שַׁעַר הֶחָצֵר הַפְּנִימִית הַפֹּנֶה
קָדִים יִהְיֶה סָגוּר שֵׁשֶׁת יְמֵי הַמַּעֲשֶׂה וּבְיוֹם הַשַּׁבָּת
יִפָּתֵחַ וּבְיוֹם הַחֹדֶשׁ יִפָּתֵחַ׃

A porta do átrio interior... no sábado ela se abrirá, e também no dia da lua nova. Os vss. 1-3 mostram que, depois da volta da glória de Yahweh ao templo, o Portão Oriental foi fechado. Agora sabemos que ele pode ser aberto por *duas razões*: 1. para celebrar a festa da Lua Nova; 2. para celebrar o sábado. Alguns intérpretes afirmam que o príncipe é o *Messias* e entendem as instruções como pertencentes ao dia escatológico. Literalistas interpretam que Davi, rei de Israel, voltará pessoalmente; outros acham que simboliza o Messias que renovará a linhagem real, assumindo os deveres de rei. Ver as notas em Ez 44.3, que falam do príncipe.

O uso do Portão Oriental seria frequente, pois ficaria aberto todos os sábados para as administrações do príncipe. Estaria fechado nos outros seis dias da semana. Os dispensacionalistas acham que estas condições serão literalmente cumpridas no milênio e citam os capítulos 40—48 como um tipo de texto de instruções para aquele templo. Existem essencialmente *cinco interpretações* da natureza desta seção, as quais são apresentadas na introdução ao capítulo 40.

■ **46.2**

וּבָא הַנָּשִׂיא דֶּרֶךְ אוּלָם הַשַּׁעַר מִחוּץ וְעָמַד עַל־
מְזוּזַת הַשַּׁעַר וְעָשׂוּ הַכֹּהֲנִים אֶת־עוֹלָתוֹ וְאֶת־שְׁלָמָיו

וְהִשְׁתַּחֲוָה עַל־מִפְתַּן הַשַּׁעַר וְיָצָא וְהַשַּׁעַר לֹא־יִסָּגֵר
עַד־הָעָֽרֶב׃

O príncipe entrará de fora pelo vestíbulo da porta. "O príncipe, todos os sábados, passa através do Portão Oriental e avança para o portão da corte interior. Não pode ir além disto e, assim, fica em pé ao lado do portão. Cf. esta cena com a informação dada em 1Rs 8.14-22, que retrata o rei Salomão em pé ante o altar do Senhor, na presença da congregação. Ver também 2Reis 11.14, onde o rei é descrito como em pé ao lado da coluna do portão. Os sacerdotes cumpriam seus deveres nos lugares reservados somente para eles" (Fausset, *in loc.*). Depois dos sacrifícios, o príncipe (rei) saía da mesma maneira que havia entrado (vs. 8; Ez 44.5). O Portão, então, ficava aberto até o pôr do sol e, depois, era fechado para mais uma semana. No outro sábado, o procedimento se repetia.

■ **46.3**

וְהִשְׁתַּחֲווּ עַם־הָאָרֶץ פֶּתַח הַשַּׁעַר הַהוּא בַּשַּׁבָּתוֹת
וּבֶחֳדָשִׁים לִפְנֵי יְהוָֽה׃

O povo da terra adorará na entrada da mesma porta. O povo, que assistia às cerimônias, não podia acompanhar o príncipe. Ficava na corte exterior, ante o Portão Oriental. Como é óbvio, a própria estrutura do templo e seus rituais ilustravam *acesso limitado* que, no Novo Testamento e em Cristo, foi eliminado. O próprio cristão tornou-se o templo do Espírito (1Co 3.16; Ef 2.18-22). Ver no *Dicionário* o artigo intitulado *Acesso*, para detalhes.

Temos aqui uma alusão à prática do povo que ficava em pé à porta do tabernáculo. Cf. Êx 29.12 e Is 65.23.

■ **46.4**

וְהָעֹלָה אֲשֶׁר־יַקְרִב הַנָּשִׂיא לַיהוָה בְּיוֹם הַשַּׁבָּת שִׁשָּׁה
כְבָשִׂים תְּמִימִם וְאַיִל תָּמִֽים׃

Seis cordeiros sem defeito e um carneiro sem defeito. Aqui também temos um *desvio* dos costumes antigos; o profeta continua insistindo em *inovação*. Ver as notas em Ez 45.23. A oferta queimada para o sábado, na legislação mosaica, era feita com dois cordeiros (Nm 28.9). Nesta prática, como é típico do profeta, há aumento no tamanho das ofertas. O mesmo se aplicou às ofertas de cereais (vs. 5). Tudo no templo ideal era maior do que no templo de Salomão. Cf. Ez 45.17. O príncipe tinha obrigação de fornecer estas ofertas e dirigir o procedimento. Liberalidade e generosidade são exibidas nos sacrifícios maiores. O novo dia exigia mais dos adoradores. Ver no *Dicionário* o artigo denominado *Liberalidade e Generosidade*.

■ **46.5**

וּמִנְחָה אֵיפָה לָאַיִל וְלַכְּבָשִׂים מִנְחָה מַתַּת יָדוֹ וְשֶׁמֶן
הִין לָאֵיפָֽה׃

A oferta de manjares será um efa para cada carneiro. A oferta de cereais também era mais ampla do que na legislação mosaica. O *efa* acompanhava o sacrifício do carneiro. Para os cordeiros, a quantidade dos cereais não foi estipulada, dependia da capacidade e generosidade do povo. As velhas ofertas tinham somente 2/10 do efa para os cordeiros, o que seria muito pouco em comparação com a quantidade do templo ideal. O efa era aproximadamente de 22 litros. O *him* de azeite (quatro litros) também era empregado, misturado nos cereais, e esta quantidade era maior do que a exigida pela legislação mosaica. Ver Nm 28.9-15.

Tipologia. As ofertas maiores do novo dia ilustram que, no novo pacto, haverá dons do Espírito mais amplos do que houve nos tempos do Antigo Testamento.

■ **46.6**

וּבְיוֹם הַחֹדֶשׁ פַּר בֶּן־בָּקָר תְּמִימִם וְשֵׁשֶׁת כְּבָשִׂם
וָאַיִל תְּמִימִם יִהְיֽוּ׃

Novamente, as estipulações diferem das antigas. Cf. Nm 28.11-15. Mais azeite foi utilizado e um novilho é substituído por dois; a velha legislação e a nova têm um carneiro cada uma, mas aqui há seis cordeiros em vez dos sete da lei mosaica. Como sempre, os animais dos sacrifícios não podiam ter defeito algum (ver Êx 12.5; 29.1; Lv 1.3; Nm 6.14). A velha lei exigia o sacrifício de um bode, um item omitido aqui, talvez por descuido do autor.

■ **46.7**

וְאֵיפָה לַפָּר וְאֵיפָה לָאַיִל יַעֲשֶׂה מִנְחָה וְלַכְּבָשִׂים
כַּאֲשֶׁר תַּשִּׂיג יָדוֹ וְשֶׁמֶן הִין לָאֵיפָֽה׃

Cf. Nm 15.9,10. De novo, as quantidades diferem. Aqui, para acompanhar o sacrifício do carneiro, há o uso de um efa inteiro de cereais, que era somente 2/10 na velha legislação. No sacrifício do novilho era utilizado um efa inteiro, enquanto na lei mosaica somente 3/10. Uma oferta de vinho não é mencionada neste texto, mas isto era parte padrão do velho sistema.

■ **46.8**

וּבְבוֹא הַנָּשִׂיא דֶּרֶךְ אוּלָם הַשַּׁעַר יָבוֹא וּבְדַרְכּוֹ יֵצֵֽא׃

Para notas, cf. o vs. 2.

MODUS OPERANDI DA ENTRADA E SAÍDA DO TEMPLO (46.9,10)

"As festas exigidas pelas instruções divinas (ver Ez 45.17-25; Lv 23.4-44) trouxeram multidões a Jerusalém (cf. 2Cr 30.13 e Ed 10.1). Houve, portanto, necessidade de regulamentos para governar as processões das multidões. Ao fim do vs. 10, o hebraico traz *eles sairão*, mas é melhor seguir alguns manuscritos hebraicos que têm *ele sairá*, o que se aplica também à conclusão do vs. 9" (Theophile J. Meek, *in loc.*). Sem estas instruções, a situação seria caótica.

■ **46.9**

וּבְבוֹא עַם־הָאָרֶץ לִפְנֵי יְהוָה בַּמּוֹעֲדִים הַבָּא דֶּרֶךְ־
שַׁעַר צָפוֹן לְהִשְׁתַּחֲוֺת יֵצֵא דֶּרֶךְ־שַׁעַר נֶגֶב וְהַבָּא
דֶּרֶךְ־שַׁעַר נֶגֶב יֵצֵא דֶּרֶךְ־שַׁעַר צָפוֹנָה לֹא יָשׁוּב
דֶּרֶךְ הַשַּׁעַר אֲשֶׁר־בָּא בוֹ כִּי נִכְחוֹ יֵצֵֽאוּ׃

Aquele que entrar pela porta do norte, para adorar, sairá pela porta do sul. As pessoas que entravam através do Portão do Norte deveriam sair pelo Portão do Sul, ou Portão Sul, e as que entravam pelo Portão do Sul deveriam sair pelo Portão do Norte. Ninguém podia sair pelo mesmo portão por onde havia entrado. O povo não podia fazer um *retorno* dentro do templo complexo, para não tumultuar.

■ **46.10**

וְהַנָּשִׂיא בְּתוֹכָם בְּבוֹאָם יָבוֹא וּבְצֵאתָם יֵצֵֽאוּ׃

O príncipe e o povo entravam e saíam juntos (ao mesmo tempo), mas o príncipe usava o Portão Oriental. Todos participavam das mesmas cerimônias de adoração, acompanhados pelo invisível Yahweh. A presença divina era garantida, porque o povo tinha abandonado a idolatria-adultério-apostasia de ontem. "Deus é o Deus de ordem e esta deve prevalecer nos cultos" (Charles H. Dyer, *in loc.*). Cf. esta conduta com os *show*s que hoje são chamados "cultos". Yahweh era (é) o Advogado, Intercessor, Guia e Segurança do povo.

REGULAMENTOS PARA OS SACRIFÍCIOS (46.11-15)

■ **46.11**

וּבַחַגִּים וּבַמּוֹעֲדִים תִּהְיֶה הַמִּנְחָה אֵיפָה לַפָּר וְאֵיפָה
לָאַיִל וְלַכְּבָשִׂים מַתַּת יָדוֹ וְשֶׁמֶן הִין לָאֵיפָֽה׃ ס

Aqui temos as novas regras sobre as *proporções* das ofertas de cereais, já mencionadas nos vss. 5,7 e em Ez 45.24. A informação se repete para os dias de festas. As mesmas proporções serão oferecidas para todas as festas de todas as estações; porções diferentes seriam usadas somente para os sacrifícios diários (vs. 14).

46.12

וְכִי־יַעֲשֶׂה הַנָּשִׂיא נְדָבָה עוֹלָה אוֹ־שְׁלָמִים
נְדָבָה לַיהוָה וּפָתַח לוֹ אֶת הַשַּׁעַר הַפֹּנֶה
קָדִים וְעָשָׂה אֶת־עֹלָתוֹ וְאֶת־שְׁלָמָיו כַּאֲשֶׁר
יַעֲשֶׂה בְּיוֹם הַשַּׁבָּת וְיָצָא וְסָגַר אֶת־הַשַּׁעַר
אַחֲרֵי צֵאתוֹ׃

Oferta voluntária ao Senhor. Uma oferta não exigida pela lei, mas oferecida pelo livre-arbítrio do adorador. Ver Lv 7.16; 22.18-23; Nm 15.3; Dt 1.26; 16.10; 23.23; Am 4.5. O próprio sacrifício poderia ser queimado como oferta de paz. Tais ofertas refletiam zelo particular; por meio delas, o adorador tinha participação *extra* no culto. Estas ofertas podiam ser apresentadas à parte dos sábados ou festas especiais, em qualquer dia. Alvos comuns destes sacrifícios eram: pagar uma promessa; fazer expiação do pecado; dar um bom exemplo de zelo religioso. O príncipe participava desses sacrifícios voluntários, e o Portão Oriental era aberto para este propósito. Quando o rito terminava, o Portão era fechado de novo.

"Quando o príncipe fizer as ofertas voluntárias (Lv 22.18-23), o Portão Oriental estará aberto para o seu uso. O príncipe deverá fornecer os materiais para os sacrifícios diários (ver Êx 29.38-42; 1Rs 18.28; 2Rs 16.15)" (*Oxford Annotated Bible*, comentando sobre este versículo).

46.13

וְכֶבֶשׂ בֶּן־שְׁנָתוֹ תָּמִים תַּעֲשֶׂה עוֹלָה לַיּוֹם לַיהוָה
בַּבֹּקֶר בַּבֹּקֶר תַּעֲשֶׂה אֹתוֹ׃

São descritas aqui as ofertas diárias que se realizavam de manhã e à noitinha, embora neste texto seja mencionada somente a oferta da manhã. Obviamente, porém, devemos entender as duas. Ver Êx 29.38-41. Os leitores piedosos saberiam que a bendita oferta da noitinha não podia ser omitida. Somente animais sem defeito podiam ser oferecidos (Êx 12.5; 29.1; Lv 1.3; Nm 6.14). Alguns intérpretes veem neste versículo uma *inovação radical* de Ezequiel: uma oferta diária substituiria as duas da velha legislação. Alguns intérpretes cristãos veem na *única oferta* uma previsão do sacrifício do Cordeiro de Deus, de Jo 1.29.

Um cordeiro de um ano de idade era exigido para este tipo de oferta, tanto na velha como na nova legislação.

46.14

וּמִנְחָה תַעֲשֶׂה עָלָיו בַּבֹּקֶר בַּבֹּקֶר שִׁשִּׁית הָאֵיפָה
וְשֶׁמֶן שְׁלִישִׁית הַהִין לָרֹס אֶת־הַסֹּלֶת מִנְחָה לַיהוָה
חֻקּוֹת עוֹלָם תָּמִיד׃

A oferta de cereais que acompanhava o sacrifício do animal, em Ez, tem um *aumento* em comparação com a lei mosaica. O 1/10 de efa é substituído por 1/6; o 1/4 him de azeite, por 1/3. Como já visto, a maioria dos materiais dos sacrifícios e ofertas sofreu um aumento nas mãos de Ezequiel. O profeta procurava maior grandeza para seu templo ideal, do que havia no templo de Salomão. Com a chegada do Messias, porém, todos os sacrifícios cessaram, em vez de ficar maiores, com exceção do sacrifício do louvor, que nunca cessará. Alguns rabinos anteciparam este tipo de revolução (*Vajikra Rabba*, sec. 9, fol. 153.1). O livro de Hebreus, do Novo Testamento, descreve como Cristo substituiu o sistema inteiro.

46.15

וְעָשׂוּ אֶת־הַכֶּבֶשׂ וְאֶת־הַמִּנְחָה וְאֶת־הַשֶּׁמֶן בַּבֹּקֶר
בַּבֹּקֶר עוֹלַת תָּמִיד׃ פ

O povo tinha a responsabilidade de providenciar os materiais, e o príncipe tinha o dever de finalizar o processo, entregando as ofertas aos sacerdotes. Os sacrifícios diários de todos os tipos não podiam ser negligenciados. Não podemos descansar com as realizações de ontem. Devemos cumprir os deveres do presente. *Boas intenções* nunca são suficientes.

HERANÇAS DE PROPRIEDADES DO PRÍNCIPE DADAS OU VENDIDAS (46.16-20)

Propriedades reais não podiam ser vendidas ou dadas permanentemente. Tais coisas voltariam à família real no ano de jubileu, que se realizava a cada 50 anos. Ver no *Dicionário* o artigo denominado *Jubileu, Ano de*. Cf. Lv 25.8-17. Naquele ano, as propriedades hereditárias de famílias voltariam a seus donos originais. Ver Lv 25.10-13. "Ezequiel propôs dois casos hipotéticos, baseados na prosperidade do príncipe, para mostrar que o ano de jubileu será observado no milênio. Se o príncipe der parte de suas propriedades a um filho, ela ficará como propriedade de seus descendentes. Estas propriedades não voltarão ao rei no ano de jubileu. Todavia, um dom (de propriedades) feito a um escravo não ficará permanentemente com ele. Reverterá para a família real no ano de jubileu" (Charles H. Dyer, *in loc.*). O que se fala sobre as terras reais obviamente se aplicava a todas as famílias e clãs de Israel. A lei era geral, referindo-se igualmente a todos.

46.16

כֹּה־אָמַר אֲדֹנָי יְהוִה כִּי־יִתֵּן הַנָּשִׂיא מַתָּנָה
לְאִישׁ מִבָּנָיו נַחֲלָתוֹ הִיא לְבָנָיו תִּהְיֶה אֲחֻזָּתָם
הִיא בְּנַחֲלָה׃

Assim diz o Senhor. *Adonai-Yahweh* (o Soberano Eterno Deus) havia dado as direções e elas não poderiam ser ignoradas. O Soberano ditou as regras do culto e seus súditos agiram de acordo com elas. Este título divino ocorre 217 vezes nesse livro, mas somente 103 no restante do Antigo Testamento. Ele enfatiza que Yahweh exerce seus poderes ilimitados entre os homens, determinando o destino de todas as pessoas e nações. Este conceito faz parte do teísmo bíblico: o Criador não abandonou sua criação, mas está presente para intervir, castigando os ímpios e abençoando os justos. Ver no *Dicionário* o artigo denominado *Teísmo*. Contraste-se esta ideia com o *Deísmo* (também no *Dicionário*) que ensina que o Criador (uma força pessoal ou impessoal) abandonou sua criação aos cuidados das leis naturais).

Quando um príncipe der um presente de sua herança a algum de seus filhos, pertencerá a estes. Um filho que recebe uma doação de terra ficará com ela porque é da mesma família, e seus descendentes também são descendentes de seu pai, o doador. Dar alguma coisa a um filho nunca é uma *perda*. Pelo contrário, é uma alegria. Existem, todavia, filhos exploradores dos "velhos", o que "azeda" as relações familiares.

46.17

וְכִי־יִתֵּן מַתָּנָה מִנַּחֲלָתוֹ לְאַחַד מֵעֲבָדָיו וְהָיְתָה לּוֹ
עַד־שְׁנַת הַדְּרוֹר וְשָׁבַת לַנָּשִׂיא אַךְ נַחֲלָתוֹ בָּנָיו לָהֶם
תִּהְיֶה׃

Dando ele um presente da sua herança a algum dos seus servos, será deste até ao ano da liberdade. O caso de um servo (escravo) ou de qualquer pessoa não pertencente à família (uma *terceira* pessoa, como diz uma expressão moderna) é diferente. Um homem poderia dar ou vender um terreno para "terceiros", se tivesse razões para tal, mas tais "presentes" ou "vendas" não seriam permanentes. No ano de jubileu, as terras retornariam à família original. A questão de herança era um negócio sério em Israel, porque ajudava a preservar a identidade de famílias, clãs e tribos. O poder supremo sobre as terras é Yahweh, que deu ordens em relação à sua disposição. Naquele ano feliz, todos os escravos (judeus) foram libertados; assim, ganharam de volta a própria vida.

A causa da liberdade é a causa de Deus.

William Lisle Bowles

Nenhum homem é livre se não domina a si mesmo.

Epictetas

Aqueles que negam liberdade para outros não a merecem para si mesmos.

Abraham Lincoln

46.18

וְלֹא־יִקַּח הַנָּשִׂיא מִנַּחֲלַת הָעָם לְהוֹנֹתָם מֵאֲחֻזָּתָם מֵאֲחֻזָּתוֹ יַנְחִל אֶת־בָּנָיו לְמַעַן אֲשֶׁר לֹא־יָפֻצוּ עַמִּי אִישׁ מֵאֲחֻזָּתוֹ׃

O príncipe não tomará nada da herança do povo. Os reis frequentemente pilharam o próprio povo, promovendo seu egoísmo e tendo a ganância como deus. Confiscaram as terras de seus rivais e opositores e também as do povo, roubando-lhes as casas e terras e colocando-os na rua. Cf. Ez 45.8,9. A lei dos hebreus, que deu a todas as famílias uma porção de terra, idealmente protegeu o povo, mas na prática isto nem sempre funcionou. Sempre houve e sempre haverá oportunidades e rendas desiguais. Parte disto se baseia na herança genética desigual, e parte, nos abusos dos fortes contra os fracos. Na era ideal, com um príncipe liderando o culto de Yahweh (no milênio, alguns dizem), haverá considerável melhora nas condições sociais. Ver um caso notório de opressão de um rei contra um súdito, em 1Rs 21.1-16.

Os opressores, da esquerda ou da direita, roubam do homem a *liberdade*, sua possessão mais preciosa.

> Ó Senhor! Quero ser livre,
> Eu quero ser livre,
> Com um arco-íris ao redor dos meus ombros,
> E asas embaixo dos meus pés.
>
> De uma canção, *Negro Spiritual*, autor desconhecido

A ARTE CULINÁRIA NO TEMPLO (46.19-24)

O homem (Anjo?, Guia, arquiteto) levou o profeta para dar uma olhada nas cozinhas do templo complexo. Primeiramente, são descritas as cozinhas dos sacerdotes (vss. 19,20); então, aquelas onde eram preparados os sacrifícios do povo (vss. 21-24). Os sacerdotes cozinhavam as ofertas de culpa e assavam as ofertas de cereais na extremidade ocidental da terceira fila de câmaras sagradas dos sacerdotes (ver Ez 42.1-14). O trecho de Ez 42.13 informa que os sacerdotes comiam *as ofertas mais sagradas* nas câmaras situadas no norte e no sul do quintal do templo. Talvez houvesse câmaras semelhantes na extremidade ocidental da fileira de câmaras do sul. Mas o norte especialmente parece ter tido esta função.

46.19

וַיְבִיאֵנִי בַמָּבוֹא אֲשֶׁר עַל־כֶּתֶף הַשַּׁעַר אֶל־הַלִּשְׁכוֹת הַקֹּדֶשׁ אֶל־הַכֹּהֲנִים הַפֹּנוֹת צָפוֹנָה וְהִנֵּה־שָׁם מָקוֹם בַּיַּרְכָתַיִם יָמָּה׃ ס

"Do portão (ver *Q*, na ilustração de Adam Clarke, que acompanha o capítulo 40), o profeta entrou no vestíbulo pelo portão que se situava ao lado dos apartamentos dos sacerdotes, que eram ao lado do corredor (ver *S*), à direita do vestíbulo ocidental. Na extremidade da fila de câmaras, o guia mostrou ao profeta as salas onde os sacerdotes cozinhavam a carne *da oferta de pecado* (ver *T* na ilustração). Naquele lugar não cozinhavam a carne de *todas* as ofertas, o que se dava em lugares separados para outros propósitos (ver *PP* na ilustração)" (Adam Clarke, *in loc.*).

46.20

וַיֹּאמֶר אֵלַי זֶה הַמָּקוֹם אֲשֶׁר יְבַשְּׁלוּ־שָׁם הַכֹּהֲנִים אֶת־הָאָשָׁם וְאֶת־הַחַטָּאת אֲשֶׁר יֹאפוּ אֶת־הַמִּנְחָה לְבִלְתִּי הוֹצִיא אֶל־הֶחָצֵר הַחִיצוֹנָה לְקַדֵּשׁ אֶת־הָעָם׃

A carne e os cereais, além de sacrifícios para Yahweh, forneciam a alimentação para os sacerdotes, como se fossem seus "salários". Eles tinham direito a *oito* porções seletas (ver Ez 6.26; 7.11-24; 7.28-38; Nm 18.8; Dt 12.17,18). Os adoradores (que haviam trazido os animais para os ritos) tinham direito às partes menos desejáveis. No *holocausto* não havia refeições posteriores, pois os animais eram queimados inteiros como sacrifício a Yahweh. Com exceção do holocausto, os sacrifícios forneciam a comida para as refeições *comunais*, celebradas com música, dança e vinho. Os sacerdotes obviamente tinham suas refeições particulares, merecendo alguma privacidade. Tinham câmaras onde preparavam e consumiam seus alimentos.

46.21

וַיּוֹצִיאֵנִי אֶל־הֶחָצֵר הַחִיצֹנָה וַיַּעֲבִירֵנִי אֶל־אַרְבַּעַת מִקְצוֹעֵי הֶחָצֵר וְהִנֵּה חָצֵר בְּמִקְצֹעַ הֶחָצֵר חָצֵר בְּמִקְצֹעַ הֶחָצֵר׃

Além das cozinhas particulares dos sacerdotes, havia outras nos cantos da *corte exterior*, que serviam para os sacrifícios do povo. Os vss. 21-24 descrevem estas cozinhas comunais, onde eram preparadas as refeições para as festas. Naquelas quatro cozinhas, os sacerdotes preparavam a carne para o povo. "Este templo magnífico será um lugar de comunhão, não meramente de adoração pública" (Charles H. Dyer, *in loc.*). "Até nas mínimas coisas, a glória de Deus deve ser o alvo das atividades humanas" (Fausset, *in loc.*).

> *E tudo o que fizerdes, seja em palavra, seja em ação, fazei-o em nome do Senhor Jesus, dando por ele graças a Deus Pai.*
> Colossenses 3.17

46.22

בְּאַרְבַּעַת מִקְצֹעוֹת הֶחָצֵר חֲצֵרוֹת קְטֻרוֹת אַרְבָּעִים אֹרֶךְ וּשְׁלֹשִׁים רֹחַב מִדָּה אַחַת לְאַרְבַּעְתָּם מְהֻקְצָעוֹת׃

Átrios pequenos. "Nos quatro cantos da corte havia cortes menores, medindo 40 x 30 côvados; todas do mesmo tamanho" (RSV). "Eram de tamanho considerável e (como parece) cercadas por paredes, mas não cobertas" (Ellicott, *in loc.*). A Edição Revista e Corrigida traz *átrios fechados*. O texto descreve *cortes* para cozinhar, não cozinhas fechadas. Suas dimensões eram de 21 x 16 m.

46.23

וְטוּר סָבִיב בָּהֶם סָבִיב לְאַרְבַּעְתָּם וּמְבַשְּׁלוֹת עָשׂוּי מִתַּחַת הַטִּירוֹת סָבִיב׃

Cada corte de cozinha tinha uma fila de fornos embutidos numa estrutura de pedras e cimento. A estrutura era aparentemente contínua, com os fornos embutidos no fundo dela, numa fileira. Havia também potes apropriados para cozinhar a carne e fornos para assar bolos. Provavelmente, os potes eram de cobre, um metal comum da época, facilmente refinado. Note-se que o vs. 20 menciona tanto *cozinhar* como *assar*.

46.24

וַיֹּאמֶר אֵלָי אֵלֶּה בֵּית הַמְבַשְּׁלִים אֲשֶׁר יְבַשְּׁלוּ־שָׁם מְשָׁרְתֵי הַבַּיִת אֶת־זֶבַח הָעָם׃

São estas as cozinhas, onde os ministros do templo cozerão o sacrifício do povo. As cortes de cozinha (vs. 23) eram para o povo, em contraste com as câmaras que serviam aos sacerdotes (vs. 20). É bem provável que os levitas fossem os "garçons" nas cortes públicas.

Para o problema de sacrifícios de animais no templo ideal (milenar?), ver as notas em Ez 40.8.

CAPÍTULO QUARENTA E SETE

Os capítulos 40—48 formam a seção final do livro. Não há nenhuma interrupção entre os capítulos, porque eles tratam de um tema comum, a *restauração de Israel*. O seu corolário principal é o templo ideal com seu culto.

Ver as *cinco interpretações* da essência destes capítulos, na introdução ao capítulo 40. Começando com o capítulo 40, diversas ilustrações são apresentadas para melhorar o entendimento das descrições verbais.

DIVISÃO DA PALESTINA NOS DIAS DO TEMPLO IDEAL (MILENÁRIO?)

(Conceito de Charles Ellicott)

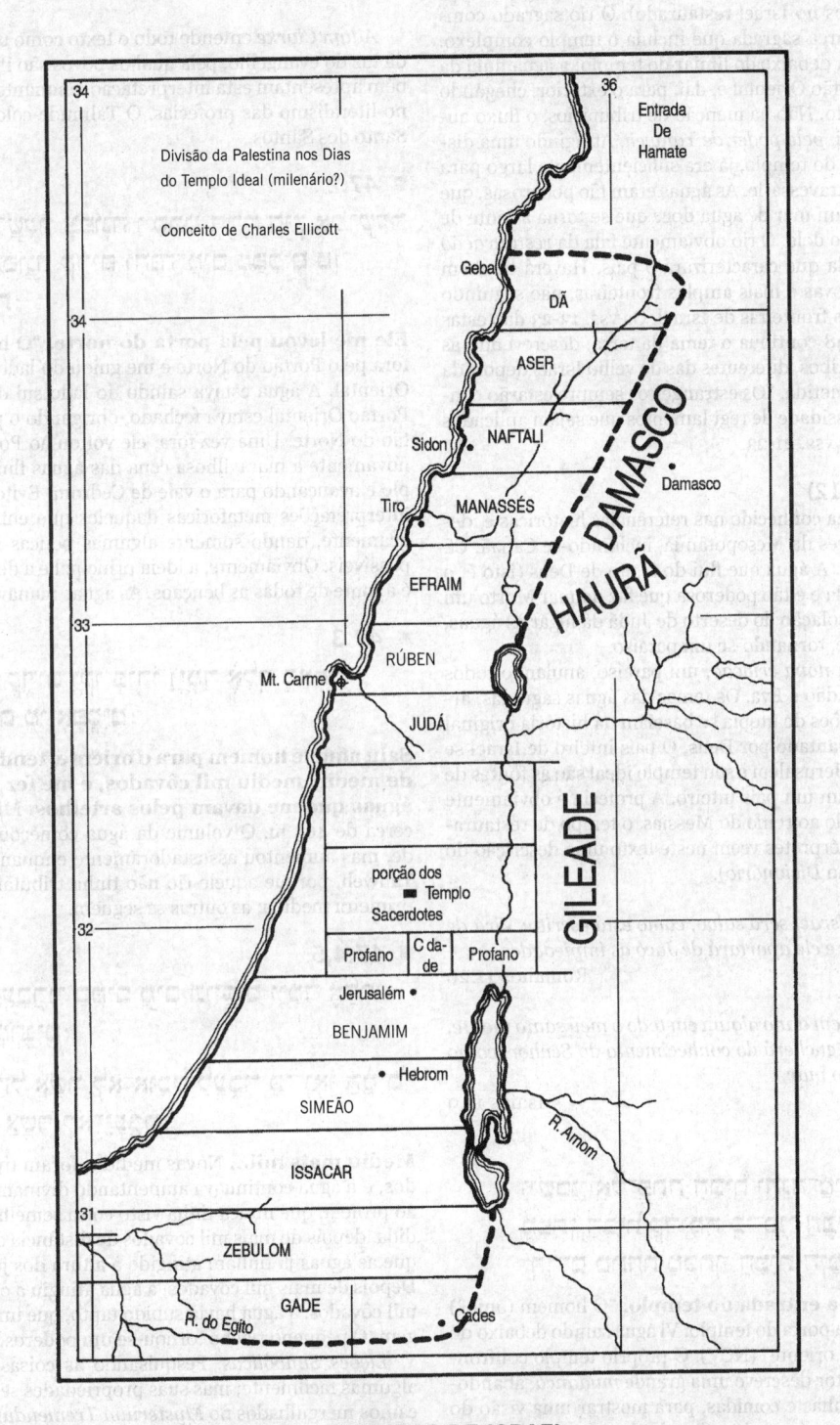

AS TRIBOS DE ISRAEL

As velhas fronteiras das tribos se perderam totalmente no conceito de Ezequiel do "tempo ideal" de Israel. O território da Transjordânia desapareceu no arranjo do profeta, por razões desconhecidas, mas a santidade do Templo e de seus arredores ficou mais destacada.

O Templo era o centro da vida na representação de Ezequiel. O território de Israel diminuiu no conceito do profeta, mas não a importância do sagrado. As porções conferidas às tribos de Israel, conforme se lê em Ez 47.13—48.29, deveriam servir como constante lembrete do fato de que há certa falta de clareza no tocante aos limites exatos da Terra Prometida.

A NOVA TERRA (47.1—48.35)

O RIO QUE FLUI DO TEMPLO; FRONTEIRAS (47.1-23)

Este capítulo se divide naturalmente em *três seções:* 1. vss. 1-12 (o rio sagrado); 2. vss. 13-20 (as fronteiras da nova terra); 3. vss. 21-23 (a posição dos prosélitos no Israel restaurado). O rio sagrado completa as descrições da área sagrada que incluía o templo complexo. A fonte do rio se situava debaixo do limiar do templo: a água fluía da área do altar para o Portão Oriental e, daí, para o exterior, chegando finalmente ao mar Morto. Não há menção de tributários, o fluxo aumentando enquanto flui, *pelo poder de Yahweh*. Atingindo uma distância de 4 mil côvados do templo, já era suficientemente largo para que ninguém pudesse atravessá-lo. As águas eram tão poderosas, que fizeram do mar Morto um mar de água doce que se torna a fonte de muita vida, fora e dentro dele. O rio obviamente fala da *restauração de Israel* e da nova vida que caracterizará o país. Haverá também uma nova terra, com novas e mais amplas fronteiras, não seguindo (com precisão) as velhas fronteiras de Israel. Os vss. 13-23 dão estas descrições. O capítulo 48 continua o tema da terra, descrevendo as novas divisões para as tribos, diferentes das do velho Israel depois da conquista da Terra Prometida. "Os estrangeiros sempre estarão contigo", portanto, há necessidade de regulamentos que sejam aplicados a eles. Este é o tema dos vss. 21-23.

O Rio Sagrado (47.1-12)

O rio sagrado é um tema conhecido nas referências históricas e idealistas de diversos lugares da Mesopotâmia, incluindo-se Canaã. Cf. Jl 3.18; Zc 14.8 e Ap 22. A água que flui do *trono* de Deus (isto é, o templo, Ez 43.7) traz vida e é tão poderosa que faz do mar Morto um mar de água doce. A desolação do deserto de Judá dá lugar às águas, e uma nova vida floresce, tornando-se um paraíso.

A nova era será uma *nova criação*, um paraíso, anulando todos os efeitos da queda de Adão e Eva. Os temas das águas sagradas, árvores frutíferas e condições de utopia se baseiam na história original do Éden e seu jardim plantado por Deus. O país inteiro de Israel se tornará o novo paraíso. Jerusalém e seu templo ideal são as fontes de bênçãos que transformam um país inteiro. A profecia é obviamente escatológica, pertencendo ao reino do Messias, o tempo de restauração nacional. Alguns intérpretes veem neste texto uma descrição do *Milênio* (ver a respeito no *Dicionário*).

> *E, assim, todo o Israel será salvo, como está escrito: Virá de Sião o Libertador e ele apartará de Jacó as impiedades.*
> Romanos 11.26

> *Não se fará mal nem dano algum em todo o meu santo monte, porque a terra se encherá do conhecimento do Senhor, como as águas cobrem o mar.*
> Isaías 11.9

■ 47.1

וַיְשִׁבֵנִי אֶל־פֶּתַח הַבַּיִת וְהִנֵּה־מַיִם יֹצְאִים מִתַּחַת מִפְתַּן הַבַּיִת קָדִימָה כִּי־פְנֵי הַבַּיִת קָדִים וְהַמַּיִם יֹרְדִים מִתַּחַת מִכֶּתֶף הַבַּיִת הַיְמָנִית מִנֶּגֶב לַמִּזְבֵּחַ:

Depois me fez voltar à entrada do templo. "O homem (anjo?) me dirigiu de volta para a porta do templo. Vi água saindo debaixo do limiar do templo, para o oriente" (NCV). O próprio templo confrontava com o oriente. O autor descreve uma grande *mudança*, abandonando seu tema de cozinhas e comidas, para mostrar uma visão do magnífico rio. "O riacho de água viva, fluindo da presença de Deus, corria para o oriente e passava ao lado sul do altar. Ezequiel saiu do templo pelo Portão do Norte e viu a água saindo do templo no lado sul do Portão Oriental, descendo para o vale de Cedrom" (Charles H. Dyer, *in loc.*). O quadro que Zacarias retrata (14.8) é de um grande rio que se divide em duas partes: a metade fluindo para o mar Morto e a outra para o mar Mediterrâneo. É artificial supor que os dois profetas tivessem tido uma visão comum, com detalhes diferentes. De qualquer maneira, alguns intérpretes entendem a profecia em termos literais, enquanto outros veem símbolos na descrição: metaforicamente, o profeta descreve Deus como a fonte de todas as bênçãos.

> Vem, Fonte de todas as bênçãos,
> Afina o nosso coração para cantar o teu louvor.
> Riachos de misericórdia, que nunca falham,
> Inspiram canções de alto louvor.
> Robert Robinson

Adam Clarke entende todo o texto como uma descrição da efusão da luz do evangelho, pela qual os povos são iluminados. Outros também apresentam esta interpretação, enquanto os literalistas insistem no literalismo das profecias. O Talmude coloca as águas fluindo do Santo dos Santos.

■ 47.2

וַיּוֹצִאֵנִי דֶּרֶךְ־שַׁעַר צָפוֹנָה וַיְסִבֵּנִי דֶּרֶךְ חוּץ אֶל־שַׁעַר הַחוּץ דֶּרֶךְ הַפּוֹנֶה קָדִים וְהִנֵּה־מַיִם מְפַכִּים מִן־הַכָּתֵף הַיְמָנִית:

Ele me levou pela porta do norte. "O homem me trouxe para fora pelo Portão do Norte e me guiou do lado de fora, para o Portão Oriental. A água estava saindo do lado sul deste portão" (NCV). O Portão Oriental estava fechado, obrigando o profeta a sair pelo Portão do Norte. Uma vez fora, ele voltou ao Portão Oriental, para ver novamente a maravilhosa cena das águas fluindo para fora do templo e avançando para o vale de Cedrom. Evito aqui as intermináveis interpretações metafóricas daqueles que entendem o texto simbolicamente, dando somente algumas poucas indicações de sentidos possíveis. Obviamente, a ideia principal é a de que o próprio Yahweh é a fonte de todas as bênçãos. As águas manavam de *seu* santuário.

■ 47.3

בְּצֵאת־הָאִישׁ קָדִים וְקָו בְּיָדוֹ וַיָּמָד אֶלֶף בָּאַמָּה וַיַּעֲבִרֵנִי בַמַּיִם מֵי אָפְסָיִם:

Saiu aquele homem para o oriente, tendo na mão um cordel de medir; mediu mil côvados, e me fez passar pelas águas, águas que me davam pelos artelhos. Mil côvados equivalem a cerca de 465 m. O volume da água começou relativamente humilde, mas aumentou assustadoramente enquanto fluía, pelo poder de Yahweh, porque aquele rio não tinha tributários. O vs. 3 registra a primeira medida; as outras se seguem.

■ 47.4,5

וַיָּמָד אֶלֶף וַיַּעֲבִרֵנִי בַמַּיִם מַיִם בִּרְכָּיִם וַיָּמָד אֶלֶף וַיַּעֲבִרֵנִי מֵי מָתְנָיִם:

וַיָּמָד אֶלֶף נַחַל אֲשֶׁר לֹא־אוּכַל לַעֲבֹר כִּי־גָאוּ הַמַּיִם מֵי שָׂחוּ נַחַל אֲשֶׁר לֹא־יֵעָבֵר:

Mediu mais mil... Novas medidas foram tiradas a cada mil côvados, e a água continuava aumentando divinamente, impressionando ao profeta, que nunca tinha visto coisa semelhante. Na segunda medida, depois de mais mil côvados de distância do templo, verificou-se que as águas já tinham atingido à altura dos joelhos de um homem. Depois de mais mil côvados, a água atingiu a cintura; depois de mais mil côvados, a água havia subido tanto, que impedia qualquer passagem. O pequeno riacho tornou-se um poderoso rio.

Lições Simbólicas. Pesquisando as coisas divinas, entendemos algumas facilmente; mas suas propriedades se complicam e, logo, ficamos mergulhados no *Mysterium Tremendum* que é Deus (ver Rm 11.33). Ver este título no *Dicionário*. A *abundância* da água representa as incomparáveis bênçãos que vêm do Deus Todo-poderoso. As águas sagradas são miraculosas e transformam tudo o que tocam: aquele que precisa de prosperidade, prospera; aquele que precisa de uma cura, é curado; aquele que precisa de portas abertas para servir encontra muitas portas de acesso; aquele que carece de transformação espiritual, é transformado. Cada um recebe segundo suas necessidades e anelos. Oh, Senhor, concede-nos tal graça!

As Águas do Homem. De cada homem flui um riacho; alguns deles são poluídos; a poluição provoca doenças em outros; homens abastecidos ignoram as necessidades dos outros e a fome mata. Alguns mandam de si riachos fortes de benefícios para os outros, e a vida floresce. Cada homem é um riacho. De qual tipo é você?

> Abre agora a fonte cristalina
> Donde fluem águas que saram.
>
> William Williams

Ver no *Dicionário* o artigo denominado *Água*, ponto 6, *Uso Metafórico da Água*.

■ 47.6

וַיֹּאמֶר אֵלַי הֲרָאִיתָ בֶן־אָדָם וַיּוֹלִכֵנִי וַיְשִׁבֵנִי שְׂפַת הַנָּחַל׃

Viste isto, filho do homem? Uma lição maravilhosa foi proporcionada pelo anjo-guia. Chamando o profeta por seu título comum (anotado em Ez 2.1), ele correu para mostrar ainda mais ante os olhos atônitos do profeta. O anjo guiou o profeta ao longo da margem do rio. Ele ficou em pé ali, observando a natureza da água, seu caminho, a grande quantidade de peixes que se movimentava na água limpa e saudável, as árvores ao longo da margem, todas floridas, produzindo os frutos da estação. Tudo era um toque divino para os homens na terra. Yahweh colocou seu dedo naquele lugar e o transformou.

■ 47.7

בְּשׁוּבֵנִי וְהִנֵּה אֶל־שְׂפַת הַנַּחַל עֵץ רַב מְאֹד מִזֶּה וּמִזֶּה׃

À margem do rio havia grande abundância de árvores. Uma multidão de árvores cresceu nos dois lados do rio, embelezando o ambiente e fornecendo frutos deliciosos a qualquer um que passasse. Temos aqui o tema do jardim do Éden, o paraíso de Deus na terra, para o benefício de homens espiritualmente transformados. As árvores obviamente têm qualidades espirituais, e o homem que come de seus frutos compartilha da vida divina (2Pe 1.4). Cf. Gn 1.28; 2.9 e Ap 22.2, onde temos o mesmo tema. As árvores cresceram nos *dois* lados do rio, falando de uma *vida abundante*, uma provisão *ampla*, uma graça que *superabunda*.

■ 47.8

וַיֹּאמֶר אֵלַי הַמַּיִם הָאֵלֶּה יוֹצְאִים אֶל־הַגְּלִילָה הַקַּדְמוֹנָה וְיָרְדוּ עַל־הָעֲרָבָה וּבָאוּ הַיָּמָּה אֶל־הַיָּמָּה הַמּוּצָאִים וְנִרְפְּאוּ הַמָּיִם׃

Estas águas saem para a região oriental. As águas fluem para o oriente e chegam a *Arabá* (ver a respeito no *Dicionário*). Era (é) uma depressão na qual o rio Jordão e o mar Morto se situam. O termo é suficientemente amplo para incluir a continuidade desta depressão ao sul do mar Morto até o moderno wadi el-Arabá. De fato, o mar Morto tem, como um de seus nomes, "o mar de Arabá". Aquele mar recebe água doce, mas, não tendo saída, acumula sal e outros minerais que chegam até 20% de seu volume. O sal mata toda a vida e, assim, o mar é realmente morto, não suportando vida alguma. Lagos salgados são aqueles sem saída, que acumulam sal das águas que chegam. As águas transportam sal *do solo*, um mineral natural do próprio solo, largamente difundido. A área ao redor do mar Morto também é morta, seca e deserta. Mas o fluxo poderoso do rio sagrado é tão abundante e forte, que torna o mar Morto um mar vivo, com água doce, fazendo com que as áreas adjacentes floresçam como a rosa (Is 35.1).

Os *literalistas* continuam com seu literalismo, mas o presente versículo pesa em favor da interpretação metafórica. Águas mortas tornam-se vivas, um processo possível somente com *ampla* saída das águas para outro lugar, produzindo uma drenagem que, aos poucos, elimina o depósito de sal. A implicação do texto é a de que o poder divino *purifica* as águas sem a necessidade de uma purificação gradual e física. A morte cede lugar à vida, em Judá e em todo o mundo, fato *simbolizado* pela *cura* das águas salgadas, onde nenhuma vida existia. O *rio sagrado* traz vida espiritual a todos os povos, fluindo do trono de Deus, que é a própria fonte da vida.

■ 47.9

וְהָיָה כָל־נֶפֶשׁ חַיָּה אֲשֶׁר־יִשְׁרֹץ אֶל כָּל־אֲשֶׁר יָבוֹא שָׁם נַחֲלַיִם יִחְיֶה וְהָיָה הַדָּגָה רַבָּה מְאֹד כִּי בָאוּ שָׁמָּה הַמַּיִם הָאֵלֶּה וְיֵרָפְאוּ וָחָי כֹּל אֲשֶׁר־יָבוֹא שָׁמָּה הַנָּחַל׃

Onde as *águas da vida* fluem, a vida floresce, mesmo nos lugares desérticos. O próprio rio enxameia com vida de muitos tipos, e o que suas águas tocam também vive abundantemente. A água cria vida onde dominava a morte. O mar Morto tinha (tem) uma concentração seis vezes maior de sal do que o oceano e não pode suportar vida alguma, mas o poder *miraculoso* de Yahweh entra em cena e faz o mar viver; suas águas, por sua vez, dão vida a tudo ao redor. Como as águas são "curadas", assim os homens também são curados de sua morte espiritual. O velho mundo ímpio será transformado pelas águas do novo dia. Até a segunda morte deve findar pelo poder restaurador da era do reino, o dia escatológico de Yahweh. Ver no *Dicionário* o artigo chamado *Mistério da Vontade de Deus*, onde há promessa de vida para todos. Nenhum poder no hades, na terra ou no céu pode anular o poder doador da vida da obra de Deus que será realizada, afinal. A Vida é o título do último capítulo da história da humanidade. Ver na *Enciclopédia de Bíblia, Teologia e Filosofia* o verbete chamado *Restauração*.

■ 47.10

וְהָיָה יַעַמְדוּ עָלָיו דַּוָּגִים מֵעֵין גֶּדִי וְעַד־עֵין עֶגְלַיִם מִשְׁטוֹחַ לַחֲרָמִים יִהְיוּ לְמִינָה תִּהְיֶה דְגָתָם כִּדְגַת הַיָּם הַגָּדוֹל רַבָּה מְאֹד׃

Junto a eles se acharão pescadores. As *águas vivas* produziram grande quantidade de peixes de todos os tipos, que, por sua vez, se tornaram a base de uma rica indústria de pesca. O empreendimento cresceu tanto, que se estendeu de En-Gedi a En-Eglaim (ver no *Dicionário* os artigos sobre os dois lugares). En-Gedi era uma habitação no meio da costa ocidental do mar Morto. A outra localidade não é conhecida hoje em dia: os intérpretes supõem que ficasse perto de Zoar, na costa sudoeste do mar, uma área na costa norte, perto de Khirbet Qumran. De qualquer maneira, estão em vista lugares desertos que tinham pouca indústria, pois, de súbito, ficaram prósperos com a pesca. O mar *Morto*, antes um centro de cactos e lagartos, tornou-se o centro de uma grande indústria. Este acontecimento revolucionário demonstrou o poder do rio que vem do trono de Deus. Devemos entender toda esta história metaforicamente: pela graça de Deus, o pobre fica rico; rico, *espiritualmente* falando, com dinheiro o suficiente para as necessidades básicas. A média dos homens é um deserto espiritual que precisa das águas vivas.

■ 47.11

בִּצֹּאתוֹ וּגְבָאָיו וְלֹא יֵרָפְאוּ לְמֶלַח נִתָּנוּ׃

A área do mar Morto era (é) uma fonte de sal e de outros minerais; caso se tornasse água doce, haveria perda. Para evitar isto, as águas vivas não tocam certos pântanos, e as águas estagnadas e, por isso, são fonte de sal e de outros minerais. O autor não se preocupa em informar a porcentagem das águas que ficariam salgadas, mas entendemos que seria o suficiente. A metáfora espiritual não precisa de detalhes precisos. Este versículo ensina que Deus supre *todas* as necessidades, de todos os tipos, dependendo das circunstâncias de cada pessoa. Cf. Ap 22.11.

Uma aplicação absurda é aquela do calvinismo extremo, que declara que é para vantagem divina que alguns homens permanecem nos seus pecados, porque Deus aproveita também esta situação ("Quem é injusto, faça injustiça ainda"; Ap 22.11). As áreas salgadas não têm nada a ver com almas perdidas. Também não falam de hereges e apóstatas. Aprendemos, em vez de tais absurdos, que:

O Senhor é o meu pastor; nada me faltará.

Salmo 23.1

47.12

וְעַל־הַנַּחַל יַעֲלֶה עַל־שְׂפָתוֹ מִזֶּה וּמִזֶּה כָּל־עֵץ־
מַאֲכָל לֹא־יִבּוֹל עָלֵהוּ וְלֹא־יִתֹּם פִּרְיוֹ לָחֳדָשָׁיו
יְבַכֵּר כִּי מֵימָיו מִן־הַמִּקְדָּשׁ הֵמָּה יוֹצְאִים וְהָיוּ פִרְיוֹ
לְמַאֲכָל וְעָלֵהוּ לִתְרוּפָה: ס

Nascerá toda sorte de árvore. Muitas árvores, nos dois lados do rio, que produzem abundância de vários tipos de frutos. Além disto, as árvores são perenes, nunca perdem suas folhas e nunca param de produzir. O rio transmite a elas superpoderes de produção. O autor informa que as árvores recebem a *ajuda de Yahweh*, tornando-se milagrosas. A linguagem florida do autor nos impressiona com os poderes incomuns das árvores. A bênção de Deus não admite limites nem fraquezas. Cf. Sl 1.3: "Ele (o justo) é como árvore plantada junto à corrente de águas, que, no devido tempo, dá o seu fruto" e Ap 22.2: "A árvore da vida, que produz doze frutos, dando o seu fruto de mês em mês, e as folhas da árvore são para a cura dos povos".

O seu fruto servirá de alimento e a sua folha de remédio. Isto quer dizer que a justiça vencerá e anulará o pecado e seus resultados, afinal. Os literalistas, insistindo no seu literalismo, veem árvores que produzem remédios materiais para doenças físicas. O poder de Deus está por trás de curas físicas e espirituais, portanto deixe-se esse poder fluir. Ver sobre as *folhas que curam*, em Ap 22.2.

"O santuário é o centro e a fonte de saúde e prosperidade para a comunidade" (Theophile J. Meek, *in loc.*).

> Nesta terra as nossas esperanças mais queridas
> Comprovam-se vãs;
> Nossos elos mais preciosos se rasgam à toa.
> Mas no céu não há pancada de dor:
> Encontra comigo ali!
> Encontra comigo ali ao lado do rio cintilante,
> Naquela cidade de encanto,
> Onde a fé torna-se realidade.
>
> H. E. Blair

As Fronteiras da Terra (47.13-20)

O capítulo 46 antecipou este tema. Cf. também Ez 37.15-28, especialmente os vss. 26-28. Ver a ilustração da divisão da terra, que acompanha a exposição do capítulo 48. Ver também Nm 34.1-12. As fronteiras não atingem o ideal do Pacto Abraâmico anotado em Gn 15.18. O *norte*, aparentemente, fala das mesmas fronteiras alcançadas por Davi e Salomão, na época áurea de Israel, as regiões ao norte da Síria, talvez estendendo-se até o rio Eufrates (ver 2Sm 8.4-12 e Nm 34.7-9). No *leste*, temos Hazar-Enã, entre Damasco e Palmira, estendendo-se até o mar Morto (Nm 34.10-12). No *sul*, temos o riacho (ribeiro) do Egito (Nm 34.3,5), não o *Nilo*, que era a fronteira prometida do Pacto Abraâmico. Israel nunca realizou esse ideal nem Ezequiel o esperava. Ver no *Dicionário* o artigo intitulado *Ribeiro do Egito*. No *oeste*, havia o mar Mediterrâneo (Nm 34.6). O território idealista não satisfez o ideal antigo, essencialmente, duplicando a atuação menos ambiciosa de Davi e Salomão. A fronteira do *leste* sempre foi indefinida, sendo marcada somente por algumas vilas "por aí". Os antigos usavam rios, montanhas e corpos de água como designações de fronteiras e, quando não houvesse tais "monumentos" naturais, falavam de vilas e cidades como marcadores. Não houve delineação exata de países na antiguidade. A exposição que se segue acrescenta detalhes.

47.13

כֹּה אָמַר אֲדֹנָי יְהוִה גֵּה גְבוּל אֲשֶׁר תִּתְנַחֲלוּ אֶת־
הָאָרֶץ לִשְׁנֵי עָשָׂר שִׁבְטֵי יִשְׂרָאֵל יוֹסֵף חֲבָלִים:

Assim diz o Senhor Deus. *Adonai-Yahweh* (o Soberano Eterno Deus) determinou as fronteiras da nova terra. Este título divino é usado 217 vezes nesse livro, mas somente 103 no restante do Antigo Testamento. Enfatiza a *soberania de Deus* (ver a respeito no *Dicionário*), que determina o destino dos homens e das nações. Ver sobre *Teísmo* e contraste-se com *Deísmo*.

Este será o termo pelo qual repartireis a terra em herança. Entre os atos soberanos de Deus, figura a demarcação dos territórios das nações.

> De um só fez toda a raça humana para habitar sobre toda a face da terra, havendo fixado os tempos previamente estabelecidos e os limites da sua habitação.
>
> Atos 17.26

A nova terra seguirá o esquema da ilustração dada no capítulo 48. José terá duas porções através de seus filhos Manassés e Efraim, de acordo com a provisão antiga. Ver 1Cr 5.1 e Gn 48.1-7.

47.14

וּנְחַלְתֶּם אוֹתָהּ אִישׁ כְּאָחִיו אֲשֶׁר נָשָׂאתִי אֶת־יָדִי
לְתִתָּהּ לַאֲבֹתֵיכֶם וְנָפְלָה הָאָרֶץ הַזֹּאת לָכֶם בְּנַחֲלָה:

Jurei, levantando a mão, dá-la a vossos pais. O juramento divino foi renovado, simbolizado pelo levantamento da mão de Yahweh. A terra foi dada a Abraão e seus descendentes, e o propósito nunca foi abandonado. Será renovado no dia escatológico. Para o *gesto de juramento*, cf. Êx 6.8; Ne 9.15; Sl 106.26; Ez 20.5,15,23,42; 36.7; 44.12.

Um Arranjo Diferente. Diferentemente do velho estilo de tribos, o território escatológico se dividirá em doze porções iguais, isto é, as faixas das terras dadas às tribos terão a *mesma largura*, mas não o mesmo comprimento, o que não seria permitido pela formação da própria Palestina. Como as faixas das terras terão comprimentos diversos, as áreas não serão iguais. O país era quase três vezes mais largo no sul do que no norte. A ilustração que acompanha o capítulo 48 ajuda a visualizar o arranjo. A *herança* de territórios foi divinamente determinada, como também vemos em Ez 28.28; Sl 16.6 e 47.4; Lv 25.46; Nm 16.14; 18.1-32; 26.5.

47.15-17

וְזֶה גְּבוּל הָאָרֶץ לִפְאַת צָפוֹנָה מִן־הַיָּם הַגָּדוֹל
הַדֶּרֶךְ חֶתְלֹן לְבוֹא צְדָדָה:

חֲמָת בֵּרוֹתָה סִבְרַיִם אֲשֶׁר בֵּין־גְּבוּל דַּמֶּשֶׂק וּבֵין
גְּבוּל חֲמָת חָצֵר הַתִּיכוֹן אֲשֶׁר אֶל־גְּבוּל חַוְרָן:

וְהָיָה גְבוּל מִן־הַיָּם חֲצַר עֵינוֹן גְּבוּל דַּמֶּשֶׂק וְצָפוֹן
צָפוֹנָה וּגְבוּל חֲמָת וְאֵת פְּאַת צָפוֹן:

A Fronteira do Norte. O vs. 17 dá um sumário deste assunto: será do Grande Mar (Mediterrâneo), começando em algum lugar perto de Tiro ou Sidom, mais exatamente, oposto ao monte Hor (Nm 34.7). Passará ao lado de Hetlom, indo para Zedade, passando por Berota e Sibraim, que está entre o termo de Damasco e o de Hamate, até Hazer-Haticom, que está junto ao termo de Haurã. Artigos no *Dicionário* dão detalhes sobre estas cidades e localidades. Em alguns casos, as identificações modernas estão em dúvida.

Afirmações e Especulações. A localidade de Hetlom é desconhecida, mas provavelmente deve ser associada à moderna vila, Heitela, no noroeste de Trípoli, no Líbano moderno. "Hamate tem sido identificada com a Hamate do rio Orontos, na Síria moderna, mas esta identificação é problemática; aquela cidade ficava situada a cerca de 160 km ao norte do que as outras cidades mencionadas por Ezequiel. É melhor entender *Lebo* ("pelo caminho"), como um nome próprio e, assim, identificar o lugar com a cidade moderna, Al-Labway, no vale de Biza. Zedade provavelmente deve ser identificada com a vila, Sadade, cerca de 40 km ao norte de Damasco. As localidades de Berota e Sibraim não são conhecidas atualmente, mas deviam estar situadas na fronteira entre Damasco e Hamate, no norte de Damasco. Aquelas cidades se situavam ao norte de Damasco, na fronteira entre as terras controladas por Damasco e Hamate, provavelmente perto da vila de Zedade. Hazer-Haticom (vs. 16) provavelmente é outro nome para Hazar-Enã (vs. 17), situada na fronteira entre a Síria e a província de Haurã. Talvez aquele lugar possa ser identificado com o distrito a leste do mar da Galileia, ao norte do rio Iarmuque. Alguns dizem que Hazar-Enã representa a localidade do moderno Al-Qaryatayn, um importante oásis ao noroeste de Damasco. Fica claro, então, que a fronteira do norte se estenderá a leste do mar Mediterrâneo, ao norte da cidade moderna, Trípoli, e incluirá o que era, naquele tempo, a fronteira do norte da Síria" (Charles H. Dyer, *in loc.*, com um sumário). Para detalhes, ver os nomes próprios no *Dicionário*.

■ 47.18

וּפְאַת קָדִים מִבֵּין חַוְרָן וּמִבֵּין־דַּמֶּשֶׂק וּמִבֵּין הַגִּלְעָד וּמִבֵּין אֶרֶץ יִשְׂרָאֵל הַיַּרְדֵּן מִגְּבוּל עַל־הַיָּם הַקַּדְמוֹנִי תָּמֹדּוּ וְאֵת פְּאַת קָדִימָה:

A Fronteira do Leste. A linha no leste correrá entre Haurã e Damasco. Podemos emendar o versículo para dizer *Hazar-Enã* (em lugar de Haurã), que se situava entre aqueles dois lugares, e que é a leitura da RSV. A NCV diz "um ponto entre Haurã e Damasco". A linha descerá ao longo do rio Jordão, entre Gileade e a terra de Israel, e continuará para a cidade de Tamar, ao lado do mar Morto. Falando-se cruamente, a fronteira do leste será marcada pelo rio Jordão e pelo mar Morto. Fica claro que a Transjordânia não será incluída no Israel do futuro. Não sabemos o porquê desta diminuição dos velhos territórios. Cf. Nm 34.11,12.

■ 47.19

וּפְאַת נֶגֶב תֵּימָנָה מִתָּמָר עַד־מֵי מְרִיבוֹת קָדֵשׁ נַחֲלָה אֶל־הַיָּם הַגָּדוֹל וְאֵת פְּאַת־תֵּימָנָה נֶגְבָּה:

A Fronteira do Sul. Falando-se cruamente, a fronteira do sul se esticará do sudoeste de Tamar para Cades-Barneia. Daí, continuará até alcançar o wadi (Ribeiro) do Egito, provavelmente o wadi el-Arish de hoje. Cf. Nm 27.14. Ver no *Dicionário* o artigo intitulado *Ribeiro do Egito*, que não deve ser confundido com o Nilo (por volta de 320 km) mais ao sudoeste. O Nilo, porém, era a fronteira do sul, no Pacto Abraâmico (anotado em Gn 15.18). Cerca de 320 km do território prometido a Abraão nunca foi conquistado e, segundo Ezequiel, não o será. Cf. Nm 34.3-5. Para as águas de *Meribá-Cades*, ver Nm 20.13; Dt 33.8; Sl 81.7 e 106.32. Cf. Ez 48.28, onde há mais informações sobre a fronteira do sul. Ver Meribá-Cades, em Ez 47.19, e o artigo no *Dicionário* para mais detalhes. A ilustração fornecida no capítulo 48 ajuda a entender melhor o que está sendo descrito.

■ 47.20

וּפְאַת־יָם הַיָּם הַגָּדוֹל מִגְּבוּל עַד־נֹכַח לְבוֹא חֲמָת זֹאת פְּאַת־יָם:

A Fronteira Ocidental. A simplicidade reina aqui: o Grande Mar (o Mediterrâneo) limita a terra a oeste. Esta fronteira simplesmente segue a costa, começando na região de Tiro-Sidom, descendo para o Ribeiro do Egito, oposto a Lebo Hamate. Davi e Salomão não tentaram estender a fronteira sudoeste para o Nilo, para satisfazer as condições do Pacto Abraâmico, e o Israel ideal do futuro não tocará naqueles territórios. Aparentemente, a mentalidade hebraica achou aquela conquista irreal ou não prática. O comprimento da terra, do extremo norte para o extremo sul, é de somente 400 km, ficando claro que Israel era (e será, segundo Ezequiel) menor do que o Estado de São Paulo.

A Posição do Prosélito no Israel Restaurado (47.21-23)

Como "os pobres sempre estão contigo", também "os estrangeiros sempre estão contigo". Vemos em Ez 44.7-9 que eles (inclusive os prosélitos) serão excluídos totalmente do templo ideal e de seu culto. Ezequiel estava cansado dos estrangeiros e dos problemas que eles representavam. A despeito dos limites, os estrangeiros reterão a posição relativamente decente de cidadãos de segunda classe. O prosélito se beneficiará com uma série dos direitos dos cidadãos nativos. Ver a legislação em Lv 16.29; 17.15; 19.34; 24.16; Nm 15.29,30. Muitos dos estrangeiros do presente texto provavelmente nascerão em Israel e certamente serão judeus por religião.

■ 47.21

וְחִלַּקְתֶּם אֶת־הָאָרֶץ הַזֹּאת לָכֶם לְשִׁבְטֵי יִשְׂרָאֵל:

Repartireis, pois, esta terra entre vós, segundo as tribos de Israel. Se tivéssemos somente o presente contexto, poderíamos dizer que Ezequiel promovia um *universalismo teológico*, mas as restrições de Ez 44.7-9 (os estrangeiros não têm acesso ao templo ideal) ferem este conceito. A despeito desta falha, o texto vai na direção do ideal do evangelho. Ver na *Enciclopédia de Bíblia, Teologia e Filosofia* o artigo chamado *Restauração*. No presente contexto, Israel e os prosélitos compartilham as mesmas divisões tribais. Os estrangeiros não sofrerão nenhum tipo de separação dos demais. Eles terão direito à propriedade privada e reterão os direitos de herança. Os vss. 21-23 agem como um prelúdio às divisões da terra, mais detalhadamente descritas no capítulo 48. A herança prometida a Israel, no vs. 13, é compartilhada com os estrangeiros de residência permanente, como mostra a seção nos vss. 21-23.

■ 47.22

וְהָיָה תַּפִּלוּ אוֹתָהּ בְּנַחֲלָה לָכֶם וּלְהַגֵּרִים הַגָּרִים בְּתוֹכְכֶם אֲשֶׁר־הוֹלִדוּ בָנִים בְּתוֹכְכֶם וְהָיוּ לָכֶם כְּאֶזְרָח בִּבְנֵי יִשְׂרָאֵל אִתְּכֶם יִפְּלוּ בְנַחֲלָה בְּתוֹךְ שִׁבְטֵי יִשְׂרָאֵל:

Israel torna-se *menos exclusivista,* seus territórios incorporaram nativos e estrangeiros e os descendentes dos dois. Os residentes permanentes ganharão os direitos essenciais de cidadãos, tornando-se donos das terras que seus descendentes herdarão. Presumivelmente, no passado os estrangeiros não tinham tais direitos. Cf. Lv 24.22 e Nm 15.29. O presente versículo obviamente não está falando do tempo do evangelho e da igreja cristã. Em Cristo, não há nenhuma distinção de raça.

> *Destarte, não pode haver judeu nem grego; nem escravo nem liberto; nem homem nem mulher; porque todos vós sois um em Cristo Jesus.*
>
> Gálatas 3.28

Cf. também Ef 2.12-20 e 3.6.

■ 47.23

וְהָיָה בַשֵּׁבֶט אֲשֶׁר־גָּר הַגֵּר אִתּוֹ שָׁם תִּתְּנוּ נַחֲלָתוֹ נְאֻם אֲדֹנָי יְהוִה: ס

Este versículo repete a mensagem do vs. 22. Onde os estrangeiros já estiverem residindo, justamente ali receberão seus direitos de terra, não sendo transportados para lugares menos desejáveis. *Adonai-Yahweh* (o Soberano Eterno Deus) decreta "direitos estrangeiros". Ver as notas no vs. 13, para este título divino. Os estrangeiros do texto não são turistas, viajantes, visitantes, comerciantes etc., mas residentes permanentes, a maioria nascida em Israel. A salvação da alma não está em vista, embora alguns intérpretes façam esta *aplicação* do texto.

> Oh Deus! Traz logo o dia quando
> Todas as nações gritarão,
> Glória a Deus! E triunfantemente cantarão
> Remidos! Remidos!
>
> James McGranahan

Cf. Ap 7.9,10, onde uma grande multidão de todas as nações fica em pé ante o trono do Cordeiro.

CAPÍTULO QUARENTA E OITO

Os capítulos 40—48 formam a seção final do livro e não há divisões verdadeiras entre eles. Todos trazem o mesmo tema augusto, a *restauração de Israel,* com o seu corolário principal, o *templo ideal* e seu culto. Parte da restauração de Israel se constituirá da possessão das velhas terras que serão divididas entre as tribos, embora de maneira diferente daquela de Josué.

A DIVISÃO DOS TERRITÓRIOS TRIBAIS (48.1-35)

Este capítulo se divide naturalmente em quatro seções: 1. vss. 1-7; 2. vss. 8-22; 3. vss. 23-29; 4. vss. 30-35. Cada seção é introduzida com um parágrafo como sumário.

Ver a ilustração que acompanha este capítulo e ajuda a visualizar o que é descrito verbalmente. Outras seções anteciparam o presente capítulo de todo o Israel, norte e sul. Todo o Israel será salvo e restaurado (Rm 11.26).

Este capítulo final do livro apresenta um tipo de planta para governar a distribuição dos territórios. No lado ocidental, o território se estende até o mar Mediterrâneo, tendo o rio Jordão como limite a leste. Os vss. 1-7 dão as localidades de *sete* tribos ao norte desta área; os vss. 8-22 descrevem o distrito sagrado; os vss. 23-29 fornecem as localidades das *cinco* tribos ao sul da área; os vss. 30-35 falam das doze porções da cidade (Jerusalém) que têm os nomes das doze tribos. Estes versículos também dão as medidas gerais da cidade" (Theophile J. Meek, *in loc.*).

As larguras dos territórios são iguais (isto é, as medidas do norte para o sul), mas seus comprimentos (as medidas do oeste para o leste) diferem, seguindo as características naturais da terra. Talvez haja algum valor sentimental em estar mais perto da área sagrada, mas o próprio autor não afirma isto. Notamos, de qualquer maneira, que as tribos que descendiam de Raquel e Lia se localizam mais perto da área sagrada, enquanto os descendentes das concubinas se situam mais distantes.

As Tribos ao Norte da Área Sagrada e a Própria Cidade (48.1-7)

A Transjordânia não figura na divisão entre as tribos, por razões desconhecidas e não declaradas pelo autor. Rúben e a meia tribo de Manassés antigamente ocuparam aquela área. Dã, que migrou para o norte juntamente com Aser e Naftali, constitui-se no território do extremo norte. O norte será restaurado. Israel será restaurado; Judá será restaurado; norte e sul se unirão. Haverá *um Israel!*

As sete tribos ao norte da área sagrada são: Judá, Rúben, Efraim, Manassés, Naftali, Aser e Dã, indo do sul para o norte. As divisões ignoram considerações geográficas como montanhas, rios etc. O conceito de *largura igual* domina o arranjo.

■ 48.1

וְאֵלֶּה שְׁמוֹת הַשְּׁבָטִים מִקְצֵה צָפוֹנָה אֶל־יַד דֶּרֶךְ־חֶתְלוֹן לְבוֹא־חֲמָת חֲצַר עֵינָן גְּבוּל דַּמֶּשֶׂק צָפוֹנָה אֶל־יַד חֲמָת וְהָיוּ־לוֹ פְאַת־קָדִים הַיָּם דָּן אֶחָד׃

O hebraico deste versículo é totalmente confuso e, assim, qualquer tradução é uma interpretação hipotética.

Dã terá uma porção. A tribo que começa a enumeração e descrições é Dã, localizada no norte extremo. *Norte* significa norte da área sagrada, onde estava situado o templo complexo e suas áreas sagradas. Os vss. 1-7 designam as divisões pertencentes às sete tribos do norte. O trecho de Ez 45.1-25 descreve a área sagrada e suas áreas adjacentes. Já o trecho de Ez 47.15-17 descreve a fronteira do norte do novo Israel, com Dã na extremidade daquela parte do país. Cf. Nm 34.7-12. A tribo de Dã é omitida na lista de Ap 7 (por razões desconhecidas), mas reaparece aqui, ilustrando que os primeiros serão os últimos e os últimos, os primeiros (Mt 19.30; 20.16). A apostasia de Dã não foi fatal, mas teve consequências duradouras. *Restauração* é a grande palavra, maior do que a palavra apostasia.

■ 48.2

וְעַל גְּבוּל דָּן מִפְּאַת קָדִים עַד־פְּאַת־יָמָּה אָשֵׁר אֶחָד׃

Aser, uma porção. *Descendo a costa*, indo para o sul, deixando o território de Dã, chegamos à tribo de *Aser*. Sua porção tinha a *mesma largura* das outras, desconsiderando-se todas as características geográficas que podiam ter determinado suas fronteiras. Esta tribo não tinha nenhum membro famoso do Antigo Testamento, mas Ana, a profetisa do Novo Testamento (Lc 2), dela se originou.

■ 48.3

וְעַל גְּבוּל אָשֵׁר מִפְּאַת קָדִימָה וְעַד־פְּאַת־יָמָּה נַפְתָּלִי אֶחָד׃

Naftali, uma porção. As mesmas descrições são apresentadas em relação a *Naftali*, a próxima tribo que encontramos, descendo a costa em direção ao sul. Assim temos, até este ponto, Dã, Aser e Naftali, todas com a mesma largura (dimensões do oeste para o leste), devido à curvatura da costa do mar Mediterrâneo.

■ 48.4

וְעַל גְּבוּל נַפְתָּלִי מִפְּאַת קָדְמָה עַד־פְּאַת־יָמָּה מְנַשֶּׁה אֶחָד׃

Manassés, uma porção. Manassés vem depois de Naftali. Não existem mais dois Manassés, a tribo dividida em duas partes, que se localizavam em territórios diferentes. Manassés está unida e situada do lado oeste do rio Jordão. Tem a mesma largura das outras. Era uma das duas tribos de José (Ez 47.13), que tinha dupla porção por causa da bênção de Jacó. Ver Gn 48.1-6. Jacó adotou os dois filhos de José e eles se tornaram patriarcas de tribos separadas. Assim, a única tribo potencial de José se duplicou, tornando-se duas.

■ 48.5

וְעַל גְּבוּל מְנַשֶּׁה מִפְּאַת קָדְמָה עַד־פְּאַת־יָמָּה אֶפְרַיִם אֶחָד׃

Efraim, uma porção. A outra tribo de José era *Efraim*, que ficou com o território ao lado de seu irmão, Manassés, tendo a mesma largura de todas as outras. A vontade de Jacó prevaleceu, duas tribos se originaram de José, seu filho favorito.

■ 48.6

וְעַל גְּבוּל אֶפְרַיִם מִפְּאַת קָדִים וְעַד־פְּאַת־יָמָּה רְאוּבֵן אֶחָד׃

Rúben, uma porção. *Descendo para o sul*, ao longo da costa do mar Mediterrâneo, encontramos *Rúben*, que recebeu sua porção com a mesma largura das outras. Seu patriarca perdeu o direito de primogenitura por causa de imoralidade (Gn 49.4), mas no recolhimento final não foi deixado de fora.

■ 48.7

וְעַל גְּבוּל רְאוּבֵן מִפְּאַת קָדִים עַד־פְּאַת־יָמָּה יְהוּדָה אֶחָד׃

Judá, uma porção. A sétima e última tribo do norte, situada ao lado de Rúben, era a nobre *Judá*, que preservou Israel vivo depois do cativeiro babilônico. Tinha a mesma largura das outras tribos, mas vantajosamente se posicionou ao lado da área sagrada.

O Território Especial dos Sacerdotes e dos Levitas; a Cidade e o Príncipe (48.8-22)

Esta seção é paralela a Ez 45.1-8. Antes de descrever as cinco tribos do sul da *área sagrada*, o profeta oferece outra descrição da área. Ela separava as sete tribos do norte das cinco do sul, portanto é *central* no arranjo. O *sagrado* é o centro da vida nacional. O templo complexo era o centro da área sagrada. Nos dois lados desta área, estava localizada a porção do príncipe. Ver a ilustração do arranjo que acompanha o presente capítulo e ajuda a compreender melhor as descrições verbais. A porção do príncipe e a área sagrada formam um retângulo que começa no mar Mediterrâneo e vai até o rio Jordão, na extremidade norte do mar Morto. Dentro deste retângulo, situava-se a área sagrada, um quadrado. A cidade, Jerusalém, com seus 5 mil côvados de lado (3 m) era dez vezes maior do que o templo complexo (Ez 42.20). Devemos ler *côvados*, em lugar de *cana* (da medida), seguindo a Septuaginta, em vez do hebraico, que aparentemente traz um erro primitivo. Ver as notas de Ez 42.16. O mesmo erro se repete em Ez 42.16-18.

No paralelo, 45.1-25, as medidas são apresentadas, portanto, na exposição que se segue, *referências* àquela informação são fornecidas, mas sem repetir todas as medidas.

■ 48.8

וְעַל גְּבוּל יְהוּדָה מִפְּאַת קָדִים עַד־פְּאַת־יָמָּה תִּהְיֶה הַתְּרוּמָה אֲשֶׁר־תָּרִימוּ חֲמִשָּׁה וְעֶשְׂרִים אֶלֶף רֹחַב

וְאֹ֨רֶךְ כְּאַחַ֣ד הַחֲלָקִ֗ים מִפְּאַ֥ת קָדִ֛ימָה עַד־פְּאַת־יָ֖מָּה
וְהָיָ֥ה הַמִּקְדָּ֖שׁ בְּתוֹכֽוֹ׃

A área sagrada tem o mesmo comprimento (do oeste para o leste) que o da tribo de Judá situada ao seu lado. Ver Ez 45.1, para comentários sobre as medidas envolvidas. Dentro daquela área, ficava o templo complexo (ver Ez 45.2). A ilustração que acompanha o presente capítulo mostra claramente os arranjos e as medidas envolvidas.

■ 48.9

הַתְּרוּמָ֕ה אֲשֶׁ֥ר תָּרִ֖ימוּ לַֽיהוָ֑ה אֹ֗רֶךְ חֲמִשָּׁ֤ה וְעֶשְׂרִים֙ אֶ֔לֶף וְרֹ֖חַב עֲשֶׂ֥רֶת אֲלָפִֽים׃

A área sagrada se chama uma *oblação* (oferta) para Yahweh, conceito apresentado e comentado em Ez 45.1,6,7,13,16. O presente capítulo repete o conceito dos vss. 10,12,20,21.

Problemas. "O comprimento é a medida do leste para o oeste; a largura é a do norte para o sul. A largura aqui deve ser revisada, de 10 mil para 25 mil côvados, para concordar com as especificações do vs. 8. Ou, se a expressão *porção sagrada* é usada aqui para incluir somente os territórios dos sacerdotes e levitas (ver vss. 14,18,21,22), então leia-se 20 mil, que é a leitura da Septuaginta, em Ez 45.1. Cf. também Ez 48.12" (Theophile J. Meek, *in loc.*). *Devemos continuar entendendo* côvado, não *cana de medida* (ver as notas em Ez 42.16). Ver também notas no vs. 13.

■ 48.10

וּ֠לְאֵלֶּה תִּֽהְיֶ֨ה תְרֽוּמַת־הַקֹּ֜דֶשׁ לַכֹּהֲנִ֗ים צָפ֜וֹנָה חֲמִשָּׁ֧ה וְעֶשְׂרִ֣ים אֶ֗לֶף וְיָ֙מָּה֙ רֹ֚חַב עֲשֶׂ֣רֶת אֲלָפִ֔ים וְקָדִ֕ימָה רֹ֖חַב עֲשֶׂ֣רֶת אֲלָפִ֑ים וְנֶ֕גְבָּה אֹ֕רֶךְ חֲמִשָּׁ֥ה וְעֶשְׂרִ֖ים אֶ֑לֶף וְהָיָ֥ה מִקְדַּשׁ־יְהוָ֖ה בְּתוֹכֽוֹ׃

O assunto deste versículo é a *porção dos sacerdotes*, que media 25 mil x 10 mil côvados (= 13 x 5,5 km), que se ajunta àquela dos levitas, com as mesmas dimensões. O templo complexo fica no meio da porção dos sacerdotes. É enfatizada a centralidade do sagrado, para toda a vida. Cf. o vs. 8 e Ez 45.4, paralelos ao presente versículo. O arranjo ilustra o princípio da necessidade de o homem espiritual se separar do profano.

■ 48.11

לַכֹּהֲנִ֤ים הַֽמְקֻדָּשׁ֙ מִבְּנֵ֣י צָד֔וֹק אֲשֶׁ֥ר שָׁמְר֖וּ מִשְׁמַרְתִּ֑י אֲשֶׁ֣ר לֹֽא־תָע֗וּ בִּתְעוֹת֙ בְּנֵ֣י יִשְׂרָאֵ֔ל כַּאֲשֶׁ֥ר תָּע֖וּ הַלְוִיִּֽם׃ ס

Este versículo repete as informações dadas em Ez 44.15,16. A área é sagrada, e os sacerdotes zadoquitas são santificados para servir no templo. Estes sacerdotes recusaram-se a seguir a profanidade das outras linhagens dos levitas (Ez 44.10) e, assim, foram dignos da sua *estação* mais exaltada. Ver as notas sobre os zadoquitas, em Ez 40.46, e, no *Dicionário*, os artigos intitulados Zadoque e Sacerdotes e Levitas.

■ 48.12

וְהָ֨יְתָ֤ה לָהֶם֙ תְּרוּמִיָּ֔ה מִתְּרוּמַ֥ת הָאָ֖רֶץ קֹ֣דֶשׁ קָֽדָשִׁ֑ים אֶל־גְּב֖וּל הַלְוִיִּֽם׃

A área dos sacerdotes (vs. 10) é como uma *oblação sagrada* oferecida a Yahweh, sendo que eles mesmos e suas terras são sacrifícios vivos no culto ao Senhor.

> *Rogo-vos, pois, irmãos, pelas misericórdias de Deus, que apresenteis o vosso corpo por sacrifício vivo, santo e agradável a Deus, que é o vosso culto racional.*
>
> Romanos 12.1

Eles receberam suas terras e as utilizaram para servir a Yahweh. Sua porção era "considerada sagrada e intransferível; não podia ser vendida ou doada a outros, nem por outros sacerdotes que não fossem da linhagem de Zadoque" (John Gill, *in loc.*).

■ 48.13

וְהַלְוִיִּ֗ם לְעֻמַּת֙ גְּב֣וּל הַכֹּהֲנִ֔ים חֲמִשָּׁ֥ה וְעֶשְׂרִ֖ים אֶ֑לֶף אֹ֕רֶךְ וְרֹ֖חַב עֲשֶׂ֣רֶת אֲלָפִ֑ים כָּל־אֹ֗רֶךְ חֲמִשָּׁ֤ה וְעֶשְׂרִים֙ אֶ֔לֶף וְרֹ֖חַב עֲשֶׂ֥רֶת אֲלָפִֽים׃

Este versículo descreve a porção dos levitas que se situava ao norte daquela dos sacerdotes. Era do mesmo tamanho (ver as medidas no vs. 10). Cf. o vs. 9 e Ez 45.5, que formam paralelo ao presente versículo. Entendam-se *côvados*, em lugar de *cana de medida*. Ver Ez 42.15 para este problema. As ilustrações que acompanham os capítulos 47 e 48 ajudam a visualizar as descrições verbais.

■ 48.14

וְלֹא־יִמְכְּר֣וּ מִמֶּ֗נּוּ וְלֹ֥א יָמֵ֛ר וְלֹ֥א יַעֲב֖וּר רֵאשִׁ֣ית הָאָ֑רֶץ כִּי־קֹ֖דֶשׁ לַיהוָֽה׃

O território dos levitas, como o dos sacerdotes, era santo e não podia ser transferido por doação ou venda. Servia de oblação para Yahweh (ver as notas no vs. 12). Suas terras eram como *primícias* (ver a respeito no *Dicionário*); "... santa para Yahweh, separada e devotada aos ritos religiosos sagrados para o Senhor" (John Gill, *in loc.*).

■ 48.15

וַחֲמֵ֨שֶׁת אֲלָפִ֜ים הַנּוֹתָ֣ר בָּרֹ֗חַב עַל־פְּנֵ֞י חֲמִשָּׁ֤ה וְעֶשְׂרִים֙ אֶ֔לֶף חֹל־ה֖וּא לָעִ֑יר לְמוֹשָׁ֣ב וּלְמִגְרָ֑שׁ וְהָיְתָ֥ה הָעִ֖יר בְּתוֹכֹֽה׃

Agora, avançando para o sul, encontramos as áreas da cidade adjacentes ao templo complexo. A ilustração que acompanha o presente capítulo mostra a cidade sagrada cercada por terras profanas dos dois lados. A classificação de terras que Charles H. Dyer fornece na sua ilustração é: cidades-terras / cidade / cidades-terras, entendendo que "cidades-terras" significam as áreas adjacentes que pertenciam à cidade. A cidade e suas terras, juntas, mediam 25 mil x 5 mil côvados (13 x 3 km). As áreas laterais serviam para uso profano, em contraste com as localidades onde os ritos sagrados eram efetuados no templo complexo. Ver Ez 22.26; 42.20 e 44.23. Estas terras pertenciam aos levitas, mas foram cultivadas por representantes de todas as tribos (vs. 19).

■ 48.16,17

וְאֵ֖לֶּה מִדּוֹתֶ֑יהָ פְּאַ֣ת צָפ֗וֹן חֲמֵ֥שׁ מֵא֖וֹת וְאַרְבַּ֣עַת אֲלָפִ֑ים וּפְאַת־נֶ֗גֶב חֲמֵ֥שׁ מֵא֖וֹת וְאַרְבַּ֣עַת אֲלָפִ֑ים וּמִפְּאַ֣ת קָדִ֗ים חֲמֵ֥שׁ מֵא֖וֹת וְאַרְבַּ֣עַת אֲלָפִ֑ים וּפְאַת־יָ֗מָּה חֲמֵ֥שׁ מֵא֖וֹת וְאַרְבַּ֣עַת אֲלָפִֽים׃

וְהָיָ֣ה מִגְרָשׁ֮ לָעִיר֒ צָפ֙וֹנָה֙ חֲמִשִּׁ֣ים וּמָאתַ֔יִם וְנֶ֖גְבָּה חֲמִשִּׁ֣ים וּמָאתָ֑יִם וְקָדִ֖ימָה חֲמִשִּׁ֣ים וּמָאתַ֑יִם וְיָ֖מָּה חֲמִשִּׁ֥ים וּמָאתָֽיִם׃

Estes dois versículos dão as dimensões da cidade e suas terras adjacentes. Media 4.500 côvados (= cerca de 2 km) de todos os lados, formando um quadrado. Havia, ao redor, um espaço aberto de 250 côvados (= 13 m), perfazendo um total de 5 mil côvados de cada lado, num quadrado de 2 km. Ver o vs. 17. A cidade, portanto, media exatamente dez vezes a área do templo complexo (Ez 42.20). A NCV fala das áreas adjacentes como *terra pastoril*. A RSV dá "terra aberta", deixando em dúvida os usos.

■ 48.18,19

וְהַנּוֹתָ֨ר בָּאֹ֜רֶךְ לְעֻמַּ֣ת תְּרוּמַ֣ת הַקֹּ֗דֶשׁ עֲשֶׂ֤רֶת אֲלָפִים֙ קָדִ֔ימָה וַעֲשֶׂ֥רֶת אֲלָפִ֖ים יָ֑מָּה וְהָיָ֗ה לְעֻמַּת֙ תְּרוּמַ֣ת הַקֹּ֔דֶשׁ וְהָיְתָ֤ה תְבוּאָתֹה֙ לְלֶ֔חֶם לְעֹבְדֵ֖י הָעִֽיר׃

וְהָעֹבֵ֖ד הָעִ֑יר יַעַבְד֕וּהוּ מִכֹּ֖ל שִׁבְטֵ֥י יִשְׂרָאֵֽל׃

Estes versículos conduzem de volta para as cidades-terras (áreas profanas, isto é, para uso comum, como cultivo). Ver as notas no vs. 15, que incluem as dimensões. Nos dois lados da cidade quadrada, havia extensões de terra de 10 mil côvados (= quase 5 km). A largura destas terras era de 5 mil côvados. O vs. 19 informa que estas áreas funcionariam como cestos de pão para a cidade. Representantes de todas as tribos as cultivariam. Ver a ilustração de Ellicott, que acompanha o capítulo 47, mais acurada, neste aspecto, do que a de Charles H. Dyer, que acompanha o capítulo 48. Seu arranjo é: cidades-terras / cidade / cidades-terras, que ele interpreta como profano / cidade / profano. Ele tem uma cidade quadrada com áreas *retangulares* dos lados, e não três quadrados iguais (a ideia de Dyer).

■ **48.20**

כָּל־הַתְּרוּמָה חֲמִשָּׁה וְעֶשְׂרִים אֶלֶף בַּחֲמִשָּׁה וְעֶשְׂרִים אֶלֶף רְבִיעִית תָּרִימוּ אֶת־תְּרוּמַת הַקֹּדֶשׁ אֶל־אֲחֻזַּת הָעִיר:

Este versículo dá as dimensões totais da *área sagrada* que tem ao lado as terras do príncipe. Estão em vista os vss. 15-19 (a porção dos levitas; a dos sacerdotes; a cidade com as suas áreas adjacentes). A totalidade media 25 mil côvados de lado, formando um quadrado (= 13 km). Toda esta área pertencia a Yahweh, como sua porção ou sacrifício (ver as notas no vs. 12). A área era sagrada, separada e santificada.

■ **48.21**

וְהַנּוֹתָר לַנָּשִׂיא מִזֶּה וּמִזֶּה לִתְרוּמַת־הַקֹּדֶשׁ וְלַאֲחֻזַּת הָעִיר אֶל־פְּנֵי חֲמִשָּׁה וְעֶשְׂרִים אֶלֶף תְּרוּמָה עַד־גְּבוּל קָדִימָה וְיָמָּה עַל־פְּנֵי חֲמִשָּׁה וְעֶשְׂרִים אֶלֶף עַל־גְּבוּל יָמָּה לְעֻמַּת חֲלָקִים לַנָּשִׂיא וְהָיְתָה תְּרוּמַת הַקֹּדֶשׁ וּמִקְדַּשׁ הַבַּיִת בְּתוֹכֹה

Nos dois lados do *quadrado* sagrado, ficava a porção do príncipe. Ele tinha propriedades adequadas para ser financeiramente independente, dispensando o apoio do povo. Esta circunstância evitaria a exploração do povo, o esporte favorito de políticos. Ver as notas em Ez 45.7-9. Suas terras se estendiam do mar Mediterrâneo até a extremidade norte do mar Morto (com a área sagrada no meio).

O autor não dá as dimensões exatas para as terras do príncipe, mas entendemos que sua largura seria igual à do quadrado sagrado. O comprimento seria quase igual ao comprimento da porção de Judá, que se localizava no lado norte. O comprimento seria de cerca de 80 km. A ilustração de Dyer (que acompanha o capítulo 48) é, neste caso, mais acurada do que a de Ellicott (que acompanha o capítulo 47).

■ **48.22**

וּמֵאֲחֻזַּת הַלְוִיִּם וּמֵאֲחֻזַּת הָעִיר בְּתוֹךְ אֲשֶׁר לַנָּשִׂיא יִהְיֶה בֵּין גְּבוּל יְהוּדָה וּבֵין גְּבוּל בִּנְיָמִן לַנָּשִׂיא יִהְיֶה:

Este versículo procura esclarecer as informações dadas em relação às terras do príncipe. O autor não forneceu uma ilustração (como Dyer e Ellicott), o que teria sido extremamente útil, assim dependia de descrições verbais. A *combinação* cidades-terras / cidade / cidades-terras, unida com a porção dos levitas e a dos sacerdotes (formando um quadrado), ficava entre as terras reais. A porção de Judá ficava ao lado norte deste complexo, e a de Benjamim, ao sul.

As Tribos ao Sul da Área Sagrada e a Própria Cidade (48.23-29)

■ **48.23**

וְיֶתֶר הַשְּׁבָטִים מִפְּאַת קָדִימָה עַד־פְּאַת־יָמָּה בִּנְיָמִן אֶחָד:

Sete tribos ocuparão as regiões ao norte da *área sagrada* (descritas nos vss. 1-7); *cinco* ocuparão a região sul (vss. 23-29). A área sagrada é descrita nos vss. 1-22. A característica notável destes versículos é a de que Zebulom e Issacar, que eram tribos no norte no velho arranjo de Josué, tornam-se tribos do sul no dia escatológico. Gade era uma tribo da Transjordânia, mas agora também ocupa espaço no sul, sendo a tribo mais ao sul. A *Transjordânia* (ver a respeito no *Dicionário*) será eliminada dos territórios de Israel, por razões não explicadas. As larguras dos territórios das tribos do sul são iguais àquelas do norte, mas seus comprimentos são maiores, devido à curvatura do mar Mediterrâneo. O mar Morto limita os comprimentos dos territórios das tribos do sul, menos aquelas de Zebulom e Gade.

Ver a ilustração de Ellicott, no capítulo 47, que ajuda a entender o que é dito pelo profeta.

■ **48.24**

וְעַל גְּבוּל בִּנְיָמִן מִפְּאַת קָדִימָה עַד־פְּאַת־יָמָּה שִׁמְעוֹן אֶחָד:

Benjamim terá uma porção. Benjamim é a primeira tribo do sul; começa à borda da área sagrada e tem exatamente o mesmo comprimento. No velho arranjo, Judá absorveu Benjamim e, assim, o sul se constituiu de uma única tribo. O norte representava as dez tribos, e o sul, Judá. No dia escatológico, a tribo de Benjamim será restaurada. "As localidades de todas as doze tribos serão diferentes daquelas do tempo de Josué, cujo arranjo se estendeu até os cativeiros. Ver os capítulos 13—19 de Josué" (Charles H. Dyer, *in loc.*).

■ **48.25**

וְעַל גְּבוּל שִׁמְעוֹן מִפְּאַת קָדִימָה עַד־פְּאַת־יָמָּה יִשָּׂשכָר אֶחָד:

Simeão, uma porção. Deixando Benjamim e descendo para o sul, encontramos a porção da tribo de Simeão, que era, no velho arranjo, uma tribo do norte. Na fronteira ocidental fica o mar Mediterrâneo; o mar Morto é a fronteira oriental.

■ **48.26**

וְעַל גְּבוּל יִשָּׂשכָר מִפְּאַת קָדִימָה עַד־פְּאַת־יָמָּה זְבוּלֻן אֶחָד:

Issacar, uma porção. Deixando Simeão e descendo para o sul, encontramos a tribo de Issacar. No velho arranjo, esta tribo ficava à altura do mar da Galileia, no lado ocidental do rio Jordão.

■ **48.27**

וְעַל גְּבוּל זְבוּלֻן מִפְּאַת קָדִמָה עַד־פְּאַת־יָמָּה גָּד אֶחָד:

Zebulom, uma porção. Descendo mais para o sul, encontramos Zebulom, que no velho arranjo compartilhava uma fronteira com Issacar, mas *ao norte* daquela tribo, enquanto no novo arranjo, Issacar fica ao norte de Zebulom. Issacar tem o mar Mediterrâneo como fronteira ocidental e toca o mar Morto no oriente. Zebulom tem o Mediterrâneo como fronteira ocidental, mas se situa embaixo do mar Morto, no oriente.

■ **48.28**

וְעַל גְּבוּל גָּד אֶל־פְּאַת נֶגֶב תֵּימָנָה וְהָיָה גְבוּל מִתָּמָר מֵי מְרִיבַת קָדֵשׁ נַחֲלָה עַל־הַיָּם הַגָּדוֹל:

Gade, uma porção. A última tribo ao sul (perfazendo um total de cinco) é Gade, que tem o mar Mediterrâneo como fronteira ocidental e o Ribeiro do Egito como fronteira ao sul. Ocupa as áreas embaixo do mar Morto, com uma fronteira oriental indefinida. No arranjo original, situava-se na Transjordânia, oposto a Efraim, tocando no sul a extremidade norte do mar Morto. Diretamente ao sul existiam (existem) as águas de Meribá-Cades. A sudoeste se situava (situa) o *Ribeiro do Egito* (para não ser confundido com o Nilo). Ver estes títulos no *Dicionário*. As águas de *Meribá* se localizavam (localizam) perto de Cades-Barneia (ver no *Dicionário* e em Nm 27.14).

DIVISÃO DA PALESTINA NOS DIAS DO TEMPLO IDEAL (MILENÁRIO)

(Conceito de Charles H. Dyer)

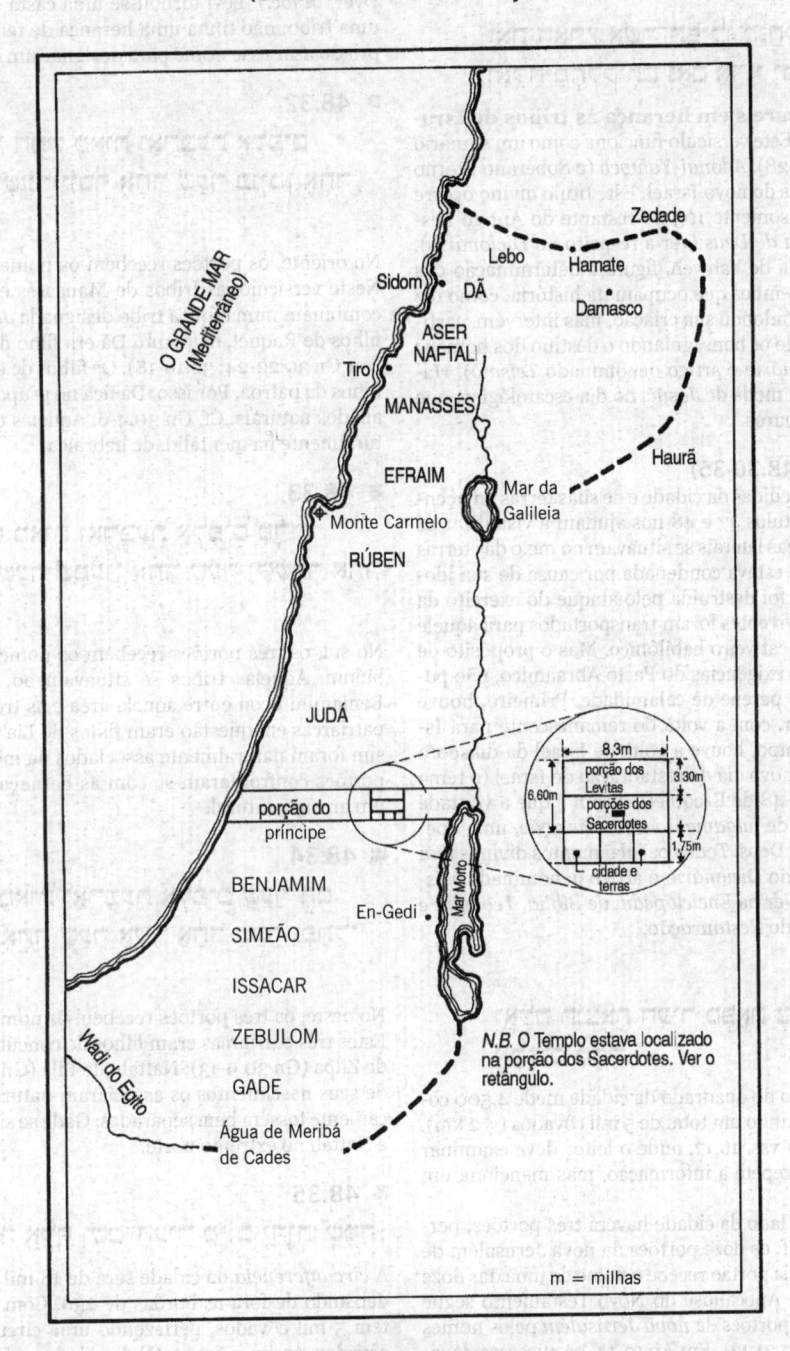

[Mapa mostrando a divisão das tribos: DÃ, ASER, NAFTALI, MANASSÉS, EFRAIM, RÚBEN, JUDÁ, porção do príncipe, BENJAMIM, SIMEÃO, ISSACAR, ZEBULOM, GADE. Localidades indicadas: Sidom, Tiro, Monte Carmelo, En-Gedi, Água de Meribá de Cades, Lebo, Hamate, Zedade, Damasco, Haurã. Corpos de água: O Grande Mar (Mediterrâneo), Mar da Galileia, Mar Morto, Wadi do Egito. Detalhe ampliado: porção dos Levitas (8,3m × 3,30m), porções dos Sacerdotes (6,60m), cidade e terras (1,75m). N.B. O Templo estava localizado na porção dos Sacerdotes. Ver o retângulo. m = milhas]

TRANSJORDÂNIA

No conceito de Ezequiel, todas as tribos foram preservadas e todas receberam sua herança, mas as tribos da velha Transjordânia, Dã, a meia tribo de Manassés, Gade e Rúben, se transferiram para o outro lado do Jordão. Não se sabe por que o profeta "esqueceu" a Transjordânia. No hebraico, eber iordan (por exemplo, Dt 3.20, 25) se refere ao território no lado leste do rio Jordão. Esse território, recortado por numerosas gargantas, algumas com constante fluxo de água, era fértil, mesmo sem irrigação.

Toda a porção leste da Palestina pode ser compreendida sob o nome Gileade (ver Dt 34.1; Js 22.8). Mas, durante o período de dominação grega, o termo usado para indicar essa região era Coele-Síria (ver Josefo, Ant. 1.11,5; 13.13,2,3).

Além das tribos de Israel, nos tempos veterotestamentários, a Transjordânia incluía Edom, Moabe, Amon, Gileade e Basã.

O ideal do Pacto Abraâmico (anotado em Gn 15.18), que tinha o Nilo como a fronteira a sudoeste de Israel, não se realizou nem se realizará. Israel aparentemente abandonou, de vez, essa esperança.

■ 48.29

זֹאת הָאָרֶץ אֲשֶׁר־תַּפִּילוּ מִנַּחֲלָה לְשִׁבְטֵי יִשְׂרָאֵל
וְאֵלֶּה מַחְלְקוֹתָם נְאֻם אֲדֹנָי יְהוִה: פ

Esta é a terra que sorteareis em herança às tribos de Israel... diz o Senhor Deus. Este versículo funciona como um sumário da passagem inteira (vss. 1-28). *Adonai-Yahweh* (o Soberano Eterno Deus) decretou as fronteiras do novo Israel. Este título divino ocorre 217 vezes nesse livro, mas somente 103 no restante do Antigo Testamento. Fala da *soberania de Deus* (ver a respeito no *Dicionário*). Entre as obras da soberania de Yahweh, figura a determinação das fronteiras das nações e os tempos que ocupam na história, como diz At 17.26. O Criador não abandonou sua criação, mas intervém, castigando os maus e abençoando os bons, guiando o destino dos homens e das nações (ver no *Dicionário* o artigo denominado *Teísmo*). Haverá um novo movimento à moda de *Josué*, no dia escatológico, que terá resultados mais duradouros.

A Cidade de Jerusalém (48.30-35)

Os vss. 15-17 fornecem as medidas da cidade e de suas terras adjacentes. As ilustrações nos capítulos 47 e 48 nos ajudam a visualizar os arranjos. A cidade e suas áreas laterais se situavam no meio das terras do príncipe. A velha cidade estava condenada por causa de sua idolatria-adultério-apostasia e foi destruída pelo ataque do exército da Babilônia. Os poucos sobreviventes foram transportados para aquele país e, assim, realizou-se o cativeiro babilônico. Mas o propósito de Deus, operando segundo as exigências do Pacto Abraâmico, não podia deixar Israel em estado perene de calamidade. Primeiro, houve uma restauração preliminar, com a volta do remanescente para Israel; *segundo*, no nosso tempo, houve a volta de Israel da diáspora romana; *terceiro*, haverá o novo dia da restauração de Israel (o tema principal dos capítulos 40—48 de Ezequiel). Assim é que a vontade de Deus completará o ciclo de *julgamento a restauração*, uma operação grandiosa do amor de Deus. *Todos* os julgamentos divinos têm este mesmo propósito. Ver no *Dicionário* o artigo denominado *Mistério da Vontade de Deus*. Ver na *Enciclopédia de Bíblia, Teologia e Filosofia* o artigo denominado *Restauração*.

■ 48.30

וְאֵלֶּה תּוֹצְאֹת הָעִיר מִפְּאַת צָפוֹן חֲמֵשׁ מֵאוֹת וְאַרְבַּעַת
אֲלָפִים מִדָּה:

Declaração Geral. Cada lado do quadrado da cidade mede 4.500 côvados, mais 250 de borda, dando um total de 5 mil côvados (= 2 km). Esta informação é dada nos vss. 16,17, onde o leitor deve examinar os detalhes. Este versículo repete a informação, mas menciona um lado só.

Outros Detalhes. A cada lado da cidade haverá três portões, perfazendo um total de doze. Cf. os doze portões da nova Jerusalém de Ap 21. No presente texto, cada portão recebe o nome de uma das doze tribos de Israel. O autor do Apocalipse do Novo Testamento segue este exemplo, chamando os portões da *nova Jerusalém* pelos nomes das *doze tribos* de Israel (Ap 21.12). Em Ap 21.14, os alicerces da cidade recebem os nomes dos doze apóstolos, combinando Israel com a igreja, no *novo Israel* (a igreja).

■ 48.31

וְשַׁעֲרֵי הָעִיר עַל־שְׁמוֹת שִׁבְטֵי יִשְׂרָאֵל שְׁעָרִים
שְׁלוֹשָׁה צָפוֹנָה שַׁעַר רְאוּבֵן אֶחָד שַׁעַר יְהוּדָה אֶחָד
שַׁעַר לֵוִי אֶחָד:

No norte, os portões recebem os nomes de Rúben, Judá e Levi. Os patriarcas em pauta eram filhos de Lia (Gn 29.32-34) e foram naturalmente agrupados na mente hebraica. "O (único) portão da cidade do norte, em tempos pré e pós-exílicos, se chamava Benjamim (ver Jr 37.13; 8.7; Zc 14.10). Cf. o portão superior de Benjamim, de Jr 20.2, e o portão moderno (chamado *Damasco*) do muro do norte de Jerusalém" (Theophile J. Meek, *in loc.*). "Talvez estes três portões fossem listados primeiro, por causa de suas posições proeminentes entre as tribos de Israel: Rúben era o *primogênito* dos doze filhos de Jacó; Judá era a tribo *real*; Levi era a tribo *sacerdotal*" (Charles H. Dyer, *in loc.*). Levi tornou-se uma casta sacerdotal, deixando de ser uma tribo; não tinha uma herança de terra; mesmo assim, foi apropriado usar esse nome para designar um dos portões.

■ 48.32

וְאֶל־פְּאַת קָדִימָה חֲמֵשׁ מֵאוֹת וְאַרְבַּעַת אֲלָפִים
וּשְׁעָרִים שְׁלֹשָׁה וְשַׁעַר יוֹסֵף אֶחָד שַׁעַר בִּנְיָמִן אֶחָד
שַׁעַר דָּן אֶחָד:

No oriente, os portões recebem os nomes de José, Benjamim e Dã. Neste versículo, as tribos de Manassés e Efraim (filhos de José) se combinam numa única tribo designada *José*. José e Benjamim eram filhos de Raquel, enquanto Dã era filho de Bila, a escrava de Raquel (ver Gn 30.22-24; 36.16-18). Os filhos de escravas eram considerados filhos da patroa. Por isso, Dã fica no grupo José-Benjamim-Dã, como aliados naturais. Cf. Gn 30.4-6. Aquelas tribos foram associadas naturalmente na mentalidade hebraica.

■ 48.33

וּפְאַת־נֶגְבָּה חֲמֵשׁ מֵאוֹת וְאַרְבַּעַת אֲלָפִים מִדָּה
וּשְׁעָרִים שְׁלֹשָׁה שַׁעַר שִׁמְעוֹן אֶחָד שַׁעַר יִשָּׂשכָר אֶחָד
שַׁעַר זְבוּלֻן אֶחָד:

No sul, os três portões recebem os nomes de Simeão, Issacar e Zebulom. Aquelas tribos se situavam ao sul da área sagrada, mas Benjamim ficou entre aquela área e as três tribos em pauta. Os três patriarcas em questão eram filhos de Lia (Gn 29.33; 30.18-20) e assim foram naturalmente associados na mente hebraica. Aqueles três portões confrontaram-se com as heranças das tribos mencionadas, um arranjo natural.

■ 48.34

פְּאַת־יָמָּה חֲמֵשׁ מֵאוֹת וְאַרְבַּעַת אֲלָפִים שַׁעֲרֵיהֶם
שְׁלֹשָׁה שַׁעַר גָּד אֶחָד שַׁעַר אָשֵׁר אֶחָד שַׁעַר נַפְתָּלִי
אֶחָד:

No oeste, os três portões recebem os nomes de Gade, Aser e Naftali. Estes três patriarcas eram filhos de concubinas de Jacó: Gade e Aser, de Zilpa (Gn 30.9-13); Naftali, de Bila (Gn 30.7-8). As circunstâncias de seus nascimentos os associaram naturalmente, embora geograficamente fossem bem separadas. Gade se situou no extremo sul e Aser e Naftali no extremo norte.

■ 48.35

סָבִיב שְׁמֹנָה עָשָׂר אָלֶף וְשֵׁם־הָעִיר מִיּוֹם יְהוָה שָׁמָּה:

A *circunferência* da cidade será de 18 mil côvados, isto é, 4 x 4.500, deixando de fora as bordas de 250. Com este acréscimo, cada lado tem 5 mil côvados, perfazendo uma circunferência total de 20 mil côvados. Assim, a área total da cidade será dez vezes a área do templo complexo (Ez 42.20). Ver as notas nos vss. 16,17, onde as medidas são apresentadas em quilômetros.

O quadrado perfeito fala de balanço, simetria e perfeição; a nova Jerusalém deve ter estas qualidades.

O novo nome. A restauração de Israel será no reino do Messias, no dia escatológico, quando a presença de Yahweh será garantida. Assim, a cidade se chama *Yahweh-Shammah*, isto é, "Yahweh está aí". A presença de Yahweh será o aspecto mais notável da cidade, sendo que ela traz vida e poder. "A glória de Deus partiu da cidade, como um prelúdio do dia do julgamento (capítulos 10—11). A volta de sua presença será o sinal da bênção divina sobre Jerusalém. Este fato impressionou tanto Ezequiel, que ele deu um novo nome à cidade. Ela não participará na adoração de ídolos sem vida, nem promoverá práticas detestáveis" (Charles H. Dyer, *in loc.*). A glória *Shekinah* voltará e ficará. Ver este título no *Dicionário*.

"Com aquele nome, o *novo nome* da cidade, Ezequiel fecha o livro e suas visões. É um fim apropriado" (Ellicott, *in loc.*). Do desespero e da escuridão dos ataques e cativeiros babilônicos, avançamos para a Luz da Presença no reino do Messias, o novo dia, cujo Sol é Yahweh. Uma nova realidade se expressará com este nome. Cf. Jr 3.17; 33.16; Zc 2.10; Ap 21.3 e 22.3.

A cidade não precisa nem do sol, nem da lua, para lhe darem claridade, pois a glória de Deus a iluminou, e o Cordeiro é a sua lâmpada.

Apocalipse 21.23

Aquele dia... O glorioso dia da restauração de Israel, para o qual o propósito de Deus avança incansavelmente. Com esta conclusão o profeta termina a seção final, capítulos 40—48, cujo tema constante é *a restauração*.

Coisas gloriosas de ti se falam,
Sião, cidade de nosso Deus.
Aquele cuja palavra nunca falha
Formou-te para ser seu próprio lar.
Na Rocha dos Séculos fundada,
O que pode sacudir teu repouso seguro?
Cercada com os muros da SALVAÇÃO,
Podes sorrir a todos os teus inimigos.
Vês os riachos de águas vivas
Jorrando do amor eterno.

John Newton

Todo louvor seja a *Adonai-Yahweh!*

DANIEL

O LIVRO DAS PROFECIAS RELACIONADAS AOS DIVERSOS REINOS MUNDIAIS

> *Setenta semanas estão determinadas sobre o teu povo, e sobre a tua santa cidade para fazer cessar a transgressão, para expiar a iniquidade, para trazer a justiça eterna.*
>
> DANIEL 9.24

12	Capítulos
357	Versículos

INTRODUÇÃO

O nome é hebraico e tem o sentido de "Deus é meu juiz". Daniel foi um famoso profeta judeu do período babilônico e persa, embora isso seja posto em dúvida por muitos críticos modernos, que desconfiam da cronologia a seu respeito. Ver a discussão sobre isso, mais adiante. Tudo quanto sabemos acerca de Daniel deriva-se do livro que tem o seu nome; as tradições, como é usual, são duvidosas. Ver sobre o homem Dn, no segundo ponto, a seguir.

ESBOÇO

I. Características Gerais
II. O Homem Dn e o Pano de Fundo Histórico do Livro
III. Autoria, Data e Debates a Respeito
IV. Ponto de Vista Profético
V. Proveniência e Unidade
VI. Destino e Propósito
VII. Canonicidade
VIII. Esboço do Conteúdo
IX. Acréscimos Apócrifos
X. Gráfico Ilustrativo das Setenta Semanas
XI. Bibliografia

I. CARACTERÍSTICAS GERAIS

Este livro aparece na terceira seção do cânon hebraico, chamada *ketubim*. Nas Bíblias em línguas vernáculas, trata-se de uma das quatro grandes composições proféticas escritas, de acordo com o cânon alexandrino. Na moderna erudição, diferem as opiniões a seu respeito. Alguns estudiosos pensam que se trata apenas de um dos melhores escritos pseudepígrafos, uma pseudoprofecia romântica, escrita essencialmente como narrativa, e não um livro profético. Mas outros respeitam altamente o livro como profecia, baseando sobre este livro várias doutrinas sérias a respeito dos últimos dias, ainda futuros. Seja como for, é verdade que o Novo Testamento incorpora grande parte da visão profética desse livro no Apocalipse, envolvendo temas como a grande tribulação, o anticristo, a segunda vinda de Cristo, a ressurreição e o julgamento final. As indicações cronológicas do livro de Daniel são adotadas diretamente pelo Apocalipse.

O livro foi escrito em hebraico, mas com uma extensa seção em aramaico, ou seja, Dn 2.4b—7.28. Os eruditos liberais pensam que essa porção é um tanto mais antiga, tendo sido adaptada às pressas para seu uso, em uma revisão palestina. Temos a introdução do livro escrita em hebraico (Dn 1.1—2.4a), com visões adicionais (caps. 8 em diante), a respeito de coisas que ocorreram durante a crise sob o governo de Antíoco IV Epifânio (175-163 a.C.). Reveste-se de especial importância o material do décimo capítulo, que apresenta uma personagem "à semelhança dos filhos dos homens" (Dn 10.16), que os estudiosos cristãos pensam tratar-se de uma alusão ao Messias. O livro também encerra a doutrina da ressurreição dos mortos (Dn 12.2,3) e uma angelologia típica do judaísmo posterior. Daniel é o único livro judaico de natureza apocalíptica que foi finalmente aceito no cânon palestino, ao passo que vários livros dessa natureza vieram a tornar-se parte do cânon alexandrino.

II. O HOMEM DN E O PANO DE FUNDO HISTÓRICO DO LIVRO

Daniel era descendente da família real de Judá, ou pelo menos, da alta nobreza dessa nação (Dn 1.3; Josefo, *Anti.* 10.10,1). É possível que ele tenha nascido em Jerusalém, embora o trecho de Dn 9.24, usado como apoio para essa ideia, não seja conclusivo quanto a isso. Entre 12 e 16 anos de idade, Daniel já se encontrava na Babilônia, como cativo judeu entre outros jovens nobres hebreus, como Ananias, Misael e Azarias, em resultado da primeira deportação da nação de Judá, no quarto ano do reinado de Jeoaquim. Ele e seus companheiros foram forçados a entrar no serviço da corte real babilônica. Daniel recebeu o nome caldeu de Beltessazar, que significa "príncipe de Baal". De acordo com os costumes orientais, uma pessoa podia adquirir um novo nome, se as suas condições fossem significativamente alteradas, e esse novo nome expressava a nova condição (2Rs 23.34; 24.17; Et 2.7; Ed 5.14). A fim de ser preparado para suas novas funções, Daniel recebeu o treinamento oriental necessário. Ver Platão, *Alceb.* seção 37. Daniel aprendeu a falar e a escrever o caldeu (Dn 1.4) e não demorou para que se distinguisse por sua sabedoria e piedade, especialmente na observância da lei mosaica (Dn 1.8-16). O seu dever de entreter a outras pessoas sujeitou-o à tentação de comer coisas consideradas impróprias pelos preceitos levíticos, problema que ele enfrentou com sucesso.

A educação de Daniel se deu durante três anos, ao final dos quais ele se tornou um dos cortesãos do palácio de Nabucodonosor, onde, pela ajuda divina, conseguiu interpretar um sonho do monarca, para inteira satisfação deste. Tudo em Dn impressionava o rei, pelo que ele subiu no conceito real, tendo-lhe sido confiados dois cargos importantes, como governador da província da Babilônia e inspetor-chefe da casta sacerdotal (Dn 2.48). Posteriormente, em outro sonho que Daniel interpretou, ficou predito que o rei, por causa de sua prepotência, deveria ser humilhado por meio da insanidade temporária, após o que seu juízo lhe seria restaurado (Dn 4). As qualidades pessoais de Daniel, como sua sabedoria, seu amor e sua lealdade, resplandecem por toda a narrativa.

Sob os sucessores indignos de Nabucodonosor, ao que parece, Daniel sofreu um período de obscuridade e olvido. Foi removido de suas elevadas posições, e parece ter começado a ocupar postos inferiores (Dn 8.27). Isto posto, ele só voltou à proeminência na época do rei Belsazar (Dn 5.7,8), que foi corregente de seu pai, Nabonido. Belsazar, porém, foi morto quando os persas conquistaram a cidade. No entanto, antes desse acontecimento, Daniel foi restaurado ao favor real, por haver conseguido decifrar o escrito misterioso na parede do salão de banquete (Dn 5.2 e ss.). A essa altura dos acontecimentos, Daniel recebeu as visões registradas nos capítulos sétimo e oitavo, as quais descortinam o curso futuro da história humana, juntamente com a descrição dos principais impérios mundiais, que se prolongariam não somente até a primeira vinda de Cristo, mas exatamente até o momento da "parousia", ou segunda vinda de Cristo.

Os medos e os persas conquistaram a Babilônia, e uma nova fase da história se iniciou. Daniel mostrou-se ativo no breve reinado de Dario, o medo, que alguns estudiosos pensam ter sido o mesmo Ciaxares II. Uma das questões envolvidas foram os preparativos para a possível volta de seu povo do exílio para a terra santa. Sua grande ansiedade, em favor de seu povo, para que fossem perdoados de seus pecados e restaurados à sua terra, provavelmente foi um dos fatores que o ajudaram a vislumbrar o futuro, até o fim da nossa atual dispensação (Dn 9), o que significa que ele previu o curso inteiro da futura história de Israel. Daniel continuou cumprindo seus deveres de estadista, mas sempre observando estritamente a sua fé religiosa, sem qualquer transigência. Há um hino cujo estribilho diz: "Ouses ser um Daniel; ouses ficar sozinho". O caráter e os atos de Daniel despertaram ciúmes e invejas. Mediante manipulação política, Daniel terminou encerrado na cova dos leões; mas o anjo de Deus controlou a situação, e Daniel foi livrado dos leões, adquirindo novo prestígio e maior autoridade.

Daniel teve a satisfação de ver um remanescente de Israel voltar à Palestina (Dn 10.12). Todavia, sua carreira profética ainda não havia terminado, porquanto, no terceiro ano de Ciro, ele recebeu outra série de visões, informando-o acerca dos futuros sofrimentos de Israel, do período de sua redenção, através de Jesus Cristo, da ressurreição dos mortos e do fim da atual dispensação (Dn 11 e 12). A partir desse ponto, manifestam-se as tradições e as fábulas, havendo histórias referentes à Palestina e à Babilônia (Susã), embora não possamos confiar nesses relatos.

Pano de Fundo e Intérpretes Liberais. A moderna erudição crítica é praticamente unânime ao declarar que o livro de Daniel foi compilado por um autor desconhecido, em cerca de 165 a.C., porquanto conteria supostas profecias sobre monarcas pós-babilônicos que, mais provavelmente, são narrativas históricas, porquanto vão-se tornando mais e mais exatas à medida que o tempo de seu cumprimento se aproxima (Dn 11.2-35). Para esses intérpretes, o propósito do livro foi encorajar os judeus fiéis em seu conflito com

Antíoco IV Epifânio (ver 1Macabeus 2.59,60). Por causa da tensão em que viviam, o livro de Daniel teria sido entusiasticamente acolhido, porquanto expõe uma visão final otimista da carreira de Israel no mundo. E assim, o livro teria sido recebido no cânon hebreu. Ver no *Dicionário* o artigo sobre *Apocalípticos, Livros (Literatura Apocalíptica)*. Isto posto, temos duas posições: uma delas afirma que realmente houve um profeta chamado Daniel, que viveu a vida descrita nos parágrafos anteriores do livro, e cujas visões fazem parte indispensável do quadro profético. A outra posição diz que o livro de Daniel é uma espécie de romance-profecia, que apresenta acontecimentos históricos como se tivessem sido preditos, exatos em torno de 165 a.C., mas não tanto, à medida que se retrocede no tempo. Os vários argumentos são apresentados na terceira seção, intitulada *Autoria, Data e Debates a Respeito*, mais adiante.

Informes Posteriores sobre Daniel. Uma tradição rabínica posterior (Midrash Sir ha-sirim, 7.8) diz que Daniel retornou à Palestina, entre os exilados. Mas um viajante judeu, Benjamim de Tudela (século XII d.C.) supostamente teria encontrado o túmulo de Daniel em Susã, na Babilônia. Nesse caso, se o primeiro informe é veraz, então Daniel retornou mais tarde à Babilônia. Há informes sobre esse túmulo, desde o século VI d.C., embora muitos duvidem da exatidão dessas tradições, que geralmente não passam de fantasias.

Um Daniel Antediluviano? Alguns supõem que o Daniel referido em Ez 14.14 não seja o Daniel da tradição profética, mas, sim, uma personagem que viveu antes do dilúvio, não contemporânea de Ezequiel, e cujo nome e caráter teriam inspirado o pseudônimo vinculado ao livro canônico de Daniel. A lenda ugarítica de *Aght* refere-se a um antigo rei fenício, *Dnil* (vocalizado como *Danel* ou *Daniel*), o que significaria que esse nome é antiquíssimo. Ver Ez 28.3, onde o profeta escarnece de Tiro porque, supostamente, era "mais sábio que Daniel". Isso poderia ser também uma referência a um antigo sábio, não contemporâneo de Daniel.

III. AUTORIA, DATA E DEBATES A RESPEITO

Essas questões são agrupadas neste terceiro ponto por estarem relacionadas umas às outras, dentro do campo da alta crítica sobre as atividades de Daniel. Listamos e comentamos esses problemas a seguir.

1. *Um grave erro histórico*, segundo alguns pensam, estaria contido em Dn 6.28 e 9.1, onde o autor sagrado situa Dario I antes de Ciro, fazendo Xerxes aparecer como pai de Dario I. Nesse caso, teríamos a ordem Xerxes, Dario e Ciro, quando a sequência histórica é precisamente a inversa. Mas essa crítica é plenamente respondida quando se demonstra que Daniel se referia a Dario, o medo, um governador sob as ordens de Ciro, cujo pai tinha o mesmo nome que aquele rei persa posterior. Não seria mesmo provável que um autor, que demonstrasse tão notáveis poderes intelectuais, e que contava com Ed 4.5,6 à sua frente, pudesse ter cometido um equívoco tão crasso, especialmente diante do fato de que ele situa Xerxes como o quarto rei depois de Ciro (ver Dn 11.2).

2. *O Problema do Cânon.* A coletânea dos profetas hebreus já estava completa por volta do século III a.C., mas não incluía Daniel, livro que foi posto na porção posterior do cânon, ou seja, entre os Escritos. O catálogo de antigos hebreus famosos, também chamado Eclesiástico, publicado em Sabedoria de Ben Siraque, no começo do século II a.C., não menciona Daniel; e, no entanto, um século depois, 1Macabeu alude a esse livro. Além disso, uma porção do livro foi escrita em aramaico da Palestina, não no dialeto da Mesopotâmia. O aramaico estava sendo falado na Palestina. Isso faz nossos olhos desviar-se da Babilônia como o lugar da composição desse livro, fixando nossa atenção sobre a Palestina. Essa crítica é respondida mediante a observação de que Daniel não era oficialmente conhecido como profeta. Antes, foi um estadista com dons proféticos (Mt 24.15). E isso justifica o fato de ele não haver sido listado entre os profetas tradicionais. Além disso, mesmo que o livro de Daniel já tivesse sido escrito quando Ben Siraque preparou sua lista de grandes hebreus, a omissão de seu nome não deve causar surpresa, porquanto esse catálogo também deixa de lado a Jó e a todos os juízes, excetuando Samuel, Asa, Josafá, Mordecai e o próprio Esdras (Eclesiástico 44—49).

3. *Numerosos equívocos históricos*, com as soluções propostas. Dizem alguns que esses equívocos aparecem quando o autor aborda questões distantes da data de 165 a.C. (quando, presumivelmente, o livro de Daniel teria sido escrito), o que faria óbvio contraste com o conhecimento que o autor tinha do período grego, posterior. Os críticos, diante disso, sentem que o livro de Daniel tirou proveito de antigas lendas judaicas acerca de um sábio de nome Daniel (ver Ez 14 e 28). Teria sido então constituída uma pseudoprofecia para encorajar os judeus que sofriam sob Antíoco IV Epifânio. Esse Daniel teria sido capaz de enfrentar os mais incríveis sofrimentos, pelo que todos os israelitas teriam obrigação de seguir o seu exemplo. Como resposta, precisamos levar em conta as seguintes considerações:

a. Quanto aos supostos equívocos, esses parecem não ter sido adequadamente respondidos no primeiro ponto, anteriormente.

b. O suposto fato de que o tipo de aramaico usado era da Palestina, e não da Mesopotâmia, tem uma resposta adequada, pelo menos até onde vejo as coisas. Os estudos sobre os documentos escritos em aramaico mostram que a variedade de aramaico usada no livro de Daniel é bastante antiga, sendo impossível estabelecer claras distinções entre os dialetos, conforme alguns eruditos do passado chegam a fazer. A linguagem aramaica do livro de Daniel tem fortes afinidades com os *papiros elefantinos* (ver no *Dicionário* a respeito) do século V a.C. Outrossim, o hebraico usado no livro de Daniel ajusta-se ao período de Ezequiel, Ageu, Esdras e dos livros de Crônicas, e não ao hebraico do período helenista, posterior. Parece que melhores estudos e descobertas arqueológicas têm revertido o juízo negativo, em alguns casos significativos.

c. Escreveu Robert Pfeiffer: "Presume-se que nunca saberemos como o nosso autor aprendeu que a Nova Babilônia foi criação de Nabucodonosor (Dn 4.30), segundo as escavações têm comprovado" (*Introduction to the Old Testament*, pág. 758).

d. O quinto capítulo de Daniel retrata Belsazar como corregente da Babilônia, juntamente com seu pai, Nabonido. Antes, esse informe era objeto de ataques. No entanto, isso tem sido demonstrado como um fato pelas descobertas arqueológicas (R.P. Dougherty, *Nabonidus and Belshazzar*, 1929; J. Finegan, *Light from the Ancient Past*, 1959).

e. Documentos escritos em cuneiforme, provenientes de Gubaru, confirmam a informação dada no sexto capítulo do livro de Daniel, acerca de Dario, o medo. Atualmente, não é mais possível atribuirmos a Daniel um falso conceito de um independente reino medo, entre a queda da Babilônia e o soerguimento de Ciro, segundo alguns estudiosos fizeram, erroneamente, no passado.

f. O autor sagrado também sabia o bastante sobre os costumes do século VI a.C., a ponto de ter dito que as leis da Babilônia estavam sujeitas ao rei Nabucodonosor, que podia lançar ou modificar decretos (Dn 2.12,13,46), em contraste com a informação de que Dario, o medo, não tinha autoridade para alterar as leis dos medos e dos persas (Dn 6.8,9).

g. Além disso, o modo de punição na Babilônia, mediante o fogo (cap.3) ou mediante leões (cap.6), concorda perfeitamente bem com a história (A. T. Olmstead, *The History of the Persian Empire*, 1948, pág. 473).

h. A comparação entre as evidências cuneiformes acerca de Belsazar e as informações que lemos no quinto capítulo de Daniel demonstra que o livro de Daniel pode ter sido escrito em uma data anterior e ser perfeitamente autêntico. Naturalmente um autor do período dos macabeus poderia ter usado materiais autênticos quanto aos fatos sobre os quais escrevia e, ainda assim, ter escrito seu livro em uma data posterior. No entanto, o que as evidências demonstram é que a exatidão do material ali registrado pode ter tido, por motivo, o fato de que o autor sagrado foi contemporâneo de Belsazar.

i. Segundo alguns estudiosos, o livro foi escrito no tempo dos macabeus, porque reflete melhor aquela época, mas bem menos tempos anteriores. Contra isto, podemos observar que, entre os *Manuscritos do mar Morto* (ver a respeito no *Dicionário*), Daniel é representado. Isto sugere que o livro foi escrito antes daquela época e, supostamente, antes do tempo dos macabeus. Isto, todavia, não determina *quanto* tempo antes.

j. *Palavras Gregas.* No livro de Daniel, há três nomes gregos para instrumentos musicais: a harpa, a cítara e o saltério (Dn 3.5,10), o que poderia significar que tais palavras foram empregadas porque o autor viveu no período helenista. Mas essa crítica é rebatida mostrando-se que há provas da penetração do idioma e da cultura gregos no Oriente Médio, muito antes da época de Nabucodonosor. Portanto, não seria de admirar que Daniel, no século VI a.C., conhecesse alguns termos gregos para as coisas (ver W.F. Albright, *From the Stone Age to Christianity*, 1957, pág. 337). Também há palavras emprestadas do persa que se coadunam com uma data anterior. E o aramaico usado no livro de Daniel ajusta-se ao aramaico dos papiros elefantinos, do século V a.C.

k. O trecho de Dn 1.1 parece conflitar com Jr 25.1,9 e 46.2 no tocante à data da captura de Jerusalém. Daniel declara que a cidade fora capturada no terceiro ano de Jeoaquim (605 a.C.). Jeremias, por sua vez, indica que, mesmo no ano seguinte, a cidade ainda não havia sido vencida. Essa aparente discrepância envolve um período de cerca de um ano. Mesmo que fosse uma verdadeira discrepância, não anularia o livro de Daniel como profecia autêntica. Seja como for, os defensores do livro de Daniel ressaltam que os escribas babilônios usavam um sistema de computação segundo o ano da subida ao trono, o que significa que o ano da subida ao trono não era chamado de primeiro ano de governo, embora, na realidade, assim o fosse. No entanto, os escribas palestinos não observavam essa distinção, pelo que o ano em que um monarca subia ao trono era chamado de primeiro ano de seu governo. Portanto, Daniel seguiu o modo babilônico de computação, ao passo que Jeremias usou o modo palestino. Isso quer dizer que o quarto ano mencionado em Jr 25.1 é idêntico ao terceiro ano de Dn 1.1.

l. O uso do termo "caldeus" em Dn, em sentido mais restrito, indica a classe dos *sábios*, ou então uma casta sacerdotal (o que não tem paralelo no restante do Antigo Testamento). Mas alguns críticos pensam que isso indica uma data posterior do livro de Daniel. A observação de Heródoto, porém, em suas *Guerras Persas,* também exibe tal uso (séc. V a.C.), demonstrando que essa maneira de expressar é bastante antiga e não tão recente como os críticos querem dar a entender.

m. A insanidade de Nabucodonosor, de acordo com os críticos liberais, seria um dramático toque literário da parte do autor sagrado, infiel aos fatos históricos. Porém, tanto Josefo quanto um autor do século II a.C., Abideno, mencionam a questão. Embora os dois tenham vivido em data bem posterior, e a informação dada por eles possa ser colocada em dúvida, não parece que somente Daniel se tenha referido à questão. Três séculos mais tarde, um sacerdote babilônio, de nome Beroso, preservou uma tradição sobre o incidente da insanidade de Nabucodonosor. O fato de que esse incidente só veio à tona tanto tempo depois da ocorrência talvez se deva à crença existente na Mesopotâmia de que a insanidade mental resulta da possessão demoníaca; e o fato de que um monarca tenha sido assim afligido, sem dúvida, foi acobertado o máximo possível.

Acompanhar os lances do debate sobre os problemas históricos do livro de Daniel não é uma jornada fácil. Procurei expor diante do leitor apenas a essência indispensável da questão, com argumentos e contra-argumentos. É desnecessário dizer que os dois lados não aceitam os argumentos um do outro; pois, do contrário, já se teria chegado a um acordo. Até onde vejo as coisas, várias críticas foram devidamente respondidas, e a tendência parece ser que há explicações razoáveis para a maior parte dos supostos erros históricos de Daniel.

No entanto, quero deixar claro que o livro de Daniel poderia ser uma profecia genuína, mesmo que houvesse nele alguns equívocos históricos. Esperamos demais de qualquer livro da Bíblia, quando esperamos perfeição até sobre questões dessa natureza. A verdade profética, moral ou teológica, em nada sofre por causa de discrepâncias científicas ou erros sobre questões históricas. A própria ciência envolve inúmeras discrepâncias, e nem por isso rejeitamos a dose de verdade que ela nos tem apresentado. As narrativas históricas dos melhores historiadores estão repletas de erros, mas nem por isso dizemos que a humanidade não conta com nenhuma história. Os que requerem perfeição da parte dos livros bíblicos promovem um dogma humano, porque as próprias Escrituras não declaram que eles não contêm erro algum. Ver no *Dicionário* o artigo sobre a *Inspiração,* quanto a uma declaração mais detalhada sobre essa questão.

4. *A Função Profética.* Um dos problemas superficiais criados pelos críticos é que eles objetam à profecia de Daniel como se todas as previsões ali existentes fossem observações históricas, supostamente escritas por um autor que viveu quando tais predições já se tinham cumprido. Os céticos que dizem que é impossível predizer o futuro são forçados a fazer com que cada livro profético seja reduzido ou a uma pseudoprofecia (as coisas preditas ainda não aconteceram, nem acontecerão) ou a uma narrativa histórica (as coisas preditas aconteceram, mas foram registradas após a realização dos eventos). Porfírio (século III a.C.) foi quem deu início à crítica contra o livro de Daniel, e esse ponto de vista contraprofético foi ele quem promoveu. Ele supunha que o livro de Daniel teria sido composto na época de Antíoco IV Epifânio, com a finalidade de animar os judeus que estavam sendo perseguidos; e a sua ideia é quase exatamente igual ao que é dito em nossos dias contra o livro de Daniel. Os estudos no campo da parapsicologia e a experiência humana comum mostram que o conhecimento prévio é um fenômeno simples, e todas as pessoas, quando estão dormindo, possuem poderes de precognição. Mas isso ainda não é o dom da profecia, embora mostre não ser um fenômeno tão estranho. Os místicos modernos têm poderes proféticos comprovados.

5. *Conceitos Religiosos Posteriores.* Os críticos partem do pressuposto de que, no livro de Daniel, há reflexos de uma teologia posterior, incluindo o conceito dos anjos e a doutrina da ressurreição, ideias que não teriam atingido a forma apresentada no livro de Daniel senão já na época dos macabeus. As ideias de Zoroastro aparentemente influenciaram a angelologia dos hebreus. Sua data de 1000 a.C. dá amplo tempo para que os judeus adquirissem certas ideias sobre os anjos, incluindo aquelas expressas no livro de Daniel, que pertence a cerca de 600 a.C.

Ressurreição. A ressurreição é claramente mencionada em Jó 19.26, e é possível que o livro de Jó seja o mais antigo da Bíblia, portanto este é um conceito muito antigo.

Conclusão. Se os críticos estão com a razão, então o livro de Daniel foi escrito em cerca de 165 a.C., no período dos macabeus. Nesse caso, tanto o livro contém uma pseudoprofecia como também pertence ao grupo de pseudepígrafos, visto que o nome do autor, Daniel, teria sido artificialmente aposto ao livro. E, caso os críticos não estejam com a razão, então o livro de Daniel foi composto em cerca de 600 a.C., por Daniel, um profeta estadista. Os eventos registrados nesse livro abarcam um período de cerca de setenta anos.

IV. PONTO DE VISTA PROFÉTICO

Aqueles que levam a sério o livro de Daniel, como uma profecia, não concordam sobre como o esboço do livro deve ser compreendido. Está claro que o livro deve ter alguma espécie de esboço da história humana, mas está menos claro onde ficam as divisões principais desse esboço. Alguns intérpretes supõem que a grande imagem (Dn 2.31-49), as quatro feras (Dn 7.2-27) e as setenta semanas (Dn 9.24-27) tivessem o intuito de mostrar o que ocorreria na primeira vinda de Cristo. Esses intérpretes também supõem que o Israel espiritual, que eles denominam de igreja, tenha cumprido as promessas feitas aos judeus, o antigo Israel, rejeitado por Deus por causa da sua desobediência. Essa escola de interpretação nega enfaticamente que haja um tempo parentético entre as semanas sessenta e nove e setenta, e que a semana restante haverá de cumprir-se na futura grande tribulação (Dn 9.26,27). Ainda de acordo com essa interpretação, a pedra que feriu a imagem (Dn 2.34,35) tem em vista a primeira vinda de Cristo, com o subsequente desenvolvimento da igreja. Os dez chifres da quarta fera (Dn 7.24) não se refeririam a reis do tempo do fim, ligados a um revivificado império romano. O pequeno chifre de Dn 7.24 não representaria um ser humano. A morte do Messias é que poria fim ao sistema de sacrifícios dos judeus. Ou, então, se essa ideia for personificada, teríamos de pensar em *Tito*, o general romano, porquanto foi ele quem destruiu Jerusalém e seu culto religioso. Os amilenistas é que tomam essa ridícula posição.

Por outra parte, os pré-milenistas (ver no *Dicionário* o artigo sobre o *Milênio*) afirmam que a profecia de Daniel alude ao fim dos tempos, até a *parousia* (ver também no *Dicionário*) ou segunda vinda de Cristo. Nesse caso, deve-se entender um período parentético entre a sexagésima nona semana e a septuagésima semana (Dn 9.26,27). Esse período é de tempo indeterminado (já se prolonga por quase dois mil anos), correspondente à dispensação da graça em que vivemos. E a septuagésima semana, que duraria sete anos, seria o período da grande tribulação.

Os pré-milenistas estão divididos quanto ao momento do arrebatamento da igreja. Este ocorreria antes ou após a tribulação? Alguns chegam a pensar que o arrebatamento se dará no meio da tribulação. A questão é amplamente discutida no artigo citado sobre a *Parousia*. Ver também no *Dicionário* o verbete intitulado *Setenta Semanas*. Os que pensam que a igreja será arrebatada antes da grande tribulação supõem que Israel se tornará novamente proeminente na história humana e enfrentará o anticristo, sobre o qual acabará obtendo a vitória, e a nação será inteiramente restaurada à sua terra. Mas, segundo esse esquema pré-tribulacional, Israel, embora convertido ao Senhor, não fará parte da igreja. Por sua vez, os que pensam que a igreja só será arrebatada depois da grande tribulação, embora admitam que Israel venha a converter-se ao Senhor, creem que a nação fará parte integrante e inseparável da igreja, porquanto o ensino bíblico é que toda a pessoa que se converte, após o sacrifício expiatório de Cristo, automaticamente faz parte da igreja. Ver Rm 11.26 ss., quanto a uma afirmação de que Israel será restaurado como nação.

De acordo com o ponto de vista pré-milenista, a imagem do segundo capítulo de Daniel representa os reinos do mundo, dominados por Satanás, a saber, a Babilônia, a Média-Pérsia, a Grécia e Roma. Nos últimos dias, na época dos dez reis de Dn 7.7, Roma será revivificada (Dn 2.41-33 e Ap 17. 12). O poder que unificará aqueles dez reis com seus respectivos reinos será o anticristo. É precisamente esse poder que será destruído por Cristo, quando de sua segunda vinda (Dn 2.45; Ap 19). Ver também Ap 13.1,2; 17.7-17 e Dn 2.35. O Filho do Homem obterá a vitória final sobre o anticristo (Dn 7.13), quando vier com as nuvens do céu (Mt 26.64 e Ap 19.11 ss.). O anticristo é o pequeno chifre de Dn 7.24 ss. (cf. Dn 11.36 ss.). Historicamente, esse chifre aponta para Antíoco IV Epifânio, mas, profeticamente, o anticristo está em vista. Ver no *Dicionário* o artigo denominado *Anticristo*.

V. PROVENIÊNCIA E UNIDADE
O livro tem toda a aparência de haver sido escrito na Babilônia. Naturalmente, poderia ter sido escrito posteriormente, em Jerusalém, após o retorno dos exilados judeus. Os críticos supõem haver porções mais antigas e mais recentes, que seriam refletidas nos dois idiomas (o trecho aramaico seria o mais antigo; ver Dn 2.4b—7.28), adicionadas para dar uma forma final ao livro. Os críticos também pensam que diferentes autores estiveram envolvidos nesse trabalho. É possível que a porção mais antiga tenha sido produzida na Babilônia, ao passo que a mais recente teria sido preparada na Palestina, a fim de que o volume total fosse publicado na Palestina. A arqueologia tem descoberto provas de que, na antiga Mesopotâmia, os escritores algumas vezes tomavam a porção principal de uma obra, intercalando-a entre uma introdução e uma conclusão, de natureza literária totalmente diferente. Isso pode ser visto no código de Hamurabi, no qual a parte principal é prosaica, com um prefácio e uma conclusão em forma de poema. O livro de Jó parece ter estrutura similar. Porém, esse argumento é fraco. Pode-se supor que outras obras assim também reflitam autores diferentes, como, por exemplo, o código de Hamurabi, no qual a porção prosaica é de autoria de um ou mais autores, e a parte poética pode ter tido um ou vários autores. Nesse caso, a obra poderia ser considerada uma compilação feita por algum editor, ao mesmo tempo que o próprio material escrito foi produzido por um ou mais autores. Por outro lado, a maior parte das obras literárias compõe-se de compilações, o que não quer dizer que haja mais de um autor. O problema da unidade do livro de Daniel não está resolvido; e também não podemos estar certos de que apenas Daniel o escreveu. Ele pode ter agido como autor-editor, ou então a obra pode ter incorporado seus escritos, por parte de outro autor-editor. Mas essa possibilidade em nada altera o valor profético da obra.

VI. DESTINO E PROPÓSITO
Já pudemos ver que os críticos supõem que o livro de Daniel tenha sido escrito para encorajar os judeus palestinos em meio à sua resistência ao programa de helenização de Antíoco IV Epifânio. Por outro lado, o livro pode ter tido o propósito de realizar o mesmo papel, mas em favor dos judeus exilados na Babilônia, que estariam enfrentando graves problemas em seus preparativos para retornar a Jerusalém. Nesse caso, o livro também mostraria que Deus, embora juiz dos judeus, já que os deixou ir para o exílio, haveria de restaurá-los, por causa de sua misericórdia. Esse segundo ponto de vista está mais em consonância com o arcabouço histórico apresentado no próprio livro. Naturalmente, a arcabouço histórico poderia ter sido utilizado pelo autor como uma lição objetiva, destinada a um povo posterior, que estivesse enfrentando um conjunto inteiramente diverso de dificuldades.

VII. CANONICIDADE
O livro de Daniel foi recebido no cânon do Antigo Testamento na terceira divisão, chamada *Escritos*. Ao livro de Daniel não se deu lugar junto aos livros de Isaías e Ezequiel. Daniel não mediou uma revelação à comunidade teocrática, mas foi um estadista judeu dotado de dons proféticos. Não obstante, o Talmude (*Baba Bathra* 15a) testifica sobre a grande estima que os judeus tinham por esse livro, que se tornou o único livro apocalíptico a ser aceito no cânon dos escritos sagrados dos hebreus. O cânon alexandrino incluía outros livros. Na Septuaginta, o livro de Daniel aparece entre os escritos proféticos, após o livro de Ezequiel, mas antecedendo os doze profetas menores. Essa disposição tem sido seguida pelas traduções em línguas modernas. Ver no *Dicionário* o artigo separado sobre o *Cânon*.

VIII. ESBOÇO DO CONTEÚDO
A. Introdução. História Pessoal de Daniel (1.1-21)
B. Visões sobre Nabucodonosor e a História de Ciro (2.1—6.28)
   a. A imagem em seu simbolismo, e sua destruição pela pedra cortada sem mãos (2.1-49)
   b. A fornalha ardente (3.1-30)
   c. A visão da árvore, de Nabucodonosor (4.1-37)
   d. O festim de Belsazar e a queda da Babilônia (5.1-31)
   e. A cova dos leões (6.1-28)
C. Várias Visões de Daniel (7.1—12.13)
   a. As quatro feras (7.1-28)
   b. O carneiro e o bode (8.1-27)
   c. As setenta semanas (9.1-27)
   d. A glória de Deus (10.1-21)
   e. Profecias sobre os ptolomeus, os selêucidas e acontecimentos do tempo do fim (11.1-45)
   f. A grande tribulação (12.1)
   g. A ressurreição (12.2,3)
D. Declaração Final (12.4-13)

IX. ACRÉSCIMOS APÓCRIFOS
A Septuaginta e a versão de Teodócio trazem consideráveis adições ao livro de Daniel, que não podem ser encontradas no cânon hebraico, a saber: 1. A Oração de Azarias (Dn 3.24-51). 2. O Cântico dos Três Jovens (Dn 3.52-90). 3. A História de Susana (Dn 13). 4. A História de Bel e o Dragão (Dn 14). Esse material todo foi acrescentado ao livro canônico de Daniel para ser preservado, por causa de paralelos literários e, sem dúvida, sob a inspiração do próprio livro. Ver no *Dicionário* o artigo separado sobre os *Livros Apócrifos*, quanto a completas descrições sobre o conteúdo e o caráter.

X. GRÁFICO ILUSTRATIVO DAS SETENTA SEMANAS
Ver no *Dicionário* esse gráfico, no artigo sobre as *Setenta Semanas*.

XI. BIBLIOGRAFIA
I IB ID ND UN YOU Z

Ao Leitor

O estudante sério desse livro preparará seu estudo lendo a Introdução, que apresenta temas como: características gerais; o homem Dn e pano de fundo histórico; autoria, data e debates a respeito; ponto de vista profético; proveniência e unidade; destino e propósitos; canonicidade; esboço do conteúdo; acréscimos apócrifos. A essas considerações adiciono algumas poucas notas:

A Bíblia hebraica está dividida em três partes: 1. A *Lei* — o Pentateuco; 2. os *Profetas:* Josué, Juízes, 1 e 2Samuel, 1 e 2Reis, Isaías, Jeremias, Ezequiel e os doze chamados Profetas Menores; 3. os *Escritos,* que se compõem de doze livros: Salmos, Provérbios, Jó, Cantares de Salomão, Rute, Lamentações, Eclesiastes, Ester, Daniel, Esdras, Neemias, 1 e 2Crônicas. Os livros de 1 e 2Samuel, 1 e 2Reis e 1 e 2Crônicas formam um único livro na Bíblia hebraica. Provavelmente foram divididos em dois livros (a começar pela Septuaginta) para que fosse mais fácil manusear os rolos, os quais por si sós já eram difíceis de manusear, quanto mais se permanecessem inteiros. Até um leitor casual notará que as divisões da Bíblia hebraica não são perfeitas, e que as divisões modernas, de fato, são melhores. Seja como for, Daniel não estava incluído entre os profetas maiores nem entre os menores, mas, de fato, era um livro de profecia. Jesus chamou Daniel de profeta (ver Mt 24.15) e ninguém podia disputar a propriedade desse título. Ver o gráfico sobre os profetas hebreus na introdução ao livro de Isaías.

Daniel é a primeira grande obra apocalíptica das Escrituras hebraico-cristãs. Ver no *Dicionário* o artigo chamado *Apocalípticos, Livros (Literatura Apocalíptica).* Outros exemplos desse tipo de literatura são 1Enoque, o Baruque siríaco e o Apocalipse do Novo Testamento. A essência do livro de Daniel é composta por *seis histórias,* com *quatro sonhos-visões.* Talvez o Daniel referido em Ez 14.14 e 28.3 seja a personagem bíblica. Mas os estudiosos liberais fazem dele um judeu piedoso que viveu sob as perseguições de Antíoco Epifânio, 167-164 a.C. Os conservadores contudo não vêm razão avassaladora para negar que ele tenha sido um ativo real na Babilônia. Ver no *Dicionário* o verbete chamado *Cativeiro Babilônico.* Ver sobre autoria, data e pano de fundo histórico na seção III da *Introdução.* Alguns eruditos supõem que o livro inteiro tenha sido originalmente escrito em aramaico. A seção de Dn 2.4b—7.28 permaneceu naquele idioma (uma língua irmã do hebraico) até hoje. O restante do livro foi escrito em hebraico.

"*Daniel*, a exemplo de Ezequiel, foi um cativo judeu na Babilônia. Ele pertencia à família real (Dn 1.3). Por causa de sua posição social e beleza física, foi treinado para servir no palácio real. Na atmosfera poluída de uma corte oriental, Daniel viveu uma vida de singular piedade e utilidade. Sua longa vida estendeu-se de Nabucodonosor a Ciro. Foi contemporâneo de Jeremias, Ezequiel (14.20), Josué, o sumo sacerdote da restauração, e também de Esdras e Zorobabel. O livro de Daniel é a indispensável introdução à profecia do Novo Testamento, cujos temas são: a apostasia da igreja; a manifestação do homem do pecado; a grande tribulação; a volta do Senhor; a ressurreição e os julgamentos. Esses temas, excetuando o primeiro, também são tratados por Daniel. Ele é, distintamente, o profeta dos *tempos dos gentios* (ver Lc 21.24). Suas visões cobrem todo o curso do poder gentílico mundial, até o seu fim, que será uma catástrofe, e até o estabelecimento do reino messiânico" (*Scofield Reference Bible,* introdução ao livro).

As Seis Histórias de Daniel e seus Amigos:
- Capítulo 1: Daniel e seus amigos na corte de Nabucodonosor
- Capítulo 2: O sonho de Nabucodonosor
- Capítulo 3: O ídolo de ouro e a fornalha de fogo
- Capítulo 4: A loucura de Nabucodonosor
- Capítulo 5: A festa de Belsazar
- Capítulo 6: Daniel na cova dos leões

Os Quatro Sonhos Visões:
- Capítulo 7: A visão das quatro feras
- Capítulo 8: A visão do carneiro e do bode
- Capítulo 9: A profecia das setenta semanas
- Capítulos 10—12: A visão sobre os últimos dias

EXPOSIÇÃO

CAPÍTULO UM

AS HISTÓRIAS (1.1—6.28)

Todas as *histórias* de Daniel têm por pano de fundo a corte da Babilônia. *Quatro* delas ocorreram durante o reinado de Nabucodonosor (caps. 1—4). E uma história ocorreu nos dias de Belsazar, governador da Babilônia sob Nabonido, o último dos reis do império neobabilônico (cap. 5). A última das histórias sucedeu nos dias do conquistador persa da Babilônia (cap. 6). Todas essas histórias têm elevado conteúdo moral, enfatizando como o homem bom pode vencer qualquer obstáculo, se não comprometer sua espiritualidade e moralidade, a despeito das provações pelas quais tiver de passar. Alguns judeus fiéis, que foram perseguidos, elevaram-se a altas posições em meio ao mais crasso paganismo. As histórias narradas em Dn são, ao mesmo tempo, contos de uma corte oriental, combinados com a tradição hagiográfica. Alguns eruditos supõem que tudo isso seja mero *artifício literário*, e também que não devemos preocupar-nos com a realidade histórica envolvida. Em outras palavras, para esses eruditos, tratam-se de histórias de exemplos morais e espirituais que não representam nem histórias nem profecias. Os eruditos conservadores, pelo contrário, encontram tanto valor histórico quando profético nesses relatos.

PRIMEIRA HISTÓRIA: INTRODUÇÃO A DANIEL E SEUS AMIGOS NA CORTE (1.1-21)

Muitos eruditos creem que todo o livro de Daniel tenha sido originalmente escrito em aramaico. Mas a parte do livro que continha escrita original aramaica é formada pelos capítulos 2—6. O primeiro capítulo foi escrito em hebraico. "Essa é uma história que ensina como a observância fiel da lei é recompensada" (*Oxford Annotated Bible*, comentando sobre o vs. 1).

Prólogo (1.1-7)

"Os dois primeiros versículos do livro de Daniel afirmam quando e como o profeta foi levado para a Babilônia. Os eventos do livro começaram no terceiro ano do reino de Jeoaquim, rei de Judá. Isso parece estar em conflito com a declaração de Jeremias de que o primeiro ano de Nabucodonosor, rei da Babilônia, ocorreu no *quarto* ano do reinado de Jeoaquim (Jr 25.1)" (J. Dwight Pentecost, introdução à seção). Ele apresenta duas maneiras possíveis de solucionar a aparente contradição: 1. O calendário judaico começava o ano no mês de tishri (setembro-outubro), enquanto o calendário babilônico começava o ano na primavera, no mês de nisã (março-abril). Se o cômputo babilônico for usado, obteremos o ano do cerco de Nabucodonosor de Jerusalém como o quarto ano de Jeoaquim, mas o cômputo judaico assinalava o terceiro ano. Daniel, sendo judeu, pode ter empregado o cômputo judaico. 2. Então temos de considerar como os babilônios contavam as datas dos reinados dos reis. A porção de um ano que antecedia o início de um novo ano, antes da subida ao trono, era chamada de primeiro ano, mesmo que tivesse curta duração. Se Jeremias seguiu esse modo de contar as datas, então ele contou o ano de subida ao trono de Jeoaquim (que foi apenas parte de certo ano) como o primeiro ano. Paralelamente, Daniel pode ter usado o modo de contar judaico, que não considerava aqueles meses como o primeiro ano de reinado de um monarca. Assim sendo, ele contou somente três anos inteiros do reinado de Jeoaquim. Seja como for, o ano foi 605 a.C. A tudo isso devemos adicionar a observação de que discrepâncias dessa espécie, se é que existem, de modo algum comprometem a inspiração e a exatidão da mensagem. *Harmonia a qualquer preço* é, com frequência, a manipulação de informes ao preço da honestidade.

■ 1.1

בִּשְׁנַת שָׁלוֹשׁ לְמַלְכוּת יְהוֹיָקִים מֶלֶךְ־יְהוּדָה בָּא
נְבוּכַדְנֶאצַּר מֶלֶךְ־בָּבֶל יְרוּשָׁלַםִ וַיָּצַר עָלֶיהָ:

No ano terceiro do reinado de Jeoaquim. Quanto às *três deportações* de Judá que se seguiram aos diversos ataques de Nabucodonosor contra Jerusalém, ver as notas sobre Jr 52.28. "O terceiro ano de Jeoaquim foi 606 a.C. *Nabucodonosor* é a forma judaica de Nabuchadrezar, que, em 597 a.C., levou os tesouros do templo e cativos para a Babilônia (2Rs 24.10-15). No vs. 2, a Babilônia é chamada por seu antigo nome, Sinear (ver Gn 10.10; Is 11.11)" (*Oxford Annotated Bible*, sobre o *Prólogo*). Note o leitor a variação da data suposta. Cf. 2Cr 36.2 com 2Cr 36.5. O irmão mais novo de Jeoaquim, Jeoacaz, tinha sido posto no trono de Judá por Faraó Neco, que matara o rei Josias, em 609 a.C. Neco destronou Jeoacaz e pôs Jeoaquim no trono (2Cr 36.3,4). Daniel foi levado à Babilônia por ocasião da primeira deportação. Ver sobre Daniel, o homem, na introdução ao livro, seção II, primeiro parágrafo.

■ 1.2

וַיִּתֵּן אֲדֹנָי בְּיָדוֹ אֶת־יְהוֹיָקִים מֶלֶךְ־יְהוּדָה וּמִקְצָת כְּלֵי בֵית־הָאֱלֹהִים וַיְבִיאֵם אֶרֶץ־שִׁנְעָר בֵּית אֱלֹהָיו וְאֶת־הַכֵּלִים הֵבִיא בֵּית אוֹצַר אֱלֹהָיו׃

O Senhor lhe entregou nas mãos a Jeoaquim. Quanto à história completa dos ataques babilônicos e dos cativeiros subsequentes, ver no *Dicionário* o artigo chamado *Cativeiro Babilônico*. O cativeiro ocorreu por meio de ondas. Jeoaquim foi primeiro submetido ao pagamento de tributo e ao acordo de que não se rebelaria. Quando ele ignorou esses acordos, Nabucodonosor retornou a Judá pela segunda vez, em 597 a.C. Nesse tempo, dez mil cativos judeus foram levados para a Babilônia. O profeta Ezequiel estava entre eles. Ver Ez 1.1-3; 2Rs 24.8-24 e 2Cr 36.6-10. Foi a incansável tríade idolatria-adultério-apostasia que causou a calamidade iniciada com Jeoaquim, mas não terminada com ele. Ver Jr 7.30 ss.; 34.12-22 e Hc 1.6.

Alguns dos utensílios da casa de Deus. A primeira deportação incluiu um saque parcial do templo. Ver essa história em 2Rs 24.12-16. Haveria um segundo ataque contra Zedequias, o último rei de Judá. Quanto a isso, ver 2Rs 25.13-17 e cf. 2Cr 36.18 e Jr 27.19,20.

Sinear. Este era o antigo nome da Babilônia, usado pelos hebreus. Ver Gn 10.10—11.2; 14.9; Is 11.11; Zc 5.11.

A casa do seu deus. O nome comum, nos livros de Reis, é "casa de Yahweh". Escritores posteriores, como aqui, usaram a expressão "casa de Elohim". O termo se repete em Dn 5.3. O uso das palavras "de Elohim" reflete o uso mais antigo. Ver Jz 17.5 e 18.31. O santuário de Silo chamava-se "casa de Elohim", com o sentido de "casa de poder". Ver no *Dicionário* o artigo chamado *Deus, Nomes Bíblicos de*. O livro de Daniel tende a evitar o nome sagrado, *Yahweh*, provavelmente por motivo de respeito ao mais augusto dos nomes hebraicos de Deus.

A deportação dos judeus foi uma grande *perda financeira*, e não meramente em termos de vidas. Algumas vezes, os templos antigos eram essencialmente tesouros. Ver 1Cr 28.11. Ezequias tolamente mostrou os tesouros do templo aos babilônios, o que acabou custando-lhe uma severa repreensão de Isaías. Ver 2Rs 20.12 ss.

Seu deus. Dn 4.8 informa-nos que o *deus* de Nabucodonosor era Bel, ou seja, *Marduque*, o deus cidade da Babilônia, cabeça do panteão babilônico da época. Cf. Is 46.1; Jr 50.2; 51.44. Ver no *Dicionário* o verbete chamado *Nabucodonosor*.

■ 1.3

וַיֹּאמֶר הַמֶּלֶךְ לְאַשְׁפְּנַז רַב סָרִיסָיו לְהָבִיא מִבְּנֵי יִשְׂרָאֵל וּמִזֶּרַע הַמְּלוּכָה וּמִן־הַפַּרְתְּמִים׃

Disse o rei a Aspenaz, chefe dos seus eunucos. Aspenaz figura por nome somente aqui, e não aparece em nenhum outro trecho do Antigo Testamento. Ele é chamado de outros modos por seis vezes, por "o eunuco" ou "o chefe dos eunucos", em Dn 1.7-11,18. A derivação desse nome é incerta, mas sua versão hebraica parece significar "narina de cavalo", por razões desconhecidas. Ele era o chefe dos eunucos do rei Nabucodonosor. Daniel e seus companheiros foram entregues aos seus cuidados, e ele lhes trocou os nomes (ver Dn 1.3,7). O tempo foi cerca de 604 a.C. A petição de Daniel, no sentido de que não fosse compelido a comer as provisões enviadas à mesa real, foi aceita favoravelmente, bondade que o profeta, agradecido, registrou em Dn 1.16. Os eruditos subentendem do fato que o homem era o chefe dos eunucos, e Daniel e seus companheiros hebreus também foram feitos eunucos. Mas esse ponto é disputado. Além disso, o chefe dos eunucos nem sempre era castrado. Aspenaz tinha o dever de preparar jovens promissores para o serviço especial ao rei, e Daniel estava entre aqueles que foram escolhidos para esse mister.

Assim da linhagem real como dos nobres. Quase incidentalmente, aprendemos algo do nascimento real ou nobre de Daniel. Mas não é dada nenhuma genealogia, o que seria comum, sabendo-se da importância atribuída à questão pelos hebreus. Quanto a comentários sobre o pano de fundo de Daniel, ver a seção II da *Introdução*. Josefo (*Antiq.* X.10.1) diz-nos que Daniel e seus companheiros pertenciam à família de Zedequias, mas não sabemos se essa informação é correta, ou se ele supôs que tal informação fosse correta devido à declaração deste versículo.

O Ofício de Aspenaz. Aspenaz é chamado de chefe dos eunucos, que pode ter sido o significado da palavra nos tempos de Daniel. Mas alguns sugerem a tradução "oficial" para o termo hebraico *saris*, e isso deixa a questão ambígua. Esse homem, mesmo que fosse supervisor do harém real, provavelmente tinha outros deveres também.

■ 1.4

יְלָדִים אֲשֶׁר אֵין־בָּהֶם כָּל־מוּם וְטוֹבֵי מַרְאֶה וּמַשְׂכִּילִים בְּכָל־חָכְמָה וְיֹדְעֵי דַעַת וּמְבִינֵי מַדָּע וַאֲשֶׁר כֹּחַ בָּהֶם לַעֲמֹד בְּהֵיכַל הַמֶּלֶךְ וּלְלַמְּדָם סֵפֶר וּלְשׁוֹן כַּשְׂדִּים׃

Jovens sem nenhum defeito, de boa aparência. Daniel e seus amigos nobres (ou reais) eram espécies físicos perfeitos. Ademais, embora jovens, eram conhecidos por sua sabedoria e erudição, pelo que também se distinguiam intelectualmente. Conforme a narrativa se desdobra, descobrimos que eles eram homens espirituais especiais, que levavam a sério sua fé religiosa. Portanto, foi apenas natural que tivessem sido escolhidos pelo rei da Babilônia para receber um treinamento especial, a fim de que fossem empregados em algum serviço que lhes fosse planejado, em benefício do império. Essa história me faz lembrar do "dreno de cérebros" em que os Estados Unidos da América estão envolvidos. Intelectuais de muitos países, que ali vão para receber treinamento, terminam ficando no país e servindo a América do Norte, e não seus próprios países. Notemos que aqueles jovens também eram "simpáticos", pelo que os *homens bonitos* sempre têm alguma vantagem, e tanto mais quando possuem outras qualidades que acompanham a beleza física.

Para assistirem no palácio do rei. Literalmente, diz o hebraico: "para se porem de pé perante o rei". O texto fala em "serviço da corte" (ver 1Sm 16.21; 1Rs 12.6), mesma expressão usada para indicar os atendentes angelicais que estão de pé na presença de Deus, em Dn 7.10. Esses homens extraordinários seriam usados em toda a espécie de serviço divino.

E lhes ensinasse a cultura e a língua dos caldeus. Note o leitor a ênfase sobre a educação e a cultura. Esses homens bons se tornariam ainda melhores por uma boa educação que incluiria sério estudo da linguagem. Como eles deveriam servir na Babilônia, teriam de falar o idioma do lugar. "O programa educacional provavelmente incluiu o estudo da agricultura, da arquitetura, da astrologia, da astronomia, das leis, da matemática e da difícil língua acádica" (J. Dwight Pentecost, *in loc.*). Nenhum prêmio é oferecido à ignorância. Um pai cuidará para que seus filhos obtenham uma boa educação. Não basta fazê-los ler a Bíblia.

O acádico, conforme aprendemos em Jr 5.15, era o neobabilônico. Embora fosse um idioma semítico, não era entendido pelos judeus. Abraão, naturalmente, veio de Ur, antiga cidade babilônica. Ver o artigo sobre *Babilônia*, no *Dicionário*. Até mesmo um judeu esperto teria pouco conhecimento do fato em comparação com os homens bem-educados da Babilônia. Os judeus eram especialistas nos campos da religião e da literatura, mas pouco sabiam sobre as ciências e seus muitos ramos.

■ 1.5

וַיְמַן לָהֶם הַמֶּלֶךְ דְּבַר־יוֹם בְּיוֹמוֹ מִפַּת־בַּג הַמֶּלֶךְ וּמִיֵּין מִשְׁתָּיו וּלְגַדְּלָם שָׁנִים שָׁלוֹשׁ וּמִקְצָתָם יַעַמְדוּ לִפְנֵי הַמֶּלֶךְ׃

Determinou-lhes o rei a ração diária. Àqueles jovens seletos e promissores foi dado um tratamento em estilo real; eles recebiam aulas de primeiro nível em boa mesa, e comiam diretamente das provisões reais, ou seja, metaforicamente, comiam "da mesa do rei". Tinham os ricos alimentos e o vinho de que o próprio rei desfrutava, mas terminaram rejeitando essa alimentação em favor da comum dieta judaica, conforme se vê no vs. 16. Sem dúvida, por motivo de saúde, isso era melhor para eles, mas a preocupação principal era obedecer à dieta judaica ideal. Além disso, a rejeição dos alimentos reais era uma maneira de eles dizerem: "Também rejeitamos o luxo e a idolatria deste lugar, como algo contrário à boa moral". Os hebreus escolhidos para esse programa especial continuariam sendo treinados por *três anos* e então teriam de apresentar-se ao rei para que fosse verificado o quanto da educação babilônica tinham absorvido. Se fossem considerados qualificados, entrariam no serviço do rei. Os três anos de educação e treinamento prático significariam a formação universitária no sentido babilônico.

Nabucodonosor não tinha uso para homens ignorantes. Esses acabariam varrendo soalhos e cavando valetas. Daniel e seus amigos tinham de especializar-se nas tradições dos sábios caldeus, aperfeiçoando-se na sabedoria e erudição babilônica, tal como *Moisés* precisou tornar-se sábio na erudição egípcia (ver At 7.22). "Os pagens reais viviam da abundância real. Eles tinham rações diárias determinadas, o alimento e a bebida da mesa real. Ateneu (Deifosofistas, IV.26) mencionou que os atendentes do rei persa tinham recebido provisão da mesa real, e a porção diária para os cativos da realeza, na Babilônia, é mencionada em Jr 52.34.

Por três anos. Nos escritos babilônicos, desconhece-se qualquer período de três anos de educação, mas isso nos faz lembrar dos três períodos nos quais os escritores gregos diziam estar dividida a educação de um jovem persa (Platão, *Alcebíades* I.121; Xenofonte, *Cyropaedia* I.2)" (Arthur Jeffery, *in loc.*).

■ 1.6,7

וַיְהִי בָהֶם מִבְּנֵי יְהוּדָה דָּנִיֵּאל חֲנַנְיָה מִישָׁאֵל וַעֲזַרְיָה:

וַיָּשֶׂם לָהֶם שַׂר הַסָּרִיסִים שֵׁמוֹת וַיָּשֶׂם לְדָנִיֵּאל בֵּלְטְשַׁאצַּר וְלַחֲנַנְיָה שַׁדְרַךְ וּלְמִישָׁאֵל מֵישַׁךְ וְלַעֲזַרְיָה עֲבֵד נְגוֹ:

Entre eles se achavam, dos filhos de Judá. Estes dois versículos nomeiam os amigos de Daniel: Hananias, Misael e Azarias. Ver no *Dicionário* os artigos sobre cada um deles. Todos pertenciam à tribo de Judá, presumivelmente (mas não necessariamente) de Jerusalém. No *Dicionário* há catorze homens que atendiam pelo nome de Hananias, no Antigo Testamento, e o do nosso texto é o de número oito. Há também três homens com o nome de *Misael*, no Antigo Testamento, e o do texto presente é o de número três no *Dicionário*. Finalmente, há 25 homens, no Antigo Testamento, que atendem pelo nome de Azarias! E este é o último Azarias da lista, no *Dicionário*. O chefe dos eunucos (chamado Aspenaz no vs. 3) mudou os nomes desses três homens para *Sadraque, Mesaque* e *Abede-Nego*. Ver o artigo sobre esses três, juntamente, sob esse título, onde apresento notas mais detalhadas. O nome de Daniel, finalmente, foi mudado para *Beltessazar*.

O nome alternativo de Daniel aparece oito ou dez vezes na seção aramaica do livro (ver Dn 2.26; 4.8,9,18,19 (quatro vezes) e 5.12). E também se acha em Dn 1.7 e 10.1. Esses novos nomes provavelmente significam que, doravante, eles seriam súditos babilônicos (sua história anterior terminou juntamente com os antigos nomes) e serviriam a deuses babilônicos, e não a Yahweh. Em outras palavras, a esperança é que eles seriam totalmente paganizados para melhor servir à Babilônia. Dessa forma, estava armado o palco para que eles mostrassem como lutaram a fim de salvar e fomentar sua piedosa identificação judaica, permanecendo fiéis a Yahweh e à lei mosaica.

Notemos como os nomes anteriores ligavam essas figuras ao yahwismo: Hananias significa "Yah tem sido gracioso"; Misael significa "Quem é o que El é?"; Azarias significa "Yah tem ajudado". E Daniel significa "El tem julgado". Cada um desses nome incorpora um nome hebraico para Deus. Em sentido contrário, há esforços para fazer com que os nomes novos correspondam à divindade babilônica. Os massoretas sugeriam que *Bel* podia ser visto no nome Beltessazar. *Abede-Nego* parece significar o mesmo que Abdi-nabu, "servo de Nebo". *Mesaque* pode significar "estou desprezado (humilhado) (na presença do meu deus)". Nada semelhante tem sido demonstrado no caso do nome *Sadraque*. Mas talvez a última sílaba, *aque,* esteja associada ao nome *Sadraque*, ou a *Merodaque*. No entanto, outros veem aqui uma alusão a *rak,* que no acádico significa *rei,* e pelo qual devemos entender "sol" ou "deus-sol". Mas outros preferem sugerir *saduraku,* que significa "temo (o deus)".

O Teste dos Fiéis (1.8-16)

■ 1.8

וַיָּשֶׂם דָּנִיֵּאל עַל־לִבּוֹ אֲשֶׁר לֹא־יִתְגָּאַל בְּפַתְבַּג הַמֶּלֶךְ וּבְיֵין מִשְׁתָּיו וַיְבַקֵּשׁ מִשַּׂר הַסָּרִיסִים אֲשֶׁר לֹא יִתְגָּאָל:

Resolveu Daniel firmemente não contaminar-se. Bem no começo de ter sido tão altamente favorecido, Daniel resolveu permitir que sua fé religiosa interferisse e lhe causasse dificuldades. Não são muitas as pessoas que permitem que sua fé intervenha em alvos e ambições mundanas, para nada dizermos sobre os *prazeres,* que usualmente formam a base de sua filosofia de vida. Daniel e seus amigos resolveram arriscar-se a enfrentar a ira do rei (que lhes seria fatal), a fim de permanecerem fiéis. Eles se revoltaram contra o alimento não kosher que lhes era servido. Os alimentos consumidos pelos pagãos continham coisas consideradas cerimonialmente *imundas* para os judeus. Ver no *Dicionário* o artigo chamado *Limpo e Imundo*. Daniel fez um propósito "em seu coração" (segundo a *King James Version* e nossa versão portuguesa). Ele tinha profundas convicções sobre essas questões. Ver sobre *coração,* em Pv 4.23. Quanto a outras instâncias nas quais os judeus tentaram efetivar seus regulamentos dietéticos em ambientes pagãos, ver Jz 12.1-4; Tobias 1.10,11; 4Macabeus 5.3,14,27; Josefo (*Vidas,* 3); Jubileus 22.16. O texto de 1Macabeus 1.62,63 mostra que, para alguns judeus, comer alimentos ilegítimos significava praticar pecados graves.

Tudo isso se assemelha às convicções que os evangélicos costumavam ter, as quais, em nossos dias, foram essencialmente abandonadas devido à atmosfera mundana de nossas igrejas. Notemos que Daniel também rejeitou o vinho do rei. Os judeus bebiam vinho e, se fossem piedosos, eram usuários moderados de vinho. Talvez Daniel estivesse apenas certificando-se de que não se contaminaria por imitar os comedores e bebedores da Babilônia, em *nenhum* sentido. Portanto, cortemos o vinho da lista. Nabucodonosor dava a seus futuros oficiais uma prova da boa vida, parte da qual consistia em alimentos e bebidas superabundantes. Os babilônios não diluíam o vinho, mas os hebreus o faziam; e, assim sendo, os babilônios tendiam mais para o alcoolismo do que os judeus. Alguns israelitas misturavam uma parte de vinho com três partes de água, e alguns chegavam a diluir uma em seis partes. Ver em Pv 20.1 e Is 5.11 advertências contra as bebidas alcoólicas. Ver no *Dicionário* o verbete chamado *Bebedice*. Os gregos e os romanos também misturavam vinho com água. Um dia, meu professor de latim, diante de uma passagem que mostrava esse fato, declarou não entender como alguém podia fazer algo assim. E essa era, talvez, a única coisa, acerca dos gregos e romanos, que ele não compreendia. Alguns estudiosos sugerem que os alimentos babilônios eram dedicados a seus deuses por meios rituais, algo parecido com as bênçãos que, em nossos dias, muitos pedem antes das refeições. Isso pode ter feito parte da objeção de Daniel.

Humildemente, Daniel requereu que fosse isentado dos alimentos oferecidos aos jovens hebreus, e Aspenaz, o porta-voz de Daniel, foi capaz de dar-lhe essa licença, conforme vemos no vs. 16. Daniel, entretanto, não demonstrou intolerância ou animosidade, como fazem alguns separatistas hoje em dia. Ele não iniciava inimizades desnecessariamente.

■ 1.9

וַיִּתֵּן הָאֱלֹהִים אֶת־דָּנִיֵּאל לְחֶסֶד וּלְרַחֲמִים לִפְנֵי שַׂר הַסָּרִיסִים:

Ora Deus concedeu a Daniel misericórdia e compreensão. A primeira coisa que sucedeu foi que *Elohim* (o Poder) influenciou

Aspenaz para simpatizar com a causa de Daniel. O homem teve *compaixão* de Daniel, sabendo que até poderia ser executado, caso o pedido de Daniel desagradasse o rei. Portanto, ele fez o melhor ao seu alcance para tratar do caso. "Deus fez Aspenaz querer ser bondoso e misericordioso com Daniel" (NCV). A história ensina, em última instância, que um homem pode defender suas convicções de maneira civil, e que Deus pode mostrar e realmente mostra seu favor em prol de quem quer ser-lhe obediente. Cf. os casos de José no Egito; de Ester na corte de Assuero; e de Esdras diante de Artaxerxes. Não nos lembremos, entretanto, do momento em que Moisés se encontrou com o Faraó! "A graça de Deus capacita cada indivíduo a vencer as tentações para as quais as circunstâncias o conduzem" (Ellicott, *in loc.*). Por causa da ação de Elohim Daniel recebeu o favor real, e por causa dele Daniel, visto ter uma missão a realizar na Babilônia, seria invencível até cumprir essa missão. "Um déspota oriental ordinário teria, em uma explosão de ira, ordenado que o ofensor fosse decapitado imediatamente" (Fausset, *in loc.*).

■ 1.10

וַיֹּאמֶר שַׂר הַסָּרִיסִים לְדָנִיֵּאל יָרֵא אֲנִי אֶת־אֲדֹנִי הַמֶּלֶךְ אֲשֶׁר מִנָּה אֶת־מַאֲכַלְכֶם וְאֶת־מִשְׁתֵּיכֶם אֲשֶׁר לָמָּה יִרְאֶה אֶת־פְּנֵיכֶם זֹעֲפִים מִן־הַיְלָדִים אֲשֶׁר כְּגִילְכֶם וְחִיַּבְתֶּם אֶת־רֹאשִׁי לַמֶּלֶךְ:

Disse o chefe dos eunucos a Daniel. O chefe dos eunucos não era especialista em nutrição, mas tinha certeza de que os jovens não judeus, que se alimentavam de carne, seriam muito mais saudáveis, fortes e bonitos do que os judeus que se alimentavam de vegetais. Ele seria responsabilizado por esse resultado e poderia ser demovido de seu cargo, ou mesmo executado por não ter cumprido o seu dever, cedendo diante das demandas tolas de um povo que não tinha direitos. O rosto deles disse "parecido com a tristeza" (hebraico literal), por causa da dieta fraca. O chefe dos eunucos não seria capaz de ocultar a verdade. A cabeça do chefe dos eunucos corria perigo. 1. Ele poderia ser executado por *decapitação*, de acordo com alguns intérpretes; ou 2. Ele seria *considerado responsável* e punido de qualquer maneira que o rei escolhesse. O termo *cabeça* representa a pessoa (ver 1Cr 10.9).

■ 1.11,12

וַיֹּאמֶר דָּנִיֵּאל אֶל־הַמֶּלְצַר אֲשֶׁר מִנָּה שַׂר הַסָּרִיסִים עַל־דָּנִיֵּאל חֲנַנְיָה מִישָׁאֵל וַעֲזַרְיָה:

נַס־נָא אֶת־עֲבָדֶיךָ יָמִים עֲשָׂרָה וְיִתְּנוּ־לָנוּ מִן־הַזֵּרֹעִים וְנֹאכְלָה וּמַיִם וְנִשְׁתֶּה:

Então disse Daniel ao cozinheiro-chefe. *Daniel foi o porta-voz* dos outros três jovens hebreus e reconheceu que todos os quatro estavam debaixo da autoridade de Aspenaz. Se o homem insistisse, acabaria fazendo o que bem quisesse, e Daniel e seus amigos teriam de obedecer-lhe, ou então sofreriam as consequências da desobediência. Mas Daniel pediu que a questão fosse submetida a teste por "dez dias". Eles comeriam apenas legumes e tomariam água. A dieta de vegetais evitaria completamente a carne, incluindo aqueles tipos não permitidos pelas leis judaicas do *Limpo* e do *Imundo* (ver a respeito no *Dicionário*). Beber somente água evitaria que os jovens se embriagassem com o vinho sem mistura dos babilônios, que seria forte demais para os hebreus, acostumados a misturar vinho com água. Ver as notas sobre os vss. 5 e 8. Os antigos sabiam quais alimentos eram necessários à boa saúde. A carne é essencial, a menos que seja substituída por leite e derivados, que contêm proteínas, ou pelos tipos de feijão que também contêm proteínas. O complexo de vitaminas B é difícil de conseguir, a menos que se consuma carne. Portanto, ficamos perplexos diante da esperança de sucesso com uma dieta vegetariana, que não era a forma típica de alimentação dos hebreus. Só podemos supor que Yahweh tenha intervindo. Naturalmente, dez dias não são o suficiente para produzir deterioração visível no estado físico de uma pessoa que se alimenta sem consumir proteínas e o complexo de vitaminas B. Seja como for, uma quantidade suficiente de *trigo* poderia salvar o dia.

■ 1.13

וְיֵרָאוּ לְפָנֶיךָ מַרְאֵינוּ וּמַרְאֵה הַיְלָדִים הָאֹכְלִים אֵת פַּתְבַּג הַמֶּלֶךְ וְכַאֲשֶׁר תִּרְאֵה עֲשֵׂה עִם־עֲבָדֶיךָ:

Então se veja diante de ti a nossa aparência. Passados os *dez dias* haveria uma cuidadosa inspeção da condição física dos hebreus; eles seriam comparados com os não hebreus que tinham comido carne e bebido vinho e também estavam no programa de treinamento de Nabucodonosor. Aspenaz seria o juiz e tomaria uma nova decisão sobre os alimentos e as bebidas, se assim julgasse melhor. John Gill (*in loc.*) supunha que Yahweh fizera a Daniel uma revelação garantindo o sucesso do teste, mas isso parece desnecessário. Daniel, podemos ter certeza, confiava no Ser divino quanto ao bom resultado da experiência, pois estava servindo ao Ser divino.

■ 1.14-16

וַיִּשְׁמַע לָהֶם לַדָּבָר הַזֶּה וַיְנַסֵּם יָמִים עֲשָׂרָה:

וּמִקְצָת יָמִים עֲשָׂרָה נִרְאָה מַרְאֵיהֶם טוֹב וּבְרִיאֵי בָּשָׂר מִן־כָּל־הַיְלָדִים הָאֹכְלִים אֵת פַּתְבַּג הַמֶּלֶךְ:

וַיְהִי הַמֶּלְצַר נֹשֵׂא אֶת־פַּתְבָּגָם וְיֵין מִשְׁתֵּיהֶם וְנֹתֵן לָהֶם זֵרֹעִים:

Ele atendeu, e os experimentou dez dias. Aspenaz concordou com o teste de dez dias. Os não hebreus banqueteavam-se com toda a carne e o vinho sem mistura, enquanto os pobres hebreus comiam apenas feijão e arroz, e bebiam água. Essa dieta não era nada inspiradora, mas fazia bem. *Dez dias* geralmente figuram como um período de provas, mais ou menos como os *quarenta* dias, semanas ou anos. Ver Ap 2.10. Portanto, os jovens hebreus estavam submetendo-se a um teste de fé e nutrição. No fim do período do teste, a fé deles foi justificada. Eles não somente pareciam mais saudáveis e fortes, mas também estavam mais bonitos. Quando foram comparados com os outros jovens não hebreus, ficou definitivamente demonstrado que os legumes eram uma dieta melhor do que o regime de carnes, e que a água era melhor do que o vinho. Do *ponto de vista natural,* temos de supor aqui: 1. Os hebreus comiam bons alimentos de trigo, cereal rico em proteínas e no complexo B; 2. os não hebreus ficaram debochados por todo o seu rico alimento, acompanhado de muita bebida alcoólica. *Ou então* Yahweh interviera diretamente, garantindo os bons resultados. O Criador também acompanhava sua criação, recompensando e punindo, de acordo com os ditames das leis morais. A isso chamamos de *teísmo,* em contraste com o *deísmo,* que supõe que a força criativa (pessoal ou impessoal) abandonou sua criação aos cuidados das leis naturais. Ver sobre ambos os termos no *Dicionário*. A história foi escrita para judeus piedosos como uma lição objetiva, e podemos estar certos de que a intervenção divina era mais importante para eles do que uma nutrição saudável.

Há um paralelo a essa história, no *Testamento de José* (3.4), quando José, embora estivesse *jejuando,* manteve-se em um estado físico superior ao dos egípcios, que se banqueteavam com uma dieta gorda. Assim sendo, aprendemos que aqueles que jejuam para o Senhor são recompensados com a beleza física. John Gill (*in loc.*) admite que aquilo que Daniel e seus amigos comeram não podia resultar no bem, pelo que certamente deve ter havido uma intervenção divina. Mas outros estudiosos louvam o vegetarianismo.

No fim dos dez dias, as suas aparências eram melhores. O resultado foi que o *cozinheiro-chefe* (o homem que cumpria as ordens de Aspenaz) levantou a rica dieta babilônica e deixou os pobres hebreus a comer seus legumes e a beber sua água. Lembremos que eles continuaram nesse regime por *três anos*. Grande deve ter sido a recompensa por esse sacrifício! E é precisamente com isso que o autor sacro procurava impressionar-nos. Yahweh está com aqueles que se sacrificam por amor à justiça. O incidente foi uma lição ao desobediente povo de Judá, por causa de sua idolatria-adultério-apostasia naquele momento do cativeiro babilônico. A total ausência de bom senso e disciplina os levara àquele ponto.

Não só de pão viverá o homem, mas de tudo o que procede da boca do Senhor...

Deuteronômio 8.3

Epílogo (1.17-21)

Agora o autor diz-nos diretamente que "Deus estava em tudo aquilo". Deus *deu* o que eles precisavam: boa saúde, físico forte e mente aguda. Essas vantagens foram concedidas aos jovens hebreus como recompensa por sua fidelidade. Cf. Sl 37 e Ez 1.18-33. O rei foi muito exigente ao submeter os jovens hebreus a testes e inspeções. A ajuda divina garantiu que eles não fracassassem, mas antes tivessem ressonante sucesso. O autor sacro estava dizendo que "os bons são recompensados", especialmente quando se opõem às corrupções dos pagãos.

■ 1.17

וְהַיְלָדִים הָאֵלֶּה אַרְבַּעְתָּם נָתַן לָהֶם הָאֱלֹהִים מַדָּע
וְהַשְׂכֵּל בְּכָל־סֵפֶר וְחָכְמָה וְדָנִיֵּאל הֵבִין בְּכָל־חָזוֹן
וַחֲלֹמוֹת׃

Não foi a dieta vegetariana que tornou os hebreus mais sábios e inteligente. Essas vantagens eles obtiveram pelo trabalho árduo e pela ajuda divina. Algumas pessoas clamam pela assistência divina, mas negligenciam o trabalho árduo. Quando os estudantes fazem alguma prova de matemática, a classe toda apela para a oração. Isso é bom, mas tem pouca utilidade se os homens também não estudaram. Alguns estudantes apelam para a "cola" e ganham boas notas desonestamente, mas em algum ponto a *Lei Moral da Colheita Segundo a Semeadura* (ver a respeito no *Dicionário*) haverá de alcançá-los. Assim sucede em nossa vida espiritual.

Daniel foi abençoado com os outros jovens hebreus, mas recebeu um *dom especial* que seria importante mais tarde: a capacidade de interpretar sonhos e visões. Em outras palavras, ele recebeu habilidades místicas. Ver no *Dicionário* o verbete intitulado *Misticismo*. E em vez de o leitor criticar a palavra *misticismo*, sugiro que leia o artigo. Ver no *Dicionário* o artigo chamado *Sonhos e Visões*. Nos dias de Daniel, os profetas eram rejeitados. Mas Daniel cumpriria sua missão completa, por causa de seus dons proféticos.

Não esqueçamos que este versículo também ensina que Daniel e seus amigos obtiveram sucesso no cumprimento das expectativas do rei ao dominar a erudição e a sabedoria dos babilônios (ver o vs. 4). Portanto, a vida compõe-se de várias realizações, incluindo a boa educação. O secular e o sagrado combinam-se na experiência de todos os homens preparados. É possível que alguém tenha uma mente tão celestial que acabe sem uso algum neste mundo materialista. Cf. o *caso de José*. Ele foi favorecido como homem de muitas aptidões, entre as quais se destacava a capacidade de interpretar sonhos (ver Gn 40.5; 41.1,8).

■ 1.18

וּלְמִקְצָת הַיָּמִים אֲשֶׁר־אָמַר הַמֶּלֶךְ לַהֲבִיאָם וַיְבִיאֵם
שַׂר הַסָּרִיסִים לִפְנֵי נְבֻכַדְנֶצַּר׃

Vencido o tempo determinado pelo rei. Ao fim dos *três anos* (vs. 5), chegou o grande e assustador dia. Os estudantes tiveram de comparecer perante o grande chefe, o próprio rei Nabucodonosor, que seria o juiz final. Eles seriam ou não o que ele queria que eles fossem. Se correspondessem ao desejo real, seriam galardoados, recebendo algum serviço em favor do monarca. Caso contrário, seriam expulsos do palácio, como demonstração de desgosto. A vida é assim. Somos responsabilizados por aquilo que fazemos e por aquilo em que nos tornamos. E também existem juízes adequados que fazem essa avaliação.

■ 1.19

וַיְדַבֵּר אִתָּם הַמֶּלֶךְ וְלֹא נִמְצָא מִכֻּלָּם כְּדָנִיֵּאל חֲנַנְיָה
מִישָׁאֵל וַעֲזַרְיָה וַיַּעַמְדוּ לִפְנֵי הַמֶּלֶךְ׃

Então o rei falou com eles. O fim da questão é o que esperamos saber, pois Yahweh estava com seus servos, que se tinham sacrificado por causa dele. Lembremo-nos, pois, de todo esse duro trabalho. Eles precisavam que o coração estivesse disposto e a mente funcionasse no máximo de suas potencialidades. Algumas pessoas religiosas querem que tudo lhes seja dado, meramente porque são religiosas, mas isso viola a lei do trabalho árduo do universo, uma parte integral da *Lei Moral da Colheita Segundo a Semeadura*.

Mas pela graça de Deus sou o que sou; e a sua graça, que me foi concedida, não se tornou vã; antes, trabalhei muito mais do que todos eles. Todavia, não eu, mas a graça de Deus comigo.

1Coríntios 15.10

O rei submeteu a teste os jovens hebreus, fazendo perguntas e requerendo exercícios teóricos e práticos. Os testes comprovavam que os *quatro melhores estudantes* eram, exatamente, os jovens hebreus. O que torna as declarações deste versículo significativas é que eles eram os melhores, embora estivessem competindo com um grupo seleto de jovens. Eles eram os melhores entre os melhores. Foi algo semelhante a Paulo, que se levantou para ser um apóstolo maior do que Pedro! Não foi fácil conseguir isso!

Vês a um homem perito na sua obra? Perante reis será posto; e não entre a plebe.

Provérbios 22.29

■ 1.20

וְכֹל דְּבַר חָכְמַת בִּינָה אֲשֶׁר־בִּקֵּשׁ מֵהֶם הַמֶּלֶךְ
וַיִּמְצָאֵם עֶשֶׂר יָדוֹת עַל כָּל־הַחַרְטֻמִּים הָאַשָּׁפִים
אֲשֶׁר בְּכָל־מַלְכוּתוֹ׃

Em toda matéria de sabedoria e de inteligência. Daniel e seus amigos dominaram realmente as matérias que haviam estudado. Eles tinham compreendido a matemática e as ciências; dominaram a astrologia, a astronomia e, ao que tudo indica, as artes psíquicas; ou por que o autor diz que eles ultrapassaram em conhecimento aos mágicos e encantadores? Aqueles hebreus, de fato, eram *dez vezes* mais espertos que os jovens não hebreus e chegaram até a aprender a gramática babilônica, embora usualmente os estudantes tenham alergia à gramática.

Do que todos os magos. No hebraico, *hartummim*, palavra também usada nos capítulos 2, 4 e 5. Ver também Gn 41 e Êx 7—9. O termo pode referir-se à classe dos sábios, mas devemos lembrar quão importantes eram para os babilônios as artes psíquicas. O que é psíquico é *neutro* em si mesmo e pode ser posto em bom ou mau uso. Ver o artigo detalhado sobre *Parapsicologia*, na *Enciclopédia de Bíblia, Teologia e Filosofia*. Um homem, por ser um homem, tem poderes psíquicos, que são apenas inerentes à natureza humana. Existem abusos quando mentes estrangeiras e espíritos se misturam. Além disso a mente humana pode ser corrompida e, com frequência, se corrompe. No entanto, o ser humano é uma psique, um espírito, e, naturalmente, possui qualidades e habilidades espirituais. "A palavra geral mágicos (no hebraico, *hartummim*, Dn 1.20 e 2.2) referia-se a homens que praticavam as artes ocultas. Essa palavra também é usada em Gn 41.8; Êx 7.11,22; 8.7; 9.11" (J. Dwight Pentecost, *in loc.*).

Encantadores. No hebraico, *'assapim*, palavra usada somente por duas vezes no Antigo Testamento: Dn 1.20 e 2.21. Provavelmente estão em vista aqueles que eram aptos em todas as formas de encantos mágicos e exorcismo. Eles eram espertos nas questões espirituais, conforme os babilônios as entendiam. Provavelmente por trás dessa palavra está o verbo babilônico *kasapu*, "encantar", "lançar um encantamento", "exorcizar". Ver o artigo do *Dicionário* denominado *Adivinhação*. Daniel e seus amigos ultrapassavam a esses homens. Porventura os derrotaram no próprio jogo deles? Não há razão para supormos que Daniel se reduziu a praticar as artes dos babilônios, mas a indicação clara do texto é que ele era homem dotado de consideráveis aptidões psíquicas e proféticas. Ele tinha uma excelente forma de misticismo. Não apenas lia a Bíblia e orava. Ver no *Dicionário* o artigo chamado *Desenvolvimento Espiritual, Meios do*.

■ 1.21

וַיְהִי דָּנִיֵּאל עַד־שְׁנַת אַחַת לְכוֹרֶשׁ הַמֶּלֶךְ׃ פ

Daniel continuou até ao primeiro ano do rei Ciro. Este versículo é uma pequena nota cronológica acerca do período de permanência de Daniel na Babilônia. Ele continuava lá quando Ciro derrotou os babilônios, cerca de 539/538 a.C. Isso significa que a carreira de Daniel na Babilônia durou setenta anos. Talvez esta nota queira dizer-nos que Daniel morreu no ano em que Ciro subiu ao trono. Mas Dn 10.1 diz que

Daniel estava vivo no terceiro ano do governo de Ciro. Não há indicação de que Daniel tenha voltado a Jerusalém, embora existam tradições que dizem precisamente isso, ao passo que outras respondem com um "não". Dn 9.25 menciona o retorno dos exilados, mas não confere a Daniel nenhuma participação nisso. O livro não demonstra grande interesse por essa parte da história. Ela tem escopo mundial.

Lições da Primeira História. Deus honra àqueles que o honram (ver 1Sm 2.30), algumas vezes de maneira pública e gloriosa, mas sempre de maneira particular e adequada. A obediência leva a muitos triunfos. Portanto, existem muitas recompensas para os fiéis. Daniel teve uma missão longa e bem-sucedida, distante de sua terra, sob circunstâncias adversas.

Devemos entender que Daniel teve uma importante obra a fazer na chamada de Nabucodonosor, de quem se tornou valioso conselheiro. Ademais, durante o seu tempo na Babilônia, ele cumpriu a função de porta-voz de Deus em meio ao paganismo. Além disso, como é natural, teve uma missão profética, embora o seu livro não seja classificado como profético, de acordo com a tradição hebreia. Mas dentro da tradição cristã por certo ele é assim classificado.

CAPÍTULO DOIS

O livro de Daniel compõe-se essencialmente de *seis histórias* e *quatro visões*. As histórias ocupam os capítulos 1—6, e as visões, os capítulos 7—12. Quanto a detalhes a respeito, ver a seção "Ao Leitor", quinto e sexto parágrafos, antes da exposição a Dn 1.1. Agora movemo-nos para a segunda história: *O sonho de Nabucodonosor*. Este longo capítulo, como é natural, divide-se em duas grandes partes: vss. 1-13, prólogo; e vss. 14-45, Daniel como intérprete de sonhos. Os vss. 46-49 contêm o epílogo.

"*O Sonho de Nabucodonosor*. Esta história ensina a debilidade da sabedoria humana, em comparação com a sabedoria conferida por Deus" (*Oxford Annotated Bible*, na introdução ao capítulo). A história é um paralelo da experiência de José, em Gn 41. Há uma correspondência na fraseologia, o que provavelmente mostra que o autor sacro tinha aquela história na mente, quando escreveu o relato presente. Os temas principais são: Toda a sabedoria humana é destituída de valor quando confrontada com a sabedoria conferida por Deus; uma filosofia da história; as eras deste mundo são guiadas pelo decreto divino; Deus humilha os orgulhosos e eventualmente faz com que eles o reconheçam. Ver como o *teísmo* domina o relato. O Criador continua presente em toda a sua criação — intervindo, recompensando e punindo. Ver sobre esse tema no *Dicionário*. Contrastar isso com o *deísmo,* que ensina que a força criadora (pessoal ou impessoal) abandonou o seu universo aos cuidados das leis naturais.

SEGUNDA HISTÓRIA: O SONHO DE NABUCODONOSOR (2.1-49)

Prólogo (2.1-13)

Esta história é datada no *segundo ano* do reinado de Nabucodonosor. "Desde os dias de Josefo, tem sido exercida grande engenhosidade para explicar como Daniel pôde ter estado ativo em alguma capacidade oficial, no segundo ano do rei, quando se declarou que somente após três anos de treinamento é que Daniel foi introduzido à presença de Nabucodonosor. Mas a data precisa é apenas um artifício literário que pertence ao arcabouço histórico, e a incoerência que nos impressiona nada teria significado para o escritor sacro e seus contemporâneos" (Arthur Jeffery, *in loc.*).

■ 2.1

וּבִשְׁנַת שְׁתַּיִם לְמַלְכוּת נְבֻכַדְנֶצַּר חָלַם נְבֻכַדְנֶצַּר חֲלֹמוֹת וַתִּתְפָּעֶם רוּחוֹ וּשְׁנָתוֹ נִהְיְתָה עָלָיו׃

No segundo ano do reinado de Nabucodonosor. Ao rei foram dados por Deus alguns sonhos inspirados — esse é o sentido óbvio do versículo. Ele ficou perturbado e foi forçado a apelar para a ajuda de Daniel a fim de compreender esses sonhos. Ver no *Dicionário* o verbete chamado *Sonhos*. Se a maioria dos sonhos é inspirada pelo cumprimento dos desejos, existem sonhos espirituais e psíquicos que vão além desses limites. Assim sendo, os homens idosos sonham, e os jovens veem visões (Jl 2.28), por divina direção e inspiração. Nabucodonosor, sendo um grande rei, naturalmente sonharia com coisas seculares. E também não precisava ser um judeu para ser guiado pelo Espírito Santo.

■ 2.2

וַיֹּאמֶר הַמֶּלֶךְ לִקְרֹא לַחַרְטֻמִּים וְלָאַשָּׁפִים וְלַמְכַשְּׁפִים וְלַכַּשְׂדִּים לְהַגִּיד לַמֶּלֶךְ חֲלֹמֹתָיו וַיָּבֹאוּ וַיַּעַמְדוּ לִפְנֵי הַמֶּלֶךְ׃

Então o rei mandou chamar os magos... A maior parte dos povos antigos levava a sério os sonhos. Certamente isso se dava com os hebreus. Aqui e ali na Bíblia encontramos sonhos espirituais que são quase visões. Em minha própria experiência, tenho tido sonhos que definitivamente não podem ser classificados como sonhos comuns e profanos. Sonhar é, de modo geral, uma herança espiritual, e ocasionalmente uma pessoa atinge o outro mundo e traz dali algo de especial. Cf. este versículo com Dn 1.17,21. Daniel tinha habilidades especiais como intérprete. Dos *sábios* da Babilônia, esperava-se que tivessem discernimento profético. Portanto, foi apenas natural que o rei os convocasse para testar suas habilidades. O termo "caldeus" fala da casta coletiva dos sábios. Os sonhos e as visões são a mesma coisa e originam-se da alma e da psique humana. Fazem parte do estoque inerente de conhecimentos dos homens. Algumas vezes, porém, um bom intérprete pode ter discernimento que ultrapassam suas próprias habilidades, e podemos com razão supor que, vez por outra, nossos anjos guardiães nos ajudam em nossos sonhos, concedendo-nos entendimento. Talvez o Espírito Santo ocasionalmente condescenda em intervir pessoalmente na questão. Freud escreveu o primeiro estudo científico sobre os sonhos, com consideráveis habilidades de interpretação, embora tenha exagerado nas questões sexuais. Atualmente, grande riqueza de literatura ajuda-nos a compreender melhor os sonhos.

"Parece que Daniel ultrapassava (ver 1.17) todas as classes da erudição mágica, sem importar se isso requeria conhecimento, sabedoria ou sonhos" (Ellicott, *in loc.*).

À lista de especialistas dada em Dn 1.20, são adicionados aqui os "feiticeiros". A palavra hebraica é *mekhashashephim,* ou seja, alguém que *sussurrava* encantamentos. A palavra, de origem mesopotâmica, também é usada em Êx 7.11. O *kesheph*, de Is 47.9,12, e o *kashshaph*, de Jr 27.9, eram equivalentes aos termos acádicos *kispu* e *kassapu*. Talvez o termo seja técnico, indicando uma classe de sábios que estavam envolvidos nas artes psíquicas.

■ 2.3

וַיֹּאמֶר לָהֶם הַמֶּלֶךְ חֲלוֹם חָלָמְתִּי וַתִּפָּעֶם רוּחִי לָדַעַת אֶת־הַחֲלוֹם׃

Disse-lhes o rei: Tive um sonho. O rei transmitiu aos sábios de várias classes e habilidades o(s) sonho(s) que o mantinha(m) em estado de apreensão e ansiedade. Seu *espírito* estava perturbado, e ele sabia que não se tratava de um sonho comum. Usualmente, os sonhos psíquicos e espirituais chegam com cores extravívidas, bela música, notáveis simbolismos e grande *impacto emocional*. Quando alguém anda com o Espírito, mesmo que apenas por um pouco, então, ao dormir, tem conhecimento disso. Durante um período de três anos, registrei cuidadosamente os meus sonhos. Mais de cinquenta deles foram claramente precognitivos. Tive alguns sonhos espirituais muito significativos que me ensinaram coisas que eu precisava saber. Eram sonhos totalmente diferentes do restante dos meus sonhos, e me deixaram perplexo. Vez por outra tenho tido uma enxurrada desses sonhos. Mas, de outras vezes, eles ocorrem apenas no intervalo de uma vez por ano. O certo é que tanto o espírito quanto o Espírito Santo podem fazer-se presentes nos sonhos. Deveríamos cultivar isso muito mais, por ser várias vezes uma possível fonte de informação necessária.

■ 2.4

וַיְדַבְּרוּ הַכַּשְׂדִּים לַמֶּלֶךְ אֲרָמִית מַלְכָּא לְעָלְמִין חֱיִי אֱמַר חֶלְמָא לְעַבְדָיךְ וּפִשְׁרָא נְחַוֵּא׃

Os caldeus disseram ao rei em aramaico: Ó rei. Os especialistas convocados estavam ansiosos por ouvir o sonho, confiando que a interpretação não estaria fora do alcance de sua habilidade. O texto diz que aqueles homens falaram em aramaico. Isso pode subentender que, a partir deste ponto, o texto original do livro foi escrito nesse idioma. Alguns estudiosos supõem que o livro inteiro tenha sido escrito nessa língua, depois traduzida para o hebraico. A seção de Dn 2.4-7.28 está escrita em aramaico, no livro de Daniel, até os dias de hoje. O restante do livro está escrito em hebraico, mas pode ter sido traduzido do original aramaico. Não pode haver dúvida de que aqueles homens eram bons na interpretação dos sonhos. A maioria das pessoas, prestando atenção e usando de diligência, pode tornar-se fazer boas interpretações dos sonhos. Mas existem sonhos que nos chegam, por assim dizer, de uma estação de rádio estrangeira, e nos deixam perplexos, e foi isso o que aconteceu aos sábios e feiticeiros da Babilônia. Tornava-se necessária a ajuda divina, por meio de seu profeta, para solver os enigmas do sonho de Nabucodonosor.

Caldeus. Neste ponto, a palavra é usada para falar sobre as *várias classes* de sábios, referidos em Dn 1.21 e 2.2. A expressão de tratamento "Ó rei, vive eternamente" era comum entre eles. Demonstrava respeito, bem como uma solicitação pelo bem-estar do monarca. Também enfatizava o seu valor como líder. Ele seria homem tão bom que não deveria nunca morrer, mas, sim, continuar governando indefinidamente. Cf. Dn 3.9; 5.10; 6.6,21; 1Rs 1.31 e Ne 2.3.

Daremos a interpretação. "Interpretação" vem da palavra hebraica *pishra*, que fala do desatar de fios com nós. Na verdade, interpretar alguns sonhos é semelhante a isso, ao passo que o significado de outros sonhos está na superfície. A interpretação de sonhos tornou-se uma ciência elaborada, entre alguns antigos, pois, nos sonhos, os deuses falavam. "Porções dos livros sobre os sonhos, registradas em escrita cuneiforme, ainda sobrevivem, dando instruções detalhadas sobre como os vários elementos de um sonho deveriam ser interpretados (ver S. H. Langdon, 'A Babylonian Tablet on the Interpretation of Dreams', *Museum Journal*, VII (1917), (págs. 115-122)" (Arthur Jeffery, *in loc.*).

■ **2.5**

עָנֵה מַלְכָּא וְאָמַר לְכַשְׂדָּיֵא מִלְּתָא מִנִּי אַזְדָּא הֵן לָא
תְהוֹדְעוּנַּנִי חֶלְמָא וּפִשְׁרֵהּ הַדָּמִין תִּתְעַבְדוּן וּבָתֵּיכוֹן
נְוָלִי יִתְּשָׂמוּן:

Respondeu o rei, e disse aos caldeus. O rei levou a coisa muito a sério, e ameaçou os sábios com morte por mutilação ("sereis despedaçados"), caso eles deixassem de prover uma interpretação satisfatória. Conjecturo que Nabucodonosor ameaçou lançá-los aos leões. Este versículo mostra o importante lugar que a interpretação de sonhos ocupava na sociedade babilônica. O rei havia esquecido o sonho, pelo que em nada pôde ajudar os magos. Eles teriam de revelar qual fora o sonho e então interpretá-lo, tarefa dupla que, segundo eles disseram, somente os *deuses* seriam capazes de realizar (vs. 11). Daniel, porém, com a ajuda de Deus, foi capaz de revelar o sonho e interpretá-lo. A lição principal do capítulo começou a emergir: a sabedoria humana é débil quando comparada à variedade de sabedoria dada pelo Espírito. É a sabedoria de Deus que guia o destino do mundo, das nações e dos indivíduos. Os homens são capazes de aprender algo a esse respeito, se forem dignos disso. As casas e famílias dos sábios muito teriam a perder, pois haveria execuções e destruição, e casas boas seriam transformadas em monturos, caso os magos da Babilônia falhassem. *Essas ameaças* devem ter abalado o subconsciente daqueles homens. Mas coisa alguma funcionou. A forma de sabedoria dos magos fracassou na hora do teste. Heródoto fala sobre a "destruição das casas", no tocante aos castigos antigos. Quando um homem caía, caía também a sua casa (ver *Erato*, 1.1.6). John Gill conta-nos um caso ocorrido em seus dias. Damien, um louco, feriu um rei francês. O homem foi executado, e o lugar onde ele nasceu foi demolido. Cf. este versículo com 2Rs 10.27.

■ **2.6**

וְהֵן חֶלְמָא וּפִשְׁרֵהּ תְּהַחֲוֹן מַתְּנָן וּנְבִזְבָּה וִיקָר שַׂגִּיא
תְּקַבְּלוּן מִן קֳדָמָי לָהֵן חֶלְמָא וּפִשְׁרֵהּ הַחֲוֹנִי:

Mas se me declarardes o sonho e a sua interpretação... Qualquer indivíduo, dentre os magos, ou a coletividade deles, se fosse capaz de dizer qual fora o sonho esquecido do rei, e então o interpretasse corretamente, obteria riquezas e honras e seria elevado a um alto ofício no reino. E o rei disse: "Portanto, agora façam isso!" Talvez o rei tenha raciocinado que, se um vidente não pudesse lembrar o passado, então também não poderia predizer o futuro. Os estudos dos fenômenos psíquicos têm demonstrado que o retroconhecimento e a precognição não andam de mãos dadas, necessariamente, na mesma pessoa. Mas é verdade que a maioria das pessoas que pode prever o futuro tem outras habilidades psíquicas, de alguma sorte. Todas as pessoas, em seus sonhos, têm discernimento quanto ao futuro, especialmente nos sonhos que ocorrem ao alvorecer do dia. Ver na *Enciclopédia de Bíblia, Teologia e Filosofia* os verbetes chamados *Precognição* e *Sonhos*.

METÁFORAS DE DANIEL

Metais, animais e nações nos capítulos 2, 7 e 8 de Daniel

Metais em Dn 2	Animais em Dn 7	Animais em Dn 8	Nações Descritas
Ouro	Leão com asas	—	Babilônia
Prata	Urso	Carneiro não castrado	Medo-persa; ou só Média, segundo muitos intérpretes
Bronze	Leopardo com asas	Bode	Grécia; ou Pérsia, segundo muitos intérpretes
Ferro (ferro e cerâmica misturados)	A besta	—	Roma; ou Grécia, segundo muitos intérpretes

Observações:
Os intérpretes não concordam sobre as interpretações do urso (prata), do leopardo (bronze) e da besta (ferro). Ver as anotações acompanhantes. Os metais diminuíram em preciosidade até o ferro comum. Na mente do autor, as nações também se degenerariam em termos de glória. Roma, como o quarto reino, entrou na interpretação de Daniel como uma acomodação à história. Esta acomodação foi adotada pelo escritor de Apocalipse do Novo Testamento.

O REINO ETERNO

O Deus do céu suscitará um reino que não será jamais destruído; este reino não passará a outro povo; esmiuçará e consumirá todos estes reinos, mas ele mesmo substituirá para sempre, como viste que do monte foi cortada uma pedra, sem auxílio de mãos, e ela esmiuçou o ferro, o bronze, o barro, a prata e o ouro. O grande Deus fez saber ao rei o que há de ser futuramente.

■ **2.7,8**

עֲנוֹ תִנְיָנוּת וְאָמְרִין מַלְכָּא חֶלְמָא יֵאמַר לְעַבְדוֹהִי
וּפִשְׁרָה נְהַחֲוֵה:

עָנֵה מַלְכָּא וְאָמַר מִן יַצִּיב יָדַע אֲנָה דִּי עִדָּנָא אַנְתּוּן
זָבְנִין כָּל קֳבֵל דִּי חֲזֵיתוֹן דִּי אַזְדָּא מִנִּי מִלְּתָא:

Responderam segunda vez, e disseram. Os magos insistiram em ouvir primeiramente o sonho, mas este desaparecera da memória do rei. Para preservar os sonhos, uma pessoa geralmente tem de anotá-los por escrito imediatamente. Se não fizer isso, na maior parte dos casos, os sonhos são esquecidos. Eles se encontram nos arquivos do cérebro, mas não podem ser lembrados conscientemente. A hipnose, entretanto, pode trazê-los de volta. O rei acusou os "magos" de tentarem "ganhar tempo", pois falavam e não agiam (vs. 8). O rei mencionou novamente despedaçá-los e destruir suas casas (vs. 5), caso eles não conseguissem fazer o que era requisitado. E por causa dessa *tremenda ameaça* eles tentavam ganhar tempo, esperando que algo acontecesse, sem que tivessem de revelar sua total ignorância. Se eles continuassem tentando ganhar tempo, o rei poderia esquecer a questão ou então relembrar o sonho.

■ 2.9

דִּי הֵן־חֶלְמָא לָא תְהוֹדְעֻנַּנִי חֲדָה־הִיא דָתְכוֹן וּמִלָּה
כִדְבָה וּשְׁחִיתָה הזמנתון לְמֵאמַר קָדָמַי עַד דִּי
עִדָּנָא יִשְׁתַּנֵּא לָהֵן חֶלְמָא אֱמַרוּ לִי וְאִנְדַּע דִּי פִשְׁרֵהּ
תְּהַחֲוֻנַּנִי׃

Isto é: Se não me fazeis saber o sonho... Aqueles *psíquicos profissionais* ocupavam sua posição de confiança como conselheiros do rei, por serem capazes de realizar o seu serviço. Os fenômenos psíquicos funcionam melhor quando não são forçados, mas o rei não sabia disso nem ouviria tal argumento. Se os magos não dessem resposta ao rei, não passariam de mentirosos comuns. O rei chegou a acusá-los de conspiração. Eles tinham acordado em enganar ao monarca. Continuavam a contar mentiras, esperando alguma mudança da parte do rei, conforme é sugerido no vs. 8. Alguns psíquicos muito poderosos podem produzir fenômenos quando *solicitados,* mas não são muitos os que conseguem esse feito. E aqueles que conseguem nem por isso solucionam os problemas das *pessoas.* Este versículo revela a crença de que tais poderes operam melhor em certos dias. Cf. Et 3.7. Estudos demonstram que, de fato, há dias melhores e piores para os fenômenos psíquicos, e outro tanto acontece no caso dos sonhos. Algumas vezes, sonhos significativos nos ocorrem como se fossem enxurradas. Mas não entendemos a razão de tudo isso. Essas razões podem ser cósmicas ou pessoais. Se tais poderes se devem a energias genuínas da personalidade humana, então tais energias podem ser influenciadas pelos campos magnéticos que nos rodeiam ou por outras energias naturais. Ou, então, conforme diz certo cântico popular: "Em um dia claro, pode-se ver para sempre".

■ 2.10,11

עָנוֹ כַשְׂדָּיֵא קֳדָם־מַלְכָּא וְאָמְרִין לָא־אִיתַי אֱנָשׁ עַל־
יַבֶּשְׁתָּא דִּי מִלַּת מַלְכָּא יוּכַל לְהַחֲוָיָה כָּל־קֳבֵל דִּי
כָּל־מֶלֶךְ רַב וְשַׁלִּיט מִלָּה כִדְנָה לָא שְׁאֵל לְכָל־
חַרְטֹם וְאָשַׁף וְכַשְׂדָּי׃

וּמִלְּתָא דִי־מַלְכָּה שָׁאֵל יַקִּירָה וְאָחֳרָן לָא אִיתַי דִּי
יְחַוִּנַּהּ קֳדָם מַלְכָּא לָהֵן אֱלָהִין דִּי מְדָרְהוֹן עִם־
בִּשְׂרָא לָא אִיתוֹהִי׃

Não há mortal sobre a terra que possa revelar o que o rei exige. Os psíquicos profissionais da Babilônia apelaram então para a história. Não havia nenhum caso registrado de homem, rei ou não, que tivesse feito tal exigência a um psíquico, para receber com sucesso a resposta que buscava. Nabucodonosor exigia o tipo de coisa que somente um deus seria capaz de realizar (vs. 11). Aqueles homens confessaram as limitações de sua profissão, limitações que desaparecem quando o Espírito de Deus está envolvido. Daniel mostrou estar à altura da tarefa. A sabedoria humana, pois, aparece nesse caso como débil, e esse é um dos grandes temas do capítulo. "Os deuses não vivem no meio do povo" (afirmaram eles), pelo que não podiam ser invocados para ajudar. Mas Yahweh, o Deus de Daniel, estava sempre presente, e daria poder a seu servo para fazer o que somente o poder divino era capaz de realizar. O judaísmo é glorificado às expensas do paganismo, e esse é, igualmente, um tema do livro de Daniel. Aqueles magos tinham deuses *deístas,* os quais nunca intervêm na história humana, mas estão em algum outro lugar, ocupados em seus próprios negócios.

■ 2.12,13

כָּל־קֳבֵל דְּנָה מַלְכָּא בְּנַס וּקְצַף שַׂגִּיא וַאֲמַר
לְהוֹבָדָה לְכֹל חַכִּימֵי בָבֶל׃

וְדָתָא נֶפְקַת וְחַכִּימַיָּא מִתְקַטְּלִין וּבְעוֹ דָּנִיֵּאל
וְחַבְרוֹהִי לְהִתְקְטָלָה׃ פ

Então o rei muito se irou e enfureceu. Nabucodonosor perdeu a paciência e ordenou um decreto terrível: toda a classe dos psíquicos profissionais (magos de vários tipos) seria executada. Entre eles estavam Daniel e seus amigos. Torna-se óbvio, através do vs. 13, que Daniel, em sua educação geral, fora treinado para ser um dos *sábios* (o grupo combinado dos mágicos, astrólogos e feiticeiros, vs. 2). Essa não é a linguagem evangélica. Os judeus naturalmente estabeleciam uma distinção: Daniel era inspirado por Yahweh, e os demais eram dotados apenas de sabedoria humana, inspirados quem sabe por qual tipo de poderes estranhos.

"... a coletividade inteira de sábios, que, de acordo com Dn 1.20, incluía Daniel e seus amigos. A expressão "sábios" ocorre onze vezes no livro como nome geral para os *sábios da corte,* e duas vezes (2.27 e 5.15) como nome para uma classe como tal: astrólogos, mágicos, encantadores. No Oriente Próximo, esses adivinhos, feiticeiros sacerdotais etc. formavam uma espécie de classe. O rei estava decidido a livrar-se daquele corpo inteiro de sábios. *Decreto:* A mesma palavra era usada para indicar uma *sentença judicial* (vs. 9)" (Arthur Jeffery, *in loc.*).

O Intérprete Daniel (2.14-45)

O Decreto do Rei e suas Consequências (2.14-19)

■ 2.14

בֵּאדַיִן דָּנִיֵּאל הֲתִיב עֵטָא וּטְעֵם לְאַרְיוֹךְ רַב־טַבָּחַיָּא
דִּי מַלְכָּא דִּי נְפַק לְקַטָּלָה לְחַכִּימֵי בָּבֶל׃

Então Daniel falou avisada e prudentemente. O judeu Daniel agora representa o *sábio ideal,* o homem educado que tinha a vantagem de possuir o Espírito de Yahweh, o que o distinguia dos demais sábios. Desse modo, fica demonstrada a superioridade do judaísmo em relação ao paganismo. Misericordiosamente, Daniel, sob o poder de Yahweh, salvou toda a casta dos sábios, o que era a coisa decente e humanitária a fazer.

Já exibindo sua sabedoria superior, mesmo antes de ter recebido qualquer orientação da parte de Yahweh, Daniel respondeu ao inquisidor com habilidade e começou a contornar a dura situação. *Arioque,* capitão da guarda do rei, recebeu a tarefa de cuidar da execução geral dos sábios, e Daniel e seus amigos foram localizados e informados quanto à sentença. O título desse homem é usado em 2Rs 25.8. Ver também Jr 39.9 e 52.12 ss. Literalmente, o título significa "chefe dos executores". A execução de inimigos do rei fazia parte de seus deveres, que entretanto não se limitavam a isso. O homem era um dos principais oficiais do rei, parte de sua guarda pessoal. Daniel respondeu com prudência e discrição (*Revised Standard Version*) ou com "sabedoria e habilidade" (NCV). Ver no *Dicionário* o verbete intitulado *Arioque,* segundo ponto, quanto a detalhes.

■ 2.15

עָנֵה וְאָמַר לְאַרְיוֹךְ שַׁלִּיטָא דִי־מַלְכָּא עַל־מָה דָתָא
מְהַחְצְפָה מִן־קֳדָם מַלְכָּא אֱדַיִן מִלְּתָא הוֹדַע אַרְיוֹךְ
לְדָנִיֵּאל׃

E disse a Arioque, encarregado do rei. Daniel caracterizou o decreto de severo e quis saber *por que* o rei tinha ordenado tão drástica medida. Sem dúvida alguma maldade significativa tinha provocado aquele ato. Foi assim que Arioque explicou a questão inteira, a qual, para Daniel, podia ser facilmente remediada por uma interpretação bem-sucedida. À raiz da palavra aqui traduzida por "severo", está a ideia de "pressa indevida". Mas a palavra também denota severidade. Alguns estudiosos, porém, defendem a ideia de *peremptório.* O rei não tinha esperado por um *segundo pensamento sóbrio*, conforme os gregos aconselhavam que fosse feito.

■ 2.16

וְדָנִיֵּאל עַל וּבְעָה מִן־מַלְכָּא דִּי זְמָן יִנְתֵּן־לֵהּ וּפִשְׁרָא
לְהַחֲוָיָה לְמַלְכָּא: פ

Foi Daniel ter com o rei e lhe pediu designasse o tempo. Daniel aproximou-se ousadamente do rei, sem dúvida com a *mediação* de Arioque (ver o vs. 24), solicitando uma entrevista pessoal. *Dessa forma*, Daniel deixaria a questão descansar, satisfazendo a demanda do rei por informações. Daniel dependia do auxílio da fonte divina, Yahweh. Ele não tinha tal confiança em si mesmo. "A providência sem dúvida influenciou sua mente. A Daniel seria concedido algum favor especial" (Fausset, *in loc.*). A hora era de ousadia, e não de humildade, pelo que o profeta agiu com grande decisão. A humildade seria apropriada para uma ocasião menos dramática.

■ 2.17

אֱדַיִן דָּנִיֵּאל לְבַיְתֵהּ אֲזַל וְלַחֲנַנְיָה מִישָׁאֵל וַעֲזַרְיָה
חַבְרוֹהִי מִלְּתָא הוֹדַע:

Então Daniel foi para casa. *O Apoio da Oração*. Tanto a experiência quanto a experimentação (incluindo a de variedade científica) mostram que a oração é mais poderosa quando feita *em grupo*. Energias espirituais geradas por pessoas unidas em um propósito não podem ser geradas por indivíduos comuns. Dessa forma, Daniel buscou apoio na oração. Ele apelou para seus três amigos. Quatro amigos tinham uma só mente, e esperavam grandes coisas da parte de Yahweh.

Mais coisas são efetuadas pela oração
Do que este mundo sonha.

Tennyson

Pedi, e dar-se-vos-á; buscai, e achareis; batei, e abrir-se-vos-á.
Mateus 7.7

■ 2.18

וְרַחֲמִין לְמִבְעֵא מִן־קֳדָם אֱלָהּ שְׁמַיָּא עַל־רָזָה דְּנָה
דִּי לָא יְהֹבְדוּן דָּנִיֵּאל וְחַבְרוֹהִי עִם־שְׁאָר חַכִּימֵי
בָבֶל:

Para que pedissem misericórdia ao Deus do céu. "Naquele tempo de testes, Daniel manteve a calma. Ele voltou para casa, procurou seus três amigos, e, *juntos*, eles oraram pedindo misericórdia da parte do Deus do céu. Esse título é usado para indicar Deus seis vezes no livro de Daniel (ver 2.18,19,28,37,44 e 5.23), nove vezes no livro de Esdras e quatro vezes no livro de Neemias. Em outros lugares do Antigo Testamento, ocorre somente em Gn 24.3,7; Sl 136.26 e Jn 1.9" (J. Dwight Pentecost, *in loc.*). No contexto do livro de Daniel, aponta para Yahweh como o Deus Altíssimo, em contraste com os deuses babilônicos ausentes (ver o vs. 11). Os babilônios tinham uma espécie de *deísmo* idólatra, pois a força criativa era vista como inativa entre os homens, porquanto abandonara sua criação às leis naturais. Em contraste com isso, a fé dos hebreus era teísta. O *teísmo* ensina que o poder criativo continua no universo, intervindo, recompensando e punindo, de acordo com as demandas da lei moral. Ver sobre ambos os termos no *Dicionário*. "O Deus do céu é o equivalente judaico do nome cananeu *Ba'al samem*. Esse era o título que os persas usavam para referir-se ao Deus dos judeus. Parece que caiu de uso em tempos posteriores, por assemelhar-se muito ao termo grego *Zeus Ouranios*" (Arthur Jeffery, *in loc.*).

■ 2.19

אֱדַיִן לְדָנִיֵּאל בְּחֶזְוָא דִי־לֵילְיָא רָזָה גֲלִי אֱדַיִן דָּנִיֵּאל
בָּרִךְ לֶאֱלָהּ שְׁמַיָּא:

Então foi revelado o mistério a Daniel. O mistério do sonho do rei foi resolvido por meio de uma *visão noturna*. Talvez esse termo fosse distinguido dos sonhos como algo superior, conforme se vê em Jl 2.28. Mas parece que no livro de Daniel o sonho espiritual é considerado de mesmo nível que as visões. Ver no *Dicionário* os artigos *Sonho e Visão (Visões)*. É verdade que na experiência humana algumas vezes precisamos de uma orientação especial que vem por meio da inspiração mística. A Daniel foi conferida essa bênção, em sua hora de necessidade. Oh, Senhor, concede-nos tal graça! O próprio Daniel algumas vezes mostrou-se *incapaz* de obter orientação por sua sabedoria, a qual era muito superior à nossa. Assim sendo, é óbvio que, algumas vezes, precisamos de orientação especial por meio de eventos extraordinários. Cf. este versículo com Gn 46.2 e Jó 33.14,15. Daniel e seus amigos oraram durante a noite, e eis que no meio da noite a resposta chegou. Algumas vezes precisamos de *respostas rápidas!* Daniel estava abordando um mistério, mas, através da oração, até mistérios podem ser revelados pela sabedoria de Deus (vs. 30)" (*Oxford Annotated Bible*, comentando sobre o vs. 18).

O hino de louvor de Daniel (2.20-23)

■ 2.20

עָנֵה דָנִיֵּאל וְאָמַר לֶהֱוֵא שְׁמֵהּ דִּי־אֱלָהָא מְבָרַךְ מִן־
עָלְמָא וְעַד־עָלְמָא דִּי חָכְמְתָא וּגְבוּרְתָא דִּי לֵהּ־הִיא:

Disse Daniel: Seja bendito o nome de Deus. A grande vitória alcançada foi a inspiração para o significativo hino de agradecimento e louvor ao Poder que prestara grande favor aos jovens judeus. Os que conhecem a literatura poética, conforme ela existia na antiga nação de Israel, dizem-nos que o poema a seguir consiste em quatro estrofes de três e quatro linhas, sendo corretamente classificado como um *hino*. Trata-se de um tema que louvava a sabedoria e o poder de Deus. Cf. 1Co 1.24. Deus *intervém* na história humana, e nós agradecemos e o louvamos por isso. Encontramos sentimentos similares em Sl 41.13; Jó 12.12,12; Ne 9.5 e Et 1.13.

O segredo foi revelado facilmente, pois Deus sabe de tudo. A *visão noturna* deu a Daniel toda a informação de que ele precisava, e eram dessas informações salvadoras. A fonte dessas informações foi o *Deus do céu*. Ver as notas expositivas sobre o vs. 18 quanto a esse título. A oração dos quatro amigos mostrou ser realmente poderosa.

Poder na oração, Senhor, poder na oração;
Aqui em meio aos pecados, à tristeza e aos cuidados da terra:
Homens perdidos e moribundos, almas em desespero.
Oh, dá-me poder, poder na oração.

Albert Simpson Reitz

Em vista dessa realidade, que solucionou o problema de Daniel, ele abençoou o *Nome de Elah*, o Poder que se manifestou nessa situação particular. Esse título divino é caldeu e, ao que parece, equivale a Elohim. Quanto a *nome*, ver Sl 31.3; e quanto a *nome santo*, ver Sl 30.4 e 33.21. O Deus de Poder compartilha com os homens seu poder e sua sabedoria (cf. o vs. 23). O Poder solucionou o problema de Daniel e lhe deu vitória em uma hora crítica de provação. Sua sabedoria e seu poder duram para sempre, literalmente "de eternidade a eternidade" (cf. Sl 41.13; 90.2 e 103.17).

■ 2.21

וְהוּא מְהַשְׁנֵא עִדָּנַיָּא וְזִמְנַיָּא מְהַעְדֵּה מַלְכִין וּמְהָקֵים
מַלְכִין יָהֵב חָכְמְתָא לְחַכִּימִין וּמַנְדְּעָא לְיָדְעֵי בִינָה:

É ele quem muda o tempo e as estações. Deus é o Deus das *mudanças*. Ele intervém na história humana, individual e coletiva, e esse é o ensino do *teísmo*. Ele muda os tempos e as estações, fazendo a rotação dos ciclos da história parecerem as estações do ano. Nisso, ele levanta reis e derruba reis. Ele determina o curso das nações. Ele é a fonte de toda a sabedoria e conhecimento, e é generoso em seus dotes, compartilhando-os com os homens, de acordo com a necessidade de cada um. Cf. Is 44.28; Jr 25.9; 27.9. Ver no *Dicionário* o verbete chamado *Soberania de Deus*.

■ 2.22

הוּא גָּלֵא עַמִּיקָתָא וּמְסַתְּרָתָא יָדַע מָה בַחֲשׁוֹכָא
וּנְהִירָא עִמֵּהּ שְׁרֵא:

Ele revela o profundo e o escondido. Deus nunca se encontra no escuro. Ele nunca fica sem compreensão; jamais fica perplexo; nunca hesita entre duas opiniões. Ele revela o que está escondido nas profundezas; conhece todos os segredos e os transmite a homens em necessidade. Deus é a Luz e reside na luz, onde todos os mistérios são esclarecidos e a mente dos homens é iluminada. Quanto a coisas profundas e misteriosas, cf. Jó 12.22; 1Co 2.7,10. Ele revela; ele sabe (ver Sl 139.12). Ele ilumina. "O homem mesmo requer iluminação de uma fonte externa. Essa fonte é Deus; ele é o sol da alma humana, em quem a luz habita como se ele fosse o palácio do sol. Em sua luz, vemos a luz (Sl 36.9)" (Ellicott, *in loc.*). Ver no *Dicionário* os verbetes intitulados *Luz*, *Metáfora da* e *Iluminação*.

■ 2.23

לָךְ ׀ אֱלָהּ אֲבָהָתִי מְהוֹדֵא וּמְשַׁבַּח אֲנָה דִּי חָכְמְתָא וּגְבוּרְתָא יְהַבְתְּ לִי וּכְעַן הוֹדַעְתַּנִי דִּי־בְעֵינָא מִנָּךְ דִּי־מִלַּת מַלְכָּא הוֹדַעְתֶּנָא:

A ti, ó Deus de meus pais. O hino termina com uma nota de louvor. Ver no *Dicionário* o artigo chamado *Louvor*. O Deus de Daniel era o Deus de seus antepassados (cf. Dt 1.21; 26.7; 2Cr 20.6 etc.). Subjacente à sua fé, havia muita tradição, uma história de homens santos que confiavam no mesmo Deus Todo-poderoso e Todo-conhecedor e obtinham os mesmos resultados quando oravam. No caso de Daniel, havia *poder* para salvar a sua vida e a vida de seus amigos, como a vida de todos aqueles pobres psíquicos profissionais. No caso de Daniel, havia *sabedoria* para dar-lhe discernimento tanto nos sonhos do rei quanto na sua devida interpretação. Em outras palavras, Deus não deixou Daniel no escuro.

> Deus de nossos pais, cuja mão todo-poderosa
> Conduz, em beleza, todas as hostes estelares
> De mundos brilhantes, em esplendor, pelos céus.
> Nossos cânticos agradecidos se elevam diante de teu trono.
> Leva-nos da noite para o dia interminável.
>
> Daniel C. Roberts

A Interpretação do Hino (2.24-45)

■ 2.24

כָּל־קֳבֵל דְּנָה דָּנִיֵּאל עַל עַל־אַרְיוֹךְ דִּי מַנִּי מַלְכָּא לְהוֹבָדָה לְחַכִּימֵי בָבֶל אֲזַל ׀ וְכֵן אֲמַר־לֵהּ לְחַכִּימֵי בָבֶל אַל־תְּהוֹבֵד הַעֵלְנִי קֳדָם מַלְכָּא וּפִשְׁרָא לְמַלְכָּא אֲחַוֵּא: ס

Por isso Daniel foi ter com Arioque. Agora Daniel tinha as respostas, pelo que disse a Arioque que suspendesse o processo de execução e o levasse à presença do rei, a fim de mostrar-lhe o poder e a sabedoria de Deus na solução do mistério. As técnicas profissionais dos psíquicos tinham fracassado. A sabedoria pagã falhou no momento da provação. Mas Daniel mostraria a diferença. Ele não ousaria (por temor de perder a vida) chegar à corte do rei. Assim sendo, apelou para seu intermediário, e isso concorda com o que sabemos sobre os procedimentos nas cortes orientais e sobre a etiqueta palaciana. A passagem de Et 4.11 está correta quando diz que ninguém podia apresentar-se ao rei. Daniel teria de ser chamado. Heródoto (*Hist.* III.40) mostra-nos que esse era o costume entre os persas.

Daniel desejava que não houvesse perda de vidas humanas por razões ridículas, como o capricho do rei, que estava irado com seus conselheiros e videntes. Sua intercessão diante do rei salvaria o dia. Cf. Ez 14.14. Este versículo mostra-nos que o vs. 16 não deve ser interpretado como se Daniel fosse culpado de um ato apressado, ao correr para a presença do rei. Daniel tinha mais bom senso do que isso.

■ 2.25

אֱדַיִן אַרְיוֹךְ בְּהִתְבְּהָלָה הַנְעֵל לְדָנִיֵּאל קֳדָם מַלְכָּא וְכֵן אֲמַר־לֵהּ דִּי־הַשְׁכַּחַת גְּבַר מִן־בְּנֵי גָלוּתָא דִּי יְהוּד דִּי פִשְׁרָא לְמַלְכָּא יְהוֹדַע:

Então Arioque depressa introduziu Daniel na presença do rei. Arioque sabia que estava ocupado em uma missão urgente, que salvaria muitas vidas, pelo que anelava realizar logo a sua tarefa. Além disso, ele sentia haver encontrado um homem que poderia resolver o mistério do sonho do rei, e estava ansioso por servir a seu senhor. Ele receberia favor, mas era um bom servo no cumprimento de seus deveres, e isso já era uma recompensa para ele. A descoberta foi feita em um lugar um tanto inesperado (para Arioque), entre os humildes cativos de Judá. Provavelmente o homem não tinha consciência de Daniel e de suas realizações já significativas (Dn 1.19,20). Mas ele reconheceria um homem bom assim que o visse, e havia algo na atitude segura de Daniel que inspirava Arioque a confiar no profeta. *Não havia dúvida*: Daniel tinha a *resposta* para o problema. Arioque correu, *excitado*, para o rei. Uma esplêndida mudança de *eventos* acontecera. Oh, Senhor, concede-nos tal graça!

■ 2.26

עָנֵה מַלְכָּא וְאָמַר לְדָנִיֵּאל דִּי שְׁמֵהּ בֵּלְטְשַׁאצַּר הַאִיתָיךְ כָּהֵל לְהוֹדָעֻתַנִי חֶלְמָא דִי־חֲזֵית וּפִשְׁרֵהּ:

Respondeu o rei, e disse a Daniel. Arioque entrou na presença do rei com um olhar de confiança no rosto. E apresentou Daniel, o solucionador do problema, ao rei. O rei lançou um olhar inquisitivo ao rapaz. O rei sabia quão bom era Daniel, mas seria ele *assim* tão bom? Poderia ele fazer o que os psíquicos profissionais não tinham conseguido fazer? Ele teria de passar pelo mesmo teste a que eles tinham sido submetidos. Em caso contrário, o decreto de execução ocorreria conforme já estava determinado. É grandioso quando um homem é, realmente, tão bom quanto sua reputação, o que por muitas vezes não acontece. No entanto, Daniel, dotado por Yahweh, era o homem do momento. Ninguém ficaria desapontado.

> Nenhuma habilidade, nem poder, nem mérito nos pertence.
> Conquistamos somente pelo seu poder.
>
> George W. Doanne

Daniel mostrou-se *capaz*. "És *tu* capaz?", pergunta-nos o Senhor. E os sonhadores respondem: "Senhor, somos capazes". Alguns poucos são; alguns poucos vencem. A maioria é derrotada no calor da batalha.

■ 2.27

עָנֵה דָנִיֵּאל קֳדָם מַלְכָּא וְאָמַר רָזָה דִּי־מַלְכָּא שָׁאֵל לָא חַכִּימִין אָשְׁפִין חַרְטֻמִּין גָּזְרִין יָכְלִין לְהַחֲוָיָה לְמַלְכָּא:

Respondeu Daniel na presença do rei, e disse. Daniel não piscou quando seu olhar encontrou o olhar do rei. Ele sabia que tinha consigo a resposta divina. Ele concordou com os psíquicos profissionais: somente um deus poderia resolver aquele caso (vs. 11). Mas como Daniel tinha consigo o seu Deus, tudo estava bem. A casta inteira dos magos foi mencionada por suas partes constitutivas: sábios, encantadores, magos, astrólogos, adivinhos, tal como se vê no vs. 2. Eles estavam certos quanto a um detalhe. Eles não podiam, nem individual nem coletivamente, solucionar o problema do rei. Porém, um único indivíduo, com a ajuda divina, poderia resolver o problema do rei. E Daniel era esse homem. O profeta, pois, estava mostrando a *debilidade* da sabedoria divina, que não é inspirada pela Fonte divina de toda a sabedoria; e é possível ser essa a mensagem principal que a história tenciona ensinar. Pode ficar subentendido que os sábios da Babilônia não conseguiriam solucionar o problema, mesmo que se consorciassem com os deuses (falsas divindades). Há coisas que só podem ser resolvidas pelo Deus do céu (vs. 28). Poderes preditivos são atribuídos somente a Deus. Cf. Gn 20.3; 41.16,25,28; Nm 22.35. Estudos demonstram que o poder de prever o futuro é uma habilidade natural da psique humana, e certamente existem profetas não bíblicos na antiguidade e na modernidade. Mas isso era ignorado pelos hebreus. Esse fato, porém, não enfraquece o argumento de Daniel (vs. 28).

2.28

בְּרַם אִיתַי אֱלָהּ בִּשְׁמַיָּא גָּלֵא רָזִין וְהוֹדַע לְמַלְכָּא
נְבוּכַדְנֶצַּר מָה דִּי לֶהֱוֵא בְּאַחֲרִית יוֹמַיָּא חֶלְמָךְ וְחֶזְוֵי
רֵאשָׁךְ עַל־מִשְׁכְּבָךְ דְּנָה הוּא: פ

Mas há um Deus nos céus. Onde psíquicos profissionais e sábios e deuses pagãos falham, o Deus do céu é bem-sucedido. Ver o vs. 18 quanto a esse título. A expressão "nos últimos dias" é sempre usada do ponto de vista do autor, e não de nosso século! Portanto, significa "mais tarde" ou, talvez, "em tempos remotos do nosso", e não necessariamente *nos últimos dias,* imediatamente antes da era do reino etc. Se as profecias deste capítulo atingem a época dos romanos, então o tempo estava bastante afastado de Daniel para merecer a expressão; mas a verdade é que a visão de Daniel mergulhou num tempo ainda mais distante. "Do ponto de vista de Jacó (ver Gn 49.1), isso significou o fim da ocupação de Israel da terra de Canaã. Do ponto de vista de Balaão (ver Nm 24.4), significou o fim da independência de Moabe e Edom... Mais frequentemente, porém, essa frase é usada escatologicamente para indicar o fim da era presente, os últimos dias antes do reino de Deus, a nova era. Ver Is 2.2; Jr 23.20; Ez 38.16; 2Tm 3.1; 2Pe 3.3 etc." (Arthur Jeffery, *in loc.*). Ver no *Dicionário* o verbete chamado *Últimos dias,* quanto a detalhes.

O teu sonho e as visões da tua cabeça. Se Jl 2.28 faz distinção entre as duas coisas, no livro de Daniel esses termos parecem sinônimos. Ver no *Dicionário* os verbetes chamados *Sonhos* e *Visão (Visões).* Ambas as coisas são consideradas reveladoras dos propósitos e da vontade de Deus, uma maneira pela qual um homem pode olhar para além dos limites do conhecimento humano ordinário. Daniel não tomou o crédito para si mesmo.

2.29

אַנְתָּה מַלְכָּא רַעְיוֹנָךְ עַל־מִשְׁכְּבָךְ סְלִקוּ מָה דִּי לֶהֱוֵא
אַחֲרֵי דְנָה וְגָלֵא רָזַיָּא הוֹדְעָךְ מָה־דִי לֶהֱוֵא:

Estando tu, ó rei, no teu leito. A Nabucodonosor, embora fosse ele um rei pagão, foi dada uma visão. A tentativa de limitar as visões aos judeus e aos cristãos não passa nos testes da investigação. O *Logos* opera universalmente, e ele tem agentes e servos não cristãos. Os *Logoi Spermatikoi* (as sementes do *Logos*) estão por toda a parte. Ver sobre esse termo na *Enciclopédia de Bíblia, Teologia e Filosofia.*

Deus é aquele que revela, e ele não escolhe, necessariamente, agentes que merecem nossa aprovação. O rei pode ter estado a meditar sobre o futuro. Seu *coração* (a sede da inteligência) estava ativo. Mas a visão ocorreu espontaneamente, de acordo com o propósito divino.

Escopo da Visão. A visão cobriu a história do mundo em grandes lances, a começar pelos tempos de Nabucodonosor, tocando de leve em vários impérios mundiais e terminando com o reino eterno. "Esse mesmo período é chamado de 'tempo dos gentios', em Lc 21.24" (J. Dwight Pentecost).

2.30

וַאֲנָה לָא בְחָכְמָה דִּי־אִיתַי בִּי מִן־כָּל־חַיַּיָּא רָזָא דְנָה
גֱּלִי לִי לָהֵן עַל־דִּבְרַת דִּי פִשְׁרָא לְמַלְכָּא יְהוֹדְעוּן
וְרַעְיוֹנֵי לִבְבָךְ תִּנְדַּע:

E a mim me foi revelado este mistério. Daniel era apenas o *transmissor* da visão e de seu significado, não a causa ou o realizador; e Daniel queria que o rei *soubesse disso,* a fim de que não elogiasse o homem, em vez de louvar a Deus, uma vez que reconhecesse que Daniel entendera o sonho inteiro. Além disso, cumpria ao monarca saber que, embora ele fosse um grande homem, um Rei de reis exercia autoridade sobre ele, e esse Rei também havia determinado o reinado de Nabucodonosor, a sua natureza, os seus limites e o seu fim. E outro tanto dizia respeito aos demais reinos. Cf. Gn 41.16. José não reivindicou crédito algum para seus dons proféticos. "Quanto ao que me toca nesta questão, não posso atribuir coisa alguma a mim mesmo. Tudo é devido ao Deus do céu, tanto a recuperação do sonho quanto a sua interpretação" (John Gill, *in loc.*). A passagem ensina-nos que os homens são *capazes* de obter o conhecimento dado por Deus, especificamente através dos processos místicos, como os sonhos e as visões.

Ver o artigo detalhado na *Enciclopédia de Bíblia, Teologia e Filosofia* chamado *O Conhecimento e a Fé Religiosa.* E ver no *Dicionário* o artigo intitulado *Misticismo.*

2.31

אַנְתָּה מַלְכָּא חָזֵה הֲוַיְתָ וַאֲלוּ צְלֵם חַד שַׂגִּיא צַלְמָא
דִכֵּן רַב וְזִיוֵהּ יַתִּיר קָאֵם לְקָבְלָךְ וְרֵוֵהּ דְּחִיל:

Tu, ó rei, estavas vendo. *A Essência dos Sonhos e das Visões.* O rei vira uma imagem gigantesca e grotesca, sob a forma de um imenso homem. A imagem rebrilhava como bronze fundido; era "gigantesca, rebrilhante e assustadora" (NCV). A imagem exalava poder e esplendor. Os sonhos espirituais envolvem imagens incomuns que deixam a pessoa estonteada, e foi isso o que aconteceu a Nabucodonosor. Os antigos do Oriente Próximo e Médio costumavam fazer imagens colossais, mas essa imagem tomou de surpresa o próprio Nabucodonosor, embora ele fosse um ativo construtor. "Suas dimensões e sua aparência eram formidáveis, fazendo o rei parecer insignificante diante dela" (J. Dwight Pentecost, *in loc.*).

Os vss. 31-36 fornecem a visão. Em seguida, os vss. 36-38 dão a interpretação. Portanto, sigo o mesmo plano, apresentando a interpretação naqueles versículos, e não no começo. Conforme veremos, as várias porções da imagem representavam reinos mundiais.

"Havia algo na fisionomia da imagem que era ameaçador e terrível. A forma inteira, tão gigantesca, encheu o rei com profunda admiração, pois lhe pareceu terrível. Talvez isso denote o terror que os reis, sobretudo os arbitrários e despóticos, projetam sobre seus súditos" (John Gill, *in loc.*).

2.32,33

הוּא צַלְמָא רֵאשֵׁהּ דִּי־דְהַב טָב חֲדוֹהִי וּדְרָעוֹהִי דִּי
כְסַף מְעוֹהִי וְיַרְכָתֵהּ דִּי נְחָשׁ:
שָׁקוֹהִי דִּי פַרְזֶל רַגְלוֹהִי מִנְּהוֹן דִּי פַרְזֶל וּמִנְּהוֹן דִּי
חֲסַף:

A cabeça era de fino ouro. *Os Elementos da Imagem Representam Quatro Reinos:*

1. A cabeça era de ouro
2. Os braços e o peito eram de prata
3. O ventre e as coxas eram de bronze
4. As pernas eram de ferro, enquanto os artelhos eram parte de ferro e parte de barro

Essas quatro partes representam quatro reinos, que surgiriam sucessivamente. Seriam impérios mundiais. Os vss. 37-43 dão as interpretações sobre as figuras.

Observações sobre os Vss. 32,33:

1. Note o leitor a qualidade descendente dos metais: ouro, prata, bronze, ferro, ferro misturado com barro.
2. O grego de épocas remotas, Hesíodo, falava em *eras do mundo* em termos de metais. Aqui descemos do ouro ao barro. A descida parece ser de valor, e não de força. O quarto reino seria mais forte que os demais, tal como o ferro é mais forte (porém menos valioso) que os outros metais listados.
3. A *prata* é um metal nobre, mas não tão valioso quanto o ouro. O *bronze* é ainda menos valioso, porém mais forte que a prata. Provavelmente está em vista o *cobre*, que, misturado com o estanho, fica mais forte do que o simples cobre, e essa liga produz o bronze.
4. O *ferro* é o mais forte e o mais útil dos metais listados, mas essa força é debilitada pela mistura com o barro, ou melhor, com o barro cozido, duro, mas não tão duro quanto um metal. O barro cozido fala de *vulnerabilidade* e fraqueza inerente, a despeito da demonstração de força. Todos os reinos, como é natural, têm os pés feitos de barro.
5. Os quatro reinos representam toda a história da humanidade, contada rapidamente, e o reino de Deus é o quinto reino. A vasta porção da história do mundo é deixada de fora. A visão é um símbolo do que acontece no mundo e mostra as limitações ao escopo do profeta, que só podia ver *essa parte* do total, e teve de fazê-la *representar* os reinos do mundo, ou os tempos dos gentios (ver Lc 21.24).

2.34

חָזֵה הֲוַיְתָ עַד דִּי הִתְגְּזֶרֶת אֶבֶן דִּי־לָא בִידַיִן וּמְחָת לְצַלְמָא עַל־רַגְלוֹהִי דִּי פַרְזְלָא וְחַסְפָּא וְהַדֵּקֶת הִמּוֹן׃

Quando estavas olhando, uma pedra foi cortada. Temos aqui, na "pedra", o *quinto império*, não feito por mãos humanas. A pedra era uma grande pedra, que demoliu a imagem, em suas partes de metal. A imagem e suas diversas partes eram produtos humanos e, por isso mesmo, teriam de chegar ao fim. Eram apenas temporais. Já a grande pedra é eterna, e não está sujeita à dissolução. Com um simples golpe nos pés, ela levou a imagem feita pelo homem a cair em forma de poeira, ou seja, de forma irrecuperável. A interpretação sobre essa pedra aparece nos vss. 44,45.

2.35

בֵּאדַיִן דָּקוּ כַחֲדָה פַּרְזְלָא חַסְפָּא נְחָשָׁא כַּסְפָּא וְדַהֲבָא וַהֲווֹ כְּעוּר מִן־אִדְּרֵי־קַיִט וּנְשָׂא הִמּוֹן רוּחָא וְכָל־אֲתַר לָא־הִשְׁתֲּכַח לְהוֹן וְאַבְנָא דִּי־מְחָת לְצַלְמָא הֲוָת לְטוּר רַב וּמְלָת כָּל־אַרְעָא׃

Então foi juntamente esmiuçado o ferro, o barro, o bronze, a prata e o ouro. Continua aqui o poder destruidor da grande pedra. Os metais, de várias qualidades, não puderam resistir ao golpe da grande pedra, e todos se reduziram a uma poeira finíssima, que o vento levou embora. As eiras eram lugares abertos situados de tal maneira que podiam ser tangidos por qualquer brisa que passasse, para que o grão, lançado ao alto, fosse facilmente separado da palha, que era então levada pelo vento. Essa é uma figura usada com frequência nas Escrituras. Cf. Os 13.3; Sl 35.5; Jó 21.18; Is 41.15,16; Mt 3.12. "Os fragmentos desapareceram tão completamente que nem um traço deles podia ser encontrado. Assim mostram Sl 103.16; Jó 7.10; 20.9 e Ap 20.11. A *finalidade* do golpe desfechado pelo pedra foi assim indicada, uma característica da literatura apocalíptica" (Arthur Jeffery, *in loc.*). A pedra veio a tornar-se uma grande *montanha,* que encheu toda a terra. Ver comentários sobre os vss. 44,45.

Os ímpios... são como a palha que o vento dispersa.
Salmo 1.4

2.36

דְּנָה חֶלְמָא וּפִשְׁרֵהּ נֵאמַר קֳדָם־מַלְכָּא׃

Este é o sonho. O sonho foi descrito nos vss. 31-35. A interpretação é dada agora, nos vss. 37-45.

A Cabeça de Ouro (2.37,38)

2.37

אַנְתְּה מַלְכָּא מֶלֶךְ מַלְכַיָּא דִּי אֱלָהּ שְׁמַיָּא מַלְכוּתָא חִסְנָא וְתָקְפָּא וִיקָרָא יְהַב־לָךְ׃

O autor deixa claro que Nabucodonosor e seu império babilônico eram a cabeça de ouro. Esse monarca era um rei de reis entre os homens, pleno de grande força e glória. Foi o "Deus do céu" (ver as notas em Dn 2.18) que predestinou esse reino e seu rei. Pois Yahweh é quem se encarrega dos destinos humanos, individuais e coletivos (as nações). Deus é soberano (ver sobre *Soberania*, no *Dicionário*). Ele é tanto o Criador como o interventor em sua criação, recompensando, punindo e dirigindo em consonância com a lei moral. Ver a respeito o artigo chamado *Teísmo*, no *Dicionário*.

"Rei de reis" era um título comumente dado aos reis da Pérsia (ver Ed 7.12). Encontra-se em inscrições do antigo Oriente Próximo e Médio, incluindo o caso de reis vassalos, como os reis armênios ou os reis selêucidas. É usado para indicar Nabucodonosor, em Ez 36.7 e Is 36.4. O título, claramente, é atribuído a Yahweh e, então, a Jesus, o Rei Messias. Cf. Dn 47.5; Jr 27.6,7; Ap 17.14 e 19.16. Cf. Jr 52.32.

2.38

וּבְכָל־דִּי דָאֲרִין בְּנֵי־אֲנָשָׁא חֵיוַת בָּרָא וְעוֹף־שְׁמַיָּא יְהַב בִּידָךְ וְהַשְׁלְטָךְ בְּכָלְּהוֹן אַנְתָּה־הוּא רֵאשָׁה דִּי דַהֲבָא׃

A cujas mãos foram entregues os filhos dos homens. Continua aqui a descrição do poder do "rei dos reis" (Nabucodonosor). A *cabeça de ouro* era a cabeça de tudo em seus dias. Yahweh havia entregado todas as coisas em suas mãos, tanto os seres humanos como os animais. Nabucodonosor se tornou o governante universal do mundo conhecido em sua época, através de muitas e brutais conquistas que não deixaram adversário de pé. Os "animais do campo" são animais ferozes, e não domesticados. Cf. Jr 27.6; 28.14. Ver também Is 56.9; Dt 7.22 e Jó 40.20. A Septuaginta adiciona "e os peixes do mar", o que, obviamente, é secundário. Os monarcas antigos do Oriente Próximo e Médio (incluindo Salomão) tinham seus jardins zoológicos particulares, onde criavam toda a espécie de animais estranhos, desconhecidos nas regiões onde esses reis governavam. A expressão, seja como for, enfatizava a *universalidade* do governo de Nabucodonosor. A vida, tanto animal quanto humana, foi posta a seus pés. Cf. isso com o vs. 44 deste mesmo capítulo e também com 7.17,24.

O império neobabilônico durou de 626 a 539 a.C., ou seja, 87 anos. Quanto a descrições completas, ver o artigo do *Dicionário* chamado *Babilônia. Ouro* provavelmente refere-se às *riquezas* da Babilônia, e não à sua força. *Dignidade e glória* fazem parte da figura como descrições que os versículos esclarecem.

O Peito e os Braços de Prata (2.39a)

2.39a

וּבָתְרָךְ תְּקוּם מַלְכוּ אָחֳרִי אֲרַעא מִנָּךְ

Depois de ti se levantará outro reino. Este *segundo reino* (mencionado em meio versículo) significa: 1. os medos e os persas; ou 2. De acordo com alguns intérpretes antigos e modernos, apenas os *medos*. Ver no *Dicionário* o verbete intitulado *Média (Medos)*. O império medo-persa, em seu conjunto, perdurou por mais de duzentos anos (539-330 a.C.). Eles conquistaram a Babilônia em 539 a.C.

O Ventre e as Coxas de Bronze (2.39b)

2.39b

וּמַלְכוּ תְלִיתָאָה אָחֳרִי דִּי נְחָשָׁא דִּי תִשְׁלַט בְּכָל־אַרְעָא׃

Esse *terceiro reino,* de acordo com vários intérpretes antigos e modernos, é formado: 1. pelos *persas,* em distinção aos medos; ou 2. pelo *império grego*. O leitor deve tomar consciência de que a identificação do quarto império como Roma não aconteceu senão quando Roma realmente apareceu, e então a interpretação do *quarto* império foi ajustada a esse fato. O quarto rei dos medos, Artiages, foi traído por suas próprias tropas em 550 a.C., e seu poder foi entregue a Ciro, o persa, que tinha sido um de seus vassalos. Foi dessa forma que Ciro se tornou o cabeça do reino medo-persa. Assim também, nos capítulos 5 e 6 de Daniel, essas duas potências aparecem intimamente ligadas. Ver as *observações* sobre os vss. 32,33, que preenchem detalhes quanto à natureza desses reinos.

As Pernas de Ferro, com os Artelhos em parte de Barro Cozido (vs. 40)

2.40

וּמַלְכוּ רְבִיעָיָה תֶּהֱוֵא תַקִּיפָה כְּפַרְזְלָא כָּל־קֳבֵל דִּי פַרְזְלָא מְהַדֵּק וְחָשֵׁל כֹּלָּא וּכְפַרְזְלָא דִּי־מְרָעַע כָּל־אִלֵּין תַּדִּק וְתֵרֹעַ׃

O quarto reino será forte como ferro. Esse quarto reino era: 1. Ou o império de *Alexandre*; 2. Ou *Roma*. No início prevalecia a primeira dessas posições, mas a segunda passou a predominar quando Roma apareceu. O quinto capítulo sofre a mesma variação quanto à interpretação. O ferro é o mais forte dos metais, e certamente essa interpretação se adapta à Grécia ou a Roma. Mas a mistura de ferro cozido com ferro (vs. 41) fala de uma fraqueza inerente e, provavelmente, de divisão, como quando o império grego foi dividido entre os quatro generais de Alexandre. A descrição do vs. 40 pode aplicar-se igualmente bem a Alexandre ou aos romanos, pois ambos se ocuparam de uma conquista mundial, quebrando e subjugando os povos.

Como o ferro quebra todas as cousas. "Todos os outros reinos" é a tradução da NCV, que contudo provavelmente está incorreta. A ideia não é que esse poder esmagaria todos os reinos que existiram antes, mas, antes, que esmagaria todos os oponentes de sua própria época e, assim, obteria domínio mundial. Alexandre derrotou todos os oponentes e espalhou o idioma e a cultura grega por todas as partes. O mundo foi "helenizado". Mas outro tanto sucedeu com Roma, que se transformou no maior dos impérios antigos, quando o mar Mediterrâneo se tornou o "lago" romano. O latim veio a tornar-se outro idioma universal, e, através do latim vulgar, espalhou-se por toda a Europa. Linguagens separadas surgiram a partir do latim vulgar, incluindo o nosso idioma português, a última das línguas neolatinas a desenvolver-se, sendo a caçula desses idiomas.

■ **2.41,42**

וְדִי־חֲזַיְתָה רַגְלַיָּא וְאֶצְבְּעָתָא מִנְּהֵון חֲסַף דִּי־פֶחָר וּמִנְּהֵון פַּרְזֶל מַלְכוּ פְלִיגָה תֶּהֱוֵה וּמִן־נִצְבְּתָא דִּי פַרְזְלָא לֶהֱוֵא־בַהּ כָּל־קֳבֵל דִּי חֲזַיְתָה פַּרְזְלָא מְעָרַב בַּחֲסַף טִינָא׃

וְאֶצְבְּעָת רַגְלַיָּא מִנְּהֵון פַּרְזֶל וּמִנְּהֵון חֲסַף מִן־קְצָת מַלְכוּתָא תֶּהֱוֵה תַקִּיפָה וּמִנַּהּ תֶּהֱוֵה תְבִירָה׃

Quanto ao que viste dos pés e dos dedos. Esse poderoso *quarto império* tinha herdado fraquezas porque seus pés eram feitos de ferro e barro cozido, um misto de fortalezas e fraquezas. Neste ponto não são mencionados os *dez* artelhos, mas é natural vinculá-los aos *dez chifres* de Dn 7.24. Se a Grécia está em vista, então a *divisão* do reino significa a distribuição do império de Alexandre entre os seus quatro generais, quando ele morreu. As duas pernas, nesse caso, apontariam para as *duas* principais divisões dessa divisão, os selêucidas e os ptolomeus. Mas a palavra "dividido", aqui usada, poderia ser mais bem traduzida por "composto", uma referência à mistura do ferro e do barro cozido que representa fortaleza e fraqueza.

Mas se *Roma* está em pauta, então pode estar em mira a divisão desse império em dez partes subordinadas. A visão dispensacionalista deste versículo, em seguida, liga os dez artelhos, e os dez chifres, aos *dez chifres* de Ap 17.3. Esses dez chifres, por parte de alguns estudiosos, são então as dez nações do Mercado Comum Europeu, ou dez centros de poder no mundo, concebidos como um reavivamento do império romano nos últimos dias, o qual será encabeçado pelo anticristo. Visto que o Mercado Comum Europeu consiste agora em mais do que dez nações membros, a teoria do "poder central" atualmente é mais popular. Não sabemos o quanto dessa forma de interpretação está correta e quanto dela não passa de fantasia. Os críticos pensam que é ridículo tentar adaptar tais profecias (ou história!) ao mundo conhecido atualmente. Ver as notas em Ap 17.3 no *Novo Testamento Interpretado*.

Barro de oleiro. Dizem assim muitas traduções, mas barro cozido (ver o vs. 33) provavelmente é o que está em vista. O barro cozido é aparentemente duro, mas inerentemente fraco, e o fato de estar misturado com o ferro tornava a liga mais precária. O barro cozido é *quebradiço*, embora *pareça* ser forte. O vs. 43 diz "barro cozido" (NIV), mas algumas traduções dizem "barro de lodo", conforme se vê em nossa versão portuguesa.

■ **2.43**

דִּי חֲזַיְתָ פַּרְזְלָא מְעָרַב בַּחֲסַף טִינָא מִתְעָרְבִין לֶהֱוֹן בִּזְרַע אֲנָשָׁא וְלָא־לֶהֱוֹן דָּבְקִין דְּנָה עִם־דְּנָה הֵא־כְדִי פַרְזְלָא לָא מִתְעָרַב עִם־חַסְפָּא׃

Quanto ao que viste do ferro misturado com barro de lodo. O ferro e o barro são elementos precários quando se misturam, sem importar se o barro estiver cozido ou em sua forma semilíquida. O resultado é a *fraqueza*, conforme vimos nas notas sobre o vs. 42.

Houve uma mistura dos homens fortes de Alexandre com as filhas das nações, pelo que o caráter grego distintivo foi poluído. O próprio Alexandre encorajava casamentos mistos, com povos conquistados, em sua visão universalista das coisas, e ele, como é natural, seria o rei do império mundial. Os reis selêucidas e ptolomeus continuaram a política dos casamentos mistos, e em breve o que era grego transformou-se em apenas outra forma de expressão gentílica. Se Roma está em mira, então temos o declínio gradual da força romana. A descentralização destruiu o império romano. A anarquia passou a reinar em alguns lugares: houve o governo da *plebe,* ou seja, das classes populares. Em outros lugares, a democracia enfraqueceu o poder centralizado, e o resultado foi a *fragmentação*. Portanto, vários tipos de "casamento" debilitaram o que antes fora muito forte. Não está em vista a mistura do cristianismo com o paganismo, na época da igreja, embora certamente isso tenha acontecido e continue acontecendo.

■ **2.44,45**

וּבְיוֹמֵיהוֹן דִּי מַלְכַיָּא אִנּוּן יְקִים אֱלָהּ שְׁמַיָּא מַלְכוּ דִּי לְעָלְמִין לָא תִתְחַבַּל וּמַלְכוּתָה לְעַם אָחֳרָן לָא תִשְׁתְּבִק תַּדִּק וְתָסֵיף כָּל־אִלֵּין מַלְכְוָתָא וְהִיא תְּקוּם לְעָלְמַיָּא׃

כָּל־קֳבֵל דִּי־חֲזַיְתָ דִּי מִטּוּרָא אִתְגְּזֶרֶת אֶבֶן דִּי־לָא בִידַיִן וְהַדֶּקֶת פַּרְזְלָא נְחָשָׁא חַסְפָּא כַּסְפָּא וְדַהֲבָא אֱלָהּ רַב הוֹדַע לְמַלְכָּא מָה דִּי לֶהֱוֵא אַחֲרֵי דְנָה וְיַצִּיב חֶלְמָא וּמְהֵימַן פִּשְׁרֵהּ׃ פ

Mas, nos dias destes reis, o Deus do céu suscitará um reino. O *quinto reino* é o reino divino da era do reino e do Messias. Este versículo interpreta a grande pedra dos vss. 34,35. O reino universal de Deus destruirá todos os outros reinos, reduzindo-os a um pó tão fino que qualquer brisa será capaz de soprar para longe. Mas o próprio reino do Messias será invencível e indestrutível. Perdurará para sempre. Se tornará ímpar e único. Os dispensacionalistas veem os *dez artelhos* como, especificamente, reinos a serem esmigalhados. A grande pedra é a Rocha, o Messias. Cf. Sl 118.22; Is 8.14; 28.16; 1Pe 2.6-8. A grande pedra tornou-se uma *montanha,* tão poderosa e imensa será (ver Dn 2.35). Essa montanha encherá toda a terra. A *montanha* simboliza um grande *reino*. Essa montanha é distinta da imagem. É de origem divina e tem uma qualidade eterna, ao passo que a imagem feita pelo homem é reduzida a pó.

"Os reinos anteriores tinham sido destruídos ou pela corrupção interna ou por algum conquistador vindo de fora. Mas esse novo reino nunca será destruído, pois permanecerá para sempre. A soberania de Deus jamais passará... O escritor sacro, pois, estava dizendo que o novo reino não será apenas outro reino, que chegou e logo passará. Não estará nas mãos de algum grupo nacional, mas nas mãos de Deus" (Arthur Jeffery, *in loc.*). Esse intérprete passa então a fazer do quinto reino a nação de *Israel,* o que, em certo sentido, é verdadeiro, porquanto o reino do Messias será manifestado através da restaurada nação de Israel. No entanto, será mais do que isso.

"Por ocasião de sua volta, o Messias subjugará todos os reinos a seus pés, levando-os assim ao fim (ver Ap 11.15; 19.11-20). E então ele governará para sempre no milênio e no estado eterno" (J. Dwight Pentecost, *in loc.*). Os amilenistas acreditam que o reino milenar foi estabelecido por Cristo em seu primeiro advento, e que a Igreja é esse reino. Eles também imaginam que o cristianismo crescerá até tornar-se uma grande montanha. Os pré-milenaristas acreditam que o reino messiânico será estabelecido por ocasião do segundo advento de Cristo. Ver no *Dicionário* os verbetes *Amilenismo* e *Milênio,* onde essas questões são mais detalhadas.

História ou Profecia? Alguns intérpretes creem que as chamadas profecias de Daniel são, de fato, "declarações de fatos já acontecidos". Também supõem que o autor não tenha sido o profeta Daniel, que viveu entre os judeus cativos na Babilônia, e, sim, um pseudo-Daniel, que teria vivido em cerca de 165 a.C., durante o período dos macabeus. O autor sagrado teria falado sobre coisas que já haviam acontecido, exceto o império romano, que foi então adicionado às tradições interpretativas, quando surgiu em cena. E eles pensam de evidências históricas para essas tais afirmações. Ver a introdução a este livro, seção III, *Autoria, Data e Debates a Respeito*. Seria útil ao leitor ler toda a *Introdução*, pois há inúmeras observações sobre o livro de Daniel.

Epílogo (2.46-49)

■ 2.46

בֵּאדַיִן מַלְכָּא נְבוּכַדְנֶצַּר נְפַל עַל־אַנְפּוֹהִי וּלְדָנִיֵּאל סְגִד וּמִנְחָה וְנִיחֹחִין אֲמַר לְנַסָּכָה לֵהּ:

Então o rei Nabucodonosor se inclinou. O impacto das palavras de Daniel sobre Nabucodonosor foi muito grande. Ele sabia que o que Daniel tinha dito era verdadeiro, e o rei tremeu diante de uma genuína demonstração do poder de Yahweh. Essa é uma das lições que o autor do livro de Daniel queria que aprendêssemos: a superioridade de Yahweh sobre os deuses pagãos; e também a superioridade dos judeus sobre os pagãos. Daniel tinha afirmado a verdade do que ele dissera (vs. 45), e Nabucodonosor reconheceu, em seu coração, que recebera excelente revelação de Yahweh, que nem ao menos fazia parte do seu panteão. Os judeus, que receberam o livro de Daniel, estavam sob o amargo domínio de um poder pagão, mas seriam livrados desse domínio e triunfariam no fim. Essa é outra lição do texto. O rei de reis, Nabucodonosor, humilhou-se diante de Daniel, o cativo judeu! Cf. Gn 41.37 ss. e Et 10.3.

O medo do rei soltou seus músculos e ele perdeu o autocontrole, pelo que caiu de cabeça no chão. E prestou homenagem a Daniel, ou talvez até o tenha adorado, conforme dizem algumas traduções. Talvez tenha pensado que um *deus* aparecera de súbito em seu reino, disfarçado de cativo judeu, e essa talvez seja a razão pela qual lhe ofereceu oferendas e incenso. Ou então, conforme o vs. 47 parece dar a entender, o rei ofereceu essas coisas a Elohim, que é o Deus dos deuses, ao honrar a Daniel. Seja como for, *a autoridade divina de Daniel foi reconhecida*. O autor deixa de fora a usual retratação que caracteriza tais histórias, mas provavelmente queria que entendêssemos que Daniel rejeitou as honrarias indevidas que pertenciam exclusivamente a Deus.

■ 2.47

עָנֵה מַלְכָּא לְדָנִיֵּאל וְאָמַר מִן־קְשֹׁט דִּי אֱלָהֲכוֹן הוּא אֱלָהּ אֱלָהִין וּמָרֵא מַלְכִין וְגָלֵה רָזִין דִּי יְכֵלְתָּ לְמִגְלֵא רָזָה דְנָה:

Certamente, o vosso Deus é Deus dos deuses. Por causa da bem-sucedida interpretação do sonho, Nabucodonosor pode ter pensado que Daniel era um deus-mensageiro que representava um *poder ainda maior*. Ele chamou esse poder maior de *Deus de deuses e Senhor de senhores*. A palavra para *Deus*, aqui, é o termo caldaico *Elah*, que pode representar Elohim, o Poder. Seja como for, esse Deus está acima de todos os outros, em seu poder e dignidade. A autoridade dele ultrapassa a autoridade de todas as outras alegadas divindades. O rei babilônico não abandonou seu politeísmo, mas elevou o Deus dos judeus acima do resto. Esse Deus era um *revelador de mistérios*, ao passo que os psíquicos profissionais não tinham contato suficiente com os *deuses* (vs. 11), a ponto de serem capazes de invocá-los para serem ajudados. Seus deuses eram deístas, ao passo que o Deus de Daniel era teísta, pois intervinha no curso dos eventos e fazia conhecidos o seu poder e a sua vontade. Ver no *Dicionário* os artigos chamados *Teísmo* e *Deísmo*. Marduque, o chefe do panteão babilônico, era chamado, pelos babilônios, de "Senhor dos senhores" e "Senhor dos deuses". Xerxes, nas suas inscrições, falava de um "grande Deus, o maior dos deuses". Portanto, o que os pagãos atribuíam às suas divindades principais agora era atribuído ao Deus dos judeus. E o rei da Babilônia foi forçado a reconhecer que o seu poder derivava de Yahweh-Elohim, uma admissão muito significativa para um rei pagão.

■ 2.48

אֱדַיִן מַלְכָּא לְדָנִיֵּאל רַבִּי וּמַתְּנָן רַבְרְבָן שַׂגִּיאָן יְהַב־לֵהּ וְהַשְׁלְטֵהּ עַל כָּל־מְדִינַת בָּבֶל וְרַב־סִגְנִין עַל כָּל־חַכִּימֵי בָבֶל:

Então o rei engrandeceu a Daniel. Daniel recebeu o que havia sido prometido aos psíquicos profissionais e aos sábios (vs. 6). Tornou-se um homem rico, alguém considerado dentro do império babilônico. A história babilônica faz silêncio sobre tudo isso. A cidade da Babilônia foi posta às ordens de Daniel, que se tornou seu prefeito. Essa é uma declaração fabulosa, não confirmada pela história secular. O versículo subentende que a autoridade de Daniel se estendia por todo o império babilônico, e não somente sobre a capital do império. Nesse caso, Daniel é retratado como uma espécie de sub-rei, que só prestava contas ao próprio imperador. Além disso, ele se tornou líder da casta dos sábios, enumerados no vs. 2 deste capítulo.

Alguns estudiosos dizem que temos aqui um notável caso de hipérbole oriental, mas aceitam a essência da hipérbole: Daniel tornou-se grande e rico, e detinha considerável poder. Visto que a Babilônia estava dividida em muitas satrapias, podemos imaginar que Daniel tornou-se sátrapa de uma dessas satrapias, aquela sobre a qual se localizava a casa real. Mesmo assim, a declaração é muito significativa. Por isso, alguns a reduzem à ideia de que Daniel se tornou o *mago em chefe*, mas é evidente que a declaração envolve muito mais do que isso.

■ 2.49

וְדָנִיֵּאל בְּעָא מִן־מַלְכָּא וּמַנִּי עַל עֲבִידְתָּא דִּי מְדִינַת בָּבֶל לְשַׁדְרַךְ מֵישַׁךְ וַעֲבֵד נְגוֹ וְדָנִיֵּאל בִּתְרַע מַלְכָּא: פ

A pedido de Daniel, constituiu o rei a Sadraque, Mesaque e Abede-Nego. Daniel não esqueceu os amigos que o tinham ajudado com orações no momento da crise (vss. 17,18). Também solicitou que o rei lhes desse posições de autoridade como subsátrapas. Eles seriam delegados de Daniel, enquanto este permanecesse na corte do rei, dirigindo as atividades.

Cf. Et 2.19,21. Mordecai permaneceu na *porta do rei*. Os papiros elefantinos retratam *Ahiqar* como "posto na porta do palácio". A expressão "diretor da porta do palácio" aplicava-se a certos oficiais da corte de Hamurabi. "O portão originalmente era a entrada da câmara de audiências do rei. Ali os oficiais permaneciam esperando ordens, julgando casos de justiça e dando suas próprias ordens.

Supõe-se que Daniel tenha servido os judeus cativos de modo especial, visto que agora tinha autoridade para assim agir. Ele serviu como mediador e obteve para eles certos privilégios que não seriam desfrutados de outra maneira. Ver as *três deportações* dos judeus para a Babilônia, nas notas sobre Jr 52.28.

CAPÍTULO TRÊS

O livro de Daniel é essencialmente composto por *seis histórias* e *quatro visões*. As histórias ocupam os capítulos 1—6, e as visões, os capítulos 7—12. Quanto a detalhes a respeito, ver a seção "Ao Leitor", parágrafos quinto e sexto, antes do começo da exposição em Dn 1.1. Agora chegamos à *terceira história*, a experiência dos três confessores na fornalha ardente. Este capítulo naturalmente se divide em três seções — vss. 1-7; vss. 8-23; e vss. 24-30. Essas seções contam com subseções. No começo de cada uma das seções ofereço um título que dá a essência do que se segue.

TERCEIRA HISTÓRIA: OS TRÊS CONFESSORES NA FORNALHA DE FOGO (3.1-30)

Temos aqui uma história que ilustra a convicção judaica de que o martírio é preferível à apostasia. A imagem colossal de Nabucodonosor teria de ser adorada por todos. Essa imagem de ouro (cap. 5) provavelmente representava o panteão do império, e talvez deificasse o próprio rei como seu deus-mensageiro. O sonho do segundo capítulo, em que Nabucodonosor figura como a *cabeça de ouro* da imensa e grotesca imagem, pode ter-lhe sugerido que seria apropriado construir uma imagem dele próprio, para efeitos de autoglorificação. Essa história ignora a humilhação do rei diante de Yahweh-Elohim (vs. 46). Não seria demais que um pagão esquecesse esse incidente. Além disso, era comum que os antigos potentados levantassem tais imagens.

Daniel não aparece nessa história. Seus três amigos foram os perseguidos. Talvez devamos supor que o profeta, em sua glória (ver Dn 2.48), estivesse fora do alcance do decreto e do desígnio do rei, mas seus amigos, em posições inferiores, foram assediados.

Prólogo (3.1-7)

A Septuaginta fornece-nos uma data para essa história, a saber, o décimo oitavo ano de governo real de Nabucodonosor. Também são sugeridas razões para a construção da imagem. Foi naquele ano que o rei efetuou a devastação final de Jerusalém, mas essa adição é, obviamente, secundária. Sabemos que o rei erigiu uma imagem a Bel Merodaque (*Registros do Passado*, V, pág. 113), e talvez seja isso o que está em vista aqui. Talvez alguma grande vitória tenha sido comemorada pelo levantamento da imagem. Os vss. 12, 14, 18 e 20 talvez subentendam que alguma divindade estivesse sendo honrada pela imagem.

■ 3.1

נְבוּכַדְנֶצַּר מַלְכָּא עֲבַד צְלֵם דִּי־דְהַב רוּמֵהּ אַמִּין
שִׁתִּין פְּתָיֵהּ אַמִּין שֵׁת אֲקִימֵהּ בְּבִקְעַת דּוּרָא בִּמְדִינַת
בָּבֶל׃

O rei Nabucodonosor fez uma imagem de ouro. A imagem erigida foi imensa, tendo cerca de 30 m de altura, equivalente a oito andares de um edifício. Era feita de *ouro*. Talvez o sonho do rei, no qual ele aparecia como a *cabeça de ouro*, tenha influenciado a escolha do metal. A largura era de apenas 3 m, e é provável que a imagem não tivesse o formato de um homem. Se tivesse, seria uma figura muito grotesca. Foi levantada na planície de *Dura* (ver a respeito no *Dicionário*, quanto a detalhes). O termo *dura* era comumente usado na Mesopotâmia para indicar qualquer lugar fechado por uma parede ou por montanhas. Provavelmente o lugar ficava perto da Babilônia. Quanto a detalhes, ver o artigo. Essa construção provavelmente era uma coluna com inscrições, talvez uma imagem esculpida que representasse o deus honrado. Continua em debate a quantidade de ouro que havia nessa coluna. Provavelmente ela era apenas recoberta de ouro.

■ 3.2

וּנְבוּכַדְנֶצַּר מַלְכָּא שְׁלַח לְמִכְנַשׁ לַאֲחַשְׁדַּרְפְּנַיָּא
סִגְנַיָּא וּפַחֲוָתָא אֲדַרְגָּזְרַיָּא גְדָבְרַיָּא דְּתָבְרַיָּא תִּפְתָּיֵא
וְכֹל שִׁלְטֹנֵי מְדִינָתָא לְמֵתֵא לַחֲנֻכַּת צַלְמָא דִּי הֲקֵים
נְבוּכַדְנֶצַּר מַלְכָּא׃

Então o rei Nabucodonosor mandou ajuntar os sátrapas. A *importância* da imagem para Nabucodonosor é demonstrada pelo convite geral (ordem, decreto) aos oficiais babilônicos para a dedicação da imagem. Essas comemorações festivas eram comuns na Babilônia. A lista dos oficiais é similar a outras descobertas no antigo Oriente Próximo e Médio. Sargão, em suas inscrições, bem como Esar-Hadom, apresentou listas similares. Os títulos aqui usados eram quase todos persas, e isso tem provocado um problema histórico. Inscrições neobabilônicas não mostram nenhuma influência das palavras persas. Alguns críticos veem nesta circunstância evidência de uma data posterior do livro.

Nomes:

1. *Sátrapas.* Cf. Ed 8.36; 3.12; 8.9 e 9.3. Foi Dario I quem dividiu o império em satrapias e suas datas foram 521-495 a.C. Eram os principais representantes do rei, pois eram os cabeças do governo provincial.
2. *Prefeitos.* Cf. Dn 2.48 e 6.7. Esdras e Neemias usaram o termo para certos oficiais secundários de Jerusalém. Mas alguns estudiosos acreditam tratar-se de comandantes militares.
3. *Governadores.* Ver Ed 5.14. Esses eram "senhores de distritos", os *bel pahati* dos babilônios. Oficiais importantes e subalternos eram assim chamados, o que significa que essa palavra pode apontar para ambas as coisas. Eram administradores civis de várias categorias.
4. *Conselheiros.* Conforme os nomes persas subentendam, eram conselheiros do povo (*handarza*, conselheiro + *kara*, povo). Essa palavra pode significar qualquer pessoa que tinha a autoridade do governo por ela representada.
5. *Tesoureiros.* Cf. Ed 7.21, onde a palavra existe com uma variante de diferente soletração. Eles eram administradores dos fundos públicos.
6. *Juízes.* Essa palavra vem do hebraico, *data bara* (sustentador da lei). Eram os especialistas na administração das leis.
7. *Magistrados.* Ao que parece, a palavra deriva-se de um termo persa, *pat*, "chefe". Oficiais militares e palacianos eram assim chamados, mas alguns estudiosos vinculam esse ofício com o de número seis, supondo que eles fossem executores da lei.
8. *Todos os oficiais.* O autor sagrado usou essa expressão para evitar deixar de lado qualquer oficial que tivesse autoridade. Ninguém que tivesse um mínimo de importância foi ignorado no convite (ordem, decreto). Todas as autoridades da terra se puseram de pé diante da imagem, dando a ela sua sanção e aprovação, confirmando o decreto de que todos os habitantes do reino deveriam adorar àquela monstruosidade. Toda idolatria é *abominação*. Nabucodonosor teve sua *abominação forçada,* e não permitiria uma única voz discordante. Os desobedientes seriam brutalmente executados, conforme o restante da história demonstra claramente.

■ 3.3

בֵּאדַיִן מִתְכַּנְּשִׁין אֲחַשְׁדַּרְפְּנַיָּא סִגְנַיָּא וּפַחֲוָתָא
אֲדַרְגָּזְרַיָּא גְדָבְרַיָּא דְּתָבְרַיָּא תִּפְתָּיֵא וְכֹל שִׁלְטֹנֵי
מְדִינָתָא לַחֲנֻכַּת צַלְמָא דִּי הֲקֵים נְבוּכַדְנֶצַּר מַלְכָּא
וְקָאֲמִין לָקֳבֵל צַלְמָא דִּי הֲקֵים נְבוּכַדְנֶצַּר׃

Então se ajuntaram os sátrapas... O decreto real foi autenticado pela liderança coletiva da nação. Este versículo repete os nomes dos oficiais do versículo anterior, para compreendermos que todos aqueles oficiais concordaram com o decreto. Não houve absolutamente voto democrático. Nem havia permissão para que alguém desobedecesse às ordens reais. Desobedecer seria considerado uma *traição* ao Estado. Foi assim que o rei pensou em um absurdo, e a liderança secundária inteira promoveu a causa com entusiasmo. Os oficiais do governo vieram de *todos os lugares*. Nenhum oficial seria capaz de ocultar-se e escapar dessa prática idólatra. Aqueles homens ridículos *ficaram de pé* enquanto a imagem era dedicada, pois seria considerado um sacrilégio alguém sentar-se. Eles respeitaram o que não deveria ser respeitado. Ninguém proferiu um comentário crítico contra a imagem, e certamente ninguém lhe deu pontapés. A lealdade foi jurada àquele culto, a qual seria a "religião do Estado" em todos os lugares do império.

■ 3.4

וְכָרוֹזָא קָרֵא בְחָיִל לְכוֹן אָמְרִין עַמְמַיָּא אֻמַּיָּא
וְלִשָּׁנַיָּא׃

Nisto o arauto apregoava em alta voz. Um *arauto* foi comissionado para exprimir a convicção da liderança babilônica. Visto que fora o rei quem ordenara aquele culto, todos eram 100% favoráveis. Todos os povos dentro dos limites do império babilônico foram obrigados a adorar a imagem. Isso significa que praticamente todo o mundo então conhecido foi forçado a adorar o monstro da planície. Quanto a *povos, nações e línguas*, cf. os vss. 7 e 29; 4.1; 5.19; 6.25 e 7.14. Isso fala em *universalidade*. Judite 3.8 pinta Nabucodonosor decidido a eliminar todas as religiões não babilônicas. Isso se tornou um ato de patriotismo. Talvez exista um paralelo aqui a Antíoco (ver Dn 11.36). A ordem era "ou obedece, ou é queimado".

■ 3.5

בְּעִדָּנָא דִּי־תִשְׁמְעוּן קָל קַרְנָא מַשְׁרוֹקִיתָא קִיתָרֹס
סַבְּכָא פְּסַנְתֵּרִין סוּמְפֹּנְיָה וְכֹל זְנֵי זְמָרָא תִּפְּלוּן
וְתִסְגְּדוּן לְצֶלֶם דַּהֲבָא דִּי הֲקֵים נְבוּכַדְנֶצַּר מַלְכָּא׃

No momento em que ouvirdes o som da trombeta. "A música daria o sinal para o ponto alto do culto de dedicação. Isso ocorreria não somente porque todos os reunidos deviam saber o momento preciso em que deveriam obedecer ao decreto real, mas também porque, na antiguidade, era costume que instrumentos musicais acompanhassem as cerimônias públicas" (Arthur Jeffery, *in loc.*).

Os nomes dos instrumentos foram dados em grego, talvez outra indicação da data tardia do livro de Daniel. Cf. as palavras empregadas para os oficiais, no vs. 2. Pode-se argumentar que as edições posteriores do livro mudaram os nomes desses instrumentos para que se tornassem inteligíveis aos leitores da época — mas esse é um argumento fraco. Além disso, era cedo demais para os críticos afirmarem que palavras gregas influenciaram uma lista inteira de instrumentos da época de Nabucodonosor. Logo, que o problema fique como está, e que aqueles que quiserem incomodar-se com ele, que se incomodem.

"A orquestra incluiu instrumentos de sopro (a trombeta e o pífaro, cf. Dn 3.10,15); um instrumento de palheta (a flauta); e instrumentos de corda (a harpa, a cítara e o saltério)" (J. Dwight Pentecost, *in loc.*).

■ 3.6

וּמַן־דִּי־לָא יִפֵּל וְיִסְגֻד בַּהּ־שַׁעֲתָא יִתְרְמֵא לְגוֹא־אַתּוּן נוּרָא יָקִדְתָּא:

Qualquer que se não prostrar e não a adorar. Um modo temível de execução esperava os desobedientes ao decreto. O tipo de fornalha evidentemente recebia o combustível pelo alto, ao passo que era fechado por tijolos nos quatro lados. Execuções pelo fogo eram comuns entre os antigos, em altares munidos de fogueiras, grelhas em brasa, na fogueira ou em fornalhas. O código de Hamurabi (25,110,157) menciona as fornalhas, embora essa forma de execução parecesse reservada a criminosos especialmente perigosos. Heródoto (Hist. I.86; IV.69) diz-nos que Ciro e os citas executavam dessa maneira bárbara. Ver Diodoro Sículo (I.58.1-4; 77.8). Os hebreus antigos também não devem ser isentados. Ver Gn 38.24; Lv 21.9; Js 7.15,25; Jr 29.22; Jubileus 20.4; 30.7. E 2Macabeus 7.3 ss. e 4Macabeus 18.20 mostram-nos que essa forma de execução foi usada nos tempos dos monarcas selêucidas. No caso presente, a alegada impiedade religiosa era punida dessa maneira, e podemos supor que a desobediência era considerada um crime sério contra o Estado.

■ 3.7

כָּל־קֳבֵל דְּנָה בַּהּ־זִמְנָא כְּדִי שָׁמְעִין כָּל־עַמְמַיָּא קָל קַרְנָא מַשְׁרוֹקִיתָא קִיתָרֹס שַׂבְּכָא פְּסַנְטֵרִין וְכֹל זְנֵי זְמָרָא נָפְלִין כָּל־עַמְמַיָּא אֻמַּיָּא וְלִשָּׁנַיָּא סָגְדִין לְצֶלֶם דַּהֲבָא דִּי הֲקֵים נְבוּכַדְנֶצַּר מַלְכָּא:

Portanto, quando todos os povos ouviram o som da trombeta. *A Adoração da Imagem.* Ao ouvir o som de todos os instrumentos listados no vs. 5 (com a exceção única da gaita de foles), todos os povos, de todas as classes, de todas as nações, prostraram-se e adoraram a grotesca imagem de Nabucodonosor. Quem enfrentaria o horroroso castigo ameaçado contra os desobedientes à ordem real? Representantes de todo o povo adoravam, e em breve todos "lá fora" estavam fazendo a mesma coisa. A superstição e a idolatria ganharam o dia. Mas ainda raiaria outro dia quando a bondade e a justiça seriam as vitoriosas.

A Provação dos Confessores (3.8-23)

A Acusação (3.8-12)

■ 3.8

כָּל־קֳבֵל דְּנָה בַּהּ־זִמְנָא קְרִבוּ גֻּבְרִין כַּשְׂדָּאִין וַאֲכַלוּ קַרְצֵיהוֹן דִּי יְהוּדָיֵא:

Ora, no mesmo instante, se chegaram alguns homens caldeus. O rei se fizera entender claramente. Ninguém poderia dizer-se ignorante da lei. Alguns oficiais provinciais observaram que havia três jovens judeus que não cumpriam seus "deveres religiosos". Esses jovens estavam cometendo um claro ato de traição. Não temos aqui menção ao grupo de judeus no cativeiro, mas somente aos três jovens companheiros de Daniel, o que indica claramente que as massas dos judeus estavam obedecendo ao edito real. O três tinham sido colocados em posição de autoridade (ver Dn 2.49 e 3.12), o que os tornara conspícuos.

E acusaram os judeus. Diz a *Revised Standard Version*: "acusaram maliciosamente". Isso é justificado pelas palavras literais: "e comeram seus pedaços" (ver também Dn 6.24). Esta é uma expressão idiomática no aramaico, que comumente significava "acusar", o que demonstra uma atitude virulenta. O aramaico também usava a expressão "comeram a carne deles" (*Quran*, 49.12). Cf. as palavras *akalo karsi,* das cartas de Tel-el-Amarna (e ver Sl 27.2). Pode ter havido inveja política na questão, em que um partido tentava derrubar outro. A única coisa pior do que a perseguição política é a perseguição religiosa.

■ 3.9

עֲנוֹ וְאָמְרִין לִנְבוּכַדְנֶצַּר מַלְכָּא מַלְכָּא לְעָלְמִין חֱיִי:

Disseram ao rei Nabucodonosor. Aqueles pequenos oficiais locais, em sua tremenda inveja, certificaram-se de que o rei ouvisse sobre a *clara infração* que tinham descoberto. Dessa maneira, demonstraram quão competentes e patriotas eram revelando a questão assim que puderam. Demonstraram respeito pelo rei, desejando que ele "vivesse para sempre", e não dando valor algum à vida dos três "criminosos".

"Um prefácio de lisonja foi seguido de perto pela crueldade. Assim também, em At 24.2,3, onde Tértulo, ao acusar Paulo diante de Félix, começou lisonjeando o governador romano" (Fausset, *in loc.*).

O restante dos judeus acompanhava o movimento de apostasia; Daniel era importante e favorecido demais para alguém tentar atingi-lo. Assim sendo, a ira recaiu sobre os três amigos de Daniel, que são mencionados por nome no vs. 12.

■ 3.10

אַנְתְּה מַלְכָּא שָׂמְתָּ טְּעֵם דִּי כָל־אֱנָשׁ דִּי־יִשְׁמַע קָל קַרְנָא מַשְׁרוֹקִיתָא קִיתָרֹס שַׂבְּכָא פְּסַנְטֵרִין וְסוּפֹּנְיָה וְכֹל זְנֵי זְמָרָא יִפֵּל וְיִסְגֻד לְצֶלֶם דַּהֲבָא:

Tu, ó rei, baixaste um decreto. Aqueles *réprobos* lembraram a Nabucodonosor que fora ele próprio quem decretara, de modo "justo e sábio", que, ao começarem a tocar os instrumentos musicais (já listados por duas vezes nos vss. 5 e 7), todos deveriam prostrar-se e adorar a imagem feita pelo monarca. Os instrumentos tinham sido tocados. O decreto entrara em efeito. Mas certos jovens preferiram desobedecer ao decreto real. Este versículo é uma repetição virtual do vs. 5, onde são oferecidas notas expositivas.

■ 3.11

וּמַן־דִּי־לָא יִפֵּל וְיִסְגֻד יִתְרְמֵא לְגוֹא־אַתּוּן נוּרָא יָקִדְתָּא:

Qualquer que não se prostrasse e não adorasse. Este versículo repete essencialmente o vs. 6 — o *resultado* para quem não obedecesse ao decreto, ou seja, a fornalha ardente. Ver notas ali. Aqueles homens ímpios e desvairados agora "exigiam" que a execução ocorresse. Provavelmente eles seriam galardoados de alguma maneira, ainda que somente com a satisfação de ver a queda dolorosa de inimigos políticos que, além do mais, eram estrangeiros desprezados.

■ 3.12

אִיתַי גֻּבְרִין יְהוּדָאִין דִּי־מַנִּיתָ יָתְהוֹן עַל־עֲבִידַת מְדִינַת בָּבֶל שַׁדְרַךְ מֵישַׁךְ וַעֲבֵד נְגוֹ גֻּבְרַיָּא אִלֵּךְ לָא־שָׂמוּ עֲלָיךְ מַלְכָּא טְעֵם לֵאלָהָיךְ לָא פָלְחִין וּלְצֶלֶם דַּהֲבָא דִּי הֲקֵימְתָּ לָא סָגְדִין: ס

Há uns homens judeus. Os réprobos não demoraram a identificar os "traidores": eram aqueles três estrangeiros, os desprezíveis cativos judeus, a saber, Sadraque, Mesaque e Abede-Nego, homens desobedientes e ímpios que ousavam desafiar o rei e o seu decreto, dignos da punição ameaçadora. Quanto aos nomes desses três homens, seus nomes hebraicos originais e seus novos nomes babilônicos, ver Dn 1.6,7. O texto não menciona a razão pela qual Daniel (que também, sem dúvida, desobedecera ao decreto real) não estava entre os acusados. Por isso floresceram várias conjecturas: 1. Daniel era alto demais para ser tocado; 2. Ele estaria viajando; 3. Ele teria seu próprio julgamento severo (capítulo 6), pelo que pôde ter-se mostrado culpado no caso, mas fora deixado em paz propositadamente.

A Audiência (3.13-15)

■ 3.13

בֵּאדַ֨יִן נְבוּכַדְנֶצַּ֜ר בִּרְגַ֣ז וַחֲמָ֗ה אֲמַר֙ לְהַיְתָיָ֔ה לְשַׁדְרַ֥ךְ מֵישַׁ֖ךְ וַעֲבֵ֣ד נְג֑וֹ בֵּאדַ֙יִן֙ גֻּבְרַיָּ֣א אִלֵּ֔ךְ הֵיתָ֖יוּ קֳדָ֥ם מַלְכָּֽא׃

Então Nabucodonosor, irado e furioso. O rei, como se fosse um louco, reagiu como era previsto. Sua cólera desconheceu limites. Ele reagiu com "ira furiosa" (*Revised Standard Version*) e requereu que os "criminosos" fossem trazidos imediatamente à sua presença. Ele os julgaria "com justiça". A alta estima que o rei lhes devotara (ver 1.20) agora não teria efeito algum sobre o louco rei. Ele faria um caso exemplar daqueles três traidores, a fim de lançar o medo no coração do restante de seus súditos. Eles seriam executados publicamente. A grande fúria dos potentados orientais sempre faz parte de tais histórias. *Grandes homens* sempre estão envolvidos em casos de *grandes iras*. Cf. Et 1.12; 7.7; Tobias 1.18; Jz 5.2; 2Macabeus 4.38; 7.3. Heródoto (*Hist.* VII.39) e Plutarco (*Solon*, 27) oferecem exemplos seculares do mesmo fenômeno.

■ 3.14

עָנֵ֤ה נְבֻֽכַדְנֶצַּר֙ וְאָמַ֣ר לְה֔וֹן הַצְדָּ֕א שַׁדְרַ֥ךְ מֵישַׁ֖ךְ וַעֲבֵ֣ד נְג֑וֹ לֵאלָהַ֗י לָ֤א אִֽיתֵיכוֹן֙ פָּֽלְחִ֔ין וּלְצֶ֧לֶם דַּהֲבָ֛א דִּ֥י הֲקֵ֖ימֶת לָ֥א סָגְדִֽין׃

Falou Nabucodonosor, e lhes disse. O rei queria certificar-se de que as acusações eram verazes, a fim de não perpetrar alguma injustiça. Por isso, perguntou aos acusados se eles tinham desobedecido à sua ordem de adorar a imagem. Eles tinham a obrigação de servir os deuses do rei, ou seriam considerados traidores do Estado. Sempre são más as notícias quando governos têm religiões oficiais, quando igreja e Estado se unificam. Até mesmo em países modernos, que se consideram democráticos, ainda mantêm, em suas atitudes e atos, "religiões do Estado", que causam a perseguição dos dissidentes. Ver na *Enciclopédia de Bíblia, Teologia e Filosofia* o artigo chamado *Igreja e Estado*.

■ 3.15

כְּעַ֞ן הֵ֧ן אִֽיתֵיכ֣וֹן עֲתִידִ֗ין דִּ֣י בְעִדָּנָ֡א דִּֽי־תִשְׁמְע֡וּן קָ֣ל קַרְנָ֣א מַשְׁרוֹקִיתָ֣א קיתרס [קַתְר֣וֹס] שַׂבְּכָ֡א פְּסַנְתֵּרִין֩ וְסוּמְפֹּ֨נְיָ֜ה וְכֹ֣ל ׀ זְנֵ֣י זְמָרָ֗א תִּפְּל֤וּן וְתִסְגְּדוּן֙ לְצַלְמָ֣א דִֽי־עַבְדֵ֔ת וְהֵן֙ לָ֣א תִסְגְּד֔וּן בַּהּ־שַׁעֲתָ֣ה תִתְרְמ֔וֹן לְגֽוֹא־אַתּ֥וּן נוּרָ֖א יָקִֽדְתָּ֑א וּמַן־ה֣וּא אֱלָ֔הּ דִּ֥י יְשֵֽׁיזְבִנְכ֖וֹן מִן־יְדָֽי׃

Agora, pois, estais dispostos...? O rei mandaria novamente tocar a *música*, dando aos pobres cativos outra chance de obedecer à lei. A lista dos instrumentos é repetida pela quarta vez (ver os vss. 5,7,10). O mundo vive sempre a tocar a música da tentação e da traição, e as massas vivem sempre se prostrando. Poucos são os heróis que se rebelam contra a corrente da opinião e da prática pública. Contudo, a maioria raramente tem razão. O rei fez-lhes então um desafio: O Deus deles teria algum poder contra a sua fornalha superaquecida? Isso me faz lembrar das histórias de execução por afogamento. As vítimas eram amarradas a pesos e então lançadas dentro de lagos. Se fossem inocentes, Deus as salvaria, fazendo-as flutuar na superfície. Caso contrário, elas morreriam. A questão era retórica. O rei não estava pensando em termos de alguma intervenção divina. Sua atitude, referida em Dn 2.47, há muito havia sido esquecida, conforme os ímpios esquecem a maior parte de seus sentimentos espirituais. Cf. este versículo às zombarias de Senaqueribe (2Rs 18.35). Ver também a atitude similar do Faraó (Êx 5.2).

A Defesa (3.16-18)

■ 3.16

עֲנ֗וֹ שַׁדְרַ֤ךְ מֵישַׁךְ֙ וַעֲבֵ֣ד נְג֔וֹ וְאָמְרִ֖ין לְמַלְכָּ֑א נְבֽוּכַדְנֶצַּ֕ר לָֽא־חַשְׁחִ֨ין אֲנַ֧חְנָה עַל־דְּנָ֛ה פִּתְגָ֖ם לַהֲתָבוּתָֽךְ׃

Responderam Sadraque, Mesaque e Abede-Nego ao rei. O rei não precisou mandar tocar de novo a música, nem os três cativos vacilaram, debateram e ficaram jogando na tentativa de escapar do inevitável, por meio de argumentos espertos. O caso era fácil: eles precisavam ser fiéis a Yahweh e entregaram sua vida nas mãos dele, incondicionalmente. Assim, os três judeus responderam que não tinham necessidade de defender-se. A defesa deles era Yahweh, ou então não tinham defesa alguma. Se ser alguém leal a Yahweh era um crime, então eles eram os piores criminosos, pois a lealdade deles era grande e sem hesitações.

"A hesitação ou a parlamentação com o pecado é fatal. Uma decisão sem hesitação é a única vereda segura quando a vereda do dever é clara (ver Mt 10.19,28)" (Fausset, *in loc.*). "Há certa demonstração de orgulho aqui, como no caso da resposta de Daniel ao rei, em Dn 5.17. Era um orgulho derivado da consciência de que, na qualidade de servos de Deus, eles eram superiores a qualquer potentado, e, assim, não precisavam de sua clemência ou de seus dons" (Arthur Jeffery, *in loc.*).

■ 3.17

הֵ֣ן אִיתַ֗י אֱלָהַ֙נָא֙ דִּֽי־אֲנַ֣חְנָא פָֽלְחִ֔ין יָכִ֖ל לְשֵׁיזָבוּתַ֑נָא מִן־אַתּ֨וּן נוּרָ֧א יָקִֽדְתָּ֛א וּמִן־יְדָ֥ךְ מַלְכָּ֖א יְשֵׁיזִֽב׃

Se o nosso Deus, a quem servimos, quer livrar-nos... Elohim, o Poder (relativo a *Elah*, a palavra caldaica que aparece neste versículo), era capaz. Eles estavam dispostos a submeter o Senhor a teste. Esperavam livramento — *ser tirados da fornalha*, e não postos dentro dela. Esse seria um livramento da mão perversa do rei idólatra. A tarefa era impossível para a instrumentalidade humana. Nesse caso, somente o Ser divino poderia fazê-lo. Ocasionalmente, todos os homens enfrentam situações em que "somente Deus é capaz" e então são obrigados a entregar a vida nas mãos dele.

> Por todo o caminho meu Salvador me guia,
> Que devo eu pedir além disso?
> Posso duvidar de suas ternas misericórdias,
> As quais, por toda a minha vida, têm sido meu guia?
> Pois sei que, sem importar o que me aconteça,
> Jesus faz bem todas as coisas.
>
> Fanny J. Crosby

Oh, Senhor, concede-nos tal graça!

Ao serem submetidos a teste, eles também estavam submetendo Yahweh a teste.

■ 3.18

וְהֵ֣ן לָ֔א יְדִ֥יעַ לֶהֱוֵא־לָ֖ךְ מַלְכָּ֑א דִּ֤י לֵֽאלָהָיךְ֙ לָא־איתינא [אִיתַ֣נָא] פָֽלְחִ֔ין וּלְצֶ֧לֶם דַּהֲבָ֛א דִּ֥י הֲקֵ֖ימְתָּ לָ֥א נִסְגֻּֽד׃ ס

Se não, fica sabendo, ó rei. Se eles seriam livrados ou não, não fazia nenhuma diferença. Eles sabiam que a idolatria estava errada, mesmo quando se tratasse da idolatria do governo, a lei da terra, mas eles não se envolveriam nisso, sem importar o que essa atitude lhes custaria. O tema principal da história, pois, emerge: O martírio é preferível à apostasia, uma lição que poucos judeus, na época do ataque babilônico e do cativeiro, tinham aprendido. Judá estava perdido em sua idolatria-adultério-apostasia. Este livro praticamente não usa o nome divino *Yahweh*, o qual, para os judeus piedosos, tinha-se tornado santo demais para que fosse proferido. Portanto, o nome *Deus* é usado aqui, e aquele título especial é evitado.

A Sentença e a Execução (3.19-23)

3.19

בֵּאדַ֨יִן נְבוּכַדְנֶצַּ֜ר הִתְמְלִ֣י חֱמָ֗א וּצְלֵ֤ם אַנְפּ֙וֹהִי֙ אֶשְׁתַּנּ֔וּ עַל־שַׁדְרַ֥ךְ מֵישַׁ֖ךְ וַעֲבֵ֣ד נְג֑וֹ עָנֵ֤ה וְאָמַר֙ לְמֵזֵ֣א לְאַתּוּנָ֔א חַד־שִׁבְעָ֕ה עַ֛ל דִּ֥י חֲזֵ֖ה לְמֵזְיֵֽהּ׃

Então Nabucodonosor se encheu de fúria. Agora o rei estava realmente colérico, a tal ponto que seu rosto se contorceu. Cf. o vs. 13. Imediatamente ele baixou o temido decreto e quis uma fornalha superaquecida. Tanto combustível foi posto na fornalha que sua temperatura, segundo o rei esperava, seria *sete vezes* superior ao normal, o que a levaria quase ao calor atômico. Uma fornalha muito quente mataria os três jovens judeus prontamente, mas o autor estava pensando em termos de *aumento* de temperatura, e não no decréscimo do sofrimento. O rei não ordenou uma investigação científica para ver como seria possível aumentar a dor dos três jovens. Ele simplesmente pensou: "Quanto mais quente, melhor". Na mitologia-demonologia dos babilônios, havia sete demônios chamados *Maskim*. Eram os mais formidáveis poderes infernais. Talvez o número "sete", que aparece no texto presente, aluda a isso. Caso contrário, serve de ilustração de como o rei, com sua fisionomia distorcida, estava perpetrando um ato demoníaco.

3.20

וּלְגֻבְרִ֤ין גִּבָּֽרֵי־חַ֙יִל֙ דִּ֣י בְחַיְלֵ֔הּ אֲמַר֙ לְכַפָּתָ֔ה לְשַׁדְרַ֥ךְ מֵישַׁ֖ךְ וַעֲבֵ֣ד נְג֑וֹ לְמִרְמֵ֕א לְאַתּ֥וּן נוּרָ֖א יָקִֽדְתָּֽא׃

Ordenou aos homens mais poderosos que estavam no seu exército. Aproximaram-se agora os *executores temíveis,* homens fortes contra os quais ninguém podia resistir. Sem dúvida eles faziam parte da guarda de elite do rei. Eles amarraram aqueles infelizes hebreus de modo que os jovens não pudessem mover um músculo. Seja como for, não houve resistência da parte dos jovens. A vida deles estava entregue nas mãos do Todo-poderoso. As coisas tinham fugido ao controle deles. Isso posto, eles fizeram o que podiam. Lançaram a situação inteira aos cuidados do Poder (Elohim), em quem confiaram que faria bem todas as coisas.

Cf. este versículo com Dn 2.14. Os gregos, ao enfrentar casos impossíveis, com frequência falavam "em lançar-se aos cuidados dos deuses e da oração".

3.21

בֵּאדַ֣יִן גֻּבְרַיָּ֣א אִלֵּ֗ךְ כְּפִ֙תוּ֙ בְּסַרְבָּלֵיה֔וֹן פַּטִּישֵׁיה֖וֹן וְכַרְבְּלָתְה֣וֹן וּלְבֻשֵׁיה֑וֹן וּרְמִ֕יו לְגֽוֹא־אַתּ֥וּן נוּרָ֖א יָקִֽדְתָּֽא׃

Então estes homens foram atados com os seus mantos. "Era costume desnudar os criminosos antes de sua execução, pois suas vestes tornavam-se propriedade dos executores (Mt 27.35; Sl 22.18). Lançá-los na fornalha vestidos pode ter sugerido que aquela era uma maneira peculiarmente eficaz de impedi-los de escapar. Mais provável, porém, é que esse detalhe tinha por intuito fomentar o caráter milagroso de seu livramento, visto que as vestes são altamente inflamáveis. Na arte cristã antiga, os três confessores comumente são representados nus no meio das chamas" (Arthur Jeffery, *in loc.*). Aqueles homens estavam usando uma espécie de turbante. Há uma curiosidade vinculada a este texto. Certa denominação evangélica no Brasil, durante muitos anos, usou esse texto para mostrar que os homens crentes devem usar chapéus! Mas a ideia, finalmente, desgastou-se, e os homens daquela denominação deixaram de usar chapéus.

A fornalha, sem dúvida, era aberta no topo, pelo que o propósito era fazer pontaria e lançar os três homens pelo gargalo abaixo, sem chegar muito perto. Ver as notas do vs. 6.

3.22

כָּל־קֳבֵ֣ל דְּנָ֗ה מִן־דִּ֞י מִלַּ֤ת מַלְכָּא֙ מַחְצְפָ֔ה וְאַתּוּנָ֖א אֵזֵ֣ה יַתִּ֑ירָא גֻּבְרַיָּ֣א אִלֵּ֗ךְ דִּ֤י הַסִּ֙קוּ֙ לְשַׁדְרַ֤ךְ מֵישַׁךְ֙ וַעֲבֵ֣ד נְג֔וֹ קַטִּ֣ל הִמּ֔וֹן שְׁבִיבָ֖א דִּ֥י נוּרָֽא׃

Porque a palavra do rei era urgente. Os soldados do rei aqueceram de tal modo a fornalha que foram mortos no processo, ao lançar dentro dela os hebreus, um caso de divina *Lex Talionis* (ou seja, castigo segundo a gravidade do crime cometido; ver no *Dicionário*). Esse tipo de coisa se repete em Dn 6.24. Os acusadores de Daniel foram quem os leões eventualmente devoraram.

É uma característica das histórias dos mártires que os executores e perseguidores recebam uma dose de sua própria medicina. Hamã foi enforcado na própria forca que havia preparado para Mordecai (ver Et 7.10). Usualmente, as coisas não terminam como nas histórias, mas continuamos confiando que Deus fará o que é certo, e continuamos confiando na *Lei Moral da Colheita Segundo a Semeadura* (ver a respeito no *Dicionário*). Também continuamos confiando na imortalidade, em que os erros são corrigidos, os sofrimentos são anulados e a glória brilha. Uma emenda apócrifa diz-nos que as chamas saltaram 24,5 m para fora da fornalha e devoraram aqueles homens, mas isso é um tremendo exagero.

3.23

וְגֻבְרַיָּ֣א אִלֵּ֗ךְ תְּלָ֣תֵּה֔וֹן שַׁדְרַ֥ךְ מֵישַׁ֖ךְ וַעֲבֵ֣ד נְג֑וֹ נְפַ֕לוּ לְגֽוֹא־אַתּוּן־נוּרָ֥א יָקִדְתָּ֖א מְכַפְּתִֽין׃ פ

Estes três homens, Sadraque, Mesaque e Abede-Nego. Os três jovens hebreus foram *lançados* dentro da fornalha. A pontaria foi certeira, e eles caíram exatamente dentro da fornalha. Eles estavam amarrados, mas de que adiantaria isso? Eles não seriam mesmo capazes de saltar para fora do fogo. Foi um ato precipitado, perpetrado por uma mente doentia. Somente Deus poderia ajudar aqueles jovens contra poderes tão malignos. Por outro lado, só existe um Poder, e esse Poder está ao lado da bondade.

Neste ponto, a Septuaginta, a Vulgata, o siríaco e o árabe adicionam o *Cântico de Azarias,* com seus 67 versículos, dele e de seus companheiros na fornalha. Essa adição obviamente foi feita por algum editor, sendo provável que tenha começado na Septuaginta. Azarias era o nome hebraico que foi mudado para Abede-Nego. Ver sobre Dn 1.6,7.

Epílogo (3.24-30)

3.24,25

אֱדַ֙יִן֙ נְבוּכַדְנֶצַּ֣ר מַלְכָּ֔א תְּוַ֖הּ וְקָ֣ם בְּהִתְבְּהָלָ֑ה עָנֵ֨ה וְאָמַ֜ר לְהַדָּֽבְר֗וֹהִי הֲלָא֙ גֻבְרִ֣ין תְּלָתָ֔א רְמֵ֥ינָא לְגוֹא־נוּרָ֖א מְכַפְּתִ֑ין עָנַ֤יִן וְאָֽמְרִין֙ לְמַלְכָּ֔א יַצִּיבָ֖א מַלְכָּֽא׃

עָנֵ֣ה וְאָמַ֗ר הָֽא־אֲנָ֨ה חָזֵ֜ה גֻּבְרִ֣ין אַרְבְּעָ֗ה שְׁרַ֙יִן֙ מַהְלְכִ֣ין בְּגֽוֹא־נוּרָ֔א וַחֲבָ֖ל לָא־אִיתַ֣י בְּה֑וֹן וְרֵוֵהּ֙ דִּ֣י רְבִיעָאָ֔ה דָּמֵ֖ה לְבַר־אֱלָהִֽין׃ ס

Então o rei Nabucodonosor se espantou. Ali estavam eles, o rei e outros, olhando para dentro da fornalha, esperando que as chamas consumissem aqueles homens infelizes. Mas, para espanto do monarca, ele viu *quatro,* e não três homens. Provavelmente algum tempo já se havia passado, e o rei pensou que veria três corpos quase inteiramente consumidos pelo fogo. Mas, em vez de três, ele viu quatro homens *soltos, andando* entre as chamas (vs. 25). Foi um fenômeno notável, e o rei pediu confirmação se não tinham sido somente *três* homens os que tinham sido lançados na fornalha. O *quarto homem* (vs. 25) tinha um aspecto de poder e era como um "filho dos deuses". Algumas traduções dizem aqui "o Filho de Deus", cristianizando o texto, e os intérpretes apontam uma manifestação do Logos no Antigo Testamento. É provável que estivesse em vista um anjo, um ser celestial, alguma pessoa divina. Nos textos ugaríticos encontramos as palavras "filhos de Deus". "Era inevitável que a exegese cristã visse na quarta personagem uma aparição anterior à reencarnação do Redentor. O escritor, entretanto, não tencionava sugerir outra coisa senão que se tratava de um anjo de Deus" (Arthur Jeffery, *in loc.*).

"Vs. 25... 'o Filho de Deus...' é uma tradução eminentemente imprópria. Que noção poderia ter aquele rei idólatra do Senhor Jesus Cristo, que é a compreensão de milhares de pessoas? *Bar alahim* significa "filho dos deuses", uma pessoa divina, um anjo, que foi como o rei o chamou, no vs. 28" (Adam Clarke, *in loc.*). Os anjos, naturalmente, eram chamados de "filhos de Deus", e não devemos compreender neste texto mais do que isso. Ler além disso seria uma *eisegese,* e não uma *exegese,* pois a eisegese significa "ler em um texto aquilo que queremos que ele diga", em vez de derivar do texto somente o que ele diz.

"Os caldeus acreditavam em famílias de deuses: Bel, o deus supremo, geralmente era acompanhado por Milita, a deusa. Portanto, a declaração deste versículo pode significar derivado e enviado pelos deuses" (Fausset, *in loc.*).

Basta-nos entender que existem poderes superiores, agentes divinos que podem intervir e, algumas vezes, realmente intervêm em situações que ultrapassam nosso controle, e operam milagres notáveis em nosso favor. Isso faz parte da doutrina do *Teísmo* (ver a respeito no *Dicionário*), que ensina que o Criador não abandonou sua criação, antes intervém nos eventos humanos, recompensando e punindo. Note também o leitor que alguma luz é lançada sobre o *Problema do Mal:* Por que os homens sofrem, e por que sofrem como sofrem? Ver sobre esse título no *Dicionário,* quanto a uma discussão detalhada.

3.26

בֵּאדַיִן קְרֵב נְבוּכַדְנֶצַּר לִתְרַע אַתּוּן נוּרָא יָקִדְתָּא עָנֵה וְאָמַר שַׁדְרַךְ מֵישַׁךְ וַעֲבֵד־נְגוֹ עַבְדוֹהִי דִּי־אֱלָהָא עִלָּאָה פֻּקוּ וֶאֱתוֹ בֵּאדַיִן נָפְקִין שַׁדְרַךְ מֵישַׁךְ וַעֲבֵד נְגוֹ מִן־גּוֹא נוּרָא׃

Então se chegou Nabucodonosor à porta da fornalha. *O Livramento.* O rei chegou tão perto da fornalha quanto o calor lhe permitiu, e chamou por aqueles servos do *Deus Altíssimo.* Ver no *Dicionário* o verbete chamado *Altíssimo,* quanto a plenas informações sobre esse título. Note o leitor que aqui o nome divino caldaico *Elah* toma o lugar do termo hebraico *Elohim,* quanto ao Poder dos céus. O equivalente hebraico desse título é *El Elyon.* O equivalente grego é *Theos upsistos.* Filo de Biblos diz-nos que os fenícios reverenciavam *Elion,* chamado *Upsistos,* e esse parece ser um dos mais antigos nomes semíticos do Ser Supremo. Esse título ocorre por treze vezes no livro de Daniel, mais do que em qualquer outro livro do Antigo Testamento, excetuando os Salmos. Ver Dn 3.26; 4.2,17,24,25,32,34; 5.18,21; 7.18,22,25,27. Nabucodonosor volta aqui a seus discernimentos de Dn 2.46,47.

Um Teste Moderno por meio do Fogo. Meu irmão, que por muitos anos foi missionário no Congo e, mais tarde, no Suriname, passou por uma prova de fogo. Neste último país, os médicos-feiticeiros desenvolveram o poder de andar sobre carvões em brasa e de quebrar garrafas de vidro com os pés descalços. Certa ocasião, meu irmão foi convidado a assistir a uma demonstração. Em meio à demonstração, ele soube por quê. Ele foi desafiado a fazer a mesma coisa. Enviando uma rápida oração, ele tirou os sapatos e marchou por cima das brasas vivas. Em seguida, pisou em cima de garrafas de cerveja quebradas. E disse que, quando viu que os vidros quebrados não lhe estavam cortando os pés, pisou com mais força e quebrou as garrafas em pequenos pedaços. A demonstração terminou em muita discussão, e então o povo voltou para casa. Naquela noite ele se ajoelhou em oração e disse: "Oh, Senhor, se amanhã eu tiver queimaduras e cortes em meus pés, tu terás sofrido uma grande derrota". No dia seguinte, as pessoas vieram da aldeia e disseram: "Missionário, mostre-nos os seus pés". E ele mostrou. Não havia nem cortes nem queimaduras. E o povo disse: "Oh, Deus é poderoso!"

Há uma antiga e admirável referência a andar sobre o fogo, em Virg. *Aen.* xi.785. *Febo* foi honrado por esse feito, que era realizado por seus devotos.

> Enquanto o pinho santificado estalava,
> Aqueles homens caminharam por meio do fogo
> Em honra ao teu nome,
> Sem ferimentos, sem manchas pelo fogo sagrado.

3.27

וּמִתְכַּנְּשִׁין אֲחַשְׁדַּרְפְּנַיָּא סִגְנַיָּא וּפַחֲוָתָא וְהַדָּבְרֵי מַלְכָּא חָזַיִן לְגֻבְרַיָּא אִלֵּךְ דִּי לָא־שְׁלֵט נוּרָא בְּגֶשְׁמְהוֹן וּשְׂעַר רֵאשְׁהוֹן לָא הִתְחָרַךְ וְסָרְבָּלֵיהוֹן לָא שְׁנוֹ וְרֵיחַ נוּר לָא עֲדָת בְּהוֹן׃

Ajuntaram-se os sátrapas. *Testemunhas.* Não havia nem esperança nem hipnose em massa. Aqueles que se tinham reunidos para assistir ao espetáculo (os maiores e menores oficiais babilônicos) viram o que aconteceu. Eles compartilharam do espanto do rei, diante de um episódio sem igual. O milagre foi tão completo que nem ao menos o *cheiro* do fogo se tinha apegado a eles, nem suas roupas estavam chamuscadas. O fogo simplesmente não exerceu poder algum sobre eles. Foi, como é claro, um poderoso milagre. O vs. 2 enumera *oito* classes de homens, mas aqui são mencionadas somente *quatro.* A lista é abreviada e simboliza a todos os oficiais. Os que apoiaram o decreto real viram que tinham perseguido homens inocentes e espiritualmente poderosos. Havia um Deus maior do que os seus deuses. Ele intervém na história humana e não se afasta dos homens. Somente uma peça de roupa é aqui mencionada, o *sarbal,* manto que teria sido a primeira peça de tecido a ser consumida. Mas não era isso que tinha acontecido, e nenhuma outra peça de suas vestes se queimara. Devemos compreender que aqueles homens estavam simplesmente imunes ao fogo. Ver Hb 11.34, quanto a uma alusão a essa história, no Novo Testamento.

3.28

עָנֵה נְבוּכַדְנֶצַּר וְאָמַר בְּרִיךְ אֱלָהֲהוֹן דִּי־שַׁדְרַךְ מֵישַׁךְ וַעֲבֵד נְגוֹ דִּי־שְׁלַח מַלְאֲכֵהּ וְשֵׁיזִב לְעַבְדוֹהִי דִּי הִתְרְחִצוּ עֲלוֹהִי וּמִלַּת מַלְכָּא שַׁנִּיו וִיהַבוּ גֶשְׁמֵיהוֹן דִּי לָא־יִפְלְחוּן וְלָא־יִסְגְּדוּן לְכָל־אֱלָהּ לָהֵן לֵאלָהֲהוֹן׃

Falou Nabucodonosor, e disse: Bendito seja o Deus... *A Exaltação de Deus.* Os vss. 28-30 nos dão os resultados esperados do incidente. O rei Nabucodonosor cantou uma doxologia ao Deus dos judeus. Cf. as palavras da rainha de Sabá (2Rs 10.9), bem como as de Hurão, rei de Tiro, em 2Cr 2.12, que são um tanto análogas. Aqui, o filho de Deus, conforme o vs. 25, é chamado de *anjo.* Portanto, essa é a interpretação que o próprio rei deu às suas palavras anteriores. O Deus Altíssimo, o Deus dos judeus, foi louvado pelo rei Nabucodonosor, pois era digno de louvor. Ele mostrou seu poder, enquanto os *deuses* da Babilônia ficavam inativos (ver Dn 3.12). Ele fez algo tremendo em favor dos hebreus que nele tinham confiado. E assim fez porque eles se mostraram leais a suas convicções de não se imiscuir com nenhum tipo de idolatria, mesmo que isso fosse exigido pelo rei de reis (Dn 2.36), Nabucodonosor. Eles se dispuseram a tornar-se mártires de sua causa, o que é melhor do que a apostasia. "Que honra o Senhor deu àqueles que se mostraram constantes em sua fé!" (Adam Clarke, *in loc.*). O rei moveu-se na direção de um monoteísmo piedoso, mas é inútil falar aqui em algum tipo de conversão. Aqueles hebreus "apresentaram seu corpo" como sacrifício a Yahweh (ver Rm 12.1). Ele ficou satisfeito e os devolveu sem ferimentos e sem sequer terem sido chamuscados pelo fogo. Eles se dispuseram a fazer o sacrifício final e a vida deles foi protegida e, em certo sentido, devolvida. Essas são as lições morais e espirituais que aprendemos da história. Aqueles jovens obedeceram a Deus, e não aos homens (ver At 5.29).

3.29

וּמִנִּי שִׂים טְעֵם דִּי כָל־עַם אֻמָּה וְלִשָּׁן דִּי־יֵאמַר שָׁלָה עַל אֱלָהֲהוֹן דִּי־שַׁדְרַךְ מֵישַׁךְ וַעֲבֵד נְגוֹא הַדָּמִין יִתְעֲבֵד וּבַיְתֵהּ נְוָלִי יִשְׁתַּוֵּה כָּל־קֳבֵל דִּי לָא אִיתַי אֱלָהּ אָחֳרָן דִּי־יִכֻּל לְהַצָּלָה כִּדְנָה׃

Portanto faço um decreto. *Um novo e destruidor decreto,* ordenado pelo rei, protegeu os judeus em geral. Qualquer homem que falasse contra o Deus dos judeus seria despedaçado (talvez servido como alimento aos leões), e sua casa seria demolida. Isso repete o que já tínhamos visto em Dn 2.5 como uma ameaça contra os sábios, caso falhassem em dar a interpretação do sonho do rei sobre a imagem. Desse modo, o rei concedeu uma *posição oficial* ao judaísmo. A fé dos judeus podia ser praticada sem perseguição. O rei continuaria a reconhecer outros deuses e estava certo de que nenhum outro deus faria o que ele vira o Deus dos judeus fazer. A história secular da Babilônia não nos conta sobre tal decreto e nem sobre algum favor especial feito por Nabucodonosor aos judeus. Mas não perdemos o valor da história pela falta de confirmação secular. Nesse ponto, parece que o decreto concernente à adoração da imagem passou para o esquecimento, embora o texto sagrado nada diga a respeito. "A decisão em favor de Deus finalmente obteve o respeito até de pessoas mundanas (Pv 16.7)" (Fausset, *in loc.*).

■ **3.30**

בֵּאדַ֗יִן מַלְכָּ֛א הַצְלַ֥ח לְשַׁדְרַ֖ךְ מֵישַׁ֣ךְ וַעֲבֵ֣ד נְג֑וֹ בִּמְדִינַ֥ת בָּבֶֽל׃ פ

Então o rei fez prosperar a Sadraque, Mesaque e Abede-Nego. Os três hebreus já tinham recebido altos ofícios por influência de Daniel (2.49), mas agora foram promovidos. O autor não informa no que consistiu essa promoção, nem dá pistas quanto a seus novos deveres de Estado. A Septuaginta, porém, estipula: "Ele os considerou dignos de presidir a todos os judeus que havia no reino", mas não há que duvidar que temos nisso uma glosa. Alguns veem uma profecia na história do anticristo em seu relacionamento com o remanescente judeu crente, no período da Grande Tribulação. Pelo menos, podemos *aplicar* a história dessa maneira. Não se trata de uma profecia sutil. Antes, devemos supor que esse incidente ajudou outros judeus do cativeiro a evitar a idolatria babilônica, mas quanto a isso coisa alguma nos é dita. A história foi escrita como uma nota geral que mostra que a idolatria é um grande mal, e que morrer como mártir é mil vezes preferível a contaminar-se com a idolatria.

CAPÍTULO QUATRO

O livro de Daniel compõe-se essencialmente de *seis histórias* e *quatro visões*. As histórias ocupam os capítulos 1–6, e as visões, os capítulos 7–12. Quanto a detalhes sobre esse arranjo, ver a seção "Ao Leitor", parágrafos quinto e sexto, apresentados imediatamente antes do começo da exposição sobre Dn 1.1. Agora chegamos à *quarta* história, que versa sobre a *loucura de Nabucodonosor*. Este capítulo naturalmente tem três divisões: vss. 1-9; vss. 10-27 e vss. 28-37. Há um título no início de cada uma dessas divisões, dando a essência do que se segue.

A INSANIDADE DE NABUCODONOSOR (4.1-37)

Esta quarta história aparece sob a forma de uma epístola de Nabucodonosor a seus súditos. O material move-se do *passado* (seu sonho-visão interpretado por Daniel) para o *presente* (a profecia sobre a insanidade do rei). A lição moral e espiritual a ser comunicada é que até o maior dos poderes pagãos mostra-se impotente diante da história e das vicissitudes que estão sob o controle de Yahweh. Nabucodonosor foi reduzido ao estado dos animais, completamente humilhado pelo decreto divino que anulou tudo quanto ele era e podia fazer. No entanto, manifesta-se nessa história a misericórdia divina, pois o rei recebeu permissão de voltar e recuperar sua antiga glória. Os registros babilônicos nada dizem sobre isso, nem sobre um período de insanidade para o rei, nem sobre sua ausência do trono por algum tempo, por alguma razão. Há um relato sobre Nabonido, o último rei neobabilônico, que esteve afastado da capital por vários anos, tendo vivido no deserto; mas certamente Nabucodonosor não está em pauta nesse relato secular. Por esse motivo, os críticos supõem que a história encontrada no livro de Daniel seja uma adaptação do incidente histórico de Nabonido, mas isso é apenas uma conjectura. Seja como for, sem importar o que possamos pensar sobre a historicidade do evento, não devemos permitir que a falta de confirmação secular nos furte de lições espirituais e morais.

Eusébio (*Preparações para o Evangelho*, IX.41) relatou a curiosa história de como Nabucodonosor, em estado de êxtase, previu que a mula persa se apoderaria dele. A mula era ajudada por uma mulher midianita. A história é interessante, mas não sabemos se reflete algum incidente real na vida de Nabucodonosor.

Prólogo (4.1-9)

Nabucodonosor escreveu sua epístola e contou sua história, segundo sumario nas notas acima. Ele quis dar um testemunho pessoal, a todos os seus súditos, sobre as coisas admiráveis que lhe aconteceram. Alguns antigos monarcas vãmente imaginaram que podiam estender suas mãos sobre *toda a terra*. Mas a verdade é que mesmo um grande rei pagão nada é contra o Deus de Israel. A história de Nabucodonosor ilustra esse fato de maneira bastante gráfica. A história humana inteira ilustra a mesma verdade. Este capítulo é uma apologia da superioridade do judaísmo sobre o paganismo, principalmente porque o judaísmo conta com a ajuda do verdadeiro Deus, ao passo que o paganismo é "guiado" por não deuses.

A Carta do Rei (4.1-3)

■ **4.1** (na Bíblia hebraica corresponde ao **3.31**)

נְבוּכַדְנֶצַּ֣ר מַלְכָּ֗א לְֽכָל־עַֽמְמַיָּ֞א אֻמַּיָּ֧א וְלִשָּׁנַיָּ֛א דִּֽי־דָאֲרִ֥ין בְּכָל־אַרְעָ֖א שְׁלָמְכ֥וֹן יִשְׂגֵּֽא׃

O rei Nabucodonosor a todos os povos. Esta carta foi enviada a todos os povos e terras sujeitados à Babilônia, bem como ao próprio povo babilônico, uma grande massa de gente de "toda a terra". Ver Dn 3.4 quanto a uma declaração similar. O rei lhes desejou a "paz", uma introdução comum nas cartas do antigo Oriente Próximo e Médio. Esse era o homem que fizera guerra universal, mas agora descrevia seu avanço espiritual, por meio de experiências incomuns. Por assim dizer, essa carta foi uma epístola pastoral, na qual o rei figura como o pastor de seus súditos-ovelhas. Cf. a saudação de *paz* em Ed 4.18 e 7.12. No Novo Testamento, a saudação tornou-se uma saudação espiritual. Ver Rm 1.7; 1Co 1.3; Gl 1.3; Cl 1.12; 1Pe 1.2 e Ap 1.4 etc.

■ **4.2** (na Bíblia hebraica corresponde ao **3.32**)

אָֽתַיָּא֙ וְתִמְהַיָּ֔א דִּ֚י עֲבַ֣ד עִמִּ֔י אֱלָהָ֖א עִלָּאָ֑ה שְׁפַ֥ר קָֽדָמַ֖י לְהַחֲוָיָֽה׃

Pareceu-me bem fazer conhecidos os sinais e maravilhas. Para o rei pagão, o Deus *Altíssimo* (ver no *Dicionário* e em notas adicionais sobre Dn 3.26) comunicara importantes mensagens. Esse título aparece treze vezes no livro, conforme mostro nas notas sobre o versículo citado. É feito um contraste entre os "deuses" deste mundo, que não passam de ilusão (ver Dn 2.11), razão pela qual frequentemente desapontam os homens, e o Deus dos israelitas. Em contraste, o Deus dos judeus tinha exibido diante do rei grandes sinais e maravilhas, em visões que Daniel autenticara e interpretara. Quanto aos sinais e maravilhas, ver também Dn 6.27. Cf. Dt 4.34; 6.22; Is 8.18. No Novo Testamento, ver Mc 13.22 e Rm 16.19.

■ **4.3** (na Bíblia hebraica corresponde ao **3.33**)

אָת֙וֹהִי֙ כְּמָ֣ה רַבְרְבִ֔ין וְתִמְה֖וֹהִי כְּמָ֣ה תַקִּיפִ֑ין מַלְכוּתֵהּ֙ מַלְכ֣וּת עָלַ֔ם וְשָׁלְטָנֵ֖הּ עִם־דָּ֥ר וְדָֽר׃

Quão grandes são os seus sinais. Os sinais do Deus Altíssimo são *grandes*, e suas maravilhas são *poderosas*, em contraste com os deuses-ídolos dos pagãos. O Deus Altíssimo também tem um reino que é eterno e, finalmente, destruirá e substituirá todos os reinos da terra (Dn 2.44,45). Seu domínio, em contraste com o dos reis da terra, continua interminavelmente, passando de uma geração a outra. A *lição espiritual* assim ensinada é que o Deus dos judeus é incomparável. O paganismo e a idolatria são atacados. A *lição moral* é que devemos lealdade ao Deus Altíssimo, ao mesmo tempo que podemos ignorar, com segurança, todas as imitações. O vs. 3 tem linhas métricas, e estas assumem a forma de um hino de louvor. Cf. Sl 145.5,13.

"Esses são excelentes sentimentos que mostram quão profundamente uma mente ficara impressionada com a majestade de Deus" (Adam Clarke, *in loc.*).

A Incapacidade dos Magos e o Sucesso de Daniel (4.4-9)

■ **4.4** (na Bíblia hebraica corresponde ao **4.1**)

אֲנָ֣ה נְבוּכַדְנֶצַּ֗ר שְׁלֵ֤ה הֲוֵית֙ בְּבֵיתִ֔י וְרַעְנַ֖ן בְּהֵיכְלִֽי׃

Eu, Nabucodonosor, estava tranquilo em minha casa. A Septuaginta data os acontecimentos descritos no décimo oitavo ano do reinado de Nabucodonosor. Trata-se, porém, como é claro, de uma glosa.

O rei diz-nos quão pacífica e livre de cuidados era sua vida pagã, a qual foi perturbada pela intervenção do Deus de Israel, o Deus Altíssimo. Ele *descansava* em seu palácio. Suas conquistas tinham sido essencialmente realizadas. Ele estava apreciando a boa vida, em todos os seus prazeres e excitações. De repente, tornou-se instrumento da revelação divina. O impacto foi tão grande que esta carta saiu inspirada. Ele precisava contar a seus súditos as maravilhas que tinham sacudido sua vida. Tal perturbação espiritual, porém, produziria mudanças para melhor e, através dessa mudança, outras pessoas seriam instruídas. O homem estava *florescendo* em sua vida material, mas estava em um deserto quanto à sua vida espiritual.

■ **4.5** (na Bíblia hebraica corresponde ao 4.2)

חֵלֶם חֲזֵית וִידַחֲלִנַּנִי וְהַרְהֹרִין עַל־מִשְׁכְּבִי וְחֶזְוֵי רֵאשִׁי יְבַהֲלֻנַּנִי׃

Tive um sonho, que me espantou. A *agitação da revelação*, através de um sonho-visão, perturbou a vida descansada do rei. As experiências místicas com frequência aterrorizam no começo, e foi isso o que ocorreu. Após o primeiro susto, a mente do homem foi tomada de ansiedade. Ele sabia que algo importante havia sido comunicado, mas não tinha capacidade de interpretar o sonho. Os fantasmas da visão continuaram a circular por seu cérebro e não lhe deram descanso. Ele estava *alarmado* e espantado. Ver Dn 3.24 e o vs. 19, em seguida. A mesma palavra também é usada em Dn 5.6,9,10; 7.15,28, sempre para falar de uma mente perturbada. Em contraste com Jl 2.28, este livro não parece fazer diferença entre sonhos e visões espirituais. Ver no *Dicionário* os artigos *Sonhos* e *Visão (Visões)*. Ver também as notas em Dn 2.1,2.

■ **4.6,7** (na Bíblia hebraica corresponde ao 4.3,4)

וּמִנִּי שִׂים טְעֵם לְהַנְעָלָה קָדָמַי לְכֹל חַכִּימֵי בָבֶל דִּי־פְשַׁר חֶלְמָא יְהוֹדְעֻנַּנִי׃

בֵּאדַיִן עללין חַרְטֻמַּיָּא אָשְׁפַיָּא כשדיא וגזריא וְחֶלְמָא אָמַר אֲנָה קָדָמֵיהוֹן וּפִשְׁרֵהּ לָא־מְהוֹדְעִין לִי׃

Por isso expedi um decreto. Para tentar compreender a nova visão, o rei (ele não mencionou a primeira, sobre a imagem, cap. 2) usou o mesmo procedimento de antes. Ele expediu um decreto, convocando todos os psíquicos profissionais e outras classes de sábios a interpretar o sonho-visão. O vs. 7 lista esses sábios, mas há uma lista mais ampla em Dn 2.2. Aqui foram adicionados os "encantadores", mas devemos subentendê-los no capítulo 2. Os *caldeus* são a *casta coletiva* dos sábios. Esta narrativa ignora a questão das ameaças de morte para os sábios e seus familiares, caso houvesse falha na interpretação (ver Dn 2.5). E o apelo passa diretamente a Daniel, uma vez constatado que os sábios não podiam solucionar a enigmática visão do rei. Cf. este versículo com Dn 2.27, onde a enumeração da casta dos sábios se parece mais com a dos presentes versículos.

■ **4.8** (na Bíblia hebraica corresponde ao 4.5)

וְעַד אָחֳרֵין עַל קָדָמַי דָּנִיֵּאל דִּי־שְׁמֵהּ בֵּלְטְשַׁאצַּר כְּשֻׁם אֱלָהִי וְדִי רוּחַ־אֱלָהִין קַדִּישִׁין בֵּהּ וְחֶלְמָא קָדָמוֹהִי אַמְרֵת׃

Por fim se me apresentou Daniel. Esta história deixa de lado a busca por Daniel, conforme se vê no capítulo 2, como se ela não tivesse ocorrido. É provável que as duas histórias sejam independentes. Este quarto capítulo por certo não é visto como dependente do segundo, de modo algum. Não apresenta nenhuma progressão. Faz-nos pensar que o rei, em seguida, descobriu Daniel. Daniel também é chamado de *Beltessazar*. Ver a mudança do nome de Daniel em Dn 1.7. Ele recebeu novo nome de acordo com Bel (Marduque), o principal deus da Babilônia. E, acima de todas as pessoas que o rei conhecia, Daniel estava cheio do Espírito dos deuses santos. Essa linguagem é pagã, naturalmente. O rei deveria ter dito "cheio com o Espírito de Deus". Daniel era um homem inspirado, um gigante espiritual de quem se poderia esperar toda a forma de maravilhas, acima do que se poderia esperar de qualquer homem mortal. O Ser divino estava com ele, e isso o tornava um homem extraordinário. O rei aferrou-se ao seu paganismo e às suas expressões, mas reconheceu que tinha muito para aprender de Daniel e sua fé hebraica.

■ **4.9** (na Bíblia hebraica corresponde ao 4.6)

בֵּלְטְשַׁאצַּר רַב חַרְטֻמַּיָּא דִּי אֲנָה יִדְעֵת דִּי רוּחַ אֱלָהִין קַדִּישִׁין בָּךְ וְכָל־רָז לָא־אָנֵס לָךְ חֶזְוֵי חֶלְמִי דִי־חֲזֵית וּפִשְׁרֵהּ אֱמַר׃

Beltessazar, chefe dos magos. Continuando a usar seu vocabulário pagão, o rei chamou Daniel de "chefe" da casta dos sábios. Ele era o melhor dos psíquicos profissionais. O espírito dos deuses, segundo dizia o rei, estava com Daniel, pelo que ele atuava acima das capacidades de um homem normal. Ele era um *intermediário* do Ser divino. Era tão poderoso que conhecia todos os mistérios. Ele podia interpretar as visões ou sonhos do rei. O que o rei disse era muito complementar, mas podemos estar certos de que eram elogios sinceros, ou ele não se teria incomodado em convocar Daniel. Cf. este versículo com Dn 2.48 e 5.11. Nenhum mistério era difícil demais para Daniel (ver Dn 2.19). Cf. Ez 28.3, que se refere a um antigo sábio chamado Daniel, que alguns supõem ser o profeta bíblico. Quanto ao espírito dos deuses santos, cf. o vs. 18 e também Dn 5.11,14.

O Sonho e sua Interpretação (4.10-27)

■ **4.10** (na Bíblia hebraica corresponde ao 4.7)

וְחֶזְוֵי רֵאשִׁי עַל־מִשְׁכְּבִי חָזֵה הֲוֵית וַאֲלוּ אִילָן בְּגוֹא אַרְעָא וְרוּמֵהּ שַׂגִּיא׃

Eram assim as visões da minha cabeça. Em contraste com a história do capítulo 2, Daniel não foi solicitado a recuperar a visão do rei, para então interpretá-la. O rei lembrava o sonho, pelo que a tarefa de Daniel foi apenas de interpretá-lo. O rei tinha consciência de seu sonho-visão, uma árvore grande e impressionante cujo topo chegava ao céu, quase fora de vista. Os sonhos e as visões geralmente operam através do *fomento* do tamanho. Isso nos diz: "Olhai para essa árvore gigantesca" e prepara a nossa mente para algo grande. Os símbolos dos sonhos e das visões são idênticos, pelo que a pessoa capaz de interpretar sonhos também é capaz de interpretar visões. Cf. esta passagem com Ez 31.3-14, onde a visão do grande cedro é mais ou menos parecida. O rei da Assíria está em vista aqui. Heródoto (*Hist.* VII.19) conta uma visão de Xerxes, na qual ele viu a si mesmo coroado com os ramos de uma oliveira que enchia a terra inteira. Uma árvore é uma figura comum que representa um homem, no Antigo Testamento. Ver Sl 1.3; 37.35 e Jr 17.18. Havia um conceito oriental sobre a *árvore mundial,* que era retratada como se crescesse do umbigo da terra. Essa árvore subia até o alto da cúpula da taça invertida do firmamento. O rei e seu reino, naturalmente, eram a *grande árvore de seu tempo,* mas nenhuma árvore era permanente, a despeito de sua glória.

■ **4.11** (na Bíblia hebraica corresponde ao 4.8)

רְבָה אִילָנָא וּתְקִף וְרוּמֵהּ יִמְטֵא לִשְׁמַיָּא וַחֲזוֹתֵהּ לְסוֹף כָּל־אַרְעָא׃

Crescia a árvore, e se tornava forte. A imensa árvore florescia. Seus ramos chegavam aos céus; ela era tão alta que podia ser vista de qualquer ponto da terra. Era a *árvore universal.* Coisa alguma se comparava a ela; toda outra vegetação era minúscula. Nada era tão tirânico, tão diabólico, tão poderoso e tão todo-governante como aquela árvore. Suas raízes enchiam a terra; seus galhos ocupavam o céu. A Septuaginta diz que o *sol* e a *lua* nela habitavam, e *dali* davam luz ao mundo inteiro. Cf. Is 14.14: "Subirei acima das mais altas nuvens, e serei semelhante ao Altíssimo".

■ **4.12** (na Bíblia hebraica corresponde ao 4.9)

עָפְיֵהּ שַׁפִּיר וְאִנְבֵּהּ שַׂגִּיא וּמָזוֹן לְכֹלָּא־בֵהּ תְּחֹתוֹהִי תַּטְלֵל חֵיוַת בָּרָא וּבְעַנְפוֹהִי יְדֻרוּן צִפֲּרֵי שְׁמַיָּא וּמִנֵּהּ יִתְּזִין כָּל־בִּשְׂרָא׃

A sua folhagem era formosa. A *maciça árvore* tinha grande quantidade de folhas pelas quais respirava. Essas folhas eram bonitas de ser vistas e saíam de ramos que produziam toda espécie de frutos bons, em abundância. Os animais dos campos faziam sob a árvore suas covas, e as aves do céu punham seus ninhos próximos a seus ramos. Cf. Ez 17.23 e 31.6. O significado dessa visão é que todo o mundo, com todas as suas nações e povos, tornaram-se dependentes daquela gigantesca árvore, que supria a todos, sendo o poder dominante que sujeitara a si mesmo todos os povos.

■ **4.13,14** (na Bíblia hebraica corresponde ao **4.10,11**)

חָזֵה הֲוֵית בְּחֶזְוֵי רֵאשִׁי עַל־מִשְׁכְּבִי וַאֲלוּ עִיר וְקַדִּישׁ מִן־שְׁמַיָּא נָחִת׃

קָרֵא בְחַיִל וְכֵן אָמַר גֹּדּוּ אִילָנָא וְקַצִּצוּ עַנְפוֹהִי אַתַּרוּ עָפְיֵהּ וּבַדַּרוּ אִנְבֵּהּ תְּנֻד חֵיוְתָא מִן־תַּחְתּוֹהִי וְצִפְּרַיָּא מִן־עַנְפוֹהִי׃

No meu sonho quando eu estava no meu leito. Enquanto o rei observava, viu um extraordinário fenômeno manifestar-se nos altos céus. Um *vigilante*, um ser santo e divino, desceu do céu. Esse vigilante não gostou do que viu, e ordenou que a árvore fosse decepada e que seus ramos fossem desnudados — a dispersão de seus frutos e a expulsão dos vários animais que tinham feito da árvore o seu quartel-general. A palavra aqui traduzida por *vigilante* vem de uma raiz que significa "estar acordado". A tradução da Vulgata Latina é "vigilante". Os vigilantes eram uma classe especial de anjos, na angelologia dos hebreus, pelo que a moderna tradução da NCV diz aqui "anjo", em lugar de "vigilante". A destruição, que poupou apenas a cepa da árvore (para que pudesse crescer novamente), não fala de como a Babilônia foi conquistada pelos medos e persas, mas somente da queda de poder temporário de Nabucodonosor, por causa de sua insanidade. Ele voltaria a ocupar o trono. Cresceria de novo, depois de ter aprendido sua lição. Ver os vss. 23 ss. O vs. 25 fornece a estranha distorção de que *o rei* é que foi expulso do trono, por ser ele a árvore, ao passo que a descrição se ajusta melhor ao final do império babilônico, com o fim da dependência do mundo a esse império.

■ **4.15** (na Bíblia hebraica corresponde ao **4.12**)

בְּרַם עִקַּר שָׁרְשׁוֹהִי בְּאַרְעָא שְׁבֻקוּ וּבֶאֱסוּר דִּי־פַרְזֶל וּנְחָשׁ בְּדִתְאָא דִּי בָרָא וּבְטַל שְׁמַיָּא יִצְטַבַּע וְעִם־חֵיוְתָא חֲלָקֵהּ בַּעֲשַׂב אַרְעָא׃

Mas a cepa com as raízes deixai na terra. A árvore, embora tivesse sido decepada e aparentemente destruída, precisava viver novamente e cumprir o propósito de Deus para ela e para todos os envolvidos. Portanto, a *cepa* foi deixada. Algumas árvores podem regenerar-se a partir de um toco, enquanto outras não podem fazê-lo. Algumas pessoas podem dizer-nos quais árvores são essas, mas não me darei ao trabalho de consultá-las. O toco da árvore falava em *restauração*, mas o ato de amarrar a árvore com cadeias de ferro e bronze fala da divina *restrição*, sem importar o tempo envolvido. Alguns estudiosos veem nessas palavras a garantia de que o trono do rei ficaria guardado para ele: o reino seria amarrado e fortalecido com esse propósito. Outros veem a ideia da *severidade* na punição simbolizada por três correntes e apontam para Dt 28.48; Jr 1.18 e Mq 4.12. É provável que se faça aqui referência às experiências restritoras, humilhantes e rigorosas que os homens passaram durante o tempo da insanidade de Nabucodonosor. A interpretação que se segue não comenta especificamente esse item, mas a própria história o ilustra.

Seja como for, Nabucodonosor tornou-se semelhante a um animal que vivesse no campo, desprotegido em relação ao orvalho do céu, vivendo entre a tenra relva e usando-a como alimento. O homem perdera o *poder do raciocínio*, a principal distinção do homem, e tornou-se como os animais do campo.

■ **4.16** (na Bíblia hebraica corresponde ao **4.13**)

לִבְבֵהּ מִן־אֲנוֹשָׁא יְשַׁנּוֹן וּלְבַב חֵיוָה יִתְיְהִב לֵהּ וְשִׁבְעָה עִדָּנִין יַחְלְפוּן עֲלוֹהִי׃

Mude-se-lhe o coração. A mente extraordinária do rei foi mudada para tornar-se a mente de um animal irracional. *Sete tempos* (anos) passaram por ele, significando que a sua insanidade duraria esse período. A Septuaginta e Josefo (*Antiq*. X.10.6) interpretaram esses tempos como anos. Cf. Dn 7.25. O número *sete* naturalmente é significativo, subentendendo um teste *perfeito* e *completo* ordenado pelo Ser divino para produzir mudança no rei. Seria necessária uma semana de anos para devolver ao rei o bom senso espiritual.

■ **4.17** (na Bíblia hebraica corresponde ao **4.14**)

בִּגְזֵרַת עִירִין פִּתְגָמָא וּמֵאמַר קַדִּישִׁין שְׁאֵלְתָא עַד־דִּבְרַת דִּי יִנְדְּעוּן חַיַּיָּא דִּי־שַׁלִּיט עִלָּיָא בְּמַלְכוּת אֲנוֹשָׁא וּלְמַן־דִּי יִצְבֵּא יִתְּנִנַּהּ וּשְׁפַל אֲנָשִׁים יְקִים עֲלַהּ׃

Esta sentença é por decreto dos vigilantes. Aqui *vigilante* torna-se *vigilantes*, e *santo* torna-se *santos*, sendo provável que esteja em vista a classe de anjos assim chamados. Ver as notas sobre o vs. 13. Aqui os vigilantes são vistos como uma espécie de concílio celeste, tomando decisões que afetam os homens. Eles têm o poder de baixar decretos. Naturalmente, subordinam-se ao Deus Altíssimo (ver as notas em Dn 3.26). Esse título divino — Deus Altíssimo — ocorre por treze vezes nesse livro. Listei as referências no vs. 13. O Deus Altíssimo é visto como tendo uma espécie de conselho de consulta, conceito que pertencia ao judaísmo posterior. Ver *Senhedrin*, 38. Nessa mesma obra, em 94a, temos esse conselho fazendo oposição ao próprio Deus! Mas isso está fora da linha principal da fé judaica. Cf. Jó 1.6,12; 2.1,7; Sl 89.6,7; Jr 23.18, onde encontramos ideias similares.

O Julgamento Divino Estava Chegando. A lição de que Deus é o verdadeiro Rei do mundo deve ser aprendida por homens altivos, entre os quais se destacava Nabucodonosor. Deus dá poder a quem ele quer, e tira esse poder quando isso lhe parece bem. Isso reflete o *Teísmo* (ver a respeito no *Dicionário*). O Criador não abandonou sua criação (conforme afirma o *Deísmo*). Pelo contrário, ele está presente para recompensar, punir e intervir. Ele é soberano. Ver no *Dicionário* o artigo denominado *Soberania de Deus*.

O Rei Pede a Daniel que Interprete a Visão (4.18)

■ **4.18** (na Bíblia hebraica corresponde ao **4.15**)

דְּנָה חֶלְמָא חֲזֵית אֲנָה מַלְכָּא נְבוּכַדְנֶצַּר וְאַנְתָּה בֵּלְטְשַׁאצַּר פִּשְׁרֵא אֱמַר כָּל־קֳבֵל דִּי כָּל־חַכִּימֵי מַלְכוּתִי לָא־יָכְלִין פִּשְׁרָא לְהוֹדָעֻתַנִי וְאַנְתְּ כָּהֵל דִּי רוּחַ־אֱלָהִין קַדִּישִׁין בָּךְ׃

Isto vi eu, rei Nabucodonosor, em sonhos. Os psíquicos profissionais e a classes dos sábios em geral (ver o vs. 7) tinham fracassado. A visão continuava sendo um enigma. Foi necessária a *habilidade especial* do *chefe da casta* (vss. 8,9) para deslindar o significado. Este versículo repete a ideia já vista naqueles versículos. Nada é dito sobre o sucesso anterior de Daniel ao interpretar a visão da imagem do capítulo 2. A história foi contada como se o rei tivesse acabado de descobrir os talentos especiais de Daniel.

Daniel Provê a Interpretação (4.19-24)

■ **4.19** (na Bíblia hebraica corresponde ao **4.16**)

אֱדַיִן דָּנִיֵּאל דִּי־שְׁמֵהּ בֵּלְטְשַׁאצַּר אֶשְׁתּוֹמַם כְּשָׁעָה חֲדָה וְרַעְיֹנֹהִי יְבַהֲלֻנֵּהּ עָנֵה מַלְכָּא וְאָמַר בֵּלְטְשַׁאצַּר חֶלְמָא וּפִשְׁרֵא אַל־יְבַהֲלָךְ עָנֵה בֵלְטְשַׁאצַּר וְאָמַר מָרִאי חֶלְמָא לְשָׂנְאָיךְ וּפִשְׁרֵהּ לְעָרָךְ׃

Então Daniel, cujo nome era Beltessazar. Daniel ficou *assustado* pela visão, não tanto por causa de suas vívidas imagens, mas por causa do seu significado. Ele sentiu prontamente o que estava sendo comunicado, e isso o fez silenciar-se. Grandes emoções podem paralisar as cordas vocais e estontear a mente. Assim sendo, por uma hora inteira Daniel nada disse. Recuperando o autocontrole, o profeta emitiu um desejo impossível: que aquilo que tinha sido visto acontecesse aos inimigos do rei, não ao próprio rei. Esse desejo não lhe seria concedido, mas a verdade é que fora um desejo inspirado pela melancolia do momento. O profeta proferiu sua "fórmula a fim de desviar o mal", algo comum no Oriente, quando se proferiam palavras potencialmente daninhas. Mas a fórmula de Daniel seria inútil, ao passo que a profecia propriamente dita seria cumprida de modo preciso. Não é fácil prever uma grande provação sobre um ente amado, ou um amigo, e é ainda menos fácil contá-la. Não obstante, a oração é mais forte que a profecia, de modo que a profecia pode ser anulada. Que esse sempre seja o nosso caso! Nabucodonosor tinha de passar por uma provação, da qual sairia melhor. Os julgamentos de Deus são dedos de sua mão amorosa.

■ **4.20,21** (na Bíblia hebraica corresponde ao **4.17,18**)

אִילָנָא דִּי חֲזַיְתָ דִּי רְבָה וּתְקִף וְרוּמֵהּ יִמְטֵא לִשְׁמַיָּא וַחֲזוֹתֵהּ לְכָל־אַרְעָא:

וְעָפְיֵהּ שַׁפִּיר וְאִנְבֵּהּ שַׂגִּיא וּמָזוֹן לְכֹלָּא־בֵהּ תְּחֹתוֹהִי תְּדוּר חֵיוַת בָּרָא וּבְעַנְפוֹהִי יִשְׁכְּנָן צִפֲּרֵי שְׁמַיָּא:

A árvore que viste, que cresceu. Os vss. 20,21 retomam os detalhes da visão explicada nos vss. 10-12. O profeta repetiu todos os detalhes, antes de dizer o temível "és tu, ó rei" (vs. 22).

"Daniel recapitulou a questão do sonhos. As pequenas variações em relação ao que é dito nos vss. 10-17 não devem ser consideradas significativas" (Arthur Jeffery, *in loc.*). A interpretação adiciona alguns detalhes que não aparecem no relato original.

■ **4.22** (na Bíblia hebraica corresponde ao **4.19**)

אַנְתְּה־הוּא מַלְכָּא דִּי רְבַית וּתְקֵפְתְּ וּרְבוּתָךְ רְבָת וּמְטָת לִשְׁמַיָּא וְשָׁלְטָנָךְ לְסוֹף אַרְעָא:

És tu, ó rei, que cresceste. A árvore, antes tão exaltada, mas depois humilhada até o quase nada, falava do *próprio rei*. Para apreciar a grandeza da Babilônia e de seu rei, ver no *Dicionário* o artigo chamado *Babilônia*. O rei era alto e forte e espalhou-se como os galhos de uma árvore por todas as partes do mundo então conhecido. Neste ponto, a Septuaginta tem uma longa adição que quase certamente relaciona o texto presente ao período dos macabeus. O império babilônico foi o maior e mais poderoso que houve até aquele tempo, conforme demonstra o artigo citado. Era pequeno segundo os padrões modernos, mas gigantesco para os padrões antigos. Cf. este versículo com Jr 27.6-8. "Ele ultrapassou a todos os reis da terra, em poder e honra, e aspirou atingir a própria divindade, conforme seus galhos se estendiam até os confins da terra (vs. 11)" (John Gill, *in loc.*).

■ **4.23** (na Bíblia hebraica corresponde ao **4.20**)

וְדִי חֲזָה מַלְכָּא עִיר וְקַדִּישׁ נָחִת מִן־שְׁמַיָּא וְאָמַר גֹּדּוּ אִילָנָא וְחַבְּלוּהִי בְּרַם עִקַּר שָׁרְשׁוֹהִי בְּאַרְעָא שְׁבֻקוּ וּבֶאֱסוּר דִּי־פַרְזֶל וּנְחָשׁ בְּדִתְאָא דִּי בָרָא וּבְטַל שְׁמַיָּא יִצְטַבַּע וְעִם־חֵיוַת בָּרָא חֲלָקֵהּ עַד דִּי־שִׁבְעָה עִדָּנִין יַחְלְפוּן עֲלוֹהִי:

Quanto ao que viu o rei, um vigilante. Este versículo repete os elementos dos vss. 13-16, onde ofereço notas expositivas. A repetição faz parte do estilo literário do autor.

■ **4.24** (na Bíblia hebraica corresponde ao **4.21**)

דְּנָה פִשְׁרָא מַלְכָּא וּגְזֵרַת עִלָּיָא הִיא דִּי מְטָת עַל־מָרִאי מַלְכָּא:

Esta é a interpretação, ó rei. Os vss. 24,25 passam a interpretar os vss. 13-16 (repetidos no vs. 23). O que aconteceria ao rei devia-se a um decreto do *Deus Altíssimo*. Quanto a notas sobre esse título divino (que aparece treze vezes no livro), ver Dn 3.26. Nabucodonosor tinha de pagar por todos os tipos de pecados, especialmente o pecado do orgulho (vss. 27,30,31). Assim sendo, o decreto divino era justo e precisava ser cumprido. Cf. o vs. 17. O Rei verdadeiro e celestial tinha de ser exaltado e não toleraria competição. Nabucodonosor precisava ser derrubado. Ver o vs. 25.

■ **4.25** (na Bíblia hebraica corresponde ao **4.22**)

וְלָךְ טָרְדִין מִן־אֲנָשָׁא וְעִם־חֵיוַת בָּרָא לֶהֱוֵה מְדֹרָךְ וְעִשְׂבָּא כְתוֹרִין לָךְ יְטַעֲמוּן וּמִטַּל שְׁמַיָּא לָךְ מְצַבְּעִין וְשִׁבְעָה עִדָּנִין יַחְלְפוּן עֲלָיךְ עַד דִּי־תִנְדַּע דִּי־שַׁלִּיט עִלָּיָא בְּמַלְכוּת אֲנָשָׁא וּלְמַן־דִּי יִצְבֵּא יִתְּנִנַּהּ:

Serás expulso de entre os homens. A *derrubada* da árvore faria com que as aves que se tinham alojado em seus ramos saíssem voando. E quando a árvore caísse, os animais que tinham feito suas covas ao pé da árvore correriam para lugares seguros. Os frutos que cresciam em seus ramos cairiam de súbito. Tal descrição pode parecer significar a destruição do império babilônico pelos medos e persas. Mas sabemos que a confusão dizia respeito ao próprio rei. Em sua insanidade temporária (que o deixaria completamente arrasado pelo golpe divino), o rei correria para a floresta e viveria como um animal. Comeria relva como um boi e viveria exposto à chuva e aos elementos da natureza em geral. Nabucodonosor continuaria nesse estado por sete anos. E assim viria a reconhecer quem é o Rei verdadeiro, a saber, o Deus Altíssimo (ver as notas sobre Dn 3.26). Ver os vss. 14-16, que este versículo interpreta. O governo e os governantes terrenos são levantados e derrubados, conforme chega o tempo de seu governo (ver At 17.26), por meio de decretos divinos, e não pelo poder e pelo engenho humano. Jz 3.8 dá a entender que Nabucodonosor se estabelecera como se fosse um deus e requeria honrarias correspondentes. Foi lembrado pelos judeus não como um grande construtor, mas como quem tinha destruído a cidade sagrada e reduzido a nação a praticamente nada, em seus ataques e subsequentes cativeiros. Portanto, se havia alguém que precisava ser derrubado, esse homem era Nabucodonosor.

Existe uma desordem mental conhecida como *zoantropia*, segundo a qual a pessoa se imagina um animal e passa a agir como um ser irracional. Talvez esse tenha sido o caso de Nabucodonosor. Sem importar a natureza específica da sua enfermidade, o fato é que ela foi um instrumento da mão de Deus, primeiramente para humilhar e então para restaurar Nabucodonosor. Todos os juízos de Deus são restauradores. Ver as notas em 1Pe 4.6, no *Novo Testamento Interpretado*, e também Ef 1.9,10.

■ **4.26** (na Bíblia hebraica corresponde ao **4.23**)

וְדִי אֲמַרוּ לְמִשְׁבַּק עִקַּר שָׁרְשׁוֹהִי דִּי אִילָנָא מַלְכוּתָךְ לָךְ קַיָּמָה מִן־דִּי תִנְדַּע דִּי שַׁלִּטִן שְׁמַיָּא:

Quanto ao que foi dito, que se deixasse a cepa. Nabucodonosor voltaria; ele se recuperaria; ele aprenderia a lição e então receberia de volta seu poder e glória. E esse o símbolo da *cepa* da árvore, que *restaria* e teria o poder de reproduzir-se, formando uma nova árvore, desde as raízes. Este versículo interpreta o vs. 15. O rei precisava aprender que o *céu é que governa*, conforme se lê a respeito do Deus *Altíssimo* no vs. 25. Esse uso não se acha em nenhum outro trecho do Antigo Testamento, embora seja bastante comum nos livros dos Macabeus. Ver 1Macabeus 3.18,19; 2Macabeus 9.21; Aboth 1.3; 2.2.

"Deus governa! Essa é a palavra de esperança para a *nossa* loucura. Devemos aprender que o Altíssimo governa sobre a terra, e que os reis não formam exceção... É uma lição de mordomia... Quando rei Tiago VI, da Escócia, se jactava de seus direitos, Andrew Melville segurou a fímbria de suas vestes e disse: 'Você, tolo vassalo de Deus! Existem dois reinos na Escócia e existem somente dois reis: o rei Tiago e o Rei Cristo Jesus. Nesses reinos, você não é nem Senhor nem Cabeça, mas súdito'" (Gerald Kennedy, *in loc.*).

■ **4.27** (na Bíblia hebraica corresponde ao **4.24**)

לָהֵן מַלְכָּא מִלְכִּי יִשְׁפַּר עֲלָיךְ וַחֲטָיָךְ בְּצִדְקָה פְרֻק וַעֲוָיָתָךְ בְּמִחַן עֲנָיִן הֵן תֶּהֱוֵה אַרְכָה לִשְׁלֵוְתָךְ:

Portanto, ó rei, aceita o meu conselho. Os pecados teriam de ser derrotados pela prática da retidão, e a *idolatria* era a principal ofensa. A *opressão* é o pecado especial da classe dominante. Ela teria de ser abandonada e substituída pela justiça social. Se tais coisas fossem feitas, o severo juízo divino dos sete anos de insanidade teria sido evitado. Cf. o conselho deste versículo com Eclesiástico 3.30,31 e Tobias 4.7-11, que dizem coisas similares. Talvez ao rei tenha sido conferido um período de graça (vs. 29), a oportunidade para reverter o curso do pecado. Nabucodonosor tinha de "pôr fim aos seus pecados", ou seja, literalmente, teria de "redimir-se". Mas a palavra hebraica *peraq* pode referir-se ao *afrouxamento do jugo*. O rei era cativo de seus pecados e tinha de livrar-se deles, caso quisesse escapar da punição. Além disso, tinha de anular suas opressões pela caridade (possivelmente pela doação de *esmolas*), mas está em vista a prática da lei do amor, que cobre uma multidão de pecados (ver Tg 5.20). A Septuaginta apresenta aqui o substantivo grego *eleeimosunais*, "esmolas", mas esse é um uso posterior da palavra.

Epílogo: O Cumprimento da Visão (4.28-37)

■ **4.28** (na Bíblia hebraica corresponde ao **4.25**)

כֹּלָּא מְטָא עַל־נְבוּכַדְנֶצַּר מַלְכָּא: פ

Todas estas cousas sobrevieram ao rei Nabucodonosor. Ao que tudo indica, Nabucodonosor não foi sábio o bastante para aproveitar seu período de graça e endireitar a vida e substituir seus pecados por atos de bondade. Ele perdeu a oportunidade, pelo que o decreto de julgamento teve de ser implementado.

Tudo quanto fora predito aconteceu, em seus mais minúsculos detalhes. "A interpretação de Daniel foi logo esquecida, e suas exortações foram ignoradas. Nabucodonosor continuou em seu orgulho pecaminoso. O rei não se arrependeu, conforme lhe ordenara o profeta. Continuou dominado pelo egoísmo" (J. Dwight Pentecost, *in loc.*).

■ **4.29,30** (na Bíblia hebraica corresponde ao **4.26,27**)

לִקְצָת יַרְחִין תְּרֵי־עֲשַׂר עַל־הֵיכַל מַלְכוּתָא דִּי בָבֶל מְהַלֵּךְ הֲוָה:

עָנֵה מַלְכָּא וְאָמַר הֲלָא דָא־הִיא בָּבֶל רַבְּתָא דִּי־אֲנָה בֱנַיְתַהּ לְבֵית מַלְכוּ בִּתְקָף חִסְנִי וְלִיקָר הַדְרִי:

Ao cabo de doze meses. Talvez esses *doze meses* (um ano) tenham sido mencionados por formarem o período de graça concedido ao rei para limpar sua vida, alterar suas atitudes e substituir a opressão por atos de bondade. Mas agora vemos Nabucodonosor a andar sobre o eirado plano do palácio real (literalmente, o *palácio do reino*), com o nariz empinado e o peito estufado, como se fosse um galo insensato. Ele caminhava solenemente e falava sobre quão grande era a Babilônia e como *ele* tinha construído seu magnífico palácio. A arqueologia encontrou inscrições de Nabucodonosor que são similares às jactâncias citadas neste versículo. Talvez o autor, ao escrever este versículo, estivesse imitando tal coisa. Expedições militares e matanças tinham feito a Babilônia ser o que ela era, e Nabucodonosor usara todo esse dinheiro para embelezar a cidade e o império. Tudo fora feito por seu "grandioso poder" (no hebraico, *hisni*), que pode ser traduzido por "riqueza").

A granda Babilônia. Até mesmo segundo os padrões modernos, a antiga cidade da Babilônia era uma cidade grandiosa. Era a Nova Iorque do antigo Oriente Próximo e Médio. Tinha uma área de 520 km² e era cercada por muralhas com 26 m de espessura e 102 m de altura. Nas entradas, portões de bronze conduziam a vários terraços que davam frente para o rio Eufrates. Dentro das muralhas havia cidades satélites menores, espaçadas por jardins e plantações que emprestavam beleza estética ao lugar. Havia nada menos que oito templos, e muitos edifícios públicos impressionantes. Quanto a detalhes, ver o artigo do *Dicionário* chamado Babilônia.

O Rei é Humilhado (4.31-35)

■ **4.31** (na Bíblia hebraica corresponde ao **4.28**)

עוֹד מִלְּתָא בְּפֻם מַלְכָּא קָל מִן־שְׁמַיָּא נְפַל לָךְ אָמְרִין נְבוּכַדְנֶצַּר מַלְכָּא מַלְכוּתָה עֲדָת מִנָּךְ:

Falava ainda o rei quando desceu uma voz do céu. O *período da graça divina* se havia esgotado, pelo que o julgamento adiado foi aplicado. O rei continuava todo estufado em seu orgulho; permanecia imerso em sua idolatria; ainda participava de seus atos opressivos. Sua vida era autocentralizada. Alguma coisa tinha de mostrar-lhe quem era o verdadeiro Rei. Portanto, a Voz veio do céu, a *Bath Kol (Qol)* (ver a respeito no *Dicionário*). Foi uma comunicação divina miraculosa, uma medida da intervenção de Deus. O tempo do cumprimento da visão tinha chegado. O reino sairia do domínio de Nabucodonosor. Em breve o rei teria de afastar-se de seu trono, e passaria a viver com as feras do campo. Cf. este versículo com Is 9.8; Testamento de Levi 18.6; 2Baruque 13.1; Mt 3.17. Quando o rei ainda proferia suas palavras profanas, uma Voz quebrou o silêncio e pronunciou a sua condenação. Cf. o vs. 14: o *vigilante* clamou em "voz alta". "Quão terrível foi a voz para um rei vitorioso e orgulhoso: 'O teu reino foi-se de ti! Todos os teus bens e os teus deuses desapareceram em um único momento!'" (Adam Clarke, *in loc.*).

■ **4.32** (na Bíblia hebraica corresponde ao **4.29**)

וּמִן־אֲנָשָׁא לָךְ טָרְדִין וְעִם־חֵיוַת בָּרָא מְדֹרָךְ עִשְׂבָּא כְתוֹרִין לָךְ יְטַעֲמוּן וְשִׁבְעָה עִדָּנִין יַחְלְפוּן עֲלָיךְ עַד דִּי־תִנְדַּע דִּי־שַׁלִּיט עִלָּיָא בְּמַלְכוּת אֲנָשָׁא וּלְמַן־דִּי יִצְבֵּא יִתְּנִנַּהּ:

Serás expulso de entre os homens. Este versículo repete a essência dos vss. 14-16 e 25 (o sonho e sua interpretação), a respeito da insanidade temporária do rei e sua alienação do reino. Ver as notas, especialmente nos vss. 15 e 25, quanto às ideias aqui apresentadas. Foi o Deus *Altíssimo* (ver a respeito no *Dicionário*) quem decretou a sorte do rei, conforme o vs. 25 diz. Esse título aparece treze vezes no livro. Ver comentários e uma lista de referências nas notas sobre Dn 3.2. O rei passou viver nos campos, como se fosse um animal. Daniel, mais adiante, adicionou que ele passou a viver como um jumento montês (ver Dn 5.21).

■ **4.33** (na Bíblia hebraica corresponde ao **4.30**)

בַּהּ־שַׁעֲתָא מִלְּתָא סָפַת עַל־נְבוּכַדְנֶצַּר וּמִן־אֲנָשָׁא טְרִיד וְעִשְׂבָּא כְתוֹרִין יֵאכֻל וּמִטַּל שְׁמַיָּא גִּשְׁמֵהּ יִצְטַבַּע עַד דִּי שַׂעְרֵהּ כְּנִשְׁרִין רְבָה וְטִפְרוֹהִי כְצִפְּרִין:

No mesmo instante se cumpriu a palavra sobre Nabucodonosor. *Instantaneamente* o que tinha sido predito aconteceu. O pobre rei foi expulso dentre os homens, passando a viver nos campos e a comer grama, sujeito às precipitações atmosféricas, esbofeteado pelos animais ferozes, tendo como companheiros outras feras, em vez de outros seres humanos. Nabucodonosor era agora uma fera para todos os propósitos práticos, seus cabelos cresceram como os pelos de um gorila ou como as penas de uma águia, as unhas das mãos ficaram como garras de felinos ou aves de rapina. Em sua loucura, o rei perdeu toda a noção de higiene pessoal. Mas apenas ontem ele era um rei exaltado, caminhando ao redor e jactando-se de tudo quanto tinha feito, o mais esplendoroso dos homens. É provável que seus súditos misericordiosos o tenham escondido em algum parque fechado. O povo não podia assistir a tal cena! Alguns intérpretes veem aqui uma punição divina mediante a qual o rei passou por uma espécie de metamorfose física, mudando o seu aspecto para uma espécie de homem-lobo, ou *licantropia*. Existe uma insanidade dessa espécie, mas ela não transforma, de fato, um homem nessa espécie de fera.

■ **4.34** (na Bíblia hebraica corresponde ao **4.31**)

וְלִקְצָת יוֹמַיָּה אֲנָה נְבוּכַדְנֶצַּר עַיְנַי לִשְׁמַיָּא נִטְלֵת וּמַנְדְּעִי עֲלַי יְתוּב וּלְעִלָּיָא בָּרְכֵת וּלְחַי עָלְמָא שַׁבְּחֵת וְהַדְּרֵת דִּי שָׁלְטָנֵהּ שָׁלְטָן עָלַם וּמַלְכוּתֵהּ עִם־דָּר וְדָר:

Mas ao fim daqueles dias eu, Nabucodonosor. O *terrível teste* chegara ao fim. A *temível experiência* de sete anos finalmente terminou. De repente, o rei voltou à boa razão. Portanto, elevou os olhos ao céu e imaginou que via ali o Deus Altíssimo, e reconheceu ser ele o Rei, e não ele próprio. E ele bendisse e louvou ao Deus *Altíssimo*. Honrou ao Senhor supremo por si mesmo e por seu reino eterno, pois é de Deus que fluem todas as bênçãos que nos atingem. Este versículo repete as palavras do vs. 3 — o reino eterno, que continuará eternamente, de geração em geração. Isso é contrastado com o minúsculo reino da Babilônia, que na época só tinha alguns poucos anos de existência, a despeito de toda a sua grandeza e pompa. A Babilônia havia adquirido tudo isso por meio de matanças e opressão, mas o reino do Altíssimo existe com base na bondade de Deus. É aí que habita a verdadeira grandeza, *no amor,* e não na brutalidade. "Quando o homem bendiz a Deus, isso significa expressar gratidão a Deus, reconhecer a própria dependência da bênção divina (ver Dt 8.10; Jz 5.9; Sl 103.20-22; 1Cr 29.20). É o *Senhor* que vive eternamente, enquanto os reinos da terra se reduzem ao pó (ver Dn 12.7; Eclesiástico 18.1; Enoque 5.1; Ap 4.9,10 e 10.6). Ele é o Deus vivo (ver Dn 6.26). Seu domínio perdura para sempre. Encontramos aqui uma doxologia similar à de Sl 145.13, salmo que já tinha sido usado no vs. 3" (Arthur Jeffery, *in loc.*). Quanto ao título *Altíssimo,* ver Dn 3.26.

■ **4.35** (na Bíblia hebraica corresponde ao **4.32**)

וְכָל־דָּאֲרֵי אַרְעָא כְּלָה חֲשִׁיבִין וּכְמִצְבְּיֵהּ עָבֵד
בְּחֵיל שְׁמַיָּא וְדָאֲרֵי אַרְעָא וְלָא אִיתַי דִּי־יְמַחֵא בִידֵהּ
וְיֵאמַר לֵהּ מָה עֲבַדְתְּ׃

Todos os moradores da terra são por ele reputados em nada. *A Doxologia Continua.* Em contraste com o Deus perenemente vivo, os habitantes da terra têm uma vida emprestada, e, em comparação, são apenas poeira. Outrossim, é a vontade divina que controla as coisas, e não os esforços inúteis dos homens. A vontade dele controla as hostes celestiais, e é certo que essa vontade prevalece na terra. Não existe poder que consiga entravar sua mão todo-poderosa, e não existe voz que possa ser levantada para questionar o que ele faz. Ver no *Dicionário* os artigos chamados *Soberania de Deus* e *Teísmo*. Há um paralelo próximo deste versículo em Is 40.17. Cf. também Jó 33.12,13; Is 29.16; 45.9 e Rm 9.19,20. Ninguém pode impedir a ação da mão de Deus, conforme se lê em Ec 8.4; Jó 9.12 e Is 45.9. Ele controla os céus estrelados. As estrelas podem representar as hostes angelicais. Muitos antigos acreditavam que as estrelas eram anjos ou deuses, conforme vemos em Enoque 18.14-16, aludido em Ap 9.1.

> Louvai a Deus de quem todas as bênçãos fluem;
> Louvai-o todas as criaturas cá embaixo;
> Louvai-o no alto, todos vós, hostes celestiais;
> Louvai ao Pai, ao Filho e ao Espírito Santo.
>
> Thomas Ken

Recuperação e Confissão do Rei (4.36,37)

■ **4.36** (na Bíblia hebraica corresponde ao **4.33**)

בֵּהּ־זִמְנָא מַנְדְּעִי יְתוּב עֲלַי וְלִיקַר מַלְכוּתִי הַדְרִי וְזִיוִי
יְתוּב עֲלַי וְלִי הַדָּבְרַי וְרַבְרְבָנַי יְבַעוֹן וְעַל־מַלְכוּתִי
הָתְקְנַת וּרְבוּ יַתִּירָה הוּסְפַת לִי׃

Tão logo me tornou a vir o entendimento. A razão de Nabucodonosor voltou; ele deixou os campos e retornou ao palácio real; foi-lhe devolvida a realeza; sua anterior pompa e glória foram restauradas; seus ex-conselheiros começaram a procurá-lo de novo e a trabalhar em seu favor; seu reino foi estabelecido; a ninguém fora permitido usurpar coisa alguma do rei; e Nabucodonosor tornou-se maior que antes. Agora, ao caminhar sobre seu eirado plano e ver a magnificência que era a cidade da Babilônia, ele dizia: "Esta é a obra do Senhor e nela me regozijo".

> *Este é o dia que o Senhor fez; regozijemo-nos e alegremo-nos nele.*
>
> Salmo 118.24

O *final feliz* desta história nos faz lembrar da história de Jó. Ver Jó 42.10-17. Se isso não tipifica a maior parte das histórias da experiência humana sacudida pela tragédia, contudo algumas vezes é o que acontece. Ver a respeito do *Problema do Mal* no *Dicionário,* quanto a raciocínios sobre por que os homens sofrem e por que sofrem como sofrem. Cf. Pv 22.4 e Mt 6.33.

■ **4.37** (na Bíblia hebraica corresponde ao **4.34**)

כְּעַן אֲנָה נְבוּכַדְנֶצַּר מְשַׁבַּח וּמְרוֹמֵם וּמְהַדַּר לְמֶלֶךְ
שְׁמַיָּא דִּי כָל־מַעֲבָדוֹהִי קְשֹׁט וְאֹרְחָתֵהּ דִּין וְדִי
מַהְלְכִין בְּגֵוָה יָכִל לְהַשְׁפָּלָה׃ פ

Agora, pois, eu, Nabucodonosor. O rei irrompeu novamente em outra doxologia, dirigida diretamente ao Rei do céu. Ele louvou e exaltou a Deus, pois suas obras são retas e beneficentes. Deus avilta os orgulhosos, mas, se eles receberem isso de bom grado, serão exaltados pela graça divina. Deus governa de modo absoluto, mas seu governo está em consonância com os princípios morais, não controlado pelas venetas caprichosas. O governo de Deus é beneficente, em contraste com os orgulhosos que oprimem os semelhantes. Por isso a carta foi encerrada não à maneira usual das missivas, mas com essa doxologia ao Deus dos judeus, o Rei dos céus. Cf. com o "Senhor dos céus" (Dn 5.23). Ver Deus ser chamado *Rei,* em Sl 47.2 ss.; Ml 1.14; 1Ed 4.46; 3Macabeus 2.2. Aqui são combinadas a *verdade* e a *justiça,* tal como se vê em Sl 111.7. A humilhação dos orgulhosos é um tema bíblico comum. Ver também Pv 16.18; Sl 18.27; 101.5; Jr 49.16; At 12.20 ss. e Ez 17.24, que são pertinentes à questão do sonho de Nabucodonosor. Ver o contraste entre os orgulhosos e os humildes, em Pv 11.2; 13.10; 14.3; 15.25; 16.5,18; 18.12; 21.4; 30.12,32. Ver no *Dicionário* os artigos *Orgulho* e *Humildade.* "Essa ação de graças nos permite supor que o rei abandonou grande parte de suas crenças em anteriores superstições e avançou na direção da... verdade" (Ellicott, *in loc.*).

CAPÍTULO CINCO

O livro de Daniel é composto essencialmente de *seis histórias* e *quatro visões*. As histórias ocupam os capítulos 1—6, e as visões os capítulos 7—12. Quanto a detalhes sobre esse arranjo, ver a seção "Ao Leitor", parágrafos quinto e sexto, apresentados imediatamente antes do começo da exposição em Dn 1.1. Mas agora chegamos à *quarta* história, *O Banquete do Rei Belsazar.* Este capítulo, como é natural, divide-se em três partes: vss. 1-4; vss. 5-28; e vss. 29-31. Essas divisões, por sua vez, apresentam subdivisões que anoto ao longo da exposição.

Vários detalhes da narrativa não correspondem ao que se sabe sobre esse período, de acordo com a história secular. "A história faz de Belsazar o filho de Nabucodonosor e seu sucessor imediato. Nabucodonosor, entretanto, foi sucedido por seu filho, Awel-Marduque (o Evil-Merodaque de 2Rs 25.27-30). Evil-Merodaque foi substituído por Nergal-Sharusur, e este, por Labasi-Marduque, e este último, por sua vez, por Nabunaide (ou Nabonido), em cujo décimo sétimo ano de governo a Babilônia foi conquistada pelos exércitos de Ciro. Nabonido não tinha nenhum parentesco de sangue com Nabucodonosor. Seu filho, Bel-Sarusur, foi o governante encarregado da Babilônia durante a ausência de seu pai em Taima, na Arábia, mas ele nunca foi rei e, nas inscrições contemporâneas, usualmente aparece somente como *o filho do rei*" (Arthur Jeffery, *in loc.*, ao salientar dificuldades). J. Dwight Pentecoste (*in loc.*) comentou: "Belsazar foi o filho mais velho de Nabonido, nomeado por ele como corregente. Nabucodonosor aparece como seu pai (ver Dn 5.2,11,13,18), no sentido de que era seu ancestral ou predecessor. Essa corregência explica por que Belsazar foi chamado rei (vs. 1) e por que exercia autoridade real, embora Nabonido fosse quem, na realidade, estava sentado no trono". Se essa explicação não satisfaz a todas as objeções históricas, é suficiente para defender a historicidade do capítulo à nossa frente. Quanto a ideias e informações adicionais, ver no *Dicionário* o artigo chamado *Belsazar.*

Não devemos confundir-nos pela porção histórica do relato, a ponto de perder o significado da história à nossa frente. Ela foi escrita para ensinar-nos a verdade religiosa e moral, especialmente concernente à inevitabilidade da operação da *Lei Moral da Colheita Segundo a Semeadura* (ver a respeito no *Dicionário*). O que os homens semeiam, eles colhem; o que os reinos semeiam, eles colhem. A sofredora nação de Israel foi libertada pela queda da Babilônia, e houve alguma reparação pela destruição de Jerusalém e Judá. Além disso, assegura-se a nós que a vontade divina governa a vida dos homens e das nações.

O BANQUETE DO REI BELSAZAR (5.1-31)

Prólogo (5.1-4)

Belsazar (nome que significa "Oh, Bel, protege o rei!") é de origem posterior. A Septuaginta confunde esse nome com Beltessazar. Temos em Belsazar um rei para todos os propósitos práticos, mesmo que ele não tivesse sido um rei no sentido real. As inscrições nunca o mencionam como um rei que estivesse governando. Mas não há razão alguma para duvidarmos do fato de que seu pai o investiu com poderes reais, pelo que a palavra *rei*, que aparece neste texto, pode ser considerada correta o bastante para não estar sujeita a críticas e censura. *Corregente* é termo forte demais para descrever a situação.

Aqui se demonstra que a vontade divina acaba dominando no fim, e que todo sacrilégio deve ser punido. Ademais, o fim do império babilônico foi o início de uma nova esperança para Judá. Agora os judeus poderiam voltar para reconstruir Jerusalém, por meio dos graciosos decretos de Ciro.

■ 5.1

בֵּלְשַׁאצַּר מַלְכָּא עֲבַד לְחֶם רַב לְרַבְרְבָנוֹהִי אֲלַף וְלָקֳבֵל אַלְפָּא חַמְרָא שָׁתֵה:

O rei Belsazar deu um grande banquete. O "rei", que era um homem vão, ofereceu um vasto banquete para mil convidados! O rei continuava a beber vinho na presença dos convidados, que também continuavam a beber só para fazer-lhe companhia. Talvez esteja em vista alguma *festividade oficial* não identificada. Os vss. 30,31 mostram que tudo isso ocorreu nas vésperas da queda da Babilônia, em 538 a.C. Se supusermos que Daniel tenha sido levado para o cativeiro aos 16 anos de idade (em 605 a.C.), chegaremos à conclusão de que ele tinha cerca de 83 anos por esse tempo. "As inscrições contemporâneas deixam claro que a Babilônia foi capturada sem que se aplicasse um golpe sequer, e que Nabonido foi imediatamente feito prisioneiro. A própria inscrição de Ciro sugere que ele foi recebido com alegria pela população. Uma tradição posterior, entretanto, informa que a cidade foi conquistada por meio de um assalto noturno, enquanto os habitantes celebravam uma festa. Há traços dessa tradição em Heródoto (*Hist.* I.191), bem como em Xenofonte (*Cyropaedia*, VII.5.15-31)" (Arthur Jeffery, *in loc.*).

A arqueologia descobriu um vasto salão na cidade da Babilônia, com pouco mais de 50 m de comprimento, cujas paredes eram emplastradas. Esse é um lugar de dimensões suficientes para que ali tivesse ocorrido o banquete mencionado, com seus mil convidados.

■ 5.2

בֵּלְשַׁאצַּר אֲמַר בִּטְעֵם חַמְרָא לְהַיְתָיָה לְמָאנֵי דַּהֲבָא וְכַסְפָּא דִּי הַנְפֵּק נְבוּכַדְנֶצַּר אֲבוּהִי מִן־הֵיכְלָא דִּי בִירוּשְׁלֶם וְיִשְׁתּוֹן בְּהוֹן מַלְכָּא וְרַבְרְבָנוֹהִי שֵׁגְלָתֵהּ וּלְחֵנָתֵהּ:

Enquanto Belsazar bebia e apreciava o vinho. *O Vergonhoso Sacrilégio*. As taças de vinho que o vão rei usou eram os vasos de ouro e prata que Nabucodonosor (seu "pai") tinha tirado do templo de Jerusalém, no primeiro ataque e cativeiro. Ver Ed 1.9-11. Houve *três* cativeiros distintos, que anoto em Jr 52.28. Ver Jr 52.18 quanto ao arrebatamento do equipamento do templo. O homem vão, seus muitos senhores e até suas esposas e concubinas usavam os vasos sagrados em sua festa de vinho. Usualmente, as mulheres não eram convidadas para tais festas. Heródoto (*Hist.* V.18) e Quintus Curtius (*Hist. de Alexandre* V.1.38) mostram-nos que essa festa, com a presença das mulheres, realmente ocorreu. Cf. a história que envolveu João Batista, em Mt 14. A presença de dançarinas semidespidas na festa de Belsazar por certo tornou mais interessante e vívida a ocasião!

■ 5.3

בֵּאדַיִן הַיְתִיו מָאנֵי דַהֲבָא דִּי הַנְפִּקוּ מִן־הֵיכְלָא דִּי־בֵית אֱלָהָא דִּי בִירוּשְׁלֶם וְאִשְׁתִּיו בְּהוֹן מַלְכָּא וְרַבְרְבָנוֹהִי שֵׁגְלָתֵהּ וּלְחֵנָתֵהּ:

Então trouxeram os utensílios de ouro. Este versículo simplesmente relata que se cumpriu a "intenção" aludida no vs. 2, de usar os vasos sagrados do templo na festa de vinho, pelo que foi perpetrado o sacrilégio vergonhoso. Isso, como é claro, precisava ser punido, tendo-se tornado uma das razões da queda do império babilônico. Esse império não sobreviveu à profanação do que era sagrado. De fato, foi um ato de *profanação descabida*" (Fausset, *in loc.*). Foi também um ato ridículo, mediante o qual os babilônios honraram seus ídolos, seus não deuses, conforme o vs. 4 passa a dizer-nos.

■ 5.4

אִשְׁתִּיו חַמְרָא וְשַׁבַּחוּ לֵאלָהֵי דַּהֲבָא וְכַסְפָּא נְחָשָׁא פַּרְזְלָא אָעָא וְאַבְנָא:

Beberam o vinho, e deram louvores aos deuses. Aqueles réprobos levaram muito à frente sua tola questão. Não só profanaram precipitadamente o que era santo, mas chegaram a usar os vasos sagrados para honrar suas falsas deidades, tornando os vasos do templo parte de sua adoração idólatra. Foi uma apropriação vergonhosamente indébita do que pertencia a Yahweh. Por tal ato, eles pagaram um preço altíssimo. É provável que a festa não tenha sido religiosa, mas os babilônios misturavam terrivelmente as questões do Estado com as questões religiosas, pelo que em qualquer ocasião poderiam misturar a idolatria com suas atividades. "Até nos banquetes oficiais era costumeiro oferecer libação aos deuses locais, o que era feito com as palavras apropriadas de louvor. Esse detalhe, como é óbvio, aumenta o crime de Belsazar" (Arthur Jeffery, *in loc.*). Os deuses da Babilônia foram festivamente servidos, havendo presentes toda a espécie de riqueza material, como ouro, prata, bronze, ferro, madeira e pedra, algo que o autor sagrado adicionou a fim de mostrar a extensão das transgressões idólatras dos culpados. "A perda do sentido do sagrado é sempre um dos sinais da decadência moral... Talvez a perda de respeito pelo que é sagrado para outros seja um sinal inevitável de nossas traições interiores" (Gerald Kennedy, comentando sobre como aqueles homens usavam coisas sagradas em suas orgias de vinho).

A Escrita na Parede (5.5-28)

Uma Mão Escreve Palavras de Condenação (5.5,6)

■ 5.5

בַּהּ־שַׁעֲתָה נְפַקוּ אֶצְבְּעָן דִּי יַד־אֱנָשׁ וְכָתְבָן לָקֳבֵל נֶבְרַשְׁתָּא עַל־גִּירָא דִּי־כְתַל הֵיכְלָא דִּי מַלְכָּא וּמַלְכָּא חָזֵה פַּס יְדָה דִּי כָתְבָה:

No mesmo instante apareceram uns dedos de mão de homem. O Espírito de Deus não suportou o que estava acontecendo, pelo que interveio *imediatamente*. A reação de Yahweh foi imediata nesse caso, embora com frequência ela demore um pouco. No entanto, os moinhos de Deus trituram muito fino, pelo que opera a *Lei Moral da Colheita Segundo a Semeadura*, inevitável e necessária. Ver sobre esse título no *Dicionário*.

> Embora o moinho de Deus moa com extrema lentidão,
> Mói excessivamente fino.
> Embora ele espere com paciência,
> Com precisão ele mói a tudo.
>
> Henry Wordsworth Longfellow

Candeeiro. Sem dúvida havia muitos candelabros no salão para mil convidados, e a orgia se deu à noite. O rei era um dos convivas, e o fenômeno sobre a mão ocorreu perto dele. O rei, estando próximo, viu claramente o notável fenômeno — uma mão com seus dedos, separada do corpo, escrevendo na parede perto dele. Barnes vê aqui o candeeiro de ouro do templo de Jerusalém como o objeto em destaque. Isso teria adicionado certa justiça poética ao acontecimento. Mas trata-se de mera conjectura. Seja como for, temos aqui uma ilustração de como o Deus *invisível* realmente contempla o homem e reage de acordo com o que vê, segundo as leis morais.

5.6

אֱדַיִן מַלְכָּא זִיוֹהִי שְׁנוֹהִי וְרַעְיֹנֹהִי יְבַהֲלוּנֵּהּ וְקִטְרֵי
חַרְצֵהּ מִשְׁתָּרַיִן וְאַרְכֻבָּתֵהּ דָּא לְדָא נָקְשָׁן׃

Então se mudou o semblante do rei. O rei ficou *estupefacto* e *aterrorizado* com o que viu. Imediatamente passaram os efeitos do vinho embriagador. Nem mesmo em seus sonhos mais desvairados, ele jamais vira algo como aquele fenômeno. Diz aqui o hebraico, literalmente, "seu brilho foi mudado nele", indicando total alteração no colorido e na expressão de seu rosto. O vinho tinha iluminado sua face, e até então ele estivera todo cheio de risos e gargalhadas. De súbito, porém, seu rosto foi coberto como que por uma máscara de terror. Seus pensamentos caíram na consternação e na perplexidade. Ele perdeu o controle muscular, e seus joelhos batiam um no outro. Uma reação neurológica comum de temor é o tremor das pernas, bem como a perda do controle muscular. Essa reação é espontânea e difícil de controlar. Ovídio fala de algo similar em sua obra *Metamorfoses* II,180, *genua intremuere timore*. Ver também Homero, *Odisseia*, IV.703 e *Ilíada* XXI.114. Algumas vezes, as *juntas* são chamadas de "nós", conforme diz aqui o hebraico, literalmente. O temor desfez os *nós* do pobre homem e o deixou a tremer, uma descrição pitoresca, para dizermos a verdade.

Os Psíquicos Profissionais e os Sábio, São Chamados (5.7-9)

5.7

קָרֵא מַלְכָּא בְּחַיִל לְהֶעָלָה לְאָשְׁפַיָּא כַּשְׂדָּיֵא וְגָזְרַיָּא
עָנֵה מַלְכָּא וְאָמַר לְחַכִּימֵי בָבֶל דִּי כָל־אֱנָשׁ דִּי־
יִקְרֵה כְּתָבָה דְנָה וּפִשְׁרֵהּ יְחַוִּנַּנִי אַרְגְּוָנָא יִלְבַּשׁ
וְהַמְנִיכָא דִי־דַהֲבָא עַל־צַוְּארֵהּ וְתַלְתִּי בְמַלְכוּתָא
יִשְׁלַט׃ ס

O rei ordenou em voz alta que se introduzissem os encantadores. Cada vez que um oficial babilônico caía em dificuldade, chamavam-se os caldeus (a casta dos sábios), alguns dos quais são enumerados neste versículo. Cf. Dn 1.20; 2.2,4,27 e 4.7 (as listas variam um pouco, adicionando ou deixando de lado uma ou outra das classes; mas está em vista a mesma classe dos sábios em todas essas listas). Esses *sábios* eram sempre chamados, mas sempre falhavam. Então aparecia alguém para lembrar o rei a respeito de Daniel, o solucionador dos problemas que outras pessoas não podiam solucionar. Aqui, tal como em Dn 2.6, o rei prometeu que o revelador do enigma seria enriquecido e glorificado. Foi prometida também a *veste púrpura*, aquela que denotava alguém como autoridade do governo digna de admiração e respeito. Cf. as vestes púrpuras de Mordecai, em Et 8.15. Entre os persas, essas vestes eram sinal da dignidade real (ver Et 8.15; 1Ed 3.6; Xenofonte, *Anabasis*, I.5.8). A tintura utilizada era tirada de uma substância vermelho-purpurina de certos moluscos (Plínio, *Hist. Natural* IX.60-62). A *cadeia de ouro* era outro sinal de dignidade principesca, conforme se vê em Gn 41.42; Xenofonte (*Anabasis*, I.5.8); Heródoto (*Hist*. III.20). Tais correntes de ouro eram dadas pelos reis para honrar certos elementos selecionados por serviços prestados, e só podiam ser usadas como *decoração*, por altas autoridades.

Será o terceiro no meu reino. Esta referência é obscura. Pode dizer respeito a alguma espécie de triunvirato no governo (ver 1Ed 3.9). Ou então está em foco um oficial babilônico, o *salsu*. O rei era o comandante em chefe do exército; o oficial à sua mão direita era o segundo no comando; e o oficial que ficava à sua esquerda era o *terceiro*. Mas alguns dizem que Nabonido era o verdadeiro rei; Belsazar era seu governante nomeado; e o terceiro seria alguém que atuaria como principal assistente de Belsazar. Sem importar o que essas palavras queiram dizer, uma altíssima posição no reino foi prometida ao homem que pudesse interpretar a escrita na caiadura da parede.

5.8

אֱדַיִן עָלְלִין כֹּל חַכִּימֵי מַלְכָּא וְלָא־כָהֲלִין כְּתָבָא
לְמִקְרֵא וּפִשְׁרָא לְהוֹדָעָה לְמַלְכָּא׃

Então entraram todos os sábios do rei. Conforme era usual, nenhum membro da casta dos caldeus (os sábios, membros dos quais são especificados em Dn 1.20; 2.2,4,27 e 4.7) foi capaz de ler e interpretar o escrito. Mas por que eles foram incapazes de ler uma inscrição que Daniel decifrou no primeiro olhar? *Conjecturas:* 1. Os caracteres eram escritos em semítico antigo ou em alguma escrita que os sábios não conheciam; 2. a linguagem da inscrição era desconhecida para eles; 3. as palavras foram escritas em colunas verticais, mas aqueles ineptos eruditos tentaram lê-las horizontalmente; 4. ou então a coisa toda era um enigma autêntico e só podia ser interpretada com ajuda divina, que não estava disponível para aqueles pagãos. A quarta ideia é, provavelmente, a que o autor sacro tencionava.

5.9

אֱדַיִן מַלְכָּא בֵלְשַׁאצַּר שַׂגִּיא מִתְבָּהַל וְזִיוֹהִי שָׁנַיִן
עֲלוֹהִי וְרַבְרְבָנוֹהִי מִשְׁתַּבְּשִׁין׃

Com isto se perturbou muito o rei. Belsazar ficou espantado e perplexo com a ocorrência. Aqueles em quem ele confiava serem capazes de aliviar seu espanto apenas lhe aumentaram a inquietação, pois deixaram um mistério profundo e potencialmente ameaçador. "Havia espaço para alarma, quando sábios profissionais foram incapazes de interpretar a misteriosa escrita na parede. Sem dúvida deve-se compreender que o fenômeno apontava para algo portentoso. A incerteza que havia na questão apenas aumentou a agitação do monarca. "Sua cor mudou, e seus senhores ficaram perplexos" (*Revised Standard Version*). "Seu rosto empalideceu. Os convidados reais ficaram confusos" (NCV). Cf. o vs. 6. "O terror de Belsazar e de seus senhores foi causado pela impressão de que a incapacidade de os sábios lerem a inscrição era o portento de alguma terrível calamidade que estava prestes a atingir a todos" (Ellicott, *in loc*.).

A Rainha-mãe Faz uma Sugestão Crítica (5.10-17)

5.10

מַלְכְּתָא לָקֳבֵל מִלֵּי מַלְכָּא וְרַבְרְבָנוֹהִי לְבֵית מִשְׁתְּיָא
עַלַּלַת עֲנָת מַלְכְּתָא וַאֲמֶרֶת מַלְכָּא לְעָלְמִין חֱיִי אַל־
יְבַהֲלוּךְ רַעְיוֹנָךְ וְזִיוָיךְ אַל־יִשְׁתַּנּוֹ׃

A rainha-mãe, por causa do que havia acontecido ao rei. Está em pauta a mãe de Belsazar, ou sua avó, mãe de Nabonido. Mas talvez esteja em vista sua principal *esposa*, a qual se apresentou como pessoa de autoridade superior às das muitas concubinas do rei. Daniel era conhecido pela corte inteira, incluindo a rainha-mãe, que foi o instrumento para solucionar o mistério.

Embora a mulher fosse esposa, mãe ou avó de Belsazar, ela se prostrou diante do rei e proferiu as palavras apropriadas. Cf. Dn 2.4; 3.9 e 6.6,21. Tendo cuidado das formalidades, ela apresentou sua *útil sugestão*, conforme o vs. 11 passa a relatar. O rosto caído do rei e sua tez pálida se recuperaram ligeiramente, mas não por muito tempo. Seria melhor ele não ter ouvido a interpretação da mensagem celeste.

5.11

אִיתַי גְּבַר בְּמַלְכוּתָךְ דִּי רוּחַ אֱלָהִין קַדִּישִׁין בֵּהּ
וּבְיוֹמֵי אֲבוּךְ נַהִירוּ וְשָׂכְלְתָנוּ וְחָכְמָה כְּחָכְמַת־אֱלָהִין
הִשְׁתְּכַחַת בֵּהּ וּמַלְכָּא נְבֻכַדְנֶצַּר אֲבוּךְ רַב חַרְטֻמִּין
אָשְׁפִין כַּשְׂדָּאִין גָּזְרִין הֲקִימֵהּ אֲבוּךְ מַלְכָּא׃

Há no teu reino um homem. Daniel era cheio do espírito dos deuses santos (cf. Dn 4.8,9,18). Ele era conhecido como um psíquico extraordinário, o *chefe* dos *sábios* profissionais (a casta dos caldeus). Ver Dn 2.48 e 4.9. Nabucodonosor tivera seus problemas solucionados por Daniel, e Nabucodonosor é erroneamente chamado aqui de pai de Belsazar. Ver a introdução ao capítulo, quanto a explicações. Seja como for, Daniel era o homem de sabedoria e compreensão que nunca errara em suas interpretações. Ele tinha a sabedoria dos próprios deuses, e nenhum membro da casta dos caldeus — encantadores, magos ou adivinhos — podia comparar-se a ele. Quanto a essa casta e seus vários membros, ver as notas sobre Dn 1.20; 2.2-4,27; 4.7. Uma vez mais, Daniel foi chamado de chefe dos "sábios".

A CIDADE DA BABILÔNIA

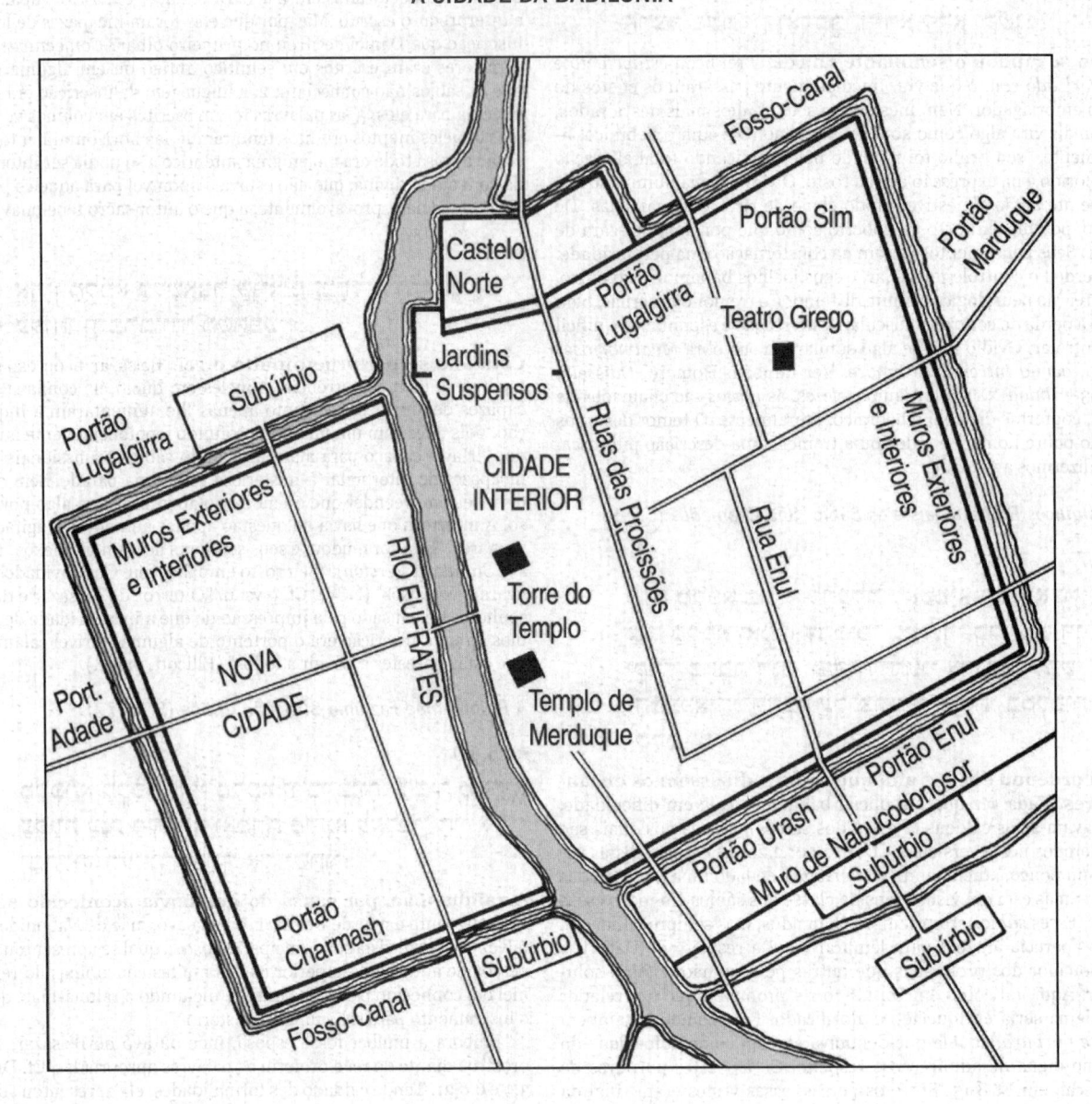

[Mapa da cidade da Babilônia mostrando: Castelo Norte, Portão Sim, Portão Marduque, Portão Lugalgirra, Teatro Grego, Jardins Suspensos, Subúrbio, Muros Exteriores e Interiores, Rua Enul, Ruas das Procissões, Cidade Interior, Rio Eufrates, Torre do Templo, Templo de Merduque, Nova Cidade, Port. Adade, Portão Charmash, Portão Urash, Portão Enul, Muro de Nabucodonosor, Subúrbio, Fosso-Canal]

Observações:

A cidade da Babilônia era altamente fortificada e protegida. Tinha dois muros, um exterior e outro interior. Tinha também um muro de água, o fosso-canal que cercava a cidade. Mas quando seu dia designado por Deus chegou, nada a salvou.

■ 5.12

כָּל־קֳבֵל דִּי רוּחַ יַתִּירָה וּמַנְדַּע וְשָׂכְלְתָנוּ מְפַשַּׁר חֶלְמִין וַאֲחַוָיַת אֲחִידָן וּמְשָׁרֵא קִטְרִין הִשְׁתְּכַחַת בֵּהּ בְּדָנִיֵּאל דִּי־מַלְכָּא שָׂם־שְׁמֵהּ בֵּלְטְשַׁאצַּר כְּעַן דָּנִיֵּאל יִתְקְרֵי וּפִשְׁרָה יְהַחֲוֵה׃ פ

Porquanto espírito excelente. Continua aqui o louvor dado a Daniel, revelando sua extraordinária reputação. Ele era um especialista na interpretação de sonhos, capaz de resolver enigmas e problemas. Portanto, que se chamasse Daniel. As habilidades de Daniel na *oniromancia* compõem o tema dos capítulos 2 e 4 do livro de Daniel. Os *enigmas* (literalmente, "uma coisa fechada ou oculta") eram decifrados por ele. A "solução de problemas", literalmente, é "desmanchar de nós". Ver o vs. 16 e cf. Jz 14.14 e 1Rs 10.2,3. Jesus libertou uma mulher que havia dezoito anos tinha sido amarrada com um nó (ver Lc 13.16). No Alcorão (113.4), Maomé busca a ajuda de uma mulher que era especialista em "desmanchar nós" e desatá-los. O nome pelo qual Daniel era conhecido na corte — Beltessazar — vincula-o com a informação prestada em Dn 1.7 e 4.8.

■ 5.13

בֵּאדַיִן דָּנִיֵּאל הֻעַל קֳדָם מַלְכָּא עָנֵה מַלְכָּא וְאָמַר לְדָנִיֵּאל אַנְתָּה הוּא דָנִיֵּאל דִּי־מִן־בְּנֵי גָלוּתָא דִּי יְהוּד דִּי הַיְתִי מַלְכָּא אַבִי מִן־יְהוּד׃

Então Daniel foi introduzido à presença do rei. A sugestão da rainha-mãe foi bem acolhida. O rei certificou-se de que o homem introduzido à sua presença era o judeu cativo que tanto subira no reino por causa de suas aptidões especiais. O texto exalta indiretamente os judeus e seu Deus, à custa dos psíquicos profissionais e seus deuses. Uma vez mais, Nabucodonosor é chamado de "pai de Belsazar". Ver as notas de introdução ao presente capítulo. Daniel é mencionado como se fosse desconhecido pelo rei Belsazar, o que sugere que o profeta, ocupado nos negócios do Estado, tinha escapado de ser observado até por alguns elevados oficiais do governo. Seja como for, é tolice buscar coerência em tais histórias. Daniel deveria ter, no mínimo, 83 anos de idade, e talvez até tivesse 90 anos, pelo que, como homem idoso, deixara de circular pelo palácio real.

■ 5.14

וּשְׁמְעֵת עֲלָיךְ דִּי רוּחַ אֱלָהִין בָּךְ וְנַהִירוּ וְשָׂכְלְתָנוּ וְחָכְמָה יַתִּירָה הִשְׁתְּכַחַת בָּךְ:

Tenho ouvido dizer a teu respeito. A *repetição* é uma característica do autor sacro, pelo que ouvimos as extraordinárias habilidades de Daniel saindo dos lábios de Belsazar. A informação dada no vs. 11 é aqui repetida. O vs. 12 oferece uma lista das especialidades que tinham conferido ao profeta tamanha reputação.

■ 5.15

וּכְעַן הֻעַלּוּ קָדָמַי חַכִּימַיָּא אָשְׁפַיָּא דִּי־כְתָבָה דְנָה יִקְרוֹן וּפִשְׁרֵהּ לְהוֹדָעֻתַנִי וְלָא־כָהֲלִין פְּשַׁר־מִלְּתָא לְהַחֲוָיָה:

Acabam de ser introduzidos à minha presença os sábios. Este versículo é outra repetição, revisando o que já tinha sido dito nos vss. 7 e 8. Os judeus, o Deus deles e o profeta especial deles (no momento) foram exaltados às expensas dos deuses, de seus profetas de nada e de seu culto idólatra. São aqui mencionados dois membros da casta dos sábios, que representam todos os outros. Ver Dn 1.20; 2.3,4,27 e 4.7.

■ 5.16

וַאֲנָה שִׁמְעֵת עֲלָיךְ דִּי־תוּכַל פִּשְׁרִין לְמִפְשַׁר וְקִטְרִין לְמִשְׁרֵא כְּעַן הֵן תּוּכַל כְּתָבָא לְמִקְרֵא וּפִשְׁרֵהּ לְהוֹדָעֻתַנִי אַרְגְּוָנָא תִלְבַּשׁ וְהַמּוֹנְכָא דִי־דַהֲבָא עַל־צַוְּארָךְ וְתַלְתָּא בְמַלְכוּתָא תִּשְׁלַט: פ

Eu, porém, tenho ouvido dizer de ti. Outra repetição lembra-nos que os solucionadores de enigmas seriam altamente exaltados e enriquecidos. Cf. o vs. 7, onde temos a mesma lista de promessas para os psíquicos bem-sucedidos. É ali que dou notas sobre a questão. Cf. Dn 2.6 e 2.48 (onde Daniel realmente recebeu as coisas prometidas, depois de ter alcançado êxito).

■ 5.17

בֵּאדַיִן עָנֵה דָנִיֵּאל וְאָמַר קֳדָם מַלְכָּא מַתְּנָתָךְ לָךְ לֶהֶוְיָן וּנְבָזְבְּיָתָךְ לְאָחֳרָן הַב בְּרַם כְּתָבָא אֶקְרֵא לְמַלְכָּא וּפִשְׁרָא אֲהוֹדְעִנֵּהּ:

Então respondeu Daniel, e disse. Daniel não estava interessado nas coisas que os reis pagãos tinham para oferecer. Ele não podia dar o menor valor às glórias e às vantagens do mundo. Era idoso demais para envolver-se em toda aquela exaltação e riqueza. Mas ele trabalharia de graça, de modo que o rei nada teria com que se preocupar. Ademais, em poucas horas nada existiria do império babilônico. O "rei" perderia tudo, incluindo a própria vida, portanto o que teria para dar a um psíquico bem-sucedido? Antes, porém, de dar a interpretação da mensagem escrita à mão, o profeta pregaria ao "rei" um sermão que teria aplicação direta à questão (a qual fora antecipada na mente de Daniel).

O Sermão de Daniel (5.18-25)

■ 5.18

אַנְתָּה מַלְכָּא אֱלָהָא עִלָּיָא מַלְכוּתָא וּרְבוּתָא וִיקָרָא וְהַדְרָה יְהַב לִנְבֻכַדְנֶצַּר אֲבוּךְ:

Ó rei! Deus, o Altíssimo, deu a Nabucodonosor. Esse sermão salientou o notável contraste entre a grandeza de Nabucodonosor, o "pai" de Belsazar, e sua queda vergonhosa, quando foi afligido pela insanidade temporária (capítulo 4). Ele estava dizendo que o Rei verdadeiro faz o que lhe parece melhor, e o destino dos homens e das nações depende do Ser divino, e não da insensatez, dos esforços e do orgulho dos seres humanos. O profeta estava preparando o homem para ouvir acerca de sua própria queda, provocada pela mão divina. Ver no *Dicionário* os verbetes chamados *Soberania de Deus* e *Teísmo*. Deus é o Deus da *intervenção*, e não uma figura distante, conforme ensina o *Deísmo*.

O *Altíssimo* (ver a respeito no *Dicionário*) deu a Nabucodonosor poder, riquezas e glória. E o mesmo Deus do céu tirou dele essas vantagens, devido aos fracassos morais do rei, que foi exaltado em seu próprio poder e esqueceu o Poder celestial. Esse título divino é usado treze vezes no livro. Ver as notas sobre Dn 3.26. Belsazar, observando o que tinha acontecido ao altivo Nabucodonosor, nem assim aceitou a lição, e caiu no mesmo orgulho ridículo. Seu "pai" teve oportunidade de arrepender-se, por meio de um período de graça divina (ver Dn 4.29), mas o "rei" presente não teria tal luxo. Ele seria simplesmente cortado.

■ 5.19

וּמִן־רְבוּתָא דִּי יְהַב־לֵהּ כֹּל עַמְמַיָּא אֻמַּיָּא וְלִשָּׁנַיָּא הֲווֹ זָאֲעִין וְדָחֲלִין מִן־קֳדָמוֹהִי דִּי־הֲוָה צָבֵא הֲוָא קָטֵל וְדִי־הֲוָה צָבֵא הֲוָה מַחֵא וְדִי־הֲוָה צָבֵא הֲוָה מָרִים וְדִי־הֲוָה צָבֵא הֲוָה מַשְׁפִּיל:

Por causa da grandeza, que lhe deu. Nabucodonosor teve poder absoluto, enquanto durou sua autoridade. Ele ampliou seu governo sobre todos os povos do mundo então conhecido. Cf. Dn 3.4. Todos os povos eram forçados a tremer diante dele, porque sua palavra significava vida ou morte, usualmente a última. A alguns ele elevava; a outros, executava. Os que eram elevados tornavam-se seus escravos, e os executados tornavam-se lições objetivas do que acontecia aos que caíam no desfavor do rei. O louco rei começou a ter ilusões de que era uma divindade ele mesmo. Enquanto se pavoneava no palco da vida, o mundo estremecia, e, no entanto, sua real posição era apenas a de um escravo do Altíssimo, e *ele* seria o derrubado pelo poder superior de Deus. O mesmo poder que havia levantado Nabucodonosor cansou-se do jogo e derrubou ao rei. Ver o *orgulho* contrastado com a *humildade*, em Pv 11.2; 13.10; 14.3; 15.25; 16.5,18; 18.12; 21.4; 30.12,32. Ver sobre essas duas palavras no *Dicionário*. Quanto ao grande poder de Nabucodonosor, ver também Dn 3.4; 4.1; 6.25 e 7.14. Quanto aos decretos imutáveis de rei da Babilônia, ver Dn 5.19.

■ 5.20

וּכְדִי רִם לִבְבֵהּ וְרוּחֵהּ תִּקְפַת לַהֲזָדָה הָנְחַת מִן כָּרְסֵא מַלְכוּתֵהּ וִיקָרָה הֶעְדִּיו מִנֵּהּ:

Quando, porém, o seu coração se elevou. O orgulhoso coração (mente) de Nabucodonosor em breve tornou-se *duro*, segundo usualmente acontece. Os homens maus vão de mal a pior. Cf. o clássico caso do orgulhoso Faraó, aquele rei ridículo que continuou em sua ridícula rebeldia até perder tudo: Êx 7.13,14,22; 8.15; 9.7; Sl 95.8; Dt 2.30; 1Sm 6.6; At 19.9. Da mesma forma que o Faraó foi derrubado pelo Ser divino, conforme sucedeu a Nabucodonosor, por causa do orgulho tolo deles, assim aconteceria agora a Belsazar, em uma questão de horas. Yahweh depôs o rei, e este perdeu subitamente tudo quanto se esforçara por juntar — poder, posição, glória. Portanto, a lei moral de Deus tomou conta dele (ver Dn 4.27). Seus *pecados* lhe causaram a queda, sobretudo o pecado de orgulho (ver Dn 4.30).

5.21

וּמִן־בְּנֵי אֲנָשָׁא טְרִיד וְלִבְבֵהּ ׀ עִם־חֵיוְתָא שַׁוִּי וְעִם־עֲרָדַיָּא מְדוֹרֵהּ עִשְׂבָּא כְתוֹרִין יְטַעֲמוּנֵּהּ וּמִטַּל שְׁמַיָּא גִּשְׁמֵהּ יִצְטַבַּע עַד דִּי־יְדַע דִּי־שַׁלִּיט אֱלָהָא עִלָּיָא בְּמַלְכוּת אֲנָשָׁא וּלְמַן־דִּי יִצְבֵּה יְהָקֵים עֲלַיַּהּ׃

Foi expulso dentre os filhos dos homens. Outra repetição lembra-nos o que sucedeu a Nabucodonosor nos campos, ao ficar reduzido ao estado mental de um animal irracional, companheiro de feras, sujeito aos abusos da natureza, molhado pela chuva e pelo orvalho. Cf. Dn 4.25,32. Obtemos aqui outro detalhe. Ele habitou entre os jumentos monteses, que vivem longe do homem predador. Alguns manuscritos substituem a palavra jumentos por rebanhos, para fazer com que os animais envolvidos fossem domésticos, mas dificilmente isso se ajusta ao terror que se apossou do rei. Para todos os propósitos práticos, o orgulhoso rei tornou-se uma fera feroz, porquanto agira como se fosse um mero animal, possuidor de um espírito bruto e dominado pelas trevas espirituais (ver Dn 4.27).

5.22

וְאַנְתְּ בְּרֵהּ בֵּלְשַׁאצַּר לָא הַשְׁפֵּלְתְּ לִבְבָךְ כָּל־קֳבֵל דִּי כָל־דְּנָה יְדַעְתָּ׃

Tu, Belsazar, que és seu filho. Belsazar testemunhara o que aconteceu a Nabucodonosor, mas não aceitou a lição. Um *coração humilde* é o contrário do *coração endurecido* (vs. 20). Antes, o "rei" seguia a senda que levara seu "pai" à ruína. O que aprendemos desse relato é que os homens não aprendem através da história. Cada indivíduo apressa-se por cometer seus próprios erros e sofrer sua própria retribuição. O "rei" sabia da história do rei anterior, mas não aprendera nenhuma lição moral do acontecido, nem esse conhecimento mudou a conduta que o estava levando à destruição.

5.23

וְעַל מָרֵא־שְׁמַיָּא ׀ הִתְרוֹמַמְתָּ וּלְמָאנַיָּא דִי־בַיְתֵהּ הַיְתִיו קָדָמָיךְ וְאַנְתְּ וְרַבְרְבָנָיךְ שֵׁגְלָתָךְ וּלְחֵנָתָךְ חַמְרָא שָׁתַיִן בְּהוֹן וְלֵאלָהֵי כַסְפָּא־וְדַהֲבָא נְחָשָׁא פַרְזְלָא אָעָא וְאַבְנָא דִּי לָא־חָזַיִן וְלָא־שָׁמְעִין וְלָא יָדְעִין שַׁבַּחְתָּ וְלֵאלָהָא דִּי־נִשְׁמְתָךְ בִּידֵהּ וְכָל־אֹרְחָתָךְ לֵהּ לָא הַדַּרְתָּ׃

E te levantaste contra o Senhor do céu. *Os Pecados do Rei.* Acompanhe o leitor estes quatro pontos: 1. Uma forma de orgulho que levou Belsazar a exaltar-se contra Deus, um verdadeiro sacrilégio; 2. o uso vergonhoso dos vasos do templo (que tinham sido levados por Nabucodonosor) em suas orgias de vinho (vss. 3 e 4); 3. Sua escandalosa *idolatria* que usava toda forma de materiais, empregados para moldar intermináveis deuses de nada (vs. 4); 4. Ele deixara de *honrar* o verdadeiro Rei, o Deus Altíssimo. O *resultado* foi que a mão de Deus não demorou a derrubá-lo do templo. Talvez haja aqui um jogo de palavras intencional: uma mão escrevera sua condenação na parede, e a mão divina haveria de derrubá-lo. Ver sobre *mão* em Sl 81.14 (e também no *Dicionário*) e sobre *mão direita* em Sl 20.6. Ver sobre *braço* em Sl 77.15; 89.10 e 98.1.

O vs. 23 descreve uma conduta vergonhosa e totalmente imprópria para um homem dotado de poder, que, supostamente, deveria possuir sabedoria incomum.

Todos os teus caminhos. A própria vida de um homem, a sua *respiração*, é dom de Deus. O homem é criado e sustentado pelo Poder do alto (ver Cl 1.16,17). Além disso, os dias, os atos, os esforços e a vida como um todo, que perfazem o *destino* de cada indivíduo — está tudo nas mãos de Deus.

Sentimos que Nada Somos

Sentimos que nada somos, pois tudo és tu e em ti;
Sentimos que algo somos, isso também vem de ti;
Sabemos que nada somos — mas tu nos ajudas a ser algo.
Bendito seja o teu nome — Aleluia!

Alfred Lord Tennyson

5.24

בֵּאדַיִן מִן־קֳדָמוֹהִי שְׁלִיחַ פַּסָּא דִי־יְדָא וּכְתָבָא דְנָה רְשִׁים׃

Então da parte dele foi enviada aquela mão. Foi por causa da *quádrupla infração* do rei (vs. 23) que a misteriosa mão escreveu a mensagem na parede, bem perto de Belsazar, próximo ao candeeiro que iluminava a mesa do rei (vs. 5). Agora aprendemos que a mão fantasmagórica era a mão do Deus Altíssimo, que se tinha cansado do jogo feito por Belsazar. Portanto, o escrito na parede foi um *decreto divino* contra Belsazar, e esse decreto se cumpriria em cada detalhe espantoso.

Se o Senhor não edificar a casa, em vão trabalham os que a edificam; se o Senhor não guardar a cidade, em vão vigia a sentinela.

Salmo 127.1

Esta é a interpretação de Dn 5.25:

- MENE: Contou Deus o teu reino e deu cabo dele.
- TEQUE: Pesado foste na balança e achado em falta.
- PERES: Dividido foi o teu reino e dado aos medos e aos persas.

Naquela mesma noite foi morto Belsazar, rei dos caldeus. E Dario, o medo, com cerca de sessenta e dois anos, se apoderou do reino (Dn 5.26-31).

5.25

וּדְנָה כְתָבָא דִּי רְשִׁים מְנֵא מְנֵא תְּקֵל וּפַרְסִין׃

Esta, pois, é a escritura que se traçou. A escrita era simples: MENE, MENE, TEQUEL e PARSIM, que significa, literalmente: *numerado, pesado, dividido*. Essas palavras, em seguida, tiveram de ser interpretadas, o que forma a substância dos vss. 26-28. O texto massorético dá o duplo MENE, MENE, mas a Septuaginta, a Vulgata e Josefo dão apenas um MENE, formando *três palavras*, e alguns supõem ser esse o texto original. Algumas vezes as versões, especialmente a Septuaginta, preservam o texto original contra o texto massorético padronizado. Os Papiros do mar Morto, manuscritos hebraicos de mil anos antes que aqueles usados para a compilação do texto padronizado, têm textos que concordam com as versões e discordam do texto hebraico padronizado. Talvez a margem de erro do texto massorético atinja 5% do total. Ver no *Dicionário* o verbete intitulado *Massora (Massorah); Texto Massorético*. Ver também *Manuscritos Antigos do Antigo Testamento*. Nesse último artigo dou informações sobre como os textos são escolhidos quando aparecem variantes. Devemos lembrar que as versões foram traduzidas de manuscritos hebraicos muito mais antigos do que aqueles que formaram o texto massorético padronizado. Portanto, não é de causar admiração que, algumas vezes, eles sejam melhores do que a Bíblia hebraico moderna.

"Essas são palavras caldaicas, que podem ser traduzidas literalmente como: numerado, pesado, dividido" (John Gill, *in loc.*). Por que os sábios babilônicos não puderam ler essas palavras, é desconhecido. O que é dito sobre o assunto é dado nas notas do vs. 8.

"*MENE*, substantivo aramaico que se refere a um peso de 50 siclos (uma mina, igual a 567,5 g de peso). Deriva-se do verbo *menah*, 'numerar', 'computar'. *TEQUEL* é um substantivo que se refere a um siclo (28,35 g). Vem do verbo *teqel*, 'pesar'. *PARSIM* é um substantivo que significa meia mina (25 siclos, ou seja, 283,75 g de peso). Deriva-se do verbo *peras*, 'dividir pelo meio'. A palavra *uparsin* significa 'e parsim' (*u* é a partícula conectiva 'e')" (J. Dwight Pentecoste, *in loc.*).

A Solução do Mistério (5.26-28)

■ 5.26

דְּנָה פְּשַׁר־מִלְּתָא מְנֵא מְנָה־אֱלָהָא מַלְכוּתָךְ וְהַשְׁלְמַהּ׃

Esta é a interpretação. Embora as próprias palavras fossem tomadas para referir-se a pesos, podendo simbolizar algo como o julgamento político e a justiça popular, a elas foi dada uma direção inteiramente nova, que se aplicava diretamente ao próprio rei. Preservada na questão dos pesos está a balança que pesara o rei e o achara leve demais para poder derrubá-lo. Em outras palavras, ele era tão leve que o vento de Deus estava pronto a soprá-lo para longe como se fosse feito de palha. Ele era apenas um saco de vento profano. Não tinha substância que atraísse o favor divino.

MENE: Contou Deus o teu reino. Este versículo aborda a questão da interpretação da palavra MENE. Deus *contou os dias* (do reinado de Belsazar) e determinou que poucos tempo lhe restava. O fim daquele governo tinha chegado. "Deus contou os dias e o teu reino terminará" (NCV). Aquele reino havia alcançado o número determinado de seus dias, mas obtemos aqui a ideia de *cortar*; o reino perdurou menos tempo do que poderia ter perdurado. O julgamento de Deus decepou o reino da Babilônia.

> *Fez toda raça humana para habitar sobre toda a face da terra, havendo fixado os tempos previamente estabelecidos e os limites da sua habitação.*
>
> Atos 17.26

Isso pode parecer determinismo absoluto, mas muitas são as Escrituras que nos mostram que acontecem aos homens e às nações muitas coisas segundo a *Lei Moral da Colheita Segundo a Semeadura* (ver a respeito no *Dicionário*), que opera conforme os homens obedecem ou desobedecem às leis morais de Deus. A presente história é, na realidade, uma ilustração precisa disso.

■ 5.27

תְּקֵל תְּקִילְתָּה בְמֹאזַנְיָא וְהִשְׁתְּכַחַתְּ חַסִּיר׃

TEQUEL: Pesado foste na balança. Este versículo interpreta a palavra *TEQUEL*. Deus pôs o rei na balança de sua justiça e achou que ele era mais leve do que a poeira. Para ser aprovado, o homem teria de ser pesado o bastante para fazer o prato da balança baixar em seu favor — essa é a ideia da metáfora. Um homem tem de pesar mais do que seus pecados e fracassos, ou seja, mostrar que tem algum *valor* que pese mais do que suas maldades.

"Foste pesado na balança e ficou demonstrado que não és bom o bastante" (NCV). Ou seja, Belsazar não era suficientemente bom para escapar do julgamento que sobreviria naquela mesma noite. Esse juízo veio porque as maldades do rei ultrapassavam suas bondades. "A noção da conduta humana ser pesada em uma balança é muito antiga e ilustra lindamente as cenas do Egito antigo, onde os mortos ficavam de pé defronte da balança, enquanto o registro era feito. Passagens bíblicas como Jó 6.2,3; 31.6 e Pv 62.9 refletem essa ideia. Cf. também Sl 5.6; Enoque 41.1; 61.8, bem como o *Quran Sura* 21.48" (Arthur Jeffery, *in loc.*).

"Você foi pesado na balança da justiça e da verdade, na santa e justa lei de Deus, tal como o ouro, as joias e as pedras preciosas são pesados para se determinar o seu valor... e você foi encontrado em falta, como se fosse ouro adulterado, escória de prata, moedas falsas e pedras preciosas falsificadas, encontrado como inútil como homem, príncipe iníquo, a quem faltam as qualificações necessárias da sabedoria, da bondade, da misericórdia, da verdade e da justiça" (John Gill, *in loc.*). Essa citação nos faz sentir o que está envolvido nos julgamentos divinos, não somente no que diz respeito àquele pobre homem, mas no que se refere a nós, igualmente. Qual é o peso de nossa sabedoria, bondade, misericórdia, verdade e justiça?

■ 5.28

פְּרֵס פְּרִיסַת מַלְכוּתָךְ וִיהִיבַת לְמָדַי וּפָרָס׃

PERES: Dividido foi o teu reino. Este versículo interpreta a palavra PERES. Estritamente falando, o reino não foi dividido; simplesmente foi conquistado pelos medos e persas. Mas talvez a ideia seja que essas duas potências dividiram entre si o império da Babilônia. De fato, a Média e a Pérsia eram potências distintas que se uniram mediante a conquista da segunda pela primeira. Ver os comentários sobre Dn 2.39. O terceiro reino do sonho de Nabucodonosor — o ventre e as coxas de bronze — é interpretado por alguns como o poder persa, em distinção ao poder da Média. Portanto, a palavra *PERAS* pode significar "quebrar", e, como é lógico, a Babilônia foi quebrada em dois pela derrota que sofreu. Os medos aparecem em 2Rs 17.6; Ed 6.2 e nos livros proféticos. Os medos e os persas são mencionados juntos aqui, tanto quanto no capítulo 6 desse livro, porque os judeus, à semelhança dos gregos, consideravam aqueles dois povos iranianos intimamente associados. Nos escritos gregos, os termos *ta Persika* e *ta Medika* tornaram-se sinônimos virtuais, intercambiáveis. Quanto a informações gerais, ver no *Dicionário* os verbetes chamados *Média (Medos)* e *Pérsia*.

Talvez haja um jogo de palavras intencional aqui, baseado em *peres* (quebrar) e *Paras* (Pérsia). Os persas foram os instrumentos da quebra do império babilônico.

Epílogo (5.29-31)

■ 5.29

בֵּאדַיִן אֲמַר בֵּלְשַׁאצַּר וְהַלְבִּשׁוּ לְדָנִיֵּאל אַרְגְּוָנָא וְהַמְונְכָא דִי־דַהֲבָא עַל־צַוְּארֵהּ וְהַכְרִזוּ עֲלוֹהִי דִּי־לֶהֱוֵא שַׁלִּיט תַּלְתָּא בְּמַלְכוּתָא׃

Então mandou Belsazar que vestissem Dn de púrpura. Mantendo a promessa de alta recompensa, o rei baixou decretos com essa finalidade. Ver os vss. 7 e 16, que o presente versículo praticamente duplica. Mas esse cumprimento foi inútil, pois naquela mesma noite nada mais restaria a Belsazar para dar a Daniel. Era iminente uma grande "mudança de mãos". Os medos e os persas dentro de poucas horas seriam os próximos insensatos que estariam saltitando no palco da história.

> Nossos pequenos sistemas têm sua época,
> Eles têm seu dia, mas logo passam.
> São apenas lâmpadas bruxuleantes ao lado
> Da tua luz, ó Senhor.
>
> Russell Champlin

■ 5.30

בֵּהּ בְּלֵילְיָא קְטִיל בֵּלְאשַׁצַּר מַלְכָּא כַשְׂדָּיָא׃

Naquela mesma noite foi morto Belsazar, rei dos caldeus. O *golpe divino* atingiu o rei de modo súbito e brutal. Belsazar não chegou a atravessar vivo aquela noite. O fraseado usado neste versículo indica um *ataque noturno*, declaração confirmada tanto por Heródoto quanto por Xenofonte. Este último mencionou especificamente que o ataque foi desfechado à noite, durante uma festa de vinho (*Cyropaedia*, I.7, sec. 7, sec. 23 e 23). "Ciro desviou as águas do rio Eufrates para um novo canal e, guiado por dois desertores, Gobiras e Gadatas, marchou pelo leito seco do rio e entrou na cidade... Ver também Is 21.5; Jr 50.38,39 e 51.36. Quanto ao fato de que Belsazar foi morto, cf. Is 14.18-20; Jr 50.29-35 e 51.57. A cidade foi cercada, e Ciro estava preparado para um longo cerco. A cidade tinha comida estocada para vinte anos! Belsazar não temia o exército persa, que era dirigido por Ugbaru. O truque das forças atacantes foi o desvio do rio, que levou o drama a um desfecho tão rápido e inesperado, cumprindo a temível profecia de Daniel. Ver também Is 47.1-5. A queda da cidade da Babilônia pode ser datada com precisão. Ocorreu a 16 de tisri (12 de outubro de 539 a.C.). Chegamos agora à segunda fase do governo dos gentios (ver Dn 2.39), em consonância com o sonho da imagem de Nabucodonosor. Ver no *Dicionário* o verbete chamado *Soberania de Deus*, a qual recebeu uma demonstração dramática e significativa. O Rei é quem levanta e derruba monarcas humanos.

■ 5.31 (na Bíblia hebraica corresponde ao 6.1)

וְדָרְיָוֶשׁ מָדָיָא קַבֵּל מַלְכוּתָא כְּבַר שְׁנִין שִׁתִּין וְתַרְתֵּין׃

E Dario, o medo, ... se apoderou do reino. Os críticos encontram neste versículo um equívoco importante, cometido pelo autor sacro, assegurando-nos que nunca houve alguém como *Dario, o medo*. Eles supõem que esse seja um detalhe registrado por um escritor mal informado das circunstâncias que envolveram os medos e os persas. "Têm havido tentativas para identificá-lo com Ciaxares II, o tio de Ciro; com o próprio Ciro, com Gobrias, o general que realmente tomou a cidade da Babilônia e a governou por algum tempo; com Cambises, filho de Ciro; e com Astiages, o último rei dos medos. Todas essas identificações propostas naufragam sobre os fatos de que, nesse livro, Dario foi um medo (Dn 5.31); filho de Xerxes (10.1); antecessor imediato de Ciro (6.28 e 10.1). Portanto, ele é uma personagem de ficção e não uma figura histórica, e não há dificuldade alguma em ver como esses relatos sobre indivíduos fazem com que Ciro, que tomou a Babilônia em 538 a.C., veio a ser confundido com a personagem de Dario I, que a capturou em 520 a.C. A teoria dos quatro impérios exigia que o império medo existisse antes do império persa, e a profecia predissera a derrubada da Babilônia por parte dos medos (ver Is 13.17; 21.2; Jr 51.11,28), pelo que temos a figura indistinta de Dario, o medo, como sucessor imediato de Belsazar. É perfeitamente possível que memórias reminiscentes tanto de Gobiras quanto de Cambises tenham contribuído para formar essa figura" (Arthur Jeffery, *in loc.*).

Quanto a como esses argumentos têm recebido contra-argumentos, ver na *Introdução* ao livro, em III, *Autoria, Data e Debates a Respeito*, primeiro ponto. Ver também no *Dicionário* o artigo denominado *Belsazar*, onde é apresentada uma discussão mais completa.

Harmonia a Qualquer Preço. Se existem erros históricos nos livros da Bíblia, isso nada tem a ver com a teoria da inspiração, que não requer perfeição verbal e histórica. Devemos lembrar que é a *teoria do ditado* que faz tais exigências. Não há razão para duvidarmos de que algumas Escrituras foram produzidas através desse método, mas também não há razão para acreditarmos que as Escrituras, em sua inteireza, foram assim produzidas. Ver no *Dicionário* o artigo geral sobre *Inspiração e Revelação*, o qual entra nas questões relativas ao *modus operandi* da *inspiração*. Sabemos que quase todos os autores das Escrituras cometeram erros gramaticais e que existem, aqui e acolá, versículos confusos que permaneceram sem revisão. A perfeição verbal, na realidade, é um mito, e as pessoas que leem os originais sabem que essa perfeição é uma falsidade. Tais coisas, no entanto, nada têm a ver com as mensagens apresentadas, e não devem deixar um crente sem dormir à noite, com excessiva ansiedade. Algumas vezes a harmonia é defendida em detrimento da honestidade.

Com cerca de sessenta e dois anos. Talvez esteja em vista Gobrias, e a idade fosse dele. Alguns dizem que a idade de Daniel é que está em foco, mas na época ele tinha entre 80 e 90 anos de idade. A Septuaginta simplesmente deixa essas palavras fora do texto sagrado. Xenofonte (*Cyropaedia*, viii.5,19) atribui essa idade a Ciaxares II, tio de Ciro.

CAPÍTULO SEIS

O livro de Daniel compõe-se essencialmente de *seis histórias* e *quatro visões*. As histórias ocupam os capítulos 1—6, e as visões, os capítulos 7—12. Quanto a detalhes sobre esse arranjo, ver a seção "Ao Leitor", parágrafos quinto e sexto, apresentada imediatamente antes do começo da exposição sobre Dn 1.1. Chegamos agora à mais bem conhecida das seis histórias, a sexta, *Daniel na Cova dos Leões*. Este capítulo divide-se naturalmente em três partes: vss. 1-3; vss. 4-24 e vss. 25-28. Há poucas subdivisões notórias. Ofereço títulos introdutórios que projetam a essência das seções.

O vs. 6.1 é uma espécie de pós-escrito ao capítulo 5 e continua a falar em *Dario, o medo*. Mas não existe nenhuma evidência histórica, fora da Bíblia, para o governo de um homem com esse nome. Ver a discussão sobre esse Dario em 5.31.

A história deste capítulo é similar à ideia do capítulo 3, que conta as aventuras dos três amigos hebreus de Daniel na fornalha de fogo. Eles foram libertados de uma situação desesperadora através de um milagre notável. Ver no *Dicionário* o artigo chamado *Milagre*. Dessa forma Daniel, ao *enfrentar leões*, foi capaz de sobreviver mediante intervenção divina. Essa é uma visão teísta (ver no *Dicionário* o artigo intitulado *Teísmo*), que ensina que o Criador continua presente no mundo dos homens, punindo, recompensando e orientando os eventos. Contrastar isso com o *Deísmo* (ver o artigo no *Dicionário*), que supõe que a força criadora (pessoal ou impessoal) abandonou sua criação ao controle das leis naturais.

"A lição desta história é a lição da lealdade aos mandamentos de Deus sobre a fé religiosa. Ele sempre honrará os que observarem fielmente esses preceitos. A religião consiste não somente nas observâncias públicas, mas também nas devoções particulares. No cativeiro, os judeus tinham poucas oportunidades de realizar a parte pública de suas práticas de culto. Portanto, as devoções pessoais e particulares tiveram de ocupar o lugar da devoção pública. Potentados poderosos, ou mesmo grupos de pessoas, que manobravam o Estado ocasionalmente esforçaram-se por interferir na fé particular... Antíoco Epifânio fez precisamente isso (ver 1Macabeus 1.42; 2Macabeus 6.6). No entanto, Deus pode intervir e realmente intervém em favor dos que permanecem fiéis. Ele pode humilhar e realmente humilha governantes poderosos" (Arthur Jeffery, *in loc.*).

Este relato bíblico também tem por finalidade assegurar-nos que os judeus, embora oprimidos, foram ajudados por Yahweh e exaltados a despeito dos ataques pagãos. Os deuses e a idolatria pagã não podiam igualar tais feitos, pelo que o paganismo saiu derrotado, enquanto o judaísmo foi exaltado, por meio das *seis histórias* do autor sagrado (Dn 1—6).

DANIEL NA COVA DOS LEÕES (6.1-28)

Prólogo (6.1-3)

■ **6.1** (na Bíblia hebraica corresponde ao **6.2**)

שְׁפַר קֳדָם דָּרְיָוֶשׁ וַהֲקִים עַל־מַלְכוּתָא לַאֲחַשְׁדַּרְפְּנַיָּא
מְאָה וְעֶשְׂרִין דִּי לֶהֱוֹן בְּכָל־מַלְכוּתָא׃

Pareceu bem a Dario constituir sobre o reino. O autor sacro recupera aqui o fio de Dn 5.31, e agora nos diz como Dario, o medo, perpetrou um ato abominável contra o profeta Daniel, instigado pelas classes governantes invejosas do "cativo de Judá" que tinha subido tão alto no favor divino. Foi Dario I quem estabeleceu satrapias (isto é, províncias), cada qual com seu governador. Mas Dario aqui é o medo referido em 5.31, onde apresento notas expositivas. Ver também o artigo no *Dicionário*, onde comento sobre *Dario I* (o primeiro da lista) e *Dario, o medo* (o quarto da lista). Em Dn 5.31 e no artigo mencionado, discuto os problemas históricos que circundam o *Dario* deste texto.

A divisão do país em satrapias foi descrita por Heródoto (*Hist.* III.89-94), que afirmou que Dario I dividiu o reino em vinte divisões. Essa mesma informação figura em inscrições da época. As tradições judaicas, no entanto, aumentam esse número para 127 divisões (ver Et 1.1; 8.9). Josefo então aumentou o número das satrapias para 120! (*Antiq*. X.11.4). É provável que os judeus usassem o termo "satrapias" em um sentido mais amplo do que faziam os persas. Note o leitor que o vs. 1 deste capítulo dá o número judaico de 120 satrapias.

■ **6.2,3** (na Bíblia hebraica corresponde ao **6.3,4**)

וְעֵלָּא מִנְּהוֹן סָרְכִין תְּלָתָא דִּי דָנִיֵּאל חַד־מִנְּהוֹן דִּי־
לֶהֱוֹן אֲחַשְׁדַּרְפְּנַיָּא אִלֵּין יָהֲבִין לְהוֹן טַעְמָא וּמַלְכָּא
לָא־לֶהֱוֵא נָזִק׃

אֱדַיִן דָּנִיֵּאל דְּנָה הֲוָא מִתְנַצַּח עַל־סָרְכַיָּא
וַאֲחַשְׁדַּרְפְּנַיָּא כָּל־קֳבֵל דִּי רוּחַ יַתִּירָא בֵּהּ וּמַלְכָּא
עֲשִׁית לַהֲקָמוּתֵהּ עַל־כָּל־מַלְכוּתָא׃

E sobre eles três presidentes. "Uma das primeiras responsabilidades de Dario foi reorganizar o reino da Babilônia recentemente conquistado. Ele nomeou 120 sátrapas (cf. Dn 3.2) para governar o reino e colocou-os sob as ordens de três administradores, um dos quais era Daniel. Os sátrapas eram responsáveis diante dos três presidentes ou administradores, talvez quarenta sátrapas para cada presidente. Daniel foi um administrador extraordinário, em parte por causa de sua experiência de 39 anos sob Nabucodonosor (ver Dn 2.48). Assim sendo, Dario planejava torná-lo responsável pela administração do reino inteiro. Isso, naturalmente, criou atrito entre Daniel e os outros administradores e os 120 sátrapas" (J. Dwight Pentecost, *in loc.*).

Daniel tinha um "espírito excelente", provável alusão a como o espírito dos deuses (segundo a terminologia pagã) estava com ele (ver Dn 4.8,9,18). Cf. Dn 5.12, que nos transmite a mesma mensagem. Daniel era "preferido acima de outros administradores, ou, literalmente, brilhava mais do que eles".

O Teste do Homem de Deus (6.4-24)

■ **6.4** (na Bíblia hebraica corresponde ao **6.5**)

אֱדַיִן סָרְכַיָּא וַאֲחַשְׁדַּרְפְּנַיָּא הֲווֹ בָעַיִן עִלָּה לְהַשְׁכָּחָה לְדָנִיֵּאל מִצַּד מַלְכוּתָא וְכָל־עִלָּה וּשְׁחִיתָה לָא יָכְלִין לְהַשְׁכָּחָה כָּל־קֳבֵל דִּי־מְהֵימַן הוּא וְכָל־שָׁלוּ וּשְׁחִיתָה לָא הִשְׁתְּכַחַת עֲלוֹהִי׃

Então os presidentes e os sátrapas. Daniel voava alto demais; as coisas corriam bem demais; o homem precisava ser submetido a teste. Ele era um administrador bom demais para que seus rivais encontrassem falhas nele. Portanto, a solução foi levantar o antigo espírito de *perseguição religiosa*. O homem sustentava sua fé judaica em meio à idolatria pagã; seus inimigos manipulariam isso para vantagem própria, e o fariam ser executado oficialmente pelo Estado, por meio de Dario, o medo, naturalmente. Dario tinha reputação de ser fraco e vacilante, pelo que a tarefa deles seria fácil. Era preciso, porém, encontrar *motivos* para acusar Daniel com uma *'illah,* ou seja, uma acusação legal. Eles não queriam apenas diminuir o ritmo de Daniel. Queriam vê-lo morto. E buscaram encontrar alguma *falha* (no hebraico, *shehithah,* "ação incorreta") ou *erro* (no hebraico, *shalu,* algum "deslize" ou "remissão"), mas Daniel e seu trabalho mostravam-se imaculados. Cf. Ed 4.22 e 6.9, onde temos as ideias de *negligência* ou *relaxamento* na execução das ordens oficiais. Daniel, porém, estava acima dessas pequenas falhas humanas.

■ **6.5** (na Bíblia hebraica corresponde ao **6.6**)

אֱדַיִן גֻּבְרַיָּא אִלֵּךְ אָמְרִין דִּי לָא נְהַשְׁכַּח לְדָנִיֵּאל דְּנָה כָּל־עִלָּא לָהֵן הַשְׁכַּחְנָה עֲלוֹהִי בְּדָת אֱלָהֵהּ׃ ס

Disseram, pois, estes homens. O judaísmo nada era sem a prática da lei mosaica, que exigia, antes de mais nada, lealdade a Yahweh, protesto contra qualquer forma de idolatria e observância de uma longa série de leis e regulamentos que governavam toda a vida. Ver sobre a *distinção* de Israel, em Dt 4.4-8. O termo "lei" usado neste versículo é o vocábulo iraniano *dath,* que indica a *torah* dos hebreus, a lei como código ou conjunto de preceitos e práticas religiosos (cf. Dn 7.25). Ver também Ed 7.12,14. Daniel era conhecido pelos frutos que produzia tanto em sua vida profissional como em sua vida pessoal. Seus oponentes haveriam de distorcer as coisas, colocando-o em uma situação perigosa. Tentariam desacreditá-lo e livrar-se dele, o que é o abc da política. Eles diriam a "grande mentira", o instrumento mais usado pelos políticos. Por outra parte, "a vida correta é mais importante que o rótulo correto. O público, entretanto, por muitas vezes anela escolher o rótulo acima da realidade" (Gerald Kennedy, *in loc.*).

■ **6.6** (na Bíblia hebraica corresponde ao **6.7**)

אֱדַיִן סָרְכַיָּא וַאֲחַשְׁדַּרְפְּנַיָּא אִלֵּן הַרְגִּשׁוּ עַל־מַלְכָּא וְכֵן אָמְרִין לֵהּ דָּרְיָוֶשׁ מַלְכָּא לְעָלְמִין חֱיִי׃

Então estes presidentes e sátrapas foram juntos ao rei. Aqueles réprobos formaram uma *conspiração*. Todos estavam na mesma equipe (pelo momento) porque tinham um inimigo comum, ao qual queriam derrubar. E apresentaram ao rei Dario, o medo, a questão que tinham planejado. Aproximaram-se do rei com o louvor usual, incluindo a costumeira saudação "Vive para sempre!" (ver Dn 2.4). O vs. 21 deste capítulo mostra Daniel a dizer a mesma coisa. Essa saudação fazia parte da "etiqueta da corte".

■ **6.7** (na Bíblia hebraica corresponde ao **6.8**)

אִתְיָעַטוּ כֹּל סָרְכֵי מַלְכוּתָא סִגְנַיָּא וַאֲחַשְׁדַּרְפְּנַיָּא הַדָּבְרַיָּא וּפַחֲוָתָא לְקַיָּמָה קְיָם מַלְכָּא וּלְתַקָּפָה אֱסָר דִּי כָל־דִּי־יִבְעֵה בָעוּ מִן־כָּל־אֱלָהּ וֶאֱנָשׁ עַד־יוֹמִין תְּלָתִין לָהֵן מִנָּךְ מַלְכָּא יִתְרְמֵא לְגֹב אַרְיָוָתָא׃

Todos os presidentes do reino. A *Ridícula Conspiração.* O fraco e vacilante monarca se tornaria o *único deus* pelo espaço de trinta dias. Nem mesmo Bel (Marduque) receberia atenção durante esse tempo, assim como Yahweh, o Deus dos judeus. Haveria uma maravilhosa *lei de trinta dias,* reforçada por um decreto real. Podemos entender que os reis medo-persas já estavam levando-se demasiadamente a sério, pensando em si mesmos como se fossem deuses, pelo que ser o *único deus* por um curto tempo parecia ser algo lógico e elogioso. Ademais, isso apelava para a vaidade e o orgulho ridículo de Dario, fraquezas típicas dos políticos. O conluio era ridículo, e seria necessário um homem absurdo para cair diante dele. Mas o que o rei fez foi cair. Qualquer pessoa que desobedecesse seria entregue aos leões famintos, os quais, inocentemente, cumpririam os desejos dos conspiradores.

Seja lançado na cova dos leões. Um surpreendente número de antigos monarcas (incluindo Salomão) tinha jardins zoológicos particulares para os quais traziam toda a espécie de criaturas exóticas a fim de admirá-las. Note o leitor a imagem do profeta, em Ez 19.1-9, onde um leão é posto em uma gaiola e levado para a Babilônia. Dario tinha alguns leões de estimação. O termo aqui traduzido por "cova" corresponde à palavra hebraica traduzida por "cisterna", pelo que devemos pensar em uma espécie de *buraco* que formava a cova dos leões. Nenhuma pessoa que caísse naquela cova poderia esperar voltar dali.

Desde os tempos mais remotos, na Mesopotâmia, os reis vinham sendo apodados de *divinos* e eram adorados. Ver o ato de adoração de Nabucodonosor por Daniel, em Dn 2.46. Isso é muito revelador quanto ao tipo de atitudes que as pessoas tinham naqueles dias, acerca dos indivíduos potencialmente divinos.

■ **6.8** (na Bíblia hebraica corresponde ao **6.9**)

כְּעַן מַלְכָּא תְּקִים אֱסָרָא וְתִרְשֻׁם כְּתָבָא דִּי לָא לְהַשְׁנָיָה כְּדָת־מָדַי וּפָרַס דִּי־לָא תֶעְדֵּא׃

Agora, pois, ó rei, sanciona o interdito. O rei, *em sua vaidade* e agindo de acordo com os costumes, recebeu bem a sugestão e imediatamente a implementou. O decreto saiu: durante trinta dias, o *único deus* seria Dario, o medo. Para a população em geral, não faria diferença qual dos deuses receberia atenção especial durante um mês. Havia tantas divindades e os cultos eram tão variegados que uma variação a mais não perturbaria a paz de ninguém, exceto, naturalmente, uma pessoa como Daniel, que rejeitava toda a falta de bom senso dos pagãos.

Temos aqui uma *lei escrita* e, conforme todos sabemos, a lei dos medos e persas não se alterava. Essa parte do versículo tornou-se famosa e muito repetida, como um *provérbio* que indica coisas imutáveis. Ver os vss. 12 e 15, onde a afirmação é reiterada. Isso deve ser contrastado com o Brasil, a terra das *novas leis.* Em Et 1.19 e 8.8 também encontramos a lei imutável daquele povo. O rei Dario foi *infalível* por trinta dias. O mito da infalibilidade humana é outra mentira que até pessoas bem-intencionadas gostam de promover.

■ **6.9** (na Bíblia hebraica corresponde ao **6.10**)

כָּל־קֳבֵל דְּנָה מַלְכָּא דָּרְיָוֶשׁ רְשַׁם כְּתָבָא וֶאֱסָרָא׃

Por esta causa o rei Dario assinou a escritura e o interdito. Dario assinou a lei que os governadores tinham traçado, pelo que ali estava ela, *escrita e fixa.* Diodoro Sículo (XVII.30) diz-nos que Dario III chegou a reconhecer a lei como perigosa e errada, mas até mesmo um rei não tinha poder para alterar uma lei decretada. E então Heródoto (*Hist.* V.25) informa-nos que um certo *Sisamnes,* juiz real, aceitou suborno para manifestar-se contra a lei e favorecer um cliente. Mas foi apanhado e esfolado vivo. Sua pele foi então usada para forrar um assento do tribunal, onde se assentariam outros juízes. E esses, podemos estar certos, não seguiriam o mau exemplo deixado por aquele juiz!

6.10 (na Bíblia hebraica corresponde ao 6.11)

וְדָנִיֵּאל כְּדִי יְדַע דִּי־רְשִׁים כְּתָבָא עַל לְבַיְתֵהּ וְכַוִּין פְּתִיחָן לֵהּ בְּעִלִּיתֵהּ נֶגֶד יְרוּשְׁלֶם וְזִמְנִין תְּלָתָה בְיוֹמָא הוּא בָּרֵךְ עַל־בִּרְכוֹהִי וּמְצַלֵּא וּמוֹדֵא קֳדָם אֱלָהֵהּ כָּל־קֳבֵל דִּי־הֲוָא עָבֵד מִן־קַדְמַת דְּנָה׃ ס

Daniel, pois, quando soube que a escritura estava assinada. *Entrega o Teu Fardo ao Senhor.* Daniel tinha por costume orar três vezes ao dia, e parte de seu ritual era recolher-se em seu pequeno quarto especial de oração, abrir as janelas na direção de Jerusalém, sua terra natal e sede de Yahweh, ajoelhar-se e orar. Parte de suas orações consistia em ações de graças. Assim, estando agora ameaçado, ele continuou suas práticas, que eram bem conhecidas. Agora, porém, o homem era vigiado, com o objetivo de constatar se ele interromperia seus costumes de fé religiosa durante aquele período crítico de trinta dias. Mas Daniel não interrompeu sua prática, pelo que foi facilmente descoberto e acusado. Cf. isso com o quarto construído para Eliseu pela mulher sunamita (ver 2Rs 4.10). Essas câmaras eram edificadas no eirado plano das casas, provendo um lugar fresco e recluso para que ali o proprietário se ocupasse da adoração, oração e meditação. Cf. Is 2.1; Sl 102.7; 1Rs 17.19; 2Rs 1.2; Jz 8.5; At 1.13; 9.36,39. Daniel gostava de orar diante da janela aberta, enviando suas orações na direção de onde estivera o templo de Jerusalém. Da mesma forma Sara, em Tobias 3.11, orava defronte da janela aberta de sua casa. Berakhoth 4.1 menciona os *três* períodos de oração, e o costume se generalizou no judaísmo posterior. Ver 1Rs 8.35,44,48; Sl 5.7; 138.2; 1Ed 4.58. O trecho de Ez 8.16 menciona o costume de orar na direção do Oriente, a câmara do sol nascente, mediante o qual toda vida terrena é sustentada.

... se punha de joelhos. Esta é uma das posturas comuns na oração, embora orar de pé parecesse ser a mais comum. Quando alguém ora de pé, tem mais energia para orar e não dorme. Mas ajoelhar em oração indica humildade e súplica intensa. Cf. 1Rs 8.54; 2Cr 6.13; Ed 9.5; Lc 22.41; At 9.40; 20.36; 21.5. Quanto à posição de pé na oração, ver Mt 6.5 e Mc 11.25.

Diante do seu Deus. É precisamente neste ponto que encontramos o "crime" de Daniel. Ele tinha desobedecido à ímpia regra dos trinta dias, e logo estaria à mercê dos leões sem misericórdia. O verbete chamado *Oração*, no *Dicionário*, apresenta notas que podem ilustrar e embelezar o texto presente.

Vemos pois o idoso homem Dn, agora com mais de 80 anos, perseverando até o fim em suas *práticas piedosas*, a despeito das perseguições que lhe ameaçavam a vida.

Só disto eu sei:
Conto a ele todas as minhas dúvidas,
Minhas tristezas e meus temores.
Com quanta paciência ele me ouve,
Animando minha alma encolhida.
No segredo de sua presença
Como minha alma deleita-se em esconder-se.
Ellen Lakshmi Goreh

6.11 (na Bíblia hebraica corresponde ao 6.12)

אֱדַיִן גֻּבְרַיָּא אִלֵּךְ הַרְגִּשׁוּ וְהַשְׁכַּחוּ לְדָנִיֵּאל בָּעֵא וּמִתְחַנַּן קֳדָם אֱלָהֵהּ׃

Então aqueles homens foram juntos. Como leões, aqueles homens estavam de emboscada, prontos a golpear o idoso homem assim que ele mostrasse que não desistiria de suas práticas religiosas, nem mesmo por trinta dias. Eles continuaram a observá-lo – e realmente ali estava ele, oferecendo suas abomináveis orações. Os leões o atacaram, contando com várias testemunhas do "crime". Os pecados geralmente são cometidos em segredo, e por isso os culpados não são detectados. Mas Daniel praticara seu "pecado" abertamente e logo foi apanhado com a mão na massa.

6.12 (na Bíblia hebraica corresponde ao 6.13)

בֵּאדַיִן קְרִיבוּ וְאָמְרִין קֳדָם־מַלְכָּא עַל־אֱסָר מַלְכָּא הֲלָא אֱסָר רְשַׁמְתָּ דִּי כָל־אֱנָשׁ דִּי־יִבְעֵה מִן־כָּל־אֱלָהּ

וֶאֱנָשׁ עַד־יוֹמִין תְּלָתִין לָהֵן מִנָּךְ מַלְכָּא יִתְרְמֵא לְגוֹב אַרְיָוָתָא עָנֵה מַלְכָּא וְאָמַר יַצִּיבָא מִלְּתָא כְּדָת־מָדַי וּפָרַס דִּי־לָא תֶעְדֵּא׃

Os traiçoeiros governantes tinham o homem nas mãos. Conseguiram provas de suas acusações. Triunfantes, eles correram para contar ao rei a ousada infração de Daniel contra a lei real que não podia ser mudada nem retirada (vs. 8). O rei precisou concordar que o decreto se tornara oficial e não podia ser alterado, uma repetição do vs. 15. O rei foi apanhado (contra a própria vontade) por seu decreto, tal como a filha de Herodias conseguiu apanhar Herodes (ver Mt 14.3). Essa foi uma maneira crua mas eficaz de negociar. "Nabucodonosor estava acima da lei, mas Dario, o medo, tinha de obedecer às leis dos medos e persas. Isso ficou subentendido no contraste entre o ouro e a prata, na imagem do sonho de Nabucodonosor (ver Dn 2.32,39)" (J. Dwight Pentecost, *in loc.*).

6.13 (na Bíblia hebraica corresponde ao 6.14)

בֵּאדַיִן עֲנוֹ וְאָמְרִין קֳדָם מַלְכָּא דִּי דָנִיֵּאל דִּי מִן־בְּנֵי גָלוּתָא דִּי יְהוּד לָא־שָׂם עֲלָיךְ מַלְכָּא טְעֵם וְעַל־ אֱסָרָא דִּי רְשַׁמְתָּ וְזִמְנִין תְּלָתָה בְיוֹמָא בָּעֵא בָּעוּתֵהּ׃

Então responderam, e disseram ao rei. A acusação assacada contra Daniel foi *traição*. Ele teria ignorado deliberadamente o ímpio decreto e continuado com suas orações três vezes ao dia. Ele sabia que uma lei oficial e temporária tinha sido assinada, mas desobedeceu abertamente. Além disso, ele era um daqueles desprezíveis "estrangeiros" (um humilde cativo de Judá) em quem ninguém podia confiar, conforme agora era comprovado. Cf. o preconceito contra os estrangeiros, em Dn 2.25 e 5.13. "Ali estava um estrangeiro que tinha recebido os maiores favores por parte da corte, mostrando-se antagônico às leis do reino!" (Ellicott, *in loc.*). "... um cativo judeu, dentre todos os povos o mais odioso..." (John Gill, *in loc.*).

6.14 (na Bíblia hebraica corresponde ao 6.15)

אֱדַיִן מַלְכָּא כְּדִי מִלְּתָא שְׁמַע שַׂגִּיא בְּאֵשׁ עֲלוֹהִי וְעַל דָּנִיֵּאל שָׂם בָּל לְשֵׁיזָבוּתֵהּ וְעַד מֶעָלֵי שִׁמְשָׁא הֲוָא מִשְׁתַּדַּר לְהַצָּלוּתֵהּ׃

Tendo ouvido o rei estas cousas. O rei tinha sido iludido e agora ficara "penalizado" por ter-se permitido cair em tão ridícula situação. Ele era esperto o bastante para reconhecer a razão *real* de ter sido tratado como *um deus por um mês*. A exaltação ao rei não era sincera, mas objetivava a derrubada de Daniel. Tinha sido apenas um daqueles jogos doentios que os políticos geralmente jogam. O rei insensato não era mais que um animal que fora apanhado na rede por caçadores maliciosos. O rei saiu totalmente *humilhado* do episódio. Para seu crédito, Dario tentou, até o pôr do sol, livrar-se da rede, livrando também Daniel. "Ele resolveu salvar Daniel. Ficou trabalhando até o ocaso imaginando como poderia salvá-lo" (NCV). Mas todo esforço foi inútil por causa da teoria de que a lei dos medos e persas nunca muda. Caros leitores, esse incidente se parece com os dogmas de algumas pessoas. De fato, há pessoas que passam a vida toda sem mudar de mentalidade sobre coisa alguma. Porém, a verdade é que não existe *crescimento* sem que haja mudanças.

6.15 (na Bíblia hebraica corresponde ao 6.16)

בֵּאדַיִן גֻּבְרַיָּא אִלֵּךְ הַרְגִּשׁוּ עַל־מַלְכָּא וְאָמְרִין לְמַלְכָּא דַּע מַלְכָּא דִּי־דָת לְמָדַי וּפָרַס דִּי־כָל־אֱסָר וּקְיָם דִּי־מַלְכָּא יְהָקֵים לָא לְהַשְׁנָיָה׃

Então aqueles homens foram juntos ao rei. Aqueles réprobos novamente foram lembrar ao rei a natureza imutável das leis dos medos e dos persas (o que já fora dito nos vss. 8 e 12). Isso pôs fim aos esforços do rei por livrar tanto a si mesmo como a Daniel da maliciosa situação. Este versículo enfatiza a impotência do homem perante o mal, a menos que alguma intervenção divina o livre. O texto também ilustra que algumas leis são injustas, sendo também verdade que homens injustos ditam leis visando seu *próprio benefício*. Portanto, quando alguém diz "Assim determina a lei", essa pessoa não está emitindo necessariamente um julgamento moral. Além disso, é melhor obedecer a Deus do que às leis dos homens, quando essas leis entram em conflito com a verdadeira avaliação do que é justo (ver At 5.29).

A Provação e o Livramento de Daniel (6.16-23)

■ **6.16** (na Bíblia hebraica corresponde ao **6.17**)

בֵּאדַ֜יִן מַלְכָּ֣א אֲמַ֗ר וְהַיְתִיו֙ לְדָ֣נִיֵּ֔אל וּרְמ֕וֹ לְגֻבָּ֖א דִּ֣י אַרְיָוָתָ֑א עָנֵ֨ה מַלְכָּ֜א וְאָמַ֣ר לְדָנִיֵּ֗אל אֱלָהָ֞ךְ דִּ֣י אַ֣נְתְּ פָּֽלַֽח־לֵ֣הּ בִּתְדִירָ֔א ה֖וּא יְשֵׁיזְבִנָּֽךְ׃

Então o rei ordenou que trouxessem a Daniel. O rei, impotente, e confessando sua impotência, com relutância ordenou que Daniel fosse trazido e *lançado* na cova onde os leões viviam, tal como os três amigos do profeta tinham sido lançados na fornalha ardente (ver Dn 3.11,21). Quando Daniel estava sendo arriado na cova dos leões, o rei expressou o desejo de que Deus o protegesse, pois Daniel confiava nele. Isso duplica a situação dos três amigos (ver Dn 3.17). Ver também Dn 6.20. A história, como é claro, exalta Judá e Yahweh, à custa do paganismo e de seus inúmeros deuses de nada. E Daniel, profeta genuíno, também é exaltado, às expensas dos profetas do paganismo. O livro de Daniel, em certo sentido, é uma *apologia* do judaísmo e de sua fé monoteísta tradicional.

■ **6.17** (na Bíblia hebraica corresponde ao **6.18**)

וְהֵיתָ֨יִת אֶ֤בֶן חֲדָה֙ וְשֻׂמַ֣ת עַל־פֻּ֣ם גֻּבָּ֔א וְחַתְמַ֤הּ מַלְכָּא֙ בְּעִזְקְתֵ֔הּ וּבְעִזְקָ֖ת רַבְרְבָנ֑וֹהִי דִּ֣י לָא־תִשְׁנֵ֥א צְב֖וּ בְּדָנִיֵּֽאל׃

Foi trazida uma pedra e posta sobre a boca da cova. A cova dos leões era uma espécie de abismo, conforme a palavra usada dá a entender. Ao que tudo indica, só havia uma saída, pelo que uma pedra tampou a cova, impedindo que Daniel fugisse. Naturalmente, o idoso profeta não correria muito, mesmo que os leões viessem em sua perseguição! A pedra foi selada com argila, e o pobre rei "assinou" sobre ela com seu sinete, talvez fazendo uma impressão no barro com seu anel real. Isso dizia às pessoas que se mantivessem afastadas sob pena de morte. Ninguém ousaria tentar salvar Daniel, pois, se violasse a marca do anel do rei, essa pessoa seria a próxima a descer à cova. Heródoto (*Hist.* I.195) mencionou o costume babilônico de fechar covas e selar a tampa, e esse costume continuou com os persas (Et 3.12; 8.8,10). Dario afixou seu selo a documentos oficiais, conforme informou Heródoto (ver *Hist.* III.128). Cf. 1Rs 21.8 e Mt 27.66.

■ **6.18** (na Bíblia hebraica corresponde ao **6.19**)

אֱדַ֜יִן אֲזַ֤ל מַלְכָּא֙ לְהֵֽיכְלֵ֔הּ וּבָ֥ת טְוָ֖ת וְדַחֲוָ֣ן לָא־הַנְעֵ֣ל קָֽדָמ֑וֹהִי וְשִׁנְתֵּ֖הּ נַדַּ֥ת עֲלֽוֹהִי׃

Então o rei se dirigiu para o seu palácio. O pobre rei Dario ficou extremamente desanimado. Ele perdeu o apetite e nada comeu. Talvez ele estivesse ocupado em um *jejum religioso*, mediante o qual esperava salvar Daniel "de alguma maneira". Naquela noite ele não quis que houvesse a música, a dança e os entretenimentos que faziam parte regular das "noites do rei". Ele não dormiu, e suponho que ele muito orou ao Deus dos judeus, a despeito do decreto restritor. Sem dúvida o rei não estava confiando em si mesmo naquela noite. Este versículo combina admiravelmente com a experiência humana. Há tempos em que as coisas saem de nosso controle, e somente Deus pode fazer alguma diferença. Assim sendo, lancemos tudo sobre ele, em oração. Cf. Dn 2.1 quanto ao desassossego de Nabucodonosor, e ver algo similar em Et 6.1. Mas existe uma profunda agitação "lá fora", pois as pessoas são envolvidas por situações impossíveis e não têm fé suficiente para livrar-se delas.

> Esconder-me-ei na Rocha fendida,
> Até passarem as tempestades da vida;
> Segura nesse bendito refúgio,
> Não dando atenção à explosão mais feroz.
>
> Mary D. James

■ **6.19** (na Bíblia hebraica corresponde ao **6.20**)

בֵּאדַ֣יִן מַלְכָּ֔א בִּשְׁפַּרְפָּרָ֖א יְק֣וּם בְּנָגְהָ֑א וּבְהִתְבְּהָלָ֔ה לְגֻבָּ֥א דִֽי־אַרְיָוָתָ֖א אֲזַֽל׃

Pela manhã, ao romper do dia. O rei agitou-se e rolou em seu leito real a noite inteira, em meio a uma ansiedade nada real. Assim que o sol surgiu no horizonte, ele foi com coração pesado dar uma olhada na miserável cova dos leões. Ele temia olhar para dentro da cova. Talvez só houvesse ossos e pedaços do profeta Daniel. Porém, em seu desespero, ele correu para a cova. Somos lembrados de como certas mulheres, e então um grupo de discípulos, correram para o túmulo de Jesus, pois se espalhara a notícia de que ele tinha escapado daquele lugar miserável por meio de um milagre (ver Jo 20.4). "Elevados oficiais, nos países do Oriente, moviam-se com pomposa lentidão, como sinal de sua dignidade. Se alguém era uma grande figura, não precisava andar com pressa. Portanto, a pressa, por parte do rei, foi um elemento do efeito dramático deste relato" (Arthur Jeffery, *in loc.*). "Dario esperava... que o idoso estadista teria sido salvo por Deus, a quem servia (ver Dn 3.17; 6.16)" (J. Dwight Pentecost, *in loc.*).

■ **6.20** (na Bíblia hebraica corresponde ao **6.21**)

וּכְמִקְרְבֵ֣הּ לְגֻבָּ֔א לְדָ֣נִיֵּ֔אל בְּקָ֥ל עֲצִ֖יב זְעִ֑ק עָנֵ֨ה מַלְכָּ֜א וְאָמַ֣ר לְדָנִיֵּ֗אל דָּֽנִיֵּאל֙ עֲבֵד֙ אֱלָהָ֣א חַיָּ֔א אֱלָהָ֗ךְ דִּ֣י אַ֣נְתְּ פָּֽלַֽח־לֵהּ֙ בִּתְדִירָ֔א הַיְכִ֥ל לְשֵׁיזָבוּתָ֖ךְ מִן־אַרְיָוָתָֽא׃

Chegando-se ele à cova, chamou por Daniel com voz triste. Chegando à cova, o rei era um destroço nervoso e, com voz chorosa, lamentável de ser ouvida, ele gritou pelo buraco, na esperança de que um homem vivo ouvisse e respondesse. O rei estava todo entusiasmado com a ideia de que o Deus vivo e verdadeiro dos judeus, sobre o qual ele tinha ouvido, realmente teria algum poder, a ponto de reverter a miserável situação de Daniel. Daniel tinha servido bem esse Deus e estava disposto a ser um mártir, para evitar tornar-se um apostata. Talvez por essa razão, Deus tivesse baixado sua mão poderosa e fechado a boca dos leões. Por isso o rei perguntou: "Estás vivo, Daniel? Teu Deus fez algum grande feito em teu favor? Grita de volta se puderes!" "Teu Deus, a quem sempre tens adorado, te salvou dos leões?" (NCV). Quanto à frase, *o Deus vivo* (que é judaica, e não iraniana), ver Dt 5.26; Js 3.10; Sl 42.2; Mt 26.63; At 14.15; 1Ts 1.9. Cf. este versículo com Dn 3.17 e 6.16.

■ **6.21** (na Bíblia hebraica corresponde ao **6.22**)

אֱדַ֨יִן דָּנִיֵּ֖אל עִם־מַלְכָּ֣א מַלִּ֑ל מַלְכָּ֖א לְעָלְמִ֥ין חֱיִֽי׃

Então Daniel falou ao rei: Ó rei, vive para sempre! Para profunda *admiração* do rei, uma voz saudável e forte, a voz do próprio Daniel, respondeu. Ficamos sempre surpresos quando Deus faz outro feito em nosso favor, que ultrapassa tudo quanto poderíamos fazer por nós mesmos. De fato, continuamos a ser surpreendidos, sem importar quantas vezes isso volte a acontecer. Portanto, Senhor, continua enviando surpresas. Um homem tem de crer em tudo quanto vem de Deus, pois é dele que os milagres provêm. Sempre é melhor crer de mais do que crer de menos. Oh! Senhor, concede-nos tal graça! Ademais, tudo quanto temos a fazer é pedir. "... foi algo tão grande, que encheu o rei de admiração. A coisa foi realmente extraordinária e admirável" (John Gill, *in loc.*).

Daniel introduziu o que tinha a dizer acerca de sua libertação com uma típica saudação segundo a *cortesia da corte*: "Ó rei, vive para sempre".

■ **6.22** (na Bíblia hebraica corresponde ao **6.23**)

אֱלָהִ֞י שְׁלַ֣ח מַלְאֲכֵ֗הּ וּֽסֲגַ֛ר פֻּ֥ם אַרְיָוָתָ֖א וְלָ֣א חַבְּל֑וּנִי כָּל־קֳבֵ֗ל דִּ֤י קָֽדָמ֙וֹהִי֙ זָכ֣וּ הִשְׁתְּכַ֣חַת לִ֔י וְאַ֤ף קָֽדָמָיִךְ֙ מַלְכָּ֔א חֲבוּלָ֖ה לָ֥א עַבְדֵֽת׃

O meu Deus enviou o seu anjo. Deus, o Poder, a Deidade dos judeus, foi o libertador de Daniel, e o anjo foi o seu instrumento. O anjo tinha o poder de manter os leões tranquilos e sem vontade de atacar o profeta, e foi isso o que ele fez, conforme se entende pelas palavras "fechou a boca aos leões". Este versículo ensina a realidade do ministério dos anjos. Ver as notas sobre *Anjo*, no *Dicionário*, bem como em Hb 1.14, no *Novo Testamento Interpretado:*

> *Não são todos eles espíritos ministradores enviados para serviço a favor dos que hão de herdar a salvação?*

O fato de Daniel ter sido livrado deveu-se à sua inocência diante de Deus e diante do rei. O rei é que tinha pecado, assinando o ridículo decreto e assumindo uma posição divina, o que não é certo ao homem fazer. Anjos já tinham estado ativos em circunstâncias nas quais os amigos de Daniel estiveram envolvidos (ver Dn 3.28). A história de Daniel na cova dos leões ilustra um dos atos de fé, conforme registra Hb 11. Ver o vs. 33. Daniel era inocente e leal a Deus, pelo que Deus usou sua graça para conceder aquele grande milagre. É um exagero fazer aqui do anjo o Cristo pré-encarnado, como se fosse o mesmo anjo que esteve na fornalha ardente. Cf. o versículo com Sl 34.7,10. O poder de Deus fecha a boca do "leão que ruge" (1Pe 5.8).

■ **6.23** (na Bíblia hebraica corresponde ao **6.24**)

בֵּאדַיִן מַלְכָּא שַׂגִּיא טְאֵב עֲלוֹהִי וּלְדָנִיֵּאל אֲמַר
לְהַנְסָקָה מִן־גֻּבָּא וְהֻסַּק דָּנִיֵּאל מִן־גֻּבָּא וְכָל־חֲבָל
לָא־הִשְׁתְּכַח בֵּהּ דִּי הֵימִן בֵּאלָהֵהּ:

Então o rei se alegrou sobremaneira. Daniel nunca mais foi sujeitado a abusos. O rei ordenou que tirassem o profeta daquele buraco miserável. Ele não tinha sofrido nenhum dano físico, porquanto havia confiado em seu Deus, na hora de provação. Antes disso, porém, havia demonstrado extraordinário grau de lealdade, pelo que era o tipo de pessoa da qual se podia esperar um milagre. O paralelo, naturalmente, é a história dos três amigos de Daniel que foram libertados da fornalha ardente, e as mesmas qualidades morais governaram os dois incidentes. Cf. Sl 57.4-6 e 91.11,15.

Este versículo ilustra como o Criador intervém em sua criação, recompensando e punindo, e também guiando os acontecimentos individuais e nacionais (ver no *Dicionário* o verbete intitulado *Teísmo*). Cf. 1Pe 4.19.

Os Inimigos de Daniel São Punidos (6.24)

■ **6.24** (na Bíblia hebraica corresponde ao **6.25**)

וַאֲמַר מַלְכָּא וְהַיְתִיו גֻּבְרַיָּא אִלֵּךְ דִּי־אֲכַלוּ קַרְצוֹהִי
דִּי דָנִיֵּאל וּלְגֹב אַרְיָוָתָא רְמוֹ אִנּוּן בְּנֵיהוֹן וּנְשֵׁיהוֹן
וְלָא־מְטוֹ לְאַרְעִית גֻּבָּא עַד דִּי־שְׁלִטוּ בְהוֹן אַרְיָוָתָא
וְכָל־גַּרְמֵיהוֹן הַדִּקוּ:

Ordenou o rei, e foram trazidos aqueles homens. Os rivais de Daniel obtiveram exatamente o que haviam planejado para ele. Lançados na cova, foram despedaçados e consumidos pelos leões. A mesma punição alcançou suas esposas e seus filhos, pois esse era um modo comum de *retribuição* na antiguidade. Foi aplicada a *Lex Talionis* (retribuição segundo a gravidade do crime), uma subcategoria da *Lei Moral da Colheita Segundo a Semeadura.* Ver sobre ambos os títulos no *Dicionário*.

Temos de considerar que todas aquelas pessoas foram separadas para serem refeições de leões por considerável tempo, e isso só aumenta o horror da história. A Septuaginta limita o "consumo" de carne humana a dois governadores, presumivelmente os líderes da conspiração. A *voracidade* dos leões ilustra que a Daniel foi concedido um milagre. Nada havia de errado com os leões. Quando eles *não* comeram Daniel, isso resultou da ação de um anjo do Senhor. Quanto aos familiares de pessoas culpadas que tiveram de sofrer juntamente com elas, ver Js 7.24,25; 2Sm 14.5 ss. e 21.5-9. Ver também o relato de como os filhos de Hamã sofreram juntamente com ele, segundo conta o livro de Et 9.13,14. Heródoto narrou algo similar em sua *História* III.119. Quanto a alguém sofrer pelos pecados dos pais, ver Êx 20.5.

Epílogo (6.25-28)

■ **6.25** (na Bíblia hebraica corresponde ao **6.26**)

בֵּאדַיִן דָּרְיָוֶשׁ מַלְכָּא כְּתַב לְכָל־עַמְמַיָּא אֻמַּיָּא
וְלִשָּׁנַיָּא דִּי־דָאְרִין בְּכָל־אַרְעָא שְׁלָמְכוֹן יִשְׂגֵּא:

Então o rei Dario escreveu aos povos. "Assim como Nabucodonosor, no terceiro capítulo, sentiu-se impelido a assinar um decreto no qual reconhecia a grandeza do Deus dos judeus e convocava todos os seus súditos a respeitá-lo, também Dario se sentiu impulsionado a fazer o mesmo, depois do milagre que ocorreu com Daniel. De fato, os detalhes desse decreto seguem de perto o padrão de Dn 3.29 ss., usando palavras e frases que já havíamos encontrado em Dn 2.44; 4.1-3 e 5.19" (Arthur Jeffery, *in loc.*). Quanto aos *decretos* reais, cf. Dn 3.10,29 e 4.6. Quanto à universalidade do reino e do poder do rei, ver sobre "povos, nações e línguas", em Dn 3.4,29 e 4.1. A *terra* era o que eles conheciam. O império persa era bastante amplo e abarcava a maior civilização da época. Foi irônico que o homem que tinha acabado de assinar um decreto, tornando a si mesmo um deus pelo espaço de trinta dias, tenha precisado admitir que existe um Deus verdadeiro, vivo e eterno (ver o vs. 20), que governa o tempo todo e para sempre e merece a adoração dos homens. A *paz* foi multiplicada ao povo, quando foram libertados do primeiro decreto e sujeitados ao segundo. A paz na terra resulta da paz espiritual, quando os homens endireitam os seus caminhos diante de Deus (Rm 5.1).

■ **6.26,27** (na Bíblia hebraica corresponde ao **6.27,28**)

מִן־קֳדָמַי שִׂים טְעֵם דִּי בְּכָל־שָׁלְטָן מַלְכוּתִי לֶהֱוֹן
זָאעִין וְדָחֲלִין מִן־קֳדָם אֱלָהֵהּ דִּי־דָנִיֵּאל דִּי־הוּא
אֱלָהָא חַיָּא וְקַיָּם לְעָלְמִין וּמַלְכוּתֵהּ דִּי־לָא תִתְחַבַּל
וְשָׁלְטָנֵהּ עַד־סוֹפָא:

מְשֵׁיזִב וּמַצִּל וְעָבֵד אָתִין וְתִמְהִין בִּשְׁמַיָּא וּבְאַרְעָא
דִּי שֵׁיזִיב לְדָנִיֵּאל מִן־יַד אַרְיָוָתָא:

Faço um decreto. O Deus dos judeus faz-se sempre presente com os homens em sua criação, punindo e recompensando. Isso, no caso de Daniel, livrou-o de maneira miraculosa. O relato é uma apologia em favor do Deus dos judeus e contra os não deuses dos pagãos. Cf. este versículo com Dn 3.29. O Deus *libertador,* que opera milagres diante dos homens, é o Deus vivo (ver o vs. 20), em contraste com os ídolos mortos que nada podem fazer. Ele encabeça um reino que é permanente e eterno o tempo todo. Embora a destruição seja a sorte dos reinos terrenos, ela não tem efeito sobre o reino de Deus. Deus domina até o fim, até onde o olho pode enxergar ao longo dos corredores do futuro, em contraste com os reis terrenos, que aparecem e desaparecem. O rei tentara libertar Daniel, mas fora impotente para isso (vs. 14). Deus é quem salva tanto o corpo como a alma (cf. com o vs. 16 e Dn 3.28,29). Ele emprega *sinais e maravilhas* (ver Dn 4.2). "Que excelente elogio ao grande Deus e ao seu servo fiel!" (Adam Clarke, *in loc.*).

■ **6.28** (na Bíblia hebraica corresponde ao **6.29**)

וְדָנִיֵּאל דְּנָה הַצְלַח בְּמַלְכוּת דָּרְיָוֶשׁ וּבְמַלְכוּת
כּוֹרֶשׁ פָּרְסָיָא:

Daniel, que por essa altura estava com mais de 80 anos de idade, recebeu certo número de *anos a mais,* a fim de terminar seu trabalho, prosperar e continuar a buscar e a servir o seu Deus. Oh, Senhor, concede-nos tal graça! Ele continuava vivo no começo do reinado de Ciro. Essa informação já fora dada em Dn 1.21, cujas notas devem ser consultadas. Dn 10.3 mostra-nos que Daniel continuava vivo no terceiro ano do reinado de Ciro. Daniel tinha prosperado e continuava a prosperar, porque o Espírito de Deus estava com ele.

> Guia-me, Luz gentil, na melancolia circundante,
> Continua a guiar-me!
> A noite está escura e estou longe de casa;
> Continua a guiar-me!

Guarda os meus pés.
Não te peço para ver a praia distante.
Um passo só é bastante para mim.
Por muito tempo teu poder me tem abençoado,
E por certo ele continuará a guiar-me.

John H. Newman

CAPÍTULO SETE

O livro de Daniel compõe-se essencialmente de *seis histórias* e *quatro visões*. As histórias ocupam os capítulos 1—6, e as visões, os capítulos 7—12. Quanto a detalhes sobre esse arranjo, ver a seção "Ao Leitor", parágrafos quinto e sexto, apresentados antes da exposição sobre Dn 1.1. Agora chegamos às quatro visões. Dn 7.1—12.13 apresentam um *sonho* e três *visões*. Mas o livro de Daniel não distingue um sonho espiritual de uma visão, conforme se vê em Jl 2.28. Ver no *Dicionário* os verbetes chamados *Sonhos* e *Visão (Visões)*. Esse sonho e essas visões foram datados em relação aos governantes da época em que ocorreram: o sonho veio no primeiro ano de Belsazar, e as três visões ocorreram no terceiro ano de Belsazar, no primeiro ano de Dario e no terceiro ano de Ciro. As visões preenchem o esboço histórico dado no capítulo 2. As informações históricas e/ou os materiais proféticos foram cuidadosamente arranjados, e os críticos pensam que os sonhos e as visões seguiram as declarações "após os fatos" terem acontecido, com histórias transformadas em profecias. Esse ponto de vista naturalmente foi rejeitado pelos eruditos conservadores, que veem evidências do poder profético em operação.

O SONHO E AS TRÊS VISÕES (7.1—12.13)

A VISÃO DOS QUATRO ANIMAIS (7.1-28)

Esta visão, na realidade, foi um *sonho espiritual*, e, quanto ao título, difere das visões que se seguem nos capítulos 8—12. Novamente encontramos os *quatro impérios*, paralelos às quatro partes da imagem do sonho de Nabucodonosor (capítulo 2).

Os *quatro impérios* são simbolizados pelos *quatro animais* que correspondem aos quatro diferentes metais da visão do capítulo 2. Aqui também achamos uma escala descendente de valor e poder, descendo do leão, passando pelo urso e pelo leopardo, e chegando finalmente a um animal não chamado pelo nome, os quais correspondem ao ouro, à prata, ao bronze e ao ferro da visão anterior. Em ambas as visões, o reino de Deus (que é eterno) vem depois dos reinos terrenos. Há aí um toque escatológico que nos leva à era do reino milenar de Deus.

Atenção especial é dada ao *pequeno chifre*, o último rei do quarto império, o qual é variegadamente identificado. Se os santos do Senhor serão especialmente perseguidos por ele, as páginas do livro da história o encerrarão, ao passo que o reino de Deus prosseguirá infinitamente depois do milênio.

Este capítulo divide-se naturalmente em *três* partes: vs. 1; vss. 2-27 e vs. 28. Também há certo número de claras subdivisões.

Prólogo (7.1)

■ 7.1

בִּשְׁנַת חֲדָה לְבֵלְאשַׁצַּר מֶלֶךְ בָּבֶל דָּנִיֵּאל חֵלֶם חֲזָה וְחֶזְוֵי רֵאשֵׁהּ עַל־מִשְׁכְּבֵהּ בֵּאדַיִן חֶלְמָא כְתַב רֵאשׁ מִלִּין אֲמַר:

Este versículo atua como um elemento de conexão com a série de histórias anteriores. Belsazar (ver as notas em Dn 5.31 e 6.1) é identificado como o rei que governava quando o primeiro sonho-visão foi dado a Daniel. O profeta registrou o sonho por ter reconhecido que era uma comunicação séria da parte de Deus que precisava ser publicada. A data foi 554 a.C., o *terceiro* ano do reinado de Nabonido, pai de Belsazar. Por meio deste versículo, em comparação com Dn 8.1, aprendemos que Belsazar governou pelo menos durante três anos antes da queda da Babilônia. Era prática dos videntes registrar as visões para referências futuras. Cf. Is 30.8; Hc 2.2; Ap 1.19; Enoque 33.3 e 2Ed 14.42.

O Sonho-visão de Daniel (7.2-27)

■ 7.2

עָנֵה דָנִיֵּאל וְאָמַר חָזֵה הֲוֵית בְּחֶזְוִי עִם־לֵילְיָא וַאֲרוּ אַרְבַּע רוּחֵי שְׁמַיָּא מְגִיחָן לְיַמָּא רַבָּא:

Falou Daniel, e disse. "O sonho de Daniel antecedeu por catorze anos a sua experiência na cova dos leões (capítulo 6), que ocorreu em 539 a.C. ou pouco depois. Quando esse sonho foi dado a Daniel, ele tinha cerca de 68 anos de idade, e fora feito cativo aproximadamente aos 16 anos de idade, 52 anos antes, em 605 a.C." (J. Dwight Pentecost, *in loc.*). A revelação lhe foi dada por meio de um *sonho*, através de *visões* (cf. Dn 2.28 e 4.5,10). Daniel tinha sido o intérprete dos sonhos de reis e agora recebeu o seu próprio sonho.

Os quatro ventos do céu. Ou seja, um vento vindo de cada setor do céu. Cf. Zc 2.6; 6.5; Ez 37.9. Esses ventos podem estar associados aos quatro ventos do épico da criação. Em Enoque 18.2 esses ventos sustentam o firmamento (a cúpula sólida invertida). E em 2Ed 13.5, as multidões são convocadas pelos quatro ventos das quatro direções da terra. Cf. Dn 8.8 e 11.4. Esses ventos *agitam* (Revised Standard Version) o *grande mar* dos habitantes do mundo e, assim, produziriam (como se fosse um ato criativo) os quatro grandes impérios mundiais, representados pelos quatro animais. A palavra "agitar", aqui usada, também é usada para indicar o trabalho de parto de uma mulher, em Mq 4.10. Cf. Jó 38.8. O Grande Mar usualmente é o Mediterrâneo (ver Nm 34.5; Js 1.4 e 15.47). Mas aqui é o *mar do mundo*, de onde todos os eventos são gerados. Pode haver uma alusão à antiga ideia de que a terra era cercada por águas, havendo um grande mar debaixo dela, sobre o qual se repousavam seus pilares. Os sumérios chamavam esse mar de *Nammu*.

■ 7.3

וְאַרְבַּע חֵיוָן רַבְרְבָן סָלְקָן מִן־יַמָּא שָׁנְיָן דָּא מִן־דָּא:

Quatro animais, grandes. A agitação provocada pelos quatro *ventos* (que alguns estudiosos veem como altos poderes angelicais que agem em favor de Yahweh) produziu (mediante um ato criativo, ou nascimento) os quatro animais, "saídos do mar". "De acordo com o pensamento dos antigos, o *mar* era considerado a sede do mar e a habitação de monstros amedrontadores (ver Gn 1.21; Am 9.3; Sl 104.25,26) e, assim sendo, o lugar apropriado de onde os animais deveriam surgir. Cf. Is 27.1; Enoque 60.7; 2Baruque 29.4; 2Ed 6.49,50; 11.1 e 12.11. Para os judeus, era convencional retratar as potências pagãs como feras. De fato, representar as nações por meio de feras é comum até hoje. No Antigo Testamento, encontramos esse simbolismo em Ez 17, 19, 29 e 32; Sl 68.30. E, nos escritos posteriores, isso se repete, como em Enoque 85—90 e Salmos de Salomão 2.29" (Arthur Jeffery, *in loc.*).

Talvez devamos pensar que cada um dos quatro ventos trouxe uma das feras, pois o termo *quatro* fala de universalidade, de onde nos vem a ideia dos *quatro cantos* da terra (ver Is 11.12). A terra era vista como um quadrado ou retângulo plano. Em termos gerais, o império babilônico originou-se do sul do país anterior; o império persa veio do norte; o império persa veio do oriente, e o império grego veio do ocidente. Mas talvez isso seja ver demais nesse simbolismo. Quatro é um número que simplesmente fala sobre "algo completo".

■ 7.4

קַדְמָיְתָא כְאַרְיֵה וְגַפִּין דִּי־נְשַׁר לַהּ חָזֵה הֲוֵית עַד דִּי־מְרִיטוּ גַפַּיהּ וּנְטִילַת מִן־אַרְעָא וְעַל־רַגְלַיִן כֶּאֱנָשׁ הֳקִימַת וּלְבַב אֱנָשׁ יְהִיב לַהּ:

A Primeira Fera: o Leão. Esse era um grande animal alado, que representava o *império babilônico*. O leão era o mais nobre e o mais poderoso dos animais ferozes. Corresponde à *cabeça de ouro* da imagem de Nabucodonosor (capítulo 2). Ver Dn 2.37,38. Da mesma maneira que há um quadro descendente nos metais, do ouro para a prata, para o bronze e para o ferro, outro tanto acontece com as feras, que descem quanto ao poder e à glória. A figura do leão alado nos faz lembrar dos leões alados dos templos e palácios da Mesopotâmia. Cf. Jr 4.7; 49.19 e 50.17, onde Nabucodonosor é comparado a esse tipo de

O IMPÉRIO BABILÔNICO

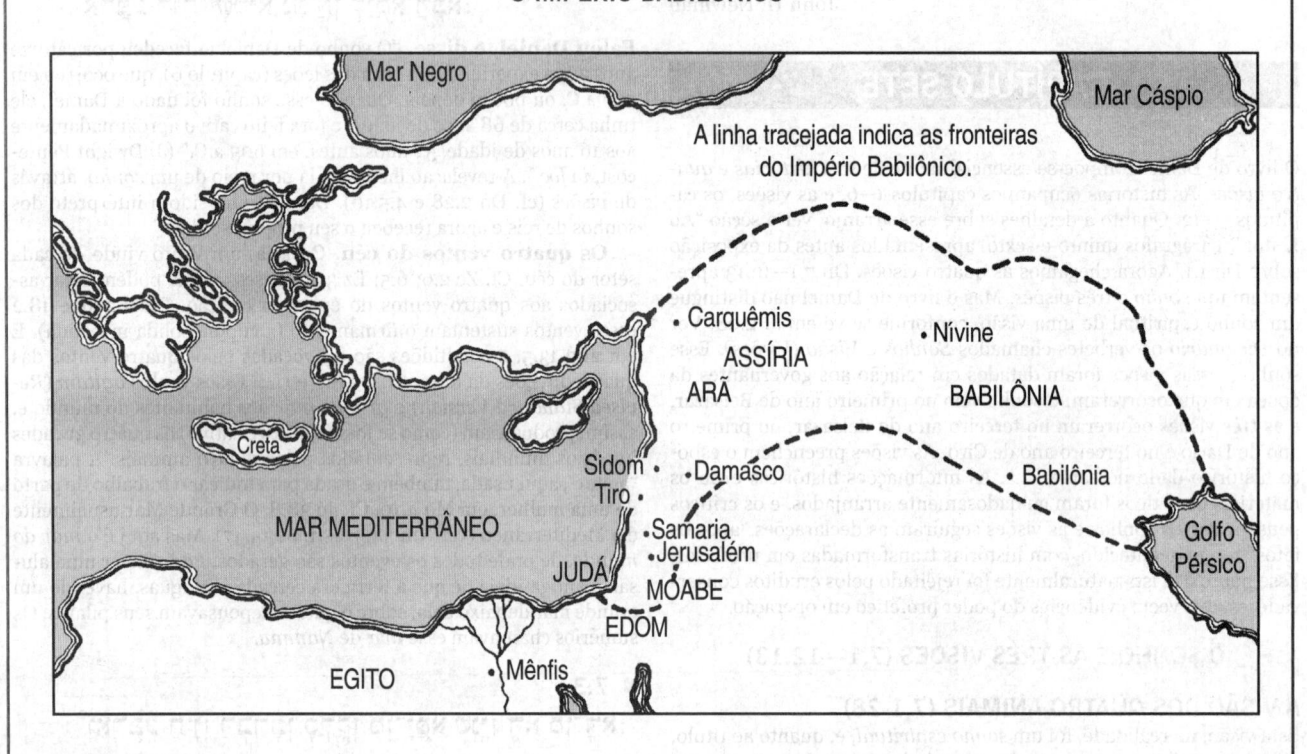

A linha tracejada indica as fronteiras do Império Babilônico.

Mar Negro · Mar Cáspio · Carquêmis · Nínive · ASSÍRIA · ARÃ · BABILÔNIA · Creta · Sidom · Damasco · Babilônia · Tiro · MAR MEDITERRÂNEO · Samaria · Golfo Pérsico · Jerusalém · JUDÁ · MOABE · EDOM · EGITO · Mênfis

O IMPÉRIO MEDO-PERSA

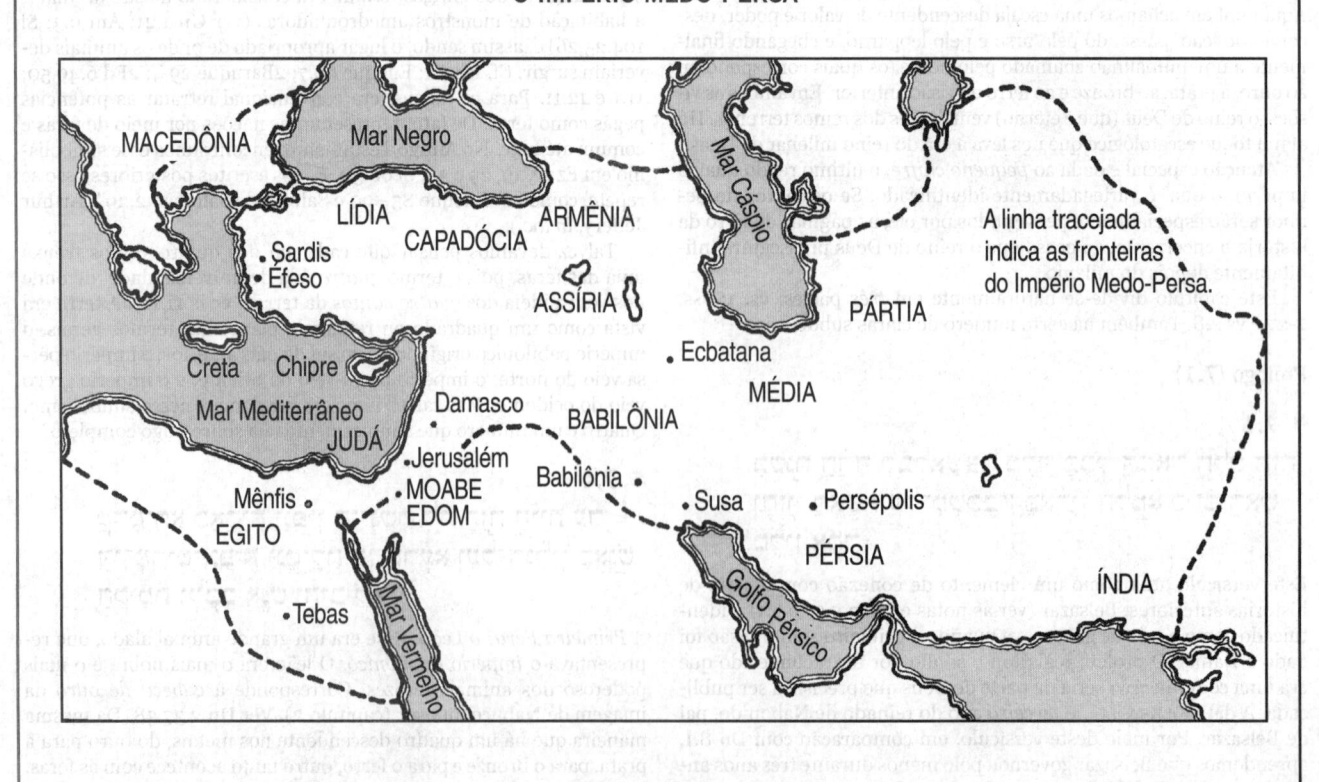

A linha tracejada indica as fronteiras do Império Medo-Persa.

MACEDÔNIA · Mar Negro · Mar Cáspio · LÍDIA · ARMÊNIA · Sardis · CAPADÓCIA · Efeso · ASSÍRIA · PÁRTIA · Creta · Chipre · Ecbatana · Mar Mediterrâneo · Damasco · MÉDIA · BABILÔNIA · JUDÁ · Jerusalém · Babilônia · Mênfis · MOABE · Susa · Persépolis · EDOM · EGITO · PÉRSIA · Tebas · Mar Vermelho · Golfo Pérsico · ÍNDIA

O IMPÉRIO GREGO

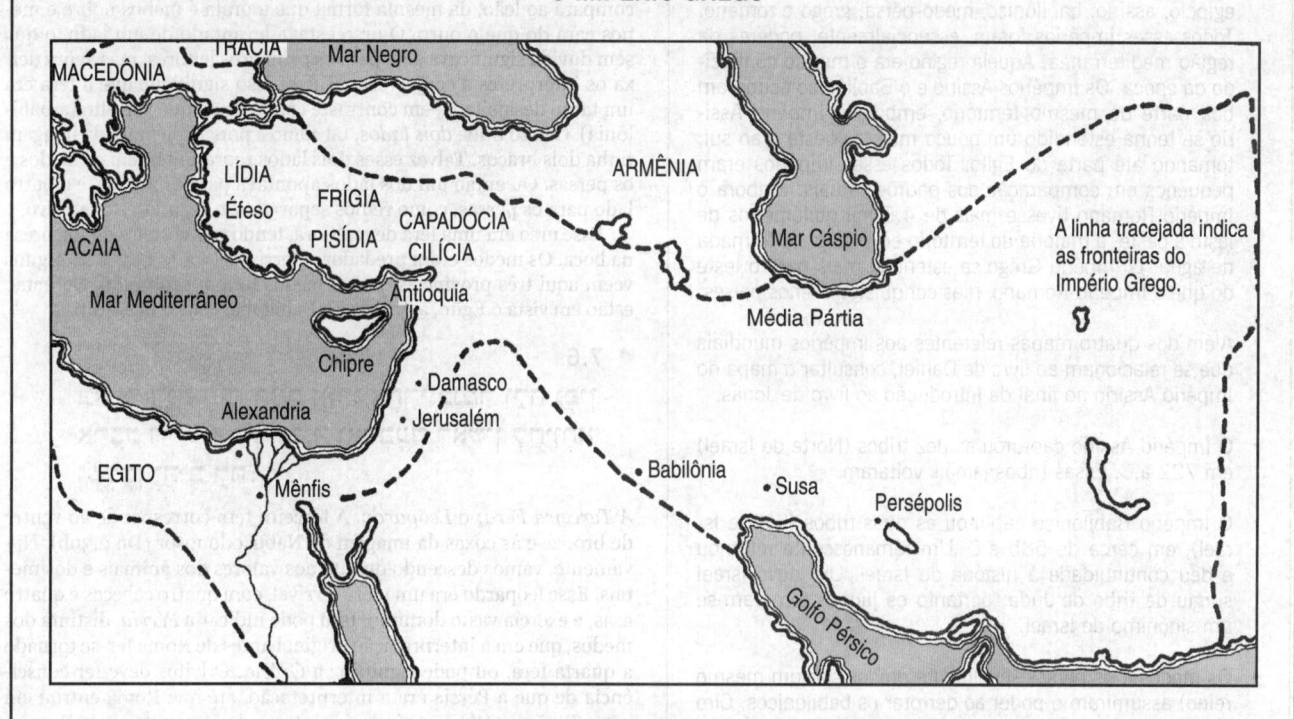

MACEDÔNIA
TRÁCIA
Mar Negro
LÍDIA
Éfeso
FRÍGIA
PISÍDIA
CAPADÓCIA
CILÍCIA
ARMÊNIA
ACAIA
Mar Mediterrâneo
Antioquia
Mar Cáspio
Média Pártia
Chipre
Damasco
Jerusalém
Alexandria
Babilônia
Susa
EGITO
Mênfis
Persépolis
Golfo Pérsico

A linha tracejada indica as fronteiras do Império Grego.

O IMPÉRIO ROMANO

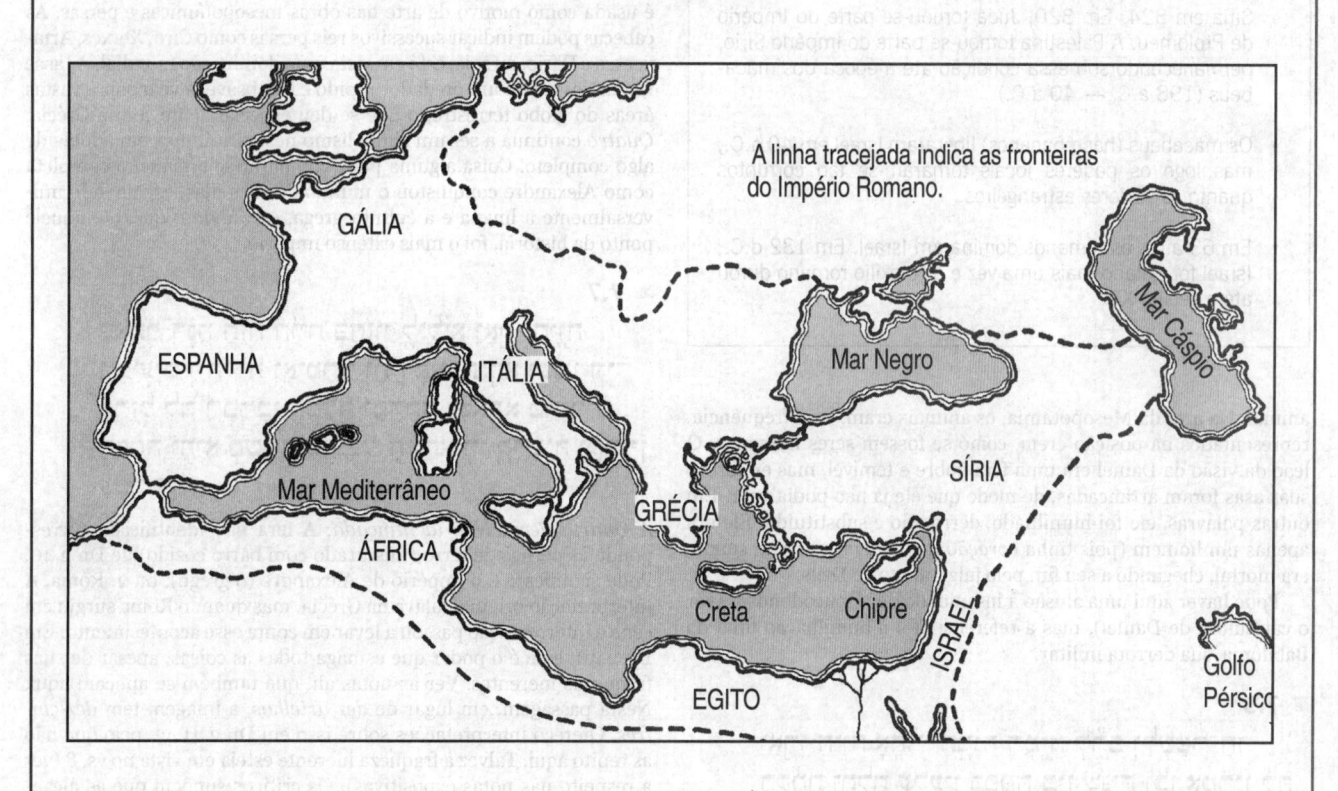

GÁLIA
ESPANHA
ITÁLIA
Mar Negro
Mar Cáspio
Mar Mediterrâneo
SÍRIA
GRÉCIA
ÁFRICA
Creta
Chipre
ISRAEL
EGITO
Golfo Pérsico

A linha tracejada indica as fronteiras do Império Romano.

> **Observações sobre os mapas:**
>
> - Israel, em sua história antes de Cristo (1500 até a era cristã), relacionava-se com os seis impérios mundiais: egípcio, assírio, babilônico, medo-persa, grego e romano. Todos esses impérios foram, essencialmente, poderes da região mediterrânea. Aquela região era o mundo conhecido da época. Os Impérios Assírio e o Babilônico ocuparam boa parte do mesmo território, embora o Império Assírio se tenha estendido um pouco mais ao oeste e ao sul, tomando até parte do Egito. Todos esses impérios eram pequenos em comparação aos padrões atuais. Embora o Império Romano tivesse mais de 4,5 mil quilômetros de leste a oeste, a maioria do território envolvido era formada de água. O Império Grego se estendeu mais para o leste do que o Império Romano, mas conquistou menos países.
>
> - Além dos quatro mapas referentes aos impérios mundiais que se relacionam ao livro de Daniel, consultar o mapa do Império Assírio no final da Introdução ao livro de Jonas.
>
> - O Império Assírio capturou as dez tribos (Norte de Israel) em 722 a.C. Essas tribos jamais voltaram.
>
> - O Império Babilônico capturou as duas tribos (Sul de Israel), em cerca de 585 a.C. Um remanescente retornou e deu continuidade à história de Israel. Um novo Israel surgiu da tribo de Judá, portanto os judeus tornaram-se um sinônimo de Israel.
>
> - Os medos e os persas (finalmente unidos sob um mesmo reino) assumiram o poder ao derrotar os babilônicos. Ciro foi o instrumento usado por Deus para livrar Israel do cativeiro (Is caps. 41—66). Um remanescente retornou a Jerusalém.
>
> - Alexandre conquistou a Palestina em 322 a.C. Seus sucessores dominaram Israel, que ficou sob o domínio da Síria em 324. Em 320, Judá tornou-se parte do Império de Ptolomeu. A Palestina tornou-se parte do Império Sírio, permanecendo sob essa condição até a época dos macabeus (198 a.C. — 40 a.C.).
>
> - Os macabeus (hasmoneanos) liberaram Israel em 40 a.C., mas logo os poderes locais tornaram-se tão corruptos quanto os poderes estrangeiros.
>
> - Em 63 a.C., os romanos dominaram Israel. Em 132 d.C., Israel foi exilado mais uma vez e este exílio romano durou até o século XX.

animal. Na arte da Mesopotâmia, os animais eram, com frequência, representados na posição ereta, como se fossem seres humanos. O leão da visão de Daniel era uma fera nobre e temível, mas em breve suas asas foram arrancadas, de modo que ele já não podia voar. Em outras palavras, ele foi humilhado, derrotado e substituído. Ele era apenas um homem (pois tinha *coração de homem*) e, assim sendo, era mortal, chegando a seu fim pelo julgamento de Deus.

Pode haver aqui uma alusão à insanidade de Nabucodonosor (ver o capítulo 4 de Daniel), mas a referência foi à humilhação final da Babilônia, sua derrota militar.

■ 7.5

וַאֲר֣וּ חֵיוָה֩ אָחֳרִ֨י תִנְיָנָ֤ה דָּֽמְיָה֙ לְדֹ֔ב וְלִשְׂטַר־חַ֣ד הֳקִמַ֗ת וּתְלָ֥ת עִלְעִ֛ין בְּפֻמַּ֥הּ בֵּ֥ין שִׁנַּ֖הּ וְכֵן֙ אָמְרִ֣ין לַ֔הּ ק֥וּמִֽי אֲכֻ֖לִי בְּשַׂ֥ר שַׂגִּֽיא׃

A Segunda Fera: o Urso. Quanto a essa imagem, cf. Pv 17.12; 28.15; Is 11.7; 59.11; Lm 3.10; Os 13.8; Am 5.19; 1Sm 17.34 ss. O urso corresponde aos braços e ao peito de *prata* referidos em Dn 2.39, indicando o império medo-persa ou, talvez, somente os medos, sendo os persas o terceiro animal. Certas espécies de ursos são animais temíveis, que matam ao ver a presa, mas esse animal, de qualquer espécie, não se compara ao leão, da mesma forma que a prata é menos nobre e menos cara do que o ouro. O urso estava levantado de um lado, o que sem dúvida significava algo para os primeiros leitores, mas agora deixa os intérpretes a conjecturar. Talvez isso signifique que a fera era um tanto desajeitada, em contraste com a águia que voa alto (a Babilônia). O urso tinha *dois lados,* tal como a porção de prata da imagem tinha dois braços. Talvez esses dois lados representassem os medos e os persas. Ou então um dos lados apontava para os medos, e o outro lado para os persas, como reinos separados, o segundo e o terceiro.

Esse urso era uma fera devoradora, tendo três costelas de sua presa na boca. Os medos eram predadores terríveis (ver Is 13.17,18). Alguns veem aqui três províncias que os medos teriam capturado. Ou então estão em vista o Egito, a Assíria e a Babilônia, como suas vítimas.

■ 7.6

בָּאתַ֣ר דְּנָ֣ה חָזֵ֣ה הֲוֵ֡ית וַאֲר֣וּ אָחֳרִי֩ כִּנְמַ֨ר וְלַ֜הּ גַּפִּ֣ין אַרְבַּ֤ע דִּי־עוֹף֙ עַל־גַּבַּ֔הּ וְאַרְבְּעָ֥ה רֵאשִׁ֖ין לְחֵיוְתָ֑א וְשָׁלְטָ֖ן יְהִ֥יב לַֽהּ׃

A Terceira Fera: o Leopardo. A terceira fera corresponde ao ventre de bronze e às coxas da imagem de Nabucodonosor (Dn 2.39b). Novamente, vamos descendo quanto aos valores dos animais e dos metais. Esse leopardo era uma fera terrível, com quatro cabeças e quatro asas, e exercia vasto domínio. Isso pode indicar a *Pérsia*, distinta dos medos, que era a interpretação original antes de Roma ter-se tornado a quarta fera, ou pode significar a *Grécia*. O leitor deve ter consciência de que a Pérsia era a interpretação, até que Roma entrou em cena. Então o sétimo capítulo é reinterpretado para fazer de Roma a quarta fera, em lugar da Grécia. Tornando-se a Grécia a terceira fera, os intérpretes sentiram-se forçados a combinar os medos e os persas como a segunda fera.

O *leopardo* é mencionado simbolicamente no Antigo Testamento em Ct 4.8; Is 11.6; Jr 5.6; 13.23; Os 13.7; Hc 1.8. A figura também é usada como motivo de arte nas obras mesopotâmicas e persas. As cabeças podem indicar sucessivos reis persas como Ciro, Xerxes, Artaxerxes e Dario, ou seja, está em vista uma dominação mundial. As asas fazem dessa fera um predador rápido e incansável a voar sobre vastas áreas do globo terrestre, o que se deu especialmente com a Grécia. *Quatro* continua a ser um simbolismo neste capítulo, com a ideia de algo completo. Coisa alguma pode comparar-se à maneira completa como Alexandre conquistou o mundo de seus dias, espalhando universalmente a língua e a cultura grega, e criando o que, até aquele ponto da história, foi o mais extenso império.

■ 7.7

בָּאתַ֣ר דְּנָ֣ה חָזֵ֣ה הֲוֵ֡ית בְּחֶזְוֵ֣י לֵֽילְיָא֒ וַאֲר֣וּ חֵיוָ֣ה רְבִיעָאָ֜ה דְּחִילָ֤ה וְאֵֽימְתָנִי֙ וְתַקִּיפָ֣א יַתִּ֔ירָא וְשִׁנַּ֥יִן דִּֽי־ פַרְזֶ֥ל לַ֛הּ רַבְרְבָ֖ן אָֽכְלָ֣ה וּמַדֱּקָ֑ה וּשְׁאָרָ֖א בְּרַגְלַ֣הּ רָפְסָ֑ה וְהִ֣יא מְשַׁנְּיָ֗ה מִן־כָּל־חֵֽיוָתָא֙ דִּ֣י קָֽדָמַ֔הּ וְקַרְנַ֥יִן עֲשַׂ֖ר לַֽהּ׃

A Quarta Fera: Não identificada. A fera não identificada corresponde às pernas de ferro (misturado com barro cozido) de Dn 2.40. Pode significar: 1. o império de Alexandre (o grego); ou 2. Roma. A interpretação original falava na Grécia, mas quando Roma surgiu em cena a interpretação passou a levar em conta esse acontecimento. Em Dn 2.40, esse é o poder que esmaga todas as coisas, apesar de suas fraquezas inerentes. Ver as notas ali, que também se aplicam aqui. Nesta passagem, em lugar de *dez artelhos*, a imagem tem *dez chifres*. Ofereço interpretações sobre isso em Dn 2.41,42, pelo que não as repito aqui. Talvez a fraqueza inerente esteja em vista no vs. 8 (ver a respeito nas notas expositivas). Os críticos supõem que as alegadas profecias de Daniel na realidade foram observações feitas "após" a ocorrência dos fatos, por um autor que teria vivido na época dos macabeus, depois que as quatro potências — Babilônia, Média, Pérsia e Grécia — já eram história. Na época do autor, Roma estava erguendo-se, mas ainda não era uma potência mundial, e por esse motivo ele não teria visto "o poder vindouro", em suas "profecias". Mas quando Roma apareceu, a quarta fera apareceu em uma história posterior. Os estudiosos conservadores, porém, têm certeza de que Daniel foi uma figura dos tempos da Babilônia-Média-Pérsia, e de que houve uma profecia genuína escrita acerca dos impérios medo-persa, grego e romano. Quanto a uma completa discussão, ver a seção III da *Introdução* a esse livro.

Tinha dez chifres. Quanto à figura dos "chifres", ver Dt 33.17; Sl 75.4; 132.17; Ez 29.21; Zc 1.18. No livro de Daniel, essa figura aponta para reis ou dinastias. De acordo com alguns, esses dez poderes se seguiram ao império de Alexandre, que se fragmentou. "Os centauros com cabeças humanas, pintados em Persépolis, têm doze chifres cada um, e chifres aparecem nos reis selêucidas" (Arthur Jeffery, *in loc.*). Alguns eruditos fazem todos esses chifres representar os reis selêucidas, mas outros incluem também os reis ptolomeus. Esse livro teria vindo apenas poucos anos depois da data proposta para a escrita do livro de Daniel. Os dispensacionalistas fazem esse animal ser Roma e seus dez poderes subordinados, sobre os quais apresento notas detalhadas no trecho paralelo de Dn 2.41,42.

■ **7.8**

מִשְׂתַּכַּל הֲוֵית בְּקַרְנַיָּא וַאֲלוּ קֶרֶן אָחֳרִי זְעֵירָה סִלְקָת בֵּינֵיהֵון וּתְלָת מִן־קַרְנַיָּא קַדְמָיָתָא אֶתְעֲקַרוּ מִן־קֳדָמַהּ וַאֲלוּ עַיְנִין כְּעַיְנֵי אֲנָשָׁא בְּקַרְנָא־דָא וּפֻם מְמַלִּל רַבְרְבָן:

Estando eu a observar os chifres... subiu outro pequeno. Esse pequeno chifre é interpretado como um símbolo de *Antíoco Epifânio*. Ele pertencia à família dos selêucidas, mas não tinha o direito de apossar-se do trono. No entanto, usurpou o poder arredando seu irmão, Seleuco Filopater, bem como seu sobrinho, Demétrio, o próximo na linha da sucessão. Além disso, ele se livrou do rival Heliodoro, e esses podem ter sido os *chifres arrancados* neste versículo. A Septuaginta acrescenta: "e ele fez guerra contra os santos", salientando as perseguições lançadas contra os judeus de sua época. Cf. Ap 11.7; 12.17 e 19.19. Os dispensacionalistas fazem o pequeno chifre ser o "anticristo", que foi "prefigurado", conforme eles dizem, por Antíoco Epifânio. Ver outras interpretações em Dn 7.24,25.

O pequeno chifre é retratado como altamente inteligente, capaz de ver e saber todas as coisas, visto possuir *muitos olhos*. Em seguida, ele diz coisas grandiosas e blasfemas. Ver Dn 7.25 e Ap 13.6. É óbvio que o autor do Apocalipse tomou sua linguagem emprestada de Daniel. As profecias têm sido compreendidas de muitas maneiras, havendo tentativas de apontar os eventos históricos. Mas os dispensacionalistas identificam-nas com eventos históricos futuros, alguns dos quais ainda são obscuros e interpretados de diferentes maneiras. Muitas fantasias têm sujeitado nosso texto a confusões, e não há certeza de que alguém realmente saiba o que essas coisas significam, caso não sejam simples representações da história de Alexandre e dos selêucidas (e talvez dos ptolomeus). Muitos intérpretes protestantes identificam o pequeno chifre com o *ofício papal,* e caçam as páginas da história na tentativa de fazer corresponder as ações do papado com essas profecias. Mas essa interpretação certamente é absurda.

■ **7.9**

חָזֵה הֲוֵית עַד דִּי כָרְסָוָן רְמִיו וְעַתִּיק יוֹמִין יְתִב לְבוּשֵׁהּ כִּתְלַג חִוָּר וּשְׂעַר רֵאשֵׁהּ כַּעֲמַר נְקֵא כָּרְסְיֵהּ שְׁבִיבִין דִּי־נוּר גַּלְגִּלּוֹהִי נוּר דָּלִק:

Continuei olhando, até que foram postos uns tronos. Tal como na visão da imagem feita por quatro metais, assim também aqui a coisa inteira é contrastada com a vinda do Messias e seu império eterno, que é o *quinto* império em ambos os textos. Ver sobre o vs. 22. Nos textos ugaríticos, *El* (o Poder) é chamado de "rei dos anos". Yahweh é retratado em muitos lugares como um Rei sentado no trono. Ver Ez 1.26; 43.6,7 e Is 6.1. Foi apenas natural ele ter sido retratado como um homem idoso em seu trono. Os que estão familiarizados com textos como Jó 36.26; Sl 102.24 ss.; Is 41.4 ou Sl 90 não se surpreendem com esse tipo de imagem. A idade avançada, neste caso, não significa decrepitude, a qual é sempre associada à idade. A *brancura* dos cabelos não corresponde à degeneração da idade avançada. Antes, seus cabelos eram brancos como suas vestes, ou seja, ele era um ser elevado e puro, santo e livre de todas as fraquezas morais que caracterizam os homens. O trono sobre o qual ele se sentava era como chamas de fogo, pois sua majestade e juízos eram poderosos e temíveis. Ele é um *fogo consumidor* (ver Dt 4.24; Hb 12.29). Quanto ao simbolismo da *neve*, cf. Is 1.18; Sl 51.7. Quanto à *lã*, ver Is 1.18. Ver Ap 1.14 quanto a descrições similares. Qualquer simbolismo que pudéssemos inventar para tentar descrever Deus deve ser fraco e totalmente inadequado, pelo que aquilo que encontramos aqui são apenas alguns símbolos sugestivos, e não descrições literais de Deus. Quanto ao *trono de fogo,* cf. Ez 1.4-28.

Estas descrições são obviamente *escatológicas*. O autor antecipava a possessão dos reinos terrestres pelo Poder do alto. Os dispensacionalistas misturam essa questão com o *milênio*. Ver sobre isso no *Dicionário*.

Ver as notas expositivas sobre Dn 2.45, a grande pedra que demolirá as potências da terra e se tornará o quinto e último império. A pedra se tornará uma grande montanha (ver Dn 2.35) e ocupará todas as posições de poder.

■ **7.10**

נְהַר דִּי־נוּר נָגֵד וְנָפֵק מִן־קֳדָמוֹהִי אֶלֶף אַלְפִים יְשַׁמְּשׁוּנֵּהּ וְרִבּוֹ רִבְבָן קָדָמוֹהִי יְקוּמוּן דִּינָא יְתִב וְסִפְרִין פְּתִיחוּ:

Um rio de fogo manava e saía de diante dele. Continuam aqui as descrições sobre Deus e seu trono. Deus é um fogo consumidor, e assim fogo mana de seu trono e de sua presença, como o fluxo de um grande rio. Temos ali um rio de fogo que, em 1Enoque, se torna símbolo do julgamento divino. No Novo Testamento (ver Ap 19.20 e 20.10), esse rio transforma-se em um lago. Em algum ponto ao longo do caminho, as pessoas começaram a tomar esses símbolos apocalípticos como descrições literais de um *lugar* de sofrimentos indescritíveis e eternos. Os antigos criam que o fogo sempre acompanhava as teofanias (ver Sl 50.3 e Dt 9.3). Chamas de fogo aparecem em Enoque 14.19. "Os retos são purificados quando passam pelas chamas, mas os iníquos são consumidos pelo fogo. Talvez esse seja o significado do corpo da fera sendo entregue para ser queimado, no vs. 11" (Arthur Jeffery, *in loc.*). Ver na *Enciclopédia de Bíblia, Teologia e Filosofia* o artigo chamado *Lago de Fogo*.

"Muitos milhares de anjos o serviam. Milhões de anjos estavam à sua frente" (NCV), com descrições que aumentam a grandiosidade da cena. Esse é o Rei verdadeiro, de cuja presença todos os outros fogem. Dessa forma a corte se reúne para julgar, e os livros são abertos, contando tudo sobre todas as coisas. Os textos babilônicos referem-se a tabletes nos quais ficaram registrados todos os feitos bons e maus. Cf. Sl 56.8; Is 65.6 e Ml 3.16. Ver também Jubileus 30.22; Enoque 81.4; 89.61-64; 98.7,8 e 104.7. O paralelo do Novo Testamento é Ap 20.12. A abertura do livro refere-se à revisão e ao julgamento da mordomia individual. Assim sendo, Deus, que distribui poder e levanta reinos, também julgará aqueles que ele levantou como autoridades. A mesma coisa, como é óbvio, aplica-se aos indivíduos, embora o objeto do texto seja o julgamento dos reinos. O julgamento do Grande Trono Branco (Ap 20) sem dúvida reflete a presente passagem, embora o texto não esteja falando sobre o julgamento final de todos os homens.

■ **7.11**

חָזֵה הֲוֵית בֵּאדַיִן מִן־קָל מִלַּיָּא רַבְרְבָתָא דִּי קַרְנָא מְמַלֱּלָה חָזֵה הֲוֵית עַד דִּי קְטִילַת חֵיוְתָא וְהוּבַד גִּשְׁמַהּ וִיהִיבַת לִיקֵדַת אֶשָּׁא:

Então estive olhando, por causa da voz das insolentes palavras. O pequeno chifre continuou a vangloriar-se, fazendo ouvir sua voz com grandes palavras e discursos eloquentes, mas bem no meio de tudo eis que, de repente, ele foi morto e seu corpo foi entregue às chamas e consumido, bem diante dos olhos do perplexo profeta. O rio de fogo que saía da presença de Deus consumiu a fera, e esse foi o final definitivo de sua carreira. Cf. Ap 19.20,21, onde a fera é lançada no lago de fogo. Alguns estudiosos veem nisso o fim do império grego, o término do império construído por Alexandre, incorporado na pessoa de Antíoco Epifânio. E/ou está em pauta o fim do anticristo, em sua aplicação escatológica. "A quarta fera perderá seu poder não por ser conquistada, mas pelo julgamento divino (cf. Dn 9.27; Ap 11.15 e 19.15)" (J. Dwight Pentecost, *in loc.*).

7.12

וּשְׁאָר֙ חֵיוָתָ֔א הֶעְדִּ֖יו שָׁלְטָנְה֑וֹן וְאַרְכָ֧ה בְחַיִּ֛ין יְהִ֥יבַת לְה֖וֹן עַד־זְמַ֥ן וְעִדָּֽן׃

Quanto aos outros animais. Este versículo é igual em significado a Dn 2.45, onde a grande pedra que se tornou uma montanha (Dn 2.35) eliminou todos os reinos que tinham existido antes dela, e o Ser divino dominou tudo, mediante a eliminação do que era meramente humano. A vida de cada um daqueles animais foi prolongada pela duração de tempo apropriada, a fim de que os propósitos de Deus fossem cumpridos. Mas todos esses animais eram temporais, e seus limites foram fixados. Ver At 17.26. O que é humano se aproxima cada vez mais do ideal divino, de forma que, no Ser divino, haja poderosa transformação de posição individual e ordem mundial. Assim sendo, o orgulho humano será humilhado e uma nova e superior ordem prevalecerá.

> Vivem,
> Pensam que vivem
> Embora não tenham conhecido a vida.
> Fazem suposições,
> Querem dominar tudo,
> Mas esquecem de dar o primeiro passo
> Para o domínio do mundo interior.
> Eu penso que um dia
> Todos se voltarão
> Para a própria alma
> Como quem respira.
> Por enquanto, não passam de estátuas,
> Que querem ser colocadas nos altos
> Para serem adoradas,
> Pobre humanidade ausente!
>
> Maria Cristina Magalhães

7.13

חָזֵ֤ה הֲוֵית֙ בְּחֶזְוֵ֣י לֵֽילְיָ֔א וַאֲרוּ֙ עִם־עֲנָנֵ֣י שְׁמַיָּ֔א כְּבַ֥ר אֱנָ֖שׁ אָתֵ֣ה הֲוָ֑ה וְעַד־עַתִּ֤יק יֽוֹמַיָּא֙ מְטָ֔ה וּקְדָמ֖וֹהִי הַקְרְבֽוּהִי׃

Eu estava olhando nas minhas visões da noite. Estavam sendo feitos arranjos para que o reino eterno tomasse conta dos reinos temporais. Uma grande personagem entra em cena, uma nova figura, de forma humana, em contraste com as feras que essa nova personagem estava substituindo. Algumas traduções interpretam a figura dando-lhe o título de Filho do Homem e tornando a referência definitivamente messiânica. A verdadeira tradução é apenas *um filho de homem,* mas isso não elimina, necessariamente, a referência messiânica. O equivalente desse Filho do Homem é a grande pedra do capítulo 2, conforme certamente indica o versículo seguinte. Para Jesus, o Cristo, como Filho do Homem, ver Mc 8.31 e Jo 1.51. Ver no *Dicionário* o verbete chamado *Filho do Homem.* Enoque 45-57 interpreta o Filho do Homem em sentido messiânico, como também o faz o Talmude, em *Sanhedrin* 98.

O Filho do Homem foi apresentado ao Antigo de Dias (ver o vs. 9). Isso quer dizer que a figura messiânica conta com a aprovação e a direção do Deus dos judeus, o qual deverá triunfar universalmente no fim, inaugurando seu reino eterno.

O Filho do Homem aparecerá com a finalidade de ser investido com seu reino, conforme demonstra o vs. 14. Haverá um tempo de mudanças universais e radicais quando a vontade humana for absorvida pelo Ser divino. Seguir-se-á então o milênio e, depois disso, a era eterna, quando todos os elevados propósitos divinos terão cumprimento, em consonância com o *Mistério da Vontade de Deus* (ver a Enciclopédia de Bíblia, Teologia e Filosofia). Ver também, no *Novo Testamento Interpretado,* o artigo chamado *Restauração,* e ainda Ef 1.9,10.

7.14

וְלֵ֨הּ יְהִ֤יב שָׁלְטָן֙ וִיקָ֣ר וּמַלְכ֔וּ וְכֹ֣ל עַֽמְמַיָּ֗א אֻמַיָּ֤א וְלִשָּֽׁנַיָּא֙ לֵ֣הּ יִפְלְח֔וּן שָׁלְטָנֵהּ֙ שָׁלְטָ֣ן עָלַ֔ם דִּֽי־לָ֥א יֶעְדֵּ֖ה וּמַלְכוּתֵ֖הּ דִּי־לָ֥א תִתְחַבַּֽל׃ פ

Foi-lhe dado domínio e glória, e o reino. O *reino eterno*, que governará sobre todos os seres humanos, povos, nações e reinos, deverá substituir toda a temporalidade, e o Filho do Homem, a grande pedra (ver Dn 2.45) e montanha (Dn 2.35), deverá assinalar o fim de tudo que vinha acontecendo antes. Ver no *Dicionário* o verbete chamado *reino de Deus.* Cf. este versículo com Dn 2.37 e 5.18. As palavras empregadas para o reino são aquelas que foram usadas por Nabucodonosor (ver Dn 4.22; 5.18), pelo que tudo que antes pertencera aos homens agora pertencerá a Deus e a seu Messias. Ver também Dn 3.4; 5.19 e 6.25. Os trechos de Is 2.2 ss.; 49.6; Zc 8.21 ss.; Enoque 10.21; 90.30; Sls de Salomão 17.31 ss. falam sobre a conversão dos gentios como parte desse esquema. Os Oráculos Sibilinos (3.616 ss.; 710 ss.) têm algo semelhante. "Já Dn 2.44 declara que o reino vindouro substituirá os reinos terrenos pagãos. Esse novo reino durará para sempre. Portanto, é dito aqui, tanto quanto em Dn 4.3 e 6.26, que esse reino *não passará*. É notório que a esse reino é dada duração eterna, ideia atribuída até aí somente a Deus" (Arthur Jeffery, *in loc.*). Cf. Ap 20.1-6 e 1Co 15.24-28.

A Agitação de Daniel (7.15,16)

7.15

אֶתְכְּרִיַּ֨ת רוּחִ֤י אֲנָ֣ה דָֽנִיֵּ֔אל בְּג֣וֹא נִדְנֶ֑ה וְחֶזְוֵ֥י רֵאשִׁ֖י יְבַהֲלֻנַּֽנִי׃

Quanto a mim, Daniel, o meu espírito foi alarmado. Daniel ficou agitado e perturbado diante do que vira, e desejou muito saber o que aquilo significava. Daniel, como os reis pagãos que também tiveram sonhos perturbadores, não teve descanso e ficou mexendo-se para cá e para lá na cama, durante a noite, pensando em todas as poderosas coisas que vira e não entendera (cf. Dn 2.1; 4.4,5). Embora lhe tenha sido dada percepção imediata do que significavam as visões do rei, quanto à sua própria visão ele não recebeu resposta imediata. Em ocasião posterior (ver Dn 8.15), o profeta precisou invocar o anjo (Gabriel?) para interpretar-lhe uma visão. Portanto, aprendemos aqui que até os homens mais espirituais passam por seus momentos de ignorância e ansiedade, pelo que não nos admiremos ter de atravessar tempos de indecisão e trevas relativas. O "espírito dentro em mim" pode aludir a uma entidade separada (imaterial), que é a alma, ou então a palavra "espírito" pode significar apenas "mente", a faculdade do raciocínio em contraste com o corpo material. Ver no *Dicionário* os verbetes intitulados *Alma* e *Imortalidade.* "Meu espírito dentro de mim, literalmente, *dentro da bainha,* ou então, com uma leve mudança nos sinais vocálicos, *dentro de sua bainha.* A palavra *nidhneh* vem do iraniano *nidana,* 'vaso' ou 'receptáculo'. A palavra ocorre em 1Cr 21.27 e no Targum com o mesmo sentido. A bainha da alma, sem dúvida alguma, é o corpo físico" (Arthur Jeffery, *in loc.*).

7.16

קִרְבֵ֗ת עַל־חַד֙ מִן־קָ֣אֲמַיָּ֔א וְיַצִּיבָ֥א אֶבְעֵֽא־מִנֵּ֖הּ עַֽל־כָּל־דְּנָ֑ה וַאֲמַר־לִ֕י וּפְשַׁ֥ר מִלַּיָּ֖א יְהוֹדְעִנַּֽנִי׃

Cheguei-me a um dos que estavam perto. O profeta reuniu a coragem necessária para aproximar-se do ser celestial que estava nas proximidades e perguntou-lhe o que significava a visão dos animais. Ver o vs. 10. Havia muitos milhares desses seres (anjos). Eles, vivendo perto de Deus, naturalmente teriam maior conhecimento que os melhores dentre os homens. A posição dos anjos desenvolveu-se dentro da doutrina judaica, de tal modo que esses seres com frequência são referidos como intérpretes dos eventos e profecias de coisas vindouras. Damos muito pouco valor ao ministério dos anjos. Ver no *Dicionário,* e também em Hb 1.14, no *Novo Testamento Interpretado,* o verbete chamado *Anjo.* Deus fala (Am 7 e 8; Is 6; Jr 1). Mas o Senhor também usa intermediários, como os anjos (ver Zc 1.7—6.8). Gabriel era um anjo intérprete especial (ver Dn 8.16 e 9.21).

A Interpretação da Visão (7.17-27)

7.17

אִלֵּין֙ חֵיוָתָ֣א רַבְרְבָתָ֔א דִּ֥י אִנִּ֖ין אַרְבַּ֑ע אַרְבְּעָ֥ה מַלְכִ֖ין יְקוּמ֥וּן מִן־אַרְעָֽא׃

Estes grandes animais... são quatro reis. Nos versículos anteriores, providencio interpretações sobre as visões. Nesta seção, adiciono alguns detalhes. O intérprete angelical oferece somente um sumário amplo, sem entrar em detalhes. Os *quatro animais* são *quatro reis* (vs. 17), embora não saibamos quais reis seriam. Esses animais levantaram-se *da terra,* o mundo humano, e não o mundo celestial, superior, em contraste com a grande pedra (Dn 2) e o Filho do Homem (Dn 7.13). Isso não contradiz a informação de que eles vieram *do mar* (vs. 3), antes é paralelo a ela. O que estava sendo dito é que esses animais saíram da extremidade *inferior* da criação divina, ao passo que o Filho do homem saiu da extremidade *superior.* Ver os vss. 4-7, onde foram dadas interpretações sobre os animais.

7.18

וִֽיקַבְּלוּן֙ מַלְכוּתָ֔א קַדִּישֵׁ֖י עֶלְיוֹנִ֑ין וְיַחְסְנ֤וּן מַלְכוּתָא֙ עַֽד־עָ֣לְמָ֔א וְעַ֖ד עָלַ֥ם עָלְמַיָּֽא׃

Mas os santos do Altíssimo receberão o reino. Este versículo sumaria a conquista feita pelo Ser divino, o que já vimos nos vss. 13,14, onde a questão foi comentada. O Filho do Homem é agora substituído pelos *santos do Deus Altíssimo,* visto estarem associados a ele no reino. "A nação de Israel tinha sido posta de lado pela disciplina divina, no tempo presente dos gentios, iniciados no reinado de Nabucodonosor. Durante o tempo dos gentios, quatro impérios (segundo foi dito a Daniel) se levantariam e governariam a terra e o povo de Israel. Contudo, o pacto de Deus com Davi (ver 2Sm 7.16; Sl 89.1-4) continua de pé e, finalmente, terá cumprimento. Os *santos* (judeus crentes) desfrutarão o reino, em cumprimento às antigas promessas de Deus a Israel" (J. Dwight Pentecoste, *in loc.*). Não palmilhamos aqui sobre o terreno da igreja. Estão em foco os remidos, e não os anjos. Ver Êx 19.6; Dt 7.6. Israel, o separado povo de Deus, são os santos aqui referidos. Em Dn 12.7 eles são chamados de "povo santo".

7.19

אֱדַ֣יִן צְבִ֗ית לְיַצָּבָא֙ עַל־חֵיוְתָ֣א רְבִיעָיְתָ֔א דִּֽי־הֲוָ֥ת שָֽׁנְיָ֖ה מִן־כָּלְּהֵ֑ין דְּחִילָ֣ה יַתִּ֗ירָה שִׁנַּ֤הּ דִּֽי־פַרְזֶל֙ וְטִפְרַ֣הּ דִּֽי־נְחָ֔שׁ אָֽכְלָ֣ה מַדֲּקָ֔ה וּשְׁאָרָ֖א בְּרַגְלַ֥הּ רָֽפְסָֽה׃

Então tive desejo de conhecer a verdade a respeito do quarto animal. Daniel quis saber a *verdade* sobre todos os quatro animais, mas ficou perturbado especialmente diante do *quarto* animal, por ser muito diferente dos outros e dotado de terrível aspecto, com dentes temíveis de ferro e garras de bronze! Ele partia todas as coisas ao seu redor e as devorava, esmigalhando os resíduos. Ver as notas sobre os vss. 7 e 8, quanto às interpretações que existem. Este versículo subentende que Daniel fazia uma boa ideia do significado dos outros três animais, mas nada entendia sobre o quarto. E o presente versículo adiciona o detalhe das garras de bronze do quarto animal. Algo similar tinha sido dito sobre Nabucodonosor, em Dn 4.33.

7.20

וְעַל־קַרְנַיָּ֣א עֲשַׂר֩ דִּ֨י בְרֵאשַׁ֜הּ וְאָחֳרִ֣י דִ֣י סִלְקַ֗ת וּנְפַ֨לוּ מִן־קָֽדָמַ֤הּ תְּלָת֙ וְקַרְנָ֣א דִכֵּ֗ן וְעַיְנִ֥ין לַהּ֙ וְפֻ֣ם מְמַלִּ֣ל רַבְרְבָ֔ן וְחֶזְוַ֖הּ רַ֥ב מִן־חַבְרָתַֽהּ׃

E também dos dez chifres que tinha na cabeça. Este versículo revisa os vss. 7 e 8 na questão dos *dez chifres* e do *pequeno chifre,* que também deixaram o profeta perturbado. O pequeno chifre não é chamado aqui de *pequeno,* mas isso é apenas uma variação de detalhe, sem nenhuma significação. Ele era maior do que os seus companheiros e tinha uma boca que se jactava em altas vozes que o tornavam especialmente repelente. "Sua aparência era maior que a de seus companheiros, maior em pompa e esplendor, tornando-o um espetáculo maior do que aquele dado pelos outros reis da terra, e afirmando superioridade sobre eles" (John Gill, *in loc.*).

7.21

חָזֵ֣ה הֲוֵ֔ית וְקַרְנָ֣א דִכֵּ֔ן עָֽבְדָ֥ה קְרָ֖ב עִם־קַדִּישִׁ֑ין וְיָֽכְלָ֖ה לְהֽוֹן׃

Eu olhava e eis que este chifre fazia guerra contra os santos. Entre suas temíveis realizações, o pequeno chifre, que agora se tornara maior do que os outros, guerreava contra os santos. Essa guerra contra os santos tem sido identificada como: 1. as perseguições de Antíoco Epifânio contra os judeus (ver 1Macabeus 1.24-52; 2.7-13; 2Macabeus 5.21-27) que 2. prefiguraram as perseguições religiosas do anticristo antes do estabelecimento do reino milenar. O *anticristo* (ver a respeito no *Dicionário*) será o poder que promoverá isso. Cf. este versículo com Dn 8.9-12,24,25; Ap 11.7 e 13.7.

7.22

עַ֣ד דִּֽי־אֲתָ֗ה עַתִּיק֙ יֽוֹמַיָּ֔א וְדִינָ֣א יְהִ֔ב לְקַדִּישֵׁ֖י עֶלְיוֹנִ֑ין וְזִמְנָ֣א מְטָ֔ה וּמַלְכוּתָ֖א הֶחֱסִ֥נוּ קַדִּישִֽׁין׃

Até que veio o Ancião de Dias. O Ancião de Dias (ver as notas sobre o vs. 9) porá fim a essa perseguição. Ele é o *Deus Altíssimo* (ver no *Dicionário* e em Dn 3.26) e não mais permitirá que seus *santos* continuem sofrendo nas mãos de homens malignos. Chegará o tempo em que *eles* (os poderes pagãos) possuirão o reino, conforme somos informados no vs. 18. Note o leitor que essa mudança requererá a *intervenção divina*. O processo histórico jamais poderia produzir tal resultado sem a orientação e a compulsão divina. Deus controla o tempo e os limites de todas as nações (ver At 17.26). Ele também controla o tempo e as condições do término dos poderes terrenos e o estabelecimento do governo divino. Cf. Ap 12.13-17; 17.7; 19.19,20.

7.23

כֵּן֮ אֲמַר֒ חֵֽיוְתָא֙ רְבִיעָ֣יְתָ֔א מַלְכ֥וּ רְבִיעָיָ֖א תֶּהֱוֵ֣א בְאַרְעָ֑א דִּ֣י תִשְׁנֵא֙ מִן־כָּל־מַלְכְוָתָ֔א וְתֵאכֻל֙ כָּל־אַרְעָ֔א וּתְדוּשִׁנַּ֖הּ וְתַדְּקִנַּֽהּ׃

O quarto animal será um quarto reino na terra. Voltamos aqui à visão original, com uma declaração geral sobre o *quarto animal* (vs. 7), não havendo adição de nenhum detalhe novo. Os vss. 23-27 foram compostos em linguagem métrica e podem representar uma minúscula composição separada que foi incorporada à descrição. Ou então o profeta compôs esses versículos como uma composição métrica, inspirado de admiração pelo que lhe estava sendo revelado. A poesia é um veículo de expressão que registra os sentimentos mais excelentes dos homens. Distingue certas passagens em composição prosaica. Esse quarto animal na terra era *diferente* e maior, e conseguiu devorar a terra inteira, uma provável referência às conquistas mundiais de Alexandre. Ou então pode estar em foco o império de Roma, com suas conquistas militares igualmente vastas. O que não foi devorado, foi quebrado em pedaços, o que aponta para um *domínio absoluto,* sem nenhuma dissensão.

7.24

וְקַרְנַיָּ֣א עֲשַׂ֔ר מִנַּהּ֙ מַלְכוּתָ֔ה עַשְׂרָ֥ה מַלְכִ֖ין יְקֻמ֑וּן וְאָחֳרָ֣ן יְק֣וּם אַחֲרֵיה֗וֹן וְה֤וּא יִשְׁנֵא֙ מִן־קַדְמָיֵ֔א וּתְלָתָ֥ה מַלְכִ֖ין יְהַשְׁפִּֽל׃

Os dez chifres correspondem a dez reis. Este versículo é uma simples repetição dos vss. 7 e 8, nada acrescentando em termos práticos. Ver as exposições sobre esses dois versículos, mais elaborados. A única coisa que foi adicionada é a palavra *diferente*, para falar sobre o imenso poder destruidor e da glória maior do quarto animal. A diferença consiste essencialmente no pequeno chifre, que é diferente dos outros dez chifres, e diferente dos chifres dos outros animais. Note o leitor que, no vs. 2, o quarto animal diferia dos animais que tinham surgido antes; e, no vs. 24, o pequeno chifre é diferente dos outros dez chifres.

7.25

וּמִלִּין לְצַד עִלָּיָא יְמַלִּל וּלְקַדִּישֵׁי עֶלְיוֹנִין יְבַלֵּא וְיִסְבַּר לְהַשְׁנָיָה זִמְנִין וְדָת וְיִתְיַהֲבוּן בִּידֵהּ עַד־עִדָּן וְעִדָּנִין וּפְלַג עִדָּן:

Proferirá palavras contra o Altíssimo. Este versículo acrescenta alguns detalhes acerca de Antíoco Epifânio, e, profeticamente, fala sobre o anticristo. Vemos no vs. 11 que ele se jactará de grandes coisas. Agora vemos que ele não deixará de blasfemar contra o próprio Deus *Altíssimo*. Cf. Dn 11.36 e Ap 13.6. Quanto ao Deus *Altíssimo*, ver as notas em Dn 3.26, bem como o *Dicionário*. Esse homem "desgastará" os santos por meio de seus constantes ataques. As perseguições movidas por Antíoco Epifânio também eram incansáveis. Ver as notas sobre o vs. 21. Outro tanto sucederá por ocasião das perseguições movidas pelo anticristo, nos últimos dias.

Cuidará em mudar os tempos e a lei. Esta é uma referência a como Antíoco tentou mudar os costumes e as leis dos judeus, tendo oferecido uma porca no altar dos sacrifícios e estabelecido sua imagem no templo de Jerusalém. Ver 1Macabeus 1.41,42. O trecho de 1Macabeus 1.44-49 diz-nos como Antíoco Epifânio proibiu a observância do sábado, suprimiu os sacrifícios diários e as oferendas e proibiu que fossem observadas as festividades judaicas. E então ele forçou os judeus a seguir seu próprio culto pagão.

Por um tempo, dois tempos e metade dum tempo. Quanto a "tempos", ver Dn 2.21; 6.10,13. Um "tempo" corresponde a um ano; dois tempos, a dois anos; e metade de um tempo, a meio ano. O sentido original era que o tempo das perseguições de Antíoco se limitaria a três anos e meio. Encontramos aqui um "catálogo das enormidades de Antíoco, com a predição de que elas perdurariam por três anos e meio, ou seja, um tempo, dois tempos e metade de um tempo. Cf. Dn 8.14; 9.27 e 12.7,11,12. Depois haverá o fim, quando o esperado reino messiânico será estabelecido" (*Oxford Annotated Bible*, comentando sobre o vs. 25).

Esse período de tempo, naturalmente, tem-se transformado em uma referência escatológica, sendo interpretado pelos estudiosos dispensacionalistas como parte do período de sete anos de tribulação, que se espera ocorra imediatamente antes da segunda vinda de Cristo. Cf. Ap 12.14, "referindo-se aos três anos e meio da Grande Tribulação, que ocupará *um tempo*, isto é, um ano, *dois tempos*, ou seja, dois anos, e *meio tempo*, a saber, meio ano. Isso equivale aos 1.260 dias de Ap 12.6 e aos 42 meses de Ap 11.2 e 13.5" (J. Dwight Pentecost, *in loc.*).

Alguns eruditos fazem os dias significar metade do período de sete anos, e os meses significar a outra metade. Então a combinação de dias e meses faria referência à septuagésima semana da profecia de Dn 9.27. Exatamente o quanto dessa manipulação corresponderá à verdade, ainda terá de ser verificado. Uma coisa é certa: a Grande Tribulação, que alguns estudiosos modernos tinham predito para a década de 1990, não ocorreu, para consternação de muitos intérpretes bíblicos. A Grande Tribulação teria sido adiada? Nossos cálculos sobre o tempo estariam equivocados? Ou simplesmente estávamos errados quanto à nossa visão sobre o que se deveria esperar? O homem espiritual está sempre disposto a admitir que errou, e que sua compreensão era pequena demais para desvendar coisas tão grandes. Além disso, fazer Daniel ajustar-se aos *fins dos tempos* com *detalhes tão precisos* pode ter sido, desde o começo, uma abordagem equivocada do livro.

7.26

וְדִינָא יִתִּב וְשָׁלְטָנֵהּ יְהַעְדּוֹן לְהַשְׁמָדָה וּלְהוֹבָדָה עַד־סוֹפָא:

Mas depois se assentará o tribunal. O grande pequeno chifre, tão orgulhoso de seu poder e tão seguro de sua continuação, será repentinamente varrido da cena, e outro tanto sucederá ao quarto animal. Isso exigirá uma *intervenção* por parte do tribunal celestial, que se pronunciará contra a quarta fera e a removerá da cena. É o *tribunal*, presidido pelo Antigo de Dias, que determina o curso da história, o soerguimento e a queda de impérios, e determina o fim de todos esses reinos, quando o reino eterno houver de substituir a todos eles. Ver no *Dicionário* o artigo chamado *Teísmo*, que é a ideia de que o Criador não abandonou sua criação, mas antes intervém, recompensando, punindo e determinando o destino dos indivíduos, das nações e do universo. Ver também no *Dicionário* o verbete chamado *Soberania de Deus*. Cf. este versículo com a cena do tribunal no vs. 10.

Note o leitor que a destruição da fera, no vs. 11, é ignorada aqui. O leitor cuidadoso tomará isso como fato consumado, sem que a questão precise ser especificamente repetida.

7.27

וּמַלְכוּתָה וְשָׁלְטָנָא וּרְבוּתָא דִּי מַלְכְוָת תְּחוֹת כָּל־שְׁמַיָּא יְהִיבַת לְעַם קַדִּישֵׁי עֶלְיוֹנִין מַלְכוּתֵהּ מַלְכוּת עָלַם וְכֹל שָׁלְטָנַיָּא לֵהּ יִפְלְחוּן וְיִשְׁתַּמְּעוּן:

O reino e o domínio, e a majestade dos reinos. Este versículo sumaria os vss. 13 e 14 e é essencialmente equivalente ao vs. 14. O Filho do Homem assume o reino, ele é o vice-regente do Antigo de Dias. Aqui os santos aparecem e agem como os recebedores do reino, juntamente com as divinas autoridades e as hostes celestiais. O reino do Deus *Altíssimo* (ver Dn 3.26 e o artigo com esse nome, no *Dicionário*) é dado por ele aos santos, conforme vemos no vs. 22. O autor sacro tem em vista um futuro magnificamente para Israel, possível mediante intervenção divina direta, pois a história natural jamais poderia produzir tais acontecimentos. Outras nações continuarão a existir, mas subordinadas a Israel, que se tornará então a cabeça das nações da terra. Subordinando-se a Israel, todos os povos serão unidos sob um *único Deus* e prestarão lealdade e adoração a ele. Seu conhecimento cobrirá então a face da terra como os mares cobrem os seus leitos. Ver Is 11.9. Haverá grandiosa *restauração* e raiará a época áurea.

"Que o novo reino será *entregue* aos justos é algo que concorda com o pensamento escatológico geral. Ninguém poderá conquistá-lo. Antes, será um dom de Deus. *O reino deles:* o pronome é singular, e a referência pode ser à figura Messiânica, quando o reino foi dado, conforme o vs. 14, e portanto "reino dele". É mais provável, entretanto, que se refira ao *governo* do povo dos santos que Dn 2.44 citou como *eterno*. Todos os outros domínios o servirão e lhe serão obedientes" (Arthur Jeffery, *in loc.*).

O Triunfo Final. "O último reino, o reino dos santos, será universal, envolvendo todos os remidos. O triunfo final terá qualidade *remidora*. Afetará todos os homens e restaurará a correta relação entre Deus e os homens. Essa é grande diferença entre a vitória dos santos e a vitória dos pecadores, que traz somente destruição e caos" (Gerald Kennedy, *in loc.*).

Epílogo (7.28)

7.28

עַד־כָּה סוֹפָא דִי־מִלְּתָא אֲנָה דָנִיֵּאל שַׂגִּיא רַעְיוֹנַי יְבַהֲלֻנַּנִי וְזִיוַי יִשְׁתַּנּוֹן עֲלַי וּמִלְּתָא בְּלִבִּי נִטְרֵת: פ

Aqui terminou o assunto. Cf. este versículo com Jr 51.64; Ec 12.13 e 5.9,10. Daniel não encontrou as respostas finais sobre o que estava acontecendo em suas profecias, mas conseguiu um avanço. Muita coisa continuava misteriosa. "É o espírito questionador da fé que vemos aqui. Uma *experiência religiosa* não resolve todos os nossos problemas, nem remove todas as nossas perguntas. Mas pode dar-nos indícios essenciais, e sabemos, com base nessas experiências, que nossa inquirição é significativa" (Gerald Kennedy, *in loc.*). "Daniel sofre, como em Dn 7.15 e 10.8, mas se consola mantendo em seu coração as palavras do anjo, referidas no vs. 17 (cf. Lc 2.19)" (Ellicott, *in loc.*). "Não estamos limitados ao que os próprios profetas entenderam, ao lidar com as profecias" (Fausset, *in loc.*). Foi o anjo quem disse: "Aqui é o fim do assunto", mas os homens bons estão sempre sujeitos a novas inspirações, no tempo apropriado. A teologia se parece com qualquer outra ciência: vive crescendo. A verdade nunca é final. A verdade é uma aventura, e o homem bom deve *continuar aventurando-se*.

CAPÍTULO OITO

O livro de Daniel consiste essencialmente em *seis histórias* e *quatro visões*. Ver a declaração introdutória chamada "Ao Leitor", imediatamente antes da exposição em Dn 1.1. Ali ofereço detalhes sobre o esquema do livro.

Chegamos agora à *segunda* das visões: a visão do carneiro e do bode. Ela foi datada dois anos após a visão anterior (ver Dn 7.1 e 8.1). Daniel estava em Susã, capital de inverno dos reis persas, que ficava mais de 320 km a leste da cidade da Babilônia, no *canal do Ulai*. Cerca de um século mais tarde, o rei persa Xerxes construiu ali um magnífico palácio. O livro de Ester se encaixa historicamente naquela época (ver Et 1.2). Neemias foi copeiro-mor do rei Artaxerxes, naquele palácio (ver Ne 1.1).

"O carneiro com dois chifres era o império medo-persa (vs. 20), sendo que o avanço dos persas foi irresistível. O bode (Dn 5.7) vindo do Ocidente era Alexandre, o Grande (vs. 21), que derrubou o império persa. Após a morte de Alexandre, o império foi dividido entre quatro líderes *conspícuos*: Cassandro, Lisímaco, Seleuco e Ptolomeu (vs. 8). Foi da família dos selêucidas que surgiu Antíoco Epifânio, o qual, em 167 a.C., conquistou a Palestina (vss. 8-14). Ele violou o santuário e proibiu que os judeus adorassem ali (vss. 23-25)" (*Oxford Annotated Bible*, na introdução ao presente capítulo).

O capítulo 8, assim sendo, elabora certos assuntos que figuram no capítulo anterior. A Babilônia não está mais em foco, e até os medo-persas foram mencionados para introduzir o monstro macedônio, Alexandre. Mas a ênfase real recai sobre o pequeno chifre, Antíoco Epifânio. "O propósito deste capítulo é, por um lado, tornar claras algumas questões que haviam sido tratadas de maneira um tanto críptica no capítulo 7; e, por outro, renovar a certeza de que o fim estava próximo. O cálice da iniquidade de Antíoco estava quase cheio. Esse é o episódio final na grande tribulação que precederá o fim. Deus interviria e o homem do pecado seria destruído. Neste capítulo voltamos ao idioma hebreu, deixando de lado o aramaico" (Arthur Jeffery, *in loc.*). Os eruditos dispensacionalistas aceitam Antíoco Epifânio como se fosse o anticristo, pelo que parte do capítulo foi colocada dentro de um ambiente escatológico.

Este capítulo naturalmente divide-se em três seções principais: vss. 1,2; vss. 3-25; e vss. 26,27. Há certo número de claras subdivisões. Em cada seção e subseção dou um título que projeta a essência do que se segue.

SEGUNDA VISÃO: O CARNEIRO E O BODE (8.1-27)

Prólogo (8.1,2)

■ 8.1

בִּשְׁנַת שָׁלוֹשׁ לְמַלְכוּת בֵּלְאשַׁצַּר הַמֶּלֶךְ חָזוֹן נִרְאָה אֵלַי אֲנִי דָנִיֵּאל אַחֲרֵי הַנִּרְאָה אֵלַי בַּתְּחִלָּה׃

Este versículo data a visão exatamente um ano após a visão do capítulo 7. Cf. Dn 7.1. Este capítulo desenvolve certas partes do capítulo 7, o que explica as datas vinculadas entre si. Toques concernentes a datas e lugares tendem a assegurar aos leitores a historicidade do relato. Cf. Dn 10.4; Ez 1.1; 8.1-3; 11.1 e At 10.9 ss. As palavras "depois daquela que eu tivera a princípio" aludem ao capítulo 7 e poderiam ser mais bem traduzidas por "previamente". A história da revelação prossegue. Ver as notas em Dn 7.28. A verdade nunca fica estagnada. Trata-se de uma aventura contínua.

■ 8.2

וָאֶרְאֶה בֶּחָזוֹן וַיְהִי בִּרְאֹתִי וַאֲנִי בְּשׁוּשַׁן הַבִּירָה אֲשֶׁר בְּעֵילָם הַמְּדִינָה וָאֶרְאֶה בֶּחָזוֹן וַאֲנִי הָיִיתִי עַל־אוּבַל אוּלָי׃

Quando a visão me veio. Esta foi a *segunda* visão, depois da primeira apresentada no capítulo 7. A segunda visão foi recebida em Susã, capital de inverno dos reis persas. Quanto a detalhes, ver o detalhado artigo sobre esse lugar no *Dicionário*. A cidade ficava na província do *Elão* (ver a respeito no *Dicionário*). O local específico onde a visão foi dada foram as margens do rio *Ulai* (ver esse artigo no *Dicionário*).

A Visão Geral (8.3-25)

■ 8.3

וָאֶשָּׂא עֵינַי וָאֶרְאֶה וְהִנֵּה אַיִל אֶחָד עֹמֵד לִפְנֵי הָאֻבָל וְלוֹ קְרָנָיִם וְהַקְּרָנַיִם גְּבֹהוֹת וְהָאַחַת גְּבֹהָה מִן־הַשֵּׁנִית וְהַגְּבֹהָה עֹלָה בָּאַחֲרֹנָה׃

Então levantei os olhos, e vi. A interpretação da visão aparece nos vss. 15-25, que seguem o mesmo plano que já havia aparecido no livro, onde as declarações da visão foram dadas, seguindo-se então a interpretação. Dou aqui as interpretações juntamente com as declarações, e adiciono algum detalhe nos versículos interpretativos.

■ 8.4

רָאִיתִי אֶת־הָאַיִל מְנַגֵּחַ יָמָּה וְצָפוֹנָה וָנֶגְבָּה וְכָל־חַיּוֹת לֹא־יַעַמְדוּ לְפָנָיו וְאֵין מַצִּיל מִיָּדוֹ וְעָשָׂה כִרְצֹנוֹ וְהִגְדִּיל׃

Vi que o carneiro dava marradas para o ocidente, e para o norte e para o sul. Perto do rio Ulai estava o carneiro com dois chifres, o que fala da união entre os medos e os persas (vs. 20). Um desses chifres era mais alto (mais forte) que o outro. De fato, o poder persa que apareceu mais tarde derrotou e tomou conta dos medos, do que resultou uma espécie de reino com dois povos unidos. A fera de dois chifres, em *seus dias*, foi invencível. Ela arremetia e chifrava o mundo inteiro ao redor, nos seus dias. Todas as direções da bússola são dadas, exceto a direção do *oriente*, mas a história tem demonstrado que a Pérsia também fez conquistas nessa direção. De fato, eles chegaram à Índia. O fato, porém, não interessava ao autor sagrado. Esse carneiro foi uma fera terrível, mas nada em comparação ao bode ameaçador (vs. 5). Ver as notas expositivas adicionais no vs. 20.

■ 8.5

וַאֲנִי הָיִיתִי מֵבִין וְהִנֵּה צְפִיר־הָעִזִּים בָּא מִן־הַמַּעֲרָב עַל־פְּנֵי כָל־הָאָרֶץ וְאֵין נוֹגֵעַ בָּאָרֶץ וְהַצָּפִיר קֶרֶן חָזוּת בֵּין עֵינָיו׃

Eis que um bode vinha do ocidente. Trata-se de um bode que percorria longas distâncias, vindo do *ocidente* (a Grécia, vs. 21). Rapidamente ele avançou sobre toda a terra (conhecida), conquistando e saqueando. Avançava tão rapidamente que seus pés não tocavam o chão. Em outras palavras, ele avançava *voando*. Tinha um chifre conspícuo entre os olhos (ou seja, Alexandre). Com velocidade surpreendente, ele conquistou o mundo conhecido de seu tempo. Sua marcha ocorreu essencialmente entre 334 e 323 a.C., quando ele morreu de uma febre (malária?) na Babilônia. "A escolha de um bode como símbolo do império greco-macedônio pode ter-se derivado do fato de que o signo do zodíaco, *Capricórnio*, esteve em uso como sinal dos selêucidas, na Síria. Judeus religiosos também observavam como, em Ez 34.17 e Zc 10.3, é traçado o contraste entre o bode rude e a ovelha débil. O unicórnio não deve ter parecido um animal estranho naquela época, visto que a arte da época antiga, no Oriente Próximo e Médio, contava com numerosas representações de animais com um único chifre, que saía do meio da testa" (Arthur Jeffery, *in loc.*).

■ 8.6

וַיָּבֹא עַד־הָאַיִל בַּעַל הַקְּרָנַיִם אֲשֶׁר רָאִיתִי עֹמֵד לִפְנֵי הָאֻבָל וַיָּרָץ אֵלָיו בַּחֲמַת כֹּחוֹ׃

Dirigiu-se ao carneiro que tinha os dois chifres. A batalha entre o bode e o carneiro foi desigual. Coisa alguma podia comparar-se com Alexandre, e, além disso, o propósito de Deus o acompanhava, pois o mundo estava sendo preparado para o evangelho, mediante o idioma grego, que transportaria a mensagem de salvação. Alexandre espalhou a cultura e o idioma grego por todo o mundo conhecido, e o Novo Testamento se espalhou praticamente pelas mesmas regiões por onde Alexandre havia espalhado a cultura e o idioma grego. Isso posto, o bode recebeu a sua fúria por inspiração divina. Ele sabia o que faria e como faria. O mundo já tinha vista o bastante do poder persa. "A admirável rapidez dos movimentos de Alexandre seria inacreditável se eles não tivessem sido tão bem confirmados pela história. Da batalha de Brianico à batalha de Arbela passaram-se somente três anos. Durante esse breve período, o imenso império persa se desfez em pedaços" (Ellicott, *in loc.*). A primeira vitória de Alexandre sobre Dario ocorreu em 334 a.C.

■ 8.7

וָאֶרְאִיתִיו מַגִּיעַ אֵצֶל הָאַיִל וַיִּתְמַרְמַר אֵלָיו וַיַּךְ אֶת־הָאַיִל וַיְשַׁבֵּר אֶת־שְׁתֵּי קְרָנָיו וְלֹא־הָיָה כֹחַ בָּאַיִל לַעֲמֹד לְפָנָיו וַיַּשְׁלִיכֵהוּ אַרְצָה וַיִּרְמְסֵהוּ וְלֹא־הָיָה מַצִּיל לָאַיִל מִיָּדוֹ׃

Vi-o chegar perto do carneiro. O bode ultrapassou o carneiro quanto às manobras, pois era mais rápido, estava enraivecido, mais determinado, e moveu-se com decisão por estar sendo inspirado pela vontade do Ser divino, o qual controlava as mudanças de poder que estavam ocorrendo. Os dois chifres do carneiro foram quebrados, e seu reino unificado (Média-Pérsia) entrou completamente em colapso, sem tardança. Não houve aliados que pudessem reverter o acontecimento no último minuto, pelo que a queda se tornou irreversível. Cf. isso com a descrição sobre o leopardo, animal de grande velocidade (Dn 7.6). O leopardo tinha asas. O bode era tão rápido que voava.

■ 8.8

וּצְפִיר הָעִזִּים הִגְדִּיל עַד־מְאֹד וּכְעָצְמוֹ נִשְׁבְּרָה הַקֶּרֶן הַגְּדוֹלָה וַתַּעֲלֶנָה חָזוּת אַרְבַּע תַּחְתֶּיהָ לְאַרְבַּע רוּחוֹת הַשָּׁמָיִם׃

O bode se engrandeceu sobremaneira. O bode foi ficando cada vez mais forte, e suas conquistas formaram o mais extenso de todos os impérios, até sua época da história. Seguiu para o oriente e para o ocidente, como a Itália, a Espanha e a Gália. Quanto à direção sul, tomou parte do Egito e outras partes das costas nortistas da África.

Mas então aconteceu algo surpreendente: o grande chifre que tinha efetuado todas essas conquistas foi quebrado (a morte de Alexandre, aos somente 33 anos de idade — ele morreu em 323 a.C.). Em lugar do chifre grande e único, apareceram *quatro* chifres notáveis, a saber, os generais entre os quais foi dividido o império de Alexandre. Eles se chamavam Cassandro, Lisímaco, Seleuco e Ptolomeu, dentre os quais os dois últimos se tornaram proeminentes nas páginas da história do Antigo Testamento (durante o período intertestamentário). Esses quatro generais ocuparam os quatro pontos cardeais do mundo antigo, referidos sob o símbolo dos *quatro ventos*. Ver Dn 11.4; Jr 49.36 e Ez 42.20.

A divisão do terceiro império sob os quatro generais foi a seguinte: 1. Lisímaco (Trácia); 2. Cassandro (Macedônia); 3. Seleuco (Síria) e 4. Ptolomeu (Egito). Houve potências menores, com reis inferiores, mas esses quatro representavam o império essencial greco-macedônico deixado por Alexandre. Ver o detalhado artigo sobre *Alexandre, o Grande*, no *Dicionário*.

O Pequeno Chifre e suas Abominações (8.9-12)

■ 8.9

וּמִן־הָאַחַת מֵהֶם יָצָא קֶרֶן־אַחַת מִצְּעִירָה וַתִּגְדַּל־יֶתֶר אֶל־הַנֶּגֶב וְאֶל־הַמִּזְרָח וְאֶל־הַצֶּבִי׃

De um dos chifres saiu um chifre pequeno. A visão agora se afunila para a mensagem principal que queria transmitir. Dentre os *quatro chifres*, emergiu *um chifre*, chamado "pequeno chifre". Isso não significa que o império foi unificado sob um líder, dissolvendo o poder dos quatro chifres. Mas significa que, dentro do império selêucida, surgiu uma grande abominação que teria relação especial (mas negativa) com Israel. Cf. Dn 7.8, onde encontramos o mesmo símbolo. Para obter poder, esse pequeno chifre precisou desarraigar *três* outros, que identifico na passagem paralela. Esse poder desceu ao Egito (o sul) para conquistá-lo. O capítulo 11 dá detalhes sobre essas campanhas sulistas. Cf. 1Macabeus 1.18. Quanto a detalhes, ver sobre *Antíoco Epifânio* no *Dicionário*. A referência ao *oriente* provavelmente diz respeito às conquistas daquele homem selvagem no último ano de sua vida, conforme se vê nas descrições de 1Macabeus 3.31,37; 6.1-4. Ele também deu atenção à *terra gloriosa*, a Palestina-Israel, onde causou grande confusão e perpetuou grandes abominações no tocante à fé judaica. Em Ez 20.6,15, a Palestina é chamada de "coroa de todas as terras". Em Enoque 89.40 aparece como "a terra agradável e gloriosa". Cf. Jr 3.19 e Ml 3.12. Ver o vs. 13 quanto às perseguições efetuadas por Antíoco Epifânio.

■ 8.10

וַתִּגְדַּל עַד־צְבָא הַשָּׁמָיִם וַתַּפֵּל אַרְצָה מִן־הַצָּבָא וּמִן־הַכּוֹכָבִים וַתִּרְמְסֵם׃

Cresceu até atingir o exército dos céus. O poder de Antíoco Epifânio fez-se sentir em uma larga faixa do território próximo da Palestina e na própria Palestina. Ele estava transformando as coisas *na terra*. Todavia, não se contentou com isso. Também queria interferir nas "questões celestiais", a fim de controlar os assuntos religiosos. 1Macabeus 1.41,42 dá-nos alguns detalhes dessa interferência. Ele interveio no culto de muita gente, e não apenas no culto judaico, no programa de "unificação religiosa" com o qual ele queria helenizar as religiões, e não apenas as culturas. Foi assim que ele "lançou por terra" as estrelas (poderes celestiais) e pisou sobre elas. 2Macabeus 9.10 diz algo similar. Ele pensou que poderia tocar "nas estrelas do céu". Cf. Ap 12.4. Ver Dn 11.36-39 quanto a algumas de suas inovações religiosas. Ali lemos que ele "se engrandecerá" sobre cada deus. O futuro *anticristo* (tipificado por Antíoco Epifânio) seguirá essa norma política e até blasfemará dos poderes do alto. Cf. Is 14.13,14; Jó 29.6; e Heródoto (*Hist.* III.64). O simbolismo das *estrelas* nos faz lembrar da *adoração astral* que era tão comum no antigo Oriente Próximo e Médio. Cf. Gn 2.1; Dt 4.19; 17.3; 2Rs 21.3.

Antíoco Epifânio interferiu na adoração às estrelas naquela parte do mundo, tendo perseguido todo o tipo de fé religiosa que não se ajustasse ao seu plano de helenização. O judaísmo, com seu Deus dos céus, era um alvo natural. Cf. Ap 12.4.

■ 8.11

וְעַד שַׂר־הַצָּבָא הִגְדִּיל וּמִמֶּנּוּ הֵרִים הַתָּמִיד וְהֻשְׁלַךְ מְכוֹן מִקְדָּשׁוֹ׃

Sim, engrandeceu-se até ao príncipe do exército. *Príncipe do Exército*. Esta expressão significa: 1. *Poderes angelicais* e, especificamente, quem estivesse preocupado com o bem-estar de Israel, como Gabriel, por exemplo. 2. Ou o *Sar* (príncipe) pode ser uma *teofania* especial, interessada no bem-estar de Israel. Cf. Js 5.13-15, onde o visitante celestial é descrito como "príncipe dos exércitos de Yahweh". Cf. Dn 10.13,20 e 12.1, onde a palavra empregada se refere aos príncipes angelicais. 3. Ou a referência poderia ser ao próprio *Yahweh*, embora esse fosse um uso singular da palavra hebraica *sar*, no Antigo Testamento. 4. Alguns eruditos fazem essa profecia ser essencialmente escatológica, vendo aqui o *Messias*, o príncipe futuro que restaurará a nação de Israel. Nesse caso, Antíoco Epifânio deve simbolizar o anticristo. 5. Ainda outros estudiosos veem aqui o próprio *Antíoco*, exaltando a si mesmo a ponto de tornar-se o príncipe do exército. "... chamando a si mesmo de príncipe do exército" (J. Dwight Pentecost, *in loc.*). Mas a NIV diz: "Tão grande quanto o Príncipe do Exército". O vs. 25 e Dn 11.36 parecem favorecer a terceira dessas cinco interpretações, aquela que fala em *Yahweh*.

Em sua oposição às estrelas e a todas as formas religiosas, que ele quis unificar para adaptar-se a seu ideal de helenização, ele interferiu nas oferendas queimadas diárias (ver Êx 29.38 ss.; Nm 28.3 ss.), o *'olath hattamidh* do resto do Antigo Testamento, mas aqui chamado de *tamidh*. O templo de Jerusalém foi contaminado por suas abominações. Ele chegou a sacrificar uma porca sobre o altar. Quanto a uma descrição da conduta de Antíoco Epifânio a esse respeito, ver 1Macabeus 1.39,45 e 3.45. Na época, o templo não foi destruído, mas sua adoração e culto sim, algo mais ou menos equivalente. Antíoco saqueou os tesouros do templo, outra abominação.

8.12

וְצָבָ֤א תִּנָּתֵן֙ עַל־הַתָּמִ֣יד בְּפָ֔שַׁע וְתַשְׁלֵ֥ךְ אֱמֶ֖ת אַ֑רְצָה וְעָשְׂתָ֖ה וְהִצְלִֽיחָה׃

O exército lhe foi entregue. Essa fera levou homens a desviar-se de Deus, seja forçando-os a isso, seja por sua influência e exemplo ímpios. Eles fizeram cessar os sacrifícios diários, e "isso foi como lançar a verdade por terra. O chifre foi bem-sucedido em tudo quanto fez" (NCV). Este versículo dá a entender a *apostasia* na qual caíram muitos judeus, e não apenas uma *conformidade forçada*, que estivesse sendo imposta por Antíoco. "É fato conhecido que alguns judeus escorregaram sob as perseguições de Antíoco e se juntaram a seus ritos idólatras" (Ellicott, *in loc.*). A "verdade", a palavra de Deus, dentro da legislação mosaica, foi lançada por terra e pisada por pés profanos. Ver 1Macabeus 1.43-52,56,60. "... a verdade, todo o ritual e religião dos judeus" (Adam Clarke, *in loc.*). E embora fosse tão abominável, o homem prosperou por algum tempo, até que o juízo de Deus, finalmente, o cortou. Ele foi bem-sucedido no programa de universalização sob sua própria forma de idolatria, durante algum tempo. 2Macabeus 6.6 diz-nos que ele alcançou tamanho êxito que nem se podia guardar o sábado, nem celebrar as festividades comuns dos judeus. De fato, um homem nem ao menos podia admitir ser judeu, distinguindo-se de outros homens. Foi assim obliterada a distinção que a lei de Moisés determinava entre um judeu e um pagão (ver Dt 4.4-8).

A Predição Celestial (8.13,14)

8.13

וָאֶשְׁמְעָ֥ה אֶֽחָד־קָד֖וֹשׁ מְדַבֵּ֑ר וַיֹּאמֶר֩ אֶחָ֨ד קָד֜וֹשׁ לַפַּֽלְמוֹנִ֣י הַֽמְדַבֵּ֗ר עַד־מָתַ֞י הֶחָז֤וֹן הַתָּמִיד֙ וְהַפֶּ֣שַׁע שֹׁמֵ֔ם תֵּ֛ת וְקֹ֥דֶשׁ וְצָבָ֖א מִרְמָֽס׃

Depois ouvi um santo que falava. A pergunta vexatória dos judeus, no tempo das perseguições de Antíoco Epifânio, era: *Por quanto tempo* perdurarão essa perseguições? Isso seria respondido pela revelação angelical. Assim sendo, temos no vs. 13 um anjo falando com outro sobre a questão, e a revelação é dada no vs. 14. Quanto ao "santo" como um anjo, ver Dt 33.2; Sl 89.5; Zc 14.5. Aquele que respondeu (*palmoni*) proveu a resposta. As versões grega e siríaca compreenderam essa palavra, *palmoni*, como um nome próprio. Em resultado, temos Palmoni como um nome divino nas *Constituições Apostólicas* VII.35. *Por quanto tempo?* tornou-se uma expressão escatológica padronizada. Cf. Dn 12.6; 2Ed 6.59; Ap 6.10. O termo já tinha sido usado em contextos não apocalípticos, como em Sl 6.3; 80.4; 90.13; Is 6.11 e Hc 2.6.

8.14

וַיֹּ֣אמֶר אֵלַ֔י עַ֚ד עֶ֣רֶב בֹּ֔קֶר אַלְפַּ֖יִם וּשְׁלֹ֣שׁ מֵא֑וֹת וְנִצְדַּ֖ק קֹֽדֶשׁ׃

Até duas mil e trezentas tardes e manhãs. Esta declaração tem sido variegadamente entendida: 1. Poderia significar muitos *dias*, mais de seis anos. Nesse caso, 2.300 tardes e manhãs (os tempos normais em que se ofereciam sacrifícios diários) significariam muitos ciclos completos de 24 horas, o que, em termos, fala do tempo que se passaria *antes* da purificação do santuário. 2. Ou estão em foco 2.300 sacrifícios, dois a cada dia, dando-nos o total de 1.150 dias. Isso equivaleria a alguns poucos meses menos do que os três anos e meio de Dn 7.25 e 12.7. Talvez o ponto de partida seja diferente, mas o fim seria o mesmo. Nesse caso, os 2.300 sacrifícios ocupariam o mesmo tempo que os três anos e meio. Historicamente falando, estaria em vista o tempo da contaminação do templo por parte de Antíoco Epifânio, a 16 de dezembro de 167 a.C., até que o templo foi purificado e rededicado por Judas Macabeu, nos fins de 164 a.C., já entrando no ano de 163 a.C., quando todos os rituais judeus foram completamente restaurados e os judeus obtiveram um período de independência da dominação estrangeira. 3. Os dispensacionalistas transferem então esse período para os últimos dias, vendo o *anticristo* em ação conforme fez Antíoco Epifânio, e o período de tempo em foco seria parte da Grande Tribulação. O Príncipe dos príncipes, ou Príncipe do Exército (vs. 11), nesse caso, faria parte de uma profecia messiânica. Ver no *Dicionário* o verbete chamado *Anticristo*.

A Interpretação da Visão (8.15-20)

8.15

וַיְהִ֗י בִּרְאֹתִ֛י אֲנִ֥י דָנִיֵּ֖אל אֶת־הֶחָז֑וֹן וָאֲבַקְשָׁ֣ה בִינָ֔ה וְהִנֵּ֛ה עֹמֵ֥ד לְנֶגְדִּ֖י כְּמַרְאֵה־גָֽבֶר׃

Havendo eu, Daniel, tido a visão, procurei entendê-la. Ao longo do caminho, já dei as interpretações, pelo que aqui só adiciono alguns detalhes. O padrão do livro: a *declaração* da visão, e então sua *interpretação*. Cf. com Dn 7.2-14 (a visão), e então Dn 7.17-27 (a interpretação).

Novamente, Daniel caiu perplexo e com o espírito conturbado. Ele recebera a visão, mas não a compreendera. Havia um ser parecido com um homem, de pé perto dele, que era o revelador. A interpretação tinha de vir por intervenção divina. Daniel não poderia ser o próprio intérprete. Esse ser celeste parecia ser um homem, mas não era; e esse é um acontecimento apocalíptico comum. Temos as histórias de Jacó (Gn 32.24-32), de Manoá e sua esposa (Jz 6.11 ss.), além de outros em que o mesmo tipo de manifestação é mencionado. O anjo se chamava *Gabriel*, no vs. 16.

8.16

וָאֶשְׁמַ֥ע קוֹל־אָדָ֖ם בֵּ֣ין אוּלָ֑י וַיִּקְרָא֙ וַיֹּאמַ֔ר גַּבְרִיאֵ֕ל הָבֵ֥ן לְהַלָּ֖ז אֶת־הַמַּרְאֶֽה׃

E ouvi uma voz de homem de entre as margens do Ulai. Então foi ouvida a voz de uma pessoa misteriosa, sem dúvida um anjo, que clamou a *Gabriel* e lhe ordenou que interpretasse para Daniel a visão. Isso ocorreu às margens do rio Ulai, no mesmo lugar onde a visão fora recebida (ver Dn 8.2) e provavelmente pouco tempo depois disso. Portanto, aprendemos a importante verdade de que Deus tem por tarefa revelar e esclarecer. Somos instruídos no sentido de que, se a algum homem falta sabedoria, tudo quanto ele precisa fazer é pedi-la a Deus, que a receberá (ver Tg 1.5). Muitos mistérios continuarão existindo, mas compreenderemos grandes verdades e obteremos direção para nossa vida. Ademais, haverá crescimento espiritual quando o Espírito do Senhor se aproximar de nós. Ver no *Dicionário* o artigo *Desenvolvimento Espiritual, Meios do*. O toque místico é um desses meios. Que teria acontecido à missão de Daniel se ele não contasse com o toque místico? Ver no *Dicionário* o verbete chamado *Misticismo*.

Gabriel. Dou um artigo detalhado com esse título, no *Dicionário*, pelo que não repito aqui o material.

8.17

וַיָּבֹא֙ אֵ֣צֶל עָמְדִ֔י וּבְבֹא֣וֹ נִבְעַ֔תִּי וָאֶפְּלָ֖ה עַל־פָּנָ֑י וַיֹּ֤אמֶר אֵלַי֙ הָבֵ֣ן בֶּן־אָדָ֔ם כִּ֖י לְעֶת־קֵ֥ץ הֶחָזֽוֹן׃

Veio, pois, para perto donde eu estava. Quando *Gabriel* se aproxima de nós, caímos tremendo, de rosto em terra, e foi isso que aconteceu a Daniel. Ele é um grande Ser de Luz, um dos poderosos arcanjos. Ver o artigo do *Dicionário* chamado *Anjos*. Ver também sobre *Gabriel* e *Rafael*, onde dou uma lista dos sete arcanjos tradicionais. Eles são pintados como generais dos exércitos celestiais. A Gabriel são atribuídas tarefas especiais em favor de Israel. A compreensão que deveria ser comunicada a Daniel é que a visão estava ligada ao "tempo do fim". Cf. Hc 2.3: "Porque a visão ainda está para cumprir-se no tempo determinado". Alguns intérpretes, por essa razão, insistem em que a visão tem um sentido *escatológico*, e os eventos futuros culminarão na inauguração do reino de Deus. Mas outros limitam a questão ao "fim das coisas", quando Antíoco Epifânio fosse descartado e iniciasse um novo dia para Judá. Se haveria um fim relativo a Antíoco Epifânio, também haveria um fim para a figura temível que ele representava, o *anticristo*.

Cf. este versículo com o vs. 19, logo abaixo; Dn 11.35 e 12.4,9,13. As outras referências quase certamente olham para o fim dos tempos, dando uma dimensão escatológica ao livro de Daniel, pelo que é provável que este versículo deva ser visto como incluindo essa ideia. O atual sistema de coisas será destruído para dar lugar a uma nova ordem, pois o novo dia será trazido pelo alvorecer divino. Um reino eterno está aproximando-se de nós (ver Dn 7.14,18,22,27), que raiará nos últimos dias. "É difícil resistir à sensação de que a expressão 'tempo do fim' significa o fim dos tempos e o começo da eternidade" (Arthur Jeffery, *in loc.*). Cf. Baruque 29.8 e 59.4, onde esse sentido, como é óbvio, está presente. A escatologia judaica estava em desenvolvimento. Ver no *Dicionário* o artigo chamado *Escatologia*.

■ 8.18

וּבְדַבְּרוֹ עִמִּי נִרְדַּמְתִּי עַל־פָּנַי אָרְצָה וַיִּגַּע־בִּי
וַיַּעֲמִידֵנִי עַל־עָמְדִי׃

Falava ele comigo quando caí sem sentido. O efeito da fala de Gabriel sobre o profeta foi tão poderoso que Daniel desmaiou e caiu no chão, entrando em um estado de sono profundo. O pobre homem teve um passamento. Cf. Dn 10.9. Somente quando o arcanjo tocou em Dn é que ele voltou a si. Ele tinha caído em um sono profundo, o *nirdam* da noite. Cf. Jz 4.21; Jn 1.5; Pv 10.5. Em Sl 76.6 está em pauta o sono da morte, quando essa palavra hebraica é usada. O arcanjo reanimou o profeta com seu toque e o pôs de volta sobre os pés, pelo que o ministério angelical estava realizando tudo quanto era necessário para que a interpretação da visão chegasse a bom êxito. Não era estético que Daniel continuasse a dormir ali, para ouvir a mensagem. Ele precisava estar de pé, uma posição mais digna.

■ 8.19

וַיֹּאמֶר הִנְנִי מוֹדִיעֲךָ אֵת אֲשֶׁר־יִהְיֶה בְּאַחֲרִית הַזָּעַם
כִּי לְמוֹעֵד קֵץ׃

Eis que te farei saber o que há de acontecer. Este versículo amplia o vs. 17. A visão dizia respeito ao fim, o tempo da *ira*. No hebraico temos a palavra *za'am*, "ira", "cólera". Cf. Dn 11.36. Está em foco o fim da *opressão* de Antíoco. A ira de Deus se manifestaria contra aquele homem iracundo e desfaria tudo quanto ele fizera, levando Antíoco a seu fim. Excetuando Os 7.16, a palavra aqui usada é empregada para indicar a ira de Deus, pelo que o julgamento divino está em vista. A expressão finalmente tornou-se um termo técnico para indicar os julgamentos de Deus, mormente seu julgamento final. Ver no *Dicionário* o verbete denominado *Ira de Deus,* quanto a detalhes. Cf. este versículo com Is 10.25. A taça da indignação de Deus contra Antíoco estava quase cheia e em breve começaria a derramar-se. Antíoco já havia prosperado (vs. 12) por tempo suficiente.

Esta visão se refere ao tempo determinado do fim. Ver a discussão sobre *o tempo do fim,* no vs. 17. Este versículo quase certamente faz o escopo desta profecia incluir o elemento escatológico, e não meramente os dias de Antíoco. A expressão (no hebraico, *mo'edh*) volta a aparecer em Dn 11.27,29 e 35, o que reforça a interpretação escatológica.

■ 8.20

הָאַיִל אֲשֶׁר־רָאִיתָ בַּעַל הַקְּרָנָיִם מַלְכֵי מָדַי וּפָרָס׃

Aquele carneiro que viste, com dois chifres. Este versículo interpreta os vss. 3 e 4, onde comento sobre a interpretação. Cf. Dn 7.3. Os reis representam reinos, e não somente o reino pessoal de um rei. Dn 7.17 chama os quatro impérios de quatro reis. A Média se levantou alguns séculos antes da Pérsia, a qual veio a tornar-se potência mundial em cerca de 559 a.C. As duas nações tornaram-se associadas, mas a Pérsia finalmente ultrapassou a Média. Portanto, o segundo chifre era maior (mais forte) do que o primeiro. A Pérsia tinha mais de dois milhões de homens e estendeu seu poder para o ocidente, para o norte e para o sul. Quanto a plenas informações, ver os artigos chamados *Média (Medos)* e *Pérsia*.

■ 8.21

וְהַצָּפִיר הַשָּׂעִיר מֶלֶךְ יָוָן וְהַקֶּרֶן הַגְּדוֹלָה אֲשֶׁר בֵּין־
עֵינָיו הוּא הַמֶּלֶךְ הָרִאשׁוֹן׃

Mas o bode peludo é o rei da Grécia. O bode peludo é o rei da Grécia, ou seja, o reino que Alexandre estabeleceu e lançou a uma conquista mundial. Entre suas vítimas estavam os persas. Isso já foi visto e comentado nos vss. 5-13, pelo que não repito o material aqui. Cf. Dn 10.20 e 11.2. A Septuaginta e a Vulgata Latina apresentam o mesmo texto do vs. 5, e isso pode significar que o texto massorético seja uma glosa. Ver no *Dicionário* o verbete *Massora (Massorah); Texto Massorético.* Algumas vezes as versões são corretas contra o texto hebraico padronizado (o texto massorético). Devemos lembrar que as versões traduzidas do original hebraico usaram manuscritos mais antigos que o texto padronizado. Os Papiros do mar Morto comprovam que as versões algumas vezes se mostram corretas, em lugar do texto hebraico padronizado. Ver no *Dicionário* o verbete intitulado *Manuscritos Antigos do Antigo Testamento,* o qual presta informações sobre como os textos são escolhidos quando surgem variantes. Como é óbvio, usualmente o texto hebraico massorético e as versões concordam entre si. Mas quando não concordam, talvez as versões estejam corretas em 5% do volume total. Isso significa que o texto hebraico padronizado perdeu o texto original nessa proporção.

■ 8.22

וְהַנִּשְׁבֶּרֶת וַתַּעֲמֹדְנָה אַרְבַּע תַּחְתֶּיהָ אַרְבַּע מַלְכֻיוֹת
מִגּוֹי יַעֲמֹדְנָה וְלֹא בְכֹחוֹ׃

O ter sido quebrado, levantando-se quatro em lugar dele. Este versículo interpreta o vs. 8, onde ofereço as explanações. Temos aqui um comentário adicional: "mas não com força igual à que ele tinha". Como é claro, Alexandre era mais poderoso e maior conquistador que os seus sucessores. Seu império não manteve a unidade, mas foi dividido em quatro reinos vassalos, geralmente em competição mútua. Os ideais universalistas de Alexandre foram esquecidos, conforme a história avançou. Cf. Dn 11.4.

■ 8.23

וּבְאַחֲרִית מַלְכוּתָם כְּהָתֵם הַפֹּשְׁעִים יַעֲמֹד מֶלֶךְ עַז־
פָּנִים וּמֵבִין חִידוֹת׃

Mas, no fim do seu reinado. Nos tempos finais do reino selêucida, Antíoco Epifânio se ergueria. Os vss. 23-25 interpretam a profecia do *pequeno chifre* que aparece nos vss. 9-13. Talvez os *prevaricadores* sejam aqueles reis que continuariam reinando, depois que o cálice da iniquidade se enchesse, e só mais tarde seriam removidos. Mas alguns estudiosos veem aqui os judeus helenizados, que caíram na apostasia e precisavam ser purificados pelo fogo das perseguições pagãs. Parte dessa purificação ocorreu por meio do castigo do *pequeno chifre*. Esse rei era homem de rosto duro e atos irracionais e destruidores. Altamente inteligente e capaz de resolver qualquer tipo de quebra-cabeça, usaria seu brilhantismo para promover a miséria. "... um rei ousado e cruel surgirá. Esse rei dirá mentiras. Isso acontecerá quando muita gente tiver se voltado contra Deus" (NCV). Talvez, conforme dizem alguns eruditos, o futuro *anticristo* seja tipificado por esse homem vil e poderoso, Antíoco Epifânio. "Antíoco tornou-se o senhor do Egito e de Jerusalém, sucessivamente, mediante sua *astúcia* (1Macabeus 1.30; 2Macabeus 5.24)" (Fausset, *in loc.*). "Antíoco era adepto da conversa dúbia (1Macabeus 1.30), e assim, sendo um especialista na linguagem ambígua (cf. Dn 11.27,32), é bem descrito como um mestre da intriga... era um adepto dos truques, vs. 25" (Arthur Jeffery, *in loc.*). Antíoco Epifânio reinou por pouco mais de doze anos, pelo que teve tempo de espalhar muita confusão.

■ 8.24

וְעָצַם כֹּחוֹ וְלֹא בְכֹחוֹ וְנִפְלָאוֹת יַשְׁחִית וְהִצְלִיחַ וְעָשָׂה
וְהִשְׁחִית עֲצוּמִים וְעַם־קְדֹשִׁים׃

Grande é o seu poder. A essência dos vss. 9-13 continua em vista, falando dos atos do abominável pequeno chifre. Ele tinha grande poder, que usava para destruir, pois se tornara um especialista na destruição. Ele obtinha sucesso em tudo em que punha as mãos: "Ele agia e prosperava" (*Revised Standard Version*), diz o vs. 12. Ele conseguiu aniquilar exércitos poderosos e perseguiu e destruiu o povo judeu. "*Temíveis destruições* foram causadas por seus exércitos, não somente durante o massacre em Jerusalém (ver 1Macabeus 1.24,31; 2Macabeus 5.11-14), mas também no decurso das campanhas por toda a terra. Os feitos de Antíoco são chamados de "maravilhas" (ver

Dn 12.6)... *destruirá homens poderosos* e o povo dos *santos,* seus adversários políticos e os judeus. Outros pensam que os primeiros apontam para as classes superiores... que os santos... são os judeus, e que o fato de ele tê-los *destruído* é paralelo ao fato de que os *magoará* (Dn 7.25,27)" (Arthur Jeffery, *in loc.*). Essas coisas "serão plenamente cumpridas pelo anticristo, o qual operará *pelo poder de Satanás.* Ele terá licença irrestrita para isso. Ver Ap 17.13 e 2Ts 2.9-12" (Fausset, *in loc.*).

Mas não por sua própria força. Assim diz o texto em alguns manuscritos hebraicos, que parece ter invadido o texto com base no vs. 22. Muitos manuscritos antigos da tradição hebraica, bem como os melhores manuscritos da Septuaginta, omitem essas palavras. Se elas forem genuínas, devemos supor que Antíoco operava através do poder de Satanás, ou então Yahweh, para punir os povos que esse rei destruiu, foi o poder por trás de suas campanhas, tal como foi dito sobre as destruições provocadas por Nabucodonosor.

■ **8.25**

וְעַל־שִׂכְל֗וֹ וְהִצְלִ֤יחַ מִרְמָה֙ בְּיָד֔וֹ וּבִלְבָב֖וֹ יַגְדִּ֑יל
וּבְשַׁלְוָ֖ה יַשְׁחִ֣ית רַבִּ֑ים וְעַל־שַׂר־שָׂרִים֙ יַעֲמֹ֔ד וּבְאֶ֥פֶס
יָ֖ד יִשָּׁבֵֽר׃

Por sua astúcia nos seus empreendimentos. O pequeno chifre operaria através da *astúcia,* uma espécie de inteligência maligna, diabólica. Ele não foi um ser humano ordinário. Praticava o *engano* para obter o que queria, não tendo código moral exceto o que o levava a servir a si mesmo e a seus desígnios maliciosos. Em Mq 6.11, essa palavra, aqui traduzida por "astúcia", é usada para indicar pesos falsos. Cf. também Gn 27.35, que fala da "astúcia" de Jacó. Encontramos uma afirmação similar em Dn 11.23. Na forma moderna de falar, usamos a expressão "negócios dissimulados". "Em seu coração ele pensará grandiosamente", tradução literal para "se engrandecerá". "Ele se considerará muito importante" (NCV). Ferirá e matará subitamente, sem nenhuma advertência ou razão. Ele será imprevisível e traiçoeiro. Apolônio, seu principal coletor de impostos, foi a Jerusalém e falou pacificamente, aquietando as apreensões. Mas quando os judeus estavam relaxados e nele confiavam, de súbito ele ordenou grande matança (1Macabeus 1.29,30; 2Macabeus 5.23-26).

Antíoco Epifânio chegou mesmo a levantar-se contra o *Príncipe dos príncipes,* título paralelo a "príncipe dos exércitos" usado no vs. 11, onde dou comentários. Ele chegaria a atacar Yahweh (a interpretação mais provável), através de suas perseguições religiosas aos judeus, povo de Deus. Ou, escatologicamente falando, ele guerrearia contra o Messias e seu povo. Esse será o ponto culminante de seus atos audaciosos. Devemos compreender aqui que Antíoco Epifânio se endeusaria e atacaria tudo quanto é sagrado.

Será quebrado sem esforço de mãos humanas. Ou seja, Antíoco Epifânio (e seu antítipo, o *anticristo*) seria morto por algum tipo de intervenção divina, como um acidente, uma enfermidade etc., usada por Deus para pôr fim àquele homem abominável. Cf. Dn 2.34. Existem várias tradições sobre como Antíoco Epifânio teria morrido. Uma delas diz que ele foi atacado por vermes e úlceras, quando estava a caminho da Judeia para tomar vingança contra os judeus que, sob as ordens dos Macabeus, tinham derrotado seu exército (ver 2Macabeus 9.5; Josefo, *Antiq.* XII.9.). Mas Políbio (*Hist.* XXXI.9) diz que ele morreu de súbito, de insanidade, em Tabae, na Pérsia, em 164 a.C., poucos meses depois de os macabeus terem rededicado e purificado o templo de Jerusalém. 1Macabeus 6.8 ss. conta uma história similar. Algum ato divino aterrorizante, alguma intervenção sobrenatural, também porá fim à vida do anticristo (ver 2Ts 2.8).

Epílogo (8.26-27)

■ **8.26**

וּמַרְאֵ֨ה הָעֶ֧רֶב וְהַבֹּ֛קֶר אֲשֶׁ֥ר נֶאֱמַ֖ר אֱמֶ֣ת ה֑וּא וְאַתָּ֛ה
סְתֹ֣ם הֶֽחָז֔וֹן כִּ֖י לְיָמִ֥ים רַבִּֽים׃

A visão da tarde e da manhã. Aqui é afirmada a verdade da designação temporal dos 2.300 dias (vs. 14). O santuário será limpo e purificado, e o tempo da perseguição terminará, para que Deus possa continuar com seus planos relativos ao povo de Israel, sem assédio por parte de estrangeiros. Mas isso não acontecerá imediatamente. Por isso a visão foi "selada", ou seja, *não foi concluída*. Este versículo não indica que a profecia deveria permanecer em segredo, mas que ela não teria cumprimento por algum tempo. Em alguma "era distante", porém, ocorreria seu cumprimento. Ver Ez 12.27. Cf. o "tempo do fim", nos vss. 17 e 18, e em Dn 10.14 e 12.9. Quanto à ideia de que algumas revelações se destinam às gerações futuras e estão sendo guardadas para os tempos apropriados, ver Enoque 1.2; I1Enoque 33.911; 35.3 e 2Ed 14.16.

■ **8.27**

וַאֲנִ֣י דָנִיֵּ֗אל נִהְיֵ֤יתִי וְנֶֽחֱלֵ֙יתִי֙ יָמִ֔ים וָאָק֕וּם וָאֶעֱשֶׂ֖ה אֶת־
מְלֶ֣אכֶת הַמֶּ֑לֶךְ וָאֶשְׁתּוֹמֵ֥ם עַל־הַמַּרְאֶ֖ה וְאֵ֥ין מֵבִֽין׃ פ

Eu, Daniel, enfraqueci. A combinação da natureza avassaladora de suas experiências místicas com as coisas terríveis que Daniel viu acontecer ao povo de Deus, fizeram o profeta adoecer por alguns dias. Depois ele se levantou e se ocupou das questões do rei, mas estava *perplexo* diante do que havia visto; e, a despeito da ajuda do anjo intérprete, Gabriel (vss. 16 e 17), ainda restavam muitos mistérios que a mente de Daniel não conseguia resolver. "Doente, por causa da tristeza diante das calamidades que atingiriam seu povo... Sl 102.14, 'Teus servos têm prazer em suas pedras e favorecem a sua poeira'" (Fausset, *in loc.*). Ou seja, tudo quanto havia na cidade dava prazer a seus "filhos", pelo que também tudo quanto lhe acontecia de ruim provocava grande dor.

CAPÍTULO NOVE

O livro de Daniel compõe-se essencialmente de *seis histórias* e *quatro visões.* As histórias ocupam os capítulos 1–6, e as visões, os capítulos 7–12. Quanto a detalhes sobre esse arranjo, ver os parágrafos quinto e sexto da porção chamada "Ao Leitor", apresentada antes do começo da exposição sobre Dn 1.1. Chegamos agora à *terceira* visão. Os sonhos-visões são datados, e esta terceira visão é declarada como tendo ocorrido no primeiro ano do reinado de Dario, o medo. Quanto a ideias adicionais, ver a introdução ao capítulo 7.

PROFECIA DAS SETENTA SEMANAS (9.1-27)

O propósito imediato deste capítulo é elaborar a predição dada nos capítulos 7 e 8 sobre o fim que já se aproximava rapidamente. Esta visão não emprega as figuras dramáticas nem o simbolismo estranho das outras visões, como a imagem feita por vários metais, os animais em conflito etc., que figuram nos capítulos 2, 7 e 8. Temos aqui declarações simples e literais, sem simbolismos, embora os *dias* das semanas signifiquem *anos.* Dito isso, supostamente somos capazes de calcular quanto se passaria até o *tempo do fim* (Dn 9.17). Como acompanhamento, apresento uma ilustração sobre as setenta semanas, do ponto de vista dos dispensacionalistas. Naturalmente, existem outras interpretações que observo ao longo do caminho.

Este capítulo divide-se naturalmente em três seções: vss. 1-3, Prólogo; vss. 4-19, oração introdutória escrita em um hebraico melhor do que o resto do livro, e comparável a orações como as encontradas em Baruque 1-9 e Baruque 1-3; vss. 20-27, a visão propriamente dita.

Prólogo (9.1-19)

Isso inclui a oração introdutória (vss. 4-19). Os vss. 1-3 nos dão o meio ambiente da visão.

A profecia das setenta semanas é uma espécie de exposição de uma profecia de Jeremias (25.11,12; 29.10).

■ **9.1**

בִּשְׁנַ֣ת אַחַ֗ת לְדָרְיָ֛וֶשׁ בֶּן־אֲחַשְׁוֵר֖וֹשׁ מִזֶּ֣רַע מָדָ֑י אֲשֶׁ֣ר
הָמְלַ֔ךְ עַ֖ל מַלְכ֥וּת כַּשְׂדִּֽים׃

No primeiro ano de Dario, filho de Assuero. Encontramos aqui, uma vez mais, a pessoa de *Dario, o medo.* Quanto a uma discussão sobre sua identidade, ver as notas em Dn 5.31 e 6.1, cujo material não repito aqui. Seu primeiro ano de governo foi 538 a.C. Daniel era um homem idoso, tendo estado no exílio por 66 anos.

Assuero. Alguns estudiosos supõem que Assuero fosse parente fictício de um Dario fictício. "Assuero: nos livros de Ester e Esdras. Esse é um nome persa, e não medo. Não aparece nas páginas da história nenhum Xerxes que tivesse um filho chamado Dario, mas sabe-se que Dario I (521-485 a.C.) foi o pai de Xerxes I (485-365 a.C.)" (Arthur Jeffery, *in loc.*). Historicamente, a identidade do homem permanece incerta. O que se diz sobre o assunto, apresento no artigo do *Dicionário*, chamado *Assuero*, ponto terceiro. Provavelmente o nome deve ser conectado a Xerxes.

■ 9.2

בִּשְׁנַת אַחַת לְמָלְכוֹ אֲנִי דָּנִיֵּאל בִּינֹתִי בַּסְּפָרִים מִסְפַּר הַשָּׁנִים אֲשֶׁר הָיָה דְבַר־יְהוָה אֶל־יִרְמִיָה הַנָּבִיא לְמַלֹּאות לְחָרְבוֹת יְרוּשָׁלַ͏ִם שִׁבְעִים שָׁנָה׃

No primeiro ano do seu reinado, eu, Daniel. Daniel vinculou sua profecia à profecia de Jr 25.11,12 e 29.10. Ao ler certos livros (não necessariamente limitados aos de nosso Antigo Testamento canônico), Daniel veio a compreender um itinerário de tempo para as profecias relativas ao futuro. Devemos entender que existia uma coletânea apocalíptica de livros que, provavelmente, tinha muito mais material do que aquele que sobreviveu nos livros canônicos sobre assuntos proféticos. Confiando na exatidão essencial desses livros, o profeta Daniel foi capaz de construir uma espécie de cronograma profético e terminou chegando ao prazo de setenta anos. Haveria setenta anos de desolação, até a restauração. Mas existe certa confusão acerca de quando deveria começar esse cômputo: 1. A partir de 606 a.C., ano da profecia de Jeremias; 2. a partir de 598 a.C., ano do cativeiro de Jeoaquim; 3. a partir de 588 a.C., ano da destruição do templo. Os vss. 20 ss. tomam os setenta anos e falam da profecia das setenta semanas. Isso também tem ocasionado muita discussão e desacordo. Estou supondo que Daniel também usou os livros à sua disposição para entender melhor a questão.

O cativeiro deveria terminar dentro de *setenta anos* (Jr 25.11,12), mas quanto ao *tempo do fim* haveria grande expansão de tempo, representada pelas setenta semanas, em que cada semana representava um ano. O vs. 24 é uma interpretação mística dos "setenta" referidos neste vs. 2. Portanto, temos um significado histórico e um significado místico. Ver as notas sobre o vs. 20 a respeito desse tema.

■ 9.3

וָאֶתְּנָה אֶת־פָּנַי אֶל־אֲדֹנָי הָאֱלֹהִים לְבַקֵּשׁ תְּפִלָּה וְתַחֲנוּנִים בְּצוֹם וְשַׂק וָאֵפֶר׃

Voltei o meu rosto ao Senhor Deus. Somente no vs. 24 encontramos as setenta semanas de anos. Tudo, até aquele ponto, é mera preparação. O profeta envidara extremos exercícios espirituais para obter entendimento. Ele voltou o rosto "na direção do Senhor", buscando-o intensamente, confessando seus pecados, agitando seu espírito, para tornar-se receptivo à revelação profética. Passou por um período de jejum e lamentação, com os ritos costumeiros de usar roupas de cilício e jogar cinzas sobre a cabeça.

1. *Voltei o meu rosto ao Senhor* provavelmente significa mais do que voltar-se na direção de Jerusalém. Cf. Dn 10.15; 11.17 e 2Cr 20.3.
2. *Com oração e súplica* foi o primeiro exercício espiritual. O profeta estava procurando *iluminação* (ver a respeito no *Dicionário*).
3. *Com jejum*. Um exercício espiritual antigo (e moderno) que significa tanto esclarecer a mente como fazer um homem entrar em contato especial com o Ser divino. Ver sobre essa palavra no *Dicionário*.
4. *Com pano de saco e cinzas*. Esses são sinais de arrependimento. Cf. Et 4.1-3; Is 58.5; Jn 3.5,6; Mt 11.21. Ver no *Dicionário* os artigos chamados *Pano de Saco; Cinzas* e *Lamentação*.

Oração Preparatória (9.4-19)

Esta seção é uma espécie de continuação do prólogo e introdução da visão propriamente dita, que começa no vs. 20. Trata-se de um mosaico de frases aparentemente extraídas das liturgias da época, e foi vazado em um hebraico melhor do que o encontrado no restante do livro. Cf. com outras orações similares: Neemias 1 e 9; Baruque 1 e 3. Alguns estudiosos supõem que a oração era conhecida pelo profeta e ele simplesmente a incorporou em seu livro como reflexo de seus sentimentos e de sua inquirição espiritual. Essa é uma oração na qual Daniel confessou pecados, corrigindo-se diante de Deus e buscando o seu favor, incluindo a questão das revelações.

■ 9.4

וָאֶתְפַּלְלָה לַיהוָה אֱלֹהַי וָאֶתְוַדֶּה וָאֹמְרָה אָנָּא אֲדֹנָי הָאֵל הַגָּדוֹל וְהַנּוֹרָא שֹׁמֵר הַבְּרִית וְהַחֶסֶד לְאֹהֲבָיו וּלְשֹׁמְרֵי מִצְוֹתָיו׃

Orei ao Senhor meu Deus, confessei, e disse. A oração de Daniel foi endereçada a Yahweh-Elohim, o Deus Eterno e Todo-poderoso. Até o melhor dos homens tem muita coisa para confessar, pelo que Daniel limpou o caminho para a bênção de Deus, ao livrar-se de seus pecados. Antes de mais nada, esta é uma oração penitencial. Cf. o vs. 20 e Ne 1.6. A confissão era um *dever religioso* (ver Lv 5.5; 16.21; 26.40; Ed 10.1 e Ne 9.2). Daniel, pois, confessou os próprios pecados e os pecados do povo. Yahweh, que é o grande e terrível *Poder* (Elohim), tinha feito um pacto com o povo de Daniel. Ver sobre o pacto abraâmico em Gn 15.18 e, no *Dicionário*, ver o verbete chamado *Pactos*. Os que "guardam os mandamentos" são favorecidos ao longo da vida, pois as condições da aliança com Deus são cumpridas pelo Senhor que estabeleceu o pacto. Israel era um povo distinto, em face de seu pacto com Deus, visto que possuía e guardava a lei de Moisés. Ver Dt 4.4-8. O Deus terrível, o Deus espantoso, lança o medo sobre os homens (ver Dt 10.17; Jz 13.6; Sl 47.2; Jl 2.11). E assim eles são dotados da mente apropriada para receber e obedecer à revelação.

"Por causa de sua falta de compreensão, Daniel voltou-se para a *fonte* de toda a sabedoria. No entanto, não se aproximou de Deus sem envidar algum esforço. Chegou diante do trono de Deus em pano de saco, cinzas e confissão" (Gerald Kennedy, *in loc.*). Cf. Tg 1.5. A bênção resulta da obediência e do buscar com intensidade.

Quanto ao *Pacto Mosaico*, ver a introdução a Êx 19. Esse pode ser o ponto principal em vista neste versículo.

■ 9.5

חָטָאנוּ וְעָוִינוּ וְהִרְשַׁעְנוּ וּמָרָדְנוּ וְסוֹר מִמִּצְוֹתֶךָ וּמִמִּשְׁפָּטֶיךָ׃

Temos pecado e cometido iniquidades. Tanto Daniel como o seu povo haviam *pecado* com atos de rebelião contra os mandamentos de Deus. Ninguém observa completamente a lei mosaica e, se esse for o padrão do juízo, então todos os homens terão muito para confessar. Sempre haverá necessidade de reforma, pelo que os pecados devem ser abandonados, e não somente confessados. Cf. 1Rs 8.47 e Dt 17.20, passagens com declarações semelhantes. Os mandamentos são aqueles *dez* e seus corolários. As *ordenanças* são as decisões legais e incluem as questões cerimoniais. Para os judeus, porém, a lei como um todo envolvia questões morais. Eles não dividiam a lei em moral e cerimonial, conforme a interpretação cristã. Alguns estudiosos fazem os mandamentos referir-se à lei moral, ao passo que as ordenanças se referem às leis civis. Daniel, pois, confessava que ele e seu povo não eram bons observadores da lei. Muitos judeus do cativeiro, naturalmente, permaneciam atolados na idolatria-adultério-apostasia que tinha provocado sua deportação, antes de mais nada.

■ 9.6

וְלֹא שָׁמַעְנוּ אֶל־עֲבָדֶיךָ הַנְּבִיאִים אֲשֶׁר דִּבְּרוּ בְּשִׁמְךָ אֶל־מְלָכֵינוּ שָׂרֵינוּ וַאֲבֹתֵינוּ וְאֶל כָּל־עַם הָאָרֶץ׃

E não demos ouvidos aos teus servos, os profetas. Yahweh tinha seus instrumentos, e entre eles estavam os profetas. Mas esses instrumentos foram essencialmente ignorados. Não faltavam o ensino e a interpretação da lei. O que faltava eram corações acolhedores e a determinação de fazer o que é correto. Quanto ao povo não ouvir os profetas, cf. Ne 9.32,34; Jr 26.5; 29.19; 35.15; 44.21; Baruque 1.16. *Todas as classes* do povo estavam envolvidas na negligência e na desobediência. A lista em ordem descendente dessas classes encontra-se em Jr 1.18 e 44.21: a casa real; os príncipes e suas casas; as famílias; o povo em geral. Aqui os profetas não foram incluídos na condenação, conforme geralmente acontece no livro de Jeremias, pois Daniel estava levando em conta somente bons profetas. Contrastar com Jr 5.31 e 13.13.

9.7

לְךָ֤ אֲדֹנָי֙ הַצְּדָקָ֔ה וְלָ֛נוּ בֹּ֥שֶׁת הַפָּנִ֖ים כַּיּ֣וֹם הַזֶּ֑ה לְאִ֣ישׁ יְהוּדָ֗ה וּלְיוֹשְׁבֵ֣י יְרוּשָׁלִַ֘ם֮ וּֽלְכָל־יִשְׂרָאֵל֒ הַקְּרֹבִ֣ים וְהָרְחֹקִ֗ים בְּכָל־הָֽאֲרָצוֹת֙ אֲשֶׁ֣ר הִדַּחְתָּ֣ם שָׁ֔ם בְּמַעֲלָ֖ם אֲשֶׁ֥ר מָֽעֲלוּ־בָֽךְ׃

A ti, ó Senhor, pertence a justiça. Yahweh é tanto a retidão como o modelo de retidão, além de ser o comunicador da retidão. Em contraste, seu povo permanecia na confusão moral, por causa da desobediência. "Corar de vergonha" é uma expressão idiomática que significa estar envergonhado e em desgraça (cf. Jr 7.19; Sl 44.15; 2Cr 32.21 e Ed 9.7). Todos os habitantes de Judá e Jerusalém compartilhavam dessa vergonha, e por essa razão tinham sido espalhados entre as nações (muitos deles foram para o cativeiro babilônico, em várias deportações; ver Jr 52.28). O povo de Judá não era leal (NCV), pelo que merecia o que obtivera. A *Revised Standard Version* diz "traição" como a principal característica deles. Diz o original hebraico, literalmente: "por causa da infidelidade, eles agiram infielmente contigo". A ideia de traição é mais proeminente na palavra hebraica traduzida por "transgressões". Cf. Lv 26.40; Ez 17.20; 18.24; 1Cr 10.14.

"Corar de Vergonha. Outras versões dizem aqui "confusão de rosto". Isso nos faz lembrar da confusão das línguas, na história do livro de Gênesis. Os homens ficam confusos quando desafiam e ignoram a Deus. Daniel não tinha dúvida de que o estado confuso do mundo e de seu povo se devia a causas espirituais. A ordem só pode ser restabelecida por Deus" (Gerald Kennedy, *in loc.*).

9.8

יְהוָ֗ה לָ֚נוּ בֹּ֣שֶׁת הַפָּנִ֔ים לִמְלָכֵ֥ינוּ לְשָׂרֵ֖ינוּ וְלַאֲבֹתֵ֑ינוּ אֲשֶׁ֥ר חָטָ֖אנוּ לָֽךְ׃

Ó Senhor, a nós pertence o corar de vergonha. A ideia de corar de vergonha é repetida com base no vs. 7. Todas as classes da sociedade compartilhavam esse comportamento. A lista de classes é levemente condensada (ver o vs. 6 quanto a essa lista). Não havia exceções, pelo que todos precisavam confessar e arrepender-se para que o favor de Deus fosse recebido. Daniel "observou o baixo estado espiritual da família real, dos príncipes, dos anciãos e de todo o povo que estava na Babilônia. Eles estavam sujeitos à vergonha perante os povos do mundo" (John Gill, *in loc.*).

9.9

לַֽאדֹנָ֣י אֱלֹהֵ֔ינוּ הָרַחֲמִ֖ים וְהַסְּלִח֑וֹת כִּ֥י מָרַ֖דְנוּ בּֽוֹ׃

Ao Senhor, nosso Deus, pertence a misericórdia. *Yahweh-Elohim* (o Deus Eterno e Todo-poderoso) está pronto para perdoar os pecados e mostrar misericórdia, quando seu povo se aproxima dele com sinceridade, pedindo-lhe precisamente isso, em atitude de arrependimento. Faz parte da *natureza* divina perdoar e demonstrar misericórdia. Até os rebeldes são aceitos por Deus quando resolvem mudar moralmente. Ver no *Dicionário* os verbetes intitulados *Perdão* e *Misericórdia*. "Da bondade de Deus fluem as misericórdias divinas. De suas misericórdias flui o perdão" (Adam Clarke, *in loc.*).

9.10

וְלֹ֣א שָׁמַ֔עְנוּ בְּק֖וֹל יְהוָ֣ה אֱלֹהֵ֑ינוּ לָלֶ֣כֶת בְּתֽוֹרֹתָ֗יו אֲשֶׁ֥ר נָתַ֛ן לְפָנֵ֖ינוּ בְּיַ֥ד עֲבָדָ֖יו הַנְּבִיאִֽים׃

E não obedecemos à voz do Senhor. A desobediência do povo estava comprovada pelo fato de que eles não *andavam* segundo as demandas da lei. Os mandamentos de Deus eram claros, pois os profetas, agentes de Deus, assim os tornaram. Mas não havia um *andar* correspondente. Ver no *Dicionário* o verbete chamado *Andar*, quanto a essa metáfora espiritual. O *andar* é uma *prática* conhecida em todos os meios de vida e do viver. Cf. Jr 26.4; 44.10,23; Ne 9.13. A lei foi *apresentada* e esclarecida ao povo, tornando-se acessível a todos. Ver Dt 4.8; 11.32; Jr 9.13; 26.4 e 44.10.

9.11

וְכָל־יִשְׂרָאֵ֗ל עָֽבְרוּ֙ אֶת־תּ֣וֹרָתֶ֔ךָ וְס֕וֹר לְבִלְתִּ֖י שְׁמ֣וֹעַ בְּקֹלֶ֑ךָ וַתִּתַּ֨ךְ עָלֵ֜ינוּ הָאָלָ֣ה וְהַשְּׁבֻעָ֗ה אֲשֶׁ֤ר כְּתוּבָה֙ בְּתוֹרַת֙ מֹשֶׁ֣ה עֶֽבֶד־הָֽאֱלֹהִ֔ים כִּ֥י חָטָ֖אנוּ לֽוֹ׃

Sim, todo o Israel transgrediu a tua lei. A desobediência em geral é novamente enfatizada. Havia a *transgressão* generalizada de mandamentos conhecidos. Os judeus se tinham afastado de modo geral da lei mosaica, voltando-se para a idolatria e os cultos pagãos. A voz de Yahweh não era ouvida, mas vozes estranhas eram ouvidas. Por essa razão, caiu sobre o povo a maldição divina, no lugar das bênçãos divinas. As maldições da lei de Moisés tornaram-se um elemento destruidor entre o povo. Provavelmente estão em vista as *imprecações* detalhadas em Lv 26.14-22 e Dt 28.15-45. Essas maldições foram *derramadas* sobre o povo como poderosa torrente. Cf. Jr 42.18; 44.6; 2Cr 12.7; 34.21; Ap 16.1. Quanto a maldições escritas, ver Dt 29.20 e Baruque 1.20. Tudo isso aconteceu porque os judeus se recusaram a ouvir (e, portanto, a obedecer) à voz de Yahweh. Ver Jr 18.10 e 42.13. As maldições de Deus chegaram como se fossem um rio (ver Êx 9.33), pois dissolviam a prata como se fosse um fogo intenso (ver Ez 22.20,22).

9.12

וַיָּ֤קֶם אֶת־דְּבָרָיו֙ אֲשֶׁר־דִּבֶּ֣ר עָלֵ֔ינוּ וְעַ֤ל שֹׁפְטֵ֙ינוּ֙ אֲשֶׁ֣ר שְׁפָט֔וּנוּ לְהָבִ֥יא עָלֵ֖ינוּ רָעָ֣ה גְדֹלָ֑ה אֲשֶׁ֣ר לֹֽא־נֶעֶשְׂתָ֗ה תַּ֚חַת כָּל־הַשָּׁמַ֔יִם כַּאֲשֶׁ֥ר נֶעֶשְׂתָ֖ה בִּירוּשָׁלִָֽם׃

Ele confirmou a sua palavra, que falou contra nós. A *maldição de Deus* contra a apostasia feriu Judá e Jerusalém por meio dos ataques e do cativeiro babilônicos. Isso levou o país à quase total extinção. Para detalhes, ver no *Dicionário* o artigo chamado *Cativeiro Babilônico*. Judá já tinha experimentado muitos tempos ruins, mas nada comparável à intensidade e capacidade de destruição dos ataques babilônicos. Algum tempo depois disso houve as atrocidades de Antíoco Epifânio, que alguns intérpretes veem aqui sugeridas. Talvez a declaração seja ampla o bastante para incluir ambas as ideias. Embora coisas ainda piores tenham ocorrido a outros povos, para Judá-Jerusalém nada superou os ataques babilônicos. Cf. Jr 35.17 e 36.31.

9.13

כַּאֲשֶׁ֤ר כָּתוּב֙ בְּתוֹרַ֣ת מֹשֶׁ֔ה אֵ֛ת כָּל־הָרָעָ֥ה הַזֹּ֖את בָּ֣אָה עָלֵ֑ינוּ וְלֹֽא־חִלִּ֜ינוּ אֶת־פְּנֵ֣י ׀ יְהוָ֣ה אֱלֹהֵ֗ינוּ לָשׁוּב֙ מֵֽעֲוֹנֵ֔נוּ וּלְהַשְׂכִּ֖יל בַּאֲמִתֶּֽךָ׃

Como está escrito... todo este mal nos sobreveio. Este versículo identifica a calamidade em mira como o cativeiro babilônico. A lei de Moisés havia antecipado tão ferozes juízos se os filhos de Israel fossem desobedientes. Houve petições em favor de Israel; mas elas não foram eficazes, por não estarem acompanhadas pelo arrependimento e pela confissão de pecados. "Como está escrito" refere-se a passagens como Dt 28.15 e 30.1. E "não temos implorado o favor do Senhor nosso Deus", no hebraico literal, é: "adoçicar a face", ou seja, aplacar para remover a reprimenda divina, que estava causando a destruição. Cf. Jó 11.18; Pv 19.6; Sl 45.1. Nesses versículos está em vista a lisonja que busca obter favores. Os homens "lisonjeiam" a Deus através da obediência. Ver a busca do favor divino em Êx 32.11; 2Rs 13.4; Sl 119.58 e Baruque 2.8. Algumas versões falam aqui na "face de Deus", e isso significa a "pessoa de Deus". As inscrições acádicas usam a palavra *panu* (face) dessa maneira. Cf. Sl 34.16; Êx 33.14; Is 63.9. "O anjo da face" significa *o anjo da Presença*. O castigo ensina a penitência (ver Is 9.13; Jr 5.3; Os 7.10).

9.14

וַיִּשְׁקֹ֤ד יְהוָה֙ עַל־הָ֣רָעָ֔ה וַיְבִיאֶ֖הָ עָלֵ֑ינוּ כִּֽי־צַדִּ֞יק יְהוָ֣ה אֱלֹהֵ֗ינוּ עַל־כָּל־מַעֲשָׂיו֙ אֲשֶׁ֣ר עָשָׂ֔ה וְלֹ֥א שָׁמַ֖עְנוּ בְּקֹלֽוֹ׃

Por isso, o Senhor cuidou em trazer sobre nós o mal. A *Lei da Colheita Segundo a Semeadura* (ver a respeito no *Dicionário*) foi aplicada por Yahweh por causa de seu governo moral do mundo. A apóstata nação de Judá tinha de sentir o chicote divino. A paciência divina se esgota, mas não o amor divino, porquanto o julgamento é um dedo da amorosa mão de Deus. Deus age em justiça e santidade, e não arbitrariamente. A lei de Moisés foi o padrão mediante o qual a retribuição era aplicada quando as infrações se tornavam descontroladas. Yahweh mantinha seus golpes sempre prontos. Ele se mantinha vigilante e sabia quando esses golpes deveriam ser aplicados. Cf. Jr 1.12; 31.28; 44.27 e Baruque 2.9. Ele agia em retidão. Ver Jr 12.1; Ed 9.15; Lm 1.18. "Como consequência de nossas múltiplas rebeliões, ele ficou aguardando uma oportunidade para trazer contra nós as calamidades" (Adam Clarke, *in loc.*). "O Senhor estava preparado para trazer o desastre contra nós" (NCV).

■ **9.15**

וְעַתָּ֣ה ׀ אֲדֹנָ֣י אֱלֹהֵ֗ינוּ אֲשֶׁר֩ הוֹצֵ֨אתָ אֶֽת־עַמְּךָ֜ מֵאֶ֣רֶץ מִצְרַ֗יִם בְּיָ֤ד חֲזָקָה֙ וַתַּֽעַשׂ־לְךָ֥ שֵׁ֖ם כַּיּ֣וֹם הַזֶּ֑ה חָטָ֖אנוּ רָשָֽׁעְנוּ׃

Na verdade, ó Senhor, nosso Deus. O profeta relembrava agora a famosa libertação da servidão egípcia, quando o nome de Yahweh foi exaltado, e pedia: "Faze isso novamente por nós!" O Senhor tinha aplicado sua mão poderosa para realizar a tarefa e podia tornar a fazer o mesmo. Ver sobre *mão* em Sl 81.14; e sobre *mão direita* em Sl 20.6. Ver sobre *braço* em Sl 77.15; 89.10 e 98.1. Assim como Yahweh foi exaltado pela anterior e famosa libertação, o mesmo poderia acontecer em uma data posterior. Quanto ao *nome*, ver Sl 31.3. E ver sobre *nome santo*, em Sl 30.4 e 33.21. O nome representa a pessoa e seus atributos. Quanto ao fomento da reputação (nome) de Deus, ver Is 63.12,14; 2Sm 7.23; Jr 32.20; Ne 9.10 e Baruque 2.11. No tempo dos Macabeus, a memória da libertação dos israelitas do Egito tornou-se um grito de convocação contra os selêucidas.

■ **9.16**

אֲדֹנָ֗י כְּכָל־צִדְקֹתֶ֙ךָ֙ יָֽשָׁב־נָ֤א אַפְּךָ֙ וַחֲמָ֣תְךָ֔ מֵעִֽירְךָ֥ יְרוּשָׁלִַ֖ם הַר־קָדְשֶׁ֑ךָ כִּ֤י בַחֲטָאֵ֙ינוּ֙ וּבַעֲוֺנ֣וֹת אֲבֹתֵ֔ינוּ יְרוּשָׁלִַ֧ם וְעַמְּךָ֛ לְחֶרְפָּ֖ה לְכָל־סְבִיבֹתֵֽינוּ׃

Ó Senhor, segundo todas as tuas justiças. É um ato de justiça quando Deus julga os pagãos e assim defende e livra seu povo. Daniel esperava ver tal ato em seus dias, o que livraria Jerusalém da opressão. Cf. Jz 5.11; 1Sm 12.7; Mq 6.5; Sl 103.6. A fúria de Deus manifestou-se no ataque e cativeiro babilônico, e nas atrocidades de Antíoco Epifânio. Poderia haver livramento de ambas as coisas. Jerusalém era o *monte santo* onde fora construído o templo, ou seja, onde se processava o culto a Yahweh. Ver o vs. 20 e Sl 2.6; 15.1 e 43.3. Isso será renovado nos últimos dias (ver Is 2.2 ss.; 27.13; 66.20; Ob 21; Mq 4.7 e Ap 14.1).

... se tornaram Jerusalém e o teu povo opróbrio. Ver Jr 24.9; 44.12; Ez 5.14. "O escritor, de sua posição na Palestina, estava pensando sobre como o tratamento dos judeus, às mãos de Antíoco, tinha atraído zombarias e assobios da parte dos povos vizinhos de Edom e de Amom (1Macabeus 5.1-8). Essa questão é novamente aludida em Dn 11.41" (Arthur Jeffery, *in loc.*).

■ **9.17**

וְעַתָּ֣ה ׀ שְׁמַ֣ע אֱלֹהֵ֗ינוּ אֶל־תְּפִלַּ֤ת עַבְדְּךָ֙ וְאֶל־תַּ֣חֲנוּנָ֔יו וְהָאֵ֣ר פָּנֶ֔יךָ עַל־מִקְדָּשְׁךָ֖ הַשָּׁמֵ֑ם לְמַ֖עַן אֲדֹנָֽי׃

Agora, pois, ó Deus nosso. A oração foi feita em favor do profeta, mas também em favor do Senhor, a quem foi dirigida, visto que ambos tinham interesse especial pela restauração, purificação e rededicação do templo. Portanto, Daniel invocou Yahweh para que ele fizesse seu rosto brilhar sobre essa ideia e cumpri-la o mais rapidamente possível. O *rosto brilhante*, que significa a aprovação e a ação divina em favor de alguém, retrocede a Nm 6.25. Cf. também Sl 67.1; 80.3 e 119.135. É similar ao que já vimos no vs. 13, "o adoçar da face". O santuário de Jerusalém tinha ficado desolado (ver Lm 5.18; 1Macabeus 4.38). Está em vista a *abominação da desolação* (a abominação que desola, Antíoco Epifânio). Ver o vs. 27; Dn 8.13; 11.31 e 12.11. O nome de Deus seria louvado e exaltado por atender a essa petição, tal como se vê no vs. 15, que fala de outra grande libertação do passado. "Nunca a oração sobe tão alto como quando uma alma apela humildemente a Deus como o Senhor Soberano de todos, e pacientemente espera que ele aja conforme bem entender. Cf. Sl 44.9-26" (Ellicott, *in loc.*). Ver Ml 4.2. Ver o vs. 18 quanto a uma extensão dos possíveis significados da petição.

■ **9.18,19**

הַטֵּ֨ה אֱלֹהַ֥י ׀ אָזְנְךָ֮ וּֽשֲׁמָע֒ פְּקַ֣ח עֵינֶ֗יךָ וּרְאֵה֙ שֹׁמְמֹתֵ֔ינוּ וְהָעִ֕יר אֲשֶׁר־נִקְרָ֥א שִׁמְךָ֖ עָלֶ֑יהָ כִּ֣י ׀ לֹ֣א עַל־צִדְקֹתֵ֗ינוּ אֲנַ֨חְנוּ מַפִּילִ֤ים תַּחֲנוּנֵ֙ינוּ֙ לְפָנֶ֔יךָ כִּ֖י עַל־רַחֲמֶ֥יךָ הָרַבִּֽים׃

אֲדֹנָ֤י ׀ שְׁמָ֙עָה֙ אֲדֹנָ֣י ׀ סְלָ֔חָה אֲדֹנָ֛י הַֽקֲשִׁ֥יבָה וַעֲשֵׂ֖ה אַל־תְּאַחַ֑ר לְמַֽעֲנְךָ֣ אֱלֹהַ֗י כִּֽי־שִׁמְךָ֤ נִקְרָא֙ עַל־עִ֣ירְךָ וְעַל־עַמֶּֽךָ׃

Inclina, ó Deus meu, os teus ouvidos, e ouve. Pela *segunda vez*, o profeta invocou Elohim para ouvir sua súplica. Ver as notas expositivas sobre o vs. 17 e ver sobre o ato de *ouvir*, em Sl 64.1. O autor usou aqui antropomorfismos devido à fraqueza da linguagem humana para expressar conceitos divinos. Atributos humanos são assim conferidos ao Ser divino. Ver no *Dicionário* o artigo chamado *Antropomorfismo*. E Daniel também usou *Antropopatismos* (ver também no *Dicionário*), atribuindo emoções humanas a Deus. Mas Deus, na realidade, é o *Mysterium Tremendum* (ver na *Enciclopédia de Bíblia, Teologia e Filosofia*). Foi feito o apelo à grande *misericórdia* de Deus, e não com base no merecimento de Judá de algum tratamento especial da parte do Ser divino. Este capítulo mistura o fim do cativeiro babilônico com o fim das perseguições movidas por Antíoco Epifânio, e talvez, igualmente, com a derrota escatológica do anticristo, que atuará como o homem que foi seu tipo. Sem importar qual seja a emergência específica envolvida, a oração do profeta era uma só: ele requeria a intervenção divina em favor da cidade desolada e perseguida.

Senhor, ouve-nos e faze alguma coisa!
Por amor a ti, não te demores!
tua cidade e teu povo
São chamados pelo teu nome.

NCV

Visão das Setenta Semanas (9.20-27)

Os *setenta* do vs. 2 sugeriram os *setenta* do vs. 24. O primeiro "setenta" corresponde à duração do cativeiro babilônico. O segundo também é calculado como anos, mas nesse caso, cada dia dos 70 x 7 representa um ano: 490 anos. Desnecessário é dizer que onde esses números começam e onde terminam, bem como o significado desse período, têm causado intermináveis controvérsias. Dou no *Dicionário* um artigo chamado *Setenta Semanas*, que esclarece a questão, embora seja mister, essencialmente, a interpretação dispensacional. Mas ofereço ali informações sobre outras opiniões. Aqui reproduzo a informação essencial sobre aquele artigo, juntamente com seu gráfico ilustrativo. A isso adiciono ideias e detalhes.

A ideia geral é que os setenta anos mencionados por Jeremias "são as *setenta semanas de anos*, ou seja, 490 anos (isto é, 70 x 7), depois dos quais viria o reino messiânico, cumprindo assim o que fora previsto" (*Oxford Annotated Bible*, comentando sobre o vs. 21).

■ **9.20,21**

וְע֨וֹד אֲנִ֤י מְדַבֵּר֙ וּמִתְפַּלֵּ֔ל וּמִתְוַדֶּה֙ חַטָּאתִ֔י וְחַטַּ֖את עַמִּ֣י יִשְׂרָאֵ֑ל וּמַפִּ֣יל תְּחִנָּתִ֗י לִפְנֵי֙ יְהוָ֣ה אֱלֹהַ֔י עַ֖ל הַר־קֹ֥דֶשׁ אֱלֹהָֽי׃

וְע֛וֹד אֲנִ֥י מְדַבֵּ֖ר בַּתְּפִלָּ֑ה וְהָאִ֣ישׁ גַּבְרִיאֵ֡ל אֲשֶׁר֩ רָאִ֨יתִי בֶחָז֤וֹן בַּתְּחִלָּה֙ מֻעָ֣ף בִּיעָ֔ף נֹגֵ֣עַ אֵלַ֔י כְּעֵ֖ת מִנְחַת־עָֽרֶב׃

"Ele nem bem terminara sua oração quando a resposta lhe foi dada. O anjo Gabriel, a quem ele tinha visto (ver Dn 8.16), aproximou-se e revelou o mistério das setenta semanas" (Ellicott, *in loc.*).

O Significado Místico. Note o leitor que os setenta anos literais do cativeiro babilônico recebem interpretação *mística*: representam outro setenta, a saber os 70 x 7, onde os dias significam anos. Portanto, temos uma interpretação literal sobre a qual está alicerçado o número místico. Provavelmente esse é o tipo de manuseio dos materiais encontrado por Daniel nos livros que consultou (vs. 2). O vs. 20 está ligado ao vs. 3 (o prólogo), e a oração interveniente não nos conduz a um novo assunto. Os setenta do vs. 2 é (sob outra consideração profética) o mesmo setenta do vs. 24. Haveria *boas-novas* para o monte Santo e seu templo, e Yahweh Elohim daria às boas-novas várias aplicações em diferentes pontos da história de Judá. Todas as aplicações contribuiriam para a restauração do povo de Deus, incluindo o que deve vir antes da era do reino e será aperfeiçoado naquela era.

À hora do sacrifício da tarde. A cada dia havia duas oferendas de sacrifícios, uma pela manhã e outra no final da tarde. Daniel foi recompensado por sua preocupação, tendo-lhe sido dada uma revelação no *tempo da adoração*. Por certo essa circunstância tem seu significado. Embora as oferendas de animais tenham cessado durante o cativeiro babilônico, Daniel observou essas visões nas horas de adoração, louvor e súplica. Quanto aos sacrifícios, ver Êx 19.38,39; Nm 28.3,4. Ver Dn 6.10 quanto aos costumes de Daniel no tocante à oração.

■ **9.22,23**

וַיָּבֶן וַיְדַבֵּר עִמִּי וַיֹּאמַר דָּנִיֵּאל עַתָּה יָצָאתִי לְהַשְׂכִּילְךָ בִינָה:

בִּתְחִלַּת תַּחֲנוּנֶיךָ יָצָא דָבָר וַאֲנִי בָּאתִי לְהַגִּיד כִּי חֲמוּדוֹת אָתָּה וּבִין בַּדָּבָר וְהָבֵן בַּמַּרְאֶה:

Ele queria instruir-me, falou comigo, e disse. O anjo aproximou-se de Daniel com o propósito de *iluminá-lo*. Ser-lhe-ia mostrado como os setenta anos da visão de Jeremias (vs. 2) significavam mais do que o número de anos de cativeiro na Babilônia. Esse número também tinha um significado místico concernente a um tempo expandido, as *setenta semanas* (vs. 24). Daniel seria o instrumento da comunicação. "O anjo explicou a razão de sua visita. De acordo com o texto massorético, ele viera para "instruir". Nas versões da Septuaginta e da Peshitta, lemos aqui apenas "ele chegou e disse". Seja como for, o versículo significa a mesma coisa por causa da frase seguinte, "para fazer-te entender o sentido", que é igual no hebraico e nas diversas versões da Bíblia. Literalmente, o texto diz: "para ensinar-te o discernimento". Ele abriria o entendimento do profeta. Daniel havia consultado os livros (vs. 2) e tinha uma compreensão parcial, mas havia na palavra *setenta* maior sentido do que feria os olhos de Daniel. Para compreender mais sobre isso, era mister que os olhos espirituais dele fossem abertos.

Como poderei entender, se alguém não me explicar?
Atos 8.31

Os Anjos São Mensageiros Divinos. Eles são enviados pelo Senhor com propósitos específicos. Quando Daniel começou a orar (vs. 23), o Ser divino começou a agir através de seu anjo. E isso nos mostra o poder da oração que faz mover as rodas celestiais. "Deus te ama muito" (NCV), e o amor de Deus foi o poder que movimentou o processo. Daniel precisava ser *iluminado,* e ele foi favorecido, recebendo o que tanto queria. Oh, Senhor, concede-nos tal graça! Cf. esta parte da mensagem com Dn 10.11,19, que repete os sentimentos. "Gabriel deu a Daniel discernimento quanto aos propósitos de Deus para com seu povo. Visto que o profeta era altamente estimado por Deus, Gabriel tinha recebido uma resposta para ser dada a Daniel, assim que este começou a orar!" (J. Dwight Pentecost, *in loc.*). Jerônimo comparou este texto a 2Sm 12.25, que fala sobre Jedidias. Ver também Ez 23.6,12: ele era um homem de "desejos", objeto de atenção e amor.

Explicação da Visão das Setenta Semanas (9.24-27)

■ **9.24**

שָׁבֻעִים שִׁבְעִים נֶחְתַּךְ עַל־עַמְּךָ וְעַל־עִיר קָדְשֶׁךָ לְכַלֵּא הַפֶּשַׁע וּלְחָתֹם חַטָּאות וּלְכַפֵּר עָוֹן וּלְהָבִיא צֶדֶק עֹלָמִים וְלַחְתֹּם חָזוֹן וְנָבִיא וְלִמְשֹׁחַ קֹדֶשׁ קָדָשִׁים:

Setenta semanas estão determinadas sobre o teu povo. Detalho essa visão com o gráfico acompanhante e suas explicações. Que o leitor siga estes pontos:

1. Sob a primeira seção do artigo referente às *Setenta Semanas* (seção I), note o leitor os *elementos a serem alcançados*, que são essencialmente o que o vs. 24 declara.
2. A seção II dá-nos as *diversas interpretações*. Limito isso às *três principais,* sem me imiscuir nas vagas interpretações que vieram a ser relacionadas a esta passagem. Note que a segunda dessas interpretações leva a questão a sério, como profecia genuína, mas não separa a semana final do resto, que os dispensacionalistas mudam para o fim da era cristã. Essa segunda interpretação é defendida pelos amilenistas.
3. O gráfico apresenta a visão dos dispensacionalistas, a qual, em minha opinião, pode ser ou não a interpretação correta do texto. Por certo, a colocação dessa última semana em nossa própria época, na década de 1990, tem fracassado vergonhosamente, mas assim dita o *cronograma* dispensacionalista. Se esse cronograma tem falhado, então toda a abordagem à questão pode estar incorreta. Parece muito duvidosa a ideia do período de sete mil anos da "história humana", antes do estado eterno, sendo que o milênio se comporia dos últimos mil anos desse tempo. Esse programa dos sete mil anos surgiu em primeiro lugar no *Enoque Eslavônico (I1Enoque)* (ver a respeito no *Dicionário*). Esse é um dos livros pseudepígrafos, que foi escrito mais ou menos na era de Cristo.
4. Ver as *Observações Gerais* sobre a questão na seção III do artigo acompanhante.

■ **9.25**

וְתֵדַע וְתַשְׂכֵּל מִן־מֹצָא דָבָר לְהָשִׁיב וְלִבְנוֹת יְרוּשָׁלַםִ עַד־מָשִׁיחַ נָגִיד שָׁבֻעִים שִׁבְעָה וְשָׁבֻעִים שִׁשִּׁים וּשְׁנַיִם תָּשׁוּב וְנִבְנְתָה רְחוֹב וְחָרוּץ וּבְצוֹק הָעִתִּים:

Sabe, e entende. "*Vss. 25-27*. Os eventos das setenta hebdômadas (unidades de sete anos) são agora especificados. Eles se dividem em três períodos de sete, 62, e um. Nestes versículos, as versões afastam-se muito do texto massorético, e alguns eruditos sentem-se inclinados a seguir essas versões, e não o texto hebraico padronizado. Contudo, a maioria dos eruditos tende a seguir o texto hebraico. 1. As primeiras sete semanas começam com a proclamação de Deus e a vinda do Príncipe ungido. 2. As próximas 62 semanas ocupam-se da edificação da cidade. 3. A semana derradeira é o tempo da catástrofe. Um Ungido seria cortado; um exército chegaria e destruiria a cidade e o santuário; guerras deixariam tudo desolado; líderes inimigos assinariam um pacto com alguns; durante metade da semana, os sacrifícios determinados seriam suspensos e uma abominação tomaria o lugar deles. Finalmente, os líderes seriam destruídos. A revelação seria precedida por um juramento solene" (Arthur Jeffery, *in loc.*).

O gráfico acompanhante faz as divisões próprias em: 7 semanas + 62 semanas + 1 semana = setenta semanas. Os acontecimentos essenciais são especificados em consonância com a visão dispensacional.

O Começo do Período. "Este decreto foi o quarto dentre quatro decretos feitos pelos governantes persas, com referência aos judeus. O *primeiro* foi o decreto de Ciro, em 538 a.C. (2Cr 36.22,23; Ed 1.1-8 e 5.13). O *segundo* foi o decreto de Dario I (522-486 a.C.), em 520 a.C. (Ed 6.1,6-12), uma confirmação do primeiro. O *terceiro* foi o decreto de Artaxerxes Longimano (464-424), em 458 a.C. (Ed 7.11-26). Os dois primeiros decretos pertenciam à reconstrução do templo de Jerusalém, e o terceiro decreto se referia às finanças relativas aos sacrifícios de animais, no templo. Esses três decretos nada diziam sobre a reconstrução da própria cidade ... O *quarto* decreto também

AS SETENTA SEMANAS DO LIVRO DO PROFETA DANIEL

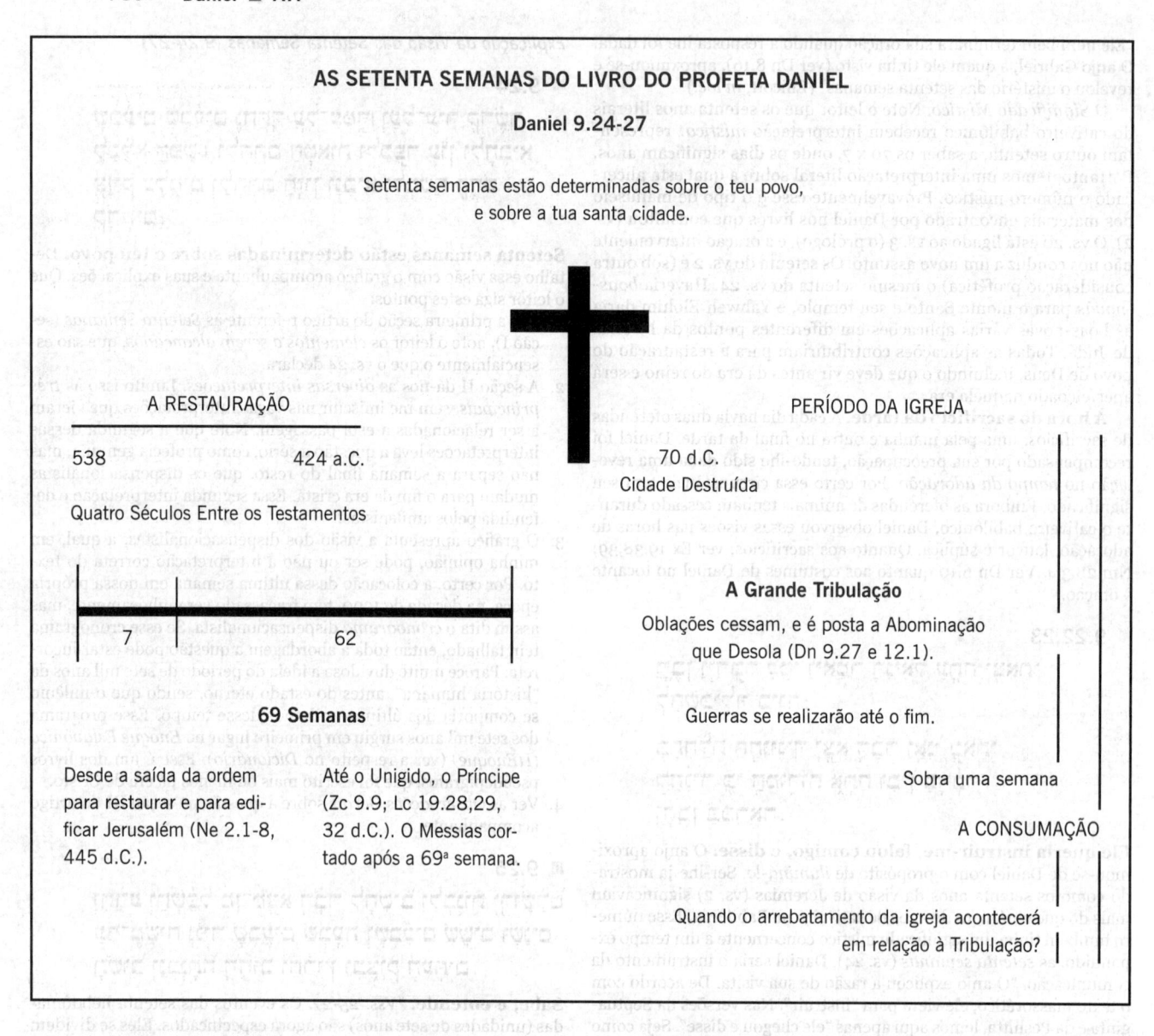

Daniel 9.24-27

Setenta semanas estão determinadas sobre o teu povo,
e sobre a tua santa cidade.

A RESTAURAÇÃO

538   424 a.C.

Quatro Séculos Entre os Testamentos

7   62

69 Semanas

Desde a saída da ordem para restaurar e para edificar Jerusalém (Ne 2.1-8, 445 d.C.).

Até o Ungido, o Príncipe (Zc 9.9; Lc 19.28,29, 32 d.C.). O Messias cortado após a 69ª semana.

PERÍODO DA IGREJA

70 d.C.
Cidade Destruída

A Grande Tribulação

Oblações cessam, e é posta a Abominação que Desola (Dn 9.27 e 12.1).

Guerras se realizarão até o fim.

Sobra uma semana

A CONSUMAÇÃO

Quando o arrebatamento da igreja acontecerá em relação à Tribulação?

---

foi expedido por Artaxerxes Longimano, a 5 de março de 444 a.C. (Ne 2.1-8). Naquela oportunidade, Artaxerxes concedeu aos judeus permissão para reconstruir as muralhas de Jerusalém. Esse é o decreto referido em Dn 9.25" (J. Dwight Pentecost, *in loc.*).

Até ao Ungido. A *King James Version* mostra sua interpretação messiânica logo nas traduções do texto, ao referir-se ao *Messias, o Príncipe*. Mas a *Revised Standard Version* diz *ungido, um príncipe*, ao passo que a NCV diz simplesmente *líder determinado*. A interpretação crítico-liberal vê o sumo sacerdote Onias III aqui, não transferindo a questão para o fim de nossa era presente. Ver as explicações sobre o gráfico, seção II.1. Separando a septuagésima semana das outras, os dispensacionalistas a colocam no fim de nossa era e a relacionam ao Messias, que é o Príncipe celestial. Em consequência, uma das visões é *histórica* (está em vista o que aconteceu, "lá atrás"). A outra visão é *profética* (, está em vista o que acontecerá "lá na frente").

■ 9.26

וְאַחֲרֵי הַשָּׁבֻעִים שִׁשִּׁים וּשְׁנַיִם יִכָּרֵת מָשִׁיחַ וְאֵין לוֹ
וְהָעִיר וְהַקֹּדֶשׁ יַשְׁחִית עַם נָגִיד הַבָּא וְקִצּוֹ בַשֶּׁטֶף
וְעַד קֵץ מִלְחָמָה נֶחֱרֶצֶת שֹׁמֵמוֹת:

Depois das 62 semanas. Os vss. 26 e 27 parecem referir-se ao ataque de Antíoco Epifânio contra Jerusalém, dentro do ponto de vista crítico-liberal, sem nenhuma referência ao anticristo. "Vss. 25-27.

Visto não sabermos a data da *proclamação da palavra*, podemos apenas conjecturar que o *príncipe ungido* pode ter sido Ciro, Zorobabel ou Josué; e que aquele que *foi cortado* pode ter sido Filopater, Jason ou Onias III. O *príncipe* que viria seria Antíoco Epifânio, que produziu tantas desolações ao estabelecer um pacto com os judeus helenizantes e ao oferecer abominações no templo, sob a forma de sacrifícios pagãos" (*Oxford Annotated Bible*). Como pode ser visto, essa interpretação põe tudo no passado, como se já se tivessem cumprido todas as predições.

A Interpretação Futurista. Tal interpretação, em contraste, vê coisas passadas somente como símbolos de uma grande realidade futura. Após 62 semanas, o Messias (o Ungido) virá e será *cortado*, mediante crucificação. Assim, temos sete mais 62 semanas, totalizando 69 semanas, restando ainda uma para ser cumprida (vs. 27). (Vs. 25, sete semanas; vs. 26, 62 semanas; vs. 27, uma semana.). "Os 62 *setes* (434 anos) se estenderiam até a introdução do Messias à nação de Israel. Esse segundo período concluiu-se no dia da entrada triunfal de Cristo em Jerusalém, imediatamente antes que ele foi *cortado*, isto é, crucificado. Em sua entrada triunfal, Cristo, em cumprimento de Zc 9.9, oficialmente apresentou-se à nação como o Messias... Assim sendo, os dois primeiros segmentos do importante período de tempo — os sete setes (49 anos) e os 62 setes (434 anos) — passaram sucessivamente sem intervalo entre eles. Totalizaram-se 483 anos desde 5 de março de 444 a.C. até 30 de março de 33 d.C. Como pode 444 a.C. até 33 d.C. serem iguais a 483 anos? Ver o gráfico "Os 483 anos dos calendários judaico e gregoriano". Isso parece ser exagero dos dispensacionalistas, querendo ter datas tão exatas, mas reproduzo o material para que o leitor possa ver como os futuristas explicam as coisas.

■ 9.27

וְהִגְבִּיר בְּרִית לָרַבִּים שָׁבוּעַ אֶחָד וַחֲצִי
הַשָּׁבוּעַ יַשְׁבִּית זֶבַח וּמִנְחָה וְעַל כְּנַף
שִׁקּוּצִים מְשֹׁמֵם וְעַד־כָּלָה וְנֶחֱרָצָה תִּתַּךְ
עַל־שֹׁמֵם: פ

Ele fará firme aliança com muitos por uma semana. O ponto de vista *histórico* vê Antíoco Epifânio aqui, com exclusividade, e toda essa profecia como tendo ocorrido no passado. Mas a interpretação futurista vê Antíoco Epifânio como apenas um símbolo do futuro anticristo. O *pacto*, dentro do ponto de vista histórico, seria aquele feito por Antíoco com os judeus helenistas, que eram apóstatas do culto de Yahweh (1Macabeus 1.11-15). Durante metade desse tempo, a meia semana da última semana, os sacrifícios prosseguirão; mas então Antíoco, durante a segunda metade da semana, fará cessar esses sacrifícios. Essa questão é referida em 1Macabeus 1.54 ss. Ver também Dn 8.11 e 11.31. De acordo com a posição futurista, o pacto é de paz entre o anticristo e Israel. Mas esse pacto será rompido na metade dos sete anos, com grande aumento da perseguição religiosa. "A coisa horrível que destrói será posta no pináculo do templo, mas Deus ordenou que essa coisa fosse destruída" (NCV).

De acordo com a interpretação histórica, porém, isso fala da idolatria e da pior manifestação possível da idolatria, a deificação do próprio Antíoco Epifânio. Mas, de acordo com o ponto de vista futurista, essa abominação será o anticristo, que se apresentará como se fosse o próprio Deus. O fim de ambos é a destruição. Cf. Mt 24.15, onde temos a imagem da besta (o anticristo) estabelecido para ser adorado por seu falso profeta. Um severo julgamento divino cairá sobre ambos, e ambos serão lançados no lago de fogo (ver Ap 19.20. Cf. Dn 7.11,26). De acordo com a opinião futurista, haverá um pacto entre o anticristo e Israel e, durante algum tempo, esse povo aceitará a Abominação como seu Messias.

Parte da interpretação futurista é identificar esse período final de sete anos (última semana) com os 1.260 dias e os 42 meses do Apocalipse, o primeiro em 11.3 e o segundo em 11.2 e 13.5. Quanto desse esquema não passa de cálculos sagazes e quanto combina com a verdade, resta ser visto nos anos vindouros, e no que daí resultará. A tendência entre os intérpretes é explicar a profecia como se eles soubessem mais do que sabem, e ser muito dogmáticos em seus pronunciamentos. Talvez o melhor que podemos dizer seja: "Será algo como isto".

CAPÍTULO DEZ

O livro de Daniel compõe-se essencialmente de *seis histórias e quatro visões*. As histórias ocupam os capítulos 1—6, e as visões, os capítulos 7—12. Quanto a detalhes sobre esse arranjo, ver a seção "Ao Leitor", parágrafos quinto e sexto, apresentada imediatamente antes da exposição a Dn 1.1. Os capítulos 10-12, na realidade, são apenas *uma visão*, a saber, a *quarta*. E o capítulo 10 atua como *prólogo* dessa quarta visão. O capítulo 11 apresenta a *visão propriamente dita*, juntamente com a interpretação. E o capítulo 12 é o *epílogo*.

A VISÃO DOS ÚLTIMOS DIAS (10.1—12.13)

O capítulo 10 é o *prólogo* das visões, e, naturalmente, divide-se em três partes: vss. 1; vss. 2-9; vss. 10-21. Apresento um título para cada uma dessas partes, que projetam a essência do que se segue.

A visão (capítulo 11) é apresentada em linguagem franca e direta, sem a imagem (capítulo 2) e sem os animais (capítulos 7 e 8). Outro tanto ocorre no capítulo 9. O capítulo 10 é a preparação para a revelação vindoura, e é similar, quanto ao intento, à oração do capítulo 9, vss. 4 a 19.

O ENGASTE CRONOLÓGICO (10.1)

■ 10.1

בִּשְׁנַת שָׁלוֹשׁ לְכוֹרֶשׁ מֶלֶךְ פָּרַס דָּבָר נִגְלָה לְדָנִיֵּאל
אֲשֶׁר־נִקְרָא שְׁמוֹ בֵּלְטְשַׁאצַּר וֶאֱמֶת הַדָּבָר וְצָבָא
גָדוֹל וּבִין אֶת־הַדָּבָר וּבִינָה לוֹ בַּמַּרְאֶה:

No terceiro ano de Ciro, rei da Pérsia. A data provida é o *terceiro ano* de Ciro, ou seja, o terceiro ano depois que ele capturou a Babilônia, 536/535 a.C. Se Daniel tinha cerca de 16 anos de idade quando foi levado cativo para a Babilônia, e isso ocorreu em 605 a.C., então ele já teria 86 anos quando lhe foi conferida esta visão final.

Quanto às *três deportações,* ver as notas sobre Jr 52.28. Cf. as notas sobre Jr 52.28. Cf. essa nota cronológica com Dn 1.21, que diz que Daniel continuou até o primeiro ano do rei Ciro. Não há realmente nenhuma forma de reconciliar isso com a nota deste versículo, nem a questão tem grande importância. Talvez Daniel se tenha aposentado de seu serviço civil no primeiro ano de Ciro, mas seu ministério profético continuou mesmo depois que ele abandonou suas atividades. O presente versículo mostra-nos que Daniel não retornou a Jerusalém depois que os judeus voltaram para reconstruir a cidade santa. Sua missão era passar seus últimos dias naquele país estrangeiro.

A última porção deste versículo é obscura, e tem-se prestado a várias interpretações. A visão é veraz e, de algum modo, envolvia um grande conflito. A NCV diz que a visão "era sobre uma grande guerra". Mas alguns preferem pensar que o conflito envolvia as próprias condições psicológicas de Daniel. Nesse caso, a questão tem paralelos em Dn 7.28 e 8.27. A NIV, em nota de rodapé, diz "veraz e pesada", fazendo a visão referir-se a questões sérias e densas. Ou então o *grande conflito* caracterizará os últimos dias de que a visão fala.

PREPARAÇÃO PARA A REVELAÇÃO (10.2-9)

■ 10.2

בַּיָּמִים הָהֵם אֲנִי דָנִיֵּאל הָיִיתִי מִתְאַבֵּל שְׁלֹשָׁה
שָׁבֻעִים יָמִים:

Naqueles dias eu, Daniel, pranteei durante três semanas. Devemos entender que Daniel tinha recebido a visão e sido negativamente afetado por ela. Ele passou por agonia e lamentação durante alguns dias. A questão que lhe fora revelada era pesada, e seu espírito sentia-se premido por isso. Não encontramos aqui uma lamentação pelo pecado, conforme se vê no prólogo da visão do capítulo 9. Antes, a alma do profeta era pressionada pela natureza pesada das coisas vindouras. Afinal, ele já era homem idoso na época, e aquelas experiências místicas negativas estavam fazendo sua cobrança.

ele ainda não tinha entendido plenamente a visão, mas receberia entendimento, e não seria uma questão fácil. "No vs. 12 aprendemos que ele resolveu receber uma revelação interpretativa, preparando-se para tanto por meio de práticas ascéticas, como as mencionadas em Dn 9.3" (Arthur Jeffery, *in loc.*). "A revelação desta visão, dada a Daniel naquela ocasião, esmigalhou qualquer esperança que ele possa ter tido de que Israel desfrutaria de nova liberdade e paz por longo tempo. Deus revelou que sua nação estaria envolvida em muitos conflitos" (J. Dwight Pentecost, *in loc.*).

■ 10.3

לֶחֶם חֲמֻדוֹת לֹא אָכַלְתִּי וּבָשָׂר וָיַיִן לֹא־בָא אֶל־פִּי
וְסוֹךְ לֹא־סָכְתִּי עַד־מְלֹאת שְׁלֹשֶׁת שָׁבֻעִים יָמִים: פ

Manjar desejável não comi. Daniel não comeu manjares, mas passou a vida comendo o mínimo, em uma espécie de meio jejum; ele não bebia vinho, nem se ungia com azeite, embora suponhamos que tomasse banho. Tudo isso era sinal de espírito pesado e de lamentação. Cf. Dn 1.8 e 16, a simples dieta vegetariana, acompanhada por água, que assinalara o começo da carreira de Daniel na Babilônia. Cf. Dn 10.12. Ver também 2Sm 12.20 e Am 6.6. Essas coisas eram sinais externos de um espírito pesado, inclinado para o que o profeta tinha visto.

10.4

וּבְי֛וֹם עֶשְׂרִ֥ים וְאַרְבָּעָ֖ה לַחֹ֣דֶשׁ הָרִאשׁ֑וֹן וַאֲנִ֣י הָיִ֔יתִי
עַ֛ל יַ֥ד הַנָּהָ֛ר הַגָּד֖וֹל ה֥וּא חִדָּֽקֶל׃

No dia vinte e quatro do primeiro mês. A precisão de dados assinala a visão como veraz e histórica, e essa é uma das características das profecias apocalípticas. O primeiro mês era *abib* (ver Dt 16.1) e *nisã* (ver Ne 2.1; Et 3.7). O dia 24 assinalou o fim do meio jejum do profeta. Isso pode significar que o fato de ele ter passado com o mínimo de alimentos fazia parte da celebração da festa da Páscoa, no décimo quarto dia, bem como dos pães asmos, do décimo quarto ao vigésimo primeiro dia. Ver Dt 16.3: "pão de aflição". O profeta estava à beira do rio Tigre (Dn 12.5). Chegou até ele um mensageiro celestial, provavelmente Gabriel, que estava ativo naquele tempo e, ao que tudo indica, tinha contatos frequentes com o profeta. Ver Dn 8.16. O original hebraico diz *Hidequel* para o rio Tigre, sendo esse o nome acádico do rio. Era um *grande rio*, um título usualmente dado ao rio Nilo. Mas também pode estar em foco o rio Eufrates, conforme se vê em Gn 15.18.

10.5

וָאֶשָּׂ֤א אֶת־עֵינַי֙ וָאֵ֔רֶא וְהִנֵּ֥ה אִישׁ־אֶחָ֖ד לָב֣וּשׁ בַּדִּ֑ים
וּמָתְנָ֥יו חֲגֻרִ֖ים בְּכֶ֥תֶם אוּפָֽז׃

Levantei os olhos, e olhei, e eis um homem. O anjo apareceu gloriosamente vestido de luz (vs. 6), com uma veste de linho tão branco quanto neve recém-caída. Em sua cintura havia um cinto bordado com excelente ouro de Ufaz. As descrições que aqui figuram nos fazem lembrar do primeiro capítulo do livro de Ezequiel, e também seus capítulos 9 e 10. As vestes do anjos se pareciam um tanto com as vestes do sumo sacerdote (ver Lv 6.10; Êx 28.29), porém eram mais gloriosas e mais divinas. Profundas experiências místicas são assinaladas por imagens e cores vívidas que são difíceis de descrever, pelo que as descrições tentam detalhar o que realmente desafia qualquer descrição.

Quanto ao *ouro puro de Ufaz*, ver Jr 10.9. Talvez esteja em foco o lugar algures chamado *Ofir*, famoso por seu excelente ouro. Ver Jó 28.16; Sl 45.9 e Is 13.12.

Encontramos descrições similares sobre Cristo em Ap 1.13-16, mas isso não justifica a interpretação como visão do *Cristo* pré-encarnado. Não se poderia dizer que Cristo estava impedido por um príncipe da Pérsia (ver Dn 10.13) ou por alguma entidade angelical ou demoníaca.

10.6

וּגְוִיָּת֣וֹ כְתַרְשִׁ֗ישׁ וּפָנָ֤יו כְּמַרְאֵה־בָרָק֙ וְעֵינָיו֙ כְּלַפִּ֣ידֵי
אֵ֔שׁ וּזְרֹעֹתָיו֙ וּמַרְגְּלֹתָ֔יו כְּעֵ֖ין נְחֹ֣שֶׁת קָלָ֑ל וְק֥וֹל דְּבָרָ֖יו
כְּק֥וֹל הָמֽוֹן׃

O seu corpo era como o berilo. Cf. a descrição do *berilo* com a descrição do anjo de Ez 1.11,23. A palavra hebraica fala de uma variedade de topázio azul, cor do céu, embora, de acordo com outros, fosse verde-mar. A face do homem era como o relâmpago, e seus olhos eram como brasas de fogo; seus braços e suas pernas eram como o bronze polido, e sua voz parecia formada por muitas águas. Cf. tais imagens com Ez 1.13 e Ap 1.16. Quanto aos *olhos flamejantes*, cf. Ez 1.13; I1Enoque 1.5; 42.1; Ap 1.14 e 19.12. Ver também Ez 20.18. Quanto à *voz como de muitas águas*, cf. Is 13.4; 33.3; Ez 1.24. Tais descrições são apenas débeis tentativas para dizer algo sobre o Ser divino. As grandes experiências místicas geralmente são inefáveis ou têm elementos que o são. Ver no *Dicionário* o artigo chamado *Misticismo*.

10.7

וְרָאִיתִי֩ אֲנִ֨י דָנִיֵּ֤אל לְבַדִּי֙ אֶת־הַמַּרְאָ֔ה וְהָאֲנָשִׁים֙ אֲשֶׁ֣ר
הָי֣וּ עִמִּ֔י לֹ֥א רָא֖וּ אֶת־הַמַּרְאָ֑ה אֲבָ֗ל חֲרָדָ֤ה גְדֹלָה֙
נָפְלָ֣ה עֲלֵיהֶ֔ם וַֽיִּבְרְח֖וּ בְּהֵחָבֵֽא׃

Só eu, Daniel, tive aquela visão. Embora Daniel estivesse acompanhado, só ele teve a visão. Mas grande agitação a acompanhou, e os companheiros de Daniel sentiram isso. Isso insuflou neles grande medo, levando-os a ocultar-se. Talvez a agitação tivesse sido sentida somente *por eles*. Eles se assustaram diante da presença do anjo, embora não pudessem vê-lo com os olhos. Há algo de similar na história da conversão de Paulo na estrada para Damasco:

> Os seus companheiros de viagem pararam emudecidos, ouvindo a voz, não vendo, contudo, ninguém.
>
> Atos 9.7

"... Eles ficaram altamente assustados. Tiveram tanto medo que correram e se esconderam"(NCV). Cf. também At 22.9. "Houve uma influência divina que todos eles sentiram, mas somente Daniel viu a aparição corpórea" (Adam Clarke, *in loc.*). Isso acontece nas experiências místicas. Elas podem ser experimentadas por uma pessoa, enquanto outras pessoas, embora próximas, nada vejam nem ouçam. A alma é dotada de uma visão que não usa o nervo óptico, conforme demonstram as *experiências perto da morte*. Ver sobre esse título na *Enciclopédia de Bíblia, Teologia e Filosofia*.

10.8

וַאֲנִי֙ נִשְׁאַ֣רְתִּי לְבַדִּ֔י וָֽאֶרְאֶה֙ אֶת־הַמַּרְאָ֥ה הַגְּדֹלָ֖ה
הַזֹּ֑את וְלֹ֤א נִשְׁאַר־בִּי֙ כֹּ֔חַ וְהוֹדִ֗י נֶהְפַּ֤ךְ עָלַי֙ לְמַשְׁחִ֔ית
וְלֹ֥א עָצַ֖רְתִּי כֹּֽחַ׃

Fiquei, pois, eu só, e contemplei esta grande visão. Os companheiros de Daniel se esconderam. Ele viu sozinho a *grande visão*, e isso concorda com a experiência frequente dos gigantes espirituais, os quais estão muito acima de seus colegas e, assim sendo, muito mais próximos do Ser divino.

> Penso continuamente naqueles que foram realmente grandes.
> Que, desde o ventre, relembraram a história da alma.
> ...
> Nascidos do sol, viajaram por um pouco em direção ao sol,
> E deixaram o ar vívido, assinado com sua honra.
>
> Stephen Spender

Os efeitos da visão foram grandes e transformaram o aspecto de Daniel em algo temível. "Perdi minhas forças. Meu rosto embranqueceu como se eu fosse um morto, e fiquei impotente" (NCV). "Ele ficou pálido de terror diante do que viu, e desmaiou" (Ellicott, *in loc.*).

"Seu sangue fluiu de volta ao coração, e seus nervos afrouxaram; suas mãos se debilitaram e ficaram dependuradas; seus joelhos tornaram-se débeis e cederam sob o seu peso; sua fisionomia ficou engelhada; sua testa ficou vincada; seus olhos se afundaram nas órbitas; seus lábios estremeciam; suas juntas tremiam; seu vigor se debilitou; todo o seu corpo entrou em convulsão; ele se tornou sem vida, como um homem morto" (John Gill, *in loc.*, com uma descrição colorida por vívida imaginação).

10.9

וָאֶשְׁמַ֖ע אֶת־ק֣וֹל דְּבָרָ֑יו וּכְשָׁמְעִי֙ אֶת־ק֣וֹל דְּבָרָ֔יו וַאֲנִ֗י
הָיִ֛יתִי נִרְדָּ֥ם עַל־פָּנַ֖י וּפָנַ֥י אָֽרְצָה׃

Contudo, ouvi a voz das suas palavras. Daniel jazia caído em estado de desmaio, o rosto no chão. Contudo, continuou ouvindo a voz de trovão que batia nele como um malho. Ele estava perplexo e estupeficado, mas a revelação continuava. Cf. Dn 8.18, onde temos algo similar. Ver também Ap 1.17; At 9.4; Ez 1.28 e Enoque 14.24, quanto a descrições similares. Daniel não foi ninado para dormir, apesar da voz melodiosa do anjo. Antes, foi *nocauteado* pelo poder da voz do anjo e pela natureza espantosa da experiência.

A CONVERSA COM O ANJO (10.10-21)

10.10

וְהִנֵּה־יָ֖ד נָ֣גְעָה בִּ֑י וַתְּנִיעֵ֥נִי עַל־בִּרְכַּ֖י וְכַפּ֥וֹת יָדָֽי׃

Eis que certa mão me tocou. De sua posição prostrada, Daniel caiu de joelhos, sobre as duas mãos. O toque do anjo efetuou essa mudança de posição, e assim o profeta agora estava de "quatro", tremendo. Sua consciência foi recobrada, pelo que ele pôde conversar com o anjo. Ele foi restaurado e encorajado pelo toque do anjo, para cumprir sua missão de profeta, que agora chegava ao fim. Agora ele estava apenas meio de pé, mas outro toque terminaria o trabalho. No vs. 11 vemos Daniel de pé, ainda trêmulo, mas já recuperado.

■ 10.11

וַיֹּאמֶר אֵלַי דָּנִיֵּאל אִישׁ־חֲמֻדוֹת הָבֵן בַּדְּבָרִים אֲשֶׁר אָנֹכִי דֹבֵר אֵלֶיךָ וַעֲמֹד עַל־עָמְדֶךָ כִּי עַתָּה שֻׁלַּחְתִּי אֵלֶיךָ וּבְדַבְּרוֹ עִמִּי אֶת־הַדָּבָר הַזֶּה עָמַדְתִּי מַרְעִיד׃

Daniel, homem muito amado. Daniel é novamente chamado de *muito amado* por Yahweh, um homem que tinha recebido favor especial de Deus e um bom destino. Cf. Dn 9.23. Agora nós o vemos de pé. Cf. 2Ed 2.1; Enoque 14.25 e Ez 2.1. Daniel, embora idoso, foi novamente *enviado* com uma mensagem. Ainda lhe restava receber o toque final para completar sua missão. Restava-lhe *mais uma volta*, e então sua missão estaria terminada. Ele completaria sua tarefa, sem nada deixar por fazer, conforme diz certa canção popular:

Fiz o que tinha para fazer, e tudo terminei
Sem exceção.

A palavra encorajadora fez Daniel levantar-se e pôr-se de pé. Ele não estava sozinho em seu empreendimento. Correria sua última volta vigorosamente, e não em fraqueza.

Oh, Senhor, deixa-me caminhar contigo
Em veredas humildes de serviço gratuito;
Ensina-me o teu segredo, ajuda-me a suportar
A tensão da prova, a preocupação dos cuidados.
Washington Gladden

■ 10.12

וַיֹּאמֶר אֵלַי אַל־תִּירָא דָנִיֵּאל כִּי מִן־הַיּוֹם הָרִאשׁוֹן אֲשֶׁר נָתַתָּ אֶת־לִבְּךָ לְהָבִין וּלְהִתְעַנּוֹת לִפְנֵי אֱלֹהֶיךָ נִשְׁמְעוּ דְבָרֶיךָ וַאֲנִי־בָאתִי בִּדְבָרֶיךָ׃

Então me disse: Não temas, Daniel. A *oração e a determinação* do homem bom tinham garantido, desde o começo, que ele seria divinamente ajudado naquilo que deveria fazer, pelo que alcançaria sucesso retumbante. Cf. Lc 1.11 ss., onde encontramos algo similar envolvendo o ministério angelical. "Enquanto nossa paixão dominante não for conhecer a Deus e à sua verdade, não poderemos saber muito sobre ele. Que propósito maior poderia existir para um homem aprender sobre Deus? Firmamos nossa mente para *conseguir*, mas poucos firmam sua mente para *compreender*. Mas se alguém faz disso o seu alvo, poderá confiar na promessa de Jesus: "Pedi, e dar-se-vos-á; buscai, e achareis; batei, e abrir-se-vos-á" (Mt 7.7)" (Gerald Kennedy, *in loc.*). Se assim são as coisas, não temos por que temer, pois se podemos conhecer o futuro então conhecemos aquele nas mãos de quem repousa nosso futuro. Poderá haver empecilhos (conforme mostra o vs. 13), mas a vitória final está assegurada, porque um homem bom não está sozinho naquilo que procura fazer. Cf. este versículo com Dn 9.23, onde encontramos algo similar.

■ 10.13

וְשַׂר מַלְכוּת פָּרַס עֹמֵד לְנֶגְדִּי עֶשְׂרִים וְאֶחָד יוֹם וְהִנֵּה מִיכָאֵל אַחַד הַשָּׂרִים הָרִאשֹׁנִים בָּא לְעָזְרֵנִי וַאֲנִי נוֹתַרְתִּי שָׁם אֵצֶל מַלְכֵי פָרָס׃

Mas o príncipe do reino da Pérsia me resistiu. O anjo que estava transmitindo a mensagem resolveu ensinar a Daniel o que ele precisava saber, para que ele pudesse transmitir essa mensagem a outros homens. Mas um grande poder havia detido o anjo, a saber, o príncipe espiritual da Pérsia. Se o anjo em questão é Gabriel, então temos um arcanjo ajudando a outro, porquanto Miguel chegara para auxiliar, libertando Gabriel para chegar a Daniel. A doutrina dos anjos guardiães de indivíduos amplia-se para anjos guardiães e orientadores de nações e reinos. Apesar de não ser dito que o poder que se opusera a Gabriel e a Miguel era mau, podemos supor isso, visto ter ele se oposto aos anjos e resistido ao plano divino que operava por meio de Daniel. Notemos, igualmente, que meros homens podem ser envolvidos no drama e na luta celestial. Este texto soa como se fosse Ef 6.12:

Porque a nossa luta não é contra o sangue e a carne, e, sim, contra os principados e potestades, contra os dominadores deste mundo tenebroso, contra as forças espirituais nas regiões celestes.

Outro ponto de vista, que elimina os *demônios*, é que a economia divina, operando como um gigantesco império, precisava de muitos poderes subordinados, que tinham domínio sobre várias localidades. Era inevitável algum conflito, tal como acontece quando poderes subordinados entram em choque, embora representem o mesmo governo. Esse tipo de visão é evidente em Eclesiástico 17.17, Jubileus 15.31,32 e Enoque 89.59. Nesse caso, em vez de poderes malignos se oporem a poderes bons, simplesmente temos um deslize na administração. A angelologia dos judeus entra em cena para mostrar as setenta nações (da tabela das nações, no cap. 10), cada uma delas tendo um guia que representava seus interesses no tribunal celestial. Orígenes, em seu *Comentário sobre João*, XIII.58, estranhamente comenta que alguns desses anjos patronos se converteram diante de Jesus, e isso ajudou o evangelho a espalhar-se rapidamente a algumas nações, em contraste com outros países.

Na angelologia posterior, esse anjo da Pérsia recebeu o nome de *Dubiel*. Não sabemos dizer por qual razão ele se opôs à missão de Daniel nesse ponto da carreira do profeta. Talvez ele apenas tenha querido manter o *status quo* em favor da Pérsia, nação que era de sua responsabilidade.

O vs. 21 e Dn 12.1 indicam que Miguel era o anjo patrono de Israel. Em Enoque 9.1 e 71.9, Miguel aparece como um dos sete arcanjos. Em Jd 9, ele é o anjo que contende com Satanás, e em Ap 12.7 ele guia as forças boas contra o dragão. Ver no *Dicionário* os artigos chamados *Gabriel* e *Miguel (Arcanjo)*.

A lição prática do texto é que as orações de um homem podem não ser respondidas por algum tempo porquanto há forças de oposição que impedem a resposta. Portanto, somente orações intensas e prevalentes podem vencer em casos difíceis. Que o leitor não desista porque suas orações não estão sendo respondidas. A vitória está ali para aqueles que buscam resposta com diligência. Ver no *Dicionário* o artigo chamado *Oração*.

Muito pode, por sua eficácia, a súplica do justo.
Tiago 5.16

Mais coisas são operadas pela oração
Do que este mundo sonha.
Alfred, Lord Tennyson

■ 10.14

וּבָאתִי לַהֲבִינְךָ אֵת אֲשֶׁר־יִקְרָה לְעַמְּךָ בְּאַחֲרִית הַיָּמִים כִּי־עוֹד חָזוֹן לַיָּמִים׃

Agora vim para fazer-te entender. A visão revelou o que aconteceria a Israel-Judá. Tudo quanto foi revelado passaria nos *últimos dias*, e Daniel deveria entender a questão para que pudesse transmitir com sucesso a mensagem ao povo. Cf. Dn 8.16 e 9.22,23. "A mensagem tinha a ver com os eventos que levavam ao fim, tal como sucedera à mensagem a Nabucodonosor, em Dn 2.28... A referência real era aos dias de Antíoco Epifânio IV, mas, na visão do escritor, esses seriam os últimos dias" (Arthur Jeffery, *in loc.*). Mas os dispensacionalistas transferem as profecias dos dias de Antíoco para os dias que precederão a inauguração do reino do Messias, que ainda jaz no futuro. "... uma revelação da guerra (10.1) entre Israel e seus vizinhos, até que a Israel será dada a paz pela chegada do Príncipe da Paz. Essa visão contém a mais detalhada revelação profética do livro de Daniel" (J. Dwight Pentecost, *in loc.*).

10.15

וּבְדַבְּר֣וֹ עִמִּ֔י כַּדְּבָרִ֖ים הָאֵ֑לֶּה נָתַ֧תִּי פָנַ֛י אַ֖רְצָה וְנֶאֱלָֽמְתִּי׃

Ao falar ele comigo estas palavras, dirigi o olhar para a terra. Novamente, o poder da voz e da presença do anjo fez Daniel desmaiar. Daniel voltou o rosto para o chão, mas não perdeu inteiramente os sentidos. Daniel já havia enfraquecido antes por essa espécie de esperança (Dn 7.15; 8.27). Agora ele ficou *silente*. Ver Dn 8.27 e Enoque 14.25. Provavelmente devemos entender a angústia do profeta, quando ele viu o que aconteceria e ficou mudo.

10.16

וְהִנֵּ֗ה כִּדְמוּת֙ בְּנֵ֣י אָדָ֔ם נֹגֵ֖עַ עַל־שְׂפָתָ֑י וָאֶפְתַּח־פִּ֗י וָאֲדַבְּרָה֙ וָאֹֽמְרָה֙ אֶל־הָעֹמֵ֣ד לְנֶגְדִּ֔י אֲדֹנִ֗י בַּמַּרְאָה֙ נֶהֶפְכ֤וּ צִירַי֙ עָלַ֔י וְלֹ֥א עָצַ֖רְתִּי כֹּֽחַ׃

E eis que uma como semelhança dos filhos dos homens me tocou os lábios. A dor de ver o que aconteceria ao povo fez Daniel emudecer, e foi preciso o toque de um dos *filhos dos homens* para restaurar sua capacidade de falar. O que ele quis dizer é que o anjo ou a restauração tinha *forma humana*, e não que era um ser humano, ou que qualquer ser humano poderia fazer o que é dito aqui. A Septuaginta diz "como a semelhança da mão de um homem". Se uma *mão fantasmagórica* pôde escrever uma mensagem importante em uma parede (Dn 5), então o mesmo tipo de fenômeno poderia acontecer de novo com um propósito diferente. A nova visão causou ao profeta *dores* comparáveis às de uma mulher na hora do parto (cf. 1Sm 4.19; Is 13.8), pois sua tristeza era severa. Talvez esteja em vista um novo anjo, ou então Gabriel continuava a ser o poder em ação. Mas a tradução de algumas versões, "Filho do Homem", é totalmente errada, especialmente se lhe dermos sentido messiânico, ou se supusermos que o Cristo preexistente está em mira.

10.17

וְהֵ֣יךְ יוּכַ֗ל עֶ֤בֶד אֲדֹנִי֙ זֶ֔ה לְדַבֵּ֖ר עִם־אֲדֹ֣נִי זֶ֑ה וַאֲנִ֣י מֵעַ֗תָּה לֹֽא־יַעֲמָד־בִּ֥י כֹ֛חַ וּנְשָׁמָ֖ה לֹ֥א נִשְׁאֲרָה־בִֽי׃

Como, pois, pode o servo do meu senhor falar com o meu senhor? "Senhor, sou Daniel, teu servo. Como posso falar contigo? Minhas forças desapareceram e é-me difícil respirar" (NCV). O profeta estava quase sufocado de tristeza. Cf. isso com o temor que se apoderou de Isaías, quando ele teve uma elevada visão (ver Is 6.5).

10.18

וַיֹּ֧סֶף וַיִּגַּע־בִּ֛י כְּמַרְאֵ֥ה אָדָ֖ם וַֽיְחַזְּקֵֽנִי׃

Então me tornou a tocar aquele semelhante a um homem. Este versículo repete o vs. 16 exceto pelo fato de que o toque angelical, em vez de restaurar somente a fala ao profeta, restaurou-lhe as forças. Ver as notas sobre o vs. 16. A expressão *me fortaleceu* é usada para indicar tanto forças morais quanto físicas. Cf. Sl 147.13; Ez 30.24; 34.4 e Os 7.15 (forças físicas); e Dt 1.38; 3.28; 2Sm 11.25; Is 41.7 (forças morais). "Apenas gradualmente Daniel recuperou suas forças. Portanto, houve necessidade desse segundo toque" (Fausset, *in loc.*).

10.19

וַיֹּ֜אמֶר אַל־תִּירָ֧א אִישׁ־חֲמֻד֛וֹת שָׁל֥וֹם לָ֖ךְ חֲזַ֣ק וַחֲזָ֑ק וּֽכְדַבְּר֤וֹ עִמִּי֙ הִתְחַזַּ֔קְתִּי וָאֹֽמְרָ֛ה יְדַבֵּ֥ר אֲדֹנִ֖י כִּ֥י חִזַּקְתָּֽנִי׃

Não temas, homem muito amado. Daniel torna a ser chamado de *muito amado*. Cf. Dn 9.23 e 10.12. O amor de Deus estava envolvido no ministério do profeta, pois, na verdade, o amor de Deus é a maior força que há no mundo. Ver no *Dicionário* o verbete intitulado *Amor*. Nós amamos porque ele nos amou primeiro (ver 1Jo 4.19), e é o amor humano-divino que tenta grandes coisas e cobre uma multidão de pecados (ver 1Pe 4.8). O amor de Deus transmitiu paz a Daniel, de tal maneira que seus temores se dissolveram. Em seguida, Daniel tornou-se forte como um touro, enquanto o anjo falava. Assim sendo, falou com o anjo para que lhe apresentasse a mensagem, pois ele estava pronto para ouvi-la. Encontramos aqui a antiga história de que precisamos de forças para realizar nossas missões, e que essa força é a força *divina*. De outro modo, até o homem bom desmaiaria, antes que tivesse a oportunidade de cumprir sua missão. Dentro da tradição mística, há a doutrina de que podemos obter forças "do ar", por assim dizer, e ser tomados por um poder para o qual não temos explicação. Isso nos torna parte da doutrina do *teísmo*, que ensina que o Criador intervém na história humana. O homem não foi abandonado pela força criadora, conforme o *deísmo* ensina. Ver sobre ambos os termos no *Dicionário*. Cf. este versículo com Lc 22.43.

10.20

וַיֹּ֗אמֶר הֲיָדַ֙עְתָּ֙ לָמָּה־בָּ֣אתִי אֵלֶ֔יךָ וְעַתָּ֣ה אָשׁ֔וּב לְהִלָּחֵ֖ם עִם־שַׂ֣ר פָּרָ֑ס וַאֲנִ֣י יוֹצֵ֔א וְהִנֵּ֥ה שַׂר־יָוָ֖ן בָּֽא׃

Sabes por que eu vim a ti? Embora o anjo devesse retornar em breve para continuar sua luta contra o anjo-guardião-líder da Pérsia, primeiramente ele transmitiria a mensagem a Daniel. Aquela era uma espécie de missão lateral. O anjo estava muito ocupado e tinha muitas coisas das quais cuidar. No meio (ou depois) do conflito contra o anjo da Pérsia, o anjo-guardião-líder da Grécia haveria de aparecer para perturbá-lo. Somente Miguel seria seu aliado naquelas *lutas celestiais* (conforme o vs. 21 passa a dizer). Quanto ao tema dos anjos e das nações guardadas, ver as notas bastante detalhadas no vs. 13, material que não repito aqui. Alguns estudiosos pensam que o anjo da Grécia, neste caso, é Alexandre, o Grande, mas é melhor supormos que o anjo guardião da Grécia seria a força e a inspiração de Alexandre, e isso explicaria como esse conquistador conseguiu fazer o que fez, incluindo a derrubada do império persa. Alexandre e seus sucessores também teriam muito para perturbar a Israel, nação à qual Gabriel e Miguel defenderiam.

10.21

אֲבָל֙ אַגִּ֣יד לְךָ֔ אֶת־הָרָשׁ֥וּם בִּכְתָ֖ב אֱמֶ֑ת וְאֵ֨ין אֶחָ֜ד מִתְחַזֵּ֤ק עִמִּי֙ עַל־אֵ֔לֶּה כִּ֖י אִם־מִיכָאֵ֥ל שַׂרְכֶֽם׃ פ

Mas eu te declararei o que está expresso na escritura da verdade. O anjo Gabriel revelaria a Daniel o que estava contido no *livro da verdade*. Em outras palavras, "o registro da verdade de Deus em geral, ou aquilo de que a Bíblia é uma das expressões" (John F. Walvoord, *Daniel, the Key to Prophetic Revelation*, pág. 250). O mensageiro celeste haveria de revelar a Daniel o "futuro profético" de Israel, os planos de Deus quanto ao povo israelita sob a Pérsia e a Grécia, e olhando, igualmente, para os verdadeiros últimos dias, antes do estabelecimento do reino de Deus. O Livro da verdade poderia ser o livro dos *decretos*, que inclui orientações divinas mediante profecias. Esses livros seriam os *dupsunati*, ou seja, os tabletes da sorte, que aparecem desde cedo no pensamento mesopotâmico. No Talmude (*Rosh ha-Shanah* 16) lemos como, no Dia do Ano Novo, os livros eram abertos e registrados, governando os eventos vindouros. Esses tabletes são mencionados com bastante frequência nos livros dos Jubileus e nos *Testamentos dos Doze Patriarcas*. Orígenes, em sua obra *Philocalia*, tem uma oração de José, precisamente em 23.15 daquele livro. Lemos ali: "Li nos *tabletes do céu* tudo quanto aconteceria contigo e com teus filhos". Tudo isso é uma maneira poética de falar da *Soberania de Deus* (ver a respeito no *Dicionário*) e de como ela opera entre os homens, como indivíduos ou como nações.

Somente Miguel estava ao lado de Gabriel nas muitas lutas celestiais que têm reflexos sobre a face da terra. Esses dois príncipes angelicais eram os anjos-guardiães-líderes de Israel. A implicação desse fato é que todas as potências do mundo estavam contra Israel e eram inspiradas e ajudadas por seus líderes angelicais.

CAPÍTULO ONZE

O livro de Daniel compõe-se essencialmente de *seis histórias* e *quatro visões*. As histórias ocupam os capítulos 1—6, e as visões, os capítulos 7—12. Quanto a detalhes sobre esse arranjo, ver o trecho intitulado "Ao Leitor", parágrafos quinto e sexto, apresentado imediatamente antes do começo da exposição sobre Dn 1.1. Os capítulos 10—12 na verdade expõem uma *única visão*, a quarta. O capítulo 10 atua como um prólogo para as visões. O capítulo 11 apresenta a *visão propriamente dita*, juntamente com sua interpretação. Então o capítulo 12 contém o *epílogo*.

A VISÃO E SUA INTERPRETAÇÃO (11.1—12.4)

Agora já avançamos para além do prólogo (capítulo 10) e chegamos à visão propriamente dita. Com base na interpretação, parece que, tal como o sonho do capítulo 7, bem como a visão do capítulo 8, *esta visão* diz respeito aos reinos que se seguirão sucessivamente até chegar o governo de Antíoco Epifânio (Antíoco IV). Seus atos atrozes faziam parte da grande tribulação que ocorreria antes do fim. "No capítulo 8 o império babilônico desaparece, o império medo-persa quase nem é mencionado, e isso a fim de que toda a atenção se concentre em torno do império grego. Aqui a Média já tinha caído, salvo a questão da data (vs. 1), e a Pérsia serve somente para introduzir a Grécia, cuja história, como uma potência oriental, é dada com maiores detalhes do que antes" (Arthur Jeffery, *in loc.*). Quanto aos dispensacionalistas, naturalmente, Antíoco Epifânio é apenas um tipo do anticristo vindouro, e *o fim* será o fim da era presente, que passará quando o reino de Deus for inaugurado.

O capítulo 11 divide-se naturalmente em três partes: vss. 1-4; vss. 5-20; e vss. 21-45. No começo de cada uma delas, dou um título que projeta a essência do que se segue.

OS ANTECESSORES DOS PRIMEIROS PTOLOMEUS E SELÊUCIDAS (11.1-4)

Ver o gráfico acompanhante dos reis ptolomeus e selêucidas, descritos em Dn 11.5-35. Dario, o medo, só reaparece aqui como uma forma de datar a visão.

■ 11.1

וַאֲנִי בִּשְׁנַת אַחַת לְדָרְיָוֶשׁ הַמָּדִי עָמְדִי לְמַחֲזִיק וּלְמָעוֹז לוֹ׃

Mas eu, no primeiro ano de Dario, o medo. Quanto à identificação de *Dario, o medo*, ver Dn 5.31. Esta é uma questão controvertida, mas não a repito agora. Em Dn 10.1 há a data, que aparece como o terceiro ano de Ciro (ver as notas expositivas ali). Alguns estudiosos pensam que a menção a Dario, aqui, é anticronológica e representa uma interpolação. Ou então a nota expositiva é apenas uma questão de breve menção do que aparece antes, sem nenhuma intenção de datar a profecia. "O anjo fora o anjo guardião de Dario, o medo, e agora, tratando Daniel como oficial de Ciro, passou a desdobrar a história" (*Oxford Annotated Bible*, na introdução à seção).

■ 11.2

וְעַתָּה אֱמֶת אַגִּיד לָךְ הִנֵּה־עוֹד שְׁלֹשָׁה מְלָכִים עֹמְדִים לְפָרַס וְהָרְבִיעִי יַעֲשִׁיר עֹשֶׁר־גָּדוֹל מִכֹּל וּכְחֶזְקָתוֹ בְעָשְׁרוֹ יָעִיר הַכֹּל אֵת מַלְכוּת יָוָן׃

Agora eu te declararei a verdade. A liderança da Pérsia, nos dias de Daniel (quando a visão foi dada), seria sucedida por *três governantes*, presumivelmente Cambises, Dario I e Xerxes I. Esses três viriam depois de *Ciro*, que era o rei da Pérsia quando a visão foi dada (ver Dn 10.1). Ele é o Assuero que figura no livro de Ester (e que governou de 485 a 465 a.C.), tendo sido o mais rico, o mais poderoso e o mais influente dos quatro governantes. Ver Heródoto (*Hist.* VII.20 ss.). Durante seu reinado ocorreram as guerras contra a Grécia. Ver no *Dicionário* o artigo sobre a *Pérsia*, quanto a detalhes. Mais de quatro reis estiveram envolvidos nesse período, pelo que os intérpretes dão diferentes listas. Talvez devamos entender que somente os reis realmente mencionados na Bíblia devam ser incluídos na lista. Ou o número *quatro* não visava ser exato, mas somente simbólico, indicando o governo completo da Pérsia, que foi destruído pela invasão grega. O anjo daria a Daniel a *verdade* concernente a todas essas questões, e o que essa verdade significaria para o povo de Israel. Cf. Dn 10.21.

■ 11.3

וְעָמַד מֶלֶךְ גִּבּוֹר וּמָשַׁל מִמְשָׁל רַב וְעָשָׂה כִּרְצוֹנוֹ׃

Depois se levantará um rei, poderoso. Esse poderoso rei seria Alexandre, o Grande, cabeça do império greco-macedônio, que derrubou o império persa, fechando as páginas da história sobre aquela potência. Quando Alexandre se pôs de pé, o mundo todo foi abalado, e em breve (no curto espaço de onze anos — 334-323 a.C.) o mundo inteiro da época estava sob seus pés. Alexandre morreu com apenas 32 anos de idade, devido à malária e às complicações com o alcoolismo. Talvez seu extraordinário poder e sucesso tenha decorrido do poder concedido pelo anjo guardião da Grécia (ver Dn 10.20). Ver Alexandre como o bode de Dn 8.5-21. Ele fazia tudo de acordo com os ditames de sua vontade (cf. os vss. 16 e 36 e também Dn 8.4). Quintus Curtius, *História de Alexandre* X.5.35, diz: "Pelo favor de sua fortuna, ele parecia, aos povos, ser capaz de fazer o que bem entendesse".

■ 11.4

וּכְעָמְדוֹ תִּשָּׁבֵר מַלְכוּתוֹ וְתֵחָץ לְאַרְבַּע רוּחוֹת הַשָּׁמָיִם וְלֹא לְאַחֲרִיתוֹ וְלֹא כְמָשְׁלוֹ אֲשֶׁר מָשָׁל כִּי תִנָּתֵשׁ מַלְכוּתוֹ וְלַאֲחֵרִים מִלְּבַד־אֵלֶּה׃

Mas, no auge, o seu reino será quebrado. *Os generais de Alexandre*, por ocasião de sua morte, dividiram o reino em quatro partes principais, conforme é indicado pelos quatro ventos. Cf. Dn 8.8, onde anoto a questão. Ver no *Dicionário* o artigo chamado *Alexandre, o Grande*, quanto a detalhes. De Seleuco I surgiram os selêucidas, os governantes da Síria. Ver o gráfico acompanhante. Os quatro reis seriam como "irmãs fracas", em comparação a ele: "Eles não teriam o poder que ele tinha. Isso porque o seu reino seria dividido e dado a outro povo" (NCV). Alexandre não fundou um império no seu verdadeiro sentido. Ele não teve herdeiros. Seu reino foi dividido e envolveu-se em muitos conflitos, incluindo aqueles de uns reinos contra os outros.

A Divisão:
1. Seleuco (sobre a Síria e a Mesopotâmia)
2. Ptolomeu (sobre o Egito)
3. Lisímaco (sobre a Trácia e parte da Ásia Menor)
4. Cassandro (sobre a Macedônia e a Grécia)

Essas quatro divisões correspondem às quatro cabeças do leopardo (ver Dn 7.6) e aos quatro chifres proeminentes do bode (ver Dn 8.8).

HISTÓRIA DOS PRIMEIROS PTOLOMEUS E SELÊUCIDAS (11.5-20)

■ 11.5

וְיֶחֱזַק מֶלֶךְ־הַנֶּגֶב וּמִן־שָׂרָיו וְיֶחֱזַק עָלָיו וּמָשָׁל מִמְשָׁל רַב מֶמְשַׁלְתּוֹ׃

O rei do Sul será forte, como também um de seus príncipes. Os vss. 21-45 dão descrições sobre as atrocidades de Antíoco Epifânio (175-164 a.C.). Ele seguia a linha dos selêucidas. Ver o gráfico acompanhante que ilustra as linhas dos ptolomeus e dos selêucidas, os dois reinos que tiveram relações especiais com Israel, pelo que recebem atenção especial no livro. A *presente seção* contém insuperáveis problemas históricos, pelo que alguns intérpretes têm sido tentados a fazê-la aplicar-se a alguma outra coisa, e não aos ptolomeus e selêucidas, ou a atribuí-la a algum outro período histórico, ainda futuro. Mas isso nos afasta das intenções do autor. Temos de contentar-nos em compreender a mensagem principal, sem nos atolar nas particularidades da história.

"Os reis do Sul foram os ptolomeus; e os do Norte foram os seleucidas. Aqui, o *rei* é Ptolomeu I, o príncipe que era mais forte que os seleucidas" (*Oxford Annotated Bible*, comentando sobre o vs. 5). O poder comparativo, como é lógico, variava de acordo com a época, pois algumas vezes os ptolomeus estiveram mais fortes, e outras vezes os mais fortes eram os seleucidas. Ptolomeu I Soter não se podia comparar a Alexandre, mas foi um dos mais hábeis e poderosos reis entre os monarcas que se seguiriam, e, sem dúvida, dotado da maior visão e sabedoria dentre os generais de Alexandre. Ele escolheu o Egito como a esfera de seu governo. Ele era um macedônio, filho de Lagos, pelo que a dinastia que ele governava algumas vezes é chamada de *Lagidae*. Ver o artigo geral do *Dicionário* chamado *Ptolomeu*. Apresento algumas notas específicas sobre Ptolomeu I Soter, na terceira seção desse artigo, chamado *Informes Históricos Relacionados a Esses Reis*, seção a.

■ 11.6

וּלְקֵץ שָׁנִים יִתְחַבָּרוּ וּבַת מֶלֶךְ־הַנֶּגֶב תָּבוֹא אֶל־מֶלֶךְ הַצָּפוֹן לַעֲשׂוֹת מֵישָׁרִים וְלֹא־תַעְצֹר כּוֹחַ הַזְּרוֹעַ וְלֹא יַעֲמֹד וּזְרֹעוֹ וְתִנָּתֵן הִיא וּמְבִיאֶיהָ וְהַיֹּלְדָהּ וּמַחֲזִקָהּ בָּעִתִּים:

Mas, ao cabo de anos, eles se aliarão um com o outro. Os antigos com frequência reuniam dois reinos opostos mediante casamentos mistos. Houve uma tentativa dessa natureza na aliança de casamento entre os seleucidas e os ptolomeus. Em cerca de 250 a.C., Ptolomeu II Filadelfo deu sua filha, Berenice, em casamento a Antíoco II Teos. Mas para isso Antíoco teve de divorciar-se de sua esposa, Laodice. Além do mais, seus dois filhos, Seleuco e Antíoco, tiveram de ser barrados da sucessão. Eles cederam lugar para que um filho de Berenice ocupasse o trono. Mas Antíoco II Teos não conseguiu esquecer Laodice, nem mesmo diante da atração do poder, do prestígio e do dinheiro de Berenice. Após dois anos, Antíoco voltou para a companhia de Laodice; ela, contudo, não teve uma atitude compreensiva. O rei morreu subitamente (por envenenamento), sendo provável que Laodice tenha planejado a execução privada do marido. Berenice e muitos de seus auxiliares também caíram vitimados pela vingança de Laodice. O vs. 6 conta, de forma muito abreviada, o que acabo de explicar. A moral da história é: "Nunca subestime uma dama da linhagem grega!" Calínico, o filho de Laodice, subiu ao trono, e houve um período de grande confusão.

■ 11.7,8

וְעָמַד מִנֵּצֶר שָׁרָשֶׁיהָ כַּנּוֹ וְיָבֹא אֶל־הַחַיִל וְיָבֹא בְמָעוֹז מֶלֶךְ הַצָּפוֹן וְעָשָׂה בָהֶם וְהֶחֱזִיק:

וְגַם אֱלֹהֵיהֶם עִם־נְסִכֵיהֶם עִם־כְּלֵי חֶמְדָּתָם כֶּסֶף וְזָהָב בַּשְּׁבִי יָבִא מִצְרָיִם וְהוּא שָׁנִים יַעֲמֹד מִמֶּלֶךְ הַצָּפוֹן:

Mas do renovo da linhagem dela um se levantará. Esse renovo foi Ptolomeu III, que capturou a fortaleza da Selêucia e trouxe de volta muitos bens, por meio do saque. Os vss. 7-9 tratam de Ptolomeu III Evergetes e Seleuco III Calínico. Para vingar o assassinato de Berenice, sua irmã, Ptolomeu III invadiu a área da Selêucia, tomou-a para controlar o porto de Antioquia e, ao que tudo indica, atacou grande parte da Síria e da Babilônia. Não tivesse ele sido chamado de volta para abafar uma séria insurreição no Egito, poderia ter conquistado todo o reino seleucida. Como prêmio de consolação, ele trouxe de volta para sua terra imensos despojos. Todavia, o império seleucida voltou a ferir. Somente dois anos mais tarde, Seleuco, filho de Laodice, invadiu o Egito. Mas logo teve de retroceder, depois de sofrer esmagadora derrota. Ele correu de volta para o norte e desistiu da ideia. Ptolomeu continuou no poder por mais tempo do que o seu rival do norte, e a história conta como isso aconteceu, com exatidão. Selêucia, cidade fortificada às margens do mar Mediterrâneo, pertencente à Selêucia, foi governada por Ptolomeu por muitos anos, conforme informa Políbio. Parte dessa história foi que Ptolomeu III mandou executar Laodice como coroamento de sua vingança. Prisioneiros de guerra foram reduzidos a escravos no Egito, provendo assim mão de obra barata. E então, como era usual, os *deuses* foram furtados dos lares. Esses deuses representavam os poderes do trono rival e, uma vez arrebatados, presumivelmente a Selêucia se debilitaria. Esse era um procedimento padronizado nas guerras antigas. Cf. como Nabucodonosor levou os vasos do templo para a Babilônia. Ver Jr 52.17 ss. quanto a essa história. Jerônimo adianta que Ptolomeu levou 2.500 imagens! Contudo, não sabemos dizer quão exata é essa informação.

Ptolomeu III reinou por cerca de 25 anos e, ao que parece, viveu seis anos mais que Seleuco II. Este último monarca governou por cerca de dezenove anos. Ver o gráfico acompanhante. A isso alude a última parte deste versículo.

■ 11.9

וּבָא בְּמַלְכוּת מֶלֶךְ הַנֶּגֶב וְשָׁב אֶל־אַדְמָתוֹ:

Mas depois este avançará contra o reino do rei do Sul. Se o rei do sul (Ptolomeu III) tivesse resistido e terminado a sua campanha, provavelmente acabaria controlando toda a Selêucia. Contudo, uma insurreição fê-lo voltar à sua terra. Essa é a compreensão de alguns intérpretes e tradutores. Outros estudiosos, contudo, dispondo de uma tradução diferente, fazem Seleuco II contra-invadir o Egito, mas isso sem nenhuma vantagem. De fato, a invasão terminou em desastre, pelo que ele voltou à sua terra, no norte, para lamber seus ferimentos. Essa é a compreensão transmitida pela Septuaginta. O homem finalmente morreu de morte acidental, ao cair do cavalo, e foi sucedido por seu filho, Seleuco II Soter (227-223 a.C.).

■ 11.10

וּבָנָיו יִתְגָּרוּ וְאָסְפוּ הֲמוֹן חֲיָלִים רַבִּים וּבָא בוֹא וְשָׁטַף וְעָבָר וְיָשֹׁב וְיִתְגָּרוּ עַד־מָעֻזֹּה:

Os seus filhos farão guerra. Os vss. 10-19, na maior parte, abordam o reinado de Antíoco III, chamado de o Grande (223-187 a.C.). "O filho mais velho de Seleuco sucedeu-o em 227 a.C., atendendo pelo nome de Seleuco III Cerauno. Assassinado durante uma campanha na Ásia Menor, foi sucedido por seu irmão, Antíoco. Não muito depois de sua sucessão, Antíoco III atacou a Palestina. Em duas campanhas, derrotou os exércitos de Ptolomeu IV Filopater e conquistou considerável parte do país. Em 217 a.C., entretanto, a maré foi revertida, e Ptolomeu obteve vitória decisiva em Ráfia, pelo que o Egito recuperou o controle da Palestina. Contudo, Ptolomeu morreu misteriosamente em 203 a.C., sendo sucedido por seu jovem filho, Ptolomeu V. Então Antíoco foi capaz de aventurar-se novamente contra o Egito e derrotou o general Scopas, em Banias, cercou-o em Sidom, entrou em Jerusalém e neutralizou o Egito ao casar a filha dele, Cleópatra, com o jovem Ptolomeu. Tentando estender seu poder na direção do Ocidente, ele foi derrotado desastrosamente nas Termópilas, em 191 a.C., e em Magnésia, em 190 a.C. Em 187/186 a.C., ele foi morto quando tentava vingar-se de suas derrotas ao saquear o templo em Elimais" (Arthur Jeffery, *in loc.*).

Os filhos de Seleuco II foram Seleuco III e Antíoco III. Este último foi quem atacou o Egito, conforme as notas anteriores. Antíoco III, o Grande, tornou-se rei em 223 a.C., aos 18 anos de idade, e reinou durante 36 anos, tendo morrido em 187 a.C. Ver o gráfico acompanhante.

■ 11.11-13

וְיִתְמַרְמַר מֶלֶךְ הַנֶּגֶב וְיָצָא וְנִלְחַם עִמּוֹ עִם־מֶלֶךְ הַצָּפוֹן וְהֶעֱמִיד הָמוֹן רָב וְנִתַּן הֶהָמוֹן בְּיָדוֹ:

וְנִשָּׂא הֶהָמוֹן יָרוּם לְבָבוֹ וְהִפִּיל רִבֹּאוֹת וְלֹא יָעוֹז:

וְשָׁב מֶלֶךְ הַצָּפוֹן וְהֶעֱמִיד הָמוֹן רַב מִן־הָרִאשׁוֹן וּלְקֵץ הָעִתִּים שָׁנִים יָבוֹא בוֹא בְּחַיִל גָּדוֹל וּבִרְכוּשׁ רָב:

Então este se exasperará, sairá, e pelejará contra ele. *Ptolomeu IV* enviou exércitos que atravessaram a Palestina e derrotaram Antíoco, em Ráfia; mas Antíoco reagiu e esmagou os egípcios em

Banias. Ptolomeu IV Filopater governou de 221 a 204 a.C. Ver nas notas sobre o vs. 10 um sumário das diversas batalhas ocorridas, com suas marchas, contramarchas e reversões. "Ptolomeu IV foi forçado a retroceder por Antíoco III, o Grande... Ele se encontrou com Antíoco nas fronteiras ao sul do território de Israel. Inicialmente, conseguiu adiar a invasão encabeçada por Antíoco, tendo matado a muitos milhares de homens. Mas após breve interrupção, Antíoco retornou com outro exército, muito maior que o primeiro, e virou ao contrário o rei do sul" (J. Dwight Pentecost, *in loc.*). Os críticos, naturalmente, veem em todos esses detalhes intrincados "a narração histórica, *como se fosse* profecia", escrita por um autor posterior, e não pelo Daniel da época de Nabucodonosor. Ver a III seção da *Introdução* ao livro.

11.14

וּבָעִתִּים הָהֵם רַבִּים יַעַמְדוּ עַל־מֶלֶךְ הַנֶּגֶב וּבְנֵי פָּרִיצֵי עַמְּךָ יִנַּשְּׂאוּ לְהַעֲמִיד חָזוֹן וְנִכְשָׁלוּ׃

Naqueles tempos se levantarão muitos contra o rei do Sul. Enquanto Ptolomeu foi rei-criança, ocorreram várias insurreições no próprio Egito, pelo que houve tribulações internas e externas. O regente do jovem rei chamava-se Agatocles, e as rebeliões foram dirigidas contra ele. Esse homem tinha sido o principal ministro de Ptolomeu IV. Ele era homem dado a oprimir (Políbio, *História* XV.25,34), pelo que merecia os ataques que sofreu. Alguns pensam que a referência é à aliança de Antíoco com Filipe da Macedônia para garantir um ataque prolongado contra o Egito. Possivelmente a referência é lata o suficiente para incluir ambas as coisas.

11.15

וְיָבֹא מֶלֶךְ הַצָּפוֹן וְיִשְׁפֹּךְ סוֹלֲלָה וְלָכַד עִיר מִבְצָרוֹת וּזְרֹעוֹת הַנֶּגֶב לֹא יַעֲמֹדוּ וְעַם מִבְחָרָיו וְאֵין כֹּחַ לַעֲמֹד׃

O rei do Norte virá, levantará baluartes, e tomará cidades fortificadas. O conflito entre os dois reinos continuou durante vários anos, e, para os contemporâneos, houve batalhas significativas. O texto do livro de Daniel é por demais vago para identificar, em todos os casos, o que está exatamente em pauta. Talvez o vs. 15 se refira ao cerco de Sidom, em 198 a.C. Antíoco obteve vantagem ali e entrou em Jerusalém. Em seguida, neutralizou o Egito, por meio do casamento descrito no vs. 10.

"*Vss. 15-17.* Antíoco III fez uma campanha contra o Egito, tendo-se apossado da Palestina, e então selou a paz com o Egito, ao casar sua filha com o jovem Ptolomeu" (*Oxford Annotated Bible,* comentando sobre o vs. 15). A captura de Sidom ocorreu em 203 a.C. Aí por volta do ano 199 a.C., a ocupação da Palestina se completou.

11.16

וְיַעַשׂ הַבָּא אֵלָיו כִּרְצוֹנוֹ וְאֵין עוֹמֵד לְפָנָיו וְיַעֲמֹד בְּאֶרֶץ־הַצְּבִי וְכָלָה בְיָדוֹ׃

O que, pois, vier contra ele, fará o que bem quiser. Antíoco manteve a pressão contra Ptolomeu V e conservou sua vantagem a ponto de fazer o que queria, sem sofrer grande oposição: "Ninguém será capaz de resistir contra ele. Ele obteria poder e controlaria a bela terra de Israel" (NCV). A *terra gloriosa* já havia recebido esse título em Dn 8.9, que é um toque de orgulho local por aquele lugar sujeito às bênçãos especiais de Yahweh. A Palestina inteira, assim sendo, ficou sob o poder de Antíoco por volta de 199 a.C. A *King James Version* diz "destruído" em lugar de "todos" (*kalah* em lugar de *kullah*, conforme o hebraico compreendia). Mas à emenda *kullah*, "todos" parece preferível.

11.17

וְיָשֵׂם פָּנָיו לָבוֹא בְּתֹקֶף כָּל־מַלְכוּתוֹ וִישָׁרִים עִמּוֹ וְעָשָׂה וּבַת הַנָּשִׁים יִתֶּן־לוֹ לְהַשְׁחִיתָהּ וְלֹא תַעֲמֹד וְלֹא־לוֹ תִהְיֶה׃

Resolverá vir com a força de todo o seu reino. Após ter alcançado sucesso na Síria, Antíoco invadiria o Egito. Seu rosto se voltaria para essa tarefa, e ele teria a força para tanto. Sabemos que as cidades costeiras da Cilícia, da Lícia e da Cária foram tomadas nessa campanha, mas a história não se mostra muito clara sobre o Egito propriamente dito. Ver Lívio (*História* XXXIII.9.6-11). Antíoco primeiramente derrotou os egípcios fora do reino deles, e então os egípcios dentro do Egito. O "acordo" citado aqui refere-se à aliança do casamento que neutralizou o Egito, descrita nas notas do vs. 10. "Cleópatra se estabeleceu com felicidade no Egito; defendeu a causa de seu marido e encorajou a aliança dos egípcios com Roma, o que se revelou fatal para os planos de Antíoco" (Arthur Jeffery, *in loc.*).

11.18,19

וְיָשֵׁב פָּנָיו לְאִיִּים וְלָכַד רַבִּים וְהִשְׁבִּית קָצִין חֶרְפָּתוֹ לוֹ בִּלְתִּי חֶרְפָּתוֹ יָשִׁיב לוֹ׃

וְיָשֵׁב פָּנָיו לְמָעוּזֵּי אַרְצוֹ וְנִכְשַׁל וְנָפַל וְלֹא יִמָּצֵא׃

Depois se voltará para as terras do mar. Antíoco, pensando que poderia fazer qualquer coisa, voltou em seguida sua atenção para a Ásia Menor (197 a.C.) e então para a Grécia (197 a.C.). Mas foi nessa ocasião que Roma enviou Cornélio Cipião (um general) para detê-lo. Ele foi forçado a voltar a seu país em 188 a.C. e morreu um ano mais tarde. Assim, a dança enlouquecida dos insensatos se acalmou e uma nova potência — Roma — começou a surgir. Alexandre sonhou com um império grego unido, *a la Alexandre, o Grande,* mas a época dos gregos já havia passado, e chegara a hora dos romanos. Exceto como referência histórica, seria impossível arrancar algum sentido desses versículos: "... as ilhas..." possivelmente significam as cidades costeiras, a começar pela Ásia Menor. O "comandante" foi Cipião. Ele pôs fim à *insolência* de Antíoco (RSV). Esse comandante esmagou Antíoco em Magnésia, forçando-o a aceitar humilhantes condições de paz. Lívio (*História* XXXIII.40) e Políbio (*História* XVIII.51.1,2) falam da insolência de Antíoco e de suas ameaças contra Roma, que finalmente foram um tiro pela culatra. Ele foi forçado a recuar através do Taurus até voltar a seus próprios territórios. Ele tentou saquear o templo em Elimais, e isso lhe custou a vida (Políbio, *História* XXI.14.7). Foi assim que ele "tropeçou e caiu", conforme o título nos diz.

11.20

וְעָמַד עַל־כַּנּוֹ מַעֲבִיר נוֹגֵשׂ הֶדֶר מַלְכוּת וּבְיָמִים אֲחָדִים יִשָּׁבֵר וְלֹא בְאַפַּיִם וְלֹא בְמִלְחָמָה׃

Levantar-se-á, depois, em lugar dele. O "exator" ou cobrador de impostos foi Seleuco IV Filopater (que governou de 187 a 176 a.C.), o qual era filho de Antíoco. Ver o gráfico acompanhante. Seus altos impostos (angariados para que ele pudesse pagar tributos a Roma) afligiram o povo. Mas Heliodoro, seu tesoureiro, o envenenou, pelo que ele morreu "sem ira nem batalha", conforme o texto informa. Ele foi um governante sem popularidade (Apiano, *História Romana* VI.10.60). O mesmo autor fala de sua morte por envenenamento (*op. cit.* XI.8.45). Heliodoro era o irmão de criação desse homem, pelo que houve *traição* envolvida na questão, uma característica comum da política. Parece que há alguma evidência favorável à teoria de que seu sucessor (e irmão), Antíoco IV Epifânio, esteve envolvido nos planos. Ele governou de 175 a 163 a.C.

AS ATROCIDADES DE ANTÍOCO EPIFÂNIO (11.21-45)

11.21

וְעָמַד עַל־כַּנּוֹ נִבְזֶה וְלֹא־נָתְנוּ עָלָיו הוֹד מַלְכוּת וּבָא בְשַׁלְוָה וְהֶחֱזִיק מַלְכוּת בַּחֲלַקְלַקּוֹת׃

Depois se levantará em seu lugar um homem vil. Esse homem horrendo era filho de Antíoco III, o Grande. Ele foi o mais poderoso e temido dos selêucidas. Cometeu mais atrocidades que todos os seus antecessores combinados. Esta longa seção foi dedicada a ele por causa de seu relacionamento com Israel. Ele infligiu contra os judeus um prolongado período de sofrimentos e tornou-se assim um tipo do anticristo. Ele é o *pequeno chifre* de Dn 7.8. Ver no *Dicionário* o verbete chamado *Antíoco Epifânio,* quanto a detalhes.

Antíoco Epifânio não estava na linha de sucessão, mas tornou-se rei por manipulação, traição e lisonjas, isto é, a política usual. Era uma pessoa *desprezível*. Ele assumiu o nome *Epifanes*, que significa "o Ilustre". Esse ato de insolência era típico de seu ego tresloucado. Na realidade, ele foi chamado de *Louco*, sendo facilmente possível que fosse, de fato, mentalmente desequilibrado. O trono deveria ter acabado nas mãos de Demétrio Soter, filho de Seleuco IV Filopater. Antíoco Epifânio apoderou-se do trono e foi inicialmente favorecido por ter-se mostrado suficientemente forte para fazer recuar um exército invasor, provavelmente os egípcios (vs. 22). Ele era pensador hábil e orador habilidoso, cujas guerras com palavras eram tão eficazes como suas guerras com armas. Gostava de valer-se de traições, lisonjas e truques. A palavra hebraica para as lisonjas é *halaqlaq*, que tem o sentido básico de *esperteza suave*.

■ **11.22**

וּזְרֹעוֹת הַשֶּׁטֶף יִשָּׁטְפוּ מִלְּפָנָיו וְיִשָּׁבֵרוּ וְגַם נְגִיד בְּרִית:

As forças inundantes serão arrasadas de diante dele. Antíoco Epifânio era alguém que sabia falar, mas também era bom guerreiro, tendo alcançado êxito em sua primeira ação militar, fazendo um exército (provavelmente egípcio) retroceder. Mas alguns intérpretes opinam que o presente versículo se refere ao fato de ele ter derrotado um "exército de candidatos" ao trono real. O "príncipe da aliança" parece ter sido Onias III, o sumo sacerdote dos judeus, deposto por Antíoco e logo executado. Fazia parte de seus planos consolidar seu poder, bem como helenizar eventualmente os judeus. A interpretação crítico-liberal sobre as *setenta semanas* (ver o gráfico e os comentários em Dn 9.26) repousa parcialmente sobre esse acontecimento, em que o príncipe que foi *cortado* seria então Onias III, e não o Messias. Ver 2Macabeus 4.7-10,33,36. O infeliz Onias foi deposto em 175 a.C. e executado em 170 a.C.

■ **11.23**

וּמִן־הִתְחַבְּרוּת אֵלָיו יַעֲשֶׂה מִרְמָה וְעָלָה וְעָצַם בִּמְעַט־גּוֹי:

Apesar da aliança com ele, usará de engano. As várias alusões deste versículo deixam os intérpretes perplexos, pelo que o melhor que podemos fazer aqui é tentar adivinhar os significados. Este versículo, ao falar em uma "aliança", pode estar falando de um acordo estabelecido entre Antíoco e Onias, ou com os judeus, ou de um acordo de natureza não especificada. Ou então devemos pensar no acordo com Jasom, que tomou o lugar de Onias. Ou então, ainda, de uma aliança insincera com Ptolomeu. Antíoco Epifânio também fez aliança com os pergamenes, que o ajudaram a subir ao poder. Porém, sem importar qual(is) tenha(m) sido o(s) pacto(s), ele(s) foi(ram) feito(s) visando vantagem pessoal, mediante o emprego de truques e insinceridade, algo frequentemente muito usado pelos políticos. Numericamente falando, Antíoco não contava com grande apoio, o que significa que ele foi levantado ao poder sem ser uma figura popular e sem contar com o apoio das massas populares. Ele não foi um democrata, mas um déspota espertalhão. Não era do tipo que disputaria uma eleição. Suas manobras por trás do palco eram mais eficazes do que a busca por votos e pela aclamação popular.

■ **11.24**

בְּשַׁלְוָה וּבְמִשְׁמַנֵּי מְדִינָה יָבוֹא וְעָשָׂה אֲשֶׁר לֹא־עָשׂוּ אֲבֹתָיו וַאֲבוֹת אֲבֹתָיו בִּזָּה וְשָׁלָל וּרְכוּשׁ לָהֶם יִבְזוֹר וְעַל מִבְצָרִים יְחַשֵּׁב מַחְשְׁבֹתָיו וְעַד־עֵת:

Virá também caladamente aos lugares mais férteis da província. O poder de Antíoco Epifânio foi crescendo, e em breve ele tinha todo o dinheiro da *província*, o que provavelmente devemos entender como a *Palestina*. Ele atacou e saqueou as regiões mais ricas, visando obter vantagens pessoais. Foi tão bem-sucedido em suas traições que conseguiu o que seus antepassados não puderam fazer. Também atacou países estrangeiros e levou deles muitos tesouros, distribuindo essas riquezas entre seus apoiadores fiéis. Seu sucesso desconhecia limites, mas perduraria por pouco tempo. De fato, ele se manteve no poder por somente doze anos, mas foram doze anos repletos de atrocidades.

"*Saques, despojos e bens...* Essas palavras nos fazem lembrar das muitas referências às atividades saqueadoras de Antíoco (ver 1Macabeus 1.19; 3.31; Políbio, *História* XXXI.9.1). A generosidade de Antíoco, ao distribuir abundantemente aos que viviam ao seu redor, concorda com a história do período. Josefo (*Antiq.* XII.7.2) também mencionou essas atividades" (Arthur Jeffery, *in loc.*). O homem ultrapassou seus antepassados no tocante aos saques e à distribuição de riquezas entre seus apoiadores. Ele se tornou um *homem distintivo*, quanto a seus feitos e excessos.

■ **11.25-28**

וְיָעֵר כֹּחוֹ וּלְבָבוֹ עַל־מֶלֶךְ הַנֶּגֶב בְּחַיִל גָּדוֹל 25 וּמֶלֶךְ הַנֶּגֶב יִתְגָּרֶה לַמִּלְחָמָה בְּחַיִל־גָּדוֹל וְעָצוּם עַד־מְאֹד וְלֹא יַעֲמֹד כִּי־יַחְשְׁבוּ עָלָיו מַחֲשָׁבוֹת:

וְאֹכְלֵי פַת־בָּגוֹ יִשְׁבְּרוּהוּ וְחֵילוֹ יִשְׁטוֹף וְנָפְלוּ 26 חֲלָלִים רַבִּים:

וּשְׁנֵיהֶם הַמְּלָכִים לְבָבָם לְמֵרָע וְעַל־שֻׁלְחָן אֶחָד 27 כָּזָב יְדַבֵּרוּ וְלֹא תִצְלָח כִּי־עוֹד קֵץ לַמּוֹעֵד:

וְיָשֹׁב אַרְצוֹ בִּרְכוּשׁ גָּדוֹל וּלְבָבוֹ עַל־בְּרִית קֹדֶשׁ 28 וְעָשָׂה וְשָׁב לְאַרְצוֹ:

Suscitará a sua força e o seu ânimo contra o rei do Sul. Tendo consolidado seu poder, Antíoco atacou o Egito, porque ali havia mais poder e bens a serem obtidos. O "rei do sul" foi atacado em 170 a.C. Nas fronteiras com o Egito, ele teve de enfrentar o exército egípcio. Isso ocorreu em Pelúsio, que ficava perto do delta do rio Nilo. Embora os egípcios contassem com numeroso exército, foram derrotados. Então Antíoco resolveu mostrar-se amigo desse povo, e ambos os lados favoreciam a cessação das hostilidades, mas suas esperanças nunca se cristalizaram, pois ambos se mostravam espertos e enganadores, o que novamente é próprio da política.

"Em 169 a.C., Antíoco invadiu o Egito e capturou Ptolomeu VI. Mas dificuldades em sua pátria o forçaram a deixar o Egito e, a caminho de volta (levando muito despojo), ele saqueou Jerusalém e o tesouro do templo" (*Oxford Annotated Bible*, na introdução aos vss. 25-28). Foi nesse tempo que começaram as grandes atrocidades de Antíoco IV Epifânio contra os judeus, e essa circunstância inspirou o autor sacro a passar algum tempo descrevendo o sucesso das campanhas de Antíoco. O vs. 25 mostra-nos que seu sucesso contra o Egito foi prejudicado por *conspirações* em sua pátria, traições da parte de alguns de seu próprio povo. Eles "fizeram planos contra ele". Ver o vs. 26.

O *vs. 26* pode referir-se a parte das conspirações contra Epifânio. As pessoas que tinham aceitado riquezas da parte dele não hesitaram em atacá-lo pelas costas. E também deram-lhe maus conselhos que o levaram a entrar em conflito com seu sobrinho, o qual, eventualmente, foi feito cativo. Ver os detalhes sobre isso em Políbio, *História* XXVIII.21; Diodoro Sículo, XXX.17. O fato de Antíoco ter saqueado Jerusalém incluiu, naturalmente, grande matança do povo judeu (1Macabeus 1.20-24; 2Macabeus 5.11-16; Josefo, *Guerras*, 1.1.1; *Antiq.* XII.5.3). Tendo aprisionado seu sobrinho, Ptolomeu, ele fingiu estar agindo em seu favor, mas o que sucedeu foi que conseguiu submeter larga porção do Egito. Foi forçado a parar em Alexandria. O romano Políio Laenas estragou os planos de Antíoco. Ele precisou evacuar o Egito, pelo que sua ira se voltou contra os judeus não helenizados de Jerusalém.

Antíoco contaminou o templo em 167 a.C. O vs. 27 refere-se à *falsa barganha* de Antíoco no Egito. Os dois reis que figuram naquele versículo são Antíoco e Ptolomeu Filometer, seu sobrinho. Teoricamente, Filometer estava em aliança com seu tio contra o irmão mais novo do usurpador. Foi assim que Antíoco reuniu riquezas e conquistou terras, presumivelmente em favor de Filometer, mas, na realidade, ele não se importava em nada com seu sobrinho. Ele agia em interesse próprio o tempo todo (segundo disse Lívio XLV.11.1). Todo esse esquema teve um *fim nomeado*, que alguns estudiosos fazem ser uma referência escatológica, transferindo tudo para o fim dos tempos e elegendo o anticristo como a verdadeira personagem traiçoeira. Ou o fim pode ter sido do poder e da vida de Antíoco, ou então da guerra. Mas alguns insistem em dizer: "O Fim".

Então tornará para a sua terra com grande riqueza. Antíoco voltou para sua terra levando muitos despojos, pelo que seu tempo passado no Egito não foi desperdiçado. O grande saque do Egito é referido em 1Macabeus 1.19, bem como nos *Oráculos Sibilinos* 3.614 s. Passando por Jerusalém, ele ainda foi prejudicial. Entre outras coisas, quis reintegrar Menaleu como sumo sacerdote e expulsou Jasom. Talvez seja isso o que está em vista na expressão "santa aliança", ou seja, fazer Jasom ficar no poder. Outros estudiosos, contudo, mais corretamente, referem-se à fé judaica quando leem "santa aliança", pois essa fé se baseava nos pactos, a começar por Abraão. Ver no *Dicionário* o verbete chamado *Pactos*. Cf. 1Macabeus 1.15,63 quanto à *distheke agia*, "santa aliança". Ver também 1Macabeus 1.20-24 e 29.36. Antíoco causou muitos danos a Jerusalém, por causa do conflito entre Jasom e Menelau. Ele saqueou o tesouro do templo e estacionou tropas na cidade para manter a ordem. Contaminou o templo ao oferecer uma porca sobre o altar, e então retornou à própria terra.

"Antíoco lançou um grande exército contra Jerusalém e tomou-a em ataque relâmpago; matou quarenta mil pessoas; vendeu muitos judeus como escravos; cozinhou carne de porco e salpicou o caldo sobre o altar; invadiu o Santo dos Santos; pilhou os vasos de ouro e outros itens sagrados do tesouro, que alcançaram o valor de mil talentos; restaurou Menelau ao ofício sumo sacerdotal e fez de Filipe o governador frígio de Judá (1Macabeus 1.24; 2Macabeus 5.21)" (Adam Clarke, *in loc.*, ao descrever os "feitos" de Antíoco Epifânio). A interpretação escatológica vê o anticristo tipificado em tudo isso.

■ **11.29**

לְמוֹעֵד יָשׁוּב וּבָא בַנֶּגֶב וְלֹא־תִהְיֶה כָרִאשֹׁנָה וְכָאַחֲרֹנָה:

No tempo determinado tornará a avançar contra o Sul. Mais tarde, Antíoco Epifânio lançou uma *segunda* campanha contra o Egito. Embora a primeira campanha tivesse sido estragada por acontecimentos finais, conseguiu realizar muito do que tinha sido planejado, além de ter rendido muito dinheiro para o Louco. A segunda campanha foi um desastre e enviou o pobre Antíoco de volta à sua terra como um cão surrado. Assim disseram Políbio (*Hist.* XXIX 23-27) e Lívio (XLIV, 19.6-11). A segunda campanha ocorreu apenas dois anos depois da primeira (168 a.C.), pelo que Antíoco era homem que sempre tinha pressa em obter mais diversões no jogo da guerra e dos saques. Todo o fingimento de estar agindo em favor de Filometer foi abandonado, pois o Louco revelava seu verdadeiro caráter.

■ **11.30,31**

וּבָאוּ בוֹ צִיִּים כִּתִּים וְנִכְאָה וְשָׁב וְזָעַם עַל־בְּרִית־
קוֹדֶשׁ וְעָשָׂה וְשָׁב וְיָבֵן עַל־עֹזְבֵי בְּרִית קֹדֶשׁ:

וּזְרֹעִים מִמֶּנּוּ יַעֲמֹדוּ וְחִלְּלוּ הַמִּקְדָּשׁ הַמָּעוֹז וְהֵסִירוּ
הַתָּמִיד וְנָתְנוּ הַשִּׁקּוּץ מְשֹׁמֵם:

Dele sairão forças que profanarão o santuário. Quando Antíoco invadiu o Egito, sofreu oposição dos romanos, que tinham chegado ao Egito em *navios* provenientes das *costas ocidentais* (literalmente, "navios de Quitim", ou seja, Chipre). Popílio Laenas levava uma carta do senado romano para ser entregue pessoalmente a Antíoco, proibindo-o de guerrear contra o Egito. Antíoco empregou táticas de adiamento, mas os romanos exigiam resposta imediata. Ele traçou um círculo na areia, em volta de Antíoco, e exigiu que a resposta fosse dada antes que ele saísse de dentro do círculo. Antíoco foi assim forçado a capitular diante das exigências dos romanos, pois, se insistisse em seu caminho, ver-se-ia em guerra contra Roma. Essa foi uma derrota humilhante para o Louco. Ele perdeu a coragem e simplesmente voltou à sua própria terra.

Mas isso não foi o fim da história. Enraivecido, ele atacou Jerusalém de novo, em 167 a.C. Foi então que fundou sua *abominação desoladora*. Isso quer dizer que ele estabeleceu um *altar pagão* no templo de Jerusalém, fazendo os judeus inclinar-se diante dele (vs. 31). Paralelamente, descontinuou as práticas religiosas usuais dos judeus, como os sacrifícios diários e o culto de Yahweh. Quanto à *santa aliança* (vs. 30), ver a mesma expressão no vs. 28, onde apresento notas expositivas. Ele se manteve em contato com os judeus helenizantes e, juntos, planejaram a helenização do judaísmo, a fim de transformá-lo em apenas mais um culto idólatra oriental. Aqueles judeus renegados haviam abandonado o pacto com Deus (ver 1Macabeus 1.15; 2Macabeus 4.7-17; Assunção de Moisés 8.1-5). O vs. 31 fornece uma pequena lista das excentricidades e atrocidades de Antíoco contra o judaísmo. De modo geral, podemos dizer que ele reduziu o templo de Yahweh a apenas outro santuário pagão. Quanto à *abominação que desola*, cf. Dn 8.13; 9.27 e 12.11. Em Dn 9.27 dou detalhes sobre a interpretação futurista e escatológica dessa questão, segundo a qual os atos de Antíoco são vistos como típicos do que o anticristo fará nos últimos dias. Certas passagens do livro de Apocalipse encorajam esse tipo de aplicação do livro de Daniel, e eu as menciono naquelas notas expositivas.

"Antíoco enviou seu general, Apolônio, com 22 mil soldados, alegadamente em missão de paz. Mas eles atacaram Jerusalém em um sábado, mataram a muitos judeus, tomaram mulheres e crianças para serem vendidos como escravos, e saquearam e incendiaram a cidade. Buscando helenizar o judaísmo, ele proibiu os judeus de seguir suas práticas religiosas, incluindo as festividades e a circuncisão, e ordenou que as cópias da lei fossem queimadas. E então estabeleceu a *abominação que desola*. Ele erigiu sobre o altar dos holocaustos um altar dedicado a Zeus. Em seguida os judeus foram compelidos a fazer uma oferta no dia 25 de cada mês, a fim de celebrar o aniversário natalício de Antíoco" (J. Dwight Pentecost, *in loc.*). Os judeus helenizados receberam prêmios por terem ajudado o Louco a cumprir seus planos. Taanith 4.6 diz-nos que um altar pagão substituiu o altar dos holocaustos, e uma estátua de Zeus foi erigida sobre esse altar.

Dele sairão forças que profanarão o santuário, a fortaleza nossa, e tirarão o sacrifício costumado, estabelecendo a abominação desoladora.

Daniel 11.31

A Segunda Vinda

Girando e girando em círculos cada vez maiores,
O falcão não pode ouvir o seu treinador;
As coisas se despedaçam; o centro não pode manter-se.
...
Certamente alguma revelação está próxima,
Certamente a segunda vinda está às portas.
A segunda vinda! Nem bem são ditas essas palavras
E a vasta imagem do espírito do mundo
Atribula minha visão...
...
As trevas sobrevêm novamente; mas agora sei
Que vinte séculos de sono de pedra
Foram agitados em pesadelo por um berço que balança.
E que fera violenta, que haverá de surgir
É essa que se avizinha de Belém?

William Butler Yeats

■ **11.32**

וּמַרְשִׁיעֵי בְרִית יַחֲנִיף בַּחֲלַקּוֹת וְעַם יֹדְעֵי אֱלֹהָיו
יַחֲזִקוּ וְעָשׂוּ:

Aos violadores da aliança ele com lisonjas perverterá. Os judeus favoráveis à helenização foram seduzidos para seguir o programa do Louco. Mas haveria um movimento de oposição que buscaria reverter a questão. 1Macabeus 1.62 relata sobre essa oposição, que resultou, afinal, na resistência dos macabeus. Houve muitos mártires, muitas matanças e muito sofrimento durante aquele período temível, que alguns pensam ser apenas típico do que acontecerá em Israel, antes do estabelecimento do reino milenar de Deus. Uma ridícula *deificação* de Antíoco (vs. 36) seria o ponto alto da apostasia. Ver 2Ts 2.4, onde se lê que isso foi dito sobre o anticristo.

1Macabeus 2.18 fala sobre as promessas lisonjeadoras feitas a Matatias, mas por ele rejeitadas, porquanto havia um destino maior do que isso. Ver no *Dicionário* o verbete chamado *Matatias,* terceiro ponto. Ele foi o pai dos cinco homens que pegaram em armas e quem, finalmente, livraram os judeus do domínio pagão. Ver no *Dicionário* o artigo sobre os *Hasmoneanos,* para detalhes sobre a questão.

"Um pequeno remanescente permaneceu fiel a Deus, recusando-se a engajar-se nessas práticas abomináveis. Antíoco IV Epifânio morreu insano na Pérsia, em 163 a.C. Ver notas sobre isso em Dn 8.23-25" (J. Dwight Pentecost, *in loc.*).

A CABEÇA DA SERPENTE

A cabeça da serpente se levantou,
Com olhos maliciosos e furtivos,
Com boca nociva a zombar,
A violentar toda inocência, a espumar seu ódio,
A desejar vil perservidade.

A cabeça da serpente se levantou,
Tão bela, em todo o seu intrincado desenho,
Encantadores são seus prazeres, ao que todos resignam;
Nada tão alegre, tão saudável,
Tão precioso, tão benéfico pode estar errado,
Correta e justamente a ela o mundo se amontoa.

A cabeça da serpente se levantou,
Eis em seus olhos a sabedoria dos séculos,
Por que não buscar suas vantagens?
A ela damos alegre lealdade, a ela adoramos,
Posto que satisfação dá a todos, de seu vasto tesouro.

A cabeça da serpente se levantou,
  sua tentadora beleza... é feiura vil;
  seu encanto atrativo... é a maldição da raça;
  sua alegria e seus prazeres... horrenda desgraça;
  sua sabedoria e gênio depravado... apaga a piedade.
                                 Russell Champlin

■ 11.33-35

וּמַשְׂכִּילֵי עָם יָבִינוּ לָרַבִּים וְנִכְשְׁלוּ בְּחֶרֶב וּבְלֶהָבָה בִּשְׁבִי וּבְבִזָּה יָמִים׃

וּבְהִכָּשְׁלָם יֵעָזְרוּ עֵזֶר מְעָט וְנִלְווּ עֲלֵיהֶם רַבִּים בַּחֲלַקְלַקּוֹת׃

וּמִן־הַמַּשְׂכִּילִים יִכָּשְׁלוּ לִצְרוֹף בָּהֶם וּלְבָרֵר וְלַלְבֵּן עַד־עֵת קֵץ כִּי־עוֹד לַמּוֹעֵד׃

Os entendidos entre o povo ensinarão a muitos. O movimento de resistência dos judeus. Alguns judeus helenizadores puseram-se ao lado de Antíoco, esquecidos do pacto, mas os sábios, embora perseguidos, mantiveram-se na oposição. O *pequeno socorro* (vs. 34) foi o sucesso dos macabeus, a revolta encabeçada por Matatias e seu filho, Judas Macabeu (1Macabeus 2)" (*Oxford Annotated Bible*, introdução aos vss. 33-35).

Os "sábios" eram aqueles que estavam aptos a aprender, bem como aqueles que compreendiam a situação de Israel e o potencial de Deus. Aqui eles aparecem como os líderes do movimento da resistência. Tentativas anteriores de libertar os judeus do jugo estrangeiro não foram bem-sucedidas (1Macabeus 1.60,63; 2.31-38; 5.13; 2Macabeus 6.10,18 ss.). Muitos judeus foram mortos ou sofreram de uma de quatro maneiras possíveis: espada, fogo, cativeiro, saque. As chamas atiçaram a resolução e o movimento cresceu em número e eficácia.

Ao caírem eles, serão ajudados com pequeno socorro. O *pequeno socorro* foi o sucesso dos macabeus, a revolta encabeçada por Matatias e seus cinco filhos. Ver 1Macabeus 2. Mas mesmo então muitos aderiram à causa com lisonjas, isto é, sem *sinceridade*. Então foi a vez de Judas Macabeu cometer atrocidades. Há muitas referências às suas brutalidades contra os helenizadores e os desviados. Ver 1Macabeus 2.44; 3.5,8; 6.19-24 e 9.23. Trata-se da antiga história de os perseguidos tornarem-se os perseguidores, uma vez que adquiram poder para tanto.

Alguns dos entendidos cairão para serem provados. Os sofrimentos e a morte atuariam como agentes de purificação, preparando a nação para um novo dia depois de Antíoco Epifânio. O versículo também parece olhar para o futuro distante, para o *tempo do fim* em geral, indicando que uma nação perseguida de Israel seria purificada. Devemos compreender que os sofrimentos faziam parte do plano de Deus, pelo que deviam ser tolerados corajosa e pacientemente, pois Deus sabia o que estava fazendo. Israel tinha sido uma nação de grandes privilégios, mas também tinha abusado contra esses privilégios. E agora os israelitas precisavam ser expurgados da escória a fim de se tornarem prata fina. Era mister lavar-lhes as manchas, como se lava um vestido de linho branco. "... para que pudessem tornar-se mais fortes e mais puros. Eles ficarão sem falhas até o tempo do fim. E então, no tempo certo, virá o fim" (NCV). Cf. com Sl 51.7; Is 1.18; 1Pe 1.7.

■ 11.36

וְעָשָׂה כִרְצוֹנוֹ הַמֶּלֶךְ וְיִתְרוֹמֵם וְיִתְגַּדֵּל עַל־כָּל־אֵל וְעַל אֵל אֵלִים יְדַבֵּר נִפְלָאוֹת וְהִצְלִיחַ עַד־כָּלָה זַעַם כִּי נֶחֱרָצָה נֶעֱשָׂתָה׃

Este rei fará segundo a sua vontade. *Será a Septuagésima Semana?* Os eruditos dispensacionalistas creem que os vss. 36-39 vão além do que pode ser dito sobre Antíoco Epifânio, e veem aqui o anticristo, bem como a última das setenta semanas. Ver o gráfico e as explicações acompanhantes das *Setenta Semanas,* em Dn 9.26. Os intérpretes históricos não veem razão alguma em separar esses versículos do contexto e continuam a ver neles descrições sobre Antíoco. Ele se tornou tão poderoso que se movia à vontade, sem que houvesse oposição alguma. Outro tanto foi dito acerca de Alexandre (vs. 3) e de Antíoco, o Grande (vs. 16). Cf. também Dn 8.4. Era comum aos déspotas orientais exigir adoração e lealdade como se fossem deuses, e Antíoco não foi exceção a essa regra. Cf. 2Ts 2.4 quanto à mesma coisa que será feita pelo anticristo. Dario, o medo, havia feito o mesmo (ver Dn 6.7). Essa parte da história não foi comentada pelos historiadores seculares, como Plínio e Políbio, que sempre observaram a devoção do homem aos deuses e sua contribuição a santuários idólatras. Em sua forma de paganismo, o Louco exaltou-se acima de todos os deuses e especialmente acima do Deus dos israelitas (o Deus dos deuses), porquanto era um perseguidor especial dos judeus. Cf. Dn 5.23, onde lemos que Belsazar era culpado de algum crime. 1Macabeus 1.24 fala sobre a *grande presunção* de Antíoco Epifânio, mas não inclui as blasfêmias especiais deste texto de Daniel.

Falará cousas incríveis. Cf. Dn 7.8,25; 8.24. A total falta de reverência do homem por Yahweh deixava vexada a mente dos hebreus. Nisso temos um contraste com as atitudes de Nabucodonosor e de Ciro, os quais, apesar de serem pagãos, pelo menos respeitavam o Deus dos judeus.

Até que se cumpra a indignação. Os estudiosos dispensacionalistas pensam estar em foco aqui a *Grande Tribulação,* que se voltará contra toda a impiedade e purificará a terra inteira. Ver Dn 9.27 e Ap 19.19,20; e ver no *Dicionário* o verbete *Tribulação, a Grande.* A interpretação histórica viu tempos de aflição que atingiriam Antíoco e todo o seu mundo, por causa das degradações morais e das blasfêmias religiosas. Novamente, encontramos aqui a afirmação de que tudo o que está sendo descrito está sob o controle e ocorre pelo decreto de Yahweh, em cujas mãos repousam o destino de todos os homens. Ver no *Dicionário* os artigos chamados *Teísmo* e *Soberania de Deus.* Cf. At 17.26. Os limites e o tempo das nações são determinados por ele.

■ 11.37

וְעַל־אֱלֹהֵי אֲבֹתָיו לֹא יָבִין וְעַל־חֶמְדַּת נָשִׁים וְעַל־כָּל־אֱלוֹהַּ לֹא יָבִין כִּי עַל־כֹּל יִתְגַּדָּל׃

Não terá respeito aos deuses de seus pais. "Antíoco" marchava na direção de sua condenação. Ele abandonou o deus de seus pais, bem como o culto de Tamuz-Adônis, estando interessado por Zeus Olimpo e reivindicando honras divinas para si mesmo" (*Oxford Annotated Bible, in loc.*). O culto a Tamuz-Adônis era muito popular entre as mulheres, desde o começo até o fim (cf. Ez 8.14). Alguns estudiosos veem aqui o desejo sexual de Antíoco por um homem, e, em seguida, aplicam isso ao anticristo, chamando-o de homossexual! Mas o texto não diz coisa alguma assim absurda. Os registros históricos revelam a devoção de Antíoco a muitos deuses, o que parece ter-se modificado no fim de sua vida, quando ele se precipitou de cabeça no absurdo oriental de fazer de si mesmo um deus e então arrogar-se a uma honra superior aos deuses que ele tinha retido em seu culto pessoal. Cf. isso com 2Ts 2.4. Outra interpretação ridícula deste versículo é fazer o "desejo das mulheres" significar "alguém desejado pelas mulheres", tornando-o a esperança messiânica: as mulheres israelitas esperavam ser a mãe do Messias! Cf. Dn 1.25,28.

■ **11.38**

וְלֶאֱלֹהַּ מָעֻזִּים עַל־כַּנּוֹ יְכַבֵּד וְלֶאֱלוֹהַּ אֲשֶׁר לֹא־יְדָעֻהוּ אֲבֹתָיו יְכַבֵּד בְּזָהָב וּבְכֶסֶף וּבְאֶבֶן יְקָרָה וּבַחֲמֻדוֹת׃

Mas em lugar dos deuses honrará o deus das fortalezas. "O rei do Norte adorará o poder e a força. Os seus ancestrais não amaram tanto o poder quanto ele. Ele honrará o deus das fortalezas com ouro e prata, joias caras e dons riquíssimos" (NCV). A interpretação usual dessas palavras é que está em pauta o Zeus Olimpo, equivalente ao deus romano Júpiter Capitolino. Esse deus foi honrado por Antíoco mediante a construção de um templo em Antioquia (Lívio, *Hist.* XLI.20.9). Mas pode estar em pauta o *deus da guerra,* sem ser identificado, ou talvez o deus tírio, Melcarte. Alguns também falam em Roma. Ou a referência pode ser a qualquer deus que os leitores lembrarem, através das descrições dadas, mas que permanece indefinido pelo autor sacro. Seja como for, a mensagem é perfeitamente clara: ele era um poder-amante e fez disso o elemento principal de seu culto. Cf. Ap 13.12-18 e 17.6, versículos apontados por alguns na tentativa de tornar este versículo paralelo com o anticristo dos últimos dias. "O Anticristo honrará um deus das fortalezas, ou seja, promoverá a força militar ... O deus desconhecido por seus pais pode ser Satanás" (J. Dwight Pentecost, *in loc.,* em um esforço frenético por adaptar este versículo à interpretação dispensacional e futurista).

■ **11.39**

וְעָשָׂה לְמִבְצְרֵי מָעֻזִּים עִם־אֱלוֹהַּ נֵכָר אֲשֶׁר הִכִּיר יַרְבֶּה כָבוֹד וְהִמְשִׁילָם בָּרַבִּים וַאֲדָמָה יְחַלֵּק בִּמְחִיר׃

Com o auxílio de um deus estranho agirá contra as poderosas fortalezas. "Esse rei atacará cidades fortes e muradas. Fará isso com a ajuda de um deus estrangeiro. Ele em muito honrará o povo que aliar-se a ele..." (NCV). Este versículo empresta alguns detalhes à ideia do vs. 38: a loucura do homem pelo poder dominava tudo o que ele pensava e fazia. Como Antíoco ajuntava honra, poder e riquezas para os que o apoiavam, é confirmado em 2Macabeus 4.8-10,24. Ele doava terras como salários aos seus "trabalhadores". Parte dessa distribuição de terras provavelmente visava obter apoio, e não meramente recompensar aos que já o tinham apoiado. O suborno era uma forma de consolidar o poder (ver 1Macabeus 2.18; 3.30).

■ **11.40**

וּבְעֵת קֵץ יִתְנַגַּח עִמּוֹ מֶלֶךְ הַנֶּגֶב וְיִשְׂתָּעֵר עָלָיו מֶלֶךְ הַצָּפוֹן בְּרֶכֶב וּבְפָרָשִׁים וּבָאֳנִיּוֹת רַבּוֹת וּבָא בַאֲרָצוֹת וְשָׁטַף וְעָבָר׃

No tempo do fim, o rei do Sul lutará com ele. *Os vss. 40-45* predizem o que finalmente deverá acontecer ao louco homem de poder. Os intérpretes crítico-liberais veem aqui uma predição pura. Até este ponto eles tinham identificado somente uma "profecia" que na realidade foi contada "após os fatos", isto é, *história* relatada como se fosse profecia. Então salientam o fato de que esses versículos erram o alvo. As coisas preditas simplesmente não aconteceram com Antíoco Epifânio. Já os intérpretes dispensacionalistas, futuristas, tiram vantagem da situação e fazem tudo referir-se ao que acontecerá ao anticristo, nos últimos dias, imediatamente antes da inauguração do reino de Deus por meio do Messias. Algum esforço heroico é envidado aqui, na tentativa de encontrar eventos nos últimos anos de Antíoco que se ajustem a essas predições, mas não muito sucesso é alcançado com esses esforços.

"O escritor esperava uma nova aventura contra o Egito, na qual Antíoco seria bem-sucedido, onde, anteriormente, tinha fracassado. Como antes, ele será obrigado a retirar-se devido a rumores de dificuldades em sua terra, justamente quando estava colhendo os frutos da vitória. Mas a caminho de sua terra, quando ele se aproximava uma vez mais da cidade santa, com sinistros propósitos, eis que ele chegou ao fim. Como é óbvio, o escritor sagrado estava antecipando o futuro em termos dos vários elementos da situação, em seus próprios dias, que pareciam apontar para uma nova guerra com o Egito, que ultrapassaria o medo envolvido nas campanhas anteriores" (Arthur Jeffery, *in loc.*).

De acordo com o ponto de vista dispensacionalista, o "rei do Sul" *atacará Israel.* "Alguns eruditos sugerem que isso ocorrerá no meio da semana de setenta de anos. Mais provavelmente, porém, acontecerá perto do fim da segunda metade do período de sete anos... Simultaneamente à invasão de Israel, pelo rei do Sul (o Egito), haverá uma invasão pelo rei do *Norte.* Alguns eruditos bíblicos equiparam isso com Gogue e Magogue, pois Gogue virá do norte (ver Ez 38.15)... Essa invasão não correspondeu aos fatos históricos. Jaz ainda no futuro. Certamente não está em pauta um dos reis selêucidas do Norte, conforme se vê nos vss. 5-35" (J. Dwight Pentecost, *in loc.*). Tais interpretações podem ou não conter alguma verdade. Eu, pessoalmente, não apostaria nisso.

■ **11.41**

וּבָא בְּאֶרֶץ הַצְּבִי וְרַבּוֹת יִכָּשֵׁלוּ וְאֵלֶּה יִמָּלְטוּ מִיָּדוֹ אֱדוֹם וּמוֹאָב וְרֵאשִׁית בְּנֵי עַמּוֹן׃

Entrará também na terra gloriosa e muitos sucumbirão. Por meio da interpretação histórica, o que se espera que aconteça no futuro repetirá o que aconteceu a Antíoco no passado. Irado porque seus planos não funcionaram bem (conforme esboçado nas notas sobre o vs. 40), e ele atacará *novamente* Jerusalém, na *terra gloriosa.* Cf. Dn 8.9; 11.16,30,31. Como antes, haverá grande matança, com milhares de vítimas. Alguns países circunvizinhos escaparão de suas chicotadas, a saber, Edom, Moabe e a parte principal de Amom. Os eruditos dispensacionalistas veem aqui os sucessos militares do anticristo. Os intérpretes históricos tentam freneticamente encontrar esses eventos nos anos finais de Antíoco, mas acham somente coisas que já aconteceram no passado. Os eruditos futuristas, por sua vez, transferem tudo para uma data futura e inventam cenários para as atividades do anticristo. Talvez sim, talvez não. Ainda outros tentam encontrar tudo isso na história da igreja e nos ataques desferidos contra ela ao longo dos séculos. Essa é uma interpretação doentia, para dizermos o mínimo. Não há aqui nenhum indício do fracasso dos planos de Antíoco. Foi isso o que aconteceu no passado, e não o que foi predito quanto ao futuro.

■ **11.42**

וְיִשְׁלַח יָדוֹ בַּאֲרָצוֹת וְאֶרֶץ מִצְרַיִם לֹא תִהְיֶה לִפְלֵיטָה׃

Estenderá a sua mão também contra as terras. "O rei do Norte mostrará o seu poder em muitos países. O Egito não escapará" (NCV). Entre as presumíveis vítimas das aventuras futuras de Antíoco estará o Egito, que, por longo tempo, foi objeto de sua ira. Supõe-se que Ptolomeu provocaria ainda outra guerra entre o norte e o sul, mas levaria a pior no encontro. Mas os intérpretes dispensacionalistas fazem tanto o Egito quanto o norte e outros lugares mencionados objetos dos ataques do anticristo. Essa interpretação faz os reis do norte e do sul lutar contra o anticristo, mas dificilmente é isso o que o texto diz. Para conseguir essa interpretação sobre o "anticristo", torna-se necessária considerável manipulação do significado claro do texto. O vs. 40 mostra o rei do sul atacando o rei do norte, o qual retaliaria ferozmente, obtendo a vitória. O rei do norte, após isso, se lançaria ao ataque contra outros países. Alguns intérpretes históricos *presumem* que o rei do norte, irado porque seus planos não deram certo, marcharia pela Palestina e destruiria quase tudo em seu avanço. Mas essa presunção não se encontra no texto presente, embora esteja na história que o antecedeu.

■ 11.43

וּמָשַׁל בְּמִכְמַנֵּי הַזָּהָב וְהַכֶּסֶף וּבְכֹל חֲמֻדוֹת מִצְרָיִם וְלֻבִים וְכֻשִׁים בְּמִצְעָדָיו:

Apoderar-se-á dos tesouros de ouro e de prata. A guerra contra o Egito renderia imensos despojos. De fato, Antíoco esperava apossar-se dos vastos tesouros daquele lugar. Prêmios menores seriam a Líbia e a Etiópia, que também cairiam sob o seu governo. "Lubim e Cushim estariam em seu séquito. *Lubim* significa os líbios que habitavam a oeste do Egito, e os *Cushim* eram os etíopes que habitavam ao sul do Egito. Eles representavam a Cirenaica e a Etiópia, consideradas limites tradicionais do império egípcio. Assim, este versículo significa que a conquista do Egito, por parte de Antíoco, seria completa" (Arthur Jeffery, *in loc.*). Nem tudo isso sucedeu, embora fosse o que o profeta tinha antecipado. Os intérpretes futuristas veem o anticristo conhecendo essa parte do mundo, de maneira geral, embora não de maneira absoluta.

■ 11.44

וּשְׁמֻעוֹת יְבַהֲלֻהוּ מִמִּזְרָח וּמִצָּפוֹן וְיָצָא בְּחֵמָא גְדֹלָה לְהַשְׁמִיד וּלְהַחֲרִים רַבִּים:

Mas pelos rumores do oriente e do norte será perturbado. A campanha altamente bem-sucedida de Antíoco será perturbada por notícias que o levariam a retroceder para o leste e para o norte, saindo do Egito, a fim de abordar a perturbação ameaçada. 1. Em seus últimos anos, ele enfrentou muitas dificuldades com os partas e com o reino da Armênia, e isso poderia estar em vista. 2. Mas outros estudiosos pensam estar em pauta aqui o sucesso dos macabeus em Judá e em Jerusalém. Portanto é de presumir-se que Antíoco sairia irado para dominar os judeus, por meio de vasta matança. Os intérpretes futuristas fantasticamente vinculam isso a Ap 9.16, a invasão de um exército maciço de duzentos milhões de soldados vindos do leste do rio Eufrates. Então, para aumentar as dificuldades do anticristo, outro exército marchará vindo do *norte*. Mediante tais conjecturas, mergulhamos em um caos interpretativo. Irado por tal oposição, o anticristo planejará vingar-se contra Israel! Naturalmente, foi exatamente isso que Antíoco fez antes, quando fracassou nas campanhas militares (ver os vss. 30 e 31). Adaptar esses detalhes ao futuro anticristo é realmente precário, mas essa interpretação é muito popular hoje em dia, em certas porções da igreja.

■ 11.45

וְיִטַּע אָהֳלֵי אַפַּדְנוֹ בֵּין יַמִּים לְהַר־צְבִי־קֹדֶשׁ וּבָא עַד־קִצּוֹ וְאֵין עוֹזֵר לוֹ:

Armará as suas tendas palacianas entre os mares. O irado Antíoco virá agora contra Judá e Jerusalém, o "monte santo", o santuário de Yahweh. Finalmente, porém (embora como não nos seja dito), o Louco perecerá naquele lugar, e assim, com grande alívio, encerramos o livro que relata sua história. No fim, nenhum homem será capaz de ajudá-lo, e supomos que poucos se aventurariam a isso. Abandonado, ele sofreu algum tipo de morte miserável. O que fica implícito é que ele não conseguiu violar o templo mais uma vez. Houve intervenção do poder dirigido por Deus. Ele tinha armado suas tendas reais em algum lugar, entre o mar Mediterrâneo e Jerusalém, onde estava o monte glorioso (Sião) e o templo. De seu acampamento, ele lançaria ataques para esmagar os macabeus. Mas seus planos falharam terrivelmente, e ele caiu em algum lugar do campo de batalha. "O livro parece ter sido terminado quando Antíoco ainda vivia e o templo ainda não havia sido purificado e remediado. O escritor sacro não fazia ideia de onde Antíoco morreria, embora tivesse antecipado que esse lugar seria a Palestina, imediatamente antes da consumação final" (Arthur Jeffery,

in loc.). Nenhuma dessas predições se cumpriu, e, assim sendo, os intérpretes futuristas fazem a questão inteira aplicar-se ao anticristo. "Deve-se observar que o fim desse rei ocorreria na mesma localidade que, algures, aparece predito pelos profetas como o lugar da queda do anticristo (ver Ez 39.4; Jl 3.2,12; Zc 14.2)" (Ellicott, *in loc.*). Ver no *Dicionário* o artigo chamado *Antíoco Epifânio*.

"Ostentando-se como Cristo, o anticristo estabelecerá seu quartel-general em Jerusalém, a mesma cidade de onde Cristo governará o mundo durante o milênio (ver Zc 14.4,17). O anticristo fará pose de Cristo, introduzindo o governo de um mundo, só tendo a si mesmo como governante e senhor de uma única religião mundial, segundo a qual ele será adorado como um deus. Deus, porém, destruirá o reino desse rei, que chegará ao fim. Cf. Dn 7.11,26, diante da aparição pessoal de Jesus Cristo sobre a terra (ver Ap 19.19,20)" (J. Dwight Pentecost, *in loc.*, com uma típica interpretação futurista, segundo linhas dispensacionalistas). Ver na *Enciclopédia de Bíblia, Teologia e Filosofia* o verbete chamado *Anticristo*.

CAPÍTULO DOZE

O livro de Daniel compõe-se essencialmente de *seis histórias* e *quatro visões*. As histórias ocupam os capítulos 1—6, e as visões, os capítulos 7—12. Quanto a detalhes sobre esse arranjo, ver a porção intitulada "Ao Leitor", parágrafos quinto e sexto, apresentados imediatamente antes do começo da exposição de Dn 1.1. Os capítulos 10—12 contêm, na realidade, apenas *uma visão*, a quarta. O capítulo 10 age como *prólogo;* o capítulo 11 apresenta a própria visão, juntamente com a interpretação. E, então, o capítulo 12 dá o epílogo, levando-nos a tempos posteriores aos de Antíoco Epifânio, até a consumação de nossa era. O autor não tinha ideia da grande expansão de tempo que estaria envolvida entre Antíoco e o fim de nossa era. Alguns intérpretes fazem Dn 11.40-45 referir-se ao futuro anticristo e, assim, saltam muitos séculos para chegar ao fim, que agora é descrito.

"Com a morte de Antíoco Epifânio, começa a consumação final e está em vista a iminência do fim, e Miguel, o anjo guardião dos judeus, se agita. A Grande Tribulação torna-se realmente grande, nos espasmos finais de agonia de um mundo moribundo, que são, ao mesmo tempo, as dores de parto do reino messiânico. A questão inteira termina em uma ressurreição geral, a grande separação entre os salvos e os condenados, e a inauguração do reino dos santos. Nesse ponto, termina a visão (vss. 1-4), e o vidente recebe ordens para selar o livro. Esse é o fim do apocalipse original, mas a isso foram adicionados três suplementos (vss. 5-13): a) Em uma visão, Daniel viu dois anjos à beira de um rio e perguntou-lhes *quanto tempo* se passaria até o fim. Ele é informado de que a tribulação se prolongaria por mais três anos e meio. Mas quando ele pede por mais explicações, é convidado a partir. b) Outro cálculo da duração da abominação fala em 1.290 dias. c) Um cálculo final transforma isso em 1.335 dias" (Arthur Jeffery, *in loc.*).

Seja como for, o capítulo 12 passa de coisas temporais para coisas eternas, sendo, assim, uma digna continuação do capítulo 11.

EPÍLOGO: COISAS PERTENCENTES À CONSUMAÇÃO DAS ERAS (12.1-13)

Temos aqui duas divisões principais: vss. 1-3 (Israel é libertado) ou vss. 1-4 (fim da tribulação e a ressurreição); e vss. 4-13 (conclusão).

■ 12.1

וּבָעֵת הַהִיא יַעֲמֹד מִיכָאֵל הַשַּׂר הַגָּדוֹל הָעֹמֵד עַל־בְּנֵי עַמֶּךָ וְהָיְתָה עֵת צָרָה אֲשֶׁר לֹא־נִהְיְתָה מִהְיוֹת גּוֹי עַד הָעֵת הַהִיא וּבָעֵת הַהִיא יִמָּלֵט עַמְּךָ כָּל־הַנִּמְצָא כָּתוּב בַּסֵּפֶר:

Nesse tempo se levantará Miguel. Que tempo será esse? O tempo da derrubada de Antíoco Epifânio (interpretação histórica); ou o tempo do fim do anticristo (interpretação dispensacionalista e futurista). Ver as notas sobre Dn 11.40-45, especialmente o vs. 45. O autor sagrado não tinha consciência da grande expansão de tempo que viria em seguida e o separaria da consumação final das coisas da era presente. Provavelmente ele esperava ver as "coisas finais" acontecer em seu próprio período de vida. Também é provável que ele pensasse que Antíoco Epifânio fosse o gatilho para iniciar o período final. Miguel, o guia angelical e protetor de Israel, seria instrumental na proteção da nação de Israel durante a Grande Tribulação, e um elemento de proteção dos israelitas antes que chegasse a temível tribulação. Ver as notas sobre Dn 10.13 e 20 quanto ao conceito dos anjos guardiães das nações. A Miguel caberia a tarefa de fazer preparativos para o fim. Grandes poderes serão necessários para manter as coisas sob controle, naquela hora crítica. Ver no *Dicionário* o detalhado artigo chamado *Tribulação, a Grande,* que contém algum material dúbio que os dispensacionalistas creem fazer parte do cenário do fim.

Todo aquele que for achado inscrito no livro. Ver no *Dicionário* o detalhado artigo intitulado *Livro da Vida.* Somente aqueles cujos nomes foram escritos no livro serão salvos do poder da Grande Tribulação. Está em pauta a salvação da destruição física. Mas, olhando para os vss. 2,3, devemos supor que também esteja em vista a salvação da alma, e não somente a salvação do corpo. O vs. 1 não pode referir-se à salvação da morte física para Israel em geral, mas fala da preservação da nação de Israel, com sua futura exaltação entre as nações, como a cabeça dos povos, possibilitada por essa salvação. É provável que a maior parte de Israel morrerá, mas o remanescente levará avante a história. "Talvez também encontremos aqui a ideia de que os nomes dos fiéis de gerações anteriores foram igualmente registrados, para que esses fiéis igualmente compartilhem da vida abençoada do reino vindouro" (Arthur Jeffery, *in loc.*). Cf. isso com Rm 11.26.

■ **12.2**

וְרַבִּים מִיְּשֵׁנֵי אַדְמַת־עָפָר יָקִיצוּ אֵלֶּה לְחַיֵּי עוֹלָם
וְאֵלֶּה לַחֲרָפוֹת לְדִרְאוֹן עוֹלָם: ס

Muitos dos que dormem no pó da terra ressuscitarão. Esta é uma das poucas claras referências, no Antigo Testamento, à vida além-túmulo. Essa vida será mediada pela ressurreição. Coisa alguma é dita claramente sobre a alma eterna, que sobreviverá à morte biológica. Portanto, não sabemos dizer se o autor acreditava ou não nessa doutrina, embora ela possa ser subentendida aqui. Entretanto, há algumas claras instâncias dessa doutrina no Antigo Testamento, além de muitas referências a esse ensino no Novo Testamento. No Pentateuco, no entanto, não existe nenhuma afirmação clara sobre a vida para além da morte biológica. Ali, os homens bons não recebem nenhuma promessa de recompensa para depois da vida física, nem os ímpios são ameaçados de sofrimentos em um "pós-vida". Somente nos Salmos e nos Profetas encontramos referências à alma e à sua sobrevivência ante a morte biológica. Todavia, essa ideia cresceu nos livros apócrifos e pseudepígrafos, e então a noção se desenvolveu no Novo Testamento. Ver no *Dicionário* o verbete intitulado *Alma,* e na *Enciclopédia de Bíblia, Teologia e Filosofia* o artigo chamado *Imortalidade,* onde apresento abundância de material sobre os assuntos, incluindo as pesquisas científicas feitas na área. Ver no *Dicionário* o artigo intitulado *Ressurreição.*

Note também o leitor que a ressurreição dos bons e dos maus (não separados aqui, como em Ap 20.5) produzirá recompensas para os bons e julgamento para os maus. Esta é, praticamente, a única referência veterotestamentária dessa natureza, a qual se tornou comum nos livros apócrifos e pseudepígrafos. As chamas do inferno foram acesas pela primeira vez em 1Enoque, como os eruditos sabem. O rio de fogo ali mencionado torna-se o lago de fogo de Ap 20.14.

O ensino de Daniel sobre o tempo em que essas condições prevalecerão é o ensino comum, dando a entender que ambos os estados — tanto dos bons quanto dos maus — durarão *para sempre.* É inútil tentar encontrar em Dn a esperança maior que vemos no Novo Testamento como 1Pe 3.18—4.6, de que Cristo teve uma missão misericordiosa no próprio hades, revertendo o estado dos perdidos que ali se voltaram para ele. Além disso, Daniel não previu a restauração geral que é o tema de Ef 1.9,10, o mistério da vontade de Deus, ou seja, o que Deus fará, finalmente. Portanto, o próprio Daniel, tal como outros autores bíblicos, tinha uma visão preliminar de tais questões. Como se sabe, a revelação modifica as coisas. A revelação é uma ciência crescente. Há grande diferença entre o Antigo e o Novo Testamento; e até mesmo dentro do Novo Testamento um autor pode mostrar-se mais profundo que outros, quanto a certos assuntos. Ver na *Enciclopédia*

de Bíblia, Teologia e Filosofia os artigos *Descida de Cristo ao Hades* e *Restauração.* Ver também o verbete chamado *Mortos, Estado dos,* onde acompanho os diversos estágios dessa doutrina.

Que a morte era um estado de *sono* no pó (sem a consciência da alma) era uma ideia judaica comum (cf. Enoque 91.10 e 92.3). Gradualmente, os judeus assumiram a posição que já existia entre vários outros povos, ou seja, de que a *alma* sobrevive à morte biológica. Então, no cristianismo, há a combinação das ideias da ressurreição e da alma. Atualmente, os estudos no campo do psiquismo nos dão maiores informações sobre a alma, e já nos aproximamos da prova científica dessa ideia. Ver na *Enciclopédia de Bíblia, Teologia e Filosofia* o artigo chamado *Experiências Perto da Morte,* sobre o que está sendo feito no campo científico.

Os Atos Estabelecem Diferenças. A separação entre os bons e os maus dependerá do que ambos tiverem praticado. Cf. Ap 20.12; Enoque 90.20-27; 2Baruque 24.1. Esses dois grupos irão para seus estados separados de recompensa ou punição. O *céu* e o *inferno,* a essa altura dos acontecimentos, ainda não tinham entrado na corrente do pensamento judaico; mas nos livros pseudepígrafos eles se tornaram doutrina padrão. Naturalmente, houve a doutrina do *sheol,* que passou por um longo desenvolvimento. A punição dos maus ocorrerá ali, e a recompensa para os bons tornou-se parte da doutrina (conforme vemos em Lc 16).

■ **12.3**

וְהַמַּשְׂכִּלִים יַזְהִרוּ כְּזֹהַר הָרָקִיעַ וּמַצְדִּיקֵי הָרַבִּים
כַּכּוֹכָבִים לְעוֹלָם וָעֶד: פ

Os que forem sábios, pois, resplandecerão, como o fulgor do firmamento. Os justos *resplandecerão* para sempre em seu estado esplendoroso. Isso será especialmente verdadeiro no caso daqueles que tiverem desviado a outros do caminho do mal, para seguirem o caminho do bem. Eles salvaram a si mesmos e a seus semelhantes dos caminhos da morte e da apostasia, pelo que merecem uma recompensa especial e conspícua. Cf. Mt 13.42, que provavelmente repousa sobre este versículo. A luz está associada aos bons, pois Deus é luz, Cristo é luz e o crente é luz. Ver sobre *Luz, Metáfora da* quanto ao desenvolvimento dessa ideia. "Essa é a consolação oferecida como apoio aos que forem testemunhas da tribulação dos últimos dias" (Ellicott, *in loc.*).

Sabei que aquele que converte o pecador do seu caminho errado, salvará da morte a alma dele, e cobrirá multidão de pecados.

Tiago 5.20

É assim que os *sábios* agem e receberão a sua recompensa. Em contraste, os insensatos, que se entregam à multidão de pecados, serão condenados. Cf. Dn 11.33,35, onde os sábios lideram os fiéis. Ver sobre *Compreensão* em Pv 5.1, e sobre *Sabedoria* em Dn 1.20 e 8.1,27. Quanto à sabedoria *como um pai,* ver Pv 8.32. Em seguida, ver no *Dicionário* o artigo geral intitulado *Sabedoria.*

Conclusão (12.4-13)

A Selagem do Livro (12.4)

■ **12.4**

וְאַתָּה דָנִיֵּאל סְתֹם הַדְּבָרִים וַחֲתֹם הַסֵּפֶר עַד־עֵת קֵץ
יְשֹׁטְטוּ רַבִּים וְתִרְבֶּה הַדָּעַת:

Tu, porém, Daniel, encerra as palavras e sela o livro. Alguns estudiosos supõem que este versículo seja o último do livro de Daniel, e o que se segue seja uma adição posterior. Nesse caso, os vss. 5-13 seriam o verdadeiro *Epílogo* do livro de Daniel.

Foi o arcanjo Miguel (provavelmente; ver o vs. 1) quem ordenou que o livro fosse encerrado. Aconteceriam muitas coisas que não seriam reveladas a Daniel, e muitas das coisas reveladas seriam entendidas apenas parcialmente. No fim dos tempos, quando as coisas começarem a acontecer, o selo será retirado do livro, que só então será compreendido por completo. Tradicionalmente, a profecia é mais bem compreendida quando começam a acontecer os eventos preditos, os quais atuam como intérpretes do que havia sido predito. "O anjo ordenou ao vidente que ocultasse as profecias até que o tempo estivesse maduro para elas serem desvendadas... Essas profecias seriam colocadas à disposição dos fiéis, para que eles entendessem a significação dos eventos em meio aos quais estariam vivendo (cf. 2Ed 14.44 ss.; Enoque 1.2; Ap 22.10)" (Arthur Jeffery, *in loc.*).

Até ao tempo do fim. Ou seja, o tempo que antecederá, de imediato, o estabelecimento do reino de Deus, mas que Daniel antecipou como "não muito distante". Portanto, do ponto de vista de Daniel, o livro não permaneceria selado por longo tempo. Ver no *Dicionário* o verbete chamado *Últimos Dias*.

Muitos o esquadrinharão. Sir Isaque Newton, ao ler esta declaração do livro de Daniel, predisse que algum dia os homens haveriam de viajar com a estonteante velocidade de 80 km por hora! Voltaire ridicularizou essa afirmação e disse que, se um homem viajasse a tão grande velocidade, morreria sufocado. Mas quem era o tolo? Os intérpretes não sabem como interpretar e patinam entre três posições. 1. Alguns estudiosos supõem que isso se refira à correria para cá e para lá, conforme se dá na guerra e na confusão, e não por meios superiores de locomoção. 2. Outros eruditos pensam que a correria para cá e para lá diz respeito aos esforços frenéticos, da parte de alguns, para compreender as profecias. "Muitos examinarão ansiosamente este livro, em busca de conhecimento quanto à maneira como Deus trata com o seu povo, e daí derivarão consolo e compreensão" (Ellicott, *in loc.*). 3. Outros veem a correria como os esforços despendidos na pregação do evangelho, ou seja, as missões modernas (mas isso se afasta muito do alvo).

O saber se multiplicará. Esta parte do versículo tem sido popularmente compreendida como uma referência ao grande aumento do conhecimento nos últimos dias. De fato, os últimos cem anos da história do mundo têm testificado descobertas científicas que põem em eclipse todos os séculos anteriores juntos. Mas a principal referência é ao aumento do conhecimento sobre a *profecia* e sobre os eventos que esse livro apresenta.

Epílogo (12.5-13)

■ **12.5**

וָרָאִיתִי אֲנִי דָנִיֵּאל וְהִנֵּה שְׁנַיִם אֲחֵרִים עֹמְדִים אֶחָד הֵנָּה לִשְׂפַת הַיְאֹר וְאֶחָד הֵנָּה לִשְׂפַת הַיְאֹר:

Então eu, Daniel, olhei, e eis que estavam em pé outros dois. Esses outros dois eram anjos, em adição àquele que falava com Daniel sobre a visão, que seria identificado como Miguel ou Gabriel. Ver Dn 8.15,16. Eles tinham *forma humana,* e não forma de animais (como nas visões), mas eram seres sobrenaturais. Ver no *Dicionário* os verbetes denominados *Anjos; Gabriel* e *Miguel*. O ministério angelical continua aqui. Um desses anjos estava em uma das margens do rio Tigre, e o outro estava na outra margem. Quanto ao rio *Tigre*, ver Dn 10.4.

Os anjos estavam disponíveis para explicar determinados aspectos das visões sobre o tempo do fim. A experiência humana prova a realidade do ministério dos anjos.

O ministério dos anjos é um fato abençoado, embora seja geralmente negligenciado pelos protestantes e evangélicos para evitar os abusos. O artigo chamado *Anjos* entra em detalhes sobre a questão.

■ **12.6**

וַיֹּאמֶר לָאִישׁ לְבוּשׁ הַבַּדִּים אֲשֶׁר מִמַּעַל לְמֵימֵי הַיְאֹר עַד־מָתַי קֵץ הַפְּלָאוֹת:

Um deles disse ao homem vestido de linho. "É evidente que dois anjos ajudavam o mensageiro angelical, que provavelmente era Gabriel (ver os comentários sobre Dn 10.5). Um dos anjos chamou o outro anjo, que estava de pé ao lado de Gabriel (aquele vestido *de linho*; Dn 10.5) e perguntou: *Quanto tempo se passará até que essas coisas espantosas se cumpram?* As "coisas espantosas" provavelmente são aos eventos registrados em Dn 11.36-45, que pertencem à ocupação final de Israel pela vinda do governante gentílico" (J. Dwight Pentecost, *in loc.*). "O fim sempre parece estar próximo, mas nunca chega. Por quanto tempo essa situação continuará?" (Ellicott, *in loc.*, com uma observação astuciosa).

■ **12.7**

וָאֶשְׁמַע אֶת־הָאִישׁ לְבוּשׁ הַבַּדִּים אֲשֶׁר מִמַּעַל לְמֵימֵי הַיְאֹר וַיָּרֶם יְמִינוֹ וּשְׂמֹאלוֹ אֶל־הַשָּׁמַיִם וַיִּשָּׁבַע בְּחֵי הָעוֹלָם כִּי לְמוֹעֵד מוֹעֲדִים וָחֵצִי וּכְכַלּוֹת נַפֵּץ יַד־עַם־קֹדֶשׁ תִּכְלֶינָה כָל־אֵלֶּה:

Ouvi o homem vestido de linho. O arcanjo Gabriel, com um *juramento solene* feito na direção do céu, ou seja, em nome de Yahweh, afirmou a certeza daquilo que ele iria proferir. Ver o levantamento da mão direita por ocasião em que um juramento é feito, em Gn 14.22; Dt 32.40; Ap 10.5. Mas aqui *ambas as mãos* foram erguidas, para atribuir à questão solenidade ainda maior e certeza do que aconteceria.

Um tempo, dois tempos e metade de um tempo. Ou seja, três anos e meio. Cf. Dn 7.25 e 8.14. Contudo, não dispomos de claras indicações sobre quando esse período começaria. Daniel não entendeu o que o arcanjo disse (vs. 8), e nós mesmos continuamos tentando. Seja como for, o tempo designado deve terminar antes de o culto do templo ser restaurado. Ou seja, Antíoco Epifânio continuaria a agir ainda por breve tempo, e então haveria a restauração e a rededicação do templo. Os futuristas e os dispensacionalistas transferem isso para o fim de nossa era e para o período da Grande Tribulação. Dizem eles que o pacto será quebrado (ver Dn 9.27) no meio do período de sete anos de tribulação. Presumivelmente os três anos e meio deste versículo pertencem à primeira metade da semana final (o período de sete anos da Grande Tribulação), que será relativamente pacífica. O anticristo já estará presente, mas ainda não terá revelado suas verdadeiras cores. Ver o gráfico em Dn 9.26,27 para uma ilustração do ponto de vista dispensacionalista. Do ponto de vista histórico, ver os vss. 7 e 11, que falam desse mesmo período de tempo.

■ **12.8**

וַאֲנִי שָׁמַעְתִּי וְלֹא אָבִין וָאֹמְרָה אֲדֹנִי מָה אַחֲרִית אֵלֶּה: פ

Eu ouvi, porém não entendi. Embora o profeta tenha mediado a mensagem, Daniel não a compreendeu. Portanto, o vs. 11 torna-se a explicação do vs. 7, e não uma unidade separada de tempo. Mas alguns fazem este versículo indagar sobre o que aconteceria "para além do período atribuído", ou seja, quais seriam os eventos *resultantes* do período de grande tribulação. Os intérpretes históricos pensam que talvez a primeira designação de tempo (vs. 7) tenha começado na missão de Apolônio, em 168 a.C., e a segunda (vs. 11) tenha iniciado no tempo em que os sacrifícios diários foram suspensos, em 167 a.C. Nesse caso, o segundo cálculo poderia ter sido dado porque o primeiro não se mostrara exato. De acordo com essa teoria, a segunda designação foi dada para corrigir a primeira. E então a terceira (vs. 12) poderia ter sido outra estimativa que corrigia a segunda. Esse tipo de manipulação atribuído aos anjos é inconcebível para a mente dos eruditos conservadores, pelo que é rejeitado por todos os estudiosos, exceto pelos críticos-liberais.

■ **12.9**

וַיֹּאמֶר לֵךְ דָּנִיֵּאל כִּי־סְתֻמִים וַחֲתֻמִים הַדְּבָרִים עַד־עֵת קֵץ:

Vai, Daniel, porque estas palavras estão encerradas. A sede de Daniel para saber mais foi cortada por outra ordem para selar a profecia, conforme já vimos no vs. 4, que alguns eruditos pensam ser o fim original do livro, antes que houvesse adições subsequentes. Mas o vs. 10 nos fornece alguma informação. Presumivelmente, revelações adicionais não seriam entendidas por aqueles que se levantassem "cedo demais". A revelação tem de esperar o tempo próprio para ser desvendada.

■ **12.10**

יִתְבָּרֲרוּ וְיִתְלַבְּנוּ וְיִצָּרְפוּ רַבִּים וְהִרְשִׁיעוּ רְשָׁעִים וְלֹא יָבִינוּ כָּל־רְשָׁעִים וְהַמַּשְׂכִּלִים יָבִינוּ:

Muitos serão purificados, embranquecidos e provados. As severas perseguições sob Antíoco Epifânio (ou sob o anticristo)

servirão para purificar os crentes. Eles se tornarão brancos como o mais fino linho. O vs. 1 fala sobre o aumento da iniquidade que deve ser esperado nos últimos dias; e Dn 11.35 mostra que os sábios precisam ser refinados. Essas ideias se repetem aqui. Também devemos entender que haverá grande abismo fixado entre as duas classes de seres humanos, antecipando que uma das classes se dirigirá ao julgamento, após esta vida terrena, enquanto a outra recolherá recompensas no pós-vida, brilhando como as estrelas no céu (vs. 3). Homens ímpios e desvairados passarão pelos sofrimentos e nem ao menos saberão a "razão" dessas coisas. Mas os *sábios* compreenderão por que esses acontecimentos momentosos estarão ocorrendo. Quanto aos sábios, cf. Dn 11.33,35 e 12.3. Os sábios são aqueles que entendem os caminhos de Deus. Cf. esse pensamento com 2Cr 30.22; Pv 15.24; Am 5.13. Em 2Ed 14.46, certas *revelações reservadas* serão feitas aos sábios, mas não aos insensatos. As pessoas malignas estão intelectualmente escravizadas, desprovidas do bom senso espiritual. Os bons, no verdadeiro sentido, naturalmente receberão maior compreensão quanto à mente divina. Sobre esse pensamento, ver 1Co 2.16.

■ 12.11

וּמֵעֵת הוּסַר הַתָּמִיד וְלָתֵת שִׁקּוּץ שֹׁמֵם יָמִים אֶלֶף מָאתַיִם וְתִשְׁעִים׃

Depois do tempo em que o costumado sacrifício for tirado. *O Segundo Cálculo.* Para alguns intérpretes históricos, os três cálculos — vss. 7, 11 e 12 — falam todos do mesmo período em geral. Quanto tempo se passaria antes da restauração do templo e seu culto? 1. Um tempo, dois tempos e metade de um tempo (três anos e meio) depois da missão de Apolônio, em 168 a.C. 2. Ou, então, falhando esse cálculo, o tempo da purificação se prolongaria por mais um ano — 1.290 dias — mais ou menos o equivalente a três anos e meio, mas agora datado do tempo em que Antíoco Epifânio interrompeu os sacrifícios diários, o que ocorreu em 167 a.C. Portanto, haveria uma espécie de período de graça, dando maior prazo para o cumprimento das profecias. 3. Então, ao segundo período, *outros* 45 dias de graça seriam adicionados, se as circunstâncias assim requeressem. Esse é o terceiro cálculo do texto. Os eruditos conservadores, porém, não toleram toda essa manipulação por parte dos anjos, somente para permitir que as profecias se cumpram. Assim, o ponto de vista daí emergente é que o primeiro período representa a *primeira metade* dos sete anos de tribulação. E a *segunda metade* seria representada pelos 1.290 dias. O primeiro período, nesse caso, torna-se paralelo a Ap 11.3, versículo que sem dúvida repousa sobre o texto presente. O autor neotestamentário reduziu os 1.290 dias a 1.260, a fim de ajustar o cálculo ao ano lunar de 360 dias. (Três anos e meio equivale a 1.260 dias.) O segundo período torna-se paralelo aos 42 meses referidos em Ap 11.2 e 13.5. Para os críticos liberais, *isso* é uma poderosa manipulação, refletindo a "fantasia profética" inventada pela mente daqueles que gostam de interpretar as coisas literalmente e têm de ver as coisas "distantes" com extrema precisão.

■ 12.12

אַשְׁרֵי הַמְחַכֶּה וְיַגִּיעַ לְיָמִים אֶלֶף שְׁלֹשׁ מֵאוֹת שְׁלֹשִׁים וַחֲמִשָּׁה׃

Bem-aventurado o que espera e chega... Temos neste versículo o *terceiro cálculo*, que incluo nas notas expositivas sobre o vs. 11. Os estudiosos conservadores-literalistas tentam encontrar espaço para esses 45 dias extras. Alguns o encontram nas descrições de Ap 16.14 e 19.21. Os escombros do período de tribulação precisarão ser retirados, e esse tempo será necessário para o trabalho de limpeza. Outros encontram *todos* os cálculos na história relativa à *igreja*. Mas meras conjecturas estão ativas em todos esses cálculos. "Todas essas conjecturas estão fundamentadas sobre as trevas" (Adam Clarke, *in loc.*).

■ 12.13

וְאַתָּה לֵךְ לַקֵּץ וְתָנוּחַ וְתַעֲמֹד לְגֹרָלְךָ לְקֵץ הַיָּמִין׃

Tu, porém, segue o teu caminho até ao fim. Este versículo parece deixar entendido (embora não o diga dogmaticamente) que Daniel viveria e veria o fim. Isso seria possível *se* a consumação ocorresse imediatamente após a carreira de Antíoco Epifânio. Mas a palavra "descansarás", aqui usada, provavelmente é um eufemismo para indicar a morte. Cf. o *sono* referido no vs. 2. O profeta *descansaria* até a ressurreição. Nenhuma *alma imortal,* separada do corpo, é antecipada nesse livro. Essa doutrina *começou* a aparecer nos Salmos e nos Profetas. Os livros apócrifos e pseudepígrafos desenvolveram o tema da *alma* e sua sobrevivência diante da morte biológica, conjecturando sobre as recompensas e as punições do pós-vida. O Novo Testamento levou o tema avante, à luz da missão de Cristo. Fosse como fosse, Daniel, o homem fiel, participaria da ressurreição, e grande seria o seu galardão. Ele estaria entre aqueles que brilhariam como estrelas nos céus. Ele participaria da glória, da paz, do poder e da majestade do dia eterno. Quanto à sorte ou *herança* espiritual, cf. Sl 16.5; 125.3; Pv 1.14; Jr 13.25; At 26.18 e Cl 1.12. "O reino de Deus durará para sempre, e os seus cidadãos leais terão ali seu lugar de honra" (Gerald Kennedy, *in loc.*). Ver no *Dicionário* os artigos chamados *Salvação* e *Alma*. E ver na *Enciclopédia de Bíblia, Teologia e Filosofia* o artigo *Imortalidade,* com seus vários verbetes.

Descansarás. Sobre os santos é dito que eles *descansam* em seus sepulcros, conforme se lê em Is 57.2, ou no *sheol,* conforme se lê em Jó 3.17. Cf. também Sabedoria de Salomão 4.7; Ap 14.13; 2Ed 7.95. A Septuaginta inseriu aqui uma glosa que assegurou ao vidente que ele continuaria vivendo fisicamente até a inauguração do reino de Deus. Assim como a terra de Canaã foi dividida em pequenos lotes, de modo que cada família tivesse sua possessão, o mesmo acontecerá no reino celeste. Cada servo fiel obterá sua própria herança. Mas cada qual terá de seguir seu curso sem se desviar para o paganismo. Ver Cl 1.12, onde temos a esperança cristã expressa mediante a mesma linguagem figurada.

> ... dando graças ao Pai que vos fez idôneos à parte que vos cabe de herança dos santos na luz.
>
> Colossenses 1.12

Algumas Observações sobre as Profecias:

1. Ao tratar com as profecias, uma pessoa nunca deve ser dogmática demais sobre o que pensa saber. Se forem marcadas datas, então tal pessoa fatalmente falhará.
2. Os profetas falam sobre "o fim" como se ele tivesse de ocorrer imediatamente depois de *seus* dias, ou mesmo quando esses dias terminarem. Eles não viam a grande expansão de tempo que os separava dos *últimos dias*. A profecia pode ser algo intrincado, que foi simplificado pelos profetas, pelo que os *detalhes* usados podem ser entendidos erroneamente ou permanecerem um enigma. Ao tentar interpretar as indicações temporais dos vss. 11-13, devemos reivindicar não sabermos muita coisa.
3. Os intérpretes *dispensacionalistas* estão sempre ansiosos por *determinar* esquemas que projetam mais do que realmente deveriam. Tornou-se doutrina padronizada nas igrejas evangélicas que a história da humanidade perduraria por sete mil anos, em imitação aos dias da criação. Desde Adão até o segundo advento de Cristo, presumivelmente seis mil anos se passariam, e então outros mil anos (o milênio) arredondariam esse total para sete mil. Presumivelmente, a Grande Tribulação ocorreria no fim do período de seis mil anos. Os eruditos dispensacionalistas determinavam precisamente esse período como sete mil anos. De acordo com esses cálculos, o período da Tribulação ocorreria por volta de 1993, e o anticristo já deveria ter feito sua aparição alguns anos antes disso. Estou escrevendo perto do fim do ano de 1997, mas nada disso aconteceu até agora. A limpeza dessa profecia foi perturbada, e antecipo que muitas outras perturbações ocorrerão para aqueles que pensam saber mais do que realmente sabem.
4. A profecia sobre o Mercado Comum Europeu, que, segundo muitos criam, chegaria a ter dez membros, tornando-se o grande instrumento usado pelo anticristo, também fracassou. Atualmente há mais de dez membros no Mercado Comum Europeu, e novos membros certamente serão admitidos. (Ver Ap 12.3 e 17.3 quanto à alegada base bíblica sobre essa profecia.) Outra profecia que parecia limpa falhou, e outra asserção dogmática não se sustentou diante da prova do tempo.
5. Além disso, presumia-se que os Estados Unidos da América perderiam sua posição de liderança, tornando-se apenas mais uma daquelas dez nações, ou seria um aliado delas, uma *parte* do

esquema de coisas usado pelo anticristo, embora não fosse a nação líder. Um elemento dessa profecia era a ideia de que haveria grande confronto entre a federação encabeçada pelo anticristo e o comunismo. Mas o comunismo entrou em colapso e surpreendeu a todos os profetas (exceto os de Fátima, que tinham predito exatamente isso). E, então, em vez de debilitar-se, os Estados Unidos da América estão ficando cada vez mais fortes e, no momento, são a única superpotência mundial econômica e militar. 6.

Talvez a nossa época seja o tempo do fim, mas erramos por mostrar-nos precisos demais sobre a questão. Devemos admitir que também erramos de *muitas* outras maneiras ao cuidar das profecias. Talvez nossos dias não sejam os últimos, conforme supomos. Ou talvez as coisas se tenham demorado, mas continuamos na trilha certa. Jonas pregou a Nínive, requerendo que seus habitantes se arrependessem. Para sua surpresa e consternação, eles se arrependeram e mais 1cinquenta anos foram adicionados à vida nacional da Assíria. Finalmente, a coligação entre os medos e os babilônios pôs fim à Assíria, mas não quando Jonas disse que isso sucederia.

7. Nossas brincadeiras com as profecias bíblicas, com seus acertos e erros, não têm nada a ver com o fenômeno da inspiração, nem é a precisão de todas as profecias uma parte necessária de qualquer teoria sã da revelação.

Nossos pequenos sistemas têm a sua época,
Eles têm seus dias e logo passam.
São como lamparinas bruxuleantes ao lado
Da tua Luz, ó Senhor.

Russell Champlin

TABELA CRONOLÓGICA: 625—164 a.C.

Datas	Acontecimentos
625-605	Os medos destruíram o Império Assírio. Nabopolassar, pai de Nabucodonosor, reina.
605	Nabucodonosor vence os egípcios na batalha de Carquêmis. Ver Jr 46.2.
605-562	Nabucodonosor governa como rei da Babilônia.
602	Joaquim rebela-se contra Nabucodonosor.
597	Nabucodonosor captura Jerusalém. Joaquim é levado cativo para a Babilônia; o templo é saqueado. Ver 2Rs 24.10-16.
587	Queda final de Jerusalém; Zedequias é levado cativo para a Babilônia. Fim da linha real davídica.
562-560	Awel-Marduque (Evil-Merodaque) sucede seu pai, Nabucodonosor, como rei da Babilônia. Ver 2Rs 25.27.
560-556	Reino de Nergal-Sarezer, cunhado de Awel-Marduque.
559	Ciro torna-se Ansã.
556	Labasi Marduque, filho de Nergal-Sarezer, reina durante nove meses.
556-539	Nabunaide, filho de Nabubalatsuiqbi, reina como rei da Babilônia. Besazar, seu filho, reina como governador na cidade da Babilônia.
550	Ciro derrota o Império Medo.
539	Ciro captura a Babilônia e liberta os judeus para voltarem à Palestina.
539-530	Ciro reina como rei sobre a Babilônia.
530-522	Reino de Cambises, filho de Ciro; episódio de Gaumata.
521-486	Reino de Dario I, Histapis.
486-465	Reino de Xerxes, o Assuero do livro de Ester.
465-423	Reino de Artaxerxes I.
458	Volta dos judeus para a Palestina sob Esdras.
423-404	Reino de Dario II, Noto.
404-359	Reino de Artaxerxes II Mnemom.
359-338	Reino de Artaxerxes III, Oxo.
336-331	Reino de Dario II, Codomano.
332	Alexandre conquista a Palestina.
323	A morte de Alexandre

OS PTOLOMEUS E SELEUCOS

Referências em Dn	Ptolomeus (reis do sul = Egito)	Seleucos (reis do norte = Síria)
11.5	Ptolomeu I Soter (323-285 a.C.)	Seleuco I Nicator (312-218 a.C.)
11.6	Ptolomeu II Filadelfo (285-246 a.C.)	Antíoco I Soter (281-262 a.C.) Antíoco II Teos (262-246 a.C.)
11.7-9	Ptolomeu III Euergetes (246-221 a.C.)	Seleuco II Calinico (246-227 a.C.)
11.10		Seleuco III Soter (227-223 a.C.)
11.11-19	Ptolomeu IV Filopator (221-204 a.C.)	Antíoco III, o Grande (223-187 a.C.)
11.17	Ptolomeu V Epífanes (204-181 a.C.)	
11.20		Seleuco IV Filopator (187-176 a.C.)
11.21-32		Antíoco IV Epífanes (175-163 a.C.)
11.25	Ptolomeu VI Filometer (181-145 a.C.)	

Observações:

Ptolomeu I foi um dos generais de Alexandre, o Grande. Por ocasião da morte deste, esse general tornou-se o sátrapa do Egito, iniciando a dinastia que governou a maior parte da Ásia Menor, Síria, Pérsia e Báctria. A palavra Seleucidae (plural) vem do nome de Seleuco Nicator. Ver o artigo *Período Intertestamental*, na *Enciclopédia de Bíblia, Teologia e Filosofia*.

REINO DOS SUCESSORES DE ALEXANDRE

c. 300 a.C.

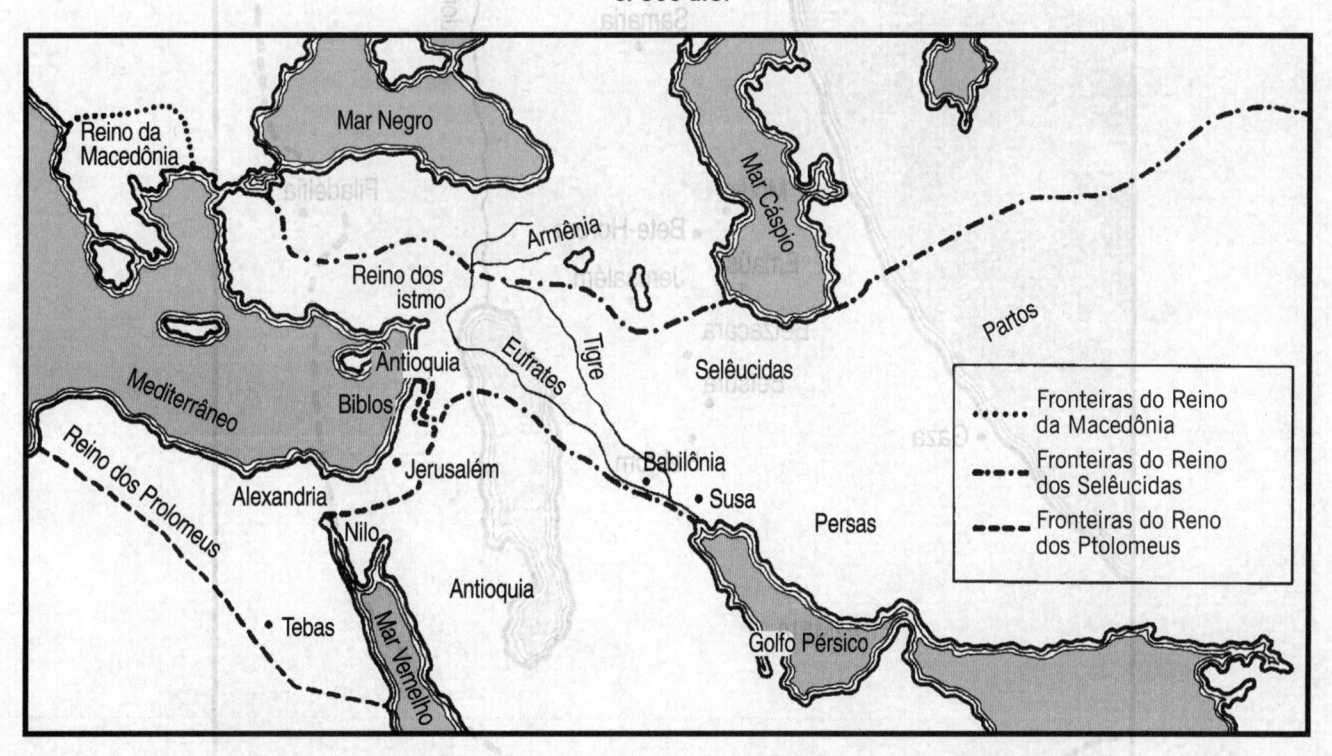

Ver o artigo intitulado, no *Dicionário*, *Período Intertestamental*.

REINO DOS MACABEUS
100 a.C.
(a maior extensão)

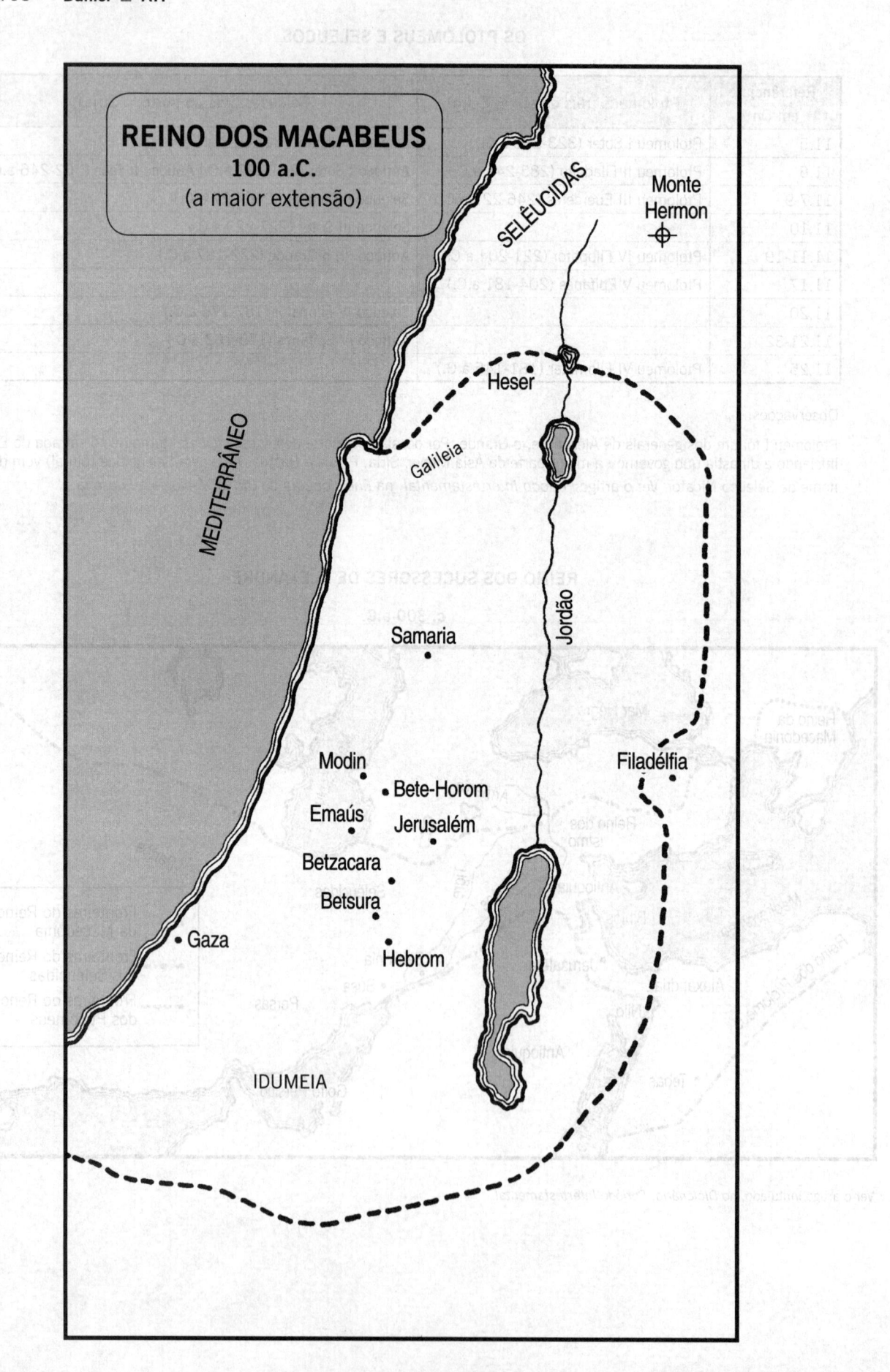

- Monte Hermon
- SELÊUCIDAS
- MEDITERRÂNEO
- Heser
- Galileia
- Jordão
- Samaria
- Modin
- Bete-Horom
- Emaús
- Jerusalém
- Filadélfia
- Betzacara
- Betsura
- Gaza
- Hebrom
- IDUMEIA

OSEIAS

O livro que denuncia o adultério espiritual de Israel

> *E se adornou com as arrecadas e com as suas joias, e andou atrás de seus amantes, mas de mim se esqueceu, diz o Senhor.*
>
> Oseias 2.13

14 | Capítulos
197 | Versículos

OSEIAS

INTRODUÇÃO

ESBOÇO

I. Oseias, o Profeta
II. Caracterização Geral
III. Data
IV. Proveniência e Destino
V. Pano de Fundo Histórico
VI. Problemas de Unidade e Integridade
VII. Mensagem e Conceitos Principais
VIII. Esboço do Conteúdo
IX. Canonicidade
X. Oseias Ilustra o Princípio da Restauração
XI. Bibliografia

I. OSEIAS, O PROFETA

Não se sabe muita coisa sobre o profeta *Oseias*. O trecho de Os 1.1 nos fornece o nome de seu pai, Beeri, mas sem nenhuma genealogia. Esse mesmo versículo nos fornece o tempo, declarando que ele viveu "... nos dias de Uzias, Jotão, Acaz e Ezequias, reis de Judá, e nos dias de Jeroboão, filho de Joás, rei de Israel". Todavia, o lugar de seu nascimento não é mencionado. Não temos nenhum registro sobre sua chamada divina como profeta. Informes existentes no livro nos permitem saber algo sobre seu caráter e suas tendências. Ele era terno, sensível e misericordioso, um tanto parecido com Jeremias, e não era severo como alguns outros profetas, a exemplo de Elias. Sua abordagem à mensagem profética que tinha de entregar baseava-se em sua relação de esposo. Isso representava o fato de que Yahweh havia sido ofendido por sua esposa infiel, a nação de Israel. A fim de que essa mensagem fosse sentida e entregue com eficácia, era mister que Oseias passasse por uma situação real de traição sofrida. E, para que isso acontecesse realmente, como é óbvio, ele teria de manter profundo amor por sua esposa. Somente então ele poderia sentir a ferroada da infidelidade, compreendendo, metaforicamente, a ofensa de Israel contra o Senhor, em sua infidelidade, que consistia na idolatria e corrupção moral.

Oseias foi o único profeta do reino do norte, Israel, cujos escritos sobreviveram até nós. Ninguém sabe qual era a ocupação de Oseias, mas, visto que há uma referência ao "padeiro" e ao ato de sovar "a massa" em Os 7.4 ss., alguns pensam que essa era a sua atividade. No entanto, o domínio que ele tinha sobre assuntos históricos e religiosos mostra que ele deve ter recebido excelente educação, não podendo ser algum aldeão ou interiorano. E, visto que estava tratando com a íntima relação entre Deus e o povo de Israel, ele não se interessava em fazer previsões sobre outras nações, em contraste com outros profetas, como Amós, Jonas ou Daniel.

Tal como no caso de muitas outras personagens bíblicas obscuras, embora raramente sejam exatas, as tradições preenchem os espaços em branco. Há especulações acerca de sua parentela. Seu pai tem sido confundido com um príncipe rubenita (ver 1Cr 5.6). Ele também tem sido considerado profeta, embora sem nenhuma prova quanto a isso. Alguns rabinos supunham que um pai, mencionado na introdução do livro de algum profeta, também deveria ter sido profeta. O pseudo-Epifânio e Doroteu, de Tiro, dizem que Oseias nasceu em Belemote, na tribo de Issacar (Epifânio, *De Vitis Prophet.* 11; Doroteu, *De Proph.* 1). Drúsio (*Critici Saeri,* tomo 5) citou informações dadas por Jerônimo, que dizem: "Oseias, da tribo de Issacar, nasceu em Bete-Semes". Mas outros intérpretes opinam que, na realidade, ele pertencia à tribo de Judá, embora tenha labutado em Israel, conforme o subtítulo do livro de Amós, que aparece em algumas traduções, mostra que poderia ter acontecido. Todavia, não há razão para duvidarmos que ele nasceu no reino do norte, Israel. Ver no *Dicionário* o artigo sobre *Bete-Semes,* quanto a informações sobre sua presumível terra natal. Todavia, não há nenhuma evidência para confiarmos nessa informação meramente tradicional.

O Nome. Oseias significa "libertador", ou então "salvação". Este nome tem sido variegadamente interpretado. Jerônimo interpretava-o como "salvador", mas outros preferiam pensar no imperativo "salva!", como se fosse um apelo dirigido a Yahweh.

II. CARACTERIZAÇÃO GERAL

Oseias aparece em primeiro lugar, entre os profetas menores, de acordo com a disposição ocidental dos livros do Antigo Testamento, talvez por causa de seu volume, ou da vívida intensidade de profeta paralelamente ao seu patriotismo e estilo parecido com o dos profetas maiores. Cronologicamente, Jonas atuou antes dele (cerca de 862 a.C.), mas Joel (810 a.C.), Amós (cerca de 790 a.C.) e Isaías (720 a.C.) foram-lhe mais ou menos contemporâneos, sobretudo Joel e Amós. Oseias começou a profetizar nos últimos anos do reinado de Jeroboão II, que era contemporâneo de Uzias, e terminou suas profecias no começo do reinado de Ezequias. O livro de Oseias representa o que ficou preservado dentre suas profecias escritas.

Alguns especialistas supõem que o livro de Oseias combine duas coletâneas de escritos originalmente separadas, a saber: as *Parábolas* (caps. 1—3) e as *Profecias* (caps. 4—14). O livro contém cerca de quinze poemas proféticos, que Oseias teria entregado diante dos mercados de cidades próximas, para as quais viajou, como Jezreel e Samaria. Isso poderia indicar que ele era agricultor, mas, nesse caso, ele recebeu uma educação incomumente aprimorada para quem estava envolvido nas lides do campo. Seus oráculos têm sido datados por volta de 743 e 735 a.C., refletindo degraus descendentes da desintegração nacional. Um próspero Estado de Israel, que caracterizara a época por volta de 750 a.C., gradualmente foi cedendo lugar a levantes internos e à ameaça da invasão assíria. Oseias, pois, procurou salvar a nação, fazendo-a voltar-se para Deus, o único que era capaz de manter longe os vários lobos ameaçadores e preservar a integridade da nação. Como profeta político que foi, Oseias operava tendo em mira a unidade nacional, opondo-se às alianças com o estrangeiro e exigindo uma administração pública justa. Ele reafirmava as contribuições e os discernimentos de Amós, concebendo Yahweh não somente como um Deus justo e severo, mas também como um Deus amoroso. Uma de suas contribuições foi salvar a religião de Israel de ser absorvida pelo *baalismo* (ver a respeito no *Dicionário*), com todos os seus exagerados envolvimentos sexuais.

A chamada e a missão de Oseias estavam intimamente ligadas à sua vida pessoal. Alguns eruditos pensam que ele se casou com uma prostituta e acabou sendo infectado por ela, com algum problema sexual, mas isso é ler o texto bíblico antigo através dos óculos da moderna análise psicológica. Outros supõem que alguma tragédia doméstica tenha resultado na infidelidade de sua esposa, e que os problemas pelos quais Oseias passou tenham terminado por dar-lhe entendimento sobre o relacionamento entre Israel e Yahweh, no qual a nação aparece como a esposa infiel de Deus, devido à sua idolatria e corrupção espiritual. Na qualidade de último dos profetas de Israel, ele utilizou (e talvez tenha popularizado) as parábolas, a fim de entregar a sua mensagem. Pelo menos é verdade que o conceito de Deus, nesse livro, aproxima-se daquilo que nos expõe o Novo Testamento, mais do que qualquer outro livro do Antigo Testamento.

As *tradições judaicas* davam a *Oseias* o primeiro lugar, cronologicamente falando, entre os profetas canônicos. Entretanto, quase todos os eruditos modernos preferem pensar que Jonas e Amós o antecederam, ou foram mais ou menos contemporâneos, conforme vimos anteriormente.

O estilo de Oseias é abrupto e breve (o que causa alguma obscuridade), além de ser impressionante e solene. Em seu livro há muitas referências geográficas locais, pois ele menciona Efraim, Mizpa, Tabor, Gilgal, Bete, Jezreel, Gibeá, Ramá, Gileade etc. Os seus temas são: o pecado da nação de Israel, a necessidade de arrependimento, a condenação iminente, a derrubada da casa reinante de Jeú, a ameaça assíria, a necessidade de Israel abandonar a idolatria, e, finalmente o amor de Deus, este ilustrado por sua própria tragédia doméstica. Mui tolamente, Israel demonstrava confiança na Assíria, o gigante do norte, como se fosse um protetor de Israel. Mas Oseias deixou claramente previsto que a Assíria, longe de ser o salvador de Israel, acabaria por ser o seu destruidor. Ver Os 5.13; 7.11; 8.9; 12.1 e 14.3.

Oseias condenava o emprego da política como remédio para os problemas espirituais da nação. As alianças com potências estrangeiras só serviam para aumentar ainda mais os problemas de Israel. Contudo, uma arrependida e piedosa nação de Israel seria protegida por Deus. Infelizmente, as esperanças de Oseias não se concretizaram!

III. DATA

O trecho de Os 1.1 nos dá um indício cronológico seguro, segundo dissemos anteriormente. Vários contemporâneos são ali mencionados. O começo do ministério público de Oseias pode ser datado por volta de 748 a.C.; e a morte de Ezequias, que ocorreu por volta de 690 a.C., mostra-nos que o ministério de Oseias cobriu um longo período, 58 anos, visto que o seu ministério atingiu a época de Ezequias. Ele começou a escrever por volta de 748 a.C., ou poucos anos mais tarde. E realmente pode ter escrito o livro em duas partes (as parábolas, capítulos 1—3; e as profecias, ou oráculos, capítulos 4—14, um pouco mais tarde).

As pessoas mencionadas em Os 1.1, dentro da cronologia fornecida por Oseias, foram: Jeroboão II (reinou entre 782 e 753 a.C.), Uzias (reinou entre 767 e 739 a.C.), Jotão (reinou entre 740 e 731 a.C.), Acaz (reinou entre 732 e 715 a.C.) e Ezequias (reinou entre 716 e 686 a.C.). O trecho de Os 1.4 parece dar a entender que uma data anterior à morte de Jeroboão II marcou o início do ministério desse profeta. Os 8.9 é passagem que talvez faça alusão ao tributo pago a Tiglate-Pileser por Menaém (cerca de 739 a.C.). E, nesse caso, o ministério de Oseias já estava bem estabelecido em 743 a.C., e pelo menos parte de seu livro já tinha sido escrita.

IV. PROVENIÊNCIA E DESTINO

O próprio livro, como é óbvio, fala sobre uma origem, no reino do norte, embora nos seja impossível a precisão, quanto a isso. No entanto, nem todo o livro precisa ter sido, necessariamente, escrito no mesmo lugar. O destino primário era o reino do norte, Israel, embora seu livro tivesse uma mensagem universal, que também se aplicava a Judá. Podemos supor que a profecia de Oseias se tornou conhecida em Judá. O fato de que a introdução do livro menciona reis tanto do reino do norte quanto do reino do sul indica que a nação inteira — Judá e Israel — era visada pelo profeta, a quem ele dirigira suas advertências.

V. PANO DE FUNDO HISTÓRICO

1. *A prosperidade material* foi um fator que, juntamente com outros, levou ao declínio moral de Israel. Essa prosperidade era tão grande que poderia ser comparada à do início da monarquia. A Síria fora debilitada e, finalmente, derrotada. Uma estela encontrada em 1907 em Afis, quarenta quilômetros a sudoeste de Alepo, comemorava a queda da Síria e, quando isso sucedeu, então não muito depois, Jeroboão II (ver 2Rs 14.28), foi capaz de estender sua autoridade até Damasco. As fronteiras sul e leste de Israel e de Judá quase chegaram às mesmas extensões dos dias de Davi e Salomão. A Assíria já havia começado a ameaçar a Síria e a Palestina, embora a possibilidade de invasão ainda parecesse remota.
2. *Um menor militarismo* aumentou as riquezas materiais da nação. O comércio intensificou-se, e Israel, passando a controlar as rotas de caravanas que antes haviam sido dominadas por Damasco, foi capaz de multiplicar consideravelmente a sua prosperidade material. O luxo tornou-se comum, e os habitantes de Israel viviam regaladamente. Operários fenícios especializados receberam a tarefa de aumentar a ostentação de Israel. Os habitantes de Israel chegaram a dispor de leitos com entalhes de marfim, itens que os arqueólogos têm descoberto, pertencentes a esse período. Ver Am 6.4, que menciona o detalhe. Havia abundância de azeite e de vinho, e muitos viviam até em luxo excessivo, segundo se vê em Am 3.15 e 1Rs 22.39.
3. *Avanços Religiosos Pagãos*. Descobertas arqueológicas, feitas no norte da Síria, em Ras Shamra (Ugarite), mostram o quanto as formas de adoração idólatra dos cananeus se tinham espalhado em Israel e em toda a circunvizinhança. Os israelitas estavam-se deixando seduzir pela idolatria. Divindades pagãs e bezerros de ouro foram levantados por Jeroboão I, e Betel e Dã tornaram-se grandes centros de idolatria em Israel (1Rs 12.28). Sabemos que os ritos de fertilidade, com seus excessos e vícios sexuais, faziam parte desse culto. Além disso, a violência, o alcoolismo e toda a forma de indulgência completava o quadro desolador. Havia prostituições cultuais variegadas, e sabemos que a prostituição e o homossexualismo chegaram a ser praticados até mesmo no interior do templo (2Rs 23.7).
4. *A Confusão Resultante*. A prosperidade material começou a declinar; a confusão tornou-se a ordem do dia. O filho de Jeroboão, Zacarias, foi assassinado por Salum, e este, por sua vez, foi morto por Menaém. Quatro reis de Israel foram mortos em quinze anos. Instaurou-se a vacilação política, em relação à Assíria. Menaém tentou aplacar o poder proveniente do norte. Israel passou a agir como uma pomba sem juízo hesitando entre a Assíria e o Egito, disposta a apelar para qualquer lado, menos a voltar-se para Deus, conforme se vê em Os 5.13; 7.11 e 12.1. Toda essa vacilação em nada contribuiu para curar a nação de Israel, que nem ao menos percebeu estar gravemente enferma! Tudo chegou ao fim quando Israel caiu diante das tropas assírias, ocasião em que a cidade de Samaria foi tomada pelo inimigo, em 721 a.C., e grandes segmentos da população da nação do norte foram deportados.

VI. PROBLEMAS DE UNIDADE E INTEGRIDADE

O trecho de Os 1.1-11 foi escrito na terceira pessoa, contando o casamento do profeta; mas o trecho de Os 3.1-5 encerra um relato na *primeira* pessoa, praticamente da mesma natureza. Essas duas seções do livro, vinculadas uma a outra por um sermão dirigido a Israel (no segundo capítulo do livro), poderiam ter sido escritas por dois autores diferentes, como também poderiam descrever duas mulheres diferentes, e não uma só. Se supusermos que Gômer, esposa de Oseias, está em foco do começo ao fim do livro, então poderemos concluir que ela já era uma prostituta quando Oseias com ela contraiu matrimônio. Isso teria sido muito incomum para um profeta, que, sem dúvida, estava proibido de fazer tal coisa. Essas circunstâncias extraordinárias, contudo, poderiam ter sido necessárias a ele, a fim de que a mensagem de seu livro ganhasse em vigor e eloquência. A fim de aliviar o problema, alguns supõem que Oseias tomou Gômer como concubina, e não como sua legítima esposa; mas isso é uma especulação que também não resolve o problema. Outros estudiosos afirmam que Gômer era virgem, quando o profeta se casou com ela. Mas, se nos apegarmos a esse ponto de vista, então é quase inevitável ver duas mulheres diferentes no relato, entre os capítulos primeiro e terceiro, e não somente uma mulher.

Ainda um terceiro grupo de eruditos pensa que temos dois relatos sobre a mesma mulher e sobre o mesmo casamento, mas, tendo procedido de duas fontes separadas (uma delas uma biografia, e a outra uma autobiografia), esses relatos simplesmente se contradizem. Alguns supõem que Gômer fosse uma prostituta cultual, que se reformou temporariamente, por haver-se casado com Oseias, mas que acabou revertendo à sua condição anterior. Várias outras ideias são apresentadas, embora não possamos chegar a nenhuma conclusão indiscutível. Seja como for, é quase certo que somente uma mulher está em foco no livro, embora não saibamos como reconciliar os dois relatos a respeito. Essa circunstância, porém, não impede que a mensagem do livro seja comunicada.

A Interpretação Alegórica. Alguns estudiosos pensam que o que se lê no livro de Oseias é pura alegoria, sem importar se houve o envolvimento de uma ou de duas mulheres. Desse ponto de vista, todos os problemas sobre o que o profeta poderia ter feito ou não, se casou ou não com uma prostituta, tornam-se destituídos de importância. No entanto, quase todos os comentadores a respeito rejeitam essa interpretação alegórica.

VII. MENSAGEM E CONCEITOS PRINCIPAIS

"Israel aparece como a esposa adúltera de Yahweh, que foi repudiada, mas finalmente será purificada e restaurada. Essa é a mensagem distintiva de Oseias, que pode ser sumariada em duas palavras, *lo-Ami* (não meu povo) e *Ami* (meu povo). Israel não era apenas pecaminoso e apóstata, embora isso também seja dito; mas o pecado da nação assumia o caráter mais grave devido à exaltada relação em que ela fora posta com Yahweh". (SCO)

"Oseias é a profecia sobre o imutável amor de Deus por Israel. Apesar das contaminações da nação com o paganismo cananeu e com os cultos de fertilidade, o profeta fez todo o esforço para advertir o povo a arrepender-se, em face do perpétuo amor de Deus por eles. O tema do profeta é quádruplo: a idolatria de Israel; a sua iniquidade; o seu cativeiro e a sua restauração. Por todo o livro, entretanto, ele acena com o tema do amor de Deus por Israel. Israel é retratado profeticamente como a esposa adúltera de Yahweh, que em breve seria posta fora, mas que finalmente seria purificada e restaurada. Esses eventos são engastados dentro do mandamento divino de que o profeta se casasse com uma meretriz. Os filhos dessa união receberam nomes que simbolizam as principais predições de Oseias: *Jezreel*, a dinastia de Jeú haveria de ser completamente destruída; *Io-Ruama*, "a quem não se demonstrou misericórdia", o que indica uma profecia sobre o cativeiro assírio; *Io-Ami*, "não meu povo", a rejeição temporária de Israel (cf. Rm 11.1-24); e *Ami*, "meu povo", que aponta para a restauração final da nação (cf. Rm 11.25,26), no fim dos tempos (Os 1.2—2.23)". (UN)

Alguns Pontos de Vista Doutrinários:
1. *A Graça Divina.* Deus é quem toma a iniciativa na salvação do homem (Os 11.1). A condição de Israel era de profunda depravação, que só poderia ser curada mediante a graça de Deus. Por todo o livro, a nação de Israel é convidada a arrepender-se, o que dá a entender que isso está dentro do alcance da vontade humana. Ver Os 5.4; 11.7. A restauração final prometida (Os 1.2—2.23) é o resultado final da graça de Deus, o que é uma verdade no tocante à criação inteira, e não apenas à nação de Israel (Ef 1.9,10). Ver no *Dicionário* o artigo geral sobre a *Restauração.*
2. O *Pecado.* É mister cuidar do pecado, mediante o arrependimento. O pecado tem o poder de confundir, perverter e desviar (Os 4.11), não sendo nenhuma brincadeira. Embora o profeta tenha comprado Gômer de volta, reduzida como ela estava à prostituição e ao opróbrio, o pecado empurrou-a de volta à sua anterior forma de vida pecaminosa. O pecado é poderoso, mesmo em meio ao favor recebido. Assim também, o juízo precisa ser imposto contra o pecado, o que, no caso de Israel, viria sob a forma do cativeiro aos assírios. Todavia, esse juízo divino seria restaurador, e não meramente punitivo. Isso faz parte da natureza do *julgamento divino* (ver a respeito no *Dicionário*).
3. *O Difícil Caminho para o Arrependimento* (ver Os 6.1-4). Alguns intérpretes aceitam essa passagem como se ela retratasse um autêntico arrependimento. Mas outros veem superficialidade, de tal modo que o arrependimento logo reverte ao estado pecaminoso anterior. Há algo de profundamente ilustrativo nisso, que visa todos os homens. Por que razão o arrependimento é tão espasmódico, tão fugido, tão facilmente reversível? Oseias ensina-nos que não é fácil o caminho que conduz ao arrependimento, depois que a pessoa se deixa envolver pela idolatria, pela imoralidade e pelas formas corruptas de adoração religiosa. O evangelho promete arrependimento, mediante o poder do Espírito, mas esse poder só se torna disponível àqueles que realmente o cultivam. Ver no *Dicionário* o artigo intitulado *Arrependimento.*
4. *O verdadeiro Conhecimento de Deus.* Jesus orou no sentido de que os homens viessem a conhecer o verdadeiro Deus, e seu Filho (Jo 17). Mediante esse conhecimento, que não é apenas intelectual, o homem é espiritualizado, porquanto isso envolve comunhão no Espírito Santo. O verdadeiro conhecimento de Deus implica comunhão com Deus, e não apenas informações a respeito de Deus. A falta de conhecimento real de Deus, por parte de Israel, levou a nação a todas as modalidades de pecado, como o perjúrio, a mentira, o homicídio, o furto, o deboche, o engodo e o derramamento de sangue inocente, conforme se vê em Os 4.2. Gômer ofendeu profundamente a Oseias, com a sua conduta traiçoeira. E nós insultamos a Deus com a nossa conduta errada. Isso demonstra a superficialidade da nossa experiência com o Ser divino, embora ela seja autêntica. O verdadeiro conhecimento de Deus requer o toque místico. O Espírito Santo precisa fazer-se presente, a fim de nos transformar, ou então, terminaremos com uma teologia meramente intelectual.
5. *Esperança e Restauração.* A mensagem geral de Oseias é bastante desanimadora, excetuando a sua mensagem de esperada restauração, quando Deus haverá de reverter as misérias de seu povo de Israel. A esperança, porém, é transferida para o futuro. O presente imediato era negro, moralmente falando, mas, no horizonte, já avultava o cativeiro assírio. Somente quando a mente da fé dá uma espiada naquilo que Deus, finalmente, fará, vê-se esperança no livro de Oseias. No entanto, apesar de distante, a esperança é real. Ver Os 2.14-23; 11.10,11; cap. 14 e, especialmente, 6.1-3.

VIII. ESBOÇO DO CONTEÚDO
I. A Esposa Prostituída de Yahweh é Repudiada (1.1—3.5)
   A. Um casamento metafórico (1.1—2.23)
      1. Ilustrações da rejeição com os nomes lo-Ami (1.1-9)
      2. Consolo em meio à miséria (1.10,11)
      3. O julgamento de Israel (2.1-13)
      4. A restauração de Israel (2.14-23)
   B. Outro casamento metafórico (3.1-5)
      1. Sua decretação (3.1-3)
      2. Seu significado (3.4,5)
II. Israel, Objeto do Amor de Deus (4.1—14.9)
   A. A culpa de Israel (4.1-19)
   B. A ira divina (5.1-15)
   C. Arrependimento (6.1-3)
   D. A reação divina (6.4—13.8)
   E. Restauração final (13.9—14.9)

IX. CANONICIDADE
O lugar ocupado pelo livro do Oseias à testa dos doze profetas menores é antiquíssimo. Nenhuma decisão canônica jamais pôs isso em dúvida. Desde os dias de Ben Siraque (ver Eclesiástico 49.10,11), essa posição já estava bem estabelecida. Vários manuscritos da Septuaginta têm os profetas menores em diversas sequências; mas o livro de Oseias sempre figura em primeiro lugar, talvez por causa de seu volume ou, então, por causa de sua elevada mensagem e teologia, que nos fornece um quadro de Deus diferente do de muitos outros livros do Antigo Testamento. Em contraste com outros livros, a autoria genuína desse livro nunca foi posta em dúvida. E os estudiosos jamais duvidaram das relações históricas do livro, conforme se vê em Os 1.1. Cronologicamente falando, Oseias não deve ser posto antes de Amós (como aparece em *Baba Bathra* 14.b); mas a sua importância faz com que ele mereça estar no começo dos profetas menores.

X. OSEIAS ILUSTRA O PRINCÍPIO DA RESTAURAÇÃO
Israel havia adotado toda forma de *paganismo*, tendo caído em pecado grave, em apostasia, tornando-se uma nação pagã entre nações pagãs. Jezreel (Os 1.4) nasceu da esposa adúltera de Oseias, a fim de simbolizar a iminente destruição da casa de Jeú e o cativeiro assírio. Em seguida, nasceu-lhes uma filha, que foi batizada como lo-Ruama (Os 1.6), nome que significa "não compadecida". Deus haveria de retirar sua misericórdia protetora de Israel, por um longo tempo. Misérias incontáveis sufocariam a vida nacional de Israel. O povo seria disperso; eles perderiam seus territórios; a adoração sagrada sofreria interrupções. Haveria muitos longos séculos de agonia. Em outras palavras, um *severo juízo* sobreviria àqueles que antes tinham sido povo de Deus. Nasceu então um filho, de Oseias e Gômer, chamado lo-Ami (Os 1.9), nome que significa "não meu povo". Até hoje Israel continua sendo "não meu povo", enquanto está sendo dada a oportunidade de salvação aos gentios. Portanto, está envolvido um processo de séculos de julgamento devastador.

A esposa adúltera, verdadeiramente, foi repelida. No entanto, foi explicado ao profeta que ele deveria chamar seus filhos de *Ami*, que significa "meu povo", e de *Ruama*, isto é, "compadecida" (Os 2.1). Notemos que essas palavras são a reversão verbal dos nomes conferidos aos filhos de Oseias. Tais reversões verbais, pois, falam de uma restauração que deverá abençoar a Israel, graças aos infalíveis e poderosos propósitos de Deus, embora esses propósitos possam requerer muito tempo para serem cumpridos. Em nossos dias, a restauração final continua sendo assunto apenas predito nas profecias bíblicas. Paulo tomou esse tema, em Rm 11.25,26, fazendo dele uma importante doutrina evangélica. O apóstolo, pois, renovou a esperança e o ensino de Oseias. Fornecemos no *Dicionário* um artigo separado sobre o assunto, chamado *Queda e Restauração de Israel*. Essa restauração está esperando o tempo do fim e a intervenção que será realizada pelo próprio Cristo. Ver Os 13.9—14.9.

Várias lições ótimas são dadas por Oseias, quanto à natureza da restauração de Israel:

1. O pecado exerce efeitos devastadores sobre um indivíduo ou sobre uma nação, conforme for o caso.
2. O pecado precisa ser severamente punido, em consonância com o rigor da justiça.
3. Nesse juízo, um povo inteiro foi declarado "não compadecido" e "não povo de Deus", o que mostra a severidade desse julgamento divino.
4. Os grandes juízos divinos podem perdurar por longo tempo, realmente. Israel, desde antes do cristianismo, não teve modificada a sua condição diante de Deus, após tantos séculos. Creio que o julgamento dos perdidos atingirá os ciclos da eternidade futura. Apesar da morte biológica do indivíduo não pôr fim à oportunidade (1Pe 4.6), ainda assim deixa cada um de nós sob o juízo apropriado. Cada alma permanecerá sob juízo durante o tempo que for mister para que pague por seus erros e seja restaurada, *através* do juízo. Em outras palavras, o julgamento será *um* dos meios envolvidos nessa restauração. Não antecipo que todas as almas sofrerão o mesmo grau e nem a mesma duração de julgamento. Isso variará de acordo com a reação de cada indivíduo, e a obra que nele estiver sendo efetuada, pela graça de Deus.
5. *O juízo divino é punitivo,* conforme ilustrado pelo livro de Oseias. Por outro lado, também é *restaurador,* conforme mostra o mesmo livro. Em outras palavras, o juízo realiza algo, a saber, restaura. O julgamento da cruz foi um severíssimo golpe contra o pecado, mas também se revestiu de poderes remidores. Assim, todos os julgamentos divinos são golpes contra o pecado, produzindo miséria e sofrimento. Porém, vão muito além disso, livrando o homem das tempestades e trazendo a ele o *raiar de um novo dia,* no qual a graça restauradora de Deus resplandece em *todos* os lugares de sua criação.
6. Os assírios vieram e puseram fim à nação do norte, Israel. Séculos e séculos de sofrimentos têm-se seguido desde então. Mas a promessa de restauração final permanece firme. O propósito de Deus continua operando. Não foi cancelado pelo julgamento. O mesmo sucede no caso de *todos os homens.* Os homens estão dispersos e cativos pelo diabo. O julgamento haverá de sobrevir a todos os homens, o que fará com que a vasta maioria deles tenha de ir para as dimensões espirituais do julgamento. No entanto, a misericórdia de Deus garante que esse estado, em si mesmo, tem um efeito restaurador, conforme vemos em 1Pe 4.6 e Ef 1.9,10. Esse propósito opera até nos ciclos da eternidade futura, abrangendo um tempo muito longo, da mesma maneira que o povo de Israel tem estado sob o juízo divino, há muitos séculos. Deus, porém, escreverá um capítulo final de misericórdia e graça, e todos os homens haverão de exultar no Logos, como o grande Benfeitor e a razão e o alvo de toda a existência humana, mesmo que nem todos venham a obter a redenção que há em Cristo. Isso, meus amigos, é um evangelho otimista, são boas-novas para os homens garantidas pelo amor de Deus, em Jesus Cristo.

XI. BIBLIOGRAFIA
AM BA E HARR I IB IOT OES SN WBC WES YO Z

Ao Leitor
O estudante sério, antes de lançar-se ao estudo desse livro, tirará vantagem da *Introdução* provida, que apresenta materiais como: Oseias, o profeta; caracterização geral; data; proveniência e destino; pano de fundo histórico; problemas da unidade e da integridade; mensagem e conceitos principais; esboço do conteúdo; canonicidade; Oseias como ilustração do princípio da restauração; bibliografia. Também os gráficos acompanhantes dos profetas do Antigo Testamento ajudarão o leitor a localizar cronologicamente o livro de Oseias em relação a outros volumes da tradição profética.

Com Oseias começamos o primeiro dos últimos *doze livros* do Antigo Testamento, chamados *Profetas Menores.* Talvez seus 14 capítulos, num total de 197 versículos, e sua grande antiguidade, tenham conferido a ele o primeiro lugar na ordem apresentada. O livro de Zacarias é levemente maior, com 211 versículos, porém muito mais tardio quanto à data. Os sermões e as profecias de Oseias foram feitos pouco tempo antes do cativeiro assírio, que assinalou o *fim do reino do norte* (Israel). Ver sobre *Cativeiro Assírio,* no *Dicionário.* A data tradicional desse cativeiro é 722 a.C.

"Após a conquista assíria de 733-732 a.C., que resultou na queda de Damasco, quatro reis de Israel foram assassinados no espaço de quinze anos, e a Samaria caiu diante dos assírios em 721 a.C." *(Oxford Annotated Bible,* introdução). O reino do norte, antes da

PROFECIA

Ordem Cronológica e Data Aproximada	Profeta	Referências Bíblicas	Reis Envolvidos
1. 837 a.C. — 800 a.C.	Joel	Jl 1.1; 2Rs 11	Joás?
2. 825—782	Jonas	2Rs 13, 14	Anazias, Jeroboão II
3. 810—785	Amós	2Rs 14, 15	Jeroboão II
4. 782—725	Oseias	2Rs 15—18; 2Rs 15—20	Jeroboão II, Uzias, Jotão, Acaz
5. 758—698	Isaías	2Cr 26—32	Ezequias
6. 740—695	Miqueias	2Rs 15.8-20; Is 7,8; Jr 26.17-19	Uzias, Jotão, Acaz, Ezequias
7. 640—630	Naum	Jn; Is 10; Sf 2.13-15	Josias
8. 640—610	Sofonias	2Rs 22, 23; 2Cr 34—36	Josias
9. 627—586	Jeremias	2Rs 22—25; 2Cr 34—36	Josias; Joacaz; Jeoaquim; Joaquim; Zedequias
10. 609—598	Habacuque	2Rs 23, 24; 2Cr 36.1-10	Josias
11. 606—534	Daniel	2Rs 23, 25; 2Cr 36.5-23	Exílio; Nabucodonosor; Ciro
12. 592—572	Ezequiel	2Rs 24.17-25; 2Cr 36.11-21	Exílio; Nabucodonosor
13. 586—583	Obadias	2Rs 25; 2Cr 36.11-21	Exílio; Nabucodonosor
14. 520	Ageu	Ed 5, 6	Após o exílio; Dario I; Ed
15. 520—518	Zacarias	Ed 5, 6	Após o exílio; Dario I; Ed
16. 433—425	Malaquias	Ne 12	Após o exílio; Artaxerxes I; Ne

OS PROFETAS E SUAS MISSÕES

Os Profetas	Época do Ministério	Receptores das Profecias
Joel	Pré-exílio	Judá (Sul de Israel)
Isaías	Pré-exílio	Judá (Sul de Israel)
Miqueias	Pré-exílio	Judá (Sul de Israel)
Jeremias	Pré-exílio	Judá (Sul de Israel)
Habacuque	Pré-exílio	Judá (Sul de Israel)
Sofonias	Pré-exílio	Judá (Sul de Israel)
Oseias	Pré-exílio	Israel (Norte de Israel)
Amós	Pré-exílio	Israel (Norte de Israel)
Obadias	Pré-exílio	Edom
Jonas	Pré-exílio	Assíria (Nínive)
Naum	Pré-exílio	Assíria
Ezequiel	Durante o exílio	Babilônia
Daniel	Durante o exílio	Babilônia
Ageu	Após o exílio	Jerusalém
Zacarias	Após o exílio	Jerusalém
Malaquias	Após o exílio	Jerusalém

Para maiores informações, ver no *Dicionário* o artigo geral sobre *Profecia*.

---

queda, tinha sido reduzido ao caos virtual. O livro de Oseias fornece as *razões morais* para o declínio e a queda de Israel (o norte), apresentando-as sob a imagem de adultério espiritual. O profeta Oseias sofreu diante da infelicidade de sua esposa, tal e qual a nação de Israel estava tratando seu marido espiritual, Yahweh. Tanto Oseias quanto Yahweh se divorciaram de suas esposas, mas ambos serão restaurados a elas, no fim, embora isso ainda estivesse distante de acontecer. O profeta casou-se com a prostituta Gômer. Ela lhe deu três filhos.

Provavelmente devemos entender que esses três filhos eram de Oseias, mas outros que nasceram de Gômer eram filhos dos amantes dela. O autor sacro não se preocupa em dar-nos informações sobre eles, quantos eram, seus nomes etc. Gômer abandonou seu marido, o profeta Oseias, em sua arrogância e corrupção moral. Não obstante, ele a trouxe de volta para casa e a restaurou publicamente (ver Os 3.1-5). Há uma espécie de amor que não abandona o objeto amado, e esse é o amor de Yahweh pelo povo de Israel, o qual deverá ser restaurado, no final das contas. "Ó amor que não me abandona, descanso em ti a minha alma cansada" (George Matheson).

Profetas Menores. Esta classificação cabe aos *doze livros* proféticos relativamente *pequenos* que fazem parte do volume do Antigo Testamento. O fato de eles serem denominados *menores* não significa que seus autores tenham sido homens de importância secundária, mas apenas que os rolos que eles escreveram não eram muito volumosos, quando confrontados aos chamados *Profetas Maiores*: Isaías, Jeremias, Ezequiel e Daniel. Os doze livros dos Profetas Menores são: Amós, Oseias, Miqueias, Sofonias, Naum, Habacuque, Ageu, Zacarias, Obadias, Malaquias, Joel e Jonas. Os estudiosos judeus deram um título alternativo a essa coletânea: *Livro dos Doze*. E, sob a forma de rolos, geralmente eles compunham um único volume. A ordem dos livros, dada acima, é a ordem da Bíblia hebraica. A Septuaginta tem várias ordens, dependendo de seus manuscritos representativos. Mas em todas essas listas *Oseias* as encabeça.

Em meio a toda a destruição e melancolia que caracterizam grande parte do Antigo Testamento, é reconfortante encontrar um livro dedicado ao tema do *amor redentor*, sobretudo porque essa redenção é obtida por aqueles que não a merecem. Ver a seção X da Introdução, *Oseias Ilustra o Princípio da Restauração*. "Israel é a esposa adúltera de Yahweh, repudiada, mas que, finalmente, será purificada e restaurada. Essa é a mensagem distintiva de Oseias, que pode ser sumariada por meio de duas palavras: *lo-Ammi* (Não MEU-POVO) e *Ammi* (MEU POVO)" (Scofield Reference Bible, introdução).

Cf. o espírito desse livro com o espírito do livro de Jonas, que é corretamente denominado o João 3.16 do Antigo Testamento. Ali estão em vista os gentios. Assim sendo, o amor de Deus é visto como universal em suas operações, bem como remidor-restaurador em seu desígnio.

EXPOSIÇÃO

CAPÍTULO UM

O CASAMENTO DE OSEIAS É UM SÍMBOLO ESPIRITUAL (1.1—3.5)

A ESPOSA E OS FILHOS DE OSEIAS (1.1-9)

Sobrescrito (1.1)

■ 1.1

דְּבַר־יְהוָה ׀ אֲשֶׁר הָיָה אֶל־הוֹשֵׁעַ בֶּן־בְּאֵרִי בִּימֵי
עֻזִּיָּה יוֹתָם אָחָז יְחִזְקִיָּה מַלְכֵי יְהוּדָה וּבִימֵי יָרָבְעָם
בֶּן־יוֹאָשׁ מֶלֶךְ יִשְׂרָאֵל:

Palavra do Senhor, que foi dirigida a Oseias, filho de Beeri.
A profecia veio pela palavra de *Yahweh*, que tinha importante mensagem a transmitir a Israel, antes do *cativeiro assírio* (ver a respeito no *Dicionário*). A nação se encaminhava para uma severa punição, e o profeta Oseias mostrou o porquê. Ver no *Dicionário* os artigos chamados *Revelação* e *Inspiração*. A Bíblia, do princípio ao fim, presume que o Criador intervém na história de sua criação, conforme ensina o *teísmo* (ver a respeito no *Dicionário*). O *deísmo*, pelo contrário, ensina que o Criador abandonou sua criação, sujeitando-a às leis naturais.

Oseias. Ver a Introdução, anteriormente, na primeira seção, chamada *Oseias, o Profeta*, quanto ao que se conhece sobre esse homem, sua família e seu ambiente histórico.

Ambiente Histórico. Este versículo fornece os nomes de quatro reis de Judá e dois reis de Israel, em cuja época Oseias ministrou como profeta em Israel. O período abrange, mais ou menos, 786-774 a.C. Ver a seção III da Introdução, *Informes*, para detalhes a respeito. Ver também os gráficos acompanhantes dos profetas de Israel e Judá, e como eles se relacionaram cronologicamente aos reis. Ver no *Dicionário*, cada rei individualmente, em artigos separados, bem como o artigo chamado *Reino de Judá*, onde ofereço, na seção IV, um breve relato sobre cada monarca. No artigo chamado *Rei, Realeza*, apresento um gráfico que compara cronologicamente os reis de Israel, de Judá e de nações circunvizinhas.

"Há evidências no livro de Oseias de que esse profeta continuou suas atividades proféticas após a morte de Jeroboão, mas não existe nenhuma evidência de que ele tenha continuado ativo além da guerra siro-efraimita (635-734 a.C.)" (John Mauchline, *in loc.*).

"A convicção de que a *palavra do Senhor* é dada aos profetas (ver Os 1.1) é comum aos profetas (Cf. Jl 1.1; Mq 1.1; Sf 1.1; Ag 1.1; Zc 1.1), algo fundamental na profecia dos hebreus. Essa convicção assevera que a inspiração e a autoridade de um profeta não se derivam dele próprio, mas de Deus, que revela a sua vontade a ele (ver Ez 2.3-5; Am 3.7; Zc 1.6). Um profeta é um agente pessoal de Deus (Êx 4.15,16 e Is 6.8). Ele deve mostrar-se obediente a Deus (1Rs 13; Am 7.14-17; At 4.18-20)" (Harold Cooke Phillips, *in loc.*).

As mensagens dos capítulos 1—3 oscilam entre o julgamento e a salvação. Ver o gráfico acompanhante.

O Casamento de Oseias (1.2-9)

Gômer, uma Mulher de Adultérios (1.2,3)

■ 1.2

תְּחִלַּת דִּבֶּר־יְהוָה בְּהוֹשֵׁעַ פ וַיֹּאמֶר יְהוָה אֶל־הוֹשֵׁעַ
לֵךְ קַח־לְךָ אֵשֶׁת זְנוּנִים וְיַלְדֵי זְנוּנִים כִּי־זָנֹה תִזְנֶה
הָאָרֶץ מֵאַחֲרֵי יְהוָה:

Quando pela primeira vez falou o Senhor por intermédio de Oseias. *Símbolo da Prostituição e do Adultério.* Um profeta ou sacerdote não podia tomar como esposa uma mulher prostituta, sobretudo se ela continuasse praticando a sua "arte". É assunto de discussões se a esposa de Oseias já era uma prostituta, ou se ela se prostituiu depois de ter-se casado com ele. Este versículo, considerado isoladamente, subentende a primeira possibilidade. Encontramos aqui uma ordem altamente irregular, dada pelo próprio Yahweh. Todas as regras deveriam ser quebradas. Esse homem santo deveria buscar uma prostituta, ainda praticante, para tomá-la como esposa. Através de tão estranha circunstância seria ensinada uma lição objetiva espiritual. A nação de Israel era essa prostituta-adúltera, e Yahweh era seu marido. A nós cabe aprender lições sobre a infidelidade, o julgamento e o amor de Deus, que é capaz de restaurar até o pior dos pecadores.

Quando pela primeira vez. Quando o ministério de Oseias estava apenas começando, bem no início de sua carreira, ele recebeu esse mandato incomum. O nome *Oseias* significa "salvação". Haveria muitos a serem salvos, sob circunstâncias difíceis. Ver no *Dicionário* o artigo chamado *Idolatria*. Nisso consiste o adultério espiritual. Ver também o verbete chamado *Adultério*. Israel tornou-se uma nação caracterizada pela idolatria, pelo adultério e pela apostasia.

Logo no começo do ministério de Oseias, o Senhor o instruiu a casar-se com uma mulher adúltera. Essa relação, caracterizada pela infidelidade por parte da esposa, era um retrato da infidelidade de Israel ao pacto com o Senhor (ver Os 2.2-23).

■ 1.3

וַיֵּלֶךְ וַיִּקַּח אֶת־גֹּמֶר בַּת־דִּבְלָיִם וַתַּהַר וַתֵּלֶד־לוֹ בֵּן:

Foi-se, pois, e tomou a Gômer. Quanto ao que se sabe ou se conjectura sobre Gômer, ver no *Dicionário* o artigo com esse nome, segundo ponto, onde ofereço as várias interpretações concernentes a essa mulher, em relação às condições de seu casamento. 1. O texto sacro certamente não é metafórico, no sentido de que a coisa inteira seja uma parábola, e não uma história real. 2. O casamento foi literal. Alguns estudiosos insistem em que Gômer não era uma prostituta quando Oseias se casou com ela. Isso equivale a dizer que o vs. 2 desse livro "antecipa" aquilo em que ela se transformaria, e não o que ela era quando se casou. 3. Porém, se aceitarmos o versículo tal e qual ele se manifesta, sem pensar em truques, teremos de aceitar que ela era uma mulher que frequentava as ruas, quando de seu casamento com Oseias. E se Gômer era uma mulher israelita, então torna-se necessário que ela fosse uma idólatra, alguém que adorava os bezerros de Jeroboão, em Dã ou Betel. Nesse caso, Oseias tomou uma adúltera espiritual, mas o texto está falando de adultério físico, o que também acaba sendo um adultério espiritual.

Oseias conseguiu tirar Gômer do bordel, mas não foi capaz de tirar o bordel de Gômer.

Primeiro Filho, JEZREEL (1.4,5)

■ 1.4

וַיֹּאמֶר יְהוָה אֵלָיו קְרָא שְׁמוֹ יִזְרְעֶאל כִּי־עוֹד מְעַט
וּפָקַדְתִּי אֶת־דְּמֵי יִזְרְעֶאל עַל־בֵּית יֵהוּא וְהִשְׁבַּתִּי
מַמְלְכוּת בֵּית יִשְׂרָאֵל:

Disse-lhe o Senhor: Põe-lhe o nome de Jezreel. Os vss. 4 e 5 mostram que os três filhos de Oseias nasceram no decurso de cinco ou seis anos. Cf. o vs. 8. O nome "Jezreel" significa "Deus semeia", o que nos faz lembrar da *Lei Moral da Colheita segundo a Semeadura* (ver a respeito no *Dicionário*). O agente ativo dessa semeadura é Yahweh, mas fica implícita a semeadura iníqua de Israel. Jezreel, nome de uma localidade de Israel, foi onde se deu o massacre sanguinário de Jeú da casa de Acabe, em cerca de 841 a.C. Isso, por sua vez, nos faz lembrar do julgamento de Deus contra os ímpios, mostrando-nos qual é a colheita temível feita daquele que está pagando por seus pecados. Mas todo o Israel, referido como a casa de Jeú, deveria sofrer seu merecido julgamento. A matança da casa de Acabe foi ordenada por Yahweh (ver 2Rs 9.6-10). Portanto, pode parecer uma contradição o fato de que a casa de Jeú tenha sido subsequentemente punida por esse motivo. Mas também é verdade que a matança ultrapassou ao que fora ordenado por Deus, o que tornou Jeú culpado de crimes de sangue. Ele também matou Jorão (ver 2Rs 9.24), Acazias, rei de Judá (ver 2Rs 9.27,28), e 42 parentes desse homem (ver 2Rs 10.12-14), além de outros. Portanto, Jeú foi um homem sanguinário, e não poderia mesmo escapar, a despeito do bem que tinha feito. Desse modo, Yahweh poria fim a Israel, a quem Jeú representava, devido às muitas infrações que o povo de Israel tinha praticado contra a lei de Moisés.

Toda essa descrição mostra que Oseias já havia descoberto a infidelidade de sua esposa, Gômer, e também devemos entender que Jezreel era filho de Oseias, mas houve filhos e filhas, cujos nomes não são dados, nascidos de encontros adulterinos de Gômer.

■ 1.5

וְהָיָה בַּיּוֹם הַהוּא וְשָׁבַרְתִּי אֶת־קֶשֶׁת יִשְׂרָאֵל בְּעֵמֶק
יִזְרְעֶאל:

Naquele dia quebrarei o arco de Israel, no vale de Jezreel. Muitas atrocidades haviam sido cometidas no vale de Jezreel, e Yahweh o escolheu como localidade apropriada para a queda do reino do norte, Israel. O local do pecado de Jeú seria também o local da perda total de Israel. "Quebrar o arco" refere-se à destruição do poder militar (cf. 2Sm 2.4; Sl 46.9 e Jr 49.35). Israel não tardaria a ser avassalado pelos assírios, e a própria existência de Israel seria abolida pelo ataque militar e pelo cativeiro. Isso ocorreu em 722 a.C., após uma série de ataques. A demolição do exército de Israel, em Jezreel, ocorreu por volta de 733 a.C. Gideão havia conquistado grande vitória ali (ver Jz 6.33; capítulo 7), mas também ali, finalmente, ocorreria o aniquilamento e o fim de Israel como nação. Cf. este versículo com Jr 44.17,18.

"A própria cidade de Jezreel era um lugar fortificado, na extremidade ocidental do monte Gilboa, dando frente para o vale de Jezreel, que separava a Galileia da Samaria. Foi um notável campo de batalha. *Megido...* ficava na outra extremidade do vale. O nome *Armagedom* deriva-se da palavra hebraica *har* (colina) e *Megido*, ou seja, 'colina de Megido'" (John Mauchline, *in loc.*).

Segundo Filho, DESFAVORECIDA (1.6,7)

■ 1.6

וַתַּהַר עוֹד וַתֵּלֶד בַּת וַיֹּאמֶר לוֹ קְרָא שְׁמָהּ לֹא
רֻחָמָה כִּי לֹא אוֹסִיף עוֹד אֲרַחֵם אֶת־בֵּית יִשְׂרָאֵל
כִּי־נָשֹׂא אֶשָּׂא לָהֶם:

Tornou ela a conceber, e deu à luz uma filha. O povo de Israel era iníquo e brutal, e seria brutalmente destruído. Nesta segunda gravidez de Gômer, nasceu uma *filha*, a qual recebeu o nome de *Desfavorecida*. Deus não mais teria misericórdia de Israel, pois chegara o tempo de sua prestação de conta. A piedade e a paciência de Deus se tinham exaurido ante a idolatria-adultério-apostasia da nação do norte. Nada poderia impedir o julgamento divino. Ele se tornara inevitável. Cf. Am 8.2: "Chegou o fim para o povo de Israel".

Yahweh é retratado aqui como o General dos exércitos assírios. Deus arrebataria a nação de Israel para o lugar do esquecimento. Estava em vista a *extinção* de uma nação. Ver no *Dicionário* o artigo chamado *Cativeiro Assírio*, que nos conta a história toda.

"Deus te pendura sobre o abismo do inferno, mas ou menos como alguém pendura uma aranha ou um inseto nojento por sobre o fogo. Ele te abomina. Sua ira volta-se contra ti, e queima como o fogo. Aos olhos do Senhor, és dez mil vezes mais abominável do que a serpente mais venenosa e repelente aos teus olhos" (Jonathan Edwards, em seu livro *Sultanac*).

Tal como no monte Sinai, o povo de Israel foi relembrado da compaixão de Yahweh (ver Êx 34.6). Mas era chegado o tempo de um julgamento puro e aniquilador. Deus não mais podia tolerar os culpados sem a merecida punição (ver Êx 34.7). Tal tempo tinha chegado para o reino do norte. Naturalmente, os julgamentos divinos são medidas disciplinadoras, e não apenas providências retributivas. O julgamento é um dedo da amorosa mão de Deus. Ver 1Pe 4.6, no *Novo Testamento Interpretado*.

Ao que parece, devemos compreender ao longo do relato que todos os filhos de Oseias eram dele, mas houve vários filhos e filhas, cujos nomes não são dados, que nasceram dos encontros adúlteros de Gômer. Ver Os 2.2.

■ 1.7

וְאֶת־בֵּית יְהוּדָה אֲרַחֵם וְהוֹשַׁעְתִּים בַּיהוָה אֱלֹהֵיהֶם וְלֹא אוֹשִׁיעֵם בְּקֶשֶׁת וּבְחֶרֶב וּבְמִלְחָמָה בְּסוּסִים וּבְפָרָשִׁים:

Porém da casa de Judá me compadecerei. A tribo de Judá levaria avante a nação de "Israel", embora fosse apenas a porção sul da nação inteira, composta somente por duas tribos: Judá e Benjamim. Yahweh não estava pondo fim à nação de Israel, mas somente àquela porção que ficara fora da possibilidade de restauração. Contudo, o livro vacila entre o julgamento e a salvação, conforme deixo ilustrado no gráfico acompanhante. Assim sendo, onde o julgamento é proferido, ali a salvação também é possível. As trevas engolfariam a porção norte da nação, mas a graça de Deus continuaria a brilhar sobre a porção sul. Yahweh-Elohim, o Deus Eterno e Todo-poderoso, interviria e os salvaria, mas não através da instrumentalidade humana, tal como armas de guerra e vitória na batalha. Uma instância dessa intervenção ocorreu no ano de 701 a.C., quando um exército de 185 mil assírios foi miraculosamente destruído, libertando Judá de tal ameaça. Ver 2Rs 19.32-36. Naturalmente, pouco mais de cem anos depois, Judá seria quase inteiramente destruído pelos babilônios. Ver no *Dicionário* o artigo chamado *Cativeiro Babilônico*. Chegaria o tempo em que Judá se tornaria tão pútrido quanto Israel tinha sido, e de modo mais culpado, porquanto atravessara uma história mais gloriosa, pela graça de Deus. Cf. este versículo com Sl 76 e Is 40.1,2. Diz o Targum: "Eu os salvarei pela Palavra do Senhor, Deus deles".

Terceiro Filho: Não MEU-POVO (lo-Ammi) (1.8,9)

■ 1.8,9

וַתִּגְמֹל אֶת־לֹא רֻחָמָה וַתַּהַר וַתֵּלֶד בֵּן:
וַיֹּאמֶר קְרָא שְׁמוֹ לֹא עַמִּי כִּי אַתֶּם לֹא עַמִּי וְאָנֹכִי לֹא־אֶהְיֶה לָכֶם: ס

Depois de haver desmamado a Desfavorecida, concebeu e deu à luz um filho. Pouco depois de *lo-Ruama* — Desfavorecida — ter sido desmamada, chegou outro filho legítimo de Oseias, que simbolizaria que Israel não mais deveria ser considerado filho de Yahweh; antes, deveria ser rejeitado como um produto adúltero. Israel havia quebrado todas as condições estabelecidas pelo pacto (ver no *Dicionário* o artigo chamado *Pactos*) e acabou sendo cortado para não participar das bênçãos da aliança. O laço entre Israel e Yahweh tinha sido quebrado. Da perspectiva divina, Israel tornou-se um não povo. Esse julgamento divino derrubou a própria base da fé religiosa do Antigo Testamento, exceto pelo fato de que o sul (vs. 7) foi poupado para preservar a nação e as alianças com o Senhor.

> No labirinto enlouquecedor das coisas,
> Empurrado por tempestades e dilúvios,
> Meu espírito apega-se a uma confiança fixa:
> Sei que Deus é bom.
>
> John Greenleaf Whittier

Deus havia dito que *andaria* entre o povo de Israel, que seria o Deus deles, e que eles seriam o seu povo (ver Lv 26.12; Êx 6.7; Dt 26.17,18). Mas tudo isso tinha sido perdido, porquanto Israel deixara de andar com Deus. Para Moisés, Yahweh era o grande *Eu Sou* (ver Êx 3.14). As *Dez Tribos* (os poucos que sobreviveram aos ataques dos assírios), rejeitadas como uma esposa adúltera, foram levadas para o exílio e para a dispersão, dos quais até hoje não retornaram. Esse foi o fim do "casamento".

RESTAURAÇÃO E RENOVAÇÃO (1.10—2.1)

■ 1.10,11 (na Bíblia hebraica corresponde ao 2.1,2)

וְהָיָה מִסְפַּר בְּנֵי־יִשְׂרָאֵל כְּחוֹל הַיָּם אֲשֶׁר לֹא־יִמַּד וְלֹא יִסָּפֵר וְהָיָה בִּמְקוֹם אֲשֶׁר־יֵאָמֵר לָהֶם לֹא־עַמִּי אַתֶּם יֵאָמֵר לָהֶם בְּנֵי אֵל־חָי:

וְנִקְבְּצוּ בְּנֵי־יְהוּדָה וּבְנֵי־יִשְׂרָאֵל יַחְדָּו וְשָׂמוּ לָהֶם רֹאשׁ אֶחָד וְעָלוּ מִן־הָאָרֶץ כִּי גָדוֹל יוֹם יִזְרְעֶאל:

Todavia o número dos filhos de Israel será como a areia do mar. É melhor ignorar a divisão em capítulos aqui. A melancolia drástica da rejeição é de súbito transformada em uma descrição da restauração. A promessa de uma posteridade inumerável de Abraão, confirmada no pacto abraâmico (ver Gn 15.18), é certificada no vs. 10. Ver Gn 22.17 e 32.12. *Lo-Ammi* (Não MEU-POVO) se tornaria *Ami* (meu povo) (vs. 11). O texto fala da incomensurável abundância da transbordante graça de Deus, e de seu amor que não sofre qualquer restrição. O vs. 11 promete a restauração de Israel e Judá em uma única nação populosa que prestará lealdade ao *Deus vivo* (cf. Js 3.10; Sl 42.2; Is 37.4; Jr 10.10).

Como Será Efetuada Essa Restauração?

1. *Ideal e potencialmente.* Israel poderia ter ouvido os avisos divinos, e isso teria evitado o cativeiro assírio. Dessa maneira, Israel permaneceria como nação única, sujeita às infindas bênçãos de Deus.
2. Israel sobreviveria em *Judá*, a qual seria chamada "Israel", embora fosse apenas um fragmento pequeno da nação original. Entretanto, cresceria e até ocuparia grande parte do território antes pertencente ao reino do norte.
3. Esta promessa é essencialmente *escatológica*. Durante a era do reino de Deus, haverá a restauração geral. Ver Rm 11.26.
4. A restauração terá lugar na *igreja*. Essa é uma interpretação que confunde o destino de Israel com o destino da igreja que, no momento, é essencialmente gentílica. Ver na *Enciclopédia de Bíblia, Teologia e Filosofia* os artigos chamados *Restauração* e *Restauração de Israel*.
5. Ou então, de acordo com certos estudiosos, esta passagem pertence ao período exílico, quando ainda havia *esperança* de que as dez tribos que estavam no cativeiro teriam permissão de *voltar* à sua terra. Nesse caso, a restauração seria possível. Jezreel tinha sido o símbolo de uma má colheita, um julgamento da natureza mais severa (vs. 5). Mas agora Jezreel seria aquilo que "Deus semeia" (em consonância com o seu nome). Nesse caso, a restauração substituiria a desolação.

CAPÍTULO DOIS

■ 2.1 (na Bíblia hebraica corresponde ao 2.3)

אִמְרוּ לַאֲחֵיכֶם עַמִּי וְלַאֲחוֹתֵיכֶם רֻחָמָה:

Chamai a vosso irmão MEU-POVO, e a vossa irmã: FAVOR. Deixamos agora, para trás, a prometida restauração de Os 1.10—2.1, e começamos uma seção que nos devolve à melancolia. Os nomes dos filhos projetaram a avaliação espiritual do relacionamento matrimonial de Oseias e Gômer. Os filhos legítimos, produtos da fidelidade de curta duração de Gômer, foram convidados pelo profeta a pleitear junto à mãe deles se poderia ser efetuada alguma reforma, com efeito curador sobre seus adultérios subsequentes. A questão continuava a ser uma parábola da relação entre Israel (a esposa infiel) e Yahweh, o marido divino. Está em vista aqui uma *separação*. Isso já tinha ocorrido no casamento, e em breve se tornaria um fato na vida diária. Gômer deixara de ser a esposa de Oseias, que se divorciara dela. E só poderia ser reintegrada como esposa se abandonasse seus adultérios. Parece que devemos compreender que os filhos chamados por nome eram filhos legítimos de Oseias e Gômer, mas os que são aludidos, mas não chamados por nomes, eram filhos dos adultérios da mulher.

JULGAMENTO E SALVAÇÃO EM OSEIAS

Os temas principais de Oseias são: 1. Pecado; 2. Julgamento; 3. Salvação. O pecado dominante de Israel era o da idolatria, graficamente ilustrado pelas infidelidades da esposa do profeta. Ver 4.17; 8.4,6; 10.6; 11.2; 13.2. Israel (norte e sul) foi atrás do horrendo Baal, o deus da fertilidade (2.8,12; 11.12; 13.1), esperando aumentar a sua produção humana, animal e agrícola. Houve outros pecados notáveis como crimes violentos (4.22; 6.9; 12.1); hipocrisia (6.6); cobiça e arrogância (7.15; 13.6). Mesmo assim, a salvação de Yahweh estava disponível na condição de arrependimento.

Os Temas de Julgamento e Salvação

Julgamento	Salvação
1.2-9	1.10,11
2.2-13	2.14—3.5
4.1—5.14	5.15—6.3
6.4—11.7	11.8-11
11.12—13.16	cap. 4

Lendo os textos, descobrimos que os julgamentos, embora severos, sempre tinham o objetivo de restaurar "a esposa vadia". Todo julgamento era disciplinar. Oseias e sua esposa foram reconciliados, o que forneceu um exemplo para Israel-Judá, mostrando que o arrependimento podia efetuar uma restauração nacional.

O julgamento do livro de Oseias era temporal e físico. Portanto, seu texto não pode ser utilizado para falar dogmaticamente sobre o assunto. Ainda assim, podemos observar alguma coisa sobre a operação do amor de Deus, que utiliza, julgamento para restaurar, não para esmagar final e fatalmente.

Estudiosos sabem que as chamas do inferno foram acesas no livro pseudepígrafo, 1Enoque. É significante que trechos que falam sobre as chamas eternas dão a elas valor restaurador.

Ver 66.7,8,15: o fogo sarará corpo e alma quando julgar espíritos: "Naqueles dias os rios de fogo efetuarão cura para os reis, príncipes, os exaltados e todos os habitantes da terra". (66.8)

"Estas águas do julgamento serão para sua cura" (vs. 15), que define as águas como o fogo do julgamento. No Apocalipse do Novo Testamento, os rios de fogo tornaram-se o lago de fogo.

Compare-se estes conceitos com 1Pe 4.6 do Novo Testamento canônico: "Pois, para este fim foi o evangelho pregado também a mortos, para que os mesmos julgados na carne segundo os homens, vivam no espírito segundo Deus".

Aprendemos, pois, que o julgamento é um dedo na mão amorosa de Deus: efetua retribuição e também restauração.

■ **2.2** (na Bíblia hebraica corresponde ao **2.4**)

רִיבוּ בְאִמְּכֶם רִיבוּ כִּי־הִיא לֹא אִשְׁתִּי וְאָנֹכִי לֹא
אִישָׁהּ וְתָסֵר זְנוּנֶיהָ מִפָּנֶיהָ וְנַאֲפוּפֶיהָ מִבֵּין שָׁדֶיהָ׃

Repreendei vossa mãe, repreendei-a, porque ela não é minha mulher. A recuperação é possível a uma mulher que se arrependa. Ela precisava ter uma mudança radical em sua vida. Deveria abandonar a frequência ao bordel, quando seu marido estava de viagem, ou por suas costas, quando ele estava ausente de casa.

E os seus adultérios de entre os seus seios. A obsessão da maioria dos homens com os seios femininos é, naturalmente, uma questão genética. Os hebreus não estavam isentos dessa loucura, e nunca pretenderam estar. A menção aos seios, em relação às atividades sexuais, é frequente no livro Cantares de Salomão. Os hebreus eram um povo de canções e danças, e o vinho com frequência fluía como o rio Amazonas. Os hebreus gostavam muito do sexo, tal como a maioria das pessoas, e não se mostravam nem um pouco pudicos. A lei de Moisés tentava canalizar essa obsessão para a relação matrimonial, mas não logrou grande sucesso, conforme demonstrado pelo presente versículo. Uma noite de sexo era chamada de *noite de seios*. O animal-homem preferia brincar à noite do que trabalhar durante o dia. Para alguns homens, o sexo é o que torna a vida digna de ser vivida. Cf. esta parte do versículo com Ct 1.13; 4.5; 7.3,7,8 e 8.10.

Saciem-te os seus seios em todo o tempo.
Provérbios 5.19

Observação Espiritual. "Israel tinha adulterado sua adoração a Yahweh com o baalismo cananeu" (*Oxford Annotated Bible*, comentando sobre o vs. 2).

■ **2.3** (na Bíblia hebraica corresponde ao **2.5**)

פֶּן־אַפְשִׁיטֶנָּה עֲרֻמָּה וְהִצַּגְתִּיהָ כְּיוֹם הִוָּלְדָהּ וְשַׂמְתִּיהָ
כַמִּדְבָּר וְשַׁתִּהָ כְּאֶרֶץ צִיָּה וַהֲמִתִּיהָ בַּצָּמָא׃

Para que eu não a deixe despida. A *mulher adúltera* dirigia-se a algum tratamento duro que facilmente poderia ter ocorrido em Israel, onde os homens governavam, antes de a liberação feminina e o feminismo entrarem em cena. A mulher adúltera seria desnudada e submetida à vergonha pública. Ela ficaria tão absolutamente nua como um bebê recém-nascido que nada veste. Espiritualmente falando, isso significava que ela ficaria desolada como eram desolados os desertos em redor de Jerusalém. Ela padeceria sede e a desidratação tomaria conta de seu corpo. Ela estaria à beira da morte. Ver Dt 22.21 quanto ao apedrejamento das adúlteras. A mulher culpada era despida antes de ser apedrejada. Cf. Ez 16.38-40. Um tablete com escrita cuneiforme de Hana, e outro de Nuzi, ao norte da Mesopotâmia (datados dos meados do segundo milênio a.C.), descrevem a prática da despedida de uma mulher divorciada, quando ela partia despida, para que todos vissem a sua desgraça. Outro tablete de Nuzi descreve como os filhos dessa mulher eram quem a despiam, antes de ela ser despedida.

A mulher que se tinha enfeitado com joias e preparado a mente para seus adultérios, ingerindo vinho, agora estava despida de todas as vestes e joias. Estava desolada e morria de sede (figuradamente). "A punição estava de acordo com a gravidade do crime. Aquela que tinha exposto a nudez para seus amantes, seria exposta publicamente para que todos a vissem. Esse ato público aparentemente precedia a execução das adúlteras (cf. Ez 16.38-40)" (Robert B. Chisholm, Jr., *in loc.*). Ela sofria a *Lex Talionis*, o castigo segundo a gravidade do crime cometido. Ver sobre esse título no *Dicionário*.

■ **2.4** (na Bíblia hebraica corresponde ao **2.6**)

וְאֶת־בָּנֶיהָ לֹא אֲרַחֵם כִּי־בְנֵי זְנוּנִים הֵמָּה׃

E não me compadeça de seus filhos. A dama não queria receber misericórdia. Ela preferia ser como sua filha, *lo-Ruama*, totalmente destituída dos bafejos da misericórdia. Ver Os 1.6. E seus filhos também não receberiam misericórdia.

Este versículo é uma reiteração do que já havia sido dito, e serve para enfatizar a questão.

Está em vista a maneira *temível* como os assírios, por ordens de Yahweh, aniquilariam brutalmente as tribos do norte e então levariam os poucos sobreviventes para o cativeiro, onde eles pereceriam. Desse modo, a nação inteira morreria em resultado dos juízos de Deus.

Embora o texto fale de uma *finalidade*, por todo esse livro encontramos a possibilidade de perdão e restauração, pelo que o livro oscila entre o julgamento e a salvação, conforme ilustro no gráfico que acompanha o capítulo 1.

■ **2.5** (na Bíblia hebraica corresponde ao **2.7**)

כִּי זָנְתָה אִמָּם הֹבִישָׁה הוֹרָתָם כִּי אָמְרָה אֵלְכָה אַחֲרֵי מְאַהֲבַי נֹתְנֵי לַחְמִי וּמֵימַי צַמְרִי וּפִשְׁתִּי שַׁמְנִי וְשִׁקּוּיָי׃

Pois sua mãe se prostituiu. O salário de uma prostituta, nos dias de Oseias, era bom, tal como é bom hoje em dia. Naquele tempo, a maior parte desses *salários* era paga sob a forma de produtos, pelo que encontramos aqui mercadorias como pão, água, lã, linho (incluindo vestes finas), óleo e bebidas.

A prostituição (infantil ou não) é uma das maldições brasileiras. A maior parte das prostitutas é "prostituta do salário". As jovens logo aprendem que podem ganhar, em um único dia, mais do que as boas jovens podem ganhar com seu salário-mínimo, em um mês inteiro. Portanto, por que trabalhar para algum chefe mal-humorado?

A pobreza é algo do passado para a maioria das prostitutas. A dama deste versículo era uma prostituta do salário, e muito mais do que isso. Era simplesmente corrupta, o que ilustra o estado geral da nação de Israel, em sua idolatria-adultério-apostasia. É provável, porém, que este versículo também aluda à *prostituição sagrada*, segundo a qual as mulheres recebiam um salário razoável e também financiavam os cultos pagãos, como acontecia no culto a Baal. Os cultos de fertilidade, naqueles dias, representavam um bom negócio para todos os envolvidos, porquanto havia muitos clientes, e esses sempre usavam as prostitutas do templo. É conforme diz um ditado inglês: "Uma vez João, para sempre João". O nome João, no vocabulário das prostitutas, significa "cliente". Poucas pessoas e, certamente, poucas profissões envolvem-se tão pesadamente nos "benefícios materiais", com a exclusão de qualquer busca espiritual, quanto as prostitutas. Seja como for, a corrida louca pelos benefícios materiais é uma espécie de prostituição moral e física. Todo esse negócio é *vergonhoso*, conforme declara o versículo presente.

■ **2.6** (na Bíblia hebraica corresponde ao **2.8**)

לָכֵן הִנְנִי־שָׂךְ אֶת־דַּרְכֵּךְ בַּסִּירִים וְגָדַרְתִּי אֶת־גְּדֵרָהּ וּנְתִיבוֹתֶיהָ לֹא תִמְצָא׃

Portanto, eis que cercarei o seu caminho com espinhos. "Os vss. 6-8 falam da frustração e subsequente iluminação e arrependimento de uma esposa que errara; os vss. 9-13 descrevem a punição que ela receberia por causa de sua infidelidade; os vss. 14-23 dizem como os laços entre Yahweh e sua esposa (Israel) serão renovados sobre uma base pura, e eles se tornarão novamente noivos. Fica claro de imediato que até onde a *lógica* está envolvida, a ordem dessas seções deveria ser: vss. 9-13; vss. 6-8; vss. 14-23; com exceção de que o vs. 8 deveria ser lido juntamente com, e como conclusão dos vss. 2-5" (John Mauchline, *in loc.*).

Yahweh, que controla os destinos dos indivíduos e das nações, dificultava a vida da esposa-prostituta. A vereda pela qual ela entrara estava repleta de espinhos e, assim, logo ela descobriria que seu estilo de vida lhe causava mais dores do que prazeres. O caminho dela estava *bloqueado por espinheiros* (NCV), obstáculos inesperados, dificuldades, enfermidades, retrocessos. Em seguida, ela se depara com problemas realmente difíceis, que são como muros que a encerram, pelo que ela não consegue escapar de más situações. Sua vida hedonística revela-se uma fonte de contendas e sofrimentos. Então, frustrada, ela estende a mão para algo diferente, porquanto o *interesse próprio* será sempre o seu guia.

■ **2.7** (na Bíblia hebraica corresponde ao **2.9**)

וְרִדְּפָה אֶת־מְאַהֲבֶיהָ וְלֹא־תַשִּׂיג אֹתָם וּבִקְשָׁתַם וְלֹא תִמְצָא וְאָמְרָה אֵלְכָה וְאָשׁוּבָה אֶל־אִישִׁי הָרִאשׁוֹן כִּי טוֹב לִי אָז מֵעָתָּה׃

Ela irá em seguimento de seus amantes. O pecado produz seus inevitáveis sofrimentos e frustrações. Todas as maçãs do diabo têm vermes. Essa dama, precisando de mudanças e já se aproximando delas, tinha de entregar-se completamente a seus amantes. Eles a evitavam, pelo que ela correu atrás deles, tentando manter intacta sua antiga vida de deboche. Mediante essas palavras, o profeta deixa entendido que a idolatria-adultério-apostasia de Israel exercia grande poder sobre aquela mulher. A antiga prostituta estava tentando mudar sua maneira de viver. Ela obteve sucesso por algum tempo, mas não demorou muito a retornar à sua vida dissoluta, pela força do *hábito*, que se torna um desejo insopitável. Os hábitos são como correntes que prendem a alma.

Semeai um ato, e colhereis um hábito.
Semeai um hábito, e colhereis um caráter.
Semeai um caráter, e colhereis um destino.
Semeai um destino, e colhereis — Deus.

Prof. Huston Smith

A seca, as pragas, as guerras e outras condições adversas agitavam os caminhos de Israel, mas se sempre houve esse ideal de restauração, tal restauração nunca ocorreu efetivamente. As coisas simplesmente se tornavam cada vez piores, pois a nação precisava de um julgamento severo.

■ **2.8** (na Bíblia hebraica corresponde ao **2.10**)

וְהִיא לֹא יָדְעָה כִּי אָנֹכִי נָתַתִּי לָהּ הַדָּגָן וְהַתִּירוֹשׁ וְהַיִּצְהָר וְכֶסֶף הִרְבֵּיתִי לָהּ וְזָהָב עָשׂוּ לַבָּעַל׃

Ela, pois, não soube que eu é que lhe dei o grão. Enquanto a dama voava alto, tendo abundância de todas as coisas, a fonte real da boa vida era Yahweh. Contrastar este versículo com o vs. 5 (seus *amantes,* a fonte alegada da abundância da dama). A *ignorância* entra em questão. Mas se Israel soubesse quem era que lhe dava tudo o que era necessário, teria agido de modo diferente? Israel não sabia (o autor sacro estava sendo muito caridoso) e, assim sendo, abdicava, mediante sua ignorância, de todas as coisas boas, dedicando sua substância ao culto de Baal. Cf. este versículo com Os 8.4 e 13.2, que têm ideias similares. Israel não conseguiu reconhecer Yahweh como seu verdadeiro benfeitor, e vivia correndo para os deuses de nada de povos vizinhos. Talvez haja uma alusão ao custo que Israel teve de pagar por sua lealdade a potências e deuses estrangeiros. Israel foi punido por ter de pagar tributo à Assíria. No Obelisco Negro de Salmaneser III, da Assíria (859 — 825 a.C.), temos a informação de que Jeú teve de pagar consideráveis quantias em ouro e prata, ou seja, 30 talentos de ouro e 800 talentos de prata, a cada ano. Produtos agrícolas também estiveram envolvidos nesses tributos. Alguns dos bens e o dinheiro com que os israelitas contribuíram terminaram nos santuários de Baal, para sustentar o sacerdócio pagão ou para edificar novos templos e santuários. Em seu paganismo, Israel passou a olhar para Baal como o deus que fazia sua agricultura prosperar, e também controlava a chuva, pelo que eles "deviam" pagamento àquela alegada potência. O trigo, o vinho e o azeite eram os principais produtos da Palestina, e Baal ficava com respeitável parcela de toda a produção. A situação era absurda, mas Israel tateava nas trevas da ignorância.

PUNIÇÃO ADEQUADA AO CRIME (2.9-13)

■ **2.9** (na Bíblia hebraica corresponde ao **2.11**)

לָכֵן אָשׁוּב וְלָקַחְתִּי דְגָנִי בְּעִתּוֹ וְתִירוֹשִׁי בְּמוֹעֲדוֹ וְהִצַּלְתִּי צַמְרִי וּפִשְׁתִּי לְכַסּוֹת אֶת־עֶרְוָתָהּ׃

Portanto, tornar-me-ei, e reterei a seu tempo o meu grão. Visto que Israel contribuía estupidamente com suas riquezas para os cultos pagãos, essas riquezas lhe seriam tiradas por Yahweh. As chuvas parariam; as colheitas fracassariam; a fome mataria a muitos e haveria enfermidades generalizadas. Os animais domesticados morreriam, pelo que não haveria como fabricar vestes de seus produtos. Também não haveria linho com que fazer vestes de boa qualidade, porquanto os rios se secariam e o linho não cresceria. Haveria severa aplicação da *Lex Talionis*, ou seja, do castigo conforme a gravidade dos crimes cometidos (ver o *Dicionário* quanto a esse título). Isso faz parte da *Lei Moral da Colheita segundo a Semeadura* (ver também no *Dicionário*). O pecado privaria a dama sensual de seu poder, e ela quase meramente subsistiria. Yahweh era o Deus real que controlava as condições atmosféricas e os ciclos de vida.

"A desobediência traria a seca, a pestilência, a guerra, a morte e o exílio (ver Lv 26.14-19; Dt 28.15-68)... Seca, crestação, enxames de insetos e exércitos invasores destruiriam o produto da terra (cf. Dt 28.51; Jl 1.4-12; Am 4.6-9; 7.1)" (Robert B. Chisholm, Jr., *in loc.*).

■ **2.10** (na Bíblia hebraica corresponde ao **2.12**)

וְעַתָּה אֲגַלֶּה אֶת־נַבְלֻתָהּ לְעֵינֵי מְאַהֲבֶיהָ וְאִישׁ לֹא־יַצִּילֶנָּה מִיָּדִי:

Agora descobrirei as suas vergonhas. Este versículo repete as declarações do vs. 3, de maneira mais simples. Aqui, os *amantes de Israel* veriam suas vergonhas, quando Yahweh lhe tirasse as vestes, as coisas que davam falsas ideias sobre o verdadeiro estado da nação. Uma vez que tivessem tirado dela tudo quanto ela possuía, eles abusariam dela e, finalmente, a abandonariam. Era um jogo perdido do começo ao fim. A dama perderia até as *roupas*, ou seja, as coisas básicas que lhe davam algum orgulho na vida. As coisas mencionadas no primeiro parágrafo da exposição sobre o vs. 9 lhe seriam furtadas, e podemos identificá-las como suas vestes.

As suas vergonhas. Ou seja, a aviltada condição de Israel em sua idolatria-adultério-apostasia. Todas as coisas que ocultavam suas reais condições morais e espirituais, essas coisas seriam removidas. E até seus amantes ficariam chocados ao contemplar quão vil criatura era Israel. Ele seria como um *pecador desmascarado* e sofreria a vergonha daí decorrente. Sua falsa espiritualidade, por participar dos cultos pagãos, também fazia parte de suas vestes. Com essa desgraça Israel ocultava seu estado espiritual desgraçado. O que parecia ser uma fonte de bênçãos na realidade era a fonte das maldições que, finalmente, lhe sobreviriam.

■ **2.11** (na Bíblia hebraica corresponde ao **2.13**)

וְהִשְׁבַּתִּי כָּל־מְשׂוֹשָׂהּ חַגָּהּ חָדְשָׁהּ וְשַׁבַּתָּהּ וְכֹל מוֹעֲדָהּ:

Farei cessar todo o seu gozo. As várias festividades que representavam, ao mesmo tempo, observâncias religiosas e celebrações dos ciclos anuais, eram ocasiões jubilosas, acompanhadas por vinho, mulheres e cânticos, além dos rituais. Temos aqui mencionados especificamente os sábados, as luas novas e as festas solenes, provavelmente as três festividades anuais que requeriam a presença de todos os varões: a Páscoa, o Pentecoste e os Tabernáculos. Ver no *Dicionário* o artigo chamado *Festas (Festividades) dos Judeus*, quanto a detalhes. Não temos nenhuma indicação, nesta passagem, da mistura do paganismo com esses feriados judaicos tradicionais, mas é provável que isso deva ser entendido. Seja como for, essas festas tinham perdido seu significado para um povo idólatra-adúltero-apostatado. A alegria vinculada a elas seria perdida quando o povo fosse para o cativeiro assírio. Esse acontecimento poria fim eficaz a tudo quanto era judaico na nação do norte, e assim a alegria também se perderia. Tal seria o julgamento de Yahweh contra a dama desviada. "Aquelas festividades tinham sido corrompidas pela adoração a Baal (Os 2.13) e não eram mais desejadas por Yahweh" (Robert B. Chisholm, Jr., *in loc.*).

■ **2.12** (na Bíblia hebraica corresponde ao **2.14**)

וַהֲשִׁמֹּתִי גַּפְנָהּ וּתְאֵנָתָהּ אֲשֶׁר אָמְרָה אֶתְנָה הֵמָּה לִי אֲשֶׁר נָתְנוּ־לִי מְאַהֲבָי וְשַׂמְתִּים לְיַעַר וַאֲכָלָתַם חַיַּת הַשָּׂדֶה:

Devastarei a sua vide e a sua figueira. A *agricultura* de Israel, que era sua riqueza e a linha de vida, seria aniquilada pela falta de chuva e pelas doenças das plantas. A ímpia dama, Israel, dera a Baal o crédito pela satisfação de todas as suas necessidades, mediante plantações e safras. Israel nunca conseguiu deixar de ser um país essencialmente agrícola. Por outra parte, todos os países e indivíduos dependem pesadamente dessa ciência. Onde antes havia plantações transmissoras de vida, haveria florestas, quando ervas daninhas reclamassem de volta o território que os homens tinham usado no cultivo. Cf. o vs. 5, onde vemos a dama dando a seus amantes o crédito pelas coisas boas que ela desfrutava, incluindo os produtos agrícolas.

"A Septuaginta transmite um excelente senso, ao descrever a devastação das vinhas e das figueiras realizada pelos animais do campo, que são referidos como testemunhas da disciplina e da correção de Yahweh" (John Mauchline, *in loc.*). Tanto os céus como a terra chegaram a desprezar esse povo desviado e a trabalhar contra ele.

■ **2.13** (na Bíblia hebraica corresponde ao **2.15**)

וּפָקַדְתִּי עָלֶיהָ אֶת־יְמֵי הַבְּעָלִים אֲשֶׁר תַּקְטִיר לָהֶם וַתַּעַד נִזְמָהּ וְחֶלְיָתָהּ וַתֵּלֶךְ אַחֲרֵי מְאַהֲבֶיהָ וְאֹתִי שָׁכְחָה נְאֻם־יְהוָה: פ

Castigá-la-ei pelos dias de Baalins. Além de as festas e as festividades religiosas de Yahweh terem sido corrompidas pelas festas de Baal, em um doentio sincretismo, os israelitas, aberta e desavergonhadamente, tomavam parte e faziam a promoção do culto a Baal, engajando-se na prostituição sagrada e em outros ritos desgraçados, inclusive no sacrifício de crianças. A dama, Israel, embelezava-se e parecia uma prostituta, quando estava lá fora, praticando o seu paganismo. Naturalmente, ela esqueceu Yahweh, seu marido, enquanto se consorciava com seus amantes.

"Os anéis e joias, embora fossem sinais de deleite e sinais de prestígio, dentro de seu contexto apropriado (cf. Pv 25.12; Ez 16.12-14), representam aqui o esforço da esposa infiel por *atrair* seus amantes. A forma plural, Baalins (ver também Os 2.17; Jz 2.11), provavelmente refere-se às várias manifestações locais desse culto. Ver a forma singular, *Baal*, em Os 2.8 e 13.1. Ele era representado por imagens existentes em vários santuários espalhados pelo território (cf. Os 13.1,2)" (Robert B. Chisholm, Jr., *in loc.*).

Castigá-la-ei. Uma interpretação do hebraico literal, "visitá-la--ei". Essa visita seria para finalidades de vingança e castigo.

RESTAURAÇÃO E NOVO NOIVADO (2.14-23)

Convite e Reação Favorável (2.14,15)

■ **2.14** (na Bíblia hebraica corresponde ao **2.16**)

לָכֵן הִנֵּה אָנֹכִי מְפַתֶּיהָ וְהֹלַכְתִּיהָ הַמִּדְבָּר וְדִבַּרְתִּי עַל־לִבָּהּ:

Portanto, eis que eu a atrairei, e a levarei para o deserto. Havia sempre a esperança de que Israel, por causa do ministério fiel dos profetas, voltaria ao culto a Yahweh, esquecendo a idolatria dos estrangeiros. Então, quando veio o cativeiro assírio, sempre esteve de pé a esperança de que, de alguma forma, as tribos do norte seriam trazidas de volta à sua terra. Mas nada disso aconteceu. As coisas só foram ficando cada vez piores, e o castigo mostrou ser permanente. Contudo, no decorrer desse livro, temos a alternância do julgamento com a salvação, o que ilustro no gráfico no começo do capítulo 1. Nesses versículos, até o fim do capítulo, temos uma transição dos vss. 9-13 (a ameaça de punição) para as promessas sobre um *novo dia*, sob a condição de obediência e volta aos dias antigos, que foram governados pela lei de Moisés. Portanto, encontramos aqui três subseções: vss. 14,15 — a tentativa de Yahweh persuadir a esposa infiel a voltar; vss. 16-20, todos os traços da adoração a Baal teriam de ser removidos; vss. 21-23, a terra readquiriria o favor do povo de Israel, produzindo abundância de suprimentos necessários.

A esposa infiel seria *atraída* pelas promessas e pelos atos graciosos de Yahweh. Ela seria conduzida ao deserto, longe de seus amantes, que viviam sempre procurando desviá-la. Uma vez distante daquela influência adversa, Yahweh seria capaz de consolá-la. Ele voltaria a aceitá-la como sua esposa e esqueceria seu passado sórdido. A palavra "atrair", aqui usada, pode significar "seduzir" ou "convencer". Seria uma sedução saudável, em contraste com a sedução vergonhosa dos amantes, que visavam apenas prejudicar a mulher. Cf. Êx 22.16 quanto ao uso negativo dessa palavra. "Na conversão, o Senhor chama seu povo para separar-se do mundo" (John Gill, *in loc.*). Não poderá haver restauração enquanto Israel não tiver abandonado Baal e tudo quando essa falsa divindade representa. A bênção é condicional, como são quase todas as bênçãos.

■ **2.15** (na Bíblia hebraica corresponde ao **2.17**)

וְנָתַתִּי לָהּ אֶת־כְּרָמֶיהָ מִשָּׁם וְאֶת־עֵמֶק עָכוֹר לְפֶתַח תִּקְוָה וְעָנְתָה שָּׁמָּה כִּימֵי נְעוּרֶיהָ וּכְיוֹם עֲלֹתָהּ מֵאֶרֶץ־מִצְרָיִם: ס

E lhe darei, dali, as suas vinhas, e o vale de Acor. *Uma Motivação Egoísta.* A dama — a nação de Israel — estaria agindo em seu próprio *interesse* se abandonasse o mal e voltasse para o bem. Ela tinha dado a Baal o crédito por sua prosperidade material (abundância agrícola), mas Yahweh era a verdadeira fonte dessa abundância (ver os vss. 5,7,8).

> *Toda boa dádiva e todo dom perfeito é lá do alto, descendo do Pai das Luzes, em quem não pode existir variação, ou sombra de mudança.*
>
> Tiago 1.17

A dama desviada é aqui retratada como quem seria atraída ao deserto para separar-se de seus amantes, a fim de renovar o pacto de casamento com seu primeiro marido e então ser abençoada por ele de volta à casa. "Os mais profundos discernimentos do Antigo Testamento não vieram da era do reinado de Salomão, quando Israel prosperava e florescia. Mas vieram do deserto do Sinai, do exílio e do cativeiro. Da mesma maneira que as estrelas brilham mais na noite mais escura, assim também, nas experiências que parecem mais negras, Deus com frequência fala ao coração" (Harold Cooke Phillips, *in loc.*).

O vale de Acor. Ver sobre este vale no *Dicionário*. O nome significa "vale da tribulação", que se transformaria em uma porta de esperança. A dama desviada veria um novo dia, tal como se deu quando Israel foi tirado do Egito. Foi naquele vale que o estúpido pecado de Acã pôs em perigo o sucesso da conquista (Js 7). Mas desta vez o vale se tornaria símbolo de uma nova esperança na restauração... Cf. Is 65.10. Por mais de vinte vezes, o livro de Deuteronômio fala sobre Israel *tirado do Egito*. Ver as notas expositivas em Dt 4.20. Cf. este versículo com (?) 15.1 e Ap 15.3.

Purificação e Novo Noivado (2.16-20)

■ **2.16** (na Bíblia hebraica corresponde ao **2.18**)

וְהָיָה בַיּוֹם־הַהוּא נְאֻם־יְהוָה תִּקְרְאִי אִישִׁי וְלֹא־תִקְרְאִי־לִי עוֹד בַּעְלִי:

Naquele dia... ela me chamará: Meu marido. Nos dias da purificação e o novo noivado, Yahweh será chamado por sua esposa restaurada pelo título de "meu marido", e não por "meu baal" (meu senhor), pois ele terá tomado o lugar do perverso Baal. Todos os sinais da lealdade anterior serão anulados. O original hebraico aqui, para "meu marido", é *Ishi*, que alguns traduções transliteram, em vez de traduzir. Outrossim, algumas traduções preferem reter "meu Baal", em vez de traduzir por "meu senhor". Isso posto, *Ishi* e *baal* tornam-se quase termos intercambiáveis. Isso fica claro em 2Sm 11.26. "Quando a esposa de Urias ouviu que seu marido (*ishi*) estava morto, ela lamentou por ele (*baal*). Cf. também Dt 24.3,4. O nome *baal* tinha más conotações e cairia do vocabulário da dama desviada. O termo *baal* significa apenas "senhor", pelo que muitas referências do Antigo Testamento apresentam esse vocábulo sem que esteja sendo invocada qualquer divindade cananeia. Ver Is 54.5; Êx 21.22; 2Sm 11.25; Jl 1.18. Ver no *Dicionário* o verbete denominado *Baal*, quanto a detalhes sobre essa divindade e seus cultos multifacetados.

■ **2.17** (na Bíblia hebraica corresponde ao **2.19**)

וַהֲסִרֹתִי אֶת־שְׁמוֹת הַבְּעָלִים מִפִּיהָ וְלֹא־יִזָּכְרוּ עוֹד בִּשְׁמָם:

Da sua boca tirarei os nomes dos Baalins. Em sua renovada lealdade (com a volta ao culto de Yahweh), a dama passará a falar de nova maneira. Os *nomes de Baal* não mais serão ouvidos em sua boca. O vocabulário que uma pessoa usa reflete seu estado mental. A dama deverá ter um novo estado mental, produzido pela verdadeira restauração que nela será efetuada. Ver no *Dicionário* o artigo chamado *Linguagem, Uso Apropriado da*, que pode ser usado para ilustrar o presente versículo.

■ **2.18** (na Bíblia hebraica corresponde ao **2.20**)

וְכָרַתִּי לָהֶם בְּרִית בַּיּוֹם הַהוּא עִם־חַיַּת הַשָּׂדֶה וְעִם־עוֹף הַשָּׁמַיִם וְרֶמֶשׂ הָאֲדָמָה וְקֶשֶׁת וְחֶרֶב וּמִלְחָמָה אֶשְׁבּוֹר מִן־הָאָרֶץ וְהִשְׁכַּבְתִּים לָבֶטַח:

Naquele dia farei a favor dela aliança com as bestas-feras. Estão aqui em vista os animais do campo, os animais selvagens, os pássaros e os répteis que apresentam algum perigo para os seres humanos. Esses animais servem de símbolos do que pode prejudicar o homem ou infundir-lhe medo. Faz parte do resultado da queda no pecado que a própria natureza se tornou hostil ao homem. Algumas feras são fortes o bastante para atacar e matar o homem, o que era um perigo constante na antiga nação de Israel. Os animais que mais frequentemente se tornavam matadores de homens eram os leões e os ursos e, em terceiro lugar, as cobras, que todos conhecemos. Ver Dt 7.22; Jó 5.23; Is 11.6-9 e Ez 34.15, que fala do amansamento dos animais por amor ao homem, um ideal da nova era futura. Além disso, há outros animais que, embora não possam matar o homem, estragam as plantações, como as raposas e os insetos. Deus fará um pacto com esses animais, mantendo-os longe do homem e de suas plantações. Israel (a dama desviada) será beneficiada por esse pacto. Além disso, o próprio homem é o maior dos *predadores*, e parte da bênção de Yahweh será estancar as guerras (a espada etc.), dando descanso a Israel de todo o assédio da parte de povos estrangeiros. As guerras, pois, cessarão — uma provisão divina em favor de um povo santo. Ver Is 2.4; 9.4,5; Zc 9.10 e Sl 46.9. Essas coisas estarão entre os sinais da aprovação de Yahweh à sua esposa restaurada.

■ **2.19** (na Bíblia hebraica corresponde ao **2.21**)

וְאֵרַשְׂתִּיךְ לִי לְעוֹלָם וְאֵרַשְׂתִּיךְ לִי בְּצֶדֶק וּבְמִשְׁפָּט וּבְחֶסֶד וּבְרַחֲמִים:

Desposar-te-ei comigo para sempre. *Um Casamento Permanente.* O noivado entre Deus e Israel seria permanente, quando Israel aprendesse a viver de maneira nova e reta. Haveria nova e duradoura relação, com a obliteração de todas as corrupções do passado. Isso soa como a era do reino, mas talvez o profeta Oseias não estivesse tentando predizer essa era. Antes, ele estava preocupado com uma duradoura restauração em seus próprios dias. O cativeiro assírio teria sido evitado e um novo Israel continuaria sob as bênçãos de uma nova maneira de viver. A palavra hebraica aqui traduzida por "desposar" significa "assinalar um novo começo", em contraste com corrigir antigas condições. O noivado é um compromisso, mas, na antiga nação de Israel, um casal de noivos era tratado como se já estivesse casado, o que era considerado resultado inevitável do noivado. Ver Dt 20.7; 22.23. Por ocasião do noivado, um homem já deveria pagar sua parte da aliança para selar o acordo (ver 2Sm 3.14). Esse pagamento era feito em dinheiro, propriedades ou produtos. Yahweh tinha cobrado o seu preço: a mudança de coração; a mudança de vida; a fidelidade; a retidão. Deveria haver devoção da noiva a seu noivo, com a anulação das antigas lealdades e devoções ao paganismo. Além disso, deveria haver certo grau de obediência ao primeiro e grande mandamento de amar a Deus de todo o coração (ver Dt 6.5). Sendo esse o caso, o amor de Deus fluiria para Israel, e não haveria fim para os bons resultados desse fenômeno. Aprendemos que a verdadeira prosperidade reside na espiritualidade, e que bênçãos materiais são adicionadas a ela como uma espécie de brinde.

> *Buscai, pois, em primeiro lugar, o seu reino e a sua justiça, e todas estas cousas vos serão acrescentadas.*
>
> Mateus 6.33

■ **2.20** (na Bíblia hebraica corresponde ao **2.22**)

וְאֵרַשְׂתִּיךְ לִי בֶּאֱמוּנָה וְיָדַעַתְּ אֶת־יְהוָה: ס

Desposar-te-ei comigo em fidelidade. O renovado noivado seria feito no solo da fidelidade, tanto da parte do marido divino como por parte da dama restaurada. Esse fator tem-se tornado parte integral dos contratos de casamento. O termo hebraico que indica "fidelidade" é *'emunah,* que subentende as ideias de *dependência* e *lealdade constante.* Essas são qualidades espirituais, naturalmente, pois sem a espiritualidade devemos esquecer a questão por inteiro. A palavra hebraica subentende o conceito de imobilidade, como um alicerce firme. Ver o "firmar-se" no pacto (Is 56.4,6). A dama, fiel e digna de confiança, virá a *conhecer o Senhor,* o que era impossível enquanto ela se divertia com seus amantes.

Conhecerás ao Senhor. "Conhecer", neste caso, não significa a percepção de um objeto por um sujeito ou observador, mas, antes, o *contato íntimo* e a comunhão que dois associados experimentam quando entre eles existe o verdadeiro amor. A lei será inscrita no coração da dama restaurada e também em sua mente. Essa é a promessa do novo pacto (ver Jr 31.31-34), que corresponde ao quadro do novo casamento retratado em Os 2.19,20" (Robert B. Chisholm, Jr., *in loc.*).

Favor e Bênçãos (2.21-23)

■ **2.21** (na Bíblia hebraica corresponde ao **2.23**)

וְהָיָ֣ה ׀ בַּיּ֣וֹם הַה֗וּא אֶֽעֱנֶה֙ נְאֻם־יְהוָ֔ה אֶעֱנֶ֖ה אֶת־הַשָּׁמָ֑יִם
וְהֵ֖ם יַעֲנ֥וּ אֶת־הָאָֽרֶץ׃

Naquele dia eu serei obsequioso, diz o Senhor. Encontramos aqui, essencialmente, as bênçãos materiais que a dama restaurada receberá, por meio da poderosa ação divina. Já tivemos oportunidade de ver que a espiritualidade e as bênçãos espirituais ocupam o primeiro lugar. Daí seguem-se as bênçãos materiais. Habacuque é o autor sacro que tem um ideal superior segundo o qual, mesmo sem as bênçãos físicas, o homem bom regozija-se no Senhor e em sua salvação (ver Hc 3.17,18). Essa é uma bênção superior, mas também é excelente ter dinheiro, bens, abundância de vida e os pequenos prazeres legítimos da vida, quando esses prazeres podem fazer parte legítima da experiência do crente. O homem é uma criatura miserável neste mundo hostil, e algumas bênçãos materiais não o prejudicam, contanto que ele retenha razoável visão espiritual das coisas. Este versículo é um tanto obscuro, mas a NCV toca no cerne da questão quando diz: "Falarei aos céus, e eles darão chuvas à terra". Israel era totalmente dependente das bênçãos dos céus literais, e era Yahweh quem controlava os céus. Portanto, o Senhor cuidaria para que houvesse as condições apropriadas de fertilidade (vs. 22). Os vss. 21 e 22 expandem o que fora dito no vs. 15. Já vimos esse tema, igualmente, nos vss. 5, 7 e 8.

■ **2.22** (na Bíblia hebraica corresponde ao **2.24**)

וְהָאָ֣רֶץ תַּעֲנֶ֔ה אֶת־הַדָּגָ֖ן וְאֶת־הַתִּיר֣וֹשׁ וְאֶת־הַיִּצְהָ֑ר
וְהֵ֖ם יַעֲנ֥וּ אֶֽת־יִזְרְעֶֽאל׃

A terra, obsequiosa ao trigo, e ao vinho. Os céus se mostrariam *generosos* com a chuva, e a terra corresponderia com *abundância* dos produtos agrícolas, que são a linha de vida de toda a humanidade. O Senhor sabe que necessitamos dessas coisas e de outras semelhantes (ver Mt 6.32), pelo que ele se mostrará generoso na satisfação de nossas necessidades físicas. Os produtos principais são novamente enumerados como símbolos daquelas bênçãos — o trigo, o vinho e o azeite. Ver Os 2.8,9.

E estes a Jezreel. O povo de Israel, tendo sido tão abundantemente abençoado, responderá: "Deus planta", ou seja, ele é a fonte de todas as coisas boas, e não o não deus pagão, Baal. Yahweh ordenará, e os céus produzirão chuva, e a terra responderá a essa ordem, produzindo com abundância. Então o povo responderá ao processo inteiro dando a Yahweh crédito pelo que tiver recebido. A tradução NCV diz que o povo ordenou a Jezreel (Deus planta), *tendo Yahweh ordenado isso a eles,* em vez de o povo ter apresentado a reação. Mas, seja como for, a bênção é divina, e o povo de Deus é o beneficiado.

■ **2.23** (na Bíblia hebraica corresponde ao **2.25**)

וּזְרַעְתִּ֤יהָ לִּי֙ בָּאָ֔רֶץ וְרִֽחַמְתִּ֖י אֶת־לֹ֣א רֻחָ֑מָה וְאָמַרְתִּ֤י
לְלֹא־עַמִּי֙ עַמִּי־אַ֔תָּה וְה֖וּא יֹאמַ֥ר אֱלֹהָֽי׃ פ

Semearei Israel para mim na terra. Agora lemos que o plantio será de *pessoas:* Deus plantará seu povo na terra deles, em lugar de permitir-lhes que sejam levados para a Assíria. Ali eles receberão misericórdia, embora antes tenham sido chamados de "Não MEU-POVO". Ver Os 1.6 e 9, onde os filhos da esposa-prostituta recebem nomes que indicam essas coisas, a saber, Lo-Ruama e Lo-Ami, que se tornarão, respectivamente, Ruama e Ami. Tudo isso é a prometida restauração da desviada nação de Israel. Historicamente falando, porém, isso não aconteceu. A restauração na era do reino cumprirá o ideal, mas é duvidoso que Oseias estivesse olhando para tão longe no futuro. Ele falava *idealmente,* sendo provável que isso pudesse acontecer em seus dias. Ver Rm 11.26. Em Rm 9.26, Paulo aplicou as palavras deste versículo aos gentios. Pedro, em 1Pe 1.20, aplica essas palavras aos crentes do Novo Testamento. O *princípio* é o mesmo em todas as passagens: Deus tem poder de restaurar um povo anteriormente desviado. A apostasia pode ser revertida, bem como qualquer outra degradação humana que tenha furtado a um povo suas bênçãos espirituais.

CAPÍTULO TRÊS

A REDENÇÃO DA ESPOSA ADÚLTERA (3.1-5)

O Amor é um Grande Poder. A esposa adúltera (Israel) não era muito amorável nem digna de ser amada. Mas o amor de Deus envolveria Israel, tal como Oseias amava a esposa que dele se separara. Foi da vontade de Yahweh que as coisas acontecessem desse modo. Uma grande lição objetiva estava sendo construída. O povo observaria como o profeta lidara com a esposa desviada e se espelharia nela. Talvez essa lição de amor ajudaria a produzir o arrependimento.

> *Ou desprezas a riqueza da sua bondade, e tolerância, e longanimidade, ignorando que a bondade de Deus é que te conduz ao arrependimento?*
>
> Romanos 2.4

Ver no *Dicionário* o artigo chamado *Amor,* quanto a abundante material que ilustra esta seção.

■ **3.1**

וַיֹּ֨אמֶר יְהוָ֜ה אֵלַ֗י ע֚וֹד לֵ֣ךְ אֱֽהַב־אִשָּׁ֔ה אֲהֻ֥בַת רֵ֖עַ
וּמְנָאָ֑פֶת כְּאַהֲבַ֤ת יְהוָה֙ אֶת־בְּנֵ֣י יִשְׂרָאֵ֔ל וְהֵ֗ם פֹּנִים֙
אֶל־אֱלֹהִ֣ים אֲחֵרִ֔ים וְאֹהֲבֵ֖י אֲשִׁישֵׁ֥י עֲנָבִֽים׃

Vai outra vez, ama uma mulher, amada de seu amigo, e adúltera. "Vai, demonstra novamente o teu amor por tua esposa. Ela tem outros amantes e tem sido infiel a ti. Mas deves continuar a amá-la da maneira como o Senhor ama o povo de Israel. Isso é verdade, embora os israelitas amem a outros deuses. Eles comem as uvas passas" (NCV).

Os *amantes* eram os deuses de nada, os cultos a Baal, em suas várias manifestações. Ver Os 2.13. Yahweh estava tentando desviar seu povo de todas essas coisas (ver Os 2.14). E a "parábola viva" do profeta ajudaria nessa tentativa.

Os bolos de passas. Estão em vista os bolos de uvas passas usados nos sacrifícios oferecidos a Baal. Eram feitos de uvas passas pressionadas e cozinhadas em trigo moído. Esses bolos eram importantes como parte da celebração das festas da vindima, no outono. Ver Is 16.7, onde esses bolos são mencionados em relação a Moabe, e ver Jr 7.18 em conexão com a adoração à rainha do céu. Certa ocasião, Davi distribuiu tais bolos ao povo (ver 2Sm 6.19). Como é fácil de ver, os povos daquela região do mundo empregavam esses bolos em ritos e celebrações religiosos. *Banquetes* faziam parte desses ritos, e parte desses banquetes consistia em bolos de passas.

■ **3.2**

וָאֶכְּרֶ֣הָ לִּ֗י בַּחֲמִשָּׁ֥ה עָשָׂ֛ר כָּ֖סֶף וְחֹ֣מֶר שְׂעֹרִ֑ים וְלֵ֥תֶךְ
שְׂעֹרִֽים׃

Comprei-a, pois, para mim por quinze peças de prata. Oseias teve de *comprar de volta* sua esposa, por razões que não são claras. Devemos pensar na *redenção,* e não precisar demais os detalhes da história. A mulher de Oseias tinha se vendido ao pecado e às divindades pagãs. Ela precisou ser comprada de volta, segundo a *parábola* de Oseias, mas de uma maneira que não entendemos, se esse item for entendido literalmente. O preço de um escravo era 30 siclos de prata. Temos aqui 15 siclos de prata, além de certa quantidade de cevada, *lethech*, palavra hebraica desconhecida. Talvez essa quantidade de cevada, mais os 15 siclos de prata, totalizassem os 30 siclos de prata necessários para comprar (ou libertar) um escravo.

Talvez Oseias se tenha divorciado de sua esposa sensual, e então tenha precisado pagar os 30 siclos, para tirá-la de algum templo, onde ela se havia tornado prostituta religiosa. Como ela valia dinheiro para o templo, foi requerida a compensação. Sem dúvida essa foi uma espécie de redenção, mas estamos apenas conjecturando quanto às circunstâncias por trás do vs. 2. Ou talvez a mulher se tenha tornado uma escrava para pagar as dívidas em que havia incorrido e, assim, tenha tido de ser comprada da servidão.

Um sentido do versículo é claro: muito custou a Yahweh libertar a Israel. Seu amor, entretanto, cobriu o preço da redenção. O que o amor *pode fazer* envida o esforço por torná-lo *realidade*. Outro tanto é verdade no tocante à redenção cristã. Para detalhes, ver no *Dicionário* o verbete chamado *Redenção*. Quanto ao *siclo*, ver o artigo chamado *Dinheiro*. Ver também Êx 20.13 e Lv 27.25.

Se Gômer havia retornado à casa de seus pais depois de divorciada, talvez tudo quanto esteja envolvido aqui seja outra compra de uma esposa, conforme ditavam os costumes orientais. Nesse caso, Oseias teve de pagar duas vezes pela mesma esposa: uma vez pelo primeiro casamento, e então outra vez pelo segundo. Certamente há nisso uma lição espiritual: O amor age com tanta frequência quanto for necessário para transformar uma má situação em uma boa situação. O amor nunca desiste.

■ 3.3

וָאֹמַר אֵלֶיהָ יָמִים רַבִּים תֵּשְׁבִי לִי לֹא תִזְנִי וְלֹא תִהְיִי לְאִישׁ וְגַם־אֲנִי אֵלָיִךְ׃

E lhe disse: Tu esperarás por mim muitos dias. *O Período de Teste.* Ou Oseias *redimiu* a mulher (conforme explicado nas notas sobre o vs. 2), ou então a comprou para ser sua esposa. E agora impunha a ela um período de espera: "Deverás esperar por mim por muitos dias". A imposição não era que ela vivesse com ele imediatamente. Ele veria nos dias da separação se ela se manteria fiel, e então se uniria novamente ao marido, em um relacionamento normal de casamento. Em outras palavras: ela estava sob *provação*. Talvez as paixões da mulher se acalmassem, e ela se tornasse uma esposa digna. Caso contrário, não haveria o reinício do casamento. Oseias garantiu que, durante esse tempo de provação, ele se refrearia de toda a atividade sexual. Legalmente, de acordo com a legislação mosaica, ele poderia casar-se de novo, pois o divórcio fora definitivo, ou poderia tomar uma ou mais concubinas, sem ser considerado culpado de nenhuma infração moral. Porém, o texto parece estar dizendo que o profeta entraria em um período de total abstinência, a fim de encorajar sua esposa a aprender a fidelidade. Algumas traduções dizem "viver com" em vez de "esperar por", mas isso é não entender a questão da provação. Ellicott (*in loc.*) está correto ao dizer: "Durante esse tempo, ela devia separar-se de seu amante e também de seu marido". O texto falava sobre uma Israel idólatra-adúltera-apóstata. Talvez Gômer tenha cumprido as exigências de seu marido, mas Israel foi um fracasso total no relacionamento com Yahweh, seu marido espiritual. Foi por isso que o cativeiro assírio prosseguiu, conforme fora planejado.

■ 3.4

כִּי יָמִים רַבִּים יֵשְׁבוּ בְּנֵי יִשְׂרָאֵל אֵין מֶלֶךְ וְאֵין שָׂר וְאֵין זֶבַח וְאֵין מַצֵּבָה וְאֵין אֵפוֹד וּתְרָפִים׃

Porque os filhos de Israel ficarão por muitos dias sem rei. *O Exílio.* Israel foi para o cativeiro assírio e lá sofreu privação das coisas listadas neste versículo. Isso foi um paralelo do período de provação de Gômer. Presume-se que, idealmente, ao sofrer tal privação, Israel teria aprendido a lição, retornando à Palestina como um povo purificado. Esse *ideal*, porém, até hoje não se cumpriu. Contudo, como é evidente, Oseias pensava haver uma chance de que as coisas acontecessem dessa maneira.

1. *Eles não teriam líderes civis.* Israel foi inteiramente dominado pelos poderes da Assíria. Não restou nação de Israel, e não havia possibilidade de que algum tipo de governo fosse formado naquele lugar estrangeiro. Dessa maneira, Israel perdeu a sua nacionalidade.
2. *Também não havia sacrifícios,* nem a Yahweh nem a deuses estrangeiros. É verdade que os sacrifícios de Israel tinham sido contaminados, pelo que houve ou sincretismo doentio ou franco paganismo: sacrifícios prestados a ídolos. Por algum tempo, Israel seria privado de qualquer atividade religiosa formal. Talvez essa privação fosse saudável, fazendo o povo de Israel relembrar o que havia perdido, por causa de sua insensatez.
3. *Não haveria coluna,* ou seja, uma pedra posta de pé, originalmente considerada residência de algum deus, ou local de onde algum deus poderia comunicar-se com seus adoradores. Ver no *Dicionário* o artigo chamado *Aserá*, no verbete *Deuses Falsos*, III.4. Ver as notas expositivas sobre os *Aserins*, em 1Rs 14.15. Ver Êx 34.13; Dt 7.5; 12.3, quanto ao mandamento de que tais objetos pagãos fossem destruídos. Ver Gn 31.45 quanto às *colunas*.
4. *Também não haveria estola sacerdotal.* Essa era uma peça do vestuário usada pelos deuses e pelos sacerdotes no antigo Oriente Próximo e Médio, que tinha sua contrapartida no vestuário dos sacerdotes de Israel. Era uma espécie de blusão apertado e sem mangas. Provavelmente tinha bolsos para levar as pedras sagradas usadas nas adivinhações. Ver no *Dicionário* o verbete chamado *Estola*, seção *Sacerdotes, Vestimentas dos, 1. o peitoral*.
5. *Também não haveria ídolos do lar,* ou seja, imagens portáteis, deuses domésticos. Ver sobre *Serafins (Terafins)* no *Dicionário*, quanto a detalhes.

A ausência dessas coisas na vida diária deixaria Israel isolado de sua própria cultura, bem como da cultura tomada por empréstimo dos pagãos. Talvez esse isolamento curasse sua enfermidade moral e espiritual. Mas, conforme as coisas aconteceram, nada disso funcionou.

■ 3.5

אַחַר יָשֻׁבוּ בְּנֵי יִשְׂרָאֵל וּבִקְשׁוּ אֶת־יְהוָה אֱלֹהֵיהֶם וְאֵת דָּוִד מַלְכָּם וּפָחֲדוּ אֶל־יְהוָה וְאֶל־טוּבוֹ בְּאַחֲרִית הַיָּמִים׃ פ

Depois tornarão os filhos de Israel. Era de esperar que, após esse período de provação disciplinadora, Israel teria permissão para voltar correndo na direção de Yahweh a fim de ser restaurado. Então algum rei da linhagem de Davi tomaria conta do governo civil e haveria renovação do "temor do Senhor", termo que, nas páginas do Antigo Testamento, indica a espiritualidade geral baseada na legislação mosaica. Ver no *Dicionário* o verbete chamado *Temor,* e também o artigo intitulado *Temor do Senhor,* em Sl 119.38 e Pv 1.7.

Nos últimos dias. Poderíamos ter aqui uma referência escatológica apontando para os "últimos dias" (ver a respeito no *Dicionário*), quando o reino de Deus for estabelecido na terra. No entanto, o profeta Oseias esperava uma restauração relativamente breve do cativeiro assírio, pelo que não olhava tão longe no futuro. Não faria sentido o profeta falar em uma distante era do reino como recompensa para quem aprendesse a lição espiritual do cativeiro assírio. Mas, tendo visto essa esperança fracassar, é natural falar no cumprimento dessa predição na distante era do reino. Contudo, dificilmente esse era o tema sobre o qual Oseias falava.

CAPÍTULO QUATRO

A INFIDELIDADE DE ISRAEL A YAHWEH (4.1—13.16)

INFIDELIDADE ESPIRITUAL (4.1—7.7)

EFRAIM ESTAVA LIGADO AOS ÍDOLOS (4.1-19)

A Controvérsia do Senhor com seu Povo (4.1-3)

Temos aqui a descrição de uma longa controvérsia de Yahweh com a nação idólatra-adúltera-apostatada de Israel. Cf. Os 2.2. As bases desta controvérsia são descritas em termos vívidos e sem compromissos. Não há aqui nenhuma diplomacia fácil. "A mensagem principal e o significado são perfeitamente claros. A controvérsia que Deus tinha com o seu povo girava em torno da sua condição moral. O profeta descrevia uma nação que tinha entrado em colapso moral. Não havia em Israel nem verdade nem misericórdia. Pelo contrário, mentir, matar e roubar eram os verbos do dia. É significativo que as preocupações do profeta não eram econômicas nem políticas. Ele queria que compreendêssemos que o fracasso moral é a fonte primária do colapso de uma nação" (Harold Cooke Phillips, *in loc.*).

■ 4.1,2

שִׁמְעוּ דְבַר־יְהוָה בְּנֵי יִשְׂרָאֵל כִּי רִיב לַיהוָה עִם־
יוֹשְׁבֵי הָאָרֶץ כִּי אֵין־אֱמֶת וְאֵין־חֶסֶד וְאֵין־דַּעַת
אֱלֹהִים בָּאָרֶץ׃

אָלֹה וְכַחֵשׁ וְרָצֹחַ וְגָנֹב וְנָאֹף פָּרָצוּ וְדָמִים בְּדָמִים
נָגָעוּ׃

Ouvi a palavra do Senhor, vós, filhos de Israel. A mensagem veio ao profeta da parte de Yahweh, o que a tornava tanto autêntica quanto autoritativa. Cf. Os 1.1,2. Ver no *Dicionário* os artigos *Inspiração* e *Revelação*. Essa palavra produziu uma disputa com Israel, por causa dos valores morais quando a verdade, a misericórdia e o conhecimento de Deus tinham desaparecido da terra. Em outras palavras, tudo quanto era representado pela lei mosaica tinha sido desprezado, e o paganismo havia enchido a terra com corrupção. Israel não era mais uma *nação distinta,* como quando possuía e aplicava a lei de Moisés (ver Dt 4.4-8). Israel seguia apenas outro sincretismo idólatra. "Abertamente eles desobedeciam ao Decálogo, o que servia de epítome do *ideal* de Deus quanto à sociedade israelita. A violação de cinco dos Dez Mandamentos foi especificamente mencionada: maldição, mentira (cf. Os 7.1 e 12.1), assassinato, furto e adultério (mandamentos terceiro, nono, sexto, oitavo e sétimo, nessa ordem). As *maldições* não se referem a uma linguagem imprópria, mas em imprecar contra outrem (cf. Jó 31.30). Essas imprecações estavam envolvidas no uso leviano do nome divino, pelo que eram uma violação do terceiro mandamento (ver Êx 20.7; Dt 5.11). Quanto ao exemplo de uma maldição justificada, em nome do Senhor, ver Nm 5.19-23" (Robert B. Chisholm, Jr., *in loc.*). A observância da lei prometia *vida* (Dt 4.1; 5.33; 6.2; Ez 20.11). Mas Israel se encaminhava rapidamente para a morte nacional. A lei mosaica era o *guia* (ver Dt 6.4 ss.), mas Israel estava sendo desviado pelo caos e pela destruição, e haveria de enfrentar temível colheita. Israel tinha perdido seus postes demarcadores.

O *conhecimento experimental* de Deus, em um andar diário e espiritual com o Senhor, tinha cedido lugar ao aprendizado dos caminhos dos deuses de nada, como Baal. O conhecimento de Deus vinha através da lei, pois era ali que ele revelava sua mente. Além disso, havia as experiências místicas, que o profeta sempre recebia em suas visões. Mas essas experiências estavam inteiramente fora do alcance daquele povo. Ver no *Dicionário* o artigo chamado *Misticismo*. Cf. este versículo com Am 2.6-8 e Mq 7.2-8. Ver sobre a violência histórica em 2Rs 15.8-16,26; Mq 7.2. O Targum comenta corretamente: "Eles acrescentavam pecados a seus pecados".

■ 4.3

עַל־כֵּן תֶּאֱבַל הָאָרֶץ וְאֻמְלַל כָּל־יוֹשֵׁב בָּהּ בְּחַיַּת
הַשָּׂדֶה וּבְעוֹף הַשָּׁמָיִם וְגַם־דְּגֵי הַיָּם יֵאָסֵפוּ׃

Por isso a terra está de luto. A *Controvérsia Era de Deus*. Isso não deve ser confundido com o caso em que o mero homem está envolvido. Israel enfrentava grandes dificuldades para responder às acusações divinas, conforme o versículo seguinte passará a demonstrar. Tudo na terra de Israel terminaria lamentando e ferindo, incluindo os animais do campo, os pássaros do ar e os peixes do mar. A terra ressecava-se; as pessoas morriam; todos aqueles animais selvagens caminhavam para a extinção, conforme a maldição de Deus se espalhava por toda a parte. A idolatria-adultério-apostasia de Israel estava levando a nação à morte universal. A corrupção universal era culpada de tudo, pelo que a própria natureza estava revoltando-se contra todos os seres vivos, como quando o dilúvio viera como julgamento divino. Ver Gn 6.5. A fome e a seca foram preliminares do ataque da Assíria. Cf. este versículo com Lv 26.19 e Dt 28.23,24. Muitas maldições fariam um trabalho completo de destruição.

Sacerdotes e Povo Eram Igualmente Corruptos (4.4-15)

■ 4.4

אַךְ אִישׁ אַל־יָרֵב וְאַל־יוֹכַח אִישׁ וְעַמְּךָ כִּמְרִיבֵי כֹהֵן׃

Todavia, ninguém contenda, ninguém repreenda. Os sacerdotes não eram exceções à corrupção geral. Eles não podiam acusar o povo, mas o povo tinha abundância de razões para acusá-los. Por outra parte, os israelitas eram espertos na corrupção, de maneira inteiramente à parte da influência maléfica dos sacerdotes. Seja como for, *somente Deus* era o verdadeiro acusador. Ele já havia enviado julgamentos severos e preliminares, como a seca e a fome. E muito mais ainda haveria de acontecer. Os líderes civis e religiosos nada faziam para interromper a iniquidade que tinha tomado conta de todas as coisas, e, por isso, eram os grandes culpados pela situação. Por outra parte, não havia pessoas inocentes na terra de Israel. Todos corriam para sua própria destruição. De coração endurecido, negavam todas as acusações feitas contra eles, pois eram uma lei aos seus próprios olhos.

■ 4.5

וְכָשַׁלְתָּ הַיּוֹם וְכָשַׁל גַּם־נָבִיא עִמְּךָ לָיְלָה וְדָמִיתִי
אִמֶּךָ׃

Por isso tropeçarás de dia. *Os sacerdotes e os profetas* tropeçavam ao longo do caminho, os sacerdotes de dia e os profetas à noite. Os sacerdotes oficiavam de dia, e os profetas tinham seus alegados sonhos e visões à noite. Ambos os "ministérios" tornaram-se mal orientados, e ambos levavam a tropeços, ou seja, à queda na desgraça, sob o juízo de Yahweh. O julgamento divino os estava destruindo e também destruiria a "mãe", ou seja, Israel. O ato de "tropeçar" refere-se a eles como homens cegos, que caíam em incontáveis pecados e julgamentos subsequentes, por meio da corrupção moral. Cf. Os 14.1; Is 3.8; Jr 18.15 e Ml 2.8. Havia uma queda generalizada na nação. Ver Os 5.5; Is 8.15; 28.13; 31.3; Jr 6.21; 8.12 e 20.11.

■ 4.6

נִדְמוּ עַמִּי מִבְּלִי הַדָּעַת כִּי־אַתָּה הַדַּעַת מָאַסְתָּ
וְאֶמְאָסְאךָ מִכַּהֵן לִי וַתִּשְׁכַּח תּוֹרַת אֱלֹהֶיךָ אֶשְׁכַּח
בָּנֶיךָ גַּם־אָנִי׃

O meu povo está sendo destruído. A população geral de Israel estava sendo destruída e seria totalmente aniquilada, finalmente, por causa da falta de conhecimento acerca de Yahweh e de seus caminhos, conhecimento que vem aos homens através da lei de Moisés. Ver os vss. 1 e 2. Os próprios sacerdotes, que eram intérpretes da lei, se tinham recusado a aprender a legislação mosaica. Por isso, Yahweh os rejeitara. Eles não eram mais dignos do sacerdócio. Eles tinham esquecido os ensinos da lei, pelo que também foram esquecidos por Yahweh. Além disso, aqueles que deveriam estar sendo ensinados por eles, e se mantinham em estado constante de rebelião, foram rejeitados. Haveria uma queda generalizada quando os assírios varressem de Israel todas as coisas. O termo hebraico aqui usado é *torah* ("lei", com o sentido de ensino, orientação, bem como o corpo geral de leis e ordenanças que tornavam Israel um povo distintivo, ver Dt 4.4-8). Note o leitor a repetição das palavras horrendas: *destruído... rejeitaste... Te rejeitarei... Te esqueceste... me esquecerei:* a punição de Israel obliteraria os crimes desse povo. "Os sacerdotes que Jeroboão levantou eram os homens mais vis entre o povo, homens ignorantes e iletrados (1Rs 12.31; 13.33). Eles rejeitaram, com desprezo, o conhecimento de Deus e de todas as realidades divinas" (John Gill, *in loc.*). "A ignorância deles era propositada" (Fausset, *in loc.*).

■ 4.7

כְּרֻבָּם כֵּן חָטְאוּ־לִי כְּבוֹדָם בְּקָלוֹן אָמִיר׃

Quanto mais estes se multiplicaram, tanto mais contra mim pecaram. Conforme o número da casta sacerdotal aumentava, deu-se um desenvolvimento correspondente de toda a espécie de pecados e crimes, o contrário do que alguém poderia esperar. Mas quando nos damos conta de que eles eram os líderes da apostasia geral, então deixamos de nos maravilhar ante o fenômeno. Aqueles sacerdotes não mereciam ser honrados. Portanto, seriam envergonhados, em vez de receber sua honra abusada. O Targum e o siríaco traduzem aqui: "Eles mudaram sua glória em vergonha". Ver no *Dicionário* o verbete intitulado *Massora (Massorah); Texto Massorético*. Algumas vezes, as versões mostram-se corretas contra o texto massorético padronizado, conforme os Papiros do mar Morto têm demonstrado de forma convincente. Devemos relembrar que as versões foram traduzidas de manuscritos hebraicos mais antigos do que os que estiveram por trás do texto hebraico padronizado, conforme o temos atualmente. Talvez o texto sagrado tenha perdido cerca de 5% do original, que as versões antigas ajudam a restaurar. Ver no *Dicionário* o verbete intitulado *Manuscritos Antigos do Antigo Testamento*, que presta informações gerais e específicas sobre como foram escolhidos os textos corretos, quando apareciam variantes.

■ 4.8

חַטַּאת עַמִּי יֹאכֵלוּ וְאֶל־עֲוֹנָם יִשְׂאוּ נַפְשׁוֹ׃

Alimentam-se do pecado do meu povo. Para o pecador, o pecado é algo deleitoso, pelo que os homens ímpios e desvairados dele se *alimentam*. O pecado é fonte de prazer para os pecadores, da qual terminam "desfrutando" em toda a ocasião possível. Aqui a liderança religiosa é representada como quem se alimentava dos pecados do povo, derivando deles toda a espécie de aprazimento.

> ... os que tais cousas praticam, não somente as fazem, mas também aprovam os que assim procedem.
>
> Romanos 1.32

A tradução NCV diz que os sacerdotes "sobreviviam das ofertas pelo pecado oferecidas pelo povo". Essa era a sua fonte de sustento, pelo que, quanto mais pecados houvesse, maior seria o sustento. Os sacerdotes tornaram-se gananciosos de ver mais iniquidades, para que as oferendas e seus prazeres aumentassem. Quanto às *oito porções* dos sacrifícios que pertenciam aos sacerdotes, ver Lv 6.26; 7.11-24; Nm 18.8; Dt 12.17,18. O motivo subjacente de seu corrupto serviço sacerdotal não era o perdão dos pecados, mas a ganância por mais bens. "Por outro lado, as palavras podem ter um significado menos específico do que os sacerdotes tinham apetite pela culpa humana e se alegravam ferozmente na iniquidade" (John Mauchline, *in loc.*).

■ 4.9

וְהָיָה כָעָם כַּכֹּהֵן וּפָקַדְתִּי עָלָיו דְּרָכָיו וּמַעֲלָלָיו אָשִׁיב לוֹ׃

Por isso, como é o povo, assim é o sacerdote. Os sacerdotes e o povo de Israel estavam ligados uns aos outros na mesma corrupção condenadora, e ambos tiveram de ser castigados por esse motivo. Yahweh lhes daria um salário amargo por aquilo que estavam fazendo. Ver no *Dicionário* o artigo chamado *Lei Moral da Colheita segundo a Semeadura*. "O pecado tinha infeccionado a todos: tal como é o sacerdote, assim é o povo" (*Oxford Annotated Bible*, comentando sobre os vss. 7-14).

"Eu lhes pagarei na própria moeda deles" (Fausset, *in loc.*). "O comer o pecado, por parte do povo, deixaria os sacerdotes famintos, e a licenciosidade deles os deixaria sem filhos" (Ellicott, *in loc.*, antecipando a mensagem do versículo seguinte).

■ 4.10

וְאָכְלוּ וְלֹא יִשְׂבָּעוּ הִזְנוּ וְלֹא יִפְרֹצוּ כִּי־אֶת־יְהוָה עָזְבוּ לִשְׁמֹר׃

Comerão, mas não se fartarão. O ato de comer os pecados com tanto afã (ver como isso era feito, nas notas sobre o vs. 8) deixaria os israelitas com fome. Aquele prazer terminaria em insatisfação. A conduta deles implicava *adultério espiritual*, e isso não produziria descendência alguma. Eles tinham esquecido o Senhor dos verdadeiros prazeres e o Pai que faz aumentar os bens. Antes, amavam à prostituição. Ver no *Dicionário* o artigo chamado *Idolatria*, que é referida como um adultério espiritual. As formas de idolatria adotadas na nação de Israel incluíam o adultério literal dos cultos de Baal, que tinham ritos abundantes de fertilidade e prostituição sagrada. Tais condições influenciaram a escolha de palavras deste versículo. "Eles teriam relações sexuais com as prostitutas, mas não teriam filhos. Isso porque tinham abandonado o Senhor" (NCV). Ver o vs. 13, a seguir, que mostra estar em vista a prostituição literal, e não meramente a prostituição espiritual. Ver também Dt 28.18. Cf. este versículo com Mq 6.14 e Ag 1.6. Este versículo pode incluir uma ameaça literal de que eles ficariam estéreis. Nem suas esposas nem suas concubinas engravidariam. Isso fazia parte do julgamento divino.

■ 4.11

זְנוּת וְיַיִן וְתִירוֹשׁ יִקַּח־לֵב׃

A sensualidade, o vinho e o mosto tiram entendimento. Seus sacrifícios eram acompanhados com alegres danças e ingestão de vinho, e o vs. 13 mostra que mulheres também faziam parte do entretenimento. Mediante tais corrupções, o coração deles foi arrebatado. Eles perderam o contato com o que era apropriado e caíram em pecados graves. Suas orgias licenciosas tornaram o sistema de sacrifícios uma blasfêmia profana. Os propósitos originais se perderam. Temos aqui em vista os excessos praticados nos dias festivos dos santuários de Baal. A indulgência física era a regra do jogo, e não o rito espiritual. Eles perderam a discrição espiritual e a compreensão, transformando-se em animais sensuais. Suas práticas "obscureceram-lhes a compreensão, depravados em seu julgamento, pervertidos em sua vontade e aviltados em todas as suas paixões" (Adam Clarke, *in loc.*).

■ 4.12

עַמִּי בְּעֵצוֹ יִשְׁאָל וּמַקְלוֹ יַגִּיד לוֹ כִּי רוּחַ זְנוּנִים הִתְעָה וַיִּזְנוּ מִתַּחַת אֱלֹהֵיהֶם׃

O meu povo consulta o seu pedaço de pau. Temos aqui a descrição da volta ridícula de Israel a todas as formas de idolatria. Eles inquiriam humildes imagens, feitas de madeira! Usavam seus cajados como lugares de consulta, esperando obter oráculos desses objetos. Adultérios literais e espirituais os tinham conduzido a uma miserável condição espiritual. "Agora eles praticavam *rabdomancia*, procurando orientação da parte da madeira morta, e não do Deus vivo. Eles buscavam ajuda de suas bengalas e seus terafins (deuses domésticos), e não da parte de líderes religiosos inspirados" (John Mauchline, *in loc.*).

A questão da *vara* pode referir-se às adivinhações por meio de cajados (no grego, *rabdomanteia*). Essas varas eram colocadas na posição vertical e, após a repetição de encantamentos, tinham permissão de cair. A maneira como caíam, presumia-se, tinha valor na solução de problemas ou na predição do futuro. Os árabes tinham uma maneira simples de adivinhação por meio de varas. Eles usavam somente duas varas, uma delas marcada "Deus ordena", e a outra marcada "Deus proíbe". Uma vara era retirada ao acaso, e a resposta era assim obtida, porquanto se pensava que o poder divino controlava o que, como é evidente, não passava de chance. Além disso, havia a prática estúpida de adorar no topo do próprio cajado, como se fosse um minúsculo santuário e, nessa adoração e contemplação, eles alegadamente obtinham a luz.

■ 4.13

עַל־רָאשֵׁי הֶהָרִים יְזַבֵּחוּ וְעַל־הַגְּבָעוֹת יְקַטֵּרוּ תַּחַת אַלּוֹן וְלִבְנֶה וְאֵלָה כִּי טוֹב צִלָּהּ עַל־כֵּן תִּזְנֶינָה בְּנוֹתֵיכֶם וְכַלּוֹתֵיכֶם תְּנָאַפְנָה׃

Sacrificam sobre o cume dos montes. A idolatria tornou-se tão generalizada que qualquer coisa verdejante, como uma árvore ou um arbusto, era local apropriado para ali colocar um ídolo e buscar o "favor divino". As colinas eram lugares favoritos para tais práticas, porque, segundo se alegava, ficavam mais próximas dos deuses. Ver no *Dicionário* o artigo chamado *Lugares Altos,* quanto a essas práticas. A prática de sacrificar em tais lugares, e sob "árvores sagradas", como os álamos, os olmos e os carvalhos, era muito antiga, anterior à lei de Moisés. Voltar a modos assim primitivos de adoração anulava tudo quanto era defendido pela legislação mosaica. O *incenso* (ver a respeito no *Dicionário*) era queimado como símbolo da oração e de petições feitas aos deuses. A lei de Moisés tinha revelado o Pai universal, mas aquelas formas de expressão religiosa remetiam às alegadas forças sombrias da natureza e dos deuses de nada, invisíveis. Ver 2Rs 17.10,11. Árvores particulares eram sagradas para deuses específicos; Virgílio afirmou que o carvalho era a árvore sagrada de Júpiter (*Georgic.* 1.3). Os druidas da Inglaterra adoravam diante de um carvalho. Cf. este versículo com Ez 6.13.

Ademais, a adoração era efetuada em meio ao deboche, à prostituição literal, algumas vezes sobre uma base individual e, outras, como parte da prostituição sagrada. Até mesmo mulheres noivas e casadas envolviam-se no deboche geral. As penas impostas contra esses crimes eram severas sob a lei mosaica, mas na prática pagã eram coisas dignas de louvor, e essas mulheres sensuais eram louvadas pela comunidade "religiosa". Muito sexo era praticado nos santuários de Baal e dos templos, e muitas mulheres hebreias caíam nessa armadilha. A fertilidade humana era um dos alvos em vista, mas também havia a simples questão de obter vantagens próprias para o templo ou para o santuário, mediante a "cobrança pelos serviços prestados". A questão inteira caíra em grosseira indulgência física (ver Dt 23.18).

■ 4.14

לֹא־אֶפְקוֹד עַל־בְּנוֹתֵיכֶם כִּי תִזְנֶינָה וְעַל־כַּלּוֹתֵיכֶם כִּי תְנָאַפְנָה כִּי־הֵם עִם־הַזֹּנוֹת יְפָרֵדוּ וְעִם־הַקְּדֵשׁוֹת יְזַבֵּחוּ וְעָם לֹא־יָבִין יִלָּבֵט:

Não castigarei vossas filhas, que se prostituem. Encontramos aqui a estranha afirmação de que Yahweh olharia em outra direção e não puniria aquelas mulheres insensatas (noivas e esposas) pelo que elas estavam fazendo (descrito nas notas sobre o vs. 13), sob a alegação de que os homens eram tão ruins quanto elas. Ambos mantinham ativo o negócio da prostituição cultual. A lei requeria a morte por apedrejamento para os adúlteros (ver Êx 20.14; Lv 20.1 ss.). Mas essa pena usual foi suspensa porque os homens se faziam tão culpados quanto as mulheres. Não obstante, um julgamento geral rapidamente se aproximava do povo de Israel. Todos deveriam *cair* juntos, com punições da lei mosaica ou não. A nação inteira estava morrendo. O povo, de modo geral, havia perdido toda a compreensão espiritual e agia como pagãos nos santuários de Baal (ver Dt 23.17,18; 1Rs 14.24). Eles professavam estar garantindo a fertilidade das fêmeas (humanas ou de animais), bem como a fertilidade da terra, mas a verdade é que eram apenas um povo debochado, que passara a amar a mistura da religiosidade com o sexo ilícito.

■ 4.15

אִם־זֹנֶה אַתָּה יִשְׂרָאֵל אַל־יֶאְשַׁם יְהוּדָה וְאַל־תָּבֹאוּ הַגִּלְגָּל וְאַל־תַּעֲלוּ בֵּית אָוֶן וְאַל־תִּשָּׁבְעוּ חַי־יְהוָה:

Ainda que tu, ó Israel, queres prostituir-te... não se faça culpado Judá. *Judá* ainda não estava tão corrompido quanto a nação do norte, e assim é advertido a não se envolver nos pecados de Israel. Mas chegaria a vez de Judá, que se tornaria tão iníquo quanto Israel, embora isso ainda estivesse a mais de cem anos de distância. Pessoas de Judá habitualmente visitavam sítios de culto de Israel, como Gilgal (ver Os 9.15) e Bete-Áven. As ordens emanadas de Yahweh foram: 1. Não ides àqueles lugares; 2. Não vos envolvais em juramentos feitos no nome de divindades pagãs; 3. Mantende-vos separados dessas práticas contaminadoras. Os filhos de Israel chegaram a usar os nomes divinos do Deus de Israel ao praticar seus ritos horrendos. Dessa maneira, misturavam o yahwismo e o paganismo em um sincretismo doentio.

Gilgal (ver a respeito no *Dicionário*). Esta cidade foi usada, por tempo considerável, como quartel-general das tribos invasoras de Israel, nos tempos de Josué. Nos dias de Samuel, adquiriu alguma importância como lugar de adoração sacrificial e dispensação de justiça. O texto presente implica sua contínua importância como lugar de adoração, mas que fora completamente paganizado.

Bete-Áven. Este locativo significa "casa da idolatria" ou "casa da iniquidade", sendo provavelmente um nome condenatório para *Betel* (cf. Os 5.18 e 10.4; ver também Am 5.5). Ver no *Dicionário* o artigo sobre *Bete-Áven,* quanto a detalhes.

Israel, Novilha Teimosa (4.16)

■ 4.16

כִּי כְּפָרָה סֹרֵרָה סָרַר יִשְׂרָאֵל עַתָּה יִרְעֵם יְהוָה כְּכֶבֶשׂ בַּמֶּרְחָב:

Como vaca rebelde se rebelou Israel. O povo de Israel deixou de ser influenciado pela instrução bíblica e tornou-se difícil de lidar, como um animal rebelde que não aceita o jugo nem controle externo. Israel era *rebelde... rebelde* em seus maus caminhos. Yahweh não mais podia alimentá-los e cuidar deles, como faria com as ovelhas de seu rebanho. Simplesmente eles estavam fora de controle. "Eram intratáveis como uma novilha ou um novilho não amansado, que fica recuando em lugar de puxar o jugo para a frente" (Adam Clarke, *in loc.*). Cf. Dt 21.18-21 e Jr 7.24. O trecho de Zc 7.11 tem algo similar. Aquelas ovelhas (usando outra figura simbólica) seriam levadas ao deserto, onde não havia alimentos, mas leões, ursos e lobos para devorá-las. A segunda parte do versículo não contém melhores promessas sobre o porvir. Note o leitor que a segunda parte do versículo é uma pergunta: "Será que o Senhor o apascenta como a um cordeiro em vasta campina?" A resposta óbvia é negativa: Não! A condenação estava às portas. O desastre deveria dominar aquele povo rebelde.

A Idolatria de Efraim e seus Efeitos (4.17-19)

■ 4.17

חֲבוּר עֲצַבִּים אֶפְרָיִם הַנַּח־לוֹ:

Efraim está entregue aos ídolos; é deixá-lo. Efraim tornou-se a tribo mais poderosa do norte, pelo que esse nome pode representar toda a nação do norte. Efraim é mencionado 36 vezes no livro de Oseias nesse sentido representativo. Cf. Os 5.3,5; Is 7.2,5,8,9,17. O país inteiro se apegara de tal modo à idolatria que poderíamos chamar essa tendência de idolatria de Israel. Ao falar em Israel, já estamos falando em idolatria. Israel e a idolatria tornaram-se gêmeos siameses, inseparáveis; e a separação mataria aquilo em que Efraim se tinha transformado. A nação do norte, tão absolutamente corrompida, devia ser *deixada sozinha*. Não mais merecia os cuidados de Yahweh. Devia ser abandonada. Eles tinham feito sua escolha, portanto "é deixá-los" (NCV), ou seja, a escolha que tinham feito os levaria à condenação, e que ninguém tentasse impedir tal resultado. Eles colheriam o que haviam semeado (ver Gl 6.7,8). Alguns intérpretes pensam que a ideia do vs. 15 é transportada para este versículo. Judá foi ordenado a deixar o norte em paz, permanecendo distante, sem se envolver, para evitar a contaminação. Entrementes, Yahweh também se manteria distante, permitindo que Israel obtivesse merecida condenação. "Que ele colhesse os frutos de sua escolha perversa: seu caso era desesperador" (Fausset, *in loc.*).

■ 4.18

סָר סָבְאָם הַזְנֵה הִזְנוּ אָהֲבוּ הֵבוּ קָלוֹן מָגִנֶּיהָ:

Tendo acabado de beber, eles se entregaram à prostituição. Sempre embriagados, eles estavam continuamente envolvidos em seus adultérios, presentes nos santuários de Baal, corrompendo as mulheres insensatas que frequentavam aqueles lugares. Eles fizeram dessa atividade a principal atividade de sua vida, *amando mais essa vergonha* do que qualquer glória que poderiam ter, através de alguma outra atividade.

O destino deles é a perdição; o deus deles é o ventre; e a glória deles está na sua infâmia.

Filipenses 3.19

Diz o Targum: "Eles se voltaram para a fornicação à qual amavam. Isso trouxe vergonha sobre eles". Esses réprobos amaram sua vergonha e nunca perderam a oportunidade de praticar seus ritos aviltados.

4.19

צָרַר רוּחַ אוֹתָהּ בִּכְנָפֶיהָ וְיֵבֹשׁוּ מִזִּבְחוֹתָם׃ ס

O vento os envolveu nas suas asas. Aqui o vento é o sopro devastador de Yahweh. O vento tinha envolvido aqueles ímpios em seu temível abraço, e em breve sopraria sobre eles o cativeiro assírio, isto é, os poucos sobreviventes seriam escravizados. Naquele tempo, eles se envergonhariam do deboche de seus altares, que lhes tinha causado tantas dores. Os altares vergonhosos, que se tornaram a razão da existência da nação do norte, em breve se tornariam a razão de sua morte. Sua vergonha, como se fosse Franknstein, veio para aterrorizá-los. É isso que acontece quando os homens amam a Baal e abandonam a Yahweh. As pessoas têm de conviver com suas más escolhas, e então devem morrer com elas. O violento conquistador, como se fosse um tufão de vento, haveria de varrê-los para o esquecimento, por ordens de Yahweh, visto que a nação inteira se transformara em palha.

"O vento tempestuoso apanhou-o em suas asas e carregou-o como se fosse um enxame de insetos ou como um pássaro perplexo" (Ellicott, *in loc.*).

CAPÍTULO CINCO

A TRAIÇÃO DE EFRAIM (5.1-7)

Acusação contra os Líderes de Israel (5.1,2)

Os vss. 1-14 anunciam o julgamento da nação do norte, Israel, que é o alvo do ataque de toda esta seção. Judá, que havia sido advertido a manter-se longe da nação do norte, a fim de evitar a contaminação (ver Os 4.15), não obedeceu à palavra divina, pelo que foi levado para dentro do escopo dos juízos divinos (cf. Os 5.5,8,10,13,14). Com a passagem do tempo, entretanto, Judá se tornaria tão ruim quanto Israel e teria de enfrentar seu próprio cativeiro (o babilônico).

"O profeta agora dirigiu-se mais definidamente aos sacerdotes e à casa real de Israel, no começo do reinado de Peca" (Ellicott, *in loc.*).

"Homens de todas as classes, em Israel, foram convocados a atender às acusações feitas contra eles, e a compreender as sentenças que contra eles pesavam. A acusação foi exibida: eles eram culpados de enlear homens" (John Gill, *in loc.*). Homens corruptos sempre se deleitam em corromper seus semelhantes, tornando-os mais filhos do inferno do que eles mesmos são (ver Mt 23.15). Uma das coisas mais fáceis que existem é corromper um ser humano, cuja alma tem sede exatamente disso.

5.1

שִׁמְעוּ־זֹאת הַכֹּהֲנִים וְהַקְשִׁיבוּ בֵּית יִשְׂרָאֵל וּבֵית הַמֶּלֶךְ הַאֲזִינוּ כִּי לָכֶם הַמִּשְׁפָּט כִּי־פַח הֱיִיתֶם לְמִצְפָּה וְרֶשֶׁת פְּרוּשָׂה עַל־תָּבוֹר׃

Ouvi isto, ó sacerdotes, escutai, ó casa de Israel. A acusação, aqui, foi lançada contra toda a nação, como é óbvio, mas a liderança de Israel foi seu primeiro alvo. Em outras palavras, a mensagem foi dirigida aos sacerdotes e à casa do rei, a liderança religiosa e civil. Mas a "casa de Israel" não era menos culpada que seus líderes. O julgamento divino pesava sobre todos: "Todos vós sereis julgados" (NCV). A culpa foi agravada pelo fato de ter-se espalhado entre os outros, como *armadilhas* que os prenderam. Uma dessas armadilhas foi posta em Mispa. A referência provável é ao santuário ali localizado, que se tornou paganizado. Cf. Jz 10.17; 11.11,29,34. Ficava no lado oriental do rio Jordão e servia à Transjordânia. Também havia *Tabor*, outra armadilha, na extremidade oriental da planície de Jezreel. Essa era a cena da convocação do exército de Israel, sob Baraque e Débora (ver Jz 4.6). Talvez Dt 33.19 também faça referência a um santuário especial ali, que, no tempo de Oseias, era um centro de adoração sincretista, uma forma degradada do antigo estilo de adoração misturado com uma *modernização* doentia. Obtemos daí a ideia de locais de cultos pagãos estrategicamente situados que fascinaram toda a nação de Israel. "Mispa, ou a cidade na Transjordânia (Jz 10.17) ou a norte de Jerusalém (1Sm 7.5)" (*Oxford Annotated Bible*, comentando sobre o vs. 1). Ver sobre esses lugares no *Dicionário*.

"Esses lugares são destacados como fortalezas militares, onde os príncipes e a casa real, com os sacerdotes apostatados, exercem domínio mortífero sobre o povo, atocaiando-os como pássaros e animais que prendiam na armadilha... Cf. Os 6.8,9" (Ellicott, *in loc.*).

5.2

וְשַׁחֲטָה שֵׂטִים הֶעְמִיקוּ וַאֲנִי מוּסָר לְכֻלָּם׃

Na prática de excessos vos aprofundastes. Os rebeldes se fortaleceram a fim de impor abusos sociais e religiosos, chegando a cometer crimes de sangue. O original hebraico deste versículo é um tanto obscuro. A *Revised Standard Version* conjectura que devemos compreender outra metáfora de caça, suprindo a *cova* (outro método de prender animais infelizes) e pondo essa cova em *Sitim*, onde, ao que parece, havia um santuário dedicado ao deus Baal Peor (ver Nm 25.1 e Js 2.1,31.). O santuário ali servia de outra armadilha para prender um povo infeliz.

Uma compreensão possível da segunda parte deste versículo é fazer de Yahweh o Repreendedor, prestes a aplicar sua punição disciplinadora. Ele estava a ponto de castigar, conforme também já tinha feito no passado, sem nenhum resultado prático. A reforma nunca ocorreu.

Uma Ninhada de Filhos Estranhos (5.3-7)

5.3

אֲנִי יָדַעְתִּי אֶפְרַיִם וְיִשְׂרָאֵל לֹא־נִכְחַד מִמֶּנִּי כִּי עַתָּה הִזְנֵיתָ אֶפְרַיִם נִטְמָא יִשְׂרָאֵל׃

Conheço a Efraim, e Israel não me está oculto. Efraim era a maior e mais poderosa tribo de Israel no momento, pelo que esse nome é usado para falar de toda a nação de Israel. O nome dessa tribo é usado 36 vezes no livro de Oseias. Aqui essa tribo é destacada e gravemente condenada, mas toda a nação de Israel deve sofrer sua parte. Ou devemos compreender aqui certo paralelismo: Efraim é Israel nesta parte do livro. O que eles fizeram e continuavam fazendo não podia ser ocultado. Yahweh estava consciente de sua idolatria-adultério-apostasia. Eles tinham agido como prostitutas, espiritual e literalmente. Ver Os 4.13,14. A idolatria é um adultério, e essa forma espiritual de adultério fazia-se acompanhar do adultério literal. Toda a nação de Israel fora contaminada pelos cultos de Baal que ofereciam ritos de fertilidade imorais como parte importante da "adoração". Os primeiros capítulos desse livro ilustram extensivamente a situação com Gômer.

"A nação se *corrompera* (no hebraico, *tama*, estar imundo ou contaminado) através do adultério espiritual (cf. Os 6.10). Esse fraseado provavelmente se baseou em Nm 5.20,27,28, onde a mesma palavra descreve os efeitos do adultério sobre a parte infiel (cf. Lv 18.20,24)" (Robert B. Chisholm Jr. *in loc.*).

A *onisciência* de Deus (ver a respeito no *Dicionário*) garantia a aplicação do julgamento apropriado. As coisas efetuadas tanto publicamente como em oculto farão parte do catálogo divino dos pecados que exigem retribuição apropriada, de acordo com a *Lei Moral da Colheita segundo a Semeadura* (ver a respeito no *Dicionário*). Ver também o verbete chamado *Atributos de Deus*.

5.4

לֹא יִתְּנוּ מַעַלְלֵיהֶם לָשׁוּב אֶל־אֱלֹהֵיהֶם כִּי רוּחַ זְנוּנִים בְּקִרְבָּם וְאֶת־יְהוָה לֹא יָדָעוּ׃

O seu proceder não lhes permite voltar para o seu Deus. Israel se corrompeu tão totalmente que perdeu toda habilidade de arrepender-se. Nem mesmo o mais severo castigo exerceu efeito sobre a nação. A corrupção consistente torna um homem tão depravado que ele se torna incapaz de sair, de moto próprio, da armadilha em que está metido. Os israelitas tinham forjado uma corrente em torno de si mesmos, com o mal que praticavam. Eles se tornaram maus e assim permaneceriam. Aqui vemos que o adultério espiritual e literal tinha-se tornado parte da própria alma e mente de Israel. Nesse processo, eles perderam todo o contato com Yahweh. De fato, não o *conheciam* mais. Portanto, sua influência para o bem se perdera até onde eles estavam envolvidos. "A volta para Deus era agora uma impossibilidade para Israel. Eles se mostraram tão infiéis para com ele que deixaram de conhecê-lo. Por conseguinte, não sentiam nenhum impulso interior ou necessidade de uma volta espiritual para o Senhor... essa é a *escravidão do pecado*: Sl 95.8; Is 55.6; Jr 18.13-16" (John Mauchline, *in loc.*). Este versículo fala de *total depravação* adquirida, baseada em uma alma já corrompida. "... o espírito imundo que os impelia e os empurrava para cometer prostituição corpórea e espiritual... *o espírito do erro que os levava a errar*, conforme diz o Targum" (John Gill, *in loc.*). O conhecimento de Deus é a fonte da vida. Tendo repelido esse conhecimento, eles agora praticavam as coisas próprias da morte.

■ 5.5

וְעָנָה גְאוֹן־יִשְׂרָאֵל בְּפָנָיו וְיִשְׂרָאֵל וְאֶפְרַיִם יִכָּשְׁלוּ בַּעֲוֹנָם כָּשַׁל גַּם־יְהוּדָה עִמָּם׃

A soberba de Israel abertamente o acusa. Embora a nação de Israel estivesse totalmente depravada e devesse envergonhar-se, era o contrário o que acontecia. Eles retinham o orgulho como um princípio de pecado, e devemos compreender que se jactavam de seu estado corrupto. Eles estavam podres e se ufanavam disso, algo comum a pecadores especialmente aviltados. Esse orgulho pecaminoso com certeza os faria tropeçar fatalmente, ou seja, eles seriam esmagados sob o juízo de Deus, administrado pela invasão assíria e pelo subsequente cativeiro dos poucos sobreviventes. Ver no *Dicionário* o artigo chamado *Orgulho*. Ver o orgulho e a humildade contrastados em Pv 6.17; 11.2; 13.10; 14.3; 15.25; 16.5,18; 18.12; 21.4 e 30.12,32.

Judá já havia começado a palmilhar a mesma senda, e seu fim seria idêntico ao de Israel, conforme demonstrado pelas profecias de Jeremias e Ezequiel, e confirmado pela história no cativeiro babilônico. As descrições dos pecados de Judá, naqueles livros, são surpreendentemente similares às descrições de Oseias dos pecados de Israel.

A linguagem aqui usada é legal. Testemunhas adiantaram-se para condenar Israel. Quais testemunhas especiais deveriam aparecer para testificar contra a arrogância de Israel? Cf. 1Sm 12.3 e 2Sm 1.16.

A soberba precede a ruína, e a altivez do espírito, a queda.
Provérbios 16.18

■ 5.6

בְּצֹאנָם וּבִבְקָרָם יֵלְכוּ לְבַקֵּשׁ אֶת־יְהוָה וְלֹא יִמְצָאוּ חָלַץ מֵהֶם׃

Estes irão com os seus rebanhos e o seu gado à procura do Senhor. Quando a crise viesse e se tornasse evidente que os deuses nada podiam fazer, Israel correria com seus sacrifícios de animais ao culto de Yahweh, mas somente para descobrir que ele os havia abandonado definitivamente. Os sacrifícios não seriam capazes de compensar as qualidades espirituais que são derivadas por meio da lei (ver Os 4.1,2). "Os vãos esforços para arrepender-se teriam chegado tarde demais" (Ellicott, *in loc.*). Cf. este versículo com Pv 1.28 e Jo 7.34.

■ 5.7

בַּיהוָה בָּגָדוּ כִּי־בָנִים זָרִים יָלָדוּ עַתָּה יֹאכְלֵם חֹדֶשׁ אֶת־חֶלְקֵיהֶם׃ ס

Aleivosamente se houveram contra o Senhor. Podem estar em foco os filhos adulterinos nascidos das orgias de Baal, ou os filhos que tinham sido criados como pagãos, ou seja, jamais treinados no yahwismo puro. Os filhos dos israelitas eram estranhos para Yahweh. Em vez de as festividades religiosas ajudarem àquela nova geração (sendo essas festividades parte do culto a Yahweh), visto que tudo era uma farsa, somente apressariam o dia do julgamento divino. Em vez de "lua nova", a tradução NCV diz *falsa adoração*, falando da totalidade do culto hipócrita que fazia parte dessa adoração. Note o leitor a palavra "aleivosamente", ou seja, "infielmente". O contrato de casamento de Yahweh com sua esposa, Israel, havia sido rompido, tal como ocorrera ao casamento de Oseias e Gômer. "Filhos bastardos" tinham nascido nas orgias dedicadas a Baal. A história inteira era má; o resultado só poderia ser desastroso. "... filhos cujo nascimento era atribuído a atos sexuais de culto" (cf. Os 4.13-15).

GUERRA ENTRE EFRAIM E JUDÁ (5.8—6.6)

YAHWEH COMO LEÃO DEVORADOR (5.8—14)

■ 5.8

תִּקְעוּ שׁוֹפָר בַּגִּבְעָה חֲצֹצְרָה בָּרָמָה הָרִיעוּ בֵּית אָוֶן אַחֲרֶיךָ בִּנְיָמִין׃

Tocai a trombeta em Gibeá, e em Ramá tocai a rebate! "Este e o próximo versículo devem ser considerados em conjunto. Descrevem a ocasião em que Efraim (o reino do norte) foi ameaçado pela invasão e o alarma soou para que se reunissem todas as forças disponíveis a fim de enfrentar a emergência. As cidades mencionadas neste versículo ficavam no território de Benjamim, próximas a Jerusalém, ou seja, no reino do sul. Gibeá e Ramá situavam-se no alto de colinas, o que as tornava apropriadas para dar aviso. Betel não ficava em uma colina (quanto a Bete-Áven, ver Os 4.15), mas uma convocação feita ali seria ouvida pelos interiores que baixavam na direção do vale do rio Jordão. A *trombeta* era feita de chifre de carneiro, mas havia outra forma de trombeta, alongada, feita de metal. A frase final do versículo significa, literalmente, "após ti, Benjamim". Esta é uma frase abreviada. Pode significar "o inimigo está à tua procura, Benjamim", porém, à luz de Jz 4.5-14, pode representar o antigo brado de guerra: "Nós seguimos após ti, Benjamim" (John Mauchline, *in loc.*). A *Revised Standard Version* conjectura "estremecer", em lugar de "após ti". Seja como for, a seção refere-se à guerra siro-efraimita, mencionada em 2Rs 15.27-30. Em vez de liderar Efraim à batalha, Benjamim seria perseguido pelo mesmo invasor. Essa julgamento vindouro cumpriu a maldição de Lv 26.32-35. Devemos compreender esta seção como uma profecia da invasão dos assírios e do cativeiro que se seguiria. Judá seria prejudicado nesses acontecimentos, mas seria livrado de um pior acontecimento posterior.

■ 5.9

אֶפְרַיִם לְשַׁמָּה תִהְיֶה בְּיוֹם תּוֹכֵחָה בְּשִׁבְטֵי יִשְׂרָאֵל הוֹדַעְתִּי נֶאֱמָנָה׃

Efraim se tornará assolação no dia do castigo. "Um tempo de punição estava vindo. Israel seria destruído. Avisei às tribos de Israel que certamente isso acontecerá" (NCV). A história parece mover-se de acordo com as vicissitudes naturais ao choque de interesses, mas nosso autor falava sobre os decretos divinos que governam todas as coisas. Ver no *Dicionário* o artigo chamado *Soberania de Deus*. Seus decretos, entretanto, decorrem de como os homens obedecem ou desobedecem às leis morais. O Criador não abandonou sua criação, mas está presente a fim de guiar, punir, recompensar e intervir, posição à qual denominamos *teísmo* (ver no *Dicionário*). Em contraste com essa posição, temos o *deísmo*, que afirma que a força criadora (pessoal ou impessoal) abandonou sua criação aos cuidados das leis naturais (ver no *Dicionário* sobre ambos os termos).

■ 5.10

הָיוּ שָׂרֵי יְהוּדָה כְּמַסִּיגֵי גְּבוּל עֲלֵיהֶם אֶשְׁפּוֹךְ כַּמַּיִם עֶבְרָתִי׃

Os príncipes de Judá são como os que mudam os marcos. A referência aqui é vaga, mas o significado parece ser que, no tempo de crise e ataque vindo do norte (a Assíria), os que costumavam apossar-se das terras, por falta de escrúpulos, tiraram proveito do caos para tomar territórios. Portanto, Judá, não menos que Efraim, foi culpado de crimes e digno de castigo. Sabemos que os assírios assediaram os judaítas, e não meramente Israel, mas a nação do sul saiu intacta da crise, tendo somente de enfrentar a invasão babilônica, pouco mais de cem anos depois. Judá tornou-se culpado de desobedecer ao pacto e de remover as *pedras demarcadoras*, algo considerado crime hediondo naquele país agrícola, em que a terra era a fonte de todas as riquezas. Ver Dt 19.14 e 27.17 quanto à proibição desse ato e quanto à *maldição* proferida a respeito.

■ 5.11

עָשׁוּק אֶפְרַיִם רְצוּץ מִשְׁפָּט כִּי הוֹאִיל הָלַךְ אַחֲרֵי־צָו׃

Efraim está oprimido e quebrantado pelo castigo. Efraim foi pesadamente atingido pela invasão assíria, tendo sido aberta e desgraçadamente desobediente às leis de Yahweh. Esse país estava "determinado a seguir a vaidade" (*Revised Standard Version*). Está em vista a vaidade da idolatria, o que explica a idolatria-adultério-apostasia de Israel. Ver a maldição que fazia parte do pacto, em Dt 28.33. Esse julgamento pode ser uma referência direta à invasão assíria de 733 a.C. Ver 2Rs 15.29. As pessoas gostam de lançar a culpa sobre o imperialismo assírio quanto à situação reinante em Israel, mas por trás disso havia a lei moral de Deus, que usou os assírios como instrumentos de punição. A palavra hebraica *saw*, aqui usada, é obscura, e sua tradução como *mandamento* (conforme algumas versões) faz pouco sentido. Por isso, nossa versão portuguesa, seguindo a *Revised Standard Version*, usa o vocábulo "vaidade". Seja como for, a referência mais provável é à *idolatria*.

■ 5.12

וַאֲנִי כָעָשׁ לְאֶפְרָיִם וְכָרָקָב לְבֵית יְהוּדָה׃

Portanto para Efraim serei como a traça. Yahweh, ao manipular os poderes do julgamento, tornou-se como uma *traça* para Efraim. Esse pequeno inseto, apesar de seu minúsculo tamanho, era especialista na destruição de roupas (ver Jó 13.28; Is 50.9 e 51.8), e isso tornou-se símbolo da capacidade assíria de desfazer toda a textura social do reino do norte. Ademais, no tocante ao reino do sul, Judá, o desprazer de Yahweh seria como a *podridão*, as forças desintegradoras que causam a decadência dos ossos (ver Pv 12.4; 14.30; Hc 3.16). H. H. Rowley aceita esses dois termos como *pus* e *podridão*, referindo a ferimentos, chagas e desintegração do corpo físico. Seja como for, estão em mira a corrupção e a decadência, por trás das quais a ira de Yahweh opera a fim de punir os povos que erram.

■ 5.13

וַיַּרְא אֶפְרַיִם אֶת־חָלְיוֹ וִיהוּדָה אֶת־מְזֹרוֹ וַיֵּלֶךְ אֶפְרַיִם אֶל־אַשּׁוּר וַיִּשְׁלַח אֶל־מֶלֶךְ יָרֵב וְהוּא לֹא יוּכַל לִרְפֹּא לָכֶם וְלֹא־יִגְהֶה מִכֶּם מָזוֹר׃

Quando Efraim viu a sua enfermidade. "A nação de Israel percebeu quão fraca estava. Judá viu os ferimentos que tinha sofrido. Assim, Israel voltou-se para a Assíria, a fim de ser ajudado. E enviou embaixadores ao grande rei da Assíria, solicitando ajuda" (NCV). Mas tudo foi em vão e serviu somente para complicar a situação. A Assíria, longe de ser um curador de ferimentos, apenas atacaria Israel, até deixá-lo um cadáver. Entrementes, Judá seria oprimido e sofreria, mas finalmente escaparia das chicotadas. Ao buscar alívio e tentar escapar do pior, ambos os países tornaram-se tributários da Assíria, mas aqueles gananciosos réprobos haveriam de querer, finalmente, mais do que dinheiro.

Ao rei principal. Esta designação, que em algumas versões aparece sob a forma de "rei Jarebe", tem deixado confusos os intérpretes. Talvez esteja em foco o título *Rei-começa-uma-luta,* ou então *rei presentende,* referência sarcástica ao rei da Assíria. Porém, mediante uma emenda, podemos obter *Grande Rei,* título que alguns estudiosos preferem. Ver no *Dicionário* o artigo chamado *Jarebe.*

■ 5.14

כִּי אָנֹכִי כַשַּׁחַל לְאֶפְרַיִם וְכַכְּפִיר לְבֵית יְהוּדָה אֲנִי אֲנִי אֶטְרֹף וְאֵלֵךְ אֶשָּׂא וְאֵין מַצִּיל׃

Porque para Efraim serei como um leão. A *ameaça real* era o poder de Deus que usaria eficazmente a Assíria para punir tanto Israel quanto Judá. Esse poder aparece aqui, simbolicamente, como um leão solto contra Israel e um leão jovem solto contra Judá, um "poder despedaçador", que deixaria o povo devastado e impotente. Não haveria aliado que ousasse ajudar. Israel e Judá ficariam à mercê do tremendo poder da Assíria.

Visto que a história não fala sobre nenhuma ocasião em que tanto Israel quanto Judá apelaram à ajuda assíria, a referência histórica exata permanece em dúvida. Alguns estudiosos pensam estar em vista o esforço feito pelo rei Menaem, em 738 a.C. (ver 2Rs 15.19), solicitando a ajuda da Síria. Então Judá tentou conseguir a ajuda da Assíria, quando foi ameaçado pela confederação formada por Peca, de Israel, e Rezim, da Síria (Is 7). Nesse caso, ambos os países foram culpados de envolver-se em alianças proibidas, pelo que tiveram de sofrer por esse motivo. Porém, a passagem parece encarecer principalmente o ataque de Samaria por parte dos assírios, que puseram fim ao reino do norte. E outro tanto teria acontecido ao reino do sul, não fora a intervenção divina direta (ver 2Rs 19.35-37).

O ARREPENDIMENTO SUPERFICIAL DE ISRAEL (5.15—6.3)

■ 5.15

אֵלֵךְ אָשׁוּבָה אֶל־מְקוֹמִי עַד אֲשֶׁר־יֶאְשְׁמוּ וּבִקְשׁוּ פָנָי בַּצַּר לָהֶם יְשַׁחֲרֻנְנִי׃

Irei, e voltarei para o meu lugar. Na verdade, o homem é uma criatura volúvel. Sob circunstâncias adversas, Israel voltou-se para Yahweh, mas com fidelidade duvidosa. Israel buscava Yahweh "anualmente" quando via que tinham sido abandonado por um desastre autoimposto por uma multidão de pecados. O propósito de Deus na punição era restaurar (ver Os 2.5-7), mas não houve nenhum arrependimento verdadeiro, embora eles fingissem ter-se arrependido. Yahweh deixou de ouvir as orações de Israel. Deus tornou-se, pelo menos temporariamente, um Deus deísta, distante e aparentemente indiferente. Apenas nos momentos de desespero é que Israel buscava a face divina (o favor divino).

> Voltarei novamente para o meu lugar,
> Até que reconheçam a sua culpa,
> Até que fiquem boquiabertos.
> Quando a tribulação descer sobre eles
> Eles me buscarão,
> Eles procurarão pelo meu rosto.
>
> John Mauchline

Cf. este versículo com Pv 29.25 e Sl 119.147.

> E visto que ele me ordena buscar-lhe a face,
> Crer em sua palavra e confiar em sua graça,
> Lançarei sobre ele todas as minhas preocupações.
>
> W. W. Walford

CAPÍTULO SEIS

Não há nenhuma quebra entre os capítulos 5 e 6. Os 6.1 continua a seção iniciada em Os 5.15.

■ 6.1

לְכוּ וְנָשׁוּבָה אֶל־יְהוָה כִּי הוּא טָרָף וְיִרְפָּאֵנוּ יַךְ וְיַחְבְּשֵׁנוּ׃

Vinde, e tornemos para o Senhor. Encontramos aqui um convite direto do povo, feito a eles próprios, para abandonar a idolatria-adultério-apostasia e voltar ao yahwismo, visto que se tornara claro que sua rebelião estava provocando um encontro fatal com o destino. O poder divino os havia ferido, mas esse mesmo poder poderia pensar seus ferimentos e curá-los. Todo o arrependimento forçado é notoriamente superficial e logo abandonado quando as coisas melhoram um pouco. A história mostra que o excelente ideal dos vss. 1-3 não se cumpriu. Israel desviou-se demais e tornou-se incapaz de ser remido. Ver Os 5.4 quanto a comentários sobre essa ideia. O vs. 4 dá início à resposta de Yahweh a esse proposto arrependimento, chamando-o de "névoa matutina", que logo desaparece quando o sol começa a brilhar. O julgamento não seria relembrado (vs. 5), por causa de um momento de *pensamentos melhores* por parte do povo.

■ 6.2

יְחַיֵּנוּ מִיֹּמָיִם בַּיּוֹם הַשְּׁלִישִׁי יְקִמֵנוּ וְנִחְיֶה לְפָנָיו׃

Depois de dois dias nos revigorará. "Depois de dois dias" e "no terceiro dia" referem-se a um curto período de tempo, conforme diz a tradução NCV: "Em breve tempo ele insuflará vida nova em nós". O vs. 1 provavelmente nos leva de volta à metáfora do leão despedaçador. E agora temos a ressurreição de um corpo morto. Israel, trazido de volta dentre os mortos, viveria em Yahweh e veria um novo dia para além da tempestade. A restauração e o reavivamento seriam imediatos, mas Israel não estava com pressa quando cultivava suas orgias nos santuários de Baal. A dor os tinha lançado, apressados, na direção da cura, mas não havia nisso um propósito constante, conforme mostra o vs. 4. Israel não voltaria da fatalidade do cativeiro assírio. O corpo morto não ressuscitaria. Mas Judá ressuscitaria da morte produzida pelo cativeiro babilônico, pelo que haveria vida nova para um novo dia. Não há aqui nenhuma referência (profética) à ressurreição de Cristo no terceiro dia (ver 1Co 15.4). Há apenas uma coincidência verbal.

■ **6.3**

וְנֵדְעָה נִרְדְּפָה לָדַעַת אֶת־יְהוָה כְּשַׁחַר נָכוֹן מוֹצָאוֹ
וְיָבוֹא כַגֶּשֶׁם לָנוּ כְּמַלְקוֹשׁ יוֹרֶה אָרֶץ׃

Conheçamos, e prossigamos em conhecer ao Senhor. Note o leitor a *intensidade* dessa busca temporária por Yahweh. "Experimentemos com intensidade saber quem ele é. Ele virá a nós tão certamente como vem o raiar do dia". Todos somos testemunhas da intensidade espiritual que consiste somente no entusiasmo, sem raízes na espiritualidade autêntica. Com quanta brevidade essas coisas se desgastam! O povo de Israel não tinha um conhecimento real e permanente sobre Yahweh, a fonte da vida e das bênçãos (ver Os 5.4).

A Palestina dependia inteiramente das chuvas para que seu povo sobrevivesse, pois a seca era sempre uma ameaça séria. Sem Yahweh, havia seca espiritual, ou seja, morte espiritual. O povo de Israel chegou a perceber isso claramente e agora anelava pelas chuvas espirituais. As primeiras chuvas caíam em dezembro e amoleciam a terra endurecida, o que tornava possível a aragem e a semeadura. As últimas chuvas ocorriam no fim de março e em abril, e isso era necessário para o desenvolvimento do grão e para que assim houvesse uma colheita eventual. Ver no *Dicionário* o artigo chamado *Chuvas Anteriores e Posteriores,* quanto a detalhes. A natureza normalmente cooperava com as necessidades humanas. Mas esse povo réprobo tinha espantado propositadamente as chuvas espirituais, ao volver-se para os deuses de nada, onde esperavam conseguir aprazimento e suprimento de todas as suas necessidades.

MISERICÓRDIA, E NÃO SACRIFÍCIO (6.4-6)

■ **6.4**

מָה אֶעֱשֶׂה־לְּךָ אֶפְרַיִם מָה אֶעֱשֶׂה־לְּךָ יְהוּדָה
וְחַסְדְּכֶם כַּעֲנַן־בֹּקֶר וְכַטַּל מַשְׁכִּים הֹלֵךְ׃

Que te farei, ó Efraim? Que te farei, ó Judá? Temos aqui a *resposta de Yahweh* aos sonhadores superficiais que pensavam que uma rápida oração em meio à tribulação, com um arrependimento falso, poderia salvá-los do desastre assírio. Este versículo introduz a seção de Os 6.4—11.11, que é uma grande acusação contra Israel por causa de sua idolatria-adultério-apostasia. No começo desta acusação, tanto Israel quanto Judá foram repreendidos por causa da superficialidade de seu amor. O primeiro e grande mandamento é o amor a Deus, de onde fluem todas as outras virtudes espirituais. Ver Dt 6.5. Tinha havido uma pretensão, possivelmente baseada em boas intenções, que não demorou a cair por terra sob a pressão dos hábitos pecaminosos e de almas depravadas. Ver Os 5.4.

A manhã é o tempo deleitoso em que o frescor da noite continua parcialmente preservado e a umidade condensada sobre a terra fria, proveniente da atmosfera, continuava fresca sobre o solo. Além disso, as nuvens matutinas prometem chuva. Mas o calor do sol que vai surgindo logo resseca a umidade e leva embora as nuvens. Os passarinhos, que conversavam tão alto ao amanhecer o dia, perdem parte de seu entusiasmo e agora estão mais quietos, preparando-se para enfrentar o dia quente que já começara a aparecer. O amor de Israel e de Judá era como um amanhecer delicioso, com seu orvalho, suas nuvens e seus passarinhos chilreadores. Quão breve o sol põe fim a todas essas coisas! "O profeta lamentava a natureza transitória do arrependimento deles" (Ellicott, *in loc.*).

■ **6.5**

עַל־כֵּן חָצַבְתִּי בַּנְּבִיאִים הֲרַגְתִּים בְּאִמְרֵי־פִי
וּמִשְׁפָּטֶיךָ אוֹר יֵצֵא׃

Por isso os abati por meio dos profetas. Aqueles réprobos, fingidos espirituais e hipócritas, tinham de ser decepados pelos profetas, pois eram árvores apodrecidas, cheias de enfermidades. O machado divino haveria de pôr fim à vida na nação do norte. As palavras divinas eram como facas afiadas que cortariam em pedaços aqueles réprobos. Os julgamentos divinos eram como coriscos de raios que queimavam e matavam. Por meio de tais metáforas, foi prometido o vindouro desastre assírio, que poria fim à fraude do arrependimento apressado e fácil de Israel. Cf. este versículo com Jr 1.10 e 5.14. Ver também Is 11.4 quanto às palavras destruidoras de Deus, que são retratadas como um hálito requeimante.

■ **6.6**

כִּי חֶסֶד חָפַצְתִּי וְלֹא־זָבַח וְדַעַת אֱלֹהִים מֵעֹלוֹת׃

Pois misericórdia quero, e não sacrifício. Cf. 1Sm 15.22, passagem sobre a qual este versículo provavelmente repousa. Temos algo de similar em Is 1.11-20 e Am 5.21-24. Ver também Mq 6.6-8. Israel não compreendera a verdadeira natureza da espiritualidade. Os assírios não retrocederiam somente porque os sacrifícios matinais e vespertinos tinham sido reiniciados. A lealdade ao pacto (ver sobre o *pacto mosaico* na introdução a Êx 19) significava a lealdade do coração e o amor de Deus na alma. As chamas dos sacrifícios podiam queimar noite e dia, mas isso não significava que algum amor estaria queimando no espírito (ver o vs. 4). Sem esse amor, um homem nada é (ver 1Co 13.2). Israel tinha violado todas as provisões morais da lei mosaica (ver Os 4.1,2). Seria necessário algo mais que a renovação do sistema de sacrifícios para estacar o dilúvio de degradação moral em Israel. O povo precisava de mudança de alma, e não meros ritos.

O TEMÍVEL REGISTRO DA VILANIA E APOSTASIA (6.7—7.2)

ASSASSINATOS E FURTOS (6.7-9)

■ **6.7**

וְהֵמָּה כְּאָדָם עָבְרוּ בְרִית שָׁם בָּגְדוּ בִי׃

Mas eles transgrediram a aliança. A *acusação* torna-se aqui feroz, ilustrada pela denúncia de pecados pesados e específicos. A alusão pode ser à violência dos gileaditas (cf. o vs. 8) ou ao comportamento perverso dos sacerdotes (vs. 9), ou a ambas as coisas. Seja como for (e, de modo geral, naquela sociedade sórdida), os pactos tinham sido violados da maneira mais grosseira.

Podemos traduzir aqui por "como homens, eles transgrediram o pacto" ou então "como Adão, eles transgrediram o pacto", tudo dependendo de a palavra "homens" ser entendida no hebraico como nome próprio ou como substantivo comum, referindo-se a Adão ou ao homem comum. Mas alguns veem aqui um *nome locativo,* que era um vau bem conhecido, pelo qual se cruzava o rio Jordão (ver Js 3.16). Por isso, a *Revised Standard Version* traduz aqui: "*em Adão,* eles transgrediram", ou seja, naquele vau. Aquele vau foi usado com propósitos violentos e assassinos de um povo contra outro. Sem importar o que o versículo se refira, está em pauta a violência que fazia parte da transgressão dos homens contra o pacto mosaico, submetendo o povo de Israel à lei, como *guia* de conduta (ver Dt 6.4 ss.). Israel era culpado de *traição,* visto que desobedecera aos pactos mediante ações violentas. Pecados grosseiros cancelaram o pacto de Deus com aquele povo réprobo. Os homens, de maneira geral, transgrediram o pacto mosaico; Adão o transgrediu mediante o pecado original que desfez o pacto firmado no jardim do Éden; e no vau chamado Adão, homens transgrediram mediante a matança de outros seres humanos.

■ **6.8**

גִּלְעָד קִרְיַת פֹּעֲלֵי אָוֶן עֲקֻבָּה מִדָּם׃

Gileade é a cidade dos que praticam a injustiça. A referência histórica específica está perdida para nós, embora possamos supor que fosse conhecida pelos leitores originais do livro de Oseias. Toda a cidade (ou distrito) tinha sido poluída por crimes de sangue. O hebraico diz aqui, literalmente, "suas veredas são sangrentas". A tradução NCV descreveu vividamente Gileade como "coberta com pegadas de sangue". Houve constante violência física associada ao lugar, e esse foi um exemplo para chamar a atenção sobre a violência do povo de Israel contra os pactos. Ver Êx 20.13, que diz: "Não matarás". Gileade era um distrito, e não uma cidade, pelo que talvez a referência seja a Ramote-Gileade, a leste do rio Jordão. Esse lugar, ou talvez o distrito inteiro de Gileade, tornou-se um centro de violência.

■ **6.9**

וּכְחַכֵּי אִישׁ גְּדוּדִים חֶבֶר כֹּהֲנִים דֶּרֶךְ יְרַצְּחוּ־שֶׁכְמָה
כִּי זִמָּה עָשׂוּ׃

Como hordas de salteadores que espreitam alguém. Havia bandos de ladrões (*King James Version*) que assaltavam nas áreas ao redor, lançando emboscadas contra os peregrinos ou viajantes de qualquer espécie, a fim de matar e saquear. Entre eles estavam os sacerdotes, que não eram diferentes de outros varões brutais que havia na região. As palavras "matam no caminho para Siquém" (cf. Jz 9.25) têm causado alguma discussão. Que o leitor preste atenção a estes pontos:

1. Diz a NCV: "Eles assassinam pessoas no caminho para Siquém", sendo que Siquém era uma das cidades de refúgio. Ver no *Dicionário* o artigo chamado *Cidades de Refúgio,* quanto a detalhes. Não sabemos dizer se esse fator tinha algo a ver com os assassinatos ou não. Talvez os sacerdotes rejeitassem essa instituição e fizessem assassinatos de vingança, antes que os fugitivos pudessem chegar à segurança em uma das cidades de refúgio.
2. Ou então esses assassinatos tinham por propósito o roubo. Eles tinham transformado em comércio o jogo do assassinato.
3. Alguns eruditos veem aqui assassinatos espirituais, através da idolatria e do paganismo, e não assassinatos literais, mas isso fica aquém do que o texto bíblico está tentando ensinar.
4. Outros estudiosos compreendem que os sacerdotes cometiam esses crimes a caminho para Siquém, nas peregrinações. Nesse caso, eles assassinavam colegas peregrinos para ficar com seus bens, um vil ato de traição, para dizermos o mínimo.
5. Ou, finalmente, assaltos hostis contra Siquém estão em vista aqui.

Praticam abominações. O vocábulo hebraico *zimmah,* traduzido aqui como "abominações", era usado para indicar os pecados mais grosseiros, como: incesto (Lv 18.17); prostituição cultual (Lv 18.17); estupro (Jz 20.5,6); adultério (Jó 31.9,10). Outros entendem estar em pauta a grosseira *idolatria,* o mais ridículo pecado que um sacerdote poderia cometer.

UMA DOENÇA INCURÁVEL (6.10—7.2)

■ **6.10**

בְּבֵית יִשְׂרָאֵל רָאִיתִי שַׁעֲרִירִיָּה שָׁם זְנוּת לְאֶפְרַיִם
נִטְמָא יִשְׂרָאֵל׃

Vejo uma cousa horrenda na casa de Israel. A idolatria-adultério-apostasia de Israel foi diagnosticada como *incurável*. Talvez esta seção continue com a tirada contra os sacerdotes ou, agora, a acusação é generalizada para falar contra todos os cidadãos da "casa de Israel", provavelmente um sinônimo de Efraim. A palavra "Efraim" é usada 36 vezes no livro de Oseias, usualmente como termo alternativo para Israel. Era a maior e mais forte tribo dos dias de Oseias, pelo que esse nome é usado para representar o país inteiro. Mas alguns entendem aqui o termo "casa" referindo-se ao templo ou santuário, provavelmente de Betel, um dos mais horrendos locais da idolatria no reino do norte. Aqui, idolatria e prostituição são a mesma coisa, havendo uma forma inteiramente debochada de idolatria que era praticada juntamente com a prostituição sagrada. "... o espírito da prostituição está no meio deles, e não conhecem ao Senhor" (Os 5.4). Os de 5.3 já havia dito como Efraim fora inteiramente *contaminado* por sua prostituição. Cf. este versículo com Jr 5.30; 18.13 e 23.14.

■ **6.11**

גַּם־יְהוּדָה שָׁת קָצִיר לָךְ בְּשׁוּבִי שְׁבוּת עַמִּי׃ פ

Também tu, ó Judá, serás ceifada. Não está claro se a colheita, para Judá, era de julgamento ou de bênção. É verdade que Judá sofreu sob o ataque dos assírios, e muito mais ainda sob as invasões e o cativeiro babilônico. Foi uma colheita negativa, provocada pela corrupção moral e pela apostasia. Mas também é verdade que, finalmente, veio o livramento. A nação do sul não terminou, como aconteceu à nação do norte, mas sobreviveu para ver a restauração. Isso poderia ser chamado de colheita positiva, por causa do arrependimento. Se a última parte do versículo realmente inclui esse sentimento, então está em foco uma colheita positiva. Porém o mais provável é que isso pertença ao primeiro versículo do capítulo seguinte, onde comento a questão. Quanto à comparação entre julgamento e colheita, ver Jr 51.33; Jl 3.13 e Ap 14.15.

CAPÍTULO SETE

Não há nenhuma interrupção entre os capítulos 6 e 7. Os 7.1 continua a seção iniciada em Os 6.10. Além disso, a parte final de Os 6.11 pertence a Os 7.1.

■ **7.1**

כְּרָפְאִי לְיִשְׂרָאֵל וְנִגְלָה עֲוֹן אֶפְרַיִם וְרָעוֹת שֹׁמְרוֹן כִּי
פָעֲלוּ שָׁקֶר וְגַנָּב יָבוֹא פָּשַׁט גְּדוּד בַּחוּץ׃

Quando me disponho a mudar a sorte do meu povo. Se temos aqui um arranjo correto dos versículos, então não há referência à restauração de Judá do cativeiro babilônico, mas ao desejo, da parte de Yahweh, de restaurar Israel do cativeiro assírio. Quanto à restauração do cativeiro, ver Jr 30.3 e 31.23, onde encontramos a mesma expressão vista aqui (no fim de Os 6.11 ou no começo de Os 7.1). O capítulo 3 desse livro fala da redenção de Gômer por parte do profeta, e isso, como parábola, fala do mesmo ideal de a nação do norte ser trazida de volta à sua terra, com a neutralização do cativeiro assírio. Esse ideal, entretanto, nunca se concretizou. Mas Israel também não foi curada, nem antes do cativeiro, para não ser conduzida a ele, nem por ter sido trazida de volta depois que aquele desastre efetuou sua obra desejada, levando a nação ao arrependimento e à restauração espiritual.

■ **7.2**

וּבַל־יֹאמְרוּ לִלְבָבָם כָּל־רָעָתָם זָכָרְתִּי עַתָּה סְבָבוּם
מַעַלְלֵיהֶם נֶגֶד פָּנַי הָיוּ׃

Não dizem no seu coração. *O ideal divino* consistia em curar e restaurar, mas, quando esse pensamento foi levantado, os pecados de Efraim (Israel) e sua capital (Samaria) se precipitaram como um dilúvio e frustraram aquela esperança. "Sempre que o Senhor tentava curar a ferida do povo, ele descobria quão profundamente arraigada era a dificuldade, e quão *sem esperança* era qualquer tentativa de cura" (John Mauchline, *in loc.*). Este versículo dá-nos o mesmo tipo de ideias que vemos em Os 4.1,2 e 6.8,9 — uma violência desenfreada acompanhada pelos pecados pesados que violavam a lei e o pacto mosaico. Ladrões invadiam casas e furtavam e maltratavam seus moradores. Fora das casas, os ladrões matavam suas vítimas e roubavam-lhes os deuses. A própria classe sacerdotal estava envolvida na confusão (ver Os 6.9).

ORGIAS E INTRIGAS (7.3-7)

■ **7.3**

בְּרָעָתָם יְשַׂמְּחוּ־מֶלֶךְ וּבְכַחֲשֵׁיהֶם שָׂרִים׃

Com a sua malícia alegram ao rei. *O rei* deixava-se envolver pelo deboche e pela violência e alegrava-se diante do que os seus súditos faziam, porquanto ele e o povo eram igualmente réprobos. Ver Rm 1.32. Homens ímpios e desvairados apreciavam o que estavam fazendo e se alegravam naqueles que eram tão ruins quanto eles. A família real e os oficiais da corte tinham sido todos moldados na mesma forma. Eles eram traiçoeiros e jubilavam diante da traição praticada por seus súditos. O versículo diz que os pecados e os crimes horrendos que o profeta vinha descrevendo, permeavam todas as classes da sociedade, de forma que todo o país se tornara insuportavelmente perverso.

Segundo se esperava, um governante piedoso teria, como uma de suas virtudes, o espírito e a coragem de opor-se a todas as formas de iniquidade dentro de seu reino (Sl 101), mas aqueles homens depravados deleitavam-se em todas as formas de depravação. Quanto ao *rei ideal*, ver as notas expositivas sobre Dt 17.14 ss. Entre as injunções secundárias, temos a que diz que o rei deveria viver de acordo com a lei de Moisés.

"O mal não despertava neles nenhum alarma, mas, antes, simpatia e regozijo" (Ellicott, *in loc.*). A idolatria era a ofensa principal, e a nação toda estava envolvida. Mas havia muitos frutos do mal, muitas manifestações, muitas ramificações, muitas nuanças.

■ 7.4

כֻּלָּם מְנָאֲפִים כְּמוֹ תַנּוּר בֹּעֵרָה מֵאֹפֶה יִשְׁבּוֹת מֵעִיר
מִלּוּשׁ בָּצֵק עַד־חֻמְצָתוֹ׃

Todos eles são adúlteros, semelhantes ao forno aceso pelo padeiro. Comparar aqueles idólatras-adúlteros a um padeiro, e seu forno é uma figura perfeita. Eles requeimavam, ficando cada vez mais quentes, e terminavam destruindo a si mesmos e aos outros, por suas paixões desorientadas. Mas por que o profeta falou sobre o padeiro que cessou de abanar o fogo, permitindo assim que o forno esfriasse? Isso parece uma contradição com a intenção da parábola. Que o leitor acompanhe estes três pontos:

1. Talvez a cessação do ato de abanar o fogo para despertar as chamas, enquanto misturava a massa, permitindo assim que o fermento se espalhasse por toda a massa, significasse que aqueles homens ímpios só paravam de aquecer cada vez mais quando estavam *inventando novos esquemas* vis.
2. Ou então talvez aqueles réprobos controlassem suas paixões na medida certa, para não arruinar os seus planos mediante zelo excessivo, o que poderia excitar a oposição. O vs. 6 parece apoiar esta segunda ideia.
3. Ou então a segunda parte do versículo é uma simples observação de que, ocasionalmente, aqueles homens ímpios descansavam de seus atos horrendos, embora isso não acontecesse com excessiva frequência.

■ 7.5

יוֹם מַלְכֵּנוּ הֶחֱלוּ שָׂרִים חֲמַת מִיָּיִן מָשַׁךְ יָדוֹ אֶת־
לֹצְצִים׃

No dia da festa do nosso rei, os príncipes se tornaram doentes. O rei e os príncipes eram auxiliados por planejadores hipócritas, que os usavam em seus deboches. A classe governante se embriagava de lisonjas e tornava-se incapaz de fazer cessar o reino de terror imposto por seus ajudantes, os quais eram pessoas de menor poder que manipulavam os poderes superiores para atingir seus propósitos temíveis. O rei chegava a aliar-se aos planos malignos, porquanto estava sendo enganado. Naturalmente, isso contraria os versículos em que vimos que o rei e seus príncipes eram os líderes das vilanias, e não meras iludidos, que agiam com a ajuda dos subordinados. Ver Os 5.10. Alguns reis, segundo podemos supor, eram os líderes dos planos maus, enquanto outros se envolviam nesses planos pela ação de suboficiais hipócritas. Talvez a ideia principal seja que o próprio rei era o objeto desses planos malignos.

Nosso rei. 1. Talvez esteja em pauta o dia da inauguração do governo ou de coroação. 2. Talvez esteja em foco o dia do aniversário natalício do rei. 3. Talvez fosse o dia do aniversário da entronização do rei.

"Entre 752 e 732 a.C., quatro reis de Israel foram assassinados (ver 2Rs 15). As intrigas políticas formam o pano de fundo dos capítulos 5—7 de Oseias. Temos aqui uma descrição de como os conspiradores, caracteristicamente, efetuavam os seus planos" (Robert B. Chisholm, Jr., *in loc.*).

■ 7.6

כִּי־קֵרְבוּ כַתַּנּוּר לִבָּם בְּאָרְבָּם כָּל־הַלַּיְלָה יָשֵׁן
אֹפֵהֶם בֹּקֶר הוּא בֹעֵר כְּאֵשׁ לֶהָבָה׃

Porque prepararam o coração como um forno. Este versículo parece confirmar a interpretação do vs. 5, no sentido de que era contra o próprio rei e seus príncipes que as conspirações eram feitas, ocasionando o assassinato de diversos deles bem no meio das festividades efetuadas em sua honra. Espertzeza significava assassinato, e os reis caíam vítimas. Os reis eram chamados para ajudar nos planos violentos, mas não sabiam que seriam as primeiras vítimas desses planos. O rei vivia bêbado e feliz. Os conspiradores também bebiam, mas se mantinham sob controle para efetuar seus planos de derrubar ou matar o rei, a fim de que pudessem impor sua vontade ao governo. O uso excessivo de bebidas alcoólicas estava por trás de inúmeras desgraças, privadas e públicas.

Continua aqui a figura do vs. 4 sobre o padeiro e seu forno, mas não há tempo para o forno esfriar. Os planos eram traçados durante a noite e, pela manhã, havia matança mediante paixões degeneradas. Após uma noite de conspirações enganadoras e assassinas, a questão toda explodia sob a forma de violência, ao amanhecer. Cf. este versículo com Mq 2.1: "Ele estendeu a sua mão com impostores, mas eles se aproximaram dele com suas intrigas" (versão árabe).

■ 7.7

כֻּלָּם יֵחַמּוּ כַּתַּנּוּר וְאָכְלוּ אֶת־שֹׁפְטֵיהֶם כָּל־
מַלְכֵיהֶם נָפָלוּ אֵין־קֹרֵא בָהֶם אֵלָי׃

Todos eles são quentes como um forno. Este versículo reafirma o que já tinha sido dito. Mediante conspirações violentas, os governantes são consumidos; os reis caem, contudo não se voltam para Yahweh a fim de remediar os temíveis males sociais, o que poderia salvá-los da condenação. Durante todo esse tempo de confusão, nenhum olho se voltou para Yahweh, o verdadeiro Rei do país. Eles preferiam o caos em que estavam e os assassínios que produziam. Naturalmente, todos quantos o rei assassinava eram idólatras desprezíveis, pelo que seu fim terrível foi resultado da lei da colheita segundo a semeadura (ver Gl 6.7,8).

INFIDELIDADE E INSTABILIDADE POLÍTICA (7.8—10.15)

ACUSAÇÃO CONTRA EFRAIM (7.8-16)

Confiança de Efraim nas Alianças Estrangeiras (7.8-12)

■ 7.8

אֶפְרַיִם בָּעַמִּים הוּא יִתְבּוֹלָל אֶפְרַיִם הָיָה עֻגָה
בְּלִי הֲפוּכָה׃

Efraim se mistura com os povos, é um pão que não foi virado. Os vss. 8-12 abordam especificamente as alianças estrangeiras feitas por Efraim, que eram sempre contrárias às orientações dadas pelos profetas, como uma forma de traição contra Yahweh, que requeria separação de poderes pagãos corruptos. Os vss. 13-16 abordam especificamente a infidelidade de Israel para com Yahweh. A metáfora do cozimento do pão continua neste versículo.

No fabrico de bolos, o azeite tinha de ser misturado à farinha de trigo, e então se cozinhava no forno a massa resultante. Esse era o processo natural, mas quando Israel se misturou com o paganismo nada de bom poderia resultar daí. Como essas coisas resultaram de tais atos, é demonstrado pelo resto da metáfora: Israel era como um bolo deixado a queimar sobre carvões acesos, mas não virado para cozer também do outro lado. Esse processo faria Israel ser descartado como inútil, bem como promoveria sua destruição eventual como entidade repelente. "Os orientais coziam seu pão no chão, cobrindo com brasas vivas (1Rs 19.6) e virando o pão a cada dez minutos, para assá-lo por inteiro, sem queimá-lo" (Fausset, *in loc.*).

■ 7.9

אָכְלוּ זָרִים כֹּחוֹ וְהוּא לֹא יָדָע גַּם־שֵׂיבָה זָרְקָה בּוֹ
וְהוּא לֹא יָדָע׃

Estrangeiros lhe comem a força. É provável que a principal referência aqui seja aos assírios, que produziram grande confusão na nação do norte, Israel, e agora cobravam tributos debilitadores. Portanto, temos aqui um quadro de desespero. O país estava sendo debilitado por sua própria corrupção interior e também por meio de forças exteriores. Assim, a corrupção interna operava junto com os poderes externos para reduzir Israel a nada. O país estava envelhecendo, branqueando os cabelos e debilitando-se, mas não era sábio o suficiente para perceber o que estava acontecendo e qual seria o resultado final dessa degeneração. A morte se aproximava, e o homem idoso e decrépito nem ao menos tinha consciência do triste estado em que se encontrava. Ver 2Rs 15.19,20 e 17.3 quanto à drenagem da economia de Israel. Israel estava sob sentença de morte, e não sabia.

"Os sintomas do estado declinante da igreja de Deus estão, em nosso tempo, sobre nós, e, no entanto, poucos são os que prestam atenção a isso" (John Gill, *in loc.*, com uma apta aplicação do texto, tão pertinente hoje em dia).

■ 7.10

וְעָנָה גְאוֹן־יִשְׂרָאֵל בְּפָנָיו וְלֹא־שָׁבוּ אֶל־יְהוָה אֱלֹהֵיהֶם וְלֹא בִקְשֻׁהוּ בְּכָל־זֹאת׃

A soberba de Israel abertamente o acusa. Este versículo é virtualmente idêntico a Os 5.5. Efraim foi levado a julgamento diante de Yahweh, e seu próprio orgulho se levantaria para testificar contra ele. O país perde sua causa e é condenado, mas nem ao menos isso inspirou os israelitas a alterar seus caminhos e voltar a Yahweh-Elohim, Deus Eterno e Todo-poderoso, o Único que tinha o remédio contra o desastre. O país estava fraco e moribundo, mas sua arrogância não lhe permitia procurar o remédio apropriado. O povo estava autocorrompido, autodestruído e autoincriminado. Cf. Is 9.13.

■ 7.11

וַיְהִי אֶפְרַיִם כְּיוֹנָה פוֹתָה אֵין לֵב מִצְרַיִם קָרָאוּ אַשּׁוּר הָלָכוּ׃

Porque Efraim é como uma pomba enganada. A pomba não dá evidências de ser um pássaro muito inteligente. Estudos modernos sobre a inteligência das aves demonstram que as espécies diferem muito quanto a esse quesito. A inteligência dos pássaros está altamente envolvida na questão da sobrevivência. Aqui Israel é comparado a uma ave tola e ingênua que perde a vida por causa da ausência de inteligência. Em vez de correr para Yahweh, pedindo-lhe ajuda, arrependendo-se e endireitando as coisas para melhor, mediante a *ajuda divina*, Israel se refugiou em poderes estrangeiros pagãos, como o Egito e a Assíria, e acabou queimando-se. É provável que este versículo se refira aos partidos pró-egípcio e pró-assírio que encorajavam alianças com potências estrangeiras, na esperança de impedir a conquista assíria mediante aplacamento, tributos e alianças falsas. "Tudo isso tem um aspecto familiar. Trata-se da antiga história do jogo sórdido da diplomacia e da política, com suas palavras ribombantes, usadas para encobrir a ganância e a intriga. Israel, sem dúvida, pensava estar sendo esperto por causa de suas normas oportunistas e sem princípios. Na verdade, porém, era apenas uma pomba estúpida, pronta para ser apanhada pelo gavião" (Harold Cooke Phillips, *in loc.*).

"Sob Menaém (cerca de 743-738 a.C.), Israel submeteu-se ao controle assírio (ver 2Rs 15.19,20). Peca (cerca de 734 a.C.) aliou-se em uma coligação contra a Assíria, que Tiglate-Pileser III esmagou violentamente (ver 2Rs 15.29). Oseias (cerca de 732-722 a.C.), depois de reconhecer o domínio assírio por algum tempo, suspendeu o pagamento dos tributos e tentou firmar aliança com o Egito (2Rs 17.3,4). Esse ato de rebeldia provocou uma norma política estrangeira que, durante vinte anos, vinha sendo caracterizada por medidas vacilantes e expedientes" (Robert B. Chisholm, Jr., *in loc.*).

■ 7.12

כַּאֲשֶׁר יֵלֵכוּ אֶפְרוֹשׂ עֲלֵיהֶם רִשְׁתִּי כְּעוֹף הַשָּׁמַיִם אוֹרִידֵם אַיְסִרֵם כְּשֵׁמַע לַעֲדָתָם׃ ס

Quando forem, sobre eles estenderei a minha rede. Todo esse pragmatismo não deixou de ser observado por Yahweh, cujo pacto com Israel vinha sendo constantemente desconsiderado, enquanto os estrangeiros tomavam conta de tudo e a idolatria determinava o espírito religioso de Israel. Yahweh apanharia a pomba insensata em sua rede de retribuição, tal como um passarinheiro sem misericórdia termina com a vida de algum pássaro impotente.

Castigá-los-ei, segundo o que eles têm ouvido na sua congregação. Nessas palavras temos uma tentativa da nossa versão portuguesa de compreender um hebraico obscuro e, possivelmente, corrupto. 1. A *Revised Standard Version* diz apenas: "Eu os castigarei por causa de seus feitos ímpios" ("feitos" substitui a frase "segundo o que eles têm ouvido na sua congregação"). 2. "Eu os castigarei conforme os tenho advertido" (NCV, com outro palpite, referindo-se a advertências dadas na congregação por parte de profetas fiéis). 3. Eu os castigarei com aflições avassaladoras, o que é sugerido pelo texto da Septuaginta. 4. Nyberg e Weiser, em seu livro *Das Buch der zwolf kleinen Propheten, in loc.*, tentaram preservar a metáfora do aprisionamento do pássaro com "eu os capturarei quanto ouvir o ruído de suas asas" (cf. Jz 14.8).

Sem dúvida, Oseias mesmo tinha falado em suas assembleias, proferindo as advertências apropriadas, em concordância com a lei. Ver Lv 26.14-39; Dt 28.13-68 e 32.15,35, com reverberações nos versículos que se seguem.

A Infidelidade de Efraim a Yahweh (7.13-16)

■ 7.13

אוֹי לָהֶם כִּי־נָדְדוּ מִמֶּנִּי שֹׁד לָהֶם כִּי־פָשְׁעוּ בִי וְאָנֹכִי אֶפְדֵּם וְהֵמָּה דִּבְּרוּ עָלַי כְּזָבִים׃

Ai deles! Porque fugiram de mim. *Maldições divinas* acompanhariam o caminho daqueles réprobos. As palavras dos profetas tinham sido rejeitadas, e os pseudossábios tinham corrido a alianças estrangeiras em busca do que o arrependimento sincero deveria realizar. O termo hebraico *'oy* (ai!) implica condenação iminente para a qual o povo não estava preparado, enquanto esvoaçava como se fosse um bando de pombas tolas. Israel estava sob sentença de morte (8.1-14), e nem ao menos sabia disso. As *transgressões* da lei mosaica haviam condenado o povo a uma sentença horrenda. Yahweh queria ser o *Redentor* de seu povo, mas esse mesmo povo o forçou a feri-los com o exército assírio. Eles apresentavam falsamente sua mensagem, e seus profetas eram homens cheios de mentiras, prometendo paz e não falando em arrependimento. Yahweh fora capaz de *redimir* seu povo do Egito (ver Dt 7.8; 9.26; 2Sm 7.23; Sl 72.42; Mq 6.4). O Deus do êxodo não mudara em nada sua mente. Mas a geração dos tempos de Oseias não queria essa redenção. E, assim sendo, não haveria redenção. Aqueles réprobos estavam cheios de mentiras pagãs e falsificações da espiritualidade. Fingiam ser adoradores de Yahweh, mas tudo não passava de fraude. Cf. Sl 78.36 e Jr 3.10. Mediante sua vida e suas palavras, eles testemunhavam contra a verdade do Senhor e contra a sua pessoa. Afirmavam poder fazer o que bem entendessem, pois Yahweh olharia em outra direção. Não acreditavam na lei da colheita segundo a semeadura.

■ 7.14

וְלֹא־זָעֲקוּ אֵלַי בְּלִבָּם כִּי יְיֵלִילוּ עַל־מִשְׁכְּבוֹתָם עַל־דָּגָן וְתִירוֹשׁ יִתְגּוֹרָרוּ יָסוּרוּ בִי׃

Não clamam a mim de coração. "Não me chamam do fundo do coração. Tão somente jazem em seus leitos e clamam. Eles vêm juntos atrás de cereais e vinho novo, mas na realidade afastam-se de mim" (NCV). Não havia arrependimento na sua mente. Eles pediam socorro por causa de sua aflição, mas isso não se transformava em clamor pela ajuda divina, condicionada pela lei mosaica e seus requisitos. Eles pediam favores, uma boa colheita e comida em abundância, mas tinham abandonado a Fonte de todo o bem-estar. Para obter cereais e vinho eles se acutilavam, o que provavelmente se refere às lacerações do corpo que os adoradores de Baal praticavam, a fim de obter favores da parte dele. Portanto, temos aqui o quadro ridículo de israelitas a praticar lacerações corporais proibidas, para obter favores de uma divindade cananeia. Lacerar-se era sinal de lamentação, o que os adoradores não deveriam fazer (ver Jr 16.6; 41.5; 47.5). A lei de Moisés proibia as automutilações (ver Dt 14.1). Os profetas de

Baal cortavam a si mesmos tentando conseguir a ajuda do deus das tempestades (ver 1Rs 18.28).

7.15

וַאֲנִ֣י יִסַּ֔רְתִּי חִזַּ֖קְתִּי זְרֽוֹעֹתָ֑ם וְאֵלַ֖י יְחַשְּׁבוּ־רָֽע׃

Adestrei e fortaleci os seus braços. Israel tinha sido treinado na correta substância da fé religiosa, e em como praticar essa fé (uma alusão à lei de Moisés). Havia todas as provisões nesse sentido. Seus braços foram fortalecidos para fazer o que era certo da maneira correta, de acordo com o código da lei; mas Israel se rebelara diante de todas as instruções recebidas e forjara sua própria adoração. Cf. este versículo com Am 2.9-11. Talvez a menção a braços fortes faça-nos relembrar que Yahweh tinha ajudado o povo a conquistar muitos inimigos, pelo que Israel não tinha necessidade de buscar alianças com o estrangeiro para escapar da ameaça assíria. "Deus tinha proporcionado habilidade e poder para combaterem seus inimigos (cf. Sl 144.1). Assim, a graça do Espírito com frequência é desprezada pelos seus recebedores" (Ellicott, *in loc.*). A despeito de todos os benefícios que Yahweh lhes havia conferido, eles o trataram como um inimigo, e não um amigo, e maltrataram os profetas que ele lhes havia enviado.

7.16

יָשׁ֣וּבוּ ׀ לֹ֣א עָ֗ל הָיוּ֙ כְּקֶ֣שֶׁת רְמִיָּ֔ה יִפְּל֥וּ בַחֶ֖רֶב שָׂרֵיהֶ֑ם מִזַּ֣עַם לְשׁוֹנָ֔ם ז֥וֹ לַעְגָּ֖ם בְּאֶ֥רֶץ מִצְרָֽיִם׃

Eles voltam, mas não para o Altíssimo. Aqueles réprobos envidavam esforços para atrair a ajuda divina, mas não buscavam o Deus Altíssimo de Israel; perdiam seu tempo e energias no paganismo e suas buscas vãs. Ver no *Dicionário* o verbete chamado *Altíssimo*. Um violento contraste é feito entre o Deus Vivo, tão exaltado em seu céu, e Baal, o deus terreno que nada representava. Eles agiam como um arco traiçoeiro, que deveria ter alvejado um inimigo, mas tinha alvejado um amigo. Ou eles deveriam ter voltado sua atenção ao Senhor, mas, pelo contrário, ofereciam toda a sua lealdade a Baal. Ou então a metáfora é sobre um *arco falso*, que erra o alvo na hora da crise, ou desvia o tiro na direção errada.

O resultado desse duplo trato é que a liderança de Israel deveria primeiramente cair pela espada assíria, e então o país inteiro também cairia. O orgulho deles não lhes permitira fazer a coisa certa. Isso serviu de testemunho contra eles, garantindo-lhes a condenação. Ver Os 5.5 e 7.10. Tendo buscado a ajuda estrangeira (vs. 11), eles só encontraram desgraça para si mesmos e então, finalmente, a extinção absoluta. Ver no *Dicionário* o artigo *Cativeiro Assírio*.

Os israelitas proferiam discursos altissonantes e blasfêmias, e terminariam no novo Egito (a Assíria) como um país desprezado, espalhado e completamente anulado. "O povo do Egito rir-se-á deles" (NCV). Ou então a referência é ao Egito literal. Israel tinha buscado a ajuda dos egípcios, mas esse país os decepcionaria e terminaria fazendo pouco deles quando a Assíria tomasse Israel. Ver o vs. 11. Cf. este versículo com Is 30.1-8. Ver também 2Rs 17.4. Israel tinha tolamente feito amizade com seus inimigos e sofreria por isso. Eles persistiram na vereda da destruição.

CAPÍTULO OITO

ISRAEL SOB A SENTENÇA DE MORTE (8.1-14)

O Alarma de Guerra (8.1-3)

Israel fora ninado até dormir, por sua própria maneira insensata de pensar e agir no tocante às potências estrangeiras. A trombeta precisava soar para despertá-los. Uma águia grande e sem misericórdia aproximava-se para matar e comer a carniça. Este capítulo contém várias ilustrações da rebeldia de Israel que prometem julgamento severo e decisivo contra eles. Temos uma "continuação das acusações, acompanhadas por novas ilustrações. Yahweh, pois, ordenou a seu profeta que pusesse a trombeta nos lábios e soprasse um toque esganiçado, anunciando a aproximação do desastre" (Ellicott, *in loc.*).

8.1

אֶל־חִכְּךָ֣ שֹׁפָ֔ר כַּנֶּ֖שֶׁר עַל־בֵּ֣ית יְהוָ֑ה יַ֚עַן עָבְר֣וּ בְרִיתִ֔י וְעַל־תּוֹרָתִ֖י פָּשָֽׁעוּ׃

Embora a trombeta. A trombeta é um símbolo veterotestamentário largamente usado. Ver Am 2.2; Jr 6.1; Ez 33.3-6. No Novo Testamento, ver 1Co 14.8. Essas são apenas algumas dentre muitas referências. Algumas vezes, a trombeta era usada para encorajar os soldados, pois seu sonido visava despertar novas forças. No livro de Oseias, porém, não está em vista nem o encorajamento nem o triunfo. Antes, a trombeta soa uma advertência severa.

Ele vem como a águia. Está em foco a Assíria, o matador internacional. Muita gente tinha sido derrubada pelos assírios, e agora chegara a vez de Israel ser derrubado. A Assíria era especialista em genocídio. Cf. Jr 4.13 e 48.40. A águia é um pássaro poderoso e veloz, e tem a disposição de um assassino. Ela vive matando suas vítimas.

Vingança. Yahweh estava prestes a vingar-se, por meio do exército assírio, de Israel, o povo rebelde que tinha desobedecido ao pacto mosaico (ver as notas na introdução a Êx 19). A lei mosaica era a fonte da *vida* (Dt 4.1; 5.33; Ez 20.11), mas Israel, por sua rebeldia, transformara a lei em um instrumento de morte.

8.2

לִ֖י יִזְעָ֑קוּ אֱלֹהַ֥י יְֽדַעֲנ֖וּךָ יִשְׂרָאֵֽל׃

A mim me invocam: Nosso Deus! "Eles clamam a mim: 'Nosso Deus, nós, de Israel, te conhecemos!'" (NCV). Esse clamor, naturalmente, era hipócrita. Israel fingia conhecer a Deus, ao mesmo tempo que negava continuamente conhecê-lo através de sua rebeldia. Alguns estudiosos, contudo, entendem aqui o clamor de Israel quando sua condenação já se aproximava. Nesse caso, era um grito de *desespero*, que foi proferido tarde demais. A tradução de Ellicott produz a paixão própria do momento: "A mim eles clamam: Meu Deus, nós te conhecemos, nós, Israel!" Mas era tarde demais para reivindicar quaisquer privilégios especiais, ou esperar misericórdia e piedade, afirmando que eles eram *Israel*, o povo de Deus. Esse povo há muito tinha abandonado Yahweh, preferindo Baal, aquela confusão religiosa. O texto massorético faz as palavras surgir aos *arrancos*, que se adaptam à situação. Ver no *Dicionário* o artigo *Massora (Massorah); Texto Massorético*.

8.3

זָנַ֥ח יִשְׂרָאֵ֖ל ט֑וֹב אוֹיֵ֖ב יִרְדְּפֽוֹ׃

Israel rejeitou o bem; o inimigo o perseguirá. O *grito de desespero* foi solto tarde demais, porque as ações falam mais alto que as palavras. Israel tinha desprezado o bem que lhe fora oferecido pelo yahwismo, e em breve havia inimigos ferozes que perseguiriam a nação. O bem vinha através da lei de Moisés, que com desdém fora arredada para um lado. Cf. Am 5.14,15 e Mq 6.8. O abençoador potencial (a lei) tornou-se, dessa maneira, uma maldição. Os inimigos de Israel prevaleceriam, e sua extinção como nação seria o temível resultado. R. F. Horton faz um apto comentário sobre este versículo: "As palavras da religião não serão aceitas em lugar dos atos; embora os atos sejam aceitos em lugar das palavras". A escolha do caminho largo foi fácil, mas levou os israelitas à destruição. Alguma perversidade explica isso. Por que será que os homens desprezam o bem e voltam-se para o mal? Alguma depravação da natureza os inspira, e eles se tornam vítimas da própria corrupção. Essa é a antiga história dos indivíduos e das nações, que se repete muitas e muitas vezes. Eis a razão pela qual os homens precisam do Salvador. Israel estava quase colhendo o que havia semeado. Ver no *Dicionário* o artigo chamado *Lei Moral da Colheita segundo a Semeadura*.

A Terrível Condenação da Rebelde Samaria-Efraim (8.4-14)

8.4

הֵ֤ם הִמְלִ֙יכוּ֙ וְלֹ֣א מִמֶּ֔נִּי הֵשִׂ֖ירוּ וְלֹ֣א יָדָ֑עְתִּי כַּסְפָּ֣ם וּזְהָבָ֗ם עָשׂ֤וּ לָהֶם֙ עֲצַבִּ֔ים לְמַ֖עַן יִכָּרֵֽת׃

Eles estabeleceram reis, mas não da minha parte. "Dois exemplos do pecado de Israel são dados nos vss. 4-6. A nação havia estabelecido reis e outros líderes sem consultar o Senhor. Isso alude à série de revoluções palacianas que foram como uma praga para a nação do norte, depois do reinado de Jeroboão II (cf. Os 7.5-7). Israel também fabricou ídolos para adorar, em uma violação direta do segundo mandamento (cf. Êx 20.4)" (Robert B. Chisholm, Jr., *in loc.*). Houve pouca estabilidade no reino do norte, durante sua história de 2cinquenta anos. Durante esse tempo, dezoito reis de dez famílias diferentes governaram, e houve mortes violentas associadas a todos eles. No fim, uma rápida sucessão de usurpadores ajudou no afundamento final da nação no esquecimento. Em vez de escolher homens de Deus, o povo de Israel habitualmente operava através da intriga. Prevalecia a *política do poder* o tempo todo. Entrementes, o sacerdócio também se mostrava corrupto, promovendo práticas idólatras que o povo de Israel aceitava com deleite. Inevitável, a queda final era apenas uma questão de por *quanto tempo* tais condições se prolongariam, antes do golpe divino.

Cf. este versículo com 1Rs 11.9-11 e 12.31. A nação de Israel começou ruim e foi-se tornando cada vez pior. Seus ídolos nos santuários oficiais (em Dã e Betel) estabeleceram o padrão para uma apostasia que nunca foi vencida e raramente sofreu oposição. Ver 1Rs 12.28; Is 46.6 e Os 2.8. Ver também sobre esses nomes no *Dicionário*. Quanto aos pecados de Jeroboão, ver 1Rs 12.28 ss. Quanto a como ele fez Israel pecar, ver 1Rs 15.26 e 16.2.

■ **8.5**

זָנַח עֶגְלֵךְ שֹׁמְרוֹן חָרָה אַפִּי בָּם עַד־מָתַי לֹא יוּכְלוּ נִקָּיֹן׃

O teu bezerro, ó Samaria, é rejeitado. Os vss. 5-7 continuam o assunto da idolatria, o pecado cardeal do reino do norte. Considerável variação de tradução dá início ao vs. 5. Porventura isso significa que o deus-beleza foi lançado fora de Samaria (a capital do reino do norte) na hora da tribulação? Ou foi Yahweh quem repeliu Samaria devido à sua idolatria, concordando com a segunda parte do versículo que foi moldada na primeira pessoa do singular? O original hebraico dá a segunda pessoa na primeira parte do versículo, mas a terceira na segunda parte. Alguns intérpretes emendam o texto para torná-lo coerente. Diz a NCV: "Odeio o ídolo com forma de bezerro...".

Esse ídolo foi destacado por ser uma epítome da idolatria generalizada de Israel. A capital, Samaria, fala de todo o país. Jeroboão I tinha estabelecido esse ídolo em Betel e Dã, repetindo os pecados de uma geração anterior (ver Êx 32.1-4). Então, as tradições erradas continuaram por toda a história da nação de Israel. Provavelmente esse ídolo tornou-se associado aos deuses da fertilidade e da tempestade, que eram manifestações da adoração a Baal. Ver no *Dicionário* o artigo chamado *Baal*. A ira de Yahweh acendeu-se contra toda aquela tola idolatria-adultério-apostasia de Israel, e as chamas estavam prestes a consumir a nação com a invasão assíria. Assim sendo, Deus mostrou ser um fogo consumidor (cf. Hb 12.29).

"Em Mênfis, um boi branco era adorado com o nome de *Ápis*. Outro boi divinizado, chamado Mnevis, era adorado em On ou Heliópolis. Os machos dessa espécie de boi eram consagrados a Osíris, e as fêmeas a Ísis. Essa foi uma das mais antigas superstições" (Adam Clarke, *in loc.*).

■ **8.6**

כִּי מִיִּשְׂרָאֵל וְהוּא חָרָשׁ עָשָׂהוּ וְלֹא אֱלֹהִים הוּא כִּי־שְׁבָבִים יִהְיֶה עֵגֶל שֹׁמְרוֹן׃

Porque vem de Israel, é obra de artífice, não é Deus. O *labor humano* contribuiu para a feitura daqueles deuses, ao passo que Yahweh é o Criador de todas as coisas materiais, o Deus Vivo, *separado* do que é material, pois é Espírito. Mas o grande "deus", o bezerro de Samaria, podia ser quebrado por qualquer mão humana, o que mostra quão ridículo era aquele culto. Então, como é natural, finalmente Yahweh desintegrará esses deuses de nada por meio de seus variegados julgamentos. Quanto à questão de ídolos serem produtos humanos, o que demonstra que sob hipótese alguma são entidades divinas, ver Is 40.18-20 e 44.9-20, clássicos escárnios do processo de fabricação de ídolos. A destruição das imagens demonstra a futilidade da idolatria. Porém, a mente supersticiosa se apressa em reparar os danos, restaurando os ídolos, e continua a pensar que há algo divino nesses objetos.

Tipos de Idolatria. 1. O vs. 6 ilustra uma idolatria ignorante segundo a qual os ídolos, feitos de madeira, pedra ou metal, são investidos de qualidades divinas por meio da imaginação humana, ou são tidos como locais onde os deuses manifestam seu poder e presença. 2. Além disso, há fanatismos como o nazismo e o comunismo, que fazem de *ideologias* objetos de adoração e devoção. 3. Há também o *ateísmo prático*, segundo o qual os homens, embora professem acreditar em Deus, conduzem sua vida como se ele não existisse. 4. E, finalmente, existe aquele tipo de idolatria que nenhum de nós abandonou em sentido absoluto: fazer das possessões, dos prazeres e das atividades deuses que ocupam nosso tempo e nossas energias. Um homem pode até mesmo fazer seu serviço espiritual transformar-se em um ídolo, quando ele adora o serviço, em vez de adorar o Deus que está sendo servido. Ver no *Dicionário* o verbete chamado *Idolatria*.

■ **8.7**

כִּי רוּחַ יִזְרָעוּ וְסוּפָתָה יִקְצֹרוּ קָמָה אֵין־לוֹ צֶמַח בְּלִי יַעֲשֶׂה־קֶּמַח אוּלַי יַעֲשֶׂה זָרִים יִבְלָעֻהוּ׃

Porque semeiam ventos, e segarão tormentas. A idolatria sempre recebe a oposição do *julgamento divino*. O homem que fabrica ídolos é um insensato que semeia o vento e, assim sendo, deve colher a tempestade. Aquele que participa da idolatria pagará um alto preço por sua insensatez. No contexto deste capítulo, está em pauta a invasão do exército assírio, que seria como uma tremenda tormenta que nivelaria a nação de Israel. Quando esse tremendo tufão soprasse, arrancaria o cereal de suas plantas e o soprar ia até o país vizinho. Mas se porventura viesse alguma colheita, então estrangeiros chegariam e devorariam o grão. Israel deveria colher, em *medida extra*, o que fora semeado, porquanto fora repetidamente avisado mas continuara com aquela ridícula rebelião e dureza de coração. Uma metáfora agrícola foi usada para ilustrar a questão. Todos os agricultores (e a maioria dos israelitas consistia em agricultores) conheciam a natureza destruidora dos ventos, que arruinavam as plantações e estragavam as safras.

Não vos enganeis: de Deus não se zomba; pois aquilo que o homem semear, isso também ceifará.

Gálatas 6.7

Cf. este versículo com Sl 126.6 e 2Co 9.6, e ver no *Dicionário* os artigos chamados *Lex Talionis* (retribuição divina segundo a gravidade do crime cometido) e *Lei Moral da Colheita segundo a Semeadura*.

■ **8.8**

נִבְלַע יִשְׂרָאֵל עַתָּה הָיוּ בַגּוֹיִם כִּכְלִי אֵין־חֵפֶץ בּוֹ׃

Israel foi devorado. Os vss. 8-10 mostram como Israel seria engolido pela dispersão, para nunca mais voltar à sua terra. Eles seriam como os grãos soprados para um país distante pelos ventos dos julgamentos de Deus. As nações os engoliram como se fossem um monstro a devorar uma refeição. Estrangeiros consumiriam o alimento que eles produzissem (vs. 7) e terminariam engolindo os produtores desses alimentos. Este versículo ensina a *finalidade*. O reino do norte não se recuperaria. A própria nação do norte seria aniquilada. O julgamento seria justo porque Israel já havia perdido sua natureza *distintiva* advinda da possessão e obediência à lei mosaica. Ver essa ideia em Dt 4.4-8. Assim, não sendo mais um país distinto, não havia razão para a nação de Israel continuar existindo. Ora mais um povo pagão no mundo, entre tantos outros? Qual foi a perda de tal nação? Eles eram como a palha que o vento dispersa.

Outra Metáfora. O vaso inútil. Israel se tornara um vaso quebrado, que não podia ser usado para propósito algum. Ou então o vaso se tornara tão vil que nenhum homem são teria coisa alguma a ver com ele. O objeto não podia ser usado para cozinhar ou para transportar líquidos. Era vil e venenoso. Cf. a ideia com Jr 48.38; Sl 31.13; 2Tm 2.20. "... um vaso devotado aos usos mais vis, ou esmagado como inútil" (Ellicott, *in loc.*). "... Israel, vaso que era um odre, tosco, malfeito, sem ornamentação, velho, bolorento, imundo e podre" (Adam Clarke, *in loc.*).

8.9

כִּי־הֵ֙מָּה֙ עָל֣וּ אַשּׁ֔וּר פֶּ֖רֶא בּוֹדֵ֣ד ל֑וֹ אֶפְרַ֖יִם הִתְנ֥וּ אֲהָבִֽים׃

Porque subiram à Assíria; o jumento montês anda solitário. O jumento montês percorre à toa o deserto, impelido por seus caprichos; era assim que Israel agia. Eles esqueceram o *guia* que era a lei (ver Dt 6.4 ss.) e acabaram na Assíria, estabelecendo alianças estrangeiras proibidas. Também desenvolveram uma idolatria adúltera, tomada por empréstimo dos ritos de fertilidade de Baal. As palavras que os descrevem são "desviados" e "rebeldes". Israel era como um jumento teimoso e ignorante que queria ter as coisas a seu modo, a despeito de estar sendo ameaçado por consequências drásticas. Efraim (Israel) vendeu-se à idolatria e a potências estrangeiras, mediante alianças estúpidas em que a confiança era ridícula. "O jumento montês era proverbial como animal de cabeça dura, indisciplinado, obstinado, precipitado e impossível de amansar, pelo que serve de apta figura simbólica para Israel (ver Jr 2.24)" (Fausset, *in loc.*). Ver também Ez 16.32-34.

8.10

גַּ֛ם כִּֽי־יִתְנ֥וּ בַגּוֹיִ֖ם עַתָּ֣ה אֲקַבְּצֵ֑ם וַיָּחֵ֣לּוּ מְּעָ֔ט מִמַּשָּׂ֖א מֶ֥לֶךְ שָׂרִֽים׃

Todavia, ainda que eles merquem socorros entre as nações. Israel tentava "comprar aliados" com sua política estrangeira, fazendo alianças que envolviam o pagamento de tributos. Portanto, Yahweh os "recolheria" (não de volta da Assíria e do cativeiro), mas "para os seus lugares de julgamento". Alguns estudiosos, porém, emendam a palavra "congregarei" para que se torne "espalharei", o que dá um sentido melhor e provê referência direta ao cativeiro. Cessarão todas as atividades normais, como a unção dos reis e os negócios do Estado, porquanto não haverá mais Estado. O fraseado do versículo o faz soar como se, depois de uma propagação disciplinadora que duraria "algum tempo", Israel voltasse novamente à terra natal e começasse novamente sua história. Essa era a esperança, conforme ilustrado na restauração de Gômer, por parte de Oseias (a redenção da esposa, capítulo 2). Mas essa esperança, conforme a história não demoraria a confirmar, nunca teve cumprimento.

Foi assim que o jumento montês foi restringido em sua loucura. No começo o tributo era pago pelos israelitas, mas logo foi descontinuado (ver 2Rs 17.4), o que provocou a ira dos assírios.

8.11

כִּֽי־הִרְבָּ֥ה אֶפְרַ֛יִם מִזְבְּחֹ֖ת לַחֲטֹ֑א הָיוּ־ל֥וֹ מִזְבְּח֖וֹת לַחֲטֹֽא׃

Porquanto Efraim multiplicou altares para pecar. Os vss. 11-14 descrevem a multifacetada idolatria de Efraim (nação do norte). Tanto Israel como Judá multiplicaram cidades fortificadas, mas isso não lhes faria bem algum quando o golpe divino de julgamento caísse do céu. Imitando os cultos cananeus de Baal, Israel se encheu de muitos deuses e ídolos estranhos, e assim foi atraída a inevitável maldição de Yahweh que limparia a nação inteira. Nyberg (*in loc.*) vê aqui um jogo de palavras. Israel multiplicara ídolos para "tirar o pecado", mas terminou cobrindo seu país de pecados. Altares que deveriam servir para aplacar poderes divinos, que tinham sido ofendidos pelas fantasias humanas, tornaram-se lugares onde muitos pecados foram cometidos, poluindo a terra. Até a multiplicação de altares legítimos foi condenada, porque Jerusalém era o lugar do *culto unificado* de Yahweh. Santuários locais foram desencorajados. Ver Dt 12.5 ss. Os muitos altares pagãos dividiram e debilitaram o país, e então sujeitaram os israelitas à ira de Yahweh.

8.12

אֶ֨כְתּוֹב־ל֔וֹ רֻבֵּ֖י תּֽוֹרָתִ֑י כְּמוֹ־זָ֖ר נֶחְשָֽׁבוּ׃

Embora eu lhes escreva a minha lei em dez mil preceitos. Yahweh havia dado uma lei composta por muitos mandamentos e rituais. Mas, mesmo que o Senhor multiplicasse seus mandamentos, ainda assim eles correriam para Baal, considerando as leis de Yahweh coisas estranhas. Não obstante, eles tinham multidões de altares e deuses que eram do agrado dos israelitas. O desejo pela variedade levou-os a uma idolatria multifacetada, pelo que o yahwismo se tornou algo estranho para eles. "Eles rejeitam os muitos ensinos que eu escrevi para eles. Atuam como se os ensinos fossem estranhos e alienados para eles" (NCV). "Os idólatras atenienses consideravam as doutrinas do apóstolo Paulo estranhas, irracionais e irresponsáveis; ver At 17.20" (John Gill, *in loc.*).

8.13

זִבְחֵ֣י הַבְהָבַ֗י יִזְבְּח֤וּ בָשָׂר֙ וַיֹּאכֵ֔לוּ יְהוָ֖ה לֹ֣א רָצָ֑ם עַתָּ֗ה יִזְכֹּ֤ר עֲוֺנָם֙ וְיִפְקֹ֣ד חַטֹּאתָ֔ם הֵ֖מָּה מִצְרַ֥יִם יָשֽׁוּבוּ׃

Amam o sacrifício, por isso sacrificam. Este versículo parece levar-nos de volta à mensagem de Os 6.6: "Pois misericórdia quero, e não sacrifício; e o conhecimento de Deus, mais do que holocaustos". Os sacrifícios do vs. 13 parecem ser aqueles que faziam parte do yahwismo. Alegremente eles sacrificavam e desfrutavam as festas que acompanhavam os rituais. Mas Yahweh não aceitava aqueles ritos, nem mesmo quando eram oferecidos a ele, e menos ainda quando estavam poluídos com o paganismo, formando um sincretismo doentio. Em outras palavras, todos os sacrifícios deles se tornaram abominações aos olhos de Yahweh. Deus teria de punir os filhos de Israel, e isso consistiria em enviá-los de volta ao Egito, ou seja, à Assíria. Por assim dizer, eles seriam enviados ao segundo Egito. E isso anularia o trabalho de redenção que tirou os israelitas do Egito. Israel, pois, merecia ser enviado de volta à servidão. A Septuaginta compreende que está em foco aqui a Assíria, adicionando ao versículo as palavras: "e entre os assírios eles comerão um alimento imundo". "O Egito representa aqui um símbolo do lugar do futuro exílio e da escravidão (cf. Os 9.3; 11.5 e Dt 26.68)... Tendo desprezado a graça da redenção, ela retornaria à escravidão" (Robert B. Chisholm, Jr., *in loc.*).

8.14

וַיִּשְׁכַּ֨ח יִשְׂרָאֵ֜ל אֶת־עֹשֵׂ֗הוּ וַיִּ֙בֶן֙ הֵֽיכָל֔וֹת וִֽיהוּדָ֕ה הִרְבָּ֖ה עָרִ֣ים בְּצֻר֑וֹת וְשִׁלַּחְתִּי־אֵ֣שׁ בְּעָרָ֔יו וְאָכְלָ֖ה אַרְמְנֹתֶֽיהָ׃ ס

Porque Israel se esqueceu do seu Criador. Israel esqueceu seu Criador e edificou inúmeros templos para honrar os deuses de nada. E a nação do sul, Judá, mesmo no tempo de Oseias, não era inocente. Judá multiplicou cidades fortificadas, confiando em si mesmo e em suas alianças estrangeiras, e não em Yahweh. Mas, através do exército babilônico, todas as suas pretensiosas cidades fortificadas seriam devoradas. Os muitos templos, sem a presença de Yahweh, eram uma zombaria. As muitas cidades fortificadas, sem a força de Deus, eram tão fracas quanto a água. Algumas vezes, quando os verdadeiros valores não estão presentes, compensamos isso comprando móveis novos ou mesmo uma casa nova. Tais coisas, entretanto, não podem substituir os verdadeiros valores de um lar. Nem há substitutos para a verdadeira devoção e o culto religioso. Tanto Israel quanto Judá tinham perdido de vista os verdadeiros valores, substituindo-os por outros que somente serviam para conduzi-los ao desastre.

Uma inscrição de Senaqueribe diz que Ezequias tinha 46 cidades muradas e fortificadas. Essas cidades foram erigidas por Uzias e Jotão (ver 2Cr 26.10; 27.4). Ver os muitos templos de Israel aludidos em Am 3.11,15. A autossuficiência mostrou ser mera ilusão. Os julgamentos de Yahweh puseram fim a toda aquela triste atividade. Ver no *Dicionário* os verbetes chamados *Cativeiro Assírio* e *Cativeiro Babilônico*.

CAPÍTULO NOVE

A IDOLATRIA DE EFRAIM E SEU CASTIGO (9.1-17)

O Exílio Assírio para Efraim (9.1-6)

Talvez Wellhause esteja correto aqui ao sugerir que as palavras requeimantes de Oseias, neste capítulo, tenham sido proferidas bem no meio da celebração de algum tipo de festividade dionísica em Israel.

Isso daria força especial às palavras: "Não te alegres, ó Israel, não exultes como os povos", isto é, com pagãos que efetuavam tais deboches. Esses povos, não possuindo as vantagens providas pela legislação mosaica, tinham amontoado para si mesmos toda espécie de ritos imorais. Israel imitava esses povos e se envergonhava, quebrando o pacto com Yahweh (ver sobre o pacto mosaico nas notas de introdução a Êx 19). Portanto, foi proferida a temível mensagem: "Israel rejeitara o Senhor e, assim sendo, teria de suportar a punição que traria perda ao rei, aos filhos, aos lugares de adoração e ao país. Israel estava destinado a ser preso e lugar de matança, e a ser privado de seu território e de seu culto (Os 2.11; 8.11-14; 11.5)" (*Oxford Annotated Bible,* na introdução ao capítulo 9).

■ 9.1,2

אַל־תִּשְׂמַ֨ח יִשְׂרָאֵ֤ל ׀ אֶל־גִּיל֙ כָּֽעַמִּ֔ים כִּ֥י זָנִ֖יתָ מֵעַ֣ל אֱלֹהֶ֑יךָ אָהַ֣בְתָּ אֶתְנָ֔ן עַ֖ל כָּל־גָּרְנ֥וֹת דָּגָֽן׃

גֹּ֥רֶן וָיֶ֖קֶב לֹ֣א יִרְעֵ֑ם וְתִיר֖וֹשׁ יְכַ֥חֶשׁ בָּֽהּ׃

Não te alegres, ó Israel, não exultes, como os povos. Temos aqui o quadro do regozijo no pior tipo de deboche cúltico, que fazia a parte de uma prostituta correndo após a idolatria-adultério-apostasia, no estilo dos rituais cananeus. Eles alugaram prostitutas ao mesmo tempo que celebravam seus festivais, e o sexo tornou-se parte das celebrações da colheita. Aqueles réprobos tinham atribuído erroneamente a Baal a prosperidade de sua colheita (cf. Os 2.8,9). A nação obteve o salário de uma prostituta, os benefícios de sua agricultura (vs. 2). "Esses salários eram o trigo (na eira), as uvas e os figos (ver Os 2.12), o alimento, a água, a lã, o linho, o azeite e as bebidas fortes (Os 2.5). Em outras palavras, Israel acreditava que, prostituindo-se na adoração a Baal, garantiria boas colheitas, bem como as demais necessidades da vida" (Robert B. Chisholm, Jr., *in loc.*).

O vs. 2, entretanto, contém a advertência de que tudo isso falharia. As maldições de Dt 28.30,38-42,51 em breve se tornariam realidade. Yahweh poria fim aos cereais e ao vinho de Israel (ver Os 2.9 e 7.14). Os lagares, usados tanto para as uvas como para as azeitonas (ver Jl 2.24), em breve estariam desolados. Em seu avanço, os assírios destruiriam a agricultura e matariam a maior parte dos agricultores. A estrutura econômica do país entraria em colapso, e então a deportação dos poucos sobreviventes escreveria *finis* sobre todo o Israel. "Embora as expectativas de sua adoração aos ídolos fossem grandes, eles descobririam que estavam equivocados" (John Gill, *in loc.*). "A abundante produção da colheita é chamada de *salário da prostituta,* que fascinava a noiva infiel de Yahweh a adorar a falsa divindade de cujas mãos ela pensavam derivar aquela abundância" (Ellicott, *in loc.*).

■ 9.3

לֹ֥א יֵשְׁב֖וּ בְּאֶ֣רֶץ יְהוָ֑ה וְשָׁ֤ב אֶפְרַ֙יִם֙ מִצְרַ֔יִם וּבְאַשּׁ֖וּר טָמֵ֥א יֹאכֵֽלוּ׃

Na terra do Senhor não permanecerão. Israel não mais merecia habitar em sua própria terra. Aquele território lhe fora concedido como herança, da parte de Yahweh, mas eles se tinham entregado à idolatria e ao deboche. Assim sendo, perderiam a vida e o território pátrio. Os poucos israelitas que sobrevivessem ante o ataque dos assírios serviriam como escravos, onde o povo de Israel começara, no Egito. Desse modo completar-se-ia um ciclo da história: eles tinham saído da escravidão e agora voltavam à escravidão. Sem dúvida foi uma história triste, que Israel insistia em tornar verdadeira. O Egito novamente simboliza aqui um lugar de servidão, paralelo à Assíria (ver as notas expositivas sobre Os 8.13). Tendo-se contaminado na Assíria, através da idolatria, do adultério e do paganismo, os poucos sobreviventes de Israel se paganizariam ainda mais por terem de comer coisas declaradas imundas pela lei mosaica. Ver no *Dicionário* o artigo chamado *Limpo e Imundo.* Assim terminaram todas as festividades e só restou um paganismo puro e infeliz. O desprezo aos privilégios terminou com a remoção de todos eles. Tendo sido poluídos por eles, seriam ainda mais poluídos por outros, em um autêntico cumprimento da *Lex Talionis* (retribuição divina segundo a gravidade dos crimes cometidos). Ver sobre esse título no *Dicionário.*

■ 9.4

לֹא־יִסְּכ֨וּ לַיהוָ֥ה ׀ יַיִן֮ וְלֹ֣א יֶֽעֶרְבוּ־לוֹ֒ זִבְחֵיהֶ֗ם כְּלֶ֤חֶם אוֹנִים֙ לָהֶ֔ם כָּל־אֹכְלָ֖יו יִטַּמָּ֑אוּ כִּֽי־לַחְמָ֣ם לְנַפְשָׁ֔ם לֹ֥א יָב֖וֹא בֵּ֥ית יְהוָֽה׃

Não derramarão libações de vinho ao Senhor. *Privilégios Perdidos.* Israel colheria o que tinha semeado. Não haveria grande suprimento de vinho. Ainda que quisessem fazê-lo, não podiam usar vinho para oferecer libações a Yahweh. De fato, em sua pobreza no cativeiro, tiveram pouquíssimo vinho para beber, e não podiam usá-lo em seus ritos religiosos. Ademais, seus sacrifícios cessariam. Eles não teriam animais em número suficiente para sacrificar. E, além disso, mesmo que contassem com animais para esse propósito, os assírios não lhes permitiriam sacrificar a Yahweh. Por igual modo, havia pouco pão para comer, e o pouco que havia era "pão de pranteadores", a magra porção concedida aos cativos e escravos. Se comessem da carne e do pão dos sacrifícios, ficariam contaminados, pois o único sacrifício que podiam fazer era aquele oferecido aos deuses pagãos, que nada são. Eles só tinham pão suficiente para satisfazer a fome. No cativeiro também não havia templo dedicado a Yahweh. Eles nunca mais chegariam a Jerusalém, que lhes tinha sido tirada de modo definitivo.

O *pão de pranteadores* é uma alusão a homens imundos, que tocaram em corpos mortos (ver Nm 19.14,15,22). Neste caso, a declaração é figurada. Eles estavam vivendo em uma terra pagã e, por isso, estavam envolvidos em uma morte em vida. Eles e todas as coisas em que eles tocavam, tudo era imundo.

■ 9.5

מַֽה־תַּעֲשׂ֖וּ לְי֣וֹם מוֹעֵ֑ד וּלְי֖וֹם חַג־יְהוָֽה׃

Que fareis vós no dia da solenidade...? Temos aqui uma pergunta retórica que subentende uma resposta negativa. Israel tinha-se cortado de qualquer participação em qualquer dia solene, adoração ou sacrifício em honra a Yahweh. Para os israelitas, porém, as festas e festividades tinham terminado para sempre, o que representava enorme desespero para qualquer verdadeiro filho de Israel. Ver no *Dicionário* o artigo chamado *Festas (Festividades).* Cf. Os 2.11: "Farei cessar todo o seu gozo, as suas festas, as suas luas novas, os seus sábados e todas as suas solenidades".

■ 9.6

כִּֽי־הִנֵּ֤ה הָֽלְכוּ֙ מִשֹּׁ֔ד מִצְרַ֥יִם תְּקַבְּצֵ֖ם מֹ֣ף תְּקַבְּרֵ֑ם מַחְמַ֣ד לְכַסְפָּ֗ם קִמּוֹשׂ֙ יִֽירָשֵׁ֔ם ח֖וֹחַ בְּאָהֳלֵיהֶֽם׃

Porque, eis que eles se foram por causa da destruição. Israel estava destinado a ir para o novo Egito (a Assíria), onde todas as condições seriam adversas. A terra da escravidão os abraçaria; eles seriam sepultados em Mênfis; os espinhos tomariam conta de suas coisas preciosas, ou seja, qualquer coisa de valor que eles pudessem ajuntar seria perdida em condições adversas. Mênfis, a cerca de 32 km do Cairo, era famosa como lugar de sepultamentos, o que explica a referência. O destino final dos exilados era o nada na sepultura. As boas propriedades que eles tinham comprado em Israel se perderiam, pois os espinhos e as ervas daninhas tomaram conta das terras onde eles habitavam. O mesmo seria verdadeiro quanto a qualquer coisa de valor que eles pudessem adquirir em seu "novo lar". Tudo se transformaria em cinzas e desolação. Este versículo fala da horrenda colheita que eles haveriam de ceifar, pois tinham semeado ventos e colheriam tempestades (ver Os 8.7). Na confusão, *alguns* exilados foram para o Egito literal, mas não é sobre isso que o profeta estava falando aqui.

Profundeza da Corrupção de Israel (9.7-9)

■ 9.7

בָּ֣אוּ ׀ יְמֵ֣י הַפְּקֻדָּ֗ה בָּ֚אוּ יְמֵ֣י הַשִּׁלֻּ֔ם יֵדְע֖וּ יִשְׂרָאֵ֑ל אֱוִ֣יל הַנָּבִ֗יא מְשֻׁגָּע֙ אִ֣ישׁ הָר֔וּחַ עַ֚ל רֹ֣ב עֲוֺנְךָ֔ וְרַבָּ֖ה מַשְׂטֵמָֽה׃

Chegaram os dias do castigo; chegaram os dias da retribuição. O dia temível da invasão assíria e do cativeiro estava bem próximo. Seria um dia de "divina visitação", expressão comum que aponta para o julgamento. Esse julgamento é uma justa vingança. Estamos sempre encontrando-nos conosco mesmos, a cada passo que damos. Criamos nossas condições de hoje mediante os atos de ontem. Este versículo prossegue a fim de mencionar alguns dos pecados mais vis do povo que tinha de ser punido. Eles chamavam de insensatos os verdadeiros profetas, e os perseguiam. Zombavam dos homens espirituais e chamavam-nos de doidos. Escarneciam do ministério espiritual que Yahweh lhes havia enviado e substituíam os verdadeiros profetas por profetas falsos, e homens de Deus por insensatos paganizados. Perpetravam uma multidão de pecados que o profeta não se importou em listar. Eles odiavam a tudo quanto era bom e decente.

Cf. este versículo com 2Rs 9.11 e Jr 29.26,27. Aqueles réprobos tornaram-se hostis a tudo quanto era bom. Totalmente depravados, tinham perdido toda a distinção como povo de Deus. Zombavam da lei de Deus, cujo intuito era torná-los um povo distinto (ver Dt 4.4-8). Alguns estudiosos pensam na referência aos profetas, vista aqui, como uma alusão aos profetas falsos, e para eles os homens espirituais seriam uns insensatos pretensiosos, que faziam da religião um espetáculo. Mas a interpretação dada anteriormente deve ser preferida.

■ 9.8

צֹפֶה אֶפְרַיִם עִם־אֱלֹהָי נָבִיא פַּח יָקוֹשׁ עַל־כָּל־דְּרָכָיו מַשְׂטֵמָה בְּבֵית אֱלֹהָיו:

O profeta é sentinela contra Efraim. "O profeta é uma sentinela de Deus para advertir Israel do perigo. Mas por toda parte onde ele vai armadilhas são preparadas para ele. Tratam-no como um inimigo na própria terra de Deus" (NCV). Este versículo mostra-nos que o *profeta* do vs. 7, que o povo chamava de "insensato", era um profeta verdadeiro, e não falso. Embora fosse uma sentinela para livrar Israel da desgraça assíria, o profeta foi perseguido e sua mensagem de arrependimento foi ignorada. A declaração aqui dá uma regra geral que aqueles réprobos seguiam. Todo e qualquer profeta era tratado assim se dissesse a verdade, enquanto as palavras dos falsos profetas tinham pronta aceitação.

Era dever de um profeta agir como sentinela, tal como um homem postado em uma torre podia ver um inimigo aproximando-se e daria advertência ao povo para preparar sua defesa. Ver Ez 33.6; Jr 6.17. O povo que odiava (vs. 7) fazia dos profetas um objeto especial de ódio. Eles tinham sido chamados de "casa de Deus", mas tal nome se tornara zombaria.

■ 9.9

הֶעְמִיקוּ־שִׁחֵתוּ כִּימֵי הַגִּבְעָה יִזְכּוֹר עֲוֹנָם יִפְקוֹד חַטֹּאותָם: ס

Mui profundamente se corromperam. *Uma Lição Objetiva.* Aqueles homens iníquos se tinham mostrado especialmente vis em *Gibeá*. Talvez esteja em vista o pecado dos benjamitas (ver Jz 19) ou a instituição do reinado, que não fazia parte da vontade divina (ver 1Sm 10.26). Estão em vista outras alusões, que se perderam para nós. Seja como for, aquele lugar especialmente ímpio representava todo o povo de Israel e todas as iniquidades das quais eles deveriam prestar conta. Já vinha a caminho temível punição, a qual satisfaria a santidade e a justiça de Deus. Ver no *Dicionário* o verbete chamado *Lei Moral da Colheita segundo a Semeadura*. Indivíduos bissexuais de Gibeá tinham violentado brutalmente e assassinado a concubina de um levita. As pessoas sacudiam a cabeça e diziam: "Nunca tal se fez, nem se viu desde o dia em que os filhos de Israel subiram da terra do Egito" (Jz 19.30). Oseias estava dizendo que essa marca negra na história de Israel tinha sido duplicada em seus dias, por toda a terra de Israel, mediante o deboche contínuo que prevalecia.

O Espírito da Prostituição e sua Origem em Baal-Peor (9.10-17)

■ 9.10

כַּעֲנָבִים בַּמִּדְבָּר מָצָאתִי יִשְׂרָאֵל כְּבִכּוּרָה בִתְאֵנָה בְּרֵאשִׁיתָהּ רָאִיתִי אֲבוֹתֵיכֶם הֵמָּה בָּאוּ בַעַל־פְּעוֹר וַיִּנָּזְרוּ לַבֹּשֶׁת וַיִּהְיוּ שִׁקּוּצִים כְּאָהֳבָם:

Achei a Israel como uvas no deserto. Israel estava totalmente *contaminado* pela prostituição (ver Os 6.10). Estava *podre* e *enfermo* (Os 5.13), totalmente *possuído* pelo espírito de prostituição e adultério (Os 5.4). Agora somos informados que eles se tornaram como os pagãos que adoravam a Baal, seguindo toda espécie de deboche. Uma história ilustre foi assim anulada. Antes, eles tinham sido para Yahweh como uvas encontradas no deserto, inesperadamente. Eram fontes de prazer sem igual. Mas agora o deserto se tinha ressecado, e não havia mais uvas ali. A glória do Senhor tinha ido embora. Eles também tinham sido como o primeiro fruto da figueira, que o cultivador ansiava por ver e no qual se regozijou. Lá no começo da história de Israel, no tempo dos *antepassados*, o povo de Israel fora um deleite para Yahweh. Mas a história de Israel tinha-se azedado. O povo havia promovido sua idolatria-adultério-apostasia, tornando-se inteiramente depravado.

Lugares como *Baal-Peor* (ver a respeito no *Dicionário*) eram especialmente corruptos. Ali eles experimentaram uma forma depravada de idolatria, misturada com a prostituição e com ritos de fertilidade (ver Nm 25). Baal-Peor era a divindade local do monte Peor. Havia muitos santuários corruptores de Baal espalhados por todo o reino do norte, e este é apontado como um exemplo da adoração imunda que sujeitou toda a nação do norte ao paganismo. "A apostasia em Baal-Peor não é descrita como um lapso temporário, mas como a expressão de uma atitude e uma dedicação definitiva que a continuavam. Eles se *consagraram* a Baal" (John Mauchline, *in loc.*). Cf. este versículo com Os 4.13,14.

■ 9.11

אֶפְרַיִם כָּעוֹף יִתְעוֹפֵף כְּבוֹדָם מִלֵּדָה וּמִבֶּטֶן וּמֵהֵרָיוֹן:

Quanto a Efraim, a sua glória voará como ave. A glória de Efraim em breve terminaria. Não haveria poderes renovadores para trazer essa glória de volta. Não haveria "gravidez, nem concepção, nem nascimento!" (*Revised Standard Version*). A morte de uma nação estava prestes a tornar-se realidade. Uma *prole numerosa* era uma glória para a mente dos hebreus (ver Sl 127.5). Mas o pássaro da multiplicação tinha voado para longe do país, para nunca mais voltar. Há aqui uma alusão aos cultos de fertilidade dos ritos de Baal, dos quais os israelitas participavam com tanta alegria. Não haveria mais laços nem haveria mais fertilidade. Morte era o nome do novo jogo. Cf. Os 4.10 e contrastar com Dt 7.14. "A progênie era a glória da antiga nação de Israel (ver Gn 22.17; Dt 7.13,14; Sl 127.5; Pv 27.6)" (Ellicott, *in loc.*). Visto que eles se tinham entregado aos cultos de fertilidade, era apenas apropriado que ficassem sem filhos.

■ 9.12

כִּי אִם־יְגַדְּלוּ אֶת־בְּנֵיהֶם וְשִׁכַּלְתִּים מֵאָדָם כִּי־גַם־אוֹי לָהֶם בְּשׂוּרִי מֵהֶם:

Ainda que venham a criar seus filhos, eu os privarei deles. Mesmo que Israel pudesse derrotar a terrível predição do vs. 11, evitando a esterilidade, e, assim sendo, conseguisse criar filhos, outros juízos divinos sobreviriam, enviando esses filhos ao esquecimento. Haveria doenças, acidentes e guerra. Violência arrebataria a vida dos jovens. Yahweh estava a ponto de separar-se de seu povo, deixando-o desolado e sem esperança. *Icabô* era a palavra que estava sendo escrita por toda uma nação. Ver no *Dicionário* sobre esse termo. "Quão terrível será para eles quando eu me afastar deles!" (NCV). Talvez haja aqui uma alusão ao cativeiro assírio que aniquilaria os soldados jovens e enviaria os poucos sobreviventes para a escravidão.

■ 9.13

אֶפְרַיִם כַּאֲשֶׁר־רָאִיתִי לְצוֹר שְׁתוּלָה בְנָוֶה וְאֶפְרַיִם לְהוֹצִיא אֶל־הֹרֵג בָּנָיו:

Efraim, como planejei, seria como Tiro. Os filhos que tivessem nascido a um povo essencialmente estéril (vs. 11) se tornariam *presas* dos assírios que avançavam. Efraim conduziria seus filhos ao matadouro, sacrificando-os em favor de uma causa perdida. O texto massorético refere-se a Tiro como um lugar agradável, como era Israel, mas, diferentemente de Tiro, Israel deveria cair em pedaços, enquanto Tiro prosseguiria até que os babilônios conquistassem o mundo daquela época. Uma conjectura põe a palavra *presa* em lugar de Tiro, sendo isso o que diz a Septuaginta, que várias traduções e intérpretes seguem. Algumas vezes em que aparecem variantes, as versões, especialmente a Septuaginta, preservam os textos originais. Aqui, porém, Tiro é o texto mais difícil, que foi mudado para um texto mais fácil, pelo que provavelmente é o texto original. Ver no *Dicionário* o verbete chamado *Massora (Massorah); Texto Massorético*. Ver também *Manuscritos Antigos do Antigo Testamento,* quanto a informações gerais que incluem como os textos corretos são escolhidos quando aparecem variantes.

■ 9.14

תֶּן־לָהֶם יְהוָה מַה־תִּתֵּן תֵּן־לָהֶם רֶחֶם מַשְׁכִּיל וְשָׁדַיִם צֹמְקִים׃

Dá-lhes, ó Senhor; que lhes darás? Se Yahweh era, usualmente, o *benfeitor* de Israel, o que ele não daria àquele povo rebelde? Ele daria ventres abortivos e seios sem leite! Isso repete a noção de esterilidade do vs. 11. A própria natureza se revoltaria contra aqueles réprobos, e a glória que eles sentiam em numerosa descendência se perderia inteiramente. Yahweh estava fechando os livros sobre aquele povo. O capítulo final estava prestes a ser escrito, e não haveria sequência. O voo do pássaro é imprevisível, mas, quando um pássaro resolve voar, ele se vai (vss. 11). A morte de Israel era previsível, e sua glória também estava acabando. A glória do homem é, tradicionalmente, instável. No túmulo do imperador Frederico estão gravadas estas palavras indisputáveis: *Sic Transit gloria mundo* ("Assim é a glória deste mundo transitório"). Uma declaração moderna diz, com igual sabedoria: "Hoje aqui, amanhã desaparecido". Há uma glória que permanece, e essa é a glória que Deus dá à alma quando a abençoa.

Talvez tenhamos aqui alguma *ironia divina:* "Tão grande será a calamidade, que a esterilidade será uma bênção da parte de Yahweh, embora usualmente isso fosse contado como grande infortúnio (ver Jó 3.3; Jr 20.14; Lc 23.29)" (Fausset, *in loc.*).

■ 9.15

כָּל־רָעָתָם בַּגִּלְגָּל כִּי־שָׁם שְׂנֵאתִים עַל רֹעַ מַעַלְלֵיהֶם מִבֵּיתִי אֲגָרְשֵׁם לֹא אוֹסֵף אַהֲבָתָם כָּל־שָׂרֵיהֶם סֹרְרִים׃

Toda a sua malícia se acha em Gilgal. O ódio divino tomou o lugar do amor divino, por causa das sérias ofensas de Israel, em lugares como Gilgal. Ali foi estabelecido um vergonhoso culto da fertilidade (ver Os 4.15; 12.11). Também ali Saul foi aclamado rei (ver 1Sm 11.15; cf. Os 7.3,4 e 8.4), e isso contra a intenção divina. Isso firmou dois pecados constantes: confiar em reis, e não em Yahweh, e confiar no louco culto a Baal. Por causa dessas formas de infração, Israel seria expulso de suas terras, e o amor divino se transformaria em ódio e desprazer. Seus líderes eram todos rebeldes, e o povo os seguia com alegria, na prática de sua idolatria-adultério-apostasia. Cf. Os 3.4. Aqueles rebeldes perderam o direito de ser o povo de Deus (ver Os 1.9).

■ 9.16

הֻכָּה אֶפְרַיִם שָׁרְשָׁם יָבֵשׁ פְּרִי בְלִי־יַעֲשׂוּן גַּם כִּי יֵלֵדוּן וְהֵמַתִּי מַחֲמַדֵּי בִטְנָם׃ ס

Ferido está Efraim, secaram-se as suas raízes. Aos olhos de Deus, Efraim (a nação do norte, conforme ela aparece 36 vezes nesse livro) já tinha sido humilhado pelo ataque dos assírios e pelo cativeiro que pôs fim a essa nação. Suas raízes se tinham secado. Não havia mais vida naquela árvore. Ela não possuía mais folhagem nem fruto, que são sinais de vida. A menção ao fruto fez o profeta pensar na progênie daquele lugar. Essa progênie estava perdida. Isso repete o tema de Os 9.11,14. "Ironicamente, por causa da esterilidade generalizada e da mortalidade infantil em Efraim, o que antes tinha sido símbolo de frutificação podia ser comparado a uma planta ressecada, incapaz de produzir fruto" (Robert B. Chisholm, Jr., *in loc.*). Cf. Sl 102.4. "... ser morto pela espada... fome... pestilência... não haveria esperança na posteridade futura" (John Gill, *in loc.*).

■ 9.17

יִמְאָסֵם אֱלֹהַי כִּי לֹא שָׁמְעוּ לוֹ וְיִהְיוּ נֹדְדִים בַּגּוֹיִם׃ ס

O meu Deus os rejeitará. Temos aqui uma referência direta ao cativeiro assírio, atribuído à *rejeição* voluntária desse povo por parte de Yahweh, que controla o destino dos homens e das nações. Esse ato faz parte de sua *Soberania* (ver a respeito no *Dicionário*), mas ocorreu de acordo com os ditames da lei moral. A questão nada tinha a ver com o *Voluntarismo* (ver a respeito na *Enciclopédia de Bíblia, Teologia e Filosofia*). Isso nos mostra que a vontade divina representa tudo, e a razão humana nada representa. Porém, existem razões por trás dos atos divinos que se fundamentam em princípios morais. Ver no *Dicionário* o verbete chamado *Teísmo*. O povo apostatado foi lançado fora e espalhado entre as nações, onde ficou a vaguear como Israel no deserto; mas em contraste com a antiga geração de israelitas, eles nunca mais voltariam para sua própria terra. A nação de Israel teria de continuar através de Judá, a nação do sul. Pode haver aqui alusão ao caso de Caim (ver Gn 4.12). Todo o Israel acabará sendo salvo (ver Rm 11.26), mas isso não é o tema do profeta neste ponto do livro. Provavelmente, os judeus que se reuniram no dia de Pentecoste, vindos de muitos países, descendiam daqueles rebeldes, e, neles, uma nova promessa começou a operar. Ver At 2.9-11.

CAPÍTULO DEZ

A SORTE DO REI DE ISRAEL E O BEZERRO DE BETEL (10.1-8)

■ 10.1

גֶּפֶן בּוֹקֵק יִשְׂרָאֵל פְּרִי יְשַׁוֶּה־לּוֹ כְּרֹב לְפִרְיוֹ הִרְבָּה לַמִּזְבְּחוֹת כְּטוֹב לְאַרְצוֹ הֵיטִיבוּ מַצֵּבוֹת׃

Israel já havia sido uma vinha luxuriante, fonte de muito fruto e vida. Como povo, foi ficando cada vez mais rico. Mas sua queda começou quando a atenção do povo se voltou para a idolatria. Com isso, iniciou-se um lento processo de morte, que culminaria com o ataque dos assírios e o cativeiro. Todo o tipo de idolatria infestava o país, sufocando a vida espiritual. A prosperidade material deveria ter levado a maior espiritualidade, pois um crente próspero deve sentir gratidão por seu Benfeitor, que lhe supre todas as coisas boas (Tg 1.17). Isso, porém, de alguém "ficar rico" geralmente produz o efeito contrário. As pessoas mergulham no materialismo e se esquecem de Deus. "Na terra de Canaã, Israel desenvolveu-se no pecado, tal como tinha aumentado quanto à prosperidade" (*Oxford Annotated Bible,* comentando sobre o vs. 1). Quanto às "colunas" que serviam de deuses, cf. Êx 23.24. Ver também Os 3.4 e 10.2 quanto a essas pedras sagradas. Os 2.5,8,9 mostra que a estupidez de Israel atribuía sua prosperidade ao culto a Baal. Mas Os 2.15 mostra-nos que essa prosperidade fluía de Yahweh.

■ 10.2

חָלַק לִבָּם עַתָּה יֶאְשָׁמוּ הוּא יַעֲרֹף מִזְבְּחוֹתָם יְשֹׁדֵד מַצֵּבוֹתָם׃

O seu coração é falso; por isso serão culpados. O coração dos israelitas era *insensato* (*Revised Standard Version*). Coisa alguma boa podia proceder dali. Eles se tinham tornado culpados em todos os seus caminhos, com sua idolatria franca e seu sincretismo doentio, que misturava o culto a Yahweh ao culto a Baal. Por conseguinte, Yahweh haveria de derrubar os altares e destruir as colunas sagradas, símbolos de uma idolatria multifacetada. A Septuaginta diz que eles ficariam "desolados". O coração deles era *falso* e *dividido,* e a palavra hebraica *hullaq* pode ser traduzida com diferentes vocalizações. Alguns preferem a tradução *traiçoeiros*. Quanto ao *coração falso,* cf. 1Rs 18.21; Mt 6.24 e Tg 4.8 (mente dúplice). Esse tipo de pessoas não pode esperar muita coisa da parte de Deus.

10.3

כִּי עַתָּה יֹאמְרוּ אֵין מֶלֶךְ לָנוּ כִּי לֹא יָרֵאנוּ אֶת־יְהוָה וְהַמֶּלֶךְ מַה־יַּעֲשֶׂה־לָּנוּ׃

Agora, pois, dirão eles: Não temos rei. Os vss. 3 e 4 revelam o estado de perplexidade reinante justamente antes que caísse o julgamento de Yahweh, pela instrumentalidade dos assírios. Eles estavam prestes a perder o seu rei e sua classe governante. Ficariam, assim, sem líderes, sem proteção. A principal tarefa do rei era proteger a nação com um exército adequado. Tudo isso não demoraria a ser anulado, e os israelitas, impotentes, ficariam à mercê dos invasores. Contudo, os assírios não demonstrariam misericórdia. Haveria grande matança, e os poucos sobreviventes seriam levados cativos. Homens que *não temem o Senhor,* destituídos de *espiritualidade básica,* caem nessas calamidades. Ver no *Dicionário* o verbete chamado *Temor,* e notas adicionais em Sl 119.38 e Pv 1.7. A história dos reis é repleta de opressão interna e batalhas perdidas externamente. Isto posto, qual seria a história, quando eles não tivessem mais rei? Os reis de Israel não apresentaram remédios duradouros para as situações, e tinham atuado até como fatores negativos, criando sofrimento. Quanto as coisas piorariam quando o rei fosse varrido da cena? Samuel havia advertido o povo de Deus de que o "governo dos reis" teria mau resultado. Ver 1Sm 8.19. Homens justos poderiam ter salvado Sodoma. Mas a iniquidade condenara Israel. Os reis tinham sido líderes na iniquidade, levando o povo à corrupção. Era tudo uma causa perdida.

10.4

דִּבְּרוּ דְבָרִים אָלוֹת שָׁוְא כָּרֹת בְּרִית וּפָרַח כָּרֹאשׁ מִשְׁפָּט עַל תַּלְמֵי שָׂדָי׃

Falam palavras vãs, jurando falsamente. Este versículo descreve os atos e as palavras insensatas e traiçoeiras dos reis. Eles eram homens de discursos bonitos, mas de atos desleais. Só firmavam alianças visando vantagens pessoais, e logo as traíam, quando elas não serviam mais a seus propósitos egoístas. O texto fala sobre *meras palavras,* sobre *juramentos falsos,* produzidos pela sede de governo, mas que nada produzem... Essa é uma verdade permanente. "O Kaiser Guilherme II referia-se aos tratados como sobras de papel" (Harold Cooke Phillips, *in loc.*).

Essa perfídia se tornara como a erva daninha venenosa que se tivesse misturado nos sulcos dos campos, mediante aragem. O país inteiro estava estragado e era mortífero. Em vez de plantas doadoras de vida, o solo estava coalhado de plantas venenosas que não podiam ser comidas, sob pena de morte. Cf. Dt 29.18; Am 5.7 e 6.12.

10.5

לְעֶגְלוֹת בֵּית אָוֶן יָגוּרוּ שְׁכַן שֹׁמְרוֹן כִּי־אָבַל עָלָיו עַמּוֹ וּכְמָרָיו עָלָיו יָגִילוּ עַל־כְּבוֹדוֹ כִּי־גָלָה מִמֶּנּוּ׃

Os moradores de Samaria serão atemorizados. Quando o rei falhou e a desesperança se espalhou, o povo de Israel voltou-se para a idolatria, como se esta fosse seu deus e seu rei. Mas até a "preciosa" idolatria deles foi obliterada pelo ataque dos assírios e pelo cativeiro que se seguiu. Betel, a "casa de Deus", havia degenerado em casa da idolatria, ou casa da iniquidade (que é o sentido de *Bete-Áven*) (Cf. Os 4.15 e 5.18 e ver sobre esse título no *Dicionário*). Todas as coisas são transitórias, com a exceção única de Deus, e é por isso que esperamos nele. Israel, entretanto, havia colocado erroneamente sua confiança em reis e ídolos, pelo que terminou sem esperança. Era prática dos exércitos antigos no Oriente Próximo e Médio levar os ídolos das nações conquistadas. Alguns desses ídolos tornavam-se parte de seus panteões, e a ideia era que talvez houvesse alguma virtude neles, capaz de ajudar os novos "proprietários". Esse era o modo ridículo de raciocinar dos idólatras. Porventura, ídolos que tivessem decepcionado a um povo ajudariam a outro, somente porque o centro de poder tinha mudado? Seja como for, os vss. 5,6 nos dão uma vívida figura das religiões falsas e seus maléficos resultados.

10.6

גַּם־אוֹתוֹ לְאַשּׁוּר יוּבָל מִנְחָה לְמֶלֶךְ יָרֵב בָּשְׁנָה אֶפְרַיִם יִקָּח וְיֵבוֹשׁ יִשְׂרָאֵל מֵעֲצָתוֹ׃

Também o bezerro será levado à Assíria. Este versículo refaz as ideias do vs. 5. Aqui recebemos a informação específica de que a Assíria foi o instrumento da queda da nação israelita, a potência que acabou com o reinado em Israel e levou seus ídolos. Aqueles ídolos horrendos, que se tornaram parte do *pagamento* que Israel teve de prestar a seus conquistadores, eram uma porção do saque que formava o salário dos soldados dos exércitos antigos. O rei da Assíria era agora visto como *grande,* ao passo que o rei de Israel caiu no esquecimento porque falhou em confiar em Yahweh. Não houve nenhum acidente envolvido. A questão inteira serve para ilustrar a *Lei Moral da Colheita segundo a Semeadura* (ver a respeito no *Dicionário*). Quando Jeroboão estabeleceu a adoração ao bezerro em Dã e Betel, iniciou um longo processo que terminou na morte da nação do norte. O cisma levou à extinção final.

10.7

נִדְמֶה שֹׁמְרוֹן מַלְכָּהּ כְּקֶצֶף עַל־פְּנֵי־מָיִם׃

O rei de Samaria será como lasca de madeira. A derrubada do rei de Israel é novamente mencionada, dessa vez por meio de uma metáfora. Ele se tornou como uma lasca de madeira flutuando à superfície da água, isto é, de tão leve era jogado para cá e para lá, como se nada fosse. Provavelmente, essa figura simbólica alude a ídolos de madeira. O rei nada mais era do que uma lasca de um ídolo, lançada sobre águas agitadas. A madeira do ídolo de nada valia, nem valia uma lasca arrancada de um ídolo. Tanto o ídolo quanto a lasca caíram no esquecimento. "O rei foi lançado sobre o mar espumejante da vida política como um fragmento sem valor" (Ellicott, *in loc.*). Esse intérprete também via na figura um quadro do caos político geral que dominava Israel nos últimos dias de sua existência.

"*Como os poderosos caíram.* Os reis títeres têm a mesma sorte que os deuses títeres. Tal como um deles desapareceria, assim também aconteceria ao outro. Que quadro notável! Sugere o extremo da insegurança e da instabilidade, uma pequena lasca de madeira a saltitar sobre a água, sujeita ao impulso de cada pequena ondulação" (Harold Cooke Phillips, *in loc.*).

10.8

וְנִשְׁמְדוּ בָּמוֹת אָוֶן חַטַּאת יִשְׂרָאֵל קוֹץ וְדַרְדַּר יַעֲלֶה עַל־מִזְבְּחוֹתָם וְאָמְרוּ לֶהָרִים כַּסּוּנוּ וְלַגְּבָעוֹת נִפְלוּ עָלֵינוּ׃ ס

E os altos de Áven, pecado de Israel, serão destruídos. Os *lugares altos* (ver a respeito no *Dicionário*) eram honrados e exaltados pelos idólatras. A idolatria de Betel (*Áven,* o lugar da *iniquidade*) ocupava um lugar altivo. Mas agora ela jazia em ruínas, e os espinheiros tomaram conta do lugar onde bosques verdejantes antes proviam local confortável para as práticas idólatras. Isso é uma ilustração do salário do pecado (ver Rm 6.23). Uma vida agradável foi substituída pelos sinais da morte. Espinheiros cobriram os altares onde os sacrifícios tinham sido postos antes, e os israelitas, em desespero, convocavam os montes para encobri-los, da mesma forma que os espinheiros tinham posto fim à idolatria. Eles ordenavam às colinas que caíssem sobre eles para pôr fim a toda aquela triste história. Cf. o uso que o escritor de Ap 6.16 e 9.6 fez dessas palavras. As colinas nas quais eles tinham colocado seus ídolos (fonte de sua confiança), longe de ajudar os israelitas, tornaram-se os agentes da sua destruição. Cf. as palavras de Jesus em Lc 23.30.

Como Israel Perdeu o Controle (10.9-15)

10.9

מִימֵי הַגִּבְעָה חָטָאתָ יִשְׂרָאֵל שָׁם עָמָדוּ לֹא־תַשִּׂיגֵם בַּגִּבְעָה מִלְחָמָה עַל־בְּנֵי עַלְוָה׃

Desde os dias de Gibeá pecaste. Este versículo nos leva de volta aos pecados cometidos em Gibeá, conforme vemos em Os 9.9, cujas notas não reitero aqui. A iniquidade espalhou seus tentáculos mortíferos e abraçou toda a nação. Uma guerra disciplinadora sobreveio àquele lugar especialmente ímpio e espalhou-se dali por toda a nação de Israel. "Gibeá ficava no extremo sul de Efraim. Para que um exército invasor chegasse lá, teria primeiro de atravessar o país inteiro, o que era histórica e geograficamente verdadeiro" (John Mauchline, *in loc.*).

Era apropriado que o julgamento atingisse aquele lugar, que tinha servido como padrão da corrupção da nação inteira. "O povo dali continuava pecando. A guerra certamente os avassalaria, por causa das maldades que eles tinham praticado ali" (NCV).

■ **10.10**

בְּאַוָּתִי וְאֶסֳּרֵם וְאֻסְּפוּ עֲלֵיהֶם עַמִּים בְּאָסְרָם לִשְׁתֵּי עֵינֹתָם:

Castigo o povo na medida do meu desejo. Yahweh é pintado como o General dos exércitos das nações (unidas sob a Assíria) que poriam fim à nação de Israel. Ver no *Dicionário* o artigo chamado *Senhor dos Exércitos*. O poder da Assíria, internacionalizado, garantiria a punição apropriada de Israel, a saber, a total extinção de um povo que tinha saído do controle e estava fora da possibilidade de redenção.

Sua dupla transgressão. Esta transgressão permaneceu indefinida pelo profeta e tem atraído várias interpretações, a saber: 1. Os ídolos de Dã e Betel constituíam dupla ofensa; 2. o pecado da instituição do reinado, além da idolatria (ver as notas em Os 9.9); 3. ou estão em vista os dois pecados mencionados por Jeremias: eles abandonaram Yahweh e se aliaram aos ídolos (Jr 11.13); 4. ou pecados passados que vieram a ser duplicados no presente; 5. ou a referência é geral, dando a entender somente um "grande grau de pecado". Israel pecara abundantemente, em *dupla porção*.

■ **10.11**

וְאֶפְרַיִם עֶגְלָה מְלֻמָּדָה אֹהַבְתִּי לָדוּשׁ וַאֲנִי עָבַרְתִּי עַל־טוּב צַוָּארָהּ אַרְכִּיב אֶפְרַיִם יַחֲרוֹשׁ יְהוּדָה יְשַׂדֶּד־לוֹ יַעֲקֹב:

Porque Efraim era uma bezerra domada. Houve tempo em que Efraim era uma bezerra dócil e cooperadora, que amava a atividade da aragem e do trilho a que o cereal era submetido. Mas o tempo de cooperação pacífica tinha chegado ao fim. A disposição da novilha havia azedado. Israel se tornara rebelde e voluntarioso. Por isso, Yahweh teve de colocar pesado jugo no pescoço da nação, para tentar recuperar o controle e obter um trabalho útil da parte da bezerra. Talvez, se Israel precisasse trabalhar arduamente sob o jugo, se tornasse suficientemente disciplinado para retornar aos dias antigos da lei mosaica, abandonando os caminhos da idolatria.

O animal que trilhava não precisava de jugo e tinha a vantagem de poder comer do cereal que estava sendo separado da palha. Essa era uma tarefa relativamente fácil. Cf. as palavras de Jesus sobre o jugo fácil e leve (ver Mt 11.29,30). Alguns eruditos supõem que o *jugo* seja o cativeiro assírio. Nesse caso, o jugo falhou, não produzindo os efeitos esperados. Judá também receberia seu jugo pesado no cativeiro babilônico, mas nesse caso bons resultados seriam produzidos pela disciplina. Jacó (Israel-Judá) teria o trabalho árduo de quebrar as crostas da terra e preparar o solo. A disciplina estaria presente, com resultados diferentes. Mas aqui Jacó, evidentemente, refere-se somente à nação do norte (ver Os 12.2). O pacto tinha sido quebrado. Um trabalho árduo esperava os filhos de Israel no cativeiro.

■ **10.12**

זִרְעוּ לָכֶם לִצְדָקָה קִצְרוּ לְפִי־חֶסֶד נִירוּ לָכֶם נִיר וְעֵת לִדְרוֹשׁ אֶת־יְהוָה עַד־יָבוֹא וְיֹרֶה צֶדֶק לָכֶם:

Então disse: Semeai para vós outros em justiça. O trabalho laborioso do vs. 11 agora torna-se produtivo, por ser feito no espírito correto. Esse era o resultado "esperado". Em seus primeiros dias, a novilha (Efraim) tinha recebido tais instruções. No princípio, o labor era caracterizado pela alegria. Mas tudo isso caiu em ruínas. Então veio o trabalho árduo dos cativos. O jugo pesado poderia levar de volta ao tempo alegre de serviço amoroso, que era espiritualmente produtivo. Essa era a *esperança*. O país poderia colher os frutos do *amor constante* (*Revised Standard Version*); poderia voltar a buscar Yahweh; poderia receber chuvas de salvação, *se* a disciplina fosse recebida da maneira correta. Nenhuma dessas coisas, porém, aconteceu. O caso estava perdido. Era inútil apelar para a bezerra rebelde.

Temos aqui um convite à lealdade ao pacto, bem no meio do desastre. Havia possibilidade de restauração mesmo então (cf. Is 1.18-20). Cf. Os 6.3 quanto às bênçãos de doação de vida, das chuvas anteriores e posteriores. Ver também 1Co 3.6. O convite era para retornar e agir de modo diferente, a fim de obter resultado diferente. Um homem não pode estar em um país distante e na própria terra ao mesmo tempo. Tal homem deve escolher onde quer estabelecer sua residência. Israel foi chamado a voltar o rosto na direção de casa, mas estava fora do alcance da recuperação.

■ **10.13**

חֲרַשְׁתֶּם־רֶשַׁע עַוְלָתָה קְצַרְתֶּם אֲכַלְתֶּם פְּרִי־כָחַשׁ כִּי־בָטַחְתָּ בְדַרְכְּךָ בְּרֹב גִּבּוֹרֶיךָ:

Arastes a malícia, colhestes a perversidade. A *semeadura e a colheita* eram as regras do jogo. Israel tinha arado na iniquidade, plantando sementes de ervas venenosas no solo (vs. 4). O resultado obtido seguia a lei divina: o veneno produziu plantas venenosas. A injustiça tomou conta da sociedade. As mentiras semeadas em breve produziram fruto amargo, que precisou ser comido. Em vez de confiar em Yahweh, aqueles réprobos puseram sua confiança no poder militar e nas alianças estrangeiras. Coisa alguma de bom pode ser produzida por tais atitudes e atos. "Agora tereis de viver com os resultados de vossas mentiras" (NCV).

Comestes o fruto da mentira. Ou seja, a falsidade da idolatria, mas o vs. 4 pode expressar a ideia central: juramentos vãos e vazios eram a essência das alianças feitas por eles. Seja como for, os frutos que eles tinham de comer eram amargos. Havia falsa adoração; falsos pactos; falsas promessas; falsificação da aliança que fora estabelecida com Yahweh no Sinai. Ver sobre *Pacto Mosaico* na introdução a Êx 19.

■ **10.14**

וְקָאם שָׁאוֹן בְּעַמֶּךָ וְכָל־מִבְצָרֶיךָ יוּשַּׁד כְּשֹׁד שַׁלְמַן בֵּית אַרְבֵאל בְּיוֹם מִלְחָמָה אֵם עַל־בָּנִים רֻטָּשָׁה:

Portanto, entre o teu povo se levantará tumulto de guerra. Israel falhou, não ouvindo a voz gentil de Yahweh, que chamava o povo ao arrependimento (ver Os 9.14), pelo que a nação seria forçada a ouvir o rugido da guerra. O tumulto da guerra seria levantado contra eles. Suas cidades fortificadas, das quais eles dependiam, em breve seriam reduzidas a pó pelos assírios. Uma ilustração é dada pelo destruidor de *Salmã*. Ele venceu facilmente *Bete-Arbel*. Ver sobre ambos os nomes no *Dicionário*.

É possível que a referência seja a Salmaneser VI, rei assírio que assediou a cidade de Samaria entre 725 e 723 a.C., embora o nome *Salmaneser* apareça por extenso em outras passagens bíblicas. Menos provável é a sugestão que diz que esse nome deve ser equiparado ao rei moabi Shalamanu, mencionado nos registros históricos assírios. A invasão encabeçada por essa última pessoa ocorreu no século VIII a.C. Com base na Septuaginta, alguns estudiosos adotam a tradução que diz: "como Salum destruiu a casa de Jeroboão". Mas esse texto é apenas uma tentativa de esclarecer uma referência histórica obscura. A localização de *Bete-Arbel* também é incerta, mas o que é conjecturado aparece no artigo sob esse título no *Dicionário*. O local é mencionado somente aqui no Antigo Testamento. Embora as referências sejam obscuras para nós, podemos estar certos que os leitores originais sabiam o que o profeta queria dizer e sentiriam o impacto dessa ilustração, como advertência contra o descuido espiritual. Houve terrível matança ali que não isentou nem mulheres nem crianças. E os assírios não demonstraram piedade alguma.

■ **10.15**

כָּכָה עָשָׂה לָכֶם בֵּית־אֵל מִפְּנֵי רָעַת רָעַתְכֶם בַּשַּׁחַר נִדְמֹה נִדְמָה מֶלֶךְ יִשְׂרָאֵל:

Assim vos fará Betel, por causa da vossa grande malícia. "A mesma coisa vos acontecerá, ó povo de Betel, porque causastes tão grandes males. Chegado o tempo, o rei de Israel morrerá" (NCV). A Septuaginta diz "casa de Israel", em vez de "Betel", e alguns estudiosos aceitam essa emenda como correta. O texto massorético fala do rei morrendo ao *amanhecer*. Nada sabemos sobre essa circunstância, pelo que alguns emendam o texto para "no começo do seu reinado", que também é outra conjectura. Não obstante, a mensagem é bastante clara. Mulheres e crianças (os elementos mais dependentes da sociedade) seriam mortas, e outro tanto sucederia às maiores autoridades de Israel, incluindo o rei. A nação inteira morreu em 721 a.C. e nunca mais renasceu. O rei em vista é *Oseias,* último monarca de Israel. Foi escrita a palavra terrível, "fim", sobre ele e sobre a nação que ele governara por oito anos. Ver sobre *Oseias,* no *Dicionário.*

CAPÍTULO ONZE

O AMOR DE DEUS (11.1-11)

Novamente, o profeta Oseias relembra a história inicial de Israel, em contraste com o lamentável presente (cf. Os 9.10 e 10.1). Israel, no início de sua história, era um filho do Pai celestial, não uma prostituta casada com Baal. Mas aqui vemos um pai que é forçado a castigar o filho desviado. "Este capítulo contém algumas das passagens mais ternas e aquecedoras do coração do livro. Elas enfatizam o fato de que Oseias foi realmente o profeta do amor, um fato que nem a severidade de suas explosões nem o rosto vincado de suas predições poderiam obscurecer. Oseias, como já vimos, algumas vezes usa a figura simbólica do marido e de sua mulher para descrever a relação entre Deus e seu povo. E, tal como se vê em Os 11.1, ele também emprega a metáfora do pai e do filho" (Harold Cooke Phillips, *in loc.*). Mt 2.15 cita o primeiro versículo deste capítulo, embora aplique as palavras concernentes ao fato de que Jesus deixou o Egito depois de ter sido levado para ali em busca de segurança.

A presente passagem ilustra algo da filosofia da história dos hebreus. Para eles, a história era um drama divino-humano, e não uma série de eventos desconexos, nascidos ao acaso. Deus, em sua soberania, estava traçando um plano, mas seus atos eram (e são) condicionados pelas leis morais. Não temos aqui o *voluntarismo,* que é a ideia de que a vontade divina governa sem a intervenção da razão. Ver sobre esse título na *Enciclopédia de Bíblia, Teologia e Filosofia.* Os atos divinos são sempre moralmente razoáveis. Temos em vista a *Soberania de Deus* (ver a respeito no *Dicionário*), mas condicionada pela reação humana, de modo que a vontade divina e a vontade humana interagem. Ver na *Enciclopédia* os verbetes chamados *Determinismo* e *Livre-arbítrio.* O Criador intervém em sua criação. Ele recompensa e pune. Isso reflete o *teísmo.* O *deísmo,* por sua vez, ensina que a força criativa (pessoal ou impessoal) abandonou sua criação ao controle das leis naturais. Ver sobre ambos os termos no *Dicionário.*

Nesse esquema divino-humano das coisas, Israel foi chamado a ser um instrumento especial. Por meio de Israel, o conhecimento de Deus seria revelado ao mundo inteiro, "pois Deus amou o mundo de tal maneira" (Jo 3.16). Ver Is 11.9.

O Treinamento da Criança, Israel (11.1-4)

■ 11.1

כִּי נַעַר יִשְׂרָאֵל וָאֹהֲבֵהוּ וּמִמִּצְרַיִם קָרָאתִי לִבְנִי׃

Quando Israel era menino, eu o amei. Está em vista o tempo da saída de Israel do Egito e de suas perambulações pelo deserto, quando Israel foi uma nação independente, mero bebê entre as nações, um menino "chamado para fora" da servidão. Cf. Os 9.10. Havia o grande *amor constante* do pacto abraâmico (ver Gn 15.18 quanto a notas expositivas), que dominava a cena. O fato de Yahweh ter tirado Israel "do Egito" é tema muito repetido no Antigo Testamento, aparecendo no livro de Deuteronômio por mais de vinte vezes. Ver as notas sobre a questão, em Dt 4.20. Cf. Mt 2.15, onde essas palavras são aplicadas ao Senhor Jesus. A história de Israel não se caracterizava pela mera chance, mas pela orientação divina baseada no amor. Ver no *Dicionário* o verbete chamado *Amor.* Esse amor deveria ser mútuo (ver Dt 6.5), mas raramente aconteceu assim. Ver na introdução ao capítulo quanto ao *Voluntarismo,* ao *Determinismo,* à *Soberania,* ao *Teísmo* e ao *Deísmo,* conceitos que se aplicam a este texto.

■ 11.2

קָרְאוּ לָהֶם כֵּן הָלְכוּ מִפְּנֵיהֶם לַבְּעָלִים יְזַבֵּחוּ וְלַפְּסִלִים יְקַטֵּרוּן׃

Quanto mais eu os chamava, tanto mais se iam da minha presença. "A condição inicial e bendita em breve se desintegrou no desvio e na apostasia. A idolatria entrou desde cedo. Israel perdeu, assim, sua distinção entre as nações, a qual se baseava na possessão e na prática da lei mosaica (ver Dt 4.4-8). Ver no *Dicionário* o artigo chamado *Idolatria,* quanto ao grande pecado renitente de Israel, que era o pai de tantos outros pecados. Israel fora chamado para ser *livre* (fora tirado da servidão), mas, mediante o abuso dessa liberdade, em breve se escravizou no pior tipo de servidão, a saber, a servidão aos deuses de nada, incluindo a adoração sensual de Baal celebrada por meio de ritos de fertilidade, incluindo a prostituição "sagrada" e o sacrifício de crianças nas chamas. Ver no *Dicionário* o verbete chamado *Baal.* "A liberdade deles tornou-se oportunidade para maior escravidão. Consideremos os dois tipos de servidão: a servidão ao Faraó e a servidão ao pecado" (Harold Cooke Phillips, *in loc.*). Cf. este versículo com Jr 2.27.

■ 11.3

וְאָנֹכִי תִרְגַּלְתִּי לְאֶפְרַיִם קָחָם עַל־זְרוֹעֹתָיו וְלֹא יָדְעוּ כִּי רְפָאתִים׃

Todavia, eu ensinei a andar a Efraim. O Pai celeste, em seu tremendo amor, foi o tutor de Efraim (usado para indicar *Israel,* por 36 vezes nesse livro), quem ensinou Israel, seu filho, a andar. Ver no *Dicionário* o verbete denominado *Andar.* Esse andar foi o caminho espiritual de Moisés. Ver sobre *Pacto Mosaico* na introdução a Êx 19. Cf. Dt 1.31 e Is 1.2. Quando o filho falhou e foi julgado, então o amor de Deus estendeu a mão para baixo e *curou,* provendo outras chances para que ele andasse corretamente. O amoroso Pai não perdeu a paciência nem jamais desistiu, pois é sempre cedo demais para desistir. A Septuaginta contém a terna expressão: "... eu o tomei em meus braços", que também se encontra no Targum e na versão siríaca. Cf. este versículo com Êx 15.26 e Dt 32.10-12.

Eles não souberam que eu os carreguei e os curei de suas enfermidades.

Marti

■ 11.4

בְּחַבְלֵי אָדָם אֶמְשְׁכֵם בַּעֲבֹתוֹת אַהֲבָה וָאֶהְיֶה לָהֶם כִּמְרִימֵי עֹל עַל לְחֵיהֶם וְאַט אֵלָיו אוֹכִיל׃

Atraí-os com cordas humanas. "Eu os carreguei com cordas da bondade humana, com laços de amor; tirei o jugo do pescoço deles; eu me inclinei e os alimentei" (NCV). O amor divino, que ultrapassa todos os amores, manifestou-se de diversas maneiras e em todas as circunstâncias possíveis.

Amor divino, que ultrapassa a todos os amores,
Alegria dos céus desce aqui à terra.
Fixa entre nós tua humilde habitação.

Charles Wesley

"Neste versículo, Israel se compara a um animal de carga (cf. Os 10.11). O Senhor é comparado a um proprietário que gentilmente (em bondade e amor, vs. 1) guia seu animal e remove seu jugo, para que ele paste com maior facilidade, consumindo toda a variedade de alimentos. O Senhor tratava Israel com compaixão e amor, e esperava amor por sua vez" (Robert B. Chisholm, Jr., *in loc.*). Diz o Targum: "Mesmo quando eles estavam no deserto, eu multipliquei boas coisas para eles". "Quantos privilégios, vantagens e consolos ele misturou com os seus preceitos, para torná-los tanto retos quanto *felizes*" (Adam Clarke, *in loc.*).

A Rebeldia de Israel e seus Resultados (11.5-7)

■ 11.5

לֹא יָשׁוּב אֶל־אֶרֶץ מִצְרַיִם וְאַשּׁוּר הוּא מַלְכּוֹ כִּי מֵאֲנוּ לָשׁוּב׃

Não voltarão para a terra do Egito, mas o assírio será seu rei. A seção muda drasticamente de uma cena de amor para a cena de uma ameaça contra o filho habitualmente rebelde. Enquanto Israel era libertado, de uma vez para sempre, da servidão egípcia, eles estavam prestes a entrar em uma servidão mais dura ainda, na Assíria. Ver no *Dicionário* o verbete denominado *Cativeiro Assírio*. A rebeldia era o jogo que Israel mais sabia jogar, o que fazia violento contraste com a maneira de tratar do Pai celestial. Temos aqui o espetáculo de um filho muito amado a rejeitar o terno cuidado de seu pai, corrompendo-se propositadamente em uma rebelião ridícula. Foi algo realmente estonteante, mas uma cena que vemos comumente "lá fora", quando muitos filhos desapontam os pais. Oh, Senhor, livra-nos de tal coisa! A retribuição segue nos calcanhares de tal atitude. Cf. este versículo com Os 8.13 e 10.3-6. O jugo mosaico foi lançado longe, embora fosse debaixo desse jugo que a nação tivesse prosperado. Porém, um jugo muito pior tinha caído no pescoço daqueles réprobos.

■ 11.6

וְחָלָה חֶרֶב בְּעָרָיו וְכִלְּתָה בַדָּיו וְאָכֵלָה
מִמֹּעֲצוֹתֵיהֶם׃

A espada cairá sobre as suas cidades. O novo jugo seria violentamente imposto e violentamente preservado. A *espada* (a guerra) aniquilaria o filho, pois ele chegara à terra de onde não se retorna. Yahweh era um pai misericordioso, mas os assírios não sabiam o que era ter dó. Diz aqui, literalmente, o original hebraico: "A espada girará por suas cidades". Esta é uma maneira gráfica de dizer que o ataque dos assírios seria terrível, incansável, tal como um tornado que destrói tudo em seu caminho. Nenhuma tranca de nenhum portão teria utilidade. Seriam todos despedaçados por ventos temíveis. Suas fortalezas seriam "devoradas" pela tempestade, e o povo de Israel ficaria totalmente impotente diante de uma força superior. Haveria matança sem misericórdia, e os poucos sobreviventes seriam levados para o cativeiro, o qual jamais seria revertido. Foi assim que morreu uma nação inteira. Note o leitor o violento contraste entre o anterior terno cuidado do Pai e o fim do filho rebelde. Cf. este versículo com 2Sm 12.10.

Os seus ferrolhos. Literalmente, os *ramos*, ou seja, as trancas que encerravam seus portões. Alguns estudiosos preferem compreender aqui as *aldeias*, os ramos da capital. Outros ainda, contudo, entendem aqui *guerreiros* que tentariam defender sua terra natal, mas seriam mortos.

■ 11.7

וְעַמִּי תְלוּאִים לִמְשׁוּבָתִי וְאֶל־עַל יִקְרָאֻהוּ יַחַד לֹא
יְרוֹמֵם׃

Porque o meu povo é inclinado a desviar-se de mim. O *impulso interior* de Israel era rebelar-se contra Yahweh e sua lei, por não querer aceitar o jugo dele. Porém, ao "desviar-se" dessa maneira, eles se submeteram a um jugo muito pior, do qual nunca conseguiriam livrar-se. Os filhos de Israel "cansaram-se" debaixo do jugo de Yahweh, conforme alguns entendem o hebraico envolvido. A Septuaginta, porém, tem um texto bem diferente: "e Deus está irado com seus preciosos, e não os exaltará". A NIV diz que o povo "resolveu" voltar-se noutra direção, pelo impulso de sua corrupção interior, inspirado pela idolatria. Isso nos faz lembrar da esposa infiel e da bezerra teimosa, embora nenhuma figura simbólica seja usada neste versículo.

A segunda metade do versículo é obscura, além de qualquer possibilidade de recuperação, o que faz os tradutores e os intérpretes conjecturar: eles foram designados para um jugo que nunca seria removido (*Revised Standard Version*); eles foram chamados para o Deus Altíssimo, mas ninguém o exaltou (KJV); os profetas clamaram a eles, mas nenhum deles terminou honrando a Yahweh (NCV); eles invocaram o Deus Altíssimo, mas ele não os quis exaltar (NIV); Deus estava irado com os seus preciosos e não quis exaltá-los (Septuaginta).

Yahweh é Deus, e Não Homem (11.8,9)

■ 11.8

אֵיךְ אֶתֶּנְךָ אֶפְרַיִם אֲמַגֶּנְךָ יִשְׂרָאֵל אֵיךְ אֶתֶּנְךָ כְאַדְמָה
אֲשִׂימְךָ כִּצְבֹאיִם נֶהְפַּךְ עָלַי לִבִּי יַחַד נִכְמְרוּ נִחוּמָי׃

Como te deixaria, ó Efraim? Como te entregaria, ó Israel? Embora forçado a tratar brutalmente seus filhos, o coração de Yahweh não estava naquilo tudo. Ele se encolhia diante de sua própria ferocidade e desejava que as coisas fossem diferentes. Como poderia o pai bondoso entregar seu filho precioso para ser destruído pelos assírios, de forma que esse filho se tornasse como *Admá* e *Zeboim*, cidades da planície que pereceram juntamente com Sodoma e Gomorra? Ver no *Dicionário* sobre esses lugares, e cf. Dt 29.23 e Jr 49.18. O coração de Yahweh voltou-se para si mesmo quando ele estabeleceu o decreto de trazer os assírios do nordeste. Contudo, sua santidade exigia vingança contra um filho tão réprobo. O amor de Deus tinha feito tudo quanto era possível fazer; a paciência de Deus tinha esperado tudo quanto podia esperar. Yahweh puniria, embora não deixasse de amar. Os julgamentos divinos são remediadores, no final das contas, pois na verdade são os dedos da amorosa mão de Deus. Pois ele disse: "As minhas compaixões à uma se acendem". Cf. isso com Gn 43.20 e 1Rs 3.26. Este versículo, logicamente, é altamente antropopatético, isto é, fala como se Deus compartilhasse emoções humanas. Ver no *Dicionário* os artigos chamados *Antropomorfismo* e *Antropopatismo*. Não obstante, é um dos melhores versículos da Bíblia sobre o amor divino. Ver no *Dicionário* o verbete chamado *Amor*, onde apresento poesia e declarações ilustrativas.

■ 11.9

לֹא אֶעֱשֶׂה חֲרוֹן אַפִּי לֹא אָשׁוּב לְשַׁחֵת אֶפְרָיִם כִּי אֵל
אָנֹכִי וְלֹא־אִישׁ בְּקִרְבְּךָ קָדוֹשׁ וְלֹא אָבוֹא בְּעִיר׃

Não executarei o furor da minha ira. Este versículo, naturalmente, é problemático, porquanto afirma que Deus não fará exatamente o que ele estava prestes a fazer: esmagar o apóstata Efraim. A contradição pode ser evitada traduzindo-se a frase como uma pergunta: "Não devo executar o brasume de minha ira? Não devo eu voltar-me para destruir a Efraim? (Sim, devo), porque sou Deus, e não homem" (tradução de Marti, que alivia o problema). Outros tentam aliviar o problema pondo um "finalmente" como compreendido. O julgamento deve vir, mas não será final. O amor escreverá o último capítulo. Os cativeiros assírio e babilônico tinham de vir, mas todo o Israel será finalmente salvo (ver Rm 11.26). O coração do Deus eterno é maravilhosamente bondoso, mas o amor operará *através* do julgamento. Seu propósito final é restaurar, e não aniquilar.

O funeral de Luís XIV foi uma cena espetacular. A catedral de Notre Dame foi profusamente decorada. O corpo do rei foi adornado de tal maneira que se pensaria que ele não estava morto. Então se levantou o pregador. O que ele diria sob tais circunstâncias? Que louvor ao rei ele poderia proferir eloquentemente? Ele disse apenas: "Só Deus é grande!" Portanto, é o que temos aqui: Yahweh é Deus, e não homem; ele deve agir em consonância com a sua santidade; deve julgar mas, de alguma maneira, ele amará e julgará ao mesmo tempo. Ele fará o que o homem não pode fazer, em suas limitações. Somente Deus pode ter as chamas do amor e as chamas do julgamento queimando nele ao mesmo tempo, pois, de fato, só existe *um fogo,* o fogo do amor, que se expressa na ira, quando assim deve fazer.

Israel Será Recolhido de Volta à sua Pátria (11.10,11)

■ 11.10,11

אַחֲרֵי יְהוָה יֵלְכוּ כְּאַרְיֵה יִשְׁאָג כִּי־הוּא יִשְׁאַג וְיֶחֶרְדוּ
בָנִים מִיָּם׃

יֶחֶרְדוּ כְצִפּוֹר מִמִּצְרַיִם וּכְיוֹנָה מֵאֶרֶץ אַשּׁוּר
וְהוֹשַׁבְתִּים עַל־בָּתֵּיהֶם נְאֻם־יְהוָה׃ ס

Andarão após o Senhor. Algum dia, Israel voará de volta para casa, vindo de terras distantes, como o Egito e a Assíria. Chegará como uma revoada de pássaros, retornando à casa, uma bela figura simbólica que talvez já se tenha cumprido parcialmente em nossos próprios dias. Que o leitor dê atenção a estes pontos: 1. Essa promessa é escatológica e estende-se até os últimos dias. Nenhum pássaro israelita veio voando da Assíria nos dias de Oseias. 2. Alguns intérpretes, conhecendo o caráter final do cativeiro assírio e não querendo transferir esses versículos para o tempo do fim, veem aqui o cativeiro babilônico, pois aves israelitas voaram de volta para casa, vindas da Babilônia, mas essa transferência é uma interpretação duvidosa. 3.

Alguns pensam que isso era a "esperança", a qual contudo fracassou. Essa esperança era oposta ao decreto de Yahweh contra o reino do norte, um ideal de compaixão que não teve permissão de cumprir-se.

Note o leitor a *mistura de metáforas*. O vs. 10 contém o rugido de Yahweh como um leão que tivesse despertado os cativos, os quais, embora trêmulos por causa do feroz rugido do Leão, responderam, correndo para o Leão. Ademais, devemos compreender que esse rugido perseguiu os inimigos de Israel. A referência ao "ocidente" provavelmente é às "terras costeiras", às ilhas, lugares distantes até onde Israel havia perambulado ou tinha sido obrigado a ir. Os que foram despertados pelos rugidos poderosos do Leão serão transformados em uma revoada de pássaros e, embora trêmulos (vs. 11), voarão diretamente para sua pátria, abandonando a Assíria e outros lugares de escravidão. De fato, será uma volta a Yahweh, e ali haverá descanso para a alma, quando todo o Israel for salvo (ver Rm 11.26). "Esta declaração é hortativa e didática, uma das características da profecia de Oseias. Tal como acontece em seções anteriores, o profeta passa do julgamento (ver Os 11.12—13.16) para a salvação (Os 14)" (Robert B. Chisholm, Jr., *in loc.*).

No primeiro capítulo, adiciono um gráfico que ilustra essa mudança do julgamento para o amor e a salvação, tema que se repete várias vezes nesse livro. Zc 10.10,11 também menciona a restauração dos filhos de Israel da Assíria, e essa era uma esperança constante que, finalmente, foi abandonada. Temos de examinar a restauração final de Israel, conforme ela fica subentendida em tais profecias, mesmo que não seja diretamente ensinada. O rugido do Leão subentende que a restauração virá através do julgamento (cf. Is 31.4; Jr 25.(?); Jl 3.16). O anelo de Israel seria satisfeito, mas para tanto seria necessária a passagem do tempo.

INIQUIDADE E CONDENAÇÃO DE EFRAIM (11.12—13.16)

A FALSIDADE FUNDAMENTAL DE EFRAIM (11.12—12.1)

■ **11.12** (na Bíblia hebraica corresponde ao **12.1**)

סְבָבֻנִי בְכַחַשׁ אֶפְרַיִם וּבְמִרְמָה בֵּית יִשְׂרָאֵל וִיהוּדָה עֹד רָד עִם־אֵל וְעִם־קְדוֹשִׁים נֶאֱמָן׃

Efraim me cercou por meio de mentiras. Esta seção foi escrita quando Efraim estava perdido em suas mentiras e enganos, portanto maduro para o julgamento; nesse tempo, Judá continuava relativamente fiel ao Santo, conhecido por Elohim. Mas bastaram pouco mais de cem anos para que Judá se corrompesse tanto quanto Israel estava corrompido. Pelo momento, entretanto, Yahweh estava cuidando apenas de um caso de apostasia, a apostasia do reino do norte. Esse caso era irremediável e se apressava para o julgamento final. Oseias salientou a falsidade de Israel como um princípio característico de onde fluíam tantos pecados. Cf. os queixumes de Jeremias: 7.4,8; 8.8; 9.5,8; 17.9. Portanto, o que caracterizou Israel, nos dias de Oseias, caracterizaria Judá, nos dias de Jeremias.

Algumas traduções e alguns intérpretes, entretanto, compreendem de forma negativa a segunda parte do vs. 12: "Judá não domina com Deus, e é infiel com o Santo" (NCV). Essa é uma tradução possível de um hebraico obscuro. Quanto à palavra "Santo", alguns a substituem por "prostitutas cultuais", o que requer uma emenda que alguns eruditos supõem ser legítima. Se essas ideias são válidas, então Oseias se queixava de duas apostasias. Mas contra essa noção rebela-se o pano de fundo histórico. Quando Oseias escreveu, a nação do sul ainda estava em condições espirituais aceitáveis, embora o reino do norte já estivesse pútrido como as palavras não podem descrever.

CAPÍTULO DOZE

Não há nenhuma interrupção entre os capítulos 11 e 12. Os 12.1 continua a seção iniciada em Os 11.12. Esses dois versículos introduzem a seção final com a *acusação formal* contra Israel e, possivelmente, também contra Judá. A acusação é seguida pelo anúncio do julgamento. A seção maior — Os 12.1—14.9 — trata da rebeldia e da restauração final, que traz à nossa frente, uma vez mais, a mudança do julgamento para a salvação, ilustrada em um gráfico no capítulo 1. "Embora o Senhor tenha conduzido Israel por meio dos profetas, a nação voltou-se para Baal e morreu. Contudo, o Senhor é o Salvador e, *se* Israel o reconhecer, ele os restaurará a uma vida abundante, porquanto ele ama Israel" (*Oxford Annotated Bible,* comentando sobre Os 12.1).

■ **12.1** (na Bíblia hebraica corresponde ao **12.2**)

אֶפְרַיִם רֹעֶה רוּחַ וְרֹדֵף קָדִים כָּל־הַיּוֹם כָּזָב וָשֹׁד יַרְבֶּה וּבְרִית עִם־אַשּׁוּר יִכְרֹתוּ וְשֶׁמֶן לְמִצְרַיִם יוּבָל׃

Efraim apascenta o vento. Efraim era como um idiota cósmico que tentava apascentar o vento e perseguir o vento oriental o tempo todo. Ver Os 8.7 quanto à ideia paralela de "semear o vento e colher a tempestade". "Apascentar" é perseguir com a tentativa de controlar, algo absurdo. O *vento oriental* era terrivelmente quente e um dos principais destruidores da agricultura na Palestina. Todavia, os ventos, apesar de ostensivamente controlados por Israel, na realidade eram perigos potenciais que, eventualmente, se voltariam contra os perseguidores e apascentadores, efetuando temível destruição. Isso porque Israel estava vencido pela fraude, repleto de mentiras e violência. Eles também firmaram alianças estrangeiras com a Assíria e presentearam o Egito com azeite e outros produtos. Talvez esteja em pauta o tributo, e talvez esteja em foco a *generosidade diplomática* que Israel esperava ser retribuída. No meio desse tratamento duplo, Yahweh foi esquecido, embora fosse ele o verdadeiro *Benfeitor*.

Em vez de "apascentar", alguns estudiosos dão "alimentar". Ter o vento como alimentação é uma dieta bastante destituída de substância! Israel seguia conselhos vazios e fazia promessas vazias. Provavelmente, o profeta falava especificamente contra as normas políticas internacionais mal orientadas que significam desastre para Israel e, finalmente, levariam a nação ao esquecimento.

O JULGAMENTO CONTRA JACÓ (12.2-6)

■ **12.2** (na Bíblia hebraica corresponde ao **12.3**)

וְרִיב לַיהוָה עִם־יְהוּדָה וְלִפְקֹד עַל־יַעֲקֹב כִּדְרָכָיו כְּמַעֲלָלָיו יָשִׁיב לוֹ׃

O Senhor também com Judá tem contenda. Israel foi conduzido ao tribunal divino, e Yahweh foi o acusador formal contra a nação. Ele era também o Juiz, pelo que as coisas iam muito más para Israel. O resultado da acusação já havia sido antecipado. Israel seria achado culpado e acabaria executado. A nação teria de pagar por suas muitas ofensas, especialmente sua interminável idolatria-adultério-apostasia. Cf. Os 4.1, onde Israel já tinha sido descrito como *acusado* em um tribunal judicial. "Jacó" representa aqui o reino do norte, conforme é usual nesse livro. A *Lei Moral da Colheita segundo a Semeadura* (ver a respeito no *Dicionário*) controlaria a situação. Israel, tendo semeado ventos, por certo colheria tempestades (ver Os 8.7).

■ **12.3** (na Bíblia hebraica corresponde ao **12.4**)

בַּבֶּטֶן עָקַב אֶת־אָחִיו וּבְאוֹנוֹ שָׂרָה אֶת־אֱלֹהִים׃

No ventre pegou do calcanhar de seu irmão. Jacó foi o homem que, ainda no ventre materno, começou sua carreira de enganos e usurpações. Ele pegou no calcanhar do irmão, significando que queria fazer-lhe o mal. A palavra aqui empregada pode querer dizer "ultrapassar", "suplantar". Ver Gn 25.26, onde Jacó obteve seu nome por meio desse ato. Mais tarde, Deus deu-lhe o outro nome de *Israel* (ver Gn 32.28), quando ele lutou com o anjo (perseverou com Deus) e prevaleceu. O homem mau de alguma maneira obteve poder com Deus, porquanto o propósito divino estava operando nele. Mas esse homem forte nunca conseguiu libertar-se de sua vileza interior, e foi essa característica (em Israel, seus descendentes) que prevaleceria até que o julgamento se fizesse necessário.

"O profeta sugeriu que o caráter enganador de Israel era *inerente* e impossível de erradicar. Até mesmo por ocasião de seu nascimento, Jacó tentou suplantar seu irmão" (Harold Cooke Phillips, *in loc.*). A despeito dos esforços de Jacó, Esaú nasceu em primeiro lugar e obteve o direito de primogenitura. Porém, por meio de truques, Jacó reverteu a situação.

■ **12.4** (na Bíblia hebraica corresponde ao **12.5**)

וַיָּ֥שַׂר אֶל־מַלְאָךְ֙ וַיֻּכָ֔ל בָּכָ֖ה וַיִּתְחַנֶּן־ל֑וֹ בֵּֽית־אֵל֙ יִמְצָאֶ֔נּוּ וְשָׁ֖ם יְדַבֵּ֥ר עִמָּֽנוּ׃

Lutou com o anjo, e prevaleceu. Esaú era superior como homem moral, mas Jacó era o *buscador espiritual* superior e, em última análise, isso o levou mais longe que seu irmão gêmeo. Jacó, tão cheio de defeitos espirituais, obteve poder superior ao anjo, na luta dos dois (ver Gn 32.24 ss.). Tendo obtido vantagem na luta, ele chorou e fez súplicas, continuou chorando e assim obteve a bênção divina, que o seguiria por todos os dias de sua vida. De fato, Jacó se encontrou com Deus em Betel (a casa de Deus), e isso o transformou para sempre. Deus falou com ele ali, em uma experiência mística inesquecível. Ver no *Dicionário* o artigo chamado *Misticismo*. Em contraste, as qualidades inferiores de Jacó marcaram os seus descendentes. Eles trocariam a casa de Deus pela casa de Baal. "Foi ali, em Betel, que Deus fez as gloriosas promessas a Jacó relativas à sua posteridade" (Adam Clarke, *in loc.*). Mas se os descendentes de Jacó o imitaram no que ele tinha de pior, não duplicaram seu valor espiritual.

■ **12.5** (na Bíblia hebraica corresponde ao **12.6**)

וַֽיהֹוָ֖ה אֱלֹהֵ֣י הַצְּבָא֑וֹת יְהוָ֖ה זִכְרֽוֹ׃

O Senhor, o Deus dos Exércitos, o Senhor é o seu nome. O Deus com o qual Jacó se encontrou (por meio do anjo), em Betel, era *Yahweh-Elohim-Sabaoth*, o Deus Eterno e Todo-poderoso, o Capitão dos Exércitos. Ver no *Dicionário* o verbete chamado *Deus, Nomes Bíblicos de*. *Yahweh* era o nome santo do Deus de Jacó, nome tão santo que os hebreus temiam pronunciá-lo. Jacó voltou-se para esse Deus, e todo o povo de Israel foi conclamado a fazer o mesmo, abandonando Baal, que lhes havia conquistado a atenção. O único Deus autoexistente, o Eterno, visitou Jacó, que ganhou uma bênção incomensurável através dessa visita. Mas o povo de Israel perdeu toda a direção espiritual e caiu em irrecuperável apostasia. Jacó lembrou o nome Yahweh, mas seus descendentes o esqueceram.

■ **12.6** (na Bíblia hebraica corresponde ao **12.7**)

וְאַתָּ֖ה בֵּאלֹהֶ֣יךָ תָשׁ֑וּב חֶ֤סֶד וּמִשְׁפָּט֙ שְׁמֹ֔ר וְקַוֵּ֥ה אֶל־אֱלֹהֶ֖יךָ תָּמִֽיד׃

Converte-te a teu Deus. Este versículo nos leva de volta a Os 11.10,11, que trata do tema de *Israel recolhido novamente à sua pátria*, e apresenta os mesmos problemas que discuto nos comentários sobre aqueles versículos. Um quadro lamentável acabara de ser pintado sobre Israel, a descendência de Jacó. Este versículo diz que o bem que estava em Jacó poderia transparecer em seus descendentes, tornando-os sujeitos à redenção em Yahweh, e não o mal que nele estava e os deixara cativos em países estrangeiros. A volta dos israelitas dependeria de eles viverem os princípios espirituais da lei mosaica, o amor, a justiça e a busca espiritual contínua, tendo por centro a pessoa de Elohim, o Poder. Cf. Sl 27.14. Quanto à lei de Moisés como o guia de Israel, ver Dt 6.4 ss. e também Sl 37.3,5,7 e 40.1. A chamada ao arrependimento e o andar espiritual garantiriam o retorno do cativeiro, ou a redenção futura, nos últimos dias. Nada teria sido feito por Israel, de valor, sem isso, tanto nos dias de Oseias como no futuro.

EFRAIM, NEGOCIANTE ASTUTO E PECADOR CONSTANTE (12.7-14)

Confiança de Efraim em suas Riquezas (12.7-9)

■ **12.7** (na Bíblia hebraica corresponde ao **12.8**)

כְּנַ֗עַן בְּיָד֛וֹ מֹאזְנֵ֥י מִרְמָ֖ה לַעֲשֹׁ֥ק אָהֵֽב׃

Efraim, mercador, tem nas mãos balança enganosa. Israel, perdido em sua idolatria-adultério-apostasia, caíra em uma infindável história de pecados, que Oseias parou para enumerar aqui e ali, sempre dizendo algo novo sobre o assunto. Na qualidade de *negociante*, Israel (*Efraim*, assim chamado 36 vezes no livro de Oseias) foi um horrendo exemplo de desonestidade, truques e traições. Ele usava práticas comerciais desonestas para oprimir outras pessoas. Seu guia era a ganância, e não Deus. As *riquezas* eram o alvo de sua vida (vs. 7), e não a espiritualidade obtida através da obediência à lei de Moisés. "Os comerciantes usam balanças desonestas. Eles gostam de enganar as pessoas" (NCV). Ver Pv 11.1 quanto às balanças enganadoras, e cf. Am 8.5. Qualquer arrependimento autêntico (vs. 6) exigiria mudanças nos hábitos comerciais, baseados em um novo senso de honestidade.

Mercador. Algumas versões, seguindo o original hebraico, dizem aqui "cananeu". Mas a referência, obviamente, é a Israel, e não a seus vizinhos. "... um jogo de palavras sobre o duplo sentido da palavra hebraica *Canaã*, ou seja, *cananeu* ou *negociante*. Cf. Ez 16.3: 'Teu nascimento e tua natividade são... de Canaã... teu pai era amorreu, e tua mãe era heteia'. Os descendentes naturais do piedoso Jacó se tinham tornado virtuais cananeus, negociantes que proverbialmente enganavam (cf. Is 23.11)... Ele os chamou de cananeus, o maior opróbrio para Israel, que desprezava os cananeus" (Fausset, *in loc.*). "A literatura desse período contém frequentes referências a essas tendências em Israel (Am 2.6; 8.5; Mq 6.10)" (Ellicott, *in loc.*).

A *opressão econômica* é o principal pecado apontado aqui, mas esse era apenas um tipo das transgressões que se tornaram o estilo de vida de Israel. Cf. Lv 19.36; Dt 25.13-16; Pv 11.1; 16.11; 20.10,23; Am 8.5 e Mq 6.11.

■ **12.8** (na Bíblia hebraica corresponde ao **12.9**)

וַיֹּ֣אמֶר אֶפְרַ֔יִם אַ֣ךְ עָשַׁ֔רְתִּי מָצָ֥אתִי א֖וֹן לִ֑י כָּל־יְגִיעַ֗י לֹ֥א יִמְצְאוּ־לִ֛י עָוֺ֖ן אֲשֶׁר־חֵֽטְא׃

Mas diz: Contudo me tenho enriquecido. *Efraim* (Israel é chamado assim, nesse livro, 36 vezes) havia enriquecido e ainda se jactava disso. Mas o que era uma *vantagem* aos olhos do povo de Israel, era uma *desvantagem* no livro de Deus. Grande era a culpa dos israelitas, e onde estiver grande culpa aí haverá grande julgamento. Na mente dos hebreus, a prosperidade estava vinculada à piedade, e Efraim pode ter-se equivocado tanto a ponto de pensar que esse era o caso. O profeta Oseias, entretanto, deixou claro que a *culpa* estava vinculada ao caso, e não a bênção de Yahweh.

> *O amor do dinheiro é raiz de todos os males; e alguns, nessa cobiça, se desviaram da fé, e a si mesmos se atormentaram com muitas dores.*
>
> 1Timóteo 6.10

Ver o artigo sobre *Dinheiro*, no *Dicionário*, que pode ser usado como ilustração da ideia deste versículo. Cf. Ap 3.17,18.

■ **12.9** (na Bíblia hebraica corresponde ao **12.10**)

וְאָנֹכִ֛י יְהוָ֥ה אֱלֹהֶ֖יךָ מֵאֶ֣רֶץ מִצְרָ֑יִם עֹ֛ד אוֹשִֽׁיבְךָ֥ בָאֳהָלִ֖ים כִּימֵ֥י מוֹעֵֽד׃

Mas eu sou o Senhor teu Deus desde a terra do Egito. *Yahweh-Elohim*, o Deus Eterno e Todo-poderoso, foi quem tirou os judeus do Egito, tema que figura mais de vinte vezes no livro de Deuteronômio, e, com grande frequência, no restante do Antigo Testamento (ver Dt 4.20). Foi Deus, igualmente, quem liderou Israel durante os anos passados no deserto. No livro de Oseias, ali Israel foi escolhido para ser um povo especial (ver Os 13.4,5). A desviada nação de Israel precisou passar outro período no deserto, um tempo de punição por não estar preparada para entrar na Terra Prometida, mas também um tempo de oportunidade, pois foi no monte Sinai que foi dada a lei que a tornou uma nação distinta (ver Dt 4.4-8). Israel teve de começar de novo a fim de encontrar lugar de restauração. Então as festividades começariam novamente, e o povo abandonaria Baal e o paganismo no qual estava imerso. Cf. Lv 23.33-43, a *Festa dos Tabernáculos*, cujo desígnio era mostrar a Israel seu caráter de peregrino. O exílio foi a nova perambulação pelo deserto, e a restauração dessa situação é demonstrada como algo possível, embora a história nos mostre que nunca aconteceu no tocante ao reino do norte, que simplesmente foi aniquilado.

O Trabalho dos Profetas em Efraim (12.10-14)

■ **12.10** (na Bíblia hebraica corresponde ao **12.11**)

וְדִבַּ֥רְתִּי עַל־הַנְּבִיאִ֖ים וְאָנֹכִ֣י חָז֣וֹן הִרְבֵּ֑יתִי וּבְיַ֥ד הַנְּבִיאִ֖ים אֲדַמֶּֽה׃

Falei aos profetas, e multipliquei as visões. Yahweh deu a seu povo a vantagem do trabalho dos profetas, que eram seus agentes, visando a iluminação de Israel por meio de sonhos e visões de revelação. Eles também tinham um ministério de ensino que operava, em parte, através de palavras repletas de significado. Em outras palavras, Yahweh não deixou os israelitas sem testemunho, o que tornou a idolatria-adultério-apostasia deles ainda mais indesculpável. Mas o povo de Israel repudiou as mensagens dadas em Os 9.7, e o abuso da oportunidade recebida apenas adicionou mais combustível às chamas da ira divina. Ver a introdução ao livro presente quanto a *gráficos* sobre os profetas, que mostram a natureza completa desse ministério. Ver também, no *Dicionário*, o artigo chamado *Profecia, Profetas e o Dom da Profecia*. Ver Hb 1.1.

■ **12.11** (na Bíblia hebraica corresponde ao **12.12**)

אִם־גִּלְעָ֥ד אָ֙וֶן֙ אַךְ־שָׁ֣וְא הָיוּ֒ בַּגִּלְגָּ֖ל שְׁוָרִ֣ים זִבֵּ֑חוּ גַּ֥ם
מִזְבְּחוֹתָם֙ כְּגַלִּ֔ים עַ֖ל תַּלְמֵ֥י שָׂדָֽי׃

Se há em Gileade transgressão, pura vaidade são eles. Embora tivessem sido bem instruídos pelos profetas, com encorajamentos e advertências apropriadas, havia grande iniquidade e hipocrisia entre o povo em *Gileade* (cf. Os 6.8) e *Gilgal* (cf. Os 4.15 e 9.15), que foi a epítome da corrupção generalizada de toda a nação. (Ver sobre as duas cidades no *Dicionário*.) Quando os assírios atacaram, seus altares, que tinham sido dedicados ao culto a Baal e a outros deuses de nada, foram reduzidos a uma pilha de pedras, e a "adoração" a Baal cessou. Demonstrou-se então que toda aquela "devoção" era inútil, dedicada a ídolos de madeira, pedra e metal. Note o leitor o jogo de palavras, no original hebraico, entre *Gilgal* e *montões de pedras* (no hebraico, *gallim*; cf. Os 10.18). *Gilgal* tornou-se um *gallim*. Gilgal sacrificava bois, os quais, com pequena emenda, no hebraico, transformam-se em "demônios", o que alguns eruditos supõem ser a forma original. Cf. 1Co 10.20, onde temos a mesma ideia. Gileade era uma cidade de sacerdotes, mas nem mesmo isso diminuiu a aceitação generalizada do paganismo por toda a nação do norte.

■ **12.12** (na Bíblia hebraica corresponde ao **12.13**)

וַיִּבְרַ֥ח יַעֲקֹ֖ב שְׂדֵ֣ה אֲרָ֑ם וַיַּעֲבֹ֤ד יִשְׂרָאֵל֙ בְּאִשָּׁ֔ה
וּבְאִשָּׁ֖ה שָׁמָֽר׃

Jacó fugiu para a terra da Síria. Este versículo se ajustaria melhor aos vss. 4-6, pelo que a *Revised Standard Version* o coloca aqui entre parênteses. Mas se o pusermos no lugar apropriado, então seremos novamente relembrados da bondade passada de Deus, que foi ilustrada na vida de Jacó, o antepassado distante de Israel. Jacó precisou fugir da cólera de seu irmão Esaú e esconder-se no deserto de Arã. Mas até mesmo ali Deus estava com ele, dando-lhe um trabalho frutífero e uma esposa esplêndida, *Raquel*, por quem ele trabalhou quatorze anos. Ver Gn 28.5; 29.20,28; Dt 26.5. Portanto, apesar de circunstâncias adversas, a bênção de Yahweh estava com ele, e *outro tanto poderia ser verdadeiro* no caso de Israel na Assíria.

■ **12.13** (na Bíblia hebraica corresponde ao **12.14**)

וּבְנָבִ֕יא הֶעֱלָ֧ה יְהוָ֛ה אֶת־יִשְׂרָאֵ֖ל מִמִּצְרָ֑יִם וּבְנָבִ֖יא
נִשְׁמָֽר׃

Mas o Senhor por meio dum profeta fez subir a Israel do Egito. Não somos aqui informados sobre como Jacó e sua família imediata entraram no Egito, pelo que a nação se desenvolveu ali. Mas somos informados sobre o profeta Moisés, que foi escolhido para tirar Israel do Egito. Houve um ministério de preservação e também um ministério de restauração, que livrou Israel da servidão no Egito, e o mesmo poderia acontecer no tocante à Assíria, *se* os filhos de Israel aceitassem as condições, ou seja, voltassem a observar a legislação mosaica como *guia* (ver Dt 6.4 ss.). Fica implícito que um povo obediente de Israel, na Assíria, poderia receber outro profeta preservador e libertador. Mas Israel nunca mudou, e nenhum novo Moisés apareceu. Também não houve um novo Josué que os guiasse para casa e os restaurasse à herança antiga.

■ **12.14** (na Bíblia hebraica corresponde ao **12.15**)

הִכְעִ֥יס אֶפְרַ֖יִם תַּמְרוּרִ֑ים וְדָמָיו֙ עָלָ֣יו יִטּ֔וֹשׁ וְחֶרְפָּת֕וֹ
יָשִׁ֥יב ל֖וֹ אֲדֹנָֽיו׃

Efraim mui amargamente provocou a ira. *Efraim* (termo usado 36 vezes nesse livro para indicar Israel), que não queria arrepender-se, seria deixado precisamente onde estava: na miséria, em uma terra estrangeira. Não haveria nenhum novo êxodo. A história não se repetiria. Sua *culpa de sangue* caiu sobre Israel. Isso pode referir-se aos muitos crimes de sangue que caracterizavam a nação do norte, ou à violência contra os verdadeiros profetas de Deus ou, mais provavelmente, a ambas as coisas. Também houve sacrifícios humanos, o aspecto mais horroroso da depravada idolatria de Israel. Ver 2Rs 17.17 sobre isso, e também no *Dicionário* o artigo chamado *Moleque, Moloque*. Por causa de seus muitos e nojentos pecados, Israel estaria sob a repreenda dos homens e de Deus. Os israelitas ficaram fora da possibilidade de redenção e afundaram no esquecimento. Cf. este versículo com Os 10.2 e 13.12,16. "Vossas misérias e destruição são de vossa própria invenção; vossa perdição veio de vós mesmos" (Adam Clarke, *in loc.*).

CAPÍTULO TREZE

O EFRAIM PECAMINOSO TINHA UMA CONDENAÇÃO INESCAPÁVEL (13.1-11)

Os Ídolos de Efraim (13.1-3)

■ **13.1**

כְּדַבֵּ֤ר אֶפְרַ֙יִם֙ רְתֵ֔ת נָשָׂ֥א ה֖וּא בְּיִשְׂרָאֵ֑ל וַיֶּאְשַׁ֥ם בַּבַּ֖עַל
וַיָּמֹֽת׃

Quando Efraim falavam, havia tremor. Efraim se tornara a mais numerosa e poderosa das doze tribos, e chegou a representar toda a nação do norte. Esse uso ocorre 36 vezes no livro. No auge de sua glória, tudo quanto Efraim tinha de fazer era falar, e os homens estremeciam. A tribo de Efraim foi *exaltada* em Israel e, aparentemente, permaneceu fora do alcance das condições adversas. Mas, em seu orgulho, tornou-se autossuficiente e livrou-se dos laços de Yahweh. E então, em ridícula atitude, envolveu-se no culto a Baal, um deus de nada que (segundo o povo imaginava) exigia toda a espécie de acessórios esquisitos para adornar seu culto. A tribo de Efraim afundou naquele poço miserável e, sufocada, morreu.

O hebraico original deste versículo é difícil, e alguns o interpretam com o sentido de que, quando Efraim era jovem, falava com voz trêmula, por causa de sua fraqueza inerente, dominada pelo medo. Mas, tornando-se mais idoso e mais forte, mergulhou no paganismo, com temíveis resultados.

Morreu. Isso deve ser entendido como "morrerá", por ocasião da invasão e do cativeiro assírio.

"Por causa do pecado da idolatria, Israel morreu. Cf. Os 2.13; Rm 6.23 e 8.13" (*Oxford Annotated Bible*, comentando sobre o vs. 1). Ver Gn 48.13-20 quanto à proeminência de Efraim. Jeroboão I, que tinha conduzido a nação do norte à secessão e à idolatria, era efraimita (ver 1Rs 11.26 e 12.25).

■ **13.2**

וְעַתָּ֣ה ׀ יוֹסִ֣פוּ לַחֲטֹ֗א וַיַּעֲשׂ֣וּ לָהֶם֩ מַסֵּכָ֨ה מִכַּסְפָּ֤ם
כִּתְבוּנָם֙ עֲצַבִּ֔ים מַעֲשֵׂ֥ה חָרָשִׁ֖ים כֻּלֹּ֑ה לָהֶם֙ הֵ֣ם
אֹמְרִ֔ים זֹבְחֵ֣י אָדָ֔ם עֲגָלִ֖ים יִשָּׁקֽוּן׃

Agora pecam mais e mais. Efraim tornou-se especialista em todas as coisas pertinentes ao fabrico e adoração de ídolos. Eles possuíam ídolos simples de madeira e pedra, mas também tinham ídolos sofisticados, feitos de metais preciosos que requeriam a habilidade de artífices especializados para serem produzidos. Eles faziam os homens sacrificar àquelas abominações e beijá-los, em uma homenagem ridícula a deuses que nada representavam. Cf. 1Rs 19.18 e Os

8.4,5. A adoração ao bezerro, instituída por Jeroboão I, em Betel e Dã, continuou a liderar a absurda parada de ídolos que marchava ao redor do país, de dia e de noite.

Uma tradução possível da cláusula final do versículo é: "Que os homens que sacrificam beijem os bezerros". Outra tradução possível é: "Eles oferecem sacrifícios humanos e beijam os bezerros". Literalmente, "os sacrificadores de homens beijam os bezerros". Isso seria uma referência ao sacrifício de crianças. Ver Lv 18.21; 20.2-5 e 2Rs 23.10, bem como, no *Dicionário*, o verbete chamado *Moleque, Moloque*. Contudo, o uso que se faz aqui da palavra "homens" não se presta muito para expressar o sacrifício de "crianças". Portanto, é provável que devamos compreender que os *homens, como sacrificadores,* são os que se rebaixam ao absurdo de beijar bezerros e chamá-los de deuses, algo tão estranho à iluminada mentalidade dos hebreus.

Quanto a uma excelente sátira da insensatez do fabrico e adoração de ídolos, ver Is 44.10-17. Ver também Sl 115.

■ 13.3

לָכֵן יִהְיוּ כַּעֲנַן־בֹּקֶר וְכַטַּל מַשְׁכִּים הֹלֵךְ כְּמֹץ יְסֹעֵר מִגֹּרֶן וּכְעָשָׁן מֵאֲרֻבָּה:

Por isso serão como nuvem de manhã. *Três figuras* descrevem como Efraim (Israel) devia perecer-se em breve, por causa de seus atos horrendos:

1. A *névoa matutina* (ver Os 6.4) desaparece completamente quando o sol aquece o meio ambiente. Certa quantidade de água se condensa sobre o solo, quando a noite esfria. Mas o sol evapora essa umidade quase instantaneamente quando amanhece o dia.
2. Então, no processo da debulha do grão, o vento leva a palha, que é a finalidade da debulha. A palha não tem estabilidade; é inútil; sua própria natureza é estar aqui hoje e ali amanhã. Cf. Sl 1.4.
3. Além disso, um homem pode observar uma *névoa* elevando-se de sua janela, mas quando olha novamente, minutos depois, não há mais névoa. O fogo é apagado ou se apaga voluntariamente, e não há mais fumaça nem fonte de fumaça. Mas alguns entendem que as janelas com gelosias permitem que a fumaça entre na casa e mais tarde saia dali, pelo que passa ao ar livre e desaparece para sempre. Cf. a metáfora da fumaça temporária com Is 51.6; Sl 68.2 e 102.3.

Cf. este versículo com Sl 37.35 e 73.17. Os ímpios prosperam, maravilhando e atemorizando outras pessoas. Mas o fim deles não anda longe, e os homens se admiram como coisas que parecem ser permanentes desaparecem no esquecimento. "O mal ganha batalhas, mas não pode ganhar a guerra. O tempo está ao lado da verdade. A verdade é uma rocha em meio à areia que afunda" (Harold Cooke Phillips, *in loc.*).

A verdade, esmagada por terra, erguer-se-á de novo;
Os anos eternos de Deus lhe pertencem;
Mas o erro, ferido, convulsiona de dor,
E morre junto com seus adoradores.

William Cullen Bryant

Yahweh, o Pastor de Efraim (13.4-6)

■ 13.4

וְאָנֹכִי יְהוָה אֱלֹהֶיךָ מֵאֶרֶץ מִצְרָיִם וֵאלֹהִים זוּלָתִי לֹא תֵדָע וּמוֹשִׁיעַ אַיִן בִּלְתִּי:

Todavia, eu sou o Senhor teu Deus desde a terra do Egito. *Yahweh-Elohim*, o Deus Eterno e Todo-poderoso, foi quem exerceu poder para tirar Israel da servidão no Egito, tema repetido por cerca de vinte vezes no livro de Deuteronômio (ver 4.20) e usado por todo o Antigo Testamento como ilustração dos cuidados e do poder de Yahweh no tocante ao seu povo. Esse Deus Eterno e Todo-poderoso requer toda a atenção, adoração e lealdade de Israel. Há somente um Ser Supremo; na realidade, existe somente um Salvador. Quanto a versículos iguais a este em sua essência, cf. Is 43.3,11; 44.6,8; 45.11,21. A Septuaginta expande esse versículo com uma glosa óbvia: "Eu sou o Senhor vosso Deus que estabeleceu os céus e criou a terra, cujas mãos criaram todo o exército celeste, e não mostrei essas coisas para vós a fim de seguirdes após elas. E vos tirei da terra do Egito".

Ver no *Dicionário* o verbete chamado *Monoteísmo*. O monoteísmo bíblico não ensina que há somente um Deus, mas ensina que o Deus único demanda nossa adoração e lealdade. Ele é o guia e preservador de todos os seres humanos. Cf. Cl.1.16. O que Deus criou, criou-o para si mesmo.

■ 13.5,6

אֲנִי יְדַעְתִּיךָ בַּמִּדְבָּר בְּאֶרֶץ תַּלְאֻבוֹת:
כְּמַרְעִיתָם וַיִּשְׂבָּעוּ שָׂבְעוּ וַיָּרָם לִבָּם עַל־כֵּן שְׁכֵחוּנִי:

Eu te conheci no deserto, em terra muito seca. *Os Cuidados do único Deus.* Que só existe um Deus, não é apenas uma proposição teológica. É igualmente o fato mais importante da vida humana, porque esse Deus único é também o grande Benfeitor que preserva e abençoa a vida humana. Foi ele quem guiou Israel pela terra seca e deu a eles o bastante para comer (vs. 6), suprindo todas as necessidades sob circunstâncias muito difíceis. Ele agiu como um pastor agiria em favor de suas ovelhas, pois, sem essa ajuda, Israel nunca teria saído do Egito; nunca teria atravessado o deserto; e nunca teria penetrado na Terra da Promessa. No entanto, mesmo no meio do deserto, os israelitas murmuraram e abandonaram Yahweh, seu Benfeitor e Preservador. Quanto às murmurações e rebeliões de Israel, no deserto, ver as notas em Nm 14.22.

Yahweh, o Destruidor do Povo (13.7,8)

■ 13.7

וָאֱהִי לָהֶם כְּמוֹ־שָׁחַל כְּנָמֵר עַל־דֶּרֶךְ אָשׁוּר:

Sou, pois, para eles como leão. Em vez de continuar sendo o Pastor de Israel, Yahweh se tornaria o seu Destruidor. Eles mesmos tinham insistido nessa tremenda mudança de papéis. Agora Yahweh seria como um leão e atacaria através dos assírios, a fim de efetuar grande *matança*, sem misericórdia. Ele seria como aquele grande e feroz felino, o leopardo, que gosta de matar os homens, tão fáceis de ser mortos. Ele se esconderia ao lado do caminho, esperando o momento certo para matar. Por terem esquecido Deus, "ele deixará de ser um pastor guardião protetor e se tornará, para seu povo, uma fera vingadora, destruidora, que atacaria e mataria. A ferocidade do leão e do leopardo era bem conhecida de Israel, bem como uma ursa roubada de seus filhotes (vs. 8), que era uma criatura perigosíssima" (John Mauchline, *in loc.*).

■ 13.8

אֶפְגְּשֵׁם כְּדֹב שַׁכּוּל וְאֶקְרַע סְגוֹר לִבָּם וְאֹכְלֵם שָׁם כְּלָבִיא חַיַּת הַשָּׂדֶה תְּבַקְּעֵם:

Como ursa, roubada de seus filhos. O amor precisa ser santo. Não pode esquecer a idolatria-adultério-apostasia. Usará coisas ferozes para efetuar a restauração. Mas a história mostrou que Israel foi além do ponto do qual ainda podia retornar. Logo, os vss. 7 e 8 fornecem terríveis metáforas de destruição. "Como um leão, um leopardo e uma ursa feroz, o Senhor atacaria seu povo, que é visto aqui como um rebanho de ovelhas impotentes (Os 13.7,8; cf. 5.14). Ironicamente, o Ajudador de Israel se tornaria seu destruidor, pois estava agindo contra essa nação (vs. 9)" (Robert B. Chisholm, Jr., *in loc.*). "Napoleão e Pasteur eram ambos cidadãos franceses. Mas um deles usou seu poder para destruir a humanidade, e o outro para salvá-la de suas enfermidades. O destruidor é sempre um salvador transformado, e o salvador é um destruidor potencial" (Harold Cooke Phillips, *in loc.*).

Onde Está Agora o Rei de Israel? (13.9-11)

■ 13.9

שִׁחֶתְךָ יִשְׂרָאֵל כִּי־בִי בְעֶזְרֶךָ:

A tua ruína, ó Israel, vem de ti, e só de mim o teu socorro. Israel tinha o mau hábito de confiar nas coisas erradas e, assim sendo, esquecia o princípio da ajuda de Deus, o Rei dos céus. Israel, pois, tornou-se autodestruidor e negligenciou a ajuda de Deus. Eles buscaram ajuda nas alianças com o estrangeiro e com cidades fortificadas.

Mas tudo fracassou, e aquele povo réprobo nunca apelou para o grande Ajudador. Se Yahweh resolveu ser o Destruidor, porventura algum poder na terra seria capaz de remediar a situação? Os ídolos fabricados por mãos humanas eram muito mais fracos do que aqueles que os fizeram. Esperar ajuda da parte dos ídolos seria um exercício de futilidade. De fato, Israel tinha caído em uma futilidade irremediável. Eles mesmos procuraram esse desfecho. Tinham brincado com o pecado tempo demais. Finalmente, o pecado os consumiu. "A destruição vem de vós mesmos (Pv 6.32 e 8.36)" (Fausset, *in loc.*).

■ 13.10

אֱהִי מַלְכְּךָ אֵפוֹא וְיוֹשִׁיעֲךָ בְּכָל־עָרֶיךָ וְשֹׁפְטֶיךָ אֲשֶׁר אָמַרְתָּ תְּנָה־לִּי מֶלֶךְ וְשָׂרִים׃

Onde está agora o teu rei...? O rei era nomeado pelo povo, naqueles tempos selvagens, como protetor. Tinha de ser guerreiro notável, homem capaz de organizar um exército. Também precisava ser excelente matador, e era nesse mister que encontrava sua glória.

Saul feriu os seus milhares, porém Davi os seus dez milhares...
1Samuel 29.5

Quando o inimigo atacava, sem importar quão grande era a força atacante, o povo esperava que o rei fizesse milagres. Mas, quando os assírios atacaram, a confiança deles seria amargamente desapontada. E os príncipes também não viriam em socorro do rei, fazendo o que ele não tinha conseguido fazer. Quando Israel quis ter um rei, no princípio do reinado em Israel, seu desejo baseava-se, primariamente, na questão da defesa. Isso não estava em concordância com o princípio do governo teocrático, encabeçado pelos juízes (ver 1Sm 8.6-9 e 12.12). Então Jeroboão surgiu e prometeu mais do que poderia fazer (ver 1Rs 12.16). "Eles tinham esperado de seus reis o que cabia exclusivamente a Deus: o poder de salvá-los" (Fausset, *in loc.*).

■ 13.11

אֶתֶּן־לְךָ מֶלֶךְ בְּאַפִּי וְאֶקַּח בְּעֶבְרָתִי׃ ס

Dei-te um rei na minha ira, e to tirei no meu furor. Saul foi dado como rei a Israel, porque assim o povo insistira, e assim obtivera o primeiro rei. Isso deu início a séculos de tristeza. Em seguida, *Jeroboão I* foi dado como rei à nação do norte, quando esta se separou da parte sul; e Jeroboão foi muito pior do que Saul. Sob ele, floresceu a idolatria, pecado do qual Saul não se mostrou culpado. Ver as referências sobre esses dois homens no vs. 10. Quanto aos pecados de Jeroboão, ver as notas expositivas sobre 1Rs 12.28 ss. Foi ele quem fez Israel pecar (1Rs 15.26; 16.2). Finalmente, Yahweh pôs fim a toda a triste atividade dos reis quando Oseias, o último rei da nação do norte, foi removido (ver 2Rs 17.1-6). Alguns intérpretes veem especificamente, neste versículo, as muitas mudanças de dinastias (mediante conspirações e assassinatos) que ocorreram nos dias de Oseias, o que demonstrou a total degeneração do reinado em Israel. No artigo intitulado *Israel, Reino de*, no *Dicionário*, listo os reis e dou uma breve descrição de cada um deles. Ver os reis de números 14-19, quanto ao caos em que mergulhou o reinado israelita. Israel, como reino do norte, perdurou por cerca de duzentos anos, e a maioria dos reis seguiu o mau exemplo de Jeroboão I.

Possibilidade de Reavivamento para Efraim (13.12-14)

■ 13.12

צָרוּר עֲוֹן אֶפְרָיִם צְפוּנָה חַטָּאתוֹ׃

As iniquidades de Efraim estão atadas juntas. Toda a história horrenda do pecado em que Israel estava envolvido não podia ser esquecida. Essas iniquidades estavam atadas, como se formassem um livro, e guardadas para referência futura. Deus lembraria o conteúdo do livro e, algum dia, teria de atacar, com ira, aqueles réprobos. Quanto ao livro das memórias, cf. Dn 7.10 e Ap 20.12. "É um pensamento aterrorizante o fato de que o pecado de alguém é guardado. Uma passagem do livro de Jó é ainda mais explícita: 'A minha transgressão estaria selada num saco' (Jó 14.17). Como desejaríamos que a sacola onde estão costurados nossos pecados tivesse grandes buracos, para que os pecados pudessem escorregar por ali e ser esquecidos" (Harold Cooke Phillips, *in loc.*). O pecado, uma vez guardado, finalmente morde como se fosse uma serpente (Pv 23.32). Contudo, o vs. 14 dá uma promessa de escape para esses pecados, caso os pecadores cumprissem certas condições. Seja como for, a redenção futura está garantida (ver Rm 11.26), mas essa era uma pequena consolação para aqueles que foram massacrados e levados para o cativeiro no tempo de Oseias.

Deus não havia esquecido os pecados de Israel. Cf. Os 10.2; 12.14 e 13.16. Quando a taça da iniquidade está cheia e pronta para transbordar, algo de drástico tem de acontecer. Ver Gn 15.16.

... segundo a tua dureza e coração impenitente acumulas contra ti mesmo ira para o dia da ira e da revelação do justo juízo de Deus.

Romanos 2.5

■ 13.13

חֶבְלֵי יוֹלֵדָה יָבֹאוּ לוֹ הוּא־בֵן לֹא חָכָם כִּי־עֵת לֹא־יַעֲמֹד בְּמִשְׁבַּר בָּנִים׃

Dores de parturiente lhe virão. A esposa infiel (Israel) subitamente é uma mulher grávida, figura bíblica comum que indica testes severos, embora inesperada neste ponto. Cf. Is 13.8 e Jr 30.6. Ainda que fosse um filho *sem sabedoria*, por alguma avaliação obteve o que merecia. Ele não queria sair do ventre materno ou, literalmente, "ele não se apresenta na boca do ventre". Tal demora resultaria na morte da mãe e do filho; e esse filho réprobo é apresentado como capaz de provocar isso por sua perversidade. "A ausência do arrependimento, no tempo certo, aumenta o perigo naquele estágio crítico do destino de Israel" (Ellicott, *in loc.*). Cf. 2Rs 19.3 e Is 37.3. "Assim como há um tempo crítico no parto, no qual a mãe que está em trabalho de parto pode, mediante ajuda especializada, ser aliviada de sua carga, o que, se for negligenciado, pode pôr em perigo a vida tanto da mãe quanto da criança, também houve tempo em que Efraim poderia ter-se voltado para Deus" (Adam Clarke, *in loc.*).

■ 13.14

מִיַּד שְׁאוֹל אֶפְדֵּם מִמָּוֶת אֶגְאָלֵם אֱהִי דְבָרֶיךָ מָוֶת אֱהִי קָטָבְךָ שְׁאוֹל נֹחַם יִסָּתֵר מֵעֵינָי׃

Eu os remirei do poder do inferno, e os resgatarei da morte. Por certo número de vezes, o texto do livro de Oseias deixa de falar sobre um severo julgamento para falar sobre a salvação e a vida, e ilustro isso no gráfico que acompanha o capítulo 1. Temos aqui, novamente, o mesmo fenômeno, e, por meio dele, um dos mais familiares versículos do livro, que Paulo citou em 1Co 15.55, com alguma adaptação. O presente versículo, na opinião de alguns, tem duas perguntas retóricas no começo e, se esse é o ponto de vista correto, então não há nenhuma esperança prometida. Essas perguntas são: Yahweh redimirá Israel do *sheol*? A resposta esperada é Não! A outra pergunta é: O apóstata Israel será redimido da morte? A resposta esperada também é Não! Mas outros intérpretes veem as duas questões alegadas como simples afirmações. Nesse caso, devemos compreender que a apóstata nação de Israel, ao arrepender-se, ainda poderia ser salva do *sheol* e da morte. Esse é o uso que Paulo faz do versículo, mas não significa que essa era a intenção original do autor. As perguntas retóricas concordam melhor com a conclusão do versículo: "Meus olhos não veem em mim arrependimento algum". Seja como for, a história era favorável à ideia negativa. Israel prosseguiu até a morte, mediante um processo ininterrupto. Não houve arrependimento que salvasse o dia.

Quanto ao *sheol*, ver o artigo com esse nome no *Dicionário*, e o artigo mais completo ainda sobre o *hades*. Originalmente, o *sheol* era somente uma referência ao sepulcro. Entretanto, a doutrina cresceu, tendo passado por diversos estágios. E chegamos a Lc 16, para representar um pós-vida tanto de bons quanto de maus espíritos, em compartimentos separados. Ver Sl 88.10; 139.8; Is 14.9; 29.4 e Pv 5.5 quanto a estágios no desenvolvimento da doutrina. Além disso, temos a magnífica doutrina de que Jesus, em um ministério pré-ressurreição, desceu ao hades e ofereceu ali salvação aos desobedientes. Ver 1Pe 3.18—4.6 e o artigo da *Enciclopédia de Bíblia, Teologia e Filosofia*, chamado *Descida de Cristo ao Hades*. O Deus de amor (ver

Jo 3.16) sempre faz mais pelos homens do que as nossas teologias antecipam. E haverá outras surpresas agradáveis, estou certo.

Este versículo, seja como for, não pode ser usado como prova de texto para a existência e sobrevivência da alma ante a morte biológica, nem acerca da ressurreição. Este versículo fala da destruição às mãos dos assírios, um julgamento temporal. Ver na *Enciclopédia de Bíblia, Teologia e Filosofia* a série de artigos chamada *Imortalidade*, e no *Dicionário* o verbete chamado *Alma*.

A Condenação de Efraim (13.15,16)

■ 13.15

כִּי הוּא בֵּן אַחִים יַפְרִיא יָבוֹא קָדִים רוּחַ יְהוָה
מִמִּדְבָּר עֹלֶה וְיֵבוֹשׁ מְקוֹרוֹ וְיֶחֱרַב מַעְיָנוֹ הוּא יִשְׁסֶה
אוֹצַר כָּל־כְּלִי חֶמְדָּה:

Ainda que ele viceja entre os irmãos, virá o vento leste. O *sheol* e a morte estariam ocupados, reduzindo a nada Efraim (Israel, assim chamado 36 vezes nesse livro). A paciência e a compaixão de Yahweh estariam totalmente exauridos, e os resultados seriam terríveis. Israel seria como uma flor fluvial, à beira da praia, mas subitamente removida de sua linha de vida. E então o *vento oriental* mortífero viria e ressecaria todas as fontes de Israel, transformando seu território em um deserto. Esse vento original (a Assíria) saquearia todos os tesouros de Israel, e assim a destruição seria completa. Para compreender melhor a figura simbólica, ver no *Dicionário* o verbete chamado *Vento Oriental*. Esse vento poderia ser desolador e devastador na Palestina e era muito temido pelos agricultores. Os vss. 15 e 16 falam das *pragas da morte* mencionadas no vs. 14. "A linguagem é própria das *maldições* do pacto (cf. Lv 26.2; Dt 28.21; 32.24,25; Am 4.10). A destruição viria porque Israel se rebelara contra Yahweh (vs. 16; cf. Os 7.13 e 8.1)" (Robert B. Chisholm, Jr., *in loc.*).

Diz o Targum: "Ele destruirá a casa de seus tesouros e deixará assoladas as cidades de seu reino; ele despojará os tesouros, todos eles vasos desejáveis".

Viceja. Efraim significa "frutífero". Assim sendo, a *terra frutífera* será transformada em deserto pelo sopro quente dos assírios. Provavelmente há aqui um jogo de palavras proposital.

■ 13.16 (na Bíblia hebraica corresponde ao 14.1)

תֶּאְשַׁם שֹׁמְרוֹן כִּי מָרְתָה בֵּאלֹהֶיהָ בַּחֶרֶב יִפֹּלוּ
עֹלְלֵיהֶם יְרֻטָּשׁוּ וְהָרִיּוֹתָיו יְבֻקָּעוּ: פ

Samaria levará sobre si a sua culpa. Para a Samaria, capital da nação do norte, a rebelião provocou as mais temíveis consequências. A espada (a guerra) devorou o país. Não houve misericórdia, nem mesmo para grávidas e crianças pequenas. As mulheres foram fendidas e seus fetos foram extraídos, em atos de ira insensata. Cf. este versículo com Os 10.14; 2Rs 15.16 e Am 1.13. Ver também 2Reis 8.12. O ataque dos assírios destruiria não somente o povo vivente, mas até mesmo a nova geração, antes mesmo que ela tivesse nascido. Essa era uma mensagem de condenação sem nenhum raio de esperança.

CAPÍTULO QUATORZE

CHAMADA FINAL AO ARREPENDIMENTO E À RESTAURAÇÃO (14.1-9)

Palavras de Arrependimento (14.1-3)

A parte final do capítulo 13 soava como um temível sonido de finalidade. O julgamento era certo e totalmente devastador. Mas agora voltamos a girar em torno do tema da salvação e da esperança. Por várias vezes nesse livro, temos visto a mudança de um assunto para outro, o que ilustro no gráfico do capítulo 1. "Israel ainda podia retornar ao Senhor, seu Deus, pois nele encontraria misericórdia (ver Sl 130.7,8; Is 55.6-9)" (*Oxford Annotated Bible*, comentando sobre o vs. 1). Cf. Os 11.8,9 e 13.13. Em termos do amor de Deus, a esperança nunca se perdeu, embora pudesse ser adiada. Ver Os 2.15-23. Os capítulos 1—3 projetam a possibilidade da restauração da esposa-prostituta, e isso estabeleceu o tom do restante do livro. A história demonstra que ainda não houve restauração para a nação do norte. De fato, essa nação morreu em uma terra estrangeira. Mas a esperança do profeta Oseias era a total restauração de Israel (ver Rm 11.26).

■ 14.1 (na Bíblia hebraica corresponde ao 14.2)

שׁוּבָה יִשְׂרָאֵל עַד יְהוָה אֱלֹהֶיךָ כִּי כָשַׁלְתָּ בַּעֲוֹנֶךָ:

Volta, ó Israel, para o Senhor teu Deus. O *povo caído podia retornar a Yahweh-Elohim*. Por isso a profecia de Oseias terminou com uma nota esperançosa. Uma nação arrogante rejeitaria o chamado (ver Os 10.12-15), mas esse chamado foi genuíno. Cf. Os 3.5 e 5.15—6.3. "Este versículo afirma que os sofrimentos e a ruína de Israel não foram ocasionados por seus infortúnios políticos, e, sim, por seus pecados. Eles deveriam retornar àquele contra quem tinham pecado... a causa deve ser remediada" (John Mauchline, *in loc.*). Ver no *Dicionário* o verbete chamado *Arrependimento*. Este versículo, obviamente, ensina o livre-arbítrio e a responsabilidade humana. O pecado causara a tristeza; o arrependimento podia remediar a situação. Cf. Os 5.5 e 13.9.

> Grande é o arrependimento que faz os homens atingir o caminho até o trono da glória.
>
> Yomac, viii

Volta, ó Israel, para o Senhor teu Deus; porque pelos teus pecados estás caído.

Sentimos que nada somos, pois tudo és tu e em ti.
Sentimos que algo somos, isso também
Vem de ti.
Sabemos que nada somos,
Mas tu nos ajudas a ser algo.
Bendito seja o teu nome! Aleluia!

Alfred Lord Tennyson

Teu toque tem ainda o poder antigo
Nenhuma palavra tua cai por terra inútil;
Ouve nesta solene hora da noite,
E, em tua compaixão, cura-nos a todos.

Henry Twell

Agora, pois, se diligentemente ouvirdes a minha voz, e guardardes a minha aliança, então sereis a minha propriedade peculiar... e vós me sereis reino dos sacerdotes e nação santa. São estas as palavras que falarás aos filhos de Israel.

Êxodo 19.5,6

■ 14.2 (na Bíblia hebraica corresponde ao 14.3)

קְחוּ עִמָּכֶם דְּבָרִים וְשׁוּבוּ אֶל־יְהוָה אִמְרוּ אֵלָיו כָּל־
תִּשָּׂא עָוֹן וְקַח־טוֹב וּנְשַׁלְּמָה פָרִים שְׂפָתֵינוּ:

Tende convosco palavras de arrependimento, e convertei-vos ao Senhor. Os *pecadores arrependidos* devem ter consigo as *palavras certas*, procedentes do coração, e, na presença de Yahweh, pronunciá-las em contrição. Haveria então confissão e petição para que o poder de Deus fosse empregado na libertação da culpa e do domínio do pecado. Pelo momento, o profeta esqueceu tudo acerca das oferendas e dos rituais; antes, falava sobre o coração contrito. Os lábios trariam oferenda aceitável, as primícias do arrependimento acompanhadas por uma vida piedosa, que se seguiria à oferenda inicial. A própria vida se tornaria um sacrifício vivo (ver Rm 12.1). "Ele não pede sacrifícios dispendiosos, mas, sim, palavras de uma penitência de todo o coração" (Fausset, *in loc.*). Quanto a sentimentos similares, cf. Sl 56.3; Is 48.20 e Jr 31.7. "As palavras do verdadeiro arrependimento que tomarmos conosco serão nossas oferendas no lugar de novilhas (cf. Sl 51.17)" (Ellicott, *in loc.*).

14.3 (na Bíblia hebraica corresponde ao 14.4)

אַשּׁוּר ׀ לֹא יוֹשִׁיעֵנוּ עַל־סוּס לֹא נִרְכָּב וְלֹא־נֹאמַר עוֹד
אֱלֹהֵינוּ לְמַעֲשֵׂה יָדֵינוּ אֲשֶׁר־בְּךָ יְרֻחַם יָתוֹם׃

A Assíria já não nos salvará. "A Assíria não nos poderá salvar e não confiaremos em nossos cavalos. Não diremos de novo: 'Nossos deuses', às coisas que nossas mãos fizeram. Mostra-nos a tua misericórdia, nós que somos como órfãos" (NCV). As coisas em que o povo antes confiava são negadas, pois somente Yahweh é o Salvador. Este versículo ensina a renúncia da vida anterior e o retorno ao antigo código de Israel, com o abandono de todo o culto a Baal. São enumerados três pecados constantes que representam o total da idolatria-adultério-apostasia: 1. as alianças com o estrangeiro; 2. confiança nas próprias forças ou nos símbolos de força, como o cavalo; 3. a idolatria, a adoração de coisas que o homem pode fazer com as próprias mãos.

Cf. Os 2.17 e o vs. 8 deste capítulo. Quanto a uma ótima sátira contra a idolatria, ver Is 44.10-17. Ver também no *Dicionário* o artigo chamado *Idolatria*. Ver Sl 33.17 quanto ao cavalo como animal que supostamente dava segurança aos homens. Israel, pois, tinha de livrar-se daquela *tríade pecaminosa,* se quisesse a restauração. Mas o povo de Israel, a nação do norte, amarrado em sua corrupção, tinha de colher a corrupção.

A Resposta de Yahweh (14.4-8)

14.4 (na Bíblia hebraica corresponde ao 14.5)

אֶרְפָּא מְשׁוּבָתָם אֹהֲבֵם נְדָבָה כִּי שָׁב אַפִּי מִמֶּנּוּ׃

Curarei a sua infidelidade, eu de mim mesmo os amarei. A resposta do Senhor também foi dada formando uma *tríade abençoada:* 1. Haveria *cura* para a infidelidade, ou seja, um fim eficaz para a idolatria. 2. Haveria abundante amor divino para a bênção e a orientação dada à vida. 3. A ira de Deus (através da invasão assíria) seria desviada.

O povo de Israel tinha a infidelidade como uma das doenças da alma (ver Is 1.6). A *cura* era requerida. O corpo do povo se tornara pútrido com enfermidades. Provavelmente há aqui uma alusão à idolatria adúltera do baalismo. O amor e a graça são dados aos humildes que estejam resolvidos a mudar. Isso já faz parte das atribuições de Deus, porque a cura não está nas mãos do homem. "Esta é uma reversão completa da imagem simbólica em Os 13.15" (Robert B. Chisholm, Jr., *in loc.*). "Gratuitamente, com um amor desmerecido e abundante (Ez 16.60-63). Outro tanto é dito sobre o Israel espiritual (Jo 15.16; Rm 3.24, 'sendo justificados gratuitamente pela sua graça'. Ver também Rm 5.8; 1Jo 4.10" (Fausset, *in loc.*). Cf. Rm 11.26, que promete a salvação restauradora.

> Ferido, mas curado.
> Carregado de pecado, mas perdoado.
> tua bondade é meu único céu.
>
> Stopford A. Brooke

No corpo humano, o poder da cura sempre se faz presente. Se houver um ferimento, o sistema apressa-se a curá-lo. Outro tanto se dá com o espírito. Mas, nesse caso, o mecanismo de cura é divino.

14.5 (na Bíblia hebraica corresponde ao 14.6)

אֶהְיֶה כַטַּל לְיִשְׂרָאֵל יִפְרַח כַּשּׁוֹשַׁנָּה וְיַךְ שָׁרָשָׁיו כַּלְּבָנוֹן׃

Serei para Israel como orvalho. Há outra *tríade divina* que traz a esperança, a saber: 1. Yahweh suprirá o orvalho refrescante que restaura a vida, removendo a maldição do deserto espiritual. 2. Uma vez renovado, o povo desabrocharia como o lírio nos vales bem regados. 3. O país lançaria novas raízes em sua nova terra, em vez de ser levado para um lugar estrangeiro, tal como o álamo envia profundas raízes solo adentro, recebendo vida e estabilidade das águas subterrâneas. Os lírios cresciam profusamente na Palestina, e o álamo era admirado como árvore nobre. Yahweh restauraria a vida, a beleza e a nobreza a um povo enfermo. Alguns intérpretes pensam aqui no *cedro*, espécie vegetal que tinha odor agradável, pelo que talvez essa seja a árvore em vista aqui. Cf. o vs. 6.

14.6 (na Bíblia hebraica corresponde ao 14.7)

יֵלְכוּ יֹנְקוֹתָיו וִיהִי כַזַּיִת הוֹדוֹ וְרֵיחַ לוֹ כַּלְּבָנוֹן׃

Estender-se-ão os seus ramos. As raízes da nobre árvore, Israel, espalhar-se-ão como as do álamo ou as do cedro. Será uma árvore tão bela como a oliveira, que cativa o olhar humano com sua excelente folhagem e suas azeitonas. Além disso, haverá o agradável odor de uma floresta de cedros do Líbano. Ver no *Dicionário* o artigo chamado *Cedro*. O profeta Oseias, assim sendo, destacou ainda outra *tríade abençoada* para ilustrar as promessas de restauração feitas por Yahweh. A árvore viva e espiritual elevar-se-ia em força e beleza, carregada de frutos. A oliveira é uma árvore que tem profusão de folhas, as quais lhe dão aparência agradável, e seus frutos são altamente prezados pelos homens. A fragrância do Líbano, por meio de seus cedros, era proverbial. Cf. Ct 4.11; Eclesiástico 39.14; Sl 52.8; Jr 11.16. "... os dons do amor divino" (Ellicott, *in loc.*). "Assim sendo, o nome de Israel será um bom sabor para todos (ver Gn 27.27)" (Fausset, *in loc.*). "... o seu louvor será um sacrifício ou um sabor doce para Deus: Ct 4.10,11; Ap 5.8; 8.3,4; 1Pe 2.5" (John Gill, *in loc.*).

14.7 (na Bíblia hebraica corresponde ao 14.8)

יָשֻׁבוּ יֹשְׁבֵי בְצִלּוֹ יְחַיּוּ דָגָן וְיִפְרְחוּ כַגָּפֶן זִכְרוֹ כְּיֵין לְבָנוֹן׃ ס

Os que se assentam de novo à sua sombra voltarão. As figuras empregadas novamente indicam *crescimento, vitalidade* e *agradabilidade.* Israel sai do sol quente no deserto do pecado e busca o frescor sob a sombra do amor divino. Eles voltam à sombra e esquecem o deserto. Florescem como um jardim plantado em lugar bem regado; medram como a vinha que tinha generoso suprimento de graças divinas; e exalam a fragrância dos cedros do Líbano, a terceira menção a essa espécie vegetal no presente contexto. "Eles seriam reunidos no meio de seu cativeiro e habitariam sob a sombra do seu Messias" (diz o Targum, sobre este versículo). Cf. Os 12.10. "A forma dessas promessas se deriva dos sinais externos de prosperidade nacional... mas os símbolos falam em refrigério espiritual" (Ellicott, *in loc.*).

"É notável que Israel, que se desviara da fidelidade ao Senhor pelas seduções da adoração à natureza, conforme exemplificado no serviço prestado ao deus Baal, agora receba uma promessa de novidade de vida e força, descrita sob figuras retiradas da natureza, como a estabilidade e a beleza de uma árvore, o caráter atrativo de um jardim, e a vitalidade abundante do trigo e da vinha. Essa era uma maneira altamente significativa de dizer que o Senhor cumpriria todas as expectações deles e supriria todas as suas necessidades" (John Mauchline, *in loc.*).

14.8 (na Bíblia hebraica corresponde ao 14.9)

אֶפְרַיִם מַה־לִּי עוֹד לָעֲצַבִּים אֲנִי עָנִיתִי וַאֲשׁוּרֶנּוּ אֲנִי
כִּבְרוֹשׁ רַעֲנָן מִמֶּנִּי פֶּרְיְךָ נִמְצָא׃

Ó Efraim, que tenho eu com os ídolos? "Israel, nada tenhas a ver com os ídolos. Eu, o Senhor, sou aquele que responde às tuas orações. Eu sou aquele que cuida de ti. Sou como um pinheiro verdejante. Tuas bênçãos vêm de mim" (NCV). Já vimos que a esposa prostituta dava crédito a Baal por seu bem-estar e suprimento abundante. Ver Os 2.5. Mas Yahweh, desde o princípio, era a real fonte de todas as bênçãos (Os 2.8).

> Fonte tu de toda bênção,
> Vem o canto me inspirar;
> Dons de Deus, que nunca cessam,
> Quero em alto som louvar.
>
> Robert Robinson

Por causa dos pecados de Efraim, Yahweh tinha sido como um leão e um leopardo para Efraim (ver Os 13.7). Mas a renovação espiritual reverteria esse senso de destruição e traria à luz de um novo dia.

O cipreste verde. Diz aqui a *Revised Standard Version:* "o cipreste perenemente verde"; a NCV diz: "o pinheiro". Essas são árvores que não perdem a folhagem nem mesmo no mais frio inverno. Por semelhante modo, as graças divinas nunca se encolhem. "... sempre verde no inverno, e outro tanto no verão" (Fausset, *in loc.*). Essas árvores não produzem fruto, mas a graça divina está sempre carregada de frutos, que existem para *serem dados* aos que se arrependem.

Pós-escrito (14.9)

■ **14.9** (na Bíblia hebraica corresponde ao **14.10**)

מִי חָכָם וְיָבֵן אֵלֶּה נָבוֹן וְיֵדָעֵם כִּי־יְשָׁרִים דַּרְכֵי יְהוָה וְצַדִּקִים יֵלְכוּ בָם וּפֹשְׁעִים יִכָּשְׁלוּ בָם׃

Quem é sábio que entenda estas cousas. O livro de Oseias termina com uma *declaração de sabedoria*. Os *sábios* compreenderão a mente divina, bem como o que Yahweh requer dos homens para dar-lhes vida e bênçãos. O profeta Oseias terminou seu livro, e, de maneira bem real, o livro é uma obra de instruções na sabedoria, para um povo que perdeu seu caminho nas veredas da corrupção. Eles se tornaram transgressores notórios em sua ignóbil idolatria-adultério-apostasia. Abandonaram a lei de Moisés, que informa aos homens o que é certo e o que é errado. Os provérbios são declarações de sabedoria que fomentam e embelezam as leis conferidas por Moisés. Os mandamentos, pois, são *guias* para Israel (ver Dt 6.4 ss.). Esses mandamentos transmitem *vida* (Dt 4.1; 5.33; 6.2; Ez 20.11), tornando Israel uma nação *distinta* (Dt 4.4-8). Os transgressores são os insensatos que não aprenderam a sabedoria da lei e acabam tropeçando por causa dos mandamentos. "Em Deus está a nossa esperança. Que aquele que é *todo sábio* (ver Is 31.2) nos torne sábios!" (Harold Cooke Phillips, *in loc.*).

"Quão instrutivas, quão convincentes, quão despertadoras e, no entanto, quão consoladoras são as palavras desta profecia. Leitor, deixe-as assentar-se no seu coração" (Adam Clarke, *in loc.*). "O mandamento desobedecido tornou-se a razão da queda (cf. Os 5.5; 14.1). Que todos os que lerem as palavras de Oseias andem e não tropecem!" (Robert B. Chisholm, Jr., *in loc.*).

Se alguém quiser fazer a vontade dele, conhecerá a respeito da doutrina, se ela é de Deus ou se eu falo por mim mesmo.
João 7.17

O rio da tua graça está fluindo livremente.
Lançamo-nos em suas profundezas para retornar a ti.
Paul Rader

JOEL

O LIVRO QUE DESCREVE O DIA DO SENHOR

> *Treme a terra e os céus se abalam; o sol e a lua se escurecem, e as estrelas retiram o seu resplendor.*
>
> JOEL 2.10

3	Capítulos
73	Versículos

INTRODUÇÃO

Quanto ao significado do nome *Joel*, ver no *Dicionário* o artigo *Joel (Não o Profeta)*.

ESBOÇO

I. Caracterização Geral
II. Joel e a Autoria do Livro de Joel
III. Data
V. Pano de Fundo Histórico e Propósitos
V. Alguns Pontos Teológicos Distintos do Livro
VI. Esboço do Conteúdo
VII. Bibliografia

I. CARACTERIZAÇÃO GERAL

Joel foi um profeta do reino de Judá, que alguns pensam ter agido em cerca de 800 a.C., enquanto outros imaginam ser dos tempos pós-exílicos. Mas, apesar de suas profecias terem sido dirigidas especificamente ao reino do sul, Judá, a sua mensagem é universal. Se aceitarmos a data mais antiga, então o seu ministério se deu durante o reinado de Joás (2Cr 22—24). Assim sendo, é possível que tenha conhecido Elias, quando ainda era menino, e por certo era contemporâneo de Eliseu. Joel escreveu uma obra-prima poética, falando sobre a devastadora praga de gafanhotos que havia assolado a Palestina. Todavia, seu poema profético envolve quatro mensagens centrais. Além da espantosa devastação produzida pelos gafanhotos (símbolo da ira divina, além de poder predizer outros juízos divinos), Joel também falou sobre a frutificação renovada da terra, sob a condição de arrependimento; o dom do Espírito, nos últimos dias; e o julgamento final das nações que tinham perseguido ou causado dano à nação de Israel. Os estudiosos conservadores veem sentidos escatológicos ainda mais profundos em seus escritos, afirmando que eles se aplicam ao final da nossa dispensação. De fato, o esquema profético de Joel é o mais completo do Antigo Testamento, embora o autor nos apresente esse esquema em largas pinceladas. Só o Novo Testamento vai mais longe na abrangência de sua visão. Naturalmente, em um livro pequeno como o de Joel, não há detalhes, que os demais livros proféticos se encarregam de preencher. Não foi à toa que Pedro, no primeiro sermão da igreja cristã, tenha citado diretamente somente Joel e Davi! Ver At 2.14-36.

Para alguns eruditos, o livro de Joel não foi escrito somente por um autor; segundo eles, houve uma série de suplementos, da parte de outros autores, que seriam nacionalistas e escatologistas militantes. Esses acreditam que tudo o que se lê de Joel 3.1 em diante é suplementar. Além disso, um editor jeovista (alguém que favorecia o uso do nome divino Yahweh) teria feito alguns acréscimos nos caps. 1 e 2, procurando converter a descrição da praga de gafanhotos em uma profecia sobre o dia do juízo divino. Nesse caso, Joel teria originalmente narrado, com grande brilhantismo, a praga de gafanhotos, que havia devastado campos, pomares e vinhedos, além de haver convocado o povo de Judá ao jejum e à oração, para que a devastação dos insetos terminasse. Finalmente, Joel teria registrado o livramento que se havia seguido, mediante ações de graças. Usualmente, quando os eruditos veem a mão de vários autores em um livro, mormente se esse é pequeno, como o de Joel, eles se estribam sobre meras razões subjetivas, escudando-se naquilo que este ou aquele supõe que o autor sagrado deva ter escrito. E os argumentos contrários são igualmente subjetivos, de tal modo que quase sempre esses debates são inócuos, e não levam a nada. Os eruditos conservadores, como é natural, não gostam de ver os livros da Bíblia perturbados e manipulados, quase como se isso fosse contrário à divina inspiração. Os estudiosos liberais, por sua vez, em seu afã por sondar, examinar e entender pequenos detalhes, quase sempre se acham capazes de encontrar mais de um autor em qualquer obra escrita. Mas, se houve mesmo um só ou mais de um autor, em qualquer livro da Bíblia, isso nada tem a ver com a sua espiritualidade, e só deve tornar-se uma questão de debate se puder aprimorar o nosso conhecimento acerca das qualidades históricas e literárias da obra em discussão.

Na lista dos doze profetas menores, segundo o cânon hebreu, Joel aparece em segundo lugar; mas, na *Septuaginta* (ver a respeito no *Dicionário*), aparece em quarto lugar. O texto massorético exibe os quatro capítulos tradicionais; mas as versões da Septuaginta trazem três, combinando os capítulos 2 e 3 em 2.1-27,28-32. A Vulgata Latina também segue esse arranjo.

A profecia de Joel parte da praga de gafanhotos, agravada por seca e fome subsequentes. Essa praga se assemelhava a um exército devastador, que atravessou, marchando, a região inteira da Palestina. Isso levou o profeta a meditar em termos mais amplos, sobre o juízo divino vindouro. Alguns estudiosos veem aí uma predição sobre os cativeiros assírio e babilônico, e, além disso, um quadro escatológico sobre o futuro Dia do Senhor. Tal juízo requer arrependimento da parte dos homens, pelo que lemos: "Rasgai o vosso coração, e não as vossas vestes, e convertei-vos..." (2.13), o que aponta para um autêntico arrependimento, e não para mero cerimonial religioso. A lamentação também é requerida (1.14; 2.15). Os sacerdotes deveriam tomar a liderança, conclamando o povo ao arrependimento e à retidão de vida; porém, somente uma conversão genuína será capaz de salvar, no dia da tribulação (2.12-17). Deus é misericordioso com os penitentes (2.14).

O estilo de Joel é dramático e prende a atenção do leitor. Os processos da natureza, bem como aqueles provocados pelos homens, estão sob o controle de Deus, de tal modo que, em todas as vicissitudes da vida, a nossa responsabilidade primária é diante de Deus. O juízo divino não consiste em mera vingança. Antes, é um meio de produzir o bem, visando especificamente esse bem, embora precise preencher o seu ofício retributivo. A salvação é prometida aos humildes e aos arrependidos. É interessante observar que Pedro, ao empregar as predições de Joel, convocou o povo judeu a arrepender-se.

Se procurarmos por duas contribuições distintivas do livro de Joel, poderíamos apontar para sua ênfase sobre o Dia do Senhor e sobre o derramamento do Espírito Santo sobre todo o povo de Deus. O Novo Testamento ensina-nos que o cumprimento primário dessas predições se deu no dia de *Pentecostes* (ver a respeito no *Dicionário*), dez dias após a ascensão do Senhor Jesus, conforme se vê no segundo capítulo do livro de Atos. Mas o cumprimento maior espera pelo próprio *Dia do Senhor* (ver também a respeito no *Dicionário*), aquela série de acontecimentos que culminará com o segundo advento de Cristo e o estabelecimento do reino milenar de nosso Senhor, Jesus Cristo.

II. JOEL E A AUTORIA DO LIVRO DE JOEL

1. *Joel*. Praticamente nada conhecemos a respeito de Joel, e as próprias tradições não nos ajudam muito. Sabemos que ele atuou como profeta no reino do sul, Judá, e que seu livro era listado como o segundo dos profetas menores. O nome de seu pai era Petuel (Jl 1.1; At 2.16). Ele vivia em Judá, talvez em Jerusalém. A data de seu ministério é disputada. Alguns o situam tão cedo quanto 800 a.C., pelo que ele seria contemporâneo do rei Uzias e de profetas como Amós e Isaías, tendo talvez até conhecido Elias e Eliseu. A obscuridade de Joel tem mesmo feito alguns eruditos opinar que sua realidade histórica é duvidosa.

2. *Autoria*. Temos aqui um problema de integridade. Em outras palavras, uma pessoa só escreveu o livro inteiro, ou, em sua forma presente, o livro é uma compilação? Isso é mais bem tratado na primeira seção, *Caracterização Geral*.

III. DATA

As datas atribuídas ao livro de Joel variam muito. Alguns o situam pouco depois da divisão de Israel em dois reinos: Israel e Judá, ou seja, algum tempo depois de 932 a.C. Outros pensam que Joel escreveu no tempo de Malaquias, em cerca de 400 a.C., ou mesmo mais tarde. Se a praga de gafanhotos teve por intuito advertir, metaforicamente, sobre as invasões assíria e babilônica, com os subsequentes dois cativeiros, então o livro é de origem pré-exílica, talvez nos dias de Joás, rei de Judá, que reinou em cerca de 835—832 a.C.

Argumentos em Favor da Data Mais Antiga:
1. O estilo e a atitude geral do livro são diferentes dos livros de Ageu, Zacarias e Malaquias, profetas pós-exílicos. Sua

linguagem e estilo pertencem mais ao período da literatura clássica dos hebreus.
2. Joel parece paralelo ao livro de Amós, e este último parece ter feito uso de certas ideias de Joel, como Jl 3.16 (em Am 1.2) e Jl 3.18 (em Am 9.13).
3. Os adversários de Israel, no livro de Joel, são os fenícios, filisteus, egípcios e idumeus (3.4), e não os assírios e babilônios, que assediaram Israel e Judá bem mais tarde.
4. A posição de Joel, como o segundo livro da lista dos profetas menores (embora quarto, na Septuaginta), indica uma data mais antiga do livro.
5. Jl 1.1—2.7 é similar às profecias de Jeremias e sobretudo às de Isaías (4.2,3).
6. Joel não faz nenhuma alusão aos assírios e babilônios, o que parece inconcebível caso ele tivesse vivido quando essas potências estavam levantando-se ameaçadoras. Se o cativeiro assírio e o cativeiro babilônico já tivessem ocorrido, é difícil imaginar por que ele não teria tecido nenhum comentário a respeito. E se certos trechos de Joel, de acordo com alguns, seriam referências a esses cativeiros, então deve-se responder que são trechos proféticos preditivos e não históricos, como ocorre Os 6.11 e Mq 1.16.

Argumentos em Favor da Data Mais Recente:
1. Jl 3.1 é uma clara referência ao cativeiro babilônico, se partirmos da ideia de que temos aí um informe histórico, e não uma profecia preditiva.
2. Os eruditos encontram mais de vinte paralelos literários com os profetas posteriores, como Malaquias e Obadias, contradizendo os pontos 2 e 5, anteriores. As fontes informativas que temos investigado não listam esses alegados paralelos, porém devemos supor que eles sejam satisfatórios, para alguns estudiosos, como evidências. Todavia, isso enfraquece bastante o argumento, podendo até mesmo invalidá-lo.
3. A descrição de Joel sobre a adoração religiosa parece refletir um país unido, e não dividido, e isso situaria o livro, quanto ao tempo, após o retorno de Judá do cativeiro babilônico. Não há alusões à adoração idólatra nos lugares altos etc., o que fez parte importante da história de Judá, antes do cativeiro. Nenhuma menção é feita ao reino do norte, provavelmente porque ele não mais existia. Judá, agora, era Israel; as circunstâncias que prevaleciam após o exílio babilônico, assim como o retorno de Judá, transparecem no fato de que "Judá" e "Israel" são nomes usados como sinônimos (2.27; 3.2,16,20).
4. A expressão de Joel, "opróbrio, para que as nações façam escárnio dele" (2.17,19), é típica dos tempos pós-exílicos.
5. Os "muros" referidos em 2.9 talvez sejam as muralhas restauradas por Neemias, em Jerusalém, em 444 a.C.
6. Os gregos são mencionados, mas não como o poder mundial dominante (3.6). O predomínio grego só ocorreu após Alexandre, o Grande (336—323 a.C.).
7. Sidom ainda haveria de ser julgada (3.4), mas isso não aconteceu senão quando Artaxerxes III realizou o julgamento, vendendo os sidônios à escravidão, em cerca de 345 a.C.
8. Várias palavras hebraicas são de uso tardio, como "ministros" (1.9,13; 2.17); "lanças" (2.8); "vanguarda" e "retaguarda" (2.20); o pronome pessoal "eu", que Joel dá como *ani*, mas que o hebraico mais antigo dizia *anoki*. Ver Jl 2.27; 3.10,17.
9. A ênfase escatológica é similar àquela dos profetas posteriores, isto é, Ezequiel, Sofonias, Zacarias e Malaquias.

Datas Anteriores e Posteriores. Alguns estudiosos afirmam que a porção original do livro de Joel reflete o período pré-exílico (1.1—2.27), mas o restante do livro é de origem pós-exílica. Essa teoria poderia explicar os vários argumentos que defendem as datas anteriores e posteriores para o livro.

Na verdade, não há como solucionar o problema da data do livro de Joel, nem a ausência dessa informação prejudica, em sentido algum, a tremenda mensagem divina que o livro nos oferece.

IV. PANO DE FUNDO HISTÓRICO E PROPÓSITO

A grande praga de gafanhotos e o julgamento divino, ou dia do juízo, simbolizado por aquela praga, deram origem a esse livro. Grandes pragas de gafanhotos ocorriam periodicamente, no Oriente Próximo, até onde a história é capaz de registrar, pelo que é impossível identificar qualquer praga particular, como aquela mencionada por Joel. Se este livro foi escrito em tempos pré-exílicos, em antecipação ao castigo das nações de Israel e de Judá pelos assírios e babilônios, respectivamente, então esse foi um dos motivos da composição do livro. O motivo imediato dos oráculos de Joel foi o incidente da severa praga de gafanhotos. Todavia, uma coisa não podemos esquecer: Joel antevia um julgamento divino final, no dia do Senhor. E alguns eruditos vinculam as profecias de Joel ao *Armagedom* (ver a respeito no *Dicionário*), através da invasão da Palestina por parte de potências gentílicas do norte (Jl 2.1-10). A destruição desses exércitos invasores aparece em Jl 2.11. O arrependimento da nação de Israel, no fim, é visto em Jl 2.12-17. Também há menção à infusão ou derramamento do Espírito, em bases mundiais, em Jl 2.12-17, nos *últimos* dias (o que para nós ainda parece futuro). Todavia, devemos entender que, para Pedro, o início do cristianismo já marcava os "últimos dias" (ver At 2.16,17). O retorno do Senhor Jesus ao mundo (a *parousia*; consultar sobre esse termo no *Dicionário*) é visto em Jl 2.30-32, e o recolhimento do disperso povo de Israel, em sua própria terra, em Jl 3.1-16. Em seguida, aparecem as bênçãos do reino milenar (Jl 3.17-21). Quantos desses informes são realmente proféticos, e quanto os cristãos têm lido nessas predições, continuará sendo motivo de debates, até que os acontecimentos preditos realmente aconteçam. Naturalmente, o livro faz do arrependimento a condição *sine qua non* para alguém estar espiritualmente preparado para aqueles momentosos acontecimentos finais.

V. ALGUNS PONTOS TEOLÓGICOS DISTINTOS DO LIVRO

1. Se admitirmos que o livro de Joel contém predições sobre os últimos dias desta dispensação, então a mensagem dele é crucial para que possamos formar um completo esquema escatológico. "É notável que Joel, tendo surgido no começo mesmo da profecia escrita (836 a.C.), seja o livro que nos fornece a visão mais completa da consumação de toda a profecia escrita" (SCO, *in loc.*) As observações feitas por Joel naturalmente dependem, em grande parte, da data em que o livro foi composto e, em segundo lugar, da aplicação correta das predições em questão. Se Joel só falava sobre uma praga de gafanhotos e sobre a necessidade de Israel se arrepender, em face dessa praga, então o livro é ridiculamente destituído de importância!
2. A posição exclusiva dada à nação de Israel, na economia divina, é muito enfatizada. Joel afunila ainda mais o esboço de sua atenção: somente um remanescente, dentro do povo de Israel, será salvo, e não a casa inteira de Israel (2.32). Naturalmente, essa visão é menos abrangente que a de uma restauração universal de todas as coisas, como a que se vê em At 3.20,21 e Ef 1.9,10. Joel vai até onde Paulo também foi (ver Rm 11.26), pois ambos acreditavam na conversão final de todos os escolhidos dentre o povo de Israel.
3. O derramamento universal do Espírito Santo aparece em Jl 2.28,29. Os cristãos primitivos aplicavam isso ao Pentecostes e a seus resultados, conforme se vê em At 2.16 ss., mas não exclusivamente a eles, porque o restante do Novo Testamento prevê um derramamento muito maior e cabal do Espírito Santo, durante o período da Grande Tribulação, com uma colheita de almas inigualável em toda a história do mundo: "Depois destas cousas vi, e eis grande multidão que ninguém podia enumerar, de todas as nações, tribos, povos e línguas, em pé diante do trono e diante do Cordeiro, vestidos de vestiduras brancas, com palmas nas mãos, e clamavam em grande voz, dizendo: Ao nosso Deus que se assenta no trono, e ao Cordeiro, pertence a salvação" (Ap 7.9,10).
4. Uma figura messiânica todo-importante não figura no livro de Joel.
5. Joel via claramente como o propósito e as obras de Deus acompanham e influenciam os processos históricos no mundo, uma visão teísta, em contraste com a posição do deísmo. Ver no *Dicionário* sobre o *Teísmo* e sobre o *Deísmo*.
6. O *Dia do Senhor.* "As duas grandes contribuições de Joel à religião bíblica encontram-se em sua ênfase no Dia do Senhor e no derramamento do Espírito de Deus sobre todos os povos"

(AM). Quanto a referências sobre o *Dia do Senhor,* ver Jl 1.15; 2.1,11,31; 3.14. Ver no *Dicionário* o artigo separado sobre o *Dia do Senhor.*

VI. ESBOÇO DO CONTEÚDO
I. O Dia do Senhor Exemplificado (1.1-20)
  1. O profeta (1.1)
  2. A praga de gafanhotos (1.2-7)
  3. O arrependimento de um povo aflito (1.8-20)
II. O Dia do Senhor nas Profecias Bíblicas (2.1-32)
  1. Os exércitos invasores (2.1-10)
  2. O exército do Senhor no Armagedom (2.11)
  3. O remanescente penitente (2.18-29)
  4. Sinais da vinda do Senhor (2.30-32)
III. O Julgamento das Nações (3.1-19)
  1. A restauração de Israel (3.1)
  2. O julgamento das nações (3.2,3)
  3. Condenação da Fenícia e da Filístia (3.4-8)
  4. Edom e Egito desolados (3.17-19)
IV. As Bênçãos do Milênio (3.20,21)
  1. Judá é restaurado e perpetuado (3.20)
  2. O Senhor sobre seu trono, em Sião (3.21)

VII. BIBLIOGRAFIA
AM G HARR I IB PF PU SCO

Ao Leitor
O leitor sério, antes de lançar-se ao estudo desse livro, lerá a *Introdução,* que trata de assuntos importantes como: caracterização geral; Jl e a autoria do livro de Joel; data; pano de fundo histórico; propósitos; alguns pontos teológicos distintos do livro. Os profetas são classificados, cronologicamente, de acordo com o esquema seguinte: pré-exílicos; exílicos e pós-exílicos. Há controvérsia sobre a questão no que diz respeito a Joel, o que discuto amplamente na introdução, seções I e III. Uma poderosa nação (1.6) haveria de atacar. Alguns estudiosos dizem que estão em pauta os assírios, mas outros falam nos babilônios. Certos eruditos, porém, pensam que a referência seja geral e fale de ambos os poderes. A grande praga de gafanhotos (Jl 1.1—2.27) pode ser uma metáfora sobre um ou mais povos invasores. Ou então está em foco uma praga literal de gafanhotos, tão gigantesca que ocupou larga porção do livro. Mais provavelmente a praga foi literal, porém tornou-se símbolo de "hordas humanas" em um ataque.

Há certo número de empréstimos ou alusões às mensagens dos profetas que ministram próximo à época do cativeiro babilônico, o que parece situar as profecias de Joel dentro desse período de tempo. A praga de gafanhotos foi tomada como terrível advertência de coisas ainda piores que estavam por vir. Não foi necessário nenhum prodigioso salto mental para reconhecer que o advento do *Dia do Senhor* foi ordenado de antemão por eventos da própria época do profeta. Portanto, Jl 2.28 e 3.21 abordam especificamente essa questão.

Ver o *gráfico* dos profetas de Israel e Judá, apresentado na introdução ao livro de Oseias. Ver também no *Dicionário* os artigos gerais chamados *Profecia, Profetas* e *Dom da Profecia.*

As catástrofes descritas foram, obviamente, concebidas como vindas sobre um povo pecaminoso. A mente dos hebreus não admitia o acaso. Se havia algum sofrimento, é porque havia algum pecado. Essa era uma resposta simplista para o *Problema do Mal* (ver a respeito no *Dicionário* — por que os homens sofrem e por que sofrem como sofrem?). A *Lei Moral da Colheita segundo a Semeadura* é uma das respostas para esse problema. Ver sobre esse título no *Dicionário.*

ATI ■ Joel   847

EXPOSIÇÃO

CAPÍTULO UM

A GRANDE PRAGA DE GAFANHOTOS E A SECA (1.1—2.27)

SOBRESCRITO (1.1)

■ **1.1**

דְּבַר־יְהוָה֙ אֲשֶׁ֣ר הָיָ֔ה אֶל־יוֹאֵ֖ל בֶּן־פְּתוּאֵֽל׃

Palavra do Senhor, que foi dirigida a Joel. Nada sabemos, virtualmente, sobre o profeta Joel. Não existem notas históricas que nos digam alguma coisa sobre sua família e sua vida pessoal, nem mesmo sobre as condições de seu ministério. Somos informados que seu pai se chamava Petuel, mas ele é igualmente desconhecido. *Joel* (Yahweh é Deus) é nome comum nas páginas do Antigo Testamento, batizando treze homens diferentes. Ver sobre *Joel* (Não o Profeta). Quanto ao Joel desse livro, ver a seção II da Introdução.

Inspiração divina é reivindicada para as profecias que se seguem. Yahweh revelou coisas importantes a Joel, que Judá tinha de saber. E Joel foi o vaso escolhido para essas revelações. Ele foi um dos *Profetas Menores,* ou seja, daqueles que escreveram menos material que profetas como Isaías, Jeremias, Ezequiel e Daniel. Esses quatro são chamados *Profetas Maiores,* por causa da extensão de material que escreveram. Ver no *Dicionário* os verbetes chamados *Profetas Maiores* e *Profetas Menores.*

No cânon das Escrituras hebraicas, Joel aparece em segundo lugar. Na Septuaginta, o livro de Joel ocupa o quarto lugar. Na Bíblia hebraica, os capítulos são quatro, mas na Septuaginta há apenas três capítulos. Na Septuaginta são combinados os capítulos 2 e 3. Foi esse o esquema seguido pelas versões subsequentes. Os eruditos judeus chamavam os Profetas Menores de *Livro dos Doze* e, nos rolos, eles são agrupados formando um único volume.

LAMENTAÇÃO GERAL POR CAUSA DA PRAGA DE GAFANHOTOS E DA SECA (1.2-20)

■ **1.2**

שִׁמְעוּ־זֹאת֙ הַזְּקֵנִ֔ים וְהַאֲזִ֕ינוּ כֹּ֖ל יוֹשְׁבֵ֣י הָאָ֑רֶץ הֶהָ֣יְתָה
זֹּאת֙ בִּֽימֵיכֶ֔ם וְאִ֖ם בִּימֵ֥י אֲבֹֽתֵיכֶֽם׃

Ouvi isto, vós, velhos. O profeta Joel apelou para todos quantos viviam na Terra Prometida (Judá) e pediu que eles percebessem o caráter *ímpar* do desastre (vs. 2) que lhes tinha sobrevindo — a grande praga dos gafanhotos. E passou a fazê-los entender que a praga simbolizava algo muito pior que estava vindo contra eles, por causa da sua idolatria-adultério-apostasia. Os gafanhotos tinham varrido a Terra Prometida, destruindo toda a vegetação visível. A agricultura estava arruinada, a seca tinha chegado, e o povo morria de fome. Esse desastre falava do ataque dos babilônios (alguns eruditos, porém, falam dos assírios e babilônios) e, dali, deu um salto para o Dia do Senhor, no fim da atual história humana. Estão em foco os *idosos,* os anciãos e os líderes. Eram esses os que deviam prestar atenção ao que havia acontecido, pois era responsabilidade deles dirigir a nação naquele período de crise. "A introdução [ao livro de Joel] aponta para a natureza espantosa do portento: não tinha exemplo anterior; foi causa de grande consternação; seria relembrado em muitos comentários admirados subsequentes; nesse portento tornava-se evidente a mão de Deus" (Ellicott, *in loc.*). Não obstante, simbolizava coisas muito piores que estavam perto de ocorrer.

Quanto aos "anciãos" como figuras-chaves no sistema governamental e judicial de Israel-Judá, ver 1Sm 30.26-31; 2Sm 19.11-15; 2Rs 23.1; Pv 31.23; Jr 26.17 e Lm 5.12,14.

1.3

עָלֶיהָ לִבְנֵיכֶם סַפֵּרוּ וּבְנֵיכֶם לִבְנֵיהֶם וּבְנֵיהֶם לְדוֹר
אַחֵר:

Narrai isto a vossos filhos. As pessoas de mais idade em Judá contariam o "fenômeno" a seus filhos; então estes contariam esses sucessos a seus filhos etc., de modo que todas as gerações subsequentes saberiam da questão e dela derivariam instruções. Havia em tudo aqui terrível *magnitude*, que jamais poderia ser esquecida. Ver no *Dicionário* o artigo detalhado e informativo intitulado *Praga de Gafanhotos*, que serve de ilustração.

"Tanto no vs. 3 como no vs. 4, foi feito uso da *anadiplose*, ou seja, a repetição da última palavra de uma cláusula no começo da cláusula seguinte, para transmitir a sucessão de gerações no vs. 3, e os enxames e mais enxames de gafanhotos no vs. 4" (John A. Thompson, *in loc.*).

"As Escrituras reconhecem com total seriedade a realidade do mal. O abismo entre o desespero e a fé não é ultrapassado mediante a ignorância dos fatos sombrios da vida humana. Esse abismo só é vencido quando as tribulações da humanidade são vistas, antes de tudo, como consequência da queda humana" (Norman F. Langford, *in loc.*). Naturalmente, o *Problema do Mal* (ver a respeito no *Dicionário*) não é assim tão facilmente solucionado. Por que os homens sofrem, e por que sofrem como sofrem? Ver a discussão sobre isso no artigo mencionado.

1.4

יֶ֤תֶר הַגָּזָם֙ אָכַ֣ל הָֽאַרְבֶּ֔ה וְיֶ֥תֶר הָאַרְבֶּ֖ה אָכַ֣ל הַיָּ֑לֶק
וְיֶ֣תֶר הַיֶּ֔לֶק אָכַ֖ל הֶחָסִֽיל:

O que deixou o gafanhoto cortador comeu-o o gafanhoto migrador. "Os eruditos têm procurado combinar as interpretações literal e apocalíptica sobre os gafanhotos. O Joel original, de conformidade com Bewer, descrevia gafanhotos literais, mas um editor posterior os interpretou como exércitos escatológicos e agentes do julgamento. R. H. Pfeiffer vê insetos literais neste primeiro capítulo do livro, mas como criaturas apocalípticas em alguns elementos do capítulo 2. É verdade que algumas frases escatológicas são usadas para apontar os julgamentos infligidos pelos gafanhotos, mas os próprio gafanhotos, no capítulo 2, podem ser interpretados como insetos literais, pintados com vívidas comparações e exageros poéticos" (John A. Thompson, na *Introdução* ao livro). Mas note o leitor que bem no trecho de Jl 1.6 temos a ideia projetada de que uma *nação invasora* é retratada pelos gafanhotos invasores. Alguns estudiosos, entretanto, insistem que a palavra "povo" ali empregada significa os gafanhotos, e não um exército de homens.

O Antigo Testamento tem nove vocábulos para denominar os "gafanhotos", e o vs. 4 deste capítulo contém *quatro* desses termos. Mediante tão grande variedade no vocabulário, o profeta projetou um quadro espantoso sobre a praga: ela seria maciça e variegada.

Temos neste versículo os seguintes termos hebraicos: *gazam* (o gafanhoto cortador); *'arbeh* (o gafanhoto migrador, que fala de seu vasto poder de destruição); *yeleq* (o gafanhoto devorador) e *hasil* (o gafanhoto destruidor). Talvez esses nomes também indiquem os *quatro estágios* da vida de um gafanhoto, a saber, o estágio da larva; o estágio do gafanhoto voador adulto; o gafanhoto que depositava ovos para aumentar a multidão dos gafanhotos; e, novamente, o estágio larval, que renova o temível ciclo da vida de um gafanhoto. Mas alguns problemas acompanham essa interpretação, a qual parece ser um exagerado refinamento do texto. Outro refinamento exagerado é o que vê o número *quatro* como referência às quatro invasões estrangeiras de Israel, a dos assírios, a dos babilônios, a dos macedônios e a dos romanos. A multiplicação de termos enfatiza a temível e devastadora natureza da praga. Cumpre-nos entender que esse desastre sucedeu por causa do pecado. A mente dos hebreus não admitia coisa alguma causada pelo mero acaso. Ver as notas expositivas sobre o vs. 11.

1.5

הָקִ֤יצוּ שִׁכּוֹרִים֙ וּבְכ֔וּ וְהֵילִ֖לוּ כָּל־שֹׁ֣תֵי יָ֑יִן עַל־עָסִ֕יס
כִּ֥י נִכְרַ֖ת מִפִּיכֶֽם:

Ébrios, despertai-vos, e chorai. Alguns judeus dormiam quando o desastre os atingiu; outros estavam embriagados. O profeta os convidou a despertar e chorar a fim de contemplarem o que estava acontecendo e uivarem em desespero. A praga de gafanhotos destruiu eficazmente toda a agricultura, de modo que não havia mais uvas para o fabrico do vinho, e os beberrões morreriam de sede. Mas todo o povo de Judá passaria fome. O vinho em excesso foi cortado, mas também foi cortada toda a origem da própria vida. Os intemperados seriam os primeiros a queixar-se de que o prazer deles lhes fora arrebatado, mas o país inteiro pôs-se subitamente a lamentar. Até o próprio *mosto* (o vinho novo, que ainda não havia fermentado devidamente) se perderia, e todo o vinho antigo que tivesse sido guardado em breve seria consumido. Em 1915, uma praga de gafanhotos fez dobrar o preço do vinho na Palestina ("Jerusalem's Locust Plague", *National Geographic Magazine*, John D. Whiting, XXVIII, 1915), mas a praga dos dias de Joel parou a própria compra do vinho, pois nada havia a ser comprado. "... é um fato bem conhecido que a ruína das vinhas, por parte dos gafanhotos, impede a vindima por vários anos subsequentes" (Adam Clarke, *in loc.*).

PROFETAS MAIORES

Alguns estudiosos têm objetado a chamarem-se os profetas de maiores e menores, como se isso exaltasse a alguns e aviltasse a outros. No entanto, esses adjetivos tencionam indicar somente o volume de suas produções literárias. Tradicionalmente, os profetas maiores são Isaías, Jeremias e Ezequiel. A expressão não diz respeito à qualidade de suas obras, como se maiores significasse melhores, e menores, piores. Os estudiosos liberais salientam que esses termos são artificiais, porquanto o livro de Isaías (segundo pensam) seria uma obra composta por vários autores, enquanto a qualidade do livro de Ezequiel não pode comparar-se com a daqueles outros profetas.

PROFETAS MENORES

Esta classificação cabe aos doze livros proféticos relativamente pequenos que fazem parte do Antigo Testamento. O fato de eles serem chamados menores não significa que os seus autores tenham sido homens de importância secundária, mas apenas que os rolos que deixaram escritos não são muito volumosos. Os doze livros dos Profetas Menores são: Amós, Oseias, Miqueias, Sofonias, Naum, Habacuque, Ageu, Zacarias, Obadias, Malaquias, Joel e Jonas. Os estudiosos judeus deram um título alternativo a essa coletânea: Livro dos Doze. Na forma de rolos, geralmente, eles eram escritos em um único volume.

CRONOLOGIA DOS PROFETAS MENORES

	Uma Interpretação	Outra Interpretação
Joel	837-800 a.C.	430 a.C.
Jonas	825-782 a.C.	450 a.C.
Amós	810-785 a.C.	750 a.C.
Oseias	782-725 a.C.	750 a.C.
Miqueias	740-695 a.C.	700 a.C.
Naum	640-630 a.C.	620 a.C.
Sofonias	640-610 a.C.	650 a.C.
Habacuque	609-598 a.C.	600 a.C.
Obadias	586-583 a.C.	440 a.C.
Ageu	520 a.C.	500 a.C.
Zacarias	520-518 a.C.	500 a.C.
Malaquias	433-425 a.C.	400 a.C.

Observações: 1. As datas de diversos destes livros são disputadas. 2. Ver as Introduções de cada um, onde apresento discursos sobre os problemas envolvidos.

■ 1.6

כִּי־גוֹי עָלָה עַל־אַרְצִי עָצוּם וְאֵין מִסְפָּר שִׁנָּיו שִׁנֵּי אַרְיֵה וּמְתַלְּעוֹת לָבִיא לוֹ׃

Porque veio um povo contra a minha terra. Poderíamos ter aqui várias coisas, conforme se vê nos pontos seguintes:

1. Um uso metafórico, onde a invasão dos gafanhotos é comparada a um povo, devido a seu grande número.
2. Ou pode estar em vista um uso literal: os gafanhotos eram tão numerosos que sua invasão se comparava a um grande exército, enviado por um povo poderoso.
3. Ou as duas coisas podem estar em vista: o enxame literal dos gafanhotos simbolizava a invasão dos babilônios, que se daria ainda no futuro.

O uso se repete em Jl 2.2, com as mesmas possibilidades de interpretação. As hordas eram fortes e compunham um exército numerosíssimo. Ver Jl 2.2,5,11. A força deles se traduzia sob a forma de atos destruidores, pois seus dentes eram como os dos leões. Entre seus dentes estavam as presas dos leões, que aumentavam seu temível poder de destruição. Certa praga de gafanhotos ocorrida no mar Vermelho foi calculada em mais de 20 bilhões de insetos. O artigo *Praga de Gafanhotos*, no *Dicionário*, ilustra a questão com detalhes interessantes. Cf. este versículo com Ap 10.8, onde encontramos a mesma metáfora. É provável que Plínio estivesse exagerando ao se queixar de que grande massa de gafanhotos chegou a roer as ombreiras das portas. Cf. Pv 30.25,26, onde as *formigas* e os *arganazes* são comparados a "povos".

■ 1.7

שָׂם גַּפְנִי לְשַׁמָּה וּתְאֵנָתִי לִקְצָפָה חָשֹׂף חֲשָׂפָהּ וְהִשְׁלִיךְ הִלְבִּינוּ שָׂרִיגֶיהָ׃

Fez da minha vide uma assolação. Aqueles insetos *ferozes e vorazes* nada poupavam, desfolhando as vinhas e tornando-as inúteis; rachando as figueiras e deixando-as infrutíferas; e até expondo o branco por baixo da casca. A marcha da destruição é em favor da sobrevivência, porquanto o número dos insetos aumentara de tal maneira que "invasões estrangeiras" se tornaram necessárias. Mas o que é vida para os gafanhotos, é morte para os homens, plantas e animais. "As vinhas e figueiras, as plantas frutíferas mais comuns na Palestina, eram frequentemente mencionadas nessa ordem nas páginas da Bíblia. Cf. Os 2.12. Fotografias tiradas na Palestina, em 1915, mostram as vinhas e as figueiras desnudadas de folhas e do cerne branco (ver o artigo sobre isso, identificado no vs. 5). Durante tais pragas, algumas figueiras são desnudadas de sua cobertura externa, pois os gafanhotos roem as pequenas gavinhas, espalhando pedacinhos de cerne branco no chão. Note o leitor que é usada a aliteração no começo de ambas as linhas do versículo: *sam... leshammah*, 'foi deixada assolada'; e *hasoph hasaphah*, 'foi desnudada'" (John A. Thompson, *in loc.*).

Minha vide. Assim falou Yahweh porque Israel-Judá era sua possessão, sua herança e seu povo. Ele tinha chamado seu filho para fora do Egito (ver Êx 4.22,23). Ver também Dt 7.26,29.

■ 1.8

אֱלִי כִּבְתוּלָה חֲגֻרַת־שַׂק עַל־בַּעַל נְעוּרֶיהָ׃

Lamenta como a virgem. A dama continuava virgem, porque o homem de quem ela ficou noiva foi morto ou morreu de alguma enfermidades, e eles não puderam casar-se. Por isso ela se cobriu de *pano de saco* (ver a respeito no *Dicionário*), uma veste apropriada para seu estado de lamentação. Ver no *Dicionário* o artigo chamado *Lamentação*, quanto a costumes sobre essa questão. Israel-Judá sob sentido algum era uma virgem, pois estava cheio de pecados e corrupções. Mas eles tiveram de lamentar de maneira profunda, *como faz uma virgem*, quando privada de seu marido potencial, mediante algum acontecimento ridículo. Quanto ao *pano de saco*, ver também o vs. 13 deste capítulo, bem como Am 8.10. As leis dos hebreus consideravam uma mulher noiva como uma esposa, pois, naqueles dias, os noivados inevitavelmente levavam ao casamento, a menos que algo de drástico interviesse. Ver Dt 22.23,24 e Mt 1.19. Os noivados eram obrigatórios pela lei de Moisés, o que hoje em dia, como é óbvio, não acontece, na maioria dos lugares. Para fazer a ilustração tornar-se mais exata, Ellicott, *in loc.*, viu essa virgem perder o marido potencial mediante a má conduta, ficando assim *privada* do que lhe pertencia por direito.

A virgem. No hebraico a palavra correspondente é *bethulah*, que seria mais bem traduzida (de acordo com pessoas que supostamente conhecem o hebraico) por "mulher jovem". Nesse caso, a dama em questão já se tinha casado, mas perdera o jovem marido, um acontecimento terrível só de contar, quanto mais na experiência diária. O termo hebraico *bethulah* vem de uma palavra que significa "separada", provavelmente referindo-se à reclusão em que vivia uma mulher solteira, a qual, segundo se esperava, devia ser virgem. Mas a palavra hebraica pode significar "virgem", "mulher jovem", "donzela" ou "noiva".

■ 1.9

הָכְרַת מִנְחָה וָנֶסֶךְ מִבֵּית יְהוָה אָבְלוּ הַכֹּהֲנִים מְשָׁרְתֵי יְהוָה׃

Cortada está da casa do Senhor a oferta de manjares e a libação. A fome que se seguiu à praga dos gafanhotos foi tão severa que as oferendas diárias (pela manhã e à tarde) e até as ofertas de cereais tiveram de ser suspensas, por causa da escassez de produtos vegetais e animais. Rituais regulares no templo eram importantes para Joel e seus contemporâneos, e os sacerdotes que efetuavam as cerimônias começaram a lamentar. A "casa do Senhor" foi fechada, para consternação de todos. 1Macabeus 1.20-64 diz-nos como os judeus piedosos se horrorizaram diante da ordem de Antíoco Epifânio para serem suspensos os sacrifícios, no ano de 168 a.C. A mesma coisa aconteceu novamente no ano 70 d.C., quando os romanos atacaram a cidade de Jerusalém, conforme Josefo diz em *Guerras dos Judeus* VI.2.1. O presente versículo pode antecipar a violenta suspensão dos sacrifícios e ordenanças causada pelo ataque e subsequente cativeiro dos babilônios.

■ 1.10

שֻׁדַּד שָׂדֶה אָבְלָה אֲדָמָה כִּי שֻׁדַּד דָּגָן הוֹבִישׁ תִּירוֹשׁ אֻמְלַל יִצְהָר׃

O campo está assolado, e a terra de luto. Este versículo continua os detalhes sobre como a praga de gafanhotos causou a suspensão do sistema de sacrifícios no templo. Os sacrifícios diários eram realizados com duas ovelhas acompanhadas pelas ofertas de cereal e pelas libações de azeite e vinho (ver Êx 29.38-42; Nm 28.3-8). Todos esses produtos tornaram-se escassos, e o povo estava morrendo. As ordenanças regulares do templo foram descontinuadas porque não havia mais o bastante para comer e permanecer vivo, quanto menos para sacrificar. O uso das palavras "secar-se" e "murchar" (vss. 10,12,17,20) indica que a praga maldita ou surgiu em cena com uma seca severa, ou foi seguida por uma seca severa pouco tempo depois. Note o leitor a aliteração existente na frase "o campo está assolado" (no hebraico, *shuddadh sadeheh*). Os principais produtos agrícolas eram o cereal, o vinho e o azeite, geralmente listados nessa ordem no Antigo Testamento. Ver Dt 7.13. Em 1845, uma praga de gafanhotos atacou o Líbano, e uma testemunha ocular do evento escreveu: "Vi, debaixo de meus olhos, não somente uma grande vinha, tão severamente carregada de uvas, mas também inteiros campos de trigo desaparecerem como mágica" (W. M. Thompson, *The Land and the Book*, pág. 418).

As oferendas de cereais continham farinha de trigo e azeite misturados (a *minhah*; Nm 28.5) e as libações (a *nesek*), incluindo o vinho (ver Êx 29.40; Nm 28.7). Ver no *Dicionário* o detalhado artigo chamado *Sacrifícios e Ofertas*.

■ 1.11

הֹבִישׁוּ אִכָּרִים הֵילִילוּ כֹּרְמִים עַל־חִטָּה וְעַל־שְׂעֹרָה כִּי אָבַד קְצִיר שָׂדֶה׃

Envergonhai-vos, lavradores, uivai, vinhateiros. Os que cuidavam do solo recebem ordens para sentir-se confundidos e lamentar. Desaparecera da terra o cereal, não somente o trigo, mas também até a humilde cevada, consumida por pessoas de classes mais pobres e pelos animais. A *mente judaica* piedosa teria atribuído tal catástrofe aos pecados do povo. Para eles, nada acontecia por mero acaso, e Yahweh era o controlador das atividades dos homens, pois governava sobre coisas boas e coisas más. O *teísmo* bíblico (ver a respeito no *Dicionário*) ensina que o Criador continua presente com sua criação, recompensando ou punindo, operando em consonância com a lei moral, intervindo quando as condições requerem sua presença. Em contraste, o *deísmo* (ver também no *Dicionário*) ensina que a força criadora (pessoal ou impessoal) abandonou sua criação aos cuidados das leis naturais. Ver também, no *Dicionário,* o verbete chamado *Soberania de Deus.*

Este versículo contém um jogo de palavras: os lavradores (no hebraico, *hobhish*) são confundidos ou envergonhados porque o azeite se *ressecara* (vs. 10, onde é usada uma palavra quase igual, *hobhish*). E a palavra "envergonhar-se" quase certamente implica que o pecado era concebido como a causa da calamidade. A alegria da colheita se havia perdido. Ver Sl 4.7. Ver também Sl 104.15 quanto ao vinho que alegra o coração dos homens e quanto ao azeite que faz o rosto brilhar. Ambas as necessidades e deleites se haviam perdido.

1.12

הַגֶּפֶן הוֹבִישָׁה וְהַתְּאֵנָה אֻמְלָלָה רִמּוֹן גַּם־תָּמָר וְתַפּוּחַ כָּל־עֲצֵי הַשָּׂדֶה יָבֵשׁוּ כִּי־הֹבִישׁ שָׂשׂוֹן מִן־בְּנֵי אָדָם: ס

A vide se secou, a figueira se murchou. Além das plantas e árvores que produziam os principais produtos (como a oliveira), outras espécies vegetais, de importância secundária, como a figueira, a romeira, a palmeira, a macieira e quaisquer outras que o leitor possa imaginar, foram igualmente aniquiladas. Isso quer dizer que o povo de Judá não podia, igualmente, apelar para esses produtos secundários. A devastação tinha sido *generalizada,* tal como os pecados do povo eram generalizados. A alegria do bem-estar tinha chegado ao fim, e agora, em lugar disso, havia simplesmente a luta pela sobrevivência. Israel sempre foi, essencialmente, uma nação agrícola, mesmo em tempos de abundância, pelo que aquilo que afetara os produtos da terra, afetou radicalmente, por semelhante modo, toda a vida da nação. As riquezas do mar tinham sido, em sua maior parte, negligenciadas pelos judeus, que era um povo que vivia à beira-mar, mas não um povo marítimo. Havia negócios, mas em sua maior parte baseados em produtos agrícolas. A colheita era um tempo de regozijo. Agora, porém, não havia nem colheita nem alegria. O castigo nacional fustigara a nação de Judá.

A palavra "secar" mostra que a seca tinha ocorrido antes da praga de gafanhotos ou pouco depois. Ver as notas expositivas sobre o vs. 10.

1.13

חִגְרוּ וְסִפְדוּ הַכֹּהֲנִים הֵילִילוּ מְשָׁרְתֵי מִזְבֵּחַ בֹּאוּ לִינוּ בַשַּׂקִּים מְשָׁרְתֵי אֱלֹהָי כִּי נִמְנַע מִבֵּית אֱלֹהֵיכֶם מִנְחָה וָנָסֶךְ:

Cingi-vos de pano de saco e lamentai, sacerdotes. O sistema de sacrifícios tinha falhado no templo. O sacerdócio e seus auxiliares receberam a recomendação de lamentar por esse motivo, vestindo-se de *pano de saco* e realizando outros atos que demonstrassem a tristeza deles. Eles deveriam manter-se acordados a noite inteira, em lamentação e choro. Nenhum tipo de oferenda poderia ser feita a Yahweh, nem os sacrifícios de animais ou as oferendas de cereais que acompanhavam aqueles sacrifícios, e nem mesmo as libações de vinho. Este versículo, pois, repete a mensagem do vs. 9, com exceção de que agora o sacerdócio é especificamente mencionado. Devemos entender, pelo destaque dado aos sacerdotes, que eles foram os líderes no pecado, além de serem os líderes do culto. A mente dos hebreus não teria aceitado tais calamidades como se tudo fosse obra do acaso. Tinha de haver razões divinas por trás daquilo tudo. A lei moral de Yahweh os pesara na balança, e os achara em falta. Ver as notas expositivas sobre o vs. 11.

"Não há distinção de pessoas quando o julgamento sobrevém à humanidade. O indivíduo respeitável sofre juntamente com aquele que é abertamente culpado. As pessoas simples perecem juntamente com aqueles que são justificados. Cada indivíduo é conclamado a participar do castigo coletivo das nações, e os indivíduos não podem esperar ser exceções" (Norman F. Langford, *in loc.*). Por que os homens sofrem, e por que sofrem conforme sofrem? Ver no *Dicionário* o artigo denominado *Problema do Mal,* que discute essa questão.

Uma *resposta comum* ao problema do sofrimento é que os homens colhem aquilo que semeiam (ver Gl 6.7,8). Essa é uma das respostas, mas apenas uma abordagem do problema, porquanto existem muitos exemplos notáveis de sofrimentos que parecem ser caóticos, e não mera vingança ou retribuição justa. O livro de Jó ilustra o fato de que existem mistérios na questão do sofrimento, e que a lei da colheita segundo a semeadura não dá um quatro completo do problema. Os que acreditam na teoria da reencarnação espalham a semeadura e a colheita ao longo de muitas vidas, mas isso também não soluciona o problema, embora seja uma interessante extensão da ideia de "obter o que se deu". Ver na *Enciclopédia de Bíblia, Teologia e Filosofia* o detalhado artigo chamado *Reencarnação.* Dizer-se "a vontade de Deus" é uma resposta verdadeira para o problema do sofrimento, mas uma declaração geral demais para servir de solução. Então destacamos que os homens continuam vivos após a morte, e isso realmente ajuda a suavizar o problema, posto que não nos fornece luz alguma sobre casos particulares de sofrimentos que parecem ultrapassar qualquer razão e rima.

1.14

קַדְּשׁוּ־צוֹם קִרְאוּ עֲצָרָה אִסְפוּ זְקֵנִים כֹּל יֹשְׁבֵי הָאָרֶץ בֵּית יְהוָה אֱלֹהֵיכֶם וְזַעֲקוּ אֶל־יְהוָה:

Promulgai um santo jejum. Um clamor dirigido a Yahweh, em solene assembleia, onde todos estivessem jejuando, com a presença dos anciãos e representantes de todas as classes de pessoas, seria uma tentativa de fazer Yahweh intervir e ajudar seu povo a continuar vivo. Esperava-se que assim a praga e a seca fossem descontinuadas. O jejum era sinal de penitência nacional (ver 1Sm 7.6). Algumas vezes, as calamidades são advertências nacionais que dizem: "Coisas piores vêm aí" (ver Am 4.6-9). Ver no *Dicionário* o artigo intitulado *Jejum,* quanto a detalhes. Telhas esmaltadas, encontradas em Assur, que datam dos dias de Sargão II (722 — 705 a.C.), retratam a intercessão feita a uma divindade assíria, para que parasse uma praga de gafanhotos. "O ponto focal de todos os nossos problemas, de acordo com o ponto de vista bíblico, é o pecado humano" (Norman F. Langford, *in loc.*). Ver as notas sobre o vs. 13. Cf. este versículo com Ne 9.1,2 e Jn 3.5. As atitudes precisavam ser acompanhadas pelos atos correspondentes (ver Jl 2.12-17). Ver também Jl 2.15 quanto a um paralelo bem próximo.

1.15

אֲהָהּ לַיּוֹם כִּי קָרוֹב יוֹם יְהוָה וּכְשֹׁד מִשַּׁדַּי יָבוֹא:

Ah! Que dia! Porque o dia do Senhor está perto. É provável que esteja em foco aqui o escatológico *dia do Senhor,* preanunciado pela calamidade nacional da praga dos gafanhotos e da seca. Pode estar subentendido o cativeiro babilônico como símbolo de coisas piores por vir. Ver no *Dicionário* os artigos chamados *Dia do Senhor* e *Cativeiro Babilônico.* Cf. este versículo com Jl 2.1,11,31; 3.14; e ver também Am 5.18,20. Ez 30.2 é quase idêntico. Sf 1.7,14 são versículos similares. Note o leitor a aliteração — *koçhodh mishshadday* — "destruição do Destruidor". Driver traduziu isso como "um domínio do Dominador". "Destruição" (no hebraico, *sod*) é palavra relacionada a *sadad* (destruir), que é similar, quanto ao som, a *Sadday* (o Todo-poderoso). Ver Gn 17.1. A maneira de grafar as palavras varia por meio da transliteração. Ver no *Dicionário* o artigo denominado *Soberania de Deus.*

1.16

הֲלוֹא נֶגֶד עֵינֵינוּ אֹכֶל נִכְרָת מִבֵּית אֱלֹהֵינוּ שִׂמְחָה וָגִיל:

Acaso não está destruído o mantimento diante dos vossos olhos? Todo o alimento fora cortado, e isso afetou os rituais da casa de Deus, que era suprida pelos animais usuais do sacrifício, e pelo vinho e pelo cereal, conforme já vimos nos vss. 9-11,13 deste capítulo. Essas calamidades ocorreram diante dos próprios olhos do povo, o que transformou em lamentação a alegria e o regozijo. Os sacrifícios e as festividades eram dias de alegria (ver Dt 12.7). Por ocasião da apresentação das primícias (ver Dt 26.10), ou na festa das semanas (ver Dt 16.11), ou na Festa dos Tabernáculos (ver Dt 16.14,15), havia regozijo generalizado. Agora generalizada lamentação tomava conta de tudo. Ver no *Dicionário* o verbete intitulado *Sacrifícios e Ofertas*. Os vss. 16-18 dão uma descrição detalhada das consequências da praga. A seca, adicionada à praga, quase causou o fim de Judá.

■ 1.17

עָבְשׁוּ פְרֻדוֹת תַּחַת מֶגְרְפֹתֵיהֶם נָשַׁמּוּ אֹצָרוֹת נֶהֶרְסוּ מַמְּגֻרוֹת כִּי הֹבִישׁ דָּגָן׃

A semente mirrou debaixo dos seus torrões. Este versículo fala em seca. A semente mirra por falta de água. Os torrões tornam-se secos e impenetráveis. Mas os armazéns ficam desolados porque não há colheitas; os silos se arruinam porque não há cereal para enchê-los. Por isso acabam em mau estado e negligenciados. A Septuaginta também fala na consternação dos animais domesticados, em que "as novilhas saltam em seus estábulos"; mas essa tradução depende de emendas que não são convincentes. O vs. 18 fala sobre a inquietude dos animais domesticados. A podridão substitui a germinação, pelo que "desolação" era a palavra do dia.

■ 1.18

מַה־נֶּאֶנְחָה בְהֵמָה נָבֹכוּ עֶדְרֵי בָקָר כִּי אֵין מִרְעֶה לָהֶם גַּם־עֶדְרֵי הַצֹּאן נֶאְשָׁמוּ׃

Como geme o gado! Os *animais domesticados,* como o gado vacum, ovino e caprino, animais comumente usados nos sacrifícios e considerados *limpos* (portanto, próprios para consumo), estavam morrendo de fome, perplexos e gemendo, para então se deitarem e morrerem. Eles vagueavam, procurando água e pastagem e, não achando nada, deitavam-se para esperar o fim. Os animais, parte da criação de Deus, compartilhavam da sorte dos homens, um ponto de vista bíblico comum acerca de toda a natureza, tanto nas bênçãos como nas maldições (ver Gn 3.17,18; Sf 1.2,3; Jr 12.4). Esse é um ponto de vista bíblico que tem ganhado muito terreno no pensamento moderno, em que o ecossistema é tão importante. A *ecologia* é a divisão da biologia que aborda as relações entre os organismos e seu meio ambiente. O grego por trás dessa palavra é *oikos,* "casa", e *logia,* "estudo".

■ 1.19

אֵלֶיךָ יְהוָה אֶקְרָא כִּי אֵשׁ אָכְלָה נְאוֹת מִדְבָּר וְלֶהָבָה לִהֲטָה כָּל־עֲצֵי הַשָּׂדֶה׃

O fogo consumiu... a chama abrasou... *Fogo* e *chamas* são metáforas comuns para indicar a seca severa e o calor (ver Jr 9.10; Am 7.4), mas nos tempos de seca incêndios literais tornam-se comuns. A terra ficava escorchada e transformava-se em um deserto. O povo estava acostumado a usar o fogo para tentar destruir os gafanhotos, mas, conforme geralmente acontece, o fogo se transformou em um incêndio fora de controle. Tanto o ataque do exército babilônico como o Dia do Senhor podem ser antecipados por meio dessas descrições.

■ 1.20

גַּם־בַּהֲמוֹת שָׂדֶה תַּעֲרוֹג אֵלֶיךָ כִּי יָבְשׁוּ אֲפִיקֵי מָיִם וְאֵשׁ אָכְלָה נְאוֹת הַמִּדְבָּר׃ פ

Também todos os animais do campo bramam. Até os animais do campo oram a Yahweh, quando estão aflitos. Os rios haviam secado; os poços, idem; não caíam chuvas; não havia orvalho durante a noite; os pastos do campo estavam totalmente destruídos. O *oceano* é a fonte de toda a *água.* Essa água se deposita nos lagos, nos rios e nas fontes, mas a menos que venham nuvens do oceano os mananciais de água não serão renovados. O sol faz evaporar a água dos oceanos; e assim se formam as nuvens; os ventos impelem essas nuvens por toda a terra; outras forças naturais, incluindo a gravidade, fazem a água cair do céu à terra. Em tempos de seca, os sistemas da natureza desmoronam e isso torna os homens e os animais, bem como toda a vegetação, vítimas de um sol sem misericórdia que queima e não traz água do oceano para a formação de nuvens. O pecado perturba os sistemas da natureza, pelo que a oração é concebida como o modo de trazer chuvas. Yahweh é o Poder por trás dos sistemas da natureza, transformando o mal em bem. Até as feras buscam alívio da parte de Deus (ver Sl 104.21). Cf. Jr 14.5,6. A maior parte das correntes de águas da Palestina se seca periodicamente. Mas em tempos de seca severa, até os rios que usualmente são permanentes o ano inteiro tornam-se rios sazonais.

CAPÍTULO DOIS

A PRAGA DOS GAFANHOTOS AVISA SOBRE O DIA DO SENHOR (2.1-11)

Essa *praga* é uma *ameaça sobre três pontos:* 1. A praga literal dos gafanhotos; 2. uma previsão sobre o ataque dos babilônios e sobre o cativeiro consequente; 3. uma advertência sobre o escatológico Dia do Senhor, que é o assunto principal da seção à nossa frente. Ver no *Dicionário* o verbete chamado *Dia do Senhor,* quanto a detalhes. Os profetas de Deus sempre retratavam o Dia do Senhor como uma data não muito distante e seguindo julgamentos menos intensos, sem nenhum grande intervalo de tempo.

"Se o capítulo 1 salienta a destruição causada pelos gafanhotos, esta seção dá maior atenção à descrição dos próprios gafanhotos. No capítulo 1, o sofrimento é principalmente agrícola e pastoral. Agora, porém, a cidade é atacada. Essa é a usual sucessão de eventos que se segue a uma praga de gafanhotos. O aviso escatológico, que já havia soado em Jl 1.15, é por diversas vezes repetido (ver Jl 2.1,2,10,11)" (John A. Thompson, *in loc.*).

■ 2.1

תִּקְעוּ שׁוֹפָר בְּצִיּוֹן וְהָרִיעוּ בְּהַר קָדְשִׁי יִרְגְּזוּ כֹּל יֹשְׁבֵי הָאָרֶץ כִּי־בָא יוֹם־יְהוָה כִּי קָרוֹב׃

Tocai a trombeta em Sião. Os sacerdotes de Israel foram orientados a soprar a trombeta de aviso em Sião, o quartel-general do yahwismo. As colinas em derredor deveriam ouvir o alarma e a palavra soaria por todo o país. Os habitantes estremeceriam diante da mensagem trazida pelos ventos. A trombeta como que dizia, claramente: "O dia do Senhor está chegando. Está próximo". Os gafanhotos eram apenas indicadores preliminares de coisas piores que viriam. A idolatria-adultério-apostasia do povo clamava por uma justa retribuição, e isso não demoraria a acontecer. Por conseguinte, haveria um golpe com três socos: a praga, o ataque do exército babilônico e o Dia do Senhor, o golpe divino escatológico contra toda a humanidade. A visão do profeta condensou todas as três coisas em um único pacote, como se acontecessem todas quase juntas.

Se o exército referido em Jl 2.1-11 é escatológico, então esta seção pode ser comparada a Dn 11.40 e Zc 14.2. Ver também Jl 2.20 e 3.9,13.

A trombeta. Esta trombeta era feita de chifre de carneiro, soprada pelo atalaia ou por um sacerdote, a fim de avisar os alarmas. O perigo era anunciado pela trombeta (ver Jr 4.5,6; Ez 33.2-6), mas também em ocasiões festivas e feriados. O sonido da trombeta chegaria ao "santo monte" (cf. Sl 2.6; 3.4; 15.1; 24.3; 78.54; Dn 9.16,20; Ob 16; Sf 3.11). Está em vista o monte do templo de Jerusalém. Ver no *Dicionário* os artigos chamados *Trombeta* e *Sião,* quanto a detalhes.

■ 2.2

יוֹם חֹשֶׁךְ וַאֲפֵלָה יוֹם עָנָן וַעֲרָפֶל כְּשַׁחַר פָּרֻשׂ עַל־הֶהָרִים עַם רַב וְעָצוּם כָּמֹהוּ לֹא נִהְיָה מִן־הָעוֹלָם וְאַחֲרָיו לֹא יוֹסֵף עַד־שְׁנֵי דּוֹר וָדוֹר׃

Dia de escuridade e densas trevas. Para enfatizar a melancolia da situação, quando vier o grande ataque divino, há *quatro* palavras que são sinônimos virtuais: escuridade, trevas, nuvens e negridão! As trevas se espalharão pelas montanhas como um grande exército destruidor que avança (como uma praga de gafanhotos). Seria como um povo grande e inumerável. Alguns intérpretes continuam a ver aqui o ataque literal dos gafanhotos, mas é melhor ver o múltiplo ataque que menciono na introdução à seção e no vs. 1. Quanto ao poderoso exército, cf. Jl 2.25 e Ap 9.7-10. Os dispensacionalistas veem aqui uma menção à batalha do Armagedom; mas interpretações tão específicas podem ser apenas um exagero. Uma grande praga de gafanhotos, com bilhões de criaturas literais, pode apagar o sol, dando um quadro das trevas, como o descrito neste versículo. A alvorada fica escurecida pela massa de gafanhotos que se aproxima, pelo que a noite continua, a despeito do sol que já desponta no horizonte. C. S. Jarvis descreveu o avanço de uma horda de gafanhotos, perto do monte Sinai, como "uma inundação lenta mas constante de um dilúvio escuro" (*Three Deserts*, pág. 223). Ver o artigo do *Dicionário* denominado *Praga de Gafanhotos*, que apresenta abundância de material ilustrativo.

■ 2.3

לְפָנָיו אָכְלָה אֵשׁ וְאַחֲרָיו תְּלַהֵט לֶהָבָה כְּגַן־עֵדֶן הָאָרֶץ לְפָנָיו וְאַחֲרָיו מִדְבַּר שְׁמָמָה וְגַם־פְּלֵיטָה לֹא־הָיְתָה לּוֹ:

À frente dele vai fogo devorador. O *fogo devorador* corria à frente das hordas, e quando passava tudo estava em chamas. Antes que as hordas atacassem, o lugar era como o jardim do Éden, mas depois que elas passavam um deserto desolado era tudo quanto restava. Coisa alguma escapava ao ataque, nem homens, nem animais, vegetação alguma. O fogo era adicionado aos gafanhotos e à seca (ver Jl 1.19). Os gafanhotos desnudavam tudo de sua folhagem, e o interior se parecia como se um fogo tivesse crestado tudo, consumindo todas as coisas. Cf. com Gn 2.8,9, o jardim do Éden em toda a sua glória e frutificação. Mas depois de a praga haver passado por um lugar, o Éden se parecia com um melancólico Sinai. Como é óbvio, o pecado é a razão disso, a Lei de Deus que fora quebrada, enviando assim uma maldição contra o povo. "A realidade por trás dessa figura é o efeito devastador de um enorme exército invasor (ver Dt 28.49-51; Is 1.7; Jr 5.17...). As palavras "nada lhe escapa" podem aludir a Êx 10.5,15" (Robert B. Chisholm, Jr., *in loc.*).

■ 2.4

כְּמַרְאֵה סוּסִים מַרְאֵהוּ וּכְפָרָשִׁים כֵּן יְרוּצוּן:

A sua aparência é como a de cavalos. Um gafanhoto efetivamente assemelha-se a um cavalo em miniatura, especialmente a cabeça. Isso se reflete em línguas modernas, como no alemão, *Heupferd*, ou no italiano, *cavaletta*. Além disso, a velocidade dos gafanhotos, seu avanço ordeiro e seu poder de destruição fazem lembrar a ação de um exército no qual os cavalos desempenhavam importante papel nos tempos antigos. O salto de um cavalo é comparado ao salto de um gafanhoto, em Jó 38.20. O trecho de Ap 9.7 obviamente baseia-se nesta passagem. Os gafanhotos sobrenaturais do tempo do fim são comparados a *cavalos de guerra*. Os escritores árabes identificavam o gafanhoto com *dez* animais diferentes: 1. a cabeça, com o cavalo; 2. os olhos, com o elefante; 3. o pescoço, com o touro; 4. os chifres, com o veado; 5. o peito, com o leão; 6. o ventre, com o escorpião; 7. as asas, com a águia; 8. as coxas, com o camelo; 9. os pés, com a avestruz; 10. a cauda, com a serpente. Isso faz do gafanhoto uma besta realmente temível.

■ 2.5

כְּקוֹל מַרְכָּבוֹת עַל־רָאשֵׁי הֶהָרִים יְרַקֵּדוּן כְּקוֹל לַהַב אֵשׁ אֹכְלָה קָשׁ כְּעַם עָצוּם עֱרוּךְ מִלְחָמָה:

Estrondeando como carros, vêm. O estrépito das asas dos gafanhotos se parecia com o estrondo produzido pelas rodas de muitas carruagens. Ademais, os gafanhotos são insetos muito vívidos, que saltam sobre as montanhas como as chamas de um incêndio pulam de um arbusto ou árvore para outro, voando por sobre obstáculos, saltando por cima de riachos, sem nunca errar o alvo. Em suma, são como um exército poderoso ordenado para a batalha (vs. 2). As vítimas dos gafanhotos são impotentes diante das hordas. Coisa alguma pode impedir o avanço deles. Cf. Ap 9.7,9. Os gafanhotos parecem-se com chamas sopradas pelo vento. Eles possuem poder em si mesmos e são impulsionados por um poder que vem atrás deles. Isso se assemelha aos julgamentos de Yahweh, que eles representam.

■ 2.6

מִפָּנָיו יָחִילוּ עַמִּים כָּל־פָּנִים קִבְּצוּ פָארוּר:

Diante deles tremem os povos. As vítimas empalidecem enquanto contemplam, impotentes, o avanço das tropas. Entram em pânico e se angustiam. O observador de um ataque de gafanhotos na Palestina, em 1928, fala do espanto e da angústia de um povo, enquanto observava tudo ser consumido por aqueles insetos em tão breve tempo, deixando para trás total desolação. Foi "um espetáculo terrível ver o avanço devastador e incansável de um imenso enxame de jovens gafanhotos que se arrastavam. As pessoas os enfrentavam com um espírito de desespero e desamparo" (G. E. Brodkin, *The Locust Invasion of Palestine During 1928*).

Cf. este versículo com Is 26.17; Jr 4.31; Mq 4.10; Êx 15.14; Dt 2.25; Sl 77.16; 97.4; Is 13.8 e Hc 3.10.

■ 2.7

כְּגִבּוֹרִים יְרֻצוּן כְּאַנְשֵׁי מִלְחָמָה יַעֲלוּ חוֹמָה וְאִישׁ בִּדְרָכָיו יֵלֵכוּן וְלֹא יְעַבְּטוּן אֹרְחוֹתָם:

Correm como valentes, como homens de guerra sobem muros. Os gafanhotos agem como se fossem *guerreiros*: caminham contra o inimigo com temível resolução; escalam muralhas e ultrapassam todos os obstáculos; continuam marchando e não se desviam de suas fileiras. Em 1915, uma testemunha ocular relatou como os gafanhotos subiram pelas muralhas de Jerusalém (ver em Jl 1.5 as referências a *Whiting*, que escreveu um artigo sobre esse evento). Thompson, em sua obra *The Land and the Book* (pág. 416), fornece uma vívida descrição: "O número deles era estonteante; a face inteira da montanha enegreceu com eles. Eles chegaram como se fossem um dilúvio vivo. Cavamos trincheiras e acendemos fogueiras, e batemos neles e os queimamos aos montões. Mas o esforço foi totalmente inútil".

■ 2.8

וְאִישׁ אָחִיו לֹא יִדְחָקוּן גֶּבֶר בִּמְסִלָּתוֹ יֵלֵכוּן וּבְעַד הַשֶּׁלַח יִפֹּלוּ לֹא יִבְצָעוּ:

Não empurram uns aos outros; cada um segue o seu rumo. Os gafanhotos são tão disciplinados que não se empurram uns aos outros, apesar de seu número extraordinário. Cada um deles tem seu próprio caminho para avançar. Cada qual cuida de seus próprios negócios, mas eles são muito unidos em seu único propósito — a destruição. Caem sobre obstáculos como um exército que avança e deve enfrentar inúmeros obstáculos, mas não se fere nem é forçado a estacar. Eles mergulham sobre as defesas e invadem as cidades e os lares. Talvez o capítulo 10 do livro de Êxodo estivesse na mente do autor, quando ele fez esta descrição. Eles se derramam sobre as rochas, paredes, valetas, cercas, riachos e chamas. O *dia* deles é chegado, e eles o aproveitam ao máximo. A sobrevivência deles depende de sua capacidade de vencer qualquer obstáculo.

■ 2.9

בָּעִיר יָשֹׁקּוּ בַּחוֹמָה יְרֻצוּן בַּבָּתִּים יַעֲלוּ בְּעַד הַחַלּוֹנִים יָבֹאוּ כַּגַּנָּב:

Assaltam a cidade, correm pelos muros, sobem às casas. Os gafanhotos chegam saltando e escorregando, correndo ao longo dos topos dos muros, subindo pelas paredes das casas, atravessando janelas como fazem os ladrões, quando resolvem praticar o que é errado. Cf. Is 33.4, que compara os gafanhotos e atacantes humanos. Cf. a oitava praga do Egito, em Êx 10.6. Whiting (ver Jl 1.5) descreveu como eles entravam até em pequenas fendas nas paredes, janelas e portas. Eles invadiam salas, para espanto das pessoas que estavam no interior das casas. Cf. Jr 9.21: "Porque a morte subiu pelas nossas janelas, e entrou em nossos palácios".

Afirmou Plínio: "Eles comerão inteiramente qualquer coisa, e até do outro lado das portas das casas" (*História Nat.* 1.11, cap. 29). "Isso vimos ser feito por eles. Não somente voando, mas se arrastando pelas paredes e entrando nas casas pelas janelas" (Teodoreto, *in loc.*).

■ **2.10**

לְפָנָיו רָגְזָה אֶרֶץ רָעֲשׁוּ שָׁמָיִם שֶׁמֶשׁ וְיָרֵחַ קָדָרוּ וְכוֹכָבִים אָסְפוּ נָגְהָם׃

Diante deles treme a terra e os céus se abalam. O autor sacro volta-se agora para as *descrições cosmológicas* a fim de aumentar o terror de suas descrições. Tais descrições nos lembram Yahweh, em seus céus, quem era a verdadeira Fonte da angústia, pois ele estava punindo um povo desviado. O teísmo bíblico ensina que o Criador não abandonou sua criação, mas antes nela intervém, recompensando e punindo, em consonância com as leis morais. Ver no *Dicionário* o verbete chamado *Teísmo*. Gafanhotos em avanço não fazem a terra estremecer, nem escurecem o sol e a lua, nem retiram a luz das estrelas. Os vss. 10 e 11 "dão uma interpretação teológica e escatológica da invasão dos gafanhotos. Alguns elementos baseiam-se nas descrições comuns sobre o dia do Senhor e são aqui transferidos, por analogia, para a praga dos gafanhotos, por ser essa, igualmente, uma visitação divina e um precursor daquele julgamento final" (John A. Thompson, *in loc.*). Ver as descrições sobre as teofanias de Yahweh como guerreiro, em Jz 5.4; Sl 18.7; 77.18; Is 13.13; Jl 3.16. Quanto ao obscurecimento dos corpos celestes, ver Jl 2.30 e 3.15, e cf. Is 13.10; Ez 32.7; Zc 14.6,7. "Sinais nos céus serão manifestados no dia do julgamento" (Ellicott, *in loc.*). "... expressões poéticas que salientam a consternação e a agonia *universais*" (Adam Clarke, *in loc.*).

■ **2.11**

וַיהוָה נָתַן קוֹלוֹ לִפְנֵי חֵילוֹ כִּי רַב מְאֹד מַחֲנֵהוּ כִּי עָצוּם עֹשֵׂה דְבָרוֹ כִּי־גָדוֹל יוֹם־יְהוָה וְנוֹרָא מְאֹד וּמִי יְכִילֶנּוּ׃

O Senhor levanta a sua voz diante do seu exército. Este versículo é uma descrição sobre o *Dia do Senhor* (vs. 1). Yahweh é o General do exército atacante. Ele é quem brada o grito de batalha. O seu poder está por trás da destruição. Quanto a essa *voz*, cf. Jl 3.16 e Is 30.30. Ver também Sl 18.13 e 68.33. Quanto ao *vento* de Deus, ver Sl 148.3. O *dia* do julgamento divino será grande e terrível (ver o vs. 31 e Ml 4.5). Nenhum ser vivo pode resistir (ver Ml 3.2). A pergunta retórica espera uma resposta negativa: "Quem pode resistir diante do ataque do Senhor? Quem pode sobreviver?" Não haveria sobreviventes. "*Ninguém* é um encerramento apropriado para o relato que se segue sobre o sofrimentos das plantas, dos animais e do povo de ambos os países (capítulo 1) e da cidade (2.1-9)" (John A. Thompson, *in loc.*).

CHAMADO AO ARREPENDIMENTO NACIONAL (2.12-17)

■ **2.12**

וְגַם־עַתָּה נְאֻם־יְהוָה שֻׁבוּ עָדַי בְּכָל־לְבַבְכֶם וּבְצוֹם וּבְבְכִי וּבְמִסְפֵּד׃

Convertei-vos a mim de todo o vosso coração. A despeito da natureza drástica da descrição, o arrependimento ainda seria possível e poderia evitar as calamidades profetizadas. A oração é mais forte que a profecia. O arrependimento também é mais forte que a profecia. O *Livro da Oração Comum*, da Igreja Anglicana, emprega essa passagem na celebração da Quarta-feira de Cinzas. E, de fato, trata-se de um pequeno clássico sobre o arrependimento, do ponto de vista do Antigo Testamento. Ver no *Dicionário* o verbete chamado *Arrependimento*.

Deveria haver um coração sincero que foi removido de sua rebeldia por um estado de graça receptiva. Deveria haver os sinais comuns de jejum, choro e lamentação. Aquele que perambulava voltou para casa. Ver sobre *Coração*, em Pv 4.23 quanto a essa metáfora. Cf. esta passagem com Jl 1.9,13,14. São feitos dois apelos ao arrependimento: vss. 12-14 e vss. 15-17. A sobrevivência e prosperidade subsequente, material e espiritual, são os principais motivos. Poderia a praga dos gafanhotos ser evitada pelo arrependimento? Poderia, mas não houve arrependimento. Poderia o ataque armado dos babilônios e o cativeiro subsequente ter sido evitado pelo arrependimento? Poderia, mas não houve arrependimento. Poderia o Dia do Senhor ser evitado mediante o arrependimento? Poderia, mas não haverá arrependimento.

■ **2.13**

וְקִרְעוּ לְבַבְכֶם וְאַל־בִּגְדֵיכֶם וְשׁוּבוּ אֶל־יְהוָה אֱלֹהֵיכֶם כִּי־חַנּוּן וְרַחוּם הוּא אֶרֶךְ אַפַּיִם וְרַב־חֶסֶד וְנִחָם עַל־הָרָעָה׃

Rasgai o vosso coração, e não as vossas vestes. O *ato de rasgar as vestes* era sinal comum de arrependimento e/ou consternação. Ver no *Dicionário* o artigo chamado *Vestimentas, Rasgar das*. Mas o rasgar *eficaz* seria o rasgar de um coração contrito. Deve haver um arrependimento que chega ao nível da alma, e que não fica a roçar ao longo da superfície do corpo. A alma precisava "retornar" a *Yahweh-Elohim*, o Deus eterno e Todo-poderoso, pois *dele* é que Judá se desviara, em sua idolatria-adultério-apostasia. Yahweh está de braços abertos, esperando que o filho pródigo venha a ele, pois Deus é cheio de misericórdia e amor, e é lento em irar-se. Deus mostra-se abundante em amor constante, e muda de ideia quanto a destruir, quando o pecador se volta para ele. Quanto ao *arrependimento de Deus*, ver Êx 32.14, onde dou notas expositivas sobre essa estranha questão. Ver no *Dicionário* o verbete chamado *Amor*, que é o maior poder do mundo, tanto de hoje quanto de qualquer época. O apelo eloquente ao arrependimento, no vs. 13, recebe um toque musical na obra *Elias*, de Mendelssohn. Cf. este versículo com Jn 4.2, que é bastante parecido. Quanto ao *coração contrito*, ver Sl 51.17. Provavelmente esta passagem depende de Êx 34.6.

O Deus irado é facilmente aplacado pelo coração contrito, que o pecador apresenta quando pede humildemente o perdão de suas ofensas. Ver Jr 26.3,13,19 e Jn 3.10. "O homem pode responder à calamidade com o arrependimento, e Deus pode remover graciosamente a aflição. O homem estará tratando com alguém que sabe como demonstrar misericórdia" (Norman F. Langford, *in loc.*). O julgamento é um dedo da amorosa mão de Deus. Opera o bem, e o bem pode substituir o julgamento. Deus era aquele que tinha julgado, e ele é aquele que pode remover o julgamento. Ele age em harmonia com sua lei moral. É isso o que governa a *Lei Moral da Colheita segundo a Semeadura* (ver a respeito no *Dicionário*). "Uma bondade exuberante é conferida aos que se voltam para ele" (Adam Clarke, *in loc.*).

■ **2.14**

מִי יוֹדֵעַ יָשׁוּב וְנִחָם וְהִשְׁאִיר אַחֲרָיו בְּרָכָה מִנְחָה וָנֶסֶךְ לַיהוָה אֱלֹהֵיכֶם׃ פ

Quem sabe se não se voltará e se arrependerá...? Quando o homem se volta para Deus (vss. 12 e 13), Deus se volta para o homem (Jn 3.9). Isso levantou a esperança de que as ameaças de calamidade poderiam ser revertidas e de que, quando Deus se voltasse para Judá, o resultado seria uma bênção. O cereal e o vinho seriam novamente produzidos pela provisão de Deus, e assim seriam reiniciados os sacrifícios diários do templo, juntamente com as festividades regulares. Ver esses itens como bênçãos da parte de Deus, em Dt 7.13. O povo teria abundância de alimentos para comer, e a vida espiritual da nação de Judá se reiniciaria. O passado seria perdoado, à luz de um novo dia. "Quem sabe...?", perguntou o profeta, levando em conta a *Soberania de Deus* (ver a respeito no *Dicionário*). Cf. esse pensamento com 2Sm 12.22 e Jn 3.9. Havia vívida *esperança* de que as coisas enveredariam por esse caminho (ver Ml 3.7). Uma volta para melhor, no campo de agricultura, estabeleceria o palco para o fluxo do favor divino. A *maldição* seria descontinuada (ver Dt 28.38-42). Cf. este versículo com Jl 1.9,13.

■ **2.15**

תִּקְעוּ שׁוֹפָר בְּצִיּוֹן קַדְּשׁוּ־צוֹם קִרְאוּ עֲצָרָה׃

Tocai a trombeta em Sião, promulgai um santo jejum. Este versículo repete, essencialmente, a mensagem do vs. 1, onde ofereço a exposição. Haveria de ocorrer uma mudança devido ao jejum e à assembleia solene através da qual os homens endireitariam sua situação diante de Deus. A trombeta do vs. 1 tinha feito soar o aviso, convocando o povo de Judá ao arrependimento nacional. Isso, por sua vez, repete a mensagem dos vss. 12,13. "Visto que o assaltante não era nem a natureza nem a sorte, havia possibilidade de livramento. Os homens podiam responder à calamidade com o arrependimento, e Deus graciosamente removeria a aflição. Os homens estariam tratando com alguém que sabia mostrar misericórdia" (Norman F. Langford, *in loc.*). Quanto ao uso da trombeta na convocação das assembleias religiosas, ver Lv 26.9 e Sl 81.3. Ver também Nm 10.2,3 e 8.10. Ver em Jl 1.14 um paralelo bem próximo deste versículo.

■ 2.16

אִסְפוּ־עָם קַדְּשׁוּ קָהָל קִבְצוּ זְקֵנִים אִסְפוּ עוֹלָלִים וְיֹנְקֵי שָׁדָיִם יֵצֵא חָתָן מֵחֶדְרוֹ וְכַלָּה מֵחֻפָּתָהּ׃

Congregai o povo, santificai a congregação. A *assembleia solene* seria presidida pelos sacerdotes. A convocação fora universal. Os líderes da nação tiveram de fazer-se presentes, e isso era extensível até às crianças. As mães teriam de comparecer com crianças que ainda estivessem mamando. O noivo, que estava isento de certos deveres, incluindo o serviço militar, não poderia ausentar-se (ver Dt 24.5). Sua noiva também tinha obrigação de fazer-se presente. A *universalidade* da assembleia demonstraria a *sinceridade* do povo, e talvez Yahweh, ao ver essas coisas, revertesse o curso das calamidades.

Saia... a noiva do seu aposento. Isto é, de seu leito nupcial. A raiz hebraica significa "cobertura", uma alusão ao baldaquino que era armado sobre o leito dos recém-casados, para escondê-los da visão daqueles que eventualmente fossem tentados a espiar pelo buraco da fechadura.

■ 2.17

בֵּין הָאוּלָם וְלַמִּזְבֵּחַ יִבְכּוּ הַכֹּהֲנִים מְשָׁרְתֵי יְהוָה וְיֹאמְרוּ חוּסָה יְהוָה עַל־עַמֶּךָ וְאַל־תִּתֵּן נַחֲלָתְךָ לְחֶרְפָּה לִמְשָׁל־בָּם גּוֹיִם לָמָּה יֹאמְרוּ בָעַמִּים אַיֵּה אֱלֹהֵיהֶם׃

Entre o pórtico e o altar. Ver 1Rs 6.3 e 2Cr 4.1. Era o átrio interior dos sacerdotes. Em seus lugares, poder-se-ia encontrá-los a chorar, com o coração contrito, arrependido e buscando a face de Yahweh, na esperança de fazê-lo mudar de ideia quanto ao julgamento e reverter as calamidades. Quanto ao "arrependimento divino", ver Êx 32.14. Certas coisas específicas seriam incluídas em sua oração de arrependimento, a saber: 1. Que os pobres fossem poupados dos terrores das pragas e dos ataques dos estrangeiros. 2. Que a *herança* de Deus não fosse entregue para sofrer os *opróbrios* dos pagãos. Cf. Jr 24.9 e Sl 44.13,14. Quanto a Israel como a *herança* de Deus, ver Dt 4.20; 9.26,29; Sl 28.9; 33.12; 78.62,71; 79.1; 94.14; Mq 7.14,18. 3. Que o próprio Yahweh não se tornaria sujeito ao escárnio e às piadas dos pagãos, que diriam: "Onde está o Deus de Israel? Ele deve estar ausente, e nada vê. Ou então, se Deus vê, não cuida de seu povo". Quanto a esse sentimento, cf. Mq 7.10 e Sl 79.10. Se os pagãos viessem a "governar" Israel, então eles blasfemariam de Deus dessa maneira. Portanto, isso teria de ser impedido pelo favor divino, que se seguiria ao arrependimento.

"Não permitas, por amor a ti mesmo, que os pagãos zombem do Deus de Israel, como se ele fosse incapaz de salvar o seu povo. Esse sentimento se derivou de Sl 79.10 e 115.2" (Fausset, *in loc.*). Note o leitor que é aqui suspensa toda a menção *aos gafanhotos*, e que a invasão por parte dos estrangeiros (especificamente os babilônios) é vista como a tragédia maior. Naturalmente, isso também alonga os olhos para o *Dia do Senhor*, o mais terrível dos dias (ver Jl 2.1).

O altar. "Não está em pauta o altar do incenso, que ficava no lugar santo, mas o altar das ofertas queimadas, onde os sacerdotes se punham para realizar seus serviços. Isso, naquele tempo, foi abandonado, pelo que os sacerdotes usavam seu tempo e seu lugar para se arrependerem e chorarem" (John Gill, *in loc.*).

PROMESSAS DO FIM DAS CALAMIDADES E DA RESTAURAÇÃO (2.18-27)

■ 2.18

וַיְקַנֵּא יְהוָה לְאַרְצוֹ וַיַּחְמֹל עַל־עַמּוֹ׃

Então o Senhor se mostrou zeloso da sua terra. Yahweh notou aquela assembleia solene (ver Jl 2.15), bem como o arrependimento sincero dos sacerdotes em seu próprio favor e em favor do povo em geral (vs. 17). Portanto, Deus voltou a ser um Deus zeloso e decidiu lutar em favor de seu povo. Quanto à ideia de um Deus *zeloso*, ver as notas expositivas sobre Dt 4.24; 5.9; 6.15 e 32.16,21. "Este versículo marca um ponto importante no argumento do livro de Joel. Descreve a reação divina (vs. 18) ao arrependimento da nação e registra as palavras de consolo do Senhor ao seu povo (vss. 19-27). Os efeitos da praga de gafanhotos (capítulo 1) são revertidos (ver Jl 2.25) e a invasão ameaçada (ver os vss. 1-11) é suspensa (vs. 20)" (Robert B. Chisholm, Jr., *in loc.*).

O Deus de amor e misericórdia demonstrou misericórdia e amor constante ao povo de Judá, vindo ao encontro do filho pródigo, que retornava a ele, pelo caminho, e oferecendo-lhe completa restauração. Os juízos divinos, dedos da amorosa mão de Deus, são restauradores, e não meramente retributivos. Cf. Is 65.24.

Temos aqui "a resposta graciosa de Deus, que promete a remissão da praga (vss. 20 e 25); a volta da fertilidade (vss. 19,21-24); e a restauração do pacto (vss. 26 e 27)" (*Oxford Annotated Bible*, comentando o vs. 18).

■ 2.19

וַיַּעַן יְהוָה וַיֹּאמֶר לְעַמּוֹ הִנְנִי שֹׁלֵחַ לָכֶם אֶת־הַדָּגָן וְהַתִּירוֹשׁ וְהַיִּצְהָר וּשְׂבַעְתֶּם אֹתוֹ וְלֹא־אֶתֵּן אֶתְכֶם עוֹד חֶרְפָּה בַּגּוֹיִם׃

Eis que vos envio o cereal, e o vinho, e o óleo. Os produtos agrícolas que foram destruídos pela praga do gafanhoto e pela seca que a acompanhou seriam restaurados quando Deus voltasse a demonstrar favor para com o seu povo. Além disso, ele retirou o *opróbrio* deles entre as nações (vs. 17), porquanto se tornará evidente que ele estava abençoando o *seu povo*, a quem exaltara acima de todos os outros.

Note o leitor os três produtos agrícolas básicos que tinham sido destruídos pela praga de gafanhotos e pela seca: o cereal, o vinho e o azeite (Cf. Jl 1.10). Os produtos secundários também tinham sido obliterados, conforme somos informados em Jl 1.12. Israel era uma nação agrícola, pelo que esses produtos eram sua linha de vida. Agora não haveria mais vergonha, porquanto eles colheriam o que haviam semeado (vss. 26,27). A provisão era *ampla*, correspondendo ao arrependimento sincero deles (vss. 16,17).

■ 2.20

וְאֶת־הַצְּפוֹנִי אַרְחִיק מֵעֲלֵיכֶם וְהִדַּחְתִּיו אֶל־אֶרֶץ צִיָּה וּשְׁמָמָה אֶת־פָּנָיו אֶל־הַיָּם הַקַּדְמֹנִי וְסֹפוֹ אֶל־הַיָּם הָאַחֲרוֹן וְעָלָה בָאְשׁוֹ וְתַעַל צַחֲנָתוֹ כִּי הִגְדִּיל לַעֲשׂוֹת׃

Mas o exército que vem do norte, eu o removerei para longe de vós. O inimigo do *norte* (a Babilônia; ver Jr 1.14; 3.18; 6.1 e outros) teria de retornar, impelido pelo mesmo poder que havia restaurado a agricultura. Alguns estudiosos, porém, veem aqui os gafanhotos, e supõem que um grande vento fora enviado para mandá-los ao deserto. O mar Oriental é o mar Morto, e o mar Ocidental é o mar Mediterrâneo. Os ventos espalhariam as feras por uma vasta área, distantes de áreas férteis. Ver Ez 47.18 e Dt 11.24, quanto aos dois mares assim chamados. Jerônimo, comentando sobre este versículo, diz-nos que, em seus dias, uma praga de gafanhotos foi dispersa exatamente dessa maneira, pelos ventos. Whiting, em seu artigo sobre a praga na Palestina, em 1915, diz algo semelhante. Grandes massas de insetos morreram perto do mar Morto, e o mau cheiro, de tão pútrido e vil, era insuportável. Quanto a esse artigo, ver as notas expositivas sobre Jl 1.5.

■ 2.21

אַל־תִּירְאִי אֲדָמָה גִּילִי וּשְׂמָחִי כִּי־הִגְדִּיל יְהוָה לַעֲשׂוֹת׃

Não temas, ó terra, regozija-te e alegra-te. A *convocação para o consolo*, neste versículo, vem de Yahweh, que prometeu grandes coisas e cumpriu suas promessas. O temor seria substituído pelo regozijo e pela celebração jubilosa. À terra que lamentava seria dado um tempo significativo de triunfo. Yahweh é um Deus que faz *grandes coisas* em favor de seu povo (cf. Sl 126.2,3). As grandes coisas são a concessão de condições que revertem a maldição anterior: a agricultura é restaurada; os inimigos de Israel são forçados a retroceder; a reprimenda de Israel entre as nações é eliminada; de modo geral, as misericórdias de Deus tornaram-se um grande tema para o cântico deles.

> As misericórdias de Deus! Que tema para meu cântico!
> Oh, eu jamais poderia terminar de contá-las.
> São mais que as estrelas na cúpula celeste,
> Ou que as areias na praia batida pelas ondas do mar.
>
> T. O. Chisholm

■ 2.22

אַל־תִּירְאוּ בַּהֲמוֹת שָׂדַי כִּי דָשְׁאוּ נְאוֹת מִדְבָּר כִּי־עֵץ נָשָׂא פִרְיוֹ תְּאֵנָה וָגֶפֶן נָתְנוּ חֵילָם:

Não temais, animais do campo. Os *animais do campo* também participavam da agonia, pois toda a natureza estava unida na calamidade, conforme vemos em Jl 1.18 e 20. Esses animais podiam parar os seus gemidos e lançar fora o seu temor, pois Deus também cuidará deles, conforme Jn 4.11 demonstra. Em lugar de um deserto produzido pelos gafanhotos e pela seca, aparecerão pastos verdejantes. E então, uma vez mais, as árvores darão seus frutos apropriados, e tanto os homens como os animais terão acesso a eles. A figueira e a videira voltarão a frutificar, ou seja, os produtos agrícolas primários e secundários serão novamente produzidos em abundância. Assim sendo, tudo quanto fora atacado no capítulo 1, é restaurado neste ponto do capítulo 2. O profeta dedicou tempo para enumerar as coisas individuais, nessa restauração, tal como fez ao descrever sua destruição, a fim de mostrar que a restauração divina fora completa, em nada falhando, além de ser abundante, da mesma maneira que a destruição tinha sido total. Encontramos algo semelhante na história do Egito. A estela Tânis do faraó Tarharga (688-663 a.C.) louva os deuses por terem protegido um campo dos ataques dos gafanhotos, de forma que houve grande colheita. Cf. este versículo com Zc 8.12.

■ 2.23

וּבְנֵי צִיּוֹן גִּילוּ וְשִׂמְחוּ בַּיהוָה אֱלֹהֵיכֶם כִּי־נָתַן לָכֶם אֶת־הַמּוֹרֶה לִצְדָקָה וַיּוֹרֶד לָכֶם גֶּשֶׁם מוֹרֶה וּמַלְקוֹשׁ בָּרִאשׁוֹן:

Alegrai-vos, pois, filhos de Sião. Os *filhos de Sião* (Judá), juntamente com os animais e a vegetação, terão razões para alegrar-se. Yahweh-Elohim (o Deus eterno e Todo-poderoso) é o Benfeitor deles de maneira toda especial. Os gafanhotos tinham sido soprados para longe pelo vento, e então chuvas abundantes chegaram e acabaram com a seca. Ver no *Dicionário* o artigo chamado *Chuvas Anteriores e Posteriores*, quanto a detalhes. As *chuvas* prepararam o solo para o plantio e ajudaram o crescimento das plantas, garantindo uma colheita abundante. As coisas foram assim normalizadas e as calamidades cessaram. As primeira chuvas chegaram para *vindicar* o povo, ou seja, para mostrar que suas esperanças eram justas, que sua confiança em Deus quanto à justificação tinha razão de ser. O arrependimento deles (vss. 16 e 17) estava justificado, e o opróbrio deles entre as nações (vs. 17) fora removido. Diz a tradução da NCV: "Ele fará o que é certo". A NIV tem uma tradução possível, dizendo "retidão", em lugar de "vindicação": "... o outono chove em retidão". O Targum diz: "mestre da retidão", e alguns eruditos pensam que esta é uma referência ao Messias, a fonte das bênçãos de Israel. Outros relacionam essa declaração a um profeta ou mais profetas, mas essa interpretação está fora de lugar neste contexto, embora o termo hebraico *moreh* possa ser assim traduzido. O vocábulo *outono* também pode significar *mestre*. Cf. Sl 84.6.

■ 2.24

וּמָלְאוּ הַגֳּרָנוֹת בָּר וְהֵשִׁיקוּ הַיְקָבִים תִּירוֹשׁ וְיִצְהָר:

As eiras se encherão de trigo. Os cereais, um produto principal do campo, encheriam as eiras, e o vinho (outro produto principal) encheria os lagares. Essas mercadorias também faziam parte dos sacrifícios e oferendas do templo (Jl 1.9), pelo que seriam restaurados os ritos do templo, diante da normalização da agricultura. "A fome referida em Jl 1.10-12,17 seria substituída, em cada particularidade, pela abundância. Até hoje, na Palestina, os grãos são empilhados ao ar livre, nas eiras, conforme se vê em Rt 3.7. Os *lagares* eram escavados na rocha, para recolher o vinho e o azeite que escorriam das prensas" (John A. Thompson, *in loc.*).

> Por misericórdias tão grandes, como poderei agradecer,
> Por misericórdias tão constantes e seguras?
> Eu o amarei; eu o servirei, com tudo quanto tenho,
> Enquanto minha vida perdurar.
>
> T. O. Chisholm

■ 2.25

וְשִׁלַּמְתִּי לָכֶם אֶת־הַשָּׁנִים אֲשֶׁר אָכַל הָאַרְבֶּה הַיֶּלֶק וְהֶחָסִיל וְהַגָּזָם חֵילִי הַגָּדוֹל אֲשֶׁר שִׁלַּחְתִּי בָּכֶם:

Restituir-vos-ei os anos que foram consumidos. Cf. este versículo com Jl 1.4, onde temos *quatro nomes* aplicados aos gafanhotos, cada qual provendo uma ideia diferente sobre a natureza desses animais ou sobre seus poderes de destruição. Os nomes não aparecem na mesma ordem, mas isso não tem significação. Este versículo sumaria os vss. 19-24. Os efeitos deixados pelos gafanhotos serão completamente revertidos. Yahweh "devolveria" a Israel os anos perdidos na dor, como se isso fosse uma obrigação divina e moral de um pai a seus filhos. Ele enviara a praga, pelo que tinha a obrigação, por sua própria vontade e propósito, de restaurar tudo quanto havia sido destruído. Essa seria a reação de Yahweh ao arrependimento sincero dos vss. 16,17. "Eu vos devolverei os anos perdidos na tribulação" (NCV). É assim que opera a graça de Deus. Deus se obriga *pelo seu amor*, e não pela bondade que porventura houver nos homens. Ver no *Dicionário* o artigo *Amor* quanto a úteis citações. Ele enviara um *grande exército* destruidor, pelo que também enviaria uma bênção sem limites.

■ 2.26

וַאֲכַלְתֶּם אָכוֹל וְשָׂבוֹעַ וְהִלַּלְתֶּם אֶת־שֵׁם יְהוָה אֱלֹהֵיכֶם אֲשֶׁר־עָשָׂה עִמָּכֶם לְהַפְלִיא וְלֹא־יֵבֹשׁוּ עַמִּי לְעוֹלָם:

Comereis abundantemente e vos fartareis. A fome pertencia ao período de teste. Agora chegara o tempo da abundância. Não haveria falha ou racionamento. Cada indivíduo poderia comer sua rica porção e ficar satisfeito, enquanto antes ele padecia fome. E, por isso, louvaria o nome de *Yahweh*, seu Deus, o Poder (Elohim) que fizera bem todas as coisas.

> Por todo o caminho meu Salvador me guia!
> Que terei de pedir além disso?
> Posso duvidar de sua terna misericórdia
> Que, por toda a minha vida, foi o meu guia?
>
> Fanny J. Crosby

Essa tem sido a minha canção através de anos intermináveis — ele faz bem todas as coisas. O povo desobediente foi envergonhado por causa de seus pecados, e por isso a praga caiu sobre eles, antes de mais nada. E então, uma vez restaurados, eles não terão mais razão para sentir-se envergonhados.

O nome do Senhor vosso Deus. Cf. Dt 4.35,39. A relação de pacto foi reafirmada. Ver sobre Pacto Abraâmico em Gn 15.18, e sobre Pacto Mosaico na introdução a Êx 19. Cf. Jr 3.16,17 e Ap 21.3. Alguns estudiosos pensam que este versículo é escatológico e olham para a era do reino de Deus. Cf. este versículo com Sl 22.26.

■ 2.27

וִידַעְתֶּם כִּי בְקֶרֶב יִשְׂרָאֵל אָנִי וַאֲנִי יְהוָה אֱלֹהֵיכֶם וְאֵין עוֹד וְלֹא־יֵבֹשׁוּ עַמִּי לְעוֹלָם: ס

Sabereis que estou no meio de Israel. Este versículo reforça a ideia principal do vs. 26. Yahweh-Elohim é o Deus universal, mas, para o povo em pacto com ele, é especialmente Deus, Senhor, Guia e Benfeitor. Para eles não existe nenhum outro Deus (ver Is 45.5,6,18). Essa é uma resposta eficaz para as zombarias dos pagãos no vs. 17: "Onde está o seu Deus?" Cf. Êx 6.7, onde se originou a expressão deste versículo. Ver também Êx 16.12. Quanto ao fato de que não existe outro Deus, ver também Dt 4.35,39. Tradições e promessas mais antigas foram reafirmadas para o povo do tempo de Joel.

> *Eis o tabernáculo de Deus com os homens.*
> *Deus habitará com eles. Eles serão povos de*
> *Deus e Deus mesmo estará com eles.*
>
> Apocalipse 21.3

AS BÊNÇÃOS FUTURAS DE ISRAEL; O JULGAMENTO DAS NAÇÕES (2.28—3.21)

O DERRAMAMENTO DO ESPÍRITO (2.28,29)

■ **2.28** (na Bíblia hebraica corresponde ao **3.1**)

וְהָיָה אַחֲרֵי־כֵן אֶשְׁפּוֹךְ אֶת־רוּחִי עַל־כָּל־בָּשָׂר וְנִבְּאוּ בְּנֵיכֶם וּבְנוֹתֵיכֶם זִקְנֵיכֶם חֲלֹמוֹת יַחֲלֹמוּן בַּחוּרֵיכֶם חֶזְיֹנוֹת יִרְאוּ׃

E acontecerá depois que derramarei o meu Espírito. O *grande dia* do reino de Deus será anunciado pelo derramamento do Espírito e por outros grandes sinais. Se as promessas, no livro de Joel, foram feitas ao povo de Israel, os cristãos não hesitaram em apropriar-se delas, crendo que o Pentecoste foi o cumprimento (pelo menos preliminar) do que é dito aqui. Ver At 2.16. Os eruditos supõem que tenhamos aqui uma instância notória de *acomodação* (ver a respeito no *Dicionário*), onde o significado central da profecia é desprezado e aplicado a alguma outra coisa. Pedro expandiu a profecia de Joel para incluir não judeus (ver At 2.39), e naturalmente se deve a uma compreensão mais profunda das questões espirituais, derivada das revelações mais elevadas do cristianismo. Nada existe de errado, seja como for, ao vermos *duplo significado* na profecia: um que se aplica à igreja, e outro que se aplica a Israel. Naturalmente, a *humanidade* é beneficiada por essas realidades espirituais, pelo que estas promessas são universais.

"O simbolismo do *derramamento* (ver Ez 39.29; Is 32.15) por nos fazer lembrar da doação de chuvas abundantes (vs. 23). Uma das principais funções do Espírito de Deus é iluminar a profecia, quer se trate de uma declaração estática (ver 1Sm 10.6,10), quer se trate da mensagem de instrução divina, advertência ou predição (ver 2Cr 20.14 e 24.20). Deus promete aqui cumprir o desejo expresso por Moisés no sentido de que todo o povo do Senhor se compusesse de profetas, pela influência do Espírito (ver Nm 11.29)" (John A. Thompson, *in loc.*).

Vossos filhos e vossas filhas. Esta frase tornou-se parte da discussão, na igreja, a respeito do lugar e da função apropriada das mulheres. Contrastar com 1Co 14.34. O truque dos filósofos de permitir que as mulheres profetizem, exceto em cultos de adoração formais, não consegue impor nenhuma reconciliação. Nem é importante reconciliar este versículo e Atos 2.16 com o versículo escrito pelo apóstolo Paulo aos coríntios. Quanto a minhas opiniões sobre essa questão, ver a exposição sobre 1Co 14.34, no *Novo Testamento Interpretado*.

Vossos velhos sonharão, e vossos jovens terão visões. No livro de Daniel, os sonhos e as visões espirituais não são distinguidos. Joel dá aos homens idosos uma função profética menor nos sonhos, e aos jovens, mais fortes, visões espirituais. Ver no *Dicionário* os artigos chamados *Sonhos* e *Visões*. Seja como for, o ministério profético é vindicado. Esse ministério tinha duas manifestações válidas, embora, como é óbvio, existam sonhos e visões meramente psíquicos, e não espirituais, e então sonhos e visões que não têm nenhum significado espiritual, embora os homens lhes atribuam grande importância. O natural, o verdadeiro e o falso andam juntos e permitem que um homem de discernimento nos diga quais diferenças existem entre essas três categorias.

"É evidente que o Pentecoste cristão, embora extraordinário, não corresponde plenamente ao que foi predito por Joel" (Robert B. Chisholm, Jr., *in loc.*).

Cf. este versículo com Gl 3.28. Em última análise, a espiritualidade ultrapassa questões de distinção entre os sexos e as raças, embora, ao longo do caminho, costumes culturais possam impedir esse avanço inevitável. Ver as notas expositivas sobre este versículo no *Novo Testamento Interpretado*. O avanço espiritual acompanha o processo histórico. Alguns homens preferem a estagnação, por amor ao conforto mental. Até mesmo no próprio Novo Testamento encontramos o processo histórico em operação, com um correspondente progresso espiritual. O Novo Testamento, entretanto, não tem por finalidade estagnar o processo. A verdade é uma aventura em progresso, e não um código fixo, conforme é a lei de Moisés. Mas os homens continuam tentando contê-lo em suas declarações e credos doutrinários. Credos humanos, declarações doutrinárias e interpretações não podem *aprisionar a verdade*. Como podemos imaginar que o *infinito* possa ser contido e suprimido por nossos credos?

SONHOS

Consulte o artigo sobre *Sonhos* no *Dicionário*

A tradição hebraico-cristã sempre deu um lugar muito importante aos sonhos como um possível modo de orientação divina.

Sonhos bíblicos — alguns exemplos: Gênesis 28.12; Gênesis 31.10-13; Gênesis 40.5; Gênesis 41.7; Jz 7.13,15; 1Reis 3.5; Jeremias 23.28; Daniel 2.3; 4.5; 7.1; Mateus 1.20; 2.12; 27.19; Atos 2.17 (citando Joel 2.28)

Joel (citado em At 2.17) equaciona sonhos espirituais à profecia. O islamismo considera sonhar um dos ofícios proféticos quando esses sonhos são direcionados por Deus e apresentados através de homens merecedores.

O *Smithsonian Institute* publicou um artigo no qual somos informados de que temos entre 30 e 50 sonhos por noite. Literal ou simbolicamente, nosso futuro sem dúvida está todo contido neles, mesmo no que diz respeito às coisas mais banais.

A função dos sonhos demonstra a naturalidade do fenômeno psíquico. Todos nós somos psíquicos, tendo a capacidade de prever o futuro enquanto dormimos.

Derramarei o meu Espírito sobre toda a carne; vossos filhos e vossas filhas profetizarão; vossos velhos sonharão, e vossos jovens terão visões.

Joel 2.28

Modos de Orientação Divina

A tradição hebraica lista esses quatro tipos principais:

1. Profetas e suas visões
2. Sonhos
3. Urim e Tumim
4. Bath kol, a voz divina

■ **2.29** (na Bíblia hebraica corresponde ao **3.2**)

וְגַם עַל־הָעֲבָדִים וְעַל־הַשְּׁפָחוֹת בַּיָּמִים הָהֵמָּה אֶשְׁפּוֹךְ אֶת־רוּחִי׃

Até sobre os servos e sobre as servas derramarei o meu Espírito. Até os escravos e escravas haverão de profetizar, pelo poder de Deus. O profeta prossegue com essa "falta de distinção" na doutrina, antecipando o sentimento de Gl 3.28. "Os escravos, que são os mais degradados e desprezados entre os homens, ao se tornarem servos de Deus, são seus libertos (ver 1Co 7.22; Gl 3.28 e Cl 3.16)" (Fausset, *in loc.*). Nem Jl nem Fausset previram o fim da escravidão universal, outra obra do amor de Deus, mas puseram as operações do

GRÁFICO DOS CICLOS DOS SONHOS

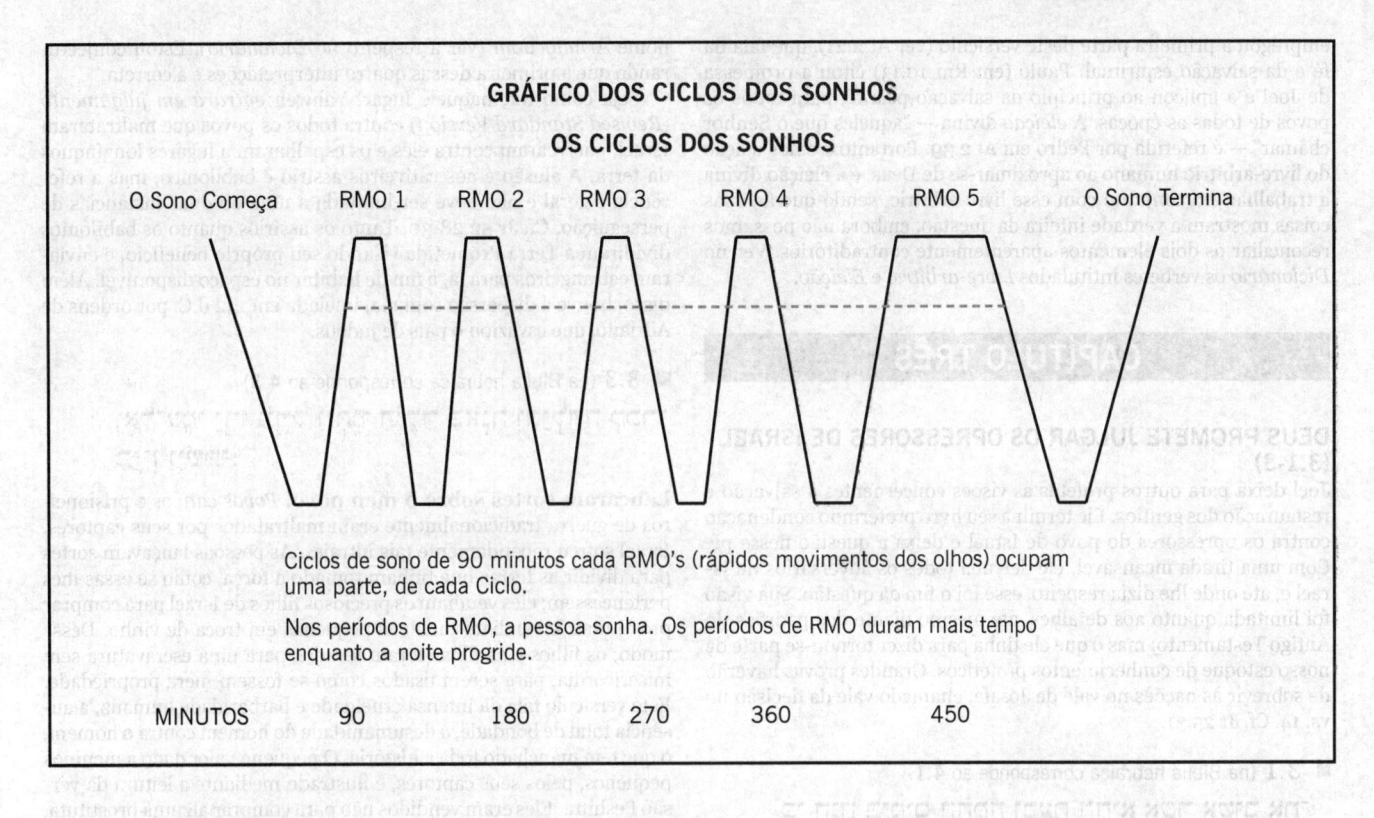

OS CICLOS DOS SONHOS

| O Sono Começa | RMO 1 | RMO 2 | RMO 3 | RMO 4 | RMO 5 | O Sono Termina |

Ciclos de sono de 90 minutos cada RMO's (rápidos movimentos dos olhos) ocupam uma parte, de cada Ciclo.

Nos períodos de RMO, a pessoa sonha. Os períodos de RMO duram mais tempo enquanto a noite progride.

| MINUTOS | 90 | 180 | 270 | 360 | 450 |

Espírito *dentro* das fileiras dos escravos. Ver no *Dicionário* o verbete intitulado *Escravo, Escravidão*. Nas sinagogas, um escravo do sexo masculino podia ler a lei em voz alta, mas não uma judia! 1Co 14.34 é um reflexo histórico dessa espécie de atitude. A espiritualidade ultrapassou tais restrições. Isso não desculpa abusos loucos que são praticados na igreja hoje em dia.

SINAIS DO DIA DO SENHOR; O LIVRAMENTO DOS FIÉIS (2.30-32)

■ **2.30,31** (na Bíblia hebraica corresponde ao **3.3,4**)

וְנָתַתִּי מוֹפְתִים בַּשָּׁמַיִם וּבָאָרֶץ דָּם וָאֵשׁ וְתִימֲרוֹת עָשָׁן׃

הַשֶּׁמֶשׁ יֵהָפֵךְ לְחֹשֶׁךְ וְהַיָּרֵחַ לְדָם לִפְנֵי בּוֹא יוֹם יְהוָה הַגָּדוֹל וְהַנּוֹרָא׃

Mostrarei prodígios no céu e na terra. Nestas palavras, passamos do dia de Pentecoste e entramos no dia escatológico. Esta pequena seção fala sobre os julgamentos que deverão anteceder a era do reino de Deus e farão parte do Dia do Senhor (ver a respeito no *Dicionário*). Haverá temíveis fenômenos apocalípticos nos céus e na terra. Talvez esses sinais estejam relacionados à *guerra*, onde encontramos sangue, fogo e colunas de fumaça. O mais provável, porém, é que sejam acontecimentos sobrenaturais, conforme se vê no livro de Apocalipse, no Novo Testamento. Os vss. 30,31 também são citados em At 2.19,20, mas ali Pedro não tenta interpretar as declarações. Cf. Jl 2.10 e 3.15. Tais fenômenos significarão a condenação dos inimigos de Deus, mas serão medidas necessárias para assegurar o livramento de seu povo. Ver Mt 24.29-31; Mc 13.24-27; Lc 21.25-28. As coisas ditas sobre o sol e a lua não podem ser literalmente verdadeiras. O sol não se apagará; e a lua não se transformará em sangue; mas mediante tais termos devemos entender acontecimentos cósmicos terríveis. Isso nos faz relembrar das pragas do Egito, mas algo ainda mais radical do que aquilo deve estar em pauta. É inútil tentarmos ser específicos aqui, com interpretações naturais ou sobrenaturais das palavras. O grande e terrível dia do Senhor se comporá, pelo menos em parte, de tais acontecimentos; mais do que isso ocorrerá, entretanto, durante o julgamento dos homens, por meio do rearranjo da ordem social, e poderosas obras haverá em favor dos remidos, ou seja, coisas pertinentes ao reino de Deus e à era eterna. Cf. Ml 4.5.

ALGUNS FATOS SOBRE SONHOS

A maioria dos sonhos é realização de um desejo para compensar uma condição não ideal na vida real.

Alguns sonhos são ético-morais e dão instrução para a correção de erros.

Alguns sonhos procuram resolver traumas e ansiedades, inventando cenários que sugerem planos para escapar aos sofrimentos.

Alguns sonhos são psicossomáticos, advertindo-nos sobre condições patológicas no corpo.

Alguns sonhos são psíquicos, como aqueles que empregam a telepatia ou que podem prever o futuro (precognição).

Alguns sonhos são espirituais e dão instrução para melhorar nossa espiritualidade. Este tipo de sonho faz parte da nossa herança espiritual.

■ **2.32** (na Bíblia hebraica corresponde ao **3.5**)

וְהָיָה כֹּל אֲשֶׁר־יִקְרָא בְּשֵׁם יְהוָה יִמָּלֵט כִּי בְּהַר־צִיּוֹן וּבִירוּשָׁלַםִ תִּהְיֶה פְלֵיטָה כַּאֲשֶׁר אָמַר יְהוָה וּבַשְּׂרִידִים אֲשֶׁר יְהוָה קֹרֵא׃

E acontecerá que todo aquele que invocar o nome do Senhor será salvo. Os fiéis, os que tiveram o coração bem disposto e as condições para invocarem o nome de Yahweh, esses serão libertados dos terríveis fenômenos e receberão a graça divina da redenção. O monte Sião e Jerusalém são destacados como lugares da manifestação dos poderes remidores de Deus. Yahweh chama aqui os sobreviventes do terror ao seu quartel-general. O profeta Joel, no entanto, não recebeu a visão maior da redenção mundial que alguns dos profetas receberam, e que se tornou tão comum como a posição do Novo Testamento. Ver Ef 1.9,10 explicado no *Novo Testamento Interpretado* quanto às dimensões maiores dessa doutrina. Pedro empregou a primeira parte deste versículo (ver At 2.21), que fala da fé e da salvação espiritual. Paulo (em Rm 10.13) citou a promessa de Joel e a aplicou ao princípio da salvação pela fé, para todos os povos de todas as épocas. A *eleição* divina — "aqueles que o Senhor chamar" — é referida por Pedro em At 2.39. Portanto, vemos a ação do livre-arbítrio humano ao aproximar-se de Deus, e a eleição divina a trabalhar em conjunto com esse livre-arbítrio, sendo que as duas coisas mostram a verdade inteira da questão, embora não possamos reconciliar os dois elementos aparentemente contraditórios. Ver no *Dicionário* os verbetes intitulados *Livre-arbítrio* e *Eleição*.

CAPÍTULO TRÊS

DEUS PROMETE JULGAR OS OPRESSORES DE ISRAEL (3.1-3)

Joel deixa para outros profetas as visões concernentes à salvação e restauração dos gentios. Ele termina seu livro proferindo condenação contra os opressores do povo de Israel e deixa a questão nesse pé. Com uma tirada incansável, ele derruba todos os adversários de Israel e, até onde lhe dizia respeito, esse foi o fim da questão. Sua visão foi limitada quanto aos detalhes, até mesmo diante dos padrões do Antigo Testamento; mas o que ele tinha para dizer tornou-se parte de nosso estoque de conhecimentos proféticos. Grandes provas haverão de sobrevir às nações no vale de Josafá, chamado vale da decisão no vs. 14. Cf. Jr 25.31.

■ **3.1** (na Bíblia hebraica corresponde ao **4.1**)

כִּי הִנֵּה בַּיָּמִים הָהֵמָּה וּבָעֵת הַהִיא אֲשֶׁר אָשׁוּב אֶת־שְׁבוּת יְהוּדָה וִירוּשָׁלָם:

Eis que naqueles dias, e naquele tempo. Embora Yahweh venha a restaurar a fortuna de Israel, ele realizará paralelamente uma obra terrível entre as nações gentílicas. As palavras "naqueles dias" apontam para o "tempo da restauração de Israel". Alguns limitam a mensagem desse livro ao retorno de Judá do cativeiro babilônico, mas isso expressa uma opinião muito estreita, embora as palavras literais possam significar somente isso. Cf. este versículo com Jr 33.15; 50.4,20. Cf. também Dt 30.3. No Novo Testamento temos a passagem de Rm 11.26, que diz: "E assim todo o Israel será salvo".

Alguns intérpretes veem aqui a esperança da restauração tanto para a nação norte (Israel) do cativeiro assírio, quanto para a nação sul (Judá) do cativeiro babilônico, mas esse parecer fica aquém do esquema escatológico que este capítulo concebe. As palavras "naqueles dias" têm sido cristianizadas por alguns eruditos para significar "a dispensação do evangelho", mas isso está fora de lugar aqui. Ver no *Dicionário* o verbete denominado *Restauração de Israel*, quanto a detalhes.

■ **3.2** (na Bíblia hebraica corresponde ao **4.2**)

וְקִבַּצְתִּי אֶת־כָּל־הַגּוֹיִם וְהוֹרַדְתִּים אֶל־עֵמֶק יְהוֹשָׁפָט וְנִשְׁפַּטְתִּי עִמָּם שָׁם עַל־עַמִּי וְנַחֲלָתִי יִשְׂרָאֵל אֲשֶׁר פִּזְּרוּ בַגּוֹיִם וְאֶת־אַרְצִי חִלֵּקוּ:

Congregarei todas as nações e as farei descer ao vale de Josafá. Em contraste com as bênçãos sobrevindas a Israel, temos as maldições que caem sobre os povos gentílicos. Deus reunirá todas as nações (ver Sf 3.8) no temível *vale de Josafá*, onde elas enfrentarão singular agonia. Essa é a única referência a tal lugar na Bíblia, e o profeta não ofereceu nenhuma explicação. Isso faz os intérpretes conjecturar: 1. O termo não se refere a nenhum lugar específico, mas é um nome inventado para o vale da decisão (vs. 14). *Josafá* foi escolhido meramente por causa de seu significado: "Yahweh julgou". 2. Tanto a tradição cristã quanto a tradição islâmica associam o nome com o vale do Cedrom, localizado entre Jerusalém e o monte das Oliveiras. 3. Essa ideia é refinada por alguns estudiosos, que supõem que um grande terremoto formará um vale que, no futuro, será chamado vale de Josafá. Supostamente, para formar esse vale, o terremoto rachará em dois o monte das Oliveiras, mas isso soa para mim como exagerado refinamento. 4. Ou temos nesse nome uma forma alternativa do nome *Armagedom* (ver a respeito no *Dicionário*). Estou conjecturando que a primeira dessas quatro interpretações é a correta.

Seja como for, naquele lugar, Yahweh *entrará em julgamento* (*Revised Standard Version*) contra todos os povos que maltrataram Israel, guerrearam contra eles e os espalharam a lugares longínquos da terra. A alusão é aos cativeiros assírio e babilônico, mas a referência é geral e não deve ser limitada a uma ou duas instâncias de perseguição. Cf. Jr 52.28-30. Tanto os assírios quanto os babilônios dividiram a Terra Prometida visando seu próprio benefício, e enviaram estrangeiros para lá, a fim de habitar no espaço disponível. Além disso, houve a dispersão romana, iniciada em 132 d.C. por ordens de Adriano, que esvaziou o país de judeus.

■ **3.3** (na Bíblia hebraica corresponde ao **4.3**)

וְאֶל־עַמִּי יַדּוּ גוֹרָל וַיִּתְּנוּ הַיֶּלֶד בַּזּוֹנָה וְהַיַּלְדָּה מָכְרוּ בַיַּיִן וַיִּשְׁתּוּ:

Lançaram sortes sobre o meu povo. *Povos cativos* e prisioneiros de guerra tradicionalmente eram maltratados por seus captores. Israel sofreu repetidamente tais ultrajes. As pessoas lançavam sortes para dividir as terras que tinham tomado à força, como se essas lhes pertencessem; eles vendiam os preciosos filhos de Israel para comprar prostitutas; e vendiam meninas pequenas em troca de vinho. Desse modo, os filhos e as filhas foram levados para uma escravatura sem misericórdia, para serem usados como se fossem mera propriedade. Este versículo fala da intensa crueldade e barbaridade humana, a ausência total de bondade, a desumanidade do homem contra o homem, o que tem manchado toda a história. O pequeno valor dado a meninos pequenos, pelos seus captores, é ilustrado mediante a leitura da versão Peshitta. Eles eram vendidos não para comprar alguma prostituta, mas somente para alugá-la por uma única experiência: "deram meninos por meretrizes". "A tão miseráveis circunstâncias foram reduzidos os pobres judeus, em seu cativeiro, a ponto de seus filhos serem vendidos por seus opressores, tanto meninos quanto meninas, para os mais baixos propósitos" (Adam Clarke, *in loc.*).

Sortes sobre o meu povo. Não somente por causa de suas terras, mas igualmente por causa de suas pessoas: quantos cativos cada soldado conseguia arranjar. Noventa e sete mil foram levados cativos pelos romanos, conforme diz Josefo (*Guerras*, 1.6, cap. 9. sec. 3).

PECADOS E PUNIÇÕES DE TIRO, SIDOM E FILÍSTIA (3.4-8)

■ **3.4** (na Bíblia hebraica corresponde ao **4.4**)

וְגַם מָה־אַתֶּם לִי צֹר וְצִידוֹן וְכֹל גְּלִילוֹת פְּלָשֶׁת הַגְּמוּל אַתֶּם מְשַׁלְּמִים עָלָי וְאִם־גֹּמְלִים אַתֶּם עָלַי קַל מְהֵרָה אָשִׁיב גְּמֻלְכֶם בְּרֹאשְׁכֶם:

Que tendes vós comigo, Tiro e Sidom..., Filístia? Quanto aos povos mencionados (ver os artigos sobre cada povo, no *Dicionário*), as cidades fenícias estavam envolvidas no comércio escravagista, em que os judeus eram comprados e vendidos (vs. 6), mas essa era apenas uma dentre suas muitas infrações contra a humanidade. Naturalmente, os judeus, quando combatiam uns contra os outros (como a nação do norte contra a nação do sul, ou de facções contra facções dentro dessas duas nações), ou quando conquistavam outros povos, eram culpados das mesmas brutalidades, o que significa que os gentios não tinham monopólio do pecado. "Tiro e Sidom e todas as regiões da Filístia! Que tendes contra mim? Estais a punir-me por causa de alguma coisa que fiz? Então farei rapidamente contra vós aquilo que tendes feito contra mim" (NCV). Este versículo mostra a proximidade entre Yahweh e seu povo, conforme se aprende em Jl 2.23,26,27. Israel era filho de Yahweh (ver Êx 4.22). Os fenícios controlavam os mares e muitas rotas comerciais, e havia opressão econômica. Os *filisteus* se fizeram inimigos de Israel desde o princípio, tornando-se culpados de muitas atrocidades. Ver Am 1.6,9 quanto a um paralelo próximo do presente versículo e onde é dada uma lista dos crimes mais óbvios.

Com severa ironia, Yahweh adverte-os dizendo que a chamada vingança seria um tiro pela culatra contra eles. Cf. Is 58.18 e Ob 15. Ver também o vs. 7, logo adiante, neste mesmo capítulo.

3.5 (na Bíblia hebraica corresponde ao 4.5)

אֲשֶׁר־כַּסְפִּי וּזְהָבִי לְקַחְתֶּם וּמַחֲמַדַּי הַטֹּבִים הֲבֵאתֶם לְהֵיכְלֵיכֶם׃

Visto que levastes a minha prata e o meu ouro. Este versículo fala primeiramente sobre a exploração econômica e em segundo lugar sobre os ataques diretos, mediante os quais as riquezas de Israel foram tomadas pelos fenícios. Os tesouros, neste caso, não eram especificamente do templo, o principal depósito de valores de Judá, pois os fenícios nunca conseguiram saquear o templo. Devemos compreender o país como um todo, bem como seus recursos financeiros. Por outra parte, os filisteus tinham uma longa história de saques de Israel. Ver Jz 13.1; 1Sm 5.1; 2Cr 21.17. Os filisteus tomavam dos bens dos israelitas e os colocavam em seus templos, os quais eram depósitos comuns para receber coisas saqueadas. Ver 1Sm 5.2; 31.10. Foram os babilônios que saquearam o templo de Jerusalém (ver Jr 52.13,17 ss.).

3.6 (na Bíblia hebraica corresponde ao 4.6)

וּבְנֵי יְהוּדָה וּבְנֵי יְרוּשָׁלַםִ מְכַרְתֶּם לִבְנֵי הַיְּוָנִים לְמַעַן הַרְחִיקָם מֵעַל גְּבוּלָם׃

E vendestes os filhos de Judá e os filhos de Jerusalém. Os fenícios transportavam escravos hebreus aos portos do mar Mediterrâneo e a outras nações que estavam ativas no tráfico de escravos. Amós também acusou os fenícios e os filisteus de ocupar-se desse negócio vergonhoso (ver Jl 1.6,9), que incluía escravos judeus como parte do comércio entre a Grécia e Tiro. Os fenícios desde há muito dedicavam-se a esse negócio, pelo que há uma referência a essas atividades na obra de Homero, *Odisseia* XIV.297; XV.482-484. Ver Heródoto, *Hist.* I.1.11.54. A referência específica aqui pode ser aos eventos que se seguiram ao cativeiro babilônico, que produziu um número razoavelmente grande de escravos a serem oferecidos no mercado.

3.7 (na Bíblia hebraica corresponde ao 4.7)

הִנְנִי מְעִירָם מִן־הַמָּקוֹם אֲשֶׁר־מְכַרְתֶּם אֹתָם שָׁמָּה וַהֲשִׁבֹתִי גְמֻלְכֶם בְּרֹאשְׁכֶם׃

Eis que eu suscitarei do lugar para onde os vendestes. Yahweh-Elohim não deixou as coisas ficar como estavam. Ele despertou seus filhos, que estavam escravizados, para voltar à Terra Prometida (vs. 1), a fim de, por meio deles e inteiramente à parte deles, tirar vingança daqueles homens maus. Haveria um *temível julgamento* contra aqueles homens, o que repete a ideia do vs. 4. Chegará o tempo em que Israel obterá ascendência sobre os seus inimigos (ver Is 41.11,12; Am 9.12; Ob 15-21; Mq 7.16,17; Sf 2.6,7). Alexandre devolveu a liberdade a muitos judeus, conforme diz Josefo em sua obra *Guerras* iii.9.2. Essa foi uma medida preliminar. Yahweh levaria essa questão à fruição.

3.8 (na Bíblia hebraica corresponde ao 4.8)

וּמָכַרְתִּי אֶת־בְּנֵיכֶם וְאֶת־בְּנוֹתֵיכֶם בְּיַד בְּנֵי יְהוּדָה וּמְכָרוּם לִשְׁבָאיִם אֶל־גּוֹי רָחוֹק כִּי יְהוָה דִּבֵּר׃ ס

Venderei vossos filhos e vossas filhas aos filhos de Judá. Os que negociavam com escravos sofreriam conforme a *Lex Talionis* (retribuição conforme a gravidade do crime cometido; ver a respeito no *Dicionário*). Visto que eles tinham vendido crianças judias como escravas, usando-as como sua propriedade (vs. 3), o mesmo aconteceria a seus filhos. Os judeus se tornariam ativos nos negócios escravagistas e venderiam crianças gentílicas aos *sabeus*. Esse povo era conhecido por seu ativo comércio escravagista (ver 1Rs 10.2; Ez 27.22,23). Seba, a terra deles, ficava no extremo sul da Arábia (ver Jr 6.20). Assim aconteceria por força do decreto divino (ver Ob 18). Diodoro Sículo XIV.45 diz especificamente que sidônios foram vendidos como escravos por Artaxerxes III, em 345 a.C. O *Anábasis de Alexandre*, II.24,27, de Ariano, afirma que os tírios e o povo de Gaza foram vendidos por Alexandre, o Grande (332 a.C.). Temos aí uma justiça retributiva, outra instância da *Lei Moral da Colheita segundo a Semeadura* (ver a respeito no *Dicionário*). Diz o Targum: "Pois pela palavra de Yahweh foi assim decretado".

AS NAÇÕES SÃO CONVOCADAS PARA A BATALHA FINAL (3.9-11)

3.9 (na Bíblia hebraica corresponde ao 4.9)

קִרְאוּ־זֹאת בַּגּוֹיִם קַדְּשׁוּ מִלְחָמָה הָעִירוּ הַגִּבּוֹרִים יִגְּשׁוּ יַעֲלוּ כֹּל אַנְשֵׁי הַמִּלְחָמָה׃

Proclamai isto entre as nações. "A guerra santa entre os guerreiros do Senhor e todas as nações ao redor (cf. Ez 38 e 39)" (*Oxford Annotated Bible*, comentando sobre este versículo). Os arautos de Yahweh anunciaram a mensagem em palavras altissonantes, curtas e claras. Eles tiveram de preparar-se (*santificar*) para a guerra. Essa preparação geralmente era feita pelos povos antigos mediante ritos religiosos e súplicas dirigidas aos deuses. Cf. 1Sm 7.8,9. A mesma palavra hebraica é usada para a instituição de festas e jejuns religiosos (ver Jl 1.14 e 2.15. Além disso, eles tinham de aproximar-se dos lugares da matança, de onde muitos milhares não retornariam. *Todas as nações* se envolveriam, visto que seria efetuada cobrança universal. Cf. Is 34.2; Ob 15 e Zc 14.2. A cena é a do *Armagedom* (ver a respeito no *Dicionário*), embora não seja chamada por esse nome.

3.10 (na Bíblia hebraica corresponde ao 4.10)

כֹּתּוּ אִתֵּיכֶם לַחֲרָבוֹת וּמַזְמְרֹתֵיכֶם לִרְמָחִים הַחַלָּשׁ יֹאמַר גִּבּוֹר אָנִי׃

Forjai espadas das vossas relhas de arado. As instruções dadas aqui são o oposto exato daquelas dadas em Is 2.4 e Mq 4.3, onde instrumentos de guerra são transformados em instrumentos agrícolas, porquanto o reino de Deus (o milênio) trará a paz quando a guerra não mais existir. Para que haja armas em número suficiente para a grande batalha, instrumentos agrícolas terão de ser transformados em instrumentos de morte, a espada e a lança. Homens fracos subitamente se tornarão *guerreiros*, porquanto muitas serão as vítimas que tombarão no campo de batalha. Haverá muito de matar ou ser morto. A palavra de ordem do dia será "congregai-vos!" (vs. 11; cf. Zc 12.9).

"A sorte que envolveu os ímpios, por muitas e muitas vezes na história, aponta para o significado desta profecia. Certamente acontece que as mesas são viradas de cabeça para baixo, de tal maneira que aqueles que vivem da espada morrerão por meio dela, e nações que atacaram outras nações perecerão. As nações encontrarão a armadilha na qual cairão no vale da decisão" (Norman F. Langford, *in loc.*).

3.11 (na Bíblia hebraica corresponde ao 4.11)

עוּשׁוּ וָבֹאוּ כָל־הַגּוֹיִם מִסָּבִיב וְנִקְבָּצוּ שָׁמָּה הַנְחַת יְהוָה גִּבּוֹרֶיךָ׃

Apressai-vos, e vinde, todos os povos em redor. As forças dos ímpios serão reunidas no campo da matança. As forças de Yahweh se encontrarão ali, pois o mesmo decreto requer ambas as coisas. É a vontade de Yahweh que deverá ter cumprimento, porquanto ele intervém nas atividades dos homens e das nações. Ver no *Dicionário* o verbete chamado *Teísmo*. Os povos de todas as nações se reunirão, vindos de todas as direções. Para enfrentar essa horda, uma poderosa força de Yahweh chegará correndo. Seus *fortes soldados* (NCV) estarão presentes, também chamados de "teus valentes", havendo nisso uma possível referência ao envolvimento de poderes angelicais. "... vindos de todas as partes da terra para o vale de Josafá, ou Armagedom (ver Ap 16.14,16)" (John Gill, *in loc.*). Kimchi e Aben Ezra fazem dos anjos que ali acorrem os destruidores, como foi o caso do exército de Senaqueribe (ver 2Rs 19.35-37).

O JULGAMENTO FINAL (3.12-16a)

3.12 (na Bíblia hebraica corresponde ao 4.12)

יֵעוֹרוּ וְיַעֲלוּ הַגּוֹיִם אֶל־עֵמֶק יְהוֹשָׁפָט כִּי שָׁם אֵשֵׁב לִשְׁפֹּט אֶת־כָּל־הַגּוֹיִם מִסָּבִיב׃

Levantem-se as nações, e sigam para o vale de Josafá. Quanto a notas expositivas sobre as várias interpretações do vale de Josafá, ver o vs. 2. Esse vale é o equivalente à tradicional doutrina do *Armagedom*

(ver a respeito no *Dicionário*). A decisão final será tomada. Os ímpios cairão no esquecimento. Um *novo dia* raiará entre a fumaça e os escombros. Yahweh faz agora o convite fatal que ele confiara primeiramente a seus mensageiros (vs. 9). Sua vontade será cumprida. A iniquidade tinha de ser detida em algum ponto da história. Não podia continuar para sempre. Era necessário haver um dia final de prestação de contas. O lugar tinha de ficar cheio com os cadáveres dos mortos (Sl 110.6). As nações terão de ser julgadas. Terão de sofrer uma reprimenda final (ver Is 2.4). Ver também Mq 4.11-13; Sf 3.15-19; Zc 12.9; Ml 4.1-3.

■ **3.13** (na Bíblia hebraica corresponde ao **4.13**)

שִׁלְחוּ מַגָּל כִּי בָשַׁל קָצִיר בֹּאוּ רְדוּ כִּי־מָלְאָה גַּת הֵשִׁיקוּ הַיְקָבִים כִּי רַבָּה רָעָתָם:

Lançai a foice, porque está madura a seara. A matança que terá lugar é agora comparada à colheita e ao pisar das uvas, figuras apocalípticas comuns. Haverá uma *colheita*: a foice cortará o cereal; as *uvas serão pisadas no lagar*, e o suco delas escorrerá e encherá as tinas que não podem conter todo o suco, pelo que transbordam. Assim como a iniquidade era "grande", também a matança fará com que o sangue dos réprobos inunde o campo de batalha. Cf. Is 17.5 e Ap 14.15 ss., trechos que, sem dúvida, dependem do presente versículo. Os guerreiros santos executarão a sentença, e ela terá de ser cumprida. A paciência divina se terá esgotado. O dia da consumação chegará. Os intérpretes literalistas veem aqui guerreiros celestiais, exércitos angelicais, conforme sugiro nas notas expositivas sobre o vs. 11. "Esses versículos (12 e 13) indicam claramente que o julgamento mencionado neste capítulo realmente assumirá a forma de guerra divina contra os inimigos de Israel. Portanto, o desabafo aqui descrito deve ser equiparado à batalha do Armagedom (cf. Ap 14.14-20; 16.16; 19.11-21), e não ao julgamento das nações profetizado em Mt 25.31-46" (Robert B. Chisholm, Jr., *in loc.*).

■ **3.14** (na Bíblia hebraica corresponde ao **4.14**)

הֲמוֹנִים הֲמוֹנִים בְּעֵמֶק הֶחָרוּץ כִּי קָרוֹב יוֹם יְהוָה בְּעֵמֶק הֶחָרוּץ:

Multidões, multidões no vale da decisão! O Dia do Senhor, a catástrofe no vale de Josafá, a batalha de Armagedom, são todos uma e a mesma coisa. Devemos entender que naquele dia o *vale da decisão* ficará repleto de multidões. O Dia do Senhor decidirá os destinos eternos ali. Será um dia grande e temível, de julgamento e dor. Ver sobre esse título no *Dicionário*. A repetição, "multidões, multidões" subentende um número tão grande que será impossível qualquer cômputo. Será a batalha para terminar todas as batalhas, para resolver todas as questões de certo e errado. Haverá vingança; as contas serão ajustadas. Essas multidões serão reunidas para condenação de destruição. O veredicto divino será executado. Há em tudo isso uma inescapável finalidade. Poderes sobre-humanos realizarão a obra de destruição. O texto diz que Deus fará essa obra sozinho, sem a ajuda dos exércitos humanos. "Por tentador que seja interpretar isso como uma referência às decisões que os homens têm de tomar em tempos de crise, tal interpretação não é uma exegese sã aqui. A referência nestes versículos é à *decisão de Deus...* os ímpios serão apanhados na armadilha no vale da decisão. Um poder superior ao homem terá derrubado os ímpios" (Norman F. Langford, *in loc.*).

■ **3.15** (na Bíblia hebraica corresponde ao **4.15**)

שֶׁמֶשׁ וְיָרֵחַ קָדָרוּ וְכוֹכָבִים אָסְפוּ נָגְהָם:

O sol e a lua se escurecem. Haverá *acontecimentos cósmicos*, conforme vemos em Jl 2.10 e 31, onde ofereço as notas expositivas. Será um dia de trevas totais, pois o sol, a lua e as estrelas negarão sua luz aos homens. Naturalmente, essas são figuras simbólicas, mas falam de acontecimentos temíveis e totalmente sem precedente, que haverão de alcançar homens pecaminosos, que têm rejeitado todos os apelos ao arrependimento.

■ **3.16a** (na Bíblia hebraica corresponde ao **4.16a**)

וַיהוָה מִצִּיּוֹן יִשְׁאָג וּמִירוּשָׁלִַם יִתֵּן קוֹלוֹ

O Senhor brama de Sião, e se fará ouvir de Jerusalém. O Dia do Senhor terá início por ser a mais horrenda das noites (vs. 15), na qual Yahweh rugirá em Sião e sairá como um leão para despedaçar os inimigos do bem e pôr um ponto final neles. Sua voz soará poderosa em Jerusalém. Todos os poderes dos céus e da terra serão abalados pela sua voz, figura simbólica que também aparece em Jl 2.10,11. A voz de Yahweh será um estrondeante clamor de batalha que anunciará o fim do mal. Cf. Ap 16.16,18 e também Ez 38.18-22; Jr 25.30; Am 1.2 e 3.8. Cf. essa figura com a voz estrondeante de Yahweh, em Sl 18.13 e Hc 3.10,11.

AS BÊNÇÃOS DE JUDÁ (3.16b-21)

■ **3.16b** (na Bíblia hebraica corresponde ao **4.16b**)

וְרָעֲשׁוּ שָׁמַיִם וָאָרֶץ וַיהוָה מַחֲסֶה לְעַמּוֹ וּמָעוֹז לִבְנֵי יִשְׂרָאֵל:

Mas o Senhor será o refúgio do seu povo. A matança da batalha de Armagedom nada deixará das nações gentílicas, mas das cinzas e da destruição Israel se soerguerá como a fênix. Há *esperança* para Israel, e nenhum estrangeiro jamais atravessará novamente a cidade de Jerusalém (vs. 17), ou seja, ninguém a violará em sentido algum. O Senhor será o refúgio de Israel no temível dia da batalha de Armagedom, tal como é expresso também em Sl 61.3. Ver no *Dicionário* o artigo chamado *Refúgio*, bem como notas expositivas adicionais em Sl 46.1. Yahweh será a fortaleza e defesa de Israel naquele tempo, quando nenhum poder na terra poderia deter as nações reunidas (vs. 11). Desse modo, haverá intervenção sobrenatural. O *teísmo* bíblico ensina que o Criador também intervém em sua criação, recompensando e punindo, em consonância com as leis morais de Deus. Essa ideia deve ser contrastada com o *deísmo*, que ensina que a força criadora (pessoal ou impessoal) abandonou sua criação aos cuidados das leis naturais. Ver sobre ambos os termos no *Dicionário*. Quanto ao vocábulo *fortaleza*, cf. Sl 9.9; 18.2; 27.1; 37.39; 43.2 e 144.3.

■ **3.17** (na Bíblia hebraica corresponde ao **4.17**)

וִידַעְתֶּם כִּי אֲנִי יְהוָה אֱלֹהֵיכֶם שֹׁכֵן בְּצִיּוֹן הַר־קָדְשִׁי וְהָיְתָה יְרוּשָׁלִַם קֹדֶשׁ וְזָרִים לֹא־יַעַבְרוּ־בָהּ עוֹד: ס

Sabereis assim que eu sou o Senhor vosso Deus. Israel aprenderá a excelente e encorajadora lição de que *Yahweh* é *Elohim*, o Poder que pode fazer e realmente faz tudo por seu povo. Ele faz seu quartel-general na colina de Sião e ali manifesta sua presença. Jerusalém será santificada por essa presença, e o povo que ali estará vivendo deve corresponder a essa santidade com sua santidade imitativa, sempre imperfeita, mas sempre crescente. Os estrangeiros, que com tanta violência violaram Jerusalém, nunca mais terão oportunidade de repetir esse ato. Uma *nova ordem* será estabelecida na era do reino. Cf. esse sentimento com Is 52.1 e Zc 14.21. Em Ap 21.27 e 22.14,15, a base para a exclusão será puramente espiritual e ética. A iniquidade causou imenso caos. Mas chegará o fim da iniquidade. "Estrangeiros serão aqueles que, até ali, oprimiram Israel. Eles eram como as manchas e as rugas que enfeavam a noiva, a Igreja de Deus" (Ellicott, *in loc.*).

Joel deixou os povos gentílicos abandonados, enquanto outros profetas veem para os gentios, igualmente, uma restauração final. Ver Is 42.6; 49.6. O conhecimento do Senhor, como seu poder transformador, será universal (ver Is 11.9,10). Ver o artigo geral chamado *Restauração*, na *Enciclopédia de Bíblia, Teologia e Filosofia*.

■ **3.18** (na Bíblia hebraica corresponde ao **4.18**)

וְהָיָה בַיּוֹם הַהוּא יִטְּפוּ הֶהָרִים עָסִיס וְהַגְּבָעוֹת תֵּלַכְנָה חָלָב וְכָל־אֲפִיקֵי יְהוּדָה יֵלְכוּ מָיִם וּמַעְיָן מִבֵּית יְהוָה יֵצֵא וְהִשְׁקָה אֶת־נַחַל הַשִּׁטִּים:

E há de ser que, naquele dia, os montes destilarão mosto. *Condições Vigentes no reino.* Cada detalhe de geografia produzirá sua contribuição apropriada para o bem-estar do povo. Portanto, encontramos aqui uma série de figuras que personalizam as características geográficas da Terra Prometida. Os *montes* produzirão mosto (cf. Am 9.13). As *colinas* fluirão leite (ver Am 9.13). Ver a expressão comum "fluir com leite e mel", em Êx 3.8. Os *rios* de Judá, secos a maior parte do ano, fluirão com águas abundantes, e não conhecerão estação seca (ver Is 30.25; Ez 47.1-12; Zc 14.8; Enoque 26, 28 e 30). Haverá águas vivas. Cf. Ap 22.1,2. Quanto às torrentes messiânicas de bênçãos, provavelmente sugeridas pelas águas de Siloé, ver Is 8.6 e Sl 46.4.

Também uma *fonte* fluirá do trono de Yahweh, no templo de Jerusalém. Ver Ez 47.1, onde temos a mesma imagem do Templo Ideal. Ver também Zc 14.8 e Ap 22.1, que repousa diretamente sobre o texto presente. As águas ali serão tão abundantes quanto as águas do inteiro vale de Sitim, cujas regiões inferiores normalmente são secas. Pode estar em vista o wadi en-Nar, onde árvores como a acácia são encontradas até hoje. Sitim significa "acácia". "O vale das acácias provavelmente é a porção do vale do Cedrom que corre através do deserto árido do mar Morto (cf. Ez 47.8)" (Robert B. Chisholm, *in loc.*).

■ **3.19** (na Bíblia hebraica corresponde ao **4.19**)

מִצְרַיִם לִשְׁמָמָה תִהְיֶה וֶאֱדוֹם לְמִדְבַּר שְׁמָמָה תִּהְיֶה מֵחֲמַס בְּנֵי יְהוּדָה אֲשֶׁר־שָׁפְכוּ דָם־נָקִיא בְּאַרְצָם׃

O Egito se tornará uma desolação. Em contraste com Israel, o que restar das potências gentílicas após a destruição da batalha do Armagedom (vss. 12 ss.), será deixado desolado. O Egito e Edom, inimigos perenes de Israel, representam neste versículo as nações gentílicas. Joel deixou de ver a restauração para qualquer outro povo além de Israel e, assim sendo, ficou aquém da visão de outros profetas. Ver as notas expositivas sobre o vs. 17. O Egito será deixado como uma terra desolada e infértil (cf. Ez 29.8). Edom se tornará um deserto estéril (ver Ez 35.3,4; 7.14,15). Esse será o julgamento das nações por terem oprimido Israel, uma instância das operações da lei da colheita segundo a semeadura (ver Gl 6.7,8). Essas nações tornaram-se culpadas dos mais horrendos crimes, incluindo crimes de sangue. Ver 1Rs 14.25,26; 2Rs 23.29 (o Egito está aqui envolvido). Ver Ob 1-21 quanto ao caso de Edom. A segurança de Israel será garantida pelo rearranjo das potências nacionais. Jerusalém será habitada para sempre (ver Ez 37.25; Am 9.15; Zc 14.11). Não haverá mais cativos nem desgraças.

■ **3.20** (na Bíblia hebraica corresponde ao **4.20**)

וִיהוּדָה לְעוֹלָם תֵּשֵׁב וִירוּשָׁלַם לְדוֹר וָדוֹר׃

Judá, porém, será habitado para sempre. *A perpetuidade da nação de Israel*, tanto de seus habitantes quanto de suas bênçãos, é prometida a Jerusalém. O tempo da opressão estrangeira finalmente terminará. Israel será levantado como cabeça das nações. Um novo dia raiará, com uma nova ordem. O Messias é poderoso e reina poderosamente. "Jerusalém, a cidade glorificada por Deus, será eterna" (John A. Thompson, *in loc.*).

Plantá-los-ei na sua terra, e, dessa terra que lhes dei,
já não serão arrancados, diz o Senhor teu Deus.
Amós 9.15

■ **3.21** (na Bíblia hebraica corresponde ao **4.21**)

וְנִקֵּיתִי דָּמָם לֹא־נִקֵּיתִי וַיהוָה שֹׁכֵן בְּצִיּוֹן׃

Eu expiarei o sangue dos que não foram expiados. Este versículo combina a condenação dos povos gentílicos com a glória de Israel, os primeiros por causa de seus muitos abusos contra Israel, incluindo crimes de sangue; e os segundos porque o povo de Israel, arrependido, voltou-se para Deus, e agora estava no plano divino para glorificar aquela nação. No encerramento de seu livro, o profeta, de maneira muito característica (Cf. Jl 1.20 e 2.27), repete os temas principais do livro: a necessidade de os culpados impenitentes sofrerem a justa vingança divina; a necessidade de seu povo ser vindicado como nação; a presença de Sião para garantir a exaltação de Israel. Vemos a afirmação da presença do Senhor em Sião, em Jl 3.17. Esse fato, acima de todos os outros, é uma garantia da glória futura de Israel, descrita nos vss. 17-21 do presente capítulo.

O nome da cidade desde aquele dia será: O Senhor está ali.
Ezequiel 48.35

AMÓS

O livro que descreve as injustiças que provocaram o cativeiro assírio

> *Antes corra o juízo como as águas, e a justiça como ribeiro perene... vos desterrarei, para além de Damasco, diz o Senhor.*
>
> Amós 5.24,27

9	Capítulos
146	Versículos

INTRODUÇÃO

ESBOÇO

I. Pano de Fundo
II. Data
III. Autoria e Unidade
IV. Lugar de Origem e Destino
V. Canonicidade e Texto
VI. Mensagem e Conteúdo
VII. Amós e o Novo Testamento
VIII. Bibliografia

Introdução. Amós foi um dos doze profetas menores, sendo nativo de Tecoa, cidade dez quilômetros ao sul de Belém. Era pastor, mas foi chamado por Deus a fim de profetizar nos dias dos reis Uzias, de Judá, e Jeroboão, de Israel, em cerca de 786—746 a.C. Os *profetas menores* não são aqueles que se revestem de menor importância, como alguns poderiam entender a expressão, mas, sim, aqueles que *escreveram menos*. A vida tranquila de Amós foi perturbada por uma série de visões que o levaram à conclusão hesitante de que Israel estava prestes a ser aniquilado como nação, a despeito de afirmar-se sob a perpétua proteção de Deus. Yahweh, que lhe deu a mensagem, é visto como o Criador e Soberano de toda a natureza, bem como o Justo Juiz da história, na qual intervém assim como faz em relação à vida humana. Isso expõe um ponto de vista *teísta,* e não *deísta,* de Deus. Ver no *Dicionário* os artigos sobre esses termos. O teísmo ensina que Deus não somente criou, mas também está interessado e intervém em sua criação, recompensando ou punindo. Por sua vez, o deísmo ensina que o Criador, ou alguma força cósmica que deu origem às coisas, abandonou a criação ao controle das leis naturais.

I. PANO DE FUNDO

Uzias, de Judá, e Jeroboão II, de Israel (ambos reinaram no mesmo período), desfrutaram de paz e prosperidade. Os inimigos militares estavam quietos ou haviam sido esmagados. A Assíria havia derrotado a Síria, permitindo que Jeroboão II ampliasse suas fronteiras (ver 2Rs 14.25). O comércio trouxe novo surto de riquezas. Tanto Judá (ao sul) quanto Israel (ao norte) cresceram, e o reino de Israel combinado com o de Judá chegou a ter quase as mesmas dimensões que tivera na época de Davi e Salomão, a época áurea de Israel. Embora a Assíria estivesse se tornando uma ameaça militar, sob o governo de Tiglate-Pileser III (745—727 a.C.), qualquer ameaça vinda daquela direção parecia remota àqueles que descansavam na prosperidade de Israel.

Sucedeu que a prosperidade material, como é usual, provocou suas corrupções sociais e religiosas. A vida fácil estava debilitando moralmente o povo (ver Am 2.6-8; 5.11,12). Amós sentiu ser necessário denunciar a vida de luxo, a idolatria e a depravação moral do povo, advertindo sobre julgamento e cativeiro final. A adoração do Baal dos cananeus foi incorporada ao culto de Israel, e a arqueologia tem demonstrado que a religião cananeia contemporânea do profeta era a mais corrupta que havia no Oriente Próximo. A prostituição ritual fazia parte desse culto. Alcoolismo, violência, grosseira sensualidade e idolatria eram fatores constantes. Israel participava dessa corrupção (ver Am 4.4,5 e 5.5), corrompendo totalmente o ideal do *monoteísmo* (ver no *Dicionário* o artigo a respeito). A degradação geral degenerou para a injustiça judicial, em que os ricos exploravam os pobres, produzindo um virtual estado escravocrata.

A arqueologia tem trazido a lume evidências da extensão da prosperidade comercial nessa época, em Samaria, riquezas que se espalhavam para outras partes de Israel. As ostraca samaritanas, atribuídas ao reinado de Jeroboão II, 63 casos inscritos à tinta, recuperados em 1910, encontrados pela expedição Harvard à Samaria, em ruínas a oeste do local do palácio real, contêm detalhes sobre comércio, impostos e itens luxuosos, e sobre o vinho e o azeite. O selo de Sema, servo de Jeroboão, descoberto em Megido, em 1904, ilustra as realizações artísticas do povo daquela época. Seus leitos eram decorados com engastes de mármores, com representações de lírios, veados, leões, esfinges e figuras humanas aladas. Foi um período de vida ociosa, riqueza, arte e lassidão moral. Em outras palavras, Israel se tornara uma nação doente, como sucede à maioria das sociedades abastadas. A opressão contra os pobres era intensa (ver Am 2.6 ss.), os famintos permaneciam à míngua (ver Am 6.3-6), a justiça se vendia a quem subornasse mais (ver Am 2.6 e 8.6), os agiotas exploravam suas vítimas (ver Am 5.11 ss.; 8.4-6). A religião não era negligenciada, mas havia sido pervertida (ver Am 3.4; 4.4 e 7.9). O julgamento divino era iminente.

II. DATA

Corria o segundo quartel do século VIII a.C., durante os reinados de Uzias, rei de Judá (779—740 a.C.) e Jeroboão, rei de Israel (Samaria) (783—743 a.C.). Esses dois reis reinaram ao mesmo tempo pelo espaço de trinta anos, de 779 a 743 a.C. Durante parte desse tempo, Amós profetizou e escreveu o seu livro. Foi-lhe ordenado que retornasse à sua terra natal de Judá, após ter pregado em Israel durante algum tempo (ver Am 7.10-13), e isso pôs fim à sua carreira como profeta de Yahweh. Não há como determinar a data exata da escrita de seu livro, embora o período geral seja óbvio.

III. AUTORIA E UNIDADE

a. *O Homem Amós.* Nasceu em Tecoa, aldeia dez quilômetros ao sul de Belém. Era pastor, sem treinamento teológico, acerca de quem nada sabemos até o momento de sua chamada. Também trabalhava como cultivador de sicômoros (ver Am 7.14). Migrava em certo período do ano para o território mais fértil de Efraim, onde trabalhava com os sicômoros. Portanto, era um *leigo* humilde e seminômade, e não um membro da classe profética (ver 1Rs 22.6 ss.), tendo-se recusado a ser chamado de profeta, embora admitisse ter sido forçado a entrar no ministério profético, por comissão divina. Em uma série de visões, provavelmente no fim da primavera ou no verão de 751 ou 750 a.C. (ver Am 7.1-9 e 8.1-3), ele recebeu sua espantosa mensagem concernente à iminente destruição e deportação do povo de Israel. Foi acusado de conspiração contra Jeroboão e ameaçado por Amazias, sumo sacerdote de Betel. Após ter cumprido sua missão, Amós retornou a Judá. Permanecem desconhecidos o tempo e a maneira de sua morte, bem como quaisquer detalhes subsequentes de sua vida.

b. *A Escrita.* Como é óbvio, a mensagem de Amós foi genuinamente preservada no livro intitulado por seu nome. Mas o texto hebraico não indica que o próprio Amós tenha escrito o livro. Alguns supõem que as profecias de Amós existiam a princípio como tradição oral, posteriormente reduzida à forma escrita por uma ou mais pessoas. Contra isso argumenta-se que a notável rigidez do texto hebraico do livro, além de sua evidente unidade, sugere, se não mesmo prova, que Amós ou um amanuense de sua escolha tenha escrito o livro. Naturalmente, não há como provar coisa alguma no tocante a isso. O Evangelho de Marcos poderia ser intitulado Evangelho de Pedro, visto que preserva, essencialmente, suas memórias (embora, como é óbvio, tenha havido outras fontes informativas). Isso é verdade, embora o próprio Pedro não tenha escrito o Evangelho de Marcos. Por igual modo, o livro de Amós pode com razão ser chamado "livro de Amós", porquanto preserva a mensagem desse profeta, mesmo que não tenha sido produção literária de sua pena.

c. *Unidade.* O vocábulo *unidade* é usado para destacar se a matéria do livro em pauta vem de um mesmo período, por um único autor, ou se representa uma compilação e obra de um editor (ou editores, em diferentes períodos). Alguns problemas sugeridos: 1. Alguns estudiosos propõem que as visões (ver Am 7.1-9; 8.1-3 e 9.1-4) pertencem a um período anterior à missão de Amós em Israel, e que já existiam como um documento separado antes do terremoto (ver Am 1.1), o que serviu para salientar a mensagem condenatória dessas visões. A isso, presumivelmente, foi adicionado o trecho de Am 8.4-14 algum tempo mais tarde. 2. Em seguida, os capítulos primeiro a sexto são encarados como uma unidade separada, coligida no final do ministério de Amós em Israel. Então, presumivelmente esses dois documentos foram unidos nos dias do exílio ou após o exílio. 3. A essa combinação, foram acrescentados alguns comentários editoriais. Dois documentos separados seriam sugeridos na terminologia de Am 1.1, "Palavras que, em visão, vieram a Amós..." e em Am 7.1. "Isto me fez ver o Senhor...", onde a palavra "visão" não é diretamente usada. 4. Outros estudiosos aceitam o livro como essencialmente uno, embora supondo que tenha havido pequenas adições, sugerindo como tais os trechos de Am 1.9,10,11,12 e 2.4,5, além das três doxologias em 4.13; 5.8 e 9.5,6, e a passagem messiânico-milenial de 9.11-15. Outros retrucam que essas supostas adições são fragmentos de imaginações dos eruditos, que entendem mal a história do desenvolvimento da religião de Israel. Conceitos posteriores, segundo alguns, poderiam ter existido em uma época anterior à que geralmente se supõe. Contra a dupla divisão do livro, alguns argumentam que um exame cuidadoso do livro revela não haver diferença real entre essas duas porções, quanto ao conteúdo ou à natureza teológica, e que dividir o livro em "palavras" (primeira seção) e "visões" (segunda seção) é um artificialismo que não resiste à investigação séria. A conclusão disso tudo é que o livro é essencialmente uma unidade homogênea, com algumas possíveis adições editoriais, feitas ou pelo escriba original, ou por algum editor posterior. E, contrariando o argumento de que houve adições teológicas pertencentes a uma data posterior (o que teria ocorrido em Am 4.13; 5.8 e 9.5,6), alguns salientam que as supostas ideias posteriores, ali contidas, já se encontram firmemente arraigadas na lei mosaica. (Ideias envolvidas: Deus como Criador, desconhecido, majestático; o controlador de toda a natureza, misterioso em sua atuação, imanente na natureza, causa de tudo quanto acontece. Esses conceitos são expressos em forma poética exaltada, mas todos eles podem ser vistos nas mais antigas Escrituras Sagradas, pelo que não refletem necessariamente uma época posterior à de Amós.)

IV. LUGAR DE ORIGEM E DESTINO
Conforme já dissemos, Amós era de Tecoa, dezesseis quilômetros ao sul de Jerusalém, atualmente representada pelas ruínas de um local de cinco acres de área, em Khirbet Taqu'a. Amós foi para Samaria e profetizou em Betel, de onde foi expulso. Então voltou para sua casa. É impossível dizermos onde Amós escreveu seu livro, ou se escreveu porções dele em diversos lugares (ver Am 1.1 e 7.12,14,15). Embora tivesse profetizado no reino do norte (Israel), suas profecias foram endereçadas a todo o povo israelita, do norte e do sul, de Israel e Judá (ver Am 1.1 e 2.4), incluindo uma denúncia contra todas as nações que se recusam a adorar a Deus de maneira certa e corrompem seus caminhos (ver Am 1.3,6,9,11 e 2.1,4,6).

V. CANONICIDADE E TEXTO
Amós aparece como o terceiro entre os doze profetas menores. Mas, cronologicamente, ele foi um dos primeiros profetas escritores. O livro é amplamente confirmado por autoridades judaicas e cristãs, como Filo, Josefo, o Talmude e, naturalmente, catálogos do cristianismo antigo, desde os primórdios cristãos. Nos dias de Jesus, os fariseus aceitavam os Salmos e os Profetas como livros canônicos, juntamente com o Pentateuco; mas os saduceus aceitavam somente o Pentateuco como canônico. Os judeus da dispersão aceitavam os escritos apócrifos, representados na Septuaginta, tradução da Bíblia hebraica para o grego. (Ver no *Dicionário* o artigo sobre os *Livros Apócrifos*.) O Novo Testamento cita e faz alusão a esses livros, e podemos supor que os cristãos primitivos (pelo menos muitos deles) defendessem o cânon representado pela Septuaginta. Seja como for, Amós era livro canônico na situação cristão judaica, com a única exceção dos saduceus. Ver no *Dicionário* o artigo sobre o *cânon*.

O texto hebraico do livro de Amós acha-se em boas condições, embora alguns eruditos vejam problemas nos trechos de 2.7; 3.13; 5.6,26; 7.2 e 8.1, onde sugerem textos variantes e emendas. A versão da Septuaginta, além de outras versões antigas, parece ter sido traduzida de um texto relacionado ao *texto massorético* (ver no *Dicionário* o artigo a respeito). Os fragmentos do livro de Amós, encontrados nas cavernas de Qumran, não apresentam diferenças importantes em relação ao texto tradicional, embora a Septuaginta algumas vezes exponha o texto correto, e não esse texto.

VI. MENSAGEM E CONTEÚDO
a. *O Conceito de Deus.* Amós tinha um elevado conceito de Deus. Deus é o Criador (4.13), além de ser o sustentador da criação (4.8; 9.6). Deus julga e castiga o pecado sob a forma de fome (ver 4.6-11), ou confere a abundância (9.13). Deus controla o destino dos povos (1.5). Ele é o Juiz e o determinador das leis morais, considerando os homens responsáveis por seus atos (1.3—2.3).
b. *A Lei Moral.* Amós deixou claro que nenhuma formalidade, rito, cerimônia, festividade ou nenhum outro fator, pode substituir a moralidade e a piedade básicas. Se os homens não seguirem as implicações dessa verdade, terão de enfrentar o julgamento (ver 5.27). Deus ameaça os ímpios (9.1) e denuncia a injustiça social (ver 2.6-8; 4.1 ss. e 6.1 ss.).
c. *Arrependimento.* Esse é o objetivo colimado das profecias condenatórias (ver 5.4,11,15,24).
d. *O Julgamento Não é a Palavra Final.* O profeta encerra com uma promessa de dias mais brilhantes (ver Am 9.11-15), dizendo que essa será a obra divina no futuro. Ver Rm 11.26. Contudo, a profecia de Amós foi rejeitada. E suas ameaças tiveram cumprimento, cerca de cinquenta anos depois.

Esboço do Conteúdo:
I. Juízos Proferidos contra Várias Nações: Damasco, Filístia, Fenícia, Edom, Amom, Moabe (1.1—2.3), Israel (2.6-16) e Judá (2.4,5)
II. Acusação de Deus contra a Família de Jacó (3.1—9.10)
   1. Três sermões de denúncia (3.1—6.15)
   2. Cinco visões simbólicas (7.1—9.10)
III. A Futura Bênção do Reino Dada a Israel (9.11-15)
   1. O reinado do Messias (9.11,12)
   2. A prosperidade do milênio (9.13)
   3. A nação judaica restaurada (9.14,15)

VII. AMÓS E O NOVO TESTAMENTO
Estêvão, em seu discurso diante do Sinédrio (ver At 7.42,43), citou o trecho de Am 5.25-27. Tiago, falando diante do concílio de Jerusalém (ver At 15.16), citou o trecho de Am 9.11. Essa circunstância demonstra naturalmente que Amós, um livro do Antigo Testamento, era considerado autorizado, por judeus e cristãos do século I d.C.

VIII. BIBLIOGRAFIA
AM CRI HAR I ND UN Z

Ao Leitor
O leitor sério, antes de lançar-se ao estudo desse livro, lerá a *Introdução,* que aborda questões importantes como pano de fundo histórico; data; autoria e unidade; lugar de origem e destino; canonicidade e texto; mensagens e conteúdo; Am e o Novo Testamento.

Ver o gráfico sobre os profetas de Israel e de Judá, na introdução ao livro de Oseias. Ali Amós aparece como o terceiro profeta, em sentido cronológico. As datas são: Joel (837-800 a.C.); Jonas (825-782 a.C.); e, então, Amós (810-785 a.C.). A data de Joel, entretanto, é controvertida, e uma data próxima do cativeiro babilônico pode ser correta. Alguns estudiosos supõem que Amós seja o livro mais antigo do cânon hebraico dos profetas. Isso significaria que foi Amós quem começou a orgulhosa tradição dos profetas em Israel e Judá. "Amós é o mais antigo dos profetas, cujas declarações ficaram registradas nos livros que têm seus nomes. O ministério de Amós (na primeira metade do século VIII a.C.) teve grande significação na época, conforme o qual, em face das grandes crises da história, o povo foi levado ao conhecimento mais profundo e mais rico do Ser e da natureza de Deus, que os capacitou a sobreviver ao fim trágico de suas carreiras como nação, tornando-se o veículo da revelação distintiva de Deus sobre si mesmo ao seu mundo" (Hughell E. W. Fosbroke, *in loc.*).

Amós é um dos chamados *Profetas Menores* (ver a respeito no *Dicionário),* os quais escreveram menos volumosamente do que os *Profetas Maiores* (ver também no *Dicionário*, a saber, Isaías, Jeremias e Ezequiel). Há *doze* profetas menores, e a *ordem* em que seus livros são postos em nossa Bíblia (os últimos doze livros do Antigo Testamento) não é cronológica. A ordem em que esses livros foram colocados, tanto na Bíblia hebraica como na Septuaginta, varia. Os eruditos judaicos chamavam esses doze livros de *Livro dos Doze,* porquanto apareciam em um único rolo.

Amós teve seu ministério durante o longo, pacífico e próspero reinado de Jeroboão II (786-745 a.C.). A nação de Israel adquiriu riquezas consideráveis e possessões territoriais, e Amós teve a tarefa de denunciar os pecados do povo em uma época de prosperidade. Por causa dessa mensagem que se impôs ao povo, a vida das autoridades foi perturbada, e o profeta Amós recebeu amarga oposição. Ele foi expulso do santuário real, em Betel, e exortado a parar de pregar. Naturalmente, ele não prestou atenção às ameaças. "Amós foi o primeiro em uma brilhante sucessão de profetas escritores cujas palavras deixaram sua marca indelével sobre o pensamento posterior acerca de Deus e dos homens" (*Oxford Annotated Bible,* Introdução). Prosperidade não significava saúde espiritual. De fato, a nação estava enferma em meio a todas as riquezas espirituais de que gozava. Ver Ap 3.17, onde temos esse pensamento vividamente expresso.

"Amós era judaíta, mas profetizou (776-763 a.C.) no reino do norte (1.1; 7.14,15), exercendo seu ministério durante o reinado de Jeroboão II, um rei capaz mas idólatra, que levou o reino do norte — Israel — ao zênite do seu poder. Coisa alguma poderia parecer mais improvável do que o cumprimento das advertências feitas por Amós. Contudo, dentro de cinquenta anos, o reino do norte estava completamente destruído pela ação militar dos assírios. Porém, a visão de Amós é mais ampla do que o reino do norte, incluindo *a casa inteira de Jacó*" (*Scofield Reference Bible,* na Introdução ao livro).

EXPOSIÇÃO

CAPÍTULO UM

ORÁCULOS CONTRA AS NAÇÕES (1.1—2 .16)

SOBRESCRITO E LEMA (1.1,2)

Esse livro tem 9 capítulos e 146 versículos. Pode ser convenientemente dividido em *três* seções principais (Am 1.1—2.16; 3.1—6.14 e 7.1—9.15), havendo certo número de subseções. Dou títulos introdutórios a cada uma das três divisões principais e às divisões secundárias, que projetam a ideia principal do que vem em seguida.

O vs. 1 fornece o *subtítulo,* e o vs. 2, o *lema* do livro, com um minúsculo sumário do tema principal a ser apresentado. Em seguida, vem uma série de denúncias dos povos circunvizinhos (Am 1.3-2.3); e um oráculo contra Judá (Am 2.3-5); finalmente, há severa denúncia contra Israel, acerca da catástrofe vindoura.

■ 1.1

דִּבְרֵי עָמוֹס אֲשֶׁר־הָיָה בַנֹּקְדִים מִתְּקוֹעַ אֲשֶׁר חָזָה עַל־יִשְׂרָאֵל בִּימֵי עֻזִּיָּה מֶלֶךְ־יְהוּדָה וּבִימֵי יָרָבְעָם בֶּן־יוֹאָשׁ מֶלֶךְ יִשְׂרָאֵל שְׁנָתַיִם לִפְנֵי הָרָעַשׁ׃

Palavras que, em visão, vieram a Amós. As *palavras de Amós* devem ser entendidas como dadas a ele por Yahweh, destinadas a seu povo, o que não está especificamente declarado, mas que era a maneira comum de os livros proféticos começarem. Ver, por exemplo, Jl 1.1. Ver no *Dicionário* os verbetes chamados *Revelação* e *Iluminação.*

Amós. Quanto ao pouco que se sabe sobre o profeta desse nome, ver as notas expositivas na *Introdução: 3. Autoria e Unidade.* Quanto à sua cidade natal, *Tecoa,* ver o artigo no *Dicionário.*

Data. O ministério de Amós começou no reinado de Uzias, rei de Judá (o qual governou entre 761 e 710 a.C.). Uzias também é conhecido como *Azarias.* Amós também profetizou no tempo de Jeroboão II (que governou em 775-746 a.C.). Ver no *Dicionário* sobre esses nomes próprios e também os verbetes chamados *Israel, Reino de* e *Reino de Judá,* onde dou breves descrições sobre todos os reis dessas duas nações.

Tecoa ficava em *Judá,* a cerca de 10 km de Betel, nas colinas daquela região; mas Amós foi enviado como profeta à nação do norte, Israel.

Dois anos antes do terremoto. Uma nota cronológica adicional fornece indicação sobre o começo do ministério de Amós, mas os eruditos não têm conseguido fixar a data desse terremoto. Os terremotos eram acontecimentos comuns na Palestina e, normalmente, não serviriam para assinalar datas; mas esse choque sísmico deve ter sido severo, pelo que serviu ao propósito. Talvez Zc 14.5 tenha em mente o mesmo terremoto. Esse marco histórico talvez se refira ao começo do ministério oral de Amós. A versão escrita do mesmo ministério ocorreu mais tarde. Está em foco um terremoto literal, e não algum tumulto no governo da nação ou entre o povo, conforme o termo algumas vezes indica. Josefo repete a lenda que diz que o terremoto ocorreu no mesmo ano em que Uzias foi ferido de lepra (ver 2Cr 26.21). Ver a obra de Josefo, chamada *Antiq.* ix.10.4. Essa lenda diz que o templo, rachado pelo terremoto, permitiu que a brilhante luz do sol incidisse sobre o rei, que tinha usurpado funções sacerdotais. Quando isso sucedeu, Uzias foi imediatamente ferido com a lepra. Esse rei, apesar disso, governou por longos 52 anos.

■ 1.2

וַיֹּאמַר יְהוָה מִצִּיּוֹן יִשְׁאָג וּמִירוּשָׁלִַם יִתֵּן קוֹלוֹ וְאָבְלוּ נְאוֹת הָרֹעִים וְיָבֵשׁ רֹאשׁ הַכַּרְמֶל׃ פ

Ele disse: O Senhor rugirá de Sião. Encontramos aqui o *lema* do livro, em uma sentença simples e significativa. Yahweh rugirá de Sião; sua voz soará como um trovão, a partir de Jerusalém. Um período de severo julgamento se aproximava. As pastagens nas quais os pastores cuidavam de suas ovelhas cairiam na lamentação, e o topo do monte Carmelo se ressecaria com as chamas da ira divina. Embora a nação do norte vivesse um período de grande prosperidade, governada pelo capaz (mas idólatra) rei Jeroboão II, dentro de cinquenta anos os assírios demoliriam o lugar inteiro e os poucos sobreviventes seriam levados à Assíria, para nunca mais, até hoje, retornarem. Ver no *Dicionário* o verbete chamado *Cativeiro Assírio.* A voz de Yahweh vinha do templo, o lugar de seu culto, na nação do sul, mas atingia a nação do norte, proferindo sua condenação. O *monte Carmelo,* que ficava na nação do norte, situava-se no declive da região densamente recoberta por florestas, que entrava pelo mar Mediterrâneo adentro, nas vizinhanças da moderna cidade de Haifa. Ver sobre esse nome no *Dicionário.* Algumas das melhores pastagens e fazendas de Israel ficavam nessa área. Ver Is 33.9 e Na 1.4. Ali as coisas seriam reduzidas a cinzas, pelo brasume da ira de Yahweh. Aquela área, como é natural, simbolizava a inteira nação do norte. Provavelmente está em mira uma seca, o que anunciava a invasão da nação do norte por parte dos assírios. A seca era uma das maldições da lei. Ver Dt 28.20-24. Cf. Jl 1.18.

ORÁCULOS CONTRA OS INIMIGOS DE ISRAEL (1.3—2.3)

A MALDIÇÃO DE DAMASCO (1.3-5)

■ 1.3

כֹּה אָמַר יְהוָה עַל־שְׁלֹשָׁה פִּשְׁעֵי דַמֶּשֶׂק וְעַל־אַרְבָּעָה לֹא אֲשִׁיבֶנּוּ עַל־דּוּשָׁם בַּחֲרֻצוֹת הַבַּרְזֶל אֶת־הַגִּלְעָד׃

Assim diz o Senhor: Por três transgressões de Damasco, e por quatro. Esta fórmula foi usada *oito vezes* (ver Am 1.3,6,9,11,13; 2.1,4,6) para indicar a razão moral pela qual cada uma das nações endereçadas estava sob maldição divina. Judá (a nação do sul) (2.4,5) e Israel (a nação do norte) (2.6-16) não estavam isentas dessas transgressões, pois elas, juntamente com seus vizinhos, eram culpadas de muitas transgressões, que provocaram o desprazer divino, como se fosse uma espada. Em nenhum caso apenas três ou quatro pecados são enumerados. Essa expressão, três ou quatro, indica que daí para mais pecados estariam sendo julgados, pois esses pecados seriam *muitos.* O primeiro transgressor a ser atacado foi Damasco, a cidade capital do império arameu (sírio), ao norte de Israel. Quanto aos detalhes sobre esse lugar, ver o artigo chamado *Damasco,* no *Dicionário.* Em todos os casos, foi *Yahweh* quem proferiu o julgamento, pois suas leis morais haviam sido violadas. A *Lei Moral da Colheita segundo a Semeadura* retribui igualmente a todos. Ver sobre esse título no *Dicionário.* Somente um incidente principal de brutalidade foi mencionado, que fez de Damasco um objeto da ira divina. Damasco havia "trilhado a Gileade" com trilhos de ferro. Está em vista a conquista daquele lugar por Hazael, o que 2Reis 10.32,33 registra. Ver também, no *Dicionário,* o verbete denominado *Gileade.*

Não sustarei o castigo. Esta fórmula, que aponta para a certeza da retribuição divina, é repetida *oito* vezes, para corresponder às oito nações transgressoras. Ver Am 1.3,6,9,11,13; 2.1,4,6. Portanto, cada transgressor, com suas *muitas* infrações, enfrentaria a mesma sorte.

Trilharam a Gileade. Por sobre os corpos das vítimas de Gileade, os atacantes passaram (figuradamente) trilhos de ferro, com dentes pontiagudos que ordinariamente cortavam a palha e libertavam o cereal. Nenhum poder humano poderia fazer parar a vingança divina por causa daquilo que tinha ocorrido.

■ **1.4**

וְשִׁלַּחְתִּי אֵשׁ בְּבֵית חֲזָאֵל וְאָכְלָה אַרְמְנוֹת בֶּן־הֲדָד׃

Por isso meterei fogo à casa de Hazael. A *retribuição* viria sob a forma de *fogo divino*, figura simbólica do julgamento de Deus. Esse fogo queimaria a Hazael, como também a Bene-Hadade, seu filho e, igualmente, como é óbvio, a terra deles (vs. 5). Ver os nomes próprios no *Dicionário* quanto a detalhes. Ver também sobre *Fogo* como o símbolo do julgamento. Cf. este versículo com Jr 49.27. Damasco viria a tornar-se um "montão de ruínas" (Is 17.1). Um obelisco de mármore negro, encontrado no palácio central de Ninrode, que se acha atualmente no Museu Britânico, menciona os nomes de Hazael e de Bene-Hadade. "O *fogo* aqui ameaçado é a *guerra* que Jeroboão II levou a efeito com sucesso contra os sírios. Ele capturou as cidades de Damasco e Hamate e reconquistou todas as antigas possessões de Israel. Ver 2Rs 14.25,26,28" (Adam Clarke, *in loc.*).

■ **1.5**

וְשָׁבַרְתִּי בְּרִיחַ דַּמֶּשֶׂק וְהִכְרַתִּי יוֹשֵׁב מִבִּקְעַת־אָוֶן וְתוֹמֵךְ שֵׁבֶט מִבֵּית עֶדֶן וְגָלוּ עַם־אֲרָם קִירָה אָמַר יְהוָה׃ פ

Quebrarei o ferrolho de Damasco. Todas as defesas da capital seriam quebradas, e o lugar seria capturado e saqueado. Então a batalha se estenderia até o *vale de Áven,* uma planície fértil que representava a riqueza do país. Bete-Éden não escaparia ao ataque e também seria nivelada. Essa era uma localidade bastante rica e proeminente, que provavelmente tinha um governante principal no comando. Foi assim que "governantes, povo, terra e cidades foram todos, igualmente, envolvidos no desastre" (Hughell W. W. Fosbroke, *in loc.*). As chamas da ira divina saltaram assim de lugar para lugar, ensinando àqueles réprobos uma lição. A figura do *fogo* reaparece *sete* vezes. Ver Am 1.4,7,10,12,14; 2.2,5.

Os sírios, que tinham enviado outros povos para o cativeiro, sofreriam a mesma sorte às mãos dos assírios. Os sírios seriam removidos para a terra remota de *Quir,* um lugar na Mesopotâmia. Ver no *Dicionário* o verbete chamado *Quir,* quanto a detalhes. Quanto ao registro histórico que confirmava a exatidão da profecia, ver 2Rs 16.1-9.

A MULTIDÃO DOS FILISTEUS (1.6-8)

■ **1.6**

כֹּה אָמַר יְהוָה עַל־שְׁלֹשָׁה פִּשְׁעֵי עַזָּה וְעַל־אַרְבָּעָה לֹא אֲשִׁיבֶנּוּ עַל־הַגְלוֹתָם גָּלוּת שְׁלֵמָה לְהַסְגִּיר לֶאֱדוֹם׃

Assim diz o Senhor: Por três transgressões de Gaza. *As Repetições.* Note o leitor as repetições existentes nesta seção, que anoto nos vss. 3-5: 1. Por causa de *três ou quatro* transgressões (isto é, por causa de *muitas*), o julgamento de Yahweh deveria sobrevir às *oito* nações culpadas (incluindo tanto Israel quanto Judá; capítulo 2). Quanto a essa expressão, ver Am 1.3,6,9,11,13 e 2.1,4,6 — oito vezes. 2. Em cada caso, o *castigo não seria suspenso* por Yahweh enquanto não fizesse efeito. Isso é repetido *oito* vezes, uma para cada nação ofensora, e salienta a certeza da retribuição divina. Ver Am 1.3,6,9,11,13; 2.1,4,6. 3. Ademais, cada nação sofreria a retribuição do *fogo* divino. O fogo é uma figura simbólica para indicar o julgamento divino. Ver as notas expositivas sobre os vss. 4 e 5. A metáfora do fogo aparece em Am 1.4,7,10,12,14 e 2.2,5 — *sete* vezes.

Os vss. 6,7 dão as *três declarações* sobre os filisteus. Esse povo é aqui representado por uma de suas cidades principais, *Gaza* (ver a respeito no *Dicionário*). Os filisteus dispunham de cinco cidades principais. Gaza foi destacada por estar situada no ponto onde as rotas de caravanas vindas de Edom se uniam à estrada principal que ficava entre o Egito e a Síria. Isso ajudava o comércio escravagista do qual os filisteus se ocupavam. Aqueles ímpios capturavam comunidades inteiras especificamente com o propósito de fazer lucro mediante o comércio de escravos. Os cativos eram vendidos em leilões nos mercados de escravos em Edom. Dali eram conduzidos a outras porções do mundo (Cf. Jl 3.4-8).

■ **1.7,8**

וְשִׁלַּחְתִּי אֵשׁ בְּחוֹמַת עַזָּה וְאָכְלָה אַרְמְנֹתֶיהָ׃
וְהִכְרַתִּי יוֹשֵׁב מֵאַשְׁדּוֹד וְתוֹמֵךְ שֵׁבֶט מֵאַשְׁקְלוֹן וַהֲשִׁיבוֹתִי יָדִי עַל־עֶקְרוֹן וְאָבְדוּ שְׁאֵרִית פְּלִשְׁתִּים אָמַר אֲדֹנָי יְהוִה׃ פ

Por isso meterei fogo aos muros de Gaza. O julgamento divino foi proferido contra *quatro* das cinco principais cidades dos filisteus: Asdode, Ascalom, Ecrom (e Gaza, que já fora mencionada no vs. 6). Ver sobre todas essas cidades no *Dicionário,* quanto a detalhes. *Gate* não é mencionada. Foi destruída por Sargão, da Assíria, em 711 a.C. Alguns estudiosos supõem que o livro de Amós tenha sido reduzido à forma escrita depois desse período, o que explicaria a sua omissão. Talvez a Palestina já tivesse caído diante da dominação assíria no tempo em que foi feita a redução final, à forma escrita, do livro Amós.

O fogo deveria cair sobre as muralhas de Gaza; então os exércitos que avançavam incendiariam a cidade, incluindo especificamente os adornados palácios dos pecadores, que viviam no meio do luxo e do lazer (vs. 7). Além disso, os habitantes das outras cidades, igualmente citadas, seriam também *cortados,* isto é, aniquilados. Os governantes que brandiam o cedro não seriam poupados da destruição generalizada. "Por causa de seus pecados, as cidades dos filisteus seriam completamente aniquiladas, incluindo os edifícios, seu rei e seu povo. Deus voltaria contra eles sua mão, até que o último dos filisteus tivesse morrido. Esse julgamento cumpriu-se parcialmente na subjugação daquele povo pelos assírios, nos fins do século VIII a.C., e mais completamente ainda durante o período dos Macabeus (168-134 a.C.)" (Donald R. Sunukjian, *in loc.*).

Diz o Senhor. O original hebraico diz aqui *Adonai-Yahweh,* ou seja, o Senhor Soberano, que agirá conforme a sua vontade nesse julgamento, porquanto governa tanto os céus quanto a terra. Ver no *Dicionário* o verbete chamado *Soberania de Deus.* O *teísmo* bíblico ensina que o Criador não abandonou sua criação, mas, antes, continua presente entre os homens, para intervir, recompensar ou punir, em concordância com as leis morais. Em contraste, o *deísmo* insiste que o Criador abandonou sua criação aos cuidados das leis naturais. Ver no *Dicionário* os artigos chamados *Teísmo* e *Deísmo,* quanto a detalhes. Ver também o verbete intitulado *Deus, Nomes Bíblicos de.* A expressão *Adonai-Yahweh* ocorre dezenove vezes no livro de Amós, mas apenas cinco vezes nos outros profetas menores (Ob 1; Mq 1.2; Hc 3.19; Sf 1.7 e Zc 9.14). Esse título divino é usado 217 vezes no livro de Ezequiel, e apenas 103 vezes no resto do Antigo Testamento. Ver as notas expositivas sobre Ez 2.4.

A MALDIÇÃO DE TIRO (1.9,10)

■ **1.9**

כֹּה אָמַר יְהוָה עַל־שְׁלֹשָׁה פִּשְׁעֵי־צֹר וְעַל־אַרְבָּעָה לֹא אֲשִׁיבֶנּוּ עַל־הַסְגִּירָם גָּלוּת שְׁלֵמָה לֶאֱדוֹם וְלֹא זָכְרוּ בְּרִית אַחִים׃

Por três transgressões de Tiro, e por quatro. Os oráculos contra os inimigos de Israel continuam com suas maldições contra cada um: Am 1.3-2.3. Ato contínuo, tanto Israel (Am 2.4,5) quanto Judá (Am 2.6-16) foram denunciados em termos similares.

Os vss. 9 e 10 repetem as *três declarações* que se aplicam a todas as outras nações, conforme se vê a seguir: 1. A questão das três ou quatro *transgressões* (ou seja, muitas) pelas quais as nações foram condenadas. 2. A questão dos *juízos divinos* serem seguros; esses julgamentos não seriam suspensos. 3. A questão do *fogo divino* que executaria esses julgamentos. Dou notas expositivas abundantes sobre essas três declarações nos vss. 3-5. E em Am 1.6 ofereço um sumário sobre a questão, incluindo referências nas quais as três declarações são repetidas. A primeira delas ocorre *oito vezes;* a segunda ocorre também *oito vezes;* mas a terceira ocorre *sete* vezes. Em todos os casos, foi *Yahweh* quem proferiu a condenação, e será o seu poder soberano que executará seus decretos. Ver as notas expositivas sobre *Senhor Deus* (Adonai-Yahweh) no fim do vs. 8, onde o tema é desenvolvido.

A *principal transgressão* que o profeta denunciou (no caso de Tiro) é que aquele povo, que formava um dos principais centros comerciais do mundo, estava pesadamente envolvido no comércio de escravos, que era mediado através de Edom, como centro de distribuição. Temos uma declaração de especialista, sobre essa questão, em Ez 28. O ato de Tiro foi uma violação aberta da *aliança de irmãos,* uma expressão de interpretação difícil. Presume-se que tenha havido alguma espécie de "acordo entre irmãos", uma aliança, algum tempo no passado, que acabou sendo violada. Ver 1Rs 5.12, que poderia estar em vista, embora isso tivesse acontecido muito tempo antes. Talvez tivesse havido uma renovação de intenções fraternais, mais recentemente. Ou talvez esteja em pauta a aliança de casamento em 1Rs 16.29-31.

1.10

וְשִׁלַּחְתִּי אֵשׁ בְּחוֹמַת צֹר וְאָכְלָה אַרְמְנֹתֶיהָ׃ פ

Por isso meterei fogo aos muros de Tiro. O *fogo divino* devoraria Tiro, por sua iníqua infração da aliança, bem como por causa de seus atos brutais. Suas *muralhas* seriam consumidas (ver o vs. 7), bem como seus *castelos,* o que é igualmente pronunciado contra Gaza no versículo citado. As notas que aparecem no vs. 7 aplicam-se aqui também, pelo que temos uma repetição essencial do vs. 7 no vs. 10. A história informa-nos que Alexandre, o Grande, dominou Tiro em 332 a.C., depois de tê-la assediado por sete meses. Cerca de seis mil pessoas foram mortas (duas mil foram crucificadas); e trinta mil foram vendidas no mercado de escravos, o que foi uma justa retribuição, visto que esse povo tinha feito a mesma coisa contra outros (vs. 9). Outros pensam estar em vista a destruição do lugar por parte de Nabucodonosor. Isso foi um cerco que perdurou por treze anos e, finalmente, culminou com a destruição de Tiro. Ver Ez 26.7-14.

A MALDIÇÃO DE EDOM (1.11,12)

1.11

כֹּה אָמַר יְהוָה עַל־שְׁלֹשָׁה פִּשְׁעֵי אֱדוֹם וְעַל־אַרְבָּעָה לֹא אֲשִׁיבֶנּוּ עַל־רָדְפוֹ בַחֶרֶב אָחִיו וְשִׁחֵת רַחֲמָיו וַיִּטְרֹף לָעַד אַפּוֹ וְעֶבְרָתוֹ שְׁמָרָה נֶצַח׃

Por três transgressões de Edom, e por quatro. Os vss. 11 e 12 repetem as declarações atinentes a todas as *oito* nações denunciadas na seção de Am 1.3—2.16. Que o leitor acompanhe os números dispostos a seguir: 1. A questão das *três ou quatro transgressões* que seriam punidas. 2. A questão da certeza do *julgamento* que sob hipótese alguma seria suspenso. 3. A questão do *fogo* divino, uma metáfora para indicar o julgamento. Ofereço notas expositivas abundantes sobre essas três declarações nos vss. 3-5. Então, em Am 1.6, dou um sumário sobre a questão, incluindo referências onde essas três declarações são repetidas. A primeira ocorre *oito* vezes; a segunda também ocorre *oito* vezes; mas a terceira ocorre *sete* vezes. Em todos os casos, é Yahweh quem profere a condenação, e é o seu poder soberano que executa a condenação. Ver a exposição sobre o *Senhor Deus* (Adonai-Yahweh), no final das notas sobre o vs. 8, que desenvolve os temas do controle soberano de Deus sobre as questões humanas.

A maior transgressão de Edom foi ter declarado guerra contra Israel e cometer barbaridades contra esse povo que era seu irmão. O progenitor de Edom foi Esaú, irmão de Jacó, antepassado distante do povo de Israel. Ver Gn 36. A partir dos dias de Davi, houve amarga rivalidade entre esses dois povos, e em certas ocasiões Israel cometeu barbaridades contra Edom; mas, de outras vezes, Edom é que cometeu barbaridades contra Israel. Cf. este versículo com Ob 10. Edom não tinha nenhum sentimento de compaixão e rugia continuamente, como uma fera que despedaçasse sua presa. Edom meditava furiosamente e era alimentado por suas chamas interiores de ódio. Cf. Ez 25.12; 35.5; Sl 137.7. "Ao longo de toda a sua história, Edom se aliou aos inimigos de Israel. Ver 1Sm 14.46; 2Sm 8.14; Sl 60.9 e 2Cr 21.8-10" (Ellicott, *in loc.*).

1.12

וְשִׁלַּחְתִּי אֵשׁ בְּתֵימָן וְאָכְלָה אַרְמְנוֹת בָּצְרָה׃ פ

Por isso meterei fogo a Temã. Como no caso de todas as oito nações denunciadas, o fogo divino tomará vingança contra os réprobos. Dois lugares específicos foram mencionados como símbolos de todo o povo de Edom: *Temã,* distrito que ficava no norte do território edomita; e *Bozra,* cidade importante e fortificada. Em outros lugares, Bozra representa Edom como um todo (ver Jr 49.20 e Is 34.6). Ver no *Dicionário* sobre ambos os lugares, quanto a detalhes. As duas cidades citadas fornecem uma referência no extremo sul e uma referência no extremo norte de Edom (Temã, no sul; Bozra, no norte).

A MALDIÇÃO DE AMOM (1.13-15)

1.13

כֹּה אָמַר יְהוָה עַל־שְׁלֹשָׁה פִּשְׁעֵי בְנֵי־עַמּוֹן וְעַל־אַרְבָּעָה לֹא אֲשִׁיבֶנּוּ עַל־בִּקְעָם הָרוֹת הַגִּלְעָד לְמַעַן הַרְחִיב אֶת־גְּבוּלָם׃

Por três transgressões dos filhos de Amom, e por quatro. Os vss. 13 e 14 repetem as *três declarações* que se aplicam a todas as *oito* nações denunciadas na seção de Am 1.3—2.16. Que o leitor acompanhe estes três pontos: 1. A questão das *três ou quatro transgressões* que tinham de ser punidas. 2. A questão da certeza do julgamento que *não seria suspenso.* 3. A questão do *fogo* divino que afetaria o julgamento. Ver as notas sobre essas declarações nos vss. 3-5 e o sumário no vs. 6. Naquele ponto ofereço as referências em que cada declaração é repetida: a primeira ocorre *oito* vezes; a segunda ocorre *oito* vezes; e a terceira, *sete* vezes.

O *ato horrendo* praticado por Amom foi o que eles fizeram em Gileade, as brutalidades cometidas contra Israel, que incluíram arrancar os fetos de mulheres grávidas. Eles praticavam tais atrocidades somente para expandir suas fronteiras e aumentar suas riquezas materiais. Essas atrocidades com frequência faziam parte das guerras antigas. Ver 2Rs 8.12; 15.16 e Os 13.16. O desígnio desses atos era aterrorizar os inimigos. Aqueles homens ímpios executavam seus crimes contra os inocentes e infelizes meramente com vantagens próprias, para adquirir terras e dinheiro. Cf. este versículo com 1Sm 11.2 e 2Rs 15.16. As inscrições assírias nos fazem conhecer essa prática.

1.14

וְהִצַּתִּי אֵשׁ בְּחוֹמַת רַבָּה וְאָכְלָה אַרְמְנוֹתֶיהָ בִּתְרוּעָה בְּיוֹם מִלְחָמָה בְּסַעַר בְּיוֹם סוּפָה׃

Por isso meterei fogo aos muros de Rabá. O *fogo divino* explodirá contra aqueles criminosos, devorando muralhas (conforme se vê nos vss. 7 e 10) e atingindo Rabá e seus *castelos.* Uma guerra feroz traria o julgamento divino que queimaria como fogo inextinguível, quente e destruidor. O inimigo chegaria como um tornado e seria tão destituído de misericórdia quanto os amonitas tinham sido para com outros povos. *Ventos violentos* com frequência significam julgamentos especiais de Deus (ver Sl 83.15; Jr 23.19 e 30.23). Ver as vívidas descrições de Jeremias quanto ao fim dos amonitas (ver Jr 49.1-3). Talvez estejam em pauta os ataques de Nabucodonosor, quando o poder da Babilônia conquistou o mundo da época. Mas alguns estudiosos veem aqui os assírios, o que ocorreu, naturalmente, umas tantas décadas antes.

1.15

וְהָלַךְ מַלְכָּם בַּגּוֹלָה הוּא וְשָׂרָיו יַחְדָּו אָמַר יְהוָה׃ פ

O seu rei irá para o cativeiro. O exílio prometido como castigo para Amom cumpriu-se em cerca de 734 a.C., quando Tiglate-Pileser, rei da Assíria, tomou aquela parte do mundo. A mesma coisa aconteceu mais tarde, quando Nabucodonosor e os Babilônios tornaram-se o império mundial seguinte. Cf. Jr 49.3, que contém a mesma profecia.

CAPÍTULO DOIS

A seção 1.3—2.16 de Amós contêm oráculos contra *oito* nações que teriam de sofrer por causo de seus abusos morais, porquanto os decretos de Yahweh determinaram que teria de ser satisfeita a lei da colheita segundo a semeadura (ver Gl 6.7,8). Não há interrupção entre os capítulos 1 e 2 desse livro. Passamos agora a considerar a *sexta* nação amaldiçoada, a saber, Moabe.

A MALDIÇÃO DE MOABE (2.1-3)

■ 2.1

כֹּה אָמַר יְהוָה עַל־שְׁלֹשָׁה פִּשְׁעֵי מוֹאָב וְעַל־אַרְבָּעָה לֹא אֲשִׁיבֶנּוּ עַל־שָׂרְפוֹ עַצְמוֹת מֶלֶךְ־אֱדוֹם לַשִּׂיד׃

Por três transgressões de Moabe, e por quatro. Os vss. 1-3 repetem as *três declarações* que se aplicam a todas as *oito* nações denunciadas na seção geral de Am 1.3—2.16. Considere o leitor estes três pontos: 1. A questão das *três ou quatro transgressões,* que tinham de ser punidas. 2. A questão da certeza do julgamento que *não seria suspenso.* 3. A questão do *fogo* divino mediante o qual seria efetuado o julgamento. Ver as notas sobre essas declarações em Am 1.3-5 e o sumário em Am 1.6. Naquele ponto dou a referência em que cada uma dessas declarações é repetida: a primeira ocorre *oito* vezes no livro; a segunda, *oito* vezes; e a terceira, sete vezes. Cada uma dessas oito nações tinha cometido um ou mais atos horrendos, que a tornaram merecedora do julgamento divino.

Queimou os ossos do rei de Edom. Talvez o incidente referido seja aquele narrado em 2Rs 3.26,27. Moabe obteve vantagem militar e empurrou as forças de Edom de volta a seu próprio território. Então, tomada por grande ira, abriu os sepulcros reais naquele lugar e queimou os ossos dos reis anteriores de Edom. O sacrilégio foi tão completo que os ossos desses reis foram reduzidos a cinzas tão finas quanto o giz branco e em pó. A mentalidade dos hebreus horrorizava-se diante de cadáveres insepultos e sepulturas violadas. Ver 2Rs 23.16. Talvez eles embalassem a noção de que qualquer forma de cremação seria feita em detrimento do espírito que estava "no outro lado da existência"; mas isso é apenas conjectura. Ou talvez eles pensassem que "ossos intactos" eram condição essencial para a ressurreição, somente outra conjectura. Talvez tudo quanto esteja em vista seja o respeito apropriado pelos mortos, como ponto cardeal da moral. Cf. esta seção com Is 15; 16; 25.10-12; Jr 48. Alguns estudiosos, contudo, veem aqui um sacrifício do rei ou de seu filho na fogueira, ou seja, um sacrifício humano, com um fogo tão quente que os ossos da pobre vítima foram reduzidos a pó. Talvez a ideia da profanação seja a preferida.

■ 2.2

וְשִׁלַּחְתִּי־אֵשׁ בְּמוֹאָב וְאָכְלָה אַרְמְנוֹת הַקְּרִיּוֹת וּמֵת בְּשָׁאוֹן מוֹאָב בִּתְרוּעָה בְּקוֹל שׁוֹפָר׃

Por isso meterei fogo a Moabe. O fogo é um símbolo do julgamento divino no tocante a todas as oito nações, denunciadas em Am 1.3—2.16. No caso de Moabe, esse símbolo é apropriado, visto que a profanação verificou-se por meio do fogo. De certa maneira, foi satisfeita a *Lex Talionis,* ou seja, a *retribuição conforme a gravidade do erro cometido.* Ver no *Dicionário* sobre esse título. O devorador fogo divino sempre devora os *palácios,* os palácios de lazer dos ricos e poderosos (os que também é afirmado em Am 1.4,7,10,12,14 e 2.5).

Os castelos de Queriote. Provavelmente Queriote deva ser identificada com *Ar,* a principal cidade de Moabe (ver Is 15.1. A chamada pedra moabita (1.13) chama esse lugar de santuário do deus moabita, *Camos.* Os nomes próprios aqui mencionados recebem artigos no *Dicionário.* Cf. Nm 21.28; Is 15.1. O *fogo,* neste caso, é a guerra, conforme deixa claro o restante do versículo. Aqueles pecadores miseráveis não teriam permissão de morrer confortavelmente, em seus leitos. Um inimigo haveria de aniquilá-los no campo de batalha. Eles morreriam em meio ao sonido da trombeta, gritando e bradando de dor, enquanto o inimigo zombava deles.

■ 2.3

וְהִכְרַתִּי שׁוֹפֵט מִקִּרְבָּהּ וְכָל־שָׂרֶיהָ אֶהֱרוֹג עִמּוֹ אָמַר יְהוָה׃ פ

Eliminarei o juiz do meio dele. Não escaparia a *elite* da nação, formada pelo rei, seus príncipes e os chefes militares. Eles seriam como os soldados que tinham enviado para matar ou ser mortos. Tudo isso precisava acontecer, porquanto fora Yahweh quem tinha proferido os decretos de condenação, e esses decretos precisariam ter cumprimento. Ver o último parágrafo das notas expositivas sobre Am 1.8, quanto à soberania de Deus e quanto ao teísmo bíblico. O *Senhor Deus* (Adonai-Yahweh) controla os negócios dos homens e das nações, e o controle dele segue os requisitos morais da lei. Moabe, tal como Amom, caiu diante dos assírios na época de Tiglate-Pileser III e, então, algum tempo depois, novamente, diante dos babilônios. "Nabucodonosor subjugou totalmente a Moabe, a qual, na ocasião, deixou de ser uma nação. E os árabes ocuparam o território dos moabitas" (Fausset, *in loc.*).

A MALDIÇÃO DE JUDÁ (2.4,5)

■ 2.4

כֹּה אָמַר יְהוָה עַל־שְׁלֹשָׁה פִּשְׁעֵי יְהוּדָה וְעַל־אַרְבָּעָה לֹא אֲשִׁיבֶנּוּ עַל־מָאֳסָם אֶת־תּוֹרַת יְהוָה וְחֻקָּיו לֹא שָׁמָרוּ וַיַּתְעוּם כִּזְבֵיהֶם אֲשֶׁר־הָלְכוּ אֲבוֹתָם אַחֲרֵיהֶם׃

Por três transgressões de Judá, e por quatro. Os requisitos da lei moral não permitiriam que os "pecadores domésticos" escapassem. Judá e Israel foram denunciados com termos similares aos usados para condenar seus vizinhos pagãos, pois eram semelhantes a eles em suas atitudes e ações. Os habitantes de Judá e de Israel tinham privilégios superiores aos das nações gentílicas, sendo possuidores da lei de Moisés, mas não viviam à altura do que se esperava deles. De fato, tornaram-se como outras nações pagãs que viviam ao redor da Palestina; e, assim sendo, perderam seu caráter distintivo. Am 3.2 mostra-nos que, para esse profeta, Israel e Judá constituíam uma única família, embora a divisão política, desde há muito, as tivesse dividido em duas nações.

"As nações gentílicas se haviam rebelado contra a *aliança eterna* (ver Gn 9.5-17). Judá se havia rebelado contra o pacto mosaico. Eles tinham rejeitado a lei do Senhor" (Donald R. Sunukjian, *in loc.*).

Os vss. 4 e 5 repetem as *três declarações* que se aplicam a todas as oito nações denunciadas na seção geral de 1.3—2.16. Considere o leitor estes três pontos: 1. A questão das *três ou quatro transgressões,* que teriam de ser punidas. 2. A questão da certeza do julgamento, que *não seria suspenso.* 3. A questão do *fogo* divino que efetuaria o julgamento. Ver as notas expositivas sobre essas declarações em Am 1.3-5 e o sumário em Am 1.6. Naquele ponto, dou referências onde cada declaração é repetida: a primeira ocorre *oito* vezes; a segunda ocorre *oito* vezes; e a terceira ocorre *sete* vezes. Cada uma das oito nações tinha cometido um ou mais atos horrendos, que as assinalavam para serem julgadas por Deus.

O *ato horrendo* de Judá foi ter abandonado a lei de Moisés, que o tornava distinta entre as nações (ver Dt 4.4-8). No lugar da lei de Moisés e seus estatutos, ritos e cerimônias, Judá tinha aceitado "mentiras", provavelmente uma referência à *idolatria.* Os antepassados de Judá começaram a andar nessas mentiras, e o Judá contemporâneo de Amós, em sua idolatria-adultério-apostasia, seguira o mau exemplo deixado por eles. A lei era o *guia* da vida dos filhos de Israel (ver Dt 6.4 ss.), mas eles se voltaram para deuses que nada representavam. Foi assim que eles quebraram as provisões do pacto mosaico. Ver as notas sobre isso na introdução a Êx 19. Tinha havido muitas advertências para os judeus não se envolverem com os deuses falsos (ver Dt 6.14; 7.16; 8.19; 11.26,28). Ver no *Dicionário* o artigo chamado *Idolatria.* Privilégios maiores foram recebidos por meio da apostasia. Portanto, o pecado dos judeus era agravado.

■ 2.5

וְשִׁלַּחְתִּי אֵשׁ בִּיהוּדָה וְאָכְלָה אַרְמְנוֹת יְרוּשָׁלִָם׃ פ

Por isso meterei fogo a Judá. O *fogo* da ira de Deus puniria àqueles réprobos que tinham lançado fora sua herança espiritual.

Os "castelos" de Jerusalém seriam devorados pelo fogo, e o próprio templo seria saqueado (ver Jr 52.13,17 ss.). Quanto ao incêndio dos *castelos*, ver também 1.4,7,10,12,14; 2.2. A elite pereceria, juntamente com as classes sociais menores. Não haveria distinções nem exceções. Ver no *Dicionário* o verbete chamado *Cativeiro Babilônico*, quanto a detalhes.

Quanto às *três deportações* do cativeiro, ver as notas expositivas sobre Jr 52.28. Fica claro que altos privilégios não significavam imunidade diante da punição. Pelo contrário, Judá, a *sétima* nação denunciada, seria punida juntamente com as seis nações pagãs.

A MALDIÇÃO DE ISRAEL (2.6-16)

A Rebeldia de Israel (2.6-8)

■ 2.6

כֹּה אָמַר יְהוָה עַל־שְׁלֹשָׁה פִּשְׁעֵי יִשְׂרָאֵל וְעַל־
אַרְבָּעָה לֹא אֲשִׁיבֶנּוּ עַל־מִכְרָם בַּכֶּסֶף צַדִּיק וְאֶבְיוֹן
בַּעֲבוּר נַעֲלָיִם׃

Por três transgressões de Israel, e por quatro. Note o leitor que mais espaço foi dedicado à condenação de Israel, visto que Amós foi um profeta especificamente enviado a Israel. Em certo sentido, Israel, a oitava das nações a ser denunciada, era a pior de todas. Tinha os elevados privilégios de Judá, mas desde o começo da nação, com Jeroboão I (que separou as dez tribos das duas, Judá e Benjamim), Israel tornou-se podre na idolatria. Sobre o pecado de Jeroboão, ver 1Rs 12.28 ss. Sobre como Jeroboão fez Israel cair em pecado, ver 1Rs 15.26 e 16.2.

Foi a *rebeldia* dos israelitas que os levou a violar a lei de Moisés, imitando os pagãos, os quais duramente vendiam os pobres à escravidão, quando não podiam pagar suas dívidas. Cf. 2Rs 4.1-7. Os cativos, que não valiam muito como escravos, eram vendidos por tão pouco quanto custava comprar um par de sandálias. Sucedia assim que um homem podia ser comprado por menos do que o preço de uma vaca ou mesmo de uma cabra. E então, quando vendido, era sujeitado ao tratamento mais bárbaro possível. A legislação mosaica previa a venda de concidadãos hebreus como escravos, para que eles pagassem suas dívidas. Um indivíduo podia vender a si mesmo por algum tempo, para sair de uma dívida. Ver Lv 25.39 e Dt 15.12. Mas um escravo hebreu não podia ser tratado como um escravo pagão, mas, antes, como um homem alugado, com um conjunto completo de direitos humanos. Ver no *Dicionário* o artigo chamado *Escravo, Escravidão*, quanto a uma completa descrição das práticas antigas, dentro e fora da nação de Israel. Cf. Am 8.6 com o presente versículo. Ver também a passagem completa que aborda essa questão — Dt 15.7-11.

■ 2.7

הַשֹּׁאֲפִים עַל־עֲפַר־אֶרֶץ בְּרֹאשׁ דַּלִּים וְדֶרֶךְ עֲנָוִים
יַטּוּ וְאִישׁ וְאָבִיו יֵלְכוּ אֶל־הַנַּעֲרָה לְמַעַן חַלֵּל אֶת־
שֵׁם קָדְשִׁי׃

Suspiram pelo pó da terra sobre a cabeça dos pobres. Várias formas de *injustiça social* constituíam a *segunda* infração da rebelde nação de Israel. Eles caminhavam por cima dos pobres "como se fossem o pó" (NCV). Recusavam-se a aliviar os sofrimentos dos aflitos. Algumas versões dizem "o caminho dos aflitos", embora nossa versão portuguesa, juntamente com outras, diga "o caminho dos mansos". Se isso reflete a ideia principal, então vemos os arrogantes fazendo o que é usual, oprimindo aqueles de condições sociais e econômicas inferiores. Esses atos eram contrários aos mandamentos específicos. Ver Êx 23.6 e Dt 16.19. Os tribunais concentravam sua atenção nos planos malignos e nas atrocidades, mas os juízes aceitavam subornos e produziam decisões que favoreciam os fortes (que também eram injustos) e feriam os fracos (que eram inocentes).

Os *desvios sexuais* eram comuns e variegados. O versículo presente provavelmente não está falando em incestos, porque a jovem envolvida com o pai ou o filho não pertencia à família deles. Os capítulos 18 e 20 do livro de Levítico mostram que o pecado do incesto era comum em Israel. Ver no *Dicionário* o detalhado artigo chamado *Incesto*, bem como o gráfico que acompanha Lv 18. A *jovem* deste capítulo, entretanto, provavelmente era uma prostituta do templo ou uma concubina. Ver Êx 21.7-9; Lv 18.8,15. O profeta estava falando contra uma vergonhosa *promiscuidade*, sendo provável que esse desvio estivesse misturado com a prostituição sagrada e com a idolatria em geral. Cf. esta parte do versículo com Os 4.14. Toda a conduta dessa ordem *profanava* o nome de Yahweh, e sua lei manifestava-se contra tais práticas que pertenciam aos pagãos, não ao seu povo. Israel zombava da lei e do Legislador, Deus. Quanto à profanação do nome divino, ver também Lv 20.3; Ez 36.20; Rm 2.24. Quanto ao *nome*, ver o *Dicionário* e Sl 31.3. Quanto a *nome santo*, ver Sl 30.4 e 33.21.

■ 2.8

וְעַל־בְּגָדִים חֲבֻלִים יַטּוּ אֵצֶל כָּל־מִזְבֵּחַ וְיֵין עֲנוּשִׁים
יִשְׁתּוּ בֵּית אֱלֹהֵיהֶם׃

E se deitam ao pé de qualquer altar. Aqueles que tinham abandonado o culto a Yahweh eram zelosos pelos cultos a Baal e outros deuses pagãos que nada representavam.

Deitados nas proximidades dos altares, eles usavam vestes que tinham tomado dos pobres como garantia pelas dívidas de que se tinham tornado credores. Ver Êx 22.26,27. A túnica (no hebraico, *salmah*) era tomada como segurança em um empréstimo feito tinha de ser devolvida ao pôr do sol, pois servia como equipamento vital para um homem: era veste durante o dia e cobertor durante a noite. Amós usou uma palavra mais geral para vestes (no hebraico, *beghadhim*), mas a ideia de penhor continua aplicando-se bem.

Os cultos pagãos se faziam acompanhar pela embriaguez e pelas orgias sexuais. "Aqueles homens, cujas visitas aos santuários eram festins orgíacos, faziam tanto a religião como a lei servir às suas indulgências sensuais" (Hughell E. W. Fosbroke, *in loc.*).

A Revelação de Deus na História (2.9-12)

■ 2.9

וְאָנֹכִי הִשְׁמַדְתִּי אֶת־הָאֱמֹרִי מִפְּנֵיהֶם אֲשֶׁר כְּגֹבַהּ
אֲרָזִים גָּבְהוֹ וְחָסֹן הוּא כָּאַלּוֹנִים וָאַשְׁמִיד פִּרְיוֹ
מִמַּעַל וְשָׁרָשָׁיו מִתָּחַת׃

Todavia eu destruí diante deles o amorreu. Os *amorreus* eram um povo vigoroso que fazia os hebreus parecer-se com formigas. Eram tão fortes e altos como os cedros; tão vigorosos como os carvalhos. Contudo, Yahweh destruiu-os como um povo, desde as raízes até os frutos lá no alto. Por quê? Porque aqueles pagãos praticavam o tipo de coisas que os hebreus terminaram por fazer. *Implicação*: O "povo anterior" de Deus sofreria as mesmas coisas que os pagãos sofreram, caso agissem como eles. O termo "amorreu", nesta passagem, representa os pagãos em geral, a quem os israelitas imitaram. Os habitantes originais da Palestina, pelo menos uma boa porção deles, eram homens de extraordinário tamanho físico e grande força. Ver Nm 13.32. No entanto, devido ao julgamento de Yahweh, eles foram reduzidos a nada, pois se haviam contaminado com a idolatria. Ver no *Dicionário* o verbete chamado *Amorreu*, e ver também Gn 14.13-16. Ver ainda Am 15.16-21, onde o termo representa os pagãos da Palestina, em geral. Ver também Js 24.8-15, e cf. Dt 1.26-28.

■ 2.10

וְאָנֹכִי הֶעֱלֵיתִי אֶתְכֶם מֵאֶרֶץ מִצְרָיִם וָאוֹלֵךְ אֶתְכֶם
בַּמִּדְבָּר אַרְבָּעִים שָׁנָה לָרֶשֶׁת אֶת־אֶרֶץ הָאֱמֹרִי׃

Também vos fiz subir da terra do Egito. Outra grande manifestação de Yahweh *na história* foi tirar o povo de Israel do Egito, fato mencionado mais de vinte vezes somente no livro de Deuteronômio. Ver Dt 4.20. Isso levou à possessão da terra dos *amorreus* (os pagãos da Palestina, pois amorreu é nome que representa todos eles, coletivamente falando).

A *Providência de Deus* controla todas as coisas e todas as pessoas, tanto os bons quanto os maus, tanto os orgulhosos quanto os humildes. Ver sobre *Providência de Deus*, no *Dicionário*. Essa providência pode ser positiva ou negativa, e opera de acordo com as leis morais. A saída do Egito e a possessão da Terra Prometida são ilustrações frequentes, no Antigo Testamento, de como Yahweh agiu em favor de seu povo, ao longo da história, podendo fazê-lo a qualquer tempo. Entre a saída e a possessão, houve o período de perambulações de quarenta anos, onde vários milagres de Yahweh preservaram o desviado povo de Israel. E esse foi outro incidente histórico que demonstrou o *teísmo* bíblico (ver a respeito no *Dicionário*). Yahweh, o Criador, intervém na história humana. Ele não vive distante dos homens, conforme o *deísmo* ensina. Havia a provisão da nuvem durante o dia, para dar-lhes orientação, bem como a coluna de fogo durante a noite, para dar-lhes orientação, iluminação, calor e conforto. Ver no *Dicionário* o artigo chamado *Colunas de Fogo e Nuvem*.

■ 2.11

וָאָקִ֤ים מִבְּנֵיכֶם֙ לִנְבִיאִ֔ים וּמִבַּחוּרֵיכֶ֖ם לִנְזִרִ֑ים הַאַ֥ף אֵֽין־זֹ֛את בְּנֵ֥י יִשְׂרָאֵ֖ל נְאֻם־יְהוָֽה׃

Dentre os vossos filhos suscitei profetas. Uma vez que Israel estava dentro da Terra Prometida, a *Providência de Deus* continuou a operar, em uma variedade de maneiras. Profetas foram levantados dentre o povo de Israel e dentre os melhores elementos dos filhos do povo. Outros foram levantados como nazireus, os quais demonstravam um zelo especial pelo culto a Yahweh. Ver no *Dicionário* o verbete intitulado *Nazireado (Voto do)*. O presente versículo ensina que o culto a Yahweh era uma provisão histórica especial, da parte de Yahweh, para Israel, que faltava às outras nações. O povo de Israel teria de confessar esse fato, quando ele o chamasse para afirmar tal coisa: "Não é isso verdade? diz o Senhor" (NCV). A providência de Yahweh era ampla e abordava todos os aspectos da vida. Os nazireus se abstinham de vinho, como parte de seu culto diário, ao passo que os povos pagãos ingeriam grandes quantidades dessa bebida, como parte do culto deles. Os israelitas posteriores copiaram os pagãos, e não os nazireus, visto que isso estava mais em consonância com a concupiscência da carne, que os governava.

■ 2.12

וַתַּשְׁק֥וּ אֶת־הַנְּזִרִ֖ים יָ֑יִן וְעַל־הַנְּבִיאִים֙ צִוִּיתֶ֣ם לֵאמֹ֔ר לֹ֖א תִּנָּבְאֽוּ׃

Mas vós aos nazireus destes a beber vinho. Os *israelitas posteriores* não respeitavam o voto dos nazireus (ver Nm 6.1-3), mas, antes, davam-lhes vinho para beber. Assim sendo, tornaram-se um bando de alcoólatras insensatos, que se alinhavam com outros insensatos. Além disso, os profetas eram perseguidos e mortos, a fim de que calassem a boca. O povo não suportava ser repreendido por seus desvios. Ao se corromper, o povo de Israel primeiramente corrompeu sua fé religiosa e seus ritos, e, depois, ficou aberto a toda espécie de deboche. "Eles intimidavam os nazireus a quebrar seus votos e beber vinho, e ordenavam aos profetas que não profetizassem (cf. Am 7.10-16). Ao agirem assim, os israelitas revelavam sua própria falta de dedicação a Deus, bem como sua indisposição por ouvir a sua Palavra" (Donald R. Sunukjian, *in loc.*). Dessa maneira, Israel praticava *assaltos* contra o próprio culto e logo adotou cultos degradantes, tomados por empréstimo dos povos pagãos.

A Vinda do Julgamento (2.13-16)

■ 2.13

הִנֵּ֛ה אָנֹכִ֥י מֵעִ֖יק תַּחְתֵּיכֶ֑ם כַּאֲשֶׁ֤ר תָּעִיק֙ הָעֲגָלָ֔ה הַֽמְלֵאָ֥ה לָ֖הּ עָמִֽיר׃

Eis que farei oscilar a terra debaixo de vós. Tendo descrito a corrupção, o profeta agora fala sobre o julgamento divino contra essa corrupção. As leis morais de Deus tinham alcançado aqueles insensatos. Yahweh haveria de esmagá-los, tal como "um vagão carregado de cereal esmaga qualquer coisa que lhe fique debaixo" (NCV). Não haveria esperança para eles quando os assírios lançassem seu exército esmagador, vindo do nordeste, e avassalassem a infeliz Palestina. "Yahweh, no horrendo julgamento que estava prestes a infligir, é simbolizado pelo vagão pesadamente carregado... uma carga esmagadora" (Ellicott, *in loc.*). "Trarei contra vós a roda da destruição" (Adam Clarke, *in loc.*). O vagão tornou-se pesado pelos inúmeros pecados de Israel, alguns dos quais são listados nos vss. 6-8.

■ 2.14

וְאָבַ֤ד מָנוֹס֙ מִקָּ֔ל וְחָזָ֖ק לֹא־יְאַמֵּ֣ץ כֹּח֑וֹ וְגִבּ֖וֹר לֹא־יְמַלֵּ֥ט נַפְשֽׁוֹ׃

De nada valerá a fuga ao ágil. O julgamento divino seria completo e terrível. Nenhum corredor rápido será capaz de escapar desse julgamento; o homem forte não será capaz de suportar esse julgamento; nenhum homem poderoso será capaz de salvar sua vida. Os assírios reduziriam a nação de Israel a mingau. Usando tais declarações, o profeta fala da invasão — a queda militar de Israel, os saques e matanças, e todas as calamidades acompanhantes que fariam parte desse quadro sombrio.

■ 2.15

וְתֹפֵ֤שׂ הַקֶּ֙שֶׁת֙ לֹ֣א יַעֲמֹ֔ד וְקַ֥ל בְּרַגְלָ֖יו לֹ֣א יְמַלֵּ֑ט וְרֹכֵ֣ב הַסּ֔וּס לֹ֥א יְמַלֵּ֖ט נַפְשֽׁוֹ׃

O que maneja o arco não resistirá. Os arqueiros especialistas cairiam na desordem; os soldados infantes seriam mortos antes que pudessem correr para algum lugar seguro; os cavaleiros seriam derrubados antes que pudessem retroceder. Em outras palavras, o exército de Israel seria destruído, e então as hordas dos assírios entrariam nas cidades a fim de matar, estuprar e saquear sem nenhum empecilho. Da mesma maneira que os julgamentos de Israel se haviam multiplicado sete vezes mais, assim também se agravaria o julgamento deles. Ver os vss. 6-8 quanto a representações de suas inúmeras transgressões.

■ 2.16

וְאַמִּ֥יץ לִבּ֖וֹ בַּגִּבּוֹרִ֑ים עָר֛וֹם יָנ֥וּס בַּיּוֹם־הַה֖וּא נְאֻם־יְהוָֽה׃ פ

E o mais corajoso entre os valentes fugirá nu naquele dia. Até os soldados normalmente corajosos, que poderiam enfrentar qualquer inimigo com um senso de confiança, falhariam miseravelmente diante do assalto dos assírios. Esses homens seriam vistos a fugir nus da batalha, o que provavelmente significa despidos de suas armas, e não de todas as suas roupas. Adam Clarke, porém, via aqueles "bravos" soldados apanhados de surpresa no meio da noite, por um temível grito de batalha, saltando de seus leitos e fugindo antes que tivessem tempo de vestir-se.

É provável que os oráculos dos capítulos 1 e 2 representem o ministério inicial de Amós, quando ainda havia prosperidade em Israel. Ele parecia falar como um insensato, com todas aquelas profecias de condenação. Todos conheciam os fatos sobre a Assíria, mas nem todos ficavam alarmados diante de tal conhecimento. Coisa alguma foi feita para impedir o ataque dos assírios, e por certo nenhuma mudança espiritual e moral foi produzida para tornar Israel digno de escapar da melancolia que o ameaçava.

CAPÍTULO TRÊS

SERMÕES QUE PREDIZIAM A CONDENAÇÃO DE ISRAEL (3.1—6.14)

Os capítulos 3–6 descrevem detalhadamente as *razões* pelas quais o reino do norte — Israel — haveria de desaparecer para sempre. O profeta Amós entregou *cinco* urgentes mensagens, mas ninguém lhe dava ouvidos. As primeiras três mensagens foram introduzidas com as palavras: "Ouvi a palavra..." (3.1; 4.1 e 5.1). As outras duas começam com estas palavras: "Ai de vós..." (5.18 e 6.1). Essas mensagens descem a detalhes concernentes aos inúmeros pecados do povo de Israel. A apostasia era multifacetada. Israel tinha de ser punido, de modo definitivo, por sua idolatria-adultério-apostasia.

AMÓS DESCREVE A RELAÇÃO ENTRE ISRAEL E YAHWEH (3.1-8)

O Caráter Ímpar da Eleição (3.1,2)

■ 3.1

שִׁמְעוּ אֶת־הַדָּבָר הַזֶּה אֲשֶׁר דִּבֶּר יְהוָה עֲלֵיכֶם בְּנֵי יִשְׂרָאֵל עַל כָּל־הַמִּשְׁפָּחָה אֲשֶׁר הֶעֱלֵיתִי מֵאֶרֶץ מִצְרַיִם לֵאמֹר׃

Ouvi a palavra que o Senhor fala contra vós outros. "Os privilégios da eleição criam maior responsabilidade (ver Lc 12.48). Visto que Israel tinha sido favorecido acima de *todas as famílias* da terra (ver Êx 19.4-6; Dt 7.6), as nações circunvizinhas foram convocadas para serem testemunhas oculares de seu castigo" (*Oxford Annotated Bible*, comentando sobre o vs. 1).

Ouvi a palavra. Por meio desta fórmula, são introduzidas as *três* primeiras dentre as cinco mensagens: Am 3.1; 4.1 e 5.1. É a palavra (ou mensagem) de Yahweh que deveria ser ouvida, ou seja, ouvida e acompanhada pelo arrependimento. A palavra foi dirigida *contra* Israel, por causa de sua idolatria-adultério-apostasia, com suas manifestações multifacetadas, que esses capítulos estavam prestes a descrever. Yahweh deu essa palavra a seu profeta, Amós, por meio da *revelação* e da *iluminação*. Ver sobre esses dois termos no *Dicionário*. A palavra de Deus é divina e, assim sendo, fatalmente terá cumprimento.

Toda a família. Esta expressão provavelmente pretende incluir tanto Israel (a nação do norte) quanto Judá (a nação do sul), visto que ambas formavam uma única família. Israel cairia primeiro, diante da Assíria; pouco mais de cem anos depois, Judá cairia diante da Babilônia. Ver no *Dicionário* os artigos denominados *Cativeiro Assírio* e *Cativeiro Babilônico*.

Que fiz subir da terra do Egito. A saída do povo de Israel do Egito, mediante o poder de Yahweh, é frequentemente mencionada no Antigo Testamento para ilustrar o seu poder, amor e cuidado por Israel, a nação eleita. Somente no livro de Deuteronômio encontramos mais de vinte referências a esse evento. Ver as notas expositivas sobre Dt 4.20. Visto que Israel tinha sido escolhido, por isso mesmo foi tirado do Egito. Israel tinha sido eleito, pelo que era depositário especial das bênçãos de Deus e de suas poderosas manifestações. Ver no *Dicionário* o artigo chamado *Eleição*.

■ 3.2

רַק אֶתְכֶם יָדַעְתִּי מִכֹּל מִשְׁפְּחוֹת הָאֲדָמָה עַל־כֵּן אֶפְקֹד עֲלֵיכֶם אֵת כָּל־עֲוֹנֹתֵיכֶם׃

De todas as famílias da terra somente a vós outros vos escolhi. Israel era *conhecido* de maneira especial: era *escolhido* e *amado*. Essa expressão não se refere ao simples *conhecimento anterior*, como se Deus visse o que aconteceria, para então abençoar ou amaldiçoar de acordo com o previsto. Pelo contrário, o povo de Deus fora eleito como povo especial com um propósito especial. Esse propósito era anunciar a todos os povos a mensagem divina. E assim todos, com a passagem do tempo, viriam a conhecer o Senhor, como as águas do mar cobrem o seu leito (ver Is 11.9). Porém, a antiga nação de Israel não obteve grande progresso nessa direção; antes, pôs-se a imitar as nações pagãs e gradualmente transformou-se em apenas outro povo corrupto, em nada distinguindo-se das outras nações. A lei lhes havia sido conferida para torná-los um povo *distinto* (ver as notas expositivas sobre Dt 4.4-9). A lei também era o *guia* de Israel (ver Dt 6.4 ss.), mas eles se desviaram desde o começo, preferindo as emoções fortes do paganismo debochado. Muitos dos que se proclamam evangélicos e fazem parte da igreja preferem as emoções fortes e até vão aos cultos de adoração para animar as multidões. Mas nada há de espiritual nessas atividades.

Portanto eu vos punirei. Por que os israelitas seriam punidos? Porque seus pecados clamavam por retribuição divina, a qual não estava muito longe quando Amós proferiu suas advertências. A *Lei Moral da Colheita segundo a Semeadura* sempre funciona, embora certas vezes precise de algum tempo para ser aplicada. Ver sobre esse título no *Dicionário*.

"A graça da eleição de Deus sempre teve por finalidade influenciar a conduta do indivíduo. Suas lealdades e bênçãos especiais com frequência contêm castigos especiais que operam como medidas disciplinadoras, cuja finalidade é expurgar (Lc 12.27,28; 1Co 11.27-32; Hb 12.4-11; 1Pe 1.7-9 e 4.17). Visto que o amor de Deus é grande, assim também os crentes devem ser santos" (Donald R. Sunukjian, *in loc.*). Platão costumava dizer que a pior coisa que pode acontecer a um homem é ele corromper-se mas não ser corrigido. Isso azeda a alma do indivíduo, que cai no mal habitual.

A Autoridade do Profeta (3.3-8)

■ 3.3

הֲיֵלְכוּ שְׁנַיִם יַחְדָּו בִּלְתִּי אִם־נוֹעָדוּ׃

Andarão dois juntos, se não houver entre eles acordo? Sem dúvida esta pergunta foi dirigida ao profeta: "Com que autoridade estás proferindo essas profecias de condenação?" Amós estava perturbando a paz. As coisas eram pacíficas e prósperas, mas ele falava em desastre, e não como algo distante. Ninguém em Israel queria ouvir uma mensagem daquela natureza, e os israelitas não aceitariam a autoridade dos profetas de condenação. A resposta de Amós foi dada mediante uma série de *sete* perguntas retóricas que alertaram os ouvintes para o fato de que certos acontecimentos estão inseparavelmente vinculados aos resultados deles derivados. Amós falava sobre causas e efeitos. Portanto, Yahweh não faria coisa alguma sem primeiro falar através de seu profeta autorizado. Mas, uma vez que essa advertência fosse dada, o julgamento deveria sobrevir, conforme predito.

A mensagem geral é que ninguém poderia resistir à profecia. O profeta não podia resistir à ordem de profetizar, dada por Yahweh, pelo que tinha essa espécie de ministério. Além disso, a mensagem era inexorável.

Podem dois andar juntos a menos que concordem caminhar em harmonia e união?

a. *Primeira pergunta retórica:* Naturalmente que não. O texto não se refere a duas pessoas que fazem juntas um passeio a pé, e, sim, a duas pessoas que trabalham juntas no mesmo propósito, trabalho ou modo de vida. Yahweh e o profeta Amós andavam juntos. Eles estavam unidos quando ao propósito. Portanto, a mensagem de condenação a ser proferida estava correta e acima de qualquer crítica. Andar na companhia de Yahweh dava autoridade a Amós. A grande questão que se impunha era: "Está Israel andando com Deus?" A resposta óbvia era: Não! Portanto, o julgamento haveria de cair sobre os falsos companheiros de Yahweh. Todas as perguntas feitas apontam para as conclusões que se acham nos vss. 7 e 8.

■ 3.4

הֲיִשְׁאַג אַרְיֵה בַּיַּעַר וְטֶרֶף אֵין לוֹ הֲיִתֵּן כְּפִיר קוֹלוֹ מִמְּעֹנָתוֹ בִּלְתִּי אִם־לָכָד׃

Rugirá o leão no bosque, sem que tenha presa?

b. *Segunda pergunta retórica:* A ideia dessa pergunta retórica é que um leão ruge quando ataca sua presa. Quando isso sucede, o pobre animal é atacado e torna-se o repasto do leão. Portanto, o rugido acompanha o ataque e, assim sendo, se você não ouve nenhum rugido, sabe que o leão não está atacando. Há uma relação de causa e feito entre o rugido e o ataque de um leão. Essas coisas ocorrem juntas. As conclusões vinculadas às perguntas aparecem nos vss. 7 e 8.

Levantará o leãozinho no covil a sua voz, se nada tiver apanhado?

c. *Terceira pergunta retórica:* "O pai leão leva parte de sua caça à cova, para seus filhotes. Os leõezinhos deleitam-se e rosnam enquanto devoram suas porções. Se ninguém ouvir o rosnado dos leõezinhos, pode ter certeza de que eles não estão devorando parte da presa. As duas coisas andam juntas como um processo de causa e efeito. Talvez o leão que esteja rosnando seja o mesmo que ainda há pouco rugia, mas agora ele rosna em sua cova, tendo tomado parte de sua presa para a cova, a fim de terminar sua refeição.

3.5

הֲתִפֹּל צִפּוֹר עַל־פַּח הָאָרֶץ וּמוֹקֵשׁ אֵין לָהּ הֲיַעֲלֶה־
פַּח מִן־הָאֲדָמָה וְלָכוֹד לֹא יִלְכּוֹד:

Cairá a ave no laço em terra, se não houver armadilha para ela?

d. *Quarta pergunta retórica.* Nenhuma ave cairá em uma armadilha, a menos que um passarinheiro prepare uma armadilha com esse propósito. Essas duas coisas sempre seguem juntas. A ave vê (ou cheira) a coisa que o passarinheiro colocou na armadilha, alguma coisa que ela aprecie comer. Portanto, a ave desce e belisca a coisa, a armadilha a apanha, e esse é o fim da história.

Levantar-se-á o laço da terra, sem que tenha apanhado alguma cousa?

e. *Quinta pergunta retórica:* O mecanismo que faz a armadilha funcionar só faz seu trabalho quando alguma coisa (a pobre ave) o desperta. Portanto, se você ouvir o estalido da armadilha na floresta, saberá que alguma infeliz ave foi apanhada. O estalido da armadilha e o apanhar da ave são coisas que ocorrem juntas. Formam um processo de causa e efeito. As perguntas retóricas têm suas conclusões nos vss. 7 e 8.

3.6

אִם־יִתָּקַע שׁוֹפָר בְּעִיר וְעָם לֹא יֶחֱרָדוּ אִם־תִּהְיֶה
רָעָה בְּעִיר וַיהוָה לֹא עָשָׂה:

Tocar-se-á a trombeta na cidade, sem que o povo se estremeça?

f. *Sexta pergunta retórica:* A trombeta anuncia a aproximação de algum exército. A matança, os estupros e os saques estavam prestes a começar. Quem não estremeceria ao ouvir a temível trombeta? O toque da trombeta e o temor são companheiros necessários. Essa ilustração agora se aproxima muito de seu alvo, porquanto a temível trombeta assíria em breve seria ouvida, e o povo de Israel estremeceria. O julgamento divino é companheiro do pecado, pois essas duas coisas sempre caminham juntas.

Sucederá algum mal à cidade, sem que o Senhor o tenha feito?

g. *Sétima pergunta retórica:* Alguns hebreus acreditavam na lamentável doutrina de Deus como a *causa única.* Isso significa que todas as coisas acontecem *necessariamente* por decreto divino, de maneira totalmente independente da vontade, dos atos, dos desejos, dos pecados ou da bondade humana. O calvinismo radical caiu nessa mesma armadilha teológica, e Rm 9 repete o equívoco. Normalmente, porém, o ponto de vista comum é que *causas morais* estão por trás dos maus eventos, bem como por trás das coisas boas. Essa é a ideia da *Lei Moral da Colheita segundo a Semeadura* (ver a respeito no *Dicionário*). O texto presente, como é óbvio, está alicerçado sobre causas morais que fazem Deus agir conforme ele age. Cf. Is 45.7, e ver no *Dicionário* o artigo chamado *Livre-arbítrio.* Ver sobre *Voluntarismo* na *Enciclopédia de Bíblia, Teologia e Filosofia.* Essa noção diz que a *vontade* é suprema e atua às expensas da razão e da moral (conforme entendemos a moral). Mas a *vontade divina,* na realidade, opera em consonância com as propriedades de causa e efeito das leis morais.

3.7

כִּי לֹא יַעֲשֶׂה אֲדֹנָי יְהוִה דָּבָר כִּי אִם־גָּלָה סוֹדוֹ אֶל־
עֲבָדָיו הַנְּבִיאִים:

Certamente o Senhor Deus não fará cousa alguma... A *primeira aplicação* das sete perguntas retóricas aparece no vs. 7. Temos uma segunda aplicação no vs. 8. Yahweh não age como juiz em segredo nem fere em julgamento sem ter feito uma advertência apropriada. Portanto, *advertências* e *julgamentos* andam juntos, como os sete pares que acabamos de descrever. As advertências são dadas através de profetas autorizados, como foi Amós, e era isso o que o profeta tentava demonstrar. Ele seria ouvido *se* o povo o aceitasse como verdadeiro profeta de Yahweh. Por meio de tal raciocínio, o profeta tentou estabelecer sua autoridade em Israel. Mas não lhe deram ouvidos, sem importar se acreditassem ou não em sua autoridade.

Senhor Deus. Ou seja, *Adonai-Yahweh,* o Soberano do mundo, que realiza sua vontade entre os homens. Ver no *Dicionário* o artigo chamado *Soberania de Deus.* Esse título aparece dezenove vezes no livro de Amós, mas apenas cinco vezes nos livros dos outros Profetas Menores. figura 217 vezes no livro de Ezequiel, mas apenas 103 vezes no restante do Antigo Testamento.

3.8

אַרְיֵה שָׁאָג מִי לֹא יִירָא אֲדֹנָי יְהוִה דִּבֶּר מִי לֹא
יִנָּבֵא:

Rugiu o leão, quem não temerá? A *segunda aplicação* das sete perguntas retóricas aparece no vs. 8. O profeta nos leva de volta à pergunta do vs. 4. O leão é, agora, *Adonai-Yahweh* (ver sobre esse título divino no vs. 7). Ele estava rugindo suas ameaças e fazia soar sua temível trombeta de guerra (vs. 6). O julgamento estava às portas. Israel seria consumido pelo exército invasor da Assíria, mas o exército assírio faria a vontade de Deus, punindo um povo culpado que tinha ido longe demais e para o qual não havia como voltar à sanidade e à segurança. Foi assim que o *pecado* de Israel e o *julgamento* de Deus formaram um par inseparável, pois eram companheiros necessários, tal e qual as sete perguntas retóricas acabaram de demonstrar. Quando o Soberano Senhor proferiu suas profecias, Amós as recebeu, sem alternativa: ele precisava profetizar. Ele anelava pelo bem-estar do povo e tinha esperança de que as suas palavras drásticas despertassem os israelitas para o arrependimento.

Tempo de Agir. Abraham Lincoln, o grande emancipador dos escravos dos Estados Unidos da América, estava condicionado para desempenhar esse trabalho. Quando ainda era jovem, fez uma viagem pelo rio Mississipi, até a cidade de Nova Orleans. Ele trabalhava em uma embarcação que levava cargas àquela cidade, provenientes de cidades do norte. Percorrendo a pé a cidade, aconteceu-lhe encontrar um mercado de escravos. Ali viu homens, mulheres e crianças negros sendo vendidos para quem oferecesse mais dinheiro. Viu famílias sendo rasgadas e corações sendo despedaçados por essa prática iníqua. E disse em voz alta: "Se eu chegar a ter a oportunidade de ferir essa coisa, haverei de feri-la gravemente". Ele estava destinado a tornar-se um dos presidentes dos Estados Unidos da América, e, quando obteve essa autoridade, feriu gravemente a escravatura em sua nação. Assim também aconteceu com Amós. Ele recebeu autoridade da parte de Yahweh e feriu gravemente a apostasia de Israel.

DESCRIÇÃO DAS CORRUPÇÕES DE SAMARIA (3.9—4.3)

3.9

הַשְׁמִיעוּ עַל־אַרְמְנוֹת בְּאַשְׁדּוֹד וְעַל־אַרְמְנוֹת בְּאֶרֶץ
מִצְרָיִם וְאִמְרוּ הֵאָסְפוּ עַל־הָרֵי שֹׁמְרוֹן וּרְאוּ מְהוּמֹת
רַבּוֹת בְּתוֹכָהּ וַעֲשׁוּקִים בְּקִרְבָּהּ:

Fazei ouvir isto nos castelos de Asdode. Encontramos aqui uma série de oráculos que tratam de Samaria, a capital da nação de Israel, excetuando o trecho de Am 3.13-15. Essa seção ensina por que Samaria precisava ser *julgada* por Yahweh. A situação de pecado e caos (moralmente falando) era espantosa. Grandes mudanças na história são, com frequência, antecipadas por grande caos moral. Então há a revelação de Deus; em seguida, aparece o julgamento que efetua mudanças para melhor. Todos os julgamentos de Deus são remediadores, e não meramente retributivos.

Somente aqui a Assíria é especificamente mencionada no livro de Amós, embora existam várias alusões à guerra vindoura, que só podem apontar para essa antiga potência. O original hebraico diz "Asdode", mas é provável que a Septuaginta esteja correta com sua correção, "da Assíria", seguida pela maioria das traduções. Ademais, os egípcios também foram convidados a vir, examinando a Samaria, onde testemunharam toda espécie de injustiça social, opressão, e pessoas ferindo-se mutuamente. As colinas formavam uma espécie de anfiteatro natural em redor da cidade de Samaria, e podemos imaginar aqueles estrangeiros sentados ali, sacudindo a cabeça, em meio a grande desassossego e violência do alegado "povo de Deus". Os egípcios não foram convidados como atacantes futuros, mas como representantes das potências mundiais da época. Os assírios estariam de volta para pôr fim à confusão em Samaria, levando embora os poucos israelitas que sobrevivessem da matança, como escravos. "Povos estrangeiros... se reuniriam para testificar sobre os males do reino condenado" (Ellicott, *in loc.*). O profeta estava dizendo que até os pagãos ficariam chocados diante do triste espetáculo que contemplariam em Israel. E Yahweh ficaria muito mais irado pelo triste espetáculo. Os pagãos se tornariam uma espécie de tribunal, passando juízo sobre os réprobos israelitas. Não muito mais tarde, os assírios voltariam para executar o julgamento divino.

REVELANDO OS MISTÉRIOS

Tocar-se-á a trombeta na cidade, sem que o povo estremeça? Sucederá algum mal à cidade, sem que o Senhor o tenha feito?
Certamente o Senhor Deus não fará cousa alguma, sem primeiro ter revelado o seu segredo aos seus servos, os profetas.

Amós 3.6,7

CAMINHOS MISTERIOSOS

Deus se move de forma misteriosa
Para realizar suas maravilhas.
Implanta seus passos no mar,
E cavalga por cima do tufão.

No profundo, em minas insondáveis
De habilidades que nunca falham,
ele entesoura seus grandes desígnios
E põe em obras sua vontade soberana.

Willian Cowper

■ 3.10

וְלֹא־יָדְעוּ עֲשׂוֹת־נְכֹחָה נְאֻם־יְהוָה הָאוֹצְרִים חָמָס וָשֹׁד בְּאַרְמְנוֹתֵיהֶם: פ

Porque Israel não sabe fazer o que é reto. Os estrangeiros contemplavam, incrédulos, os pesados crimes de violência e sangue que estavam sendo cometidos por um povo dividido contra si mesmo; os ricos roubavam os pobres e os reduziam à escravidão; os tribunais da terra apoiavam os ímpios e condenavam os inocentes. O terrorismo civil tinha-se tornado um meio de vida em Samaria. Nenhuma pessoa mostrava-se honesta e justa. Líderes de bandidos eram os que habitavam, em meio ao lazer, nos palácios, e continuavam engendrando os planos mais diabólicos, que visavam uma opressão ainda mais agravada. Os bens furtados e arrebatados violentamente eram acumulados nas casas dos ricos. "... os quais saqueiam e acumulam bens em suas fortalezas" (NIV).

PREDIÇÃO DE TOTAL DESTRUIÇÃO (3.11,12)

■ 3.11

לָכֵן כֹּה אָמַר אֲדֹנָי יְהוִה צַר וּסְבִיב הָאָרֶץ וְהוֹרִד מִמֵּךְ עֻזֵּךְ וְנָבֹזּוּ אַרְמְנוֹתָיִךְ:

Um inimigo cercará a tua terra. *Adonai-Yahweh*, o Soberano Supremo, não podia mais tolerar os israelitas, que almejavam ser chamados pelo seu nome. Esse nome divino é usado dezenove vezes no livro de Amós, mas somente cinco vezes nos outros profetas menores. Também foi usado 217 vezes em Ez, mas somente 103 vezes no restante do Antigo Testamento. Em sua soberania, o Supremo destruiria os destruidores de Samaria. Deus usaria o exército assírio para cumprir suas ordens, e eles cercariam aquele lugar maligno, derrubariam suas defesas, destruiriam suas fortificações, matariam, estuprariam e saqueariam. Assim sendo, aqueles homens miseráveis, que oprimiam a outros, seriam oprimidos até serem aniquilados; os que saqueavam os pobres seriam saqueados.

■ 3.12

כֹּה אָמַר יְהוָה כַּאֲשֶׁר יַצִּיל הָרֹעֶה מִפִּי הָאֲרִי שְׁתֵּי כְרָעַיִם אוֹ בְדַל־אֹזֶן כֵּן יִנָּצְלוּ בְּנֵי יִשְׂרָאֵל הַיֹּשְׁבִים בְּשֹׁמְרוֹן בִּפְאַת מִטָּה וּבִדְמֶשֶׁק עָרֶשׂ:

Como o pastor livra da boca do leão as duas pernas. O aterrorizado pastor observava enquanto o leão apanhava uma de suas ovelhas. Ele corre em defesa do animalzinho, mas já é tarde demais. Ele é capaz de extrair da boca do leão dois ossos das pernas ou um pedaço da orelha. Assim aconteceria a Israel quando os assírios chegassem para a matança. Haveria apenas uns poucos miseráveis sobreviventes, mas esses seriam levados para a Assíria como escravos. Este versículo promete a destruição quase total da nação do norte, Israel, e foi o que aconteceu em 722 a.C. Ver no *Dicionário* o verbete chamado *Cativeiro Assírio*.

O saque seria tão completo que tudo quanto restasse em Israel seria "apenas o canto da cama e parte do leito". O hebraico original é aqui obscuro, mas o que temos nessa citação é uma ideia. A tradução da NCV diz: "Essa gente se assentará em seus leitos, em Samaria. E se assentarão em seus divãs", como que estonteados pela cena, impotentes para fazer qualquer coisa a respeito. Ou então a ideia é que aquela gente que tinha tão grande conforto em seus leitos e divãs, onde apreciavam seus prazeres sensuais, *aquela mesma gente seria ou morta ou levada para a Assíria*, escravizada.

A CONDENAÇÃO DE BETEL (3.13-15)

■ 3.13

שִׁמְעוּ וְהָעִידוּ בְּבֵית יַעֲקֹב נְאֻם־אֲדֹנָי יְהוִה אֱלֹהֵי הַצְּבָאוֹת:

Ouvi, e protestai contra a casa de Jacó. Jeroboão I fez Israel pecar, estabelecendo seus santuários idólatras em Dã e Betel. Sobre como esse rei foi a *causa dos pecados de Israel,* ver as notas expositivas em 1Rs 15.26 e 16.2. Quanto ao *pecado de Jeroboão,* ver 1Rs 12.28 ss. Israel nunca se recuperou desse deboche. Era óbvio que alguma condenação drástica tinha de atingir Betel, o principal santuário nacional de Israel. O agente destruidor parece ter sido um terremoto. Nesse caso, aquele lugar miserável caiu por um ato da mão de Deus, sem nenhuma ajuda humana. Mas o terremoto poderia ser a figura de um aniquilamento causado por seres humanos àquela nação.

Israel foi endereçado pelo nome de um de seus patriarcas, "casa de Jacó", para relembrar o povo de sua lealdade histórica ao yahwismo. Cf. Am 6.8; 7.2,5; 8.7 e 9.8. *Adonai-Yahweh* (o Senhor Soberano que faz o que melhor lhe agrada entre os homens) agora é chamado de *Sabaote*, o General dos Exércitos. Se ele era o Guerreiro divino que tinha defendido Israel, esse povo tinha-se tornado tão pútrido que agora ele precisava derrubar toda a triste massa com um terremoto ou então enviar um exército que agia como terremoto, para destruí-la. Quanto ao nome divino, *Adonai-Yahweh* (usado dezenove vezes no livro de Amós), ver as notas sobre Am 1.8, em seu último parágrafo. A *palavra* que o Senhor proferiu é um *decreto de condenação*.

■ 3.14

כִּי בְּיוֹם פָּקְדִי פִשְׁעֵי־יִשְׂרָאֵל עָלָיו וּפָקַדְתִּי עַל־מִזְבְּחוֹת בֵּית־אֵל וְנִגְדְּעוּ קַרְנוֹת הַמִּזְבֵּחַ וְנָפְלוּ לָאָרֶץ:

No dia em que eu punir Israel. Pode estar em vista um terremoto tão violento que afetaria muitas partes de Israel, e específico o bastante para demolir Betel e seus santuários e altares. Todas as coisas tombariam por terra, e a nação do norte nunca mais se soergueria. Uma nação inteira morreria. "A visitação divina demoliria tanto o santuário real quanto sua parafernália, as excelentes casas dos ricos, e tudo mais, demonstrando o contraste inspirador de profunda admiração entre o poder despedaçador de Deus e a fragilidade das realizações humanas" (Hughell E. W. Fosbroke, *in loc.*). As *pontas do altar* eram projeções que saíam dos quatro cantos do altar. Os fugitivos que pudessem entrar no templo e agarrar-se às pontas do altar supostamente ficariam a salvo de seus perseguidores (ver 1Rs 1.50; 2.28; Êx 21.12,13), até que seus casos pudessem ser julgados pelos tribunais da lei. Mas o poder de Yahweh *cortaria* qualquer meio de segurança ou asilo. Nenhuma pessoa seria poupada da agonia.

■ 3.15

וְהִכֵּיתִי בֵית־הַחֹרֶף עַל־בֵּית הַקָּיִץ וְאָבְדוּ בָּתֵּי הַשֵּׁן וְסָפוּ בָּתִּים רַבִּים נְאֻם־יְהוָה׃ ס

Derrubarei a casa de inverno com a casa de verão. *Seria o Fim do Luxo e da Arrogância.* As casas dos ricos, que eles tinham construído explorando os pobres, seriam abaladas pelo terremoto ou derrubadas pelo exército assírio, que agia como se fosse um terremoto. Fosse como fosse, seria tudo a mão julgadora de Deus contra pecadores que tinham perdido o controle de si mesmos e se tornaram totalmente sem-vergonha nos prejuízos que causavam a outros (ver as notas sobre o vs. 10). O presente versículo repete a mensagem essencial do vs. 11. Os ricos possuíam casas de verão, pois tinham dinheiro para adaptar-se às estações do ano para maior conforto, evitando os extremos de calor e de frio. Além do mais, apreciavam as férias que gozavam "lá fora", algo que os pobres nem sequer poderiam cogitar. Os ricaços de Samaria possuíam dinheiro bastante para empregar em seus lares materiais caros, na maior parte importados, como o marfim usado nos assoalhos, nos painéis e nas ombreiras das portas. O marfim também era usado como partes marchetadas nos móveis (ver Am 6.4). O marfim era aplicado nos móveis dos reis, dos príncipes e dos elementos mais ricos da sociedade (ver 1Rs 2.39; Sl 45.8). Um lucro mal ganho era a chave principal da prosperidade da nação de Israel, mas essa prosperidade não resistiria ao golpe divino. Quanto às casas de verão, cf. Jz 3.20 e Jr 36.22. Aquele homem ímpio, Acabe, tinha uma casa decorada com marfim, mas morreu de morte miserável e violenta. Assim também terminaria a nação de Israel.

CAPÍTULO QUATRO

A GANÂNCIA EGOÍSTA DAS MULHERES (4.1-3)

■ 4.1

שִׁמְעוּ הַדָּבָר הַזֶּה פָּרוֹת הַבָּשָׁן אֲשֶׁר בְּהַר שֹׁמְרוֹן הָעֹשְׁקוֹת דַּלִּים הָרֹצְצוֹת אֶבְיוֹנִים הָאֹמְרֹת לַאֲדֹנֵיהֶם הָבִיאָה וְנִשְׁתֶּה׃

Ouvi estas palavras, vacas de Basã. As mulheres são essencialmente aquilo que os homens fazem delas. Em Samaria, elas foram infeccionadas pelos pecados dos varões e caíram em profundezas similares de degradação. Eram mulheres nédias, criaturas bem criadas, acostumadas a seus luxos e prazeres. Elas satisfaziam cada um de seus apetites. Participavam com os varões como opressoras dos pobres e eram tão destituídas de coração quanto eles.

Mediante insulto singular, Yahweh convocou as mulheres a ouvir sua palavra e *chamou-as* de "vacas".

Basã. Era a região que ficava a leste do mar da Galileia, notória por suas ricas pastagens (cf. Ez 39.18). As damas que viviam no luxo de Israel habitavam as ricas pastagens de Samaria, ocupadas em seus próprios interesses, oprimindo os elementos pobres da nação, pois só serviam para obter lucro, e esmagando os necessitados. Viviam animando seus maridos para conseguir sempre maiores riquezas, o que é aqui simbolizado por suas ordens, dadas a eles, para trazer mais bebidas para suas festas intermináveis. Temos aqui o quadro de damas amimalhadas que jamais tinham trabalhado um único dia, mas tinham tempo de sobra para gastar em seus luxos e festas intermináveis. Ver no *Dicionário* o verbete chamado *Basã*.

■ 4.2

נִשְׁבַּע אֲדֹנָי יְהוִה בְּקָדְשׁוֹ כִּי הִנֵּה יָמִים בָּאִים עֲלֵיכֶם וְנִשָּׂא אֶתְכֶם בְּצִנּוֹת וְאַחֲרִיתְכֶן בְּסִירוֹת דּוּגָה׃

Jurou o Senhor Deus pela sua santidade. Yahweh, chamado aqui de *Adonai-Yahweh* (o *Senhor Soberano;* ver as notas em Am 1.8, último parágrafo), exerceria sua soberania e atacaria aquelas mulheres como um pescador que apanha os peixes com anzóis, tirando-as violentamente de seu *hábitat.* "Tal como os peixes são retirados da água por meio de anzóis, assim também as mulheres israelitas seriam retiradas, súbita e violentamente, de suas cidades, pelo inimigo (ver Ez 29.4; Jó 41.1,2; Jr 16.16; Hc 1.15). Essa imagem é ainda mais apropriada visto que os cativos, na antiguidade, eram conduzidos por seus captores por meio de uma argola passada no nariz (ver 2Rs 19.28). Isso é retratado nas inscrições assírias" (Fausset, *in loc.*). "Isso descreve a subitaneidade e o caráter irresistível da prisão" (Ellicott, *in loc.*). Estava em vista o *cativeiro assírio* (ver a respeito no *Dicionário*).

O POVO DOS PACTOS CASTIGADO

Comparações entre Amós, Levítico, Deuteronômio e 1Reis

Castigos	Amós	Levítico	Deuteronômio	1Reis
Fome	4.6	26.26,29	28.17,48	8.37
Seca	4.7,8	26.19	28.22-24,48	8.35
Doenças de plantas	4.9	26.20	28.18,22, 30,39,40	8.37
Gafanhoto	4.9	—	28.38,42	8.37
Pragas	4.10	26.16,25	28.21,22,27, 35,59-61	8.37
Derrota militar	4.10	26.17,25, 33,36-39	28.25,26	8.33
Devastação	4.11	26.31-35	29.23-28	—

Pacto. Entre outras formas de linguagem antropomórfica nas Escrituras, encontramos o termo *pacto*. A palavra é usada para designar a maneira de Deus tratar com o homem e entrar em alianças com ele. Os pactos trouxeram as promessas de Deus para um povo obediente às condições morais dele. Evitar idolatria era sempre a primeira exigência, mas muitas infrações morais quebraram os pactos. O povo dos pactos era, idealmente, um povo distinto dos demais.

■ 4.3

וּפְרָצִים תֵּצֶאנָה אִשָּׁה נֶגְדָּהּ וְהִשְׁלַכְתֶּנָה הַהַרְמוֹנָה נְאֻם־יְהוָה׃

Saireis cada um em frente de si pelas brechas. "Saireis diretamente da cidade mediante buracos feitos nas paredes. E sereis lançados na lata de lixo, diz o Senhor" (NCV). Com algumas emendas, Richard S. Cripps traduziu os vss. 2 e 3 como segue:

> Eles levantarão vossos narizes com anzóis,
> E vossos traseiros com postes farpados.
> Como sujeira e lixo sereis arrastados
> E, despidos, sereis lançados fora.

A abundância urbana de repente cederia lugar ao terror dos cativos. Quanto aos castigos do pacto, ver o gráfico acompanhante. O povo das alianças deveria sofrer por ter desobedecido às provisões dessas alianças, especialmente o pacto mosaico — a obrigação de guardar a lei. Ver sobre isso na introdução a Êx 19. Os israelitas, incluindo as mulheres, em uma frenética tentativa de escapar dos atacantes, sairiam através de buracos nas muralhas, em vez de saírem pelos portões. Seus esforços, entretanto, seriam inúteis. Os poucos que escapassem da matança seriam reunidos como cativos e conduzidos, de maneira brutal, à Assíria. As "vacas" seriam postas em fila e conduzidas com uma argola posta em seus narizes.

OS PACTOS E AS PROMESSAS

UMA GRANDE NAÇÃO DENTRO DE SUA PRÓPRIA TERRA
Pacto Abraâmico

Naquele mesmo dia fez o Senhor aliança com Abraão, dizendo: à tua descendência dei esta terra, desde o rio do Egito até ao grande rio Eufrates

Gênesis 15.18

A LEI FOI DADA COMO O GUIA DA VIDA E DÁ VIDA AOS OBEDIENTES
Pacto Mosaico

Agora, pois, ó Israel, ouve os estatutos e os juízos que eu vos ensino, para os cumprirdes, para que vivais...

Deuteronômio 4.1

CONQUISTA DA TERRA DA PALESTINA, O LAR DO POVO
Pacto Palestino

Se atentamente ouvires a voz do Senhor teu Deus, tendo cuidado de guardar todos os seus mandamentos que hoje te ordeno, o Senhor teu Deus te exaltará sobre todas as nações da terra.

Deuteronômio 28.1

A PERPETUIDADE DA FAMÍLIA E DO REINO DE DAVI, CUMPRIDA EM GRAU MAIOR EM CRISTO, O FILHO DE DAVI
Pacto Davídico

Este edificará uma casa ao meu nome, e eu estabelecerei para sempre o trono do seu reino.

2Samuel 7.13

A PROFUNDA CULPA DE ISRAEL (4.4—5.3)

O PECADO NOS SANTUÁRIOS (4.4,5)

■ 4.4,5

בֹּאוּ בֵית־אֵל וּפִשְׁעוּ הַגִּלְגָּל הַרְבּוּ לִפְשֹׁעַ וְהָבִיאוּ לַבֹּקֶר זִבְחֵיכֶם לִשְׁלֹשֶׁת יָמִים מַעְשְׂרֹתֵיכֶם׃

וְקַטֵּר מֵחָמֵץ תּוֹדָה וְקִרְאוּ נְדָבוֹת הַשְׁמִיעוּ כִּי כֵן אֲהַבְתֶּם בְּנֵי יִשְׂרָאֵל נְאֻם אֲדֹנָי יְהוִה׃

Vinde a Betel e transgredi. Coisa alguma escapava ao poder poluidor daquele povo que se tinha tornado pior do que os povos pagãos. Os santuários estavam poluídos por toda a forma de idolatria. Yahweh convocou aqueles réprobos ao santuário central de Betel para que prosseguissem com seus sacrilégios. Esse é um convite irônico, dirigido a um povo que não podia mais arrepender-se. Portanto, deviam fazer o que estavam fazendo, até que a ira de *Adonai-Yahweh* (o Soberano Senhor) os derrubasse por terra. Esse nome divino é usado dezenove vezes no livro de Amós, mas somente cinco vezes no restante dos livros dos profetas menores. É usado 217 vezes em Ez, mas apenas 103 vezes no restante do Antigo Testamento. Fala da *Soberania de Deus* (ver a respeito no *Dicionário*). O poder de Deus estaria por trás da ruína final da idolatria. Betel era a cidade onde ficava o principal santuário nacional, e Gilgal era igualmente importante cidade-santuário. Os israelitas, pois, receberam ordens para prosseguir em suas práticas pagãs, enquanto podiam fazê-lo; que realizassem seus sacrifícios habituais e efetuassem outras práticas, com o pagamento de dízimos e as festividades. O tipo de idolatria que os israelitas praticavam incorporava alguns aspectos do yahwismo. Os sacerdotes convocavam o povo a ser fiel a suas obrigações de culto. E *Adonai-Yahweh* zombou deles, repetindo o mandato dos sacerdotes de maneira irônica.

Betel, como um santuário idólatra, foi estabelecida no começo mesmo da história da nação de Israel, depois que esta se separou da parte sul do país. Ver sobre o pecado de Jeroboão, em 1Rs 12.28 ss., e como ele fez Israel cair no pecado, em 1Rs 15.26 e 16.2. Em *Gilgal* foram postas as pedras memoriais que assinalaram a entrada do povo de Israel na Terra Prometida (ver Js 4), um lugar que permaneceu como centro de adoração e como local de visita de peregrinos, no século VIII a.C. Ver Am 5.5; Os 4.15; 9.15 e 12.11. Quanto às refeições sagradas, ver 1Sm 1.3-5; quanto aos dízimos, ver Dt 12.4-7; 14.22-27; quanto às *oferendas de agradecimento*, ver Lv 7.11-15; e, quanto às oferendas voluntárias, ver Lv 7.16 e 22.17-19. Portanto, os vss. 4 e 5 fornecem um sumário dos tipos de coisas que ocorriam nas cidades idólatras de Betel e Gilgal, deixando claro que o yahwismo foi misturado com a idolatria pagã, o que produziu um sincretismo doentio, repelente para *Adonai-Yahweh*.

Note o leitor que eles sacrificavam com *fermento*, algo que tinha sido especificamente proibido pela lei mosaica (ver Lv 7.13; 23.17). Yahweh, pois, recomendou que os israelitas continuassem a praticar coisas tão desgraçadas, porquanto o tempo que lhes restava era curto. Mas o golpe divino poria fim a tudo isso.

INDIFERENÇA DIANTE DO CASTIGO (4.6-12)

■ 4.6

וְגַם־אֲנִי נָתַתִּי לָכֶם נִקְיוֹן שִׁנַּיִם בְּכָל־עָרֵיכֶם וְחֹסֶר לֶחֶם בְּכֹל מְקוֹמֹתֵיכֶם וְלֹא־שַׁבְתֶּם עָדַי נְאֻם־יְהוָה׃

Também vos deixei de dentes limpos em todas as vossas cidades. Ver o gráfico acompanhante quanto aos castigos projetados contra o povo compactuado com Deus, que se tinha tornado um povo pseudo-compactuado. A parada de idolatria e pecados múltiplos não poderia prosseguir para sempre. Praticar o mal tinha-se tornado um meio de vida, e não algo para o que o povo escorregava apenas ocasionalmente.

"Vss. 6-12. Tendo ignorado as repetidas advertências do Senhor, que lhes haviam sido dadas por meio da natureza e da história, Israel agora deveria preparar-se para encontrar-se com o seu Deus, o qual é caracterizado como Deus dotado de amor paciente e justiça inexorável" (*Oxford Annotated Bible*, comentando sobre o vs. 6).

A própria fome não diminuiu o ritmo da prática de toda a espécie de males na nação de Israel. Seus dentes estavam limpos porque eles nada tinham para comer; até aos ricos faltava pão, para nada dizermos sobre os pobres. Coisa alguma era capaz de impressionar àqueles réprobos, nem mesmo uma ameaça à própria vida. Eles se recusavam a "voltar-se" para Yahweh, mediante o arrependimento. Lv 26 e Dt 28 e 29 advertiam o povo em relação de pacto com Deus de que haveria fome se o povo se corrompesse em sua terra. Haveria fome (Am 4.6); seca (vss. 7 e 8); fracasso no plantio (vs. 9); pragas (vs. 10); derrota militar (vs. 10) e devastação (vs. 11). Salomão predissera que tais coisas aconteceriam aos desobedientes, em 1Rs 8.33-37).

"Deus lhes havia dado estômagos vazios (literalmente, *limpeza de dentes*, ou seja, nada para mastigarem). A fome tinha afligido a terra inteira de Israel. Mas o povo não se tinha voltado para Deus" (Donald R. Sunukjian, *in loc.*). Ver no *Dicionário* o artigo chamado *Arrependimento*. A observação de que o povo de Israel não se tinha "voltado" para Deus é repetida cinco vezes neste capítulo. Ver os vss. 6-11. Cada uma dessas vezes é assinalada por uma nova descrição de pecados.

■ 4.7

וְגַם אָנֹכִי מָנַעְתִּי מִכֶּם אֶת־הַגֶּשֶׁם בְּעוֹד שְׁלֹשָׁה חֳדָשִׁים לַקָּצִיר וְהִמְטַרְתִּי עַל־עִיר אֶחָת וְעַל־עִיר אַחַת לֹא אַמְטִיר חֶלְקָה אַחַת תִּמָּטֵר וְחֶלְקָה אֲשֶׁר־לֹא־תַמְטִיר עָלֶיהָ תִּיבָשׁ׃

Além disso, retive de vós a chuva. A *seca* foi o segundo castigo contra aqueles homens iníquos e desvairados. A chuva não caiu por três meses antes da colheita, o que era crítico para que as plantações amadurecessem. As chuvas pesadas dos fins de fevereiro, que normalmente os habitantes da Palestina tinham como certas, fracassariam. Portanto, a colheita não teria lugar em abril. As colheitas falharam, e o povo passou fome, mas nem por isso se arrependeu. O pouco de chuva que chegou não seguiria norma alguma. As chuvas cairiam sobre uma cidade, mas não sobre outra; cairiam sobre um campo plantado, mas não sobre outro. Dessa forma haveria um pouco de colheita, mas totalmente inadequada para as necessidades do povo. Poços e cisternas se secariam por falta de água, e o povo ficaria desesperado por água, conforme descreve o vs. 8. Alguns estudiosos, entretanto, pensam que certas áreas foram abençoadas com chuvas, por causa da piedade de certos agricultores, que, assim sendo, não sofreram com a seca. Nesse caso, houve uma providência divina seletiva, baseada na obediência ou desobediência às leis morais. Ver no *Dicionário* o verbete denominado *Providência de Deus*.

■ 4.8

וְנָעוּ שְׁתַּיִם שָׁלֹשׁ עָרִים אֶל־עִיר אַחַת לִשְׁתּוֹת מַיִם וְלֹא יִשְׂבָּעוּ וְלֹא־שַׁבְתֶּם עָדַי נְאֻם־יְהוָה:

Andaram duas ou três cidades, indo a outra cidade, para beberem água. O povo de Israel haveria de vaguear, em desespero, tentando encontrar água bastante para beber, mas suas expectativas seriam frustradas. Contudo, mesmo quando a situação se tornou *desesperadora*, o povo de Israel não se arrependeu (por cinco vezes neste capítulo — vss. 6-11 — é dito que eles não se voltaram para Yahweh).

Era realmente estranho encontrar uma cidade, aqui ou acolá, que tivesse água, como se fosse abençoada por Yahweh. Mas aqueles pecadores eram por demais ignorantes para perceber qualquer *padrão* que pudesse sugerir a bênção ou a maldição de Yahweh, de acordo com os ditames das leis morais.

■ 4.9

הִכֵּיתִי אֶתְכֶם בַּשִּׁדָּפוֹן וּבַיֵּרָקוֹן הַרְבּוֹת גַּנּוֹתֵיכֶם וְכַרְמֵיכֶם וּתְאֵנֵיכֶם וְזֵיתֵיכֶם יֹאכַל הַגָּזָם וְלֹא־שַׁבְתֶּם עָדַי נְאֻם־יְהוָה:

Feri-vos com o crestamento e a ferrugem. A *terceira aflição* eram doenças nas plantas e insetos, que destruiriam o pouco que tivera oportunidade de crescer apesar da seca. *Crestamento e ferrugem* (parasitas que se satisfaziam com a pouca verdura existente) cobraram sua parte. O que restara foi consumido por insetos que atacavam as plantas, como os *gafanhotos* e outros insetos pestíferos. Na natureza o conflito consistia em conseguir o pouco que tinha sido providenciado, e os homens, que precisavam comer para sobreviver, estavam perdidos em meio à competição. Assim sendo, vermes e parasitas, bem como gafanhotos, derrotaram os homens e continuaram vivos, enquanto os humanos morriam por toda a parte. Cf. este versículo com Jl 1.4. Alguns intérpretes tomam a primeira palavra deste versículo para referir-se ao sopro quente do vento oriental, vindo do deserto, e não a alguma doença dos vegetais. Cf. Dt 28.22 e 1Rs 8.37, onde a mesma palavra é usada. Ver no *Dicionário* o verbete intitulado *Vento Oriental*.

■ 4.10

שִׁלַּחְתִּי בָכֶם דֶּבֶר בְּדֶרֶךְ מִצְרַיִם הָרַגְתִּי בַחֶרֶב בַּחוּרֵיכֶם עִם שְׁבִי סוּסֵיכֶם וָאַעֲלֶה בְּאֹשׁ מַחֲנֵיכֶם וּבְאַפְּכֶם וְלֹא־שַׁבְתֶּם עָדַי נְאֻם־יְהוָה:

Enviei a peste contra vós outros à maneira do Egito. A *quarta aflição* foi a pestilência. Homens famintos adoecem porque suas defesas naturais são prejudicadas. Pragas como as que caíram sobre o Egito feririam Israel, e pelas mesmas razões morais. Ver no *Dicionário* o verbete denominado *Pragas do Egito*.

A *quinta aflição* foi a guerra, na qual homens jovens (que serviam como soldados) eram as principais vítimas. Os homens eram deixados moribundos, mas os cavalos eram tomados pelo inimigo, para serem usados. O mau cheiro dos corpos em decomposição tornava a vida insuportável, mas nem assim o povo de Israel se arrependeu (não se voltou para o Senhor, o que é dito cinco vezes neste capítulo — vss. 6-11). "Eu vos fiz cheirar o mau odor de todos os cadáveres, mas nem assim vos voltastes de volta para mim" (NCV). As guerras naturalmente sempre anunciam a chegada de enfermidades que, algumas vezes, destroem mais do que a força das armas. A peste bubônica é espalhada pelas pulgas, e intermináveis são os modos pelos quais as doenças se difundem quando as coisas fogem do controle.

■ 4.11

הָפַכְתִּי בָכֶם כְּמַהְפֵּכַת אֱלֹהִים אֶת־סְדֹם וְאֶת־עֲמֹרָה וַתִּהְיוּ כְּאוּד מֻצָּל מִשְּׂרֵפָה וְלֹא־שַׁבְתֶּם עָדַי נְאֻם־יְהוָה: ס

Subverti alguns dentre vós, como Deus subverteu a Sodoma e Gomorra. Não há certeza, aqui, sobre qual foi essa aflição. Mas isso significa que a *quinta* aflição pode ter sido um terremoto. Talvez um terremoto tenha anunciado erupções vulcânicas em Sodoma e Gomorra, e algo semelhante pode ter acontecido em certas regiões de Israel. Talvez esteja em vista o fogo da guerra. Seja como for, Israel foi arrancado do fogo, a fim de não ser totalmente aniquilado; porém, nem mesmo esse pouco da graça salvadora de Deus exerceu efeito sobre o duro coração dos israelitas. Eles se recusaram a voltar-se para Yahweh (não se *arrependeram,* o que é dito cinco vezes neste capítulo — vss. 6-11). Quanto ao julgamento de Sodoma e Gomorra, ver Gn 19.23-29 e Dt 29.22,23. Muitas cidades deixaram de existir, mas isso ainda não foi o fim, que só ocorreu quando os assírios terminaram sua obra de destruição.

■ 4.12

לָכֵן כֹּה אֶעֱשֶׂה־לְּךָ יִשְׂרָאֵל עֵקֶב כִּי־זֹאת אֶעֱשֶׂה־לָּךְ הִכּוֹן לִקְרַאת־אֱלֹהֶיךָ יִשְׂרָאֵל:

Portanto, assim te farei, ó Israel! Todas as aflições que acabam de ser descritas (vss. 6-11) tinham por propósito obter a atenção dos réprobos israelitas. Sofrendo tais aflições, Israel seria forçado a encontrar-se com seu Deus como Juiz e Castigador. Algo mais terrível ainda estava sendo guardado para aqueles pecadores: o ataque dos assírios e o subsequente cativeiro e, diante dessa invasão, os israelitas não seriam arrancados da fogueira, mas nela seriam totalmente consumidos. Visto que os israelitas se recusaram a voltar-se para Yahweh, em arrependimento, teriam de defrontar-se com *Elohim,* o Poder Todo-poderoso, que usaria seu poder para julgar. Ver no *Dicionário* o artigo chamado *Deus, Nomes Bíblicos de.* Cf. Am 3.11-15, que prevê e descreve o ataque dos assírios. As catástrofes preliminares não realizariam seu propósito. O ataque final simplesmente encerraria o livro sobre a nação de Israel, a qual não se levantaria mais.

PRIMEIRA DOXOLOGIA (4.13)

■ 4.13

כִּי הִנֵּה יוֹצֵר הָרִים וּבֹרֵא רוּחַ וּמַגִּיד לְאָדָם מַה־שֵּׂחוֹ עֹשֵׂה שַׁחַר עֵיפָה וְדֹרֵךְ עַל־בָּמֳתֵי אָרֶץ יְהוָה אֱלֹהֵי־צְבָאוֹת שְׁמוֹ: ס

Porque é ele quem forma os montes, e cria o vento. Cf. também Amós 5.8,9 e 9.5,6. Talvez essas doxologias tenham sido adicionadas por algum escriba posterior. Nessas doxologias há uma diferença quanto ao estilo e à qualidade do hebraico; porém, não há como ter certeza sobre a questão. Nem importa se algum outro autor contribuiu com algo para o livro de Amós, aqui e acolá.

Adonai-Yahweh-Elohim (nomes divinos que foram empregados neste capítulo), o Deus que é Soberano Senhor, Eterno e Todo-poderoso. Ele é, igualmente, o *Criador.* Formou a terra com suas montanhas altíssimas e fez soprar os quatro ventos. Ele resolveu revelar seus pensamentos aos homens, a fim de instruí-los quanto ao certo e ao errado, encorajando-os e chamando-os à santidade, através dos profetas. Deus também está por trás dos ciclos da natureza, da alvorada que ilumina a noite escura. É ele quem anda por sobre as montanhas da terra, recompensando e punindo, intervindo na vida de indivíduos e nações. De fato, o nome dele é *Adonai-Yahweh*, mas também é Sabaote, o General dos Exércitos. A doxologia ensina que Deus é o Tudo em todos, a fonte de todas as bênçãos, e também aquele que impõe todas as maldições, as quais são descarregadas conforme as leis morais. Isso representa o *teísmo* (ver a respeito no *Dicionário*). O Criador intervém em sua criação; aplica sua providência negativa e positiva; é a fonte de toda a vida e existência. Ele não abandonou a sua criação, nem a deixou ao governo das leis naturais (conforme ensina o *deísmo*).

CAPÍTULO CINCO

A MORTE DA NAÇÃO (5.1-3)

Esta pequena seção leva avante as ideias de Am 4.6-12, com a adição de figuras simbólicas e ameaças. Encontramos aqui um elogio à nação caída, que se recusou a arrepender-se (voltar-se para Yahweh, o que é dito *cinco* vezes na seção anterior). Os vss. 1-3 formam um poema que é um "excelente exemplo do ritmo ordinariamente usado em um cântico fúnebre: três compassos e dois compassos, o que produz uma cadência tristonha, cujo efeito pode ser sentido até mesmo nas traduções" (Hughell E. W. Fosbroke, *in loc.*). O povo de Israel foi convocado a lamentar a própria morte deles! — uma figura grotesca, embora coisa alguma fosse tão grotesca como a idolatria incansável e o paganismo geral de Israel, a despeito das reprovações e ameaças do profeta Amós.

"Am 5.1-6.14: O horror e a finalidade do castigo bem merecido por Israel. Am 5.1-3: um lamento pela nação caída e esquecida" (*Oxford Annotated Bible,* comentando sobre o vs. 1).

■ 5.1

שִׁמְעוּ אֶת־הַדָּבָר הַזֶּה אֲשֶׁר אָנֹכִי נֹשֵׂא עֲלֵיכֶם קִינָה בֵּית יִשְׂרָאֵל׃

Ouvi esta palavra, que levanto como lamentação. A *palavra de Yahweh* voltou com uma terrível finalidade. O profeta cumpriu as demandas de sua missão e apresentou a temível mensagem ao povo de Israel. Essa palavra era sobre uma lamentação, um cântico e um poema fúnebre que o povo de Israel precisava ouvir: girava em torno de sua própria morte como nação. Cf. Ez 32.2: "levanta lamentações". Trata-se de uma carga que provoca lamentação (Ez 19.1; 27.2). Ver também 2Sm 1.17-27; 3.33,34; 2Cr 35.25; Jr 7.29; Ez 19. Essas palavras foram proferidas quando a nação de Israel ainda estava no auge de sua glória e prosperidade, sob Jeroboão II. Mas em breve a história terminaria, iniciada tão lamentavelmente quando Jeroboão I levantou imagens em Dã e Betel. Ver sobre o pecado de Jeroboão, em 1Rs 12.28 ss., e sobre como ele fez Israel pecar, em 1Rs 15.26 e 16.2.

■ 5.2

נָפְלָה לֹא־תוֹסִיף קוּם בְּתוּלַת יִשְׂרָאֵל נִטְּשָׁה עַל־אַדְמָתָהּ אֵין מְקִימָהּ׃

Caiu a virgem de Israel, nunca mais tornará a levantar-se. "Israel caiu. Nunca mais se levantará. Foi deixada sozinha na terra. Não há ninguém para levantá-la" (NCV).

A *virgem de Israel* é que tinha caído. Ela se corrompeu com as prostituições da idolatria. Tornou-se uma adúltera notória ao abandonar seu marido, Yahweh (a figura do livro de Oseias). O lamento foi levantado pela virgem anterior, e nós desprezaríamos a condição que havia causado sua queda. Até aqui, porém, só pensamos nela como a virgem favorecida. Mas agora a vemos caindo. Ela está morta. Por que ela morreu? Porque abandonou Yahweh, seu companheiro celestial, e então correu para Baal e seus debochеs. Além disso, quando foi chamada, ela se recusou a atender o convite.

Por muitas vezes ela foi chamada a retornar, mas recusou-se a isso. Estava por demais ocupada para ouvir, porquanto se deitava com seus amantes, em leitos de concupiscência. Agora, porém, estava caída e abandonada. Um de seus amantes a matou. E seu marido, Yahweh, abandonou a cena. Ver no *Dicionário* o artigo chamado *Cativeiro Assírio.*

■ 5.3

כִּי כֹה אָמַר אֲדֹנָי יְהוִה הָעִיר הַיֹּצֵאת אֶלֶף תַּשְׁאִיר מֵאָה וְהַיּוֹצֵאת מֵאָה תַּשְׁאִיר עֲשָׂרָה לְבֵית יִשְׂרָאֵל׃ ס

A cidade da qual saem mil conservará cem. Algumas cidades eram fortes, possuidoras de numerosa população, pelo que foram capazes de enviar mil homens para enfrentar o ataque dos assírios. Mas somente cem (a décima parte) sobreviveu à batalha e foi à cidade, em busca de refúgio. Então, as cidades pequenas, que só tinham cem jovens para enviar à guerra, viram somente dez voltarem, fugindo na frente de um inimigo implacável. Isso acontecia nas cidades grandes e nas cidades pequenas. Uma vez quebradas as defesas, o inimigo invadia a cidade, matando, estuprando e saqueando. Ali também poucos sobreviveriam. E esses poucos foram levados para a Assíria, e mais tarde outros povos foram enviados para o território, a fim de ocuparem o espaço vago. Os poucos sobreviventes que permaneceram na terra se misturaram com casamento com aqueles povos, dando origem aos *samaritanos* (ver a respeito no *Dicionário*). Foi assim que Israel perdeu sua identidade. Não viveu para lutar por outro dia, porquanto, para Israel, não haveria mais um dia. "Um exército podia sofrer uma perda de 50% e continuar lutando (ver 2Sm 18.3). Mas se 90% dos homens fossem mortos, então a nação que perdesse tanta gente teria recebido sua sentença de morte. Amós lamentou o fato de que Israel tinha cessado de existir" (Donald R. Sunukjian, *in loc.*).

VÁRIAS EXORTAÇÕES E DENÚNCIAS (5.4-15)

Religião Falsa e Religião verdadeira (5.4-6)

■ 5.4

כִּי כֹה אָמַר יְהוָה לְבֵית יִשְׂרָאֵל דִּרְשׁוּנִי וִחְיוּ׃

Pois assim diz o Senhor à casa de Israel: Buscai-me, e vivei. O profeta avançou para além da lamentação fúnebre que ele havia pronunciado e que lamentava o "resultado final" da decadência de Israel por ele descrita. Agora, porém, ele volta a fazer mais descrições, exortações e denúncias. Mas já sabia para onde as coisas se encaminhavam: *para o nada*. Alguns indivíduos ainda poderiam buscar Yahweh e ser livrados desse fim inglório. Alguns poucos poderiam *viver* (ver o vs. 6). Os que buscassem o Senhor, entretanto, não deveriam concentrar-se ao redor dos santuários corruptos, onde a morte já reinava. A busca teria de ser individual, pois a apostasia controlava toda a terra de Israel. Caros leitores, algumas vezes é um pecado frequentar a igreja!

Yahweh dirigia-se ainda à nação de Israel: *Buscai-me e vivei!* Mas sabemos que muitas pessoas que estão envolvidas em debochеs e pecados não darão atenção ao chamado divino. Os palácios estavam repletos de corrupção, mas outro tanto sucedia aos santuários. Daí a chamada: *Buscai-me!* A vida dependia dessa busca, mas fora dali a morte reinava sobre tudo.

■ 5.5

וְאַל־תִּדְרְשׁוּ בֵּית־אֵל וְהַגִּלְגָּל לֹא תָבֹאוּ וּבְאֵר שֶׁבַע לֹא תַעֲבֹרוּ כִּי הַגִּלְגָּל גָּלֹה יִגְלֶה וּבֵית־אֵל יִהְיֶה לְאָוֶן׃

Porém não busqueis a Betel, nem venhais a Gilgal. A igreja se tornara um lugar de debochеs! Yahweh tinha sido abandonado no lugar da adoração. O paganismo dominara os santuários. Isso soa familiar ao leitor? Israel tinha caído em fatal idolatria-adultério-apostasia. Os próprios santuários encabeçavam condições lamentáveis, em vez de repreender a essas condições. Betel e Gilgal (ver Am 4.4), que já haviam sido lugares sagrados, memoriais de tratos de Yahweh com o povo de Israel, tornaram-se centros de cultos que tinham expulsado completamente o yahwismo, ou então formaram com ele doentio *sincretismo* (conforme se vê em Am 4.4,5).

Outro santuário corrupto ficava em *Berseba,* local que tinha sido sagrado para os patriarcas, particularmente Isaque. Esse lugar ficava situado na encruzilhada de estradas no deserto, cerca de 80 km a sudoeste de Jerusalém. Ver os nomes próprios no *Dicionário*. Aqueles santuários corruptos não ofereceriam segurança e refúgio quando os assírios varressem a terra, pelo que nenhuma pessoa deveria correr para lá quando a batalha começasse. Além disso, nenhum homem espiritual recorreria àqueles lugares, seja como for. Mas podemos estar certos de que, quando o ataque se iniciou, esses santuários estavam cheios de pessoas, as quais supunham que eles lhes ofereceriam certa medida de segurança.

Betel transformara-se em *Bete-Áven,* isto é, a "casa de Deus" se tornara em "casa de nada" (ver Am 1.5). Também há um jogo de palavras com Gilgal. O som *gil* sugeria *gal* (de *galah,* "ir para o exílio"). Note o leitor o fim do versículo, onde se lê que Betel seria reduzida a "nada" (no hebraico, *aven*). O nada provavelmente nos faz lembrar dos deuses que nada representam.

■ 5.6

דִּרְשׁוּ אֶת־יְהוָה וִחְיוּ פֶּן־יִצְלַח כָּאֵשׁ בֵּית יוֹסֵף
וְאָכְלָה וְאֵין־מְכַבֶּה לְבֵית־אֵל׃

Buscai ao Senhor, e vivei. "Buscai ao Senhor e vivei, ou ele varrerá a casa de José como um fogo: e esse fogo devorará, e Betel não terá quem o apague" (NIV).

Na casa de José. A casa de José é posta aqui em lugar da "casa de Israel" (Am 5.1) ou da "casa de Jacó" (Am 3.13 e 6.8). Não havia uma "tribo de José". Antes, havia duas tribos chamadas pelos nomes de seus filhos: Efraim e Manassés. A tribo de Efraim era a mais numerosa e poderosa das dez tribos do norte, pelo que, algumas vezes, a nação de Israel é chamada de "Efraim", e a nação do norte é chamada de "casa de José". Cf. Ez 37.16.

Um fogo. Cf. Am 2.5. Os assírios teriam o fogo de Deus, destruindo Israel, que se tornara um lugar desolado, espiritualmente falando. O fogo era o poder destruidor mais severo que os antigos conheciam, pelo que era o melhor candidato para tornar-se o símbolo dos julgamentos divinos. Em 1Enoque temos o *rio de fogo,* onde as almas malignas eram lançadas, e assim nasceu a doutrina do fogo eterno (aplicado a uma punição no pós-vida). No livro de Apocalipse, esse rio torna-se um *lago de fogo* (ver Ap 19.20 e 20.10). Ver no *Dicionário* o artigo chamado *Fogo,* quanto a detalhes sobre esse simbolismo.

O fogo avançaria terra adentro, consumindo tudo; e ninguém poderia resistir-lhe. Orações e súplicas subiriam aos deuses e a Deus, em Betel; mas isso não traria bem algum. Israel não seria poupado, como também não seria poupado o santuário nacional de Betel. E nem culto ou ritual algum levado a efeito em Betel surtiria efeito sobre o fogo. Diz o Targum: "... não haverá ninguém capaz de apagar o fogo, por causa de vossos pecados, que vindes servindo os ídolos em Betel".

O Tratamento Brutal aos Pobres; Segunda Doxologia (5.7-13)

■ 5.7

הַהֹפְכִים לְלַעֲנָה מִשְׁפָּט וּצְדָקָה לָאָרֶץ הִנִּיחוּ׃

Vós que converteis o juízo em alosna. O vs. 7 é uma severa denúncia contra a nação de Israel; seguem-se os vss. 8 e 9, com uma segunda doxologia; os vss. 10-12 nos fornecem outra lista dos pecados de Israel; e então o vs. 13 termina esta seção com uma "palavra aos sábios", sobre como eles devem agir em tempos de aflição severa. O vs. 7 atua como um elo de ligação com os vss. 10-13 (conforme demonstram a gramática e o contexto). Os vss. 8 e 9 são uma inserção feita por algum editor posterior, ou pelo próprio profeta, o qual foi subitamente transportado para uma manifestação de louvor ao Deus Criador, bem no meio de suas ameaças.

Um dos pecados conspícuos de Israel foi o fato de que a corrupção tomou conta de seus tribunais, operando através deles como instrumentos. "Transformais a justiça dos tribunais em algo injusto" (NCV). Os ricos usavam os tribunais para conseguir decisões que lhes fossem favoráveis, ajudando-os em sua "política de enriquecimento rápido". Eles oprimiam os pobres através dos tribunais, furtando-lhes bens e propriedades. Com a ajuda dos tribunais, os ricos ficavam a salvo do merecido castigo, quando cometiam algum crime.

Assim sendo, os ricos transformavam a justiça na coisa mais amarga possível, algo tão amargo quanto a *alosna.* A palavra hebraica indica uma planta extremamente amarga ao paladar, e venenosa se fosse engolida. Cf. Dt 29.18.

■ 5.8,9

עֹשֵׂה כִימָה וּכְסִיל וְהֹפֵךְ לַבֹּקֶר צַלְמָוֶת וְיוֹם לַיְלָה
הֶחְשִׁיךְ הַקּוֹרֵא לְמֵי־הַיָּם וַיִּשְׁפְּכֵם עַל־פְּנֵי הָאָרֶץ
יְהוָה שְׁמוֹ׃ ס

הַמַּבְלִיג שֹׁד עַל־עָז וְשֹׁד עַל־מִבְצָר יָבוֹא׃

Procurai o que faz o Sete-estrelo e o Órion. *Temos Aqui a Segunda Doxologia.* Quanto às duas outras doxologias do livro, examinar Am 4.13 e 9.5,6. Ver as notas expositivas sobre Am 4.13, quanto a observações gerais sobre essas doxologias. Tal como na primeira, isso aponta para Yahweh como o Criador. Como tal, ele criou os céus estelados, incluindo o Sete-estrelo e o Órion. Ver no *Dicionário* o artigo chamado *Plêiades* (e *Outras Constelações: Sete-estrelo*). Ele controla os ciclos da natureza, como a passagem do dia para a noite, e da noite para o dia; ele controla os grandes corpos de água, os mares, que algumas vezes inundam as terras, sob suas ordens. O nome dele é *Yahweh,* o nome divino mais sagrado e impronunciável que havia no vocabulário judaico. Ele é o Deus Eterno e o Criador, sob cujo controle as coisas são guardadas. No contexto, isso implica o fato de que Deus governa tudo através de suas leis morais. E assim como ele controla todas as coisas físicas por meio de suas leis físicas, assim também, no terreno da vida e das interações humanas, ele também é o controlador.

É ele que faz vir súbita destruição sobre o forte. Os atos soberanos de Deus incluem a execução de seus julgamentos sobre a terra, desfechando seu fogo sobre os fortes, que oprimem os fracos; e derrubando fortalezas nas quais os homens confiam. O vs. 8 diz-nos que ele governa o mundo físico, os céus e a terra. E o vs. 9 diz-nos que ele governa o *mundo moral.* Ver no *Dicionário* o verbete chamado *Providência de Deus.* Ver também os artigos chamados *Soberania de Deus* e *Teísmo.*

"Esse Deus, cujo domínio não pode ser desafiado no céu, também é irresistível na terra. Coisa alguma podia resistir à destruição divina, nem mesmo a mais poderosa das fortalezas ou a mais fortificada das cidades" (Donald R. Sunukjian, *in loc.*). Israel seria o alvo primário daquela espécie de providência, por causa de seus pecados inumeráveis, e o julgamento divino estava às portas.

■ 5.10

שָׂנְאוּ בַשַּׁעַר מוֹכִיחַ וְדֹבֵר תָּמִים יְתָעֵבוּ׃

Aborreceis na porta ao que vos repreende. *Mais Tiradas contra o Pecado e a Vergonha.* As palavras do vs. 7 continuam aqui. Está em vista o justo juiz, na porta da cidade, que repreende aos iníquos, algo raro em Israel nos dias de Amós. O justo juiz era odiado por outros porque procurava entravar os crimes deles. Se um homem falasse retamente, logo procuravam derrubá-lo, visto que não podiam resistir à justiça. Quando um homem defende os pobres, torna-se objeto de ataques. Os defensores dos inocentes não eram tolerados, e ninguém queria ouvi-los falar sobre a lei de Moisés. Provavelmente, o profeta Amós estava entre os homens bons que eram perseguidos. Cf. este versículo com Is 29.21; 1Rs 22.8; Pv 9.8; 12.1; Jr 36.23.

■ 5.11

לָכֵן יַעַן בּוֹשַׁסְכֶם עַל־דָּל וּמַשְׂאַת־בַּר תִּקְחוּ מִמֶּנּוּ
בָּתֵּי גָזִית בְּנִיתֶם וְלֹא־תֵשְׁבוּ בָם כַּרְמֵי־חֶמֶד נְטַעְתֶּם
וְלֹא תִשְׁתּוּ אֶת־יֵינָם׃

Portanto, visto que pisais o pobre, e dele exigis tributo de trigo. Os ricos que abusavam dos pobres são novamente atacados. Homens ímpios e poderosos viviam como parasitas dos pobres. Eles roubavam seus produtos agrícolas e propriedades, e com o dinheiro construíam para si mesmos belas casas com materiais importados, como o *marfim* (ver Am 3.15 e 6.4). Eles impunham taxas escorchantes e ilegais sobre o trigo e outros produtos agrícolas, e também subornavam os juízes e cometiam crimes de sangue para obter dinheiro e poder. Eles violavam os pactos, especialmente o pacto mosaico, cuja base era a lei de Moisés. Ver Êx 23.2,6, e cf. Am 2.6,7; 4.1 e Is 10.1,2. Quanto ao pacto mosaico, ver as notas na introdução a Êx 19. Os pobres pisavam o trigo, e os ricos pisavam os pobres.

■ 5.12

כִּי יָדַעְתִּי רַבִּים פִּשְׁעֵיכֶם וַעֲצֻמִים חַטֹּאתֵיכֶם צֹרְרֵי
צַדִּיק לֹקְחֵי כֹפֶר וְאֶבְיוֹנִים בַּשַּׁעַר הִטּוּ׃

Porque sei serem muitas as vossas transgressões. Os pecados dos ricos e poderosos, em Israel, eram multiformes, todos baseados em motivos egoístas. Eles corrompiam os tribunais, o que fazia seus crimes ser ignorados, ao passo que os justos eram condenados. Ver 1Sm 12.3 e Pv 6.35. Eles também não permitiam que os pobres fossem julgados com justiça, nem que os abusos fossem corrigidos por meios legais. "Impedis que os pobres obtenham justiça nos tribunais" (NCV). Cf. Am 2.7 e Is 29.21. Para eles, o dinheiro resolvia todos os casos. Eram sempre favorecidos e estavam sempre oprimindo a outros.

Ver no *Dicionário* os artigos chamados *Suborno* e *Opressão Social*, dentro do verbete *Crimes e Castigos*, II.2.J.

■ 5.13

לָכֵן הַמַּשְׂכִּיל בָּעֵת הַהִיא יִדֹּם כִּי עֵת רָעָה הִיא:

Portanto, o que for prudente guardará então silêncio. Visto que os opressores eram tão poderosos e vis, e tão violentos e desavergonhados, seria uma boa ideia que um homem bom simplesmente se calasse e não provocasse poderes malignos a agir contra ele. Esse é um exemplo de conselho *pragmático* (e não ideal). Naturalmente, Amós, que nos apresentou o aforismo, não estava obedecendo a seu próprio conselho. Sem importar qual fosse sua atitude, ele se havia resignado ao *status quo*. Mas tinha uma missão a realizar, que lhe fora conferida por Yahweh, aquele que o impulsionava. O que ele pudesse fazer, ele não encorajou os pobres a tentar. Algumas vezes é melhor que nos desviemos do caminho. Ef 5.16 tem uma ideia similar. Ver também Sl 39.9 e Lv 10.3. Ver também Am 6.10. "... a convicção de que, em vista da corrupção profundamente arraigada da justiça, protestar seria, ao mesmo tempo, inútil e falto de sabedoria. Tal atitude seria, naturalmente, um contraste completo com a condenação declarada por Amós quanto aos males que prevaleciam em seus dias" (Hughell E. W. Fosbroke, *in loc*.).

A VERDADEIRA BUSCA POR DEUS (5.14,15)

■ 5.14

דִּרְשׁוּ־טוֹב וְאַל־רָע לְמַעַן תִּחְיוּ וִיהִי־כֵן יְהוָה אֱלֹהֵי־צְבָאוֹת אִתְּכֶם כַּאֲשֶׁר אֲמַרְתֶּם:

Buscai o bem e não o mal, para que vivais. Esta pequena seção reinicia o tema dos vss. 4-6. O versículo é essencialmente igual ao vs. 4. A *vida* é adquirida na obediência à lei (Dt 4.1; 5.33; 6.2; Ez 20.11). Um homem bom tentará cumprir suas obrigações diante do pacto mosaico (comentado na introdução a Êx 19). Yahweh (o Deus eterno), que é *Sabaote* (o General dos Exércitos), está sempre do lado do homem bom e lhe dispensa vida e bênção. Desse modo, o homem bom terá poderosíssimo aliado, que estará com ele em tudo quanto fizer. Alguns poucos indivíduos poderiam separar-se da massa apostatada e, talvez, ser salvos no dia temível, quando o exército assírio atravessasse o território de Israel, matando, estuprando e saqueando. O Senhor estaria com esses poucos indivíduos (cf. Nm 23.21; Dt 20.4; 31.8; Jz 6.12; Is 8.10; Sf 3.15,17) e os defenderia (Sl 23.4; 46.7,11). Ver também Mq 3.11.

■ 5.15

שִׂנְאוּ־רָע וְאֶהֱבוּ טוֹב וְהַצִּיגוּ בַשַּׁעַר מִשְׁפָּט אוּלַי יֶחֱנַן יְהוָה אֱלֹהֵי־צְבָאוֹת שְׁאֵרִית יוֹסֵף: ס

Aborrecei o mal e amai o bem. Uma série de mandamentos indicava o rumo da vida do homem bom: ódio contra o mal, ao mesmo tempo que o bem era amado, ambos determinados pelas injunções da lei mosaica; e o estabelecimento da justiça nos tribunais e através deles, efetuados nas portas das cidades. Os que agissem dessa maneira descobririam que *Adonai-Yahweh* (o Senhor Soberano) estaria com eles, fazendo-os prosperar em tudo quanto fizessem. Esse nome divino, o título de Deus Soberano, aparece no livro de Amós dezenove vezes, mas apenas cinco vezes no resto dos livros dos Profetas Menores. Aparece em Ez 2dezenove vezes, mas apenas 103 vezes no restante do Antigo Testamento. Ver no *Dicionário* o artigo *Soberania de Deus*.

... se compadeça do restante de José. Cf. o vs. 6 quanto à "casa de José". Dessa casa (a nação do norte, Israel) restaria um pequeno e bendito remanescente, alguns poucos que obedeceriam aos mandamentos referidos no versículo. Quanto ao cumprimento da promessa, ver Am 9.8-15. Nenhuma virtude está segura a menos que seja incentivada. Amós convidou os poucos santos a serem entusiastas em sua fé.

Vós, que amais o Senhor, detestai o mal: ele guardas as almas dos seus santos, livra-os da mão dos ímpios.
Salmo 97.10

A VISITAÇÃO DE DEUS (5.16-25)

Um Dia de Lamentação (5.16,17)

■ 5.16

לָכֵן כֹּה־אָמַר יְהוָה אֱלֹהֵי צְבָאוֹת אֲדֹנָי בְּכָל־רְחֹבוֹת מִסְפֵּד וּבְכָל־חוּצוֹת יֹאמְרוּ הוֹ־הוֹ וְקָרְאוּ אִכָּר אֶל־אֵבֶל וּמִסְפֵּד אֶל־יוֹדְעֵי נֶהִי:

Em todas as praças haverá pranto. Em contraste com o remanescente bendito de José (vs. 15), a grande maioria do povo de Israel persistiria nas veredas da morte e seria apanhada e aniquilada pela invasão varredoura do exército assírio. Uma nação inteira morreria e haveria imensa lamentação. "Uma vez mais, Amós advertiu Israel acerca da natureza e do efeito de suas transgressões" (*Oxford Annotated Bible*, comentando sobre o vs. 16).

Cf. Am 5.1-3, onde encontramos o cântico fúnebre por causa da morte de uma nação. Ver no *Dicionário* o verbete chamado *Lamentação*. Note o leitor que foi o Senhor Soberano (*Adonai-Yahweh*) quem convocou o povo de Israel a lamentar e chorar, porque seu tempo de vida estava acabando. Ver o vs. 15 quanto a notas expositivas sobre esse título divino. A iniquidade, como é natural, seria severamente punida, em concordância com a *Lei Moral da Colheita segundo a Semeadura* (ver a respeito no *Dicionário*). Uma nação inteira foi condenada à morte, e os poucos sobreviventes seriam levados para a Assíria, para viverem o resto de seus anos de vida na escravidão e na miséria. Todas as classes sociais seriam atingidas arduamente pelo golpe divino: os exaltados e os humildes; os habilidosos e os que não tinham habilidades; o agricultor e o citadino; os que estavam nas ruas, nas estradas, nas montanhas e nos vales. Mediante esse acúmulo de palavras, o profeta descreveu a *universalidade* do sofrimento e da destruição vindouros. O pecado era universal; a apostasia era universal; e universal seria também a retribuição divina. Cf. este versículo com Ec 12.5 e Jr 9.17-19 quanto à universalidade do pecado.

■ 5.17

וּבְכָל־כְּרָמִים מִסְפֵּד כִּי־אֶעֱבֹר בְּקִרְבְּךָ אָמַר יְהוָה: ס

Em todas as vinhas haverá pranto. Até mesmo nos vinhedos, o lugar onde o alegre vinho era produzido para o prazer do povo (uma das principais produções de Israel), haveria lamentações. Não haveria motivo para regozijo, nem haveria vinho para festividades. Não haveria mais vindima, nem festividade, nem encontros de bebidas alcoólicas, onde os homens esquecem suas dificuldades. Cf. Jr 48.32,33. Yahweh passaria pelos vinhedos e silenciaria a boca dos réprobos. Os poucos sobreviventes ficariam a lamentar-se amargamente. O dia havia terminado para Israel. "Passarei pelo meio de ti" são palavras que indicam a visitação do julgamento divino. Cf. Êx 12.12,13; Na 1.14. Ver também Mq 7.18 e Am 7.8.

O Dia de Trevas (5.18-20)

■ 5.18

הוֹי הַמִּתְאַוִּים אֶת־יוֹם יְהוָה לָמָּה־זֶּה לָכֶם יוֹם יְהוָה הוּא־חֹשֶׁךְ וְלֹא־אוֹר:

Ai de vós que desejais o dia do Senhor! Os israelitas esperavam ansiosamente pelo *Dia do Senhor*, crendo ser o tempo do aniquilamento de seus inimigos. Mas foram surpreendidos ao descobrir que seria um dia melancólico para eles mesmos. Cf. Am 8.9-14 e Sf 1.14-18. Amós *reinterpretou* o conceito, tendo sido essa uma de suas contribuições distintivas da tradição profética. Ver no *Dicionário* o verbete intitulado *Dia do Senhor*.

A maioria das pessoas não deseja a *autodestruição,* mas era precisamente isso o que Israel estava fazendo (inconscientemente), ao anelar pelo Dia do Senhor. Eles se surpreenderiam quando houvesse o assédio das trevas, em lugar da luz, quando chegasse aquele dia-noite. Cf. Is 5.19; Jr 17.15; Ez 12.22. "Esperando aquele dia para trazer-vos livramento e julgamentos contra os vossos inimigos, ficareis surpresos ao encontrar o contrário! Há um lado escuro na coluna de fogo" (Ellicott, *in loc.*).

Ai. No hebraico, *hoy,* o grito de tristeza diante dos mortos (ver 1Rs 13.30), ou então uma advertência de morte para os vivos (Am 6.1; Is 5.8-24; 10.1-4; Mq 2.1-5). Trata-se de uma interjeição que exprime aflição (ver Is 3.9 e 6.5).

■ 5.19

כַּאֲשֶׁר יָנוּס אִישׁ מִפְּנֵי הָאֲרִי וּפְגָעוֹ הַדֹּב וּבָא הַבַּיִת וְסָמַךְ יָדוֹ עַל־הַקִּיר וּנְשָׁכוֹ הַנָּחָשׁ׃

Como se um homem fugisse de diante do leão... Um homem infeliz poderá fugir de um leão, somente para correr ao encontro de um urso, que o espera no caminho, justamente quando pensa estar livre do perigo. Porém, por meio de algum milagre, ele consegue livrar-se do urso e chega em casa. E, quando ele se apoia numa parede, a fim de descansar, uma serpente morde sua mão! Esse é o quadro da condenação de Israel: sua morte como nação fora ordenada por decreto divino, e não poderia ser adiada por muito tempo. Era algo inevitável. O profeta usa uma linguagem pitoresca para falar da queda final de Israel por meio da mão de Deus, a qual, naquele momento, estava levantada e pronta para desferir um golpe. Não há porto seguro para os ímpios. Uma série de calamidades pôs ponto final à massa triste em que Israel se transformara. O "misericordioso" leão talvez poupe o homem caído no chão, mas o urso não o fará. E ninguém espera misericórdia da parte de uma serpente. Cf. Jó 20.24 e Is 24.18. A serpente se oculta em uma racha da parede e espera que algum idiota chegue e ponha a mão perto do lugar onde ela se esconde.

■ 5.20

הֲלֹא־חֹשֶׁךְ יוֹם יְהוָה וְלֹא־אוֹר וְאָפֵל וְלֹא־נֹגַהּ לוֹ׃

Não será, pois, o dia do Senhor trevas e não luz? Este versículo nos remete ao vs. 18. O *Dia* do Senhor, para os ímpios, será uma *Noite*. Essa noite será muito escura. Não haverá uma única réstia de luz. Pelo contrário, será uma noite tenebrosa, plena de destruição e lamentação (vs. 16). Cf. Jl 2.1,2,10,11; Sf 1.14,15. Naturalmente, haverá o resplandecente Dia do Senhor para os bons, quando Yahweh-Elohim restaurar a fortuna de Judá (o *Israel* que sobreviveu a dois cativeiros). Ver Jr 30.8-11; Os 2.16-23; Am 9.11-15; Mq 4.6,7; Sf 3.11-20.

Rejeição ao Culto de Yahweh (5.21-25)

■ 5.21

שָׂנֵאתִי מָאַסְתִּי חַגֵּיכֶם וְלֹא אָרִיחַ בְּעַצְּרֹתֵיכֶם׃

Aborreço, desprezo as vossas festas. "O Senhor deleita-se não na abundância de sacrifícios e festividades, nas na *justiça* e na *retidão*. O vs. 24 exprime o âmago da pregação de Amós" (*Oxford Annotated Bible,* comentando sobre o vs. 21). Os vss. 21-25 contêm uma denúncia apaixonada do "espetáculo externo" da religião, exibindo-nos o coração da espiritualidade, conforme vista do ângulo do Antigo Testamento. Yahweh estava cansado do espetáculo, que envolvia ritos pagãos e deboche, ou, quando muito, um sincretismo doentio combinava o paganismo com o yahwismo.

Deus *odeia* a *fraude jubilosa* que se faz passar por culto divino. O odor que se elevava dos sacrifícios preparados para a festa parecia mal cheiro para Yahweh. Quanto a *aroma agradável* (a alusão que se vê aqui), ver Lv 1.9 e 29.18. Yahweh foi pintado como quem aspirava, satisfeito, a fumaça que ascendia dos sacrifícios oferecidos a ele. Israel, porém, tinha chegado para sacrificar a outros deuses, ou então a Yahweh e outros deuses, pelo que o sistema de sacrifícios de Israel se tornara uma podridão só, aos olhos do Senhor. A ideia original era que Deus ou os deuses realmente desfrutavam o odor da carne que estava sendo cozinhada e seria usada na festa que se seguiria ao sacrifício. Mas aqui temos isso tudo mudado para uma metáfora antropomórfica. Ver no *Dicionário* o artigo chamado *Antropomorfismo.* Nossa linguagem fraca força-nos a atribuir a Deus as coisas que atribuímos ao mero homem.

■ 5.22

כִּי אִם־תַּעֲלוּ־לִי עֹלוֹת וּמִנְחֹתֵיכֶם לֹא אֶרְצֶה וְשֶׁלֶם מְרִיאֵיכֶם לֹא אַבִּיט׃

E, ainda que me ofereçais holocaustos e vossas ofertas de manjares. Somente o *holocausto* (ver a respeito no *Dicionário*) requeria a queima total do animal sacrificado. Os demais sacrifícios envolviam uma espécie de banquete. Uma vez que o animal fosse sacrificado, sua carne poderia tornar-se parte de um banquete. Os sacerdotes ficavam com as *oito* porções escolhidas. Ver Lv 6.26; 7.11-24; 7.28-38; Dt 12.17,18. Os que traziam os sacrifícios tinham acesso ao resto, quando então havia uma refeição comunal, sempre acompanhada por música (e provavelmente danças) e outras celebrações. O sangue e a gordura pertenciam a Yahweh, e essas porções eram queimadas no altar. Quanto às leis sobre o sangue e a gordura, ver Lv 3.17. Acompanhando as carnes, as oferendas de cereais davam variedade e volume aos alimentos consumidos. E havia também as *ofertas pacíficas,* mencionadas no presente versículo. Ver no *Dicionário* o verbete denominado *Sacrifícios e Ofertas.*

Esse *elaborado* sistema sacrificial fazia parte da legislação mosaica, pelo que obedecer às suas estipulações seria algo supostamente agradável a Yahweh. Mas mesmo que isso fosse efetuado somente no nome de Yahweh (com a exclusão dos ídolos), não teria valor se não houvesse fé no coração. De fato, Yahweh *odeia* a religião superficial que existe somente quanto à forma. Cf. esse sentimento com Am 4.4,5 e 1Sm 15.22.

■ 5.23

הָסֵר מֵעָלַי הֲמוֹן שִׁרֶיךָ וְזִמְרַת נְבָלֶיךָ לֹא אֶשְׁמָע׃

Afasta de mim o estrépito dos teus cânticos. Para Yahweh, os cânticos dos israelitas tornaram-se mero ruído. Os sons de seus instrumentos musicais, como o da harpa, ribombavam estrepitosamente nos ouvidos do Senhor. "Não mais hinos para mim!" (tradução de Moffatt). Vamos encarar de frente a questão: deve ter parecido muito divertido ir àquelas festas, que com frequência terminavam em bebedeira e deboches sensuais. As festas, na nação posterior de Israel, eram muito parecidas com as festas dos povos pagãos. Eram tempos de vinho, mulheres e canções, depois de terminados os sacrifícios de animais. Yahweh, tendo tapado as narinas contra o aroma das oferendas, também tapava os ouvidos diante do ruído alto e dissonante, embora os *adoradores* pensassem estar produzindo uma bela música. Cf. Is 1.15.

■ 5.24

וְיִגַּל כַּמַּיִם מִשְׁפָּט וּצְדָקָה כְּנַחַל אֵיתָן׃

Antes corra o juízo como as águas. Em contraste com a religião vazia (algo repelente, que Yahweh odeia), temos a verdadeira religião, que se manifesta por meio da justiça, a qual é tão abundante que rola como um riacho descendo pelas faldas dos montes; e também há a retidão, que é como uma torrente que flui de forma perene. Encontramos aqui as "águas" da vida, e não o vinho do deboche. Essa fé é a essência da verdadeira fé, a fé que parte do coração (ver Pv 4.23). A justiça e a retidão são determinadas pelos ditames da lei, que era o *guia* de Israel (ver Dt 6.4 ss.), distanciando o povo de Israel das nações pagãs (ver Dt 4.4-8). O fluxo abundante do vinho nas festas pagãs provavelmente sugeriu a verdadeira abundância do Espírito, a saber, os princípios morais e espirituais da lei. Ver no *Dicionário* o artigo chamado *Água,* que fala sobre o uso metafórico desse vocábulo. Deveria haver a *realidade interior,* e não uma demonstração externa e fraudulenta da fé, para que Israel fosse salvo da calamidade que em breve seria descarregada contra a nação. Cf. os vss. 6,14,15. Ver também 1Sm 15.22; Sl 66.18; Os 6.6 e Mq 6.8.

5.25

הַזְּבָחִ֧ים וּמִנְחָ֛ה הִגַּשְׁתֶּם־לִ֥י בַמִּדְבָּ֖ר אַרְבָּעִ֣ים שָׁנָ֑ה בֵּ֖ית יִשְׂרָאֵֽל׃

Apresentastes-me, vós, sacrifícios e ofertas de manjares no deserto...? "Deus retorna aqui às suas denúncias contra a hipocrisia religiosa de Israel, relembrando-lhes que seus sacrifícios e ritos tinham sido uma afronta para ele, através da história. Desde o princípio da nação, sua adoração fora falsamente orientada. Com frequência, não era para Yahweh, mas para o bezerro de ouro, para o sol, para a lua, para as estrelas, para Moloque e para outros deuses falsos, que muitos traziam sacrifícios e ofertas, durante os quarenta anos de perambulações pelo deserto. Cf. a referência de Estêvão a Amós 5.25-27, em At 7.39-43" (Donald R. Sunukjian, *in loc.*). Cf. este versículo com Dt 32.17; Js 24.14; Ez 20.8,16,24 e Is 43.23.

A INVASÃO E O EXÍLIO ERAM INEVITÁVEIS (5.26—6.14)

UM TRISTE CORTEJO (5.26,27)

5.26

וּנְשָׂאתֶ֗ם אֵ֚ת סִכּ֣וּת מַלְכְּכֶ֔ם וְאֵ֖ת כִּיּ֣וּן צַלְמֵיכֶ֑ם כּוֹכַב֙ אֱלֹ֣הֵיכֶ֔ם אֲשֶׁ֥ר עֲשִׂיתֶ֖ם לָכֶֽם׃

Sim, levastes Sicute, vosso rei, Quium, vossa imagem, e o vosso deus estrela. Uma idolatria horrenda eventualmente conduziria a nação de Israel à morte. A seção foi prefaciada por essa declaração de como Israel voltou-se para os deuses falsos, exibindo-os publicamente para que todos vissem. A lealdade de Israel ao yahwismo foi reduzida a zero.

O verbo, neste caso, está no futuro: "Levareis Sicute, vosso rei, e Quium, vossa imagem...". E isso distingue o presente versículo do que tinha ocorrido antes. Estão em vista os deuses assírios, que Israel incorporaria em seu panteão já bastante numeroso. Ver no *Dicionário* o detalhado artigo sobre *Sicute e Quium,* que pode ser usado para ilustrar este versículo. Não quero intrometer-me aqui em repetições. Este versículo tem sido muito disputado quanto ao sentido, e tento resolver os problemas naquele artigo. Quanto à degeneração do culto de Israel em uma confusão politeísta, cf. At 7.42; 2Rs 21.3-5; 23.4,5; Jr 8.2; 19.13; Sf 1.5. Tudo isso servia somente para violar o pacto com Yahweh (ver Dt 4.19; 17.3).

Quando o povo de Israel estivesse seguindo para o exílio, apanharia seus deuses e os levaria consigo! Ou então os levaria em seus cortejos, para exibir sua religiosidade. Pense nisso o leitor! Deus sendo transportado aos ombros pelos homens. Nisso temos uma referência zombeteira à impotência dos ídolos e da idolatria geral. Ver no *Dicionário* o artigo chamado *Idolatria.*

5.27

וְהִגְלֵיתִ֥י אֶתְכֶ֖ם מֵהָ֣לְאָה לְדַמָּ֑שֶׂק אָמַ֛ר יְהוָ֥ה אֱלֹהֵֽי־צְבָא֖וֹת שְׁמֽוֹ׃ פ

Por isso vos desterrarei, para além de Damasco. "Para além de Damasco", como é claro, significa a Assíria. Portanto, temos aqui uma referência direta a esse fato, aparecendo como um *julgamento* contra o povo idólatra-adúltero-apóstata. Esse julgamento é especificamente chamado de *desterro,* ou seja, exílio. Ver no *Dicionário* o artigo chamado *Cativeiro Assírio.*

O Governo Moral de Deus. Note aqui o nome divino: Yahweh é chamado de *Elohim* (o Poder) de Israel. Ele decretara algo temível contra o próprio povo e deveria fazer tudo acontecer para satisfazer seu governo moral. Se antes o Senhor era o Poder que defendia Israel, agora era o Poder contra Israel. Aprendemos na Bíblia que a soberania de Deus é aplicada por meio das leis morais, e não somente com base em sua vontade. Existem *razões* por trás dos atos divinos, contra o *Voluntarismo* (ver a respeito na *Enciclopédia de Bíblia, Teologia e Filosofia*). Deus faz as coisas por serem elas moralmente corretas. Elas não são corretas em virtude de algum capricho de sua vontade. O desterro foi uma espécie de exclusão de Israel da comunidade de Elohim. Esse povo não seria readmitido à comunidade divina. O pacto de Israel com Deus havia sido desprezado, e esse fora o resultado. Ver sobre o *Pacto Mosaico* na introdução a Êx 19. O Poder de Israel age e realiza coisas assombrosas, em contraste com os deuses da Assíria, mencionados no vs. 26, que nada representavam. Israel terminou confiando nos deuses errados, e isso representou o funeral dessa nação.

CAPÍTULO SEIS

O ORGULHO CEGO E A AUTOINDULGÊNCIA DOS LÍDERES (6.1-7)

Temos aqui uma aguçada repreensão contra os líderes de Israel, que amavam o luxo. Eles eram orgulhosos e autoindulgentes. Viviam em meio a uma prosperidade quase sem precedentes, e isso os cegava para o fato de que em breve a nação morreria e seria extinta. "Os israelitas, que se sentiam seguros em sua falsa confiança e se deitavam em camas de marfim, em uma luxuoso autoindulgência, seriam as primeiras pessoas que Deus enviaria para o exílio" (*Oxford Annotated Bible,* na introdução à seção).

6.1

ה֤וֹי הַשַּׁאֲנַנִּים֙ בְּצִיּ֔וֹן וְהַבֹּטְחִ֖ים בְּהַ֣ר שֹׁמְר֑וֹן נְקֻבֵי֙ רֵאשִׁ֣ית הַגּוֹיִ֔ם וּבָ֥אוּ לָהֶ֖ם בֵּ֥ית יִשְׂרָאֵֽל׃

Ai dos que andam à vontade em Sião. "Quão terrível será para vós, que viveis à vontade em Jerusalém. Quão terrível será para vós, que viveis no monte de Samaria e vos sentis seguros. Pensais que sois pessoas importantes da melhor nação do mundo. Os israelitas buscam a vossa ajuda." Aqueles réprobos eram indivíduos orgulhosos e importantes aos próprios olhos, pensando ser as melhores pessoas entre as mais distinguidas nações do mundo. Mas o fato é que eles tinham abandonado sua distinção, ao abandonar a lei de Moisés. Era a legislação mosaica que tornava os filhos de Israel uma nação distinta (ver Dt 4.4-8). O povo pobre se inclinava diante dos elementos orgulhosos da população de Israel, mas em breve os israelitas estariam prostrados na presença dos assírios, e se dissipariam todas as suas ilusões de importância, de um instante para outro. Temos aqui a antiga história de um homem que julgou erroneamente a si mesmo, além do que não tinha percepção de como se postava diante de Deus.

Ai. No hebraico, *hoy,* palavra cujo som nos faz lembrar da tristeza da morte (ver 1Rs 13.30), ou de alguém que nos adverte sobre a morte iminente (ver Am 6.1; Is 5.8-24); ou interjeição que exprime aflição (ver Is 3.9 e 6.5).

Samaria (ver a respeito no *Dicionário*), a capital do reino do norte — Israel — e cidade poderosamente fortificada, era um lugar no qual os insensatos confiavam, crendo ser imune aos ataques de exércitos estrangeiros. Porém, uma vez que a cidade fosse abandonada por Yahweh, ela cairia prontamente. A cidade era tão exaltada aos olhos dos israelitas que, em seu orgulho estúpido, eles a chamavam de "a maior cidade da terra". Ademais, os habitantes de Samaria imaginavam-se o povo mais importante da cidade mais importante do mundo. Ver a ideia de *orgulho* contrastado com a ideia de *humildade,* em Pv 6.7; 11.2; 13.10; 14.3; 15.25; 21.4; 30.12,32. Ver sobre ambos os termos no *Dicionário*. O povo comum de Samaria haveria de procurar os líderes da cidade, pedindo-lhes ajuda, mas logo ficaria demonstrado quão impotentes eles eram, na presença dos assírios, os quais estavam sendo dirigidos por *Sabaote,* o General dos Exércitos. Aqueles líderes eram como cegos que guiavam outros cegos.

6.2

עִבְר֤וּ כַֽלְנֵה֙ וּרְא֔וּ וּלְכ֥וּ מִשָּׁ֖ם חֲמַ֣ת רַבָּ֑ה וּרְד֖וּ גַּת־פְּלִשְׁתִּ֑ים הֲטוֹבִים֙ מִן־הַמַּמְלָכ֣וֹת הָאֵ֔לֶּה אִם־רַ֥ב גְּבוּלָ֖ם מִגְּבֻלְכֶֽם׃

Passai a Calne, e vede. O profeta convidou aqueles homens ridículos a fazer, em sua companhia, uma pequena viagem imaginária. Primeiramente iriam a Calne, depois a Hamate, e, finalmente, chegariam a Gate, dos filisteus. E logo eles teriam os olhos abertos para o fato de que nada havia de especial na cidade de Samaria, e ficaria subentendido que eles também não eram um povo especial. As duas primeiras das três cidades mencionadas ficavam na parte norte de Arã, sendo cidades-estados da região. Esses lugares já haviam sofrido seus respectivos aniquilamentos, tendo sido dominados pela Assíria durante a campanha de Salmaneser III, em 854-845 a.C. Gate foi destruída por Hazael, rei de Arã, em 815 a.C., e novamente por Uzias, rei de Judá (ver 2Rs 12.17; 2Cr 26.6), em 760 a.C. Eles foram levantados em orgulho, mas vizinhos mais poderosos logo os puseram no devido lugar, e a mesma coisa aconteceria a Israel e especificamente à cidade de Samaria. Dou artigos sobre esses lugares, no *Dicionário*, onde o leitor obterá maiores detalhes.

■ 6.3

הַמְנַדִּים לְיוֹם רָע וַתַּגִּישׁוּן שֶׁבֶת חָמָס:

Vós, que imaginais estar longe o dia mau. O *dia mau*, para os israelitas, estava em algum futuro remoto, distante (se é que haveria tal dia). Eles poriam quaisquer "pensamentos dessa natureza" fora de suas mentes. Por outra parte, *qualquer dia* é um dia bom para a violência e para os crimes de sangue. Eles fomentavam a opressão, que termina em grandes sofrimentos para alguns. A destruição fervia no sangue deles, e eles mesmos viviam em erupções constantes. Os últimos anos da nação de Israel eram, verdadeiramente, um *reino de terror*. Ver 2Rs 15.8—17.6. Em somente 31 anos (depois do fim do reinado de Jeroboão II) Israel tivera seis reis cujos reinos terminaram mediante a violência e a revolução política. Cf. este versículo com Ez 12.21-28. A violência fora entronizada. Ver Sl 94.20. Ver também Pv 16.4.

■ 6.4

הַשֹּׁכְבִים עַל־מִטּוֹת שֵׁן וּסְרֻחִים עַל־עַרְשׂוֹתָם וְאֹכְלִים כָּרִים מִצֹּאן וַעֲגָלִים מִתּוֹךְ מַרְבֵּק:

Que dormis em tronos de marfim. O sonido da morte e da tristeza retinia na voz do profeta, enquanto ele contemplava a vida fácil e luxuosa daqueles homens corruptos e violentos. Os vss. 4-6 descrevem o namoro deles com os prazeres da vida, o que, para eles, tinha-se tornado uma religião. Eles tinham suas casas de luxo com camas de marfim. Cf. Am 3.15 quanto ao emprego do marfim, por parte daqueles safados. A dieta deles era riquíssima, nunca faltando as melhores carnes e outros alimentos de qualidade. Eles comiam os melhores carneiros do rebanho e, tendo comido um carneiro, sempre restavam muitos outros, para outros dias. Eles tinham boa variedade de carnes, como bifes de carne de carneiro, peixes do mar e aves. Faziam do ventre o seu deus (ver Fp 3.19), como os ricos descuidados quase sempre fazem. A *glutonaria* mereceu lugar na lista dos vícios preparada por Paulo (ver Gl 5.21). Ver no *Dicionário* o artigo chamado *Glutão*.

■ 6.5,6

הַפֹּרְטִים עַל־פִּי הַנָּבֶל כְּדָוִיד חָשְׁבוּ לָהֶם כְּלֵי־שִׁיר:

הַשֹּׁתִים בְּמִזְרְקֵי יַיִן וְרֵאשִׁית שְׁמָנִים יִמְשָׁחוּ וְלֹא נֶחְלוּ עַל־שֵׁבֶר יוֹסֵף:

Que cantais à toa ao som da lira. Juntamente com a glutonaria (vs. 4) havia o uso livre e imoderado do vinho; e, com essas coisas iam as mulheres mais bonitas da terra; e isso era acompanhado pelas unções caríssimas com óleos e perfumes; e tudo isso era seguido de música. Seus cânticos eram "vãos" (*Revised Standard Version*) e frívolos. Chegavam até a inventar novos instrumentos para melhorar o som, imitando Davi, que tinha a reputação de inventar instrumentos musicais. Eles não bebiam seu vinho em copos, mas conservavam baciadas de vinho sobre suas mesas e convidavam a qualquer pessoa que mergulhasse nessas bacias seus copos, sempre que estivessem sem vinho. E, enquanto toda essa festança prosseguisse, aumentando a cada momento o deboche, não se preocupavam com a condenação iminente de *José* (Israel). Quanto à "casa de José" ver a as notas sobre Am 5.6. Quanto ao "remanescente de José", ver Am 5.15.

■ 6.7

לָכֵן עַתָּה יִגְלוּ בְּרֹאשׁ גֹּלִים וְסָר מִרְזַח סְרוּחִים: פ

Portanto agora ireis em cativeiro. Era inequívoco que os poucos sobreviventes do ataque assírio iriam para o exílio. Mas os primeiros a ir para o desterro seriam aqueles ricos e debochados israelitas. O dinheiro deles não seria capaz de livrá-los dessa sorte. De fato, todos os seus bens e propriedades simplesmente seriam confiscados, e eles terminariam como escravos, limpando os assoalhos das casas de algum nobre assírio. Em vez de terem soalhos de mármore para admirarem em suas próprias residências, esfregariam soalhos de mármore em um país distante. Os que se tinham espalhado em seus divãs de banquete (vs. 4) seriam inteiramente esquecidos. "Vossas festanças e vosso lazer chegarão ao fim" (NCV). O som de festas ruidosas pararia e seria substituído por um silêncio mortal. Os assírios escreveriam "finis" em suas festividades e em seu estupor de embriagados. E assim haveriam de aprender, embora tarde demais, que leis morais governam este mundo, afinal.

O ASSÉDIO TEMIDO (6.8-11)

■ 6.8

נִשְׁבַּע אֲדֹנָי יְהוִה בְּנַפְשׁוֹ נְאֻם־יְהוָה אֱלֹהֵי צְבָאוֹת מְתָאֵב אָנֹכִי אֶת־גְּאוֹן יַעֲקֹב וְאַרְמְנֹתָיו שָׂנֵאתִי וְהִסְגַּרְתִּי עִיר וּמְלֹאָהּ:

Abomino a soberba de Jacó, e odeio os seus castelos. "Vss. 8-14. Visto que Israel tinha reduzido a fé em orgulho (ver Is 28.1; Os 5.5; Am 8.7), e a justiça em veneno, essa nação seria severamente punida" (*Oxford Annotated Bible*).

Adonai-Yahweh (o Senhor Soberano) expediu seu decreto de condenação, prestando juramento por si mesmo (literalmente, por sua *alma*), tornando absolutamente certo e inexorável seu decreto. Ele é *Sabaote* (General do Exército), ou seja, capaz de cumprir seu decreto em todos os detalhes. Ele odiava o orgulho de Jacó (Israel), da mesma forma que odiava as festas fraudulentas e a adoração idólatra debochada (ver Am 5.21). Ele odiava as cidades fortificadas nas quais os filhos de Israel confiavam, em vez de confiarem nele. Sobre esses lugares, supostamente indestrutíveis, Deus espalharia sua destruição (ver Am 5.9). Como resultado, a Samaria (juntamente com toda a nação de Israel) seria entregue aos assírios pela vontade divina, contra a qual ninguém pode oferecer resistência. Quanto aos nomes divinos que figuram neste versículo, que fala da *Soberania de Deus* (ver no *Dicionário*), ver Am 1.8, último parágrafo. Quanto ao juramento de Deus, cf. Am 4.2 e 8.7. Jacó, à semelhança de *José*, é sinônimo de *Israel* (ver Am 3.13).

■ 6.9

וְהָיָה אִם־יִוָּתְרוּ עֲשָׂרָה אֲנָשִׁים בְּבַיִת אֶחָד וָמֵתוּ:

Os vss. 9,10 dão-nos descrições realistas sobre o terror vindouro. Talvez houvesse uma casa na qual viviam dez pessoas, um grande número, e poder-se-ia esperar que uma ou duas escapariam de qualquer tipo de ataque assírio. Mas isso não aconteceria. Os assírios matariam todos os membros da família que habitassem em uma casa. Ou então o quadro é o de dez *homens* que fogem para uma casa, onde se amontoam abraçados, esperando escapar da detecção. O inimigo encontraria e mataria a todos. Ou poderíamos pensar em uma grande casa comunal na qual dez homens habitavam. Em qualquer desses casos, a mesma coisa aconteceria. E se uma ou duas pessoas escapassem ao ataque, seriam apanhadas e levadas à Assíria como escravos.

■ 6.10

וּנְשָׂאוֹ דּוֹדוֹ וּמְסָרְפוֹ לְהוֹצִיא עֲצָמִים מִן־הַבַּיִת וְאָמַר לַאֲשֶׁר בְּיַרְכְּתֵי הַבַּיִת הַעוֹד עִמָּךְ וְאָמַר אָפֶס וְאָמַר הָס כִּי לֹא לְהַזְכִּיר בְּשֵׁם יְהוָה:

Se, porém, um parente chegado... Se porventura um parente chegasse para reunir os cadáveres, a fim de queimá-los (pois não haveria tempo para procedimentos normais de sepultamento), e descobrisse um *sobrevivente* entre os mortos, pediria para ele não gritar e certamente não proferir o nome de Yahweh, sob hipótese alguma (fosse em oração, maldição, lamentação ou exclamação). Pois a voz da pessoa seria ouvida, e um soldado qualquer correria e decepara a cabeça de ambos. Adam Clarke (*in loc.*) informa-nos que *queimar um cadáver, recolher as cinzas e colocá-las em uma urna era considerado uma forma honrosa de sepultamento.* Cf. 1Sm 31.12, que, juntamente com o presente versículo, mencionam esse modo de dispor de um cadáver. Em tempos de pestilência, a cremação tornava-se uma necessidade.

■ 6.11

כִּי־הִנֵּה יְהוָה מְצַוֶּה וְהִכָּה הַבַּיִת הַגָּדוֹל רְסִיסִים
וְהַבַּיִת הַקָּטֹן בְּקִעִים׃

Pois eis que o Senhor ordena e será destroçada em ruínas a casa grande, e a pequena. Todas as residências seriam destruídas, desde a mais excelente até a mais humilde, desde a mais espaçosa até a menor. Os assírios não poupariam casa alguma, por razão nenhuma. Todas as casas seriam demolidas, e seus residentes seriam assassinados. As casas seriam reduzidas a fragmentos e escombros, ou seja, seriam totalmente destruídas, sem possibilidade de reconstrução. Talvez essa pequena porção originalmente fizesse parte de um oráculo sobre um terremoto (ver Am 3.15 e 9.1), vinculado à descrição do exército assírio, o qual atuaria como um terremoto. Seja como for, tudo quanto restasse da cidade de Samaria (bem como da maior parte da nação de Israel) seria um campo de escombros. Coisa alguma restaria dos orgulhosos de Israel (ver Am 6.1). Toda a jactância humana chegaria ao fim. "Está aqui referida a derrubada de todas as classes sociais" (Ellicott, *in loc.*).

EXTINÇÃO DE UM POVO ORGULHOSO E DESNATURAL (6.12-14)

■ 6.12

הַיְרֻצוּן בַּסֶּלַע סוּסִים אִם־יַחֲרוֹשׁ בַּבְּקָרִים כִּי־
הֲפַכְתֶּם לְרֹאשׁ מִשְׁפָּט וּפְרִי צְדָקָה לְלַעֲנָה׃

Poderão correr cavalos na rocha? *Coisas Desnaturais.* Os cavalos não são animais capazes de correr por sobre a superfície das rochas e não resistiriam a esse tratamento. Por igual modo, nenhum homem lança seu arado no mar, a fim de baixar o seu nível. Essas seriam coisas ridículas e desnaturais. Israel, entretanto, agira exatamente dessa maneira, transformando a justiça em veneno, e a retidão em *alosna*. Cf. Am 5.7. Ver também Dt 29.18. "O processo judicial designado para preservar a saúde da nação tinha-se tornado um *veneno* letal dentro de seu corpo. O *fruto* da integridade e da retidão, tencionado para refrescar e deleitar, tinha-se transformado em polpa corrupta e amargosa" (Donald R. Sunukjian, *in loc.*).

A arte de colocar ferraduras nos cavalos era desconhecida naquele tempo. Os cavalos que fossem postos a correr sobre as rochas em breve perderiam os cascos. Lançar o arado no mar era um empreendimento inútil. Os israelitas se tornaram inúteis, moralmente falando, e só prestavam para serem mortos pelos assírios.

■ 6.13

הַשְּׂמֵחִים לְלֹא דָבָר הָאֹמְרִים הֲלוֹא בְחָזְקֵנוּ לָקַחְנוּ
לָנוּ קַרְנָיִם׃

Vós vos alegrais com lo-Debar. O povo de Israel estava cheio de orgulho e do senso de sua própria importância (ver Am 6.1,2). Tinha perdido qualquer estimativa sóbria das coisas. Regozijava-se em *lo-Debar*, que significa algo sem valor. Alguns transliteram a palavra e simplesmente se referem ao "nada". Porém, havia uma cidade com esse nome, a leste do rio Jordão. Seu nome alternativo era Debir. A referência, contudo, é metafórica, o que empresta pequena importância ao nome locativo. Além disso, "Carnaim" também era um nome locativo, provavelmente identificado com a Asterote-Carnaim de Gn 14.5, que ficava na mesma região onde se situava a cidade antes mencionada. Portanto, Israel foi acusado de confiar em sua própria força e abandonar Yahweh. A história demonstra que os israelitas lograram sucesso militar ali, capturando a região referida e, sem dúvida, jactaram-se de seu "feito". Mas esses eram locais insignificantes, e a captura deles em nada ajudou Israel a escapar da ameaça assíria. Contudo, os israelitas estupidamente continuaram a confiar em sua potência militar. Jeroboão II obteve algum sucesso militar (ver 2Rs 14.25). Mas seria inútil pensar que isso surtiria efeito sobre a situação de desespero geral.

■ 6.14

כִּי הִנְנִי מֵקִים עֲלֵיכֶם בֵּית יִשְׂרָאֵל נְאֻם־יְהוָה אֱלֹהֵי
הַצְּבָאוֹת גּוֹי וְלָחֲצוּ אֶתְכֶם מִלְּבוֹא חֲמָת עַד־נַחַל
הָעֲרָבָה׃ ס

Pois eis que levantarei sobre vós, ó casa de Israel, uma nação. O propósito de Deus, chamado aqui de Yahweh-Sabaote (o Deus eterno, General dos Exércitos), manifestou-se contra a nação de Israel. Em sua soberania, ele levantaria uma nação superior, brutal, sem misericórdia e violenta, que agiria como um chicote. Eles conquistariam todas as coisas, a começar pela *entrada de Hamate,* o passo que ficava entre o Hermom e o Líbano, um pouco ao norte de Dã (o começo do largo vale que era referido, por conveniência, como a fronteira do distante norte de Israel). O domínio deles se estenderia até o ribeiro do Arabá, a grande garganta na qual jaz o mar Morto. Isso assinalava a fronteira sul de Israel. O Arabá (ver a respeito no *Dicionário*) estendia-se desde o mar da Galileia até o mar Morto (2Rs 14.25). O significado desse versículo é que nenhum centímetro do território de Israel, de norte a sul, escaparia ao ataque assírio. E então o povo de Israel aprenderia quão débil era, a despeito de seu orgulho e jactância, baseados na fé falsa em suas próprias forças.

CAPÍTULO SETE

VÁRIAS VISÕES; FIM DO MINISTÉRIO DE AMÓS; EPÍLOGO (7.1—9.15)

Encontramos aqui uma seção distintiva do livro de Amós, que contém certa variedade de materiais: quatro visões (Am 7.1-8; 8.1,2); uma quinta visão (distinta), acompanhada por um oráculo (9.1-4); alguma narrativa histórica (7.10-17); diversos oráculos (9.11-15). As visões aparecem como autobiografias e são o verdadeiro núcleo da seção. Temos aqui o chamado de Amós para o ministério; sua preparação e suas experiências no ministério. As visões narram o fim lamentável da nação de Israel e justificam Amós como profeta autorizado de Yahweh. O capítulo 7 enfoca os *resultados* do julgamento vindouro. Haveria destruição total. O *Senhor Soberano* estava operando (ver Am 7.1,2,4 — duas vezes; 7.5,6; 8.1,3,9,11 e 9.8). O "meu povo", no dizer de Deus, é que estava sendo duramente tratado (ver Am 7.8,1; 8.2; 9.10). Eles tinham repelido a vontade do Senhor e seu caminho e não poderiam escapar das temíveis consequências (cf. Am 3.2).

VISÕES E NARRATIVAS (7.1—8.3)

OS GAFANHOTOS (7.1-3)

■ 7.1

כֹּה הִרְאַנִי אֲדֹנָי יְהוִה וְהִנֵּה יוֹצֵר גֹּבַי בִּתְחִלַּת עֲלוֹת
הַלָּקֶשׁ וְהִנֵּה־לֶקֶשׁ אַחַר גִּזֵּי הַמֶּלֶךְ׃

Isto me fez ver o Senhor Deus. "Eis o que o Senhor Deus me mostrou: ele estava formando um enxame de gafanhotos. Isso aconteceu depois que o rei tirou sua parte da primeira colheita. A segunda colheita tinha apenas começado a crescer. Os gafanhotos comeram todas as colheitas do país. Depois disso, eu disse: 'Senhor Deus, perdoa-nos, eu te peço! Ninguém em Israel poderá sobreviver a esse ataque. Israel já está muito apequenado!'" (NCV).

Note o leitor o nome divino — Adonai-Yahweh (o Soberano Senhor) — usado dezenove vezes nesse livro, mas somente cinco vezes nos outros profetas menores. Foi usado 217 vezes no livro de Ezequiel, mas apenas 103 vezes no restante do Antigo Testamento. Ver no *Dicionário* o artigo chamado *Soberania de Deus,* quanto a detalhes sobre esse conceito.

O *livro de Joel* é a profecia sobre os gafanhotos, onde encontramos a combinação entre o que é literal e o que é figurado. Provavelmente devemos pensar aqui em uma praga literal de gafanhotos. Quanto a descrições completas sobre esse terror (tão comum no antigo Oriente

Próximo e Médio), ver no *Dicionário* o verbete chamado *Praga de Gafanhotos*, que provê muita informação ilustrativa. O rei, por causa de sua elevada posição, ficaria com parte da colheita, antes que ocorresse a devastação total produzida pelos gafanhotos. Mas até mesmo o suprimento do rei se acabaria em breve, porquanto a agricultura seria entravada. A fome seguiria a praga; e a pestilência viria depois da fome. A população de Israel seria grandemente reduzida. Esse foi o julgamento da idólatra-adúltera-apóstata nação de Israel.

■ 7.2

וְהָיָה אִם־כִּלָּה לֶאֱכוֹל אֶת־עֵשֶׂב הָאָרֶץ וָאֹמַר אֲדֹנָי
יְהוִה סְלַח־נָא מִי יָקוּם יַעֲקֹב כִּי קָטֹן הוּא׃

Tendo eles comido de toda a erva da terra... Amós levantou um protesto diante de Yahweh e pleiteou para que ele aliviasse a situação, pois Israel já estava grandemente reduzido em número. De outro modo, coisa alguma restaria. O objeto de sua oração foi *Adonai-Yahweh* (o Senhor Soberano), que tinha o poder de iniciar a praga e só fazê-la estacar quando isso lhe agradasse. Ver as notas sobre esse título divino no vs. 1. O orgulhoso povo de Jeroboão II acreditava em sua invulnerabilidade (Am 6.1-3,8,13; 9.10) mas o enxame de insetos retificou esse modo de pensar. De acordo com toda a estimativa, Jacó era um povo pequeno e insignificante. Talvez esse fato excitasse a piedade de Yahweh. O versículo subentende que grande número de pessoas já havia morrido, por causa da praga, e Amós tinha a esperança de que o resto seria salvo por meio de alguma intervenção divina.

■ 7.3

נִחַם יְהוָה עַל־זֹאת לֹא תִהְיֶה אָמַר יְהוָה׃

Então o Senhor se arrependeu disso. A intercessão do profeta em favor do povo de Israel foi eficaz. Yahweh mudou de ideia sobre a questão e enviou os gafanhotos para o mar. Quanto ao *arrependimento divino*, ver as notas expositivas sobre Êx 32.14. Não somos informados se essa mudança ocorreu por causa de pura misericórdia pelo povo, ou se houve algum arrependimento da parte deles. Seja como for, aquele não foi o fim, mas tão somente o começo das tristezas. Se houve algum arrependimento nessa ocasião, não durou muito tempo. Estavam a caminho outras calamidades, que resultariam no aniquilamento total da nação de Israel.

O FOGO DEVORADOR (7.4-6)

■ 7.4

כֹּה הִרְאַנִי אֲדֹנָי יְהוִה וְהִנֵּה קֹרֵא לָרִב בָּאֵשׁ אֲדֹנָי
יְהוִה וַתֹּאכַל אֶת־תְּהוֹם רַבָּה וְאָכְלָה אֶת־הַחֵלֶק׃

Eis que o Senhor Deus chamou o fogo para exercer a sua justiça. Adonai-Yahweh (o Soberano Senhor; ver o vs. 1 sobre esse título) novamente é o ator por trás da catástrofe. Ele tinha vindo contra Israel com gafanhotos (vss. 1-3), mas agora vinha com o temido fogo. Esse fogo não simboliza a guerra, como algumas vezes acontece, mas o julgamento de Deus pelos raios sem misericórdia do sol. Um verão extraordinariamente quente trouxe a seca e a destruição da terra. Muitos incêndios literais varreram o país, porquanto tudo estava ressecado. Cf. Jl 1.19,20. Até os poços e mananciais subterrâneos se secaram (cf. Gn 7.11; 49.25; Dt 33.13). Os rios e demais cursos de água secaram, e a terra de Israel secou como um osso. A agricultura cessou, e o povo passava fome em massa. A terra foi assim "devorada" (ver Dt 32.22). Ver no *Dicionário* o verbete chamado *Fogo*. Isso se tornou símbolo dos juízos divinos, tanto os temporais quanto os eternos.

■ 7.5

וָאֹמַר אֲדֹנָי יְהוִה חֲדַל־נָא מִי יָקוּם יַעֲקֹב כִּי קָטֹן
הוּא׃

Então disse eu: Senhor, cessa agora. O profeta, uma vez mais, fez uma desesperada intercessão em favor de Israel, tal como tinha feito no caso dos gafanhotos. O vs. 5 é uma duplicata virtual do vs. 2. Em vez de "perdoa", temos aqui "cessa", mas Yahweh só cessaria se perdoasse. O resto seria igual. Amós nunca desistiu quanto ao seu povo réprobo, a despeito de sua indignidade. Este versículo ensina a sermos persistentes quanto à oração intercessória, até em favor dos indignos. Ver no *Dicionário* o verbete chamado *Oração*.

■ 7.6

נִחַם יְהוָה עַל־זֹאת גַּם־הִיא לֹא תִהְיֶה אָמַר אֲדֹנָי
יְהוִה׃ ס

E o Senhor se arrependeu disso. A intercessão de Amós, uma vez mais, mostrou-se eficaz. Por isso, Yahweh arrependeu-se e enviou a brisa fresca e a chuva para refrescar a terra. As plantas começaram a crescer novamente, e a vida foi preservada. Este versículo é uma duplicata virtual do vs. 3, onde são dadas notas expositivas. Aqui o título divino *Adonai-Yahweh* (ver as notas sobre o vs. 1) substitui o simples nome, Yahweh, que figura naquele versículo. Mas outras calamidades que Yahweh não faria passar estavam a caminho. A nação de Israel estava morrendo. Houve apenas alguma demora ao longo do caminho.

O PRUMO (7.7-9)

■ 7.7

כֹּה הִרְאַנִי וְהִנֵּה אֲדֹנָי נִצָּב עַל־חוֹמַת אֲנָךְ וּבְיָדוֹ
אֲנָךְ׃

Eis que o Senhor estava sobre um muro levantado a prumo. Yahweh mostrou ao profeta outra cena temível: O Senhor estava de pé sobre um muro levantado a prumo e tinha um prumo na mão. Esse prumo mostraria quão torto estava vivendo Israel, e como a nação começava a ser julgada. Essa é outra maneira de dizer que eles foram postos na balança, mas seu peso estava em falta (ver Dn 5.27). Um prumo era um cordão com um peso de chumbo em uma das extremidades. A força da gravidade, como é natural, puxa o cordão para baixo de maneira perfeitamente perpendicular, dando assim uma linha reta na vertical, para os construtores seguirem. Ver no *Dicionário* o verbete denominado *Prumo*, quanto a detalhes. O prumo também era usado para submeter a teste paredes e muros já existentes, a fim de verificar se estes se mantinham na vertical, resistindo à tendência de ceder e inclinar-se. Se não se mantivessem na vertical, teriam de ser reconstruídos em parte, reforçados ou derrubados, cedendo lugar para a construção de outra parede ou muro.

■ 7.8

וַיֹּאמֶר יְהוָה אֵלַי מָה־אַתָּה רֹאֶה עָמוֹס וָאֹמַר אֲנָךְ
וַיֹּאמֶר אֲדֹנָי הִנְנִי שָׂם אֲנָךְ בְּקֶרֶב עַמִּי יִשְׂרָאֵל לֹא־
אוֹסִיף עוֹד עֲבוֹר לוֹ׃

O Senhor me disse: Que vês tu, Amós? O diálogo entre Yahweh e seu profeta garantiu que a cena estava sendo bem compreendida. Israel era o muro que deveria ser submetido a teste pelo prumo. Como é óbvio, esse muro estava torto como "a perna traseira de um cão", conforme diz certo provérbio popular. Uma vez que o teste foi feito e a perversidade do povo de Israel ficou comprovada, Yahweh não mais se arrependeria do que tinha feito (vss. 3 e 6). Ele "não mais os pouparia" (NIV), "não continuaria triste por causa deles" (NCV) e nunca mais *passaria por eles* (diz o original hebraico, literalmente) em misericórdia, mas, antes, os feriria até a condenação final. Diz aqui o Targum: "Eis que exercerei julgamento no meio de meu povo, Israel, e não os perdoarei mais". "Não mais tolerarei seus pecados nem negligenciarei diante de suas transgressões, corrigindo ou punindo. Eu não os perdoarei, mas, antes, infligirei castigo contra eles" (John Gill, *in loc.*).

■ 7.9

וְנָשַׁמּוּ בָּמוֹת יִשְׂחָק וּמִקְדְּשֵׁי יִשְׂרָאֵל יֶחֱרָבוּ וְקַמְתִּי
עַל־בֵּית יָרָבְעָם בֶּחָרֶב׃ פ

Mas os altos de Isaque serão assolados. *Detalhes do Castigo.* Ver no *Dicionário* o artigo chamado *Lugares Altos*. A idolatria se generalizou de tal modo que cada topo de colina tornou-se um lugar apropriado para colocar um santuário, com seus ídolos e altares. *Isaque* é aqui o nome para o reino do Norte, Israel. Isaque erigiu lugares altos em Berseba (ver Gn 26.23,25; 46.1). Mas isso aconteceu antes que a adoração tivesse sido centralizada em Jerusalém, e antes que os santuários locais fossem desativados. Naturalmente, esses santuários locais eram muito estimados entre o povo, pelo que, na realidade, nunca foram de todo abandonados. Ademais, foram usados para fins idólatras, razão pela qual Israel-Judá foi amaldiçoado. Jeroboão estabeleceu altares idólatras em Dã e Betel, especificamente para competir com o templo de Jerusalém. Quanto a como Jeroboão *fez Israel pecar,* ver 1Rs 15.26 e 16.2. Quanto ao *pecado* de Jeroboão, ver 1Rs 12.28 ss. Os ímpios idólatras dos dias de Amós sem dúvida falavam em continuar a tradição iniciada por Isaque, mas não se importavam em ressaltar que eles tinham trocado os altares de Yahweh por altares que honravam a Baal e outros deuses que nada representavam. Yahweh prometera assolar a todos esses altares e atacar Jeroboão e seu povo por meio da *espada* assíria. A guerra destruidora seria o julgamento final de Yahweh. Disso, o Senhor jamais se arrependeria. E então o "pequeno" Jacó (vss. 2 e 5) seria reduzido a nada.

Note o leitor a variedade de nomes para Israel (a nação do norte): 1. casa de Jacó (Am 3.13); 2. casa de Israel (5.1,3); 3. casa de José (5.6); 4. restante de José (5.15).

AMÓS E AMAZIAS (7.10-17)

■ 7.10

וַיִּשְׁלַח אֲמַצְיָה כֹּהֵן בֵּית־אֵל אֶל־יָרָבְעָם מֶלֶךְ־יִשְׂרָאֵל לֵאמֹר קָשַׁר עָלֶיךָ עָמוֹס בְּקֶרֶב בֵּית יִשְׂרָאֵל לֹא־תוּכַל הָאָרֶץ לְהָכִיל אֶת־כָּל־דְּבָרָיו׃

Então Amazias, o sacerdote de Betel, mandou dizer a Jeroboão. "Temos aqui um incidente biográfico escrito em prosa, introduzido talvez por causa da ameaça contra a casa de Jeroboão, no vs. 9. Amazias era o sacerdote oficial do santuário real de Betel. Amós tinha asseverado que ele não era um profeta profissional (ver 1Sm 9.6-10; Mq 3.5-8,11). E nem era membro de alguma guilda profética (ver 1Sm 10.5; 1Rs 22.6; 2Rs 2.3,5). Antes, era um leigo a quem Yahweh tinha enviado para proferir profecias a seu povo (ver Am 3.3-8; 2Sm 7.8)" (*Oxford Annotated Bible,* introdução à seção). A classe liderante reagiu violentamente contra as profecias de condenação de Amós. Eles puseram em dúvida sua autoridade, mas Amós lhes assegurou que Yahweh estava por trás de sua missão. O prumo estava em operação (ver os vs. 8), mostrando quão torto estava o povo de Israel. Estava podre desde o sacerdote até o escravo. Amós foi acusado de *conspirar* (vs. 8), de incitar o povo à rebeldia e de trazer o desassossego por meio de profecias falsas.

Jeroboão havia levantado a adoração ao bezerro em Betel, tendo estabelecido seu próprio sacerdócio que nada tinha a ver com os requisitos da lei mosaica, a qual estipulava que somente levitas da família de Arão estavam qualificados para ocupar o ofício sacerdotal. Portanto, o fraudulento sumo sacerdote de Betel tomou sobre si o encargo de repreender o profeta de Deus! Amazias apelou para que Jeroboão II cuidasse da ameaça, Amós, que incendiava a nação de Israel com suas profecias, e, em essência, conspirava contra o próprio rei, devido à agitação promovida. Incidentalmente, este versículo revela o quanto as profecias de Amós se haviam espalhado, e quão grande efeito exerciam por todo o território da nação de Israel. Isso também nos segreda que o julgamento divino sobreviria a um povo que tinha sido bem advertido. Não haveria desculpas com base na ignorância. Ver 1Rs 12.26-33 quanto aos santuários de Jeroboão, que foram estabelecidos em 931 a.C. Betel era o principal santuário nacional, pelo que denunciar o que ali ocorria era o mesmo que atacar os alicerces do reino. É claro que os atos de Jeroboão I eram políticos, e não meramente religiosos. Ele usara a religião para unir as dez tribos do norte e formar uma nação distinta, e assim, abandonar a fé de seus antepassados. Quanto a informações completas sobre *Amazias,* ver sobre esse título no *Dicionário,* quarto ponto.

■ 7.11

כִּי־כֹה אָמַר עָמוֹס בַּחֶרֶב יָמוּת יָרָבְעָם וְיִשְׂרָאֵל גָּלֹה יִגְלֶה מֵעַל אַדְמָתוֹ׃ ס

Porque assim diz Amós. Amazias deu um mero sumário das coisas "terríveis" que Amós estava profetizando. O primeiro item chocante foi que o próprio Jeroboão seria morto à espada. Mas isso há o exagero de uma representação inexata das palavras de Amós. Amós nunca fez tal predição, e o rei morreu de morte natural após um reinado de cerca de quarenta anos. Ver 2Rs 14.29, bem como o artigo geral sobre Jeroboão II, no *Dicionário.* Ele governou sozinho pelo espaço aproximado de trinta anos, mas antes disso foi corregente com seu pai. Era verdade, entretanto, que Amós predisse a espada contra Israel e seu subsequente cativeiro (ver Am 5.5,27; 7.17 e 9.4). Usualmente, os acusadores misturam alguma verdade com alguma falsidade em suas denúncias e quase sempre acusam com intuitos maliciosos.

■ 7.12

וַיֹּאמֶר אֲמַצְיָה אֶל־עָמוֹס חֹזֶה לֵךְ בְּרַח־לְךָ אֶל־אֶרֶץ יְהוּדָה וֶאֱכָל־שָׁם לֶחֶם וְשָׁם תִּנָּבֵא׃

Vai-te, ó vidente, foge para a terra de Judá. Amazias queria que Amós fosse para um *exílio voluntário* em Judá, onde sua mensagem não insuflaria medo a ninguém. Naturalmente, Amazias falou sarcasticamente. Amós foi considerado indigno de ser um profeta em Israel, e os líderes religiosos de Israel tinham certeza de que Yahweh nada tinha a ver com seu ministério naquele nação. E mesmo que acreditassem que Yahweh o havia enviado, isso não teria feito diferença alguma, porquanto eles, desde há muito tempo, tinham abandonado o Deus de Israel e substituído o culto a ele por uma idolatria ridícula e escandalosa. Talvez a "sugestão" para que Amós partisse da terra de Israel tenha sido iniciada por Jeroboão II e transmitida por Amazias. Em Judá ele poderia "comer o seu pão" mediante suas profecias, ou seja, poderia viver como profeta profissional (cf. Mq 3.5).

■ 7.13

וּבֵית־אֵל לֹא־תוֹסִיף עוֹד לְהִנָּבֵא כִּי מִקְדַּשׁ־מֶלֶךְ הוּא וּבֵית מַמְלָכָה הוּא׃ ס

Mas em Betel, daqui por diante, já não profetizarás. Amós não era pessoa bem-vinda na nação do norte, Israel. Se ele insistisse em ficar e perturbar a paz, as coisas poderiam terminar muito mal. O rei tinha posto sua igreja em Betel, e seria melhor para Amós manter-se distante. Em *Betel* ficava o "templo" do reino do norte. O *santuário* constituía um templo, embora não tivesse havido o esforço para duplicar o templo de Salomão, que ficava em Jerusalém. Amós não tinha *autoridade* para interferir no que estivesse acontecendo em Betel; e, caso teimasse, as coisas terminariam mal para ele. O profeta Amós, entretanto, agia com base em uma autoridade maior que a de Betel ou a de Jeroboão, o rei. Isso posto, continuaria seu ministério na nação do norte. Os homens, cegados pelo preconceito e ofuscados pela luz do Senhor, ameaçaram a Amós para que se afastasse deles. O tremendo perigo de implorar que os mensageiros de Deus se retirassem é frequentemente referido nas Escrituras. Cf. Lc 10.10-12". A história se repete. Quando o Messias veio aos "seus", estes não o receberam (ver Jo 1.11).

■ 7.14,15

וַיַּעַן עָמוֹס וַיֹּאמֶר אֶל־אֲמַצְיָה לֹא־נָבִיא אָנֹכִי וְלֹא בֶן־נָבִיא אָנֹכִי כִּי־בוֹקֵר אָנֹכִי וּבוֹלֵס שִׁקְמִים׃

וַיִּקָּחֵנִי יְהוָה מֵאַחֲרֵי הַצֹּאן וַיֹּאמֶר אֵלַי יְהוָה לֵךְ הִנָּבֵא אֶל־עַמִּי יִשְׂרָאֵל׃

Eu não sou profeta, nem discípulo de profeta. É verdade que Amós não pertencia a uma família profética, nem era filho de um profeta, muito menos membro de uma escola profética; ou seja, ele não era um profeta profissional. Mas e daí? Amazias, o chamado sumo sacerdote do reino apostatado de Jeroboão, também não tinha credenciais tradicionais, não pertencendo à família de Arão, a qual era um segmento da tribo de Levi. Amós era apenas um boieiro e colhedor de sicômoros. Em outras palavras, era um fazendeiro. No entanto, ele atraiu o poder e a sabedoria de Deus, e também a luz profética, por ser um homem piedoso. Foi escolhido para uma missão especial. Essas eram credenciais mais importantes do que tinham os chamados profetas de Israel. Yahweh é quem impusera suas mãos sobre Amós (vs. 15). Ele foi tirado de sua humilde ocupação e recebeu inspiração e eloquência profética. Yahweh é quem disse a Amós: "Vai! Profetiza a Israel!" Amós estava dizendo que o seu ministério não era "autogerado". A ideia não tinha sido dele. Ele não procurava honra para si mesmo, e tinha sido escolhido e enviado por um poder superior a ele mesmo, conforme acontece a todos os homens de Deus. Ele recebeu de Deus a *autoridade* para sua missão. Ele não sairia correndo para Judá, onde poderia ser aceito (vs. 12). A *área geográfica* de seu ministério fazia parte de seu chamado.

Tudo isso acontece frequentemente com os verdadeiros homens de Deus. Homens menores vão para onde é mais fácil e onde eles possam ter uma vida de pequenos prazeres e satisfações pessoais. Note o leitor, no vs. 15, a repetição feita por Yahweh: "O Senhor me tirou e [o Senhor me] disse...". Um homem que tem uma experiência com Deus possui mais do que o homem que tem apenas um dogma. Amós tinha a experiência de um profeta. Ele fora tocado pela mão divina. "Assim como Pedro, André, Tiago e João deixaram suas redes e seus pais, e assim como Mateus deixou o balcão de cobranças, diante do chamado do Senhor, também Amós deixou suas ovelhas e seus sicômoros diante da convocação de Deus... Isso ele fez durante o reinado de Jeroboão II, o mais poderoso dos reis de Israel. E, em um tempo de grande prosperidade nacional, ele predisse ousadamente o término da linhagem real, a derrota de Israel e o seu cativeiro" (Fausset, *in loc.*).

■ 7.16,17

וְעַתָּה שְׁמַע דְּבַר־יְהוָה אַתָּה אֹמֵר לֹא תִנָּבֵא עַל־יִשְׂרָאֵל וְלֹא תַטִּיף עַל־בֵּית יִשְׂחָק׃

לָכֵן כֹּה־אָמַר יְהוָה אִשְׁתְּךָ בָּעִיר תִּזְנֶה וּבָנֶיךָ וּבְנֹתֶיךָ בַּחֶרֶב יִפֹּלוּ וְאַדְמָתְךָ בַּחֶבֶל תְּחֻלָּק וְאַתָּה עַל־אֲדָמָה טְמֵאָה תָּמוּת וְיִשְׂרָאֵל גָּלֹה יִגְלֶה מֵעַל אַדְמָתוֹ׃ ס

Ora, pois, ouve a palavra do Senhor. *Profecias de Condenação contra Amazias.* Quando Amós se defendia, bem como à sua missão e à sua autoridade, o Espírito de Deus iluminou a mente de Amós e lhe deu uma profecia particular contra o seu detrator. Amazias tinha dito a Amós que deixasse o território de Israel, quando Yahweh lhe mandara pregar ali. Amazias lhe ordenara parar de profetizar, quando Yahweh lhe dissera para profetizar. Amazias resolvera que a *casa de Isaque* (vs. 9) não deveria ser repreendida por Amós, embora a nação estivesse em deplorável estado de apostasia. Mas é claro que Amós haveria de obedecer a Deus, e não ao homem. Ver o vs. 12, que é essencialmente paralelo ao presente versículo, e cf. também At 5.29:

> *Então Pedro e os demais apóstolos afirmaram: Antes importa obedecer a Deus do que aos homens.*

tua mulher se prostituirá na cidade, e teus filhos e tuas filhas cairão à espada. Aquele mal informado e apóstata "sumo sacerdote" teve a coragem de denunciar Amós. Mas, ali mesmo, a mente do profeta Amós foi aberta para que visse o que aconteceria ao réprobo: ele sofreria uma série de desgraças e desastres: 1. Sua esposa se tornaria uma prostituta comum nas ruas de Betel, ou, mais provavelmente ainda, em alguma cidade assíria, para onde seria levada como cativa; 2. os filhos e filhas de Amazias nunca sairiam de Israel, pois estariam entre as incontáveis vítimas que a espada dos assírios fariam; 3. o próprio Amazias seria levado para a Assíria, onde eventualmente morreria, naquele lugar *imundo*. "A violação das mulheres, a execução dos jovens, a divisão das propriedades entre os vitoriosos e o exílio dos líderes, tudo fazia parte do tratamento comumente dado a povos conquistados... Amazias iria para uma terra *imunda*, onde eram proibidos os sacrifícios a Yahweh.

Israel certamente será levado cativo. "Estas palavras reiteram a linguagem de Amazias, no vs. 11. Sua sorte seria como a da terra inteira" (Hughell E. W. Fosbroke, *in loc.*). O embotado "sumo sacerdote" teve a chance de evitar a condenação prevista por Amós, mediante o arrependimento. Mas ele seguiria teimosamente seu caminho rebelde e veria o cumprimento de cada item da temível profecia. E isso não demoraria muito. Não se ouve mais sobre Amazias, nas páginas das Escrituras, mas podemos presumir que as coisas previstas se cumpriram. Cf. este versículo com 2Rs 17.6. Ver também 2Rs 15.10,14,16,18,27 e 17.5 quanto a detalhes. No *Dicionário*, o artigo chamado *Cativeiro Assírio* fornece mais detalhes sobre todo esse lamentável acontecimento.

CAPÍTULO OITO

A CESTA DE FRUTOS DO VERÃO (8.1-3)

■ 8.1

כֹּה הִרְאַנִי אֲדֹנָי יְהוִה וְהִנֵּה כְּלוּב קָיִץ׃

O Senhor Deus me fez ver isto... um cesto de frutos de verão. *Adonai-Yahweh* (o Senhor Soberano) tinha outra lição objetiva para o profeta Amós. Ele era o Senhor Supremo e estava cumprindo sua vontade na Terra Prometida, conforme demonstrado pelo seu título divino. Esse nome aparece dezenove vezes nesse livro, mas apenas cinco vezes nos outros livros dos Profetas Menores. É usado 217 vezes no livro de Ezequiel, mas apenas 103 vezes no restante do Antigo Testamento. Ver no *Dicionário* os verbetes chamados *Teísmo* e *Soberania de Deus*. A *Providência de Deus,* em seus aspectos positivo e negativo, controla as coisas na vida dos homens e na história das nações. Ver também sobre esse título.

A ordem do Senhor soberano foi que o profeta Amós observasse uma cesta cheia de frutos de verão, para que aprendesse uma importante lição. Os frutos de verão são aqueles que amadurecem no verão e então são colhidos no outono. Esse fruto estava *maduro* (literalmente, "o fim chegou"). Israel estava maduro para a condenação. O dia tinha acabado; o verão tinha terminado; o sopro gélido do inverno estava perto de soprar.

■ 8.2

וַיֹּאמֶר מָה־אַתָּה רֹאֶה עָמוֹס וָאֹמַר כְּלוּב קָיִץ וַיֹּאמֶר יְהוָה אֵלַי בָּא הַקֵּץ אֶל־עַמִּי יִשְׂרָאֵל לֹא־אוֹסִיף עוֹד עֲבוֹר לוֹ׃

Que vês, Amós? E eu respondi: Um cesto de frutos de verão. Os *frutos de verão* ("o fim chegou") significariam para Israel exatamente o que seu nome deixava implícito. Para aquela nação, o fim tinha chegado. Yahweh não continuaria a negligenciar o pecado deles. "... e jamais passarei por ele". Vemos isso no fim de Am 7.8, onde apresento notas expositivas detalhadas a respeito. Dou ali como várias traduções traduziram essa passagem. Para Israel, era tempo de colheita, da colheita final. Essa nação então passaria para o esquecimento, para nunca mais levantar-se. Não haveria mudanças de último minuto, nem a execução seria suspensa. Subiriam orações aos milhares, mas seriam orações fúteis. "A porta da misericórdia estava fechada" (Ellicott, *in loc.*).

■ 8.3

וְהֵילִילוּ שִׁירוֹת הֵיכָל בַּיּוֹם הַהוּא נְאֻם אֲדֹנָי יְהוִה רַב הַפֶּגֶר בְּכָל־מָקוֹם הִשְׁלִיךְ הָס׃ פ

Mas os cânticos do templo naquele dia serão uivos. Na nação do norte não havia templo, mas apenas os santuários de Dã e Betel, e os muitos lugares altos serviam de templos, ou seja, lugares de ritos religiosos. Os sacrifícios eram momentos de júbilo. Cânticos, hinos e salmos acompanhavam os ritos e, em seguida, havia banquetes com música e danças. Porém, em vez de todo esse regozijo, haveria a cacofonia das lamentações. Isso aconteceria porque o Soberano Supremo (Adonai-Yahweh; ver as notas sobre o vs. 1) assim decretara. Os locais dos santuários seriam cheios de corpos putrefactos. Por toda a parte os homens lançariam fora os cadáveres, em silêncio. Eles não teriam forças nem tempo para sepultar os mortos. Os poucos sobreviventes simplesmente deixariam os cadáveres entrar em decomposição nos santuários (para os quais os homens tinham fugido em vão, buscando refúgio) e nas ruas. Muitas casas contavam com corpos mortos, mas nenhum amigo ou vizinho (se é que existiam) chegava para prover sepultamentos decentes. Note o leitor o hebraico truncado, abrupto, entrecortado: "Muitos dos corpos mortos — em todos os lugares — ele os jogara fora — silêncio!" Cf. este versículo com Am 5.2,3; 6.9,10 e 8.10. "Inúmeros cadáveres jaziam à superfície do solo para serem comidos pelos cães e pelas aves, ou para se tornarem Etco e fertilizarem os campos (ver 1Rs 14.11; Jr 8.2; 9.22; 16.4)" (Donald R. Sunukjian, *in loc.*).

A INIQUIDADE E A CONDENAÇÃO IMINENTE (8.4-14)

■ 8.4

שִׁמְעוּ־זֹאת הַשֹּׁאֲפִים אֶבְיוֹן וְלַשְׁבִּית עֲנִוֵּי־אָרֶץ׃

Ouvi isto, vós, que tendes gana contra o necessitado. A começar neste ponto, temos uma série de declarações similares às encontradas nos capítulos 1—6 do livro de Amós. "Parece até que algumas das afirmações de Amós foram transmitidas por outra corrente de tradição, e fragmentos dessas afirmações estão atualmente embebidos em materiais que os relacionam às condições e às atitudes de um dia posterior" (Hughell E. W. Fosbroke, *in loc.*). A seção se demora sobre os vários tipos de impiedade praticados nos últimos dias de existência de Israel, antes do golpe destruidor final, e por causa do que o golpe foi dado.

"A acusação contra Israel e a vinda do dia de lamentação (cf. Am 5.18-20)" (*Oxford Annotated Bible,* comentando sobre o vs. 1 deste capítulo). Aqueles réprobos andavam "exterminando os pobres", conforme diz literalmente o original hebraico. Alguns dizem aqui "esmagam sob os pés", o que é um significado possível. Fazer dinheiro e adquirir poder eram as regras do jogo, e os pobres só tinham valor naquilo em que podiam ser saqueados. Cf. este versículo com Am 4.1 e 5.11, que lhe serve de eco. O resultado da opressão era eliminar os pobres (os mansos): morte material e morte física, literal; morte social.

■ 8.5

לֵאמֹר מָתַי יַעֲבֹר הַחֹדֶשׁ וְנַשְׁבִּירָה שֶּׁבֶר וְהַשַּׁבָּת וְנִפְתְּחָה־בָּר לְהַקְטִין אֵיפָה וּלְהַגְדִּיל שֶׁקֶל וּלְעַוֵּת מֹאזְנֵי מִרְמָה׃

Quando passará a lua nova, para vendermos o grão? Os feriados religiosos e as festividades santas e, particularmente, os sábados semanais, atrapalhavam as atividades dos habitantes do reino do norte, por causa daquela ridícula lei do "não trabalhar", vinculada aos sábados. Como um homem negociante empreendedor poderia cumprir seus desígnios diante da interferência dos "feriados"? Justamente quando o comércio era bom, e quando negócios estavam sendo feitos e os produtos estavam sendo comercializados, eis que havia "outro feriado". Os romanos, no fim, tinham mais de 150 feriados, que eram pagos pelo Estado. A decadência do império romano, pois, era óbvia e fatal. Ver o pano de fundo para isso em Êx 20.8-11; 23.12; 31.14-17; 34.21; Nm 28.11-15; 2Rs 4.23; Is 1.13,14; Ez 46.1-6 e Os 2.11. Naturalmente, a maioria dos comerciantes encontrava meios para frustrar as leis do "não trabalho". Ver no *Dicionário* os artigos chamados *Lua Nova* e *Sábado,* quanto a detalhes.

Note o leitor a *falsificação* de pesos, um antigo pecado de Israel. Ver Dt 25.13-15; Os 12.7. Essa prática fazia parte da opressão social em Israel. Ver também Lv 19.35,36; Pv 11.1 e Mq 6.11.

■ 8.6

לִקְנוֹת בַּכֶּסֶף דַּלִּים וְאֶבְיוֹן בַּעֲבוּר נַעֲלָיִם וּמַפַּל בַּר נַשְׁבִּיר׃

Para comprarmos os pobres por dinheiro. Este versículo é virtualmente idêntico a Am 2.6, onde ofereço notas expositivas, exceto que fala em "comprar", em lugar de "vender". Além de barganhar com toda a espécie de produtos, eles negociavam com seres humanos, no comércio escravocrata, tanto local quanto internacional. Os seres humanos, nesse comércio, custavam bem pouco: um par de sandálias podia comprar um escravo e até um pouco de trigo relativamente inútil, como aquele *varrido do chão* (NCV). O sofrimento e os sentimentos humanos nada significavam para aquelas feras humanas.

Um homem podia vender-se como escravo por algum tempo, a fim de pagar suas dívidas, mas, nesse caso, devia ser tratado como um homem alugado, e não como um escravo, se fosse um judeu. Aqueles réprobos, no entanto, não obedeciam a nenhuma legislação, exceto a que diz: "Enriquece rapidamente". Cf. este versículo com Lv 25.39,40, quanto ao justo tratamento conferido aos escravos judeus, se é que *algum tipo* de escravidão pode ser considerado justo. Ver no *Dicionário* o artigo chamado *Escravo, Escravidão.*

■ 8.7

נִשְׁבַּע יְהוָה בִּגְאוֹן יַעֲקֹב אִם־אֶשְׁכַּח לָנֶצַח כָּל־מַעֲשֵׂיהֶם׃

Jurou o Senhor pela glória de Jacó. Yahweh jurou que não esqueceria nenhuma das obras daqueles homens ímpios. Se Jacó (Israel) tinha alguma razão para ser orgulhoso, se é que havia nisso alguma excelência, quanto a esse *valor* de seu povo, Yahweh prestou juramento. A NCV faz aqui leve torção à declaração: "O Senhor usou o seu nome, o Orgulho de Jacó, para fazer uma promessa. Disse ele: 'Nunca me esquecerei do que essa gente fez'". O *nome* é equiparado ao Orgulho de Israel. Com base nesse nome, o juramento foi proferido. Cf. este versículo com Am 4.2 e 6.8: Yahweh jurou por si mesmo. O Orgulho de Jacó, neste caso, entretanto, tornou-se um nome divino, tão próxima era a conexão de Deus com seu povo. Alguns intérpretes, entretanto, veem neste versículo uma declaração irônica. A excelência do nome de Deus tinha sofrido degradação pela suposta excelência (orgulho) de Israel. Porém, o outro sentido parece preferível. "Tão certamente como vos levantei até tal estado e eminência, com igual certeza vos punirei em proporção às vossas vantagens e aos vossos crimes" (Adam Clarke, *in loc.*).

■ 8.8

הַעַל זֹאת לֹא־תִרְגַּז הָאָרֶץ וְאָבַל כָּל־יוֹשֵׁב בָּהּ וְעָלְתָה כָאֹר כֻּלָּהּ וְנִגְרְשָׁה וְנִשְׁקְעָה כִּיאוֹר מִצְרָיִם׃ ס

Por causa disto não estremecerá a terra? O juramento divino provocaria o pisar da Terra Prometida pelos assírios, pois seria o dia do julgamento e do terror. Haveria advertência universal quando *o povo* (como águas inquietas) se levantasse como as águas do rio Nilo, fosse jogado para o alto e afundasse de novo. Os vss. 8-10 falam em terremoto, trevas e lamentação, coisas associadas a julgamentos temíveis. A enchente anual do rio Nilo era um acontecimento público, sem o qual não haveria fertilidade do terreno e, em consequência, agricultura. Algumas vezes, entretanto, a cheia das águas era inesperadamente grande e destruidora. É a esse acontecimento que o profeta se referiu. Mas alguns estudiosos veem aqui um terremoto literal, comparado às enchentes destruidoras do rio Nilo. Seja como for, haveria grandes perturbações, imensas destruições, enormes sofrimentos. A invasão assíria é aqui anunciada como se fosse um abalo sísmico.

■ 8.9

וְהָיָה בַּיּוֹם הַהוּא נְאֻם אֲדֹנָי יְהוִה וְהֵבֵאתִי הַשֶּׁמֶשׁ בַּצָּהֳרָיִם וְהַחֲשַׁכְתִּי לָאָרֶץ בְּיוֹם אוֹר׃

Farei que o sol se ponha ao meio-dia. Ou o profeta Amós falava aqui de *acontecimentos cósmicos* de grande envergadura, ou então sua linguagem era metafórica; provavelmente esta última possibilidade. O sol desapareceria inesperadamente, deixando a terra em trevas totais. Esse fenômeno ocorreria exatamente ao meio-dia. Se isso fosse um acontecimento literal, não restaria vida em Israel, nem na terra inteira. Seria o fim súbito de toda vida. Cf. este versículo com Am 5.18-20, onde encontramos semelhante declaração. O Dia do Senhor seria um dia de *trevas* (ver Am 5.18). Um eclipse do sol dificilmente pode estar em pauta. Nada há de radical nisso. A metáfora de perturbações no sol fala sobre grandes calamidades. Cf. Jr 15.9 e Ez 32.7-10. Os antigos hebreus não faziam ideia das dimensões do sol, nem de sua imensa distância de nós. Supunham que o sol fosse uma luz para iluminar o dia, pendurada na alta atmosfera da terra. Era imaginável que o sol podia sair temporariamente de sua posição, sem que terminasse a vida sobre a terra. Essa ideia pode estar por trás do presente versículo, e podemos aceitar literalmente essa noção, *se* adotarmos a visão dos antigos sobre a natureza do sol, e não aquilo que sabemos atualmente sobre esse corpo luminoso.

■ 8.10

וְהָפַכְתִּ֨י חַגֵּיכֶ֜ם לְאֵ֗בֶל וְכָל־שִֽׁירֵיכֶם֙ לְקִינָ֔ה וְהַעֲלֵיתִ֤י עַל־כָּל־מָתְנַ֙יִם֙ שָׂ֔ק וְעַל־כָּל־רֹ֖אשׁ קָרְחָ֑ה וְשַׂמְתִּ֙יהָ֙ כְּאֵ֣בֶל יָחִ֔יד וְאַחֲרִיתָ֖הּ כְּי֥וֹם מָֽר׃

Converterei as vossas festas em luto. Os tempos de festividades, as festas anuais e os vários feriados religiosos, que eram ocasiões festivas, seriam transformados em ocasiões de tristeza e lamentação. Os cânticos de júbilo seriam transformados em lamentações e *cânticos fúnebres*. Em vez de servirem de sinais de alegria, haveria os acompanhamentos da lamentação, como o *pano de saco* e os cânticos entristecedores, o cortar dos cabelos, a profunda tristeza como quando morre um filho amado e, finalmente, amargura generalizada. Ver no *Dicionário* o artigo chamado *Lamentação*, que pode ser usado para ilustrar o versículo.

Este versículo fala em um *fim temível*, a saber, a *morte de Israel*, o filho de Yahweh. Os assírios podiam aplicar o golpe de morte a todo o povo. Quanto ao dia da morte de alguém como um *dia amargo* (a expressão que se acha neste versículo), ver 1Sm 15.32; Jó 21.25 e Ec 7.26. Os mortos seriam chorados pelos poucos sobreviventes, os quais acabariam cativos, completando a cena de morte.

"Embora o começo do dia fosse brilhante e claro, havendo ótima luz do sol, contudo, o fim do dia de Israel seria escuro e amargo. Seria um dia de aflição e tristeza. Seria o fim de um povo" (John Gill, *in loc.*).

■ 8.11

הִנֵּ֣ה ׀ יָמִ֣ים בָּאִ֗ים נְאֻם֙ אֲדֹנָ֣י יְהוִ֔ה וְהִשְׁלַחְתִּ֥י רָעָ֖ב בָּאָ֑רֶץ לֹֽא־רָעָ֤ב לַלֶּ֙חֶם֙ וְלֹֽא־צָמָ֣א לַמַּ֔יִם כִּ֣י אִם־לִשְׁמֹ֔עַ אֵ֖ת דִּבְרֵ֥י יְהוָֽה׃

Eis que vêm dias, diz o Senhor Deus. A *fome* é uma das armas cardeais do arsenal de Deus que ele usava com frequência para castigar a um povo desobediente. Mas havia uma fome ainda mais grave: a que tomava as palavras do Senhor e deixava o povo destituído de instruções espirituais. Por longo tempo, Israel fora privado nesse sentido e, no entanto, não sentira fome pela palavra de Deus. A fome espiritual é tão fatal quanto fome de pão. O povo de Israel rejeitara as palavras do profeta Amós (Am 2.11,12; 7.10-13,16), pelo que essas vantagens seriam tiradas de Israel. Não haveria conforto ou instrução, nem haveria como sair do caminho da condenação. O profeta tinha as palavras da vida (cf. Jo 6.68). A lei de Moisés tinha por desígnio transmitir *vida* (ver Dt 4.1; 5.33; 6.2; Ez 20.11). A obediência às suas instruções daria ao povo vida longa e próspera. Israel seria libertado dos assírios. Além disso, haveria indícios de uma vida além-túmulo, pois as palavras de Yahweh estão diretamente relacionadas à vida do outro lado da porta da morte, situada entre este mundo e o próximo. A remoção da palavra também significava o fim do chamado ao *arrependimento*, sem o qual não poderia haver vida para Israel.

■ 8.12

וְנָעוּ֙ מִיָּ֣ם עַד־יָ֔ם וּמִצָּפ֖וֹן וְעַד־מִזְרָ֑ח יְשֽׁוֹטְט֛וּ לְבַקֵּ֥שׁ אֶת־דְּבַר־יְהוָ֖ה וְלֹ֥א יִמְצָֽאוּ׃

Andarão de mar a mar, e do norte até ao oriente. Essa é a busca que ocorreu tarde demais: "O povo vaguearã do mar Mediterrâneo ao mar Morto. E percorrerão o território do norte para o leste. Eles buscarão a Palavra do Senhor, mas não a acharão" (NCV). A palavra e o chamado ao arrependimento tinham sido suspensos, assim sendo os assírios se aproximaram para matar. Vemos aqui que a tristeza deles forçou-os a buscar o antigo caminho, a fim de que, na renovação, eles pudessem escapar da temível condenação. Ver Am 5.4-6. Porém, a glória do Senhor se havia afastado: *Icabô* foi a palavra inscrita sobre a Terra Prometida inteira. Ver sobre essa palavra, no *Dicionário*. O homem não vive somente do pão (ver Dt 8.3). Essa foi outra verdade que aqueles idólatras-adúlteros-apóstatas aprenderam tarde demais. O arrependimento é sempre popular em tempos de aflição. Nações inteiras buscam pelo arrependimento em tempos de desastres e guerras nacionais, mas raramente há alguma substância real nesse arrependimento. Ver no *Dicionário* o artigo intitulado *Arrependimento*.

> Espírito Santo, com Luz Divina,
> Brilha sobre este meu coração;
> Espanta as sombras da noite,
> Transforma minhas trevas em dia.
> Espírito Santo, com poder divino,
> Limpa este meu coração culpado.
> Há muito o pecado, sem controle,
> Dominou esta minha alma.
>
> Andrew Reed

■ 8.13

בַּיּ֣וֹם הַה֗וּא תִּ֠תְעַלַּפְנָה הַבְּתוּלֹ֧ת הַיָּפ֛וֹת וְהַבַּחוּרִ֖ים בַּצָּמָֽא׃

Naquele dia as virgens formosas e os jovens desmaiarão de sede. Além da fome literal e espiritual, os israelitas também sofreriam sede literal e espiritual. O "creme" da Terra Prometida, as belas virgens e os jovens, não escaparia das condições temíveis, quanto mais os que não eram tão bonitos. Estavam cheios da energia da juventude, mas em breve seriam reduzidos a nada. Essas palavras reverberam Am 5.2: "Caiu a virgem de Israel, nunca mais tornará a levantar-se; estendida está na sua terra, não há quem a levante". Cf. este versículo com Zc 9.17. Se os belos e vigorosos caem, onde aparecerão os fracos e menos privilegiados? Este versículo, como é lógico, fala sobre a apostasia do creme da Terra Prometida. Eles seguiram o exemplo de seus antepassados e se abrigaram na idolatria e na corrupção. Abandonaram as águas da vida. Ver no *Dicionário* o artigo chamado *Água*, onde são discutidos os usos metafóricos desse vocábulo.

> *Porque dois males cometeu o meu povo: a mim me deixaram, o manancial de águas vivas, e cavaram cisternas, cisternas rotas, que não retêm as águas.*
>
> Jeremias 2.13

■ 8.14

הַנִּשְׁבָּעִים֙ בְּאַשְׁמַ֣ת שֹֽׁמְר֔וֹן וְאָמְר֗וּ חֵ֤י אֱלֹהֶ֙יךָ֙ דָּ֔ן וְחֵ֖י דֶּ֣רֶךְ בְּאֵֽר־שָׁ֑בַע וְנָפְל֖וּ וְלֹא־יָק֥וּמוּ עֽוֹד׃ ס

Os que agora juram pelo ídolo de Samaria. Em vez de prestar lealdade a Yahweh, eles a deram ao ídolo de Samaria, divindade pagã também referida em 2Rs 17.30. Temos a forma composta *Ashem-Betel* nos papiros elefantinos do século V a.C. Está em vista um deus reconhecido por Israel na colônia judaica da fronteira com o Egito. Porém, mediante pontos vocálicos, a palavra que significa culpa (a'shimah) torna-se 'ashmah, termo hebraico preferido por algumas traduções e intérpretes. Mas provavelmente está em pauta um tipo de idolatria que fazia parte da apostasia de Israel. Essa divindade participava do panteão da apostatada tribo de Dã. Os israelitas, pois, juravam pelo nome dessa divindade, como se fosse uma entidade "viva". Tais juramentos, como é claro, imitavam os juramentos feitos pelo Deus vivo de Israel, pelo que temos aqui uma blasfêmia adicionada à idolatria. Além disso, o *deus patrono* de Berseba (outro santuário existente na nação do norte; ver Am 5.5) também era usado nos juramentos, e era chamado "vivo", em imitação ao vocabulário usado no yahwismo. Mas os adoradores e seus deuses cairiam no nada da destruição final, na qual todos estariam simplesmente *mortos*. Quanto aos ídolos do bezerro de Samaria, ver Os 8.5,6; e, quanto aos ídolos servidos pela tribo de Dã, ver 1Rs 12.28-30; 2Rs 10.29. Note o leitor a ideia deste versículo, "de Dã a Berseba", ou seja, do extremo norte ao extremo sul da nação, incluindo assim *todo o Israel*. Ver Jz 20.1; 1Sm 3.20; 2Sm 3.10; 17.11; 24.2; 1Rs 4.25; 2Cr 30.5. Quanto ao "Deus vivo", ver Dt 5.26; Js 3.10; Sl 42.2; Is 37.4,17, entre outras passagens.

O culto de Berseba. O *caminho dos peregrinos* era um lugar abençoado, e juramentos eram feitos por ele, tal como os muçulmanos hoje em dia falam sobre o caminho para Meca. Contudo, também pode estar em vista o *deus patrono* daquele lugar. Alguns estudiosos supõem que esteja em vista a "maneira de adorar". Sem importar qual seja o sentido exato dessa frase, a essência do versículo é clara: a idolatria da nação do norte foi condenada como o caminho que conduz à morte.

CAPÍTULO NOVE

CARÁTER FINAL DA CONDENAÇÃO PREDITA (9.1-7)

A Quinta Visão e sua Sequela (9.1-4)
"A Quinta Visão. O Senhor, de pé ao lado do altar, ordenou uma destruição da qual seu povo não conseguiria escapar. Eles se encaminhavam ao *sheol*, o lugar dos mortos (ver Jó 10.19-22; Is 14.11,15). Não havia como se esconder de Deus (ver Sl 139.7-12)" (*Oxford Annotated Bible,* na introdução à seção). Esta *quinta visão* representa Yahweh, o Soberano do universo (cujo nome é Adonai-Yahweh; ver Am 8.1), como quem brandia contra seu povo uma espada da qual seria impossível alguém escapar. O ataque dos assírios em breve se processaria e seria fatal para toda a nação de Israel. O capítulo 7 fornece *três* visões, e Am 8.1-3 apresenta a *quarta* visão. Chegamos agora à *quinta* e última visão do livro de Amós. Portanto, as cinco visões são: 1. os gafanhotos; 2. o fogo; 3. o prumo; 4. a cesta de frutos de verão; 5. o Senhor e sua espada.

■ 9.1

רָאִיתִי אֶת־אֲדֹנָי נִצָּב עַל־הַמִּזְבֵּחַ וַיֹּאמֶר הַךְ
הַכַּפְתּוֹר וְיִרְעֲשׁוּ הַסִּפִּים וּבְצַעַם בְּרֹאשׁ כֻּלָּם
וְאַחֲרִיתָם בַּחֶרֶב אֶהֱרֹג לֹא־יָנוּס לָהֶם נָס וְלֹא־יִמָּלֵט
לָהֶם פָּלִיט׃

Vi o Senhor, que estava em pé junto ao altar. *Adonai-Yahweh,* que também é *Sabaote,* o General dos Exércitos, brandia a maior espada de todas. A destruição estava na mão dele e seria total para a nação de Israel. Primeiro ele ferirá a adoração idólatra. Os capitéis no limiar do templo foram feridos; e fragmentos caíram sobre a cabeça do povo de Israel. Aquilo em que eles pensavam ter encontrado vida de súbito tornou-se instrumento de morte para eles. Os que escapassem do primeiro golpe seriam fatiados pela espada de Yahweh. Alguns tentariam fugir, mas não escapariam. Um minúsculo remanescente seria enviado para a Assíria como escravos, e assim, em um sentido verdadeiro, nenhum indivíduo de Israel conseguiria escapar. Yahweh lhes aplicaria um golpe esmagador, como se fosse um terremoto divino. Ninguém conseguiria salvar-se do golpe devastador. Cf. Am 2.14 ss. O alcance do poder de Yahweh, pois, seria universal. Não haveria nenhuma ocupação parcial da Terra Prometida. Israel seria simplesmente obliterado. Ver no *Dicionário* o artigo chamado *Cativeiro Assírio,* quanto a detalhes.

Note o leitor que essa destruição, iniciada perto do *altar,* está vinculada aos santuários do norte (ver Am 8.14), que eram três principais: em Dã e Berseba, e devemos também compreender Betel.

■ 9.2

אִם־יַחְתְּרוּ בִשְׁאוֹל מִשָּׁם יָדִי תִקָּחֵם וְאִם־יַעֲלוּ
הַשָּׁמַיִם מִשָּׁם אוֹרִידֵם׃

Ainda que desçam ao mais profundo abismo. Os israelitas poderiam até tentar cavar a terra até o *sheol,* para ali buscar refúgio. Dessarte, estariam invadindo o território dos espíritos dos que já tinham morrido. O *sheol* era concebido como um grande lugar subterrâneo, abaixo da superfície do globo terrestre. Ver no *Dicionário* o artigo chamado *Astronomia,* que ilustra o que os hebreus pensavam sobre a cosmologia e a estrutura da criação. A doutrina do *sheol* demorou muito para desenvolver-se. A princípio o termo era somente um sinônimo para "sepultura". Lentamente adquiriu outros significados e, finalmente, no capítulo 16, encontramos o "sheol" como lugar onde ficam os mortos, tanto os bons quanto os maus. Ali há uma divisão apropriada para receber os homens pertencentes a essas duas classes. Ver no *Dicionário* o artigo chamado *Hades,* que ilustra as mudanças havidas ao longo do caminho quanto a essa ideia. Ver Sl 88.10; 139.8; Is 14.9 e 29.4, onde vemos modificações nessa doutrina, a partir da mera ideia da "sepultura". Em 1Pe 3.18—4.6 temos uma missão de misericórdia da parte de Cristo, após sua morte, mas antes de sua ressurreição, ocorrida no "sheol". Ver na *Enciclopédia de Bíblia, Teologia e Filosofia* o artigo chamado *Descida de Cristo ao Hades.*

Além de tentar cavar o terreno e descer ao "sheol", aqueles réprobos poderiam tentar subir ao céu, para ali achar refúgio, mas o poder de Yahweh haveria de arrastá-los para baixo. Este versículo, pois, é metafórico, falando de tentativas impossíveis para escapar à temida sorte que esperava o povo idólatra-adúltero-apóstata de Israel. "Escapar do Senhor universal é uma impossibilidade" (Ellicott, *in loc.*). Diz o Targum: "Se eles pensarem em ocultar-se, por assim dizer, no inferno, seus inimigos os encontrarão, por meio de meu decreto; e se ascenderam para as elevadas montanhas, para o topo dos céus, eu os derrubarei dali". Cf. Sl 139.8: "Se subo aos céus, lá estás; se faço a minha cama no mais profundo abismo, lá estás também".

■ 9.3

וְאִם־יֵחָבְאוּ בְּרֹאשׁ הַכַּרְמֶל מִשָּׁם אֲחַפֵּשׂ וּלְקַחְתִּים
וְאִם־יִסָּתְרוּ מִנֶּגֶד עֵינַי בְּקַרְקַע הַיָּם מִשָּׁם אֲצַוֶּה אֶת־
הַנָּחָשׁ וּנְשָׁכָם׃

Se se esconderem no cume do Carmelo, de lá buscá-los-ei. Este versículo repete as ideias do vs. 2, embora usando imagens diferentes. Aqui, em lugar dos céus, temos o "cume do monte Carmelo", para onde eles tentariam fugir, a fim de escapar do avanço do exército assírio. E, no lugar do "sheol", encontramos o "fundo do mar", para onde tentariam descer a fim de escapar ao inevitável julgamento divino. Mas ali um monstro marinho apareceria e os morderia, enviado por Yahweh com essa missão especial. Também poderiam tentar ocultar-se em florestas e cavernas, montanhas e águas, ou até mesmo nos céus de Deus, ou no melancólico *sheol.* Mas o Senhor onipresente haveria de achá-los em todo e qualquer lugar, ferindo-os com a espada dos assírios.

Talvez devamos pensar em *Raabe,* o monstro marinho, a personificação do poder do mar (ver Jó 26.12,13; Sl 74.13,14; Is 27.1). Naturalmente, de acordo com a mitologia semítica, esse monstro não é de origem divina, mas finalmente foi derrotado por Yahweh. Seja como for, esse acúmulo de metáforas fala sobre a *inevitabilidade* do julgamento divino, cuja finalidade era exterminar um povo inteiro.

■ 9.4

וְאִם־יֵלְכוּ בַשְּׁבִי לִפְנֵי אֹיְבֵיהֶם מִשָּׁם אֲצַוֶּה אֶת־
הַחֶרֶב וַהֲרָגָתַם וְשַׂמְתִּי עֵינִי עֲלֵיהֶם לְרָעָה וְלֹא
לְטוֹבָה׃

Se forem para o cativeiro diante de seus inimigos... Os poucos israelitas que fossem para o cativeiro não estariam em segurança ali. A espada haveria de segui-los e mataria mais uns tantos. Os que sobrassem seriam deixados em miserável estado de escravidão. Outro tanto foi dito acerca dos sobreviventes de Judá que foram levados para o cativeiro babilônico (ver Jr 9.16). Os olhos penetrantes de Yahweh haveriam de segui-los até ali, cuidando para que sofressem o mal e não gozassem do bem. E assim os filhos de Israel haveriam de aprender algo sobre a *jurisdição universal* de Yahweh. Ele governava na Assíria também, e não somente em Israel. Se usualmente seus olhos cuidavam de seu povo com cuidado vigilante, agora os olhos do Senhor se tornariam chamas de fogo que os sobrecairiam. Coisa alguma conseguiria ocultá-los da espada incansável e das calamidades de várias espécies que os reduziriam a nada. "... os terríveis olhos de relâmpago do Deus que se vinga do pecado" (Adam Clarke, *in loc.*).

A Terceira Doxologia (9.5,6)

■ 9.5

וַאדֹנָי יְהוִה הַצְּבָאוֹת הַנּוֹגֵעַ בָּאָרֶץ וַתָּמוֹג וְאָבְלוּ כָּל־
יוֹשְׁבֵי בָהּ וְעָלְתָה כַיְאֹר כֻּלָּהּ וְשָׁקְעָה כִּיאֹר מִצְרָיִם׃

Porque o Senhor, o Senhor dos Exércitos, é o que toca a terra. Quanto às duas outras doxologias, ver Am 4.13 e 5.8,9. Essas três doxologias falam de Yahweh como o Senhor cósmico. As duas primeiras referem-se aos atos criativos de Deus como demonstração de seu vasto poder. E a terceira volta a esse tema (ver Am 9.6), falando essencialmente sobre a transcendental majestade de Deus como o Criador e o Governante tanto dos céus quanto da terra. O Criador é, por semelhante modo, o reto Juiz que sabe a quem precisa golpear. Mas esse Alto Senhor não se parece em nada com o Zeus dos gregos, o qual feria, com os seus relâmpagos, a qualquer um, conforme o capricho de sua vontade. Pelo contrário, Yahweh governa a tudo segundo os ditames das leis morais.

Este versículo repete, em parte, Am 8.8, visto que sua segunda parte é a mesma coisa que a segunda parte daquele versículo. A primeira parte segreda-nos que *Adonai-Yahweh-Sabatote* (o Deus e Senhor Soberano, o General dos Exércitos) exerce sua autoridade tocante na terra, de forma que ela se dissolve quando ele encontra ali qualquer injustiça. É ele quem faz os pecadores chorar diante da morte generalizada. Este versículo está falando de um poder sem limites que se manifesta contra o pecado, como quando um exército inimigo ataca um adversário. Deus é o Soberano sobre o mundo material e sobre o mundo espiritual, nos céus ou na terra, em Israel e em outros países, igualmente. Cf. Am 1.3—2.16; 3.9 e 9.4,7. Deus pode dissolver ou nivelar uma montanha com uma palavra (cf. Mq 1.3,4 e Na 1.5), pois as nações são apenas como poeira defronte dele. Seu dilúvio pode inundar um país inteiro quando ele se levanta em sua ira, como o Nilo se ergue e inunda os interiores do Egito ao redor (Am 8.8). Os pecadores gloriam-se, afirmando que o mal jamais poderá alcançá-los (vs. 10), mas isso é ridículo. Finalmente, a *Lei Moral da Colheita segundo a Semeadura* apanha todo indivíduo. Ver sobre esse título no *Dicionário*.

■ 9.6

הַבּוֹנֶה בַשָּׁמַיִם מַעֲלוֹתָו וַאֲגֻדָּתוֹ עַל־אֶרֶץ יְסָדָהּ
הַקֹּרֵא לְמֵי־הַיָּם וַיִּשְׁפְּכֵם עַל־פְּנֵי הָאָרֶץ יְהוָה שְׁמוֹ׃

Deus é o que edifica as suas câmaras no céu. Ver no *Dicionário* o artigo chamado *Astronomia*, quanto à noção hebreia sobre a cosmologia. Encontramos aqui menção às *câmaras* dos céus, a residência de Deus, que se eleva acima da *cúpula* (firmamento), a taça invertida que encerra a terra. O arco do céu é, assim sendo, concebido como *construído juntamente*, fundado pelo poder divino, mas Deus está "ali", acima de todos, separado dos homens. O poder de Deus também criou os *mares*, que ocupam mais de 70% da superfície do globo terrestre.

Yahweh, o Deus eterno, é o seu nome. Esse era o nome mais sagrado dentre todos os nomes divinos, e, para a mente dos hebreus, um nome que não devia ser pronunciado. Ver sobre esse nome no *Dicionário*. Ver no *Dicionário* o artigo chamado *Nome*, e também Sl 31.3. Ver sobre *Nome Santo*, em Sl 30.4 e 33.21.

Câmaras no céu. Ou seja, o trono real de Deus, referido na linguagem que descreve os degraus que levavam ao trono de Salomão (ver 1Rs 10.18,19).

Relações de Deus com Outros Povos (9.7)

■ 9.7

הֲלוֹא כִבְנֵי כֻשִׁיִּים אַתֶּם לִי בְּנֵי יִשְׂרָאֵל נְאֻם־יְהוָה
הֲלוֹא אֶת־יִשְׂרָאֵל הֶעֱלֵיתִי מֵאֶרֶץ מִצְרַיִם וּפְלִשְׁתִּיִּים
מִכַּפְתּוֹר וַאֲרָם מִקִּיר׃

Não sois vós para mim, ó filhos de Israel, como os filhos dos etíopes? A nação de Israel caíra no desprazer de Yahweh. Eles tinham quebrado os pactos e abandonado a lei, que os tornava um povo *distinto* (Dt 4.4-8), pelo que não mais eram um povo distinto. Agora, o profeta anuncia a importante mensagem de que *todas as nações* são guiadas pela *Providência de Deus*. Lemos em At 17.26: "De um só fez toda a raça humana para habitar sobre toda a face da terra, havendo fixado os tempos previamente estabelecidas e os limites da sua habitação".

Israel fora tirado do Egito, fato mencionado mais de vinte vezes, só no livro de Deuteronômio. Ver Dt 4.20. Isso tornou Israel um povo distinto, mas eles perderam esse caráter distintivo. Outros povos haviam tido seus êxodos, embora através do poder e do desígnio de Yahweh: 1. Os filisteus foram tirados de *Caftor* (ver a respeito no *Dicionário*) e conduzidos a uma nova terra, que chegaram a possuir. *Creta* está em vista. 2. Os sírios foram trazidos de *Quir* (ver a respeito no *Dicionário*), a antiga terra no nordeste distante. Esses povos também tinham sido sujeitos da providência divina. Por conseguinte, temos aqui o anúncio de uma espécie de universalismo, a *Providência de Deus* que cuida de todas as nações, ideia que se aproxima cada vez mais do Novo Testamento: "Pois Deus amou o mundo de tal maneira...". A aplicação dessa ideia é que um povo apostatado não tinha exclusividade. Um povo apostatado pode sair do favor divino, e outro povo qualquer pode tomar seu lugar. As leis morais de Deus continuaram a ter plena expressão, e a soberania de Deus opera em consonância com sua lei. Cf. Am 3.2, onde lemos que Deus "conheceu" somente a Israel; mas isso cede lugar a uma verdade superior, tal como o calvinismo radical deve ceder caminho para uma *verdade superior,* que inclui a aplicação universal do amor de Deus. Ver no *Dicionário* o verbete chamado *Amor*.

Os *etíopes* foram mencionados juntamente com os filisteus e os sírios, embora nenhum êxodo dos etíopes seja especificado. Mas a menção a eles foi suficiente para os propósitos do autor sagrado. Eles viviam na região que hoje é o sul do Egito. Os judeus pensavam que os etíopes eram estranhos, estrangeiros e destituídos de importância, mas a lição é que todos os povos são importantes para o Senhor. O texto se aproximava da verdade do Novo Testamento.

EPÍLOGO (9.8-15)

■ 9.8

הִנֵּה עֵינֵי אֲדֹנָי יְהוִה בַּמַּמְלָכָה הַחַטָּאָה וְהִשְׁמַדְתִּי
אֹתָהּ מֵעַל פְּנֵי הָאֲדָמָה אֶפֶס כִּי לֹא הַשְׁמֵיד אַשְׁמִיד
אֶת־בֵּית יַעֲקֹב נְאֻם־יְהוָה׃

Eis que os olhos do Senhor estão contra este reino pecador. O ensino de Amós, que acabava de ser proferido, dizia respeito à base da doutrina da restauração de Israel, por meio da purificação. Se existe amor universal, deve haver também restauração universal. Mas isso não pode ser conseguido mediante um julgamento de purificação. Todos os juízos de Deus são restauradores em sua natureza, e não meramente retributivos. Ver na *Enciclopédia de Bíblia, Teologia e Filosofia* o artigo chamado *Restauração*. Ver 1Pe 4.6 no *Novo Testamento Interpretado*. Ver também Ef 1.9,10.

Julgamento de Purificação (9.8-10)

A ira de Deus deve operar, mas não até consumir tudo. Haverá total aniquilamento da apostatada nação de Israel, mas também haverá um novo dia de restauração para esse povo. Será beneficiada a "casa de Jacó" (um nome de Israel; ver Am 3.13 e 5.4). O profeta Amós não esclareceu como isso virá a acontecer, sendo provável que ele não soubesse como essa restauração ocorreria. A questão fica ao encargo do amor de Deus. A queda de Samaria ocorreu em 722 a.C. Os assírios aniquilaram a nação do norte, Israel, naquele ano; no entanto, todo o Israel será salvo (ver Rm 11.26). Os vss. 8-10 selam a condenação de Israel, mas os vss. 11-15 trazem Israel de volta. Tal é a operação da maravilhosa *Providência de Deus* (ver a respeito no *Dicionário*).

> Quer alguém durma, ande ou se assente ocioso,
> Insensível e mudo, a Justiça lhe persegue os passos.
>
> E imaginas que conseguirás algum tempo vencer
> A sabedoria divina? E imaginas que conseguirás
> Que a retribuição fique distante aos mortais?
> Bem perto, embora invisível, ela vê e sabe tudo,
> E a quem deve ferir. Mas tu não sabes
> Quando, repentina e subitamente,
> Ela virá e arrebatará
> Os perversos da face da terra.
>
> Ésquilo

■ 9.9

כִּי־הִנֵּה אָנֹכִי מְצַוֶּה וַהֲנִעוֹתִי בְכָל־הַגּוֹיִם אֶת־בֵּית
יִשְׂרָאֵל כַּאֲשֶׁר יִנּוֹעַ בַּכְּבָרָה וְלֹא־יִפּוֹל צְרוֹר אָרֶץ׃

Darei ordens, e sacudirei. A sacudidela que atingiria o povo de Israel se daria através do *crivo divino*. Toda poeira inútil cairia por terra e entraria no esquecimento. Mas se houver algo diferente, algo bom, isso será como um seixo que não passa pelo crivo e assim será salvo da sacudidela geral do juízo divino. O pó inútil (a parte apostatada do povo de Israel) seria soprado por todas as regiões do mundo, em um exílio fatal e final. "Assim como uma peneira fina permite que passem a palha e a poeira, mas apanha o grão bom, assim também Deus peneirará e salvará qualquer indivíduo justo entre o seu povo" (Donald R. Sunukjian, *in loc.*). Esse povo, porém, tem vitalidade indestrutível, por causa de Abraão e do pacto com ele (ver Gn 15.18 quanto a notas expositivas). Ver Rm 11.26 e Jr 31.4. "... a pedrinha, o seixo... não um deles, por menor e mais desprezível que fosse, quando chegasse o tempo certo, seria deixado para trás. Todos serão colhidos em Cristo e levados para a sua própria terra" (Adam Clarke, *in loc.*).

■ 9.10

בַּחֶרֶב יָמוּתוּ כֹּל חַטָּאֵי עַמִּי הָאֹמְרִים לֹא־תַגִּישׁ וְתַקְדִּים בַּעֲדֵינוּ הָרָעָה:

Todos os pecadores do meu povo morrerão à espada. Morte violenta aguardava os pecadores que recusaram dar ouvidos à mensagem de Amós e arrepender-se. Segundo eles pensavam, eram autossuficientes, mas ficou demonstrado, afinal de contas, que eles dependiam totalmente de Yahweh, a quem haviam rejeitado. Portanto, o dia mau os alcançou, mostrando o nada que eles eram. Aqueles arrogantes apóstatas eram autocentralizados, quando, na realidade, existe somente *Um Centro* no universo. Eles viviam distantes do Fogo Central e terminaram enregelados. As presunções de um homem não lhe fazem bem algum, quando chega o dia da crise. Cf. este versículo com Amós 9.1 e 4. Ver também Am 6.1-3,13. "... tão ousados e desavergonhados, tão irreligiosos e ateus eram eles em pensamentos, palavras e obras... logo, cada um tinha de ser destruído" (John Gill, *in loc.*).

A Restauração do Reino Davídico (9.11,12)

■ 9.11

בַּיּוֹם הַהוּא אָקִים אֶת־סֻכַּת דָּוִיד הַנֹּפֶלֶת וְגָדַרְתִּי אֶת־פִּרְצֵיהֶן וַהֲרִסֹתָיו אָקִים וּבְנִיתִיהָ כִּימֵי עוֹלָם:

Naquele dia levantarei o tabernáculo caído de Davi. No vs. 7, vemos o amor universal de Deus. Agora vemos esse amor estender a mão para tocar o povo de Israel, quanto à restauração de seu reino. Ver no *Dicionário* o artigo *Restauração de Israel*. Isso é, estar "naquele dia", que não é vinculado ao que aparece antes e deixa a questão vaga e sem data. Essa é uma promessa divina para os "últimos dias", embora Amós não tenha usado essa terminologia.

"A profecia sobre a restauração do tabernáculo de Davi (ou seja, da dinastia davídica) e a gloriosa era vindoura, quando os montes destilarão vinho doce e o Senhor implantará novamente seu povo na Terra Prometida (vss. 13-15)" (*Oxford Annotated Bible*, comentando sobre este versículo). Os críticos supõem que esta seção seja uma adição ao livro original de Amós. Porém, mesmo que essa opinião corresponda à verdade, ela meramente expande o que já se encontra no livro. Ver Am 3.12; 5.3,4,6,14,15. Cf. At 15.16,17.

O "tabernáculo", ou "tenda" de Davi, tinha sido esmagado no chão. Com o cativeiro babilônico, a linhagem de Davi cessou em Judá e até hoje ainda não foi restaurada, em sentido algum. Todos os lugares de Israel-Judá foram derrubados, mas Deus é poderoso para levantar de novo o tabernáculo e consertar os lugares quebrados, reunindo novamente seus pedaços. As ruínas serão reconduzidas à glória anterior. O tabernáculo será como antes, só que maior, porque o Messias, que pertence à linhagem de Davi, se apossará do trono de Israel. "Naquele dia, restaurarei a tenda caída de Davi. Repararei seus pedaços partidos; restaurarei suas ruínas e a construirei de novo, para que seja como costumava ser" (NIV). O *dia de trevas* e destruição (ver Am 2.16; 3.14; 5.18-20; 8.3,9,11,13) tinha reduzido tudo a escombros. Mas Deus se ocupará no negócio de reparar ruínas, sendo esse o motivo pelo qual podemos regozijar-nos e manter a esperança. Quanto à restauração de Israel, cf. Sl 102.13,14; Is 12.1; Jr 30.9; Ez 34.24; 37.24. Ver também Ef 2.20.

■ 9.12

לְמַעַן יִירְשׁוּ אֶת־שְׁאֵרִית אֱדוֹם וְכָל־הַגּוֹיִם אֲשֶׁר־נִקְרָא שְׁמִי עֲלֵיהֶם נְאֻם־יְהוָה עֹשֶׂה זֹּאת: פ

Para que possuam o restante de Edom e todas as nações que são chamadas pelo meu nome. Parte da restauração do trono de Davi será a restauração do território de Israel. As fronteiras ultrapassarão as antigas fronteiras, incorporando, por exemplo, o território que antigamente pertencia a Edom, provavelmente apenas um exemplo da expansão futura. Edom é mencionado porque aquele lugar esteve em amarga rivalidade com Israel-Judá. Cf. Gn 27.40. Tarefas impossíveis serão realizadas e problemas antigos serão resolvidos. O Pacto Abraâmico incluía a Terra Prometida (ver as notas em Gn 15.18). Mas este versículo fala de uma restauração ainda maior, ou seja, a de "todas as nações". Essas nações serão chamadas pelo nome de Yahweh, o que significa que a profecia de Is 11.9 terá cumprimento. "... as outras nações me pertencem" (NCV). Naturalmente, temos aqui o ponto de vista judaico sobre a questão: aquelas nações serão glorificadas em Israel, visto que Israel tomará conta de suas terras, para seu próprio engrandecimento. Seja como for, trata-se de uma grande esperança, que está em harmonia com a melhor parte das profecias dos hebreus. "Em Atos 15.16-18, a Septuaginta, no presente texto, é citada livremente para mostrar que os profetas tinham predito que Deus visitaria os gentios, 'para tomar dentre eles um povo para o seu nome'... Embora o texto hebraico não estenda tanto seu alcance espiritual, mesmo assim considera as conquistas que fizeram o povo de Israel grande no passado não simplesmente como as conquistas de Davi, mas como as conquistas de Yahweh" (Hughell E. W. Fosbroke, *in loc.*). "O reino unido, sob o seu Rei davídico, se tornará, então, a fonte da bênção para todos os povos gentílicos... trazer o nome de alguém significava estar sob o governo e a proteção daquela pessoa (cf. Dt 28.9,10; 2Sm 12.26-28; Dn 9.18,19). Todas as nações pertencem a Deus (cf. Am 1.3—2.16; 3.9; 9.4,7) e, por conseguinte, estarão incluídas no reino davídico futuro" (Donald R. Sunukjian, *in loc.*).

A Liberalidade da Natureza (9.13)

■ 9.13

הִנֵּה יָמִים בָּאִים נְאֻם־יְהוָה וְנִגַּשׁ חוֹרֵשׁ בַּקֹּצֵר וְדֹרֵךְ עֲנָבִים בְּמֹשֵׁךְ הַזָּרַע וְהִטִּיפוּ הֶהָרִים עָסִיס וְכָל־הַגְּבָעוֹת תִּתְמוֹגַגְנָה:

Eis que vêm dias, diz o Senhor. Este versículo, como é provável, deve ser entendido como tendo implicações metafóricas, mas, primariamente, é um excelente pronunciamento de fertilidade e abundância agrícola. O povo do reino de Deus terá magnificente agricultura, porquanto Yahweh também abençoa a terra, juntamente com o povo que nela habita. Será removida a maldição sobre a terra, por causa do pecado (ver Am 4.6). Ver também Lv 26.3-10; Dt 28.1-14. "Uma pessoa continuará a colher a safra quando chegar o tempo de arar de novo o terreno" (NCV). Isso ilustra a alta produtividade da terra, bem como as condições ideais do tempo. Não haverá mais secas e pragas. Não haverá mais tribulação de guerra, que sempre prejudicou a produção agrícola. "A pessoa estará ainda extraindo o suco das suas uvas quando chegar o tempo de plantar de novo" (NCV). Então, metaforicamente falando, "Vinho doce destilará dos montes. E se derramará pelas colinas" (NCV). Haverá tamanha abundância de vinho que será como um rio a fluir das colinas e a encher os vales. A abundância agrícola seguirá paralelamente aos grandes feitos espirituais, porque a segunda é que causará a primeira. Em Israel, as vinhas eram plantadas ascendendo terraços, e esse fato está por trás da figura. Cf. Jl 3.18, sobre o qual este versículo talvez repouse. "... coisas boas temporais são emblemas das realidades espirituais. Ver Lv 26.5, onde algo pertencente à mesma natureza é prometido e expresso mais ou menos da mesma maneira" (John Gill, *in loc.*).

A Volta dos Exilados (9.14,15)

■ 9.14

וְשַׁבְתִּי אֶת־שְׁבוּת עַמִּי יִשְׂרָאֵל וּבָנוּ עָרִים נְשַׁמּוֹת וְיָשָׁבוּ וְנָטְעוּ כְרָמִים וְשָׁתוּ אֶת־יֵינָם וְעָשׂוּ גַנּוֹת וְאָכְלוּ אֶת־פְּרִיהֶם:

Mudarei a sorte do meu povo Israel. A profecia de Amós termina com uma nota otimista, e é assim que nossa teologia deve ser encerrada. Amós colocou Israel em meio a terrível tempestade e disse: "É assim que as coisas permanecerão". Mas então teve um segundo pensamento, mais sóbrio, e declarou: "Mas a graça de Deus reverterá, finalmente, essa situação". Além disso, também devemos afirmar que a reversão será produzida pelo próprio julgamento divino, visto que todos os julgamentos de Deus são remediadores, e não meramente retributivos. Tal é a maravilhosa operação da vontade de Deus. Ver no *Dicionário* o verbete chamado *Mistério da Vontade de Deus*. E ver também Ef 1.9,10.

9.15

וּנְטַעְתִּים עַל־אַדְמָתָם וְלֹא יִנָּתְשׁוּ עוֹד מֵעַל אַדְמָתָם
אֲשֶׁר נָתַתִּי לָהֶם אָמַר יְהוָה אֱלֹהֶיךָ׃

Plantá-los-ei na sua terra. Não somente Israel viverá em paz e segurança, mas, visto que estarão sob a bênção divina, eles gozarão de riquíssima abundância. A frustração da guerra e das destruições será revertida inteiramente. Eles serão arrancados do cativeiro universal, a dispersão romana, e reconstruirão suas cidades. E então a agricultura abundante, descrita com detalhes no vs. 13, caracterizará a vida na sua terra restaurada (que terá fronteiras grandemente expandidas; vs. 12). Nenhum inimigo chegará para roubar os frutos de seus labores. O que obtiverem com o seu trabalho pertencerá a eles. Então haverá aprazimento no que fizerem, pelo que não precisarão temer nem trabalho nem labor. Cf. este versículo com Gn 13.14,15; 17.7,8; Dt 30.1-5; 2Sm 7.10; Jr 30.11-19; Jl 3.17-21; Mq 4.4-7; Ez 37.25 e Zc 14.11. Será o *Deus eterno* quem fará essas coisas em favor de seu povo, a saber, *Yahweh*, aquele que opera coisas boas, o *Poder* (Elohim), que é suficiente para tais realizações, conforme o versículo final do livro nos informa.

"Podemos confiar, além disso, que o tempo confirmará as convicções básicas de Amós, pelo que *toda a humanidade* exilada em sua miséria não terminará em um deserto de desespero e destruição. Pelo contrário, o tempo move-se na direção do cumprimento de tudo quanto é parcial, sendo completado tudo quanto for de fragmentar, a consumação do que é temporal e do que é eterno. Tudo terminará em Deus, de quem se origina toda a vida, e para quem toda a vida está determinada a voltar" (Sidney Lovett, *in loc.*). Ele poderá fazer isso por ser *Yahweh*, o Deus eterno que insuflará sua eternidade ao que é temporal, e também por ser *Elohim*, o Poder universal capaz de fazer qualquer coisa.

Todo o poder seja atribuído a Adonai-Yahweh-Sabaoth pelo seu amor universal.

OBADIAS

O LIVRO QUE DESCREVE O JULGAMENTO DE EDOM

> *Assim diz o Senhor a respeito de Edom: Temos ouvido as novas do Senhor; e às nações foi enviado um mensageiro que disse: Levantai-vos... contra Edom para a guerra.*
>
> OBADIAS VS. 1

1	Capítulo
21	Versículos

INTRODUÇÃO

ESBOÇO

I. Pano de Fundo e Caracterização Geral
II. Autoria e Data
III. Problema de Unidade
IV. Propósito do Livro
V. Relação com o Livro de Jeremias
VI. Teologia
VII. Esboço do Conteúdo
VIII. Bibliografia

I. PANO DE FUNDO E CARACTERIZAÇÃO GERAL

Obadias é o mais curto livro do Antigo Testamento, pois consiste em apenas 21 versículos. Nada se sabe sobre o profeta Obadias, e as poucas tradições que falam sobre ele não são dignas de confiança. Mas, embora o seu livro seja tão minúsculo, muitos eruditos creem que não foi um único autor que o produziu por inteiro, e que partes do livro vieram de diferentes épocas. De acordo com eles, alguns dos oráculos do livro foram proferidos ou escritos pouco depois da queda de Jerusalém frente aos babilônios, o que deu início ao cativeiro babilônico (587—586 a.C.). Talvez Obadias tenha-se valido das coleções de declarações que haviam sido oralmente transmitidas pelas escolas dos profetas. Isso poderia explicar as incríveis similaridades entre os vss. 1-9 e Jr 49.7-22. Mesmo nesse caso, porém, aquelas declarações refletem bem o ponto de vista de Obadias.

Obadias foi, primariamente, um poeta que exprimiu algumas questões proféticas. Edom havia-se aliado a outras nações a fim de derrubar Menaém e despojar Judá, num ato inacreditável e imperdoável que foi denunciado por Obadias (vss. 10-14). À semelhança de Joel, Obadias passou a descrever profeticamente o julgamento dessas nações. Ademais, em visão profética, ele previu a volta de Judá à sua terra, o domínio de Judá sobre Edom e o triunfo universal de Yahweh. Alguns estudiosos acreditam que o livro de Obadias foi escrito às vésperas do avanço árabe-nabateu (cerca de 312 a.C.), que haveria de conquistar os edomitas, e que Obadias estava clamando por vingança pelo que Edom havia feito contra Judá. Sl 137.7 refere-se à maliciosa alegria expressa por Edom diante da destruição de Jerusalém e dos subsequentes sofrimentos causados pelo cativeiro babilônico. Foi isso o que fez Obadias sentir-se tão ultrajado, sendo também a principal inspiração dessa profecia condenatória contra Edom.

II. AUTORIA E DATA

A tradição atribuiu este livro a um homem de nome *Obadias,* mas essa mesma tradição mostra-se errônea, ao prestar certas outras informações. Ver no *Dicionário* o artigo *Obadias (Pessoas),* no oitavo ponto, que dá a pouca informação que se sabe a respeito desse homem. O nome Obadias era extremamente comum na sociedade hebreia. Ainda assim, não há razão para duvidarmos de que houve um profeta com esse nome, e de que a essência do livro foi escrita por ele, embora ele possa ter incorporado declarações que não fossem de sua lavra original. A data do livro é um ponto disputado, e as sugestões variam muito umas das outras. O nome Obadias significa "adorador de Yahweh"; as poucas indicações que temos acerca dele apontam para um homem piedoso, que seguia a ortodoxia judaica e era impelido por fervoroso nacionalismo.

Data. O livro de Obadias tem sido datado desde 887 a.C. até tão tarde quanto 312 a.C., ou ligeiramente antes. Se a data mais antiga é que está correta, então o livro foi escrito durante o reinado da sanguinária rainha Atalia (2Rs 8.16-26). Se essa opinião está com a razão, então Obadias foi o primeiro de todos os profetas escritores. No entanto, a maioria dos estudiosos não encontra boas evidências em favor dessa data tão antiga. Mas, se o livro foi escrito pouco antes do avanço árabe-nabateu, que arrasou com Edom, devido a seu pecado de ter ajudado aos inimigos de Judá, então o livro foi escrito algum tempo antes de 312 a.C. E se os vss. 1-9 de Obadias foram tomados por empréstimo de Jr 49.7-22, então o livro deve ter sido escrito depois do de Jeremias, talvez em cerca de 570 a.C., ou pouco mais tarde. Entretanto, esse material poderia fazer parte das declarações dos profetas, de cujos escritos Jeremias também tirou proveito, o que significa que nenhuma data certa pode ser fixada para a sua utilização.

As evidências acerca de uma data mais recuada incluem a observação de que Edom foi hostil com Israel não apenas posteriormente, mas desde muito tempo. Assim, durante o reinado de Jeorão (848—841 a.C.), os filisteus e os árabes avassalaram Judá e saquearam Jerusalém (2Cr 21.16,17). Na ocasião, os edomitas mostraram-se muito hostis a Judá (2Rs 8.20-22; 2Cr 21.8-20). Mas, contra isso, argumenta-se que os vss. 1-9 de Obadias (tomados por empréstimo de Jr 49.7-22) associariam a profecia com as dificuldades posteriores que envolveram o cativeiro babilônico. E a posição do livro de Obadias, dentro do cânon do Antigo Testamento, pode indicar uma data mais antiga, visto que ele se agrupa com Oseias, Miqueias e Amós (havendo algum paralelismo verbal com este último). Entretanto, temos aprendido que essas posições, dentro do cânon, com frequência não são cronológicas. Por outra parte, em favor de uma data posterior, conforme já foi mencionado, temos a associação do livro com Jeremias, em cujo caso a invasão babilônica prové o pano de fundo histórico; a amarga hostilidade de Edom, na ocasião; e a destruição de Edom pelos árabes, o cerne mesmo da predição de Obadias. Essa hostilidade dos edomitas também transparece em Lm 4.21; Ez 25.12-14; 35.1-15; Sl 137.7. Acresça-se a isso que a invasão filisteia, nos dias de Jeorão, não foi um grande evento histórico, não sendo provável que estivesse na mira de Obadias. Apesar de não haver como solucionar o problema, o peso maior parece favorecer uma data posterior.

III. PROBLEMA DE UNIDADE

Alguns críticos veem no livro de Obadias uma colcha de retalhos, e não uma unidade literária. As teorias a respeito diferem tanto que o resultado é a confusão. O pequeno livro de Obadias tem sido dividido de várias maneiras, com seções que refletiriam diferentes períodos de tempo. Uma dessas teorias fala acerca de quatro seções, a saber: 1. vss. 1-4 (pré-exílica); 2. vss. 5-15b (após 450 a.C.); 3. vss. 15a,16-18 (após 350 a.C.), quando os árabes invadiram Edom através do Negueb, 4. vss. 19-21 (período dos Macabeus). Mas outra teoria divide o livro em sete oráculos, que teriam sido proferidos entre os séculos VI e IV a.C. Em ambos os casos, fica entendido que um editor bastante posterior compilou o livro com base em fontes que datavam de tempos muito díspares. Porém, a divisão mais simples é aquela que fala em duas porções do livro, ou seja: 1. vss. 15a,16-21 (que formariam um apêndice); 2. o começo do livro, que formaria uma unidade literária. Outra divisão dupla é como segue: 1. vss. 1-9,16a,18-20a (pré-exílica); 2. vss. 10-14 e alguns fragmentos (pós-exílica). A posição conservadora em geral é de que algum autor único escreveu o livro, embora tenha inserido algum material proveniente de tempos anteriores. Um oráculo mais antigo parece despontar nos vss. 1-4, onde o autor afirma: "Temos ouvido as novas do Senhor". É ali que encontramos a predição sobre a ruína de Edom, o que pode ter sido uma antiga profecia que teve vários cumprimentos históricos parciais. Talvez o restante do livro seja, essencialmente, a obra de um único autor, enquanto seus paralelos com o livro de Jeremias poderiam ter provindo do mesmo fundo comum de declarações proféticas, usado tanto por Jeremias quanto por Obadias.

IV. PROPÓSITO DO LIVRO

Arrogantemente, os edomitas rejubilaram-se diante das derrotas de Judá (e isso sem importar se mais cedo ou mais tarde na história), chegando a prestar ajuda aos saqueadores. Eles detinham e maltratavam judeus que fugiam, ou chegavam mesmo a vendê-los como escravos. Isso foi um ultraje entre aparentados, racial e historicamente falando. Desse modo, Obadias esboçou como seria tomada vingança contra Edom, e então ocorreria a vitória final de Judá, por meio do temível Dia do Senhor.

V. RELAÇÃO COM O LIVRO DE JEREMIAS

É patente que os vss. 1-9 de Obadias estão relacionados com o trecho de Jr 49.7-16, o que tem influenciado a teoria de uma data posterior, conforme dito anteriormente, na segunda seção. Há três teorias atinentes a esse paralelismo, a saber: 1. tanto Jeremias quanto Obadias tomaram por empréstimo declarações proféticas de alguma fonte mais antiga, pelo que um deles não depende do outro no tocante a material ou data. 2. Jeremias é quem tomou por empréstimo de Obadias, o que significa que primeiramente foi escrito o livro de Obadias. 3. Obadias tomou emprestado de Jeremias. Aqueles que defendem a teoria de um *oráculo antigo* supõem que a versão de Obadias se assemelhe mais ao original, e que a versão de Jeremias contenha algumas modificações feitas por ele mesmo. Ou então, se Jeremias foi quem tirou proveito de Obadias, então ele modificou esse material para ajustar-se aos seus propósitos. Contudo, se Obadias realmente tomou emprestado de Jeremias, então, verdadeiramente, o livro de Obadias é posterior, referindo-se ao cativeiro babilônico, e nesse caso as diferenças teriam sido produzidas por Obadias, de acordo com os seus próprios propósitos. Não há como solucionar esse problema. Os eruditos manuseiam a questão essencialmente de acordo com aquilo que acreditam acerca da data do livro.

VI. TEOLOGIA

1. É um crime tratar parentes conforme Edom fez com Judá. Que o amor fraternal tenha livre curso.
2. O julgamento divino haverá de recair sobre os ofensores com estrita retribuição (vss. 10,15).
3. As nações que se opõem a Yahweh e a seu povo finalmente ficarão arruinadas. Aproximam-se tanto o Dia do Senhor (juízo) quanto uma época áurea. E os homens participarão ou de uma coisa ou de outra, em consonância com os seus feitos (vs. 17, comparar com Is 2.6-22; Ez 7; Jl 1.15—2.11; Am 5.18-20; Sf 1.7,14-18).
4. O livro de Obadias condena as atitudes de traição, ridículo, orgulho e materialismo.

VII. ESBOÇO DO CONTEÚDO

1. A Temível Sorte de Edom (vss. 1-9)
   a. O título do livro (vs. 1a)
   b. Advertências de condenação (vss. 1b-4)
   c. A destruição vindoura (vss. 5-9)
2. A Desprezível Conduta de Edom (vss. 10-14)
3. O Julgamento das Nações (vss. 15-21)
   a. Como as situações serão revertidas (vss. 15-18)
   b. Restauração futura (vss. 19-21)

VIII. BIBLIOGRAFIA
AM BEW E EA UN Z

Ao Leitor
Para esse minúsculo livro de apenas 21 versículos, dou uma introdução comparativamente detalhada, que ajudará o leitor a compreender a mensagem. A introdução aborda os seguintes assuntos: pano de fundo e caracterização geral; autoria e data; problema da unidade; propósito do livro; relação com o livro de Jeremias; teologia. *Obadias* é nome de doze homens nas páginas do Antigo Testamento. O significado do nome parece ser "adorador de Yahweh", sendo natural que pais e mães o escolhessem para batizar seus filhos. Os problemas relativos à data e composição do livro não são fáceis de resolver, mas apresento ao leitor o que os intérpretes dizem na Introdução. "Os vss. 10-14 acusam os edomitas de atos ultrajantes e hostis, quando seus irmãos israelitas estavam correndo perigo. Começando por eventos recentemente ocorridos, na experiência do povo de Israel, Obadias, à semelhança de Joel... passou a retratar a consumação futura da história deles. Os vss. 15-18 anunciam o Dia do Senhor, a recompensa das nações por seu comportamento vergonhoso" (*Oxford Annotated Bible,* na introdução ao livro).

Este minúsculo livro é o menor de todo o Antigo Testamento e não é citado no Novo Testamento. No entanto, encerra poderosa mensagem concernente à justiça de Deus e merece nossa atenção. Em certo sentido, é uma espécie de miniatura da mensagem de todos os profetas. Obadias pertence à coletânea chamada dos *Profetas Menores,* assim denominados por causa das dimensões relativamente pequenas dos escritos que eles produziram, em contraste com os Profetas Maiores (como Isaías, Jeremias e Ezequiel), que escreveram livros volumosos. Existem *doze* profetas menores,

e eles constituem os últimos doze livros do Antigo Testamento. Os eruditos judeus chamavam-nos, coletivamente, de *Livro dos Doze,* e os arrumavam em um único rolo, como se fossem um único volume.

Ver os gráficos sobre os *profetas,* na introdução ao livro de Oseias. Ali tento arrumar cronologicamente o livro de Obadias, mas a questão toda é altamente controvertida. Ver a seção II da *Introdução, Autoria e Data,* quanto às ideias dos intérpretes a respeito.

PARALELOS DE OBADIAS COM OUTROS LIVROS PROFÉTICOS

Com Jeremias

OBADIAS	JEREMIAS
vs. 1	49.14
vs. 2	49.15
vss. 3,4	49.16
vs. 5	49.9
vs. 6	49.10
vs. 8	49.7
vs. 9	49.22
vs. 16	49.12

Com Joel

OBADIAS	JOEL
vs. 10	3.19
vs. 11	3.3
vs. 15	1.15; 2.1; 3.3,4,14
vs. 17	2.32; 3.17

Com Amós

OBADIAS	AMÓS
vs. 9,10,18	1.11,12
vs. 14	1.6
vs. 19	1.6

PARALELOS LITERÁRIOS E DATA DE OBADIAS

Datas Propostas

1. Durante o reino de Jorão (c. 848-841 a.C.)
2. No tempo de Acaz (c. 731-715 a.C.)
3. Logo depois da destruição de Jerusalém pelos babilônios (c. 586 a.C.)

Ver a discussão sobre data na seção II da *Introdução, Autoria e Data.* Cada data proposta tem alguma argumentação em favor, mas a magnitude dos acontecimentos descritos no livro quase certamente está em favor da data posterior. Também a grande similaridade dos versículos de Obadias com livros conhecidos como do tempo do *cativeiro babilônico* pesa em favor da data posterior. Cf. Jr, cap. 49. Esta comparação revela empréstimos óbvios de Jeremias. É verdade que nas listas do cânon do Antigo Testamento, Obadias está colocado em tempos mais remotos. Mas a experiência nos ensina que tais listas não tentaram nenhuma ordem cronológica em relação aos livros proféticos.

EXPOSIÇÃO

CAPÍTULO UM

O JULGAMENTO DE EDOM; RAZÕES PARA A IRA DIVINA (1.1-14)

Título (1.1a)

■ 1.1a

חֲזוֹן עֹבַדְיָה כֹּה־אָמַר אֲדֹנָי יְהוִה לֶאֱדוֹם

O título anuncia, desde o começo, que o que se segue é a palavra (revelação) de Yahweh, que foi dada em uma *visão* a Obadias. O título divino é *Adonai-Yahweh*, Senhor Soberano, o qual, em sua soberania, anuncia a condenação de Edom e certamente executará sua vontade. Esse nome divino de soberania aparece no livro de Ezequiel 2dezenove vezes, mas somente por 103 vezes no restante do Antigo Testamento. Encontra-se dezenove vezes no livro de Amós, mas apenas cinco vezes nos demais livros dos Profetas Menores. Este é o único lugar onde aparece, no livro de Obadias. Ver no *Dicionário* o artigo *Soberania de Deus*. O Criador também intervém em sua criação, recompensando ou punindo. E a isso chamamos *Teísmo* (ver a respeito no *Dicionário*). Contrastar isso com o *Deísmo* (ver a respeito no *Dicionário*), o qual ensina que a força criadora (pessoal ou impessoal) abandonou sua criação ao governo das leis naturais. Ver também, no *Dicionário*, os artigos chamados *Revelação* e *Inspiração*.

Aviso sobre a Queda de Edom (1.1b-4)

■ 1.1b

שְׁמוּעָה שָׁמַעְנוּ מֵאֵת יְהוָה וְצִיר בַּגּוֹיִם שֻׁלָּח קוּמוּ וְנָקוּמָה עָלֶיהָ לַמִּלְחָמָה:

Levantai-vos e levantemo-nos contra Edom. O minúsculo livro de Obadias concentra sua atenção sobre a nação de Edom, como objeto da ira divina. Ver no *Dicionário* o artigo chamado *Edom, Idumeus*. Havia rumores de que Edom estava condenada. As notícias vinham da parte de Yahweh. Um mensageiro tinha sido enviado para anunciar a mensagem. 1. Esse mensageiro era um ser *angelical*. Ele saiu por toda parte, insuflando na mente das nações que desfechassem um ataque contra Edom, para garantir sua queda e julgamento. 2. A mensagem podia ser profética, como a de Jeremias, com paralelos em Obadias (ver o gráfico acompanhante). 3. Ou o mensageiro seria o próprio Obadias, que foi o instrumento escolhido para levar essa mensagem de condenação. 4. Ou, finalmente, o mensageiro seria o Espírito de Deus, que opera através de instrumentos humanos, profetas e líderes inspirados para atacar Edom. Se este livro de Obadias é pré-exílico, então o atacante seria uma coligação de tribos árabes. Cf. os vss. 1 e 2 com Jr 49.14,15.

■ 1.2

הִנֵּה קָטֹן נְתַתִּיךָ בַּגּוֹיִם בָּזוּי אַתָּה מְאֹד:

Eis que te fiz pequeno entre as nações. A arrogante nação de Edom tinha ferido Israel com grande frequência e se sentia tomada de alegria quando via algum outro povo ferir Israel, mas era uma pequena nação entre as outras nações; Deus a tinha feito pequena e desprezada, porque, mediante tal conduta, Adonai-Yahweh, o Poder Soberano, seria impulsionado a esmagar aquele povo destruidor. "A nação de Edom se orgulhava de suas grandes riquezas (obtidas mediante o comércio e o saque, e pela mineração de ferro e cobre) e também diante de sua posição geográfica inexpugnável. No entanto, Deus declarou que ele fizera Edom ser *pequeno* entre as nações, em contraste com sua autoexaltação, e também ser *desprezível,* em contraste com o seu amor egocêntrico" (Walter L. Baker, *in loc.*). "Vss. 2-9: O orgulho de Edom e sua humilhação subsequente. Temos aqui uma declaração geral para a razão da ira divina contra Edom. Ofensas particulares serão enumeradas nos vss. 10-14" (Ellicott, *in loc.*).

■ 1.3

זְדוֹן לִבְּךָ הִשִּׁיאֶךָ שֹׁכְנִי בְחַגְוֵי־סֶלַע מְרוֹם שִׁבְתּוֹ אֹמֵר בְּלִבּוֹ מִי יוֹרִדֵנִי אָרֶץ:

A soberba do teu coração te enganou. A arrogante nação de Edom parecia uma águia que armara seu ninho na fenda de uma rocha e olhava para outros animais com grande desdém, como se eles fossem as formigas da terra. Ver o *orgulho* e a *humildade* contrastados em Pv 6.7; 11.2; 13.10; 14.3; 16.5,18; 18.12—21.4; 30.12,32. Deus, que habita nos céus, não teria dificuldade alguma em fazer o povo de Edom descer até o vale, que era seu verdadeiro lugar. Ver o verbete intitulado *Orgulho,* no *Dicionário,* quanto a comentários ilustrativos. A *jactanciosa nação de Edom* também havia sido condenada por Jeremias (49.16) e Ezequiel (3.13). O lugar de habitação de Edom, nas rochas, pode ser uma alusão a *Sela* (ver 2Rs 14.7), a moderna Umm el-Bayyarah, cidadela que há entre as rochas, ocupada pelos antigos habitantes de Temã (vs. 9), bem como a *Petra*. "Este versículo e o seguinte nos transmitem impressões poéticas sobre as penhas, fantásticas em seus formatos e em seu colorido, em redor da capital dos idumeus, Petra, uma cidade vermelho-rosa, mais ou menos a metade da antiguidade do tempo" (J. W. Burgon, *Petra,* 1.132). Cf. os vss. 3 e 4 com Jr 49.16.

■ 1.4

אִם־תַּגְבִּיהַּ כַּנֶּשֶׁר וְאִם־בֵּין כּוֹכָבִים שִׂים קִנֶּךָ מִשָּׁם אוֹרִידְךָ נְאֻם־יְהוָה:

Se te remontares como águia. Edom *voara bem alto,* como se fosse poderosa águia, lançando olhares de desprezo para baixo, na terra, onde outros homens viviam como inferiores aos edomitas. Ela formara seu ninho como se habitasse no terreno das estrelas, mas Yahweh estava prestes a precipitá-la dali, fazendo retornar à sobriedade aquele povo embriagado. Os edomitas tinham feito a pergunta retórica: "Quem poderá jogar-me daqui abaixo?", esperando então uma resposta negativa: "Ninguém". Mas essa era a resposta errada, pois desprezava a *soberania* de Deus (ver a respeito no *Dicionário*), o qual haveria de em breve jogar por terra aquele pássaro voador que subira até tão elevada altura, e isso por meio de países circunvizinhos, que se mostrariam superiores aos idumeus. A águia é conhecida como pássaro que voa até bem alto e habita em segurança, longe do alcance de predadores. Cf. Jr 49.16 e Jó 39.27. Ver também Is 14.12-15, onde Yahweh é retratado a projetar para baixo a nação da Babilônia, que habitava em suas alturas esteladas. Edom pode ter parecido segura quanto aos homens, mas não era inacessível à mão de Deus, que facilmente poderia atingir sua habitação celeste e perturbar sua tranquilidade. O *pano de fundo histórico* que inspirou tais declarações tem sido motivo de disputas. Quem eram os inimigos de Edom? E quando essa nação conheceu sua derrota? Ver nas seções I e II da Introdução o que dizem os intérpretes.

Total Destruição de Edom (1.5-9)

■ 1.5

אִם־גַּנָּבִים בָּאוּ־לְךָ אִם־שׁוֹדְדֵי לַיְלָה אֵיךְ נִדְמֵיתָה הֲלוֹא יִגְנְבוּ דַּיָּם אִם־בֹּצְרִים בָּאוּ לָךְ הֲלוֹא יַשְׁאִירוּ עֹלֵלוֹת:

Se viessem a ti ladrões, ou roubadores de noite. Temos aqui a descrição da traição e pilhagem de Edom, mas permanece incerto quem se ocupou desse trabalho de destruição. Ver as seções I e II da *Introdução*. Porém, a lição moral do livro é bastante clara:

A soberba precede a ruína, e a altivez do espírito, a queda.
Provérbios 16.18

"Edom se orgulhava de suas riquezas (vs. 6); de suas alianças com povos vizinhos (vs. 7); de sua sabedoria (vs. 8); e de seus militares (vs. 9). Os vales férteis de Edom se tinham desenvolvido por meio da irrigação, e a nação se tornara centro de rotas comerciais estrangeiras" (Walter L. Baker, *in loc.*).

Yahweh tinha instrumentos para trazer Edom de volta à sanidade e à sobriedade. Ladrões já estavam a caminho de Edom. Essa nação seria saqueada em seus bens. Assaltantes planejavam um ataque noturno. Uma invasão traria atacantes que se apossariam dos campos férteis de Edom, que estava prestes a perder tudo quanto possuía. Em Israel havia a lei da respiga. Algum cereal e algumas uvas deviam ser deixadas para os pobres recolherem, a fim de que não morressem de fome (ver Dt 24.21). Mas aqueles que atacassem Edom nem ao menos deixariam algo para ser respigado. Eles desnudariam o território de todo o seu produto agrícola. Este versículo ressalta a natureza *completa* da queda de Edom.

■ 1.6

אֵיךְ נֶחְפְּשׂוּ עֵשָׂו נִבְעוּ מַצְפֻּנָיו׃

Como, porém, foram rebuscados os bens de Esaú! *Esaú,* o pai tradicional da nação de Edom, é agora referido e torna-se sinônimo do povo que ele gerou, da mesma maneira que "casa de Jacó" tornou-se sinônimo de Israel. Além da completa apropriação de todos os produtos agrícolas (vs. 5), os saqueadores também rebuscariam todos os tesouros e acúmulos de coisas valiosas e os levariam embora. Ademais, o território seria ocupado pelos invasores e eles perderiam tudo quanto tinham. Essas coisas aconteceram por ocasião da invasão dos nabateus. Estes suplantaram os edomitas em Petra, a cidade capital de Edom. Um imponente templo nabateu foi construído ali, que os árabes chamam de el-Khazneh, "o tesouro". Outros veem a conquista de tudo quanto havia em Edom por parte dos babilônios. Cf. os vss. 5 e 6 com Jr 49.9,10.

■ 1.7

עַד־הַגְּבוּל שִׁלְּחוּךָ כֹּל אַנְשֵׁי בְרִיתֶךָ הִשִּׁיאוּךָ יָכְלוּ לְךָ אַנְשֵׁי שְׁלֹמֶךָ לַחְמְךָ יָשִׂימוּ מָזוֹר תַּחְתֶּיךָ אֵין תְּבוּנָה בּוֹ׃

Todos os teus aliados te levaram para fora dos teus limites. Na hora da crise, os aliados de Edom traíram os idumeus e aliaram-se ao ataque generalizado. Amigos de confiança tornaram-se como caçadores que preparavam armadilhas para destruí-los. Edom se orgulhava de sua sabedoria (vs. 8), mas não tinha discernimento na escolha de seus amigos. Edom, pois, foi enganada por seu próprio orgulho e arrogância, e pela falsa ideia de que a sua posição geográfica os deixava a salvo contra qualquer ataque dos inimigos. Para alguns, a queda ocorreu pelo poder dos nabateus (fins do século VI ou começo do século V a.C.), mas outros eruditos continuam a ver aqui os babilônios (ver as seções I e II da *Introdução,* quanto a tentativas de esclarecimento). "Os conquistadores árabes tinham sido, anteriormente, aliados de Edom, nos assaltos contra Judá (ver Sl 83.6). 'Aqueles que comem o vosso pão'... é o equivalente a vossos *confederados* (cf. Sl 41.9). Até hoje, *comer juntos* é um sinal do laço de amizade entre os árabes" (John A. Thompson, *in loc.*).

■ 1.8

הֲלוֹא בַּיּוֹם הַהוּא נְאֻם יְהוָה וְהַאֲבַדְתִּי חֲכָמִים מֵאֱדוֹם וּתְבוּנָה מֵהַר עֵשָׂו׃

Não acontecerá naquele dia...? Todas as classes sociais, entre os edomitas, cairiam diante dos invasores, incluindo os sábios e os líderes civis e espirituais do povo. Eles não tinham sido sábios o bastante para evitar a calamidade, nem para sentir a profundeza de seus pecados contra Israel. Estavam cegos pelo ódio. De fato, o ódio é um dos piores cegadores que há. Mas o *dia do julgamento* se aproximava rapidamente, quando a política da terra arrasada os reduziria a poeira. Jr 49.7 fala sobre a alegada sabedoria de Edom. O mais sábio dos "consoladores" de Jó era de *Temã* (cf. o vs. 9). Baruque associou os que "buscavam entendimento" àquele lugar. Ver Jó 3.23. Temã era a capital de Edom (ver Gn 36.10,11). Temã era o nome de um neto de Esaú. Am 1.2 usa esse nome para representar o país inteiro de Edom.

■ 1.9

וְחַתּוּ גִבּוֹרֶיךָ תֵּימָן לְמַעַן יִכָּרֶת־אִישׁ מֵהַר עֵשָׂו מִקָּטֶל׃

Os teus valentes, ó Temã, estarão atemorizados. *Temã* era capital de Edom. Ver as notas expositivas no vs. 8. Ver também o artigo sobre esse lugar no *Dicionário,* quanto a detalhes.

Já tínhamos ouvido falar na alegada sabedoria de Edom (Temã), mas agora ouvimos falar em seus valentes. Edom dispunha de um exército forte e bem equipado. Mas isso não impediu que o lugar fosse *destruído,* quando atacado por seus múltiplos inimigos. O *monte de Esaú* é o mesmo *Seir* (ver a respeito no *Dicionário*). Isso designa a cadeia montanhosa de Edom. A área em geral era vital para controlar as estradas para Eziom-Geber. A palavra *Seir* tornou-se um sinônimo de Edom (ver 2Cr 25.11; 20.10; Gn 36.30). O Targum e a Vulgata Latina falam dos "homens poderosos que habitavam o sul". A região, porém, estava destinada à matança, visto que os habitantes idumeus maltrataram Israel e violaram, de modo geral, as leis morais do Senhor. Ver no *Dicionário* o verbete denominado *Lei Moral da Colheita segundo a Semeadura.* Cf. este versículo com Jr 49.22b e ver o gráfico acompanhante que ilustra os paralelos literários de Obadias com Jeremias, Joel e Amós.

Por que Edom Tinha de Ser Julgado (1.10-14)

■ 1.10

מֵחֲמַס אָחִיךָ יַעֲקֹב תְּכַסְּךָ בוּשָׁה וְנִכְרַתָּ לְעוֹלָם׃

Por causa da violência feita a teu irmão Jacó, cobrir-te-á a vergonha. O profeta Obadias listou aqui alguns dos pecados mais evidentes de Edom, suficientes para formar um argumento convincente de que Edom merecia ser julgado por Yahweh. Obadias ilustrou o princípio da semeadura e colheita (ver Gl 6.7,8).

Desde os dias da rivalidade entre os dois irmãos gêmeos — Jacó e Esaú —, seus descendentes viviam em constante hostilidade. A hostilidade de Edom, naturalmente, corresponde àquilo que o registro do Antigo Testamento enfatiza. Ver Gn 27.41; Nm 20.14,20,21; 2Cr 28.17; Ez 25.12; 35.5,6; Jl 3.19 e Am 1.11. Israel foi exortado a manter relações amistosas com os edomitas (ver Dt 2.4,5 e 23.7), mas esse ideal nunca se cumpriu. A violência praticada pelos idumeus era a vergonha deles, porquanto eles praticaram essa violência contra um *irmão.* Os edomitas sofreram várias derrotas, mas foi somente quando os judeus, sob João Hircano (134-104 a.C.), os derrotaram, que os idumeus deixaram de existir como povo. Ver Josefo (*Antiq.* XIII.9,1). O próprio Esaú demonstrou uma atitude graciosa e generosa para com Jacó, embora fosse a parte ofendida (ver Gn 33.4). Os descendentes de Esaú, porém, não seguiram esse bom exemplo. O *paralelo* deste versículo é Jl 3.19; e os vss. 9,10 têm como paralelo Am 1.11,12.

■ 1.11

בְּיוֹם עֲמָדְךָ מִנֶּגֶד בְּיוֹם שְׁבוֹת זָרִים חֵילוֹ וְנָכְרִים בָּאוּ שְׁעָרָיו וְעַל־יְרוּשָׁלִַם יַדּוּ גוֹרָל גַּם־אַתָּה כְּאַחַד מֵהֶם׃

No dia em que, estando tu presente, estranhos... tu mesmo era um deles. Este versículo parece ser uma referência ao papel desempenhado por Edom, quando da conquista babilônica e do cativeiro de Jerusalém (e Judá). 1Ed 4.45 informa-nos que os edomitas desempenharam papel ativo, juntamente com os caldeus, na invasão de Judá, e compartilharam os despojos. Isso atingiu o ponto culminante em 587 a.C. Os despojos foram divididos por meio de sortes, o que tem paralelo em Jl 3.3. Além disso, o vs. 20 parece ser uma referência aos cativos judeus que foram levados para a Babilônia. Ver no *Dicionário* o verbete chamado *Cativeiro Babilônico.* Se essas observações combinam com a verdade, então temos de compreender uma data pós-exílica para a escrita do livro de Obadias. Outros estudiosos, entretanto, tentam manter uma data anterior, fazendo essas referências aplicar-se a reversões mais antigas e menos drásticas de Judá. Na seção II da *Introdução,* envolvi-me no problema da data do livro, com sua "conclusão" diversificada. Ver o gráfico acompanhante que dá alguma informação sobre o problema da data do livro. Levando em consideração todos esses informes, a data posterior parece preferível. O livro mesmo é de data tardia, mas contém referências a situações mais antigas, que nos dão base para supor que a data da escrita do livro seja ainda mais antiga.

O presente versículo apresenta uma parte bastante passiva do papel dos babilônios: Israel "se manteve indiferente" (*Revised Standard Version*). Mas 1Ed 4.45 fala de uma parte ativa. Provavelmente ambas as coisas são verdadeiras, considerando-se a totalidade do tempo em que os babilônios assediaram Jerusalém: em parte eles se mantiveram indiferentes; em parte se envolveram diretamente.

■ **1.12**

וְאַל־תֵּרֶא בְיוֹם־אָחִיךָ בְּיוֹם נָכְרוֹ וְאַל־תִּשְׂמַח לִבְנֵי־יְהוּדָה בְּיוֹם אָבְדָם וְאַל־תַּגְדֵּל פִּיךָ בְּיוֹם צָרָה׃

Mas tu não devias ter olhado com prazer o dia de teu irmão. O *dia* do *irmão* sofredor; de sua *ruína*; de sua *aflição*, o dia em que Judá foi atacado e quase inteiramente aniquilado e o fragmento que sobreviveu foi tomado para a Babilônia a fim de ser escravizado. Essa imensa calamidade era para Edom assunto de júbilo e zombaria. Cf. Ez 35.15. No texto hebraico, os vss. 11-14 contêm dez menções ao *dia* temível. "A contemplação maliciosa da calamidade humana, que esquece a origem comum dos homens e sua participação comum no mal, é a pior forma de ódio humano" (Pusey, *in loc*.). Somente o ataque dos babilônios e o cativeiro de Judá são capazes de explicar os termos radicais desses versículos.

■ **1.13**

אַל־תָּבוֹא בְשַׁעַר־עַמִּי בְּיוֹם אֵידָם אַל־תֵּרֶא גַם־אַתָּה בְּרָעָתוֹ בְּיוֹם אֵידוֹ וְאַל־תִּשְׁלַחְנָה בְחֵילוֹ בְּיוֹם אֵידוֹ׃

Não devias ter entrado pela porta do meu povo. *Os crimes:* Ter entrado na Terra Prometida para conquistá-la, buscando vantagem própria na situação; alegrar-se diante do irmão caído, que é uma forma de ódio e arrogância; participar do saque. Os idumeus foram tanto espectadores das brutalidades dos babilônios como participantes dessas brutalidades, o que representa dupla malignidade. Edom (no hebraico, *'edhôm*) tinha-se regozijado nas calamidades (no hebraico, *'edham*) de Judá, o que é um jogo de palavras. Mas Edom em breve haveria de experimentar suas próprias calamidades. O "dia da calamidade" é reiterado três vezes, para mostrar sua natureza monstruosa. Cf. Ez 35.5.

■ **1.14**

וְאַל־תַּעֲמֹד עַל־הַפֶּרֶק לְהַכְרִית אֶת־פְּלִיטָיו וְאַל־תַּסְגֵּר שְׂרִידָיו בְּיוֹם צָרָה׃

Não devias ter parado nas encruzilhadas. *Outros crimes de Edom:* Eles se puseram nas encruzilhadas dos caminhos para matar, propositadamente, os judeus que tentavam escapar. Eles não queriam que houvesse sobreviventes entre os seus "irmãos" de Judá. Mas, se houvesse algum sobrevivente, esse seria reduzido a escravo dos idumeus, pelo que se apossaram de seres humanos, imitando o que faziam os babilônios. Ou então eles capturavam os judeus e os entregavam aos babilônios, para aumentar o estoque de escravos destes últimos. Am 1.6,9 diz que essa não foi a primeira vez que Edom comerciou com escravos israelitas. Quanto à violência declarada assumida pelos edomitas, quando a chance de fazer isso tinha chegado, cf. Sl 137.7; Jl 3.19; Am 1.11 e Ez 35.

O JULGAMENTO UNIVERSAL (1.15,16)

■ **1.15**

כִּי־קָרוֹב יוֹם־יְהוָה עַל־כָּל־הַגּוֹיִם כַּאֲשֶׁר עָשִׂיתָ יֵעָשֶׂה לָּךְ גְּמֻלְךָ יָשׁוּב בְּרֹאשֶׁךָ׃

Porque o dia do Senhor está prestes a vir sobre todas as nações. O *dia do Senhor* aqui representa tanto o dia escatológico assim chamado quanto o *dia da calamidade* (naquele tempo) quando Edom haveria de receber de volta o que tinha dado, cumprindo assim os requisitos da *Lei Moral da Colheita segundo a Semeadura* (ver a respeito no *Dicionário*). Os intérpretes corretamente generalizam a referência, relacionando-a ao dia escatológico do Senhor (ver a respeito no *Dicionário*), quando o julgamento universal for efetuado contra os pagãos em geral. Cf. Jl 3 e Sf 1-3 com esta passagem. A lei da retribuição, baseada nas leis morais de Deus, será a base do julgamento divino. Cf. Ez 35.11 e Jl 3.4,8. *Paralelos diretos* no livro de Joel: 1.15; 2.1; 3.3,4,14. Ver o gráfico acompanhante que lista paralelos nos livros de Joel, Jeremias e Amós. Quanto ao julgamento de todas as nações, ver Is 34.2. "A humilhação de Edom prefigura o que o Senhor fará a todas as nações que tiverem, por igual modo, maltratado a Israel... Edom seria reocupada no futuro (vs. 16) e, juntamente com outras nações, ficará novamente sujeita à ira de Deus, no vindouro dia em que o Senhor Jesus Cristo retornar para estabelecer o seu reino" (Walter L. Baker, *in loc*.).

■ **1.16**

כִּי כַּאֲשֶׁר שְׁתִיתֶם עַל־הַר קָדְשִׁי יִשְׁתּוּ כָל־הַגּוֹיִם תָּמִיד וְשָׁתוּ וְלָעוּ וְהָיוּ כְּלוֹא הָיוּ׃

Como bebestes no meu santo monte. Edom teve um tempo agitado, ao invadir o território de Israel e organizar uma festa no *monte santo*, Sião, a fim de celebrar a queda de seu "irmão". Por causa dessa "festa de vinho", todas as nações, incluindo Edom, terão de beber da taça da ira de Deus; essas nações beberão, ficarão tontas, cairão e morrerão, porque esse vinho é venenoso. Tais nações entrarão no esquecimento, e será como se elas nunca tivessem existido. Cf. Sl 75.8. Quanto à cessação da existência, cf. Jó 10.19; Sl 37.36 e Ez 26.21.

Assim beberão de contínuo todas as nações. Sim, as nações beberão a taça da ira de Deus. Cf. Is 51.17,21-23; Jr 25.15-33; Hc 2.16; Ap 14.9,10 e 16.19.

A RESTAURAÇÃO DE ISRAEL (1.17-21)

■ **1.17**

וּבְהַר צִיּוֹן תִּהְיֶה פְלֵיטָה וְהָיָה קֹדֶשׁ וְיָרְשׁוּ בֵּית יַעֲקֹב אֵת מוֹרָשֵׁיהֶם׃

Mas no monte de Sião haverá livramento. A *soberania de Deus* garante a restauração de Israel, bem como, com igual certeza, a destruição das nações. Tal como em Jl, nesse livro não há menção alguma à restauração dos povos gentílicos, que venha a fazer parte do cenário da era futura do reino de Deus. Ver as notas expositivas em Am 9.12 quanto a esse tema. O assunto imediato aqui é o retorno de Judá do *Cativeiro Babilônico* (ver a respeito no *Dicionário*), mas as dimensões da recuperação só podem pertencer a um tempo em que houver grande mudança de poder no mundo, e o reino messiânico tiver sido estabelecido. Ver no *Dicionário* o artigo chamado *Restauração de Israel*.

O monte será santo. O julgamento de Judá será eficaz e restaurador. Esse povo retornará à lei de Moisés e praticará seus preceitos, e, assim sendo, será *santo*. A antiga degradação será anulada.

Os da casa de Jacó possuirão as suas herdades. Ver os paralelos em Jl 2.32 e 3.17. Israel recuperará seus antigos territórios e serão obliterados todos os sinais da antiga degradação e destruição. Central a essa restauração será o monte Sião, onde o culto a Yahweh será restabelecido. Ver no *Dicionário* o artigo chamado *monte Sião*. Jerusalém estará fora de alcance das profanações pagãs (ver Jl 3.17). Aqui "casa de Jacó" toma o lugar de "Judá", que se tornou a nação de Israel quando o norte foi destruído pelo *cativeiro assírio* (ver a respeito no *Dicionário*). Quanto à "casa de Jacó" como Judá, ver também o vs. 18 e Is 46.3 e Na 2.2. Tudo quanto Judá perdeu será então recuperado: os territórios, os privilégios, o culto a Yahweh, o poder e a glória de ser o povo de Deus. "Se o julgamento estiver caindo sobre todas as nações pagãs, o monte Sião será um asilo para todos os israelitas que tiverem fugido para a segurança e foram espalhados e dispersos" (Ellicott, *in loc*.).

■ **1.18**

וְהָיָה בֵית־יַעֲקֹב אֵשׁ וּבֵית יוֹסֵף לֶהָבָה וּבֵית עֵשָׂו לְקַשׁ וְדָלְקוּ בָהֶם וַאֲכָלוּם וְלֹא־יִהְיֶה שָׂרִיד לְבֵית עֵשָׂו כִּי יְהוָה דִּבֵּר׃

A casa de Jacó será fogo, e a casa de José chama. É provável que aqui a "casa de Jacó" seja Judá (a nação do sul), e a "casa de

José" (cf. Am 5.6,15) seja Israel (a nação do norte). Isso significa que *todo o Israel* será salvo, e será uma força de ignição que destruirá a palha que é a "casa de Esaú". Ver o vs. 6 quanto a esse uso. A futura restauração envolverá todo o povo de Israel, conforme sempre foi o ideal dos hebreus. Reversões passadas serão anuladas. Quanto às nações ímpias, descritas aqui como "restolho", que serão queimadas, ver também Ml 4.1. Cf. o vs. 10 de Obadias, quanto à necessidade da destruição de Edom. Ver também Zc 12.6. Os vss. 9,10 e 18 são paralelos diretos de Am 1.11,12. Ver no *Dicionário* o verbete chamado *Fogo* quanto a seus usos metafóricos, incluindo a ideia do *julgamento* divino. Diz aqui o Targum: "Aqueles que pertencerem à casa de Jacó serão fortes como o fogo, e aqueles que forem da casa de José serão vigorosos como as chamas; mas os que forem da casa de Esaú serão fracos como a palha, e não restará nenhum deles".

A Palavra de Yahweh assim afirmou, pelo que exprime a verdade. Edom perecerá totalmente. Não haverá sobreviventes. Os judeus, nos dias de João Hircano (134-104 a.C.), derrotaram os idumeus, e foi naquele tempo que os idumeus chegaram ao fim definitivo. Josefo (*Antiq*. XIII.9,1) nos deu essa informação.

■ 1.19

וְיָרְשׁוּ הַנֶּגֶב אֶת־הַר עֵשָׂו וְהַשְּׁפֵלָה אֶת־פְּלִשְׁתִּים
וְיָרְשׁוּ אֶת־שְׂדֵה אֶפְרַיִם וְאֵת שְׂדֵה שֹׁמְרוֹן וּבִנְיָמִן
אֶת־הַגִּלְעָד׃

Os de Neguebe possuirão o monte de Esaú, e os da planície aos filisteus. Durante o exílio de Judá na Babilônia, outros povos ocuparam a Terra Prometida, conforme os moldes descritos neste versículo: "O povo de Deus recuperará o sul de Judá e Edom. E tomarão de volta as faldas das montanhas ocidentais dos filisteus. E assim recuperarão as terras de Efraim e de Samaria. E Benjamim reconquistará Gileade" (NCV). As direções do compasso aqui aludidas são sul, oeste, norte e leste, a totalidade da Terra Prometida que fora vagada. "Essas conquistas foram realizadas no segundo século a.C., quando as tribos de Judá e Benjamim formaram o núcleo do qual os judeus, sob os Macabeus, pressionaram as áreas indicadas neste versículo" (John A. Thompson, *in loc.*). "O *Neguebe* é o sul árido; a *Sefelá* são os sopés das colinas ocidentais; *Gileade* é a Transjordânia" (*Oxford Annotated Bible*, comentando sobre o vs. 19). *Efraim* fala sobre a Palestina central, assim chamada por causa do nome da principal tribo daquela área (Js 17.15). Além disso, temos a *Samaria*, área ao redor da cidade desse nome, que era a capital do reino do norte. A Samaria também ficava no centro de Israel.

■ 1.20

וְגָלֻת הַחֵל־הַזֶּה לִבְנֵי יִשְׂרָאֵל אֲשֶׁר־כְּנַעֲנִים עַד־
צָרְפַת וְגָלֻת יְרוּשָׁלִַם אֲשֶׁר בִּסְפָרַד יִרְשׁוּ אֵת עָרֵי
הַנֶּגֶב׃

Os cativos do exército dos filhos de Israel possuirão os cananitas. "Os habitantes de Israel, no passado, foram forçados a abandonar seus lares. Naquele tempo, entretanto, conforme foi aqui predito, eles tomariam as terras dos cananeus. Eles tomarão todo esse território por todo o caminho até Sarepta. Os habitantes de Judá foram antes forçados a abandonar Jerusalém e a ficar em Sefarade. Mas naquele tempo eles reconquistarão as cidades da parte sul de Judá" (NCV). Ver os nomes próprios deste versículo, no *Dicionário*, quanto a detalhes.

Do exército. Algumas traduções, em vez destas palavras, dizem "Hala". Hala era um distrito da Mesopotâmia (2Rs 17.6). *Sarepta*, ao que tudo indica, não ficava longe de Tiro e Sidom, situando-se possivelmente entre essas duas cidades (ver Josefo, *Antiq*. VIII.13.2). *Sefarade* é Sardes, capital da Lídia, na Ásia Menor. A Peshitta e o Targum interpretam erroneamente a palavra *Sefarade*, fazendo-a referir-se à Espanha (e, portanto, a Portugal, igualmente). Por isso, os judeus espanhóis e portugueses são equivocadamente chamados *sefardim*. O Neguebe é o deserto no sul de Judá. A mensagem deste versículo é que o cativeiro será completamente revertido: o povo de Israel voltará de todos os lugares para onde tinha sido levado cativo. Então a restauração da Terra Prometida será completada, quando o povo de Israel uma vez mais vier a possuí-la. A Terra Prometida é uma grande promessa do pacto abraâmico (ver em Gn 15.18).

■ 1.21

וְעָלוּ מוֹשִׁעִים בְּהַר צִיּוֹן לִשְׁפֹּט אֶת־הַר עֵשָׂו וְהָיְתָה
לַיהוָה הַמְּלוּכָה׃

Salvadores hão de subir no monte Sião. Os conquistadores ("guerreiros", no dizer da NCV) serão os *salvadores* (*Revised Standard Version*). Eles, tais como os antigos juízes de Israel (ver Jz 2.16 e 3.9,15), haverão de livrar os israelitas de seus opressores. O monte Sião se tornará o centro político e religioso no novo mundo. O governo de Israel se estenderá sobre o *monte Seir* (Seir e toda a antiga nação de Edom). O profeta usou a palavra "monte" para falar sobre Israel e Edom, a fim de criar o contraste necessário: um governaria; e o outro seria governado. Também aprendemos que a vingança tinha realizado seu trabalho. Edom colheria o que havia semeado (ver Gl 6.7,8). Porém, a esperança do profeta transcendia a meros nacionalismos. Portanto, devemos ver aqui o glorioso reino de Deus, sob o governo de Yahweh e seu Messias. Cf. Sl 22.28; Zc 14.9 e Ap 11.15. Ver no *Dicionário* o verbete intitulado *reino de Deus*. "Salvadores israelitas governarão Edom; e o Senhor governará todos eles (Sl 22.28; 103.19)" (*Oxford Annotated Bible*, comentando o vs. 21). "No milênio, o *reino* será do Senhor (cf. Zc 14.9). Israel será restaurado como nação (Ob 17) e ocupará a terra (vss. 18-20), sendo governado por seu Rei, o próprio Senhor Jesus Cristo (vs. 21). Cf. Dn 2.44; 7.14,27; Zc 14.9; Lc 1.33; Ap 11.15 e 19.6. É provável que as palavras "o reino é do Senhor" sejam um reflexo de Sl 22.28.

A *essência da mensagem* do minúsculo livro de Obadias é: A vingança divina contra os desobedientes, os quais esquecem os sentimentos humanos comuns e agem de modo contrário à palavra de Deus. O orgulho insensato e a arrogância provocam a queda. Uma pessoa ímpia pode prosperar durante algum tempo, mas sua queda é inevitável (ver Sl 73.3). A *Lei Moral da Colheita segundo a Semeadura* é assim ilustrada. Ver sobre esse título no *Dicionário*. A justiça de Deus precisa ser servida. O poder e a graça de Deus podem reverter qualquer situação desesperadora. Aquele que reage favoravelmente à palavra de Deus, obedecendo, tem muito a ganhar. O perdedor é o indivíduo que negligencia a espiritualidade básica e vive a lei do ódio, em lugar da *lei do amor*.

JONAS

O livro de Jonas é o João 3.16 do Antigo Testamento

> *Não hei de eu ter compaixão da grande cidade de Nínive, em que há mais de cento e vinte mil pessoas, que não sabem discenir entre a mão direita e a mão esquerda, e também muitos animais?*
>
> Jonas 4.11

4	Capítulos
48	Versículos

INTRODUÇÃO

ESBOÇO

I. Caracterização Geral
II. O Nome
III. O Profeta Jonas e a Autoria do Livro
IV. Historicidade
V. Data
VI. História do Grande Peixe: Sua Historicidade e Tipologia
VII. Ocasião e Propósitos do Livro
VIII. Pontos de Vista Teológicos
IX. Esboço do Conteúdo
X. Bibliografia

I. CARACTERIZAÇÃO GERAL

a. *Ideias dos Intérpretes Liberais.* Os intérpretes liberais supõem que Jonas seja o último dos livros proféticos do Antigo Testamento, escrito no século III a.C., por algum autor anônimo. Se isso é verdade, então ele escolheu um meio ambiente de cerca de quinhentos anos antes, para dar colorido de antiguidade ao seu livro. Outrossim, isso significaria que *Jonas* é uma novela religiosa com o propósito de ensinar lições morais e espirituais, mas sem nenhum traço de historicidade. Ver a quarta seção, *Historicidade,* quanto a esses problemas.

b. *Interpretação Alegórica.* De acordo com essa interpretação, em contraste com os sentimentos antiestrangeiros de Jonas, os pagãos são ali apresentados como pessoas ansiosas por arrepender-se de seus pecados e por abraçar novos conceitos religiosos, a fim de evitarem as horrendas predições de condenação feitas por Jonas.

Na verdade, o livro mostra a universalidade da autoridade do Deus do povo de Israel. Jonas não foi capaz de escapar dele meramente fugindo da Palestina. E, de acordo com a interpretação alegórica, o conceito de um Deus nacional e vingativo, que Jonas teria, é substituído no livro pela noção de um Deus gracioso, tardio em irar-se e cheio de misericórdia. Destarte, o livro serviria como uma espécie de alegoria que ensina que o povo de Israel precisava ser menos beligerante, mais tolerante e mais ansioso por propagar suas vantagens religiosas, para benefício das nações pagãs. Além disso, o Deus concebido por Jonas também seria pequeno demais, pois o conceito que o profeta fazia de Deus não lhe faria justiça, fechando-o em uma prisão de orgulho e exclusivismo nacionais.

Alguns estudiosos veem em tudo isso uma figura das nações de Israel e de Judá, que tiveram de ir para o cativeiro (assírio e babilônico, respectivamente). Antes desses exílios literais, as duas nações escolhidas já se tinham condenado ao cativeiro, devido à sua apostasia. Esses exílios talvez sejam simbolizados pelos três dias em que Jonas passou no ventre do grande peixe. Pelo menos, alguns estudiosos pensam ser isso o que o livro realmente está ensinando. A interpretação alegórica naturalmente ignora o contexto histórico em que o autor do livro põe a personagem principal, Jonas. Se a teoria sobre o exílio está com a razão, então o livro seria apenas uma espécie de sátira acerca das atitudes bitoladas e atrasadas de Israel, ao mesmo tempo que o profeta Jonas apareceria apenas como uma figura romântica, mas não histórica. Por outro lado, se Jonas foi um profeta autêntico e histórico, essas mesmas lições transparecem claramente no relato, sem prejuízo algum. É claro que essas lições se aplicam igualmente bem a todos os grupos religiosos ou indivíduos que são prisioneiros de seus próprios preconceitos, que, por assim dizer, impõem sobre si mesmos uma forma de exílio, em relação ao resto da humanidade, merecendo tanta compaixão como quaisquer outros prisioneiros.

c. *Pano de Fundo Histórico.* Essa é a posição que os eruditos conservadores assumem com seriedade, mas que os liberais pensam ser apenas um artifício literário. Dizemos mais a esse respeito na seção IV, *Historicidade.*

Nenhum período histórico é indicado no próprio livro de Jonas, mas, como é evidente, o tempo tencionado é durante ou pouco antes do reinado de Jeroboão II, em que as bem-sucedidas conquistas militares de Israel ampliaram os seus territórios, e houve grande prosperidade material daquele reino, durante o reinado daquele monarca. Nesse caso, o livro data de cerca de 850 a.C.

Alguns estudiosos supõem que o arrependimento em massa dos habitantes de Nínive poderia ter sido facilitado por sua tendência pelo monoteísmo (com uma espiritualidade que se aprimorou naquela geração), o que ocorreu durante o reinado de Adade-Nirari III, cujas datas foram cerca de 810—783 a.C. Outrossim, houve grande praga durante o reinado de Assurdã III (cerca de 771—754 a.C.), o que poderia ter impelido os ninivitas a mostrarem-se receptivos a uma mensagem de condenação, como a que houve, por meio de Jonas, com o subsequente arrependimento em massa daquela gente. Apesar de tudo, alguns eruditos argumentam em favor de uma data posterior para o livro de Jonas. Examinamos a questão na quinta seção, *Data.*

d. *Caráter Ímpar do Estilo e da Mensagem de Jonas.* O livro de Jonas não consiste em uma coletânea de *oráculos,* conforme usualmente se vê nos livros proféticos do Antigo Testamento. Antes, é uma espécie de esboço biográfico sobre um importante incidente na vida do profeta Jonas. Outrossim, ele não estava ministrando em favor do povo de Israel, e, sim, em favor de um povo estrangeiro, em contraste com todos os demais escritores proféticos do Antigo Testamento. Em seu simbolismo, o livro repreende os preconceitos do povo de Israel, mas também prevê a experiência crucial de morte e ressurreição de Jesus, o Messias prometido, pois foi com esse sentido que o próprio Senhor Jesus interpretou a experiência de Jonas com o grande peixe, em Mt 12.39-41.

II. O NOME

Podemos comparar o nome de Jonas com o trecho de Sl 74.19, onde a nação de Israel é chamada de "rola", sendo que o termo hebraico *Jonas* significa "pomba". Esse era um nome próprio pessoal muito comum em Israel. O pai de Simão Pedro tinha esse nome (ver Mt 16.17 e, no *Dicionário*, o artigo intitulado *Barjonas).* Nesse artigo, aprendemos que os tradutores confundem, no Novo Testamento, no tocante ao pai de Simão Pedro, os nomes *Jonas* e *João*. O nome Jonas, *pomba,* era, ao que parece, dado pelas mães a seus filhos como um título afetuoso, pois a pomba é uma ave que demonstra muito carinho com outros membros de sua espécie, sobretudo no ato de cruzamento. Modernamente, tornou-se um símbolo bem conhecido da "paz". Nas Escrituras vemos que vários nomes de animais eram dados a pessoas, como são os casos de *Dorcas,* que no grego significa "gazela", ou de *Raquel,* que no hebraico significa "ovelha". Nomes de flores também eram empregados da mesma maneira.

III. O PROFETA JONAS E A AUTORIA DO LIVRO

Muitos eruditos liberais acreditam que nunca existiu um profeta com o nome de Jonas, porquanto o livro que traz esse nome seria, na opinião deles, apenas uma *novela* religiosa. Embora Jesus o tivesse mencionado por nome (ver Mt 12.39-41), eles supõem que nem por isso o Mestre tenha afirmado a *existência histórica* de Jonas, mas apenas citado um apropriada passagem do livro de Jonas, a fim de ilustrar a sua própria experiência de morte e ressurreição. Outros estudiosos, contudo, insistem que a referência de Jesus a Jonas confirma a sua historicidade. O trecho de 2Rs 14.25 registra o cumprimento da profecia de Jonas, chamando-o de *filho de Amitai,* além de identificar a sua cidade natal como Gate-Hefer (mencionada em Js 19.13). Ficava no território de Zebulom, cerca de oito quilômetros ao norte de Nazaré. Há uma lenda que faz de Jonas o filho da viúva de Sarepta, o jovem a quem Eliseu enviou para ungir Jeú, a fim de que se tornasse o próximo rei de Israel. Mas os eruditos não levam essa lenda a sério. Outros estudiosos salientam que, embora tenha havido um Jonas histórico, isso não significa que ele escreveu o livro, apesar do fato inegável de que o livro relata um incidente muito importante de sua vida.

Argumentos contra Jonas como Autor do Livro:
1. O livro fala sobre um profeta Jonas, mas não afirma que foi ele quem escreveu o texto. O livro seria uma biografia, mas não uma autobiografia.
2. A ligação do livro com um Jonas histórico, que era um profeta conhecido, seria apenas um artifício literário, e não uma séria afirmação histórica. Isso era um expediente extremamente comum na antiguidade. Os livros pseudepígrafos são a melhor demonstração desse fato.
3. As referências a Jonas, no livro, estão na terceira pessoa do singular. Embora alguns autores se refiram a si mesmos na terceira pessoa, isso favorece mais a ideia de uma biografia (verdadeira ou romântica), e não a ideia de uma autobiografia.
4. Há fortes argumentos em prol de uma *data posterior* (ver a quinta seção, a seguir) para o livro de Jonas. Nesse caso, é impossível que Jonas, filho de Amitai, tivesse sido o autor do livro. Seu nome pode ter sido arbitrariamente escolhido como aquele que experimentou o que o livro descreve; ou então ele não estava em vista, desde o começo da narrativa. Nesse caso, para essa *novela*, o nome de Jonas foi arbitrariamente selecionado, sem que houvesse tentativa alguma de identificá-lo como uma personagem histórica.
5. Vários argumentos são contrários à historicidade do livro; e essa argumentação também tem sido empregada pelos críticos contra a historicidade da personagem central, Jonas. Ver sob a quarta seção, a seguir, quanto a pormenores sobre esse item, onde são expostos os contra-argumentos a essas críticas.

Respondendo a essas objeções, observamos o seguinte:
1. Visto que o próprio livro de Jonas em parte alguma diz quem foi o seu autor, o assunto perde a importância, exceto como uma curiosidade para algumas pessoas. Dificilmente podemos testar a ortodoxia ou a espiritualidade de alguém, defendendo ou atacando Jonas como o autor do livro. Aquilo que cremos sobre esse ponto demonstra somente o quanto confiamos ou não nas tradições que têm aparecido, através dos séculos, sobre o livro de Jonas.
2. Sem importar se o uso do nome de Jonas (tendo em mente uma personagem histórica) é um artifício literário ou não, isso jamais poderá ser determinado com segurança. A alusão do Senhor Jesus a Jonas parece afirmar a sua historicidade. Mas dificilmente alguém poderia argumentar sobre a historicidade da personagem Jonas meramente com a ajuda de uma citação, pois é impossível determinar o intuito do Senhor Jesus ao fazer essa citação. Os liberais supõem que o próprio Jesus poderia ter-se equivocado quanto à questão em foco, se é que ele pensava em Jonas como uma figura histórica. Naturalmente, Jesus teria confiado nas tradições judaicas, ou teria pensado que a questão não era importante e nem merecesse ser discutida.
3. A referência que o autor faz a si mesmo, na terceira pessoa do singular, é uma prática literária comum, e nada pode ser dito a favor ou contra a autoria de Jonas, tomando-se por base referências indiretas a ele. Esse ponto, pois, deve ser considerado neutro.
4. Os argumentos que dizem respeito à data do livro aparecem na quarta seção, chamada *Historicidade*.

IV. HISTORICIDADE
Na primeira seção, *Caracterização Geral*, chamamos a atenção para os problemas envolvidos na historicidade do livro de Jonas. Listamos a seguir os argumentos específicos sobre essa historicidade:
1. Os aramaísmos do livro apontam para uma data posterior, distanciando-o dos dias de Jonas, filho de Amitai. Porém, essa objeção é muito enfraquecida pelo fato de que os aramaísmos também ocorrem em livros antigos do Antigo Testamento, sendo encontrados até mesmo nos épicos de Ras Shamra, encontrados em Ugarite, que datam de cerca de 1400 a.C.
2. *Tropeços Históricos*. Um erudito tão respeitável quanto Robert Pfeiffer supõe que a designação do imperador da Assíria como "rei de Nínive" (Jn 3.6), e que a descrição de Nínive como "cidade muito importante" (Jn 3.3), sejam asserções historicamente infundadas. Um autor que pertencesse à época sobre a qual escrevia sem dúvida saberia melhor que isso, diz ele. Nínive foi local de palácios reais assírios desde remota antiguidade, mas não foi elevada à posição de capital do reino assírio, senão já nos dias de Sargão II (722—702 a.C.). Apesar de a capital desse império não ser Nínive, na época de Jonas, o que poderia impedir o imperador assírio de ser chamado de seu "rei"? Apesar da designação comum, no Antigo Testamento, ser "rei da Assíria", não há nada de estranho quanto à pequena variante, "rei de Nínive". No tocante às dimensões da cidade, como é óbvio, nos dias de Jonas, Nínive não era tão grande assim. Isso posto, as interpretações supõem que os "três dias" mencionados no livro de Jonas falam sobre o tempo que Jonas precisou para pregar nas praças da cidade, e não sobre o tempo que ele gastou para atravessar a cidade a pé, como se estivesse a medi-la em sua extensão. Na época, Nínive tinha cerca de seiscentos mil habitantes. E, embora isso não pareça muito grande, de acordo com os padrões modernos, significa uma gigantesca cidade para os padrões antigos. Quando muito, o autor sagrado "exagerou" sobre o tamanho da cidade. Os pregadores sempre calculam as dimensões de suas audiências mais do que elas realmente são! Devemos admitir, porém, que o trecho de Jn 3.3 parece afirmar claramente que seriam necessários três dias de caminhada para que um homem atravessasse a cidade, apesar dos esforços de alguns eruditos para verem a questão sob outro prisma. Quanto a mim, não me preocupo com o tamanho de Nínive, e nem se o autor exagerou um pouco ou não. Mesmo que ele tivesse exagerado as dimensões da cidade, isso não provaria nada contra a historicidade do relato bíblico. Apenas mostraria que o autor caiu em algumas inverdades, muito próprias da exagerada linguagem oriental.

Há duas estranhas atividades que surgem em discussões dessa natureza. A primeira delas é que os estudiosos liberais, em sua ansiedade por descobrir problemas na Bíblia, dão imensa importância a pequenos detalhes, a fim de tentarem consubstanciar sua posição. E a segunda é que os eruditos conservadores não hesitam em distorcer os textos sagrados, a fim de que digam coisas que, na verdade, não dizem, porquanto eles são incapazes de tolerar (psicologicamente) a ideia de que, nas Santas Escrituras, podem ser encontrados quaisquer equívocos, de qualquer natureza. Ambas essas atividades são bastante infantis, e nada têm a ver com a fé e a espiritualidade.
3. O *Relato sobre o Grande Peixe*. Os estudiosos liberais simplesmente não veem como um homem poderia sobreviver por três dias no ventre de uma baleia, ou de nenhuma peixe. Não creem que qualquer espécie de peixe seja capaz de engolir um homem vivo. Daí, pensam que essa porção do relato sobre Jonas deve ser apenas uma ficção *divertida*, e que, por causa disso, devemos pôr em dúvida a história inteira, como uma produção literária destituída de seriedade. Histórias sobre peixes, dizem eles, fazem parte das lendas e do folclore. E os eruditos conservadores, pensando que os liberais conseguiram marcar um tento, chegam ao extremo de dizer que Deus criou um *peixe especial* para engolir Jonas. Para exemplificar isso, vemos que até a prestigiosa enciclopédia *Zondervan* precisou apelar para o sobrenatural, a fim de dar foros de autenticidade ao relato sobre o grande peixe de Jonas. Lemos ali: "Aceitando o sobrenatural — preparou o Senhor um grande peixe (1.17) — teremos removido toda a dificuldade". Outros estudiosos conservadores apelam para o dogma. Assim, Jesus falou sobre o peixe. Logo, teria de ser um peixe real, e não mera lenda. No entanto, ambas as abordagens são desnecessárias. Incidentes fartamente documentados mostram que algumas espécies de baleias são capazes de engolir um homem; e também que alguns homens realmente sobreviveram a tão bizarra experiência. Ver a sexta seção, *História do Grande Peixe*, onde há uma demonstração desse fato.
4. *Poder Demasiado na Pregação de Jonas*. Alguns eruditos não conseguem crer que um judeu cheio de preconceitos, ao pregar sua mensagem de condenação, fosse capaz de fazer vergar os orgulhosos ninivitas. Uma canção popular americana exalta a cidade de Chicago. Uma das coisas que se diz nessa canção é que Chicago é cidade tão incomum que nem Billy Sunday foi capaz de fechá-la. Billy Sunday foi um pregador de tal modo poderoso que, em certas cidades onde ele pregava, havia mudanças tão radicais na conduta do povo que as forças policiais puderam ter o seu número reduzido. Não obstante, ele não teria conseguido

vergar Chicago! E assim também, os liberais não veem como Jonas teria podido submeter os ninivitas! Os conservadores, por sua parte, apelam para o poder de Deus. É possível que Nínive tenha passado por uma melhoria espiritual, tendo abraçado o monoteísmo, depois que seus habitantes sofreram uma praga devastadora. Essa praga poderia ter abrandado o fanatismo pagão dos ninivitas, preparando a cidade para a pregação de Jonas. Já comentamos sobre isso em l.c., *Pano de Fundo Histórico*. Devemos observar, porém, que toda essa discussão é fútil e supérflua. Nossa crença sobre o que Jonas poderia ter feito depende apenas de nossos sentimentos subjetivos sobre o poder de sua prédica. Nada há de estranho, porém, quanto a conversões em massa, ou quanto a multidões se deixarem influenciar por uma retórica inflamada. Consideremos como Hitler conseguia arrebatar multidões de seus ouvintes alemães, com alguns discursos.

5. *O Livro de Jonas tem Escopo Universal*. A leitura do Antigo Testamento dá-nos a impressão de que o povo de Israel era exclusivista. O livro de Jonas, todavia, reflete uma atitude universalista, que caracteriza os tempos posteriores daquela nação. Assim, na opinião de alguns, não passa de um *anacronismo* o interesse de Deus pelos ninivitas. Isso no caso de insistirmos sobre uma data mais antiga para o livro. Mas, contra isso, frisa-se o fato de que o pacto estabelecido com Noé (Gn 9.9) tinha em mira todos os povos; e também que o pacto abraâmico (Gn 12.1 ss.) apresenta-o claramente como pai espiritual de muitas nações; ou, pelo menos, em Abraão todas as famílias da terra seriam abençoadas. Isso pode ser confrontado com Is 42.6,7 e 49.6. Talvez houvesse muitos judeus exclusivistas, mas a própria Bíblia não assume tal posição!

Seja como for, os judeus, desde os tempos mais remotos, consideram o livro de Jonas uma obra histórica. Ver alusões a isso em 3Macabeus 6.8; Tobias 14.4,8 e Josefo (*Anti*. 9.10,2). Jesus também considerou Jonas uma personagem histórica (Mt 12.9 ss.; 16.4 ss.; Lc 11.29). É verdade que alguns eruditos modernos pensam que a passagem de Mt 12.9 é uma interpolação posterior. Porém, não há evidência disso nos manuscritos.

V. DATA

Se partirmos do pressuposto de que foi Jonas, filho de Amitai, quem escreveu o livro que leva seu nome, então essa obra foi produzida em cerca de 750 a.C. Tudo depende, porém, da historicidade do livro (o que é ventilado na quarta seção, *Historicidade*) e na suposição de que o autor foi o Jonas que é a figura central do livro. Uma data tão recente quanto 200 a.C. poderia ser aceita, se o livro não passasse de uma novela religiosa, segundo alguns têm dito. Pelo menos sabe-se que o livro deve ter sido escrito antes do livro apócrifo de Eclesiástico (49.10), que alude à existência dos livros dos doze profetas menores. O trecho de Tobias 14.4,8 tece referências ao livro de Jonas, e a maioria dos estudiosos pensa que o livro de Tobias foi escrito antes do ano 200 a.C.

Argumentos em Favor de uma Data Mais Recente. Vários dos pontos expostos na quarta seção, Historicidade, os quais afirmam que o livro não está ligado ao período histórico aceito pela tradição, também se aplicam à questão de uma data mais recente do livro. A isso, adicionamos:

1. O trecho de Jn 3.3 parece falar sobre Nínive como cidade que não mais existia quando o autor sagrado escreveu o livro. O texto diz ali: "... Nínive era...". Porém, contra esse argumento tem sido salientado que há uma construção gramatical similar, no caso de Emaús, quando a cidade continuava existindo (ver Lc 24.13). Admite-se, todavia, que é estranho dizer-se que Nínive "era", se ela continuava existindo quando o autor sagrado escreveu.

2. O autor do livro de Jonas parece ter tido conhecimento de profetas posteriores, e ele chega a aludir aos escritos deles. Assim, conforme alguns estudiosos pensam, o trecho de Jn 3.10 reflete Jr 18.1 ss.; o de Jn 3.5 reflete Jl 1.13 ss.; o de Jn 3.9 reflete Jl 2.14, e o de Jn 4.2 reflete Jl 2.13. Todavia, o que sentimos sobre essa questão depende, em muito, daquilo que quisermos ler nas entrelinhas do texto sagrado ou deixar de fora das passagens envolvidas.

3. O salmo de ação de graças (Jn 2.1-9) reflete os salmos canônicos, alguns dos quais, segundo se supõe, foram compostos posteriormente, não tendo sido da autoria de Davi. Mas os estudos mostram que os salmos, grosso modo, refletem a antiga literatura cananeia, devendo ser reputados como antiquíssimos.

A atribuição do livro de Jonas a uma data mais recente repousa sobre o tipo de mensagem que o leitor percebe no livro. Se a obra é alegórica e reflete um período no qual o judaísmo se universalizava, então a data posterior faz sentido. Mas se o livro é de natureza histórica, então precisamos afirmar que houve alguma universalização nos sentimentos de Israel, desde bem antes do *período helenista* (ver a respeito no *Dicionário*). Os argumentos em favor e contra uma data mais recente, como se vê, não são conclusivos.

VI. HISTÓRIA DO GRANDE PEIXE: SUA HISTORICIDADE E TIPOLOGIA

Uma das características interessantes do livro de Jonas, se não a mais notável, é o relato de como Jonas foi engolido por um grande peixe (presumivelmente, uma baleia), mas foi capaz de sobreviver à prova, apesar de ter permanecido no ventre do peixe por três dias! Há possibilidades científicas de uma coisa assim, realmente, suceder?

1. *Historicidade da Narrativa*. Ver sob a quarta seção, *Historicidade*, em seu terceiro ponto, *O Relato sobre o Grande Peixe*. Ali damos uma boa descrição sobre como os liberais e os conservadores têm argumentado sobre esse item. O material que se segue mostra que, de fato, tal coisa pode acontecer.

Será possível ser engolido por uma baleia e continuar vivo para contar a história? A ciência responde "Não", mas a resposta correta é "Sim". Os registros oficiais do Almirantado Britânico fornecem evidências documentadas sobre a espantosa aventura de James Bartley, um marinheiro britânico que foi engolido por uma baleia e escapou com vida para contar a história! O Sr. Bartley estava fazendo sua primeira viagem (que terminou também sendo a única) como marinheiro de um navio baleeiro, cujo nome era *Estrela do Oriente*, em fevereiro do ano de 1891. Estavam algumas centenas de quilômetros a leste das ilhas Falkland, no Atlântico Sul.

Em certo momento foi arpoada uma grande baleia, que então mergulhou às profundezas abissais. Quando ela subiu para respirar, ocorreu que seu corpanzil esmigalhou o bote, e muitos homens caíram no mar. Dois homens não puderam ser encontrados, e um deles era o Sr. Bartley. Depois de muito serem procurados, foram dados finalmente por perdidos.

Pouco antes do pôr-do-sol, naquele mesmo dia, a baleia moribunda flutuou até à superfície. A tripulação rapidamente prendeu uma corda na baleia e a arrastou até o navio-mãe. Posto que era tempo de verão, foi necessário despedaçar imediatamente o gigantesco animal. A baleia foi sendo cortada em pedaços. Pouco depois das onze horas da noite, os exaustos tripulantes removeram o estômago e o enorme fígado da baleia. Esses pedaços foram levados para a coberta e notou-se que havia algum movimento no interior do estômago da baleia.

Fizeram uma grande incisão no estômago da baleia, e apareceu um pé humano. Era James Bartley, dobrado em dois, inconsciente, mas ainda vivo. Bartley soltava grunhidos incoerentes ao recuperar um pouco mais a consciência, e durante cerca de duas semanas pendeu entre a vida e a morte. Passou-se um mês inteiro antes que pudesse contar perfeitamente a história do que lhe acontecera.

Lembrava-se de que, quando a baleia atingiu o bote, ele foi atirado no ar. Ao cair, foi engolfado pela gigantesca boca da baleia. Passou por fileiras de minúsculos e afiados dentes, e sentiu uma dor lancinante. Percebeu que estava escorregando por um tubo liso, e então desapareceu na escuridão. De nada mais se lembrava, senão depois de ter recuperado a consciência, uma vez libertado do estômago da baleia.

Muitos médicos de vários países vieram examiná-lo. Viveu mais *dezoito anos* depois dessa experiência. Sua pele ficara com uma desnatural coloração esbranquiçada, mas ele não sofreu outros maus efeitos além desse. Na lápide de seu túmulo foi escrito um breve relato de sua experiência, com o acréscimo: "James Bartley, 1879 a 1909, um moderno Jonas" (extraído do livro *Stranger Than Science*, por Frank Edwards, págs. 11-13).

2. *Tipologia*. A experiência de Jonas é um tipo de como Jesus, o Cristo, haveria de ficar retido em um sepulcro, para ressuscitar dentre os mortos, três dias mais tarde. Esse símbolo era um "sinal" para os mestres judeus incrédulos, os quais estavam submetendo Jesus a teste, quanto às suas reivindicações messiânicas. Jesus repreendeu aqueles que queriam receber o sinal, como necessário, porque isso comprovava que aqueles homens perversos estavam espiritualmente cegos. Em tal estado de trevas, precisavam de sinais e não eram capazes de reconhecer as realidades espirituais. Jesus recusou-se a realizar algum grande milagre, a fim de autenticar suas reivindicações. Ele já havia feito isso, com abundância. E eles já tinham rejeitado todos os sinais que ele fizera. Portanto, o Senhor lhes ofereceu um sinal bíblico. Por assim dizer, Jonas *morreu* e então retornou à *vida*. Por semelhante modo, Jesus morreria, de fato, mas ressuscitaria. Ver no *Dicionário* os artigos intitulados *Ressurreição* e *Ressurreição de Cristo*. O Senhor ressurrecto tornou-se o doador da vida eterna àqueles que nEle confiam, que passam a ser moldados segundo a sua imagem. Parte da condenação de Jesus aos mestres incrédulos consistiu no fato de que os ninivitas, habitantes de uma cidade pagã, se tinham arrependido em face da pregação de Jonas. E, no entanto, aquele que era muito maior do que Jonas pregara e mostrara sinais aos teimosos mestres judeus, mas estes se recusaram a arrepender-se. Isso significava que Deus haveria de tratar com eles com grande severidade. A ressurreição de Jesus Cristo, como é claro, foi o *sinal* final e definitivo das reivindicações de Jesus, como Messias prometido e Salvador.

VII. OCASIÃO E PROPÓSITOS DO LIVRO
O livro de Jonas é uma ilustração veterotestamentária da verdade contida em Jo 3.16. "Deus amou o mundo de tal maneira", que tomou as providências para que houvesse uma missão de misericórdia, com a finalidade de prover remédio para o pecado e para a degradação moral e espiritual. Se Deus teve tanto interesse pela sorte de Nínive, então todos os povos devem ser vistos como objetos de seu amor.

Se os estudiosos liberais estão com a razão, então um dos propósitos do livro de Jonas era atacar os preconceitos judaicos, mostrando que Deus está interessado nos pagãos, e não meramente no povo de Israel. Nesse caso, teríamos um propósito polêmico no livro. Também poderíamos encarar esse propósito como didático. O autor não estaria sendo beligerante. Estava meramente procurando ensinar Israel acerca do interesse de Deus pelos demais povos da terra. O perdão divino é muito amplo; seu amor vai desde os mais altos céus até os mais profundos infernos.

Outro propósito possível era mostrar que a própria nação de Israel deveria interessar-se pelas missões às nações. Nesse caso, o livro é uma espécie de antigo evangelho, cujo intento é impelir à atividade missionária.

O Julgamento é Remediador. Deus não tem prazer na destruição e na dor. Contudo, destruição e dor podem ser aplicadas quando se fazem necessárias. O juízo divino tem por escopo produzir nos homens o arrependimento. O trecho de 1Pe 4.6 mostra que esse princípio continua atuante no pós-túmulo, e não apenas durante a vida biológica do indivíduo.

VIII. PONTOS DE VISTA TEOLÓGICOS
1. *Deus é o governante universal*, razão pela qual tem o direito de convocar qualquer nação ao arrependimento.
2. Na qualidade de governante universal, Deus também é *o juiz universal*. Se os homens não derem ouvidos à sua chamada ao arrependimento, então Deus os julgará (Jn 3.4).
3. Deus, contudo, é o *Salvador universal*. Jonas foi enviado para salvação de Nínive, e não para obter a destruição da cidade. O próprio profeta sentiu-se contrariado quando Nínive se arrependeu e foi poupada. Ele gostaria de ter visto o cumprimento de sua profecia de condenação. Deus, porém, não concordou com essa atitude. Ver Jn 4.10,11.
4. O *Abundante Amor de Deus*. O amor de Deus é permanente e abundante (Jn 4.2). Chega mesmo a envolver os animais irracionais (ver o vs. 11). Assim chegou aos pagãos. Não era coisa pequena, se Nínive viesse a perecer. Vemos aí, novamente, a mensagem de João 3.16, que contraria uma aplicação exclusivista do amor de Deus a qualquer grupo. Isso se volta contra todo o tipo de exclusivismo, incluindo o *calvinismo* radical (ver a respeito no *Dicionário*).
5. *Os Preconceitos Exclusivistas São um Erro*. É moralmente errado alguém ser um bitolado religioso, que nada pode ver de bom além de seu próprio grupo ou denominação. É bom o homem ter uma visão mais universal, reconhecendo que Deus é verdadeiramente o Pai de todos os povos, embora haja uma paternidade divina e especial no caso dos remidos (que podem ser de qualquer raça, nação, seita ou denominação, não nos esqueçamos disso).
6. *A Motivação Missionária*. Devemos preocupar-nos com a propagação da mensagem espiritual e com a salvação das almas.
7. *O propósito remediador do julgamento divino* já foi abordado, na sétima seção, último parágrafo.

IX. ESBOÇO DO CONTEÚDO
1. Chamada ao Profeta Desobediente (cap. 1)
   a. A fuga de Jonas (1.1-3)
   b. A confissão de Jonas (1.8-12)
   c. Jonas engolido pelo grande peixe (1.13-17)
2. Jonas Livrado pela Misericórdia Divina (cap. 2)
3. Nova Comissão Divina e Obediência de Jonas (cap. 3)
   a. Jonas em Nínive (3.1-4)
   b. Os ninivitas se arrependem (3.5-9)
   c. A cidade de Nínive é poupada (3.10)
4. A Consternação de Jonas e os Cuidados de Deus (cap. 4)
   a. A indignação de Jonas (4.1-4)
   b. A história da trepadeira (4.5-10)
   c. O amor de Deus por todos os homens (4.11)

X. BIBLIOGRAFIA
AM I IB LAE PR PU YO Z

Ao Leitor
Um estudante sério, antes de lançar-se ao estudo do livro de Jonas, tirará vantagem da *Introdução*, onde discuto assuntos importantes para a compreensão do livro: caracterização geral; título; o profeta Jonas e a autoria do livro; historicidade; data; a história do grande peixe; sua historicidade e tipologia; ocasião e propósitos; pontos de vista teológicos.

Jonas é o João 3.16 do Antigo Testamento. Deus está interessado na salvação dos pagãos, pois tem misericórdia e se interessa até pelos animais! (Jn 4.11). De fato, o livro de Jonas termina com uma declaração sobre esse interesse divino. Esse breve toque concernente aos animais ultrapassa a visão do próprio apóstolo Paulo, refletida em 1Co 9.9.

O Antissemitismo e Outros Antinacionalismos. Sim, ao longo de toda a história, acompanhamos a trilha do ódio contra os judeus. Mas também encontramos muita evidência de ódio dos judeus pelos não judeus. O profeta Jonas não queria perder seu tempo na Assíria (cuja capital era Nínive). Que os ninivitas perecessem! era o seu lema. O livro de Jonas, entretanto, olha para além dessa marca e, de fato, foi escrito para corrigir esse tipo de atitude. Assim sendo, esse livro antecipa a missão gentílica da igreja cristã.

O amor de Deus é a base do ideal para levar aos pagãos a mensagem divina de arrependimento e salvação eterna. Essa é a maior força motivadora nesta ou em qualquer outra época.

Comprando Tempo. Se o livro de Jonas foi escrito em cerca de 740 a.C., então isso ocorreu cerca de 130 anos antes da queda da Assíria diante dos babilônios. Podemos dizer, legitimamente, portanto, que, ao obedecer à voz de Jonas para arrepender-se, a Assíria tenha comprado cerca de 130 anos de vida nacional extra. Naturalmente, não há nenhum registro assírio sobre um judeu que pregou para eles e os beneficiou; mas esse tipo de informação provavelmente seria suprimido dos registros nacionais assírios. Há um *paralelo* a isso no momento presente. As profecias sobre o tempo do fim parecem tardias. Tem sido predito que a década de 1990 seria um tempo crítico, e que explodiriam grandes acontecimentos pelo fim do século XX. Talvez, de alguma maneira, o mundo tenha comprado um pouco de tempo, e o cumprimento das profecias tenha sido adiado. No momento presente (escrevo em novembro de 1997) nenhum grande acontecimento parece provável pelo ano

2000. Em todas as nossas sábias profecias, não fomos capazes de antecipar o colapso do comunismo, o que deixou os Estados Unidos da América como a única superpotência mundial neste fim do século. Isso significa que nenhum grande conflito mundial é provável no futuro previsível.

Esse livro relativamente pequeno, com 4 capítulos e 48 versículos, pertence aos chamados *Profetas Menores* (os últimos doze livros do Antigo Testamento). O termo *menores,* da expressão *Profetas Menores,* refere-se meramente à quantidade de material escrito que esses profetas produziram, e não tem nada a ver com a sua importância pessoal. Isso posto, a pequena quantidade de material é comparada ao grande acúmulo de material produzido pelos *Profetas Maiores:* Isaías, Jeremias e Ezequiel.

Ver o *gráfico* no começo do livro de *Oseias,* onde apresento informações sobre os profetas do Antigo Testamento. Os antigos eruditos judeus chamavam os Profetas Menores de "Livro dos Doze", pois eram agrupados todos juntos num rolo, como se formassem um único livro.

Um Livro Profético Diferente. O livro de Jonas não contém nenhum oráculo, uma das principais características dos demais livros proféticos. Também não contém seções poéticas. Antes, consiste em um relato prosaico da missão relutante de um profeta judeu a uma nação *pagã.* Enfatiza o ideal: a missão de Israel como mestra de todas as nações. Ver Gn 12.1-3; Is 42.6,7 e 49.6. Ver especialmente Is 11.9: "A terra se encherá do conhecimento do Senhor, como as águas cobrem o mar".

EXPOSIÇÃO

CAPÍTULO UM

O PROFETA QUE FUGIU DE DEUS (1.1-17)

Jonas foi um profeta regularmente comissionado por Deus. Yahweh estava por trás de sua missão; foi ele quem deu a Jonas sua mensagem. Mas, diferentemente de outros profetas de Israel e Judá, Jonas foi chamado para fazer algo que não estava em seu coração. Assim sendo, ele fugiu para escapar da desagradável tarefa de pregar à pagã cidade de Nínive.

■ 1.1

וַיְהִי דְּבַר־יְהוָה אֶל־יוֹנָה בֶן־אֲמִתַּי לֵאמֹר׃

Veio a palavra do Senhor a Jonas. Temos aqui uma nota regular que introduz os escritos proféticos. Yahweh estava interessado em alterar as coisas; ele entregou uma mensagem a um profeta escolhido e autorizado; sua palavra foi dada por revelação. Cf. Os 1.1; Jl 1.1; Mq 1.1; Sf 1.1; Ag 1.1 e Zc 1.1. Ver no *Dicionário* os verbetes chamados *Revelação* e *Inspiração.*

Note o leitor que está em vista a *Soberania de Deus* (ver a respeito no *Dicionário*). A vontade divina operava em favor dos pagãos. Yahweh estava intervindo em sua criação. Deus criou, mas continua presente na criação, estando sempre pronto para intervir, recompensar ou punir. A isso chamamos de *Teísmo.* Em contraste, o *Deísmo* ensina que a força criativa (pessoal ou impessoal) abandonou sua criação aos cuidados das leis naturais. Há artigos sobre ambos os termos, no *Dicionário.*

A Jonas. Quanto ao pouco que se sabe ou se conjectura sobre esse homem, ver a *Introdução,* seção III. Discuto sobre o nome *Jonas* na seção I. Jonas significa *pomba,* e há algo de apropriado nesse relato parabólico, visto que a pomba era um dos símbolos de Israel.

Filho de Amitai. "Essas palavras identificam Jonas com o profeta referido em 2Rs 14.25. Mas não se encontra nenhuma outra marca identificadora" (James D. Smart, *in loc.*). Esse autor assume a interpretação *parabólica* (em vez da interpretação histórica) do livro.

■ 1.2

קוּם לֵךְ אֶל־נִינְוֵה הָעִיר הַגְּדוֹלָה וּקְרָא עָלֶיהָ כִּי־עָלְתָה רָעָתָם לְפָנָי׃

Dispõe-te, vai à grande cidade de Nínive. Sobre a cidade de "Nínive" dou um completo relato histórico, no *Dicionário.* Capital da Assíria, localizava-se nas margens orientais do rio Tigre, e é a moderna cidade de Mosul. Foi destruída em 612 a.C. pelos medos, os quais, entretanto, mantiveram sua glória e sua lenda. Os assírios foram os culpados de muita confusão havida tanto em Israel quanto em Judá. Ver no *Dicionário* o artigo chamado *Assíria.* Dessa forma Jonas não somente foi enviado para um centro pagão dos principais, mas também a uma cidade que havia maltratado os israelitas. Ambos os fatos contribuíram para sua relutância e sua fuga inicial. Yahweh queria que a mensagem de condenação fosse levada àquela cidade, para que o medo se instalasse no coração dos assírios. Se eles se arrependessem, conforme era o objetivo da missão de Jonas, seriam poupados da iminente destruição.

Os assírios realmente se arrependeram e, por esse motivo, receberam 130 anos extras de vida nacional. Ver as observações sob "Ao Leitor", sob o subtítulo *Comprando Tempo,* onde comparo essa circunstância às profecias relativas aos nossos próprios dias. A *iniquidade* pagã poderia ser apagada pelo arrependimento e pelo reconhecimento de que Yahweh é Deus, o que, segundo presumimos, fazia parte da mensagem de Jonas. *Nínive,* como é óbvio, era um centro de idolatria pagã, sendo esse o pecado fundamental do qual todos os outros pecados se originavam. Nabu era a cabeça do panteão assírio. Yahweh é o supremo governante do mundo e deve julgar o pecado onde quer que ele seja encontrado. Mas o Senhor também tem poder para perdoar e restaurar.

A sua malícia subiu até mim. Deus está nos céus, muito elevado, mas sabe o que está acontecendo na terra, que é o escabelo de seus pés. Deus criou o mundo, mas também intervém, recompensando ou punindo. Essa é a essência do *Teísmo* (ver a respeito no *Dicionário*). Contrastar isso com o *Deísmo* (ver também no *Dicionário*), que supõe que o Criador (pessoal ou impessoal) abandonou a sua criação ao governo das leis naturais.

■ 1.3

וַיָּקָם יוֹנָה לִבְרֹחַ תַּרְשִׁישָׁה מִלִּפְנֵי יְהוָה וַיֵּרֶד יָפוֹ וַיִּמְצָא אֳנִיָּה ׀ בָּאָה תַרְשִׁישׁ וַיִּתֵּן שְׂכָרָהּ וַיֵּרֶד בָּהּ לָבוֹא עִמָּהֶם תַּרְשִׁישָׁה מִלִּפְנֵי יְהוָה׃

Jonas se dispôs, mas para fugir da presença do Senhor para Társis. Jonas não queria ter nada com a pagã cidade de Nínive, pelo que fugiu, desobedecendo assim à voz de Yahweh. Jonas fugiu da *presença* do Senhor, porque Deus estava lá em cima, olhando para baixo e tornando-se conhecido dos profetas. Jonas foi para *Jope* (ver a respeito no *Dicionário*). Essa é a moderna cidade de Jafa, o único porto marítimo da ininterrupta costa marítima da Palestina, ao sul do monte Carmelo. A intenção de Jonas era chegar a *Társis* (ver o artigo desse nome no *Dicionário*). Provavelmente esse lugar deve ser identificado com Tartessos, no sul da Espanha, no extremo ocidental do mar Mediterrâneo, a cerca de 4.000 km de distância. Parece que a moderna cidade espanhola de Aracena assinala o local da antiga cidade de Társis ou Tartessos. É provável que Társis fosse uma colônia fenícia (ver Is 23.1,6,10). Mantinha lucrativo comércio com Tiro (ver Ez 27.12). Esse era o ponto ocidental mais distante aonde os navios fenícios podiam conduzi-lo, pois Jonas queria ir o mais distante possível de Nínive, que ficava a nordeste da Palestina. Ele se envolveria em uma nova vida e esqueceria sua atividade como profeta do Senhor. A presença do Senhor e seu programa missionário assustavam e desgostavam a Jonas. Sua fuga trazia-lhe alívio mental.

Era uma ideia comum entre os povos antigos de que os deuses mantinham jurisdição sobre áreas específicas do mundo. É possível que Jonas compartilhasse dessa crença. Em Társis, Jonas supostamente estaria fora do território de Yahweh, ou seja, livre de suas exigências. A presença de Yahweh se tornara intolerável para ele. No entanto, Jonas precisava de uma mudança de atitude, e não de uma mudança de localização geográfica. Conforme disse Sêneca, ninguém muda o próprio coração mudando de "céu", embora a distância para onde ele queria ir fosse igual à distância entre o extremo norte do Brasil e o extremo sul.

Note também o leitor que Jonas tinha dinheiro suficiente para pagar por tão longa viagem. Usualmente mais está envolvido na vida do que ter dinheiro bastante para aquilo que queremos. Existem questões mais vitais do que isso.

IMPÉRIO ASSÍRIO — NÍNIVE, A CAPITAL

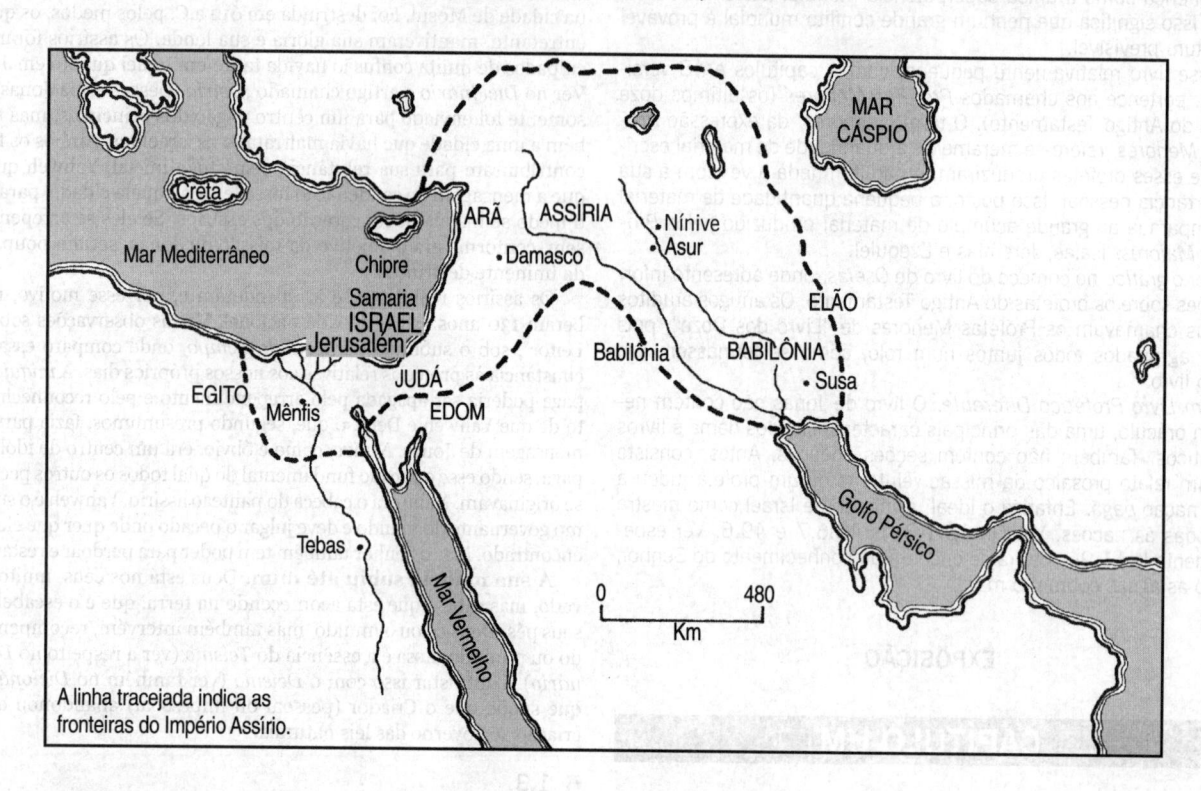

A linha tracejada indica as fronteiras do Império Assírio.

OBSERVAÇÕES

Os Impérios Assírio e Babilônico posterior ocuparam muito do mesmo espaço geográfico, exceto pelo fato de que os territórios assírios se estendiam mais a oeste e ao sul, englobando, inclusive, parte do Egito. Os Impérios Medo-Persa, Grego e Romano eram maiores, mas ainda não muito extensos quando comparados a padrões modernos. O império assírio tinha cerca de 1600 Kms de leste a oeste e cerca de 800 Kms de norte a sul.

A Assíria e a Babilônia tiveram ambas impressionantes histórias, compartilhando de um idioma comum, conhecido como assírio-babilônico ou acadiano.

Uma avançada civilização se desenvolveu na Babilônia em cerca de 3000 a.C., permanecendo o centro cultural da Mesopotâmia até o século VI a.C. O poder político e militar oscilava para lá e para cá, entre a Assíria e a Babilônia. No período de 900 a 600 a.C., a Assíria passou a atuar como opressora e invasora nas narrativas bíblicas. A Bíblia sempre distingue entre Assíria e Babilônia.

1.4

וַיהוָה הֵטִיל רוּחַ־גְּדוֹלָה אֶל־הַיָּם וַיְהִי סַעַר־גָּדוֹל בַּיָּם וְהָאֳנִיָּה חִשְּׁבָה לְהִשָּׁבֵר:

Mas o Senhor lançou sobre o mar um forte vento, e fez-se no mar uma grande tempestade. A cena seguinte da história é Jonas no navio. Ele comprou sua passagem em Jope e estava agora, feliz, a caminho da "liberdade" de Deus e da responsabilidade missionária. Estava prestes a fazer o que queria, em vez de cumprir os requisitos de sua missão. Portanto, era como um "cristão" típico de nossos dias. Deus é a principal personagem da narrativa, o poder por trás dos bastidores. Portanto, Deus usou um de seus servos, o *vento*, e em breve manifestou grande tempestade, que ameaçava naufragar a embarcação com suas ondas gigantescas. O navio estava a ponto de *partir-se,* conforme diziam os marinheiros, que conheciam as lides do mar.

"Nenhuma mudança de ambiente, nem montanhas, nem o mar, nem o deserto, nem mudança de altitude, latitude ou longitude, poderia ajudar Jonas a escapar... Deus estava por onde ele fosse; Deus estava na Palestina, em Jope, em Társis — e continuaria a seguir a Jonas" (William Scarlett, *in loc.*).

"Ninguém pode escapar de Deus (ver Sl 139.7-12)... De súbito, o navio teve de enfrentar uma tempestade tão feroz que parecia impossível não naufragar. Essa tempestade foi uma ação direta de Deus, a fim de bloquear a fuga rebelde de Jonas... Deus é o Criador e o Soberano de todo o mundo criado" (James D. Smart, *in loc.*).

1.5

וַיִּירְאוּ הַמַּלָּחִים וַיִּזְעֲקוּ אִישׁ אֶל־אֱלֹהָיו וַיָּטִלוּ אֶת־הַכֵּלִים אֲשֶׁר בָּאֳנִיָּה אֶל־הַיָּם לְהָקֵל מֵעֲלֵיהֶם וְיוֹנָה יָרַד אֶל־יַרְכְּתֵי הַסְּפִינָה וַיִּשְׁכַּב וַיֵּרָדַם:

Então os marinheiros, cheios de medo, clamavam cada um ao seu deus. Os *marinheiros* tinham plena consciência da natureza crítica da situação e começaram a invocar, cada um, o seu deus. Foram forçados a despejar no mar toda a carga preciosa que transportavam de Jope a Társis, para aliviar o navio, e assim, se possível, escapar com vida. Jonas, em contraste, abandonou Yahweh e não estava fazendo nenhuma oração. De fato, ele estava tranquilo e tinha descido ao porão do navio, a fim de dormir. Nem mesmo a tempestade mais feroz foi capaz de despertá-lo; mas em breve o grande peixe haveria de fazê-lo. A embarcação, aliviada de sua carga, flutuava agora mais alta sobre a superfície do mar, o que ajudava a evitar que afundasse. Porém, medidas heroicas não exerceriam efeito sobre a ameaça. Enquanto isso, Jonas, o nosso homem, estava deitado, indiferente à sua tarefa em Nínive; ele era o homem que estava tentando escapar de Deus; ele dormia, apático diante do perigo que estava enfrentando; contente com a vida que tinha arranjado para si mesmo. De fato, ele era o anti-herói, mas não demoraria muito e seria forçado a tornar-se um herói relutante. Jonas era o homem *despreocupado* e sem *lealdade* no tocante a qualquer labor significativo.

■ 1.6

וַיִּקְרַב אֵלָיו רַב הַחֹבֵל וַיֹּאמֶר לוֹ מַה־לְּךָ נִרְדָּם קוּם קְרָא אֶל־אֱלֹהֶיךָ אוּלַי יִתְעַשֵּׁת הָאֱלֹהִים לָנוּ וְלֹא נֹאבֵד׃

Chegou-se a ele o mestre do navio, e lhe disse. Jonas havia desaparecido da cena. O capitão do navio saiu à procura dele. No porão, o mestre do navio achou Jonas a dormir, o que o deixou espantado. O navio precisava de toda a "ajuda sob a forma de oração" que pudesse obter. E talvez o Deus de Jonas fosse precisamente aquele que poderia salvar o dia. O capitão ordenou que o envergonhado Jonas saísse de seu beliche e fosse para o convés da embarcação. Ali, ao contemplar o temível temporal, automaticamente ele começaria as suas orações intercessórias diante de seu Deus. Conforme disse certo homem: "É preciso crer em tudo, pois é daí que vêm os milagres". O capitão estava disposto a crer em tudo e sentia-se feliz porque agora mais um "deus" estava sendo solicitado. "Que tremenda lição objetiva é essa, para o povo de Deus, naquele tempo como agora, despertar da apatia e orar por pessoas que perecem neste mar da vida" (John D. Hannah, *in loc.*). Note o leitor o termo que designa Deus aqui, *Elohim*, o *Poder*. Em suas superstições politeístas, o capitão do navio, como é lógico, não tinha consciência do Poder divino.

■ 1.7

וַיֹּאמְרוּ אִישׁ אֶל־רֵעֵהוּ לְכוּ וְנַפִּילָה גוֹרָלוֹת וְנֵדְעָה בְּשֶׁלְּמִי הָרָעָה הַזֹּאת לָנוּ וַיַּפִּלוּ גּוֹרָלוֹת וַיִּפֹּל הַגּוֹרָל עַל־יוֹנָה׃

E diziam uns aos outros: Vinde, e lancemos sortes. Os marinheiros, que evidentemente eram "teístas", pensavam que deuses estavam por trás das calamidades, supondo, naturalmente, que havia alguma *causa* por trás do que estava acontecendo. Algum deus, em algum lugar, tinha sido ofendido. E lançaram sortes para descobrir qual deles seria o culpado. Ver no *Dicionário* o artigo chamado *Sortes*. Isso funciona em todos os tipos de circunstâncias e era comum no antigo Oriente Próximo e Médio. Cf. Lv 16.8; Js 18.6; 1Sm 14.42; Ne 10.34; Êx 3.7; Pv 16.33 e At 1.26. Esta última referência mostra-nos que até os apóstolos de Jesus usaram o método para escolher o substituto de Judas Iscariotes. Talvez pedrinhas fossem marcadas com os nomes das pessoas envolvidas, misturadas em um receptáculo, e então uma era retirada ou sacudida para fora do receptáculo. A ideia era que a divindade que quisesse que seu adorador desobediente fosse punido, interviria e se certificaria de que a má sorte seria eliminada. Devia haver alguma *causa* divina. E também havia a crença de que bastava a presença de uma pessoa ímpia para trazer calamidades àqueles com quem ela se associasse. Portanto, seria vantajoso para aqueles marinheiros "livrar-se" da má influência.

■ 1.8

וַיֹּאמְרוּ אֵלָיו הַגִּידָה־נָּא לָנוּ בַּאֲשֶׁר לְמִי־הָרָעָה הַזֹּאת לָנוּ מַה־מְּלַאכְתְּךָ וּמֵאַיִן תָּבוֹא מָה אַרְצֶךָ וְאֵי־מִזֶּה עַם אָתָּה׃

Declara-nos, agora, por causa de quem nos sobreveio este mal. Antes do lançamento das sortes, os marinheiros se prepararam por meio da oração, para garantir que a pessoa culpada seria apanhada. A declaração final do vs. 7 diz-nos que a sorte caiu sobre Jonas, mas devemos compreender que isso aconteceu *depois* das orações preparatórias. Tendo identificado o culpado, os marinheiros o interrogaram: quiseram saber quem ele era; de onde vinha; por que estava na embarcação, e coisas semelhantes. Coisa alguma que Jonas dissesse mitigaria a situação. Seja como for, ele seria executado, a fim de que a tempestade cessasse. Talvez os marinheiros estivessem apenas curiosos. Nesse caso, o interrogatório era apenas uma medida anterior à execução. Os marinheiros descobririam a "razão" daquela grande calamidade, e isso lhes daria motivo para proceder à matança. Isso *justificaria* o que estavam prestes a fazer. Os marinheiros queriam uma "confissão de culpa". Talvez até quisessem *certificar-se* de que a sorte lhes dissera a verdade.

Ó SIÃO SE APRESSE

Ó Sião se apresse para sua missão alta cumprir,
Para dizer a todo mundo que Deus é luz,
Que aquele que fez todas as nações não querer
Que uma única alma se perca nas sombras.
Publique as boas-novas, notícias de paz,
Boas-novas de Jesus, redenção e liberdade.

Mary A. Thomson

TEMOS UMA HISTÓRIA PARA CONTAR ÀS NAÇÕES

Temos uma história para contar às nações
Que guiará seus corações para a retidão,
Uma história de verdade e de misericórdia,
Uma história de paz e de luz.

A escuridão cederá para uma madrugada,
E a madrugada cederá para a luz do meio-dia,
O reino de Cristo chegará à terra,
O Reino de amor e de luz.

Colin Sterne

■ 1.9

וַיֹּאמֶר אֲלֵיהֶם עִבְרִי אָנֹכִי וְאֶת־יְהוָה אֱלֹהֵי הַשָּׁמַיִם אֲנִי יָרֵא אֲשֶׁר־עָשָׂה אֶת־הַיָּם וְאֶת־הַיַּבָּשָׁה׃

Ele lhes respondeu: Sou hebreu, e temo ao Senhor. Jonas identificou-se com sua raça (um hebreu); seu Deus, Yahweh-Elohim; sua situação espiritual ideal: ele *temia o Senhor,* a frase típica do Antigo Testamento que indica a espiritualidade básica (ver sobre *Temor,* no *Dicionário* e em Sl 119.38 e Pv 1.7); e até deu-se ao trabalho de exaltar Yahweh-Elohim como o Criador de todas as coisas, repreendendo (por implicação) a idolatria e as superstições deles. Este versículo não diz isso, mas Jonas também revelou a eles que era fugitivo de Deus e merecia tratamento drástico. Mas o versículo seguinte acrescenta essa informação. Yahweh-Elohim, como *Criador* de todas as coisas, obviamente era aquele que tinha perturbado o mar. Desse modo, foi-lhes dito que Yahweh-Elohim não é apenas uma divindade "local" (ver o segundo parágrafo das notas expositivas sobre o vs. 3), mas, antes, é um Poder que tem jurisdição universal. Isso complicava a situação, porquanto eles estavam tratando com um grande Poder que, por certo, faria o navio naufragar, se o culpado não fosse eliminado. Cf. Gn 24.3,7; Ed 1.2; Êx 20.11 e Sl 95.5.

■ 1.10

וַיִּירְאוּ הָאֲנָשִׁים יִרְאָה גְדוֹלָה וַיֹּאמְרוּ אֵלָיו מַה־זֹּאת עָשִׂיתָ כִּי־יָדְעוּ הָאֲנָשִׁים כִּי־מִלִּפְנֵי יְהוָה הוּא בֹרֵחַ כִּי הִגִּיד לָהֶם׃

Então os homens ficaram possuídos de grande temor. Tendo descoberto que Deus estava por trás de Jonas, os marinheiros ficaram grandemente assustados e, consternados, quiseram saber *por que* o profeta havia tentado daquela maneira a paciência divina, o que terminou pondo em perigo tanto a vida dele mesmo como a de todos a bordo do navio. A conversa revelou a história inteira: Jonas tinha sido chamado para cumprir uma missão, contra a qual estupidamente se rebelara e assim provocou a ira celeste. Yahweh-Elohim *governa* tanto a terra quanto o mar (Sl 65.5-7; 107.23-32; 139.7-12; Mc 4.35-41; At 27). Não admira, pois, que os atos de Jonas tivessem sido tão provocantes aos olhos de Yahweh. Talvez aqueles marinheiros presumissem que Deus os considerava responsáveis e cúmplices, por terem vendido a passagem a Jonas para levá-lo a Társis. Temos aqui um toque estranho — aqueles marinheiros pagãos compreenderam, melhor do que Jonas, a *seriedade* da obediência a Deus. O desobediente Jonas, com a consciência calejada, foi capaz de dormir em meio à tempestade (vs. 5), enquanto os marinheiros pagãos é que tiveram de enfrentar a ira de Deus. Além disso, há a questão de *privilégios*. O profeta do Senhor também não estava desperto quanto a essa questão.

■ 1.11

וַיֹּאמְרוּ אֵלָיו מַה־נַּעֲשֶׂה לָּךְ וְיִשְׁתֹּק הַיָּם מֵעָלֵינוּ כִּי הַיָּם הוֹלֵךְ וְסֹעֵר:

Que te faremos, para que o mar se nos acalme? Aqueles marinheiros não eram assassinos no coração; também não eram soldados que ganhavam a vida decepando cabeças e traspassando corações. Portanto, indagaram se o profeta tinha alguma sugestão quanto ao que deveria ser feito. Talvez o Deus de Jonas exigisse algo que fosse menor que a execução capital. Talvez o autor sagrado esteja salientando a *natureza misericordiosa* da conduta dos marinheiros, a fim de mostrar que aqueles marinheiros pagãos também mereciam a atenção de Yahweh. Os judeus não tinham o monopólio do Ser divino. Além disso, fora Jonas, o hebreu, quem causara toda aquela dificuldade. "Os marinheiros são espécimens do mundo pagão que homens, como Jonas, anelam por excluir da misericórdia de Deus" (James D. Smart, *in loc.*). "Naqueles pobres homens houve incomum grau de humanidade e sentimentos de ternura" (Adam Clarke, *in loc.*). Metaforicamente, como *aplicação*, vemos aqui a prefiguração da missão gentílica da igreja cristã. "Pois Deus amou o mundo de tal maneira" (Jo 3.16). Ver Rm 2.14,15 quanto às tentativas gentílicas de piedade, que são respeitadas por Deus.

■ 1.12

וַיֹּאמֶר אֲלֵיהֶם שָׂאוּנִי וַהֲטִילֻנִי אֶל־הַיָּם וְיִשְׁתֹּק הַיָּם מֵעֲלֵיכֶם כִּי יוֹדֵעַ אָנִי כִּי בְשֶׁלִּי הַסַּעַר הַגָּדוֹל הַזֶּה עֲלֵיכֶם:

Respondeu-lhes: Tomai-me, e lançai-me ao mar. Jonas, o *ofensor*, não viu esperança em Yahweh-Elohim sugerir alguma medida mais branda. Jonas, o profeta desobediente, merecia ser morto. Ele devia ser lançado ao mar. E o mar, uma vez que o engolisse, ficaria satisfeito, pois tinha sido nomeado por Yahweh para causar toda aquela dificuldade. Jonas estava certo de que era a causa da calamidade, e de que somente diante de sua morte as coisas se aquietariam. A fé hebraica de Jonas lhe havia ensinado que o ofensor tinha de pagar com a própria vida. De um lado, por causa da *justiça*, Jonas tinha de morrer. De outra parte, por motivo de *misericórdia*, os marinheiros inocentes tinham de viver. Jonas não demonstrara interesse pela misericórdia divina para com Nínive, e sentia não merecer essa misericórdia. A graça divina, destacada no Novo Testamento, resolveria esse caso de melhor maneira, mas Jonas, o profeta desobediente, não sabia disso. Nem há evidência de que ele tenha experimentado o *arrependimento*, na tentativa de evitar o desastre. Ele simplesmente se submeteu ao julgamento de Deus e queria terminar toda aquela situação o mais rápido possível. De qualquer maneira, uma crença antiga dizia que os sacrifícios oferecidos ao deus (deuses) do mar podiam fazer parar as tempestades. Algumas vezes, a vítima tinha a chance de lutar — era posta em um barco e ficava a vaguear no mar, sem velas e sem remos. Se os deuses sorrissem para ela, as ondas poderiam levá-la a alguma praia. A história budista de *Mittapindaka* ilustra essa ideia. O indivíduo culpado era deixado a vaguear em uma jangada! Talvez Jonas, tão decidido a não pregar em Nínive, preferisse morrer (cf. Jn 4.3,8). Mas o misericordioso e sábio Deus tinha outro plano, que resolveria a questão. Esse plano requeria dupla dose de misericórdia e amor. Mas cristianizar este versículo e ver Jonas como um tipo de Cristo, que se ofereceu livremente para fazer expiação, certamente é um exagero.

■ 1.13

וַיַּחְתְּרוּ הָאֲנָשִׁים לְהָשִׁיב אֶל־הַיַּבָּשָׁה וְלֹא יָכֹלוּ כִּי הַיָּם הוֹלֵךְ וְסֹעֵר עֲלֵיהֶם:

Entretanto os homens remavam, esforçando-se por alcançar a terra. Apesar da solução simplista apresentada por Jonas, os bondosos marinheiros tentaram evitar a execução dele e remaram arduamente para levar a embarcação à terra, presumivelmente porque, à distância, podiam vê-la. A tempestade, porém, estava por demais feroz, e os esforços deles foram inúteis. A história não poderia mesmo terminar com esforços humanos heroicos. Antes, deveria ser encerrada com uma *intervenção divina* direta. Jonas teria de sobreviver para cumprir sua missão; o poder e a misericórdia de Deus garantiriam esse resultado. Afinal de contas, milhares de pessoas na Assíria seriam salvas, se a vida de Jonas fosse poupada. Ele precisava sobreviver. Sua missão requeria que ele sobrevivesse. Contraste o leitor a *compaixão* daqueles homens com a falta de compaixão de Jonas. Eles trabalharam arduamente para salvar a vida de um homem. Mas Jonas estava indisposto a mexer um dedo em favor de tantas vidas humanas. Os marinheiros não puderam forçar o avanço da embarcação para furar a muralha de ondas. Mas o Poder divino eventualmente derrotaria o muro de separação entre judeus e gentios (ver Ef 2.14.).

■ 1.14

וַיִּקְרְאוּ אֶל־יְהוָה וַיֹּאמְרוּ אָנָּה יְהוָה אַל־נָא נֹאבְדָה בְּנֶפֶשׁ הָאִישׁ הַזֶּה וְאַל־תִּתֵּן עָלֵינוּ דָּם נָקִיא כִּי־אַתָּה יְהוָה כַּאֲשֶׁר חָפַצְתָּ עָשִׂיתָ:

Então clamaram ao Senhor e disseram: Ah! Senhor! Havia chegado o *momento drástico*. Jonas precisava ser jogado fora da embarcação. Os marinheiros pediram que sangue inocente não fosse lançado na conta deles como homicídio, pois Jonas não era inocente e quase havia causado a morte deles através de sua rebelião contra Deus. Portanto, clamaram que Yahweh considerasse a natureza do caso e permitisse a execução de Jonas, sem feri-los. Eles oraram ao Deus de Jonas como o principal ator do caso. Deus tomou a decisão de provocar a tempestade; aparentemente era dele a decisão de que Jonas fosse sacrificado; e a decisão teria de ser dele para trazer a calma às águas agitadas. Tendo reconhecido a soberania e a providência de Yahweh, eles lançaram Jonas nas águas turbulentas.

■ 1.15

וַיִּשְׂאוּ אֶת־יוֹנָה וַיְטִלֻהוּ אֶל־הַיָּם וַיַּעֲמֹד הַיָּם מִזַּעְפּוֹ:

E levantaram a Jonas, e o lançaram ao mar. Portanto, eles tomaram Jonas, resignado à sua sorte, e lançaram-no nas temidas águas; instantaneamente o mar parou em sua agitação e em suas ondas raivosas. O sacrifício foi aceito, e Yahweh tornou a intervir e falou de paz às águas turbulentas. A teoria foi comprovada pela experiência. A providência e a soberania divinas novamente cumpriram seus propósitos.

... a cujas ordens o mar irado espumeja.

Shakespeare, *Ant. e Cleópatra*

Cf. com as palavras de Jesus, que acalmaram as águas (ver Lc 8.24). Deus poupa os penitentes que se entregam à oração, pelo que aqui poupou os inocentes, uma vez que o culpado foi separado deles. No mar estabeleceu-se a "calmaria", embora até tão recentemente estivesse empolado. O relato bíblico é adornado por Pirke Eliezer (cap. 10, fol. 10.2): Jonas foi arriado por meio de uma corda, e, assim que mergulhou na água, esta cessou em sua turbulência. Eles o puxaram de volta e deixaram-no mergulhar de novo, o que aconteceu por três vezes, até que, mergulhando mais fundo, sua cabeça desapareceu sob as águas. Dessa vez, as águas se aquietaram e não mais se mostraram agitadas.

■ 1.16

וַיִּירְאוּ הָאֲנָשִׁים יִרְאָה גְדוֹלָה אֶת־יְהוָה וַיִּזְבְּחוּ־זֶבַח לַיהוָה וַיִּדְּרוּ נְדָרִים:

Temeram, pois, estes homens em extremo ao Senhor. Aqueles marinheiros pagãos chegaram a reconhecer o poder e a jurisdição de Yahweh sobre todas as coisas e, em atitude de profundo respeito, ofereceram a ele um sacrifício, talvez uma oferenda de cereais. Além disso, fizeram votos, cuja natureza não nos foi revelada. Eles não se converteram ao yahwismo, mas pelo menos incorporaram Yahweh em seu panteão. Eles tinham visto uma lição sobre o poder divino, a qual jamais esqueceriam. E novamente aqueles homens contrastaram com o profeta de Israel. Ali estavam eles, adorando Yahweh e fazendo toda a espécie de promessas, sem dúvida relacionadas, de alguma maneira, à pessoa e à dignidade de Deus; mas o desobediente Jonas estava nas águas. Ele havia abandonado Yahweh e, segundo todas as aparências, também fora abandonado por ele. Podemos estar certos de que a oferenda foi feita em meio a louvores e ações de graça. Mas o infeliz Jonas estava cortado de toda a alegria.

■ **1.17** (na Bíblia hebraica corresponde ao **2.1**)

וַיְמַן יְהוָה דָּג גָּדוֹל לִבְלֹעַ אֶת־יוֹנָה וַיְהִי יוֹנָה בִּמְעֵי הַדָּג שְׁלֹשָׁה יָמִים וּשְׁלֹשָׁה לֵילוֹת׃

Deparou o Senhor um grande peixe. Yahweh, porém, não tinha rompido definitivamente com seu profeta. Ele nomeou um grande peixe (tradicionalmente uma baleia) para que cuidasse de Jonas. E o grande peixe engoliu o pobre Jonas, aumentando assim a duração da sua vida. No ventre do grande peixe, Jonas podia sobreviver por mais tempo do que dentro da água. Na seção VI da *Introdução*, relato a história de um Jonas moderno, que ajuda a ilustrar a historicidade do relato do livro de Jonas. "Cada acontecimento da história ocorreu por ordem direta de Deus (vss. 2,4,17; 2.3,10; 3.1,2; 4.6-8). Por trás dessa ideia jaz a crença na soberania divina sobre os eventos da vida, de forma que cada um deles está relacionado ao seu propósito. A palavra e os atos de Deus são os principais fatores determinantes da vida" (James D. Smart, *in loc.*). Ver no *Dicionário* o verbete chamado *Teísmo*.

Três dias e três noites. Isso subentende a intervenção divina, que protegeu a vida do fugitivo. Essa expressão é usada por diversas vezes no Novo Testamento acerca da permanência de Jesus no sepulcro (*sheol?*), por esse período de tempo. No caso de Jesus, foi parte de três dias e três noites: parte da sexta-feira, todo o sábado, e parte do domingo. Ver Mt 12.40, onde é feita a comparação do caso de Jesus com o caso de Jonas. Foi durante esse prazo que Jesus teve sua missão de misericórdia no hades (ver 1Pe 3.18—4.6). Ver na *Enciclopédia de Bíblia, Teologia e Filosofia* o verbete chamado *Descida de Cristo ao Hades*, quanto a essa importante dimensão do ministério de Cristo. Ver também no *Dicionário* o artigo denominado *Três Dias e Noites*.

No ventre do peixe. A palavra "peixe" pode designar, aqui, qualquer dos grandes animais existentes no mar. Não há razão alguma em supormos que um peixe "especial" tenha sido criado para a ocasião. O cachalote tem o equipamento necessário para devorar um homem. Nas pinturas cristãs primitivas esse "peixe" é pintado como um dragão do mar, mas por certo isso é incorreto. A palavra hebraica correspondente, *dag* (grande peixe), não determina que tipo de animal está envolvido, como também não o fez a tradução grega da Septuaginta, *ketos*. Nos escritos de Homero (como a *Odisseia* xii.97), essa palavra grega é usada para indicar qualquer peixe grande, incluindo golfinhos e tubarões.

CAPÍTULO DOIS

O LIVRAMENTO; SL DE AGRADECIMENTO (2.1-10)

A partir deste ponto, a narrativa é vazada na primeira pessoa do singular. Jonas tinha razão para oferecer um salmo de agradecimento e louvor por seu maravilhoso livramento, que fora uma intervenção divina direta em seu favor. Yahweh continuava orientando os eventos principais da narrativa: ver isso em Jn 1.2,4,17; 2.3,10; 3.1,2; 4.6-8.

■ **2.1** (na Bíblia hebraica corresponde ao **2.2**)

וַיִּתְפַּלֵּל יוֹנָה אֶל־יְהוָה אֱלֹהָיו מִמְּעֵי הַדָּגָה׃

Então Jonas, do ventre do peixe, orou. Jonas agora estava perfeitamente desperto, tanto física quanto espiritualmente. Contrastar com Jn 1.5. Em seu desespero, seu espírito foi renovado, e ele começou a buscar a Yahweh, sua única esperança. Ele tinha esperança em meio a uma situação desesperadora, mas não sabia por qual *modus operandi* seria salvo. Portanto, lançou sua alma nas mãos de Yahweh, rogando por sua vida, para que, "de alguma maneira", um evento miraculoso lhe desse continuação de vida. O que Jonas disse por certo reflete seu arrependimento e subentende que ele concordava em ir a Nínive, completar sua missão, *caso* fosse salvo daquela situação de extremo perigo. A *oração* de Jonas disse respeito ao livramento, que lhe foi dado (vs. 10); mas os vss. 2-9 constituem um salmo de agradecimento por causa da graça divina que lhe fora conferida. "Poeticamente, Jonas narrou a história de seu livramento" (John D. Hannah, *in loc.*). Cf. com o cântico de Ana, em 1Sm 2.1-10, que tem uma introdução similar. Note o leitor o uso do nome divino, *Elohim*, o Poder, o único que poderia libertá-lo.

Deus me ordenou ir, quando eu queria ficar.
Não sei dizer por qual razão
Ele me ordenou que ficasse, quando eu queria ir.
"Seja feita a tua vontade", disse eu.
Não mais perguntarei por qual razão,
Embora eu não possa perceber
A estrada à frente, por seu caminho sigo.
Pois, embora eu não o saiba, ele o sabe.
Ele escolherá para mim o meu caminho.

■ **2.2** (na Bíblia hebraica corresponde ao **2.3**)

וַיֹּאמֶר קָרָאתִי מִצָּרָה לִי אֶל־יְהוָה וַיַּעֲנֵנִי מִבֶּטֶן שְׁאוֹל שִׁוַּעְתִּי שָׁמַעְתָּ קוֹלִי׃

Na minha angústia clamei ao Senhor. O vs. 1 deste capítulo pede o *livramento*. O vs. 10 tem a *resposta positiva* de Yahweh. Os vss. 2-9 são um hino de agradecimento pela graça obtida. No ventre do grande peixe, Jonas estava em *extrema aflição*, buscando alívio e livramento, embora seu caso fosse desesperador. Mas, no instante em que Yahweh *ouviu* seu grito de angústia, o caso de Jonas deixou de ser desesperador. Por assim dizer, Jonas clamou do fundo do *sheol*, embora não tivesse morrido nem descido até ali. Mas sua situação era tão desesperadora como se ele tivesse afundado abaixo da superfície da terra e entrado na câmara subterrânea das almas que partiram deste mundo. Cf. Sl 120.1 com a primeira parte deste versículo, e ver também Sl 18.6. O trecho de Is 5.14 oferece um paralelo quase perfeito. O Sl 6.5 pinta o *sheol* a escancarar sua boca enorme para engolir os príncipes deste mundo com toda a sua pompa.

■ **2.3** (na Bíblia hebraica corresponde ao **2.4**)

וַתַּשְׁלִיכֵנִי מְצוּלָה בִּלְבַב יַמִּים וְנָהָר יְסֹבְבֵנִי כָּל־מִשְׁבָּרֶיךָ וְגַלֶּיךָ עָלַי עָבָרוּ׃

Pois me lançaste no profundo, no coração dos mares. Este versículo narra poeticamente a informação prestada em Jn 1.15. O que os marinheiros tinham feito é agora atribuído a Yahweh, que foi o Poder por trás do lançamento de Jonas nas águas do mar. A vontade do Senhor estava por trás do ato, pois ele mesmo o havia requerido, em face da desobediência do profeta. O mar era profundo e melancólico, temível em seu aspecto e incansável em seu esforço ganancioso de devorar para sempre quem nele caísse. Os dilúvios de um oceano inteiro (o mar Mediterrâneo) submergiram o infeliz Jonas. Era um fraco homem contra um poderoso mar. As ondas do mar passaram por cima dele. Em breve ele se teria afogado. O fato de que o grande peixe o engoliu foi para ele um "alívio", porquanto o arrebatou daquelas ondas sem misericórdia, se pudermos imaginar um ato de misericórdia que tirasse Jonas da situação de desespero em que ele agora se encontrava. Usualmente, quando oramos, fazemos uma ideia de como Deus responderá. Mas aqueles que estão totalmente desesperados precisam lançar seus problemas a Deus, em oração, deixando com ele os detalhes.

Lançastes-me no mar.
Afundei, afundei no profundo mar.
As águas me cercaram por todos os lados.
Tuas poderosas ondas fluíam por sobre mim.

NCV

Cf. este versículo com Sl 42.7, que também tem uma linha sobre as ondas e os vagalhões. Parece estar na mente do autor sagrado o Salmo 42, onde temos o clamor de Israel no exílio. Jonas, na verdade, estava passando por seu "exílio" especial de Yahweh, que culminou nas águas do mar Mediterrâneo. Ver também Sl 88.7.

■ **2.4** (na Bíblia hebraica corresponde ao **2.5**)

וַאֲנִי אָמַרְתִּי נִגְרַשְׁתִּי מִנֶּגֶד עֵינֶיךָ אַךְ אוֹסִיף לְהַבִּיט אֶל־הֵיכַל קָדְשֶׁךָ׃

Então disse: Lançado estou de diante dos teus olhos. Embora fora da vista, Jonas não estava fora da mente divina, pelo que, em sua imaginação, volveu os olhos para o santo templo de Jerusalém e ergueu sua desesperada petição. Ele estava confiando na graça e no amor de Yahweh, pois não tinha nada mais em que se agarrar. Seu clamor foi: "Tal qual estou, sem fazer apelo...". Como o desobediente profeta ansiou por estar, naquele momento, em Jerusalém, no templo de Deus, onde poderia renovar seus votos e mudar o curso de sua vida. Nínive era preferível ao ventre do grande peixe, sem importar quão desagradável ir a Nínive deva ter parecido para ele. "Banido por Deus por causa do pecado de desobediência, o profeta deu provas de seu arrependimento e de fé renovada" (John D. Hannah). Talvez o "templo" aqui referido seja a *residência celestial* de Deus (Sl 11.4). Talvez o profeta estivesse olhando na direção do céu, esperando encontrar Yahweh ali, pois somente o Senhor era capaz de livrá-lo do ventre do grande peixe. Cf. este versículo com Sl 31.22.

■ **2.5** (na Bíblia hebraica corresponde ao **2.6**)

אֲפָפוּנִי מַיִם עַד־נֶפֶשׁ תְּהוֹם יְסֹבְבֵנִי סוּף חָבוּשׁ לְרֹאשִׁי׃

As águas me cercaram até à alma. Este versículo é uma repetição essencial do vs. 3, mas agora temos o detalhe peculiar das "algas", que se enrodilharam na cabeça de Jonas, quando ele afundava no mar. Elas se embaraçaram na sua cabeça, tornando fútil qualquer tentativa de voltar à superfície. O profeta tinha sido apanhado na armadilha desesperadora de seu sepulcro de água, e se não fosse Deus... Jonas fez uma *viagem aterrorizante* ao mergulhar nas águas do mar.

■ **2.6** (na Bíblia hebraica corresponde ao **2.7**)

לְקִצְבֵי הָרִים יָרַדְתִּי הָאָרֶץ בְּרִחֶיהָ בַעֲדִי לְעוֹלָם וַתַּעַל מִשַּׁחַת חַיַּי יְהוָה אֱלֹהָי׃

Até aos fundamentos dos montes. Continua aqui o terror da descrição. Ele desceu aos fundamentos dos montes. Sabemos que o mar oculta cadeias montanhosas. A referência, entretanto, provavelmente é à noção dos hebreus de que a terra flutuava sobre grandes águas subterrâneas, havendo colunas que se afundavam no imenso mar, abaixo do mar natural e visível. Além disso, a taça invertida do firmamento repousaria, segundo se concebia, sobre as montanhas, em seus pontos extremos. Quanto a uma ilustração dessa ideia, ver no *Dicionário* o artigo chamado *Astronomia*, onde ofereço um esquema da situação que os antigos imaginavam.

Cujos ferrolhos se correram sobre mim. Provavelmente estão em vista aqui as *trancas do hades*. O infeliz Jonas escorregou (figuradamente) até o fundo do *sheol*, a câmara subterrânea abaixo da superfície da terra, e foi apanhado naquele lugar, cujos portões se cerraram sobre ele. Mas talvez o profeta tenha dito somente que chegou aos portões do *hades*, mas sem entrar. Pois aquele que ali entrasse não mais poderia sair. Jesus, em sua descida ao hades, naturalmente, por ser o próprio Criador, quebrou essa regra. Ele mostrou como se pode sair dali. Ver na *Enciclopédia de Bíblia, Teologia e Filosofia* o artigo chamado *Descida de Cristo ao Hades*. Por assim dizer, Jonas foi livrado da entrada do *sheol*, o que pode acontecer a todo homem, pela graça e amor de Deus, pois seu nome é *Yahweh* (o Deus eterno), o qual é *Elohim* (o Poder), suficiente para toda e qualquer tarefa. "Pensei que estava trancado para sempre na prisão"(NCV). Jesus tem as chaves que abrem o *hades* e, graciosamente, as utiliza no caso de toda a alma arrependida. Cf. este versículo com Is 38.17.

■ **2.7** (na Bíblia hebraica corresponde ao **2.8**)

בְּהִתְעַטֵּף עָלַי נַפְשִׁי אֶת־יְהוָה זָכָרְתִּי וַתָּבוֹא אֵלֶיךָ תְּפִלָּתִי אֶל־הֵיכַל קָדְשֶׁךָ׃

Quando dentro em mim desfalecia a minha alma. Este versículo revisa ideias dos vss. 1, 2 e 4 deste capítulo. Estando já a "desmaiar", o profeta relembrou-se do Senhor, em seu templo, e elevou sua oração para o santo monte de Deus, de onde poderia vir a ajuda. Quando sua vida já se estava esgotando, Jonas voltou-se para a Fonte da vida e pediu moratória. Sua alma foi "avassalada" (conforme diz o hebraico original). Cf. Sl 142.3 e 143.4, onde a mesma palavra é usada. A separação física não separou Jonas de Yahweh, espiritualmente falando. Ademais, Yahweh sabia o que sucedia e estava disposto a ajudar a Jonas, à base do arrependimento. Assim sendo, Jonas fez uma oração como se fosse um enviado (a oração foi personificada), visto que não poderia subir pessoalmente, o que forma excelente figura simbólica que ilustra o triunfo do espírito: ver Sl 42.6 e 73.26. Um tempo de tribulação fecha a esperança do lado de fora, mas a fé revive essa esperança. Nem mesmo a prisão do *sheol* foi capaz de reter Jonas.

■ **2.8** (na Bíblia hebraica corresponde ao **2.9**)

מְשַׁמְּרִים הַבְלֵי־שָׁוְא חַסְדָּם יַעֲזֹבוּ׃

Os que se entregam à idolatria vã... Os ídolos são deuses que nada representam e, verdadeiramente, para eles Jonas não se voltou quando seu caso era desesperador. Os homens que buscam tais coisas esqueceram toda a *lealdade* verdadeira ao Ser divino. Portanto, nada devem esperar "do alto". Jonas também abandonou a lealdade a Yahweh por algum tempo, mas depois voltou, desejando renovar os seus votos. Jonas quase perdeu sua parte no pacto que Yahweh estabelecera com Israel, mas se retirou desse desastre.

■ **2.9** (na Bíblia hebraica corresponde ao **2.10**)

וַאֲנִי בְּקוֹל תּוֹדָה אֶזְבְּחָה־לָּךְ אֲשֶׁר נָדַרְתִּי אֲשַׁלֵּמָה יְשׁוּעָתָה לַיהוָה׃ ס

Mas com a voz do agradecimento eu te oferecerei sacrifício. Retornando a Yahweh e sendo libertado por ele de *todas* as suas tribulações — oh! Senhor, concede-nos tal graça! —, Jonas levantou a voz em uma oferta de ações de graças e trouxe os sacrifícios apropriados para uma oferenda de agradecimento. Em seguida, renovou seus *votos* a Yahweh. Ele tinha sido libertado de maneira espetacular e assim comprometeu-se a cumprir a missão que lhe fora entregue, começando pela pregação que ele tinha de fazer em *Nínive*. Seu sacrifício não visava obter o favor de Deus. A oração que ele fez como embaixador do Senhor (vs. 7) conseguiu realizar isso. Ele ofereceu sacrifícios de louvor e ações de graças, e fez votos, seguindo os rituais dos hebreus piedosos. "Somente ele é o Salvador; somente ele é o Libertador. Pois toda a salvação vem do Senhor" (Adam Clarke, *in loc.*). Ver no *Dicionário* os artigos chamados *Sacrifícios e Ofertas; Gratidão; Ação de Graças* e *Louvor*.

■ **2.10** (na Bíblia hebraica corresponde ao **2.11**)

וַיֹּאמֶר יְהוָה לַדָּג וַיָּקֵא אֶת־יוֹנָה אֶל־הַיַּבָּשָׁה׃ פ

Falou, pois, o Senhor ao peixe, e este vomitou a Jonas na terra. *O Livramento.* O vs. 1 deste capítulo pede o livramento, e este versículo conta que o livramento foi concedido a Jonas. Yahweh, que tinha preparado o grande peixe para devorar o profeta, agora instruiu o animal a vomitar o pobre homem, porquanto sua parte no drama tinha sido cumprida. Cf. Jr 51.44, onde encontramos o quadro da Babilônia, o monstro (Jr 51.34), que vomitou as nações que tinha engolido. O livramento do exílio é ilustrado por meio dessa figura simbólica. Assim Jonas foi livrado de seu exílio da sanidade, quando então pôde renovar seus votos e prosseguir para cumprir sua missão. Alguns estudiosos supõem que Jonas tenha morrido, mas sua morte foi revertida ao ponto de ele ressuscitar. Metaforicamente, isso é então aplicado à ressurreição de Jesus, após sua permanência no *sheol* (Sl 16.10). Esses tipos parecem legítimos, um ideia reforçada em Mt 12.40. Entretanto, não precisamos supor que Jonas tenha morrido e então ressuscitado para tornar esse tipo válido.

Esse é o maior dos temas cantado, pelos séculos;
É o maior dos temas para uma língua mortal.
É o maior dos temas sobre os quais o mundo já cantou:
"Nosso Deus é capaz de livrar-nos".
Ele é capaz de livrar-te.
Ele é capaz de livrar-te.
Embora oprimido pelo pecado,
Vai a ele em busca de descanso.
Ele pode libertar-te.

W. A. Ogden

CAPÍTULO TRÊS

O MISSIONÁRIO RELUTANTE (3.1-10)

Jonas, embora homem experiente em milagres, não era um bom missionário ao estrangeiro. Agora ele recebia uma segunda comissão, mas pôs-se relutantemente a caminho. Ele pregaria bem, mas seu coração não estaria fundamentado naquilo que se esperava que ele realizasse. Afinal, os assírios não eram os perseguidores de seu povo? Além disso, os assírios eram imundos, mediante qualquer estimativa da legislação mosaica. Jonas não compreendia o espírito das missões estrangeiras. O autor sagrado, porém, estava aproximando-se da percepção própria do Novo Testamento: "Deus amou o mundo de tal maneira...", pois o livro de Jonas é o João 3.16 do Antigo Testamento. Ver Gl 3.28: "Dessarte, não pode haver judeu, nem grego, nem escravo, nem liberto, nem homem, nem mulher; porque todos vós sois um em Cristo Jesus".

"*Jn 3.1—4.11. Jonas e Nínive.* O segundo chamado de Jonas, embora obedecido com relutância e em meio a queixumes, resultou na conversão em massa da cidade pagã" (*Oxford Annotated Bible*, comentando a introdução à seção).

■ 3.1

וַיְהִי דְבַר־יְהוָה אֶל־יוֹנָה שֵׁנִית לֵאמֹר:

Veio a palavra do Senhor segunda vez a Jonas. Houve uma *primeira vez* (Jn 1.1; ver as notas expositivas), em que Yahweh chamou Jonas para a missão em Nínive. Jonas, porém, falhou miseravelmente e fugiu. Yahweh, entretanto, respondeu com um livramento miraculoso, *forçando* Jonas a tentar de novo. verdadeiramente, Deus é o Deus da *segunda oportunidade,* pois, se isso não correspondesse à verdade, todos nós estaríamos perdidos; todos nós seríamos fracassados; todos nós já estaríamos desviados do reto caminho.

Talvez a história de Jonas faça alusão ao cativeiro de Judá na Babilônia. Também haveria uma segunda oportunidade aplicada a esse caso, e haveria um novo Israel, dotado de nova missão. Isso significaria uma nova tentativa de levar a mensagem divina aos povos gentílicos, que foi sempre a missão de Israel. Isso seria eventualmente cumprido (ver Is 11.9). Israel tinha sido cegado por seu repúdio às outras nações.

■ 3.2

קוּם לֵךְ אֶל־נִינְוֵה הָעִיר הַגְּדוֹלָה וּקְרָא אֵלֶיהָ אֶת־הַקְּרִיאָה אֲשֶׁר אָנֹכִי דֹּבֵר אֵלֶיךָ:

Jonas deveria cumprir uma grande missão, acerca da qual ele deveria ter-se ufanado. Ele não foi enviado a um lugar obscuro da Ásia Menor, mas à grande cidade de Nínive, capital de uma das maiores potências mundiais da época. Por três vezes, essa cidade é chamada de "grande" (ver Jn 1.2; 3.2; 4.11), e por uma vez é chamada de "mui importante" (ver Jn 3.3). Quanto a detalhes, ver no *Dicionário* o artigo a respeito.

"A cidade era circundada por uma muralha interior com 15 m de espessura e 30 m de altura, e tinha cerca de 13 km de circunferência. A muralha externa englobava campos e cidades menores, como Reobote, Ir, Calá e Resen; cf. Gn 10.11,12. A viagem de Jonas percorreria cerca de 4.100 km" (John D. Hannah, *in loc.*). Esse artigo provê muito material ilustrativo para o leitor industrioso.

A missão envolvia pregação que visava provocar o arrependimento. Yahweh estava interessado nesse povo e tinha planos para eles. A pregação de Jonas funcionou bem, concedendo à cidade de Nínive 130 anos extras de vida nacional. Ver a seção chamada "Ao Leitor", antes do início da exposição, sob o subtítulo "Comprando Tempo", para comentários a respeito.

■ 3.3

וַיָּקָם יוֹנָה וַיֵּלֶךְ אֶל־נִינְוֵה כִּדְבַר יְהוָה וְנִינְוֵה הָיְתָה עִיר־גְּדוֹלָה לֵאלֹהִים מַהֲלַךְ שְׁלֹשֶׁת יָמִים:

Levantou-se, pois, Jonas e foi a Nínive... de três dias para percorrê-la. Ou seja, a cidade era tão grande que eram necessários três dias para atravessá-la. Naturalmente, isso refere-se a toda a cidade-estado, e não meramente à cidade dentro de suas muralhas. Três dias de viagem seriam 120 km. Estrabão (*Geog.* liv.xvi) diz-nos que Nínive era muito mais extensa que a cidade da Babilônia, o que Diodoro (*Sic. Bibl.* l.ii) confirma. Talvez essa jornada de três dias fosse acompanhando a circunferência da cidade, e não de um lado para o outro; mas, seja como for, importa que pensemos em termos da cidade-estado, e não somente em termos da cidade central.

■ 3.4

וַיָּחֶל יוֹנָה לָבוֹא בָעִיר מַהֲלַךְ יוֹם אֶחָד וַיִּקְרָא וַיֹּאמַר עוֹד אַרְבָּעִים יוֹם וְנִינְוֵה נֶהְפָּכֶת:

Começou Jonas a percorrer a cidade caminho dum dia. A narrativa deixa de contar a viagem até Nínive, porquanto isso não se reveste de interesse. Simplesmente somos informados que Jonas chegou ali e, percorrendo-a por um dia, já começou a pregar, exortando o povo a arrepender-se. Nínive era um dos grandes centros de idolatria do mundo antigo, e podemos estar certos de que a idolatria fazia parte do primeiro item da lista de pecados, sendo essa a transgressão-mãe de todos os outros pecados. A terrível predição é que o povo de Nínive tinha de pôr as coisas em ordem, moral e espiritualmente, pois algum inimigo não identificado destruiria o lugar no prazo de apenas *quarenta dias.* Ou talvez o julgamento divino viesse sob a forma de desastre natural, como um terremoto.

Ainda quarenta dias. "Quarenta" é o número das provações, havendo várias menções ao número "quarenta" na Bíblia. Ver no *Dicionário* o verbete chamado *Quarenta,* dos quais citei treze referências. A Vulgata e a Septuaginta falam em apenas *três dias,* em lugar de quarenta. Mas esse parece um prazo muito curto para um acontecimento tão importante. Note o leitor o hebraico vívido e conciso: "Mais quarenta dias e Nínive destruída".

■ 3.5

וַיַּאֲמִינוּ אַנְשֵׁי נִינְוֵה בֵּאלֹהִים וַיִּקְרְאוּ־צוֹם וַיִּלְבְּשׁוּ שַׂקִּים מִגְּדוֹלָם וְעַד־קְטַנָּם:

Os ninivitas creram em Deus; e proclamaram um jejum. O autor sagrado deixa de lado os detalhes, oferecendo-nos uma narrativa muito concisa. Não somos informados sobre o tempo que o profeta Jonas passou a pregar sua mensagem. Talvez bem em breve os *ninivitas,* de modo geral, tenham reconhecido o Poder divino por trás da mensagem de Jonas, visto que o nome divino, *Elohim,* é usado no original hebraico. Os líderes da cidade não assumiram a atitude que diz: "Esperemos para ver o que acontece", mas, antes, proclamaram um *jejum generalizado,* através do qual se espalhou a ideia da necessidade de *arrependimento.* Do maior até o menor dos ninivitas, do mais forte até o mais fraco, todas as classes adotaram os sinais de arrependimento e começaram a lamentar pelos seus pecados. Cada um deles vestiu-se de *pano de saco* (ver a respeito no *Dicionário*). Ver também o artigo chamado *Lamentação,* que dá informações sobre a natureza do ato e seus sinais, na antiguidade.

Tem-se a impressão de que a mensagem de Jonas foi poderosa e eloquente, para ter conseguido tão imediata resposta. Além disso, coisa alguma dessa natureza poderia ter acontecido sem o poder do Espírito Santo, para impressionar a mente dos homens. Ver o artigo chamado *Arrependimento.* A bênção de Deus esteve sobre a pregação de Jonas, e é justo dizer que o próprio homem ficou surpreendido por ver o que estava acontecendo. Por outra parte, Jonas não era o Poder, mas tão somente um instrumento do Poder. Entrementes, Jonas não se sentia muito feliz diante de todo o sucesso que estava obtendo, o que destaca sua falta de arrependimento de seu xenofobismo, em violento contraste com o imediato arrependimento daqueles pagãos. Não pode haver dúvida de que o autor está repreendendo toda a nação de Israel através de seu livro. Os israelitas, pois, em nada se incomodavam com os povos pagãos, que eram seres humanos como eles. Mas *Deus* se incomodava.

"*Proclamaram um jejum,* e nunca mais houve um arrependimento tão geral, tão profundo e tão eficaz" (Adam Clarke, *in loc.*).

■ 3.6

וַיִּגַּע הַדָּבָר אֶל־מֶלֶךְ נִינְוֵה וַיָּקָם מִכִּסְאוֹ וַיַּעֲבֵר אַדַּרְתּוֹ מֵעָלָיו וַיְכַס שַׂק וַיֵּשֶׁב עַל־הָאֵפֶר:

Chegou esta notícia ao rei de Nínive. *O Maior de Todos os Sinais.* Usualmente, os reis eram arrogantes e tinham um caráter endurecido. Mas esse monarca assírio aderiu ao jejum e provavelmente até ordenou o jejum e a lamentação nacional. E, a fim de dar ao povo bom exemplo, ele se desfez de seus emblemas reais, desceu do trono e se vestiu de cilício, em lugar de seus dispendiosos trajes reais, sentando-se sobre a cinza, juntamente com seus súditos. Este versículo naturalmente atua para provar a genuinidade do arrependimento dos assírios. Nenhum rei se sujeitaria a um *espetáculo* como fez o rei de Nínive. Quanto aos sinais incomuns das lamentações orientais, ver Gn 37.34; 2Sm 3.31; Jó 2.8; Sl 36.13; Ez 26.16, e ver no *Dicionário* o artigo chamado *Lamentação*.

■ 3.7

וַיַּזְעֵק וַיֹּאמֶר בְּנִינְוֵה מִטַּעַם הַמֶּלֶךְ וּגְדֹלָיו לֵאמֹר הָאָדָם וְהַבְּהֵמָה הַבָּקָר וְהַצֹּאן אַל־יִטְעֲמוּ מְאוּמָה אַל־יִרְעוּ וּמַיִם אַל־יִשְׁתּוּ:

E fez-se proclamar e divulgar em Nínive. O que até ali tinha sido um movimento espontâneo agora fora oficializado e requerido por um decreto real. Tornou-se *obrigação* de todos os cidadãos aliar-se ao arrependimento geral para evitar a catástrofe generalizada. Até os animais domésticos deveriam compartilhar do jejum, tanto de alimentos quanto de água, e não somente os homens. A referência aos animais aqui não nos deve deixar surpresos, à luz de Jn 4.11: Yahweh se interessava até pelos animais, e talvez o ponto de vista do autor fosse que até os animais podem ultrapassar os limites da moralidade estabelecida para eles. Cf. esse conceito com Gn 6.7,12. Heródoto (*Hist.* ix.24) diz que os animais foram levados a participar dos ritos de lamentações, e Jz 4.10 mostra que isso era verdadeiro entre os judeus. Seja como for, é com frequência verdadeiro que os homens e os animais compartilham dos destinos, em um grau ou outro, e também que o homem depende pesadamente dos animais, quanto à alimentação e a outros produtos vitais. Ademais, entre os homens e certas espécies de animais desenvolve-se um laço de amor. Tem sido tendência dos homens subestimar a inteligência animal. Talvez eles tenham alma, conforme afirmam alguns estudiosos. Ver na *Enciclopédia de Bíblia, Teologia e Filosofia* os seguintes artigos: *Animais, Alma dos* e *Animais, Direitos dos e Moralidade.* Platão pensava que *toda a vida é psíquica* (espiritual e não material), ao passo que os corpos são apenas *veículos* de qualquer espécie que possamos mencionar.

■ 3.8

וְיִתְכַּסּוּ שַׂקִּים הָאָדָם וְהַבְּהֵמָה וְיִקְרְאוּ אֶל־אֱלֹהִים בְּחָזְקָה וְיָשֻׁבוּ אִישׁ מִדַּרְכּוֹ הָרָעָה וּמִן־הֶחָמָס אֲשֶׁר בְּכַפֵּיהֶם:

Mas sejam cobertos de pano de saco. Evidências em favor da lamentação e do arrependimento tinham de ser demonstradas mediante o uso de trajes feitos de pano de saco e mediante o jejum, no caso tanto dos homens quanto dos animais. No segundo caso, presume-se que tecidos de pano de saco eram estendidos sobre as costas deles. Quanto à participação dos animais nessa humilhação e choro nacional, ver as notas expositivas no vs. 7. Um arrependimento verdadeiro estava sendo buscado, para que todos os seres vivos tirassem proveito.

E se converterão, cada um do seu mau caminho. Isso eles fariam abandonando a idolatria e seus múltiplos pecados, corrigindo sua conduta moral (inspirada no coração), aproximando-se do ideal da lei mosaica.

E da violência que há nas suas mãos. A violência era um dos mais conspícuos entre os crimes dos povos pagãos. Cf. Na 2.11,12; 3.1; Is 13.13,14. Uma inscrição de Tiglate-Pileser II glorifica os crimes de sangue: "Tiglate-Pileser, o grande rei, o poderoso rei, o rei das nações, o poderoso guerreiro que, no serviço de Assur, seu senhor, com seus odiadores, pisou sobre seus adversários como se fossem o barro, varreu-os como uma inundação e reduziu-os a sombras" (G. Smith, *Assyrian Discoveries,* pág. 254). Naturalmente, o Antigo Testamento também glorifica a violência dos reis de Israel. Ver 1Sm 18.7. Assim como eram violentos os monarcas, também era violento o povo comum. E na vida comum popular havia violência sob a forma de diferentes expressões sociais. Ver no *Dicionário* o artigo chamado *Violência*.

■ 3.9

מִי־יוֹדֵעַ יָשׁוּב וְנִחַם הָאֱלֹהִים וְשָׁב מֵחֲרוֹן אַפּוֹ וְלֹא נֹאבֵד:

Quem sabe se voltará Deus e se arrependerá...? Talvez Yahweh se arrependesse de seu desígnio de aniquilar a cidade de Nínive. Quanto ao *arrependimento divino,* ver Êx 32.14. O *decreto real* terminou com a humilde esperança de que o arrependimento sincero deles seria reconhecido, e de que a ira de Yahweh se desviaria dos ninivitas. Como é lógico, um dos propósitos deste versículo era apelar ao povo de Israel para que se mostrasse sensível para com Yahweh, seus decretos e julgamentos, seguindo o bom exemplo dos assírios pagãos. Plotino mantinha que a atenção de Deus e seus cuidados são obtidos através do *amor,* preceito que transcende ao mero temor do julgamento e acha-se presente em passagens como Dt 6.5. Ver no *Dicionário* o artigo chamado *Amor*. Foi o amor de Yahweh que estendeu à Assíria a oportunidade de sobreviver. Talvez os assírios correspondessem a essa chance com amor, e não apenas com temor. O temor e o amor nos assírios seria algo realmente admirável, pois eles eram um povo violento e temível (ver Na 3.1,3,4; 2Rs 18.33-35). O *exemplo* de arrependimento dos ninivitas foi mencionado pelo Senhor Jesus quando ele condenou aqueles que, possuidores de muito maior luz e privilégios, não se arrependeram (ver Mt 12.41).

> O Senhor é a nossa Rocha, nele nos refugiamos,
> Um abrigo em tempos tempestuosos.
> Seguro em qualquer mal que nos sobrevenha,
> Um abrigo em tempos tempestuosos.
>
> Ira D. Sankey

■ 3.10

וַיַּרְא הָאֱלֹהִים אֶת־מַעֲשֵׂיהֶם כִּי־שָׁבוּ מִדַּרְכָּם הָרָעָה וַיִּנָּחֶם הָאֱלֹהִים עַל־הָרָעָה אֲשֶׁר־דִּבֶּר לַעֲשׂוֹת־לָהֶם וְלֹא עָשָׂה:

Viu Deus o que fizeram, como se converteram. O arrependimento divino (ver Êx 32.14) foi o bendito resultado da busca sincera e do arrependimento dos assírios. Seus feitos demonstraram que eles estavam sendo sérios em seu trato com Deus.

> As misericórdias de Deus, que tema para meu cântico;
> Oh! Jamais poderei terminar de enumerá-las.
> São mais que as estrelas na cúpula celeste,
> Ou que as areias na praia batida pelo mar.
>
> T. O. Chisholm

Cf. este versículo com 2Sm 24.16 e Am 7.3,6. O Antigo Testamento não fica embaraçado quando fala sobre como Deus muda de ideia, isto é, quando ele se arrepende. Sua lei moral é constante e impõe julgamento ou bênção em consonância com a obediência ou desobediência dos homens a ele. Naturalmente, isso nos leva ao *Antropomorfismo* e ao *Antropopatismo* (ver a respeito no *Dicionário*), o que significa que conferimos a Deus nossos atributos e nossas emoções. A reação favorável de Nínive adiou sua destruição por 130 anos ou mais. A cidade foi finalmente destruída, em 612 a.C. Ver as notas expositivas sobre Gn 6.6. Quanto a uma moderna aplicação dessa *circunstância de demora*, ver "Ao Leitor", sob o subtítulo *Comprando Tempo* (justamente antes do começo da exposição em Jn 1.1).

"Deus muda de ideia conforme o homem muda sua conduta... Sempre possível é o escape *para* a misericórdia eterna" (William Scarlett, *in loc.*). "No mesmo lugar onde se pode encontrar a onipotência de Deus, se pode achar sua humildade" (Rabino Johanan).

CAPÍTULO QUATRO

QUÃO ABSURDO É LIMITAR A MISERICÓRDIA DE DEUS (4.1-11)

Agora o autor sagrado chega ao lugar onde ataca indiretamente (mas de maneira óbvia) o xenofobismo de Israel, tão condenável quanto o antissemitismo. É um absurdo limitar o amor de Deus, aplicando-o exclusivamente ao povo de Israel, aos "eleitos" ou a qualquer outro grupo seleto. "Porquanto Deus amou o mundo de tal maneira..." (Jo 3.16). O calvinismo radical cai no mesmo tipo de abismo em que Jonas caiu, em sua pequena compreensão sobre o amor de Deus. Outro tanto se dá no tocante a todo *exclusivismo*.

■ 4.1

וַיֵּרַע אֶל־יוֹנָה רָעָה גְדוֹלָה וַיִּחַר לוֹ׃

Com isso desgostou-se Jonas extremamente, e ficou irado. Quase nem podemos acreditar quando lemos este versículo. Jonas pregou o arrependimento por ter sido forçado a tanto. Ele não tinha a atitude de um missionário no estrangeiro. Quando sua pregação foi bem-sucedida, ele ficou desgostoso com o que *Yahweh* tinha feito, pois por certo não fora o poder de *Jonas* que produziu o arrependimento dos ninivitas. O capítulo 4 inteiro desse livro é uma narrativa da infelicidade de Jonas sobre a questão. De fato, sua ira e desprazer foram um repúdio ao propósito de Deus tanto quanto havia sido sua fuga original para Társis. Deus teve compaixão dos pagãos, mas Jonas desejava que eles perecessem. Deus teve misericórdia dos pagãos, mas Jonas não demonstrou pena alguma. Deus se regozijou diante dos pecadores que se arrependeram. Jonas preferia vê-los perecer! Uma natureza destituída de sentimentos é *típica* de todas as formas de exclusivismo. Jonas continuava sendo o nacionalista de visão estreita e míope como sempre fora. Ele pouco sabia do grande amor de Deus e de sua misericórdia eterna, e nem ao menos desejava aprender a respeito.

E ficou irado. O hebraico original fala em *queimar*. O homem superficial ficou "queimado" com ódio e ira, porque Deus realizara uma grande obra! O pobre Jonas provavelmente chegou a supor que tinha fracassado como profeta, visto que suas profecias de condenação não se cumpriram. E, assim sendo, esqueceu a própria razão da pregação: mudar as pessoas para melhor.

■ 4.2

וַיִּתְפַּלֵּל אֶל־יְהוָה וַיֹּאמַר אָנָּה יְהוָה הֲלוֹא־זֶה דְבָרִי עַד־הֱיוֹתִי עַל־אַדְמָתִי עַל־כֵּן קִדַּמְתִּי לִבְרֹחַ תַּרְשִׁישָׁה כִּי יָדַעְתִּי כִּי אַתָּה אֵל־חַנּוּן וְרַחוּם אֶרֶךְ אַפַּיִם וְרַב־חֶסֶד וְנִחָם עַל־הָרָעָה׃

E orou ao Senhor, e disse: Ah! Senhor! "Jonas *queixou-se* ao Senhor e disse: 'Eu sabia que isso aconteceria! Eu sabia disso quando ainda me achava em meu país. Foi por isso que fugi rapidamente para Társis. Eu sabia que és um Deus bondoso e que mostras misericórdia. Não te iras facilmente. Tens um grande amor. Eu sabia que preferirias perdoá-los a puni-los" (NCV). Este é um versículo em tudo notável. Diz-nos que a razão mesma pela qual Jonas fugiu foi *evitar* obter sucesso em sua pregação em Nínive, e que ele esperava que eles não se arrependessem. Ele preferia que os ninivitas morressem em seus pecados! Se Jonas fingia ser um crente fiel, na realidade era um rebelde no coração, mantendo-se em *oposição* às realizações de Yahweh entre as nações (ver Is 11.9). Jonas, naturalmente, aparece aqui como representante da nação de Israel, uma nação plena de *xenofobismo* irracional e maligno. Os romanos acusavam os judeus de "ódio contra a raça humana". Jonas exemplificava esse sentimento. Contrastar essa atitude com a passagem de Êx 34.6,7, sobre a qual provavelmente repousa a declaração deste versículo. O profeta *sabia* a verdade sobre os atributos divinos da misericórdia e do amor, mas não queria ver uma *demonstração prática* desses atributos no tocante aos povos gentílicos. Note o leitor a conduta blasfema de Jonas. Ele fez dos excelentes atributos de Deus, que beneficiam os homens, qualidades negativas que não deveriam ser exercidas, exceto no "caso de Israel", naturalmente. Em outras palavras, Jonas virtualmente acusou Deus de fazer o mal, porquanto fizera o bem!

■ 4.3

וְעַתָּה יְהוָה קַח־נָא אֶת־נַפְשִׁי מִמֶּנִּי כִּי טוֹב מוֹתִי מֵחַיָּי׃ ס

Peço-te, pois, ó Senhor, tira-me a vida. Visto que Jonas fora privado da satisfação de ver a morte dos pagãos, ele decidiu que era vantajoso se *ele mesmo* morresse. Yahweh, o Poder, que salvara os ninivitas, também tinha autoridade para pôr fim à vida de Jonas, e foi nesse sentido que o profeta orou. Este versículo, portanto, ilustra a maligna *perversidade* do homem. O autor sacro estava falando sobre a *exclusivista nação de Israel*, que não podia cuidar de ninguém, exceto de si mesma. Caros leitores, a mesma malignidade e perversidade é característica de todo o tipo de exclusivismo. O exclusivismo serve a alguma pequena e arrogante comunidade e esquece que "Deus amou o mundo de tal maneira..." (Jo 3.16).

A lição contra o denominacionalismo é clara, onde cada grupo pensa ser "o exclusivo povo de Deus", ou, pelo menos, "a melhor parte" da massa. As esperanças de Jonas sentiam-se desapontadas, e eram de que o povo de Nínive perecesse! "Platão contendia que a agência divina é sempre uma agência persuasiva, procurando *conquistar homens* através da persuasão dos ideais" (William Scarlett, *in loc.*). Contrastar isso com o caso de Moisés, em Nm 11.15. "Jonas ficou tão desapontado, emocionalmente falando, que perdeu toda a razão para a existência. Deus estava preocupado com a cidade (ver Jn 4.11), mas Jonas não" (John D. Hannah, *in loc.*).

■ 4.4

וַיֹּאמֶר יְהוָה הַהֵיטֵב חָרָה לָךְ׃

E disse o Senhor: É razoável essa tua ira? A palavra de Yahweh veio novamente a Jonas para repreendê-lo por suas atitudes ímpias. A questão retórica espera uma resposta negativa: Jonas não agiu bem por irar-se e acumular tanto ódio contra outros povos. A ira de Jonas estava errada, e assim também são todos os exclusivismos. Jonas tinha paixão pela morte de outras pessoas. "A ira não é boa para nenhum homem. Um pregador, ministro, bispo ou profeta sempre irado é uma abominação. Aquele que, quando denuncia os pecadores, pela palavra de Deus, adiciona suas próprias paixões, é um homem cruel e mau" (Adam Clarke, *in loc.*).

■ 4.5

וַיֵּצֵא יוֹנָה מִן־הָעִיר וַיֵּשֶׁב מִקֶּדֶם לָעִיר וַיַּעַשׂ לוֹ שָׁם סֻכָּה וַיֵּשֶׁב תַּחְתֶּיהָ בַּצֵּל עַד אֲשֶׁר יִרְאֶה מַה־יִּהְיֶה בָּעִיר׃

Então Jonas saiu da cidade, e assentou-se ao oriente. Ainda esperançoso de que a ira divina caísse sobre a cidade, Jonas saiu um pouco para fora da cidade, para o lado oriental, armando para si uma barraca e sentando-se à sombra. Ele esperava que Deus mudasse de ideia e liquidasse com aqueles pagãos devidamente arrependidos.

Note o leitor como o exclusivismo persistiu até o fim, contra toda a razão e dignidade. O profeta continuou insistindo sobre a justiça divina e a destruição, porquanto essa era a essência de sua prédica. Mas ele esqueceu os valores maiores da lei: a misericórdia e o amor. Provavelmente seu limite de *quarenta dias* (ver Jn 3.4) estava prestes a expirar, mas ele não abandonaria a área enquanto esse limite não estivesse terminado. Sua profecia de condenação teria lugar? Jonas continuava esperando que assim acontecesse. James D. Smart (*in loc.*) supõe que certo número de dias ainda restasse para completar o total de quarenta dias, sendo essa a razão pela qual Jonas construiu sua cabana protetora. Ele viveria nas proximidades somente para ver algo de ruim acontecer aos outros! Os sofrimentos de outras pessoas simplesmente lhe trariam *prazer*. Mas Deus já havia agido com amor, cancelando a profecia de condenação, porquanto os objetos potenciais da profecia já haviam experimentado transformação moral e espiritual. Naquele momento, os ninivitas certamente eram espiritualmente superiores ao homem ruim, Jonas.

■ 4.6

וַיְמַן יְהוָה־אֱלֹהִים קִיקָיוֹן וַיַּעַל מֵעַל לְיוֹנָה לִהְיוֹת
צֵל עַל־רֹאשׁוֹ לְהַצִּיל לוֹ מֵרָעָתוֹ וַיִּשְׂמַח יוֹנָה עַל־
הַקִּיקָיוֹן שִׂמְחָה גְדוֹלָה׃

Então fez o Senhor Deus nascer uma planta. *Yahweh-Elohim* (o Deus Eterno e Todo-poderoso) exerceu seu controle sobre a natureza, fazendo crescer uma espetacular planta de "cuia" (conforme dizem algumas versões), a qual deu a Jonas sombra e abrigo. Tornou-se essa planta outro fato da misericórdia de Deus, o tema do cântico de Jonas. O pobre Jonas sentia-se mais confortável em sua miséria, enquanto a cuia bloqueava os raios de sol. Finalmente, Jonas encontrou alguma coisa que o deixou feliz, a saber, a planta da cuia. Teve, porém, uma *felicidade egoísta*. Durante todo o tempo, porém, o profeta Jonas esperava ver o fogo de Deus descer e consumir os habitantes impotentes de Nínive, ou talvez, um grande terremoto que poria fim àquela cidade. Note o leitor a nova intervenção divina. A cuia cresceu rapidamente, por ordem de Yahweh, tal como o grande peixe tinha sido preparado por decreto divino, para cumprir a sua tarefa (ver Jn 1.17). Cada um dos eventos principais do drama ocorreu por intervenção divina. Ver 1.2,4,17; 2.3,10; 3.1,2; 4.6-8. Jonas amava a planta de cuia porque ela lhe prestava um favor, mas odiava as multidões de Nínive por causa de seu preconceito racial. Ele "estava alegre com uma grande alegria" (segundo diz, literalmente, o original hebraico), por causa da planta. Ficava infeliz porque Yahweh tinha beneficiado a uma outra população que não os israelitas. A história retrata Jonas como uma criatura desprezível, dizendo como "todo o exclusivismo é desprezível". No entanto, o profeta tinha uma missão que lhe havia sido dada por Deus, e que ele cumpriria (com relutância). Em outras palavras, Jonas era somente um "instrumento".

■ 4.7

וַיְמַן הָאֱלֹהִים תּוֹלַעַת בַּעֲלוֹת הַשַּׁחַר לַמָּחֳרָת וַתַּךְ
אֶת־הַקִּיקָיוֹן וַיִּיבָשׁ׃

Mas Deus, no dia seguinte... enviou um verme. Outra Intervenção Divina. Dessa vez apareceu um verme tremendamente destruidor, que gostava muito de alimentar-se da cabaça da cuia. Esse foi o fim da bênção de Jonas, e seu ódio em breve se acenderia de novo. A cuia teve vida muito breve e logo morreu. Jonas, que se comprazia com a morte, deveria sentir-se feliz com o que lhe estava acontecendo.

"Um verme, que possivelmente deve ser compreendido coletivamente, conforme se vê em Is 14.11: um enxame de lagartas" (Ellicott, *in loc.*).

■ 4.8

וַיְהִי כִּזְרֹחַ הַשֶּׁמֶשׁ וַיְמַן אֱלֹהִים רוּחַ קָדִים חֲרִישִׁית
וַתַּךְ הַשֶּׁמֶשׁ עַל־רֹאשׁ יוֹנָה וַיִּתְעַלָּף וַיִּשְׁאַל אֶת־נַפְשׁוֹ
לָמוּת וַיֹּאמֶר טוֹב מוֹתִי מֵחַיָּי׃

Em nascendo o sol, Deus mandou um vento calmoso oriental. Todo o mau trabalho do verme, ou enxame de lagartas, foi realizado durante a noite, ou então de madrugada, imediatamente antes de nascer o sol. E então, quando o sol já estava um tanto alto no firmamento, de súbito um forte vento oriental, o temido *siroco*, atingiu a área. Sem dúvida, o abrigo de Jonas foi varrido pelo vento, e agora ele não tinha nem a planta de cuia nem o abrigo, e estava à mercê do sol. O mal-humorado Jonas só faltava explodir num ataque de raiva. O *vento oriental* (ver a respeito no *Dicionário*) tornava a vida dos homens miserável dentro de quatro paredes, quanto mais em lugares desprotegidos. Além disso, geralmente trazia pó e areia. As condições tornaram-se tão adversas que Jonas desmaiou. E, quando voltou à consciência, novamente pediu ao Senhor para morrer (ver o vs. 3). Portanto, temos aqui uma estranha distorção do drama. As massas populares de Nínive estavam vivendo sob a sombra do amor de Deus, desfrutando a vida e seus benefícios, ao passo que o profeta se sentia miserável, devido ao golpe direto aplicado pelo Ser divino. É a isso que o exclusivismo leva, conforme se espera que tenhamos imaginação suficiente para supor. "Os pagãos se regozijavam na salvação, ao passo que o profeta de Deus se sentia esmagado sob a mão divina. Essa cena, bem como aquela do vs. 3, é como um eco da hora de desespero de Elias, em 1Rs 19.4. Jonas e Elias, porém, fazem violento contraste entre si: Elias queria morrer porque *tão poucos* tinham dado ouvidos à sua palavra de julgamento; Jonas queria morrer porque *tão grande* número de pessoas tinha-se arrependido ao ouvir sua palavra" (James D. Smart, *in loc.*).

■ 4.9

וַיֹּאמֶר אֱלֹהִים אֶל־יוֹנָה הַהֵיטֵב חָרָה־לְךָ עַל־
הַקִּיקָיוֹן וַיֹּאמֶר הֵיטֵב חָרָה־לִי עַד־מָוֶת׃

É razoável essa tua ira por causa da planta? Eis outra pergunta retórica que espera uma resposta negativa e, portanto, significa: "Não agiste bem por causa da morte da planta. Está sendo ensinada uma importante lição que te recusas a aprender". Mas Jonas, em sua ira, respondeu duramente e afirmou que ele tinha feito bem por sentir-se infeliz sobre o fim da planta. De fato, ele estava tão indignado que desejava que sua paixão o matasse e assim toda aquela questão terminasse. Ficamos indagando como Yahweh encontrou e usou um homem como aquele como profeta. Talvez, em outras ocasiões, seu desempenho tenha sido melhor. A lição objetiva com a cuia, explicada no vs. 10, escapou completamente à atenção de Jonas, embora se supusesse que ele tinha discernimento profético. O exclusivismo tem uma maneira de cegar a mente daqueles que a ele aderem.

Temível é o caso,
Lágrimas há no mero relato:
Inevitavelmente chegou o tempo
Quando ninguém podia dizer:
"Eu vi!"
Jubiloso é o caso,
Alegria há no mero relato:
É chegado o tempo
Quando eu posso dizer:
"Eu sei, porque eles viram".

Russell Norman Champlin

Teu toque tem ainda o poder antigo.
Nenhuma palavra tua cai por terra inútil;
Ouve nesta solene hora da noite,
E, em tua compaixão, cura-nos a todos.

Henry Twell

O amor concede eu um momento o que o trabalho não poderia obter em uma era.

Gothe

O amor é a prova da espiritualidade

(ver Jo 4.7)

Ando pelo caminho da justiça, no meio das veredas do juízo, para dotar de bens os que me amam, e lhes encher os tesouros.

Provérbios 8.20,21

■ 4.10

וַיֹּאמֶר יְהוָה אַתָּה חַסְתָּ עַל־הַקִּיקָיוֹן אֲשֶׁר לֹא־עָמַלְתָּ
בּוֹ וְלֹא גִדַּלְתּוֹ שֶׁבִּן־לַיְלָה הָיָה וּבִן־לַיְלָה אָבָד׃

Tens compaixão da planta que te não custou trabalho... Yahweh conseguiu desmascarar o absurdo sem razão e a cegueira do

A BÍBLIA E A HISTÓRIA

Ver no *Dicionário* o artigo intitulado *Filosofia da História*, que contém doze pontos. Três deles se relacionam ao ponto de vista bíblico da história, a saber: 1. a cultura judaica (sua filosofia da história); 2. a filosofia da história de Agostinho; 3. o dispensacionalismo, uma importante visão cristã da natureza da história.

Pontos de Vista Bíblicos Sobre a História

1. A história começou com o ato criativo de Deus, pelo que é impossível isolar a história humana da vontade divina, conforme Marx erroneamente fez. Os capítulos 1 e 2 de Gênesis ilustram amplamente isso.

2. O poder de Deus, através do Logos, está sempre controlando e sustentando o processo histórico (ver Cl 1.16). A consumação da história estará ligada a um ato de intervenção divina (2Pe 3).

    Ver no *Dicionário* o artigo sobre *Soberania de Deus*.

3. A Intervenção Divina. A história dos profetas, bem como as vindas de Cristo (a primeira e a segunda), são intervenções divinas na história que guiam o seu curso e garantem a concretização dos desígnos de Deus. Assim, a história é um processo teleológico, guiado pela mente divina (Jo 1.14,18) e pela mensagem do evangelho. Efésios 1.9,10 mostra que a unidade de todas as coisas, em torno do Logos, é o alvo final do processo. Ver o artigo *Restauração*, na *Enciclopédia de Bíblia, Teologia e Filosofia*. Ver o artigo *Mistério da Vontade de Deus*, no *Dicionário* da presente obra.

4. *Teísmo*. O Criador não abandonou a sua criação. Está presente para recompensar ou punir, segundo a lei moral; intervém na sua criação, no caso de indivíduos e nações. Contraste-se com o Deísmo, que ensina que a força criativa (pessoal ou impessoal) abandonou a criação aos cuidados da lei natural. Não existe intervenção divina nem interferência. Ver os termos *Teísmo* e *Deísmo*, no *Dicionário*. Ver também *Providência de Deus*.

5. *Fator controlador: a Soberania e a Providência de Deus*. Ver esses dois artigos no *Dicionário*. A história é destituída de significado conforme dizem os existencialistas; nem é controlada por alguma força cósmica impessoal, conforme dizia Hegel, nem é controlada pelo determinismo econômico, conforme Marx dizia, nem, finalmente, é algo misterioso, conforme afirmam os evolucionistas. Deus se mostra Soberano na história.

    Essa é a indicação bíblica geral, e a profecia bíblica repousa sobre essa realidade. Paulo afirmou tal fato em Rm 11.36; Ef 4.6. As instituições humanas se alicerçam sob a direção divina (Gn 1.28; 2.20). Os governos humanos dependem da autoria divina (Rm 13.1-7). As nações aparecem e desaparecem segundo a vontade divina (At 17). A história da igreja também está sob o controle de Deus (1Cr 10.32). Ver também Dn 10.13,21; 12.1; Dt 32.8; Is 40.15,28; Jr 46.28.

6. História: linear ou circular? Usualmente a Bíblia apresenta uma história linear: começo; acontecimentos sucessivos, seguindo uma linha; alvo dos acontecimentos — um fim. Mas existem também indicações do conceito cíclico. As eras futuras (eternas) apresentam a possibilidade de repetições de ciclos. Orígenes achava que já se tinham passado muitos ciclos de queda moral seguidos por redenções na história passada remota e misteriosa. Ele acreditava que os ciclos sempre continuarão. Provavelmente, as histórias lineares constituem partes de ciclos. A história parece linear, mas cada linha é parte de um ciclo. A igreja oriental ortodoxa, de modo geral, aceita o conceito dos grandes ciclos. Niguém pode descobrir onde a história começou, nem marcar um fim. Esta parte da Igreja Cristã aceita a ideia da preexistência da alma, e faz da eternidade futura um campo missionário, onde o processo da redenção continua. Este ponto de vista nega que a morte biológica do indivíduo é o seu fim de oportunidade. Todos os fins são instrumentos de novos começos (ver ponto 7). A graça de Deus nunca desiste.

7. Significado e Destino. Muitos teólogos veem um fim pessimista para a maioria da humanidade. Contrariamente, eu vejo evidências para a ideia de que o amor de Deus escreverá o último capítulo da história humana, se for legítimo usar a palavra último. Além disto, é certo dizer que o julgamento é um dedo da mão amorosa de Deus. É isto que o *Mistério da Vontade de Deus* (ver no *Dicionário*) revela a um mundo cansado e doente. Afinal, todas as coisas devem ser recapituladas ao redor do Logos como Cabeça (Ef 1.9,10). Todas as finalidades servem de instrumentos de novos começos. Este belo quadro de lógica concorda com alguns de nossos versículos bíblicos mais finos. Alguns teólogos deixam os homens na tempestade do julgamento, para sempre e sempre. Mas outros veem o julgamento como meio de um novo começo. Ver o artigo *Julgamento de Deus dos Homens Perdidos*, no *Dicionário*.

8. *Restauração e Redenção*. A realização mais exaltada da obra de Deus será a redenção do homem. Nesta redenção, o redimido participará na natureza divina. Ver esta augusta doutrina, no *Novo Testamento Interpretado,* nas exposições de 2Pe 1.4; 2Co 3.18; Cl 2.10; Ef 3.19 e Rm 8.29. Ver *Transformação segundo a Imagem de Cristo*, na *Enciclopédia de Bíblia, Teologia e Filosofia*.

    Os não redimidos serão restaurados. Isto será parte necessária do Mistério da Vontade de Deus. Se não for assim, o grande vencedor da luta cósmica será o Diabo, uma ideia intolerável. Portanto, deixe o poder de Deus operar sem os falsos limites que a mente humana impõe sobre ele. A soberania de Deus deve operar em termos de seu amor. Sendo assim, é o amor de Deus que vai escrever o último capítulo da história humana. O amor de Deus deve ser *efetivo*, não meramente *potencial*. Dizer que foi o *mundo* que Deus amou, mas que ele, depois de amar esse mundo, não aplicou os meios adequados para fazer seu amor efetivo, é uma teologia desastrosa.

9. *O Poder e os Milagres*. A história é um processo miraculoso porque a vontade de Deus acompanha e influencia este processo. Nós vivemos em um tempo em que podemos somente ler sobre as grandes intervenções divinas na história, e precisamos ter fé para aceitar a ideia de que aquele poder continua operando. A qualquer momento, como um relâmpago do céu, o poder divino pode mudar o curso da história, em um instante. De qualquer maneira, cremos na Bíblia e em sua mensagem de esperança. Outros viram acontecimentos notáveis. Nós cremos porque eles viram.

profeta. Jonas estava extremamente irado porque uma planta que lhe fizera tanto bem tinha sido destruída, e ele perdera o benefício que a planta lhe proporcionara. No entanto, não ele tinha nenhuma preocupação com a vida de milhares de seres humanos (vs. 11). Outra lição era que a cuia lhe fora dada como presente divino. Não tinha sido Jonas quem a plantara ou cultivara. Ela crescera em uma única noite, e perecera em uma única noite, e Jonas nada tivera a ver com nenhum desses dois processos. A soberania de Deus estivera em operação, e outro tanto acontecera na salvação de Nínive. Os judeus falavam sobre a divina soberania, mas Jonas pouco entendia sobre ela. Ver no *Dicionário* os verbetes chamados *Providência de Deus* e *Soberania de Deus*. O poder de Deus tivera por intuito *fazer o bem*, da mesma maneira que a planta da cuia fizera bem a Jonas. E havia um bem maior a ser feito no caso das massas populares da grande cidade. Qualquer homem sensível se alegraria por ver a providência divina fluir para sua vida. Jonas, entretanto, não era homem sensível. Seu exclusivismo fora a causa pela qual a ira e o ódio lhe tinham invadido o coração. Hoje em dia os exclusivistas põem a soberania de Deus por trás da vida para si mesmos, mas a morte por trás dos não eleitos. Mas este texto põe a soberania de Deus por trás do bem em prol dos não eleitos. verdadeiramente, deve haver *restauração* geral para satisfazer o amor de Deus. Ver sobre esse termo na *Enciclopédia de Bíblia, Teologia e Filosofia*. As bênçãos de Deus são desmerecidas, da mesma maneira que Jonas não merecia o bem que ele derivara da planta da cuia, porquanto nada tinha feito para cultivá-la.

■ 4.11

וַאֲנִי לֹא אָחוּס עַל־נִינְוֵה הָעִיר הַגְּדוֹלָה אֲשֶׁר יֶשׁ־בָּהּ הַרְבֵּה מִשְׁתֵּים־עֶשְׂרֵה רִבּוֹ אָדָם אֲשֶׁר לֹא־יָדַע בֵּין־יְמִינוֹ לִשְׂמֹאלוֹ וּבְהֵמָה רַבָּה׃

E não hei de eu ter compaixão da grande cidade de Nínive...? *A Conclusão da Questão.* Que o amor de Deus flua para todos e em favor de todos. Terminemos com o exclusivismo e com qualquer visão míope sobre o que Deus pretende fazer. Seu amor se estendeu aos pagãos, em Nínive. Ele até esteve preocupado com os animais daquele lugar (ver as notas expositivas sobre Jn 3.7). "Acaso é com bois que Deus se preocupa?", perguntou Paulo, esperando uma resposta negativa. Ver 1Co 9.9.

Mas a resposta aqui é melhor: "Sim, o amor de Deus se estende aos animais, e muito mais ainda a todos os homens".

É fornecida aqui uma estimativa da população de Nínive, cerca de 120 mil habitantes, o que é muito para uma cidade antiga, embora seja pouco, de acordo com os padrões modernos. Seja como for, essa gente representa as massas pelas quais Deus está interessado. Alguns calculam que a Nínive metropolitana (a cidade-estado) tinha uma população de seiscentos mil habitantes. Sem importar qual seja o número desses habitantes, a misericórdia e o amor de Deus cobriam a todos, o que significa que as misericórdias de Deus continuam a ser um dos temas de nossos hinos. A lição devia ser observada pela exclusivista nação de Israel.

Lições. "O Senhor marcou os seus pontos: 1. Ele é gracioso para com todas as nações, tanto os gentios quanto os israelitas. 2. Deus é soberano. 3. Ele castiga a rebeldia. 4. Ele quer que o seu povo lhe seja obediente, livrando-se da impostura religiosa, não pondo limites ao seu amor e à sua graça universal" (John D. Hannah, *in loc.*). A própria natureza do exclusivismo consiste em impor limites ao amor e à graça universal de Deus. Os pagãos têm pouco discernimento, sendo como criancinhas que não sabem distinguir a mão direita da esquerda. Essa deficiência, entretanto, não serve de empecilho para as operações do amor e, de fato, deve servir de inspiração para essa operação, porquanto a misericórdia faz parte do amor divino.

Jonas é o João 3.16 do Antigo Testamento. Esse era o mundo que Deus amava, quando fez sua provisão em Cristo. Esse é o mundo que Deus ama hoje em dia.

O amor de Deus é real, universalmente — não apenas potencialmente.
O amor de Deus será absolutamente eficaz, afinal.

Limites de pedra não podem conter o amor.
E o que o amor pode fazer, isso o amor ousa fazer.
William Shakespeare

Se pudéssemos encher de tinta os oceanos, e cobrir os céus de pergaminho;
Se todos os pedúnculos fossem penas
E todos os homens, escribas profissionais,
Escrever o amor de Deus acima,
Ressecaria os oceanos;
E não haveria rolo para conter tudo,
Embora estendido que fosse de céu a céu.

O amor de Deus, quão rico e puro,
Quão sem medida e forte!
Perdurará para sempre.
F. M. Lehman

O amor de Deus escreverá o último capítulo da história humana.

MIQUEIAS

O LIVRO QUE DESCREVE A APOSTASIA DE JUDÁ QUE PROVOCOU O CATIVEIRO BABILÔNICO

> *O Senhor sai do seu lugar, e desce, e anda sobre os altos da terra. Os montes debaixo dele se derretem, e os vales se fendem...*
>
> MIQUEIAS 1.3,4

7	Capítulos
105	Versículos

INTRODUÇÃO

ESBOÇO

I. Caracterização Geral
II. Unidade
III. Autoria
IV. Data
V. Razão e Propósito
VI. Condições do Texto
VII. Problemas Especiais
VIII. Esboço do Conteúdo

I. CARACTERIZAÇÃO GERAL

O nome Miqueias vem de uma palavra hebraica que significa "Quem é como Yahweh?" O nome do autor do livro de Miqueias aparece na Septuaginta como *Michaías*. A Vulgata Latina diz *Michaeas*. Ele foi o autor do livro que figura em sexto lugar na disposição dos profetas menores, segundo o nosso cânon do Antigo Testamento. No texto do cânon hebraico, aparece no "livro dos doze profetas"; e, na Septuaginta, aparece em terceiro lugar entre esses profetas. O seu livro é mencionado por Ben Siraque (Eclesiástico 48.10), de maneira tal que fica confirmada a sua aceitação, desde tempos antigos, como parte das Sagradas Escrituras do Antigo Testamento.

O profeta Miqueias ministrou durante os reinados de Jotão (742—735 a.C.), Acaz (735—715 a.C.) e Ezequias (715—687 a.C.), ou seja, por cerca de cinquenta anos. O trecho de Jr 26.18 refere-se a isso, quando diz: "Miqueias, o morastita, profetizou nos dias de Ezequias, rei de Judá, e falou a todo o povo de Judá...". Visto que o sexto capítulo de seu livro foi dirigido a "Israel" (ver Mq 6.2) e visto que o primeiro capítulo de seu livro alude à queda de Samaria (Mq 1.5 ss.), é evidente que sua carreira começou antes de 722 a.C., quando Samaria caiu, pois Miqueias profetizou sobre essa queda bem antes de ela ter ocorrido.

A grande potência mundial e a constante ameaça à segurança do povo hebreu, na época de Miqueias, era a Assíria, governada, sucessivamente, por Tiglate-Pileser III (745—727 a.C.), Salmaneser V (727—722 a.C.), Sargão II (722—705 a.C.) e Senaqueribe (705—681 a.C.). Durante a primeira parte da vida de Miqueias ocorreu a guerra siro-efraimita, que teve, como contendores, por um lado, Judá, e, por outro lado, a coligação de Israel (nação do norte) com a Síria. Parte da razão desse conflito foi a recusa de Acaz de juntar-se na aliança ocidental contra Tiglate-Pileser III. Miqueias, pois, acabou sendo testemunha da derrota do reino do norte e da queda de sua capital, Samaria, diante da Assíria, em 722/721 a.C. E o final de seu ministério provavelmente ocorreu antes da invasão encabeçada por Senaqueribe (ver 2Rs 18.13 ss.), que cercou Jerusalém, reino do sul, em 701 a.C., dando motivos para a construção do túnel de Siloé, por parte do rei Ezequias. De fato, até mesmo isso, e o futuro exílio babilônico, foram preditos por Miqueias, quando ele disse: "... as suas feridas são incuráveis; o mal chegou até Judá; estendeu-se até à porta do meu povo, até Jerusalém" (Mq 1.9).

Miqueias vivia na fronteira entre Judá e uma "terra de ninguém", cobiçada pelos filisteus, pelos egípcios e até pelos assírios. Os levantes dos filisteus contra a Assíria, que sucederam no período entre 721 e 711 a.C., estavam em mira. As incursões de Sargão II, naquela área, entre 715 e 711 a.C., talvez estejam em pauta no trecho de Mq 1.10-16. Acaz conseguia manter uma paz muito precária, pagando tributo aos assírios. Durante o longo reinado de 52 anos de Uzias (terminando em 742 a.C.), e depois, houve um período de prosperidade econômica comparativa, ocasionada em parte pelo fato de que Judá passou a controlar o comércio entre o interior e o porto de Elate, ao sul (cf. 2Rs 14.7). Essa prosperidade concentrou riquezas e seu consequente poder nas mãos de alguns poucos privilegiados, provocando injustiças sociais que o profeta atacou decididamente. Ver, por exemplo, Mq 2.2. "Cobiçam campos, e os arrebatam, e casas, e as tomam; assim fazem violência a um homem e à sua casa, a uma pessoa e à sua herança".

Muitos estudiosos opinam que as reformas religiosas instituídas pelo rei Ezequias, de Judá, ocorreram perto do fim do ministério registrado de Miqueias. Ou, então, essas reformas afetaram somente o cerimonial e o culto, alcançando pouco impacto sobre a vida pessoal e social dos judaítas. Esse é o pano de fundo do livro de Miqueias.

II. UNIDADE

Por muitos séculos, o livro de Miqueias foi considerado uma unidade literária. Um dos primeiros eruditos a pôr em dúvida essa unidade foi Stade, que entre 1881 e 1884 afirmou que tudo quanto aparece depois do terceiro capítulo do livro não foi escrito pelo profeta Miqueias. Atualmente, a maioria dos especialistas pensa que os capítulos quarto a sétimo do livro consistem em duas ou mais coleções de miscelâneas, adicionadas como suplementos ao livro original de Miqueias, talvez depois do exílio babilônico. Também há eruditos modernos que pensam que até mesmo porções desses últimos quatro capítulos do livro contêm elementos legitimamente pertencentes a Miqueias, embora discordem quanto às porções e às proporções exatas. Mas a falta de concordância entre os críticos faz com que a questão permaneça em aberto, no tocante às conclusões deles.

Por outra parte, há argumentos substanciais em prol da unidade do livro de Miqueias. Esses argumentos são em número de seis, a saber:

1. Três oráculos separados são iniciados, nesse livro, pela palavra "ouvi" (ver 1.2; 3.1 e 6.1), indicando um único escritor.
2. As mudanças de assunto (que os críticos tomam como indicações de uma autoria composta) podem ser explicadas com base no fato de que o livro é uma coletânea de oráculos fragmentares de um único profeta, e não registros de extensos discursos.
3. O mesmo simbolismo do "pastor" acha-se espalhado pelo livro inteiro, segundo se vê em 2.12; 3.2,3; 4.6; 5.3 ss. e 7.14.
4. O artifício literário da "interrupção e resposta" encontra-se em cada uma das seções do livro (2.5,12; 3.1; 6.6-8 e 7.14,15).
5. Por todo o livro há frequentes alusões ou referências históricas, demonstrando uma única mão escritora.
6. Pelo menos 24 passagens extraídas de outros profetas do século VIII a.C. — Oseias, Amós e Isaías, além de duas passagens em Jl, que talvez também tenha escrito no século VIII a.C. — encontram paralelos nos capítulos quarto a sétimo de Miqueias, o que argumenta que o livro inteiro foi escrito naquele século.

Outrossim, os argumentos contrários à unidade do livro de Miqueias, com base no fato de que a linguagem de Isaías 40—66 se assemelha à linguagem de Miqueias 4—7, são duvidosos, porquanto dependem da data em que foram escritos os capítulos 40 a 66 de Isaías. Ver no *Dicionário* sobre a questão do *deutero-Isaías*, um autor desconhecido, que teria escrito esses capítulos finais do livro de Isaías, em lugar do profeta assim chamado.

III. AUTORIA

O profeta Miqueias era nativo de Moresete (em nossa versão portuguesa, "morastita" 1.1, um local talvez idêntico a Moreste-Gate — dependência de Gate; — cf. a Septuaginta, *Kleronomías Gèth*, 1.14). Alguns estudiosos identificam esse lugar com o antigo nome locativo no grego, Marissa. O local fica na área em redor de Beit Jibrin, cerca de quarenta quilômetros a sudoeste de Jerusalém. Jerônimo a localizava imediatamente a leste de Jibrim; mas outros a têm situado em Tell el-Judeideh, ou em Tell el-Menshiyeh, cerca de dez quilômetros e meio a oeste de Beit Jibrin. Moresete é mencionada por nome em Js 15.44; 2Cr 11.8; 14.9,10 e 20.37. Sua localização geográfica fazia da cidade um posto avançado de fronteira, de onde era possível observar facilmente quaisquer movimentos militares na região. Os assírios passaram por ali nos anos de 734, 711 e 701 a.C., e se defrontaram com os egípcios em Rafia, em 719 a.C., nas proximidades. Portanto, o ponto de vista de Miqueias não era o de um homem isolado e distante, mas, antes, de alguém vitalmente interessado nos negócios estrangeiros de sua nação. Como nativo da *Shephelah* (ver a respeito no *Dicionário*) que era, Miqueias sentia profundamente as desgraças do povo pobre do interior de sua nação ameaçada.

Miqueias foi homem corajoso, dotado de fortes convicções e de rara fé pessoal. Alguém sumariou muito bem o caráter e as atitudes dele ao escrever que as características de Miqueias eram moralidade estrita, inflexível devoção à justiça tanto na lei quanto nas ações práticas, e grande simpatia para com os pobres. O que mais perturbava o profeta Miqueias eram as injustiças sociais prevalentes em seus dias. Tais injustiças, segundo ele ensinou claramente, só poderiam ser apagadas mediante o reavivamento religioso. Para Miqueias, entretanto, isso só ocorreria, para valer, por ocasião da restauração futura do povo de Israel, por obra e graça do Messias. Essa é a mensagem central dos capítulos quarto a sétimo do livro. Serve de exemplo disso o trecho de Mq 4.6. "Naquele dia, diz o Senhor, congregarei os que coxeiam, e recolherei os que foram expulsos e os que eu afligira". Isto posto, se os israelitas não se voltassem de todo o coração para o Senhor, Deus haveria de visitar a nação com açoites (os exílios assírio e babilônico). Porém, a esperança final é acenada ao povo de Deus, mediante a vinda do Messias a este mundo, em Belém: "E tu, Belém Efrata, pequena demais para figurar como grupo de milhares de Judá, de ti me sairá o que há de reinar em Israel, e cujas origens são desde os tempos antigos, desde os dias da eternidade" (Mq 5.2).

IV. DATA
Os estudiosos discordam quanto às datas exatas do começo e do fim do ministério de Miqueias. Lê-se em Mq 1.1 que ele profetizou "nos dias de Jotão, Acaz e Ezequias, reis de Judá". Além dessa informação inicial, que alguns eruditos pensam ter sido uma adição feita por algum editor pós-exílico, todas as evidências cronológicas são escassas e apenas inferenciais. O conteúdo do sexto capítulo do livro parece indicar uma data anterior a 722 a.C. para aquele oráculo. A citação de Jeremias do terceiro capítulo de Miqueias (ver Jr 26.18,19) parece datar essa seção durante o reinado de Ezequias, rei de Judá. A descrição feita por Miqueias sobre a corrupção prevalente e a imoralidade ajusta-se às condições que havia durante o reinado de Acaz (735—715 a.C.). Parece provável que a maior parte de seus oráculos proféticos registrados tenha sido proferida durante o período de 727—710 a.C.

A menos que as reformas encabeçadas por Ezequias tivessem deixado as condições sociais sem nenhuma modificação, o ministério de Miqueias deve ser situado antes desse reavivamento. Miqueias pregou tanto contra o reino do norte como contra o reino do sul, embora enfeixasse a atenção principalmente sobre o reino do sul, Judá.

V. RAZÃO E PROPÓSITO
Procedente das classes mais pobres, Miqueias tinha plena consciência das injustiças praticadas pelos ricos e da avareza que os dominava. Apesar de estar vivamente interessado nas condições políticas da nação, Miqueias só fez comentários a esse respeito naquilo em que essas condições estavam vinculadas à situação moral e religiosa do povo. Sua mensagem pode ser sumariada com as suas próprias palavras: "Eu, porém, estou cheio do poder do Espírito do Senhor, cheio de juízo e de força, para declarar a Jacó a sua transgressão e a Israel o seu pecado" (Mq 3.8). Foi em razão dos pecados de seu povo que Deus estava enviando os assírios como látego castigador. Todavia, o castigo divino haveria de ser seguido por um período futuro de bênçãos sem paralelo, ligadas à vinda do Messias. Para Miqueias, pois, a fé em Yahweh deve resultar em justiça social e santidade pessoal, porquanto Yahweh é justo e soberano. Exemplos evidentes de falta de fé na proteção de Yahweh, por parte dos monarcas do povo de Deus — incredulidade também evidenciada por parte do povo comum — foram a recusa de Acaz de pedir um sinal (Is 7.12) e o pagamento de tributo que Ezequias teve de fazer aos assírios (2Rs 18.14-16). Miqueias, portanto, foi o porta-voz do queixume de Deus contra o seu povo (ver o sexto capítulo), tendo anunciado um vindouro e certo castigo divino. No entanto, a misericórdia de Deus haverá de prevalecer finalmente, conforme anuncia Miqueias no sétimo capítulo do seu livro.

VI. CONDIÇÕES DO TEXTO
O texto hebraico do livro de Miqueias parece ter sido bastante bem preservado até nós, conforme se vê mediante a comparação com o texto da Septuaginta. As várias versões antigas (sobretudo a Septuaginta) são de grande ajuda na correção do texto massorético, quanto aos sinais vocálicos. Ver no *Dicionário* o artigo sobre o *Texto Massorético*.

VII. PROBLEMAS ESPECIAIS
No estudo do livro de Miqueias, destacam-se três problemas especiais, que exigem cuidadosa abordagem:

O primeiro é que, em vista de uma abrupta transição, vários eruditos pensam que o trecho de Mq 2.12,13 está fora de lugar, ou, pelo menos, trata-se de uma interpolação. Essas palavras dizem: "Certamente te ajuntarei todo, ó Jacó; certamente congregarei o restante de Israel; pô-los-ei todos juntos, como ovelhas no aprisco, como rebanho no meio do seu pasto; farão grande ruído por causa da multidão dos homens. Subirá diante deles o que abre caminho; eles romperão, entrarão pela porta e sairão por ela; e o seu Rei irá adiante deles, e o Senhor à sua frente". Há cinco explicações possíveis, a saber:
a. Essas seriam palavras dos falsos profetas, que tentavam insuflar esperança no povo (Ibn Ezra, Michaelis), ou, então, uma nota marginal feita por Miqueias ou por alguém que dizia qual o ensino dos falsos profetas (Ewald); ou mesmo as palavras de um falso profeta que interrompera Miqueias (Van Orelli). O ponto de fraqueza dessa interpretação é que seria realmente extraordinário, se um falso profeta admitisse a realidade do exílio futuro — "pois os falsos profetas sempre anunciavam falsas esperanças, dando a entender que nunca a nação de Israel ou a nação de Judá seriam arrancadas de sua terra santa!
b. Essa passagem seria uma composição posterior, pós-exílica (Smith, no ICC). Portanto, não seria uma predição e, sim uma narrativa, embora vazada em forma de predição.
c. A passagem dá prosseguimento à ameaça de Mq 2.10, ou seja, Jacó seria reunido para ser castigado (Kimchi, Efraim Siro, Theodoreto, Calvino, Van Hoonaker).
d. A passagem é genuína e pertence ao contexto.
e. A passagem é genuína, mas está deslocada de seu verdadeiro lugar (Van Ryssel, Koenig, Driver).

Talvez a explicação mais segura seja aquela que diz tratar-se de uma interrupção, feita pelo Espírito de Deus, que quebrou o fluxo das ameaças (que certamente se cumpririam), em um arroubo de misericórdia e graça (mostrando o que certamente ocorreria no futuro, após o castigo haver sido descarregado sobre o rebelde povo de Israel e Judá). Não aceitamos a explicação que diz que esse trecho representa a citação que Miqueias teria feito de um falso profeta, falando sobre o remanescente deixado pelos assírios, depois de 722 a.C. Por que motivo se poria na boca de um falso profeta uma predição que certamente teria cumprimento e que encontra reflexo em tantas outras passagens do Antigo Testamento? Ver, por exemplo, Is 1.26; 11.12; 60.10; Ez 20.40; 36.8; Zc 1.17; 10.6; 14.11; Ml 3.4. Ver também no *Dicionário* o artigo intitulado *Restauração de Israel*.

O segundo problema do texto do livro de Miqueias envolve o relacionamento entre o oráculo de Mq 4.1-3 e a passagem idêntica em Is 2.2-4. Quase todos os intérpretes mais antigos opinavam que Miqueias tomou por empréstimo, de Isaías, esses três versículos de seu livro. A explicação é que há diferenças suficientes, dentro do contexto e na extensão dos oráculos de Isaías e de Miqueias, que nos capacitam a argumentar que ambos os profetas fizeram uso de algum oráculo "já existente", emitido por algum profeta anterior. Deve-se observar que, no livro de Miqueias, esse oráculo ajusta-se ainda melhor ao contexto do que no livro de Isaías. Não há nenhuma dificuldade em harmonizar esse trecho de Miqueias com outros livros e passagens do Antigo Testamento. Assim, Mq 4.3 pode ser cotejado com Jl 3.10, onde o leitor verá perfeita consonância de ideias, como se elas formassem um tesouro comum dos profetas do século VIII a.C.

O terceiro problema do livro de Miqueias consiste na ocorrência da palavra "Babilônia", em Mq 4.10. Essa passagem diz: "... agora sairás da cidade, e habitarás no campo, e virás até Babilônia: ali, porém, serás libertada; ali te remirá o Senhor da mão dos teus inimigos". Esta passagem, entretanto, só constitui problema para aqueles que negam o elemento preditivo nas profecias bíblicas. Esses pensam que a menção à Babilônia indica que algum editor posterior é o autor dessas palavras (após 605 a.C., quando o poder de Nabucodonosor se tornara evidente). Ainda outros pensam que

"Babilônia" deveria ser entendida, aqui, como uma alusão à Assíria. Explicações dessa natureza alicerçam-se sobre a incredulidade, como se o Espírito de Deus não pudesse referir-se a acontecimentos futuros, dando até o nome de países e de indivíduos nessas predições. Ver a menção a *Ciro,* em Is 44.28 e 45.1.

VIII. ESBOÇO DO CONTEÚDO
A maioria dos estudiosos divide o livro de Miqueias em três seções principais, a saber:
   a. Julgamentos de Yahweh contra Israel e Judá (caps. 1—3)
   b. Visão de um futuro glorioso (caps. 4 e 5)
   c. Controvérsia de Yahweh com seu povo e promessa de bênçãos futuras (caps. 6 e 7)

Essa é uma divisão do livro da maneira mais simples, sem entrar em detalhes. Se preferirmos um esboço do conteúdo mais pormenorizado, poderíamos pensar em algo como damos abaixo:
1. Juízo vindouro contra Israel e Judá (1.1-16)
2. Israel será restaurado, depois de ser castigado (2.1-13)
3. Denúncias contra os príncipes e os falsos profetas (3.1-12)
4. A paz e a glória vindouras de Jerusalém (4.1-13)
5. Sofrimentos de Sião e sua restauração (15.1-15)
6. Contraste entre a religião profética e a religião popular (6.1-16)
7. Corrupção social; declaração final de fé em Deus (7.1-20)

Observações sobre o Conteúdo. No seu livro, Miqueias destaca os nobres (no hebraico, *roshim*), os governantes civis (3.1-4) e os falsos profetas (3.5-7) como alvos de suas denúncias. Ele se preocupava tanto com Samaria (capital de Israel, nação do norte) quanto com Jerusalém (capital de Judá, nação do sul), onde os poderes estavam concentrados e de cujos centros fluía a injustiça para o restante dessas duas nações. Entre os pecados por ele denunciados, podemos salientar os seguintes: a idolatria, que haveria de ser destruída (1.1-7; cf. 2Rs 16.10-19); a cobiça dos nobres, que se iam apossando dos campos dos pobres (2.2); a desconsideração para com os direitos de herança (2.4,5; cf. Lv 25.8 ss., Nm 27.11; Dt 27.17); até mesmo visitantes estrangeiros eram assaltados e roubados (2.8); as viúvas acabavam perdendo suas residências (2.9; ver Êx 22.22; Dt 27.19; Is 1.17). Porém, o pior de todos os pecados denunciados por Miqueias era a prática dos sacrifícios humanos (6.7; cf. 2Rs 16.3,4). Esse era um pecado que se chegou a praticar nos dias do rei Acaz, como também nos dias de Manassés, cuja subida ao trono provavelmente se verificou após o falecimento de Miqueias.

Uma das grandes características do conteúdo do livro de Miqueias é a longa passagem de 1.10-16, repleta de nomes próprios locativos. Esses nomes são muito sugestivos. Assim, Gate = cômoro; Ofra = casa de poeira; Safir = agradável; Zaanã = sair; Marote = amargo; Laquis = parelha; Aczibe = enganadora; Maressa = conquistadora. O leitor observará, na leitura do trecho, acompanhando o sentido desses nomes próprios, que o texto mostra que todas as expectativas de seus habitantes não se cumpririam, mas, antes, receberiam o contrário de suas melhores esperanças. Assim, enquanto os falsos profetas enchiam a cabeça dos israelitas e judaítas de esperanças vãs, Miqueias mostrou-lhes que essas esperanças não tinham razão de ser, porquanto Deus estava irado com o seu povo!

A pregação de Amós, Oseias e Isaías nos é sumariada na famosa declaração de Mq 6.8. "Ele te declarou, ó homem, o que é bom; e que é o que o Senhor pede de ti, senão que pratiques a justiça e ames a misericórdia, e andes humildemente com o teu Deus?" Se Amós era o profeta da justiça (Am 5.24) e Oseias falava sobre a infalível misericórdia de Deus (Os 6.6), ao passo que Isaías invocava o povo judeu a cultivar a comunhão com Yahweh (Is 6.5), Miqueias, por sua vez, conclamava o povo de Israel a todos esses três deveres.

Talvez o mais extraordinário exemplo do chamado oráculo de demanda judicial, em toda a Bíblia, se encontre em Mq 6.1-8. Esse tipo de oráculo, conforme vários comentadores têm observado, alicerçava-se sobre o padrão dos acordos humanos formais. Nesses acordos, os céus e a terra são invocados como testemunhas, segundo se verifica em Dt 32.1,5; Sl 50.4; Is 1.2; Ez 6.2,3. Esse trecho de Miqueias, pois, começa como um desses pactos. O profeta invoca os montes e os outeiros, bem como os "duráveis fundamentos da terra", como testemunhas da controvérsia do Senhor "com o seu povo". Essa contenda surgira porque o povo, em sua ignorância da vontade e das exigências do Senhor, preferia multiplicar os holocaustos, concentrar toda a sua atenção no cerimonial, chegando até a apelar para o culto pagão como modelo, quando praticava sacrifícios humanos. Tudo isso sem perceber que o que Deus requer é a autenticidade e a santidade no íntimo, com o tempero da justiça, da misericórdia e da humildade, conforme vimos no parágrafo anterior. Aliás, essa é a grande lição que a humanidade inteira só aprende com imensa dificuldade, e que muitos nunca chegam a aprender. Haja visto a cristandade, cujos segmentos mais numerosos estão perdidos no atoleiro do cerimonialismo, sem jamais buscar por aquela justiça e demais qualidades interiores conferidas graciosamente por Deus aos arrependidos, que tornam o homem aceitável diante dos olhos de Deus. Todo pregador do evangelho que se preza, pois, calcará sobre essa questão em sua pregação. Sim, "... o que o Senhor pede de ti...", ó homem?

Entre as passagens preditivas de Miqueias destacam-se os trechos de 1.3-5 e 3.12, ambas prevendo destruição de Jerusalém; e também 4.10, que promete que Deus haveria de resgatar o seu povo, quando estivesse exilado na Babilônia. Quanto a essa última passagem, não devemos esquecer o profundo sentido do vocábulo "Sião" dentro dos contextos de restauração. Em passagens assim, Sião é mais que Jerusalém, é mais que a nação de Israel — é o povo remido escatológico, composto por judeus e gentios penitentes, igualmente. Está em pauta, nessa passagem, o nascimento da nova humanidade, moldada à imagem de Cristo. Isso fica claramente anunciado nas primeiras palavras desse versículo: "Sofre dores e esforça-te, ó filha de Sião, como a que está para dar à luz...". Com isso devemos comparar o que ensinou o apóstolo dos gentios, no Novo Testamento: "Porque é necessário que este corpo corruptível se revista da incorruptibilidade, e que o corpo mortal se revista da imortalidade... então se cumprirá a palavra que está escrita: Tragada foi a morte pela vitória" (1Co 15.53 e 54). Naturalmente, a aplicação primária da predição é ao exílio babilônico que Judá estava prestes a sofrer; mas o profeta olhou também para um cumprimento maior e mais distante, quando, em sua infinita misericórdia, dentro do contexto da restauração de Israel, o Senhor houver de dar-nos a vitória definitiva! "Porque, se o fato de terem sido eles (os judeus) rejeitados trouxe reconciliação ao mundo, que será o seu restabelecimento (restauração), senão vida dentre os mortos?" (Rm 11.15).

Resta-nos uma palavra sobre Mq 5.2. É que alguns estudiosos opinam que a menção a Belém deveria, talvez, ser interpretada como uma alusão à dinastia davídica, e não à cidade de Belém como uma localidade. No entanto, o cumprimento dessa notável predição (ver Mt 2.4 ss.) não envolveu a dinastia de Davi, antes, o que estava em foco era o *local* do nascimento do Rei dos judeus! Portanto, deve-se interpretar literalmente a menção a Belém da Judeia, "Belém Efrata", conforme disse Miqueias.

Ao Leitor
Um estudante sério, antes de lançar-se ao estudo desse livro, aproveitar-se-á da *Introdução,* que discute importantes temas que dizem respeito a esta composição: caracterização geral; unidade do livro; autoria; data; razão e propósito; condições do texto e problemas especiais.

Miqueias é um dos chamados *Profetas Menores* (os últimos livros livros do Antigo Testamento). O termo *menores* refere-se apenas à quantidade de material que esses profetas produziram, e não à sua importância pessoal. Essa *pequena quantidade* de material é contrastada com as quantidades maiores produzidas pelos *Profetas Maiores:* Isaías Jeremias e Ezequiel. Os doze livros dos Profetas Menores são chamados de "Livro dos Doze" nos escritos judaicos, visto que eram reunidos num rolo, como se formassem um único livro.

Ver o *gráfico* no início da exposição sobre *Oseias,* onde apresento informações sobre os profetas do Antigo Testamento, incluindo sua alegada ordem cronológica.

O subtítulo que os eruditos judeus produziram para o livro indica que Miqueias foi um contemporâneo mais jovem de Isaías. Seja isso ou não verdade, as características da época em que Miqueias escreveu certamente eram similares às características do tempo de Oseias e Isaías. Alguns estudiosos supõem que o próspero meio século de

Jeroboão II seja o pano de fundo do livro de Miqueias. Mas a morte de Jeroboão II e o avanço do exército assírio mudou as coisas radicalmente. Ver a discussão sobre a caracterização e a autoria do livro nas seções I e III da Introdução. A data disputada é discutida na seção III.

Miqueias não era um nobre, como Isaías, que pertencia à família real, mas, como ele, era feroz campeão da adoração pura a Yahweh, bem como dedicado adversário da idolatria. Miqueias foi um profeta enviado a Judá (ver Jr 26.17-19), mas o livro que tem seu nome diz respeito principalmente a Samaria. Os eventos ocupados por este livro ocorreram durante um período de cerca de cinquenta anos.

"Tal como seu contemporâneo, Isaías, Miqueias profetizou sobre a destruição do reino do norte, Israel, provocada pelos assírios, bem como sobre a derrota posterior do reino do sul, pelos babilônios" (John A. Martin, *in loc.*).

"A Missão do Profeta. O livro de Miqueias é uma lição sobre como devemos levar Deus a sério. Instrui-nos quanto à tremenda diferença que a fé religiosa faz, dependendo da atitude do indivíduo para com a vida. Miqueias não era o único homem religioso que havia em Israel — havia sacerdotes, profetas e multidões de adoradores... No entanto, a diferença entre a fé deles e a sua é a diferença entre uma fé pessoal estática e uma fé pessoal viva" (Harold A. Bosley, *Introdução*).

EXPOSIÇÃO

CAPÍTULO UM

PANO DE FUNDO HISTÓRICO DAS PROFECIAS DE MIQUEIAS (1.1-4)

A primeira mensagem de Miqueias (capítulos 1–12) fala de como os julgamentos divinos sobreviriam tanto sobre Israel como sobre Judá. Também lemos sobre a restauração final e a prosperidade. O *Pacto Abraâmico* (ver Gn 15.18) precisava ser cumprido, e as muitas vicissitudes, vitórias e derrotas não podiam apagar o resultado final. Mas ao longo do caminho haveria sofrimento causado pelo pecado e pela apostasia. De fato, tanto a nação de Israel quanto a nação de Judá se tornariam especialistas na idolatria-adultério-apostasia. Elas agiriam exatamente como qualquer outra nação pagã. A obediência à lei de Moisés lhes emprestava caráter distintivo (ver Dt 4.4-8), mas com grande frequência elas rejeitavam e desprezavam a lei. Profetas foram levantados para combater os lapsos que eram frequentes e profundos. Os dois cativeiros — o de Israel e o de Judá — foram instrumentos tendentes à reforma. Ver no *Dicionário* os verbetes chamados *Cativeiro Assírio* e *Cativeiro Babilônico*. Ver sobre o *Pacto Mosaico* na introdução a Êx 19.

Títulos Introdutórios (1.1)

■ 1.1

דְּבַר־יְהוָה ׀ אֲשֶׁר הָיָה אֶל־מִיכָה הַמֹּרַשְׁתִּי בִּימֵי יוֹתָם אָחָז יְחִזְקִיָּה מַלְכֵי יְהוּדָה אֲשֶׁר־חָזָה עַל־שֹׁמְרוֹן וִירוּשָׁלָ͏ִם׃

Palavra do Senhor. O livro de Miqueias começa como começam a maior parte dos livros de profecia, com a afirmação de que o que se segue é a "palavra de Yahweh", dada através de algum profeta autorizado. Miqueias foi um dos principais profetas de Yahweh em seus dias. Yahweh lhe deu a mensagem e o poder. Cf. Os 1.1; Jl 1.1; Sf 1.1 e Ag 1.1. Ver no *Dicionário* os artigos chamados *Revelação* e *Inspiração*.

Miqueias, o Morastita. Miqueias era natural de *Moresete-Gate* (vs. 14), cidade da tribo de Judá cerca de 40 km a sudoeste de Jerusalém, próxima da cidade filisteia de Gate. Dou no *Dicionário* um artigo bem detalhado sobre *Miqueias*, pelo que não repito aqui o material. E há informações adicionais nas seções II e III da *Introdução* ao livro.

Nota Cronológica. O profeta Miqueias ministrou durante os reinados de Jotão (742-735 a.C.); Acaz (735-715 a.C.) e Ezequias (715-687 a.C.), reis de Judá. Nenhum dos reis da nação de Israel é mencionado, provavelmente porque não pertenciam à linhagem de Davi. Miqueias teve longo ministério, que talvez tenha durado tanto quanto cinquenta anos. Seu ministério provavelmente terminou no começo dos dias de Ezequias, talvez antes de 700 a.C. A expressão "que em visão veio" indica que suas mensagens lhe foram dadas, essencialmente, através de *visões*. Ver no *Dicionário* o verbete chamado *Visão (Visões)*.

Salmo Escatológico (1.2-4)

Os vss. 2-7 dão o anúncio básico sobre o qual repousa o restante do livro. Uma acusação (ação judicial) foi feita contra o povo em pacto com Deus (vs. 2); os resultados das punições divinas são antecipados (vss. 3,4); a certeza do julgamento é afirmada (vss. 6,7). Todos os povos da terra teriam de comparecer diante do tribunal cósmico de Yahweh e prestar contas. As leis morais governam todas as coisas. Ver no *Dicionário* o artigo chamado *Lei Moral da Colheita segundo a Semeadura*. *Adonai-Yahweh* (ver as notas sobre o vs. 2) seria tanto o Juiz como a principal testemunha.

Os vss. 2-4, ao que tudo indica, são fragmento de uma poesia excelente, parte de um oráculo, similar em natureza ao que os eruditos chamam de segundo Isaías. Ver Is 40.3-5.

■ 1.2

שִׁמְעוּ עַמִּים כֻּלָּם הַקְשִׁיבִי אֶרֶץ וּמְלֹאָהּ וִיהִי אֲדֹנָי יְהוִה בָּכֶם לְעֵד אֲדֹנָי מֵהֵיכַל קָדְשׁוֹ׃

Ouvi, todos os povos, prestai atenção, ó terra e tudo o que ela contém. "Mq 1.2–3.12. Ameaças feitas contra Samaria e Jerusalém, por causa da corrupção dos líderes religiosos e políticos, formam a primeira grande seção do livro de Miqueias. *1.2-7*. A Samaria seria destruída quando o Senhor viesse em julgamento para punir a casa de Israel por causa de suas transgressões. Este oráculo deve ser datado como anterior ao ano de 721 a.C. Cf. Is 1.2 e Hc 2.20" (*Oxford Annotated Bible*, na introdução à seção).

Todos os povos teriam de ouvir, porquanto *Adonai-Yahweh* é o Senhor universal e soberano. Todas as nações serão julgadas, porquanto ficaram aquém das leis morais governantes de Deus e negligenciaram as oportunidades que lhes foram proporcionadas. Yahweh sairá de seu templo celeste, de sua augusta residência. Ele será tanto o Juiz como a principal testemunha. Descerá à terra para iniciar seu exame das evidências, a fim de então pronunciar a sentença.

Adonai-Yahweh, ou seja, o *Soberano Senhor, o Deus Eterno.* Esse nome divino é usado 217 vezes no livro de Ezequiel, mas somente 103 vezes no restante do Antigo Testamento. É usado dezenove vezes em Am, mas somente cinco vezes nos livros dos outros Profetas Menores. Aparece somente uma vez em Mq (no presente versículo), embora Mq 4.13 contenha um nome divino, derivado da mesma raiz, como forma abreviada. Esse nome enfatiza a *Soberania de Deus* (ver a respeito no *Dicionário*). O Criador não abandonou sua criação. Pelo contrário, ele intervém, punindo ou recompensando em harmonia com suas leis morais. É a isso que chamamos de *Teísmo* (ver a respeito no *Dicionário*), que deve ser contrastado com o *Deísmo*, o qual ensina que o Criador (pessoal ou impessoal) abandonou sua criação aos cuidados das leis naturais. Ver também no *Dicionário* o artigo chamado *Providência de Deus*.

O seu santo templo. Não o templo de Jerusalém e, sim, o celestial, a habitação celestial de Deus. Ver Sl 11.4.

■ 1.3,4

כִּי־הִנֵּה יְהוָה יֹצֵא מִמְּקוֹמוֹ וְיָרַד וְדָרַךְ עַל־בָּמֳתֵי אָרֶץ׃

וְנָמַסּוּ הֶהָרִים תַּחְתָּיו וְהָעֲמָקִים יִתְבַּקָּעוּ כַּדּוֹנַג מִפְּנֵי הָאֵשׁ כְּמַיִם מֻגָּרִים בְּמוֹרָד׃

Porque eis que o Senhor sai do seu lugar, e desce. O julgamento se processará por meio da intervenção divina. *Yahweh* sairá de seu lugar e descerá à terra; primeiramente ele pisará sobre os *lugares altos* (ver a respeito no *Dicionário*), que tinham sido consagrados à idolatria e ao deboche. Ou então estão em vista os *montes* (vs. 4), símbolos do poder, do orgulho e da arrogância dos homens, que não levam em conta que Deus observa tudo.

Deus percorre os montes, que são apenas como pedras de apoio para ele. Sua ira é assim manifestada na terra e sai fogo de seus pés (vs. 4). O resultado é que os montes se dissolvem sob seus pés, e os vales se abrem. Os montes se desmancham e se transformam em água, que escorre como cera derretida. Por conseguinte, temos os símbolos do ato de queimar, dissolver-se e rachar, para falar do poder divino que perturba toda a terra ímpia. Os terremotos (ver Am 1.1) são provavelmente concebidos como um dos instrumentos divinos do julgamento. As ações vulcânicas são outro instrumento. Cf. Sl 97.5 e Is 64.1-3, que dizem coisas similares. Ver também Am 9.5 e Hc 3.6,10. As descrições se assemelham às do Sinai (Êx 19), pelo que temos aqui uma espécie de Sinai universal, onde a lei de Deus é aplicada contra os pecados do mundo inteiro.

DISCURSOS SOBRE A CRISE ASSÍRIA (1.5-16)

O Profeta Lamentador (1.5-9)

■ 1.5

בְּפֶשַׁע יַעֲקֹב כָּל־זֹאת וּבְחַטֹּאות בֵּית יִשְׂרָאֵל מִי־פֶשַׁע יַעֲקֹב הֲלוֹא שֹׁמְרוֹן וּמִי בָּמוֹת יְהוּדָה הֲלוֹא יְרוּשָׁלִָם׃

Tudo isto por causa da transgressão de Jacó. Encontramos aqui o primeiro discurso de Miqueias que, presumivelmente, foi entregue em Jerusalém (vss. 5 e 9). Ele saiu a chorar e a pregar, desnudo (vs. 8), a fim de demonstrar, vividamente, o que todo o Israel haveria de experimentar como juízo divino. As *transgressões* requerem a vingança divina.

Jacó aqui aparece como "a casa de Israel", composta pelas dez tribos, Israel, a nação do norte. O nome *Jacó* figura por onze vezes no livro de Miqueias, nove das quais referindo-se à nação inteira, e as outras duas referindo-se ao próprio patriarca Jacó (ver Mq 7.20). Israel e Jacó são termos sinônimos em Mq 1.5a; 2.12; 3.1,8,9. O vocábulo *transgressões* aparece quatro vezes (ver Mq 1.5; 3.8; 6.7 e 7.18). A legislação mosaica, o *guia* do povo de Israel (ver Dt 6.4 ss.), era o padrão de moralidade e espiritualidade. Porém, o povo de Israel falhou miseravelmente e se especializou na idolatria-adultério-apostasia. Ver no *Dicionário* o verbete chamado *Transgressão*.

A infecção moral começou na cidade de *Samaria*, capital de Israel, a nação do norte, mas logo se espalhou por todo o país como uma praga, pelo que a nação inteira, em suas manifestações do norte — Israel — e no sul — Judá —, logo se tornou como outra nação pagã qualquer. E assim a nação inteira perdeu seu caráter *distintivo* (ver sobre esse conceito em Dt 4.4-8). Mas Israel era como nada sem a possessão e a prática da lei mosaica. No reino do sul, a infecção começou em Jerusalém e se espalhou por toda a nação, com idêntico resultado do que acontecera em Israel. Isso foi substituído pelo "pecado da casa de Judá", na Septuaginta e no Targum. Talvez tenhamos aí o texto correto, ou talvez essa seja uma correção para mencionar o *pecado* nos casos tanto de Israel quanto de Judá. Ver no *Dicionário* o artigo chamado *Manuscritos Antigos do Antigo Testamento*, que inclui informações sobre como os textos corretos são escolhidos quando aparecem variantes. Ver no *Dicionário* o verbete chamado *Lugares Altos*, sobre aqueles lugares idólatras e debochados que agiram como agentes de infecção no país todo. Cf. 2Rs 16.10-18 e 18.4. A idolatria chegou a invadir o recinto do templo. Ver Ez 8.1 ss.

■ 1.6

וְשַׂמְתִּי שֹׁמְרוֹן לְעִי הַשָּׂדֶה לְמַטָּעֵי כָרֶם וְהִגַּרְתִּי לַגַּי אֲבָנֶיהָ וִיסֹדֶיהָ אֲגַלֶּה׃

Por isso farei de Samaria um montão de pedras do campo. "Portanto, farei de Samaria uma pilha de ruínas no campo aberto. Será como um lugar de plantar vinhas. Derramarei pelo vale as pedras de Samaria. E a destruirei totalmente até os seus alicerces" (NCV). O quadro é da mais completa destruição, e, de fato, foi precisamente isso que sucedeu durante o ataque assírio e no cativeiro subsequente. Ver no *Dicionário* o artigo chamado *Cativeiro Assírio*. Portanto, foi assim que Israel colheu o que plantou. Ver no *Dicionário* o artigo chamado *Lei Moral da Colheita segundo a Semeadura*. As pedras fundamentais foram lançadas no vale, e a área anterior da capital tornou-se tão estéril que agora só servia para o plantio de vinhas. A Samaria tornou-se um cômoro desértico com ruínas jazendo por toda a parte, em desordem. O povo de Israel foi levado cativo, a saber, os poucos sobreviventes, mas uma minúscula população ficou ali. Em seguida, os assírios importaram populações para ocupar o espaço deixado vago pelos israelitas. Os habitantes importados ligaram-se em casamentos mistos com os poucos israelitas que sobraram, e o resultado foram os *samaritanos*. Ver 2Rs 17.1-5. Foram necessários três anos para que os assírios destruíssem a cidade de Samaria. E os últimos anos de existência da cidade se passaram em constantes intrigas políticas e em meio a homicídios (ver 2Rs 15.8-31). Quanto ao casamento misto com estrangeiros importados, ver 2Rs 17.6,22-24. A Assíria cometeu genocídio. Quanto à moral da história, ver Is 28.1.

■ 1.7

וְכָל־פְּסִילֶיהָ יֻכַּתּוּ וְכָל־אֶתְנַנֶּיהָ יִשָּׂרְפוּ בָאֵשׁ וְכָל־עֲצַבֶּיהָ אָשִׂים שְׁמָמָה כִּי מֵאֶתְנַן זוֹנָה קִבָּצָה וְעַד־אֶתְנַן זוֹנָה יָשׁוּבוּ׃

Todas as suas imagens de escultura serão despedaçadas. As divindades que Samaria havia adotado, quando criava seu *panteão*, iriam se dar tão mal quanto o povo da cidade. Todo o culto idólatra seria demolido. Os ídolos seriam despedaçados. Todos os dons e oferendas que o povo trouxe ao culto pagão foram queimados. Dinheiro e presentes foram ganhos por meio da prostituição religiosa. prostitutas cultuais vendiam o corpo para ajudar a pagar as despesas do culto e para ganhar a vida. Mas tudo quanto se esforçaram para ganhar transformou-se em fumaça. O que não foi queimado foi levado como despojo pelos assírios. Esse culto era uma violação flagrante do culto a Yahweh, transformando-se em adultério literal e espiritual, que é o principal tema do livro de Oseias. Ironicamente, as mulheres cativas em Israel foram transformadas em prostitutas ou reduzidas à escravidão na Assíria. Ver sobre a *Lex Talionis* (retribuição exata de acordo com o tipo de crime cometido), que tinha assim sido cumprida. Ver sobre esse título no *Dicionário*. Cf. este versículo com Os 4.10-15. "A imagem das prostitutas *alugadas* (remuneração), a recompensa temporal da fornicação espiritual, é tema comum nas Escrituras (ver Os 9.1)" (Fausset, *in loc.*).

O dinheiro ganho com as atividades da prostituição seria levado por outros (os assírios), que também eram adúlteros físicos e espirituais. Parte desse dinheiro seria usada para alugar prostitutas na Assíria.

■ 1.8

עַל־זֹאת אֶסְפְּדָה וְאֵילִילָה אֵילְכָה שִׁילָל וְעָרוֹם אֶעֱשֶׂה מִסְפֵּד כַּתַּנִּים וְאֵבֶל כִּבְנוֹת יַעֲנָה׃

Por isso lamento, e uivo; ando despojado e nu. *Miqueias* andava ao redor (quase) despido, provavelmente vestido apenas com um pano que lhe cobria a parte inferior do corpo, a fim de mostrar o "estado desnudo" a que o povo de Israel seria reduzido quando os assírios acabassem de atacar e despojar Israel. Quando o profeta caminhava quase nu, soltava uivos constantes e terríveis, como se fosse um chacal, e imitava o som das avestruzes, que se parece com um lamento tristonho. Embora lançasse grande desgosto naqueles que ouvissem esses lamentos, essa era uma maneira eficaz de atrair a atenção das pessoas. O propósito, naturalmente, era encorajar as pessoas a arrepender-se para que assim evitassem a iminente calamidade, mas, para o povo de Israel, já era tarde demais. Aquele povo já se tinha desviado para além da linha de onde é possível alguém arrepender-se. O julgamento divino, pois, era inevitável. Não obstante, alguns poucos dariam ouvidos aos avisos do profeta, e assim o profeta teria cumprido seu dever. Nunca ouvi pessoalmente os gritos dos chacais, mas Rolland E. Wolfe, *in loc.*, informa-nos que é um grito *aterrorizante*. O chacal é um predador noturno, pelo que, quando se ouvem seus gritos, sabe-se que está havendo alguma forma de matança "lá fora". O dr. Shaw informa-nos que o som produzido pela avestruz é como o de alguém que estivesse sofrendo a pior agonia. O Targum fala dos lamentos soltos pela avestruz, quando seus filhotes são levados por algum predador, o que significa que a figura usada neste versículo é muito apropriada. Os predadores assírios fariam Israel gemer de agonia.

1.9

כִּי אֲנוּשָׁה מַכּוֹתֶיהָ כִּי־בָאָה עַד־יְהוּדָה נָגַע עַד־שַׁעַר עַמִּי עַד־יְרוּשָׁלִָם:

Porque as suas feridas são incuráveis. A *infecção* causada pela *idolatria-adultério-apostasia* se tornara *incurável*. Não haveria cura, mas isso não dispensava o profeta Miqueias de cumprir seu dever. "A iniquidade de Israel varrera toda a Palestina. Miqueias a descreveu sob o simbolismo de um dilúvio de corrupção e destruição que já estava chegando às portas de Samaria e também engolfaria todo Judá e Jerusalém" (Rolland E. Wolfe, *in loc.*). A enfermidade espiritual tinha chegado à plena manifestação no reino do norte e estava no estágio de incubação no reino do sul. O cativeiro assírio pôs fim ao reino do norte, Israel, em 722 a.C. Os assírios chegaram a ameaçar Jerusalém, em 701 a.C., mas foram forçados a dar meia-volta pela intervenção do anjo do Senhor (2Rs 18 e 19). Porém, quando houve o ataque dos babilônios, a população restante do reino do sul, Judá, foi levada para o cativeiro (cerca de 597 a.C.). Ora, todas essas coisas aconteceram por causa da enfermidade da idolatria-adultério-apostasia.

O Alarma (1.10-16)

1.10

בְּגַת אַל־תַּגִּידוּ בָּכוֹ אַל־תִּבְכּוּ בְּבֵית לְעַפְרָה עָפָר הִתְפַּלָּשְׁתִּי

Não o anuncieis em Gate, nem choreis. Por volta de 711 a.C., os assírios estavam invadindo a Palestina. As notícias se espalharam. A cidade filisteia de Gate, porém, não foi avisada (cf. o incidente historiado em 2Sm 1.20). Gate nada tinha a ver com o que acontecia em Jerusalém, nem lhe foi permitido exultar ou espalhar as notícias, o que só poderia ser feito com benefícios para Judá. E nem aquele povo poderia *chorar,* o que também teria o efeito de espalhar as notícias terríveis. Talvez Gate pudesse aliar-se ao ataque dos assírios e ajudar a derrubar Judá para sempre.

Por outro lado, *Bete-Le-Afra* haveria de envolver-se diretamente no sofrimento e haveria de rolar no pó da lamentação. Esse nome locativo significa "casa do pó", pelo que explica a escolha da metáfora para expressar a tristeza que seus habitantes experimentariam. Cf. Jr 6.26 e Ez 27.20. A cidade ficava próxima de Jerusalém (ver Zc 14.5). Ver no *Dicionário* quanto à cidade de *Bete-Le-Afra*.

1.11

עִבְרִי לָכֶם יוֹשֶׁבֶת שָׁפִיר עֶרְיָה־בֹשֶׁת לֹא יָצְאָה יוֹשֶׁבֶת צַאֲנָן מִסְפַּד בֵּית הָאֵצֶל יִקַּח מִכֶּם עֶמְדָּתוֹ:

Passa, ó moradora de Safir, em vergonhosa nudez. Foram mencionadas mais *três* localidades que estavam na vereda dos atacantes assírios. *Safir*, que significa "bela" ou "agradável", se tornaria o contrário, ou seja, *nua e envergonhada*. O local moderno desse lugar é desconhecido atualmente, mas provavelmente não ficava distante de Jerusalém, na direção do sudoeste. Outra vítima dos assírios seria *Zaanã*, nome que significa "sair para fora". Porém, quando ocorresse o ataque, seus habitantes teriam receio de *sair de dentro* das muralhas. O local moderno dessa localidade é desconhecido atualmente, mas presume-se que ficasse próximo de Sair. O ataque dos assírios passaria para *Bete-Ezel*, nome que significa "casa da proximidade", embora ninguém quisesse aproximar-se quando aquele lugar estivesse desolado e arruinado. Também deve ter ficado perto das duas outras localidades. Ver no *Dicionário* quanto a essas cidades, sobre as quais virtualmente nada conhecemos.

1.12

כִּי־חָלָה לְטוֹב יוֹשֶׁבֶת מָרוֹת כִּי־יָרַד רָע מֵאֵת יְהוָה לְשַׁעַר יְרוּשָׁלִָם:

Pois a moradora de Marote suspira pelo bem. Ao que parece, *Marote* significa "amargor", como se seus habitantes tivessem esperado pelo melhor, mas acabaram amargamente desapontados e perderam toda a esperança. Esse lugar ficava perto de Jerusalém e, no dia da crise, esperaria ajuda da parte de Jerusalém, mas nenhuma ajuda viria em seu socorro. Ver no *Dicionário* o verbete chamado *Marote*, quanto ao pouco que se sabe a respeito. A força armada dos assírios continuaria o caminho até os portões de Jerusalém e poderia ter consumido a cidade. Mas justamente nesse ponto o anjo do Senhor interviria (ver 2Rs 18 e 19).

1.13

רְתֹם הַמֶּרְכָּבָה לָרֶכֶשׁ יוֹשֶׁבֶת לָכִישׁ רֵאשִׁית חַטָּאת הִיא לְבַת־צִיּוֹן כִּי־בָךְ נִמְצְאוּ פִּשְׁעֵי יִשְׂרָאֵל:

Ata os corcéis ao carro, ó moradora de Laquis. Sarcasticamente, Miqueias exortou os cidadãos de *Laquis,* que soa algo como se fosse a palavra *equipe* (*lakis* e *rekes*), a preparar suas duplas de cavalos e atrelá-las aos carros a fim de escapar dos assírios. Laquis era conhecida como lugar que criava ótimos cavalos. Mas a fuga deles seria entravada, e eles cairiam miseravelmente. A infecção da idolatria e a corrupção proveniente da nação do norte atingiram primeiramente aquele lugar e serviram de ponto focal da infecção quanto ao sul. "Os pecados de Jerusalém começaram em vós" (NCV). Esse lugar ficava a cerca de 48 km de Jerusalém. Ver a respeito de *Laquis* no *Dicionário*.

1.14

לָכֵן תִּתְּנִי שִׁלּוּחִים עַל מוֹרֶשֶׁת גַּת בָּתֵּי אַכְזִיב לְאַכְזָב לְמַלְכֵי יִשְׂרָאֵל:

Portanto darás presentes de despedida a Moresete-Gate. "Portanto, darás presentes de despedida a Moresete-Gate. As casas de Aczibe serão uma falsa esperança para os reis de Israel". A palavra *Israel*, neste versículo, aparece no sentido lato de todo o povo hebreu. Os dois lugares ficavam apenas a cerca de 13 km um do outro, e não distantes de Gate. "Presentes", neste caso, é a palavra hebraica que quer dizer "presentes de casamento", como aqueles que um pai dá à filha que está casando. Jerusalém daria *Moresete-Gate* aos assírios, sendo incapaz de protegê-la. Aczibe, nome que significa "ludíbrio", seria exatamente isso para Israel, incapaz de ajudar na hora da crise. Mostraria ser uma *mentira* e uma *cana rachada* — boa para coisa alguma. Cf. Jr 15.18.

Aparentemente, o profeta Miqueias era nativo de Moresete-Gate (ver Mq 1.1). Ver no *Dicionário* os dois lugares que aparecem neste versículo.

Diz o Targum: "Enviareis presentes aos herdeiros de Gate. As casas de Aczibe seriam entregues ao povo por causa dos pecados dos reis de Israel, que nelas tinham adorado ídolos".

1.15

עֹד הַיֹּרֵשׁ אָבִי לָךְ יוֹשֶׁבֶת מָרֵשָׁה עַד־עֲדֻלָּם יָבוֹא כְּבוֹד יִשְׂרָאֵל:

Enviar-te-ei ainda quem tomará posse de ti, ó moradora de Maressa. Senaqueribe se atiraria contra *Maressa,* que era outra cidade de Judá, não distante de Moresete-Gate. A palavra "Maressa" significa "cume" ou "lugar principal", mas soa como *hayyores*, "destruição". O lugar alto se tornaria possessão dos assírios, quando fosse destruído. Alguns estudiosos, porém, pensam que o nome dessa cidade significa "possuidor". Nesse caso, o jogo de palavras diz: "O possuidor será possuído" (pelo conquistador). Toda essa glória de Israel, que estava sendo obliterada, chegaria a *Adulão*, caverna próxima de Aczibe. Há aqui uma alusão a Davi, quando ele foi forçado a fugir de Saul e ocultar-se exatamente nessa caverna (ver 1Sm 22.1,2; 2Sm 23.13). Judá estava prestes a ter sua "experiência de Adulão", sentindo o mesmo desespero que Davi sentira. A glória de Israel se perderia por ocasião do cativeiro assírio, tal como a glória de Davi se encerrou naquela caverna. Ver os nomes próprios no *Dicionário* quanto a detalhes.

1.16

קָרְחִי וָגֹזִּי עַל־בְּנֵי תַּעֲנוּגָיִךְ הַרְחִבִי קָרְחָתֵךְ כַּנֶּשֶׁר כִּי גָלוּ מִמֵּךְ: ס

Faze-te calva, e tosquia-te. Israel e Judá, em suas lamentações, seriam forçados a exibir os sinais de sua tristeza: o aparar dos cabelos, as roupas de cilício, as lamentações. Ver no *Dicionário* o artigo chamado *Lamentação*. "Corta os cabelos para mostrares que estás triste. Chora pelas crianças que amas. Faze-te calva como a águia, porque os teus filhos serão forçados a viver em uma terra estrangeira" (NCV). Cf. Jó 1.20; Is 15.2; Jr 47.5; Ez 27.31; Am 8.10. Até as crianças seriam mortas, e os poucos sobreviventes iriam para o cativeiro, em vez de ir para casa. Talvez esta seção olhe para além da Assíria, incluindo o cativeiro babilônico, conforme supõem alguns intérpretes.

"Com a cabeça rapada, os lamentadores se pareceriam com abutres calvos" (John A. Martin, *in loc.*). A palavra hebraica aqui envolvida pode significar águia ou abutre. Algumas espécies de abutres são calvas, e isso ajusta-se ao texto que temos à nossa frente. Está em mira a *completa desolação*. Na época da muda de penas, as águias também ficavam essencialmente calvas. O povo de Israel seria desnudado de sua glória.

CAPÍTULO DOIS

PROFECIAS SOBRE A ÉTICA (2.1—3.12)

A LAMENTÁVEL CONDIÇÃO DOS RICOS EM JERUSALÉM (2.1-10)

"Por causa da imundícia moral deles, algo que Miqueias retratou com clareza (vs. 2) e amargo realismo (vs. 1), os israelitas haveriam de experimentar grave destruição, pois Yahweh consideraria essa nação responsável por seus abusos sociais e morais. Cf. os vss. 1,2 com Sl 36.4; Is 5.8-12; 32.7; Am 8.4" (*Oxford Annotated Bible*, comentando sobre o vs. 1).

Todas as ofensas mencionadas seguem estipulações claramente violadas da lei mosaica, pelo que a destruição descrita em Mq 1.9-16 é vista como completamente justificada. Israel tinha abandonado seu *guia,* a lei mosaica (quanto a essa ideia, ver Dt 6.4 ss.).

■ 2.1

הוֹי חֹשְׁבֵי־אָוֶן וּפֹעֲלֵי רָע עַל־מִשְׁכְּבוֹתָם בְּאוֹר הַבֹּקֶר יַעֲשׂוּהָ כִּי יֶשׁ־לְאֵל יָדָם:

Ai daqueles que nos seus leitos imaginam a iniquidade. Os ímpios tiram vantagem do descanso noturno para cozinhar planos maus, enquanto estão deitados em suas camas, para executarem durante o dia. Cf. Os 7.6 e Sl 36.4. Em outras palavras, a maldade praticada por eles era "premeditada", o que aumentava a gravidade de seus pecados. Miqueias proferiu um "ai" contra homens assim desvairados e ímpios, cuja vida era dedicada ao planejamento de fazer algo para prejudicarem ao próximo e beneficiar-se. Quanto ao "ai", cf. Is 3.9,11; 5.8,11,18,20-22 e Jr 13.27. Essa é uma palavra comum usada pelos profetas, e menciono apenas alguns poucos lugares onde ela foi empregada. Esse *ai* significa que a *Lei Moral da Colheita segundo a Semeadura* (ver a respeito no *Dicionário*) certamente não fracassaria. Os colhedores divinos cortariam aqueles pecadores, e o vento os sopraria para longe, como se fossem palha.

■ 2.2

וְחָמְדוּ שָׂדוֹת וְגָזָלוּ וּבָתִּים וְנָשָׂאוּ וְעָשְׁקוּ גֶּבֶר וּבֵיתוֹ וְאִישׁ וְנַחֲלָתוֹ: פ

Cobiçam campos, e os arrebatam, e casas, e as tomam. Aqueles réprobos estavam sempre aumentando seu estoque de possessões oprimindo a outros, tomando seus bens e propriedades, roubando heranças e cometendo outros atos errados de ruptura social. Naqueles dias, as riquezas consistiam essencialmente nas possessões, propriedades, terras, animais domesticados de uma pessoa, pois esses bens eram objetos do ataque dos ricos e dos poderosos contra os pobres. Ver o terrível exemplo deixado por Acabe, em 1Rs 21.13 ss. A regra do jogo era um materialismo crasso, que agia com violência. Ver o "ai" contra os que "se apossavam da propriedade alheia", em Is 5.8.

■ 2.3

לָכֵן כֹּה אָמַר יְהוָה הִנְנִי חֹשֵׁב עַל־הַמִּשְׁפָּחָה הַזֹּאת רָעָה אֲשֶׁר לֹא־תָמִישׁוּ מִשָּׁם צַוְּארֹתֵיכֶם וְלֹא תֵלְכוּ רוֹמָה כִּי עֵת רָעָה הִיא:

Eis que projeto mal contra esta família. Pessoas destituídas de princípios devem sofrer porque Yahweh já proferiu seu decreto contra elas. "Esta família" refere-se à classe dos exploradores que havia em Jerusalém. Yahweh "exterminaria a raça deles", conforme diz uma expressão moderna. Visto que tinham praticado o mal, haveriam de sofrer por causa disso. E, visto que se tinham apossado de propriedades que não lhes pertenciam, suas propriedades seriam arrancadas à força. Da mesma forma que tinham agido com violência contra outras pessoas, assim também sofreriam violência. E da mesma maneira que tinham escravizado a outros, assim seriam escravizados pelos atacantes estrangeiros. O jugo estrangeiro seria posto no pescoço deles, que assim pagariam por seus pecados. O orgulho deles seria transformado em humilhação. Quanto ao orgulho contrastado com a humildade, ver as notas em Pv 6.17; 11.2; 13.10; 14.3; 15.25; 16.5,18; 21.4; 30.12,32. Eles iriam para o *cativeiro* (ver Mq 1.16).

■ 2.4

בַּיּוֹם הַהוּא יִשָּׂא עֲלֵיכֶם מָשָׁל וְנָהָה נְהִי נִהְיָה אָמַר שָׁדוֹד נְשַׁדֻּנוּ חֵלֶק עַמִּי יָמִיר אֵיךְ יָמִישׁ לִי לְשׁוֹבֵב שָׂדֵינוּ יְחַלֵּק:

Naquele dia se criará contra vós outros um provérbio. Da mesma maneira que aqueles homens iníquos zombaram de suas vítimas e não ouviram seus clamores de misericórdia, assim também chegaria o dia em que seus opressores zombariam deles e até comporiam canções para celebrar sua miséria. Mas *eles chorariam* em suas lamentações por causa da miséria que lhes teria sobrevindo. Eles estariam "totalmente arruinados" (*Revised Standard Version*). Seriam removidos das terras que tinham roubado de outros. Seus captores dividiriam seus bens, tal como eles tinham dividido os bens dos oprimidos por Judá. A *Lex Talionis* (ver a respeito no *Dicionário*) teria cumprimento, ou seja, haveria *retribuição segundo a gravidade dos pecados cometidos*. A lei mosaica era o guia da conduta moral de Israel, e as infrações contra a legislação mosaica atrairiam uma vingança divina imediata. Aqueles idólatras-adúlteros-apóstatas se encontrariam consigo mesmos, recebendo de volta o que haviam dado a outros.

■ 2.5

לָכֵן לֹא־יִהְיֶה לְךָ מַשְׁלִיךְ חֶבֶל בְּגוֹרָל בִּקְהַל יְהוָה:

Não terás... quem, pela sorte... meça possessões. "Portanto, não terás terras para serem medidas pelas pessoas. Eles não lançarão sortes para dividir a terra entre as pessoas" (NCV). A alusão é à divisão original da terra nos dias de Josué, quando cada tribo, clã e família recebeu sua partilha de terras. Aquele dia de bênção e distribuição tinha terminado, e agora os assírios estavam prestes a conquistar tudo, e nada compartilhariam com os hebreus. O sistema inteiro de distribuição de terras seria destruído, juntamente com as distribuições ilegais que os opressores tinham posto em efeito para seu próprio benefício. A "congregação do Senhor" refere-se à "nação em pacto" com o Senhor como um todo (cf. Dt 23.1,8). Cf. este versículo com Js 18.6,8,10.

■ 2.6

אַל־תַּטִּפוּ יַטִּיפוּן לֹא־יַטִּפוּ לָאֵלֶּה לֹא יִסַּג כְּלִמּוֹת:

Não babujeis, dizem eles. As *mordazes palavras* de Miqueias provocaram violenta reação. Ele recebeu ordens para parar de pregar ou profetizar, porquanto essa atividade poderia pôr em movimento certas circunstâncias que resultariam nas coisas sobre as quais ele estava falando. Em outras palavras, as profecias de Miqueias eram "autorrealizadoras". Mas tais advertências não fizeram o profeta calar-se, porquanto fazia parte da natureza de um verdadeiro profeta falar em consonância com a lei moral de Moisés. Os abusos não poderiam ser esquecidos. A aliança com Deus, conforme esboçada nos capítulos 27 e 28 do livro de Deuteronômio, precisava ter cumprimento. Ver sobre o *Pacto Mosaico*, comentado na introdução a Êx 19. Havia forte dimensão moral na pregação dos verdadeiros profetas. Deus abandonaria judicialmente aqueles homens, para a própria vergonha deles. A desgraça tomaria conta deles, o que eles já tinham antecipado em suas palavras de protesto.

2.7

הֶאָמוּר בֵּית־יַעֲקֹב הֲקָצַר רוּחַ יְהוָה אִם־אֵלֶּה מַעֲלָלָיו הֲלוֹא דְבָרַי יֵיטִיבוּ עִם הַיָּשָׁר הוֹלֵךְ׃

Tais cousas anunciadas não alcançarão a casa de Jacó. "Mas devo dizer isto, povo de Jacó. O Senhor está ficando irado quanto àquilo que tendes feito. Se vivêsseis corretamente, eu teria dito palavras boas para vós" (NCV). O profeta respondeu imediatamente aos protestadores iníquos, colocando-os de volta em seu devido lugar. A "casa de Jacó" é aqui uma referência a todo o povo hebreu, pois a condenação era geral. O Espírito de Yahweh não se sente restringido por nenhuma condição, sobretudo pelos protestos dos pecadores. De fato, Yahweh já havia perdido a paciência com aqueles réprobos. O seu Santo Espírito não pode ser *restringido* por aquilo que os ímpios dizem ou fazem. O hebraico diz aqui, literalmente, "é curto". Os homens retos não precisam temer as profecias de ameaça divina, pois o julgamento de Deus não se aproximará deles. Mas os opressores terão boas razões para temer. "Não gostais das ameaças do profeta (vs. 6), mas de quem é a culpa? Não de Deus, pois ele se deleita em abençoar, em lugar de ameaçar. Mas vós é que provocais as ameaças" (Fausset, *in loc.*).

2.8

וְאֶתְמוּל עַמִּי לְאוֹיֵב יְקוֹמֵם מִמּוּל שַׂלְמָה אֶדֶר תַּפְשִׁטוּן מֵעֹבְרִים בֶּטַח שׁוּבֵי מִלְחָמָה׃

Mas há pouco se levantou o meu povo como inimigo. *Descrição de Mais Pecados*. Aqueles homens maus não queriam que o profeta falasse sobre seus pecados, nem que profetizasse profecias melancólicas, as quais fatalmente se cumpririam. No entanto, havia muitos pecados sobre os quais ele deveria falar, e o dia melancólico certamente estava a caminho. *Arrependimento* era a palavra-chave, e não o silêncio de Miqueias. Portanto, o profeta reiniciou sua tirada contra eles. Aqueles homens vis tinham feito inimigos de seus compatriotas hebreus, oprimindo-os e despojando-os, como um inimigo estrangeiro faria com eles. Eles chegavam a desnudar outras pessoas de suas vestes! Um homem que passasse pacificamente tornava-se, de súbito, vítima da violência, que o roubava de quaisquer bens que porventura possuísse, e até sua túnica exterior lhe era arrebatada. Eles agiam como soldados na guerra, sempre prontos a saquear e prejudicar. O inimigo dessas vítimas eram seus próprios compatriotas. "Bandos de assaltantes, alguns deles bandidos contratados, assaltavam pessoas que de nada suspeitavam, que se pensavam seguras e passavam pacificamente, cuidando de seus negócios, sem nenhum desígnio mau contra seus semelhantes, sem esperar nenhum ataque contra si mesmas" (Rolland E. Wolfe, *in loc.*).

2.9

נְשֵׁי עַמִּי תְּגָרְשׁוּן מִבֵּית תַּעֲנֻגֶיהָ מֵעַל עֹלָלֶיהָ תִּקְחוּ הֲדָרִי לְעוֹלָם׃

Lançais fora as mulheres de meu povo dos seus lares queridos. As viúvas e seus filhos eram "expulsos" do lar pelos atos ilegais e violentos daqueles réprobos. As propriedades eram confiscadas e as pessoas eram humilhadas. Suas residências eram tudo quanto lhes havia restado. O marido e pai estava morto. Seus lares lhes eram *agradáveis*, mas amarga era a sorte deles quando suas pequenas propriedades lhes eram arrancadas pelos opressores ricos. Foi assim que uma geração inteira de pobres foi assediada por aquelas bestas-feras.

Era abusada a *glória* dos pobres, ou seja, o fruto da bênção de Deus e aquilo em que eles tinham prazer e alegria. Os crimes tornaram-se *sacrílegios*, por violarem as mais ternas relações e não respeitarem nenhuma coisa santa, nem a lei sagrada. Cf. este versículo com Jó 22.9; Sl 68.5; Is 9.17; 10.2; Mt 23.14. Homens ímpios dos dias de Jesus "devoravam as casas das viúvas".

2.10

קוּמוּ וּלְכוּ כִּי לֹא־זֹאת הַמְּנוּחָה בַּעֲבוּר טָמְאָה תְּחַבֵּל וְחֶבֶל נִמְרָץ׃

Levantai-vos, e ide-vos embora. Esta é uma conclusão concisa do discurso contido nos vss. 1-9. "*Levantai-vos* e *ide-vos* no sentido de *atenção* e *marchai* eram ordens dadas por soldados invasores às suas vítimas, que estavam sendo enviadas para o cativeiro. No exílio, as vítimas seriam escravas.

Não é lugar aqui de descanso. Estas palavras significam que a Palestina não mais seria a herança dos israelitas. "Visto que eles tinham abusado dessa herança, não mais permaneceriam como herdeiros israelitas. Visto que tinham abusado de sua herança, a Terra Prometida lhes seria tirada. Visto que eram *imundos* moralmente, tinham perdido todo o direito de continuar possuindo a terra santa. Visto que 'o salário do pecado é a morte', tanto no caso de indivíduos como no caso de nações, Miqueias veria somente aniquilação para o seu povo. Visto que seus pecados eram tão *grandes*, ele previu que eles tinham de sofrer tremenda destruição" (Rolland E. Wolfe, *in loc.*).

Para os perversos, diz o meu Deus, não há paz.

Isaías 57.21

"Preparai-vos para entrar no cativeiro. Não tereis aqui lugar de descanso. A terra está muito poluída por vossas iniquidades, e ela vos vomitará" (Adam Clarke, *in loc.*). Essa profecia provavelmente visa incluir tanto o cativeiro assírio da nação do norte quanto o cativeiro babilônico da nação do sul. Ver sobre ambos os temas no *Dicionário*.

AMOR PELOS FALSOS PROFETAS (2.11)

2.11

לוּ־אִישׁ הֹלֵךְ רוּחַ וָשֶׁקֶר כִּזֵּב אַטִּף לְךָ לַיַּיִן וְלַשֵּׁכָר וְהָיָה מַטִּיף הָעָם הַזֶּה׃

Se houver alguém que, seguindo o vento da falsidade... Visto que a repreensão contra os falsos profetas era um dos principais temas proféticos, este versículo provavelmente foi um fragmento de um oráculo ou discurso profético. Uma das características dos falsos profetas é que eles se pareciam com "sacos cheios de vento", proferindo mentiras e declarações vazias. Mas os israelitas apreciavam esses profetas desviados, porquanto eles lhes diziam as coisas que queriam ouvir. A última coisa sobre a qual queriam falar era sobre o pecado. Nada diziam sobre o arrependimento e também nunca previam calamidades. Esses eram os *profetas populares*. Os falsos profetas estavam interessados em festas de vinho, e era isso o que eles ofereciam ao povo, em lugar da verdade espiritual e moral. Enquanto fluíssem o vinho e a cerveja, o povo parecia ser próspero; pelo que também os falsos profetas eram pregadores de uma prosperidade contínua, incluindo todos os excessos que isso sempre produzia. As profecias de condenação eram amargas. Mas as profecias que anunciavam prosperidade contínua eram doces como o vinho doce, e era isso o que o povo israelita queria ouvir. Eles obtinham assim o que queriam, mas ficaram despreparados para a calamidade vindoura. Cf. Jr 5.31. Cf. o que aqui se lê com o vs. 6.

SONHOS DE RESTAURAÇÃO (2.12,13)

2.12

אָסֹף אֶאֱסֹף יַעֲקֹב כֻּלָּךְ קַבֵּץ אֲקַבֵּץ שְׁאֵרִית יִשְׂרָאֵל יַחַד אֲשִׂימֶנּוּ כְּצֹאן בָּצְרָה כְּעֵדֶר בְּתוֹךְ הַדָּבְרוֹ תְּהִימֶנָה מֵאָדָם׃

Certamente te ajuntarei todo, ó Jacó. Miqueias proferiu palavras amargas a respeito de um julgamento inevitável. Os vss. 12,13 foram adicionados ao texto para assegurar-nos que, a longo prazo, haveria um novo dia de restauração. As pessoas que tivessem afundado na calamidade podiam continuar sonhando, porquanto parte da tradição profética justificava isso. O trato de Deus finalmente justifica o otimismo de nossos dias. Cf. Os 14.1-7 quanto a uma boa declaração sobre a esperança da restauração. Ver também Mq 4.1-8, que inclui a restauração dos gentios.

Jacó... Israel. Ou seja, todas as doze tribos. O remanescente será reunido para obter a restauração do novo dia, que afetará todo o povo de Israel, porquanto *todo o Israel será salvo* (ver Rm 11.26). Foi a voz divina de Yahweh que fez a promessa, pelo que a restauração está garantida. Haverá um só Pastor e um só rebanho, pois o rebanho inteiro será reunido em um único lugar, ou seja, na Terra Prometida, no futuro. Ali o rebanho encontrará pasto. O lugar será cheio de muita gente, pois a obra de Yahweh será abundante. Ver sobre o *Pacto Abraâmico* em Gn 15.18 quanto à promessa de uma população numerosa. Cf. também Gn 17.1-8,19 e 22.17,18. A figura simbólica do Bom Pastor é comum no Antigo Testamento. Cf. Sl 23.1; 77.20; 79.52; 80.1; 100.3; Is 40.11; Jr 23.3 e 31.10. Os estudiosos dispensacionalistas falam aqui nas bênçãos próprias do *milênio*. Seja como for, está em pauta o dia do Messias, porquanto tal coisa nunca ocorreu no tempo da antiga nação de Israel, e a volta dos poucos que estavam cativos na Babilônia dificilmente explica as palavras deste versículo. Ver Is 6.13 e 10.20-22.

■ 2.13

עָלָ֤ה הַפֹּרֵץ֙ לִפְנֵיהֶ֔ם פָּרְצ֖וּ וַֽיַּעֲבֹ֑רוּ שַׁ֛עַר וַיֵּצְא֥וּ ב֖וֹ
וַיַּעֲבָ֣ר מַלְכָּ֣ם לִפְנֵיהֶ֔ם וַיהוָ֖ה בְּרֹאשָֽׁם׃ פ

Subirá diante deles o que abre caminho. "Deus é o *desbravador* que abrirá brechas na prisão do exílio, permitindo que os cativos irrompam e escapem, presumivelmente após a conquista da Babilônia pelos persas, em 538 a.C. A 'porta' do exílio é o 'portão da Babilônia', pela qual os cativos israelitas, uma vez liberados, passariam, ao retornar à Palestina. 'O Rei' e 'o Senhor' são sinônimos, tal como se vê em Is 33.22; 41.21; 23.15; 44.6. O presente versículo segue a expectativa do segundo Isaías (ver Is 40.3-5,10,11; 52.12 etc.), onde o próprio Deus lideraria os exilados de volta à Palestina" (Rolland E. Wolfe, *in loc.*). Portanto, foi adicionada a figura do Pastor, do divino e vitorioso Rei. Essa segunda figura também alcançará o novo dia de Israel, durante o futuro reino do milênio. Yahweh é o Rei de Israel. Ver Is 33.22; Sf 3.15 e Zc 14.9.

"O Desbravador é Yahweh-Messias, que irrompe através de todos os obstáculos postos no caminho da restauração. Mas isso não acontecerá como se deu na antiguidade, em que o Senhor irrompeu para destruí-los por causa de sua transgressão (ver Êx 19.22 e Jz 21.15), mas desbravando um caminho para eles, através de seus inimigos" (Fausset, *in loc.*). "Senhor! Apressa o tempo!" (Adam Clarke, *in loc.*).

"... o Capitão da salvação deles, ou seja, o cabeça dos seus exércitos, os seus escolhidos e fiéis, marchando e seguindo-o; Ap 17.14 e 19.14" (John Gill, *in loc.*).

CAPÍTULO TRÊS

APELO AOS LÍDERES DE JUDÁ (3.1-12)

Miqueias falou em tons de revolta total contra a liderança degradada de seu tempo. A linguagem aqui é a mais vívida e cortante das tiradas do profeta contra o mal. Os líderes se tinham tornado *antilíderes*, chefes de bandos criminosos, debochadores das boas morais, em nada melhores que os pagãos, arrastando para baixo toda a nação, juntamente com eles. Miqueias retratou os feitos avaros e irresponsáveis dos governantes de Israel. Cf. Mq 5.20. No vs. 2 deste capítulo, Miqueias usou a figura do açougueiro e da fera. Aqueles réprobos tinham sido como açougueiros contra o povo de Deus.

■ 3.1

וָאֹמַ֕ר שִׁמְעוּ־נָ֖א רָאשֵׁ֣י יַעֲקֹ֑ב וּקְצִינֵ֖י בֵּ֣ית יִשְׂרָאֵ֑ל
הֲל֣וֹא לָכֶ֔ם לָדַ֖עַת אֶת־הַמִּשְׁפָּֽט׃

Ouvi, agora, vós, cabeças de Jacó. Estas palavras referem-se aos líderes civis mais proeminentes da nação.

Vós, chefes da casa de Israel. Ou seja, o pessoal burocrático, pertencente ao governo. O pessoal administrativo do país era totalmente debochado. Nenhum dos habitantes podiam lembrar-se do que era a *justiça*. No vs. 7, os líderes religiosos são alvos de ataque. A classe governamental inteira, civil e religiosa, era irremediavelmente corrupta: *política como é usual*. Quanto a fortes chamadas similares pela justiça, cf. Am 2.6,7; 5.7,10,12,15,24; 8.4-7. A primeira mensagem dos profetas atacava os pecados da população em geral. O capítulo 3 apresenta o ataque contra os líderes. A confiança havia sido traída. Os que tinham responsabilidade usavam seus deveres para enriquecer-se. Miqueias não estava tentando escrever alguma obra literária clássica. Antes, tentava interpretar, para seus contemporâneos, as *razões* pelas quais a ira de Deus estava prestes a atacar, destruindo completamente a casa de Israel. A situação pintada neste versículo está impregnada da piedade hipócrita e do barbarismo arbitrário e selvagem que eram e são características dos déspotas. "Vós vos assentais a julgar outras pessoas; certamente, pois, deveríeis conhecer esse julgamento porque a hora das injustiças vos espera (ver Rm 2.1)" (Fausset, *in loc.*).

"*Suetônio* diz-nos que Tibério, quando governantes das províncias lhe escreveram, exortando-o insistentemente a aumentar os tributos, replicou: 'É função do bom pastor tosquiar as ovelhas, e não arrancar-lhes a pele'" (Adam Clarke, *in loc.*).

■ 3.2

שֹׂ֣נְאֵי ט֑וֹב וְאֹ֣הֲבֵי רָ֑עָה גֹּזְלֵ֤י עוֹרָם֙ מֵֽעֲלֵיהֶ֔ם וּשְׁאֵרָ֖ם
מֵעַ֥ל עַצְמוֹתָֽם׃

Os que aborreceis o bem, e amais o mal. Aqueles réprobos reverteram os sinais, odiando o que era bom e amando o mal. Eles se tornaram açougueiros do povo, em vez de serem seus pastores. "Vós esfolais vivo o meu povo. Vós arrancais a carne de seus ossos" (NCV). Entre os filhos de Israel, a preferência pelas emoções fortes e pelos benefícios de quem servia a si mesmo tornou-se universal. Cf. Am 5.14,15. O matador do animal agora passava a esfolá-lo com satânica alegria. Então o simbolismo é alterado para outro "trabalho de matança", o de um animal feroz que despedaça sua vítima, inspirado por um ódio iníquo. As classes superiores e governantes eram tanto *açougueiros* quanto *animais ferozes,* e seus subordinados eram as vítimas.

■ 3.3

וַאֲשֶׁ֨ר אָכְל֜וּ שְׁאֵ֣ר עַמִּ֗י וְעוֹרָם֙ מֵעֲלֵיהֶ֣ם הִפְשִׁ֔יטוּ וְאֶת־
עַצְמֹֽתֵיהֶ֖ם פִּצֵּ֑חוּ וּפָרְשׂ֗וּ כַּאֲשֶׁ֤ר בַּסִּיר֙ וּכְבָשָׂ֔ר בְּת֖וֹךְ
קַלָּֽחַת׃

Que comeis a carne do meu povo, e lhes arrancais a pele. Uma *terceira figura simbólica* apresenta aquelas feras terríveis a cortar as carnes de seus compatriotas como um cozinheiro que prepara um prato de carne e tira vantagem de cada parte do corpo, cortando-o em pedaços pequenos para serem cozinhados em uma panela. A exploração brutal era o jogo deles, incluindo crimes de sangue, sempre que isso fosse necessário ou conveniente. Aqueles homens sem entranhas, pois, eram açougueiros, feras e devoradores de seus semelhantes. Não tinham maior consideração pelos seres humanos, que eram seus semelhantes, do que os açougueiros e as feras têm pelas carcaças.

"Miqueias compara o que eles fizeram com o processo de preparar alimentos, quando cada parte do corpo do animal, até os ossos, é utilizada. Assim era que o juiz roubava o povo até nada mais restar deles" (Ellicott, *in loc.*). Cf. Ez 24.3. "Eram semelhantes a canibais: eles os esfolavam e comiam as carnes, devorando-lhes a substância" (John Gill, *in loc.*).

■ 3.4

אָ֣ז יִזְעֲק֤וּ אֶל־יְהוָה֙ וְלֹ֣א יַעֲנֶ֣ה אוֹתָ֔ם וְיַסְתֵּ֨ר פָּנָ֤יו מֵהֶם֙
בָּעֵ֣ת הַהִ֔יא כַּאֲשֶׁ֥ר הֵרֵ֖עוּ מַעַלְלֵיהֶֽם׃ פ

Então chamarão ao Senhor, mas não os ouvirá. Quando o terror viesse sobre eles, sob a forma de invasores estrangeiros, eles clamariam a Yahweh, rogando livramento, esquecidos da maneira ousada e desobediente como tinham vivido. Porém, Yahweh não os ouviria. Pelo contrário, faria os invasores virar açougueiros, feras e cozinheiros que agissem contra eles, reduzindo-as a nada, tal qual eles tinham feito a outras pessoas. Dessa forma seria servida a *Lei Moral* da *Colheita segundo a Semeadura*. Ver sobre esse título no *Dicionário*. Os assírios seriam as feras contra o reino do norte, Israel, e os babilônios contra o reino do sul, Judá. Eles se ocultaram e negaram qualquer misericórdia humana quando suas vítimas lhes imploraram por isso. Assim também Yahweh se esconderia de seus clamores. Visto que eles se tinham mostrado bestiais, seriam mortos por bestas-feras. Aqueles réprobos consideravam-se pessoas religiosas e costumavam apelar para a fé antiga em tempos de crise. Mas tudo isso era a mais horrenda hipocrisia, que não se mostraria eficaz. "Eles teriam de viver com as consequências de seus atos, suportando a punição pelo mal que praticavam" (John A. Martin, *in loc.*). Era tarde demais para os filhos de Israel clamarem a Yahweh. O tempo de fazer *justiça* havia chegado. Os antigos opressores seriam agora oprimidos.

■ 3.5

כֹּה אָמַר יְהוָה עַל־הַנְּבִיאִים הַמַּתְעִים אֶת־עַמִּי הַנֹּשְׁכִים בְּשִׁנֵּיהֶם וְקָרְאוּ שָׁלוֹם וַאֲשֶׁר לֹא־יִתֵּן עַל־פִּיהֶם וְקִדְּשׁוּ עָלָיו מִלְחָמָה:

Assim diz o Senhor acerca dos profetas que fazem errar o meu povo. O profeta Miqueias tinha terminado sua tirada contra os governantes civis. Agora voltava sua indignação contra os líderes religiosos. Os falsos profetas faziam o povo de Israel errar. Eram indivíduos pragmáticos que serviam a si mesmos, e eram ateus práticos, a despeito de toda a sua "conversa sobre Deus", o que, na realidade, era "conversa sobre os deuses", visto que promoviam cultos idólatras. Eles diziam o que o povo queria ouvir. Mas não tinham nenhuma mensagem da parte de Yahweh. "Se alguém desse aos profetas falsos alimentos para comer, eles gritavam: Paz! Mas se não lhes desse o que comer, eles declaravam guerra contra esse alguém" (NCV). Assim era que as profecias deles variavam não seguindo a verdade e, sim, o próprio interesse próprio. Cf. seus falsos clamores de paz em Jr 6.4 e 8.11 e Ez 13.10. Se não se estavam banqueteando com os alimentos que lhes eram presenteados por aqueles que buscavam ajuda, estavam fazendo "santa inquisição" contra aqueles que os desagradavam. Eram profetas profissionais sem escrúpulo, que arrancavam dinheiro por engano, embora fossem extremamente religiosos. Em meio a todo esse serviço próprio, não guiavam o povo, mas o faziam errar com o seu mau exemplo.

■ 3.6

לָכֵן לַיְלָה לָכֶם מֵחָזוֹן וְחָשְׁכָה לָכֶם מִקְּסֹם וּבָאָה הַשֶּׁמֶשׁ עַל־הַנְּבִיאִים וְקָדַר עֲלֵיהֶם הַיּוֹם:

Portanto, se vos fará noite sem visão. A *noite* é um *período propício* para os sonhos e as visões espirituais, visto que o corpo e a mente estão tranquilos, e o espírito pode tomar conta das coisas. Aqueles réprobos, entretanto, não teriam sonhos e visões espirituais genuínos. Eles afirmariam ter experiências místicas a fim de impressionar outras pessoas, mas neles não havia espiritualidade legítima. Suas noites eram passadas na total escuridão, tanto para os olhos físicos como para a alma. Finalmente, o julgamento divino, como se fossem densas trevas, lhes sobreviria, envolvendo-os e terminando com eles. A noite deles seria uma noite de julgamento, e não de iluminação do espírito. "A noite virá sobre vós sem visões, e trevas com as adivinhações. O sol iria se pôr para os profetas" (NCV). Essas coisas não eram boas para o povo durante o dia, e certamente não o seriam quando a noite de terror chegasse. "As calamidades vos pressionarão e vos avassalarão de tal maneira que vos compelirão a deixar de fingir ser divinos (ver Zc 13.4)" (Fausset, *in loc.*). "Tais trevas da aflição sobreviriam a eles de tal modo que eles não seriam capazes de oferecer nenhuma adivinhação ou predizer coisas boas. As trevas e as aflições serão a porção deles" (John Gill, *in loc.*).

■ 3.7

וּבֹשׁוּ הַחֹזִים וְחָפְרוּ הַקֹּסְמִים וְעָטוּ עַל־שָׂפָם כֻּלָּם כִּי אֵין מַעֲנֵה אֱלֹהִים:

Os videntes se envergonharão, e os adivinhadores se confundirão. Os próprios que deveriam ser capazes de oferecer ajuda no tempo do teste se mostrarão silentes e esconderão o rosto de vergonha. Eles nunca foram verdadeiros profetas, e a hora da aflição mostraria que eles não passavam de fraudes. Clamores de paz se tornariam absurdos e não obteriam resposta da parte de Yahweh-Elohim. A resposta divina era o *arrependimento*, mas eles jamais profeririam essa palavra. Por seus frutos o povo reconheceria o verdadeiro caráter deles. Eram totais fracassados espirituais, mas tinham sido nomeados líderes espirituais. Não teriam visões quando chegasse a tribulação final. Nem ao menos tentariam lançar sortes, ler presságios ou fazer qualquer daquelas coisas triviais em que os homens depositam a confiança. Eles tinham exigido uma *boa vida* mediante o exercício de sua "profissão" (vs. 5). Mas isso tão somente os conduziu a uma morte temível, sem recurso algum. "Suas visões desapareceriam; sua luz se tornaria trevas; e eles seriam tomados por vergonha total, porquanto não receberiam mais resposta da parte de Deus, se, de fato, alguma vez tinham obtido tal resposta" (Harold A. Bosley, *in loc.*).

"Eles cobrirão seus lábios, como os leprosos que eram cortados de toda a comunicação com os homens, como eles, falsos profetas que eram, estavam cortados de toda a comunhão com Deus, que deveriam 'cobrir seus lábios superiores'. Isso era sinal de lamentar pelos mortos. Ezequiel recebeu ordens para despertar o espanto do povo, *omitindo* o ato de cobrir o lábio superior quando sua esposa morreu" (Ellicott, *in loc.*). Ver Ez 24.17.22.

■ 3.8

וְאוּלָם אָנֹכִי מָלֵאתִי כֹחַ אֶת־רוּחַ יְהוָה וּמִשְׁפָּט וּגְבוּרָה לְהַגִּיד לְיַעֲקֹב פִּשְׁעוֹ וּלְיִשְׂרָאֵל חַטָּאתוֹ: ס

Eu, porém, estou cheio do poder do Espírito do Senhor. Em contraste com os falsos profetas, Miqueias era forte como um touro, cheio do poder divino provido pelo Espírito de Yahweh. Ele sabia no que consistia a justiça e tornou isso claro ao povo de Israel. Estava cheio de poder, o que o capacitou a declarar o caminho reto a Jacó (a nação do sul) e a Israel (a nação do norte). Ou as duas palavras são sinônimas, indicando o que foi deixado de Israel após as dez tribos do norte terem sido levadas para o exílio. Judá tornou-se a nação de Israel. Miqueias magnificou a dignidade e o poder do seu ofício profético, contrastando isso com o fracasso dos falsos profetas. "Cf. Is 58.1. Não para lisonjear o pecador, conforme faziam os falsos profetas, com promessas de paz" (Fausset, *in loc.*).

■ 3.9

שִׁמְעוּ־נָא זֹאת רָאשֵׁי בֵּית יַעֲקֹב וּקְצִינֵי בֵּית יִשְׂרָאֵל הַמְתַעֲבִים מִשְׁפָּט וְאֵת כָּל־הַיְשָׁרָה יְעַקֵּשׁוּ:

Ouvi agora isto, vós, cabeças de Jacó. Miqueias proferiu mais uma palavra, para chamar a atenção de todos aqueles réprobos líderes civis (vss. 1-5) e religiosos (vss. 5-7). Note a repetição de *Jacó... Israel* (ver as notas sobre o vs. 8). Aqueles homens, como uma classe, odiavam e pervertiam a justiça. Cf. com o vs. 2, onde os vemos odiando o bem e amando o mal. Nesta terceira parte de sua tirada, o profeta sumariou a questão (vss. 9-12). Toda a classe governante (bem como o povo que seguia o mau exemplo deles) tinha perdido o senso de equidade. Tornaram-se patronos e modelos da injustiça, inspirados pela loucura do interesse próprio, da exploração e da cobiça. "O profeta os citou por aborrecerem o julgamento, perverterem a equidade e edificarem suas cidades sobre o sangue e o pecado" (Harold A. Bosley, *in loc.*).

■ 3.10

בֹּנֶה צִיּוֹן בְּדָמִים וִירוּשָׁלִַם בְּעַוְלָה:

E edificais a Sião com sangue, e a Jerusalém com perversidade. Crimes de sangue e pecados generalizados, de tantas modalidades que desafiavam a contagem, tornaram-se os alicerces da cidade de Jerusalém. A colina de Deus, Sião, se tornara a coluna de Satanás. A nação inteira estava tão corrompida porque Jerusalém era seu centro apodrecido. Cf. Mq 2.9, onde está contido um dos mais óbvios e nojentos de seus crimes. Derramamento de sangue, violência de todas as formas e justiça pervertida reinavam no lugar onde a lei supostamente era o *guia* (ver Dt 6.4 ss.). Habacuque (2.12) denunciara o rei da Babilônia pelas guerras sangrentas que ele tinha encabeçado a fim de obter riquezas materiais. Jerusalém, porém, não era melhor do que os piores pagãos.

3.11

רָאשֶׁ֣יהָ ׀ בְּשֹׁ֣חַד יִשְׁפֹּ֗טוּ וְכֹהֲנֶ֙יהָ֙ בִּמְחִ֣יר יוֹר֔וּ וּנְבִיאֶ֖יהָ
בְּכֶ֣סֶף יִקְסֹ֑מוּ וְעַל־יְהוָה֙ יִשָּׁעֵ֣נוּ לֵאמֹ֔ר הֲל֤וֹא יְהוָה֙
בְּקִרְבֵּ֔נוּ לֹֽא־תָב֥וֹא עָלֵ֖ינוּ רָעָֽה׃

Os seus cabeças dão as sentenças por suborno. Todas as classes de governantes, como os dirigentes civis (vss. 2-4), os líderes religiosos (vss. 5-7) e os juízes (vs. 11), tinham corrompido a justiça. Os *subornos* decidiam os casos de justiça, sem importar se estavam certos ou errados. Cf. esse fato com Is 1.23; Ez 22.12; Os 4.18 e Mq 7.3. Vemos, no vs. 5, que os profetas falsos trabalhavam à base do lucro pessoal ("quando têm o que mastigar"). Ver Jr 6.13. Durante todo o tempo, hipocritamente, eles diziam: "O Senhor está conosco. Nada de ruim nos sucederá" (NCV). Juntamente com todas as suas outras perversões, eles mantinham uma religião pervertida. As leituras psíquicas que os videntes seculares dão a seus clientes são sempre "positivas", porquanto oferecem aquilo que seus clientes querem ouvir, *se* estes pagarem o que eles cobram por seus serviços. Os falsos profetas estavam atrás de dinheiro (cf. Mq 7.3), mas também tinham a audácia de falar piedosamente sobre Deus, como se ele fizesse parte daquele negócio desonesto.

3.12

לָכֵן֙ בִּגְלַלְכֶ֔ם צִיּ֖וֹן שָׂדֶ֣ה תֵֽחָרֵ֑שׁ וִירוּשָׁלִַ֙ם֙ עִיִּ֣ין תִּֽהְיֶ֔ה
וְהַ֥ר הַבַּ֖יִת לְבָמ֥וֹת יָֽעַר׃ פ

Portanto, por causa de vós, Sião será lavrada como um campo. Os *colhedores babilônicos* estavam chegando e lavrariam Jerusalém como se fosse um campo; eles reduziriam Jerusalém a um montão de ruínas. O templo (casa) de Salomão seria demolido e em seu lugar haveria uma colina estéril, desertada, no meio do bosque. Eis o que aconteceria à nação que esquecera Deus. "Até a colina do templo seria coberta por uma vegetação arbustiva" (John A. Martin, *in loc.*).

Há uma curiosa nota histórica, feita por Jerônimo, no sentido de que Tito literalmente arou o terreno do segundo templo quando, no ano 70 d.C., ele conquistou Jerusalém (ver esses comentários em Zc 8.19).

CAPÍTULO QUATRO

VISÕES SOBRE UM FUTURO GLORIOSO (4.1—5.15)

Esta seção parece consistir em vários oráculos costurados um ao outro, todos tratando sobre o tema comum da restauração e das bênçãos que reverterão completamente o trágico quadro retratado em Mq 3.12.

"*Mq 4.1—5.15*. Profecias sobre o glorioso futuro de Israel e restauração do reino davídico constituem a segunda seção principal do livro. Embora muitos eruditos datem a origem dessas profecias durante o período pós-exílico, muito possivelmente elas estão baseadas em oráculos genuínos de Miqueias, editadas em sua forma presente após o exílio" (*Oxford Annotated Bible*, na introdução à seção).

"Nestes capítulos, Miqueias predisse a vinda do reino de Deus, anunciada em quase todos os escritos proféticos. Ele fala sobre as características do reino vindouro (Mq 4.1-8), sobre os eventos que precederão o reino (4.9—5.1) e o Rei que o estabelecerá (5.2-15)" (John A. Martin, *in loc.*).

RELIGIÃO UNIVERSAL E PAZ PERPÉTUA (4.1-8)

4.1

וְהָיָ֣ה ׀ בְּאַחֲרִ֣ית הַיָּמִ֗ים יִ֠הְיֶה הַ֣ר בֵּית־יְהוָ֤ה נָכוֹן֙
בְּרֹ֣אשׁ הֶהָרִ֔ים וְנִשָּׂ֥א ה֖וּא מִגְּבָע֑וֹת וְנָהֲר֥וּ עָלָ֖יו עַמִּֽים׃

Mas nos últimos dias acontecerá. Mq 4.1-3 é similar a Is 2.2-5. Em Mq 4.1-8, o profeta menciona *onze* características do reino, dando-nos uma das mais completas descrições proféticas do reino nas páginas do Antigo Testamento. Temos aqui um otimismo desenevoado sobre o futuro de Israel. Essa descrição forma um quadro esplêndido sobre um mundo de justiça, lei e paz.

Últimos dias. Ver sobre este título no *Dicionário*. "O monte da casa" é Sião, onde o templo (casa) fora construído. Jerusalém nada seria sem o seu templo. Os estudiosos dispensacionalistas falam sobre o "templo milenial". Considere o leitor estes onze pontos:

1. *Primeira característica* da era do reino: A restauração de Jerusalém, como sua capital político-religiosa, completa com o templo e governada pelo Rei Messias. Naquela época, Deus abençoará todas as nações da terra por intermédio de Israel (ver Gn 12.3; Is 11.9). Israel será a cabeça das nações e sua abençoadora. Desaparecerão as antigas hostilidades. Haverá grande prosperidade espiritual e material. Is 2.2-5 baseia-se em Mq 4.1-3, e não vice-versa. Coisa alguma aconteceu após o retorno do remanescente judeu da Babilônia que justificasse as declarações desta seção. A mensagem que temos aqui pertence inteiramente aos *últimos dias*.
2. *Segunda característica* da era do reino: Israel ocupará posição *ímpar* durante a era do reino, pois será a cabeça das nações, e, por assim dizer, com o resto das nações (que será o seu *corpo*) será abençoada e exaltada. A humanidade inteira *fluirá* a Jerusalém para receber mútuo benefício, como se fosse um poderoso rio. Cf. Sl 46.4; 65.9; Is 33.21; Jl 3.18 e Ez 47.

4.2

וְֽהָלְכ֞וּ גּוֹיִ֣ם רַבִּ֗ים וְאָֽמְרוּ֙ לְכ֣וּ ׀ וְנַעֲלֶ֣ה אֶל־הַר־
יְהוָ֗ה וְאֶל־בֵּית֙ אֱלֹהֵ֣י יַעֲקֹ֔ב וְיוֹרֵ֙נוּ֙ מִדְּרָכָ֔יו וְנֵלְכָ֖ה
בְּאֹרְחֹתָ֑יו כִּ֤י מִצִּיּוֹן֙ תֵּצֵ֣א תוֹרָ֔ה וּדְבַר־יְהוָ֖ה
מִירוּשָׁלִָֽם׃

Irão muitas nações, e dirão: Vinde, e subamos ao monte do Senhor.

3. *Terceira característica* da era do reino: O templo será o lugar da disseminação dos ensinos espirituais para as nações. Todos os povos aprenderão a andar em harmonia com os ensinamentos recebidos. Ver no *Dicionário* o verbete intitulado *Andar;* e em Dt 6.4 ss. ver a lei como *guia* do antigo povo de Deus. Essas condições reverterão completamente as condições vigentes nos dias de Miqueias, quando Israel se tornou uma nação apostatada, deixando um mau exemplo de desobediência espiritual para todos os povos.
4. *Quarta característica* da era do reino: A *lei* (no hebraico, *torah*) será o manual do conhecimento e da instrução espiritual. A *lei* e a *palavra* de Yahweh são termos sinônimos. Cf. Is 11.1-10; 60.1-14; Jr 3.17; 31.12; Zc 2.11; 8.22,23; 14.9,16, quanto a uma mensagem similar à do presente versículo. Deus é o Governante (vs. 3), e sua Palavra é a palavra de suas ordens e instruções. Ver Dt 6.4 ss.

4.3

וְשָׁפַ֗ט בֵּ֚ין עַמִּ֣ים רַבִּ֔ים וְהוֹכִ֛יחַ לְגוֹיִ֥ם עֲצֻמִ֖ים
עַד־רָח֑וֹק וְכִתְּת֨וּ חַרְבֹתֵיהֶ֜ם לְאִתִּ֗ים וַחֲנִיתֹֽתֵיהֶם֙
לְמַזְמֵר֔וֹת לֹֽא־יִשְׂא֞וּ גּ֤וֹי אֶל־גּוֹי֙ חֶ֔רֶב וְלֹא־יִלְמְד֥וּן
ע֖וֹד מִלְחָמָֽה׃

Ele julgará entre muitos povos, e corrigirá nações poderosas e longínquas.

5. *Quinta característica* da era do reino: "Muitos povos e até fortes nações apresentarão ao Senhor as suas disputas. Elas se submeterão às decisões divinas, percebendo claramente que aquilo que ele tiver decidido é a decisão certa. Nos dias de Miqueias, os judeus se encolerizavam sob a palavra de Deus, não desejando ser informados, nem pelo Senhor nem pelo seu profeta, que eles laboravam em erro. Em contraste com isso, eventualmente, o mundo inteiro se submeterá voluntariamente à palavra de Deus e às suas decisões" (John A. Martin, *in loc.*). Cf. Is 40.9-11.
6. *Sexta característica* da era do reino: O fim das guerras. Instrumentos de guerra, como espadas e lanças, serão dissolvidos e transformados em implementos agrícolas. Recursos econômicos que, em nossa própria era, são gastos na arte de matar, serão empregados nos meios de doar vida. Não mais haverá exércitos

permanentes, e todo o dilapidar de fundos atualmente investidos na manutenção de atividades e instituições inúteis chegará ao fim. A paz habitará no coração dos homens e predominará neste mundo. Pessoas que antes eram *treinadas* (ou forçadas) a matar serão treinadas para atividades úteis que beneficiarão a humanidade, em vez de prejudicá-la. "Esse sonho de um mundo de paz é um dos mais poderosos conceitos a entrar na perspectiva humana" (Rolland E. Wolfe, *in loc.*).

■ **4.4**

וְיָשְׁב֗וּ אִ֣ישׁ תַּ֧חַת גַּפְנ֛וֹ וְתַ֥חַת תְּאֵנָת֖וֹ וְאֵ֣ין מַחֲרִ֑יד כִּי־פִ֥י יְהוָ֛ה צְבָא֖וֹת דִּבֵּֽר׃

Mas assentar-se-á cada um debaixo da sua videira.

7. *Sétima característica* da era do reino: Haverá tanto segurança quanto abundância. Cada indivíduo terá sua faixa de terra, e essa terra será produtiva. Nenhum homem prejudicará o próximo ou meterá medo, nem terá suas colheitas atacadas por outros, conforme acontecia no passado. Nenhum homem explorará ou defraudará outro, nem tomará o que não lhe pertence. Cf. 1Rs 4.25; Is 40.5 e Zc 3.10. *Yahweh-Sabaote*, o Deus eterno, General dos Exércitos, declarou isso em seus decretos, o que significa que fatalmente assim se dará no futuro.

"Este poema (vss. 1-4), sobre a conversão das nações aos caminhos da piedade, é uma das mais desafiadoras passagens existentes na Bíblia" (Rolland E. Wolfe, *in loc.*).

■ **4.5**

כִּ֚י כָּל־הָ֣עַמִּ֔ים יֵלְכ֕וּ אִ֖ישׁ בְּשֵׁ֣ם אֱלֹהָ֑יו וַאֲנַ֗חְנוּ נֵלֵ֛ךְ בְּשֵׁם־יְהוָ֥ה אֱלֹהֵ֖ינוּ לְעוֹלָ֥ם וָעֶֽד׃ פ

Porque todos os povos andam, cada um em nome do seu deus.

8. *Oitava característica* da era do reino: Nos dias de Miqueias, as nações gentílicas continuavam a andar no nome de seus muitos deuses, ao passo que Israel andava no nome de Yahweh-Elohim (o Deus Eterno e Todo-poderoso). Israel continuará a andar assim e atrairá as nações pagãs para sua maneira espiritual de viver. Supor-se que durante a era do reino de Deus as nações gentílicas andarão em consonância com suas religiões pagãs é uma contradição com o que lemos nos vss. 2,3. Assim sendo, se o presente versículo pode ser entendido como referente às condições religiosas das nações, durante a era do reino, dificilmente isso acontecerá. Alguns estudiosos supõem que este versículo tenha sido *inserido* para refutar as noções idealistas dos vss. 2,3, e essa inserção foi feita por um editor posterior. O profeta Miqueias, entretanto, não estava defendendo um monopólio espiritual. Nem devemos ver aqui um *sincretismo*: as nações gentílicas, ao mesmo tempo que permaneciam adotando seu panteísmo, incorporariam o yahwismo em sua fé.

■ **4.6**

בַּיּ֨וֹם הַה֤וּא נְאֻם־יְהוָה֙ אֹסְפָ֣ה הַצֹּלֵעָ֔ה וְהַנִּדָּחָ֖ה אֲקַבֵּ֑צָה וַאֲשֶׁ֖ר הֲרֵעֹֽתִי׃

Naquele dia, diz o Senhor, congregarei os que coxeiam.

9. *Nona característica* da era do reino: Todo o povo de Israel será recolhido à Terra Prometida. Todas as dispersões do povo de Israel serão revertidas. "Todo o Israel será salvo" (Rm 11.26). Nenhum descendente de Abraão será deixado de fora da salvação. Até o mais débil será trazido de volta, o que é dito metaforicamente em referência ao *coxo*, que não será esquecido *por ocasião da salvação*. Todos os aflitos, aqueles "expulsos" pelo julgamento de Yahweh, serão trazidos de volta porque a maldição terá corrido seu curso, e o julgamento divino terá realizado sua obra de restauração. "Na tribulação, os judeus serão perseguidos (Dn 7.25) e dispersos (Zc 14.5). Mas quando Cristo retornar, eles serão recolhidos (Mt 24.31)" (John A. Martin, *in loc.*).

"A figura aqui parece ser a do bom pastor, que se assemelha ao seu rebanho mutilado e espalhado. Provavelmente conta, como inspiração de pano de fundo, a figura de Deus como o bom pastor (ver Is 40.11)" (Rolland E. Wolfe, *in loc.*). Cf. este versículo com Ez 34.16; Is 24.23 e Sf 3.19. Essa será uma eterna operação da graça e da misericórdia divina. Cf. Is 9.6,7; Dn 7.14,27; Lc 1.33; Ap 11.15.

■ **4.7**

וְשַׂמְתִּ֤י אֶת־הַצֹּֽלֵעָה֙ לִשְׁאֵרִ֔ית וְהַנַּהֲלָאָ֖ה לְג֣וֹי עָצ֑וּם וּמָלַ֨ךְ יְהוָ֤ה עֲלֵיהֶם֙ בְּהַ֣ר צִיּ֔וֹן מֵעַתָּ֖ה וְעַד־עוֹלָֽם׃ פ

Dos que coxeiam farei a parte restante.

10. *Décima característica* da era do reino: Israel será uma nação transformada e em nada parecida com o Israel dos dias do profeta Miqueias. Se tornará forte material e espiritualmente, e se sujeitará às leis e aos mandamentos de Yahweh. Israel será uma nação verdadeiramente distintiva, conforme sempre se supôs que fosse (ver Dt 4.4-8). Espiritualmente, esse povo esteve *aleijado* (cf. Sf 3.19); foi rejeitado e expulso para o exílio, mas agora voltará restaurado (ver Is 37.32; Mq 2.12; 5.7,8; 7.18; Rm 9.27 e 11.5). Yahweh será o Rei deles (ver Mq 5.2 e Sf 3.15); a capital ficará no monte Sião, e eles continuarão para sempre nesse estado abençoado (ver Sl 146.10; Lc 1.33; Ap 11.15). O país será imortalizado e governado pelo Rei imortal (ver Is 24.23; 40.9,10; 52.7).

■ **4.8**

וְאַתָּ֣ה מִגְדַּל־עֵ֗דֶר עֹ֛פֶל בַּת־צִיּ֖וֹן עָדֶ֣יךָ תֵּאתֶ֑ה וּבָ֗אָה הַמֶּמְשָׁלָה֙ הָרִ֣אשֹׁנָ֔ה מַמְלֶ֖כֶת לְבַ֥ת־יְרוּשָׁלָֽ͏ִם׃

A ti, ó torre do rebanho, monte da filha de Sião, a ti virá.

11. *Décima primeira característica* da era do reino: Esta última característica nos conduz de volta, em sua essência, à *primeira* característica, referida no vs. 1. A figura do pastor é novamente usada. O monte santo (Jerusalém, Sião), onde o culto de Yahweh será centralizado, será como uma *torre de vigia*, onde o próprio Deus estacionará, vigiando sobre Israel.

Em segundo lugar, Jerusalém será a torre de vigia que garante a segurança do restante da nação e, ao que se presume, também as nações gentílicas dependentes, conforme afirma o vs. 1. Nessa segurança, haverá bem-estar e prosperidade. A restauração fará Israel ser maior do que foi em qualquer outra época, como durante o *domínio anterior,* ou seja, durante o tempo de Davi e Salomão, quando Israel esteve vivendo seu período de glória. O *rebanho* aqui referido é Israel como as ovelhas de Yahweh (ver Is 40.11; Jr 13.17,20; Mq 5.4; Zc 10.3). Israel não viverá mais dominado por uma potência estrangeira, conforme aconteceu periodicamente, no passado. De fato, ter-se-á tornado a cabeça das nações, tal como Yahweh será sua cabeça. Os *tempos dos gentios* terão terminado (ver Lc 21.24).

EVENTOS QUE ANTECEDERÃO O REINO: MONARQUIA, MILITARISMO E VINGANÇA (4.9—5.6)

■ **4.9**

עַתָּ֕ה לָ֥מָּה תָרִ֖יעִי רֵ֑עַ הֲמֶ֣לֶךְ אֵֽין־בָּ֗ךְ אִֽם־יוֹעֲצֵךְ֙ אָבָ֔ד כִּֽי־הֶחֱזִיקֵ֥ךְ חִ֖יל כַּיּוֹלֵדָֽה׃

Agora, por que tamanho grito? Não há rei em ti? Alguns intérpretes veem nos vss. 9,10a uma referência ao cativeiro babilônico. Outros veem as terríveis condições em que os judeus viviam, enquanto se debatiam procurando sobreviver em Jerusalém, durante o primeiro século depois de seu retorno da Babilônia à Palestina. Seja como for, os tempos eram difíceis e repletos de dor, e podem tipificar as condições que deverão preparar Israel para a inauguração do reino, *se,* porventura, essas predições têm por intuito aplicação a longo prazo. Israel tentaria melhorar sua sorte apelando para o militarismo a fim de tentar impedir as violações de povos estrangeiros. E, como é natural, a vingança estará sempre envolvida no militarismo.

Tempos difíceis terão de ser enfrentados, tal como uma mulher, ao dar à luz, passa por um difícil período de temor e dor. Cf. este versículo com Mq 5.3; Jr 8.19; Is 23.4 e Jo 16.21. Durante o cativeiro babilônico e nos anos que se seguiram, dores atrozes se apossariam de Israel, que estaria essencialmente destituído de "rei" e sem uma orientação apropriada para tempos de tamanha provação.

■ 4.10

חוּלִי וָגֹחִי בַּת־צִיּוֹן כַּיּוֹלֵדָה כִּי־עַתָּה תֵצְאִי מִקִּרְיָה וְשָׁכַנְתְּ בַּשָּׂדֶה וּבָאת עַד־בָּבֶל שָׁם תִּנָּצֵלִי שָׁם יִגְאָלֵךְ יְהוָה מִכַּף אֹיְבָיִךְ:

Sofre dores e esforça-te, ó filha de Sião. A libertação e a restauração só poderão ocorrer *através das dores de parto*. As dores de parto não seriam em vão. Produzirão um novo dia e também uma nova vida, embora seja um processo muito doloroso. Os poucos cativos (após os ataques dos babilônios) seriam reunidos em campo aberto e então partiriam para a Babilônia para ali sofrer o cativeiro e a escravidão. Porém, há salvamento nos planos divinos. Isso envolve a redenção pelo poder de Yahweh, bem como a restauração à Terra Prometida. A menção específica à Babilônia aqui (enquanto Judá ainda estava nos dias do poder do império assírio) é considerada, pelos críticos, indicação de que a "profecia" foi, na realidade, um escrito "após passado o fato". Os autores conservadores, por outro lado, tomam essa predição como uma profecia "a longo prazo".

Filha de Sião. Ou seja, Judá, assim chamado por causa da metáfora do nascimento de um filho. Cf. Mq 1.13 e 4.8. Esse uso da expressão é frequente nos escritos dos profetas, e isso em várias conexões. Cf. Jr 4.31; 6.2; Lm 2.8 e Zc 2.10.

■ 4.11

וְעַתָּה נֶאֶסְפוּ עָלַיִךְ גּוֹיִם רַבִּים הָאֹמְרִים תֶּחֱנָף וְתַחַז בְּצִיּוֹן עֵינֵינוּ:

Acham-se agora congregadas muitas nações contra ti. Alguns intérpretes veem, neste versículo, uma "consequência" do cativeiro, as condições instáveis do período entre 516 e 445 a.C. Foram anos trágicos e de grande provação. Alguns estudiosos veem aqui uma profecia a longo prazo que retrata condições esperadas para o tempo em que Israel estiver prestes a entrar na era do reino de Deus. De certa maneira, temos aqui a história de Israel em miniatura: sofrimentos e mais sofrimentos, às mãos de povos pagãos, que requerem ainda outro livramento. Neemias teve de enfrentar, de imediato, a oposição dos pagãos. Judá tinha voltado do cativeiro, mas isso não significou que estivesse desfrutando a paz. Os conflitos antigos continuariam. O povo de Israel seria *profanado* por meio de ataques dos povos pagãos, e suas práticas idólatras também fariam incursões no culto de Judá e o profanariam. Os povos pagãos olhariam anelantemente na direção de Sião, desejando destruir e saquear aquele lugar.

■ 4.12

וְהֵמָּה לֹא יָדְעוּ מַחְשְׁבוֹת יְהוָה וְלֹא הֵבִינוּ עֲצָתוֹ כִּי קִבְּצָם כֶּעָמִיר גֹּרְנָה:

Mas não sabem os pensamentos do Senhor. Os *conselhos de Yahweh* haveriam de prevalecer sobre os planos ousados dos pagãos. Eles não têm conhecimento desses planos, e até a própria nação de Israel só conhece em parte esses planos, mas isso não significa que esses planos não ocorrerão. É propósito de Yahweh reuni-los como os molhos são reunidos durante a colheita. Por meio da intervenção divina, haverá glorioso dia de colheita para Israel, e, porquanto esse povo seria deixado sozinho, seus conflitos intermináveis não veriam fim. Mas alguns intérpretes fazem essa reunião ser das nações contra o povo de Israel. Os que tiverem sido reunidos serão atingidos por uma surpresa fatal. Essa reunião terá por propósito fazer com que eles sejam "colhidos", isto é, cortados e reduzidos ao estado de palha. "Ele os esmigalhará como um punhado de grãos na eira" (NCV). Alguns veem o *Armagedom* (ver a respeito no *Dicionário*) nessa figura e apontam para Ap 16.16 e 19.19. E o vs. 13 parece confirmar essa segunda interpretação.

■ 4.13

קוּמִי וָדוֹשִׁי בַת־צִיּוֹן כִּי־קַרְנֵךְ אָשִׂים בַּרְזֶל וּפַרְסֹתַיִךְ אָשִׂים נְחוּשָׁה וַהֲדִקּוֹת עַמִּים רַבִּים וְהַחֲרַמְתִּי לַיהוָה בִּצְעָם וְחֵילָם לַאֲדוֹן כָּל־הָאָרֶץ:

Levanta-te, e debulha, ó filha de Sião. Israel participará da colheita dos pagãos. Eles ajudarão a derrotar muitos povos e os despedaçarão, e o cereal que seria resultante do ato de trilhar seria devotado a Yahweh, e, assim, viria a pertencer a ele. Isso implica uma restauração das nações, conforme encontramos em Mq 4.1. A restauração será efetuada através do *julgamento*, um ensinamento comum e constante da Bíblia. O julgamento é um dedo da amorosa mão de Deus. Essas coisas precisavam acontecer porque Yahweh é o Senhor de toda a terra (cf. Sl 97.5; Zc 4.14 e 6.5) e seus propósitos a longo prazo beneficiam a todos. Mas as leis morais governam e devem ser satisfeitas com os julgamentos disciplinadores apropriados.

Israel, como um touro, usará seus chifres contra as nações. Então o povo de Israel pisará sobre as nações com cascos de bronze. Essas serão medidas *preliminares* necessárias ao propósito maior da restauração. Por semelhante modo, os julgamentos divinos são medidas preliminares e necessárias das operações da graça. A cruz foi um julgamento divino, mas da cruz flui a vida eterna. Pessoalmente, não posso divorciar o vs. 13 dos vss. 1,2. Penso que estão abordando o mesmo "pacote". "Deus sujeitará as nações a Sião não para seu próprio engrandecimento egoísta, mas para a glória do Senhor (ver Is 60.6,9. Ver também Zc 14.20 e Is 23.18) ... *visando o bem final deles*, porque Yahweh é o Deus de todas as nações, e não somente de Israel" (Fausset, *in loc.*).

CAPÍTULO CINCO

Não há interrupção entre os capítulos 4 e 5. O trecho de Mq 5.1 continua a seção iniciada em Mq 4.9, onde dou as notas de introdução.

■ 5.1 (na Bíblia hebraica corresponde ao 4.14)

עַתָּה תִּתְגֹּדְדִי בַת־גְּדוּד מָצוֹר שָׂם עָלֵינוּ בַּשֵּׁבֶט יַכּוּ עַל־הַלְּחִי אֵת שֹׁפֵט יִשְׂרָאֵל: ס

Agora ajunta-te em tropas, ó filha de tropas. "Os habitantes de Jerusalém e suas cercanias foram chamados a mobilizar-se imediatamente, de acordo com suas divisões, formando um exército que executaria os desígnios apresentados em Mq 4.13. O restante do versículo diz-nos por que essa ação proposta era tão urgente" (Rolland E. Wolfe, *in loc.*). É provável que o "juiz" de Israel, aqui mencionado, tenha sido o rei Zedequias, o último monarca de Judá antes do cativeiro babilônico. Ver 2Rs 25.1-7. Alguns fazem esta profecia ser messiânica, fazendo de Cristo o "juiz" (em seu primeiro advento), o que pode ser apoiado pelo vs. 2, famoso versículo messiânico. Ser esbofeteado na face era um insulto, bem como uma injúria. Alguns estudiosos tornam este versículo geral (algo parecido com o que acontece ao vs. 11), e não fornecem nenhuma interpretação específica. Tempos atribulados para Israel continuariam ocorrendo, com muitos ataques, insultos e retrocessos da parte dos pagãos. Cf. este versículo com Is 50.6; Mt 26.67 e 27.30, quanto a possíveis aplicações messiânicas.

■ 5.2 (na Bíblia hebraica corresponde ao 5.1)

וְאַתָּה בֵּית־לֶחֶם אֶפְרָתָה צָעִיר לִהְיוֹת בְּאַלְפֵי יְהוּדָה מִמְּךָ לִי יֵצֵא לִהְיוֹת מוֹשֵׁל בְּיִשְׂרָאֵל וּמוֹצָאֹתָיו מִקֶּדֶם מִימֵי עוֹלָם:

E tu, Belém Efrata, pequena demais para figurar como grupo de milhares de Judá. A linhagem de Davi deveria continuar na pessoa de Jesus Cristo. O rei teria origem "desde os tempos antigos", que alguns pensam ser uma menção à dinastia davídica, não vendo aqui uma referência específica a Jesus Cristo, que pertencia à linhagem de Davi (ver as genealogias de Mateus e Lucas). Este versículo é interpretado como falando da esperança de um engrandecimento futuro de Israel, quando (segundo se espera) a linhagem dos reis davídicos será renovada na pessoa de Cristo. É difícil, porém, ver este versículo à parte da esperança messiânica. Jesus nasceu em Belém da Judeia, local cerca de 8 km a sudoeste de Jerusalém. O Cristo teve uma vida preexistente. Davi nasceu em Belém da Judeia (ver 1Sm 16.1,18,19; 17.12), e outro tanto aconteceu com Jesus (ver Mt 2.1). "O Rei Messias nasceu em uma cidade insignificante, que nem ao menos

Belém, Smith's Bible Dictionary.

BELÉM

E tu, Belém Efrata, pequena demais para figurar como grupo de milhares de Judá, de ti me sairá o que há de reinar em Israel, e cujas origens são desde os tempos antigos, desde os dias da eternidade.

Miqueias 5.2

Uma cidade na Palestina perto de onde Jacó sepultou Raquel, e que na época era conhecida como Efrata (Gn 35.19; 48.7). Davi era natural de Belém, onde também foi ungido por Samuel para ser o futuro rei de Israel.

1Samuel 16.1 ss.

Belém atingiu seu ponto culminante na história quando Jesus Cristo ali nasceu.

Mateus 2.1

é citada nas listas das cidades de Judá (ver Js 15; Ne 11). Mas ele mesmo seria o Rei e cumpriria a vontade do Pai (ver Jo 17.4; Hb 10.7). Ele viria de 'dias de tempos imemoriais', conforme diz o original hebraico, literalmente. Ver Jo 1.1; Fp 2.6; Cl 1.17 e Ap 1.8, o que subentende a eternidade de Jesus, o Cristo" (John A. Martin, *in loc.*).

Este versículo é citado em Mt 2.6. Ver sobre ele no *Novo Testamento Interpretado*.

Belém Efrata. "Efrata" era o nome antigo do lugar. Ver Gn 35.16-19 e 48.7. Ver no *Dicionário* o verbete chamado *Belém*. Esse nome completo foi usado para distinguir esta cidade de Belém de outra cidade com o mesmo nome, que havia no território da tribo de Zebulom (ver Js 19.15).

■ **5.3** (na Bíblia hebraica corresponde ao **5.2**)

לָכֵן יִתְּנֵם עַד־עֵת יוֹלֵדָה יָלָדָה וְיֶתֶר אֶחָיו יְשׁוּבוּן עַל־בְּנֵי יִשְׂרָאֵל׃

Portanto os entregará até ao tempo em que a que está em dores tiver dado à luz. "O Senhor deixaria o seu povo na Babilônia, até que Jerusalém, que estava em trabalho de parto, desse à luz os seus filhos. E então os irmãos deles, que estavam no cativeiro, retornariam. Eles voltariam a unir-se ao povo de Israel que estava vivendo na terra de Judá" (NCV). As vicissitudes adversas do cativeiro cederão caminho para um novo dia, e assim terminarão todas as dolorosas consequências daquele tempo (Mq 4.11). Haverá a restauração prometida, e *todo o Israel será salvo* (ver Rm 11.26). O vs. 3 fornece uma espécie de filosofia do exílio. Tempos difíceis cedem lugar para tempos melhores, tal como uma mulher desespera da própria vida quando sofre as dores do parto, mas logo esquece todo o sofrimento, depois de ter dado à luz a seu precioso filho. Cf. este versículo com Mq 4.9 e 10, onde aparece a figura do parto. Haverá uma reunião espetacular! Cf. este versículo com Os 2.14 e Jr 50.4.

■ **5.4** (na Bíblia hebraica corresponde ao **5.3**)

וְעָמַד וְרָעָה בְּעֹז יְהוָה בִּגְאוֹן שֵׁם יְהוָה אֱלֹהָיו וְיָשָׁבוּ כִּי־עַתָּה יִגְדַּל עַד־אַפְסֵי־אָרֶץ׃

Ele se manterá firme, e apascentará o povo na força do Senhor. Temos aqui novamente menção ao *novo Rei*, o rei da restauração, que governará durante aquele período melhor. Cf. o vs. 2. Esse governante se estabelecerá firmemente (permanecerá em seu reino); ele cuidará de seu povo como um pastor cuida do seu rebanho; ele os liderará mediante o poder e o nome maravilhoso de Yahweh-Elohim. E eles habitarão seguros na Terra Prometida e prosperarão. A grandeza do Senhor será reconhecida por toda a terra. Este mundo se tornará um único império mundial, sob as ordens do Messias. Haverá um reinado divinamente instituído. "Os judeus nunca mais se desviarão, mas permanecerão um único povo juntamente com os gentios (ver Mq 4.1,2), sob o único Pastor e superintendente de todas as almas" (Adam Clarke, *in loc.*). Ver no *Dicionário* o verbete chamado *Pastor*. "Quando ele estiver pastoreando a nação de Israel, haverá paz e segurança (ver Zc 14.11), porquanto a grandeza e o governo dele chegarão aos confins da terra (cf. Ml 1.11). E, visto que ele governará o mundo inteiro (ver Sl 72.8 e Zc 14.9), todos conhecerão seu soberano poder, o que garantirá a segurança de Israel" (John A. Martin, *in loc.*).

■ **5.5** (na Bíblia hebraica corresponde ao **5.4**)

וְהָיָה זֶה שָׁלוֹם אַשּׁוּר כִּי־יָבוֹא בְאַרְצֵנוּ וְכִי יִדְרֹךְ
בְּאַרְמְנֹתֵינוּ וַהֲקֵמֹנוּ עָלָיו שִׁבְעָה רֹעִים וּשְׁמֹנָה נְסִיכֵי
אָדָם׃

Este será a nossa paz. Haverá uma era de paz perpétua, que os dispensacionalistas identificam com o *milênio* (ver a respeito no *Dicionário*). Em seguida, o versículo salta para o passado, ao mencionar a Assíria. Alguns estudiosos supõem que tenhamos uma interpolação, no restante do vs. 5, combinado com o vs. 6. Alguns situam essa adição tão tardia como o período dos macabeus. Considere o leitor estes pontos: 1. No caso que estamos considerando, talvez a Assíria represente a Síria (norte e nordeste da Palestina), a saber, os reis selêucidas, que foram perseguidores de Israel. Se isso é uma adição, então ela foi feita em algum tempo entre 312 e 65 a.C. *Sete pastores* (governantes) seriam levantados para defender a Palestina contra os assédios de Antíoco Epifânio e seus sucessores. 2. Outros veem diferentes referências históricas neste ponto. 3. Ainda outros pensam que os *assírios* representam os adversários de Israel, em qualquer época, e deixam a referência um tanto vaga. 4. Outros estudiosos transferem a questão inteira para o tempo em que o reino de Deus será inaugurado. Yahweh dará a seu povo líderes suficientes (pastores) para guiá-los através daqueles tempos atribulados, uma liderança *completa*, representada pelo número *sete*. Em outras palavras, sendo que este versículo é vago, recebe uma interpretação arranjada, na esperança de que um dos chumbos acerte a verdade. 5. Alguns eruditos chegam a fazer a igreja cristã entrar no quadro. 6. Finalmente, outros, fazem o versículo ser histórico, referindo-se ao ataque desfechado por Senaqueribe.

■ **5.6** (na Bíblia hebraica corresponde ao **5.5**)

וְרָעוּ אֶת־אֶרֶץ אַשּׁוּר בַּחֶרֶב וְאֶת־אֶרֶץ נִמְרֹד
בִּפְתָחֶיהָ וְהִצִּיל מֵאַשּׁוּר כִּי־יָבוֹא בְאַרְצֵנוּ וְכִי יִדְרֹךְ
בִּגְבוּלֵנוּ׃ ס

Estes consumirão a terra da Assíria à espada. Este versículo dá continuação ao versículo anterior, podendo receber todas as seis interpretações propostas ali. Ele assegura a vitória sobre qualquer coisa que o termo *Assíria* represente. Esse lugar era a terra do poderoso Ninrode, que puxava de uma espada poderosíssima para ameaçar a qualquer inimigo. Creditava-se a Ninrode a edificação da Assíria e sua capital, Nínive, bem como a cidade da Babilônia. Ele foi o primeiro rei da área. Ver Gn 10.11,12. A Assíria representa um adversário temível para Israel, em qualquer época histórica. Mesmo assim, alguns intérpretes continuam tentando localizar este versículo na história passada ou futura, e isso nos deixa sem soluções específicas, se, na verdade, alguma solução tiver de ser obtida. Talvez a terceira das interpretações enumeradas nas notas expositivas sobre o vs. 5 seja a preferível.

UM MUNDO DE PUREZA; BÊNÇÃOS (5.7-15)

■ **5.7** (na Bíblia hebraica corresponde ao **5.6**)

וְהָיָה שְׁאֵרִית יַעֲקֹב בְּקֶרֶב עַמִּים רַבִּים כְּטַל מֵאֵת
יְהוָה כִּרְבִיבִים עֲלֵי־עֵשֶׂב אֲשֶׁר לֹא־יְקַוֶּה לְאִישׁ וְלֹא
יְיַחֵל לִבְנֵי אָדָם׃

O restante de Jacó estará no meio de muitos povos. Esta seção reinicia a passagem exílica de Mq 4.1-6 e 6.8, que exibe boa vontade para com todos os povos. Isso pode parecer uma contradição com a seção anterior, onde vemos guerras e mais guerras, conflitos e mais conflitos. Porém, lembremo-nos de que tudo isso terá de acontecer antes que possam concretizar-se a restauração e a glória prometidas a Israel. Finalmente, porém, Israel estará entre as nações como um fator refrigerador, transmitindo-lhes vida e prosperidade. Somente a intervenção de Yahweh poderia produzir tal maravilha. Os estudiosos dispensacionalistas veem aqui condições próprias do futuro reino de Deus.

A nação de Israel é apresentada como dotada de elevada missão a ser cumprida neste mundo. Ver Mq 4.1,2 quanto à mesma ideia. O orvalho e as chuvas se aliarão para transmitir vida aos campos interioranos, pois sem isso não haveria vida. O sol brilha intensamente sobre a superfície dos oceanos e faz a água evaporar-se; as nuvens se formam; os ventos levam as nuvens por toda a terra; as nuvens proveem chuvas para um mundo sedento; as plantações crescem; os homens e os animais vivem. Então as águas retornam aos oceanos, e o *ciclo de água* se reinicia. Espiritualmente, Israel é um elo vital no ciclo de água transmissor de vida. Ver no *Dicionário* o artigo chamado *Água*, que inclui aplicações metafóricas. Por meio de Israel, as nações viverão. A fonte final do ciclo físico de água é o sol e, da mesma maneira, Yahweh é a Fonte final das águas espirituais que dão vida às nações. A Fonte originária é divina; a obra é divina; o resultado é divino. Ver no *Dicionário* o artigo chamado *Teísmo*. A *intervenção divina* é uma doutrina fundamental da Bíblia. O Criador continua presente com a sua criação: ele recompensa e castiga; ele intervém. Ver no *Dicionário* o artigo chamado *Providência de Deus*. Cf. este versículo com Dn 2.47; 3.29; 4.34; 6.26 e Rm 11.12,25,26.

■ **5.8** (na Bíblia hebraica corresponde ao **5.7**)

וְהָיָה שְׁאֵרִית יַעֲקֹב בַּגּוֹיִם בְּקֶרֶב עַמִּים רַבִּים כְּאַרְיֵה
בְּבַהֲמוֹת יַעַר כִּכְפִיר בְּעֶדְרֵי־צֹאן אֲשֶׁר אִם עָבַר
וְרָמַס וְטָרַף וְאֵין מַצִּיל׃

O restante de Jacó estará entre as nações. *Outra Metáfora é Usada Aqui.* Israel seria usado para abençoar ou para amaldiçoar: ou como o orvalho (vs. 7); ou como um leão que destrói as ovelhas do rebanho, de maneira brutal e devastadora. Ambos os elementos trabalham juntos para o triunfo final, pois a purificação vem através de severos julgamentos. Assim como a cena do orvalho e da chuva (vs. 7) é extremamente agradável, também a cena deste versículo é radicalmente brutal: "Eles serão como um jovem leão a atravessar o rebanho. Ele pisa o que estiver no seu caminho. Ninguém pode salvar as nações do povo de Deus" (NCV). Cf. este versículo com Dt 28.13. "Em Deus há uma ira justa, como uma misericórdia toda-abarcadora" (Ellicott, *in loc.*). Não há nisso contradição: a ira é *o amor em operação*, pois aquilo que é feito é benéfico, a longo prazo. Ademais, o que for feito terá o propósito distinto de finalmente gerar o bem. Todos os juízos divinos são remediadores, e não meramente retributivos (ver 1Pe 4.6).

Duas aplicações do motivo do leão: O leão é o rei das feras, fazendo o que bem quiser na floresta e destruindo os outros animais. Ele é igualmente o poder que passa pelos rebanhos de animais domésticos e destrói as infelizes ovelhas. Quanto a outras passagens que contêm o *motivo do leão*, ver Jó 4.10; 10.16; Sl 7.2; Pv 19.12; Is 5.29; Jr 2.30; 49.19; Lm 3.10 e Os 5.14.

■ **5.9** (na Bíblia hebraica corresponde ao **5.8**)

תָּרֹם יָדְךָ עַל־צָרֶיךָ וְכָל־אֹיְבֶיךָ יִכָּרֵתוּ׃ פ

A tua mão se exaltará sobre os teus adversários. Este versículo dá continuação à mensagem do versículo anterior, mas muda o simbolismo. Agora temos a figura de um guerreiro, que levanta sua arma para atacar. Ele enviará seus inimigos ao esquecimento, pelo que será isso o que Israel fará contra as demais nações. Alguns estudiosos veem aqui um *punho*, e não uma arma, mas isso não altera a essência da figura simbólica. Cf. Is 26.11; Êx 13.9 e 14.8. Quanto à *mão divina*, ver as notas expositivas em Sl 81.14 e, quanto à *mão direita*, ver Sl 20.6.

■ **5.10** (na Bíblia hebraica corresponde ao **5.9**)

וְהָיָה בַיּוֹם־הַהוּא נְאֻם־יְהוָה וְהִכְרַתִּי סוּסֶיךָ מִקִּרְבֶּךָ
וְהַאֲבַדְתִּי מַרְכְּבֹתֶיךָ׃

E sucederá naquele dia, diz o Senhor. Haverá paz quando os instrumentos e a filosofia da *guerra* chegarem ao fim, mediante a intervenção divina. Israel e as nações gentílicas deixarão de confiar na força bruta. Cf. este versículo com Mq 4.3.

Na Primeira Grande Guerra os homens tinham seus gases venenosos; na Segunda Guerra Mundial tinham a bomba atômica. Agora têm as duas armas e mais os agentes bacteriológicos, que podem destruir a humanidade inteira. Nos tempos antigos cavalos e carros de combate eram os instrumentos de guerra. Eram armas realmente humildes, mas podiam matar milhares de homens em uma única confrontação militar, por isso se tornaram símbolos dos modos de fazer a guerra entre os homens. Somente uma intervenção divina poderá tirar a guerra dos povos, pois esse é um impulso genético profundamente inerente. Israel, pois, aprenderá a depender de Yahweh quanto à sua força, e outro tanto acontecerá às demais nações. E então se obterá paz duradoura.

■ **5.11** (na Bíblia hebraica corresponde ao **5.10**)

וְהִכְרַתִּי עָרֵי אַרְצֶךָ וְהָרַסְתִּי כָּל־מִבְצָרֶיךָ׃

Destruirei as cidades da tua terra. *Cidades fortificadas* faziam igualmente parte das guerras antigas. Poderiam passar-se anos para se acabar com uma cidade fortificada, a fim de destruir os habitantes que se abrigavam no interior de suas muralhas. Os babilônios atacaram Jerusalém por três anos, antes de obter sucesso. Cidades fortificadas davam a seus habitantes falsa confiança. Mas as instalações militares chegarão ao fim devido ao programa de paz de Deus. Yahweh se tornará a segurança de uma nação, e esta se alicerçará sobre a obediência às leis morais. Os homens, uma vez transformados moral e espiritualmente, abandonarão a "loucura da guerra". A paz reinará entre cidades *sem muralhas*. Ver Ez 38.11; Jr 23.6; 49.31 e Zc 2.8.

■ **5.12** (na Bíblia hebraica corresponde ao **5.11**)

וְהִכְרַתִּי כְשָׁפִים מִיָּדֶךָ וּמְעוֹנְנִים לֹא יִהְיוּ־לָךְ׃

Eliminarei as feiticarias da tua mão. *Os homens, uma vez restaurados,* buscarão a Deus e deixarão de lado a obsessão das feiticarias e adivinhações. Os homens deixarão de lado o *modus operandi* inferior e se dirigirão diretamente à Fonte da espiritualidade. Ver no *Dicionário* os artigos chamados *Magia* e *Adivinhação,* quanto a detalhes e referências. A "autoajuda" do homem, por meios duvidosos, foi a fonte de muitas infrações das leis morais, atuando como substituto da verdadeira fé. A fé dos homens precisa ser endireitada antes de podermos ter plena comunhão com Deus. Isso será necessário para que se chegue ao reino de Deus. A palavra hebraica aqui traduzida por *feitiçarias (kasapim)* é usada em outras passagens do Antigo Testamento somente em 2Rs 9.22; Is 47.9 e Na 3.4. Os homens buscam nos espíritos, incluindo demônios, as informações de que precisam. Além disso, temos o lançamento de encantamentos (no hebraico, *'anan*), ou seja, a tentativa de manipular circunstâncias por meio da mágica e de objetos sagrados (ver Lv 19.26; Dt 18.10). "Portanto, tanto a magia como a adivinhação, com os seus primitivismos, serão abandonados, abrindo caminho para uma era de fé espiritual mais construtiva e exaltada" (Rolland E. Wolfe, *in loc.*).

■ **5.13** (na Bíblia hebraica corresponde ao **5.12**)

וְהִכְרַתִּי פְסִילֶיךָ וּמַצֵּבוֹתֶיךָ מִקִּרְבֶּךָ וְלֹא־תִשְׁתַּחֲוֶה עוֹד לְמַעֲשֵׂה יָדֶיךָ׃

Do meio de ti eliminarei as tuas imagens de escultura. Todas as formas de *idolatria* também serão eliminadas, para que haja uma sã aproximação ao Ser divino. Ver no *Dicionário* o artigo chamado *Idolatria.* A selvagem imaginação do homem foi capaz de inventar uma interminável variedade de imagens e grande diversidade de cultos religiosos. Eles usavam instrumentos para modelar imagens e empregavam *colunas* como memoriais sagrados e locais de adoração. Quanto às colunas sagradas, ver sobre *Aserá,* em 1Rs 14.15,23; 2Rs 17.10 e 18.4. Ver no *Dicionário* o artigo chamado *Deuses Falsos,* III.4, parte relacionada a *Aserá.* Os povos pagãos contavam com colunas de pedra e postes de madeira, que algumas vezes eram árvores moldadas sob a forma de ídolos. Talvez alguma divindade residisse nas árvores ou chegasse àquele lugar para encontrar seus adoradores fiéis. Aserá era a deusa cananeia do mar, consorte de Baal. Eventualmente, porém, os homens deverão abandonar esses tipos de deuses, que podem ser fabricados por mãos humanas, conforme ditam suas imaginações férteis, a fim de achegar-se à Fonte celeste da espiritualidade. Cf. este versículo com Is 2.8,18-21; 30.22; Zc 13.2. Ver especialmente Is 40.18-20; 41.18-20; 44.9-20 quanto a tiradas eloquentes contra a idolatria. Ver também Jr 2.23-25; 10.2-10; 11.13; 23.13,14.

■ **5.14** (na Bíblia hebraica corresponde ao **5.13**)

וְנָתַשְׁתִּי אֲשֵׁירֶיךָ מִקִּרְבֶּךָ וְהִשְׁמַדְתִּי עָרֶיךָ׃

Eliminarei do meio de ti os teus postes-ídolos. Continua aqui a tirada de Miqueias contra a idolatria. Dessa vez, porém, são denunciados os bosques dos *Lugares Altos* (ver a respeito no *Dicionário*). Esses bosques seriam arrancados e pereceriam juntamente com todas as cidades que se tinham entregado aos cultos pagãos. Note o leitor que Manassés tinha violado o próprio templo com diversos tipos de idolatria (2Rs 23.6). A infecção era universal; a enfermidade era fatal. Cf. este versículo com 1Rs 15.13; 16.33; 18.19 e Dt 16.21.

■ **5.15** (na Bíblia hebraica corresponde ao **5.14**)

וְעָשִׂיתִי בְּאַף וּבְחֵמָה נָקָם אֶת־הַגּוֹיִם אֲשֶׁר לֹא שָׁמֵעוּ׃ ס

Com ira e furor tomarei vingança sobre as nações que não obedeceram. Israel sofreria sua merecida punição, e as nações pagãs, que corromperam tanto a Israel quanto a si mesmas, com seus deuses que nada representam, não escaparão. A vingança de Deus, em consonância com a *Lei Moral da Colheita segundo a Semeadura* (ver a respeito no *Dicionário*), zerará as contas correntes. Contrastar este severo versículo com Mq 4.1,2. A vingança deverá preceder a restauração e a produzirá. A palavra de Yahweh fora ouvida, mas não obedecida, mas essa situação, que tinha continuado por longo tempo, não poderia ficar sem punição. O tempo está no lado da verdade e da justiça. As rodas dos julgamentos divinos moem lentamente, mas moem muito fino. Cf. Sl 149.7.

Quando a guerra termina, e a vitória está ganha;
Quando os verdadeiros e fiéis se reunirem um por um;
Ele coroará de glória todos os que aparecerem.
Estarás tu ali?

W. S. Brown

CAPÍTULO SEIS

A ESPERANÇA TRIUNFA SOBRE A ADVERSIDADE (6.1—7.20)

Algum dia, as ondas bravias do mar cederão, e então haverá paz. Mas os ímpios continuam a despertar as ondas, pois nunca descansam. "Os perversos são como o mar agitado, que não se pode aquietar, cujas águas lançam de si lama e lodo" (Is 57.20). O propósito beneficente de Deus acabará vencendo a longo prazo, mas isso pode levar um longo tempo. Mq 6.1—7.7 apresenta uma série de lamentações, ameaças e denúncias da qual nenhuma classe de israelitas poderá escapar. Temos aqui a reiteração e o embelezamento de temas vistos em Mq 1.2—3.12. "Esta seção sumaria o que fora dito antes, e adiciona um apelo, da parte do profeta de Deus, em favor de seu povo. A seção finalmente enfoca as bênçãos que descerão sobre o povo por causa da bondade de Deus" (John A. Martin, *in loc.*).

CONTROVÉRSIA DE DEUS COM SEU POVO DESVIADO (6.1-5)

A Acusação (6.1,2)

■ **6.1,2**

שִׁמְעוּ־נָא אֵת אֲשֶׁר־יְהוָה אֹמֵר קוּם רִיב אֶת־הֶהָרִים וְתִשְׁמַעְנָה הַגְּבָעוֹת קוֹלֶךָ׃

שִׁמְעוּ הָרִים֙ אֶת־רִ֣יב יְהוָ֔ה וְהָאֵתָנִ֖ים מֹ֣סְדֵי אָ֑רֶץ כִּ֣י
רִ֤יב לַֽיהוָה֙ עִם־עַמּ֔וֹ וְעִם־יִשְׂרָאֵ֖ל יִתְוַכָּֽח׃

Ouvi agora o que diz o Senhor. O tribunal estava reunido e Yahweh se apresentou para expor sua acusação contra Israel. Trata-se de um *tribunal cósmico,* visto que a causa é apresentada na presença dos montes. Essa história foi narrada às colinas. Elas eram testemunhas contra Israel, porquanto estavam lá fazia séculos, observando a idolatria-adultério-apostasia que tinha sido praticada. Além dos montes e das colinas, os fundamentos da terra (vs. 2) também estavam ali. Esses também ouviriam as evidências condenatórias. O argumento seria convincente e absoluto. Não haveria a menor sombra de dúvida que Israel era culpado, segundo fora acusado. A maldade de Israel tem sido testemunhada universalmente. Os israelitas não seriam capazes de escapar à condenação e ao castigo. "As colinas, montanhas e fundamentos da terra serão o júri, o que tem significação mundial. Deus estava prestes a assumir o papel de advogado de acusação (a controvérsia do Senhor). Israel estava sentado no banco dos réus condenados" (Rolland E. Wolfe, *in loc.*).

"Uma convocação similar acha-se em Dt 32.1: "Inclinai os ouvidos, ó céus, e falarei; e ouça a terra as palavras da minha boca" (Ellicott, *in loc.*). Cf. também Is 5.3 e 43.26. Ver igualmente Is 1.2; Jr 2.12 e 22.29.

■ **6.3**

עַמִּ֛י מֶה־עָשִׂ֥יתִי לְךָ֖ וּמָ֣ה הֶלְאֵתִ֑יךָ עֲנֵ֥ה בִּֽי׃

Povo meu, que te tenho feito? E com que te enfadei? Responde-me. A paciência de Deus é quase infinita, e ele continua dando aos homens tempo para que se arrependam. Por outro lado, há um poder divino nessa paciência que, finalmente, ferirá os ofensores a longo termo. Além disso, nenhum homem culpado passará sem seu próprio castigo, em harmonia com a lei moral de Yahweh. Os poderes divinos são cósmicos, envolvendo funções celestiais, como o redemoinho e a tempestade. A presença do Senhor também é universal, e suas maneiras de castigar formam multidão. "A longanimidade de Yahweh não pode ser atribuída a uma possível fraqueza" (Ellicott, *in loc.*). Antes, deve ser atribuída a seu grande amor. Cf. Êx 34.6,7 e Lm 3.22. Não obstante, o povo de Israel desgastou a paciência do Senhor, ao mesmo tempo que, presumivelmente, eles lhe perguntavam por que o Senhor os desgastava. A nação de Israel, pois, foi convidada a testificar contra Yahweh: O que ele tinha feito de errado contra eles? De que maneira ele havia injuriado o seu povo? O que ele fizera que tinha azedado as coisas? Essa é uma afirmação da "inocência divina". O que fora feito de errado estava do lado do povo acusado. Cf. Is 43.23 e Ml 1.13.

■ **6.4**

כִּ֤י הֶעֱלִתִ֙יךָ֙ מֵאֶ֣רֶץ מִצְרַ֔יִם וּמִבֵּ֥ית עֲבָדִ֖ים פְּדִיתִ֑יךָ
וָאֶשְׁלַ֣ח לְפָנֶ֔יךָ אֶת־מֹשֶׁ֖ה אַהֲרֹ֥ן וּמִרְיָֽם׃

Pois te fiz sair da terra do Egito e da casa da servidão te remi. Deus tratara com o povo de Israel baseando-se em seu poder, e esse poder sempre fizera o bem para eles. Um conspícuo exemplo histórico fora o livramento de Israel do Egito, tema muito repetido no Antigo Testamento, figurando por vinte vezes somente no livro de Deuteronômio. Ver as notas expositivas sobre Dt 4.20. O povo de Israel contara com o profeta Moisés e com Arão para guiá-los para fora do Egito. Por meio de Moisés veio a lei, o *guia para a vida* (ver Dt 6.4 ss.). Provavelmente, Miriã foi mencionada aqui por causa do cântico que celebrou o livramento dado por Deus (ver Êx 15.21) e porque ela era uma profetisa que cumprira o seu papel (ver Êx 15.20). Arão era o cabeça do sacerdócio levítico, bem como o principal auxiliar de Moisés. Uma liderança adequada foi provida para a crise no Egito e no deserto. Yahweh sempre fora o ajudador do povo de Israel. Ele provia liderança para os homens, para as mulheres e para toda a nação de Israel.

■ **6.5**

עַמִּ֗י זְכָר־נָ֞א מַה־יָּעַ֗ץ בָּלָק֙ מֶ֣לֶךְ מוֹאָ֔ב וּמֶה־עָנָ֥ה אֹת֖וֹ
בִּלְעָ֣ם בֶּן־בְּע֑וֹר מִן־הַשִּׁטִּים֙ עַד־הַגִּלְגָּ֔ל לְמַ֕עַן דַּ֖עַת
צִדְק֥וֹת יְהוָֽה׃

Povo meu, lembra-te agora do que maquinou Balaque, rei de Moabe. Muitos atos salvadores deram ao povo de Israel o sucesso e, finalmente, levaram-nos à Terra Prometida. Considere o leitor estes dois pontos: 1. Balaão e Balaque formaram uma equipe contra Israel que Israel precisou derrotar. E o Senhor os derrotou (ver Nm 22—24). 2. Setim foi o lugar onde os israelitas se demoraram, depois que o episódio que envolveu Balaão se encerrou (ver Nm 25.1; Js 2.1 e 3.1). Os israelitas cruzaram o rio Jordão com segurança e então se acamparam em Gilgal, enquanto preparavam um ataque contra Jericó. Cada passo dado pelos israelitas foi ordenado por Yahweh. Ele os liderou do princípio ao fim. Setim foi o último acampamento a leste do rio Jordão (Js 3.1); e Gilgal foi o primeiro acampamento depois da miraculosa travessia desse rio (Js 4.19). Ver os nomes próprios no *Dicionário*. Setim era o nome do vale nas planícies de Moabe (Jl 3.18), de onde Josué enviou os espias para espiar Jericó. Todas as circunstâncias foram ordenadas por Yahweh, que estava cuidando do *bem* pelo seu povo.

AS CINCO PERGUNTAS DA RELIGIÃO FUNDAMENTAL (6.6-8)

■ **6.6**

בַּמָּה֙ אֲקַדֵּ֣ם יְהוָ֔ה אִכַּ֖ף לֵאלֹהֵ֣י מָר֑וֹם הַאֲקַדְּמֶ֣נּוּ
בְעוֹל֔וֹת בַּעֲגָלִ֖ים בְּנֵ֥י שָׁנָֽה׃

Com que me apresentarei ao Senhor...? Encontramos aqui um convite para que houvesse uma expressão superior da fé religiosa. A questão básica é a validade do sistema de sacrifícios, o que era fundamental para o povo de Israel e parte de suas antigas tradições. "Esses três versículos concentram o poder dos passos espirituais clássicos em Am 5.21-24 e Is 1.10-17. E também parecem estar relacionados a Is 40.16 e Sl 51.16,17" (Rolland E. Wolfe, *in loc.*).

As Cinco Perguntas:

1. Uma *pergunta geral* introduz as demais perguntas. Como pode um homem aproximar-se corretamente de Yahweh, buscando seu favor, tentando agradá-lo? A fé religiosa é somente um sistema de sacrifícios, com seus ritos e rituais? Não haverá algo mais profundo que satisfaça a alma?
2. A segunda pergunta também é geral, fazendo referência ao *sistema de sacrifícios* através do qual, ao que se presume, Israel deveria aproximar-se de Yahweh. Esse sistema consistia em *inúmeras* regras, entre as quais a que dizia que somente *cinco* animais podiam ser sacrificados (ver Lv 1.14-16). Ver no *Dicionário* o artigo chamado *Sacrifícios e Ofertas,* quanto a detalhes. Então cada tipo de oferenda estava circundado por leis. Os holocaustos requeriam que uma novilha de um ano de idade fosse usada. Ver Lv 9.2,3. Ver Lv 1 quanto às muitas leis que tinham de ser seguidas.

■ **6.7**

הֲיִרְצֶ֤ה יְהוָה֙ בְּאַלְפֵ֣י אֵילִ֔ים בְּרִֽבְב֖וֹת נַחֲלֵי־שָׁ֑מֶן
הַאֶתֵּ֤ן בְּכוֹרִי֙ פִּשְׁעִ֔י פְּרִ֥י בִטְנִ֖י חַטַּ֥את נַפְשִֽׁי׃

Agrase dará o Senhor de milhares de carneiros?

3. Ficaria Yahweh satisfeito com tais expressões religiosas? Esta pergunta retórica espera uma resposta negativa. Ele não se sentiria satisfeito mesmo que houvesse milhares de sacrifícios, acompanhados por oferendas de cereais suficientes para consumir dez mil rios de azeite. Ver Lv 2.1,15. Uma hipérbole oriental circunda a pergunta, mas considere o leitor as absurdas quantidades de oferendas feitas por Salomão (ver 1Rs 8.63) e também por Ezequias (2Cr 30.24). Josias foi outro exemplo de quem fez oferendas exageradas (ver 2Cr 35.7). A mera abundância não ajudava um sistema que se tornava obsoleto diante dos olhos dos profetas. É inadequado falarmos aqui em sacrifícios "abusivos" e "sem sinceridade". Pelo contrário, a luz própria do Novo Testamento começava a raiar. O sistema de sacrifícios de animais seria completamente eliminado, e algo melhor tomaria seu lugar.
4. Miqueias não estava tolerando sacrifícios humanos, mas levantando a pergunta sobre um sacrifício supremo *hipotético*, o sacrifício de um filho primogênito. Mesmo que um sacrifício desses pudesse ser feito, o sacrifício de um filho amado, seria suficiente

para agradar a Yahweh? Esta é uma pergunta retórica que antecipa uma resposta negativa. O sacrifício de crianças, naturalmente, era proibido pela legislação mosaica. Ver Lv 18.21; 20.2-5; Dt 12.31 e 18.10. Isso, contudo, não fez Israel interromper a prática. Ver no *Dicionário* o artigo denominado *Moleque, Moloque*. Os antigos costumes orientais incluíam o ato ousado de um casal sacrificar seu filho primogênito, a fim de ter muitos outros filhos, bem como alcançar prosperidade. Os "deuses" assim requeriam. A lei de Êx 22.29 é reflexo desse antigo costume. Ossos infantis sabrecados têm sido encontrados nas esquinas das casas e dos edifícios públicos, o que nos mostra a quais extremos chegou esse costume. Porém, esses costumes sem dó não trouxeram bênçãos divinas. Pelo contrário, eram malditos e provocaram os mais severos julgamentos divinos.

■ 6.8

הִגִּיד לְךָ אָדָם מַה־טּוֹב וּמָה־יְהוָה דּוֹרֵשׁ מִמְּךָ כִּי אִם־עֲשׂוֹת מִשְׁפָּט וְאַהֲבַת חֶסֶד וְהַצְנֵעַ לֶכֶת עִם־אֱלֹהֶיךָ׃ פ

Ele te declarou, ó homem, o que é bom.

5. O que foi revelado por Yahweh? O que pode fazer um homem para agradar ao Senhor? Esta é a quinta pergunta, que destaca a resposta sobre a fé espiritual apropriada. A resposta é: As questões mais importantes da fé: a justiça, a bondade e o amor, o andar humilde diante de Yahweh, de acordo com esses princípios. A resposta se acha na lei de Moisés, mas quanto a isso estamos falando das demandas morais, e não das exigências sacrificiais e ritualistas. A distinção entre a lei moral e a lei espiritual foi, finalmente, feita na teologia cristã, mas versículos como o presente já avançam na direção dessa percepção. Cf. Dt 6.4,5; 10.12,18. "Esta passagem é talvez um dos picos montanhosos da realização espiritual do Antigo Testamento. Os outros picos são: Dt 6.4,5; Lv 19.18b; Am 5.24 e Jn 4.2... Esta clássica declaração de Miqueias, com seus tríplices princípios, é um guia para o desenvolvimento religioso" (Rolland E. Wolfe, *in loc.*). Cf. também Ec 12.13. Ver no *Dicionário* o artigo chamado *Andar*, quanto a esta metáfora. Ver também, no *Dicionário*, os artigos denominados *Justiça; Misericórdia* e *Amor,* quanto às virtudes cardeais que devem ser a essência da vida espiritual do homem bom.

O APELO FINAL DE YAHWEH A JERUSALÉM (6.9-16)

■ 6.9

קוֹל יְהוָה לָעִיר יִקְרָא וְתוּשִׁיָּה יִרְאֶה שְׁמֶךָ שִׁמְעוּ מַטֶּה וּמִי יְעָדָהּ׃

A voz do Senhor clama à cidade. "Jerusalém, que é tão ímpia quanto Samaria (ver o vs. 16), precisava ser destruída" (*Oxford Annotated Bible*, comentando sobre este versículo). Tal como a nação do norte, a nação do sul tinha-se afastado demais em sua idolatria-adultério-apostasia, e estava além da possibilidade de arrepender-se. Tal possibilidade lhe fora oferecida, mas Judá se tornara incapaz disso. De fato, o que os homens bons se recusam a fazer, durante longo período de tempo, torna-se impossível, porquanto a alma deles tornou-se corrupta e totalmente insensível.

O profeta Miqueias oferece aqui uma lista representativa dos pecados de Judá, a fim de demonstrar a total depravação daquele povo. Isso faz de nós parte do processo judicial com o qual este capítulo se inicia. Trata-se da *acusação* representativa que provou a culpa e justificou a vingança divina.

"A voz do Senhor grita para a cidade. A pessoa *sábia* honra o Senhor. Portanto, dai atenção à vara do castigo. Dai atenção àquele que ameaça punir" (NCV). Os poucos sábios que restavam talvez ouvissem o convite ao arrependimento. Talvez *esses* escapassem ao temível ataque da Babilônia. O homem sábio *teme ao Senhor*. Essa é a fórmula da espiritualidade básica do Antigo Testamento. Ver no *Dicionário* o verbete intitulado *Temor*, e ver Sl 119.38 e Pv 1.7 quanto a notas expositivas detalhadas sobre a questão. Aqueles que ouvirem o convite divino, que compreendam que estão envolvidas questões importantíssimas, e que ajam de conformidade com isso. Note o leitor a tradução da NIV: "... temer o seu nome é ter sabedoria. Dai ouvidos à vara e àquele que a determinou", que traduz um original hebraico incerto. Cf. este versículo com Is 9.13; 10.5,24 e 26.10.

■ 6.10

עוֹד הַאִשׁ בֵּית רָשָׁע אֹצְרוֹת רֶשַׁע וְאֵיפַת רָזוֹן זְעוּמָה׃

Ainda há na casa do ímpio os tesouros da impiedade? Judá guardou seus pecados como se fossem tesouros, e esse depósito tornou-se realmente volumoso. Yahweh não podia negligenciar o maldito acúmulo de pecados. Alguns estudiosos compreendem literalmente essa referência, como se apontasse para a pilhagem que os ricos tinham escondido e arrancado dos fracos e pobres. E continuavam enganando e acumulando bens materiais. Por isso, Yahweh amaldiçoou-os à "plena medida". *Um modo* como esse acúmulo ímpio tinha sido recolhido era o uso do "efa minguado", ou seja, o uso de pesos adulterados, conforme encontramos em Lv 19.35,36; Dt 25.13-16; Pv 11.1; 16.11; 20.23; Os 12.7 e Am 8.5.

■ 6.11

הַאֶזְכֶּה בְּמֹאזְנֵי רֶשַׁע וּבְכִיס אַבְנֵי מִרְמָה׃

Poderei eu inocentar balanças falsas? Este versículo expande o anterior, chamando nossa atenção para o fato de que Yahweh nunca negligenciaria nem teria como *inocente* (sem julgá-lo) quem tivesse reunido suas riquezas mediante balanças falsas. A mente divina discernia essas abominações e trataria severamente os réprobos que perpetuassem as injustiças sociais, vinculadas a furtos e crimes de sangue. Os ímpios levavam em uma sacola seus pesos falsos, que serviam de meios de ganho ilícito. Essa sacola se tornou um testemunho contra eles. Usualmente, eram pedras de diferentes dimensões e pesos. As pedras pesadas eram usadas nas compras, ao passo que as mais leves eram utilizadas nas vendas; mas ambas representavam, presumivelmente, os mesmos pesos.

■ 6.12

אֲשֶׁר עֲשִׁירֶיהָ מָלְאוּ חָמָס וְיֹשְׁבֶיהָ דִּבְּרוּ־שָׁקֶר וּלְשׁוֹנָם רְמִיָּה בְּפִיהֶם׃

Porque os ricos da cidade estão cheios de violência. Além de usar pesos desonestos, aqueles homens ímpios e desvairados também apelavam para a violência e os crimes de sangue, a fim de obter o que queriam. Eles proferiam mentiras nos tribunais de justiça e espalhavam rumores falsos. Também atacavam os inocentes e caluniavam, para obter vantagens sobre outras pessoas. Ver no *Dicionário* o artigo chamado *Linguagem, Uso Apropriado da*.

■ 6.13

וְגַם־אֲנִי הֶחֱלֵיתִי הַכּוֹתֶךָ הַשְׁמֵם עַל־חַטֹּאתֶךָ׃

Assim também passarei eu a ferir-te. Talvez a Septuaginta, Áquila, Teodoro e as versões siríaca e a Vulgata Latina estejam corretos substituindo aqui "passarei a ferir-te" por "sinto-me doente", diante dos pecados do seu povo. Por outra parte, talvez esteja em mira a quase tragédia de 701 a.C., o caso do ataque de Senaqueribe contra Jerusalém (ver 2Rs 19.35-37), que foi desviado pelo anjo do Senhor. O que os assírios não puderam fazer, os babilônios seriam ajudados por Yahweh a realizar: o aniquilamento completo de Judá e Jerusalém, com o subsequente cativeiro dos sobreviventes. Ver no *Dicionário* o artigo chamado *Cativeiro Babilônico*. O vs. 14 também diz que o julgamento já havia começado.

■ 6.14

אַתָּה תֹאכַל וְלֹא תִשְׂבָּע וְיֶשְׁחֲךָ בְּקִרְבֶּךָ וְתַסֵּג וְלֹא תַפְלִיט וַאֲשֶׁר תְּפַלֵּט לַחֶרֶב אֶתֵּן׃

Comerás, e não te fartarás. Temos aqui a promessa da fome, que talvez se impusesse por meio da seca e do ataque de insetos, como os gafanhotos. Os recursos começariam a diminuir. Os tempos ficariam difíceis, e não seria possível continuar ajuntando bens, nem mesmo através de pesos desonestos ou violência. A pobreza varreria a terra de Israel e consumiria os lucros e a poupança. Além disso, haveria a espada sem misericórdia, ou seja, a guerra, a invasão por parte dos poderes estrangeiros. "Aquilo que guardassem em seus depósitos seria tomado pelos inimigos (ver Lv 26.16,17; Dt 28.33). Eles planariam, mas isso não produziria uma colheita (ver Dt 28.30). Levados para o cativeiro, não lhes seria permitido desfrutar o produto de seus labores (Mq 6.15; cf. Dt 28.39,40). Tal e qual Deus havia declarado (Dt 28), esses castigos resultavam da falha do povo em obedecer ao Senhor" (John A. Martin, *in loc.*).

■ 6.15

אַתָּה תִזְרַע וְלֹא תִקְצוֹר אַתָּה תִדְרֹךְ־זַיִת וְלֹא־תָסוּךְ שֶׁמֶן וְתִירוֹשׁ וְלֹא תִשְׁתֶּה־יָּיִן:

Semearás, contudo não segarás. A semeadura continuaria em menor escala, mas as colheitas seriam fracas ou mesmo inexistentes. Mas então, no cativeiro, os judeus semeariam e haveria abundância; mas, na verdade, eles produziriam para seus captores. Eles trabalhariam muito, mas obteriam pouco como retorno; pisariam as uvas, mas não beberiam o vinho assim produzido; espremeriam o azeite das azeitonas, mas não conseguiriam nenhum azeite para si mesmos. Cf. Am 5.11, passagem sobre a qual provavelmente repousa este versículo. Eles receberiam o mesmo tratamento que tinham dispensado aos pobre de Judá. A *Lex Talionis* (retribuição conforme a gravidade dos crimes cometidos) se cumpriria. Ver sobre essa questão no *Dicionário*.

■ 6.16

וְיִשְׁתַּמֵּר חֻקּוֹת עָמְרִי וְכֹל מַעֲשֵׂה בֵית־אַחְאָב וַתֵּלְכוּ בְּמֹעֲצוֹתָם לְמַעַן תִּתִּי אֹתְךָ לְשַׁמָּה וְיֹשְׁבֶיהָ לִשְׁרֵקָה וְחֶרְפַּת עַמִּי תִּשָּׂאוּ: פ

Porque observaste os estatutos de Onri, e todas as obras da casa de Acabe. Onri e seu filho abominável, Acabe, eram tão totalmente corrompidos que se tornaram figuras proverbiais para representar a iniquidade. Além disso, adicione-se a essas duas horrendas personagens a figura de Jezabel (esposa de Acabe), e teremos uma equipe imbatível e corrupta, que nunca deixou de praticar o mal, quando se oferecia alguma oportunidade. Ver sobre esses nomes no *Dicionário* e também em 1Rs 16—22. Miqueias lançou mão dos *piores exemplos* que ele pôde pensar para referir-se à nação de Judá de seus dias. O pior que a nação do norte tinha produzido era como a idolatria-adultério-apostasia que tomara conta da nação do sul. O horrendo trio sobre o qual acabamos de falar, que vivera cerca de duzentos anos antes, proveu ao profeta a sua lição objetiva. Judá ficaria chocado e ofendido com o uso dessa ilustração; mas a ilustração era exata. A vingança de Yahweh daria a Judá um assobio (derrisão), uma desolação e uma zombaria entre todos os povos que observassem o que lhes aconteceria, quando os babilônios fossem usados para aniquilar o lugar, mediante a mão de Yahweh. Cf. Ez 34.29 e 36.6, onde temos declarações similares. Ver também Lm 2.15,16. Foi um dia triste para Judá, quando as leis de Yahweh foram substituídas pelos "estatutos de Onri". Nenhum absurdo pior do que esse poderia ter ocorrido.

CAPÍTULO SETE

PESSIMISMO E DESESPERO (7.1-6)

O inevitável tinha chegado. Judá, afundado em pecados, estava prestes a desaparecer sob o calcanhar dos atacantes babilônios. Nenhum hino fúnebre foi cantado por causa do cadáver caído. Os bons haviam perecido. Nenhuma pesquisa cuidadosa podia devolver à vida um deles. Judá era uma massa de feridas putrefactas. A enfermidade era fatal. A ordem era terminar o sepultamento o mais depressa possível.

■ 7.1

אַלְלַי לִי כִּי הָיִיתִי כְּאָסְפֵּי־קַיִץ כְּעֹלְלֹת בָּצִיר אֵין־אֶשְׁכּוֹל לֶאֱכוֹל בִּכּוּרָה אִוְּתָה נַפְשִׁי:

Ai de mim! Porque estou como quando são colhidas as frutas do verão. *Ai* do profeta e do povo que Deus condenou. As amargas tiradas do profeta eram acuradas. A questão toda estava prestes a ocorrer. O profeta esperava encontrar alguma *fruta* em Judá que redimisse sua maldade em geral. Ele era como alguém que tinha ido aos campos, na expectativa de encontrar frutas, mas os achara inteiramente estéreis. Não havia nem uvas nem figos para colher. A nação estava destituída de elementos piedosos (literalmente, os *leais* ou *fiéis*, no hebraico, *hasid*). "Da mesma maneira que os primeiros figos são colhidos em junho, sendo muito apreciados pelos viajantes exaustos, o profeta buscou ansiosamente um homem bom. Mas sua experiência era como a do salmista, que clamou: 'Socorro, Senhor! Porque já não há homens piedosos; desapareceram os fiéis entre os filhos dos homens' (Sl 12.1)" (Ellicott, *in loc.*).

■ 7.2

אָבַד חָסִיד מִן־הָאָרֶץ וְיָשָׁר בָּאָדָם אָיִן כֻּלָּם לְדָמִים יֶאֱרֹבוּ אִישׁ אֶת־אָחִיהוּ יָצוּדוּ חֵרֶם:

Pereceu da terra o piedoso. À semelhança de Diógenes, que, munido de uma lâmpada, saiu à procura de um homem honesto, mas não encontrou nem um sequer, por igual modo, Miqueias não encontrou um único homem piedoso em Jerusalém. Não havia um único homem reto que estivesse andando em harmonia com a legislação mosaica. O que ele encontrou foi um bando de criminosos que buscavam vítimas para roubar e matar. O que ele encontrou foram caçadores de homens que armavam laços e preparavam armadilhas para apanhar vítimas infelizes e impotentes. "Cada indivíduo por si mesmo, e o diabo que se apossse do último deles" era o lema da ímpia sociedade na qual Miqueias vivia. Quão imediatamente nossa comunidade internacional se tornou como aquela, em nossos próprios dias. Que Deus tenha misericórdia de um povo como o que vemos hoje em dia. Os criminosos tomaram conta de nossas ruas e de nossos parques, e invadem nossos lares à noite. Não haverá um fim nisso tudo? Quanto a essa violência e falta de lealdade, cf. Mq 7.3-6. Cf. este versículo com Sl 12.1 e Is 17.1. Diz o Targum: "Eles atraiçoam e entregam seus irmãos à destruição". Ver Hc 1.15.

■ 7.3

עַל־הָרַע כַּפַּיִם לְהֵיטִיב הַשַּׂר שֹׁאֵל וְהַשֹּׁפֵט בַּשִּׁלּוּם וְהַגָּדוֹל דֹּבֵר הַוַּת נַפְשׁוֹ הוּא וַיְעַבְּתוּהָ:

As suas mãos estão sobre o mal e o fazem diligentemente. Tecendo juntos suas expressões do mal, como se fosse uma rede gigantesca, eles se mostravam diligentes e entusiasmados. Os príncipes e juízes pediam subornos e faziam a "justiça" à base de seu lucro pessoal, em vez de fazê-lo em consonância com a lei de Moisés. Até mesmo os chamados grandes homens, que tinham a reputação de ser uma força positiva na sociedade, estavam envolvidos em inúmeros abusos.

Cf. a questão do *suborno*, em Mq 3.11. Aquela gente formava complexos do mal, como se fossem ramos de árvores, pois estavam implicados uns com os outros e embrulhados em um mesmo volume. Por conseguinte, aqueles homens maus faziam suas causas parecer complexas e complicadas, para que dessem a aparência de estarem seguindo algum plano mestre que visasse o bem. Mas esse era apenas um dos muitos desvios para o mal.

■ 7.4

טוֹבָם כְּחֵדֶק יָשָׁר מִמְּסוּכָה יוֹם מְצַפֶּיךָ פְּקֻדָּתְךָ בָאָה עַתָּה תִהְיֶה מְבוּכָתָם:

O melhor deles é como um espinheiro. "Até o melhor deles era como um espinheiro. Até o mais excelente deles é pior do que uma cerca de espinhos. Vossos vigias vos avisaram acerca deste dia. Agora, esse dia já chegou" (NCV). O "salário do pecado é a morte", e Judá não estaria isento. Yahweh estava prestes a fazer uma visita aterrorizante. Chegara a hora do aniquilamento de Judá. Os atalaias fiéis (os profetas) tinham visto esse aniquilamento com muita antecedência e feito os avisos convenientes. Agora, porém, já era muito tarde para o arrependimento. O exército babilônico já se pusera em marcha. A nação de Judá, que tinha esquecido sua herança espiritual, perderia suas terras, sua herança física. O exército babilônico não teria misericórdia. E a nação de Judá seria reduzida à *confusão*.

> *Também pus atalaias sobre vós, dizendo: Estai atentos ao som da trombeta; mas eles dizem: Não escutaremos.*
> Jeremias 6.17

ATÉ O HOMEM BOM É RUIM

O melhor deles é como um espinheiro; o mais reto é pior do que uma sebe de espinhos... Porque o filho despreza o pai, a filha se levanta contra a mãe... A terra será posta em desolação, por causa dos seus moradores, por causa do fruto das suas obras.
Miqueias 7.4,6,13

O HOMEM-PORCO

Vi uma Capela Toda de Ouro

Vi uma capela toda de ouro,
Na qual ninguém ousava entrar,
Chorando, muitos ficavam de fora,
Chorando lamentando, adorando.

Vi uma serpente erguer-se entre
As colunas brancas à porta,
E forçou, e forçou, e forçou;
E foi varando pela capela adentro.

Ao longo do belo pavimento,
Brilhante de pérolas e rubis,
Foi arrastando todo seu tamanho,
Até que, sobre o branco altar,

Vomitou todo seu veneno
Sobre o Pão e sobre o Vinho
Voltei-me então para o chiqueiro
E me deitei entre os porcos.

Willian Blake

■ 7.5

אַל־תַּאֲמִינוּ בְרֵעַ אַל־תִּבְטְחוּ בְּאַלּוּף מִשֹּׁכֶבֶת חֵיקֶךָ שְׁמֹר פִּתְחֵי־פִיךָ׃

Não creiais no amigo, nem confieis no companheiro. A *completa desintegração* caracterizou os dias que antecederam o ataque dos babilônios. Ninguém podia confiar em um vizinho ou em um amigo; nenhum homem podia ao menos confiar na própria esposa. Traição era a palavra prevalente; e essa traição se alicerçava na ganância e total depravação. O profeta Miqueias havia caído em um pessimismo quase psicológico. Por outra parte, o que ele dizia estava bem próximo da verdade. Até as relações familiares foram distorcidas pela corrupção generalizada e pela tolerância diante dos corruptos. "Nosso Senhor adotou essas palavras para expressar o conflito e as divisões que, segundo ele previu, contaminariam o cristianismo (ver Mt 10.35; Mc 13.12; Lc 12.53)" (Ellicott, *in loc.*). Cf. algo similar em 2Tm 3.1-3.

Adam Clarke (*in loc.*) tem um curioso comentário sobre este versículo, escrito em 1798, há duzentos anos: "Sobre esta passagem... escrevi: *Não confieis em um amigo*. Diversos daqueles a quem me tenho deleitado em chamar por esse nome, me têm enganado. *Não confieis em um guia*. Tivesse eu seguido a alguns dos meus guias, e teria ido para a perdição. *Guarda a porta de tua boca daquela que reclina sobre o teu peito*. Somente minha esposa nunca me tentou enganar. Faz agora 27 anos que escrevi isso, e não acho causa para alterar o que escrevi então".

■ 7.6

כִּי־בֵן מְנַבֵּל אָב בַּת קָמָה בְאִמָּהּ כַּלָּה בַּחֲמֹתָהּ אֹיְבֵי אִישׁ אַנְשֵׁי בֵיתוֹ׃

Porque o filho despreza o pai, a filha se levanta contra a mãe. Conforme dissemos anteriormente, a *traição* era a palavra do momento. Os afetos naturais, como o de um filho por seu pai, se haviam pervertido de tal maneira que um pai podia esperar ataques da parte de seu próprio filho. Não haveria respeito pelos pais (característica básica de um filho bom; ver Ef 6.1,2). E as filhas não demonstrariam nenhum respeito por suas mães, e se levantariam contra elas, opondo-se aos desejos maternos e recusando-se a obedecer às suas orientações. E, naturalmente, parentescos mais distantes, como o de uma nora à sua sogra, seriam caracterizados pela hostilidade. Um homem não teria de ir longe para encontrar inimigos: esses inimigos estariam em sua própria casa, conforme Jesus disse que aconteceria, quando seu evangelho começou a ser propagado (ver Mt 10.35,36, passagem baseada no presente texto de Miqueias).

"Temos aqui a negação da própria vida, pois um homem não pode viver isolado da família, de seus amigos e de seus camaradas. Faz parte da condenação contra todo esforço do homem viver somente para si mesmo" (Harold A. Bosley, *in loc.*).

O TRIUNFO DA FÉ (7.7-20)

Um salmo encerra o livro de Miqueias. O final desse livro tem ideias similares ao final da segunda parte do livro de Isaías, bem como mostra alguma dependência em relação ao Salmo 137. Os críticos supõem que esses quatorze versículos sejam uma adição posterior ao livro por parte de um editor qualquer. Os estudiosos conservadores estão certos, entretanto, de que esta parte final do livro de Miqueias foi um excelente trecho escrito pelo próprio profeta. Se ele depende do Salmo 137, então devemos supor que o profeta manipulou aquele salmo com propósitos próprios. Ver Is 33; 40—46, cujos versículos aparecem refletidos aqui. Identificarei os trechos tomados por empréstimo, conforme avançarmos.

"Deus exibirá o seu amor constante a Israel, e a vergonha cobrirá os seus inimigos. Esta seção foi finalmente escrita no começo do período pós-exílico. Cf. Sl 137 e Is 40—46" (*Oxford Annotated Bible*, comentando sobre a seção final do livro).

"Falando por si mesmo e pelo piedoso remanescente mencionado em todo o livro, Miqueias declarou que continuaria a vigiar (cf. as 'sentinelas'; cf. 4), embora a nação estivesse em terrível condição. Sim, viria o julgamento, mas a salvação se seguiria. Deus seria o Salvador de Israel (cf. Is 59.20)" (John A. Martin, *in loc.*).

■ 7.7

וַאֲנִי בַּיהוָה אֲצַפֶּה אוֹחִילָה לֵאלֹהֵי יִשְׁעִי יִשְׁמָעֵנִי אֱלֹהָי׃

Eu, porém, olharei para o Senhor. Não confiando em seus contemporâneos, e nem mesmo em seus amigos íntimos ou em sua esposa (vss. 5,6), o profeta afirmou sua fé e confiança em Yahweh, seu Pai celeste. A palavra de Yahweh é verdadeira; as profecias inspiradas pelo Senhor estavam cumprindo-se; sua vontade seria cumprida; há um lugar para o arrependimento para aqueles que buscam arrepender-se; mas há um julgamento para aqueles que não se arrependerem. Este versículo provavelmente foi escrito tendo em vista o desespero causado pelo cativeiro babilônico. Nunca as coisas estiveram tão erradas. O Salmo 137, no entanto, considera condições anteriores ao reino de Deus, quando a grande salvação de Yahweh será exibida. Ver Rm 11.26.

■ 7.8

אַל־תִּשְׂמְחִי אֹיַבְתִּי לִי כִּי נָפַלְתִּי קָמְתִּי כִּי־אֵשֵׁב בַּחֹשֶׁךְ יְהוָה אוֹר לִי׃ ס

Ó inimiga minha, não te alegres a meu respeito. A nação cativa, na Babilônia, fala a seus captores, adverte os babilônios a não exultar por causa de seu sucesso temporário, mediante o qual eles conseguiram derrotar e escravizar Israel-Judá. Note o leitor o "eu" coletivo: toda a nação de Judá expedia esse grito de esperança. Yahweh estava presente para erguer novamente o povo que tinha caído, ficando compreendido que ele cumprirá as expectativas de seu povo. Algum dia, as trevas cederão lugar à luz de um novo dia. Cf. Sl 37.24; Pv 24.16. A queda da nação do norte foi final, mas isso não aconteceria com a nação do sul. Ver também Sl 137.7,8 e Ob 12 quanto ao regozijo dos ímpios.

7.9

זַ֤עַף יְהוָה֙ אֶשָּׂ֔א כִּ֥י חָטָ֖אתִי ל֑וֹ עַד֩ אֲשֶׁ֨ר יָרִ֤יב רִיבִי֙ וְעָשָׂ֣ה מִשְׁפָּטִ֔י יוֹצִיאֵ֣נִי לָא֔וֹר אֶרְאֶ֖ה בְּצִדְקָתֽוֹ׃

Sofrerei a ira do Senhor, porque pequei contra ele. A causa do exílio foi claramente afirmada aqui: os pecados de um povo contra Yahweh, o qual foi forçado a tomar uma medida disciplinadora. A triste sorte de Judá foi merecida. A confissão de pecados e o arrependimento reverteriam o lamentável curso de acontecimentos. Yahweh, que tinha ordenado aos babilônios punir Israel-Judá, mudaria de atitude porquanto a Babilônia também estava repleta de transgressões. Judá haverá de ser tirada da noite da ira divina para a luz da futura restauração. Ver no *Dicionário* o artigo intitulado *Lei Moral da Colheita segundo a Semeadura*. Um dos mais incomuns documentos dos Estados Unidos da América é o Segundo Discurso Inaugural, no qual o presidente Lincoln admitiu que a guerra civil pela qual o país acabara de passar resultava do pecado nacional na questão da escravidão. "Os que são verdadeiros penitentes aceitam a punição contra a sua iniquidade (ver Lv 26.41,43). Contraste-se isso com aqueles que murmuram contra Deus e não percebem a própria culpa (ver Jó 40.4,5)" (Fausset, *in loc.*). Cf. 2Sm 24.14.

7.10

וְתֵרֶ֤א אֹיַ֙בְתִּי֙ וּתְכַסֶּ֣הָ בוּשָׁ֔ה הָאֹמְרָ֣ה אֵלַ֔י אַיּ֖וֹ יְהוָ֣ה אֱלֹהָ֑יִךְ עֵינַי֙ תִּרְאֶ֣ינָּה בָּ֔הּ עַתָּ֛ה תִּהְיֶ֥ה לְמִרְמָ֖ס כְּטִ֥יט חוּצֽוֹת׃

A minha inimiga verá isso, e a ela cobrirá a vergonha. O inimigo de Judá, que se vangloriava de Israel-Judá, fazendo a pergunta: "Onde está o Senhor, teu Deus?", ao ver os atos de libertação de Yahweh, seria coberto de vergonha. Os medos e persas seriam usados para ensinar aos babilônios uma lição amarga e humilhante. *"Onde está o teu Deus?"* era a zombaria clássica dos babilônios (ver Sl 42.3; 79.10; 116.2; Jl 2.17). Eles insinuaram que o Deus dos hebreus era uma não entidade, pois permitira que seu povo fosse levado para o exílio. Mas agora a vergonha cobria os babilônios, por causa das indignidades que haviam acumulado contra o povo de Judá. Este texto parece influenciado pela narrativa das nações arrependidas em Is 52.13—53.12" (Rolland E. Wolfe, *in loc.*).

> Embora os moinhos de Deus moam lentamente,
> Contudo, moem excessivamente fino.
> Embora com paciência ele espere,
> Com exatidão ele mói a tudo.
>
> Henry W. Longfellow

7.11

י֥וֹם לִבְנ֖וֹת גְּדֵרָ֑יִךְ י֥וֹם הַה֖וּא יִרְחַק־חֹֽק׃

No dia da reedificação dos teus muros. O profeta Miqueias conseguia ver através das nuvens do exílio. Ele via as muralhas de Jerusalém sendo reedificadas. Com ousada fé, ele via essa cidade maior e mais extensa do que antes do ataque dos babilônios. Visto que isso ainda não aconteceu historicamente, os intérpretes dispensacionalistas veem aqui a Jerusalém do tempo do reino dos céus, durante o milênio. Cf. este versículo com Nm 22.24 e Is 5.5. Mas Jerusalém, estabelecida em paz pelo Messias, não precisará de nenhuma muralha de proteção (ver Zc 2.4,5). Ez 47.13-23 e Ob 19 e 20 fornecem as expectativas da grande e ideal cidade de Jerusalém.

7.12

י֥וֹם הוּא֙ וְעָדֶ֣יךָ יָב֔וֹא לְמִנִּ֥י אַשּׁ֖וּר וְעָרֵ֣י מָצ֑וֹר וּלְמִנִּ֤י מָצוֹר֙ וְעַד־נָהָ֔ר וְיָ֥ם מִיָּ֖ם וְהַ֥ר הָהָֽר׃

Nesse dia virão a ti, desde a Assíria até às cidades do Egito. Agora o profeta contemplava, com seus olhos proféticos, a entrada triunfal dos judeus dispersos de todos os países para onde eles foram exilados. O "rio Eufrates" aqui mencionado identifica a Assíria e a Babilônia. Então todos os cativos judeus do Egito, identificados por seu rio, o Nilo, também voltarão do cativeiro. A visão do profeta Miqueias abrange do extremo norte ao extremo sul no tocante a Israel. O povo de Israel será trazido das *extremidades* a fim de ser restaurado. Os dispensacionalistas novamente veem aqui o reino de Deus, bem como o recolhimento final do povo de Israel. Esse recolhimento será completo, pois tanto o extremo norte como o extremo sul entregarão os cativos judeus que ali houver, de mar a mar e de montanha a montanha, isto é, de todos os lugares imagináveis. Alguns veem aqui o recolhimento universal da igreja de todas as nações, mas isso é apenas fantasia. Outros intérpretes veem aqui uma profecia que teria sido cumprida no tempo dos macabeus, os quais expandiram e quase restauraram as fronteiras de Israel.

7.13

וְהָיְתָ֥ה הָאָ֛רֶץ לִשְׁמָמָ֖ה עַל־יֹשְׁבֶ֑יהָ מִפְּרִ֖י מַעַלְלֵיהֶֽם׃ ס

Todavia a terra será posta em desolação, por causa dos seus moradores. A volta triunfal e a restauração de Israel serão acompanhadas pela devastação de seus inimigos, principalmente a Babilônia, dentro da perspectiva histórica. A "terra", neste caso, provavelmente se refere ao território que vai do rio Nilo ao rio Eufrates, no vs. 12, que era, essencialmente, o *mundo total* dos judeus daquela época. Uma espécie de devastação geral é vista aqui, no caso dos adversários de Israel. Isso é novamente transferido para o futuro pelos estudiosos dispensacionalistas, sendo visto como um julgamento divino necessário contra as nações gentílicas ímpias, antes que Israel possa assumir seu lugar necessário no futuro esquema das coisas, como cabeça das nações. Cf. Mt 25.32,33,46 e Is 24.1. A lei da colheita de acordo com a semeadura (ver Gl 6.7,8) deverá operar em todas as questões internacionais, e não meramente no caso de indivíduos isolados. As nações semearam o vento e terão de colher tempestades (ver Os 8.7).

7.14

רְעֵ֧ה עַמְּךָ֣ בְשִׁבְטֶ֗ךָ צֹ֚אן נַחֲלָתֶ֔ךָ שֹׁכְנִ֣י לְבָדָ֔ד יַ֖עַר בְּת֣וֹךְ כַּרְמֶ֑ל יִרְע֥וּ בָשָׁ֛ן וְגִלְעָ֖ד כִּימֵ֥י עוֹלָֽם׃

Apascenta o teu povo com a tua vara. Em contraste com a devastação que haverá nas nações gentílicas, a nação restaurada de Israel entrará em uma era de abundância e bênção divina, tornando-se, uma vez mais, as ovelhas do Pastor divino. Yahweh terá recolhido para si mesmo sua antiga herança. A vara do Senhor consolará e guiará os filhos de Israel. E também os disciplinará, sempre que isso for necessário. O povo de Israel "morará a sós", no sentido de que "não será molestado" pelos seus inimigos. A terra de Israel será abençoada juntamente com eles, e transformada em terra de florestas e ricas pastagens, que eram as antigas características de lugares como *Basã* e *Gileade* (ver a respeito no *Dicionário*). "As mais nostálgicas idealizações do passado glorioso de Israel serão ultrapassadas de forma colossal" (Rolland E. Wolfe, *in loc.*). Os dois lugares mencionados tinham a reputação de serem intensamente férteis. Em 734 a.C., Tiglate-Pileser III, rei da Assíria, varreu essa área, e todo o Israel tornou-se um parque de diversões para os estrangeiros. Essa circunstância será revertida, e as bênçãos da antiga história de Israel voltarão e até serão multiplicadas.

7.15

כִּימֵ֥י צֵאתְךָ֖ מֵאֶ֣רֶץ מִצְרָ֑יִם אַרְאֶ֖נּוּ נִפְלָאֽוֹת׃

Eu lhe mostrarei maravilhas. Está em foco a retirada de Israel do Egito para ilustrar o beneficente poder de Yahweh em favor de seu povo. Esse é um tema frequente do Antigo Testamento. Aparece cerca de vinte vezes, somente no livro de Deuteronômio. Ver as notas expositivas a respeito, em Dt 4.20. O poder antigo atuará novamente em favor de Israel e coisas maravilhosas o acompanharão. O futuro será mais glorioso do que o passado que os homens relembram com tanta saudade. Não nos devemos preocupar com o *olhar para trás*. É no *futuro* que as promessas de Deus terão maior cumprimento. *Maravilhas* acompanharam o livramento de Israel do Egito, bem como a história subsequente (ver Êx 3.20; 15.11; Jz 6.13; Sl 78.12-16), mas Deus tem muitas outras maravilhas em seu tesouro, que ele nos mostrará. Oh, Senhor, concede-nos tal graça! "O Senhor diz: Fiz muitos milagres quando vos tirei do Egito. Mas vos mostrarei mais milagres como aqueles" (NCV). O povo de Deus vive de milagre em milagre, por estar em contato com o Ser divino.

7.16

יִרְאוּ גוֹיִם וְיֵבֹשׁוּ מִכֹּל גְּבוּרָתָם יָשִׂימוּ יָד עַל־פֶּה אָזְנֵיהֶם תֶּחֱרַשְׁנָה׃

As nações verão isso e se envergonharão de todo o seu poder. Em contraste com Israel, que vive de milagre beneficente para milagre beneficente, estão as nações pagãs, que causaram toda a dificuldade e viverão de calamidade em calamidade. Elas eram blasfemadoras e críticas, sempre prontas a proferir palavras de zombaria e maldição amarga. Porão as mãos sobre a boca, em um ato de silêncio voluntário, porque verão o que estará acontecendo em Israel. As nações que virem os milagres de Yahweh ocorrer em Israel, a despeito de suas maldições, ficarão admiradas com o que virem. Tantos contos gloriosos sobre acontecimentos especiais ferirão seus ouvidos que elas se tornarão surdas pelo bombardeio. Cf. Is 52.13-15. Talvez o sentido seja que elas "se recusarão a ouvir" o que lhes estiver sendo dito, devido à consternação. Todas as suas obras animalescas chegarão a ser consideradas nada. "Elas cerrarão os ouvidos para não serem compelidas a ouvir falar sobre os sucessos de Israel" (Fausset, *in loc.*).

7.17

יְלַחֲכוּ עָפָר כַּנָּחָשׁ כְּזֹחֲלֵי אֶרֶץ יִרְגְּזוּ מִמִּסְגְּרֹתֵיהֶם אֶל־יְהוָה אֱלֹהֵינוּ יִפְחָדוּ וְיִרְאוּ מִמֶּךָּ׃

Lamberão o pó como serpentes. Continua aqui a descrição dos inimigos derrotados, humilhados e maravilhados de Israel. Eles serão reduzidos a nada e, figuradamente, lamberão o pó da terra, tão baixa será a posição em que se colocarão. Serão como serpentes e outros animais que se arrastam sobre a terra, humilhados lá embaixo, ao passo que Israel estará exaltado lá em cima. As nações gentílicas tinham muitos fortins, mas esses foram demolidos, e os gentios sairão dessas fortalezas pedindo misericórdia. "Estremecerão de medo. Eles se arrastarão pelo chão como se arrastam os insetos, ao saírem de seus buracos. Eles chegarão tremendo à tua presença, ó Senhor nosso Deus. Eles tremerão de medo diante de ti" (NCV). Alguns intérpretes veem aqui uma espécie de "conversão forçada". Nesse caso, é aludido o tema de Mq 4.1,2 e essa gente também participará do perdão mencionado no vs. 18. Outros, entretanto, veem aqui somente o esmagamento das nações e deixam o tema da redenção somente no capítulo 4. Uma das fontes informativas fala de sua *condenação* e compara este versículo com Gn 3.14, onde lemos que a serpente comeria o pó da terra todos os seus dias, por causa da maldição divina. Aprovo a redenção, porquanto há razões abundantes para acreditar que o amor de Deus escreverá o capítulo final da história da humanidade. Os julgamentos são dedos da amorosa mão de Deus.

7.18

מִי־אֵל כָּמוֹךָ נֹשֵׂא עָוֹן וְעֹבֵר עַל־פֶּשַׁע לִשְׁאֵרִית נַחֲלָתוֹ לֹא־הֶחֱזִיק לָעַד אַפּוֹ כִּי־חָפֵץ חֶסֶד הוּא׃

Quem, ó Deus, é semelhante a ti, que perdoas a iniquidade...? Não há Deus como Yahweh, também chamado de *Elohim* (o Poder) e *Adonai*, Senhor Soberano. Deus julga, mas julga para restaurar, pelo que caminhamos ao redor dele como o *Deus de perdão*. Agora o vemos tomar de volta à comunhão o remanescente de Israel, que ele libertou da servidão ao estrangeiro. Ele aceitou de volta sua herança. Ele precisou julgar, mas se *deleita* em seu *amor constante*. É nisso que ele encontra prazer, ao mesmo tempo que julga em meio a uma necessidade desagradável. Este versículo não dá a entender que o amor de Deus se estenderá aos pagãos restaurados. Quanto a isso, temos de voltar-nos para Mq 4.1,2. Também podemos lembrar o livro de Jonas, o João 3.16 do Antigo Testamento: "Pois Deus amou o mundo de tal maneira...".

Quanto à pergunta retórica "Quem é Deus como tu?", cf. Êx 15.11; Sl 35.10; 71.19; 77.13; 89.6 e 113.5. O nome de Miqueias significa "Quem é como Yahweh?" Portanto, o profeta pode estar fazendo um jogo de palavras com o próprio nome. O restante do livro dá alguma indicação de como Deus é, o Deus perdoador, restaurador e amoroso, o Deus que cumpre o pacto abraâmico, bem como todos os demais pactos que ele firmou com seu povo. O Deus incomparável é aquele que beneficia o homem ao perdoar-lhes as iniquidades, passando por cima das transgressões, não retendo sua ira para sempre, mas exercendo seu famoso amor. Se não fossem assim as coisas, quem poderia ser salvo? Ver Lm 3.22.

7.19

יָשׁוּב יְרַחֲמֵנוּ יִכְבֹּשׁ עֲוֹנֹתֵינוּ וְתַשְׁלִיךְ בִּמְצֻלוֹת יָם כָּל־חַטֹּאותָם׃

Tornará a ter compaixão de nós; pisará aos pés as nossas iniquidades. O *Deus incomparável* é aquele que sente compaixão do povo desviado mas que voltou para casa, como o filho pródigo da parábola de Jesus (Lc 15). Ele pisa aos pés os pecados deles, a fim de obliterá-los, porquanto não mais serão relembrados ou chamados ao nível da memória para despertar a ira divina. Ele lançará esses pecados no profundo mar azul, e esses pecados mergulharão no esquecimento eterno. De fato, Israel terá sido punido em *dobro* por causa dos seus pecados (ver Is 40.2), mas agora tudo isso terá passado. Um novo dia trará uma nova série de atos divinos, todos eles benéficos. O amor está ganhando terreno, e acabará vencendo definitivamente. Três palavras são usadas nos vss. 18,19 para indicar o pecado: pecado, transgressão e iniquidade. Trata-se de um formidável trio, mas o amor constante deu fim a esse trio. Falemos agora sobre a misericórdia, o perdão e o amor, o *verdadeiro trio*. Com esse trio, chegamos mais próximos do coração de Deus.

7.20

תִּתֵּן אֱמֶת לְיַעֲקֹב חֶסֶד לְאַבְרָהָם אֲשֶׁר־נִשְׁבַּעְתָּ לַאֲבֹתֵינוּ מִימֵי קֶדֶם׃

Mostrarás a Jacó a fidelidade, e a Abraão a misericórdia. Jacó (Israel) será relembrado e abençoado. As antigas maldições serão anuladas. Isso porque existe o *amor constante* de Deus, que primeiramente surpreendeu Abraão, e continua a surpreender cada pessoa que dele toma conhecimento. Ver o *Pacto Abraâmico* em Gn 15.18, onde faço um sumário. Ver o artigo chamado *Amor*, onde ofereço materiais que podem ser usados como ilustrações, citações e poemas. Os homens tentam dizer coisas inteligentes sobre o amor de Deus, mas coisa alguma pode expressar corretamente o que o amor de Deus *pode fazer*. Os homens continuam falando, mas Deus continua fazendo. Sim, os homens continuam falando, e alguns deles falam contra o que o amor de Deus tenciona fazer finalmente: a *Restauração* (ver a respeito na *Enciclopédia de Bíblia, Teologia e Filosofia* quanto a esse tema).

Miqueias poderia ter terminado seu livro de maneira mais brilhante, caso tivesse retornado ao tema de Mq 4.1,2, em vez de ocultar toda a glória de Deus somente em Israel. É bom ter falado sobre Israel e sobre Abraão, mas que dizer sobre todas as famílias da terra que nele seriam abençoadas? Seja como for, o livro termina bem, ao falar do amor e do perdão, bem como de antigos pactos que Deus não esquecerá de cumprir. A conclusão salienta a fidelidade e a bondade de Deus, e isso é até maior do que Miqueias sabia ou era capaz de exprimir. Convido o leitor a examinar as notas expositivas sobre Jn 4.11, passagem que pode ser usada para ilustrar a visão mais ampla, com a esperança mais brilhante.

NAUM

O LIVRO QUE PROFETIZOU A QUEDA DE NÍNIVE E DO IMPÉRIO ASSÍRIO

> *Quem pode suportar a sua indignação? E quem subsistirá diante do furor da sua ira? A sua cólera se derrama como fogo...*
>
> NAUM 1.6

3	Capítulos
47	Versículos

INTRODUÇÃO

ESBOÇO

I. Pano de Fundo Histórico
II. Autoria
III. Data
IV. Conteúdo
V. Propósito e Principais Ensinos Teológicos
VI. Características Literárias
VII. Gráfico Histórico de Israel
VIII. Bibliografia

Abraão, ao receber a promessa de que seria o genitor de uma grande nação, teria sofrido certo número de surpresas se lhe tivesse sido narrado o curso da história futura daquela nação. Ele teria reconhecido o cumprimento da promessa que lhe foi feita no estabelecimento da monarquia unida, sob Saul, Davi e Salomão. Porém, teria ficado perplexo ao saber que a monarquia haveria de separar-se em duas nações distintas, que, por muitas vezes, se hostilizaram, a começar pelos respectivos reinados de Reoboão (no sul) e Jeroboão (no norte). Porém, quem poderia ter medido a sua consternação se ele tivesse sido informado de antemão sobre a destruição de *ambas* as nações, primeiramente a do norte (em 722 a.C.) e então a do sul (em 587 a.C.)? Bem, poderíamos indagar: "Qual a utilidade da promessa?" Não obstante, o melhor ainda estaria por vir, porquanto a história do povo de Israel só poderia ter cumprimento no Messias, filho de Abraão e filho de Davi.

A *Assíria* provocaria algumas das mais amargas surpresas de Abraão; porquanto foi essa potência que fez o reino do norte, Israel, desaparecer como organização política, e que deixou o sul esperando ser destruído, ao receber o golpe final da Babilônia. Mas, embora usada por Deus para punir a nação do norte, Israel, a Assíria não haveria de escapar às consequências de sua própria degradação. Isso posto, aprendemos que a vontade de Deus tanto atua através do processo histórico quanto transcende a ele, havendo uma lei da colheita segundo a semeadura que não respeita nem indivíduos nem nações, na precisão de suas operações. O livro do profeta Naum é uma predição profética que achou seu caminho garantido na história, porquanto os eventos que ali são preditos atualmente fazem parte da história mundial, no que concerne ao povo de Israel.

I. PANO DE FUNDO HISTÓRICO

Assíria. Este é o nome do império que dominou todo o mundo bíblico antigo, entre os séculos IX e VII a.C. A Assíria, entretanto, teve começos bem humildes, porquanto o seu território era apenas uma pequena região em formato triangular, entre os rios Tigre e Zabe. Ao norte e a leste fazia limites com a Média e com as montanhas da Armênia. Não obstante, a história desse antiquíssimo povo pode ser acompanhada desde antes de 1700 a.C. Os séculos XVII a XI a.C., no caso da Assíria, são chamados os séculos do reino antigo, caracterizado pelo desenvolvimento de várias cidades-estados fortificadas. Com Tiglate-Pileser I (1114—1076 a.C.) começou o período do império assírio propriamente dito. Porém, antes mesmo disso, no século XIV a.C., a Assíria tinha poder comparável ao do Egito. E, pelo tempo em que se tornou um império, suas fronteiras se haviam expandido consideravelmente. De qualquer modo, devemos lembrar que as populações antigas, em comparação com os dados populacionais de hoje, eram pequenas, e que a força militar nem sempre podia ser aquilatada em termos de dimensões geográficas e de grande número de habitantes. A Assíria foi absorvendo várias populações com a passagem dos séculos, e assim suas fronteiras expandiram-se quase até as margens do rio Eufrates. Mas ela só atingiu uma posição de domínio mundial quando entrou em aliança com a Babilônia. No que concerne a áreas geográficas, a Assíria e a Babilônia representavam praticamente a mesma coisa. Os assírios eram semitas de raça, vigorosos de corpo e de disposição alegre, a julgar por suas muitas festas e festivais. Mas a história também demonstra claramente que eles eram implacavelmente cruéis.

Nínive. Esta era a principal cidade e a última capital da Assíria. Foi fundada por Ninrode, depois que ele deixou a Babilônia. Escavações arqueológicas que se aprofundam no solo até 25 m mostram-nos que o sítio vinha sendo continuamente ocupado desde tão cedo quanto 4500 a.C. Em cerca de 1800 a.C. (nos tempos de Sansi-Hadade), a cidade entrou em contato com uma colônia assíria chamada Canis. Foi então que a Assíria se tornou uma entidade independente da Babilônia. Importantes fortificações e palácios foram construídos durante os reinados de Salmaneser I (1260 a.C.) e Tiglate-Pileser I (1114—1076 a.C.). Assurbanipal (já em 669 a.C.) fez dessa cidade a sua principal residência. A cidade de Nínive foi destruída em 612 a.C., graças aos esforços combinados dos medos, babilônios e citas. Mas só caiu por causa das brechas feitas em suas muralhas defensivas pelas águas da enchente (Na 2.6-8). Naum descreveu vívida e profeticamente a queda da cidade que, no auge da prosperidade, era cercada por uma muralha interior cuja circunferência media cerca de doze quilômetros. E sua população somava mais de 175 mil pessoas.

A Assíria e a Bíblia. Os livros bíblicos de Jonas e Naum formam um par. Jonas (em 862 a.C.) predisse a destruição de Nínive, a menos que seus habitantes se convertessem. Naum previu que o julgamento cairia 150 anos mais tarde, várias gerações depois da época de Jonas.

Em 745 a.C., Tiglate-Pileser III tornou-se rei da Assíria e deu início a campanhas militares que, no espaço de 25 anos, puseram fim a Israel, o reino do norte. Essas aventuras militares, embora não tivessem significado a destruição de Judá, chegaram a pôr em sério perigo a sua independência. Oseias, o último monarca do reino do norte, negou-se a pagar tributo aos assírios. Acabou aprisionado. Samaria, sua capital, foi invadida e arrasada até o rés do chão. Os registros assírios documentam que nada menos de 27.290 habitantes da cidade de Samaria foram deportados, e que estrangeiros foram enviados para habitar no lugar deles.

Senaqueribe invadiu Judá, em 701 a.C. Ezequias resistiu aos assírios, e somente devido à divina intervenção (ver Is 37.36) Jerusalém foi salva da conquista e do saque. Apesar disso, 46 cidades de Judá foram capturadas. Judá, nos dias do rei Manassés, tornou-se um reino vassalo da Assíria. Porém, foi a partir daí que o poder assírio começou a declinar. O Faraó Neco, temendo a Babilônia, que cada vez mais avultava em potência, aliou-se à Assíria e obteve por consentimento o controle de Judá e da Síria. Entretanto, os babilônios gradualmente obtiveram o predomínio. O Faraó Neco e Assur-Ubalite foram totalmente derrotados pela Babilônia. Judá tornou-se reino vassalo da Babilônia e foi então que tanto a Assíria quanto Judá, reino do sul, chegaram ao fim. Jerusalém caiu em 587 a.C. e, então, seguiu-se o cativeiro babilônico. O gráfico da seção VI, a seguir, traça os eventos tão sucintamente mencionados aqui.

II. AUTORIA

Os intérpretes apresentam certo leque de ideias quanto à autoria do livro de Naum, a saber:

1. Alguns eruditos liberais sugerem que o autor foi um poeta historiador, e não um profeta, visto que, segundo eles pensam, falta ao livro a ética, a religião e o gênio típicos dos profetas. O nome *Naum* significa "consolo (de Deus)", o que pode ser entendido como uma tentativa metafórica de dizer: "Este livro, designado *consolo*, visa dar a Israel motivos para regozijar-se. Portanto, deixai-vos consolar, porque um antigo inimigo foi derrotado".
2. Embora o livro deva ser considerado uma profecia genuína (em contraste com a primeira posição, acima), o título "Naum" pode ser visto como um *nom de plume*, o que é evidenciado pelo fato do que, nesse livro, não dispomos de informações acerca do profeta Naum. Além disso, a cidade de onde supostamente ele veio, "Elcós", é totalmente desconhecida pelos estudiosos. O nome do autor, bem como sua origem, são meros artifícios literários, e não fatos históricos genuínos. Todavia, Jerônimo identificava Elcós com Elcesi, uma pequena aldeia da Galileia, onde havia, em seu tempo, algumas antigas ruínas. Entretanto, não dispomos de meios para confirmar ou negar essa suposição de Jerônimo. Eusébio também identificava Elcós com Elcesi, presumível

localização palestina, embora não tivesse dado nenhuma informação que agora nos permita sustentar sua afirmação. Alguns antigos escritores sugeriram Alcus como a cidade natal de Naum; no entanto, essa era uma aldeia fora das fronteiras de Israel e, portanto, muito improvável. A aldeia ficava a dois dias de jornada distante de Mosol (antiga Nínive), razão pela qual tal identificação começou a ser artificialmente feita, a partir do século XVI. Os turistas são encaminhados até o suposto túmulo de Naum, nesse lugar. Mas a ausência de quaisquer informações geográficas e pessoais sólidas, no tocante a "Naum", sugerem que estamos tratando apenas com um pseudônimo, e não com o nome verdadeiro de uma pessoa real.

3. *Outros estudiosos aceitam a autenticidade* tanto do nome do autor quanto do fato de que ele escreveu seu livro como uma profecia. Embora esse nome não possa ser encontrado em todo o Antigo Testamento, senão no próprio livro assim chamado, não há razão para pormos de lado as informações ali providas. Tal nome tem sido achado inscrito em algumas *ostraca* (ver a respeito no *Dicionário*). Até o século XIX, ninguém se aventurara a lançar dúvidas sobre a autoria e a autenticidade do livro como uma profecia. Mas essas dúvidas são essencialmente destituídas de base, não passando de raciocínios subjetivos. O simples fato de o nome *Naum* significar "consolo de Deus" dificilmente milita contra sua existência, a menos que insistamos, por razões particulares, em que esse uso deve ser metafórico. É verdade que nada conhecemos acerca de um profeta chamado "Naum", excetuando aquilo que se pode inferir por meio do próprio livro, mas nossa falta de conhecimento dificilmente pode servir de prova de que o profeta Naum nunca existiu. Além disso, muitas cidades obscuras da Palestina devem ter existido, mas nenhum historiador se importou em deixar registradas por escrito. Josefo, ao listar muitas cidades e vilas da Galileia, nunca mencionou Nazaré, embora ela tenha, realmente, existido.

4. *O Estilo do Autor*. O original hebraico do livro de Naum é "claro e vigoroso", e seu estilo é prenhe de animação, fantasia e originalidade. O livro tem certa suavidade e delicadeza, alternada por uma dicção rítmica, sonora e majestática, sempre que o assunto requer tal coisa. À semelhança de Isaías, ele usou paronomásias, ou seja, assonâncias verbais. É possível que Naum tenha sido um contemporâneo mais jovem de Isaías. Seu hebraico é puro e clássico, podendo ser atribuído à época da segunda metade do governo de Ezequias. Vários autores têm-no mencionado como um brilhante poeta.

5. *Outras Ideias*. Pouquíssimo se sabe sobre o homem Naum, a quem é atribuída a autoria do livro com seu nome. Coisa alguma se sabe sobre esse profeta, a não ser aquilo que consta nesse livro. A segunda parte do título, que atribui o livro a Naum, de acordo com alguns especialistas, como Smit e Goslinga, teria sido uma adição, com o propósito de preservar o nome do profeta.

Outros eruditos, entretanto, pensam que o nome Naum seja um pseudônimo, porque, visto que *Naum* significa "consolo (de Deus)", o seu livro haveria de consolar o povo de Israel.

Mais de um Autor? Ainda outros estudiosos argumentam que o primeiro capítulo do livro de Naum não forma unidade com os dois capítulos finais. No entanto, até o ano de 1892, não surgira nenhuma dúvida de que o livro de Naum fosse uma unidade. Não obstante, Bickell asseverou que ele descobriu o que pensava serem os remanescentes de um salmo alfabético em Na 1.1-7, e tentou reconstruir todo o trecho de Na 1.2,3, obtendo assim 22 versículos que começam com as sucessivas letras do alfabeto hebraico. Com outra variedade de técnica de reconstituição, Gunkel, em 1892, seguindo o esquema proposto por Bickell, produziu uma reconstituição um tanto mais plausível. Gunkel acha que descobriu que Sobai (ou Sobi) era o nome provável do autor do livro.

III. DATA

Nosso raciocínio pode ser influenciado tanto por fatores históricos quanto por fatores psicológicos, a saber:

1. Com base em uma suposição *a priori*, alguns eruditos liberais defendem que o livro de Naum é uma história poética, e não uma verdadeira profecia, insistindo então em uma data posterior a 612 a.C., o ano da queda de Nínive. Presumivelmente, a jubilosa explosão que há no livro, diante da queda de um poderoso inimigo, trai um poeta que *observou*, e não um profeta que previu. Entretanto, após exame do livro, vê-se que as qualidades éticas e religiosas do profeta Naum foram subestimadas por esses especialistas.

2. Alguns eruditos supõem que parte do livro de Naum consista em profecia, e outra parte, em história; e, consoante a isso, sugerem datas imediatamente antes e depois de 612 a.C. Isso nos envolve em raciocínios subjetivos que não podem ser comprovados objetivamente. A questão é tremendamente controvertida, e todas as discussões a respeito não têm servido para iluminar a questão da data da composição do livro.

3. *A maioria dos eruditos do Antigo Testamento* data o livro de Naum entre 664 e 612 a.C. Esse ponto de vista alicerça-se sobre o fato de que o trecho de Na 3.8-12 menciona a destruição de Tebas (a No-Amom desse texto), durante os dias de Assurbanipal (664—663 a.C.), como um acontecimento que já teria ocorrido. Naum, pois, deve ter escrito seu livro após esse evento. E, no caso de o livro ser uma profecia, deve ter sido escrito antes de 612 a.C., a data da queda de Nínive, um evento predito na obra. Todavia, não há como provar exatamente quando, entre essas duas datas, a composição foi escrita. A maioria dos intérpretes, contudo, supõe que se deve pensar em uma data mais próxima da destruição de Nínive, do que uma data mais distante dessa destruição. Nada melhor do que isso alguém conseguiu propor.

4. *Fausset*, insatisfeito com uma data imprecisa, apresentou uma série de comparações históricas entre as ideias de Naum e as ideias de outros profetas, relacionando esses dados com os livros de Reis e de Crônicas. Ele via Senaqueribe ainda assediando Jerusalém, em Na 1.9-12. E supôs que Naum aludiu a isso em parte como história e em parte como profecia, naquele trecho. Com base em todas as suas conjecturas, ele extraiu 713—710 a.C. como a data da escrita do livro de Naum. Mas tudo isso entra em conflito com a história descrita no terceiro ponto.

5. *Outras Ideias*. O livro de Naum, segundo alguns eruditos, pode ser datado dentro de uma variação de meio século. A fixação da data de sua escrita seria possível por meio de dois eventos principais: a queda de Tebas, que ocorreu por volta de 668 a.C., e a queda de Nínive, em 612 a.C. Por igual modo, no tocante à autoria do livro de Naum, há muitas posições diversas, quanto à data desse poema.

Para Robert Pfeiffer, a iminência da queda de Nínive parece argumentar em favor de o livro de Naum ter sido escrito pouco antes da destruição dessa cidade.

Alguns estudiosos destacam Na 3.13, afirmando, então, que a Assíria e Nínive se tinham sentido ameaçadas. Sabe-se que, pouco depois da morte de Assurbanipal, que ocorreu por volta de 626 a.C., os assírios sentiram-se um tanto ameaçados, porquanto seu domínio sobre os territórios ocidentais era frouxo. De acordo com Heródoto, para piorar as coisas, Nínive fora cercada pelas tropas do medo Ciaxares, antes de este haver sido convocado de volta à sua terra, porquanto estava invadindo a Assíria, em consequência de uma invasão contra seu próprio país. Isso aconteceu por volta de 625 a.C. Hitzig, Kuenen, Cornill e outros estudiosos advogam a posição de que o livro de Naum foi escrito não muito depois daquele citado assédio, porquanto a Assíria estava sob ameaça, e também porque Naum indicou que Judá continuava sob o jugo da Assíria.

De acordo com a opinião de J.M. P. Smith *(Expositor's Bible)*, a iminência da queda de Nínive pode ser percebida no texto do livro de Naum, e esse estudioso também advoga a ideia de que as evidências internas indicam que a cidade de Nínive estava nadando em grandiosidade e poder militar. Talvez ele estivesse aludindo ao trecho de Na 2.9. Segundo Smith, isso não poderia ser dito como verdade no tocante ao período de tempo imediatamente após a morte de Assurbanipal, em 626 a.C.

Contudo, na realidade, se tivermos de determinar uma data definida, seja ela imediatamente após a queda de Tebas, ou pouco antes da destruição de Nínive, não é uma conclusão tão importante como aquela que diz que o livro de Naum foi escrito entre esses dois eventos históricos; porque, se alguém defende essa posição, conforme fazem alguns estudiosos, dizendo que o poema foi escrito após a queda de Nínive, então o homem Naum teria sido apenas um eloquente poeta e um excelente historiador, mas não um profeta, pois o seu livro seria história, e não predição profética.

IV. CONTEÚDO

"A profecia de Naum tanto é um complemento quanto uma contraparte do livro de Jonas", disse Pusey. Os três capítulos do livro de Naum podem ser vistos como um único poema; mas cada capítulo, mesmo considerado separadamente, é digno de atenção.

O primeiro capítulo tem sido chamado, por alguns autores, de ode à Majestade de Deus. Pode ser dividido em três porções:
1. *Subtítulo* (1.1). O autor fala sobre a sua "sentença", que era ao mesmo tempo a sua "visão". Isso revela o caráter sobrenatural do livro. Podemos supor algum tipo de inspiração por trás de uma composição escrita em forma de poema. Aliás, largos segmentos do Antigo Testamento foram compostos como poemas, como os Salmos e muitas passagens de Isaías, Jeremias, Oseias, Joel etc.
2. *A Descrição da Majestade de Deus* (1.2-8). Nesses versículos, o poeta profeta enfatiza os poderes e a resolução de Deus, mediante os quais ele efetua os seus desígnios. O autor usou descrições alicerçadas sobre a natureza, a fim de adornar suas palavras. A mensagem é: A majestade de Deus, sua exaltada posição, requer que o mal seja julgado.
3. *A Descrição da Confusão da Assíria e a Restauração de Judá* (1.9-11,14—3.19). Deus dirige-se aos assírios e promete que seu povo será vingado com toda a certeza. Os vss. 12 e 13 incluem uma promessa de descanso e alívio futuro da opressão.

O segundo capítulo é homogêneo, descrevendo o cerco e o saque de Nínive. As qualidades do autor sagrado, como poeta, tornam-se especialmente patentes neste trecho.

O terceiro capítulo caracteriza longamente a maldade de Nínive, salientando certo número de causas de sua queda final. Fausset ressalta que o trecho de Na 3.19 serve de poderoso clímax, porquanto este versículo afirma que não há cura para a ferida da Assíria.

Por todo o livro há um tema moral que se repete: Deus, por ser santo, deve julgar o pecado. Esse tema torna-se ainda mais solene quando consideramos que a cidade de Nínive, que finalmente caiu, gerações atrás se entregara ao arrependimento.

Esboço
- Na 1.1. Título do livro e breve referência ao autor.
- Título: é duplo, a saber, o oráculo sobre Nínive e o livro da visão de Naum, o elcosita.
- Autor: Naum, o elcosita.

I. 1.2-8. Estes versículos iniciais são uma introdução na qual o autor sagrado descreveu alguns dos atributos de Deus:
  1. *Paciência* — Deus é descrito como um Ser tardio em irar-se (1.3).
  2. *Justiça* — Paralelamente à sua paciência, Deus também é descrito como um Ser dotado de justiça divina. Por um lado, a ira vingadora contra os ímpios (1.2); por outro lado, uma fortaleza onde os piedosos podem refugiar-se (1.7).
  3. *Poder* — Tanto os homens quanto a natureza prostram-se diante do poder de Deus. O mar resseca-se (1.4); os rios extravasam (1.8); as montanhas estremecem diante de Deus (1.5); as rochas partem-se sob o furor de sua ira (1.6); mas, acima de tudo, quem pode resistir à sua indignação? (1.6).

II. 1.9-15. *O retrato do opressor* de Judá e a promessa de que o jugo seria quebrado. Nessa seção é enfocada "a expedição malsucedida de Senaqueribe", como também é prometida a remoção da opressão de Judá.

III. 2.1-13. *Vívida descrição da queda de Nínive.*
  2.1. Uma irônica conclamação para que os ninivitas se fortalecessem. Soldados e armamentos parecem ser descritos em Na 2.3 como que se preparando para uma parada militar, e não para uma batalha. Logo a parada se transformaria em um tropel de cavalos e carros de guerra (2.4).

O Senhor dos Exércitos julgou a cidade de Nínive que foi inundada, saqueada e deixada em desolação. As servas da cidade gemem tristemente, pois o covil dos leões foi destruído (2.7-13).

IV. 3.1-19. *Nínive é comparada a Nô-Amom, ou seja, Tebas* (3.8), visto que a destruição foi completa.

Látegos, pranto e rodas — os látegos para cortar as rodas para trilhar. Mas por que tanto choro? A sentença é anunciada: "És tu melhor do que Nô-Amom...?" (3.1-8).

Essas palavras foram proferidas como uma profecia pelo profeta de Yahweh. O povo assírio já havia provado um pouco do poder das nações opressoras (3.13); e, em breve, estas palavras também teriam cumprimento: "Tudo isso por causa da grande prostituição da bela e encantadora meretriz, da mestra de feitiçarias...".

V. PROPÓSITO E PRINCIPAIS ENSINOS TEOLÓGICOS

Propósito. O livro de Naum tem, basicamente, duplo propósito. O primeiro é profetizar sobre o julgamento de Nínive mediante a providência vingadora de Deus; e o segundo é um poderoso alento consolador à nação de Judá, que seria tirada de sob o tacão assírio.

A razão desse julgamento aparece em Na 3.4,5. "Tudo isso por causa da grande prostituição da bela e encantadora meretriz, da mestra de feitiçarias, que vendia os povos com a sua prostituição e as gentes com as suas feitiçarias. Eis que eu estou contra ti, diz o Senhor dos Exércitos...".

Por semelhante modo, da mesma maneira que Nínive seria destruída, Judá seria liberada do domínio assírio. "Mas de sobre ti, Judá, quebrarei o jugo deles, e romperei os teus laços..." (1.13).

Principais Ensinos Teológicos. Se contemplarmos o mundo através do prisma formado por Naum, os acontecimentos históricos serão polarizados em uma antítese. Os poderes mundiais são todos representados pela Assíria e por Judá, emblemas dos inimigos de Deus e do seu reino, respectivamente.

Por igual modo, se olharmos através desse prisma de Naum, a teologia está distintamente dividida em duas facções adversárias: os bons e os maus. Os bons serão eternamente consolados, e os maus serão devidamente julgados na perdição eterna. Os bons são retratados como não tendo nenhuma mácula. Contudo, em seu livro, o autor não reflete as características da história interior ou os méritos de sua própria geração.

E o ensino que recolhemos do retrato sobre a nação de Judá não é o de julgamento do povo de Deus, e, sim, de refúgio para aqueles que se valem da fortaleza que é o Senhor (1.7).

Através do profeta Jonas, Deus revelou a sua longanimidade; mas Naum foi usado para anunciar outro tipo de ensino sobre as atitudes de Deus. Naum nos fala sobre o poder de Deus, um poder capaz de controlar a natureza e os homens, um poder que libertaria a nação de Judá (1.13). Mediante o exemplo de Nínive, aprendemos um lado espantoso dos atributos de Deus. Acima de tudo, aprendemos que aquele que blasfema contra Deus não deixa de receber a sua paga.

VI. CARACTERÍSTICAS LITERÁRIAS

Os eruditos de todas as especialidades bíblicas concordam quanto à excelente qualidade dos poemas de Naum. Se se trata de uma profecia genuína, conforme opina a maioria dos estudiosos (o que não foi lançado em dúvida até o século XIX), então se trata de uma profecia vazada em tom altamente poético. Alguns críticos sugerem que o livro se compõe de cinco poemas. Essa ideia pode incluir a variação de que o trecho de Na 1.2-10 era um antigo poema acróstico, prefixado à composição original. No entanto, somente por meio de emendas violentas é possível trazer à existência um poema acróstico ali. Para outros, o trecho de Na 1.11—2.22 não era parte original do livro, mas foi apenas um acréscimo editorial, inserido tão tardiamente quanto 300 a.C. Unger, um erudito de nossos dias, rejeita essa ideia como um exemplo do subjetivismo usado por muitos críticos. Outros estudiosos pensam que o livro de Naum consiste em um único poema, embora possa ser dividido em várias porções, de acordo com conteúdos específicos.

Qualidade Teológica e Moral do Livro. A qualidade poética destacada dessa obra não deveria obscurecer o fato de que Naum também se reveste de excelente qualidade profética. Aqueles que querem ver o livro como se fosse apenas uma obra poética e histórica exibem a tendência de degradar o conteúdo espiritual do texto. Como é óbvio, o autor sagrado entusiasmou-se diante da queda prevista da Assíria, mas esse entusiasmo não é o único conteúdo do livro. Podemos discernir em Na os seguintes elementos morais e teológicos:

1. O caráter de Deus, mormente a sua santidade, requer a justiça (1.2,8).
2. Teísmo: Deus faz-se presente no mundo. Ele julga e galardoa (1.9-15).
3. O amor de Deus fá-lo ser paciente, embora com limites (1.2,3).
4. Uma potência mundial, a despeito de toda a sua glória, pode constituir-se em inimiga de Deus. Essa é a mensagem central do livro.
5. Todo julgamento divino tem uma causa. O terceiro capítulo de Naum esboça várias razões do julgamento de Nínive.
6. Nínive serviria de exemplo para outras comunidades. Rejubilemo-nos diante do juízo divino. Mediante o juízo, Deus faz coisas que não poderia fazer por outros meios (3.19).

VII. GRÁFICO HISTÓRICO DE ISRAEL

Abraão (1900 a.C.)	Assíria-Babilônia
Jacó (1750 a.C.)	Estado assírio independente (1800 a.C.)
	Reino Antigo (1700—1100 a.C.)
	Expansão dos limites (1700 a.C.)
Êxodo do Egito (1490 a.C.)	
Entrada na Palestina (1425 a.C.)	
Instituição dos juízes (1425 a.C.)	Soerguimento de Nínive (1260 a.C.)
	Cidades-estados fortificadas (1114—1706 a.C.)
Samuel, último juiz (1035 a.C.)	
Monarquia unida (1050—930 a.C.)	
Divisão em duas nações (931 a.C.)	
Profecia de Jonas (862 a.C.)	Nínive é poupada (862 a.C.)
Israel sob cerco (745 a.C.)	Senaqueribe devasta Judá (701 a.C.)
Queda de Samaria (722 a.C.)	Declínio da Assíria (687 a.C.)
Judá, vassalo da Assíria (700 a.C.)	Queda de Nínive (612 a.C.)
Profecia de Naum (664—612 a.C.)	
Judá, vassalo da Babilônia (609 a.C.)	Fim da Assíria (609 a.C.)
Queda e exílio de Judá (597—587 a.C.)	A Babilônia torna-se senhora do mundo (609 a.C.)

VIII. BIBLIOGRAFIA
AM E EX ED FA HALD HALL I LAN PU UN Z

Ao Leitor
O leitor sério, antes de lançar-se ao estudo do livro de Naum, aproveitará a Introdução, onde discuto temas importantes que dizem respeito à composição: pano de fundo histórico; autoria; data; conteúdo; propósito e principais ensinos teológicos; características literárias. Um gráfico histórico localiza Naum na sequência dos principais eventos da história de Israel. Embora o livro de Naum seja pequeno, com apenas 3 capítulos e 47 versículos, ofereço uma introdução bastante detalhada.

Naum é um dos chamados *Profetas Menores* (que constituem os últimos doze livros do Antigo Testamento). O termo "menor" refere-se meramente à quantidade de material que esses profetas produziram, e nada tem a ver com a importância pessoal dos próprios profetas. A *pequena quantidade* de material escrita por esses profetas é contrastada com a *grande quantidade* produzida pelos *Profetas Maiores:* Isaías, Jeremias e Ezequiel. Os doze *Profetas Menores* foram agrupados juntamente num rolo, como se fossem um único volume, pelos eruditos judaicos que o chamavam de "o livro dos Doze".

Ver o *gráfico* no início da exposição do livro de Oseias, onde apresento informações sobre os profetas do Antigo Testamento, incluindo sua ordem cronológica.

Naum, tal como os demais livros proféticos do Antigo Testamento, foi provocado por movimentos de potências internacionais. "O poderoso império assírio, cujo poder foi, durante séculos, sentido e temido, da Mesopotâmia ao Mediterrâneo, ruiu rapidamente após a morte de Assurbanipal (cerca de 630 a.C.). Sob o assédio combinado dos vigorosos medos do norte, da Pérsia e dos caldeus, do sul da Babilônia, caiu a antiga cidade de Assur, em 614 a.C. Quando a renomada cidade de Nínive foi destruída, em 612 a.C., terminou o domínio assírio do Oriente Próximo e Médio" (*Oxford Annotated Bible,* na introdução ao livro de Naum).

A Assíria tinha caído, e seus muitos inimigos se regozijaram. A prolongada sujeição e temor tinham desaparecido, e muitos povos celebraram a queda da cidade. O livro de Naum, pois, foi um dos escritos que refletiram essa celebração. A queda da Assíria foi considerada intervenção direta de Yahweh, o Deus de Israel, o qual, finalmente, fez essa potência colher o que havia semeado. Os críticos datam o livro de Naum em cerca de 626-612 a.C., fazendo dele uma observação histórica apresentada como se fosse uma profecia. Mas os estudiosos conservadores veem o livro como pura profecia e o datam por volta de 650 a.C. Ver o gráfico na VII seção da *Introdução* quanto à história da Israel em miniatura, onde coloco esse livro dentro do esquema das coisas, e também a III seção, intitulada *Data,* onde a questão é abordada com detalhes.

EXPOSIÇÃO

CAPÍTULO UM

POEMA ACRÓSTICO (1.1-9)
Quanto a notas expositivas completas sobre o artifício literário chamado *acróstico,* ver a introdução ao Salmo 34. Os dizeres são introduzidos por sucessivas letras hebraicas, seguindo a ordem alfabética. Entretanto, há aqui uma perturbação que pode refletir a intervenção de um editor subsequente que não preservou a suposta forma original da introdução. A forma literária do acróstico pode produzir uma bela expressão poética, mas geralmente impede o fluxo livre da mensagem.

■ 1.1

מַשָּׂא נִינְוֵה סֵפֶר חֲזוֹן נַחוּם הָאֶלְקֹשִׁי׃

Sentença contra Nínive. Este *oráculo* foi chamado, literalmente, de "sentença" ou "peso", visto ser uma mensagem pesada e difícil, mas que devia ser suportada pelos ímpios. Era uma *mensagem difícil* contra Nínive, pois o tempo da queda do império assírio tinha finalmente chegado. Nínive não seria capaz de carregar esse peso. Quanto a oráculos chamados *pesos* ou *sentenças,* cf. Is 13.1; 15.1; 17.1; 19.1; 21.1,11,13; 22.1; Jr 23.33,38 e Hc 1.1. A *visão* é o meio de revelar a sentença.

O elcosita. A cidade em vista é *Elcós.* Ver no *Dicionário* o artigo chamado *Elcós, Elcosita,* quanto a detalhes. As tradições concernentes a esse lugar, que põem ali o túmulo de Naum, são todas incertas. Durante séculos, lendas têm afirmado que o lugar era próximo de Nínive. Parte da história diz que os cativos de Israel foram deportados para lá (durante o cativeiro assírio), e Naum estava entre os cativos. Mas o fato é que Elcós era desconhecida, e as tradições provavelmente não têm valor histórico algum. Jerônimo põe Elcós na Galileia, mas outros estudiosos a colocam em Judá.

A profecia de Naum ocorreu cerca de 135 a 1cinquenta anos depois da profecia de Jonas. O arrependimento dos ninivitas, no caso do profeta Jonas, adicionou esses muitos anos à vida nacional da Assíria, mas tal chance não seria estendida novamente aos assírios. Ver no *Dicionário* o verbete chamado *Cativeiro Assírio*.

■ 1.2

אֵל קַנּוֹא וְנֹקֵם יְהוָה נֹקֵם יְהוָה וּבַעַל חֵמָה נֹקֵם יְהוָה לְצָרָיו וְנוֹטֵר הוּא לְאֹיְבָיו׃

O Senhor é Deus zeloso e vingador. Temos aqui uma série de afirmações assustadoras. Um Poder vingativo atacava. Esse Poder é um *Deus zeloso* (ver Dt 4.24; 5.9; 6.15; 32.16,21)! Ele estava ofendido pelo que a Assíria fizera contra o seu povo. Seu povo era seu *filho* (Êx 4.22), que aqueles réprobos estavam maltratando. Esse Deus zeloso também era o Deus vingativo, e foi por essa razão que a Assíria terminou tão mal. Esse Deus também estava cheio de *ira,* e isso o levou a ferir e esmagar os ofensores. Os inimigos de Deus são objetos de seu ódio e de seu poder demolidor. Os assírios deviam ter parado de aniquilar outras vítimas. Quando eles puseram suas mãos imundas sobre Israel, isso era ir longe demais na ousadia. Quanto à vingança de Deus, ver Dt 32.35,41. Ver no *Dicionário* o verbete chamado *Ira de Deus*. Houve ocasião em que 185 mil invasores assírios foram aniquilados diante dos portões de Jerusalém (ver 2Rs 19.35-37). Mas isso nada foi, em comparação com o que aconteceu mais tarde, quando os babilônios e seus aliados puseram fim ao poder opressor dos assírios. Esse foi um ato de Yahweh, que defendeu a honra de seu povo.

■ 1.3

יְהוָה אֶרֶךְ אַפַּיִם וּגְדוֹל־כֹּחַ וְנַקֵּה לֹא יְנַקֶּה יְהוָה בְּסוּפָה וּבִשְׂעָרָה דַּרְכּוֹ וְעָנָן אֲבַק רַגְלָיו׃

O Senhor é tardio em irar-se. *A boa-nova* é que esse Deus temível não age com precipitação nem arbitrariamente. Ele vive buscando os pecadores, a fim de abatê-los, mas sua ira se contém e é controlada pela vontade divina, esperando o tempo certo para castigar. Deus tem *grandíssimo poder,* mas ele é, igualmente, o poder que restringe atos precipitados, até chegar o momento certo para agir. Por outro lado, Deus não chega somente para punir os culpados. Em primeiro lugar, um profeta sai a dizer ao povo o que acontece quando não há arrependimento em relação a feitos ousados. O povo precisa ser levado a sentir a ira de Deus. Se o povo estremecer e se arrepender, poderá sair da crise sem maiores incidentes. Naturalmente, o povo terá de começar a viver de modo diferente, antes que a panela de Deus comece a ferver com o calor da ira divina. Quanto à longanimidade de Deus, cf. Êx 34.6; Nm 14.18; Ne 9.17; Sl 86.15; 103.8; 145.8; Jl 2.13 e Jn 4.2.

"Deus é longânimo e paciente (ver 2Pe 3.9) por causa de seu desejo que as pessoas se arrependam. Isso foi demonstrado pelo fato de que Jonas foi enviado a Nínive, cerca de cem anos antes que Naum começasse a profetizar" (Elliott, E. Johnson, *in loc.*).

... mas grande em poder. Deus tem o poder de efetuar *mudanças na natureza*: "Onde o Senhor vai, redemoinhos e tempestades exibem o seu poder; as nuvens são a poeira levantada pelos seus pés" (NCV). Se ele tem poder sobre a natureza, que ultrapassa o controle de qualquer ser humano, então por certo ele tem poder sobre os homens. Cf. esta parte do versículo com Jó 9.17. Quanto à questão das nuvens e da poeira, ver 2Sm 22.10 e Sl 18.9. Cf. este versículo com Hc 3.6-10.

■ 1.4

גּוֹעֵר בַּיָּם וַיַּבְּשֵׁהוּ וְכָל־הַנְּהָרוֹת הֶחֱרִיב אֻמְלַל בָּשָׁן וְכַרְמֶל וּפֶרַח לְבָנוֹן אֻמְלָל׃

Ele repreende o mar, e o faz secar. Este versículo prossegue com a descrição do poder de Deus sobre a natureza, dando a entender que ele pode fazer qualquer coisa que lhe agrade, no caso do mero homem. Deus pode repreender o mar e fazê-lo secar-se, como sucedeu quando Israel ficou entalado entre o exército egípcio e o mar Vermelho (ver Êx 14.21; Sl 66.6; 106.9; Is 50.2; 51.10). O Senhor resseca os rios ou desvia-os de seu leito normal, como fez com o rio Jordão, quando este servia de empecilho para que o povo de Israel chegasse à Terra Prometida. As áreas férteis de Basã e Carmelo se ressecaram diante de sua palavra; Deus enviou a seca e ventos quentes da parte do oriente. Basã era regada pelo rio Iarmuque, e o Carmelo ficava à beira-mar, onde obtinha grande abundância de chuvas. Mas Deus reverteu o curso normal da natureza e ressecou aqueles lugares. A cadeia do Líbano, ao norte, continua Síria adentro, e era famosa por suas florestas de cedro, mas não estaria isenta da seca, se assim Yahweh o dissesse. Cf. Os 14.7. Não há inflorescência sobre a terra que o hálito quente de Yahweh não reduza à podridão.

■ 1.5

הָרִים רָעֲשׁוּ מִמֶּנּוּ וְהַגְּבָעוֹת הִתְמֹגָגוּ וַתִּשָּׂא הָאָרֶץ מִפָּנָיו וְתֵבֵל וְכָל־יֹשְׁבֵי בָהּ׃

Os montes tremem perante ele, e os outeiros se derretem. Este versículo continua a descrição do poder de Deus sobre a natureza, dando a entender que Deus pode fazer qualquer coisa que lhe agrade, no caso do mero homem. Ver no *Dicionário* o artigo chamado *Soberania de Deus*. A presença de Deus causa terremotos, erupções vulcânicas e a desolação da terra. Essa desolação afeta a própria terra, e também os que nela habitam. As montanhas e os povos estremecem de medo diante do Senhor. Quanto aos montes como símbolos da estabilidade — e, no entanto, eles estremecem diante do poder divino —, considere o leitor o caso do monte Sinai, em Êx 19.18. Quanto às colinas que se dissolvem, ver Mq 1.4. "Notemos que os portentos naturais são considerados produtos da ação direta de Yahweh" (Charles L. Taylor, Jr., *in loc.*). O Criador não abandonou sua criação, mas, antes, intervém, punindo ou recompensando os homens. Isso reflete o *Teísmo*. Contrastar essa ideia com a do *Deísmo,* que ensina que a força criadora (pessoal ou impessoal) abandonou a sua criação ao controle das leis naturais. Ver sobre ambos os termos no *Dicionário*.

Com só olhar para a terra ele a faz tremer; toca as montanhas, e elas fumegam.

Salmo 104.32

■ 1.6

לִפְנֵי זַעְמוֹ מִי יַעֲמוֹד וּמִי יָקוּם בַּחֲרוֹן אַפּוֹ חֲמָתוֹ נִתְּכָה כָאֵשׁ וְהַצֻּרִים נִתְּצוּ מִמֶּנּוּ׃

Quem pode suportar a sua indignação? Este versículo sumaria o terror referido nos vss. 2-5. Nenhum homem, anjo ou poder de qualquer espécie pode resistir a um Deus dessa ordem, cujo mero olhar dá início a um terremoto ou põe um vulcão em erupção. Portanto, Nínive não teve oportunidade de escapar da iminente ira de Deus, tão ricamente merecida. A ira de Deus se descarregava como um rio, varrendo tudo à sua frente. Até as rochas se partiam em pedaços, para nada dizermos acerca do homem tão débil. Provavelmente, a figura simbólica aqui tencionada é a lava derretida que se derrama do cone de um vulcão. Cento e oitenta e cinco mil soldados assírios foram aniquilados diante dos portões de Jerusalém, e um único anjo do Senhor foi capaz de realizar tal prodígio. E que acontece quando o próprio Yahweh intervém? Ver 2Rs 19.35-37. Cf. este versículo com Sl 24.3. Ver também Jr 51.25,26.

■ 1.7

טוֹב יְהוָה לְמָעוֹז בְּיוֹם צָרָה וְיֹדֵעַ חֹסֵי בוֹ׃

O Senhor é bom, é fortaleza no dia da angústia. Toda essa conversa sobre um feroz julgamento não nos deve fazer esquecer de que Yahweh é bom e até os seus mais severos juízos têm por intuito restaurar, e não meramente tirar vingança. Seja como for, quando Yahweh julgou os assírios, ele estava fazendo um favor para o mundo inteiro da época. Ele é uma *fortaleza* para o bem, um lugar onde os homens podem refugiar-se e receber proteção. Esses são símbolos militares. Yahweh, *Sabaote* (o General dos Exércitos), protege o seu povo. Cf. essa figura com Sl 27.1; 31.4; 52.7. Quanto ao Senhor como *bom,* ver Êx 34.6; Sl 106.1; 107.1; 136.1 e Jr 33.11.

"Aqui é enfatizado outro lado da natureza divina. A ira de Yahweh se derrama sobre aqueles que o odeiam; mas quanto àqueles que depositam nele a sua confiança, ele mostra amor e misericórdia (ver Dt 5.9 ss.). A longa história de Israel, do período assírio até o fim, foi uma longa agonia de espera... Desapontada em uma de suas expectativas, a nação de Israel apenas a transformava em outra expectativa, e continuou esperando grandes coisas da parte de Deus" (J. M. P. Smith, *in loc.*).

■ 1.8

וּבְשֶׁ֣טֶף עֹבֵ֔ר כָּלָ֖ה יַעֲשֶׂ֣ה מְקוֹמָ֑הּ וְאֹיְבָ֖יו יְרַדֶּף־חֹֽשֶׁךְ׃

Mas com inundação transbordante acabará duma vez com o lugar desta cidade. Este versículo prossegue com a temível mensagem dos vss. 2-6, adicionando outra figura para falar sobre a ira de Deus. "O dilúvio inundante" varrerá todos os adversários de Israel e de Deus para o esquecimento. Diz o hebraico original, literalmente, "ponto final". Foi exatamente isso que sucedeu a Nínive e ao império assírio. "Essa referência à *inundação* poderia sugerir, figuradamente, uma invasão sem restrições por parte de um exército (cf. Is 8.7,8; Jr 47.2; Dn 9.26 e 11.40). Ou pode referir-se à destruição literal por meio da água, onde os rios Tigre e Khosr tiveram suas águas inundantes derrubando parte das muralhas da cidade (cf. Na 2.6,8)" (Elliott E. Johnson, *in loc.*). Quanto ao *ponto final*, cf. Dn 9.26; 11.10,22,40. Diodoro Sículo (*Hist.* 1.2, par. 111) diz-nos que as forças combinadas dos medos e dos babilônios totalizavam quatrocentos mil homens armados.

VINGANÇA CONTRA AS CONSPIRAÇÕES (1.9-11)

■ 1.9

מַה־תְּחַשְּׁבוּן֙ אֶל־יְהוָ֔ה כָּלָ֖ה ה֣וּא עֹשֶׂ֑ה לֹֽא־תָק֥וּם פַּעֲמַ֖יִם צָרָֽה׃

Que pensais vós contra o Senhor? Um único ato de vingança divina seria suficiente para pôr "ponto final" à Assíria, e foi assim que o império assírio morreu em um único dia. Isso pôs fim às conspirações dos assírios contra o Senhor e o seu povo de Israel. Eles colheram o que tinham semeado, violência por violência, morte por morte (Ver Gl 6.7,8). "A visitação divina seria tão completa que não haveria necessidade de repeti-la" (Ellicott, *in loc.*). O império assírio desapareceu da face da terra, para alívio de todos. Naturalmente, a Babilônia, tão ou mais terrível que a Assíria, tomou seu lugar, e as matanças descontroladas prosseguiram. Cf. o vs. 12. Como é óbvio, os assírios não tombaram em razão de nenhuma batalha única, mas o tempo de seu declínio e queda foi muito rápido, pelo que, para todos os propósitos práticos, ocorreu em face de um "único golpe". Ver no *Dicionário* o verbete sobre a *Assíria*, último parágrafo, onde há uma descrição da rápida queda da Assíria. O poder de Yahweh se voltou contra esse povo. A hora da queda da Assíria tinha chegado, e nenhum poder na terra poderia adiá-la.

■ 1.10

כִּ֚י עַד־סִירִ֣ים סְבֻכִ֔ים וּכְסָבְאָ֖ם סְבוּאִ֑ים אֻכְּל֕וּ כְּקַ֖שׁ יָבֵ֥שׁ מָלֵֽא׃

Porque, ainda que eles se entrelaçam com os espinhos... serão inteiramente consumidos como palha seca. Os espinhos queimam de forma furiosa e se consomem rapidamente, pelo que a figura de uma rápida e total destruição é bem falada por esta figura. Cf. Is 10.12,13. O original hebraico diz que aqueles que se queimaram também estavam *embriagados*, o que parece uma estranha combinação. Talvez o resultado tenha sido esse por causa de duas palavras similares, "entrelaçam" (no hebraico, *sebukim*) e "bêbados" (no hebraico, *sebuim*). Quanto a esse jogo de palavras, o profeta Naum combinou um estranho par de vocábulos. Algumas traduções, entretanto, ficam apenas com a ideia de um incêndio rápido, o que requer emenda do texto bíblico.

As orgias de bebidas alcoólicas conduzem à destruição, visto que os homens perdem o controle de sua mente e de seu corpo quando se embriagam. Considerem-se os casos de Ben-Hadade, rei da Síria, e de Belsazar, rei da Babilônia (ver 1Rs 1.16; Dn 6.1-30). A taça de vinho também sugere a taça da ira de Deus. Ver Is 51.17 e Jr 25.15.

■ 1.11

מִמֵּ֣ךְ יָצָ֔א חֹשֵׁ֥ב עַל־יְהוָ֖ה רָעָ֑ה יֹעֵ֖ץ בְּלִיָּֽעַל׃ ס

De ti, Nínive, saiu um que maquina o mal contra o Senhor. "Talvez a referência direta aqui seja a Senaqueribe, o qual quase destruiu a Judá, antes do tempo determinado. Ele havia planejado o mal e teria destruído a cidade de Jerusalém se o anjo do Senhor não tivesse salvado o dia (ver 2Rs 19.36,37). Provavelmente também podem ter sido sugeridos outros reis: Pul (2Rs 15.10); Tiglate-Pileser (2Rs 15.29); Salmaneser (2Rs 17.6); Senaqueribe (2Rs 18.17; 19.23). Ou então conselheiros maldosos, como Senaqueribe e Rabsaqué" (Adam Clarke, *in loc.*). "Rabsaqué aconselhou o povo de Israel a não ouvir seu rei nem confiar em seu Deus, mas a render-se a ele (2Rs 18.29-31)" (John Gill, *in loc.*).

A DESTRUIÇÃO DA ASSÍRIA (NÍNIVE) (1.12-15)

■ 1.12

כֹּ֣ה ׀ אָמַ֣ר יְהוָ֗ה אִם־שְׁלֵמִים֙ וְכֵ֣ן רַבִּ֔ים וְכֵ֥ן נָגֹ֖זּוּ וְעָבָ֑ר וְעִנִּתִ֕ךְ לֹ֥א אֲעַנֵּ֖ךְ עֽוֹד׃

Por mais seguros que estejam... ainda assim serão exterminados. Yahweh profere aqui seu decreto, e o que ele disse haveria de ocorrer. Embora os inimigos de Judá fossem *muitos e fortes* (Revised Standard Version), isso não os livraria da destruição e do olvido total. Mas Israel-Judá, embora ferido, cairia no favor divino e não mais sofreria. Os planos traçados contra Judá mostraram-se tanto fúteis quanto inúteis (Jó 34.18). Cf. este versículo com Êx 12.12,13,23; Is 8.8; Dn 9.10 quanto ao poder destruidor de Yahweh, em defesa de seu povo. É provável que 2Rs 19.32,33 esteja particularmente em mira aqui.

E passarão. Está em foco o anjo do Senhor, a cumprir sua missão destruidora. O que aconteceu na ocasião foi apenas um pequeno exemplo do que a ira de Deus faria, finalmente, contra a Assíria.

■ 1.13

וְעַתָּ֕ה אֶשְׁבֹּ֥ר מֹטֵ֖הוּ מֵֽעָלָ֑יִךְ וּמוֹסְרֹתַ֖יִךְ אֲנַתֵּֽק׃

Mas de sobre ti, Judá, quebrarei o jugo deles. Judá estava sob o jugo da Assíria, por causa do pesado tributo que tinha de pagar (ver 2Cr 33.11; 2Rs 7.14) e também por causa da constante ameaça de invasão e destruição. Mas o povo oprimido teria esse jugo desintegrado em pedaços e ficaria completamente livre — até que surgisse no horizonte o exército da Babilônia! Cf. Is 10.27, paralelo direto do versículo presente. Ver também Is 14.25 e Jr 30.8.

> Fortes ao encontro do inimigo,
> Continuamos a marchar,
> Mas a nossa causa, sabemo-lo,
> Deverá prevalecer.
>
> William F. Sherwin

■ 1.14

וְצִוָּ֤ה עָלֶ֙יךָ֙ יְהוָ֔ה לֹֽא־יִזָּרַ֥ע מִשִּׁמְךָ֖ ע֑וֹד מִבֵּ֣ית אֱלֹהֶ֗יךָ אַכְרִ֛ית פֶּ֥סֶל וּמַסֵּכָ֖ה אָשִׂ֣ים קִבְרֶ֑ךָ כִּ֥י קַלּֽוֹתָ׃ פ

Contra ti, Assíria, o Senhor deu ordem que não haja posteridade. Nínive seria sujeitada a julgamento mortífero. Não haveria descendentes que levassem avante a nação, porque não restaria nada da Assíria. E a idolatria seria demolida juntamente com o povo. Os templos seriam nivelados até ao chão, e o culto seria aniquilado. O próprio Yahweh escavaria um túmulo para a Assíria, por causa daquela imensa iniquidade. Ver no *Dicionário* o verbete chamado *Idolatria*, quanto à intrincada teia de deuses e cultos que os pagãos eram capazes de inventar. Todos os povos estão sujeitos aos decretos de Yahweh, pois ele é o Rei universal que intervém na história humana (ver no *Dicionário* o artigo chamado *Teísmo*). "Não restaria ninguém para adorar, e nenhum ídolo para ser adorado. Por muitas vezes os ninivitas tinham profanado os inimigos levando embora seus ídolos e imagens. A Assíria acreditava que os seus deuses eram superiores aos de outros povos. Mas agora Nínive experimentaria a mesma sorte que tinha imposto a outros povos. O *templo de seus deuses* era o templo de Istar ou o templo de Nabu" (Elliott E. Johnson, *in loc.*). "Nem os deuses nem o templo vos salvarão. O templo se tornará o vosso sepulcro, porque sois vis: sois mais leves que o peso certo (Dn 5.27; cf. Jó 31.6)" (Fausset, *in loc.*).

■ **1.15** (na Bíblia hebraica corresponde ao **2.1**)

הִנֵּ֨ה עַל־הֶהָרִ֜ים רַגְלֵ֤י מְבַשֵּׂר֙ מַשְׁמִ֣יעַ שָׁל֔וֹם חָגִּ֤י יְהוּדָה֙ חַגַּ֔יִךְ שַׁלְּמִ֖י נְדָרָ֑יִךְ כִּי֩ לֹ֨א יוֹסִ֥יף ע֛וֹד לַֽעֲבָר־ בָּ֥ךְ בְּלִיַּ֖עַל כֻּלֹּ֥ה נִכְרָֽת׃

Eis sobre os montes os pés do que anuncia boas-novas. Em contraste com o fim temível da Assíria (Nínive), Judá seria posto em liberdade para desfrutar os benefícios que Yahweh traria. Nínive tinha caído, e um mensageiro chegara para anunciar esse fato, bem como a *liberação* que isso produzira. Ele chegara nas colinas que circundavam Jerusalém, clamando em alta voz as boas-novas. O tempo da opressão tinha terminado. Havia paz! (Até que surgisse em cena a Babilônia!) Judá poderia reiniciar sua vida normal, incluindo o culto de Yahweh, que tinha sido interrompido. As festividades seriam recomeçadas; o sistema de sacrifícios e de votos seria reativado em consonância com as antigas leis. Ninguém apareceria para ferir ou infundir o medo. Pelo menos, a ameaça assíria estava terminada. Nínive nunca foi reconstruída. Quando Xenofonte passou pelo local onde estivera a cidade de Nínive, cerca de duzentos anos depois, pensou que os cômoros de ruínas fossem de alguma outra cidade, pois ninguém teria pensado que a gloriosa Nínive fora reduzida àquele nada. Alexandre, o Grande, ao invadir aquela parte do país e efetuar campanhas militares ali, nem ao menos teve a consciência de que estava próximo da antiga e poderosa Nínive. Cf. este versículo com Is 52.7, que é bastante similar, embora se aplique à cidade da Babilônia.

CAPÍTULO DOIS

DESCRIÇÃO DO JULGAMENTO DE NÍNIVE (2.1-13)

A coligação de medos e babilônios reduziria a nada a cidade de Nínive (e a Assíria). A vilania do império assírio tinha sido realmente grande. Agora chegara o tempo de sepultá-la (ver Na 1.14,15). Eles não cairiam mediante uma única batalha, mas a queda seria rápida e dramática. Ver no *Dicionário* o artigo denominado *Assíria*, último parágrafo, quanto a uma descrição. "O assalto contra Nínive; os saques de seus tesouros e o terror de seus habitantes ocorreriam porque Yahweh, o Senhor dos Exércitos, estava contra a rapacidade da cidade (cf. Is 5.26-30; Jr 5.15-17)" (*Oxford Annotated Bible*, na introdução a este capítulo).

■ **2.1** (na Bíblia hebraica corresponde ao **2.2**)

עָלָ֤ה מֵפִיץ֙ עַל־פָּנַ֔יִךְ נָצ֖וֹר מְצֻרָ֑ה צַפֵּה־דֶ֙רֶךְ֙ חַזֵּ֣ק מָתְנַ֔יִם אַמֵּ֥ץ כֹּ֖חַ מְאֹֽד׃

O destruidor sobe contra ti, ó Nínive. Começa aqui a descrição dos ataques. Tinha chegado o poder que esmagaria e dispersaria a cidade de Nínive. Ordens em favor da defesa foram expedidas: "Defesas tripuladas! Estradas vigiadas! Lombos cingidos! Força usada ao máximo!" (Charles L. Taylor, Jr., imitando o hebraico conciso do versículo. Ele terminou dizendo: "As ideias nuas são apresentadas com toda a força possível e com mordaz ironia"). "Naum retratou o cerco, reproduzindo seu horror e selvageria, suas crueldades e falta de misericórdia, em uma linguagem tão realista que a pessoa é capaz de vê-lo e senti-lo. Primeiramente houve a luta nos subúrbios, então o assédio contra as muralhas e, finalmente, a captura da cidade e sua destruição" (Raymond Calkins, *in loc.*). As ordens foram irônicas porque tudo era inútil e vão. Cf. os mandamentos irônicos aos sacerdotes de Baal, em 1Rs 18.27. Aquele que destruiria pode ser uma referência direta a Ciaxares.

■ **2.2** (na Bíblia hebraica corresponde ao **2.3**)

כִּ֣י שָׁ֤ב יְהוָה֙ אֶת־גְּא֣וֹן יַעֲקֹ֔ב כִּגְא֖וֹן יִשְׂרָאֵ֑ל כִּ֤י בְקָקוּם֙ בֹּֽקְקִ֔ים וּזְמֹרֵיהֶ֖ם שִׁחֵֽתוּ׃

(Porque o Senhor restaura a glória de Jacó...) Uma das razões para a destruição de Nínive é que isso ajudaria a restauração de Judá e do seu bem-estar. "Destruidores destruíram o povo de Deus. Mas o Senhor fará grande, novamente, o povo de Jacó e o povo de Israel" (NCV). Note o leitor que tanto a nação do sul quanto a nação do norte (ou seja, toda a nação de Israel) seriam restauradas. Ou *Jacó* e *Majestade de Israel* são termos paralelos para indicar *Judá*, que se tornou Israel após o cativeiro da nação do norte pela Assíria, de onde os filhos de Israel nunca retornaram. O povo de Deus tinha sido reduzido a uma condição humilde e aviltada, principalmente por causa da ameaça assíria. Mas agora era o tempo de isso chegar ao fim. Naturalmente, a Babilônia seria uma ameaça ainda maior e mais destruidora, pelo que alguns intérpretes veem neste versículo uma profecia a longo prazo concernente à restauração de Israel na era do reino de Deus. É provável que este versículo fale sobre o aniquilamento da nação do norte por parte da Assíria. Isso será revertido na restauração, através da nação de Judá daquele tempo, e/ou através da futura nação de Israel. A expressão "os saquearam" quase certamente aponta para o cativeiro assírio da nação do norte.

■ **2.3** (na Bíblia hebraica corresponde ao **2.4**)

מָגֵ֨ן גִּבֹּרֵ֜יהוּ מְאָדָּ֗ם אַנְשֵׁי־חַ֙יִל֙ מְתֻלָּעִ֔ים בְּאֵשׁ־פְּלָד֥וֹת הָרֶ֖כֶב בְּי֣וֹם הֲכִינ֑וֹ וְהַבְּרֹשִׁ֖ים הָרְעָֽלוּ׃

Os escudos dos seus heróis são vermelhos. "Heródoto retratou parte do exército de Xerxes como quem usava fardas de tecido vermelho brilhante. Alguns pintavam o corpo, metade com giz e metade com vermelhão" (*Hist.* VII.61,69). Portanto, o presente versículo fala dos guerreiros como homens poderosos vestidos de *vermelho,* e a ideia é reiterada pela descrição: "homens valorosos estão vermelhos". Seus carros de combate eram como *chamas,* possivelmente por serem iluminados por meio de tochas. Alguns emendam o texto para fazer com que os esquadrões da cavalaria apareçam espalhados como as ondas do mar. Diz a tradução da NCV: "O metal dos carros de combate relampeja quando estão prontos para atacar. Seus cavalos estão excitados". O aço relampejante poderia referir-se às espadas *citas* que eram postas dos lados dos carros de combate para cortar os guerreiros a pé com elas. Xenofonte diz-nos que Ciro foi o primeiro a introduzir o carro de combate armado com espadas citas. Porém, há evidências de que veículos assim armados começaram muito antes do tempo desse monarca.

■ **2.4** (na Bíblia hebraica corresponde ao **2.5**)

בַּֽחוּצוֹת֙ יִתְהוֹלְל֣וּ הָרֶ֔כֶב יִֽשְׁתַּקְשְׁק֖וּן בָּרְחֹב֑וֹת מַרְאֵיהֶן֙ כַּלַּפִּידִ֔ם כַּבְּרָקִ֖ים יְרוֹצֵֽצוּ׃

Os carros passam furiosamente pelas ruas. Os carros de combate são pintados como raios que se locomoviam em grande velocidade pelas ruas, correndo para um lado e para outro, como temidos agentes da morte; resplandecendo como tochas (o que comento no vs. 3) e coriscando ao redor como dardos. "Os carros de combate se precipitavam pelas ruas, correndo para a frente e para trás nos quarteirões. Eles se parecem com tochas flamejantes. Eles coriscam como relâmpagos" (NIV).

As ruas, nesta passagem, podem "incluir as avenidas e principais estradas suburbanas em redor de Nínive e levando ao centro da cidade, visto que o contexto descreve um ataque que gradualmente levava às muralhas da cidade" (Walter Maier, *in loc.*). As descrições, naturalmente, são dos atacantes, e não dos defensores da cidade.

■ **2.5** (na Bíblia hebraica corresponde ao **2.6**)

יִזְכֹּר֙ אַדִּירָ֔יו יִכָּשְׁל֖וּ בַּהֲלִֽיכָתָ֑ם יְמַֽהֲרוּ֙ חֽוֹמָתָ֔הּ וְהֻכַ֖ן הַסֹּכֵֽךְ׃

Os nobres são chamados, mas tropeçam em seu caminho. Agora os atacantes aproximam-se das muralhas de Nínive. Os oficiais que ordenam o ataque são convocados para o cerco. Estabelece-se a confusão; alguns caem quando se aproximam; no entanto, levantam-se e continuam o avanço. Mas alguns estudiosos pensam que essas palavras são dos defensores assírios que protegiam as muralhas da cidade. Nesse caso, a questão dos tropeços é mais apropriada.

Aqueles pobres homens tinham de promover uma causa perdida, não nos devendo admirar o fato de que eles tropeçassem. Eles formavam uma espécie de *escudo protetor,* cuja natureza é impossível de ser descrita. Esse mecanismo protegia os defensores de flechas, lanças e pedras, quando tentavam defender uma muralha. Ou então, se a descrição é dos atacantes, a cobertura protetora ajudava-os a manter-se vivos, até que pudessem escalar as muralhas.

■ **2.6** (na Bíblia hebraica corresponde ao **2.7**)

שַׁעֲרֵי הַנְּהָרוֹת נִפְתָּחוּ וְהַהֵיכָל נָמוֹג׃

O ataque foi bem-sucedido. Os portões são arrombados; homens obtêm sucesso escalando as muralhas; os guerreiros, sem dó, entram correndo na cidade para começar a matar qualquer um que fosse visto, homens, mulheres e crianças; eles tomariam grande despojo (os *salários* dos exércitos antigos). Haveria poucos sobreviventes.

As comportas do rio. Esta referência tem deixado confusos os intérpretes. Considere o leitor estes cinco pontos: 1. Alguns intérpretes supõem que a palavra hebraica para "rio" é uma corrupção do vocábulo que significa "bronze", que seria aqui mais apropriada. 2. Ou estão em pauta pontes fortificadas. 3. Ou então devemos pensar em portões *próximos* ao rio Eufrates. 4. Ou brechas foram feitas pela correnteza torrencial da água. 5. Ou então comportas do rio Khosr que atravessavam a cidade. Há boas evidências em favor desta quinta ideia nos restos arqueológicos. É possível que comportas tenham sido fechadas pelas tropas atacantes, no começo do cerco, e devessem ser abertas à força para dar acesso à cidade. Talvez as águas represadas tenham sido soltas e facilmente demoliram os portões. Seja como for, o acesso foi obtido e os atacantes invadiram a cidade, com o palácio real como primeira vítima. Talvez devamos pensar no palácio de Assurbanipal na parte norte de Nínive. Seja como for, a arqueologia demonstra que a nação tinha muitos palácios elaborados e adornados que os nobres e ricos usavam como residências.

Sabe-se que Senaqueribe tinha represado as águas do rio Khosr, e essas águas formavam um reservatório fora da cidade. Talvez as comportas desse reservatório tenham sido primeiramente fechadas pelas forças atacantes, para que houvesse acúmulo de água até níveis perigosos. Os *atacantes,* pois, primeiramente represaram as águas e então as liberaram. As águas, aos borbotões, atravessaram a cidade, criando toda a espécie de confusão, e isso ajudou os invasores em seus propósitos.

■ **2.7** (na Bíblia hebraica corresponde ao **2.8**)

וְהֻצַּב גֻּלְּתָה הֹעֲלָתָה וְאַמְהֹתֶיהָ מְנַהֲגוֹת כְּקוֹל יוֹנִים
מְתֹפְפֹת עַל־לִבְבֵהֶן׃

Está decretado: a cidade-rainha está despida e levada em cativeiro. Agora encontramos saques, estupros e exílio. A *King James Version* diz que foi levada em cativeiro Huzabe, presumivelmente a rainha. Mas nossa versão portuguesa provavelmente está certa ao dizer, em lugar de "Huzabe", "decretado". "Tem sido anunciado que o povo de Nínive será capturado e levado cativo" (NCV), o que provavelmente é o texto correto. Pois nenhuma rainha chamada Huzabe jamais existiu. Nínive é que era a rainha humilhada e cativada. O decreto de Yahweh era o poder por trás de tudo quanto aconteceu, pois concordava com seu julgamento contra aquela cidade sanguinária e miserável. A *Revised Standard Version,* utilizando uma leve emenda, diz: "Sua dama está despida, e foi levada em cativeiro". As criadas que atendiam a "rainha" choravam e se lamentavam, soando como se fossem pombas a arrulhar. Elas se lamentavam e gritavam, ao mesmo tempo em que batiam nos peitos. Cf. Is 38.14. Sabiam que teriam a mesma sorte da rainha; haveria estupros e assassinatos, e os poucos sobreviventes seriam exilados.

■ **2.8** (na Bíblia hebraica corresponde ao **2.9**)

וְנִינְוֵה כִבְרֵכַת־מַיִם מִימֵי הִיא וְהֵמָּה נָסִים עִמְדוּ
עֲמֹדוּ וְאֵין מַפְנֶה׃

Nínive desde que existe tem sido uma açude de águas. O presente versículo pode ser paralelo à ideia número *cinco* das interpretações sobre as "comportas dos rios" no vs. 6. As águas represadas do rio Khosr foram liberadas e demoliram os portões, concedendo acesso aos exércitos atacantes. O ruído da água, ao sair da cidade, tornou-se símbolo do derramamento da alma da cidade. Como as águas represadas agora eram soltas, assim também aconteceu a todos os habitantes da cidade. As pessoas, ou seja, os poucos sobreviventes abandonavam a cidade fazendo grande ruído. Foi-lhes ordenado que *parassem,* mas nenhum deles voltou. "O povo, como se fosse água ao escapar de um tanque, fugia rapidamente da cidade. E a deixou tomado de grande pânico, de tal forma que, embora alguns gritassem para que estacassem em sua fuga, ninguém ouviu a ordem. Talvez os que fugiam fossem os líderes da cidade ou os comandantes militares" (Elliott E. Johnson, *in loc.*).

■ **2.9** (na Bíblia hebraica corresponde ao **2.10**)

בֹּזּוּ כֶסֶף בֹּזּוּ זָהָב וְאֵין קֵצֶה לַתְּכוּנָה כָּבֹד מִכֹּל כְּלִי
חֶמְדָּה׃

Saqueai a prata, saqueai o ouro, porque não se acabam os tesouros. À matança e aos estupros, logo foi adicionado o saque. Os soldados atacantes começaram então a coletar o seu "salário", e que grande dia de despojos foi aquele! Eles não viam o fim dos tesouros acumulados na cidade, os quais eram tamanhos que ficava difícil saber por onde começar o saque. Havia montes de objetos de prata e ouro, pedras preciosas, obras de arte, móveis belamente decorados e inúmeros ornamentos.

Os *anais de Nebopolassar* fornecem aqui uma vívida descrição: "Pelas margens do rio Tigre eles marchavam contra Nínive. Houve poderoso assalto contra a cidade, feito no mês de ab. Foi efetuada grande confusão. Caíram os homens principais. Os despojos da cidade, em quantidade que desafiava qualquer cálculo, foram tomados, transformando a cidade em um montão de ruínas". Tal foi o labor da coligação dos medos e persas. Devemos lembrar que a Assíria tinha-se tornado um grande depósito de bens roubados de outros povos através do saque, pelo que estava em operação a *Lei Moral da Colheita segundo a Semeadura.* Ver sobre esse título no *Dicionário.* Aquilo que os assírios tinham furtado de outros povos agora lhes era arrancado, em justa retribuição. Já que eles eram assassinos, foram assassinados.

■ **2.10** (na Bíblia hebraica corresponde ao **2.11**)

בּוּקָה וּמְבוּקָה וּמְבֻלָּקָה וְלֵב נָמֵס וּפִק בִּרְכַּיִם
וְחַלְחָלָה בְּכָל־מָתְנַיִם וּפְנֵי כֻלָּם קִבְּצוּ פָארוּר׃

Ah! Vacuidade, desolação, ruína! Os assassinatos, saques e exílio deixaram trêmulos os habitantes de Nínive. A cidade estava vazia, solitária e desolada, tudo expresso vividamente pela *Revised Standard Version:* "Desolada! Desolação e ruína!" A NCV diz: "Roubada, arruinada e destruída". Isso deve ser contrastado com a opulência que Nínive, tão pouco tempo atrás, desfrutava. Tudo quanto valia alguma coisa foi, de súbito, varrido pelo ataque dos invasores brutais e sem misericórdia. O coração deles se tinha dissolvido; os joelhos batiam um no outro; havia angústia em seus lombos; o rosto deles tinha empalidecido. Tudo isso era merecido, por ser exatamente aquilo que eles tinham forçado contra outros povos. Os assassinos eram agora assassinados; os estupradores eram agora estuprados; os saqueadores eram agora saqueados; os que exilavam a outros eram agora exilados. A *Lex Talionis* (retribuição conforme a gravidade do crime cometido) era a regra do dia. Ver sobre esse título no *Dicionário.* Cf. Jl 2.6.

As três palavras hebraicas traduzidas em nossa versão portuguesa por "vacuidade, desolação, ruína" têm som semelhante e sem dúvida foram escolhidas para emprestar um toque artístico: *buqah; mebuqah; mebullaqah.*

■ **2.11,12** (na Bíblia hebraica corresponde ao **2.12,13**)

אַיֵּה מְעוֹן אֲרָיוֹת וּמִרְעֶה הוּא לַכְּפִרִים אֲשֶׁר הָלַךְ
אַרְיֵה לָבִיא שָׁם גּוּר אַרְיֵה וְאֵין מַחֲרִיד׃

אַרְיֵה טֹרֵף בְּדֵי גֹרוֹתָיו וּמְחַנֵּק לְלִבְאֹתָיו וַיְמַלֵּא־
טֶרֶף חֹרָיו וּמְעֹנֹתָיו טְרֵפָה׃

Onde está agora o covil dos leões...? Estes versículos (11 e 12) repetem o familiar *motivo do leão.* Os atacantes eram como um leão macho que ataca sua presa para ter abundância de alimentos para a leoa e os leõezinhos. O leão simplesmente não demonstra receio, pois domina o meio ambiente e faz o que lhe agrada. Suas vítimas, porém, ficam aterrorizadas. Quanto ao motivo do leão, ver também Gn 49.9; Dt 33.20; Jó 4.10; Sl 7.2; Pv 12.19; Is 5.29; Jr 2.30; Os 5.14; Jl 1.6; Am 3.4,8 e Mq 5.8.

No entanto, a maioria dos intérpretes faz a Assíria ser o leão, supondo que o que aqui é dito informa sobre as *antigas atrocidades dos assírios* contra outros povos. Tendo agido como um leão, os assírios seriam atacados por outro leão, ainda mais feroz, se tal ferocidade fosse possível. Pinturas e esculturas de leões eram comuns na Assíria, pelo que o simbolismo é apto. Note o leitor que o vs. 11 contém uma pergunta retórica que antecipa uma resposta negativa. Onde está aquele leão feroz que devorava a outros? Está ele em seu covil? Não! Ele mesmo foi morto e foi arrancado de seu covil (Nínive). E não mais mataria suas vítimas. Esse foi o fim daquela triste história. Senaqueribe, em suas inscrições, jactava-se de ter *enfurecido como um leão*. Mas a coligação de medos e persas tirou a fúria da Assíria, reduzindo-a a uma carcaça que não mais rugia. Tal é a condenação dos iníquos.

■ **2.13** (na Bíblia hebraica corresponde ao **2.14**)

הִנְנִ֣י אֵלַ֗יִךְ נְאֻם֙ יְהוָ֣ה צְבָא֔וֹת וְהִבְעַרְתִּ֥י בֶעָשָׁ֖ן רִכְבָּ֑הּ
וּכְפִירַ֖יִךְ תֹּ֣אכַל חָ֑רֶב וְהִכְרַתִּ֤י מֵאֶ֙רֶץ֙ טַרְפֵּ֔ךְ וְלֹֽא־
יִשָּׁמַ֥ע ע֖וֹד ק֥וֹל מַלְאָכֵֽכֵה׃ ס

Eis que eu estou contra ti, diz o Senhor dos Exércitos. Yahweh estava contra o leão (a Assíria); a *espada* (a guerra) devoraria os leõezinhos; e nunca mais a Assíria faria a outrem de presa; seus carros de combate seriam devorados pelo fogo, juntamente com sua capacidade de fazer guerras. Seus exércitos e seu equipamento para guerrear pereceriam juntamente. Fora *Yahweh-Sabaote*, o Deus Eterno e General dos Exércitos, que tinha feito esse pronunciamento, pelo que devia expressar a verdade. A Assíria deixou de ser uma nação. Seus territórios foram divididos entre seus adversários. Seus sobreviventes misturaram-se com as outras raças. Sua própria identidade se perdeu. Quanto à declarada hostilidade de Yahweh contra a Assíria, cf. Na 3.5; Jr 21.13; 50.31; Ez 5.8; 13.8 e 39.1 quanto a declarações semelhantes.

O Fim dos Mensageiros. A Assíria gostava de intimidar seus adversários como maneira de obter o que queria, sem ter de guerrear. Submetia outras nações a pesados tributos, meramente ameaçando. Cf. 2Rs 18.17-25. Mas os assírios nunca blefavam. Se as suas exigências não fossem atendidas, eles guerreavam com prazer sádico. Mas agora essa época havia terminado. Eles deixaram de ser uma nação; não mais enviariam mensageiros que ameaçassem a outros povos; nem haveria mais guerras de retaliação.

"O leão foi arrancado de seu covil com a ação da fumaça. O Senhor assumiu o controle. Ele tinha sido ofendido e agora retaliava. Nínive não mais saquearia; não mais exerceria domínio sobre os povos vizinhos. Sua população morreria nos incêndios e seria cortada à espada" (Charles L. Taylor, Jr., *in loc.*).

CAPÍTULO TRÊS

RAZÕES DO JULGAMENTO DIVINO DE NÍNIVE (3.1-19)

Os dias do arrogante império assírio estavam contados. Esse império tornou-se culpado dos mais hediondos crimes, e sua taça de iniquidade estava quase cheia (cf. Gn 15.16). "Esta seção final do livro de Naum continua as vigorosas emoções e os tons intensos do capítulo 2. Mas o enfoque do capítulo 3 muda do julgamento divino para as razões para esse julgamento. O profeta demonstrou as condições espiritualmente depravadas da cidade de Nínive, que tinha sido altiva e próspera" (Elliott E. Johnson, *in loc.*).

A Violência e o Engano da Assíria Resultariam em Vergonha (1.1-4)

■ **3.1**

ה֣וֹי עִ֣יר דָּמִ֑ים כֻּלָּ֖הּ כַּ֥חַשׁ פֶּ֛רֶק מְלֵאָ֖ה לֹ֥א יָמִ֥ישׁ
טָֽרֶף׃

Ai da cidade sanguinária, toda cheia de mentiras e de roubo. A interjeição "ai" introduz a tristeza, a consternação e, aqui, a morte iminente. Cf. Is 3.9. Nínive, acima da maioria das cidades antigas, era uma cidade sanguinária, o centro do império assírio, que devia a sua grandeza às matanças e ao saque. Não havia fim em suas mentiras, saques e despojos. "Ela obtivera essa reputação por meio de práticas atrozes, como decepar mãos, pés, orelhas e narizes, ou como amarrar as vítimas a videiras e amontoar os cadáveres diante dos portões da cidade. Eles eram realmente mestres do terror. Os cativos eram empalados e esfolados vivos, mediante um processo pelo qual a pele era gradualmente removida, sem causar a morte rápida" (Walter A. Maier, *in loc.*). Não havia, entre os assírios, o conceito de fidelidade aos pactos e às promessas. A cidade de Nínive era o centro do engano e das mentiras. "Em Nínive havia assassinatos diários; sangue inocente era derramado; a vida dos homens era tirada por meio de acusações falsas, quando eram usadas testemunhas falsas. Os assírios viviam em guerra contínua contra outros povos, derramando-lhes o sangue e aumentando suas riquezas às expensas deles" (John Gill, *in loc.*).

■ **3.2**

ק֣וֹל שׁ֔וֹט וְק֖וֹל רַ֣עַשׁ אוֹפָ֑ן וְס֣וּס דֹּהֵ֔ר וּמֶרְכָּבָ֖ה
מְרַקֵּדָֽה׃

Eis o estalo de açoites, e o estrondo das rodas. Os vss. 2-4 fornecem uma série de declarações concisas que descrevem o assalto final contra Nínive. "Essas declarações são uma progressão que começa com açoites e passa por rodas e cavalos e carros de combate, chegando à cavalaria com espadas e lanças e a matanças e carnificinas generalizadas, produzindo cadáveres sem-número. Essas descrições retratam o ataque contra Nínive (cf. Na 2.3,4) e são surpreendentemente parecidas com as táticas de guerra dos ninivitas. Nínive havia empilhado muitos corpos mortos, mas agora os cadáveres dos ninivitas seriam empilhados" (Elliot E. Johnson, *in loc.*). "Oh! guerra infernal! Mas algumas vezes tu és o látego do Senhor" (Adam Clarke, *in loc.*).

Essas descrições recebem brevidade e concisão mediante a omissão de verbos e pela justaposição de substantivos genéricos. Há um ritmo em *staccato* de excelente poesia que descreve a brutalidade de homens aviltados.

Não é mau. Que eles joguem.
Que os canhões ladrem e que os aviões de
bombardeio
Falem suas prodigiosas blasfêmias.
...
Quem se lembraria da face de Helena
Se lhe faltasse o halo de lanças?
...
Nunca chores. Que eles joguem.
A antiga violência não é antiga demais
Para que não possa gerar novos valores.

Robinson Jeffers

■ **3.3**

פָּרָ֣שׁ מַעֲלֶ֗ה וְלַ֤הַב חֶ֙רֶב֙ וּבְרַ֣ק חֲנִ֔ית וְרֹ֥ב חָלָ֖ל וְכֹ֣בֶד
פָּ֑גֶר וְאֵ֥ין קֵ֙צֶה֙ לַגְּוִיָּ֔ה יִכָּשְׁל֖וּ בִּגְוִיָּתָֽם׃

Os cavaleiros que esporeiam, a espada flamejante, o relampejar da lança. O ataque prosseguia, os cavaleiros carregavam, as espadas brilhavam, as lanças coriscavam; grande matança, corpos caídos, cadáveres amontoados, sangue que fluía em rios, homens tropeçando em mortos, e mortos adicionados aos montões de corpos. Com crua realidade, a descrição é feita em meio à excepcional poesia que caracteriza o livro. Que tema para o poeta descrever de maneira tão excelente! Isso nos faz lembrar da *Ilíada* e da *Odisseia* de Homero, expressões poéticas de primeira ordem, mas descrições dos mais horrendos crimes que os homens cometem nas guerras que nunca terminam.

■ **3.4**

מֵרֹב֙ זְנוּנֵ֣י זוֹנָ֔ה ט֥וֹבַת חֵ֖ן בַּעֲלַ֣ת כְּשָׁפִ֑ים הַמֹּכֶ֤רֶת גּוֹיִם֙
בִּזְנוּנֶ֔יהָ וּמִשְׁפָּח֖וֹת בִּכְשָׁפֶֽיהָ׃

DOZE PROFECIAS DE NAUM CUMPRIDAS HISTORICAMENTE

Referências	Essência das Profecias	Realizações históricas
3.12	As fortificações assírias cairiam facilmente	A Crônica Babilônica fala de quão fácil foi sua queda. Esta iniciou-se em 614 a.C.
3.14	Tijolos e argamassa deveriam ser preparados para defesa de emergência	A arqueologia descobriu tentativas de fortificar os muros com tijolos e argamassa.
3.13	Os portões seriam obliterados	A arqueologia demonstrou o quão devastadores foram os ataques contra os portões. Muros de sustentação foram nivelados.
1.10; 3.11	Os ninivitas estariam bêbados no momento do ataque final	Diodorus Sirculus (c. 20 a.C.) testemunhou este fato. Todo o exército assírio estava embriagado quando o ataque inesperado foi lançado.
1.8; 2.6,8	Uma inundação destruiria Nínive	Diodorus e Xenofontes relataram inundações na cidade que acabaram por nivelá-la. Fortes chuvas e inundações resultantes quebraram parte das ruas e facilitaram a ação de invasão do inimigo.
1.10; 2.13; 3.15	Os inimigos da Assíria ateariam fogo na cidade	A arqueologia demonstrou que Nínive foi queimada.
3.3	Um grande massacre seria realizado contra o povo derrotado	Diodorus, *Biblio. Hist.* 2.26.6-7, afirmou este fato graficamente. Um grande fluxo de sangue misturou na água.
2.9,10	Nínive sofreria um pesado saque	A Crônica Babilônica fala de como tudo de valor foi levado embora.
2.8	Alguns ninivitas tentariam escapar, alguns com sucesso	O rei Sinrsharrishkun mandou embora seus filhos e filhas e um pouco de tesouro para Paflagônia, governador de C Kattos. Muitos súditos reais foram também.
3.17	Ocorreria deserção por parte dos oficiais do exército de Nínive	A Crônica Babilônica dá evidências disso, mas faz a afirmação de maneira genérica: "o exército da Assíria".
1.14	Destruição dos ídolos de Nínive	A arqueologia confirmou este aspecto de devastação da cidade.
1.9,14	A destruição de Nínive seria final; a cidade nunca seria reconstruída	Embora muitas cidades nesta área geral fossem reconstruídas, Nínive nunca o foi.

Tudo isso por causa da grande prostituição da bela e encantadora meretriz. Parte da razão para o terror é que Nínive tinha grande desejo pelo poder como uma prostituta tem desejo por seus clientes. Algumas das explorações da deusa do sexo e da guerra, da Assíria e da Babilônia, eram atos de selvageria: os deuses iguais aos homens. Essa prostituta tinha *encantos graciosos mas mortíferos* (*Revised Standard Version*). Além dessas transgressões, o povo era mestre da mágica, da feitiçaria e das adivinhações. Ver no *Dicionário* os verbetes chamados *Feitiço, Feiticeiro* e *Adivinhação*. Os tipos assírios de idolatria usavam o *modus operandi* dessas "ciências". Encantamentos e presságios, ritos mágicos e prevenção do futuro eram práticas diárias daquele povo. Cf. Is 47.9,12; Ap 18.2,3. Ver também 2Rs 16.10; Ez 23.5,7,11,12; Ap 17.1,2,5,6 e 18.23.

A Queda de Nínive (3.5-19)

■ 3.5

הִנְנִי אֵלַיִךְ נְאֻם יְהוָה צְבָאוֹת וְגִלֵּיתִי שׁוּלַיִךְ עַל־פָּנָיִךְ וְהַרְאֵיתִי גוֹיִם מַעְרֵךְ וּמַמְלָכוֹת קְלוֹנֵךְ׃

Eis que eu estou contra ti, diz o Senhor dos Exércitos. Os crimes de Nínive clamavam por vingança, e a espada de Yahweh já estava levantada. O Senhor era contrário àquele horrendo lugar e a seus intermináveis deboches e violência (vs. 5). Yahweh é *Sabaote*, o Senhor dos Exércitos que tem poder de cumprir suas ameaças e, no caso da Assíria, Deus usaria as espadas dos medos e persas. As saias de Nínive seriam levantadas até acima de sua cabeça, o que significa que ela se envergonharia por causa de suas devastações. A figura, naturalmente, vem do ato de expor a prostituta com propósitos sexuais. As nações olharão com curiosidade e horror quando a prostituta for "violentada" (se essa é uma figura possível!). Eles veriam a dama dos encantamentos e das traições *envergonhada*. Cf. uma sorte similar da Babilônia (ver Is 47.1-3) e de Jerusalém (ver Ez 16.37). A prostituta havia feitos com que outros se envergonhassem e se sentissem desgraçados, mas agora chegara a vez da Assíria. Ela seria sujeitada a todas as formas de desgraças, que se seguem no vs. 6. Ver também Jr 13.22.

■ 3.6

וְהִשְׁלַכְתִּי עָלַיִךְ שִׁקֻּצִים וְנִבַּלְתִּיךְ וְשַׂמְתִּיךְ כְּרֹאִי׃

Lançarei sobre ti imundícias, tratar-te-ei com desprezo. Excrementos humanos seriam lançados sobre a prostituta, em um ato de total desconsideração de qualquer valor que, porventura, ela pudesse ter. Ela seria desprezada por seus atormentadores. Seria um espetáculo para outros verem o ridículo da aparência de sua pessoa, do que se ririam. "Jogarei sujeira sobre ti, e farei de ti uma tola. As pessoas te verão e te desprezarão" (NCV). A palavra hebraica *siqqus* (imundícia) pode ser usada para indicar qualquer coisa detestável, incluindo os ídolos (ver Dt 29.17; Jr 4.1; Ez 20.7,8). "A glória de Nínive seria reduzida a imundícia" (Elliott E. Johnson, *in loc.*).

■ 3.7

וְהָיָה כָל־רֹאַיִךְ יִדּוֹד מִמֵּךְ וְאָמַר שָׁדְּדָה נִינְוֵה מִי יָנוּד לָהּ מֵאַיִן אֲבַקֵּשׁ מְנַחֲמִים לָךְ׃

Há de ser que todos os que te virem, fugirão de ti. Os que olhassem para o triste quadro da prostituta aviltada e perseguida *fugiriam* para escapar de semelhante sorte (*King James Version*); eles *retrocederão* de desgosto (*Revised Standard Version*) e uivarão, não por simpatia, pois quem não se alegraria diante da queda de Nínive? Mas, sim, em temor e terror diante de tão grande tragédia. Seria inútil buscar lamentadores e confortadores para ela. Ninguém seria tão hipócrita a ponto de fingir simpatia pela queda da grande meretriz. Antes, ela fora atraente, mas agora era uma massa horrenda, uma massa de ferimentos e úlceras putrefactas. Quem haveria de querê-la agora? "Nínive estava em ruínas. Quem choraria por ela? Nínive, não posso encontrar ninguém que te console" (NCV).

■ 3.8

הֵיטְבִי֙ מִנֹּ֣א אָמ֔וֹן הַיֹּשְׁבָה֙ בַּיְאֹרִ֔ים מַ֖יִם סָבִ֣יב לָ֑הּ
אֲשֶׁר־חֵ֣יל יָ֔ם מִיָּ֖ם חוֹמָתָֽהּ׃

És tu melhor do que Nô-Amom...? Os assírios conquistaram a cidade egípcia de *Tebas* (ver a respeito no *Dicionário*) em 663 a.C., e muitas atrocidades foram cometidas ali. A queda daquela cidade fora predita pelos profetas de Israel (ver Jr 46.25 e Ez 30.14,16). O nome hebraico para essa cidade era *Nô* (o que algumas traduções — como a nossa versão portuguesa — retêm aqui). Era chamada No-Amum (cidade do deus Amum). A moderna cidade de Carnaque assinala o antigo local. Essa cidade fica a cerca de 645 km ao sul da cidade do Cairo. Fora edificada em ambas as margens do rio Nilo, mas principalmente na margem ocidental. Havia algo ao seu derredor, o rio, fossos e canais, pelo que tinha uma proteção natural. As águas eram uma espécie de *muralha* em volta. No entanto, ela caiu; e, por semelhante modo, Nínive também cairia, pelo que não era melhor do que aquele lugar.

■ 3.9

כּ֣וּשׁ עָצְמָ֤ה וּמִצְרַ֙יִם֙ וְאֵ֣ין קֵ֔צֶה פּ֥וּט וְלוּבִ֖ים הָי֥וּ
בְּעֶזְרָתֵֽךְ׃

Etiópia e Egito eram a sua força. Naum, o profeta, prossegue com seus comentários sobre Tebas, aquele forte e poderoso lugar que experimentou uma queda, a despeito de suas vantagens. Além de sua "proteção de água" (vs. 8), ela contava com o apoio de alguns aliados poderosos. Tebas era a mais proeminente cidade de Cuxe, região do alto rio Nilo, que corresponde ao moderno sul do Egito, ao Sudão e ao norte da Etiópia. Povos daqueles lugares apoiavam Tebas na guerra ou na paz. Outro aliado era Pute, algumas vezes identificado com a Líbia. Mas a menção de ambos esses lugares aqui favorece uma localização de Pute nas costas marítimas do mar Vermelho, tão ao sul quanto a moderna Somália. Os líbios habitavam o território que ficava ao sul, ao norte, a leste e a oeste dessa cidade, pelo que ela era circundada por ajudadores. Ver sobre os lugares geográficos mencionados neste versículo em artigos separados, no *Dicionário*. Porém, a despeito de seus ajudadores e das situações favoráveis, os assírios não tiveram dificuldade em derrotar a cidade, em 663 a.C., sob a liderança de Assurbanipal. Por semelhante modo, a abominação dos medos e persas pôs fim a Nínive e à Assíria, porquanto os assírios tinham chegado ao fim de sua trajetória na história. Eles tinham de abrir espaço para os próximos tiranos, que haveriam de exibir-se no palco da história por algum tempo.

■ 3.10

גַּם־הִ֗יא לַגֹּלָה֙ הָלְכָ֣ה בַשֶּׁ֔בִי גַּ֧ם עֹלָלֶ֛יהָ יְרֻטְּשׁ֖וּ
בְּרֹ֣אשׁ כָּל־חוּצ֑וֹת וְעַל־נִכְבַּדֶּ֙יהָ֙ יַדּ֣וּ גוֹרָ֔ל וְכָל־
גְּדוֹלֶ֖יהָ רֻתְּק֥וּ בַזִּקִּֽים׃

Todavia ela foi levada ao exílio. Os assírios cometeram muitas atrocidades em Tebas. Os poucos sobreviventes foram levados cativos para serem usados como animais em campos de trabalho forçado. As criancinhas foram despedaçadas pelas mãos sem dó dos captores. Os anciãos foram lançados nas ruas e pisados. Seus poderosos guerreiros, seus capitães e generais foram atados com correntes, escarnecidos e levados para serem executados ou para serem reduzidos à escravidão. Tebas era uma cidade forte, mas isso não impediu que sofresse toda aquela brutalidade. Tebas era uma cidade gloriosa, mas há tempo em que o orgulho e o heroísmo humanos chegam ao fim. As práticas horrendas mencionadas neste versículo eram o "esporte" dos exércitos antigos, comuns à maioria das nações do oriente próximo e médio da época. As matanças modernas são mais tecnológicas, porém não menos bárbaras, e isso significa que as coisas não mudaram muito. Israel era culpado dos mesmos tipos de crimes quando tinha o poder do tempo a seu lado. Cf. Os 10.14; 13.16; Sl 137.9; Is 13.16,18. A atroz Assíria tinha de ser tratada com atrocidade.

Lançaram sortes. Os melhores e mais fortes homens de Tebas foram divididos entre os captores pelo lançamento de sortes. Eles se tornariam escravos nos melhores lugares, embora alguns poucos fossem forçados a servir no exército assírio. Cf. Jl 3.3.

DOCUMENTAÇÃO DAS PROFECIAS DE NAUM

Descobertas Arqueológicas

- A.T. Olmstead, *History of Assyria*
- R. Campbell Thompson e R.W. Hutchinson, *A Century of Exploration at Nineveh*
- Luckenbill, *Ancient Records of Assyria and Babylonia*.

Testemunho de Autores Antigos

- *Babylonian Chronicle,* citado por diversos autores, como Luckenbill, *Ancient Records of Assyria and Babylonia*; e *Annals of Archaeology and Anthropology*, em R. Campbell Thompson e R.W. Hutchinson, "The British Museum Excavations on the Temple of Ishtar at Nineveh"
- Diodorus Siculus, *Biblio. Histor.* 2.26. 9; 2.27.13)
- Xenophon, *Anabasis*, 3,4,12

■ 3.11

גַּם־אַ֣תְּ תִּשְׁכְּרִ֔י תְּהִ֖י נַעֲלָמָ֑ה גַּם־אַ֛תְּ תְּבַקְשִׁ֥י מָע֖וֹז
מֵאוֹיֵֽב׃

Também tu, Nínive, serás embriagada, e te esconderás. Chegamos agora à parte "e tu" da passagem. Todas aquelas coisas temíveis que a Assíria tinha acumulado sobre outros seriam acumuladas sobre ela. Nínive giraria como um bêbado, quando os golpes de Yahweh a atingissem na cabeça, deixando-a estonteada. E ela tentaria em vão fugir de seus inimigos. Ela sentiria o medo que tinha provocado em outros povos; sentiria a dor que tinha infligido contra outros. A *Lex Talionis* (retribuição conforme a gravidade dos crimes cometidos) seria a sorte dela. A *Lei Moral da Colheita segundo a Semeadura* atingiria à Assíria. Ver sobre esses dois títulos no *Dicionário*. "Quanto à metáfora de um homem embriagado para descrever quem ficara embriagado por causa do castigo do Senhor, cf. Sl 60.3 e Jr 25.16,17" (Charles L. Taylor, Jr., *in loc.*). Talvez a bebedeira literal dos habitantes da cidade tenha ajudado os atacantes a cumprir seu desígnio, como se deu também no caso do infeliz Belsazar (ver Dn 5).

■ 3.12

כָּל־מִ֨בְצָרַ֔יִךְ תְּאֵנִ֖ים עִם־בִּכּוּרִ֑ים אִם־יִנּ֕וֹעוּ וְנָפְל֖וּ
עַל־פִּ֥י אוֹכֵֽל׃

Todas as tuas fortalezas são como figueiras com figos temporãos. Nínive era uma cidade fortalecida ao extremo, mas na hora do teste suas fortificações não seriam melhores do que figos que com facilidade caem de uma área quando seus ramos são sacudidos. Os figos cairiam diretamente na boca daqueles que sacudiram os ramos da figueira; por semelhante modo, aquela cidade iníqua seria reduzida a uma fruta doce pelos medos e babilônios. Os "figos" cairiam com bem pouco esforço porque um poderoso inimigo era quem sacudiria a figueira. A Assíria foi avassalada por um poder superior. "As defesas de Nínive sucumbiriam fácil e rapidamente diante dos atacantes. Foi isso que realmente aconteceu, em 612 a.C." (Elliott E. Johnson, *in loc.*). Cf. Is 28.4 e Ap 6.1. "Os primeiros figos a amadurecer, quando realmente amadurecem, caem da árvore diante do menor abalo. Assim também, diante do primeiro abalo, todas as fortalezas de Nínive seriam abandonadas. O rei assírio, em desespero, se suicidaria no meio do incêndio de sua residência, em seu próprio palácio" (Adam Clarke, *in loc.*).

■ 3.13

הִנֵּ֨ה עַמֵּ֤ךְ נָשִׁים֙ בְּקִרְבֵּ֔ךְ לְאֹ֣יְבַ֔יִךְ פָּת֥וֹחַ נִפְתְּח֖וּ שַׁעֲרֵ֣י
אַרְצֵ֑ךְ אָכְלָ֥ה אֵ֖שׁ בְּרִיחָֽיִךְ׃

Eis que as tuas tropas no meio de ti são como mulheres. O deus *pânico* assumiria o controle de todas as coisas. Os fortes soldados assírios se tornariam como mulheres, gritando, lamentando-se, e caindo em histeria. Os portões da cidade foram escancarados; a proteção desapareceu; o inimigo avançava precipitadamente; a causa da Assíria estava perdida; o sol se pôs atrás do horizonte para a Assíria e ergueu-se no horizonte para outro insensato, que entraria pavoneando-se no palco da vida. Cf. este versículo com Is 19.16; Jr 50.37 e 51.30. O furioso leão da Assíria se transformaria em um minúsculo gatinho caseiro, aterrorizado pelo ladrar de qualquer cão que passasse na rua. As águas represadas do rio Khosr se precipitaram através da cidade, derrubando os portões e parte da muralha. Isso facilitou a entrada e o trabalho do exército estrangeiro. Ver Na 2.6. Tendo penetrado na cidade, o exército atacante incendiou a cidade, numa técnica de batalha comum usada pelos conquistadores (cf. Is 10.16,17), e deu início à matança, aos estupros e aos saques.

■ 3.14

מֵי מָצוֹר שַׁאֲבִי־לָךְ חַזְּקִי מִבְצָרָיִךְ בֹּאִי בַטִּיט וְרִמְסִי בַחֹמֶר הַחֲזִיקִי מַלְבֵּן:

Tira água para o tempo do cerco, fortifica as tuas fortalezas. *Imperativos Irônicos.* O caso era desesperador, mas o profeta disse aos infelizes ninivitas o que eles deviam fazer. Eles precisavam acumular água para o cerco, porque nenhum povo defenderia por muito tempo uma cidade, se nada tivesse para beber. E deveriam também robustecer suas fortalezas, porquanto um poderoso exército em breve estaria testando a qualidade bélica deles. Eles deveriam reparar lugares fracos nas muralhas, fortalecendo-as com tijolos e massa. Mas tudo isso era inútil porque o sol se pusera para Nínive, e a noite escura significava o fim de todo aquele povo. "A ironia é fortalecida pela minuciosa e elaborada descrição das operações que estavam destinadas a ser tão fúteis" (Ellicott, *in loc.*).

■ 3.15

שָׁם תֹּאכְלֵךְ אֵשׁ תַּכְרִיתֵךְ חֶרֶב תֹּאכְלֵךְ כַּיָּלֶק הִתְכַּבֵּד כַּיֶּלֶק הִתְכַּבְּדִי כָּאַרְבֶּה:

No entanto o fogo ali te consumirá, a espada te exterminará. O fogo devorador e a espada destruiriam a cidade de Nínive. Eles serão como a *praga de gafanhotos* (ver a respeito no *Dicionário*), força notadamente poderosa da natureza, contra a qual continuamos tendo pequena defesa. *Revertendo a figura,* os assírios são agora vistos como vasto enxame de gafanhotos, encontrando-se com as forças superiores que os atacavam. Seria para vantagem dos assírios se eles aumentassem em número. *Se* Nínive, no momento derradeiro, pudesse aumentar seu número, então haveria uma chance de defesa. Todavia, alguns estudiosos entendem aqui que a ordem para aumentar de número foi dirigida aos atacantes. Nesse caso, a segunda parte do versículo concorda com a primeira. Mas a reversão da figura parece mais provável como a realidade aqui refletida. A ordem para os assírios se multiplicarem quanto ao número, naturalmente, é uma ironia.

■ 3.16

הִרְבֵּית רֹכְלַיִךְ מִכּוֹכְבֵי הַשָּׁמָיִם יֶלֶק פָּשַׁט וַיָּעֹף:

Ainda que fizeste os teus negociantes mais numerosos do que as estrelas do céu. *Outra figura simbólica* é extraída dos gafanhotos. A Assíria enriqueceu multiplicando seus negociantes como as estrelas do céu. Eles eram como uma horda gananciosa de gafanhotos arrastando-se por todo o mundo conhecido da época. Assemelhavam-se a predadores, a gafanhotos que tudo devoram, chegando a fazer desaparecer a vegetação de países inteiros. "Seus negociantes são mais do que as estrelas do céu. Mas como gafanhotos eles desnudam a terra e então se vão embora" (NCV). Cf. Ez 27.23,24, que fala sobre Tiro. Os fenícios levavam suas guerras por toda parte mediante a marinha de guerra. E os assírios, embora não fossem uma potência marítima, eram bem-sucedidos em suas guerras mediante as rotas terrestres.

■ 3.17

מִנְּזָרַיִךְ כָּאַרְבֶּה וְטַפְסְרַיִךְ כְּגוֹב גֹּבָי הַחוֹנִים בַּגְּדֵרוֹת בְּיוֹם קָרָה שֶׁמֶשׁ זָרְחָה וְנוֹדַד וְלֹא־נוֹדַע מְקוֹמוֹ אַיָּם:

Os teus príncipes são como os gafanhotos. *Condenação.* Embora os príncipes fossem numerosos e seus escribas fossem como nuvens de gafanhotos, em breve nenhum deles seria encontrado. Em um dia frio, os gafanhotos tornam-se mais lentos. Eles se reúnem em grandes grupos nas paredes e nas árvores. Mas quando o sol aparece no horizonte e aquece os gafanhotos, de súbito estes abrem as asas e vão embora. Era isso o que estava prestes a acontecer aos ninivitas. Ninguém poderia dizer para onde os ninivitas se foram. Em pouco tempo eles desapareceram. Um povo inteiro desapareceu da noite para o dia. E ainda há aqui um ponto a ser observado. O uso dos gafanhotos para descrever os assírios é uma figura simbólica apropriada. Esse inseto é desprezado como predador incansável que em breve pode deixar uma nação inteira com fome. A Assíria também foi assim. Eles espalharam o terror com seus ataques tipo gafanhoto contra outros povos. Algum dia, eles simplesmente voariam embora, e ninguém saberia dizer para onde tinham ido. No *Dicionário*, o artigo sobre a *Praga de Gafanhotos* fornece muito material que podem ser usados para ilustrar o texto presente.

■ 3.18

נָמוּ רֹעֶיךָ מֶלֶךְ אַשּׁוּר יִשְׁכְּנוּ אַדִּירֶיךָ נָפֹשׁוּ עַמְּךָ עַל־הֶהָרִים וְאֵין מְקַבֵּץ:

Os teus pastores dormem, ó rei da Assíria. "As palavras finais do cântico fúnebre dos vss. 18,19 podem ser endereçadas a Sin-Sarisqum, *rei* que governava Nínive quando a cidade foi destruída, em 612 a.C., ou então, mais provavelmente ainda, ao rei Assur-Ubalite (612-609 a.C.), que tentou manter unido o império, até que finalmente a Assíria se despedaçou em 609 a.C., três anos após a queda de Nínive. Ao pesquisar seu devastado império, ele pôde verificar que seus líderes (pastores e nobres) estavam mortos (referidos neste versículo como quem *dormia;* cf. Sl 13.13; Dn 12.2), e que o *povo* que não fora levado para o cativeiro estava disperso, para nunca mais se reunir. Esse império que, durante séculos, fora invencível, seria totalmente desintegrado" (Elliott E. Johnson, *in loc.*).

Provavelmente está correto falar desses líderes como *mortos*, não fazendo isso querer dizer apenas que eles eram descuidados ou negligentes. Devemos lembrar que o império assírio estava sendo *destruído.* Os líderes não somente se mostravam omissos quanto a seus deveres; já estavam apodrecendo no solo pátrio. Quanto à ideia de terem sido *dispersos,* cf. 1Rs 22.17. "Eles jaziam no sono da morte, tendo sido executados" (Jerônimo, *in loc.*). Cf. Ez 15.16 e Sl 76.6.

■ 3.19

אֵין־כֵּהָה לְשִׁבְרֵךְ נַחְלָה מַכָּתֶךָ כֹּל שֹׁמְעֵי שִׁמְעֲךָ תָּקְעוּ כַף עָלֶיךָ כִּי עַל־מִי לֹא־עָבְרָה רָעָתְךָ תָּמִיד:

Não há remédio para a tua ferida. *O Caso Era Fatal.* Nada poderia impedir ou estancar a dor que sobreviria a Nínive; nada seria capaz de curar a ferida que os medos e babilônios infligiriam contra a cidade. Nada poderia fazer o cadáver ninivita voltar à vida. O mundo inteiro bateria palmas em júbilo, quando a Assíria caísse. Cf. Sl 47.1. A morte dos tiranos não seria chorada. O cadáver assírio ficaria estendido no chão, insepulto. Seria a desgraça total. Haveria alegria e alívio por toda parte, exceto na Assíria. Qualquer pessoa que passasse e visse a devastação da Assíria perceberia que a ferida aberta jamais poderia ser fechada. Cf. Is 1.6,7. A crueldade interminável praticada pelo povo assírio atrairia o fim da própria nação. Ver o artigo sobre a *Assíria* e sobre *Nínive* no *Dicionário*, quanto a detalhes sobre os últimos dias do império e da cidade.

Não vos enganeis: de Deus não se zomba; pois aquilo que o homem semear, isso também ceifará. Porque o que semeia para a sua própria carne, da carne colherá corrupção.

Gálatas 6.7,8

HABACUQUE

O LIVRO QUE PROMETEU JULGAMENTO SOBRE JUDÁ E BABILÔNIA

> *Até quando, Senhor, clamarei eu, e tu não me escutarás? Gritar-te-ei: Violência! E não salvarás?*
>
> HABACUQUE 1.2

3	Capítulos
56	Versículos

INTRODUÇÃO

ESBOÇO

I. O Profeta
II. Caracterização Geral
III. Data
IV. Estilo Literário e Unidade
V. Pano de Fundo e Propósito
VI. Canonicidade e Texto
VII. Conteúdo e Mensagem
VIII. Bibliografia

I. O PROFETA

No hebraico, o nome dele significa "abraço amoroso" ou, então, "lutador". Habacuque foi um dos mais distinguidos profetas judeus. Sua obra aparece entre as dos chamados oito profetas menores. Essa palavra, "menores", nada tem a ver com a estatura do indivíduo ou com a importância de sua obra, mas apenas com o volume dos escritos, em contraste com os "profetas maiores", como Isaías, Jeremias e Ezequiel, cuja produção foi bem mais volumosa. Não dispomos de informação segura sobre o lugar de nascimento, sobre a parentela e sobre a vida de Habacuque. Obras apócrifas dizem algo a respeito, mas suas informações são conflitantes, pois, muito provavelmente, foram forjadas. O pseudo-Epifânio (de Vitis Prophet, opp. tom. 2.18, par. 247) afirma que ele pertencia à tribo de Simeão, tendo nascido em um lugar de nome Baitzocar. Dali, supostamente, ele fugiu para Ostrarine, quando Nabucodonosor atacou Jerusalém. Mas, depois de dois anos, voltou à sua cidade natal. Porém, os escritores rabínicos fazem Habacuque ser da tribo de Levi, além de mencionarem um lugar diferente de seu nascimento (Huetius, Dem. Evang. Prop. 4, par. 508). Eusébio informa-nos que havia em Ceila, na Palestina, um proposto túmulo desse profeta. Nicefo (Hist. Eccl. 12.48) repete essa informação. Todavia, ainda há outras histórias contraditórias.

Alguns estudiosos pensam que ele era o filho da mulher sunamita mencionado em 2Rs 4.16 ou, então, que seria o "atalaia" referido em Is 21.6. Outros pensam que ele também esteve na cova dos leões, em companhia de Daniel. Esta última informação aparece na obra apócrifa Bel e o Dragão (vs. 33 ss.). Mas tudo parece ser tão imaginário quanto o que aparece nas obras apócrifas.

O próprio livro de Habacuque presta-nos bem poucas informações. O trecho de Hc 3.19 indica que ele estava oficialmente qualificado para participar do cântico litúrgico do templo de Jerusalém, e isso parece indicar a exatidão da informação que o aponta como um levita, visto que estava encarregado da música sacra. É curioso que não nos seja dado o nome de seu pai, nem a sua genealogia, algo contrário aos costumes judaicos. Elias também pode ser mencionado como uma das grandes personagens do Antigo Testamento, cuja genealogia não é dada.

II. CARACTERIZAÇÃO GERAL

Habacuque viveu em tempos difíceis. À semelhança de Jó, ele enfrentou o problema do sofrimento dos justos. Ver no *Dicionário* o artigo sobre o Problema do Mal. Por que razão um Deus justo silencia e nada faz, quando os ímpios devoram aqueles que são mais justos do que eles (1.13)? A resposta certa é que devemos deixar a questão aos cuidados da vontade soberana de Deus, crendo que ele continua sendo soberano, e que, a seu próprio modo e no tempo certo, usará de estrita justiça com todos os seres humanos, incluindo os ímpios. Destarte, "... o justo viverá por sua fé" (Hc 2.4), uma famosa declaração que posteriormente foi incluída no Novo Testamento. Alguns eruditos sugerem que uma melhor tradução, nesse versículo, seria "o justo viverá por sua fidelidade", e, nesse caso, os trechos de Rm 1.17; Gl 3.11 e Hb 10.38,39 não contêm aplicações exatas. O ensino parece ser que os caldeus produziriam muita destruição, mas, no fim, haveriam de ser julgados, por sua vez. Entrementes, os justos confirmariam sua espiritualidade e sua maneira de viver piedosamente, vivendo em fidelidade, de acordo com os princípios da justiça, o que se reveste de grande valor diante de Deus.

O livro de Habacuque, na verdade, é um poema em duas partes, que alude à queda final da Babilônia, com pequenas interpolações nos capítulos primeiro e segundo. O terceiro capítulo parece ser um salmo acrescentado. Alguns eruditos pensam, para esse livro, em uma data entre 612 e 586 a.C.; mas, se Habacuque se encontrava no exílio, então seu poema, mais provavelmente, foi escrito entre 455 e 445 a.C., quando a Pérsia começou a mostrar que era suficientemente forte para derrotar a Babilônia e assim impor a justiça divina sobre aquele império. Habacuque ansiava por ver isso suceder, a fim de que fosse feita justiça contra um brutal opressor de Israel, sem importar os meios usados para tanto. O poema termina com o pronunciamento de uma lamentação sobre a Babilônia. Características distintivas de outros escritos proféticos, como uma ética específica, assuntos religiosos e um esboço da reforma do povo de Deus, não fazem parte do livro, que parece muito mais uma explosão de indignação contra a Babilônia, que levara a nação de Judá para o cativeiro, espalhando miséria e matanças generalizadas entre os judeus.

III. DATA

Os eruditos não estão acordes quanto à questão da data. A única referência histórica clara é aos caldeus, em Hc 1.6. E, com base nisso, a profecia tem sido datada no fim do século VII a.C., após a batalha de Carquêmis, ocorrida em 605 a.C. Nessa batalha, os caldeus derrotaram os egípcios, dirigidos pelo Faraó Neco, nos vaus do rio Eufrates, e marcharam para o Ocidente, a fim de dominar Joiaquim, de Judá. Entretanto, alguns estudiosos pensam que esse versículo se refere aos gregos (com o nome de quitim, o que aludiria à ilha de Creta; ver no *Dicionário* sobre *Quitim*). Nesse caso, estaria em foco a invasão de Alexandre, que partira do Ocidente, no século IV a.C., e não as invasões de Nabucodonosor, dirigidas do norte e do leste. Todavia, não existe evidência textual em favor dessa conjectura. O trecho de Hc 1.9 refere-se ao grande número de cativos que houve, o que parece refletir o cativeiro babilônico.

No entanto, se Habacuque escreveu esse poema como um exilado, então a data mais provável é algum tempo entre 455 e 445 a.C. Mas a ideia mais comum é de que a data fica entre 610 e 600 a.C. Outros estudiosos, porém, salientam que o trecho de Hc 1.5 mostra-nos que o soerguimento da potência em pauta ocorreu como uma surpresa, pelo que não seria provável uma data tão tardia quanto 612 a.C., quando os babilônios capturaram Nínive, ou 605 a.C., quando eles derrotaram o Egito. Para que tenha havido o elemento surpresa, supõe-se que uma data mais recuada deva ser concebida, como os últimos anos do reinado de Manassés (689—641 d.C.), ou então os primeiros anos do reinado de Josias (639—609 a.C.), quando a ameaça babilônica ainda era remota. Outros pensam que a Assíria é que está em vista, e não a Babilônia. Não obstante, é possível que a ameaça babilônica fosse antiga (com base na posição do autor sagrado, dentro da história), mas somente em cerca de 612 a.C. tenha-se tornado crítica para a nação de Judá.

IV. ESTILO LITERÁRIO E UNIDADE

A profecia de Habacuque apresenta três estilos literários distintos: 1. O trecho de 1.2—2.5 é um tipo de diálogo entre o profeta e Deus, que parece refletir porções do segundo capítulo do livro de Jó. 2. A passagem de 2.6-20 é o pronunciamento de "cinco ais" contra uma nação iníqua, mais ao estilo de outros livros proféticos do Antigo Testamento. 3. O terceiro capítulo é um longo poema, até certo ponto similar aos salmos, na forma em que os encontramos, aparentemente tendo em vista um uso litúrgico. Por causa dessa grande variedade de estilos, muitos têm pensado que o livro, na verdade, é uma compilação, que gira em torno do tema comum da teodiceia, isto é, a justificação dos caminhos de Deus, em face de tanta maldade como há no mundo. Assim, há uma unidade temática, mas com grande divergência de estilo, o que sugere que diferentes matérias, de diversos autores, foram compiladas por algum editor.

Quase todos os eruditos liberais rejeitam a unidade do livro. Mas a maior parte dos conservadores (alguns de forma hesitante) aceita a unidade desse livro profético. Alguns supõem que a divergência quanto ao estilo possa ser explicada conjecturando-se que um mesmo autor, em ocasiões diferentes, escreveu o material, e então, finalmente, ele mesmo reuniu todo o material, formando um único livro. A adaptação do terceiro capítulo, para fins litúrgicos, poderia ter sido obra de outra pessoa, que trabalhasse como músico levita no templo de Jerusalém. É significativo que o Comentário de Habacuque, encontrado entre outros materiais escritos da primeira caverna do Qumran (ver no *Dicionário* sobre *Mar Morto, Manuscritos do* e sobre *Khirbet Qumran*), omita o terceiro capítulo desse livro. Todavia, os comentários encontrados em Qumran são irregulares, e essa omissão pode ter sido propositada, nada refletindo no tocante à unidade do livro. Albright conjecturava que o Salmo de Habacuque, embora formasse uma unidade juntamente com o resto, continha reminiscências acerca do mito do conflito entre Yahweh e o dragão primordial do mar ou do rio. Porém, tal ideia requer que se façam 38 emendas sobre o texto massorético, pelo que ela perde inteiramente a sua força.

V. PANO DE FUNDO E PROPÓSITO

Grandes eventos históricos haviam sacudido o mundo, pouco antes de esse livro ter sido escrito. Israel, a nação do norte, fora levada para o cativeiro, pelo poder da Assíria. Mas o poderoso império assírio fora subitamente esmagado. Os egípcios haviam sido derrotados pelos caldeus. Portanto, surgira uma nova potência mundial, e Judá encontrava-se entre suas vítimas potenciais. Nabucodonosor estava expandindo o seu poder; e, dentro de um período de aproximadamente vinte anos, os caldeus já haviam varrido Judá, em sucessivas ondas atacantes, provocando ali uma destruição geral. Além disso, os poucos judeus que haviam sido deixados em Judá acabaram deportados para a Babilônia, em 598 e 597 a.C. Isso deixara toda a terra de Israel vazia de hebreus, mas reocupada por estrangeiros, em vários lugares estratégicos. Os profetas culpavam o declínio e a gradual apostasia de Israel por essas calamidades. O trecho de Hc 1.2-4 descreve a depravação que ali se instalara. Contudo, a própria Babilônia era um exemplo máximo de corrupção. Como é que Deus poderia usar tal instrumento, a fim de punir aqueles que eram mais justos que esse instrumento, especialmente levando em conta que nem todo o Israel e Judá haviam apostatado? O propósito principal do livro, pois, é a apresentação de uma teodiceia (ver a respeito no *Dicionário*). O profeta desejava justificar os atos de Deus, em face da iniquidade do opressor, que fora usado como instrumento de castigo contra Israel. Quanto a isso, o livro de Habacuque está filosoficamente relacionado ao livro de Jó. Ver no *Dicionário* sobre o Problema do Mal. E outro propósito era a demonstração de que o instrumento usado por Deus para punir Israel, visto que era iníquo, seria castigado no seu tempo próprio. A justiça deve ser servida em todos os sentidos, embora, algumas vezes, os meios divinamente usados para produzi-la sejam estranhos e difíceis de entender.

A arrogância humana contém em si mesma as sementes de sua própria destruição (Hc 2.4). Porém, o indivíduo fiel pode confiar na bondade de Deus, mesmo em meio aos sofrimentos físicos e ao julgamento. Desse contexto foi que se originou o versículo que diz "...o justo viverá por sua fé (ou por sua fidelidade)...". Fazemos aqui uma citação. "Como é claro, o pleno sentido paulino da fé não pode ser encontrado nessa passagem bíblica frequentemente citada (ver Rm 1.17; Gl 3.11 e Hb 10.38)" (ND).

VI. CANONICIDADE E TEXTO

A aceitação da autoridade do livro de Habacuque nunca foi posta seriamente em dúvida. Ele tem retido a sua posição de oitavo dos profetas menores, nas coletâneas e nas citações referentes à autoridade. Albright referiu-se à questão como segue: "O texto encontra-se em melhor estado de preservação do que geralmente se supõe, embora sua arcaica obscuridade o tornasse um tanto enigmático para os primeiros tradutores. Ele propôs cerca de trinta alterações no texto massorético, na esperança de poder compor um texto mais correto. No entanto, o descobrimento do Comentário de Habacuque, em Qumran, não alterou o nosso conhecimento sobre o texto. De fato, embora esse material sirva de boa fonte informativa quanto às ideias dos essênios, não tem nenhum valor para a interpretação do próprio livro de Habacuque. O texto possibilitou, no entanto, a restauração de textos originais, em alguns lugares onde antes havia dúvidas. Esse material dá testemunho sobre a unidade dos capítulos primeiro e segundo; mas, por omitir o terceiro capítulo, empresta maior crédito à opinião de que isso se deveu à adição feita por algum compilador, não sendo obra do autor original.

VII. CONTEÚDO E MENSAGEM

A. As Queixas do Profeta (1.1—2.20)
  1. Deus faz silêncio, apesar da iniquidade de Israel (1.2-4)
     Deus responde que uma nação inimiga julgará Israel (1.5-11)
  2. Deus julga, usando uma nação mais ímpia que a nação julgada (1.12—2.20)
     a. Deus silencia, aparentemente, e olvida-se da crueldade dos caldeus (1.12—2.1)
     b. Deus responde, revelando que Israel será salvo, mas a Babilônia será destruída (2.2-20)
B. Os Salmos do Profeta, na Forma de uma Oração (3.1-19)
  1. A teofania do poder (3.2-15)
  2. A persistência da fé (3.16-19)

A ira de Deus espalha a destruição. Mas é precisamente através disso que a nação de Israel é salva de suas próprias corrupções. O aspecto subjetivo da mensagem de Habacuque é que os justos viverão por sua fé. À parte de Isaías (7.9 e 28.16), nenhum outro profeta salientara o significado da fé e da oração confiante, da maneira que o fez Habacuque. Embora a terra seja desnudada pelos juízos divinos, o profeta se regozijaria no seu Senhor (Hc 3.17,18). O tema central da profecia de Habacuque é que o justo viverá por sua fé (Hc 2.4), o que reaparece no Novo Testamento, sendo aplicado em significativos contextos (Rm 1.17; Gl 3.11 e Hb 10.38,39).

VIII. BIBLIOGRAFIA
ALB AM E I IB WBC WES WHB YO

Ao Leitor

Melhor compreensão sobre este livro pode ser conseguida pelo estudioso sério se consultar a *Introdução*, antes de estudar o livro. Ali dou instruções sobre os principais temas e problemas do livro, como: o profeta Habacuque; caracterização geral; data; estilo literário e unidade; pano de fundo e propósitos: canonicidade e texto; conteúdo e mensagem. Habacuque foi um profeta de Judá, sendo provável que ele estivesse entre os exilados na Babilônia, ou após o exílio. Alguns conferem a esse livro a data de 626 a.C. Ver a discussão sobre a *Data* na III seção da *Introdução*. Quanto ao que se sabe ou se conjectura sobre o profeta Habacuque, ver a seção I da *Introdução*, na parte chamada *O Profeta*.

Habacuque é um dos chamados *Profetas Menores*, que são doze. O termo *menor* não é um julgamento quanto ao poder ou à importância desses profetas, mas apenas uma referência à quantidade relativamente pequena do material por eles escrito. Os chamados *Profetas Maiores* (Is, Jeremias e Ezequiel) foram assim denominados por causa do material mais abundante que publicaram. Os chamados doze *Profetas Menores* foram agrupados em um único rolo, como se formassem um só livro, pelos eruditos judaicos, que os chamavam de "o livro dos Doze".

Ver o *gráfico* no início da exposição do livro de Oseias, onde apresento informações sobre os profetas do Antigo Testamento, incluindo a alegada ordem cronológica desses livros.

Tal como a maioria dos livros proféticos do Antigo Testamento, esse livro tem um pano de fundo histórico nos jogos de poder internacional, os conflitos entre as nações. A Babilônia era o briguento internacional das nações da época, as quais declaravam guerra, matavam, estupravam e saqueavam outras nações. O profeta Habacuque teve o desejo de saber por quanto tempo a coisa poderia continuar sem que houvesse intervenção divina: por que os ímpios prosperam e os inocentes sofrem? A resposta essencial é dada pela *Lei Moral da Colheita segundo a Semeadura* (ver a esse respeito no *Dicionário*). Hc 3 dá uma resposta potencialmente menos razoável: Deus é a *causa única;* e ele provoca o levantamento e a queda de potências, usando-as para castigar outros povos. Porém, se Deus é a única causa, então ele é a causa do mal, e não meramente do bem. Essa é uma teologia inaceitável, na qual vários escritores do Antigo Testamento ocasionalmente caíram. O hipercalvinismo também cai na mesma armadilha. Naturalmente, há *causas secundárias*. Os homens fazem coisas que Deus jamais planejou ou aprovou. Essa ideia salva-nos do *voluntarismo*, a noção diz que a vontade divina é suprema às expensas da razão e da lei moral. Ver sobre esse termo na *Enciclopédia de Bíblia, Teologia e Filosofia*.

O Problema do Mal. O livro de Habacuque trata de certo aspecto do problema do mal. Sua resposta a por que os homens sofrem, e por que sofrem da maneira como sofrem, é a lei da colheita segundo a semeadura. Essa é uma boa lei em si mesma, mas inadequada para explicar o porquê dos sofrimentos. Jó era homem inocente e, no entanto, sofreu. Ele não estava sendo punido por nenhuma infração sua. Portanto, por que sofreu? Não basta dizer simplesmente que foi "pela vontade de Deus", pois, assim respondendo, caímos na irracionalidade do *voluntarismo*. Os livros apócrifos e pseudepígrafos e, mais tarde, os livros do Novo Testamento, apelaram para uma dimensão extra (a vida pós-vida), na tentativa de ajudar a solucionar esse problema.

Isso foi uma melhoria, mas mesmo assim muito sofrimento dos inocentes parece tão insensato e inútil e, de fato, tão *exagerado*, e para isso ainda não temos respostas totalmente adequadas. Ver no *Dicionário* o artigo chamado *Problema do Mal,* quanto a um exame detalhado do problema. Emanuel Kant baseou um argumento em favor da existência de Deus e da sobrevivência da alma diante da morte física sobre a necessidade de ser feita a *justiça*. Ele pensou como segue: É claro que nesta vida mortal os bons com frequência sofrem e são vítimas de abusos, enquanto homens ímpios prosperam e têm uma boa vida material. Assim sendo, Kant postulou um "mundo além deste", onde a justiça é servida. Para que isso ocorra, é preciso que exista Deus. De outra sorte, devemos dizer que o deus real deste mundo é o caos. Ademais, o homem deve sobreviver à morte física tempo bastante para receber sua recompensa apropriada ou seu castigo por aquilo que praticou nesta vida. Consequentemente, a alma humana deve existir e sobreviver diante da morte biológica.

A teologia se ampliou e se aprimorou desde os dias de Habacuque, pelo que temos algumas ideias que ultrapassam as sugestões do seu livro. Mas continuamos abanando a cabeça, por causa de coisas que continuam ocorrendo neste mundo, aparentemente impunes.

"À semelhança de Jó, o profeta enfrentou honestamente o perturbador problema de por que Deus silencia quando o ímpio engole o homem que é mais justo do que ele (Hc 1.13). Diante dessa muito repetida pergunta, Habacuque recebeu uma resposta que é eternamente válida: Deus continua sendo soberano e, à sua maneira e no tempo próprio, ele cuidará do caso dos ímpios. Mas 'o justo viverá pela fé' (Hc 2.4)" (*Oxford Annotated Bible,* comentando a introdução ao livro).

Habacuque, tal como Jó, não tentou resolver o problema do mal apelando para o pós-vida. Essa foi uma contribuição (biblicamente falando) da fé cristã.

EXPOSIÇÃO

CAPÍTULO UM

POR QUE DEUS PERMITE A INJUSTIÇA TIRÂNICA? (1.1-17)

É conveniente dividir esse livro em três partes, uma para cada capítulo. Portanto, sigo esse plano aqui. Cada capítulo, por sua vez, tem subdivisões, e quanto a essas subdivisões dou um título que indica a essência dos versículos daquela seção. Ver a *Introdução* para obter maior compreensão do livro de Habacuque, e ver também a porção inicial, *Ao Leitor,* quanto a alguns comentários adicionais que tocam em problemas especiais. Não reitero aqui esses materiais, mas prossigo diretamente para a primeira seção do livro.

Título (1.1)

■ 1.1

הַמַּשָּׂא אֲשֶׁר חָזָה חֲבַקּוּק הַנָּבִיא:

Sentença revelada ao profeta Habacuque. Quanto ao pouco que se sabe ou se conjectura sobre Habacuque, ver a seção I da *Introdução.* Quanto ao tempo em que Habacuque escreveu, ver a seção III. Temos menção a um certo Habacuque na obra Bel e o Dragão (vss. 33-39), mas isso não parece ter conexão real com esse livro. O homem é chamado de profeta, e sua mensagem aparece como tendo sido dada por Yahweh em vários trechos. Ver no *Dicionário* os artigos chamados *Revelação* e *Iluminação.*

Sentença. Literalmente, no hebraico, temos uma palavra que significa "peso". De maneira superficial podemos dizer que oráculo, profecia, visão e peso são apenas maneiras de falar sobre a mensagem profética. Mas a palavra hebraica correspondente, *massa,* fala de alguma coisa que é levantada com dificuldade, algum objeto pesado. As sentenças são *mensagens pesadas,* algo difícil de suportar. É verdade, a palavra pode ser usada simplesmente como título para indicar declarações ou oráculos, como se vê em Pv 30.1 e 31.1. Mas se já houve uma *mensagem pesada,* então Habacuque tinha uma mensagem pesada. Cf. as sentenças de Is 1.1; 15.1; 19.1; 21.1,11,13; 22.1; Jr 23.33,38 e Na 1.1.

Primeira Série de Perguntas (1.2-4)

■ 1.2

עַד־אָנָה יְהוָה שִׁוַּעְתִּי וְלֹא תִשְׁמָע אֶזְעַק אֵלֶיךָ חָמָס
וְלֹא תוֹשִׁיעַ:

Até quando, Senhor, clamarei eu, e tu não me escutarás? Encontramos aqui um apelo tipo declaração de salmo, dirigida a Deus para explicar como tantos males podem estar acontecendo no mundo, e coisa alguma ocorre aos perpetradores de um mal espalhafatoso. O livro de Jó trata longamente desse problema. Ver também Jr 12.1. Ver no *Dicionário* o artigo *Problema do Mal.* Cf. também Sl 13.1; 74.10; 79.5; 89.46 e 94.3. Destruição, violência, ultraje, conflito, contenção e atos brutais, insensatos e sem misericórdia eram as palavras do dia.

O Profeta que Buscava. Yahweh havia desgastado Habacuque. O profeta buscara o Senhor por longo tempo, tentando obter respostas sobre como o homem ímpio e desvairado, o réprobo, em todo o sentido da palavra, pode continuar vivendo na impunidade. O profeta continuou buscando, sem receber resposta do céu. Yahweh parecia *indiferente* (ver as notas expositivas sobre Sl 10.1; 28.1; 59.4; 82.1; 143.7 quanto à *indiferença divina*). Yahweh parecia não ouvir as orações dele, e as coisas ficavam cada vez piores. Ver Sl 64.1 quanto a "ouvir"; e ver Sl 143.1 quanto a "dá ouvidos". A palavra "violência" é usada aqui para sumariar o tipo de mundo que o profeta estava observando. Por quanto tempo essas coisas podiam continuar sem que acontecesse alguma coisa que parasse o processo todo? A palavra se repete nos vss. 3, 9 e Hc 2.17. E cai como gotas de sangue sobre a página.

Eis que clamo: Violência! Mas não sou ouvido; grito: Socorro! Porém não há justiça.

Jó 19.7

■ 1.3

לָמָּה תַרְאֵנִי אָוֶן וְעָמָל תַּבִּיט וְשֹׁד וְחָמָס לְנֶגְדִּי וַיְהִי
רִיב וּמָדוֹן יִשָּׂא:

Por que me mostras a iniquidade, e me fazes ver a opressão? "O profeta estava perplexo. A iniquidade e a violência pareciam continuar sem nenhum freio. Não haveria fim na maré visitante do pecado? Habacuque levou a Deus sua queixa? Deus respondeu: 'Estou fazendo algo. Judá será castigado pela Babilônia'. Então o profeta ficou ainda *mais* perplexo. A agonia de Habacuque se aprofundou e se tornou um profundo dilema. Portanto, ele continuou sua conversa com Deus. 'Por que usarias aqueles miseráveis bárbaros babilônios para castigar a Judá?'" (J. Ronald Blue, *in loc.*). Ver as notas expositivas sob o subtítulo "O Problema do Mal", sob "Ao Leitor", que antecede uma breve declaração sobre o problema que estava sendo enfrentado no livro. E, naturalmente, uma declaração mais completa é dada na *Introdução*. A maldade praticada pela nação de Judá atrairia o inimigo do norte, a Babilônia (vs. 6), a fim de aplicar o castigo apropriado em consonância com a *Lei Moral da Colheita segundo a Semeadura* (ver a respeito no *Dicionário*). Mas isso é apenas parte da razão que explica o sofrimento humano. Há muitas facetas nessa razão, e também há mistérios. Existem enigmas, como: "Por que os homens sofrem, e por que sofrem como sofrem?" Ver no *Dicionário* o artigo chamado *Problema do Mal*. Devemos lembrar que Judá, por meio de sua declarada idolatria-adultério-apostasia, tornou-se tão mau ou pior do que os povos pagãos, e jogou fora, definitivamente a lei de Moisés, que era o *guia* deles (ver Dt 6.4. ss.).

■ 1.4

עַל־כֵּן תָּפוּג תּוֹרָה וְלֹא־יֵצֵא לָנֶצַח מִשְׁפָּט כִּי רָשָׁע מַכְתִּיר אֶת־הַצַּדִּיק עַל־כֵּן יֵצֵא מִשְׁפָּט מְעֻקָּל׃

Por esta causa a lei se afrouxa, e a justiça nunca se manifesta. "As pessoas não são forçadas a obedecer aos ensinamentos. Ninguém é julgado de forma equitativa. Pessoas más ganham, e pessoas boas perdem. Os juízes não mais tomam decisões justas" (NCV). O profeta apresentou uma lista muito parcial e representativa dos pecados de Judá. A lei, que fornecera os ensinamentos morais, tinha sido abandonada. A nação de Judá tornou-se "destituída de lei". A justiça nos tribunais era uma piada, porquanto o dinheiro, e não a justiça, determinava o resultado dos julgamentos e os decretos dos reis. Trasímaco pensou sobre esse tipo de situação e decidiu que "o poder é direito". Aquele que tem o poder faz o que melhor lhe parece. Ele chega a estabelecer leis em favor de seu próprio interesse e, visto que é rico e poderoso, não há homem que possa chamá-lo à atenção. Em outras palavras, o *certo* é produto de homens maus. O que opera, *para eles*, é a verdade. Não há tal coisa como a verdade objetiva e final. Todas as verdades são pragmáticas e funcionais. Os judeus da época de Habacuque se tinham tornado *ateus práticos*. Provavelmente professariam ter *crença* em Deus ou nos deuses, mas viviam em consonância com seus *interesses próprios*, que eram o seu deus real.

A lei se afrouxa. Literalmente, conforme diz a NIV, a "lei é paralisada", "esfriada", ou seja, é ineficaz, não produzindo nenhum resultado positivo. A lei tinha sofrido um golpe de nocaute, e a iniquidade era o vitorioso incontestável. A justiça estava "pervertida", ou seja, "distorcida", com base no termo hebraico, *'aqal*, "dobrar ou torcer a forma".

Uma verdade Surpreendente (1.5-11)

■ 1.5

רְאוּ בַגּוֹיִם וְהַבִּיטוּ וְהִתַּמְּהוּ תְּמָהוּ כִּי־פֹעַל פֹּעֵל בִּימֵיכֶם לֹא תַאֲמִינוּ כִּי יְסֻפָּר׃

Vede entre as nações, olhai, maravilhai-vos, e desvanecei. A resposta para a inquirição do profeta viria a ele de maneira surpreendente. A corrupta nação de Judá seria severamente corrigida através da agência de um poder estrangeiro, a saber, a briguenta Babilônia, uma nação muito mais corrupta do que Judá, se isso fosse possível.

"Dentre os pagãos" virá o terror que corrige, o látego de Yahweh. Essa será uma *maravilha espantosa*. E deve ter parecido um ponto de admiração para o profeta, que nunca teria imaginado que tal instrumento corretivo seria usado. Outrossim, esse fenômeno viria na própria época do profeta. Ele seria uma testemunha do juízo. Embora houvesse uma divina revelação do fato, não era do tipo em que Habacuque teria crido. As ordens estão no plural, para incluir a observação do povo em geral, que ficaria surpreso diante do ataque que tinha por propósito curar, mas que seria realmente severo. Ver a citação paulina deste versículo em At 13.41. Mas ele aplicou essas palavras, como uma acomodação à missão do Messias entre os gentios. *Acomodação* significa que as palavras são aplicadas a uma ideia diferente do que o contexto original pretendia.

■ 1.6

כִּי־הִנְנִי מֵקִים אֶת־הַכַּשְׂדִּים הַגּוֹי הַמַּר וְהַנִּמְהָר הַהוֹלֵךְ לְמֶרְחֲבֵי־אֶרֶץ לָרֶשֶׁת מִשְׁכָּנוֹת לֹּא־לוֹ׃

Pois eis que suscito os caldeus, nação amarga e impetuosa. Os *caldeus* são os mesmos *babilônios*. Ver no *Dicionário* o artigo chamado *Caldeia*. Essa palavra refere-se a um distrito do sul da Babilônia que fez parte do território da Babilônia em uma época posterior. Seu nome acabou referindo-se ao país inteiro. Ver também sobre a *Babilônia*. O povo é aqui descrito como "cruel e poderoso" (NCV). A NIV diz: "brutal e impetuoso". Eles eram opressores da primeira ordem e totalmente destituídos de restrições morais. As palavras hebraicas envolvidas são *mar* (amargo, brutal) e *mahar* (rápido, apressado, impetuoso). Ezequiel chamou esse povo de '*aris*, "que lança o terror". Ver Ez 28.7; 30.11; 31.12 e 32.12. Em harmonia com sua natureza vil, eles estavam efetuando ataques generalizados (internacionais) contra povos vizinhos, matando e saqueando, apossando-se de territórios que não lhes pertenciam. "Judá era apenas uma partícula de poeira para o gigantesco aspirador de pó" (J. Ronald Blue, *in loc.*).

■ 1.7

אָיֹם וְנוֹרָא הוּא מִמֶּנּוּ מִשְׁפָּטוֹ וּשְׂאֵתוֹ יֵצֵא׃

Ela é pavorosa e terrível. A Babilônia não se incomodava com a opinião pública ou as leis internacionais. "Cria, ela mesma, o seu direito e a sua lei" (NIV). Eles promoviam sua própria honra e engrandecimento, e não se importavam com a simpatia humana. "Eles faziam o que bem queriam fazer. Eram bondosos somente consigo mesmos" (NCV). Eram modelos de atos brutais e interesseiros, que deixavam espantados a outros pagãos. Foi um fato histórico interessante que Abraão tinha migrado de Ur da Caldeia, pelo que a história remota de Israel estava associada a esses povos. Mas agora os caldeus e os babilônios tinham entrado em erupção, e a lava deles fluía por todo o mundo conhecido na época. Era inútil esperar qualquer misericórdia. Eles eram um machado perfeito para decepar a nação de Judá. E o profeta Habacuque se admirava de que Deus usasse um instrumento de tão aviltado caráter para castigar o povo de Judá. Mas o *teísmo* bíblico (ver a respeito no *Dicionário*) comumente pinta Yahweh a usar qualquer tipo de látego em suas intervenções entre as nações e os indivíduos. Isso levanta questões morais do ponto de vista mais iluminado do cristianismo.

■ 1.8

וְקַלּוּ מִנְּמֵרִים סוּסָיו וְחַדּוּ מִזְּאֵבֵי עֶרֶב וּפָשׁוּ פָּרָשָׁיו וּפָרָשָׁיו מֵרָחוֹק יָבֹאוּ יָעֻפוּ כְּנֶשֶׁר חָשׁ לֶאֱכוֹל׃

Os seus cavalos são mais ligeiros do que os leopardos. *Mais Descrições sobre os Babilônios*. Eles tinham os melhores cavalos de combate, tão velozes que pareciam correr mais do que os leopardos. O leopardo não é o mais rápido dos grandes felinos, mas é muito mais veloz do que um cavalo. Além disso, o leopardo é animal de presa, que não tem misericórdia com as suas vítimas. E os babilônios eram mais ferozes do que os lobos que atacam ao escurecer do dia quando estão famintos, caçando vítimas para comer. Os babilônios eram *vorazes* e estavam sempre à procura de novas vítimas. De fato, eram como abutres sobrevoando a carniça, ou como águias que voavam à espera de encontrar uma presa, sobre a qual se precipitavam como uma flecha. Cf. Jr 4.13; 5.17 e Lm 4.19. Os réprobos babilônios devoravam tudo quanto podiam e ainda cativavam as poucas vítimas sobreviventes. Eram especialistas no *genocídio*. Cf. este versículo também com Dt 28.49; Jr 48.40; 49.22 e Ez 17.5.

■ 1.9

כֻּלֹּה לְחָמָס יָבוֹא מְגַמַּת פְּנֵיהֶם קָדִימָה וַיֶּאֱסֹף כַּחוֹל שֶׁבִי׃

Eles todos vêm para fazer violência. Eles chegavam em um lugar para combater e matar. Essa era sua profissão e prazer. Seus exércitos saíam do deserto como se fossem redemoinhos, aterrorizando o coração de suas vítimas. Eles combatiam formando grandes hordas, como se fossem os grãos de areia do deserto, atirados pelas grandes tempestades de vento. Além disso, juntavam prisioneiros como se fossem apenas grãos de areia, ou seja, em grandes números, os quais eram reputados em pouco valor. Ninguém conta os grãos de areia em um deserto ou nas praias dos oceanos. O número é grande demais para ser calculado. Hordas de pessoas eram levadas para a Babilônia, para ali servirem como escravos. Diz o Targum: "A fisionomia deles era como o vento oriental", ou seja, como o vento destruidor que se levantava do deserto e espalhava confusão por toda parte, destruindo a agricultura e impondo a fome.

■ 1.10

וְהוּא בַּמְּלָכִים יִתְקַלָּס וְרֹזְנִים מִשְׂחָק לוֹ הוּא לְכָל־מִבְצָר יִשְׂחָק וַיִּצְבֹּר עָפָר וַיִּלְכְּדָהּ׃

Eles escarnecem dos reis, os príncipes são objeto do seu riso. Aqueles homens selvagens eram tão poderosos que zombavam de reis e de príncipes que lhes faziam oposição. Eles escarneciam das defesas e amontoavam grandes quantidades de terra para obter acesso às cidades, a fim de escalar suas muralhas. Formavam uma força armada incansável e sem misericórdia, pois aquela era a época dos babilônios. Mas chegaria um dia que poria fim a tudo isso, por meio da atuação de um poder superior. Mas isso viria tarde demais para fazer bem a Judá. A *rampa de assédio,* que usualmente era apenas um grande montão de lixo, era um antigo modo comum de subir muralhas acima. Ver 2Rs 19.32; Ez 4.2. Mas os babilônios desenvolveram essa técnica em alto grau e tornaram-se conhecidos por seu uso esperto desse artifício. Portanto, as *muralhas* não lhes serviam de empecilho. Aqueles que favorecem uma data posterior para esse livro tomam a parte final deste versículo como uma referência a Alexandre, o Grande, em seu uso dessa técnica. A invencível cidade de Tiro foi capturada através desse método.

■ 1.11

אָז חָלַף רוּחַ וַיַּעֲבֹר וְאָשֵׁם זוּ כֹחוֹ לֵאלֹהוֹ:

Então passam como passa o vento, e seguem. Aqueles bandidos nem bem haviam acabado de massacrar um povo quando corriam apressados para achar outra vítima que aumentasse sua longa lista de conquistas. Eram homens cheios de pecados e corrupções, e o *poder* era o deus deles. "Eles eram culpados de adorar a sua própria força" (NCV). Eram advogados da teoria moral que diz que "poder é direito". O homem que é capaz de apontar seu canhão contra alguém para lhe impor a vontade, está com a "razão". Pois o poder é o deus deste mundo. Além de todos os seus outros pecados, eles eram culpados de *sacrilégio,* porquanto faziam de coisas profanas os seus deuses. "A força bruta dos armamentos era a deidade suprema dos caldeus. A espada e a lança deles eram seus ídolos. Cf. o vs. 16... Por conseguinte, Deus os levaria à ruína" (Ellicott, *in loc.*).

Segunda Série de Perguntas (1.12-17)

■ 1.12

הֲלוֹא אַתָּה מִקֶּדֶם יְהוָה אֱלֹהַי קְדֹשִׁי לֹא נָמוּת יְהוָה לְמִשְׁפָּט שַׂמְתּוֹ וְצוּר לְהוֹכִיחַ יְסַדְתּוֹ:

Não és tu desde a eternidade, ó Senhor meu Deus, ó meu Santo? Como podia o Deus Eterno e Santo empregar um instrumento como o que acaba de ser descrito? Neste versículo, o profeta tenta extrair consolo e segurança da verdade eterna do próprio caráter de Deus. Ele é Yahweh (o Deus Eterno) e Elohim (o Todo-poderoso). Ele também é o *Santo.* Ver no *Dicionário* o verbete chamado *Santo de Israel,* quanto a esse título do Ser divino. Confiando naquelas qualidades divinas, o profeta esperava que houvesse salvação e livramento do poder da Babilônia. "Não morreremos", dizia ele. Isso seria uma verdade, segundo ele esperava, a despeito do fato de que fora Yahweh quem determinara que a Babilônia fosse uma potência atacante mundial. Isso seria verdade porque Yahweh também era sua *Rocha* e defesa, seu *Refúgio.* Ver no *Dicionário* o verbete chamado *Rocha,* e ver *Refúgio* em Sl 46.1. Em Sl 42.9 dou notas adicionais sobre Deus como a *Rocha.* Assim sendo, embora o castigo tivesse de sobrevir, por estar isso de acordo com o decreto divino, Judá sobreviveria para viver para outro e melhor dia. "O inimigo era o instrumento usado por Deus para castigar, e não para demolir" (J. Ronald Blue, *in loc.*).

"*Santo,* implicando a separação de Deus do pecado e da fragilidade humana, termo usado, em sua maior parte, nos últimos livros do Antigo Testamento... *Rocha,* nome de Deus encontrado seis vezes em Dt 32. Ver também Sl 18.2,31; 95.1; Is 30.29" (Charles L. Taylor, *in loc.*).

■ 1.13

טְהוֹר עֵינַיִם מֵרְאוֹת רָע וְהַבִּיט אֶל־עָמָל לֹא תוּכָל לָמָּה תַבִּיט בּוֹגְדִים תַּחֲרִישׁ בְּבַלַּע רָשָׁע צַדִּיק מִמֶּנּוּ:

Tu és tão puro de olhos, que não podes ver o mal. *O Profeta se Apegava à sua Fé.* O Deus santo nem ao menos pode contemplar o mal. O mal por demais é causador de desgosto aos seus olhos. Sendo esse o caso, como parecia que Deus estava favorecendo aqueles homens perversos, conferindo-lhes poder e fazendo-os prosperar em seu caminho? Como poderia ele ser silente, quando aquelas terríveis criaturas devoravam homens mais justos do que eles? O profeta tinha dificuldade com a ideia do *imundo instrumento* usado na mão de Deus, *e também* com a ideia do que aquele instrumento imundo poderia fazer com Judá, o qual, embora miserável, era melhor do que os babilônios. Como o governo de Deus podia operar dessa maneira? Eram questões morais que o profeta não achava conformes com o seu conceito de Deus. Habacuque, pois, questionava a propriedade do governo de Deus sobre o mundo. "Por que Deus é *esse tipo* de Deus? Eis aqui um dos mais importantes degraus na história das especulações teológicas dos judeus" (Charles L. Taylor, *in loc.*). Habacuque buscava respostas para perguntas que o judaísmo de sua época ainda não tinha definido muito bem, pois certamente lhe faltava maior entendimento. Judá era um povo pecaminoso, é verdade, mas sua pecaminosidade era apequenada pelas atrocidades praticadas pelos babilônios. Contudo, Yahweh fazia *silêncio,* e não esclarecia as coisas. Quanto à aparente *indiferença* de Deus, cf. Sl 10.1; 28.1; 59.4; 82.1 e 143.7.

■ 1.14

וַתַּעֲשֶׂה אָדָם כִּדְגֵי הַיָּם כְּרֶמֶשׂ לֹא־מֹשֵׁל בּוֹ:

Por que fazes os homens como os peixes do mar...? Os homens não pareciam ser mais disciplinados do que os peixes ou os répteis, ou os vermes que infestam a terra. Esses animais não têm governo, nem boa ordem, nem moralidade. Assim era o povo da Babilônia, moralmente falando. E, no entanto, Deus os usava para punir o seu próprio povo!

A maioria dos intérpretes, contudo, aplica as declarações do presente versículo às *vítimas* da Babilônia. Por meio dos babilônios, Deus trataria seu povo como peixes, répteis e vermes, como se eles fossem absolutamente destituídos de valor. Isso concorda melhor com o vs. 15. Diante dos babilônios, os judeus eram tão impotentes como os peixes e os insetos. "Todos os homens podem pescar no mar com impunidade; assim, os caldeus estavam castigando o povo de Deus com impunidade, como se Deus nem governasse o seu povo. A teocracia tinha degenerado em anarquia" (Fausset, *in loc.*).

■ 1.15

כֻּלֹּה בְּחַכָּה הֵעֲלָה יְגֹרֵהוּ בְחֶרְמוֹ וְיַאַסְפֵהוּ בְּמִכְמַרְתּוֹ עַל־כֵּן יִשְׂמַח וְיָגִיל:

A todos levanta o inimigo com o anzol. A Babilônia tinha ido pescar; com seus tremendos anzóis, extraía peixes do "mar"; e, com as suas redes, recolhia grande número de pessoas, as quais seriam executadas para satisfação dos pescadores. A Babilônia tinha uma grande *rede varredoura.* A pesca era imensa, e os peixes eram tratados com ira, sem misericórdia. Além disso, os miseráveis dos babilônios desfrutavam imensamente a matança, exultando na dor alheia e reduziam o próximo a nada, cometendo genocídio. Cf. Jr 16.16 quanto a uma figura similar. Os babilônios eram abertamente injustos e cruéis, e, no entanto, agiam como instrumento nas mãos de Yahweh. A *rede,* naturalmente, é uma vívida figura que representa a matança e o subsequente cativeiro dos poucos sobreviventes.

■ 1.16

עַל־כֵּן יְזַבֵּחַ לְחֶרְמוֹ וִיקַטֵּר לְמִכְמַרְתּוֹ כִּי בָהֵמָּה שָׁמֵן חֶלְקוֹ וּמַאֲכָלוֹ בְּרִאָה:

Por isso oferece sacrifício à sua rede, e queima incenso à sua varredoura. Não há nenhum registro histórico que mostre que os babilônios e outros povos antigos realizavam sacrifícios às suas redes de pesca, pelo que esta declaração, com toda a probabilidade, é figurada. Os modos de *poder* que tornaram esse resultado possível, para que os babilônios fizessem o que faziam, já foram chamados de seus *deuses* (vs. 11). A rede aqui é uma referência ao uso do poder por aqueles homens temidos. Portanto, a *rede,* que se tornou objeto de sacrifícios, é uma extensão lógica dessa ideia. Heródoto (*Hist.* IV.62) conta que os citas anualmente faziam oferendas à *espoada,* símbolo da matança e da guerra. Ariano (*Anabasis* II.24.6) informa-nos que Alexandre, o Grande, armou uma máquina de assédio que foi usada para capturar Tiro, no templo de Melcarte. Essas coisas ilustram o espírito do presente versículo. As oferendas aqui indicadas seriam de animais, cereais e incenso, ou seja, um ritual completo prestado às "redes deificadas", o símbolo de sucesso na guerra. A guerra trouxe à Babilônia seus luxos e prazeres. Os romanos e outros povos antigos tinham "deuses da guerra", sendo esse um paralelo à ideia deste versículo. As nações atuais continuam adorando meios de destruição, vendendo armas para cometer matanças, o que se tornou um comércio internacional de tremendas proporções.

■ 1.17

הַעַל כֵּן יָרִיק חֶרְמוֹ וְתָמִיד לַהֲרֹג גּוֹיִם לֹא יַחְמוֹל: ס

Acaso continuará, por isso, esvaziando a sua rede...? "Continuaria a Babilônia a recolher riquezas com a sua rede? Continuaria ela a destruir povos sem misericórdia?" (NCV) Poderia isso ser reconciliado com o conceito de um Deus santo e justo? Pois lemos que Deus aparece por trás do que os babilônios estavam fazendo. Deus nunca faria estacar a ganância e a violência daquele povo sem misericórdia? Esse povo adorava o *poder*. Que direito tinham eles de ser o látego de Deus? Isso parecia moralmente incongruente com o conceito de Deus como santo e justo. O próximo capítulo tenta dar algumas respostas a essas indagações.

CAPÍTULO DOIS

O JUSTO VIVERÁ PELA FÉ (2.1-20)

Temos aqui um *cântico fúnebre* por causa da destruição da Babilônia por parte de Deus. O instrumento de destruição seria, por sua vez, destruído. Essa é a principal resposta do dilema expresso no capítulo 1. Como pode um Deus santo e justo empregar uma nação réproba como um chicote para punir a outros povos? Temos aqui a revelação que se propõe a dar resposta às vexantes indagações do capítulo 1.

A Resposta da Torre (2.1-4)

Agora temos a resposta às perguntas apresentadas em Hc 1.2-4,12,13. Uma resposta lógica (mas adequada?) é dada ao dilema lógico que deixava o profeta perplexo.

■ 2.1

עַל־מִשְׁמַרְתִּי אֶעֱמֹדָה וְאֶתְיַצְּבָה עַל־מָצוֹר וַאֲצַפֶּה
לִרְאוֹת מַה־יְדַבֶּר־בִּי וּמָה אָשִׁיב עַל־תּוֹכַחְתִּי:

Pôr-me-ei na minha torre de vigia. Habacuque estava esperando pela resposta divina. Ele subiu a uma torre como atalaia, e aguardava ansiosamente a resposta de Deus, como se fosse uma mensagem trazida por um cavaleiro que vinha de longe. O profeta havia feito uma pergunta quase impossível de ser respondida. Haveria resposta para tal indagação? "A prática de subir a uma elevada torre para garantir uma visão extensa sugere a figura aqui. Ver 2Rs 9.17 e 2Sm 18.24. Em uma metáfora ainda mais ousada, Isaías apresentou-se como alguém que fora nomeado como atalaia, que trazia relatórios de sua torre" (Ellicott, *in loc.*). Ver Is 21.6,11,12.

■ 2.2

וַיַּעֲנֵנִי יְהוָה וַיֹּאמֶר כְּתוֹב חָזוֹן וּבָאֵר עַל־הַלֻּחוֹת
לְמַעַן יָרוּץ קוֹרֵא בוֹ:

O Senhor me respondeu, e disse: Escreve a visão. A revelação deveria ser reduzida à forma escrita, em tabletes. É possível que a referência seja a tabletes de pedra como aqueles sobre os quais foi inscrito o decálogo (ver Êx 24.12). Mas alguns intérpretes pensam estar em foco tabletes de cera, a qual era espalhada sobre uma tabuinha de madeira. Esses tabletes podiam ser postos em lugares conspícuos para que a população geral os visse e lesse. Além disso, um arauto percorria os lugares públicos com os tabletes e anunciaria, perto e longe, o que dizia a mensagem. "A visão dizia respeito ao futuro e deveria ser *preservada*. Deveria interessar a todos, tanto os bem-educados

quanto os ignorantes, e deveria tornar-se imediatamente conhecida, a fim de aquietar mentes perplexas" (A. B. Davidson, *in loc.*).

■ 2.3

כִּי עוֹד חָזוֹן לַמּוֹעֵד וְיָפֵחַ לַקֵּץ וְלֹא יְכַזֵּב אִם־
יִתְמַהְמָהּ חַכֵּה־לוֹ כִּי־בֹא יָבֹא לֹא יְאַחֵר:

Porque a visão ainda está para cumprir-se no tempo determinado. "A revelação esperaria pelo tempo determinado para o seu cumprimento. Fala sobre os últimos dias e não será falsa. Embora a mesma demore, espera por ela. Por certo virá, e não demorará" (NIV). Toda profecia requer o uso da paciência, porquanto o futuro ocorre pelo arranjo *divino* das coisas. Não se pode abrir uma porta enquanto não chegar o tempo determinado. Mas chegado o tempo de a porta ser aberta, algumas vezes ela se abre por si mesma, ou mediante pequeno esforço. Algumas vezes, porém, ainda precisamos trabalhar arduamente para que a porta se abra, mas essa porta se abrirá por ter chegado o *tempo aprazado*. Há um cronograma divino dos acontecimentos. O corredor segue laboriosamente os eventos, e a corrida pode ser longa. Mas há um fim determinado para todas as coisas. O corredor atingirá seu alvo. O tempo determinado por Deus está decretado. Não poderá ser apressado e nem adiado. Os homens perdem a ansiedade sobre as coisas quando confiam no cronograma divino. O hebraico literal aqui é gráfico: O propósito "esforça-se por chegar ao fim", como um corredor que envidou grande esforço na corrida e atinge a meta resfolegando. Nossa versão portuguesa diz "se apressa".

Eis o soberbo! Sua alma não é reta nele; mas o justo viverá pela sua fé.

Habacuque 2.4

QUALIDADES DA FÉ

- As Escrituras visam produzir a fé nos seus leitores (2Tm 3.5).
- A fé é guia da vida espiritual (Hb 10.38).
- Sem fé é impossível agradar a Deus (Hb 11.6).
- A fé opera pelo amor (Gl 5.6; 1Tm 5; Fm 5).
- A fé produz a esperança (Rm 5.2).
- A fé torna a oração eficaz (Mt 21.22).

FÉ

Oh, Mundo, não escolheste a melhor parte!
Não é sábio ser apenas sábio,
E fechar os olhos para a visão interior;
Mas é sabedoria acreditar no coração.
Colombo achou um mundo, e não tinha mapa,
Salvo o da fé, decifrado nas estrelas.
Confiar na empresa invencível da alma
Era toda sua ciência, toda sua arte.
Nosso conhecimento é uma tocha fumegante
Que ilumina o caminho um passo de cada vez,
Através de um vazio de mistério e espanto.
Ordena, pois, que brilhe a luz terna da fé,
A única capaz de dirigir nosso coração mortal
Aos pensamentos sobre as coisas divinas.

George Santayana

■ 2.4

הִנֵּה עֻפְּלָה לֹא־יָשְׁרָה נַפְשׁוֹ בּוֹ וְצַדִּיק בֶּאֱמוּנָתוֹ
יִחְיֶה:

Eis o soberbo! Sua alma não é reta nele; mas o justo viverá pela sua fé. *O Homem Mau Fracassará.* "A nação que é má e confia em si mesma falhará" (NCV). Os dias da Babilônia estavam contados. O chicoteador seria chicoteado. Aquele povo arrogante vivia tufado como um bando de sapos, mas estavam somente saltando para a sua própria destruição. Aqueles réprobos viviam mergulhados em seu orgulho, e isso mostraria ser fatal. Ver Pv 16.18. Por conseguinte, a *Lei Moral da Colheita segundo a Semeadura* (ver a respeito no *Dicionário*) foi a primeira parte da resposta para a pergunta sobre como seria possível que Deus usasse um povo ímpio para chicotear seu povo (muito melhor).

A *segunda parte* da resposta divina foi que, se houvesse alguma pergunta restante, então o homem piedoso teria de "viver pela fé", enquanto esperava outras revelações. Ou então, mediante diferente tradução, o homem justo terá de viver *fielmente*, exibindo sua fidelidade diante de Deus e dos homens. *Esse homem* será salvo da destruição que ferirá os ímpios. O *versículo*, naturalmente, foi usado no Novo Testamento (ver Rm 1.17; Gl 3.11; Hb 10.38) com aplicação muito diferente. Ali, está em pauta a justificação pela fé, dentro do sistema cristão baseado na missão de Cristo. Esses três usos estão obviamente empregados por *acomodação*. Vale dizer, as palavras são empregadas sem consideração pelo contexto original, acomodando-se a uma nova ideia. Ver, na *Enciclopédia de Bíblia, Teologia e Filosofia*, o artigo sobre *Acomodação*, onde ilustro como o Novo Testamento frequentemente emprega versículos do Antigo Testamento dessa maneira.

Os israelitas piedosos continuariam crendo na justiça e na santidade de Deus, a despeito de certas perguntas espinhosas. E também viveriam na fidelidade a Yahweh, leais ao Senhor. Viveriam no bem-estar e na prosperidade, a salvo do chicote babilônico. Eles teriam a segurança divina, prosperidade e crescimento espiritual. Porém, não está em pauta nada acerca da alma. O profeta não estava olhando para a existência da alma nem para algum pós-vida. Mas o Novo Testamento faz essa questão destacar-se, com sua salvação evangélica por meio da fé.

Introdução aos Ais (2.5,6a)

■ 2.5

וְאַף כִּי־הַיַּיִן בּוֹגֵד גֶּבֶר יָהִיר וְלֹא יִנְוֶה אֲשֶׁר הִרְחִיב
כִּשְׁאוֹל נַפְשׁוֹ וְהוּא כַמָּוֶת וְלֹא יִשְׂבָּע וַיֶּאֱסֹף אֵלָיו כָּל־
הַגּוֹיִם וַיִּקְבֹּץ אֵלָיו כָּל־הָעַמִּים׃

Assim como o vinho é enganoso, tampouco permanece o arrogante. Diversos *ais* estão agora prestes a ser proferidos sobre a Babilônia (ver os vss. 6,9,12,15 e 19). Os vss. 5,6a fornecem uma descrição mais detalhada sobre o povo que tão ricamente merece sofrer esses "ais". *Cinco ais* devem ser sofridos por aqueles pecadores ousados que desconsideram o próximo e saem a matar e saquear. Tal prática não pode continuar para sempre.

Esses homens embriagados são muito chegados ao vinho, que é traiçoeiro e ajuda os pecadores a ser o que são. O vinho engana as pessoas, e aquela gente vivia enganada pelo vinho. Ademais, o vinho simboliza como o orgulho pode enganar uma pessoa e perverter sua vida. Todavia, o homem arrogante está na vereda da destruição (ver Pv 16.18). Ele tem ganância tão grande quanto a boca do *sheol*, que nunca se satisfaz com o número de mortos que devora. Nunca obtém morte suficiente, embora medre com a morte. Chega mesmo a devorar nações inteiras, mas nunca se satisfaz. Era assim que a maldade inspirada dos babilônios os enviava pelo mundo como um tornado a praticar o mal. Ver no *Dicionário* sobre o *sheol*, que usualmente se refere à sepultura. Quanto a versículos onde essa palavra tem o sentido expandido para indicar mais que a sepultura, chegando à significa uma existência pós-vida, consciente, na melancolia, ver Sl 88.10; 139.8; Is 14.20; 29.4; Pv 5.5.

Palavras concernentes a Alexandre ilustram aptamente este versículo:

> Um mundo não era suficiente para a mente de Alexandre;
> Ele parecia engaiolado na terra.
>
> Juvenal, *Sat.* x.168

Contudo, quando Alexandre morreu, o sarcófago preparado para ele era grande demais para seu corpo!

■ 2.6a

הֲלוֹא־אֵלֶּה כֻלָּם עָלָיו מָשָׁל יִשָּׂאוּ

Não levantarão, pois, todos estes contra ele um provérbio...? Quando a Babilônia caísse, as outras nações haveriam de zombar e sorrir. Inventariam provérbios zombeteiros contra ela. A essência dessas zombarias está contida nos *cinco ais* que se seguem.

Provérbio. Ou seja, *zombaria*, cântico com alusão oculta e provocativa, insulto dito de modo tolo. O profeta falava sobre "cânticos escarnecedores". A palavra hebraica *masal*, entretanto, é bastante lata e pode significar provérbio, ode, e talvez até cântico fúnebre.

A Tirania é Autodestruidora: Os Cinco "Ais" (2.6b-20)

Cf. a passagem similar de Jr 5.8-22. O "ai" é uma interjeição de agonia proferida por causa de algum desastre, retrocesso ou situação consternadora. Os babilônios lançaram muitas sementes do mal e agora teriam de apanhar a triste colheita. "Ai da rapacidade precipitada que não poupa nem a vida nem as propriedades" (Ellicott, *in loc.*).

"*Os Cinco Ais*. Esses ais foram endereçados contra uma nação que atacava as pessoas e obtinha lucro pela violência, edificava cidades por meio de atos violentos, degradava desavergonhadamente seus vizinhos e confiava em ídolos. Aplicados originalmente aos assírios, babilônios ou macedônios, esses ais tinham uma referência universal, acusando toda a tirania humana" (*Oxford Annotated Bible*, comentando sobre o vs. 6).

O Primeiro Ai (2.6b-8)

■ 2.6b

וּמְלִיצָה חִידוֹת לוֹ וְיֹאמַר הוֹי הַמַּרְבֶּה לֹּא־לוֹ
עַד־מָתַי וּמַכְבִּיד עָלָיו עַבְטִיט׃

Um dito zombador. Um ganho desonesto, o acúmulo de bens materiais, terras, objetos valiosos de qualquer tipo, através da violência, e não mediante o trabalho honesto. Contra esse tipo de conduta, o primeiro "ai" foi proferido.

"Por quanto tempo mais aquela nação enriqueceria forçando outras nações a lhes pagarem tributo?" (NCV), fazendo a referência ser essencialmente ao tributo cobrado das nações derrotadas. "O primeiro ai compara os babilônios a um penhorista inescrupuloso que empresta dinheiro a juros exorbitantes. Como despojo para o opróbrio deles, eles acumulavam sem misericórdia as riquezas das nações" (J. Ronald Blue, *in loc.*). Por quanto tempo um agressor dessa natureza teria permissão para continuar ajuntando um lucro mal ganho? Cf. Hc 1.2.

A si mesmo se carrega de penhores. Diz literalmente o original hebraico: "carrega-se com barro espesso!", referindo-se a um usurário. Talvez haja aqui uma alusão ao ouro e à prata que os homens tiram do barro (solo). Aqui, o homem ganancioso, que obtém tudo quanto pode mediante a cobrança exagerada de juros sobre os empréstimos, é o babilônio que cobrava pesados tributos de povos derrotados.

■ 2.7

הֲלוֹא פֶתַע יָקוּמוּ נֹשְׁכֶיךָ וְיִקְצוּ מְזַעְזְעֶיךָ וְהָיִיתָ
לִמְשִׁסּוֹת לָמוֹ׃

Não se levantarão de repente os teus credores? Os devedores dos babilônios eventualmente se cansariam da exploração que os estava vitimando, se juntariam e aniquilariam o opressor. "Algum dia, as pessoas de quem arrancaste dinheiro se voltarão contra ti" (NCV). Esses farão o cobrador das "dívidas" (tributos) tremer de medo, porquanto chegarão com o propósito de matar. Portanto, a tirania é autodestruidora.

A Babilônia se tornaria a vítima. Essa nação havia atacado e extorquido (Hc 1.6,16). Agora chegara a sua vez de ser atacada e extorquida. A troca de potências internacionais substituiria a Babilônia pelos medos e persas. Aqueles que estavam no caminho da "saída" sempre eram terrivelmente derrotados. Israel-Judá, sempre pequeno demais para realmente combater as grandes potências, era jogado como uma peteca para cá e para lá.

"Aqui o profeta discute os cinco grandes ais, que correspondem aos julgamentos de Deus. Esses julgamentos, em um sentido muito real, tinham embutida em si a estrutura moral da vida... Para o profeta, nada havia de automático quanto ao destino das almas. Homens como Habacuque sempre encontravam Deus presente" (Howard Thurman, *in loc.*). "O Senhor, porém, está no seu santo templo; cale-se diante dele toda a terra" (vs. 20).

2.8

כִּי אַתָּה שַׁלּוֹתָ גּוֹיִם רַבִּים יְשָׁלּוּךָ כָּל־יֶתֶר עַמִּים
מִדְּמֵי אָדָם וַחֲמַס־אֶרֶץ קִרְיָה וְכָל־יֹשְׁבֵי בָהּ: פ

Visto como despojaste a muitas nações, todos os mais povos te despojarão a ti. Os *vizinhos de Judá* ao oriente estavam cheios de zombarias e jactância. Eles ajudariam a Babilônia a cumprir seus maus desígnios contra Israel-Judá. Planejavam ficar com parte do território que fosse conquistado. De fato, seus maus desígnios agiriam como bumerangues contra sua própria cabeça. A brutalidade da Babilônia cairia sobre a cabeça dessas nações. Moabe ficaria tão devastada que faria lembrar Sodoma (ver Sf 2.8), e os filhos de Amom ficariam tão aniquilados que fariam lembrar Gomorra. Esses réprobos colheriam o que haviam semeado (ver Pv 22.8 e Gl 6.7,8). Essas nações tinham sido violentos saqueadores, pelo que seriam violentamente saqueadas. Elas se tornariam terras desoladas, repletas de mato daninho, espinheiros e minas de sal, uma desolação para sempre. Suas terras lhes seriam arrancadas, e Israel-Judá participaria da nova distribuição de terras. Cf. este versículo com Sf 2.8,9; Is 16.6; Jr 48.29; Am 1.13-15 e 2.1-3. Ver também Gn 19.24-28.

"Se o quadro de vingança aqui não é particularmente edificante, esta passagem pode sugerir a sorte do orgulho conforme retratado algures no Antigo Testamento, em passagens como Is 14.4-6 e 47.1-15 (contra a Babilônia); Ez 27.1-36 (contra Tiro) e Dn 5.22-24 (contra Belsazar)... e pode servir de lembrete de que esse pecado se acha entre as transgressões que foram denunciadas particularmente por Jesus" (Charles L. Taylor, Jr., *in loc.*). Quanto ao orgulho e à humildade contrastados, ver Pv 6.17; 11.2; 13.10; 14.3; 15.25; 16.5,18; 18.12; 21.4; 30.12,32. Ai dos que se engrandecem por meio da violência e da espertaza!

O Segundo Ai (2.9-11)

2.9

הוֹי בֹּצֵעַ בֶּצַע רָע לְבֵיתוֹ לָשׂוּם בַּמָּרוֹם קִנּוֹ לְהִנָּצֵל
מִכַּף־רָע:

Ai dos que são destemperados, orgulhosos, saqueadores, cobiçosos das coisas que outras pessoas possuem. Esses serão vitimados pela lei da colheita segundo a semeadura e receberão conforme a gravidade de seus crimes. Ver sobre a *Lex Talionis* (retribuição segundo a gravidade do crime cometido) no *Dicionário*. Ver a exposição acima, combinada com o vs. 8, quanto à parte inicial deste "ai". Os detalhes continuam nos vss. 10,11.

A águia babilônica, que voava alto, se tornaria um verme babilônico que se arrastava ao nível do solo. A Babilônia parecia estar fora de ação da retaliação. Mas o tempo provaria o contrário.

2.10

יָעַצְתָּ בֹּשֶׁת לְבֵיתֶךָ קְצוֹת־עַמִּים רַבִּים וְחוֹטֵא
נַפְשֶׁךָ:

Vergonha maquinaste para a tua casa. Continuam aqui os detalhes do *segundo ai*. Aqueles povos ímpios se exaltavam acima dos outros como se fossem reis acima de aldeões, e viviam zombando e vangloriando-se. As notas sobre os vss. 8,9 cobriram com muitas referências esse aspecto de sua depravação. O povo contra o qual eles se opunham era o filho de *Yahweh-Sabaote*, Deus Eterno, General dos Exércitos; portanto, o castigo deles estava garantido e seria severo, tal como descreve o vs. 9. Aqueles que tinham cortado tantos povos finalmente seriam *envergonhados* devido à sua violência e ganância. Eles sofreriam devastadora retaliação tanto da parte de Deus quanto da parte dos homens. O que eles fizeram pôs em perigo a sua própria vida. O assassino seria assassinado. Aquele que devorava seria devorado. Cf. Pv 8.36. "Ai daqueles que brandem a espada. Pela espada deverão perecer" (Mt 26.52).

"O plano deles de destruir a outros, a fim de estarem em segurança, fracassou redondamente. Uma casa edificada sobre corpos torturados e esqueletos não pode ser habitada. Em sua ansiedade de levantar um monumento, eles edificaram uma casa de vergonha" (J. Ronald Blue, *in loc.*).

2.11

כִּי־אֶבֶן מִקִּיר תִּזְעָק וְכָפִיס מֵעֵץ יַעֲנֶנָּה: פ

Porque a pedra clamará da parede. Continuam aqui os detalhes sobre o *segundo ai*. Os materiais que eles tinham usado para erigir seu monumento de autoengrandecimento clamariam: "Assassinos sangrentos!" A madeira que eles tinham empregado, mas que havia sido furtada de outros, se juntaria na repreensão contra eles. Eles seriam envergonhados pelas próprias coisas que pensavam torná-los grandes pessoas...

O Terceiro Ai (2.12-14)

2.12

הוֹי בֹּנֶה עִיר בְּדָמִים וְכוֹנֵן קִרְיָה בְּעַוְלָה:

Ai daquele que edifica a cidade com sangue. Este é um ai contra os obreiros da iniquidade e contra tudo quanto eles fazem, pois há desastre e extermínio à espera deles. A Babilônia tinha edificado cidades e fortalezas através do genocídio. Suas cidades foram construídas com *sangue*. As ondas da violência têm uma maneira de retornar contra aqueles que as criam. A forma de tirania adotada pela Babilônia pertence à pior espécie de tirania. Alicerçava-se sobre o assassinato e os saques, o que representava total desconsideração pelo valor dos seres humanos. Quantos projetos de construção eles tinham! Essas edificações estavam fundamentadas sobre poças de sangue. Eles se vangloriavam da grandeza de seus edifícios, mas estes foram edificados pelo labor forçado de outros, que eram os poucos sobreviventes das matanças provocadas pelos babilônios.

"A Babilônia edificava e se expandia por despojos comprados a sangue (ver Dn 4.30)" (Fausset, *in loc.*). Suas cidades eram construídas com os ossos dos esqueletos de outros povos, cimentados pelo sangue desses povos. Mas agora onde estavam aqueles negociantes com os corpos e as almas dos homens? Poderá alguém responder?" (Adam Clarke, *in loc.*).

2.13

הֲלוֹא הִנֵּה מֵאֵת יְהוָה צְבָאוֹת וְיִיגְעוּ עַמִּים בְּדֵי־אֵשׁ
וּלְאֻמִּים בְּדֵי־רִיק יִעָפוּ:

Não vem do Senhor dos Exércitos que as nações labutem para o fogo...? Prosseguem aqui os detalhes relativos ao *terceiro ai*. "O Senhor dos exércitos celestiais enviará fogo para destruir o que aquele povo tinha edificado. Toda a labuta das nações resultará em nada" (NCV). Note o leitor o nome divino: *Yahweh-Sabaote*, o Deus Eterno e General dos Exércitos. É o poder dele que estabelece a diferença em última análise. Ele intervém na história humana, recompensando ou punindo. O Criador não abandonou o seu universo, mas intervém nas atividades humanas, recompensando ou punindo de acordo com os princípios das leis morais. Contrastar isso com o *Deísmo* (também no *Dicionário*), que diz que a força criadora (pessoal ou impessoal) abandonou o seu universo ao encargo das leis naturais. "O Senhor Todo-poderoso, o Soberano do universo, declarou que seu trabalho ambicioso fora todo feito em vão. O labor do povo é apenas combustível para o fogo (cf. Jr 51.58). As pedras cuidadosamente lavradas que eles tinham usado serviam como o altar da madeira ornadamente esculpida, que serviria para acender uma gigantesca fogueira que deixaria a Babilônia em cinzas" (J. Ronald Blue, *in loc.*). Eles se cansavam em um esforço fútil. A satisfação dos desejos pelo poder e pela grandeza seria consumida na fogueira dos julgamentos de Yahweh.

2.14

כִּי תִּמָּלֵא הָאָרֶץ לָדַעַת אֶת־כְּבוֹד יְהוָה כַּמַּיִם יְכַסּוּ
עַל־יָם: ס

Pois a terra se encherá do conhecimento da glória do Senhor. Continuam os detalhes sobre o *terceiro ai*. Este versículo cita Is 11.9 (onde ofereço notas expositivas), mas adiciona as palavras "a glória do Senhor", que é o objetivo do "conhecimento". A aplicação também é ligeiramente diferente, visto que ali temos uma restauração geral das nações envolvidas. Aqui a ideia principal é que a era vindoura eliminará todos os meros esforços humanos e fará entrar em ação a obra do Deus Todo-poderoso, que é plena de glória. O esforço humano de nada adiantará. Mas o esforço divino produzirá a restauração generalizada de todos os povos. De acordo com os padrões humanos, a Babilônia fez um grande trabalho, mas tudo foi, afinal, consumido pelo fogo. Em contraste, a obra de Deus glorificará sua pessoa e beneficiará todos os povos de maneira real e duradoura. A glória perene de Deus encherá a terra, em contraste com a obra vergonhosa da Babilônia, que não durou quase nada. Cf. também este versículo com Nm 14.21; Sl 72.19 e Is 6.3. Ver ainda Jr 31.34. Os estudiosos dispensacionalistas veem aqui o *milênio*. Ver esse termo no *Dicionário*. Nações escravizadas engrandeceram a granda Babilônia. Em contraste, a grandeza de Deus tornará grandes a todos os povos.

O Quarto Ai (2.15-17)

■ 2.15

הוֹי מַשְׁקֵה רֵעֵהוּ מְסַפֵּחַ חֲמָתְךָ וְאַף שַׁכֵּר לְמַעַן הַבִּיט עַל־מְעוֹרֵיהֶם׃

Ai daquele que dá de beber ao seu companheiro. Este quarto ai volta-se contra os que degradam a seus semelhantes. Isso nos fornece ainda outra contemplação sobre os atos bárbaros dos babilônios. O profeta Habacuque enfocou sua luz sobre a desumanidade e a indignidade dos babilônios conquistadores. A Babilônia forçava seus vizinhos a beber de sua taça de dor e destruição. Ao embebedar seus vizinhos, os babilônios os expunham à vergonha, e se compraziam em contemplá-los nessa condição de degradação. Eles se riam de sua nudez e embriaguez, que eles mesmos tinham causado. Os que agirem dessa maneira terminarão tendo de sorver a taça da ira do Deus Todo-poderoso (ver Ap 16.19; Sl 76.8; Jr 25.26; Lm 4.21).

O destino deles é a perdição, o deus deles é o ventre, e a glória deles está na sua infâmia...

Filipenses 3.19

■ 2.16

שָׂבַעְתָּ קָלוֹן מִכָּבוֹד שְׁתֵה גַם־אַתָּה וְהֵעָרֵל תִּסּוֹב עָלֶיךָ כּוֹס יְמִין יְהוָה וְקִיקָלוֹן עַל־כְּבוֹדֶךָ׃

Serás farto de opróbrio em vez de honra. Continuam aqui os detalhes sobre o *quarto ai*. "Vós, babilônios, recebereis a ira do Senhor, e não o seu respeito. Essa ira será como um copo de veneno na mão direita do Senhor. Provareis dessa ira e caireis no chão como se fôsseis pessoas embriagadas" (NCV). O texto hebraico contém aqui a pequena crueza de que o "prepúcio" daquele povo seria descoberto em sua desgraça. Isso significa que os pagãos "incircuncisos" seriam envergonhados de suas barbaridades e de sua total desconsideração pela lei divina. O grego (a Septuaginta) e a versão siríaca suavizam a crueza mediante uma substituição. A NIV contém o eufemismo: "Serão expostos!" Para um homem, ser incircunciso já era sinal de opróbrio. Ele estava fora do pacto abraâmico (ver a respeito em Gn 15.18), cujo sinal era a *circuncisão* (ver a respeito no *Dicionário*). Cf. 1Sm 17.36, "este filisteu incircunciso" (referindo-se a Golias, considerado da forma mais desprezível). Seja como for, aquele povo desprezível, que tinha forçado outros povos a beber de seu cálice de ira, seria obrigado a sorver a taça da ira de Yahweh (ver Ap 16.19). Ver também Is 51.17 e Jr 25.15-17.

Note o Leitor o Contraste. O vs. 15 tem os babilônios fazendo pouco daqueles que eles mesmos tinham embriagado e desnudado. Aqui, os babilônios sofrem a mesma desgraça, pois Deus os embriagara!

■ 2.17

כִּי חֲמַס לְבָנוֹן יְכַסֶּךָּ וְשֹׁד בְּהֵמוֹת יְחִיתַן מִדְּמֵי אָדָם וַחֲמַס־אֶרֶץ קִרְיָה וְכָל־יֹשְׁבֵי בָהּ׃ ס

Porque a violência contra o Líbano te cobrirá. "Feriste a muita gente no Líbano. Agora, porém, serás ferido. Mataste muitos animais ali. Agora ficarás amedrontado. Ficarás com medo por causa do que fizeste naquelas cidades, contra o povo que nelas residia" (NCV). Cada declaração combina com a *Lei Moral da Colheita segundo a Semeadura*, bem como com a *Lex Talionis* (retribuição em consonância com a gravidade do crime cometido). Ver sobre ambos os termos no *Dicionário*.

As desgraças da Babilônia seriam acumuladas contra o reino animal, e não meramente contra os homens. É verdade que a crueldade contra os animais é sinal de um povo incivil. Quanto mais civilizado se torna um povo, tanto mais respeito ele terá pelo bem-estar dos animais. A Babilônia, entretanto, era um povo que tanto matava os animais quanto torturava os seres humanos. Ver na *Enciclopédia de Bíblia, Teologia e Filosofia* o artigo chamado *Animais, Direitos dos e Moralidade dos*. Ver Jn 4.11 quanto à preocupação do Senhor com os animais. O Líbano tinha sofrido a matança de seus habitantes, a destruição de suas florestas (para edificação dos palácios babilônicos), bem como a matança dos animais da floresta — todos atos insensatos e imorais. Mas a Babilônia acabaria aterrorizada por causa de suas barbaridades insensatas. A criação de Deus, nos seus aspectos humanos, animais e vegetais, sofrera as indignidades do horrendo povo babilônico. Agora, nada poderia deter a retaliação divina.

O Quinto Ai (2.18-20)

■ 2.18

מָה־הוֹעִיל פֶּסֶל כִּי פְסָלוֹ יֹצְרוֹ מַסֵּכָה וּמוֹרֶה שָׁקֶר כִּי בָטַח יֹצֵר יִצְרוֹ עָלָיו לַעֲשׂוֹת אֱלִילִים אִלְּמִים׃ ס

Que aproveita o ídolo, visto que o seu artífice o esculpiu? Um ai por causa da *idolatria* (ver no *Dicionário*). Na base de toda a iniquidade dos babilônios estava o alicerce da idolatria. Na Babilônia não havia espaço para um culto autêntico, mas cultos abomináveis abundavam por toda parte. Os ídolos eram feitos de pedra, metal ou madeira; eram obras das mãos humanas, e eram tão corruptos quanto os homens que os fabricavam. Eram cegos, surdos e mudos seus fabricantes. Eram imagens de mentira que enganavam as pessoas para que confiassem nas vaidades e nas superstições. Cf. este versículo com Is 44.9-20; 46.2; Jr 10.8,14; Zc 10.2. "Sabemos que o ídolo de si mesmo nada é no mundo" (1Co 8.4). Contudo, todos os homens, até certo grau, são idólatras, o que demonstra a depravação do coração humano. Nossos ídolos podem ser mais sofisticados que os ídolos antigos, mas, não obstante, são ídolos. O *prazer* é o principal dos ídolos. Não olvidemos, entretanto, o dinheiro, o autoengrandecimento, o poder e a fama, coisas em que as pessoas desgastam a vida, servindo-as. Todos os ídolos são mentirosos, pois dão às pessoas a ilusão de que elas estão ganhando algo pela adoração a coisas.

■ 2.19

הוֹי אֹמֵר לָעֵץ הָקִיצָה עוּרִי לְאֶבֶן דּוּמָם הוּא יוֹרֶה הִנֵּה־הוּא תָּפוּשׂ זָהָב וָכֶסֶף וְכָל־רוּחַ אֵין בְּקִרְבּוֹ׃

Ai daquele que diz ao pau: Acorda! E à pedra muda: Desperta! Prosseguem aqui os detalhes sobre o *quinto ai*. Este versículo se constitui de *zombarias* que fazem lembrar as coisas que Elias gritou contra seus oponentes (ver 1Rs 18.26,27). Homens ridículos gritam para seus ídolos igualmente ridículos e esperam que os ídolos respondam. Um fabricante de ídolos, que também é adorador de ídolos, olha para o pedaço de madeira que ele mesmo esculpiu, formando uma imagem de escultura, e diz: "Levanta-te! Dá-me uma revelação!" Ele diz ao pedaço de madeira que fique vivo e *desperte* de seu sono de madeira. Tal homem é um toleirão e está cuidando de um culto insensato. Sua mente é feita de madeira, tal e qual seu ídolo. Ele recobre a madeira com ouro e prata para aumentar seu "prestígio" e valor. Mas tal embelezamento não aprimora as realizações daquele objeto inanimado. Sem nada dizer, pois, os ídolos dizem mentira, porque as pessoas acreditam na eficácia de deuses que nada representam, e são enganadas por sua fé vã e mera superstição.

■ 2.20

וַיהוָה בְּהֵיכַל קָדְשׁוֹ הַס מִפָּנָיו כָּל־הָאָרֶץ׃ פ

O Senhor, porém, está no seu santo templo. *Conclusão.* Em contraste com aqueles deuses que nada representam, consideremos Yahweh, em seu templo celestial, o Poder criador e sustentador de toda a vida. Tanto Yahweh quanto seu templo são santos, diferentemente da idolatria dos povos pagãos, que é abominável. Embora os homens baixem ordens a ídolos que nada são, eles têm de fazer respeitoso silêncio na presença do Deus Vivo. Em contraste com os ídolos, o Senhor requer respeito da parte dos homens, em vez de ordens tolas. Cf. este versículo com Sf 1.7; Zc 2.13; Sl 46.10. "Por conseguinte, o fim deste capítulo 2 retorna ao pensamento de seu versículo inicial, de que o homem deve esperar no Senhor (vs. 3)" (Charles L. Taylor, Jr., *in loc.*). Somos lembrados que o Deus Vivo não se mostra indiferente diante do pecado, conforme demonstram os *cinco ais*. "Que toda alma se prostre diante dele e se submeta à sua autoridade" (Adam Clarke, *in loc.*). "Que a terra inteira silencie diante dele e se coloque de pé respeitosamente, reverenciando-o, sujeitando-se a ele, adorando-o em silêncio" (John Gill, *in loc.*). "Ele cessou suas denúncias contra o invasor e encontrou consolo nas gloriosas antecipações de uma ode lírica (Hc 3.1-5), que aparece em seguida" (Ellicott, *in loc.*). Cf. esta parte do versículo com Jó 40.4; Sl 46.8; Sf 1.7 e Zc 2.13.

CAPÍTULO TRÊS

SALMO DE LOUVOR (3.1-15)

Encontramos aqui um exaltado poema de trinta linhas (parecido com os Salmos 42 e 43). Os Salmos 146 a 148 são atribuídos a Ageu e a Zacarias. Talvez o salmo de Habacuque originalmente fizesse parte de alguma coletânea de salmos, mas terminou aqui como uma boa maneira de concluir sua profecia. Os vss. 1-19 fornecem uma oração do profeta, sob a forma de hino ou salmo. "Na realidade, temos aqui um hino que exalta a marcha para avante, da parte do Senhor, na vitória, com a salvação de seu povo. Esse poema magnificente exibe as características de um salmo, incluindo orientações litúrgicas, e provavelmente foi adicionado posteriormente, talvez originário dos círculos da profecia cúltica. Note o leitor que as expressões "forma de canto", "Selá" e "mestre de música" são termos técnicos no saltério: Sl 7, título; pág. 4, título)" (*Oxford Annotated Bible,* na introdução a este capítulo).

"Visto que os capítulos 1 e 2 abordam o problema do sofrimento, deve ter parecido apropriado a um editor adicionar ao livro este *hino de louvor* a Deus, pela ajuda que o Senhor prestara ao seu povo, em seu tempo de necessidade" (Charles L. Taylor, Jr., na *introdução* ao capítulo). Os eruditos conservadores, como é natural, pensam que este terceiro capítulo é parte integral da composição original. Na verdade, entretanto, os Papiros do mar Morto, no *Comentário sobre Habacuque,* não contêm este capítulo. Essa é uma poderosa e antiga autoridade em favor da teoria da adição. Ver os comentários à seção IV da *Introdução,* onde trato do problema de maneira abreviada, deixando-o sem conclusão certa. Seja como for, nossa preocupação deve ser com a mensagem deste salmo, e não tanto se Habacuque o escreveu ou não, já que este poema é uma produção notável, independentemente da autoria. Este capítulo é um pináculo de louvor, uma apta conclusão ao problema tratado nos capítulos 1 e 2 — o sofrimento humano. Por quê? Uma resposta possível é que na companhia da *presença* divina os homens são capazes de suportar seus sofrimentos e sentir que existem respostas reais e boas ao *problema do mal* (ver a respeito no *Dicionário*), ainda que não possam compreender intelectualmente o discernimento recebido intuitivamente.

Título do Salmo (3.1)

3.1

תְּפִלָּה לַחֲבַקּוּק הַנָּבִיא עַל שִׁגְיֹנוֹת׃

Oração do profeta Habacuque sob a forma de canto. A seguir temos um hino-oração-salmo do profeta Habacuque. Cf. os Salmos 17; 84; 90; 102 e 142, que também são chamados *orações*. Esse hino foi composto "sob a forma de canto", o que também é dito no subtítulo do Salmo 7). A Septuaginta interpreta como segue: "apropriado para quem toca instrumentos de cordas". A palavra hebraica correspondente é obscura, mas parece relacionada a "cambalear para cá e para lá", o que poderia ser uma referência à ideia de que certos salmos eram realizados (entoados) com acompanhamento musical e também com danças. Os subtítulos dos Salmos são adições posteriores sem nenhuma autoridade canônica, representando apenas conjecturas sobre circunstâncias que acompanhavam o uso dos salmos nos cultos do templo de Jerusalém. Ver a introdução ao Salmo 7, quanto a outros detalhes.

Introdução (3.2)

3.2

יְהוָה שָׁמַעְתִּי שִׁמְעֲךָ יָרֵאתִי יְהוָה פָּעָלְךָ בְּקֶרֶב שָׁנִים
חַיֵּיהוּ בְּקֶרֶב שָׁנִים תּוֹדִיעַ בְּרֹגֶז רַחֵם תִּזְכּוֹר׃

"Senhor, tenho ouvido as notícias a teu respeito. Senhor, estou admirado diante das coisas maravilhosas que tens feito. Faze grandes coisas de novo, em nosso próprio tempo. Faze essas coisas acontecer outra vez, em nossos próprios dias. Mesmo quando estiveres irado, lembra-te de ser gentil conosco" (NCV). O profeta estava lembrando o que ele mesmo tinha lido nas Escrituras, bem como o que ouvira ser dito pelos intérpretes das Escrituras. E estava muito impressionado com tudo isso, ansiando por ver "manifestações nos dias modernos" dos antigos milagres.

A época de Habacuque foi dura e cheia de sofrimentos, principalmente por causa dos atos insensatos dos homens, que abundavam. Ele desejava ver uma intervenção divina em favor de si mesmo e de seu povo. Essa intervenção seria um ato de misericórdia em favor de um povo exausto. Algumas vezes precisamos do toque místico, de que a sombra da presença divina passe por sobre nós. Algumas vezes, as coisas fogem do controle, e então precisamos da ajuda do controle divino direto. Oh, Senhor, concede-nos tal graça! Quanto ao *temor* do Senhor, ver no *Dicionário* o verbete chamado *Temor,* bem como em Sl 119.38 e Pv 1.7.

"Com base no que Habacuque tinha ouvido, o profeta solicitou, com toda a confiança, que Deus fosse Deus. Nesse movimento divino, entretanto... Ele quis certificar-se de que não haveria um julgamento divino generalizado que atingisse tanto os inocentes quanto os culpados" (Howard Thurman, *in loc.*).

O Aparecimento da Teofania (3.3-15)

3.3

אֱלוֹהַ מִתֵּימָן יָבוֹא וְקָדוֹשׁ מֵהַר־פָּארָן סֶלָה כִּסָּה
שָׁמַיִם הוֹדוֹ וּתְהִלָּתוֹ מָלְאָה הָאָרֶץ׃

Deus vem de Temã. A *presença* divina, ao descer sobre o monte Sinai, fez esse monte incendiar-se (ver Êx 19). Mas em seu circuito universal, ele também veio de lugares próximos como Temã (outro nome para Edom) e o monte *Parã* (região montanhosa do golfo de Aqabah, entre Edom e o Sinai). Essa é a mesma informação dada no cântico de Débora (Jz 5.4). Yahweh vinha de vários lugares (e até de todos os lugares) para ajudar seu povo. Elias foi buscar ajuda divina nos locais citados, que eram o berço da fé religiosa de Israel (ver Dt 33.2). Poeticamente falando, o profeta falava da área geral do monte Sinai, onde Israel havia sido dado à luz (mediante a lei) como nação distintiva (ver Dt 4.4-8 quanto a essa caráter distintivo). Note o nome divino aqui usado, *Elohim,* o Poder, capaz de ajudar seu povo em qualquer necessidade. Então ele é chamado de aquele que preenche toda a terra e é louvado universalmente. "Deus apareceu da região do Sinai e marchou na direção de Edom, tal como aconteceu por ocasião do êxodo (ver Dt 33.2; Jz 5.4)" (*Oxford Annotated Bible,* comentando sobre este versículo).

Selá. Não se sabe, hodiernamente, o que significa esta palavra hebraica. Sua raiz, porém, parece significar "levantar" ou "exaltar" e pode ter sido tão somente um comando para os instrumentos musicais entrarem em ação, levantando o tom musical, provendo assim um interlúdio musical. Ofereço comentários a respeito em Sl 3.2, e solicito que o leitor examine essas notas expositivas. Ela aparece novamente nos vss. 9 e 13 deste capítulo, e pode ser vista 71 vezes no livro de Salmos. Ver sobre os nomes próprios deste versículo no *Dicionário.*

3.4

וְנֹגַהּ כָּאוֹר תִּהְיֶה קַרְנַיִם מִיָּדוֹ לוֹ וְשָׁם חֶבְיוֹן עֻזֹּה׃

O seu resplendor é como a luz. "Ele é como uma lua resplandecente. Raios de luz são despedidos por suas mãos. E ali ele oculta o seu poder" (NCV). A figura simbólica aqui usada é a do *sol nascente*. Os raios de Deus são despedidos por suas mãos (*Revised Standard Version*), ao passo que a *King James Version* diz: "Ele tinha chifres saindo de suas mãos". O original hebraico é controvertido. Alguns estudiosos pensam que os *chifres* são cachos de cabelos, os quais, como os cachos de Sansão, fazem alusão à sua *força*. O mais provável, entretanto, é que devamos pensar nas *trovoadas* causadas pelos relâmpagos que saem das mãos de Deus. Diz a tradução inglesa NIV: "Raios chispavam de sua mãos", e é na mão que Deus "oculta o seu poder". Ver sobre a "mão divina" em Sl 81.14; e ver sobre a "mão direita" em Sl 20.6. Quando o sol apareceu no horizonte, o profeta acompanhou os raios que ele viu sair da mão de Deus. Geralmente pinta-se o sol, nos desenhos, com raios, como se formassem uma cabeleira, estendendo-se em todas as direções. Luz e calor, que sustentam a vida inteira, saem de uma grande bola de fogo, e aqui Deus aparece como o Sol espiritual.

■ 3.5

לְפָנָיו יֵלֶךְ דָּבֶר וְיֵצֵא רֶשֶׁף לְרַגְלָיו:

Adiante dele vai a peste. O Deus luminoso também espalha pragas sobre a face da terra, conforme fez, mais conspicuamente, no Egito, por ser ele o Deus dos julgamentos contra o mal. Por isso Deus é quem produz tanto a luz quanto as trevas. Ele propaga a luz que transmite vida, mas também espalha a pestilência (literalmente, *calor requeimante* ou *relâmpagos de fogo*). Cf. o que aqui é dito com Êx 7.14—11.10, e cf. a pestilência aqui referida com Dt 32.24. Ver no *Dicionário* o artigo chamado *Pragas do Egito*. A *Providência de Deus*, em seus aspectos negativo e positivo, controla todas as coisas. Ver sobre esse título no *Dicionário*. Ver também o verbete intitulado *Soberania de Deus*. As pragas se manifestam como "carvões em brasa" (*King James Version*) que acompanham os passos do Senhor quando ele avança, e se espalham em seu ato de andar. Seu circuito é universal, e isso significa que o mundo inteiro está sujeito ao bem ou ao mal, em consonância com os ditames da lei moral.

■ 3.6

עָמַד וַיְמֹדֶד אֶרֶץ רָאָה וַיַּתֵּר גּוֹיִם וַיִּתְפֹּצְצוּ הַרְרֵי־עַד שַׁחוּ גִּבְעוֹת עוֹלָם הֲלִיכוֹת עוֹלָם לוֹ:

Ele para e faz tremer a terra. Deus se preparava para julgar e aquilatava a terra quanto ao bem e ao mal. Mas alguns estudiosos pensam estar em pauta a divisão da terra de Israel em porções tribais, segundo clãs e famílias. Esse foi outro ato da providência divina, visando o benefício de seu povo. Algumas versões, porém, em lugar de "faz tremer", apresentam a tradução "mede". Isso se deriva de compreender o emprego de uma raiz diferente no hebraico. As duas raízes, como é óbvio, são bastante parecidas. Ele *sacode* as nações, ele espalha as montanhas eternas (talvez falando de altos poderes), ele faz as colinas eternas afundar (talvez referindo-se, igualmente, aos poderes humanos ou reinos que a providência divina precisou manusear a fim de favorecer o seu povo). Ou então temos pintado o tremendo poder do Criador, que faz o que é de seu agrado à face da terra, e não permite que nenhum obstáculo o impeça.

> Ele monta a tempestade e cavalga no vento alado;
> Entre trovões ele rasga os céus baixos;
> Fontes e rios, oceanos e inundações obedecem,
> E as profundezas do oceano cedem diante de seus passos;
> Os montes tremem e as colinas se afundam,
> Enrodilhados no pó, pela carranca do Todo-poderoso,
> Quando Deus desdobra os terrores de seus olhos,
> Todas as coisas, horrorizadas, tremem e jazem em confusão.
>
> Ésquilo, fragmento

■ 3.7

תַּחַת אָוֶן רָאִיתִי אָהֳלֵי כוּשָׁן יִרְגְּזוּן יְרִיעוֹת אֶרֶץ מִדְיָן: ס

Vejo as tendas de Cusã em aflição. Um texto hebraico difícil (e talvez corrompido), assim traduzido pela nossa versão portuguesa. Mas alguns intérpretes preferem a tradução que diz: "As tendas de Cusã foram rasgadas em pedaços". Ou então: "A terra de Midiã estremeceu". Esses dois locais testemunharam as vagueações do povo de Deus pelo deserto, bem como a presença de Deus entre eles, o que lhes causava temor e queda na aflição e no tremor. O poder de Deus, demonstrado às margens do rio Vermelho lançou no terror as nações circunvizinhas, reduzindo-as à angústia. Ver Êx 15.14-16; Dt 2.25; Js 2.9; 5.1. A referência é às *tendas* deles, que podem falar do estado precário dos judeus diante da presença de Deus.

"O julgamento moral de Deus é inerente ao processo inteiro da criação, bem como ao governo divino do que foi produzido. Nada existe que não esteja incluído nesse movimento divino. Deus está em seu santo templo, e o seu santo templo é toda a terra (Hc 2.20)" (Howard Thurman, *in loc*.).

Alguns intérpretes entendem que a palavra "Cusã" refere-se a Cusã-Risataim, rei da Mesopotâmia, na Síria, o primeiro opressor de Israel (Jz 3.8,10). Então Cusã aparece como Midiã, nos dias de Gideão (Jz 6 e 7). Mas, no presente contexto, isso parece envolver uma deslocação.

■ 3.8

הֲבִנְהָרִים חָרָה יְהוָה אִם בַּנְּהָרִים אַפֶּךָ אִם־בַּיָּם עֶבְרָתֶךָ כִּי תִרְכַּב עַל־סוּסֶיךָ מַרְכְּבֹתֶיךָ יְשׁוּעָה:

Acaso é contra os rios, Senhor, que estás irado? Estaria Deus irado com a própria natureza, enquanto marchava com seu povo e aplicava seu julgamento? Estaria Deus irado com os rios — com os cursos de água — com o mar? A alusão parece ser à divisão do mar Vermelho e ao represamento do rio Jordão. Ver Êx 14.15-18; 15.8-10; Js 3.14-17. Antes disso, por ocasião das pragas do Egito, ele tinha ferido as águas, incluindo o rio Nilo (ver Êx 7.20,21). Yahweh chegava a perturbar a natureza a fim de favorecer seu povo, e essa foi uma notável revelação de sua força e bondade, que avançavam de mãos dadas. Uma figura popular para representar o poderoso Deus consistia em retratá-lo como um guerreiro montado a cavalo, carregando na batalha. Cf. Sl 77.16-20, que emprega outras "figuras que representam poder". Ver também Sl 114.5-8. Contrastar a figura deste versículo com os cavalos babilônicos em Hc 1.8,9. Os egípcios atiraram-se contra os israelitas montados a cavalos, somente para encontrar Yahweh em pé de guerra contra eles (ver Êx 14.14 ss.).

■ 3.9

עֶרְיָה תֵעוֹר קַשְׁתֶּךָ שְׁבֻעוֹת מַטּוֹת אֹמֶר סֶלָה נְהָרוֹת תְּבַקַּע־אָרֶץ:

Tiras a descoberto o teu arco. O arco era tirado da bainha para ser usado na guerra contra homens ímpios e desalmados, trazendo justiça à terra. "Comandaste muitos arcos para serem trazidos a ti" (NCV). Esta cláusula tenta traduzir um texto hebraico obscuro. Certo erudito listou mais de cem diferentes traduções desse texto. Praticamente cada palavra tem sido contestada e apresenta possíveis significados alternativos. A *King James Version* diz: "De acordo com os juramentos das tribos". Esta tradução, radicalmente diferente das demais, dará ao leitor uma ideia das maneiras diferentes em que as palavras podem ser compreendidas. Nesse caso poderíamos traduzir por: "Varas (flechas são usadas por uma palavra)" como se fossem mísseis enviados pelo decreto de Yahweh. Cf. a essência do significado aqui com o fogo consumidor de que fala Dt 32.24; as flechas bêbadas de sangue (ver Dt 32.42), que fazem parte de seu juramento de vingança (ver Dt 32.41).

Selá. Esta palavra hebraica é usada três vezes neste salmo (vss. 3,9,13). Ver as notas expositivas no vs. 3 e em Sl 3.2.

Finalmente, o poder de Deus é demonstrado também pela maneira como ele cruza a superfície da terra com rios, que podem atuar como forças destruidoras ou agentes transmissores de vida, dependendo dos atos negativos ou positivos da *Providência de Deus*. Cf. Êx 17.6 e Nm 20.11. O Targum compreende isso como as *inundações* que provocam destruição; mas a outra ideia é preferível.

■ 3.10

רָאוּךָ יָחִילוּ הָרִים זֶרֶם מַיִם עָבָר נָתַן תְּהוֹם קוֹלוֹ רוֹם יָדֵיהוּ נָשָׂא:

> *Vejo as tendas de Cusã em aflição; os acampamentos da terra de Midiã tremem.*
>
> Habacuque 3.7

Uma tenda geralmente era uma habitação temporária, feita de um tecido forte, com pelos de cor negra. Desde a remota antiguidade tem sido a residência típica dos beduínos, dos árabes nômades dos desertos da Arábia, da Síria e do norte da África. Essas tendas são de vários formatos: cônicas, ovais e oblongas.

Tenda árabe (Layard), Smith's Bible Dictionary.

Os montes te veem e se contorcem. Outras "declarações baseadas na natureza" foram adicionadas para ilustrar o imenso poder do Criador, que continua a intervir em sua criação. Quando os montes entreveem Yahweh, começam a tremer, o que é uma referência a terremotos literais, ou simboliza como os grandes reinos e poderes terrenos estremecem ao vê-lo. E então águas que produzem espumas, como o mar, ou rios rápidos e inundantes, são movidas pelo Senhor. O mar faz seu grande ruído por causa da intervenção divina sobre a natureza. O mar levanta suas "mãos" (ondas) ao alto, para consternação dos homens que por ele são ameaçados. O monte Sinai estremeceu por causa da presença do Senhor (ver Êx 19.18; Sl 114.4,6,7). O mar Vermelho e o rio Jordão se contorceram, por ordem do Senhor (ver Sl 77.16,19 e 114.3,5).

As profundezas do mar. No hebraico, *tehom*, equivalente hebraico do mitológico *Tiamate*, o monstro marinho que representava o *caos*. Marduque teria dividido esse monstro em duas partes, por ocasião da criação. O significado disso é que Deus, o Criador, controla o caos, fazendo sua vontade prevalecer universalmente.

■ **3.11**

שֶׁ֥מֶשׁ יָרֵ֖חַ עָ֣מַד זְבֻ֑לָה לְא֣וֹר חִצֶּ֣יךָ יְהַלֵּ֔כוּ לְנֹ֖גַהּ בְּרַ֥ק חֲנִיתֶֽךָ׃

O sol e a lua param nas suas moradas. Os poderes de Yahweh são cósmicos, controlam o sol e a lua, e lhes conferem movimentos e habitações apropriados. Mas o poder divino também os faz *parar* em suas veredas, sempre que a vontade de Deus requer isso. O sol e a lua pararam quando viram suas flechas atiradas contra seus alvos. As atividades da natureza são suspensas quando as tempestades de raios chegam com seu poder faiscante. Além disso eclipses tanto do sol como da lua parecem clamar por uma pausa nas atividades celestes. Deus, em sua providência e em sua ira, controla a natureza, pelo que com igual certeza controla o destino dos homens e das nações. O longo dia de Josué provavelmente estava na mente do profeta quando ele escreveu este versículo. Ver Js 10.1,13. Os pagãos chamavam de flechas de Júpiter o granizo, o relâmpago e as tempestades de trovoada. Os fenômenos meteorológicos usualmente eram associados à atividade divina, na mente dos antigos.

■ **3.12**

בְּזַ֖עַם תִּצְעַד־אָ֑רֶץ בְּאַ֖ף תָּד֥וּשׁ גּוֹיִֽם׃

Na tua indignação marchas pela terra. O autor sagrado continua aqui a ideia de tempestades violentas que representam como Deus varre a superfície da terra em sua fúria judicial. Nações inteiras foram pisadas aos pés quando Deus assim ordenou, e os fenômenos naturais e o terror de exércitos em marcha se puseram em movimento, sob as ordens do General, o Deus *Sabaote*. Yahweh era como um Gigante trovejador que marchava pela largura da terra, sacudindo o planeta terra inteiro a cada passo, esmagando os maus e defendendo os bons. Alguns veem aqui a conquista do território de Israel pelo poder de Yahweh-Sabaote. Ele esmaga os povos pagãos como um agricultor esmaga o cereal. Sua ira deu a vitória ao povo de Israel. Cf. Mq 4.13.

■ **3.13**

יָצָ֙אתָ֙ לְיֵ֣שַׁע עַמֶּ֔ךָ לְיֵ֖שַׁע אֶת־מְשִׁיחֶ֑ךָ מָחַ֤צְתָּ רֹּאשׁ֙ מִבֵּ֣ית רָשָׁ֔ע עָר֛וֹת יְס֖וֹד עַד־צַוָּ֥אר סֶֽלָה׃ פ

Tu sais para salvamento do teu povo. O propósito da marcha de Deus era o de esmagar a iniquidade e trazer a salvação (o livramento)

a seu próprio povo. Sem a sua intervenção, Israel jamais teria conseguido coisa alguma.

Para salvar o teu ungido. Na verdade, "os teus ungidos", no plural, ou seja, o povo de Israel, coletivamente falando, mas o singular é correto e isso levanta a questão da natureza da referência: 1. Moisés, o líder no deserto; 2. Josué, o líder durante a conquista da Terra Prometida; 3. um rei-sacerdote, no tempo dos Macabeus; 4. uma referência geral a qualquer líder especial que Deus empregue em tempos de crise; 5. a referência também pode ser escatológica: o Messias; 6. pode estar em pauta algum favor especial aos judeus como um todo, o que exigiria a forma singular, conforme encontramos em nossa versão portuguesa.

Seja como for, a vitória vem através de algum líder especial quando os ímpios (de qualquer época) são esmagados, a fim de conduzir Israel à segurança e à salvação. Um livramento especial para Israel é visto na motivação dos atos destruidores de Yahweh.

O Golpe Completo: O oponente do povo de Deus terminou quando seu crânio foi esmagado e por ter sido *desnudado da cabeça ao dedão do pé* (NIV). A referência parece ser a ferimentos múltiplos e fatais, aplicados contra o seu corpo. Diz o texto hebraico, literalmente, "descobrindo o alicerce até o seu pescoço". Em outras palavras, a cabeça inteira e o pescoço foram decepados, como se tivesse sido atingido o próprio alicerce. A decapitação arrancava o pescoço das vítimas, e não somente a cabeça. "A casa inteira dos caldeus foi destruída, desde a raiz até os ramos" (Ellicott, *in loc.*). Mas a referência parece ser geral: todos os inimigos de Israel devem sofrer esse tipo de destruição devastadora...

Selá. Ver as notas expositivas sobre esta palavra, no vs. 3.

■ **3.14**

נָקַבְתָּ בְמַטָּיו רֹאשׁ פְּרָזָו יִסְעֲרוּ לַהֲפִיצֵנִי עֲלִיצֻתָם
כְּמוֹ־לֶאֱכֹל עָנִי בַּמִּסְתָּר׃

Traspassas a cabeça dos guerreiros do inimigo. O líder foi aniquilado, e outro tanto aconteceu a seus guerreiros, pois cada um deles teve sua cabeça traspassada com as flechas de Yahweh. Eles chegaram como um redemoinho contra Israel, e teriam alcançado êxito, não fora a divina intervenção. Yahweh aparece aqui como um glorificado Deus da guerra, o que está em consonância com contínuas circunstâncias agitadas, de extrema violência, que Israel estava sempre vivendo. Novamente, a referência mais provável é geral, falando coletivamente das muitas crises militares de Israel, das quais eles tinham sido libertados pelo poder de Deus. "Seus soldados precipitaram-se contra nós, para nos espalhar, como se fossem uma tempestade. Estavam contentes como se estivessem roubando o povo pobre em segredo" (NCV). A *alegria* derivada da matança e do saque (que era o salário dos exércitos antigos) é difícil de ser compreendida por nós. Somos informados que até os cavalos de guerra dão todos os sinais de satisfação diante da matança e do jorrar do sangue.

■ **3.15**

דָּרַכְתָּ בַיָּם סוּסֶיךָ חֹמֶר מַיִם רַבִּים׃

Marchas com os teus cavalos pelo mar. Deus, em sua intervenção, fez o que era impossível aos homens: pisou os mares com seus cavalos. Ele marchou "atravessando o mar", é outra tradução possível. Conforme avançava, Deus agitava as águas em terrível frenesi. Provavelmente, a alusão é à marcha de Israel atravessando o mar Vermelho. As águas do mar Vermelho foram divididas para permitir-lhes a passagem, mas se tornaram um sepulcro de água para os egípcios, o que concedeu aos filhos de Israel vitória total e definitiva. Ver Êx 14.15-18 e 15.8-10. A vitória de Deus provocou tremenda agitação nas águas internacionais, uma agitação que o povo de Israel nunca pôde esquecer. Cf. Sl 77.19.

> Quando Israel saiu da servidão
> Jazia diante deles um mar.
> O Senhor estendeu sua poderosa mão,
> E fez o mar rolar para trás.
>
> H. J. Zelley

CONCLUSÃO: A REAÇÃO DO PROFETA (3.16-19)

■ **3.16**

שָׁמַעְתִּי וַתִּרְגַּז בִּטְנִי לְקוֹל צָלֲלוּ שְׂפָתַי יָבוֹא רָקָב
בַּעֲצָמַי וְתַחְתַּי אֶרְגָּז אֲשֶׁר אָנוּחַ לְיוֹם צָרָה לַעֲלוֹת
לְעַם יְגוּדֶנּוּ׃

Ouvi-o, e o meu íntimo se comoveu. O vs. 2 deste capítulo é a introdução ao salmo; este versículo é a conclusão do salmo. O profeta ouviu um relato acerca de Yahweh e da temível natureza de seus atos, e pôde apreciar o seu poder. Agora, o profeta tremia; tinha perdido o controle sobre os próprios músculos; seus lábios estavam trêmulos; seus passos cambaleavam. Então ele se acalmou para esperar, tranquilamente, pelo dia da tribulação que rapidamente se aproximava, o temível ataque contra os babilônios, que tinham sido usados por Yahweh para punir seu povo. Ele podia esperar o aniquilamento completo dos babilônios por parte dos medos e persas, visto que sabia que a justiça seria servida; e era isso o que ele desejava ardentemente. O salmo do profeta narrava muitas vitórias de Yahweh-Sabaote sobre os inimigos de Israel, e ele sabia que, uma vez mais, isso diria a verdade. "Embora trêmulo diante da calamidade que está prestes a acontecer, contudo descanso em Deus (ver Is 26.3)" (Fausset, *in loc.*).

■ **3.17**

כִּי־תְאֵנָה לֹא־תִפְרָח וְאֵין יְבוּל בַּגְּפָנִים כִּחֵשׁ מַעֲשֵׂה־
זַיִת וּשְׁדֵמוֹת לֹא־עָשָׂה אֹכֶל גָּזַר מִמִּכְלָה צֹאן וְאֵין
בָּקָר בָּרְפָתִים׃

Ainda que a figueira não floresce, nem há fruto na vide. Este versículo sumaria as devastações que Israel-Judá havia experimentado por meio do julgamento divino através dos babilônios. A agricultura havia fracassado; as figueiras nem ao menos floresceram, e muito menos produziram figos; a produção das oliveiras reduziu-se a nada; os campos não geraram nenhum tipo de colheita; os animais domesticados morreram em seus estábulos. Aqui o autor volta às suas descrições tipo salmo. "Mesmo no meio da *ruína absoluta* e da fome abjeta (que ocorreu quando os babilônios capturaram Jerusalém; ver Lm 2.12,20; 4.4,9,10 e 5.17,18), o profeta estava preparado para confiar em Deus. Ele percebeu a *paz interior* que ultrapassava todo o entendimento, que não dependia da prosperidade externa" (J. Ronald Blue, *in loc.*).

No tocante às perguntas sobre a justiça de Deus, que provocaram a escrita do livro presente, agora temos outra resposta, além daquela sobre a lei da colheita segundo a semeadura: há um *paradoxo*, mas, de alguma maneira, a *fé* pode existir em meio a toda essa condição, onde não encontramos respostas seguras. Mas a fé é a vitória que vence o mundo. Ver 1Jo 5.4.

> Ele me guia, ó bendito pensamento!
> Ó palavras carregadas de consolo celestial!
> O que quer que eu faça, onde quer que eu esteja,
> A mão de Deus continua a orientar-me.
>
> Joseph H. Gilmore

■ **3.18**

וַאֲנִי בַּיהוָה אֶעְלוֹזָה אָגִילָה בֵּאלֹהֵי יִשְׁעִי׃

Todavia eu me alegro no Senhor. Embora, pelo momento, o profeta estivesse no abismo da derrota e da desolação, Habacuque retinha sua esperança. "Sua certeza jamais deveria ser deixada à mercê das vicissitudes da vida que o circundavam. Ele tinha de encontrar o testemunho de Deus em seu próprio coração, pois, do contrário, jamais poderia achar esse testemunho" (Howard Thurman, *in loc.*).

> ... na esperança que envia um raio brilhante
> lá no fim do caminho alargado do futuro.
>
> Washington Gladden

Havia temor e tristeza nas circunstâncias da vida, mas havia alegria no coração do profeta, porquanto em Elohim, o *Poder*, ele encontrou livramento de todo o dano. É conforme dizia Sócrates: "Nenhum dano pode sobrevir a um homem bom, finalmente".

> Sim, Jesus é a verdade, o Caminho,
> Aquele que levará você ao descanso.
> Confia nele sem demora,
> E serás plenamente abençoado.
>
> J. H. Stockton

Que o leitor compare a expressão de confiança do apóstolo Paulo, em Rm 8.37:

> *Em todas estas coisas somos mais do que vencedores, por meio daquele que nos amou.*

■ 3.19

יְהוִה אֲדֹנָי חֵילִי וַיָּשֶׂם רַגְלַי כָּאַיָּלוֹת וְעַל בָּמוֹתַי יַדְרִכֵנִי לַמְנַצֵּחַ בִּנְגִינוֹתָי׃

O Senhor Deus é a minha fortaleza. *Adonai-Yahweh*, o Senhor Eterno e Soberano, garante a esperança e a fé, mesmo quando as circunstâncias são adversas, mesmo quando não há respostas adequadas, do ponto de vista racional, para o problema do mal: por que os homens sofrem e por que sofrem como sofrem? Na hora da provação, Yahweh é a força do homem. Ele é o Deus soberano, que tranquiliza todos os nossos temores. Ver no *Dicionário* o verbete intitulado *Soberania de Deus*. Eventualmente, sua vontade graciosa deverá triunfar. O nome divino, *Adonai-Yahweh*, é empregado 217 vezes em Ez, mas somente 103 vezes no restante do Antigo Testamento. No livro de Amós encontra-se dezenove vezes, mas somente cinco vezes nos outros Profetas Menores. Temos aqui a única ocorrência desse título no livro de Habacuque.

A força que Deus outorga é revigorante, como o poder que a gazela tem em suas patas. A corça podia percorrer a escura floresta com pés ligeiros, e outro tanto podia fazer o profeta nas escuras experiências da vida. As pernas do profeta tremeram (vs. 16), mas agora se fortaleceram e se tornaram ligeiras. O animal de patas ligeiras pode subir aos mais elevados picos montanhosas para percorrer os cumes dos montes. A corça torna-se, assim, o símbolo da força, da firmeza dos passos, da beleza e da alegria de viver. Cf. Dt 23.13; 2Sm 22.34; Sl 18.33. Quanto ao andar por *lugares elevados*, ver Dt 33.29; Mq 1.3; Am 4.13; 2Sm 1.19,25. Quanto ao Senhor como a *força* do crente individual, ver Sl 18.32,33; 2Sm 22.33,34.

"Deus capacita o profeta e seu povo a escapar dos seus inimigos, retornando rapidamente à terra deles, uma terra coberta de colinas, lugar de segurança e eminência (ver Gn 19.17). Fica implícita a elevação de Israel acima de todas as regiões da terra (Dt 33.29)" (Fausset, *in loc.*).

Pós-escrito. "Ao mestre de música. Para instrumentos de corda". No hebraico original encontramos a palavra *neginoth*, geralmente interpretada como "instrumentos de corda", visto que a ideia de "tanger" é inerente ao vocábulo. Os salmos eram entoados. Cf. os subtítulos do Salmo 4. E também aparece nos subtítulos dos Salmos 6, 54, 61, 67 e 76.

> Então, em um cântico mais nobre e mais doce,
> Cantarei o teu poder para salvar,
> Quando esta pobre língua, balbuciante e gaga,
> Estiver jazendo, silenciosa, no sepulcro.
>
> William Cowper

SOFONIAS

O livro que descreve os pecados de Judá que provocaram o cativeiro babilônico — O Dia do Senhor

> *Consumirei os homens e os animais, consumirei as aves do céu, e os peixes do mar, e as ofensas com os perversos; e exterminarei os homens de sobre a face da terra, diz o Senhor.*
>
> Sofonias 1.3

3 | Capítulos
53 | Versículos

INTRODUÇÃO

Obra literária de um profeta que descendia do rei Ezequias. Ele viveu nos dias de Josias, rei de Judá. Em qualquer lista dos doze Profetas Menores, o livro de Sofonias sempre ocupa o nono lugar, sempre antes de Ageu e depois de Habacuque.

ESBOÇO

  I. Unidade
 II. Data
III. Pano de Fundo Histórico
IV. Propósito
 V. Conteúdo
VI. Bibliografia

I. UNIDADE

A maioria dos críticos admite que o primeiro capítulo do livro de Sofonias é, realmente, obra do profeta com esse nome; mas quase todos opinam que os capítulos segundo e terceiro do livro contêm ou poemas posteriores ou ampliações provenientes do período pós-exílico, que teriam sido acrescentados aos oráculos autênticos de Sofonias. Quanto aos detalhes, os intérpretes também demonstram pouca concordância entre si. A principal dificuldade, porém, é que a maioria dos estudiosos não acredita em profecias preditivas genuínas, mas apenas em *vaticinium ex eventu (profecia* após o evento ocorrido), além de crer que a teologia esperançosa, na história da religião de Israel, evoluiu somente no período pós-exílico. Mas a primeira dessas opiniões não se coaduna com o testemunho explícito da própria Bíblia, e o segundo desses pressupostos encontra paralelos até mesmo na forma de profecias extrajudaicas do antigo Oriente Próximo, como as do Egito e as que aparecem nas cartas provenientes de Mari, onde há predições que seguem o modelo de ameaças e de promessas. Isso demonstra que esse modelo não foi criação posterior de Israel após o exílio.

II. DATA

De acordo com a introdução do próprio livro de Sofonias, esse profeta atuou durante o reinado de Josias (640—609 a.C.). Com base no estado da moral e da religião em sua época (Sf 1.4 ss., 8, 9, 12 e 3.1,3-7), pode-se inferir que suas atividades, mais precisamente ainda, ocorreram antes da grande reforma religiosa de 621 a.C. (cf. 2Rs 23.4 ss.). Os informes que, de acordo com certos críticos, indicariam uma data um tanto posterior para o livro, podem ser devidamente explicados como segue: a. os filhos do rei mencionados em Sf 1.8, adeptos a costumes estrangeiros, não podem ter sido os filhos do rei Josias, porquanto Josias era jovem demais para isso. Antes, devemos pensar em seus irmãos ou parentes próximos. b. A alusão àqueles que continuavam servindo aos ídolos, no versículo seguinte, designa quão completa seria a destruição deles — Yahweh haveria de varrer de Israel todo e qualquer vestígio da adoração a Baal.

Os críticos também postulam uma data posterior para o livro de Sofonias porque vinculam a predição de Sofonias sobre o grande Dia de Yahweh (ver desde Sf 1.1) com as invasões dos povos citas, que atacaram a Assíria em 632 a.C. Porém, é evidente que uma invasão que teve consequências relativamente pequenas não pode ser equiparada ao que as Escrituras em geral, e o próprio livro de Sofonias, em particular, dizem sobre o Dia do Senhor. A opinião desses críticos é simplesmente ridícula. Portanto, se aceitarmos o testemunho do próprio Sofonias, concluiremos que ele pregou nos dias do reinado de Josias. Muitos eruditos conservadores pensam que Sofonias estava encerrando a sua carreira profética quando Jeremias começava a sua. Jeremias foi chamado como profeta no décimo terceiro ano do reinado de Josias. Ver Jr 1.2.

Cabe aqui perguntar: Por que os críticos sempre acham que os livros da Bíblia foram escritos depois das datas às quais eles se ajustam, de acordo com os próprios informes encontrados nesses livros? Em que esse adiamento traria vantagem à causa desses críticos? Por que nenhum deles jamais tentou atribuir a algum livro da Bíblia uma data mais antiga do que geralmente se supõe? A resposta é simples. É que eles são impulsionados pela incredulidade, mormente quanto à possibilidade de Deus revelar a seus profetas, de antemão, os acontecimentos futuros. Os críticos sempre querem dar a entender que os livros proféticos são apenas livros históricos. Suas predições fariam referência ao passado, e não ao futuro. Quanto mais tarde eles puderem datar esses livros, melhor para as crenças deles. Contra isso levantam-se estudiosos sérios, que creem no fenômeno da profecia preditiva como autêntica manifestação do Deus vivo. Não precisamos apelar para aquele esquema. Aceitamos o que os livros da Bíblia dizem a seu próprio respeito, sem tentar nenhuma distorção. Para nós, essa atividade seria desonesta. Não estamos querendo comprovar nenhuma teoria. Queremos encontrar a verdade!

III. PANO DE FUNDO HISTÓRICO

As condições religiosas do reino de Judá deterioraram-se de modo marcante após a morte do rei Ezequias. Os judeus cada vez mais se inclinavam para a adoção de costumes assírios, que então exerciam grande influência cultural sobre a Palestina. As práticas religiosas degeneradas, anteriores à grande reforma religiosa de Josias, transparecem, com certos detalhes, no trecho de 2Rs 23.4-20.

Os estudiosos muito têm debatido sobre o pano de fundo político do livro de Sofonias. Se Isaías (39.6), Habacuque (1.6) e Jeremias (10.4) especificaram que os babilônios seriam a vara de castigo usada por Yahweh, a qual haveria de destruir temporariamente o reino de Judá, Sofonias somente diz que o próprio Deus aplicaria essa punição, mas sem determinar o instrumento usado para isso. Por causa desse silêncio de Sofonias, dois povos têm sido sugeridos pelos estudiosos como instrumento: os citas ou os babilônios. E, visto que a invasão cita ocorreu em data posterior, é preferida pelos críticos que não acreditam em profecias preditivas. O erro dessa opinião é visto claramente no fato de que Judá nunca foi atingido pelos citas, ao passo que os babilônios levaram a nata da nação judaica para o exílio, em 586 a.C. Isso tanto é testemunho bíblico (ver, por exemplo, 2Cr 36.17 ss.) quanto da própria história. Os citas, por sua vez, somente perturbaram a Ciaxares, rei medo, por ocasião do cerco de Nínive. Depois, marcharam contra o Egito; mas sem atacá-lo, e retornaram a seus lugares de origem, sem jamais terem atingido a Palestina.

IV. PROPÓSITO

Sofonias predisse a queda de Judá e de Jerusalém como acontecimentos inevitáveis (Sf 1.4-13), em face da degeneração religiosa que ali reinava. Todavia, esse julgamento local é visto pelo profeta contra o pano de fundo do quadro maior dos últimos dias, que as Escrituras também chamam de Dia do Senhor (Sf 1.4-18 e 2.4-15). Por conseguinte, o propósito central do autor sagrado foi, principalmente, despertar os piedosos para que se voltassem de todo o coração ao Senhor, a fim de escaparem da condenação quando do futuro dia do juízo (Sf 2.1-3), tornando-se parte do remanescente que haverá de desfrutar as bênçãos do reino de Deus (Sf 3.8-20). Isso significa que o livro não é obsoleto para nós; antes, à medida que se aproximarem os últimos dias, mais e mais o livro terá aplicação e utilidade para nossa meditação e orientação. Todos os livros proféticos (e também em menor grau todos os demais livros bíblicos) têm um aspecto escatológico decisivo, que não podemos desprezar. No seu conjunto, eles formam o quadro que Deus queria dar-nos acerca dos dias finais desta dispensação, que abrirão caminho para uma nova época "áurea", o milênio ou reinado de Jesus Cristo à face da terra!

V. CONTEÚDO

O esboço do livro de Sofonias é muito simples, quanto a seus detalhes principais, a saber:

A. Introdução (1.1)
B. O Juízo Universal (1.2—3.7)
   1. Sobre a criação inteira (1.2,3)
   2. Sobre Judá (1.4—2.3)
   3. Sobre as nações gentílicas (2.4-15)
   4. Sobre Jerusalém (3.1-7)

C. O Estabelecimento do Reino (3.8-20)
1. Destruição da oposição gentílica (3.8)
2. O remanescente purificado (3.9-13)
3. As bênçãos do reino (3.14-20)

Destacaremos alguns pontos, dentro desse esboço:

Quanto ao Juízo Divino sobre a Criação Inteira (1.2,3). A destruição antecipada por Sofonias será ainda mais abrangente que os efeitos do dilúvio de Noé — a total destruição é o fim deste cosmo caído no pecado (cf. 2Pe 3.10; Ap 21.1). Antes disso, o colapso das civilizações em sequência serve de arauto que anuncia o juízo final sobre o mundo inteiro. Uma das causas do juízo é que os homens, em sua imensa teimosia e rebeldia, arruinaram cada instituição divina. Poderíamos citar o matrimônio (Gn 2.18-25) e o governo humano (Rm 13.1-7).

Sobre Judá (1.4—2.3). Esse juízo, que ocorreu em 586 a.C., foi o primeiro rebate acerca do juízo final. O rigor divino contra Judá corresponde aos privilégios maiores dessa nação (Dt 4.7, 8, 32 ss.; Rm 9.4,5).

Sobre as Nações Gentílicas (2.4-15). Nenhuma nação do mundo escapará ao juízo divino. Este será verdadeiramente universal. Isso é destacado pelo fato de que o profeta se refere às nações gentílicas a oeste, a leste, ao norte e ao sul do território de Judá.

O Estabelecimento do reino (3.8-20). O trecho começa falando sobre o fim de toda uma civilização, de toda uma era, ou, usando a linguagem teológica, de toda uma dispensação: "a minha resolução é ajuntar as nações e congregar os reinos, para sobre eles fazer cair a minha maldição e todo o furor da minha ira; pois toda esta terra será devorada pelo fogo do meu zelo" (3.8).

O resultado de tão severo juízo contra as nações foi predito como se lê nos vss. 12 e 13: "Mas deixarei, no meio de ti, um povo modesto e humilde, que confia em o nome do Senhor. Os restantes de Israel não cometerão iniquidade, nem proferirão mentira, e na sua boca não se achará língua enganosa, porque serão apascentados, deitar-se-ão, e não haverá quem os espante". Portanto, abatida a altivez dos povos, formar-se-á uma nova civilização, na qual o povo de Israel haverá de resplandecer. E, no dizer do resto do trecho, até o fim do livro, Deus reivindicará a causa de seu povo de Israel contra todos os que o afligiram através dos milênios. Isso importará na restauração de Israel. O profeta conclui seu livro, prevendo: "Naquele tempo, eu vos farei voltar e vos recolherei; certamente, farei de vós um nome e um louvor entre todos os povos da terra, quando eu vos mudar a sorte diante dos vossos olhos, diz o Senhor" (3.20). Ver no *Dicionário* sobre *Restauração de Israel*.

VI. BIBLIOGRAFIA
ALB AM E I IB ID YO Z

Ao Leitor
Forneço uma *Introdução* para o leitor sério, que o ajudará a compreender melhor este livro de Sofonias. A introdução aborda temas importantes, como: unidade; data; pano de fundo histórico; propósito; conteúdo. Sofonias foi um profeta enviado ao povo de Judá, cuja profecia foi escrita em cerca de 640-609 a.C., durante o tempo do reinado de Josias. Ver a *Introdução*, 2. *Data*, quanto a uma discussão completa.

Sofonias é um dos chamados *Profetas Menores,* que somam doze. O termo "menor" não é um juízo quanto ao poder e à importância desses profetas. Antes, apenas faz referência à pequena quantidade relativa do material que eles produziram. Os chamados *Profetas Maiores* (Is, Jeremias e Ezequiel) escreveram muito mais, razão pela qual são chamados *maiores*. Os eruditos judeus juntaram todos esses doze livros num rolo (como se formassem um único livro) e chamaram a esse rolo de "o livro dos Doze". De fato, o volume total combinado deles é como o de Ezequiel.

Ver o *gráfico* no início da exposição do livro de Oseias, onde apresento informações sobre os profetas do Antigo Testamento, incluindo a suposta ordem cronológica.

Esse livro foi escrito formando contraste com a cortina de fundo dos jogos de poder internacionais. A Babilônia era o valentão entre as nações guerreiras que matavam, estupravam e saqueavam outros povos. O que não devemos esquecer, entretanto, é que *Yahweh* é que estava usando a Babilônia para castigar outros povos por causa de seus pecados. Algum dia, porém, por sua vez, a Babilônia seria castigada por outras nações, por causa de seus próprios pecados. A nação de Judá havia caído em um sincretismo doentio que tentava combinar o yahwismo com as religiões pagãs. A mistura era repelente, e tornavam-se inevitáveis o julgamento contra Judá, por meio da Babilônia, e o cativeiro babilônico. Quanto a detalhes, ver a *Introdução,* terceira seção, *Pano de Fundo Histórico.*

O tema *dia do Senhor* é usado com maior frequência no livro de Sofonias do que em qualquer outro livro do Antigo Testamento. Esse tema ventila o *dia do julgamento* e, nesse livro, pode ser ou não uma referência escatológica às condições anteriores à era do reino de Deus.

Os dias de Josias foram dias de reavivamento religioso, mas foi impossível eliminar os antigos pecados de Judá. A idolatria-adultério-apostasia na nação de Judá continuaria com pouca oposição, até que ocorresse o golpe esmagador, que por pouco não aniquilou a nação. Cremos que as reformas instituídas por Josias foram bastante superficiais, e nada mudaram por longo tempo. Cf. Jr 2.11-13.

EXPOSIÇÃO

CAPÍTULO UM

JULGAMENTO CONTRA JERUSALÉM (1.1-18)

דְּבַר־יְהוָה אֲשֶׁר הָיָה אֶל־צְפַנְיָה בֶּן־כּוּשִׁי בֶן־גְּדַלְיָה בֶּן־אֲמַרְיָה בֶּן־חִזְקִיָּה בִּימֵי יֹאשִׁיָּהוּ בֶן־אָמוֹן מֶלֶךְ יְהוּדָה׃

Palavra do Senhor. Quase todos os livros proféticos dizem que os profetas envolvidos foram alvos da revelação de Yahweh, pelo que eram autorizados e suas palavras eram dignas de confiança. Ver no *Dicionário* os verbetes intitulados *Revelação* e *Inspiração*.

Sofonias, filho de Cusi... filho de Ezequias. A maioria dos profetas tem suas genealogias traçadas de volta somente até seus pais (ver Jn 1.1; Jl 1.1). Zacarias tem uma genealogia que remonta a seu avô (ver Zc 1.1). Em contraste com eles, a linhagem de Sofonias retrocede *quatro gerações*. É provável que isso tenha acontecido porque esse profeta pertencia à família real e tinha o rei *Ezequias* como antepassado. Ele governou Judá em cerca de 715-687 a.C. Quanto ao problema da data do livro de Sofonias, ver a *Introdução*, seção 2. Quanto a maiores detalhes, ver no *Dicionário* os artigos sobre cada um dos nomes próprios deste versículo. O fato de que ele pertencia à família real concedia a Sofonias certo prestígio que os profetas comuns não possuíam.

Nos dias de Josias. Josias foi rei de Judá em cerca de 640-609 a.C., pelo que o ministério profético de Sofonias (bem como a escrita de seu livro) ocorreu nesse período. Ver o *gráfico* sobre os profetas de Israel-Judá, na introdução ao livro de Oseias, que inclui informações sobre questões de cronologia.

Ameaça de Destruição (1.2-6)

■ **1.2**

אָסֹף אָסֵף כֹּל מֵעַל פְּנֵי הָאֲדָמָה נְאֻם־יְהוָה׃

De fato consumirei todas as cousas sobre a face da terra. Embora Judá estivesse vivendo dias grandiosos no momento, sua taça da iniquidade se enchia rapidamente. O território de Judá seria consumido totalmente pelo ataque do exército babilônico, e Yahweh era a Fonte originária desse ataque, pois ele é o Deus Sabaote, General dos Exércitos. Deus estava prestes a "pôr fim" à arrogante nação de Judá (cf. Os 4.3). Note o leitor a destruição iminente ameaçada três vezes nos vss. 2 e 3. Os termos desses versículos são tão radicais que os intérpretes olham para o dia escatológico que varrerá do mapa o mal, antes da inauguração do reino de Deus.

1.3

אָסֵף אָדָם וּבְהֵמָה אָסֵף עוֹף־הַשָּׁמַיִם וּדְגֵי הַיָּם
וְהַמַּכְשֵׁלוֹת אֶת־הָרְשָׁעִים וְהִכְרַתִּי אֶת־הָאָדָם מֵעַל
פְּנֵי הָאֲדָמָה נְאֻם־יְהוָה׃

Consumirei os homens e os animais. "Nesta extensa denúncia, há, como é claro, uma reminiscência de Gn 7.23. 'Peixes do mar' aqui, entretanto, é substituído em Gênesis por 'répteis'. Cf. esta profecia com a que houve durante o reinado de Manassés (ver 2Rs 21.13)" (Ellicott, *in loc.*).

A natureza inteira participará do expurgo geral, mas são destacados aqueles homens perversos que se tornaram *pedras de tropeço* para os bons e afrontas para Deus. Cf. Jr 25.31-33. "Arruinarei o povo mau" (NCV). Alguns pensam que as "ofensas" aqui referidas são os ídolos, os fabricantes e os adoradores de ídolos. Essa terrível combinação tinha-se tornado um empecilho para a continuação da própria nação, pelo que a causa é severamente ameaçada. O Targum diz: "Cortarei da terra os homens, diz o Senhor". Está em vista o *cativeiro babilônico* (ver a respeito no *Dicionário*), mas esse cativeiro tipifica um expurgo ainda maior, necessário antes que se estabeleça a era do reino de Deus.

1.4

וְנָטִיתִי יָדִי עַל־יְהוּדָה וְעַל כָּל־יוֹשְׁבֵי יְרוּשָׁלָ͏ִם
וְהִכְרַתִּי מִן־הַמָּקוֹם הַזֶּה אֶת־שְׁאָר הַבַּעַל אֶת־שֵׁם
הַכְּמָרִים עִם־הַכֹּהֲנִים׃

Estenderei a minha mão contra Judá, e contra todos os habitantes de Jerusalém. Judá é agora claramente enfocado como objeto da matança que haverá no futuro. A mão de Yahweh será o instrumento de julgamento. Ver sobre *Mão*, em Sl 81.14, e sobre *Mão Direita*, em Sl 20.6. Haverá um *golpe divino*. Os habitantes de Judá e Jerusalém serão esmagados, e suas práticas idólatras, dedicadas a Baal, serão demolidas, juntamente com seus sacerdotes idólatras. A idolatria-adultério-apostasia daquela nação a empurrava na direção de sua condenação. As reformas iniciadas por Josias foram superficiais e temporárias. Judá em breve não poderia mais retornar ao Senhor por meio do arrependimento. Cf. este versículo com Is 5.25; 9.12,17,21.

O resto de Baal. Josias tinha-se empenhado em um esforço heroico para livrar Judá da praga de Baal. Ver sobre *Baal*, no *Dicionário*. No entanto, permanecia um resto desse tipo de abominação que em breve começou a florescer de novo e se espalhou por todo o território de Judá. Agora, porém, uma reforma divina ultrapassaria em muito a fraca reforma encabeçada por Josias.

Ministrantes dos ídolos. O original hebraico é *chemarim*. Estão em vista os "sacerdotes vestidos de negro", que serviam a diferentes ídolos. Ver 2Rs 23.5. Esses sacerdotes foram destituídos por Josias, mas acabaram voltando a atuar. Estão em vista os horrendos sacerdotes que formavam o sacerdócio de Baal.

1.5

וְאֶת־הַמִּשְׁתַּחֲוִים עַל־הַגַּגּוֹת לִצְבָא הַשָּׁמָיִם וְאֶת־
הַמִּשְׁתַּחֲוִים הַנִּשְׁבָּעִים לַיהוָה וְהַנִּשְׁבָּעִים בְּמַלְכָּם׃

Os que sobre os eirados adoram o exército do céu. Os eirados ou pátios planos que encimavam as casas eram lugares convenientes para os ritos de honra a deuses do céu, corpos celestes, estrelas e hostes do céu. "A adoração dos eirados era praticada mediante o oferecimento de incenso e libações (cf. Jr 19.13; 32.29; 2Rs 23.5,12). A influência dos assírios (e babilônios) sobre as práticas religiosas de Judá, nos dias de Manassés e durante algum tempo mais, foi mais intensa no Antigo Testamento do que geralmente se confessa. Cf. 2Rs 21.3,5; 23.4,5,11,12; Jr 8.2; 19.13; Dt 4.19 e 17.3" (Charles L. Taylor, Jr. *in loc.*).

Sincretismo Doentio. Os judeus juravam e faziam votos tanto em nome de Yahweh como em nome de Milcom, que é interpretado como uma referência a *Moloque (Meleque)* (ver a respeito no *Dicionário*). Malcã representa uma vocalização diferente do mesmo nome. Ver Os 4.11; Jr 49.1-3 e 1Rs 11.5. Ninguém pode servir a dois senhores ao mesmo tempo (ver Mt 6.24). Mas isso conta apenas parte da história, pois um dos mestres era o deus de um paganismo degradado, que havia corrompido completamente a nação de Judá.

1.6

וְאֶת־הַנְּסוֹגִים מֵאַחֲרֵי יְהוָה וַאֲשֶׁר לֹא־בִקְשׁוּ אֶת־
יְהוָה וְלֹא דְרָשֻׁהוּ׃

Os que deixam de seguir ao Senhor, e os que não o buscam nem perguntam por ele. "Destruirei aqueles que se afastaram do Senhor. Eles deixaram de seguir o Senhor e pararam de fazer consultas a ele" (NCV). Em outras palavras, o povo de Judá tornou-se culpado de *apostasia*. Cf. Sl 53.3; 80.18; Pv 14.14; Is 59.13. Aquela gente "inquiria" a outros deuses e deixou de inquirir a Yahweh. Eles perderam o costume antigo de buscar o Senhor, e substituíram essa prática pela busca de muitos cultos dos povos pagãos. Os homens costumavam buscar a vontade de Yahweh através de sacerdotes que manipulavam as sortes sacras ou contemplavam as pedras hipnóticas da estola sacerdotal. Ver 1Sm 30.7,8. Mais tarde, a casta profética entrou em proeminência e costumava prever o futuro e resolver problemas, de ordem pessoal ou nacional (ver 1Rs 22.8; Jr 37.7; e ver no *Dicionário* o artigo chamado *Profecia, Profetas e o Dom da Profecia*. *Inquirição* tornou-se uma palavra técnica para indicar o *modus operandi* de um culto qualquer. A nação de Judá, em seu paganismo e apostasia, mudou tanto o culto quanto a inquirição.

Dois males cometeu o meu povo: a mim me deixaram, o manancial de águas vivas, e cavaram cisternas, cisternas rotas, que não retêm as águas.

Jeremias 2.13

O Sacrifício do Senhor (1.7)

1.7

הַס מִפְּנֵי אֲדֹנָי יְהוִה כִּי קָרוֹב יוֹם יְהוָה כִּי־הֵכִין
יְהוָה זֶבַח הִקְדִּישׁ קְרֻאָיו׃

Cala-te diante do Senhor Deus, porque o dia do Senhor está perto. Este versículo atua como uma declaração introdutória para o poema que aborda o *dia do Senhor*. Encontramos aqui a primeira das dezenove referências a esse dia. O poema se estende pelo restante do capítulo. Yahweh é aqui retratado a realizar um sacrifício. Judá é a vítima, e as forças babilônicas e seus aliados são os hóspedes convidados. O julgamento desse temível sacrifício ainda é universal, visto que, no julgamento final, as nações também serão vítimas. Ver no *Dicionário* o artigo chamado *Dia do Senhor*. Cada participante, a vítima e as testemunhas mantêm-se parados e aterrorizados, enquanto Yahweh sacrifica o próprio povo. Diferentemente de Isaque, Judá não escapou e merecia o que estava acontecendo. Talvez a figura tenha sido tomada por empréstimo de Is 34.6. Os hóspedes, naturalmente, em todos os sacrifícios, exceto o *holocausto* (ver a respeito no *Dicionário*), participavam da carne da vítima, depois que o sangue e a gordura eram oferecidos a Yahweh (ver Lv 3.17), e oito porções escolhidas eram dadas aos sacerdotes (ver Lv 6.26; 7.11-24; Nm 18.8; Dt 12.17,18). Mas é um erro pressionar os detalhes. Ver também Hc 2.20 e Zc 2.13.

A Punição dos Príncipes (1.8,9)

1.8,9

וְהָיָה בְּיוֹם זֶבַח יְהוָה וּפָקַדְתִּי עַל־הַשָּׂרִים וְעַל־בְּנֵי
הַמֶּלֶךְ וְעַל כָּל־הַלֹּבְשִׁים מַלְבּוּשׁ נָכְרִי׃

וּפָקַדְתִּי עַל כָּל־הַדּוֹלֵג עַל־הַמִּפְתָּן בַּיּוֹם הַהוּא
הַמְמַלְאִים בֵּית אֲדֹנֵיהֶם חָמָס וּמִרְמָה׃ ס

No dia do sacrifício do Senhor hei de castigar os oficiais e os filhos do rei. Os príncipes e nobres faziam parte do povo que formava o sacrifício coletivo. Naquele terrível dia do Senhor, quando ele realizar o rito, os líderes e nobres se destacarão entre os sofredores, visto que se tinham destacado entre os principais pecadores. Esses segmentos da sociedade vestiam roupas estrangeiras (importadas), elevando-se acima dos aldeões, e, no seu orgulho, eram culpados de muitas ofensas. Devemos compreender que essa gente se conformava ao paganismo de todas as maneiras possíveis, especialmente no que dizia respeito à idolatria. Suas vestes estrangeiras eram um símbolo disso.

Os vss. 8,9 condenam quatro pecados cardeais (e representativos), por causa dos quais aqueles homens ímpios e desvairados deveriam ser punidos:

1. *Conformidade com este mundo* (ver Rm 1.2), simbolizada pelo uso de roupas de fabrico estrangeiro. E a mais maligna das conformidades era a adoção da *idolatria* pagã (ver a respeito no *Dicionário*).
2. *Saltar sobre o limiar.* a. Isso poderia ser uma referência a 1Sm 5.5. A imagem de Dagom tinha caído e quebrado as mãos no limiar do seu templo. Desde então, seus adoradores passaram a saltar por sobre o limiar (para evitar o contato com aquele lugar infeliz), ao adentrar o templo. O significado disso, pois, seria que os líderes de Israel imitavam os filisteus em sua adoração, ou então participavam da idolatria pagã. A tradução inglesa diz: "Punirei aqueles que adoram a Dagom". b. Mas alguns estudiosos supõem que "saltar por sobre o limiar" significa saltar o limiar de casas ou palácios comuns, pois isso teria sido feito por homens violentos, que corriam para saquear o lugar no qual entravam.
3. *Violência espalhafatosa.* Nenhuma residência estava segura; nenhuma rua tinha segurança quando aqueles réprobos estavam nas proximidades. "Punirei aqueles que ferem a outros" (NCV). Talvez esteja em foco o sacrilégio: aqueles homens enchiam as casas (templos) de seus senhores-deuses com violência. Os santuários tornaram-se a cena de toda a espécie de deboche e crimes de sangue.
4. *Fraude e engano.* Aqueles ímpios lideravam seu país em negócios desonestos de toda sorte, no comércio, na vida pessoal, na política e nos tratados. Um significado possível é que, através desses métodos, os homens enchiam as casas de seus senhores com ganho obtido desonestamente. Ou então enchiam os templos pagãos com esse ganho, usando-os como se fossem tesouros. Parte dessas riquezas, sem dúvida, sustentava o culto e o pessoal dos templos. Os chefes desses santuários logicamente aprovavam o que era feito, por estarem compartilhando dos lucros.

Como o Dia do Senhor Afetará Jerusalém (1.10,11)

■ 1.10

וְהָיָה בַיּוֹם הַהוּא נְאֻם־יְהוָה קוֹל צְעָקָה מִשַּׁעַר הַדָּגִים וִילָלָה מִן־הַמִּשְׁנֶה וְשֶׁבֶר גָּדוֹל מֵהַגְּבָעוֹת:

Naquele dia, diz o Senhor, far-se-á ouvir um grito. O inimigo se aproximaria de Jerusalém vindo do norte, entrando primeiramente pela Porta do Peixe (Ne 3.1-6; 12.29; Jr 1.13-16). A *Cidade Baixa* talvez seja uma alusão à adição de construções à cidade pelo único lado por onde ela poderia expandir-se, o lado norte. 2Reis 22.14 diz-nos que Hulda vivia ali. Talvez os "outeiros" aqui mencionados sejam aqueles em redor de Jerusalém, porém é mais provável que esteja em pauta aquela parte da cidade chamada por esse nome, "os Outeiros". Contudo, ninguém sabe qual porção da cidade era ocupada pelos "Outeiros". Alguns estudiosos pensam que estão em foco Sião e o monte Moriá.

O significado geral é bastante claro. A cidade assediada mergulharia no pânico quando o ataque a atingisse por todos os lados. Não haveria onde se esconder. Haveria choro e lamentação, bem como os horrendos ruídos da guerra, que atravessariam o ar.

■ 1.11

הֵילִילוּ יֹשְׁבֵי הַמַּכְתֵּשׁ כִּי נִדְמָה כָּל־עַם כְּנַעַן נִכְרְתוּ כָּל־נְטִילֵי כָסֶף:

Uivai, vós, moradores de Mactés. O Pilão (no hebraico, *Mactés*) é, ao que se presume, outra parte da cidade assediada, mas isso não está mencionado em nenhuma outra parte da Bíblia, e ninguém pode calcular que lugar está em vista aqui. O restante do versículo parece indicar que essa seção da cidade era cena de intenso comércio, o qual, contudo, pararia imediatamente diante do avanço dos babilônios. John D. Hannah, *in loc.*, chamou essa parte da cidade de "centro dos negócios". Os lucros terminariam; não haveria mais pesagem de ouro e prata para comprar produtos. Os babilônios recolheriam todo o dinheiro e os produtos. O lucro seria deles. Na época não havia moedas cunhadas, pelo que *pesos* de metais preciosos determinavam os valores. Ver no *Dicionário* o artigo denominado *Dinheiro,* quanto a detalhes. O *pilão* pode ser referência a uma rocha usada para moer grãos. Um pilão era um vaso parecido com uma bacia (ou então uma pedra moldada nessa forma) usada para moer grãos. Talvez a palavra se refira a um *local* geográfico de forma semelhante a um pilão. Josefo (*Guerras* V.iv.1) referiu-se à questão das *cidades ruidosas,* que eram como lugares onde as pessoas pisavam o grão ou se ocupavam no comércio em geral. Tal lugar estava repleto de casas e empreendimentos comerciais.

A Sorte dos Indiferentes (1.12,13)

■ 1.12

וְהָיָה בָּעֵת הַהִיא אֲחַפֵּשׂ אֶת־יְרוּשָׁלַם בַּנֵּרוֹת וּפָקַדְתִּי עַל־הָאֲנָשִׁים הַקֹּפְאִים עַל־שִׁמְרֵיהֶם הָאֹמְרִים בִּלְבָבָם לֹא־יֵיטִיב יְהוָה וְלֹא יָרֵעַ:

Naquele tempo esquadrinharei a Jerusalém com lanternas. Seria feita busca completa para que se tivesse certeza de que nem um único culpado escaparia, e os poucos inocentes ficariam com os culpados, apanhados pelo mesmo terror. Aqueles que esperavam que nada acontecesse aos que "se fixassem em seus sedimentos" não formariam exceção. A lâmpada do profeta brilharia sobre eles, mostrando o que eles eram. "O vinho precisa ser agitado e derramado de tina para tina. Pois, caso contrário, *engrossa* e perde a força. Assim também 'despreocupado esteve Moabe desde a sua mocidade, e tem repousado nas fezes de seu vinho; não foi mudado de vasilha pra vasilha, nem foi para seu cativeiro' (Jr 48.11)" (Charles L. Taylor, Jr., *in loc.*).

Os refugos precisavam ser removidos diariamente. Caso isso não acontecesse, formava-se uma crosta dura, e o líquido virava xarope de gosto ruim. Judá, pois, havia-se tornado endurecido, por não ter sido misturado, mostrando-se indiferente para com a mensagem agitadora de Yahweh. Mas a complacência de Judá não indicava que Yahweh se mostrava passivo quanto às corrupções da nação. "Punirei aqueles que se estabeleceram e estão satisfeitos consigo mesmos" (NCV). Aqueles ímpios não eram capazes de ver a mão de Deus nos acontecimentos humanos. Eles pensavam que Yahweh (se é que ele existia) faria coisas boas em favor deles, e nada de mau. Eram *ateus práticos.* Talvez acreditassem em Deus, mas isso não fazia a menor diferença quanto à sua conduta. Eles diziam: "Nada de Deus para nós!"

■ 1.13

וְהָיָה חֵילָם לִמְשִׁסָּה וּבָתֵּיהֶם לִשְׁמָמָה וּבָנוּ בָתִּים וְלֹא יֵשֵׁבוּ וְנָטְעוּ כְרָמִים וְלֹא יִשְׁתּוּ אֶת־יֵינָם:

Por isso serão saqueados os seus bens. O julgamento divino haveria de feri-los repentinamente, quando não estivessem esperando por isso, provando-lhes que Yahweh *intervém* nos eventos humanos. O Criador também intervém em sua criação, recompensando e punindo em concordância com os requisitos da lei moral, o que constitui o *Teísmo* (ver a respeito no *Dicionário*). Contraste-se isso com o *Deísmo,* que supõe que a força criadora (pessoal ou impessoal) abandonou sua criação aos cuidados das leis naturais. Essas pessoas, que se mantinham indiferentes para com a mensagem divina, teriam de enfrentar os babilônios, que saqueariam e reduziriam a nada suas casas. Os judeus, pois, edificariam casas somente para perdê-las, antes que tivessem a oportunidade de habitar nelas; plantariam vinhas somente para os babilônios, e não para si mesmos, porquanto antes que chegasse o tempo da colheita eles perderiam todas as terras. Cf. Am 5.11; Mq 6.15; Dt 28.30,39. Os poucos judeus que sobrevivessem ao ataque seriam levados para a Babilônia, onde serviriam como escravos, sem terras e sem direitos. Note o leitor que este versículo exprime uma das *maldições* do livro de Deuteronômio contra aqueles que desobedecessem à lei mosaica.

O caráter generalizado da prestação de contas a Deus é completamente devastador. Esse castigo cairia sobre os judeus investidos de autoridade, bem como sobre os menos responsáveis. Esse castigo divino tornaria todos os judeus iguais no julgamento, uma maneira terrível de ser igual.

A Ira de Deus (1.14-16)

1.14,15

קָר֣וֹב יוֹם־יְהוָ֥ה הַגָּד֖וֹל קָר֣וֹב וּמַהֵ֣ר מְאֹ֑ד ק֚וֹל י֣וֹם יְהוָ֔ה מַ֥ר צֹרֵ֖חַ שָׁ֥ם גִּבּֽוֹר׃

י֥וֹם עֶבְרָ֖ה הַיּ֣וֹם הַה֑וּא י֧וֹם צָרָ֣ה וּמְצוּקָ֗ה י֤וֹם שֹׁאָה֙ וּמְשׁוֹאָ֔ה י֥וֹם חֹ֙שֶׁךְ֙ וַאֲפֵלָ֔ה י֥וֹם עָנָ֖ן וַעֲרָפֶֽל׃

Está perto o grande dia do Senhor. O dia do Senhor é aqui chamado de "grande", pois será um julgamento temível e todo-consumidor, que varrerá todos à sua frente, sem respeitar nenhuma classe. Nivelará a sociedade inteira, e deixará todos os seres humanos na mesma miséria. Esse dia temível é representado como iminente, doloroso, devastador, melancólico, universal, sem nada para ser desejado. O vs. 14 repete a ideia do vs. 7 — a proximidade do dia do Senhor.

Note o leitor que até poderosos guerreiros serão deixados em um choro patético, completamente alquebrados pela matança e pelo saque que esmagará toda a cidade de Jerusalém. Cf. a narrativa com Is 13.9,10: o dia do Senhor produzirá melancolia e trevas; e conferir também Jl 1.15: o dia do Senhor trará a "destruição" causada por Yahweh; finalmente, conferir Ez 7.19: nenhuma riqueza de prata ou ouro poderá livrar uma única pessoa do dia do Senhor. Ver também Am 5.18,20 e 8.9: o dia do Senhor será tenebroso, e não dia luminoso.

O vs. 15 tem sua própria lista de descrições miseráveis: o dia do Senhor será de tribulação, agonia, indignação, alvoroço, desolação, escuridade, melancolia, nuvens e espessas trevas. Dessa maneira, Sofonias acumula palavras ameaçadoras na tentativa de expressar a miséria total daquele dia, que se manifestará contra o pecado, em concordância com a lei da colheita segundo a semeadura (ver Gl 6.7,8). "As hordas babilônicas avançavam a fim de conquistar, matar, saquear, violar, tocar a trombeta e gritar enquanto avançavam, tanto contra Jerusalém como contra outras cidades fortificadas de Judá" (John D. Hannah, *in loc.*).

1.16

י֥וֹם שׁוֹפָ֖ר וּתְרוּעָ֑ה עַ֚ל הֶעָרִ֣ים הַבְּצֻר֔וֹת וְעַ֖ל הַפִּנּ֥וֹת הַגְּבֹהֽוֹת׃

Dia de trombeta e de rebate contra as cidades fortes. No dia do Senhor a trombeta de guerra será o rei. Está em vista o chifre de carneiro, que era tocado para alertar os soldados para a marcha ou para encorajá-los durante o ataque. Por isso lemos em Am 2.2: "Moabe morrerá entre grande estrondo, alarido e som de trombeta". Ver também Js 6.5. Cidades fortificadas cairão diante da máquina de guerra babilônica. Torres altas ou "altas muralhas" (*Revised Standard Version*) de nada adiantarão como defesa. Seria o dia da Babilônia, e Judá ficaria sem defesa, a despeito de suas elaboradas medidas defensivas. A moral da história é que, a menos que o Senhor edifique e defenda a cidade, ela acabará caindo, a despeito dos esforços dos construtores e defensores humanos. Ver Sl 127.1.

O Julgamento Universal (1.17,18)

1.17

וַהֲצֵרֹ֣תִי לָאָדָ֗ם וְהָֽלְכוּ֙ כַּֽעִוְרִ֔ים כִּ֥י לַיהוָ֖ה חָטָ֑אוּ וְשֻׁפַּ֤ךְ דָּמָם֙ כֶּֽעָפָ֔ר וּלְחֻמָ֖ם כַּגְּלָלִֽים׃

Trarei angústia sobre os homens, e eles andarão como cegos. Angústia (*Revised Standard Version*); vida difícil (NCV); desolação; indignação. Essas são palavras que descrevem os efeitos do julgamento universal. Os homens preferiram ser espiritualmente *cegos*; ignoraram a legislação mosaica, que foi dada como *guia* (Dt 6.4 ss.); rejeitaram a lei, que foi outorgada a fim de conferir-lhes *vida* (Dt 4.1; Ez 20.11); recusaram-se a ser um povo *distinto* entre as nações (Dt 4.4-8). Foi contra Yahweh que eles pecaram, e isso o forçou a derrubá-los por terra. Eles seriam mortos, seu sangue seria derramado no chão, e seu corpo serviria somente para fertilizar o solo. Cf. este versículo com Dt 28.29 e Jr 22.19.

1.18

גַּם־כַּסְפָּ֨ם גַּם־זְהָבָ֜ם לֹֽא־יוּכַ֣ל לְהַצִּילָ֗ם בְּיוֹם֙ עֶבְרַ֣ת יְהוָ֔ה וּבְאֵשׁ֙ קִנְאָת֔וֹ תֵּאָכֵ֖ל כָּל־הָאָ֑רֶץ כִּֽי־כָלָ֤ה אַךְ־נִבְהָלָה֙ יַֽעֲשֶׂ֔ה אֵ֥ת כָּל־יֹשְׁבֵ֖י הָאָֽרֶץ׃ ס

Nem a sua prata nem o seu ouro os poderá livrar no dia da indignação. Aqueles homens, que sempre empregaram o suborno para obter o que queriam, tentarão usar de novo essa técnica para comprar os babilônios, mas estes ignorarão tão tola medida. Os babilônios estavam ali para apossar-se de tudo, pelo que a ideia do suborno será eliminada. Ver no *Dicionário* o artigo chamado *Suborno*. Gananciosamente eles se apossaram do ouro e da prata da terra, somente para que os babilônios viessem e tomassem tudo, reduzindo os habitantes de Judá à total pobreza e servidão, isto é, aqueles que conseguissem sobreviver. O dia da ira do Senhor viria como *fogo* (ver no *Dicionário* quanto a essa metáfora). Tudo seria subitamente consumido. "Ele porá fim a todos os habitantes da terra" (NCV). A severidade das palavras deste versículo subentende que o ataque dos babilônios seria apenas uma figura simbólica do dia escatológico ainda mais terrível, que expurgará o mundo, em preparação para a era do reino de Deus.

"Finalmente, ali estará algo de que o ouro e a prata dos homens não os poderão livrar. Eles estarão desnudados de sua substância e terão de enfrentar a Deus. E nada terão para dizer a ele" (Howard Thurman, *in loc.*). Cf. Is 10.23, que pode ser a base literal deste versículo.

CAPÍTULO DOIS

JULGAMENTOS CONTRA AS NAÇÕES (2.1-15)

Convocação para Punição dos Homens (2.1,2)

A nação "que não tem pudor" presumivelmente é Judá. Outras nações, entretanto, participarão da terrível sorte de Judá, como os filisteus e as nações circunvizinhas. Assim sendo, embora o julgamento divino seja particular, ele foi generalizado. Os babilônios varreriam toda a região, não permitindo o escape de nenhuma vítima potencial. Os vss. 4-15 manifestam-se contra as *nações* da área da Palestina.

2.1

הִתְקוֹשְׁשׁ֖וּ וָק֑וֹשּׁוּ הַגּ֖וֹי לֹ֥א נִכְסָֽף׃

Concentra-te e examina-te, ó nação, que não tens pudor. Yahweh convoca aqui seu povo desviado para uma assembleia, a fim de que ouçam a declaração de sua *sorte melancólica*. O processo todo seria feito publicamente, porque os judeus eram pecadores públicos. Formavam um povo "desavergonhado", ou seja, literalmente, "nação que não tem pudor", a despeito de suas horrendas imoralidades. A raiz do vocábulo hebraico é *kasap*, "empalidecer" ou "ficar branco de vergonha". Fazia muito tempo desde que um judeu "embranquecera" de vergonha. Uma palavra relacionada é *kesep*, que significa "prata". Judá esqueceu como corar ou sentir-se embaraçado. Cf. Sf 1.12. A nação se endureceu para a natureza real e degradante do pecado, e fez do jogo do pecado mero esporte. Os judaítas se tornaram tão debochados com o pecado e a degradação que Yahweh não mais queria estar com eles. Eles perderam sua posição na aliança com o Senhor. "Concentra-te, ó povo não querido" (NCV). Eles se tornaram apenas mais uma nação pagã em sua desenfreada idolatria-adultério--apostasia. Anularam sua filiação e sua herança. Os apóstatas judeus foram rejeitados, e agora a única coisa que podiam fazer era esperar o castigo que tão ricamente mereciam.

2.2

בְּטֶ֙רֶם֙ לֶ֣דֶת חֹ֔ק כְּמֹ֖ץ עָ֣בַר י֑וֹם בְּטֶ֣רֶם ׀ לֹא־יָב֣וֹא עֲלֵיכֶ֗ם חֲרוֹן֙ אַף־יְהוָ֔ה בְּטֶ֙רֶם֙ לֹא־יָב֣וֹא עֲלֵיכֶ֔ם י֖וֹם אַף־יְהוָֽה׃

Antes que saia o decreto, pois o dia se vai como a palha. Yahweh convocou os judeus com urgência, para que o buscassem humildemente, "antes que fosse tarde demais" (NCV); antes que fossem soprados para longe como a palha é soprada pelo vento; antes que a feroz ira de Yahweh os queimasse e os transformasse em cinzas; antes que o temível dia do Senhor os apanhasse, e a ira divina os reduzisse como se fosse as chamas usadas pelo refinador. Uma série de "antes" reflete a urgência do caso, porquanto agora o tempo estava curto, e o exército da Babilônia já havia iniciado sua marcha de conquista. O *decreto* de Yahweh estava por trás da situação inteira, pois ele é o Soberano. Ele é *Adonai-Yahweh,* o Senhor Soberano que cumpre sua vontade entre os homens e as nações. Ver no *Dicionário* o verbete intitulado *Soberania de Deus.* Diz o Targum: "Antes que o decreto da casa de julgamento venha sobre ti e sejas como a palha que o vento sopra, e como uma sombra que passa antes do dia".

O Convite aos Humildes (2.3)

■ 2.3

בַּקְּשׁוּ אֶת־יְהוָה כָּל־עַנְוֵי הָאָרֶץ אֲשֶׁר מִשְׁפָּטוֹ פָּעָלוּ
בַּקְּשׁוּ־צֶדֶק בַּקְּשׁוּ עֲנָוָה אוּלַי תִּסָּתְרוּ בְּיוֹם אַף־יְהוָה:

Buscai o Senhor, vós todos os mansos da terra. O dia do Senhor será fatal para os orgulhosos. O convite divino para as pessoas se arrependerem e escaparem do terror foi dirigido aos humildes. Ver a *humildade* contrastada com o *orgulho,* em Pv 11.2; 13.10; 15.3,25; 16.5,18; 18.12; 21.4 e 30.12,32. Na humildade, um homem pode compreender e seguir aquilo que é reto, e na mansidão ele pode achar a restauração. Nesse caso, ele pode ocultar-se sob a misericórdia do Senhor, quando o dia aterrorizante ferir a terra. Um remanescente poderá ser "abrigado" no tempo da tempestade (derivado do termo hebraico *satar,* "escondido", "oculto"). Esse vocábulo é sinônimo de *sapan,* palavra da qual o nome de Sofonias foi extraído. Sofonias era um homem abrigado, e outros poderiam juntar-se a ele, se buscassem o abrigo na humildade e retidão. Ver no *Dicionário* o verbete denominado *Humildade.*

> O Senhor é a nossa Rocha, nele nos escondemos,
> Um abrigo no tempo da tempestade.
> Seguros, sem importar o mal que prevaleça,
> Um abrigo no tempo da tempestade.
>
> Ira D. Sankey

Oráculo contra a Filístia (2.4-7)

■ 2.4

כִּי עַזָּה עֲזוּבָה תִהְיֶה וְאַשְׁקְלוֹן לִשְׁמָמָה אַשְׁדּוֹד
בַּצָּהֳרַיִם יְגָרְשׁוּהָ וְעֶקְרוֹן תֵּעָקֵר: ס

Porque Gaza será desamparada, e Ascalom ficará deserta. Quatro cidades filisteias principais são mencionadas. Gate foi deixada de lado, porquanto já não existia. A vassoura babilônica varreria toda a área palestina, e a Filístia não seria isentada. "Os filisteus seriam desolados, porque a palavra de Yahweh era contra eles (ver Jl 3.4-8)" (*Oxford Annotated Bible,* comentando sobre o vs. 4). A palavra é o decreto divino, e o decreto é o seu poder que opera universalmente entre os homens. A história e a arqueologia confirmam a devastação e a dispersão que os filisteus sofreram. Heródoto (*Hist.* II.157) conta-nos parte da história. Um papiro em aramaico, encontrado em 1942 em Sagara (Mênfis), contém um pedido de ajuda contra os babilônios que avançavam Palestina adentro e já tinham chegado tão longe quanto Afeque. Isso pode ter sido um apelo enviado por Asquelom, e data de cerca de 603-602 a.C.

Quanto aos *quatro* nomes próprios, das principais cidades da Filístia, ver os artigos que forneço sobre cada um deles. Note o leitor as palavras descritivas: Gaza (esquecida); Asquelom (desolada); Asdode (dispersa, expulsa); Ecrom (desarraigada). Por meio desse acúmulo de palavras, o profeta enfatizou a devastação generalizada naquela porção do mundo. As cidades foram mencionadas por uma ordem do sul para o norte, e talvez tenha sido assim que os babilônios avançaram. Também há aqui um jogo de palavras: *Gaza* soa como a palavra para "desertada"; *Ecrom* soa como a palavra "desarraigada". Cf. Mq 1.10-12 e Ez 25.16. Asdode seria derrotada dentro de um prazo muito curto, da manhã ao meio-dia, que formava um bom tempo para uma batalha, com frequência usado pelos exércitos antigos. A Pedra Moabita (linhas 15-16) diz alguma coisa similar: "... combateu contra ela do romper do dia até o meio-dia, e a conquistou". A inscrição Zenjirli também se refere à conquista de Mênfis ao meio-dia.

■ 2.5

הוֹי יֹשְׁבֵי חֶבֶל הַיָּם גּוֹי כְּרֵתִים דְּבַר־יְהוָה עֲלֵיכֶם
כְּנַעַן אֶרֶץ פְּלִשְׁתִּים וְהַאֲבַדְתִּיךְ מֵאֵין יוֹשֵׁב:

Ai dos que habitam no litoral, do povo dos quereítas! Os habitantes das costas marítimas eram os filisteus que se tinham estabelecido ali pouco depois de 1200 a.C. Eles migraram da Ásia Menor e das ilhas do Mediterrâneo, incluindo Creta. Heródoto (*Hist.* I.173) vinculou os filisteus com a ilha de Creta. A mesma informação é dada em Am 9.7. Cf. também Dt 2.23 e Jr 47.4. Outro nome para os filisteus é *Quereteus* (ver a respeito no *Dicionário,* onde forneço detalhes que não repito aqui). Originalmente, esse termo pode ter sido uma referência à ilha de Creta. Ver também 1Sm 30.14; 2Sm 8.18; 20.23; 1Cr 18.17; Ez 25.16. O propósito de Deus era contra os filisteus. Tinha chegado o dia da condenação deles. Pelo golpe da mão divina, o território dos filisteus ficaria essencialmente desabitado. Faraó Neco II, do Egito (609-594 a.C.), infligiu grandes perdas na área, e o pouco que restou foi liquidado pelos babilônios. Cf. Jr 47.

■ 2.6

וְהָיְתָה חֶבֶל הַיָּם נְוֹת כְּרֹת רֹעִים וְגִדְרוֹת צֹאן:

O litoral será de pastagens, com refúgios para os pastores. Tão completa seria a devastação, que áreas que tinham sido cidades altivas seriam transformadas em terras de pastagem, e os pastores tomariam conta das regiões onde exércitos orgulhosos antes tinham marchado. Em lugar de seres humanos, haveria ovelhas e outros animais domésticos. Os sobreviventes não mais estariam interessados nas guerras e na glória, mas se contentariam em viver a vida fácil dos fazendeiros e dos pastores. "Essa faixa do país é representada como assolada e desolada, a ponto de tornar-se mero território de ovelhas" (Ellicott, *in loc.*). O quadro assim representado é de um genocídio quase total, o que, afinal, era a especialidade dos assírios e babilônios.

■ 2.7

וְהָיָה חֶבֶל לִשְׁאֵרִית בֵּית יְהוּדָה עֲלֵיהֶם יִרְעוּן בְּבָתֵּי
אַשְׁקְלוֹן בָּעֶרֶב יִרְבָּצוּן כִּי יִפְקְדֵם יְהוָה אֱלֹהֵיהֶם
וְשָׁב שְׁבוּתָם

O litoral pertencerá aos restantes da casa de Judá. Este versículo (considerado uma glosa pelos críticos) mostra a esperança de uma nação de Judá restaurada que se estenderia até os antigos territórios dos filisteus. *Yahweh-Sabaote,* o Deus Eterno e General dos Exércitos, que também é *Elohim,* o Poder (cf. o vs. 9), agiria na história humana; ele *interviria* e rearranjaria as fronteiras antigas, dando a Israel-Judá uma porção mais ampla. Isso fará parte da restauração de Israel, porquanto Yahweh Elohim os conservaria na mente para o bem e lhes restauraria a sorte. "Ele lhes devolverá as riquezas deles" (NCV). Literalmente, o texto hebraico original diz: "trazendo de volta os seus cativos", ou seja, Deus restaurará os israelitas à terra deles e ali haverá de abençoá-los abundantemente. Cf. Sf 3.20. "A futura ocupação desse território, por Judá, é garantida pelo pacto abraâmico (ver Gn 15.18-20)" (John D. Hannah, *in loc.*). Alguns estudiosos supõem que o que aconteceu nos dias dos macabeus foi suficiente para explicar este versículo, mas o mais provável é que esta passagem pretenda ser uma predição escatológica, a ser cumprida na era do reino de Deus.

Oráculos contra Moabe, os Filhos de Amor e os Etíopes (2.8-12)

■ 2.8

שָׁמַעְתִּי חֶרְפַּת מוֹאָב וְגִדּוּפֵי בְּנֵי עַמּוֹן אֲשֶׁר חֵרְפוּ
אֶת־עַמִּי וַיַּגְדִּילוּ עַל־גְּבוּלָם:

Ouvi o escárnio de Moabe, e as injuriosas palavras dos filhos de Amom. "Os moabitas e os amonitas seriam aniquilados, tornando-se como Sodoma e Gomorra, porque zombaram e se vangloriaram contra o povo do Senhor (cf. Is 15 e 16; 25.10-12; Jr 48.1—49.6; Ez 25.8-11; Am 1.13—2.3)" (*Oxford Annotated Bible*, comentando sobre o vs. 8).

■ 2.9

לָכֵן חַי־אָנִי נְאֻם יְהוָה צְבָאוֹת אֱלֹהֵי יִשְׂרָאֵל כִּי־
מוֹאָב כִּסְדֹם תִּהְיֶה וּבְנֵי עַמּוֹן כַּעֲמֹרָה מִמְשַׁק חָרוּל
וּמִכְרֵה־מֶלַח וּשְׁמָמָה עַד־עוֹלָם שְׁאֵרִית עַמִּי יְבָזּוּם
וְיֶתֶר גּוֹי יִנְחָלוּם׃

Moabe será como Sodoma, e os filhos de Amom como Gomorra. Os moabitas e amonitas do século VI a.C. se aproveitaram dos infortúnios de Judá em mais de uma ocasião (ver Am 1.13-15; 2.1-3). Uma conduta ultrajante não poderá deixar de ser tratada, quando chegar o dia da prestação de contas. Os arrogantes opressores serão reduzidos a nada, como aconteceu a Sodoma e Gomorra (ver Gn 19.23-29). Aquela gente orgulhosa se tornará escrava dos judeus, e suas terras serão confiscadas.

Os *vizinhos de Judá* ao oriente eram cheios de escárnio e vanglória, e ajudaram a Babilônia, em seu pecado contra Judá. Eles planejavam ficar com parte do território de Judá que fosse conquistado. Mas, ao contrário disso, seus esquemas maldosos haveriam de atuar como um bumerangue contra eles. A brutalidade dos babilônios não lhes permitiria escapar. A devastação de Moabe seria tão grande que qualquer um relembraria o que sucedeu a Sodoma, e o aniquilamento traria à memória a cidade de Gomorra. Aqueles réprobos colheriam o que haviam semeado (ver Pv 22.8; Gl 6.7,8). Eles tinham sido saqueadores violentos, pelo que também seriam saqueados com violência. Eles ficariam em estado desolado, uma terra cheia de mato daninho, espinheiros e poços de sal. Sua desolação não teria cura, mas se estenderia para sempre. Suas terras seriam tomadas, e Israel-Judá participaria delas. Cf. Hc 2.8,9; Is 16.7; Jr 48.29; Am 1.13-15 e 2.1-3. Ver também Gn 19.24-28 quanto à antiga história de Sodoma e Gomorra.

"Se a figura de vingança aqui contada não é particularmente edificante, a passagem pode sugerir a sorte do orgulho, conforme pintado algures no Antigo Testamento, em passagens como Is 14.4-6 (contra a Babilônia); 47.1-15 (a Babilônia); Ez 27.1-36 (contra Tiro); Dn 5.22-24 (contra Belsazar)... e pode servir como lembrete de que esse pecado está entre as transgressões particularmente denunciadas por Jesus" (Charles L. Taylor, Jr., *in loc.*).

Quanto ao contraste entre orgulho e humildade, ver Pv 6.17; 11.2; 13.10; 14.3; 15.25; 16.5,18; 18.12; 21.4; 30.12,32. Ai dos que enriquecem por meio da violência e da espertezza! Ai dos destemperados , cheios de orgulho, saque e cobiça, pois querem tomar as possessões alheias!

■ 2.10

זֹאת לָהֶם תַּחַת גְּאוֹנָם כִּי חֵרְפוּ וַיַּגְדִּלוּ עַל־עַם יְהוָה
צְבָאוֹת׃

Isso lhes sobrevirá por causa da sua soberba, porque escarneceram. Essas nações eram orgulhosas, o que as impulsionou a zombarias e jactâncias. Eram a maçã mais azeda no pomar das nações. Por causa das atitudes que provocaram toda a espécie de atos atrevidos, eles sofreriam a punição descrita no vs. 9. *Yahweh-Sabaote*, o Deus Eterno e General dos Exércitos, tem o poder de cumprir suas ameaças. A história mostra que foi exatamente isso o que aconteceu. O governo universal de Yahweh, exercido em concordância com a lei moral, não faria exceções. "O pecado de Moabe ou o orgulho deles (cf. Is 16.6; Jr 48.29), evidenciado nos insultos e nas zombarias contra o povo de Deus (cf. Sf 2.8; Ez 25.5,6,8)" (John D. Hannah, *in loc.*).

Jarchi imaginou o seguinte caso: Judá estava sendo levado no exílio para a Babilônia. Os amonitas e moabitas puseram-se a zombar deles, rindo-se, como que dizendo: "Por que estais a chorar e a lamentar? Pensem nisso! Estais retornando a Ur, de onde veio vosso pai, Abraão".

■ 2.11

נוֹרָא יְהוָה עֲלֵיהֶם כִּי רָזָה אֵת כָּל־אֱלֹהֵי הָאָרֶץ
וְיִשְׁתַּחֲווּ־לוֹ אִישׁ מִמְּקוֹמוֹ כֹּל אִיֵּי הַגּוֹיִם׃

O Senhor será terrível contra eles, porque aniquilará todos os deuses da terra. Aquela gente sentirá medo do Senhor. Ele destruirá todos os deuses da terra. Então povos de lugares distantes adorarão o Senhor em seus próprios países. Em primeiro lugar vem a devastação. Mas os julgamentos de Deus são remediadores, e não meramente retributivos (ver 1Pe 4.6 no *Novo Testamento Interpretado*; e ver na *Enciclopédia de Bíblia, Teologia e Filosofia* o artigo chamado *Restauração*). Cf. Mq 4.1,2. "A remoção da idolatria pavimentará o caminho para a adoração mundial quando Cristo estiver governando a terra como Rei. Na presente seção (vss. 8-11), o profeta repetiu a mensagem mediante tríplice argumento: as razões para o julgamento (vss. 8,10); a natureza do julgamento (vss. 9a e 11a); e a provisão final da bênção (vss. 9b e 11b)" (John D. Hannah, *in loc.*).

■ 2.12

גַּם־אַתֶּם כּוּשִׁים חַלְלֵי חַרְבִּי הֵמָּה׃

Também vós, ó etíopes, sereis mortos pela minha espada. Essa minúscula notícia sobre a Etiópia pode ser fragmento de um oráculo mais amplo, ou então, alguma coisa como uma glosa feita por um editor posterior, o qual de alguma maneira disse: "E a Etiópia também será julgada". Esse julgamento se processará por meio da *espada*, ou seja, por intermédio da *guerra*. Note o leitor o uso da primeira pessoa do singular, na frase "minha espada", pois quem falava era Yahweh, que emprega exércitos para fazer a sua vontade e punir povos desviados, tanto seu próprio povo como o resto das nações. Ele é o Juiz universal. Os cuxitas ou etíopes eram descendentes de Cuxe, um dos filhos de Cão (ver Gn 10.6; 1Cr 1.8). Eles residiam na região do alto rio Nilo, atualmente ocupada pelo sul do Egito, pelo Sudão e pela parte norte da Etiópia. Ver no *Dicionário* os verbetes chamados *Cuxe* e *Etiópia*, quanto a detalhes. Cf. este versículo com Jr 46.2,9; Ez 30.4,10 e Amós 9.17. Nabucodonosor, em 586 a.C., esmagou aquela região do mundo, pelo que essa palavra ameaçadora teve cumprimento.

Aviso à Assíria (2.13,14)

■ 2.13

וְיֵט יָדוֹ עַל־צָפוֹן וִיאַבֵּד אֶת־אַשּׁוּר וְיָשֵׂם אֶת־נִינְוֵה
לִשְׁמָמָה צִיָּה כַּמִּדְבָּר׃

Estenderá também a sua mão contra o norte, e destruirá a Assíria. A ira de Deus se voltará contra todos os países da área, perfazendo um círculo completo através de todas as direções. Chegamos agora ao *norte*, a Assíria. Esse país e sua capital, Nínive, também estão sob a maldição divina. A seção diz o mesmo tipo de coisas contra a Assíria, que já tínhamos visto ser declarado contra outra nações. Jonas viajou àquele lugar para pregar, e o arrependimento dos ninivitas foi o resultado. Isso outorgou quase 1cinquenta anos extras de vida nacional. Mas Naum mostrou que as coisas tinham azedado novamente, e o plano de julgamento divino precisou continuar. Foi exatamente o que sucedeu. Nínive foi destruída em 612 a.C. pelos poderes combinados dos medos e babilônios. Pouco mais tarde (609 a.C.), foi conquistada a Assíria inteira. Quanto a detalhes, ver o último parágrafo das notas expositivas no artigo sobre a *Assíria*, no *Dicionário*. Ver também o artigo chamado *Nínive*.

A Assíria era culpada de atrocidades sem dó, e foi essa a potência que devastou a nação do norte (as dez tribos de Israel), em 722 a.C., e levou os poucos sobreviventes de Israel para o cativeiro. Em seguida, os assírios enviaram povos para preencher o vácuo que ficara no território das tribos do norte. Essa gente recém-chegada se misturou por casamento com os poucos sobreviventes na terra, do que resultou o povo samaritano.

A mão de Yahweh operou através dos medos e babilônios para pôr fim ao império assírio. O governo divino de Yahweh, que opera em consonância com a lei moral, foi assim exibido. Ver sobre *Mão*, em Sl 81.14 (e também no *Dicionário);* e ver sobre *Mão Direita*, em Sl 20.6. Ver também, no *Dicionário*, os verbetes denominados *Soberania de Deus* e *Teísmo*, quanto a ideias que ilustram o presente versículo. A mão divina devastaria a Assíria e a cidade de Nínive de tal modo que esses lugares seriam transformados em desertos. Ver Na 3 quanto a detalhes. Sofonias pode ter tido em mente essa passagem, ao escrever os vss. 13 e 14.

2.14

וְרָבְצ֨וּ בְתוֹכָ֤הּ עֲדָרִים֙ כָּל־חַיְתוֹ־ג֔וֹי גַּם־קָאַ֣ת גַּם־
קִפֹּ֔ד בְּכַפְתֹּרֶ֖יהָ יָלִ֑ינוּ ק֠וֹל יְשׁוֹרֵ֤ר בַּֽחַלּוֹן֙ חֹ֣רֶב בַּסַּ֔ף
כִּ֥י אַרְזָ֖ה עֵרָֽה׃

No meio desta cidade repousarão os rebanhos, e todos os animais em bandos. A desolação de Nínive seria demonstrada pelo fato de que a área da cidade se tornaria lugar de rebanhos de animais domésticos e animais ferozes, alguns dos quais o autor sacro listou: "... alojar-se-ão nos seus capitéis assim o pelicano como o ouriço; a voz das aves retinirá nas janelas, o monturo estará nos limiares; porque já lhe arrancaram o madeiramento de cedro". Cedros preciosos, cuja madeira tinha sido antes usada como parte de edifícios altivos, seriam rachados e se tornariam alojamentos convenientes para animais e pássaros. Em lugar de uma cidade barulhenta e ativa, haveria a cacofonia de animais ferozes. Aves voariam para fora e para dentro de edifícios desertos, clamando enquanto faziam isso. Os portais de casas arruinadas acolheriam animais ferozes e aves selváticas. A imagem era de desolação, ruína e ausência de população humana. "Essa descrição de desolação envolveu até os painéis de cedro das paredes sem teto, que tinham sido abertos pelo vento e pelas chuvas" (Ellicott, *in loc.*).

Nota de Rodapé (2.15)

2.15

זֹ֠את הָעִ֨יר הָעַלִּיזָ֜ה הַיּוֹשֶׁ֣בֶת לָבֶ֗טַח הָאֹֽמְרָה֙ בִּלְבָבָ֔הּ
אֲנִ֖י וְאַפְסִ֣י ע֑וֹד אֵ֣יךְ ׀ הָיְתָ֣ה לְשַׁמָּ֗ה מַרְבֵּץ֙ לַֽחַיָּ֔ה כֹּ֚ל
עוֹבֵ֣ר עָלֶ֔יהָ יִשְׁרֹ֖ק יָנִ֥יעַ יָדֽוֹ׃ ס

Esta é a cidade alegre e confiante, que dizia consigo mesma: Eu sou a única. É possível que tenhamos aqui uma adição à seção. A exaltada cidade, que se sentia tão segura em suas riquezas e fortificações e dizia: "Eu sou a maior!", julgava-se a mais importante cidade do mundo e proferia absurdos como: "Eu sou, e não há nenhuma outra" (*Revised Standard Version*); ou então "Nenhuma é tão forte como eu" (NCV). Essa cidade ficaria abandonada e desolada, sem forças, sem riquezas e sem conforto algum, e sem nenhuma vida humana. Ver Is 47.8, de onde este versículo provavelmente foi tirado. Ver também Jr 19.8. "A soberba precede a ruína, e a altivez do espírito a queda" (Pv 16.18). Cf. Lc 1.52. Durante cerca de duzentos anos, Nínive foi a principal cidade do mundo conhecido da época. Mas o livro da história encerrou suas páginas e prosseguiu para um novo capítulo. Atualmente, o que restou da cidade é abertamente escarnecido pelos que passam por lá. Essas pessoas assobiam, insultam e sacodem a cabeça, defronte da antiga grande cidade. A ímpia cidade de Nínive foi entregue às feras, visto que se tornara tão corrompida que seus habitantes perderam o direito de ocupar o local.

> *Não há remédio para a tua ferida; a tua chaga é incurável; todos os que ouvirem a tua fama baterão palmas sobre ti; porque sobre quem não passou continuamente a tua maldade?*
>
> Na 3.19

CAPÍTULO TRÊS

AMEAÇAS E PROMESSAS (3.1-20)

Ameaças contra Jerusalém (3.1-5)

"Vss. *1-7*. Ai de Jerusalém, porque seus oficiais, juízes, profetas e sacerdotes são corruptos e não temem o justo Senhor, que está no meio deles" (*Oxford Annotated Bible*, comentando sobre o vs. 1 deste capítulo).

"Tendo descrito o iminente julgamento divino contra os países circunvizinhos a Judá, o profeta Sofonias retornou, uma vez mais, ao tema da condenação de Jerusalém (cf. Sf 1.4—2.3). Ele enfatizou a necessidade de os ímpios judeus buscarem o arrependimento. O profeta listou as queixas de Deus contra seu povo (Sf 3.1-5) e então proferiu o inevitável juízo divino (vss. 6,7)" (John D. Hannah, *in loc.*).

3.1

ה֥וֹי מֹרְאָ֖ה וְנִגְאָלָ֑ה הָעִ֖יר הַיּוֹנָֽה׃

Ai da cidade opressora, da rebelde e manchada! Um "ai" foi proferido sobre a horrenda cidade de Jerusalém, por causa da multidão de pecados que quebraram cada um dos Dez Mandamentos. A nação de Israel se tornou *distinta* por possuir a lei mosaica e ser-lhe obediente (ver Dt 4.4 ss.). A lei era o *guia* (ver Dt 6.4 ss.). Mas a nação de Judá, dos dias de Sofonias, tinha esquecido o pacto (ver sobre o *Pacto Mosaico* na introdução a Êx 19) e, por isso, perdeu sua distinção e seu direito de primogenitura.

Isto posto, o profeta chamou Jerusalém de "rebelde", "contaminada" e "cidade opressora". A *tríplice repreensão* é então ampliada em seguida. Os habitantes de Jerusalém se tinham rebelado contra Yahweh, abandonado o culto a ele e adotado toda a espécie de contaminação pagã, tanto religiosa quanto moral, especialmente a idolatria, que é a contaminação final, de acordo com a mentalidade do Antigo Testamento. Os pecados de Jerusalém eram tanto contra Deus como contra o povo. Eles se tornaram especialistas em todos os tipos de pecados e fizeram da perversão um modo de vida. Eles se transferiram para o polo oposto da espiritualidade. Tornaram-se diametralmente contrários à espiritualidade, conforme o Antigo Testamento a define. Neles não havia temor do Senhor. Ver no *Dicionário* e também em Sl 119.38 o verbete chamado *Temor*. Cf. Pv 1.7.

3.2

לֹ֤א שָֽׁמְעָה֙ בְּק֔וֹל לֹ֥א לָקְחָ֖ה מוּסָ֑ר בַּיהוָה֙ לֹ֣א בָטָ֔חָה
אֶל־אֱלֹהֶ֖יהָ לֹ֥א קָרֵֽבָה׃

Não atende a ninguém, não aceita disciplina. Falhas caracterizavam Judá, que não ouvia nenhuma voz disciplinadora, estando indisposta a ouvir e a seguir a correção. Judá também deixou de confiar em Yahweh e abandonou o culto a ele, apelando para ídolos que não eram seres divinos. O povo de Judá deixou de usar o templo como maneira de aproximar-se de Deus e do culto antigo. A lei e os profetas eram as vozes de Deus, mas o povo de Judá ouvia as vozes estranhas dos cultos pagãos.

Ver Sf 1.6, 12; 2.1-3. Os judeus aproximaram-se de Baal e Moloque (ver Sf 1.4-6). Ver também Dt 4.7.

3.3

שָׂרֶ֣יהָ בְקִרְבָּ֔הּ אֲרָי֖וֹת שֹֽׁאֲגִ֑ים שֹׁפְטֶ֙יהָ֙ זְאֵ֣בֵי עֶ֔רֶב לֹ֥א
גָרְמ֖וּ לַבֹּֽקֶר׃

Os seus príncipes são leões rugidores no meio dela. "Seus oficiais são como leões rugidores. Seus governantes são como lobos famintos, que atacam no fim da tarde. Pela manhã nada resta dos que foram atacados" (NCV). Cf. esta declaração com Ez 22.27 e Mq 3.1-3. A ganância pela abundância material e pelo poder inspirou aqueles homens a atos de violência contra o próximo, incluindo crimes de sangue. Ver também Pv 28.15; Am 3.4 e Hc 1.8. "Eles usam de violência e opressão predatória como se fossem feras. Repelem a luz e transformam o dia em noite, com suas libertinagens" (Adam Clarke, *in loc.*). Ver Sl 22.12,13. "São tão gananciosos que devoram instantaneamente sua presa, não deixando nenhuma porção para o dia seguinte" (Ellicott, *in loc.*).

3.4

נְבִיאֶ֙יהָ֙ פֹּֽחֲזִ֔ים אַנְשֵׁ֖י בֹּֽגְד֑וֹת כֹּהֲנֶ֙יהָ֙ חִלְּלוּ־קֹ֔דֶשׁ חָמְס֖וּ
תּוֹרָֽה׃

Os seus profetas são levianos, homens pérfidos. Os líderes religiosos não eram melhores que os réprobos líderes civis. Os profetas estavam inchados de orgulho e não eram dignos de confiança. Serviam a Baal, e não a Yahweh. Em sua arrogância, tinham perdido o caminho direito. Ver sobre a humildade e o orgulho contrastados, em Pv 6.17; 11.2; 13.10; 14.3; 15.25; 16.5,18; 18.12; 21.4; 30.12,32.

Os sacerdotes há muito haviam abandonado o culto a Yahweh e se tinham tornado sacerdotes dos deuses que nada representam. Eles profanavam o que era sagrado e violavam cada um dos Dez Mandamentos. Transformaram-se em estrelas errantes, que não obedeciam a nenhuma órbita, senão à de suas próprias concupiscências. O povo de Judá tornou-se infenso ao ensino, visto que os mestres tinham abandonado seu manual e *guia*, a lei de Moisés (ver Dt 6.4 ss.). E mesmo quando Judá cultuava a Deus, esse culto era misturado com o paganismo, produzindo assim um sincretismo doentio. Além disso, eram praticantes de feitos profanos, que se tornaram líderes da idolatria-adultério-apostasia que tomara conta de Judá.

■ 3.5

יְהוָה צַדִּיק בְּקִרְבָּהּ לֹא יַעֲשֶׂה עַוְלָה בַּבֹּקֶר בַּבֹּקֶר
מִשְׁפָּטוֹ יִתֵּן לָאוֹר לֹא נֶעְדָּר וְלֹא־יוֹדֵעַ עַוָּל בֹּשֶׁת׃

O Senhor é justo, no meio dela; ele não comete iniquidade. Agora Yahweh é contrastado com aqueles homens ímpios e desvairados. Ele é o padrão de toda retidão e verdade, que nunca erra; ele estabelece o modelo de santidade, o exemplo divino a ser seguido, o Pai que é imitado por seus filhos. Cada novo dia é uma oportunidade para observar o santo exemplo. Suas leis governam o povo com equidade e justiça. Ele é sempre digno de confiança, em contraste com seus falsos representantes. Contudo, os líderes continuavam a praticar seus inúmeros pecados, sem sentir vergonha. Os injustos desconhecem o pejo (Sf 2.1). A lei divina requer que Yahweh apoie os bons e puna os ímpios, pelo que o exército babilônico estava prestes a iniciar sua marcha. "Yahweh exemplifica diariamente a lei da retidão; mas os pecadores nem por isso são impelidos ao arrependimento (vs. 5). Ele estabelece os julgamentos que tem executado por outras nações, mas a advertência não é atendida (vss. 6 e 7)" (Ellicott, *in loc.*).

Manhã após manhã. No oriente, os tribunais funcionavam pela manhã. A justiça era feita desde cedo, se o ideal estivesse sendo seguido. Nenhum caso ficava arrastando-se durante anos, esperando pela ação judicial, tal como acontece nos sistemas judiciais "modernos".

O Fracasso da Disciplina (3.6-8)

■ 3.6

הִכְרַתִּי גוֹיִם נָשַׁמּוּ פִּנּוֹתָם הֶחֱרַבְתִּי חוּצוֹתָם מִבְּלִי
עוֹבֵר נִצְדּוּ עָרֵיהֶם מִבְּלִי־אִישׁ מֵאֵין יוֹשֵׁב׃

Exterminei as nações, as suas torres estão assoladas. Aqueles que são moralmente indisciplinados não têm paciência com as leis da disciplina. Eles usam a "liberdade" como pretexto para praticar toda a espécie de deboche. Tais homens estão destinados à desolação através do golpe da mão divina. Os vss. 6,7 ampliam a ideia do vs. 2. Judá recusava-se a receber a correção a despeito dos juízos divinos que podiam ser vistos ao redor, que também ameaçavam a nação. Essa foi a queixa de Am 4.6-11. Outras nações também já haviam sido devastadas, mas Judá não deu atenção, supondo-se a salvo das ameaças. Outras nações foram deixadas "demolidas... desertas... desoladas" (NIV). Além disso, a nação do norte (as dez tribos de Israel) tinha sido aniquilada, e os poucos sobreviventes foram enviados à Assíria como escravos, em 722 a.C. A nação de Israel se perdeu para sempre, mas Judá ignorou a lição objetiva, como se fosse *imune* ao castigo divino. Cf. Is 36.18-20; 37.26. Ver também Sf 1.9-13; 2.1-3.

■ 3.7,8

אָמַרְתִּי אַךְ־תִּירְאִי אוֹתִי תִּקְחִי מוּסָר וְלֹא־יִכָּרֵת
מְעוֹנָהּ כֹּל אֲשֶׁר־פָּקַדְתִּי עָלֶיהָ אָכֵן הִשְׁכִּימוּ הִשְׁחִיתוּ
כֹּל עֲלִילוֹתָם׃

לָכֵן חַכּוּ־לִי נְאֻם־יְהוָה לְיוֹם קוּמִי לְעַד כִּי מִשְׁפָּטִי
לֶאֱסֹף גּוֹיִם לְקָבְצִי מַמְלָכוֹת לִשְׁפֹּךְ עֲלֵיהֶם זַעְמִי כֹּל
חֲרוֹן אַפִּי כִּי בְּאֵשׁ קִנְאָתִי תֵּאָכֵל כָּל־הָאָרֶץ׃

Eu dizia: Certamente me temerás, e aceitarás a disciplina. *Lições objetivas e palavras divinas* caíam no chão, sem efeito algum. A nação de Judá estava tão repleta de pecados que não restava espaço para nada de bom. Nem mesmo as ameaças de aniquilamento (demonstradas pelo que acontecera a outros povos) exerceram efeito sobre os judaítas. Esse povo perdera a visão e a audição. De fato, os judeus estavam destituídos de *mente* pela prática contínua de toda a espécie de transgressão. Eles eram zelosos, mas somente para praticar o mal; eram intensos, mas em favor da corrupção. Mostravam entusiasmo, mas somente para a prática de pecados múltiplos. Cf. isso com a lamentação de Jesus sobre Jerusalém (ver Mt 23.37). Esse povo se tornara o próprio modelo da desobediência e da rebeldia. Cf. Is 5.11, e contrastar Jr 11.7 e 25.3. Eles eram intensos; levantavam-se cedo pela manhã para promover feitos errados e planejar projetos ousados. "Eles se levantavam cedo a fim de praticar o mal. Tudo quanto eles faziam era mau" (NCV) "Eles se mostravam diligentes para encontrar tempos e lugares para sua iniquidade. Isso descreve o estado depravado do ser humano" (Adam Clarke, *in loc.*). O resultado será que Yahweh organizará o seu tribunal (vs. 8) e condenará todas as nações, derramando sobre elas a sua ira, queimando-as a fogo. Cf. Is 42.25; Jr 10.25; Jl 3.2; Zc 14.2. Temos aqui uma nota escatológica referente à era do reino de Deus. Ver as notas sobre o vs. 10.

A Conversão das Nações (3.9,10)

■ 3.9

כִּי־אָז אֶהְפֹּךְ אֶל־עַמִּים שָׂפָה בְרוּרָה לִקְרֹא כֻלָּם
בְּשֵׁם יְהוָה לְעָבְדוֹ שְׁכֶם אֶחָד׃

Então darei lábios puros aos povos. A apostasia de Judá levou Yahweh a voltar-se para as nações, tal como a rejeição do Messias, pelos judeus, fez o Senhor voltar-se para os gentios (Jo 1.11,12). As nações precisavam converter-se, o que foi representado aqui pela mudança de sua fala, o instrumento mediante o qual amaldiçoamos ou louvamos. Os homens usarão *linguagem pura*, falando sobre Yahweh e suas obras, sobre sua santidade e sua lei. Os homens haverão de adorar a Deus (ver Is 11.9 e Mq 4.1,2). "Os lábios representam a natureza de um homem. As palavras saltam de sua vida interior (ver Is 6.5-7). As nações que antes tinham sido blasfemas, servindo a ídolos e a eles orando, seriam limpadas e transformadas, e então, dotadas de *linguagem pura*, se voltariam para Yahweh. Elas o serviriam todas com o mesmo "consentimento" (*Revised Standard Version*), literalmente, *ombro a ombro*, conforme diz a tradução inglesa NIV. A Septuaginta diz aqui: "sob um único jugo", figura apropriada para este texto. Quanto ao *universalismo* dessa minúscula seção, cf. Is 40—66, especialmente 49.5,6. Ver também Is 2.2-4; Mq 4.1-4; Sl 67 e 87; 95—100.

■ 3.10

מֵעֵבֶר לְנַהֲרֵי־כוּשׁ עֲתָרַי בַּת־פּוּצַי יוֹבִלוּן מִנְחָתִי׃

Dalém dos rios da Etiópia, os meus adoradores... "De todas as partes do mundo, os povos adorando juntos, em uma só linguagem, trarão oferendas. Os 'rios da Etiópia' ficavam a pouca distância dos limites sul do mundo conhecido" (Charles L. Taylor, Jr., *in loc.*).

O julgamento universal (vs. 8) será eficaz, trazendo restauração universal (vs. 10), visto que os julgamentos de Deus são restauradores, e não meramente retributivos. Sua taça será derramada (vs. 8), mas outro tanto sucede à sua grande misericórdia e amor. Alguns vinculam o vs. 8 com a Grande Tribulação que preparará o mundo para a era do reino (ver Zc 14.2; Ap 16.14,16). Quando o julgamento divino ferir todos os homens "lá fora", por igual modo a restauração atingirá as regiões mais distantes da terra. Cf. Is 66.18-20. Provavelmente a "filha da minha dispersão" é a nação de Israel, que será reunida de novo. Mq 4.1,2 é, pois, paralelo ao versículo que nos dá a mesma atitude. Os vss. 8-10 elaboram a ideia da restauração, estando *Israel reunido*. "Os vss. 8-10 apresentam a ampliação da consolação endereçada aos mansos da terra (Sf 2.3), bem como à predição de Sf 2.11. O grande dia do Senhor, que derrubará todos quantos se oponham à sua soberania, também introduzirá uma extensão de conhecimento espiritual entre as nações" (Ellicott, *in loc.*).

A Segurança do Remanescente (3.11-13)

■ 3.11

בַּיּוֹם הַהוּא לֹא תֵבוֹשִׁי מִכֹּל עֲלִילֹתַיִךְ אֲשֶׁר פָּשַׁעַתְּ
בִּי כִּי־אָז אָסִיר מִקִּרְבֵּךְ עַלִּיזֵי גַּאֲוָתֵךְ וְלֹא־תוֹסִפִי
לְגָבְהָה עוֹד בְּהַר קָדְשִׁי׃

Naquele dia não te envergonharás de nenhuma das tuas obras. Haverá *total reversão* da antiga idolatria-adultério-apostasia de Israel, que lhes trouxera tanta vergonha e tribulação. Os atos ímpios que eles realizaram, que se originaram em seu espírito rebelde, chegarão ao fim, do que resultará um povo reto. Os líderes orgulhosos, arrogantes e desviados serão eliminados, e uma nova e boa liderança será provida. Os apóstatas arrogantes não mais exercerão controle sobre o monte santo. De fato, nem mesmo terão acesso a ele. Cf. Ez 20.34-38; Mt 25.1-13. "A *colina santa* de Deus (Jerusalém — Sl 2.6; 3.4; 15.1; 24.3; Dn 9.16,20; Jl 2.1; 3.17; Ob 16) será habitada somente por um povo puro, os *mansos e os humildes* — Sf 2.3" (John D. Hannah, *in loc.*). O remanescente aprenderá a santidade e não mais terá de envergonhar-se por causa de seus pecados. O espírito farisaico não continuará prevalecendo (ver Jr 7.4; Mq 3.11; Mt 3.9). Ver o vs. 4: os falsos profetas e os sacerdotes desviados não continuarão sendo líderes. O deboche deles chegará ao fim.

■ 3.12

וְהִשְׁאַרְתִּ֣י בְקִרְבֵּ֔ךְ עַ֥ם עָנִ֖י וָדָ֑ל וְחָס֖וּ בְּשֵׁ֥ם יְהוָֽה׃

Mas deixarei no meio de ti um povo modesto e humilde. As pessoas pobres e humildes (*Revised Standard Version*), os "mansos e humildes" (NCV) herdarão a terra. São eles que confiarão em Yahweh com uma fé salvadora.

Bem-aventurados os mansos, porque herdarão a terra.
Mateus 5.5

"Uma inteira confiança no Senhor não poderá haver exceto quando todas as causas de jactância tiverem sido tiradas (ver Is 14.32; Zc 11.11)" (Fausset, *in loc.*). Eles tinham Abraão como pai; tinham o templo e o culto, mas eles haviam debochado dos antigos pactos e confiado nas coisas erradas. O coração deles estava longe do Deus dos pactos. Mas na restauração futura tudo isso será revertido. Ver no *Dicionário* o verbete chamado *Fé*.

■ 3.13

שְׁאֵרִ֨ית יִשְׂרָאֵ֜ל לֹֽא־יַעֲשׂ֤וּ עַוְלָה֙ וְלֹא־יְדַבְּר֣וּ כָזָ֔ב
וְלֹֽא־יִמָּצֵ֥א בְּפִיהֶ֖ם לְשׁ֣וֹן תַּרְמִ֑ית כִּֽי־הֵ֛מָּה יִרְע֥וּ
וְרָבְצ֖וּ וְאֵ֥ין מַחֲרִֽיד׃ ס

Os restantes de Israel não cometerão iniquidade. No futuro, haverá completa *transformação moral* para o restante de Israel, durante a era do reino de Deus. Eles não cometerão iniquidades; não serão um povo enganador e falso, dizendo mentiras e sendo uma mentira, conforme foram seus antepassados. Antes, serão ovelhas obedientes do grande Pastor e estarão seguros em seu rebanho, e não se desviarão pelas veredas do pecados, conforme fizeram seus ancestrais. "Assim como esta passagem é memorável pela repreensão contra os orgulhosos e pela promessa feita aos humildes, também relembra ao leitor que só Deus é capaz de prover segurança. Esta passagem encerra a promessa de um dia em que Jerusalém será expurgada dos indivíduos altivos, quando os humildes haverão de adorar em Sião, em paz. Só Deus é forte. Só ele controla o mundo" (Charles L. Taylor, Jr., *in loc.*). Cf. as promessas do Sl 23. "Israel, por tanto tempo contaminado, atribulado e assediado, finalmente estará em paz entre as nações, e não mais viverá acossado pelo temor" (cf. Sf 3.15,16)" (John D. Hannah, *in loc.*).

Um Quadro da época áurea (3.14-20)

■ 3.14

רָנִּ֣י בַּת־צִיּ֔וֹן הָרִ֖יעוּ יִשְׂרָאֵ֑ל שִׂמְחִ֤י וְעָלְזִי֙ בְּכָל־לֵ֔ב
בַּ֖ת יְרוּשָׁלָֽ͏ִם׃

Canta, ó filha de Sião; rejubila, ó Israel; regozija-te... ó filha de Jerusalém. A *filha de Sião* do futuro terá motivos para *cantar* e *clamar;* para estar *alegre* e *regozijar-se* e de todo o coração não recuar diante de nada, pois havia chegado o dia do triunfo. A filha de Sião também era a filha de Jerusalém, o povo restaurado com sede no antigo local onde o templo fora edificado.

Exulta e jubila, ó habitante de Sião, porque grande é o Santo de Israel no meio de ti.
Isaías 12.6

A nação de Judá, nos dias de Sofonias, ainda tinha de enfrentar desgraça e perdas, mas no futuro haverá total reversão que admirará todos os habitantes da terra. Temores cederão lugar a gritos de louvor e júbilo. "Temos aqui não somente uma graciosa promessa profética de sua restauração do cativeiro, mas também de sua conversão a Deus por meio de Cristo" (Adam Clarke, *in loc.*).

O termo *filha,* para indicar coletivamente um povo, foi usado pela primeira vez para referir-se a uma pequena cidade, subordinada a uma cidade maior, usualmente dotada de muralhas e capaz de oferecer proteção para a cidade menor (ver Jz 1.27). Mas esse termo gradualmente passou a significar qualquer cidade ou comunidade e, finalmente, veio a representar a própria nação de Israel, ou Jerusalém, capital de Judá. Ver Sl 9.14; Is 1.8; 10.32; Jr 4.31; Lm 1.6,15; Mq 1.13 e Zc 2.10.

■ 3.15

הֵסִ֤יר יְהוָה֙ מִשְׁפָּטַ֔יִךְ פִּנָּ֖ה אֹיְבֵ֑ךְ מֶ֣לֶךְ יִשְׂרָאֵ֤ל ׀ יְהוָה֙
בְּקִרְבֵּ֔ךְ לֹא־תִֽירְאִ֥י רָ֖ע עֽוֹד׃

O Senhor afastou as sentenças que eram contra ti, lançou fora o teu inimigo. Yahweh tomou enérgicas providências em favor de seu povo: ele retirou seus próprios julgamentos que tinham por finalidade disciplinar e restaurar, embora fossem severos e difíceis de suportar na ocasião; ele expulsou os adversários de Israel que tinham sido usados como látegos e viviam a assediar o seu povo; ele se tornou o Rei deles em lugar dos fracassos humanos que governavam em benefício próprio, e, no fim, não ofereciam proteção; e dos israelitas removeu o temor.

Deus está no meio dela: jamais será abalada; Deus a ajudará desde antemanhã.
Salmo 46.5

Haverá gritos de alegria, porque o Messias estará com Judá e será o seu Rei protetor e abençoador, não conhecendo limite de recursos. (Cf. Is 9.7; Zc 14.9.) Será obliterada a opressão, por fora e por dentro, e por isso não haverá razão para temor. Tendo aprendido a *temer o Senhor* (ver Sl 119.38 e Pv 1.7), o povo de Israel não precisará temer coisa alguma. Yahweh é Rei (ver Sl 93.1; 96.10; 97.1 e 99.1). O reino pertence ao Senhor (Ob 21). As razões para o temor foram removidas.

■ 3.16

בַּיּ֣וֹם הַה֔וּא יֵאָמֵ֥ר לִירֽוּשָׁלַ֖͏ִם אַל־תִּירָ֑אִי צִיּ֖וֹן אַל־
יִרְפּ֥וּ יָדָֽיִךְ׃

Naquele dia se dirá a Jerusalém: Não temas, ó Sião. Este versículo reforça a ideia do vs. 15 — "Não temas". Haverá um dia especial quando todo o temor será banido. Jerusalém e seu monte santo, Sião, receberão a recomendação de que devem parar de tremer. Não haverá mais razão alguma para que as mãos fiquem pendidas a cada lado do corpo. Quando o Senhor estiver próximo, não haverá mais motivo para abatimento por parte de Israel.

Mãos pendidas retratam o temor, a ansiedade e a debilidade perante uma força superior, em meio à angústia. Cf. Jr 47.3. Agora, porém, Israel pode levantar triunfalmente as mãos, em força e confiança, por causa da presença do Rei. Cf. este versículo com Is 35.3,4 e 62.11 ss.

Por isso restabelecei as mãos descaídas e os joelhos trôpegos.
Hebreus 12.12

■ 3.17

יְהוָ֧ה אֱלֹהַ֛יִךְ בְּקִרְבֵּ֖ך גִּבּ֣וֹר יוֹשִׁ֑יעַ יָשִׂ֤ישׂ עָלַ֙יִךְ֙
בְּשִׂמְחָ֔ה יַחֲרִישׁ֙ בְּאַ֣הֲבָת֔וֹ יָגִ֥יל עָלַ֖יִךְ בְּרִנָּֽה׃

O Senhor teu Deus está no meio de ti, poderoso para salvar-te. *Yahweh é Elohim,* o Poder, e esse Poder é um *Guerreiro.* Yahweh é o Rei-Guerreiro que oferece segurança a seu povo. Na antiguidade, os reis eram escolhidos por sua habilidade em proteger um povo, e essa era a principal função dos monarcas. Por conseguinte, o guerreiro mais poderoso era o melhor candidato a rei. Mas nenhum guerreiro pode comparar-se a *Yahweh-Sabaote*, o Deus Eterno e General dos Exércitos. Esse Guerreiro está no meio do povo de Israel e remove toda a razão para a ansiedade, para o temor e para a sensação de insegurança. Pois o Senhor concede a *vitória*. Ele estará feliz com o seu povo e será a fonte da alegria deles. Eles descansarão em seu amor. Ele cantará e se rejubilará com seu povo. E toda a comunidade de Israel será triunfante. Será a época *áurea* do mundo e da nação de Israel, a cabeça das nações, que finalmente chegou. *Deus renovará a Israel em seu amor* (*Revised Standard Version*). O amor do Senhor pelos filhos de Israel o impulsionará a operar em favor deles, e eles serão receberão inúmeros benefícios que trarão alegria e bem-estar. O povo de Israel desde há muito fora o objeto da ira e do desprazer de Deus, por causa de seus pecados. Mas agora o *amor* escrevia o último capítulo da história. Isso é uma grande doutrina: o amor escreverá o capítulo final de toda a humanidade, e não meramente da nação de Israel.

■ 3.18

נוּגֵי מִמּוֹעֵד אָסַפְתִּי מִמֵּךְ הָיוּ מַשְׂאֵת עָלֶיהָ חֶרְפָּה׃

Os que estão entristecidos por se acharem afastados das festas solenes. O dia das festividades tinha chegado. Os desastres tinham sido afastados do povo de Deus. Os israelitas não mais teriam de suportar o opróbrio de ser uma nação julgada da qual outros povos zombavam e se riam. Os judeus que foram espalhados não mais podiam tomar parte das festividades anuais que eram tempos de alegria. De fato, as festividades religiosas haviam cessado por causa dos cativeiros e das dispersões. Tudo isso, porém, será revertido no alegre dia da restauração. As festividades voltarão, e o povo voltará a celebrá-las. Para o povo de Deus, essas festividades não parecerão pesadas, porque o coração deles terá sido endireitado diante de Deus. A reprimenda divina desaparecerá, pois o Senhor estará sorrindo para seu povo. Cf. este versículo com o Sl 137. O original hebraico do vs. 18 é obscuro e admite diversas interpretações. Ofereço uma possível interpretação. Mas a tradução inglesa, NIV, tem uma interpretação diferente: "As tristezas das festas determinadas removei de vós; elas são uma carga e uma reprimenda contra vós". A apostatada nação de Israel se sentia sobrecarregada por suas festas, festividades e rituais. Mas a renovada nação de Israel ficará livre dessa opressão e celebrará com alegria.

■ 3.19

הִנְנִי עֹשֶׂה אֶת־כָּל־מְעַנַּיִךְ בָּעֵת הַהִיא וְהוֹשַׁעְתִּי אֶת־הַצֹּלֵעָה וְהַנִּדָּחָה אֲקַבֵּץ וְשַׂמְתִּים לִתְהִלָּה וּלְשֵׁם בְּכָל־הָאָרֶץ בָּשְׁתָּם׃

Eis que naquele tempo procederei contra todos os que te afligem. "Vss. 19 e 20: Os principais elementos da escatologia pós-exílica podem ser encontrados aqui: a destruição do inimigo (Ob 15 e 16; Mq 5.9; Zc 12.9); o recolhimento dos exilados (Mq 4.6,7; Zc 10.8-10); e a volta dos israelitas à terra santa (Is 62.1-5; Zc 8.7,8). Para tornar a nação de Israel famosa (literalmente, dar-lhe um *nome*) e *louvada* entre os povos da terra, o Senhor cumpriu a promessa feita aos patriarcas (ver Gn 12.2,3)" (*Oxford Annotated Bible*, comentando sobre o vs. 19).

Sf 2.4-15 e 3.8-15 já haviam predito que os opressores estrangeiros de Israel certamente cairiam. Aquele que amaldiçoar Israel será amaldiçoado por Israel (ver Gn 12.3). Por isso, louvor e honra são prestados a Israel (ver Dt 26.19; Sf 3.20). Ver também Ez 34.29. "Assim como agora eram um provérbio e uma reprimenda, cheios de vileza básica e egoísmo degradante, no tempo futuro eles perderão esse caráter e serão completamente transformados. E ocuparão uma posição de proeminência entre as nações" (Adam Clarke, *in loc.*).

■ 3.20

בָּעֵת הַהִיא אָבִיא אֶתְכֶם וּבָעֵת קַבְּצִי אֶתְכֶם כִּי־אֶתֵּן אֶתְכֶם לְשֵׁם וְלִתְהִלָּה בְּכֹל עַמֵּי הָאָרֶץ בְּשׁוּבִי אֶת־שְׁבוּתֵיכֶם לְעֵינֵיכֶם אָמַר יְהוָה׃

Naquele tempo eu vos farei voltar e vos recolherei. Este versículo é uma leve expansão do versículo anterior, afirmando as mesmas coisas, porém de maneira levemente diferente. Será Yahweh, conforme nos é dito aqui, quem executará a obra de reversão e restauração. Ao que havia sido dito, contudo, foram adicionadas as seguintes palavras: "quando eu vos mudar a sorte". Isso encontramos declarado em Sf 2.7, onde ofereço notas expositivas. Todas essas maravilhas devem ocorrer ante os olhos admirados de Israel. "No milênio, Israel possuirá a sua terra, conforme Deus prometeu (ver Gn 12.1-7; 13.14-17; 15.8-21 e 17.7,8) e o Messias, Rei de Israel, estabelecerá o seu reino e reinará (ver 2Sm 7.16; Sl 89.3,4; Is 9.6,7; Dn 7.27; Sf 3.15" (John D. Hannah, *in loc.*). Cf. este versículo com Dt 30.3 ss.

Tão certo quanto a tua verdade perdurará,
A Sião serão dadas, por certo,
As mais brilhantes glórias que a terra pode produzir.
Timothy Dwight

Oh, dia de descanso e de alegria,
Oh, dia de júbilo e de luz,
Oh, bálsamo para os cuidados e a tristeza.
Mais belo e mais brilhante.

C. Wordsworth

AGEU

O livro que exortou Judá a reconstruir o templo depois do cativeiro babilônico

> *[...] e todo o resto do povo atenderam à voz do Senhor seu Deus, e às palavras do profeta Ageu, as quais o Senhor seu Deus o tinha mandado dizer; e o povo temeu diante do Senhor.*
>
> AGEU 1.12

2 | Capítulos
38 | Versículos

INTRODUÇÃO

"Por meio de cinco discursos, datados entre os meses sexto e nono de 520 a.C., Ageu exortou Zorobabel, o governador, e Josué, o sumo sacerdote, bem como os líderes da comunidade judaica, a assumir seus deveres em favor da reconstrução do templo, e também exortou os sacerdotes a purificar a adoração cúltica. Esses projetos gêmeos foram, antes de tudo, passos práticos que visavam a unificação da vida despedaçada da comunidade judaica. Mas Ageu via também essas coisas como preparações necessárias para a era messiânica" (*Oxford Annotated Bible*, na introdução ao livro).

O primeiro livro profético de tempos pós-exílicos foi o de Ageu, que registra quatro discursos dirigidos aos judeus que retornaram do exílio a Jerusalém, entre agosto e dezembro de 520 a.C. A comunidade, com dezoito anos de existência, estava desencorajada devido ao fracasso nas colheitas, à seca e à hostilidade das populações vizinhas, a ponto de que já se dispunha a retornar à Babilônia. Ageu repreendeu-os por terem deixado o templo semidestruído. Após terem iniciado uma pequena estrutura, Ageu falou novamente, convocando o povo a construir um edifício ainda mais glorioso que o de Salomão. Ele também queria restaurar a monarquia, tendo Zorobabel como monarca. Ageu foi diferente dos outros profetas reformadores anteriores ao exílio, por ser mais sacerdotal em caráter, salientando a adoração no templo e os rituais, como a chave para maior prosperidade.

Ageu foi um dos chamados doze profetas menores, e o primeiro dentre os três que profetizaram após o retorno dos judeus do *cativeiro babilônico* (ver no *Dicionário* o artigo a respeito). Esses profetas são chamados *menores* não por haverem sido menos importantes do que os profetas *maiores*, mas apenas porque os materiais que escreveram são *menos volumosos*.

ESBOÇO

 I. Autor
 II. Pano de Fundo Histórico
 III. Data
 IV. Lugar de Origem
 V. Destino
 VI. Propósito
 VII. Canonicidade
 VIII. Texto
 IX. Unidade
 X. Conteúdo
 XI. Perspectiva Teológica
 XII. Bibliografia

I. AUTOR

A palavra *Ageu* parece ter-se derivado do termo hebraico que significa *festividade*, provavelmente porque seu nascimento coincidiu com uma das festas judaicas ou *festividades* (ver no *Dicionário* o artigo a respeito). Coisa alguma nos é informada sobre seu passado, família, genealogia etc. Desconhecemos totalmente o lugar e a época de seu nascimento e até mesmo os principais acontecimentos de sua vida. Mas sabemos que ele começou a profetizar no segundo ano de Dario Histaspes (ver Ag 1.1), e, juntamente com o profeta Zacarias, salientou fortemente o reinício da construção do templo, tendo obtido a permissão e a assistência do rei (ver Ez 5.1 e 6.14). O povo judeu, animado por esses líderes, completou a construção no sexto ano do reinado de Dario I (520 a.C.). Podemos inferir, pelas circunstâncias, que Ageu era homem dotado de elevados propósitos, que exercia grande influência e cultivava profunda espiritualidade. Presumivelmente, foi um dos exilados que retornaram a Jerusalém, embora isso não seja dito em parte alguma da Bíblia.

II. PANO DE FUNDO HISTÓRICO

A declaração introdutória fornece essa informação.

III. DATA

É possível determinarmos precisamente a data desse livro, porque as profecias teriam ocorrido durante o reinado de Dario I (522—486 a.C.). A primeira ocorreu no primeiro dia do sexto mês, no começo da atividade profética de Ageu, a saber, em agosto e setembro de 520 a.C. Então, a sua quarta profecia sucedeu no nono dia do quarto mês, isto é, novembro e dezembro de 520 a.C., imediatamente depois que Zacarias deu início ao seu ministério.

IV. LUGAR DE ORIGEM

Os exilados retornaram da Babilônia e estabeleceram-se na área de Jerusalém. As profecias estão associadas ao lugar do templo arruinado. Isso significa que a própria cidade de Jerusalém, ou algum lugar das proximidades, foi o lugar onde o livro foi escrito.

V. DESTINO

Está em questão uma área muito restrita. Em primeiro lugar, houve o encorajamento para reconstruir o templo (ver Ag 2.1-9). Os sacerdotes foram incluídos no terceiro discurso. O encorajamento dado a Zorobabel, governador civil da Judeia, no quarto oráculo (Ag 2.20-23), alude à mesma localização geral. Todas as referências, pois, apresentam a Judeia e, especificamente, Jerusalém, como os locais para onde as mensagens foram enviadas.

VI. PROPÓSITO

O alvo era encorajar os desanimados repatriados a reconstruir o templo, restabelecendo a autoridade civil e religiosa da nação, e reconhecendo a vida comunitária, após o padrão do Estado judaico original. Israel não tinha por intuito ser apenas um ajuntamento de pessoas em certo lugar, para então surgir um governante que organizasse as coisas. Antes, Israel deveria ser uma teocracia e uma fraternidade, com propósito e serviço espirituais. Não bastava os israelitas serem libertados do cativeiro. A restauração geral de Israel, em todos os seus aspectos, era algo necessário. Deus os escolhera como um povo, e deles era exigido que correspondessem a essa responsabilidade.

VII. CANONICIDADE

Esse livro foi o primeiro dos três livros proféticos pós-exílicos (Ag, Zacarias e Malaquias). Todos esses livros tratam da questão da restauração de Israel após o cativeiro babilônico. Desde o começo, Ageu foi um livro aceito, tendo sido contado entre os doze profetas menores. Esdras atestou a validade e a importância da profecia de Ageu (ver Ed 5.1 e 6.14), o que sem dúvida aumentou o prestígio do livro entre o povo. Na maioria dos antigos catálogos, Ageu não é mencionado por nome, mas sempre houve a referência aos doze profetas menores, que necessariamente incluíam o seu livro. Nos tempos do Novo Testamento, temos a citação em Hb 12.26 (ver Ag 2.6-8,22). Josefo chamou Ageu e Zacarias (ver *Anti*. xi.4,5, par. 557) de "os profetas". Ver no *Dicionário* o artigo geral sobre o *Cânon do Antigo Testamento*.

VIII. TEXTO

De modo geral, o texto do livro está em boa ordem, como se dá com o texto massorético em geral. Ver no *Dicionário* o artigo sobre a *Massora*. Entretanto, há algumas corrupções em Ag 1.7,9,10,12; 2.6,15,17 e uma possível deslocação de texto em Ag 2.15-18. A Septuaginta tem uma adição em Ag 2.9, que ajuda a reconstituir o texto hebraico.

IX. UNIDADE

Alguns estudiosos têm dividido o livro em duas partes, escritas por dois autores distintos. Em primeiro lugar, há uma porção narrativa, não profética; em segundo lugar, há os oráculos. O primeiro escritor poderia ter incorporado em seu livro as profecias do segundo. O fato de que as profecias foram redigidas na terceira pessoa talvez apoie essa teoria. Por que o profeta não usou o "eu", ao entregar suas próprias profecias? O autor diz "o profeta Ageu", ao referir-se às profecias dadas, como se estivesse designando uma pessoa distinta de si mesmo (ver Ag 1.1 e 2.1,10). O autor evidentemente estava bem familiarizado com os eventos profetizados, mas isso poderia mostrar apenas que ele era um contemporâneo, e não que foi ele mesmo quem recebeu as profecias. Portanto, ele pode ter sido o porta-voz da mensagem, embora não o seu autor. Outrossim, as profecias são resumos extremamente reticentes, e não extensos discursos proféticos, o que poderia apontar para o trabalho de um redator ou editor. Não há como solucionar a questão com algum grau de certeza; mas ela não se reveste de grande importância real. Se um autor qualquer incorporou fielmente em sua obra os oráculos de um profeta, o resultado poderia ser corretamente chamado pelo nome do profeta, e seria uma profecia genuína desse mesmo profeta.

X. CONTEÚDO

a. Ag 1.1-11. Sexto mês, primeiro dia. Primeiro oráculo. É mencionada a negligência do povo. Eles não haviam construído o templo (ver Ed 3.4), enquanto concentravam os esforços em suas próprias residências (ver Ag 1.4). Os desastres por eles sofridos, a seca e a ausência de colheita eram lembretes de Deus de que eles deveriam pôr em primeiro lugar as coisas principais.

b. Ag 2.1-9. Sétimo mês, vigésimo primeiro dia. O futuro templo seria maior que o de Salomão. Os próprios gentios contribuiriam para torná-lo assim. A profecia talvez inclua o templo de Herodes, que foi maior que o de Salomão; e, espiritualmente falando, poderia referir-se ao novo templo formado por judeus e gentios, encarnado na igreja, na era do evangelho (ver Ef 2.17-22). Seja como for, o futuro referente ao templo e ao seu sentido espiritual é grande, e isso deveria encorajar-nos a fazer investimentos nessa realização.

c. Ag 2.10-19. Nono mês, vigésimo quarto dia. A lei ritual nos fornece uma lição. Se um homem estivesse transportando a carne dos sacrifícios e se suas roupas tocassem em algo, a coisa tocada nem por isso se tornaria santa. Mas as vestes de um homem que estivesse ritualmente impuro contaminariam tudo aquilo em que tocassem. Portanto, a imundícia contamina. As ruínas do templo eram imundas e contaminavam a nação judaica. Somente se o novo templo substituísse o antigo, mediante reconstrução, a nação poderia ficar isenta da imundícia que lhes servia de obstáculo e contra eles atraía o juízo divino. Finalmente, o reavivamento resultou no lançamento de um novo alicerce (ver Ed 3.10), em 536 a.C. E isso foi feito segundo a filosofia do profeta.

d. Ag 2.20-23. Nono mês, vigésimo quarto dia. Aparece uma promessa, feita a Zorobabel, de que ele seria mantido em segurança, a despeito das perturbações que agitavam o império persa.

XI. PERSPECTIVA TEOLÓGICA

a. A prosperidade material não serve de sinal seguro de prosperidade espiritual; mas, quando se põem as coisas principais em primeiro lugar (primeiro as coisas espirituais, e só então as materiais), isso resulta em bênçãos de todas as modalidades. Isso se coaduna com a mensagem de Jesus em Mt 6.33 (ver Ag 1.1-11).

b. Os reveses na vida de um crente podem ser devidos a questões espirituais às quais não atendemos (ver Ag 1.6 ss.).

c. O ritual é importante, se dele participarmos com a correta atitude espiritual. Dentro do contexto judaico, essa é uma questão importante, porque ali o ritual continuava sendo um importante indicador do destaque que se dava às questões religiosas (ver Ag 2.12 ss.).

d. Em seu terceiro oráculo, o profeta salientou quão penetrante é o mal, ainda mais que o bem. Por esse motivo, deve ser evitado (ver Ag 2.12 ss.).

e. Se um homem recebe de Deus uma missão, o Senhor cuidará para que ele seja protegido, até cumprir a sua missão, o que não é um pequeno consolo (ver Ag 2.21 ss.).

XII. BIBLIOGRAFIA
G I IB ID

Ao Leitor
Melhor compreensão sobre esse livro pode ser obtida pelo leitor sério ao consultar a *Introdução*, antes de começar a estudar o livro. Ali dou informações sobre os principais temas e problemas do livro: autor; pano de fundo; data; lugar de origem; destino; propósito; canonicidade; texto, unidade; conteúdo. Ageu estava entre os profetas que ministraram após o cativeiro babilônico (ver a respeito no *Dicionário*).

Outros profetas que atuaram nessa mesma época foram Zacarias e Malaquias. Ver o gráfico dos profetas do Antigo Testamento na introdução ao livro de Oseias. Esse gráfico inclui informações cronológicas. Ver também sobre *Data*, na terceira seção da *Introdução*.

Ageu é um dos chamados *Profetas Menores*, que atingem o número de doze. O termo *menores* não é um julgamento quanto à importância desses profetas, mas apenas uma referência à quantidade relativamente pequena do material que escreveram. Os Profetas Maiores (Is, Jeremias e Ezequiel) foram assim chamados por causa da quantidade maior de material que publicaram. Os doze Profetas Menores foram agrupados num só rolo, como se formassem um único volume, pelos eruditos judeus, que o denominavam "o livro dos Doze".

À semelhança da maioria dos livros proféticos do Antigo Testamento, este tem um pano de fundo histórico nos jogos de poder internacionais. O cativeiro babilônico dos judeus terminou mediante o decreto misericordioso de Ciro, deixando o remanescente judeu que retornou encarregado da gigantesca tarefa de reconstruir Jerusalém, seu templo e suas muralhas.

"Ageu foi um profeta do remanescente restaurado depois do cativeiro de setenta anos. As circunstâncias são detalhadas nos livros de Esdras e Neemias. Encorajar, repreender e instruir o remanescente débil e dividido dos judeus foi a tarefa de Ageu, Zacarias e Malaquias. O tema de Ageu é o templo por terminar, e sua missão foi admoestar os construtores" (*Scofield Reference Bible*, na introdução ao livro).

EXPOSIÇÃO

CAPÍTULO UM

APELO EM PROL DA RECONSTRUÇÃO DO TEMPLO (1.1-14)

Objeções e Réplicas (1.1-11)
O povo judeu retornou do *cativeiro babilônico* (ver a respeito no *Dicionário*) mediante o gracioso decreto de Ciro. O fato de que os judeus estiveram no exílio babilônico por apenas setenta anos (ver Jr 25.1; 29.10) foi uma generosa provisão de Yahweh. Mas isso não inspirou os judeus a trabalhar, somente por terem sido alvo de uma graça divina especial. Eles continuaram adiando o trabalho de reconstrução do templo de Jerusalém, afirmando que a hora aprazada ainda não havia chegado. Ageu, contudo, inspirado por Yahweh, afirmava o contrário: a hora tinha soado, e os judeus estavam perdendo sua oportunidade. A missão de Ageu, pois, era apressar a obra de reedificação e, assim sendo, dar uma base espiritual para a restauração de Israel-Judá.

"Porque o povo havia negligenciado a reconstrução do templo, Deus acabou punindo-o. Vs. 1: Dario era o rei do império persa de 521 a 485 a.C. O sexto mês do segundo ano: ou seja, meados de agosto a meados de setembro de 520 a.C." (*Oxford Annotated Bible*, na introdução à seção).

■ 1.1

בִּשְׁנַת שְׁתַּיִם לְדָרְיָוֶשׁ הַמֶּלֶךְ בַּחֹדֶשׁ הַשִּׁשִּׁי בְּיוֹם
אֶחָד לַחֹדֶשׁ הָיָה דְבַר־יְהוָה בְּיַד־חַגַּי הַנָּבִיא אֶל־
זְרֻבָּבֶל בֶּן־שְׁאַלְתִּיאֵל פַּחַת יְהוּדָה וְאֶל־יְהוֹשֻׁעַ בֶּן־
יְהוֹצָדָק הַכֹּהֵן הַגָּדוֹל לֵאמֹר:

No segundo ano do rei Dario, no sexto mês, no primeiro dia do mês... O calendário hebraico nos dias anteriores ao exílio corria de outono a outono. Durante o exílio, eles adotaram o calendário babilônico, que começava na primavera, e descontinuaram os antigos nomes hebraicos dos meses. Nos dias pós-exílicos, os meses eram chamados por números. Esse uso é refletido nos livros de Ageu e Zacarias. Gradualmente, foram sendo adotados os nomes babilônicos. Ver Ne 1.1; 2.1 e Ed 6.15 quanto a esse uso. Ver no *Dicionário* os artigos chamados *Calendário Judaico* e *Calendários Babilônico, Assírio e Caldeu*.

Veio a palavra do Senhor. Com esta declaração começam usualmente os livros de profecia do Antigo Testamento, reivindicando assim inspiração e autoridade divina para o profeta em pauta. Ver no *Dicionário* os artigos intitulados *Revelação e Inspiração*.

A Lista de Autoridades. *Ageu, o profeta*; ver a introdução ao livro, primeiro ponto. *Zorobabel*: judeu nascido na Babilônia, pertencente à casa real de Davi (neto de Joaquim), que tinha sido levado para a Babilônia em 597 a.C. Ver 2Rs 24.15; 1Cr 3.17 e o artigo sobre ele no *Dicionário*. *Josué*, neto de Seraías (ver 1Cr 6.14), foi o sumo sacerdote da época. Dessa maneira, era o principal líder religioso de Jerusalém. Seu pai, *Jeozadaque*, foi levado para o cativeiro na Babilônia em 586 a.C. e o ofício de sumo sacerdote coube a ele. Zorobabel não era rei em nenhum sentido, mas era o governador, pelo que representava o principal líder civil. Ageu dirigiu a palavra aos principais oficiais da nação restaurada de Israel-Judá, esperando despertar os judeus para a reconstrução do templo e da cidade de Jerusalém, a fim de que Israel vivesse novamente.

Os Oficiais do Momento. O profeta Ageu dependia da liderança de Israel-Judá para cumprir sua missão. Poucas missões são trabalho de um único homem. Deve haver ajudantes fiéis.

■ 1.2

כֹּה אָמַר יְהוָה צְבָאוֹת לֵאמֹר הָעָם הַזֶּה אָמְרוּ לֹא עֶת־בֹּא עֶת־בֵּית יְהוָה לְהִבָּנוֹת׃ פ

Este povo. Yahweh evitou chamá-los de "meu povo", visto que eles se haviam distanciado do fogo divino e se tinham tornado frios e inclinados para o materialismo. Eles não se comportavam conforme deveria fazer o povo do Senhor. Os versículos seguintes descrevem as prioridades equivocadas deles.

Não veio ainda o tempo, o tempo em que a casa do Senhor deve ser edificada. Yahweh-(Sabaote), o Deus Eterno e General dos Exércitos, estava por trás das palavras e dos feitos do profeta. Aqui é reivindicada a autoridade divina para a missão de Ageu. O povo estava amarrando os passos (conforme diz uma moderna expressão idiomática), adiando a construção do segundo templo, além de outras tarefas relativas à reconstrução de Jerusalém. Para eles o tempo certo ainda não havia chegado; mas a verdade é que os judeus estavam ocupados com tarefas e projetos pessoais, edificando suas próprias casas adornadas. A parte espiritual, pensavam eles, poderia esperar, mas não a parte material.

O título divino *Yahweh dos Exércitos*, subentendendo Sabaote (o General deles), é usado quatorze vezes nesse livro. Ver no *Dicionário* o verbete chamado *Deus, Nomes Bíblicos de*.

■ 1.3

וַיְהִי דְבַר־יְהוָה בְּיַד־חַגַּי הַנָּבִיא לֵאמֹר׃

Veio, pois, a palavra do Senhor, por intermédio do profeta Ageu. Encontramos aqui repetição de uma parte do vs. 1, relembrando a revelação que Yahweh estava provendo e a autoridade divina do profeta como porta-voz do Ser divino. Essa é a declaração usual que encabeça os livros proféticos do Antigo Testamento. Agora o povo em geral estava sendo endereçado pelo profeta, e não apenas os governantes, conforme se vê no vs. 1. Todo o povo de Judá se mostrara negligente, não apenas seus líderes. "Ageu repreendeu o povo por sua indiferença egoísta e por sua negligência" (F. Duane Lindsey, *in loc.*).

■ 1.4

הַעֵת לָכֶם אַתֶּם לָשֶׁבֶת בְּבָתֵּיכֶם סְפוּנִים וְהַבַּיִת הַזֶּה חָרֵב׃

Acaso é tempo de habitardes vós em casas apaineladas...? Os homens sempre tiveram a mania de edificar (ou de comprar) suas próprias casas, visto que esse é um grande item que conduz à segurança financeira. Além disso, é agradável viver naquilo que nos pertence, aprimorando a residência de quando em vez. As mulheres, especialmente, se ufanam de suas casas, se elas são de sua propriedade. Os judeus, que tinham voltado tão recentemente do cativeiro, edificavam casas adornadas com painéis de madeira. Eles recobriam suas casas para dar-lhes melhor aparência. As pessoas mais ricas provavelmente empregavam cedro do Líbano. Cf. Jr 22.15; 1Rs 7.7.

O templo também teria adornos de madeira, mas o templo poderia esperar mais um pouco. O primeiro templo tinha sido destruído pelo fogo, em 586 a.C. Além disso, seria um grande dispêndio substituir o edifício do antigo templo, mesmo que fosse por um templo mais humilde. Agora não havia nenhum ricaço chamado Salomão para promover o projeto, nem havia um Davi para reunir o material usado na construção. As pessoas temiam usar seus parcos recursos em uma edificação pública, enquanto não tivessem providenciado suas próprias habitações particulares.

Alguns intérpretes dizem que a palavra aqui traduzida por "apaineladas" realmente se refere ao "telhado", e não a paredes apaineladas com madeira, para servir de decoração das paredes interiores. Isso pode subentender que algum trabalho tinha sido feito no templo, mas ainda não havia cobertura. O decreto de Artaxerxes não tinha permitido a construção de um templo em Jerusalém, mas Dario deu essa permissão (ver Ed 4.21). Portanto, não havia oposição estrangeira oficial ao projeto.

"Quão diferentes foram os sentimentos de Davi quando comparados à negligência do povo de Judá [dos dias de Ageu]. Ver 2Sm 7.2. Os alicerces do segundo templo tinham sido lançados quatorze anos antes, e algum progresso considerável tinha sido feito na construção. Porém, a construção fora abandonada e estava estragando, enquanto os homens cuidavam de seus próprios negócios" (Adam Clarke, *in loc.*). Quão triste é quando os homens abandonam um bom projeto!

■ 1.5

וְעַתָּה כֹּה אָמַר יְהוָה צְבָאוֹת שִׂימוּ לְבַבְכֶם עַל־דַּרְכֵיכֶם׃

Ora, pois, assim diz o Senhor dos Exércitos: Considerai o vosso passado. Yahweh dos Exércitos, o Poder divino por trás das ideias e da indústria, convocou pessoas negligentes a reconsiderar o que estavam fazendo. Eles haviam deslocado suas prioridades. Sua hierarquia de valores tinha sido perturbada. O lema era o seguinte: "Serve o teu próprio eu, e deixa Deus a esperar". Era impossível que bênçãos divinas continuassem a chover sobre aqueles servos desviados que abandonavam o serviço ao Ser divino para servir a si mesmos.

Considerai o vosso passado. Esta expressão é usada quatro vezes, com pequena variação, no livro (ver Ag 1.5,7; 2.15,18). A tradução inglesa NCVB diz: "Pensai no que tendes feito", que subentende que o que eles tinham feito era errado. A NIV diz: "Considerai os vossos caminhos". Uma mudança na conduta é procurada através de um pensamento sério que deve produzir um julgamento moral. Diz o hebraico original, literalmente: "Firmai vossos corações sobre os vossos caminhos".

■ 1.6

זְרַעְתֶּם הַרְבֵּה וְהָבֵא מְעָט אָכוֹל וְאֵין־לְשָׂבְעָה שָׁתוֹ וְאֵין־לְשָׁכְרָה לָבוֹשׁ וְאֵין־לְחֹם לוֹ וְהַמִּשְׂתַּכֵּר מִשְׂתַּכֵּר אֶל־צְרוֹר נָקוּב׃ פ

Tendes semeado muito e recolhido pouco. *Dificuldades e Reversões*. O povo de Judá foi tirado do cativeiro, portanto, pelo menos por algum tempo, a opressão estrangeira tinha cessado. Muitas coisas, porém, estavam erradas: eles tinham semeado intensamente e despendido muito esforço na agricultura, mas dali recolheram poucos resultados; não é que estivessem morrendo de inanição, mas com frequência sentiam as dores da fome; tinham vinho, mas não tanto quanto queriam; usavam roupas bastante cruas que não eram adequadas aos dias de frio; tinham ganhado dinheiro, mas nunca o suficiente para suas necessidades. Eles puseram seu ouro e sua prata em sacolas cheias de buracos; em outras palavras, o que eles obtiveram nunca lhes deu boa margem de conforto. Além disso, com frequência, não tinham dinheiro suficiente para as despesas. Viviam "à beira do abismo", conforme diz uma moderna expressão, ou seja, com precariedade.

Eles se mostraram "egocêntricos", temerosos de gastar dinheiro na obra do Senhor, mas não conseguiram estabilidade financeira com esse egoísmo, e, muito menos ainda, prosperidade, que, sem dúvida, era seu alvo. O que fica implícito no versículo é que o aperto econômico resultou do egoísmo. Eles não tinham investido no banco divino, que paga grandes dividendos. E houve castigo divino contra os semeadores parcimoniosos (cf. Lv 26.18-20; Dt 28.38-40). Está em evidência o princípio da colheita segundo a semeadura. Quanto a coisas espirituais, eles tinham semeado pouco, com o resultado de que lhes faltavam coisas materiais. Ver no *Dicionário* o verbete chamado *Lei Moral da Colheita segundo a Semeadura*.

> *Buscai, pois, em primeiro lugar, o seu reino e a sua justiça, e todas estas cousas vos serão acrescentadas.*
>
> Mateus 6.33

PRINCIPAIS ACONTECIMENTOS NOS TEMPOS DE AGEU E ZACARIAS

Datas	Acontecimentos	Referências
29 de agosto 520 a.C.	O primeiro sermão de Ageu	Ag 1.1-11; Ed 5.1
21 de setembro 521 a.C.	O reinício da construção do templo	Ag 1.12-15; Ed 5.2
17 de outubro 520 a.C.	O segundo sermão de Ageu	Ag 2.1-9
outubro-novembro 520 a.C.	O início do ministério de Zacarias	Zc 1.1-6
18 de dezembro 520 a.C.	O terceiro e o quarto sermões de Ageu	Ag 2.10-23
15 de fevereiro 519 a.C.	As oito visões de Zacarias	Zc 1.7—6.8
7 de dezembro 518 a.C.	As delegações de Betel	Zc cap. 7
12 de março	O templo rededicado	Ed 6.15-18

Quando o Império Babilônico caiu, destruído pelo Império Persa (539 a.C.), Ciro, o Grande, decretou que os judeus poderiam retornar a Jerusalém para reconstruir seu templo (Ed 1.2-4; Is 44.28). Todavia, somente uma pequena minoria se interessou na volta sob a liderança de Zorobabel. Entre as pessoas que retornaram estavam Ageu e Zacararias.

Os sacrifícios levíticos foram restaurados e um altar provisório foi construído (Ed 3.1-6). O alicerce do segundo templo foi preparado. Mas oposições internas e externas interromperam o trabalho e somente dezesseis anos depois o trabalho recomeçou. Os profetas Ageu e Zacarias foram os instrumentos de Yahweh para encorajar o empreendimento.

■ **1.7**

כֹּה אָמַר יְהוָה צְבָאוֹת שִׂימוּ לְבַבְכֶם עַל־דַּרְכֵיכֶם׃

Assim diz o Senhor dos Exércitos: Considerai o vosso passado. Este versículo é uma duplicação do vs. 5, onde apresento as notas expositivas. Essa declaração (com pequena variação) aparece quatro vezes no livro de Ageu, dando ênfase apropriada à necessidade de considerar cuidadosamente se a conduta pessoal tem produzido a bênção ou a maldição de Deus, em consonância com os requisitos morais das leis de Deus.

■ **1.8**

עֲלוּ הָהָר וַהֲבֵאתֶם עֵץ וּבְנוּ הַבָּיִת וְאֶרְצֶה־בּוֹ וְאֶכָּבֵד אָמַר יְהוָה׃

Subi ao monte, trazei madeira e edificai a casa. Nos dias de Ageu, as colinas em torno de Jerusalém eram densamente arborizadas, pelo que havia ali uma fonte de madeira para a reconstrução e o embelezamento do segundo templo. Para o templo de Salomão tinham sido importados cedros do Líbano, mas agora o cedro estava fora de alcance para o povo empobrecido que tinha voltado da Babilônia. No entanto, Yahweh se contentaria com madeiras locais, que podiam ser facilmente obtidas e eram adequadas para o trabalho em mira. Cf. Ne 2.8 e 8.15. Entre as ruínas da cidade havia abundância de pedras. Em consequência, materiais locais podiam ser empregados na reconstrução do templo, mas a verdade é que o povo de Judá não tinha visão para o culto divino. Ageu profetizou e escreveu para animar os judeus e levá-los a reorientar suas prioridades. Note o leitor que Yahweh desafiou os judeus a fazer o que podiam fazer, e não a tentar realizar o que estava além da habilidade deles. Grandes homens poderiam ultrapassar aquelas limitações, mas aquela gente não fora convocada para fazer grandes coisas, apenas coisas boas. Yahweh ficaria satisfeito com esforços razoáveis, por humildes que fossem. Um novo lugar de adoração consolidaria o yahwismo no novo Israel, e isso era parte necessária da restauração. "No segundo ano depois que retornaram do cativeiro, eles procuraram cedros do Líbano e os trouxeram até Jope. Entre os tírios e os sidônios, contrataram pedreiros e carpinteiros. Mas esse labor quase se perdeu devido à longa suspensão da construção — ver Ed 3.7" (Adam Clarke, *in loc.*).

"Yahweh voltaria ao seu templo de Jerusalém. Antes desses acontecimentos, Ezequiel tinha visto a partida da glória de Yahweh (Ez 10.18), mas depois ela retornara (Ez 43.4)" (D. Winton Thomas, *in loc.*).

■ **1.9**

פָּנֹה אֶל־הַרְבֵּה וְהִנֵּה לִמְעָט וַהֲבֵאתֶם הַבַּיִת וְנָפַחְתִּי בוֹ יַעַן מֶה נְאֻם יְהוָה צְבָאוֹת יַעַן בֵּיתִי אֲשֶׁר־הוּא חָרֵב וְאַתֶּם רָצִים אִישׁ לְבֵיתוֹ׃

Esperastes o muito, e eis que veio a ser pouco. "Disse o Senhor dos exércitos celestiais: 'Procurastes o muito, mas encontrastes pouco. E quando trouxestes esse pouco para casa, eu o destruí. Por quê? Porque estáveis atarefados trabalhando em vossas próprias casas, mas a minha casa continua em ruínas!'"(NCV). Este versículo repete a mensagem do vs. 6, usando palavras diferentes, mas que resultam no mesmo sentido: pobreza produzida pela maldição de Yahweh contra os negligentes.

> *Aquele que semeia pouco, pouco também ceifará; e o que semeia com fartura, com abundância ceifará.*
>
> 2Coríntios 9.6

O Sopro Divino. Uma antiga crença dizia que o hálito de uma pessoa podia ter efeito salutar ou maléfico. Quanto ao *hálito bom*, ver Ez 37.9,10. Quanto ao *mau hálito*, ver Is 11.4; 40.24. Portanto, Yahweh podia soprar visando o bem ou visando o mal sobre aquilo que os judeus estavam fazendo. Ele tinha soprado sobre os esforços deles e os encolhera, porquanto eles confundiram as prioridades e serviam a si mesmos. Entre os muçulmanos há uma superstição semelhante: eles não querem que ninguém assobie sobre uma eira cheia de cereal. O diabo poderia ser convocado, e isso destruiria os esforços dos homens.

O Targum interpreta como segue: "Eis que envio uma maldição sobre isso". "Eu assoprei para longe, como deve ser tratada qualquer coisa leve, como palha ou restolho ou espinhos. Essas coisas são facilmente sopradas para longe pelo vento. O Senhor pode facilmente desnudar os homens dos poucos bens materiais que eles possuem. As riquezas, por ordem de Deus, podem desenvolver asas e voar" (John Gill, *in loc.*).

■ **1.10**

עַל־כֵּן עֲלֵיכֶם כָּלְאוּ שָׁמַיִם מִטָּל וְהָאָרֶץ כָּלְאָה יְבוּלָהּ׃

Por isso os céus sobre vós retêm o seu orvalho, e a terra os seus frutos. A seca é uma das armas favoritas, no arsenal de Deus, para castigar os homens desviados, que se põem a servir a si mesmos. Sem água, as plantações fenecem, e logo o mesmo acontece aos homens e animais. Ver no *Dicionário* o verbete chamado *Seca*, quanto a detalhes sobre esse tipo de punição divina. Aqueles réprobos tinham desobedecido ao Deus dos céus, pelo que os céus retaliaram, negando-lhes a chuva. Além disso, não havendo evaporação proveniente do mar Mediterrâneo, não existira orvalho matinal, que também é essencial para a agricultura na Palestina. A estação seca ocorre entre abril e outubro, quando o orvalho adquire importância crucial. Da mesma maneira que eles tinham permitido que o templo começasse a cair em ruínas, assim Deus faria com que todas as construções particulares dos judeus se reduzissem a nada. Da mesma maneira que eles se tinham mostrado infrutíferos para com Deus, assim ele tinha feito com que os labores deles se tornassem infrutíferos.

■ 1.11

וָאֶקְרָא חֹרֶב עַל־הָאָרֶץ וְעַל־הֶהָרִים וְעַל־הַדָּגָן וְעַל־הַתִּירוֹשׁ וְעַל־הַיִּצְהָר וְעַל אֲשֶׁר תּוֹצִיא הָאֲדָמָה וְעַל־הָאָדָם וְעַל־הַבְּהֵמָה וְעַל כָּל־יְגִיעַ כַּפָּיִם: ס

Fiz vir a seca sobre a terra e sobre os montes. A seca seria tão devastadora que arruinaria todas as coisas. Exerceria efeitos temíveis sobre todas as coisas vivas. A seca traria a ruína. Note o leitor que o termo hebraico que significa "seca" é *horebh*, similar à palavra que significa "ruínas", *harebh* (vs. 9), pelo que é provável que tenhamos aqui um jogo de palavras. A casa de Deus estava arruinada, pelo que uma coisa arruinadora (a seca) mostraria o desprazer de Deus para com aquele povo negligente. Os montes se secariam e neles nenhum cereal seria plantado. As vinhas ressecariam; as oliveiras morreriam; todas as plantas que a terra produzisse secariam e morreriam. Homens e animais de fazenda padeceriam fome e muitos pereceriam, por causa da fome produzida pela seca. O tempo seco tornaria inútil o labor duro, porquanto eles tinham trabalhado com diligência somente em proveito próprio. Cf. este versículo com Dt 28.22 e Sl 78.46. Ver também 2Rs 8.1.

A Reação do Povo (1.12-14)

■ 1.12

וַיִּשְׁמַע זְרֻבָּבֶל בֶּן־שַׁלְתִּיאֵל וִיהוֹשֻׁעַ בֶּן־יְהוֹצָדָק הַכֹּהֵן הַגָּדוֹל וְכֹל שְׁאֵרִית הָעָם בְּקוֹל יְהוָה אֱלֹהֵיהֶם וְעַל־דִּבְרֵי חַגַּי הַנָּבִיא כַּאֲשֶׁר שְׁלָחוֹ יְהוָה אֱלֹהֵיהֶם וַיִּירְאוּ הָעָם מִפְּנֵי יְהוָה:

Então Zorobabel, filho de Sealtiel, e Josué, filho de Jeozadaque... Tendo sido severamente repreendidos pela voz divina, não somente os líderes do povo, mas também o próprio povo obedeceu à ordem divina e começou os preparativos para endireitar as coisas. Portanto, encontramos aqui um raro exemplo em que Israel obedece às ordens de um profeta, em vez de zombar dele. Aqueles judeus reconheceram que Yahweh, seu Deus (*Elohim*, o Poder), estava por trás da mensagem do profeta Ageu. A qualidade espiritual deles foi assim fomentada, pelo que vieram a "temer ao Senhor", frase típica do Antigo Testamento para indicar a espiritualidade básica. Ver no *Dicionário* o verbete chamado *Temor*, bem como as notas expositivas sobre Sl 119.38 e Pv 1.7. Esse respeito reverente algumas vezes corresponde ao temor, ou seja, ao receio do que Deus poderia fazer caso sua lei não fosse obedecida. Mas a expressão fala de atitudes básicas para com o Ser divino com resultantes modificações na conduta para melhor. O vs. 12 é paralelo ao vs. 1 no tocante à liderança do povo, e é ali que dou as notas expositivas. Uma atitude reverente, provocada pelas palavras de Ageu, levou o povo de Judá a agir. "Era raro um profeta de Deus receber reação favorável e rápida a uma mensagem que ele tinha transmitido da parte de Deus. Mas isso se deu no caso da mensagem simples e direta de Ageu" (F. Duane Lindsey, *in loc.*).

Todo o resto do povo. Tanto Ageu (1.14 e 2.2) quanto Zacarias (8.6,11,12) usaram essa expressão para referir-se ao minúsculo remanescente de judeus que tinha retornado do cativeiro babilônico para reiniciar a nação de Israel.

■ 1.13

וַיֹּאמֶר חַגַּי מַלְאַךְ יְהוָה בְּמַלְאֲכוּת יְהוָה לָעָם לֵאמֹר אֲנִי אִתְּכֶם נְאֻם־יְהוָה:

Então Ageu, o enviado do Senhor, falou ao povo... Eu sou convosco... O povo de Judá correspondeu favoravelmente a Yahweh, pelo que o Senhor, através de seu profeta, respondeu-lhes favoravelmente. "Diz o Senhor: Eu sou convosco" (NCV). A presença divina certamente guiaria e abençoaria os judeus.

> Até agora o teu poder me tem abençoado,
> Por certo me levará por sobre
> Terras incultas e pântanos,
> Por sobre rochas e torrentes,
> Até que a noite se acabe.
>
> John H. Newman

"Eu sou convosco" é repetido em Ag 2.4. Cf. Ag 2.5 e Is 43.5, bem como Mt 28.20. A presença de Deus elimina temores debilitantes e fortalece os indivíduos para as tarefas. Essa é a condição *sine qua non* das atividades espirituais.

"O que um homem não pode fazer quando Deus é o seu ajudador?" (Adam Clarke, *in loc.*). O povo judeu demonstrou suas boas intenções, e o Poder apressou-se a ajudá-los a fazer o que eles tinham para fazer. O Senhor esqueceu a anterior desobediência e negligência deles, e agora já os estava ajudando a agir.

■ 1.14

וַיָּעַר יְהוָה אֶת־רוּחַ זְרֻבָּבֶל בֶּן־שַׁלְתִּיאֵל פַּחַת יְהוּדָה וְאֶת־רוּחַ יְהוֹשֻׁעַ בֶּן־יְהוֹצָדָק הַכֹּהֵן הַגָּדוֹל וְאֶת־רוּחַ כֹּל שְׁאֵרִית הָעָם וַיָּבֹאוּ וַיַּעֲשׂוּ מְלָאכָה בְּבֵית־יְהוָה צְבָאוֹת אֱלֹהֵיהֶם: פ

O Senhor despertou o espírito de Zorobabel, filho de Sealtiel. Uma poderosa obra divina foi realizada no coração dos principais líderes, Zorobabel, o governante civil, e Josué, o principal líder religioso. Até o povo comum recebeu espírito para trabalhar. Algumas vezes, só o Espírito de Deus pode fazer as pessoas trabalhar. A maioria das pessoas serve aos pequenos prazeres da vida e não tem visão para nada mais elevado. Quem se levanta às 5 horas da madrugada para trabalhar? Ver no *Dicionário* o verbete intitulado *Trabalho, Dignidade e Ética do*. Os grandes valores de nossa civilização estão edificados sobre o trabalho árduo. Ninguém tem direito ao lazer.

> Na civilização não há lugar para o ocioso. Nenhum de nós tem o direito a parar de trabalhar.
>
> Henry Ford

> *Vai ter com a formiga, ó preguiçoso, considera os seus caminhos, e sê sábio.*
>
> Provérbios 6.6

A Nobreza do Trabalho. Era o templo do Senhor que deveria ser construído, e não algum bar de esquina. A maior parte do labor humano é gasto na construção de bares e coisas semelhantes. Yahweh, o General dos Exércitos, o Poder (Elohim), baixou as ordens e dotou o seu povo de poder para trabalhar. A diferença entre um projeto bom e um grande projeto é a presença do Senhor.

■ 1.15

בְּיוֹם עֶשְׂרִים וְאַרְבָּעָה לַחֹדֶשׁ בַּשִּׁשִּׁי בִּשְׁנַת שְׁתַּיִם לְדָרְיָוֶשׁ הַמֶּלֶךְ:

Ao vigésimo quarto dia do sexto mês. *Nota Cronológica.* Este versículo está ligado ao versículo anterior sem nenhuma interrupção, dizendo-nos quando teve início o trabalho no segundo templo de Jerusalém. Foi um dia memorável quando o trabalho foi reiniciado, pelo que o profeta registrou o dia e o mês exato em que isso ocorreu — o dia 24 do sexto mês do segundo ano de Dario (vs. 1). O trabalho começou somente três semanas depois que Ageu lançou seu apelo, o que podemos calcular comparando os vss. 1 e 15. A data foi o vigésimo quarto dia do mês de elul (21 de setembro), e o ano foi 520 a.C.

CAPÍTULO DOIS

PROMESSA DE TEMPOS MELHORES: A GLÓRIA FUTURA DO TEMPLO (2.1-9)

■ 2.1,2

בַּשְּׁבִיעִ֕י בְּעֶשְׂרִ֥ים וְאֶחָ֖ד לַחֹ֑דֶשׁ הָיָה֙ דְּבַר־יְהוָ֔ה בְּיַד־חַגַּ֥י הַנָּבִ֖יא לֵאמֹֽר׃

אֱמָר־נָ֗א אֶל־זְרֻבָּבֶ֤ל בֶּן־שַׁלְתִּיאֵל֙ פַּחַ֣ת יְהוּדָ֔ה וְאֶל־יְהוֹשֻׁ֧עַ בֶּן־יְהוֹצָדָ֛ק הַכֹּהֵ֥ן הַגָּד֖וֹל וְאֶל־שְׁאֵרִ֥ית הָעָ֖ם לֵאמֹֽר׃

"*Ag 2.1,2.* Tal como o subtítulo da primeira mensagem (1.1), este identifica a data, o profeta e a mensagem. A data da mensagem foi 21 de tisri (17 de outubro) de 520 a.C., quase um mês depois que o povo havia reiniciado a construção do templo (Ag 1.15). Nesse período, o progresso da reconstrução foi lento, sem dúvida por causa dos escombros que tiveram de ser limpos e jazeram ali pelo período de sessenta anos. Além disso, houve a cessação do trabalho durante os numerosos festivais do sétimo mês, os sábados semanais, a festa das Trombetas no primeiro dia, o dia da expiação no décimo dia, e a festa dos Tabernáculos, de 15 a 21 de tisri, sendo que 22 de tisri também foi um dia de descanso (ver Lv 23)" (F. Duane Lindsey, *in loc.*).

Todos os habitantes de Judá se dispuseram a obedecer, pelo que o profeta usava o ferro ainda quente. Quando chega uma onda, é preciso montar nela até o fim. Para a maioria das pessoas, entretanto, os períodos de trabalho ocorrem em ondas, com altos e baixos. Assim agem os fracos, que nunca tentam conseguir grande coisa. A maioria das pessoas é forte como um touro na busca pelos prazeres, mas fraca como um verme quando chega o tempo de trabalhar.

■ 2.3

מִ֤י בָכֶם֙ הַנִּשְׁאָ֔ר אֲשֶׁ֤ר רָאָה֙ אֶת־הַבַּ֣יִת הַזֶּ֔ה בִּכְבוֹד֖וֹ הָרִאשׁ֑וֹן וּמָ֨ה אַתֶּ֜ם רֹאִ֤ים אֹתוֹ֙ עַ֔תָּה הֲל֥וֹא כָמֹ֛הוּ כְּאַ֖יִן בְּעֵינֵיכֶֽם׃

Quem há entre vós que, tendo edificado, viu esta casa na sua primeira glória? Poucas pessoas da época de Ageu tinham visto o templo de Salomão. Além disso, literatura e tradições orais falavam a respeito. Cf. Ed 3.12. Muita gente ridicularizava a ideia do segundo templo, emitindo opiniões desfavoráveis acerca da pobreza relativa do segundo templo. Em primeiro lugar, não existiam os mesmos recursos que Davi e Salomão tiveram. Em segundo lugar, faltavam os artífices especialistas que Salomão contratou. O produto terminado do segundo templo seria um substituto triste para o templo de Salomão, construído durante a época áurea da nação de Israel. De fato, na estimativa de muita gente, seria como nada. A pergunta que essa gente fazia, era: "Nesse caso, para que continuar construindo?" Por outra parte, qualquer templo decente certamente seria melhor que nenhum templo. Yahweh não estava solicitando que aqueles judeus empobrecidos duplicassem a obra magnificente de Salomão. Simplesmente, esperava que eles fizessem o melhor ao seu alcance. Era óbvio que, por meio do que já fora construído do segundo templo, este não se compararia à glória do templo da época áurea de Israel; e alguns críticos insistiam em dizer aos outros precisamente isso. Suas críticas idiotas estavam desencorajando os trabalhadores e adiando o término do projeto.

■ 2.4

וְעַתָּ֣ה חֲזַ֣ק זְרֻבָּבֶ֣ל ׀ נְאֻם־יְהוָ֗ה וַחֲזַ֞ק יְהוֹשֻׁ֤עַ בֶּן־יְהוֹצָדָק֙ הַכֹּהֵ֣ן הַגָּד֔וֹל וַחֲזַ֛ק כָּל־עַ֥ם הָאָ֖רֶץ נְאֻם־יְהוָ֑ה וַֽעֲשׂ֕וּ כִּֽי־אֲנִ֥י אִתְּכֶ֖ם נְאֻ֥ם יְהוָ֥ה צְבָאֽוֹת׃

Ora, pois, sê forte, Zorobabel, diz o Senhor, e sê forte, Josué, filho de Jeozadaque. Contudo, a palavra de Josué se fez ouvir a fim de encorajar e fortalecer. Todas as camadas da sociedade judaica foram encorajadas: Zorobabel, o governador civil; Js, o sumo sacerdote, o principal líder religioso; e o remanescente que saíra da Babilônia. Ver Ag 1.12 e 2.2, quanto à mesma interrupção do trabalho feita pelos que estavam trabalhando. Tudo o que nos é dito é que Yahweh estava com eles para garantir um resultado agradável do trabalho. Quem garantia isso? Yahweh dos Exércitos. Esse título aparece quatorze vezes nesse pequeno livro de Ageu, o que mostra que se trata de um título divino que Ageu normalmente usou. Subentende poder e controle, como também é destacado o fato de que Deus estava com eles. Ver Ag 1.13, onde anoto sobre esse conceito. A presença de Deus expulsaria todo o temor debilitante; e, pelo contrário, fortaleceria a resolução deles; daria a eles os recursos necessários; e garantiria o seu êxito. Porém, eles teriam de ser fiéis à missão que lhes fora conferida; e a missão não era pequena: construir o segundo templo de Jerusalém. Esse templo permaneceria quase até os tempos de Jesus e então seria substituído pelo magnificente templo de Herodes.

A Importante Lição Deste Versículo. Cada indivíduo é chamado para realizar sua missão ao máximo de sua capacidade. Ele não tem a responsabilidade de duplicar a missão de outrem, nem será julgado por aquilo que alguém fez ou está fazendo. Além disso, Deus, em sua misericórdia, dá a cada homem algo de valor para fazer, pelo que todo o louvor cabe a Yahweh dos Exércitos. Considerando todos esses fatores, concluímos que a vida é digna de ser vivida.

■ 2.5

אֶֽת־הַדָּבָ֞ר אֲשֶׁר־כָּרַ֤תִּי אִתְּכֶם֙ בְּצֵאתְכֶ֣ם מִמִּצְרַ֔יִם וְרוּחִ֖י עֹמֶ֣דֶת בְּתוֹכְכֶ֑ם אַל־תִּירָֽאוּ׃ ס

Segundo a palavra da aliança que fiz convosco, quando saístes do Egito. Yahweh firmou um pacto com Israel, quando aquele povo foi tirado com sucesso do Egito. Quanto ao fato de que Yahweh livrou o povo de Israel do Egito, o que atuou como lição objetiva de seu poder e amor, ver Dt 4.20. Essa declaração se encontra cerca de vinte vezes, somente no livro de Deuteronômio. O pacto assim feito foi o pacto mosaico, sobre o qual comento na introdução a Êx 19. Sem a ação do Espírito de Deus, não teria havido livramento do Egito nem a subsequente possessão da Terra Prometida. O *Pacto Abraâmico* (ver Gn 15.18 quanto às notas expositivas a respeito) teria caído por terra. Da mesma forma que o Espírito do Senhor fizera maravilhas no passado, assim também ele faria outras maravilhas nos dias de Ageu. O segundo templo estava em construção. Israel estava sendo restaurado, depois de ter vivido um capítulo quase fatal de sua história. Ademais, essa restauração era o prelúdio de uma restauração ainda maior, que terá ocasião na era do reino de Deus, conforme mostram os versículos seguintes.

Não temais. A presença divina e suas operações entre os homens removem o temor, porquanto, se ele estiver conosco, quem será contra nós?

> *Que diremos, pois, à vista destas cousas? Se Deus é por nós, quem será contra nós?*
> Romanos 8.31

"Não temer é um motivo comum nos oráculos de salvação (cf. Is 41.10 e 43.1)" (F. Duane Lindsey, *in loc.*).

■ 2.6

כִּ֣י כֹ֤ה אָמַר֙ יְהוָ֣ה צְבָא֔וֹת ע֥וֹד אַחַ֖ת מְעַ֣ט הִ֑יא וַאֲנִ֗י מַרְעִישׁ֙ אֶת־הַשָּׁמַ֣יִם וְאֶת־הָאָ֔רֶץ וְאֶת־הַיָּ֖ם וְאֶת־הֶחָרָבָֽה׃

Ainda uma vez, dentro em pouco, farei abalar o céu, a terra, o mar e a terra seca. Yahweh dos Exércitos, título divino usado quatorze vezes no livro de Ageu, promete acontecimentos cósmicos relacionados aos seus julgamentos. Cf. isso ao uso dos profetas anteriores (Os 10.8; Is 13.13; Mq 1.4). Cataclismos de alcance mundial são esperados como prelúdio da vinda da era messiânica. Alguns intérpretes fazem essas coisas ser literais, mas outros veem perturbações entre os poderes terrenos simbolizados por essas descrições. "... as revoltas que acompanharam a subida de Dario ao trono da Pérsia" (D. Winton

Thomas, *in loc.*). Outros intérpretes, porém, veem aqui menção a terremotos literais, simbolizando a intervenção sobrenatural de Deus (ver Is 2.12-21; Ez 38.20; Am 8.8; Ag 2.21,22). Cf. Jl 3.16 e Mt 24.29,30. Ainda outros estudiosos veem aqui os símbolos do Armagedom (ver Zc 14.1-4). Hb 12.26 citou o presente versículo, adicionando ainda que o reino de Deus não poderá ser abalado (ver Hb 12.28).

■ 2.7

וְהִרְעַשְׁתִּי אֶת־כָּל־הַגּוֹיִם וּבָאוּ חֶמְדַּת כָּל־הַגּוֹיִם
וּמִלֵּאתִי אֶת־הַבַּיִת הַזֶּה כָּבוֹד אָמַר יְהוָה צְבָאוֹת׃

Farei abalar todas as nações, e as cousas preciosas de todas as nações, virão. Novamente é repetida a ideia de que todas as nações serão abaladas, o que interpreto nas notas sobre o vs. 6. Este versículo parece falar da naturalidade da questão, ao referir-se aos eventos cósmicos, ligando-os com o abalo das nações. Ou então teremos de dizer que haverá tanto cataclismos cósmicos quanto cataclismos físicos e sociais. Seja como for, coisas terríveis e temíveis estão preditas como prelúdios ao estabelecimento da era do reino.

Cousas preciosas de todas as nações. Nossa versão portuguesa apresenta aqui a tradução correta, contra a *King James Version*, uma versão inglesa da Bíblia, que traz o singular, "o desejado de todas as nações", que traduz erroneamente o hebraico, dando um singular em lugar do plural. No hebraico original, tanto o substantivo quanto o verbo estão no plural. O "desejado de todas as nações" tornou-se uma profecia messiânica favorita para o mundo de fala inglesa, pois essa expressão é ali interpretada como referência ímpar ao Messias. Há tantas referências messiânicas diretas que é ridículo insistir que existe uma referência onde não há nenhuma. A mensagem é que o reino de Deus, o reino do milênio, trará coisas preciosas às nações, visto que através do julgamento a restauração emergirá. Alguns estudiosos pensam que as coisas preciosas referem-se às riquezas materiais trazidas ao templo de Jerusalém, uma vez que o vs. 8 menciona a prata e o ouro. Os templos eram depósitos de riquezas e de tesouros. O templo de Jerusalém será cheio da glória do Senhor, bem como de tesouros materiais recolhidos dentre as nações. Assim diz a NCV: "Todas as nações trarão suas riquezas". Cf. este versículo com Is 60.7,13. A glória será a *glória shekinah* (ver Êx 40.34,35; 1Rs 8.10,11). Ver no *Dicionário* o verbete chamado *Shekinah*.

O fato de que as nações trarão suas riquezas a Israel, honrando a Yahweh, indicará a conversão e a restauração delas. Cf. Mq 4.1,2, um paralelo direto do pensamento do presente versículo.

■ 2.8

לִי הַכֶּסֶף וְלִי הַזָּהָב נְאֻם יְהוָה צְבָאוֹת׃

Minha é a prata, meu é o ouro. As nações trarão sua riqueza ao templo, o que pode ter sido originalmente uma das esperanças relativas ao segundo templo, que estava sendo construído, de que ele seria assim honrado. Mas, como isso não aconteceu, a passagem tem sido usada como aplicação à era do reino de Deus e do milênio. Ver minha interpretação sobre o vs. 7. O presente versículo pode ter sido originalmente uma promessa de que o segundo templo teria recursos suficientes para sua construção. Nesse caso, é um significado a curto prazo, ao passo que o significado a longo prazo olha para os últimos dias, sendo possível que tenhamos aqui a menção literal a um templo que será edificado durante o reino milenial, o templo do milênio, pelo menos na opinião de alguns. Quanto à ideia de que todas as coisas, em última análise, pertencem a Deus, ver Jó 41.11 e Sl 50.12. A pobreza relativa do segundo templo seria anulada pela riquezas das nações, que seriam oferecidas ao templo, tornando-o rico, mas talvez seja necessário um longo tempo para que isso se cumpra literalmente. Cf. Êx 33.

■ 2.9

גָּדוֹל יִהְיֶה כְּבוֹד הַבַּיִת הַזֶּה הָאַחֲרוֹן מִן־הָרִאשׁוֹן
אָמַר יְהוָה צְבָאוֹת וּבַמָּקוֹם הַזֶּה אֶתֵּן שָׁלוֹם נְאֻם
יְהוָה צְבָאוֹת׃ פ

A glória desta última casa será maior do que a da primeira. Visto que a glória do segundo templo não foi maior que a glória do primeiro, e também visto que Israel nunca mais atingiu a época áurea trazida por Salomão, os intérpretes continuam a ver profecias escatológicas nesta passagem, o que ilustro nas notas sobre os vss. 7 e 8. Yahweh dos Exércitos falou a palavra, pelo que essas coisas certamente se cumprirão. O título divino de "Yahweh dos Exércitos", que ocorre quatorze vezes no pequeno livro de Ageu, aparece duas vezes no presente versículo. O Deus dos recursos infinitos fará seu templo rico e altamente honrado. Haverá prosperidade sem precedentes. A menos que estejamos falando em termos de hipérbole oriental, temos de atribuir tais profecias à era do reino de Deus, ou milênio, conforme alguns preferem dizer. Ver no *Dicionário* o verbete denominado *Milênio*.

"As bênçãos da era messiânica são sumariadas em uma palavra — paz — 'neste lugar darei a paz'. O 'lugar' aqui referido provavelmente é Jerusalém, e não apenas o templo. Uma paz permanente em Jerusalém resultará somente na presença do Príncipe da Paz (ver Is 9.6; Zc 9.9,10)" (F. Duane Lindsey, *in loc.*).

SANTIDADE E IMUNDÍCIA (2.10-14)

■ 2.10

בְּעֶשְׂרִים וְאַרְבָּעָה לַתְּשִׁיעִי בִּשְׁנַת שְׁתַּיִם לְדָרְיָוֶשׁ
הָיָה דְּבַר־יְהוָה אֶל־חַגַּי הַנָּבִיא לֵאמֹר׃

Ao vigésimo quarto dia do mês nono, no segundo ano de Dario, veio a palavra do Senhor. Um novo discurso foi dado a Ageu no vigésimo quarto dia do nono mês. Cf. a nota cronológica de Ag 2.1. O ano continuava a ser o segundo do governo de Dario, o rei (Ag 1.1). Entre Ag 2.1 e Ag 2.10 escoaram-se cerca de dois meses. A data agora era o dia 25 de quisleu (18 de dezembro de 520 a.C.). Cf. também a nota cronológica de Zc 1.1. Zacarias, profeta contemporâneo de Ageu, iniciou seu ministério um mês antes desse novo discurso de Ageu. A nova mensagem de Ageu, como as outras, foi-lhe dada através da palavra de Yahweh, ou seja, foi inspirada; e Ageu foi seu porta-voz oficial. Portanto, houve autoridade tanto na mensagem como no porta-voz. Cf. Ag 1.3 e 2.1, onde temos as mesmas indicações.

O povo de Judá se contaminara tanto por seus muitos pecados como pela negligência quanto a seus deveres espirituais, que incluíam a necessidade de reconstruir Jerusalém e o templo. Eles atolaram no egoísmo (Ag 1.4). O povo de Judá não observara as muitas leis concernentes ao que era limpo e ao que era imundo. Ver no *Dicionário* o verbete chamado *Limpo e Imundo*. Diversos tipos de infrações os anularam como edificadores apropriados e ministros do segundo templo.

■ 2.11,12

כֹּה אָמַר יְהוָה צְבָאוֹת שְׁאַל־נָא אֶת־הַכֹּהֲנִים תּוֹרָה
לֵאמֹר׃

הֵן יִשָּׂא־אִישׁ בְּשַׂר־קֹדֶשׁ בִּכְנַף בִּגְדוֹ וְנָגַע בִּכְנָפוֹ
אֶל־הַלֶּחֶם וְאֶל־הַנָּזִיד וְאֶל־הַיַּיִן וְאֶל־שֶׁמֶן וְאֶל־כָּל־
מַאֲכָל הֲיִקְדָּשׁ וַיַּעֲנוּ הַכֹּהֲנִים וַיֹּאמְרוּ לֹא׃

Pergunta agora aos sacerdotes, a respeito da lei. Os sacerdotes, de quem se esperava serem especialistas na interpretação da lei, recebem aqui um caso para interpretar. A interpretação deles demonstraria, presumivelmente, neste caso e com que extensão, o povo havia poluído o culto a Yahweh. A pergunta de Ageu diz respeito à transmissão da santidade ritual. É preciso depender da tradição oral, essencialmente no caso da resposta, visto que Lv 6.27,28 provê um paralelo, mas não uma resposta definitiva. Ellicott (*in loc.*) fornece a essência da questão: "A carne do sacrifício santificava a pessoa que nela tocava (ver Lv 6.27), mas essa santificação não era transmitida a coisa alguma em que aquela pessoa tocasse a seguir. Por outro lado (vs. 13), o indivíduo que foi contaminado por tal poluição, como o contato com um cadáver, transmitia contaminação, até mesmo no tabernáculo. Ver Nm 19.13... Por conseguinte, de acordo com Ageu, a culpa da impiedade, incorrida pelos judeus, por haverem negligenciado o templo, havia manchado o labor de suas mãos e tinha causado a fome. E o mérito que eles poderiam reivindicar por terem consertado o altar da adoração e mantido as festas prescritas (ver Ed 3.2-6) não foi transmitido adiante. Esse mérito foi cancelado por sua negligência de um dever igualmente importante. Esse último ponto, entretanto, não é aqui destacado, mas é deixado para ser suprido pelos ouvintes do profeta".

Carne santa. Ou seja, a carne do animal sacrificado que fora oferecido a Yahweh.

■ 2.13

וַיֹּאמֶר חַגַּי אִם־יִגַּע טְמֵא־נֶפֶשׁ בְּכָל־אֵלֶּה הֲיִטְמָא
וַיַּעֲנוּ הַכֹּהֲנִים וַיֹּאמְרוּ יִטְמָא׃

Se alguém, que se tinha tornado impuro... ficará ela imunda? Se a pureza não se transmite aos objetos (qualquer tipo de alimento ou oferenda feita a Yahweh, como o pão, o vinho, o azeite etc.; vs. 12), a imundícia era transmitida a todos os objetos tocados. O caso específico da contaminação é o toque em um cadáver. Isso tornava um homem impuro, e então qualquer coisa em que esse homem tocasse automaticamente ficava imunda, e não mais servia para o culto divino. Esse homem e os objetos tinham de ser purificados, antes que a vida pudesse continuar normalmente, quer a vida pessoal de um indivíduo, quer a vida do culto a Yahweh. Ver Lv 11.28; 22.4-7. A imundícia ritual era como uma doença contagiante imediatamente transferida a todos os objetos, mediante o toque. Ver a minha interpretação geral do presente contexto na citação de Ellicott, nas notas sobre o versículo anterior. Os sacerdotes deram as respostas corretas a ambas as indagações (sobre a não transferência da pureza e sobre a transferência da imundícia; vss. 12 e 13), mas não se mostraram suficientemente sábios para ver que a imundícia geral, como a incorrida pela negligência espiritual de um dever, era uma imundícia real na qual, o povo, como um todo, havia caído.

■ 2.14

וַיַּעַן חַגַּי וַיֹּאמֶר כֵּן הָעָם־הַזֶּה וְכֵן־הַגּוֹי הַזֶּה לְפָנַי
נְאֻם־יְהוָה וְכֵן כָּל־מַעֲשֵׂה יְדֵיהֶם וַאֲשֶׁר יַקְרִיבוּ שָׁם
טָמֵא הוּא׃

Então prosseguiu Ageu: Assim é este povo. A negligência espiritual (a falha de construir o segundo templo) foi uma imundícia moral que infectou todo o povo de Judá. A imundícia havia sido transmitida a todos os aspectos da vida e também a todos os aspectos do culto divino, por parte daquele povo preguiçoso que se tornara imundo por causa do descuido em relação a um dever espiritual. Até suas ofertas, que fossem corretamente oferecidas, eram inaceitáveis enquanto aquele povo não construísse o segundo templo de Jerusalém. A missão havia sido entregue a eles, mas eles tinham ignorado esse fato e continuaram a viver, desfrutando seus pequenos prazeres, esquecidos da Casa do Senhor, a condição *sine qua non* da restauração de Jerusalém, capital do novo Israel, após o cativeiro babilônico.

"Todo o culto externo deles e todos os sacrifícios que eles oferecessem, segundo a estimativa do Senhor, eram impuros e abomináveis, conforme eles mesmos eram abomináveis" (John Gill, *in loc.*). Cf. este versículo com Ed 3.3. Um altar fora construído para efetuar o sistema sacrificial na ausência do templo e de seus móveis e utensílios.

■ 2.15

וְעַתָּה שִׂימוּ־נָא לְבַבְכֶם מִן־הַיּוֹם הַזֶּה וָמָעְלָה מִטֶּרֶם
שׂוּם־אֶבֶן אֶל־אֶבֶן בְּהֵיכַל יְהוָה׃

Agora, pois, considerai tudo o que está acontecendo desde aquele dia. Os vss. 15-19 dão uma promessa de bênçãos presentes, em contraste com a carência anterior. O povo de Judá foi desafiado a pensar cuidadosamente no que estava sendo dito. Esta é a terceira de cinco exortações (ver Ag 1.5,7; 2.15,18, duas vezes). O desastre econômico se abatera sobre eles por causa da negligência quanto à edificação do segundo templo. Ver Ag 1.4-6. Mas essa situação seria revertida assim que a obediência substituísse a negligência.

O povo de Judá foi convidado a notar com cuidado os desastres e as desgraças financeiras que eles estavam enfrentando. Isso era causado pelo desprazer de Yahweh, que os estava castigando. Os alicerces do templo haviam sido lançados quatorze anos antes, enquanto o povo de Judá caíra na inatividade, ao mesmo tempo que tendia por cuidar de seus interesses pessoais. Ver Ed 3.10. Os alicerces do templo estavam presentes, mas ninguém construía o templo sobre essa base. Isso nos ensina uma importante lição espiritual. Todos possuímos uma base, nos ensinos que recebemos. O que temos construído sobre eles?

■ 2.16

מִהְיוֹתָם בָּא אֶל־עֲרֵמַת עֶשְׂרִים וְהָיְתָה עֲשָׂרָה בָּא
אֶל־הַיֶּקֶב לַחְשֹׂף חֲמִשִּׁים פּוּרָה וְהָיְתָה עֶשְׂרִים׃

Antes daquele tempo, alguém vinha a um monte de vinte medidas. Reversões econômicas acompanharam a desobediência. "Uma pessoa costumava chegar diante de uma pilha de cereais procurando encontrar vinte medidas de cereal, mas achava somente dez. E uma pessoa costumava chegar diante do lagar para tirar dali cinquenta litros, mas achava somente vinte" (NCV). A causa dessas reversões era Yahweh, conforme informa o versículo seguinte. Cf. Ag 1.6, onde já vimos apresentada a ideia deste contexto. A colheita de cereais tinha sido de apenas 50% do esperado e a colheita das uvas tinha caído 60%. Cf. 1.10—11 e 2.19. A seca estava de prontidão. Yahweh controla o tempo. Havia também outros agentes destruidores, conforme nos diz o vs. 17.

■ 2.17

הִכֵּיתִי אֶתְכֶם בַּשִּׁדָּפוֹן וּבַיֵּרָקוֹן וּבַבָּרָד אֵת כָּל־
מַעֲשֵׂה יְדֵיכֶם וְאֵין־אֶתְכֶם אֵלַי נְאֻם־יְהוָה׃

Feri-vos com queimadura, com ferrugem e com saraiva. Além da *seca* (1.11), houve *pragas nas plantas* que arruinaram as colheitas. Cf. Dt 28.22; 1Rs 8.37; 2Cr 6.28 e Am 4.9. Essas pragas vegetais também faziam parte do julgamento divino. Ademais, a saraiva, uma das armas do arsenal divino de castigo, também havia destruído as plantações, antes de seu fruto ser colhido. Quanto a essa arma, ver Êx 9.5; Is 28.2; 30.30. O fracasso espiritual causara perdas econômicas. Usualmente, tais desastres não produziam arrependimento, pois os judeus eram duros como pregos. Em que eles se importavam com o que Yahweh dissesse, mesmo que suas palavras estivessem escudadas em calamidades? verdadeiramente, o animal humano é uma fera perversa.

"As aflições, a menos que sejam santificadas, não produzem efeito sobre os homens, para fazê-los abandonar seus pecados e voltar-se para o Senhor" (John Gill, *in loc.*).

■ 2.18

שִׂימוּ־נָא לְבַבְכֶם מִן־הַיּוֹם הַזֶּה וָמָעְלָה מִיּוֹם עֶשְׂרִים
וְאַרְבָּעָה לַתְּשִׁיעִי לְמִן־הַיּוֹם אֲשֶׁר־יֻסַּד הֵיכַל־יְהוָה
שִׂימוּ לְבַבְכֶם׃

Considerai, eu vos rogo, desde este dia em diante. O povo de Judá é, uma vez mais, convidado a exercer a consideração divina, contemplando as coisas de um ponto de vista espiritual. Eles precisavam "pensar cuidadosamente nas coisas" (ver Ag 1.5,7; 2.15). No passado, os judeus haviam fracassado, e tinham sofrido por isso. Mas agora, se concentrassem sua mente e seu coração na questão, poderiam efetuar uma mudança através do arrependimento. Se começassem a edificar o templo com vigor, então todos os aspectos de sua vida se aprimorariam. Note o leitor a indicação cronológica: o vigésimo quarto dia do nono mês (do segundo ano do reinado de Dario; Ag 1.1). Trata-se da mesma notícia dada no vs. 10. Ver as notas expositivas ali. A renovação dos esforços para construir o segundo templo seria o começo das bênçãos divinas, desde o primeiro dia em diante. Os alicerces do templo haviam sido lançados, e por isso Yahweh os havia abençoado. Mas isso ocorrera quatorze anos antes (ver Ed 3.10). Quando o trabalho de construção foi interrompido, também foi interrompida a prosperidade material. A reversão econômica tornou-se o princípio orientador de suas vidas. Agora era chegado o tempo de reverter tudo isso pelo arrependimento diante da negligência e através da construção do templo, acima dos alicerces, que tinham sido construídos anos atrás. Alguns estudiosos, contudo, pensam que a questão dos alicerces não diz respeito aos alicerces lançados quatorze anos antes, mas à renovação dos esforços para trabalhar de novo, como a remoção dos destroços etc.

■ 2.19

הַעוֹד הַזֶּרַע בַּמְּגוּרָה וְעַד־הַגֶּפֶן וְהַתְּאֵנָה וְהָרִמּוֹן וְעֵץ הַזַּיִת לֹא נָשָׂא מִן־הַיּוֹם הַזֶּה אֲבָרֵךְ׃ ס

Já não há semente no celeiro. Temos aqui perguntas retóricas que esperam respostas negativas: os celeiros não estavam repletos de grãos colhidos. De fato, os judeus nem ao menos possuíam uma quantidade adequada de sementes para fazer o plantio, quanto menos uma colheita abundante por terem plantado e colhido. As vinhas não estavam produzindo muito; seus figos e romãs e suas azeitonas tinham sido uma grande desapontamento. Porém, de daquele dia em diante eles obedecessem e parassem de negligenciar seus deveres, a agricultura medraria com as bênçãos de Yahweh. Então haveria abundância. Israel era uma nação agrícola, e a prosperidade material era aquilatada em termos da produção da terra. Quando essa produção falhava, o povo empobrecia e, algumas vezes, até padecia fome. "A incapacidade humana é a oportunidade de Deus. Ele comprometia sua palavra até mesmo em tempos de crise... 'Desde este dia eu abençoarei'" (Ellicott, *in loc.*).

"Podemos confiar na promessa de Deus de que ele nos abençoará, embora não vejamos nenhum sinal do cumprimento dessa promessa (Hb 2.3)" (Fausset, *in loc.*).

ZOROBABEL COMO SERVO DE YAHWEH (2.20-23)

■ 2.20

וַיְהִי דְבַר־יְהוָה שֵׁנִית אֶל־חַגַּי בְּעֶשְׂרִים וְאַרְבָּעָה לַחֹדֶשׁ לֵאמֹר׃

Veio a palavra do Senhor segunda vez a Ageu. O governador, como principal líder civil, era um homem-chave no cumprimento do plano divino. A promessa de que os reinos dos pagãos seriam derrubados, visando o benefício de Israel, deve ser considerada promessa que será cumprida na era do reino de Deus, porquanto não houve nenhum abalo da terra e do céu no tempo de Zorobabel. Os vss. 20-23 atuavam como subtítulo que constitui a mensagem final do livro de Ageu. Nossa mente é elevada daquele dia para os últimos dias, pois aquele foi apenas um prelúdio de maiores realizações a serem cumpridas no tempo do reino de Deus.

Note o leitor a nota cronológica igual à que aparece no vs. 10, a qual, por sua vez, é a mesma do vs. 18. Aquele foi um dia atarefado de revelações para o profeta Ageu.

"Vss. 20-23. Quando o Senhor estabelecesse o reino, Zorobabel seria o seu Messias" (*Oxford Annotated Bible*, comentando sobre o vs. 20). Naturalmente, Zorobabel, que pertencia à linhagem de Davi, prefigurava o Messias dos últimos dias, que também pertence à linhagem de Davi (ver Mt 1.6).

A palavra do Senhor. Ver Ag 1.1,3; 2.1,5,10. A revelação divina proveu as informações. Ver no *Dicionário* os artigos denominados *Revelação; Inspiração; Inspiração e Profecia, Profetas e o Dom da Profecia.*

■ 2.21

אֱמֹר אֶל־זְרֻבָּבֶל פַּחַת־יְהוּדָה לֵאמֹר אֲנִי מַרְעִישׁ אֶת־הַשָּׁמַיִם וְאֶת־הָאָרֶץ׃

Fala a Zorobabel, governador de Judá: Farei abalar o céu e a terra. A mensagem com que o livro de Ageu termina é uma mensagem de encorajamento para o governador, Zorobabel. Yahweh haverá de abalar as coisas, tanto no céu quanto na terra. Quanto a essa linguagem cósmica, cf. Ag 2.6,7. Para que a nação de Israel gozasse de paz e chegasse a ocupar um lugar legítimo de liderança, teria de haver tremendo abalo. Reinos teriam de cair, para que Israel fosse capaz de soerguer-se. Ver Jl 3.16. Ora, nenhum grande abalo ocorreu nos dias de Zorobabel, pelo que a maioria dos intérpretes vê aqui uma promessa messiânica, relacionada à era do reino de Deus. É inútil tentar encontrar justificação histórica nestes versículos, insistindo-se em relacioná-los com Zorobabel.

■ 2.22

וְהָפַכְתִּי כִּסֵּא מַמְלָכוֹת וְהִשְׁמַדְתִּי חֹזֶק מַמְלְכוֹת הַגּוֹיִם וְהָפַכְתִּי מֶרְכָּבָה וְרֹכְבֶיהָ וְיָרְדוּ סוּסִים וְרֹכְבֵיהֶם אִישׁ בְּחֶרֶב אָחִיו׃

Derrubarei o trono dos reinos, e destruirei a força dos reinos das nações. Os intérpretes tentam encontrar tudo isso na história e fornecem-nos lições históricas, descrevendo o soerguimento e a queda de sucessivos reinos deste mundo, em qualquer tempo em que esses reinos possam ser mencionados, tendo chegado ao fim mediante decretos divinos e seu poder. Isso é verdade porque a própria história está operando na direção do dia maior, quando o reino de Deus tomará conta de todas as coisas. Guerras porão fim aos reinos, e Yahweh-Sabaote, o Deus Eterno e General dos Exércitos, estará por trás dessa destruição.

"O reino messiânico, que se estenderá pelo mundo inteiro, substituirá os reinos gentílicos (Dn 2.34,35,44,45). A derrubada de carros de combate e a queda de cavalos e seus cavaleiros indicam que essa mudança no governo do mundo será tanto militar quanto política. Na confusão da grande batalha de Armagedom (ver Ap 16.16-18), por ocasião da segunda vinda do Senhor Jesus (ver Ap 19.11-21), muitos homens voltarão a espada contra seus irmãos (cf. Zc 12.2-9; 14.1-5)" (F. Duane Lindsey, *in loc.*).

■ 2.23

בַּיּוֹם הַהוּא נְאֻם־יְהוָה צְבָאוֹת אֶקָּחֲךָ זְרֻבָּבֶל בֶּן־שְׁאַלְתִּיאֵל עַבְדִּי נְאֻם־יְהוָה וְשַׂמְתִּיךָ כַּחוֹתָם כִּי־בְךָ בָחַרְתִּי נְאֻם יְהוָה צְבָאוֹת׃

Naquele dia... tomar-te-ei, ó Zorobabel... e te farei como um anel de selar. Não está em pauta nenhum dia que Zorobabel tenha visto durante sua vida, mas sim, o dia escatológico do Messias, a quem o governador Zorobabel tipificava. Zorobabel, pois, será feito como um anel de selar. Ele foi escolhido para essa missão. "O filho de Davi, esperado desde há muito, virá para ser o rei, afinal. Finalmente, ele será o anel de selar de Yahweh. Ele será o herdeiro daquela honrosa posição que o rei Joaquim desfrutou por algum tempo, mas acabou perdendo (ver Jr 22.24-26). Na qualidade de vice-regente de Yahweh sobre a face da terra (ver Zc 3.8; 6.12,13), ele trará o selo da autoridade divina (cf. Et 3.10; 8.2,10)" (D. Winton Thomas, *in loc.*). O Messias reverterá a maldição proferida contra Joaquim. Note o leitor que Zorobabel tinha lugar na ascendência do Messias (ver Mt 1.12), pelo que foi um bom candidato para representar o que Deus faria nessa linhagem, eventualmente. "Quanto à figura do anel de selar, aplicada a quem a confiança e o afeto são dados, ver Ct 8.6 e Jr 22.24" (Ellicott, *in loc.*). "O sinete de um monarca oriental era sinal de sua autoridade delegada, tal como Cristo tem todo o poder que lhe foi dado pelo Pai (ver Mt 28.18; Jo 5.22,23)" (Fausset, *in loc.*).

Um anel de selar simbolizava o poder real. Era o instrumento pelo qual o rei autenticava seus decretos e documentos; era sua assinatura, por assim dizer, o instrumento que ele empregava para mostrar sua autoridade e seus direitos divinos... Era a possessão especial do Rei, importante por causa da função que cumpria.

Certeza nos é dada quanto à verdade dessas profecias porquanto Yahweh dos Exércitos tinha determinado que as coisas fossem assim. Outrossim, o Messias é o seu vaso escolhido para o glorioso cumprimento do dia vindouro. Cristo é aquele em quem as profecias terminam.

Ele recolherá, ele recolherá,
As gemas de seu reino:
Todos os puros, todos os brilhantes,
Seus amados e os que lhe pertencem.

W. O. Cushing

Todo o louvor seja dado a Yahweh dos Exércitos.

ZACARIAS

O LIVRO MAIS APOCALÍPTICO, MESSIÂNICO E ESCATOLÓGICO DO ANTIGO TESTAMENTO

> *Alegra-te muito, ó filha de Sião; exulta, ó filha de Jerusalém. Eis aí te vem o teu Rei, justo e salvador, humilde montado em jumento...*
>
> ZACARIAS 9.9

| 14 | Capítulos |
| 211 | Versículos |

INTRODUÇÃO

ESBOÇO

I. Caracterização Geral
II. Autor e Unidade
III. Data; Origem; Destino
IV. Propósito
V. Conteúdo

I. CARACTERIZAÇÃO GERAL

Zacarias era um contemporâneo mais jovem de Ageu e os dois trabalharam na mesma época e no mesmo local (Jerusalém, por volta de 520 a.C.). Assim, é correto chamar as profecias dos dois de "livros companheiros", já que eles se uniram nos esforços de corrigir os mesmos problemas espirituais dos exilados que retornaram a Jerusalém após o *cativeiro babilônico* (ver o artigo *no Dicionário*).

O livro (profecia) de *Zacarias* é uma composição de duas seções, formato comum em livros antigos. Quando se seguia esse plano, às vezes ambas as seções eram escritas pelo mesmo autor, às vezes não. Tais livros eram construídos de forma que a parte I podia circular separadamente da parte II. Zacarias é dividido em duas partes: Parte I, caps. 1—8 e Parte II, caps. 9—14. Liberais acreditam que a Parte II é um tipo de compilação de artigos (a maioria deles escatológica) por um ou mais autores ou editores, enquanto a Parte I é aceita por quase todos os estudiosos como produção genuína de Zacarias, o profeta, escrita na época que ela reflete, não por um autor posterior que tinha algum conhecimento da história e a escreveu como se fosse profecia. Sob a seção II, Autor e Unidade, entro mais a fundo nos problemas de relacionamento entre as duas partes e de autoria.

Os dois profetas entregaram seus oráculos na mesma época, mas parece que Ageu morreu ou se mudou de Jerusalém. Assim, de certa forma, Zacarias deu continuidade aos trabalhos de Ageu, que os dois haviam compartilhado enquanto este ainda estava em Jerusalém. Zacarias era um entusiasta que antecipou a revolução mundial na qual a nação hebraica viria à liderança e se tornaria líder das nações. Naquela época, presumivelmente, todas as nações abraçariam a fé hebraica e judaica, isto é, o yahwismo do Antigo Testamento. Zacarias foi um sacerdote-profeta que via o mundo através desses dois olhos e combinava a ênfase ética dos profetas anteriores ao exílio com a visão maior de futuro comum aos profetas posteriores.

Zacarias foi um dos chamados *Profetas Menores*, sendo o décimo primeiro dessa fraternidade. Os outros foram Amós, Oseias, Miqueias, Sofonias, Naum, Habacuque, Ageu, Obadias, Malaquias, Joel e Jonas, totalizando então doze pessoas. Os *Profetas Maiores* foram Isaías, Jeremias, Ezequiel e Daniel. Eles eram considerados *maiores* porque escreveram mais (suas profecias eram mais volumosas). Os profetas *menores* escreveram volumes menores. Não há nesses títulos nada de valor de comparação ou importância. Volume literário é a única referência dos dois termos.

Zacarias foi o mais messiânico e escatológico dos profetas menores e é rival até mesmo de Isaías, entre os grandes profetas. Há profecias mais messiânicas nesse livro do que em todos os outros profetas menores combinados. Nos caps. 1.7—6.8, oito visões noturnas fazem uma descrição marcante sobre o futuro Messias. A segunda parte trata principalmente de questões escatológicas. Ver o esboço do conteúdo na seção V, que demonstra isso. Essa segunda parte também está recheada de referências messiânicas.

Teísmo. As visões e os oráculos garantem às pessoas que o Criador não as abandonou; que ele está presente para recompensar ou punir, conforme os homens tratam sua palavra e instruções. Contraste isso com o *deísmo*, que assume que a força criativa (pessoal e impessoal) abandonou a criação ao governo da lei natural. Ver esses dois termos no *Dicionário*.

Dentro de, ao redor de e sob os oráculos e profecias há advertências drásticas aos espiritualmente preguiçosos e indiferentes que negligenciaram seu trabalho na reconstrução do templo e de Jerusalém. Ageu contribuiu com esses trabalhos e inspirou o povo a colocar as fundações do segundo templo. O trabalho então relaxou e foi propósito especial de Zacarias fazer com que ele andasse novamente, e então até sua conclusão. Zacarias viu mais do plano divino de "longo prazo" na teocracia dos judeus que Ageu, mas eles eram membros da mesma equipe.

II. AUTOR E UNIDADE

Zacarias é a palavra hebraica para "Yahweh lembra", ou, como dizem alguns, "Yahweh é famoso". Este é o nome mais popular no Antigo Testamento, designando trinta pessoas. Zacarias, o profeta, era o neto de Ido, líder de uma família de sacerdotes, e filho de Berequias (Zc 1.1) Assim, era tanto sacerdote como profeta e via o mundo através desses dois olhos. Ele retornou a Jerusalém (provavelmente como criança ou jovem adulto) com os exilados do cativeiro babilônico e foi instrumental em fazer com que os exilados preguiçosos e relapsos renovassem o trabalho da construção do segundo templo, concluindo-o finalmente. Seu companheiro de tarefa foi Ageu, contemporâneo mais velho que essencialmente estava engajado no mesmo trabalho espiritual. Zacarias também foi contemporâneo de Zorobabel, governador da Jerusalém renovada, e de Josué, sumo sacerdote (Ed 5.1, 2; Zc 3.1; 4.6; 6.11). Zacarias nasceu na Babilônia, pertencia à tribo de Levi (que se tornou uma casta de sacerdotes) e assim cumpriu os ofícios de sacerdote e profeta (Ne 12.1,4,7,10,12,16). Esdras o chama de "filho de Ido", mas ele era, mais estritamente, seu neto.

O livro foi composto ou compilado em duas partes. A Parte I (caps. 1—8) é universalmente reconhecida como trabalho genuíno de Zacarias, uma pessoa real que viveu por volta de 520 a.C. e entregou as profecias e instruções que são atribuídas a ele na Parte I. Alguns estudiosos chamam as profecias dessa seção de "datadas", pois sabemos a época aproximada em que foi escrito e entregues. O restante do livro, a Parte II (caps. 9—14), fica "sem data", pois não há evidência convincente de que foram escritas por Zacarias, ou por profetas posteriores ou autores/editores. Se havia um autor envolvido, então é impossível determinar quem foi, e quando exatamente ele escreveu. O mesmo é válido se existiram mais autores. Muitas tentativas produziram "conclusões" tão diferentes que devemos questionar sua validade. Talvez sejam meramente *exposições* de temas proféticos anteriores, e não profecias novas.

Como a Parte II difere da Parte I, sugerindo diferentes autores:
1. Embora o propósito específico para a redação do livro tenha sido encorajar os exilados retornados a terminar o segundo templo, a segunda parte do livro sequer menciona essa tarefa. Isso indica, possivelmente, que, quando foram escritos os capítulos 9—14, a tarefa já havia sido terminada e não era mais necessário pedir.
2. Zc 9.13 menciona *Yawan* (isto é, *Iônia*), que as traduções corretamente fornecem como *Grécia*, e isto mostra que o Poder Persa havia passado e o Poder Grego (Império Grego) estava no controle quando foi escrita a segunda parte. Dificilmente poderíamos esperar que Zacarias tivesse vivido tanto.
3. As visões e os ensinamentos éticos da Primeira Parte estão essencialmente ausentes, enquanto muitas profecias escatológicas, ou comentários sobre profecias anteriores, assumiram seus lugares. Isto sugere que o livro tenha sido concluído por outro autor ou editores/autores, usando materiais de fontes diferentes.
4. A Parte I está em prosa, enquanto a Parte II aparece em forma poética.

Como a Parte II se assemelha à Parte I:
1. Expressões semelhantes são encontradas, como "assim diz Yahweh" e "de passar através e retornar", a primeira sendo comum aos profetas, mas a segunda um tanto rara. Para a segunda, cf. Zc 7.14 e cf. 9.8. Em português, é "... para que ninguém passe, nem volte".
2. Senhor dos Exércitos, como um dos nomes divinos, encontra-se em ambas as partes. Por outro lado, esse é um nome divino comum em todo o Antigo Testamento.
3. A Parte II é definitivamente posterior, mas talvez Zacarias pudesse tê-la escrito, sendo que uma das principais preocupações

da Parte I não mais existia. Mas ele podia ter vivido no período grego (Zc 9.13)?

4. Sião é central, e Israel virá a dominar o cenário mundial. Este é um momento para preparar a salvação de Deus. Há um universalismo marcante: todas as nações participarão das bênçãos e da renovação da época final. Há uma necessidade de liderança decisiva. Essas épocas são encontradas em ambas as partes, mas também são comuns aos escritos proféticos posteriores do Antigo Testamento no geral.

Unidade. Se as Partes I e II tivessem sido escritas pelo mesmo autor, mesmo que demonstrassem uma progressão de tempo, então diríamos que o livro é uma unidade, não duas unidades agregadas como se devessem formar uma unidade, mas escritas por autores diferentes de épocas diferentes. A evidência parece dar apoio à ideia de que o livro consiste em duas unidades distintas, relacionadas, mas não do mesmo autor nem da mesma data. Se esse for o caso, não temos como identificar o(s) autor(es) posterior(es).

III. DATA; ORIGEM; DESTINO

Data. Com base na discussão da seção II, podemos concluir que a Parte I, genuinamente escrita por Zacarias, data de 520 a.C. e dos poucos anos posteriores. A data da segunda parte é posterior, pelo menos no período de dominância grega, após 350 a.C. Pelo menos parte do livro foi escrita tão tarde quanto isso, como determinado pela presença da referência à Grécia em Zc 9.13.

Origem. O livro foi escrito em Jerusalém, onde Ageu e Zacarias atuavam como profetas entre os exilados que retornaram do cativeiro babilônico. Pelo menos a Parte I foi escrita ali, enquanto a Parte II pode ter sido escrita em algum outro lugar, o que é impossível de determinar.

Destino. O livro foi escrito como uma exortação ao remanescente que retornou do cativeiro babilônico e deveria terminar a tarefa de construção do templo. Essas exortações obviamente se aplicavam a todo o Judá, não apenas àqueles que haviam voltado a Jerusalém.

IV. PROPÓSITO

Os exilados voltaram a Jerusalém com entusiasmo, mas logo isso acabou. Trabalho duro os havia deixado cansados e eles estavam dispostos a permitir que o templo permanecesse parcialmente terminado. Além disso, eles haviam perdido zelo pela renovação do yahwismo na nova Jerusalém. O livro foi escrito para agitar o povo apático; para refutá-los por sua grande variedade de pecados e para mobilizá-los a acabar o segundo templo e estabelecer seu culto como a religião nacional. Uma atitude relaxada precisou ser substituída por fortes prioridades espirituais. O povo precisou voltar a manter um relacionamento viável de pacto com Yahweh, renovando os antigos *Pactos* (ver a respeito). Uma teocracia devia ser restabelecida, e o povo tinha de ter fé na restauração de todas as coisas e nações sob a liderança de Israel. O povo precisava ser entusiástico sobre a esperança messiânica.

V. CONTEÚDO

Generalização. Este é um livro de duas partes que segue um antigo formato literário.

A *Parte I* contém as profecias autênticas de Zacarias que podem ser datadas de cerca de 520 a.C. e poucos anos depois disso. A Parte I consiste nos capítulos 1—8, que contêm as oito visões com alguns oráculos. Nessa parte foi inserida uma seção histórica (6.1-8), que narra a consagração de Josué como o Ramo simbólico (Messias). 7.1—8.23 é outra seção histórica que contém um oráculo do profeta que examina a questão de se deve haver ou não jejum para comemorar a queda de Jerusalém em 597. A Parte I está em prosa.

A *Parte II* é um grande discurso escatológico em poesia, que parece ser um tipo de sumário e comentário sobre temas proféticos que podem ser encontrados tanto nos Profetas Maiores como também nos Menores. Esta parte é bastante messiânica e as interpretações afirmam que ele fala tanto da rejeição como da aceitação final do Messias pelos judeus, com a subsequente renovação daquela nação e a restauração universal de todas as coisas ao redor de Israel, como a líder das nações.

Conteúdo detalhado
Parte I
Introdução. 1.1-6: Rechaço da apatia e do pecado
I. *Oito Visões Noturnas* (1.7—6.8)
  1. Os cavalos (1.7-17)
  2. Os quatro chifres e os quatro ferreiros (1.18-21)
  3. Jerusalém é medida (2.1-5)
  4. O sumo sacerdote acusado por Satanás é justificado por Deus (3.1-10)
  5. O castiçal de ouro e as sete lâmpadas (4.1-14)
  6. O rolo voador (5.1-4)
  7. A mulher e a efa (5.5-11)
  8. Os quatro carros (6.1-8)
Duas Seções Históricas
  1. A consagração de Josué, um tipo de Messias (6.1-8)
  2. Um oráculo sobre se a queda de Jerusalém deve ser lembrada com jejum (7.1—8.23)
Parte II
II. *Dois Obstáculos* (mensagens pesadas) (9.1—14.21)
  1. O primeiro advento do Messias: sua rejeição (9.1—11.17)
  2. O segundo advento do Messias: seu triunfo (12.1—14.21)

Através do ofício do Messias, haverá restauração generalizada de todas as nações sob a liderança de Israel. O yahwismo, afinal, triunfará. Os propósitos universais de Deus serão alcançados.

Ao Leitor

Provi uma detalhada *Introdução* ao livro, para ajudar o leitor sério em seus estudos. Essa introdução trata de temas e problemas importantes como pano de fundo; unidade do livro; autor; data; lugar de origem; destinatários; motivos; propósito; canonicidade; condição do texto; conteúdo; teologia. O profeta Zacarias, juntamente com Ageu e Malaquias, teve um ministério pós-cativeiro babilônico em favor do remanescente que tinha retornado a Jerusalém. Ver sobre esse cativeiro no *Dicionário*. Ver na introdução a Oseias o *gráfico* sobre os profetas do Antigo Testamento, o qual inclui informações cronológicas. Ver também a seção IV da *Introdução*, chamada *Data.*

Zacarias é um dos chamados *Profetas Menores,* dos quais há doze. O termo *menor* não é um julgamento quanto à importância desses profetas, mas somente uma referência à quantidade relativamente pequena de material que eles escreveram. Os chamados *Profetas Maiores* (Is, Jeremias e Ezequiel) são assim chamados devido à grande quantidade de material bíblico que eles publicaram. Os doze profetas menores eram agrupados juntamente num só rolo, como se formassem um único livro, pelos eruditos judeus que o chamavam de "o livro dos Doze".

Zacarias compartilhava do zelo de Ageu quanto à construção do segundo templo. Ele promovia uma comunidade purificada e apresentava forte esperança messiânica. Esse profeta, entretanto, tinha uma abordagem diferente dos outros profetas: ele empregava o estilo literário das visões noturnas, dos diálogos com Yahweh e dos anjos intérpretes. A imagem do pensamento apocalíptico judaico é desenvolvida aqui acima de qualquer outro livro do Antigo Testamento, e esse desenvolvimento prosseguiu no período intermediário da composição dos livros apócrifos e pseudepígrafos. "Os quadros messiânicos do Príncipe da Paz e do Deus Pastor ferido em favor do rebanho notadamente prefiguravam o delineamento de Cristo, segundo o Novo Testamento" (*Oxford Annotated Bible,* na introdução ao livro).

"Zacarias é o livro mais messiânico, mais verdadeiramente apocalíptico e escatológico dentre todos os escritos do Antigo Testamento" (George L. Robinson, *Internacional Standard Bible Encyclopedia,* em artigo sobre o livro de Zacarias). Existem cerca de quarenta citações ao livro de Zacarias no Novo Testamento.

O livro de Zacarias surgiu em uma época na qual a esperança messiânica passava por importante crescimento. Isso não significa que o profeta visse esse dia como distante. Não há no livro nenhum discernimento acerca da igreja ou de algum longo período de tempo que teria de escoar-se antes da vinda da era do reino de Deus. Portanto, as profecias trazem a clara indicação de que os últimos dias agora não estavam mais distantes. O mesmo é verdadeiro, naturalmente, no que diz respeito ao livro de Apocalipse, no Novo

Testamento. Todos os aspectos da visão profética de Zacarias parecem que acontecerão em pouco tempo. As profecias do Novo Testamento não formavam exceção. O cristãos primitivos esperavam a volta imediata ou quase imediata do Senhor Jesus Cristo.

EXPOSIÇÃO

CAPÍTULO UM

CONVITE AO ARREPENDIMENTO (1.1-6)

O remanescente judeu que retornou da Babilônia já havia caído na indiferença para com o Senhor e em múltiplos pecados. Contudo, eles esperavam as bênçãos de Yahweh. Era mister convidar esse povo ao arrependimento, visto que ciclos de melhoria espiritual eram sempre seguidos por surtos de desvio ou mesmo de franca apostasia. Os vss. 1-6 atuam como prefácio do livro inteiro. As *oito visões* que se seguem prometem muitas coisas boas à nação restaurada de Israel. As condições dos antigos pactos precisavam, entretanto, ser satisfeitas, para que aquelas bênçãos fossem adquiridas. Esses pactos não proviam licença para o povo retornado de Judá viver de forma dissoluta. Cada geração tinha de ser obediente a fim de receber o poder beneficente de Deus.

"*Zc 1.1-6*. Uma declaração da missão do profeta, e uma intensa exortação ao povo para que se voltasse para o Senhor, a fim de que ele se voltasse para eles. Isso é dado juntamente com uma *advertência* para que eles não caíssem no erro de negligenciar a palavra de Deus, que mostrara ser tão fatal a seus pais" (Ellicott, *in loc.*).

Título (1.1)

■ **1.1**

בַּחֹדֶשׁ הַשְּׁמִינִי בִּשְׁנַת שְׁתַּיִם לְדָרְיָוֶשׁ הָיָה דְבַר־יְהוָה אֶל־זְכַרְיָה בֶּן־בֶּרֶכְיָה בֶּן־עִדּוֹ הַנָּבִיא לֵאמֹר׃

No oitavo mês do segundo ano de Dario veio a palavra do Senhor ao profeta Zacarias. O calendário hebraico dos dias pré-exílicos ia de outono a outono. Durante o exílio babilônico, entretanto, os judaítas adotaram o calendário babilônico, que começava o ano na primavera. Os judeus descontinuaram os nomes judaicos para indicar os meses. Nos dias pós-exílicos os meses eram simplesmente referidos por números sucessivos. Esse uso se reflete em Ag e Zacarias. Gradualmente, os nomes babilônicos dos meses foram adotados pelos judeus. Ver no *Dicionário* os artigos chamados *Calendário Judaico* e *Calendários Babilônico, Assírio e Caldeu*.

No oitavo mês. Os hebreus chamavam esse mês de *bul*, correspondente ao nosso outubro-novembro (ver 1Rs 6.38; cf. Ag 1.1). Zacarias (em contraste com Ageu) usualmente não cita os dias do mês, mas ver Zc 1.7 e 7.1 quanto a exceções à regra.

Segundo ano de Dario. Note o leitor como a data mencionada por Zacarias cai entre as datas fornecidas por Ag 2.1-9 (o sétimo mês) e Ag 2.10 (o nono mês). O *ano*, porém, é o mesmo em ambos os livros.

A Palavra de Yahweh. A maioria dos livros proféticos do Antigo Testamento começa com essa observação para assegurar-nos que a mensagem era de inspiração divina, tendo Yahweh como fonte originária e o profeta-escritor do livro como seu porta-voz autorizado. Ver no *Dicionário* os verbetes *Revelação; Inspiração* e *Profecias, Profetas e Dom da Profecia*.

Zacarias. Quanto ao que se sabe e se conjectura sobre este profeta, ver no *Dicionário* a III seção do artigo chamado *Introdução, O Autor, Zacarias*.

■ **1.2**

קָצַף יְהוָה עַל־אֲבוֹתֵיכֶם קָצֶף׃

O Senhor se irou em extremo contra vossos pais. Israel-Judá quase sempre estava necessitado de arrependimento. Uma marca de rebeldia corria pela raça inteira, que já se podia perceber nos patriarcas e nos primeiros líderes da nação. O livro de Juízes revela-nos o balanço contínuo entre o julgamento contra o pecado e a restauração, formando um ciclo que se repetia interminavelmente. Até parecia que o ouvido dos hebreus era adverso às revelações dadas por Yahweh, sempre as contradizendo, sempre delas se desviando. Portanto, não nos admira que os judeus dos dias de Zacarias não fossem diferentes, a despeito do fato de que só recentemente tivessem sofrido o tremendo castigo do *cativeiro babilônico* (ver a respeito no *Dicionário*).

Vossos pais. Estão em pauta todos os hebreus do passado, mas particularmente os pais da geração desviada que foi punida pelo ataque dos babilônios e pelo cativeiro. As pessoas endereçadas aqui eram seus descendentes diretos, mas que nada tinham aprendido da lição do arrependimento. Eles já haviam começado a desviar-se para seus próprios interesses e negligenciavam a reconstrução de Jerusalém e de seu templo. Cf. Ag 1.2-6. Os pais tinham promovido a idolatria-adultério-apostasia, e aqueles que tinham voltado do cativeiro já haviam começado a descer por esse triste caminho descendente.

■ **1.3**

וְאָמַרְתָּ אֲלֵהֶם כֹּה אָמַר יְהוָה צְבָאוֹת שׁוּבוּ אֵלַי נְאֻם יְהוָה צְבָאוֹת וְאָשׁוּב אֲלֵיכֶם אָמַר יְהוָה צְבָאוֹת׃

Tornai-vos para mim, diz o Senhor dos Exércitos, e eu me tornarei para vós outros. Quão estranho foi que o *remanescente judaico que havia retornado* da Babilônia teve de ser convocado a "retornar" a Yahweh. Quão lentamente aprendem os homens, a despeito de seus sofrimentos! Esse retorno era *moral*. Não era bastante estar "de volta" na Terra Prometida. O coração de um judeu precisava estar fixo no Deus eterno, e não apenas em uma localização geográfica específica. Conforme dizia Sêneca: "O de que precisais é de uma mudança de coração, e não de uma mudança de céu" (isto é, de localização geográfica). A nação de Judá teve sua mudança de céu, mas poucos judeus experimentaram a mudança de coração. Ver em Pv 4.23 e, no *Dicionário*, o artigo denominado *Coração*, onde tratamos com mais detalhes essa metáfora.

Os homens podem levantar-se sobre degraus
Partindo de seu próprio "eu" morto
para coisas mais elevadas.

Tennyson

O Senhor dos Exércitos. Note o leitor que no presente versículo esse nome divino foi empregado por *três vezes!* No hebraico, "Yahweh dos Exércitos", título divino usado quatorze vezes no livro de Ageu e 47 vezes no livro de Zacarias. O outro nome divino comum nesse livro é, simplesmente, *Yahweh*. A expressão "Yahweh dos Exércitos" fala do poder de Deus para exercitar poder e vontade soberana. Ver no *Dicionário* o artigo chamado *Soberania de Deus*. Note também o leitor que Yahweh intervém nos negócios humanos. O Criador intervém em sua criação, recompensando e punindo em consonância com a lei moral. A isso chamamos de *Teísmo* (ver a respeito no *Dicionário*). Em contraste, o *Deísmo* (ver também no *Dicionário*) ensina que o poder criador (pessoal ou impessoal) abandonou a sua criação aos cuidados das leis naturais.

■ **1.4**

אַל־תִּהְיוּ כַאֲבֹתֵיכֶם אֲשֶׁר קָרְאוּ־אֲלֵיהֶם הַנְּבִיאִים הָרִאשֹׁנִים לֵאמֹר כֹּה אָמַר יְהוָה צְבָאוֹת שׁוּבוּ נָא מִדַּרְכֵיכֶם הָרָעִים וּמַעֲלִילֵיכֶם הָרָעִים וְלֹא שָׁמְעוּ וְלֹא־הִקְשִׁיבוּ אֵלַי נְאֻם־יְהוָה׃

Não sejais como vossos pais, a quem clamavam os primeiros profetas. Cf. este versículo com Am 2.4 quanto ao mau exemplo dado pelos pais daquela geração. Também poderiam estar em foco os antepassados remotos dos judeus (até mesmo os patriarcas, que cometeram seus erros) ou então os pais mais imediatos, aqueles que foram para o cativeiro babilônico, poucos dos quais sobreviviam nos dias de Zacarias. Cf. Zc 7.7,12. Ver também Jr 17.23; 29.19 e 36.31. Um pai deve a seus filhos três coisas: *exemplo; exemplo; exemplo*. Ver também as notas no vs. 2 deste capítulo. Yahweh ficara insatisfeito com aqueles réprobos que estabeleciam mau exemplo para seus descendentes. Os pais daqueles homens ímpios tinham sido convidados a voltar-se para

Yahweh, mas se recusaram, preferindo os prazeres doentios de uma vida pecaminosa. Eles, pois, não *ouviram* os apelos divinos. Quanto a *ouvir,* ver Sl 64.1, apta metáfora que indica o ato de *agir* conforme o que fora ordenado. Aqueles homens pecaminosos (a geração anterior) tinham sido exilados. Seus descendentes tinham retornado da Babilônia, mas *não para Yahweh,* de quem se tinham distanciado na mente e no coração. Yahweh voltou-se para eles fazendo um amoroso apelo, mas eles se afastaram em indiferença e ódio. Os judeus, de volta do cativeiro, atiraram-se às suas anteriores veredas pervertidas.

A culpa deles era agravada pelo fato de que eles não somente possuíam a lei, mas também ouviam com frequência a voz dos profetas, que os exortava a voltar-se para Yahweh, contudo eles se recusavam a *obedecer* à lei e a *ouvir* os profetas.

■ **1.5,6**

אֲבוֹתֵיכֶם אַיֵּה־הֵם וְהַנְּבִאִים הַלְעוֹלָם יִחְיוּ׃

אַךְ דְּבָרַי וְחֻקַּי אֲשֶׁר צִוִּיתִי אֶת־עֲבָדַי הַנְּבִיאִים הֲלוֹא הִשִּׂיגוּ אֲבֹתֵיכֶם וַיָּשׁוּבוּ וַיֹּאמְרוּ כַּאֲשֶׁר זָמַם יְהוָה צְבָאוֹת לַעֲשׂוֹת לָנוּ כִּדְרָכֵינוּ וּכְמַעֲלָלֵינוּ כֵּן עָשָׂה אִתָּנוּ׃ ס

Estes dois versículos contrastam as *pessoas* (profetas e pessoas que os ouviam) que estavam mortas e já haviam desaparecido, com a *palavra* dos profetas que viviam e continuavam a trabalhar, realizando seus propósitos. Em algumas ocasiões, as palavras pregadas produziam arrependimento, e, quando isso acontecia, pelo menos as advertências removiam toda a desculpa para os atos errados. Seja como for, a palavra mostrou-se *eficaz.* O argumento de Zacarias era que a palavra de advertência dada realizaria os seus propósitos, e feliz era o homem em acordo com o propósito de Deus. Os julgamentos *testemunhados* provavam a veracidade das advertências, e algumas vezes, esses testemunhos mostravam-se eficazes em produzir o arrependimento. Alguns judeus, entretanto, eram duros e coisa alguma podia demovê-los de seguir seus próprios caminhos, nem mesmo o sofrimento e a morte. Os profetas morreram, mas não a luz da profecia.

Cf. o versículo com Is 14.24. "Tudo na terra é transitório e perecível, exceto a vitalidade da vontade e do propósito de Deus" (Theodore Cuyler Speers, *in loc.*). A grama e a flor murcham, mas a palavra de Deus permanece para sempre (ver Is 40.8). "A Palavra e a vontade de Deus não estão mortas, mas vivem para sempre. Os corpos dos pais jaziam e mofavam no sepulcro, mas a verdade de Deus continua marchando" (Raymond Calkins, *in loc.*).

AS VISÕES DE ZACARIAS (1.7—6.8)

■ **1.7**

בְּיוֹם עֶשְׂרִים וְאַרְבָּעָה לְעַשְׁתֵּי־עָשָׂר חֹדֶשׁ הוּא־חֹדֶשׁ שְׁבָט בִּשְׁנַת שְׁתַּיִם לְדָרְיָוֶשׁ הָיָה דְבַר־יְהוָה אֶל־זְכַרְיָה בֶּן־בֶּרֶכְיָהוּ בֶּן־עִדּוֹא הַנָּבִיא לֵאמֹר׃

Este versículo introduz a última série de visões. Ver o *gráfico* acompanhante sobre as visões e as informações gerais sobre elas. E também temos uma nota cronológica: as visões começaram a ser dadas no vigésimo quarto dia do décimo primeiro mês (do segundo ano de Dario; vs. 1). Isso aconteceu cinco meses depois do reinício da construção do segundo templo (ver Ag 1.14,15; 2.15), três meses depois da primeira profecia de Zacarias (1.1), dois meses depois da última profecia de Ageu (2.20). Essa profecia concernente à destruição dos poderes mundiais terá de ocorrer antes do governo milenar do reino de Deus. Cf. Ag 2.21-23. O tempo foi meados de janeiro a meados de fevereiro de 519 a.C.

A *fonte originária das visões é* "a palavra do Senhor", fator comum de toda a profecia bíblica. A declaração introduz quase todos os livros proféticos. Agora a palavra produz *visões*. Ver no *Dicionário* o artigo *Visão (Visões).* Zacarias estava sujeito a elevadas experiências místicas. Ver na *Enciclopédia de Bíblia, Teologia e Filosofia* o verbete chamado *Misticismo.*

Mês de sebate. Este era o nome babilônico do décimo primeiro mês, que os judeus adotaram após o exílio. Os antigos nomes hebraicos para os meses caíram em desuso. Os livros de Zacarias, Ester e Neemias usam nomes babilônicos para falar dos meses do ano, e essa prática tem persistido entre os judeus até os tempos modernos. Ver as notas em Zc 1.1 quanto ao calendário usado entre os judeus a começar pelo cativeiro.

As notas biográficas são repetidas a partir do vs. 1. Ver a *Introdução* ao livro, seção III, quanto a informações sobre Zacarias.

OS QUATRO CAVALEIROS (1.8-17)

■ **1.8**

רָאִיתִי הַלַּיְלָה וְהִנֵּה־אִישׁ רֹכֵב עַל־סוּס אָדֹם וְהוּא עֹמֵד בֵּין הַהֲדַסִּים אֲשֶׁר בַּמְּצֻלָה וְאַחֲרָיו סוּסִים אֲדֻמִּים שְׂרֻקִּים וּלְבָנִים׃

Tive de noite uma visão e eis um homem montado num cavalo vermelho. Encontramos aqui a *primeira* das oito visões. Elas são uma demonstração da palavra de Yahweh, resultando da mensagem divina. O significado essencial é a ira de Deus contra as nações e suas bênçãos sobre a nação restaurada de Israel. Deus enviou seus quatro cavaleiros a patrulhar a terra e a reunir informações sobre os eventos mundiais vindouros. A destruição do mundo antigo produzirá o novo mundo, a era do reino de Deus. Poderes pagãos serão derrubados pelos mesmos julgamentos que castigaram o povo de Deus.

Os quatro cavalos eram de cores diferentes, que os identificavam: vermelhos, baios e brancos (vs. 8). Esses cavalos tinham uma tarefa dada por Deus, a qual nos transmite informações sobre Israel-Judá.

Três Elementos: 1. uma descrição do que era visto; 2. uma explicação do que fora visto; 3. uma intercessão feita pelo anjo do Senhor (vss. 8,9-11,12 respectivamente).

As visões foram dadas à noite a Zacarias, período propício para as experiências místicas, quando o cérebro está relaxado e o espírito toma conta das coisas sem o empecilho da percepção dos sentidos. O homem é Yahweh, que liderava os outros cavaleiros em sua patrulha, ou era um anjo-chefe (vs. 11) a quem foi dada essa tarefa. Cf. Zc 2.1. Ver a menção ao anjo intérprete no vs. 9. Quanto a informações gerais, ver no *Dicionário* o artigo chamado *Anjo.*

Entre as murteiras. A Septuaginta diz aqui "montanhas", que alguns tradutores preferem como texto original. As árvores estavam em um *vale,* no hebraico, *meculah,* palavra de significado incerto. Parece que esse termo quer dizer "oco" ou "bacia", podendo ser referência a alguma área próxima de Jerusalém, mas agora perdida para o nosso conhecimento. O primeiro cavalo era *vermelho.* Talvez esteja em pauta um julgamento *sangrento,* mas o autor não dá nenhuma interpretação sobre as cores, pelo que qualquer interpretação será insegura.

Cavalos vermelhos, baios e brancos. Os cavalos vermelhos podem ser marrom-avermelhados. As palavras hebraicas para *baios* e *brancos* são encontradas somente aqui em todo o Novo Testamento, mas as cores exatas correspondentes são desconhecidas, deixando os tradutores inseguros. É fútil tentar encontrar significados ocultos nessas cores. Os cavalos de diversas cores servem somente para distinguir os quatro animais. Adam Clark fala somente em "gradações de poder", simbolizadas pelas cores. Fausset opina: "O *branco* indica a vitória e o triunfo para Judá", mas todas essas conjecturas podem ser ignoradas com segurança.

■ **1.9**

וָאֹמַר מָה־אֵלֶּה אֲדֹנִי וַיֹּאמֶר אֵלַי הַמַּלְאָךְ הַדֹּבֵר בִּי אֲנִי אַרְאֶךָּ מָה־הֵמָּה אֵלֶּה׃

Meu Senhor, quem são estes? O anjo principal é indagado quanto ao significado da visão, e responde com prontidão. Quanto ao *questionamento* do profeta, cf. Zc 1.19; 4.4,11; 5.6 e 6.4, onde encontramos a mesma mensagem. É bom buscar entendimento espiritual, e existem poderes à nossa disposição que nos dão entendimento. Não estamos sozinhos neste mundo. O sobrenatural está muito próximo de nós. E também existe aquela bendita realidade: o ministério dos anjos (ver Hb 1.14). No *Dicionário,* o artigo chamado *Anjos* explica o ministério que os anjos exercem em nosso favor. Quanto ao anjo que falava com o profeta, ver Zc 1.11,13,14,19; 2.3; 4.1,4,5; 5.10 e 6.4. Esse anjo é distinguido dos atores secundários do drama. O anjo principal tornou-se o guia do profeta Zacarias quanto à questão das visões, mas temos guias e guardiães para toda a nossa vida e existência.

CITAÇÕES DE ZACARIAS NO NOVO TESTAMENTO

O livro do Antigo Testamento mais citado no Novo Testamento é Salmos. O livro profético mais citado é Zacarias. Existem cerca de quarenta citações e alusões ao livro no Novo Testamento. Assim, o livro é o mais messiânico, apocalíptico e escatológico do Antigo Testamento.

Referências em Zacarias	Livros do NT que citam Zacarias
	Mateus
9.9	21.5
12.12	24.30
2.6	24.31
14.5	25.31
11.12	26.15
13.7	26.31
11.13	27.9 ss.
	Marcos
8.6	10.27
9.11	14.24
13.7	14.27
	Lucas
12.3	21.24
9.11	22.20
	João
9.9	12.15
12.10	19.37
	Romanos
11.4	8.36
	1Coríntios
12.1	2.11
9.11	11.25
8.17	13.5
8.23	14.25
	Efésios
8.16	4.25
	Hebreus
6.11 ss.	10.21
12.40	10.29
9.11	13.20
	Tiago
1.3	4.8
	Judas
3.4	vs. 23
	Apocalipse
12.10, 12, 14	1.7
4.10	5.6
1.8	6.2,4 ss.
1.12	6.10
6.5	7.1
1.6	10.7
12.3	11.2
4.2 ss.	11.4
3.1 ss.	12.9
12.11	16.16
3.1 ss.	20.2
2.10 ss.	21.3
14.8	21.6; 22.1
14.11	22.3
14.8	22.17

N.B. O Evangelho de Mateus, de modo geral, tem mais citações do Antigo Testamento do que os outros Evangelhos.

■ 1.10

וַיַּעַן הָאִישׁ הָעֹמֵד בֵּין־הַהֲדַסִּים וַיֹּאמַר אֵלֶּה אֲשֶׁר שָׁלַח יְהוָה לְהִתְהַלֵּךְ בָּאָרֶץ׃

Então respondeu o homem que estava entre as murteiras. O anjo principal, que estava entre as murteiras (montanhas, de acordo com a Septuaginta), tinha uma resposta engatilhada, porquanto sabia tudo sobre as coisas. A tarefa dele era transmitir aos homens a palavra divina. O anjo principal, juntamente com os outros três anjos, totalizando quatro (um número completo), foi enviado a patrulhar a terra e recolher informações. Diz o hebraico, literalmente, "ir por toda a terra", que parece ser uma expressão militar para indicar uma equipe de patrulha. Da mesma maneira que os reis persas enviavam mensageiros montados por todo o seu vasto império, para manter em boa ordem as coisas, também Yahweh enviava seus anjos ao seu mundo, dentro do qual estava Judá, seu filho. Alguns veem aqui o Cristo pré-existente, mas esse parece ser um refinamento exagerado do texto.

> A tua verdade continua sendo aquela Luz
> Que guia as nações que tateiam o seu caminho;
> Tropeçando e caindo em uma noite desastrosa,
> E, no entanto, esperando sempre pelo dia perfeito.
> Theodore Parker

■ 1.11

וַיַּעֲנוּ אֶת־מַלְאַךְ יְהוָה הָעֹמֵד בֵּין הַהֲדַסִּים וַיֹּאמְרוּ הִתְהַלַּכְנוּ בָאָרֶץ וְהִנֵּה כָל־הָאָרֶץ יֹשֶׁבֶת וְשֹׁקָטֶת׃

Eles responderam ao anjo do Senhor, que estava entre as murteiras. Os três anjos subordinados entregaram ao anjo principal seu relatório, informando que estavam realizando fielmente sua tarefa e tinham encontrado a terra em repouso e tranquila. Era a calmaria antes da tempestade. Mas Israel não estava descansando, e as coisas iriam piorar. Os judeus haviam sofrido os setenta anos de cativeiro na Babilônia, e enfrentariam os golpes desferidos de potências estrangeiras diversas. No segundo ano do governo de Dario (vs. 7), as coisas estavam descansando, mas esse não foi o fim da história. Além do mais, mesmo naquele tempo Israel estava dominado por uma potência pagã que podia fazer qualquer coisa que provocasse desgraças e tristezas. "Judá continuaria na insegurança enquanto florescessem as nações pagãs" (Ellicott, *in loc.*).

■ 1.12

וַיַּעַן מַלְאַךְ־יְהוָה וַיֹּאמַר יְהוָה צְבָאוֹת עַד־מָתַי אַתָּה לֹא־תְרַחֵם אֶת־יְרוּשָׁלִַם וְאֵת עָרֵי יְהוּדָה אֲשֶׁר זָעַמְתָּה זֶה שִׁבְעִים שָׁנָה׃

Ó Senhor dos Exércitos, até quando não terás compaixão de Jerusalém...? O anjo principal se dirigiu diretamente a Yahweh, chamando-o de Yahweh dos Exércitos, título usado 47 vezes nesse livro. Ele quis saber por quanto tempo o sofredor povo de Judá (que tinha terminado seus setenta anos de cativeiro na Babilônia) ainda teria de esperar para receber a misericórdia divina que lhes desse alívio e vitória. Era necessária uma intervenção divina para libertar Israel da dominação estrangeira, de modo que eles pudessem elevar-se como cabeça das nações, durante a era milenar do reino de Deus. "Os setenta anos (586-520) não foram exatamente setenta anos. Essa frase revela as esperanças que repousavam sobre as palavras de Jeremias (25.12; cf. Hc 1.2)" (D. Winton Thomas, *in loc.*).

"Esses escritos nos fornecem encorajamento para vivermos em um tempo no qual as forças do materialismo e da tirania pareciam arrebatar as melhores realizações do homem no exílio" (Theodore Cuyler Speers, *in loc.*).

■ **1.13**

וַיַּעַן יְהוָה אֶת־הַמַּלְאָךְ הַדֹּבֵר בִּי דְּבָרִים טוֹבִים דְּבָרִים נִחֻמִים׃

Respondeu o Senhor com palavras boas, palavras consoladoras. Neste contexto, vemos o poder controlador de Deus. O Senhor Deus estava em seu trono, bem como neste mundo, eventualmente. A mensagem dada através do anjo tinha por propósito consolar, uma vez que as operações divinas tivessem endireitado as coisas. Era uma mensagem de amor (vss. 13,14); de ira contra os malfeitores e as forças de oposição (vs. 15); de bênçãos divinas a uma nação de Israel liberada (vss. 16,17). O Criador continua intervindo em sua criação (indivíduos e nações), recompensando e punindo, em harmonia com as leis morais. É a isso que chamamos de *Teísmo* (ver a respeito no *Dicionário*). Contrastar essa ideia com o *Deísmo*, que afirma que uma força criadora (pessoal ou impessoal) abandonou sua criação ao governo das leis naturais. Ver no *Dicionário* os artigos denominados *Soberania de Deus* e *Providência de Deus*.

■ **1.14**

וַיֹּאמֶר אֵלַי הַמַּלְאָךְ הַדֹּבֵר בִּי קְרָא לֵאמֹר כֹּה אָמַר יְהוָה צְבָאוֹת קִנֵּאתִי לִירוּשָׁלַםִ וּלְצִיּוֹן קִנְאָה גְדוֹלָה׃

E ele me disse: Clama: Assim diz o Senhor dos Exércitos. Embora Jerusalém-Judá já tivesse sofrido muitas dores, e embora ainda houvesse mais dores, Yahweh dos Exércitos não vivia inconsciente do estado deles. De fato, ele tinha ciúmes de seu povo, e se encarregaria de derrubar seus opressores, quando chegasse o tempo aprazado. Isso implica a ação amorosa de uma pessoa amada. O hebraico diz, literalmente: "ciumento com grande ciumento". Isso fala sobre o seu zelo requeimante pelo bem-estar dos judeus (cf. Zc 8.2). Ele protegeria e abençoaria seu povo, com quem estava em relação de pacto. A ira de Deus que tinha purificado Israel-Judá seria o mesmo poder que se voltaria contra os oponentes e opressores do povo judeu (vss. 18-21). "Tenho por eles forte afeto; e sinto indignação por seus inimigos" (Adam Clarke, *in loc.*). "... o ciúme, que expressa o seu afeto conjugal... Seu zelo pelo bem-estar deles, e sua indignação contra os seus inimigos" (John Gill, *in loc.*). "... um amor ciumento..." (Ellicott, *in loc.*). Ver Êx 20.5; 34.14; Dt 4.24 e Js 24.19).

■ **1.15**

וְקֶצֶף גָּדוֹל אֲנִי קֹצֵף עַל־הַגּוֹיִם הַשַּׁאֲנַנִּים אֲשֶׁר אֲנִי קָצַפְתִּי מְּעָט וְהֵמָּה עָזְרוּ לְרָעָה׃

E com grande indignação estou irado contra as nações que vivem confiantes. Os povos pagãos viviam no lazer, mas o desprazer e a indignação requeimante de Deus contra esses povos aumentavam. O tempo do golpe estava próximo. Em seguida, encontramos a estranha declaração de que Yahweh estava "um pouco indignado" contra o povo judeu, mas que as nações gentílicas tinham exagerado ao atacar Israel-Judá, indo além do que era necessário para serem um látego divino. Por causa desse exagero, elas teriam de pagar o preço. "Embora às nações estivesse destinado oprimir a Judá..., elas ultrapassaram os limites da tarefa que Deus lhes havia determinado e, assim sendo, aumentaram os infortúnios de Judá (cf. Is 10.5-7; Mq 7.8; Ob 12)" (D. Winton Thomas, *in loc.*).

"As nações aumentaram as calamidades, ultrapassando os limites que Deus tinha pretendido para punir a Israel (cf. Is 47.6)" (F. Duane Lindsey, *in loc.*). Em outras palavras, as coisas, por assim dizer, saíram do controle divino.

■ **1.16**

לָכֵן כֹּה־אָמַר יְהוָה שַׁבְתִּי לִירוּשָׁלַםִ בְּרַחֲמִים בֵּיתִי יִבָּנֶה בָּהּ נְאֻם יְהוָה צְבָאוֹת וְקָו יִנָּטֶה עַל־יְרוּשָׁלָםִ׃

Portanto, assim diz o Senhor: Voltei-me para Jerusalém com misericórdia. O povo judeu tinha retornado do cativeiro babilônico. A compaixão de Yahweh estava com eles. Eles lançaram os alicerces do templo e iniciaram o trabalho de restauração. Yahweh dos Exércitos estava com eles, dotando-os de poder e força. O arquiteto do céu mediu a cidade visando sua reconstrução. Cf. Jr 31.38-40. Ag 1.4,9 mostra que Jerusalém estava parcialmente ocupada, embora continuasse sendo essencialmente um montão de ruínas. "Uma linha para medir e assinalar os confins. Cf. 2.1,2" (Ellicott, *in loc.*). "A linha de medir é usada para edificar não apressadamente, mas com regularidade medida; não somente o templo, mas também a própria Jerusalém, deveriam ser reconstruídos (ver Ne 2.3; ver também Ez 41.3; 42-44 e 45.6" (Fausset, *in loc.*).

■ **1.17**

עוֹד קְרָא לֵאמֹר כֹּה אָמַר יְהוָה צְבָאוֹת עוֹד תְּפוּצֶינָה עָרַי מִטּוֹב וְנִחַם יְהוָה עוֹד אֶת־צִיּוֹן וּבָחַר עוֹד בִּירוּשָׁלָםִ׃ ס

As minhas cidades ainda se transbordarão de bens. Tempos de consolo, força e prosperidade substituiriam o desânimo do povo judeu, o qual, sob grandes dificuldades, tentava reconstruir o templo e a cidade. O cumprimento maior dessas palavras espera pelo milenar e futuro reino de Deus. Cf. este versículo com Zc 8.3; Is 44.26; 51.3; 54.8-10; Jr 31.38,39.

> Então que o mundo tolere a sua ira;
> Que a igreja renuncie ao seu temor;
> Israel deve viver através de cada era,
> E ficar sob o cuidado do Todo-poderoso.

Transbordarão de bens. Esta é uma boa tradução, porque a palavra hebraica implica uma abundância grande e transbordante. Todo o povo de Israel será convertido e salvo (ver Rm 11.26). Será demonstrado que Deus os havia escolhido, embora eles tivessem sido recusados por algum tempo. Ver no *Dicionário* o verbete chamado *Restauração de Israel*.

OS QUATRO CHIFRES E OS QUATRO FERREIROS (1.18-21)

■ **1.18** (na Bíblia hebraica corresponde ao **2.1**)

וָאֶשָּׂא אֶת־עֵינַי וָאֵרֶא וְהִנֵּה אַרְבַּע קְרָנוֹת׃

Levantei os meus olhos, e vi, e eis quatro chifres. Encontramos aqui a segunda dentre oito visões. Ver as notas de introdução em Zc 1.7. O significado essencial é que os julgamentos de Deus ferirão as nações que as afligiram Israel. O chifre é símbolo de força, de poder, visto que os animais que possuem chifres os utilizam para atos defensivos e ofensivos contra os inimigos. Esses chifres representam as nações poderosas que assediaram Israel. Os quatro ferreiros, por sua vez, representam as punições divinas que devem cair sobre os opressores. Tais ferreiros deveriam destruir os chifres. Tudo isso deve acontecer antes que a era do reino possa ser instalada na terra. Cf. a seção com Sl 75.4,5; Dn 7.19-27. Os agentes de Yahweh (os ferreiros) dispersarão os inimigos de Israel (ver Is 54.16,17).

Uma nova visão foi dada ao profeta. O profeta levantou seus olhos espirituais, à noite, e contemplou a maravilha dos chifres. Tal como na primeira visão, ele precisou de ajuda para poder compreender a segunda visão. Cf. a declaração do vs. 18 com Zc 2.1; 5.1,9; 6.1; Dn 8.3; 10.5. Cada vez que o profeta levantava os olhos, via uma nova maravilha, cheia de significação para Israel. Os chifres eram como os cornos de um carneiro ou bode (cf. Dn 8.3-8). Aqui, em contraste com as visões de Daniel, não vemos nenhuma referência a animais, mas devemos compreender algo parecido com o que Daniel viu.

■ **1.19** (na Bíblia hebraica corresponde ao **2.2**)

וָאֹמַר אֶל־הַמַּלְאָךְ הַדֹּבֵר בִּי מָה־אֵלֶּה וַיֹּאמֶר אֵלַי
אֵלֶּה הַקְּרָנוֹת אֲשֶׁר זֵרוּ אֶת־יְהוּדָה אֶת־יִשְׂרָאֵל
וִירוּשָׁלִָם: ס

Perguntei ao anjo que falava comigo: Que é isto? Tal como aconteceu no vs. 9, o profeta precisou solicitar ajuda do anjo, para compreender o que ele estava vendo. Essa expressão ocorre nas oito visões: "Que é isto?" (ver Zc 1.9,19; 4.4; 5.10 e 6.4). Na quinta e na sexta visão, o anjo perguntou ao profeta se ele sabia o sentido das visões: ver Zc 4.2,5,13 e 5.2. Quanto às lições que podem ser extraídas da circunstância das inquirições, ver as notas expositivas sobre o vs. 9.

Aquelas nações hostis, como se fossem touros que estivessem marrando, tinham espalhado Judá, Israel e Jerusalém, o que provavelmente é uma alusão ao cativeiro assírio da nação do norte, Israel, bem como ao cativeiro babilônico do sul, Judá. O vs. 21 deixa de fora a nação de Israel, pelo que alguns críticos pensam que a palavra foi adicionada aqui por algum editor, que estava interessado em uma natureza "completa" no tocante à história total do povo de Israel. Cf. este versículo com Dn 7.24 e Ap 17.12.

Fazer os quatro chifres corresponder aos quatro grandes impérios gentílicos dos capítulos 2 e 7 do livro de Daniel sem dúvida é um refinamento exagerado do texto. Quatro é o número completo, porquanto um quadrado tem quadro lados, e se há alguma coisa simbolizada pelo número quatro, talvez tenhamos aqui o sentido mais claro.

■ **1.20** (na Bíblia hebraica corresponde ao **2.3**)

וַיַּרְאֵנִי יְהוָה אַרְבָּעָה חָרָשִׁים:

O Senhor me mostrou quatro ferreiros. Correspondentes aos quatro chifres que espalham, temos os quatro ferreiros, cuja tarefa era aterrorizar (*Revised Standard Version*; vs. 21) os chifres e derrubá-los (NCV; vs. 21). Aqui temos Yahweh a fazer a revelação, mas devemos notar que essa revelação foi feita pelo anjo principal ou porta-voz (vs. 19). Os ferreiros eram agentes da destruição divina, mas não recebemos nenhuma identidade específica. Os intérpretes refinam em demasia o texto, falando de reis específicos, como Nabucodonosor, Ciro, Cambises e Alexandre, o Grande, que seriam chicotes usados por Deus para derrubar as potências que os antecederam.

■ **1.21** (na Bíblia hebraica corresponde ao **2.4**)

וָאֹמַר מָה אֵלֶּה בָאִים לַעֲשׂוֹת וַיֹּאמֶר לֵאמֹר אֵלֶּה
הַקְּרָנוֹת אֲשֶׁר־זֵרוּ אֶת־יְהוּדָה כְּפִי־אִישׁ לֹא־נָשָׂא
רֹאשׁוֹ וַיָּבֹאוּ אֵלֶּה לְהַחֲרִיד אֹתָם לְיַדּוֹת אֶת־קַרְנוֹת
הַגּוֹיִם הַנֹּשְׂאִים קֶרֶן אֶל־אֶרֶץ יְהוּדָה לְזָרוֹתָהּ: ס

Então perguntei: Que vêm estes fazer? Não devemos procurar detalhes exatos na interpretação do versículo à nossa frente. A revelação foi dada mediante termos gerais, e deve ser deixada dessa maneira. Não devemos tentar precisar reis ou nações destruidoras. O princípio geral é aquilo que nos convém compreender. Assim como houve poderes (chifres) que espalharam e perseguiram Israel-Judá, também haverá poderes (ferreiros) que aterrorizariam e derrubariam aqueles chifres. O resultado será a liberação e a restauração de Israel. A escolha dos ferreiros, como forças representativas de Yahweh, talvez se deva à ideia de que os pagãos faziam grandes ídolos de metal. Os chifres eram fabricantes de ídolos de metal. Assim sendo, o labor deles seria anulado pelo desmantelamento de suas imagens de escultura. Ou então os chifres seriam cortados pelos instrumentos pesados dos ferreiros. Algum simbolismo como esse estava presente na mente do profeta, quando ele escreveu essas descrições. "... cabia a eles vir com malhos, limas e outros instrumentos para destruir aqueles chifres, os quais, sem dúvida, foram concebidos como se tivessem sido feitos de ferro" (Adam Clarke, *in loc.*).

Por isso os abati por meio dos profetas;
pela palavra da minha boca os matei.

Oseias 6.5

A Lição. É Deus quem concede a vitória, finalmente e em última análise. Ele derruba os orgulhosos e poderosos. As forças irresistíveis da retidão e da verdade com frequência não parecem estar ganhando a batalha. Abraham Lincoln, o libertador dos escravos dos Estados Unidos da América, foi dado como morto quando nasceu. Mas ele estava apenas quieto por algum tempo. Assim também, por muitas vezes, os poderes do bem estão temporariamente quietos, mas chega finalmente o dia em que o mal tem sua queda necessária e inevitável. As palavras de Jesus foram proferidas em meio ao ruído e à confusão da sociedade humana, e pareciam estar caindo no chão, sem nenhum efeito. Mas continuam conosco até hoje, transformando a todos quantos a ouvem.

Passará o céu e a terra, porém as minhas palavras não passarão.

Mateus 24.35

CAPÍTULO DOIS

O ANJO COM A LINHA DE MEDIR (2.1-13)

Encontramos aqui a terceira das oito visões noturnas dadas a Zacarias por meio da inspiração de Yahweh. Ver as notas de introdução em Zc 1.7. A essência dessa mensagem divina é que as futuras bênçãos de Deus a Israel serão amplas e incluirão proteção absoluta. Jerusalém será um lugar tão grande e com uma população tão numerosa que a construção de uma muralha ao seu redor se tornará uma tarefa impraticável.

■ **2.1** (na Bíblia hebraica corresponde ao **2.5**)

וָאֶשָּׂא עֵינַי וָאֵרֶא וְהִנֵּה־אִישׁ וּבְיָדוֹ חֶבֶל מִדָּה:

Tornei a levantar os meus olhos, e vi, e eis um homem. Quanto à linha de medir, cf. Zc 1.16; Ez 40.3,4; Ap 11.1; 21.15-17. Jerusalém foi medida a fim de ser construída uma muralha de proteção, mas, visto que Yahweh seria a muralha da cidade, o processo da medição foi interrompido (vss. 4-6). O profeta levantou os olhos no meio da noite. Seus olhos espirituais veriam ainda outra maravilha. Ver no *Dicionário* o artigo chamado *Revelação*. Cf. Zc 1.8 e 1.18 quanto à visão espiritual do profeta, que lhe possibilitou receber suas oito visões.

Iluminados os olhos do vosso coração,
para saberdes qual é a esperança do seu chamamento,
qual a riqueza da glória da sua herança nos santos.

Efésios 1.18

Homem. Ou seja, um ser parecido com um homem, mas devemos compreender a presença de um anjo, tal como em Zc 1.8. Há a mediação angelical do começo ao fim. Ver as notas expositivas sobre Zc 1.9.

■ **2.2** (na Bíblia hebraica corresponde ao **2.6**)

וָאֹמַר אָנָה אַתָּה הֹלֵךְ וַיֹּאמֶר אֵלַי לָמֹד אֶת־יְרוּשָׁלִַם
לִרְאוֹת כַּמָּה־רָחְבָּהּ וְכַמָּה אָרְכָּהּ:

Então perguntei: Para onde vais tu? Ele me respondeu: Medir Jerusalém. Quando o anjo se apressava, o profeta indagou onde ele ia com tanta pressa. A resposta foi que ele estava indo a Jerusalém para medir a cidade, presumivelmente por ordem de Yahweh. A medição resultaria na construção de uma muralha protetora (vs. 4). O anjo estava em uma missão equivocada, mas que eliminava uma opção. Algumas vezes tomamos uma decisão meramente para eliminar opções, quando não fazemos ideia clara do que é melhor. Até mesmos os anjos algumas vezes não sabem o que é melhor, e precisam de instruções de seres superiores; quanto mais nós, meros mortais! Ocasionalmente, Deus chegou a acusar seus anjos de "imperfeições" (Jó 4.18). E o que dizer dos homens, a despeito de suas boas intenções? É como alguém me disse certo dia: "Deus lhe envia até ali a fim de

AS OITO VISÕES DE ZACARIAS

Zacarias teve oito visões poderosas em uma única noite! O próprio anjo do Senhor forneceu as interpretações, garantindo que o profeta tivesse um melhor entendimento. Esperança foi dada ao pequeno fragmento de Israel. Inimigos fortes não durariam para sempre.

A Essência das Visões	Referência	Significados Principais
1. O cavalo vermelho entre as murteiras	1.7-17	A ira de Deus castigará as nações; restauração e bênçãos para Israel.
2. Os quatro chifres e os quatro ferreiros	1.18-21	Os julgamentos furiosos de Deus castigarão os inimigos de Israel.
3. O agrimensor e o seu cordel de medir	Cap. 2	No futuro, bênçãos divinas cairão sobre Israel como a chuva.
4. A purificação e a coroação de Josué como sumo sacerdote	Cap. 3	O próprio Israel será purificado e restabelecido como nação sacerdotal.
5. O candelabro de ouro e as duas oliveiras	Cap. 4	Israel se tornará uma luz para as nações no reino do Messias, o Rei-Sacerdote.
6. O rolo volante	5.1-4	Alguns israelitas sofrerão um julgamento severo.
7. A mulher e o efa	5.5-11	Os pecados e a rebelião de Israel serão anulados.
8. Os quatro carros	6.1-8	Julgamentos divinos sobre as nações gentílicas.

1. EMPIRISMO. Ganhamos conhecimento através das percepções dos sentidos. Este é o método empírico, aperfeiçoado no método científico, que emprega máquinas para melhorar o rendimento.

2. RACIONALISMO. A mente humana tem afinidade com a mente divina e pode ultrapassar as percepções dos sentidos com um raciocínio disciplinado. Questões éticas estão dentro da esfera do raciocínio.

3. INTUIÇÃO. É possível ganhar conhecimento sem o método empírico e sem o raciocínio. O homem tem poderes intuitivos que entregam conhecimento imediato, sem meios.

4. PSIQUISMO. O homem é um ser espiritual e tem poderes psíquicos como telepatia, retrocognição e precognição, poder de curar e sonhos instrutivos e proféticos. Tais poderes podem ser perfeitamente naturais e utilizados negativa ou positivamente.

5. MISTICISMO. Misticismo oriental é o contato do homem com seu ser mais alto, o sobre-ser (alma, espírito), através do qual o homem aprende alguma coisa por meio de intuições, revelações, visões etc. O misticismo ocidental é o contato do homem com uma força exterior, do próprio ser como Deus, o Logos, anjos, espíritos etc. Através deste contato que vem em visões, sonhos, intuições, revelações, o homem ganha conhecimento. O misticismo oriental é subjetivo. O misticismo ocidental é objetivo.

Visões, sonhos espiritualmente significativos, revelações, intuições, são subcategorias do misticismo. Ver este título do *Dicionário*. As visões de Zacarias foram experiências místicas, segundo a definição que estou dando. O misticismo bíblico (revelação) representa uma intervenção divina na vida humana.

Os meios do conhecimento são todos dons de Deus e não estão em competição. O *anti-intelectualismo* (ver no *Dicionário*) é uma visão míope do conhecimento.

---

ser capaz de dizer-lhe para ir a algum outro lugar". Nesse caso, uma missão equivocada pode ser, na realidade, um passo na direção de uma missão verdadeira. Sem dúvida, existem desígnios divinos nos falsos começos, e quantos erros todos nós cometemos durante nossa vida! Por conseguinte, em um sentido bem real, podemos dizer que até passos dados em uma direção errada podem ser determinados pelo Senhor, se forem prelúdio a uma nova e mais definitiva liderança. Alguns não veem a construção da muralha aqui. Se essa opinião está correta, então a medição da cidade foi meramente para formar uma ideia das grandes dimensões que Jerusalém teria, tanto com respeito ao território quanto em relação à sua população e à bênção divina. Mas ligando entre si os vss. 2 e 3 certamente concluímos que a medição da cidade tinha por finalidade construir uma muralha em torno dela.

Para ver. Cf. Zc 1.18; 5.1,9 e 6.1. Uma nova visão é introduzida por esta frase, mas todas as visões estão vinculadas dentro da mesma corrente espiritual. Os vss. 1,2 dão o conteúdo da visão; os vss. 3-13 dão a comunicação da visão.

■ **2.3** (na Bíblia hebraica corresponde ao **2.7**)

וְהִנֵּה הַמַּלְאָךְ הַדֹּבֵר בִּי יֹצֵא וּמַלְאָךְ אַחֵר יֹצֵא לִקְרָאתוֹ׃

Eis que saiu o anjo que falava comigo. O anjo principal (o anjo intérprete), que acompanhava o profeta, encontrou-se com outro anjo e imediatamente fez parar o anjo que corria para ir cumprir sua missão de medir a cidade para a construção de uma muralha. Em outras palavras, outro anjo foi despachado pelo anjo principal para fazer estacar a missão do anjo corredor dos vss. 1,2. As intenções daquele anjo eram boas, mas sua ideia estava equivocada. Yahweh tinha coisas maiores em mente que aquele ser celestial não antecipara. O próprio Senhor seria a muralha. Para esse tipo de muralha, nenhuma medição era requerida. Temos aqui uma importante lição: o plano divino é sempre maior que a compreensão humana. O que Deus finalmente faz, dentro da história humana, com a redenção-restauração, será maior do que os homens imaginam com suas teologias limitadas. Os homens não conseguem antecipar o que a grandeza de Deus fará.

O anjo que falava comigo. Ou seja, o anjo principal, o anjo intérprete. Ver Zc 1.8,9,13,14,19.

■ **2.4** (na Bíblia hebraica corresponde ao **2.8**)

וַיֹּאמֶר אֵלָו רֻץ דַּבֵּר אֶל־הַנַּעַר הַלָּז לֵאמֹר פְּרָזוֹת
תֵּשֵׁב יְרוּשָׁלַםִ מֵרֹב אָדָם וּבְהֵמָה בְּתוֹכָהּ׃

E lhe disse: Corre, fala a este jovem. Não havia necessidade de medir a circunferência da cidade para construir em torno dela uma muralha. Portanto, o anjo principal despachou outro anjo atrás do anjo apressado, para que este não realizasse a tarefa inútil e consumidora de tempo. Jerusalém seria uma cidade grande e populosa, cheia de gente, de gado e, talvez, de aldeias satélites. Era simplesmente grande demais para que ali se construísse uma muralha. Na antiguidade, as pequenas aldeias não tinham muralhas. Somente as cidades maiores eram fortificadas e circundadas por muralhas. Embora fosse uma grande cidade, Jerusalém seria como uma aldeia, quanto a um aspecto: não contaria com muralhas. Jerusalém rejeitaria toda a ideia de uma muralha restritiva... Os homens constroem muralhas em torno de seus credos e pensam que nada mais há para aprender. A verdade, porém, não pode ser contida dentro dos credos dos homens. Contudo, os homens são fanáticos quanto a usar seus credos para definir limites teológicos, bem como quanto ao que pensam ser ou não heresias. Há muita arrogância nos credos e nas denominações, que se tornam medidas para estagnar a verdade. O Deus deles é pequeno demais. Mas a muralha de separação entre judeus e gentios caiu na igreja (ver Ef 2.14,15). Conforme a verdade avança, muitas muralhas tombam. A mente dos homens não pode confinar o infinito, e a verdade é uma aventura. Daí a necessidade da livre investigação.

■ **2.5** (na Bíblia hebraica corresponde ao **2.9**)

וַאֲנִי אֶהְיֶה־לָּהּ נְאֻם־יְהוָה חוֹמַת אֵשׁ סָבִיב וּלְכָבוֹד
אֶהְיֶה בְתוֹכָהּ׃ פ

Pois eu lhe serei, diz o Senhor, um muro de fogo em redor. O próprio Yahweh seria a muralha da cidade, isto é, sua defesa e única fortificação. Ele deveria ser a glória da cidade. Cf. Is 26.1. Quanto à ideia de glória, ver Hc 1.8 e também Is 60.19. Alguns estudiosos interpretam isso como a presença pessoal do Messias na Jerusalém da era do Reino; mas o texto falava sobre Yahweh, e não sobre o Messias. Ele estará presente com seu povo, como nos dias antigos, no templo, nos ensinamentos, na influência pessoal. Ezequiel concebia a volta da glória divina futura a um templo ideal. Ver Ez 43.3-5.

Um muro de fogo. Ou seja, uma muralha que não poderia ser ultrapassada pelos inimigos: uma muralha de segurança absoluta. Não uma muralha de tijolos, mas uma muralha de fogo divino é que seria defesa segura para a cidade. Cf. Zc 9.8. A muralha de fogo era um artifício comum dos antigos para proteger os homens dos animais ferozes. Este versículo pode fazer alusão a essa prática antiga. Somente a muralha divina poderia confinar a cidade. Apenas a mente divina pode limitar a investigação. Os limites que os homens impõem à verdade quase sempre são os limites de sua própria mente, não limites verdadeiros. Quase todas as grandes descobertas científicas surpreendem não somente os homens comuns, mas também a própria comunidade científica. Os pioneiros são aqueles que ignoram os limites que os homens impõem sobre as coisas, por possuírem uma visão mais penetrante.

■ **2.6** (na Bíblia hebraica corresponde ao **2.10**)

הוֹי הוֹי וְנֻסוּ מֵאֶרֶץ צָפוֹן נְאֻם־יְהוָה כִּי כְּאַרְבַּע
רוּחוֹת הַשָּׁמַיִם פֵּרַשְׂתִּי אֶתְכֶם נְאֻם־יְהוָה׃

Eh! Eh! Fugi agora da terra do norte, diz o Senhor. O convite para ir para casa: vss. 6-13. Para que os ideais da visão se concretizassem, Israel teria de voltar para casa. O oráculo divino dos vss. 6-9 é uma aplicação prática da visão anterior. Os judeus teriam de abandonar a Babilônia, porque um grande e divino propósito estava operando em Jerusalém. Sião já se regozijava. Muitas nações haverão de prestar lealdade a Yahweh, e esses povos estarão sob os cuidados dele. Mas Jerusalém será o objeto especial de sua preocupação e bênção.

Yahweh determinou que seu povo fugisse da terra do norte. A bênção de Deus não estava naquela terra de escravidão e paganismo. Os quatro ventos deveriam ceder seus cativos para que o propósito divino pudesse prosseguir. Uma dispersão violenta, por parte daqueles ventos, será pacificamente anulada. Quanto aos inimigos do norte, ver Jr 1.14; 3.18; 4.6 e outras passagens. Ver também Ez 1.4 e 26.7. O convite se dirigiu especificamente aos judeus que continuavam no exílio e não quiseram voltar com os primeiros judeus que retornaram do cativeiro babilônico.

Quanto aos quatro ventos (que sopram dos quatro pontos cardeais), cf. Zc 6.5 e Ez 37.9. Sempre que o povo de Deus estiver "lá fora", deverá ouvir o chamado divino e apressar-se para o lugar da restauração.

■ **2.7** (na Bíblia hebraica corresponde ao **2.11**)

הוֹי צִיּוֹן הִמָּלְטִי יוֹשֶׁבֶת בַּת־בָּבֶל׃ ס

Eh! Salva-te, ó Sião, tu que habitas com a filha da Babilônia. Este versículo reforça o anterior: "Apressa-te, povo de Jerusalém! Escapa da Babilônia" (NCV). Muitos judeus se tinham estabelecido na Babilônia e conseguido boa adaptação. Agora, estavam prosperando. Eles se sentiam em casa, mas, na realidade, não estavam em casa e precisavam renovar seu compromisso com a capital do Estado judaico.

Filha da Babilônia. O termo "filha" foi usado pela primeira vez para referir-se às aldeias satélites de uma cidade grande ou principal; mas essa palavra veio a indicar o povo inteiro de uma cidade ou estado. Cf. com a "filha de Sião" (Is 1.8); "filha do Egito" (Is 46.24); "filha de Judá" (Lm 2.2); "filha de Jerusalém" (Mq 4.8).

■ **2.8** (na Bíblia hebraica corresponde ao **2.12**)

כִּי כֹה אָמַר יְהוָה צְבָאוֹת אַחַר כָּבוֹד שְׁלָחַנִי אֶל־
הַגּוֹיִם הַשֹּׁלְלִים אֶתְכֶם כִּי הַנֹּגֵעַ בָּכֶם נֹגֵעַ בְּבָבַת
עֵינוֹ׃

Para obter ele a glória, enviou-me às nações que vos despojaram. Yahweh dos Exércitos (nome divino que aparece 47 vezes nesse livro) fala da palavra que deve ser cumprida, pois ele é Soberano. Quem quer que ferisse o povo de Deus estaria ferindo o que era precioso ao próprio Yahweh, tal como um olho é algo precioso para qualquer homem.

Na menina do seu olho. Está em foco a pupila do olho e, metaforicamente, o que há de mais precioso, aquilo pelo que um homem tem afeto especial. Cf. Dt 32.10 e Sl 17.8. A pupila do olho é parte delicada e sensível de nosso corpo. A pupila do olho é vulnerável. Requer cuidado todo especial. A expressão "menina do olho" originou-se da minúscula imagem que é vista refletida no olho de alguém, quando esse alguém olha para alguma coisa. Portanto, a imagem que é vista no olho é a menina refletida no olho da pessoa. O hebraico original diz, literalmente, maçã ou portão, que algumas traduções retêm. O acádico diz aqui *babu*, expressão que quer dizer portão, e esse pode ser o significado da palavra hebraica em foco. O árabe diz *bab*.

■ **2.9** (na Bíblia hebraica corresponde ao **2.13**)

כִּי הִנְנִי מֵנִיף אֶת־יָדִי עֲלֵיהֶם וְהָיוּ שָׁלָל לְעַבְדֵיהֶם
וִידַעְתֶּם כִּי־יְהוָה צְבָאוֹת שְׁלָחָנִי׃ ס

Porque eis aí agitarei a minha mão contra eles. Yahweh ergue sua mão contra aquela gente. Seus anteriores escravos haveriam de roubá-los e enfraquecê-los. Quando isso acontecesse, se tornaria evidente que Yahweh dos Exércitos requeimava contra eles e estava mudando a cena no palco do drama humano. Um rearranjo estava sendo efetuado entre as nações. A Babilônia estava no caminho descendente. O profeta seria vindicado quando essas coisas acontecessem, porquanto ele as havia profetizado. Os medos e persas, que tinham vivido em subserviência à Babilônia, se tornariam senhores dos babilônios e haveriam de saqueá-los, tal como antes tinham sido saqueados pelos babilônios. Quanto à *Mão divina*, ver no *Dicionário* e em Sl 81.14. Para *mão direita*, ver Sl 20.6. Para *braço*, ver Sl 77.15, 89.10 e 98.1.

O AMOR É REDENTOR

Ainda que eu falasse as línguas dos homens e dos anjos, e não tivesse Caridade, seria como o metal que soa ou como o sino que tine. E ainda que tivesse o DOM de profecia, e conhecesse todos os mistérios e toda a ciência, e ainda tivesse toda a fé, de maneira tal que transportasse os montes, e não tivesse Caridade, NADA seria. E ainda que distribuísse toda minha fortuna para o sustento dos pobres, e ainda que entregasse o meu corpo para ser queimado, e NÃO tivesse Caridade, nada disso ME Aproveitaria.

I aos Coríntios 13
1~3

Caligrafia de Darrell Steven Champlin

■ **2.10** (na Bíblia hebraica corresponde ao **2.14**)

רָנִּי וְשִׂמְחִי בַּת־צִיּוֹן כִּי הִנְנִי־בָא וְשָׁכַנְתִּי בְתוֹכֵךְ נְאֻם־יְהוָה:

Exulta e alegra-te, ó filha de Sião. À medida que a Babilônia declinasse e os medos e persas surgissem, a posição de Israel-Judá melhoraria. Haveria uma restauração em Jerusalém e isso provocaria grande júbilo e triunfo. A "filha de Sião" (ver o vs. 7) será especialmente favorecida pelos propósitos de Deus, uma vez mais operando em seu meio. De fato, a *Presença* retornará ao segundo templo, mesmo tendo abandonado o primeiro templo, quando a apostasia havia atingido um grau intolerável. Naturalmente, o cumprimento maior de tudo isso se volta para a era do reino de Deus. Ver Zc 8.3 e Is 2.1,2. Ver no *Dicionário* o verbete chamado *Shekinah*. Cf. Jo 1.14, sobre a presença do Logos com os homens, por ocasião da encarnação.

AMOR

O círculo do amor de Deus não teve início e não terá fim.
O amor de Deus inspirou e garantiu a execução da *missão tridimensional* do Logos. Ele ministrou e ministra na terra, no hades e nos céus para ser tudo para todos, — afinal.

O amor de Deus é real universalmente — não meramente potencial
O amor de Deus será absolutamente efetivo, — afinal
Limites de pedra não podem conter o amor.
E o que o amor pode fazer, isso o amor ousa fazer.
                                William Shakespeare

O oposto de injustiça não é justiça — é amor.

Justiça sem misericórdia é tirania.
                                Jaime Cardinal Sin

■ **2.11** (na Bíblia hebraica corresponde ao **2.15**)

וְנִלְווּ גוֹיִם רַבִּים אֶל־יְהוָה בַּיּוֹם הַהוּא וְהָיוּ לִי לְעָם וְשָׁכַנְתִּי בְתוֹכֵךְ וְיָדַעַתְּ כִּי־יְהוָה צְבָאוֹת שְׁלָחַנִי אֵלָיִךְ:

Naquele dia muitas nações se ajuntarão ao Senhor. A restauração de Israel será o núcleo da restauração mundial de todas as nações da terra. Ver Mq 4.1,2 quanto a esse ensino. Ver também Is 2.2-4; 11.9; 42.6; 49.6; 56.3,6; Ag 2.7; e Zc 8.20-23; 14.6. Jerusalém se tornará a capital política e espiritual do mundo. Ver Rm 11.26 e também, no *Dicionário*, o artigo chamado *Restauração de Israel*. Quando coisas assim sucedem, fica óbvio que profetas como Zacarias tinham falado com a autoridade de Yahweh dos Exércitos (título divino que figura 47 vezes no livro de Zacarias). Estamos abordando profecias sobre a era do reino de Deus, embora cumprimentos preliminares tivessem ocorrido no tempo do profeta. Ver no *Dicionário* o verbete denominado *Milênio*.

■ **2.12** (na Bíblia hebraica corresponde ao **2.16**)

וְנָחַל יְהוָה אֶת־יְהוּדָה חֶלְקוֹ עַל אַדְמַת הַקֹּדֶשׁ וּבָחַר עוֹד בִּירוּשָׁלָםִ:

Então o Senhor herdará a Judá como sua porção na terra santa. Uma vez mais, Yahweh tomará possessão de sua antiga herança, a saber, a nação de Judá, na qual Israel estará vivendo. O *pacto abraâmico* (ver as notas sobre Gn 15.18) será cumprido. Jerusalém será, uma vez mais, a capital da nação. "terra santa" é nome alternativo para a Palestina. Esta é a única instância da expressão no Antigo Testamento, embora ela se tenha tornado muito comum nos tempos posteriores e continue sendo. Cf. Sabedoria de Salomão 12.3 e 2Macabeus 1.7. Essa terra é "santa" por causa dos santos propósitos ali realizados e por causa da santa presença que passara a ali habitar. O templo, centro do culto santo de Yahweh, estava ali. Essa era a terra dos profetas e da mensagem que veio a ser condensada no Antigo Testamento, e, mais tarde, no Novo Testamento. Quanto a esse lugar como a herança de Deus, cf. Dt 4.20; 9.29; 32.9 e Zc 8.3.

■ **2.13** (na Bíblia hebraica corresponde ao **2.17**)

הַס כָּל־בָּשָׂר מִפְּנֵי יְהוָה כִּי נֵעוֹר מִמְּעוֹן קָדְשׁוֹ: ס

Cale-se, toda a carne, diante do Senhor. Yahweh se levantou e saiu de sua residência celestial, onde estivera descansando, em aparente indiferença (ver Sl 10.1; 28.1; 59.4) e realizou poderosa obra de restauração. Antes de coisa tão tremenda, é apropriado que todos os homens e nações permaneçam em silêncio perante o Senhor. "Fazei silêncio, todos... O Senhor está saindo de seu Lugar Santo onde ele vive" (NCV).

"A raça humana inteira se inclinará em silêncio e respeito perante o Deus Todo-poderoso" (F. Duane Lindsey, *in loc.*). Ele tem silenciado o conflito universal. "Enchei-vos de temor, respeito e espanto diante da obra maravilhosa de Deus, a destruição do anticristo, a conversão dos judeus e o chamado dos gentios. Que eles não ousem abrir a boca e dizer uma palavra contra essa obra maravilhosa" (John Gill, *in loc.*). Cf. este versículo com Dt 26.15; Jr 25.30; Is 63.15; Sf 1.7 e Hc 2.20.

CAPÍTULO TRÊS

PURIFICAÇÃO E COROAMENTO DE JOSUÉ, O SUMO SACERDOTE (3.1-10)

Encontramos aqui a quarta das oito visões noturnas dadas a Zacarias por meio da inspiração divina. Ver as notas introdutórias em Zc 1.7. A essência desta visão é a nomeação de ministros divinamente autorizados para Israel, bem como a futura purificação do pecado de Israel e a reinstalação da nação sacerdotal. Ao que tudo indica, Josué foi acusado de não estar preparado para seu ofício sumo sacerdotal. Ele precisava ser vindicado. Provavelmente o pano de fundo histórico disso era que o povo que não tinha ido para o exílio possuía seus próprios sacerdotes enquanto o remanescente estava distante. Quando eles voltaram, Josué, de repente, afirmava ser o sumo sacerdote. Ele precisava ser instaurado em seu ofício e ser aceito pelo povo. Assim também o próprio povo de Israel precisou ser reintegrado após a longa dispersão entre as nações.

"Simbolicamente falando, as três primeiras visões pintam o livramento externo de Israel do cativeiro, sua expansão e sua prosperidade material na Terra Prometida. A quarta visão (capítulo 3) mostra a purificação interna de Israel do pecado e sua reinstalação no ofício e nas funções sacerdotais" (F. Duane Lindsey, *in loc.*).

■ **3.1**

וַיַּרְאֵנִי אֶת־יְהוֹשֻׁעַ הַכֹּהֵן הַגָּדוֹל עֹמֵד לִפְנֵי מַלְאַךְ יְהוָה וְהַשָּׂטָן עֹמֵד עַל־יְמִינוֹ לְשִׂטְנוֹ:

Deus me mostrou o sumo sacerdote Josué. Aqui Yahweh aparece como o revelador de novas verdades, e não o anjo principal que fora seu agente nas três primeiras visões. Ver Zc 1.8,9; 2.3. A versão siríaca *peshitta* continua dizendo "o anjo do Senhor"; e alguns eruditos preferem que seja assim. Mas Yahweh é o sujeito do vs. 8, e ali ele apresenta o Renovo-Messias, seu Servo.

Yahweh apresenta-nos Josué, o sumo sacerdote, para que o profeta Zacarias pudesse dar uma boa espiada nele. Ele estava de pé perante o anjo do Senhor (provavelmente devemos entender o anjo principal, sobre o qual acabamos de falar). Satanás também está ali, de pé, à mão direita do anjo, pronto para acusar o sumo sacerdote. Satanás ainda não aparece como o ser totalmente depravado em que se transformará. Continua tendo acesso à presença de Yahweh e é, essencialmente, um acusador, tal como aparece no livro de Jó. "... Satanás, literalmente, o Adversário, não é a encarnação do mal, mas uma espécie de funcionário celestial que, na corte celeste, tinha o poder de acusar os homens de erro (1Cr 21.2; ver Jó 1.6-8). Deus, ouvindo seu testemunho, então pode justificar ou condenar o acusado" (*Oxford Annotated Bible*, comentando sobre o vs. 1). Ver no *Dicionário* o detalhado artigo chamado *Satanás*, que inclui os panos de fundo históricos do desenvolvimento da doutrina. Ver o artigo intitulado *Satanás, Queda de.*

■ 3.2

וַיֹּאמֶר יְהוָה אֶל־הַשָּׂטָן יִגְעַר יְהוָה בְּךָ הַשָּׂטָן וְיִגְעַר יְהוָה בְּךָ הַבֹּחֵר בִּירוּשָׁלִָם הֲלוֹא זֶה אוּד מֻצָּל מֵאֵשׁ:

Mas o Senhor disse a Satanás: O Senhor te repreende, ó Satanás. "O Senhor disse a Satanás: 'O Senhor diz que és culpado, ó Satanás. O Senhor, que escolheu Jerusalém, diz que és culpado'" (NCV). Temos aqui a estranha situação em que o Senhor (Yahweh) diz o que Yahweh tinha dito. Alguns supõem estar em foco o anjo principal, o qual, identificado com Yahweh, toma o seu nome. Mas outros tentam forçar sobre o texto uma referência preexistente a Cristo, a segunda Pessoa da Trindade, e fazem dele o primeiro Yahweh (ou seja, Ser divino), ao passo que o Pai seria o segundo Yahweh. Mas essa certamente é uma interpretação forçada. Provavelmente está em vista o anjo principal, o instrumento de Yahweh. Seja como for, Satanás havia acusado o pobre sumo sacerdote de quem sabe o quê! Porém, o testemunho dele foi fortemente rejeitado. "Ver Jd 19. Satanás foi repreendido com justiça, 'pois quem pode lançar alguma acusação na conta do povo escolhido de Deus?'" (Ellicott, *in loc.*). Israel (e Josué) eram tições tirados do meio do fogo dos julgamentos e desprazeres de Deus. Esse desprazer se manifestou no cativeiro babilônico. Josué voltou daquele inferno e agora se tornava apto para o ofício de sumo sacerdote. Cf. Am 4.11.

■ 3.3

וִיהוֹשֻׁעַ הָיָה לָבֻשׁ בְּגָדִים צוֹאִים וְעֹמֵד לִפְנֵי הַמַּלְאָךְ:

Ora, Josué, trajado de vestes sujas, estava diante do anjo. Josué era culpado, como é óbvio, porque ali estava ele, vestido com aquelas vestes imundas. Mas, afinal, quem não é culpado nem precisa ser purificado? Não haveria nenhum sumo sacerdote, se alguém inocente tivesse de ser achado. Mas, uma vez justificado, as roupas imundas eram removidas, e então o homem culpado era inocentado, tornando-se assim um candidato apto para o elevado ofício sumo sacerdotal. Josué representava, naturalmente, a nação culpada que também estava sendo reintegrada à sua posição privilegiada. "O povo judeu era o mais desamparado, destituído e desprezível (segundo todas as aparências humanas) dentre os povos. Ademais, eles eram pecaminosos e o sacerdócio levítico havia sido contaminado pela idolatria. Coisa alguma, exceto a misericórdia de Deus, poderia salvá-los" (Adam Clarke, *in loc.*).

■ 3.4,5

וַיַּעַן וַיֹּאמֶר אֶל־הָעֹמְדִים לְפָנָיו לֵאמֹר הָסִירוּ הַבְּגָדִים הַצֹּאִים מֵעָלָיו וַיֹּאמֶר אֵלָיו רְאֵה הֶעֱבַרְתִּי מֵעָלֶיךָ עֲוֹנֶךָ וְהַלְבֵּשׁ אֹתְךָ מַחֲלָצוֹת:

וָאֹמַר יָשִׂימוּ צָנִיף טָהוֹר עַל־רֹאשׁוֹ וַיָּשִׂימוּ הַצָּנִיף הַטָּהוֹר עַל־רֹאשׁוֹ וַיַּלְבִּשֻׁהוּ בְּגָדִים וּמַלְאַךְ יְהוָה עֹמֵד:

Tomou este a palavra, e disse aos que estavam diante dele: Tirai-lhe as vestes sujas. *Bases para a Justificação.* O sumo sacerdote não podia continuar vestido naqueles trapos miseráveis e imundos. Alguma coisa precisava ser feita. Portanto, Yahweh expediu o mandato (através do seu anjo principal) para que outros anjos, em pé nas imediações, removessem aqueles trapos condenadores. Feito isto, o homem estava livre e inocentado. Os trapos representavam sua iniquidade. As vestes sujas foram então substituídas por vestes caras, símbolos da retidão dada pelo próprio Yahweh. Entre os itens do novo vestuário estavam o turbante limpo (*Revised Standard Version*), que foi posto sobre sua cabeça. Assim sendo, ele foi coroado com o símbolo de seu ofício sumo sacerdotal. O anjo principal estava de pé, nas proximidades, aprovando com movimentos de cabeça o que tinha sido feito. Todo esse vestuário ritualista simbolizava a restauração de Israel ao novo dia, quando esse povo saiu do alcance de Satanás. Israel era uma nação sacerdotal. Cf. Êx 19.6. "... a mitra sobre a sua cabeça, para indicar que Deus o havia renovado para o ofício de sumo sacerdote, que tinha ficado contaminado. A mitra era o adorno que foi posto sobre a cabeça de Josué, quando ele estava prestes a entrar no santuário (ver Êx 8.4)" (Adam Clarke, *in loc.*).

Eugene V. Debs anunciou que ele não seria livre enquanto qualquer ser humano, em qualquer lugar, estivesse amarrado no corpo, na mente ou no espírito. Assim também, Israel não estaria livre de suas cadeias de corrupção sem que, primeiramente, o sumo sacerdote não ficasse livre. O ladrão penitente, na cruz, precisou depender pesadamente de Jesus, o inocente Salvador, para libertar-se de sua dor (ver Lc 23.41,42). Porém, quando fez isso, recebeu a seguinte promessa:

Em verdade te digo que hoje estarás comigo no paraíso.
Lucas 23.43

■ 3.6

וַיָּעַד מַלְאַךְ יְהוָה בִּיהוֹשֻׁעַ לֵאמֹר:

Protestou a Josué, e disse. O anjo principal, orientador, estava ansioso para que o profeta compreendesse o que acabara de ver, uma lição objetiva que representava grande verdade. Por conseguinte, o anjo deu ao profeta uma incumbência (NIV) ou ordem para que aprendesse bem a lição, cuja essência é dada a seguir.

Os vss. 7-10 têm uma quádrupla promessa: "1. a confirmação da autoridade oficial de Josué e a elevação de sua própria natureza espiritual; 2. A missão do Salvador; 3. o cuidado providencial de Deus pela Casa, que estava sendo reconstruída; 4. paz e prosperidade para a nação" (Ellicott, *in loc.*).

■ 3.7

כֹּה־אָמַר יְהוָה צְבָאוֹת אִם־בִּדְרָכַי תֵּלֵךְ וְאִם אֶת־מִשְׁמַרְתִּי תִשְׁמֹר וְגַם־אַתָּה תָּדִין אֶת־בֵּיתִי וְגַם תִּשְׁמֹר אֶת־חֲצֵרָי וְנָתַתִּי לְךָ מַהְלְכִים בֵּין הָעֹמְדִים הָאֵלֶּה:

Se andares nos meus caminhos, e observares os meus preceitos. Yahweh dos Exércitos (título divino usado 47 vezes no livro de Zacarias) declarou duas condições para que Josué tivesse um ministério bem-sucedido como sumo sacerdote, e então alistou os três resultados que se seguiriam de sua fidelidade. Josué tinha de andar de maneira piedosa. Precisava guardar a incumbência divina, a missão que fora entregue ao homem. Deveria ter uma vida moral limpa, trilhando os caminhos de Yahweh, obedecendo à lei de Moisés, que era o *guia* de Israel (ver Dt 6.4 ss.). Cf. Dt 8.6; 10.12 e Sl 128.1. Ele também teria de cumprir todos os preceitos, ritos e cerimônias que pertenciam ao culto a Yahweh, em seu templo (ver Ez 44.15,16; Lv 8.35). Ele precisava agir. Não bastava ter o título de seu ofício. Ele tinha de governar a casa (o templo), por ser o chefe daquele lugar. "A área inteira do templo ficaria sob o controle de Josué. Nos dias pré-exílicos, o rei tinha jurisdição sobre o templo e o culto que ali se processava, e exercia completo controle em questões religiosas (1Rs 2.27; 2Rs 16.10-18). Direito de acesso: Josué agora podia sentir-se seguro de que suas orações atingiriam Yahweh (cf. Zc 4.4)" (D. Winton Thomas, *in loc.*).

Entre estes que aqui se encontram. Josué seria o chefe e teria sacerdotes e levitas assistentes, agora representados pelos anjos que assistiam à sua reinstalação. Talvez este versículo também dê a entender a ajuda dos anjos, quando Josué cumprisse seus deveres. Cf. Zc 3.1. Servindo no templo terrestre, Josué seria como um homem dotado de acesso ao templo celestial. Ele estava em companhia celeste. Ver no *Dicionário* o verbete denominado *Acesso.* Diz o Targum: "Na ressurreição eu te ressuscitarei e darás aos teus pés o direito de andares entre os serafins".

■ 3.8

שְׁמַע־נָא יְהוֹשֻׁעַ הַכֹּהֵן הַגָּדוֹל אַתָּה וְרֵעֶיךָ הַיֹּשְׁבִים לְפָנֶיךָ כִּי־אַנְשֵׁי מוֹפֵת הֵמָּה כִּי־הִנְנִי מֵבִיא אֶת־עַבְדִּי צֶמַח:

Ouve, pois, Josué, sumo sacerdote, tu e os teus companheiros. "Escuta, sumo sacerdote Josué, e o povo que está contigo. Tu representas as coisas que sucederão. Farei vir o meu servo chamado Renovo" (NCV). Josué e seus colegas de sacerdócio eram bons presságios referentes ao futuro, pois relembravam aquilo que Yahweh estava prestes a fazer acontecer. Josué e Zorobabel (o líder civil) eram tipos do Renovo vindouro que incorporaria em si mesmo ambos os ofícios, de rei e de sacerdote. Renovo é um termo messiânico. Ver Sl 132.17; Is 4.2; 11.1; Jr 23.5 e 33.15. Ele cresce gloriosamente da terra seca e floresce sob a bênção de Yahweh. O Messias é o renovo de Davi, resultante da linhagem davídica. Ver Zc 6.12,13. Os povos pagãos chamavam seus heróis de renovos dos deuses, como o ramo de Júpiter, de Marte ou de alguma outra divindade. O Renovo messiânico é frutífero e agente de bênçãos para todos.

■ 3.9

כִּי הִנֵּה הָאֶבֶן אֲשֶׁר נָתַתִּי לִפְנֵי יְהוֹשֻׁעַ עַל־אֶבֶן אַחַת שִׁבְעָה עֵינָיִם הִנְנִי מְפַתֵּחַ פִּתֻּחָהּ נְאֻם יְהוָה צְבָאוֹת וּמַשְׁתִּי אֶת־עֲוֹן הָאָרֶץ־הַהִיא בְּיוֹם אֶחָד׃

Porque eis aqui a pedra que pus diante de Josué. *A Pedra.* É provável que a alusão seja à pedra ou pedra preciosa usada pelos sumos sacerdotes em suas vestes sacerdotais, usada para adivinhação. Ver no *Dicionário* o verbete chamado *Urim e Tumim.* Aqui a pedra preciosa deve ser usada por Josué sobre o peito ou na testa (Êx 28.11,12,36-38). Os sumos sacerdotes dispunham de várias pedras, mas aqui a Pedra única substitui a todas as outras. Essa pedra tinha sete olhos (segundo diz o hebraico, literalmente), ou seja, sete facetas ou superfícies. Essa pedra refletiria os raios de luz do sol em todas as direções, simbolizando iluminação e sabedoria. Talvez isso fale das operações do Espírito Santo. Ver Is 11.2 e Ap 5.6.

A Pedra naturalmente é um símbolo messiânico (ver Sl 118.22; Mt 21.42 e 1Pe 2.6). "Ele julgará os povos gentílicos (Dn 2.44,45) e será uma pedra de tropeço para a incrédula nação de Israel (ver Rm 9.31-35). Finalmente, porém, o Messias purificará Israel e removerá o pecado da Terra Prometida em um único dia. Alguns intérpretes afirmam estar em vista que a crucificação, porém o mais provável é que tenhamos aqui uma referência ao dia do segundo advento de Cristo, quando, nos últimos dias, os méritos de sua morte serão aplicados à crente nação de Israel (ver Zc 13.1)" (F. Duane Lindsey, *in loc.*).

A Pedra do Messias, com seus sete olhos, fala de sua sabedoria e de suas graças, mediante as quais ele cumpre suas missões, terrenas e celestiais, para benefício de todos. De fato, Cristo tem uma missão tridimensional: na terra, no hades e nos céus. Em cada uma dessas missões, e também em todas elas, coletivamente falando, a sabedoria do Messias se manifestou, transbordante de amor. Ver na *Enciclopédia de Bíblia, Teologia e Filosofia* o artigo denominado *Missão Universal do Logos.* A VI seção daquele artigo fala sobre a missão tridimensional de Cristo. Ver também sobre o *Mistério da Vontade de Deus.*

Yahweh dos Exércitos está por trás da missão de Cristo. É ele quem remove o pecado do homem e lhe concede a glória eterna.

Eis que eu lavrarei a sua escultura. Nas doze pedras preciosas do peitoral do sumo sacerdote foram gravados os nomes das doze tribos de Israel, e essa parte do versículo faz alusão a isso. Ver Êx 28.21. Talvez devamos pensar nos nomes dos remidos gravados na Pedra do Messias, ou então essa gravação será um embelezamento, falando de suas excelências.

■ 3.10

בַּיּוֹם הַהוּא נְאֻם יְהוָה צְבָאוֹת תִּקְרְאוּ אִישׁ לְרֵעֵהוּ אֶל־תַּחַת גֶּפֶן וְאֶל־תַּחַת תְּאֵנָה׃

Naquele dia, diz o Senhor dos Exércitos, cada um de vós convidará o seu próximo. Temos aqui uma descrição do ideal da era do reino, ou milênio, conforme alguns preferem. Tal como na era dourada de Salomão, na era messiânica cada homem poderá entreter os amigos em seu lar, que ele possui em uma frutífera propriedade que também é sua. Quanto àquele *dia*, cf. 1Rs 4.25; Is 36.16 e Mq 4.4. Estes versículos descrevem dias de paz e prosperidade. *Yahweh dos Exércitos* foi quem nos deu essas boas-novas, e ele é quem cumprirá seu anúncio, como o Benfeitor de toda a humanidade.

E assim todo o Israel será salvo.

Romanos 11.26

CAPÍTULO QUATRO

O CANDELABRO DE OURO E AS DUAS OLIVEIRAS (4.1-14)

Temos aqui a *quinta* das oito visões noturnas dadas a Zacarias pela inspiração de Yahweh. Ver as notas expositivas sobre Zc 1.7, bem como o *gráfico* acompanhante. A essência da visão é que Israel será a luz dos gentios sob o Messias, o Rei-Sacerdote. Josué e Zorobabel eram, respectivamente, os líderes religioso e civil na época da restauração. Igualmente importantes eram eles, como tipos do Rei-Sacerdote que governará durante a era messiânica de mil anos futuros. As *sete lâmpadas* são os olhos de Yahweh que percorrem a terra inteira, tornando-o o Sábio Soberano que dirige todas as coisas. Ver o vs. 10. Sua luz rebrilha por todo o Israel e reflete-se para todas as outras nações, pelo que, em sentido real, mas secundário, Israel é a luz, tal como os crentes são subluzes, no tempo presente da igreja (ver Mt 5.14).

■ 4.1

וַיָּשָׁב הַמַּלְאָךְ הַדֹּבֵר בִּי וַיְעִירֵנִי כְּאִישׁ אֲשֶׁר־יֵעוֹר מִשְּׁנָתוֹ׃

Tornou o anjo que falava comigo, e me despertou. O anjo guia, intérprete (cf. Zc 1.8,9 e 2.3), voltou a estar com o profeta, trazendo-lhe outra visão para ser interpretada. O anjo encontrou Zacarias dormindo e teve de despertá-lo para que ele visse a próxima visão. Ou então podemos pensar que esse despertamento era espiritual, e não literalmente físico. O profeta precisou ser espiritualmente despertado, pois, do contrário, não veria nem entenderia apropriadamente. Parecia que o profeta, sob a pressão da revelação constante, tinha caído em alguma espécie de estupor ou letargia que lhe embotava os sentidos. Ele teve de ser preparado para mostrar-se *receptivo* a uma realidade espiritual superior.

■ 4.2,3

וַיֹּאמֶר אֵלַי מָה אַתָּה רֹאֶה וָאֹמַר רָאִיתִי וְהִנֵּה מְנוֹרַת זָהָב כֻּלָּהּ וְגֻלָּהּ עַל־רֹאשָׁהּ וְשִׁבְעָה נֵרֹתֶיהָ עָלֶיהָ שִׁבְעָה וְשִׁבְעָה מוּצָקוֹת לַנֵּרוֹת אֲשֶׁר עַל־רֹאשָׁהּ׃

וּשְׁנַיִם זֵיתִים עָלֶיהָ אֶחָד מִימִין הַגֻּלָּה וְאֶחָד עַל־שְׂמֹאלָהּ׃

E me perguntou: Que vês? Respondi: Olho, e eis um candelabro todo de ouro. A visão estava em progresso, e o anjo submeteu Zacarias a teste. "Que vês?", perguntou o anjo, para certificar-se de que o profeta agia como era devido. Não é clara a aparência exata do candelabro, o vaso no topo e os sete ramos do candelabro. Portanto, alguns intérpretes discordam quanto ao que deve dizer, exatamente, essa visão. Porém, isso não impede que o *sentido* seja claro. A NCV fornece a seguinte descrição: "Vejo um candelabro de ouro sólido. Há um vaso em cima. Há sete lâmpadas. Há também sete lugares para os pavios. Havia duas oliveiras perto do candelabro. Uma está do lado direito do vaso, e a outra está do lado esquerdo". "Esse candelabro, segundo todas as indicações, era parecido com o candelabro posto no tabernáculo de Israel (ver Êx 25.31-40) e também com o candelabro do templo de Salomão (ver 1Rs 7.49). No entanto, o candelabro do tabernáculo precisava ser cheio de azeite pelos sacerdotes, ao passo que esse era automaticamente cheio com interminável suprimento de azeite, sem a interferência de agentes humanos. Isso é indicado por três características significativas e peculiares: a. um *vaso* para guardar azeite estava suspenso por sobre o candelabro (vs. 2); b. o azeite era transportado pela força da gravidade da taça por meio de condutos de cada uma das sete lâmpadas. Isso nos fornece 49 condutos ao todo. 3. o candelabro estava ladeado por *duas oliveiras*, das quais saíam dois tubos de ouro, por onde fluía constantemente o azeite dourado para o vaso (vss. 3,11,12)" (F. Duane Lindsey, *in loc.*).

Outros intérpretes, entretanto, defendem ideias alternativas. Seja como for, esse aparelho com lâmpadas parecia ter por intuito ser *automático* como um aparelho de movimento perpétuo, que não precisa de força externa para continuar funcionando. As oliveiras enchiam continuamente o vaso; o vaso, por sua vez, continuamente supria os condutos com azeite, o qual queimava continuamente, e nenhum ser humano foi visto ao menos a tocar no mecanismo. Tratava-se, pois, de um mecanismo divino com um *modus operandi* divino. Os intérpretes batem a cabeça querendo emprestar significado a cada uma das partes do mecanismo, mas o profeta dificilmente tencionava isso, pois, do contrário, teria ajudado na compreensão de tais coisas. Assim sendo, temos, para exemplificar: o *azeite* — as operações do Espírito, ou as misericórdias e o amor de Deus; os *tubos* — que representam os meios de comunicação da graça e a abundância da luz provida pela graça divina; o *vaso* — que aponta para o meio de transmitir o azeite, a palavra de Deus, o ministério de Cristo etc.; os *sete tubos* — que são os meios espirituais de transmissão da graça divina, como a leitura, a audição da leitura da Palavra, a oração, os sacramentos, as boas obras etc.; as *sete lâmpadas* — o Espírito, a comunidade judaica, a igreja cristã, Cristo e seu ministério, a presença e as operações de Deus por todo o mundo e também a luz de Yahweh que brilha sobre Israel e sobre outras nações.

■ 4.4

וָאַ֙עַן֙ וָאֹמַ֔ר אֶל־הַמַּלְאָ֛ךְ הַדֹּבֵ֥ר בִּ֖י לֵאמֹ֑ר מָה־אֵ֖לֶּה אֲדֹנִֽי׃

Meu senhor, que é isto? Zacarias ficou perplexo diante da visão, e assim, uma vez mais, precisou apelar para a ajuda dada pelo anjo intérprete. A palavra "isto" refere-se ao mecanismo inteiro das lâmpadas, referido nos vss. 2 e 3. Cf. Zc 1.9,19; 4.4,11; 5.6 e 6.4. Na quinta e na sexta visão, o anjo perguntou de Zacarias se ele sabia o significado delas (ver Zc 4.2,5,13; 5.2). As explicações que se seguiram são muito gerais e deveriam desencorajar-nos de ver significados ocultos em cada parte do aparelho do candelabro.

■ 4.5

וַיַּ֙עַן֙ הַמַּלְאָ֜ךְ הַדֹּבֵ֤ר בִּי֙ וַיֹּ֣אמֶר אֵלַ֔י הֲל֥וֹא יָדַ֖עְתָּ מָה־הֵ֣מָּה אֵ֑לֶּה וָאֹמַ֖ר לֹ֥א אֲדֹנִֽי׃

Não sabes tu que é isto? Respondi: Não, meu senhor. Ou o anjo estava *brincando* com o profeta, admirado da ignorância dele nas interpretações, ou estava *admirado* sobre como o homem podia ser tão ignorante. Portanto, o anjo como que disse: "Que há contigo que, na qualidade de profeta de Yahweh, não podes compreender algo tão simples como isso?" Ou então a terceira possibilidade é que, mediante repetição, ele quis fazer o profeta *prestar mais atenção* e tentar mais arduamente compreender os enigmas espirituais. O anjo intérprete demorou-se um pouco sobre a ignorância humana, a fim de ensinar-nos a humildade.

■ 4.6

וַיַּ֜עַן וַיֹּ֣אמֶר אֵלַ֗י לֵאמֹר֙ זֶ֚ה דְּבַר־יְהוָ֔ה אֶל־זְרֻבָּבֶ֖ל לֵאמֹ֑ר לֹ֤א בְחַ֙יִל֙ וְלֹ֣א בְכֹ֔חַ כִּ֣י אִם־בְּרוּחִ֔י אָמַ֖ר יְהוָ֥ה צְבָאֽוֹת׃

Não por força nem por poder, mas pelo meu Espírito, diz o Senhor dos Exércitos. A resposta para o enigma da quinta visão noturna do profeta veio através da palavra de Yahweh, mediada pelo anjo intérprete. Não se deu por intermédio de nenhum esforço humano, por força ou por poder, mas pelo Espírito do Senhor, que é o que Yahweh dos Exércitos garantira. Quando um homem começa a pensar que é um deus, começa a agir como se fosse o diabo. As grandes verdades não são dadas por meio de homens glorificados, mas diretamente da parte do Espírito de Deus, e outro tanto se dá no tocante às obras realmente grandes e beneficentes. As *revelações* são dadas por Deus, e assim também o *labor eficaz*. O retorno do cativeiro, bem como a reconstrução da cidade e de seu templo, foram obras de Deus. Da mesma maneira que o candelabro de ouro foi colocado no lugar santo do tabernáculo (e do templo), "perante o Senhor; estatuto perpétuo será este *a favor* dos filhos de Israel pelas suas gerações" (Êx 27.21), assim também se deu com o novo santuário e seu candelabro.

Pois, embora essa obra tivesse sido realizada por mãos humanas, o poder por trás dela era divino. Outro tanto se diga no tocante à liderança civil de Zorobabel e à liderança sacerdotal de Josué. Estamos falando sobre instituições divinas e atos divinos.

■ 4.7

מִֽי־אַתָּ֧ה הַֽר־הַגָּד֛וֹל לִפְנֵ֥י זְרֻבָּבֶ֖ל לְמִישֹׁ֑ר וְהוֹצִיא֙ אֶת־הָאֶ֣בֶן הָרֹאשָׁ֔ה תְּשֻׁא֥וֹת חֵ֖ן חֵ֥ן לָֽהּ׃ פ

Quem és tu, ó grande monte? Diante de Zorobabel serás uma campina. O *grande monte* da resistência, o gigantesco labor que tinha de ser realizado no reinício das instituições para o templo reconstruído e para a cidade restaurada, podia ser removido por um Zorobabel dotado pelo Espírito Santo. Ele faria daquela montanha uma planície. Lançaria os alicerces do templo e o coroaria com sua "pedra de remate", ou seja, Zorobabel terminaria a obra, porquanto Deus operava por meio dele, conferindo-lhe força sobre-humana. Ele tinha lançado a pedra de esquina do alicerce e obteria sucesso, também lançando a pedra de remate. "Era costume os principais magistrados lançarem os alicerces e também a pedra de remate (cf. Ed 3.10)... Cf. Rm 11.26; Hb 11.40; 12.22,23; Ap 7.4-9" (Fausset, *in loc.*).

O sucesso seria comemorado pelos operários triunfantes. Eles gritariam: "É belo! É belo!" (NCV). Isso relembra que, no edifício de Deus, Cristo é a *pedra angular,* da esquina (Sl 118.22 e Ef 2.20). Cristo é a primeira pedra a ser lançada e também a última. Ele é tanto a estabilidade, a segurança, como o ornamento da edificação. A celebração e o regozijo dos judeus estão registrados em Ed 3.11-13. Diz o hebraico original, literalmente: "Graça! Graça!" A tradução NIV da Bíblia diz aqui: "Deus a abençoe! Deus a abençoe!"

■ 4.8,9

וַיְהִ֥י דְבַר־יְהוָ֖ה אֵלַ֥י לֵאמֹֽר׃

יְדֵ֣י זְרֻבָּבֶ֗ל יִסְּד֛וּ הַבַּ֥יִת הַזֶּ֖ה וְיָדָ֣יו תְּבַצַּ֑עְנָה וְיָ֣דַעְתָּ֔ כִּֽי־יְהוָ֥ה צְבָא֖וֹת שְׁלָחַ֥נִי אֲלֵיכֶֽם׃

Novamente me veio a palavra do Senhor... As mãos de Zorobabel lançaram os fundamentos desta casa. A palavra de revelação de Yahweh continuou a manifestar-se por meio do anjo intérprete, que continuou seu discurso de explicação. O que se segue também se originou em Deus. Zorobabel recebeu o privilégio de *iniciar* a obra de construção do segundo templo e também teve o privilégio de *terminar* a obra. Oh, Senhor, concede-nos tal graça! Mediante a observação dessa grande operação, seria reconhecido que Zacarias era verdadeiro profeta de Deus, porquanto as coisas aconteceriam da maneira como ele havia predito. Cf. Zc 2.9 e Ed 6.15. Zacarias era profeta autêntico, e o anjo intérprete forneceu-lhe a verdadeira interpretação da questão. Eles pertenciam à mesma equipe, e seus ministérios foram autenticados pelo cumprimento de suas palavras. Diz aqui o Targum: "Sabereis que o Senhor dos Exércitos me enviou a profetizar para vós".

■ 4.10

כִּ֣י מִ֣י בַז֮ לְי֣וֹם קְטַנּוֹת֒ וְשָׂמְח֗וּ וְרָא֞וּ אֶת־הָאֶ֧בֶן הַבְּדִ֛יל בְּיַ֥ד זְרֻבָּבֶ֖ל שִׁבְעָה־אֵ֑לֶּה עֵינֵ֣י יְהוָ֔ה הֵ֥מָּה מְשׁוֹטְטִ֖ים בְּכָל־הָאָֽרֶץ׃

Pois quem despreza o dia dos humildes começos, este alegrar-se-á vendo o prumo na mão de Zorobabel. Na verdade, quando o remanescente judeu voltou e começou a remover os escombros que estiveram no local do templo pelo espaço de setenta anos, as coisas tiveram pequena renovação. O magnífico edifício (o templo de Salomão) havia sido reduzido a um montão de pedras, e o segundo templo de Jerusalém seria uma edificação humilde. O novo dia foi pouco parecido com a época áurea do tempo de Salomão. Tanto os judeus como estrangeiros desprezaram aquele dia humilde, e duvidaram de que Deus estivesse em uma coisa tão insignificante. Mas um dia de regozijo estava para ocorrer. As coisas se tornariam muito melhores do que fora antecipado. O novo Israel estava tendo um novo começo, humilde, é verdade, mas pleno de potencial. Zorobabel estava lá fora com o prumo na mão, além de outros instrumentos de construção, dando um bom exemplo. Havia alegria em todo aquele processo, a despeito da nota azeda que os pessimistas soavam: "Eles se sentirão felizes quando virem Zorobabel com seus instrumentos, a edificar o templo" (NCV). Devemos compreender que aquele homem estava sendo guiado e dotado pela *Providência de Deus* (ver a respeito no *Dicionário*). Cf. este versículo com Ed 3.12,13 e Ag 2.3.

Aqueles sete olhos são os olhos do Senhor. De súbito, e quase como se fosse um pensamento posterior, o autor nos leva de volta a Zc 3.9 e 4.2, a questão sobre os *sete olhos* e as *sete lâmpadas*. Quase incidentalmente, foi dada a principal interpretação sobre o *candelabro*. As sete lâmpadas são os olhos do Senhor que percorrem a terra inteira. Sua sabedoria e poder são exercidos com soberania e recursos ilimitados. Ele tinha feito aquilo que lhe agradava na reconstrução do templo, por meio do que manifestaria sua Luz. "... a infinita *Providência de Deus*, simbolizada pelo *olho*, era intuitiva, onisciente, aprovando o bem, condenando o mal, amando, cuidando dos santos" (John Gill, *in loc.*). A despeito de muitos obstáculos (como a montanha do vs. 7) e adversários (os críticos referidos no vs. 10a), a *Providência de Deus* realizaria sua obra através de instrumentos escolhidos.

■ 4.11

וָאַ֣עַן וָאֹמַ֣ר אֵלָ֔יו מַה־שְּׁנֵ֤י הַזֵּיתִים֙ הָאֵ֔לֶּה עַל־יְמִ֥ין הַמְּנוֹרָ֖ה וְעַל־שְׂמֹאולָֽהּ׃

Que são as duas oliveiras à direita e à esquerda do candelabro? Neste ponto a atenção do profeta volta-se para as duas oliveiras, e ele pede que o anjo lhe dê informações a respeito. Ver o vs. 3, onde as duas oliveiras são mencionadas como parte do conjunto do candelabro. O profeta continuava admirado por causa dos aspectos da visão, e não obteria completa compreensão a respeito, sem alguma ajuda. Por isso, o anjo *intérprete* correu para auxiliá-lo.

■ 4.12

וָאַ֣עַן שֵׁנִ֔ית וָאֹמַ֣ר אֵלָ֔יו מַה־שְׁתֵּ֞י שִׁבֲּלֵ֣י הַזֵּיתִ֗ים אֲשֶׁר֙ בְּיַ֗ד שְׁנֵי֙ צַנְתְּר֣וֹת הַזָּהָ֔ב הַֽמְרִיקִ֥ים מֵעֲלֵיהֶ֖ם הַזָּהָֽב׃

Que são aqueles dois raminhos de oliveira, que estão junto aos dois tubos...? O profeta deixou bem clara a sua dúvida. Os dois *raminhos de oliveira* e os *tubos de ouro* são mencionados pela primeira vez. A descrição anterior deixara essas coisas de lado. "Os dois raminhos de oliveira derramavam azeite nos tubos de ouro, que fluíam para o vaso, e então através dos 49 canais para as sete lâmpadas" (F. Duane Lindsey, *in loc.*). Dou descrições sobre esse "aparelho automático de árvores-candeeiro", nas notas expositivas dos vss. 2 e 3, pelo que não as repito aqui. O presente versículo dá um pouco mais de informações sobre o *modus operandi* do aparelho de moto perpétuo que não precisava de ajuda externa. O candeeiro precisava de azeite para queimar e fornecer luz. Os dois raminhos de oliveira (para suprir azeite) e os tubos (para transportar o azeite para o candelabro) eram partes vitais da operação.

■ 4.13

וַיֹּ֤אמֶר אֵלַי֙ לֵאמֹ֔ר הֲל֥וֹא יָדַ֖עְתָּ מָה־אֵ֣לֶּה וָאֹמַ֖ר לֹ֥א אֲדֹנִֽי׃

Não sabes que é isto? Eu disse: Não, meu senhor. Tal como no vs. 5, o anjo intérprete estava admirado diante da ignorância do profeta, sobre algo que para o anjo parecia tão claro, ou então estava brincando com ele, procurando atrair-lhe maior atenção ao que via. O profeta já tinha confessado não saber o significado dos dois raminhos e dos tubos de ouro (vs. 12). O anjo demorou-se um pouco sobre o tema da ignorância humana para ensinar-nos a ser humildes.

■ 4.14

וַיֹּ֕אמֶר אֵ֖לֶּה שְׁנֵ֣י בְנֵֽי־הַיִּצְהָ֑ר הָעֹמְדִ֖ים עַל־אֲד֥וֹן כָּל־הָאָֽרֶץ׃

São os dois ungidos, que assistem junto ao Senhor de toda a terra. *A Interpretação.* As duas oliveiras (juntamente com seus tubos de ouro, para transportar o azeite) representavam os dois ungidos: Zorobabel, o principal líder civil, e Josué, o principal líder religioso. Esses eram aqueles que estavam próximos do Senhor e de seu candelabro, e faziam as coisas funcionar. Eram instrumentos especiais para a reconstrução da cidade e do templo. Seus nomes não são mencionados aqui, mas espera-se que relembremos Zc 3.8 e 4.7. "O sacerdote ungido e o príncipe ungido são mencionados juntamente neste último versículo para mostrar que seria mediante o trabalho conjunto deles que se cumpriria a prosperidade da nação" (Ellicott, *in loc.*). E também aprendemos que por trás de homens escolhidos acha-se em operação o soberano poder de Deus, pelo que a verdadeira origem do sucesso é o Ser divino. Cf. 1Jo 2.20,27.

O Tipo. Esses dois homens, naturalmente, eram tipos do Messias, que deveria combinar os ofícios em sua missão messiânica na era do reino. O candelabro, em sentido secundário, representa Israel como uma luz para as nações do reino (ver Is 42.6 e 49.6). Mas a Luz, em uma análise final, é divina. Somos assim relembrados das duas testemunhas de Ap 11.3-6, mas esse é apenas outro exemplo de como os instrumentos humanos são usados na obra divina.

CAPÍTULO CINCO

O ROLO VOLANTE (5.1-4)

Encontramos aqui a *sexta* das oito visões noturnas dadas a Zacarias pela inspiração de Yahweh. Ver as notas expositivas em Zc 1.7, bem como o *gráfico* acompanhante. A *essência* da sexta visão é a severidade e a totalidade do julgamento divino contra os israelitas.

"Nesta e na visão seguinte (ver Zc 4.5-11), Zacarias retorna ao tema que ele tocara em Zc 3.9, a saber, a remoção do pecado da terra como prelúdio necessário para a vinda da era messiânica. Ele viu um imenso rolo no qual estava escrita uma *maldição*, a voar sobre a terra da Palestina. Esse rolo é símbolo da maldição de Yahweh, que pairará sobre as casas dos ladrões e perjuros" (D. Winton Thomas, *in loc.*).

■ 5.1

וָאָשׁ֣וּב וָאֶשָּׂ֣א עֵינַ֔י וָאֶרְאֶ֖ה וְהִנֵּ֥ה מְגִלָּ֖ה עָפָֽה׃

Tornei a levantar os meus olhos, e vi, e eis um rolo volante. A revelação divina continuou a fluir através do profeta, presumivelmente durante a noite, tal como no caso das visões anteriores. Ele "levantou" os olhos e viu um grande rolo volante bem acima de sua cabeça. "Vss. 1-4. A sexto visão: um rolo volante. Vs. 1. O rolo representa a palavra materializada de Deus (ver Ez 2.9,10; Ap 10.9-11; cf. Jr 36.2)" (*Oxford Annotated Bible,* comentando sobre o vs. 1). As últimas três visões enfatizam o mesmo tema: a administração do julgamento divino. Esta sexta visão é simples e severa.

A Alusão. Havia um modo antigo de amaldiçoar certos indivíduos: tiras de papel eram inscritas com maldições. Essas tiras de papel eram lançadas no ar com a esperança de que o vento as levaria às casas contra as quais as maldições foram proferidas.

■ 5.2

וַיֹּ֣אמֶר אֵלַ֔י מָ֥ה אַתָּ֖ה רֹאֶ֑ה וָאֹמַ֗ר אֲנִ֤י רֹאֶה֙ מְגִלָּ֣ה עָפָ֔ה אָרְכָּהּ֙ עֶשְׂרִ֣ים בָּאַמָּ֔ה וְרָחְבָּ֖הּ עֶ֥שֶׂר בָּאַמָּֽה׃

Que vês? Eu respondi: Vejo um rolo volante. O anjo principal, intérprete, orientador (ver Zc 1.8,9; 2.3 e 4.1), tal como no caso de todas as visões, perguntou ao profeta o que ele estava vendo. Ele precisava estar certo de que aquilo que o profeta via era realmente o que se esperava que ele visse. Em seguida, o diálogo se encaminharia para a interpretação. As dimensões do rolo volante foram calculadas pelo profeta: cerca de 9 m por 4,5 m. Uma maldição estava escrita sobre o gigantesco rolo, consistindo em uma predição de melancolia e condenação. O julgamento divino em breve estaria atuando. O rolo fazia parte da lista negra de Yahweh, pois ele sabia quando era chegado o momento de ferir.

> Imaginas que conseguirás algum tempo vencer
> A sabedoria divina? E imaginas que conseguirás
> Que a retribuição fique distante dos mortais?

Bem perto, embora invisível, ele vê e sabe tudo,
E a quem deve ferir. Mas tu não sabes
Quando, repentina e subitamente.
Ele virá e arrebatará
Os perversos da face da terra.

Ésquilo

5.3

וַיֹּאמֶר אֵלַי זֹאת הָאָלָה הַיּוֹצֵאת עַל־פְּנֵי כָל־הָאָרֶץ כִּי כָל־הַגֹּנֵב מִזֶּה כָּמוֹהָ נִקָּה וְכָל־הַנִּשְׁבָּע מִזֶּה כָּמוֹהָ נִקָּה:

Então me disse: Esta é a maldição que sai pela face de toda a terra. No rolo volante estava escrita uma maldição de Yahweh, aplicável a todos os perversos da terra: os que furtassem seriam cortados; e também os que jurassem falso. Dois dos Dez Mandamentos foram usados como lembretes da totalidade, pois a conduta moral é julgada através da lei e, em tudo e em todos os lugares, os homens são achados culpados de inúmeras transgressões. Cf. Is 3.26. "Um lado diz que todo ladrão será despachado. O outro lado diz que todos os que fazem promessas falsas serão despachados" (NCV). O rolo, pois, foi escrito de ambos os lados, o que faz lembrar as duas tábuas da lei (ver Êx 32.15). O oitavo mandamento, contra o furto (ver Êx 20.15), e o nono mandamento, contra os falsos juramentos (ver Êx 20.16), foram destacados para servir de exemplos da lei inteira. Todos quantos violassem a lei, sem importar de que maneira, estariam sob a maldição divina. Mas o texto estava falando de pecadores notórios, os quais teriam de sofrer a ira de Deus. Provavelmente devemos compreender esta profecia como se incluísse os julgamentos necessários para a inauguração do reino de Deus, e não meramente o que Yahweh faria entre os povos, no tempo do profeta Zacarias.

5.4

הוֹצֵאתִיהָ נְאֻם יְהוָה צְבָאוֹת וּבָאָה אֶל־בֵּית הַגַּנָּב וְאֶל־בֵּית הַנִּשְׁבָּע בִּשְׁמִי לַשָּׁקֶר וְלָנֶה בְּתוֹךְ בֵּיתוֹ וְכִלַּתּוּ וְאֶת־עֵצָיו וְאֶת־אֲבָנָיו:

Fá-la-ei sair, diz o Senhor dos Exércitos, e a farei entrar na casa do ladrão. *Yahweh dos Exércitos* (título divino usado 47 vezes no livro de Zacarias) reafirmou as palavras da maldição. O rolo seria levado a voar pelos céus, conduzido pelos ventos, e repousaria sobre as casas dos ladrões e dos que jurassem falsamente em nome do Senhor. Ver as notas sobre o vs. 1, sob o título *A Alusão*. E, chegando às residências de tais pessoas, haveria de consumi-las por inteiro, juntamente com as famílias que ali residissem, nada deixando senão cinzas e um monte de pedras, com os ossos humanos jazendo ao redor. "Nos escritos de Heródoto (*Hist.* vi.86) há um paralelo interessante deste versículo. Certo milesiano havia depositado determinada soma de dinheiro na casa de Glauco. Quando os filhos do depositário vieram reivindicar o dinheiro, Glauco consultou o oráculo de Delfos para ver se não poderia aproveitar-se da ocasião e ficar com a quantia. A sacerdotisa lhe disse que era melhor, *pelo presente,* que ele fizesse como desejasse, visto que a morte é a sorte comum dos honestos e dos desonestos. 'Contudo', acrescentou ela, 'o Juramento tem um filho. Esse filho não tem nome, não tem mãos nem pés, mas é rápido quando está perseguindo a alguém. Ele continua perseguindo até que apanha esse alguém, e então destrói toda a sua raça e a sua casa'" (Ellicott, *in loc.*). Em outras palavras, agora mesmo (no presente) poderás escapar com a tua fraude e tirar proveito do engano, mas o futuro é outra história. Ali haverá retribuição. Cf. com Jó 15.28.

A MULHER NO EFA (5.5-11)

Temos aqui a *sétima* das oito visões conferidas a Zacarias por inspiração de Yahweh. Ver as notas expositivas sobre Zc 1.7, bem como o *gráfico* acompanhante. A *essência* da sétima visão é a remoção do pecado de Israel, a saber, sua *rebeldia* contra Yahweh.

"Esta visão continua o tema da visão anterior. O profeta viu o pecado da comunidade de Israel, personificado como mulher. O pecado foi recolhido e posto dentro de uma medida de efa. Pesada tampa foi posta em cima do efa e o conjunto foi levado pelos ares, por parte de duas mulheres, dotadas de asas como as de uma cegonha, até a Babilônia. Esse lugar é a casa da iniquidade. Um templo foi construído ali para receber o efa" (D. Winton Thomas, *in loc.*).

5.5

וַיֵּצֵא הַמַּלְאָךְ הַדֹּבֵר בִּי וַיֹּאמֶר אֵלַי שָׂא נָא עֵינֶיךָ וּרְאֵה מָה הַיּוֹצֵאת הַזֹּאת:

Saiu o anjo, que falava comigo, e disse: Levanta agora os teus olhos. O anjo principal, que era também o anjo orientador e intérprete (ver Zc 1.8,9; 2.3 e 4.1), disse ao profeta que levantasse os olhos para ver ainda outra visão admirável.

"Vss. 5-11... Judá seria purificado mediante o envio de seu pecado, personificado como uma mulher dentro de uma medida de efa, para a Babilônia, onde o efa seria adorado" (*Oxford Annotated Bible*, comentando sobre o vs. 1).

5.6

וָאֹמַר מַה־הִיא וַיֹּאמֶר זֹאת הָאֵיפָה הַיּוֹצֵאת וַיֹּאמֶר זֹאת עֵינָם בְּכָל־הָאָרֶץ:

Eu perguntei: Que é isto? Ele me respondeu: É um efa que sai. O termo *efa* pode indicar uma *medida* de cereal ou o *vaso* que continha o cereal. Neste caso, temos o último desses sentidos. Uma barrica ou cesto grande servia para conter essa medida, pois era um objeto doméstico comum. O *efa*, segundo estamos informados, podia ter entre cerca de 19 litros e 38 litros. Uma cesta que só contivesse isso seria pequena demais para conter um corpo de mulher, pelo que não devemos ser muito literais sobre a questão, e simplesmente imaginar um cesto grande, grande o bastante para conter uma mulher. A cesta e seu conteúdo representam toda a iniquidade da terra de Israel. Algo tinha de ser feito para livrar-se daquela carga terrível.

A Natureza da Comparação. O cereal bom tinha de ser separado da palha. A palha tinha de ser jogada fora. Ver Mt 13.30; o mato daninho tinha de ser separado do trigo.

5.7

וְהִנֵּה כִּכַּר עֹפֶרֶת נִשֵּׂאת וְזֹאת אִשָּׁה אַחַת יוֹשֶׁבֶת בְּתוֹךְ הָאֵיפָה:

Eis que foi levantada a tampa de chumbo, e uma mulher estava sentada dentro do efa. Para grande surpresa de todos, quando a tampa de chumbo foi levantada de cima da barrica ou cesta, havia uma mulher sentada lá dentro. "Eis!", diz a Septuaginta graficamente. A mulher (a iniquidade) era a mais *selvagem* de todas as feras (pois o que o pecado faz senão desgraçar os homens?), pelo que precisou ser cuidadosamente guardada dentro da cesta. O lugar apropriado da mulher é a Babilônia, onde os homens edificarão um templo para ela e a adorarão. Kimchi vê aqui as dez tribos de Israel, que tinham sido tiradas da Terra Prometida e levadas pelos assírios; mas a verdade é que a Babilônia está em vista (vs. 11). A nação de Judá foi levada para o cativeiro, na Babilônia, e essa foi uma experiência expurgadora. O povo judeu voltou da Babilônia, mas, idealmente, o pecado deles ficara para trás, na Babilônia.

5.8

וַיֹּאמֶר זֹאת הָרִשְׁעָה וַיַּשְׁלֵךְ אֹתָהּ אֶל־תּוֹךְ הָאֵיפָה וַיַּשְׁלֵךְ אֶת־אֶבֶן הָעֹפֶרֶת אֶל־פִּיהָ: ס

Prosseguiu o anjo: Isto é a impiedade. Agora o anjo identificou a mulher chamando-a de "iniquidade", ou seja, todos os pecados do povo de Israel. A mulher-fera de súbito deu um salto, tentando sair da cesta, mas o anjo fê-la voltar à sua prisão. Isso faz lembrar a caixa de Pandora, que continha todos os males conhecidos pelos homens. A caixa foi aberta, e aqueles males se espalharam por toda a terra, o que explica o *problema do mal*. No hebraico, a palavra aqui traduzida por "iniquidade" pertence ao gênero feminino, tal como em português, e isso pode ter sugerido a figura da mulher. Quando o anjo tornou a pôr a mulher dentro da cesta, fechou-a com a tampa. A providência divina estava trabalhando para livrar o povo de Israel de sua carga de pecados. A mulher já tinha causado grande confusão. Chegara o tempo de uma mudança para melhor.

Mulher. Provavelmente somos encorajados a pensar na história de como o mal entrou originalmente no mundo: a *mulher* foi enganada e, subsequentemente, "contaminou" o marido. Ver Gn 3.12,13. Na mente dos hebreus havia conexão natural entre a mulher e o pecado. Cf. com a prostituta da Babilônia, em Ap 17.1,15,16.

■ **5.9**

וָאֶשָּׂא עֵינַי וָאֵרֶא וְהִנֵּה שְׁתַּיִם נָשִׁים יוֹצְאוֹת וְרוּחַ בְּכַנְפֵיהֶם וְלָהֵנָּה כְנָפַיִם כְּכַנְפֵי הַחֲסִידָה וַתִּשֶּׂאנָה אֶת־הָאֵיפָה בֵּין הָאָרֶץ וּבֵין הַשָּׁמָיִם:

Levantei os meus olhos, e vi, e eis que saíram duas mulheres. Então ocorreu outra surpresa: *duas mulheres voadoras* estavam acima da cabeça do profeta, cada qual dotada de grandes asas, que se assemelhavam às asas de uma cegonha, e o vento tangia as mulheres com incrível rapidez. As mulheres naturalmente eram *anjos ministros de Yahweh*, quanto a uma admirável variedade de tarefas. Os intérpretes tentam encontrar simbolismos nessas mulheres, como a interpretação que diz que elas representam a Assíria e a Babilônia, que haviam castigado tanto Israel quanto Judá, e assim levaram seus pecados. Outros estudiosos fazem dessas mulheres *forças demoníacas* que buscam "proteger" a dama iníqua, levando-a para os santuários da Babilônia. Todas essas interpretações, porém, servem apenas para complicar um significado simples: Yahweh se livraria do pecado de Israel por seus agentes de graça e poder, de acordo com as provisões de sua providência e de seu poder soberano.

■ **5.10**

וָאֹמַר אֶל־הַמַּלְאָךְ הַדֹּבֵר בִּי אָנָה הֵמָּה מוֹלִכוֹת אֶת־הָאֵיפָה:

Então perguntei ao anjo que falava comigo: Para onde levam elas o efa? As intenções dos anjos eram óbvias. Eles estavam tirando aquela grande carga de pecados. Mas, porventura, tinham algum destino específico? Era isso o que o profeta queria saber, pelo que ele pediu que o anjo, que era guia e instrutor, o ajudasse a descobrir a resposta. Note o leitor que o profeta não perguntou qual era o sentido das duas criaturas parecidas com pássaros, provavelmente por saber que estava observando uma operação angelical.

■ **5.11**

וַיֹּאמֶר אֵלַי לִבְנוֹת־לָה בַיִת בְּאֶרֶץ שִׁנְעָר וְהוּכַן וְהֻנִּיחָה שָּׁם עַל־מְכֻנָתָהּ: ס

Para edificarem àquela mulher uma casa na terra de Sinear. A resposta estava em consonância com a razão esclarecida. A mulher pecaminosa teria um templo construído para ela, e seria adorada naquele lugar de maldade, a Babilônia, como se fosse uma deusa. *Sinear* era o antigo nome da Babilônia. Ver Gn 11.2. Os pecados de Israel seriam deixados ali, como se ali fosse um lugar apropriado. Pode haver aqui um subentendido sobre o cativeiro babilônico. Judá levou seus pecados para lá e foi castigado. Então o povo judeu ficou livre, mas seus pecados permaneceram ali. Isaías enfatizou muitas sátiras sobre ídolos que ressaltavam esse ponto (ver Is 44.9-20; 46.1,2). A idolatria-adultério-apostasia de Judá seria levada e entronizada algures. Então o plano para Israel poderia prosseguir. Alguns veem nisso uma promessa escatológica sobre a conversão de Israel antes da inauguração do reino de Deus. Seja como for, o pecado encontrou lar natural na Babilônia, e ali foi adorada a mulher que representava o pecado. Zacarias estava mostrando-se irônico. Por outra parte, que está mais entronizado na vida e no coração dos homens do que seus ídolos pecaminosos? Quantos homens não têm e adoram ídolos pecaminosos? Assim a promessa de Zc 3.9 se cumpre:

Tirarei a iniquidade desta terra em um só dia.

"Oh, Senhor, salva o teu povo, o remanescente de Israel!" (Adam Clarke, *in loc.*).

"Nosso destino parece ser lutar por toda a nossa longa vida, combatendo o bom combate, engajados no nobre conflito; lutar contra os muitos adversários que se lançam, armados, contra nós. Ao longo do caminho, colhemos consideráveis frutos, derivados desse conflito interminável; mas o resultado final e o dia de prestação de contas estão nas mãos de Deus... Podemos deixar o resultado com Deus, com toda a segurança. Nossa tarefa diária é vestir-nos de toda a armadura de Deus para que possamos resistir ao dia mau e, tendo feito tudo, resistir firmes (ver Ef 6.13)" (Theodore Cuyler Speers, *in loc.*).

CAPÍTULO SEIS

OS QUATRO CARROS (6.1-8)

Encontramos aqui a *oitava* das oito visões noturnas concedidas a Zacarias por inspiração de Yahweh. Ver as notas expositivas sobre Zc 1.7, bem como o *gráfico* acompanhante. A *essência* da oitava visão é o julgamento divino das nações.

Cavalos de diferentes colorações puxavam quatro carruagens. Os cavalos seguiam entre duas montanhas de bronze e se dirigiam aos quatro pontos da terra. O propósito deles era executar o juízo. O cavalo que se dirigia para o *norte* tinha a tarefa específica de rebaixar a Babilônia, que tanto tinha prejudicado a Israel. A primeira visão de Zacarias também tinha cavalos, pelo que aqui, na oitava visão, completamos o círculo. Por toda a parte temos o ministério dos anjos a executar a vontade de Yahweh. Supõe-se que compreendamos uma visão a longo prazo, para que o cumprimento maior sobre eles ocorra nos últimos dias, antes que a era do reino seja inaugurada.

■ **6.1**

וָאָשֻׁב וָאֶשָּׂא עֵינַי וָאֶרְאֶה וְהִנֵּה אַרְבַּע מַרְכָּבוֹת יֹצְאוֹת מִבֵּין שְׁנֵי הֶהָרִים וְהֶהָרִים הָרֵי נְחֹשֶׁת:

Outra vez levantei os meus olhos, e vi, e eis que quatro carros saíam dentre dois montes. A *oitava visão* foi dada quando o profeta ergueu os olhos espirituais para o céu. Talvez devamos compreender que todas as oito visões foram dadas em uma única noite. O profeta viu duas grandes montanhas de bronze, e de entre as montanhas saíam *quatro carros*. O bronze fornece a nota-chave, pois esse é o metal com o qual os instrumentos de guerra eram feitos na antiguidade; era o metal da destruição e da guerra, e simbolizava o *julgamento*. Cf. Ap 1.15 e 2.18. O original hebraico tem o artigo definido, "as duas montanhas", o que pode indicar que lugares bem conhecidos estavam envolvidos na imagem, como os montes Sião ou das Oliveiras (cf. Zc 14.4). No entanto, o profeta não viu montes comuns e, sim, montanhas de bronze.

■ **6.2,3**

בַּמֶּרְכָּבָה הָרִאשֹׁנָה סוּסִים אֲדֻמִּים וּבַמֶּרְכָּבָה הַשֵּׁנִית סוּסִים שְׁחֹרִים:

וּבַמֶּרְכָּבָה הַשְּׁלִשִׁית סוּסִים לְבָנִים וּבַמֶּרְכָּבָה הָרְבִעִית סוּסִים בְּרֻדִּים אֲמֻצִּים:

No primeiro carro os cavalos eram vermelhos, no segundo, pretos. No terceiro, brancos, e no quarto, baios. *As quatro cores dos cavalos:* vermelhos; pretos; brancos; baios com malhas. As muitas cores talvez subentendam a *universalidade* do julgamento, o que também é refletido nas *quatro direções* para as quais eles seguiam (vss. 4 e 5). Ademais, cada julgamento particular tem suas próprias características e seus tratos divinos específicos. Cada lugar seria julgado em harmonia com seus próprios méritos ou deméritos. Contudo, o autor sagrado não emprestou nenhuma significação às cores, pelo que os intérpretes se esforçam para preencher o hiato de informação: vermelho, guerra, derramamento de sangue; preto, morte e fome; branco: triunfo e vitória; baio com malhas: pestilência, pragas, variedade de elementos de julgamento. Cf. Ap 6.1-8, passagem que provavelmente se escuda sobre este trecho de Zacarias, ou seja, foi sugerida pelo que lemos aqui. Note o leitor que os "cavalos" cuja cor é especificada puxavam, cada um deles, o seu carro. Provavelmente devemos pensar em cavalos atrelados aos *pares*, pois os carros de combate eram puxados por um ou dois cavalos.

A interpretação desses dois versículos foi refinada ao ponto de que cada par de cavalos aparece como representação da queda de um império específico — vermelhos: os caldeus derrubaram os assírios; negros: os persas derrubaram os babilônios; branco: os gregos (no tempo de Alexandre, o Grande) derrubaram os persas; baios com malhas: os romanos derrubaram os gregos. Esse, porém, é um refinamento que podemos ignorar com segurança.

■ 6.4

וָאַ֣עַן וָאֹמַ֔ר אֶל־הַמַּלְאָ֥ךְ הַדֹּבֵ֖ר בִּ֑י מָה־אֵ֖לֶּה אֲדֹנִֽי׃

Então perguntei ao anjo que falava comigo: Que é isto, meu senhor? A pergunta padrão foi feita pelo profeta, que nunca entendia suas próprias visões sem a ajuda do anjo guia e intérprete. "Que é isto?", cujo sentido é: "Como devo compreender o que acabo de ver?" Cf. Zc 1.9,19; 4.4 e 5.6.

■ 6.5

וַיַּ֣עַן הַמַּלְאָ֔ךְ וַיֹּ֖אמֶר אֵלָ֑י אֵ֗לֶּה אַרְבַּ֤ע רֻחוֹת֙ הַשָּׁמַ֔יִם יוֹצְא֕וֹת מֵֽהִתְיַצֵּ֖ב עַל־אֲד֥וֹן כָּל־הָאָֽרֶץ׃

São os quatro ventos do céu, que saem donde estavam. A resposta do anjo foi que os *quatro cavalos* de cores diferentes (vss. 2,3) representavam os "quatro ventos", os quais, por sua vez, representavam as quatro direções da bússola, ou seja, *toda a terra,* por onde quer que os juízos de Deus devessem ir. Por trás de seus atos, e dando-lhes forças, estava o Senhor de toda a terra. O nome divino aqui é *Adonai,* que significa *Soberano.* O Deus Soberano foi quem enviou os quatro cavalos aos quatro pontos da terra, para executar seus juízos. Cf. Zc 2.6. Ver também Sl 148.8; Jr 49.36; Dn 7.2 e Ap 7.1. A profecia, em seus aspectos a longo prazo, chega a afetar a preparação para a inauguração da era do reino (e do milênio, segundo alguns asseveram).

■ 6.6

אֲשֶׁר־בָּ֗הּ הַסּוּסִ֤ים הַשְּׁחֹרִים֙ יֹֽצְאִים֙ אֶל־אֶ֣רֶץ צָפ֔וֹן וְהַלְּבָנִ֖ים יָצְא֣וּ אֶל־אַֽחֲרֵיהֶ֑ם וְהַ֨בְּרֻדִּ֔ים יָצְא֖וּ אֶל־אֶ֥רֶץ הַתֵּימָֽן׃

O carro em que estão os cavalos pretos sai para a terra do norte. O par de *cavalos negros* (vs. 2) dirigiu-se ao norte, onde estava a Babilônia, e isso foi mencionado em primeiro lugar, porquanto havia a questão crítica da hora: o que Deus faria com aquela monstruosidade que tinha ferido a tantas nações e saía ao redor como se fosse uma fera destruindo tudo à sua frente. A resposta é que os babilônios receberiam o *cavalo da morte.* Os babilônios receberiam o que tinham dado, em harmonia com a *Lei Moral da Colheita segundo a Semeadura* (ver a respeito no *Dicionário*).

O dos brancos após eles. O par de *cavalos brancos* dirigiu-se ao ocidente, para as costas do mar Mediterrâneo, a fim de ferir os poderes marítimos.

O dos baios paras a terra do sul. Os *cavalos baios malhados* dirigiram-se ao *sul,* isto é, para o Egito, tradicional inimigo de Israel e poder que sempre se envolvia na destruição. O *leste,* entretanto, ficou de fora, pois o autor sagrado não estava interessado em detalhes. Mas mesmo assim recebemos uma mensagem geral que é bastante clara. Os julgamentos divinos serão universais, e nenhuma nação e nenhum indivíduo pecaminoso poderá escapar da punição merecida por causa de sua rebeldia e de seus pecados.

■ 6.7

וְהָאֲמֻצִּ֣ים יָצְא֗וּ וַיְבַקְשׁוּ֙ לָלֶ֣כֶת לְהִתְהַלֵּ֣ךְ בָּאָ֔רֶץ וַיֹּ֕אמֶר לְכ֖וּ הִתְהַלְּכ֣וּ בָאָ֑רֶץ וַתִּתְהַלַּ֖כְנָה בָּאָֽרֶץ׃

Saem assim os cavalos fortes. Os cavalos eram cavalos de guerra, pelo que também *ansiavam* por chegar aonde iam, com sua missão de matança. Eles estavam "impacientes". Queriam chegar a seu destino e patrulhar; por isso Yahweh deu-lhes ordem para partir. A *ira divina* estava a caminho (cf. Ez 15.13; 16.42 e 24.13). A Babilônia seria julgada em primeiro lugar, e então a melancolia e a condenação avançariam contra as outras nações. Ver Zc 5.5-11; Ap 18.2,10,21; 19.1-3. As nações sentiam-se seguras, mas não era essa a realidade delas (ver Zc 1.15). Haveria um justo julgamento divino (ver Ap 19.2,15-19).

■ 6.8

וַיַּזְעֵ֣ק אֹתִ֔י וַיְדַבֵּ֥ר אֵלַ֖י לֵאמֹ֑ר רְאֵ֗ה הַיּֽוֹצְאִים֙ אֶל־אֶ֣רֶץ צָפ֔וֹן הֵנִ֥יחוּ אֶת־רוּחִ֖י בְּאֶ֥רֶץ צָפֽוֹן׃ ס

Eis que aqueles que saíram para a terra do norte fazem repousar o meu Espírito na terra do norte. A terra do norte era a Babilônia, e esse é o item enfatizado no texto. O anjo intérprete clamou contra esse país. Aqui, o Espírito é o agente da ira de Deus, e ele não descansará enquanto a tarefa não estiver completa. Somente quando a Babilônia fosse aniquilada, ele descansaria. A taça da iniquidade estava cheia e tinha soado a hora da retribuição. Os medos e persas foram os instrumentos humanos, mas o poder era a força do Deus Soberano, o qual derrubou os babilônios e ergueu Israel para o seu novo dia.

COROAMENTO SIMBÓLICO DE ZOROBABEL COMO REI MESSIAS (6.9-15)

■ 6.9

וַיְהִ֥י דְבַר־יְהוָ֖ה אֵלַ֥י לֵאמֹֽר׃

A palavra do Senhor veio a mim. A presente seção atua como uma espécie de apêndice histórico-profético que aborda o coroamento simbólico de Zorobabel como Rei Messias. Como é óbvio, ele tipificava o vindouro Messias da linhagem davídica. Zorobabel pertencia à família real, mas nunca foi rei. Contudo, sendo governador de Israel durante o domínio medo-persa, isso o tornava uma figura real. Josué, o sumo sacerdote, estava ao seu lado, em harmoniosa cooperação, e representava o lado sacerdotal do ofício messiânico. Esta seção faz lembrar o recolhimento do povo disperso de Israel, uma promessa escatológica. Alguns estudiosos supõem que a forma original desta seção se referisse somente a Zorobabel, mas, em alguma revisão, Josué também foi mencionado, fato que explicaria algumas declarações estranhas.

"As oito visões noturnas foram levadas a uma conclusão com um oráculo divino endereçado a Zorobabel. Deus o instruiu a realizar um ato simbólico mediante o coroamento de Josué, o sumo sacerdote. Josué representava aqui o *Renovo,* o Messias, que reedificaria o futuro templo e seria, ao mesmo tempo, Sacerdote e Rei" (F. Duane Lindsey, *in loc.*). Cf. Zc 3.8 quanto à *doutrina do Renovo.*

A *palavra inspirada* de Yahweh confere-nos a seção que se segue – Zacarias era seu profeta autorizado e transmitiu muitas visões e oráculos. Essa declaração é a afirmação típica sobre o trabalho dos profetas do Antigo Testamento. Ver no *Dicionário* os verbetes denominados *Revelação; Inspiração* e *Profecia; Profetas e o Dom da Profecia.*

■ 6.10

לָק֙וֹחַ֙ מֵאֵ֣ת הַגּוֹלָ֔ה מֵחֶלְדַּ֕י וּמֵאֵ֥ת טוֹבִיָּ֖ה וּמֵאֵ֣ת יְדַֽעְיָ֑ה וּבָאתָ֤ אַתָּה֙ בַּיּ֣וֹם הַה֔וּא וּבָ֗אתָ בֵּ֚ית יֹאשִׁיָּ֣ה בֶן־צְפַנְיָ֔ה אֲשֶׁר־בָּ֖אוּ מִבָּבֶֽל׃

Recebe dos que foram levados cativos, a saber, de Heldai, de Tobias e de Jedaías. Com leve emenda do texto hebraico obteremos: "Toma os presentes dos exilados, Heldai, Tobias e Jedaías... que vieram da Babilônia". "Deles obtém prata e ouro" (NCV). Desses materiais deveria ser feita uma coroa para o Messias-Sacerdote. Ver sobre os nomes próprios no *Dicionário.* "Os nomes referidos neste versículo falam daqueles a quem foram entregues vasos de prata e de ouro do templo, e que poderiam ter lingotes desses metais preciosos com propósitos especiais" (Adam Clarke, *in loc.*). Cf. Ed 4.1 e 6.19.

Heldai é chamado Helém no vs. 14. Nomes de pessoas desconhecidas eram preservadas no relato sagrado por causa de algum serviço especial que elas tivessem realizado, e assim também acontece com todos os homens autênticos. Ver Ap 2.17 no *Novo Testamento Interpretado* quanto à doutrina da *pedra branca:* cada pessoa é ímpar e tem uma missão ímpar para cumprir, e isso se estende por um tempo muito longo, e não meramente para o tempo da vida terrena.

6.11

וְלָקַחְתָּ כֶסֶף־וְזָהָב וְעָשִׂיתָ עֲטָרוֹת וְשַׂמְתָּ בְּרֹאשׁ יְהוֹשֻׁעַ בֶּן־יְהוֹצָדָק הַכֹּהֵן הַגָּדוֹל:

Recebe, digo, prata e ouro, e faze coroas. O ouro e a prata seriam usados para fabricar *coroas,* possivelmente uma para Zorobabel e outra para Josué. O Messias seria coroado como Rei Messias. Este versículo menciona apenas Josué, mas alguns eruditos acreditam que, originalmente, a passagem se referisse a Zorobabel, e, mais tarde, foi modificada para nomear Josué. A Septuaginta tem tanto o verbo quanto o substantivo no singular; mas essa foi uma modificação simplificadora, visto que o plural causa confusão se nos referirmos a apenas um homem que deve usar a coroa. O texto massorético, entretanto, tem o plural, *coroas.* Ver no *Dicionário* o verbete chamado *Massora (Massorah); Texto Massorético.* Os críticos pensam que Zorobabel foi retirado do texto sagrado porque a história subsequente provou que ele não era, em nenhum sentido, o Messias. Melquisedeque foi um rei-sacerdote (ver Sl 110). Naquele tempo, após o cativeiro, os sumos sacerdotes possuíam grande autoridade e eram virtualmente reis. Essa circunstância pode ter inspirado o modo de expressão do presente contexto. A conjectura diz que o plural do original hebraico refere-se a *dupla coroa* de alguma espécie. Ou então é um *plural majestático.* Mas essas são conjecturas e maneiras pobres de resolver o problema. Ver no *Dicionário* o artigo chamado *Coroa,* quanto a detalhes.

6.12

וְאָמַרְתָּ אֵלָיו לֵאמֹר כֹּה אָמַר יְהוָה צְבָאוֹת לֵאמֹר הִנֵּה־אִישׁ צֶמַח שְׁמוֹ וּמִתַּחְתָּיו יִצְמָח וּבָנָה אֶת־הֵיכַל יְהוָה:

Assim diz o Senhor dos Exércitos: Eis aqui o homem cujo nome é Renovo. Yahweh dos Exércitos (título divino usado 47 vezes nesse livro) deu as ordens e guiou os procedimentos. O *Renovo,* o Rei-Sacerdote, usa a coroa, e em suas mãos foi entregue a tarefa de continuar a obra do templo. Simbolicamente, Josué refere-se à era do reino e à renovação que nesse tempo haverá do culto a Yahweh, na nação de Israel, talvez com um templo literal construído com esse propósito, que os dispensacionalistas supõem ser esse o caso. "O coroamento teve típica significação que apontava para o Messias como *Rei-Sacerdote,* como o foi Melquisedeque, séculos antes (ver Gn 14.18-20; Sl 110.4; Hb 7.11-21). *Renovo* é um título messiânico, conforme vemos em Zc 3.8" (F. Duane Lindsey, *in loc.*). Note o leitor que a promessa de reconstruir o segundo templo foi dada originalmente a Zorobabel (Zc 4.9), e isso parece indicar, conforme dizem os críticos, que esta seção se referia originalmente a ele. A construção incluía Josué somente de maneira incidental. O *governador,* como é claro, arcaria com o peso dessa responsabilidade. Cf. este versículo com Is 2.2-4; 56.6,7; Ez 40-46 e Mq 4.1,2. Alguns intérpretes vão ao extremo de conjecturar que a atual seção não se refere ao segundo templo, mas ao templo milenial, que o Rei Messias construirá. Mas se isso poderia estar em vista, dentro do aspecto profético a longo prazo do texto, é óbvio que o assunto histórico é o segundo templo de Jerusalém.

6.13

וְהוּא יִבְנֶה אֶת־הֵיכַל יְהוָה וְהוּא־יִשָּׂא הוֹד וְיָשַׁב וּמָשַׁל עַל־כִּסְאוֹ וְהָיָה כֹהֵן עַל־כִּסְאוֹ וַעֲצַת שָׁלוֹם תִּהְיֶה בֵּין שְׁנֵיהֶם:

Ele mesmo edificará o templo do Senhor, e será revestido de glória. Segundo os críticos, este versículo é absolutamente conclusivo para a ideia de que Zorobabel era o sujeito original do texto. O edificador do templo tinha autoridade *real* — ele governava de seu trono. E, ao seu lado, ele contava com um sacerdote que o ajudava! Haveria um entendimento pacífico entre eles, pelo que trabalhavam sempre de modo harmônico. O homem revestido de autoridade real era Zorobabel, e o sacerdote ao seu lado era Josué. Portanto, mesmo quando o rei não é chamado por nome, certamente é identificado como separado de Josué. Para evitar o significado óbvio deste versículo, alguns intérpretes transferem a cena para a futura era do reino de Deus e fazem com que o Messias seja ajudado por um sacerdote levítico. Então o Messias terá funções tanto sacerdotais quanto reais. Através dessa interpretação, a seção torna-se uma profecia escatológica, que nada tem a ver com a história dos dias de Zacarias. Porém, é melhor compreender que houve uma adaptação do texto de Zorobabel para Josué. Estão em pauta questões históricas, e não meramente proféticas. Não obstante, o vs. 13 mostra que a adaptação foi imperfeita, pois Zorobabel surge de repente, tendo como assistente um sacerdote (Js).

6.14

וְהָעֲטָרֹת תִּהְיֶה לְחֵלֶם וּלְטוֹבִיָּה וְלִידַעְיָה וּלְחֵן בֶּן־צְפַנְיָה לְזִכָּרוֹן בְּהֵיכַל יְהוָה:

As coroas serão para Helém, para Tobias, para Jedaías e para Hem. As *coroas* são agora entregues àqueles que as usariam, e elas se tornariam um memorial para os que haviam trazido ouro e prata para seu fabrico, a saber, as pessoas mencionadas no vs. 10, cujos nomes são repetidos aqui. A ideia, nesta passagem, parece ser que as coroas serão entregues ao segundo templo, como lembretes do dia memorável quando forem restauradas as funções real e sacerdotal. Talvez a ideia seja que essas coroas seriam penduradas em algum lugar conspícuo, para serem vistas por todos os passantes, os quais, ao vê-las, lembrar-se-iam do que a graça de Yahweh fizera "ontem". A delegação vinda da Babilônia se compunha de homens piedosos que realizavam sua porção do processo. Esses homens não seriam esquecidos. Eles se mostraram fiéis em um pequeno aspecto de uma grande obra. Portanto, hoje em dia lemos seus nomes e os honramos por causa do que fizeram. Yahweh os favorecerá; ele favorecerá Zorobabel e Josué; ele favorecerá o segundo templo. E ele favorece todos os que realizam as tarefas de que foram incumbidos, sejam elas grandes ou pequenas.

> Oh, Deus de todos!
> Ouve-nos quando clamarmos.
> Ajuda-nos um e todos
> Pela tua graça.
> Quando a batalha tiver terminado,
> E a vitória tiver sido conquistada,
> Que usemos a coroa
> Perante a tua face!
>
> William F. Sherwin

6.15

וּרְחוֹקִים יָבֹאוּ וּבָנוּ בְּהֵיכַל יְהוָה וִידַעְתֶּם כִּי־יְהוָה צְבָאוֹת שְׁלָחַנִי אֲלֵיכֶם וְהָיָה אִם־שָׁמוֹעַ תִּשְׁמְעוּן בְּקוֹל יְהוָה אֱלֹהֵיכֶם: ס

Aqueles que estão longe virão, e ajudarão no edificar o templo do Senhor. Foi prometido que Zorobabel desfrutaria de muita ajuda na edificação do templo de Jerusalém. Pessoas vindas de longe chegariam para ajudar. Não estão em mira os pagãos, entretanto. Pelo contrário, o remanescente judeu, que estava disperso, viria, formando uma corrente humana contínua, com o propósito de trabalhar. Ver Is 60.4,9. Cf. Dt 28.1. Alguns eruditos veem aqui uma profecia sobre a construção do templo milenial, e apontam Is 60.5,9,11; 61.6 e Hc 2.7,8. Outros eruditos pensam estar em pauta a missão da igreja e a edificação do templo espiritual (ver Ef 2.20). O sucesso, seja como for, é prometido aos que *obedecem* às ordens de *Yahweh-Elohim,* o Deus Eterno e Todo-poderoso, o diretor de todo o labor espiritual.

Aqueles que estão longe virão. Haverá grande ajuntamento dos judeus até ali dispersos; haverá a restauração da nação de Israel-Judá. E alguns intérpretes veem nessas palavras o recolhimento das nações gentílicas, por igual modo (ver Mq 4.1,2; Is 11.9).

CAPÍTULO SETE

A EMBAIXADA VINDA DE BETEL (7.1—8.23)

A INQUIRIÇÃO (7.1-3)

Cerca de dois anos depois de suas *visões noturnas* (7 de dezembro de 518 a.C.; cf. o vs. 1 com Zc 1.7), que foi mais ou menos o meio caminho na reconstrução do templo, Zacarias entregou *quatro mensagens*. Elas foram dadas como resposta a uma delegação que viera a Jerusalém perguntar se a nação deveria continuar jejuando em memória da destruição de Jerusalém. Esses delegados tinham nomes estrangeiros, mas sem dúvida eram judeus, e não convertidos ao judaísmo. Eles chegaram de Betel, que ficava cerca de 19 km ao norte de Jerusalém. Esse lugar fora o centro da adoração apostatada do reino do norte, Israel (ver 1Rs 12.28,29; 13.1; Am 7.13), mas tudo se havia acabado fazia agora muito tempo. O yahwismo voltara a dominar entre os israelitas. A resposta do profeta, em sua essência, foi que tal jejum e lamentação tinham pouco valor espiritual, e o povo deveria ocupar-se com coisas mais importantes.

■ 7.1

וַיְהִי֙ בִּשְׁנַ֣ת אַרְבַּ֔ע לְדָרְיָ֖וֶשׁ הַמֶּ֑לֶךְ הָיָ֤ה דְבַר־יְהוָה֙ אֶל־זְכַרְיָ֔ה בְּאַרְבָּעָ֛ה לַחֹ֥דֶשׁ הַתְּשִׁעִ֖י בְּכִסְלֵֽו׃

No quarto ano do rei Dario, veio a palavra do Senhor a Zacarias. Cf. esse *quarto ano* com o segundo ano de Dario, mencionado em Zc 1.1. Corria o ano de 518 a.C.; e o mês foi o *nono* mês, a saber, quisleu (nome babilônico), correspondente ao nosso mês de dezembro. Cf. também Hc 1.1. Uma das fontes informativas fornece a data exata, 7 de dezembro de 518 a.C. Naquele mesmo dia, veio novamente a palavra de Yahweh ao profeta Zacarias, o que significa que as revelações divinas continuavam. Cf. o vs. 4, onde a mensagem é dada. Ver também os vss. 8; 8.1,18. As quatro mensagens de Zacarias foram dadas por inspiração divina.

■ 7.2

וַיִּשְׁלַח֙ בֵּֽית־אֵ֔ל שַׂר־אֶ֕צֶר וְרֶ֥גֶם מֶ֖לֶךְ וַאֲנָשָׁ֑יו לְחַלּ֖וֹת אֶת־פְּנֵ֥י יְהוָֽה׃

Quando de Betel foram enviados Sarezer e Regém-Meleque, e seus homens. A delegação vinda de Betel era encabeçada por *Sarezer* e *Regém-Meleque*. Quanto ao pouco que se sabe ou se conjectura sobre essas duas personagens, ver os artigos correspondentes no *Dicionário*. Esses dois homens chegaram humildemente, fazendo uma busca espiritual verdadeira e tentando conformar-se o mais que podiam ao yahwismo, que fora restabelecido na Terra Prometida. Aqui não há referência direta a Betel, mas é isso o que diz a Septuaginta, em lugar de "casa de Deus". Todavia, essa poderia ser uma referência ao segundo templo de Jerusalém, ao qual os enviados tinham chegado. O original hebraico é um tanto obscuro, o que força os intérpretes a conjecturar. A obscuridade do hebraico pode ser devida à má preservação do original.

■ 7.3

לֵאמֹ֗ר אֶל־הַכֹּֽהֲנִים֙ אֲשֶׁר֙ לְבֵית־יְהוָ֣ה צְבָא֔וֹת וְאֶל־הַנְּבִיאִ֖ים לֵאמֹ֑ר הַאֶבְכֶּה֙ בַּחֹ֣דֶשׁ הַחֲמִשִׁ֔י הִנָּזֵ֕ר כַּאֲשֶׁ֣ר עָשִׂ֔יתִי זֶ֖ה כַּמֶּ֥ה שָׁנִֽים׃ פ

Continuaremos nós a chorar, com jejum, no quinto mês, como temos feito por tantos anos? Os delegados apresentaram suas perguntas aos sacerdotes e profetas do segundo templo (casa) de Yahweh dos Exércitos (título divino que aparece 47 vezes nesse livro). Eles estavam apelando para a corte suprema da Terra Prometida, visto que o problema era sério. Deveriam as pessoas do novo regime (porquanto Judá fora restaurado) continuar a chorar, a lamentar-se e a jejuar no *quinto mês*? Esse era o mês em que o templo de Jerusalém havia sido queimado, quando Gedalias era o governador. Gedalias foi assassinado no sétimo mês, o que serviu somente para aumentar a tristeza. Ver 2Rs 25.8,9,25. Durante anos o povo de Deus lembrara aqueles temíveis acontecimentos com jejum e lamentações. Deveriam eles continuar essa prática, agora que as coisas tinham melhorado, com o raiar de um novo dia?

A RESPOSTA DE ZACARIAS (7.4—8.23)

■ 7.4

וַיְהִ֛י דְּבַר־יְהוָ֥ה צְבָא֖וֹת אֵלַ֥י לֵאמֹֽר׃

Então a palavra do Senhor dos Exércitos me veio a mim. A resposta para o problema veio por meio de uma revelação. Yahweh falou através de Zacarias, para que não houvesse nenhuma dúvida sobre a questão. O Revelador é chamado aqui de Yahweh dos Exércitos, cujo poder soberano soluciona, em favor dos homens, todos os problemas da terra. Este versículo é a declaração padronizada sobre como os profetas do Antigo Testamento obtinham e entregavam suas mensagens. A vida espiritual da comunidade era ajudada pelas orientações divinas. Ver no *Dicionário* os artigos chamados *Revelação* e *Inspiração*.

■ 7.5

אֱמֹ֣ר אֶל־כָּל־עַ֣ם הָאָ֔רֶץ וְאֶל־הַכֹּהֲנִ֖ים לֵאמֹ֑ר כִּֽי־צַמְתֶּ֨ם וְסָפ֜וֹד בַּחֲמִישִׁ֣י וּבַשְּׁבִיעִ֗י וְזֶה֙ שִׁבְעִ֣ים שָׁנָ֔ה הֲצ֥וֹם צַמְתֻּ֖נִי אָֽנִי׃

Quando jejuastes e pranteastes, no quinto e no sétimo mês... A resposta dada pelo profeta foi severa, até mesmo amarga. Lança dúvida sobre a sinceridade do jejum, indagando se realmente tudo tinha sido feito para Yahweh, ou se havia algum indício idólatra misturado à questão. Eles tinham continuado com o jejum e as lamentações tanto no quinto como no sétimo mês; e isso demonstrava que eram dedicados à questão; mas qual fora a utilidade real da coisa? Mas se não tinha sido útil no passado, por certo não seria útil agora, no novo dia da restauração. Os *setenta anos*, na verdade, tinham sido os anos que os judeus passaram no cativeiro, na Babilônia (ver Jr 25.11,12). Alguns intérpretes percebem aqui certa amargura contra aqueles homens vindos da antiga capital do norte, onde houvera tão lamentável apostasia. "Zacarias disse-lhes, em resposta à inquirição, que os jejuns que eles tinham observado não tinham tido valor algum, e que eles deveriam antes ter vivido a boa vida que Yahweh havia requerido, através dos antigos profetas. Zacarias, pois, seguiu nas pisadas de Ageu, exibindo a mesma atitude hostil para com a população nortista (samaritana) que os seus predecessores tinham adotado em outra ocasião (ver Ag 2.10-14)" (D. Winton Thomas, *in loc.*).

Podemos supor que uma *formalidade vazia* tenha sido repreendida. Ademais, não fazia sentido os judeus se demorarem nas tragédias do passado mediante lamentações e jejuns autoimpostos. Havia um *novo presente* a ser vivido, quando as bênçãos de Yahweh estavam fluindo.

■ 7.6

וְכִ֥י תֹאכְל֖וּ וְכִ֣י תִשְׁתּ֑וּ הֲל֤וֹא אַתֶּם֙ הָאֹ֣כְלִ֔ים וְאַתֶּ֖ם הַשֹּׁתִֽים׃

Quando comeis e bebeis, não é para vós mesmos que comeis e bebeis? Considere o leitor os quatro pontos seguintes:

1. Isso pode indicar que, embora os judeus estivessem observando jejuns no quinto e no sétimo meses, lamentando o que acontecera a Jerusalém, eles não estavam observando mandamentos que tinham sido ordenados pelo Senhor. Portanto, *naqueles dias* eles comiam e bebiam normalmente, seguindo sua própria indulgência e prazer.
2. Ou então, quando eles jejuavam, esse jejum não era total, pois eles comiam e bebiam alguma coisa.
3. Ou ainda, quando eles jejuavam, não obedeciam às regras regulares desse ritual. Ver Is 58.6-10, quanto aos tipos de jejum aceitáveis para Yahweh.
4. Ou, finalmente, o sentido pode ser que, enquanto jejuavam, supostamente honrando a Yahweh, no resto do tempo eles banqueteavam e engajavam-se em excessos de alimentos e bebidas fortes, o que redundava em desgraça para Yahweh. Segundo termos modernos, eles eram típicos "cristãos de domingo". Cf. 1Co 10.31.

■ 7.7

הֲל֣וֹא אֶת־הַדְּבָרִ֗ים אֲשֶׁ֨ר קָרָ֤א יְהוָה֙ בְּיַד֙ הַנְּבִיאִ֣ים הָרִאשֹׁנִ֔ים בִּֽהְי֤וֹת יְרוּשָׁלִַ֙ם֙ יֹשֶׁ֣בֶת וּשְׁלֵוָ֔ה וְעָרֶ֖יהָ סְבִיבֹתֶ֑יהָ וְהַנֶּ֥גֶב וְהַשְּׁפֵלָ֖ה יֹשֵֽׁב׃ פ

Não ouvistes vós as palavras que o Senhor pregou pelo ministério dos profetas...? Quando Jerusalém era uma cidade abastada, isso não fez seus habitantes ser mais espirituais. Os profetas anteriores (Os, Jeremias e Isaías) tinham dito as mesmas coisas àqueles hipócritas e réprobos, que agora Zacarias dizia à delegação enviada da parte de Betel. Se os judeus ricos tivessem prestado atenção, poderiam ter evitado o cativeiro castigador. O "sul", neste caso, provavelmente é Judá, ao passo que a "campina" é a Sefelá, a oeste. A intenção dessa declaração provavelmente indica que todos os judeus, em todo o território da nação do sul, eram rebeldes, a despeito de suas riquezas materiais, que eram uma bênção *aparente* da parte de Yahweh. O território inteiro atravessara um período de segurança e prosperidade, mas ainda assim o profeta precisou repreendê-los por causa de sua idolatria-adultério-apostasia.

■ 7.8

וַיְהִי דְּבַר־יְהוָה אֶל־זְכַרְיָה לֵאמֹר:

A palavra do Senhor veio a Zacarias. O oráculo continua aqui, relembrando a delegação vinda de Betel de que era a palavra de Yahweh que o profeta lhes estava entregando, pelo que eles tinham a responsabilidade de ouvir, aprender e modificar sua conduta. Cf. os vss. 1 e 4. O título divino nos vss. 1 e 8 é o simples Yahweh, o Deus Eterno. Mas o título divino no vs. 4 é *Yahweh dos Exércitos*. O vs. 9 remete àquele título mais amplo. A autoridade de Yahweh é assim ressaltada, e também compreendemos que Zacarias era profeta autorizado de Deus.

■ 7.9

כֹּה אָמַר יְהוָה צְבָאוֹת לֵאמֹר מִשְׁפַּט אֱמֶת שְׁפֹטוּ וְחֶסֶד וְרַחֲמִים עֲשׂוּ אִישׁ אֶת־אָחִיו:

Executai juízo verdadeiro, mostrai bondade e misericórdia cada um a seu irmão. O *Senhor dos Exércitos* (Yahweh dos Exércitos, título divino usado 47 vezes nesse livro) informou os delegados enviados de Betel no que consistia a *verdadeira piedade*. Quatro leis morais em geral foram dadas para governar a sociedade. O profeta anterior tinha salientado essas leis, e agora Zacarias fazia a mesma coisa. O verdadeiro jejum é a obediência à lei de Moisés, que é o *guia* para orientar os homens em toda a sua vida. Quanto a isso, ver Dt 6.4 ss. Considere o leitor estes três pontos:

1. *Executai juízo verdadeiro*. O dinheiro e os subornos tinham dominado os tribunais da terra santa. Um homem pobre não podia obter julgamento justo, e um homem rico não podia ser condenado. Era a mesma antiga história dos abusos sociais: severidade para com os pobres e impunidade para com os ricos. Cf. Is 1.17 e Am 5.24 e Zc 8.16.
2. *Mostrai bondade e misericórdia*. Cada indivíduo devia ser tratado como um irmão, parte da mesma família, e não como um objeto a ser explorado. O *amor* é a mais importante das leis morais, e Deus é o modelo e supremo exemplo de amor. A bondade e a misericórdia são oriundas do amor. Ver no *Dicionário* o artigo denominado *Amor*. Cf. Zc 8.16,17 e Mq 6.8.

Um sobrinho de Henry James perguntou o que lhe competia fazer na vida. A resposta de James foi:

Três coisas são importantes na vida:
A primeira é ser bondoso.
A segunda é ser bondoso.
E a terceira é ser bondoso.

■ 7.10

וְאַלְמָנָה וְיָתוֹם גֵּר וְעָנִי אַל־תַּעֲשֹׁקוּ וְרָעַת אִישׁ אָחִיו אַל־תַּחְשְׁבוּ בִּלְבַבְכֶם:

Não oprimais a viúva, nem o órfão, nem o estrangeiro, nem o pobre. Continua aqui a lista das leis morais. As instruções dadas são exemplos de como funciona uma *conduta piedosa*, em contraste com um formalismo vazio.

3. *Não oprimais*. Qualquer indivíduo pode tornar-se objeto de opressão por parte dos mais fortes e mais ricos. Porém, os objetos preferidos dos opressores são as viúvas, os órfãos e os estrangeiros, bem como os pobres que têm menos poder e direitos que os cidadãos ordinários. Os mais fortes caçam os mais fracos, tal como os animais mais fortes fazem de presa os animais mais fracos. Os ricos e poderosos usam sua capacidade mental para pensar meios de explorar os menos privilegiados. Estamos contemplando um lamentável quadro de homens depravados que perderam todo o senso de consciência e justiça. Cf. esta parte do versículo com Dt 15.7-11; 24.14,15,19-21; 26.12,13. Se um homem quisesse fazer algo de impressionante, não teria de preocupar-se com jejuns e com rosto triste e comprimido. Bastaria ajudar os pobres e fazer boas obras em favor dos membros carentes de sua cidade. A *generosidade* é a melhor maneira de aquilatar a espiritualidade básica. Quanto a *não planejar o mal* contra o próximo, cf. Sl 36.4 e Mq 2.1. Ver também Mt 5.22,28.

■ 7.11

וַיְמָאֲנוּ לְהַקְשִׁיב וַיִּתְּנוּ כָתֵף סֹרָרֶת וְאָזְנֵיהֶם הִכְבִּידוּ מִשְּׁמוֹעַ:

Eles, porém, não quiseram atender, e rebeldes me deram as costas. Quanto à metáfora sobre o ato de *ouvir*, ver Sl 64.1. Seus ouvidos ouviam o que eles queriam ouvir. Podiam ouvir claramente os convites para a prática do mal, mas os convites para o arrependimento eram inúteis. Os profetas sempre se queixavam de que suas palavras não eram bem acolhidas pelos judeus. Cf. Os 4.16; Is 6.10 e Jr 5.23. As palavras da lei transmitiam *vida* (ver Dt 4.1; 5.33; Ez 20.11), mas eles prefeririam caminhar pelas veredas da *morte*. Ver Mt 7.13.

■ 7.12

וְלִבָּם שָׂמוּ שָׁמִיר מִשְּׁמוֹעַ אֶת־הַתּוֹרָה וְאֶת־הַדְּבָרִים אֲשֶׁר שָׁלַח יְהוָה צְבָאוֹת בְּרוּחוֹ בְּיַד הַנְּבִיאִים הָרִאשֹׁנִים וַיְהִי קֶצֶף גָּדוֹל מֵאֵת יְהוָה צְבָאוֹת:

Sim, fizeram os seus corações duros como diamante, para que não ouvissem a lei. Os ouvidos estavam *tapados* com a iniquidade, e o coração deles tornou-se duro como um diamante, devido à rebeldia. *Yahweh dos Exércitos*, o Soberano Senhor, tinha provido para eles a lei e a vida, bem como o Espírito Santo, que operava através dos profetas, pelo que a mensagem dos profetas era divinamente inspirada e poderosa. Porém, coisa alguma podia impressionar aqueles réprobos. Em resultado de tal resistência, severo juízo divino foi enviado como um último esforço para reformá-los. Os primeiros profetas entregavam sua mensagem aos espiritualmente rebeldes, e outro tanto fizeram os últimos profetas, como Zacarias. Mas todos eles *fracassaram* em seu intuito, do ponto de vista humano. O Espírito de Deus era a fonte originária da inspiração profética. Cf. 2Tm 3.16 e 2Pe 1.21. Portanto, haveria a ira divina contra aqueles réprobos. Suas orações não seriam ouvidas; eles seriam dispersos entre as nações (vss. 1 e 14). Quanto a *coração de pedra*, cf. Ez 11.19 e 36.26.

■ 7.13

וַיְהִי כַאֲשֶׁר־קָרָא וְלֹא שָׁמֵעוּ כֵּן יִקְרְאוּ וְלֹא אֶשְׁמָע אָמַר יְהוָה צְבָאוֹת:

Visto que eu clamei e eles não me ouviram, eles também clamaram e eu não os ouvi. À medida que o brasume da ira de Deus foi aumentando, conforme era visto nos ataques dos inimigos, bem como através das pragas, doenças, seca etc., eles começaram a perceber que estavam balançando na beira do olvido e puseram-se a orar. Mas agora era Yahweh quem tinha os ouvidos tapados. E ele não lhes deu ouvidos nem resposta. Ele os ignorou. Quanto à aparente *indiferença* de Deus, ver Sl 10.1; 28.1; 59.4; 82.1; 143.7. Cf. também Mq 3.4; Jr 11.11 e 14.12.

■ 7.14

וְאֶסָעֲרֵם עַל כָּל־הַגּוֹיִם אֲשֶׁר לֹא־יְדָעוּם וְהָאָרֶץ נָשַׁמָּה אַחֲרֵיהֶם מֵעֹבֵר וּמִשָּׁב וַיָּשִׂימוּ אֶרֶץ־חֶמְדָּה לְשַׁמָּה: פ

Espalhei-os com um turbilhão por entre todas as nações. Então os judeus foram *dispersos*, ou seja, foram levados cativos. Ver no *Dicionário* o artigo intitulado *Cativeiro Babilônico*. Mesmo assim, a espada continuou a persegui-los, porquanto morreram como moscas na Babilônia, com frequência por meio de crimes sanguinários e violência inusitada. Entrementes, a terra que eles deixaram foi totalmente devastada e deixada como um deserto. Tornou-se um território tão abandonado que ninguém ousava cruzá-lo. Tinha sido um território *agradabilíssimo,* mas a iniquidade arruinou tudo. O *turbilhão* fez seu serviço: espalhou o povo, soprando-o para longe como a palha, para uma terra estrangeira; e cortou pelo meio Judá como se fosse um tornado, estragando tudo. Na verdade, Judá tornou-se um povo sem terra natal.

CAPÍTULO OITO

Esta seção, que continua neste capítulo, começou em Zc 7.4. Temos aqui a resposta de Zacarias (7.4—8.23). Não há nenhuma interrupção entre os capítulos 7 e 8. Temos aqui a *segunda parte* da resposta de Zacarias à delegação enviada de Betel (ver Zc 7.2). Esta parte consiste em *sete declarações* (que aparecem nos vss. 2;3;4,5;6;7,8;9-13 e 14-17, respectivamente), todas introduzidas pelas palavras "assim diz Yahweh dos Exércitos". A segunda declaração deixa de lado as palavras "dos Exércitos". As declarações tratam da promessa da felicidade futura para Judá e Jerusalém. O tema geral é que Yahweh, o Cabeça de exércitos, retornará a Sião e fará o bem para Judá e para Jerusalém.

■ 8.1

וַיְהִי דְבַר־יְהוָה צְבָאוֹת לֵאמֹר:

Veio a mim a palavra do Senhor dos Exércitos. Temos aqui a declaração padronizada que introduz os oráculos e as visões dos profetas: afirma que a palavra (mensagem) é de Yahweh (aqui título completado com "dos Exércitos"). Devemos compreender que o profeta Zacarias, ao falar, fazia-o pela autoridade daquele que o tinha enviado. Portanto, sua mensagem deveria ser ouvida e obedecida. Cf. Zc 7.1,4.

■ 8.2

כֹּה אָמַר יְהוָה צְבָאוֹת קִנֵּאתִי לְצִיּוֹן קִנְאָה גְדוֹלָה וְחֵמָה גְדוֹלָה קִנֵּאתִי לָהּ:

Tenho grandes zelos de Sião. *Primeira Declaração.* Cf. Zc 1.14. A palavra de Yahweh foi novamente destacada, tal como no vs. 1, onde vemos as notas expositivas. Cada declaração é introduzida mediante a mesma fórmula. Aqui Yahweh dos Exércitos é visto como um Deus zeloso. Ver as notas expositivas sobre Zc 1.14 e Êx 20.5; 34.14; Dt 4.24; Js 24.19. Israel-Judá era o povo de Deus (e também sua "esposa", usando a terminologia de Oseias). Ele tinha profundos sentimentos de indignação quando via seu povo sendo devastado por agentes estrangeiros, embora ele mesmo tivesse enviado esses agentes para cumprir seus juízos. Mas isso não significa que ele não vergastasse os opressores e, eventualmente, não revertesse o mal que eles tinham feito.

"Assim como o capítulo 7 se parece com o convite ao arrependimento, de Zc 1.2-6, o capítulo 8 reflete as bênçãos prometidas que foram pintadas nas visões noturnas (ver Zc 1.7—6.8). Isto posto, a terceira e a quarta mensagem veem a restauração do exílio, nos dias de Zacarias, como precursores de bênçãos futuras e prosperidade na era milenial. E essas mensagens também enfatizam o tempo futuro quando a retidão, a justiça e a paz haverão de encher a terra" (F. Duane Lindsey, *in loc.*). Foi assim que o requeimante ciúme de Deus se transformou em requeimante amor.

■ 8.3

כֹּה אָמַר יְהוָה שַׁבְתִּי אֶל־צִיּוֹן וְשָׁכַנְתִּי בְּתוֹךְ יְרוּשָׁלִָם וְנִקְרְאָה יְרוּשָׁלִַם עִיר־הָאֱמֶת וְהַר־יְהוָה צְבָאוֹת הַר הַקֹּדֶשׁ:

Voltarei para Sião, e habitarei no meio de Jerusalém. *Segunda Declaração.* Cf. Zc 1.16 e 2.10. Aqui o profeta descreve a nova Jerusalém em termos similares aos usados por Isaías (1.21; 2.3 e 11.9). A segunda declaração começa com a mesma fórmula que as outras, mas deixa de fora as palavras "dos Exércitos", depois do título divino *Yahweh.* Isso mostra que a palavra dita por Zacarias certamente era inspirada pelo Senhor. A presença divina voltaria a Jerusalém, cidade que será então chamada de *fiel,* situada nos montes santos onde estava o templo. Em outras palavras, esse lugar virá a possuir as qualidades espirituais que os profetas vinham descrevendo, fazia séculos, como necessárias à vida e à existência. Cf. este versículo com Jl 3.17 e Ob 17. O vs. 8, a seguir, tem uma mensagem similar. A presença divina é que faz toda a diferença. "Santidade estará escrito nas sinetas dos cavalos" (John Gill, *in loc.*, referindo-se a Zc 14.20).

■ 8.4,5

כֹּה אָמַר יְהוָה צְבָאוֹת עֹד יֵשְׁבוּ זְקֵנִים וּזְקֵנוֹת בִּרְחֹבוֹת יְרוּשָׁלִָם וְאִישׁ מִשְׁעַנְתּוֹ בְּיָדוֹ מֵרֹב יָמִים:

וּרְחֹבוֹת הָעִיר יִמָּלְאוּ יְלָדִים וִילָדוֹת מְשַׂחֲקִים בִּרְחֹבֹתֶיהָ: ס

Ainda nas praças de Jerusalém sentar-se-ão velhos e velhas. *Terceira Declaração.* Esta declaração, tal como todas as demais, é introduzida pela fórmula "diz Yahweh dos Exércitos", afirmando a fonte e a autoridade divina das palavras. Na restaurada Judá-Jerusalém, as pessoas viverão por longo tempo e ficarão idosas. Cf. Is 65.20. "A idade avançada era considerada, no tempo do Antigo Testamento, a bênção terrena suprema (cf. Êx 20.12; Pv 3.2), especialmente à luz do fato de que por aquele tempo não havia ainda a crença firme na vida pós-túmulo" (D. Winton Thomas, *in loc.*). Assim sendo, uma vida boa, longa e próspera era a promessa para quem observasse a lei de Moisés (ver Dt 4.1; 5.33; 6.2 e Ez 20.11). Nos Salmos e nos Profetas, a doutrina da alma começou a aflorar. Ela se desenvolveu em alto grau nos livros apócrifos e pseudepígrafos, e então, mais ainda, no Novo Testamento, com suas novas dimensões. Ver na *Enciclopédia de Bíblia, Teologia e Filosofia* o verbete chamado *Imortalidade;* e ver no *Dicionário* o artigo intitulado *Alma.*

As pessoas viverão por longo tempo, mas também haverá crianças nas ruas (vs. 5), desfrutando de segurança e alegria. Não haverá opressão externa nem interna, e o crime cessará inteiramente. Idosos e jovens juntamente desfrutarão a boa vida da Jerusalém restaurada. Haverá muitos filhos, outra condição muito apreciada pelo povo hebreu. Contrastar com Jr 6.11 e 9.11. Antes havia somente desolação. O lugar fora reduzido a um deserto. Os poucos sobreviventes judeus foram levados cativos para a Babilônia. O poder de Deus, entretanto, reverterá essas calamidades.

■ 8.6

כֹּה אָמַר יְהוָה צְבָאוֹת כִּי יִפָּלֵא בְּעֵינֵי שְׁאֵרִית הָעָם הַזֶּה בַּיָּמִים הָהֵם גַּם־בְּעֵינַי יִפָּלֵא נְאֻם יְהוָה צְבָאוֹת: פ

Se isto for maravilhoso aos olhos do restante deste povo naqueles dias... *Quarta Declaração.* Veio novamente a palavra de Yahweh dos Exércitos, através dos profetas. Todas as sete declarações são assim introduzidas, excetuando a segunda, que deixa de fora as palavras "dos Exércitos" (vs. 3). O povo judeu duvidava de que Zorobabel fosse capaz de completar a edificação do templo, e mostrava-se cético acerca das bênçãos prometidas, vinculadas ao templo. Eles se sentiram massacrados nos dias antigos e mantinham os olhos cegados para o vindouro novo dia. Mas essa declaração afirma os tempos maravilhosos reservados para o remanescente judeu. Isso era maravilhoso aos olhos de Deus, e também seria maravilhoso aos olhos humanos. "Aqueles que fossem deixados vivos poderiam pensar que isso era algo muito difícil de acontecer, mas não é difícil demais para mim" (NCV). Cf. Gn 18.14 e Mt 19.26. Os homens, na sua incredulidade, limitam o poder de Deus (ver Sl 78.19,30,41). Mas coisas pequenas podem tornar-se grandes (ver Zc 4.10). Tudo quanto se faz necessário é pedir (ver Mt 7.7-10). Oh, Senhor, concede-nos tal graça!

■ 8.7,8

כֹּה אָמַר יְהוָה צְבָאוֹת הִנְנִי מוֹשִׁיעַ אֶת־עַמִּי מֵאֶרֶץ מִזְרָח וּמֵאֶרֶץ מְבוֹא הַשָּׁמֶשׁ:

וַהֲבֵאתִ֣י אֹתָ֔ם וְשָׁכְנ֖וּ בְּת֣וֹךְ יְרוּשָׁלָ֑͏ִם וְהָיוּ־לִ֣י לְעָ֗ם
וַאֲנִי֙ אֶהְיֶ֣ה לָהֶ֣ם לֵֽאלֹהִ֔ים בֶּאֱמֶ֖ת וּבִצְדָקָֽה׃ ס

Eis que salvarei o meu povo, tirando-o da terra do oriente e da terra do ocidente. *Quinta Declaração*. Esta declaração foi introduzida com a frase padronizada "a palavra de Yahweh dos Exércitos". Ver as notas sobre o vs. 6. Para Israel havia libertação prometida na terra santa. O inimigo vindo do *leste* seria derrubado para nunca mais atacar. Está em pauta a Babilônia, que normalmente era referida como nação que atacava pelo *norte* (ver Jr 1.14; 4.6). Naturalmente, a Babilônia ficava a nordeste da Palestina. O inimigo vindo do *ocidente* provavelmente era o Egito, embora este apareça como que vindo do *sul*. Cf. Jr 43.1-7. Quanto à ideia geral da quinta declaração, cf. Is 43.5,6; Jr 30.10. Salvação e segurança seriam a sorte deles, porquanto Yahweh seria o Deus deles (Elohim, o Poder que protegia os judeus). Quanto a essa fórmula antiga, cf. Os 2.3 e Jr 11.4. A fidelidade de Deus seria evidente, e todas as injustiças seriam endireitadas. Ver Os 2.19,20. Ver também Zc 10.8-12.

Talvez *oriente e ocidente* não devam ser entendidos especificamente, mas apenas como "pessoas provenientes da largura da terra", as quais não terão poder sobre Israel, quando essa nação for restaurada.

■ 8.9-13

9 כֹּֽה־אָמַר֮ יְהוָ֣ה צְבָאוֹת֒ תֶּחֱזַ֣קְנָה יְדֵיכֶ֔ם הַשֹּֽׁמְעִים֙ בַּיָּמִ֣ים הָאֵ֔לֶּה אֵ֖ת הַדְּבָרִ֣ים הָאֵ֑לֶּה מִפִּי֙ הַנְּבִיאִ֔ים אֲשֶׁ֗ר בְּי֥וֹם יֻסַּ֛ד בֵּית־יְהוָ֥ה צְבָא֖וֹת הַהֵיכָ֥ל לְהִבָּנֽוֹת׃

10 כִּ֗י לִפְנֵי֙ הַיָּמִ֣ים הָהֵ֔ם שְׂכַ֤ר הָֽאָדָם֙ לֹ֣א נִֽהְיָ֔ה וּשְׂכַ֥ר הַבְּהֵמָ֖ה אֵינֶ֑נָּה וְלַיּוֹצֵ֨א וְלַבָּ֤א אֵין־שָׁלוֹם֙ מִן־הַצָּ֔ר וַאֲשַׁלַּ֥ח אֶת־כָּל־הָאָדָ֖ם אִ֥ישׁ בְּרֵעֵֽהוּ׃

11 וְעַתָּ֗ה לֹ֣א כַיָּמִ֤ים הָרִֽאשֹׁנִים֙ אֲנִ֔י לִשְׁאֵרִ֖ית הָעָ֣ם הַזֶּ֑ה נְאֻ֖ם יְהוָ֥ה צְבָאֽוֹת׃

12 כִּֽי־זֶ֣רַע הַשָּׁל֗וֹם הַגֶּ֜פֶן תִּתֵּ֤ן פִּרְיָהּ֙ וְהָאָ֨רֶץ֙ תִּתֵּ֣ן אֶת־יְבוּלָ֔הּ וְהַשָּׁמַ֖יִם יִתְּנ֣וּ טַלָּ֑ם וְהִנְחַלְתִּ֗י אֶת־שְׁאֵרִ֛ית הָעָ֥ם הַזֶּ֖ה אֶת־כָּל־אֵֽלֶּה׃

13 וְהָיָ֡ה כַּאֲשֶׁר֩ הֱיִיתֶ֨ם קְלָלָ֜ה בַּגּוֹיִ֗ם בֵּ֤ית יְהוּדָה֙ וּבֵ֣ית יִשְׂרָאֵ֔ל כֵּ֚ן אוֹשִׁ֣יעַ אֶתְכֶ֔ם וִהְיִיתֶ֖ם בְּרָכָ֑ה אַל־תִּירָ֖אוּ תֶּחֱזַ֥קְנָה יְדֵיכֶֽם׃ ס

Sexta Declaração. Cf. Ag 1.6-11; 2.15-19. Esta declaração foi introduzida pela mesma fórmula das outras: "a palavra de Yahweh dos Exércitos". Ver as notas expositivas sobre Zc 8.1 e 7. Estavam sendo descritas maravilhas que requererão o poder de Deus para serem concretizadas. A sexta promessa diz respeito a uma prosperidade e a um bem-estar multifacetados, dados pela presença de Yahweh e providos por sua graça e por seu amor. Aqueles que ouviram falar nas promessas deveriam ser encorajados. Seus braços não continuariam a pender, inertes e impotentes. O templo seria reconstruído; as promessas divinas teriam cumprimento; as maldições seriam anuladas; e bênçãos substituiriam as maldições.

Em si mesmos, os homens são sempre fracos, mesmo quando pensam ser fortes. Seus braços sempre pendem frouxamente, aos lados do corpo; seus ossos estão sempre secos; seus músculos vivem a tremer. O povo judeu olhou para a tarefa de reconstruir o segundo templo e quase desmaiou diante da grandiosidade do trabalho. Quando foram lançados os alicerces do templo, os profetas encorajaram aos judeus. Mas as reversões, o trabalho árduo e, algumas vezes, o desinteresse conseguiram debilitá-los; e o trabalho ficou sem ser feito. Ver Ag 1.2-6. O trabalho deles rendeu poucos resultados, e eles caíram nos queixumes e na inércia. Ver Ag 1.9-11 e 2.16-19.

Porque antes daqueles dias não havia salário para homens. Os homens trabalharam arduamente, mas não havia recursos para pagar salários, pelo que eles tiveram de doar seu trabalho. Além disso, havia quem continuasse a assediar e a meter medo nos judeus. Poucas coisas são tão debilitantes como obter um baixo salário por aquilo que fazemos, e imagine o que seria trabalhar e nada receber! Talvez esta declaração seja geral, concernente a condições desfavoráveis na nova colonização da Terra Prometida. Ver Ag 1.5-9-11,16,17. Os dias que conduziram à construção do segundo templo foram dias de vacas magras. Não se parecerem nada com os dias que conduziram à construção do primeiro templo (na época de Salomão), quando aquele rei possuía todo o dinheiro e seu pai, Davi, já havia reunido muito material de construção. Em adição a todos esse problemas e empecilhos, havia *conflitos internos* entre os trabalhadores. À tribo de Judá faltava a unidade necessária para a reconstrução do templo.

Mas agora não serei para com o restante deste povo como nos primeiros dias. Os *primeiros dias* foram difíceis, quando até Yahweh parecia estar contra seu povo. Mas os "dias presentes", entretanto, contavam com a presença restaurada de Deus. E a presença do Senhor certamente fortaleceria e abençoaria os judeus. O templo seria construído; a agricultura seria renovada e floresceria; o dinheiro começaria a acumular-se de novo. "Mas agora que o templo foi construído, não farei conforme fiz anteriormente, no caso daqueles que retornaram da Babilônia" (Jerônimo, *in loc.*). A obediência na construção do templo reverteria a maldição divina.

Porque haverá sementeira de paz. Os processos vitais da natureza voltariam à normalidade. A agricultura floresceria, as chuvas cairiam, e o orvalho se condensaria no solo, à noite, favorecendo assim a vida. Yahweh enviaria dos lados do mar Mediterrâneo ventos carregados de umidade, pelo que tanto de noite quanto de dia seria provida água adequada. E o remanescente judeu, tão pobre e necessitado, chegaria a possuir todas as coisas necessárias à vida e à existência, bem como à alegria e ao conforto. Contrastar este versículo com Ag 1.6,9-11 e 2.16.

E há de acontecer... que, assim como fostes maldição... assim vos salvarei, e sereis bênção. Más relações com os vizinhos sempre foram forças devastadoras contra Israel-Judá. De fato, Israel era considerado uma *maldição* para as nações. Mas tudo isso seria revertido no futuro, pelo poder de Yahweh. Israel se tornaria um povo forte, que nenhum outro povo ousaria atacar. Israel-Judá teve períodos de paz, mas para que este versículo diga a verdade, temos de considerar a era do reino, quando esse povo se tornar a cabeça das nações, e outras nações compartilharem sua prosperidade material e espiritual. Ver Mq 4.1-3. Ver Jr 24.9 quanto à maldição das nações contra Judá. Cf. também Is 46.9.

■ 8.14-17

14 כִּ֣י כֹ֤ה אָמַר֙ יְהוָ֣ה צְבָא֔וֹת כַּאֲשֶׁ֣ר זָמַ֗מְתִּי לְהָרַ֤ע לָכֶם֙ בְּהַקְצִ֤יף אֲבֹֽתֵיכֶם֙ אֹתִ֔י אָמַ֖ר יְהוָ֣ה צְבָא֑וֹת וְלֹ֖א נִחָֽמְתִּי׃

15 כֵּ֣ן שַׁ֤בְתִּי זָמַ֙מְתִּי֙ בַּיָּמִ֣ים הָאֵ֔לֶּה לְהֵיטִ֥יב אֶת־יְרוּשָׁלַ֖͏ִם וְאֶת־בֵּ֣ית יְהוּדָ֑ה אַל־תִּירָֽאוּ׃

16 אֵ֥לֶּה הַדְּבָרִ֖ים אֲשֶׁ֣ר תַּֽעֲשׂ֑וּ דַּבְּר֤וּ אֱמֶת֙ אִ֣ישׁ אֶת־רֵעֵ֔הוּ אֱמֶת֙ וּמִשְׁפַּ֣ט שָׁל֔וֹם שִׁפְט֖וּ בְּשַׁעֲרֵיכֶֽם׃

17 וְאִ֣ישׁ ׀ אֶת־רָעַ֣ת רֵעֵ֗הוּ אַֽל־תַּחְשְׁבוּ֙ בִּלְבַבְכֶ֔ם וּשְׁבֻ֥עַת שֶׁ֖קֶר אַֽל־תֶּאֱהָ֑בוּ כִּ֧י אֶת־כָּל־אֵ֛לֶּה אֲשֶׁ֥ר שָׂנֵ֖אתִי נְאֻם־יְהוָֽה׃ ס

Sétima Declaração. Como todas as demais declarações, a sétima declaração veio pela "palavra de Yahweh dos Exércitos". Cf. o vs. 2, onde ofereço algumas notas expositivas. Temos aqui uma nova afirmação sobre as bênçãos futuras, tal como as maldições passadas tinham sido uma realidade. As maldições seriam levantadas. verdade, justiça, misericórdia e honestidade seriam características dos futuros dias de bênçãos, em contraste com a iniquidade que marcara as gerações anteriores. Os requisitos morais de Yahweh não seriam ignorados, e isso faria com que um povo bom prosperasse em paz. É a lei de Moisés que transmite *vida* (ver Dt 6.4 ss.). Quando o povo judeu aprendesse a obedecer a essa lei, a sorte deles mudaria para melhor.

Como pensei fazer-vos mal. Quando os pais do povo judeu provocavam Yahweh com seus múltiplos pecados, ele lançou contra eles o seu raio e não se entristeceu por causa disso. Ele não se arrependeu por ter ferido, e ferir foi o que ele fez. Isso estava em acordo com a *Lei Moral da Colheita segundo a Semeadura* (ver a respeito no *Dicionário*). Quanto ao *arrependimento divino*, ver as notas expositivas em Êx 32.14. Os antepassados dos judeus encontraram o desastre, mas seus descendentes, devido à obediência, tiveram vida plena e próspera, cheia dos favores divinos. Estão em vista, especificamente, o ataque e o cativeiro babilônico. "Da mesma maneira que o cativeiro foi produzido por um decreto de Deus, outro tanto se deu com a restauração" (Ellicott, *in loc.*).

Assim pensei de novo em fazer bem a Jerusalém. "Nestes dias", ou seja, após o cativeiro, no tempo em que a cidade de Jerusalém e seu templo estavam sendo construídos de novo. Foi um tempo favorável para a bênção divina, que reverteria todos os males que os babilônios tinham praticado como o látego usado por Yahweh. Atos de benevolência substituiriam a trovoada divina. "Se a punição ameaçada tinha sido imutavelmente infligida, quanto mais o será a bênção prometida por Deus, a qual está muito mais em consonância com o amor de Deus? (ver Jr 31.28)?" (Fausset, *in loc.*). Cf. este versículo com Is 14.25.

Falai a verdade cada um com o seu próximo. A conduta moral do povo deve encorajar a mudança divina da severidade para a gentil benevolência. Os itens dados aqui são somente exemplos do que era requerido pela lei moral de Moisés. Deveria haver *honestidade* básica naquilo que fosse dito e feito, nos contratos, nos votos, no cumprimento dos deveres profissionais de cada um. "verdade, justiça, misericórdia e honestidade deveriam caracterizar os judeus tanto na esfera pessoal quanto na esfera civil (cf. Zc 7.8-10). Em suma, a mensagem diz: 'Fazei as coisas que Deus ama' (cf. Zc 8.19) e evitai as coisas que ele odeia" (L. Duane Lindsey, *in loc.*). Este versículo remete diretamente à delegação enviada de Betel para interrogar se eles deveriam ou não jejuar, lamentando o que tinha acontecido a Jerusalém quando os babilônios destruíram aquele lugar, fazia agora mais de setenta anos. A história da delegação enviada de Betel ocupa o trecho de Zc 7.1—8.23, mas no meio dos longos discursos do profeta poderíamos esquecer o pano de fundo histórico. Quanto ao sistema judicial apropriado, que não favorece os ricos e poderosos, ver as notas sobre Zc 7.9, primeiro ponto. Contrastar com Ml 2.8,9.

Nenhum de vós pense mal no seu coração contra o seu próximo. Este versículo continua dando as condições divinas para que um povo possa obter e reter a ajuda celestial. A questão de não se tolerar uma má imaginação contra um irmão está contida em Zc 7.10, última parte. Não deveria haver *opressão* dos fracos por parte dos fortes. Também não deveria haver juramentos falsos, o que novamente nos leva de volta à cena tribunícia, em que o dinheiro e o poder compravam qualquer tipo de decisão que um homem quisesse. Ver Êx 20.16, que contém o nono dos Dez Mandamentos e fala sobre a mesma coisa. Quanto aos juramentos falsos, ver também Zc 5.3.

■ **8.18**

וַיְהִ֛י דְּבַר־יְהוָ֥ה צְבָא֖וֹת אֵלַ֥י לֵאמֹֽר׃

A palavra do Senhor dos Exércitos veio a mim. Os vss. 18-23 constituem a *terceira parte* da resposta de Zacarias aos delegados vindos de Betel (ver Zc 7.2). A *primeira parte* fica em Zc 7.5-14. E a *terceira parte* fica em Zc 8.1-17. A essência desta seção é que os dias de jejum se tornariam, para Judá, tempos de alegria, e não de lamentação, e também que as nações pagãs (que antes perseguiam a Judá) buscariam a Yahweh e assim viriam a compartilhar o favor divino, naqueles dias ideais do reino. Essa breve seção contém *três declarações*, nos vss. 19, 20-22 e 23.

Uma vez mais, encontramos a *declaração padronizada* que introduz as afirmações (oráculos, revelações) dos profetas do Antigo Testamento. Mas temos a versão comum da declaração encontrada no livro de Zacarias: "palavra de Yahweh dos Exércitos". Esse *título divino* é encontrado 47 vezes no livro de Zacarias e é repetido cinco vezes neste capítulo.

■ **8.19**

כֹּֽה־אָמַ֞ר יְהוָ֣ה צְבָא֗וֹת צ֣וֹם הָרְבִיעִ֡י וְצ֣וֹם הַחֲמִישִׁי֩ וְצ֨וֹם הַשְּׁבִיעִ֜י וְצ֣וֹם הָעֲשִׂירִ֗י יִהְיֶ֤ה לְבֵית־יְהוּדָה֙ לְשָׂשׂ֣וֹן וּלְשִׂמְחָ֔ה וּֽלְמֹעֲדִ֖ים טוֹבִ֑ים וְהָאֱמֶ֥ת וְהַשָּׁל֖וֹם אֱהָֽבוּ׃ פ

O jejum do quarto mês, e o do quinto, e o do sétimo, e o do décimo será para a casa de Judá regozijo. *Primeira Declaração.* Temos aqui quatro jejuns mencionados como dos meses quarto, quinto, sétimo e décimo, embora antes houvesse apenas dois, nos meses quarto e sétimo (ver Zc 7.3,5). O povo de Betel (ver Zc 7.2) enfatizava o lado melancólico da fé religiosa, pois supunham que por seu muito jejuar e lamentar as tragédias passadas eles estavam ganhando crédito à vista de Yahweh. Esses jejuns autoimpostos eram celebrados em memória de eventos recentes. Eles lamentavam a captura de Jerusalém (quarto mês, 2Rs 25.3; Jr 39.2; 52.6,7); a ruína do templo (quinto mês, 2Rs 25.8); o assassinato de Gedalias (sétimo mês, Jr 51.1-7); e o cerco de Jerusalém (no décimo mês, com o subsequente cativeiro, 2Reis 25.1; Jr 52.4,28; Ez 24.1,2). Esses jejuns eram feitos por pessoas de coração entristecido, que não podiam esquecer o passado nem apreciar a vida, embora já houvesse chegado um dia melhor. O zelo deles, pois, estava mal orientado.

O novo dia tinha chegado e, assim sendo, era tempo de os judeus se regozijarem e substituírem tais jejuns por eventos alegres: *festas de regozijo*, acompanhadas por cânticos, regozijo e danças, e dias inteiros repletos de atos de obediência à lei, serviços prestados ao próximo e vida amorosa, pacífica e justa (ver Zc 7.9,10; 9.16,17).

■ **8.20-22**

כֹּ֥ה אָמַ֖ר יְהוָ֣ה צְבָא֑וֹת עֹ֚ד אֲשֶׁ֣ר יָבֹ֣אוּ עַמִּ֔ים וְיֹשְׁבֵ֖י עָרִ֥ים רַבּֽוֹת׃

וְֽהָלְכ֡וּ יֹשְׁבֵי֩ אַחַ֨ת אֶל־אַחַ֜ת לֵאמֹ֗ר נֵלְכָ֤ה הָלוֹךְ֙ לְחַלּוֹת֙ אֶת־פְּנֵ֣י יְהוָ֔ה וּלְבַקֵּ֖שׁ אֶת־יְהוָ֣ה צְבָא֑וֹת אֵלְכָ֖ה גַּם־אָֽנִי׃

וּבָ֨אוּ עַמִּ֤ים רַבִּים֙ וְגוֹיִ֣ם עֲצוּמִ֔ים לְבַקֵּ֛שׁ אֶת־יְהוָ֥ה צְבָא֖וֹת בִּירוּשָׁלָ֑͏ִם וּלְחַלּ֖וֹת אֶת־פְּנֵ֥י יְהוָֽה׃ ס

Ainda sucederá que virão povos e habitantes de muitas cidades. *Segunda Declaração.* Esta segunda declaração consiste nos vss. 20-22, e é encabeçada pela declaração padrão de que o que se segue foi dado por inspiração de Yahweh dos Exércitos (o que é verdadeiro nas três declarações: vs. 19; vss. 20-22; e vs. 23). Cf. esta declaração com a de Is 2.2-4 e Mq 4.1-3. A alegria se espalhará entre os gentios, que participarão na restauração de Israel. De fato, a restauração será universal, e por isso causa de regozijo, e não de jejuns.

Povos virão a Jerusalém com a finalidade de adorar. Antes, os povos gentílicos mostraram-se hostis, mas agora estarão em harmonia com Israel, que se elevará como cabeça das nações e centro do novo mundo, na era do reino de Deus. "Todos quererão compartilhar a alegria de êxtase e a era messiânica" (Theodore Cuyler Speers, *in loc.*).

E os habitantes de uma cidade irão à outra. Os povos comunicarão uns aos outros seu entusiasmo, encorajando as peregrinações e homenageando Jerusalém como capital de todos os povos do mundo. Yahweh será o Deus deles, a saber, *Yahweh dos Exércitos*, o Soberano que terá vindo governar seu reino, e se tornado o Senhor universal, em uma fé unificada.

Virão muitos povos, e poderosas nações, buscar em Jerusalém o Senhor dos Exércitos. Aqueles povos que anteriormente eram fortes para destruir agora serão fortes para louvar a Yahweh e render glórias a Israel. Esses povos participarão plenamente do culto a Yahweh, com suas buscas espirituais, orações e lealdade voluntária à sua nova fé.

■ **8.23**

כֹּ֥ה אָמַר֮ יְהוָ֣ה צְבָאוֹת֒ בַּיָּמִ֣ים הָהֵ֔מָּה אֲשֶׁ֣ר יַחֲזִ֗יקוּ עֲשָׂרָ֤ה אֲנָשִׁים֙ מִכֹּ֣ל לְשֹׁנ֣וֹת הַגּוֹיִ֔ם וְהֶחֱזִ֙יקוּ֙ בִּכְנַ֣ף אִ֣ישׁ יְהוּדִ֔י לֵאמֹ֕ר נֵלְכָ֖ה עִמָּכֶ֑ם כִּ֥י שָׁמַ֖עְנוּ אֱלֹהִ֥ים עִמָּכֶֽם׃ ס

Naquele dia sucederá que pegarão dez homens, de todas as línguas das nações. *Terceira Declaração.* Total sujeição à nova ordem de coisas será exibida quando dez homens de nações pagãs pegarem da orla das vestes de um judeu e implorarem que ele os presida no culto de Jerusalém, a fim de que não percam as bênçãos do reino da era milenar. *Elohim* é o Deus dos judeus, o Todo-poderoso, o *Poder* que abençoará poderosamente seu povo. Os povos pagãos terão ouvido falar dele e de suas obras, e desejarão participar de suas bênçãos. E podemos estar certos de que eles obterão o que desejam, pois a "restauração" será a palavra do dia. Encontramos aqui uma reverberação da doutrina do Emanuel, "Deus conosco". Ver Is 7.14. Cf. também Is 45.14. E ver igualmente Zc 14.16-19 e Is 2.3. Com essa elevada nota de esperança e louvor termina a primeira porção do livro de Zacarias (capítulos 1—8), que é bastante distinta da segunda (capítulos 9—14). Talvez a segunda porção do livro seja uma edição posterior, lançada pelo profeta Zacarias ou por algum editor, como um discípulo seu, que queria promover sua mensagem. Ver as notas de introdução ao capítulo 9 de Zacarias, quanto a isso. Zacarias não seria testemunha do cumprimento de suas profecias esperançosas, mas o dia de Deus se aproximava cada vez mais. Deus sepulta seus obreiros, mas o trabalho prossegue nas mãos de outros obreiros.

CAPÍTULO NOVE

Chegamos agora à segunda metade do livro de Zacarias, que é bastante diferente da primeira. A primeira parte (capítulos 1—8) é atribuída a Zacarias; a segunda parte (capítulos 9—14) pode ser de autoria dele, numa adição posterior, ou pode ser de autoria de um discípulo dele, um editor subsequente que queria promover seus labores e sua mensagem. Seja como for, separo a segunda parte da primeira e dou-lhe um esboço separado, que consiste em *dez seções.* Quanto ao problema da *Unidade do Livro,* ver a seção II da *Introdução,* onde há uma discussão completa, que não reitero aqui.

"A divisão final do livro consiste em *dois oráculos* (ver os comentários em Zc 9.1-8) que falam sobre o Rei messiânico e seu reino. Os capítulos 9—11 referem-se, na maior parte, ao primeiro advento de Cristo, salientando o tema de sua rejeição, mas também esboçando a história profética de Israel até os tempos do fim. Os capítulos 12—14 enfocam o segundo advento de Cristo e enfatizam sua entronização como início do grande final da história de Israel" (L. Duane Lindsey, *in loc.*).

A segunda parte do livro de Zacarias tem muitos reflexos da primeira parte, emprestando uma espécie de unidade ao todo. Alguns de seus temas unificadores são: 1. a futura prosperidade de Judá e Jerusalém (Zc 1.7-17); 2. a destruição das nações (Zc 1.18-21); a divina proteção e bênçãos divinas (capítulo 2); 3. a purificação espiritual de Israel; 4. o alcance da santidade (Zc 5.5-11). Ofereço esses temas como exemplos. Na segunda parte há trechos paralelos como: 1. Zc 10.6-9; 2. Zc 9.1-8; 3. Zc 10.2,3; 4. Zc 14.10,21.

O TRIUNFO DO REI MESSIÂNICO (9.1-12)

Esta seção tem sido encarada por muitos eruditos como reverberação das conquistas de Alexandre, o Grande, depois da batalha de Issua, em 333 a.C. Os críticos pensam que um editor qualquer a adicionou ao livro de Zacarias, pois, como é óbvio, Zacarias já teria morrido por esse tempo. Os eruditos conservadores, entretanto, veem essa seção como profética, entendendo que ela foi escrita por Zacarias. Grandes movimentos de nações fornecem o pano de fundo dos livros proféticos, o que por certo também é verdadeiro no caso de Zacarias.

■ 9.1

מַשָּׂא דְבַר־יְהוָה בְּאֶרֶץ חַדְרָךְ וְדַמֶּשֶׂק מְנֻחָתוֹ כִּי
לַיהוָה עֵין אָדָם וְכֹל שִׁבְטֵי יִשְׂרָאֵל:

A sentença pronunciada pelo Senhor é contra a terra de Hadraque, e repousa sobre Damasco. A palavra "sentença" é tradução da palavra hebraica *massa,* "uma carga", dando a entender uma mensagem que pesa sobre o coração e a mente dos homens. Ver as notas expositivas sobre Ml 1.1. Uma sentença usualmente é uma mensagem que contém um presságio de julgamento que um profeta tinha no coração e então entregava em seus pronunciamentos. Foi a palavra de Yahweh quem deu ao profeta essa *sentença.* Essa é a declaração padronizada dos livros proféticos do Antigo Testamento: Yahweh estava por trás dessas declarações e possuía profetas autorizados para entregar suas mensagens. Note o leitor que o termo *sentença,* relativo às mensagens proféticas, não foi empregado nos capítulos 1—8, mas aparece na segunda seção do livro, em Zc 9.1 e 12.1,3. Esse uso é um dos muitos "novos" elementos que distinguem a segunda parte do livro da primeira. Cf. as *sentenças* de Isaías (15.1; 17.1; 19.1; 21.1,11,13; 22.1).

Hadraque. Ver no *Dicionário* sobre este nome próprio locativo. Os documentos assírios mencionam esta cidade como pertencente à Síria, ao norte de Damasco. Yahweh estava tanto ali como em Damasco, cidades que ficavam ao norte do território de Israel, a fim de julgar. Alexandre, o Grande, provavelmente fora o agente usado por Deus na condenação descrita pelos versículos presentes. A destruição antecederá a volta triunfal do Messias, e esse é o alvo na direção do qual as palavras se movem.

Todas as cidades de Arã (Síria) pertencem a Yahweh, e ele fará com elas o que melhor lhe aprouver, como também com todo o povo de Israel. Yahweh fixou sobre eles seus "olhos", porquanto pertencem a ele.

"Esta é uma profecia contra a Síria, contra os filisteus, contra Tiro e contra Sidom, que foram sujeitados por Alexandre, o Grande. Depois disso, o profeta falou gloriosamente acerca da vinda de Cristo e da redenção que nele há" (Adam Clarke, *in loc.*).

Sobre os homens. No hebraico temos a palavra *adam,* aqui traduzida por "homens". Mas esse termo é emendado por muitos para *Arã.* Trata-se de um lugar sujeitado à ira divina.

■ 9.2

וְגַם־חֲמָת תִּגְבָּל־בָּהּ צֹר וְצִידוֹן כִּי חָכְמָה מְאֹד:

Também repousa sobre Hamate que confina com ele. Hamate também é objeto da atenção destruidora de Deus. Modernamente, essa localidade chama-se Hamã, outra porção da Síria, ao norte de Damasco, a capital. Ver no *Dicionário* o artigo chamado *Hamate.* *Tiro* e *Sidom,* embora sábias aos próprios olhos, também seriam derrubadas por terra. Yahweh faria tombar os orgulhosos (vs. 4). O cerco de Tiro foi uma das campanhas mais brilhantes de Alexandre, o Grande. Prolongou-se por sete meses e terminou com êxito em julho de 332 a.C. Cf. Ez 28.1-23. A alegada sabedoria dos tírios também é mencionada nesta passagem.

■ 9.3

וַתִּבֶן צֹר מָצוֹר לָהּ וַתִּצְבָּר־כֶּסֶף כֶּעָפָר וְחָרוּץ
כְּטִיט חוּצוֹת:

Tiro edificou para si fortalezas, e amontoou prata como o pó. O profeta fez sua atenção estacionar sobre Tiro por algum tempo, porquanto a cidade era lugar orgulhoso e notável, fortificado e protegido, pelo que sua queda foi um grande feito do poder de Alexandre, o Grande. Naturalmente, acima de Alexandre havia o *Poder,* isto é, Elohim, o Deus Soberano de toda a criação, que opera na história, recompensando e punindo, em concordância com a lei moral. O Criador intervém em sua criação, o que exprime a essência do *Teísmo* (ver a respeito no *Dicionário*). Em contraste, o *Deísmo* (ver também no *Dicionário*) ensina que a força criativa (pessoal ou impessoal) abandonou sua criação nas mãos das leis naturais. Tiro ficava numa ilha quase inacessível, difícil de ser invadida. Ademais, era pesadamente fortificada, o que parecia torná-la inexpugnável. Assim sendo, o orgulho humano era uma das características da cidade. Era uma das cidades mais ricas da época, dependendo do tráfico marítimo. Ver sobre esse lugar no *Dicionário,* quanto a detalhes. O ouro e a prata eram tão abundantes ali como o *pó,* mas em poucos meses Alexandre reduziu a cidade inteira à poeira, ou à *lama,* as águas do mar misturadas ao pó.

■ 9.4

הִנֵּה אֲדֹנָי יוֹרִשֶׁנָּה וְהִכָּה בַיָּם חֵילָהּ וְהִיא בָּאֵשׁ
תֵּאָכֵל:

Eis que o Senhor a despojará, e precipitará no mar a sua força. Yahweh rejeitaria a cidade de Tiro e a *despojaria* de suas possessões (*Revised Standard Version*). "O Senhor tirará tudo quanto ela tem" (NCV), pondo fim a suas riquezas e a seu orgulho. Ela também teria fechado seu lucrativo comércio marítimo, a fonte de suas riquezas materiais. Além disso, a própria cidade seria queimada a fogo, e a coisa inteira seria atribuída a Yahweh, pois Tiro (conforme se alegava) estava fora de alcance dos homens. Yahweh, porém, estava ao lado de Alexandre, sendo ele o invisível General de seu exército. Cf. este versículo com Ez 26.17-21; 27.27 e 34. A autossuficiência de Tiro terminou em desastre. Q. Curtius (50.5, cap. 4) mencionou especificamente o fato de que Tiro foi incendiada por Alexandre.

■ 9.5,6

תֵּרֶא אַשְׁקְלוֹן וְתִירָא וְעַזָּה וְתָחִיל מְאֹד וְעֶקְרוֹן כִּי־הֹבִישׁ מֶבָּטָהּ וְאָבַד מֶלֶךְ מֵעַזָּה וְאַשְׁקְלוֹן לֹא תֵשֵׁב׃

וְיָשַׁב מַמְזֵר בְּאַשְׁדּוֹד וְהִכְרַתִּי גְּאוֹן פְּלִשְׁתִּים׃

Ascalom o verá e temerá; também Gaza, e terá grande dor. As principais cidades dos filisteus, Ascalom, Gaza e Ecrom (ver no *Dicionário* sobre esses lugares), alarmadas, observariam o avanço de Alexandre e começariam a tremer. Essas cidades seriam atacadas e então se debateriam em angústia. As esperanças serão confundidas e se despedaçarão. A federação dos filisteus consistia essencialmente em cinco cidades-estados. A essas três cidades do vs. 5, Asdode é adicionada no vs. 6. *Gate*, a quinta cidade, não é mencionada aqui. Talvez ela tivesse deixado de existir quando esta passagem foi escrita, conforme supõem alguns estudiosos. Entretanto, há evidências de que, na época, Gate estava sujeita a tributos ao império persa, dirigida por um governador militar persa. A cidade de Asdode, o orgulho dos filisteus, tinha passado a possuir uma população mista, a mistura de várias raças estrangeiras, e assim perdera seu caráter distintivamente filisteu. Nossa versão portuguesa diz aqui "povo bastardo", mas "misto" parece ser a tradução preferível. "Estrangeiros viverão em Asdode" (NCV). Alexandre, um líder universalista, tinha prazer em ver misturas de raças. Ele não estava interessado em gregos puros, filisteus puros, ou em nenhuma outra raça pura.

■ 9.7

וַהֲסִרֹתִי דָמָיו מִפִּיו וְשִׁקֻּצָיו מִבֵּין שִׁנָּיו וְנִשְׁאַר גַּם־הוּא לֵאלֹהֵינוּ וְהָיָה כְּאַלֻּף בִּיהוּדָה וְעֶקְרוֹן כִּיבוּסִי׃

Da boca destes tirarei o sangue dos sacrifícios idólatras. A despeito dos severos julgamentos que se seguiriam, castigando a iniquidade, a restauração deveria sair daí. Os filisteus, uma vez purificados, se tornariam um remanescente em favor de Deus, como um clã de Judá, unido e beneficiando-se com base no suprimento divino. "Farei com que deixem de beber sangue. E não mais consumirão qualquer outro alimento proibido. Aqueles que sobrarem vivos, pertencerão a Deus. Eles serão líderes em Judá. E Ecrom se tornará parte do meu povo, como os jebuseus" (NCV). Israel tornou-se distintivo entre as nações devido às suas leis de *Limpo e Imundo* (ver a respeito no *Dicionário*). Os pagãos seriam sujeitos às leis de Israel, semelhantes a Israel, em vez de Israel-Judá tornar-se semelhante aos pagãos, o que sempre aconteceu na história passada do povo. O abandono da idolatria logicamente é compreendido como o elemento essencial desse processo de os gentios se tornarem como os judeus. Os jebuseus foram o povo que Davi sujeitou, quando conquistou Jerusalém. Os sobreviventes, dentre eles, misturaram-se aos judeus e acabaram sendo absorvidos. O mesmo acontecerá com outros povos, presumivelmente na era futura do reino de Deus, porquanto o que é dito aqui nunca ocorreu no passado. Josefo (*Antiq.* xiii.cap. 15, s. 4) mencionou o fato de que muitos filisteus se tornaram prosélitos da fé de Israel, mas não em quantidade suficiente para justificar as palavras deste versículo.

E será como chefe em Judá. Este texto é seguido em várias traduções. Mas a *Revised Standard Version* emenda para *'eleph* (clã), em vez de reter *'alluph* (chefe), e isso pode estar correto. Os estrangeiros se tornarão um clã em Israel.

■ 9.8

וְחָנִיתִי לְבֵיתִי מִצָּבָה מֵעֹבֵר וּמִשָּׁב וְלֹא־יַעֲבֹר עֲלֵיהֶם עוֹד נֹגֵשׂ כִּי עַתָּה רָאִיתִי בְעֵינָי׃ ס

Acampar-me-ei ao redor da minha casa para defendê-la. Embora potências estrangeiras dominassem os povos em derredor,

Yahweh armará acampamento com o seu povo e agirá como guarda contra o ataque, preservando assim a integridade de Israel. "Guarda" (ver a *Revised Standard Version*) é uma tradução conjectural apoiada pela Septuaginta e pelo siríaco. Diz o original hebraico, literalmente, "exército" (em nossa versão portuguesa — "forças militares"). O acampamento de Yahweh não permitirá que nenhum exército estrangeiro chegue a Jerusalém com o propósito de prejudicá-la. A profecia, a curto prazo, dizia que o exército macedônio de Alexandre não cercaria Jerusalém. Isso é historicamente verdadeiro. Alexandre respeitava profundamente a cidade de Jerusalém, sua população e autoridades religiosas. Sua ira se transformou em intenções pacíficas, mediante as intercessões de Jadua, o sumo sacerdote. Ver Josefo (*Antiq.* xi.8. s. 5). Talvez um livramento final seja tipificado por esse acontecimento. Ver Is 60.18; Ez 28.24. Nesse caso, a profecia torna-se uma predição escatológica.

■ 9.9

גִּילִי מְאֹד בַּת־צִיּוֹן הָרִיעִי בַּת יְרוּשָׁלַםִ הִנֵּה מַלְכֵּךְ יָבוֹא לָךְ צַדִּיק וְנוֹשָׁע הוּא עָנִי וְרֹכֵב עַל־חֲמוֹר וְעַל־עַיִר בֶּן־אֲתֹנוֹת׃

Alegra-te muito, ó filha de Sião. Chegamos agora ao clímax desta parte do oráculo. O rei messiânico aparecerá. Talvez o acontecimento histórico em pauta tivesse sido Alexandre, o Grande, montado orgulhosamente em seu cavalo, atuando como instrumento para cumprir o propósito de Yahweh. Mas o sentido espiritual refere-se ao Messias. Mt 21.1-5 aplica as palavras à entrada triunfal de Jesus em Jerusalém. Mas isso só pode ser parte do quadro, e não a sua totalidade, porquanto a glória futura do Messias é salientada, associada ao segundo advento do Messias.

Filha de Sião... filha de Jerusalém. O vocábulo *filha* originalmente era usado para indicar a cidade ou aldeia satélite de uma cidade central, que era a "mãe" das cidades circunvizinhas. Mas essa expressão, "filha de", passou a referir-se ao povo inteiro, conforme se vê aqui. Ver sobre "filha de Sião", em Is 1.8; 37.22; Jr 4.31; 6.23. Quanto à expressão "filha de Jerusalém", ver Is 37.22 e Jr 52.1.

Montado em um jumento. Note o leitor o transporte humilde, o humilde jumento. "A vitória é dele, embora ele não fosse um guerreiro e não chegasse montado em um cavalo de batalha. Antes, ele chegou em um animal que simboliza uma nação pacífica. Esse retrato do governante messiânico sem dúvida é modelado, em parte, segundo a figura misteriosa retratada em Gn 49.10,11" (D. Winton Thomas, *in loc.*).

Quanto a informações completas, ver as notas expositivas sobre Mt 21.5, no *Novo Testamento Interpretado*.

■ 9.10

וְהִכְרַתִּי־רֶכֶב מֵאֶפְרַיִם וְסוּס מִירוּשָׁלַםִ וְנִכְרְתָה קֶשֶׁת מִלְחָמָה וְדִבֶּר שָׁלוֹם לַגּוֹיִם וּמָשְׁלוֹ מִיָּם עַד־יָם וּמִנָּהָר עַד־אַפְסֵי־אָרֶץ׃

Destruirei os carros de Efraim e os cavalos de Jerusalém. A *paz* será instaurada pelo Príncipe da Paz, e isso fará parte das bênçãos do reino de Deus. Portanto, não haverá mais carros de combate avançando, pertencentes a Efraim; não haverá mais flechas escurecendo o céu; não haverá mais cavalos de guerra entrando em Jerusalém ou saindo da cidade. O Messias ordenará "Paz!", e todas as nações obedecerão e abandonarão seus implementos de guerra. O Messias brandirá um cetro de domínio universal, para o bem de todos os seres humanos. Seu domínio se estenderá de mar a mar e do rio (Eufrates; ver Mq 7.12 e Is 7.20) até os confins da terra. Alexandre conquistou o mundo conhecido em seus dias e morreu quando tinha por volta de 30 anos. Em contraste, o Messias dominará a terra inteira e reinará pelos séculos dos séculos. Alexandre saiu conquistando e matando, mas o Messias estabelecerá e cumulará todas as nações da terra com seus benefícios celestiais.

■ 9.11

גַּם־אַתְּ בְּדַם־בְּרִיתֵךְ שִׁלַּחְתִּי אֲסִירַיִךְ מִבּוֹר אֵין מַיִם בּוֹ׃

Quanto a ti, Sião... tirei os teus cativos da cova. Promessas especiais foram feitas a Israel, que desempenhará papel especial no esquema da restauração futura. Todos os cativos serão libertados e haverá perfeita *liberdade*. O *Libertador* porá fim ao antigo estado de coisas caracterizado pelos cativeiros, pela escravidão a potências estrangeiras, pela dominação do pecado. Ele operará em consonância com o *pacto* firmado com seu povo, aqui denominado aliança "de sangue". Provavelmente devemos pensar aqui no *pacto mosaico*, baseado no sistema de sacrifícios animais. Ver sobre esse pacto na introdução a Êx 19.

Este versículo tem sido cristianizado para referir-se ao sangue do pacto cristão, derramado por ocasião da morte do Messias, em seu primeiro advento... E então o pacto abraâmico (comentado em Gn 15.18) também foi firmado por meio de um sacrifício de sangue (ver Gn 15.8-21).

Da cova em que não havia água. A alusão é a uma cisterna seca que podia ser usada como prisão temporária para confinar um homem ou um animal. Está em vista o lugar ou a condição de *exílio*. Israel nunca mais sofrerá exílios, nem será mais escravo do pecado ou do deboche, e certamente também não se prenderá mais à idolatria. Estão em vista as operações da era do reino. Coisa alguma como essa aconteceu na história. Israel continuou a ser esbofeteado pelas potências estrangeiras, como continua a ser até hoje.

■ 9.12

שׁוּבוּ לְבִצָּרוֹן אֲסִירֵי הַתִּקְוָה גַּם־הַיּוֹם מַגִּיד מִשְׁנֶה אָשִׁיב לָךְ:

Voltai à fortaleza, ó presos da esperança. "Vós, prisioneiros cheios de esperança, retornai a vosso lugar de segurança. Eis que hoje vos estou dizendo que vos darei o dobro de antes" (NCV). As promessas do reino têm continuidade aqui. Israel ultrapassará as medidas de sua anterior glória, poder ou riquezas. Originalmente, essas palavras podem ter sido um chamado para Israel sair de seu exílio, na Babilônia. Cf. Zc 8.8. Deveria haver uma recompensa pelos sofrimentos enfrentados (ver Is 61.7). No entanto, riquezas maiores estão reservadas para o tempo do reino futuro de Deus: ali também há maior segurança; e a volta maior do exílio ainda espera pela sua realização. Há uma brilhante esperança, apesar das aflições (ver Jó 13.15; Sl 42.5,11). Alguns diziam: "A esperança está perdida" (ver Jr 31.17), mas o poder divino anularia esse pessimismo.

"*Prisioneiros da esperança* é um interessante conjunto de palavras. Ambos os substantivos dizem uma verdade. Expressam quase as palavras-chaves do Antigo Testamento para que se compreenda a história dos hebreus. Bombardeados, batidos, desprezados, e, no entanto, sempre houve aquela esperança que ninguém podia apagar" (Theodore Cuyler Speers, *in loc.*).

GUERRA VITORIOSA CONTRA OS TIRANOS (9.13-17)

Uma das interpretações desta seção é que ela é uma espécie de apêndice que se manifesta contra os gregos, que tinham obtido dominação mundial, a despeito das esperanças de uma aparição do Messias para breve (assunto da seção anterior). Um espírito pacífico, pois, transformou-se em um espírito belicoso. Israel se vingaria dos gregos, através do poder de Yahweh. Se colocarmos isso dentro do contexto histórico, então essa foi outra esperança vã. Naturalmente, os *sucessores* dos gregos foram derrotados pelos macabeus, o que deu a Israel outro breve período de independência, encerrado pelos romanos. A menção aos gregos, aqui, se foi mesmo de autoria do profeta Zacarias, deve ser uma profecia, mas essa é uma das razões pelas quais alguns intérpretes supõem que os capítulos 9—14 tenham sido escritos por algum editor subsequente. Isso significaria que eles foram escritos durante e após as vitórias dos gregos, quando a Macedônia obteve domínio sobre o mundo conhecido da época. Alguns eruditos supõem que esta seção seja uma adição posterior que reflete historicamente o conflito dos macabeus (169-135 a.C.) contra Antíoco IV Epifânio (cf. Dn 11.32). Nesse caso, foi escrito como história, ao passo que outras porções da segunda seção do livro (capítulos 9—14) foram escritas como profecia.

■ 9.13

כִּי־דָרַכְתִּי לִי יְהוּדָה קֶשֶׁת מִלֵּאתִי אֶפְרַיִם וְעוֹרַרְתִּי בָנַיִךְ צִיּוֹן עַל־בָּנַיִךְ יָוָן וְשַׂמְתִּיךְ כְּחֶרֶב גִּבּוֹר:

Porque para mim curvei Judá como um arco. A guerra seria desfechada por Efraim e Judá, ou seja, tribos do norte e do sul, em um presumível esforço "nacional". Mas não houve restauração do país inteiro nos dias dos macabeus, embora o território dos macabeus não se limitasse somente à nação de Judá. Talvez tudo o que o autor sacro quisesse dizer fosse o "Israel unido", o novo Israel da restauração de depois do cativeiro babilônico, sem exigir a restauração real das antigas fronteiras. O poder real por trás do arco (Judá) e das flechas (Efraim) era Yahweh, que faria deles a sua *espada* (isto é, um implemento de guerra).

■ 9.14

וַיהוָה עֲלֵיהֶם יֵרָאֶה וְיָצָא כַבָּרָק חִצּוֹ וַאדֹנָי יְהוִה בַּשּׁוֹפָר יִתְקָע וְהָלַךְ בְּסַעֲרוֹת תֵּימָן:

O Senhor será visto sobre os filhos de Sião, e as suas flechas sairão como o relâmpago. Yahweh era agora o General dos Exércitos, de fato, do exército inteiro, porquanto as flechas do Senhor é que foram atiradas como o relâmpago; a sua trombeta é que fazia soar o grito de batalha; e ele é quem marchava como um tornado, abrindo uma vereda limpa pelo meio da terra e aniquilando os inimigos de Israel. Note o leitor o título divino aqui usado, que se ajusta bem ao espírito da seção: *Adonai-Yahweh*, ou seja, o Senhor Soberano. A *Soberania de Deus* (ver a respeito no *Dicionário*) atua nos negócios internacionais dos homens. Na arte assíria e babilônica, algumas vezes Deus é pintado como montado em um cavalo celeste, com arco e flechas na mão, voando acima de seus exércitos e conduzindo-os à vitória. Talvez essa imagem tenha influenciado as metáforas deste versículo.

A maioria dos intérpretes vê aqui as vitórias dos macabeus, mas a linguagem é tão radical que muitos pensam que estão em vista aqui vitórias futuras, que ajudarão a trazer a era do reino de Deus.

Os redemoinhos do sul. Foi dito assim porque as tempestades mais ferozes que atingiam Israel-Judá vinham do deserto ao sul da nação. Cf. Sl 21.1. Deve haver uma alusão às ferozes manifestações de Yahweh no Sinai (ver Êx 19).

■ 9.15

יְהוָה צְבָאוֹת יָגֵן עֲלֵיהֶם וְאָכְלוּ וְכָבְשׁוּ אַבְנֵי־קֶלַע וְשָׁתוּ הָמוּ כְּמוֹ־יָיִן וּמָלְאוּ כַּמִּזְרָק כְּזָוִיּוֹת מִזְבֵּחַ:

O Senhor dos Exércitos os protegerá; devorarão os fundibulários e os pisarão. *Descrições da Violência.* Yahweh (o *Adonai-Yahweh* do vs. 14) virá como uma tempestade para defender o seu povo. Ele é Yahweh dos Exércitos (título divino repetido 47 vezes nesse livro). Ele devorará os adversários de Israel como se fosse um animal feroz a devorar sua presa; ele pisará aos pés os fundibulários cujas pedras visavam ser fatais para Israel; então Israel beberá o sangue deles como se fosse vinho; o sangue encherá os cantos dos altares, e assim aqueles réprobos se tornarão um sacrifício a Yahweh, e o altar dele será como um *holocausto* (ver a respeito no *Dicionário*). O vs. 15 tem um hebraico obscuro e provavelmente corrompido; por essa razão, as traduções variam tanto na tentativa de arrancar um sentido das palavras. A tradução inglesa NCV faz Israel destruir seus inimigos com fundas, e os homens gritariam bêbados de vinho. A NIV, por sua vez, apresenta os bebedores de vinho/sangue a se encherem da bebida como um vaso usado para aspergir os cantos do altar nos ritos de sacrifício. Talvez a figura seja a de um exército vitorioso a observar uma festa de alegria, terminada a batalha. Como bebida, eles beberão o sangue de seus inimigos, e o derramarão sobre o altar, quando forem oferecidos sacrifícios de ação de graças pela vitória dada por Yahweh. Sabemos que os homens dos exércitos pagãos bebiam o sangue de seus adversários, na esperança de assim obter a "virtude" ou "poder" que seus inimigos possuíam. Essa é uma figura tomada por empréstimo, não querendo dar a entender que sangue humano era realmente tomado, pois isso era proibido pela lei mosaica. "Temos aqui a imagem do sacrifício segundo o qual parte da carne era ingerida e o sangue era derramado como libação (cf. Jr 46.10)" (Fausset, *in loc.*). O sangue e a gordura eram porções que cabiam a Yahweh (ver Lv 3.17). Quanto às figuras de *devorar* e *beber,* ver Nm 23.24; Mq 5.8; Ez 14.20 e 39.16,17.

9.16

וְהוֹשִׁיעָ֞ם יְהוָ֧ה אֱלֹהֵיהֶ֛ם בַּיּ֥וֹם הַה֖וּא כְּצֹ֣אן עַמּ֑וֹ כִּ֠י אַבְנֵי־נֵ֔זֶר מִֽתְנוֹסְס֖וֹת עַל־אַדְמָתֽוֹ׃

O Senhor seu Deus naquele dia os salvará. Yahweh-Elohim (o Deus Eterno e Todo-poderoso) intervirá e salvará os filhos de Israel, quando eles se defrontarem com os tiranos gregos, e também no último dia, antes da inauguração do reino de Deus, quando eles se levantarem como a cabeça das nações. Eles serão o *rebanho* do grande Pastor. Cf. isso com Zc 10.6. A ideia do rebanho é proeminente nos próximos quatro capítulos. Ver no *Dicionário* o artigo chamado *Pastor*, e ver também Sl 23; Is 40.11; Jr 31.10; Ez 34.23 e 37.24. Os filhos de Israel serão como *joias* na divina coroa real, ornamentos que celebram a graça, a misericórdia e o triunfo do Senhor. "Eles brilharão em sua terra como joias em uma coroa" (NIV). Cf. Am 9.11-15. Ver também Is 62.3 e Ml 3.17. A figura final de exaltação, neste passo, é a de uma *bandeira* levantada tão alto que pode ser vista desde longa distância. Cf. Is 11.1,2. Mas algumas traduções fazem isso aplicar-se à coroa, e não a um elemento separado. Mas a alusão parece ser à prática dos antigos exércitos vitoriosos, que punham troféus de sua vitória em mastros ou outros lugares conspícuos, para serem vistos por todos quantos ali passassem. Cf. este versículo com Zc 10.3.

9.17

כִּ֥י מַה־טּוּב֖וֹ וּמַה־יָּפְי֑וֹ דָּגָן֙ בַּֽחוּרִ֔ים וְתִיר֖וֹשׁ יְנוֹבֵ֥ב בְּתֻלֽוֹת׃

Pois quão grande é a sua bondade! E quão grande a sua formosura! A figura, neste trecho bíblico, é a de uma grande e bela exaltação proporcionada à nação de Israel. Então a agricultura haverá de florescer, o *cereal* alegrará os jovens, e o vinho animará as donzelas. "'Prosperidade' será a palavra do dia, tanto física quanto espiritual. Os jovens ficarão *vigorosos* com o cereal, e as donzelas ficarão fortes com o vinho (a ideia da tradução NCV). Haverá 'abundância de alimentos' e também 'abundância de vinho' — símbolos de tempos bons... de paz e abundância..." (Fausset, *in loc.*). Cf. Sl 72.16 e Zc 8.5.

CAPÍTULO DEZ

SÓ DEUS CONCEDE A CHUVA (10.1,2)

10.1

שַׁאֲל֨וּ מֵיְהוָ֤ה מָטָר֙ בְּעֵ֣ת מַלְק֔וֹשׁ יְהוָ֖ה עֹ֣שֶׂה חֲזִיזִ֑ים וּמְטַר־גֶּ֙שֶׁם֙ יִתֵּ֣ן לָהֶ֔ם לְאִ֖ישׁ עֵ֥שֶׂב בַּשָּׂדֶֽה׃

Pedi ao Senhor chuva no tempo das chuvas serôdias. O antigo povo de Israel acreditava que as condições climáticas eram controladas pelo decreto divino. Yahweh dará a chuva quando os homens pedirem por ela, *se* forem dignos dessa concessão. Deus está acima do *ciclo de água*: a evaporação de águas dos mares; a formação das nuvens; os ventos que sopram as nuvens ao redor do mundo; as chuvas e a neve que se precipitam; as bacias hidrográficas naturais, que ajuntam águas nos lagos e rios. Além disso, há tempos críticos do ano em que as chuvas devem cair, antes do plantio e da colheita. Ver no *Dicionário* o verbete chamado *Chuvas Anteriores e Posteriores*. A agricultura é o coração da vida e da economia, e essa ciência depende da benevolência divina.

Cf. o vs. 1 deste capítulo com Zc 14.17; Jl 2.18-27 e Am 4.7,8. Ver no *Dicionário* o artigo chamado *Agricultura*. No Talmude, um tratado inteiro (denominado *Taanith*) é dedicado ao suprimento divino das águas necessárias para a agricultura. O breve oráculo que fica em Zc 10.1,2 provavelmente foi escrito em tempos de seca. Isso não tem nenhuma relação com os versículos circundantes, mas o mesmo não pode ser dito com relação à vida e à existência em qualquer tempo e qualquer lugar. Continuamos absolutamente dependentes de chuvas.

10.2

כִּ֤י הַתְּרָפִים֙ דִּבְּרוּ־אָ֔וֶן וְהַקּֽוֹסְמִים֙ חָ֣זוּ שֶׁ֔קֶר וַחֲלֹמוֹת֙ הַשָּׁ֣וְא יְדַבֵּ֔רוּ הֶ֖בֶל יְנַֽחֵמ֑וּן עַל־כֵּן֙ נָסְע֣וּ כְמוֹ־צֹ֔אן יַעֲנ֖וּ כִּי־אֵ֥ין רֹעֶֽה׃ פ

Porque os ídolos do lar falam cousas vãs, e os adivinhos veem mentiras. Os empecilhos aos processos da natureza incluem a idolatria dos povos, que provoca a mente divina e lança Deus contra eles. Em razão disso, sobrevêm os julgamentos divinos, como as prolongadas e temíveis secas. Ajudando a atrapalhar o fluxo das bênçãos, estavam os profetas mentirosos que serviam os ídolos e desviavam o povo do caminho reto. Mas o povo que contava com Yahweh como seu Pastor (ver Zc 9.16) perdeu esse privilégio e começou a vaguear ao redor, sem liderança adequada.

Os ídolos. No hebraico, *teraphim* (ver a respeito no *Dicionário*). Ver também sobre *Serafins (Terafins)*. Eles acumulavam para si mesmos as forças imundas da mágica e do demonismo. Estão em vista os deuses domésticos que as pessoas punham em prateleiras e faziam deles "os pequenos deuses da família". Cf. Gn 31.19. O julgamento deveria sobrevir contra os falsos pastores e contra os rebanhos desviados. Então as coisas seriam normalizadas (ver Mq 5.3,4). Ver no *Dicionário* os artigos chamados *Adivinhação* e *Sonhos*. Ver Ne 6.10-14 quanto a uma tirada contra os *falsos profetas;* ver sobre os *adivinhos* em Ml 3.5. O trecho de 2Macabeus 12.40 diz-nos que sob as túnicas dos mortos foram encontradas todas as formas de mercadorias e coisas consagradas a ídolos, as quais eram proibidas pela lei de Moisés, mas floresciam entre o povo comum.

A *IRA DE DEUS* CONTRA OS OPRESSORES (10.3-12)

10.3

עַל־הָֽרֹעִים֙ חָרָ֣ה אַפִּ֔י וְעַל־הָעַתּוּדִ֖ים אֶפְק֑וֹד כִּֽי־פָקַד֩ יְהוָ֨ה צְבָא֤וֹת אֶת־עֶדְרוֹ֙ אֶת־בֵּ֣ית יְהוּדָ֔ה וְשָׂ֣ם אוֹתָ֔ם כְּס֥וּס הוֹד֖וֹ בַּמִּלְחָמָֽה׃

Contra os pastores se acendeu a minha ira. Temos um paralelo próximo a este oráculo em Zc 9.13-17. Os tiranos terão de ser derrubados, e Efraim (o norte) e Judá (o sul), ou seja, Israel unificado, serão o instrumento que Yahweh usará para essa tarefa. "O tempo, como é óbvio, será o tempo do governo ptolemaico na Palestina. O *Egito* e a *Assíria* do vs. 10 são os impérios ptolemaico e selêucida. Quanto ao todo, os judeus não foram maltratados pelo império ptolemaico, mas houve períodos regulares de perseguição (conforme ilustrado na história contada no livro de 3Macabeus). Seja como for, esse poder representava o domínio estrangeiro, que os judeus desprezavam. Os *pastores* e os *líderes* desta seção são os governantes, especificamente os ptolomeus e os seus agentes" (D. Winton Thomas, *in loc.*).

Somente o Senhor controla a história. Ele castigará os estrangeiros e recolherá seus remidos, historicamente, na vitória dos macabeus, e profeticamente, na vitória de Israel nos últimos dias, antes da instauração do reino milenar de Deus. Alguns ligam este versículo ao vs. 2 e veem aqui a opressão causada pelos falsos profetas e pelos líderes que fazem o rebanho desviar-se. No entanto, parece estar em vista a conexão com o estrangeiro. Quanto à figura do Pastor do rebanho, ver as notas expositivas em Zc 9.16. Em contraste com as ovelhas, estão os bodes estrangeiros, ou seja, os *líderes* dos opressores estrangeiros. Yahweh se livrará deles e dará a seu rebanho o descanso em face do assédio. Quanto à *metáfora do Pastor*, ver também Jr 2.8; 17.16; 23.1-4; Ez 34.2. A mesma figura é usada para apontar os opressores estrangeiros. ver Jr 6.3,4; 25.34-38 e 49.19.

10.4

מִמֶּ֤נּוּ פִנָּה֙ מִמֶּ֣נּוּ יָתֵ֔ד מִמֶּ֖נּוּ קֶ֣שֶׁת מִלְחָמָ֑ה מִמֶּ֛נּוּ יֵצֵ֥א כָל־נוֹגֵ֖שׂ יַחְדָּֽו׃

De Judá sairá a pedra angular, dele a estaca da tenda. Quatro *figuras* são oferecidas, fazendo-nos compreender que está chegando o tempo no qual os líderes de Israel surgirão dentre o seu próprio país, estando completamente derrotada a opressão estrangeira. O

Targum vê as figuras como se falassem de diferentes aspectos do governo do Messias.

As figuras:
1. Os governantes "saídos do país", ou o Messias, serão a *Pedra angular* (ver Is 28.16), o alicerce sobre o qual o país será edificado. Eles (ele) serão os poderes sobre os quais repousarão as instituições nacionais (ver 1Sm 14.38; Is 19.13).
2. *A estaca da tenda.* As tendas eram levantadas por meio de postes, e as *estacas da tenda* lhe emprestavam estabilidade. Algumas traduções dizem aqui *pregos*, oferecendo-nos uma figura ampla. Os pregos são úteis para propósitos de "unir peças". São pontos importantes de força que mantêm as coisas unidas ou lhes emprestam apoio. Cf. Is 22.23.
3. *O arco de batalha.* Cf. Sl 45.5. Yahweh dos Exércitos seria a defesa deles, bem como a arma ofensiva contra os poderes estrangeiros e os opressores. Yahweh é um *Guerreiro*. Terminar a tirania das nações faz parte de seu plano de batalha.
4. *Os chefes.* Cf. Gn 49.10; Mq 5.2. Yahweh é Rei e se livrará dos reis estrangeiros. Ele *oprimirá* os opressores.

■ 10.5

וְהָי֣וּ כְגִבֹּרִ֗ים בּוֹסִ֛ים בְּטִ֥יט חוּצ֖וֹת בַּמִּלְחָמָ֑ה וְנִ֨לְחֲמ֜וּ כִּ֤י יְהוָה֙ עִמָּ֔ם וְהֹבִ֖ישׁוּ רֹכְבֵ֥י סוּסִֽים׃

E serão como valentes que na batalha pisam aos pés os seus inimigos. A *liderança coletiva* de Israel (que acabamos de ilustrar de vários pontos de vista) será como soldados. Marcharão para a batalha caminhando por ruas lamacentas. *Yahweh* estará com eles, pelo que guerrearão com valentia e derrotarão seus inimigos. As vitórias dos macabeus são destacadas aqui, historicamente falando; e a vitória de Israel, por meio do Messias, produzindo assim a era futura do reino de Deus, é o sentido profético. Seja como for, Yahweh é visto como o governante dos acontecimentos humanos, individuais ou internacionais.

"Vss. 5-7. A ideia anterior (vs. 4) é agora um pouco mais explorada, e Efraim, agora não de forma apenas implícita, mas explicitamente (conforme se vê em Zc 9.13-16), é incluído na promessa, como se pertencesse à tribo de Judá (ver Ez 37.16,17,22). Quanto ao cumprimento das promessas contidas nesta passagem, ver 1Macabeus 3.39; 4.7,31; 6.30,35; 9.4,11; 10.73,77 e 15.13" (Ellicott, *in loc.*). Quanto à visão profética a longo prazo, temos a seguinte citação de F. Duane Lindsey: "Vss. 6-12. O Messias reajuntará a todo o Israel. O *escopo mundial* desta profecia que diz respeito tanto a Israel como a Judá, bem como às atividades de Deus em favor de seu povo escolhido, indicam que o recolhimento final de Israel, imediatamente antes do segundo advento do Messias, está em vista".

■ 10.6

וְגִבַּרְתִּ֣י ׀ אֶת־בֵּ֣ית יְהוּדָ֗ה וְאֶת־בֵּ֤ית יוֹסֵף֙ אוֹשִׁ֔יעַ וְה֣וֹשְׁבוֹתִ֔ים כִּ֥י רִֽחַמְתִּ֖ים וְהָי֕וּ כַּאֲשֶׁ֥ר לֹֽא־זְנַחְתִּ֖ים כִּ֣י אֲנִ֛י יְהוָ֥ה אֱלֹהֵיהֶ֖ם וְאֶעֱנֵֽם׃

Fortalecerei a casa de Judá, e salvarei a casa de José. A casa de Judá é a nação do sul; a casa de José equivale à tribo de Efraim, referida no vs. 7. Não havia tribo de José. Antes, os dois filhos de José (adotados como filhos de Jacó), Efraim e Manassés, encabeçavam as tribos de seus nomes. Efraim era a maior e mais poderosa tribo do norte, pelo que esse nome pode indicar isso, como também pode acontecer na expressão "casa de José" (ver a expressão *casa de José* em Am 5.6; e sobre o *restante de José* em Am 5.15). Ver também Ob 18, que diz "casa de José". Esse versículo fala da nação reunida de Israel, incluindo a nação do norte e a nação do sul, o que se cumpriu de maneira preliminar sob a liderança dos macabeus, e em maior extensão pelo Messias, quando Israel se soerguer como a cabeça das nações. A misericórdia e o amor de Deus se estenderão a eles, e será como se eles nunca tivessem sido rejeitados, porque a restauração será completa e sem defeito. Yahweh será o Deus deles e novamente ouvirá e responderá às orações deles. O ensino sobre a grande compaixão de Deus, substituindo a antiga ira, é um dos grandes temas das profecias pós-exílicas. Ver Is 49.14,15. Ver Rm 11.26-29. Os pactos serão renovados e todas as promessas divinas terão cumprimento de maneira espetacular. Quanto ao fato de que Yahweh-Elohim era o Deus de Israel, e Israel era o seu povo, cf. Os 1.9; Zc 8.8 e 9.7.

■ 10.7

וְהָי֣וּ כְגִבּ֣וֹר אֶפְרַ֗יִם וְשָׂמַ֤ח לִבָּם֙ כְּמוֹ־יָ֔יִן וּבְנֵיהֶם֙ יִרְא֣וּ וְשָׂמֵ֔חוּ יָגֵ֥ל לִבָּ֖ם בַּיהוָֽה׃

Os de Efraim serão como um valente, e o seu coração se alegrará como pelo vinho. *Efraim*, ou nação do norte, será trazido de volta. Haverá recuperação de tudo quanto fora perdido. Israel será reunido novamente. Efraim estará de volta e será forte como um guerreiro. Voltará e estará feliz como um homem que ingeriu muito vinho. Seus filhos verão essa condição restaurada e se encherão de alegria. De fato, o coração deles exultará em Yahweh, aquele que realizará essa maravilha. Efraim era um tribo que se distinguira pelo valor de seus homens; e isso é enfatizado aqui. Yahweh é visto novamente como o agente por trás de todos os aspectos da história humana. Ver no *Dicionário* os artigos chamados *Soberania de Deus*; *Teísmo* e *Providência de Deus*.

■ 10.8

אֶשְׁרְקָ֥ה לָהֶ֖ם וַאֲקַבְּצֵ֑ם כִּ֣י פְדִיתִ֔ים וְרָב֖וּ כְּמ֥וֹ רָבֽוּ׃

Eu lhes assobiarei, e os ajuntarei, porque os tenho remido. Yahweh "assobiará", e todo o Israel-Judá voltará correndo do cativeiro. O som do assobio divino atingirá os confins da terra. Talvez a figura tencionada seja um instrumento musical usado pelos pastores para reunir as ovelhas em tempos de emergência ou durante a noite. Ver Jz 5.16. Esse forte antropomorfismo é suavizado na *Revised Standard Version* ("farei para eles um sinal") e também na NCV ("chamarei o meu povo"). Ver no *Dicionário* o verbete denominado *Antropomorfismo*. Talvez a figura do assobio tenha sido tomada por empréstimo de Is 5.26 e 7.18, onde a Assíria é assim convocada. No presente caso, como é natural, é o povo disperso de Israel que responderá ao sonido do assobio. Yahweh controla os negócios dos homens e as coisas acontecem segundo o seu cronograma. Ver isso nos vss. 5-7 deste capítulo. O povo assim chamado são os *remidos*, os quais levados a prosperar no novo dia. Outrossim, a restauração divina será um pasto rico para as ovelhas. Ver no *Dicionário* o artigo denominado *Restauração de Israel*.

■ 10.9

וְאֶזְרָעֵם֙ בָּֽעַמִּ֔ים וּבַמֶּרְחַקִּ֖ים יִזְכְּר֑וּנִי וְחָי֥וּ אֶת־בְּנֵיהֶ֖ם וָשָֽׁבוּ׃

Ainda que os espalhei por entre os povos, eles se lembram de mim. Foi Yahweh quem espalhou seu povo quando o julgou por causa da idolatria-adultério-apostasia. Os agentes da dispersão da nação do norte foram os assírios; os agentes da dispersão da nação do sul foram os babilônios; e os agentes da grande dispersão de Israel, iniciada em 132 d.C. e que somente agora está sendo revertida, foram os romanos. Assim como Yahweh julgou por dispersão, também agora ele redime por causa de seu grande amor, quando o arrependimento é genuíno. Ver no *Dicionário* o artigo chamado *Diáspora (Dispersão) de Israel*. As antigas gerações se haviam perdido, embora Deus possa chamar e realmente chamará suas almas de volta a ele (ver 1Pe 3.18—4.6). A *Lei Moral da Colheita segundo a Semeadura* (ver também a respeito no *Dicionário*) está sempre em operação. Não há estagnação. Todas as perdas podem ser revertidas. Em sua aflição, os descendentes daquela pobre gente se lembravam do Senhor e ele se lembrava deles. Todo o Israel será finalmente salvo (ver Rm 11.26).

■ 10.10,11

וַהֲשִׁיבוֹתִים֙ מֵאֶ֣רֶץ מִצְרַ֔יִם וּמֵֽאַשּׁ֖וּר אֲקַבְּצֵ֑ם וְאֶל־אֶ֤רֶץ גִּלְעָד֙ וּלְבָנ֔וֹן אֲבִיאֵ֔ם וְלֹ֥א יִמָּצֵ֖א לָהֶֽם׃

וְעָבַ֨ר בַּיָּ֜ם צָרָ֗ה וְהִכָּ֤ה בַיָּם֙ גַּלִּ֔ים וְהֹבִ֕ישׁוּ כֹּ֖ל מְצוּל֣וֹת יְאֹ֑ר וְהוּרַד֙ גְּא֣וֹן אַשּׁ֔וּר וְשֵׁ֥בֶט מִצְרַ֖יִם יָסֽוּר׃

Porque eu os farei voltar da terra do Egito. A volta dos israelitas será realmente grande. Será como outro escape do Egito. O povo atravessou o mar Vermelho porque o poder de Deus estava com ele. Mas o exército egípcio, ao tentar fazer a mesma coisa, se afogou e morreu, porquanto o poder de Deus *não* estava com eles. O Ser divino estava naquela maravilha. Nenhum homem poderia ter feito aquilo. A Assíria foi outro lugar desgraçado de exílio de israelitas. O poder de Deus também anulará isso. Todos os captores terão de entregar seus cativos. Eles voltarão correndo para Israel e encherão o lugar do Líbano a Gileade, ou seja, do extremo norte ao extremo sul. Eles herdarão o território que foi prometido pelo *pacto abraâmico* (ver Gn 15.18) e voltarão em números tão grandes que a Terra Prometida não será capaz de contê-los (uma hipérbole oriental). Ver Is 11.11-16. A restauração será completa e gloriosa, e todo o mundo se admirará diante dela.

O cetro do Egito. O primeiro aparecimento da palavra "Egito" no versículo é uma emenda. Egito (*miçrayim*) substitui a palavra hebraica *çara*, "aflição", que parece não fazer muito sentido. Muitas traduções modernas seguem essa emenda.

O cetro do *Egito* (segunda ocorrência dessa palavra no vs. 11) se afastará de Israel. Não haverá mais dominação estrangeira. O Nilo secará (figuradamente). Essa era a origem de toda a vida e existência no Egito, símbolo da vitalidade e poder daquele país. Havia uma dispersão de judeus no Egito, nos tempos ptolemaicos, e isso, pelo menos em parte, pode estar em vista aqui, mas a referência principal é ao êxodo original que deve ser reproduzido, mas em termos maiores, em preparação à era futura do reino de Deus. Historicamente falando, os impérios ptolemaico (do Egito) e selêucida (da Síria) tiveram de ser derrubados para que a restauração do povo de Israel fosse bem-sucedida. Historicamente, porém, temos de pensar também no êxodo original do Egito e no cativeiro assírio do reino do norte. Profeticamente, porém, devemos compreender que *quaisquer* e *todos* os cativeiros serão revertidos por ocasião do recolhimento final de Israel.

■ **10.12**

וְנִבַּרְתִּים בַּיהוָה וּבִשְׁמוֹ יִתְהַלָּכוּ נְאֻם יְהוָה: ס

Eu os fortalecerei no Senhor. Tal como no vs. 6, temos aqui o *fortalecimento divino* mencionado como a causa real da reversão dos infortúnios de Israel. Os filhos de Israel serão fortes em Yahweh e assim se tornarão o seu povo na Terra Prometida, restaurados e remidos, abençoados e exaltados. Eles se "gloriarão" em seu nome, como seu grande Benfeitor. Israel andará como um povo remido (e não mais apóstata). Em sua obediência, eles serão abençoados. Quanto à metáfora do andar, ver no *Dicionário* o verbete chamado *Andar*. "Fortalecerei o meu povo. E eles viverão conforme tenho dito, diz o Senhor" (NCV). O *Nome* do Senhor governará seus pensamentos e ações e lhes dará sucesso em tudo quanto fizerem. Ver sobre *Nome* em Sl 31.3 e sobre *Nome Santo*, em Sl 30.4 e 33.21. Ver também sobre *Nome*, no *Dicionário*.

CAPÍTULO ONZE

A QUEDA DOS TIRANOS (11.1-3)

Este pequeno oráculo provavelmente é paralelo a Zc 10.3-12. Antecipando a queda dos tiranos, o profeta proferiu uma lamentação zombeteira por causa deles. Ele emprega uma figura antiquíssima, pintando-os como grandes cedros do Líbano, a mais colossal árvore que os hebreus conheciam. Cf. Is 2.13 e Ez 31.1-18. A ingrata nação de Israel foi adiando sua restauração por seus horrendos atos de iniquidade, e o oráculo seguinte (vss. 4-14) toma esse tema a peito. Assim sendo, Yahweh é visto ocupado a punir os culpados pelas infrações morais contra a sua lei.

■ **11.1**

פְּתַח לְבָנוֹן דְּלָתֶיךָ וְתֹאכַל אֵשׁ בַּאֲרָזֶיךָ:

Abre, ó Líbano, as tuas portas para que o fogo consuma os teus cedros. *"A Queda dos Tiranos.* As palavras cedros, pastores e leões referem-se aos governantes. Os cedros do Líbano eram símbolos proverbiais de força (ver Ez 31.2-9), tal como o eram os carvalhos de Basã (ver Is 21.13 e Ez 27.6; cf. Sl 22.12 e Am 4.1)" (*Oxford Annotated Bible,* comentando sobre os vss. 1,2 deste capítulo). Por conseguinte, temos aqui várias figuras simbólicas: os tiranos são como os cedros, os pastores etc., e quando as árvores são destruídas pelo fogo, finalmente elas caem nas cinzas e no nada. Alguns intérpretes fazem os vss. 1-3 conter o oráculo que se segue concernente a Israel, e todos os versículos aplicar-se a Israel, adiando a restauração final. Todas essas três áreas geográficas, o Líbano, Basã e o Jordão, foram trazidas para o quadro, porquanto a queda de Israel seria universal. Mas o julgamento eventualmente traria uma restauração igualmente universal.

■ **11.2**

הֵילֵל בְּרוֹשׁ כִּי־נָפַל אֶרֶז אֲשֶׁר אַדִּרִים שֻׁדָּדוּ הֵילִילוּ
אַלּוֹנֵי בָשָׁן כִּי יָרַד יַעַר הַבָּצוּר:

Geme, ó cipreste, porque os cedros caíram. Os poderosos cedros seriam queimados até o rés do chão, e os nobres pinheiros, embora de menor prestígio, observariam a queda das árvores mais importantes, pois em breve teriam sorte similar. Os carvalhos de Basã logo também seriam aniquilados. Em lugar de *cipreste,* algumas traduções dizem *pinheiro* e outras dizem *abeto.* Há dúvidas sobre a espécie vegetal, mas a lição é clara. Basã é a região que faz fronteira com o Líbano, ao sudeste, e era famosa tanto por seus carvalhos como por seu gado. Ver todos os nomes próprios no *Dicionário,* quanto aos detalhes. É de presumir-se que as diferentes espécies de árvores, algumas mais nobres e mais fortes que outras, falam de gradações de tiranos, os grandes e os pequenos, mas estavam todos ocupados na questão da opressão.

O denso bosque. Todos os tiranos, de qualquer qualificação, tiveram a mesma sorte. A floresta inteira foi cortada sem que houvesse respeito a pessoas. Quanto aos *carvalhos de Basã,* cf. Is 2.13 e Ez 27.6.

■ **11.3**

קוֹל יִלְלַת הָרֹעִים כִּי שֻׁדְּדָה אַדַּרְתָּם קוֹל שַׁאֲגַת
כְּפִירִים כִּי שֻׁדַּד גְּאוֹן הַיַּרְדֵּן: ס

Eis o uivo dos pastores, porque a sua glória é destruída! Agora *duas novas figuras simbólicas* são introduzidas, para dizer a mesma coisa que a *metáfora da árvore,* dos vss. 1 e 2. Aqueles tiranos eram *pastores forçados* do povo de Deus, assumindo responsabilidade onde não lhes era devido e oprimindo sem misericórdia. *Reis estrangeiros* entraram em Israel e, tomando do rebanho do Senhor, abusaram dele por interesse próprio. *Pastor* é uma figura comum para indicar um *governante.* Ver as notas expositivas em Zc 10.2. Os intérpretes que aplicam os vss. 1-3 a Israel, como se este oráculo fosse uma introdução ao que se segue (vss. 4-14), veem os pastores deste versículo como *nativos* israelitas, governantes que abusaram do próprio povo, pelo que se arruinaram.

Então, os líderes furiosos que tinham obtido o que queriam por meio de crimes de sangue são agora chamados de *leões*. O leão não tem misericórdia de sua presa e a devora para matar a fome. Assim o autor sacro se referiu a uma opressão radical. Havia leões ocultos nas fronteiras da nação de Judá onde existiam florestas ou savanas, e eram uma ameaça constante contra os seres humanos. Mas os piores "leões" eram os das cidades. Esses, porém, haveriam de perder o seu *hábitat,* seriam deixados sem lar, e assim sofreriam a retaliação por causa de seus crimes. Os piores leões eram os que vinham de outros territórios e assediavam o que não lhes pertencia. O rebanho de Judá era impotente contra qualquer tipo de leão, doméstico ou estrangeiro. O *motivo do leão* é comum no Antigo Testamento. Ver no *Dicionário* o detalhado artigo chamado *Leão,* especialmente a quinta seção, *Usos figurados.*

JUÍZO DE DEUS CONTRA UM POVO INGRATO (11.4-14)

■ **11.4**

כֹּה אָמַר יְהוָה אֱלֹהָי רְעֵה אֶת־צֹאן הַהֲרֵגָה:

Assim diz o Senhor meu Deus: Apascenta as ovelhas destinadas para a matança. Alguns intérpretes tomam os vss. 1-14 como se eles abordassem as maldades de Israel, de seus líderes e da população em geral, que requeriam severo julgamento da parte de

Yahweh. Mas outros pensam que os vss. 1-3 formam um oráculo diferente, o qual denuncia os tiranos *estrangeiros,* formando um paralelo com Zc 10.3-12. Existe uma controvérsia idêntica em torno dos vss. 4-14. O vs. 6 pinta os habitantes da Terra Prometida como oprimidos por forças armadas estrangeiras. O vs. 10 deste capítulo tem, definitivamente, a nação de *Israel* em mente. Portanto, aqui estamos, por assim dizer, em "território pátrio". Ou seja, estamos tratando de Israel e seus problemas internos.

Esta passagem é admitidamente difícil e tem provocado intensos debates. Nos vss. 4-14 surge em cena o verdadeiro Pastor, pelo que a seção é tanto escatológica quanto messiânica. Alguns intérpretes, contudo, negam ambas as ideias e encontram aqui somente fatos históricos. Os vss. 15-17 retratam um pastor iníquo (um contrapastor), que alguns eruditos pensam referir-se ao anticristo. Isto posto, temos um bom pastor, rejeitado por suas ovelhas, e temos também um pastor iníquo, que é inteiramente indigno e explora suas ovelhas (ver Ez 34.2-10; Mq 3.1-7 e Jo 10.1,8-13).

Yahweh-Elohim (o Deus Eterno e Todo-poderoso) baixa ordem a um dos pastores do rebanho, rebanho destinado à execução. Essa ordem foi dada ao Bom Pastor. Ele fará o que estiver a seu alcance, mas o povo se afastara demasiado e caíra vitimado sob o poder dos tiranos e exploradores. Zacarias, como profeta que era, naturalmente tinha responsabilidade típica de pastor e devia fazer o que pudesse, antecipando o Bom Pastor que surgiria em cena. "Zacarias representa aqui o Messias, em sua própria pessoa e como tipo, e realiza deveres próprios de um pastor. Portanto, a linguagem é em parte apropriada a ele, mas aplica-se principalmente a seu antítipo, o Messias" (Fausset, *in loc.*). Estava chegando a destruição do povo judeu. Alguns estudiosos veem aqui especificamente os romanos e a destruição de Jerusalém-Judá, no ano de 70 d.C., mas isso é específico demais.

■ **11.5**

אֲשֶׁר קֹנֵיהֶן יַהֲרְגֻן וְלֹא יֶאְשָׁמוּ וּמֹכְרֵיהֶן יֹאמַר בָּרוּךְ יְהוָה וַאעְשִׁר וְרֹעֵיהֶם לֹא יַחְמוֹל עֲלֵיהֶן׃

Aqueles que as compram matam-nas, e não são punidos. "Os governantes estrangeiros são aqui representados como proprietários ausentes (compradores e vendedores), ao passo que os governantes nativos são os pastores. Eles são tanto duros quanto egoístas" (D. Winton Thomas, *in loc.*). Os falsos pastores estavam enriquecendo porque exploravam as ovelhas, e até agradeciam a Yahweh pelas vantagens obtidas. Cf. Zc 10.3. "Seus assassinos matavam-nos e não eram punidos. Os que os vendiam diziam: 'Louvado seja o Senhor, pois estou rico'. Os próprios pastores não se entristeciam por causa das ovelhas" (NCV). Este versículo fala de opressão "externa" e "interna" e faz do negócio inteiro um esquema para arranjar dinheiro. As ovelhas só tinham valor como produtoras do ganho que se podia obter de seu corpo. Para aqueles réprobos, elas não tinham valor algum.

■ **11.6**

כִּי לֹא אֶחְמוֹל עוֹד עַל־יֹשְׁבֵי הָאָרֶץ נְאֻם־יְהוָה וְהִנֵּה אָנֹכִי מַמְצִיא אֶת־הָאָדָם אִישׁ בְּיַד־רֵעֵהוּ וּבְיַד מַלְכּוֹ וְכִתְּתוּ אֶת־הָאָרֶץ וְלֹא אַצִּיל מִיָּדָם׃

Certamente já não terei piedade dos moradores desta terra, diz o Senhor. Este versículo diz que as ovelhas sofredoras estavam recebendo o que mereciam e, quando o juízo divino terminasse seu curso, os governantes também receberiam o justo pagamento. O povo de Israel cairia nas mãos de pastores violentos e reis estrangeiros. Todos seriam esmagados, e não haveria libertador para salvá-los. Provavelmente, o autor antecipa os vss. 8-13, onde vemos a rejeição do verdadeiro e Bom Pastor, por parte de Israel em geral, tanto cidadãos comuns quanto governantes. Alguns estudiosos fazem o "rei" aqui mencionado ser um rei particular, isto é, o governo romano, mas isso é específico demais. Eles disseram: "Não temos rei, senão César!" (Jo 19.15). Portanto, "Deus não os livraria do poder dos romanos" (F. Duane Lindsey, *in loc.*). Alguns intérpretes fazem este versículo proferir julgamento contra os reis, poderes e terras estrangeiras, por meio de guerras civis e externas, além de intermináveis tumultos. Mas é o julgamento de Israel que está em pauta.

■ **11.7**

וָאֶרְעֶה אֶת־צֹאן הַהֲרֵגָה לָכֵן עֲנִיֵּי הַצֹּאן וָאֶקַּח־לִי שְׁנֵי מַקְלוֹת לְאַחַד קָרָאתִי נֹעַם וּלְאַחַד קָרָאתִי חֹבְלִים וָאֶרְעֶה אֶת־הַצֹּאן׃

Apascentai, pois, as ovelhas destinadas para a matança, as pobres ovelhas do rebanho. O Bom Pastor teve misericórdia dos rebanhos, que estavam destinados à matança (vs. 4), revertendo a obra má dos estrangeiros e dos criminosos do próprio povo de Israel, que os compravam, vendiam e matavam; e, assim sendo, o Senhor estendeu aos judeus sua proteção e bênção. Ele cuidará deles com duas *varas.* Uma é chamada *Graça,* e a outra é chamada *União.* Essas varas simbolizavam a natureza do governo divino sobre o seu povo. Ele os guia e consola com sua graça e os unifica, harmonizando todo o povo de Israel sob o seu poder e servindo de Pai para eles. Dessarte, Israel se tornará uma família divina, unida pelo amor de Deus. Esse uso alegórico foi tomado por empréstimo de Ez 37.16. Trata-se de um uso antiquíssimo, também encontrado na literatura cananeia referente a Baal. Desse modo, é deveras antigo o motivo das *duas varas,* mas sua atração manteve-o em uso. Cf. este versículo com Zc 9.14-17 e Os 1.11. Ver também Ez 34.25-28.

■ **11.8**

וָאַכְחִד אֶת־שְׁלֹשֶׁת הָרֹעִים בְּיֶרַח אֶחָד וַתִּקְצַר נַפְשִׁי בָּהֶם וְגַם־נַפְשָׁם בָּחֲלָה בִי׃

Dei cabo dos três pastores num mês. Em um único mês, o Bom Pastor aniquilou três pastores inconvenientes, a quem ele odiava e os quais o odiavam. Este versículo é enigmático, mas provavelmente se refere a personagens em Israel (ou opressores estrangeiros) conhecidas dos leitores do período dos macabeus, mas desconhecidos para nós agora. Na literatura evangélica existem *quarenta* tentativas de identificar esses três pastores, mas todas inúteis. Seria ridículo forçar o leitor a ouvir a lista de todas as opções provavelmente incorretas. A lição dada por este versículo é clara, mesmo sem especulações inúteis: O Bom Pastor venceu toda a oposição a seu rebanho, e, pelo lado positivo, supriu seu povo com todas as coisas necessárias. Ele anulou tanto indivíduos quanto impérios inteiros em seu labor, pois ambas as coisas poderiam prejudicar o seu rebanho.

■ **11.9**

וָאֹמַר לֹא אֶרְעֶה אֶתְכֶם הַמֵּתָה תָמוּת וְהַנִּכְחֶדֶת תִּכָּחֵד וְהַנִּשְׁאָרוֹת תֹּאכַלְנָה אִשָּׁה אֶת־בְּשַׂר רְעוּתָהּ׃

Então disse eu: Não vos apascentarei. O texto sagrado dá uma guinada radical e volta-se da obra protetora e benéfica do Pastor para mostrar agora o Senhor a renegar seu rebanho, por causa das suas corrupções. Aos moribundos, ele não mais salvaria; aos sofredores, não mais aliviaria; aos apóstatas, não mais restauraria; e aos desviados, não mais chamaria de volta. Israel degenerara tanto que passara a praticar o canibalismo, que se tornou realidade no tempo do cerco babilônico de Jerusalém, e depois, novamente, quando os romanos isolaram Jerusalém, em 70 d.C. Cf. este versículo com Jr 15.1,2 e Is 9.20. Em vez de alimentar o rebanho, o Pastor divino permitiu que os judeus se comessem mutuamente.

■ **11.10**

וָאֶקַּח אֶת־מַקְלִי אֶת־נֹעַם וָאֶגְדַּע אֹתוֹ לְהָפִיר אֶת־בְּרִיתִי אֲשֶׁר כָּרַתִּי אֶת־כָּל־הָעַמִּים׃

Tomei a minha vara Graça e a quebrei, para anular a minha aliança. Deus, que tinha firmado sua aliança com o povo de Israel, quebrou essa aliança. Ele tomou sua vara chamada *Graça* e propositadamente a quebrou em dois pedaços, simbolizando o fato de que ele tinha quebrado seu pacto com o povo apostatado. O pacto mosaico fora miseravelmente violado pelos israelitas. Ver sobre isso na introdução a Êx 19. Sendo esse o caso, o povo passou a sofrer a maldição de Deus. A lei de Moisés tinha por propósito transmitir vida (ver Dt 4.1; 5.33; Ez 20.11), mas tornou-se agente de morte para os desobedientes. Ver Dt 28.15; 29.20,21,27. O *pacto abraâmico* era a aliança fundamental da qual todos os outros pactos dependiam. Ver Gn 15.18. Aqueles réprobos israelitas perderam sua posição como filhos de Abraão. Este versículo diz o contrário do que estipula Ez 34.25-28.

▪ 11.11

וַתֻּפַר בַּיּוֹם הַהוּא וַיֵּדְעוּ כֵן עֲנִיֵּי הַצֹּאן הַשֹּׁמְרִים אֹתִי כִּי דְבַר־יְהוָה הוּא׃

Foi, pois, anulada naquele dia. O ato radical de Yahweh foi tão óbvio e radical que até os que traficavam com as ovelhas (vs. 5) souberam que se tratava de um ato divino que levara Israel ao desfavor e à destruição. Tanto os falsos pastores estrangeiros quanto os falsos pastores israelitas reconheceram que a palavra de Yahweh, que tinha proferido julgamento, havia prevalecido. Os traficantes (*Revised Standard Version*) aparecem como "fracos" em várias traduções. Se essa é a tradução correta, então temos a ideia de que os mansos e humildes receberam os julgamentos de Yahweh em submissão e paciência, porque eles sabiam que o decreto divino tinha causado o desastre. A referência aparece como messiânica na opinião de alguns: "Somente o remanescente crente (os aflitos do rebanho), que reconheceu Jesus como o verdadeiro Messias, compreendeu que sua verdadeira origem era Deus" (F. Duane Lindsey, *in loc.*). "Os piedosos, que estão obedecendo ao seu ensino, viram que essa era a *palavra*, o *desígnio* de Deus" (Adam Clarke, *in loc.*). Cf. o vs. 7.

▪ 11.12

וָאֹמַר אֲלֵיהֶם אִם־טוֹב בְּעֵינֵיכֶם הָבוּ שְׂכָרִי וְאִם־לֹא חֲדָלוּ וַיִּשְׁקְלוּ אֶת־שְׂכָרִי שְׁלֹשִׁים כָּסֶף׃

Este versículo tem sido interpretado de duas maneiras radicalmente diferentes: 1. O pano de fundo histórico requer que o Bom Pastor venda suas ovelhas mortas, que ele mesmo havia sacrificado aos seus alegados proprietários, que os exploravam. O Pastor mostrou-se bastante indiferente quanto a receber qualquer importância em dinheiro da parte deles, pois, afinal de contas, eles se haviam degradado de tal maneira que valiam pouquíssimo. Mas os "proprietários" lhe deram trinta miseráveis moedas de prata, a quantia em dinheiro pela qual se costumava comprar um escravo hebreu (ver Êx 21.32). "Tendo desistido de seu trabalho desesperançado e ingrato de exercer soberania em favor de Deus, o pastor perguntou dos proprietários qual o seu salário e recebeu o pagamento de trinta siclos de prata. A ironia subjacente da situação ficou demonstrada pelo fato de que o salário, embora não inteiramente desprezível, era igual ao valor de um escravo hebreu (ver Êx 21.32). 2. Este versículo torna-se messiânico, primeiramente por ter sido citado em Mt 26.15 e 27.9, onde Jesus aparece como vendido por Judas Iscariotes por essa quantia, e então por seu uso na igreja cristã com esse significado. Mas essa é uma clara *acomodação* (ver a respeito no *Dicionário*), e não uma interpretação primária das palavras.

▪ 11.13

וַיֹּאמֶר יְהוָה אֵלַי הַשְׁלִיכֵהוּ אֶל־הַיּוֹצֵר אֶדֶר הַיְקָר אֲשֶׁר יָקַרְתִּי מֵעֲלֵיהֶם וָאֶקְחָה שְׁלֹשִׁים הַכֶּסֶף וָאַשְׁלִיךְ אֹתוֹ בֵּית יְהוָה אֶל־הַיּוֹצֵר׃

Arroja isso ao oleiro, esse magnífico preço em que fui avaliado por eles. O preço desprezível foi um insulto para Yahweh, pelo que ele ordenou que o dinheiro fosse lançado no *tesouro* do templo. A palavra "oleiro", usada em algumas traduções (como a nossa versão portuguesa), segue uma antiga corrupção da palavra original, que significa *tesouro*. No hebraico, os dois vocábulos são bastante similares. "O preço era tão desprezível que foi lançado para o mais humilde de todos os artífices" (Ellicott, *in loc.*). Mas a Septuaginta, ao trocar uma única letra da palavra, dá preferência à palavra *tesouro*, que muitos eruditos pensam representar o termo hebraico original, que teria sido corrigido ao longo do caminho. Que o leitor observe aqui a ironia. O dinheiro é chamado por "magnífico preço"!

Os intérpretes têm agonizado desnecessariamente sobre a óbvia mudança de significado do original dentro da interpretação messiânica. Mas todo esse esforço é desnecessário. A *acomodação* é um acontecimento comum, no Novo Testamento, quando se abordam textos do Antigo Testamento. As *palavras* se ajustam muito bem ao que é dito, mas os *significados* originais são ignorados.

▪ 11.14

וָאֶגְדַּע אֶת־מַקְלִי הַשֵּׁנִי אֵת הַחֹבְלִים לְהָפֵר אֶת־הָאַחֲוָה בֵּין יְהוּדָה וּבֵין יִשְׂרָאֵל׃ ס

Então quebrei a minha segunda vara União para romper a irmandade entre Judá e Israel. A vara *Graça* já havia sido quebrada (ver o vs. 10). Agora a outra vara — chamada *União* — também foi quebrada. Não havia mais *união* entre homem e homem, e entre o povo e Deus Pai. Judá (a nação do sul) e Israel (a nação do norte) foram rasgadas uma da outra por sua idolatria-adultério-apostasia, e os homens, na terra, foram alienados do reino de Deus, acima. O povo de Israel se mostrara infiel a si mesmo e a outros povos, e assim invalidou os pactos. A deslealdade resultou em todas as dificuldades que eles tiveram de enfrentar internamente e também pelo assédio estrangeiro. Os julgamentos cairiam como a chuva e irromperiam como um vulcão. A expressão "Judá e Israel" provavelmente refere-se a "Israel unido", não aludindo, literalmente, às duas nações unidas em uma. Mas a rebeldia e intermináveis iniquidades tinham rompido a união do povo um com o outro, e de ambos com Deus.

CONDENAÇÃO DE UM GOVERNANTE INÍQUO (11.15-17)

▪ 11.15

וַיֹּאמֶר יְהוָה אֵלָי עוֹד קַח־לְךָ כְּלִי רֹעֶה אֱוִלִי׃

Toma ainda os petrechos de um pastor insensato. Este minúsculo oráculo provavelmente é um apêndice do oráculo que acaba de ser dado. Provavelmente reflete uma situação posterior, quando o país estava sendo explorado por um governador especialmente iníquo e ávido de ganho, que não se detinha diante de nada para conseguir o que queria. Ele era o contrário do Bom Pastor, que acabara de ser rejeitado. Portanto, o povo de Israel obteve o que merecia. "O profeta retrata um pastor indigno, que explorava as ovelhas (ver Ez 34.2-10; Mq 3.1-7; Jo 10.1,8-13)" (*Oxford Annotated Bible*, comentando sobre o vs. 15).

Yahweh baixara a ordem, dada ao profeta Zacarias, no sentido de que ele agisse como um pastor inútil. Ele deveria levar um bornal sem provisões alimentares; seu cajado fora quebrado na parte curva; ele não possuía armas para o rebanho dos ataques; e esquecera do chifre que servia de trombeta, com o qual ele chamava as ovelhas em ocasiões de emergência e à noite. Em todas as coisas, esse pastor se mostrava negligente, o que garantia seu fracasso como pastor. Ademais, ele se voltaria contra as próprias ovelhas e as abateria, usando-as em benefício próprio, e não em benefício do proprietário delas.

▪ 11.16

כִּי הִנֵּה־אָנֹכִי מֵקִים רֹעֶה בָּאָרֶץ הַנִּכְחָדוֹת לֹא־יִפְקֹד הַנַּעַר לֹא־יְבַקֵּשׁ וְהַנִּשְׁבֶּרֶת לֹא יְרַפֵּא הַנִּצָּבָה לֹא יְכַלְכֵּל וּבְשַׂר הַבְּרִיאָה יֹאכַל וּפַרְסֵיהֶן יְפָרֵק׃ ס

Porque, eis que suscitarei um pastor na terra, o qual não cuidará das que estão perecendo. Yahweh, a fim de punir seu povo desviado, que tinha rejeitado o Bom Pastor, dará a eles esse pastor negligente e violento. Tal pastor se tornaria um látego na mão do Senhor, para punir os apostatados. Ele não cuidaria das ovelhas enfermas e moribundas; não tentaria reencontrar as que se desviassem; não aplicaria bálsamo às feridas das ovelhas injuriadas; pelo contrário, faminto, ele executaria as melhores ovelhas para alimentar-se. Ele deceparia as ovelhas em pedaços, chegando a cortar desnecessariamente suas patas, um ato totalmente inútil. Ele seria um governante irracional e violento. "A palavra hebraica aqui traduzida por 'insensato' (no hebraico, *'ewil*) sugere um insensato endurecido e áspero, um pastor sem nenhuma preocupação com o rebanho e as suas necessidades" (F. Duane Lindsey, *in loc.*).

▪ 11.17

הוֹי רֹעִי הָאֱלִיל עֹזְבִי הַצֹּאן חֶרֶב עַל־זְרוֹעוֹ וְעַל־עֵין יְמִינוֹ זְרֹעוֹ יָבוֹשׁ תִּיבָשׁ וְעֵין יְמִינוֹ כָּהֹה תִכְהֶה׃ ס

Ai do pastor inútil, que abandona o rebanho. Embora o pastor inútil tivesse sido levantado para cumprir uma missão destruidora, Yahweh proferiu sobre ele uma maldição. Além de todos os seus atos violentos, no fim ele adicionará aos seus insultos o *abandono* do rebanho. Os intérpretes têm rebuscado a história em vão, para encontrar esse pastor especificamente horrendo, embora existam muitos candidatos. Os estudiosos dispensacionalistas encontram esse pastor réprobo no futuro: o *anticristo*. Visto que ele não usará seus braços para defender o rebanho, esses braços serão cortados. Visto que ele não usará seus olhos para cuidar do bem-estar do rebanho, uma flecha furará seu olho direito! Seus braços ficarão pendurados aos lados do corpo, ressecados e inúteis. Seu olho direito ficará completamente cego. Os *olhos* desse pastor falam de sua inteligência abusada depois de iluminada. Desse modo, será mostrado o que ele sempre foi, inútil e insensato. Dessa maneira, ele sofrerá justa retribuição da parte de Yahweh, que controla as atividades humanas tanto no nível individual quanto no nível dos Estados. Porém, quando o verdadeiro Pastor chegar, o pastor inútil será anulado (ver Zc 12.10 e Ap 19.19,20). Alguns estudiosos veem esse pastor inútil como representante da *classe governante apóstata,* e não como um indivíduo que serve de legítima *aplicação* do texto, mesmo que não sirva a uma interpretação do texto.

CAPÍTULO DOZE

VITÓRIA DO POVO DE DEUS SOBRE OS PAGÃOS (12.1—13.6)

Chegamos agora aos *últimos dias,* o que inclui as mensagens do capítulo 14, onde domina forte espírito apocalíptico. Já vimos o bastante do passado sangrento e tempestuoso do povo de Israel. Agora queremos saber sobre o futuro. Duas coisas serão realizadas a fim de que Israel seja estabelecido no futuro como a sede da capital do reino messiânico: 1. as potências gentílicas serão derrubadas; 2. deverá haver a regeneração dos judeus, como indivíduos, e de sua nação, coletivamente falando. Então as alianças voltarão a vigorar. Israel será libertado de seus inimigos (ver Zc 12.1-9); e obterá libertação espiritual (ver Zc 12.10—13.9).

■ 12.1

מַשָּׂא דְבַר־יְהוָה עַל־יִשְׂרָאֵל נְאֻם־יְהוָה נֹטֶה שָׁמַיִם וְיֹסֵד אָרֶץ וְיֹצֵר רוּחַ־אָדָם בְּקִרְבּוֹ: פ

Sentença pronunciada pelo Senhor contra Israel. "Zc 12.1—14.21. Está em vista o vindouro grande dia do Senhor, quando ele limpará Jerusalém do pecado, estabelecerá a aliança e reinará sobre toda a terra" (*Oxford Annotated Bible,* comentando sobre o vs. 1).

Comparar o vs. 1 com Is 42.5. Este versículo parece-se com Zc 9.1 — voltamos à doutrina da *sentença pesada,* a mensagem ameaçadora. À sentença repetida é adicionado um hino breve, tipo litúrgico, similar a Is 42.5 e Am 4.13. O Deus da criação, que estendeu os céus e lançou os fundamentos da terra, é também o governante de toda a terra e os eventos aqui ocorridos seguem os seus decretos. Ver no *Dicionário* os artigos chamados *Soberania de Deus* e *Teísmo.* O Criador intervém em sua criação. Ele não abandonou sua criação às leis naturais, conforme afirma o *Deísmo* (ver também no *Dicionário*). O poder de Deus será utilizado para cumprir as tarefas futuras: a anulação das potências gentílicas; a restauração do povo de Israel; e a inauguração da era do reino de Deus.

Os céus salpicados de estrelas,
E o sol incansável, no dia a dia,
Exibe o poder de Deus,
E publica para todas as terras
As obras da mão do Todo-poderoso.

Joseph Addison

Formou o espírito do homem dentro nele. A alusão é a Gn 2.7, a respiração divina que animou o homem. Na passagem de Gênesis não há referência a uma parte separada e imaterial do homem, mas aqui, com quase absoluta certeza, está em vista a alma imaterial. Essa é a mais nobre das poderosas obras de Deus, pois perdurará para sempre, tal como Deus é eterno. Ver no *Dicionário* o artigo chamado *Alma*; e na *Enciclopédia de Bíblia, Teologia e Filosofia* o verbete denominado *Imortalidade,* onde apresento vários artigos que examinam esse importante tema de vários pontos de vista.

■ 12.2

הִנֵּה אָנֹכִי שָׂם אֶת־יְרוּשָׁלַ͏ִם סַף־רַעַל לְכָל־הָעַמִּים סָבִיב וְגַם עַל־יְהוּדָה יִהְיֶה בַמָּצוֹר עַל־יְרוּשָׁלָ͏ִם:

Eis que eu farei de Jerusalém um cálice de tontear para todos os povos em redor. "O oráculo começa com a asserção da inviolabilidade de Jerusalém. Utilizando uma imagem simbólica familiar (ver Jr 25.15; 51.7; Sl 75.8), o profeta Zacarias retratou todas as nações que atacarem Jerusalém como tontas de bêbadas" (D. Winton Thomas, *in loc.*). Os estudiosos dispensacionalistas veem aqui a batalha do Armagedom, mas provavelmente isso é específico demais. O texto sagrado está falando sobre quaisquer e todos os ataques contra o povo de Deus como ataques necessariamente baldados. Todos os inimigos serão forçados a recuar, a fim de que Israel se erga como cabeça das nações. "Farei de Jerusalém como um cálice de veneno para as nações ao seu derredor. Elas virão e atacarão a Jerusalém e a Judá" (NCV).

■ 12.3

וְהָיָה בַיּוֹם־הַהוּא אָשִׂים אֶת־יְרוּשָׁלַ͏ִם אֶבֶן מַעֲמָסָה לְכָל־הָעַמִּים כָּל־עֹמְסֶיהָ שָׂרוֹט יִשָּׂרֵטוּ וְנֶאֶסְפוּ עָלֶיהָ כֹּל גּוֹיֵי הָאָרֶץ:

Naquele dia farei de Jerusalém uma pedra pesada para todos os povos. A expressão "naquele dia" ocorre *seis* vezes neste capítulo (vss. 3,4,6,8,9 e 11); então *três* vezes no capítulo 13 (vss. 1,2 e 4); e, finalmente, *sete* vezes no capítulo 14 (vss. 4,6,8,9,13,20 e 21). Contudo, alguns limitam a referência à batalha do Armagedom e comparam esse uso com Ap 16.16 e 19.19. Pelo contrário, temos aqui uma alusão ao *dia escatológico,* quando Yahweh levar à conclusão toda a história anterior e estabelecer o novo dia da era do reino de Deus. Ver no *Dicionário* o verbete intitulado *Dia do Senhor.* Os julgamentos divinos desempenharão importante papel nessas operações finais.

Uma pedra pesada. Israel se tornará uma pedra pesada para qualquer um que tente manipulá-la. Essa pedra cairá sobre os tais e os esmagará. "Qualquer um que tentar movê-la, sairá ferido" (NCV).

A despeito do fato de que essa pedra será inarredável e ferirá a todos quantos dela se aproximarem, as nações ignorarão o perigo e desfecharão seus ataques. Isso elas farão para seu próprio prejuízo. Yahweh estará ao lado da pedra e contra as nações. Os exércitos pagãos se unirão para destruir a nação de Israel, mas seus planos terão de enfrentar poderes destruidores sobrenaturais. Será o dia de Israel. O dia dos pagãos terá terminado.

■ 12.4

בַּיּוֹם הַהוּא נְאֻם־יְהוָה אַכֶּה כָל־סוּס בַּתִּמָּהוֹן וְרֹכְבוֹ בַּשִּׁגָּעוֹן וְעַל־בֵּית יְהוּדָה אֶפְקַח אֶת־עֵינַי וְכֹל סוּס הָעַמִּים אַכֶּה בַּעִוָּרוֹן:

Naquele dia, diz o Senhor, ferirei de espanto a todos os cavalos, e de loucura os que os montam. "Naquele dia" é expressão usada *dezesseis* vezes nos capítulos 12—14 (ver as notas expositivas sobre o versículo anterior). Yahweh se tornará o Deus do pânico; os cavalos fugirão de terror do golpe divino, e os cavaleiros cairão em insanidade imediata. Em contraste, os *olhos de Deus* favorecerão Judá, enquanto todos os cavalos serão cegados, perdendo a visão. Será um dia de reversões, decisivo para o rearranjo das potências da terra, formando-se assim uma nova hierarquia. Está em vista o grande dia escatológico, porquanto os "termos que foram usados são fortes demais para as vitórias débeis e evanescentes como as alcançadas pelos macabeus" (Adam Clarke, *in loc.,* com uma observação perceptiva). Cf. Zc 14.12,13.

■ 12.5

וְאָמְרוּ אַלֻּפֵי יְהוּדָה בְּלִבָּם אַמְצָה לִי יֹשְׁבֵי יְרוּשָׁלַ͏ִם בַּיהוָה צְבָאוֹת אֱלֹהֵיהֶם:

PROFECIAS MESSIÂNICAS CUMPRIDAS EM JESUS

Trecho Bíblico	Teor da Profecia	Cumprimento
Gn 3.15	Seria o "descendente da mulher"	Lc 2.7; Gl 4.4 e Ap 12.5
Gn 12.3; 18.18	Seria o "descendente de Abraão"	Mt 1.1; Lc 3.34 e At 3.25
Gn 17.19	Seria o "descendente de Isaque"	Mt 1.2; Lc 3.34
Gn 28.14 e Nm 25.17	Seria o "descendente de Jacó"	Mt 1.2,3; Lc 3.33
Gn 49.10	Descenderia de Judá	Mt 1.2,3; Lc 3.33
2Sm 7.13; Is 9.7; 11.1-5	Herdaria o trono de Davi	Mt 1.1,6
Mq 5.2	Nasceria em Belém de Judá	Mt 2.1; Lc 2.4-7
Dn 9.25	Tempo de seu nascimento	Lc 2.1,2,3-7
Is 7.14	Nasceria de uma virgem	Mt 1.18; Lc 1.26-35
Jr 31.15	O massacre dos infantes	Mt 2.16-18
Os 11.1	Fuga para o Egito	Mt 2.14,15
Is 9.1,2	Seu ministério na Galileia	Mt 4.12-16
Dt 18.15	Seria profeta	Jo 6.14; At 3.19-26
Sl 110.4	Seria sacerdote da ordem de Melquisedeque	Hb 5.5,6; 6.20 e 7.15-17
Sl 2.2; Is 53.3	Seria rejeitado pelos judeus	Lc 4.29; 17.25; 23.18; Jo 1.11
Sl 45.7; Is 11.2-4	Algumas de suas características	Lc 2.52, 4.18
Is 62.11; Zc 9.9	Sua entrada triunfal	Mt 21.1-11; Jo 12.12,13,14
Sl 41.9	Seria traído por um amigo	Mt 26.14-16; Mc 14.10, 43-45
Zc 11.12,13	Seria ferido e cuspido	Mt 26.15
Zc 11.13	Seria odiado sem causa	Mt 27.3-10
Sl 109.7,8	Sofreria vicariamente	At 1.16-20
Sl 27.12; 35.11	Seria crucificado com criminosos	Mt 26.60,61
Sl 38.13,14; Is 53.7	Teria mãos e pés traspassados	Mt 26.62,63; 27.12-14
Is 50.6	Seria zombado e insultado	Mc 14.65; 15.17; Jo 18.22; 19.1-3
Sl 69.4; 109.3-5	Dar-lhe-iam fel e vinagre	Jo 15.23-25
Is 53.4, 12	Ouviria palavras proféticas repetidas com zombaria	Mt 8.16,17; Rm 4.25; 1Co 15.3
Is 53.12	Oraria pelos seus inimigos	Mt 27.38; Mc 15.27,28; Lc 23.33
Sl 22.16; Zc 12.10	Teria o lado traspassado	João 19.37; 20.25-27
Sl 22.6-8	Soldados lançariam sortes quanto à sua túnica	Mt 27.39-44; Mc 15.29-32
Sl 69.21	Nenhum de seus ossos seria quebrado	Mt 27.34,48; Jo 19.29
Sl 22.8	Seria sepultado com os ricos	Mt 27.43
Sl 109.4; Is 53.12	Ressuscitaria dentre os mortos	Lc 23.34
Zc 12.10	Ascenderia aos lugares celestiais	Jo 19.34
Sl 22.18	Seria vendido por trinta moedas	Mc 15.24; Jo 19.24
Êx 13.46; Sl 34.20	Tal dinheiro seria devolvido	Jo 19.23
Is 53.9	Judas seria substituído	Mt 27.57-60
Sl 16.10; Mt 16.21	Testemunhas falsas o acusariam	Mt 28.9; Lc 24.36-48
Sl 68.18	Calar-se-ia ao ser acusado	Lc 24.50,51; At 1.9

Os habitantes de Jerusalém são a minha força no Senhor dos Exércitos. Os *clãs* de Judá deixarão de lado suas indiferenças, ao observar o que Yahweh estará fazendo em Jerusalém. Eles reconhecerão que as vitórias ali obtidas são suas próprias, e não meramente da capital. Em lugar de *clãs* (*Revised Standard Version*), a maioria das versões diz "chefes" (como é o caso da nossa versão portuguesa). A variante usada pela *Revised Standard Version* requer a emenda da palavra hebraica *'alluph* (capitães) para *'eleph* (clãs). O sentido natural do próprio versículo sugere que a emenda está correta. É difícil imaginar os líderes de Jerusalém sentados comodamente a observar os habitantes de Jerusalém obtendo vitórias. Seja como for, a força de *Yahweh dos Exércitos*, que também é *Elohim*, o *Poder*, será a *causa* das vitórias. O profeta Zacarias antecipa uma *intervenção divina* na história da humanidade para produzir os eventos momentosos descritos nos capítulos 12—14. Observar o poder divino em operação fará Israel não retroceder diante da luta.

E sobre a casa de Davi, e sobre os habitantes de Jerusalém, derramarei o espírito de graça e de súplicas; olharão para mim, a quem traspassaram; pranteá-lo-ão com o quem prantea por um unigênito, e chorarão por ele, como se chora amargamente pelo primogênito.

Zacarias 12.10

Há, porém, ainda muitas outras cousas que Jesus fez. Se todas elas fossem relatadas uma por uma, creio eu que nem no mundo inteiro caberiam os livros que seriam escritos.

João 21.25

■ 12.6

בַּיּוֹם הַהוּא אָשִׂים אֶת־אַלֻּפֵי יְהוּדָה כְּכִיּוֹר אֵשׁ בְּעֵצִים וּכְלַפִּיד אֵשׁ בְּעָמִיר וְאָכְלוּ עַל־יָמִין וְעַל־שְׂמֹאול אֶת־כָּל־הָעַמִּים סָבִיב וְיָשְׁבָה יְרוּשָׁלִַם עוֹד תַּחְתֶּיהָ בִּירוּשָׁלִָם׃ פ

Naquele dia porei os chefes de Judá como um braseiro ardente debaixo da lenha. "Naquele dia" é uma expressão usada *dezesseis* vezes nos capítulos 12—14 (ver as notas expositivas sobre o vs. 3). Os *clãs* (ou "chefes", conforme dizem algumas versões; ver as notas sobre o vs. 5) se tornarão um grande e consumidor fogo (uma fogueira de lenha ou palha requeimante, NCV). Qualquer um que se aproximar será queimado. Em contraste, Jerusalém permanecerá intocada. Este versículo diz a mesma coisa que o vs. 5, mas usando uma figura de linguagem diferente. Que o leitor preste atenção aos seguintes pontos:

1. O povo do interior de Judá, uma vez despertado, avançará no ataque com o máximo de ferocidade, desempenhando papel mais importante na derrota dos pagãos do que os habitantes de Jerusalém. Isso é apresentado como algo em concordância com a vontade divina, a fim de repreender a arrogância dos habitantes de Jerusalém, bem como os membros da antiga família real, os quais, como é evidente, continuariam ocupando posições importantes (D. Winton Thomas, *in loc.*). Em outras passagens, os inimigos de Judá aparecem como consumidos como o restolho, queimados pelo fogo. Ver Is 47.14; Ob 18; Ml 4.1. Ver no *Dicionário* o artigo chamado *Fogo*, que inclui os usos metafóricos do termo.

2. Em vez de o povo do interior de Judá ser despertado para a luta, enquanto os habitantes de Jerusalém ficam a observar, alguns intérpretes entendem este versículo como se as forças de Jerusalém, em geral, ficassem observando, enquanto julgamentos sobrenaturais espalham a destruição. A batalha, pois, seria como uma daquelas antigas batalhas. O poder sobrenatural aniquilará o inimigo, enquanto os soldados de Jerusalém se manterão em relativo lazer. Cf. 2Rs 19.35 ss.

■ 12.7

וְהוֹשִׁיעַ יְהוָה אֶת־אָהֳלֵי יְהוּדָה בָּרִאשֹׁנָה לְמַעַן לֹא־תִגְדַּל תִּפְאֶרֶת בֵּית־דָּוִיד וְתִפְאֶרֶת יֹשֵׁב יְרוּשָׁלִַם עַל־יְהוּדָה׃

O Senhor salvará primeiramente as tendas de Judá. A vitória será dada primeiramente aos judaítas que moram fora da capital, àqueles que habitam em *tendas* (casas pobres), em comparação com as casas relativamente luxuosas da capital. Por esse motivo, Jerusalém foi repreendida. Os arrogantes habitantes de Jerusalém terão de elogiar o povo rústico do interior de Israel, quando virem que Yahweh estava com eles, usando-os em primeiro lugar, antes de usar os habitantes de Jerusalém. Em outras palavras, os judeus do interior darão ao povo da capital uma lição de humildade e obediência à vontade de Yahweh. O versículo mais ou menos diz: "Muitos primeiros serão últimos; e os últimos, primeiros" (Mt 19.30). "Deus escolheu os fracos para confundir os fortes, a fim de que fosse eliminada toda a glória humana" (Fausset, *in loc.*).

■ 12.8

בַּיּוֹם הַהוּא יָגֵן יְהוָה בְּעַד יוֹשֵׁב יְרוּשָׁלִַם וְהָיָה הַנִּכְשָׁל בָּהֶם בַּיּוֹם הַהוּא כְּדָוִיד וּבֵית דָּוִיד כֵּאלֹהִים כְּמַלְאַךְ יְהוָה לִפְנֵיהֶם׃

Naquele dia o Senhor protegerá os habitantes de Jerusalém. "Naquele dia" é uma expressão usada *dezesseis* vezes nos capítulos 12—14 desse livro (ver as notas expositivas sobre o vs. 3). Haverá *fortalecimento divino* do povo de Israel, de forma tão extraordinária que os mais fracos dentre os judeus se tornarão, de um momento para outro, fortes como o guerreiro Davi, que matou os seus dez mil, ao passo que Saul matou apenas os seus milhares (ver 1Sm 18.7). Esse fortalecimento sobre-humano será para Jerusalém como um escudo impenetrável, oferecendo à cidade proteção absoluta. A *casa* coletiva de Davi (os líderes) será como o próprio Elohim, ou seja, um *poder sobre-humano* — eles serão como o anjo do Senhor, liderando as forças de Israel na batalha e obtendo vitória esmagadora. Alguns estudiosos veem aqui Cristo, em seu segundo advento, aludido como "a casa de Davi", mas isso é por demais específico para o versículo. Temos aqui uma referência ao poder humano que se transformará em poder divino. Cristo liderará o exército sobre-humano dos últimos dias, garantindo o sucesso redundante de Israel contra as nações pagãs.

■ 12.9

וְהָיָה בַּיּוֹם הַהוּא אֲבַקֵּשׁ לְהַשְׁמִיד אֶת־כָּל־הַגּוֹיִם הַבָּאִים עַל־יְרוּשָׁלִָם׃

Naquele dia procurarei destruir todas as nações que vierem contra Jerusalém. *Conclusão.* Jerusalém-Judá será tanto inexpugnável quanto invencível, por causa do poder divino que lhe será conferido e também porque será chegado o seu dia. O dia dos gentios terá terminado. Cf. Ag 2.22. Ver também Ez 38.29. O modelo sobre o qual está baseado Zc 12.1—13.6 é Ez 38 e 39.

■ 12.10

וְשָׁפַכְתִּי עַל־בֵּית דָּוִיד וְעַל יוֹשֵׁב יְרוּשָׁלִַם רוּחַ חֵן וְתַחֲנוּנִים וְהִבִּיטוּ אֵלַי אֵת אֲשֶׁר־דָּקָרוּ וְסָפְדוּ עָלָיו כְּמִסְפֵּד עַל־הַיָּחִיד וְהָמֵר עָלָיו כְּהָמֵר עַל־הַבְּכוֹר׃

E sobre a casa de Davi... derramarei o espírito de graça e de súplicas. Yahweh derramará seu Espírito de compaixão e súplicas sobre a casa de Davi, e isso provocará nos seus membros profundo arrependimento, diante de um feito ousado que tão estupidamente eles realizaram. A lamentação será sincera e profunda, como alguém que chorasse a morte de seu filho único. De fato, eles chorarão amargamente, com coração quebrantado, como se tivessem perdido seu primogênito. Zacarias usou a *figura simbólica máxima* da tragédia, e assim ilustrou tristeza extrema por um ato extremamente mau que fora cometido. Este versículo tem atraído diversas interpretações, conforme se vê nos três pontos seguintes:

1. *Uma situação histórica.* Uma pessoa de grande dignidade e piedade teve morte de mártir pela conivência das autoridades da cidade. Mas, após uma série de vitórias, os assassinos foram atingidos pelo remorso, o que terminou em confissão pública e arrependimento. As tentativas para identificar alguma figura histórica, como aquelas dos dias dos macabeus, têm fracassado.

2. Por causa desse fracasso histórico, alguns intérpretes têm falado sobre uma lenda messiânica escatológica, uma espécie de drama literário inventado, ou um tema potencial para esse tipo de literatura.

3. Pelo contrário, temos aqui uma notável *profecia messiânica*, e Jesus, Filho de Davi, está em pauta. Ver Jo 19.34,37 e Ap 1.7. Essa profecia é tão clara que não há espaço para falar em *acomodação*. Ver as notas expositivas sobre Zc 11.12. Essa profecia se refere ao

futuro segundo advento do Messias, quando Israel se converterá. O Espírito de Deus se moverá sobre os corações dos judeus e espantará as trevas. Haverá arrependimento nacional. Antigos obstáculos e barreiras serão removidos, e Israel estará preparado para enfrentar a era do reino. Sem seu Filho maior, o Messias, Israel tem estado espiritualmente destituído de *filhos*. Não ter filhos era algo muito temido pela mente hebraica e considerado uma maldição de Yahweh, uma tragédia significativa. Quanto mais o tipo de falta de filhos referido neste texto! Eles mataram o Filho de Deus!

■ 12.11

בַּיּוֹם הַהוּא יִגְדַּל הַמִּסְפֵּד בִּירוּשָׁלַ͏ִם כְּמִסְפַּד הֲדַדְ־רִמּוֹן בְּבִקְעַת מְגִדּוֹן:

Naquele dia será grande o pranto em Jerusalém. "Os judeus se lamentarão tão profundamente pelo Cristo crucificado como seus antepassados se lamentaram diante da morte de Josias, o qual foi morto em Hadadrimom, no vale de Megido. Ver 2Cr 35.24,25" (Adam Clarke, *in loc.*). Ver no *Dicionário* o artigo chamado *Hadadrimom,* quanto a detalhes. Lamentar por Josias virtualmente se tornara ordenança nacional em Israel (ver 2Cr 35.25). A morte do Messias (ele foi assassinado!) facilmente ultrapassa em paixão qualquer outra morte trágica na história de Israel, e será amargamente lamentada pelos judeus, quando o Espírito de Deus os iluminar.

■ 12.12,13

וְסָפְדָה הָאָרֶץ מִשְׁפָּחוֹת מִשְׁפָּחוֹת לְבָד מִשְׁפַּחַת בֵּית־דָּוִיד לְבָד וּנְשֵׁיהֶם לְבָד מִשְׁפַּחַת בֵּית־נָתָן לְבָד וּנְשֵׁיהֶם לְבָד:

מִשְׁפַּחַת בֵּית־לֵוִי לְבָד וּנְשֵׁיהֶם לְבָד מִשְׁפַּחַת הַשִּׁמְעִי לְבָד וּנְשֵׁיהֶם לְבָד:

A família da casa de Levi à parte, e suas mulheres à parte. A lamentação será nacional, e, contudo, será individual, afetando todas as pessoas, famílias e clãs. Toda a Terra Prometida será consumida pela tristeza. A *natureza radical* do crime que eles têm negado por tantos séculos finalmente raiará em sua mente esclarecida pelo Espírito Santo. Portanto, cada família, cada tribo, cada clã terá sua própria lamentação. A casa de Davi chorará com um pranto patético, porquanto foi o líder que carregou a maior culpa.

Natã, uma subordem da linhagem de Davi (2Sm 5.14), através do clã de seu nome, chorará de dar dó. Natã, neste caso, é um dos filhos de Davi, e não o profeta que atuou no tempo de Davi. A casa de Levi, uma tribo sacerdotal, também tinha uma culpa especial naquilo que foi feito. Essa casa se sentirá inconsolável. *Simei,* uma subordem de Levi (ver Nm 3.18), se lamentará como uma classe, com amargura de alma.

Os dois clãs que acabamos de mencionar (com suas subordens) representam uma nação inteira que se lamentará: aristocracia, líderes civis, clero e o povo em geral. Em cada caso, as mulheres lamentarão separadamente dos homens, o que era apropriado para a mentalidade dos hebreus. Na adoração, a lamentação era feita separadamente pelas mulheres (ver Êx 15.1,20). A poesia hebraica tem aqui uma métrica acompanhada por declarações monótonas, que tentam produzir a ideia de lamentação constante, aparentemente interminável e repetitiva, que envolverá um povo inteiro.

■ 12.14

כָּל־הַמִּשְׁפָּחוֹת הַנִּשְׁאָרוֹת מִשְׁפָּחֹת מִשְׁפָּחֹת לְבָד וּנְשֵׁיהֶם לְבָד: ס

Todas as mais famílias, cada família à parte, e suas mulheres à parte. Todo o povo comum, com todas as suas tribos e os seus clãs, estará envolvido na mesma lamentação, separadamente ou em grupos. E, tal como no caso dos clãs mencionados no vs. 13, as mulheres se lamentarão separadamente. A lamentação feita por indivíduos pode ser considerada mais sincera que a "lamentação em grupo", pois o espírito de multidão pode influenciar o indivíduo. Entretanto, não há que duvidar da sinceridade dessa lamentação, seja ela feita individual ou coletivamente. A lamentação nacional acompanhará um nascimento nacional. Israel se tornará uma nação cristã convertida. E todo o povo de Israel será salvo (ver Rm 11.26).

Quem jamais ouviu tal cousa? Quem viu cousa semelhante? Pode, acaso, nascer uma terra num só dia? Ou nasce uma nação de uma só vez?

Isaías 66.8

CAPÍTULO TREZE

Encontramos aqui, nos vss. 1-6, a purificação da nação de Israel e as provisões para essa operação divina. A frase-chave, "naquele dia", é repetida três vezes. Ela aparece dezesseis vezes nos capítulos 12—14, o que comento em Zc 12.3. "Esse uso vincula os capítulos, dizendo-nos o que fará Deus, no dia escatológico, para inaugurar a era do reino. A falsa adoração e as falsas profecias passarão, e o culto universal de Yahweh será estabelecido. Esta passagem depende de Ez 36.17,25 e 47.1. Cf. também Nm 19.9.

■ 13.1

בַּיּוֹם הַהוּא יִהְיֶה מָקוֹר נִפְתָּח לְבֵית דָּוִיד וּלְיֹשְׁבֵי יְרוּשָׁלָ͏ִם לְחַטַּאת וּלְנִדָּה:

Naquele dia haverá uma fonte aberta para a casa de Davi e para os habitantes de Jerusalém. Cf. este versículo com Sl 46; Ez 47.1-12; Jl 3.18; Jo 4.10-14; 7.38; Ap 21.6; 22.1,2. Quanto à expressão "naquele dia", ver as notas expositivas anteriores. Está em pauta o temível *dia do Senhor* (ver a respeito no *Dicionário*). Haverá grande fonte de purificação aberta à casa de Davi (a liderança, que abusara de sua incumbência — Zc 12.10), e aos habitantes de Jerusalém em geral (também culpados de muitos pecados e da rejeição ao Messias; Zc 12.8,10). Ver sobre fonte de águas, em Ez 47.1.

Bendita seja a Fonte de sangue
A um mundo de pecadores revelada.
Bendito seja o querido Filho de Deus.
Só por suas pisaduras fomos curados.

E. R. Latta

A purificação espiritual estará completa por ocasião do segundo advento de Cristo, quando Israel e as nações forem preparadas para o novo dia. Todos os tipos de *impureza* serão purificados, mas parece estar em vista, acima de tudo (vs. 2), a idolatria. Ver no *Dicionário* o artigo chamado *Idolatria.* Cf. Ez 7.19,20. Ver também Nm 8.7 ss.

■ 13.2

וְהָיָה בַיּוֹם הַהוּא נְאֻם יְהוָה צְבָאוֹת אַכְרִית אֶת־שְׁמוֹת הָעֲצַבִּים מִן־הָאָרֶץ וְלֹא יִזָּכְרוּ עוֹד וְגַם אֶת־הַנְּבִיאִים וְאֶת־רוּחַ הַטֻּמְאָה אַעֲבִיר מִן־הָאָרֶץ:

Acontecerá, naquele dia, diz o Senhor dos Exércitos, que eliminarei da terra os nomes dos ídolos. Essa fonte de toda espécie de iniquidade, a saber, a *idolatria*, será tratada, porquanto havia causado enorme confusão na nação de Israel. Em seu poder soberano, *Yahweh dos Exércitos* fará intervenção e removerá as manchas. Os ídolos, separadamente e todos eles ao mesmo tempo, serão cortados, e seus nomes deixarão de ser pronunciados entre o povo. E, juntamente com os ídolos, irão os falsos profetas que fomentavam o culto, bem como todos quantos promoviam espíritos imundos, que serão varridos pela mão divina. Ne 6.12-14 ilustra os tipos de atividades que provocaram os pronunciamentos constantes neste versículo. Quanto à eliminação dos ídolos, cf. Mq 5.13,14. Antes do segundo advento de Cristo, o anticristo e sua imagem serão adorados (ver Dn 9.27; 11.21; Mt 24.15; 2Ts 2.4; Ap 13.4), e isso será um alvo especial da ira divina.

O espírito imundo. Esta é a única ocorrência no Velho Testamento da expressão tão comum no Novo Testamento. Pode significar aqui uma *disposição* do espírito, mas talvez estejam em vista espíritos malignos, que é o sentido da expressão no Novo Testamento. Pensava-se que tais espíritos promovessem cultos idólatras e todas as suas corrupções. Ver 1Co 10.20.

■ 13.3

וְהָיָה כִּי־יִנָּבֵא אִישׁ עוֹד וְאָמְרוּ אֵלָיו אָבִיו וְאִמּוֹ
יֹלְדָיו לֹא תִחְיֶה כִּי שֶׁקֶר דִּבַּרְתָּ בְּשֵׁם יְהוָה וּדְקָרֻהוּ
אָבִיהוּ וְאִמּוֹ יֹלְדָיו בְּהִנָּבְאוֹ:

Não viverás, porque tens falado mentiras em nome do Senhor. Os sentimentos se manifestarão tão fortemente contra a idolatria que um falso profeta qualquer será denunciado e executado por seus próprios pais! Dizer mentiras em nome de Yahweh não mais será tolerado, e por certo os cultos alicerçados sobre isso se desvanecerão. Note o leitor o modo de execução: o culpado será *traspassado*, exatamente o que aconteceu ao Messias nas mãos dos iníquos (ver Zc 12.10). Por conseguinte, as mesas serão completamente invertidas contra a iniquidade. Cf. Dt 18.20. O que temos aqui é a *execução no seio da família*, método até hoje praticado por alguns árabes. Cf. também Dt 13.6-11.

■ 13.4

וְהָיָה בַּיּוֹם הַהוּא יֵבֹשׁוּ הַנְּבִיאִים אִישׁ מֵחֶזְיֹנוֹ
בְּהִנָּבְאֹתוֹ וְלֹא יִלְבְּשׁוּ אַדֶּרֶת שֵׂעָר לְמַעַן כַּחֵשׁ:

Naquele dia se sentirão envergonhados os profetas. Os profetas falsos se sentirão amedrontados, envergonhados e totalmente anulados pelas novas atitudes espirituais do povo. Muitos repudiarão as iniquidades anteriores. O arrependimento representará um bom negócio e a salvação da vida. Eles se desfarão de seu "uniforme de profeta", a manta peluda como a que Elias usava (ver 2Rs 1.8). Ver também Mt 3.4, quanto ao caso de João Batista e suas vestes ásperas, que o distinguiam como profeta.

■ 13.5,6

וְאָמַר לֹא נָבִיא אָנֹכִי אִישׁ־עֹבֵד אֲדָמָה אָנֹכִי כִּי אָדָם
הִקְנַנִי מִנְּעוּרָי:

וְאָמַר אֵלָיו מָה הַמַּכּוֹת הָאֵלֶּה בֵּין יָדֶיךָ וְאָמַר אֲשֶׁר
הֻכֵּיתִי בֵּית מְאַהֲבָי: ס

Não sou profeta, sou lavrador da terra. Haverá arrependimento genuíno, mas alguns profetas mentirosos continuarão mentindo, mas agora encobrindo seu passado como "profetas". Eles argumentarão: "Por toda a vida tenho sido um agricultor; portanto, como poderia chamar-me de profeta?" Mas as pessoas observarão profundos talhos em seu corpo (a automutilação tão comum entre os falsos cultos idólatras) e eles dirão que sofreram algum acidente na casa de um amigo! Cf. 1Rs 18.28. Ver no *Dicionário* o artigo chamado *Mutilação*, quanto aos detalhes. A automutilação era estritamente proibida pela lei de Moisés. Ver Dt 14.1. A mutilação era considerada uma degradação para os "filhos de Deus". Alguns eruditos conectam o vs. 6 ao vs. 7, tornando-o messiânico; mas certamente isso é um erro.

PURIFICAÇÃO NACIONAL (13.7-9)

■ 13.7

חֶרֶב עוּרִי עַל־רֹעִי וְעַל־גֶּבֶר עֲמִיתִי נְאֻם יְהוָה
צְבָאוֹת הַךְ אֶת־הָרֹעֶה וּתְפוּצֶיןָ הַצֹּאן וַהֲשִׁבֹתִי יָדִי
עַל־הַצֹּעֲרִים:

Desperta, ó espada, contra o meu pastor e contra o homem que é o meu companheiro. As feridas referidas no vs. 6 são as produzidas pelos que a si mesmo se mutilavam, e não as do Pastor messiânico. Além disso, este oráculo não deve ser vinculado a Zc 11.15-17, que fala dos falsos pastores que deverão ser eliminados. Esse Pastor vive sempre próximo de Yahweh, seu companheiro e Servo Sofredor. Não obstante, ele teria de ser abatido por homens violentos, que usavam da espada. Yahweh dos Exércitos tinha arranjado os acontecimentos visando o bem dos homens.

"Zc 13.7-9: *O Bom Pastor, ferido por amor às suas ovelhas.* Este é um oráculo messiânico separado (cf. Mt 26.31; Mc 14.27), intimamente vinculado aos capítulos 9—11. Após a morte do Pastor, um remanescente de seu rebanho seria purificado e salvo" (*Oxford Annotated Bible*, comentando sobre este versículo).

A cruel espada despertaria contra o Pastor, por parte de Yahweh, porque assim requeriam os misteriosos planos de Deus. A *espada*, neste caso, significa o instrumento de morte violenta, e devemos pensar na crucificação. O *homem* a ser atacado era o Messias-Pastor. Quanto a esse uso da palavra *homem*, cf. Dn 8.16; 9.21, e, naturalmente, somos lembrados sobre o *Filho do Homem*, título messiânico comum. Ver as notas expositivas sobre isso na *Enciclopédia de Bíblia, Teologia e Filosofia*. As *ovelhas* são os crentes leais e piedosos que não se deixaram envolver pelos planos maldosos. Ver no *Dicionário* os verbetes intitulados *Pastor* e *Ovelha*. Esse Pastor é o verdadeiro Pastor, o Messias (ver Zc 11.4-14); o Bom Pastor (Jo 10.11,14); o grande Pastor (Hb 13.20) e o Pastor Principal (1Pe 5.4). Uma vez morto o Pastor, as ovelhas fracas e humildes serão sujeitadas à matança (ver os vss. 8 e 9).

■ 13.8

וְהָיָה בְכָל־הָאָרֶץ נְאֻם־יְהוָה פִּי־שְׁנַיִם בָּהּ יִכָּרְתוּ
יִגְוָעוּ וְהַשְּׁלִשִׁית יִוָּתֶר בָּהּ:

Em toda a terra, diz o Senhor, dois terços dela serão eliminados. Grandes perseguições e matanças dizimarão o rebanho, pelo que dois terços dele perecerão, e somente um terço permanecerá vivo para concretizar os propósitos divinos para o novo dia. Os estudiosos dispensacionalistas fazem dos vss. 8,9 uma profecia direta sobre a *Grande Tribulação* (ver a respeito na *Enciclopédia de Bíblia, Teologia e Filosofia*) dos últimos dias. Cf. Ap 12.6,13-17.

■ 13.9

וְהֵבֵאתִי אֶת־הַשְּׁלִשִׁית בָּאֵשׁ וּצְרַפְתִּים כִּצְרֹף אֶת־
הַכֶּסֶף וּבְחַנְתִּים כִּבְחֹן אֶת־הַזָּהָב הוּא יִקְרָא בִשְׁמִי
וַאֲנִי אֶעֱנֶה אֹתוֹ אָמַרְתִּי עַמִּי הוּא וְהוּא יֹאמַר יְהוָה
אֱלֹהָי: ס

Farei passar a terceira parte pelo fogo, e a purificarei. A terceira parte restante não terá visto o fim das tribulações. De fato, ela continuará existindo para ser purificada pelo fogo, tal como a prata é purificada pelo fogo, sete vezes, até ser obtido notável grau de pureza. Ver Sl 12.6. Eles serão a prata e o ouro deixado para a era do reino, e deverão ser puros. Isso não poderá ser obtido exceto pelo fogo. A escória será queimada e consumida. O que restar será puro e utilizável no templo do Senhor. Em seus apertos, eles clamarão a Yahweh para que sejam salvos, e ele ouvirá e lhes concederá o que solicitarem. E então se cumprirá a antiga declaração que diz: *ele é o seu Deus, e eles serão o seu povo*. Quanto a isso, ver Zc 8.8; Os 2.21-23; Jr 30.22; Ez 6.20. Quanto às perseguições e tribulações, ver Ez 20.33-38 e Mt 25.1-30. Quanto ao fato de que eles clamarão pelo nome de Yahweh, ver Zc 12.10—13.1; quanto ao fato de que eles serão salvos e restaurados, ver Rm 11.26,27; quanto a seu relacionamento renovado com Yahweh, ver Os 1 e 2; Jr 32.38-41 e Ez 37.23-28. Os antigos pactos serão renovados, e todas as suas provisões se cumprirão. Quanto à prova de fogo, cf. Sl 66.10; Am 4.11; 1Co 3.15 e 1Pe 1.6,7.

CAPÍTULO CATORZE

OS ÚLTIMOS DIAS (1.1-21)

"*Vss. 1,21.* A guerra final e a vitória final. Cf. Is 66.15-23; Ez 38 e 39; Jl 3.9-21; Mc 13.7-27; Ap 20—22" (*Oxford Annotated Bible*, na introdução ao capítulo). "Naquele dia", ou seja, no último e escatológico dia, expressão que ocorre sete vezes neste capítulo, sendo usada num total de dezesseis vezes nos capítulos 12—14. Ver as notas expositivas sobre Zc 1.3, que dão as agonias finais de Israel. Mas esse dia também trará a era do reino de Deus, o novo dia. Israel chegará lá através dos sofrimentos purificadores, conforme vemos em Zc 13.8,9.

"Este capítulo contém outro relato sobre o último grande cerco de Jerusalém, pelas forças do paganismo. Trata-se de um trecho paralelo de Zc 12.1—13.6, mas inteiramente diferente quanto aos detalhes, e muito mais saturado com a atmosfera sobrenatural dos acontecimentos apocalípticos" (D. Winton Thomas, *in loc.*). Cf. Sf 1.14-18. O dia do Senhor também inclui a glória que se seguirá aos sofrimentos, e não meramente aos sofredores. 2Pe 3.10 inclui a era milenial nessa expressão.

■ 14.1

הִנֵּה יוֹם־בָּא לַיהוָה וְחֻלַּק שְׁלָלֵךְ בְּקִרְבֵּךְ׃

Eis que vem o dia do Senhor. "O dia do julgamento do Senhor está se aproximando. As riquezas que tomaste serão divididas entre vós" (NCV). Os termos usados são próprios da linguagem da batalha, pelo que os "despojos" de guerra são as *riquezas materiais*. O que Israel ganhou ao despojar outras nações lhe será subitamente tirado pelos pagãos despojadores. Ou então os "teus despojos" significam as coisas valiosas de Jerusalém que são despojos potenciais para os pagãos e, de fato, se tornarão tais. Ver no *Dicionário* o artigo denominado *Dia do Senhor*.

■ 14.2

וְאָסַפְתִּי אֶת־כָּל־הַגּוֹיִם אֶל־יְרוּשָׁלַםִ לַמִּלְחָמָה וְנִלְכְּדָה הָעִיר וְנָשַׁסּוּ הַבָּתִּים וְהַנָּשִׁים תִּשָּׁגַלְנָה וְיָצָא חֲצִי הָעִיר בַּגּוֹלָה וְיֶתֶר הָעָם לֹא יִכָּרֵת מִן־הָעִיר׃

Porque eu ajuntarei todas as nações para a peleja contra Jerusalém. "Este cerco de Jerusalém, por parte de todas as nações (ou seja, seus exércitos representativos), será o estágio inicial do cerco lançado pelos exércitos gentílicos confederados, descritos em Zc 12.2-9. Cf. Is 34.2; Ob 15; Ap 16.14,16. Esse cerco é conhecido como a batalha (ou campanha) de Armagedom. Antes que os povos de Judá e Jerusalém sejam dotados de poder para obter a vitória (ver Zc 12.6-8; 14.14) e antes que o Senhor produza a destruição dos exércitos gentílicos (ver Zc 12.9; 14.12-15), os pagãos, no começo da campanha, serão bafejados pela vitória em Jerusalém" (F. Duane Lindsey, *in loc.*). Ver no *Dicionário* o artigo denominado *Armagedom*, quanto aos detalhes. As descrições dadas são típicas dos ataques desfechados pelos antigos exércitos — matança generalizada; saque de todos os bens em vista; violação das mulheres; cativeiro subsequente. Quando Jerusalém tiver tocado no fundo do poço da tristeza, Yahweh intervirá e reverterá toda a triste confusão. As descrições são parecidas com as que relatam a invasão dos babilônios, com o cativeiro subsequente, e também são similares ao que lemos nas obras de Josefo, sobre o ataque dos romanos e a deportação dos judeus. Aqui, entretanto, antes que todas as drásticas consequências possam cumprir-se, o povo será salvo mediante intervenção sobrenatural.

■ 14.3

וְיָצָא יְהוָה וְנִלְחַם בַּגּוֹיִם הָהֵם כְּיוֹם הִלָּחֲמוֹ בְּיוֹם קְרָב׃

Então sairá o Senhor e pelejará contra essas nações, como pelejou no dia da batalha. Encontramos aqui a quintessência do Apocalipse: uma última e tremenda batalha em torno de Jerusalém (vss. 1,2); a intervenção de Deus com seus exércitos celestiais (vss. 3-5); a redenção da natureza (vss. 6-8); o reinado universal de Deus (vs. 9); o reavivamento da Palestina, estando Jerusalém em segurança (vss. 10,11); a punição dos adversários de Deus (vss. 12-15); a recriação de Jerusalém como uma cidade santa internacional (vss. 16-19); a transformação do que é secular em sagrado (vss. 20,21). Isso é uma formidável fotografia do que conduzirá a humanidade à nova terra" (James T. Cleland, *in loc.*).

Yahweh-Sabaote (o Deus Eterno, o General dos Exércitos) assumirá sobre si mesmo a guerra final e assegurará a Israel a vitória cabal, esperada desde longo tempo. A descrição das dificuldades finais de Israel nos assegura que somente a intervenção divina será suficiente para que haja livramento final. Yahweh é o Guerreiro da hora (ver Êx 15.3; Is 42.13 e Ap 19.11-21).

■ 14.4

וְעָמְדוּ רַגְלָיו בַּיּוֹם־הַהוּא עַל־הַר הַזֵּתִים אֲשֶׁר עַל־פְּנֵי יְרוּשָׁלַםִ מִקֶּדֶם וְנִבְקַע הַר הַזֵּיתִים מֵחֶצְיוֹ מִזְרָחָה וָיָמָּה גֵּיא גְּדוֹלָה מְאֹד וּמָשׁ חֲצִי הָהָר צָפוֹנָה וְחֶצְיוֹ־נֶגְבָּה׃

Naquele dia estarão os seus pés sobre o monte das Oliveiras. Uma das *características especiais* da batalha final será a divisão do monte das Oliveiras em duas partes maciças, o que produzirá um grande vale entre as duas metades. Parte da colina se moverá para o norte, e outra parte se afastará para o sul. Presume-se que um imenso terremoto esteja em vista, provocado pela Palavra divina. A presença de Deus, ao aproximar-se da cidade (sendo ele o Guerreiro), porá fim a toda a atividade guerreira e causará gigantesca divisão do monte. Alguns veem aqui o Messias, aparecendo pessoalmente; e, quando seus pés pisarem o monte das Oliveiras (de onde ele partiu da terra, por ocasião de sua ascensão; ver At 1.11,12), ocorrerá a grande divisão. Segundo a visão de Ez 11.23, a glória de Deus afastou-se de Jerusalém, do monte a leste de Jerusalém. Talvez devamos pensar nesse vale como o vale de Josafá, referido por Joel como o lugar do julgamento das nações (ver Jl 3.2,12). Quanto dessas descrições devem ser considerado como acontecimentos literais e quanto deve ser considerado metaforicamente, continua sendo uma questão duvidosa.

■ 14.5

וְנַסְתֶּם גֵּיא־הָרַי כִּי־יַגִּיעַ גֵּי־הָרִים אֶל־אָצַל וְנַסְתֶּם כַּאֲשֶׁר נַסְתֶּם מִפְּנֵי הָרַעַשׁ בִּימֵי עֻזִּיָּה מֶלֶךְ־יְהוּדָה וּבָא יְהוָה אֱלֹהַי כָּל־קְדֹשִׁים עִמָּךְ׃

Fugireis pelo vale dos meus montes, porque o vale dos montes chegará até Azel. Em meio a tão grande destruição e terror sem precedente, o remanescente de Israel abandonará a área, tal como fez quando um grande terremoto atingiu Jerusalém, no tempo de Uzias. Ver Am 1.1. O remanescente judeu escapará através do vale formado pelo abalo sísmico e chegará a Azel. Mas essa tradução, fazendo certo lugar ser chamado por um nome próprio, significa simplesmente "o outro lado" (NCV). "Correreis por este vale montanhoso até o *outro lado*", chegando assim à segurança. Quando isso acontecer, imediatamente Yahweh-Elohim (o Deus Eterno e Todo-poderoso) intervirá e salvará o dia. Com grandes manifestações divinas, os inimigos de Israel serão dominados. Elohim trará um grande exército celestial, as hostes de anjos que garantirão completa vitória, com o aniquilamento dos pagãos. Esse é o sentido das palavras "todos os santos". Cf. Dt 33.2 e Sl 89.5.

■ 14.6

וְהָיָה בַּיּוֹם הַהוּא לֹא־יִהְיֶה אוֹר יְקָרוֹת יְקִפָּאוֹן׃

"*Vss. 6,7*. A vitória de Deus sobre os pagãos será o prelúdio de uma transformação geral da natureza. O inverno e a noite serão abolidos; o mundo nadará em meio à luz, em uma primavera perpétua, na luz diurna infalível (cf. Ap 21.25)" (Robert C. Dentan, *in loc.*). Fenômenos naturais sem paralelo acompanharão os acontecimentos e também fenômenos sobrenaturais. Cf. Is 13.10; 34.4; Jl 2.10,30,31; 3.15; Mt 24.29. Mas não fica claro o quanto disso deve ser entendido literalmente e o quanto é metafórico. "Metaforicamente... a misericórdia triunfará sobre o julgamento. Haverá trevas, ou seja, *aflição*, mas haverá mais *luz*, ou seja, alegria e prosperidade, em lugar de trevas" (Adam Clarke, *in loc.*).

O original hebraico do vs. 6 é incerto. A Septuaginta, o siríaco, a Vulgata Latina e o Targum dizem aqui: "Naquele dia não haverá nem frio nem geada", que é a tradução seguida pela *Revised Standard Version* e pela nossa versão portuguesa. Se as palavras "não haverá luz" estão corretas, devemos compreender que uma luz sobrenatural substituirá a antiga luz solar. Haverá uma luz ímpar, ou dia, sem o ciclo usual de noites e dias.

■ 14.7

וְהָיָה יוֹם־אֶחָד הוּא יִוָּדַע לַיהוָה לֹא־יוֹם וְלֹא־לָיְלָה וְהָיָה לְעֵת־עֶרֶב יִהְיֶה־אוֹר׃

Mas será um dia singular conhecido do Senhor. Este versículo continua a descrição do novo tipo de dia. Será o dia do Senhor, algo sobrenatural, e não a sucessão de dias e noites, conforme conhecemos. No fim da tarde, a luz continuará brilhando, em vez de o dia esmaecer, até desaparecer quando sobrevém a noite. Será um *dia sem igual* (NIV), que somente Yahweh conhece, e que permanecerá um mistério para os homens. Essa poderia ser uma linguagem metafórica sobre o dia eterno, mas alguns intérpretes insistem na interpretação literal daquilo que nada conhecemos nem podemos interpretar. Alguns estudiosos pensam que isso se refere à luz do reino de Deus, o dia ímpar de Deus, que virá depois das trevas (noite) da terra, não se referindo à questão do sol ou do dia literal. A luz terá vencido as trevas. Será um novo dia.

"Assim como a hora mais escura precede a alvorada, também será a precursora do dia do poder salvador de Deus... A teofania expulsará as trevas do desespero" (Ellicott, *in loc.*).

■ **14.8**

וְהָיָה ׀ בַּיּוֹם הַהוּא יֵצְאוּ מַיִם־חַיִּים מִירוּשָׁלַםִ חֶצְיָם אֶל־הַיָּם הַקַּדְמוֹנִי וְחֶצְיָם אֶל־הַיָּם הָאַחֲרוֹן בַּקַּיִץ וּבָחֹרֶף יִהְיֶה:

Naquele dia também sucederá que correrão de Jerusalém águas vivas. Encontramos aqui a menção a uma fonte perpétua de águas vivas. Cf. Zc 13.1, onde a função da fonte é a purificação. Tal como em Ez 47.1, a fonte proverá suprimento adequado de água para a Terra Prometida, onde a água potável sempre constituiu um problema. A grande fonte de águas que sairá de Jerusalém, para ser entendida como uma espécie de provisão divina, se dividirá em dois braços. Um dos braços irá para o mar oriental (o mar Morto), e o outro, para o mar ocidental (o mar Mediterrâneo). Esse grande fluxo de água prosseguirá durante todo o ano, tanto no verão como no inverno, e não se secará por uma parte do ano, como acontecia à maior parte dos rios da Palestina. Talvez a questão deva ser entendida literalmente: o fim do problema da água potável em Israel. Porém, perderemos de vista o ponto principal, se deixarmos de perceber aqui as águas vivas e espirituais de Deus como a provisão celeste para a alma. Ver no *Dicionário* o verbete intitulado *Água*, que inclui os usos metafóricos da palavra. Da mesma maneira que a água literal promoverá fertilidade sem precedente na Terra Prometida, também proverá grande desenvolvimento e bem-estar espiritual para os homens. "Águas vivas, símbolos do conhecimento divino e da vitalidade espiritual (ver Jl 3.18; Ez 47)" (Ellicott, *in loc.*). Cf. Jo 7.37. As águas espirituais jorrarão em todas as direções, atendendo às necessidades de todos os seres humanos.

■ **14.9**

וְהָיָה יְהוָה לְמֶלֶךְ עַל־כָּל־הָאָרֶץ בַּיּוֹם הַהוּא יִהְיֶה יְהוָה אֶחָד וּשְׁמוֹ אֶחָד:

O Senhor será rei sobre toda a terra. Yahweh se tornará Rei de toda a terra; seu nome será um só; ele será reconhecido como o único Deus verdadeiro, porquanto a idolatria terá sido completamente obliterada, e a fé judaica triunfará, finalmente. Cf. Zc 4.14; 6.5 e Mq 4.13. Ver especialmente Dt 6.4: "Ouve, Israel, o Senhor nosso Deus é o único Senhor".

Alguns eruditos aplicam este versículo ao Messias e apontam para Ap 7.14 e 19.16. Mas Yahweh está em foco. Ver Is 37.16; 45.5,6,14,22; 46.9. A idolatria e o culto falso serão cortados da Terra Prometida (ver Zc 13.1,2). Ver também At 4.12. Deus se tornará tudo para todos (ver 1Co 15.28). Cf. Cl 1.16. Todas as coisas foram criadas *nele, por meio dele* e *para ele*.

■ **14.10,11**

יִסּוֹב כָּל־הָאָרֶץ כָּעֲרָבָה מִגֶּבַע לְרִמּוֹן נֶגֶב יְרוּשָׁלָםִ וְרָאֲמָה וְיָשְׁבָה תַחְתֶּיהָ לְמִשַּׁעַר בִּנְיָמִן עַד־מְקוֹם שַׁעַר הָרִאשׁוֹן עַד־שַׁעַר הַפִּנִּים וּמִגְדַּל חֲנַנְאֵל עַד יִקְבֵי הַמֶּלֶךְ:

וְיָשְׁבוּ בָהּ וְחֵרֶם לֹא יִהְיֶה־עוֹד וְיָשְׁבָה יְרוּשָׁלַםִ לָבֶטַח:

Toda a terra se tornará como a planície de Geba a Rimom ao sul de Jerusalém. A Terra inteira de Judá, de Geba (na fronteira norte; ver Js 21.17) a Rimom (a suposta fronteira sul, cerca de 56 km ao sul de Jerusalém; ver Js 15.32), será nivelada miraculosamente, transformando-se em uma espécie de vale. Jerusalém, entretanto, permanecerá em um nível mais elevado, nas colinas. O vale proverá contraste com a capital, o que fomentará sua glória. Cf. Is 2.2. O profeta Zacarias, ao mencionar alguns poucos dos portões de Jerusalém, parece estar dizendo que "toda a cidade" será exaltada. Quanto à *porta de Benjamim*, ver Jr 37.13 e 38.7. A *primeira porta* é desconhecida. A *porta da esquina* ficava na muralha ocidental. A torre de Hanel (ver Ne 3.1) situava-se na muralha norte. Os lagares reais provavelmente ficavam na parte sul da cidade, e são aqui mencionados para assegurar-nos que essa parte da cidade também participaria da exaltação. Jerusalém terá numerosa população e será livre das maldições, tanto as domésticas quanto as estrangeiras. Ela estará em perfeita segurança, desfrutando as bênçãos de Yahweh na era do reino de Deus. Cf. Is 32.18; 33.20; Am 9.15; Mq 4.4 e Zc 3.10.

"*De Geba a Rimom* representa os limites aproximados da tribo pré-exílica de Judá (2Rs 23.8)... A cidade será reconstruída segundo suas dimensões pré-exílicas (ver Jr 31.28)" (Robert C. Dentan, *in loc.*). A *restauração* é o tema deste versículo. Todo o Israel será salvo (ver Rm 11.26). As guerras e os agentes moralmente destruidores fracassarão. Haverá um novo dia com condições totalmente diferentes.

"A ideia da *elevação* de Jerusalém é sugerida por sua posição geográfica, situada, por assim dizer, em um ninho nas montanhas (ver Sl 125.2). A linguagem, naturalmente, é figurada, denotando a importância religiosa da cidade" (Ellicott, *in loc.*).

■ **14.12**

וְזֹאת ׀ תִּהְיֶה הַמַּגֵּפָה אֲשֶׁר יִגֹּף יְהוָה אֶת־כָּל־הָעַמִּים אֲשֶׁר צָבְאוּ עַל־יְרוּשָׁלָםִ הָמֵק ׀ בְּשָׂרוֹ וְהוּא עֹמֵד עַל־רַגְלָיו וְעֵינָיו תִּמַּקְנָה בְחֹרֵיהֶן וּלְשׁוֹנוֹ תִּמַּק בְּפִיהֶם:

Esta será a praga com que o Senhor ferirá a todos os povos que guerrearem contra Jerusalém. Yahweh não mais permitirá que o paganismo invada sua cidade santa, o lugar de sua habitação. Se algum indivíduo ou nação tentar tal coisa, sofrerá uma *praga especial*, desfechada pela mão divina. Essa terrível enfermidade será caracterizada pelo apodrecimento geral, tão rápido que tomará lugar quando o homem ainda estiver de pé. Não haverá período de incubação. A podridão se espalhará pelo corpo inteiro rapidamente. Os olhos apodrecerão em suas órbitas, e a língua apodrecerá dentro da boca quase imediatamente. O indivíduo, pois, acabará em podridão maciça. Ficará de pé como uma coluna pútrida, e, quando cair, a podridão rasgará pelo meio o seu corpo e uma carne dotada de tremendo mau cheiro se espalhará pelo solo. Em seguida, a praga se espalhará igualmente entre os animais domesticados (vs. 15). Nem mesmo o Apocalipse do Novo Testamento contém algo tão temível e desgostoso quanto o que lemos aqui. Nem mesmo as dez pragas do Egito tiveram algo que se comparasse ao que lemos aqui. Sem dúvida alguma, este é o mais repelente de todos os versículos da Bíblia. Nunca o ouvi ser citado no seio da igreja.

■ **14.13**

וְהָיָה בַּיּוֹם הַהוּא תִּהְיֶה מְהוּמַת־יְהוָה רַבָּה בָּהֶם וְהֶחֱזִיקוּ אִישׁ יַד רֵעֵהוּ וְעָלְתָה יָדוֹ עַל־יַד רֵעֵהוּ:

Naquele dia também haverá da parte do Senhor grande confusão entre eles. O exército invasor será afetado pelo pânico, e eles se matarão mutuamente. Várias ocorrências históricas sem dúvida estavam na mente do profeta Zacarias, quando ele escreveu essas palavras. Cf. Êx 9.14; Sl 37.36; 1Sm 5.9; 14.20; Is 22.5. Será um dia bom para morrer, e haverá várias maneiras de aniquilar exércitos inteiros. O salário do pecado é a morte (Rm 6.23). Cf. também Zc 11.17 e Ap 11.13.

■ 14.14

וְגַם־יְהוּדָה תִּלָּחֵם בִּירוּשָׁלָ͏ִם וְאֻסַּף חֵיל כָּל־הַגּוֹיִם סָבִיב זָהָב וָכֶסֶף וּבְגָדִים לָרֹב מְאֹד׃

Também Judá pelejará em Jerusalém; e se ajuntarão as riquezas de todas as nações circunvizinhas. "Judá lutará *em Jerusalém*", ou "contra Jerusalém" (conforme diz a *Revised Standard Version*). Isso nos remete às ideias expressas em Zc 1.6,7, ou seja, à iniciativa dos guerreiros de Judá, que no começo ultrapassarão em heroísmo aos soldados de Jerusalém. Se a tradução "contra" está correta, então deve significar, "contra os inimigos de Israel, em Jerusalém", porquanto não haverá oportunidade para uma guerra civil em Israel. Os soldados judeus recolherão as riquezas das nações, pois haverá ali grande saque. O "salário" recebido pelos exércitos antigos eram os despojos obtidos quando a vitória pendia para o seu lado. Cf. Ez 39.10,17. "Os exércitos orientais sempre marchavam levando consigo ouro, prata e outros artigos valiosos (cf. 2Cr 20.25)" (Ellicott, *in loc.*).

■ 14.15

וְכֵן תִּהְיֶה מַגֵּפַת הַסּוּס הַפֶּרֶד הַגָּמָל וְהַחֲמוֹר וְכָל־הַבְּהֵמָה אֲשֶׁר יִהְיֶה בַּמַּחֲנוֹת הָהֵמָּה כַּמַּגֵּפָה הַזֹּאת׃

Como esta praga, assim será a praga dos cavalos, dos mulos... Este versículo remete ao vs. 12, a estranha e temível praga que desempenhou seu papel para vencer os invasores. Agora, a mesma praga se espalhou entre os animais domesticados, limpos ou imundos. Estão em pauta os animais do acampamento inimigo, que os invasores trouxeram com eles como alimento e transporte, bem como os cavalos de guerra que ajudariam diretamente na batalha. Visto que esses animais fizeram parte da horda invasora, eles não foram poupados.

■ 14.16

וְהָיָה כָּל־הַנּוֹתָר מִכָּל־הַגּוֹיִם הַבָּאִים עַל־יְרוּשָׁלָ͏ִם וְעָלוּ מִדֵּי שָׁנָה בְשָׁנָה לְהִשְׁתַּחֲוֺת לְמֶלֶךְ יְהוָה צְבָאוֹת וְלָחֹג אֶת־חַג הַסֻּכּוֹת׃

Todos os que restarem de todas as nações que vieram contra Jerusalém, subirão de ano em ano para adorar o Rei. *A misericórdia entrará em cena*, pois é assegurado que o remanescente do exército inimigo (e, presumivelmente, aqueles que permaneceram em suas terras) se converterá à fé dos hebreus e cumprirá seus deveres nas peregrinações. Eles adorarão Yahweh e seu Messias. Entre as observâncias por eles guardadas estará a festa dos Tabernáculos, uma das três celebrações anuais obrigatórias. Provavelmente, essa festividade foi mencionada para representar a "adoração geral", a observância das três festas anuais e todos os outros ritos e leis pertencentes a Israel. O aspecto *judaizante* da era do reino sempre está em vista nos escritos proféticos, mas não precisamos tomar literalmente essas descrições. Elas simbolizam a adoração do novo dia, e os profetas não possuíam luz suficiente para expressar a questão de outra maneira. Cf. Mq 4.1,2 e Is 11.9.

"O fato de que os gentios irão a Jerusalém (cf. Is 2.2; 4.1; 66.23; Zc 8.23) para adorar não significa que eles se tornarão prosélitos do judaísmo, conforme acontecia nos tempos do Antigo Testamento. A adoração religiosa do milênio não será um judaísmo restaurado, e, sim, uma nova ordem religiosa mundial, que abarcará igualmente judeus e gentios. Contudo, ela se centralizará em Jerusalém e incorporará certos aspectos da adoração veterotestamentária" (F. Duane Lindsey, *in loc.*).

As três festas anuais dos israelitas eram a Páscoa, o Pentecoste e os Tabernáculos. Talvez a última dessas três festas seja específica para fazer-nos lembrar de que as "perambulações do deserto" das nações (no pecado e na degradação) terminarão em Jerusalém. Todas as nações voltarão a Deus e à verdade. Cristo armou seu tabernáculo entre nós, levou-nos a Deus e trouxe Deus até nós.

■ 14.17

וְהָיָה אֲשֶׁר לֹא־יַעֲלֶה מֵאֵת מִשְׁפְּחוֹת הָאָרֶץ אֶל־יְרוּשָׁלַ͏ִם לְהִשְׁתַּחֲוֺת לְמֶלֶךְ יְהוָה צְבָאוֹת וְלֹא עֲלֵיהֶם יִהְיֶה הַגָּשֶׁם׃

Se alguma das famílias da terra não subir a Jerusalém... não virá sobre ela a chuva. Se algum povo ignorar o culto em Jerusalém (isto é, não se converter e não prestar adoração devida ao Rei), então a punição divina de tais réprobos se tornará realidade, sob a forma de seca. Com a agricultura em ruínas, eles repensarão a questão e farão o que outras nações também fizeram. Yahweh dos Exércitos, que estará exercendo poder soberano sobre todos os povos, não tolerará rebelião nem alienação de espécie algum. Nenhum povo terá permissão de deslizar de volta ao seu estado anterior, dando assim mau exemplo a outros povos. A celebração das festividades tinha por propósito agradar a Yahweh e assim garantir sua ajuda, quando ele daria chuva suficiente para que a vida continuasse normalmente. A festa dos Tabernáculos fazia parte das celebrações do Novo Ano, e isso acontecia num tempo em que o povo de Israel esperava em Yahweh para conferir-lhes um ano apropriado, o que de maneira alguma podia ocorrer sem chuvas adequadas. Até mesmo em tempos posteriores, quando os aspectos originais do Tabernáculo não mais estavam sendo observados, a *libação de água* era um importante rito nessa festividade, pois então se ofereciam pedidos de água da parte do céu. Ver a Mishnah, *Sukkah*, 4.9. Metaforicamente, as *chuvas* falam de *todos os favores e bênçãos* de Deus.

■ 14.18

וְאִם־מִשְׁפַּחַת מִצְרַיִם לֹא־תַעֲלֶה וְלֹא בָאָה וְלֹא עֲלֵיהֶם תִּהְיֶה הַמַּגֵּפָה אֲשֶׁר יִגֹּף יְהוָה אֶת־הַגּוֹיִם אֲשֶׁר לֹא יַעֲלוּ לָחֹג אֶת־חַג הַסֻּכּוֹת׃

Se a família dos egípcios não subir, nem vier, não cairá sobre eles a chuva. Se os *egípcios*, em particular, não participarem da adoração divina em Jerusalém (no mundo unificado de Deus), então retornarão às antigas pragas e ensinarão àquele povo para que. Ver no *Dicionário* o verbete intitulado *Pragas do Egito*. Os egípcios, que contam com o poderoso rio Nilo e com seus métodos de irrigação, não dependem tanto da chuva quanto outros povos. Por conseguinte, a seca não seria uma punição tão eficaz contra eles. Mas as antigas pragas os levariam à nova realidade em que viviam.

■ 14.19

זֹאת תִּהְיֶה חַטַּאת מִצְרָיִם וְחַטַּאת כָּל־הַגּוֹיִם אֲשֶׁר לֹא יַעֲלוּ לָחֹג אֶת־חַג הַסֻּכּוֹת׃

Este será o castigo dos egípcios e o castigo de todas as nações. Diferentes nações que se rebelarem serão atingidas por diferentes tipos de julgamentos divinos, e nenhuma será isentada. Em outras palavras, a adoração que não for voluntária será forçada, porquanto as sementes do paganismo não terão permissão de germinar. As nações que não adorarem o Senhor estarão sujeitas à *maldição*, mas essa maldição será uma medida da graça, que assegurará o arrependimento e a restauração.

■ 14.20

בַּיּוֹם הַהוּא יִהְיֶה עַל־מְצִלּוֹת הַסּוּס קֹדֶשׁ לַיהוָה וְהָיָה הַסִּירוֹת בְּבֵית יְהוָה כַּמִּזְרָקִים לִפְנֵי הַמִּזְבֵּחַ׃

Naquele dia será gravado nas campainhas dos cavalos: Santo ao Senhor. A *santidade* será o principal atributo da fé restaurada de Israel. A santidade será obrigatória para os judeus e para os gentios, quando a nova ordem de coisas dominar o mundo. Até as campainhas dos cavalos terão uma inscrição gravada: "Santidade ao Senhor". E se os cavalos são tão dedicados a Yahweh, quanto mais os homens devem ser santos. Até mesmo os vasos, panelas e taças terão essa gravação. O profeta via um novo templo como o centro da nova adoração. Da mesma maneira que o crime e o deboche caracterizavam os homens do passado, agora a santidade será a principal característica durante a era do reino de Deus. Quanto ao templo ideal (milenial), ver Ez 40—43. A antiga dicotomia que havia entre o secular e o espiritual será removida conforme os homens forem espiritualizados em todos os aspectos de sua vida e de seu ser. Na referência às *panelas*, alguns eruditos veem esses instrumentos de cozinha trazidos a Jerusalém pelos adoradores. Naqueles dias, até as panelas comuns se tornarão vasos sagrados. O que for secular será espiritualizado. "Os mais humildes utensílios da casa de Deus (ver Ne 10.29) serão como os vasos de prata e ouro usados nos sacrifícios solenes. Serão como os vasos defronte do altar" (Adam Clarke, *in loc.*). "Os receptáculos usados para ferver, para receber cinzas etc., serão tão santos quanto os vasos usados para aparar o sangue dos sacrifícios (ver Zc 9.15 e 1Sm 2.15)" (Fausset, *in loc.*). Devemos compreender que um ritual muito mais elevado, um sacerdócio e um culto mais elevado caracterizarão a era do reino de Deus.

■ 14.21

וְהָיָה כָּל־סִיר בִּירוּשָׁלַ͏ִם וּבִיהוּדָה קֹדֶשׁ לַיהוָה צְבָאוֹת וּבָאוּ כָּל־הַזֹּבְחִים וְלָקְחוּ מֵהֶם וּבִשְּׁלוּ בָהֶם וְלֹא־יִהְיֶה כְנַעֲנִי עוֹד בְּבֵית־יְהוָה צְבָאוֹת בַּיּוֹם הַהוּא׃

Sim, todas as panelas em Jerusalém e Judá serão santas ao Senhor dos Exércitos. As *panelas comuns,* em todo Judá e Jerusalém, participarão da dedicação geral de todas as coisas a Yahweh. Não mais haverá panelas profanas ou seculares. Yahweh dos Exércitos será honrado como o Soberano de todos, e a adoração a ele e uma nova ordem santa permearão todos os aspectos da vida. Além disso, o comercialismo, que servia de praga nos templos antigos, será eliminado. O dinheiro não terá permissão de corromper a nova adoração. "O ponto central é que no mundo renovado, no reino de Deus, a distinção comumente feita entre o que é secular e o que é sagrado será abolida. *Todas as coisas serão sagradas*" (Robert C. Dentan, *in loc.*).

Algumas traduções dizem *cananeu,* em lugar de "mercador", ou seja, aquele que promovia o comércio no templo de Jerusalém. Isso transmite o sentido de que todas as manifestações do *paganismo* serão eliminadas no santo templo de Deus e na nova ordem do milênio. Embora essa ideia transmita uma verdade, sem dúvida o significado aqui é o comercialismo, aquilo que os cananeus representavam e que era indicado pelo nome deles. Cf. este versículo com Jo 2.14. A espiritualidade, por conseguinte, finalmente ganhará a batalha contra o dinheiro, e essa não será uma pequena realização. "Se um homem precisar ter, agora mesmo, os primórdios do céu, deve tudo acontecer mediante a consagração absoluta de todas as coisas a Deus sobre a terra. Que a vida de um homem seja uma liturgia e um ato santo de serviço a Deus" (Fausset, *in loc.*).

Rendo tudo a Jesus.
Tudo a ele livremente dou.
Sempre o amarei e confiarei nele,
E todos os dias viverei em sua presença.

J. W. Dan DeVenter

Ver no *Dicionário* o detalhado artigo chamado *Consagrar, Consagração,* que pode ser usado para ilustrar este versículo final do livro de Zacarias.

Queres encontrar um lugar de descanso em seu reino,
Queres ser aprovado por ele em um teste providencial?
Queres em seu serviço trabalhar sempre o melhor possível?
Então deixa-o ter o seu caminho contigo.

Cyrus S. Nusbaum

MALAQUIAS

O LIVRO QUE DENUNCIA OS PECADOS DO POVO QUE VOLTOU DO CATIVEIRO BABILÔNICO

> *O filho honra o pai, e o servo ao seu senhor. Se eu sou pai, onde está a minha honra? E se eu sou senhor, onde está o respeito para comigo? diz o Senhor dos Exércitos.*
>
> MALAQUIAS 1.6

| 4 | Capítulos |
| 55 | Versículos |

INTRODUÇÃO

No hebraico, "meu mensageiro". Na Septuaginta, *Malachías*. A Septuaginta dá a ideia de que essa palavra não indica um nome próprio, e, sim, um substantivo comum, "meu mensageiro". E muitos eruditos modernos preferem seguir a Septuaginta, embora sem razão, pois o nome desse profeta foi, realmente, Malaquias, cujo significado é "meu mensageiro".

ESBOÇO

    I. Caracterização Geral
    II. Unidade do Livro
    III. Autoria
    IV. Data
    V. Lugar de Origem
    VI. Destino e Razão do Livro
    VII. Propósito
    VIII. Canonicidade
    IX. Estado do Texto
    X. Teologia do Livro
    XI. Esboço do Conteúdo

I. CARACTERIZAÇÃO GERAL

Juntamente com as profecias escritas de Ageu e de Zacarias, o livro de Malaquias reveste-se de grande importância por suprir-nos informações preciosas sobre o período entre o retorno dos exilados judaítas à terra santa e o trabalho ali desenvolvido por Esdras e Neemias. Foi um período de reconstrução da nação de Judá, e as fontes informativas seculares a respeito são extremamente escassas, valorizando assim esses três livros proféticos como fontes informativas. Mas, além disso, temos nesses três livros informações de ordem religiosa e moral sobre o período, e não devemos esquecer que os três livros encerram forte conteúdo apocalíptico, o que significa que seus autores não falavam apenas para a sua própria geração, mas também para a última geração, que haverá de testemunhar o retorno do Senhor Jesus, como o Grande Rei.

Apesar de a profecia de Malaquias não ser datada nos versículos iniciais, a exemplo de alguns outros livros dos profetas menores (aos quais ele pertence, posto em décimo segundo lugar tanto no cânon hebreu quanto no cânon cristão do Antigo Testamento), é perfeitamente possível, com base no exame das evidências internas, localizar as atividades de Malaquias dentro do período do domínio persa sobre a Palestina. Isso transparece na menção que o trecho de Ml 1.8 faz ao *governador* civil persa (no hebraico, *pehah*), palavra que também se acha em Ne 5.14 e Ag 1.1. Como é óbvio, pois, o pano de fundo histórico do livro de Malaquias é o do período pós-exílico, na Judeia. Contudo, o livro retrata condições religiosas e sociais que apontam para um período subsequente ao de Ageu e Zacarias. O fato de haver menção a sacrifícios oferecidos no templo de Jerusalém (ver Ml 1.7-10 e 3.8) subentende não meramente que aquela sagrada estrutura havia sido finalmente completada, mas também que já estava de pé há algum tempo, nos dias em que Malaquias escreveu o seu livro. O cerimonial do templo já estava bem estabelecido novamente (ver Ml 1.10; 3.1,10), o que aponta para uma data posterior a 515 a.C. E Malaquias ter levantado a voz, em protesto contra os sacerdotes e o povo em geral, no século que se seguiu ao de Ageu e Zacarias, parece um fato altamente provável, diante da observação de que certo grau de lassidão e descuido havia penetrado na adoração cerimonial dos ex-exilados. Assim, os sacerdotes não estavam cumprindo as prescrições relacionadas à natureza e à qualidade dos animais oferecidos em sacrifício (ver Ml 1.8); e, pior ainda, ofereciam pão poluído diante do Senhor, mostrando um grau ainda maior de indiferença para com as estipulações de culto da lei levítica. De fato, Malaquias repreendeu-os severamente por esses motivos, porquanto toda essa atitude demonstrava que eles se tinham cansado dos procedimentos rituais vinculados à adoração judaica (ver Ml 1.13).

Isso nos permite perceber que aquele entusiasmo inicial que deve ter assinalado a inauguração do segundo templo, nos dias de Malaquias já devia ter-se abrandado muito, e, juntamente com o abatimento do zelo, aparecera também o abatimento moral, com o consequente afrouxamento da obediência às prescrições levíticas do culto. Essa negligência geral manifesta-se até mesmo no pagamento dos dízimos exigidos pelo Senhor (Ml 3.8-10), extremamente importantes para a manutenção tanto do templo de Jerusalém quanto do seu sacerdócio, naquele período formativo e crucial que se seguiu ao exílio.

Também se deve salientar que a maneira como Malaquias investiu contra a prática bastante generalizada dos casamentos mistos (entre judeus e estrangeiros, ver Ml 2.10-16) sugere-nos o conservantismo tradicional da *Torá* mosaica (ver a respeito no *Dicionário*), e não a infração de uma legislação recente e em vigor, acerca da questão. A expressão usada por Malaquias, "adoradora de deus estranho" (Ml 2.11), significa mulher que seguia alguma religião estrangeira. Isso quer dizer que, em face da generalização do costume desses casamentos mistos, os ideais hebreus (que olhavam com desfavor e suspeita essas uniões mistas) haviam sido abandonados nos dias do profeta. E, visto que Malaquias não lançou mão de nenhuma regulamentação específica sobre a questão, pode-se concluir, com razoável dose de segurança, que os seus oráculos proféticos foram entregues antes de 444 a.C., já que foi nesse ano que Neemias legislou acerca desse problema particular, já em seu segundo termo no ofício de governador. Portanto, o pano de fundo histórico do livro de Malaquias ajusta-se entre os períodos extremos das atividades de Ageu e Zacarias, por uma parte, e as atividades de Esdras e Neemias, por outra. Calcula-se que cerca de 75 anos se passaram entre esses dois pontos.

II. UNIDADE DO LIVRO

O livro de Malaquias consiste em seis seções, cada qual correspondente a um oráculo (ver o *Esboço do Conteúdo*, a seguir). Esses segmentos podem ser facilmente distinguidos. Tais divisões naturais do livro refletem um pano de fundo histórico muito bem delineado, abordando, de maneira uniforme, os problemas inter-relacionados. A série de perguntas e respostas, existente dentro do livro, como é óbvio, foi arranjada de maneira tal que é suavemente transmitida a mensagem do profeta acerca do julgamento divino e das bênçãos prometidas pelo Senhor, quanto ao futuro. Por isso mesmo, o livro exibe todas as marcas de ter sido escrito por um único autor.

A única questão séria e pendente sobre o problema da unidade e da integridade do livro de Malaquias, em conformidade com alguns estudiosos, gira em torno das suas palavras finais (ver Ml 4.4-6), que, talvez, façam parte integrante do sexto oráculo, e não de uma espécie de conclusão separada.

Alguns eruditos opinam que a referência a Elias constitui uma adição posterior, feita pelo editor da coletânea dos profetas menores, que acreditava que, com o término da profecia (segundo ele pensava), mais do que nunca se tornava necessário observar os preceitos da lei, como medida preliminar para o advento do arauto divino. Mas, apesar de essa opinião ter certos pontos a seu favor, entre os quais se destaca a atitude dos sectários de Qumran para com a profecia e a lei, ela não é passível de ser objetivamente demonstrada, pelo que tem sido rejeitada pela maioria dos estudiosos.

III. AUTORIA

Tradicionalmente, o último dos doze livros dos profetas menores é atribuído a um indivíduo de nome Malaquias, com base em Ml 1.1. Mas, conforme dissemos no primeiro ponto, *Caracterização Geral*, consideráveis debates têm surgido entre os estudiosos a respeito de *Malaquias* dever ser considerado ou não um nome próprio ou apenas um substantivo comum, com o sentido de "meu mensageiro". E o que deu azo a isso é que a Septuaginta toma aquela palavra hebraica não como um nome próprio, mas apenas como um substantivo comum. Porém, se seguirmos o costume de todos os profetas escritores, que nunca escreveram obras anônimas, mas sempre em seus próprios nomes, também teremos de concluir que "Malaquias" deve ser o nome de um homem que, realmente, viveu em torno de 450 a.C. Ver a quarta seção, *Data*, a seguir.

Mas, que desde a antiguidade existe alguma dúvida sobre a autoria do último dos livros dos profetas menores, torna-se evidente pelo Targum de Jônatas ben Uziel, que adicionou uma glosa explicativa ao nome "Malaquias", como segue: "cujo nome é Esdras, o escriba", em Ml 1.1. Porém, a despeito de essa tradição ter sido aceita por Jerônimo, na verdade ela não é mais válida do que tradições similares, associadas a Neemias e Zorobabel. Assim, apesar de quiçá haver alguma base para pensarmos no livro de Malaquias como uma composição anônima, ninguém pode afirmar, com absoluta certeza, de que assim aconteceu, na realidade. Seja como for, até mesmo os modernos eruditos liberais acham conveniente referir-se ao autor do último livro do Antigo Testamento pelo nome de "Malaquias". Se eliminarmos as demais considerações, basta esse fato para debilitar muito seriamente qualquer argumento que defenda o anonimato do livro de Malaquias.

IV. DATA
As evidências internas apontam claramente para o período pós-exílico como o tempo em que Malaquias proclamou os seus oráculos. Não obstante, as condições sociais e religiosas que transparecem no livro indicam que ele profetizou algum tempo depois que foi reconstruído o segundo templo de Jerusalém. E a ausência de qualquer referência ao trabalho efetuado por Esdras e Neemias entre os judeus que tinham voltado da servidão na Babilônia parece indicar uma data anterior às reformas religiosas, efetuadas em 444 a.C. Por essas várias considerações, a maioria dos intérpretes postula um tempo de composição em torno de 450 a.C., que se mostra coerente com as evidências internas do próprio livro. Não há razão alguma para supormos que qualquer intervalo de tempo mais dilatado se tenha passado entre a entrega oral das profecias de Malaquias e o tempo em que elas foram reduzidas à forma escrita. De fato, é impossível datar precisamente a composição do livro, por falta de declarações cronológicas nele, mas, levando-se em conta o fato de que Malaquias condenou abusos que eram correntes na época em que Neemias procurou corrigi-los, podemos asseverar que o livro de Malaquias deve ter sido escrito durante o tempo da visita de Neemias a Susã. Ver Ne 13.6.

V. LUGAR DE ORIGEM
Se aceitarmos uma data em meados do século V a.C. para a composição do livro de Malaquias, então parecerá patente que os oráculos de Malaquias ocorreram na própria cidade de Jerusalém. Com base no íntimo conhecimento que esse profeta mostrou possuir acerca dos abusos que estavam sendo cometidos dentro do culto religioso em Jerusalém, parece que ele foi testemunha ocular dos eventos. O culto em Judá estava sofrendo sob as sombrias condições que imperavam na província da Judeia, antes de ter início o trabalho reformador de Esdras e Neemias.

VI. DESTINO E RAZÃO DO LIVRO
Visto que o objetivo primário de Malaquias era obter a reforma das condições sociais e religiosas de sua nação, levando os judaítas a prestar um serviço religioso a Deus, digno do nome, de acordo com as condições do pacto mosaico com eles estabelecido, por isso mesmo os seus oráculos dirigiam-se à população local, em meio à qual ele residia. Os membros leigos da teocracia haviam sucumbido, em grande escala, à indiferença, ao ceticismo e à falta de zelo, ao mesmo tempo que indivíduos menos responsáveis haviam descido a um nível tão baixo a ponto de escarnecerem do culto com suas atitudes lassas (ver Ml 1.14 e 3.7-12). Os casamentos mistos com mulheres pagãs também contribuíam para a criação desse clima de indiferença, paralelamente à indulgência diante de ritos religiosos pagãos. Disso tudo resultou que o adultério, o perjúrio e a opressão aos pobres tornaram-se generalizados (ver Ml 3.5).

Malaquias castigou, igualmente, aos sacerdotes de Jerusalém, acusando-os de se terem enfadado diante de seus deveres religiosos, além de se mostrarem indiferentes para com seus deveres de mordomia das finanças do templo. Tudo contribuía, por conseguinte, para manter um clima em que os preceitos da lei do Senhor eram passados para trás com grande facilidade, como se tudo fosse a coisa mais natural. E a casa de Deus e o altar de Deus iam caindo cada vez mais em opróbrio. Diante desse triste espetáculo de desmazelo, exemplificado pela classe sacerdotal, era apenas natural que o povo começasse a mostrar uma mão sovina, e os dízimos devidos ao Senhor começaram a ser pecaminosamente retidos, aumentando ainda mais o estado de penúria e abandono a que estava relegada a adoração ao Senhor. Dessa desonestidade quanto aos dízimos, Malaquias queixa-se em termos claríssimos e candentes: "Roubará o homem a Deus? Todavia vós me roubais, e dizeis: Em que te roubamos? Nos dízimos e nas ofertas. Com maldição sois amaldiçoados, porque a mim me roubais, vós, a nação toda. Trazei todos os dízimos à casa do tesouro, para que haja mantimento na minha casa, e provai-me nisto, diz o Senhor dos Exércitos, se eu não vos abrir as janelas do céu, e não derramar sobre vós bênçãos sem medida" (Ml 3.8-10). Destarte, Malaquias reverbera o mesmo tema que se vinha reiterando desde Deuteronômio, de que a bênção divina, sobre o seu povo escolhido do passado, estava condicionada à obediência deles, e, caso contrário, eles só poderiam esperar castigo. Mas, se viessem a incorrer em lapso e, então, se arrependessem de suas atitudes e ações, o Senhor renovaria uma vez mais as suas bênçãos.

VII. PROPÓSITO
O profeta Malaquias parece ter-se preocupado tanto quanto os profetas Ageu e Miqueias acerca da deterioração espiritual dos exilados repatriados. Apesar de Malaquias não estar em posição de despertar o entusiasmo acerca da construção de algum símbolo visível da presença divina entre o povo, como estiveram aqueles outros dois profetas, ainda assim ele foi capaz de apontar, de dedo em riste, para o centro da enfermidade espiritual que havia afetado os habitantes da Judeia. O seu grande propósito consistia em restaurar a comunhão dos judaítas com o Senhor. E isso ele procurava fazer indicando, diante dos seus contemporâneos, as causas do declínio espiritual e mostrando-lhes, ato contínuo, os degraus pelos quais eles deveriam subir, até que a vida espiritual da comunidade judaica pudesse ser revigorada.

Tendo plena consciência de que aqueles elementos deletérios que haviam precipitado a catástrofe do exílio babilônico, em 597 a.C., ainda estavam bem presentes na ordem social de sua época, Malaquias esforçava-se deveras por instruir aos seus conterrâneos as lições ensinadas pela história, guiando-os a um estado de espiritualidade mais profunda. Para ele, esse era o remédio precípuo para as perigosas condições morais, religiosas e espirituais em que se encontravam os habitantes da Judeia nos seus dias. À semelhança de Ageu, que falara antes dele cerca de um século, a preocupação dominante de Malaquias era que os judeus reconhecessem as prioridades espirituais. Se isso fosse conseguido, as caóticas condições vigentes sofreriam uma reversão. "Por vossa causa (então) repreenderei o devorador, para que não vos consuma o fruto da terra; a vossa vide no campo não será estéril, diz o Senhor dos Exércitos. Todas as nações vos chamarão felizes, porque vós sereis uma terra deleitosa, diz o Senhor dos Exércitos" (Ml 3.11,12). Sim, se houvesse correção dos abusos, haveria tanto prosperidade material quanto felicidade individual, e boa fama entre as nações estrangeiras.

VIII. CANONICIDADE
O livro do profeta Malaquias, disposto em último lugar dentro da coletânea dos chamados "doze profetas menores", nunca teve a sua canonicidade seriamente ameaçada em tempo algum, nem entre os judeus nem no seio da igreja cristã. A despeito do livro ser considerado por alguns uma obra anônima (ver sobre o terceiro ponto, *Autoria*, anteriormente) isso em nada atingiu a sua canonicidade. Todavia, cabe-nos aqui ressaltar que muitos estudiosos, em várias épocas, têm pensado que a obra originalmente fazia parte do volume das profecias de Zacarias, mas, de alguma maneira, acabou assumindo um caráter independente, com o nome de "Malaquias". No entanto, certa diferença fundamental, atinente ao pano de fundo histórico dos livros de Zacarias e de Malaquias, exclui inteiramente tal possibilidade. E, embora possa ter havido alguma dúvida quanto ao nome "Malaquias", como um nome próprio ou como um simples substantivo comum, que teria o sentido de "meu mensageiro" (conforme já tivemos ocasião de comentar), nunca houve objeção, da parte dos judeus, acerca da própria canonicidade do livro. Ver no *Dicionário* o artigo intitulado *Cânon do Antigo Testamento*.

IX. ESTADO DO TEXTO
Considerando-se o livro de Malaquias como um todo, o texto hebraico da obra tem sido transmitido através dos séculos em boas

condições de preservação. Tão somente existem algumas ligeiras corrupções textuais. No entanto, nesses poucos casos, a versão da *Septuaginta* (ver a respeito no *Dicionário*) serve de prestimoso auxílio na tentativa dos estudiosos da crítica textual de restaurar o texto do livro de Malaquias. Essa versão do Antigo Testamento para o grego inclui alguma palavra extra ocasional que pode ter sido deslocada do texto hebraico original. O fenômeno pode ser averiguado em trechos como Ml 1.6; 2.2,3 e 3.5. Todavia, é preciso ajuntar aqui que a tradição textual da Septuaginta não é assim tão digna de confiança, quando se trata de emendar o texto hebraico do livro de Malaquias, pois alguns poucos manuscritos da Septuaginta omitiram o texto hebraico do livro em Ml 3.21.

Um detalhe curioso quanto a isso é que o livro de Malaquias, na Septuaginta, tem apenas três capítulos. Aquilo que a nossa versão portuguesa imprime como Ml 4.1-6, a Septuaginta não separa do terceiro capítulo do livro, e apresenta como Ml 3.19-24. Entretanto, isso em nada altera o conteúdo do livro.

X. TEOLOGIA DO LIVRO

A espiritualidade refletida no livro de Malaquias assemelha-se muito à que transparece nos livros dos profetas dos séculos VIII e VII a.C., isto é, Joel, Amós, Oseias, Isaías, Miqueias, Naum, Sofonias, Jeremias e Habacuque. Malaquias reconhece a soberania absoluta do Deus de Israel, bem como o que está implicado nas relações do pacto com Deus, tendo em mira o desenvolvimento e o bem-estar da comunidade teocrática que voltou do exílio babilônico. Somente o comprometimento pessoal às reivindicações justas de Deus poderia assegurar a bênção e a tranquilidade para a nação e para cada indivíduo. Se, juntamente com Ezequiel, Malaquias dá considerável importância ao correto proceder no campo da adoração ritual, como meio seguro de preservar uma nação pura e santa, por outra parte, ele nunca tentou substituir um coração obediente por meras cerimônias. O verdadeiro culto que o homem deve prestar a Deus inclui a retidão moral, a justiça e a misericórdia, e isso paralelamente a corretas formas rituais.

Igualmente importante na teologia expressa no livro de Malaquias é a sua insistência sobre o fato de que o primeiro passo na direção de uma apropriada relação espiritual com Deus é o *arrependimento*, embora ele mesmo não tenha usado nenhum dos vocábulos hebraicos que são assim traduzidos no Antigo Testamento, a não ser *shub*, por três vezes (3.7,18). Mas a ideia de arrependimento, de voltar-se para Deus de todo o coração, transparece continuamente no livro de Malaquias. Ver no *Dicionário* o artigo chamado *Arrependimento*, no tocante às palavras correspondentes no hebraico.

Devido às muitas objeções que tinham sido levantadas contra a abordagem tradicional ao problema do mal, Malaquias sentiu ser necessário enfatizar que a iniquidade jamais haveria de passar sem punição, posto que o castigo divino fosse sendo postergado, devido à entranhável misericórdia de Deus. O Senhor, pois, continha-se, não descarregando imediatamente a sua ira. É o que diz, por exemplo, em Ml 3.6. "Porque eu, o Senhor, não mudo; por isso vós, ó filhos de Jacó, não sois consumidos".

No tocante aos ensinos escatológicos, Malaquias segue bem de perto os pensamentos de Amós e Sofonias, ao esboçar as condições que haveriam de imperar durante "o dia do Senhor". Para Malaquias, esse dia é *insuportável:* "Mas quem pode suportar o dia da sua vinda? E quem poderá subsistir quando ele aparecer?" (Ml 3.2). Esse dia também é *consumidor:* "... Porque ele (o dia da sua vinda) é como o fogo do ourives e como a potassa dos lavandeiros" (Ml 3.2b). Esse dia é *purificador:* "Assentar-se-á, como derretedor e purificador de prata; purificará os filhos de Levi, e os refinará como ouro e como prata" (Ml 3.3). Esse dia também é *seletivo:* "Eles serão para mim particular tesouro naquele dia que preparei... Então vereis outra vez a diferença entre o justo e o perverso, entre o que serve a Deus e o que não o serve" (Ml 3.17,18). Esse dia é o dia de *julgamento:* "Pois eis que vem o dia, e arde como fornalha; todos os soberbos, e todos os que cometem perversidade, serão como o restolho; o dia que vem os abrasará, diz o Senhor dos Exércitos, de sorte que não lhes deixará nem raiz nem ramo" (Ml 4.1). Aquele é um dia de *vitória* para os que temem ao Senhor: "Pisareis os perversos, porque se farão cinzas debaixo das plantas de vossos pés, naquele dia que preparei, diz o Senhor dos Exércitos" (4.3). Aquele é um dia *memorável* e *espantoso,* dentro da teologia de Malaquias: "Eis que eu vos enviarei o profeta Elias, antes que venha o grande e terrível dia do Senhor" (Ml 4.5). É muito apropriado que o livro de Malaquias, o último livro profético do Antigo Testamento, tenha voltado a vista tão decidida e insistentemente para o *dia* do Senhor dos Exércitos. Toda a literatura apocalíptica da Bíblia — Antigo e Novo Testamento — confirma essa propriedade!

O "dia do Senhor", ao contrário do que andavam pregando os falsos profetas, no dizer de Malaquias será um tempo de calamidade, e não de bênçãos. Pois será então que pecadores auto-iludidos haverão de ser castigados por haverem violado o pacto com o Senhor e abusado de sua misericórdia e longanimidade!

É grato observarmos que Malaquias introduziu um tema original, sem paralelo em todo o Antigo Testamento, a saber, um livro de memórias de Deus, onde os atos dos justos ficam eternamente registrados. Isso transparece em Ml 3.16. "Então os que temiam ao Senhor falavam uns aos outros; o Senhor atentava e ouvia; havia um memorial escrito diante dele para os que temem ao Senhor, e para os que se lembram do seu nome". A impressão que se tem é que a fé se tornará tão rara, a justiça andará tão escassa entre os homens, que Deus considerará os justos dos tempos do fim uma autêntica preciosidade, chegando a mostrar-se atento aos diálogos entre eles e anotando por escrito todos os seus atos de justiça. Com essa ideia devemos comparar o que disse o Senhor Jesus, em certa oportunidade: "Contudo, quando vier o Filho do homem, achará porventura fé na terra?" (Lc 18.8). E é notável que ele tenha proferido essas palavras, tão esclarecedoras sobre as injustiças que prevalecerão no tempo do fim, após ter contado a não menos esclarecedora parábola do juiz iníquo. Em termos absolutos, durante o "dia do Senhor", haverá a maior colheita de almas de todos os tempos, segundo se pode depreender de Ap 7.4-9. Nessa passagem do último livro da Bíblia, fala-se sobre os 144 mil israelitas salvos durante a Grande Tribulação e de "grande multidão que ninguém podia enumerar, de todas as nações, tribos, povos e línguas, diante do trono e diante do Cordeiro, vestidos de vestiduras brancas, com palmas nas mãos...". Mas, em termos relativos, o número dos que temerão a Deus será diminuto, pois a humanidade inteira estará seguindo ao anticristo, com a única exceção daqueles cujos nomes estão escritos no livro da vida. Ver Ap 13.8. É evidente que Malaquias não tinha em vista todo esse dantesco quadro escatológico, mas também não se deve duvidar de que o Apocalipse nos mostra um desdobramento de tudo quanto a Bíblia disse anteriormente sobre o "dia do Senhor"; e, com toda a certeza, nesse desdobramento temos de incluir a contribuição de Malaquias para as ideias escatológicas. De fato, Malaquias é citado por duas vezes no livro de Apocalipse, segundo se vê na lista seguinte: em Ap 6.17 (Ml 3.2); e em Ap 11.3 ss. (Ml 4.5, no tocante a Elias, que muitos pensam que será uma das duas testemunhas do fim). No primeiro desses dois casos temos uma citação bastante direta, alusiva ao caráter consumidor e insuportável do "dia do Senhor". Já o segundo caso é mais problemático. Todavia, é inegável que o livro de Malaquias contém uma preocupação escatológica muito grande, conforme vimos anteriormente.

O desenvolvimento da ideia do "dia do Senhor", tomando-se por base o que Malaquias disse a respeito, tornou-se importante na doutrina da vida além-túmulo, tão bem desenvolvida no Novo Testamento, embora de forma alguma desconhecida no Antigo Testamento, mormente nos livros poéticos e proféticos.

Outra ênfase característica de Malaquias é aquela sobre a personagem de um "precursor" que anunciava a vinda do Senhor, ao tempo do julgamento final. Visto que esse indivíduo é identificado com um Elias redivivo (cf. 2Rs 2.11), parece provável que esse precursor é concebido por Malaquias como uma figura profética que haveria de oferecer, a um povo desobediente, uma última oportunidade de arrepender-se, antes da eclosão do julgamento divino. Não podemos olvidar que nosso Senhor Jesus Cristo considerou essa profecia de Malaquias como predição que encontrou cumprimento na pessoa e na obra de João Batista (ver Mc 9.11,13); e também que a igreja primitiva via o cumprimento dessa predição de Malaquias na relação entre o trabalho desenvolvido por João Batista e aquele do Senhor Jesus (ver Mc 1.2; Lc 1.17). No entanto, muitos eruditos opinam que a profecia de Malaquias a respeito de Elias não se consumou no ministério de João Batista, mas só encontrará seu cabal cumprimento na pessoa de uma das testemunhas do

Apocalipse (cap. 11). Essa não é uma questão tão sem importância como alguns afirmam, porquanto há muita coisa que depende da correta compreensão dessas predições para o fim. Aqueles que pensam que Elias voltará uma terceira vez (a segunda teria sido no caso de João Batista), ainda que não sob a forma de reencarnação, mas apenas como atuação espiritual, apontam para o fato de que Malaquias diz: "... enviarei o profeta Elias, antes que venha o grande e terrível dia do Senhor" (Ml 4.5). No entanto, visto que o ministério de João Batista ocorreu entre os dias de Malaquias e a segunda vinda do Senhor Jesus, outros pensam que a obra do precursor de Jesus Cristo esgotou aquela predição de Malaquias. Esses têm como argumento definitivo outra declaração do Senhor Jesus, em Mc 9.13. "Eu, porém, vos digo que Elias já veio, e fizeram com ele tudo o que quiseram, como a seu respeito está escrito". Ao que parece, só os próprios acontecimentos apocalípticos do fim poderão esclarecer essa dúvida!

XI. ESBOÇO DO CONTEÚDO

A profecia de Malaquias pode ser analisada em esboço, como segue:
- a. Título (1.1)
- b. Primeiro Oráculo (1.2-5)
- c. Segundo Oráculo, em forma de diálogo (1.6—2.9)
- d. Terceiro Oráculo (2.10-16)
- e. Quarto Oráculo (2.17—3.5)
- f. Quinto Oráculo (3.6-12)
- g. Sexto Oráculo (3.13—4.3)
- h. Conclusão (4.4-6)

Passaremos a comentar, de modo abreviado, esses seis oráculos e a conclusão do livro de Malaquias.

Primeiro Oráculo. Este oráculo segue o pensamento do profeta Oseias, reafirmando seus protestos do amor divino pelo povo escolhido do Senhor. Assim, embora as condições econômicas dos exilados judeus repatriados estivessem longe de ser ideais, quando Malaquias escreveu, os seculares adversários de Israel — os edomitas — haviam exultado diante da queda de Jerusalém (ver Sl 137.7). Mas a verdade é que Edom sofrera um desastre muito maior que o de Israel. E, em comparação com o juízo divino contra Edom, eram bem evidentes as bênçãos do amor divino por Israel. Essa ideia transparece claramente nas palavras de Malaquias: "... amei a Jacó, porém, aborreci a Esaú..." (Ml 1.2,3). Visto que, dentro dessa linguagem metafórica, Jacó representa os escolhidos, e Esaú representa os rejeitados, encontramos aí um princípio básico — o princípio da eleição. Ver Rm 9.10-13. Portanto, que Israel se regozijasse nesse seu grande privilégio do imorredouro amor divino!

Segundo Oráculo. Encontramos neste segmento do livro de Malaquias um interessantíssimo diálogo usado para denunciar a hierarquia sacerdotal, devido ao seu fracasso em fornecer o tipo de liderança moral, religiosa e espiritual que a nação restaurada de Judá precisava, a fim de que tivessem sido evitados os males que agora a afligiam. Longe de honrarem a Deus, no desempenho fiel e zeloso de seus deveres sacerdotais, aqueles sacerdotes tinham-se mostrado indiferentes, e até mesmo zombeteiros, no desempenho de seus deveres. Dessa maneira, eles profanavam o altar do Senhor. No diálogo deles com o Senhor, os sacerdotes indagavam: "Em que te havemos profanado?", e o Senhor respondeu: "Nisto, que pensais: A mesa do Senhor é desprezível". Chegavam a oferecer animais que não julgariam dignos de ser presenteados ao governador persa. Isto posto, o culto cerimonial, prestado ao Senhor, era desvalorizado em relação aos holocaustos oferecidos pelos pagãos, cujas regras de propriedade eram muito mais exigentes. Assim, se o sacerdócio levítico anterior ao exílio havia exibido certa integridade espiritual, seus sucessores pós-exílicos corriam o perigo de cair no desagrado do Senhor, imitando seus antepassados de pouco tempo antes do exílio babilônico. O ideal do sacerdócio é expresso em Ml 2.6,7. "A verdadeira instrução esteve na sua (de Levi; ver o vs. 4) boca, e a injustiça não se achou nos seus lábios; andou comigo em paz e em retidão, e da iniquidade apartou a muitos. Porque os lábios do sacerdote devem guardar o conhecimento, e da sua boca devem os homens procurar a instrução, porque ele é mensageiro do Senhor dos Exércitos". Como estamos vendo, um sacerdote deveria ser qual um evangelista. No entanto, a grande fraqueza dos sacerdotes levíticos do Antigo Testamento consistia no fato de que eles não levavam a sério essa função evangelística, mas pensavam que lhes bastava ocupar-se das suas funções rituais!

Terceiro Oráculo. Um dos motivos mais fortes da não aceitação da adoração cerimonial dos judeus, por parte do Senhor Deus, consistia na infidelidade conjugal deles. Visto que os judeus repatriados não davam grande importância às injunções levíticas e às implicações da vida comunitária, dentro da aliança com Deus, por isso mesmo, nessa frouxidão, não pensavam ser importante manter fidelidade às mulheres legítimas com quem se tinham casado na mocidade. Pelo contrário, "repudiavam" suas esposas judias e procuravam esposas estrangeiras. Isso naturalmente importava na degradação da família e do lar, com graves consequências para os filhos e para a sociedade como um todo. Aliás, em todos os séculos e em todos os países, sempre que a família é devidamente honrada, a sociedade e a moralidade vão bem. A nossa própria época se assemelha aos dias de Malaquias, em que os casais se juntam frouxamente, sem nenhum senso de responsabilidade de um para com o outro, e de ambos para com os possíveis filhos. Estamos na época das "amizades coloridas", em que um homem e uma mulher começam a morar juntos como se tudo não passasse de uma experiência que pode ser repetida com outros companheiros ou companheiras. Esse tipo de leviandade no matrimônio é o ponto visado no terceiro oráculo de Malaquias. E isso, incidentalmente, mostra-nos que o "dia do Senhor" não anda longe. Tal concentração dos pensamentos no sexo, sem o consequente senso de responsabilidade, é um dos sinais que advertem aos atentos acerca da proximidade da volta do Senhor. Jesus mesmo ensinou isso: "Assim como foi nos dias de Noé, será também nos dias do Filho do homem: Comiam, bebiam, casavam e davam-se em casamento, até o dia em que Noé entrou na arca, e veio o dilúvio e destruiu a todos... Assim será no dia em que o Filho do homem se manifestar" (Lc 17.26,27,30). Essa história se repete todas as vezes em que Deus está às vésperas de fazer decisiva intervenção nas atividades humanas, a fim de estancar os abusos!

Malaquias, pois, deixou claro que tal tipo de pecado certamente não ficaria sem a devida punição. "O Senhor eliminará das tendas de Jacó o homem que fizer tal, seja quem for..." (Ml 2.12). De nada adiantava o povo mostrar-se religioso e piegas, cobrindo de lágrimas, de choro e de gemidos "o altar do Senhor" (vs. 13), enquanto estivesse andando em infidelidade conjugal!

Quarto Oráculo. Este quarto segmento principal do livro de Malaquias fala sobre a intervenção divina a fim de julgar. Por assim dizer, Deus se cansara da queixa popular comum que dizia que, por não fazer ele intervenção, estaria aprovando a iniquidade dos ímpios. Tornou-se comum aos judeus comentar uns para os outros: "Qualquer um que faz o mal passa por bom aos olhos do Senhor, e desses é que ele se agrada". E também: "Onde está o Deus do Juízo?" Isso constituía grande maldade, quase um desafio para que Deus se manifestasse. A resposta de Malaquias é que Deus, por ser justo, haveria de sobrevir subitamente à nação de Judá — com julgamento. E a prova disso é que ali estava ele, Malaquias, o mensageiro do Senhor, a dar aviso. "Eis que eu envio o meu mensageiro, que preparará o caminho diante de mim; de repente virá ao seu templo o Senhor, a quem vós buscais; e o Anjo da aliança a quem vós desejais; eis que ele vem, diz o Senhor dos Exércitos".

O propósito dessa intervenção divina, pois, seria separar os fiéis dentre os ímpios. E o sacerdócio que atuava no templo seria o primeiro a sentir o rigor do julgamento divino: "... purificará os filhos de Levi, e os refinará como ouro e como prata...". Feito isso, o Senhor se voltaria para as massas populares, com igual rigor, brandindo o látego contra todos os abusadores. "Chegar-me-ei a vós outros para juízo; serei testemunha veloz contra os feiticeiros, contra os adúlteros, contra os que juram falsamente, contra os que defraudam o salário do jornaleiro e oprimem a viúva e o órfão, e torcem o direito do estrangeiro, e não me temem, diz o Senhor dos Exércitos". Tudo isso não parece uma descrição de nossos próprios dias? Portanto, cuidado! A história se repete!

Somente depois de toda essa intervenção purificadora, insiste Malaquias, é que seria agradável ao Senhor "... a oferta de Judá e de Jerusalém... como nos dias antigos, e como nos primeiros anos" (vs. 4).

Quinto Oráculo. Nesta porção de sua mensagem, Malaquias faz cair completamente sobre os ombros de seu povo a responsabilidade por toda a situação caótica que imperava na nação. A coerência de

Deus proibia que ele mudasse de atitude (adversa) para com eles, sem uma boa razão. Se os judeus haviam mudado em alguma coisa, haviam mudado para pior. "Desde os dias de vossos pais vos desviastes dos meus estatutos, e não os guardastes...". A solução para essa atitude rebelde, pois, é dada logo em seguida: "... tornai-vos para mim, e eu me tornarei para vós outros, diz o Senhor dos Exércitos". No entanto, eles se faziam de mal-entendidos: "Em que havemos de nos tornar?" Nessa teimosia, pois, eles haviam chegado ao extremo de *roubar a Deus,* negando os dízimos devidos à casa do Senhor!

Somente quando essa deficiência econômica fosse corrigida, os judeus poderiam esperar prosperidade material. Se obedecessem quanto a esse aspecto pecuniário, o Senhor faria intervenção favorável às suas plantações, repreendendo aos gafanhotos e outras pragas ("repreenderei o devorador"), a ponto de os judeus causarem inveja aos povos vizinhos (vs. 12)!

Sexto Oráculo. Este último oráculo de Malaquias aborda, uma vez mais, o grave problema da maldade da vida humana. O tema já havia sido ventilado em Ml 2.7. Os membros devotos da teocracia, perplexos diante do fato de que indivíduos arrogantes e incrédulos, na sua própria nação, pareciam prosperar mais do que seus compatriotas piedosos, aparentemente sem sofrerem nenhuma repreensão da parte do Senhor, começavam a questionar se valia a pena viver em obediência aos mandamentos de Deus. Essa queixa aparece em Ml 3.14,15. "Vós dizeis: Inútil é servir a Deus; que nos aproveitou termos cuidado em guardar os seus preceitos, e em andar de luto diante do Senhor dos Exércitos! Ora, pois, nós reputamos por felizes os soberbos; também os que cometem impiedade prosperam, sim eles tentam ao Senhor, e escapam". Em resposta a tão amargo e injusto queixume, o profeta Malaquias mostra que Deus tomava nota dos piedosos, daqueles que "temiam ao Senhor". Dessa maneira, quando raiasse o dia do julgamento divino, o Senhor haveria de lembrar-se da vida virtuosa dos fiéis e tementes, deixando claro que aqueles que o servem com fidelidade jamais perderão a sua recompensa. Destarte, o julgamento ameaçado contra os ímpios haveria de destruí-los em suas iniquidades, ao mesmo tempo que os crentes piedosos haveriam de desfrutar felicidade e bênção. Esses dois destinos tão diferentes — o dos ímpios e o dos piedosos — transparecem em Ml 4.1-3. Queremos destacar aqui o que Malaquias diz a respeito da felicidade e bem-aventurança daqueles que agora obedecem ao Senhor: "Mas para vós outros que temeis o meu nome nascerá o sol da justiça, trazendo salvação nas suas asas; saireis e saltareis como bezerros soltos da estrebaria" (Ml 4.2). Ah! O júbilo final dos remidos, vendo reivindicada pelo próprio Senhor a causa deles! Então os salvos verificarão, em sua próxima experiência gloriosa, que vale a pena servir ao Senhor do universo, com fidelidade e amor!

Conclusão do Livro. Os versículos finais do livro de Malaquias (4.4-6) têm sido considerados, por alguns eruditos, como uma adição editorial feita ao livro. Eles assim argumentam com base no fato de que esses versículos sumariam a mensagem inteira do livro. Outros apontam que assim devemos pensar, sob a alegação de que, dali por diante, o povo deveria voltar-se para a legislação mosaica como fonte de instrução e direção, agora que, com Malaquias, cessara definitivamente a voz da profecia. O primeiro desses argumentos ainda tem alguma razão de ser. Mas o segundo é simplesmente insustentável, porquanto, depois de Malaquias, tivemos o ministério de João Batista, que, segundo esclareceu o Senhor Jesus, era "mais do que um profeta" (ver Mt 11.9). Além disso, porventura já houve profeta maior do que o próprio Senhor Jesus? E é no espírito dessa convicção que devemos entrar no Novo Testamento até hoje, porquanto se lê em Ap: "... o testemunho de Jesus é o espírito da profecia" (19.10)!

Uma Última Observação. Que contraste entre o Antigo e o Novo Testamento! O antigo pacto termina com uma ameaça velada: "... para que eu não venha e fira a terra com maldição" (Ml 4.6). Mas o Novo Testamento encerra-se com uma bênção muito ampla: "A graça do Senhor Jesus seja com todos" (Ap 22.21)! Sim, a lei era o ministério da condenação (ver 2Co 3.9), mas em Cristo há salvação eterna para todos os que creem (ver Rm 1.16)!

Ao Leitor
O leitor sério, ao examinar o livro de Malaquias, preparará o caminho para seu estudo lendo a *Introdução* ao livro, que aborda os seguintes assuntos: caracterização geral; unidade do livro; autoria; data; lugar de origem; destino e razão do livro; propósito; canonicidade; estado do texto; teologia do livro; conteúdo.

Em companhia de Ageu e Zacarias, Malaquias teve seu ministério em Judá (cerca de 397 a.C.), depois do *Cativeiro Babilônico* (ver no *Dicionário*). Ver no início da exposição de Oseias o gráfico que ilustra as datas e localizações dos ministérios dos profetas do Antigo Testamento.

Profetas Menores. Malaquias era um dos chamados *Profetas Menores.* O termo *menores*, neste caso, não é um julgamento quanto à importância destes profetas, apenas se refere ao *volume* de material que eles deixaram escrito. Paralelamente, o termo *maiores* da expressão *Profetas Maiores* refere-se apenas ao volume que esses profetas escreveram. Os Profetas Maiores são: Isaías, Jeremias e Ezequiel. Os *doze* profetas menores: Oseias, Joel, Amós, Obadias, Jonas, Miqueias, Naum, Habacuque, Sofonias, Ageu, Zacarias e Malaquias. Os eruditos judaicos agruparam estes profetas num rolo só e chamaram a esse jogo de composições de "o Livro dos Doze".

Talvez Malaquias fosse o último dos profetas do Antigo Testamento, como afirmam alguns intérpretes, embora outros lhe atribuam uma data anterior. Ver a discussão detalhada sobre este problema na *Introdução*, seção 4. O arranjo dos livros do Antigo Testamento, que temos nas nossas Bíblias hoje, dá a Malaquias a *última voz* dessa coleção. Logicamente outras vozes de importância se seguiram nos livros apócrifos e pseudepígrafos, antes da época do Novo Testamento. De fato, algumas *dessas vozes* foram poderosas e forneceram informações críticas e importantes.

Obviamente, o Novo Testamento tem falado mais alto que todas as vozes da literatura bíblica que o precederam.

As mensagens principais de Malaquias são: o amor de Yahweh, os muitos pecados do povo que mereciam castigo, o dia do Senhor, o Messias em seus dois adventos, e a restauração de Israel.

É bem provável que Malaquias tenha ministrado no quinto século a.C., cerca de cem anos depois do decreto misericordioso de Ciro que libertou os cativos da Babilônia, publicado em 537 a.C. A vida não era fácil, mas era fácil o suficiente para produzir um povo essencialmente indiferente à mensagem divina. A lei mosaica não era obedecida e as esperanças dos Pactos se tinham apagado. Os divórcios se multiplicaram, e a moralidade, de modo geral, azedou. Por outro lado, o profeta Malaquias era uma exceção à inércia generalizada, não se afundando na lamacenta mediocridade do povo. Atacou com sua profecia, mas nunca perdeu de vista a esperança brilhante do novo dia, terminando sua profecia com a descrição do glorioso dia do Messias, quando Israel será restaurado. Infelizmente, a *última palavra* de sua profecia (portanto, a última do Antigo Testamento) é de *maldição*. O Novo Testamento foi escrito para apagar essa palavra. Os próprios judeus não gostaram da maneira como Malaquias encerra "o livro dos doze", por isso manejaram essa circunstância à maneira deles, o que é explicado na exposição em Ml 4.6.

EXPOSIÇÃO

CAPÍTULO UM

SOBRESCRITO (1.1)

■ **1.1**

מַשָּׂא דְבַר־יְהוָה אֶל־יִשְׂרָאֵל בְּיַד מַלְאָכִי׃

Sentença pronunciada... O hebraico traduzido por *sentença* aqui é *massa*, literalmente um *peso*, portanto, neste contexto, uma *mensagem pesada* que o profeta lançou nas costas do povo. Nos livros proféticos do Antigo Testamento, oráculos e revelações são chamados de *pesos* (cargas) 27 vezes; alguns exemplos: Is 13.1; 14.28; 15.1; 22.1; Na 1.1; Hc 1.1 e Zc 9.1. A palavra denota ansiedade, receio e, algumas vezes, terror.

Por contraste, considere-se o capítulo 2 de Lucas, que fala do nascimento de Jesus.

Paz na terra entre os homens, a quem ele quer bem.
Lucas 2.14

Palavra do Senhor. Os profetas do Antigo Testamento frequentemente começavam seus livros com estas palavras, afirmando a inspiração de suas mensagens e o fato de que eles foram autorizados por Yahweh como mediadores. Ver no *Dicionário* os artigos *Revelação; Inspiração; Profecia, Profetas e o Dom de Profecia.*

Malaquias. Ver na *Introdução,* seção 3, o que se sabe sobre este homem. O nome significa *mensageiro,* o homem que foi escolhido para fazer a última volta do Antigo Testamento, completando a corrida de muitos séculos. A Septuaginta não entende a palavra aqui como um nome próprio, deixando "algum mensageiro" indefinido ser o agente que trouxe as mensagens pesadas para perturbar a vida de um povo acomodado. O Targum, na introdução ao livro, também deixa o autor desconhecido, mas em outro lugar diz que *Esdras* foi o escritor, conjectura altamente improvável.

O AMOR DE DEUS POR ISRAEL COMPROVADO PELO DESTINO AMARGO DE EDOM (1.2-5)

■ 1.2

אָהַבְתִּי אֶתְכֶם אָמַר יְהוָה וַאֲמַרְתֶּם בַּמָּה אֲהַבְתָּנוּ
הֲלוֹא־אָח עֵשָׂו לְיַעֲקֹב נְאֻם־יְהוָה וָאֹהַב אֶת־יַעֲקֹב׃

Esaú era irmão gêmeo de Jacó e pai dos edomitas. Desde o início houve conflito entre eles, e os descendentes de Edom se tornaram irracionais e extremamente amargos contra Israel, resultando em matanças e desgraças diversas. Parte do bem-estar de Israel foi *a derrota de* seus inimigos e o fim do tormento.

Era doutrina padrão que Yahweh tinha escolhido Israel para ser um povo *distinto* (Dt 4.4-8). A apatia-corrupção do povo, no tempo de Malaquias, havia desperdiçado a ideia de ser uma nação especial, supostamente favorecida em detrimento das outras. O sofrimento dos ataques e cativeiros babilônicos apontou para outra direção. As promessas brilhantes entraram nas sombras de circunstâncias adversas. Ver Dt 7.12,13. O profeta Malaquias tentava reverter a situação com palavras de encorajamento.

"A pequena comunidade, que se estendia somente um pouco além das margens de Jerusalém, com um solo infértil atacado por secas periódicas, tornou-se cética em relação às promessas e profecias. Precisava de *evidências* do amor especial de Deus por eles" (Robert C. Dentan, *in loc.*).

Os julgamentos de Yahweh deixaram Edom em condições piores que as de Israel e isso servia como *evidência* do amor de Deus por Israel, porque um velho tormento tinha sido eliminado. O profeta mostrará outras evidências. Ver no *Dicionário* o artigo denominado *Amor.* Cf. Os 11.1,3,4,8,9 e Is 43.4. Os trechos de Dt 4.37; 5.10 e 7.6-9 ilustram aspectos do presente trecho de Ml. Israel, cheio de ceticismo e amargura, "deveria ter reagido com amor para com Deus e obediência aos seus mandamentos, Dt 6.4-9" (Craig A. Blaising, *in loc.*).

■ 1.3

וְאֶת־עֵשָׂו שָׂנֵאתִי וָאָשִׂים אֶת־הָרָיו שְׁמָמָה וְאֶת־נַחֲלָתוֹ לְתַנּוֹת מִדְבָּר׃

Aborreci a Esaú. O amor e o ódio divino são *ativos*; o ódio é evidenciado num número de vezes muito grande nas páginas do Antigo Testamento, e pronunciamentos contra Edom são frequentes. Esaú (Edom) foi odiado por suas corrupções e perseguições contra Israel e, afinal, foi deixado desolado pelos julgamentos de Yahweh. Seu território tornou-se um lugar de "assombração" de animais selvagens, tendo acabado desabitado.

Os intérpretes gastam seu tempo procurando convencer-nos de que este ódio divino é uma expressão *comparativa* que se contrasta a um amor *maior* por Israel. O ódio é ódio puro, não amor de menor grau. Os rabinos não deixam dúvida quanto à interpretação dessas passagens e, infelizmente, até o apóstolo Paulo tomou emprestada a ideia para fortalecer seu argumento de *eleição* gratuita em Rm 9.13. A maior parte no Novo Testamento é contra esta *visão de Deus,* já que seu nome nesse documento é sinônimo de *Amor* (1Jo 4.8).

Edom, para Israel, era a pura essência da crueldade e barbaridade, e alvo natural e necessário para a ira de Deus (Ez 25.12; Is 63.1-6; Ob 1-21). Os escritores bíblicos aplicam *antropomorfismo* e *antropopatismo,* descrevendo Deus segundo atributos e emoções humanas, atividade duvidosa que resulta do dilema da fraqueza de nosso raciocínio e linguagem. Ver esses termos no *Dicionário.* Assim como podemos argumentar que termos como *amor* e *ódio,* quando aplicados à Pessoa divina, significam "escolhas divinas", e não emoções (os eleitos são escolhidos, e os reprovados, rejeitados), o problema não diminui com a troca de terminologia. De qualquer maneira, neste trecho, o assunto não é a salvação da alma nem sua condenação "num mundo vindouro", depois da morte biológica. O texto fala de acontecimentos no mundo físico, que resultam da operação da *Lei Moral da Colheita segundo a Semeadura* (ver no *Dicionário*).

Historicamente, está em vista o ataque de Nabucodonosor contra Edom, provavelmente seguido por uma expulsão do povo de seu território. Alguns acham que estão em pauta os muitos ataques dos árabes nabateus, não o do exército da Babilônia. Yahweh, naturalmente, tinha diversos instrumentos de sua ira e não é necessário determinar, com precisão, qual ou quais estão em vista neste texto. A mensagem é: o que aconteceu a Edom foi um *favor divino* para melhorar as circunstâncias da vida de Israel.

■ 1.4

כִּי־תֹאמַר אֱדוֹם רֻשַּׁשְׁנוּ וְנָשׁוּב וְנִבְנֶה חֳרָבוֹת כֹּה
אָמַר יְהוָה צְבָאוֹת הֵמָּה יִבְנוּ וַאֲנִי אֶהֱרוֹס וְקָרְאוּ
לָהֶם גְּבוּל רִשְׁעָה וְהָעָם אֲשֶׁר־זָעַם יְהוָה עַד־עוֹלָם׃

Fomos destruídos, porém tornaremos a edificar as ruínas... Eles edificarão, mas eu destruirei... *Reconstrução?* As tentativas de Edom para reconstruir-se, reconquistando os poderes e prestígio de outrora, seriam frustradas pela mão pesada de Yahweh, que continuaria golpeando aquele "país", que já não merecia mais o nome de povo.

Edom mereceu ceifar o que semeou; o processo apresentou Israel com um benefício significativo: o tormento de Edom, que durava por séculos, acabou. Chegou o *fim,* não meramente uma derrota temporária. O remanescente de Edom nunca se recuperou o suficiente para reconquistar seus territórios e renovar a nação. Os poucos sobreviventes se estabeleceram no sul da Palestina, tendo Hebrom como "capital" (1Macabeus 5.3; 65). João Hircano informa que eles, afinal, se incorporaram a Israel e, assim, aquela nação caiu no esquecimento (ver Josefo, *Antiq.* XIII.9). Isto aconteceu cerca de 135-104 a.C.

O Senhor dos Exércitos. Ver no *Dicionário* sobre esse título, que ocorre 24 vezes nesse pequeno livro. Ver no *Dicionário* o artigo denominado *Deus, Nomes Bíblicos de,* seção III, número 11, *Yahweh Sabaoth.* Utilizando seus poderes ilimitados, *Yahwew-Sabaote,* decretou o amargo destino de Edom. Israel, em guerra constante, fez de Yahweh o *General de seu Exército,* aplicando um crasso *antropomorfismo,* mas que comunica bem a ideia de poder em ação.

O versículo termina lembrando o ódio de Deus e o que ele fez, em sua ira, para acabar com Edom, o que favoreceu Israel: o ódio demonstrou amor!

■ 1.5

וְעֵינֵיכֶם תִּרְאֶינָה וְאַתֶּם תֹּאמְרוּ יִגְדַּל יְהוָה מֵעַל
לִגְבוּל יִשְׂרָאֵל׃

... direis: Grande é o Senhor também fora dos termos de Israel. Israel, observando o que aconteceu com seus inimigos, regozijará, dando crédito a *Yahweh-Sabaote,* porque, afinal, ele efetuou a *paz.*

O ódio-amor foi efetivo e demonstrou a universalidade de Yahweh. Ele deixou de ser um deus tribal na mentalidade do povo que observava suas ações internacionais.

OS PECADOS DO MINISTÉRIO (1.6—2.10)

■ 1.6

בֵּן יְכַבֵּד אָב וְעֶבֶד אֲדֹנָיו וְאִם־אָב אָנִי אַיֵּה כְבוֹדִי
וְאִם־אֲדוֹנִים אָנִי אַיֵּה מוֹרָאִי אָמַר יְהוָה צְבָאוֹת לָכֶם
הַכֹּהֲנִים בּוֹזֵי שְׁמִי וַאֲמַרְתֶּם בַּמֶּה בָזִינוּ אֶת־שְׁמֶךָ׃

Se eu sou Pai, onde está a minha honra? Aqui temos a *acusação formal* de Yahweh contra os líderes religiosos do país. Por causa das muitas iniquidades e corrupções (deles mesmos e do povo que os imitou), eles caíram sob a *maldição divina* (Ml 2.2). O Israel pós-exílico não prosperaria enquanto tivesse tais homens na liderança. Aqueles ímpios desprezaram Yahweh e sua lei, rejeitando sua missão exaltada como sacerdotes. Eram os maiores infratores da lei mosaica e o próprio padrão de perversidade. A ira divina os golpearia, Deus era Pai, e eles, seus filhos, mas violaram esse relacionamento exaltado.

A *Paternidade de Deus* (ver no *Dicionário*) é um grande tema para nossa canção. Não somos capazes de entender a essência de Deus, mas podemos alcançar algum conhecimento através de termos aplicados a ele e da observação de suas operações no mundo. Podemos ver o amor de Deus expressando-se mesmo em meio ao nosso mundo violento.

Uma Lição da África. Os missionários evangelizaram certa parte da África e fundaram algumas igrejas. Certo membro, antes zeloso, parecia ter esfriado. Um missionário perguntou a razão de sua aparente indiferença. Ele respondeu: "O senhor nos informa que Deus é nosso Pai. Não preciso saber mais nada". Das relações entre os homens, a de pai-filho é a mais exaltada. Aqueles religiosos tinham esquecido que Yahweh-Sabaote era Pai, e agiam como filhos do diabo, desrespeitando sua missão sagrada e o amor de Deus Pai.

> *Honra a teu pai e a tua mãe (que é o primeiro mandamento com promessa).*
> Efésios 6.2

Ver Êx 20.12 e Dt 5.16.

Além de ser Pai, Yahweh era também *Senhor,* e todos os homens sábios respeitam os senhores com autoridade sobre eles. A alusão é à *escravidão.* Os senhores tinham poder absoluto sobre seus escravos, que não tinham vontade própria. Os ímpios, que se revoltaram contra o Senhor, pagariam alto preço por sua rebeldia. Yahweh-Sabaote (título divino usado 24 vezes nesse livro; ver as notas em Ml 1.4) não olharia noutra direção, como eles pensaram em vão. Pelo contrário, eles seriam chicoteados com aquelas 39 chicotadas que lhes tirariam sua rebeldia e arrogância. Eles colocaram sua vontade contra a vontade divina, um erro crasso e custoso.

Deus era Senhor, e eles, seus escravos, mas eles não tinham respeito nem receio do Senhor celestial. Eram alegadamente homens religiosos, mas na verdade *ateus práticos.* Em *teoria* honravam a Deus, mas na *prática* honravam o diabo. Falavam de Deus em discursos eloquentes, mas viviam de forma esquálida.

■ 1.7

מַגִּישִׁים עַל־מִזְבְּחִי לֶחֶם מְגֹאָל וַאֲמַרְתֶּם בַּמֶּה גֵאַלְנוּךָ בֶּאֱמָרְכֶם שֻׁלְחַן יְהוָה נִבְזֶה הוּא:

Aqueles ímpios e reprovados, quebrando os regulamentos da lei mosaica, fizeram *ofertas poluídas,* isto é, ofereceram animais *com defeitos.* Paralelamente, sem dúvida, guardavam para seu próprio uso os melhores animais. Tinham refeições com os cortes mais excelentes; davam banquetes; vendiam e compravam animais, promovendo um comércio lucrativo. Somente os animais inúteis para seu propósitos chegavam ao altar de Yahweh. Ver Lv 22.17-20, que contém a legislação contra o uso de animais defeituosos em sacrifício. O uso de tais animais nos ritos poluía os adoradores e os sacerdotes que efetuavam os sacrifícios (Lv 22.2,32). Eles desprezaram a lei e o nome de Yahweh (Ml 1.6). Os sacrifícios foram chamados de *comida;* primeiro, porque eram *simbolicamente comida* para o próprio Deus (um conceito primitivo de sacrifícios, adotado pelos hebreus; ver Lv 21.6); e, segundo, porque as *oito* porções se tornaram comida literal para os sacerdotes (ver. Lv 6.26; 7.11-24; Nm 3.17). O restante dos animais, uma vez que os sacrifícios tivessem sido realizados, tornava-se refeição comunal do povo. Com exceção dos holocaustos, nos quais o corpo inteiro do animal sacrificial era queimado no altar, os sacrifícios eram ocasiões de festas, com bastante comida, vinho, música e dança. Ver no *Dicionário* o artigo denominado *Holocausto.* Nesse tipo de oferta, Yahweh era o único beneficiado. Das outras, ele recebia somente a *gordura e o sangue,* partes mais nobres (segundo a mentalidade hebreia) dos sacrifícios. Ver as leis sobre sangue e gordura, em Lv 3.17.

Os sacerdotes, não em palavras, mas em ações, estavam dizendo: "A mesa do Senhor é desprezível". Essa condição não podia continuar. Um golpe divino logo baixaria a arrogância dos líderes maldosos.

■ 1.8

וְכִי־תַגִּשׁוּן עִוֵּר לִזְבֹּחַ אֵין רָע וְכִי תַגִּישׁוּ פִּסֵּחַ וְחֹלֶה אֵין רָע הַקְרִיבֵהוּ נָא לְפֶחָתֶךָ הֲיִרְצְךָ אוֹ הֲיִשָּׂא פָנֶיךָ אָמַר יְהוָה צְבָאוֹת:

Exemplos de animais com defeitos: animais cegos e aleijados foram sacrificados a Yahweh; mas se um oficial (governador) passasse por ali, e os sacerdotes preparassem uma refeição para ele, *certamente* não utilizariam tais animais para o banquete. Ver Ne 5.17, para a mesa suntuosa do governador. Note-se aqui a palavra *persa* para *governador, pehah,* que cabe bem nos tempos pós-exílicos de Israel, quando os persas ganharam o controle de tudo. Israel tornou-se uma província do império persa.

Yahweh-Sabaote, o Senhor dos Exércitos (título divino usado 24 vezes nesse livro; ver Ml 1.4), observando a cena como Governador Universal, retaliaria com golpes de praga, pestilência, violência, catástrofes naturais, a fim de castigar aqueles ímpios que respeitavam um governador mais do que faziam com o *Governador*. Aqueles depravados agiram como se Deus não existisse, promovendo suas profanações e blasfêmias. Talvez eles fossem *deístas,* acreditando que existiam forças divinas, mas supondo que elas não tinham nada a ver com a vida prática. O *Deísmo* é, naturalmente, uma forma de *ateísmo prático.* Contrariamente, o *Teísmo* ensina que o Criador não abandonou sua criação, mas intervém, castigando os maus e abençoando os bons, segundo a lei moral. Ver no *Dicionário* sobre esses dois termos, e também o artigo denominado *Providência de Deus.*

A menção ao *governador* aponta claramente para o período persa, quando Judá era administrado por um governador designado pelo império persa. O grande rei controlava todos os aspectos da vida de seus territórios conquistados. A palavra *pehah* foi utilizada também para designar os governadores Zorobabel (Ag 1.1) e Neemias (5.14).

■ 1.9

וְעַתָּה חַלּוּ־נָא פְנֵי־אֵל וִיחָנֵנוּ מִיֶּדְכֶם הָיְתָה זֹּאת הֲיִשָּׂא מִכֶּם פָּנִים אָמַר יְהוָה צְבָאוֹת:

O Governador dos Céus, observando o que aqueles perversos estavam fazendo, zangou-se e logo os colocaria no devido lugar. O profeta os encorajou a implorar o perdão de Deus antes que caísse o golpe doloroso. Eles tinham perdido o favor de Yahweh, promovendo seu jogo tolo. A ira de Deus era iminente e não havia muito tempo para evitá-la. O arrependimento, acompanhado por uma vida transformada, poderia evitar a catástrofe.

"É triste quando a religião torna-se institucionalizada e padronizada, perdendo sua pureza original. Perto do fim da vida do general William Booth, o *Exército de Salvação* (ao qual Booth dedicou todos os seus esforços e dinheiro) começou a dividir-se em rivalidades, visando a sucessão de poder na organização. Quando sua morte se aproximava, Booth perguntou à esposa: 'Katie, por que não se pode preservar um movimento puro, por mais de uma geração?'" (Willard L. Sperry, *in loc.*).

■ 1.10

מִי גַם־בָּכֶם וְיִסְגֹּר דְּלָתַיִם וְלֹא־תָאִירוּ מִזְבְּחִי חִנָּם אֵין־לִי חֵפֶץ בָּכֶם אָמַר יְהוָה צְבָאוֹת וּמִנְחָה לֹא־אֶרְצֶה מִיֶּדְכֶם:

Oxalá houvesse entre vós quem feche as portas, para que não acendêsseis debalde o fogo no meu altar. A primeira parte deste versículo, no hebraico, é obscura e tem provocado várias interpretações. Talvez a Atualizada capte o significado com suas palavras: *Os sacerdotes* estavam promovendo um culto insultante, desgraçando o nome de Yahweh, chamado, de novo, *Yahweh-Sabaote,* o Senhor dos Exércitos. Yahweh não aceitou suas ofertas; não se alegrou com seus esforços inúteis e hipócritas. O Senhor dos Exércitos exige um culto puro e sincero, seguindo a legislação mosaica em todos os seus aspectos. O versículo é ainda mais surpreendente quando nos lembramos de que Yahweh-Sabaote condenou o sacerdócio pós-exílico, o qual nada havia aprendido com a quase-destruição de Judá pelos ataques e cativeiros babilônicos. A história nada havia ensinado a eles; a experiência amarga não os impressionou. O estado moral e espiritual daqueles depravados revertera para a apostasia dos tempos pré-exílicos.

"Aprendemos neste trecho que não houve entre eles um único sacerdote sincero e honesto. Tornaram-se um bando de egoístas, corruptamente mundanos. Ninguém acendia o fogo no altar para fazer um sacrifício, se não recebesse dinheiro" (Adam Clarke, *in loc.*).

Segundo o entendimento da NCV, a primeira parte do versículo, com seu hebraico obscuro, talvez indique que aqueles sacerdotes *apóstatas* estavam acendendo fogo em altares alheios (idólatras), mas não no altar de Yahweh. Se este for o significado do texto, fica claro que o sacerdócio tinha voltado para a *idolatria-adultério-apostasia* dos tempos pré-exílicos. A história judaica afirma, contrariamente, que o cativeiro babilônico tirou da cabeça dos judeus todo o desejo de praticar a idolatria, escrevendo *finis* sobre aquela prática.

■ 1.11

כִּי מִמִּזְרַח־שֶׁמֶשׁ וְעַד־מְבוֹאוֹ גָּדוֹל שְׁמִי בַּגּוֹיִם וּבְכָל־
מָקוֹם מֻקְטָר מֻגָּשׁ לִשְׁמִי וּמִנְחָה טְהוֹרָה כִּי־גָדוֹל
שְׁמִי בַּגּוֹיִם אָמַר יְהוָה צְבָאוֹת׃

Porque o meu nome é grande entre as nações, diz o Senhor dos Exércitos. *Desonra e Honra.* O nome de Yahweh estava sendo desonrado em Jerusalém, mas chegaria o dia em que esse Nome seria honrado universalmente, do levantar ao pôr do sol, isto é, do extremo oriente ao ocidente. Os gentios correriam para o culto a Yahweh, levando sacrifícios puros e aceitáveis, em contraste com as ofertas poluídas do sacerdócio de Judá (vss. 7,8). Yahweh-Sabaote seria reconhecido universalmente como o Soberano sobre toda a terra.

> ... a terra se encherá do conhecimento do
> Senhor, como as águas cobrem o mar.
>
> Isaías 11.9

Seguem-se as várias interpretações do versículo:

A Referência Histórica. Os judeus da dispersão, em contraste com os de Judá, ofereciam sacrifícios puros e faziam muitos prosélitos entre as nações. Mas esta interpretação aceita a duvidosa ideia de que ofertas feitas fora de Jerusalém eram *legítimas* e aprovadas por Yahweh.

Outra Referência Histórica. Os *próprios gentios* tinham desenvolvido um culto completo com sacrifícios, que agradava a Yahweh, sendo aceito por ele, no lugar do culto poluído de Jerusalém. Neste caso, o versículo seria paralelo a Rm 2, mas este texto não fala de sacrifícios e é duvidoso que algum judeu (Malaquias ou Paulo) aceitasse como legítimos sacrifícios de prosélitos, feitos fora de Judá.

A Interpretação Escatológica. Provavelmente o texto é escatológico, prevendo o dia da aceitação dos gentios na comunidade sagrada. Ver os textos paralelos de Ml 4.1,2; Is 11.9; 45.22-25; 49.5-7; 59.19; Dn 7.13,14,27,28; Sf 2.11; 3.8-11; Zc 14.9,15.

A Interpretação Cristianizada. Alguns intérpretes veem aqui a operação do evangelho no mundo que unirá judeus e gentios na igreja cristã. Dificilmente este texto pode ser considerado evangélico.

A Eucaristia. É grande exagero de alguns intérpretes ver aqui uma profecia da eucaristia cristã, a *oferta* dos cristãos que substituiria os sacrifícios dos judeus.

■ 1.12,13

וְאַתֶּם מְחַלְּלִים אוֹתוֹ בֶּאֱמָרְכֶם שֻׁלְחַן אֲדֹנָי מְגֹאָל
הוּא וְנִיבוֹ נִבְזֶה אָכְלוֹ׃

וַאֲמַרְתֶּם הִנֵּה מַתְּלָאָה וְהִפַּחְתֶּם אוֹתוֹ אָמַר יְהוָה
צְבָאוֹת וַהֲבֵאתֶם גָּזוּל וְאֶת־הַפִּסֵּחַ וְאֶת־הַחוֹלֶה
וַהֲבֵאתֶם אֶת־הַמִּנְחָה הַאֶרְצֶה אוֹתָהּ מִיֶּדְכֶם אָמַר
יְהוָה׃ ס

A mesa do Senhor é imunda, e o que se oferece, isto é, a sua comida, é desprezível. Em violento contraste com os gentios piedosos, os sacerdotes judeus, do tempo de Malaquias, profanaram os sacrifícios, o culto e os ritos de Yahweh. Continuaram poluindo as ofertas com animais defeituosos (vss. 7,8). Alguns chegaram ao absurdo de declarar que o altar de Yahweh era *imundo* e seus sacrifícios, inúteis.

Lançais muxoxos. Culpados de profanidade crassa, eles se desqualificaram como sacerdotes de Yahweh. Eles falaram: "Cansamos de fazer estes sacrifícios intermináveis que não têm valor nenhum". E desprezaram "o negócio de sacrifícios" (vs. 13). Os sacerdotes eram tão profanos quanto seus sacrifícios e tão defeituosos quanto os animais que ofereciam. Eram sacerdotes "profissionais" cansados de seu ofício rotineiro e enfadonho. "... me lançais muxoxos", fazendo sons de animais, enquanto preparavam os sacrifícios, com tédio e desprezo. "O tédio dos sacerdotes, que agiam como meros profissionais, quando tinham de cumprir a rotina de seu ofício, se expressa de forma inequívoca no vs. 13" (Robert C. Dentan, *in loc.*). Faziam sons tolos, imitando os de animais, como as vacas fazem quando não gostam de sua forragem. Sopraram com força através de suas narinas, como touros inquietos. Cf. Mq 6.3.

Os animais que haviam sido trazidos como ofertas eram *cegos*, *aleijados* (vs. 8), *rasgados* por feras selvagens e até *doentes* (vs. 13). Significavam um insulto a Yahweh. Até homens famintos hesitariam em comer tais animais, mas os *cachorros* os achariam deliciosos. Ver Lv 22.31.

Lições Morais e Espirituais. Que valor têm a adoração e o serviço que os cristãos mundanos, da nossa época, oferecem a Deus? Que valor têm os cultos de hoje que imitam clubes noturnos com sua música doentia? Os ministros oferecem "porcos" no altar, para atrair pessoas a ouvir seu "evangelho". De fato, as pessoas vão à igreja para assistir a *shows* musicais.

■ 1.14

וְאָרוּר נוֹכֵל וְיֵשׁ בְּעֶדְרוֹ זָכָר וְנֹדֵר וְזֹבֵחַ מָשְׁחָת
לַאדֹנָי כִּי מֶלֶךְ גָּדוֹל אָנִי אָמַר יְהוָה צְבָאוֹת וּשְׁמִי
נוֹרָא בַגּוֹיִם׃

Aqueles sacerdotes ímpios não ofereceram animais defeituosos por causa de pobreza. Eles guardavam os bons animais para seu próprio uso e comércio. Os leigos imitaram os sacerdotes perversos, trazendo animais miseráveis para sacrifícios. Juntos, sacerdotes e pessoas comuns jogaram uma maldição sobre todo o sistema de sacrifícios que se tornou uma farsa. Assim, *Yahweh-Sabaote* (o Senhor dos Exércitos) lançou-lhes uma maldição. Até os que fizeram votos e promessas *voluntários*, que não faziam parte das *obrigações* da lei, trouxeram animais defeituosos. O nome de Yahweh estava sendo profanado entre as nações, mas o povo de Israel nada temia, nem o Grande Rei, o Deus dos Céus. A verdadeira fé em Israel tinha morrido fazia muito tempo, e uma imitação controlava o sacerdócio e o povo. Ver Dt 23.21-23, para *ofertas voluntárias*, e Lv 22.17-24, para direções específicas sobre os tipos de sacrifícios aceitáveis para fazer votos. O povo tentava enganar e defraudar Yahweh. Ver no *Dicionário* o artigo intitulado *Voto*, para detalhes. Aqueles pervertidos agiam frivolamente com as coisas divinas, zombando do Grande Rei. Eles pagariam um preço alto, afinal.

Para *votos*, uma *ovelha* era aceitável, se não tivesse defeito (Lv 22.23). Mas se um homem tinha prometido oferecer um *macho*, glorificando-se assim com sua maior piedade, então era obrigado a oferecer o macho, não a fêmea, ou seu voto não teria valor. O macho era aceitável para ofertas queimadas, mas a fêmea não. Talvez o texto indique que o "adorador" ofereceu uma *fêmea* defeituosa, um insulto duplo, porque tinha prometido sacrificar um macho sem defeito. Cf. esta circunstância com a história de Ananias e Safira em At 5. A mesma lição é evidente nos dois textos. Os homens verdadeiramente piedosos são, *eles mesmos*, ofertas aceitáveis a Deus.

> Rogo-vos, pois, irmãos, pelas misericórdias de Deus que
> apresenteis os vossos corpos por sacrifício vivo, santo e agradável a Deus, que é o vosso culto racional.
>
> Romanos 12.1

Quantos de nós somos como os homens do texto de Malaquias, e não como o ideal do apóstolo Paulo?

O capítulo 1 termina enfatizando a honra suprema e a autoridade absoluta de Yahweh, que os iníquos haviam esquecido.

CAPÍTULO DOIS

PESSOAS QUE BRINCAM COM A RELIGIÃO (2.1-17)

O autor continua descrevendo os ultrajes do povo do período pós-exílico, que nada aprenderam das catástrofes sofridas às mãos dos babilônios. Ml 1.6-14 registra a *acusação formal* de Yahweh contra o sacerdócio, estendida aos leigos e à cidade profana, em Ml 1.14. A presente seção ataca os pecadores que brincam com a vida espiritual, hipócritas que quebram todas as regras sagradas. A seção começa com um *decreto* contra os sacerdotes.

■ 2.1

וְעַתָּ֗ה אֲלֵיכֶ֛ם הַמִּצְוָ֥ה הַזֹּ֖את הַכֹּהֲנִֽים׃

Para vós outros é este mandamento. A mensagem, apresentada como *mandamento,* ataca os sacerdotes ofensores e profanos e é semelhante a Ml 1.6-14. O mandamento é uma *ordem* que deve ser obedecida para evitar as mais sérias consequências, um *decreto* que não permite interpretação adversa. A palavra de Yahweh é uma *maldição* (ver o vs. 2).

■ 2.2

אִם־לֹ֣א תִשְׁמְע֡וּ וְאִם־לֹא֩ תָשִׂ֨ימוּ עַל־לֵ֜ב לָתֵ֧ת כָּב֣וֹד לִשְׁמִ֗י אָמַר֙ יְהוָ֣ה צְבָא֔וֹת וְשִׁלַּחְתִּ֤י בָכֶם֙ אֶת־הַמְּאֵרָ֔ה וְאָרוֹתִ֖י אֶת־בִּרְכֽוֹתֵיכֶ֑ם וְגַם֙ אָר֣וֹתִ֔יהָ כִּ֥י אֵינְכֶ֖ם שָׂמִ֥ים עַל־לֵֽב׃

Amaldiçoarei as vossas bênçãos; já as tenho amaldiçoado, porque vós não propondes **isso no coração.** *Yahweh-Sabaote* (o Senhor dos Exércitos, título divino que ocorre 24 vezes nesse livro; ver as notas em Ml 1.4), pronuncia seu *decreto,* que se torna uma maldição se não for obedecido.

Maldição. Ver as maldições da lei de Moisés, em Dt 27.15-26 e 28.15-68. "Os melhores dons de Deus, usufruídos com abuso por homens ímpios, tornam-se veneno para eles" (Adam Clarke, *in loc.*).

No coração. Ver a religião do *coração,* em Pv 4.23, e o artigo no *Dicionário.* Ver sobre "escuta", em Sl 64.1. *Ouvindo com o coração,* a pessoa é transformada. Se mensagem é "ouvida", mas não obedecida, então não é ouvida *pelo coração.* Uma maldição vem sobre os hipócritas que "ouvem", através da audição, mas "não ouvem" no íntimo de seu ser. A mensagem deve produzir resultados através do arrependimento e da transformação da vida para melhor. Todas as bênçãos já recebidas se tornarão maldições, porque serão anuladas e substituídas por calamidades.

> Quando andamos com o Senhor na luz da sua Palavra,
> Que glória ele derrama no nosso caminho!
> Enquanto sua boa vontade cumprimos,
> Conosco habita sempre,
> E com todos os que confiam e obedecem.
>
> J. H. Sammis

Desonrando o Nome. Aqueles perversos ousaram desonrar o nome de Yahweh, com ações que contrariavam a lei de Moisés. A lei é o *guia* (Dt 6.4 ss.); dá *vida* (Dt 4.1; 5.33; Ez 20.11); faz um povo *distinto* (Dt 4.4-8). Ver sobre *Nome,* no *Dicionário,* e em Sl 31.3. Ver sobre *Santo Nome,* em Sl 30.4 e 33.21. Ml 1.6-14 informa como os sacerdotes deveriam ter honrado o Nome, evitando os muitos pecados que praticavam, principalmente desonrando seu ofício e agindo como advogados do diabo.

■ 2.3

הִנְנִ֨י גֹעֵ֤ר לָכֶם֙ אֶת־הַזֶּ֔רַע וְזֵרִ֥יתִי פֶ֖רֶשׁ עַל־פְּנֵיכֶ֑ם פֶּ֖רֶשׁ חַגֵּיכֶ֑ם וְנָשָׂ֥א אֶתְכֶ֖ם אֵלָֽיו׃

Descendência. Alguns intérpretes entendem que a palavra hebraica correspondente refere-se à *agricultura,* não aos descendentes. A palavra é, literalmente, *semente.* Metaforicamente, entendemos "descendência". De qualquer maneira, a agricultura e os descendentes daqueles reprovados sofreriam a maldição de Yahweh. Os sacerdotes que desonraram o Nome seriam desonrados.

Atirarei excremento aos vossos rostos, excremento dos vossos sacrifícios. Como os levitas tinham a desagradável tarefa de tirar o esterco da corte do templo, assim aqueles homens iníquos seriam lançados fora juntamente com toda a sujeira do lugar. De fato, eles se tornaram pior que o esterco, sendo o *esterco vivo* que poluiu o templo e o culto.

Os animais agonizantes, que eram mortos para tornar-se sacrifícios, perdiam o controle e espalhavam excremento por toda a parte. Os homens-animais que quebraram as regras mosaicas espalharam seu "excremento" no templo. O esterco, em vez de ser removido da área sagrada, seria jogado no rosto dos sacerdotes apóstatas.

■ 2.4

וִידַעְתֶּ֕ם כִּ֚י שִׁלַּ֣חְתִּי אֲלֵיכֶ֔ם אֵ֖ת הַמִּצְוָ֣ה הַזֹּ֑את לִהְי֤וֹת בְּרִיתִי֙ אֶת־לֵוִ֔י אָמַ֖ר יְהוָ֥ה צְבָאֽוֹת׃

Para que a minha aliança continue com Levi. Aqueles homens depravados estavam anulando o pacto que havia feito da tribo de Levi uma *casta sacerdotal;* receberam o serviço sagrado e altas responsabilidades, mas brincaram com a religião, tornando-se corruptos. Somente os descendentes de Arão (um ramo dos levitas) podiam ser sacerdotes (Lv 1.5). Os outros ramos serviam como assistentes, realizando tarefas servis, sujas e difíceis (Nm 18.2-4). Os levitas receberam privilégios, e os levitas-sacerdotes, *altos* privilégios. De modo geral, os levitas abusaram de seu ofício. Ver Nm 25.13, para o *pacto do sacerdócio perpétuo.*

■ 2.5

בְּרִיתִ֣י ׀ הָיְתָ֣ה אִתּ֗וֹ הַֽחַיִּים֙ וְהַ֨שָּׁל֔וֹם וָאֶתְּנֵֽם־ל֥וֹ מוֹרָ֖א וַיִּֽירָאֵ֑נִי וּמִפְּנֵ֥י שְׁמִ֖י נִחַ֥ת הֽוּא׃

Minha aliança com ele foi de vida e de paz. Somente uma *mudança radical* preservaria o pacto. Ver um pano de fundo provável do presente texto, em Dt 33.8-11. A casta sacerdotal foi criada para servir ao povo, em questões espirituais, não para servir a si mesma, aumentando riquezas e praticando prazeres proibidos. Os sacerdotes "profanaram" o culto e a eles mesmos, violando a legislação mosaica pela qual deveriam ter dirigido sua vida. O pacto tinha a intenção de trazer *vida e paz,* mas tornou-se veneno na boca dos ímpios. O veneno destruiria seus criadores, cumprindo as exigências da *Lei Moral da Colheita segundo a Semeadura* (ver no *Dicionário*).

... lhe dei eu para que temesse... O pacto que havia trazido vida e paz devia ter produzido *temor a Yahweh* na mente dos sacerdotes, mas o "Dom" não os impressionou; eles corriam atrás de contendas e da morte espiritual, em vez de se beneficiarem com a provisão. Ver sobre *Temor* no *Dicionário,* e notas adicionais, nas exposições em Sl 119.38 e Pv 1.7. "O temor ao Senhor" designa a espiritualidade, como entendida no Antigo Testamento, incluindo: reverência, obediência e verdadeiro *temor* a Yahweh, que tem a vida e a morte nas suas mãos. A espiritualidade do Antigo Testamento é a obediência à lei de Moisés, com o coração, isto é, com *sinceridade,* inspirada pelo Espírito. O pacto de Deus abençoaria com vida e paz, mas os homens desobedientes tudo azedaram. O pacto continuaria válido, somente se a casta sacerdotal cumprisse sua parte. Cf. Nm 18.7,8, 19-21.

■ 2.6

תּוֹרַ֤ת אֱמֶת֙ הָיְתָ֣ה בְּפִ֔יהוּ וְעַוְלָ֖ה לֹא־נִמְצָ֣א בִשְׂפָתָ֑יו בְּשָׁל֤וֹם וּבְמִישׁוֹר֙ הָלַ֣ךְ אִתִּ֔י וְרַבִּ֖ים הֵשִׁ֥יב מֵעָוֺֽן׃

A verdadeira instrução esteve na sua boca. A casta sacerdotal tinha recebido a palavra de Deus para transmiti-la ao povo. O ministério tinha recebido a *verdade* de Yahweh que governa a vida humana, incluindo o culto e seus muitos regulamentos, que se tornaram parte da legislação mosaica. A "verdadeira instrução" (RSV) estava contida na revelação que os depravados pouco seguiram e pouco transmitiram. A casta sacerdotal ideal receberia e obedeceria a toda a legislação, não pervertendo as instruções e estando sempre pronta para comunicá-las. Também *andaria* no caminho designado por Yahweh. Ver no *Dicionário* o artigo intitulado *Andar*, para detalhes sobre essa metáfora. O resultado de um *ministério ideal* seria o abandono de toda a iniquidade, bem como a transformação espiritual. Mas a *casta pouco ideal* do tempo de Malaquias recebeu com descaso a mensagem de Yahweh, desobedecendo-a e transmitindo-a muito mal. Os *filhos da perdição* dirigiam o povo para a destruição, em vez de dirigi-lo no caminho da vida. Aqueles ímpios eram ruins e apresentaram exemplos ruins. Erraram em todos os sentidos, anulando o ofício sagrado.

■ **2.7**

כִּי־שִׂפְתֵ֤י כֹהֵן֙ יִשְׁמְרוּ־דַ֔עַת וְתוֹרָ֖ה יְבַקְשׁ֣וּ מִפִּ֑יהוּ כִּ֛י
מַלְאַ֥ךְ יְהוָֽה־צְבָא֖וֹת הֽוּא׃

Os lábios do sacerdote devem guardar o conhecimento... porque ele é mensageiro do Senhor dos Exércitos. O *sacerdote justo* seria cheio de conhecimento e entusiasmo para comunicá-lo. Por isto seu ofício existia e por esta razão ele foi escolhido. Mas os sacerdotes profanos falharam em tudo, seus caminhos perversos. Cf. Dt 33.10, que fala dos sacerdotes como professores da lei.

"Este versículo figura entre as mais nobres declarações das funções do sacerdócio no Antigo Testamento; fala da dignidade do ofício, bem como de ser o sacerdote o mensageiro de Yahweh, o Senhor dos Exércitos" (Robert C. Dentan, *in loc.*).

Parte da esperança de Malaquias era a antecipação do aprimoramento dos sacerdotes, para se tornarem colunas no sistema de Yahweh na nova era, no dia escatológico. Mas aqueles homens profanos arruinaram todas as esperanças, deslizando para um ofício profissional descuidado que pouco servia aos propósitos divinos. Eram *anjos* (mensageiros) de Deus e de sua Luz, mas tornaram-se agentes da escuridão. Perverteram o conhecimento da lei, transformando o positivo em negativo, e o negativo em positivo. Cf. Lv 10.10,11; Dt 24.8; Jr 18.18. Eles deveriam ser *mensageiros* que interpretassem corretamente a mensagem dada (Ag 1.13), *embaixadores* de Yahweh (2Co 5.20) e *pastores* das congregações (Ap 2.1), mas falharam em cada faceta do ministério.

■ **2.8**

וְאַתֶּ֞ם סַרְתֶּ֣ם מִן־הַדֶּ֗רֶךְ הִכְשַׁלְתֶּ֤ם
רַבִּים֙ בַּתּוֹרָ֔ה שִֽׁחַתֶּם֙ בְּרִ֣ית הַלֵּוִ֔י אָמַ֖ר
יְהוָ֥ה צְבָאֽוֹת׃

Mas... violastes a aliança de Levi. Os sacerdotes profanos do tempo de Malaquias eram contraexemplos, anulando o ideal do sacerdócio, contradizendo tudo o que a lei ordenara. O povo, já cheio de perversidades, correu atrás dos contraexemplos, corrompendo-se ainda mais. O ofício do sacerdócio tornou-se um contraofício que semeava maldades e produzia o *caos*. Corrompeu o pacto que Yahweh havia feito com a tribo de Levi, quando ela se tornou a casta sagrada. Os guias eram cegos e dirigiram um povo cego para o abismo. Ver 1Sm 2.17; Jr 18.15; Mt 18.6; Lc 17.1.

■ **2.9**

וְגַם־אֲנִ֞י נָתַ֧תִּי אֶתְכֶ֛ם נִבְזִ֥ים וּשְׁפָלִ֖ים לְכָל־הָעָ֑ם
כְּפִ֗י אֲשֶׁ֤ר אֵֽינְכֶם֙ שֹׁמְרִ֣ים אֶת־דְּרָכַ֔י וְנֹשְׂאִ֥ים פָּנִ֖ים
בַּתּוֹרָֽה׃ פ

Eu vos fiz desprezíveis e indignos diante de todo o povo, visto que não guardastes os meus caminhos. Os desgraçados foram desgraçados. Além de todas as infrações pesadas, eles acrescentaram a perversão de seu ofício como *juízes* do povo, aceitando subornos, pisando os pobres e fracos, favorecendo os ricos e poderosos, dando e aceitando julgamentos falsos nas cortes, apoiando as causas dos injustos, ignorando as causas justas, aprovando os maldosos e perseguindo os justos. Ver a autoridade dos sacerdotes *como juízes*, em Dt 17.8-13. Cf. a declaração de Jesus, em Mt 23.2. Os sacerdotes eram representantes de Moisés, mas contrariariam tudo que o Legislador havia falado. Ver Lv 19.15, que proíbe tais ações e atividades nefandas. Cf. Mq 3.11 e Mt 23.1-36, onde se encontram condenações semelhantes.

■ **2.10**

הֲל֨וֹא אָ֤ב אֶחָד֙ לְכֻלָּ֔נוּ הֲל֛וֹא אֵ֥ל אֶחָ֖ד בְּרָאָ֑נוּ מַדּ֗וּעַ
נִבְגַּד֙ אִ֣ישׁ בְּאָחִ֔יו לְחַלֵּ֖ל בְּרִ֥ית אֲבֹתֵֽינוּ׃

Não temos nós todos o mesmo Pai? Os judeus, "filhos de Deus" e *irmãos* uns dos outros, não respeitaram os laços de família. O ofício do sacerdócio foi criado para beneficiar toda a família, não para destruí-la. O Criador-Pai dignifica os homens e suas obras, mas aqueles maldosos, praticando perversidades que prejudicavam o povo, anularam a intenção divina. Todos os homens, como filhos de Deus, são dignos da consideração dos poderosos; de fato, eles têm poder para *servir* aos outros, não para servir a si mesmos. Mas este princípio se perdeu no caos do tempo de Malaquias.

Ver no *Dicionário* o artigo chamado *Paternidade de Deus*. Os ministros devem servir como *irmãos* de todos, sendo responsáveis perante o *Pai-Criador-Deus*. Ele é o Doador da própria vida, completada com seu corolário de bênçãos constantes. Os profanadores do pacto prejudicaram toda a família divina. É difícil "pecar sozinho". Quase todas as infrações afetam outras pessoas, como a vida nos ensina constantemente.

A DEGRADAÇÃO DO CASAMENTO (2.10b-16)

O vs. 10 encerra a seção anterior e abre esta nova. O assunto é o *casamento ilegal*, segundo o entendimento da legislação mosaica. O pano de fundo do argumento é que todos os *judeus* são filhos do único Deus-Pai, portanto há uma *família divina* que se faz exclusivamente dessa raça. Em outras palavras, a paternidade de Deus, na visão de Malaquias, se limitava aos judeus. Obviamente, esta visão é "baixa", míope e exclusivista, mas é a do Antigo Testamento. O Novo Testamento trouxe melhores conceitos. Na igreja, a atitude exclusivista foi incorporada (2Co 6.14 ss.): "judeus somente" tornou-se "crentes casam-se somente com crentes", "católicos casam-se com católicos" etc.

De qualquer maneira, os "filhos de Deus" não se casam com os "filhos do diabo", isto é, os *estrangeiros* que trazem idolatrias e corrupções múltiplas para o seio da família. O *casamento restrito* tinha a intenção de preservar um judaísmo *puro* em raça e religião, segundo as exigências de Moisés (Dt 4.4-8).

As três perguntas do vs. 10 esperam respostas positivas. Os judeus tinham um Pai Celestial. Seu Deus os tornou especial, uma nação distinta. Sendo esse o caso, como um *filho* pode violar a santidade dos pactos, sacrificando sua singularidade? Esta violação é expressa de diversas maneiras, inclusive no casamento misto (uma das infrações denunciadas no texto que se segue). O *Pacto Mosaico* (ver as notas na introdução a Êx 19) exigiu obediência à lei e à singularidade de Israel como uma nação seleta entre as nações.

"O fato de Deus ter criado Israel forma o pano de fundo dos problemas que o profeta discutirá em seguida" (Craig A. Blaising, *in loc.*).

■ **2.11**

בָּגְדָ֣ה יְהוּדָ֔ה וְתוֹעֵבָ֛ה נֶעֶשְׂתָ֥ה בְיִשְׂרָאֵ֖ל
וּבִירֽוּשָׁלִָ֑ם כִּ֣י ׀ חִלֵּ֣ל יְהוּדָ֗ה קֹ֤דֶשׁ יְהוָה֙ אֲשֶׁ֣ר אָהֵ֔ב
וּבָעַ֖ל בַּת־אֵ֥ל נֵכָֽר׃

O remanescente que voltou do *cativeiro babilônico* (ver no *Dicionário*) caiu no erro crasso de misturar-se aos pagãos, praticando *casamentos mistos* que poderiam anular o povo distinto tão efetivamente quanto o exílio do povo num país estrangeiro. Casar com um pagão equivalia a casar com um ídolo, porque tais casamentos logo trariam a idolatria com suas corrupções sem-fim.

À primeira pergunta, "Não temos nós todos o mesmo Pai?" (vs. 10), a resposta positiva exigia uma vida de separação dos filhos do diabo que semearam confusão na comunidade santa. Israel quebrou sua fé e seu pacto com Yahweh, correndo para a prática de abominações e profanando o santuário (templo) e a família. As exigências da lei se relacionavam a singularidade, santidade e separação. Cf. Dt 7.6; 14.2; Ed 9.1,2; 10.2; Ne 13.23. Ver proibições contra casamentos mistos, em Êx 34.11-16; Dt 7.3,4 e Js 23.12,13. Salomão, para sua eterna vergonha, tornou-se o *próprio padrão* daqueles que praticam esta infração. Ver 1Rs 11.3 ss.

Quanto à segunda pergunta, "Não nos criou o mesmo Deus?" (vs. 10), o único Criador do povo distinto não permitia a poluição de seu povo.

E, sobre a terceira pergunta, "Por que seremos desleais uns para com os outros...?" (vs. 10), o filho deve observar a santidade dos pactos que o separou das demais nações.

Características dos Desviados. Eles eram desleais, abomináveis, profanos, profanadores do templo e do culto a Yahweh; casaram-se com idólatras e praticaram suas abominações.

■ 2.12

יַכְרֵ֨ת יְהוָ֜ה לָאִ֨ישׁ אֲשֶׁ֤ר יַעֲשֶׂ֨נָּה֙ עֵ֣ר וְעֹנֶ֔ה מֵאָהֳלֵ֖י יַעֲקֹ֑ב וּמַגִּ֥ישׁ מִנְחָ֖ה לַיהוָ֥ה צְבָאֽוֹת׃ פ

O Senhor eliminará das tendas de Jacó o homem que fizer tal... O homem que se casasse com uma mulher pagã seria excomungado, o que significava uma ação judicial e uma provável ação divina, que tiraria a vida do infrator com uma doença ou acidente, provocando sua morte prematura.

Seja quem for. Esta tradução é de um hebraico obscuro que perturba os intérpretes. A RSV traz "qualquer testemunha ou resposta"; outras versões dão: "mestre e aluno". Devemos ficar com a versão portuguesa que traz uma explicação hipotética tão possível como qualquer outra: "Mestre e aluno" significariam "aqueles que ensinam a lei e aqueles que recebem os ensinamentos", ou seja *qualquer* pessoa, de qualquer categoria, seria eliminada se desobedecesse à legislação contra casamentos mistos. Não haveria exceções; as punições seriam severas para todos os infratores.

■ 2.13,14

וְזֹ֣את שֵׁנִית֮ תַּעֲשׂוּ֒ כַּסּ֤וֹת דִּמְעָה֙ אֶת־מִזְבַּ֣ח יְהוָ֔ה בְּכִ֖י וַאֲנָקָ֑ה מֵאֵ֣ין ע֗וֹד פְּנוֹת֙ אֶל־הַמִּנְחָ֔ה וְלָקַ֥חַת רָצ֖וֹן מִיֶּדְכֶֽם׃

וַאֲמַרְתֶּ֖ם עַל־מָ֑ה עַ֡ל כִּי־יְהוָה֩ הֵעִ֨יד בֵּינְךָ֜ וּבֵ֣ין ׀ אֵ֣שֶׁת נְעוּרֶ֗יךָ אֲשֶׁ֤ר אַתָּה֙ בָּגַ֣דְתָּה בָּ֔הּ וְהִ֥יא חֲבֶרְתְּךָ֖ וְאֵ֥שֶׁת בְּרִיתֶֽךָ׃

O hebraico do vs. 13 é *ambíguo*, projetando um significado incerto. As traduções representam tentativas de decifrar o significado. O povo chorou e gemeu, porque o Senhor não aceitou suas ofertas? Mas eles haviam exibido falsa dedicação e entusiasmo forçado. Mostraram-se zelosos no templo, mas eram maldosos em casa, maltratando suas esposas e substituindo-as por mulheres pagãs (vs. 14). Yahweh condenou divórcios frívolos e novos casamentos corruptos. As mulheres ofendidas corriam para o templo a fim de pedir ajuda a um sacerdote, mas o próprio sacerdote praticava as mesmas coisas, contrariamente à lei de Moisés.

O Senhor foi testemunha da aliança entre ti e a mulher da tua mocidade. O Senhor ficou ao lado das mulheres judias ofendidas. Provavelmente, o texto é suficientemente amplo para incluir divórcios de mulheres judias, com casamentos subsequentes com outras judias. A troca era de uma "velha" por uma "jovem", o que os homens acham glorioso.

Os homens fizeram contratos de casamento com suas mulheres quando elas eram jovens, mas, quando elas envelheciam, não atraíam mais os maridos. A poligamia (que sempre fez parte da sociedade judaica) era uma válvula de escape. O homem podia casar com uma ou mais jovens, sem jogar a "velha" esposa na rua. Aqueles perversos eram "jogadores de velhas". O próprio Yahweh tornou-se testemunha contra tais homens frívolos. Tempos difíceis chegarão, e doenças também. Ver Gn 31.49,50.

Aliança. Talvez a palavra "aliança" (pacto) aqui deva ser entendida de maneira *dupla:* o pacto *Mosaico* que regulava casamentos; o *pacto do casamento,* que exigia um tratamento decente para com a mulher que envelhecera e não mais podia competir com as jovens. Cf. Ez 16.8 e Pv 2.17.

■ 2.15

וְלֹא־אֶחָ֣ד עָשָׂ֗ה וּשְׁאָ֥ר ר֨וּחַ ל֜וֹ וּמָ֤ה הָֽאֶחָד֙ מְבַקֵּ֔שׁ זֶ֖רַע אֱלֹהִ֑ים וְנִשְׁמַרְתֶּם֙ בְּר֣וּחֲכֶ֔ם וּבְאֵ֥שֶׁת נְעוּרֶ֖יךָ אַל־יִבְגֹּֽד׃

Este é um dos mais obscuros versículos de todo o Antigo Testamento, e qualquer tradução é mera conjectura. A NCV dá um sentido bonito, mas não necessariamente correto: "O Senhor os fez um, na carne e no espírito são dele. Porque ele estava procurando uma descendência piedosa". A Atualizada traz: "Ninguém com um pouco de bom senso o faria. Mas o que fez um patriarca? Buscava a descendência prometida por Deus. Portanto, cuidai de vós mesmos, e que ninguém seja infiel para com a mulher da sua mocidade". Estas duas traduções, tão diferentes, são suficientes para mostrar como o versículo, no hebraico, provoca hipóteses, e não traduções. Os eruditos "desmaiam" à frente do hebraico aqui, e seria uma tolice multiplicar conjecturas.

"A ideia principal parece ser a de que o propósito do casamento é fortificar o povo escolhido por Deus, pela descendência que resultará dos casamentos (que preservará as tradições antigas), propósito derrubado quando as esposas e mães de Israel são filhas de deuses estrangeiros (vs. 11)" (Robert C. Dentan, *in loc.*).

■ 2.16

כִּֽי־שָׂנֵ֣א שַׁלַּ֗ח אָמַ֤ר יְהוָה֙ אֱלֹהֵ֣י יִשְׂרָאֵ֔ל וְכִסָּ֥ה חָמָ֛ס עַל־לְבוּשׁ֖וֹ אָמַ֣ר יְהוָ֣ה צְבָא֑וֹת וְנִשְׁמַרְתֶּ֥ם בְּרוּחֲכֶ֖ם וְלֹ֥א תִבְגֹּֽדוּ׃ ס

Porque o Senhor Deus de Israel diz que odeia o repúdio; e também aquele que cobre de violência as suas vestes. *Yahweh-Elohim* expressa seu ódio pelo divórcio. No entanto, algumas pessoas se envolveram nele tão trivialmente, como se trocassem de roupa. Um divórcio indevido é um ato de violência. O homem que se divorcia frivolamente se veste em roupas de violência e perpetua grande injustiça. Ou, talvez, o significado seja o de que ele cobre a mulher divorciada com as roupas da violência. A vestimenta pode significar a *própria esposa,* e o homem que "arranca a primeira roupa" para "vestir-se com outra" machuca violentamente aquela que foi desprezada. Alguns intérpretes veem aqui a ideia de que o homem "cobre seu ato de violência com o fingimento de estar agindo bem". O divórcio, fala o profeta, é "negócio sério", portanto, cuidado! "... não quebre a fé" (NCV); "não aja de maneira traidora" (KJV).

ONDE ESTÁ O DEUS DA JUSTIÇA? (2.17—3.5)

■ 2.17

הוֹגַעְתֶּ֤ם יְהוָה֙ בְּדִבְרֵיכֶ֔ם וַאֲמַרְתֶּ֖ם בַּמָּ֣ה הוֹגָ֑עְנוּ בֶּאֱמָרְכֶ֗ם כָּל־עֹ֨שֵׂה רָ֜ע ט֣וֹב ׀ בְּעֵינֵ֣י יְהוָ֗ה וּבָהֶם֙ ה֣וּא חָפֵ֔ץ א֥וֹ אַיֵּ֖ה אֱלֹהֵ֥י הַמִּשְׁפָּֽט׃

Uma das razões pelas quais o povo permanecia em iniquidade constante era sua amargura contra Deus, culpando-o como a suposta fonte de suas calamidades e infortúnios. Sua religião era cada vez mais sofisticada, refinada com raciocínio mais agudo, combinada ao ceticismo, que se tornou uma ameaça aos conceitos mais simples da velha religião de Moisés. Injustiças pareciam indicar que, se há um Deus, ele está "lá em cima", pouco interessado nas atividades humanas. Em outras palavras, eles tinham desenvolvido um tipo de *Deísmo,* abandonando o *Teísmo* de outrora. Ver sobre os dois termos no *Dicionário*. O *Teísmo* ensina que o Criador não abandonou sua criação, mas intervém, castigando os maus e abençoando os bons. Contrariamente, o *Deísmo* ensina que a força criadora, pessoal ou impessoal, abandonou a criação às mãos da leis naturais. É possível que eles até pensassem que Deus não era totalmente bom, igualando-se aos homens, numa combinação de bem e mal e, às vezes, ele era a própria *causa* da maldade. Este "deus frívolo" abençoaria os maus e castigaria os bons, se isto estivesse de acordo com sua vontade vacilante. Talvez Deus seja um *deus voluntarista* que age segundo uma vontade irracional, ignorando qualquer moralidade, de acordo com o critério dos homens. Ver no *Dicionário* o artigo intitulado *Voluntarismo.*

O Problema do Mal. O texto entra neste problema, que está anotado no *Dicionário.* Por que os homens sofrem e por que sofrem como sofrem? Parece que Deus abençoa os maldosos, porque eles prosperam, enquanto os bons sofrem catástrofes. Uma vontade perversa parece ser a *causa* do sofrimento humano. "Onde está o Deus do juízo?", pergunta-se, porque as coisas vão muito mal na terra. O pecador prospera (Sl 73.3-12); a *justiça* parece *inútil* (Ml 3.14; Ec 9.13-15);

Deus parece indiferente (Sl 10.1,28; 59.4; 82.1; 143.7). "Muitos trechos da literatura judaica posterior procuram reconciliar a velha doutrina da justiça de Deus com as desigualdades tão óbvias nesta vida (Ec 9.2,3; Sl 37; 73; Hc 1.13)" (Robert C. Dentan, *in loc.*). O livro de Jó trata detalhadamente desse tipo de problema. Israel, no tempo de Malaquias, "cansou" Yahweh, perguntando-lhe a respeito destes problemas. Os homens continuam procurando respostas.

CAPÍTULO TRÊS

Não há interrupção entre os capítulos 2 e 3. Continuamos com a argumentação que concluiu o capítulo 2.

■ 3.1

הִנְנִ֤י שֹׁלֵ֙חַ֙ מַלְאָכִ֔י וּפִנָּה־דֶ֖רֶךְ לְפָנָ֑י וּפִתְאֹם֩ יָב֨וֹא אֶל־הֵיכָל֜וֹ הָאָד֣וֹן ׀ אֲשֶׁר־אַתֶּ֣ם מְבַקְשִׁ֗ים וּמַלְאַ֨ךְ הַבְּרִ֜ית אֲשֶׁר־אַתֶּ֤ם חֲפֵצִים֙ הִנֵּה־בָ֔א אָמַ֖ר יְהוָ֥ה צְבָאֽוֹת׃

Eis que eu envio o meu mensageiro. *Uma resposta* para o problema do mal é: embora existam injustiças gritantes, logo tais coisas serão anuladas, quando o *mensageiro especial* de Deus vier, para julgar este mundo ímpio. A promessa é escatológica e messiânica.

Interpretações sobre o Mensageiro. a) É um *anjo* do Senhor (Gn 16.7; 22.11; Êx 3.2; Is 63.9). b) É *Elias* (Ml 4.5,6), ou João Batista, que vem para ampliar e cumprir a missão de Elias numa época diferente. Jesus forneceu essa interpretação do texto em Mt 11.7-10. Talvez Elias, *reencarnado*, seja a ideia, isto é, a mesma entidade cumprindo duas missões em épocas diferentes. c) É uma *pessoa divina* indefinida. d) O próprio *Yahweh* é o mensageiro divino que endireitará tudo. e) Alguns intérpretes veem o *Messias* aqui, como operador real e aplicador das missões de Elias e João Batista.

Os vss. 2,3 parecem ir além do que poderíamos falar do homem. O Messias Divino trará justiça, afinal. Humilhará os arrogantes e exaltará os justos. Nessas ações, a justiça do governo de Deus será vindicada, embora, por enquanto, ela demore, segundo os padrões de homens impacientes.

> Embora os moinhos de Deus moam devagar,
> Moem com extrema precisão.
> Embora com paciência ele demore,
> Com exatidão mói tudo.
>
> Henry Wadsworth Longfellow

O argumento antecipa a doutrina da imortalidade da alma. Kant desenvolveu um *argumento moral* em favor da existência e sobrevivência da alma e da existência de Deus, baseado neste tipo de raciocínio. O argumento afiança que, neste mundo, obviamente a justiça não é feita. Portanto, devemos postular que a alma humana existe e sobreviverá à morte biológica, para receber o que merece, afinal, no outro lado. Também devemos postular que há um Poder suficiente para efetuar o julgamento, com a devida recompensa dos bons e castigo dos maus. Este Poder se chama *Deus*. Se não postularmos estas realidades, cairemos no caos. Então, é preciso escolher entre *Deus* e o *Caos*.

O Anjo da aliança. Somente aqui, em toda a Bíblia, encontramos esta expressão que torna claro que o Messias cumprirá os antigos pactos de Israel, acrescentando o *novo pacto*. "O mensageiro, identificado aqui como o Senhor, só pode ser o Filho de Deus, que se encarnou. A palavra *pacto* talvez inclua o novo pacto de Jr 31.31, mas o significado não pode ser limitado a isto" (Ellicott, *in loc.*).

"Sua descrença não anulará minha realização do *pacto* que efetuará aquilo que vocês não têm cumprido" (Fausset, *in loc.*). Assim, o profeta acrescentou uma *dimensão divina* à explicação do *Problema do Mal* (ver no *Dicionário*). Uma intervenção divina resolverá, afinal, o problema do sofrimento e da injustiça.

■ 3.2

וּמִ֤י מְכַלְכֵּל֙ אֶת־י֣וֹם בּוֹא֔וֹ וּמִ֥י הָעֹמֵ֖ד בְּהֵרָאוֹת֑וֹ כִּי־ה֥וּא כְּאֵ֥שׁ מְצָרֵ֖ף וּכְבֹרִ֥ית מְכַבְּסִֽים׃

Quem pode suportar o dia da sua vinda? E quem subsistir quando ele aparecer? Porque ele é como o fogo do ourives e como a potassa dos lavandeiros. Este versículo e o seguinte demonstram que devemos incluir, na profecia do texto, o *segundo advento* do Messias, *para julgar* não meramente o *primeiro advento* anunciado por João Batista. O Messias veio como Messias-Salvador, e também virá como *Messias-Juiz*. Seu julgamento será severo e violento, e quem poderá suportá-lo? "O dia do Senhor será um dia de julgamento sobre o mundo inteiro, um dia de desastre e morte (Is 2.12; Jl 3.11-16; Am 5.18-21; Zc 1.14-18). Mais tarde o profeta falará desse dia como o que queimará totalmente todos os ímpios (Ml 4.1)" (Craig A. Blaising, *in loc.*).

Ele vem como Salvador e Juiz, mas devemos lembrar que seus julgamentos são restauradores, não meramente retributivos. Redenção e restauração são realizações dos julgamentos de Deus. Ver *Restauração*, na *Enciclopédia de Bíblia, Teologia e Filosofia*. O fogo queimará e destruirá, mas também purificará para salvar. O sabão áspero do lavandeiro queima e dói, mas também purifica. O vs. 3 continua descrevendo a ideia. Sendo removida a escória do metal, o novo dia chegará; brilhará a luz do dia perfeito. A operação será *efetiva* como o texto afirma. Cf. Is 1.25; Jr 6.29,30; Ez 22.17-22; Zc 13.8,9.

O julgamento é um dedo da mão amorosa de Deus. Quando Deus julga, expressa seu amor, porque o julgamento opera o propósito da restauração.

■ 3.3

וְיָשַׁ֨ב מְצָרֵ֤ף וּמְטַהֵר֙ כֶּ֔סֶף וְטִהַ֤ר אֶת־בְּנֵֽי־לֵוִי֙ וְזִקַּ֣ק אֹתָ֔ם כַּזָּהָ֖ב וְכַכָּ֑סֶף וְהָיוּ֙ לַֽיהוָ֔ה מַגִּישֵׁ֥י מִנְחָ֖ה בִּצְדָקָֽה׃

Este versículo repete o anterior, com a adição de que a tribo de Levi, que se tornou uma casta sacerdotal, será o primeiro objeto da purificação quando o Messias-Mensageiro vier ao seu templo. A *prata* agora torna-se o objeto da purificação. A casta sacerdotal será como prata purificada *sete vezes* nas chamas do julgamento do Refinador. Ver Sl 12.6.

A casta sacerdotal será como *ouro fino*, purificado e precioso. O julgamento deve começar na casa do Senhor (Jr 25.29; Ez 9.6; 1Pe 4.17). Ele remove de seus santos toda a escória, e, quando o trabalho terminar, eles sairão do forno purificados e restaurados. O trabalho divino não pode falhar e é sempre benéfico. Cf. Rm 8.29; Jó 23.10; Sl 66.10; Pv 17.3; Is 48.10; Hb 12.10.

■ 3.4

וְעָֽרְבָה֙ לַֽיהוָ֔ה מִנְחַ֥ת יְהוּדָ֖ה וִירֽוּשָׁלִָ֑ם כִּימֵ֣י עוֹלָ֔ם וּכְשָׁנִ֖ים קַדְמֹנִיּֽוֹת׃

A casta sacerdotal, purificada, parará de oferecer sacrifícios defeituosos (Ml 1.12,13), transformando-se em uma companhia espiritual à altura de suas responsabilidades. Os sacerdotes cumprirão suas missões com perfeição para o benefício de todos. Yahweh ficará contente e aceitará seu serviço. Haverá acesso a Deus por seu ministério. Ver no *Dicionário* o verbete intitulado *Acesso*. Os abusos de Ml 1.6—2.9, tão graves e variados, serão eliminados. A época áurea voltará para Jerusalém quando a luz do dia perfeito brilhar. Haverá mudança no coração (Ml 2.6; Pv 4.23) e as ofertas se tornarão aceitáveis. Cf. Ml 2.12,13. Haverá sacrifício de louvor e vida dedicada; a sinceridade substituirá o profissionalismo cético. Ver Rm 12.1; Hb 13.15,16 e 1Pe 2.5. O próprio Deus se aproximará de seu povo (cf. 2.17, e ver Hb 11.4,5,6).

■ 3.5

וְקָרַבְתִּ֣י אֲלֵיכֶם֮ לַמִּשְׁפָּט֒ וְהָיִ֣יתִי ׀ עֵ֣ד מְמַהֵ֗ר בַּֽמְכַשְּׁפִים֙ וּבַמְנָ֣אֲפִ֔ים וּבַנִּשְׁבָּעִ֖ים לַשָּׁ֑קֶר וּבְעֹשְׁקֵ֣י שְׂכַר־שָׂ֠כִיר אַלְמָנָ֨ה וְיָת֤וֹם וּמַטֵּי־גֵר֙ וְלֹ֣א יְרֵא֔וּנִי אָמַ֖ר יְהוָ֥ה צְבָאֽוֹת׃

Chegar-me-ei a vós outros para juízo. Este versículo lista uma série de pecados representativos da casta sacerdotal, tão comuns nessa comunidade, todos terríveis e condenáveis. Por causa de tais atividades, o julgamento deve cair; o dia da retaliação não está longe.

Os sacerdotes estão na corte divina como réus, e Yahweh é o Juiz que sabe de tudo e não deixará nada deslizar. A luz do dia divino iluminará a cena inteira. O Juiz é também a testemunha principal e trará evidências esmagadoras contra a casta. O julgamento será conforme a *Lei Moral da Colheita segundo a Semeadura* (ver no *Dicionário*).

A lista de pecados alerta para o fato de que o julgamento será contra *toda a nação*, porque não havia um único homem inocente no país. Cf. Ez 20.34-38. Yahweh parecia indiferente e distante de seu povo (Ml 2.17), como eles afirmaram, mas, agora, ele se aproxima com sua espada terrível. Perguntaram "Onde está o Deus do juízo?" e receberam a resposta: "Está na casa de Israel para purificá-la". Os feiticeiros, adúlteros e pecadores de todo o tipo, culpados de perversidades, não escaparão. O julgamento não deixará escapar os que juraram falsamente, nem os que defraudaram o salário do jornaleiro, nem os que abusaram dos direitos dos estrangeiros. Os que não temeram ao Senhor terão pesadas razões para sentir terror quando chegar o dia da vingança. Ver no *Dicionário* o artigo assim denominado. Este termo frequentemente significa *espiritualidade* como entendida no Antigo Testamento: respeito ao divino e obediência à lei mosaica, com coração sincero, inspirado pelo Espírito. Outras vezes, como aqui, está em vista o temor literal, não meramente a expressão de uma fé sincera.

Referências contra feitiçaria (Êx 22.18), adultério (Êx 20.14; Lv 20.10), juramentos falsos (Lv 19.12), defraudação e injustiças sociais (Lv 19.33), abuso de viúvas e órfãos (Êx 22.22-24), abuso de estrangeiros (Dt 24.17; 27.29). Cf. Zc 7.9,10 e 8.16,17. A lei era o *guia* do povo (Dt 6.4 ss.), determinando as características da espiritualidade como entendida no Antigo Testamento. Mas o interesse próprio se tornou o guia da vida daquela casta sacerdotal. O julgamento mudaria tudo.

OS PECADOS DO POVO (3.6-12)

"Se o povo voltar para Deus, com uma medida completa de devoção, ele os abençoará. Cf. Nm 23.19; Hb 13.8; Tg 1.17" (*Oxford Annotated Bible*, comentando o vs. 6).

A diatribe contra os pecados, que debilitam e convidam o Juiz para aplicar seu remédio, continua. Os pecados do povo eram muitos e pesados, e uma justiça nua e crua (sem a moderação do amor) aniquilaria aquele povo, instantaneamente. Mas a misericórdia de Deus não aplicou o golpe por muito tempo, esperando uma melhora que nunca chegou.

■ 3.6

כִּי אֲנִי יְהוָה לֹא שָׁנִיתִי וְאַתֶּם בְּנֵי־יַעֲקֹב לֹא כְלִיתֶם׃

Eu, o Senhor, não mudo. Yahweh, provocado até ao limite, não se torna menos misericordioso. Seu amor continua brilhando e suas misericórdias são sempre fortes e por isso os homens não são consumidos (Lm 3.22).

> *Ou desprezas a riqueza da sua bondade, e tolerância, e longanimidade, ignorando que a bondade de Deus é que te conduz ao arrependimento?*
>
> Romanos 2.4

Este versículo também garante que o julgamento, além de demorado, será moderado para não destruir Israel completamente. O *Pacto Abraâmico* não poderá ser quebrado; a nação ainda terá um destino brilhante, na luz do dia perfeito. "Foi por causa dos pactos antigos que Israel não foi destruído" (Adam Clarke, *in loc.*). O Targum diz: "... porque não modifiquei minha aliança". Ver no *Dicionário* o artigo denominado *Pactos*.

■ 3.7

לְמִימֵי אֲבֹתֵיכֶם סַרְתֶּם מֵחֻקַּי וְלֹא שְׁמַרְתֶּם שׁוּבוּ אֵלַי וְאָשׁוּבָה אֲלֵיכֶם אָמַר יְהוָה צְבָאוֹת וַאֲמַרְתֶּם בַּמֶּה נָשׁוּב׃

... vos desviastes dos meus estatutos. A idolatria-adultério-apostasia começou cedo na história de Israel e persistiu por longo tempo. Na geração de Malaquias, aquele povo se tornou perito em pecar e debochar, imitando as corrupções antigas da nação, misturando múltiplos pecados pagãos. Há muito a lei de Moisés tinha deixado de ser o guia. Eles nunca pararam de imitar homens impiedosos, flertando com a morte. Portanto, eram necessários o arrependimento decisivo e a volta para Yahweh. Voltando, Yahweh os veria e correria para encontrá-los no caminho, substituindo seus julgamentos por bênçãos abundantes. Israel podia reverter o andar na morte e correr para Yahweh a fim de receber vida. Cf. Êx 32.9 e Zc 1.3. O povo quis saber "como voltar". A resposta foi: "Abandone seus pecados e caminhos ímpios". Havia necessidade urgente de uma reforma moral e espiritual. Cf. Ml 1.7; 2.17; 3.8,13. O povo precisava desenvolver *sensibilidade* à natureza mortífera do pecado (ver Mt 3.3).

■ 3.8

הֲיִקְבַּע אָדָם אֱלֹהִים כִּי אַתֶּם קֹבְעִים אֹתִי וַאֲמַרְתֶּם בַּמֶּה קְבַעֲנוּךָ הַמַּעֲשֵׂר וְהַתְּרוּמָה׃

Roubará o homem a Deus? O pecado que encabeça a lista é seu *roubo* a Deus. Eles roubaram a Deus, não trazendo as ofertas exigidas pela lei de Moisés, substituindo-as por animais defeituosos; também não trouxeram as ofertas necessárias para o sustento do ministério e do culto no templo. Foram ladrões das coisas divinas, um crime agravado. Fizeram ampla provisão para si mesmos, mas esqueceram a parte espiritual. Sua apostasia era uma situação de "tudo para mim". "Falando asperamente, Israel foi acusado de ser *ladrão*. Roubar o povo (como nos abusos comerciais) era uma infração pesada; somente um tolo tentaria roubar Deus, mas eles não hesitaram em fazer exatamente isso (Craig A. Blaising, *in loc.*). Aben Ezra relata que eles "tinham um olho maldoso", procurando riquezas e prazeres como alvos da vida, um bando de hedonistas. Servindo a si mesmos, esqueceram o culto a Yahweh. Negligenciaram a fé, ocupados em autoglorificação (cf. Mt 22.21). O *dízimo* era o mecanismo para sustentar os levitas (Lv 27.30,31), mas essa obrigação caiu em desuso. Havia *outro dízimo* em favor dos levitas e suas famílias, para suas refeições no templo (ver Dt 12.18, para a natureza destas ofertas extras). Havia *ofertas especiais* para os pobres (Dt 14.28,29) e também *primícias* (ver no *Dicionário*). Ver também Dt 18.4, para detalhes sobre o assunto. Confessadamente, o peso dos "impostos" era grande, mas carregar "aquele peso" era parte importante da espiritualidade do Antigo Testamento. Ver no *Dicionário* o artigo intitulado *Dízimo*.

■ 3.9

בַּמְּאֵרָה אַתֶּם נֵאָרִים וְאֹתִי אַתֶּם קֹבְעִים הַגּוֹי כֻּלּוֹ׃

Porque a mim me roubais, vós, a nação toda. A nação inteira tinha roubado de Deus sua porção das riquezas do país. Não havia desculpa, porque a lei de Moisés havia dado instruções precisas sobre as obrigações. Uma maldição cairia sobre os infratores, porque eles se tornaram culpados de crimes religiosos. Os versículos que se seguem descrevem a natureza da maldição: as ceifas falharão; haverá pragas, seca e diversos outros tipos de punições. Yahweh abrirá o arsenal de armas dos céus contra aqueles rebeldes, que sofrerão guerra santa. Ver Dt 28.38-40 e cf. Ml 2.2 e 3.11. É *negócio ruim* reter todo o dinheiro e recursos para si próprio, enquanto há necessitados por aí. A generosidade faz o dinheiro fluir para todos. "Nenhum homem jamais perdeu coisa alguma servindo a Deus com todo o coração, e nenhum homem ganhou nada servindo a si mesmo com todo o coração" (Fausset, *in loc.*).

■ 3.10

הָבִיאוּ אֶת־כָּל־הַמַּעֲשֵׂר אֶל־בֵּית הָאוֹצָר וִיהִי טֶרֶף בְּבֵיתִי וּבְחָנוּנִי נָא בָּזֹאת אָמַר יְהוָה צְבָאוֹת אִם־ לֹא אֶפְתַּח לָכֶם אֵת אֲרֻבּוֹת הַשָּׁמַיִם וַהֲרִיקֹתִי לָכֶם בְּרָכָה עַד־בְּלִי־דָי׃

Trazei todos os dízimos à casa do tesouro... e provai-me nisto. Dar abundantemente garante receber abundantemente. Os dízimos e as ofertas deveriam ser dados. Deus encoraja a generosidade, prometendo que o homem generoso verá as bênçãos de Deus caindo dos céus em abundância; haverá chuvas de bênçãos (Ez 34.26).

Assim, a *Lei Moral da Colheita segundo a Semeadura* (ver no *Dicionário*) será cumprida. Cf. Gl 6.7,8. Existem leis espirituais, entre as quais a que governa a generosidade. Ver no *Dicionário* os artigos *Liberalidade*, *Generosidade* e *Amor*, que é a inspiração da generosidade. Se o homem paga seus débitos a Deus, o Poder do alto cuida dele na hora de necessidade. Ó Senhor, concede-nos tal graça! Os pactos de Yahweh eram intenções divinas de doar abundantemente a seu povo. Como já se disse: "Não se pode dar mais do que Deus".

Casa do tesouro. Havia salas especiais no templo para armazenar os dízimos de grãos e as primícias (ver 1Rs 7.51; Ne 10.38; 13.12). Mas o homem generoso receberá tanto, que não terá espaço para armazenar tudo o que obtiver das mãos de Deus.

Deus pode fazer-nos abundar em toda graça, a fim de que, tendo sempre, em tudo, ampla suficiência, superabundeis em toda boa obra.

2Coríntios 9.8

O homem deve testar esta lei espiritual, esquecendo seus receios de perda, e verá que a lei é válida e operacional.

■ 3.11

וְגָעַרְתִּי לָכֶם בָּאֹכֵל וְלֹא־יַשְׁחִת לָכֶם אֶת־פְּרִי הָאֲדָמָה וְלֹא־תְשַׁכֵּל לָכֶם הַגֶּפֶן בַּשָּׂדֶה אָמַר יְהוָה צְבָאוֹת:

A vossa vide no campo não será estéril. Muitas coisas podem devorar a substância de um homem, caso ele não esteja andando de acordo com os princípios espirituais, inclusive aquele que governa o "dar e receber". Mas Deus é capaz de cobrir efetivamente todos os devoradores. Israel era uma sociedade agrícola, e os devoradores de ceifas (pragas, seca etc.) eram ameaças constantes. *Yahweh-Sabaote* (o Senhor dos Exércitos) pronunciou em favor dos generosos, pois tinha o poder de fazer a nação prosperar, *caso* ela obedecesse às regras do jogo. Os atos morais dos homens controlam sua prosperidade. A carteira do homem justo nunca ficará vazia, porque Deus sabe como enchê-la e, de fato, abundantemente. Mas o homem ganancioso, mesquinho, encontrará sua carteira vazia.

Diz o Senhor dos Exércitos. *Yahweh-Sabaote,* título divino que ocorre 24 vezes nesse livro, enfatizando o poder do General dos Exércitos, que faz o que quer nesta terra. Ver notas sobre o título em Ml 1.4.

■ 3.12

וְאִשְּׁרוּ אֶתְכֶם כָּל־הַגּוֹיִם כִּי־תִהְיוּ אַתֶּם אֶרֶץ חֵפֶץ אָמַר יְהוָה צְבָאוֹת: ס

Todas as nações vos chamarão de felizes, porque vós sereis uma terra deleitosa. Quando as bênçãos de Deus inundam um homem, outras pessoas observam e se maravilham, cobiçosas, esquecendo que foi a *generosidade* divina que trouxe aquele dilúvio de bênçãos. Como diz um hino: "Não há segredo no que Deus pode fazer". O povo dirá: "Como os gafanhotos não atacaram as terras dele, enquanto devoraram os grãos das demais?" Aprenderão que o povo próspero é aquele que obedece às leis divinas. O General dos Exércitos intervém, proporcionando recursos sem-fim. O *teísmo bíblico* ensina que o Criador não abandonou sua criação, mas está presente, para intervir, castigar os maus e abençoar os justos e generosos.

Cf. Zc 7.14; 8.13-24; Is 62.4; Dn 9.16. O Targum traz: "... todas as nações louvarão, porque habita na terra do *Shekinah*".

QUE UTILIDADE TEM O SERVIÇO A YAHWEH? (3.13—4.3)

■ 3.13,14

חֲזָקוּ עָלַי דִּבְרֵיכֶם אָמַר יְהוָה וַאֲמַרְתֶּם מַה־נִּדְבַּרְנוּ עָלֶיךָ:

אֲמַרְתֶּם שָׁוְא עֲבֹד אֱלֹהִים וּמַה־בֶּצַע כִּי שָׁמַרְנוּ מִשְׁמַרְתּוֹ וְכִי הָלַכְנוּ קְדֹרַנִּית מִפְּנֵי יְהוָה צְבָאוֹת:

Inútil é servir a Deus. Por que servir a Deus? O que o homem ganha? O povo iníquo pronunciou palavras duras contra Yahweh, declarando não ter ganho nada, servindo-o. Cínicos audaciosos até escarneceram da religião. O coração deles era duro como suas palavras.

Eram "o povo do coração duro" (Dt 15.7; Pv 28.14) e da cerviz dura (Êx 32.9; Dt 9.6); eram arrogantes e perversos, como o demonstrou sua linguagem tola (Pv 4.24; 6.12; 8.13; 21.23). Ver no *Dicionário* sobre *Linguagem, Uso Apropriado da.*

Entre as coisas duras que eles falaram, estava o absurdo de que é inútil servir a Deus. Talvez eles retivessem a *crença* em Deus, mas agissem como *ateus práticos,* dirigindo sua vida segundo desejos iníquos. Cf. Sl 14.1; 42.3; e 73.11.

Eles conduziram sua vida como se Deus não existisse, tornando-se pequenos deuses mortais, procurando satisfação em coisas vãs. Sua adoração, caso a tivessem, era oca; seu serviço, vazio; sua espiritualidade, inútil, não produzindo resultado notável. Foram infiéis, mas quiseram a recompensa devida aos fiéis; foram pecadores, mas quiseram os benefícios próprios dos justos. O *ateísmo prático* e teórico quase sempre resulta do *Problema do Mal,* isto é, do *sofrimento humano* que não tem uma explicação muito boa. Ver este título no *Dicionário,* para uma discussão detalhada. Sofrimentos endurecem o coração, pervertem a mente, cansam o espírito e destroem a esperança. De fato, as provações frequentemente anulam a fé de muitos. O que vale a fé religiosa se não funciona, se não dá resultados positivos? Os místicos falam piedosamente do amor puro a Deus, sem exigir nada de volta, mas o homem em geral não entende nada desse tipo de expressão espiritual. O homem comum de Judá quis curas de doenças, segurança contra os ataques de exércitos estrangeiros, dinheiro suficiente para viver razoavelmente bem, uma medida decente de prazeres, crianças saudáveis, liberdade de opressões e vida longa, escapando da desgraça de uma morte prematura.

Andar de luto diante do Senhor. Eles se queixaram que até o arrependimento não havia trazido nenhuma mudança de fortuna, como os profetas tinham prometido.

■ 3.15

וְעַתָּה אֲנַחְנוּ מְאַשְּׁרִים זֵדִים גַּם־נִבְנוּ עֹשֵׂי רִשְׁעָה גַּם בָּחֲנוּ אֱלֹהִים וַיִּמָּלֵטוּ:

Nós reputamos por felizes os soberbos; também os que cometem impiedade prosperam, sim, eles tentam ao Senhor, e escapam. As pessoas que prosperavam eram justamente as maldosas, que rejeitaram o teísmo dos profetas e fizeram de si mesmos pequenos deuses. Os homens que abusaram de seus vizinhos recolheram muitos benefícios; os que declararam que a religião é somente um refúgio para mentes fracas conseguiram tudo o que quiseram, deixando os religiosos na miséria. Os orgulhosos foram felizes, mas os humildes ficaram desolados.

Assim, os humildes poderiam falar: "Onde está o Deus do juízo?" (Ml 2.17). As promessas dos profetas, de que "algum dia as coisas mudariam em favor dos justos", ficaram vazias na presença de tanto sofrimento e injustiça.

Os homens ímpios continuam seu deboche, ouvindo dizer que Deus os golpeará, mas nunca recebem golpe nenhum. Estavam arriscando-se com Deus e escapando de toda a consequência adversa. Eles desafiaram o próprio Deus e ganharam! Deus, para eles, era indiferente, não prestando atenção às atividades humanas (ver Sl 10.1; 28.1 e 59.4). Ou Deus é, de fato, o Deus do *Deísmo* (ver a respeito no *Dicionário*), que, depois de criar o universo, o abandonou aos cuidados das leis naturais.

■ 3.16

אָז נִדְבְּרוּ יִרְאֵי יְהוָה אִישׁ אֶת־רֵעֵהוּ וַיַּקְשֵׁב יְהוָה וַיִּשְׁמָע וַיִּכָּתֵב סֵפֶר זִכָּרוֹן לְפָנָיו לְיִרְאֵי יְהוָה וּלְחֹשְׁבֵי שְׁמוֹ:

Os que temiam ao Senhor falavam uns aos outros; o Senhor atentava e ouvia. Em contraste com aqueles reprovados, alguns poucos genuinamente piedosos escaparam da armadilha do ateísmo prático. Os ouvidos do Senhor estavam abertos aos pedidos dos justos que seriam enriquecidos espiritual e materialmente.

Havia um memorial escrito diante dele. Este *livro de lembranças* provavelmente não se refere a uma recompensa além do sepulcro, mas era uma fonte de esperanças dos judeus e, num dia posterior, tornou-se uma expectativa de imortalidade. Os ímpios serão julgados e os justos serão recompensados, afinal. No cristianismo, o apelo à imortalidade, com seus julgamentos e glorificação, é fundamental para aliviar o desespero do *Problema do Mal* (ver no *Dicionário*). Mesmo assim, é difícil entender por que, aqui e agora, os sofrimentos são tão grandes e aparentemente irracionais. Ver o *argumento moral* de Kant, para comprovar a existência da alma humana e a sobrevivência à morte biológica, que tem aplicação no presente versículo, nas notas sobre o vs. 1.

O rolo de lembrança significa que há um registro permanente das ações dos justos, que nunca serão esquecidas. A promessa traz conforto aos oprimidos: haverá uma ocasião em que a luz do dia perfeito brilhará. Ver *Alma*, no *Dicionário*, e *Imortalidade*, na *Enciclopédia de Bíblia, Teologia e Filosofia*, onde são apresentados diversos artigos. Ver também *Livro da Vida*, conceito semelhante à "um memorial escrito".

Características dos Justos. Eles retiveram as esperanças quando não havia muita razão para esperar. Conservaram a fé quando o raciocínio frio podia tê-la destruído.

Mantiveram a espiritualidade, o "temor ao Senhor", quando outros abandonaram toda a lealdade a Yahweh. Ver sobre *Temor*, no *Dicionário*, e anotações adicionais, em Sl 119.38 e Pv 1.7. Eles agiram como uma comunidade para apoio mútuo, trocando ideias, confortando e aconselhando uns aos outros.

Guardaram a visão da glória do Senhor ante seus olhos; respeitaram o nome de Yahweh, não deslizando para o ateísmo prático. Ver sobre *Nome*, no *Dicionário*, e em Sl 31.3. Ver sobre *Nome Santo*, em Sl 30.4 e 33.21.

■ **3.17**

וְהָיוּ לִי אָמַר יְהוָה צְבָאוֹת לַיּוֹם אֲשֶׁר אֲנִי עֹשֶׂה סְגֻלָּה וְחָמַלְתִּי עֲלֵיהֶם כַּאֲשֶׁר יַחְמֹל אִישׁ עַל־בְּנוֹ הָעֹבֵד אֹתוֹ׃

Eles serão para mim particular tesouro. Porque têm as suas obras escritas no livro de lembranças de Yahweh, os justos serão, afinal, a *possessão especial* do Senhor; serão o *tesouro* do Senhor, como fala a Atualizada. Isto acontecerá no *dia escatológico*, quando o reino do Messias for estabelecido. Yahweh será o Pai, e eles, seus filhos diletos. Como o pai mostra misericórdia para com seu filho, os justos receberão a misericórdia do Senhor e serão eternamente beneficiados. Para o conceito de *possessão especial* de Yahweh, ver Êx 19.5 e Sl 103.17,18. A resposta dada por Yahweh aos piedosos é praticamente a mesma vista em Ml 2.17—3.6. É a *resposta escatológica*, que Deus dará afinal. Ela alivia, pelo menos em parte, o *Problema do Mal*. Os justos serão recebidos como *filhos* (Ml 1.6 e 2.10). Ver sobre *Paternidade de Deus*, no *Dicionário*.

■ **3.18**

וְשַׁבְתֶּם וּרְאִיתֶם בֵּין צַדִּיק לְרָשָׁע בֵּין עֹבֵד אֱלֹהִים לַאֲשֶׁר לֹא עֲבָדוֹ׃ ס

Então vereis outra vez a diferença entre o justo e o perverso. A indiferença aparente de Deus desaparecerá, e ficará claro que não é em vão que se serve ao Senhor (Ml 3.14). E ninguém poderá perguntar: "Onde está o Deus do juízo?" (Ml 2.17). Haverá aguda distinção entre os bons e os maus, os que desprezaram o serviço sagrado e os que não agiram assim. O mal será castigado decisivamente, e o bom receberá a devida recompensa. A *Lei Moral da Colheita segundo a Semeadura* dará a última palavra. Ver este título no *Dicionário*. Com estas afirmações, o autor procura encorajar os piedosos a continuar no caminho de retidão, e adverte os ímpios que seus dias estão contados. Pense-se na distinção que Deus fez entre Israel e o Egito, na questão da escuridão miraculosa (Êx 10.23). Esse incidente ilustra bem o presente versículo.

"Naquele dia, se não antes, será revelado quem foram os verdadeiros sábios e quem foram os tolos" (Adam Clarke, *in loc.*).

CAPÍTULO QUATRO

Não há interrupção entre os capítulos 3 e 4, sendo que a seção começou em Ml 3.13. Esta seção termina com um tipo de hino, um *Dies Irae*, descrição viva do dia do julgamento que virá. "Como tantos trechos do gênero, nos apocalipses posteriores (cf. Mt 3.10-12), a chegada do dia da ira de Deus é descrita como um *fogo* todo-consumidor que aniquilará os ímpios agora aparentemente tão fortes. Eles serão consumidos como um punhado de palha" (Robert C. Dentan, *in loc.*). Cf. Ml 3.2-5.

■ **4.1** (na Bíblia hebraica corresponde ao **3.19**)

כִּי־הִנֵּה הַיּוֹם בָּא בֹּעֵר כַּתַּנּוּר וְהָיוּ כָל־זֵדִים וְכָל־עֹשֵׂה רִשְׁעָה קַשׁ וְלִהַט אֹתָם הַיּוֹם הַבָּא אָמַר יְהוָה צְבָאוֹת אֲשֶׁר לֹא־יַעֲזֹב לָהֶם שֹׁרֶשׁ וְעָנָף׃

Pois eis que vem o dia, e arde como fornalha. *O julgamento de fogo* de Deus é como um forno. Ml 3.2-5 enfatiza as propriedades de *refinação* deste fogo, mas aqui o tema é o poder *destrutivo*. Ver no *Dicionário* o artigo denominado *Forno*, para um tratamento completo, inclusive dos usos metafóricos dessa palavra. Cf. Is 66.15; Sf 1.18 e 3.8. O julgamento será severo e completo, consumindo tudo como se fosse restolho. A planta da maldade se tornará cinzas, das raízes aos ramos mais altos.

O presente texto não tem nada a ver com o julgamento da alma no mundo além do sepulcro; não descreve o julgamento escatológico da terra. Ver minhas opiniões sobre a natureza do julgamento vindouro, no artigo *Julgamento de Deus dos Homens Perdidos*, na *Enciclopédia de Bíblia, Teologia e Filosofia*. Todos os julgamentos de Deus são restauradores, não meramente retributivos. Ver as notas em 1Pe 4.6, no *Novo Testamento Interpretado*. O amor de Deus escreverá o capítulo final da história humana. Deus não deixará os homens no meio da tempestade, uma vez que fizer seu trabalho de refinação. Ver *Restauração*, na *Enciclopédia de Bíblia, Teologia e Filosofia*. Cf. Ob 18, e Mt 3.2. Os pecadores arrogantes terão seu dia de ajuste de contas. *Yahweh-Sabaote*, o General dos Exércitos, usará seu poder para garantir justiça, direcionando o destino dos homens e operando de acordo com a lei moral.

■ **4.2** (na Bíblia hebraica corresponde ao **3.20**)

וְזָרְחָה לָכֶם יִרְאֵי שְׁמִי שֶׁמֶשׁ צְדָקָה וּמַרְפֵּא בִּכְנָפֶיהָ וִיצָאתֶם וּפִשְׁתֶּם כְּעֶגְלֵי מַרְבֵּק׃

Para vós outros que temeis o meu nome nascerá o sol da justiça, trazendo salvação nas suas asas. Uma metáfora exaltada ilustra a bem-aventurança dos justos. Haverá cura divina para os que entrarem no reino do Messias. O *Sol da Justiça* se levanta com asas poderosas e voa acima dos justos. Esta metáfora augusta deriva da fé egípcia, que se espalhou a outras religiões do Oriente Próximo. O disco do sol com asas se levanta acima do povo, trazendo vida, proteção e abundância. Os justos receberão a cura de todos os seus males e saúde perfeita para usufruir tudo o que os poderes divinos oferecem. Haverá realização de todas as esperanças; haverá alegria e triunfo com o fim das ansiedades e do sofrimento. O *Problema do Mal* terá solução definitiva. Ver as notas em Ml 2.17, e o artigo com esse título, no *Dicionário*. O uso feito pelo profeta do disco solar com asas, o *Sol da Justiça* (nas suas mãos), aparece somente aqui, em toda a Bíblia. Seus significados principais são: 1. o Messias na sua missão salvadora e restauradora; 2. o dia do Senhor que inaugura o reino de Deus.

Asas. As *asas* provavelmente se referem aos *raios* solares, onde a vida é gerada, as doenças são curadas, e as almas são renovadas. Sem estes raios a vida é impossível. Haverá alegria inefável e cheia de glória. Ver At 8.8; 13.52; 20.24; Rm 14.17; Gl 5.22; Fp 1.4 e 1Pe 1.8. "O sol da retidão de Deus simboliza saúde e vindicação (2Sm 23.4; Sl 84.11; Is 60.1)" (*Oxford Annotated Bible*, comentando o vs. 2).

Talvez a figura se refira ao sol como um pássaro gigante que monta sobre asas poderosas, voando alto no céu, enquanto seus raios cobrem a terra inteira, curando todas as suas habitações.

"Como o sol, que com seus raios de luz e calor revivifica, alegra e frutifica a criação inteira, espalhando luz e vida, pelo poder de Deus, em toda parte, assim Jesus Cristo, pela influência de sua graça e Espírito, vivificará, iluminará, esquentará, vigorará, curará, purificará e refinará a alma de todos os que têm fé nele. Por suas *asas* ou *raios*, derramará bênçãos de um lado do céu para o outro" (Fausset, *in loc.*).

Saltareis como bezerros soltos na estrebaria. A metáfora exaltada do Sol agora cede a uma humilde ilustração de bezerros que têm bastante para comer e são libertados de seu confinamento em estábulos. Assim, podem vaguear nos campos, regozijando-se com a liberdade. Os bezerros, em todos os sentidos, recebem os cuidados carinhosos do fazendeiro. Cf. Am 6.4; 1Sm 28.24. Temos aqui as promessas do Sl 23, a satisfação de todas as nossas necessidades: "O Senhor é o meu pastor, nada me faltará".

"A alegria suprema dissipará as sombras da tristeza atual, e os abençoados, libertados de seus males, sairão de seus confinamentos mortais para experimentar a bênção poderosa de Deus. Cf. Is 65.17-25; Os 14.4-7; Am 9.13-15; Sf 3.19,20. "Agirá como bezerros liberados de todas as suas restrições" (Septuaginta). O bezerro, já bem alimentado, ganha a *liberdade*, a possessão mais preciosa que um homem pode ter.

■ 4.3 (na Bíblia hebraica corresponde ao 3.21)

וְעַסּוֹתֶם רְשָׁעִים כִּי־יִהְיוּ אֵפֶר תַּחַת כַּפּוֹת רַגְלֵיכֶם
בַּיּוֹם אֲשֶׁר אֲנִי עֹשֶׂה אָמַר יְהוָה צְבָאוֹת: פ

Pisareis os perversos porque se farão cinzas debaixo das plantas de vossos pés. *A Metáfora da Destruição.* Do alto, descemos para baixo, onde encontramos condições opostas à do vs. 2. A aniquilação dos pecadores contrasta com a bem-aventurança dos justos. Yahweh, independentemente, e através de Israel, pisará todos os seus inimigos, reduzindo-os a pó. Isto acontecerá quando Deus demonstrar, de maneira viva e terrível, sua justiça, ajustando as contas das eras. Yahweh-Sabaote (o General dos Exércitos) usará o seu poder ilimitado para determinar o destino dos ímpios. Seu *decreto* assim pronunciou, e assim será. Artefatos encontrados pela arqueologia mostram reis orientais pisando o pescoço de inimigos derrotados. Cf. Js 10.24. Os céticos tinham perguntado: "Onde está o Deus do juízo?" (Ml 2.17). Os vss. 2,3 deste capítulo fornecem as respostas. Ele aparecerá para curar e beneficiar os justos, e para pisar seus inimigos, no julgamento dos últimos dias. A lei moral será a base do julgamento, e a lei da colheita segundo a semeadura será satisfeita (Gl 6.7-8). Toda a vida humana será afetada, todas as nações e o próprio cosmos também. A pergunta cínica de Ml 3.14. "O que nos aproveitou termos cuidado em guardar os seus preceitos?", será finalmente respondida. Cf. 2Sm 22.43; Sl 47.3; Zc 10.5; 1Co 6.2; Ap 2.26,27 e 19.14,15.

A CONCLUSÃO DO LIVRO DOS DOZE (4.4-6)

A conclusão de Malaquias também conclui os *Profetas Menores* (ver no *Dicionário*), que os judeus chamaram de *Livro dos Doze,* preservados num único rolo. Ver as anotações informativas sob o título, *Ao Leitor,* imediatamente antes do início da exposição.

"Os vss. 4-6 contêm apêndices que trazem exortações adicionais para encorajar a obediência ao pacto, com seus muitos estatutos e ordenanças. Identificam também o *precursor*, o mensageiro de Ml 3.1, afirmando que é Elias, o profeta" (*Oxford Annotated Bible*, comentando o vs. 4).

"Quando o editor organizou o conteúdo de Malaquias para publicação, acrescentou uma declaração que encerrava o Livro dos Doze, sumariando os ensinamentos principais. Cf. esta anotação editorial com Eclesiastes 12.13,14, onde há semelhante diretriz. Se a conclusão tivesse sido escrita por Malaquias, obviamente teria servido para terminar só o livro dele. Ele não tinha a coleção inteira para concluí-la com uma declaração final.

■ 4.4 (na Bíblia hebraica corresponde ao 3.22)

זִכְרוּ תּוֹרַת מֹשֶׁה עַבְדִּי אֲשֶׁר צִוִּיתִי אוֹתוֹ בְחֹרֵב עַל־
כָּל־יִשְׂרָאֵל חֻקִּים וּמִשְׁפָּטִים:

Lembrai-vos de Moisés, meu servo. A lei foi a essência da fé dos hebreus, sendo o *guia* da vida espiritual (Dt 6.4 ss.); a *fonte da vida* (Dt 4.1; 5.33; 6.2; Ez 20.11); e o que tornou Israel uma *nação distinta* (Dt 4.4-8). Mas não obedecida, tornou-se maldição e julgamento consequente (Dt 27.15 ss.). Até os Provérbios, com todas as suas anotações adicionais na forma de ditados poéticos e filosóficos, basearam-se na lei de Moisés. Foi assim que o profeta encorajou o povo a lembrar a lei que Moisés havia trazido do Sinai (Horebe). Moisés era o alicerce da fé judaica, o instrumento para aquela dispensação antiga. A lei foi entregue no monte *Horebe* (ver no *Dicionário*), que significa *Sinai* (ver também no *Dicionário*). Ver as notas em Dt 5.1-3. Ver o artigo *Dez Mandamentos,* base de toda a conduta moral, elaborados com muitas outras leis e ordenanças, todos projetando o mesmo tipo de espiritualidade que domina o Antigo Testamento. O profeta não antecipou a grande mudança da forma de espiritualidade que o Messias traria. O livro do Novo Testamento, Hebreus, descreve em detalhes a profundidade dessa mudança. Houve um *novo pacto* antecipado (Jr 31.32), mas isso não se refere ao Novo Testamento da igreja cristã.

■ 4.5 (na Bíblia hebraica corresponde ao 3.24)

הִנֵּה אָנֹכִי שֹׁלֵחַ לָכֶם אֵת אֵלִיָּה הַנָּבִיא לִפְנֵי בּוֹא יוֹם
יְהוָה הַגָּדוֹל וְהַנּוֹרָא:

Eis que vos enviarei o profeta Elias. *A Identidade do Mensageiro.* Este versículo nos remete a Ml 3.1, tentando identificar o *mensageiro* daquele trecho. Na exposição sobre aquele versículos, são apresentadas *cinco* interpretações. O autor de Ml 4.5 ss. diz que Elias foi o *precursor* do dia escatológico, do grande dia de julgamento. As palavras certamente vão além de qualquer instrumento humano, apontando para o *empregador* do instrumento, e não meramente para o instrumento usado. Elias foi a escolha do editor da conclusão do livro provavelmente porque a tradição falava que ele não havia morrido, mas fora arrebatado para os céus. Assim, ficou estabelecido para uma possível volta, a fim de cumprir outra missão no final dos tempos. Jesus interpretou esta tradição referindo-se a João Batista como seu precursor (Mt 11.7-10). Talvez esteja em vista uma reencarnação da mesma entidade, ou João Batista continuaria a missão de Elias, em espírito, sem ser a reencarnação dele. As tradições judaicas comumente imputaram aos grandes profetas outras missões, que necessitaram de reencarnações; por exemplo, Moisés voltou como Jeremias, mas isso faz parte do judaísmo posterior. Elias ganhou, na literatura apocalíptica posterior, posição especial. Ver Ec 48.10; Mc 6.15; 9.4,11. Na literatura rabínica (Misna, Baba Metzia 1.8; 2.8; 3.4-5 e *Eduyouth* 8.7), o ministério cósmico de Elias adquiriu novos aspectos, incluindo o anúncio e a preparação do julgamento, a facilitação da restauração de Israel, a união de pais e filhos curando todos os conflitos familiares, e a união do judaísmo para receber sua exaltação no dia escatológico. O dia terrível do Senhor deve ser planejado e executado com precisão, e Elias teria uma atividade especial para facilitar essa realização.

Embora o presente trecho seja o único do Antigo Testamento que fale sobre a *repetição* de missões de um profeta, o conceito ficou comum no judaísmo posterior. A Cabala aceitou e promoveu a reencarnação como verdade divina, que por longo tempo fora escondida do povo, mas finalmente acabou revelada. Foi assim que essa doutrina se tornou parte do conceito "dos profetas voltando" para servir de novo. O desenvolvimento do conceito é realmente antigo, como mostra Mt 16.13,14: "Quem diz o povo ser o Filho do homem? E eles responderam: Uns dizem: João Batista; outros: Elias; e outros: Jeremias, ou algum dos profetas". A *opinião popular* identificou Jesus com um dos profetas antigos. Os rabinos posteriores, aceitando a ideia da reencarnação, anteciparam a volta de antigos profetas. Ver a exposição em Mt 16.14, no *Novo Testamento Interpretado*, que entra em detalhes. Um problema interpretativo neste trecho é o de que João Batista assistiu ao primeiro advento de Cristo, tendo sido Elias predestinado para assistir ao seu segundo advento no dia escatológico. Mas devemos lembrar que o segundo advento foi distinguido do primeiro somente no Novo Testamento.

Note-se bem que Moisés e Elias são unidos nesta seção final do Antigo Testamento, como o foram também na transfiguração de Jesus, em Mt 17. Alguns intérpretes então os veem unidos, de novo, como as duas testemunhas de Ap 11. Combinando-se as diversas uniões, temos a Lei e os Profetas representados como glorificando Jesus, o Cristo, o Salvador do mundo.

■ 4.6 (na Bíblia hebraica corresponde ao 3.25)

וְהֵשִׁיב לֵב־אָבוֹת עַל־בָּנִים וְלֵב בָּנִים עַל־אֲבוֹתָם
פֶּן־אָבוֹא וְהִכֵּיתִי אֶת־הָאָרֶץ חֵרֶם:

Ele converterá o coração dos pais aos filhos, e o coração dos filhos a seus pais. Parte do trabalho do *mensageiro* será o de trazer paz e harmonia a Israel. Haverá amor mútuo nas famílias e entre os irmãos e irmãs do povo. O *coração dos pais* estará gentilmente à disposição de seus filhos, que os amarão. Velhos conflitos e ódios serão abolidos, na atmosfera de respeito mútuo. O amor de Deus vencerá a batalha, afinal. A velha idolatria-adultério-apostasia de Israel será aniquilada pela vitória do culto a Yahweh, que proporcionará salvação para todos.

> *E assim todo o Israel será salvo, como está escrito: Virá de Sião o Libertador, ele apartará de Jacó as impiedades.*
> Romanos 11.26

Para que eu não venha e fira a terra com maldição. Contrariamente, os homens (judeus ou gentios) que não obedecem a Yahweh, promovendo seus próprios interesses, e quebram a unidade da comunidade, sofrerão a maldição de Yahweh, que não permitirá que nada "azede" a realização da restauração. A terra de Israel ou a dos gentios compartilhará a maldição caso se oponham ao propósito de Deus no *reino do Messias*.

Assim, com esta palavra terrível, *maldição*, o Antigo Testamento termina. De um ponto de vista, este final é infeliz, porque *mancha* a última página do *Antigo Testamento*, que é uma grande coleção de escritos espirituais. O profeta podia ter acabado seu livro de uma maneira mais elegante. De outro ponto de vista, o término é apropriado, porque, em última análise, a Lei trouxe uma maldição para a humanidade, fazendo uma exigência que os homens não poderiam efetuar.

> *Maldito todo aquele que não permanece em todas as cousas escritas no livro da lei, para praticá-las. E é evidente que pela lei ninguém é justificado diante de Deus, porque o justo viverá pela fé.*
> Gálatas 3.10,11

O novo pacto em Jesus, o *Novo Testamento,* tirou a maldição das costas da humanidade.

Os rabinos, sensíveis ao modo inconveniente como terminou o "Livro dos Doze", ordenaram que, em todas as leituras públicas do fim de Malaquias, o vs. 5 fosse repetido, depois da leitura do vs. 6. Portanto, na liturgia, o vs. 5 termina a profecia de Malaquias e o Livro dos Doze.

É fato notável que o último *trecho* do Novo Testamento também contém uma maldição (Ap 22.18,19). Isto é remido com o *finis*:

> *A graça de nosso Senhor Jesus Cristo seja com todos vós. Amém.*

Adam Clarke fornece esta notícia, *in loc.*, terminando seu comentário sobre a Bíblia inteira, obra que consumiu mais de trinta anos de sua vida. Ele finalizou sua labuta no dia 28 de março de 1825 d.C.: "Nunca esperava viver tanto para ver minha obra totalmente realizada. Seja meu trabalho um meio para glorificar a Deus, o Altíssimo, e um instrumento para a paz e a boa vontade entre os homens nesta terra! Amém, Amém!"

"Hoje, dia 3 de dezembro de 1997, terminei o comentário sobre o *Antigo Testamento*, que finaliza minha labuta árdua de muitos anos, produzindo um comentário, versículo por versículo, de toda a Bíblia portuguesa. O *Novo Testamento Interpretado* foi publicado em 1979; a *Enciclopédia de Bíblia, Teologia e Filosofia*, em 1989. Levei trinta anos para completar esta obra gigantesca de aproximadamente 60.000 páginas. Vi a terra boa de Dã a Berseba por *três vezes!*

> Oh, à graça de Deus quão devedor eu sou,
> E diariamente sou constrangido a ser;
> Que a tua bondade, como uma algema,
> Prenda a ti o meu coração vagabundo.
> Robert Robinson

Agradeço pelas forças físicas, mentais e espirituais que me foram divinamente proporcionadas para realizar estes três projetos.

> Vinde, vinde ó santos,
> Nem trabalho nem labuta temam,
> Mas com alegria percorrei vosso caminho.
> Embora dura para vós pareça esta viagem,
> Não é assim. Tudo está bem.

Agradeço a Bill Barkley, que, durante todos os anos da minha produção literária, me encorajou, dando razões espirituais para não desistir.

Nesta viagem de trinta anos, tive a colaboração e os esforços infatigáveis do meu tradutor, João Marques Bentes. Que a recompensa de Deus o acompanhe em seu caminho.

Se alguém chegar, batendo na minha porta, deixá-lo-ei saber que:

> Eu estou indo pelo caminho superior;
> Aquele caminho que segura o sol.
> Estou subindo através das esferas estreladas,
> Onde os rios celestiais correm.
> Se você pensar em me procurar
> Na minha habitação escura de ontem,
> Achará este escrito que deixei na porta:
> "Ele está viajando no caminho superior".

Russell Norman Champlin, 3 de dezembro de 1997, Guaratinguetá, São Paulo, Brasil.

Está obra foi totalmente revisada e incluído o hebraico de 2014 a 2016.

Anotações

Anotações

Anotações

Anotações

Anotações

Anotações

Anotações

Anotações

Sua opinião é importante para nós.
Por gentileza, envie-nos seus comentários pelo e-mail:

editorial@hagnos.com.br

Visite nosso site:

www.hagnos.com.br